D0311947

DICTIONNAIRE ENCYCLOPÉDIQUE ILLUSTRÉ

PLURIDICTIONNAIRE

DICTIONNAIRE ENCYCLOPÉDIQUE ILLUSTRÉ

PLURIDICTIONNAIRE

53 000 articles

LANGUE FRANÇAISE
étymologies - prononciations
synonymes - contraires

ENCYCLOPÉDIE
histoire - géographie
beaux-arts - littérature
sciences et techniques

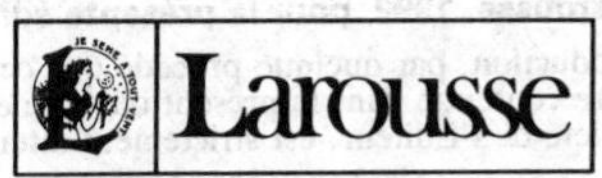

17, RUE DU MONTPARNASSE - 75298 PARIS CEDEX 06

Distributeur exclusif au Canada : Les Éditions Françaises Inc.

ISBN 2-03-320-142-2

direction de la publication

Patrice MAUBOURGUET

rédaction

Anne-Marie CATTAN, Christine EYROLLES-OUVRARD,
Catherine WISZNIAK, Béatrice GUTHART, Sylvain LABOUREUR,
et, au titre du *Dictionnaire du français contemporain :* Jean DUBOIS, René LAGANE,
Georges NIOBEY, Didier CASALIS, Jacqueline CASALIS, Henri MESCHONNIC.

ont collaboré à la nouvelle édition

Françoise DELACROIX et Mady VINCIGUERRA.
Jean-Noël CHARNIOT, Éric MARTIN, Édith YBERT

correction - révision

Bernard DAUPHIN, *chef du service de correction,*
Pierre ARISTIDE, Chantal BARBOT.

cartographie

Société française d'études et de réalisations cartographiques.
Michèle BÉZILLE, Geneviève PAVAUX.

dessin

Lucien LALLEMAND, *chef du service de dessin,*
Ernest BERGER, Mireille CHENU, Jacques DEUM,
Henri DEWITTE, Hubert NOZAHIC, Jacqueline PAJOUESH.

maquette

Serge LEBRUN.

principaux collaborateurs

BALLE (Francis), *professeur à l'université de droit, économie, sciences sociales de Paris-II.*
BOURSE (Francis), *interne des hôpitaux psychiatriques.*
CARRAY-PLANEL (Jacqueline), *professeur d'éducation musicale et producteur des émissions d'initiation à la musique de la radio scolaire.*
DALBANNE (Jacques), *ingénieur des Arts et Manufactures, chargé de travaux dirigés (gestion) à Paris-I et II, secrétaire général de la Rédaction.*
GALIANA (Thomas de), *ingénieur, secrétaire général de la Rédaction.*
LUZE (Gilles de), *licencié et titulaire d'une maîtrise de philosophie.*
MALZY (Pierre), *ingénieur agricole, d'agronomie tropicale, professeur de sciences naturelles et biologie à l'Institution Saint-Paul de Mamers.*
MEVEL (Catherine), *docteur ès sciences.*
MONSELLIER (Pascal), *agrégé de mathématiques, professeur au lycée Benjamin-Franklin d'Orléans.*
OIZON (René), *docteur ès lettres, secrétaire général de la Rédaction.*
TEMPELAERE (Marthe), *diplômée d'études supérieures de géographie.*
TERNY (Gisèle), *professeur de C. E. G. (1er cycle) au C. N. T. E. de Rouen.*
THIELLEMENT (Claude), *agrégé d'histoire, professeur au lycée Montaigne.*
TOUREN (Alain), *agrégé des sciences physiques, professeur de physique-chimie au lycée Saint-Louis et à l'E. N. S. E. T.*
TUR (Jean-Jacques), *professeur certifié d'histoire-géographie au lycée de Saint-Cloud.*

avant-propos

Le **Pluridictionnaire Larousse** est, tout à la fois, dictionnaire de langue et dictionnaire encyclopédique.

Dictionnaire de langue, il doit permettre à ceux qui prendront l'habitude de le consulter, d'acquérir (ou de vérifier) les bases fondamentales du français (orthographe, prononciation, étymologie), et de maîtriser les moyens d'expression (synonymes, contraires, niveaux de langue, sens ou constructions syntaxiques des mots).

Dictionnaire encyclopédique, il aidera chacun à accroître son savoir culturel, en lui fournissant des informations précises dans les divers domaines de la connaissance, historique, géographique, économique, littéraire, artistique, scientifique ou technologique.

• UN DICTIONNAIRE DE LANGUE.

Sur le plan du *vocabulaire*, on a considéré dans cet ouvrage que le mot était une unité de discours, définie par son contexte (situation et distribution), et on a distingué les homonymes sous des articles différents selon leurs emplois dans la phrase : ainsi **1. abattre** au sens de « jeter, renverser » *(Abattre un arbre)* a été séparé de **2. abattre** au sens d'« ôter des forces physiques ou morales » *(Cette forte fièvre l'abat)*. En revanche, on a regroupé les dérivés avec les termes de base : ***abattage*** *(L'abattage d'un arbre)*, ***abattant, abattoir*** avec **1. abattre** et ***abattement*** *(Cette fièvre l'a laissé dans un profond abattement)*, ***abattu, e,*** avec **2. abattre.** Cette méthode rend compte avec le plus de rigueur possible du fonctionnement de la langue et facilite l'acquisition du vocabulaire. En outre, des tableaux grammaticaux mettent en évidence les différences d'emploi et de sens **(à/de, jamais/toujours).**

Chaque mot souche est accompagné de sa *prononciation* indiquée en alphabet phonétique international.

L'*étymologie* est donnée en rapport avec le sens du mot : la langue source (lat., gr., etc.) est précisée ainsi que le procédé de dérivation ou de composition qui permet, à partir de la forme ancienne, de reconstituer et de comprendre la forme moderne. L'absence de sens après l'étymon (*ex. :* lat. *clavis* [pour « clef »]; lat. *nox, noctis* [pour « nuit »]) ou à la suite de la langue d'origine (*ex. :* mot japon.) indique que le sens n'a pas changé.

Les *sens* de chaque mot sont différenciés grâce à un numérotage. On est allé du sens ancien (précédé de la mention *autref.*) au sens moderne (précédé de la mention *auj.*), ou du sens le plus usuel au sens technique et particulier; mais, le plus souvent, le classement, prenant comme base la construction du terme dans la phrase, a distingué les sens selon la nature des compléments. On a également précisé si tel ou tel sens était vieilli ou littéraire, s'il s'inscrivait dans une discipline particulière ou s'il relevait d'un niveau de langue particulier.

Les *exemples* sont tirés de la langue écrite ou parlée et mettent en évidence la construction syntaxique (phrases types avec sujet + verbe + complément). Chaque fois qu'il a été nécessaire, on a fait suivre les exemples d'un ou de plusieurs synonymes ou contraires avec l'indication de leur degré d'apparentement : une flèche dirigée vers le haut (↑) correspond à la valeur intensive, une flèche dirigée vers le bas (↓) à la valeur diminutive.

Quant à la *conjugaison* des verbes, elle est indiquée par un numéro (Conj. **5**) qui renvoie au tableau général des conjugaisons placé en tête de l'ouvrage.

• UN DICTIONNAIRE ENCYCLOPÉDIQUE.

L'ouvrage, très ouvert aux réalités contemporaines, envisage l'ensemble des connaissances en fonction des motivations du grand public (le cinéma, l'astronautique, la biologie, l'informatique, les sports, la vie politique, sociale et économique, etc.). Grâce à des définitions précises, à des informations détaillées et à des développements encyclopédiques, il tente de répondre aux questions que chacun peut se poser au cours d'une conversation, d'une discussion, d'une lecture ou d'une émission télévisée.

Les réponses à ces interrogations veulent être aussi simples que possible; lorsqu'un mot présente une difficulté dans un texte, il est suivi d'une explication entre parenthèses ou accompagné d'un astérisque qui conduit naturellement à l'entrée correspondant à ce terme ou à un article plus largement explicatif. L'ouvrage a été conçu comme un tout cohérent : des renvois (par fléchage) permettent de se reporter pour un mot de langue à un terme de la même famille (ex. **peau** → PELAGE, PELER, PELURE) ou à des notions qui sont un complément d'information du sujet traité (ex. **reproduction** → FÉCONDATION; **Freud** → PSYCHANALYSE; **Hébreux** → JUIFS; **intersection** [en mathématiques] → PARTIE), ce qui aidera le lecteur à enrichir son vocabulaire et à envisager les divers aspects d'un problème.

alphabet phonétique et transcription

NOTATION PHONÉTIQUE		EXEMPLES	TRANSCRIPTION
	[a]	*lac, soi, moelle*	[lak], [swa], [mwal]
	[ɑ]	*tas, flamme, âme*	[tɑ], [flɑm], [ɑm]
	[e]	*année, pays, œdème*	[ane], [pei], [edɛm]
	[ɛ]	*bec, poète, blême*	[bɛk], [pɔɛt], [blɛm]
	[i]	*île, ville, cyprès, naïf*	[il], [vil], [siprɛ], [naif]
VOYELLES	[ɔ]	*note, col, Paul*	[nɔt], [kɔl], [pɔl]
ORALES	[o]	*drôle, aube, agneau, sot, pôle*	[drol], [ob], [aɲo], [so], [pol]
	[u]	*mou, goût, août*	[mu], [gu], [u]
	[y]	*usage, mur, nu*	[ysaʒ], [myr], [ny]
	[œ]	*peuple, bœuf, œil, jeune*	[pœpl], [bœf], [œj], [ʒœn]
	[ø]	*émeute, jeûne, aveu, nœud*	[emøt], [ʒøn], [avø], [nø]
	[ə]	*me, remède, grelotter*	[mə], [rəmɛd], [grəlɔte]
	[ɛ̃]	*instinct, main, bien, dessein, lymphe, syncope*	[ɛ̃stɛ̃], [mɛ̃], [bjɛ̃], [desɛ̃], [lɛ̃f], [sɛ̃kɔp]
NASALES	[ɑ̃]	*champ, ange, emballer, ennui*	[ʃɑ̃], [ɑ̃ʒ], [ɑ̃bale], [ɑ̃nɥi]
	[ɔ̃]	*plomb, ongle, mon*	[plɔ̃], [ɔ̃gl], [mɔ̃]
	[œ̃]	*parfum, aucun, brun*	[parfœ̃], [okœ̃], [brœ̃]
SEMI-VOYELLES OU SEMI-CONSONNES	[j]	*yeux, lieu, fermier, liane, piller*	[jø], [ljø], [fɛrmje], [ljan], [pije]
	[ɥ]	*lui, nuit, suivre, buée*	[lɥi], [nɥi], [sɥivr], [bɥe]
	[w]	*oui, ouest, moi, squale*	[wi], [wɛst], [mwa], [skwal]
	[p]	*prendre, apporter, stop*	[prɑ̃dr], [apɔrte], [stɔp]
	[b]	*bateau, abbé, snob*	[bato], [abe], [snɔb]
	[d]	*dalle, addition, cadenas*	[dal], [adisjɔ̃], [kadnɑ]
	[t]	*train, théâtre, vendetta*	[trɛ̃], [teɑtr], [vɑ̃deta]
	[k]	*coq, quatre, kilo, accabler, chlore*	[kɔk], [katr], [kilo], [akable], [klɔr]
	[g]	*guêpe, diagnostic, garder*	[gɛp], [djagnɔstik], [garde]
	[f]	*fable, physique, chef*	[fabl], [fizik], [ʃɛf]
	[v]	*voir, wagon*	[vwar], [vagɔ̃]
CONSONNES	[s]	*savant, science, cela, façon, patience*	[savɑ̃], [sjɑ̃s], [səla], [fasɔ̃], [pasjɑ̃s]
	[z]	*zèle, réseau*	[zɛl], [rezo]
	[ʒ]	*jabot, déjouer, âgé, gigot*	[ʒabo], [deʒwe], [aʒe], [ʒigo]
	[ʃ]	*charrue, schéma, shāh*	[ʃary], [ʃema], [ʃɑ]
	[l]	*lier, pal, illettré*	[lje], [pal], [illetre]
	[r]	*rare, arracher, âpre*	[rar], [araʃe], [ɑpr]
	[m]	*amas, grammaire*	[amɑ], [gramɛr]
	[n]	*nager, dictionnaire*	[naʒe], [diksjɔnɛr]
	[ɲ]	*agneau, peigner, besogne*	[aɲo], [peɲe], [bəsɔɲ]

La lettre *x* correspond à la prononciation [ks] et [gz] : *axe* [aks], *Xavier* [gzavje].
***La lettre h* ne se prononce pas et ne comporte aucune aspiration.**
Le *h* dit « aspiré » empêche les liaisons (il est précédé d'un astérisque [*] dans le dictionnaire).

INTRODUCTION

conjugaisons

des verbes

AVOIR [avwar]

indicatif présent	subjonctif présent
j' ai [ɛ]	que j' aie [ɛ]
tu as [a]	que tu aies [ɛ]
il a [a]	qu' il ait [ɛ]
nous avons [avɔ̃]	que nous ayons [ɛjɔ̃]
vous avez [ave]	que vous ayez [ɛje]
ils ont [ɔ̃]	qu' ils aient [ɛ]

indicatif imparfait	subjonctif imparfait
j' avais [avɛ]	que j' eusse [ys]
tu avais [avɛ]	que tu eusses [ys]
il avait [avɛ]	qu' il eût [y]
nous avions [avjɔ̃]	que nous eussions [ysjɔ̃]
vous aviez [avje]	que vous eussiez [ysje]
ils avaient [avɛ]	qu' ils eussent [ys]

indicatif passé simple	conditionnel présent
j' eus [y]	j' aurais [ɔrɛ]
tu eus [y]	tu aurais [ɔrɛ]
il eut [y]	il aurait [ɔrɛ]
nous eûmes [ym]	nous aurions [ɔrjɔ̃]
vous eûtes [yt]	vous auriez [ɔrje]
ils eurent [yr]	ils auraient [ɔrɛ]

indicatif futur
j' aurai [ɔre]
tu auras [ɔra]
il aura [ɔra]
nous aurons [ɔrɔ̃]
vous aurez [ɔre]
ils auront [ɔrɔ̃]

• L'impératif a les formes du subjonctif sans pronom personnel : *aie, ayons, ayez.*
• Les temps composés du verbe sont formés avec le verbe *avoir* et le participe passé *eu, eue* [y] : ***j'ai eu, j'avais eu, j'aurai eu, j'aurais eu, j'eus eu, que j'aie eu, que j'eusse eu.***
• Le participe présent est *ayant* [ɛjɑ̃].

ÊTRE [ɛtr]

indicatif présent	subjonctif présent
je suis [sɥi]	que je sois [swa]
tu es [ɛ]	que tu sois [swa]
il est [ɛ]	qu' il soit [swa]
nous sommes [sɔm]	que nous soyons [swajɔ̃]
vous êtes [ɛt]	que vous soyez [swaje]
ils sont [sɔ̃]	qu' ils soient [swa]

indicatif imparfait	subjonctif imparfait
j' étais [etɛ]	que je fusse [fys]
tu étais [etɛ]	que tu fusses [fys]
il était [etɛ]	qu' il fût [fy]
nous étions [etjɔ̃]	que nous fussions [fysjɔ̃]
vous étiez [etje]	que vous fussiez [fysje]
ils étaient [etɛ]	qu' ils fussent [fys]

indicatif passé simple	conditionnel présent
je fus [fy]	je serais [sərɛ]
tu fus [fy]	tu serais [sərɛ]
il fut [fy]	il serait [sərɛ]
nous fûmes [fym]	nous serions [sərjɔ̃]
vous fûtes [fyt]	vous seriez [sərje]
ils furent [fyr]	ils seraient [sərɛ]

indicatif futur
je serai [səre]
tu seras [səra]
il sera [səra]
nous serons [sərɔ̃]
vous serez [səre]
ils seront [sərɔ̃]

• L'impératif a les formes *sois, soyons, soyez.*
• Les temps composés sont formés avec le verbe *avoir* et le participe *été* [ete] : ***j'ai été, j'avais été, j'aurai été, j'aurais été, j'eus été, que j'aie été, que j'eusse été.***
• Le participe présent est *étant* [etɑ̃].

AIMER [eme]

indicatif présent	subjonctif présent
j' aime [ɛm]	que j' aime [ɛm]
tu aimes [ɛm]	que tu aimes [ɛm]
il aime [ɛm]	qu' il aime [ɛm]
nous aimons [emɔ̃]	que nous aimions [emjɔ̃]
vous aimez [eme]	que vous aimiez [emje]
ils aiment [ɛm]	qu' ils aiment [ɛm]

indicatif imparfait	subjonctif imparfait
j' aimais [ɛmɛ]	que j' aimasse [emas]
tu aimais [ɛmɛ]	que tu aimasses [emas]
il aimait [ɛmɛ]	qu' il aimât [emɑ]
nous aimions [emjɔ̃]	que nous aimassions [emasjɔ̃]
vous aimiez [emje]	que vous aimassiez [emasje]
ils aimaient [ɛmɛ]	qu' ils aimassent [emas]

indicatif passé simple	conditionnel présent
j' aimai [eme]	j' aimerais [ɛmrɛ]
tu aimas [ema]	tu aimerais [ɛmrɛ]
il aima [ema]	il aimerait [ɛmrɛ]
nous aimâmes [emam]	nous aimerions [emərjɔ̃]
vous aimâtes [emat]	vous aimeriez [emərje]
ils aimèrent [ɛmɛr]	ils aimeraient [ɛmrɛ]

indicatif futur
j' aimerai [ɛmre]
tu aimeras [ɛmra]
il aimera [ɛmra]
nous aimerons [emrɔ̃]
vous aimerez [emre]
ils aimeront [ɛmrɔ̃]

• L'impératif a les formes *aime, aimons, aimez,* la deuxième pers. du sing. prend *s* devant *en* et *y* *(parles-en; vas-y).*
• Les temps composés et le passif sont formés avec l'auxiliaire *avoir* ou *être* et le participe passé *aimé, -e* [eme].
• Le participe présent et adjectif verbal est : *aimant, aimante* [emɑ̃, -ɑ̃t].

FINIR [finir]

indicatif présent	subjonctif présent
je finis [fini]	que je finisse [finis]
tu finis [fini]	que tu finisses [finis]
il finit [fini]	qu' il finisse [finis]
nous finissons [finisɔ̃]	que nous finissions [finisjɔ̃]
vous finissez [finise]	que vous finissiez [finisje]
ils finissent [finis]	qu' ils finissent [finis]

indicatif imparfait	subjonctif imparfait
je finissais [finisɛ]	que je finisse [finis]
tu finissais [finisɛ]	que tu finisses [finis]
il finissait [finisɛ]	qu' il finît [fini]
nous finissions [finisjɔ̃]	que nous finissions [finisjɔ̃]
vous finissiez [finisje]	que vous finissiez [finisje]
ils finissaient [finisɛ]	qu' ils finissent [finis]

indicatif passé simple	conditionnel présent
je finis [fini]	je finirais [finirɛ]
tu finis [fini]	tu finirais [finirɛ]
il finit [fini]	il finirait [finirɛ]
nous finîmes [finim]	nous finirions [finirjɔ̃]
vous finîtes [finit]	vous finiriez [finirje]
ils finirent [finir]	ils finiraient [finirɛ]

indicatif futur
je finirai [finire]
tu finiras [finira]
il finira [finira]
nous finirons [finirɔ̃]
vous finirez [finire]
ils finiront [finirɔ̃]

• L'impératif a les formes *finis, finissons, finissez.*
• Les temps composés et le passif sont formés avec l'auxiliaire *avoir* ou *être* et le participe passé *fini, -e* [fini].
• Le participe présent et adjectif verbal est : *finissant, finissante* [finisɑ̃, -ɑ̃t].

OFFRIR [ɔfrir]

indicatif présent	subjonctif présent
j' offre [ɔfr]	que j' offre [ɔfr]
tu offres [ɔfr]	que tu offres [ɔfr]
il offre [ɔfr]	qu' il offre [ɔfr]
nous offrons [ɔfrɔ̃]	que nous offrions [ɔfrijɔ̃]
vous offrez [ɔfre]	que vous offriez [ɔfrije]
ils offrent [ɔfr]	qu' ils offrent [ɔfr]

indicatif imparfait	subjonctif imparfait
j' offrais [ɔfrɛ]	que j' offrisse [ɔfris]
tu offrais [ɔfrɛ]	que tu offrisses [ɔfris]
il offrait [ɔfrɛ]	qu' il offrît [ɔfri]
nous offrions [ɔfrijɔ̃]	que nous offrissions [ɔfrisjɔ̃]
vous offriez [ɔfrije]	que vous offrissiez [ɔfrisje]
ils offraient [ɔfrɛ]	qu' ils offrissent [ɔfris]

indicatif passé simple	conditionnel présent
j' offris [ɔfri]	j' offrirais [ɔfrirɛ]
tu offris [ɔfri]	tu offrirais [ɔfrirɛ]
il offrit [ɔfri]	il offrirait [ɔfrirɛ]
nous offrîmes [ɔfrim]	nous offririons [ɔfrirjɔ̃]
vous offrîtes [ɔfrit]	vous offririez [ɔfrirje]
ils offrirent [ɔfrir]	ils offriraient [ɔfrirɛ]

indicatif futur
j' offrirai [ɔfrire]
tu offriras [ɔfrira]
il offrira [ɔfrira]
nous offrirons [ɔfrirɔ̃]
vous offrirez [ɔfrire]
ils offriront [ɔfrirɔ̃]

- L'impératif a les formes *offre, offrons, offrez;* la deuxième pers. du sing. prend *s* devant *en* et *y* *(offres-en).*
- Les temps composés et le passif sont formés avec l'auxiliaire *avoir* ou *être* et le participe passé *offert, -e* [ɔfɛr, -ɛrt].
- Le participe présent et adjectif verbal est *offrant, offrante* [ɔfrɑ̃, -ɑ̃t].

RECEVOIR [rəsəvwar]

indicatif présent	subjonctif présent
je reçois [rəswa]	que je reçoive [rəswav]
tu reçois [rəswa]	que tu reçoives [rəswav]
il reçoit [rəswa]	qu' il reçoive [rəswav]
nous recevons [rəsəvɔ̃]	que nous recevions [rəsəvjɔ̃]
vous recevez [rəsəve]	que vous receviez [rəsəvje]
ils reçoivent [rəswav]	qu' ils reçoivent [rəswav]

indicatif imparfait	subjonctif imparfait
je recevais [rəsəvɛ]	que je reçusse [rəsys]
tu recevais [rəsəvɛ]	que tu reçusses [rəsys]
il recevait [rəsəvɛ]	qu' il reçût [rəsy]
nous recevions [rəsəvjɔ̃]	que nous reçussions [rəsysjɔ̃]
vous receviez [rəsəvje]	que vous reçussiez [rəsysje]
ils recevaient [rəsəvɛ]	qu' ils reçussent [rəsys]

indicatif passé simple	conditionnel présent
je reçus [rəsy]	je recevrais [rəsəvrɛ]
tu reçus [rəsy]	tu recevrais [rəsəvrɛ]
il reçut [rəsy]	il recevrait [rəsəvrɛ]
nous reçûmes [rəsym]	nous recevrions [rəsəvrijɔ̃]
vous reçûtes [rəsyt]	vous recevriez [rəsəvrije]
ils reçurent [rəsyr]	ils recevraient [rəsəvrɛ]

indicatif futur
je recevrai [rəsəvre]
tu recevras [rəsəvra]
il recevra [rəsəvra]
nous recevrons [rəsəvrɔ̃]
vous recevrez [rəsəvre]
ils recevront [rəsəvrɔ̃]

- L'impératif a les formes *reçois, recevons, recevez.*
- Les temps composés et le passif sont formés avec l'auxiliaire *avoir* ou *être* et le participe passé *reçu, -e* [rəsy].
- Le participe présent est *recevant* [rəsəvɑ̃].

RENDRE [rɑ̃dr]

indicatif présent	subjonctif présent
je rends [rɑ̃]	que je rende [rɑ̃d]
tu rends [rɑ̃]	que tu rendes [rɑ̃d]
il rend [rɑ̃]	qu' il rende [rɑ̃d]
nous rendons [rɑ̃dɔ̃]	que nous rendions [rɑ̃djɔ̃]
vous rendez [rɑ̃de]	que vous rendiez [rɑ̃dje]
ils rendent [rɑ̃d]	qu' ils rendent [rɑ̃d]

indicatif imparfait	subjonctif imparfait
je rendais [rɑ̃dɛ]	que je rendisse [rɑ̃dis]
tu rendais [rɑ̃dɛ]	que tu rendisses [rɑ̃dis]
il rendait [rɑ̃dɛ]	qu' il rendît [rɑ̃di]
nous rendions [rɑ̃djɔ̃]	que nous rendissions [rɑ̃disjɔ̃]
vous rendiez [rɑ̃dje]	que vous rendissiez [rɑ̃disje]
ils rendaient [rɑ̃dɛ]	qu' ils rendissent [rɑ̃dis]

indicatif passé simple	conditionnel présent
je rendis [rɑ̃di]	je rendrais [rɑ̃drɛ]
tu rendis [rɑ̃di]	tu rendrais [rɑ̃drɛ]
il rendit [rɑ̃di]	il rendrait [rɑ̃drɛ]
nous rendîmes [rɑ̃dim]	nous rendrions [rɑ̃drijɔ̃]
vous rendîtes [rɑ̃dit]	vous rendriez [rɑ̃drije]
ils rendirent [rɑ̃dir]	ils rendraient [rɑ̃drɛ]

indicatif futur
je rendrai [rɑ̃dre]
tu rendras [rɑ̃dra]
il rendra [rɑ̃dra]
nous rendrons [rɑ̃drɔ̃]
vous rendrez [rɑ̃dre]
ils rendront [rɑ̃drɔ̃]

- L'impératif a les formes *rends, rendons, rendez.*
- Les temps composés et le passif sont formés avec l'auxiliaire *avoir* ou *être* et le participe *rendu, -e* [rɑ̃dy].
- Le participe présent est *rendant* [rɑ̃dɑ̃].

Verbes du 1er groupe (en *-er*)

	1	2	3
Inf. prés.	**placer** [plas]	**manger** [mɑ̃ʒ]	**nettoyer*** [netwa] / [netwaj-]
Ind. prés.	je place [plas]	je mange [mɑ̃ʒ]	je nettoie [netwa]
— —	tu places [plas]	tu manges [mɑ̃ʒ]	tu nettoies [netwa]
— —	il place [plas]	il mange [mɑ̃ʒ]	il nettoie [netwa]
— —	nous plaçons [plasɔ̃]	nous mangeons [mɑ̃ʒɔ̃]	nous nettoyons [netwajɔ̃]
— —	ils placent [plas]	ils mangent [mɑ̃ʒ]	ils nettoient [netwa]
— imparf.	je plaçais [plasɛ]	je mangeais [mɑ̃ʒɛ]	je nettoyais [netwajɛ]
— passé simple	je plaçai [plase]	je mangeai [mɑ̃ʒe]	je nettoyai [netwaje]
— futur	je placerai [plasre]	je mangerai [mɑ̃ʒre]	je nettoierai [netware]
Cond. prés.	je placerais [plasrɛ]	je mangerais [mɑ̃ʒrɛ]	je nettoierais [netwarɛ]
Subj. prés.	que je place [plas]	que je mange [mɑ̃ʒ]	que je nettoie [netwa]
— —	qu'il place [plas]	qu'il mange [mɑ̃ʒ]	qu'il nettoie [netwa]
— —	que nous placions [plasjɔ̃]	que nous mangions [mɑ̃ʒjɔ̃]	que nous nettoyions [netwajɔ̃]
— —	qu'ils placent [plas]	qu'ils mangent [mɑ̃ʒ]	qu'ils nettoient [netwa]
— imparf.	qu'il plaçât [plasɑ]	qu'il mangeât [mɑ̃ʒɑ]	qu'il nettoyât [netwajɑ]
Impératif	place [plas]	mange [mɑ̃ʒ]	nettoie [netwa]
	plaçons [plasɔ̃]	mangeons [mɑ̃ʒɔ̃]	nettoyons [netwajɔ̃]
Participes	plaçant [plasɑ̃]	mangeant [mɑ̃ʒɑ̃]	nettoyant [netwajɑ̃]
	placé [plase]	mangé [mɑ̃ʒe]	nettoyé [netwaje]

*De mêmes les verbes en *-uyer* [-ɥi-] [-ɥij-].

	4	5	6
Inf. prés.	**payer** [pɛ] / [pej]	**peler*** [pəl-] / [pɛl]	**appeler** [apəl-] / [apɛl]
Ind. prés.	je paie [pɛ] ou paye [pej]	je pèle [pɛl]	j'appelle [apɛl]
— —	tu paies [pɛ] ou payes [pej]	tu pèles [pɛl]	tu appelles [apɛl]
— —	il paie [pɛ] ou paye [pej]	il pèle [pɛl]	il appelle [apɛl]
— —	nous payons [pejɔ̃]	nous pelons [pəlɔ̃]	nous appelons [aplɔ̃]
— —	ils paient [pɛ] ou payent [pej]	ils pèlent [pɛl]	ils appellent [apɛl]
— imparf.	je payais [pejɛ]	je pelais [pəlɛ]	j'appelais [aplɛ]
— passé simple	je payai [peje]	je pelai [pəle]	j'appelai [aple]
— futur	je paierai [pɛre] ou payerai [pejre]	je pèlerai [pɛlre]	j'appellerai [apɛlre]
Cond. prés.	je paierais [perɛ] ou payerais [pejrɛ]	je pèlerais [pɛlrɛ]	j'appellerais [apɛlrɛ]
Subj. prés.	que je paie [pɛ] ou paye [pej]	que je pèle [pɛl]	que j'appelle [apɛl]
— —	qu'il paie [pɛ] ou paye [pej]	qu'il pèle [pɛl]	qu'il appelle [apɛl]
— —	que nous payions [pejɔ̃]	que nous pelions [pəljɔ̃]	que nous appelions [apəljɔ̃]
— —	qu'ils paient [pɛ] ou payent [pɛj]	qu'ils pèlent [pɛl]	qu'ils appellent [apɛl]
— imparf.	qu'il payât [pejɑ]	qu'il pelât [pəlɑ]	qu'il appelât [aplɑ]
Impératif	paye [pɛj] ou paie [pɛ]	pèle [pɛl]	appelle [apɛl]
	payons [pejɔ̃]	pelons [pəlɔ̃]	appelons [aplɔ̃]
Participes	payant [pejɑ̃]	pelant [pəlɑ̃]	appelant [aplɑ̃]
	payé [peje]	pelé [pəle]	appelé [aple]

**celer, ciseler, congeler, déceler, démanteler, écarteler, geler, marteler, modeler.*

	7	8	9
Inf. prés.	**acheter*** [aʃt-] / [aʃɛt]	**jeter** [ʒət-] / [ʒɛt]	**semer** [səm-] / [sɛm]
Ind. prés.	j'achète [aʃɛt]	je jette [ʒɛt]	je sème [sɛm]
— —	tu achètes [aʃɛt]	tu jettes [ʒɛt]	tu sèmes [sɛm]
— —	il achète [aʃɛt]	il jette [ʒɛt]	il sème [sɛm]
— —	nous achetons [aʃtɔ̃]	nous jetons [ʒətɔ̃]	nous semons [səmɔ̃]
— —	ils achètent [aʃɛt]	ils jettent [ʒɛt]	ils sèment [sɛm]
— imparf.	j'achetais [aʃtɛ]	je jetais [ʒətɛ]	je semais [səmɛ]
— passé simple	j'achetai [aʃte]	je jetai [ʒəte]	je semai [səme]
— futur	j'achèterai [aʃɛtre]	je jetterai [ʒɛtre]	je sèmerai [sɛmre]
Cond. prés.	j'achèterais [aʃɛtrɛ]	je jetterais [ʒɛtrɛ]	je sèmerais [sɛmrɛ]
Subj. prés.	que j'achète [aʃɛt]	que je jette [ʒɛt]	que je sème [sɛm]
— —	qu'il achète [aʃɛt]	qu'il jette [ʒɛt]	qu'il sème [sɛm]
— —	que nous achetions [aʃtjɔ̃]	que nous jetions [ʒətjɔ̃]	que nous semions [səmjɔ̃]
— —	qu'ils achètent [aʃɛt]	qu'ils jettent [ʒɛt]	qu'ils sèment [sɛm]
— imparf.	qu'il achetât [aʃtɑ]	qu'il jetât [ʒətɑ]	qu'il semât [səmɑ]
Impératif	achète [aʃɛt]	jette [ʒɛt]	sème [sɛm]
	achetons [aʃtɔ̃]	jetons [ʒətɔ̃]	semons [səmɔ̃]
Participes	achetant [aʃtɑ̃]	jetant [ʒətɑ̃]	semant [səmɑ̃]
	acheté [aʃte]	jeté [ʒəte]	semé [səme]

**corseter, crocheter, fureter, haleter, racheter.*

	10 **révéler**	11 **envoyer**	12 **aller**
Inf. prés.	[revɛl] / [revel-]	[ɑ̃vwa] / [ɑ̃vwaj-] / [ɑ̃ve-]	[al-] / [aj-] / [v-] / [i-]
Ind. prés.	je révèle [revɛl]	j'envoie [ɑ̃vwa]	je vais [vɛ]
— —	tu révèles [revɛl]	tu envoies [ɑ̃vwa]	tu vas [va]
— —	il révèle [revɛl]	il envoie [ɑ̃vwa]	il va [va]
— —	nous révélons [revelɔ̃]	nous envoyons [ɑ̃vwajɔ̃]	nous allons [alɔ̃]
— —	ils révèlent [revɛl]	ils envoient [ɑ̃vwa]	ils vont [vɔ̃]
— imparf.	je révélais [revelɛ]	j'envoyais [ɑ̃vwajɛ]	j'allais [alɛ]
— passé simple	je révélai [revele]	j'envoyai [ɑ̃vwaje]	j'allai [ale]
— futur	je révélerai [revelre]	j'enverrai [ɑ̃vere]	j'irai [ire]
Cond. prés.	je révélerais [revelrɛ]	j'enverrais [ɑ̃verɛ]	j'irais [irɛ]
Sub. prés.	que je révèle [revɛl]	que j'envoie [ɑ̃vwa]	que j'aille [aj]
— —	qu'il révèle [revɛl]	qu'il envoie [ɑ̃vwa]	qu'il aille [aj]
— —	que nous révélions [reveljɔ̃]	que nous envoyions [ɑ̃vwajɔ̃]	que nous allions [aljɔ̃]
— —	qu'ils révèlent [revɛl]	qu'ils envoient [ɑ̃vwa]	qu'ils aillent [aj]
— imparf.	qu'il révélât [revelɑ]	qu'il envoyât [ɑ̃vwajɑ]	qu'il allât [alɑ]
Impératif	révèle [revɛl]	envoie [ɑ̃vwa]	va [va]
	révélons [revelɔ̃]	envoyons [ɑ̃vwajɔ̃]	allons [alɔ̃]
Participes	révélant [revelɑ̃]	envoyant [ɑ̃vwajɑ̃]	allant [alɑ̃], allé [ale]
	révélé [revele]	envoyé [ɑ̃vwaje]	(Aux temps composés, on dit *je suis allé* ou *j'ai été*)

Verbes du 2e groupe (en *-ir*)

	13 **haïr**	14 **fleurir**	15 **bénir**
Inf. prés.	[ɛ] / [ai] / [ais]	[flœr] / [flor]	[beni] / [benis]
Ind. prés.	je hais [ɛ]		je bénis [beni]
— —	tu hais [ɛ]		tu bénis [beni]
— —	il hait [ɛ]		il bénit [beni]
— —	nous haïssons [aisɔ̃]		nous bénissons [benisɔ̃]
— —	ils haïssent [ais]		ils bénissent [benis]
— imparf.	je haïssais [aisɛ]		je bénissais [benisɛ]
— passé simple	je haïs [ai]	Le verbe [flœrir] est régulier sur *bénir;* la forme [flor-] n'existe au sens fig. que pour *florissant,* il *florissait.*	je bénis [beni]
— futur	je haïrai [aire]		je bénirai [benire]
Cond. prés.	je haïrais [airɛ]		je bénirais [benirɛ]
Subj. prés.	que je haïsse [ais]		que je bénisse [benis]
— —	qu'il haïsse [ais]		qu'il bénisse [benis]
— —	que nous haïssions [aisjɔ̃]		que nous bénissions [benisjɔ̃]
— —	qu'ils haïssent [ais]		qu'ils bénissent [benis]
— imparf.	qu'il haït [ai]		qu'il bénît [beni]
Impératif	hais [ɛ], haïssons [aisɔ̃]		bénis [beni], bénissons [benisɔ̃]
Participes	haïssant [aisɑ̃], haï [ai]		bénissant [benisɑ̃], béni [beni]
			(bénit, e dans « eau bénite » et « pain bénit »)

Verbes du 3e groupe

Ces verbes dont les infinitifs sont en *-ir*, en *-oir*, ou en *-re* ont une conjugaison qui repose souvent en langue parlée sur des variations du radical; celles-ci sont indiquées pour chaque verbe.

	16 **ouvrir***	17 **fuir****	18 **dormir**
Inf. prés.	[uvr] / [uvɛr]	[fɥi] / [fɥj]	[dɔr] / [dɔrm]
Ind. prés.	j'ouvre [uvr]	je fuis [fɥi]	je dors [dɔr]
— —	tu ouvres [uvr]	tu fuis [fɥi]	tu dors [dɔr]
— —	il ouvre [uvr]	il fuit [fɥi]	il dort [dɔr]
— —	nous ouvrons [uvrɔ̃]	nous fuyons [fɥijɔ̃]	nous dormons [dɔrmɔ̃]
— —	ils ouvrent [uvr]	ils fuient [fɥi]	ils dorment [dɔrm]
— imparf.	j'ouvrais [uvrɛ]	je fuyais [fɥijɛ]	je dormais [dɔrmɛ]
— passé simple	j'ouvris [uvri]	je fuis [fɥi]	je dormis [dɔrmi]
— futur	j'ouvrirai [uvrire]	je fuirai [fɥire]	je dormirai [dɔrmire]
Cond. prés.	j'ouvrirais [uvrirɛ]	je fuirais [fɥirɛ]	je dormirais [dɔrmirɛ]
Subj. prés.	que j'ouvre [uvr]	que je fuie [fɥi]	que je dorme [dɔrm]
— —	qu'il ouvre [uvr]	qu'il fuie [fɥi]	qu'il dorme [dɔrm]
— —	que nous ouvrions [uvrijɔ̃]	que nous fuyions [fɥijɔ̃]	que nous dormions [dɔrmijɔ̃]
— —	qu'ils ouvrent [uvr]	qu'ils fuient [fɥi]	qu'ils dorment [dɔrm]
— imparf.	qu'il ouvrît [uvri]	qu'il fuît [fɥi]	qu'il dormît [dɔrmi]
Impératif	ouvre [uvr], ouvrons [uvrɔ̃]	fuis [fɥi], fuyons [fɥijɔ̃]	dors [dɔr], dormons [dɔrmɔ̃]
Participes	ouvrant [uvrɑ̃], ouvert [uvɛr]	fuyant [fɥijɑ̃], fui [fɥi]	dormant [dɔrmɑ̃], dormi [dɔrmi]

*De même *offrir, souffrir, couvrir;* **de même *s'enfuir.*

	19	20	21
Inf. prés.	**mentir***	**servir**	**acquérir****
	[mɑ̃] / [mɑ̃t]	[sɛr] / [sɛrv]	[akjɛr] / [aker] / [ak]
Ind. prés.	je mens [mɑ̃]	je sers [sɛr]	j'acquiers [akjɛr]
— —	tu mens [mɑ̃]	tu sers [sɛr]	tu acquiers [akjɛr]
— —	il ment [mɑ̃]	il sert [sɛr]	il acquiert [akjɛr]
— —	nous mentons [mɑ̃tɔ̃]	nous servons [sɛrvɔ̃]	nous acquérons [akerɔ̃]
— —	ils mentent [mɑ̃t]	ils servent [sɛrv]	ils acquièrent [akjɛr]
— imparf.	je mentais [mɑ̃tɛ]	je servais [sɛrvɛ]	j'acquérais [akerɛ]
— passé simple	je mentis [mɑ̃ti]	je servis [sɛrvi]	j'acquis [aki]
— futur	je mentirai [mɑ̃tire]	je servirai [sɛrvire]	j'acquerrai [akɛrre]
Cond. prés.	je mentirais [mɑ̃tirɛ]	je servirais [sɛrvirɛ]	j'acquerrais [akɛrrɛ]
Subj. prés.	que je mente [mɑ̃t]	que je serve [sɛrv]	que j'acquière [akjɛr]
— —	qu'il mente [mɑ̃t]	qu'il serve [sɛrv]	qu'il acquière [akjɛr]
— —	que nous mentions [mɑ̃tjɔ̃]	que nous servions [sɛrvjɔ̃]	que nous acquérions [akerjɔ̃]
— —	qu'ils mentent [mɑ̃t]	qu'ils servent [sɛrv]	qu'ils acquièrent [akjɛr]
— imparf.	qu'il mentît [mɑ̃ti]	qu'il servît [sɛrvi]	qu'il acquît [aki]
Impératif	mens [mɑ̃], mentons [mɑ̃tɔ̃]	sers [sɛr], servons [sɛrvɔ̃]	acquiers [akjɛr]
			acquérons [akerɔ̃]
Participes	mentant [mɑ̃tɑ̃] menti [mɑ̃ti]	servant [sɛrvɑ̃], servi [sɛrvi]	acquérant [akerɑ̃], acquis [aki]

*De même *sentir, ressentir, se repentir;* **de même *conquérir, requérir, s'enquérir.*

	22	23	24
Inf. prés.	**tenir***	**assaillir****	**cueillir*****
	[tjɛ̃] / [tjɛn] / [tən]	[asaj]	[kœj]
Ind. prés.	je tiens [tjɛ̃]	j'assaille [asaj]	je cueille [kœj]
— —	tu tiens [tjɛ̃]	tu assailles [asaj]	tu cueilles [kœj]
— —	il tient [tjɛ̃]	il assaille [asaj]	il cueille [kœj]
— —	nous tenons [tənɔ̃]	nous assaillons [asajɔ̃]	nous cueillons [kœjɔ̃]
— —	ils tiennent [tjɛn]	ils assaillent [asaj]	ils cueillent [kœj]
— imparf.	je tenais [tənɛ]	j'assaillais [asajɛ]	je cueillais [kœjɛ]
— passé simple	je tins [tɛ̃], nous tînmes [tɛ̃m]	j'assaillis [asaji]	je cueillis [kœji]
— futur	je tiendrai [tjɛ̃dre]	j'assaillirai [asajire]	je cueillerai [kœjre]
Cond. prés.	je tiendrais [tjɛ̃drɛ]	j'assaillirais [asajirɛ]	je cueillerais [kœjrɛ]
Subj. prés.	que je tienne [tjɛn]	que j'assaille [asaj]	que je cueille [kœj]
— —	qu'il tienne [tjɛn]	qu'il assaille [asaj]	qu'il cueille [kœj]
— —	que nous tenions [tənjɔ̃]	que nous assaillions [asajjɔ̃]	que nous cueillions [kœjjɔ̃]
— —	qu'ils tiennent [tjɛn]	qu'ils assaillent [asaj]	qu'ils cueillent [kœj]
— imparf.	qu'il tînt [tɛ̃]	qu'il assaillît [asaji]	qu'il cueillît [kœji]
Impératif	tiens [tjɛ̃], tenons [tənɔ̃]	assaille [asaj]	cueille [kœj], cueillons [kœjɔ̃]
		assaillons [asajɔ̃]	
Participes	tenant [tənɑ̃], tenu [təny]	assaillant [asajɑ̃]	cueillant [kœjɑ̃], cueilli [kœji]
		assailli [asaji]	

*De même *venir, convenir;* **de même *défaillir, tressaillir;* ***et ses composés.

	25	26	27
Inf. prés.	**mourir**	**partir***	**vêtir**
	[mœr] / [mur] / [mɔr]	[par] / [part]	[vɛ] / [vet]
Ind. prés.	je meurs [mœr]	je pars [par]	je vêts [vɛ]
— —	tu meurs [mœr]	tu pars [par]	tu vêts [vɛ]
— —	il meurt [mœr]	il part [par]	il vêt [vɛ]
— —	nous mourons [murɔ̃]	nous partons [partɔ̃]	nous vêtons [vetɔ̃]
— —	ils meurent [mœr]	ils partent [part]	ils vêtent [vɛt]
— imparf.	je mourais [murɛ]	je partais [partɛ]	je vêtais [vetɛ]
— passé simple	je mourus [mury]	je partis [parti]	je vêtis [veti]
— futur	je mourrai [murre]	je partirai [partire]	je vêtirai [vetire]
Cond. prés.	je mourrais [murrɛ]	je partirais [partirɛ]	je vêtirais [vetirɛ]
Subj. prés.	que je meure [mœr]	que je parte [part]	que je vête [vɛt]
— —	qu'il meure [mœr]	qu'il parte [part]	qu'il vête [vɛt]
— —	que nous mourions [murjɔ̃]	que nous partions [partjɔ̃]	que nous vêtions [vetjɔ̃]
— —	qu'ils meurent [mœr]	qu'ils partent [part]	qu'ils vêtent [vɛt]
— imparf.	qu'il mourût [mury]	qu'il partît [parti]	qu'il vêtît [veti]
Impératif	meurs [mœr], mourons [murɔ̃]	pars [par], partons [partɔ̃]	vêts [vɛ], vêtons [vetɔ̃]
Participes	mourant [murɑ̃]	partant [partɑ̃], parti [parti]	vêtant [vetɑ̃], vêtu [vety]
	mort [mɔr]		

*et ses composés sauf *répartir* (sur *finir*).

	28	**29**	**30**
Inf. prés.	**sortir*** [sɔr] / [sɔrt]	**courir** [kur]	**faillir** [faj]
Ind. prés.	je sors [sɔr]	je cours [kur]	*inusité*
— —	tu sors [sɔr]	tu cours [kur]	—
— —	il sort [sɔr]	il court [kur]	—
— —	nous sortons [sɔrtɔ̃]	nous courons [kurɔ̃]	—
— —	ils sortent [sɔrt]	ils courent [kur]	—
— imparf.	je sortais [sɔrtɛ]	je courais [kurɛ]	—
— passé simple	je sortis [sɔrti]	je courus [kury]	je faillis [faji]
— futur	je sortirai [sɔrtire]	je courrai [kurre]	je faillirai [fajire]
Cond. prés.	je sortirais [sɔrtirɛ]	je courrais [kurrɛ]	je faillirais [fajirɛ]
Subj. prés.	que je sorte [sɔrt]	que je coure [kur]	*inusité*
— —	qu'il sorte [sɔrt]	qu'il coure [kur]	—
— —	que nous sortions [sɔrtjɔ̃]	que nous courions [kurjɔ̃]	—
— —	qu'ils sortent [sɔrt]	qu'ils courent [kur]	—
— imparf.	qu'il sortît [sɔrti]	qu'il courût [kury]	—
Impératif	sors [sɔr], sortons [sɔrtɔ̃]	cours [kur], courons [kurɔ̃]	—
Participes	sortant [sɔrtɑ̃], sorti [sɔrti]	courant [kurɑ̃], couru [kury]	*inusité*, failli [faji]

*et ses composés sauf *assortir* (sur *bénir*, conj. 15).

	31	**32**	**33**
Inf. prés.	**bouillir** [bu] / [buj]	**gésir** [ʒez] / [ʒiz] / [ʒi]	**saillir*** [saj]
Ind. prés.	je bous [bu]	je gis [ʒi]	*inusité*
— —	tu bous [bu]	tu gis [ʒi]	—
— —	il bout [bu]	il gît [ʒi]	il saille [saj]
— —	nous bouillons [bujɔ̃]	nous gisons [ʒizɔ̃]	*inusité*
— —	ils bouillent [buj]	ils gisent [ʒiz]	—
— imparf.	je bouillais [bujɛ]	je gisais [ʒizɛ]	il saillait [sajɛ]
— passé simple	je bouillis [buji]	*inusité*	*inusité*
— futur	je bouillirai [bujire]	—	il saillera [sajra]
Cond. prés.	je bouillirais [bujirɛ]	—	il saillerait [sajrɛ]
Subj. prés.	que je bouille [buj]	—	*inusité*
— —	qu'ils bouillent [buj]	—	—
— —	—	—	qu'il saille [saj]
— —	—	—	*inusité*
— imparf.	qu'il bouillît [buji]	—	—
Impératif	bous [bu], bouillons [bujɔ̃]	—	—
Participes	bouillant [bujɑ̃], bouilli [buji]	gisant [ʒizɑ̃], *inusité*	saillant [sajɑ̃], sailli [saji]

*Cette conj. ne concerne que saillir (= dépasser). Le verbe *saillir* (= s'accoupler) se conjugue sur *bénir* (conj. 15).

	34	**35**	**36**
Inf. prés.	**recevoir*** [rəsəv] / [rəswa] / [rəswav]	**devoir** [dəv] / [dwa] / [dwav] / [d-]	**mouvoir**** [muv] / [mø] / [mœv] / [m-]
Ind. prés.	je reçois [rəswa]	je dois [dwa]	je meus [mø]
— —	tu reçois [rəswa]	tu dois [dwa]	tu meus [mø]
— —	il reçoit [rəswa]	il doit [dwa]	il meut [mø]
— —	nous recevons [rəsəvɔ̃]	nous devons [dəvɔ̃]	nous mouvons [muvɔ̃]
— —	ils reçoivent [rəswav]	ils doivent [dwav]	ils meuvent [mœv]
— imparf.	je recevais [rəsəvɛ]	je devais [dəvɛ]	je mouvais [muvɛ]
— passé simple	je reçus [rəsy]	je dus [dy]	je mus [my]
— futur	je recevrai [rəsəvre]	je devrai [dəvre]	je mouvrai [muvre]
Cond. prés.	je recevrais [rəsəvrɛ]	je devrais [dəvrɛ]	je mouvrais [muvrɛ]
Subj. prés.	que je reçoive [rəswav]	que je doive [dwav]	que je meuve [mœv]
— —	qu'il reçoive [rəswav]	qu'il doive [dwav]	qu'il meuve [mœv]
— —	que nous recevions [rəsəvjɔ̃]	que nous devions [dəvjɔ̃]	que nous mouvions [muvjɔ̃]
— —	qu'ils reçoivent [rəswav]	qu'ils doivent [dwav]	qu'ils meuvent [mœv]
— imparf.	qu'il reçût [rəsy]	qu'il dût [dy]	qu'il mût [my]
Impératif	reçois [rəswa] recevons [rəsəvɔ̃]	dois [dwa], devons [dəvɔ̃]	meus [mø], mouvons [muvɔ̃]
Participes	recevant [rəsəvɑ̃] reçu [rəsy]	devant [dəvɑ̃], dû, due [dy]	mouvant [muvɑ̃], mû, mue [my]

*De même *décevoir, percevoir, apercevoir, concevoir;* **et ses composés, mais *ému* et *promu* n'ont pas d'accent circonflexe.

	37	38	39
Inf. prés.	**vouloir**	**pouvoir**	**savoir**
	[vœ] / [vø] / [vul] / [vud]	[pu] / [pø] / [pœv] / [p-]	[sav] / [sɛ] / [saʃ] / [s-]
Ind. prés.	je veux [vø]	je peux [pø], je puis [pɥi]	je sais [sɛ]
— —	tu veux [vø]	tu peux [pø]	tu sais [sɛ]
— —	il veut [vø]	il peut [pø]	il sait [sɛ]
— —	nous voulons [vulɔ̃]	nous pouvons [puvɔ̃]	nous savons [savɔ̃]
— —	ils veulent [vœl]	ils peuvent [pœv]	ils savent [sav]
— imparf.	je voulais [vulɛ]	je pouvais [puvɛ]	je savais [savɛ]
— passé simple	je voulus [vuly]	je pus [py]	je sus [sy]
— futur	je voudrai [vudre]	je pourrai [pure]	je saurai [sore]
Cond. prés.	je voudrais [vudrɛ]	je pourrais [purɛ]	je saurais [sorɛ]
Subj. prés.	que je veuille [vœj]	que je puisse [pɥis]	que je sache [saʃ]
— —	qu'il veuille [vœj]	qu'il puisse [pɥis]	qu'il sache [saʃ]
— —	que nous voulions [vuljɔ̃]	que nous puissions [pɥisjɔ̃]	que nous sachions [saʃjɔ̃]
— —	qu'ils veuillent [vœj]	qu'ils puissent [pɥis]	qu'ils sachent [saʃ]
— imparf.	qu'il voulût [vuly]	qu'il pût [py]	qu'il sût [sy]
Impératif	veuille [vœj], veuillons [vœjɔ̃]	*inusité*	sache [saʃ], sachons [saʃɔ̃]
Participes	voulant [vulɑ̃], voulu [vuly]	pouvant [puvɑ̃], pu [py]	sachant [saʃɑ̃], su [sy]

	40	41	42
Inf. prés.	**valoir***	**voir**	**prévoir**
	[val] / [vo] / [vaj]	[vwa] / [vwaj] / [v-]	[prevwa] / [prevwaj] / [prev-]
Ind. prés.	je vaux [vo]	je vois [vwa]	je prévois [prevwa]
— —	tu vaux [vo]	tu vois [vwa]	tu prévois [prevwa]
— —	il vaut [vo]	il voit [vwa]	il prévoit [prevwa]
— —	nous valons [valɔ̃]	nous voyons [vwajɔ̃]	nous prévoyons [prevwajɔ̃]
— —	vous valez [vale]	vous voyez [vwaje]	vous prévoyez [prevwaje]
— —	ils valent [val]	ils voient [vwa]	ils prévoient [prevwa]
— imparf.	je valais [valɛ]	je voyais [vwajɛ]	je prévoyais [prevwajɛ]
— passé simple	je valus [valy]	je vis [vi]	je prévis [previ]
— futur	je vaudrai [vodre]	je verrai [vere]	je prévoirai [prevware]
Cond. prés.	je vaudrais [vodrɛ]	je verrais [verɛ]	je prévoirais [prevwarɛ]
Subj. prés.	que je vaille [vaj]	que je voie [vwa]	que je prévoie [prevwa]
— —	que nous valions [valjɔ̃]	que nous voyions [vwajɔ̃]	que nous prévoyions [prevwajɔ̃]
— —	qu'ils vaillent [vaj]	qu'ils voient [vwa]	qu'ils prévoient [prevwa]
— imparf.	qu'il valût [valy]	qu'il vît [vi]	qu'il prévît [previ]
Impératif	*inusité*	vois [vwa], voyons [vwajɔ̃]	prévois [prevwa], prévoyons [prevwajɔ̃]
Participes	valant [valɑ̃], valu [valy]	voyant [vwajɑ̃], vu [vy]	prévoyant [prevwajɑ̃] prévu [prevy]

*et ses composés, mais *prévaloir* fait au subj. prés. *prévale*.

	43	44	
Inf. prés.	**pourvoir**	**asseoir**	
	[purvwa] / [purvwaj] / [purv-]	[asj] / [aswa] / [aswaj] / [as] / [asɛj]	
Ind. prés.	je pourvois [purvwa]	j'assieds [asje]	j'assois [aswa]
— —	tu pourvois [purvwa]	tu assieds [asje]	tu assois [aswa]
— —	il pourvoit [purvwa]	il assied [asje]	il assoit [aswa]
— —	nous pourvoyons [purvwajɔ̃]	nous asseyons [asejɔ̃]	nous assoyons [aswajɔ̃]
— —	vous pourvoyez [purvwaje]	vous asseyez [aseje]	vous assoyez [aswaje]
— —	ils pourvoient [purvwa]	ils asseyent [asɛj]	ils assoient [aswa]
— imparf.	je pourvoyais [purvwajɛ]	j'asseyais [asejɛ]	j'assoyais [aswajɛ]
— passé simple	je pourvus [purvy]	j'assis [asi]	j'assis [asi]
— futur	je pourvoirai [purvware]	j'assiérai [asjere] asseyerai [asejre]	j'assoirai [asware]
Cond. prés.	je pourvoirais [purvwarɛ]	j'assiérais [asjerɛ] asseyerais [asejrɛ]	j'assoirais [aswarɛ]
Subj. prés.	que je pourvoie [purvwa]	que j'asseye [asɛj]	que j'assoie [aswa]
— —	que nous pourvoyions [purvwajɔ̃]	que nous asseyions [asejɔ̃]	que nous assoyions [aswajɔ̃]
— —	qu'ils pourvoient [purvwa]	qu'ils asseyent [asɛj]	qu'ils assoient [asvwa]
Impératif	pourvois [purvwa] pourvoyons [purvwajɔ̃]	assieds [asje], asseyons [asejɔ̃]	assois [asvwa] assoyons [aswajɔ̃]
Participes	pourvoyant [purvwajɑ̃] pourvu [purvy]	asseyant [asejɑ̃], assis [asi]	assoyant [aswajɑ̃], assis [asi]

	45	46	47
	surseoir	**seoir**	**pleuvoir**
Inf. prés.	[syrswa] / [syrswaj] / [syrs-]	[swa] / [sεj] / [sje] / [s-]	[plø] / [plœv] / [pl-]
Ind. prés.	je sursois [syrswa]	*inusité*	*inusité*
— —	tu sursois [syrswa]	—	—
— —	il sursoit [syrswa]	il sied [sje]	il pleut [plø]
— —	nous sursoyons [syrswajɔ̃]	*inusité*	*inusité*
— —	ils sursoient [syrswa]	ils siéent	—
— imparf.	je sursoyais [syrswayε]	il seyait [sejε]	il pleuvait [pløvε]
— passé simple	je sursis [syrsi]	*inusité*	il plut [ply]
— futur	je sursoirai [syrsware]	il siéra [sjera]	il pleuvra [pløvra]
Cond. prés.	je sursoirais [syrswarε]	il siérait [sjerε]	il pleuvrait [pløvrε]
Subj. prés.	que je sursoie [syrswa]	*inusité*	*inusité*
— —	que nous sursoyions [syrswajɔ̃]	qu'il siée [sje]	qu'il pleuve [plœv]
— —	qu'ils sursoient [syrswa]	qu'ils siéent [sje]	*inusité*
— imparf.	qu'il sursît [syrsi]	*inusité*	qu'il plût [ply]
Impératif	sursois [syrswa]	—	*inusité*
	sursoyons [syrswajɔ̃]	—	—
Participes	sursoyant [syrswajɑ̃] sursis [syrsi]	seyant [sejɑ̃], sis [sis]	pleuvant [pløvɑ̃], plu [ply]

	48	49
	falloir	**déchoir***
Inf. prés.	[fo] / [fal] / [faj]	[deʃwa] / [deʃ]
Ind. prés.	*inusité*	je déchois [deʃwa]
— —	—	tu déchois [deʃwa]
— —	il faut [fo]	il déchoit [deʃwa]
— —	*inusité*	*inusité*
— —	—	ils déchoient [deʃwa]
— imparf.	il fallait	*inusité*
— passé simple	il fallut	je déchus [deʃy]
— futur	il faudra [fodra]	*inusité*
Cond. prés.	il faudrait [fodrε]	—
Subj. prés.	qu'il faille [faj]	que je déchoie [deʃwa]
— —	*inusité*	*inusité*
— —	—	qu'ils déchoient [deʃwa]
— imparf.	qu'il fallût [faly]	*inusité*
Impératif	*inusité*	—
Participes	*inusité*, fallu [faly]	*inusité*, déchu [deʃy]

*« échoir » : futur *il écherra*, participe *échéant;* « choir » : futur *il choira* ou *cherra.*

	50	51	52
	tendre*	**fondre****	**mordre*****
Inf. prés.	[tɑ̃] / [tɑ̃d]	[fɔ̃] / [fɔ̃d]	[mɔr] / [mɔrd]
Ind. prés.	je tends [tɑ̃]	je fonds [fɔ̃]	je mords [mɔr]
— —	tu tends [tɑ̃]	tu fonds [fɔ̃]	tu mords [mɔr]
— —	il tend [tɑ̃]	il fond [fɔ̃]	il mord [mɔr]
— —	nous tendons [tɑ̃dɔ̃]	nous fondons [fɔ̃dɔ̃]	nous mordons [mɔrdɔ̃]
— —	vous tendez [tɑ̃de]	vous fondez [fɔ̃de]	vous mordez [mɔrde]
— —	ils tendent [tɑ̃d]	ils fondent [fɔ̃d]	ils mordent [mɔrd]
— imparf.	je tendais [tɑ̃dε]	je fondais [fɔ̃dε]	je mordais [mɔrdε]
— passé simple	je tendis [tɑ̃di]	je fondis [fɔ̃di]	je mordis [mɔrdi]
— futur	je tendrai [tɑ̃dre]	je fondrai [fɔ̃dre]	je mordrai [mɔrdre]
Cond. prés.	je tendrais [tɑ̃drε]	je fondrais [fɔ̃drε]	je mordrais [mɔrdrε]
Subj. prés.	que je tende [tɑ̃d]	que je fonde [fɔ̃d]	que je morde [mɔrd]
— —	que nous tendions [tɑ̃djɔ̃]	que nous fondions [fɔ̃djɔ̃]	que nous mordions [mɔrdjɔ̃]
— —	qu'ils tendent [tɑ̃d]	qu'ils fondent [fɔ̃d]	qu'ils mordent [mɔrd]
— imparf.	qu'il tendît [tɑ̃di]	qu'il fondît [fɔ̃di]	qu'il mordît [mɔrdi]
Impératif	tends [tɑ̃], tendons [tɑ̃dɔ̃]	fonds [fɔ̃], fondons [fɔ̃dɔ̃]	mords [mɔr], mordons [mɔrdɔ̃]
Participes	tendant [tɑ̃dɑ̃], tendu [tɑ̃dy]	fondant [fɔ̃dɑ̃], fondu [fɔ̃dy]	mordant [mɔrdɑ̃] mordu [mɔrdy]

*De même *vendre, rendre, épandre, défendre, descendre, fendre, pendre;* ***répondre, tondre;* ****perdre.*

	53	54	55
Inf. prés.	**rompre** [rɔ̃] / [rɔ̃p]	**prendre** [prɑ̃] / [prɑ̃d] / [prɛn] / [prən] / [pr-]	**craindre** [krɛ̃] / [krɛɲ]
Ind. prés.	je romps [rɔ̃]	je prends [prɑ̃]	je crains [krɛ̃]
— —	tu romps [rɔ̃]	tu prends [prɑ̃]	tu crains [krɛ̃]
— —	il rompt [rɔ̃]	il prend [prɑ̃]	il craint [krɛ̃]
— —	nous rompons [rɔ̃pɔ̃]	nous prenons [prənɔ̃]	nous craignons [kreɲɔ̃]
— —	vous rompez [rɔ̃pe]	vous prenez [prəne]	vous craignez [kreɲe]
— —	ils rompent [rɔ̃p]	ils prennent [prɛn]	ils craignent [krɛɲ]
— imparf.	je rompais [rɔ̃pɛ]	je prenais [prənɛ]	je craignais [krɛɲɛ]
— passé simple	je rompis [rɔ̃pi]	je pris [pri]	je craignis [kreɲi]
— futur	je romprai [rɔ̃pre]	je prendrai [prɑ̃dre]	je craindrai [krɛ̃dre]
Cond. prés.	je romprais [prɑ̃dre]	je prendrais [prɑ̃drɛ]	je craindrais [krɛ̃drɛ]
Subj. prés.	que je rompe [rɔ̃p]	que je prenne [prɛn]	que je craigne [krɛɲ]
— —	que nous rompions [rɔ̃pjɔ̃]	que nous prenions [prənjɔ̃]	que nous craignions [krɛɲɔ̃]
— —	qu'ils rompent [rɔ̃p]	qu'ils prennent [prɛn]	qu'ils craignent [krɛɲ]
— imparf.	qu'il rompît [rɔ̃pi]	qu'il prît [pri]	qu'il craignît [kreɲi]
Impératif	romps [rɔ̃], rompons [rɔ̃pɔ̃]	prends [prɑ̃], prenons [prənɔ̃]	crains [krɛ̃], craignons [kreɲɔ̃]
Participes	rompant [rɔ̃pɑ̃], rompu [rɔ̃py]	prenant [prənɑ̃], pris [pri]	craignant [kreɲɑ̃], craint [krɛ̃]

	56	57	58
Inf. prés.	**battre** [ba] / [bat]	**mettre** [mɛ] / [mɛt] / [m-]	**moudre** [mu] / [mul] / [mud]
Ind. prés.	je bats [ba]	je mets [mɛ]	je mouds [mu]
— —	tu bats [ba]	tu mets [mɛ]	tu mouds [mu]
— —	il bat [ba]	il met [mɛ]	il moud [mu]
— —	nous battons [batɔ̃]	nous mettons [metɔ̃]	nous moulons [mulɔ̃]
— —	ils battent [bat]	ils mettent [mɛt]	ils moulent [mul]
— imparf.	je battais [batɛ]	je mettais [metɛ]	je moulais [mulɛ]
— passé simple	je battis [bati]	je mis [mi]	je moulus [muly]
— futur	je battrai [batre]	je mettrai [metre]	je moudrai [mudre]
Cond. prés.	je battrais [batrɛ]	je mettrais [metrɛ]	je moudrais [mudrɛ]
Subj. prés.	que je batte [bat]	que je mette [mɛt]	que je moule [mul]
— —	que nous battions [batjɔ̃]	que nous mettions [metjɔ̃]	que nous moulions [muljɔ̃]
— —	qu'ils battent [bat]	qu'ils mettent [mɛt]	qu'ils moulent [mul]
— imparf.	qu'il battît [bati]	qu'il mît [mi]	qu'il moulût [muly]
Impératif	bats [ba], battons [batɔ̃]	mets [mɛ], mettons [metɔ̃]	mouds [mu], moulons [mulɔ̃]
Participes	battant [batɑ̃], battu [baty]	mettant [metɑ̃], mis [mi]	moulant [mulɑ̃], moulu [muly]

	59	60	61
Inf. prés.	**coudre** [ku] / [kud] / [kuz]	**absoudre** [apsu] / [apsɔlv] / [apsud]	**résoudre** [rezu] / [rezɔl] / [rezɔlv] / [rezud]
Ind. prés.	je couds [ku]	j'absous [apsu]	je résous [rezu]
— —	tu couds [ku]	tu absous [apsu]	tu résous [rezu]
— —	il coud [ku]	il absout [apsu]	il résout [rezu]
— —	nous cousons [kuzɔ̃]	nous absolvons [apsɔlvɔ̃]	nous résolvons [resɔlvɔ̃]
— —	ils cousent [kuz]	ils absolvent [apsɔlv]	ils résolvent [rezɔlv]
— imparf.	je cousais [kuzɛ]	j'absolvais [apsɔlvɛ]	je résolvais [rezɔlvɛ]
— passé simple	je cousis [kuzi]	*inusité*	je résolus [rezɔly]
— futur	je coudrai [kudre]	j'absoudrai [apsudre]	je résoudrai [rezudre]
Cond. prés.	je coudrais [kudrɛ]	j'absoudrais [apsudrɛ]	je résoudrais [rezudrɛ]
Subj. prés.	que je couse [kuz]	que j'absolve [apsɔlv]	que je résolve [rezɔlv]
— —	que nous cousions [kuzjɔ̃]	que nous absolvions [apsɔlvjɔ̃]	que nous résolvions [rezɔlvjɔ̃]
— —	qu'ils cousent [kuz]	qu'ils absolvent [apsɔlv]	qu'ils résolvent [rezɔlv]
— imparf.	qu'il cousît [kuzi]	*inusité*	qu'il résolût [rezɔly]
Impératif	couds [ku], cousons [kuzɔ̃]	absous [apsu] absolvons [apsɔlvɔ̃]	résous [rezu] résolvons [rezɔlvɔ̃]
Participes	cousant [kuzɑ̃], cousu [kuzy]	absolvant [apsɔlvɑ̃] absous, absoute [apsu, -ut]	résolvant [rezɔlvɑ̃] résolu [rezɔly]

	62	63	64
Inf. prés.	**suivre**	**vivre**	**paraître**
	[sɥi] / [sɥiv]	[vi] / [viv] / [vek]	[parɛ] / [parɛs] / [par-]
Ind. prés.	je suis [sɥi]	je vis [vi]	je parais [parɛ]
— —	tu suis [sɥi]	tu vis [vi]	tu parais [parɛ]
— —	il suit [sɥi]	il vit [vi]	il paraît [parɛ]
— —	nous suivons [sɥivɔ̃]	nous vivons [vivɔ̃]	nous paraissons [paresɔ̃]
— —	ils suivent [sɥiv]	ils vivent [viv]	ils paraissent [parɛs]
— imparf.	je suivais [sɥivɛ]	je vivais [vivɛ]	je paraissais [parɛsɛ]
— passé simple	je suivis [sɥivi]	je vécus [veky]	je parus [pary]
— futur	je suivrai [sɥivre]	je vivrai [vivre]	je paraîtrai [parɛtre]
Cond. prés.	je suivrais [sɥivrɛ]	je vivrais [vivrɛ]	je paraîtrais [parɛtrɛ]
Subj. prés.	que je suive [sɥiv]	que je vive [viv]	que je paraisse [parɛs]
— —	que nous suivions [sɥivjɔ̃]	que nous vivions [vivjɔ̃]	que nous paraissions [parɛsjɔ̃]
— —	qu'ils suivent [sɥiv]	qu'ils vivent [viv]	qu'ils paraissent [parɛs]
— imparf.	qu'il suivît [sɥivi]	qu'il vécût [veky]	qu'il parût [pary]
Impératif	suis [sɥi], suivons [sɥivɔ̃]	vis [vi], vivons [vivɔ̃]	parais [parɛ] paraissons [paresɔ̃]
Participes	suivant [sɥivɑ̃], suivi [sɥivi]	vivant [vivɑ̃], vécu [veky]	paraissant [paresɑ̃] paru [pary]

	65	66	67
Inf. prés.	**naître**	**croître**	**rire**
	[nɛ] / [nɛs] / [nak] / [nɛtr]	[krwɑ] / [krwas] / [kr-]	[ri]
Ind. prés.	je nais [nɛ]	je croîs [krwɑ]	je ris [ri]
— —	tu nais [nɛ]	tu croîs [krwɑ]	tu ris [ri]
— —	il naît [nɛ]	il croît [krwɑ]	il rit [ri]
— —	nous naissons [nɛsɔ̃]	nous croissons [krwasɔ̃]	nous rions [rijɔ̃]
— —	ils naissent [nɛs]	ils croissent [krwas]	ils rient [ri]
— imparf.	je naissais [nɛsɛ]	je croissais [krwasɛ]	je riais [rijɛ]
— passé simple	je naquis [naki]	je crûs [kry]	je ris [ri]
— futur	je naîtrai [nɛtre]	je croîtrai [krwɑtre]	je rirai [rire]
Cond. prés.	je naîtrais [nɛtrɛ]	je croîtrais [krwɑtrɛ]	je rirais [rirɛ]
Subj. prés.	que je naisse [nɛs]	que je croisse [krwas]	que je rie [ri]
— —	que nous naissions [nɛsjɔ̃]	que nous croissions [krwasjɔ̃]	que nous riions [rijɔ̃]
— —	qu'ils naissent [nɛs]	qu'ils croissent [krwas]	qu'ils rient [ri]
— imparf.	qu'il naquît [naki]	qu'il crût [kry]	qu'il rît [ri]
Impératif	nais [nɛ], naissons [nɛsɔ̃]	croîs [krwɑ], croissons [krwasɔ̃]	ris, [ri], rions [rijɔ̃]
Participes	naissant [nɛsɑ̃], né [ne]	croissant [krwasɑ̃], crû, crue [kry]	riant [rijɑ̃], ri [ri]

	68	69	70
Inf. prés.	**conclure***	**nuire**	**conduire**
	[kɔ̃kly]	[nɥi] / [nɥiz]	[kɔ̃dɥi] / [kɔ̃dɥiz]
Ind. prés.	je conclus [kɔ̃kly]	je nuis [nɥi]	je conduis [kɔ̃dɥi]
— —	tu conclus [kɔ̃kly]	tu nuis [nɥi]	tu conduis [kɔ̃dɥi]
— —	il conclut [kɔ̃kly]	il nuit [nɥi]	il conduit [kɔ̃dɥi]
— —	nous concluons [kɔ̃klyɔ̃]	nous nuisons [nɥizɔ̃]	nous conduisons [kɔ̃dɥizɔ̃]
— —	ils concluent [kɔ̃kly]	ils nuisent [nɥiz]	ils conduisent [kɔ̃dɥiz]
— imparf.	je concluais [kɔ̃klyɛ]	je nuisais [nɥizɛ]	je conduisais [kɔ̃dɥizɛ]
— passé simple	je conclus [kɔ̃kly]	je nuisis [nɥizi]	je conduisis [kɔ̃dɥizi]
— futur	je conclurai [kɔ̃klyre]	je nuirai [nɥire]	je conduirai [kɔ̃dɥire]
Cond. prés.	je conclurais [kɔ̃klyrɛ]	je nuirais [nɥirɛ]	je conduirais [kɔ̃dɥirɛ]
Subj. prés.	que je conclue [kɔ̃kly]	que je nuise [nɥiz]	que je conduise [kɔ̃dɥiz]
— —	que nous concluions [kɔ̃klyjɔ̃]	que nous nuisions [nɥizjɔ̃]	que nous conduisions [kɔ̃dɥizjɔ̃]
— —	qu'ils concluent [kɔ̃kly]	qu'ils nuisent [nɥiz]	qu'ils conduisent [kɔ̃dɥiz]
— imparf.	qu'il conclût [kɔ̃kly]	qu'il nuisît [nɥizi]	qu'il conduisît [kɔ̃dɥizi]
Impératif	conclus [kɔ̃kly] concluons [kɔ̃klyɔ̃]	nuis [nɥi], nuisons [nɥizɔ̃]	conduis [kɔ̃dɥi] conduisons [kɔ̃dɥizɔ̃]
Participes	concluant [kɔ̃klyɑ̃] conclu [kɔ̃kly]	nuisant [nɥizɑ̃], nui [nɥi]	conduisant [kɔ̃dɥizɑ̃] conduit [kɔ̃dɥi]

*et *exclure, inclure,* sauf *inclus, incluse* (part. passé).

	71	72	73
Inf. prés.	**écrire**	**suffire***	**lire**
	[ekri] / [ekriv]	[syfi] / [syfiz]	[li] / [liz] / [l-]
Ind. prés.	j'écris [ekri]	je suffis [syfi]	je lis [li]
— —	tu écris [ekri]	tu suffis [syfi]	tu lis [li]
— —	il écrit [ekri]	il suffit [syfi]	il lit [li]
— —	nous écrivons [ekrivɔ̃]	nous suffisons [syfizɔ̃]	nous lisons [lizɔ̃]
— —	ils écrivent [ekriv]	ils suffisent [syfiz]	ils lisent [liz]
— imparf.	j'écrivais [ekrivɛ]	je suffisais [syfizɛ]	je lisais [lizɛ]
— passé simple	j'écrivis [ekrivi]	je suffis [syfi]	je lus [ly]
— futur	j'écrirai [ekrire]	je suffirai [syfire]	je lirai [lire]
Cond. prés.	j'écrirais [ekrirɛ]	je suffirais [syfirɛ]	je lirais [lirɛ]
Subj. prés.	que j'écrive [ckriv]	que je suffise [syfiz]	que je lise [liz]
— —	que nous écrivions [ekrivjɔ̃]	que nous suffisions [syfizjɔ̃]	que nous lisions [lizjɔ̃]
— —	qu'ils écrivent [ekriv]	qu'ils suffisent [syfiz]	qu'ils lisent [liz]
— imparf.	qu'il écrivît [ekrivi]	qu'il suffît [syfi]	qu'il lût [ly]
Impératif	écris [ekri], écrivons [ekrivɔ̃]	suffis [syfi], suffisons [syfizɔ̃]	lis [li], lisons [lisɔ̃]
Participes	écrivant [ekrivɑ̃], écrit [ekri]	suffisant [syfizɑ̃], suffi [syfi]	lisant [lizɑ̃], lu [ly]

*et *dire, redire,* sauf *vous dites, redites* (ind. prés.), mais les composés *contredire, prédire, médire* ont pour part. passés *dit, redit, contredit, prédit, médit.*

	74	75	76
Inf. prés.	**croire**	**boire**	**faire**
	[krwa] / [krwaj] / [kr-]	[bwa] / [bwav] / [byv] / [b-]	[fɛ] / [fas] / [fə] / [f-]
Ind. prés.	je crois [krwa]	je bois [bwa]	je fais [fɛ]
— —	tu crois [krwa]	tu bois [bwa]	tu fais [fɛ],
— —	il croit [krwa]	il boit [bwa]	il fait [fɛ]
— —	nous croyons [krwajɔ̃]	nous buvons [byvɔ̃]	nous faisons [fəzɔ̃]
— —			vous faites [fɛt]
— —	ils croient [krwa]	ils boivent [bwav]	ils font [fɔ̃]
— imparf.	je croyais [krwajɛ]	je buvais [byvɛ]	je faisais [fəzɛ]
— passé simple	je crus [kry]	je bus [by]	je fis [fi]
— futur	je croirai [krware]	je boirai [bware]	je ferai [fəre]
Cond. prés.	je croirais [krwarɛ]	je boirais [bwarɛ]	je ferais [fərɛ]
Subj. prés.	que je croie [krwa]	que je boive [bwav]	que je fasse [fas]
— —	que nous croyions [krwajɔ̃]	que nous buvions [byvjɔ̃]	que nous fassions [fasjɔ̃]
— —	qu'ils croient [krwa]	qu'ils boivent [bwav]	qu'ils fassent [fas]
— imparf.	qu'il crût [kry]	qu'il bût [by]	qu'il fît [fi]
Impératif	crois [krwa], croyons [krwajɔ̃]	bois [bwa], buvons [byvɔ̃]	fais [fɛ], faisons [fəzɔ̃]
			faites [fɛt]
Participes	croyant [krwajɑ̃], cru [kry]	buvant [byvɑ̃], bu [by]	faisant [fəzɑ̃], fait [fɛ]

	77	78	79
Inf. prés.	**plaire**	**taire**	**extraire***
	[plɛ] / [plɛz] / [pl-]	[tɛ] / [tɛz] / [t-]	[ɛkstrɛ] / [ɛkstrɛj]
Ind. prés.	je plais [plɛ]	je tais [tɛ]	j'extrais [ɛktrɛ]
— —	tu plais [plɛ]	tu tais [tɛ]	tu extrais [ɛkstrɛ]
— —	il plaît [plɛ]	il tait [tɛ]	il extrait [ɛkstrɛ]
— —	nous plaisons [plɛzɔ̃]	nous taisons [tɛzɔ̃]	nous extrayons [ɛkstrɛjɔ̃]
— —	ils plaisent [plɛz]	ils taisent [tɛz]	ils extraient [ɛkstrɛ]
— imparf.	je plaisais [plɛzɛ]	je taisais [tɛzɛ]	j'extrayais [ɛkstrɛjɛ]
— passé simple	je plus [ply]	je tus [ty]	*inusité*
— futur	je plairai [plɛre]	je tairai [tɛre]	j'extrairai [ɛkstrere]
Cond. prés.	je plairais [plɛrɛ]	je tairais [tɛrɛ]	j'extrairais [ɛkstrerɛ]
Subj. prés.	que je plaise [plɛz]	que je taise [tɛz]	que j'extraie [ɛkstrɛ]
— —	que nous plaisions [plɛzjɔ̃]	que nous taisions [tɛzjɔ̃]	que nous extrayions [ɛkstrɛjɔ̃]
— —	qu'ils plaisent [plɛz]	qu'ils taisent [tɛz]	qu'ils extraient [ɛkstrɛ]
— imparf.	qu'il plût [ply]	qu'il tût [ty]	*inusité*
Impératif	plais [plɛ], plaisons [plɛzɔ̃]	tais [tɛ], taisons [tɛzɔ̃]	extrais [ɛkstrɛ]
			extrayons [ɛkstrɛjɔ̃]
Participes	plaisant [plɛzɑ̃], plu [ply]	taisant [tɛzɑ̃], tu [ty]	extrayant [ɛkstrɛjɑ̃]
			extrait [ɛkstrɛ]

* De même *traire, abstraire, braire* (3ᵉ pers.), *soustraire, distraire.*

	80	81	82
Inf. prés.	**repaître***	**clore****	**oindre*****
	[rəpɛ] / [rəpɛs] / [rəp]	[klo] / [kloz]	[wɛ̃] / [wɛ̃d] / [waɲ]
Ind. prés.	je repais [rəpɛ]	je clos [klo]	j'oins [wɛ̃]
— —	tu repais [rəpɛ]	tu clos [klo]	tu oins [wɛ̃]
— —	il repaît [rəpɛ]	il clôt [klo]	il oint [wɛ̃]
— —	nous repaissons [rəpɛsɔ̃]	*inusité*	nous oignons [waɲɔ̃]
— —	ils repaissent [rəpɛs]	—	ils oignent [waɲ]
— imparf.	je repaissais [rəpɛsɛ]	—	j'oignais [waɲɛ]
— passé simple	je repus [rəpy]	—	j'oignis [waɲi]
— futur	je repaîtrai [rəpɛtre]	je clorai [klore]	j'oindrai [wɛ̃dre]
Cond. prés.	je repaîtrais [rəpɛtrɛ]	je clorais [klorɛ]	j'oindrais [wɛ̃drɛ]
Subj. prés.	que je repaisse [rəpɛs]	que je close [kloz]	que j'oigne [waɲ]
— —	que nous repaissions [rəpɛsjɔ̃]	que nous closions [klozjɔ̃]	que nous oignions [waɲɔ̃]
— —	qu'ils repaissent [rəpɛs]	qu'ils closent [kloz]	qu'ils oignent [waɲ]
— imparf.	qu'il repût [rəpy]	*inusité*	qu'il oignît [waɲi]
Impératif	repais [rəpɛ] repaissons [rəpɛsɔ̃]	clos [klo], *inusité*	oins [wɛ̃], oignez [waɲe]
Participes	repaissant [rəpɛsɑ̃] repu [rəpy]	*inusité*, clos [klo]	oignant [waɲɑ̃], oint [wɛ̃]

* De même *paître*, sauf passé simple et part. passé, *inusités;* ** de même *enclore, éclore;* *** de même *poindre* (impers.).

	83	84	85
Inf. prés.	**frire**	**sourdre**	**vaincre**
	[fri]	[sur] / [surd]	[vɛ̃] / [vɛ̃k]
Ind. prés.	je fris [fri]	*inusité*	je vaincs [vɛ̃]
— —	tu fris [fri]	—	tu vaincs [vɛ̃]
— —	il frit [fri]	il sourd [sur]	il vainc [vɛ̃]
— —	*inusité*	*inusité*	nous vainquons [vɛ̃kɔ̃]
— —	—	ils sourdent [surd]	ils vainquent [vɛ̃k]
— imparf.	—	*inusité*	je vainquais [vɛ̃kɛ]
— passé simple	—	—	je vainquis [vɛ̃ki]
— futur	je frirai [frire]	—	je vaincrai [vɛ̃kre]
Cond. prés.	je frirais [frirɛ]	—	je vaincrais [vɛ̃krɛ]
Subj. prés.	*inusité*	—	que je vainque [vɛ̃k]
— —	—	—	que nous vainquions [vɛ̃kjɔ̃]
— —	—	—	qu'ils vainquent [vɛ̃k]
— imparf.	—	—	qu'il vainquît [vɛ̃ki]
Impératif	fris [fri], *inusité*	—	vaincs [vɛ̃], vainquons [vɛ̃kɔ̃]
Participes	*inusité*, frit [fri]	—	vainquant [vɛ̃kɑ̃] vaincu [vɛ̃ky]

abréviations

abrév. abréviation
absolum. absolument
adj. adjectif
adjectiv. adjectivement
admin. administratif
adv. adverbe
adverbial. adverbialement
aéron. aéronautique
affl. affluent
agric. agriculture
all. allemand
alphab. alphabétique
alt. altitude
altér. altération
amér. américain
anal. analogie, analogique
anat. anatomie
anc. ancien
ancienn. anciennement
angl. anglais
anglo-amér. anglo-américain
Antiq. Antiquité
apr. après
ar. arabe
archit. architecture
arg. argot
arrond. arrondissement
art. article
astron. astronomie
astronaut. astronautique
auj. aujourd'hui
autref. autrefois
auxil. auxiliaire
av. avant

biol. biologie
bot. botanique

C. centre
cant. canton
capit. capitale
cardin. cardinal
cf. conferre
ch. de f. chemins de fer
ch.-l. chef-lieu
coll. collection
comm. commune
compl. complément
conj. conjonction
conj. se conjugue comme (renvoie au n° de conjugaison)
constr. construction
contr. contraire

déc. décembre
déf. défini
dém. démonstratif
dép. département
dér. dérivé
dial. dialectal
dimin. diminutif
dir. direct
dr. droit

E. est
écon. économie
égypt. égyptien
électr. électricité
elliptiq. elliptique, elliptiquement
empr. emprunt, emprunté
encycl. encyclopédie
env. environ
esp. espagnol
étym. étymologie
ex. exemple
express. expression

f. ou fém. féminin
fam. familier, familièrement
fém. féminin
féod. féodal, féodalité
fév. février
fig. figure
financ. financier
fl. fleuve
fr. français
frq. francique

gaul. gaulois
géogr. géographie, géographique
géol. géologie
géom. géométrie
géomorphol. géomorphologie
germ. germanique
gr. grec
gramm. grammaire

hab. habitants
haut. hauteur
hébr. hébreu
hist. histoire, historique
hist. nat. histoire naturelle
holland. hollandais
hongr. hongrois

i. ou intr. intransitif
imp. imparfait
impér. impératif
impers. impersonnel
impersonnellem. impersonnellement
ind. indirect
indéf. indéfini
indic. indicatif
industr. industrie, industriel
infin. infinitif
interj. interjection
interjectiv. interjectivement
interr. interrogatif
intr. intransitif
intransitiv. intransitivement
inus. inusité
inv. invariable
irland. irlandais
ironiq. ironiquement
it. italien

janv. janvier
japon. japonais
J.-C. Jésus-Christ
juil. juillet
jurid. juridique

larg. largeur
lat. latin
littér. littérature, littéraire
littéral. littéralement
loc. locution
loc. adj. locution adjective
loc. adv. locution adverbiale
loc. conj. locution conjonctive
loc. div. locutions diverses
loc. prép. locution prépositive
long. longueur

m. ou masc. masculin
M. Monsieur
Mgr Monseigneur
Mme Madame
majusc. majuscule
mar. marine
masc. masculin
math. mathématiques
max. maximum, maximal
mécan. mécanique
méd. médecine, médical
métall. métallurgie
météorol. météorologie
mil. militaire
minér. minéralogie
minim. minimum, minimal
minusc. minuscule
mus. musique
myth. mythologie, mythologique

n. nom
N. nord
navig. navigation
néerl. néerlandais
néol. néologisme

n. f.	nom féminin
n. f. pl.	nom féminin pluriel
n. m.	nom masculin
n. m. pl.	nom masculin pluriel
n°	numéro
norm.	normand
norv.	norvégien
nov.	novembre
n. pr.	nom propre
num.	numéral
O.	ouest
océanogr.	océanographie
oct.	octobre
onomat.	onomatopée
opt.	optique
orig.	origine
orig. inc.	origine inconnue
orig. incert.	origine incertaine
p.	page
par allus.	par allusion
par anal.	par analogie
par compar.	par comparaison
par extens.	par extension
par oppos. à	par opposition à
part.	participe
part. ou partic.	particulier
part. passé	participe passé
part. prés.	participe présent
peint.	peinture
péjor.	péjoratif, péjorativement
pers.	personnel
philos.	philosophie, philosophique
photogr.	photographie
physiol.	physiologie
phys.	physique
pl. ou plur.	pluriel
poét.	poétique, poétiquement
polit.	politique
polon.	polonais
pop.	populaire, populairement
portug.	portugais
poss.	possessif
pp.	pages
pr. ou pron.	pronominal
préf.	préfixe
prép.	préposition
prés.	présent
principalem.	principalement
priv.	privatif, privativement
pron.	pronom, pronominal
prov.	provençal, province
qqch.	quelque chose
qq'un	quelqu'un
rad.	radical
r. dr.	rive droite
réfl.	réfléchi
rel.	relatif
relig.	religion, religieux
rem.	remarque
r. g.	rive gauche
riv.	rivière
rom.	romain
roum.	roumain
s. ou sing.	singulier
S.	sud
scand.	scandinave
scientif.	scientifique
scol.	scolaire
sculpt.	sculpture
sept.	septembre
signif.	signifie, signifiant
simplem.	simplement
sing.	singulier
spécialem.	spécialement
statist.	statistiques
subj.	subjonctif
substantiv.	substantivement
suéd.	suédois
suff.	suffixe
superl.	superlatif
symb.	symbole
syn.	synonyme
t.	transitif
techn.	technique
technol.	technologie
télécomm.	télécommunications
télév.	télévision
théol.	théologie
topogr.	topographie
transitiv.	transitivement
trav. publ.	travaux publics
triv.	trivial
v.	verbe, vers
v.	ville
v. i.	verbe intransitif
v. impers.	verbe impersonnel
v. pr	verbe pronominal, ville principale
v. t.	verbe transitif
v. t. ind.	verbe transitif indirect
versific.	versification
vulg.	vulgaire
zool.	zoologie

↑	synonyme à valeur intensive
↓	synonyme à valeur diminutive
→	voir
/	signe reliant deux parties d'un même canton

a

A n. m. **1.** La première lettre de l'alphabet, et la première des voyelles. ⟶ introduction de l'ouvrage. — **2.** *De A à Z, depuis A jusqu'à Z*, du début à la fin. ‖ *Prouver par A + B*, démontrer d'une manière rigoureuse, comme en mathématiques.

A- (devant consonne), **AN-** (devant voyelle ou *h* muet), préfixe d'origine grecque exprimant l'idée d'absence, de privation (*a* privatif).

À [a], **DE** [də] prép. (lat. *ad*, vers; lat. *de*, en séparant de, à partir de). Les prépositions *à* et *de* introduisent de nombreux types de compléments exprimant des rapports très variés. L'expression de ces rapports peut aussi se faire sans qu'aucune préposition soit présente dans la phrase (la préposition est sous-entendue ⟶ colonne *absence de préposition*). Deux types seulement de compléments (emplois 6 et 7) sont toujours introduits par une préposition. *A* et *de* peuvent se combiner avec l'article défini masculin singulier et pluriel : *au* (à le), *aux* (à les), *du* (de le), *des* (de les). ⟶ tableau pp. 2 et 3.

À la recherche du temps perdu, roman de Marcel Proust (1913-1927).

AA, fl. du nord de la France; 80 km. Il passe à Saint-Omer.

Aachen ⟶ AIX-LA-CHAPELLE.

AAR ou **AARE,** riv. de Suisse; 280 km; *débit moyen :* 552 m³/s. L'Aar donne son nom au massif où elle prend sa source, traverse les lacs de Thoune et de Brienz, puis fait un coude en aval de Berne et rejoint le Rhin (r. g.) en longeant le Jura.

Le *massif de l'Aar*, extrémité orientale des Alpes bernoises, culmine au Finsteraarhorn (4 275 m).

AARAU, v. de Suisse, ch.-l. du cant. d'Argovie, sur l'Aar; 17 000 hab.

ĀBĀDĀN, port de l'Iran, près de l'embouchure du Chaṭṭ al-'Arab dans le golfe Persique; 300 000 hab.

1. ABAISSER [abese] v. t. (de *baisser*). **1.** *Abaisser un objet*, le faire descendre à un niveau plus bas ou en diminuer la hauteur : *Abaisser une manette* (contr. LEVER). *Le mur a été abaissé* (contr. RELEVER). — **2.** *Abaisser une chose*, en diminuer l'importance ou la valeur : *Les impôts ont été abaissés* (syn. ALLÉGER). — **3.** *Abaisser une perpendiculaire sur une droite*, la tracer d'un point extérieur à cette droite. ◆ ***s'abaisser*** v. pr. (sujet nom de chose). Descendre à un niveau inférieur : *Le rideau s'abaisse, le spectacle est fini* (contr. SE LEVER). ◆ **abaissement** n. m. : *L'abaissement d'un store, d'un mur. L'abaissement du pouvoir d'achat* (syn. BAISSE, DIMINUTION).

2. ABAISSER [abese] v. t. (même étym.). *Abaisser qq'un*, le réduire à un état humiliant; lui faire perdre sa dignité (littér.) [souvent remplacé par RABAISSER] : *La douleur abaisse plus qu'elle ne grandit l'homme* (syn. ↑DÉGRADER, RAVALER). ◆ ***s'abaisser*** v. pr. (sujet nom de personne). *S'abaisser à qqch., à faire qqch.*, perdre de sa dignité, de sa fierté en agissant de telle ou telle façon : *Il s'abaisse à lui adresser la parole* (syn. CONDESCENDRE, DAIGNER); sans la prép. *à : Il s'abaisse par sa lâcheté* (syn. ↑S'AVILIR). ◆ **abaissement** n. m. (littér.) : *Tant d'abaissement m'indigne* (syn. ↓AVILISSEMENT).

ABANDONNER [abɑ̃dɔne] v. t. (de l'anc. fr. *à bandon*, au pouvoir de) [sujet nom de personne]. **1.** *Abandonner un lieu*, s'en retirer définitivement : *Abandonner sa maison* (syn. DÉLOGER DE, DÉMÉNAGER DE); le plus souvent avec une idée de défaite : *Les ennemis ont dû abandonner la ville* (syn. QUITTER). — **2.** *Abandonner une fonction*, cesser de l'exercer (le plus souvent avec une idée de défaite ou de renonciation) : *Abandonner l'enseignement* (syn. RENONCER À). — **3.** *Abandonner qqch.*, cesser de s'en occuper, de s'y intéresser ou d'y prendre part (s'emploie souvent intransitiv. dans ce sens) : *Abandonner ses projets* (syn. RENONCER À). *Le boxeur abandonna au quatrième round* (= se déclara vaincu en renonçant à lutter). — **4.** *Abandonner une chose à qq'un*, la lui laisser définitivement : *Anne d'Autriche abandonna le pouvoir à Mazarin* (syn. CONFIER). — **5.** *Abandonner qq'un*, le laisser dans la situation où il se trouve sans lui venir en aide : *Abandonner un ami dans le besoin* (syn. fam. LÂCHER); et, au passif : *Rester abandonné de tous* (syn. DÉLAISSÉ). ◆ ***s'abandonner*** v. pr. **1.** (sans compl.) Cesser de lutter : *Brisé par la douleur, il s'abandonna* (= il se confia, s'épancha). — **2.** *S'abandonner à quelque sentiment, défaut*, etc., se laisser dominer par eux ou s'y laisser aller alors que l'on pouvait s'attendre à une résistance : *S'abandonner au désespoir.* ◆ **abandon** [abɑ̃dɔ̃] n. m. **1.** Correspond à ABANDONNER et à S'ABANDONNER : *Faire abandon de ses biens* (syn. CESSION). *L'abandon d'un enfant. Abandon de poste* (syn. DÉSERTION). *L'abandon de ses projets* (syn. RENONCIATION). *L'abandon d'un coureur.* — **2.** Laisser-aller ou absence de réserve, d'effort dans sa manière de se comporter : *Attitude pleine d'abandon* (syn. DÉTACHEMENT, NATUREL). — **3.** *Laisser qqch. ou qq'un à l'abandon*, négliger de s'en occuper.

ABAQUE [abak] n. m. (gr. *abax*, table à calcul). Graphique permettant de résoudre de nombreux calculs.

ABASOURDIR [abazurdir] v. t. (de l'anc. fr. *basourdir*, tuer). **1.** Étourdir quelqu'un à l'extrême par un grand bruit (syn. ↑ABRUTIR, ↓ÉTOURDIR). — **2.** Provoquer chez quelqu'un un sentiment voisin de la stupeur : *La nouvelle de sa mort m'abasourdit* (syn. SIDÉRER, STUPÉFIER). ◆ **abasourdissant, e** adj. : *Un bruit abasourdissant. Une question abasourdissante* (= stupéfiante).

ABÂTARDIR (S') v. pr. ⟶ BÂTARD 2.

ABAT-JOUR [abaʒur] n. m. inv. (de *abattre*, et *jour*). Dispositif qui sert à rabattre la lumière d'une lampe.

ABATS [aba] n. m. pl. (de *abattre*). Parties des animaux de boucherie (pieds, rognons, cœur, poumons, foie, etc.) qui ne sont pas considérées comme des viandes.

1. ABATTAGE n. m. ⟶ ABATTRE 1.

2. ABATTAGE [abataʒ] n. m. (de *abattre*). Fam. *Avoir de l'abattage*, avoir de l'entrain, du brio (syn. DYNAMISME).

ABATTANT n. m. ⟶ ABATTRE 1.

1. ABATTEMENT n. m. ⟶ ABATTRE 2.

2. ABATTEMENT [abatmɑ̃] n. m. (de *abattre*). Somme d'argent déduite d'un compte, en particulier pour le calcul des impôts.

ABATTIS [abati] n. m. pl. (de *abattre*). Pattes, tête, cou, ailerons, cœur, foie et gésier d'une volaille.

1. ABATTRE [abatr] v. t. (bas lat. *abattere*). [Conj. **56.**] **1.** *Abattre une chose* (en général dressée en hauteur), la jeter bas, la renverser : *Abattre un arbre* (syn. COUPER). *Abattre un mur* (syn. DÉMOLIR). *Abattre un avion* (= le détruire, l'envoyer au sol); la diriger vers le bas, la faire retomber : *La pluie abat la poussière.* — **2.** *Abattre de la besogne, du travail*, en faire une grande quantité. — **3.** *Abattre une carte*, la jouer en la tirant de son jeu et en la mettant sur la table. — **4.** *Abattre ses cartes, son jeu*, dévoiler ses intentions avec netteté, afin d'emporter la décision. — **5.** *Abattre un animal*, le tuer à coups de feu ou en le frappant : *Le chasseur abattit une perdrix. Abattre un bœuf* (= l'assommer dans un abattoir). — **6.** (sujet nom de personne) *Abattre qq'un*, le tuer (alors qu'il est généralement sans défense). ◆ ***s'abattre*** v. pr. **1.** Être jeté bas, renversé, etc. : *La maison s'abattit sous les bombes* (syn. S'ÉCROULER). *L'arbre s'est abattu* (syn. TOMBER). — **2.** *S'abattre sur*, tomber sur quelque chose ou sur quelqu'un : *L'aigle s'abattit sur sa proie* (syn. FONDRE SUR). *Les injures s'abattaient sur lui* (syn. PLEUVOIR SUR). ◆ **abattage** n. m. Action de jeter bas, de tuer des animaux de boucherie (sens 1, 2 et 5 de ABATTRE). ◆ **abattant** n. m. Partie d'un secrétaire que l'on peut lever ou abaisser et sur laquelle on écrit. ◆ **abattoir** n. m. Établissement où l'on abat les animaux destinés à la boucherie et à la charcuterie (sens 5 de ABATTRE).

2. ABATTRE [abatr] v. t. (même étym.). [Conj. **56.**] **1.** (sujet nom de chose) *Abattre qq'un*, lui ôter ses forces physiques ou morales : *Cette forte fièvre l'abat* (syn. ÉPUISER). *Cet échec m'a* *abattu* (syn. DÉMORALISER; contr. RÉCONFORTER). — **2.** *Abattre le courage, l'énergie de qq'un*, les réduire à néant. ‖ *Abattre la fierté, l'orgueil de qq'un*, les rabaisser en humiliant. ◆ **abattement** n. m. Diminution considérable des forces physiques ou morales : *Cette maladie l'a laissé dans un profond abattement* (syn. AFFAIBLISSEMENT). *La mort de son fils l'a jeté dans un grand abattement* (syn. DÉSESPOIR). ◆ **abattu, e** adj. Faible, triste et découragé.

'ABBĀS Ier le Grand (1571-1629), chāh de Perse (1587-1629). Il vainquit le Grand Moghol et les Ottomans, enleva Ormuz aux Portugais et fit d'Ispahan sa capitale.

'ABBĀSSIDES, dynastie de califes arabes qui détrôna les Omeyyades en 750 et qui régna de 750 à 1258. Les 'Abbāssides firent de leur capitale, Bagdad, le centre d'une civilisation brillante.

ABBÉ [abe] n. m. (lat. *abbas*). **1.** Celui qui porte l'habit ecclésiastique; en particulier *Monsieur l'abbé*, titre porté par un prêtre (*curé* désignant la fonction). — **2.** Chef d'un monastère appelé *abbaye* (en ce sens, fém. ABBESSE). ◆ **abbaye** [abei] n. f. Monastère; ses bâtiments.

ABBEVILLE, ch.-l. d'arrond. de la Somme, en Picardie, sur la Somme; 26 000 hab. *(Abbevillois).* Deuxième ville du dép., après Amiens. Industries textiles. (Réputée pour ses industries textiles au Moyen Âge [draps], Abbeville fut aussi un port important ; mais l'ensablement de la Somme entraîna le déclin de son rôle commercial.)

ABBEVILLIEN, ENNE [abviljɛ̃, -ɛn] adj. et n. m. (d'*Abbeville*). Se dit des outils de l'époque préhistorique la plus ancienne (paléolithique), caractérisés par de lourdes pointes de silex taillées sur deux faces (bifaces ou coups-de-poing).

A B C [abese] n. m. Les premiers éléments d'une science, d'une technique, la base élémentaire d'une activité : *L'a b c du métier.* ◆ **abécédaire** n. m. Livre pour apprendre l'alphabet et les premiers éléments de lecture.

EMPLOIS	**à**	**de**	ABSENCE DE PRÉPOSITION
1. Lieu.	Indique le lieu où l'on est et où l'on va, le point d'arrivée (compl. de nom, de verbe et d'adjectif). *Il se trouve* à *Lyon. Il est allé* à *Bordeaux. Il habite* à *Paris* (mais, avec un déterminant : *dans la belle ville* de *Toulouse*). *Il va* à *la campagne*, au *théâtre. L'arrivée* à *la gare. Sa naissance* à *Paris. Avoir mal* à *la tête* (localisation). *Être pris* aux *tempes.*	Indique le lieu d'où l'on vient, le point de départ (compl. de nom, d'adjectif et de verbe). *Il vient* de *Paris*, de *la campagne. Il m'a fait venir* de *Rennes. Il est originaire* de *Marseille. Il est natif* du *Poitou. Il est né* de *parents universitaires* (origine).	Le complément indique le lieu où l'on est (compl. de verbe). *Il habite* Paris (= à Paris). *Il habite* le 7e *arrondissement* (= dans le 7e arrondissement). *J'y suis allé jadis. J'en* (= de là) *reviens.*
2. Temps.	Indique la date, le moment précis, le point d'arrivée, la durée. *Il viendra* à *six heures*, à *cinq heures précises. Perdre toute chance* au *départ. Le renvoi* à *huitaine. Louable* à *l'année.* À *la veille de Pâques. Travailler du matin* au *soir.*	Indique le point de départ, plus rarement la date ou la durée. *Les vacances scolaires vont* de *juillet* à *septembre. Il viendra* de *bonne heure. Il ne fait rien* de *la semaine; il n'a rien fait* de *tout le mois. Il a débarqué* de *nuit. Un mort* de *quatre jours. Un travail* de *trois ans.*	Le complément indique la date. *Il viendra dimanche, il arrivera le matin. Il est parti le 7 juillet. Un beau jour, il a disparu. Je l'ai vu une fois.*
3. Rapport distributif : approximation, évaluation, prix.	*Faire du cent* à *l'heure. Être payé* au *mois. Vendu* au *détail. Travailler* aux *pièces. La vente* à *cent francs de certains articles. Cinq* à *six heures* (= environ).	*Gagner tant* de *l'heure.*	*Articles vendus dix francs pièce, cent francs le kilo. Être payé dix francs l'heure.*
4. Appartenance.	Emploi limité au verbe « être » et au pronom pers. complément du nom. *Ce livre est* à *Jean. C'est un ami* à *moi. Ceci est* à *nous. Il a une manière bien* à *lui d'agir.*	Emploi général avec un nom complément du nom. *Le livre* de *Jean. C'est une lettre* de *François. C'est bien* de *lui* (indique la provenance avec le verbe « être »).	*Cela* lui (= à lui) *est personnel. Cette maison* nous (= à nous) *appartient. Cela* leur (= à eux) *est propre. Ce défaut* t'est (= à toi) *particulier.* (Il n'y a généralement pas de préposition « à » avec les pronoms personnels dépendant d'adjectifs ou de verbes, sauf « être ».)
5. Attribution ou provenance (objet secondaire de certains verbes).	Emploi général, surtout attribution. *Il a prêté un livre* à *son frère. Il a confié un secret* à *un ami. Il a arraché une confidence* à *quelqu'un. Puiser de l'eau* à *une source. Emprunter de l'argent* à *un ami.*	Emploi limité à la provenance. *Je n'ai rien reçu* de *lui*, de *Pierre.*	Emploi limité aux pronoms personnels. *Il* lui (= à lui) *a confié son secret. Il* lui (= à lui) *a arraché la serviette des mains.*
6. Moyen.	*Pêcher* à *la ligne. La pêche* au *lancer. Aller* à *bicyclette. Marcher* à *l'électricité. Ceci est jouable* au *piano. Examiner* à *la loupe.*	Emplois limités à ceux de la préposition « avec ». *Frapper* de *la main. Partir* du *pied gauche* (parties du corps). *Il me fait signe* de *la tête. Il vit* de *légumes. Faire quelque chose* de *rien.*	
7. Cause, agent.	Emploi limité à des expressions. *Manteau mangé* aux *mites. Livre mangé* aux *vers. Ceci est visible* à *l'œil nu.*	Emplois limités à ceux de la préposition « par ». *Pleurer* de *joie. Mourir* de *soif. Être aimé* de *ses parents. Être surpris* de *cette nouvelle. Il est mort* de *faim.*	

ABCÈS [apsɛ] n. m. (lat. *abscessus*). **1.** Amas de pus dans une cavité formée anormalement dans un tissu quelconque par l'action d'agents infectieux. — **2.** *Crever l'abcès*, résoudre immédiatement, par la force, une situation critique et dangereuse.
— ENCYCL. L'*abcès* est formé par le *pus* (amas de germes morts) dans une *cavité* qui a été creusée dans le tissu normal. Il existe deux types d'abcès :
l'*abcès chaud* est un amas de pus rapidement formé qui s'accompagne des quatre signes principaux de l'inflammation (rougeur, douleur, chaleur, tumeur);
l'*abcès froid*, plus rare, est un amas de pus lentement formé qui ne s'accompagne pas des signes d'inflammation et qui est dû surtout au bacille de Koch. Tout abcès doit être vidé de son pus, ce qui se fait parfois naturellement, par son ouverture. Le plus souvent, le chirurgien incise l'abcès et nettoie la cavité.

'ABD' AL-'AZĪZ III IBN SA'ŪD (dit aussi simplement **Ibn Sa'ūd**) [1887-1953], roi de l'Arabie Saoudite à partir de 1932.

ABD EL-KADER, émir arabe né en Algérie, près de Mascara (1808-1883). En 1834, il fait reconnaître son autorité sur l'ouest de l'Algérie jusqu'à Médéa. En 1835, il remporte une victoire sur les Français à la Macta et en 1837, par le traité de la Tafna, il obtient du général Bugeaud que son territoire soit étendu jusqu'à la région de Constantine. Mais il reprend le combat, et, en novembre 1839, occupe la riche plaine de la Mitidja. Le camp de l'émir, la smala, est dispersé par les Français en 1843. Il faudra cependant huit années de combat acharné pour qu'Abd el-Kader accepte de déposer les armes (1847). Il est emprisonné en France jusqu'en 1852. Libéré, il se retire à Damas où il se montre un ami de la France.

ABD EL-KRIM, homme politique marocain (1882-1963). Il dirigea le soulèvement du Rif (région du nord du Maroc) contre les Espagnols (1921) puis contre les Français, qui le gardèrent prisonnier de 1926 à 1947.

ABDIQUER [abdike] v. t. et i. (lat. *abdicare*). **1.** *Abdiquer (le pouvoir)*, ou souvent intransitiv., renoncer à l'autorité souveraine

EMPLOIS	à	de	ABSENCE DE PRÉPOSITION
8. Manière (équivalent d'un adverbe ou d'un gérondif).	*Marcher* au *pas. Aller* à *l'aveuglette* (= aveuglément). *Vendre* à *meilleur marché. Dormir* à *poings fermés* (= très profondément). *Vendre* à *perte.* À *dire vrai* (= véritablement). À *vouloir tout faire* (= en voulant).	*Manger* de *bon appétit. Il est photographié* de *côté.*	*Vendre bon marché. Rouler pleins gaz* (langue commerciale ou technique).
9. Trait distinctif, particularité (équivalent d'un adjectif) : matière, contenu, convenance, etc.	*Un avion* à *réaction. Un moteur* à *essence. Un homard* à *l'américaine. Casque* à *pointe. Machine* à *vapeur. Manger* à *sa faim. Boire* à *volonté. Avoir du pain* à *discrétion.*	Emploi très étendu après un nom avec des valeurs variées. *Un tissu* de *laine. Une plaque* de *marbre. Une table* de *bois. Une maison* de *brique. Un homme* de *génie. Une barre* de *fer* (matière). *Une maison* de *campagne. Une tasse* de *thé* (contenu).	Emploi limité. *Chandail tout laine. Bas Nylon* (= en Nylon).
10. Nom en apposition.		Emploi général. *La Ville* de *Paris. Le royaume* de *Naples. Un fripon* d'*enfant. Une chienne* de *vie.*	Emploi limité, mais de plus en plus fréquent. *Une ferme modèle. Une classe pilote. Des industries clés.*
11. Destination.	Emploi général. *Tasse* à *thé. Donner* à *boire. Travail* à *refaire* (= qui doit être refait). *Il est de taille* à *riposter. Vase* à *fleurs. Il n'est bon* à *rien. Il est apte* à *n'importe quel travail. L'aptitude* à *une fonction. Il est prêt* à *partir.* Au *secours!* au *revoir!* (formules d'appel, de soutien, d'avertissement).	Emploi très limité. *À quelle heure passe le train* de *Paris?* (celui qui va à Paris ou qui vient de Paris).	Emploi commercial. *Destination New York.*
12. Nom attribut.	Emploi limité. *Prendre* à *partie. Je le prends* à *témoin de ma sincérité.*	Emploi limité. *On l'a traité* de *lâche. Si j'étais* [*que* de] *vous* (syn. À VOTRE PLACE).	Emploi général. *On l'a élu président* (emploi le plus courant).
13. Complément d'un verbe (ou d'un nom d'action). Le verbe change de sens selon qu'il est construit avec « à », « de » (transitif indirect) ou sans préposition (transitif direct).	Transitifs indirects construits avec « à » (et un nom) : *Il obéit* à *son père (l'obéissance* aux *parents). Il manque* à *sa parole. Résister* à *l'ennemi (la résistance* à *l'ennemi). Il est fidèle* à *sa parole. Il rêve* à *son avenir. Il demande* à *sortir. Il aime* à *aller au cinéma.*	Transitifs indirects construits avec « de » (et un nom ou un pronom) : *Il use* de *son dimanche pour aller au cinéma. Il jouit* du *repos. Il manque* de *savoir-faire. Un manque* de *parole. Il se sert* de *son couteau. Nous parlons* de *lui. L'amour* de *la patrie. Il rêve* de *ses vacances passées.* Transitifs directs construits avec « de » (et un infinitif) : *Il lui demande* de *partir. Je crains* de *la voir.* Devant un infinitif sujet : *Comme si* de *pleurer avançait à quelque chose. Il est honteux* de *mentir.*	Transitifs directs, transitifs indirects (avec pronom personnel, la préposition « à » étant sous-entendue) : *Il use ses vêtements. Il manque son train. Cela sert son ambition. Il lui obéit. Il aime aller au théâtre.* L'infinitif sujet : *Mentir est honteux* (= il est honteux de mentir).

dans le cadre d'une monarchie absolue : *Charles X abdiqua à la suite de la révolution de 1830* (contr. MONTER SUR LE TRÔNE). — **2.** *Abdiquer (ce qui vous appartient)*, ou souvent intransitiv., renoncer à ce qui vous est propre, renoncer à agir : *Abdiquer ses biens* (syn. ABANDONNER). *Abdiquer devant les difficultés* (syn. CAPITULER; contr. RÉAGIR). ◆ **abdication** n. f. : *L'abdication de Louis-Philippe en 1848. L'abdication de l'autorité* (syn. DÉMISSION).

ABDOMEN [abdɔmɛn] n. m. (mot lat.). **1.** Partie du tronc comprise entre le thorax en haut et le bassin en bas. ⟶ ENCYCL. — **2.** Partie postérieure du corps des arthropodes, située en arrière des pattes marcheuses. ◆ **abdominal, e, aux** adj. : *Douleurs abdominales.* ◆ **abdominaux** n. m. pl. Muscles du ventre.

— ENCYCL. L'*abdomen* est une cavité qui contient les viscères abdominaux. Ce sont, pour l'appareil digestif : le foie, l'estomac, le pancréas, l'intestin grêle et la plus grande part du gros intestin; pour l'appareil excréteur (= qui sert à éliminer certains produits) : les reins, le bassinet, la partie supérieure des uretères, les capsules surrénales, la rate. Ces viscères sont fixés par une sorte de grande membrane, le péritoine.

■ *Les maladies de l'abdomen.* Outre celles propres à ses divers organes, l'abdomen est affecté par deux séries de maladies :
celles de la *paroi* sont des blessures diverses et des hernies (sorties du contenu abdominal par des orifices élargis : hernies inguinales, ombilicales);
celles du *péritoine* : ce sont les péritonites*, affections graves, causées par différents microbes.

ABDUCTEUR [abdyktœr] adj. et n. m. (du lat. *abductus*, qui s'écarte). Se dit de tout muscle qui écarte un membre du plan médian du corps : *L'abducteur du bras est le deltoïde.*

ABDÜLAZIZ, nom de divers sultans ottomans, dont l'un (né en 1830) régna de 1861 à 1876.

ABDÜLHAMID, nom de deux sultans ottomans qui régnèrent de 1774 à 1789 et de 1876 à 1909.

ABDULLAH ou **'ABD ALLĀH** (1882-1951), roi de Transjordanie (puis de Jordanie) à partir de 1946.

ABÉCÉDAIRE n. m. ⟶ A B C.

ABEILLE [abɛj] n. f. (lat. *apicula*). Insecte de l'ordre des hyménoptères qu'on élève dans une ruche et qui produit du miel et de la cire : *Un essaim d'abeilles. L'élevage des abeilles s'appelle l'apiculture.*

— ENCYCL. Dans une ruche, on trouve trois sortes d'individus : la *reine*, femelle féconde, qui pond de 1 000 à 2 000 œufs par jour, pendant plusieurs années; quelques centaines de *mâles* ou *faux bourdons;* plusieurs dizaines de milliers d'*ouvrières*, femelles stériles, dont la vie en été ne dépasse pas quelques semaines; elles construisent les alvéoles de *cire*, nourrissent la colonie de *pollen* et de *nectar* butinés sur les fleurs et la défendent grâce à l'aiguillon venimeux terminant leur abdomen.

ABEL, fils d'Adam et Ève, tué par son frère Caïn.

ABÉLARD (Pierre), théologien français (1079-1142), un des maîtres de la philosophie médiévale. Sa passion pour Héloïse lui valut une odieuse vengeance du chanoine Fulbert, oncle de celle-ci.

ABÉLIEN, ENNE [abeljɛ̃, -ɛn] adj. (de *N. H. Abel*, mathématicien norvégien). *Groupe abélien*, syn. de GROUPE* COMMUTATIF.

ABEOKUTA, v. du Nigeria: 226 400 hab.

ABER [abɛr] n. m. (mot celtique). En Bretagne, vallée envahie par la mer.

ABERDEEN, port de Grande-Bretagne, dans le nord de l'Écosse, sur la mer du Nord; 182 000 hab. Pêche. Métallurgie.

ABERRANT, E [abɛrɑ̃, -ɑ̃t] adj. (du lat. *aberrare*, s'écarter). **1.** Qui s'écarte du bon sens, de la logique (superl. d'ABSURDE) : *C'est aberrant!* (= c'est de la folie). *Une idée aberrante* (syn. INSENSÉ). — **2.** Qui s'écarte du type normal : *Une espèce aberrante.* ◆ **aberration** n. f. Erreur de jugement allant toujours jusqu'à l'absurdité (sans compl.) : *Par quelle aberration avez-vous pu faire cela?* (syn. AVEUGLEMENT).

1. ABERRATION n. f. ⟶ ABERRANT.

2. ABERRATION [abɛrasjɔ̃] n. f. (lat. *aberratio*). **1.** Déplacement apparent de l'image d'une étoile dans un télescope. — **2.** Ensemble des défauts des systèmes optiques qui ne donnent pas des images nettes : *Aberration chromatique* (= la dispersion des rayons lumineux qui ont traversé une lentille). — **3.** *Aberration chromosomique*, anomalie portant sur le nombre ou la structure des chromosomes*.

ABÊTIR v. t., **ABÊTISSANT, E** adj., **ABÊTISSEMENT** n. m. ⟶ BÊTE 3.

ABHORRER [abɔre] v. t. (lat. *abhorrere*). Avoir en horreur (sert d'intensif à DÉTESTER) [syn. EXÉCRER].

ABIDJAN, v. pr. de la Côte-d'Ivoire, sur la lagune Ébrié; 1 400 000 hab. (aggl. 2,5 millions d'hab.). Elle fut la capitale du pays jusqu'en 1983. Port actif.

ABÎME [abim] n. m. (gr. *abussos*, sans fond). **1.** Gouffre d'une profondeur insondable : *Les abîmes sous-marins (fosses marines) sont appelés des abysses par les géographes.* — **2.** Sert, dans la langue soignée, d'intensif à DIVISION, SÉPARATION : *Un abîme s'est creusé entre le père et le fils;* ou à RUINE, DÉSASTRE (dans quelques express.) : *Être au bord de l'abîme;* ou à IMMENSITÉ, dans *un abîme de : Un abîme de science* (= un homme très savant). ◆ **abîmer (s')** v. pr. Syn. littér. de S'ENFONCER *(dans les flots);* ou de SE PLONGER *(dans des réflexions)*, SE PERDRE *(dans un rêve).*

1. ABÎMER [abime] v. t. (de *abîme*). Causer des dommages à : *Le transport a abîmé le colis* (syn. ENDOMMAGER). ◆ ***s'abîmer*** v. pr. Subir un dommage.

2. ABÎMER (S') v. pr. ⟶ ABÎME.

ABITIBI, région du Canada (nord-ouest du Québec).

ABJECT, E [abʒɛkt] adj. (lat. *abjectus*). Qui suscite le dégoût, le mépris, par sa bassesse : *Une conduite abjecte* (syn. IGNOBLE). *C'est un être abject* (syn. RÉPUGNANT). ◆ **abjection** n. f. (littér.) : *Être au dernier degré de l'abjection* (syn. AVILISSEMENT).

ABJURER [abʒyre] v. t. et i. (lat. *abjurare*). **1.** *Abjurer (une religion)*, l'abandonner solennellement. — **2.** *Abjurer ses opinions, ses erreurs*, etc., y renoncer publiquement (syn. SE RÉTRACTER). ◆ **abjuration** n. f. : *L'abjuration d'Henri IV en 1593.*

ABKHAZIE, république autonome de l'U. R. S. S., en Géorgie; 487 000 hab. Capit. *Soukhoumi.*

ABLATIF [ablatif] n. m. (lat. *ablativus* [*casus*], cas marquant l'origine). **1.** *Gramm.* ⟶ CAS 2. — **2.** *Ablatif absolu* ⟶ ABSOLU 2.

ABLATION [ablasjɔ̃] n. f. (lat. *ablatio*). *Ablation d'un organe du corps, d'une tumeur*, son enlèvement par voie chirurgicale : *L'ablation d'un rein* (mais on dit l'*amputation d'un bras, d'une jambe, d'un membre;* on *enlève* un rein, mais on *coupe* une jambe).

ABLETTE [ablɛt] n. f. (du lat. *albulus*, blanchâtre). Petit poisson d'eau douce. (Famille des cyprinidés.)

ABLUTIONS [ablysjɔ̃] n. f. pl. (du lat. *abluere*, laver). [*Faire*] *ses ablutions*, se laver. (Chez les catholiques, désigne le rite du prêtre qui verse l'eau et le vin sur ses doigts après la communion.)

ABNÉGATION [abnegasjɔ̃] n. f. (lat. *abnegatio*). Renoncement total à ce qui compte le plus pour soi (syn. ↓DÉVOUEMENT, SACRIFICE).

ÅBO ⟶ TURKU.

ABOIEMENT n. m. ⟶ ABOYER.

ABOIS [abwa] n. m. pl. (de *aboyer*). **1.** Express. utilisée en vénerie pour un cerf qui s'arrête devant les chiens, ne pouvant plus leur échapper. — **2.** *Être aux abois*, ne savoir comment sortir d'une situation désespérée (syn. ÊTRE RÉDUIT À LA DERNIÈRE EXTRÉMITÉ).

ABOLIR [abɔlir] v. t. (lat. *abolere*). *Abolir une loi, une coutume*, etc., l'annuler, la supprimer (syn. ABROGER); surtout dans *abolir la peine de mort* (= en faire cesser l'application). ◆ **abolition** n. f. : *L'abolition de l'esclavage. L'abolition de la peine de mort.* ◆ **abolitionnisme** n. m. Ensemble des arguments de ceux qui réclament l'abolition d'une loi (ancienn. l'esclavage, auj. la peine de mort). ◆ **abolitionniste** adj. et n.

ABOMEY, anc. royaume d'Afrique noire.

ABOMINABLE [abɔminabl] adj. (lat. *abominabilis*) [avant ou après le nom]. **1.** Qui provoque l'horreur, la répulsion : *Un crime abominable* (syn. ATROCE, HORRIBLE, MONSTRUEUX). — **2.** Superl. fam. de LAID, MAUVAIS, etc. : *Il fait un temps abominable.* ◆ **abominablement** adv. **1.** Superl. fam. de MAL. — **2.** Marque l'intensité (syn. EXTRÊMEMENT, TRÈS). ◆ **abomination** n. f. (limité à quelques express.). *Avoir qq'un en abomination*, le détester au plus haut point. ‖ *Dire des abominations*, dire des choses horribles, des paroles grossières ou blasphématoires. ‖ *L'abomination de la désolation*, le comble de l'horreur.

1. ABONDER [abɔ̃de] v. i. (lat. *abundare*) [sujet nom de chose]. Être en grand nombre ou en grande quantité : *Le gibier abonde cet automne* (syn. ↑FOISONNER, PULLULER; contr. MANQUER). ◆ v. t. ind. (sujet surtout nom de chose). *Abonder en qqch.*, le posséder ou le produire en grande quantité : *La région abonde en fruits* (syn. REGORGER DE). ◆ **abondance** n. f. **1.** *Une abondance de*, une grande quantité ou un grand nombre de : *Une abondance de légumes* (syn. PROFUSION; contr. PÉNURIE). — **2.** (sans compl.) Ressources importantes qui donnent la prospérité : *Vivre dans l'abondance* (syn. OPULENCE, RICHESSE). — **3.** *Corne d'abondance*, corne qui regorge de fruits et de fleurs et qui est le symbole de la richesse et de la prospérité. ‖ *Parler avec abondance*, s'exprimer avec une grande facilité, avec une richesse particulière de mots. — LOC. ADV. *En abondance*, en grande quantité (syn. ↑À FOISON, À PROFUSION). ◆ **abondant, e** adj. En grande quantité ou dont l'importance est considérable : *La récolte a été abondante* (syn. RICHE). ◆ **abondamment** adv. : *Il mange abondamment* (syn. COPIEUSEMENT). *Il a abondamment traité la question* (syn. AMPLEMENT). ◆ **surabondance** n. f. Superl. de ABONDANCE : *Il y a eu surabondance d'artichauts* (syn. SURPRODUCTION). *Surabondance de biens ne nuit pas* (= excès dans l'abondance des richesses) [syn. PLÉTHORE]. ◆ **surabondant, e** adj. Superl. de ABONDANT : *Des détails surabondants* (syn. EXCESSIF). *Une récolte surabondante* (syn. EXTRAORDINAIRE). ◆ **surabondamment** adv. (syn. EXCESSIVEMENT, TROP). ◆ **surabonder** v. i. : *Un pays où surabondent les richesses.*

2. ABONDER [abɔ̃de] v. i. (même étym.). *Abonder dans le sens de qq'un*, se ranger pleinement à son avis.

ABONNEMENT [abɔnmɑ̃] n. m. (de l'anc. fr. *bodne*, borne). Convention entre un fournisseur (commerçant ou service public) et un client, pour la fourniture régulière d'un produit ou l'usage habituel d'un service. ◆ **abonner** v. t. *Abonner qq'un*, lui prendre un abonnement. ◆ ***s'abonner*** v. pr. Prendre un abonnement pour soi. ◆ **abonné, e** n. : *Les abonnés au téléphone.* ◆ **désabonner (se)** v. pr. Faire cesser son abonnement. ◆ **désabonnement** n. m. ◆ **réabonner (se)** v. pr. ou **réabonner** v. t. : *Il m'a réabonné à son journal.*

1. ABORD n. m. ⟶ ABORDER 2.

2. ABORD [abɔr] n. m. (de *aborder*) [dans des loc. adv.]. *D'abord, tout d'abord*, indique une première partie, un commencement, etc., qui s'oppose généralement à ce qui suit (indiqué par *puis, ensuite, après quoi*, etc.) : *Mettons-nous d'abord (tout d'abord) à l'œuvre, ensuite nous verrons mieux les difficultés* (syn. AU PRÉALABLE, EN PREMIER LIEU). ‖ *Dès l'abord*, indique le point de départ (syn. DÈS LE COMMENCEMENT, DÈS LE DÉBUT). ‖ *Au premier abord*, si l'on s'en tient à un premier examen (syn. À PREMIÈRE VUE, SUR LE COUP; DE PRIME ABORD est un syn. de la langue soignée).

1. ABORDER [abɔrde] v. i. (du frq. *bord*, bord d'un navire). *Aborder à, dans, en, sur* (compl. de lieu), arriver au rivage, au port, atteindre la terre : *Le bateau a abordé dans une île* (syn. ACCOSTER; contr. APPAREILLER, QUITTER). ◆ v. t. **1.** *Aborder un virage*, se dit d'une voiture, ou d'un automobiliste, qui s'engage dans un tournant. — **2.** *Aborder un navire*, le heurter accidentellement; le prendre d'assaut. ◆ **abordable** adj. : *Une côte abordable* (syn. ACCESSIBLE). ◆ **inabordable** adj. ◆ **abordage** n. m. (sens i. et sens t. [2] du v. ABORDER) : *L'abordage est difficile au milieu de ces rochers. Prendre un navire à l'abordage* (= d'assaut). ◆ **abords** n. m. pl. *Les abords de* (suivi d'un compl.), les environs immédiats de : *Les abords de Paris sont encombrés* (syn. LES ACCÈS). *Les abords du village sont très pittoresques* (syn. LES ALENTOURS).

2. ABORDER [abɔrde] v. t. (même étym.). **1.** (sujet nom de personne) *Aborder qq'un*, s'approcher de lui : *Je n'ose l'aborder* (syn. ACCOSTER). — **2.** (sujet nom de personne) *Aborder qqch.*, commencer à l'entreprendre, y faire face : *Aborder un problème difficile* (syn. AFFRONTER, S'ATTAQUER À). ◆ **abord** [abɔr] n. m. Manière dont on accueille les autres (toujours accompagné d'un qualificatif et surtout dans des express.) : *Avoir l'abord sévère. Être d'un abord aimable.* ◆ **abordable** adj. : *Un homme facilement abordable* (syn. ACCESSIBLE). *Des articles d'un prix abordable* (= à la portée de tous). ◆ **inabordable** adj. Contr. de ABORDABLE (surtout lorsqu'il s'agit de prix). ◆ **réaborder** v. t. : *Réaborder l'examen d'un projet.*

ABORIGÈNE [abɔriʒɛn] n. m. (lat. *aborigenes*, premiers habitants). Qui est originaire du pays où il vit par oppos. à ceux qui viennent s'y établir (surtout au plur.) [syn. AUTOCHTONE, INDIGÈNE; contr. ÉTRANGER].

1. ABOUCHER [abuʃe] v. t. (de *bouche*). *Aboucher deux tuyaux, des tubes*, les joindre bout à bout pour qu'ils communiquent, les souder l'un à l'autre. ◆ **abouchement** n. m.

2. ABOUCHER (S') [sabuʃe] v. pr. (même étym.). Péjor. *S'aboucher avec qq'un*, se mettre en rapport avec lui, souvent pour une affaire suspecte (syn. NÉGOCIER).

ABOUKIR, bourgade d'Égypte, près de la *rade d'Aboukir*.

- *1er août 1798. Une escadre française est détruite par l'Anglais Nelson.*
- *25 juillet 1799. Bonaparte rejette à la mer une armée turque.*

ABOULIQUE [abulik] adj. et n. (du gr. *aboulia*, irréflexion). Privé complètement de volonté (terme de méd. passé dans la langue courante).

ABOU-SIMBEL, localité de la haute Égypte, au N. de la deuxième cataracte. Sanctuaire creusé dans les falaises qui dominent le Nil : quatre colosses de 20 m de hauteur représentent Ramsès II, qui fit édifier les temples. Le sanctuaire fut démonté en 1967 lors de la construction du barrage d'Assouan et réédifié au-dessus du niveau du Nil.

ABOUT (Edmond), romancier français (1828-1885), auteur du *Roi des montagnes* (1857), de *l'Homme à l'oreille cassée* (1862), du *Roman d'un brave homme* (1880).

1. ABOUTIR [abutir] v. t. ind. (de *bout*). **1.** (sujet nom de chose) *Aboutir à un lieu*, y toucher par une extrémité : *Le sentier aboutit au village* (syn. FINIR À, SE TERMINER À). *La Loire aboutit à l'Atlantique* (syn. SE JETER DANS). — **2.** (sujet surtout nom de chose) *Aboutir à qqch.*, y trouver sa conclusion, y mener par une série d'événements, de conséquences, avoir pour résultat : *Ma démarche n'a abouti à rien.* ◆ **aboutissement** n. m. (syn. FIN).

2. ABOUTIR [abutir] v. i. (même étym.). **1.** (sujet nom de chose) Avoir un résultat heureux, une issue favorable : *Les démarches ont abouti* (syn. RÉUSSIR; contr. ÉCHOUER). — **2.** (sujet nom de personne) Terminer heureusement quelque chose : *Après un long travail, j'ai enfin abouti.* ◆ **aboutissants** n. m. pl. *Les tenants et les aboutissants* ⟶ TENANT. ◆ **aboutissement** n. m. : *C'est l'aboutissement de toutes mes recherches* (syn. POINT FINAL, TERME).

ABOYER [abwaje] v. i. (onomat.). [Conj. **3.**] **1.** (sujet nom désignant un chien ou quelques animaux du même genre) Émettre des cris d'appel, de menace, etc. : *Le chien aboie;* compl. indiquant l'objet visé par les cris, introduit par *après, contre* (plus rarement *à*) : *Le chien aboie après les visiteurs.* — **2.** (sujet nom de personne) *Fam.* Crier, articuler avec violence; et transitiv. : *Aboyer des ordres.* ◆ **aboiement** [abwamɑ̃] n. m. Cri du chien.

ABRACADABRANT, E [abrakadabrɑ̃, -ɑ̃t] adj. (de *abracadabra*, mot gr.). Se dit d'une chose qui provoque l'étonnement par son étrangeté ou son incohérence : *Une idée abracadabrante* (syn. ↓BIZARRE; fam. FARFELU).

ABRAHAM, patriarche hébreu, ancêtre des Israélites, né à Our en Chaldée v. 1850 av. J.-C. Dieu, pour l'éprouver, lui demanda de lui immoler son fils Isaac, puis repoussa ce sacrifice humain et conclut une alliance avec lui et sa descendance.

ABRASION [abrazjɔ̃] n. f. (du lat. *abradere*, racler). **1.** Action d'user par frottement, d'enlever par grattage. — **2.** Usure par érosion : *Une plate-forme littorale d'abrasion.* ◆ **abrasif, ive** adj. Se dit d'une matière dure utilisée dans l'industrie pour user, polir, etc.

ABRÉGER [abreʒe] v. t. (du lat. *brevis*, bref) [sujet nom de personne ou de chose]. *Abréger qqch.*, en diminuer la longueur, la durée : *Abréger un article trop long* (syn. RACCOURCIR). *Abrégez votre exposé* (syn. ÉCOURTER; contr. ALLONGER). ◆ **abrégé** n. m. **1.** Forme réduite d'un écrit plus long ou d'un ensemble plus vaste : *L'abrégé d'un écrit* (syn. RÉDUCTION). — **2.** Ouvrage contenant le résumé d'une science, d'un livre d'études : *Un abrégé de géométrie* (syn. PRÉCIS). — LOC. ADV. *En abrégé*, en peu de mots (syn. BRIÈVEMENT, EN BREF, SOMMAIREMENT; langue soignée SUCCINCTEMENT). ◆ **abrègement** n. m. (contr. ALLONGEMENT). ◆ **abréviation** [abrevjasjɔ̃] n. f. Réduction d'un mot à une suite plus courte d'éléments (premières syllabes), ou réduction d'un composé à ses initiales : *« Métro », « bus », « S. N. C. F. » sont des abréviations de « chemin de fer métropolitain », de « autobus », de « Société nationale des chemins de fer français ».*

1. ABREUVER [abrœve] v. t. (du lat. *bibere*, boire). **1.** Faire boire des animaux domestiques (chevaux, bœufs, etc.) : *Abreuver le bétail.* — **2.** *Terre, sol abreuvés d'eau*, pleins d'eau (au point qu'ils ne peuvent plus l'absorber). — **3.** *Le visage abreuvé de larmes*, inondé de larmes (littér.). ◆ ***s'abreuver*** v. pr. Boire : *Le cheval s'abreuve à la mare;* et, en parlant de l'homme, boire abondamment. ◆ **abreuvoir** n. m. Lieu où les bestiaux vont boire.

2. ABREUVER [abrœve] v. t. (même étym.). *Abreuver qq'un d'injures, de coups*, l'injurier, le battre jusqu'à l'accablement.

ABRÉVIATION n. f. ⟶ ABRÉGER.

ABRI [abri] n. m. (de l'anc. fr. *abrier*, abriter). **1.** Lieu où l'on peut se mettre à couvert de la pluie, du soleil, etc., et en particulier endroit qui a été aménagé pour servir de refuge en cas de bombardement, d'incendie, etc. : *Un abri en montagne* (syn. REFUGE). — **2.** *À l'abri*, à couvert des intempéries : *Se mettre à l'abri sous un arbre* (= se réfugier); être en sûreté, hors de danger : *Nous sommes maintenant à l'abri* (syn. HORS D'ATTEINTE); suivi d'un compl. avec *de : Il est à l'abri du besoin* (= il a de quoi vivre).

◆ **abriter** [abrite] v. t. (souvent au passif et au pron.) : *S'abriter sous un porche* (syn. SE PROTÉGER). *Le versant de la colline abrité des vents* (contr. EXPOSÉ). *Cette maison abrite plusieurs familles* (= leur sert d'habitation). ◆ **Abribus** n. m. (nom déposé). Abri pour attendre l'autobus, sur les parois duquel est affichée de la publicité. ◆ **sans-abri** n. inv. Personne qui n'a pas de logement (syn. SANS-LOGIS).

ABRICOT [abriko] n. m. (ar. *al-barqūq*). Fruit jaune-orangé. ◆ **abricoté, e** adj. *Pêche abricotée*, qui tient de l'abricot. ◆ **abricotier** n. m. Arbre de 4 à 6 m de hauteur, produisant l'*abricot*, cultivé dans le sud de la France. (Famille des rosacées.)

ABROGER [abrɔʒe] v. t. (lat. *abrogare*). *Abroger une loi, un décret, un arrêt*, les annuler, les supprimer (syn. ↓ABOLIR). ◆ **abrogation** n. f. (syn. ABOLITION, ANNULATION).

ABRUPT, E [abrypt] adj. (lat. *abruptus*). **1.** Se dit d'une pente, d'une montagne, coupées droit, d'un chemin dont la montée est difficile : *Pente abrupte* (syn. ESCARPÉ). — **2.** Se dit d'une personne (ou de son comportement) dont l'abord est rude, qui est d'une franchise brutale (syn. REVÊCHE).

ABRUTIR [abrytir] v. t. (de *brute*) [sujet nom de personne et de chose]. *Abrutir qq'un*, le rendre incapable de rien comprendre, de rien sentir; le mettre dans un état de torpeur ou d'accablement : *L'alcool l'a abruti* (syn. HÉBÉTER). *Il l'abrutit d'un flot de paroles* (syn. ↑ABASOURDIR); surtout au passif : *Être abruti par une migraine.* ◆ ***s'abrutir*** v. pr. *S'abrutir de travail*, s'exténuer par un travail excessif. ◆ **abruti, e** n. *Fam.* Personne stupide. ◆ **abrutissant, e** adj. ◆ **abrutissement** n. m. (syn. ABÊTISSEMENT).

ABRUZZES (les), montagnes d'Italie, partie centrale des Apennins, dont elles portent le point culminant (Gran Sasso, 2914 m). Parc national de 300000 ha. Elles donnent leur nom à une région (1244000 hab. Capit. *L'Aquila*).

ABSALON, fils de David, révolté contre son père. Vaincu dans un combat, il s'enfuit, mais sa longue chevelure se prit dans les branches d'un arbre et il resta suspendu. Joab, neveu de David, put ainsi le tuer.

ABSCISSE [apsis] n. f. (lat. *abscissa*, coupée). Le premier des deux nombres réels, appelés coordonnées, caractérisant un point, dans un plan rapporté à un repère*. ‖ *Abscisse d'un point M sur un axe par rapport à un repère (O, I)*, c'est le nombre réel x tel que $\overline{OM}=x.\overline{OI}$. (→ REPÈRE, *repère sur une droite*.)

ABSCONS, E [apskɔ̃s] adj. (lat. *absconsus*, caché). *Littér.* Qui est très difficile à comprendre (syn. ABSTRUS; contr. CLAIR).

ABSENT, E [apsɑ̃, -ɑ̃t] adj. et n. (lat. *absens*) [sans compl. introduit par *de*]. Se dit de quelqu'un qui n'est pas présent dans un lieu où il devrait être normalement, où il se trouve habituellement et surtout où il travaille d'ordinaire : *Faire l'appel afin de compter les absents* (contr. PRÉSENT). ◆ adj. **1.** (avec un compl. de lieu introduit par *de*) Se dit de quelqu'un qui n'est pas présent dans un lieu : *Il est absent de Paris en ce moment* (= il n'est pas à Paris). — **2.** (avec ou sans compl.) Se dit de quelque chose qui fait défaut : *La précision est absente de ce rapport* (syn. MANQUER À). — **3.** (sans compl.) Se dit de quelqu'un (ou de sa physionomie) qui montre une grande distraction; absorbé dans une réflexion profonde : *Écouter d'un air absent* (syn. DISTRAIT). ◆ **absence** n. f. (correspond à tous les sens de ABSENT). **1.** *S'excuser de son absence. Son absence de Paris se prolonge* (contr. PRÉSENCE). — **2.** *Ce roman témoigne d'une absence totale de goût* (syn. DÉFAUT, MANQUE). *En l'absence de* (= faute de, par manque de). *Des absences de mémoire* (syn. fam. TROU). — **3.** *Depuis son accident, il a souvent des absences* (syn. DISTRACTIONS). ◆ **absentéisme** n. m. Absence fréquente et non motivée du lieu de travail (contr. ASSIDUITÉ). ◆ **absentéiste** adj. et n. ◆ **absenter (s')** v. pr. (sujet nom de personne). Quitter un lieu où l'on est habituellement, où l'on se trouve en ce moment (avec ou sans compl. introduit par *de*) : *Je m'absente pour quelques instants* (syn. SORTIR). *S'absenter de Paris.*

ABSIDE [apsid] n. f. (gr. *apsis, -idos*, voûte). Extrémité, généralement arrondie, d'une église, derrière le chœur.

ABSIDIOLE [apsidjɔl] n. f. (de *abside*). Chacune des petites chapelles qui entourent le chœur d'une église.

ABSINTHE [apsɛ̃t] n. f. (gr. *apsinthion*). **1.** Plante aromatique, contenant une essence toxique. — **2.** Liqueur alcoolique aromatisée avec cette plante. (En France, la fabrication en est interdite.)

1. ABSOLU, E [apsɔly] adj. (lat. *absolutus*). **1.** Qui ne comporte aucune restriction, aucune atténuation, ni aucune exception (contr. RELATIF) : *Avoir un mépris absolu* (syn. COMPLET, TOTAL). *Une confiance absolue* (syn. ENTIER, PLEIN); placé parfois avant le nom : *Ne m'appelez qu'en cas d'absolue nécessité* (syn. IMPÉRIEUX). — **2.** (après un nom qui exprime la manière d'être) Qui ne supporte aucune opposition, aucune contradiction, qui ne fait aucune concession : *Il est trop absolu dans ses jugements* (syn. DOGMATIQUE, ENTIER). *Il a un caractère absolu* (syn. INTRANSIGEANT); qui s'inspire de principes rigoureux, sans tenir compte des circonstances : *Un monarque absolu* (= qui ne connaît pour limite à l'exercice de son autorité que la loi fixée par lui-même). *Un pouvoir absolu* (syn. SOUVERAIN). ◆ **absolu** n. m. Ce qui est à l'origine de tout; le parfait : *La recherche de l'absolu.* ◆ **absolument** adv. **1.** D'une manière qui n'admet aucune restriction ni réserve : *Je dois absolument le voir* (syn. DE TOUTE NÉCESSITÉ). — **2.** Avec un adj., un adv. ou un v., sert à exprimer l'intensité à son plus haut degré : *C'est absolument faux* (syn. COMPLÈTEMENT, TOTALEMENT). ◆ **absolutisme** n. m. **1.** Régime politique dans lequel le chef de l'État concentre en lui tous les pouvoirs, sans admettre d'autres contrôles que ceux que lui-même a institués (syn. AUTOCRATIE; péjor. DESPOTISME, TYRANNIE). — **2.** Caractère absolu, intransigeant. ◆ **absolutiste** adj. et n.

2. ABSOLU, E [apsɔly] adj. (même étym.). En grammaire, se dit d'une construction ou d'un terme qui n'est pas rattaché ou lié grammaticalement à un autre terme de la phrase : *L'ablatif absolu est une construction absolue.* → ENCYCL. ‖ *Pris dans un sens absolu*, se dit d'un verbe transitif employé sans complément d'objet (ex. : *Il mange* [pris dans un sens absolu]; *il mange du pain* [transitif]). ‖ *Superlatif absolu* → SUPERLATIF. ◆ **absolument** adv. *Verbe, adjectif*, etc., *employé absolument*, sans compl. : *Dans la phrase « il a bu », le verbe « boire » est employé absolument.*
— ENCYCL. Les propositions participiales sont en français des *constructions absolues*. Dans le vers de La Fontaine : *Le maître étant absent, ce lui fut chose aisée*, la proposition participiale « Le maître étant absent » est une construction absolue puisque aucun des mots qui la forment ne joue de rôle dans la proposition principale.

ABSOLUTION n. f. → ABSOUDRE.

ABSOLUTISME n. m., **ABSOLUTISTE** adj. et n. → ABSOLU 1.

1. ABSORBER [apsɔrbe] v. t. (lat. *absorbere*). **1.** (sujet nom de chose) *Absorber un liquide*, le laisser pénétrer en soi, en le retenant ou en le faisant disparaître : *L'éponge absorbe l'eau* (syn. S'IMBIBER DE; contr. REJETER). *Le buvard absorbe l'encre* (syn. S'IMPRÉGNER DE). — **2.** (sujet nom d'être animé) *Absorber des aliments*, les consommer, s'en nourrir (syn. BOIRE ou MANGER). — **3.** (sujet nom de chose) *Absorber qqch.*, le faire disparaître : *Cet achat a absorbé toutes ses économies* (syn. ↑ENGLOUTIR). ◆ **absorbant, e** adj. : *Un tissu absorbant.* ‖ *Poils absorbants*, poils se développant sur les racines des plantes et permettant l'absorption de l'eau et des matières minérales du sol. ◆ **absorption** n. f. : *L'absorption d'une dose de somnifère.*

2. ABSORBER [apsɔrbe] v. t. (même étym.) [sujet nom de chose]. *Absorber qq'un*, ses pensées, son temps, etc., les occuper entièrement et fortement : *Ce travail l'absorbe complètement* (syn. ↑ACCAPARER, RETENIR). ◆ ***s'absorber*** v. pr. Être occupé entièrement : *Il s'absorbe dans la lecture de son journal.* ◆ **absorbant, e** adj. : *Un travail absorbant.*

ABSOUDRE [apsudr] v. t. (lat. *absolvere*). [Conj. **60.**] **1.** *Absoudre qq'un*, le déclarer innocent (terme jurid.); chez les catholiques, remettre les péchés au pénitent (terme relig.). — **2.** *Absoudre la faute de qq'un*, la lui pardonner, l'en excuser. ◆ **absolution** [apsɔlysjɔ̃] n. f. Pardon, rémission des péchés, accordés par un prêtre au nom de Jésus-Christ : *Donner l'absolution.*

ABSOUTE [apsut] n. f. (de *absoudre*). Prières dites autour du cercueil après l'office des morts : *Donner l'absoute.*

1. ABSTENIR (S') [sapstənir] v. pr. (lat. *abstinere*). [Conj. **22.**] (Sujet nom de personne.) **1.** *S'abstenir de qqch.*, l'éviter volontairement, y renoncer : *Il s'est abstenu de tout commentaire* (syn. SE GARDER DE). — **2.** *S'abstenir de faire qqch.*, s'interdire de le faire : *Il s'abstint de la critiquer.* — **3.** (sans compl. d'objet) Ne pas se prononcer et, en particulier, ne pas prendre part, volontairement, à un vote ou à une délibération : *S'abstenir aux élections.* ◆ **abstention** [apstɑ̃sjɔ̃] n. f. Refus personnel de prendre part à une action, et en particulier à un vote (sens 2 et 3 du v.). ◆ **abstentionnisme** n. m. Non-participation d'une partie du corps électoral à un vote. ◆ **abstentionniste** n.

2. ABSTENIR (S') [sapstənir] v. pr. (même étym.). [Conj. **22.**] (Sujet nom de personne.) *S'abstenir d'un aliment*, s'interdire d'en user (syn. SE PRIVER DE). ◆ **abstinence** [apstinɑ̃s] n. f. Action de se priver de certains aliments pour des raisons médicales (peu usuel) ou religieuses. ◆ **abstinent, e** adj. et n. Qui s'abstient de certains plaisirs, d'aliments (syn. plus usuels SOBRE, TEMPÉRANT).

1. ABSTRAIRE [apstrɛr] v. t. (lat. *abstrahere*). [Conj. **79**; surtout à l'infin. et aux temps composés.] (Sujet nom de personne.) Isoler par la pensée un élément d'un objet, d'un événement, pour le considérer en lui-même, indépendamment des autres éléments, afin de dégager ce qui paraît essentiel. ◆ **abstraction**

[apstraksjɔ̃] n. f. **1.** Action d'abstraire; idée ou raisonnement qui est le résultat de cette opération : *La blancheur, considérée en général, sans l'appliquer à un objet, est une abstraction* (syn. CONCEPT, NOTION). — **2.** *Péjor.* Conception ou idée sans rapport avec la réalité, qui est issue de la pure imagination : *La guerre cessait pour ce soldat d'être une abstraction* (syn. UTOPIE). — **3.** *Faire abstraction de*, ne pas tenir compte de : *Dans vos projets, vous faites abstraction de tous les incidents qui peuvent survenir* (syn. ÉCARTER, EXCLURE; contr. FAIRE ENTRER EN LIGNE DE COMPTE). ◆ **abstrait, e** [apstrɛ, -ɛt] adj. **1.** Se dit d'une qualité considérée en elle-même, sans l'appliquer à l'objet *(concret)* dont elle est un des éléments (⟶ ABSTRACTION) : *La blancheur est une qualité abstraite. Humanité est un nom abstrait, homme est un nom concret.* — **2.** Se dit d'une personne (de son esprit ou de son œuvre) difficile à comprendre parce que trop éloignée du concret : *C'est un écrivain abstrait, qui se refuse à illustrer sa pensée par des exemples concrets* (syn. ABSCONS, ABSTRUS [littér.]). — **3.** *L'art abstrait* (contr. FIGURATIF). ⟶ ENCYCL. ◆ **abstrait** n. m. : *Ne restez pas dans l'abstrait, donnez des exemples.* ◆ **abstraitement** adv. (contr. CONCRÈTEMENT).

— ENCYCL. ***art abstrait.*** Depuis la fin du XIXe siècle, l'art n'a plus comme nécessité première de représenter le monde, puisque la photographie remplit désormais cette fonction. Les artistes donnent libre cours à leur imagination et représentent non plus la réalité telle qu'ils la voient ou telle qu'ils l'imaginent, mais des formes et des couleurs qui soient belles par elles-mêmes. Les Russes, au début du XXe siècle, sont alors parmi les premiers à oser faire de l'art abstrait : Vassili Kandinsky (1866-1944) peint en 1910 une *Aquarelle abstraite* et Kasimir Malevitch (1878-1935) un *Carré blanc sur fond blanc* (1918). Antoine Pevsner (1886-1962) intitule en 1913 une sculpture *Formes abstraites*. Ces titres montrent qu'aucune de ces œuvres ne prétend représenter la réalité de la nature. D'autres artistes vont bientôt pratiquer aussi l'art abstrait : le Néerlandais Piet Mondrian (1872-1944) cherche à peindre des formes aussi « pures » que possible, avec les couleurs les plus simples. Robert Delaunay (1885-1941) est séduit plus encore par les couleurs que par les formes.

Entre les deux guerres mondiales, les artistes abstraits sont de plus en plus nombreux. Pour certains, il s'agit sans doute d'échapper d'une certaine manière au long apprentissage nécessaire lorsque l'on veut représenter la réalité. D'autres paraissent faire de l'art abstrait, mais représentent, en fait, des aspects peu connus de la réalité (comme ce que l'on voit dans des agrandissements au microscope). Certains, enfin, expriment réellement leur personnalité à travers l'art abstrait, tels Serge Poliakoff (1906-1969), qui fait jouer ensemble les couleurs les plus subtiles, et Victor Vasarely (né en 1908), praticien de l'art « cinétique », qui mélange les effets de couleurs et les effets de formes géométriques. Aux États-Unis Jackson Pollock (1912-1956) traduit la violence au moyen de lignes et de taches aux couleurs sobres.

→ illustrations en couleurs pp. 160-161.

2. ABSTRAIRE (S') [sapstrɛr] v. pr. (même étym.) [sujet nom de personne]. *S'abstraire de qqch.* (ou sans compl.), s'isoler du monde extérieur pour réfléchir ou rêver (syn. SE DÉTACHER).

ABSTRUS, E [apstry, -yz] adj. (lat. *abstrusus*). *Littér.* Qui est difficile à comprendre, obscur (syn. ABSCONS).

ABSURDE [apsyrd] adj. (lat. *absurdus*, discordant) [avant ou après le nom]. **1.** *Idée, discours*, etc., *absurde*, contraire à la logique, à la raison, à ce qu'attend le sens commun : *Un raisonnement absurde* (syn. ABERRANT, INSENSÉ; contr. FONDÉ, JUDICIEUX, LOGIQUE). *Un projet absurde* (syn. SAUGRENU; contr. RAISONNABLE). — **2.** *Personne absurde*, qui parle ou agit d'une manière déraisonnable : *Vous êtes absurde de lui en vouloir* (syn. STUPIDE). ◆ **absurde** n. m. Ce qui est contraire au bon sens. ‖ *Raisonnement par l'absurde*, démonstration qui consiste à établir une proposition en prouvant l'absurdité de la proposition contraire. ◆ **absurdité** n. f. **1.** Manque de logique (aux deux sens de ABSURDE) : *L'absurdité de sa conduite* (syn. STUPIDITÉ). *L'absurdité de ses propos* (syn. ILLOGISME). *L'absurdité de la mode* (syn. EXTRAVAGANCE). — **2.** Propos ou conduite déraisonnables.

ABŪ BAKR (mort en 634), beau-père et successeur de Mahomet.

ABŪ DHABĪ ⟶ ABŪ ẒABĪ.

ABUJA, capitale du Nigeria, au centre du pays.

1. ABUSER [abyze] v. t. ind. (du lat. *abusus*, mauvais usage) [sujet nom de personne]. **1.** *Abuser de qqch.*, en user mal, et plus souvent, en user avec excès (péjor.) : *Abuser de sa force envers les plus faibles. Abuser de son autorité* (= outrepasser ses droits); et intransitiv. : *Je suis patient, mais il ne faut pas abuser* (syn. DÉPASSER LA MESURE, EXAGÉRER). — **2.** *Abuser de qq'un*, user avec excès de sa bonté, de sa patience, etc. — **3.** *Abuser d'une femme*, la séduire, lui faire violence. ◆ **abus** [aby] n. m. **1.** Mauvais emploi, usage excessif de quelque chose (sens 1 du v.) : *Abus d'autorité* (= excès de pouvoir). *Commettre un abus de confiance* (= tromper la confiance de quelqu'un). — **2.** Injustice sociale, qui s'est établie par habitude, par coutume (sans compl. et souvent au plur.) : *S'élever contre des abus* (syn. jurid. ILLÉGALITÉ). — **3.** Fam. *Il y a de l'abus*, c'est exagéré. ◆ **abusif, ive** adj. Qui constitue un abus : *Privilège abusif.* ◆ **abusivement** adv.

2. ABUSER [abyze] v. t. (même étym.) [sujet nom de personne ou de chose]. *Abuser qq'un*, le tromper par de faux prétextes, l'égarer en lui faisant illusion (littér.). ◆ **s'abuser** v. pr. Se tromper soi-même (langue soignée) : *Vous vous abusez en comptant sur lui* (syn. SE MÉPRENDRE). *Si je ne m'abuse* (= sauf erreur). ◆ **désabuser** v. t. Contr. de ABUSER : *Je l'ai vite désabusé* (syn. DÉTROMPER); surtout comme part. passé : *Avoir une attitude désabusée* (syn. BLASÉ).

ABŪ ẒABĪ ou **ABŪ DHABĪ,** l'un des Émirats arabes unis, sur le golfe Persique ; 449 000 hab. Importants gisements de pétrole.

ABWEHR (mot all. signif. *défense*), service de renseignements et de contre-espionnage allemand de 1925 à 1945.

ABYSSE [abis] n. m. (gr. *abussos*, sans fond). Grande profondeur océanique. ◆ **abyssal, e, aux** adj. : *Une fosse abyssale.*

ABYSSINIE, anc. nom de l'ÉTHIOPIE.

ACABIT [akabi] n. m. (du prov. *cabir*). *De cet acabit, du même acabit*, de cette nature, du même caractère (péjor. et fam.).

ACACIA [akasja] n. m. (gr. *akakia*). Arbre à fleurs jaunes odorantes cultivé dans le midi de la France où il fleurit en hiver et où il est vendu sous le nom de *mimosa*.

1. ACADÉMIE [akademi] n. f. (gr. *Akadêmia*). Nom donné à certaines sociétés scientifiques, littéraires ou artistiques (souvent avec une majuscule) : *Académie des sciences;* en particulier, sans adj. ni compl., désigne l'Académie française. → ENCYCL. ◆ **académicien, enne** n. Membre de l'Académie française. ◆ **académique** adj.

— ENCYCL. ***Académie française.*** Cette société de 40 membres fut créée en 1635 par Richelieu pour tenter de faire prévaloir un « bon usage » du français. Élus par les membres qui en font déjà partie, les académiciens doivent prononcer en séance publique un discours de réception qui comporte l'éloge de leur prédécesseur. Ils publient un dictionnaire, dont la première édition parut en 1694 et la huitième en 1932. La neuvième édition commence à paraître en 1986.

Aujourd'hui, l'Académie française est l'une des « compagnies » de l'Institut de France, qui comprend en outre l'*Académie des inscriptions et belles-lettres*, l'*Académie des sciences*, l'*Académie des beaux-arts* et l'*Académie des sciences morales et politiques.*

2. ACADÉMIE [akademi] n. f. (même étym.). **1.** *Académie de dessin, de peinture, de danse, d'architecture*, nom donné à des écoles publiques où l'on enseigne le dessin, la peinture, etc. — **2.** Figure peinte ou dessinée d'après un modèle nu. ◆ **académique** adj. **1.** *Une figure académique.* — **2.** *Péjor.* Qui suit étroitement les règles traditionnelles (se dit de l'expression, du style, etc., ou des artistes) : *Un discours, un style académique.* ◆ **académisme** n. m. : *Son académisme plaît aux lecteurs conformistes.*

3. ACADÉMIE [akademi] n. f. (même étym.). Circonscription administrative de l'enseignement en France ; les bureaux et les services qui la concernent : *La région parisienne compte trois académies.* ◆ **académique** adj. : *L'inspection académique.*

ACADIE, région orientale du Canada français, sur l'Atlantique, colonisée dès 1604, cédée à l'Angleterre par le traité d'Utrecht (1713) et partagée aujourd'hui entre le Nouveau-Brunswick et la Nouvelle-Écosse. ◆ **acadien, enne** adj. et n. De l'Acadie.

ACAJOU [akaʒu] n. m. (portug. *acajou*). Arbre d'Amérique et d'Afrique, dont le bois rougeâtre est utilisé en ébénisterie.

ACANTHE [akɑ̃t] n. f. (gr. *akantha*, épine). **1.** Plante ornementale du midi de la France, à feuilles longues, très découpées, recourbées et d'un beau vert. — **2.** Ornement d'architecture imité de cette plante et caractéristique du chapiteau corinthien.

ACAPULCO, port du Mexique sur le Pacifique ; 402 000 hab. Station touristique.

ACARIÂTRE [akarjɑtr] adj. (de *saint Acaire*, qui passait pour guérir les fous). Se dit d'une personne (ou de son comportement), surtout d'une femme ou d'un vieillard, dont l'humeur, le caractère est difficile à supporter (syn. ↓GRINCHEUX, HARGNEUX).

ACARIENS [akarjɛ̃] n. m. pl. (du gr. *akari*, mite). Ordre d'arachnides* très petits dont l'abdomen non segmenté est soudé au céphalothorax. Ils vivent dans les détritus ou en parasites des végétaux, des animaux ou de l'homme : *aoûtats, tiques* qui se fixent dans la peau et sucent le sang; *sarcopte de la gale* dont la femelle creuse des galeries sous la peau pour y pondre ses œufs.

ACARNANIE, région de la Grèce antique, entre le golfe de Patras et celui d'Arta.

ACCABLER [akable] v. t. (du norm. *cabler*, abattre). *Accabler qq'un (de qqch.)*, le faire succomber sous la douleur, sous une charge excessive, sous la peine physique ou morale; le priver de toute réaction par un choc moral : *Ce deuil cruel l'accable* (syn. ABATTRE). *La chaleur accablait les touristes* (syn. ÉPUISER). *Accabler d'injures* (syn. ABREUVER). *La déposition du témoin accable l'accusé* (syn. CHARGER, CONFONDRE). *Être accablé de dettes* (syn. ÉCRASER). ◆ **accablant, e** adj. : *Une preuve accablante de culpabilité* (syn. ÉCRASANT). *Une chaleur accablante.* ◆ **accablement** n. m. État d'une personne écrasée par la fatigue, la chaleur, la douleur, l'émotion, etc. (syn. ABATTEMENT; contr. SOULAGEMENT).

ACCALMIE [akalmi] n. f. (de *calme*). **1.** Calme momentané du vent et de la mer : *Une accalmie pendant la tempête* (syn. ÉCLAIRCIE). — **2.** Cessation momentanée d'une activité, d'une agitation, d'une crise, d'un état de maladie : *N'avoir pas un instant d'accalmie dans sa journée* (syn. RÉPIT, TRANQUILLITÉ). *La crise politique connaît quelque accalmie* (syn. APAISEMENT).

ACCAPARER [akapare] v. t. (de l'it. *caparra*, arrhes). **1.** (sujet nom de personne) Péjor. *Accaparer qqch.*, amasser une denrée pour en provoquer la rareté et la revendre au plus haut prix; prendre et garder quelque chose pour soi sans le partager avec d'autres : *Pendant la guerre, certains accaparaient les pommes de terre pour les revendre au marché noir* (syn. MONOPOLISER). *Accaparer toute la banquette d'un compartiment* (syn. OCCUPER). — **2.** (sujet nom de personne ou de chose) Péjor. *Accaparer qq'un*, l'occuper exclusivement en ne lui permettant aucune distraction : *La cliente accaparait le vendeur depuis une demi-heure* (syn. ABSORBER, RETENIR); souvent au passif : *Être accaparé par des visites continuelles.* ◆ **accaparement** n. m. : *L'accaparement des marchandises* (= stockage illicite). *L'accaparement d'un médecin par sa clientèle.* ◆ **accapareur, euse** n.

1. ACCÉDER [aksede] v. i. (lat. *accedere*). [Conj. **10.**] **1.** (sujet nom de personne ou de chose) *Accéder à un lieu*, permettre d'y aller : *La grande allée accédait au château.* — **2.** (sujet nom d'être animé) Pénétrer dans un lieu, l'atteindre : *Accéder au sommet d'une montagne* (syn. PARVENIR). ◆ **accès** [aksɛ] n. m. **1.** Facilité plus ou moins grande d'atteindre un lieu, d'y pénétrer, de comprendre quelque chose : *L'île est d'un accès difficile* (syn. ABORD). *L'accès du musée est interdit* (syn. ENTRÉE). *Un livre d'un accès facile* (syn. COMPRÉHENSION). — **2.** Chemin, voie quelconque, etc., qui permettent d'aller vers un lieu ou d'y entrer : *Les accès de Paris sont embouteillés* (on dit aussi *voie d'accès*). — **3.** *Avoir accès auprès* (ou *près*) *de qq'un*, avoir la possibilité de l'approcher. ‖ *Donner accès (à un emploi)*, offrir le moyen, le droit d'exercer telle ou telle profession. ‖ *Donner accès (à un lieu)*, permettre de l'atteindre. ◆ **accessible** adj. Se dit d'un lieu que l'on peut atteindre. ◆ **inaccessible** adj. Contr. d'ACCESSIBLE (avec prép. *à*) : *La forêt, très dense, est inaccessible aux promeneurs* (syn. IMPÉNÉTRABLE). *Une île inaccessible* (syn. INABORDABLE).

2. ACCÉDER [aksede] v. i. (même étym.). [Conj. **10.**] (Sujet nom de personne.) Parvenir avec plus ou moins de difficulté à une situation jugée supérieure à celle que l'on occupe, à une dignité : *Louis XIV accéda au trône en 1643* (syn. MONTER SUR). *Accéder à de hautes fonctions* (syn. ATTEINDRE À). ◆ **accession** [aksɛsjɔ̃] n. f. Action de parvenir à une situation jugée supérieure, à une dignité, à une propriété.

3. ACCÉDER [aksede] v. t. ind. (même étym.). [Conj. **10.**] (Sujet nom de personne.) *Accéder à qqch.*, donner son accord, son assentiment : *Il est trop bon et accède à tous tes désirs* (syn. ACQUIESCER, SE RENDRE; contr. REPOUSSER).

1. ACCÉLÉRER [akselere] v. t. (lat. *accelerare*). [Conj. **10.**] Augmenter la vitesse d'un véhicule, d'un moteur, ou le rythme d'un organe, etc. : *Ce médicament accélère les mouvements du cœur* (syn. AUGMENTER; contr. FREINER). ◆ v. i. Donner au véhicule que l'on conduit ou à sa propre marche une vitesse plus grande. ◆ ***s'accélérer*** v. pr. Devenir plus rapide; augmenter sa vitesse : *La vitesse du véhicule s'accélère* (contr. RALENTIR). ◆ **accéléré, e** adj. : *Aller à vitesse accélérée* (= très rapide). ◆ **accélération** n. f. : *L'accélération de la voiture, des battements du cœur* (contr. RALENTISSEMENT). ◆ **accélérateur** n. m. Organe qui commande l'alimentation du mélange gazeux au moteur d'une automobile pour faire varier sa vitesse et qui est actionné par une pédale sur laquelle appuie le conducteur; cette pédale elle-même (syn. fam. CHAMPIGNON). ‖ *Accélérateur de particules*, instrument communiquant de l'énergie soit à des particules élémentaires, soit à des atomes. ◆ **décélérer** [deselere] v. i. Diminuer la vitesse d'un véhicule (techn.) [syn. usuel RALENTIR]. ◆ **décélération** n. f. (syn. usuels FREINAGE, RALENTISSEMENT).

2. ACCÉLÉRER [akselere] v. t. (même étym.). [Conj. **10.**] *Accélérer (qqch.)*, rendre plus rapide une action commencée : *Accélérer le pas* (syn. PRESSER; contr. RALENTIR). *Cette émeute accéléra la fin du régime* (syn. HÂTER). ◆ ***s'accélérer*** v. pr. Prendre un rythme plus rapide. ◆ **accéléré, e** adj. Sert de superlatif à RAPIDE : *Marcher au pas accéléré.* ◆ **accélération** n. f.

1. ACCENT [aksɑ̃] n. m. (lat. *accentus*). **1.** Élévation ou abaissement de la voix sur une syllabe, en hauteur ou en intensité. — **2.** Ensemble des intonations, accents, etc., qui forment le caractère propre de la langue parlée dans un pays, dans un milieu déterminé : *L'accent bourguignon se caractérise en particulier par un « r » roulé.* — **3.** Inflexion particulière de la voix qui traduit une émotion, un sentiment (suivi d'un compl. du nom sans art. ou d'un adj.) : *Il y a dans cet aveu un accent de sincérité qui me touche.* — **4.** Signe graphique utilisé en français. ⟶ ENCYCL. ◆ **accentuer** v. t. *Accentuer une syllabe, une lettre*, lui faire porter les caractéristiques de l'accent; mettre les accents graphiques; prononcer en accroissant l'intensité ou l'expressivité. ◆ **accentuation** n. f. Action d'accentuer; ensemble des accents (sens 4).

— ENCYCL. Il y a, en français, trois sortes d'*accents* graphiques : l'accent *aigu*, qui va de droite à gauche (´), l'accent *grave*, de gauche à droite (`), et l'accent *circonflexe* (^), qui combine les deux :

l'*accent aigu*, introduit par Robert Estienne en 1530, est employé pour noter les *e fermés*, sauf devant *r, s, x, z* finals (*bonté* mais *cocher*);

l'*accent grave*, introduit au XVIe siècle, est employé pour noter les *e ouverts (père)* et pour distinguer dans l'écriture des mots homonymes (*a verbe* et *à préposition*);

l'*accent circonflexe*, introduit par Jacques Sylvius en 1531, est employé pour représenter la prononciation longue d'une voyelle (*pâte* mais *patte*, *impôt* mais *pot*), une lettre jadis prononcée et aujourd'hui disparue (*fête* de l'anc. fr. *feste*, *âge* de l'anc. fr. *aage*), ou pour distinguer dans l'écriture des mots homonymes (*dû* participe passé du verbe *devoir*, distingué de *du* article). [⟶ CÉDILLE, TRÉMA.]

2. ACCENT [aksɑ̃] n. m. (même étym.). *Mettre l'accent, faire porter l'accent sur qqch.*, lui donner du relief, le faire ressortir : *Il met l'accent sur la nécessité d'apporter une solution rapide à ce problème* (syn. INSISTER). ◆ **accentuer** v. t. Donner un caractère plus marqué, plus significatif : *Accentuer son effort* (syn. INTENSIFIER). *La barbe accentue les traits du visage* (syn. ACCUSER). ◆ ***s'accentuer*** v. pr. (sujet nom de chose). Devenir plus fort, plus intense (contr. S'ATTÉNUER, DIMINUER). ◆ **accentuation** n. f.

ACCEPTER [aksɛpte] v. t. (lat. *acceptare*) [sujet nom de personne]. **1.** *Accepter qqch.*, consentir à prendre ou à recevoir ce qui est offert ou proposé; *accepter qq'un*, se déclarer prêt à l'admettre : *Accepter les reproches bienveillants d'un ami* (syn. TOLÉRER). *Accepter son sort avec résignation* (syn. SE RÉSIGNER À, SUPPORTER). *Accepter les hommages* (syn. AGRÉER; contr. REFUSER). *On l'a accepté dans la famille* (syn. ADMETTRE). — **2.** *Accepter de* (suivi d'un infin.), se déclarer prêt à faire telle ou telle chose : *Acceptez de venir à la maison demain* (syn. CONSENTIR À). ◆ **acceptable** adj. Qui peut être accepté : *Cette offre est acceptable* (syn. RECEVABLE). *Un travail acceptable* (syn. HONNÊTE, PASSABLE). ◆ **inacceptable** adj. : *Des propos inacceptables* (syn. INADMISSIBLE). *Une paix inacceptable* (syn. IRRECEVABLE). ◆ **acceptation** n. f. : *L'acceptation d'un risque* (syn. CONSENTEMENT; contr. REFUS).

ACCEPTION [aksɛpsjɔ̃] n. f. (lat. *acceptio*). **1.** Sens dans lequel un mot de la langue est employé : *Chaque terme a une ou plusieurs acceptions; ainsi, l'adjectif* cher *signifie « à prix élevé »* (la vie est chère), *ou « tendrement aimé »* (sa chère épouse). — **2.** *Dans toute l'acception du mot, du terme*, au sens précis du mot employé, sans aucune restriction (syn. ABSOLUMENT, À LA LETTRE).

1. ACCÈS n. m. ⟶ ACCÉDER 1.

2. ACCÈS [aksɛ] n. m. (lat. *accessus*, arrivée). **1.** *Accès de fièvre*, forte élévation de la température de l'organisme, se produisant à intervalles réguliers ou irréguliers (syn. ↓POUSSÉE). — **2.** *Accès de colère, de jalousie*, etc., mouvement intérieur violent et passager, provoqué par la colère, la jalousie, etc. (syn. BOUFFÉE, CRISE). — **3.** *Par accès*, d'une manière irrégulière.

1. ACCESSIBLE adj. ⟶ ACCÉDER 1.

2. ACCESSIBLE [aksɛsibl] adj. (de *accéder*). **1.** Se dit de quelque chose que l'on peut comprendre : *Un sujet accessible à tous* (syn. INTELLIGIBLE; contr. INCOMPRÉHENSIBLE, OBSCUR). — **2.** Se dit de quelqu'un que l'on peut contacter ou toucher facilement : *Un homme accessible* (syn. ABORDABLE). *Accessible à la pitié* (syn. SENSIBLE). ◆ **inaccessible** adj. : *Rien ne lui paraît inaccessible* (syn. IMPOSSIBLE). *Des poèmes inaccessibles* (syn. INCOMPRÉHENSIBLE). *Il est inaccessible à la pitié* (syn. INSENSIBLE). *Il est tellement occupé qu'il reste inaccessible* (syn. INABORDABLE).

ACCESSION n. f. ⟶ ACCÉDER 2.

ACCESSIT [aksɛsit] n. m. (mot lat.). Distinction scolaire accordée à ceux qui n'ont pas été jugés dignes d'un prix, mais qui en ont été les plus proches.

1. ACCESSOIRE [aksɛswar] adj. (du lat. *accedere*, ajouter). Qui s'ajoute, qui complète ou accompagne une chose principale, que l'on peut négliger : *Retrancher d'un développement les idées accessoires* (syn. SECONDAIRE; contr. CAPITAL, ESSENTIEL, PRIMORDIAL). *Des dépenses accessoires* (syn. SUPPLÉMENTAIRE). ◆ n. m. : *Laissons de côté l'accessoire pour en venir au principal.* ◆ **accessoirement** adv. D'une manière accessoire, secondaire.

2. ACCESSOIRE [aksɛswar] n. m. (même étym.). **1.** Pièce, outil, objet qui ne font pas partie d'une machine, d'un instrument, mais qui servent à son fonctionnement : *Les accessoires d'automobile sont la manivelle, le cric,* etc. — **2.** *Accessoires de théâtre*, les objets, les meubles utilisés au cours d'une représentation théâtrale. ◆ **accessoiriste** n. m. Personne qui range et entretient les accessoires de théâtre.

1. ACCIDENT [aksidɑ̃] n. m. (du lat. *accidere*, survenir). **1.** Événement malheureux, entraînant des dommages matériels ou corporels (souvent suivi d'un compl. ou accompagné d'un adj.) : *Accidents de la route, du travail.* ⟶ ENCYCL. *Un accident d'avion* (syn. ↑CATASTROPHE AÉRIENNE). — **2.** Événement fortuit qui vient rompre fâcheusement le cours régulier de quelque chose : *Les divers accidents de l'existence* (syn. INCIDENTS, LES HAUTS ET LES BAS, VICISSITUDES). — **3.** *Mus.* Altération passagère (dièse, bémol, bécarre) qui modifie le son d'une note d'un demi-ton. (L'effet de ce signe ne dure qu'une mesure.) — **4.** *Par accident*, par le fait du hasard (syn. FORTUITEMENT). ◆ **accidenté, e** adj. et n. Qui a subi un accident : *Une voiture accidentée. Un accidenté de la route.* ◆ **accidenter** v. t. *Accidenter qq'un, qqch.*, lui causer un dommage. ◆ **accidentel, elle** adj. **1.** Dû à un accident : *Mort accidentelle.* — **2.** Dû au hasard : *Une absence accidentelle* (syn. INHABITUEL, OCCASIONNEL). *Une rencontre accidentelle* (syn. FORTUIT, IMPRÉVU). ◆ **accidentellement** adv. **1.** Dans un accident : *Il est mort accidentellement.* — **2.** Par hasard : *Je suis tombé accidentellement sur lui* (syn. FORTUITEMENT).

— ENCYCL. ***accidents de la route.*** En France, actuellement, près de 10 000 personnes trouvent la mort dans ce type d'accidents, ce qui équivaut à l'anéantissement complet de toute la population d'une ville comme Figeac. Quant au nombre des blessés, il est de 240 000 environ, soit environ la population de Nantes ! La route provoque donc la mort d'une personne presque toutes les demi-heures : elle est, en France, dix fois plus dangereuse pour les voyageurs que l'avion et cent fois plus dangereuse que le chemin de fer. Les accidents de la route diminuent toutefois régulièrement depuis 1972.

L'imprudence des conducteurs est responsable de la plupart des accidents de la route et, en particulier, la vitesse excessive. C'est pourquoi on tend de plus en plus à limiter les vitesses maximales sur de nombreuses routes. L'amélioration des réseaux routiers, la suppression des carrefours dangereux et des « points noirs », la construction d'autoroutes où les deux sens de circulation sont séparés par un terre-plein sont des mesures générales qui permettent aussi de réduire le nombre des accidents. Sur le plan individuel, certaines précautions sont capitales : outre le strict respect du Code de la route (⟶ planche SIGNALISATION ROUTIÈRE), l'utilisation, par exemple, de ceintures de sécurité pour les passagers des automobiles et, surtout, le port de casques pour les utilisateurs de « deux-roues », même si leur engin est de faible cylindrée.

accidents du travail. En France, les accidents du travail ayant entraîné la mort sont moins nombreux que ceux dus à l'automobile (le dixième environ); mais le nombre des blessés graves représente environ le tiers de celui des blessés de la route. La victime d'un accident du travail reçoit gratuitement les soins que son état nécessite et est indemnisée pendant la période d'incapacité temporaire de travail.

2. ACCIDENT [aksidɑ̃] n. m. (même étym.). *Accident de terrain*, inégalité du terrain, du sol. ◆ **accidenté, e** adj. Qui présente de nombreuses montées et descentes; très varié dans son relief, dans son déroulement : *Un terrain accidenté* (contr. PLAT, UNI). *Une vie accidentée* (syn. MOUVEMENTÉ).

ACCLAMER [aklame] v. t. (lat. *acclamare*). *Acclamer qq'un, qqch.*, le saluer par de vifs cris d'approbation : *La foule acclame le vainqueur* (syn. APPLAUDIR; contr. HUER, SIFFLER). ◆ **acclamation** n. f. **1.** Cris de joie ou d'enthousiasme poussés par une foule ou un groupe (souvent au plur.) : *Être salué par les acclamations du public* (syn. BRAVO, OVATION, VIVAT; contr. HUÉE, SIFFLET). — **2.** *Voter, adopter par acclamation*, unanimement, tout d'une voix, sans recourir à un scrutin.

ACCLIMATER [aklimate] v. t. (de *climat*). **1.** *Acclimater un être vivant, un organisme*, l'adapter à un nouveau climat : *Acclimater dans son jardin des plantes tropicales.* — **2.** *Acclimater qq'un*, l'adapter à un nouveau genre de vie, à une activité différente de celle qu'il exerçait jusqu'alors (syn. ACCOUTUMER, HABITUER). ◆ ***s'acclimater*** v. pr. (sujet nom d'être animé ou de chose). S'adapter à un milieu différent : *Le petit paysan s'acclimatait à la vie du lycée* (syn. S'ACCOUTUMER, SE FAIRE). *Cet usage s'est très vite acclimaté en France* (syn. S'ÉTABLIR, S'IMPLANTER). ◆ **acclimatation** n. f. (sens 1 et 2 du v.) : *Jardin d'acclimatation*, jardin zoologique où vivent des espèces exotiques. ◆ **acclimatement** n. m. Ensemble des changements qui permettent à un être vivant de subsister et de se reproduire dans un milieu ou sous un climat nouveaux pour lui.

ACCOINTANCES [akwɛ̃tɑ̃s] n. f. pl. (du lat. *cognitus*, connu). *Avoir des accointances avec qq'un*, avoir avec lui des relations d'affaires, d'amitié, etc. (souvent péjor.).

1. ACCOLADE [akɔlad] n. f. (de *accoler*). Marque d'amitié entre hommes, qui consiste à se tenir mutuellement entre les bras, en particulier lors d'une remise de décoration.

2. ACCOLADE [akɔlad] n. f. (même étym.). Signe graphique ({) utilisé pour réunir plusieurs lignes, plusieurs groupes, etc.

ACCOLER [akɔle] v. t. (de *col*, cou). *Accoler une chose à une autre*, les mettre ensemble, faire figurer la première à côté de la seconde, de manière qu'elles forment un tout (syn. ADJOINDRE, AJOUTER).

ACCOMMODANT, E [akɔmɔdɑ̃, -ɑ̃t] adj. (de *accommoder*). *Personne accommodante*, avec qui on s'entend sans peine (syn. ARRANGEANT, CONCILIANT). ◆ **accommodement** n. m. Conciliation visant à terminer un désaccord.

1. ACCOMMODER [akɔmɔde] v. t. (lat. *accomodare*). *Accommoder une chose à une autre, avec une autre*, la disposer, la transformer, afin qu'elle convienne à l'autre : *Accommoder ses paroles aux circonstances* (syn. usuel ADAPTER). ◆ ***s'accommoder*** v. pr. **1.** *S'accommoder de qqch.*, s'en satisfaire, s'en contenter : *C'est un homme conciliant, qui s'accommode de tout* (syn. ACCEPTER, ADMETTRE). — **2.** *S'accommoder à qqch.*, se mettre en accord avec quelque chose, s'y adapter : *S'accommoder à de nouvelles conditions d'existence* (syn. S'HABITUER). ◆ **accommodation** n. f. **1.** Action d'accommoder ou de s'accommoder. — **2.** Mise au point qui se fait automatiquement dans l'œil, essentiellement par des variations de courbure du cristallin, de telle sorte que l'image des objets se forme toujours sur la rétine et que la vision reste nette pour des distances différentes.

2. ACCOMMODER [akɔmɔde] v. t. (même étym.). *Accommoder un aliment*, le préparer selon un mode particulier (indiqué par le compl. de manière) : *Accommoder des légumes avec une sauce* (syn. ASSAISONNER).

ACCOMPAGNER [akɔ̃paɲe] v. t. (de l'anc. fr. *compain*, compagnon). **1.** *Accompagner qq'un*, être présent auprès de lui; aller à la suite de quelqu'un, d'un groupe, etc. : *Pouvez-vous m'accompagner au cinéma?* (syn. VENIR AVEC). *Il est toujours accompagné de gardes du corps* (syn. ESCORTER, FLANQUER). — **2.** *Accompagner une chose d'une autre*, l'y ajouter, l'y joindre : *Accompagner sa réponse d'un sourire* (syn. ASSORTIR). — **3.** *Accompagner un chanteur, un soliste*, se dit du musicien qui soutient le chant avec un instrument. ◆ ***s'accompagner*** v. pr. **[de]** (sujet nom de chose). Être joint à : *Cette phrase s'accompagne d'un geste de menace* (syn. ÊTRE SUIVI DE). ◆ **accompagnement** n. m. **1.** *La voiture présidentielle passa avec un accompagnement de motocyclistes* (syn. ESCORTE, SUITE). — **2.** Partie musicale qui soutient et enrichit une ligne mélodique, qu'elle soit chantée ou jouée par un instrument. ◆ **accompagnateur, trice** n. **1.** Personne qui accompagne un chanteur ou un instrumentiste. — **2.** Personne qui accompagne et dirige un groupe de voyageurs, de spectateurs, etc. ◆ **raccompagner** v. t. Accompagner quelqu'un qui s'en retourne.

ACCOMPLIR [akɔ̃plir] v. t. (du lat. *complere*, remplir) [sujet nom de personne]. *Accomplir une chose*, l'exécuter, la réaliser soi-même de manière complète : *Accomplir une mauvaise action* (syn. COMMETTRE). *Accomplir son devoir* (syn. S'ACQUITTER DE). *Accomplir de grandes choses* (syn. RÉALISER). ◆ ***s'accomplir*** v. pr. (sujet nom de chose). Se produire : *La prophétie s'est accomplie* (syn. AVOIR LIEU, SE RÉALISER). ◆ **accompli, e** adj. **1.** Qui est achevé, révolu : *Il a vingt ans accomplis.* — **2.** Parfait en son genre : *C'est une maîtresse de maison accomplie* (syn. MODÈLE). — **3.** *Le fait accompli*, la chose, l'événement sur lequel on ne peut revenir, qui ne permet plus à un projet contraire de se réaliser : *Être mis devant le fait accompli* (syn. DÉFINITIF). ◆ **accomplissement** n. m. (syn. RÉALISATION).

1. ACCORD [akɔr] n. m. (du bas lat. *accordare*). **1.** Conformité de sentiments, de désirs entre des personnes : *Vivre en parfait accord* (syn. CONCORDE, ENTENTE; contr. DÉSUNION, MÉSENTENTE). — **2.** Convention passée entre des États ou entre des particuliers : *Les pays conclurent un accord sur l'arrêt des expériences atomiques* (syn. TRAITÉ). — **3.** *D'accord*, expression traduisant la conformité totale de sentiments (syn. ASSURÉMENT). ‖ *D'un commun accord*, tout le monde étant du même avis (syn. UNANIMEMENT). ‖ *Mettre d'accord des adversaires*, venir en arbitre pour les concilier. ‖ *Se mettre d'accord*, parvenir au même avis, aux mêmes sentiments. ‖ *Tomber d'accord*, se retrouver du même avis.

◆ **accorder (s')** v. pr. (sujet nom de personne). *Se mettre d'accord.* ◆ **désaccord** n. m. Contr. de ACCORD. **1.** Entre des personnes : *Il s'est élevé entre eux un sérieux désaccord* (syn. ↓BROUILLE, DIFFÉREND). *Le désaccord persiste entre les syndicats et la direction* (syn. DISSENSION, OPPOSITION). — **2.** Entre des attitudes : *Il y a désaccord entre ce qu'il dit et ce qu'il fait* (syn. CONTRASTE).

2. ACCORD [akɔr] n. m. (même étym.). **1.** Parfaite adaptation entre les choses : *Mettre en accord la musique et les paroles* (syn. HARMONIE). — **2.** Rapport établi entre plusieurs mots, dont l'un agit sur la forme des autres : *Il y a accord en nombre entre le verbe et le sujet, en genre entre l'adjectif et le nom auquel il se rapporte. L'accord des participes passés.* — **3.** *Mus.* Ensemble de plusieurs sons qui se font entendre simultanément : *L'enchaînement des accords est une science soumise à de nombreuses règles que l'on désigne sous le nom d'« harmonie ».* ◆ **accorder** v. t. (sujet nom de personne). **1.** *Accorder des choses*, les mettre en conformité, en harmonie : *On accorde le verbe avec le sujet. Accorder des couleurs.* — **2.** Action de régler un instrument de musique ou un ensemble d'instruments par rapport au *la* du diapason : *Avant de jouer un morceau, les instruments doivent toujours être accordés.* ◆ **s'accorder** v. pr. Être accordé (sens 2 de ACCORD) : *Le participe passé conjugué avec le verbe « être » s'accorde en genre et en nombre avec le sujet.* ◆ **accordeur** n. m. Celui qui accorde les instruments de musique. ◆ **désaccorder (se)** v. pr. ou **être désaccordé** v. passif (sujet nom d'instrument de musique). Perdre ou avoir perdu l'harmonie (sens 3 de ACCORD) : *Le piano est désaccordé.*

3. ACCORD [akɔr] n. m. (même étym.). Approbation, consentement donné à une action (compl. nom de personne) : *Donner son accord.* ◆ **accorder** v. t. (sujet nom de personne). Consentir à donner quelque chose à quelqu'un : *Accorder un délai* (syn. OCTROYER). *Vous m'accorderez que l'hiver a été rude* (syn. AVOUER, RECONNAÎTRE).

ACCORDÉON [akɔrdeɔ̃] n. m. (de l'all. *Akkordion*). Instrument de musique populaire portatif, dont le son est produit par des languettes de métal mises en vibration par un soufflet, et muni de touches : *L'accordéon a été inventé en 1829.* ◆ **accordéoniste** n. Joueur, joueuse d'accordéon.

ACCORDER (S') v. pr. ⟶ ACCORD 1.

ACCORDER v. t., **S'ACCORDER** v. pr., **ACCORDEUR** n. m. ⟶ ACCORD 2.

ACCORTE [akɔrt] adj. f. (it. *accorto*) [avant ou après le nom, masc. inusité]. *Servante, jeune fille*, etc., *accorte*, d'une vivacité agréable, d'un abord gracieux et aimable (littér.).

1. ACCOSTER [akɔste] v. t. et i. (de l'anc. fr. *coste*, côte). *Navire qui accoste*, qui vient se placer le long d'un quai, d'un autre navire, etc. : *Le paquebot accosta à l'entrée de la rade* (syn. ABORDER). ◆ **accostage** n. m.

2. ACCOSTER [akɔste] v. t. (même étym.) [sujet nom de personne]. *Accoster qq'un*, aller près de lui avec l'intention de lui parler (syn. ABORDER).

ACCOTER [akɔte] v. t. (de *côté*) **[contre, à]**. Appuyer une chose par un de ses côtés contre une autre : *Accoter une échelle contre un mur.* ◆ **s'accoter** v. pr. S'appuyer contre quelque chose. ◆ **accotement** n. m. Partie latérale d'une route, entre la chaussée et le fossé (syn. BAS-CÔTÉ).

ACCOUCHER [akuʃe] v. i. et t. ind. (de *coucher*). **1.** *Accoucher d'un enfant*, le mettre au monde (syn. ENFANTER [littér.]); et sans compl. d'objet : *Elle a accouché hier.* (En langue médicale, parfois transitif direct : *Le médecin accouche une femme.*) — **2.** Fam. *Accoucher d'un roman, d'une pièce*, etc., le publier, l'écrire. ◆ **accouchement** n. m. : *L'accouchement sans douleur.* ◆ **accoucheur, euse** n. Médecin spécialiste des accouchements.

ACCOUDER (S') v. pr., **ACCOUDOIR** n. m. ⟶ COUDE.

1. ACCOUPLER [akuple] v. t. (de *couple*). *Accoupler des choses*, les réunir deux à deux, les rapprocher : *Accoupler des bœufs; accoupler deux expressions.*

2. ACCOUPLER (S') [sakuple] v. pr. (même étym.) [sujet nom désignant des animaux]. S'unir. ◆ **accouplement** n. m. **1.** Union sexuelle du mâle et de la femelle en vue de la reproduction. — **2.** Dispositif permettant de grouper deux ou plusieurs éléments de machine, deux véhicules.

ACCOURIR [akurir] v. i. (de *courir*). [Conj. **29**; en général avec l'auxil. *être*.] Venir, arriver en hâte, rapidement (généralement suivi d'une indication de but [*pour* + infin.], de lieu [*à*, *vers*, etc.] ou de temps) : *Elle est accourue vers lui pour l'embrasser* (syn. SE PRÉCIPITER).

ACCOUTRER [akutre] v. t. (du lat. *consutura*, couture). Péjor. *Accoutrer un être animé*, l'habiller d'une manière ridicule, bizarre (surtout au passif). ◆ **s'accoutrer** v. pr. Être habillé : *Elle s'accoutre d'une manière étonnante* (syn. S'AFFUBLER). ◆ **accoutrement** n. m. (syn. plus rare AFFUBLEMENT).

ACCOUTUMER [akutyme] v. t. (de *coutume*). *Accoutumer qq'un à qqch., à faire qqch.*, le disposer à le supporter, à l'accepter, à le faire (surtout au passif) : *Être accoutumé au bruit* (syn. HABITUÉ). ◆ **s'accoutumer** v. pr. (sujet nom d'être animé). Prendre l'habitude de (syn. S'ADAPTER À). ◆ **accoutumance** n. f. Adaptation permettant aux êtres vivants de supporter sans dommage immédiat des doses croissantes de substances toxiques ou de stupéfiants. ◆ **accoutumé, e** adj. Dont on a l'habitude : *À l'heure accoutumée* (syn. HABITUEL). ◆ **désaccoutumer (se)** v. pr. Perdre l'habitude de (langue recherchée) [syn. plus usuel SE DÉSHABITUER]. ◆ **inaccoutumé, e** adj. Contr. de ACCOUTUMÉ (généralement sans compl.) : *Un bruit inaccoutumé* (syn. INHABITUEL, INSOLITE). ◆ **réaccoutumer (se)** v. pr. *Se réaccoutumer à son travail après les vacances* (syn. SE RÉHABITUER).

ACCOUVAGE [akuvaʒ] n. m. (de *couver*). Industrie qui consiste à faire éclore les œufs des oiseaux de basse-cour. ◆ **accouveur, euse** n. Personne qui pratique l'accouvage.

ACCRA, capit. du Ghana, port sur le golfe de Guinée; 1 420 000 hab. Centre administratif et commercial.

1. ACCRÉDITER [akredite] v. t. (de *crédit*). *Accréditer un bruit, une nouvelle*, les rendre croyables, dignes de foi. ◆ **s'accréditer** v. pr. Devenir sûr (syn. SE PROPAGER, SE RÉPANDRE).

2. ACCRÉDITER [akredite] v. t. (même étym.). *Accréditer un ambassadeur auprès d'un chef d'État, d'un gouvernement*, lui donner l'autorité nécessaire pour représenter les intérêts de son pays auprès d'eux.

ACCROC n. m. ⟶ ACCROCHER 3.

ACCROCHAGE n. m. ⟶ ACCROCHER 1.

ACCROCHE-CŒUR [akrɔʃkœr] n. m. (de *accrocher*, et *cœur*). Petite mèche de cheveux aplatie en boucle sur la tempe ou sur le front. ‖ Pl. des *accroche-cœurs*.

1. ACCROCHER [akrɔʃe] v. t. (de *croc*) [sujet nom de personne]. *Accrocher une chose à une autre*, l'y attacher par un clou, un crochet, etc. : *Accrocher un tableau* (syn. SUSPENDRE). *Accrocher ses vêtements au portemanteau* (syn. PENDRE). ◆ **s'accrocher** v. pr. *S'accrocher à qqch.*, s'y retenir : *S'accrocher au rocher* (syn. SE CRAMPONNER). ◆ **accrochage** n. m. : *L'accrochage des toiles dans un musée.*

2. ACCROCHER [akrɔʃe] v. t. (même étym.) [sujet nom de personne]. **1.** Fam. *Accrocher qqch.* (*une place, un avantage, un bénéfice*, etc.), réussir à l'obtenir, à s'en emparer, à s'en saisir rapidement. — **2.** Fam. *Accrocher qq'un*, l'arrêter dans sa marche, en le retardant. — **3.** *Accrocher qq'un*, retenir son attention : *Le titre du journal accrochait les passants.* ◆ **s'accrocher** v. pr. Faire preuve de ténacité, ne pas céder. ◆ **accrocheur, euse** adj. et n. **1.** Se dit d'une personne qui montre une grande ténacité dans ce qu'elle entreprend : *Un joueur de football très accrocheur* (syn. COMBATIF). — **2.** *Un titre accrocheur* (= qui retient l'attention).

3. ACCROCHER [akrɔʃe] v. t. (même étym.) [sujet nom de personne ou de chose]. **1.** *Accrocher sa jupe, sa manche, ses bas*, etc., y faire une déchirure en les prenant à quelque aspérité. — **2.** *Accrocher une voiture, un cycliste*, etc., les heurter légèrement avec son véhicule. — **3.** *Accrocher un objet*, le bousculer, le déplacer, le faire tomber involontairement. — **4.** *Accrocher une troupe*, engager un combat imprévu et de peu de durée contre elle. ◆ **s'accrocher** v. pr. Fam. *S'accrocher avec qq'un*, se disputer avec lui. ◆ **accroc** [akro] n. m. **1.** Déchirure faite par une chose pointue (clou, épine) [sens 1 du v.] : *Faire un accroc à son veston.* — **2.** Incident malheureux qui crée des difficultés, des embarras; infraction : *Notre voyage s'est déroulé sans le moindre accroc* (syn. CONTRETEMPS, INCIDENT). *Un accroc aux règlements* (syn. ENTORSE). ◆ **accrochage** n. m. *Accrochage entre une voiture et un cycliste* (syn. HEURT). *Il a eu un accrochage avec sa concierge* (syn. DISPUTE, QUERELLE). *Accrochage entre deux patrouilles* (syn. COMBAT).

ACCROCHEUR, EUSE adj. et n. ⟶ ACCROCHER 2.

ACCROIRE [akrwar] v. t. (de *croire*). *Faire, en faire accroire à qq'un*, lui faire croire ce qui n'est pas, abuser de sa confiance.

ACCROÎTRE [akrwɑtr] v. t. (lat. *accrescere*). [Conj. **66.**] (Sujet nom de personne ou de chose.) *Accroître qqch.*, le rendre plus grand, plus intense : *Il a accru sa propriété par l'achat de plusieurs fermes* (syn. DÉVELOPPER). *Ce nouveau malheur a accru son désespoir* (syn. AUGMENTER; contr. DIMINUER). ◆ **s'accroître** v. pr. (sujet nom de chose). Devenir plus grand, plus intense : *Sa popularité s'accroît de jour en jour* (syn. AUGMENTER, SE RENFORCER; contr. DÉCROÎTRE). ◆ **accroissement** n. m. (sens du v. t. ou, plus souvent, du v. pr.) : *L'accroissement de la production* (syn.

AUGMENTATION; contr. DIMINUTION). *L'accroissement du pouvoir d'achat* (syn. ÉLÉVATION, PROGRESSION). *Un accroissement de vigilance* (syn. REDOUBLEMENT, REGAIN). ◆ **accru, e** adj. Plus grand : *Obtenir des responsabilités accrues. Maintenir une vigilance accrue.*

ACCROUPIR (S') [sakrupir] v. pr. (de *croupe*) [sujet nom de personne]. S'asseoir ou être assis sur les talons.

ACCRU, E adj. —→ ACCROÎTRE.

ACCUEILLIR [akœjir] v. t. (de *cueillir*). [Conj. **24.**] (Sujet nom de personne.) **1.** *Accueillir qq'un*, le recevoir bien ou mal (accompagné en général d'un adv. ou d'un compl. de manière) : *On accueillit assez froidement le nouveau venu* (syn. RECEVOIR). *Ils furent accueillis par des coups de feu* (syn. ASSAILLIR). — **2.** *Accueillir qqch.* (*demande, nouvelle*, etc.), l'apprendre ou le recevoir en manifestant une certaine attitude (toujours avec un adv. ou un compl. de manière) : *On a accueilli avec émotion l'annonce de l'attentat* (syn. APPRENDRE). ◆ **accueillant, e** adj. : *Une maison accueillante* (= où l'on est bien reçu). *Une famille accueillante* (= qui reçoit bien). ◆ **accueil** [akœj] n. m. Action d'accueillir; réception faite à quelqu'un, ou manière d'apprendre quelque chose : *Il reçut à son retour un accueil chaleureux. Un centre d'accueil* (= lieu où l'on reçoit les indigents, les réfugiés).

ACCULER [akyle] v. t. (de *cul*). **1.** *Acculer qq'un, un animal*, le pousser dans un endroit où il ne peut plus reculer : *Il se vit acculer au mur, sans espoir de fuite.* — **2.** *Acculer qq'un à qqch.*, le mettre dans une situation pénible, douloureuse, dangereuse : *La ruine de la famille l'a acculé au désespoir* (syn. ↓POUSSER). *Être acculé à la faillite* (syn. RÉDUIRE).

ACCULTURATION [akyltyrasjɔ̃] n. f. (de *culture*). Adaptation, forcée ou non, à une nouvelle culture matérielle, à de nouvelles croyances, à de nouveaux comportements.

ACCUMULER [akymyle] v. t. (lat. *accumulare*). *Accumuler des choses*, les mettre en tas, les réunir en un ensemble important : *Accumuler de la terre* (syn. AMONCELER, ENTASSER; contr. RÉPANDRE). *Accumuler des notes* (syn. AMASSER, RASSEMBLER, RÉUNIR). ◆ **s'accumuler** v. pr. Se mettre en tas : *Les livres s'accumulent sur ma table* (syn. S'ENTASSER). *Les charges se sont accumulées sur l'accusé* (= l'ont accablé). ◆ **accumulation** n. f. **1.** *L'accumulation des marchandises* (syn. AMONCELLEMENT, ENTASSEMENT). *L'accumulation des preuves emporta la décision du jury.* — **2.** Entassement d'alluvions, de pierres, de sable, sous l'action des eaux courantes (cône de déjection), des glaciers (moraines), du vent (dunes), de la mer (flèches et plages littorales), etc. — **3.** *Chauffage par accumulation*, chauffage au moyen d'un appareil qui emmagasine la chaleur pour la restituer ensuite. ◆ **accumulateur** n. m. ou, plus usuellement, **accus** n. m. pl. Appareil emmagasinant de l'énergie électrique sous forme chimique, pour la restituer, à volonté, sous forme de courant.
— ENCYCL. L'*accumulateur au plomb* a été inventé par Planté en 1859. Deux lames de plomb, formant les électrodes et reliées aux bornes, plongent dans une solution d'acide sulfurique. Au cours de la charge, obtenue en réunissant ces deux lames aux deux bornes d'un générateur de courant continu, du courant électrique traverse l'accumulateur et « polarise » les électrodes. Si on les réunit alors par un conducteur, un courant de décharge s'établit, en sens inverse du courant de charge, et les électrodes se « dépolarisent ». L'accumulateur peut fonctionner pendant un certain temps en fournissant du courant continu, puis il faut le charger de nouveau. On utilise aussi des *accumulateurs au cadmium-nickel* ou *à l'argent-zinc*, plus légers mais plus coûteux.

ACCUSATIF [akyzatif] n. m. (lat. *accusativus*). —→ CAS 2.

1. ACCUSER [akyze] v. t. (lat. *accusare*) [sujet nom de personne ou de chose]. **1.** *Accuser qq'un de qqch.* ou *de* (et l'infin.), le représenter comme coupable d'une faute ou d'un délit, l'en rendre responsable : *Il est accusé d'avoir renversé un piéton* (contr. DISCULPER, INNOCENTER). — **2.** (sujet nom de personne) *Accuser une chose*, faire retomber sur elle la responsabilité d'un fait : *Accuser la malchance de ses insuccès aux examens* (syn. ↓IMPUTER À). ◆ **s'accuser** v. pr. *S'accuser de qqch.* ou *de* (et l'infin.), s'en reconnaître coupable : *S'accuser de ses péchés* (syn. SE CONFESSER). *S'accuser d'un crime.* ◆ **accusateur, trice** adj. et n. Qui accuse (sens 1 et 2 du v. t.). **1.** *Un regard accusateur* (syn. ↑DÉNONCIATEUR). *D'accusateur, le témoin fit figure d'accusé lorsque l'avocat commença à l'interroger.* — **2.** *Accusateur public*, magistrat qui, pendant la Révolution, était chargé du ministère public près d'un tribunal criminel. ◆ **accusation** n. f. **1.** Action en justice par laquelle on accuse une personne d'un délit (sens 1 du v. t.) : *Les chefs* (= sujets) *d'accusation sont graves.* — **2.** Reproche fait pour une action jugée mauvaise (sens 2 du v. t.) : *Être l'objet d'une accusation infamante* (syn. ↓IMPUTATION). ◆ **accusé, e** n. Personne donnée comme coupable d'un délit (sens 1 du v. t.) : *L'accusé comparaît devant ses juges.* ◆ **coaccusé, e** n. Personne accusée avec une ou plusieurs autres.

2. ACCUSER [akyze] v. t. (même étym.) [sujet nom de chose]. *Accuser qqch.*, mettre en relief, faire ressortir par rapport à ce qui entoure : *La lumière accuse les contours* (syn. ACCENTUER, SOULIGNER). ◆ **s'accuser** v. pr. Être mis en relief : *Son mauvais caractère s'accuse avec l'âge* (syn. S'ACCENTUER; contr. S'ATTÉNUER). ◆ **accusé, e** adj. : *Une tendance nettement accusée vers la hausse des prix. Les traits accusés d'un visage* (syn. MARQUÉ).

ACÉPHALE [asefal] adj. (de *a* priv., et gr. *kephalê*, tête). Qui est dépourvu de tête.

ACÉRACÉES [aserase] n. f. pl. (du lat. *acer*, érable). Famille de plantes dicotylédones ayant pour type l'*érable*.

ACERBE [asɛrb] adj. (lat. *acerbus*). *Paroles, écrits, ton acerbes*, de caractère désagréable et d'intention blessante ou vexante (syn. DUR, MORDANT).

ACÉRÉ, E [asere] adj. (de *acier*). **1.** Superl. de TRANCHANT ou de AIGU, avec quelques mots (*lame, couteau, dent*, etc.) : *La lame acérée d'un couteau* (syn. AIGUISÉ). — **2.** *(Écrire) d'une plume acérée*, écrire de façon blessante (littér.).

ACÉTIQUE [asetik] adj. (du lat. *acetum*, vinaigre). *Acide acétique*, acide CH_3CO_2H auquel le vinaigre doit sa saveur. ◆ **acétate** n. m. Sel dérivé de l'acide acétique.

ACÉTONE [asetɔn] n. f. (du lat. *acetum*, vinaigre). Liquide incolore, d'odeur éthérée, volatil, inflammable, très utilisé comme solvant.

ACÉTYLÈNE [asetilɛn] n. m. (du lat. *acetum*, vinaigre, et du gr. *hulê*, bois). Carbure d'hydrogène gazeux C_2H_2, obtenu en traitant le carbure de calcium par l'eau.
— ENCYCL. Découvert par Davy en 1836, l'*acétylène* fut étudié par Berthelot, qui réalisa sa synthèse. C'est un gaz incolore, d'odeur éthérée quand il est pur, et qui peut être liquéfié par compression. Il peut se décomposer explosivement, ce qui rend très dangereux le maniement du gaz comprimé ou liquéfié. Il brûle avec une flamme blanche. L'acétylène est employé, grâce à de petits générateurs portatifs, à l'éclairage des égouts, des grottes, etc. Le chalumeau utilisant l'acétylène, dont la flamme dépasse 2 000 °C, est d'un usage courant dans la soudure et le découpage des métaux. Mais, surtout, l'acétylène est le point de départ de la synthèse d'un nombre considérable de produits organiques : éthylène, acide acétique, solvants, résines vinyliques, Nylon et autres textiles synthétiques, caoutchouc de synthèse, etc.

ACHAÏE, région de l'anc. Grèce, au N. du Péloponnèse.

ACHALANDÉ, E [aʃalɑ̃de] adj. (de *chaland*). **1.** Qui a des clients (sens vieilli). — **2.** Fourni en marchandises : *Un épicier bien achalandé* (syn. APPROVISIONNÉ).

ACHANTIS, peuple du Ghâna. Les Achantis formaient aux XVIIIe et XIXe s. un royaume puissant, dont la capitale était Koumassi.

ACHARNÉ, E [aʃarne] adj. (de l'anc. fr. *charn*, chair). Se dit de quelqu'un qui témoigne d'une grande ardeur, d'une grande ténacité; se dit d'une action qui manifeste cette attitude : *Un combat acharné* (syn. ↑ENRAGÉ, FURIEUX). *Un travail acharné* (syn. OPINIÂTRE). ◆ **acharner (s')** v. pr. (sujet nom d'être animé). **1.** *S'acharner contre* ou *sur un être animé*, le poursuivre ou l'attaquer avec violence et obstination : *Tous s'acharnaient contre lui* (syn. PERSÉCUTER). — **2.** *S'acharner à qqch.*, ou *à faire qqch.*, lutter avec ténacité pour l'acquérir, continuer son effort pour l'obtenir : *Il s'acharne à faire ce travail* (syn. S'OBSTINER). ◆ **acharnement** n. m. : *Combattre avec acharnement* (syn. ↓OBSTINATION, ↑RAGE). *Acharnement au travail* (syn. OPINIÂTRETÉ).

ACHAT n. m. —→ ACHETER.

Achéenne *(ligue)*, confédération de douze villes du Péloponnèse contre la Macédoine (IIe s. av. J.-C.). Elle fut anéantie par les Romains.

ACHÉENS, peuple indo-européen qui envahit la Grèce au début du IIe millénaire. Au contact des Crétois, ils fondèrent une civilisation brillante, dont l'apogée se situe entre 1400 et 1200 av. J.-C., et dont les foyers principaux furent Mycènes et Tirynthe. V. 1200 av. J.-C., les Achéens furent repoussés par l'invasion dorienne.

ACHÉMÉNIDES, dynastie perse fondée au VIIe s. av. J.-C. Les Achéménides, à partir des conquêtes de Cyrus II (VIe s. av. J.-C.), dirigèrent un immense empire qui fut détruit par Alexandre le Grand en 330 av. J.-C. L'art achéménide est illustré par les ruines de Persépolis et de Suse.

ACHEMINER [aʃəmine] v. t. (de *chemin*) [sujet nom de personne ou de chose]. *Acheminer qqch.* ou *qq'un*, les diriger vers un but ou un résultat précis; les conduire à une destination fixée à l'avance : *Acheminer des médicaments par avion* (syn. ENVOYER). *L'abus de l'alcool l'achemine doucement vers la déchéance* (syn. CONDUIRE). ◆ **s'acheminer** v. pr. **1.** (sujet nom d'être animé) Se diriger vers un lieu : *S'acheminer vers un village.* — **2.** (sujet nom de chose) Aller vers un résultat : *Le débat s'achemine vers sa conclusion.* ◆ **acheminement** n. m. : *L'acheminement des trains vers Lille a subi d'importants retards.*

ACHÈRES, comm. de la région parisienne (dép. des Yvelines); 15400 hab. Épuration des eaux.

ACHÉRON. *Myth. gr.* Fleuve des Enfers.

ACHETER [aʃte] v. t. (bas lat. *accaptare*). [Conj. **7.**] (Sujet nom de personne.) **1.** *Acheter un objet, un droit,* l'obtenir contre un paiement (compl. avec *à*, désignant soit le vendeur, soit la personne à qui on destine ce qui a été payé) : *Acheter des jouets à ses enfants. Acheter une voiture* (syn. ACQUÉRIR). — **2.** *Acheter une chose,* l'obtenir au prix d'un sacrifice, d'un effort : *Acheter très cher sa tranquillité.* — **3.** *Acheter qq'un,* le corrompre à prix d'argent, payer sa complicité ou ses faveurs : *Acheter de faux témoins* (syn. SOUDOYER). ◆ **acheteur, euse** n. **1.** Personne qui achète dans un magasin (syn. CLIENT). — **2.** Personne qui, dans une entreprise commerciale, a pour métier de faire les achats aux négociants en gros. ◆ **achat** n. m. **1.** Action d'acheter, d'acquérir comme bien : *La différence entre le prix d'achat et le prix de vente est élevée.* — **2.** Objet acheté : *Montrer son nouvel achat, un chapeau* (syn. ACQUISITION). ◆ **racheter** v. t. **1.** Acheter de nouveau ou en plus. — **2.** Acheter quelque chose d'occasion à un particulier : *J'ai racheté la voiture de mon collègue.* — **3.** *Racheter les hommes,* en parlant de Jésus-Christ, sauver l'humanité par la rédemption. — **4.** *Racheter une faute,* en obtenir le pardon : *Racheter ses fautes par la pénitence* (syn. EXPIER). — **5.** *Racheter un défaut, un inconvénient,* le compenser, le faire oublier : *Sa gentillesse rachète son incapacité.* ◆ ***se racheter*** v. pr. Réparer ses fautes, faire oublier sa mauvaise conduite : *Donner à un malfaiteur l'occasion de se racheter.* ◆ **rachat** n. m. Action de racheter (aux différents sens du v.).

1. ACHEVER [aʃve] v. t. et i. (de l'anc. fr. *chef*, fin). [Conj. **9.**] (Sujet nom d'être animé.) *Achever qqch.*, le mener à bonne fin, finir ce qui a été commencé : *Achever un travail* (syn. TERMINER; contr. COMMENCER). ◆ ***s'achever*** v. pr. Être mené à bien, se terminer : *Ainsi s'achèvent nos émissions de la soirée* (syn. SE TERMINER). ◆ **achevé, e** adj. : *D'un ridicule achevé,* grotesque, très comique. ◆ **achèvement** [aʃɛvmɑ̃] n. m. Action de mener à son terme, de terminer. ◆ **inachevé, e** adj. Qui n'est pas terminé : *Remettre un devoir inachevé* (syn. INCOMPLET). ◆ **inachèvement** n. m. : *L'inachèvement des travaux est scandaleux.*

2. ACHEVER [aʃve] v. t. (même étym.). [Conj. **9.**] *Achever qq'un,* lui porter le dernier coup qui amène la mort; l'abattre, finir de l'accabler, de le décourager : *Achever un blessé* (syn. TUER). *Ce nouveau deuil l'a achevé* (syn. ↑ANÉANTIR).

ACHILLE, fils de Thétis et de Pélée, roi des Myrmidons, le plus célèbre des héros de *l'Iliade.* Il fut rendu invulnérable par sa mère, qui l'avait plongé dans le Styx (sauf le talon par lequel elle le tenait). Son ami Patrocle ayant été tué par le Troyen Hector, Achille, couvert des armes merveilleuses fournies par Thétis, tua Hector, dont il traîna le cadavre autour des murailles de Troie : ce fait attira la colère d'Apollon. Le dieu guida Pâris, qui décocha une flèche en direction d'Achille; celui-ci fut atteint au talon et mourut.

ACHILLÉE [akile] n. f. (du gr. *akhilleios*, plante d'Achille). Plante à feuilles très découpées, dont l'espèce la plus commune est la *mille-feuille.* (Famille des composées.)

ACHKHABAD, v. de l'U. R. S. S., en Asie centrale, capit. de la république du Turkménistan; 302000 hab.

ACHOPPER [aʃɔpe] v. i. (de *chopper*, buter). **1.** (sujet nom d'être animé) Heurter du pied contre quelque chose : *Achopper sur une pierre* (syn. BUTER CONTRE, TRÉBUCHER). — **2.** (sujet nom de personne, d'action) Être arrêté par une difficulté, un obstacle (langue soignée) : *Il achoppe toujours sur les problèmes de géométrie.* ◆ **achoppement** n. m. *Pierre d'achoppement,* ce qui cause de l'embarras ou de la difficulté (syn. OBSTACLE).

ACHROMATIQUE [akromatik] adj. (de *a* priv., et gr. *khrôma*, couleur). Se dit d'un système optique qui laisse passer la lumière blanche sans la décomposer. (On utilise des associations de lentilles de verres différents pour fabriquer des objectifs achromatiques, c'est-à-dire dépourvus d'aberrations* chromatiques, fournissant des images sans franges irisées.)

1. ACIDE [asid] adj. (lat. *acidus*). **1.** D'une saveur piquante : *Les fruits verts sont acides* (syn. AIGRE; contr. SUCRÉ). — **2.** Se dit de propos qui marquent de la méchanceté, du dénigrement ironique : *Des réflexions acides* (syn. ACERBE, AIGRE, MORDANT; contr. AIMABLE). ◆ **acidité** n. f. : *L'acidité d'un citron. L'acidité de ses répliques le fait craindre de tous* (syn. CAUSTICITÉ). ◆ **acidulé, e** adj. Dont la saveur est légèrement acide : *Bonbons acidulés.*

2. ACIDE [asid] n. m. (même étym.). Composé hydrogéné, électrolyte, qui agit sur les bases et sur de nombreux métaux, en formant des sels par substitution du métal à l'hydrogène entrant dans sa composition. ⟶ ENCYCL. ◆ **acidité** n. f. Qualité de ce qui contient une substance acide : *L'acidité du suc gastrique.*

— ENCYCL. Les *acides* ont en commun un ensemble de propriétés définissant la fonction acide : saveur acide; action sur les indicateurs colorés, par exemple coloration du tournesol en rouge, de l'hélianthine en rouge-orangé; action sur les bases; action sur les alcools, etc.

ACIER [asje] n. m. (du lat. *acies*, pointe). **1.** Fer allié à une faible quantité de carbone, obtenu par fusion et susceptible de devenir très dur par l'opération de la trempe*. ⟶ ENCYCL. — **2.** *D'acier,* se dit de ce qui a une vigueur, une force, une résistance, une fermeté exceptionnelles : *Des muscles d'acier.* ‖ *Un regard bleu d'acier* (= qui a des reflets bleus comme l'acier). ◆ **aciérage** n. m. Opération permettant de donner à certains métaux la dureté de l'acier. ◆ **aciérer** v. t. Convertir du fer en acier : *Le carbone acière le fer.* ◆ **aciérie** n. f. Usine où l'on fabrique de l'acier.

— ENCYCL. L'*acier* est essentiellement obtenu en décarburant (= en enlevant du carbone) la fonte. Le soufre et le phosphore sont éliminés le plus possible, et les teneurs en autres éléments (silicium, manganèse) sont modifiées. Certains éléments (tungstène, chrome, vanadium, etc.) peuvent être ajoutés. On distingue :
les *aciers doux*, contenant peu de carbone (0,15 à 0,25 p. 100), qui se déforment facilement et sont peu sensibles à la trempe;
les *aciers durs*, à forte teneur en carbone (0,60 à 1,50 p. 100), que la trempe rend durs, élastiques et cassants;
les *aciers spéciaux*, contenant en proportions variables, seuls ou associés, du chrome, du nickel, du vanadium, du tungstène, du molybdène, du manganèse, etc. Par exemple, les *aciers inoxydables* contiennent une forte proportion de chrome (de 12 à 30 p. 100) souvent associé avec du nickel, et les *aciers à coupe rapide*, une forte proportion de tungstène (de 5 à 18 p. 100).

■ *Production de l'acier.* Elle s'est développée avec l'essor rapide des diverses industries métallurgiques de transformation (matériel de transport, machines-outils, etc.), jusqu'au milieu des années 1970, stagnant pratiquement aujourd'hui.

Monde	710 millions de t
U. R. S. S.	154 millions de t
Japon	106 millions de t
États-Unis	82 millions de t
Allemagne	47 millions de t
Chine	43 millions de t
Italie	24 millions de t
France	19 millions de t
Brésil	18 millions de t
Pologne	16 millions de t
Canada	15 millions de t
Grande-Bretagne	15 millions de t
Tchécoslovaquie	15 millions de t

La production de l'acier est une industrie de base, nécessitant de grands moyens financiers et techniques que ne possèdent pas nombre de petits États du tiers monde. Elle permet l'existence d'un large éventail de fabrications à partir des produits qu'elle a élaborés.

ACNÉ [akne] n. f. (gr. *aknê*). Maladie de la peau, caractérisée par des boutons, principalement sur le visage.

AÇOKA ou **ASOKA,** un des plus grands souverains de l'Inde (292-236 av. J.-C.), qui régna de 273 à 236 av. J.-C. Converti au bouddhisme, il domina un vaste empire.

ACOLYTE [akɔlit] n. m. (gr. *akolouthos*, serviteur). Aide et compagnon habituel de quelqu'un auquel il est subordonné, son complice (souvent péjor.).

ACOMPTE [akɔ̃t] n. m. (de *compte*). Paiement partiel à valoir sur une somme due : *Demander un acompte sur son salaire* (syn. AVANCE). *Verser un acompte lors d'un achat* (syn. ARRHES, PROVISION).

ACONCAGUA, l'un des points culminants des Andes et du continent américain (Argentine); 6959 m.

ACONIT [akɔnit] n. m. (gr. *akoniton*). Plante vénéneuse des montagnes, à feuilles vert sombre. (Famille des renonculacées.)

ACOQUINER (S') [sakɔkine] v. pr. ou **ÊTRE ACOQUINÉ** v. passif [**avec**] (de *coquin*). *Péjor.* Avoir de mauvaises fréquentations; prendre pour complice.

AÇORES (les), archipel portugais de l'Atlantique, à 1500 km environ du Portugal ; 2344 km²; 259000 hab. (110 au km²). V. pr. *Ponta Delgada*, dans l'île São Miguel.

L'archipel des Açores compte neuf îles dont les plus importantes sont São Miguel, Pico et Terceira. Leur origine volcanique explique leur altitude élevée (2320 m à Pico). Le climat y est doux et humide en raison de la latitude subtropicale et des influences maritimes.

L'activité de ces îles est essentiellement agricole. Les Açores produisent des céréales, mais on y pratique aussi des cultures spécialisées destinées à l'exportation : agrumes, ananas, tabac, bananes... Grâce à leur situation au milieu de l'Atlantique, les Açores ont longtemps été une escale aérienne pour les vols transatlantiques.

AÇORES *(anticyclone des)*, anticyclone qui exerce une grande influence sur l'évolution du temps de l'Europe occidentale : ses incursions estivales provoquent un temps chaud et sec.

À-CÔTÉ [akote] n. m. (de la loc. adv. *à côté*). **1.** Ce qui ne se rapporte que de loin au sujet principal : *C'est un à-côté de la question, revenez à l'essentiel* (= c'est en marge de, accessoire). — **2.** (au plur.) Ce que l'on gagne, en dehors de son salaire régulier, pour une activité secondaire; dépenses qui viennent en supplément : *Il faut prévoir les dépenses et les petits à-côtés imprévus.*

À-COUP [aku] n. m. (de *à*, et *coup*). **1.** Arrêt brusque, suivi d'une reprise brutale, d'un mouvement qui devrait être continu : *Le moteur eut quelques à-coups, puis s'arrêta* (syn. RATÉ). *L'économie du pays a subi de sérieux à-coups* (syn. SECOUSSE). — **2.** *Par à-coups*, d'une manière non continue, par intermittence (syn. PAR SACCADES). ‖ *Sans à-coups*, sans changement de rythme, de vitesse de mouvement; sans incident important (syn. SANS HEURT).

ACOUSTIQUE [akustik] n. f. (du gr. *akoustikos*, qui concerne l'ouïe). **1.** Science qui traite des propriétés, de la production, de la propagation et de la réception des sons. ⟶ ENCYCL. — **2.** Qualité d'une salle, d'un théâtre, etc., favorable ou non à la perception des sons par les auditeurs.

— ENCYCL. *L'acoustique* a pour base le fait que les sources sonores sont toujours en état de *vibration*, c'est-à-dire qu'elles exécutent des oscillations rapides se propageant dans l'air en *ondes* comparables aux cercles produits à la surface de l'eau par la chute d'une pierre.

Ce furent F. Bacon et Galilée qui établirent les bases de l'acoustique. Gassendi expliqua la hauteur des sons par la fréquence des vibrations. Au XIXe s., Bell transmet les sons à l'aide du téléphone (1876), et Edison les enregistre et les reproduit mécaniquement avec le phonographe (1877). Les progrès de la radiotechnique permettent, au début du XXe s., de transmettre les sons au moyen des ondes hertziennes.

ACQUÉRIR [akerir] v. t. (lat. *acquirere*). [Conj. **21**; surtout au prés., à l'infin. et aux temps composés.] **1.** (sujet nom de personne) Devenir propriétaire d'un bien quelconque par achat, échange ou succession : *Acquérir une maison* (syn. ACHETER). — **2.** (sujet nom de personne et de chose) Réussir à obtenir, à avoir pour soi : *Acquérir l'habitude de traiter les affaires* (syn. PRENDRE). *Ce timbre acquiert de la valeur* (syn. GAGNER; contr. PERDRE). — **3.** *Être acquis à qq'un*, être entièrement dévoué à sa personne ou à ses intérêts. ‖ *Être acquis à une idée*, y être gagné. ◆ ***s'acquérir*** v. pr. *S'acquérir qqch.*, l'obtenir pour soi : *Il s'est acquis de solides amitiés.* ◆ **acquéreur** n. m. Personne qui devient propriétaire d'un bien (sens 1 du v.) : *J'ai trouvé un acquéreur pour ma voiture.* ◆ **coacquéreur** n. m. Personne qui acquiert un bien en commun avec d'autres. ◆ **acquêts** n. m. pl. *Jurid.* Biens acquis pendant le mariage et qui tombent dans la communauté : *Être marié sous le régime de la communauté réduite aux acquêts.* ◆ **acquis, e** adj. **1.** Se dit de ce qui a été obtenu une fois pour toutes : *Tenir un point pour acquis* (= le considérer comme obtenu). — **2.** *Caractères acquis* (par oppos. à INNÉS, HÉRÉDITAIRES), caractères dont l'individu était dépourvu à sa naissance et que les circonstances de sa vie ont fait apparaître en lui. (Les plus fréquents concernent l'immunité vis-à-vis de diverses maladies par les vaccins. D'autres appartiennent au corps lui-même : pigmentation de la peau, déformations du squelette, etc. Ces caractères ne sont jamais transmissibles aux descendants.) ◆ **acquis** n. m. *Avoir un acquis, avoir de l'acquis*, posséder un ensemble important de connaissances (syn. SAVOIR). ◆ **acquisition** n. f. Action d'acquérir; ce que l'on a obtenu par paiement : *Faire l'acquisition d'un aspirateur* (syn. ACHAT; contr. VENTE).

ACQUIESCER [akjese] v. i. (lat. *acquiescere*). Se ranger à l'avis de l'interlocuteur (littér.) : *Il acquiesce d'un signe de tête* (syn. ACCEPTER, DIRE OUI; contr. REFUSER). ◆ v. t. ind. *Acquiescer à qqch.*, y donner son accord, son approbation : *Acquiescez à ma prière* (syn. CONSENTIR; contr. S'OPPOSER). ◆ **acquiescement** n. m. (syn. ACCEPTATION, ACCORD).

ACQUIS, E adj. et n. m., **ACQUISITION** n. f. ⟶ ACQUÉRIR.

1. ACQUIT n. m. ⟶ ACQUITTER 2.

2. ACQUIT [aki] n. m. (de *acquitter*). *Par acquit de conscience*, pour n'avoir ensuite aucun remords (se dit quand on fait une chose sans en attendre de résultats).

1. ACQUITTER [akite] v. t. (de *quitte*) [sujet nom de personne]. *Acquitter qq'un*, le déclarer par jugement innocent du crime ou du délit dont il est accusé. ◆ **acquittement** n. m. : *L'acquittement d'un accusé.*

2. ACQUITTER [akite] v. t. (même étym.) [sujet nom de personne]. *Acquitter une facture, des droits*, etc., payer la somme indiquée (syn. RÉGLER). ◆ ***s'acquitter*** v. pr. [**de**]. Faire ce que l'on doit, ce à quoi on s'est engagé, etc. : *S'acquitter de ses fonctions* (syn. REMPLIR, SATISFAIRE À). *S'acquitter de ses dettes* (= les rembourser). ◆ **acquit** [aki] n. m. **1.** Quittance, décharge délivrée à celui qui a fourni quelque chose. — **2.** *Pour acquit*, mots qu'on écrit au dos d'un chèque, au bas d'un billet, pour attester qu'ils ont été payés. ◆ **acquittement** n. m. : *L'acquittement d'une dette* (syn. REMBOURSEMENT).

ACRE [akr] n. f. (anglo-normand *acre*). Anc. mesure agraire qui valait en France environ 50 ares.

ACRE ou **AKKO,** port d'Israël, sur la Méditerranée; 34 400 hab. C'est l'anc. SAINT-JEAN-D'ACRE.

• *1799. La ville résiste victorieusement à Bonaparte.*

ÂCRE [ɑkr] adj. (lat. *acer*). **1.** Dont la saveur ou l'odeur est forte et irritante. — **2.** Qui a un caractère agressif et violent (littér.) : *Répliquer d'un ton âcre* (syn. ACERBE, ÂPRE). ◆ **âcreté** n. f. : *L'âcreté d'un fruit. L'âcreté de ses propos* (syn. usuel HARGNE).

ACRIDIENS [akridjɛ̃] n. m. pl. (du gr. *akridos*, sauterelle). Famille d'insectes orthoptères, renfermant 10 000 espèces. (Les acridiens sont appelés ordinairement *criquets*.)

ACRIMONIE [akrimɔni] n. f. (du lat. *acer*, âcre). Caractère agressif d'une personne, qui se manifeste dans l'humeur ou le langage (littér.) : *Exprimer ses griefs avec acrimonie* (syn. usuel AIGREUR; contr. AFFABILITÉ, DOUCEUR).

ACROBATE [akrɔbat] n. (du gr. *akrobatein*, marcher sur la pointe des pieds). Artiste de cirque, de music-hall, qui fait des exercices d'équilibre, des sauts périlleux, etc. ◆ **acrobatie** [akrɔbasi] n. f. Exercice exécuté par l'acrobate, ou tout exercice qui exige de l'adresse : *L'aviateur effectua quelques acrobaties aériennes. Se livrer à des acrobaties pour obtenir un avantage.* ◆ **acrobatique** adj.

ACROPOLE [akrɔpɔl] n. f. (du gr. *akros*, haut, et *polis*, ville). Hauteur fortifiée des anciennes cités grecques, comportant un palais et des sanctuaires.

Acropole d'Athènes, butte s'élevant, à Athènes, à moins de 100 m au-dessus de la ville basse. Des monuments y furent élevés dès le IIe millénaire et du VIIe au VIe s. (Pisistrate). Ravagée par les Perses en 480 av. J.-C., l'Acropole cessa d'être une forteresse et fut ornée au Ve s. (Périclès) de temples magnifiques (Parthénon, Érechthéion, temple d'Athéna Nikê) et d'une entrée monumentale (Propylées). Le *musée de l'Acropole* renferme les fragments restés sur place de la sculpture du Parthénon, de l'Érechthéion et du temple d'Athéna Nikê.

ACROSTICHE [akrɔstiʃ] n. m. (du gr. *akros*, qui est à l'extrémité, et *stikhos*, vers). Pièce de vers composée de telle sorte que la suite des initiales de chaque vers, lues dans le sens vertical, forme le nom d'une personne ou d'une chose à laquelle se rapporte le poème. *Exemple :* l'acrostiche de Villon dans la dernière strophe de la *Ballade pour prier Notre-Dame :*

> **V***ous portâtes, douce Vierge, princesse,*
> **J***ésus régnant, qui n'a ni fin ni cesse :*
> **L***e Tout-Puissant, prenant notre faiblesse,*
> **L***aissa les cieux et nous vint secourir,*
> **O***ffrit à mort sa très chère jeunesse,*
> **N***otre Seigneur tel est, telle confesse :*
> *En cette foi je veux vivre et mourir.*

ACROTÈRE [akrɔtɛr] n. m. (gr. *akrôtêrion*). Socle disposé au sommet ou aux extrémités d'un fronton, et servant de support à une statue ou à un autre ornement; cet ornement lui-même.

1. ACTE [akt] n. m. (lat. *actum*). **1.** Manifestation, réalisation de la volonté, considérée dans ses conséquences, ou dans son but : *Passer des paroles aux actes* (syn. ACTION); suivi d'un compl. du nom sans art. : *Un acte de bravoure* (= un exploit). *Un acte de foi* (= action qui traduit une adhésion confiante, la confiance dans l'avenir). *Acte de faiblesse, de grandeur* (syn. TRAIT); suivi d'un adj. : *Un acte terroriste* (syn. ACTION). — **2.** *Faire acte de* (suivi d'un nom sans art.), donner une preuve concrète de : *Faire acte d'énergie* (= se montrer énergique). *Faire acte de candidature* (= se présenter comme candidat). *Faire acte de présence* (= paraître en un lieu en n'y restant que quelques instants).

2. ACTE [akt] n. m. (même étym.). **1.** Écrit, texte constatant un fait, indiquant une convention passée entre plusieurs personnes : *Le greffier lut l'acte d'accusation* (= texte où sont énumérés les motifs de l'accusation). *Les actes de l'état civil sont les actes de naissance, de mariage et de décès.* — **2.** *Demander acte*, faire constater. ‖ *Donner acte*, reconnaître légalement ou ouvertement que le fait existe, qu'on est informé. ‖ *Prendre acte*, déclarer que l'on se prévaudra par la suite du fait qui a été constaté. ◆ **actes** n. m. pl. **1.** Recueil des mémoires présentés à des sociétés savantes, des congrès, etc. — **2.** *Actes des Apôtres*, livre du Nouveau Testament, écrit en grec par saint Luc, qui relate ce que les Apôtres ont fait après l'Ascension de Jésus-Christ.

3. ACTE [akt] n. m. (lat. *actus*). **1.** Partie d'une pièce de théâtre composée de scènes et séparée de la suivante par un temps d'arrêt appelé *entracte* ou par un baisser de rideau : *Les tragédies classiques ont cinq actes.* — **2.** *Le premier acte* (d'un événement), le premier épisode qui laisse prévoir des conséquences ultérieures. ‖ *Le dernier acte*, la fin d'une série d'événements, leur conclusion.

ACTEUR, TRICE [aktœr, -tris] n. (lat. *actor*). **1.** Personne dont la profession est de jouer des rôles au théâtre ou dans un film de cinéma (syn. COMÉDIEN). — **2.** Personne qui, dans un événement, prend une part déterminante à l'action, à sa réalisation : *Les acteurs et les témoins du drame.*

1. ACTIF, IVE adj. et n. m. *Forme* ou *voix active* ⟶ VERBE.

2. ACTIF, IVE [aktif, -iv] adj. (lat. *activus*). **1.** Se dit d'une personne qui manifeste de l'énergie, qui agit (contr. INACTIF) : *C'est un homme actif que rien ne fatigue* (syn. ↑ÉNERGIQUE, TRAVAILLEUR; contr. APATHIQUE, INDOLENT). *Militant actif d'un parti* (syn. ZÉLÉ). — **2.** Se dit de ce qui témoigne de la force, de l'énergie, de la violence; qui se manifeste par des résultats (contr. PASSIF): *Mener une vie active* (contr. DÉSŒUVRÉ, OISIF). *Un remède actif* (syn. EFFICACE). ‖ *Enseignement actif, méthode active*, méthode d'enseignement qui donne à l'enfant ou à l'élève une initiative plus grande dans l'acquisition et le maniement des connaissances. — **3.** *Entrer dans une phase active*, arriver à la question essentielle : *La conférence entre dans sa phase active* (syn. ENTRER DANS LE VIF DU SUJET). ‖ *Prendre une part active à qqch.*, y participer d'une manière efficace. ‖ *Population active*, ensemble des personnes qui exercent une activité professionnelle. ⟶ ENCYCL. ‖ *Armée active* ⟶ ACTIVE n. f. — **4.** *Forme* ou *voix active* ⟶ VERBE. ◆ **activement** adv. *D'une manière active* (contr. MOLLEMENT). ◆ **activité** n. f. **1.** Ensemble des phénomènes par lesquels se manifestent une certaine forme de vie ou un certain fonctionnement : *L'activité physique, intellectuelle.* — **2.** Promptitude, vivacité ou énergie dans l'action de quelqu'un (ou de son esprit), dans la conduite d'une personne; animation constatée quelque part : *Il fait preuve d'une activité débordante* (syn. ZÈLE; contr. APATHIE, INACTIVITÉ). *L'activité de la rue* (syn. ANIMATION). — **3.** Domaine dont s'occupe une personne, une entreprise, etc.; ensemble des actes d'une personne, d'une nation, d'une industrie, etc., qui intéressent un champ d'action déterminé : *Avoir une activité professionnelle. Des activités de plein air. Il a cessé toute activité* (= il est à la retraite). — **4.** *En activité*, se dit d'un fonctionnaire qui est en service (contr. EN RETRAITE), ou d'un commerce, etc., qui est en fonctionnement. ◆ **inactif, ive** adj. Contr. de ACTIF (souvent dans des phrases négatives) : *Il ne reste pas inactif* (syn. péjor. DÉSŒUVRÉ, OISIF). ◆ **inaction** n. f. ⟶ ACTION 1. ◆ **inactivité** n. f. : *L'inactivité forcée d'un malade* (syn. IMMOBILITÉ, INACTION). ◆ **suractivité** n. f. Activité intense, au-dessus de la normale (sens 2 de l'adj.).
— ENCYCL. Dans les pays économiquement développés, la *population active* représente entre le tiers et la moitié de la population totale. On la divise en trois éléments :
le *secteur primaire*, qui regroupe essentiellement les personnes vivant de l'agriculture et de la pêche;
le *secteur secondaire*, représentant les travailleurs de l'industrie;
le *secteur tertiaire*, comprenant les personnes travaillant dans l'administration, les entreprises commerciales, l'hôtellerie, etc.

3. ACTIF [aktif] n. m. (même étym.). **1.** Ce que l'on possède (terme financ.) : *L'actif de la société se compose d'immeubles, de matériel et de marchandises* (contr. PASSIF). — **2.** *À son actif*, au nombre de ses succès, de ses avantages, de ses actions.

ACTINIE [aktini] n. f. (du gr. *aktis, -inos*, rayon). Animal marin mou, de forme cylindrique, qui vit en grand nombre, fixé sur les rochers proches des rivages. (Embranchement des cœlentérés.) [Les *actinies* ont de nombreux tentacules munis de harpons venimeux pour capturer des proies vivantes, qu'elles digèrent dans un sac digestif compliqué de cloisons radiales; elles sont appelées aussi *anémones de mer.*]

ACTINOMÉTRIE [aktinɔmetri] n. f. (du gr. *aktinos*, rayon, et *metron*, mesure). Mesure de l'intensité des radiations, et partic. des radiations solaires.

1. ACTION [aksjɔ̃] n. f. (lat. *actio*, de *agere*, agir). **1.** Manifestation matérielle de la volonté humaine dans un domaine déterminé (souvent avec un adj. ou un compl. du nom sans art.) : *Une action audacieuse* (syn. ACTE). *Une action d'éclat* (= un exploit). *Action de grâces* (= témoignage de reconnaissance). *Un homme d'action* (= entreprenant). L'*action* peut être celle d'un groupe humain, d'une profession, d'une classe sociale, d'une nation, etc. (en ce cas, le mot entre en composition avec un grand nombre d'expressions : *L'entreprise dispose d'importants moyens d'action* (= des moyens d'agir efficacement). *Les fonctionnaires ont fixé la date de leur journée d'action* (= le jour où ils feront connaître publiquement, par des manifestations, leurs revendications). *Un parti détermine son programme d'action, sa ligne d'action* (= sa manière d'agir et ses buts). *Un roman, une pièce où il n'y a pas d'action* (= marche des événements, progression dramatique, péripéties). — **2.** *Action des corps physiques, des éléments, des idées*, etc., manière dont ils agissent sur d'autres : *Sous l'action des pluies, les torrents ont grossi* (= sous l'effet de). — **3.** *Champ d'action*, étendue, domaine où s'exerce l'activité de quelqu'un. ‖ *Être en action*, être en train d'agir, de participer à une entreprise projetée auparavant. ‖ *Mettre en action*, réaliser ce qui n'était encore qu'une idée, une intention. ◆ **inaction** n. f. Absence de toute action, de toute activité, de tout travail (syn. DÉSŒUVREMENT, OISIVETÉ). ◆ **interaction** n. f. Action, influence réciproque d'une chose sur une autre.

2. ACTION [aksjɔ̃] n. f. (même étym.). Titre représentant les droits d'un associé dans certaines sociétés : *Action nominative* (= qui porte le nom du possesseur). ◆ **actionnaire** n. Personne qui possède une ou plusieurs actions dans une société.
— ENCYCL. Par l'achat d'*actions*, l'*actionnaire* devient, en partie, propriétaire de l'entreprise, touche sa part des bénéfices (= dividendes) et a le droit de participer aux assemblées générales de la société. Les actions rapportent un revenu variable selon les bénéfices de l'entreprise, contrairement aux *obligations* (titres reconnaissant un prêt d'argent sans droit de propriété) pour lesquelles le revenu est fixe.

3. ACTION [aksjɔ̃] n. f. (même étym.). **1.** Exercice d'un droit en justice : *Intenter une action* (= déposer une plainte contre quelqu'un). — **2.** *Action publique*, poursuite intentée en justice, au nom de la défense des intérêts de la société, par le ministère* public. (L'*action publique* se distingue de l'*action civile*, demande de réparation faite en justice par un individu lésé dans ses intérêts privés, qui ne concernent pas la société.)

Action française, mouvement politique de tendance nationaliste et monarchiste qui se développa autour de l'écrivain Charles Maurras à partir de 1905. Il s'exprima dans un journal quotidien, *l'Action française*, créé en 1908 et que dirigea Léon Daudet.

ACTIONNAIRE n. ⟶ ACTION 2.

ACTIONNER [aksjɔne] v. t. (de *action*). *Actionner qqch.*, le mettre en mouvement (syn. FAIRE FONCTIONNER).

ACTIUM, promontoire de la Grèce anc., à l'entrée du golfe d'Ambracie (auj. *golfe d'Arta*).

• *31 av. J.-C. Victoire navale d'Octavien et d'Agrippa sur Antoine (elle assura à Octavien la domination du monde romain).*

ACTIVATION n. f. ⟶ ACTIVER.

ACTIVE [aktiv] n. f. (de *actif*). Ensemble des forces militaires présentes sous les drapeaux (on dit aussi *armée active*) : *Les officiers d'active sont des officiers qui font leur carrière dans l'armée* (contr. RÉSERVE).

ACTIVEMENT adv. ⟶ ACTIF 2.

ACTIVER [aktive] v. t. (de *actif*). **1.** Rendre un corps chimique plus actif. — **2.** Rendre plus rapide dans son action, hâter l'achèvement ou la conclusion : *Activer les préparatifs* (syn. ACCÉLÉRER, HÂTER; contr. RALENTIR). ◆ v. i. (fam.) ou ***s'activer*** v. pr. Travailler activement; se hâter : *Des ouvriers s'activaient çà et là* (syn. S'AFFAIRER). ◆ **activation** n. f. (sens 1 du v. t.). Augmentation des propriétés chimiques, physiques ou biologiques d'un corps.

ACTIVISME [aktivism] n. m. (de *actif*). Attitude politique de ceux qui visent à l'action directe en faveur d'un parti ou d'une doctrine politique. ◆ **activiste** adj. et n.

ACTIVITÉ n. f. ⟶ ACTIF 2.

ACTUAIRE [aktɥɛr] n. (angl. *actuary*, du latin). Spécialiste de l'application de la statistique, principalement du calcul des probabilités, aux opérations de finance et d'assurance.

ACTUEL, ELLE [aktɥɛl] adj. (lat. *actualis*) [après ou, plus rarement, avant le nom]. **1.** Qui existe ou se produit dans le moment présent : *Dans l'état actuel des choses* (syn. PRÉSENT; contr. ANCIEN). — **2.** Qui convient particulièrement au moment présent : *La question des prix est très actuelle.* ◆ **actuellement** adv. Dans la période présente, en ce moment : *Ma voiture est actuellement en réparation* (syn. POUR LE MOMENT, PRÉSENTEMENT). *Le cinéma est actuellement concurrencé par la télévision* (syn. AUJOURD'HUI, DE NOS JOURS). ◆ **actualiser** v. t. Rendre actuel, manifeste (aux deux sens de l'adj.). ◆ **actualisation** n. f. ◆ **actualité** n. f. **1.** Qualité de ce qui est actuel, de ce qui convient au moment présent : *L'actualité des problèmes agricoles.* — **2.** Ensemble des circonstances, des événements présents, intéressant un domaine particulier de l'activité humaine : *Un sujet d'actualité* (= qui convient à l'époque présente). *L'actualité quoti-*

dienne (= les événements du jour). ◆ **actualités** n. f. pl. Émission d'information à la radio, à la télévision. ◆ **inactuel, elle** adj. Qui ne convient pas au moment présent (sens 2 de ACTUEL).

ACUITÉ [akɥite] n. f. (du lat. *acutus*). Qualité de ce qui est aigu : *L'acuité d'un son, d'une douleur. Une bonne acuité visuelle. L'acuité du regard* (syn. INTENSITÉ). *L'acuité d'une crise politique.*

ACULÉATES [akyleat] n. m. pl. (du lat. *aculeus*, aiguillon). Sous-ordre d'insectes hyménoptères, qui portent un aiguillon venimeux à l'extrémité de l'abdomen *(abeille, fourmi, guêpe).*

ACUPUNCTURE ou **ACUPONCTURE** [akypɔ̃ktyr] n. f. (du lat. *acus*, aiguille, et *punctura*, piqûre). Traitement médical d'origine chinoise, qui consiste à introduire de très fines aiguilles en métal en certains points du corps. ⟶ ENCYCL. ◆ **acupuncteur** ou **acuponcteur** n. m. Spécialiste de l'acupuncture.
— ENCYCL. Pratiquée en Chine depuis des millénaires, introduite en Occident vers 1927, l'*acupuncture* est fondée sur la correspondance de certains organes avec des points déterminés de la surface du corps. Ces points sont réunis par des lignes, les *méridiens*. Les acupuncteurs se servent d'aiguilles pour piquer les points indiqués. L'acupuncture est utilisée pour traiter des troubles divers, supprimer des douleurs. Les médecins chinois opèrent des malades sous acupuncture (en insensibilisant certaines parties du corps), évitant ainsi l'anesthésie et ses conséquences.

ACYCLIQUE [asiklik] adj. (de *a* priv., et *cyclique*). *Chim.* Se dit des composés organiques à chaîne ouverte.

ADAGE [adaʒ] n. m. (lat. *adagium*). Maxime pratique ou juridique, ancienne et populaire : *L'adage se distingue du proverbe par son caractère juridique* (ex. : *Nul n'est censé ignorer la loi*).

ADAGIO [adadʒjo] n. m. (mot it.). Mouvement d'une symphonie, ordinairement le deuxième, joué à une allure modérée. (⟶ MOUVEMENT, *mouvements musicaux*.) ‖ Pl. des *adagios*.

ADAM, le premier homme selon la Bible. Dieu, qui l'avait créé et à qui il désobéit en écoutant les conseils perfides du serpent (le démon), le chassa, avec son épouse Ève, du Paradis terrestre. Dès lors, le genre humain, issu d'Adam, connut la peine, la souffrance et la mort.

ADAM DE LA HALLE ou **ADAM le Bossu,** musicien et poète français (v. 1240-v. 1285). Ce célèbre trouvère est considéré comme le précurseur du théâtre profane en France : le *Jeu de la feuillée* et le *Jeu de Robin et Marion* sont des œuvres « courtoises », agrémentées de mélodies charmantes.

ADAM, nom de trois frères sculpteurs français du XVIIIe siècle : LAMBERT SIGISBERT (1700-1759), NICOLAS SÉBASTIEN (1705-1778), FRANÇOIS GASPARD (1710-1761).

ADAMAOUA, pays montagneux d'Afrique, aux confins du Cameroun et du Nigeria.

ADAMS (John), homme d'État américain (1735-1826), successeur de Washington à la présidence des États-Unis (1797-1800).

ADANA, v. du sud de la Turquie (Cilicie); 568 500 hab.

ADAPTER [adapte] v. t. (lat. *adaptare*) [sujet nom de personne]. **1.** *Adapter un objet à un autre objet*, les joindre, les rattacher de manière à obtenir un dispositif (syn. AJUSTER). — **2.** *Adapter une chose à une autre*, la disposer par rapport à l'autre de manière à les mettre toutes deux en accord ou à obtenir un ensemble harmonieux ou cohérent : *Adapter la musique aux paroles* (syn. APPROPRIER). — **3.** *Adapter une œuvre littéraire*, la faire passer d'un genre dans un autre, ou d'une langue dans une autre : *Adapter un roman au cinéma* (= l'arranger de manière à en faire le sujet d'un film). ◆ ***s'adapter*** v. pr. [**à**] (souvent avec un adv. de manière) : *Le tuyau s'adapte bien au robinet* (syn. CONVENIR). *Ce lion s'adapte bien à son nouveau milieu* (syn. S'ACCLIMATER). ◆ **adaptation** n. f. Sens 2 et 3 du v. t., et v. pr. : *L'adaptation d'un plan aux nécessités économiques* (syn. HARMONISATION). *L'adaptation d'un roman à la scène* (syn. TRANSPOSITION). *L'adaptation d'un organisme humain, de végétaux, d'animaux à un nouveau milieu* (syn. ACCLIMATEMENT). ⟶ ENCYCL. ◆ **adaptateur, trice** n. Sens 3 du v. t. ◆ **inadapté, e** adj. et n. Contr. d'(ÊTRE) ADAPTÉ (se dit d'une personne) : *Enfant inadapté à la vie scolaire. Rééducation des inadaptés* (syn. ASOCIAL). ◆ **inadaptation** n. f. Contr. d'ADAPTATION (en parlant d'une personne) : *Inadaptation d'un vieillard à la vie moderne.* ◆ **réadapter** v. t. **1.** Adapter de nouveau : *Réadapter un joint à un tuyau.* — **2.** Rétablir, remettre en état un organisme, une partie d'un organisme afin de lui permettre de remplir sa fonction antérieure : *Réadapter les muscles de la jambe après un accident* (syn. plus usuel RÉÉDUQUER). ◆ ***se réadapter*** v. pr. (sujet nom de personne) : *Se réadapter à la vie civile après le service militaire.* ◆ **réadaptation** n. f. : *La réadaptation d'un mutilé* (syn. plus usuel RÉÉDUCATION). *La réadaptation à de nouvelles conditions d'existence.*
— ENCYCL. ***adaptation au milieu.*** Les caractères d'une espèce sont adaptés à la survie dans un milieu déterminé; de plus, des réactions physiologiques de défense aident chaque individu à supporter les modifications se produisant dans l'environnement.
L'homme se protège du froid par le frisson, de la chaleur par la transpiration; il s'adapte à l'altitude par une accélération des battements du cœur, par un accroissement de l'amplitude et de la fréquence des mouvements respiratoires, par une augmentation du nombre des globules rouges. L'adaptation se marque par l'apparition dans l'organisme d'un ensemble de réactions de défense toujours les mêmes, quelle que soit l'agression en cause.
Au cours de l'évolution des êtres vivants, les caractères de l'adaptation se modifient. Les animaux inférieurs et presque tous les végétaux subissent des changements de condition de vie au prix d'un ralentissement du rythme vital ou d'un changement de forme. Chez les formes les plus évoluées, on peut observer une *spécialisation*, une adaptation excellente à un milieu et à un mode de vie déterminés (papillon mangeur d'oranges, crustacés parasites, faune des eaux saumâtres, etc.); mais ces animaux sont incapables de quitter le milieu ou de changer de mode de vie. Dans le groupe des vertébrés homéothermes (= dont la température est constante) [mammifères, oiseaux], le *milieu intérieur* est rigoureusement constant. L'adaptation consiste à maintenir ce milieu intérieur en dépit de conditions extérieures sans cesse changeantes.

ADDA, riv. d'Italie qui traverse le lac de Côme; 300 km. Affluent du Pô (r. g.).

ADDENDA [adɛ̃da] n. m. inv. (mot lat.). Ce qu'on ajoute à un ouvrage pour le compléter (syn. APPENDICE).

ADDIS-ABEBA ou **ADDIS-ABABA,** capit. de l'Éthiopie, à 2 500 m d'alt. ; 1 242 000 hab. Siège de l'Organisation de l'unité africaine.

1. ADDITION [adisjɔ̃] ou [addisjɔ̃] n. f. (lat. *additio*). Action d'ajouter une chose à une autre; ce qui est ajouté (surtout lorsqu'il s'agit d'écrits, de lettres, de textes de loi) : *Addition d'un « s » au pluriel des substantifs* (syn. ADJONCTION; contr. RETRANCHEMENT, SUPPRESSION). *Faire une addition de quelques lignes* (syn. ADDITIF, AJOUT). ◆ **additif** n. m. Petite addition faite à un texte écrit (terme jurid.) : *On a voté un additif au budget.* ◆ **additionnel, elle** adj. Qui s'ajoute : *Article additionnel.* ◆ **additionner** v. t. Ajouter une chose, une quantité quelconque à une autre : *Vin additionné d'eau* (syn. ÉTENDU). ◆ ***s'additionner*** v. pr. Être ajouté.

2. ADDITION [adisjɔ̃] n. f. (même étym.). Première des quatre opérations fondamentales de l'arithmétique, qui réunit en une seule deux ou plusieurs grandeurs de même nature. ⟶ ENCYCL. ◆ **additionner** v. t. Faire l'addition de deux quantités, de deux nombres.
— ENCYCL. L'*addition* est une loi* de composition interne (ou opération) définie dans un ensemble de nombres, symbolisée par le signe +, qui à deux nombres a et b fait correspondre le nombre, noté $a+b$, appelé *somme* de a et b.
Exemple : $2+5=7$ dans $\mathbb{N}$; $(+4)+(-7)=-3$ dans $\mathbb{Z}$.
Exemple : l'ensemble $\mathbb{Z}$ des entiers relatifs, muni de l'addition, est un groupe* commutatif.
L'addition est une opération associative*, commutative*, et admet 0 pour élément* neutre.
Si a est un nombre, on appelle *opposé* de a le nombre a' tel que $a+a'=0$. L'opposé de a se note $-a$.
Plus généralement, on appelle *addition* une loi de composition interne dans un ensemble quelconque E, tel que E, muni de cette loi, soit un groupe commutatif : *addition des vecteurs du plan, addition des polynômes.*

3. ADDITION [adisjɔ̃] n. f. (même étym.). Note des dépenses faites au café, au restaurant, à l'hôtel, etc.

ADDUCTION [adyksjɔ̃] n. f. (du lat. *adducere*, amener). *Adduction d'eau, de gaz, de pétrole*, action de conduire ce liquide ou ce fluide d'un lieu à un autre. ◆ **adducteur** adj. et n. m. **1.** Tout muscle qui permet de rapprocher un membre du plan médian du corps : *Le principal adducteur du bras est le grand pectoral.* — **2.** Canal amenant les eaux d'une source à un réservoir.

ADÉLAÏDE, v. d'Australie, capit. de l'État d'Australie-Méridionale ; 934 200 hab.

ADÉLIE *(terre)*, région côtière de l'Antarctique appartenant à la France; 900 000 km². Atteinte par Dumont d'Urville en 1840, c'est une terre inhabitée recouverte par les glaces. Des bases scientifiques y ont été établies par les Expéditions polaires françaises.

ADEN, principal port du Yémen, sur le *golfe d'Aden*, formé par l'océan Indien; 285 000 hab. Ce fut, de 1970 à 1990, la capitale du Yémen du Sud.

ADENAUER (Konrad), homme d'État allemand (1876-1967). Chrétien-démocrate, il fut chancelier de la République fédérale allemande de 1949 à 1963.

ADÉNOME [adenom] n. m. (du gr. *adên*, glande). Tumeur bénigne d'une glande.

ADEPTE [adɛpt] n. (lat. *adeptus*, qui a atteint). Membre d'une secte religieuse ou d'un parti politique; partisan convaincu d'une doctrine politique, scientifique, religieuse : *Un parti qui fait des adeptes* (syn. ADHÉRENT). *Les adeptes d'une religion* (syn. FIDÈLE). *C'est un adepte du stoïcisme* (syn. TENANT; contr. ADVERSAIRE).

ADÉQUAT, E [adekwa, -at] adj. (lat. *adaequatus*). *Adéquat (à qqch.)*, parfaitement adapté à son objet; qui correspond exactement à ce qu'on attend : *Une définition parfaitement adéquate.* ◆ **inadéquat, e** adj. : *Les plans de construction sont devenus inadéquats* (syn. INAPPROPRIÉ). *Un vocabulaire inadéquat* (syn. IMPROPRE).

ADER (Clément), ingénieur français (1841-1925). Après avoir fabriqué plusieurs appareils plus lourds que l'air, il construisit un type d'*avion* (comme il le baptisa lui-même) sur lequel, le 9 octobre 1890, il s'éleva de terre et parcourut une soixantaine de mètres par ses propres moyens, réalisant ainsi le premier vol en aéroplane.

1. ADHÉRER [adere] v. t. ind. (lat. *adhaerere*) [sujet nom de chose]. *Adhérer à qqch.*, y être fixé d'une manière telle qu'il est difficile d'en être séparé : *Le papier peint adhère bien au mur* (syn. COLLER). ◆ **adhérent, e** adj. Fortement attaché, qui colle à quelque chose : *Des pneus très adhérents à la route.* ◆ **adhérence** n. f. État, qualité de ce qui adhère (seulement dans le sens de l'adj.) : *L'adhérence des pneus au sol.* ◆ **adhésif, ive** adj. et n. m. Se dit d'une bande de toile, de papier, etc., enduite d'un produit qui colle sans être préalablement mouillé : *Pansement adhésif.*

2. ADHÉRER [adere] v. t. ind. (même étym.) [sujet nom de personne]. **1.** *Adhérer à une organisation*, y entrer comme membre : *Adhérer à un parti politique.* — **2.** *Adhérer à une opinion*, se ranger à cet avis : *J'adhère à ce que vous avez dit* (syn. APPROUVER). ◆ **adhérent, e** adj. et n. Membre d'une organisation, d'un parti. ◆ **adhésion** n. f. **1.** Action de s'inscrire à un parti, à un syndicat, d'entrer dans une organisation, etc. : *Remplir son bulletin d'adhésion.* — **2.** Action de partager une opinion : *Donner son adhésion à un projet* (syn. ACCORD, APPROBATION).

AD HOC [adɔk] loc. adj. (mots lat. signif. *pour cela*). Qui convient au sujet, à la situation (terme admin.) : *Une commission, un argument « ad hoc ».*

ADIABATIQUE [adjabatik] adj. (gr. *adiabatos*, impénétrable). Se dit de la transformation d'un corps, qui s'effectue sans échange de chaleur avec l'extérieur : *Détente adiabatique d'un gaz.*

ADIEU [adjø] interj. (de *à Dieu*). **1.** Formule de salut employée quand on quitte quelqu'un pour un temps assez long, sinon définitivement. — **2.** *Dire adieu à qq'un, à qqch.*, prendre congé de cette personne, renoncer à cette chose. ◆ n. m. : *Faire ses adieux.*

ADIGE, fl. d'Italie, le plus long de la péninsule après le Pô; 410 km. Né dans les Alpes (col de Resia), il passe à Vérone et se jette dans la mer Adriatique.

ADIPEUX, EUSE [adipø, -øz] adj. (du lat. *adeps, -ipis*, graisse). **1.** *Anat.* Qui a les caractères de la graisse; qui en admet dans sa composition : *Tissu adipeux.* — **2.** Se dit d'une personne grasse à l'excès, et en particulier de son visage (péjor.) [contr. MAIGRE]. ◆ **adiposité** n. f. Surcharge graisseuse.

ADIRONDACKS *(monts)*, montagnes des États-Unis (New York); 1 628 m. C'est un massif ancien qui domine le lac Champlain.

ADJACENT, E [adʒasɑ̃, -ɑ̃t] adj. (lat. *adjacens*). **1.** Situé auprès (seulement avec quelques noms : *rue, pays, terre*, etc.) : *Ruelles adjacentes* (syn. ATTENANT, CONTIGU, VOISIN). — **2.** Math. *Secteurs adjacents*, se dit de deux secteurs angulaires s'ils ont un même sommet, un côté commun, et s'ils sont situés de part et d'autre de ce côté commun. (⟶ SECTEUR 1.)

ADJARIE, république autonome de l'U. R. S. S., dépendance de la Géorgie, sur la mer Noire; 309 800 hab. Capit. *Batoumi.*

ADJECTIF [adʒɛktif] n. m. (trad. du gr. *epithêton*, ajouté à) ⟶ CLASSE 4. ‖ *Adjectif possessif* ⟶ MON. ‖ *Adjectif démonstratif* ⟶ CE. ‖ *Adjectif indéfini* ⟶ MÊME, QUELQUE, TOUT, etc. ‖ *Adjectif numéral* ⟶ CLASSE 4 et NUMÉRATION. ‖ *Adjectif verbal* ⟶ PARTICIPE. ◆ **adjectif, ive** ou **adjectival, e, aux** adj. : *Les adjectifs composés « bleu foncé », « noir de jais » sont des locutions adjectives.* ◆ **adjectivement** adv. : *Dans une expression comme « une ferme modèle », le substantif « modèle » est employé adjectivement.*

ADJOINDRE [adʒwɛ̃dr] v. t. (lat. *adjungere*). [Conj. **55.**] **1.** *Adjoindre une chose à une autre*, la lui associer, la lui mettre en plus : *Adjoindre un surnom à un nom* (syn. AJOUTER). — **2.** *Adjoindre une personne à une autre*, la lui donner comme aide : *On m'a adjoint une secrétaire.* ◆ **s'adjoindre** v. pr. *S'adjoindre qq'un*, se faire aider par lui : *S'adjoindre un collaborateur* (syn. S'ATTACHER). ◆ **adjoint, e** n. **1.** Nom donné aux personnes qui sont associées à d'autres pour assurer un travail : *Les adjoints d'enseignement.* — **2.** *Adjoint au maire*, membre du conseil municipal élu par ses collègues en vue de suppléer le maire absent ou empêché. (Leur nombre varie de 1 à 12 suivant l'importance de la population; Paris, Lyon et Marseille constituent des cas particuliers.) ◆ **adjonction** [adʒɔ̃ksjɔ̃] n. f. : *L'architecte décida l'adjonction d'un garage à la maison* (syn. ADDITION).

ADJUDANT [adʒydɑ̃] n. m. (esp. *ayudante*). Sous-officier du grade immédiatement supérieur à celui de sergent-chef. (⟶ GRADE 2.) ◆ **adjudant-chef** n. m. Sous-officier immédiatement supérieur à l'adjudant.

ADJUGER [adʒyʒe] v. t. (lat. *adjudicare*). **1.** *Adjuger une chose* (en parlant d'une autorité de justice), l'accorder après décision légale : *Le commissaire-priseur adjuge le tableau au plus offrant.* — **2.** *Adjuger qqch. à qq'un*, lui attribuer un avantage (en parlant d'un supérieur à un subordonné, d'un jury, d'une assemblée, etc.) : *Le prix lui fut adjugé à l'unanimité.* ◆ **s'adjuger** v. pr. *S'adjuger qqch.*, s'en emparer comme d'un droit, d'une manière arbitraire : *Il s'adjugea la meilleure part du gâteau* (syn. S'APPROPRIER). ◆ **adjudicataire** n. Bénéficiaire d'une adjudication. ◆ **adjudication** [adʒydikasjɔ̃] n. f. Vente de biens ou marché de fournitures, de travaux, faits au plus offrant : *L'adjudication des travaux de voirie à un entrepreneur.*

ADJURER [adʒyre] v. t. (lat. *adjurare*) [sujet nom de personne]. *Adjurer qq'un de* (et infin.), le supplier avec instance de dire ou de faire quelque chose : *On adjura le ministre de recevoir la délégation* (syn. CONJURER, IMPLORER). ◆ **adjuration** n. f. : *Il s'entêtait, malgré les adjurations de sa famille* (syn. ↓PRIÈRE, SUPPLICATION).

ADJUVANT, E [adʒyvɑ̃, -ɑ̃t] adj. (du lat. *adjuvare*, aider). Se dit d'un médicament, d'un produit qui renforce l'action d'un autre. ◆ n. m. Chose, ou personne, qui aide, qui stimule.

AD LIBITUM [adlibitɔm] loc. adv. (mots lat.). À volonté, au choix.

1. ADMETTRE [admɛtr] v. t. (lat. *admittere*). [Conj. **57.**] **1.** *Admettre qq'un, un être animé*, le laisser entrer dans un local, dans un lieu, dans un groupe ou une organisation : *Les chiens ne sont pas admis dans le magasin. Admettre dans un parti.* — **2.** *Admettre qq'un*, le recevoir à l'intérieur d'une école, d'une classe déterminée; le considérer comme ayant satisfait aux épreuves d'un examen (souvent au passif) : *Être admis à l'École polytechnique.* ◆ **admissible** adj. et n. Se dit de celui qui, après avoir subi avec succès les épreuves écrites d'un examen ou d'un concours, est admis à passer les épreuves orales qui fixeront son classement final (contr. RECALÉ [fam.], REFUSÉ). ◆ **admissibilité** n. f. ◆ **admission** n. f. **1.** Action de laisser entrer, de laisser passer, etc. (sens 1 du v.) : *Formuler une demande d'admission.* — **2.** Fait d'être reçu définitivement à un examen ou à un concours (contr. ÉCHEC). — **3.** Entrée des gaz dans le cylindre d'un moteur : *Soupape d'admission.* ◆ **réadmettre** v. t. Admettre de nouveau (sens 1 et 2). ◆ **réadmission** n. f.

2. ADMETTRE [admɛtr] v. t. (même étym.). [Conj. **57.**] **1.** (sujet nom de personne) *Admettre qqch., admettre que* (suivi du subj. ou de l'indic.), reconnaître ou considérer comme vrai, comme valable, comme exact : *Je veux bien admettre que vous n'ayez pu faire autrement.* — **2.** *Admettons, admettez que*, formules introduisant une hypothèse provisoire (syn. SUPPOSER). — **3.** (sujet nom de personne ou de chose) Être capable de supporter, d'accepter ou de recevoir, de comprendre, de contenir (souvent avec une négation) : *Le règlement n'admet aucune exception* (syn. COMPORTER). *Son ton n'admettait aucune réplique* (syn. PERMETTRE, SOUFFRIR, TOLÉRER). ◆ **admissible** adj. Considéré comme valable, acceptable : *Vos raisons sont admissibles* (syn. PLAUSIBLE, RECEVABLE). ◆ **inadmissible** adj. : *Attitude inadmissible* (syn. INTOLÉRABLE, SCANDALEUX). *Opinion inadmissible* (syn. INACCEPTABLE, INSOUTENABLE).

administration *(École nationale d')* **[E. N. A.]**, établissement public qui, depuis 1945, assure le recrutement et la formation des fonctionnaires de l'Inspection des finances, du Conseil d'État, de la Cour des comptes, du corps diplomatique et du corps préfectoral, de l'administration de la Ville de Paris, des administrateurs civils, etc.

1. ADMINISTRER [administre] v. t. (lat. *administrare*) [sujet nom désignant un haut fonctionnaire, un ministre, un directeur, l'État, etc.]. Diriger ou surveiller les affaires qui sont de sa responsabilité ou de son ressort : *Administrer une entreprise* (syn. GÉRER). ◆ **administration** n. f. **1.** Action d'administrer les affaires publiques ou une entreprise privée : *L'administration de l'usine* (syn. GESTION). — **2.** Service public destiné à satisfaire les besoins de la collectivité (parfois avec une majusc.) : *L'Administration des*

AIRBUS INDUSTRIE A-300B-2

circuit d'air frais
circuit de combustible

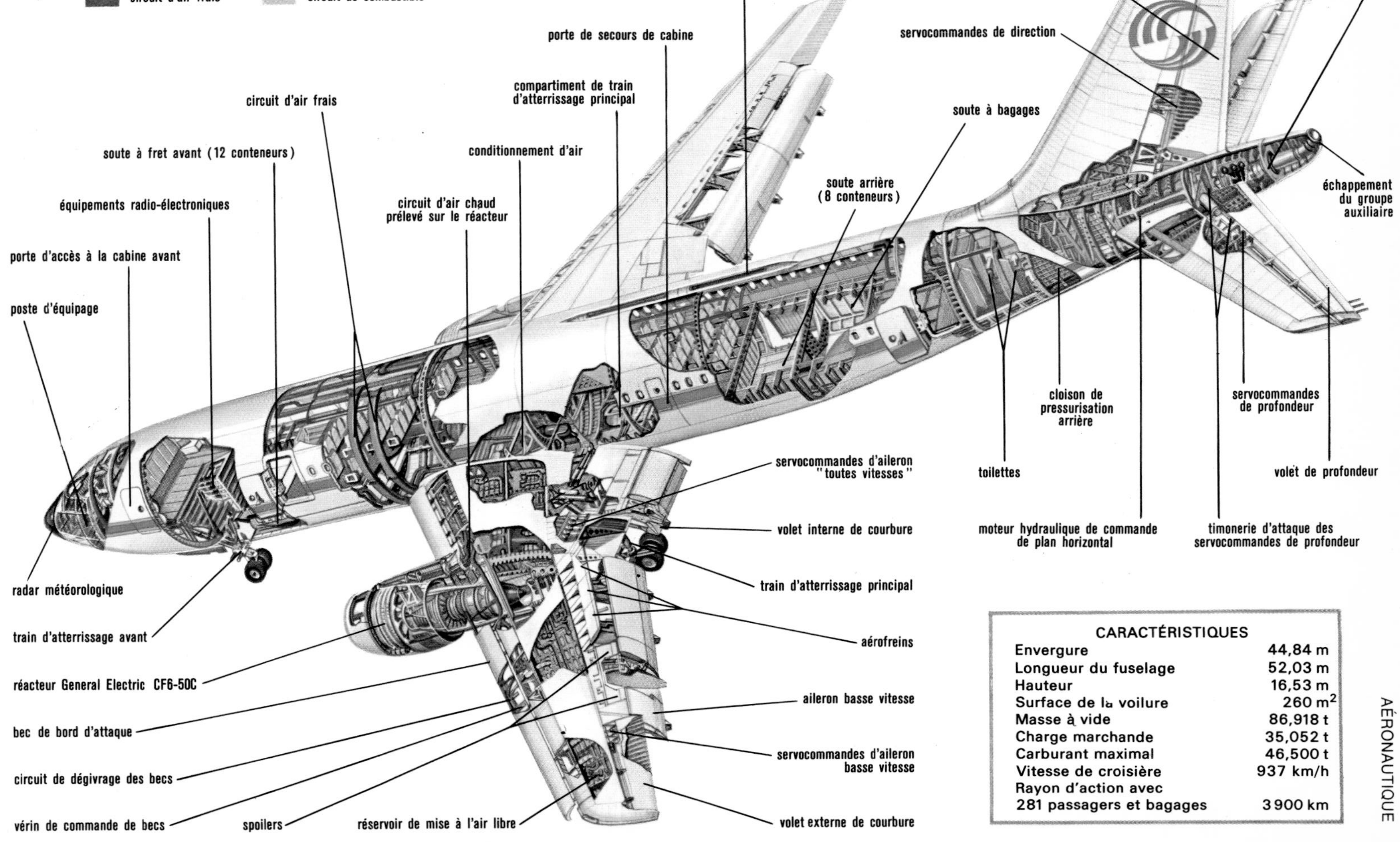

antennes d'équipements radio
gouvernail de direction
assurant au sol l'air conditionné et le courant
porte de secours de cabine
servocommandes de direction
compartiment de train d'atterrissage principal
circuit d'air frais
soute à bagages
soute à fret avant (12 conteneurs)
conditionnement d'air
soute arrière (8 conteneurs)
échappement du groupe auxiliaire
équipements radio-électroniques
circuit d'air chaud prélevé sur le réacteur
porte d'accès à la cabine avant
poste d'équipage
cloison de pressurisation arrière
servocommandes de profondeur
servocommandes d'aileron "toutes vitesses"
toilettes
volet de profondeur
volet interne de courbure
moteur hydraulique de commande de plan horizontal
timonerie d'attaque des servocommandes de profondeur
radar météorologique
train d'atterrissage principal
train d'atterrissage avant
aérofreins
réacteur General Electric CF6-50C
aileron basse vitesse
bec de bord d'attaque
servocommandes d'aileron basse vitesse
circuit de dégivrage des becs
vérin de commande de becs
spoilers
réservoir de mise à l'air libre
volet externe de courbure

CARACTÉRISTIQUES	
Envergure	44,84 m
Longueur du fuselage	52,03 m
Hauteur	16,53 m
Surface de la voilure	260 m^2
Masse à vide	86,918 t
Charge marchande	35,052 t
Carburant maximal	46,500 t
Vitesse de croisière	937 km/h
Rayon d'action avec 281 passagers et bagages	3 900 km

VUE GÉNÉRALE DE L'AÉROGARE. L'aérogare est située à quelque 25 km de Paris par l'autoroute, sur un aéroport de 3 000 ha, à peu près le tiers de la surface de la capitale. C'est un bâtiment de 200 m de diamètre, qui comporte 11 étages offrant une surface utilisable égale à deux fois et demie celle de la place de la Concorde à Paris. La circulation intérieure est facilitée par 23 ascenseurs, 5 monte-charge, 13 trottoirs roulants, 2 escaliers mécaniques et 37 passerelles télescopiques. Les satellites qui la cernent appartiennent chacun, en partie ou en totalité, à une compagnie aérienne.

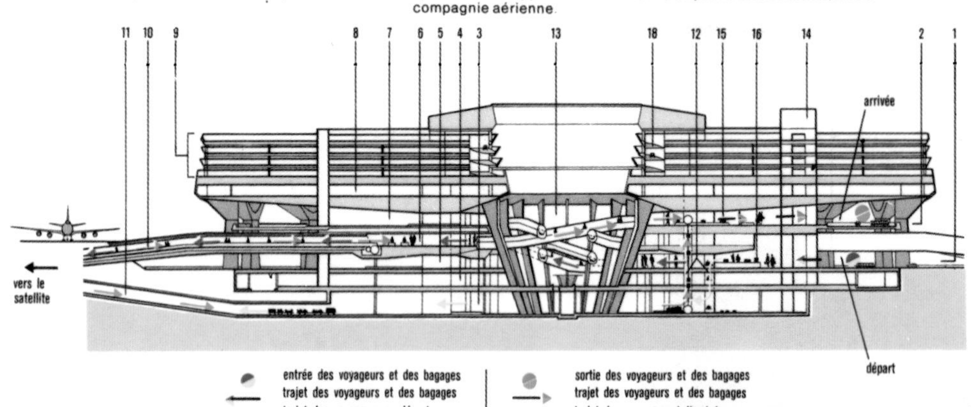

1. Circuit d'entrée ; 2. Circuit de sortie ; 3. Niveau du tri des bagages ; 4. Niveau des services ; 5. Niveau d'arrivée , 6. Niveau du transfert ; 7. Niveau de départ ; 8. Niveau de l'administration ; 9. Parking de 4 000 places sur 4 étages ; 10. Galerie avec tapis roulant pour les voyageurs ; 11. Galerie pour l'acheminement des bagages ; 12. Élévateurs et descendeurs à bagages ; 13. Cour centrale avec passerelles interniveaux ; 14. Batterie d'ascenseurs ; 15. Délivrance des bagages et douane ; 16. Banque de dépôt des bagages ; 17. Banque de dépôt des bagages extérieurs ; 18. Rampe d'accès au parking ; 19 Satellite ; 20. Passerelle télescopique.

AÉROPORT CHARLES-DE-GAULLE (ROISSY-EN FRANCE)

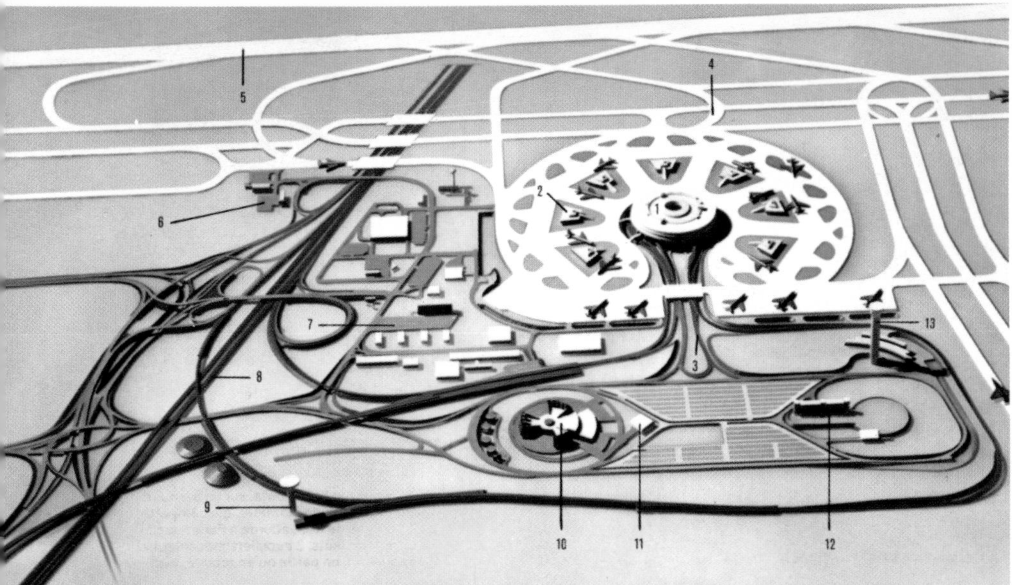

VUE PARTIELLE DE L'AÉROPORT. 1. Aérogare et parc pour voitures (4 000) ; 2. Satellite (salle d'embarquement et de débarquement des voyageurs et du fret) ; 3. Route d'accès à l'aérogare ; 4. Voies d'accès à la piste d'envol ; 5. Piste principale d'envol (3 600 m) ; 6. Service de sécurité incendies ; 7. Aire des services techniques ; 8. Autoroute A1 et échangeur donnant accès à l'aérogare ; 9. Château d'eau ; 10. Centrale thermo-frigo-électrique ; 11. Central téléphonique ; 12. Bureaux administratifs ; 13. Tour de contrôle.

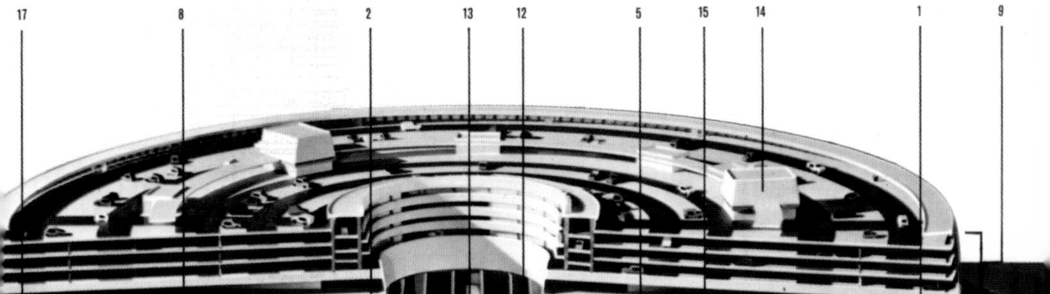

Par un circuit ceinturant l'aérogare, le voyageur accède à l'entrée réservée à sa compagnie ; à la banque d'enregistrement, il abandonne ses bagages, qui descendent au niveau tri-bagages d'où ils sont acheminés, par un train de chariots télécommandé, vers le satellite et chargés dans l'avion. Pendant ce temps, le voyageur, empruntant une passerelle à tapis roulant, gagne le niveau du transfert par une galerie et un trottoir roulant, et accède au salon d'attente du satellite. Des passerelles télescopiques réglables en hauteur et en direction relient le satellite à l'avion.
Le voyageur arrivant en voiture, et désirant la retrouver à son retour, dépose ses bagages dans une banque extérieure précédant la rampe d'accès au parking ; il redescend ensuite par ascenseur au niveau du départ.

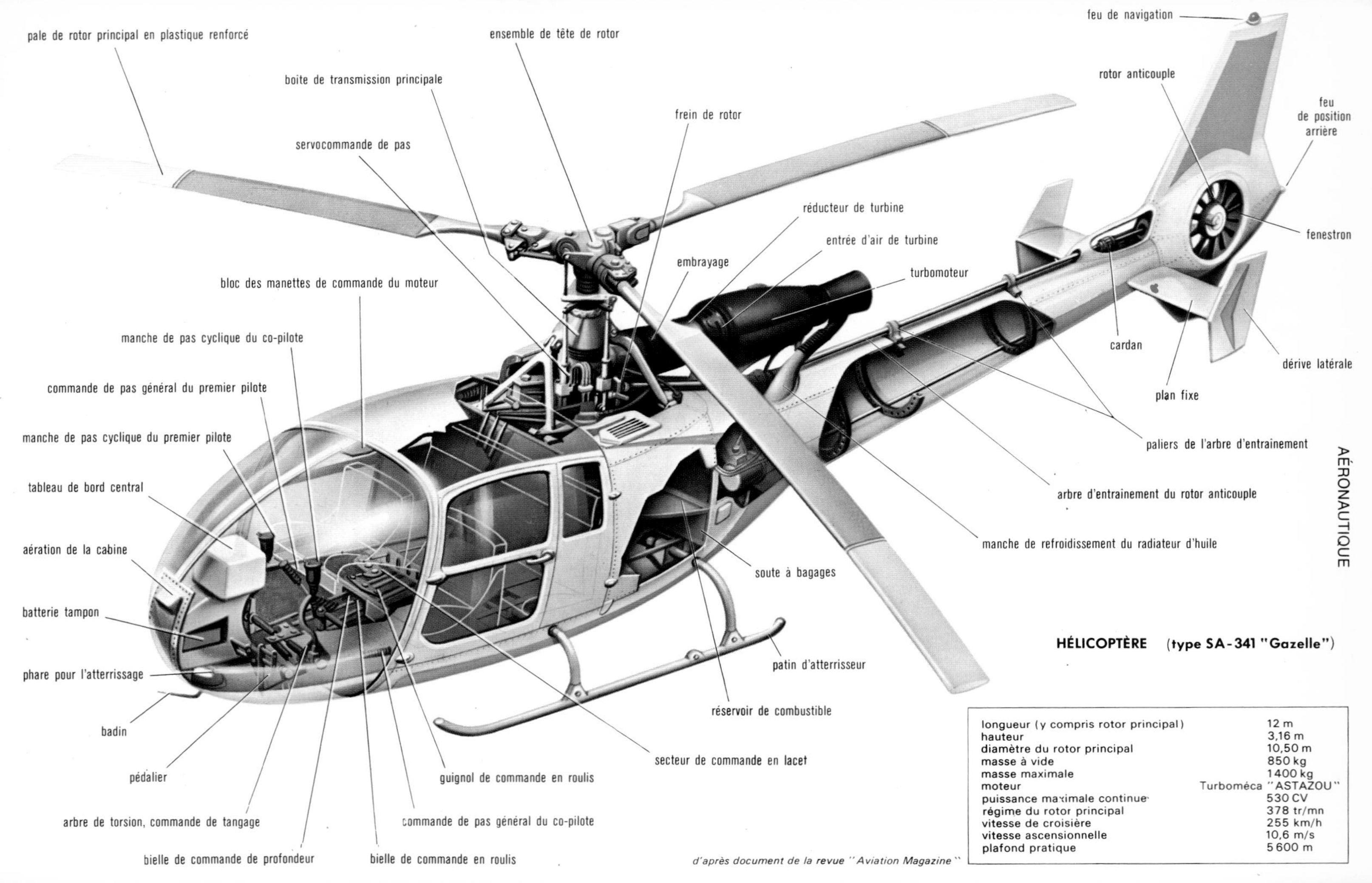

HÉLICOPTÈRE (type SA-341 "Gazelle")

longueur (y compris rotor principal)	12 m
hauteur	3,16 m
diamètre du rotor principal	10,50 m
masse à vide	850 kg
masse maximale	1400 kg
moteur	Turboméca "ASTAZOU"
puissance maximale continue	530 CV
régime du rotor principal	378 tr/mn
vitesse de croisière	255 km/h
vitesse ascensionnelle	10,6 m/s
plafond pratique	5600 m

d'après document de la revue "Aviation Magazine"

douanes. — **3.** (avec une majusc. et sans compl.) Ensemble des services de l'État : *Faire carrière dans l'Administration.* — **4.** *Administration légale,* régime selon lequel sont régis les biens d'un mineur. — **5.** *Conseil d'administration,* réunion des représentants des actionnaires d'une société anonyme ou des membres d'une association chargés de gérer les affaires de la société ou de l'association. ◆ **administratif, ive** adj. Relatif à l'administration (sens 1) : *La cité administrative* (= où sont rassemblés les ministères, organismes officiels, etc.). ◆ **administrativement** adv. ◆ **administrateur, trice** n. Personne qui administre, gère des affaires publiques ou privées : *Un administrateur de sociétés.* ◆ **administré, e** adj. et n. : *Le maire est respecté de tous ses administrés.*

2. ADMINISTRER [administre] v. t. (même étym.). A le sens de DONNER, FOURNIR, dans quelques express. : *Administrer un remède* (= l'appliquer). *Administrer des coups* (= frapper). *Administrer une preuve* (= la présenter, la produire [loc. jurid.]). ◆ **administration** n. f. : *L'administration des derniers sacrements.*

ADMIRER [admire] v. t. (lat. *admirari*) [sujet nom d'être animé]. **1.** *Admirer qq'un, qqch.,* le regarder avec un sentiment de respect pour sa beauté ou ses qualités morales : *Admirer un tableau* (syn. ↑S'ENTHOUSIASMER DEVANT). — **2.** *Admirer que* (suivi du subj.), considérer avec un étonnement ironique : *J'admire que vous restiez impassible devant tant de sottises* (syn. S'ÉTONNER). ◆ **admirable** adj. Digne d'admiration (parfois ironiq.). ◆ **admirablement** adv. : *Une femme admirablement faite* (syn. MERVEILLEUSEMENT). ◆ **admirateur, trice** adj. et n. Qui admire : *Un regard admirateur.* ◆ **admiratif, ive** adj. Qui manifeste un sentiment d'admiration : *L'auditoire admiratif applaudit à tout rompre.* ◆ **admiration** n. f. : *Spectacle qui excite l'admiration* (syn. ↑ÉMERVEILLEMENT, RAVISSEMENT; contr. HORREUR, MÉPRIS).

ADMISSIBILITÉ n. f., **ADMISSION** n. f. ⟶ ADMETTRE 1.

ADMISSIBLE adj. ⟶ ADMETTRE 1 et 2.

ADMONESTER [admɔnɛste] v. t. (du lat. *admonere,* avertir) [sujet nom de personne]. *Admonester qq'un,* lui faire une remontrance sévère en l'avertissant de ne pas recommencer (syn. CHAPITRER, MORIGÉNER). ◆ **admonestation** n. f. : *L'admonestation du juge au délinquant* (syn. RÉPRIMANDE, SEMONCE).

ADOLESCENT, E [adolesɑ̃, -ɑ̃t] adj. et n. (lat. *adolescens*). Celui, celle qui est dans l'âge de l'adolescence. ◆ **adolescence** n. f. Âge de la vie qui suit l'enfance, compris entre quatorze et vingt ans environ chez le garçon, douze et dix-huit ans chez la fille. — ENCYCL. Sur le plan physiologique l'*adolescence* est caractérisée par l'augmentation rapide de la taille, du poids et des forces, ainsi que par le développement et le début du fonctionnement des organes génitaux. Ces transformations s'accompagnent de modifications psychologiques, au premier plan desquelles se place le développement de l'affectivité et des sentiments. La prise de conscience du monde extérieur est la source de réactions diverses (timidité ou agressivité, instabilité, joie ou mélancolie, etc.), entraînant souvent des heurts avec l'entourage, et contribuant à la maturation psychologique (formation de la personnalité).

Adolphe, roman de Benjamin Constant (1816).

ADONIS, divinité phénicienne. Jeune homme d'une grande beauté, il fut blessé mortellement par un sanglier; Aphrodite le changea en anémone.

ADONNER (S') [sadone] v. pr. (du lat. *donare*) [sujet nom de personne]. *S'adonner à qqch.,* s'y attacher avec constance ou avec ardeur : *S'adonner à l'étude* (syn. S'APPLIQUER, SE CONSACRER; contr. SE DÉTOURNER DE).

1. ADOPTER [adɔpte] v. t. (lat. *adoptare*) [sujet nom de personne]. *Adopter un enfant,* le prendre légalement pour fils ou fille, ou le traiter comme tel : *Ils ont adopté un enfant de l'Assistance publique.* ◆ **adoption** n. f. **1.** *L'adoption d'un enfant.* ⟶ ENCYCL. — **2.** *Patrie d'adoption,* le pays dont on n'est pas originaire, mais où l'on a choisi de résider. ◆ **adoptif, ive** adj. **1.** Que l'on a adopté (comme enfant ou comme pays) [syn. D'ADOPTION]. — **2.** Qui a adopté quelqu'un comme enfant : *Famille adoptive.*
— ENCYCL. L'*adoption* d'un enfant constitue un contrat, un acte juridique qui établit entre deux personnes, l'*adoptant* et l'*adopté,* des liens artificiels ayant des effets analogues à ceux qui existent dans la filiation légitime. Le Code civil autorise l'adoption d'un enfant dans des conditions très précises : l'adoptant doit être âgé de trente ans s'il s'agit d'un isolé, et s'il s'agit d'un couple marié depuis cinq ans au moins l'un des époux doit avoir plus de trente ans. Si l'adoptant est marié, le consentement du conjoint est nécessaire. Le couple adoptant peut avoir une descendance.

2. ADOPTER [adɔpte] v. t. (même étym.). **1.** (sujet nom de personne) *Adopter qqch.,* faire sienne une conduite, une manière de voir, une doctrine politique ou religieuse, une mode, etc. : *Adopter une attitude réservée* (syn. PRENDRE). *Adopter une opinion* (syn. SE RALLIER À). — **2.** (sujet nom désignant une assemblée) *Adopter une loi, un projet de loi,* etc., approuver, sanctionner par un vote une loi, un projet de loi, etc. ◆ **adoption** n. f. : *L'adoption d'un projet de loi.*

ADORER [adɔre] v. t. (lat. *adorare*) [sujet nom de personne]. **1.** Rendre un culte divin : *Adorer Dieu.* — **2.** Aimer passionnément quelqu'un; avoir un goût très vif pour quelque chose : *Adorer ses filles* (syn. ↓AIMER; contr. HAÏR). *Adorer la musique* (syn. ↓APPRÉCIER; contr. DÉTESTER). ◆ **adorable** adj. (avant ou après le nom). Dont le charme, ou l'agrément, est extrême : *Elle a un sourire adorable* (syn. RAVISSANT; contr. LAID). *Un enfant adorable* (contr. INSUPPORTABLE). ◆ **adoration** n. f. : *L'adoration de Dieu* (syn. VÉNÉRATION). *L'adoration des enfants pour leur mère* (syn. ↓AMOUR). ◆ **adorateur, trice** n. Personne qui adore : *Les adorateurs du Christ* (syn. FIDÈLE). *Une femme entourée d'adorateurs* (syn. ↓ADMIRATEUR).

ADOSSER v. t. ⟶ DOS.

ADOUBER [adube] v. t. (du frq. *dubban,* frapper). Remettre solennellement au nouveau chevalier les pièces de son armement. ◆ **adoubement** n. m. **1.** Cérémonie militaire et religieuse au cours de laquelle étaient remises au nouveau chevalier ses armes et son armure. — **2.** Ensemble des défenses de corps, différent de l'armure, porté par l'homme de guerre au Moyen Âge. (Il se composait d'une tunique renforcée par des clous et des plaques de métal, d'une chemise, de manches et de chausses de mailles de fer et d'un casque.)

ADOUCIR v. t., **ADOUCISSANT, E** adj., **ADOUCISSEMENT** n. m., **ADOUCISSEUR** n. m. ⟶ DOUX.

ADOUR, fl. de France, drainant une partie des Pyrénées et du Bassin aquitain; 335 km. Sa source est près du col du Tourmalet, dans la vallée de Campan; le fleuve décrit une vaste courbe vers le N., avant de se jeter dans l'Atlantique, près de Bayonne. L'emplacement de son embouchure a notablement varié et se trouvait autrefois plus au N. (Vieux-Boucau). Son *régime,* de type pluvionival, est caractérisé par son irrégularité. De très fortes crues (1 500 m³/s) succèdent à des étiages très accentués (moins de 60 m³/s). Le *débit moyen annuel* est de 360 m³/s.

ADRAGANTE [adragɑ̃t] adj. f. (du gr. *tragos,* bouc, et *akantha,* épine). *Gomme adragante,* gomme végétale extraite de l'astragale*, qui est utilisée comme colle dans la préparation des tissus, des papiers. (On l'emploie aussi en pharmacie et en pâtisserie.)

ADRAR, mot berbère signif. *montagne* et désignant divers massifs d'Afrique du Nord et du Sahara.

ADRÉNALINE [adrenalin] n. f. (du lat. *ad,* auprès de, et *ren,* rein). Hormone qui, sécrétée par la portion médullaire des glandes surrénales, diminue le diamètre des vaisseaux et accélère le rythme cardiaque.

1. ADRESSE n. f. ⟶ ADROIT.

2. ADRESSE [adrɛs] n. f. (de *adresser*). **1.** Indication du domicile de quelqu'un : *Libeller une adresse.* — **2.** Écrit présenté par une assemblée : *Le maire lut une adresse du conseil municipal.* — **3.** *À l'adresse de qq'un,* à son intention.

ADRESSER [adrese] v. t. (de *dresser*) [sujet nom de personne]. **1.** *Adresser qqch. à qq'un,* le lui faire parvenir, l'envoyer à son domicile : *J'ai adressé un colis à mon fils* (syn. EXPÉDIER). — **2.** *Adresser qq'un à une personne précise, à un organisme déterminé,* lui demander de se rendre auprès d'eux, d'avoir recours à eux : *Le médecin adressa le malade à un spécialiste.* — **3.** *Adresser un blâme, un compliment, des injures,* etc., équivaut au sens du verbe simple BLÂMER, COMPLIMENTER, INJURIER, etc. : *Adresser un regard* (= regarder). *Adresser un reproche* (= réprimander). *Adresser des questions* (= questionner). ◆ ***s'adresser*** v. pr. **1.** (sujet nom de personne) *S'adresser à qq'un,* se rendre auprès de lui, aller le trouver pour quelque service : *Adressez-vous à la concierge.* — **2.** (sujet nom de chose) *S'adresser à qq'un,* lui être destiné : *Ces mots ne s'adressent pas à vous* (syn. CONCERNER).

ADRET [adrɛ] n. m. (mot du Sud-Est). Versant d'une vallée exposé au soleil (contr. UBAC).

ADRETS (François DE BEAUMONT, *baron* DES), capitaine dauphinois, né au château de la Frette (Dauphiné) [1513-1587]. Il abjura le catholicisme en 1562, dévasta le midi de la France, puis revint au catholicisme et combattit les protestants.

ADRIATIQUE *(mer),* mer annexe de la Méditerranée, comprise entre les péninsules italienne et balkanique; 131 500 km².

ADRIEN, nom de six papes, dont ADRIEN IV, souverain pontife de 1154 à 1159, le seul pape anglais.

ADROIT, E [adrwa, -at] adj. (de *droit*) [avant ou, plus souvent, après le nom]. **1.** Se dit de quelqu'un qui fait preuve d'habileté physique ou intellectuelle : *Il est très adroit de ses mains* (syn. HABILE; contr. GAUCHE, MALADROIT). *Un diplomate adroit* (syn. FIN, INTELLIGENT). — **2.** Se dit de ce qui manifeste de la part de quelqu'un de l'intelligence, de la subtilité : *Mener une politique adroite* (syn. HABILE, SOUPLE). *Une réponse adroite* (syn. INGÉNIEUX; contr. LOURD). ◆ **adroitement** adv. (syn. HABILEMENT; contr. MALADROITEMENT). ◆ **adresse** [adrɛs] n. f. : *L'adresse d'un prestidigitateur* (syn. DEXTÉRITÉ). *Répondre avec adresse* (syn. FINESSE, INGÉNIOSITÉ, SUBTILITÉ). *Il avait l'adresse de ne heurter personne* (syn. INTELLIGENCE). ◆ **maladroit, e** adj. et n. Contr. de ADROIT : *Un maladroit qui renverse un verre* (syn. fam. EMPOTÉ). *Être maladroit dans sa conduite avec les autres* (syn. MALAVISÉ). *Un mot maladroit* (syn. INCONSIDÉRÉ, MALHEUREUX). ◆ **maladroitement** adv. (syn. GAUCHEMENT). ◆ **maladresse** n. f. : *Casser un vase par maladresse* (syn. GAUCHERIE). *Accumuler les maladresses* (syn. BÉVUE).

ADSORPTION [atsɔrpsjɔ̃] n. f. (d'après *absorption*). Fixation d'un corps (l'*adsorbat*) à la surface d'un autre corps (l'*adsorbant*). [L'adsorption des gaz par les solides est importante par ses applications.]

ADULER [adyle] v. t. (lat. *adulari*) [sujet nom de personne]. *Aduler qq'un*, le flatter avec exagération, lui témoigner des sentiments d'adoration (souvent au passif) : *Un artiste adulé du public.* ◆ **adulateur, trice** n. (syn. FLAGORNEUR, FLATTEUR). ◆ **adulation** n. f. Flatterie excessive et servile.

ADULTE [adylt] adj. (du lat. *adolescere*, grandir). Parvenu au terme de sa croissance (se dit des personnes, des animaux et des végétaux). ◆ n. Par opposition aux enfants et aux jeunes gens, personne de plus de vingt ans.

ADULTÈRE [adyltɛr] n. m. (lat. *adulterium*). Acte qui consiste, pour un des époux, à entretenir des relations sexuelles en dehors du mariage. ◆ adj. : *Entretenir des relations adultères.* ◆ **adultérin, e** adj. : *Enfant adultérin*, terme administratif désignant l'enfant issu de relations sexuelles hors du mariage (syn. usuel BÂTARD).

ADVECTION [advɛksjɔ̃] n. f. (lat. *advectio*, transport). Déplacement d'une masse d'air dans le sens horizontal.

ADVENIR [advənir] v. i. (lat. *advenire*). [Conj. **22.**] *Il advient*, il arrive, il se produit : *Quoi qu'il advienne, nous devons continuer* (syn. ARRIVER, SURVENIR). *Que peut-il advenir d'un tel projet?* (syn. RÉSULTER). *Advienne que pourra!* (= nous nous en remettons au hasard, peu importent les conséquences).

ADVENTICE [advɑ̃tis] adj. (lat. *adventicius*, qui s'ajoute). **1.** Qui vient accidentellement se joindre au principal (terme admin.) : *Circonstances adventices* (syn. ACCESSOIRE). — **2.** Se dit des plantes (*chiendent, ivraie, cuscute*, etc.) qui croissent sur un terrain cultivé sans y avoir été semées.

ADVENTIF, IVE [advɑ̃tif, -iv] adj. (lat. *adventicius*, qui vient du dehors). **1.** Se dit d'un organe végétal qui se forme en un point anormal de la plante. (C'est ainsi que les racines nées sur un côté de la tige sont dites *adventives*.) — **2.** *Cône adventif*, cône volcanique annexe édifié par une nouvelle éruption.

ADVERBE [advɛrb] n. m. (du lat. *ad*, auprès de, et *verbum*, verbe) → CLASSE 4. ◆ **adverbial, e, aux** adj. : *Les termes « en face », « d'abord » sont des locutions adverbiales.* ◆ **adverbialement** adv. : *L'adjectif « haut » est employé adverbialement* (ou *comme adverbe*) *dans la phrase « il parle haut ».*

ADVERSAIRE [advɛrsɛr] n. (lat. *adversarius*). Personne opposée à une autre sur le plan politique, idéologique, économique, juridique, dans un combat ou dans un jeu : *Un adversaire politique* (contr. ALLIÉ). *Cette réplique réduisit au silence ses adversaires* (syn. CONTRADICTEUR; contr. DÉFENSEUR). *L'emporter sur ses adversaires dans une course* (syn. CONCURRENT).

ADVERSE [advɛrs] adj. (lat. *adversus*) [sans compl.]. Opposé à quelqu'un, à un groupe de personnes, à une nation : *Deux partis adverses* (syn. HOSTILE; contr. ALLIÉ). *La partie adverse*, terme jurid. pour désigner l'adversaire dans un procès.

ADVERSITÉ [advɛrsite] n. f. (lat. *adversitas*) [au sing. et avec l'art. défini ou un dém.]. Le sort contraire, les circonstances malheureuses (deuil, misère, etc.) indépendantes de la volonté de celui qui les subit : *Faire face à l'adversité* (syn. INFORTUNE, MALHEUR).

ADWA → ADOUA.

AÈDE [aɛd] n. m. (gr. *aoidos*, chanteur). Poète grec de l'époque primitive, qui chantait ou récitait en s'accompagnant sur la lyre.

A.-É. F., abrév. formée des trois lettres initiales de la dénomination *Afrique-Équatoriale française*, et par laquelle on désignait l'ensemble des territoires groupés dans cette fédération.

A. E. L. E., abrév. de *Association* européenne de libre-échange.*

AÉRER [aere] v. t. (du lat. *aer*, air). **1.** Renouveler l'air vicié d'un lieu clos; mettre à l'air afin de faire disparaître une odeur : *Aérer la chambre* (syn. VENTILER). *Aérer un lit.* — **2.** Rendre un ensemble moins dense, moins épais, moins lourd : *Aérer un exposé par des anecdotes* (syn. ALLÉGER; contr. ALOURDIR). ◆ ***s'aérer*** v. pr. (sujet nom de personne). Sortir d'une atmosphère viciée pour respirer un air sain : *Aller s'aérer à la campagne* (syn. S'OXYGÉNER, PRENDRE L'AIR). ◆ **aéré, e** adj. : *Chambre mal aérée* (= où l'air n'est pas renouvelé). ◆ **aérateur** n. m. Appareil ou dispositif augmentant l'aération naturelle d'une pièce. (L'un des plus employés est l'aérateur à hélices, ou à pales, placé à la partie supérieure de la fenêtre.) ◆ **aération** n. f. : *Un conduit d'aération dans une galerie de mine* (= qui sert à amener de l'air pur depuis l'extérieur).

1. AÉRIEN, ENNE [aerjɛ̃, -ɛn] adj. (du lat. *aer*, air). **1.** Relatif à l'aviation, aux avions : *Base aérienne* (= où sont basés les avions). *Transports aériens* (= par avion). → ENCYCL. — **2.** *Lignes aériennes*, itinéraires parcourus régulièrement par des services de transport aérien. ◆ **antiaérien, enne** [ɑ̃tiaerjɛ̃, -ɛn] adj. Qui combat les attaques d'avions ou d'engins aériens. → ENCYCL.

— ENCYCL. ***transport aérien.*** Dans le monde, le nombre annuel des utilisateurs a dépassé aujourd'hui le seuil du milliard, dont les quatre cinquièmes, il est vrai, sont transportés sur des lignes intérieures, particulièrement importantes dans les pays à la vaste superficie et aussi au niveau de développement suffisant (États-Unis et U. R. S. S.). Les transports aériens ont connu une période de grand essor de la fin de la Seconde Guerre mondiale à la crise pétrolière de 1973, favorisé par le progrès technique (augmentant la vitesse de croisière et la capacité unitaire des appareils, c'est-à-dire démocratisant, en le rendant moins coûteux, l'usage de l'avion) et par la forte expansion économique générale (élevant le niveau de vie et, par effet cumulatif avec le progrès technique, multipliant les opportunités du transport aérien). Puis l'aviation civile a souffert de la crise pétrolière, qui a fait croître fortement le prix du carburant. Elle souffre encore, au moins régionalement, d'une surcapacité, d'un suréquipement résultant d'une anticipation trop optimiste de la demande, brutalement freinée par la hausse des prix des voyages. Irremplaçable sur les longues distances pour des déplacements rapides, le transport aérien apparaît plus lié à l'économie (voyages d'affaires) aujourd'hui que dans les décennies précédentes, où l'essor du tourisme a été un support essentiel de son développement, notamment sur les lignes internationales. En outre, il doit parfois faire face à une nouvelle concurrence, celle de chemins de fer très rapides : ainsi, en France, la mise en service du T. G. V. (train à grande vitesse) entre Paris et le Sud-Est, puis l'Ouest et le Sud-Ouest, a perturbé le trafic aérien à courte distance.

défense antiaérienne. La défense active contre les attaques aériennes fut confiée dès la Première Guerre mondiale tant à des avions spécialisés dans cette mission (avions de chasse) qu'à une artillerie dite *antiaérienne* (autocanon de 75 mm). Elle se développera beaucoup pendant la Seconde Guerre mondiale, notamment dans la Wehrmacht (17 000 canons lourds de 88 mm et 25 000 canons légers en 1945). Son efficacité progressera (3 000 coups par avion abattu en 1918, 365 en 1945) grâce à l'emploi de nouvelles techniques de détection (radar de guet et de tir), de préparation et de conduite de tir (calculateurs électroniques). Le calibre des canons antiaériens atteint alors 134 mm à terre et 152 mm à bord d'un navire de guerre.

Dans les années 1960-1970, la généralisation de l'emploi des missiles et des satellites a transformé le problème de la défense aérienne. Celle-ci emploie maintenant comme moyens actifs des chasseurs de défense ou des intercepteurs bi- ou trisoniques, dont l'efficacité est considérablement accrue grâce au traitement par l'informatique des données fournies par les radars. À l'efficacité des avions s'ajoute celle des missiles antiaériens à longue ou à courte portée, qui, avec les canons automatiques constituent, pour les troupes au sol comme pour les navires, les armes d'autodéfense contre l'ennemi aérien.

Le problème difficile de la défense contre les missiles stratégiques relève de missiles dits *antimissiles.*

2. AÉRIEN, ENNE [aerjɛ̃, -ɛn] adj. (même étym.). **1.** Relatif à l'air; qui se trouve dans l'air : *Câble aérien.* — **2.** *Organes aériens*, chez les végétaux, ceux qui se développent normalement dans l'air. ◆ n. m. Appareil collecteur (antenne ou cadre) d'ondes radioélectriques.

AÉRIUM [aerjɔm] n. m. (du lat. *aerius*, relatif à l'air). Établissement de repos, de vie au bon air.

AÉRO- [aero] ou [aerɔ], élément tiré du gr. *aêr, aeros*, air, ou du lat. *aer, aeris*, air, et qui entre comme préfixe dans la composition de nombreux mots.

AÉROBIE [aerɔbi] adj. et n. m. (de *aéro-*, et gr. *bios*, vie). Se dit d'êtres vivants dont l'existence exige la présence d'oxygène (contr. ANAÉROBIE).

AÉROBUS [aerɔbys] n. m. (*aéro-*, et *bus*). Avion de grandes dimensions, aménagé pour le transport de nombreux passagers.

AÉRO-CLUB [aerɔklœb] n. m. (*aéro-*, et angl. *club*). Centre de formation pour les pilotes de l'aviation civile et les parachutistes sportifs. ‖ Pl. des *aéro-clubs*.

AÉRODROME [aerɔdrɔm] n. m. (de *aéro-*, et gr. *dromos*, course). Terrain spécialement aménagé pour le décollage et l'atterrissage des avions. (⟶ AÉROPORT, *encycl.*)

AÉRODYNAMIQUE [aerɔdinamik] adj. (de *aéro-*, et gr. *dunamis*, puissance). **1.** Qui a trait à la résistance de l'air. — **2.** *Fam.* Se dit d'une carrosserie bien profilée. ◆ n. f. Science qui étudie les phénomènes accompagnant tout mouvement relatif entre un corps et l'air qui le baigne. ⟶ ENCYCL.

— ENCYCL. Appliquée à l'aviation, l'*aérodynamique* permet d'étudier les formes des ailes et du fuselage à adopter, de définir les qualités de stabilité et d'équilibre de l'appareil en vol. On distingue l'*aérodynamique théorique* et l'*aérodynamique expérimentale*. La première fait appel à l'analyse mathématique pour définir les lois régissant les mouvements de l'air dans des conditions données et pour calculer les efforts auxquels est soumis le corps étudié. La seconde met en œuvre des méthodes d'étude physique, fondées pour une grande part sur l'utilisation de souffleries*.

AÉROFREIN [aerɔfrɛ̃] n. m. (*aéro-*, et *frein*). Sur un avion, volet augmentant le freinage par la résistance de l'air.

AÉROGARE [aerɔgar] n. f. (*aéro-*, et *gare*). **1.** Ensemble des installations situées sur un aérodrome et mises à la disposition du public. — **2.** À l'intérieur des grandes villes, lieu de départ et d'arrivée des autocars assurant la liaison avec l'aérodrome.

AÉROGLISSEUR [aeroglisœr] n. m. (*aéro-*, et *glisser*). Véhicule qui glisse sur un coussin d'air insufflé au-dessous de lui.

AÉROLITHE [aerɔlit] n. m. (de *aéro-*, et gr. *lithos*, pierre). Syn. vieilli de MÉTÉORITE.

AÉROLOGIE [aerɔlɔʒi] n. f. (de *aéro-*, et gr. *logos*, science). Science qui étudie les propriétés de l'atmosphère (au-dessus de 3 600 m).

AÉROMODÉLISME [aeromodelism] n. m. (de *aéro-*, et *modèle*). Technique de construction de modèles réduits d'avions.

AÉRONAUTE [aerɔnot] n. m. (de *aéro-*, et gr. *nautês*, navigateur). Celui qui monte à bord d'un aérostat. ◆ **aéronautique** adj. Qui a trait à la locomotion et à la navigation aériennes : *Constructions aéronautiques*. ◆ n. f. Science de la locomotion et de la technique aériennes. ⟶ illustrations en couleurs pp. 16-17.

aéronautiques (*École nationale d'ingénieurs de constructions*), établissement d'enseignement supérieur technique établi à Toulouse depuis 1963 et relevant du ministre de la Défense.

AÉRONAVAL, E, ALS [aerɔnaval] adj. (*aéro-*, et *naval*). Qui a trait à la fois à l'aviation et à la marine : *Combat aéronaval*. ◆ **aéronavale** n. f. Ensemble des formations et installations aériennes de la marine militaire française. (L'aéronavale comprend des escadrilles d'avions de combat, embarquées sur porte-avions, et des escadrilles de bombardement ou de surveillance basées à terre. Son utilisation est multiple : chasse ou interceptions, appui aérien tactique, etc.)

AÉRONEF [aerɔnɛf] n. m. (*aéro-*, et anc. fr. *nef*, navire). Nom collectif de tous les appareils d'aviation (langue admin.).

AÉRONOMIE [aerɔnɔmi] n. f. (de *aéro-*, et gr. *nomos*, loi). Science qui étudie les phénomènes physiques se produisant dans la haute atmosphère.

AÉROPHAGIE [aerɔfaʒi] n. f. (de *aéro-*, et gr. *phagein*, manger). Déglutition d'air (par absorption excessive) provoquant une distension de l'estomac.

AÉROPORT [aerɔpɔr] n. m. (*aéro-*, et *port*). **1.** Ensemble des installations aménagées pour le trafic des lignes aériennes de transport. — **2.** Organisme chargé de l'aménagement, de l'exploitation et du développement de ces installations.

— ENCYCL. Un *aéroport* est constitué par l'ensemble des installations techniques et commerciales nécessaires à l'exploitation des transports aériens intéressant une ville ou une région. Il se compose essentiellement de quatre parties : les pistes, chemins de roulement et aires de stationnement; la tour de contrôle et le service local de navigation aérienne; l'aérogare, avec ses services pour les passagers et pour le fret; la zone industrielle, avec ses hangars et ateliers. Les aéroports peuvent occuper des étendues considérables : plus de 2 000 ha pour l'aéroport J. F. Kennedy (New York), 1 700 ha pour Orly (Paris), etc.

L'*aéroport de Paris* est une entreprise nationale, créée en 1945, indépendante des compagnies aériennes qui utilisent ses services. Son domaine couvre les aéroports et aérodromes autour de Paris (Orly, Le Bourget, Charles-de-Gaulle [Roissy], etc.).

Le nouvel aéroport Charles-de-Gaulle, près de Roissy-en-France, a été installé sur 3 000 ha de terres de culture, qui étaient à peu près inhabitées, à 27 km de la capitale. Il bénéficie de liaisons faciles avec cette dernière par autoroute. Une première aérogare, de forme circulaire, y est complétée par de nouvelles aérogares disposées suivant un tracé linéaire.

⟶ illustrations en couleurs pp. 16-17.

AÉROPORTÉ, E [aeropɔrte] adj. (*aéro-*, et *porté*). Se dit d'unités militaires transportées en avion ou en hélicoptère.

AÉROSOL [aerɔsɔl] n. m. (*aéro-*, et *sol*, solution). Suspension de particules très fines d'un liquide ou d'une solution dans l'air.

AÉROSPATIAL, E, AUX [aerɔspasjal, -sjo] adj. (*aéro-*, et *spatial*). Qui est relatif à la fois à l'aéronautique et à l'astronautique.

AÉROSTAT [aerɔsta] n. m. (de *aéro-*, et gr. *statos*, qui se tient). Appareil rempli d'un gaz plus léger que l'air, et qui peut ainsi s'élever dans l'atmosphère. ◆ **aérostation** n. f. Art de construire et de diriger les aérostats. ⟶ ENCYCL.

— ENCYCL. L'*aérostation* débuta le 4 juin 1783 par le premier lancement, dû aux frères Montgolfier, d'un ballon gonflé à l'air chaud. La même année eurent lieu la première ascension en *montgolfière* (Pilâtre de Rozier et le marquis d'Arlandes) ainsi que l'utilisation du gonflage à l'hydrogène. Les ascensions scientifiques et sportives se multiplièrent au XIXᵉ s. En 1870, Gambetta sortit, en ballon, de Paris investi. Le *dirigeable*, étudié théoriquement très tôt, ne fut véritablement l'objet d'un développement important qu'après l'apparition du moteur à explosion. Il donna lieu, en particulier en Allemagne, à des réalisations impressionnantes. Le *Hindenburg* et le *Graf Zeppelin* ouvrirent des lignes régulières sur l'Atlantique nord et sud, transportant 52 000 passagers. Mais diverses catastrophes de dirigeables utilisant l'hydrogène portèrent un coup sérieux au transport par dirigeable. Actuellement, des ballons libres sont notamment utilisés pour des recherches scientifiques, tandis que l'emploi des dirigeables est devenu extrêmement restreint.

AÉROSTATIQUE [aerɔstatik] n. f. (de *aéro-*, et gr. *statikos*, en équilibre). Partie de la physique qui traite de l'équilibre de l'air et des gaz.

AÉROTRAIN [aerɔtrɛ̃] n. m. (nom déposé). Véhicule à sustentation et à guidage par coussins d'air, glissant à grande vitesse sur une voie spéciale. (Il a été créé par Jean Bertin, mais n'a pas encore été mis en service. La voie est constituée par une large poutre, en béton ou en acier, en forme de T renversé. La vitesse moyenne est de 180 km/h.)

ÆSCHNE [ɛskn] n. f. (orig. inc.). Grande libellule à abdomen brun ou bleu. (Envergure 7,5 cm.)

AETIUS, général romain, né vers la fin du IVᵉ s., assassiné en 454. Il défendit la Gaule contre les Francs et les Burgondes, puis contribua à la défaite d'Attila dans les champs Catalauniques en 451.

AFARS ET DES ISSAS (*Territoire français des*), anc. territoire français de l'Afrique du nord-est, devenu indépendant en 1977 sous le nom de *république de Djibouti**.

AFFABLE [afabl] adj. (lat. *affabilis*). Se dit de quelqu'un (ou de sa conduite) qui manifeste de la politesse, de la bienveillance dans sa façon d'accueillir autrui : *Se montrer affable avec des visiteurs* (syn. ACCUEILLANT, AIMABLE, COURTOIS; contr. DÉSAGRÉABLE, IMPOLI, REVÊCHE). ◆ **affabilité** n. f. : *Recevoir des invités avec affabilité* (syn. COURTOISIE, POLITESSE; contr. IMPOLITESSE, ↑GOUJATERIE).

AFFABULATION [afabylasjɔ̃] n. f. (bas lat. *affabulatio*, moralité d'une fable). *Péjor.* Récit inventé de toutes pièces. ◆ **affabuler** v. t. Présenter des faits de manière fantaisiste ou même mensongère.

AFFADIR v. t. ⟶ FADE.

AFFAIBLIR v. t., **S'AFFAIBLIR** v. pr., **AFFAIBLISSEMENT** n. m. ⟶ FAIBLE 1 et 2.

1. AFFAIRE [afɛr] n. f. (de *à*, et *faire*). **1.** Terme vague désignant ce dont on s'occupe, ce qui regarde ou concerne quelqu'un, ce qui lui cause des difficultés ou ce qui lui convient : *Régler une affaire urgente. C'est mon affaire, ce sont mes affaires* (= cela me regarde). *Voilà qui n'est pas une petite affaire* (= cela n'est pas facile). *Une affaire d'honneur* (= un duel). *La belle affaire!* (= ce n'est pas si difficile). — **2.** *(L') affaire de qqch.*, ce qui en dépend : *La peinture est affaire de goût* (syn. UNE QUESTION DE). — **3.** Terme vague désignant un procès, un scandale, un crime : *Juger, plaider une affaire de vol.* — **4.** *Avoir affaire à qq'un*, être en rapport avec lui, avoir à lui parler. ‖ *Il aura affaire à moi* (avec un ton de menace), cela lui attirera des ennuis de ma part. ‖ *Être à son affaire*, se plaire à ce qu'on fait. ‖ *Faire l'affaire*, convenir, être propre à la situation, à ce qui est prévu (syn. ÊTRE ADÉQUAT).

|| *Faire son affaire d'une chose,* la prendre sur soi, s'en charger : *Je fais mon affaire de le persuader.* || *Se tirer d'affaire,* sortir d'une situation dangereuse, d'une difficulté. ◆ **affaires** n. f. pl. **1.** Intérêts publics ou privés : *Les Affaires étrangères* (= tout ce qui concerne la politique extérieure). *Régler ses affaires.* — **2.** Vêtements, objets usuels, etc. : *Ranger ses affaires.* ◆ **affairer (s')** v. pr. (sujet nom de personne). Montrer une grande activité : *Les infirmières s'affairaient auprès du blessé* (syn. S'EMPRESSER). ◆ **affairé, e** adj. Se dit de quelqu'un qui a ou paraît avoir beaucoup d'occupations, d'activités. ◆ **affairement** n. m. État d'une personne qui est, ou paraît, surchargée de travail, d'occupations (contr. DÉSŒUVREMENT).

2. AFFAIRE [afɛr] n. f. (même étym.). **1.** Entreprise industrielle ou commerciale : *Il a une grosse affaire de textile.* — **2.** Marché ou transaction commerciale : *Conclure une affaire.* ◆ **affaires** n. f. pl. Activité d'ordre commercial, industriel ou financier : *Un homme d'affaires est un financier ou quelqu'un qui s'occupe d'affaires commerciales.* ◆ **affairisme** n. m. Utilisation de relations politiques pour favoriser ses propres affaires commerciales ou industrielles. ◆ **affairiste** n. *Péjor.* Homme d'affaires sans scrupule (syn. SPÉCULATEUR).

AFFAISSER [afese] v. t. (de *faix*). Faire plier sous le poids, sous la charge. ◆ ***s'affaisser*** v. pr. ou **être affaissé** v. passif. **1.** (sujet nom de chose) Plier sous le poids : *Le sol s'est affaissé* (syn. SE TASSER). — **2.** (sujet nom de personne) Ne plus se tenir debout, droit : *Il s'affaissa sur le trottoir* (syn. S'ÉCROULER). *Il est affaissé dans son fauteuil* (syn. [S']EFFONDRER). ◆ **affaissement** n. m. *Un affaissement de terrain* (syn. ÉBOULEMENT, TASSEMENT).

AFFALER (S') [safale] v. pr. ou **ÊTRE AFFALÉ** v. passif (sujet nom de personne). *Fam.* Se laisser tomber par fatigue : *S'affaler sur une chaise* (syn. S'EFFONDRER). *Il est affalé dans son fauteuil* (syn. AVACHI).

AFFAMER v. t., **AFFAMEUR** n. m. ⟶ FAIM.

1. AFFECTER [afɛkte] v. t. (de l'anc. fr. *afaitier,* préparer) [sujet nom de personne]. **1.** *Affecter qqch. à qq'un ou à qqch.,* le destiner à une personne, à un usage déterminé (terme admin. et financ.) : *Affecter une part de ses revenus à l'entretien de l'immeuble* (syn. CONSACRER). *Affecter une résidence à un fonctionnaire* (syn. ASSIGNER). — **2.** *Affecter qq'un à un poste, à une formation,* le désigner pour occuper une fonction, pour être attaché à une formation (langue admin. et mil.). — **3.** *Affecter une quantité quelconque d'un coefficient, d'un signe,* etc., donner à cette quantité ce coefficient, ce signe (terme scientif.) : *Affecter un nombre du signe moins.* ◆ **affectation** n. f. : *L'affectation du crédit à la construction de nouveaux logements* (syn. ATTRIBUTION). *L'affectation du signe plus à un chiffre* (syn. ADJONCTION). *Recevoir son affectation* (syn. NOMINATION). ◆ **désaffecter** [desafɛkte] v. t. *Désaffecter un immeuble, un local,* en changer la destination première (souvent au part. passé) : *Le lycée a été installé dans une caserne désaffectée.* ◆ **désaffectation** n. f. (avec un nom d'immeuble ou de local comme compl.) : *La désaffectation d'un édifice public.*

2. AFFECTER [afɛkte] v. t. (lat. *affectare,* feindre avec ostentation). **1.** (sujet nom de personne) *Affecter un sentiment,* ou, plus rarement, *une conduite, une manière d'être,* faire paraître des sentiments que l'on n'éprouve pas; se conduire d'une manière qui n'est pas conforme à sa nature ou à sa situation réelle : *Il affecte d'être gai alors qu'il est très ému* (syn. FAIRE SEMBLANT). *Il affecte de grands airs* (syn. AFFICHER). — **2.** (sujet nom de chose) *Affecter une forme* (avec un adj. ou un compl. du nom), avoir telle ou telle forme : *La capsule de la fusée affecte la forme d'une sphère.* ◆ **affecté, e** adj. Sens 1 du v. : *Une prononciation affectée* (syn. PRÉCIEUX, RECHERCHÉ; contr. NATUREL, SIMPLE). *C'est une personne affectée* (syn. MANIÉRÉ, PRÉTENTIEUX). *Une joie affectée* (syn. FORCÉ). ◆ **affectation** n. f. Manque de naturel dans l'expression ou le comportement (le plus souvent sans adj. ni compl.) : *Il y a de l'affectation dans tout ce qu'il fait* (syn. POSE, PRÉTENTION; contr. NATUREL, SIMPLICITÉ). *Parler avec affectation* (syn. PRÉCIOSITÉ).

3. AFFECTER [afɛkte] v. t. (du lat. *affectus,* sentiment) [sujet nom de chose]. *Affecter qq'un,* provoquer chez lui une émotion pénible, lui causer une douleur morale (souvent renforcé par un adv., et aux formes composées) : *La maladie de sa femme l'a beaucoup affecté* (syn. FRAPPER, TOUCHER). *J'ai été très affecté par la nouvelle de son décès* (syn. ATTRISTER, ÉMOUVOIR, PEINER).

AFFECTIF, IVE [afɛktif, -iv] adj. (bas lat. *affectivus*). Qui relève du sentiment et non de la raison : *Une réaction purement affective* (syn. ÉMOTIONNEL, SENTIMENTAL; contr. RATIONNEL) [surtout voc. philos.]. ◆ **affectivité** n. f. Ensemble des sentiments, par oppos. à ce qui dépend du raisonnement (syn. SENSIBILITÉ).

1. AFFECTION [afɛksjɔ̃] n. f. (lat. *affectio*). Sentiment de tendresse ou d'amitié d'une personne à l'égard d'une autre : *Prendre qq'un en affection* (= avoir de l'amitié, de l'amour pour lui). ◆ **affectionné, e** adj. (seulement en fin de lettre, dans une formule de politesse vieillie) : *Votre neveu affectionné.* ◆ **affectionner** v. t. *Affectionner qq'un, qqch.,* marquer de l'amitié pour cette personne, du goût pour cette chose : *Les livres que j'affectionne le plus* (syn. AIMER; contr. DÉTESTER). ◆ **désaffection** n. f. Perte progressive de l'affection que l'on portait à quelqu'un ou à quelque chose : *La désaffection du peuple pour le régime* (syn. DÉTACHEMENT). ◆ **désaffectionner (se)** v. pr. : *Il se désaffectionne de tout ce qui l'entoure* (syn. SE DÉTACHER; contr. S'ATTACHER).

2. AFFECTION [afɛksjɔ̃] n. f. (même étym.). Altération de la santé, sans considération des causes (terme méd.) : *Il souffre d'une affection chronique de la gorge* (syn. MALADIE).

AFFECTIVITÉ n. f. ⟶ AFFECTIF.

AFFECTUEUX, EUSE [afɛktɥø, -øz] adj. (du lat. *affectus,* sentiment) [avant ou après le nom]. Qui témoigne d'un sentiment tendre à l'égard de quelqu'un : *Faire part de ses sentiments affectueux* (syn. TENDRE). ◆ **affectueusement** adv. : *Embrasser affectueusement* (syn. TENDREMENT; contr. FROIDEMENT).

1. AFFÉRENT, E [aferɑ̃, -ɑ̃t] adj. (de l'anc. fr. *aferir,* convenir). **1.** Se dit de ce qui se rattache à quelque chose (terme admin.) : *Renseignements afférents à une affaire* (syn. ANNEXE). — **2.** Qui revient à chacun (terme jurid.) : *Part, portion afférente.*

2. AFFÉRENT, E [aferɑ̃, -ɑ̃t] adj. (du lat. *afferre,* apporter). *Anat.* Se dit d'un vaisseau (sanguin notamment) qui se jette dans un autre ou qui arrive à un organe.

AFFERMAGE n. m., **AFFERMER** v. t. ⟶ FERME 2.

AFFERMIR v. t., **AFFERMISSEMENT** n. m. ⟶ FERME 5.

AFFÉTERIE [afetri] n. f. (de l'anc. fr. *afaitier,* disposer). Manières recherchées ou prétentieuses dans l'attitude et le langage. ◆ **affété, e** adj. Plein d'affectation dans son air, dans son langage.

AFFICHE [afiʃ] n. f. (de *à,* et *ficher*). **1.** Feuille imprimée, appliquée sur le mur d'une rue, d'un édifice, etc., pour annoncer quelque chose aux passants ou au public. — **2.** *Mettre une pièce de théâtre à l'affiche,* annoncer sa représentation. || *Une pièce quitte l'affiche,* elle cesse d'être représentée. || *Tenir l'affiche,* être représenté longtemps. || *Être tête d'affiche,* jouer le rôle principal dans une pièce de théâtre. || *Une tête d'affiche,* l'acteur principal. ◆ **afficher** v. t. **1.** Annoncer par affiche, poser l'affiche qui annonce : *Défense d'afficher* (= interdiction de poser des affiches). *Afficher une pièce de théâtre* (= en annoncer la représentation). — **2.** *Afficher une qualité, un désir,* etc., en faire étalage, les montrer avec ostentation : *Afficher un savoir que l'on n'a pas.* ◆ ***s'afficher*** v. pr. (sujet nom de personne). Montrer à tous le désordre de sa vie; se montrer avec ostentation : *Il s'affiche dans les endroits à la mode.* ◆ **affichage** n. m. : *Panneaux d'affichage.* ◆ **affichette** n. f. Petite affiche de quelques centimètres. ◆ **afficheur** n. m. : *Les afficheurs sont généralement au service d'offices publicitaires spécialisés.* ◆ **affichiste** n. : *Les affichistes sont les artistes qui créent les affiches, qui en dessinent les sujets.*

AFFILAGE n. m. ⟶ FIL 5.

AFFILÉE (D') [dafile] loc. adv. (de *file*). Sans interruption : *Travailler douze heures d'affilée* (syn. DE SUITE, SANS DISCONTINUER).

AFFILER v. t. ⟶ FIL 5.

AFFILIER [afilje] v. t. (du lat. *filius,* fils). *Affilier qq'un, un groupe de personnes,* les faire entrer dans une association, un parti, une société (souvent au passif) : *Un syndicat affilié à une confédération générale.* ◆ ***s'affilier*** v. pr. Entrer comme membre dans un parti, un groupement : *S'affilier au Racing-Club de France* (syn. ADHÉRER, S'INSCRIRE). ◆ **affilié, e** n. (syn. ADHÉRENT). ◆ **affiliation** n. f. (syn. ADHÉSION).

AFFINE [afin] adj. (lat. *affinis,* apparenté). Math. *Fonction affine,* fonction f qui à tout nombre réel x associe le nombre $f(x)=ax+b$, a et b étant deux nombres réels donnés. || *Droite affine, plan affine* ⟶ DROITE, PLAN.

1. AFFINER [afine] v. t. (de *fin*). **1.** *Affiner qqch.,* le purifier par élimination des impuretés, des éléments étrangers, etc. : *Affiner du cuivre, du verre, du sucre.* — **2.** *Affiner un fromage,* le mûrir. ◆ **affinage** n. m. : *L'affinage permet d'obtenir un métal très pur.*

2. AFFINER [afine] v. t. (même étym.). *Affiner l'esprit, le goût,* etc., *de qq'un,* le rendre plus fin, plus délicat. ◆ ***s'affiner*** v. pr. Devenir plus fin : *Son goût s'est affiné.* ◆ **affinement** n. m. : *L'affinement du goût, de l'esprit.*

AFFINITÉ [afinite] n. m. (lat. *affinitas,* parenté). **1.** Conformité naturelle de caractère, de goûts, de sentiments, etc., entre deux ou plusieurs personnes; ressemblance entre plusieurs choses (au sing. et au plur.) : *Dès la première rencontre, ils avaient reconnu leurs affinités réciproques* (contr. ANTAGONISME). *Affinités entre la musique et la poésie* (syn. ANALOGIE, PARENTÉ). — **2.** *Chim.* Tendance des corps à se combiner : *L'affinité du carbone pour l'oxygène.*

Affinités électives *(les)*, roman de Goethe (1809).

AFFIRMER [afirme] v. t. (lat. *affirmare*). **1.** *Affirmer une chose, affirmer que* (et l'indic.), soutenir fermement qu'une chose est vraie : *Il affirme que tu es responsable de l'erreur* (syn. ASSURER, SOUTENIR). *J'affirme la réalité de ce que j'avance* (syn. CERTIFIER, GARANTIR). — **2.** *Affirmer qqch.*, le manifester clairement aux yeux de tous : *Il cherche à affirmer son autorité* (syn. MONTRER, PROUVER). *Le gouvernement affirme sa volonté d'en finir avec les abus* (syn. EXPRIMER, MANIFESTER). ◆ ***s'affirmer*** v. pr. Se manifester clairement : *Sa personnalité s'affirme de jour en jour* (syn. S'AFFERMIR, SE RENFORCER). ◆ **affirmatif, ive** adj. Qui indique une approbation, une certitude : *Un signe de tête affirmatif* (contr. NÉGATIF). ◆ **affirmative** n. f. Réponse par laquelle on assure qu'une chose est vraie, est approuvée : *Dans l'affirmative* (= en cas d'acceptation). ◆ **affirmativement** adv. : *Répondre affirmativement* (syn. POSITIVEMENT; contr. NÉGATIVEMENT). ◆ **affirmation** n. f. : *L'affirmation d'un caractère* (syn. CONFIRMATION, RENFORCEMENT). *Personne ne fut convaincu par de telles affirmations* (syn. DÉCLARATION). ◆ **réaffirmer** v. t. Affirmer de nouveau et avec plus de force. ◆ **réaffirmation** n. f. : *La réaffirmation de sa fidélité aux accords signés n'a pas modifié la situation.*

AFFIXE [afiks] n. m. (lat. *affixus*, fixé à). En grammaire, particule qui se fixe au début *(préfixe)* ou à la fin *(suffixe)* d'un mot pour en modifier la signification (ex. : dans *ajourner*, *a-* et *-ner* sont des affixes, *-jour-* est le radical).

AFFLEURER [aflœre] v. t. et i. (de *à fleur de*). *Affleurer qqch.*, ou *à qqch.*, être ou arriver au même niveau : *L'eau affleure les berges. Le rocher affleure à la surface du sol.* ◆ **affleurement** n. m. Fait d'apparaître à la surface du sol.

AFFLICTION n. f. ⟶ AFFLIGER.

AFFLIGÉ (ÊTRE) [aflize] v. passif (de *affliger*) [sujet nom de personne]. *Être affligé d'une maladie, d'une infirmité, d'un défaut*, etc., en être atteint, frappé d'une manière durable.

AFFLIGER [aflize] v. t. (lat. *affligere*, accabler). *Affliger qq'un*, lui causer un profond chagrin : *Sa mort a affligé tous ceux qui le connaissaient* (syn. ATTRISTER, PEINER). *Ce spectacle m'afflige profondément* (syn. DÉSOLER, NAVRER). ◆ ***s'affliger*** v. pr. (sujet nom de personne). Éprouver de la douleur, du chagrin. ◆ **affliction** [afliksjɔ̃] n. f. Chagrin profond (littér.) : *Ce malheur le plongea dans une grande affliction* (syn. DOULEUR, PEINE). ◆ **affligeant, e** adj. : *Une nouvelle affligeante* (syn. DÉSOLANT).

AFFLUENCE n. f. ⟶ AFFLUER.

AFFLUENT [aflyɑ̃] n. m. (lat. *affluens*). Cours d'eau qui ne gagne pas la mer, mais qui rejoint un autre cours d'eau plus important en un lieu appelé *confluent* (syn. TRIBUTAIRE).
— ENCYCL. Les caractéristiques définissant le fleuve principal sont données par le débit le plus fort, le bassin le plus étendu, l'alluvionnement le plus puissant. Mais il existe des exceptions : à son confluent avec la Seine, l'Yonne a un débit plus important que ce fleuve; le Missouri est plus long que le Mississippi, etc. Si le débit de l'*affluent* représente une part importante de celui du fleuve, son influence se fait sentir sur le régime de ce dernier.

AFFLUER [aflye] v. i. (lat. *affluere*). **1.** (sujet nom désignant un liquide, surtout le sang) Couler en abondance vers un point : *La colère fait affluer le sang au visage.* — **2.** (sujet nom désignant un grand nombre de personnes ou de choses) Se porter en même temps vers un lieu : *Les volontaires affluaient de toutes parts* (syn. ACCOURIR). ◆ **affluence** [aflyɑ̃s] n. f. (sens 2 du v.). Grand nombre de personnes se rassemblant en un même lieu (sans compl.) : *Les heures d'affluence* (syn. FOULE, PRESSE). ◆ **afflux** [afly] n. m. **1.** (sens 1 du v.) : *L'afflux du sang* (syn. CIRCULATION). — **2.** Arrivée d'un grand nombre de personnes, de choses, en un même endroit (toujours avec un compl.) : *Un afflux de clients* (syn. FLOT).

AFFOLER [afɔle] v. t. (de l'anc. fr. *fol*, fou). *Affoler qq'un*, lui faire perdre son sang-froid, créer chez lui une émotion violente, un sentiment de peur, etc. (souvent au passif) : *La nouvelle semble l'affoler* (syn. EFFRAYER; contr. CALMER). *Les gens furent affolés par la perspective de la guerre civile* (syn. ÉPOUVANTER). ◆ ***s'affoler*** v. pr. Devenir comme fou : *La mère s'affola en ne voyant plus son fils* (syn. PERDRE LA TÊTE). ◆ **affolant, e** adj. : *Le coût de la vie monte sans cesse, c'est affolant!* (syn. ↓INQUIÉTANT). ◆ **affolement** n. m. : *L'affolement qu'il manifeste est hors de proportion avec l'événement* (syn. BOULEVERSEMENT, ↓DÉSARROI; contr. CALME). *Il se sentit gagné par l'affolement de ceux qui étaient autour de lui* (syn. FRAYEUR, PANIQUE, TERREUR).

AFFOUAGE [afwaʒ] n. m. (du lat. *focus*, feu). Droit donné aux habitants d'une commune de prendre du bois dans les forêts de cette commune.

1. AFFRANCHIR [afrɑ̃ʃir] v. t. (de *franc*). **1.** *Affranchir qq'un, un pays*, etc., le rendre libre, indépendant de toute servitude, etc. : *Il faut affranchir le pays de la domination étrangère* (syn. LIBÉRER). — **2.** Fam. *Affranchir qq'un*, le renseigner sur ce qui est considéré comme secret. ◆ ***s'affranchir*** v. pr. *S'affranchir de qqch.*, s'en libérer : *S'affranchir de sa timidité* (syn. SE DÉBARRASSER). *On ne peut s'affranchir des lois de son pays* (syn. SE SOUSTRAIRE À). ◆ **affranchi, e** n. *Fam.* Personne qui est libérée de tout préjugé moral, de tout scrupule. ◆ **affranchissement** n. m. : *L'affranchissement de la femme au* XXe *siècle* (syn. ÉMANCIPATION). *L'affranchissement des esclaves.*

2. AFFRANCHIR [afrɑ̃ʃir] v. t. (même étym.). *Affranchir une lettre, un paquet*, etc., en payer le port en mettant un timbre ou une marque postale. ◆ **affranchissement** n. m. : *L'affranchissement d'une lettre* (= l'apposition d'un timbre pour acquitter la taxe de transport).

AFFRE (Denis Auguste), archevêque de Paris (né en 1793), tué sur une barricade pendant la révolution de 1848.

AFFRES [afr] n. f. pl. (anc. prov. *afre*). Usité dans des express. littér. : *Les affres de la mort*, l'angoisse de l'agonie, des derniers moments de la vie. ‖ *Les affres de l'incertitude, du désespoir*, la douleur morale ressentie au moment d'un choix décisif, d'un doute anxieux, d'un deuil, etc.

AFFRÈTEMENT n. m., **AFFRÉTER** v. t., **AFFRÉTEUR** n. m. ⟶ FRET.

AFFREUX, EUSE [afrø, -øz] adj. (de *affres*) [avant ou après le nom]. **1.** Dont la laideur physique ou morale provoque la peur, la répulsion, l'indignation, etc. : *Une affreuse figure* (syn. ↑HIDEUX, MONSTRUEUX). — **2.** Qui cause une violente douleur, la peur ou un vif désagrément : *Un affreux accident* (syn. ÉPOUVANTABLE, TERRIBLE). *Le temps est affreux* (contr. ↓BEAU). ◆ **affreusement** adv.

AFFRIOLER [afrijɔle] v. t. (de l'anc. fr. *friolet*, gourmand). *Affrioler qq'un*, l'attirer par quelque chose de séduisant, d'alléchant (surtout au passif) : *Il est affriolé par l'idée de ce voyage* (syn. ↓TENTER). ◆ **affriolant, e** adj. Qui séduit (surtout en parlant d'une femme) : *Il la trouvait très affriolante* (syn. DÉSIRABLE, SÉDUISANT).

AFFRONT [afrɔ̃] n. m. (de *affronter*). Acte ou parole témoignant publiquement du mépris : *Subir un affront* (syn. HUMILIATION, INSULTE, OUTRAGE, VEXATION).

AFFRONTER [afrɔ̃te] v. t. (de *front*). S'exposer avec courage à quelque chose ou à l'attaque de quelqu'un : *Le navire affronte la tempête* (syn. FAIRE FACE À). *Affronter de grands dangers* (syn. COURIR). ◆ ***s'affronter*** v. pr. Se combattre, lutter l'un contre l'autre (syn. SE HEURTER). ◆ **affrontement** n. m. : *L'affrontement des doctrines, des points de vue.*

AFFUBLER [afyble] v. t. (du lat. *fibula*, agrafe). *Affubler qq'un*, l'habiller de façon ridicule ou bizarre, lui attribuer ce qui ne lui convient pas : *Elle était affublée d'une affreuse robe verte* (syn. ACCOUTRER). *Affubler qq'un d'un nom*, lui donner un nom ridicule. ◆ ***s'affubler*** v. pr. ◆ **affublement** n. m. (emploi littér. rare) [syn. plus fréquent ACCOUTREMENT].

1. AFFÛT [afy] n. m. (de *affûter*). **1.** Endroit où l'on se place pour attendre le gibier : *Choisir un bon affût pour tirer le lièvre.* — **2.** *Se mettre à l'affût*, attendre quelqu'un derrière un endroit dissimulé, afin de l'observer ou de l'attaquer. — **3.** *Être à l'affût de qqch.*, attendre le moment favorable pour s'en emparer; guetter son apparition : *Il est toujours à l'affût d'idées nouvelles.*

2. AFFÛT [afy] n. m. (même étym.). Support d'un canon, servant à le déplacer et à le pointer.

AFFÛTER [afyte] v. t. (de *fût*). Aiguiser un outil, le rendre tranchant : *Affûter un couteau* (syn. AFFILER). ◆ **affûtage** n. m. (syn. AFFILAGE).

AFGHĀNISTĀN, État du Centre de l'Asie, entre l'Iran et le Pākistān

GÉOGRAPHIE

L'Afghānistān est un État montagneux au climat continental très rude. Le plus important massif, l'Hindū Kūch, culmine à 7 680 m. Des dépressions, drainées par de grands fleuves (Amou-Daria), séparent les montagnes. Si ces dernières sont relativement arrosées, les zones basses sont arides, surtout au S.-O. Les variations de température sont brutales, et la rudesse du climat (des hivers froids et des étés brûlants) est aggravée par des vents violents.

La population consacre l'essentiel de son activité à l'agriculture. Celle-ci est pratiquée dans les vallées et au pied des montagnes,

SUPERFICIE 650 000 km² (France : 550 000 km²).

POPULATION 15 millions d'hab. *(Afghans)*; 23 hab. au km² (France : 103); accroissement annuel de population, 2,3 p. 100.

CAPITALE Kaboul (1 036 000 hab.).

LANGUES patcho et persan.

MONNAIE afghāni.

grâce à l'irrigation. Elle fournit surtout des céréales et des fruits. Les villes principales (Kaboul, Kandahar, Harāt) sont situées dans ces zones agricoles. Le reste du pays sert de terrain de parcours aux troupeaux de moutons des nomades. La seule industrie notable est le textile. La guerre civile et l'occupation soviétique ont provoqué l'émigration d'environ 3 millions de personnes.

HISTOIRE

Situé au cœur de l'Asie, l'Afghānistān est un carrefour où se mêlent de brillantes civilisations. Il est soumis par Cyrus (VIe s. av. J.-C.), puis par Alexandre le Grand, et l'influence grecque y pénètre alors largement. Le bouddhisme apparaît en Afghānistān au début de l'ère chrétienne, puis l'islām y pénètre lentement. Le pays demeure morcelé entre plusieurs dynasties féodales. Il est totalement dévasté par les Mongols de Gengis khān, mais les successeurs de Tamerlan feront renaître la prospérité. Soumis à la double influence russe et anglaise au XIXe s., l'Afghānistān devient un protectorat anglais en 1907.

- *1921. Le pays accède à l'indépendance.*
- *1973. À la suite d'un coup d'État, le prince Daoud met fin à la monarchie et proclame la république.*
- *1978. Un régime socialiste est instauré après un coup d'État.*
- *1979. Babrak Kārmal prend le pouvoir avec l'aide militaire de l'U. R. S. S., qui dirige la lutte contre diverses rebellions.*
- *1986. Moḥammad Nadjibollāh remplace B. Kārmal à la tête du parti communiste afghan.*
- *1987. M. Nadjibollāh devient président du Conseil révolutionnaire (= chef de l'État) et, après la proclamation d'une nouvelle Constitution, président de la République.*
- *1988-89. Retrait des troupes soviétiques.*

Mais la résistance *(moudjahidin)* poursuit ses actions de guérilla contre le régime en place.

AFIN DE [afɛ̃ də] loc. prép., **AFIN QUE** [afɛ̃ kə] loc. conj. (*à*, et *fin*). Indique l'intention dans laquelle on fait une chose, le but vers lequel on tend. On emploie *afin de* (et l'inf. prés.) lorsque l'infinitif a le même sujet que le verbe dont il dépend; on emploie *afin que* (et le subj.) lorsque la subordonnée et la proposition dont elle dépend ont des sujets différents; *afin de, afin que* appartiennent surtout à la langue écrite ou soutenue (syn. usuels POUR et POUR QUE) : *Je me hâte afin d'arriver à l'heure* (syn. DANS L'INTENTION DE). *Téléphonez, afin qu'on ne vous oublie pas.*

A FORTIORI [afɔrsjɔri] loc. adv. (mots lat.). Syn. savant de l'express. À PLUS FORTE RAISON.

AFRICAIN, E adj. et n. De l'Afrique (plus spécialement de l'Afrique noire). ◆ **africaniste** n. Savant spécialiste de l'Afrique.

AFRIKAANS [afrikɑ̃s] n. m. (mot néerl.). Langue néerlandaise parlée en Afrique du Sud.

Afrikakorps, nom donné aux formations allemandes qui combattirent en Libye, en Égypte et en Tunisie, de 1941 à 1943.

AFRIKANER [afrikanɛr] n. (de l'anc. *afrikaander*). Personne d'origine néerlandaise en république d'Afrique du Sud.

AFRIQUE, une des cinq parties du monde. → cartes couleurs pp. 48-49.

SUPERFICIE 30 millions de km² (Asie : 44 millions de km²; Amérique : 42 millions de km²; Europe : 10 millions de km²).

POPULATION 650 millions d'hab. C'est le moins peuplé des continents (en ne tenant pas compte de l'Australie ni de l'Antarctique). La densité est de 22 hab. au km² (Amérique : 17; Asie : 71,5; Europe : 70).

AFRIQUE DU SUD, État fédéral situé à l'extrémité sud de l'Afrique.

GÉOGRAPHIE

Le plateau de terrains anciens qui constitue la majeure partie du pays se relève vers le S.-E. où il forme des massifs (Drakensberg, 3 482 m) dominant d'étroites plaines côtières. Le climat tropical, humide dans le Natal, s'assèche progressivement vers l'O. jusqu'au désert du Kalahari, tandis que la région du Cap jouit d'un climat méditerranéen.

	TEMPÉRATURES MOYENNES janv.	juil.	PLUIES
climat tropical (à Durban)	24 °C	17 °C	1 008 mm
climat aride (à Upington)	27 °C	13 °C	154 mm
climat méditerranéen (au Cap)	22 °C	13 °C	615 mm

Deux grands fleuves drainent le pays : l'Orange (1 860 km), vers l'Atlantique; le Limpopo (1 600 km), vers l'océan Indien.

La population de l'Afrique du Sud, peu dense, est formée de quatre groupes :

Blancs	17 p. 100	Métis	9 p. 100
Bantous	71 p. 100	Indiens	3 p. 100

Bien que les Blancs ne soient pas les plus importants numériquement, ce sont eux qui tiennent en main le pays, imposant la ségrégation (= apartheid, ou séparation rigoureuse, dans la vie quotidienne et dans l'habitat, des Blancs et des Noirs). Le pays est fortement urbanisé par rapport au reste de l'Afrique.

SUPERFICIE 1 221 000 km² (France : 550 000 km²).

POPULATION 38 500 000 hab.; 32 hab. au km² (France : 103); accroissement annuel de population, 2,8 p. 100.

CAPITALES Pretoria (630 000 hab.) et Le Cap (1 097 000 hab.).

VILLES PRINCIPALES Johannesburg (1 433 000 hab.); Durban (874 000 hab.); Port Elizabeth (469 000 hab.).

DIVISIONS ADMINISTRATIVES (sans les bantoustans)

provinces	*superficie*	*population*
Le Cap	721 000 km²	5 091 000 hab.
Natal	87 000 km²	6 256 000 hab.
État libre d'Orange	129 000 km²	1 932 000 hab.
Transvaal	284 000 km²	10 928 000 hab.

LANGUES afrikaans et anglais.

ÉCONOMIE consommation d'énergie par hab., 2 700 kg d'équivalent charbon ; 1 automobile pour 10 hab.

MONNAIE rand.

L'*agriculture* a des rendements élevés; mais la plupart des terres appartiennent aux Blancs. Des cultures tropicales sont pratiquées dans le Natal, des cultures méditerranéennes vers Le Cap, tandis que l'intérieur est le domaine de l'élevage.

blé	2 millions de t	agrumes	620 000 t
maïs	5 millions de t	bovins	13 millions de têtes
sucre	2 100 000 t	ovins	31 800 000 têtes
vin	9 millions d'hl		

Le sous-sol est particulièrement riche et a donné naissance à une intense activité extractive.

or	700 t	fer	15 millions de t
diamants	8 millions de carats	cuivre	216 000 t
houille	140 millions de t	manganèse	1 200 000 t

Contrairement au reste de l'Afrique, l'*industrie* a des productions nombreuses et variées.

acier	8 800 000 t
électricité	110 milliards de kWh
	uranium (concentrés) 6 000 t
industrie textile	coton (filés) : 44 000 t

L'Afrique du Sud est la première puissance économique du continent, menacée par l'évolution de la situation politique intérieure.

HISTOIRE

Les plus anciens peuples d'Afrique australe, les Bochimans et les Hottentots, ont été refoulés par les Bantous, arrivés au XVe siècle. La venue des Européens va bouleverser l'histoire de ces peuples.

- *1487. Le Portugais Dias, le premier, contourne les côtes sud-africaines.*
- *1652. Les Hollandais fondent au Cap une escale permanente de la Compagnie des Indes.*

Les conflits sont nombreux à propos des terres entre les colons hollandais (ou Boers) et les Africains.

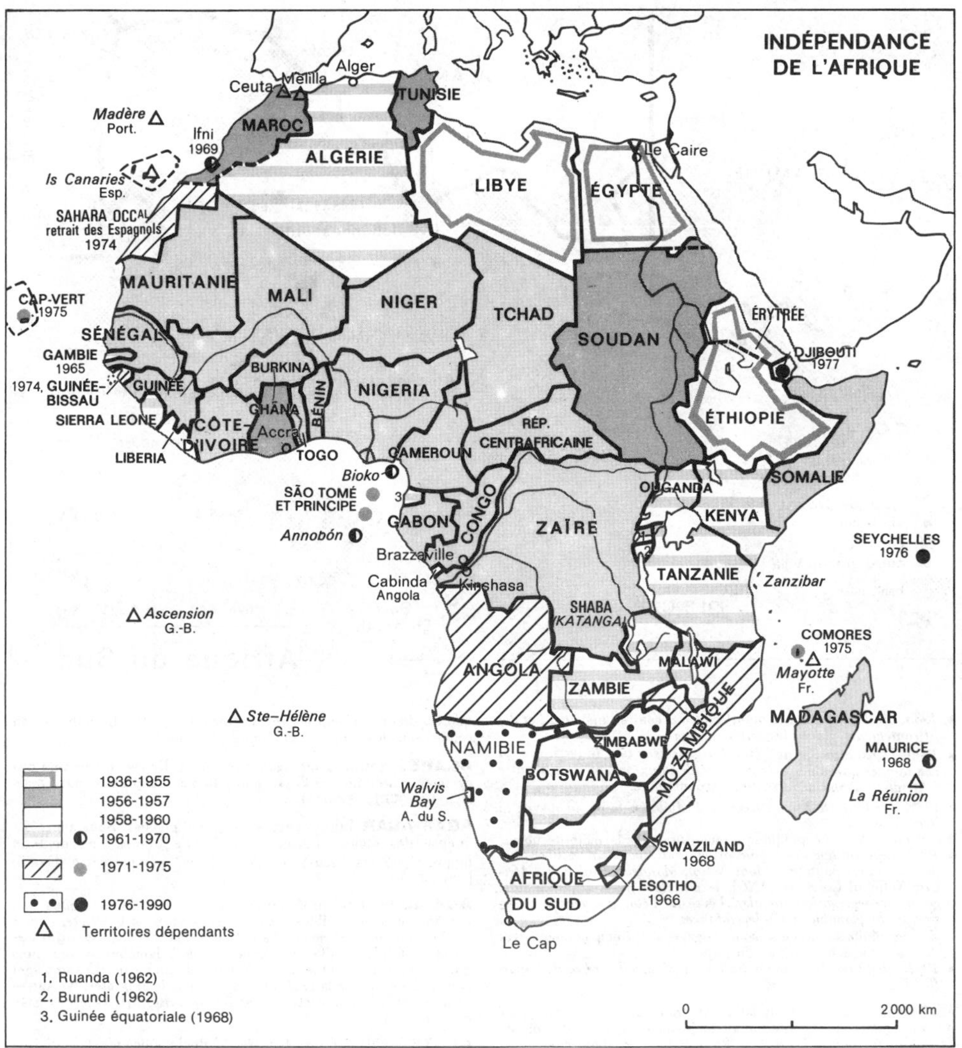

- *1685. Immigration de nombreux protestants français après la révocation de l'édit de Nantes.*

L'esclavage se développe. Les Bochimans sont exterminés, d'autres populations sont décimées par les épidémies.

- *1779-1780. Guerre entre Boers et Bantous qui sont refoulés vers le N.*
- *1814. Conséquence des guerres napoléoniennes, la colonie passe sous administration anglaise.*

Mais les causes de désaccord se multiplient entre Boers et Anglais; des colonies de Boers quittent le sud-est du pays en direction de l'Orange, puis après une guerre contre les Noirs Zoulous vers le Natal. Ce mouvement de migration appelé *Grand Trek* s'est poursuivi de 1834 à 1852.

- *1852. Création de la république du Transvaal.*
- *1853. Création de la colonie anglaise du Cap.*
- *1854. Création de l'État d'Orange.*
- *1856. Le Natal devient une colonie de la couronne britannique.*

La découverte de mines de diamants en Orange (1867) et d'or au Transvaal (1885) provoque la convoitise des Anglais qui veulent se rendre maîtres de ces régions, déclenchant ainsi un conflit armé dit *guerre des Boers* (1877-1884, puis 1899-1902).

- *1910. Les États du Cap, du Natal, d'Orange et du Transvaal se fédèrent, créant ainsi un nouvel État, l'Union sud-africaine, qui demeure sous tutelle anglaise.*

Les principaux problèmes sont alors posés par les rapports entre Anglais et Boers d'une part, l'ensemble des Blancs et les peuples de couleur d'autre part.

- *1924-1939. L'Union sud-africaine est gouvernée par les nationalistes qui font front à la toute-puissance anglaise et instaurent la ségrégation (ou apartheid) entre Noirs et Blancs.*
- *1948-1961. La politique ségrégationniste est intensifiée, mais vivement critiquée par l'O. N. U. et par la Grande-Bretagne.*
- *1961. Création de la république d'Afrique du Sud qui ne conserve aucun lien politique avec le Commonwealth.*
- *1966. Assassinat du Premier ministre H. Verwœrd.*
- *1976. Graves émeutes dans les quartiers réservés aux Noirs.*
- *1978. B. J. Vorster devient président de la République.*
- *1979. Démission de Vorster. M. Viljoen lui succède.*
- *1983. Nouvelle Constitution accordant certains droits aux métis et aux Indiens.*
- *1984. Élection de Pieter Botha à la présidence de la République.*

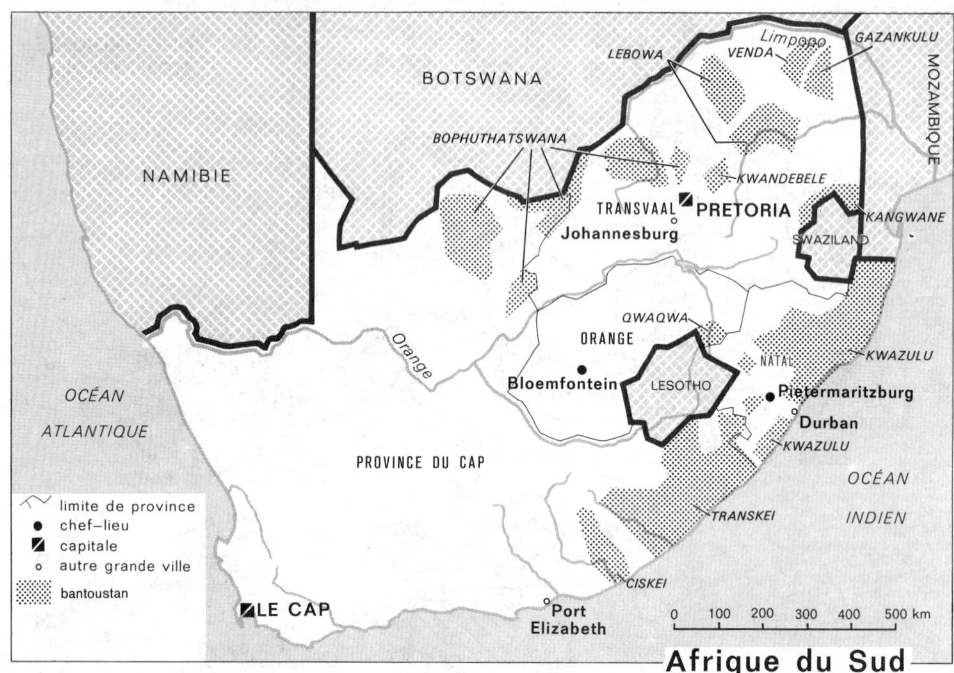

Afrique du Sud

- *1985. Multiplication des manifestations contre l'apartheid et des affrontements dans les cités noires.*
- *1986. L'instauration de l'état d'urgence sur tout le territoire est condamnée par nombre de pays occidentaux, qui prennent contre l'Afrique du Sud des sanctions économiques.*
- *1989. Frederik De Klerk succède à P. Botha à la présidence de la République.*

Il met en œuvre une politique d'ouverture vers la majorité noire.

- *1990. Légalisation des organisations anti-apartheid et libération de prisonniers politiques (dont Nelson Mandela, leader de l'African National Congress [ANC], le principal mouvement de lutte contre la ségrégation raciale). Levée de l'état d'urgence. Accession de la Namibie à l'indépendance.*

Des négociations directes sont engagées (principalement avec l'ANC) sur l'avenir politique du pays.

- *1991. Abolition des principales lois sur lesquelles reposait l'apartheid.*

AGACER [agase] v. t. (du lat. *acies*, tranchant). **1.** *Agacer qq'un*, lui causer une légère irritation allant jusqu'à un début de colère : *Je suis agacé par ce bruit* (syn. ÉNERVER). — **2.** *Agacer les dents*, causer aux gencives une sensation désagréable : *Le citron agace les dents.* — **3.** *Agacer qq'un*, chercher à attirer son attention par quelque coquetterie, pour lui plaire ou le séduire : *Agacer par des mines et des attitudes* (syn. fam. AGUICHER). ◆ **agaçant, e** adj. : *Son rire aigu est agaçant* (syn. IRRITANT). ◆ **agacement** n. m. (sens 1 du v. t.) [syn. ÉNERVEMENT, IMPATIENCE, IRRITATION]. ◆ **agacerie** n. f. (sens 3 du v. t.) : *Multiplier les agaceries pour attirer les regards* (syn. COQUETTERIE, MINAUDERIE).

AGADIR, port du Maroc, au débouché de la plaine du Sous; 61 200 hab. Principale station touristique du Maroc méridional. Pêche.

- *1911. Une menace allemande contre le port (« coup d'Agadir ») est suivie par un accord entre Berlin et Paris : les Allemands ne s'opposeront plus au protectorat français sur le Maroc, mais ils obtiennent un accès au Congo, à travers les territoires contrôlés théoriquement par les Français.*
  1960. Un tremblement de terre détruit la ville.

AGAMI [agami] n. m. (mot de la langue des Caraïbes). Oiseau de l'Amérique du Sud, de la taille d'un coq, à plumage noir.

AGAMEMNON, roi légendaire d'Argos et de Mycènes (Grèce). Chef de l'expédition contre Troie, il sacrifia sa fille Iphigénie pour que les dieux apaisent les vents retenant sa flotte. Il tomba, à son retour, sous les coups de sa femme Clytemnestre.

AGAPE [agap] n. f. (gr. *agapê*, amour). **1.** Repas en commun des premiers chrétiens. — **2.** (au plur.) Repas somptueux entre amis (syn. BANQUET, ↑FESTIN).

AGAR-AGAR [agaragar] n. m. (mot malais). Substance visqueuse des algues utilisée en pâtisserie (flans), en papeterie (apprêt), sur les tissus, en bactériologie, en pharmacie (laxatif) [syn. GÉLOSE].

AGARIC [agarik] n. m. (gr. *agarikon*). Nom donné à plusieurs champignons comestibles : *agaric des champs* ou *psalliote*, *agaric des bois* ou *boule de neige*. (Famille des agaricacées.) ◆ **agaricacées** n. f. pl. Famille de champignons à lamelles rayonnantes minces qui garnissent la face inférieure du chapeau. (Les uns sont comestibles comme la *psalliote des champs*, les *lépiotes*, les autres toxiques et même mortels comme les *amanites*.) [Classe des basidiomycètes.]

AGATE [agat] n. f. (gr. *Akhatês*). **1.** Roche siliceuse dure divisée en couches concentriques de couleurs variées. — **2.** Verre marbré imitant l'agate : *Des billes d'agate.*

AGAVE [agav] n. m. (gr. *agauê*, remarquable). Plante originaire de l'Amérique centrale, cultivée dans les régions chaudes, restant pendant plusieurs dizaines d'années à l'état végétatif pour fleurir une seule fois en donnant une inflorescence de 10 m de haut. (Les feuilles de l'agave fournissent des fibres textiles; sa sève, distillée, donne une eau-de-vie, nommée *tequila* au Mexique.) [L'agave est souvent appelé, à tort, *aloès*.] (Famille des amaryllidacées.)

AGDE, v. de l'Hérault, près de la Méditerranée; 13 200 hab. Port important jusqu'au XIXe s. Ancienne cathédrale fortifiée du XIIe s. Centre commercial (vins). Au S.-E., sur la côte, station touristique du *cap d'Agde*.

AGE [aʒ] n. m. (frq. *hagia*). Longue pièce de bois ou de fer à laquelle se fixent le soc et tout le système de la charrue.

ÂGE [ɑʒ] n. m. (lat. *aetas*). **1.** Temps écoulé depuis la naissance de quelqu'un; période déterminée de sa vie : *Un homme entre deux âges* (= ni jeune ni vieux). *Il porte bien son âge* (= il paraît plus âgé qu'il n'est). *La force de l'âge* (= la maturité). *L'âge ingrat* (= le début de l'adolescence). *L'âge de raison* (= sept ans, âge où les enfants commencent à avoir conscience de leurs actes). *L'âge mûr*

(= celui où les facultés physiques et intellectuelles sont à leur plus haut développement). — **2.** (sans qualificatif et avec l'art. défini) La vieillesse : *Il est vieux avant l'âge.* — **3.** Époque, durée déterminée pendant laquelle une chose existe (emploi limité à quelques express.) : *L'âge de la pierre, l'âge du bronze, l'âge du fer,* époques où les outils de l'homme furent en pierre, en bronze, en fer. ‖ *L'âge d'or,* époque idéale, de bonheur parfait. ‖ *Moyen Âge,* période historique comprise entre 395 et 1453. ◆ **âgé, e** adj. **1.** *Être âgé de* (suivi d'un nom de nombre et de *ans*), avoir un certain nombre d'années, un certain âge : *Il est âgé de trente ans;* sans compl. : *Il est moins âgé que moi.* — **2.** *Être âgé,* être vieux.

AGEN, ch.-l. du dép. de Lot-et-Garonne, sur la Garonne (r. dr.); 32 900 hab. *(Agenais).* Centre commercial de produits agricoles (raisin, fruits). Conserves alimentaires.

AGENAIS, région historique réunie à la couronne de France en 1472. ‖ Région géographique formée par la vallée de la Garonne, en amont et en aval d'Agen, et par les collines qui encadrent cette vallée.

AGENCE [aʒɑ̃s] n. f. (de *agent* 2). Entreprise commerciale, bureau d'une administration où l'on s'occupe de différentes affaires (indiquées par le compl.); succursale d'une banque : *Une agence de voyages. Se rendre à l'agence de la banque pour retirer de l'argent.*

AGENCER [aʒɑ̃se] v. t. (de l'anc. fr. *gent,* joli). *Agencer une chose,* la disposer de manière qu'elle soit adaptée à sa destination, la combiner avec d'autres pour former un tout harmonieux (souvent au passif) : *Agencer les éléments d'une bibliothèque démontable* (syn. AJUSTER, COMBINER). *La phrase est mal agencée* (syn. COMPOSER, ORDONNER). *Agencer l'intrigue d'une pièce de théâtre afin de ménager des effets de surprise* (syn. ARRANGER). ◆ ***s'agencer*** v. pr. S'organiser harmonieusement. ◆ **agencement** n. m. : *L'agencement d'un appartement* (syn. AMÉNAGEMENT, DISPOSITION). *L'agencement d'une phrase* (syn. ARRANGEMENT, COMPOSITION).

AGENDA [aʒɛ̃da] n. m. (mot lat.). Carnet pour inscrire jour par jour ce que l'on doit faire.

AGENOUILLEMENT n. m., **S'AGENOUILLER** v. pr. → GENOU.

1. AGENT [aʒɑ̃] n. m. (du lat. *agere,* agir). **1.** Tout phénomène physique qui a une action déterminante (langue scientif.) : *Les agents atmosphériques.* — **2.** *Complément d'agent* → FONCTION 1.

2. AGENT [aʒɑ̃] n. m. (it. *agente,* celui qui s'occupe de) [suivi en général d'un compl. du nom ou d'un adj.]. Celui qui est chargé d'une mission par une société, un gouvernement, un particulier : *Agent de change* (auj. SOCIÉTÉ DE BOURSE*). *Agent immobilier* (syn. COURTIER). *L'agent de liaison assure les transmissions ou les communications entre plusieurs personnes, plusieurs unités militaires. Les agents de l'Administration* (syn. FONCTIONNAIRE).

3. AGENT [aʒɑ̃] n. m. (même étym.). Fonctionnaire de police d'une grande ville (syn. GARDIEN DE LA PAIX).

AGER PUBLICUS, mots lat., signif. *champ public* et désignant, chez les Romains, les terres appartenant au domaine public. (→ AGRAIRE, *encycl.*).

AGER ROMANUS, nom donné au territoire propre de la ville de Rome, le seul susceptible, à l'origine, de propriété civile.

AGGIORNAMENTO [adʒjɔrnamɛnto] n. m. (mot it. signif. *mise à jour*). Adaptation de la tradition de l'Église catholique à l'évolution du monde contemporain.

AGGLOMÉRER [aglomere] v. t. (lat. *agglomerare*). Réunir en une masse compacte des éléments divers; mettre quelque chose en un tas compact : *Agglomérer du sable et du ciment* (syn. MÊLER). *Le vent a aggloméré la neige contre le mur* (syn. AMONCELER). ◆ ***s'agglomérer*** v. pr. Être aggloméré : *Les mouches s'agglomèrent autour du verre* (syn. S'AGGLUTINER). ◆ **agglomération** n. f. **1.** *Une agglomération de terre et de pierres* (syn. ÉBOULIS, ENTASSEMENT). — **2.** Ensemble formé par une ville* et sa banlieue. ◆ **agglomérat** n. m. Syn. de AGGLOMÉRATION au sens 1. (Ce mot s'emploie surtout en minéralogie pour désigner des ensembles de minéraux agglomérés.)

AGGLUTINER [aglytine] v. t. (lat. *agglutinare*). Coller fortement une chose à une autre (surtout au passif) : *Le rocher est couvert de moules agglutinées les unes contre les autres* (syn. TASSER). ◆ ***s'agglutiner*** v. pr. Être collé; se réunir en une masse compacte. ◆ **agglutination** n. f.

AGGRAVANT, E adj., **AGGRAVATION** n. f., **AGGRAVER** v. t. → GRAVE 1.

AGILE [aʒil] adj. (lat. *agilis*). **1.** Se dit de quelqu'un (ou de son aspect physique) qui a de la souplesse, de l'aisance et de la rapidité dans les mouvements : *Un enfant agile comme un singe* (syn. LESTE, VIF; contr. ENGOURDI, LOURD). *Marcher d'un pas agile* (syn. ALERTE, LÉGER; contr. PESANT). *Saisir qqch. d'une main agile* (syn. PROMPT, RAPIDE; contr. LENT). — **2.** Se dit de quelqu'un qui est capable de comprendre vite : *Un esprit agile* (syn. PROMPT, VIF). ◆ **agilité** n. f. : *L'agilité des mouvements de la danseuse* (syn. LÉGÈRETÉ, SOUPLESSE, VIVACITÉ).

AGIO [aʒjo] n. m. (it. *aggio,* plus-value). Ensemble des frais retenus par la banque pour les opérations bancaires. ◆ **agiotage** n. m. Spéculation de mauvais aloi sur les fonds publics, les changes, les valeurs mobilières quelconques. ◆ **agioter** v. t. Se livrer à l'agiotage. ◆ **agioteur** adj. et n. m. Qui se livre à l'agiotage.

1. AGIR [aʒir] v. i. (lat. *agere*). **1.** (sujet nom d'être animé) Faire quelque chose : *Il n'a même plus la force d'agir* (syn. ENTREPRENDRE). *Ne restez pas inerte, agissez* (syn. TRAVAILLER). — **2.** *Agir sur qq'un,* exercer sur lui une influence, faire pression sur lui. ‖ *Agir auprès de qq'un,* faire des démarches auprès de lui pour obtenir quelque chose (syn. INTERVENIR). ‖ *Faire agir,* mettre en action : *Quels sont les mobiles qui le font agir?* — **3.** *Agir en, comme,* suivi d'un adv. ou d'une loc. adv., se conduire de telle ou telle manière : *Agir en honnête homme* (syn. SE COMPORTER). — **4.** (sujet nom de chose) Exercer une action sur quelqu'un ou quelque chose, en déterminer le développement (souvent avec la prép. *sur*) : *Les remèdes n'agissent plus sur le malade* (syn. OPÉRER). ◆ **agissant, e** adj. Qui a une action puissante, une grande activité : *Une foi agissante* (syn. VIVANT). *Une minorité agissante* (syn. INFLUENT).

2. AGIR (S') [saʒir] v. pr. (même étym.) [seulement impers.]. **1.** *Il s'agit de* (suivi d'un nom), il est question de : *Il s'agit de vous.* — **2.** *Il s'agit de* (et l'infin.), il convient, il est nécessaire : *Il s'agit de s'entendre* (syn. IL FAUT). — **3.** *S'agissant de,* eu égard à, vu qu'il s'agit de, pour ce qui est de.

AGISSANT, E adj. → AGIR 1.

AGISSEMENT [aʒismɑ̃] n. m. (de *agir*). Action coupable commise pour parvenir à des fins blâmables (souvent au plur.) : *Condamner les agissements d'un escroc* (syn. MANŒUVRES, MENÉES; fam. MANIGANCES).

AGITER [aʒite] v. t. (lat. *agitare*). **1.** (sujet nom de chose ou de personne) *Agiter qqch. (un objet),* le remuer vivement en tous sens : *Agiter un flacon* (syn. SECOUER). *Agiter des drapeaux* (syn. BRANDIR). *Le chien agite la queue* (syn. REMUER). — **2.** (sujet nom de personne) *Agiter une menace,* présenter quelque chose comme un danger imminent. — **3.** *Agiter une question, un problème,* etc., les discuter avec d'autres personnes (syn. SOULEVER). — **4.** (sujet nom de chose) *Agiter qq'un,* lui causer une vive inquiétude, une émotion ou une peine profonde; l'exciter facilement : *Ce retard l'agitait, l'inquiétait même* (syn. BOULEVERSER, PRÉOCCUPER, REMUER). *Ces discours finissaient par agiter les ouvriers* (syn. EXCITER). ◆ ***s'agiter*** v. pr. Se remuer vivement : *S'agiter sur sa chaise* (syn. BOUGER, REMUER; fam. SE TRÉMOUSSER). *La mer commence à s'agiter* (= la tempête se lève). ◆ **agité, e** adj. et n. Qui est en proie à une agitation quelconque : *Une mer agitée* (syn. HOULEUSE). *Un enfant agité* (syn. NERVEUX). *Une vie agitée* (syn. MOUVEMENTÉ). *Un sommeil agité* (syn. INQUIET). *Un agité* (= un malade mental en proie à une agitation fébrile). ◆ **agitation** n. f. **1.** Mouvement irrégulier ou désordonné de quelque chose ou de quelqu'un (sens 1 du v. t., et v. pr.) : *L'agitation de l'eau* (syn. MOUVEMENT). *L'agitation de la rue* (syn. ANIMATION, BRUIT). *L'agitation d'un enfant* (syn. TURBULENCE). — **2.** Trouble profond qui s'extériorise (sens 4 du v. t.) : *L'agitation de son esprit se manifestait par le mouvement fébrile de ses mains* (syn. ↑BOULEVERSEMENT, EXCITATION). *L'agitation avait gagné les centres ouvriers* (syn. EFFERVESCENCE). ◆ **agitateur** n. m. **1.** *Péjor.* Celui qui cherche à soulever les passions pour causer des troubles sociaux (syn. MENEUR). — **2.** Baguette de verre servant à remuer les liquides dans les manipulations chimiques.

AGLY, fl. côtier du Roussillon, né dans les Corbières, qui rejoint le golfe du Lion; 80 km.

AGNADEL, village de l'Italie du Nord, en Lombardie.

• *1509. Victoire de Louis XII sur les Vénitiens.*

AGNAT, E [agna, -at] adj. et n. (du lat. *ad,* près, et *natus,* né). Se dit des personnes qui, descendant d'une même souche masculine, appartiennent à la même famille.

AGNEAU [aɲo] n. m. (lat. *agnellus*). **1.** Petit de la brebis. — **2.** Chair de cet animal. — **3.** *Doux comme un agneau,* d'une douceur extrême. ‖ *L'Agneau de Dieu,* Jésus-Christ, qui s'est immolé pour racheter les péchés du monde. ◆ **agnelet** n. m. Petit agneau. ◆ **agnelle** [aɲɛl] n. f. Fém. de AGNEAU.

Agneau mystique *(l'),* tableau à plusieurs volets (= polyptyque) exécuté par les frères Hubert et Jan Van Eyck, inauguré en 1432 à la cathédrale Saint-Bavon de Gand et comprenant notamment une scène de l'*Adoration de l'Agneau de Dieu.*

Agnès, personnage de l'*École des femmes,* comédie de Molière.

AGNOSTICISME [agnɔstisism] n. m. (du gr. *agnôstos,* ignorant). Attitude philosophique de ceux qui refusent de considérer comme possible toute connaissance des problèmes métaphysiques. ◆ **agnosticiste** ou **agnostique** adj. et n. Qui concerne ou qui professe l'agnosticisme.

AGONIE [agɔni] n. f. (gr. *agônia,* combat). **1.** Moment de la vie qui précède immédiatement la mort et où l'organisme lutte contre cette dernière : *Il est à l'agonie* (=à la dernière extrémité). — **2.** Lente disparition de quelque chose (d'un régime politique, en particulier) : *L'agonie d'un Empire* (=le déclin avant la fin). ◆ **agoniser** v. i. Être à l'agonie (aux deux sens du nom) : *Le blessé agonisait* (syn. S'ÉTEINDRE). *Le régime agonisait* (syn. DÉCLINER). ◆ **agonisant, e** adj. et n. (syn. MORIBOND).

AGONIR [agɔnir] v. t. (de l'anc. fr. *ahonnir,* faire honte). *Agonir qq'un d'injures* (ou un terme syn.), le couvrir, l'accabler de... (presque uniquement à l'infin. ou aux temps composés) : *Il m'a agoni de sottises parce que je l'ai bousculé.*

AGONISANT, E adj. et n., **AGONISER** v. i. ⟶ AGONIE.

AGORA [agɔra] n. f. (mot gr.). **1.** Dans l'Antiquité grecque, place publique où se tenaient les assemblées politiques. — **2.** À Athènes, lieu de réunion de l'Assemblée du peuple. (En ce sens, prend une majusc.)

AGORAPHOBIE [agɔrafɔbi] n. f. (du gr. *agora,* place, et *phobos,* crainte). Vertige que certaines personnes éprouvent quand elles traversent une place, une rue.

AGOUT, riv. née dans le sud du Massif central (montagne de l'Espinouse); 180 km. Elle rejoint le Tarn après avoir arrosé Castres.

AGOUTI [aguti] n. m. (mot du Brésil). Mammifère de l'ordre des rongeurs, de la taille d'un lièvre, et originaire d'Amérique du Sud.

ĀGRĀ, v. de l'Inde (État d'Uttar Pradesh), dans la plaine indo-gangétique, sur la Jamna ; 637 800 hab. Centre musulman au XVIe s. Célèbre tombeau du Tādj Maḥall, en marbre blanc (1630).

AGRAFE [agraf] n. f. (de l'anc. fr. *grafe,* crochet). Crochet de métal ou broche qu'on utilise pour joindre les bords opposés d'un vêtement, pour attacher des feuilles. ◆ **agrafer** v. t. *Agrafer qqch.,* l'attacher avec une agrafe : *Agrafer une robe* (contr. DÉGRAFER). ◆ **agrafeuse** n. f. Instrument pour agrafer des feuilles de papier. ◆ **dégrafer** v. t. *Dégrafer un vêtement,* en détacher l'agrafe, les agrafes.

AGRAIRE [agrɛr] adj. (du lat. *ager,* champ). **1.** Qui concerne la surface des terres : *L'are est l'unité de mesure pour les surfaces agraires.* — **2.** Qui concerne la terre et en particulier la propriété du sol : *Les réformes agraires consistent à répartir les grandes propriétés entre les petits exploitants ou à installer des fermes collectives.* — **3.** *Lois agraires,* à Rome, ensemble des lois prises en faveur des plébéiens pour empêcher les nobles d'accaparer l'*ager publicus* (terres appartenant à l'État). ⟶ ENCYCL. ‖ *Réforme agraire,* ensemble de lois modifiant la répartition des terres en faveur des paysans qui n'en possèdent pas ou des petits propriétaires. ⟶ ENCYCL. ‖ *Structure agraire,* disposition et forme des parcelles exploitées par un groupe d'agriculteurs. ◆ **agrarien** n. et adj. m. Membre d'un parti qui défend les intérêts des exploitants agricoles.

— ENCYCL. ***lois agraires.*** La Grèce, la première, connut des lois agraires, car, ainsi que le rapporte Hésiode, « la terre était passée entre les mains d'un petit nombre ». Solon, en 594, fit une réforme qui s'efforçait d'être équitable, mais sur laquelle on reviendra constamment. À Rome, il s'agissait surtout de distribuer équitablement les terres de l'*ager publicus.* Les Gracques s'y employèrent en vain (133-123 av. J.-C.). Sous l'Empire, la législation s'efforça d'aider au morcellement des grandes propriétés ou *latifundia.* Elle y parvint quelque peu. En France, sous la Révolution, certains hommes politiques, comme le prêtre Jacques Roux, préconisaient la « loi agraire », c'est-à-dire une forme de communisme rural.
réforme agraire. Ce terme désigne aujourd'hui non seulement une nouvelle répartition des terres, en faveur des agriculteurs, mais aussi toutes les mesures qui peuvent permettre à ces derniers une mise en valeur efficace des terres qui leur ont été allouées (utilisation accrue de machines par le développement de la coopération, conseils d'ingénieurs pour les façons culturales, utilisation des engrais, rôle accru des vétérinaires, amélioration de l'habitat, etc.). La réforme agraire est un objectif économique fondamental de nombreux pays en voie de développement, tant en Amérique latine qu'en Afrique et en Asie.

AGRANDIR v. t., **AGRANDISSEMENT** n. m., **AGRANDISSEUR** n. m. ⟶ GRAND.

AGRARIEN n. et adj. m. ⟶ AGRAIRE.

AGRÉABLE [agreabl] adj. (de *agréer*) [avant ou après le nom]. **1.** Se dit de quelque chose qui fait plaisir, qui procure une sensation de joie, de bien-être, de satisfaction, etc. : *Une région agréable* (syn. PLAISANT). *Passer une soirée agréable* (contr. ENNUYEUX). — **2.** Se dit d'une personne (de ses manières, de son visage, etc.) qui provoque un sentiment de sympathie par sa douceur, son charme, sa gaieté, etc. : *Il a une conversation très agréable* (contr. DÉPLAISANT). ◆ **agréablement** adv. ◆ **désagréable** [dezagreabl] adj. Qui n'est pas agréable : *Une nouvelle désagréable* (syn. CONTRARIANT, ENNUYEUX, FÂCHEUX). *Il est désagréable avec tout le monde* (syn. DÉSOBLIGEANT, IMPOLI). *Une odeur désagréable* (syn. INCOMMODANT). *Des paroles désagréables* (syn. BLESSANT, VEXANT). ◆ **désagréablement** adv. D'une façon désagréable.

AGRÉER [agree] v. t. (de *gré*). **1.** *Agréer une chose,* consentir à la recevoir, à l'accepter : *Veuillez agréer mes respects, mes hommages, mes sentiments distingués* (formules de fin de lettre). *Agréer une demande* (syn. ADMETTRE). — **2.** *Se faire agréer par, dans,* se faire recevoir dans un groupe, un milieu. ◆ v. t. ind. (sujet nom de chose). *Agréer à qq'un,* être à sa convenance : *Ce projet de voyage lui agréait beaucoup* (syn. PLAIRE; contr. DÉPLAIRE).

AGRÉGAT n. m. ⟶ AGRÉGER.

AGRÉGATION [agregasjɔ̃] n. f. (bas lat. *aggregatio*). Concours qui permet aux candidats reçus d'être professeurs de lycées et de certaines disciplines universitaires (droit et sciences économiques, médecine, pharmacie). ◆ **agrégé, e** adj. et n. Reçu à ce concours.

AGRÉGER [agreʒe] v. t. (lat. *aggregare*). **1.** *Agréger qqch.,* réunir en un tout des particules, des matières quelconques : *La glaise a agrégé les graviers en une masse compacte.* — **2.** *Agréger qq'un,* l'admettre dans un groupe constitué (syn. INCORPORER, INTÉGRER). ◆ ***s'agréger*** v. pr. S'unir à un groupe. ◆ **agrégat** [agrega] n. m. **1.** Assemblage de parties qui sont réunies en un tout : *Son livre est un agrégat de réflexions et d'anecdotes.* — **2.** Ensemble des constituants entrant dans la composition d'un mortier ou d'un béton. (On emploie généralement deux agrégats : un sable et un gravillon.) ◆ **désagréger** v. t. *Désagréger un corps solide, un ensemble,* le décomposer en ses éléments constituants : *Le gel a désagrégé la pierre.* ◆ ***se désagréger*** v. pr. Se décomposer : *La foule commençait à se désagréger* (syn. SE DISLOQUER). ◆ **désagrégation** n. f. : *La désagrégation du ciment, d'une équipe.*

1. AGRÉMENT [agremɑ̃] n. m. (de *agréer*). Qualité qui rend quelqu'un ou quelque chose agréable, qui en fait le charme; ce charme lui-même (souvent au plur.) : *L'agrément de son visage* (syn. ATTRAIT, SÉDUCTION). *Les agréments de la vie* (syn. PLAISIR). *Les arts d'agrément* (=la danse, le dessin, la musique). ◆ **agrémenter** v. t. *Agrémenter qqch.,* lui ajouter un ornement, un attrait, une qualité (souvent au passif) : *Agrémenter un récit de détails piquants* (syn. ÉMAILLER, ENJOLIVER). *Un salon agrémenté de tentures* (syn. ORNER). ◆ **désagrément** n. m. **1.** Sentiment causé par ce qui déplaît, ce qui contrarie : *Le désagrément causé par un échec* (syn. CONTRARIÉTÉ, DÉPLAISIR). — **2.** Chose qui déplaît : *Ce voisinage nous attire bien des désagréments* (syn. ENNUI).

2. AGRÉMENT [agremɑ̃] n. m. (même étym.). Consentement donné par un supérieur à un subordonné, dont l'action est ainsi approuvée : *Je n'ai rien fait sans son agrément* (syn. ACCORD, APPROBATION). *Refuser son agrément* (syn. AUTORISATION).

AGRÈS [agrɛ] n. m. pl. (du scand. *greidi*). Appareils utilisés pour certains exercices de gymnastique. (Ce sont principalement la barre fixe, les barres parallèles et asymétriques, les anneaux, le cheval-arçons, la poutre et la corde à grimper.)

AGRESSION [agrɛsjɔ̃] n. f. (lat. *aggressio*). Attaque brutale et soudaine contre une personne ou un pays, sans qu'il y ait eu provocation : *Être victime d'une agression dans une rue déserte* (syn. ATTAQUE). ◆ **agresser** v. t. (surtout au passif) : *Un passant a été agressé* (syn. ATTAQUER). ◆ **agresseur** adj. et n. m. Celui qui attaque le premier. ◆ **agressif, ive** adj. : *Un discours agressif* (syn. MENAÇANT). *Une attitude agressive* (syn. PROVOQUANT). ◆ **agressivité** n. f. Tendance à attaquer (syn. COMBATIVITÉ, HARGNE). ◆ **non-agression** n. f. : *Un pacte de non-agression implique une neutralité réciproque ou une alliance, au cas où l'un des pays qui l'a conclu se trouve entraîné dans un conflit.*

AGRESTE [agrɛst] adj. (lat. *agrestis*). Qui appartient à la campagne (littér.) : *Un site agreste* (syn. CHAMPÊTRE, RUSTIQUE).

AGRICOLA (Cnaeus Julius), général romain, né à Forum Julii (Fréjus) [40-93]. Il acheva la conquête de la Grande-Bretagne. Beau-père de Tacite, qui écrivit sa biographie.

AGRICULTURE [agrikyltyr] n. f. (lat. *agricultura*). Activité économique ayant pour objet d'obtenir les végétaux utiles à l'homme, et en particulier ceux qui sont destinés à son alimentation (syn. CULTURE). ◆ **agriculteur** n. m. (syn. CULTIVATEUR).

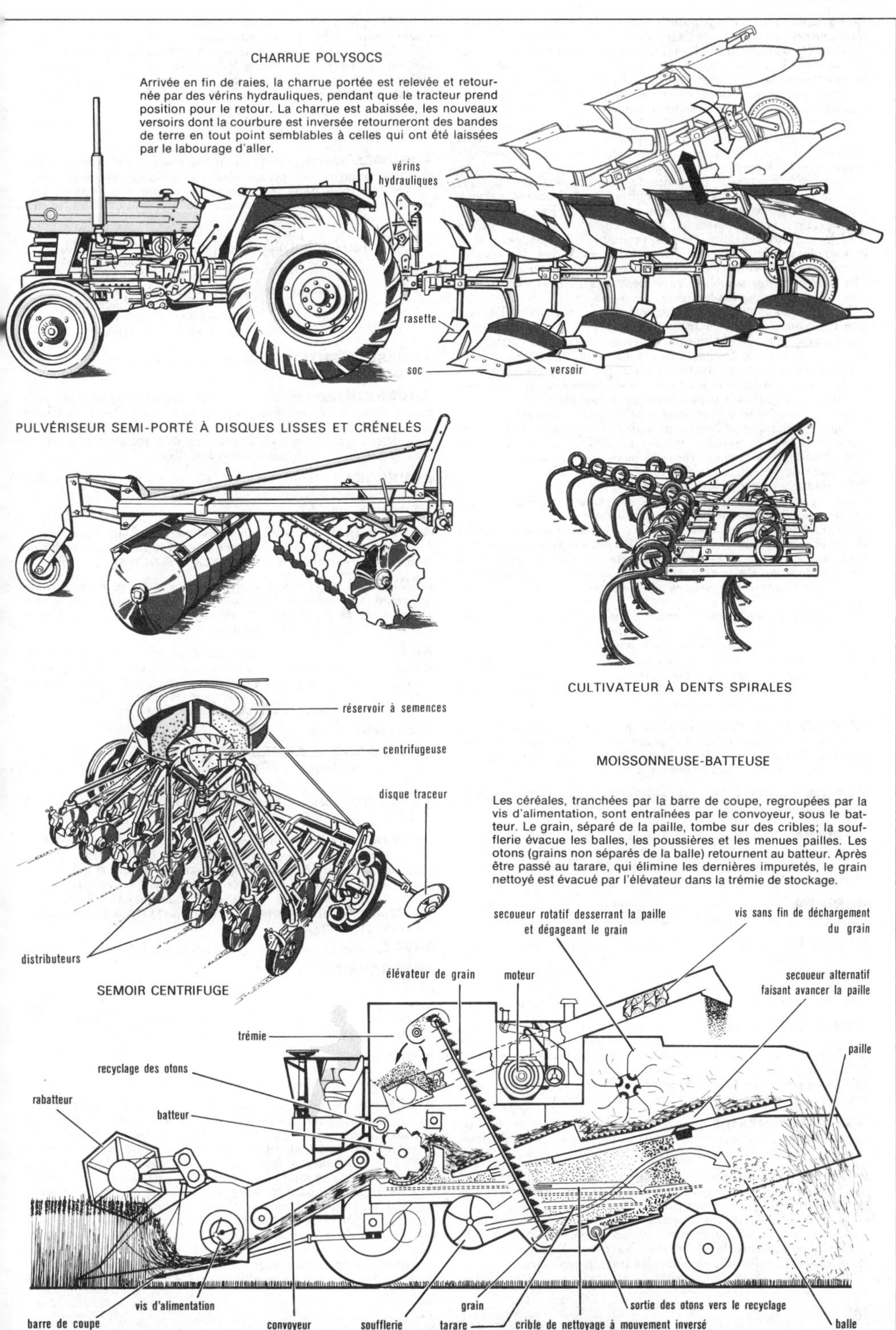
CHARRUE POLYSOCS
Arrivée en fin de raies, la charrue portée est relevée et retournée par des vérins hydrauliques, pendant que le tracteur prend position pour le retour. La charrue est abaissée, les nouveaux versoirs dont la courbure est inversée retourneront des bandes de terre en tout point semblables à celles qui ont été laissées par le labourage d'aller.
vérins hydrauliques
rasette
soc
versoir
PULVÉRISEUR SEMI-PORTÉ À DISQUES LISSES ET CRÉNELÉS
CULTIVATEUR À DENTS SPIRALES
réservoir à semences
centrifugeuse
disque traceur
distributeurs
SEMOIR CENTRIFUGE
MOISSONNEUSE-BATTEUSE
Les céréales, tranchées par la barre de coupe, regroupées par la vis d'alimentation, sont entraînées par le convoyeur, sous le batteur. Le grain, séparé de la paille, tombe sur des cribles; la soufflerie évacue les balles, les poussières et les menues pailles. Les otons (grains non séparés de la balle) retournent au batteur. Après être passé au tarare, qui élimine les dernières impuretés, le grain nettoyé est évacué par l'élévateur dans la trémie de stockage.
secoueur rotatif desserrant la paille et dégageant le grain
vis sans fin de déchargement du grain
élévateur de grain
moteur
secoueur alternatif faisant avancer la paille
trémie
paille
recyclage des otons
rabatteur
batteur
vis d'alimentation
barre de coupe
convoyeur
soufflerie
grain
tarare
crible de nettoyage à mouvement inversé
sortie des otons vers le recyclage
balle

◆ **agricole** adj. : *La population agricole* (= les agriculteurs). *Enseignement agricole* (= de l'agriculture). → ENCYCL.

— ENCYCL. ***agriculture.*** Elle fournit la base de l'alimentation de la majorité de l'humanité. Aussi a-t-elle éliminé plus ou moins complètement la végétation naturelle, transformant les paysages.

L'*agriculture semi-nomade* est encore pratiquée par certaines populations de l'Asie du Sud-Est (Indonésie, montagnes de la péninsule indochinoise) et par des Indiens de l'Amérique latine. Elle ne constitue souvent qu'un complément de la chasse ou de la cueillette. L'épuisement des terres non travaillées impose les déplacements fréquents des populations.

L'*agriculture extensive* nécessite de vastes superficies. Elle est souvent pratiquée sous la forme de cultures avec jachères, permettant aux sols de se reposer et de se reconstituer. Parfois destinée uniquement à la consommation locale, elle s'est tournée souvent vers la commercialisation de ses produits. Elle concerne alors essentiellement la production des céréales. Ainsi dans les grandes plaines des États-Unis et du Canada, l'étendue des terres et l'emploi généralisé des machines remédient à la faiblesse des rendements et de l'occupation humaine.

L'*agriculture intensive* est pratiquée dans les régions où l'utilisation très poussée des sols accompagne un peuplement dense des campagnes. Les techniques modernes (drainage, irrigation, engrais, etc.) et la mécanisation croissante ont engendré un accroissement de la productivité, alors que la commercialisation d'une grande partie de la production a entraîné une spécialisation de plus en plus poussée (vigne, légumes, fruits, etc.).

Les *cultures les plus répandues* sont celles des céréales : blé en Europe et Amérique du Nord principalement, riz, base de l'alimentation de l'Asie du Sud-Est, manioc en Afrique et en Amérique latine, maïs très largement répandu (mais souvent réservé à l'alimentation du bétail). Les cultures plus spécialisées, destinées à l'alimentation (cacao, café, thé) ou à l'industrie (coton, caoutchouc), sont surtout répandues dans le domaine tropical (Afrique occidentale, Amérique latine, Asie méridionale).

La *géographie de l'agriculture* est caractérisée par une quantité de denrées alimentaires en surproduction dans la zone tempérée et insuffisante dans le monde tropical. Cela est d'autant plus grave que la population s'y accroît rapidement, sans que s'élèvent parallèlement les moyens nécessaires pour importer les excédents de la zone tempérée.

enseignement agricole. Le cycle court de l'*enseignement agricole* prépare dans les lycées professionnels agricoles et dans les centres de formation agricole pour jeunes soit en trois ans au certificat d'aptitude professionnelle agricole, soit en deux ans au brevet d'études professionnelles agricoles. Le cycle long prépare, en trois ans, soit au baccalauréat des sciences agronomiques et techniques (D'), soit aux brevets de technicien agricole.

AGRIGENTE, v. d'Italie, en Sicile, près de la côte sud de l'île; 49 200 hab. Très importante à l'époque de la colonisation grecque, en particulier au Ve s. av. J.-C., la ville conserve des monuments de l'Antiquité, en particulier le temple de la Concorde.

AGRION [agrijɔ̃] n. m. (gr. *agrios*, sauvage). Petite libellule appelée aussi *demoiselle.*

AGRIPPA (Menenius), consul romain en 502 av. J.-C. Au moment de la sécession, pour obtenir le retour des plébéiens retirés sur le mont Sacré, il composa le célèbre apologue *les Membres et l'Estomac.*

AGRIPPA (Marcus Vipsanius), général et homme politique romain (63-12 av. J.-C.). Sa destinée fut liée à celle d'Auguste.

AGRIPPER [agripe] v. t. (de l'anc. fr. *gripper*, saisir). Saisir vivement et fermement : *Le voleur agrippa le sac et s'enfuit.* ◆ ***s'agripper*** v. pr. *S'agripper à qqch. ou à qq'un*, s'y retenir vivement, solidement : *S'agripper à la rampe* (syn. SE CRAMPONNER). *L'enfant s'agrippait au cou de son père* (syn. S'ACCROCHER).

AGRIPPINE l'Aînée (14 av. J.-C.-33 apr. J.-C.), petite-fille d'Auguste. — Sa fille AGRIPPINE *la Jeune* (16-59 apr. J.-C.), mère de Néron, épousa en troisièmes noces son oncle, l'empereur Claude, à qui elle fit adopter Néron au détriment de Britannicus. Elle fit empoisonner Claude pour placer Néron sur le trône, mais celui-ci, las de la tutelle de sa mère, la fit assassiner.

AGRO-ALIMENTAIRE [agroalimɑ̃tɛr] adj. et n. m. (du gr. *agros*, champ, et *alimentaire*). Se dit de l'industrie de transformation des produits agricoles.

AGRONOMIE [agrɔnɔmi] n. f. (du gr. *agros*, champ, et *nomos*, loi). Science ayant pour objet l'agriculture. ◆ **agronome** n. et adj. ◆ **agronomique** adj. → ENCYCL.

— ENCYCL. L'*enseignement supérieur agronomique* est donné dans les écoles nationales supérieures agronomiques (E. N. S. A.) de Paris-Grignon, Montpellier, Rennes, Nancy et Toulouse et dans les écoles nationales d'ingénieurs des travaux agricoles.

Il y a deux niveaux de l'enseignement supérieur. *Niveau long :* les E. N. S. A. forment des *ingénieurs agronomes de conception; niveau court :* les écoles nationales d'ingénieurs des travaux agricoles forment des *ingénieurs d'application* qui ont pour mission de mettre en œuvre les programmes et les méthodes élaborés par les ingénieurs de conception. D'autre part une formation de *technicien supérieur* est donnée dans certains lycées agricoles ou dans des instituts spécialisés.

Un dernier établissement d'enseignement agronomique féminin existe à Rennes.

AGRUMES [agrym] n. f. pl. (it. *agrume*). Nom collectif désignant les oranges, citrons, mandarines, pamplemousses et autres rutacées cultivés dans les régions de climat méditerranéen et certaines régions de climat subtropical.

production mondiale	55 millions de t
États-Unis (Californie, Floride)	15 millions de t
Brésil	9 500 000 t
Japon	3 600 000 t
Espagne (oranges surtout)	3 100 000 t
Italie	3 millions de t
Mexique	2 400 000 t
Israël	1 500 000 t

AGUASCALIENTES, v. du Mexique, au N.-O. de Mexico; 222 000 hab.

AGUERRIR [agɛrir] v. t. (de *guerre*). *Aguerrir qq'un*, l'accoutumer à soutenir des combats, des épreuves difficiles ou pénibles (souvent au passif) : *Aguerrir des soldats* (syn. ENTRAÎNER). *Les difficultés l'ont aguerri* (syn. ENDURCIR). ◆ ***s'aguerrir*** v. pr. Devenir capable de soutenir des épreuves pénibles.

AGUESSEAU (Henri François D'), magistrat français (1668-1751). Intègre et dévoué aux intérêts publics, il fut chancelier de France sous Louis XV.

AGUETS (AUX) [ozagɛ] loc. adv. (de l'anc. fr. *agait*, guet). *Être, rester aux aguets*, être, rester attentif, afin de surprendre ou de n'être pas surpris (syn. À L'AFFÛT, AUX ÉCOUTES).

AGUICHER [agiʃe] v. t. (de l'anc. fr. *guiche*, ruse) [sujet nom désignant une femme]. *Fam.* Exciter par des coquetteries, des taquineries. ◆ **aguichant, e** adj. : *Un sourire aguichant* (syn. ↑PROVOCANT). ◆ **aguicheuse** n. f.

AH ! [a] interj. (onomat.). **1.** Marque le début d'une phrase exclamative, dont les intonations variées peuvent exprimer la joie, la douleur, la colère, la pitié, l'admiration, l'impatience, etc.; et substantiv. : *Il poussa un ah! de désespoir.* — **2.** Répété, marque la surprise ou l'ironie : *Ah ah! on allait partir sans rien dire!*

Ahasvérus → JUIF.

AHMADĀBĀD ou **AHMEDABAD,** v. du nord-ouest de l'Inde. Anc. capit. du Gujerat; 2 060 000 hab. Nombreux monuments du XVe s.

AHMADOU, chef soudanais, vaincu par le Français Archinard en 1893, mort en 1898.

AHURIR [ayrir] v. t. (de *hure*). *Ahurir qq'un*, le frapper d'un grand étonnement (superl. de ÉTONNER) : *Une pareille réponse avait de quoi vous ahurir* (syn. MÉDUSER). ◆ **ahuri, e** adj. et n. : *Rester ahuri devant un spectacle insolite* (syn. ↑INTERDIT, ↑STUPIDE). ◆ **ahurissant, e** adj. : *Une nouvelle ahurissante* (syn. STUPÉFIANT). ◆ **ahurissement** n. m. (syn. ↑EFFAREMENT, STUPÉFACTION, ↓TROUBLE).

AHVĀZ, v. de l'Iran, au nord d'Ābādān; 329 000 hab.

AHVENANMAA → ÅLAND.

AÏ [ai] n. m. (mot du Brésil). Mammifère édenté, encore appelé *paresseux* à cause de ses mouvements lents. Il habite la forêt brésilienne et demeure ordinairement suspendu aux branches des arbres par ses très longues griffes.

AICHE n. f. → ESCHE.

Aïda, opéra à grand spectacle de G. Verdi (1871).

AIDER [ɛde] v. t. (lat. *adjutare*). *Aider qq'un à* (et l'infin.), *dans* (et un nom), joindre ses efforts aux siens afin d'agir dans une circonstance donnée : *Il a besoin d'être aidé dans ce travail* (syn. ÉPAULER, SECONDER, SECOURIR). ◆ v. t. ind. *Aider à une chose*, la faciliter : *Ces notes aident à la compréhension du texte* (syn. CONTRIBUER À, FAVORISER). ◆ ***s'aider*** v. pr. *S'aider d'une chose*, s'en servir, en tirer parti. ◆ **aide** [ɛd] n. f. Appui que l'on apporte à quelqu'un pour faire quelque chose : *Offrir son aide* (syn. ASSISTANCE, CONCOURS, MAIN-FORTE). *Il y est parvenu sans aucune aide* (syn. SECOURS). *Remercier un ami de son aide* (syn. SOUTIEN). ‖ *Aide sociale*, ensemble des moyens mis en œuvre par l'État pour apporter une aide matérielle aux personnes dont les ressources sont considérées comme insuffisantes. ‖ *À l'aide!* (= au secours!).

— LOC. PRÉP. *À l'aide de*, au moyen de. ◆ **aide** n. m. ou f. Celui, celle qui joint ses efforts à ceux d'un autre pour le seconder, l'assister dans un travail (souvent, *aide* est précisé par un terme qui lui est joint par un trait d'union) : *Des aides-comptables. Un aide-électricien.* ◆ **aide-mémoire** n. m. inv. Abrégé destiné à donner en quelques pages les faits importants, les données essentielles ou les formules principales d'une science, en vue de la préparation d'un examen. ◆ **entraider (s')** v. pr. (sujet nom de personne). S'aider mutuellement, se porter assistance. ◆ **entraide** n. f. Secours mutuel.

AÏE ! [aj] interj. (onomat.). Traduit une douleur ou un désagrément léger et subit (souvent répété).

AÏEUL, E [ajœl] n. m. (du lat. *avus*). Grand-père ou grand-mère paternels ou maternels (souvent l'arrière-grand-père ou l'arrière-grand-mère). || Pl. des *aïeul(e)s*. ◆ **aïeux** [ajø] n. m. pl. Ancêtres lointains, ceux qui ont précédé les générations actuelles dans l'histoire (syn. ANCÊTRES). ◆ **bisaïeul, e** n. Père, mère de l'aïeul ou de l'aïeule. ◆ **trisaïeul, e** n. Père, mère du bisaïeul ou de la bisaïeule.

1. AIGLE [ɛgl] n. m. ou f. (lat. *aquila*). Grand oiseau de proie qui construit son aire (= nid) dans les hautes montagnes. (Ordre des falconiformes.) ◆ **aiglon, onne** n. Petit de l'aigle.
— ENCYCL. Les *aigles* sont de très grands rapaces diurnes (2 m env. d'envergure), de teinte brune souvent variée de blanc, aux ailes longues. Leur bec est fort et très recourbé à l'extrémité; leurs pieds sont emplumés jusqu'à la naissance des doigts (serres). Leur vol est puissant et soutenu. Les aigles, dont il existe d'assez nombreuses espèces, habitent presque toutes les régions du globe. Trois espèces vivent encore en France :
l'*aigle royal* dans les Alpes, les Causses, les Pyrénées; il se nourrit principalement de rongeurs, marmottes, lapins et lièvres et de tout autre animal, blessé ou malade, qu'il peut capturer;
l'*aigle de Bonnelli*, plus petit, qui habite les gorges et les collines rocheuses de la Provence et du Languedoc; il se nourrit de lapins, d'oiseaux (canards, perdrix, etc.);
l'*aigle botté*, qui habite les forêts du Sud-Ouest et du Centre et se nourrit de lapins, mulots, pies, corneilles.

2. AIGLES [ɛgl] n. f. pl. (même étym.). Enseigne constituée par la figure d'un aigle, et qui servit d'emblème national à Rome (les *aigles romaines*) et, en France, à Napoléon Ier (les *aigles napoléoniennes*).

AIGLE (L'), ancienn. **Laigle**, ch.-l. de cant. de l'Orne (arrond. de Mortagne-au-Perche), sur la Risle; 10200 hab. Église ornée de sculptures modernes.

Aigle *(barrage de l')*, barrage édifié sur la Dordogne supérieure.

AIGLEFIN n. m. ⟶ ÉGLEFIN.

AIGLON, ONNE n. ⟶ AIGLE 1.

Aiglon *(l')*, drame en vers, d'Edmond Rostand (1900). Il a pour héros le fils de Napoléon, le duc de Reichstadt, adolescent avide de gloire, mais incapable d'échapper à l'emprise de Metternich.

AIGOUAL, massif de la bordure sud-est du Massif central; 1567 m. L'Hérault y prend sa source. Observatoire météorologique. Forêt domaniale de 14800 ha.

AIGRE [ɛgr] adj. (lat. *acer*) [après ou plus rarement avant le nom]. **1.** Qui produit au goût une sensation piquante, désagréable; se dit du goût lui-même : *Des fruits aigres* (syn. ACIDE, ÂCRE; contr. DOUX, SUCRÉ). *Le goût aigre du petit-lait* (syn. SUR). — **2.** Qui produit une sensation désagréable par sa vivacité (en parlant du vent) ou par son caractère aigu (en parlant d'un bruit) : *Un petit vent aigre* (syn. CUISANT, FROID). *Une voix aigre* (syn. CRIARD). — **3.** Qui blesse par sa vivacité, son mordant, son amertume : *Il est aigre dans ses critiques* (syn. AMER, ÂPRE, MALVEILLANT). ◆ n. m. Fam. : *La discussion tourne à l'aigre* (= devient aigre, s'envenime). ◆ **aigrement** adv. ◆ **aigre-doux, ce** adj. Où se mêlent les sensations de doux et d'amer : *Des cerises aigres-douces. Des mots aigres-doux.* ◆ **aigrelet, ette** adj. Légèrement aigre : *Un vin aigrelet. Une voix aigrelette.* ◆ **aigreur** n. f. État de ce qui est aigre; sensation causée par ce qui est aigre : *L'aigreur d'une pomme verte* (syn. ACIDITÉ). *Répliquer avec aigreur* (syn. ÂCRETÉ, ACRIMONIE, ANIMOSITÉ). ◆ **aigrir** v. t. Rendre aigre (souvent au passif) : *Ce vin est aigri. Ses déceptions ont aigri son caractère* (= rendre amer). ◆ v. i. ou **s'aigrir** v. pr. Devenir aigre : *Le lait s'aigrit* (syn. TOURNER). *Il s'aigrit en vieillissant.* ◆ **aigri, e** adj. et n.

AIGREFIN [ɛgrəfɛ̃] n. m. (orig. incert.). Individu qui vit d'escroqueries (syn. ESCROC).

AIGRELET, ETTE adj., **AIGREMENT** adv. ⟶ AIGRE.

AIGREMOINE [ɛgrəmwan] n. f. (du gr. *argemônê*, sorte de pavot). Plante herbacée des prés et des bois, à petites fleurs jaunes et à fruits crochus. (Famille des rosacées.)

AIGRETTE [ɛgrɛt] n. f. (prov. *aigreta*). **1.** Échassier, proche du héron, au plumage entièrement blanc et dont certaines plumes, longues et minces, sont employées par les modistes. (Famille des ardéidés.) — **2.** Faisceau de plumes qui surmonte la tête de quelques oiseaux (comme le héron) ou dont on orne certaines coiffures : *Turban orné d'une aigrette.*

AIGREUR n. f., **AIGRI, E** adj. et n., **AIGRIR** v. t. et i. ⟶ AIGRE.

1. AIGU, Ë [egy] adj. (lat. *acutus*). *Objet aigu*, terminé en pointe ou par un tranchant (emploi limité; remplacé en ce sens par POINTU ou TRANCHANT) : *La lame aiguë d'un couteau* (contr. ÉMOUSSÉ). *Les ongles aigus d'un vautour* (syn. ACÉRÉ). [⟶ ACUITÉ.]

2. AIGU, Ë [egy] adj. (même étym.). Se dit de ce qui est à son plus haut degré. **1.** En parlant d'un son : *Pousser des cris aigus* (syn. STRIDENT). *Des notes aiguës* (contr. GRAVE). [⟶ ACUITÉ.] — **2.** En parlant d'une douleur ou de ce qui s'élève d'un coup à son paroxysme : *Avoir des douleurs aiguës* (syn. VIOLENT; VIF, placé avant le nom, est moins fort). *Maladie aiguë* (= à évolution rapide) [contr. CHRONIQUE]. *Un conflit aigu entre deux États.* — **3.** Dans le domaine de l'esprit, qui est d'une grande lucidité : *Avoir une intelligence aiguë* (syn. PÉNÉTRANT, SUBTIL). *Avoir un sens aigu des responsabilités* (= en avoir pleinement conscience). [⟶ ACUITÉ.] ◆ **aigu** n. m. Son élevé dans l'échelle musicale : *Passer du grave à l'aigu.* ◆ **suraigu, ë** adj. Très aigu.

3. AIGU adj. m., *accent aigu* ⟶ ACCENT 1.

AIGUE-MARINE [ɛgmarin] n. f. (mot prov.). Émeraude couleur vert de mer. || Pl. des *aigues-marines*.

AIGUES-MORTES, ch.-l. de cant. du Gard, à 40 km à l'E. de Montpellier; 4500 hab. La ville conserve intacte une magnifique enceinte médiévale.

- *1248. Saint Louis s'embarque pour la septième croisade d'Égypte (la ville est alors reliée à la mer par un canal navigable).*
- *1270. Départ de Saint Louis pour Tunis (huitième croisade).*
- *1538. François Ier et Charles Quint signent une trêve.*

AIGUIÈRE [egjɛr] n. f. (prov. *aiguiera*). Vase pansu, monté sur pied, muni d'une anse et d'un bec ou versoir, et destiné à contenir de l'eau.

AIGUILLAGE n. m. ⟶ AIGUILLER.

AIGUILLE [egɥij] n. f. (bas lat. *acucula*). **1.** Petite tige d'acier pointue, dont la tête est percée d'un trou (chas) dans lequel on passe du fil pour coudre. — **2.** Tige quelconque dont les usages sont très divers : *Aiguille à tricoter. Les aiguilles d'une horloge.* — **3.** Relief, construction qui se termine d'une manière effilée : *L'aiguille du Midi* (syn. PIC). *L'aiguille d'un clocher.* — **4.** Feuille étroite des conifères : *Aiguilles de pin.* — **5.** *De fil en aiguille*, en passant d'un sujet à un autre. ◆ **aiguillette** n. f. Ornement d'uniforme militaire, fait de plusieurs cordons tressés, porté en grande tenue par la garde de Paris et les officiers d'état-major.

AIGUILLER [egɥije] v. t. (de *aiguille*). *Aiguiller qq'un, qqch.*, le diriger vers un lieu, un but : *Ce témoin a aiguillé l'enquête sur une fausse piste* (syn. ORIENTER). ◆ **aiguillage** n. m. Appareil destiné à relier deux voies de chemin de fer à une seule, située dans leur prolongement, et dont la manœuvre permet d'acheminer un train sur l'une ou l'autre des voies. ◆ **aiguilleur** n. m. Employé chargé de la manœuvre de l'aiguillage.

AIGUILLES *(cap des)*, en portug. **cabo das Agulhas,** pointe la plus méridionale de l'Afrique, à l'E. du cap de Bonne-Espérance.

AIGUILLES *(courant des)*, courant marin chaud se dirigeant vers le S., au large de la côte est de l'Afrique australe.

AIGUILLES-ROUGES (les), massif cristallin des Grandes Alpes françaises du Nord, au N. du mont Blanc; 2966 m.

AIGUILLETTE n. f. ⟶ AIGUILLE.

AIGUILLEUR n. m. ⟶ AIGUILLER.

1. AIGUILLON [egɥijɔ̃] n. m. (du lat. *acus*, aiguille). **1.** Bâton muni d'une pointe de fer pour faire avancer les bœufs. — **2.** Ce qui incite à l'action : *L'argent est le seul aiguillon de son activité.* ◆ **aiguillonner** v. t. (souvent au passif). Piquer, exciter la volonté de quelqu'un, l'inciter à quelque chose (syn. STIMULER).

2. AIGUILLON [egɥijɔ̃] n. m. (même étym.). **1.** Dard des abeilles et des guêpes. — **2.** Pointe osseuse de certains poissons.

AIGUILLON *(baie* ou *anse de l')*, baie du Marais poitevin, où se jette la Sèvre Niortaise. Peu à peu comblée par la vase et drainée par des travaux séculaires, cette baie est un grand centre d'élevage des moules.

AIGUISER [egize] ou [egɥize] v. t. (du lat. *acutus*, aigu). **1.** *Aiguiser un instrument, un outil*, etc., les rendre tranchants.

— **2.** *Aiguiser un sentiment, un désir, une qualité*, etc., les rendre plus vifs : *Aiguiser l'appétit* (syn. EXCITER, STIMULER). ◆ **aiguisage** n. m. : *L'aiguisage d'un outil.*

AIL [aj] n. m. (lat. *allium*). Plante dont le bulbe est utilisé comme condiment. (Famille des liliacées.) ‖ *Ail* a deux pluriels : *aulx*, qui garde l'orthographe du XVIe s., et qui s'écrit, mais se dit de moins en moins, et *ails*, employé depuis longtemps par les botanistes. ◆ **ailloli, aïoli** [ajoli] n. m. Sauce forte à base d'ail.

AILE [ɛl] n. f. (lat. *ala*). **1.** Organe du vol, constitué par le membre antérieur chez les oiseaux et les chauves-souris, fixé sur l'un des deux derniers anneaux du thorax chez les insectes. — **2.** Ce qui par sa destination ou sa disposition évoque l'idée ou la forme d'une aile : *Ailes d'un moulin à vent. Ailes d'avion. Ailes de voiture.* — **3.** Chacune des deux parties latérales d'une chose, par opposition à sa partie centrale : *Les ailes d'un château. L'aile d'une armée.* ‖ *Sports.* Chacune des extrémités de la ligne d'attaque d'une équipe. — **4.** Nom donné à deux des pétales de la fleur des papilionacées et à des appendices de certains fruits ou de certaines graines qui permettent leur dissémination par le vent. — **5.** *Les ailes de l'imagination, de la foi, de la gloire*, etc., les élans de l'imagination, de la foi, de la gloire qui entraînent (langue littér.). — **6.** *À tire-d'aile*, le plus vite possible en volant. ‖ Fam. *Battre de l'aile, avoir du plomb dans l'aile*, être en difficulté, mal en point. ‖ *D'un coup d'aile*, sans s'arrêter, sans se poser. ‖ *Donner des ailes à qq'un*, le faire courir rapidement : *La peur lui donna des ailes.* ‖ *Voler de ses propres ailes*, se passer de l'aide, de la protection d'autrui. ◆ **ailé, e** adj. Qui a des ailes. ◆ **aileron** [ɛlrɔ̃] n. m. **1.** Extrémité de l'aile : *Les ailerons d'un poulet.* — **2.** Objet dont la forme rappelle celle d'une petite aile : *Les ailerons d'un avion* (= volets placés à l'arrière des ailes, permettant l'inclinaison ou le redressement de l'appareil). — **3.** *Les ailerons d'un requin*, ses nageoires. ◆ **ailette** n. f. Désigne divers objets qui ont la forme d'une petite aile : *Bombe à ailettes. Radiateurs à ailettes* (= à lames saillantes favorisant le refroidissement). ◆ **ailier** n. m. Dans les sports de balle, joueur qui est placé à une extrémité de la ligne des avants, des arrières.

AILLEURS [ajœr] adv. (orig. incert.). En un autre lieu que celui où l'on est ou dont il est question (avec des verbes indiquant où l'on est, où l'on va ou d'où l'on vient [en ce dernier cas, la forme est *d'ailleurs*]) : *Aller ailleurs. Venir d'ailleurs.* — LOC. ADV. *D'ailleurs*, en considérant les choses d'un autre point de vue, sous d'autres rapports : *Je ne connais pas l'auteur de cette musique, fort belle d'ailleurs* (syn. AU DEMEURANT [littér.], DU RESTE); indique que la proposition dans laquelle cette locution se trouve a une valeur d'opposition, de concession (syn. DE PLUS) : *Il ne pleut pas, et d'ailleurs, si le temps se gâte, nous irons au cinéma* (syn. AU RESTE). ‖ *Par ailleurs*, d'un autre côté, à un autre point de vue : *Il ne s'inquiétait pas de la situation, étant par ailleurs d'un naturel optimiste* (syn. AU SURPLUS, EN OUTRE).

AILLOLI n. m. ⟶ AIL.

1. AIMABLE [ɛmabl] adj. (lat. *amabilis*). Se dit d'une personne (ou de son attitude) qui cherche à plaire : *Il est aimable avec tout le monde* (syn. AFFABLE, POLI; contr. DÉSAGRÉABLE, IMPOLI). *Soyez assez aimable pour...* (syn. GENTIL, OBLIGEANT). ◆ **aimablement** adv. : *Recevoir aimablement un visiteur* (syn. COURTOISEMENT, POLIMENT). ◆ **amabilité** n. f. Qualité d'une personne aimable, de son attitude : *Être plein d'amabilité* (syn. COURTOISIE, GENTILLESSE, POLITESSE).

2. AIMABLE [ɛmabl] adj. (même étym.) [après ou avant le nom]. **1.** Se dit d'une chose attrayante, ou qui procure du plaisir : *Une aimable vallée* (syn. AGRÉABLE). — **2.** *C'est une aimable plaisanterie*, ce n'est pas sérieux, c'est ridicule.

AIMANT [ɛmɑ̃] n. m. (gr. *adamas*). Barreau ou aiguille d'acier qui attire le fer et quelques autres métaux. ⟶ ENCYCL. ◆ **aimanter** v. t. Rendre un corps magnétique : *L'aiguille aimantée d'une boussole.* ◆ **aimantation** n. f. Action d'aimanter.

— ENCYCL. *L'aimant naturel* est aussi appelé *pierre d'aimant* ou *magnétite*. Les Grecs le trouvaient dans une ville d'Asie Mineure nommée *Magnesia*, d'où le nom de « magnétisme ». Les *aimants artificiels*, en général à base de fer, sont connus en Europe depuis le XIIe s. Ils ont, le plus souvent, la forme de barreaux ou d'aiguilles. C'est à leurs deux extrémités, appelées *pôles*, que se manifestent les forces magnétiques. Ces deux pôles sont dissemblables, puisque, dans un aimant mobile, c'est toujours le même qui se dirige vers le N.; on le nomme *pôle nord*, l'extrémité opposée étant le *pôle sud*. (⟶ BOUSSOLE.)

AIMER [eme] v. t. (lat. *amare*). **1.** (sujet nom de personne) *Aimer qq'un*, éprouver pour lui un sentiment d'affection, de l'amour : *Aimer ses enfants* (syn. CHÉRIR; contr. DÉTESTER, HAÏR); sans compl. : *Qui ne vit sans aimer?* — **2.** *Aimer un animal*, avoir pour lui de l'attachement : *Aimer son chat.* ‖ *Aimer une chose*, la trouver agréable, à son goût : *Aimer les gâteaux* (syn. ↑RAFFOLER DE). *Aimer la peinture moderne* (syn. GOÛTER, S'INTÉRESSER À). — **3.** *Plante qui aime le soleil, l'eau*, etc., qui se développe bien au soleil, qui a besoin d'eau, etc. — **4.** *Aimer* (suivi d'un infin.) ou *aimer à* (suivi d'un infin., moins fréquent), *aimer que* (suivi du subj.), avoir du plaisir à, à ce que : *J'aime à penser que vous n'êtes pas dupe* (= j'espère). — **5.** *Aimer mieux*, préférer. ◆ **aimé, e** adj. Qui est l'objet d'affection, d'amour : *La femme aimée.* (⟶ AMANT.)

AIN, riv. des montagnes et des plateaux du Jura; 200 km; *débit moyen :* 132 m³/s. L'Ain passe à Champagnole et rejoint le Rhône sur la rive droite du fleuve.

AIN (01), dép. de l'est-sud-est de la France (Région Rhône-Alpes); 5 762 km²; 418 500 hab. (73 au km²) [France : 103]. Ch.-l. *Bourg-en-Bresse.*

ADMINISTRATION. 4 arrond. (*Belley*, 70 500 hab.; *Bourg-en-Bresse*, 238 000 hab.; *Gex*, 40 800 hab.; *Nantua*, 69 200 hab.). / 43 cant. / 419 comm.

Le département juxtapose deux ensembles bien différents, de part et d'autre de la vallée de l'Ain : à l'O., une région basse constituée par la *Dombes* et la *Bresse*, terres en partie argileuses, souvent marécageuses; à l'E., l'extrémité méridionale de la montagne du *Jura*, où l'altitude dépasse souvent 1 000 m.

L'*agriculture* emploie encore près de 15 p. 100 de la population active (part supérieure de moitié à celle de la France entière). L'élevage domine dans la montagne jurassienne et est important dans la moitié occidentale du département. Celui, traditionnel, des volailles se maintient dans la Bresse.

L'*industrie* occupe les deux cinquièmes de la population active. Elle est assez diversifiée; la chimie anime plusieurs centres dont Oyonnax (principal centre français de la transformation des matières plastiques) et Bellegarde (à proximité de la grande centrale hydraulique de Génissiat). La fourniture d'électricité est encore fortement accrue avec la mise en service des centrales nucléaires, dites *de Bugey*, sur la rive droite du Rhône, à Saint-Vulbas. La métallurgie de transformation est représentée surtout à Bourg-en-Bresse (construction automobile). La progression de la population est forte aux alentours de Lyon et à Bourg-en-Bresse; mais un certain dépeuplement affecte toujours la montagne.

AINE [ɛn] n. f. (bas lat. *inguinem*). Partie du corps entre le haut de la cuisse et le bas-ventre : *Le pli de l'aine sépare la cuisse de l'abdomen.*

AÎNÉ, E [ene] adj. et n. (de l'anc. fr. *ainz*, avant, et *né*). Né le premier (parmi les enfants d'une famille), ou le plus âgé (parmi les membres d'un groupe) : *Ma fille aînée s'est mariée. Il est mon aîné de trois ans* (= plus âgé que moi de trois ans). *Nos aînés* (syn. ANCIEN, DEVANCIER). ◆ **aînesse** n. f. *Droit d'aînesse*, droit qui réserve à l'aîné, par priorité d'âge, au détriment des autres enfants, une part prépondérante dans l'héritage paternel et maternel. (Mentionné dans la Bible, où Ésaü le cède contre un plat de lentilles à Jacob, il est ignoré par les lois romaines et les coutumes barbares. Il apparut en France avec le régime féodal, pour assurer l'indivisibilité du fief, et fut surtout en vigueur dans les pays de droit coutumier. La Révolution abolit le droit d'aînesse par les lois de mars 1790 et d'avril 1791.)

AÏNOUS, population de l'île de Sakhaline et de Hokkaidō (Japon). Très différents des autres Japonais, les Aïnous ont le teint clair et un fort système pileux. Leur culture artistique est riche et originale.

AÏN-SEFRA, v. d'Algérie, sur le chemin de fer de Béchar; 8 000 hab.

AINSI [ɛ̃si] adv. (croisement des anc. adv. *ensi* et *eissi*). **1.** Sens démonstratif (= de cette sorte, de cette façon). *a)* Reprend ou annonce un énoncé : *Il commença à parler ainsi : « Messieurs, [...] »* (= de cette manière). *Ainsi finit cette belle histoire* (syn. DE CETTE FAÇON, DE LA SORTE; contr. AUTREMENT) [lorsque *ainsi* est placé en tête de phrase, il entraîne l'inversion du sujet]; introduit une formule solennelle de souhait : *Ainsi puissent nos vœux se réaliser;* ou la formule qui finit les prières chrétiennes : *Ainsi soit-il* (syn. AMEN). *b)* Conj. de coordination avec la valeur d'une conclusion (en ce sens, *ainsi* placé en tête de phrase n'entraîne pas l'inversion du sujet dans la langue courante; il est souvent renforcé par *donc*) : *Ce que vous gagnez d'un côté, vous le perdez de l'autre, ainsi (donc) l'affaire est sans intérêt* (syn. PAR CONSÉQUENT). *c) Pour ainsi dire*, sert à atténuer le sens d'un terme : *Après ce but malheureux, notre équipe s'est pour ainsi dire effondrée* (= on pourrait presque le dire) [syn. AUTANT DIRE]. — **2.** Sens comparatif, introduit le second terme d'une comparaison en résumant la première proposition, qui commence par *comme* ou *de même que* (littér.) : *Comme le pilote conduit le navire, ainsi le chef de l'État mène le pays* (syn. DE MÊME). — **3.** Loc. conj. *Ainsi que* introduit une proposition comparative (le plus souvent le verbe n'est pas exprimé) : *La calomnie se glissait insidieusement, ainsi qu'un poison subtil* (syn. COMME, DE MÊME QUE); une proposition consécutive (dans ce cas, *ainsi* et *que* peuvent être

LOCALITÉS PRINCIPALES	NOMBRE D'HAB.
Bourg-en-Bresse	43 700
Oyonnax	22 800
Bellegarde-sur-Valserine	11 800
Ambérieu-en-Bugey	10 500
Belley	8 400
Miribel	7 100
Ferney-Voltaire	6 400
Montluel	5 600
Lagnieu	5 600
Trévoux	5 100
Hauteville-Lompnes	4 900
Gex	4 900
Divonne-les-Bains	4 800
Nantua	3 600

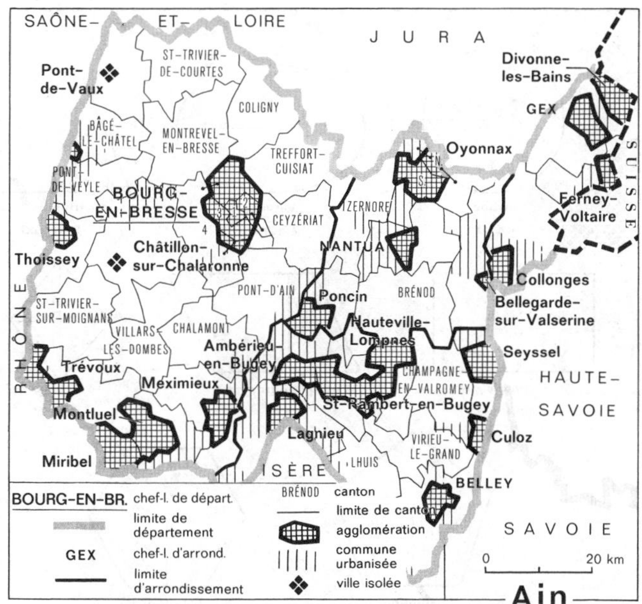

disjoints) : *Son caractère est ainsi fait que le moindre reproche le blesse* (syn. DE TELLE MANIÈRE QUE); conj. de coordination équivalant à *et* (le verbe qui suit prenant ou non la marque du plur.) : *Sa patience ainsi que sa modestie étaient connues de tous.*

AÏN-TÉMOUCHENT, v. de l'Algérie orientale; 34 100 hab. Centre commercial d'une région autrefois consacrée essentiellement à la culture de la vigne.

AIOLI n. m. ⟶ AIL.

1. AIR [ɛr] n. m. (it. *aria*). Suite de notes accompagnant des paroles destinées à être chantées; cette musique et les paroles; mélodie instrumentale : *Un air à la mode* (syn. CHANSON).

2. AIR [ɛr] n. m. (gr. *aêr*, fluide). **1.** Gaz qui forme l'atmosphère, qui emplit l'espace situé autour et au-dessus de nous : *Respirer l'air pur. Regarder en l'air* (= lever la tête pour voir ce qui est au-dessus de soi). ⟶ ENCYCL. — **2.** Vent, en général léger; mouvement de l'air qui circule : *Un déplacement d'air. Un courant d'air.* — **3.** Climat, région, pays : *L'air natal* (le pays où l'on est né). — **4.** *Air comprimé*, air dont on a diminué le volume par compression, pour en augmenter la pression, en vue de son utilisation lors de sa détente. (L'air comprimé est utilisé pour les outils pneumatiques [marteaux-piqueurs, foreuses, etc.] et les moteurs pneumatiques des diverses machines utilisées dans les charbonnages [n'utilisant que l'électricité, ils ne risquent pas de provoquer d'étincelles dangereuses en cas de grisou].) ‖ *Air liquide* ⟶ ENCYCL. — **5.** *Être en l'air*, se dit des choses en désordre. ‖ *Être dans l'air (maladie, idée, nouvelle, etc.)*, se répandre, se communiquer facilement. ‖ *Être libre comme l'air*, ne dépendre de personne. ‖ *Mal de l'air*, ensemble des troubles qui apparaissent en avion chez certaines personnes. ‖ *Parler, agir en l'air*, n'importe comment, sans réfléchir (syn. À LA LÉGÈRE). ‖ *Paroles, promesses en l'air*, qui sont sans réalité ni fondement. ‖ *Prendre l'air*, aller se promener, sortir de chez soi ou d'une ville pour ne pas rester dans une atmosphère viciée. ‖ *Une tête en l'air*, une personne étourdie, légère, sans profondeur. ‖ *Vivre de l'air du temps*, n'avoir aucune ressource matérielle.

— ENCYCL. L'*air* est un mélange gazeux qui, une fois ses impuretés enlevées, a une composition remarquablement constante : en volume, 21 p. 100 d'oxygène, 78 p. 100 d'azote, 1 p. 100 d'argon et d'autres gaz rares. L'air atmosphérique contient de la vapeur d'eau en quantité variable, dont la mesure est l'objet de l'hygrométrie.

L'air est un gaz inodore; incolore sous une faible épaisseur, il devient bleu lorsqu'elle est grande (phénomène de la diffraction de la lumière). Sa pesanteur a été mise en évidence par Galilée*. Un litre d'air pur, à 0 °C et sous la pression de 76 cm de mercure, pèse 1,293 g. Sa pression dans l'atmosphère a été prouvée par l'expérience de Torricelli (1643); au niveau de la mer, elle équilibre normalement une colonne de mercure de 76 cm.

Considéré longtemps comme un gaz permanent, l'air a été liquéfié en 1877. L'*air liquide* est incolore; il bout sous la pression atmosphérique entre — 193 °C et — 182 °C. Il est employé à la production de basses températures, et sa distillation sert à préparer l'oxygène, l'azote et les gaz rares.

3. AIR [ɛr] n. m. (de *air* 2). **1.** Aspect extérieur d'une personne, son allure, les traits de son visage : *Répondre d'un air décidé* (syn. FAÇON, MANIÈRE). *Prendre de grands airs* (= des manières hautaines). *Il a grand air* (= il en impose) [syn. ALLURE]. *Un air timide* (syn. APPARENCE, ASPECT, DEHORS). *Ils ont tous un air de famille* (= ils se ressemblent). — **2.** *Avoir l'air* (et une loc. adj. ou un adj.), paraître. (L'accord se fait toujours avec un nom de chose, et le plus souvent — mais non obligatoirement — avec un nom de personne : *Elle a l'air intelligent;* mais on dit en général : *Elle a l'air intelligente* ou *elle a un air intelligent.*) — **3.** *Avoir l'air de* (suivi d'un infin.), donner l'impression de : *Il a eu l'air de ne pas s'en apercevoir* (syn. PARAÎTRE, SEMBLER). — **4.** *Avoir l'air de* (suivi d'un nom), ressembler à : *Sa maison a l'air d'un château.* — **5.** *N'avoir l'air de rien*, avoir l'air insignifiant; paraître facile, simple (mais être réellement tout autre chose). ‖ *Sans en avoir l'air*, en dépit de l'apparence, bien qu'il n'y paraisse pas.

air *(École de l')*, école de formation des officiers d'active de l'armée de l'air installée à Salon-de-Provence.

Air France, compagnie française de transports aériens, fondée en 1933 et réorganisée comme compagnie nationale en 1948. Le réseau d'Air France s'étend sur plus de 840 000 km (plus de vingt fois le tour de la Terre), comprend plus de 170 escales dans plus de 75 pays et constitue le plus long réseau du monde occidental. La compagnie emploie environ 35 000 agents et transporte annuellement plus de 12 millions de passagers.

Air Inter, compagnie française de transports intérieurs aériens, fondée en 1954 et réorganisée en 1960. Elle assure des liaisons régulières entre les principales villes de France et transporte annuellement plus de 11 millions de passagers.

AÏR, massif du Sahara méridional (république du Niger).

AIRAIN [ɛrɛ̃] n. m. (du lat. *aes, aeris*). **1.** Anc. nom d'un alliage à base de cuivre, proche du bronze. — **2.** *Cœur d'airain*, insensible à tout sentiment de pitié, d'humanité (littér.).

1. AIRE [ɛr] n. f. (lat. *area*). **1.** Surface plane, de terre battue ou cimentée, qui sert à battre au fléau ou à rouler les récoltes de

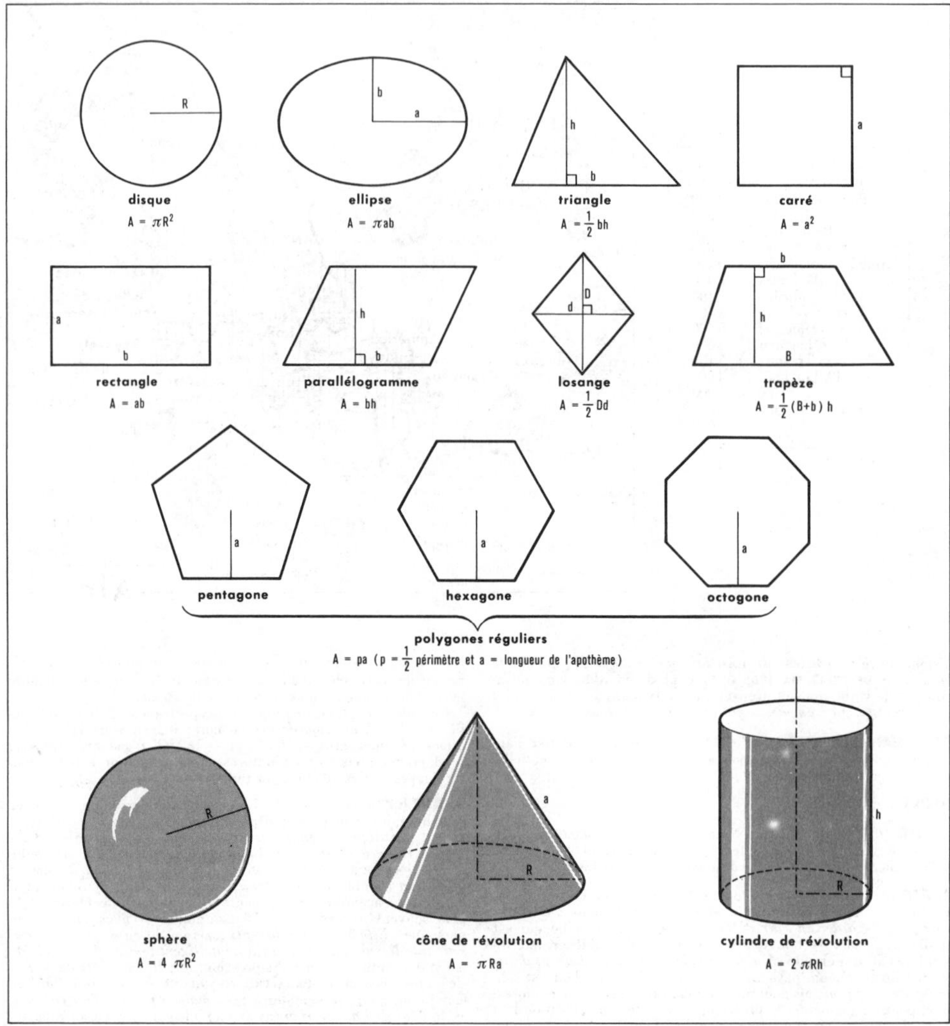

céréales. — **2.** *Aire d'atterrissage,* surface de terrain destinée à recevoir les avions lors de leur atterrissage ou de leur décollage.

2. AIRE [ɛr] n. f. (même étym.). *Math.* Nombre associé à une surface à l'aide d'une surface unité ⟶ planche ci-dessus.

3. AIRE [ɛr] n. f. (même étym.). Domaine où s'étend l'action de quelqu'un : *Aire d'activité* (syn. SPHÈRE, ZONE).

4. AIRE [ɛr] n. f. (même étym.). Nid des grands oiseaux de proie, comme l'aigle ou le vautour.

AIRE, riv. de Lorraine, affl. de l'Aisne (r. dr.); 131 km. Née dans le Barrois, elle traverse l'Argonne.

AIRELLE [ɛrɛl] n. f. (mot prov.). Genre d'arbrisseau des forêts montagneuses du monde entier, dont les fruits sont encore appelés *myrtilles.* (Famille des éricacées.)

AIRE-SUR-L'ADOUR, ch.-l. de cant. des Landes, à 33 km au S.-E. de Mont-de-Marsan, sur l'Adour; 7 200 hab. *(Aturins).*

AIRE-SUR-LA-LYS, ch.-l. de cant. du Pas-de-Calais, sur la Lys; 9 600 hab. *(Airois).*

AISE [ɛz] n. f. (du lat. *adjacere,* être situé auprès). **1.** *Frémir, rougir d'aise,* de contentement (littér.). ‖ *Se pâmer d'aise,* être ravi, savourer son bonheur (littér.). — **2.** *À l'aise, à mon (ton, son, notre, votre, leur) aise,* sans éprouver de gêne ni de contrainte (après un verbe) : *Se trouver à son aise, se mettre à l'aise;* avoir assez d'argent pour vivre sans difficulté (après un nom ou le verbe *être*) : *Être à l'aise.* — **3.** *Être mal à son aise, mal à l'aise,* avoir un sentiment de gêne en face d'une situation déterminée; avoir une indisposition. (⟶ MALAISE.) ‖ *Mettre qq'un à l'aise* ou *à son aise,* faire en sorte qu'il perde son embarras ou sa timidité. ‖ *À votre aise!,* libre à vous d'agir comme vous voulez. ‖ *En parler à son aise,* s'exprimer avec indifférence sur ce qui cause des soucis aux autres. ‖ *En prendre à son aise,* ne pas se donner beaucoup de peine pour faire quelque chose; agir comme il vous plaît. ◆ **aises** n. f. pl. *Aimer ses aises,* aimer son confort. ‖ *Prendre, avoir ses aises,* s'installer confortablement, jouir du confort. ◆ **aise** adj. : *Être bien aise de* (et l'infin.) ou *que* (et le subj.), être très heureux de ou que (syn. ÊTRE CONTENT). ◆ **aisé, e** adj. **1.** Que l'on fait sans peine : *Un livre aisé à consulter* (syn. FACILE; contr. DIFFICILE). — **2.** Se dit de quelqu'un (ou de sa conduite) qui n'a rien de gêné, qui ne marque aucun embarras : *Parler d'un ton aisé* (syn.

NATUREL). — **3.** Qui a suffisamment d'argent pour vivre largement : *Une famille aisée.* ◆ **aisément** adv. : *Comprendre aisément* (syn. FACILEMENT). *Vivre aisément* (syn. CONFORTABLEMENT). ◆ **aisance** n. f. **1.** Facilité dans la manière de se conduire, de parler, etc. : *S'exprimer avec aisance. Avoir de l'aisance* (syn. ASSURANCE). — **2.** Situation de fortune qui permet de vivre dans le confort : *Vivre dans l'aisance* (syn. PROSPÉRITÉ; contr. GÊNE). ◆ **malaisé, e** adj. Qui n'est pas facile à faire; qui présente des difficultés : *Une tâche malaisée* (syn. ARDU). ◆ **malaisément** adv. : *Accepter, supporter malaisément* (contr. FACILEMENT).

AISNE, riv. du Bassin parisien; 300 km. Née dans le massif de l'Argonne, elle passe à Rethel et Soissons et rejoint l'Oise (r. g.). Elle est canalisée sur 57 km et, en amont, un canal latéral double la rivière sur 51 km. De ce dernier part le *canal de l'Aisne à la Marne* (58 km).

AISNE (02), dép. du nord de la France (Région Picardie); 7 369 km^2; 534 000 hab. (72 au km^2) [France : 103]. Ch.-l. *Laon.* ADMINISTRATION, 5 arrond. (*Château-Thierry,* 60 400 hab.; *Laon,* 163 700 hab.; *Saint-Quentin,* 139 300 hab.; *Soissons,* 97 000 hab.; *Vervins,* 73 600 hab.). / 42 cant. / 817 comm.

Appartenant au Bassin parisien, le département est formé de bas plateaux et de plaines sur lesquels s'est développée une *agriculture* moderne, dans le cadre de grandes exploitations qui dépassent souvent 100 ha. L'Aisne se situe aux premiers rangs des départements français pour la production de blé et de betterave sucrière. Développé anciennement aux extrémités septentrionale *(Thiérache)* et méridionale *(Brie)*, l'élevage s'est répandu dans la partie centrale *(Soissonnais, Laonnais)*. L'agriculture emploie un peu plus du dixième de la population active, c'est-à-dire une proportion légèrement supérieure à la moyenne nationale.

L'*industrie,* importante, occupe 45 p. 100 de la population active. La métallurgie de transformation domine, devant le textile. Ces activités sont concentrées dans les vallées, où sont situées les villes principales.

AISSELLE [ɛsɛl] n. f. (lat. *axilla*). Creux au-dessous de l'épaule, entre l'extrémité supérieure du bras et le thorax.

AIX *(île d')*, île de la côte française de l'Atlantique, près de l'embouchure de la Charente; 200 hab. En 1815, Napoléon s'y embarqua sur le *Bellérophon* pour s'y livrer aux Anglais.

AIX-EN-PROVENCE, ch.-l. d'arrond. des Bouches-du-Rhône, dans un bassin dominé par la montagne de la Sainte-Victoire; 124 600 hab. *(Aixois).* Deuxième ville du dép. après Marseille. Université. Grand centre administratif et commercial. Industries légères. Cathédrale (XIe-XIIe s.). Demeures des XVIIe et XVIIIe s.

AIX-LA-CHAPELLE, en all. **Aachen,** v. d'Allemagne (Rhénanie-du-Nord-Westphalie), près des frontières belge et néerlandaise; 176 600 hab. Grand centre commercial et industriel. Charlemagne fit de cette ville sa résidence préférée (chapelle Palatine).

- *1668. Traité entre l'Espagne et la France : fin de la guerre de Dévolution.*
- *1748. Traité mettant fin à la guerre de la Succession d'Autriche.*
- *1818. Traité réglant l'évacuation de la France par les Alliés.*

AIX-LES-BAINS, ch.-l. de cant. de la Savoie, sur la rive est du lac du Bourget; 23 500 hab. *(Aixois).* Station thermale.

AJACCIO, ch.-l. de la collectivité territoriale de Corse et du département de la Corse-du-Sud, sur un golfe de la côte O. de l'île; 55 300 hab. *(Ajacciens).* Port. Aéroport. Centre touristique. Patrie de Napoléon.

AJAX, nom de deux héros de la guerre de Troie : l'un fut vaincu par Ulysse dans une dispute relative aux armes d'Achille; l'autre fit naufrage au retour de l'expédition et, ayant menacé les dieux, fut englouti dans les flots.

AJJER, confédération touareg occupant la région du *Tassili des Ajjer,* massif montagneux au nord du Hoggar (Sahara algérien).

LOCALITÉS PRINCIPALES	NOMBRE D'HAB.
Saint-Quentin	65 100
Soissons	32 200
Laon	29 100
Château-Thierry	14 900
Chauny	14 000
Tergnier	12 100
Hirson	11 800
Villers-Cotterêts	8 400
Bohain-en-Vermandois	7 300
Guise	6 300
Gauchy	5 600
Belleu	4 300
Saint-Michel	4 100
La Fère	3 900
Fresnoy-le-Grand	3 600
Sissonne	3 500
Quessy	3 500
Beautor	3 300

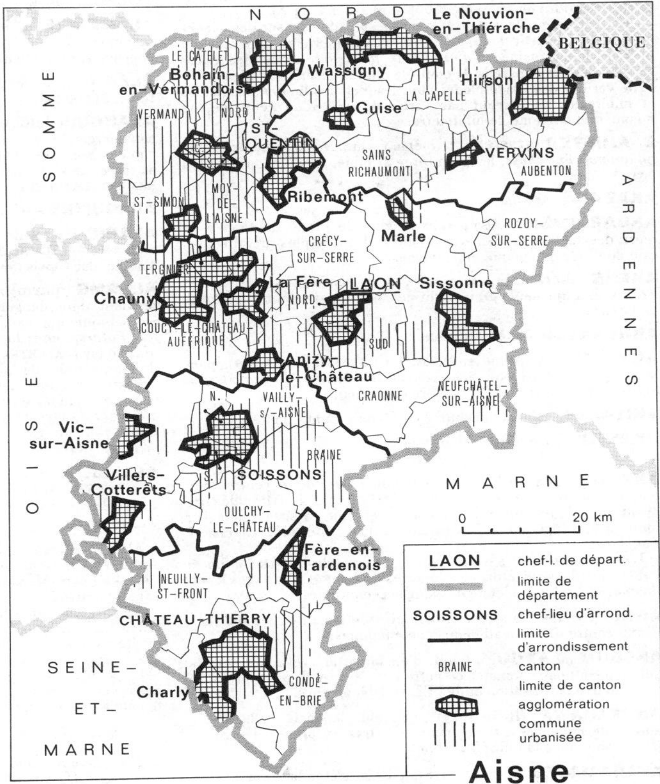

AJONC [aʒɔ̃] n. m. (d'*ajou*, mot de l'Ouest). Arbrisseau à feuilles transformées en épines, à fleurs jaunes, très commun sur les sols siliceux et secs caractéristiques des landes bretonnes. (Famille des papilionacées.)

AJOURÉ, E adj. ⟶ JOUR 3.

AJOURNEMENT n. m., **AJOURNER** v. t. ⟶ JOUR 1.

AJOUTER [aʒute] v. t. (anc. fr. *ajoster*, mettre auprès). **1.** *Ajouter qqch.*, le mettre en plus de ce qui est : *Ajouter du sel.* — **2.** *Ajouter (un mot), ajouter que* (suivi de l'indic.), dire en plus de ce qui a été dit précédemment : *J'ajoute que c'est bien naturel.* — **3.** *Ajouter foi à qqch.*, le croire. ◆ v. t. ind. *Ajouter à une chose*, en augmenter la valeur, la quantité, etc. : *Le mauvais temps ajoute encore aux difficultés de la circulation.* ◆ **s'ajouter** v. pr. Être ajouté : *Cet ennui s'ajoute à tous ceux que nous avons eus.* ◆ **ajout** n. m. Ce qu'on ajoute, notamment à un texte (syn. ADDITION). ◆ **rajouter** v. t. Ajouter de nouveau (souvent simple syn. de AJOUTER) : *Rajouter quelques mots de conclusion.* ◆ **surajouter** v. t. Ajouter en plus de ce qui est déjà (sens 1); et pronomin. : *Ce travail s'est surajouté à la tâche quotidienne.* (⟶ SURCROÎT.)

1. AJUSTER [aʒyste] v. t. (de *juste*). **1.** *Ajuster une chose à une autre*, l'adapter avec soin et exactement : *Le tuyau est mal ajusté au robinet. Ajuster un costume à sa taille.* — **2.** *Ajuster une chose*, l'arranger de manière qu'elle soit disposée avec soin : *Ajuster sa coiffure* (syn. ORDONNER). — **3.** *Ajuster des choses*, les mettre en accord, en harmonie, en conformité : *S'efforcer d'ajuster des principes différents* (syn. ACCORDER, CONCILIER). ◆ **s'ajuster** v. pr. : *Ces deux pièces de bois s'ajustent très exactement* (syn. ALLER BIEN, S'EMBOÎTER). ◆ **ajustage** n. m. Travail de celui qui façonne des pièces mécaniques (sens 1 du v.). ◆ **ajustement** n. m. : *Le projet de loi a subi quelques derniers ajustements* (syn. AGENCEMENT, ARRANGEMENT). ◆ **ajusteur** n. m. Ouvrier qui réalise des pièces mécaniques. ⟶ ENCYCL. ◆ **rajuster** ou **réajuster** v. t. **1.** *Rajuster qqch.*, le remettre en bonne place, en ordre : *Rajuster sa cravate, sa coiffure* (syn. REFAIRE). — **2.** *Rajuster les salaires ou les prix*, relever les salaires afin qu'ils soient conformes au prix de la vie. ◆ ***se rajuster*** v. pr. Remettre de l'ordre dans ses vêtements. ◆ **rajustement** ou **réajustement** n. m. (sens 2 du v.).

— ENCYCL. L'*ajusteur* doit être en mesure de réaliser des pièces mécaniques à partir d'une pièce brute de fonderie ou d'un élément plus ou moins usiné. L'*ajusteur de précision* utilise des outils spéciaux et des appareils de contrôle qui lui permettent d'exécuter et de vérifier des assemblages pour lesquels les limites maximales et minimales ne doivent pas varier de plus d'un centième, ou même d'un millième de millimètre.

2. AJUSTER [aʒyste] v. t. (même étym.). *Ajuster une personne, un animal, une chose*, les prendre pour cible, avec une arme à feu (syn. VISER).

AKABA ⟶ 'AQABA.

AKBAR (1542-1605), empereur moghol de l'Inde de 1556 à sa mort, descendant de Tamerlan (Tīmūr). Il fut le plus grand souverain de l'Inde à l'époque musulmane.

AKÈNE [akɛn] n. m. (de *a* priv., et gr. *khainein*, s'ouvrir). *Bot.* Fruit sec, à une seule graine, qui ne s'ouvre pas (comme le *gland*, la *noisette*).

AKHENATON ⟶ AMÉNOPHIS.

AKHMATOVA (Anna Andreïevna GORENKO, dite **Anna**), poétesse russe (1889-1966). Ses recueils *(le Rosaire, Requiem)* sont écrits dans un style sensible, sobre et poignant.

AKITA, v. du Japon (Honshū); 235 900 hab. Centre industriel.

AKJOUJT, localité de Mauritanie, au N.-E. de Nouakchott; 2 500 hab. Grand gisement de cuivre.

AKKAD, région de basse Mésopotamie qui fut le centre d'un empire sémitique fondé par la dynastie d'Akkhad au IIIe millénaire avant J.-C. Capit. *Akkad.* Cet empire étendit sa suzeraineté sur toute la Mésopotamie et la Suziane. Akkad fut ensuite soumise à Babylone.

L'*art akkadien* est surtout connu par la stèle de Narâm-Sin et l'obélisque de Manishtousou conservés au Louvre. La *langue akkadienne* est la plus ancienne des langues sémitiques.

AKRON, v. des États-Unis (Ohio), près du lac Érié; 275 400 hab. Grand centre de fabrication des pneumatiques.

AKSOUM ou **AXOUM,** capit. d'un important royaume dont la puissance atteignit son apogée entre le Ier et le VIIe s., et qui fut le berceau de la civilisation et de l'Église éthiopiennes.

AKUTAGAWA (Ryūnosuke), écrivain japonais (1892-1927), auteur de nouvelles qui peignent des êtres en proie à l'angoisse *(Rashōmon)* ou à la folie *(Haguruma).*

ALABAMA, État du sud des États-Unis, s'étendant sur l'extrémité des Appalaches et sur la plaine du Sud. Il doit son nom au fleuve qui se jette dans le golfe du Mexique; 133 700 km²; 3 510 000 hab. Capit. *Montgomery;* v. pr. *Birmingham, Mobile.*

Aladin ou la Lampe merveilleuse, conte des *Mille et Une Nuits.* Aladin, fils d'un humble tailleur, va chercher au centre de la Terre une lampe magique qui lui assure une brillante fortune.

ALAGNON, riv. du Massif central, née dans le massif du Cantal, affl. de l'Allier (r. g.); 80 km.

ALAIN (Émile CHARTIER, dit), professeur de philosophie français (1868-1951). Il a formé toute une génération de philosophes et d'hommes politiques (de tendance radicale) par ses idées sur l'éducation, la guerre (antimilitarisme), les beaux-arts notamment, et a perpétué un humanisme issu de l'Antiquité grecque.

ALAIN-FOURNIER (Henri Alban FOURNIER, dit), romancier français (1886-1914), auteur du *Grand Meaulnes* (1913), récit mystérieux de l'aventure d'un adolescent parti à la recherche du bonheur impossible.

ALAINS, peuple barbare qui, refoulé par les Huns, pénétra en Gaule à partir de 406.

ALAIS ⟶ ALÈS.

ALAISE ou **ALÈSE** [alɛz] n. f. (du lat. *latus*, large). Toile que l'on place entre le drap et le matelas afin de protéger ce dernier.

ALAMANS, confédération de tribus germaniques établies sur le Main et sur le Rhin au IIIe s. Les Alamans furent vaincus par Clovis (496).

ALAMBIC [alɑ̃bik] n. m. (ar. *al anbīq*). Appareil pour distiller les moûts fermentés. Il est formé par une chaudière et un serpentin refroidi par de l'eau, dans lequel les vapeurs d'alcool se condensent.

ALAMBIQUÉ, E [alɑ̃bike] adj. (de *alambic*). Se dit de quelqu'un (de son esprit ou de son style) qui pousse la subtilité jusqu'à devenir obscur : *Des phrases alambiquées* (syn. CONTOURNÉ; contr. NATUREL, SIMPLE).

ALAMEIN (El-), localité d'Égypte, à l'O. d'Alexandrie. Les Britanniques conduits par Montgomery y remportèrent une victoire décisive sur les Allemands de Rommel en octobre 1942.

ÅLAND, en finnois **Ahvenanmaa,** archipel finlandais de la Baltique; 21 800 hab.

ALANGUIR [alɑ̃gir] v. t. (de *languir*). *Alanguir qq'un*, abattre son énergie, le rendre mou (souvent au passif) : *Être alangui par la chaleur* (syn. AFFAIBLIR, AMOLLIR). ◆ ***s'alanguir*** v. pr. Perdre de sa force, de sa fermeté. ◆ **alanguissement** n. m. (syn. AMOLLISSEMENT, LANGUEUR).

ALAOUITES ⟶ 'ALAWĪTES.

ALARIC Ier, roi des Wisigoths de 396 à 410. Il pille Rome en août 410. — ALARIC II, roi des Wisigoths en 484, battu et tué à Vouillé, par Clovis (507).

ALARME [alarm] n. f. (it. *all'arme*, aux armes!). **1.** Signal qui prévient d'un danger très proche : *La sirène donne l'alarme.* — **2.** Inquiétude causée par l'approche d'un danger : *L'épidémie jeta l'alarme dans la ville* (syn. EFFROI, INQUIÉTUDE). *Une fausse alarme* (syn. ALERTE). ◆ **alarmer** v. t. *Alarmer qq'un*, lui causer de l'inquiétude, de la peur : *La rupture des négociations alarma l'opinion publique* (syn. ÉMOUVOIR, INQUIÉTER). ◆ ***s'alarmer*** v. pr. S'inquiéter (syn. S'EFFRAYER). ◆ **alarmant, e** adj. : *L'état alarmant du blessé* (syn. INQUIÉTANT; contr. RASSURANT). ◆ **alarmiste** adj. et n. Qui tient à inquiéter, à faire peur : *Une campagne de presse alarmiste.*

ALASKA, État des États-Unis, situé au N.-O. de l'Amérique du Nord ; 1 520 000 km²; 400 000 hab. (0,3 au km²). Capit. *Juneau;* v. pr. *Anchorage.*

GÉOGRAPHIE

L'Alaska se compose de trois ensembles naturels : au N. la chaîne de Brooks; au centre le vaste bassin du Yukon; au S., la chaîne de l'Alaska (mont McKinley, 6 187 m) qui compte de nombreux volcans en activité.

À cause du climat froid, c'est un pays peu favorable à l'implantation humaine. Au S., les montagnes portent de belles forêts de conifères qui cèdent la place vers le N., le froid s'accentuant, à une maigre végétation, la toundra.

La population, concentrée sur la côte sud, vit de la pêche, de la chasse aux animaux à fourrure et de l'exploitation de la forêt pour la pâte à papier. La principale ressource du sous-sol est le pétrole.

HISTOIRE

- *1741. Le navigateur Béring, au service des Russes, aborde sur la côte de l'Alaska.*

- *1799. Concession à une compagnie de commerce russe du commerce de la fourrure.*
- *1867. Les États-Unis achètent l'Alaska à la Russie.*
- *1958. L'Alaska devient le 49e État des États-Unis.*

'Alawītes ou **Alaouites** *(dynastie des)*, nom pris par la dynastie qui règne au Maroc depuis 1659.

ALBACETE, v. d'Espagne (Castille-La Manche); 116 000 hab.

ALBANAIS, E [albanɛ, -ɛz] adj. et n. De l'Albanie. ◆ **albanais** n. m. Langue parlée en Albanie.

ALBANIE, État des Balkans, sur l'Adriatique; 29 000 km²; 3,2 millions d'hab. (110 au km²). Capit. *Tirana* (192 000 hab.).

GÉOGRAPHIE

L'Albanie est un petit pays en majeure partie montagneux. Les chaînes Dinariques, surtout calcaires, séparent des plaines et des collines peu élevées. Le climat, méditerranéen à proximité de la côte, devient continental vers l'E.

République populaire de 1945 à 1991, l'Albanie a entrepris son industrialisation sur des bases collectivistes. L'exploitation des richesses du sous-sol est en progression : pétrole près de Berat, cuivre, nickel, chrome. Des usines textiles ont été créées. Mais la transformation des produits de l'agriculture et de l'élevage reste prépondérante : cuir, industries alimentaires.

pétrole 2 300 000 t ; cuivre 10 000 t ; nickel 8 000 t

L'agriculture occupe toujours la plus grande partie de la population. Elle s'est également modernisée : aux cultures vivrières de céréales (blé, maïs) est venue s'ajouter la production du coton et du tabac. Les montagnes servent de terrain de transhumance aux troupeaux de chèvres et de moutons.

HISTOIRE

D'abord occupé par les Illyriens, le pays est colonisé par les Grecs (VIIe s. av. J.-C.), puis par Rome (IIe s. av. J.-C.). À la fin du VIe s., les Slaves s'y installent en grand nombre

- *1443-1468. Résistance de Skanderbeg à la domination turque.*
- *1912. L'Albanie devient une principauté indépendante.*
- *1939. Invasion de l'Albanie par les troupes italiennes.*
- *1946. L'Albanie devient une république populaire sous la direction de Enver Hodja.*
- *1961. L'Albanie rompt avec l'U. R. S. S. et s'appuie sur la Chine.*
- *1977. Rupture idéologique avec la Chine.*
- *1985. Mort de Enver Hodja. Ramiz Alia lui succède.*

Sous sa conduite, le pays sort de son isolement et se démocratise à partir de 1990. Mais cette évolution politique ne peut empêcher une grave crise économique et sociale.

- *1991. Organisation d'élections libres (les premières depuis 1946).*

ALBANY, v. des États-Unis, capit. de l'État de New York, sur l'Hudson; 114 900 hab.

ALBÂTRE [albɑtr] n. m. (lat. *alabastrum*). **1.** Pierre blanche et translucide, dont on fait des objets d'art (vases, vasques, etc.). — **2.** *Peau, cou d'albâtre,* d'une blancheur très pure.

ALBATROS [albatros] n. m. (du portug. *alcatraz*). Oiseau palmipède des mers australes, dont l'envergure peut dépasser 3 m et qui vit souvent en grandes colonies.

ALBE (Fernando ALVAREZ DE TOLÈDE, *duc* D'), général espagnol (1508-1582). Gouverneur des Flandres pour le compte de Philippe II d'Espagne, il réprima la révolte de la région, de 1567 à 1573.

ALBE la Longue, anc. v. du Latium, rivale de Rome, détruite par les cités voisines sous le règne du roi romain Tullus Hostilius. C'est pendant cette guerre qu'aurait eu lieu le combat des Horaces et des Curiaces, thème de la tragédie de Corneille.

ALBEE (Edward), auteur dramatique américain, né en 1928. Ses pièces traitent le thème de l'incommunicabilité des hommes entre eux et font une peinture satirique de la vie américaine (*Qui a peur de Virginia Woolf?*, 1962).

ALBÉNIZ (Isaac), compositeur espagnol (1860-1909), auteur d'opéras et, surtout, de pièces pour piano : *Iberia* (1906-1909).

ALBÈRES *(monts)*, chaîne des Pyrénées orientales entre le col du Perthus et la mer; 1 256 m au pic Neulos.

ALBERONI (Julio), prélat italien et ministre du roi d'Espagne (1664-1752). Cardinal et ministre de Philippe V, il chercha, au lendemain du traité d'Utrecht, à relever l'Espagne de sa décadence et à faire donner à son souverain la régence de Louis XV; mais il échoua et fut exilé.

ALBERT, ch.-l. de cant. de la Somme, sur l'Ancre, à 28 km au N.-E. d'Amiens; 11 500 hab. *(Albertins).*

ALBERT *(canal)*, canal de Belgique, faisant communiquer l'Escaut et la Meuse entre Anvers et Liège; 129 km.

ALBERT *(lac)*, auj. **Mobutu,** lac de l'Afrique équatoriale, d'où sort une des branches du Nil ; 4 500 km².

ALBERT le Grand *(saint)*, philosophe et savant allemand (v. 1200-1280), dominicain, maître de saint Thomas d'Aquin. Il étudia les écrits d'Aristote.

ALBERT Ier (1875-1934), roi des Belges (1909-1934). Il dirigea les troupes belges aux côtés des armées alliées, de 1914 à 1918. Très populaire, il fut surnommé *le Roi-Chevalier.*

ALBERTA, prov. du Canada, dans la Prairie, à l'E. des montagnes Rocheuses; 661 112 km²; 2 135 000 hab. Capit. *Edmonton.* Grande culture du blé. Pétrole et gaz naturel.

ALBERTI (Leon Battista), architecte et humaniste italien (1404-1472), un des plus grands théoriciens des arts de la Renaissance.

ALBERTVILLE, ch.-l. d'arrond. de la Savoie, sur l'Arly, à 45 km au S.-E. d'Annecy; 17 500 hab. *(Albertvillois).*

ALBI, ch.-l. du dép. du Tarn, en bordure du Massif central, sur le Tarn; 48 300 hab. *(Albigeois).* Archevêché. Cathédrale qui présente l'aspect d'une forteresse.

ALBIGEOIS, région de l'Aquitaine, en bordure du Massif central, composée de plateaux sédimentaires découpés par de larges vallées.

ALBIGEOIS, E [albiʒwa, -az] adj. et n. De la ville d'Albi ou de l'Albigeois. ◆ **albigeois** n. m. pl. Secte religieuse du midi de la France, qui condamnait notamment les rites catholiques et contestait le droit de propriété. En 1209 une croisade fut ordonnée contre les albigeois (également appelés *cathares**).

ALBINISME n. m. ⟶ ALBINOS.

ALBINONI (Tomaso), compositeur italien (1671-1750), auteur de nombreuses sonates et concertos.

ALBINOS [albinos] adj. et n. (du lat. *albus*, blanc). Atteint d'albinisme. ◆ **albinisme** n. m. Anomalie congénitale consistant dans la diminution ou l'absence de la matière colorante de la peau et des poils, qui sont d'un blanc mat, tandis que les yeux sont rougeâtres.

ALBION, nom donné dans l'Antiquité à la Grande-Bretagne, à cause de ses falaises blanches (du lat. *albus*, blanc), et par lequel on a désigné poétiquement l'Angleterre.

ÅLBORG ou **AALBORG,** port du Danemark, dans le nord du Jylland; 155 300 hab.

ALBRET *(maison d')*, famille gasconne à laquelle appartenait Jeanne d'Albret, mère d'Henri IV.

ALBUM [albɔm] n. m. (lat. *album*, liste). Cahier cartonné, recueil destiné à recevoir des collections de timbres, de cartes postales, des photographies, des disques, etc., ou livre comprenant un grand nombre d'illustrations : *Des albums de dessins.*

ALBUMEN [albymɛn] n. m. (mot lat.). **1.** Tissu riche en réserves nutritives, qui entoure la plantule chez certaines graines (ex. : *céréales, ricin*). — **2.** Blanc de l'œuf.

ALBUMINE [albymin] n. f. (bas lat. *albumen, -inis*, blanc d'œuf). Substance organique visqueuse (du groupe des protéines), qui se coagule sous l'action de la chaleur et que l'on trouve dans le lait et le sang (l'albumine est l'un des constituants importants du plasma). ◆ **albuminurie** n. f. Présence anormale d'albumine dans les urines. (⟶ PROTÉINURIE.)

ALBUQUERQUE, v. des États-Unis (Nouveau-Mexique), sur le rio Grande del Norte; 331 000 hab.

ALBUQUERQUE (Afonso DE), navigateur portugais (1453-1515). Il occupa Goa (1510) et Malacca (1511), fondant la puissance portugaise dans les Indes.

ALCADE [alkad] n. m. (esp. *alcalde*, de l'ar. *al-qādī*, le juge). Nom de certains juges et magistrats municipaux en Espagne.

ALCALÁ DE HENARES, v. d'Espagne (Castille-La Manche); 137 200 hab. Nombreux monuments. Patrie de Cervantès.

ALCALI [alkali] n. m. (de l'ar. *al-qalyi*, la soude). **1.** Substance dont les propriétés chimiques sont analogues à celles de la soude et de la potasse. — **2.** *Alcali volatil*, ammoniaque. ◆ **alcalin, e** adj. Relatif aux alcalis : *Saveur alcaline.* ‖ *Métaux alcalins*, métaux très oxydables, comme le *sodium* et le *potassium.* ◆ **alcalinité** n. f. État alcalin. ◆ **alcalino-terreux** adj. m. *Éléments et composés alcalino-terreux*, groupes de métaux comprenant le *calcium*, le *strontium*, le *baryum* et le *radium.* ◆ **alcaloïde** [alkalɔid] n. m. Substance organique, d'origine végétale, rappelant les alcalis par ses propriétés : *La morphine est un alcaloïde.*

ALCANE [alkan] n. m. (de *alc* [*ool*], et suff. *-ane*). Nom collectif des hydrocarbures saturés à chaîne ouverte.

ALCATRAZ, îlot de la baie de San Francisco, aux États-Unis. Il abrita jusqu'en 1963 une prison fédérale.

ALCAZAR [alkazar] n. m. (mot esp.; de l'ar. *al-qaṣr*, le palais). Palais fortifié des rois maures d'Espagne.

ALCÈNE [alsɛn] n. m. (de *alc* [*ool*], et suff. *-ène*). Nom collectif des hydrocarbures de la série grasse comprenant une double liaison.

Alceste, principal personnage du *Misanthrope*, de Molière. Son humeur atrabilaire, sa franchise intransigeante et sa sincérité bourrue sont peu compatibles avec son amour pour la coquette Célimène.

ALCHIMIE [alʃimi] n. f. (ar. *al-kīmiyā'*). Chimie du Moyen Âge, qui se donnait pour but la découverte de la pierre philosophale, capable de transmuer un métal en or, et de guérir les maladies. ◆ **alchimiste** n. m. Qui s'occupait d'alchimie.

ALCIBIADE, général athénien (v. 450-404 av. J.-C.); intelligent et sans scrupule, élève de Socrate, il décida en 415 l'expédition de Sicile, fut exilé, servit Sparte et, bien que provisoirement rappelé par ses compatriotes, mourut en exil.

ALCMÈNE. *Myth. gr.* Épouse d'Amphitryon. Séduite par Zeus, elle fut la mère d'Héraclès.

ALCMÉONIDES, puissante famille de l'Athènes antique, qui compta Clisthène, Périclès et Alcibiade.

ALCOOL [alkɔl] n. m. (de l'ar. *al-kuḥl*). **1.** Liquide obtenu par la distillation du vin, de la betterave, de la pomme de terre, etc. : *L'alcool a des usages pharmaceutiques et alimentaires.* — **2.** Nom donné, dans la langue commune, à toute boisson à base de ce liquide : *Prendre un verre d'alcool.* ◆ **alcoolémie** n. f. Taux d'alcool (sens 2) dans le sang. ◆ **alcoolique** adj. et n. Qui boit trop d'alcool (sens 2) : *La désintoxication des alcooliques.* ◆ adj. Qui contient de l'alcool : *Boisson alcoolique.* ◆ **alcoolisé, e** adj. Auquel on a ajouté de l'alcool : *Une bière fortement alcoolisée.* ◆ **alcoolisme** n. m. Abus de la consommation d'alcool (syn. IVROGNERIE). ⟶ ENCYCL. ◆ **alcoomètre** [alkɔmɛtr] n. m. Aréomètre servant à mesurer, dans les vins et les liqueurs, la proportion d'alcool ou degré alcoolique. ◆ **Alcotest** (nom déposé) ou **alcootest** n. m. Appareil portatif permettant d'évaluer instantanément l'ivresse d'un sujet par la mesure de la teneur en alcool de l'air expiré. (Il est utilisé en particulier par la police pour constater si un conducteur responsable d'un accident est en état d'ébriété.) ◆ **antialcoolique** adj. Qui combat l'abus de l'alcool. ◆ **antialcoolisme** n. m. Lutte contre l'alcoolisme.

— ENCYCL. En France, l'*alcoolisme*, plus grave que dans les autres pays d'Europe, est un véritable fléau : provoquant 15 000 décès par an, il est responsable d'environ 40 p. 100 des accidents mortels de la route et constitue une cause essentielle d'internement des malades mentaux dans les hôpitaux psychiatriques. Le vin est le grand responsable de l'alcoolisme en France : la consommation moyenne de cette boisson par adulte est en effet de 115 litres par an. Ce chiffre signifie que de très nombreuses personnes dépassent largement la consommation de 1 litre par jour, limite extrême que l'organisme peut supporter sans dommage. On distingue l'*alcoolisme aigu* et l'*alcoolisme chronique*.

Alcoolisme aigu. Il est dû à l'absorption en un court laps de temps d'une importante quantité d'alcool et passe par différents stades : simple *ébriété* (le sujet est gai, parle beaucoup), *ivresse* (il vomit, marche en titubant), *coma alcoolique*.

Alcoolisme chronique. Il est dû à l'absorption régulière, répétée, de quantités d'alcool insuffisantes pour provoquer l'ivresse. C'est après des dizaines d'années que les premiers troubles apparaissent, suivis de complications qui peuvent toucher les nerfs et qui se traduisent par la *polynévrite alcoolique*, les troubles mentaux (*delirium tremens* [= délire tremblant]). Les complications peuvent toucher aussi le foie *(cirrhose)*.

Pour traiter les alcooliques, on a recours aux cures de désintoxication en milieu hospitalier.

ALCÔVE [alkov] n. f. (ar. *al-qubba*, petite chambre). **1.** Enfoncement dans le mur d'une chambre, où sont installés un ou plusieurs lits. — **2.** Lieu des rapports amoureux : *Des histoires d'alcôves.*

ALCUIN (Albinus Flaccus), savant anglo-saxon (v. 735-804). Il fut un des membres de l'école palatine fondée par Charlemagne et un des principaux collaborateurs de l'empereur.

ALCYON [alsjɔ̃] n. m. (gr. *alkuôn*). *Myth.* Oiseau fabuleux qui passait pour ne faire son nid que sur une mer calme, et considéré comme un oiseau d'heureux présage.

ALDÉBARAN, la quatorzième des étoiles les plus brillantes du ciel, dans la constellation du Taureau.

ALDÉHYDE [aldeid] n. m. (de *al* [*cool*] *dehyd* [*rogenatum*]). Liquide volatil de formule CH_3CHO, résultant de l'oxydation ménagée de l'alcool, et prototype d'une série de corps appelés également *aldéhydes* par analogie. ◆ **aldéhyde-alcool** n. m. Corps possédant les deux fonctions aldéhyde et alcool. ◆ **aldéhyde-phénol** n. m. Corps possédant les deux fonctions aldéhyde et phénol.

ALE [ɛl] n. f. (anc. néerl. *ale*). Bière anglaise légère.

ALÉA [alea] n. m. (lat. *alea*, coup de dé). Événement qui dépend du hasard; éventualité presque toujours défavorable : *Les aléas du métier* (syn. RISQUE).

Alea jacta est *(Le sort en est jeté)*, mots attribués à César se décidant à passer le Rubicon avec ses troupes, pour renverser la république.

ALÉATOIRE [aleatwar] adj. (lat. *aleatorius*, relatif au jeu). **1.** Qui dépend d'un événement incertain : *Les gains au jeu sont aléatoires* (syn. HASARDEUX; contr. SÛR). — **2.** *Musique aléatoire*, musique dans laquelle l'auteur introduit des éléments de hasard ou d'imprévisibilité soit au niveau de la composition, soit au niveau de l'exécution.

ALÉMANIQUE [alemanik] adj. et n. (de *Alemani*, Alamans). Se dit de la Suisse de langue allemande et de ses dialectes.

ALEMBERT (Jean LE ROND D'), écrivain, philosophe et mathématicien français (1717-1783). Sceptique en religion, défenseur de la tolérance, il fit l'éloge de l'esprit scientifique et de la liberté. (*Traité de dynamique*, 1743; *Discours préliminaire de l'Encyclopédie* [classification des sciences constituant une sorte de préface à l'Encyclopédie], 1751.)

ALENÇON, ch.-l. du dép. de l'Orne, sur la Sarthe; 32 500 hab. École dentellière (la ville fut un centre réputé de fabrication de dentelles).

ALÊNE [alɛn] n. f. (orig. germ.). Poinçon à l'aide duquel on perce le cuir pour le coudre.

ALENTEJO, région du Portugal méridional.

ALENTOUR [alɑ̃tur] adv. (de *à l'entour*) [placé après un verbe ou un nom]. Dans les environs, dans un espace situé tout autour : *La maison était isolée; la plaine déserte s'étendait tout alentour* (syn. À PROXIMITÉ, AUTOUR). ◆ **alentours** n. m. pl. **1.** Ce qui environne un lieu ou un sujet (surtout dans *aux alentours*) : *Les alentours de la ville* (syn. ENVIRONS). *Les alentours du problème* (syn. À-CÔTÉS). — **2.** *Aux alentours de*, indique une approximation dans l'espace ou dans le temps : *Aux alentours d'Avignon* (syn. DANS LE VOISINAGE DE, DU CÔTÉ DE). *Aux alentours de huit heures* (syn. VERS).

ALÉOUTES, population des îles Aléoutiennes, apparentée aux Esquimaux et qui a été décimée au XIXe s.

ALÉOUTIENNES *(îles)*, chapelet d'îles appartenant aux États-Unis, qui s'étend sur 2 300 km, entre l'Alaska et le Kamtchatka; 15 000 hab. Nombreux volcans. Élevage de renards argentés, pêche. Bases aériennes.

ALEP, v. du nord-ouest de la Syrie; 976 700 hab. Centre commercial et industriel (textiles).

ALEPH [alɛf] n. m. *Math.* Première lettre de l'alphabet hébreu (א) désignant un nombre cardinal caractérisant la puissance d'un ensemble.

ALÉRIA *(plaine d')*, région orientale de la Corse.

1. ALERTE [alɛrt] n. f. (it. *all'erta*, sur la hauteur!). **1.** Menace d'un danger qui survient soudainement : *Il s'inquiète à la moindre alerte* (syn. DANGER). *L'alerte a été chaude* (syn. CRAINTE, FRAYEUR). *À la première alerte* (syn. MENACE). — **2.** Signal qui avertit d'un danger imminent, en particulier en temps de guerre; durée pendant laquelle ce danger persiste : *Système d'alerte* (syn. ALARME). *L'alerte a duré deux heures.* ◆ **alerte!** interj. Avertit d'un danger imminent et donne l'ordre de se tenir sur ses gardes. ◆ **alerter** v. t. *Alerter qq'un*, l'avertir afin qu'il se tienne prêt à agir (l'idée de danger est souvent absente aujourd'hui) : *Il y a une fuite d'eau, alerte les voisins* (syn. INFORMER, PRÉVENIR).

2. ALERTE [alɛrt] adj. (même étym.). Dont la vivacité ou l'agilité manifeste la souplesse ou la promptitude des réflexes : *Un bond alerte* (syn. AGILE, RAPIDE, VIF; contr. LENT). *Le vieillard était encore alerte* (syn. ↑FRINGANT, LESTE). *Un style alerte* (syn. VIF). ◆ **alertement** adv.

ALÈS, ancienn. **Alais,** ch.-l. d'arrond. du Gard, en bordure des Cévennes, sur le *Gardon d'Alès;* 44 300 hab. *(Alésiens).* Deuxième ville du dép., après Nîmes. Métallurgie et industries chimiques. Alès fut un important centre protestant au XVIe s.

• *1629. La « paix d'Alais », ou « Édit de Grâce », signée par Louis XIII, met fin à la dernière guerre de Religion.*

ALÉSER [aleze] v. t. (dér. de l'anc. fr. *alisé*, raccourcir). *Technol.* Polir et mettre au diamètre exact l'intérieur d'un tube, d'un trou, etc. ◆ **alésage** n. m. **1.** Régularisation très précise du diamètre intérieur d'un tube, d'un trou. — **2.** *Alésage d'un cylindre*, son diamètre intérieur. ◆ **aléseuse** n. f. Machine-outil servant à aléser. ◆ **alésoir** n. m. Outil pour aléser.

ALÉSIA, forteresse gauloise s'élevant sur le plateau du mont Auxois (auj. ALISE-SAINTE-REINE, Côte-d'Or). Après l'échec de la cavalerie gauloise en rase campagne, Vercingétorix s'enferma dans Alésia. César en fit le siège avec de formidables travaux d'investissement. L'armée gauloise de secours ayant été repoussée, Vercingétorix dut se rendre (52 av. J.-C.). D'importantes fouilles ont mis au jour des restes de la ville gallo-romaine.

ALETSCH, le plus grand glacier de la Suisse et des Alpes; 27 km. Il naît au pied de la Jungfrau.

ALEURONE [alørɔn] n. f. (gr. *aleuron*, farine). Substance de réserve qui se trouve dans les graines de certaines plantes (cotylédons des légumineuses, albumen des céréales).

ALEVIN [alvɛ̃] n. m. (du lat. *allevare*, élever). Jeune poisson qui sert à repeupler les rivières.

ALEXANDER (*sir* Harold), maréchal anglais (1891-1969). Il joua un grand rôle en Afrique du Nord et en Italie pendant la Seconde Guerre mondiale.

ALEXANDRE III le Grand (356-323 av. J.-C.), roi de Macédoine (336-323), fils de Philippe II et d'Olympias, élève d'Aristote. L'un des plus grands chefs militaires de l'histoire, il fut aussi un remarquable politique et s'efforça de fondre les civilisations et les croyances grecque et perse. Mais son empire fut partagé entre ses généraux.

- *335. Alexandre devient chef des Grecs.*
- *334. Première victoire contre les Perses sur le fleuve Granique, près de la côte de l'Asie Mineure.*
- *333. Victoire d'Issos sur Darios III.*
- *331. Alexandre pénètre au cœur de l'empire perse et remporte la victoire d'Arbèles.*
- *330. Alexandre détruit Persépolis.*
- *326. Passage de l'Indus.*
- *324. Retour à Suse. Alexandre établit sa cour à Babylone.*
- *323. Mort d'Alexandre.*

ALEXANDRE, nom de huit papes, du IIe au XVIIe s., dont : ALEXANDRE III, pape de 1159 à 1181, qui mena la lutte contre l'empereur Frédéric Barberousse (querelle du sacerdoce et de l'Empire). — ALEXANDRE VI, né Rodrigo *Borja* ou *Borgia* (1431-1503), pape de 1492 à sa mort. Il fit la guerre aux seigneurs italiens pour constituer un domaine à sa famille et protégea les lettres et les arts.

ALEXANDRE Ier (1777-1825), empereur de Russie (1801-1825). Battu par Napoléon à Austerlitz, à Eylau et à Friedland, il s'allia avec lui en 1807 à Tilsit, mais lui déclara la guerre en 1812; il fut l'instigateur de la Sainte-Alliance. — ALEXANDRE II (1818-1881), empereur de Russie (1855-1881); il abolit le servage (1861), vainquit la Turquie (1876-1877), et fut assassiné par les nihilistes. — ALEXANDRE III (1845-1894), empereur de Russie (1881-1894); il favorisa l'alliance franco-russe (1892).

ALEXANDRE FARNÈSE (1545-1592), duc de Parme, gouverneur des Pays-Bas (1578); envoyé par Philippe II d'Espagne au secours des catholiques français, il fut l'adversaire d'Henri IV.

ALEXANDRE Ier KARAGJORGJEVIĆ (1888-1934), roi de Yougoslavie (1921-1934). Fort attaché à la Petite Entente et à l'alliance française, il fut assassiné à Marseille par un terroriste croate.

ALEXANDRE NEVSKI (1220-1263), duc de Novgorod, puis prince de toutes les Russies. Il battit en 1242 les chevaliers Porte-Glaive sur les glaces du lac de Pskov, sauvant ainsi la Russie et la religion orthodoxe.

Alexandre Nevski, film du metteur en scène soviétique Eisenstein (1938).

ALEXANDRIE, port d'Égypte, à l'O. du delta du Nil; 2 720 000 hab. Grand port de commerce et principal centre industriel du pays. Fondée par Alexandre le Grand en 332 av. J.-C., Alexandrie fut l'un des foyers essentiels de la civilisation hellénistique.

ALEXANDRIE, en it. **Alessandria,** v. de l'Italie septentrionale, dans le Montferrat (Piémont), sur le Tanaro; 100 600 hab.

ALEXANDRIN [alɛksɑ̃drɛ̃] n. m. (du *Roman d'Alexandre*, poème fr. du XIIe s., en vers de 12 syllabes). Vers français de douze syllabes. *Exemple :*

Ô ra/ge ô dé/ses/poir ‖ ô vieil/les/se en/ne/mie (Corneille).
1 2 3 4 5 6 7 8 9 10 11 12

— ENCYCL. L'*alexandrin* est le vers héroïque, le vers de l'épopée et de la tragédie. Les douze syllabes qui le composent ne sont pas d'égale valeur : certaines, articulées avec plus d'intensité, reviennent à intervalles sensiblement égaux pour l'oreille, et ce retour forme le rythme du vers. La pause (ou *césure*) après la sixième syllabe partage le vers en deux *hémistiches* de six syllabes chacun :

Vous mourû/tes aux bords ‖ où vous fû/tes laissée (Racine).
3 3 3 3

Les sou/ffles de la nuit ‖ flottaient / sur Galgala (Hugo).
2 4 2 4

ALEXIS, nom de plusieurs empereurs d'Orient.

ALEZAN, E [alzɑ̃,-an] adj. et n. (esp. *alazan*). Se dit d'un cheval de couleur fauve.

ALFA [alfa] n. m. (ar. *ḥalfa*). Herbe de l'Afrique du Nord et d'Espagne, appelée aussi *spart* ou *sparte*.
— ENCYCL. L'*alfa* est une plante industrielle importante, employée dans la fabrication de la sparterie, de cordages, d'espadrilles, de tissus grossiers et surtout de papier pour l'imprimerie.

ALFIERI (Vittorio), auteur dramatique italien (1749-1803).

ALFÖLD, vaste plaine de la Hongrie, entre le Danube et la Roumanie.

ALFORTVILLE, ch.-l. de cant. du Val-de-Marne, à 3 km au S.-E. de Paris; 36 300 hab. Traitement du gaz naturel.

ALFRED le Grand *(saint)* [v. 849-899], roi des Anglo-Saxons de 878 à sa mort. Il lutta contre les Scandinaves et groupa sous son autorité les royaumes anglo-saxons.

ALGARADE [algarad] n. f. (de l'ar. *al-ghāra*, attaque). Discussion vive et inattendue, et en général de peu de durée, surtout dans *avoir une algarade* (syn. QUERELLE, SCÈNE).

ALGARVE, région formant l'extrémité sud du Portugal.

ALGÈBRE [alʒɛbr] n. f. (de l'ar. *al-djabr*, réduction). **1.** Partie des mathématiques ayant pour objet l'étude des structures, c'est-à-dire d'ensembles sur lesquels on a défini des opérations vérifiant certaines propriétés. ⟶ ENCYCL. — **2.** *C'est de l'algèbre*, c'est une chose difficile à comprendre, à expliquer. ◆ **algébrique** adj. : *Calcul, formule algébrique.*
— ENCYCL. Connue dans l'Inde à une époque très reculée, l'*algèbre* fut introduite en Europe par les Arabes. Jusqu'au XVIIe s., elle n'est qu'une généralisation de l'arithmétique, puisqu'elle n'étudie que les opérations sur les nombres (addition, multiplication, soustraction, division).

Le véritable créateur de l'algèbre moderne est le Français Viète (1540-1603), qui met au point une notation commode, en particulier l'emploi des lettres pour représenter des nombres. Le système fut ensuite mis au point par Descartes et garda la même forme jusqu'à la fin du XVIIIe s.

Au début du XIXe s., l'algèbre s'étend à des éléments qui ne sont plus nécessairement des nombres (par ex. les vecteurs, pour lesquels on définit une addition). Puis la seconde moitié du XIXe s. voit étudier les structures algébriques abstraites (groupes, anneaux, corps). Au XXe s., un effort d'unification des idées antérieures est accompli pour en dégager les notions communes et fondamentales.

ALGER, capit. de l'Algérie, ch.-l. de wilaya; 2 600 000 hab. *(Algérois).* Située au débouché, sur la Méditerranée, de la riche plaine de la Mitidja (vigne, agrumes), Alger s'étend le long d'une baie constituant un bon site portuaire.

- *4 juillet 1830. Prise d'Alger par les Français.*
- *8 novembre 1942. Arrivée des Américains.*
- *3 juin 1943. Constitution du Comité français de libération nationale : Alger capitale de la France combattante.*
- *1957. La « bataille d'Alger » oppose les forces françaises aux nationalistes du F. L. N.*

ALGÉRIE, république du nord-ouest de l'Afrique, sur la Méditerranée, entre le Maroc à l'O. et la Tunisie à l'E.

GÉOGRAPHIE

Un pays montagneux et sec. L'Algérie non saharienne (⟶ SAHARA) s'étend sur trois ensembles du N. au S. :
le *Tell* est une chaîne côtière récente, englobant les massifs anciens des Kabylies (*Djurdjura*, 2 308 m). Il est bordé par des plaines alluviales (plaines d'*Oran*, de la *Mitidja*, de la *Soummam*);
les *Hautes Plaines*, larges de 200 km à l'O., disparaissent progressivement vers l'E. L'écoulement arrive rarement jusqu'à la mer et le fond des dépressions est occupé par des *chotts*, zones marécageuses, après les pluies;
l'*Atlas saharien*, prolongé par le massif de l'*Aurès* (2 328 m), constitue la bordure du Sahara.

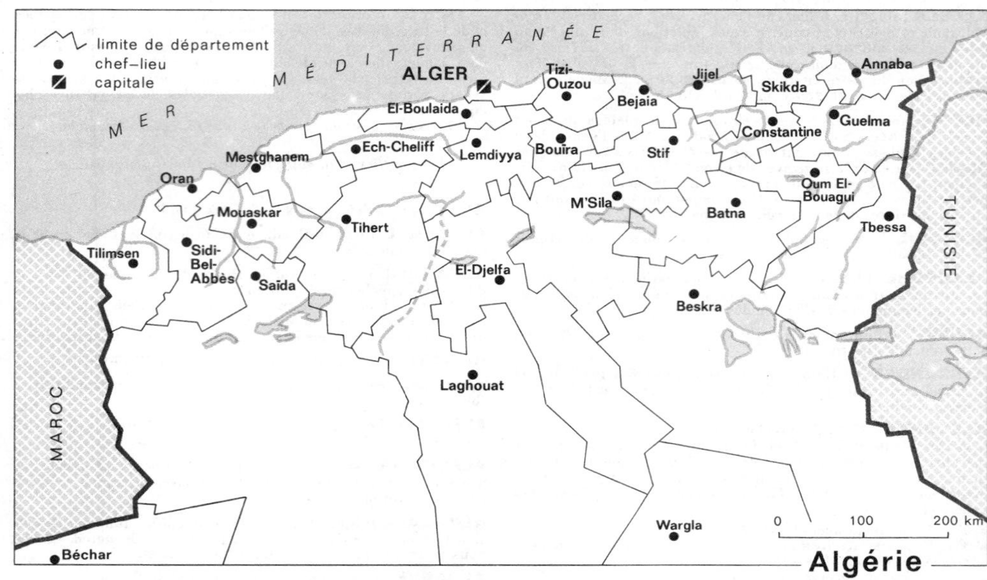

SUPERFICIE 2 380 000 km² (France : 550 000 km²).

POPULATION 24 900 000 hab. *(Algériens);* 10,5 hab. au km² (France : 103), mais 40,8 pour les régions non sahariennes; taux de natalité, 39,3 p. 1 000; taux de mortalité, 9,9 p. 1 000.

CAPITALE Alger (2 600 000 hab.).

VILLES PRINCIPALES Oran (590 000 hab.); Constantine (438 000 hab.); Annaba, ancienn. Bône (256 000 hab.).

LANGUES arabe, berbère et français.

MONNAIE dinar.

Le *climat* est, dans l'ensemble, méditerranéen, avec des étés secs. Mais la région côtière, qui reçoit les vents humides du N.-O., s'oppose à l'intérieur du pays où l'influence saharienne aride se fait sentir.

	TEMPÉRATURES MOYENNES janv.	juil.	PLUIES
Alger	12 °C	25 °C	712 mm
Ouargla	11 °C	33 °C	56 mm

Une population très jeune. La population, en grande majorité musulmane, est constituée d'Arabes et de Berbères. La langue berbère est encore parlée dans certaines régions montagneuses (Kabylie, Aurès). Après l'indépendance, la plupart des Européens, qui étaient plus de 1 million, ont quitté le pays : il en reste moins de 100 000. La population s'accroît à un rythme très rapide : plus de 60 p. 100 des habitants ont moins de vingt ans.

L'agriculture reste le secteur primordial de l'économie. Elle emploie plus du tiers de la population active. L'agriculture traditionnelle subsiste surtout dans les montagnes. Les paysans pratiquent la culture des céréales et ont quelques arbres fruitiers (figuiers, amandiers, oliviers); ils font un peu d'élevage d'ovins Mais les rendements sont faibles. Les Européens ont bouleversé ces structures en créant dans les plaines de grands domaines consacrés surtout aux cultures commerciales : vigne, légumes, arbres fruitiers (agrumes) autour d'Alger et d'Oran, blé autour de Constantine. Depuis l'indépendance, ces domaines sont exploités par les paysans organisés en comités de gestion. Mais ils sont en cours de reconversion en ce qui concerne la vigne : pays musulman, l'Algérie consomme très peu de vin et doit exporter presque toute sa production, en diminution régulière.

vin	2 millions d'hl	agrumes	400 000 t
ovins	14 millions de têtes	blé	1 100 000 t

Un sous-sol très riche. Les ressources du sous-sol constituent une part importante des revenus du pays. Aux phosphates du djebel Onk et au fer de l'Ouenza s'ajoutent les richesses en hydrocarbures du Sahara. On exploite le gaz naturel à Hassi-R'Mel et le pétrole surtout autour d'Hassi-Messaoud. La plus grande partie de ces hydrocarbures est exportée vers l'Europe occidentale.

pétrole	45 millions de t	fer	1 700 000 t
gaz naturel	44 milliards de m³	électricité	10 milliards de kWh

Une industrialisation en cours de développement. De gros efforts ont été accomplis pour développer l'industrie : le gaz naturel est liquéfiable, ce qui permet d'en exporter de grandes quantités par des méthaniers. Le pétrole et le gaz naturel ont permis de développer toute la gamme de la pétrochimie. Un grand ensemble sidérurgique a été créé à Annaba (ancienn. Bône). Par ailleurs de nombreuses industries légères ont été développées dans les villes, surtout Alger : textiles, cimenteries, conserves alimentaires. Cet effort d'industrialisation est aujourd'hui nécessaire car il faut créer des emplois pour une population qui s'accroît rapidement. Le chômage reste important, et de nombreux Algériens ont été obligés de venir travailler en France pour faire vivre leur famille.

HISTOIRE

Les régions côtières de l'actuelle Algérie ont été mises en contact avec de brillantes civilisations dès la haute Antiquité : les Phéniciens (v. le IXᵉ s. av. J.-C.) puis les Carthaginois (VIIᵉ-IIIᵉ s. av. J.-C.) y établissent des comptoirs prospères. L'époque romaine (IIᵉ s. av. J.-C.-Vᵉ s. apr. J.-C.) marque pour l'Algérie un réel essor, comme en témoignent les ruines de nombreuses villes (Timgad et Tébessa, par exemple). Les siècles suivants sont plus agités.

- *429 apr. J.-C. Les Vandales dévastent le pays.*
- *VIᵉ-VIIᵉ s. Domination de Byzance.*
- *710. Les Arabes supplantent Byzance. L'Algérie est islamisée et gouvernée de Damas (Syrie) par la dynastie des Omeyyades*.*
- *Xᵉ-XIᵉ s. Suzeraineté des Fāṭimides.*

Les indigènes (Berbères) résistent à l'occupation arabe.

- *XIᵉ-XIIIᵉ s. Rivalités entre deux dynasties berbères, celle des Almoravides (autour de Tlemcen et d'Oran) et celle des Almohades.*
- *XIVᵉ-XVᵉ s. Des dynasties tunisiennes et marocaines se disputent l'Algérie. Les Espagnols, après avoir chassé les Arabes de leur péninsule, poursuivent leur offensive en Afrique du Nord et établissent des comptoirs, dits « présides », sur le littoral algérien.*

Au début du XVIᵉ s., les pirates turcs entreprennent des raids sur la côte nord-africaine. Ils prennent Alger en 1515. À leur suite, le sultan de Constantinople conquiert l'Algérie qui connaît une longue période de prospérité et de calme.

- *Juillet 1830. Début de la conquête française : le gouvernement de Charles X fait occuper Alger.*
- *1832-1837. Révolte de l'émir Abd el-Kader qui fait reconnaître son autorité sur le centre et l'ouest de l'Algérie tandis que les Français s'installent dans le Constantinois et l'Oranais.*
- *1840-1847. Le général Bugeaud, gouverneur de l'Algérie, finit par venir à bout de la résistance d'Abd el-Kader.*
- *1852-1870. La conquête est achevée avec l'occupation des oasis du Sud (Laghouat, Ouargla, Touggourt) et des régions montagneuses de Kabylie.*

Des colons individuels puis, sous Napoléon III, de puissantes sociétés financières reçoivent des lots de terres, enlevées aux tribus. La population européenne s'accroît rapidement.

Sous la IIIe République, une économie moderne se développe dans certains domaines, en particulier la culture de la vigne. Mais la condition des indigènes ne s'améliore guère. Entre les deux guerres mondiales, des mouvements favorables à l'autonomie ou même à l'indépendance apparaissent.

- *1938. Fehrat 'Abbās demande la citoyenneté française pour les musulmans.*
- *1943. Le « Manifeste du peuple algérien » réclame l'égalité entre les communautés musulmane et européenne.*
- *1946. Messali Hadj crée le Mouvement pour le triomphe des libertés démocratiques (M. T. L. D.).*
- *1er nov. 1954. Début de l'insurrection algérienne. Ben Bella fonde le Front de libération nationale (F. L. N.).*
- *13 mai 1958. Les Européens manifestent à Alger pour le maintien de « l'Algérie française ». Le général de Gaulle met peu à peu en œuvre une politique d'autodétermination pour l'Algérie.*
- *19 mars 1962. Les accords d'Évian mettent fin aux combats.*
- *1er juil. 1962. Un référendum permet à l'Algérie de choisir l'indépendance. La plupart des Européens quittent le pays.*
- *Septembre 1963. Ben Bella est élu président de la République.*

Pour résoudre ses difficultés économiques, l'État est amené à adopter des solutions socialistes originales. Mais le régime se radicalise et les divergences s'accentuent avec l'armée.

- *Juin 1965. Le colonel Boumediene renverse Ben Bella.*

Les problèmes sont avant tout d'ordre économique (nationalisation des sociétés pétrolières françaises en 1971). La politique extérieure évolue de l'anti-impérialisme vers le non-alignement.

- *1979. Après la mort de Boumediene, le colonel Chadli est placé à la tête de l'État.*

Les relations avec la France s'améliorent. Mais la dégradation de la situation économique (aggravée à partir de 1986 par la chute des prix du pétrole) et l'inflation démographique (accompagnée de problèmes d'éducation) provoquent de vives tensions sociales.

- *1988. De graves émeutes éclatent (oct.), obligeant le président Chadli à engager des réformes économiques et politiques.*
- *1989. Une nouvelle Constitution est adoptée. Le F. L. N. perd le statut de parti unique (instauration du multipartisme).*
- *Janvier 1992. À la suite du succès remporté par le Front islamique du salut (F. I. S.), mouvement intégriste islamique, lors du premier tour des élections législatives (déc. 1991), le président Chadli démissionne.*

Le processus électoral est suspendu et un gouvernement provisoire est mis en place.

ALGÉRIEN, ENNE [alʒerjɛ̃, -ɛn] adj. et n. D'Algérie.

ALGÉROIS, E [alʒerwa, -az] adj. et n. D'Alger.

ALGÉSIRAS, port d'Espagne (Andalousie), sur le détroit de Gibraltar; 80 000 hab.

- *1906. Une conférence internationale accorde à la France et à l'Espagne une situation privilégiée au Maroc, ce qui prépare le protectorat de ces deux puissances sur le pays.*

ALGONQUINS ou **ALGONKINS,** une des grandes familles indiennes qui occupaient une partie de l'Amérique du Nord.

ALGUE [alg] n. f. (lat. *alga*). Végétal chlorophyllien, vivant généralement dans l'eau et ne présentant ni racines, ni tige, ni feuilles, ni fleurs, ni graines, mais un simple *thalle* (= appareil végétatif fait de filaments enchevêtrés).
— ENCYCL. Les *algues* forment l'un des trois embranchements des thallophytes (les deux autres étant les champignons et les lichens), lui-même partagé en trois classes : *algues vertes* (la chlorophylle est prépondérante), *algues brunes* (la chlorophylle est masquée par une substance brune), *algues rouges* (la chlorophylle est masquée par une substance rouge). On utilise les algues comme engrais, comme aliments et en pharmacie (on en extrait l'iode).

Alhambra (de l'ar. *al-Ḥamrā'*, la rouge), ancien palais et forteresse des rois maures de Grenade. La cour des Lions constitue l'un des chefs-d'œuvre de l'architecture musulmane : entourée d'une galerie de 128 colonnes, elle est en marbre blanc.

'ALĪ, calife arabe (656-661), cousin et gendre de Mahomet.

Ali Baba, héros d'un des contes des *Mille et Une Nuits*. C'est un pauvre artisan de Perse, auquel le hasard a fait découvrir le secret qui donne accès à la caverne habitée par quarante voleurs. Ayant prononcé les mots *Sésame, ouvre-toi*, Ali Baba voit la porte s'ouvrir. Il découvre des richesses et en prend sa part.

ALIAS [aljas] adv. (mot lat.). Syn. de APPELÉ, AUTREMENT DIT : *Jean-Baptiste Poquelin, alias Molière.*

ALIBI [alibi] n. m. (mot lat. signif. *ailleurs*). **1.** Moyen de défense qu'une personne tire de la preuve de sa présence, au moment du crime ou du délit dont elle est accusée, en un lieu différent de celui où il a été commis : *Invoquer un alibi.* — **2.** Excuse quelconque. ‖ Pl. des *alibis*.

ALICANTE, port d'Espagne, sur la Méditerranée; 184 700 hab. Vignobles réputés dans la région (vins doux).

Alice au pays des merveilles, roman de Lewis Carroll (1865), qui reproduit les fantaisies de la logique enfantine.

ALIDADE [alidad] n. f. (de l'ar. *al-idhâda*). Règle graduée, portant un instrument de visée et permettant de mesurer les angles verticaux.

ALIÉNÉ, E [aljene] n. (lat. *alienatus*). Malade mental dont l'état nécessite l'internement (syn. usuel FOU). ◆ **aliéniste** n. Auj. PSYCHIATRE. ◆ **aliénation** n. f. *Aliénation mentale*, syn. de FOLIE.

ALIÉNER [aljene] v. t. (lat. *alienare*, rendre autre). **1.** *Aliéner un bien* (terme jurid.), le céder, par un acte officiel, à une autre personne. — **2.** *Aliéner qqch.* (terme abstrait), l'abandonner volontairement : *Aliéner ses libertés.* — **3.** *Aliéner une chose* ou *une personne*, les détourner, les écarter de quelqu'un : *Cette action lui aliéna toutes les sympathies.* ◆ **s'aliéner** v. pr. Perdre en écartant de soi. ◆ **aliénation** n. f. Sens 2 du v. : *Souffrir de l'aliénation de sa liberté et de son travail.* ◆ **inaliénable** adj. Que l'on ne peut céder (sens 1 du v.) : *Des droits inaliénables.*

ALIÉNOR D'AQUITAINE (1122-1204), duchesse d'Aquitaine. Elle épousa Louis VII, roi de France, qui la répudia. Elle se remaria en 1152 à Henri II Plantagenêt, roi d'Angleterre. Ainsi se trouvaient réunis aux domaines anglais les vastes territoires du sud-ouest de la France, dot d'Aliénor, que Louis VII avait dû lui restituer.

ALĪGARH, v. de l'Inde (État d'Uttar Pradesh), entre le Gange e la Jamna; 252 300 hab.

ALIGNER [aliɲe] v. t. (de *ligne*). **1.** *Aligner des choses, d. personnes*, les mettre sur une ligne droite (souvent au passif) : *L. arbres sont alignés le long des allées.* — **2.** *Aligner des choses*, l. présenter en ordre, en liste : *Aligner des chiffres.* — **3.** *Aligner u. chose sur une autre*, l'adapter à celle-ci : *Aligner la monnaie sur cours réel actuel.* ◆ **s'aligner** v. pr. **1.** Être rangé ou se ranger su la même ligne : *Les livres s'alignent sur les rayons de la biblio thèque.* — **2.** (sujet nom de personne) S'adapter, se conformer à : *S'aligner sur la position officielle d'un parti.* ◆ **alignement** n. m. **1.** Disposition sur une ligne droite : *Sortir de l'alignement* (syn. FILE). — **2.** *Être, se mettre à l'alignement*, être, se mettre sur la même ligne, dans le prolongement de la même ligne.

ALIMENT [alimɑ̃] n. m. (du lat. *alere*, nourrir). **1.** Tout ce qui peut être digéré et servir de nourriture aux hommes ou aux animaux. ⟶ ENCYCL. — **2.** *Fournir, donner un aliment à*, servir à entretenir, donner matière à : *Voilà qui donnera encore un aliment à sa mauvaise humeur.* ◆ **alimentaire** adj. **1.** Qui sert à l'alimentation : *Des produits alimentaires.* ‖ *Ration alimentaire*, ensemble des éléments nutritifs nécessaires à une personne, à un animal. — **2.** Qui sert à l'assistance, à l'entretien : *Pension alimentaire* (= pension* versée à une personne pour lui permettre de vivre). ◆ **alimenter** v. t. **1.** *Alimenter une personne, un animal*, lui fournir des aliments (syn. NOURRIR). — **2.** *Alimenter qqch.*, le pourvoir en approvisionnements, lui fournir ce qui est nécessaire à son fonctionnement : *Alimenter les marchés en viande* (syn. RAVITAILLER). *Alimenter une chaudière.* — **3.** Donner matière à quelque chose; servir à entretenir : *Ce scandale financier alimentait la conversation.* ◆ **s'alimenter** v. pr. Se nourrir : *Il commence à s'alimenter de nouveau* (= prendre des aliments). ◆ **alimentation** n. f. Ce qui sert à alimenter; action d'alimenter (sens 1 et 2 du v. t.) : *Une alimentation saine* (syn. NOURRITURE). ⟶ ENCYCL. *L'alimentation d'une ville en eau potable* (syn. FOURNITURE). ◆ **sous-alimenter** v. t. Alimenter insuffisamment (surtout au passif) : *Certaines populations sont sous-alimentées* (syn. ↑AFFAMER). ◆ **sous-alimentation** n. f. ◆ **suralimenter** v. t. *Suralimenter qq'un*, lui donner une alimentation supérieure à la normale (souvent au passif). ◆ **suralimentation** n. f.
— ENCYCL. Les *aliments* sont très nombreux, très variés et différents suivant les populations et les conditions géographiques et

économiques. Ils sont classés selon leur nature chimique. On distingue les aliments minéraux et les aliments organiques :
les *aliments minéraux* (eau, sel de cuisine par ex.) apportent les corps minéraux nécessaires à l'organisme (calcium, sodium, chlore, potassium);
les *aliments organiques* sont d'origine animale ou végétale et apportent trois classes de substances : les protides (ou protéines), les glucides et les lipides. Les *protides* sont les seules substances à fournir de l'*azote;* quelques protides simples (acides aminés) sont nécessaires à la vie car elles ne peuvent être fabriquées par l'organisme. En France, l'alimentation carnée (viandes) couvre largement les besoins en protides. Les *glucides* (ou sucres) donnés par le sucre, l'amidon du pain et des féculents apportent l'*énergie* nécessaire au fonctionnement des muscles. Les *lipides* (ou matières grasses) apportent la *chaleur* (leur consommation augmente en hiver). Ils sont représentés par les huiles et les graisses, par le beurre.
■ *Hygiène de l'alimentation.* L'*alimentation* doit permettre à un individu de maintenir son poids et un bon état général.

Pour cela, elle doit être *équilibrée,* c'est-à-dire apporter les différentes classes d'aliments (protides, glucides, lipides) et vitamines en proportions correctes : si cela n'est pas réalisé, on parle de *malnutrition* (= déséquilibre alimentaire).

L'alimentation doit être *suffisante,* c'est-à-dire apporter un nombre suffisant de *calories** (la valeur calorique d'un aliment définit et mesure l'énergie que cet aliment apporte à l'organisme) : c'est en ce sens que l'on parle de *ration alimentaire,* ou quantité de calories nécessaire à la vie d'un organisme. Sinon il y a *sous-nutrition* (= insuffisance alimentaire).

Les rations alimentaires varient suivant l'âge et le travail fourni : plus grande pour l'organisme jeune que pour le vieux; plus grande pour un travail physique intense (ainsi un adulte accomplissant un travail courant doit recevoir 2 500 à 3 000 calories par jour). Les maladies et affections par *carence alimentaire* (= manque de vitamines ou de substances organiques ou minérales nécessaires à la vie) sont les plus répandues dans le monde actuel : la moitié de la population du globe vit en état de sous-nutrition (surtout dans les pays « sous-développés »).

ALINÉA [alinea] n. m. (lat. *a linea,* en s'écartant de la ligne). Ligne d'un texte écrite ou imprimée en retrait par rapport aux autres lignes et annonçant le commencement d'un paragraphe; le passage lui-même compris entre deux retraits. || Pl. des *alinéas.*

ALIOS [aljɔs] n. m. (mot gascon). Grès imperméable, rougeâtre ou noirâtre, constitué sous la couverture sableuse par des grains de sable agglutinés : *L'alios des Landes.*

ALISE n. f. → ALISIER.

ALISE-SAINTE-REINE, village de la Côte-d'Or, près de l'emplacement d'Alésia.

ALISIER [alizje] n. m. (gaul. *alisia*). Genre d'arbre de la famille des rosacées, à fleurs blanches ou roses : *Le bois de l'alisier est excellent pour l'ébénisterie.* ◆ **alise** n. f. Fruit rouge de l'alisier.

ALITER v. t., **S'ALITER** v. pr. → LIT 1.

ALIZÉ [alize] adj. et n. m. (de l'anc. fr. *alis,* uni, régulier). Se dit de vents réguliers qui soufflent de l'E. sur des contrées situées entre les parallèles 30° N. et 30° S. ◆ **contre-alizé** n. m. Se dit des vents de direction contraire à l'alizé. || Pl. des *contre-alizés.*
— ENCYCL. Les vents *alizés* résultent des mouvements provoqués par le voisinage des hautes pressions subtropicales et des basses pressions équatoriales. L'air qui s'écoule des premières vers les secondes est dévié par la rotation de la Terre vers le S.-O. dans l'hémisphère Nord, vers le N.-O. dans l'hémisphère Sud. La zone des alizés est soumise à un balancement saisonnier : elle remonte en latitude pendant l'été. Pendant l'été boréal, l'alizé de l'hémisphère Sud peut pénétrer au N. de l'équateur (phénomène de la mousson*) et est alors dévié vers l'E.

ALKMAAR, v. des Pays-Bas (Hollande-Septentrionale); 61 400 hab.

ALLĀH, le dieu unique des musulmans. Le Coran en précise la définition : Allāh est le créateur de toutes choses, l'arbitre et le juge suprême.

ALLĀHĀBĀD, v. de l'Inde (Uttar Pradesh), au confluent du Gange et de la Jamna ; 490 700 hab. Grand pèlerinage. Ancienne cité sacrée hindoue.

ALLAITEMENT n. m., **ALLAITER** v. t. → LAIT.

ALLANT, E [alɑ̃, -ɑ̃t] adj. (de *aller*). Se dit de quelqu'un qui a de la vivacité, de l'entrain : *Être encore très allant* (syn. ALERTE). ◆ **allant** n. m. Ardeur mise à faire quelque chose : *Avoir de l'allant* (syn. DYNAMISME, ENTRAIN; contr. MOLLESSE).

ALLÉCHER [aleʃe] v. t. (lat. *allectare*). *Allécher qq'un,* l'attirer en flattant son goût, son odorat, ou en lui laissant espérer quelque avantage (souvent au passif) : *Allécher par de belles promesses.* ◆ **alléchant, e** adj. : *Un mets alléchant* (syn. APPÉTISSANT). *Une proposition alléchante* (syn. ATTRAYANT).

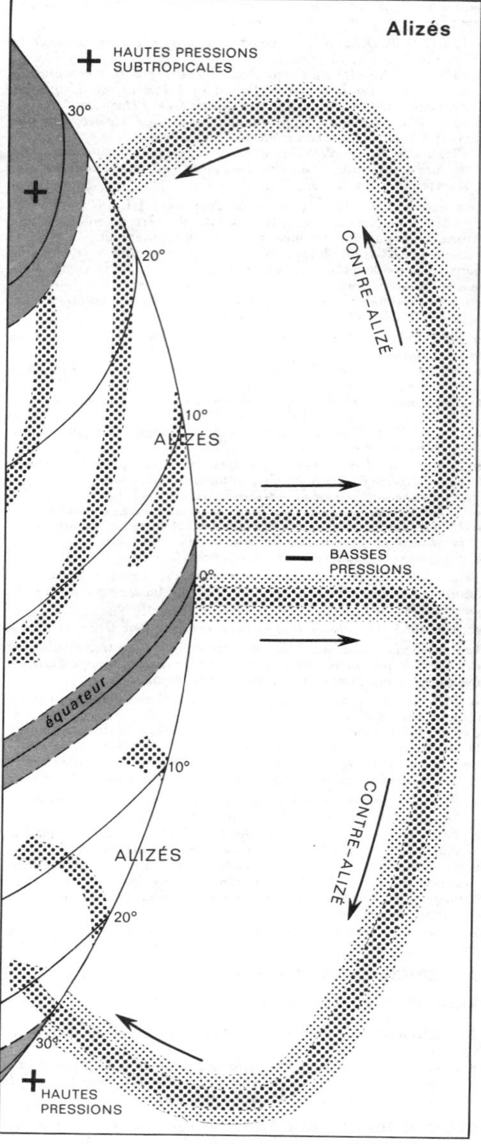

1. ALLÉE [ale] n. f. (de *aller*). Chemin bordé d'arbres, de haies ou de plates-bandes, et qui sert de lieu de promenade ou d'accès dans un parc, un jardin, un bois, etc. ◆ **contre-allée** n. f. Allée latérale, parallèle d'une allée principale. || Pl. des *contre-allées.*

2. ALLÉES [ale] n. f. pl. (même étym.). *Allées et venues,* ensemble de démarches, de trajets effectués en tous sens par une ou plusieurs personnes : *Perdre son temps en allées et venues* (syn. DÉMARCHES).

ALLÉGATION n. f. ⟶ ALLÉGUER.

ALLÉGEANCE [aleʒɑ̃s] n. f. (de l'angl. *allegiance*). Obligation de fidélité et d'obéissance qui incombe à une personne à l'égard de la nation à laquelle elle appartient et du souverain dont elle est sujette.

ALLÉGEMENT n. m., **ALLÉGER** v. t. ⟶ LÉGER.

ALLEGHANYS, nom donné autrefois à l'ensemble des massifs montagneux de l'est des États-Unis, depuis l'État du Maine jusqu'à l'Alabama, et qui ne désigne plus, aujourd'hui, que le rebord du plateau appalachien (⟶ APPALACHES), depuis le nord de la Pennsylvanie jusqu'au centre de la Virginie-Occidentale.

ALLÉGORIE [alegɔri] n. f. (gr. *allêgoria*). Expression d'une idée par une image, un tableau, un être vivant qui en est le symbole : *L'allégorie de la justice est représentée par une femme tenant en ses mains une balance.* ◆ **allégorique** adj. : *Les fables sont des récits allégoriques.*

ALLÈGRE [alɛgr] ou [allɛgr] adj. (lat. *alacer*). Se dit d'une personne (ou de son comportement) qui est d'une humeur, d'un entrain joyeux : *Marcher d'un pas allègre.* ◆ **allégrement** adv. (syn. GAIEMENT, JOYEUSEMENT). ◆ **allégresse** n. f. Joie très vive qui se manifeste extérieurement : *Des cris d'allégresse* (syn. JOIE, LIESSE [littér.]).

ALLEGRO n. m., **ALLEGRETTO** n. m. ⟶ MOUVEMENT, *mouvements musicaux.*

ALLÉGUER [alege] v. t. (lat. *allegare*). *Alléguer un texte, un fait, une autorité,* les mettre en avant pour les prendre comme justification ou comme appui : *Alléguer un exemple illustre* (syn. INVOQUER, SE PRÉVALOIR DE). *Alléguer une excuse* (syn. PRÉTEXTER). ◆ **allégation** n. f. : *Prouver ses allégations* (syn. AFFIRMATION, ASSERTION, DIRE).

ALLÉLUIA [aleluja] n. m. (mot hébreu signif. *louez Dieu*). Mot qui marque l'allégresse. ‖ Pl. des *alléluias.*

ALLEMAGNE, en all. **Deutschland,** État d'Europe.

GÉOGRAPHIE

■ GÉOGRAPHIE PHYSIQUE. Le pays s'étend sur trois grandes zones de relief :
au S., l'*Allemagne alpine,* qui atteint près de 3 000 m, est limitée par le plateau bavarois;
l'*Allemagne moyenne* est formée de massifs, dont les plus importants sont le Massif schisteux rhénan, la Forêt-Noire, le Harz, le Vogelsberg;
la *plaine du Nord* est une région basse couverte de dépôts glaciaires hérités du Quaternaire.

Le *climat* montre une accentuation de la continentalité vers l'E. : le froid devient de plus en plus rigoureux en hiver.

	TEMPÉRATURES MOYENNES janv.	TEMPÉRATURES MOYENNES juil.	PLUIES
Hambourg	0,3 °C	17,1 °C	750 mm
Munich	− 1,3 °C	17,8 °C	904 mm
Berlin	− 0,9 °C	17,2 °C	599 mm

Hydrographie. Le drainage se fait vers la mer du Nord par de grands fleuves : Rhin (le plus important car il offre avec ses affluents un excellent réseau de voies navigables), Weser, Elbe. Le Danube (dont l'Allemagne possède le cours supérieur) va se jeter dans la mer Noire.

■ GÉOGRAPHIE HUMAINE. La *population* est très dense (plus du double de la densité moyenne de la France), mais le taux de natalité est bas et cette population est vieillie. L'urbanisation est très poussée : 80 p. 100 des gens résident dans des villes, et les grandes agglomérations sont nombreuses (une quinzaine dépasse 500 000 hab.).

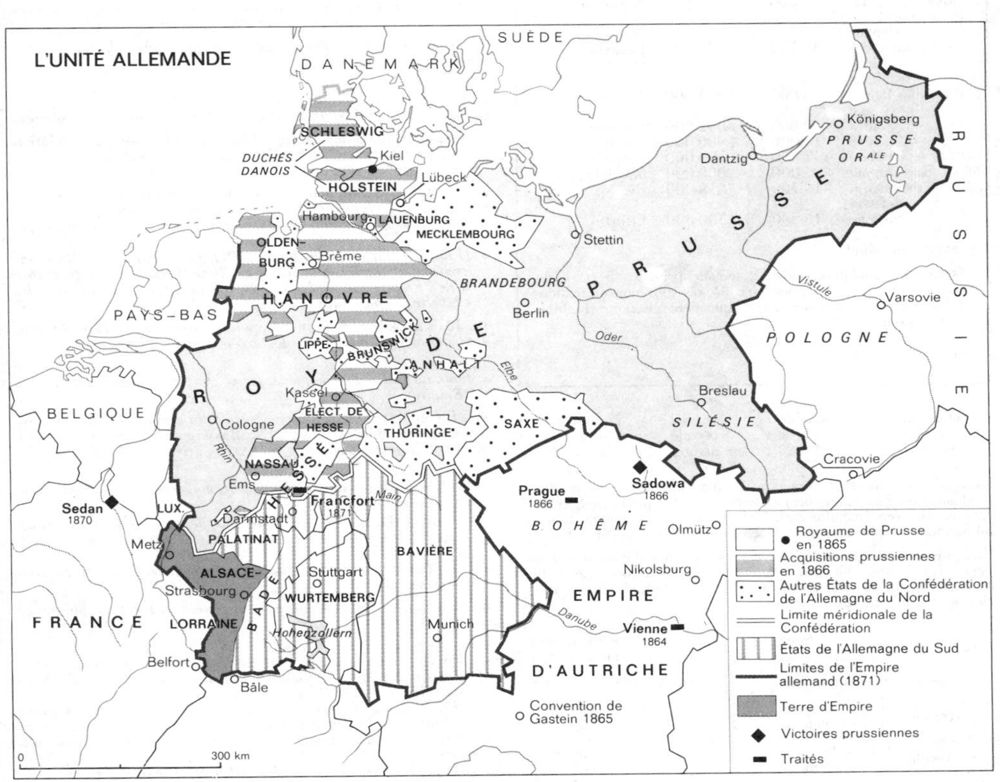

ALLEMAGNE

L'*industrie* est de loin le secteur le plus important de l'économie. Son dynamisme a fait de l'Allemagne la première puissance industrielle de l'Europe. Les richesses du sous-sol servent de base aux diverses activités : le charbon, de la Ruhr surtout, et de la Sarre, la lignite de la partie orientale, la potasse et le sel gemme. Mais le pays doit importer certaines matières premières, en particulier du fer et du pétrole.

SUPERFICIE 357 000 km² (France : 550 000 km²).

POPULATION 78 200 000 hab. *(Allemands);* 220 hab. au km² (France : 103); taux de natalité : 12 p. 1 000; taux de mortalité : 12 p. 1 000.

CAPITALE Berlin (3 400 000 hab.).

VILLES PRINCIPALES Hambourg (1 571 000 hab.); Munich (1 275 000 hab.); Cologne (914 000 hab.); Essen (615 000 hab.); Francfort-sur-le-Main (592 000 hab.); Dortmund (568 000 hab.); Stuttgart (565 000 hab.); Düsseldorf (561 000 hab.); Leipzig (552 000 hab.); Brême (522 000 hab.); Dresde (520 000 hab.); Duisburg (515 000 hab.); Hanovre (506 000 hab.).

DIVISIONS ADMINISTRATIVES

États (Länder)	*Superficie* (km²)	*Population* (hab.)	*Capitale*
Bade-Wurtemberg	35 800	9 327 000	Stuttgart
Bavière	70 600	11 026 000	Munich
Berlin	880	3 400 000	Berlin
Brandebourg	26 000	2 700 000	Potsdam
Brême	400	654 000	Brême
Hambourg	750	1 571 000	Hambourg
Hesse	21 100	5 544 000	Wiesbaden
Mecklembourg-Poméranie-Occidentale	22 500	2 100 000	Schwerin
Rhénanie-du-Nord-Westphalie	34 100	16 677 000	Düsseldorf
Rhénanie-Palatinat	19 800	3 611 000	Mayence
Sarre	2 600	1 042 000	Sarrebruck
Saxe	17 000	4 900 000	Dresde
Saxe (Basse-)	47 400	7 196 000	Hanovre
Saxe-Anhalt	25 000	3 000 000	Magdeburg
Schleswig-Holstein	15 700	2 613 000	Kiel
Thuringe	15 200	2 500 000	Erfurt

LANGUE allemand.

ÉCONOMIE population active : secteur primaire 5 p. 100; secondaire 41 p. 100; tertiaire 54 p. 100; consommation d'énergie par hab. 6 000 kg d'équivalent charbon; 1 automobile pour 3 hab.

MONNAIE deutsche Mark.

charbon	77 millions de t	sel	7 millions de t
lignite	410 millions de t	pétrole	4 millions de t
potasse	2 500 000 t	gaz naturel	27 milliards de m³

Répartie dans divers foyers dont le plus important est la Ruhr, l'industrie est aux mains de puissantes sociétés *(konzerns)*, comme Krupp, Thyssen [métallurgie], Volkswagen [construction automobile], Siemens [constructions électriques], Bayer, BASF [chimie].

Une puissante sidérurgie alimente tous les types d'industrie mécanique. L'industrie chimique est la première d'Europe. Le textile, très concentré, se spécialise dans la production de fibres artificielles et synthétiques.

sidérurgie	fonte	35 millions de t
	acier	49 millions de t
construction automobile		4 700 000 véhicules
chimie	engrais	1 100 000 t
	caoutchouc	550 000 t
textile	filés de coton	260 000 t
	synthétique	1 000 000 t

Les relations entre les différentes régions industrielles sont facilitées par un réseau de transports excellent : voies ferrées, routes et autoroutes, voies navigables.

L'*agriculture* reste un secteur d'importance secondaire, bien qu'elle ait été modernisée. Les maigres possibilités offertes par une nature ingrate ont été améliorées par l'emploi d'engrais et de machines agricoles.

pomme de terre	17 millions de t
blé	14 millions de t
betterave sucrière	27 millions de t
orge	14 millions de t
bovins	20 millions de t
porcins	36 millions de t

Commerce. Le dynamisme économique de l'Allemagne lui impose d'importer les matières premières nécessaires à son industrie, et lui permet d'exporter des produits manufacturés. La balance commerciale est excédentaire, et les partenaires commerciaux préférentiels sont les pays du Marché commun et les États-Unis. De grands ports sur la mer du Nord servent de point de départ à une puissante flotte marchande.

Au début des années 1990, le défi à relever est l'intégration économique de la partie orientale, permettant une véritable unification du pays.

HISTOIRE

Les premiers Germains s'établirent entre le Rhin et l'Elbe et refoulèrent les Celtes en Gaule; ils furent à leur tour repoussés vers l'E. par les Romains, qui construisirent une frontière fortifiée, le *limes*, entre *Confluentes* (Coblence, sur le Rhin) et *Castra Regina* (Ratisbonne, sur le Danube).

- *IVᵉ-VIᵉ s. Les Grandes Invasions permettent aux Barbares germaniques de s'installer de part et d'autre du Rhin.*

Le royaume franc s'impose aux autres peuplades (Alamans, Thuringiens, Bavarois, Saxons, etc.).

- *800. Fondation de l'Empire d'Occident (Charlemagne).*
- *843. Traité de Verdun : partage de l'Empire en trois royaumes.*

Le régime féodal et les partages familiaux aboutissent à la création de duchés : Bavière, Souabe, Franconie, Lorraine, Saxe.

- *919-1024. Dynastie saxonne. Le mot « Allemagne » apparaît.*
- *962. Otton Iᵉʳ fonde le Saint Empire romain germanique.*
- *1024-1138. La querelle des Investitures affaiblit l'autorité impériale.*
- *1138-1250. La dynastie souabe (Hohenstaufen) est illustrée par Frédéric Iᵉʳ Barberousse et par Frédéric II. La lutte du sacerdoce et de l'Empire oppose les « guelfes » (partisans des papes) et les « gibelins » (partisans des empereurs).*

De 1273 à 1438, la couronne impériale passe aux Habsbourg, puis aux maisons de Bavière et de Luxembourg.

- *1356. La Bulle d'or donne sa forme constitutionnelle définitive à l'Empire.*

À la fin du Moyen Âge, l'Allemagne est un grand foyer de développement économique (Hanse au N.; Bavière au S.; Rhénanie à l'O.). Mais la Réforme luthérienne, au XVIᵉ s., brise l'unité religieuse.

- *1519-1556. Règne de Charles Quint, empereur germanique et roi d'Espagne.*
- *1618-1648. La guerre de Trente Ans dévaste les régions constituant l'Allemagne : elles restent divisées politiquement et religieusement.*
- *1648. Les traités de Westphalie confirment la faiblesse du pouvoir impérial.*

Au XVIIIᵉ s., la Prusse s'agrandit et devient une grande puissance sous Frédéric II.

- *1806. Napoléon écrase la Prusse à Iéna et décide de supprimer le Saint Empire, qui est remplacé par une Confédération du Rhin dont l'Autriche et la Prusse sont exclues.*
- *1815. Le Congrès de Vienne crée la Confédération germanique (39 États dont la Prusse et l'Autriche).*
- *1834. Union douanière entre les États allemands : le « Zollverein ».*
- *1848-1850. Échec des révolutions libérales et nationales.*

LÉGENDE
limite d'État
capitale d'État
capitale fédérale
autres grandes villes
SUÈDE
DANEMARK
MER BALTIQUE
Kiel
SCHLESWIG-
HOLSTEIN
Rostock
MECKLEMBOURG-
Schwerin
POMÉRANIE-OCCIDENTALE
Hambourg
POLOGNE
Elbe
Brême
BASSE-SAXE
PAYS-
BAS
Weser
BERLIN
Hanovre
Potsdam
BRANDEBOURG
Magdeburg
SAXE-ANHALT
RHÉNANIE-DU-NORD-
Essen
Dortmund
WESTPHALIE
Leipzig
Düsseldorf
SAXE
Dresde
Cologne
Bonn
Erfurt
Chemnitz
THURINGE
HESSE
Rhin
BELG
Wiesbaden
RHÉNANIE-
Francfort-
sur-le-Main
Mayence
TCHÉCOSLOVAQUIE
LUX
PALATINAT
SARRE
Sarrebruck
BAVIÈRE
Danube
BADE-
Stuttgart
FRANCE
WURTEMBERG
Munich
AUTRICHE
SUISSE
0
100
200 km
Allemagne

Le chancelier prussien Otto von Bismarck réalise l'unité allemande en battant l'Autriche (Sadowa, 1866), puis la France (Sedan, 1870).

- *1871. Proclamation de l'Empire allemand (le roi de Prusse devient Kaiser).*

À la fin du XIXe s. et au début du XXe s., l'Allemagne connaît de grands progrès économiques et politiques (expansion coloniale). Elle se rapproche de l'Autriche-Hongrie et de l'Italie (Triple-Alliance) face à la Triple-Entente anglo-franco-russe.

- *1914-1918. Première Guerre* mondiale. L'Allemagne, vaincue, doit subir les conséquences du traité de Versailles* (1919) et payer des réparations.*
- *1919-1933. La république de Weimar connaît des troubles politiques (écrasement des spartakistes, naissance du nazisme) et économiques (crises de 1923 et de 1929).*
- *1933. Adolf Hitler devient chancelier du Reich.*
- *1934. Hitler cumule tous les pouvoirs à la mort de Hindenburg : il est le Führer (= chef).*
- *1936. Hitler intervient aux côtés de Franco dans la guerre d'Espagne et signe une alliance avec Mussolini (l'axe Rome-Berlin).*
- *1938-1939. L'Allemagne annexe successivement l'Autriche (= l'Anschluss) et une partie de la Tchécoslovaquie, puis attaque la Pologne.*
- *1939-1945. Seconde Guerre* mondiale.*
- *1945-1949. L'Allemagne, vaincue, est occupée par les troupes alliées. La frontière nouvelle avec la Pologne est refoulée vers l'O. (ligne Oder-Neisse).*
- *1949. Création de la République démocratique allemande ou R. D. A. à l'Est* (→ ALLEMAGNE DE L'EST) *et de la République fédérale d'Allemagne ou R. F. A. à l'Ouest. Chacun des deux États allemands se donne pour but de refaire l'unité allemande à son profit.*

■ LA RÉPUBLIQUE FÉDÉRALE D'ALLEMAGNE, en all. **Bundesrepublik Deutschland.**

La R. F. A. naît de la fusion des trois zones d'occupation américaine, anglaise et française. Bénéficiant de l'aide économique à l'Europe (plan Marshall), elle va connaître un redressement rapide.

- *1949. Konrad Adenauer devient chancelier.*
- *1951. Révision du statut d'occupation (fin du démontage des usines).*
- *1951. La R. F. A. entre dans la C. E. C. A.**
- *1955. La R. F. A. entre dans l'O. T. A. N.**
- *1956. Création de la Bundeswehr (armée fédérale).*
- *1957. La Sarre redevient allemande à la suite d'un référendum.*
- *1957. La R. F. A. signe le traité de Rome qui donne naissance au Marché commun.*
- *1963. Traité franco-allemand. Adenauer est remplacé par Ludwig Erhard, père du «miracle économique allemand».*
- *1966. Kurt Georg Kiesinger devient chancelier.*
- *1969. Le socialiste Willy Brandt devient chancelier et pratique une politique de meilleure entente avec l'Est.*
- *1970. Reconnaissance de la ligne Oder-Neisse comme frontière germano-polonaise.*
- *1972. Les deux Allemagnes se reconnaissent mutuellement.*
- *1974. Le socialiste Helmut Schmidt est élu chancelier.*
- *1982. Le chrétien-démocrate Helmut Kohl devient chancelier.*
- *1989. La R. F. A. est confrontée aux problèmes posés par un afflux massif de réfugiés est-allemands et par les profonds changements survenus en R. D. A.*
- *1990. Les États (= Länder) reconstitués en Allemagne de l'Est adhèrent à la R. F. A. L'unification de l'Allemagne est proclamée le 3 octobre. Les premières élections de l'Allemagne unie (déc.) sont remportées par la coalition des chrétiens-démocrates et des libéraux dirigée par H. Kohl.*

ALLEMAGNE DE L'EST ou **RÉPUBLIQUE DÉMOCRATIQUE ALLEMANDE,** en all. **Deutsche demokratische Republik** (D. D. R.), nom porté par la partie orientale de l'Allemagne de 1949 à 1990. Sa capitale était Berlin-Est. Fondée dans la zone d'occupation soviétique, la République démocratique allemande (R. D. A.) était organisée économiquement et politiquement sur le modèle soviétique. Le parti socialiste unifié (SED) y détenait un rôle dirigeant.

- *1950. Wilhelm Pieck devient président de la République, Otto Grotewohl étant président du Conseil.*
- *1953. Manifestations ouvrières pour protester contre les conditions de vie.*
- *1960. Mort de W. Pieck. Walter Ulbricht devient président du Conseil d'État.*
- *1961. Construction du « mur » de Berlin pour empêcher l'émigration de nombreux Allemands vers l'O.; il coupe la ville en deux.*
- *1964. Willi Stoph succède à Grotewohl à la présidence du Conseil.*
- *1970. Une politique de détente avec l'Allemagne de l'Ouest est mise en œuvre.*
- *1972. La R. D. A. est reconnue par la R. F. A. puis par les autres États de l'Europe occidentale.*
- *1973. Mort de W. Ulbricht. W. Stoph lui succède à la tête de l'État.*
- *1974. Une nouvelle Constitution supprime toute allusion à la réunification de l'Allemagne.*
- *1976. Erich Honecker succède à W. Stoph.*
- *1989. Un exode massif de citoyens est-allemands vers la R. F. A. et d'importantes manifestations réclamant la démocratisation du régime provoquent, à partir d'octobre, de profonds bouleversements : démission des principaux dirigeants (dont Honecker et Stoph), ouverture du mur de Berlin et de la frontière interallemande, abandon de toute référence au rôle dirigeant du SED (= le parti communiste est-allemand).*
- *1990. Les États (=* Länder) *reconstitués sont intégrés à l'Allemagne de l'Ouest.* (→ ALLEMAGNE).

ALLEMAND, E [almɑ̃, -ɑ̃d] adj. et n. (du germ. *Alamann-*). De l'Allemagne. ◆ n. m. Langue indo-européenne du groupe germanique, parlée principalement en Allemagne.

— ENCYCL. L'*allemand* est la langue officielle de l'Allemagne et de l'Autriche, une des langues officielles de la Suisse, du Luxembourg et de la Belgique; il est utilisé également dans trois départements français (Haut-Rhin, Bas-Rhin et Moselle), ainsi que dans la région de Bolzano en Italie.

En France, le nombre des élèves étudiant l'allemand en deuxième langue est en diminution sensible, tandis que celui des élèves l'étudiant en première langue reste stable. Globalement, l'allemand reste la langue la plus étudiée après l'anglais. L'enseignement de l'allemand, donné dans toutes les académies, est cependant prédominant à Besançon, Nançy, Reims, Strasbourg (première langue). *Débouchés* → LANGUES VIVANTES.

ALLEN (Allen Stewart **Konigsberg,** dit **Woody**), cinéaste et acteur américain (né en 1935). Il réalise et interprète : *Prends l'oseille et tire-toi* (1969), *Bananas* (1971), *Annie Hall* (1977), *Intérieurs* (1978), *Manhattan* (1979), *Broadway Danny Rose* (1984), *la Rose pourpre du Caire* (1985), *Hannah et ses sœurs* (1986), *Septembre* (1987), *Une autre femme* (1988), *Crimes et délits* (1989), *Alice* (1991).

ALLENDE (Salvador), homme d'État chilien (1908-1973). Socialiste, il devient président de la République en 1970. Un putsch dirigé par le général Pinochet provoque sa chute et sa mort.

ALLER [ale] v. i. (lat. *ambulare*). [Conj. **12.**] **1.** (sujet nom d'être animé) *Aller* (suivi d'un compl. de lieu, de moyen, de manière, d'un adv., ou précédé de y), se mouvoir d'un lieu vers un autre : *Aller chez qq'un. Aller en train, à pied, à (ou en) bicyclette, à (ou en) vélo. Aller droit au but* (= agir ou parler sans détour). *Il ira loin* (= il a un avenir brillant); suivi d'une prép. ou d'un adv. : *Aller contre* (= s'opposer à), *aller en avant* (= progresser), *aller en bas* (= descendre), *aller autour* (= entourer), *aller dedans* (= pénétrer), *aller vers* (= se diriger). — **2.** (sujet nom de chose) *Aller*, avec les mêmes constructions, indique la direction, le point d'aboutissement : *La route va jusqu'à Paris* (syn. CONDUIRE, MENER). — **3.** (sujet nom de personne) *Aller*, avec les adv. *bien, mal, mieux*, etc., est syn. de SE PORTER : *Comment allez-vous?* (ou, plus usuellement : *Ça va?*). — **4.** (sujet nom de chose) *Aller* (et la même construction), être dans un certain état de fonctionnement : *Cette horloge va mal* (syn. FONCTIONNER, MARCHER). — **5.** (sujet nom de chose) *Aller à (qq'un)* [en général avec un adv.], être en accord, en harmonie : *Cette robe lui va* (syn. littér. CONVENIR, LUI SIED). — **6.** (sujet nom de chose) *Aller à (qqch.)* [et un adv.], être adapté à : *La clef va à la serrure* (syn. S'ADAPTER À). *Ces deux couleurs vont bien ensemble* (syn. S'ACCORDER). — **7.** *Aller* (et l'infin.), verbe auxiliaire s'employant au présent ou à l'imparfait, exprime un futur proche : *Il allait se fâcher quand je suis intervenu.* ‖ Renforce un impér. négatif, un subj. optatif négatif : *N'allez pas croire cela. Pourvu qu'il n'y aille pas!* — **8.** *Se laisser aller à*, laisser libre cours à, ne pas se retenir de (syn. S'ABANDONNER); et, sans compl., être découragé, sans volonté : *Depuis la mort de sa femme, il se laisse aller.* — **9.** *Aller*, suivi d'un part. en *-ant*, avec ou sans la prép. *en*, exprime la progression : *Son travail ira en s'améliorant* (= il s'améliorera rapidement). — **10.** *Aller sur* (suivi d'un numéral), être sur le point d'atteindre : *Il va sur ses quarante ans* (= il est près de). — **11.** *Il y va de* (*qq'un* ou *qqch.*), quelqu'un, ou quelque chose, est en cause, est totalement engagé : *Dans cette affaire, il y va de votre honneur* (syn. IL S'AGIT DE). ‖ *Y aller*, parler, agir d'une certaine façon : *Allez-y doucement.* — **12.** *Il en va de* (suivi d'une comparaison), la situation est à ce point de vue comparable : *Il en va de cette affaire comme de l'autre* (= tout se passe comme précédemment). *Il n'en va pas de même* (= c'est tout différent). — **13.** *S'en aller* (suivi d'un compl. de lieu, de manière, de moyen), quitter un lieu, s'en éloigner : *Il s'en va sur la Côte d'Azur. Il s'en est allé furieux* (syn. PARTIR). — **14.** *S'en aller* (suivi d'un adv. sans compl.), mourir (sujet nom de personne), disparaître (sujet nom de chose) : *Le malade s'en va doucement. La tache s'en va. Le projet s'en est allé en fumée* (syn. SE DISSIPER). — **15.** *S'en aller* (suivi d'un infin.), au présent ou à l'imparfait, indique l'intention d'accomplir prochainement l'action (surtout à la 1re pers.) : *Je m'en vais vous jouer un tour de ma façon.* ◆ **aller** n. m. **1.** Titre de transport permettant seulement de faire un trajet dans un sens : *Prendre un aller pour Tours.* — **2.** Voyage d'un endroit à un autre (par oppos. à RETOUR). — **3.** *Aller et retour*, billet permettant de faire en sens inverse le voyage d'aller; action d'aller et de revenir.

ALLER, riv. de la grande plaine de l'Allemagne du Nord, affl. de la Weser (r. dr.); 256 km.

ALLERGIE [alɛrʒi] n. f. (du gr. *allos*, autre, et *ergon*, action). **1.** État d'un individu qui, sensibilisé à une substance, y réagit ultérieurement d'une façon exagérée. → ENCYCL. — **2.** Aversion, hostilité instinctive envers qqch. ou qq'un : *Avoir de l'allergie pour tout ce qui est nouveau.* ◆ **allergène** n. m. Substance susceptible de provoquer une allergie dans un organisme. ◆ **allergique** adj. **1.** *Être allergique à certaines poussières.* — **2.** Se dit aussi d'une personne qui manifeste une totale incompatibilité avec un fait social précis : *Il est allergique à la vie moderne* (= il ne peut s'y faire). ◆ **allergisant, e** adj. Qui provoque des allergies. ◆ **allergologie** n. f. Science qui a pour objet l'étude et la thérapeutique des allergies. ◆ **allergologue** n. Spécialiste d'allergologie.
— ENCYCL. L'état d'*allergie* ou d'*hypersensibilité* apparaît après l'introduction d'une quantité parfois minime d'*allergène* dans l'organisme, *par voie externe* (contact) ou *par voie respiratoire* (pollens, poussières, poils et plumes d'animaux, teintures, vernis, cosmétiques). *Par voie interne*, ce sont certains aliments (œufs, poissons), médicaments ou germes microbiens. Les réactions sont diverses : inflammations locales de la peau (urticaire, eczéma, œdèmes de Quincke), des voies respiratoires (coryza spasmodique), des bronches (asthme), du tube digestif, ou réactions générales (choc anaphylactique*).

ALLEU [alø] n. m. (frq. *al-ôd*, propriété). Au Moyen Âge, propriété héréditaire pour laquelle le propriétaire ne payait aucune redevance et qui ne relevait d'aucun seigneur. (L'alleu s'opposait au fief. Le nombre des alleux était faible, notamment en France, où une maxime proclamait « nulle terre sans seigneur ».)

ALLEVARD, ch.-l. de cant. de l'Isère, à 40 km au N.-E. de Grenoble, sur le Breda; 2400 hab. Station thermale et climatique. Sports d'hiver au *Collet d'Allevard.*

ALLIAGE n. m. → ALLIER 1.

1. ALLIANCE n. f. → ALLIER 2.

2. ALLIANCE [aljɑ̃s] n. f. (de *allier* 2). Anneau symbolisant le mariage et que les époux passent à leur doigt.

Alliance *(Sainte-)*, pacte conclu en septembre 1815, à Paris, par les souverains de Russie, d'Autriche et de Prusse pour maintenir les traités de 1815 et préserver l'ordre social.

Alliance *(Triple-)* ou **Triplice,** groupement politique constitué par l'Allemagne, l'Autriche-Hongrie et l'Italie en 1882.

Alliance française, association privée, qui se propose de maintenir et d'étendre dans le monde la langue et la culture françaises.

1. ALLIER [alje] v. t. (lat. *alligare*). Combiner des métaux : *Allier l'or avec l'argent.* ◆ **alliage** n. m. Produit métallique résultant de la combinaison de plusieurs métaux ou de l'incorporation d'un élément à un métal : *Les alliages légers entrent dans la fabrication des avions.*
— ENCYCL. La formation d'un *alliage* a pour objet d'améliorer les propriétés des métaux. Les alliages sont essentiellement obtenus par fusion des éléments constitutifs. On classe les alliages industriels en considérant le métal principal intervenant dans leur constitution : *alliages ferreux* (fontes, aciers, ferro-alliages); *alliages cuivreux* (bronzes, laitons, maillechorts, etc.); *alliages légers*, à base d'aluminium; *alliages ultra-légers*, à base de magnésium; *alliages de plomb, d'étain, de zinc; alliages de nickel; alliages de métaux précieux* (or, argent, platine); *alliages de métaux spéciaux* (tungstène, titane, etc.).

2. ALLIER [alje] v. t. (même étym.). **1.** Unir par un engagement mutuel (mariage, traité, etc.). — **2.** *Allier une chose à (avec) une autre*, les réunir en un tout, les associer étroitement : *Elle allie la beauté à de grandes qualités de cœur* (syn. JOINDRE, MÊLER, UNIR). ◆ ***s'allier*** v. pr. **1.** S'unir (à une famille) par le mariage (syn. S'APPARENTER). — **2.** Être en accord : *Ces deux couleurs s'allient très bien* (syn. S'ASSORTIR, S'HARMONISER). ◆ **allié, e** adj. et n. **1.** Qui a conclu un traité d'union : *La victoire des puissances alliées sur l'Allemagne en 1945* (syn. AMI). *Les alliés du Marché commun* (syn. ASSOCIÉ, PARTENAIRE). — **2.** Qui aide, secourt : *J'ai trouvé en lui un allié sûr* (syn. APPUI). ◆ **alliés** n. m. pl. **1.** Nom donné dans l'Antiquité aux cités unies à Rome par un traité. — **2.** Ensemble des puissances qui, en 1814 et en 1815, occupèrent la France et restaurèrent les Bourbons. — **3.** Ensemble des nations qui, pendant la Première Guerre mondiale, luttèrent contre l'Allemagne, l'Autriche-Hongrie, la Bulgarie et la Turquie. — **4.** Ensemble des nations qui, pendant la Seconde Guerre mondiale, luttèrent contre les puissances de l'Axe. (Dans ces trois derniers cas, prend une majusc.) ◆ **interallié, e** adj. Qui concerne les alliés d'une coalition : *Le commandement interallié.* (Ce terme fut employé surtout pendant et après la Première Guerre mondiale.) ◆ **alliance** n. f. **1.** Union contractée entre plusieurs États : *Conclure un traité, un pacte d'alliance* (syn. ACCORD, ENTENTE). — **2.** Accord entre des personnes ou des choses : *L'alliance de la science et du progrès social* (syn. UNION). — **3.** Union par le mariage; parenté qui en résulte : *Cousin par alliance.* ◆ **mésalliance** n. f. Mariage avec une personne appartenant à une classe jugée inférieure, avec une personne n'ayant pas de fortune. ◆ **mésallier (se)** v. pr.
→ carte page suivante.

ALLIER, riv. née dans le Massif central qui est le principal affluent de la Loire (r. g.) qu'elle rejoint près de Nevers, au bec d'Allier; 410 km; *débit moyen* : 140 m³/s. Rivière au régime irrégulier, l'Allier passe à Vichy, puis Moulins. (→ AUVERGNE.)

ALLIER (03), dép. du nord du Massif central (Région Auvergne); 7340 km²; 369600 hab. (51 au km²) [France : 103]. Ch.-l. *Moulins.* ADMINISTRATION. 3 arrond. (*Montluçon*, 129700 hab.; *Moulins*, 113300 hab.; *Vichy*, 126700 hab.). / 35 cant. / 320 comm.
Le département s'étend aux confins du Massif central et du Bassin parisien. À l'O. s'étend un plateau cristallin, le *Bocage bourbonnais :* l'élevage bovin y domine; à l'E., les plaines de la *Sologne bourbonnaise* et de la *Limagne bourbonnaise* (vallée de l'Allier) portent des cultures céréalières et fourragères. L'*agriculture* (élevage et culture de céréales) emploie près de 15 p. 100 de la population active, c'est-à-dire un pourcentage supérieur de moitié à la moyenne nationale.
L'*industrie* occupe plus de 35 p. 100 de la population active. Elle est surtout développée dans la région de Montluçon-Commentry, mais intéresse aussi Moulins et Vichy (principale station thermale de France). L'émigration des ruraux explique la diminution régulière de la population totale. La densité, guère supérieure à 50 hab. au km², est inférieure de près de moitié à la moyenne nationale.

ALLIGATOR [aligatɔr] n. m. (mot angl., de l'esp. *lagarto*, lézard). Crocodile américain aux écailles ventrales non ossifiées (contrairement au caïman) et au museau plus court que celui du vrai crocodile.

ALLITÉRATION [aliterasjɔ̃] n. f. (du lat. *ad*, et *littera*, lettre). Répétition des mêmes sonorités (surtout des consonnes), ou des mêmes syllabes, dans des mots qui se suivent, pour produire un effet d'harmonie imitative ou suggestive.
— ENCYCL. L'*allitération* est un procédé musical que le poète emploie pour frapper l'oreille des auditeurs. En associant dans un vers des sonorités douces ou heurtées, le poète imite ou évoque le bruit que produit la chose signifiée, et crée une musicalité en tirant partie de la valeur expressive des sons. Exemple : *Pour qui sont ces serpents qui sifflent sur vos têtes?* (Racine) [la sonorité sifflante *(s)* évoque le sifflement du serpent].

ALLÔ! [alo] interj. (angl.-amér. *hallo*). Appel précédant une conversation téléphonique.

ALLOBROGES, peuple de la Gaule, entre le Rhône et l'Isère (villes principales : Vienne, Genève, Grenoble).

ALLOCATAIRE n., **ALLOCATION** n. f. → ALLOUER.

ALLOCUTION [alɔkysjɔ̃] ou [allɔkysjɔ̃] n. f. (du lat. *alloqui*, haranguer). Discours de peu d'étendue et de style familier : *Une allocution télévisée du Premier ministre* (syn. ENTRETIEN).

ALLOGÈNE [alɔʒɛn] adj. et n. (du gr. *allos*, autre, et *genos*, race). Se dit des races qui sont d'une arrivée récente dans un pays et ne prennent qu'une part secondaire à la constitution de sa population.

ALLONGE n. f., **ALLONGEMENT** n. m., **ALLONGER** v. t. et i. → LONG.

ALLOPATHIE [alɔpati] n. f. (du gr. *allos*, autre, et *pathos*, maladie). Par oppos. à HOMÉOPATHIE, traitement des maladies

LOCALITÉS PRINCIPALES	NOMBRE D'HAB.
Montluçon	51 800
Vichy	30 600
Moulins	25 500
Cusset	14 900
Yzeure	13 600
Commentry	9 400
Bellerive-sur-Allier	8 500
Domérat	8 500
Gannat	6 500
Saint-Pourçain-sur-Sioule	5 400
Varennes-sur-Allier	4 900

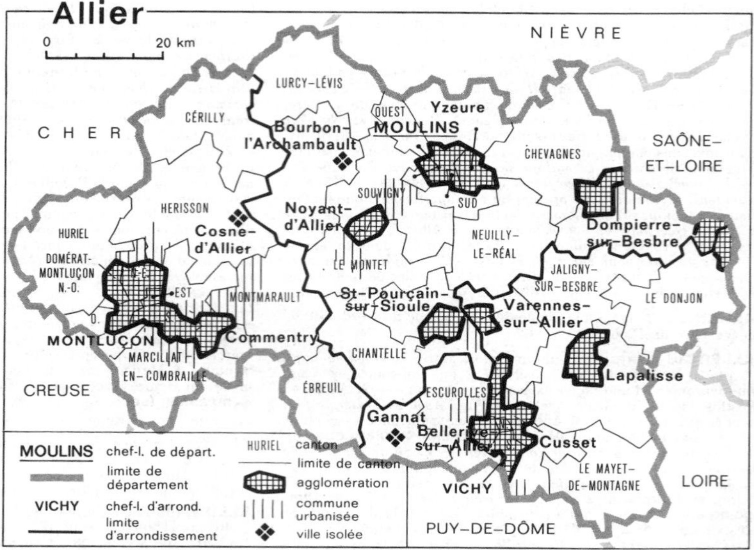

avec des remèdes provoquant des symptômes contraires à ceux de ces maladies.

ALLOS, village des Alpes-de-Haute-Provence, dans la vallée du haut Verdon, à 1 425 m d'alt., au pied du *col d'Allos* (2 250 m); 681 hab. Sports d'hiver.

ALLOTROPIE [alɔtrɔpi] n. f. (du gr. *allos*, autre, et *tropos*, manière d'être). Propriété de certains corps simples, comme le carbone, le phosphore, de se présenter sous plusieurs formes ayant des propriétés physiques différentes.

ALLOUER [alwe] v. t. (bas lat. *allocare*) [sujet nom de personne]. *Allouer qqch. à qq'un*, lui attribuer une somme d'argent, une gratification en nature (terme admin.) : *Allouer une indemnité pour frais de déplacement* (syn. ACCORDER, OCTROYER). ◆ **allocation** n. f. Aide en argent ou en nature fournie à de personnes par l'État : *Toucher des allocations familiales.* → ENCYCL. ◆ **allocataire** n. : *Verser des indemnités aux allocataires.*
— ENCYCL. Les *allocations familiales* sont des sommes périodiquement versées aux familles comptant deux enfants au moins, pour alléger les charges financières dues à leur entretien et à leur éducation. (→ PRESTATIONS FAMILIALES.)

1. ALLUMER [alyme] v. t. (du lat. *luminare*, éclairer). **1.** Rendre lumineux, faire fonctionner pour donner de la lumière : *Allumer une lampe. Allumer l'électricité;* et intransitiv. : *Allumer dans l'entrée.* — **2.** *Allumer une pièce, un lieu*, y répandre la lumière : *Le bureau est allumé* (syn. ÉCLAIRER); et intransitiv. : *La lampe n'allume plus.* ◆ ***s'allumer*** v. pr. Devenir lumineux : *La lampe s'allume.* ◆ **allumage** n. m. : *Le système d'allumage est défectueux.* ◆ **rallumer** v. t. Sens 1 et 2 du v.

2. ALLUMER [alyme] v. t. (même étym.). **1.** *Allumer qqch.*, y mettre le feu : *Allumer une cigarette* (syn. ENFLAMMER). — **2.** *Allumer la guerre*, la provoquer, la susciter (littér.). ◆ ***s'allumer*** v. pr. : *Du bois humide qui s'allume mal. La guerre s'est allumée en Afrique.* ◆ **rallumer** v. t. Sens 1 et 2 du v. ◆ **allumage** n. m. **1.** *L'allumage d'une pipe, d'un feu.* — **2.** Dispositif assurant l'inflammation du mélange gazeux dans un moteur à explosion : *Une panne d'allumage.* ‖ *Avance, retard à l'allumage*, inflammation du mélange combustible d'un moteur à explosion avant ou après le moment où le piston est au bout de sa course de compression. ◆ **allumette** n. f. Petite tige de bois imprégnée de matière inflammable par frottement. ◆ **allumeur** n. m. Dispositif pour provoquer la déflagration d'une charge explosive.

3. ALLUMER (S') [salyme] v. pr. (même étym.). *Son regard s'allume*, ses yeux brillent (d'envie, de convoitise, etc.).

ALLURE [alyr] n. f. (de *aller*). **1.** *L'allure de qq'un, d'un véhicule*, la façon plus ou moins rapide qu'il a de se mouvoir, de marcher, d'agir : *Le train traversa la gare à une allure réduite* (syn. VITESSE). *Il a lu à toute allure* (= très vite, à toute vitesse). — **2.** (avec un qualificatif) Manière de marcher, de se conduire, de se présenter : *L'allure digne d'un professeur* (syn. ATTITUDE). *Il a une drôle d'allure* (syn. AIR, ASPECT). — **3.** (sujet nom de personne) *Avoir de l'allure*, avoir de l'élégance et de la distinction. — **4.** Chacun des différents modes de la progression quadrupède. (Les allures naturelles sont le *pas*, le *trot* et le *galop;* l'*amble* est anormal, sauf chez la girafe.) — **5.** Direction de la route d'un navire relativement à celle du vent. (Les principales sont : le *vent arrière*, quand le vent souffle dans la direction suivie; le *grand largue*, quand il souffle de l'arrière du travers; le *largue*, quand il est perpendiculaire à la direction suivie; enfin, le *plus près*, quand la route fait un angle aussi aigu que possible avec la direction du vent.)

ALLUSION [alyzjɔ̃] n. f. (bas lat. *allusio*). Mot, phrase, parole par lesquels on évoque l'idée de quelqu'un, de quelque chose, sans en parler de manière précise : *Une allusion voilée* (syn. SOUS-ENTENDU). *À quoi faites-vous allusion?* ◆ **allusif, ive** adj. Se dit de ce qui contient une allusion, de ce qui est présenté sous forme d'allusion.

ALLUVIONS [alyvjɔ̃] n. f. pl. (lat. *alluvio*). Dépôt fait des graviers, du sable, de la boue, etc., que laisse un cours d'eau lorsque sa vitesse ne lui permet plus de les emporter. → ENCYCL. ◆ **alluvionnaire** adj. Qui est contenu dans des alluvions : *Minerai alluvionnaire.* ◆ **alluvionnement** n. m. Formation d'alluvions : *L'alluvionnement produit des deltas.* ◆ **alluvionner** v. i. Déposer des alluvions.
— ENCYCL. On dénomme *alluvions anciennes* celles qui ont été déposées à l'époque quaternaire. Elles forment fréquemment, de part et d'autre des rivières et des fleuves, des terrasses*, fragments d'anciennes plaines alluviales qui dominent les lits actuels. Les *alluvions récentes* ou *anciennes* peuvent constituer des gisements exploitables si elles contiennent des minéraux précieux ou chers, arrachés aux massifs traversés par les rivières. On exploite ainsi des alluvions *aurifères* (= où il y a de l'or), *diamantifères* (= où il y a des diamants).

ALMA, petit fl. de Crimée; 86 km. La *bataille de l'Alma* (1854) fut la première victoire de la guerre de Crimée, remportée sur les Russes de Menchikov par les forces franco-britanniques de Saint-Arnaud et de lord Raglan.

ALMA-ATA, ancienn. **Viernyï,** v. de l'U. R. S. S., capit. du Kazakhstan, au sud du lac Balkhach; 730 000 hab. Université. Centre industriel.

ALMANACH [almana] n. m. (ar. *al-manākh*). Calendrier donnant les divisions de l'année, les fêtes, le cours de la Lune, et éventuellement d'autres notions diverses sur les sciences, les arts ou les lettres, ainsi que des conseils, généralement sous la forme de dictons, de récits, de recettes de cuisine, etc.

ALMELO, v. des Pays-Bas (prov. d'Overijsel); 60 800 hab.

ALMERÍA, port d'Espagne, en Andalousie, sur la Méditerranée; 114 500 hab. Raisin de table. Métallurgie.

ALMOHADES, dynastie berbère qui succéda à celle des Almoravides et régna sur l'Afrique du Nord et l'Andalousie de 1147 à 1269.

ALMORAVIDES, dynastie berbère, d'origine saharienne, qui se rendit maîtresse du Maroc en 1055 et de l'Andalousie en 1086, mais fut éliminée par les Almohades en 1147.

ALOÈS [alɔɛs] n. m. (gr. *aloê*). **1.** Plante d'Afrique, cultivée aussi en Asie et en Amérique, et dont les feuilles charnues fournissent une résine amère, employée comme purgatif et en teinturerie. (Famille des liliacées.) — **2.** Résine produite par l'aloès.

ALOI [alwa] n. m. (de l'anc. fr. *aloier*, allier). *De bon, de mauvais aloi*, qui a une bonne ou une mauvaise qualité : *Une plaisanterie de mauvais aloi* (syn. DE MAUVAIS GOÛT).

ALONG *(baie d')*, baie de la côte du nord du Viêt-nam, semée de pittoresques rochers calcaires.

ALORS adv., **ALORS QUE** loc. conj. ⟶ LORS, LORSQUE.

ALOSE [aloz] n. f. (lat. *alausa*). Poisson voisin de la sardine, à chair estimée, se développant dans la mer et venant pondre dans les cours d'eau au printemps. (Elle peut atteindre jusqu'à 80 cm.) [Famille des clupéidés.]

ALOUETTE [alwɛt] n. f. (du lat. *alauda*). Petit oiseau passereau à plumage brunâtre, au chant mélodieux, très commun en France.

ALOURDIR v. t., **ALOURDISSEMENT** n. m. ⟶ LOURD.

ALOXE-CORTON, village de Bourgogne (Côte-d'Or); 198 hab. Vignoble renommé (corton).

ALOYAU [alwajo] n. m. (du lat. *alauda*). Pièce de bœuf coupée le long des reins et renfermant le filet, le contre-filet et le rumsteck.

ALPAGA [alpaga] n. m. (esp. *alpaca*). **1.** Mammifère ruminant voisin du lama, domestiqué en Amérique du Sud pour sa longue fourrure laineuse. — **2.** Étoffe comportant des poils d'alpaga.

ALPAGE [alpaʒ] n. m. (de *Alpes*). Prairie naturelle aux herbes courtes, dans les hautes montagnes, au-dessus de la limite de la forêt : *Les alpages servent de pâturage aux troupeaux pendant la belle saison* (syn. ALPE).

ALPE DE MONT-DE-LANS (l') ⟶ DEUX-ALPES *(Les)*.

ALPE DE VENOSC (l') ⟶ DEUX-ALPES *(Les)*.

ALPE D'HUEZ (l'), station de sports d'hiver de l'Isère (comm. d'Huez), dans l'Oisans (1 860-3 350 m).

ALPES, principal massif montagneux d'Europe.

■ GÉOGRAPHIE PHYSIQUE. Formant un arc ouvert vers le S.-E., les Alpes s'étalent sur plus de 1 000 km de la Méditerranée à la région de Vienne (Autriche). Elles se sont formées à l'époque tertiaire, par la compression d'énormes masses de sédiments accumulées dans un géosynclinal*. On y distingue trois grands ensembles structuraux. Un axe, formé de roches cristallines* hercyniennes, constitue les massifs centraux (*Mercantour, Mont-Blanc*, etc.). La partie interne de l'arc est composée de roches métamorphiques* intensément plissées, formant des nappes de charriage* (*Briançonnais, Pennines, Bernina*, etc.). Des roches sédimentaires, modérément et régulièrement plissées, s'appuient sur cet ensemble : sur le flanc externe de l'arc, elles forment les Préalpes (*Préalpes françaises du Nord, Préalpes de Bavière*, etc.); elles apparaissent également sur le flanc interne des Alpes orientales *(Dolomites)*.

mont Blanc	4 807 m	Jungfrau	4 166 m
mont Rose	4 638 m	barre des Écrins	4 103 m
Cervin	4 478 m	Grand Paradis	4 061 m

Au Quaternaire, de puissants glaciers débordant sur le piedmont ont façonné les vallées. Ils ne couvrent maintenant qu'une petite superficie du massif (glacier d'Aletsch, mer de Glace, etc.).

Le *climat* est marqué dans l'ensemble par une forte pluviosité et des hivers longs et rudes. Mais des conditions locales peuvent jouer un grand rôle. L'exposition, notamment, oppose l'*adret* (versant exposé à l'E. ou au S.), sec et chaud, à l'*ubac* (versant exposé à l'O. ou au N.), humide et froid.

La *végétation* est caractérisée par l'étagement en altitude : la

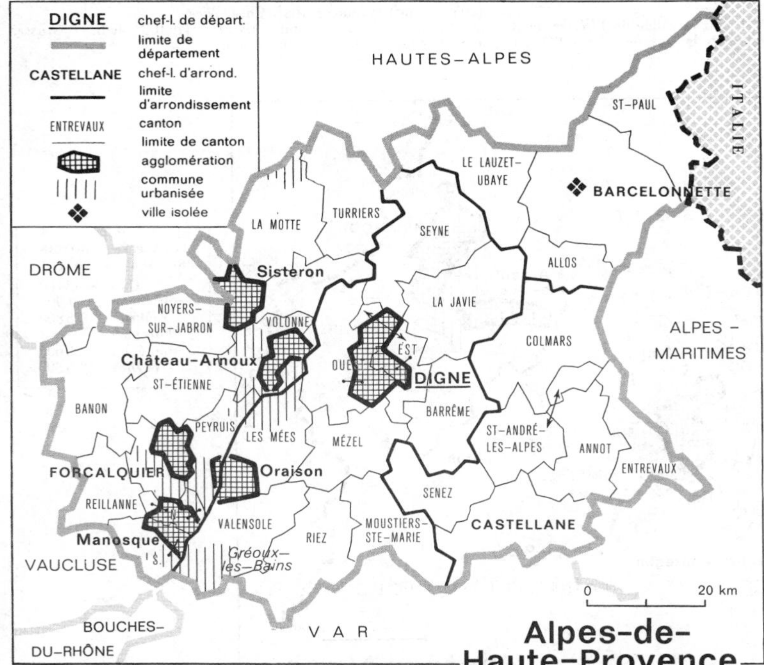

LOCALITÉS PRINCIPALES	NOMBRE D'HAB.
Manosque	19 100
Digne	16 400
Sisteron	6 600
Château-Arnoux	5 700
Forcalquier	3 800

forêt monte jusqu'à 2 000 m en moyenne. Au-dessus s'étendent les *alpages.* À partir de 2 500 ou 3 000 m, c'est la zone des *éboulis* et des *neiges éternelles.*

■ LA VIE HUMAINE DANS LES ALPES. Montagne élevée, les Alpes sont aisément pénétrables grâce à de larges vallées (*Sillon alpin, Valais, Engadine,* etc.) et de nombreux cols. Leur intérêt économique est très grand.

col du Grand-Saint-Bernard	2 473 m	(Suisse-Italie)
col du Saint-Gothard	2 112 m	(Suisse-Italie)
col du Mont-Cenis	2 083 m	(France-Italie)
col du Simplon	2 009 m	(Suisse-Italie)
col du Montgenèvre	1 850 m	(France-Italie)
col du Brenner	1 370 m	(Allemagne et Autriche-Italie)
tunnel du Mont-Blanc	1 274 à 1 381 m	(France-Italie)

La vie traditionnelle, fondée sur l'élevage (avec montée à l'alpage en été) et les activités artisanales en hiver, a été bouleversée par le développement des moyens de communication. L'hydro-électricité fournie par les cours d'eau a servi de source d'énergie à une puissante industrie (électrométallurgie, électrochimie, etc.). Le tourisme, enfin, d'été et d'hiver, apporte des ressources considérables. Mais ce sont surtout les Alpes françaises du Nord et les Alpes suisses qui ont été marquées par ces transformations et qui sont prospères. Le reste de la chaîne, plus déshérité, est au contraire soumis à l'exode rural.

ALPES AUSTRALIENNES, partie méridionale de la Cordillère australienne; 2 228 m au *mont Kosciusko.*

ALPES DINARIQUES, massifs de Yougoslavie, s'étendant entre les Alpes de Slovénie et le Rhodope.

ALPES FRANÇAISES, région naturelle du sud-est de la France, entre la vallée du Rhône, la frontière italienne et la Méditerranée, culminant au mont Blanc (4 807 m). Elle s'étend sur tout ou partie des régions Rhône-Alpes et Provence-Alpes-Côte d'Azur.

ALPES-DE-HAUTE-PROVENCE (ancienn. **Basses-Alpes**) **[04]**, dép. du sud-est de la France (Région Provence-Alpes-Côte d'Azur); 6 925 km²; 119 000 hab. (17 au km²) [France : 103]. Ch.-l. *Digne-les-Bains* ou *Digne.*
ADMINISTRATION. 4 arrond. (*Digne,* 39 800 hab.; *Barcelonnette,* 7 400 hab.; *Castellane,* 7 200 hab.; *Forcalquier,* 64 800 hab.). / 32 cant. / 200 comm.
→ carte page précédente.

Le département s'étend au N.-E. sur la vallée de l'*Ubaye,* et il est principalement axé sur la vallée de la Durance. Dans l'Ouest s'allongent les chaînes de la *montagne de Lure* et du *Luberon;* dans l'Est s'élèvent les *Préalpes de Digne* et s'étend le *plateau de Valensole.*

Son caractère montagneux explique la grande faiblesse du peuplement. Pourtant la population s'est accrue rapidement, du double de la moyenne nationale dans les dernières années. Ce phénomène est largement dû à l'immigration (rapatriés d'Afrique du Nord en particulier). Aujourd'hui, l'accroissement est de l'ordre de la moyenne nationale.

La réanimation de la région est partiellement liée à l'aménagement des vallées de la Durance et du Verdon qui fournissent à la fois de l'énergie électrique et de l'eau pour l'irrigation.

L'*agriculture* emploie 16 p. 100 de la population active (polyculture et élevage ovin dominent).

L'*industrie* occupe 30 p. 100 de cette population active et la production est assez diversifiée : l'usine chimique de Saint-Auban est l'établissement le plus important.

Le *secteur tertiaire* est développé (54 p. 100 de la population active).

ALPES (Hautes-) [05], dép. du sud-est de la France (Région Provence-Alpes-Côte d'Azur); 5 549 km²; 105 100 hab. (18 au km²) [France : 103]. Ch.-l. *Gap.*
ADMINISTRATION. 2 arrond. (*Gap,* 76 600 hab.; *Briançon,* 28 400 hab.). / 30 cant. / 175 comm.

Le département s'étend au N.-E. sur le *Briançonnais* et le *Queyras* (vallée du Guil); le Centre est constitué par le *Champsaur* (haute vallée du Drac) et l'*Embrunais,* qui s'étend de part et d'autre de la vallée de la Durance. L'Ouest est formé par les régions du *Dévoluy,* du *Gapençais* et du *Bochaîne.*

C'est un département peu peuplé (la densité moyenne est seulement de 18 hab. au km²), voué surtout à l'élevage (ovins).

L'*agriculture* emploie encore 15 p. 100 de la population active et l'*industrie* occupe seulement encore 1 quart de la population active. L'énergie du barrage de Serre-Ponçon sur la Durance est en grande partie exportée; elle alimente sur place quelques usines d'électrométallurgie et d'électrochimie.

Le *secteur tertiaire* emploie pratiquement 60 p. 100 de la population active. Son importance est liée à l'essor spectaculaire de la pratique des sports d'hiver (Serre-Chevalier, Briançon), qui a maintenu ou développé le commerce et l'hôtellerie. Cette activité touristique est à la base d'un certain peuplement.

ALPES-MARITIMES (06), dép. du sud-est de la France (Région Provence-Alpes-Côte d'Azur); 4 299 km²; 881 200 hab. (205 au km²) [France : 103]. Ch.-l. *Nice.*
ADMINISTRATION. 2 arrond. (*Nice,* 476 100 hab.; *Grasse,* 405 100 hab.). / 51 cant. / 163 comm.

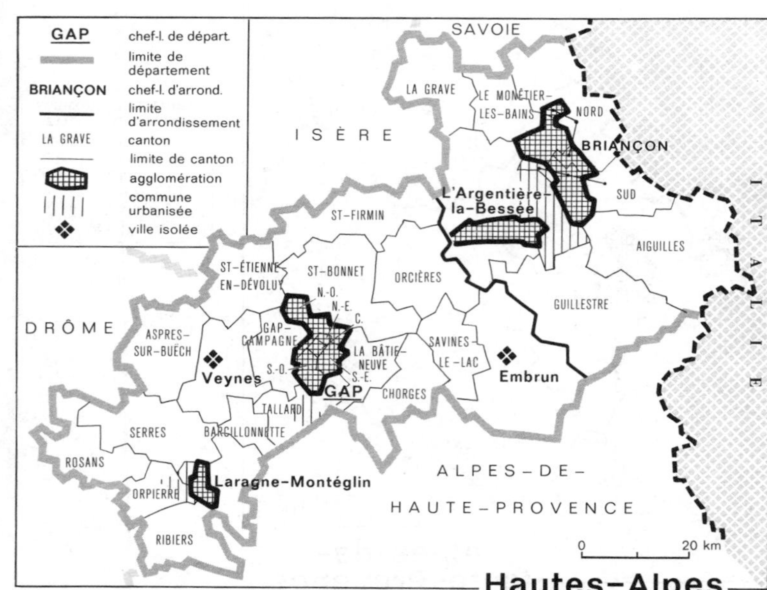

LOCALITÉS PRINCIPALES	NOMBRE D'HAB.
Gap	32 100
Briançon	11 900
Embrun	5 800
Laragne-Montéglin	3 600
Veynes	3 300

Afrique
0
500
1000 km
E U R O P E
MER MÉDITERRANÉE
A S I E
Alger
Tunis
TUNISIE
Rabat
MAROC
Tripoli
Canaries (Esp)
El-Aiun
ALGÉRIE
LIBYE
Le Caire
ÉGYPTE
Tropique du Cancer
MAURITANIE
MALI
NIGER
TCHAD
Khartoum
SOUDAN
Niamey
Bamako
Ouagadougou
BURKINA
GUINÉE
N'Djamena
RÉP. DE DJIBOUTI
Djibouti
NIGERIA
Abuja
Addis-Abeba
ÉTHIOPIE
SIERRA LEONE
CÔTE-D'IVOIRE
GHANA
TOGO
BÉNIN
Porto Novo
Yamoussoukro
Accra
Lomé
LIBERIA
RÉPUBLIQUE CENTRAFRICAINE
CAMEROUN
Bangui
Bioko (Guinée équat.)
Principe
Malabo
Yaoundé
GUINÉE ÉQUATLE
Équateur
Libreville
GABON
São Tomé
CONGO
ZAÏRE
OUGANDA
Kampala
KENYA
Nairobi
SOMALIE
Mogadishu
RUANDA
Kigali
BURUNDI
Bujumbura
TANZANIE
Brazzaville
Kinshasa
Zanzibar
Dar es-Salaam
Luanda
OCÉAN
ATLANTIQUE
ANGOLA
MALAWI
Lilongwe
Comores
ZAMBIE
Lusaka
Harare
ZIMBABWE
MOZAMBIQUE
Antananarivo (Tananarive)
MADAGASCAR
Windhoek
NAMIBIE
BOTSWANA
Gaborone
Tropique du Capricorne
Pretoria
Maputo
Mbabane
SWAZILAND
Maseru
LESOTHO
AFRIQUE DU SUD
OCÉAN INDIEN
Le Cap
0°
10°
20°
30°
40°
50°

Afrique
échelle
des altitudes
200
500
1000
2000 m
0
500
1000 km
EUROPE
MER MÉDITERRANÉE
ASIE
Détroit de Gibraltar
Madère
Iles Canaries
Rif
Aurès
Atlas saharien
Haut Atlas
GRAND ERG OCCIDENTAL
GRAND ERG ORIENTAL
GOLFE DE GABÈS
GOLFE DE SYRTE
HAMADA DU DRAA
HAMADA EL-HOMRA
TADEMAÏT
ERG IGUIDI
ERG CHECH
Tassili des Ajjer
Hoggar
ERG DE MOURZOUK
Sahara
Désert de Libye
Désert arabique
Sinaï
MER ROUGE
Tropique du Cancer
Nil
Désert de Nubie
C. Blanc
Adrar des Iforas
Aïr
Tibesti
Bodélé
Ennedi
Darfour
PLATEAU DU KORDOFAN
C. Vert
Sénégal
Niger
PLATEAU MOSSI
LAC TCHAD
Chari
Fouta Djalon 1515
PLATEAU BAUCHI
Bassin du Haut-Nil
Massif éthiopien
GOLFE D'ADEN
PLATEAU GALLA-SOMALI
Mt Nimba 1854
Volta
PLATEAU ACHANTI
Adamaoua
Mt Cameroun 4070
Bioko
Cap des Palmes
Cap des Trois Pointes
GOLFE DE GUINÉE
São Tomé
Équateur
Mts de Cristal
Oubangui
Bassin du Congo
Cap Lopez
Mayombe
Congo (Zaïre)
Kasaï
Congo
PLATEAU DE L'OUGANDA
L. TURKANA (RODOLPHE)
Mt Elgon 4321
Mt Kenya 5194
Ruwenzori 5119
LAC VICTORIA
Kilimandjaro 5963
LAC TANGANYIKA
Pemba
Zanzibar
OCÉAN ATLANTIQUE
PLATEAU DE BIÉ
SHABA
Mts Livingstone
Comores
LAC MALAWI
C. d'Amb
Zambèze
CANAL DE MOZAMBIQUE
Madagasc
PLATEAU MATABÉLÉ
Plaine du Mozambique
Désert du Namib
Désert du Kalahari
Limpopo
Tropique du Capricorne
Vaal
Orange
PLATEAU DU VELD
Drakensberg
PLATEAU DES KARROOS
Cap de Bonne Espérance
OCÉAN INDIEN
0°
10°
20°
30°
40°
50°

OCÉAN ARCTIQUE
ALASKA (E.-U.)
GROENLAND (Dan.)
CANADA
Ottawa
ST-PIERRE-ET-MIQUELON (Fr.)
ÉTATS-UNIS
Washington
OCÉAN
Tropique du Cancer
ATLANTIQUE
Nassau
BAHAMAS
MEXIQUE
La Havane
CUBA
Mexico
RÉPUBLIQUE DOMINICAINE
St-Domingue
PORTO RICO
San Juan
HAÏTI
Port-au-Prince
BELIZE
Belmopan
Kingston
JAMAÏQUE
GUADELOUPE (Fr.)
DOMINIQUE
MARTINIQUE (Fr.)
STE-LUCIE
BARBADE
GRENADE
ST-VINCENT
BONAIRE
CURAÇAO
ARUBA
(P.-B.)
GUATEMALA
Guatemala
HONDURAS
Tegucigalpa
San Salvador
EL SALVADOR
NICARAGUA
Managua
COSTA RICA
San José
Panamá
PANAMÁ
Caracas
Port of Spain
TRINITÉ ET TOBAGO
VENEZUELA
Georgetown
GUYANA
SURINAM
GUYANE FRANÇAISE
Bogotá
COLOMBIE
Équateur
Quito
ÉQUATEUR
OCÉAN
PACIFIQUE
BRÉSIL
PÉROU
Lima
La Paz
BOLIVIE
Sucre
Brasília
PARAGUAY
Asunción
Tropique du Capricorne
URUGUAY
Buenos Aires
Montevideo
Santiago
ARGENTINE
CHILI
ILES FALKLAND (G.-B.)
0 500 1000 km
10°
0°
10°
20°
30°
40°
90° 80° 60° 50° 40° 30° 20°

Amérique

Amérique
échelle des altitudes
200 m
500
1 000
2 000
3 000
4 000
0 500 1000 km
OCÉAN ARCTIQUE
OCÉAN ATLANTIQUE
OCÉAN PACIFIQUE
Groenland
Ellesmere
Iles Reine-Elizabeth
Iles Parry
Devon
Ile de Banks
Ile Victoria
Terre de Baffin
MER DE BEAUFORT
MER DE BAFFIN
Détroit de Davis
C. Farewell
Dt de Béring
Chne de Brooks
Chne de l'Alaska
Mt McKinley 6187
Golfe de l'Alaska
Mt St-Élie
Mt Logan 6050
Mts Mackenzie
Mackenzie
Yukon
GD LAC DE L'OURS
GD LAC DE L'ESCLAVE
Bassin de Foxe
Ile Southampton
Dt d'Hudson
BAIE D'HUDSON
Presqu'île du Labrador
Peace riv.
Chne côtière
Montagnes Rocheuses
Chne des Cascades
Columbia
PLATEAU DE COLUMBIA
LAC WINNIPEG
Missouri
PLAT DU MISSOURI
LAC SUPÉRIEUR
LAC HURON
LAC MICHIGAN
LAC ÉRIÉ
L. ONTARIO
St-Laurent
G. du St-Laurent
Terre-Neuve
C. Breton
Nlle-Écosse
C. Sable
C. Cod
Grand Bassin
GD LAC SALÉ
Mts Wasatch
Chne côtière
Sa Nevada
Mt Whitney 4418
Colorado
PLATEAU DU COLORADO
Arkansas
Ohio
Appalaches
Mississippi
C. Hatteras
Río Grande
Basse-Californie
G. DE CALIFORNIE
Sierra Madre occle
Sierra Madre orle
C. San Lucas
GOLFE DU MEXIQUE
Floride
Dt de Floride
Iles Bahamas
Tropique du Cancer
Cuba
C. Catoche
Yucatán
Popocatepetl 5452
Orizaba 5700
Isthme de Tehuantepec
Sa Madre del Sur
Grandes Antilles
Haïti
Ptes Antilles
MER DES CARAÏBES
C. Gracias a Dios
L. NICARAGUA
Isthme de Panamá
canal
Tolima 5620
R. Magdalena
Orénoque
Massif des Guyanes
Équateur
R. Negro
R. Japurá
Amazone
Chimborazo 6272
Marañón
Ucayali
R. Purús
R. Madeira
R. Tapajós
R. Xingu
R. Tocantins
C. São Roque
R. São Francisco
PLATEAU
Sa Geral de Goiás
Huascarán 6768
Cordillère des Andes
LAC TITICACA
Illampu 6550
LAC POOPÓ
Coropuna 6613
Sajama 6780
PLATEAU DU MATO GROSSO
BRÉSILIEN
Serra do Espinhaço
Paraguay
Paraná
Gran Chaco
Serra do Mar
Désert d'Atacama
Llullaillaco 6723
Ojos del Salado 6100
Tropique du Capricorne
Aconcagua 6959
Río de La Plata
R. Colorado
Patagonie
Tronador 3554
Iles Falkland
Détroit de Magellan
Terre de Feu
C. Horn
60°
70°
80°
10°
0°
10°
20°
30°
40°
90°
80°
60°
50°
40°
30°
20°

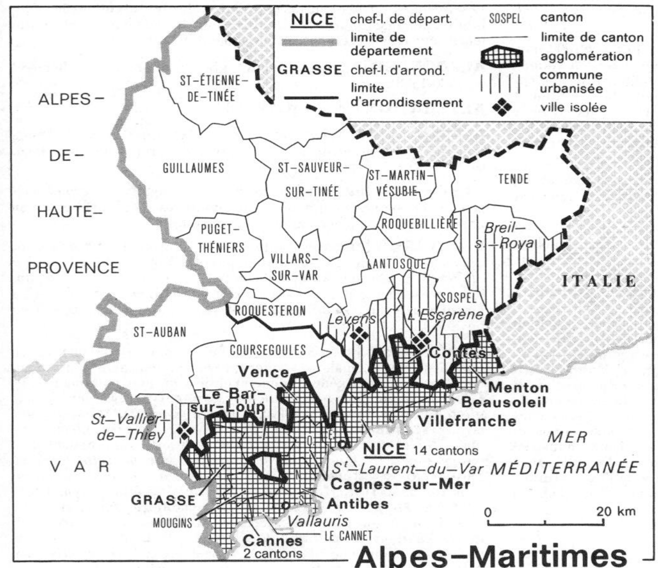

Alpes-Maritimes

LOCALITÉS PRINCIPALES	NOMBRE D'HAB.
Nice	338 500
Cannes	72 800
Antibes	63 200
Grasse	38 400
Le Cannet	37 400
Cagnes-sur-Mer	35 400
Menton	25 400
Vallauris	21 200
Saint-Laurent-du-Var	20 700
Vence	13 400
Beausoleil	11 700

Le Nord du département est formé par les hautes vallées du Var, de la Tinée et de la Vésubie; au N.-E. s'élève le massif cristallin du *Mercantour;* le Sud est occupé par les *Préalpes de Nice.*

Le département a une densité moyenne de population qui représente un peu plus du double de la moyenne nationale. Il doit naturellement ce caractère à son littoral *(Côte d'Azur)* qui constitue sa région vitale.

Le grand développement du tourisme explique l'exceptionnelle importance du *secteur tertiaire* qui emploie aujourd'hui les deux tiers de la population active (un tiers de plus que la moyenne nationale) [commerce, hôtellerie]. Depuis deux décennies, l'essor du tourisme, l'apport des rapatriés d'Algérie et le rôle toujours accru d'accueil pour les retraités sont les principaux éléments qui expliquent l'essor démographique du département.

L'*agriculture* n'occupe pas plus du vingtième de la population active, juxtaposant des activités spécialisées (cultures florales près de Grasse) et un élevage extensif dans l'arrière-pays montagneux.

L'*industrie,* qui emploie près du tiers de la population active, est représentée essentiellement dans les villes du littoral.

ALPES NÉO-ZÉLANDAISES, chaîne de montagnes de Nouvelle-Zélande, dans l'île du Sud.

ALPES SCANDINAVES, nom parfois donné aux montagnes des confins de la Suède et de la Norvège.

ALPESTRE adj. → ALPIN.

ALPHA [alfa] n. m. (mot gr.). **1.** Première lettre de l'aphabet grec (α). — **2.** *L'alpha et l'oméga,* le commencement et la fin.

ALPHABET [alfabɛ] n. m. (de *alpha* et *bêta,* les deux premières lettres de l'alphabet grec). **1.** Ensemble des signes graphiques (= lettres) servant à transcrire les sons d'une langue, énumérés le plus souvent dans un ordre conventionnel : *L'alphabet latin, l'alphabet cyrillique (russe, bulgare), l'alphabet grec,* etc. — **2.** Nom donné parfois au premier livre de lecture où les enfants apprennent les lettres (syn. vieilli ABÉCÉDAIRE). ◆ **alphabétique** adj. : *Index, répertoire, dictionnaire, table, catalogue alphabétique* (= qui suit l'ordre de l'alphabet). *Le français, le russe, le grec ont une écriture alphabétique* (= qui note chaque son par un signe graphique) *par opposition à l'écriture syllabique* (= où un signe transcrit une syllabe). ◆ **alphabétiser** v. t. Apprendre à lire à un groupe socialement déterminé. ◆ **alphabétisation** n. f. : *L'alphabétisation est un des problèmes essentiels des pays sous-développés.* ◆ **analphabète** adj. et n. Qui ne sait ni lire ni écrire. ◆ **analphabétisme** n. m. (→ ILLETTRÉ.)

ALPHONSE, nom de cinq rois d'Aragon, dont ALPHONSE V *le Grand* ou *le Magnanime* (1396-1458), roi d'Aragon et de Sicile (1416-1458).

ALPHONSE, nom de six rois du Portugal, dont ALPHONSE V *l'Africain* (1432-1481), qui guerroya en Afrique et en Castille.

ALPHONSE, nom de plusieurs rois des Asturies et de León, puis de Castille et d'Espagne, dont ALPHONSE VI (1040-1109), roi de León (1065-1109), de Castille (1072-1109) et de Galice (1073-1109). Il conquit Tolède sur les Arabes et en fit sa capitale. Sous son règne vécut le Cid Campeador. — ALPHONSE VIII *le Noble* (1155-1214), roi de Castille (1158-1214). Il porta un coup très dur aux Arabes en les battant à Las Navas de Tolosa (1212). — ALPHONSE X *le Sage,* né à Tolède (1221-1284), roi de Castille et de León (1252-1284), empereur d'Occident (1267-1272). Très cultivé, il anima la vie intellectuelle de son temps et fit dresser des tables astronomiques appelées *tables Alphonsines.*

ALPILLES (les) ou **ALPINES** (les), chaîne calcaire de Provence, entre la Crau et la Durance; 386 m.

ALPIN, E [alpɛ̃, -in] adj. (de *Alpes*). **1.** Relatif aux Alpes, aux montagnes. — **2.** *Chasseur alpin,* fantassin des troupes de montagne. ‖ *Ski alpin,* ski pratiqué sur des pentes raides (→ SKI). — **3.** *Plissements alpins* → ENCYCL. ◆ **subalpin, e** adj. Se dit des régions situées en bordure des Alpes : *Lacs subalpins.* ◆ **alpestre** adj. Relatif aux Alpes (terme géogr., touristique) : *Admirer les sites alpestres.*

— ENCYCL. Les *plissements alpins* qui se sont produits essentiellement à l'époque tertiaire, sont responsables du soulèvement des montagnes de la majeure partie de l'Atlas, des Pyrénées, des Alpes, des Carpates et des Balkans. Ces plissements sont aussi responsables de l'immense zone montagneuse s'étendant de la mer Égée à la Nouvelle-Guinée septentrionale (incluant naturellement l'Himalaya), des chaînes insulaires et péninsulaires de l'Asie orientale (Kamtchatka, Japon, Philippines), du système des Rocheuses et de la Cordillère des Andes.

ALPINISME [alpinism] n. m. (de *alpin*). Sport consistant à faire des ascensions en montagne. → ENCYCL. ◆ **alpiniste** n.

— ENCYCL. C'est dans les Alpes, avec l'ascension du mont Blanc, que naît l'*alpinisme :* Jacques Balmat et le Dr Paccard, de Chamonix, parviennent au sommet du mont Blanc le 8 août 1786.

Au cours du XIXe siècle, ce sont les Anglais qui vaincront la plupart des cimes des Alpes. Une fois les sommets alpins conquis, on se tourne vers les plus grands massifs montagneux du globe : en Afrique et surtout en Asie, dans l'Himalaya, la plus haute chaîne de montagnes du monde (14 sommets de plus de 8 000 m).

L'Annapūrnā est vaincu en 1950 par l'expédition française de

Maurice Herzog; l'Everest (point culminant du globe) en 1953, par E. Hillary et N. Tensing.

ALSACE, région de l'est de la France; 8280 km²; 1566000 hab. *(Alsaciens). Ch.-l. Strasbourg* (365000 hab. pour l'agglomération); principales agglomérations : *Mulhouse* (218000 hab.); *Colmar* (83000 hab.). Formée par les deux départements du Bas-Rhin et du Haut-Rhin, c'est la plus petite des vingt-deux régions administratives françaises, mais ce n'est pas la moins peuplée (la densité y est en effet très supérieure à la moyenne nationale : 188 hab. au km²).

GÉOGRAPHIE. La région s'étend à l'O. sur le versant oriental des *Vosges*, à l'E. sur la *plaine d'Alsace*, séparée de la montagne par les *collines sous-vosgiennes*.

La *vie agricole* est intense et variée (cultures céréalières et fruitières des vallées des Vosges et de la plaine d'Alsace, vignobles des collines sous-vosgiennes, tabac, houblon). Mais elle n'emploie que le dixième de la population active. L'urbanisation est ancienne et fortement développée. Les trois villes principales regroupent plus des deux cinquièmes de la population.

Favorablement située à un carrefour essentiel pour la circulation européenne, valorisée aujourd'hui par l'existence du Marché commun et l'aménagement du Rhin, bénéficiant de ressources minérales (potasse) et énergétiques (raffinerie de pétrole, hydro-électricité du grand canal), l'Alsace a une grande *activité commerciale et industrielle*. Les secteurs dominants sont ceux du bâtiment, du textile, de l'alimentation et de la métallurgie; à ces industries traditionnelles se sont ajoutées les constructions mécaniques et électriques et la chimie. Cependant, ce dynamisme industriel récent ne suffit pas à satisfaire toutes les demandes d'emploi, dues à la forte densité de population et à la poursuite de l'exode rural : plusieurs milliers d'Alsaciens vont ainsi travailler chaque jour en Allemagne.

vin	800000 hl
tabac	6000 t
pétrole raffiné	4,2 millions de t
électricité	24 milliards de kWh
dont nucléaire	13 milliards de kWh
potasse	2 millions de t

HISTOIRE. Peuplée dès l'époque celtique, l'Alsace subit la domination romaine, est envahie par les Alamans puis conquise par les Francs.

- *843. Au traité de Verdun, le comté d'Alsace est attribué à la Lotharingie.*
- *870. L'Alsace passe au roi de Germanie.*

Au Moyen Âge, l'éclat de la civilisation rhénane en fait une région active et prospère; mais le régime féodal brise son unité. Mosaïque territoriale, l'Alsace devient un des foyers de la Réforme, puis est ravagée lors de la guerre de Trente Ans.

- *1648. Au traité de Münster, la France annexe l'Alsace sauf Strasbourg (1681).*
- *1871-1918. Avec la Lorraine du Nord, l'Alsace devient terre d'Empire (Reichsland) dans le cadre de l'Empire allemand.*
- *1918-1940. L'Alsace redevient française.*
- *1940-1944. Nouveau rattachement à l'Allemagne.*
- *1944. Après la libération de Strasbourg par Leclerc, retour à la France.*

ALSACE *(ballon d')*, montagne des Vosges méridionales; 1247 m. Sports d'hiver.

ALSACE *(grand canal d')*, canal latéral au Rhin, de 52 km à l'amont, et formé à partir de Vogelgrun de biefs séparés. Il commence au N. de Bâle et se termine à Strasbourg. Huit centrales (d'amont en aval : Kembs, Ottmarsheim, Fessenheim [site de deux centrales nucléaires], Vogelgrun, Marckolsheim, Rhinau, Gerstheim et Strasbourg) utilisent ses eaux, pouvant produire en année moyenne 7 milliards de kWh. Deux nouvelles usines (franco-allemandes) prolongent aujourd'hui cette chaîne de centrales au N. de Strasbourg.

ALSACE-LORRAINE, traduction française de l'expression allemande *Elsass-Lothringen*, ensemble de territoires alsaciens et lorrains cédés à l'Allemagne par la France de 1871 à 1918 et annexés de nouveau par les Allemands de 1940 à 1944.

ALSACIEN, ENNE [alzasjɛ̃, -ɛn] adj. et n. De l'Alsace.

ALTAÏ, chaîne de montagnes de Mongolie et de l'U. R. S. S. De direction E.-S.-E., l'Altaï culmine à 4506 m et possède de nombreux glaciers dans sa partie occidentale; la partie orientale est sèche et désertique.

ALTAMIRA *(grottes d')*, grottes préhistoriques du nord-ouest de l'Espagne (prov. de Santander), découvertes en 1875. Ornées des premières peintures paléolithiques (= celles qui attestent la plus ancienne présence de l'homme), elles forment un des plus beaux ensembles du magdalénien (= dernière période du paléolithique). Les fresques du plafond de la grande salle représentent de nombreux animaux rouges, ocre, noirs, dont le mouvement et la violence sauvages ont été remarquablement bien traduits.

ALTDORFER (Albrecht), peintre, graveur et architecte allemand (v. 1480-1538).

ALTÉRATION n. f. → ALTÉRER 2.

ALTERCATION [altɛrkasjɔ̃] n. f. (lat. *altercatio*). Échange brusque, en général de peu de durée, de propos violents (syn. QUERELLE).

ALTER EGO [altɛrego] n. m. (mots lat. signif. *un second moi-même*). Personne en qui on a mis toute sa confiance et qu'on charge d'agir à sa place en toute circonstance.

1. ALTÉRER [altere] v. t. (du lat. *alter*, autre). *Altérer qq'un, un animal*, lui donner soif (souvent au passif): *Cette promenade nous a altérés* (syn. ASSOIFFER). ◆ **désaltérer** v. t. ou i. *Désaltérer qq'un*, faire cesser sa soif : *Ce verre d'eau suffit à me désaltérer* (= à étancher ma soif). ◆ ***se désaltérer*** v. pr. Faire cesser sa soif en buvant.

2. ALTÉRER [altere] v. t. (même étym.). *Altérer qqch.*, en modifier l'état normal, provoquer un changement dans son aspect, dans sa valeur (en général pour aboutir à un état plus mauvais) : *L'humidité altère les plâtres du mur* (syn. ABÎMER). *Ce témoignage altère la vérité* (syn. DÉGUISER). *Rien n'a pu altérer ses sentiments* (syn. AFFECTER). ◆ ***s'altérer*** v. pr. Devenir différent, changer en mal : *Sa santé s'est gravement altérée* (= est compromise). *Son visage s'altéra quand je lui fis part de cette nouvelle* (syn. SE TROUBLER). ◆ **altération** n. f. **1.** *Le texte a subi des altérations* (syn. DÉFORMATION). *L'altération des traits du visage* (syn. ↑BOULEVERSEMENT). — **2.** *Mus.* Signe qui modifie le son d'une note d'un demi-ton (dièse, bémol, bécarre) : *L'altération se place après la clé ou dans le courant du morceau.* — **3.** Modification des roches sous l'influence de la pluie, du gel, etc. : *Certains minerais, comme la bauxite et le minerai de fer, résultent d'altérations.* ◆ **inaltérable** adj. Qui ne peut être altéré : *Un métal inaltérable* (syn. INOXYDABLE). *Une amitié inaltérable* (syn. ↑ÉTERNEL).

ALTERNER [altɛrne] v. t. (lat. *alternare*). *Alterner des choses*, faire succéder régulièrement des choses opposées, de manière à varier : *Alterner l'effort et le repos.* ◆ v. i. Se succéder régulièrement : *Les périodes d'activité alternent avec des moments d'inaction.* ◆ **alterne** adj. Bot. *Feuilles alternes*, insérées sur la tige à raison d'une seule à chaque nœud. ◆ **alterné, e** adj. : *Le mouvement alterné des rames.* ◆ **alternance** n. f. Succession régulière : *L'alternance des saisons.* ◆ **alternateur** n. m. Générateur de courant électrique alternatif. → ENCYCL. ◆ **alternatif, ive** adj. Qui se répète à des moments plus ou moins espacés; qui se reproduit avec plus ou moins de régularité : *Le mouvement alternatif du pendule. Courant alternatif* (= courant électrique qui change périodiquement de sens) [contr. CONTINU]. ◆ **alternative** n. f. **1.** Succession de deux choses opposées qui reviennent tour à tour : *Des alternatives de froid et de chaud.* — **2.** Choix entre deux possibilités : *Je me trouve dans la cruelle alternative de refuser ou d'accepter* (syn. DILEMME). ◆ **alternativement** adv. Tour à tour, l'un après l'autre.

— ENCYCL. ***alternateur.*** Généralement le courant prend naissance dans des bobinages placés dans les encoches d'un circuit magnétique fixe, dit *stator* ou *induit*, à l'intérieur duquel tourne un aimant ou un électro-aimant, alimenté en courant continu, appelé *rotor* ou *inducteur*. Lorsque le rotor est actionné par une turbine, l'ensemble prend le nom de *turbo-alternateur*.

ALTESSE [altɛs] n. f. (it. *altezza*). Titre d'honneur donné à un prince ou à une princesse.

ALTIER, ÈRE [altje, -jɛr] adj. (it. *altiero*). Qui montre un orgueil noble ou méprisant (syn. FIER, HAUTAIN; contr. MODESTE).

ALTIMÈTRE [altimɛtr] n. m. (du lat. *altus*, haut, et gr. *metron*, mesure). Dispositif qui, à bord d'un avion, indique l'altitude.

ALTIMÉTRIE [altimetri] n. f. (de *altimètre*). En cartographie, ensemble des signes conventionnels (courbes de niveau, hachures, etc.) représentant le relief.

ALTISTE n. → ALTO.

ALTITUDE [altityd] n. f. (lat. *altitudo*, hauteur). Élévation verticale d'un point au-dessus du niveau moyen de la mer : *L'avion prend de l'altitude* (= monte), *perd de l'altitude* (= descend). *Le mont Blanc est à près de 5000 m d'altitude. Les altitudes sont mesurées par les opérations de nivellement.* ◆ **altitudinal, e, aux** adj. Relatif à l'altitude : *La répartition altitudinale de la végétation sur un versant montagneux.*

ALTKIRCH, ch.-l. d'arrond. du Haut-Rhin, à 18 km au S.-S.-O. de Mulhouse, sur l'Ill (r. dr.); 6100 hab.

ALTO [alto] n. m. (du lat. *altus*, haut). **1.** Nom de la plus grave des voix de femmes (syn. CONTRALTO). — **2.** Instrument à cordes intermédiaire entre le violon et le violoncelle : *« Symphonie concertante pour violon et alto » de Mozart.* ◆ **altiste** n. Personne qui joue de l'alto.

ALTOCUMULUS [altokymylys] n. m. (du lat. *altus*, haut, et *cumulus*). Nuage formé de gros flocons, caractéristique du ciel pommelé et ne dépassant pas une altitude de 4 000 m.

ALTOSTRATUS [altostratys] n. m. (du lat. *altus*, haut, et *stratus*). Nuage gris foncé qui recouvre le ciel comme un voile à une altitude de 3 000 à 4 000 m.

ALTRUISME [altrɥism] n. m. (du lat. *alter*, autre). Souci désintéressé du bien d'autrui (syn. GÉNÉROSITÉ; contr. ÉGOÏSME). ◆ **altruiste** adj. et n. : *Manifester des sentiments altruistes* (syn. GÉNÉREUX; contr. ÉGOÏSTE).

ALTYNTAGH, massif de Chine, séparant le Tibet du Sin-kiang; il dépasse localement 5 000 m.

ALUMINIUM [alyminjɔm] n. m. (du lat. *alumen, -inis*, alun). Métal (Al) blanc brillant, léger, ductile et malléable, s'altérant peu à l'air. ◆ **alumine** [alymin] n. f. *Chim.* Oxyde d'aluminium (Al_2O_3) qui, diversement coloré, constitue un certain nombre de pierres précieuses (*rubis, saphir*, etc.) : *L'alumine pure est obtenue à partir de la bauxite.*

— ENCYCL. La métallurgie actuelle de l'*aluminium* a été mise au point en 1886 simultanément par le Français Héroult et par l'Américain Hall. Elle utilise l'*alumine* qui, soumise à haute température à l'action d'un courant électrique, se trouve décomposée en aluminium et en oxygène. A l'état pur, l'aluminium est trop mou pour la plupart des usages, et il est utilisé principalement sous forme de nombreux alliages, dits *alliages légers.*

■ *Utilisations.* L'industrie aéronautique doit son développement à ces alliages légers, qui restent la base de la construction des avions soniques et supersoniques. L'industrie automobile, l'industrie électrique utilisent l'aluminium en raison de sa légèreté. On emploie également l'aluminium comme matériau d'emballage, dans la fabrication d'articles de ménage, etc.

Les principaux producteurs mondiaux sont :

États-Unis	4 100 milliers de t
U. R. S. S.	2 300 milliers de t
Japon	1 200 milliers de t
Canada	1 000 milliers de t
Allemagne	750 milliers de t
Australie	750 milliers de t
Norvège	750 milliers de t
France	400 milliers de t

ALUN [alœ̃] n. m. (lat. *alumen*). Sulfate double d'aluminium et de potassium, ou composé analogue, formant un solide cristallisé. ◆ **alunite** n. f. Sulfate naturel d'aluminium et de potassium.

— ENCYCL. L'*alun* empêche la décomposition de diverses matières animales et est, de ce fait, utilisé pour la conservation des peaux. Il sert également au collage de la pâte à papier, au durcissement du plâtre, à la fixation des teintures sur les étoffes. On l'emploie en médecine comme astringent.

ALUNIR v. i., **ALUNISSAGE** n. m. → LUNE.

ALUNITE n. f. → ALUN.

ALVÉOLE [alveɔl] n. f. (lat. *alveolus*) [plus rarement masc.]. **1.** Cavité hexagonale des rayons de cire construits par les abeilles. — **2.** Cavité des os maxillaires dans laquelle est enchâssée une dent. — **3.** Cavité existant dans le tissu pulmonaire. — **4.** Toute cavité qui en rappelle la forme : *L'alvéole d'une dent. L'alvéole d'un rocher.*

ALZETTE, riv. du Luxembourg, sous-affl. de la Moselle par la Sûre (r. dr.); 65 km. Elle prend sa source en France et arrose la ville de Luxembourg.

AMABILITÉ n. f. → AIMABLE 1.

AMADOU [amadu] (du prov. *amadou*, amoureux). Substance spongieuse provenant de l'amadouvier du chêne, et préparée pour prendre feu aisément. ◆ **amadouvier** n. m. Champignon du groupe des polypores qui provoque une pourriture du bois des arbres forestiers (hêtre surtout).

AMADOUER [amadwe] v. t. (du prov. *amadou*). *Amadouer qq'un*, le rendre favorable par des flatteries ou une attitude adroite (syn. SE CONCILIER, ↑ENJÔLER).

AMADOUVIER n. m. → AMADOU.

AMAGASAKI, v. du Japon (île de Honshū, préf. de Hyōgo), sur la baie d'Ōsaka; 553 700 hab. Constructions mécaniques.

AMAIGRIR v. t., **AMAIGRISSANT, E** adj., **AMAIGRISSEMENT** n. m. → MAIGRE.

AMALFI, v. d'Italie en Campanie, sur le golfe de Salerne; 7 200 hab. Important centre d'échanges entre l'Italie du Sud et l'empire byzantin, Amalfi connut un remarquable essor commercial atteignant son apogée au début du XIe s.

AMALGAME [amalgam] n. m. (lat. *amalgama*). **1.** Alliage du mercure et d'un autre métal. — **2.** Mélange d'éléments divers et souvent opposés dont on fait un tout (syn. ASSEMBLAGE, RÉUNION). ◆ **amalgamer** v. t. : *Faire un amalgame* (syn. COMBINER, FONDRE).

AMALTHÉE, chèvre qui nourrit Zeus enfant et dont l'une des cornes devint la corne d'abondance.

AMAN [aman] n. m. (ar. *aman*, protection). En pays musulman, octroi de la vie sauve à un ennemi vaincu. ‖ *Demander l'aman*, demander pardon en faisant sa soumission.

AMANDE [amɑ̃d] n. f. (lat. *amygdala*). **1.** Graine comestible, riche en substances grasses et glucidiques de l'amandier. — **2.** Toute graine contenue dans un noyau. ◆ **amandier** n. m. Arbre cultivé pour ses graines, ou amandes. (Famille des rosacées.)

AMANITE [amanit] n. f. (gr. *amanitês*). Champignon à lamelles, qui possède un anneau ou collerette à la partie supérieure du pied, une volve à la base et des spores blanches. (Famille des agaricacées.) → illustration en couleurs CHAMPIGNONS.

— ENCYCL. L'amanite pousse dans les bois, en été et en automne. La plupart des espèces sont vénéneuses. Les plus communes sont :

l'*amanite phalloïde*, responsable de 95 p. 100 des empoisonnements mortels; elle se présente sous plusieurs formes : blanche, jaune ou verdâtre;

l'*amanite vireuse*, à chapeau blanc, est également mortelle;

l'*amanite tue-mouches* ou *fausse oronge*, au chapeau rouge couvert d'écailles blanches, est dangereuse mais non mortelle;

l'*amanite des Césars* ou *oronge vraie*, rencontrée surtout dans le sud de la France, est un comestible recherché; ses lamelles et ses spores sont jaunes alors que celles de la fausse oronge sont blanches.

AMANT [amɑ̃] n. m. (de *aimer*). Celui qui a des relations intimes avec une femme à qui il n'est pas marié.

'AMĀRA, v. de l'Iraq, sur le Tigre; 104 000 hab.

AMARANTE [amarɑ̃t] n. f. (gr. *amarantos*). Plante d'automne à fleurs pourpres et veloutées, appelée aussi *queue-de-renard.* ◆ n. m. Couleur rouge pourpre. ◆ adj. inv. Qui est de cette couleur.

AMARILLO, v. des États-Unis, dans le nord du Texas; 138 000 hab.

AMARNA (Tell al-), nom actuel d'**Akhetaton,** v. de la haute Égypte, fondée au XIVe s. av. J.-C. pour supplanter Thèbes. On y a retrouvé des archives très importantes pour l'histoire de l'Orient classique.

AMARRE [amar] n. f. (du néerl. *aanmar[r]en*). Câble servant à maintenir un bateau à un point fixe; corde servant à retenir des colis, des bagages, etc., à un endroit, à un objet : *Le paquebot largue ses amarres* (= lâche les cordages pour quitter le quai). ◆ **amarrer** v. t. Maintenir au moyen d'amarres (syn. ARRIMER, FIXER). ◆ **amarrage** n. m. **1.** Action d'amarrer. — **2.** Ponton auquel un navire est amarré.

AMARYLLIDACÉES [amarilidase] n. f. pl. (de *Amaryllis*, n. d'une bergère dans les *Bucoliques* de Virgile). Famille de plantes herbacées, monocotylédones, à bulbe vivace, comprenant la *perce-neige*, le *narcisse*, l'*agave* et l'*amaryllis.*

AMAS [amɑ] n. m. (de *masse*). **1.** Ensemble considérable et confus de choses accumulées, d'objets apportés successivement et mis en tas : *Un amas de paperasses* (syn. ACCUMULATION, ENTASSEMENT). — **2.** Ensemble formé d'un grand nombre d'étoiles appartenant à un même système. ◆ **amasser** v. t. *Amasser des choses*, les réunir en un tout formant une masse importante : *Amasser des livres* (syn. EMPILER, ENTASSER). *Amasser de l'argent* (syn. ACCUMULER). *Amasser des preuves* (syn. RASSEMBLER, RECUEILLIR). ◆ ***s'amasser*** v. pr. S'entasser : *Les preuves s'amassent* (syn. S'AMONCELER).

1. AMATEUR [amatœr] adj. et n. m. (lat. *amator*, celui qui aime). **1.** Se dit de quelqu'un qui s'intéresse à un art ou à une science pour son plaisir : *Il a un joli talent d'amateur.* — **2.** Qui pratique un sport sans en faire une profession : *Un combat de boxe entre amateurs* (contr. PROFESSIONNEL). — **3.** Se dit de quelqu'un qui manque de zèle ou de compétence dans ce qu'il fait (péjor.) : *Travailler en amateur* (syn. DILETTANTE, FANTAISISTE). ◆ **amateurisme** n. m. : *L'amateurisme est de règle dans l'athlétisme* (contr. PROFESSIONNALISME). *On critique son amateurisme et sa paresse* (syn. DILETTANTISME).

2. AMATEUR [amatœr] adj. et n. m. (même étym.). *Amateur de qqch.*, qui a un goût prononcé pour telle sorte de chose : *Il est grand amateur de cinéma.*

AMATI, famille de luthiers italiens (Crémone). NICCOLO AMATI (1596-1684) fut le maître de Stradivarius.

AMAZONE [amazɔn] n. f. (gr. *Amazôn*). **1.** Femme qui monte à cheval. — **2.** *Monter en amazone*, monter un cheval en mettant les deux jambes du même côté.

AMAZONE, fl. de l'Amérique du Sud; 7 025 km (depuis les sources de l'Apurímac). Il prend sa source dans les Andes, arrose le Pérou et le Brésil, traverse d'immenses forêts et se jette dans l'Atlantique. Par son *débit*, c'est le premier fleuve du monde (150 000 à 200 000 m³/s à l'embouchure). Le *régime* du fleuve est dominé par les apports des affluents méridionaux (crues en juin et juillet); la marée remonte à 1 000 km vers l'amont.

AMAZONES, femmes guerrières légendaires de l'Antiquité, qui auraient habité sur les bords de la mer Noire. Elles brûlaient le sein droit de leurs filles afin de faciliter à celles-ci le tir à l'arc.

AMAZONIE, région de l'Amérique du Sud, grande comme sept fois la France, s'étendant sur le bassin moyen et inférieur de l'Amazone.

En Amazonie domine le climat de type équatorial qui se caractérise par une chaleur constante et des pluies abondantes (souvent plus de 2 000 mm par an). La grande forêt, toujours verte, s'étend sur d'immenses régions.

Les populations indiennes, éparses, vivant de la chasse, de la pêche et d'un peu de culture, ont eu souvent à souffrir des contacts avec les Blancs. La grande période d'activité économique s'est située à la fin du XIXe s., lors de l'exploitation des hévéas. Mais la concurrence des plantations asiatiques a ruiné la production de caoutchouc amazonien. *Manaus* et *Belém*, les deux plus grandes villes, ont dû leur importance à cette époque révolue. Aujourd'hui, deux grandes routes (transamazoniennes) doivent permettre le développement d'immenses régions : création de fronts pionniers agro-pastoraux et exploitation du sous-sol (fer, bauxite, étain, manganèse, etc.).

AMBAGES (SANS) [sɑ̃zɑ̃baʒ] loc. adv. (lat. *ambages*, détours). D'une manière franche et précise, directe : *S'exprimer sans ambages* (syn. FRANCHEMENT, SANS DÉTOUR).

AMBĀLA, v. de l'Inde, dans le Pendjab, au N. de Delhi; 194 600 hab.

AMBARÈS-ET-LAGRAVE, comm. de la Gironde, à 15 km au N.-E. de Bordeaux; 8 300 hab.

AMBASSADE [ɑ̃basad] n. f. (it. *ambasciata*). **1.** Représentation diplomatique d'un État auprès d'un autre; lieu où sont établis les bureaux de cette représentation. — **2.** *Aller, se rendre en ambassade auprès de qq'un*, venir auprès de lui chargé d'une mission. ◆ **ambassadeur, drice** n. **1.** Représentant d'un État auprès d'une puissance étrangère (au fém., parfois femme d'un ambassadeur). — **2.** Personne chargée d'une mission, d'un message, qui représente d'une manière quelconque le pays d'où elle vient : *Conférencier qui se fait l'ambassadeur de la pensée française.*

AMBAZAC, ch.-l. de cant. de la Haute-Vienne, à 20 km au N.-E. de Limoges, près des *monts d'Ambazac;* 4 700 hab. Porcelaine industrielle.

AMBÉRIEU-EN-BUGEY, ch.-l. de cant. de l'Ain, à 30 km au S. de Bourg-en-Bresse; 10 500 hab.

AMBERT, ch.-l. d'arrond. du Puy-de-Dôme, dans le *bassin d'Ambert*, petite plaine comprise entre les massifs du Forez et du Livradois ; 8 000 hab.

AMBÈS, comm. de la Gironde, à 24 km au N. de Bordeaux, sur la Dordogne; 2 500 hab. Sur le *bec d'Ambès*, pointe de terre entre le confluent de la Garonne et de la Dordogne, un port pétrolier et une grande centrale thermique ont été implantés.

AMBIANT, E [ɑ̃bjɑ̃,-ɑ̃t] adj. (du lat. *ambire*, entourer). Qui entoure de tous côtés le milieu dans lequel on vit : *La température ambiante.* ◆ **ambiance** n. f. **1.** Atmosphère qui existe autour d'une personne; réaction d'ensemble d'une assemblée : *Il sentit une ambiance hostile* (syn. CLIMAT). — **2.** Humeur gaie, entrain joyeux : *Cette soirée manquait d'ambiance.*

AMBIDEXTRE [ɑ̃bidɛkstr] adj. et n. (du lat. *ambo*, deux, et *dexter*, droit). Se dit de quelqu'un qui se sert également bien des deux mains (par oppos. au DROITIER, qui se sert surtout de la main droite, et au GAUCHER, qui se sert surtout de la main gauche).

AMBIGU, Ë [ɑ̃bigy] adj. (lat. *ambiguus*). Dont le sens n'est pas précis; qui laisse dans le doute, dans l'incertitude, volontairement ou non : *Une réponse ambiguë* (syn. INCERTAIN, ↑SIBYLLIN; contr. NET). ◆ **ambiguïté** [ɑ̃bigɥite] n. f. Défaut de ce qui n'est pas précis, net, franc; paroles, phrase, etc., dont l'interprétation est incertaine (syn. OBSCURITÉ; contr. CLARTÉ).

AMBITION [ɑ̃bisjɔ̃] n. f. (lat. *ambitio*). **1.** (sans compl.) Désir ardent de gloire, d'honneurs, de faveurs, de tout ce qui élève socialement, intellectuellement, etc. : *Un homme dévoré d'ambition.* — **2.** *L'ambition de qqch.*, le désir ardent de le posséder, d'y parvenir : *Sa seule ambition est d'avoir une retraite confortable à soixante ans* (syn. BUT, DÉSIR). ◆ **ambitionner** v. t. *Ambitionner une chose*, la rechercher avec ardeur, parce qu'on la juge supérieure, avantageuse : *Il ambitionne une nomination au Conseil d'État* (syn. BRIGUER, VISER). ◆ **ambitieux, euse** adj. et n. Qui témoigne du désir d'obtenir ce qui est jugé supérieur; qui vise à dépasser ce qui est habituel : *C'est un ambitieux, il ira loin!* (syn. ARRIVISTE; contr. MODESTE). *Un projet ambitieux.* ◆ **ambitieusement** adv.

AMBIVALENCE [ɑ̃bivalɑ̃s] n. f. (du lat. *ambo*, deux, et *valere*, valoir). Caractère de ce qui a deux valeurs différentes, deux significations opposées. ◆ **ambivalent, e** adj.

AMBLE [ɑ̃bl] n. m. (du lat. *ambulare*, marcher). *Aller l'amble*, se dit de l'allure d'un quadrupède qui se déplace en levant en même temps les deux jambes du même côté : *L'éléphant, la girafe et le chameau vont l'amble.*

AMBOINE, une des îles Moluques (Indonésie); 78 000 hab.

AMBOISE, ch.-l. de cant. de l'Indre-et-Loire, à 24 km à l'E. de Tours, sur la rive nord de la Loire; 11 400 hab. *(Amboisiens).* Château Renaissance construit à partir de 1492 pour Charles VIII, qui voulait en faire un foyer artistique.

- *Mars 1560. Conjuration d'Amboise, coup de force préparé par les calvinistes pour soustraire François II à l'influence des Guises et porter au pouvoir le prince de Condé.*
- *19 mars 1563. Paix (ou édit) d'Amboise, qui permet aux protestants une certaine liberté de culte.*

AMBRE [ɑ̃br] n. m. (ar. *anbar*). **1.** Nom commun à deux résidus organiques n'ayant aucune ressemblance, l'*ambre jaune* et l'*ambre gris.* ⟶ ENCYCL. — **2.** Couleur jaune doré. ◆ **ambré, e** adj. **1.** *Eau de toilette, savon*, etc., *ambré*, qui a le parfum de l'ambre gris. — **2.** *Visage, teint ambré*, syn. littér. et rare de BRONZÉ (couleur de l'ambre jaune).

— ENCYCL. L'*ambre jaune* ou *succin* est la résine sécrétée en quantités énormes par les conifères qui, pendant une partie de l'ère tertiaire, croissaient sur l'emplacement actuel de la Baltique. (Depuis la préhistoire, l'érosion littorale met à nu des blocs d'ambre jaune contenant souvent des insectes fossilisés.) Il a la propriété de s'électriser facilement par simple frottement.

L'*ambre gris* est une concrétion intestinale des cachalots, formée à partir de la sépia des calmars, dont ils se nourrissent. Il est extrêmement recherché en parfumerie pour son odeur de musc.

AMBROISE *(saint)*, Père de l'Église latine, archevêque de Milan, né à Trèves (v. 340-397).

AMBROISIE [ɑ̃brwazi] n. f. (gr. *ambrosia*). Substance délicieuse dont se nourrissaient les dieux de l'Olympe et qui rendait immortels ceux qui en goûtaient. (L'ambroisie était un aliment solide, par oppos. au NECTAR qui était un breuvage.)

AMBULACRE [ɑ̃bylakr] n. m. (du lat. *ambulare*, marcher). Ventouse érectile servant aux échinodermes à se déplacer sur les rochers. ◆ **ambulacraire** adj. : *L'appareil ambulacraire chez les échinodermes permet les déplacements à l'aide des ambulacres.*

AMBULANCE [ɑ̃bylɑ̃s] n. f. (de *ambulant*). Voiture destinée au transport des malades ou des blessés dans les hôpitaux ou les cliniques. ◆ **ambulancier, ère** n. Conducteur, conductrice d'une ambulance.

AMBULANT, E [ɑ̃bylɑ̃,-ɑ̃t] adj. (du lat. *ambulare*, marcher). *Comédiens ambulants*, troupe qui donne des représentations de ville en ville, aux diverses étapes de sa tournée. ‖ *Marchand ambulant*, qui transporte avec lui une marchandise qu'il vend en allant d'un lieu à un autre, à l'intérieur d'une commune (syn. COLPORTEUR). ‖ Fam. *C'est un cadavre ambulant*, désigne une personne d'une extrême faiblesse. ◆ **ambulant** n. m. Employé qui effectue le tri dans un wagon-poste (dit *bureau ambulant*).

1. ÂME [ɑm] n. f. (lat. *anima*, souffle, vie). **1.** Sur le plan religieux, principe d'existence, de pensée, de vie (souvent opposé au CORPS) : *Croire en l'immortalité de l'âme.* — **2.** Personne vivante (langue soutenue et ordinairement au plur.) : *Un village de trois cents âmes* (syn. HABITANT). *Avoir charge d'âmes* (= être responsable de la vie ou du salut d'un certain nombre de personnes). — **3.** Individu considéré sur le plan des qualités intellectuelles ou morales, des sentiments ou des passions : *Avoir une âme généreuse* (syn. CŒUR). *Une âme sœur* (= une personne qui a les mêmes goûts, les mêmes sentiments). *Etre l'âme damnée de qq'un* (= lui inspirer de mauvaises actions) [syn. MAUVAIS CONSEILLER]. *Les bonnes* *âmes* (= personnes compatissantes, vertueuses). *Il est comme une âme en peine* (= il ne sait comment s'occuper ou calmer son inquiétude). — **4.** Personne qui anime : *Être l'âme d'un parti* (syn. ANIMATEUR, CHEVILLE OUVRIÈRE). — **5.** Fam. *Avoir du vague à l'âme*, être mélancolique. ‖ *Corps et âme*, entièrement. ‖ *En son âme et conscience*, en toute honnêteté; en se laissant guider par la seule justice. ‖ *État d'âme*, impression ressentie, sentiment éprouvé. ‖ *La mort dans l'âme*, malgré soi, le cœur navré. ‖ *Rendre l'âme*, mourir (littér.).

Âmes mortes *(les)*, roman de Gogol (1842).

2. ÂME [ɑm] n. f. (même étym.). **1.** Ce qui forme le noyau, la partie centrale d'un objet, d'un câble. — **2.** Intérieur du tube d'une bouche à feu : *L'âme d'un canon.* — **3.** Petite pièce de bois qui, placée entre les deux tables des instruments de musique de la famille des violons, communique les vibrations à toutes les parties de l'instrument.

AMÉDÉE, nom de neuf comtes de Savoie, dont AMÉDÉE VIII (1383-1451), duc de Savoie de 1391 à 1440, véritable créateur de l'État savoyard. Il fut le dernier des antipapes sous le nom de *Félix V* (de 1439 à 1449).

AMÉLIE-LES-BAINS-PALALDA, comm. des Pyrénées-Orientales, à 8 km au S.-O. de Céret, sur le Tech; 3 800 hab. Station thermale.

AMÉLIORER [ameljɔre] v. t. (de *meilleur*). *Améliorer qq'un, qqch.*, le rendre meilleur : *Améliorer une terre, le sort des mineurs* (contr. AGGRAVER). *Améliorer un appareil* (syn. PERFECTIONNER). ◆ **s'améliorer** v. pr. Devenir meilleur : *Le climat international s'est amélioré* (contr. SE DÉTÉRIORER). *Ma santé ne s'est pas améliorée* (syn. ALLER MIEUX). ◆ **améliorant, e** adj. *Plante améliorante*, plante dont la culture sur un terrain appauvri lui rend sa fertilité et en augmente le rendement par apport d'azote au sol. ◆ **amélioration** n. f. : *L'amélioration des rapports entre deux États. Faire des améliorations dans une maison* (syn. EMBELLISSEMENT).

AMEN [amɛn] n. m. inv. (hébr. *amen*). **1.** Mot par lequel les chrétiens terminent une prière (= ainsi soit-il). — **2.** Fam. *Dire, répondre amen*, approuver sans réserve.

AMÉNAGER [amenaʒe] v. t. (de *ménager*). *Aménager qqch.*, le disposer, le modifier, de manière qu'il puisse être bien utilisé : *Il a fini d'aménager son appartement* (syn. ARRANGER). ◆ **aménagement** n. m. **1.** *Les nouveaux aménagements du musée* (syn. ARRANGEMENT). *Des aménagements fiscaux* (= qui visent à une répartition plus judicieuse des charges fiscales). — **2.** *L'aménagement du territoire*, meilleure répartition possible des hommes et des activités (industries, commerces, bureaux) sur l'ensemble du pays, en fonction des ressources naturelles. ⟶ ENCYCL.

— ENCYCL. Dans divers pays, les gouvernements se sont préoccupés de l'*aménagement du territoire* national : l'U. R. S. S. dans le cadre des plans quinquennaux, les États-Unis avec l'expérience de la Tennessee Valley Authority (TVA), la Grande-Bretagne avec notamment la loi de 1946 sur les villes nouvelles, etc.

Un *plan d'aménagement du territoire* déborde les plans d'urbanisme, parce qu'il pose les problèmes non pas dans le cadre des villes ou des agglomérations, mais dans le cadre des régions et du territoire national tout entier. Les aspects d'une politique d'aménagement du territoire sont divers : éveil ou réveil d'une région peu développée (Landes, Languedoc-Roussillon, vallée du Rhône, marais Pontins, vallée du Tennessee, etc.), reconversion économique d'une région en déclin (création de nouvelles industries en Lorraine), substitution à la migration des hommes d'une migration des entreprises en sens inverse (création d'une industrie automobile en Bretagne pour utiliser une main-d'œuvre abondante et qui ne pouvait trouver de travail sur place).

C'est seulement en 1949 qu'ont été prises, en France, les premières mesures législatives tendant à encourager l'installation d'établissements industriels dans les régions peu développées. Depuis lors, la politique d'aménagement du territoire s'est orientée plus nettement dans le sens de la *décentralisation*, un rôle important étant attribué aux organismes régionaux.

AMENDE [amɑ̃d] n. f. (de *amender*). **1.** Peine consistant dans le versement d'une somme d'argent pour infraction à la loi : *Payer une amende.* — **2.** *Être mis à l'amende, être à l'amende*, se voir infliger une petite punition pour une légère infraction. ‖ *Faire amende honorable*, reconnaître publiquement ses torts devant un supérieur, une autorité, etc., et s'en excuser.

1. AMENDER [amɑ̃de] v. t. (lat. *emendare*, corriger). *Amender un texte législatif*, le modifier lorsqu'il est soumis à l'approbation d'une assemblée disposant de pouvoirs législatifs : *L'Assemblée amenda la loi en votant certaines des modifications proposées par l'opposition.* ◆ **amendement** n. m. Modification qu'une assemblée législative apporte à un projet de loi.

2. AMENDER [amɑ̃de] v. t. (même étym.). *Amender qq'un, qqch.*, le faire devenir meilleur : *Amender une terre par des engrais.* ◆ **s'amender** v. pr. (sujet nom de personne). Devenir meilleur (langue soutenue) [syn. SE CORRIGER]. ◆ **amendement** n. m. Substance incorporée au sol pour en modifier la constitution physique et le rendre plus fertile.

AMÈNE [amɛn] adj. (lat. *amoenus*, agréable). [*Paroles*] *amènes*, courtoises et aimables (souvent ironiq. pour désigner des propos en désaccord avec les sentiments). ◆ **aménité** n. f. *Sans aménité*, sans courtoisie ni amabilité (langue soignée) [syn. AVEC DURETÉ, RUDESSE]. ‖ *Se dire des aménités*, échanger des paroles blessantes (par ironie).

AMENER [amne] v. t. (de *mener*). [Conj. **9.**] **1.** (sujet nom de personne) *Amener qq'un*, le faire venir avec soi : *Il nous amènera ce soir au théâtre* (syn. EMMENER). *Délivrer un mandat d'amener* (= ordre d'arrestation). — **2.** *Amener qqch., qq'un*, le porter jusqu'à un endroit : *Le train amène le charbon à Paris* (syn. ACHEMINER). *Le taxi vous amènera directement à la gare* (syn. CONDUIRE). — **3.** Préparer : *Cette comparaison a été bien amenée* (syn. PRÉSENTER). — **4.** Tirer à soi : *Pêcheur qui amène son filet.* — **5.** Faire descendre : *Amener les couleurs* (= le drapeau). — **6.** (sujet nom de chose) Avoir pour conséquence : *Un malheur en amène un autre* (syn. ENTRAÎNER). — **7.** *Amener qq'un à (faire)*, le pousser à (faire) : *Les circonstances nouvelles ont amené le gouvernement à reprendre les négociations* (syn. ENGAGER). — **8.** *Amener une personne, une chose à un but*, les diriger vers ce but, les y conduire : *La technique a été amenée à un haut degré de perfectionnement* (syn. PORTER, POUSSER). — **9.** *Amener la conversation sur un sujet*, la faire venir sur ce sujet.

AMÉNITÉ n. f. ⟶ AMÈNE.

AMÉNOPHIS, nom de quatre pharaons égyptiens, dont AMÉNOPHIS IV, souverain hérétique qui prit le nom d'*Akhenaton*, et tenta d'instituer en Égypte une religion nouvelle ne reconnaissant qu'un Dieu unique, le disque solaire (XIVe s. av. J.-C.).

AMENTACÉES [amɑ̃tase] n. f. pl. (du lat. *amentum*, chaton). Ancien nom du super-ordre des amentifères.

AMENTIFÈRES [amɑ̃tifɛr] n. m. pl. (du lat. *amentum*, chaton, et *ferre*, porter). Super-ordre de plantes dicotylédones comprenant la plupart des arbres forestiers ou champêtres de France : *aulne, bouleau, charme, noisetier, hêtre, chêne, noyer, châtaignier, saule, peuplier.*

AMENUISEMENT n. m., **AMENUISER** v. t. ⟶ MENU 2.

1. AMER, ÈRE [amɛr] adj. (lat. *amarus*). **1.** (après le nom) Désagréable et rude au goût : *Un fruit amer* (syn. ÂPRE). — **2.** (parfois avant le nom) Se dit de quelque chose dont la brutalité, la dureté apporte de la douleur, de la peine : *Une amère déception* (syn. CRUEL, DOULOUREUX). *Il m'adressa d'amers reproches* (syn. DUR). ◆ **amèrement** adv. (sens 2 de l'adj.) : *Regretter amèrement* (syn. BEAUCOUP, VIVEMENT). *Pleurer amèrement* (syn. ÂPREMENT). ◆ **amertume** n. f. : *Mettre du sucre pour atténuer l'amertume du café. Cette séparation lui causa une grande amertume* (syn. DÉCEPTION, TRISTESSE). *Critiquer avec amertume* (syn. AIGREUR).

2. AMER [amɛr] n. m. (de *mer*). Tout objet fixe et très apparent, tel que tour, moulin, balise, etc., situé sur la côte ou en mer, et qui sert de repère aux navigateurs.

AMÉRICAIN, E [amerikɛ̃, -ɛn] adj. et n. D'Amérique, et, le plus souvent, des États-Unis d'Amérique : *Un Américain du Sud* (ou *Sud-Américain*), *du Nord* (ou *Nord-Américain*). ◆ **américain** n. m. Langue anglaise telle qu'elle est parlée aux États-Unis. ◆ **américaniser** v. t. Marquer du caractère américain, des mœurs américaines. ◆ **américanisation** n. f. : *L'américanisation progressive des grandes villes européennes.* ◆ **américanisme** n. m. **1.** Particularité linguistique d'Amérique. — **2.** Penchant à imiter la conduite et les manières des Américains du Nord.

AMÉRINDIEN, ENNE [amerɛ̃djɛ̃, -ɛn] adj. et n. (de *Amérique*, et *Indien*). Se dit des Indiens d'Amérique.

AMÉRIQUE, une des cinq parties du monde. C'est le continent le plus étiré entre les deux pôles (18 000 km du nord du Canada jusqu'à l'extrême sud). ⟶ cartes en couleurs pp. 48-49.

SUPERFICIE 42 millions de km² (Asie : 44 millions de km²; Afrique : 30 millions de km²; Europe : 10 millions de km²).

POPULATION 713 millions d'hab. Après l'Afrique, c'est le continent le moins peuplé (Australie et Antarctique exceptés). La densité est de 17 hab. au km² (Afrique : 22; Asie : 71,5; Europe : 70).

AMÉRIQUE LATINE, ensemble des pays de l'Amérique du Sud et de l'Amérique centrale (en comprenant le Mexique) qui ont presque tous été des colonies espagnoles, ou portugaises (Brésil), par oppos. à l'Amérique anglo-saxonne (Canada et États-Unis) peuplée surtout d'éléments d'origine britannique.

HISTOIRE

Certaines régions d'Amérique latine furent, très tôt, fortement peuplées, et de brillantes civilisations s'y développèrent avant l'arrivée des Européens (Mexique, nord des Andes).

■ LA PÉRIODE COLONIALE.

- *1492. La découverte de Christophe Colomb* ouvre l'Amérique à la conquête européenne.*
- *1494. Par le traité de Tordesillas, l'Espagne et le Portugal se partagent les terres nouvelles.*
- *1500. Cabral aborde au Brésil et pose les fondements de l'empire portugais brésilien.*

À partir du golfe du Mexique, les Espagnols pénètrent vers l'intérieur.

- *1519-1521. Au Mexique, Hernan Cortés soumet l'Empire aztèque.*
- *1531-1536. Au Pérou, Pizarro détruit l'Empire inca.*

■ L'INDÉPENDANCE ET LA FORMATION DES ÉTATS. De 1816 à 1826, toutes les colonies latino-américaines conquièrent leur indépendance : Argentine (1816), Chili (1816), Pérou (1821), Mexique (1821), Brésil (1822), Bolivie (1825). Ce morcellement de l'ancien empire espagnol entraîne, au cours du XIXe s., des conflits entre ces États, affaiblis par une grande instabilité politique. L'Amérique latine est soumise, en fait, à la domination politique et économique des Anglo-Saxons. → carte ci-dessous.

■ L'AMÉRIQUE LATINE CONTEMPORAINE. Malgré des efforts d'industrialisation depuis le début du XXe s. et les progrès de certaines régions, de graves problèmes économiques et sociaux demeurent; le sous-développement reste général, bien qu'inégalement réparti; la dépendance économique à l'égard des puissances étrangères (États-Unis surtout) est très grande.

- *1948. La création de l'Organisation des États américains est l'aboutissement du panaméricanisme (visant au développement de bonnes relations entre les États, et à leur unification politique), qui s'est manifesté depuis le début du siècle.*
- *1960. Le traité de Montevideo institue une zone de libre-échange entre les principaux États latino-américains.*
- *1961. Les États-Unis accordent une aide financière aux États d'Amérique latine, avec le souci essentiel de conserver leur prestige devant le danger révolutionnaire représenté par Cuba.*

Cependant, l'opposition entre l'Amérique anglo-saxonne, très développée économiquement, et l'Amérique latine, en majorité sous-développée, ainsi que le soutien apporté à des régimes autoritaires (comme celui de Pinochet au Chili) nourrissent la formation d'un sentiment d'hostilité à l'égard des États-Unis. Les années 1980 sont marquées par deux phénomènes majeurs : un mouvement général de retour à la démocratie et une forte récession économique exprimée par une lourde dette extérieure. Différents pays concluent des accords commerciaux afin de réaliser à terme l'intégration de la région dans une vaste zone de libre-échange.

AMÉRIQUE DU NORD ⟶ CANADA, ÉTATS-UNIS.

AMERRIR v. i., **AMERRISSAGE** n. m. ⟶ MER.

AMERSFOORT, v. des Pays-Bas, au S. de l'IJselmeer, sur l'Eem; 88 500 hab.

AMERTUME n. f. ⟶ AMER 1.

AMÉTHYSTE [ametist] n. f. (gr. *amethustos*, qui préserve de l'ivresse). Pierre fine, variété de quartz, de couleur violette.

AMEUBLEMENT [amœbləmɑ̃] n. m. (de *meuble*). Ensemble des meubles qui garnissent une maison, un appartement, une pièce : *L'ameublement d'un château* (syn. MOBILIER). *Du tissu d'ameublement* (= destiné aux meubles, à la décoration).

AMEUBLIR v. t., **AMEUBLISSEMENT** n. m. ⟶ MEUBLE 2.

AMEUTER [amøte] v. t. (de *meute*). *Ameuter des gens*, les rassembler en foule, dans l'intention de provoquer des désordres ou de les exciter contre quelqu'un, attirer leur attention en provoquant un émoi : *Les cris ameutèrent les passants* (syn. ATTROUPER). ◆ **rameuter** v. t. : *Rameuter des manifestants* (syn. REGROUPER).

AMI, E [ami] n. (lat. *amicus*). **1.** Personne avec qui on est lié par un sentiment d'affection, de cordialité (distinct de l'amour), par une affinité de sentiments : *Retrouver un ami d'enfance* (syn. CAMARADE; fam. COPAIN). — **2.** Personne portée vers quelque chose par un goût assez vif, une passion : *Les amis de la musique.* ◆ adj. **1.** Lié par l'affection, la tendresse, les goûts, les intérêts, etc. : *Je suis très ami avec son père. Les peuples amis* (syn. ALLIÉ). — **2.** Se dit d'une attitude, d'un geste, d'un comportement, etc., qui témoigne ou annonce de l'affection, qui est accueillant : *Des visages amis* (syn. BIENVEILLANT). ◆ **amical, e, aux** adj. (avant ou après le nom). **1.** Se dit de quelqu'un qui montre de l'affection : *Il se montra fort amical au cours de l'entrevue* (contr. HOSTILE). — **2.** Se dit d'une attitude, d'une conduite inspirée par un sentiment d'amitié : *Adresser ses amicales pensées* (syn. CORDIAL). ◆ **amicale** n. f. Association de personnes d'un même établissement, d'une même profession, d'une même activité. ◆ **amicalement** adv. (= avec amitié). ◆ **inamical, e, aux** adj. Contr. de AMICAL : *Un geste inamical* (syn. HOSTILE). ◆ **amitié** n. f. Sentiment d'affection entre deux êtres : *Ils ont lié entre eux une solide amitié* (contr. HOSTILITÉ, INIMITIÉ).

Ami du peuple *(l')*, l'un des journaux les plus fameux de la Révolution, rédigé par Marat de 1789 à 1793.

AMIABLE [amjabl] adj. (bas lat. *amicabilis*). Se dit de quelque chose qui concilie des intérêts opposés sans intervention de la justice : *Arrangement amiable.* — LOC. ADV. *À l'amiable*, par consentement mutuel.

AMIANTE [amjɑ̃t] n. m. (gr. *amiantos*, incorruptible). Matière minérale filamenteuse qui résiste à l'action du feu et qui est utilisée notamment pour confectionner des tissus incombustibles.

AMIBE [amib] n. f. (gr. *amoibê*, permutation). Protozoaire de l'embranchement des rhizopodes, se trouvant dans les eaux douces et salées, la terre humide, qui se déplace à l'aide de bras temporaires ou pseudopodes. ⟶ ENCYCL. ◆ **amibiase** n. f. Affection causée par les amibes. ⟶ ENCYCL. ◆ **amibien, enne** adj. Qui est causé par une amibe.

— ENCYCL. Considérée comme l'un des êtres vivants les plus simples, l'*amibe* est cependant supérieure aux bactéries du fait qu'elle possède un noyau nettement délimité, qui est pour elle un organe vital. Son cytoplasme interne *(endoplasme)* est granuleux et entouré par un cytoplasme externe *(ectoplasme)* hyalin. L'amibe est enveloppée dans une *membrane* à peine différenciée, dont les propriétés superficielles varient beaucoup selon le milieu. Cette membrane peut adhérer aux supports, s'étirer et se rétracter, crever et se reconstituer aussitôt, former des bras *(pseudopodes)* qui entourent les proies et les ingèrent par soudure de leurs extrémités, enfin, quand les circonstances deviennent défavorables, s'épaissir et se plisser régulièrement en formant un *kyste*.

Dans les zones chaudes, certaines amibes sont pathogènes (= provoquent des maladies) et responsables des différents aspects de l'*amibiase :* l'homme absorbe l'amibe avec l'eau (de boisson ou de lavage des aliments), souvent sous forme de kyste*. Cette amibe va se développer dans l'intestin et attaquer les parois : c'est la *dysenterie amibienne,* qui se traduit par des *diarrhées* abondantes, souvent sanglantes. Elle peut remonter le tube digestif et gagner le foie, y créant un abcès *(abcès amibien du foie)* qui se traduit par un gros foie très douloureux.

AMICAL, E, AUX adj., **AMICALE** n. f., **AMICALEMENT** adv. ⟶ AMI.

AMIDON [amidɔ̃] n. m. (gr. *amulon*, qui n'est pas moulu). Substance de réserve dans les plantes, ou substance synthétique qui a les mêmes propriétés, et dont on se sert pour l'alimentation, la pharmacie, etc. ⟶ ENCYCL. ◆ **amidonner** v. t. : *Amidonner un col* (syn. EMPESER). ◆ **amidonnage** n. m.

— ENCYCL. L'*amidon* abonde notamment dans les tubercules de pomme de terre et dans les graines (albumen du blé, cotylédons du haricot). Il est coloré en bleu par l'iode. On l'emploie pour empeser le linge et coller le papier, mais il constitue surtout l'élément principal de l'alimentation humaine : pain, riz, pâtes, pommes de terre, légumes secs, châtaignes, bananes, etc. L'amidon est un glucide, dont l'hydrolyse fournit un sucre, le glucose.

AMIEL (Henri Frédéric), écrivain suisse (1821-1881). Son *Journal intime* révèle une âme inquiète, un psychologue pénétrant.

AMIENS, ch.-l. du dép. de la Somme et de la Région Picardie, sur la Somme; 136 400 hab. *(Amiénois).* Industries textiles, mécaniques et chimiques; pneumatiques. La cathédrale, la plus vaste de France, marque, par son équilibre harmonieux, une sorte d'apogée du classicisme dans l'art gothique* du XIIIe s.

AMILCAR ⟶ HAMILCAR.

AMINCIR v. t., **AMINCISSEMENT** n. m. ⟶ MINCE.

AMINE [amin] n. f. (du rad. de *ammoniac*). Composé obtenu par substitution d'un radical alcoolique à un atome d'hydrogène de l'ammoniaque. ◆ **aminé, e** adj. *Acides aminés*, corps entrant dans la constitution des protéines. (Ils sont caractérisés par la présence dans leur molécule d'une fonction *acide* et d'une fonction *amine.*) ◆ **aminoacide** n. m. Syn. d'ACIDE AMINÉ.

AMIRAL [amiral] n. m. (de l'ar. *amīr*, chef). Officier général de la marine militaire : *Le grade d'amiral correspond à celui de général d'armée.* (⟶ GRADE 2.) ◆ **amirauté** n. f. **1.** Ensemble des amiraux. — **2.** Commandement suprême de la marine militaire : *L'Amirauté britannique.* — **3.** Siège du commandement d'un amiral. ◆ **contre-amiral** n. m. Officier général de la marine, immédiatement au-dessous du vice-amiral : *Le grade de contre-amiral correspond à celui de général de brigade.* ‖ Pl. des *contre-amiraux.* ◆ **vice-amiral** n. m. Officier de grade immédiatement inférieur à celui d'amiral : *Le grade de vice-amiral correspond à celui de général de division ou de corps d'armée.* ‖ Pl. des *vice-amiraux.*

AMIS *(île des)* ⟶ TONGA *(îles).*

AMITIÉ n. f. ⟶ AMI.

'AMMĀN, capit. de la Jordanie ; 634 000 hab. Centre commercial.

AMMONIAC [amɔnjak] n. m. (gr. *ammôniakon*). Gaz (NH_3) à l'odeur très piquante, formé d'azote et d'hydrogène combinés. (Il résulte de la transformation de l'azote organique sous l'action de bactéries.) ◆ **ammoniacal, e, aux** adj. **1.** Qui contient de l'ammoniac : *Sels ammoniacaux.* — **2.** Relatif à l'ammoniac : *Odeur ammoniacale.* ◆ **ammoniaque** n. f. Solution aqueuse de gaz ammoniac, appelée aussi *alcali volatil.* ◆ **ammonium** n. m. Radical (NH_4) qui entre dans la composition des sels ammoniacaux.

AMMONITE [amɔnit] n. f. (de *Ammon*, personnage biblique). Mollusque céphalopode marin, fossile, à coquille en spirale cloisonnée, ayant vécu à la fin de l'ère primaire et à l'ère secondaire.

AMMONIUM n. m. ⟶ AMMONIAC.

AMMOPHILE [amɔfil] n. f. (du gr. *ammos*, sable, et *philos*, ami). Sorte de guêpe à abdomen noir et rouge, qui creuse des terriers et qui, pour nourrir ses larves, chasse des chenilles qu'elle paralyse de son aiguillon venimeux. (Ordre des hyménoptères.)

AMNÉSIE [amnezi] n. f. (gr. *amnêsia*, oubli). Perte totale ou partielle de la mémoire. ◆ **amnésique** adj. et n.

AMNISTIE [amnisti] n. f. (gr. *amnêstia*, pardon). Acte du pouvoir décidant de supprimer un fait punissable et, en conséquence, d'effacer les condamnations, d'arrêter les poursuites : *Les lois* *d'amnistie, votées en France par le pouvoir législatif, se distinguent de la grâce, qui dépend de la présidence de la République.* ◆ **amnistier** v. t. Faire bénéficier de l'amnistie.

AMOINDRIR [amwɛ̃drir] v. t. (de *moindre*). *Amoindrir qq'un, qqch.*, diminuer sa force ou sa valeur : *Sa maladie l'a amoindri* (syn. AFFAIBLIR). *Ses échecs avaient amoindri son autorité* (syn. DIMINUER; contr. RENFORCER). ◆ ***s'amoindrir*** v. pr. Devenir moindre : *Sa fortune s'est amoindrie* (syn. DÉCROÎTRE). ◆ **amoindrissement** n. m. : *L'amoindrissement de ses facultés était sensible pour tout son entourage* (syn. AFFAIBLISSEMENT).

AMOLLIR v. t., **AMOLLISSANT, E** adj., **AMOLLISSEMENT** n. m. ⟶ MOU 1.

AMON, dieu égyptien, particulièrement vénéré à Thèbes, à Karnak et à Louxor. Il était représenté avec une tête de bélier ou avec un visage humain portant des cornes de bélier, ou encore la tête surmontée d'un disque et de deux longues plumes.

AMONCELER [amɔ̃sle] v. t. (de *monceau*). [Conj. 6.] *Amonceler des objets, des choses*, les mettre en tas, les réunir en grand nombre : *Amonceler des documents* (syn. AMASSER; contr. DISPERSER, ÉPARPILLER). ◆ ***s'amonceler*** v. pr. (sujet nom de chose). Former un tas, un ensemble important : *Les livres s'amoncellent sur sa table* (syn. S'ENTASSER). *Les preuves s'amoncellent* (syn. S'ACCUMULER). ◆ **amoncellement** [amɔ̃sɛlmɑ̃] n. m. (syn. ENTASSEMENT).

AMONT [amɔ̃] n. m. (*à mont*, vers le haut). Partie d'un cours d'eau comprise entre un point déterminé et sa source; partie d'une voie de chemin de fer entre un lieu et un autre d'où les trains viennent (contr. AVAL). [Utilisé surtout dans la loc. adv. *en amont* et dans la loc. prép. *en amont de* (plus près de la source par rapport à un point fixé = au-dessus de).]

AMORAL, E, AUX adj., **AMORALISME** n. m. ⟶ MORAL 1.

AMORÇAGE n. m. ⟶ AMORCE 2 et 3.

1. AMORCE [amɔrs] n. f. (de l'anc. fr. *amordre*, mordre). Ce qui est utilisé pour attirer les poissons (mouche, ver de terre, etc.) [syn. APPÂT]. ◆ **amorcer** v. t. et i. Attirer avec une amorce; mettre une amorce.

2. AMORCE [amɔrs] n. f. (même étym.). Ce qui est au tout début, au commencement; phase initiale : *L'amorce d'une négociation.* ◆ **amorcer** v. t. *Amorcer qqch.*, commencer à l'effectuer, à le réaliser, à le faire : *Amorcer un virage, une construction. Amorcer une discussion. Amorcer un geste de refus* (syn. ÉBAUCHER, ESQUISSER). ‖ *Amorcer une pompe*, commencer à pomper pour créer une dépression et faire monter l'eau. ◆ ***s'amorcer*** v. pr. Commencer à se manifester : *La décrue du fleuve s'amorce enfin.* ◆ **amorçage** n. m. : *L'amorçage d'une pompe.*

3. AMORCE [amɔrs] n. f. (même étym.). **1.** Ce qui sert à produire l'explosion d'une charge de poudre : *Le percuteur frappe l'amorce de la cartouche.* — **2.** Petite quantité de poudre enfermée dans du papier et qui donne une légère explosion quand on la frappe : *Des pistolets à amorce.* ◆ **amorcer** v. t. Munir d'une amorce : *L'obus est amorcé.* ◆ **amorçage** n. m. ◆ **désamorcer** v. t. Ôter l'amorce. ◆ **désamorçage** n. m. ◆ **réamorcer** v. t. Amorcer de nouveau.

AMORPHE [amɔrf] adj. (gr. *amorphos*, sans forme). **1.** Se dit de quelqu'un (ou de son esprit) qui a un caractère mou, qui manque de vigueur, de vivacité : *Un être amorphe, sans volonté* (syn. APATHIQUE, MOU; contr. ÉNERGIQUE). — **2.** *Chim.* Se dit des substances qui n'ont pas de forme cristallisée propre.

1. AMORTIR [amɔrtir] v. t. (du lat. *mortuus*, mort). **1.** *Amortir qqch.*, en affaiblir l'effet, la force, la violence : *Amortir un coup* (syn. ATTÉNUER). *Le tapis amortit le bruit des pas* (contr. AMPLIFIER, AUGMENTER). *La sympathie de ses amis amortit sa douleur* (syn. APAISER, CALMER). — **2.** Au football, au tennis, diminuer ou même supprimer le rebond d'une balle, d'un ballon. ◆ ***s'amortir*** v. pr. Perdre de sa force, de son intensité. ◆ **amortisseur** n. m. Dispositif servant à amortir la violence d'un choc ou la trépidation d'une machine. ⟶ ENCYCL.
— ENCYCL. La suspension par ressorts des voitures ou des motocyclettes est sujette à une série d'oscillations, préjudiciables au confort et à la tenue de route. Elle exige un freinage par *amortisseurs.* Le freinage propre, appréciable pour les ressorts à lames, mais très faible pour les ressorts à boudin ou de torsion, est complété par un amortisseur hydraulique, cylindre rempli d'huile refoulée par un piston.

2. AMORTIR [amɔrtir] v. t. (même étym.). **1.** *Amortir une dette*, la rembourser progressivement. — **2.** *Amortir qqch.*, reconstituer progressivement le capital dépensé pour une acquisition par l'usage qui est fait de cette dernière : *Un représentant de commerce amortit rapidement l'achat de sa voiture parce qu'il voyage beaucoup.* ◆ **amortissement** n. m. **1.** Remboursement progressif d'une dette. — **2.** Reconstitution progressive d'un capital.

AMOU-DARIA, fl. de l'U. R. S. S., en Asie centrale, qui prend sa source dans le Pamir et rejoint la mer d'Aral; 2 620 km. Il est utilisé pour l'irrigation.

AMOUR [amur] n. m. (lat. *amor*). **1.** Élan du cœur, affection vive qui pousse un être humain vers un autre : *L'amour du prochain. Elle lui inspire un amour violent* (syn. PASSION). *L'amour maternel* (= le penchant naturel qui fait qu'une mère aime ses enfants). — **2.** Dévotion d'un être humain envers une divinité, etc. : *L'amour de Dieu.* — **3.** Goût vif pour quelque chose : *L'amour de la musique, de la patrie.* — **4.** Représentation du dieu mythologique symbolisant l'amour (en ce sens, prend une majusc.) : *De petits Amours joufflus ornaient le plafond de la salle.* — **5.** Fam. *Un amour de* (et un substantif) équivaut à un superl. de JOLI, BEAU, ADORABLE, etc.: *C'est un amour d'enfant.* ‖ *Pour l'amour de* (suivi d'un nom de personne ou de chose), par considération pour : *Ne faites pas cela, pour l'amour de vos enfants!* (syn. À CAUSE DE, PAR ÉGARD POUR). ‖ *Pour l'amour de Dieu!*, interj. suppliante appelant la pitié. (Rem. *Amour* n'est fém., au plur., que dans la langue littéraire : *De folles amours.*) ◆ **amour-propre** n. m. Opinion avantageuse que l'on a de soi-même et que l'on souhaite donner aux autres : *Une blessure d'amour-propre* (= une vexation, une humiliation). *Il n'a aucun amour-propre* (syn. DIGNITÉ, FIERTÉ). ◆ **amouracher (s')** v. pr. *S'amouracher de qq'un*, avoir pour lui une passion soudaine et passagère (syn. S'ÉPRENDRE). ◆ **amourette** n. f. Amour sans conséquence (syn. FLIRT). ◆ **amoureux, euse** adj. et n. Qui éprouve de l'amour pour quelqu'un; qui est passionné pour quelque chose : *Il est amoureux d'une jeune fille* (syn. ÉPRIS). *Amoureux de la musique* (syn. FÉRU, FERVENT). *Un amoureux transi* (= qui fait sa cour avec timidité et réserve). ◆ **amoureusement** adv. Avec amour. ◆ **énamouré, e** [enamure] ou **enamouré, e** [ɑ̃namure] adj. Amoureux (littér.). [⟶ AIMER.]

amour *(De l')*, essai de Stendhal (1822).

Amour médecin *(l')*, comédie-ballet de Molière (1665).

Amour sorcier *(l')*, ballet de Manuel de Falla (1915). C'est dans cette partition que se trouve la célèbre *Danse du feu.*

Amours *(les)*, nom donné à plusieurs recueils lyriques de Ronsard.

AMOUR, fl. du nord-est de l'Asie, formé par la réunion de l'Argoun et de la Chilka. Il sépare la Sibérie de la Chine du Nord-Est et rejoint la mer d'Okhotsk; 4 354 km.

AMOUR *(djebel)*, massif de l'Atlas présaharien, en Algérie; 1 977 m.

AMOURACHER (S') v. pr., **AMOURETTE** n. f., **AMOUREUSEMENT** adv., **AMOUREUX, EUSE** adj. et n., **AMOUR-PROPRE** n. m. ⟶ AMOUR.

AMOVIBLE [amɔvibl] adj. (du lat. *amovere*, écarter). **1.** Se dit d'une chose qui peut être enlevée de la place où elle se trouve, qui peut être séparée d'une autre : *La doublure amovible d'un imperméable.* — **2.** Se dit d'un fonctionnaire qui peut être muté ou destitué. ◆ **inamovible** adj. : *Certains magistrats sont inamovibles* (= ne peuvent être destitués ou déplacés).

AMPÉLIDACÉES [ɑ̃pelidase] n. f. pl. (du gr. *ampelos*, vigne). Famille de plantes dicotylédones dialypétales dont la vigne est le type.

AMPÈRE [ɑ̃pɛr] n. m. (de *Ampère*). Unité d'intensité des courants électriques (symb. : A). ◆ **ampère-heure** n. m. Quantité d'électricité transportée en une heure par un courant de 1 ampère (symb. : Ah). ‖ Pl. des *ampères-heures.* ◆ **ampèremètre** n. m. Instrument qui sert à mesurer l'intensité des courants électriques.

AMPÈRE (André), mathématicien et physicien français, né à Lyon (1775-1836). Ses principales découvertes sont du domaine de l'électromagnétisme : il montra dans l'électricité en mouvement la source des actions magnétiques. Il étudia les actions réciproques des courants et des aimants, et les actions mutuelles de deux courants, jetant ainsi les bases de l'électrodynamique. Il imagina le galvanomètre, le télégraphe électrique et, avec Arago, l'électro-aimant.

AMPÈRE-HEURE n. m., **AMPÈREMÈTRE** n. m. ⟶ AMPÈRE.

AMPHI-, élément tiré du gr. *amphi*, qui signifie *des deux côtés, en double* ou *autour* et qui entre comme préfixe dans la formation de divers mots.

AMPHIBIE [ɑ̃fibi] adj. (de *amphi-*, et gr. *bios*, vie). **1.** *Animal amphibie*, qui peut vivre soit à l'air, soit dans l'eau : *Les crabes et les grenouilles sont amphibies.* ⟶ ENCYCL. — **2.** *Véhicule amphibie*, qui peut être utilisé sur la terre et sur l'eau, selon les besoins.

‖ *Opérations amphibies,* opérations qui ont pour objet de débarquer des unités militaires terrestres dans une région côtière occupée par l'ennemi.
— ENCYCL. Au sens le plus large, le terme d'*amphibie* peut être appliqué aux nombreux mammifères, reptiles et insectes qui ne respirent que l'air, mais qui vivent ordinairement à la surface de l'eau et qui sont adaptés à plonger longuement : loutres, phoques, baleines, tortues de mer, crocodiles, etc. Mais il vaudrait mieux réserver ce mot soit aux animaux dont l'appareil respiratoire peut fonctionner dans l'air comme dans l'eau (divers crabes, certains cloportes et quelques poissons), soit aux animaux qui possèdent *à la fois* deux appareils respiratoires (poissons dipneustes).

AMPHIBIENS [ɑ̃fibjɛ̃] n. m. pl. (de *amphibie*). Classe de vertébrés à peau humide et nue (sans poils, ni plumes, ni écailles), caractérisés par une forme larvaire aquatique à respiration branchiale suivie d'une forme adulte terrestre à respiration pulmonaire (syn. BATRACIENS).
— ENCYCL. Le développement des *amphibiens* se fait par une série de métamorphoses complexes. Les adultes conservent à divers degrés des mœurs aquatiques : ils ne s'éloignent guère de l'eau où la femelle doit aller pondre. La température de leur sang variant avec la température extérieure, leur activité suit un rythme saisonnier : dès les premiers froids, ils hibernent. On distingue deux groupes d'amphibiens.

Les *anoures,* amphibiens sans queue, aux pattes postérieures adaptées au saut. Ce groupe comprend :
les *grenouilles,* qui vivent au bord de l'eau, se nourrissent d'insectes, de larves. En France on trouve la *grenouille verte* et la *grenouille rousse* aux mœurs moins aquatiques;
les *rainettes,* qui vivent dans les arbres où elles grimpent grâce aux ventouses de leurs doigts;
les *crapauds* (le *crapaud sonneur,* à ventre jaune, fréquente les eaux stagnantes; le *crapaud commun,* plus terrestre, à la peau pustuleuse, est un grand destructeur d'insectes, de vers, de limaces).

Les *urodèles,* amphibiens à queue, au corps allongé soutenu par quatre pattes marcheuses égales. Ce groupe comprend :
les *tritons,* essentiellement aquatiques, à la queue natatoire aplatie latéralement; au printemps, le mâle se pare d'une crête dorsale et de riches couleurs;
les *salamandres,* noires, tachées de jaune, à la queue cylindrique, qui vivent sous les pierres et ne vont à l'eau que pour s'accoupler et pondre:
l'*axolotl,* qui vit dans les lacs du Mexique. (C'est en réalité la larve du triton mexicain mais qui normalement se reproduit à l'état larvaire et ne subit pas de métamorphoses.)

AMPHIBOLE [ɑ̃fibɔl] n. f. (gr. *amphibolos,* équivoque). Minéral silicaté, de couleur verte ou brune, fréquent dans les roches éruptives et métamorphiques.

AMPHIBOLOGIE [ɑ̃fibɔlɔʒi] n. f. (du gr. *amphibolos,* équivoque, et *logos,* discours). Double sens, ambiguïté que présente une phrase.

AMPHIGOURI [ɑ̃figuri] n. m. (orig. incert.). Langage ou écrit involontairement obscur, embrouillé, peu intelligible. ◆ **amphigourique** adj. Obscur, embrouillé : *Style amphigourique.*

AMPHITHÉÂTRE [ɑ̃fiteɑtr] n. m. (*amphi-,* et gr. *theatron,* théâtre). **1.** À Rome, édifice circulaire à gradins où avaient lieu les jeux, les fêtes publiques. ⟶ ENCYCL. — **2.** Dans une faculté ou une école, grande salle garnie de gradins où les professeurs donnent leurs cours et, en particulier, où les professeurs de sciences font leurs démonstrations. — **3.** *En amphithéâtre,* qui présente la forme d'un vaste plan circulaire, avec un étagement de gradins : *Collines qui s'élèvent en amphithéâtre autour de la ville.* — **4.** *Amphithéâtre morainique,* moraines terminales (ou frontales) disposées en arc de cercle et situées sur l'emplacement du front d'un ancien glacier (syn. VALLUM MORAINIQUE).
— ENCYCL. L'*amphithéâtre* était, à Rome, destiné aux combats de gladiateurs. Au centre se trouve l'*arène,* entourée du *podium;* du mur du podium, les gradins s'étagent jusqu'au faîte, coupés d'escaliers aboutissant chacun à une porte *(vomitorium).* Le plus célèbre des amphithéâtres est le Colisée* de Rome.

AMPHITRITE. *Myth. gr.* Déesse de la Mer, épouse de Poséidon, qui la rendit mère de Triton et d'un grand nombre de nymphes.

Amphitryon, comédie de Molière (1668).

AMPHORE [ɑ̃fɔr] n. f. (lat. *amphora*). Vase à deux anses de l'Antiquité, ovoïde, terminé à sa partie inférieure par une pointe ou un pied étroit qu'on enfonçait dans le sable ou dans un support spécial. (Elle servait à conserver et à transporter des grains ou des liquides. Des amphores funéraires étaient consacrées aux cendres des défunts.)

AMPLE [ɑ̃pl] adj. (lat. *amplus*) [après ou plus souvent avant le nom]. **1.** D'une largeur, d'une quantité, d'une surface, d'une importance qui dépasse de beaucoup la moyenne : *Une jupe ample* (contr. ÉTROIT). *Une vue ample des choses* (syn. LARGE, VASTE; contr. ÉTRIQUÉ). — **2.** *Jusqu'à plus ample informé,* jusqu'à ce qu'on ait recueilli plus d'informations. ◆ **amplement** adv. : *C'est amplement suffisant* (syn. GRANDEMENT, LARGEMENT). ◆ **ampleur** n. f. : *L'ampleur d'une cape* (syn. LARGEUR). *L'ampleur des moyens mis en œuvre* (syn. MASSE). *Manifestation d'une ampleur exceptionnelle* (syn. IMPORTANCE). *L'ampleur des dégâts* (syn. ÉTENDUE). ◆ **amplifier** v. t. Augmenter la quantité, le volume, l'étendue, l'importance de quelque chose : *Il faut amplifier les échanges commerciaux entre nos deux pays* (syn. ACCROÎTRE; contr. DIMINUER, RESTREINDRE). *Les journaux amplifièrent le scandale* (syn. GROSSIR; contr. ÉTOUFFER). ◆ ***s'amplifier*** v. pr. Devenir plus important, augmenter, s'accentuer. ◆ **amplificateur, trice** adj. et n. Qui amplifie. ◆ **amplificateur** n. m. Appareil comportant des lampes ou des transistors et destiné à augmenter la tension, l'intensité ou la puissance des signaux électriques. ◆ **amplification** n. f. **1.** Action d'amplifier, de s'amplifier : *L'amplification d'un mouvement revendicatif* (syn. DÉVELOPPEMENT, EXTENSION). — **2.** Accroissement d'une tension, d'une intensité de courant ou d'une puissance électrique, obtenue à l'aide d'un appareil amplificateur. ◆ **amplitude** n. f. **1.** Étendue considérable : *L'amplitude d'une catastrophe.* — **2.** Distance entre des points extrêmes : *Mesurer l'amplitude des mouvements d'un pendule, des vibrations d'un son.* ‖ *Amplitude moyenne annuelle,* écart entre la moyenne de température du mois le plus froid et celle du mois le plus chaud.

AMPLEPUIS, ch.-l. de cant. du Rhône, à 16 km au N.-O. de Tarare, dans les monts du Beaujolais; 5 100 hab. Industries textiles.

AMPLEUR n. f. ⟶ AMPLE.

AMPLIATION [ɑ̃plijasjɔ̃] n. f. (du lat. *ampliare,* agrandir). *Dr.* Double authentique d'un acte officiel.

AMPLIFICATEUR adj. et n., **AMPLIFICATION** n. f., **AMPLIFIER** v. t., **S'AMPLIFIER** v. pr., **AMPLITUDE** n. f. ⟶ AMPLE.

1. AMPOULE [ɑ̃pul] n. f. (lat. *ampulla*). **1.** Petit tube de verre contenant un médicament liquide; ce contenu lui-même. — **2.** Partie en verre d'une lampe électrique, et souvent la lampe elle-même : *Changer une ampoule.* — **3.** *Sainte ampoule,* vase contenant l'huile consacrée qui servait au sacre des rois de France et que conserve le trésor de la cathédrale de Reims.

2. AMPOULE [ɑ̃pul] n. f. (de *ampoule* 1). Petite boursouflure bénigne de l'épiderme, consécutive à un frottement prolongé.

AMPOULÉ, E [ɑ̃pule] adj. (de l'anc. v. *ampouler,* gonfler). Se dit de propos (ou d'un style) prétentieux et sans profondeur : *Tenir un discours ampoulé* (syn. EMPHATIQUE; contr. SIMPLE, SOBRE).

AMPUTER [ɑ̃pyte] v. t. (lat. *amputare*). **1.** *Amputer un membre,* l'enlever par une opération chirurgicale : *Amputer la jambe* (syn. COUPER). — **2.** *Amputer qq'un,* lui enlever un membre (souvent au passif) : *Il a dû être amputé de la main droite.* — **3.** *Amputer un texte,* lui enlever un passage. ◆ **amputé, e** n. Personne amputée : *Un amputé des deux bras.* ◆ **amputation** n. f. Sens 1, 2, 3 du v.

AMRAVATI, v. de l'Inde (Mahārāshtra); 193 600 hab. Marché du coton.

AMRITSAR, v. de l'Inde (Pendjab); 432 700 hab. Métropole religieuse des sikhs; célèbre *Temple d'or* du XVIe s. Grandes foires à l'occasion des pèlerinages.

AMSTERDAM, capit. des Pays-Bas (Hollande-Septentrionale); 738 000 hab. (1 038 000 hab. avec les banlieues). Située au bord de l'IJselmeer, elle est bâtie sur l'eau et sillonnée de canaux concentriques. Le port est aujourd'hui relié à la mer du Nord par un large canal. Doté de vastes entrepôts destinés surtout aux produits tropicaux, il a une fonction commerciale importante, à laquelle s'ajoute une industrie active : taille des diamants, constructions navales, automobiles et aéronautiques, chimie et industries alimentaires. La vieille ville avec ses canaux, ses beaux monuments, ses musées et ses maisons anciennes attire de nombreux touristes.

D'abord port de pêche, la ville devient, surtout à la fin du XIVe s., un port de commerce très prospère : elle est incorporée à la Hanse*.

- *1602. Fondation de la Compagnie des Indes orientales.*
- *1609. Création de la banque d'Amsterdam : la ville devient une grande place financière.*

Le XVIIe s. est l'âge d'or d'Amsterdam qui accueille philosophes (Descartes, Spinoza) et artistes (Rembrandt).

AMULETTE [amylɛt] n. f. (lat. *amuletum*). Petit objet que l'on porte sur soi, et auquel on attribue le pouvoir d'écarter tous les événements malheureux (maladies, accidents) [syn. PORTE-BONHEUR; fam. GRI-GRI].

AMUNDSEN (Roald), explorateur norvégien (1872-1928). Il découvre en 1905 le passage du Nord-Ouest, au N. du continent américain : son navire, le *Gjøa*, parti de Norvège, réussit à rallier l'Alaska. En 1910, il explore l'Antarctique : il atteint le pôle Sud le 14 décembre 1911, devançant l'explorateur anglais Scott. En 1926, Amundsen survole en dirigeable (expédition du *Norge*) le pôle Nord.

AMURE [amyr] n. f. (prov. *amura*). Cordage qui retient le coin inférieur d'une voile du côté d'où vient le vent.

AMUSER [amyze] v. t. (de *muser*) [sujet nom de personne ou de chose]. **1.** *Amuser qq'un*, lui procurer de la gaieté, de la joie, du plaisir : *Le cirque amuse les enfants* (syn. DIVERTIR, RÉJOUIR). — **2.** *Amuser qq'un*, lui faire perdre son temps (littér.) : *Amuser un adversaire par des manœuvres de diversion* (syn. DUPER). ◆ **s'amuser** v. pr. (sujet nom de personne). **1.** Être gai, prendre du plaisir : *Les enfants s'amusent à lancer le ballon* (syn. JOUER). — **2.** *S'amuser de qq'un, de qqch.*, s'en moquer, en rire : *Elle s'est amusée de toi* (syn. SE MOQUER). — **3.** Perdre son temps à des riens : *Il ne s'agit pas de s'amuser* (syn. LAMBINER, TRAÎNER). ◆ **amusant, e** adj. : *Un jeu amusant* (syn. DISTRAYANT; contr. ENNUYEUX). *Une amusante histoire* (syn. COMIQUE, DRÔLE). *Un convive amusant* (syn. GAI, SPIRITUEL). ◆ **amusement** n. m. (sens 1 du v. t.) : *Les cartes sont pour lui un amusement* (syn. DISTRACTION, DIVERTISSEMENT). *Les clowns firent l'amusement des enfants* (syn. JOIE). ◆ **amusette** n. f. Fam. *Ce n'est qu'une amusette*, c'est une distraction sans portée, une bagatelle. ◆ **amuseur, euse** n. Celui, celle qui amuse (souvent péjor.) [syn. BOUFFON, CLOWN].

AMYGDALE [amidal] ou [amigdal] n. f. (gr. *amugdalê*, amande). Organe en forme d'amande, situé de chaque côté de la gorge.
— ENCYCL. La fonction des *amygdales* est la défense contre les infections, en l'occurrence celles du pharynx. Une ablation *(amygdalectomie)* est nécessaire quand leur hypertrophie ou leur infection entraînent des troubles de la déglutition ou de la respiration, ou des complications (angines, otites, néphrites, etc.).

AMYLACÉ, E [amilase] adj. (du gr. *amulon*, amidon). **1.** De la nature de l'amidon. — **2.** Qui contient de l'amidon.

AMYLASE [amilaz] n. f. (du gr. *amulon*, amidon). Enzyme provoquant la transformation par hydrolyse des glucides : *Amylase salivaire.*

AMYOT (Jacques), humaniste français (1513-1593), évêque d'Auxerre. Par ses traductions de Plutarque (*Vies parallèles*, 1559), de Longus et d'Héliodore, il fut un des créateurs de la prose du XVIe s., naïve et pittoresque.

AN [ɑ̃] n. m. (lat. *annus*). **1.** Temps que met la Terre pour faire un tour autour du Soleil et qui est employé comme mesure de la durée. *a)* Indique un espace de douze mois complets (sans précision absolue) : *Il a vingt ans de maison. Le travail dura un an.* *b)* Indique l'âge : *Il a douze ans.* *c)* *Bon an, mal an*, d'une manière habituelle, que l'année soit bonne ou mauvaise; en moyenne. — **2.** Espace de temps précis de douze mois depuis le 1er janvier jusqu'au 31 décembre : *L'an dernier. Le jour de l'an est le premier de l'année* (syn. NOUVEL AN, PREMIER DE L'AN). — **3.** Indique une date dans un calendrier donné : *L'an 44 av. J.-C. L'an I de la République* (= du calendrier républicain). [→ CALENDRIER.] ◆ **année** [ane] n. f. **1.** Période correspondant au temps que met la Terre à faire sa révolution autour du Soleil : *L'année se compose de 365 jours un quart.* ‖ *Année bissextile*, année de 366 jours, qui revient tous les quatre ans. ‖ *Année civile*, année qui commence le 1er janvier à 0 h et se termine le 31 décembre à 24 h. ‖ *Année de lumière*, unité de longueur correspondant à la distance parcourue en un an par la lumière dans le vide. — **2.** Période de douze mois commençant le 1er janvier et finissant le 31 décembre : *Souhaiter la bonne année. L'année dernière.* → ENCYCL. — **3.** Espace de temps écoulé depuis la naissance : *Il est dans sa dixième année.* — **4.** Période d'activité considérée dans sa durée et correspondant à telle ou telle date : *L'année scolaire. L'année théâtrale.* ◆ **annuel, elle** adj. Qui revient chaque année : *La fête annuelle du lycée.* ◆ **annuellement** adv. Par an, chaque année. ◆ **annuité** n. f. Paiement annuel d'une pension, d'une dette, etc. ◆ **bisannuel, elle** adj. Qui revient tous les deux ans : *Un congé bisannuel* (syn. BIENNAL). ◆ **trisannuel, elle** adj. Qui revient tous les trois ans.
— ENCYCL. L'époque du commencement de l'*année* a varié chez tous les peuples : pour les Égyptiens, les Chaldéens, les Perses, etc., elle débutait à l'équinoxe d'automne (21 septembre), pour d'autres au solstice d'hiver, pour d'autres enfin au solstice d'été. En France, sous Charlemagne, l'année commençait le 1er mars; Charles IX la rétablit au 1er janvier. Le gouvernement républicain de 1792 décréta que le début de l'année serait le jour de l'équinoxe d'automne : le 22 septembre 1792 fut appelé *1er vendémiaire de l'an I de la République.* L'année grégorienne commençant le 1er janvier fut rétablie en 1806. L'année chrétienne commence à la naissance du Christ (= début de notre ère) [*ex.* : nous sommes en l'année 1987 après Jésus-Christ].

ANABAPTISTE [anabatist] adj. et n. (du gr. *ana*, de nouveau, et *baptizein*, plonger dans l'eau). Membre d'une secte politique et religieuse du XVIe s. ◆ **anabaptisme** n. m. Doctrine des anabaptistes.
— ENCYCL. Les *anabaptistes*, issus du protestantisme, considéraient le baptême des enfants comme inefficace, et soumettaient les adultes à un second baptême. Dirigés par Thomas Münzer, ils déclenchèrent la « guerre des paysans » et choisirent la ville de Münster comme centre. C'est là qu'ils furent écrasés (1535).

Anabase *(l')* [c'est-à-dire *l'Expédition dans l'intérieur*], ouvrage historique de Xénophon, récit de l'expédition de Cyrus le Jeune contre Artaxerxès II et de la retraite des Dix Mille, que l'auteur lui-même avait conduite (IVe s. av. J.-C.).

ANABOLISME [anabɔlism] n. m. (du gr. *ana*, en haut, et *bolos*, jet). Construction, par l'organisme, de molécules complexes et utilisables soit comme aliment de réserve, soit (c'est alors l'assimilation*) en tant que matière vivante : *L'anabolisme est indispensable à l'assimilation des aliments, à la croissance et à l'entretien des tissus.*

ANACHORÈTE [anakɔrɛt] n. m. (du gr. *anakhôrein*, se retirer). Moine ou ermite qui vit dans la solitude, par oppos. au CÉNOBITE, qui vit en communauté.

ANACHRONISME [anakrɔnism] n. m. (du gr. *ana*, en arrière, et *khronos*, temps). **1.** Événement qui, par erreur, n'est pas remis à sa date, qui est placé à une époque différente de celle où il a eu lieu : *L'anachronisme le plus commun consiste, en histoire, à attribuer aux siècles passés la psychologie de notre temps.* — **2.** *Péjor.* Ce qui appartient à une autre époque que celle où l'on vit; ce qui manifeste un retard par rapport aux mœurs actuelles : *Le port du haut-de-forme est un anachronisme.* ◆ **anachronique** adj. Sens 2 du substantif : *Ses opinions sont anachroniques* (syn. DÉSUET, PÉRIMÉ; contr. D'ACTUALITÉ, MODERNE).

ANACOLUTHE [anakɔlyt] n. f. (gr. *anakolouthon*, sans liaison). Tournure de phrase qui consiste à changer brusquement une construction, la phrase ne s'achevant pas comme son début le laisserait supposer.

ANACONDA [anakɔ̃da] n. m. (orig. incert.). Boa des rivières de l'Amérique du Sud, pouvant atteindre 12 m de long.

ANACONDA, v. du nord-ouest des États-Unis (Montana); 11 300 hab. Mines de cuivre.

ANACRÉON, poète lyrique grec de la seconde moitié du VIe s. av. J.-C. De ses œuvres, il ne reste que des fragments. Les *Odes*, qui lui ont été attribuées à tort, sont bien postérieures; elles célèbrent l'amour, la bonne chère, et inspirèrent la poésie dite *anacréontique* de la Renaissance.

ANADYR', fl. de Sibérie; il rejoint, par le *golfe d'Anadyr'*, la mer de Béring; 1 145 km. Il a donné son nom à un massif granitique.

ANAÉROBIE [anaerɔbi] adj. et n. m. (de *an* priv., gr. *aêr.* air, et *bios*, vie). Se dit des micro-organismes ou de certains tissus vivant en l'absence d'air, donc d'oxygène, et tirant l'énergie nécessaire à leur vie de substances organiques qu'ils décomposent.

ANAGLYPHE [anaglif] n. m. (gr. *anagluphos*, ciselé). Réunion sur une même feuille de deux dessins ou de deux photographies de couleurs différentes, qui, observés avec un binocle bicolore, donnent la sensation du relief.

ANAGNI, v. d'Italie (Latium); 15 500 hab. Le pape Boniface VIII y fut arrêté par Nogaret, envoyé de Philippe le Bel, en 1303.

ANAGRAMME [anagram] n. f. (gr. *anagramma*, renversement de lettres). Nouveau mot que l'on forme en changeant de place les lettres d'un mot, sans en ajouter ni en retrancher aucune : *L'anagramme du mot signe est singe.*
— ENCYCL. L'*anagramme* est connue depuis l'Antiquité. En France, quelques écrivains ont usé de l'anagramme pour signer leurs œuvres : François Rabelais signa *Alcofribas Nasier*, Arouet l(e) j(eune) devint *Voltaire*, Paul Verlaine, le *Pauvre Lélian*, etc.

ANÁHUAC, l'un des noms du Mexique avant la conquête espagnole. Il est appliqué aujourd'hui au plateau fertile des environs de Mexico.

ANAL, E, AUX adj. → ANUS.

ANALGÉSIE [analʒezi] n. f. (de *an* priv., et gr. *algos*, douleur). Perte de la sensibilité à la douleur. ◆ **analgésique** adj. et n. m. Qui produit l'analgésie : *L'aspirine est un analgésique.*

ANALOGIE [analɔʒi] n. f. (gr. *analogia*). Rapport de ressemblance établi entre deux ou plusieurs choses, objets, mots, etc., entre des personnes (souvent avec un compl. indiquant la nature de la ressemblance) : *Il y a entre eux une analogie de caractère* (syn. CONFORMITÉ, SIMILITUDE). ‖ *Par analogie*, en se fondant sur les rapports, les ressemblances entre plusieurs choses. ◆ **analogique** adj. Fondé sur l'analogie : *Un dictionnaire analogique classe les mots selon les rapports de sens qu'ils ont entre eux.* ◆ **analogiquement** adv. ◆ **analogue** adj. *Analogue (à qqch.)*, se dit de ce qui offre de la ressemblance avec quelque chose d'autre : *C'est une aventure analogue à celle-ci qui m'est arrivée* (syn. COMPARABLE, PAREIL, SEMBLABLE). *Remplacer un mot par un autre de sens analogue* (syn. PROCHE, VOISIN; contr. CONTRAIRE, OPPOSÉ).

ANALPHABÈTE adj. et n., **ANALPHABÉTISME** n. m. ⟶ ALPHABET.

ANALYSE [analiz] n. f. (gr. *analusis*, décomposition). **1.** Examen fait en vue d'isoler, de séparer les éléments qui constituent un corps, de discerner les diverses parties d'un tout : *Faire une analyse du sang. Procéder à l'analyse d'un composé chimique* (contr. SYNTHÈSE). *L'analyse d'un document* (syn. ÉTUDE). *L'analyse grammaticale est un exercice scolaire qui consiste à décomposer la proposition en ses éléments grammaticaux et à en déterminer la fonction. L'analyse logique procède à la décomposition d'une phrase en des propositions dont on détermine les rapports.* ‖ *En dernière analyse*, après que tout a été bien examiné, en définitive. — **2.** *Math.* Partie des mathématiques qui étudie les propriétés du corps ℝ des nombres réels, et plus généralement tout ce qui fait appel à la notion de limite ou d'infini (*ex. :* valeurs approchées d'un nombre réel, tangente à une courbe, nombres irrationnels, calculs de la vitesse d'un mobile). ◆ **analyser** v. t. Soumettre à une analyse : *Analyser les urines. Analyser un roman* (syn. RÉSUMER). *Analyser la situation* (syn. ÉTUDIER, EXAMINER). *Analyser une phrase* (syn. DÉCOMPOSER). ◆ **analysable** adj. ◆ **inanalysable** adj. Dont on ne peut discerner les éléments composants : *Des sentiments inanalysables.* ◆ **analytique** adj. **1.** Qui contient ou qui constitue une analyse : *Compte rendu analytique.* — **2.** Qui procède par analyse : *Un esprit analytique s'oppose à un esprit de synthèse.*

ANANAS [anana] ou [-nas] n. m. (mot esp.). **1.** Plante originaire d'Amérique tropicale, cultivée dans beaucoup de régions chaudes pour ses gros fruits composés, à pulpe sucrée et savoureuse. (Haut. 50 cm.) [Famille des broméliacées.] — **2.** Le fruit lui-même : *Préparer un ananas au kirsch.*

ANAPESTE [anapɛst] n. m. (gr. *anapaistos*, frappé à rebours). Pied de vers grec ou latin qui se compose de deux brèves suivies d'une longue (◡ ◡ —). [L'anapeste est l'opposé du DACTYLE.]

ANAPHORE [anafɔr] n. f. (gr. *anaphora*). Figure de style qui consiste à répéter un même mot, une même expression au début de phrases successives.

ANAPHYLAXIE [anafilaksi] n. f. (du gr. *ana*, contraire, et *phulaxis*, protection). Sensibilisation de l'organisme à une substance telle qu'une seconde dose, même minime de cette substance, détermine une réaction violente et grave (contr. IMMUNITÉ). ◆ **anaphylactique** adj. : *Choc anaphylactique.*

ANARCHIE [anarʃi] n. f. (gr. *anarkhia*). **1.** Situation d'un pays caractérisée par l'absence d'un gouvernement disposant de l'autorité nécessaire et par un conflit désordonné entre des forces politiques, économiques ou sociales antagonistes : *Après la fin des hostilités, le pays connut une période d'anarchie (fut en proie à l'anarchie);* et avec un qualificatif : *L'anarchie économique provoquée par l'absence de plan d'ensemble.* — **2.** État de fait caractérisé par le désordre, la confusion et l'absence de direction, de règles : *L'anarchie des esprits* (= la confusion intellectuelle). ◆ **anarchique** adj. : *L'état anarchique d'un pays. Vivre d'une manière anarchique* (syn. DÉSORDONNÉ). ◆ **anarchisme** n. m. Idéologie qui refuse l'autorité, spécialement celle de l'État, et qui préconise la liberté absolue et la spontanéité. ⟶ ENCYCL. ◆ **anarchiste** adj. et n. **1.** Qui se réclame de l'anarchisme. — **2.** Qui se caractérise par l'absence d'ordre, d'organisation ou de conformisme.

— ENCYCL. *L'anarchisme*, sous différents aspects, a connu un grand succès, à la fin du XIXe s., dans certains milieux populaires et intellectuels de France, de Russie, d'Italie et d'Espagne. Après Proudhon, les Russes Bakounine et Kropotkine, les Français Élisée Reclus et Jean Grave énoncèrent les doctrines de l'anarchie « positive », libérant l'individu de toute forme de contrainte (religion, gouvernement, propriété) pour établir une société nouvelle; la destruction de la société capitaliste ne pourra se faire sans la violence. Le mouvement anarchiste fut particulièrement violent en France entre 1880 et 1894, multipliant les attentats contre les représentants de l'autorité. Il joua un rôle important lors de la guerre civile en Espagne (1936-1939).

ANASTASE, nom de quatre papes et de deux empereurs d'Orient.

ANASTOMOSE [anastɔmoz] n. f. (gr. *anastomôsis*, ouverture). Rameau vasculaire mettant deux vaisseaux sanguins, deux nerfs ou deux fibres musculaires en communication.

ANATHÈME [anatɛm] n. m. (gr. *anathêma*). **1.** Condamnation publique qui manifeste une totale réprobation d'un acte, d'une opinion sur le plan moral (surtout au sing.) : *Jeter l'anathème contre les doctrines nouvelles.* — **2.** Chez les catholiques, sentence qui rejette de l'Église : *L'anathème est ordinairement porté contre les hérétiques qui combattent les dogmes ou l'autorité de l'Église.*

ANATIDÉS [anatide] n. m. pl. (du lat. *anas*, canard). Famille d'oiseaux palmipèdes, comprenant les *canards*, les *oies*, les *cygnes* (syn. ANSÉRIDÉS).

ANATIFE [anatif] n. m. (du lat. *anas*, canard, et *ferre*, porter). Crustacé à coquille calcaire qui vit fixé aux épaves marines par un fort pédoncule. (Ordre des cirripèdes.)

ANATOLIE, en gr. **Anatolê** (le Levant, l'Orient, c'est-à-dire le pays qui se trouve à l'E. de Constantinople), péninsule occidentale de l'Asie, souvent appelée *Asie Mineure*. Le terme a été employé à partir du Bas-Empire.

ANATOMIE [anatɔmi] n. f. (gr. *anatomia*, dissection). **1.** Étude de la structure des êtres organisés par les moyens de la dissection, envisageant la forme et la disposition des organes qui les constituent; cette structure elle-même : *L'anatomie d'un oursin.* — **2.** Forme extérieure du corps : *Une belle anatomie.* ◆ **anatomique** adj. Sens 1 du nom : *Description anatomique du corps.*

— ENCYCL. L'*anatomie* est l'une des deux parties fondamentales de la *biologie* (l'autre étant la *physiologie*). À côté de la dissection, elle utilise différents procédés, tels que la fixation et la congélation des coupes effectuées dans l'organe étudié, l'injection des canaux et des vaisseaux par des produits solidifiants ou opaques, la microscopie et la radiologie.

→ illustration en couleurs pp. 80-81.

ANATOXINE [anatɔksin] n. f. (du gr. *ana*, contraire de, et *toxine*). Toxine microbienne qui a perdu son pouvoir toxique tout en conservant sa qualité d'antigène capable de créer l'immunité : *La vaccination par les anatoxines diphtérique (découverte par Ramon) et tétanique est obligatoire pour tous les enfants.*

ANCENIS, ch.-l. d'arrond. de la Loire-Atlantique, sur la rive nord de la Loire, à 38 km au N.-E. de Nantes; 7300 hab.

• *1468. Traité de paix entre Louis XI et le duc de Bretagne François II.*

ANCÊTRE [ɑ̃sɛtr] n. (lat. *antecessor*, prédécesseur) [surtout masc.]. **1.** Ascendant plus éloigné que le père (terme vague; souvent au plur. pour désigner l'ensemble de ceux de qui l'on descend ou, plus vaguement, de ceux qui ont vécu avant nous) : *Nous avons un ancêtre commun* (syn. AÏEUL). *Nos ancêtres, les Gaulois* (syn. AÏEUX). — **2.** Celui qui a été l'initiateur lointain d'une doctrine, d'un mouvement littéraire : *Cyrano de Bergerac apparaît comme un des ancêtres des romanciers de science-fiction.* ◆ **ancestral, e, aux** adj. : *Des mœurs ancestrales* (syn. ↓ANCIEN).

ANCHE [ɑ̃ʃ] n. f. (frq. *ankja*, tuyau). Languette de roseau ou de métal qui, mise en vibration, produit le son dans certains instruments à vent (clarinette, hautbois, etc.).

ANCHISE, prince troyen, père d'Énée, sauvé par son fils lors de l'incendie de Troie.

ANCHOIS [ɑ̃ʃwa] n. m. (esp. *anchoa*). Poisson commun en Méditerranée, plus rare en Atlantique, mais surtout pêché sur les côtes du Pérou. (Long de 15 à 20 cm, il peut être conservé dans la saumure ou dans l'huile, ou traité et transformé en farine et huile de poisson.) [Famille des engraulidés.]

ANCHORAGE, port de la côte sud de l'Alaska; 48100 hab.

ANCIEN, ENNE [ɑ̃sjɛ̃, -ɛn] adj. (du lat. *ante*, avant). **1.** (après ou, plus rarement, avant le nom) Qui existe depuis longtemps : *Un monument ancien* (syn. VIEUX). *Selon l'ancien usage.* — **2.** (après le nom) Qui appartient à une époque éloignée dans le temps : *Les langues anciennes* (= celles qui ont été parlées dans l'Antiquité). *Les temps anciens* (= autrefois); plus rarement avant le nom : *Dans l'ancien temps.* — **3.** (avant le nom) Qui a cessé d'exercer une fonction, qui n'a plus l'état ou la qualité indiquée par le substantif : *Un ancien ministre* (= ex-ministre). *Un ancien ami de mon frère* (= il a cessé de l'être). — **4.** *Massif ancien* ⟶ MASSIF 2. ◆ **ancien** n. m. **1.** Celui qui en a précédé d'autres dans une fonction, un travail, un service, une école, dans la vie : *Le respect pour les anciens.* — **2.** (avec une majusc.) Personnage ou écrivain de l'Antiquité grecque ou romaine. ◆ **anciennement** adv. Dans une époque reculée : *J'ai habité anciennement Toulouse* (syn. AUTREFOIS, JADIS). ◆ **ancienneté** n. f. **1.** État de ce qui est ancien (sens 1 et 2) : *L'ancienneté de ces sculptures est attestée* (syn. ANTIQUITÉ). — **2.** Temps passé dans une fonction, un grade, à partir du jour où on y a été nommé : *Avoir vingt ans d'ancienneté.*

Anciens et des Modernes *(querelle des)*, querelle littéraire qui s'ouvrit, à la fin du XVIIe s., entre les partisans des *Anciens* (= les écrivains de l'Antiquité, grecs et latins, maîtres de la perfection dans l'art et qui devaient être pris pour modèles) et les *Modernes* (= qui se dressent contre l'imitation aveugle des Anciens et revendiquent le droit de l'artiste à l'originalité, à l'indépendance dans l'inspiration et l'exécution de son œuvre).

ANCOLIE [ɑ̃kɔli] n. f. (du lat. *aquilegus*, qui recueille de l'eau). Plante cultivée pour ses fleurs à cinq éperons et de couleurs variées. (Famille des renonculacées.)

ANCÔNE, port d'Italie, dans les Marches, sur l'Adriatique; 109 800 hab.

ANCRE [ɑ̃kr] n. f. (gr. *ankura*). **1.** Pièce en acier à deux ou plusieurs becs, suspendue à un câble ou à une chaîne pour fixer un navire. — **2.** Pièce d'horlogerie qui régularise le mouvement du balancier. — **3.** Barre métallique empêchant l'écartement des murs. ◆ **ancrage** n. m. **1.** Endroit convenable pour mouiller un navire. — **2.** Attache d'un poteau, d'une poutre, d'un câble à un point fixe. — **3.** Action d'ancrer un sentiment, une habitude, etc.; fait d'être ancré; implantation, enracinement : *L'ancrage d'une idée dans l'esprit de quelqu'un. L'ancrage d'un parti dans la vie politique.* ◆ **ancrer** v. t. **1.** *Le bateau est ancré près de la jetée.* — **2.** *Ancrer une idée dans l'esprit, dans la tête de qq'un,* la lui inculquer (*Fam.* La lui enfoncer dans la tête) [souvent au passif].

ANCY-LE-FRANC, ch.-l. de cant. de l'Yonne, sur l'Armançon, à 18 km au S.-E. de Tonnerre; 1 200 hab. Château du XVIe s.

ANCYRE, anc. nom d'ANKARA.

ANDALOU, OUSE [ɑ̃dalu, -uz] adj. et n. **1.** D'Andalousie. — **2.** *Cheval andalou,* race obtenue par le croisement arabe-barbe.

ANDALOUSIE, en esp. **Andalucía,** région de l'Espagne méridionale; 5 971 300 hab. *(Andalous).* V. pr. *Séville* (548 100 hab.), *Málaga* (374 500 hab.), *Cordoue* (235 600 hab.), *Grenade* (190 400 hab.), *Cadix* (135 700 hab.).

GÉOGRAPHIE. L'Andalousie s'étend, du N. au S., sur trois ensembles :
le rebord de la *sierra Morena*, massif ancien renfermant du cuivre (río Tinto), du plomb, de la houille qui sont activement exploités;
la vaste *plaine du Guadalquivir*, ouverte sur l'Atlantique;
les *chaînes Bétiques* (sierra Nevada, 3 478 m) encadrant des bassins intérieurs *(Grenade)* et dominant des plaines côtières discontinues *(Almería, Málaga).*

Les montagnes sont quasi désertiques, tandis que les plaines abritent les cultures : céréales, olivier, vigne et coton.

Les villes importantes se sont développées dans la plaine du Guadalquivir : Cordoue, Séville, Cadix.

Mais l'industrie est à peu près inexistante et l'Andalousie est l'une des régions les plus pauvres d'Espagne.

HISTOIRE. Les Phéniciens colonisèrent l'Andalousie au XVe s. av. J.-C.

- *IVe s. av. J.-C. Conquête carthaginoise.*
- *209 av. J.-C. Début de la conquête romaine.*
- *409 apr. J.-C. Conquête par les Vandales.*
- *711. Arrivée des Arabes.*
- *1212. Bataille de Las Navas de Tolosa (début de la reconquête de l'Andalousie par les chrétiens).*
- *1492. Prise de Grenade par les Rois Catholiques.*

C'est de l'Andalousie que partirent, au XVIe s., la plupart des expéditions de découverte vers l'Amérique.

- *1610. Expulsion des descendants des Maures.*
- *1981. Statut d'autonomie.*

ANDAMAN *(îles)*, archipel du golfe du Bengale, dépendance de l'Inde; 115 100 hab.

ANDANTE [ɑ̃dɑ̃t] adv. (mot it.). *Mus.* Indication de mouvement modéré. ◆ n. m. Morceau de sonate ou de symphonie, généralement le deuxième, d'allure modérée. ‖ Pl. des *andantes.* ◆ **andantino** adv. et n. m. Plus vif que l'andante. ‖ Pl. des *andantinos.* (⟶ MOUVEMENT, *mouvements musicaux.*)

ANDELYS (Les), ch.-l. d'arrond. de l'Eure, sur la Seine (r. dr.), à 22 km à l'E. de Louviers; 8 300 hab. Ruines de la forteresse médiévale du Château-Gaillard*.

ANDERLECHT, faubourg sud-ouest de Bruxelles; 104 200 hab.

- *1792. Victoire de Dumouriez sur les Autrichiens.*

ANDERNOS-LES-BAINS, comm. de la Gironde, sur la rive nord du bassin d'Arcachon, à 35 km d'Arcachon; 6 000 hab. Station balnéaire.

ANDERSEN (Hans Christian), écrivain danois (1805-1875). Ses *Contes* (1835-1872) publiés en plusieurs recueils, conçus à l'origine pour un public enfantin, sont devenus un des chefs-d'œuvre de la littérature mondiale. Ils présentent tantôt des personnages *(la Petite Sirène, la Petite Fille aux allumettes)*, tantôt des plantes *(le Sapin)*, des animaux *(le Vilain Petit Canard, le Rossignol)*, des objets *(l'Inébranlable Soldat de plomb)* auxquels Andersen donne vie et parole.

ANDERSON (Carl David), physicien américain (1905-1991), auteur de travaux sur les rayons gamma et le rayonnement cosmique.

ANDES *(Cordillère des)*, grande chaîne de montagnes dominant la côte occidentale de l'Amérique du Sud et s'étirant sur 7 500 km de la mer des Antilles à la Terre de Feu.

Aconcagua (Argentine)	6 959 m
Huascarán (Pérou)	6 768 m
Illampu (Bolivie)	6 550 m
Chimborazo (Équateur)	6 272 m

■ GÉOGRAPHIE PHYSIQUE. D'aspect massif, les Andes sont de formation complexe (plissements, phénomènes volcaniques). L'extension en latitude et l'altitude expliquent la variété des climats (tropical humide, tempéré froid, désertique, méditerranéen).

■ GÉOGRAPHIE HUMAINE. Les populations indiennes, implantées sur les hauts plateaux et dans les bassins montagnards, ont bien résisté à la pénétration européenne. Au nombre de 10 millions, les Indiens forment avec les métis une large part de la population (surtout au Pérou et en Bolivie) et se consacrent à une agriculture vivrière (parfois commerciale, cependant, avec le café en Colombie et la banane en Équateur) et à un élevage extensif. Mais c'est l'extraction minière qui constitue le principal intérêt économique des Andes (fer au Venezuela, au Chili et au Pérou; étain en Bolivie; cuivre au Chili).

ANDÉSITE [ɑ̃dezit] n. f. (de *Andes*). Roche volcanique grise, souvent bulleuse, composée essentiellement de plagioclase et de pyroxène.

ĀNDHRA PRADESH, État du sud-est de l'Inde; 53 550 000 hab. Capit. *Hyderābād.*

ANDIN, E [ɑ̃dɛ̃, -in] adj. Des Andes : *Civilisation andine.*

ANDORRE *(principauté d')*, petit pays des Pyrénées, à l'O. du col de Puymorens, entre la France et l'Espagne, qui s'étend sur deux hautes vallées se rejoignant pour former le Gran Valira; 465 km^2; 38 000 hab. *(Andorrans).* Langue : *catalan.* Capit. *Andorre-la-Vieille.* Les ressources sont l'élevage et surtout le tourisme, favorisé par les prix peu élevés par rapport à la France.

HISTOIRE. L'Andorre a une organisation encore féodale :

- *1278. Un jugement met fin à la lutte entre Français et Espagnols pour la domination du territoire : le pays est défini comme une principauté placée sous la double suzeraineté de l'évêque d'Urgel (ville espagnole) et du comte de Foix, dont les droits passent au roi de France en 1607.*

Actuellement la suzeraineté est partagée entre l'évêque d'Urgel et le président de la République française.

- *1982. Réforme des institutions. Élection d'un Premier ministre.*

ANDOUILLE [ɑ̃duj] n. f. (du lat. *inducere*, introduire). Boyau épais de porc, rempli de morceaux de tripes et d'intestins du même animal, ou d'autres boyaux enfilés les uns sur les autres : *L'andouille de Vire est réputée.* ◆ **andouillette** n. f. Petite andouille dont le contenu a été haché ou coupé très menu.

ANDOUILLER [ɑ̃duje] n. m. (du lat. *ante*, devant, et *oculus*, œil). Ramification des cornes du cerf *(bois)* et des autres ruminants de la famille des cervidés.

ANDOUILLETTE n. f. ⟶ ANDOUILLE.

ANDRIA, v. d'Italie, dans les Pouilles; 77 100 hab.

ANDRINOPLE, anc. nom de la ville turque d'EDIRNE, en Thrace.

- *1829. Traité entre la Russie et l'Empire Ottoman reconnaissant l'indépendance de la Grèce.*

ANDROCÉE [ɑ̃drɔse] n. m. (du gr. *anêr*, *andros*, mâle, et *oikia*, maison). Ensemble des étamines, organes mâles d'une fleur.

ANDROCLÈS, esclave romain. Livré aux bêtes dans le cirque, il fut épargné par un lion, de la patte duquel il avait naguère retiré une épine. L'empereur le gracia et lui donna le lion.

ANDROGYNE [ɑ̃drɔʒin] adj. et n. (du gr. *anêr*, *andros*, homme, et *gunê*, femme). **1.** Qui réunit dans un même être vivant ou dans un même organe les caractères des deux sexes (syn. BISEXUÉ, HERMAPHRODITE). — **2.** Se dit des végétaux qui portent à la fois des fleurs mâles et des fleurs femelles, comme le *noyer.* ◆ **androgynie** n. f.

ANDROMAQUE, femme d'Hector et mère d'Astyanax.

Andromaque, tragédie de Racine (1667).

ANDRONIC, nom de quatre empereurs byzantins.

ANDROPOV (Iouri), homme d'État soviétique (1914-1984). Chef du KGB à partir de 1967, il succède à Brejnev à la tête du parti communiste en 1982. Il est nommé président du Praesidium du Soviet suprême en 1983.

ANDUZE, ch.-l. de cant. du Gard, à 14 km au S.-O. d'Alès; 2700 hab. Anc. place forte qui fut l'un des grands centres du protestantisme cévenol.

ANE ou **ASNE** *(Val de l')*, dépression de Lorraine, à l'O. de Toul. C'est une large vallée, qui fut empruntée par un ancien affluent de la Meuse dont le cours supérieur correspondait à celui de la Moselle.

ÂNE [ɑn] n. m. (lat. *asinus*). **1.** Animal domestique voisin du cheval, mais plus petit et pourvu de longues oreilles (en ce sens, fém. ÂNESSE). [Famille des équidés.] ⟶ ENCYCL. — **2.** Homme dont l'ignorance s'accompagne d'un entêtement stupide : *Un âne bâté* (superl. de IMBÉCILE, STUPIDE). ‖ *Bonnet d'âne*, bonnet de papier garni de longues oreilles, dont on coiffait, pour le punir, un élève ignorant. — **3.** *En dos d'âne* ⟶ DOS. ‖ *Pont aux ânes* ⟶ PONT. ◆ **ânerie** n. f. Parole ou conduite qui montre une grande ignorance ou une complète stupidité : *Dire une ânerie* (syn. BÊTISE, BOURDE). *Faire une ânerie* (syn. SOTTISE). ◆ **ânesse** n. f. Femelle de l'âne. ◆ **ânier, ère** n. Celui, celle qui conduit des ânes. ◆ **ânon** n. m. Jeune âne.
— ENCYCL. L'*âne* se distingue du cheval par une taille plus petite, des oreilles beaucoup plus longues, une robe généralement grise ou brune, plus foncée le long de l'échine et en travers des épaules (« croix des ânes »). L'âne est surtout apprécié pour sa patience au travail, sa sobriété, ainsi que pour sa longévité (quinze à dix-huit ans en France). Le croisement de l'âne *(baudet)* avec la jument donne le *mulet;* le croisement du cheval avec l'ânesse donne le *bardot*. Ces hybrides sont stériles.

ANÉANTIR [aneɑ̃tir] v. t. (de *néant*). **1.** *Anéantir qqch.*, le détruire complètement : *Anéantir une armée* (syn. EXTERMINER). *Anéantir un espoir* (syn. RUINER). — **2.** *Anéantir qq'un*, le mettre dans un état d'abattement, de fatigue, de désespoir, etc. (surtout au passif) : *Il restait anéanti par l'annonce de cette catastrophe* (syn. ACCABLER, PROSTRER). ◆ **s'anéantir** v. pr. Disparaître : *Les espérances que nous avions mises en lui se sont anéanties* (syn. S'ÉCROULER, S'EFFONDRER). ◆ **anéantissement** n. m. : *L'anéantissement du monde* (syn. DESTRUCTION, FIN). *L'anéantissement des espoirs* (syn. ÉCROULEMENT, RUINE).

ANECDOTE [anɛkdɔt] n. f. (gr. *anekdota*, choses inédites). Bref récit d'un fait curieux, ou peu connu, destiné à illustrer un détail et qui ne touche pas à l'essentiel. ◆ **anecdotique** adj. Qui a le caractère de l'anecdote, qui ne touche pas à l'essentiel : *Ce détail a un intérêt anecdotique.*

ANÉMIE [anemi] n. f. (de *an* priv., et gr. *haima*, sang). État maladif, révélé par un affaiblissement progressif et causé par une diminution des globules rouges dans le sang. ⟶ ENCYCL. ◆ **anémier** v. t. (surtout au passif et au part. adj. *anémié*) : *Un organisme anémié.* ◆ **anémique** adj. **1.** Se dit d'une personne qui est habituellement dans un état d'anémie. — **2.** Se dit de ce qui est affaibli, sans vigueur, sans force : *Une industrie textile anémique.*
— ENCYCL. L'*anémie* peut être due soit à la diminution du nombre de globules rouges dans le sang, soit à l'insuffisance de la quantité d'hémoglobine contenue dans chaque globule rouge. Elle peut se traduire par la pâleur de la peau, la fatigue physique, la gêne à la respiration dans les anémies intenses. L'anémie est un état fréquent dans de nombreuses maladies.

ANÉMOMÈTRE [anemɔmɛtr] n. m. (du gr. *anemos*, vent, et *metron*, mesure). Instrument qui sert à déterminer la direction et la vitesse du vent.

ANÉMONE [anemɔn] n. f. (gr. *anemônê*). **1.** Plante sauvage ou cultivée pour ses fleurs de couleurs variées. (Famille des renonculacées.) — **2.** *Anémone de mer*, nom usuel de l'*actinie*.

ÂNERIE n. f., **ÂNESSE** n. f. ⟶ ÂNE.

ANESTHÉSIE [anɛstezi] n. f. (gr. *anaisthêsia*). Privation plus ou moins complète de la sensibilité d'une région du corps ou du corps tout entier, entraînée par une maladie ou provoquée par une substance anesthésique. ⟶ ENCYCL. ◆ **anesthésier** v. t. Provoquer l'anesthésie : *Anesthésier un malade avant l'opération* (syn. ENDORMIR). ◆ **anesthésique** adj. et n. m. Se dit d'une substance qui provoque l'anesthésie (*cocaïne*, *procaïne* pour les anesthésies locales; *chloroforme*, *éther* pour les anesthésies générales). ◆ **anesthésiste** n. Médecin qui pratique l'anesthésie.
— ENCYCL. On appelle *anesthésie* l'ensemble des techniques qui permettent de supprimer la douleur et les réflexes lors des interventions chirurgicales : l'anesthésie est provoquée grâce à des médicaments qui amènent le sommeil *(narcose)*, la perte de sensibilité *(analgésie)*, la paralysie musculaire, la protection de l'organisme contre ses propres réflexes qui pourraient rendre dangereuse l'opération. Les progrès de l'anesthésie ont permis ceux de la chirurgie; cette technique délicate reste réservée à des médecins anesthésistes.

ANET, ch.-l. de cant. d'Eure-et-Loir, à 16 km au N. de Dreux; 2431 hab. Restes d'un château du XVIe s. construit pour Diane de Poitiers par Philibert Delorme (1548-1555) : c'est l'un des chefs-d'œuvre de la Renaissance.

ANETH [anɛt] n. m. (gr. *anêthon*). Variété de fenouil, plante aromatique. (Famille des ombellifères.)

ANETO *(pic d')*, point culminant de la chaîne des Pyrénées en Espagne, dans le massif de la Maladetta ; 3404 m.

ANÉVRISME [anevrism] n. m. (gr. *aneurusma*, dilatation). Poche qui se produit sur le trajet d'une artère, du fait de la dilatation des parois : *La rupture d'un anévrisme de l'aorte entraîne la mort.*

ANFRACTUOSITÉ [ɑ̃fraktɥozite] n. f. (du lat. *anfractus*, sinuosité). *Anfractuosité de rocher, de la côte, de la glace*, etc., cavité nettement accusée dans la roche ou en montagne (syn. CREVASSE, RENFONCEMENT).

ANGARA, riv. d'U. R. S. S., en Sibérie, affl. de l'Ienisseï (r. dr.); 1826 km. Émissaire du lac Baïkal. Grandes centrales hydroélectriques d'Irkoutsk et de Bratsk.

ANGARSK, v. d'U. R. S. S. en Sibérie, sur l'Angara; 203 300 hab. Électrométallurgie.

ANGE [ɑ̃ʒ] n. m. (gr. *aggelos*, messager). **1.** Dans certaines religions, être spirituel créé par Dieu pour servir d'intermédiaire entre lui-même et les hommes. — **2.** Personne douée au plus haut degré d'une qualité (parfois terme d'affection) : *C'est un ange de patience et de bonté. Il a une patience d'ange* (= extraordinaire). *C'est un ange!* (= un enfant charmant). — **3.** *Ange gardien*, dans la religion catholique, ange qui est attaché à la personne de chaque chrétien, pour le conseiller et le protéger; et par extens., personne qui veille sur quelqu'un, qui le guide, qui le protège. — **4.** *Être le bon ange, le mauvais ange de qq'un*, être celui qui le protège et le guide dans la bonne voie, ou celui qui lui donne de mauvais conseils, qui l'entraîne dans de mauvais chemins. ‖ *Être aux anges*, être dans une joie extraordinaire. ‖ *Rire aux anges*, se dit d'un bébé qui, parfois, pendant son sommeil semble rire. ◆ **angélique** adj. : *Une patience angélique* (= digne d'un ange). *Une voix angélique* (syn. PUR). ◆ **angelot** n. m. Petit ange. ◆ **archange** [arkɑ̃ʒ] n. m. Ange d'un ordre supérieur. (La Bible cite Gabriel, Michel et Raphaël.)

ANGELICO (Guido ou Guidolino DI PIETRO, en religion **Fra Giovanni da Fiesole,** dit **il Beato** et, le plus souvent, **Fra**), peintre italien (v. 1400-1455), un des plus importants de l'école florentine. Il a choisi d'illustrer les moments heureux des Évangiles. Ses peintures se veulent des incitations à la prière. On lui doit notamment les fresques dont il orna les murs de son couvent (San Marco), à Florence (1437-1445). Béatifié en 1982, il est déclaré en 1984 saint patron universel de tous les artistes.

1. ANGÉLIQUE adj. ⟶ ANGE.

2. ANGÉLIQUE [ɑ̃ʒelik] n. f. (gr. *aggelikos*). Plante aromatique utilisée en confiserie. (Famille des ombellifères.)

ANGELOT n. m. ⟶ ANGE.

ANGÉLUS [ɑ̃ʒelys] n. m. (lat. *angelus*). Son de la cloche des églises qui se fait entendre le matin, à midi et le soir, pour indiquer aux chrétiens l'heure d'une prière commençant par ce mot.

Angélus *(l')*, tableau de J.-F. Millet (1858-1859).

ANGERS, ch.-l. du dép. de Maine-et-Loire, sur la Maine; 141100 hab. *(Angevins)*. Centre commercial et industriel. Anc. capit. de l'Anjou, la ville conserve un château qui abrite un musée de tapisseries, en particulier la tenture de l'*Apocalypse* (1376).

ANGEVIN, E [ɑ̃ʒvɛ̃, -in] adj. D'Angers ou de l'Anjou.

ANGINE [ɑ̃ʒin] n. f. (du lat. *angere*, serrer). **1.** Nom donné aux affections inflammatoires très variées de l'arrière-gorge (pharynx et amygdales, luette et voile du palais). — **2.** *Angine de poitrine*, affection qui se traduit par des douleurs dans la région cardiaque et une sensation d'étouffement.

ANGIOME [ɑ̃ʒjom] n. m. (gr. *angeion*, vaisseau). *Méd.* Tumeur des vaisseaux, en général bénigne : *Les « taches de vin » sont des angiomes de la peau.*

ANGIOSPERMES [ɑ̃ʒjɔspɛrm] n. f. pl. (du gr. *angeion*, vase, boîte, et *sperma*, graine). Important sous-embranchement du règne végétal qui, avec celui des gymnospermes (conifères), forme l'embranchement des spermaphytes ou phanérogames.
— ENCYCL. Les *angiospermes* possèdent racines, tiges, feuilles, vaisseaux, fleurs et fruits. Les graines sont enfermées dans un fruit (par oppos. aux GYMNOSPERMES dont les graines sont nues). Le sous-embranchement des angiospermes groupe deux classes : les *monocotylédones* (plantes dont la graine comprend un seul cotylédon), les *dicotylédones* (graines à deux cotylédons).

ANGKOR, cité religieuse et capit. de l'anc. royaume khmer du Cambodge, fondée à la fin du IXe s. Pillée par les Chams (1177), elle fut reconstruite avec le temple du Bayon en son centre, et entourée d'une enceinte de pierre à la fin du XIIe s. Au S., le *temple d'Angkor Vat* est constitué par une haute pyramide centrale avec cinq tours en quinconce et de vastes enceintes concentriques.

1. ANGLAIS, E [ɑ̃glɛ, -ɛz] adj. et n. (de *Angles*, n. d'un peuple germanique). De l'Angleterre, des îles Britanniques. ◆ **anglais** n. m. Langue anglaise : *L'anglais est une langue d'origine indo-européenne appartenant au groupe germanique.* ⟶ ENCYCL. ◆ **anglicisme** [ɑ̃glisism] n. m. Emprunt à la langue anglaise : *Le français possède de nombreux anglicismes intégrés à la langue, souvent depuis le XVIIIe s. : dans le domaine politique* (budget), *dans celui des sports* (football, rugby), *dans celui des techniques* (rail, tunnel, radar), *dans celui de la mode* (pull-over), *de la criminologie* (gangster), *du cinéma* (star), *etc.* ◆ **angliciser** v. t. *Angliciser un mot, son mode de vie*, etc., leur donner un aspect anglais. ◆ **angliciste** n. Spécialiste de langue et de civilisation anglaises. (⟶ ANGLO-.)
— ENCYCL. L'importance politique et économique de l'Angleterre, l'étendue de son empire colonial au XIXe s. et dans la première partie du XXe s. ont fait de l'*anglais*, dans de nombreux pays du monde, la langue officielle ou la langue administrative. Aujourd'hui, on le parle dans les îles Britanniques et aux États-Unis, en Australie, en Nouvelle-Zélande. Il est une des deux langues officielles du Canada, reste une langue administrative en Afrique du Sud (à côté de l'afrikaans) et dans de nombreux États africains, une langue commerciale en Inde et en Égypte. Près de 350 millions de personnes le parlent et une extension aussi large a provoqué de nombreuses altérations de la langue en Australie, au Canada et surtout aux États-Unis, où l'américain se distingue nettement de l'anglais. Celui-ci est devenu la langue de la diffusion des sciences et des techniques, ce qui en fait une véritable langue internationale.
En France, l'anglais tient une place nettement prépondérante dans l'enseignement des langues vivantes : en tant que première langue, il rassemble plus de 80 p. 100 des effectifs.

2. ANGLAISE [ɑ̃glɛz] n. f. (de *anglais*). Écriture cursive, penchée à droite. ◆ n. f. pl. Boucles de cheveux, longues et roulées en spirale. ◆ loc. adv. *À l'anglaise*, sans prendre congé : *Filer à l'anglaise* (= s'esquiver).

ANGLE [ɑ̃gl] n. m. (lat. *angulus*). **1.** Saillie formée par deux droites ou deux surfaces qui se coupent : *L'angle de la maison* (syn. ENCOIGNURE). *Un agent en faction à l'angle de la rue* (= là où la rue fait un angle avec une autre) [syn. COIN]. — **2.** *Math.* ⟶ ENCYCL. — **3.** *Arrondir les angles*, faciliter les rapports entre diverses personnes de caractère difficile ou en conflit. ‖ *Sous l'angle de*, dans une certaine perspective, en se plaçant à un certain point de vue. ◆ **angulaire** adj. **1.** Qui a un ou plusieurs angles. — **2.** *Pierre angulaire*, pierre d'angle qui assure la solidité d'un édifice; élément essentiel, fondamental : *Il est la pierre angulaire de notre groupe de travail.* — **3.** Math. *Écart, secteur angulaire* ⟶ ÉCART, SECTEUR. ◆ **anguleux, euse** adj. Qui présente un ou plusieurs angles aigus : *Un menton anguleux. Un visage anguleux* (= dont les traits sont fortement marqués).
— ENCYCL. *Math.* Jusqu'à une époque récente, on appelait *angle* un grand nombre de notions très différentes. Entre autres : la figure formée par deux demi-droites de même sommet O (*fig.* 1); l'ensemble des demi-droites de même sommet O « comprises entre » les deux demi-droites Ox et Oy (*fig.* 2); l'ensemble des points du plan « compris entre » ces demi-droites Ox et Oy (*fig.* 3).

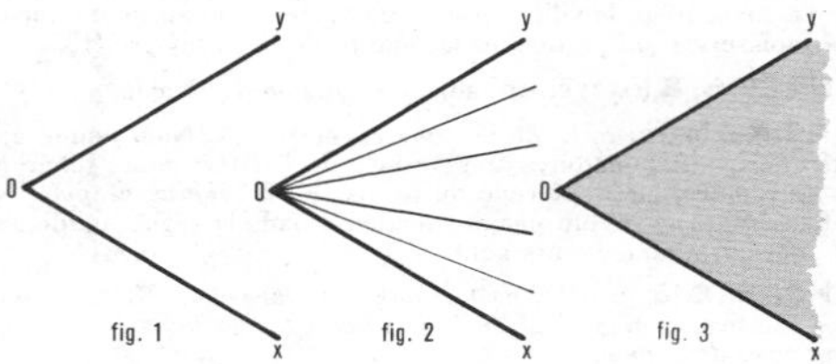

fig. 1 fig. 2 fig. 3

Si ces définitions diverses ne posent pas de problèmes dans le langage courant, elles sont très incommodes et imprécises en mathématiques, car toutes ces notions sont en fait différentes.
Exemple : Si le mot « angle » désigne un ensemble de points (troisième définition précédente), on ne peut pas dire que les angles $\widehat{xOy}$ et $\widehat{x'O'y'}$ (*fig.* 4) sont égaux car le point M par exemple

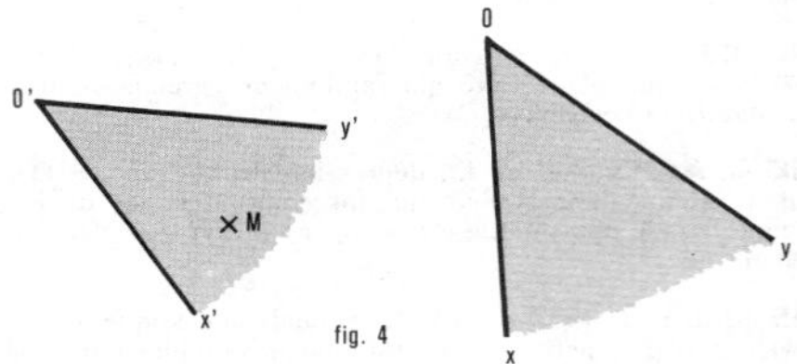

fig. 4

appartient à l'angle $\widehat{x'O'y'}$ mais pas à l'angle $\widehat{xOy}$. Écrire $\widehat{xOy}=\widehat{x'O'y'}$ serait en contradiction avec la définition de l'égalité de deux ensembles (tout élément de l'un est l'élément de l'autre). C'est pourquoi, en mathématiques, on distingue soigneusement deux notions :

le *secteur angulaire* $\widehat{xOy}$, ensemble des points du plan « compris entre » deux demi-droites de même sommet (⟶ SECTEUR);

l'*angle géométrique* $\widehat{xOy}$. Soit deux demi-droites du plan euclidien Ox et Oy de même origine. L'*angle géométrique* déterminé par ces deux demi-droites, noté $\widehat{xOy}$, est l'ensemble de tous les couples de demi-droites de même origine qui sont isométriques* au couple (Ox, Oy).
Exemple : Considérons deux couples isométriques (*fig.* 5) de demi-droites de même origine (Ox, Oy) et (O'x', O'y') [c'est-à-dire

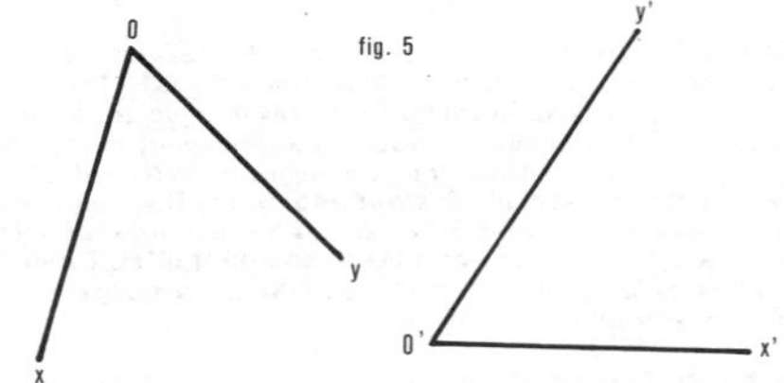

fig. 5

tels qu'il existe une isométrie* f qui transforme en même temps Ox en O'x' et Oy en O'y']. Ces deux couples sont distincts, mais ils représentent le même angle isométrique

$$(\mathrm{O}x, \mathrm{O}y) \neq (\mathrm{O}'x', \mathrm{O}'y'), \text{ mais } \widehat{xOy}=\widehat{x'O'y'}.$$

Soit $\widehat{xOy}$ un angle géométrique représenté par le couple de demi-droites Ox et Oy (*fig.* 6) : $\widehat{xOy}$ est l'angle *droit* si Ox et Oy sont

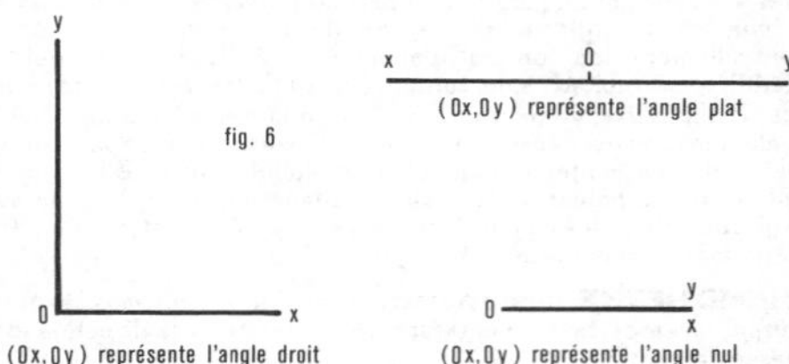

fig. 6

perpendiculaires, $\widehat{xOy}$ est l'angle *plat* si Ox et Oy ont même support et sont distinctes, $\widehat{xOy}$ est l'angle *nul* si Ox et Oy sont égales.
Angles géométriques complémentaires, supplémentaires ⟶ ÉCART ANGULAIRE.

ANGLES, anc. peuple de Germanie (Slesvig) qui envahit la Grande-Bretagne au VIe s. et qui donna son nom à l'Angleterre.

ANGLESEY, île de Grande-Bretagne, dans la mer d'Irlande, dépendance du pays de Galles; 58 200 hab.

ANGLET, ch.-l. de cant. des Pyrénées-Atlantiques, dans la banlieue ouest de Bayonne; 30 400 hab. Constructions aéronautiques.

ANGLETERRE, en angl. **England,** partie sud de la Grande-Bretagne, limitée par l'Écosse au N. et le pays de Galles à l'O., constituant la partie la plus importante du Royaume-Uni. (⟶ GRANDE-BRETAGNE, *géographie.*)

SUPERFICIE 130 500 km² (Grande-Bretagne : 230 000 km²).

POPULATION 46 300 000 hab. *(Anglais)* [Grande-Bretagne : 56 400 000 hab.]. La densité de l'Angleterre (355 hab. au km²) est supérieure à celle de l'ensemble de la Grande-Bretagne (250 hab. au km²).

HISTOIRE

Peuplée dès la préhistoire (monuments mégalithiques de Stonehenge), l'Angleterre était appelée *Bretagne* dans l'Antiquité. Elle fut peuplée par les Celtes. La conquête romaine se limita au bassin de Londres et aux Midlands.

- *Ve s. apr. J.-C. Des « Barbares » (Jutes, Angles et Saxons) débarquent en Angleterre et fondent plusieurs royaumes.*
- *802-839. Ecbert, le roi de Wessex, réalise une première unification.*
- *1013. Les Danois conquièrent toute l'Angleterre.*
- *1042-1066. Restauration de la dynastie anglo-saxonne.*
- *1066. Harold est battu et tué à la bataille de Hastings par Guillaume le Conquérant, duc de Normandie.*

Le nouveau maître du pays organise ce royaume anglo-normand en constituant une noblesse militaire très fortement hiérarchisée et en faisant rédiger le *Domesday-Book* (cadastre). C'est le début de la dynastie normande.

- *1154. Le duc d'Anjou, arrière-petit-fils de Guillaume le Conquérant, devient roi d'Angleterre sous le nom d'Henri II (son mariage avec Aliénor lui apporte l'Aquitaine et le met à la tête du puissant Empire angevin; c'est la dynastie angevine des Plantagenêts [1154-1399]).*

Après le règne de Richard Cœur de Lion, Jean sans Terre (1199-1216) perd toutes ses possessions françaises (sauf la Guyenne).

- *1215. La Grande Charte, reconnaissance écrite des libertés traditionnelles, est octroyée par Jean sans Terre.*

Au XIVe s., les prétentions des rois d'Angleterre au trône de France, jointes à des rivalités économiques et stratégiques, déclenchent *la guerre de Cent Ans* (1337-1453) au cours de laquelle les Anglais remportèrent de nombreux succès : Crécy (1346), Azincourt (1415). Mais, finalement, seul le port de Calais reste entre leurs mains.

- *1450-1485. La guerre des Deux-Roses oppose les deux branches de la dynastie angevine : York et Lancastre. Richard III d'York est battu à Bosworth (1485) par Henri VII Tudor, qui rétablit l'ordre, la paix et la prospérité : c'est la dynastie Tudor (1485-1603).*

Le XVIe s. anglais est marqué par la personnalité du roi Henri VIII (1509-1547) qui rompt avec l'Église catholique et se proclame chef de l'Église d'Angleterre (1534). Son fils Édouard VI établit le protestantisme, sa fille Marie Tudor rétablit le catholicisme et épouse Philippe II d'Espagne; une autre de ses filles, Élisabeth Ire (1558-1603), rétablit l'anglicanisme, abat la résistance des catholiques, fait exécuter sa rivale Marie Stuart, détruit l'Invincible Armada du roi d'Espagne et soumet l'Irlande. Un remarquable essor littéraire marque son règne.

- *1603. Mort d'Elisabeth qui a pour successeur le fils de Marie Stuart, déjà roi d'Écosse : Jacques Ier réunit les deux couronnes d'Angleterre et d'Écosse.*

Jacques Ier et son successeur Charles Ier ont à lutter contre le Parlement, puis contre une opposition puritaine* de plus en plus violente.

- *1649. Exécution de Charles Ier.*

La république est proclamée. Olivier Cromwell en devient le lord-protecteur et établit une véritable dictature des puritains. Il triomphe des Provinces-Unies et de l'Espagne. Son fils Richard qui lui succède à sa mort (1658) doit abdiquer; le général Monk provoque le rétablissement de la monarchie.

- *1660-1685. Charles II restaure l'Église anglicane et persécute les puritains.*
- *1679. Le « bill » (loi) de l'habeas corpus protège les citoyens contre les arrestations arbitraires.*

Le Parlement anglais est désormais divisé en deux grands partis : les *whigs* (libéraux, adversaires des Stuarts) et les *tories* (conservateurs, anglicans, fidèles au roi).

- *1685-1688. Jacques II tente de restaurer le catholicisme. Sa politique provoque une seconde révolution.*
- *1688. Le Parlement fait appel au stathouder de Hollande, Guillaume d'Orange, qui devient roi d'Angleterre sous le nom de Guillaume III.*

La monarchie constitutionnelle remplace l'absolutisme. Une période d'hostilité coloniale anglo-française commence.

- *1701. L'Acte d'établissement règle la succession au trône.*
- *1707. L'union de l'Angleterre et de l'Écosse est scellée sous le nom de « Grande*-Bretagne ».*

ANGLETERRE *(bataille d')*, ensemble des opérations aériennes qui opposèrent d'août à octobre 1940, dans le ciel d'Angleterre, les aviations allemande et britannique. La vigoureuse résistance des chasseurs britanniques fit abandonner le combat à Hitler.

ANGLICANISME [ɑ̃glikanism] n. m. (du lat. *gallicanus*). Forme de protestantisme, religion officielle de l'Angleterre depuis le règne d'Élisabeth Ire. ◆ **anglican, e** adj. et n.
— ENCYCL. L'Église d'Angleterre trouve son origine dans le schisme intervenu à la suite de la rupture d'Henri VIII avec la papauté (affaire du divorce du roi avec Catherine d'Aragon). Puis elle adopta, sous Édouard VI, la doctrine calviniste et la liturgie en langue anglaise (1552-1553). Après l'échec de la réaction catholique de Marie Tudor, Élisabeth fit accepter l'*anglicanisme*, compromis entre la Réforme protestante et le catholicisme (1563). L'anglicanisme a conservé une liturgie apparentée au catholicisme et a gardé une hiérarchie semblable à celle de l'Église romaine; mais le souverain est le chef suprême de l'Église anglicane.

ANGLICISER v. t., **ANGLICISME** n. m., **ANGLICISTE** n. ⟶ ANGLAIS 1.

ANGLO-, élément signif. *anglais : anglo-saxon, onne* (relatif aux peuples appartenant à la communauté culturelle et linguistique anglaise); *anglophile* (qui aime ou admire les Anglais); *anglophobe* (qui ressent de l'aversion pour les Anglais), etc.

ANGLO-NORMAND [ɑ̃glɔnɔrmɑ̃] n. m. *(anglo-,* et *normand).* Dialecte parlé des deux côtés de la Manche, après la conquête de l'Angleterre par les Normands.

ANGLO-NORMANDES *(îles)*, en angl. **Channel Islands,** archipel de la Manche, situé à l'O. du Cotentin, dépendance de la Couronne britannique; 195 km²; 130 000 hab. (666 au km²).

GÉOGRAPHIE. L'archipel compte neuf îles dont les deux principales sont *Jersey* et *Guernesey*. Fragments du Massif armoricain, elles sont formées de petites collines et bordées par des falaises. Le climat océanique, doux et humide, favorise l'élevage bovin, mais aussi les cultures maraîchères (tomates) et florales. Le tourisme est une source importante de revenus.

HISTOIRE. C'est en tant que duc de Normandie que le roi d'Angleterre a conservé sa souveraineté sur les îles, alors que, depuis 1204, la Normandie continentale était redevenue française. Aussi, les îles ont-elles gardé leurs propres institutions et coutumes ainsi que, parfois, le vieux parler normand. Les îles Anglo-Normandes ont été occupées par les Allemands de 1940 à 1945.

ANGLOPHILE adj., **ANGLOPHOBE** adj., **ANGLO-SAXON, ONNE** adj. ⟶ ANGLO-.

ANGLO-SAXONS, nom collectif donné à des peuples germaniques (Jutes, Saxons, Angles) qui, venus de Frise, envahirent l'île de Bretagne et la colonisèrent à partir du Ve s. Peu à peu, aux VIe et VIIe s., sept royaumes anglo-saxons *(heptarchie)* s'imposèrent aux autres.

ANGOISSE [ɑ̃gwas] n. f. (lat. *angustia*, resserrement). **1.** Sentiment de grande inquiétude qui s'accompagne d'un malaise physique (oppression, palpitation, etc.) : *L'angoisse le saisit à la gorge* (syn. ↓PEUR, ↑ÉPOUVANTE). *Nous avons passé une nuit d'angoisse* (syn. ANXIÉTÉ; contr. TRANQUILLITÉ). — **2.** *Poire d'angoisse*, instrument de fer muni d'un ressort qu'on mettait dans la bouche d'une personne pour l'empêcher de crier. ◆ **angoissant, e** adj. Qui cause de l'angoisse : *Une situation angoissante.* ◆ **angoissé, e** adj. Qui trahit l'angoisse : *Pousser un cri angoissé* (= d'effroi). ◆ **angoisser** v. t. Causer de l'angoisse.

ANGOLA, république de la partie sud de l'Afrique, au bord de l'océan Atlantique; 1 246 700 km²; 8 500 000 hab. (7 au km²) [*Angolais*]. Capit. *Luanda* (700 000 hab.).

GÉOGRAPHIE. La plaine littorale est bordée à l'E. par le *plateau de Bié*, drainé par des affluents du Zaïre et du Zambèze. Le climat, désertique sur la côte, devient plus humide à l'intérieur, permettant la croissance de savanes au N. et de la forêt claire au S. Les Européens ne représentent que 1 p. 100 des habitants. Les populations indigènes, surtout des Bantous, pratiquent généralement une agriculture vivrière (manioc, céréales) et l'élevage de bovins. Mais de grandes plantations appartenant le plus souvent à des Blancs fournissent des produits pour l'exportation : café, coton, cacao, sisal. L'extraction, récente, du pétrole est la principale ressource du sous-sol et la principale richesse commerciale du pays.

café	40 000 t	fer	1 700 000 t
		pétrole	8 300 000 t

HISTOIRE. Le Portugais Diogo Cam découvre le pays en 1482.

- *1889-1901. Des traités fixent les limites de la colonie portugaise.*
- *1961. Plusieurs mouvements nationalistes déclenchent une insurrection en vue d'obtenir l'indépendance du pays.*
- *1975. L'Angola devient indépendant.*

Le pays reste longtemps en proie à des conflits internes, ses dirigeants (Agostinho Neto, président de 1975 à 1979, puis son successeur José Eduardo Dos Santos) menant, avec l'appui de troupes cubaines, une lutte permanente contre une guérilla soutenue par l'Afrique du Sud.

- *1991. Signature d'un accord de paix avec la guérilla.*

ANGORA [ɑ̃gɔra] n. m. et adj. (de la ville d'*Angora*, auj. *Ankara*). Chat, lapin, aux poils longs et soyeux.

ANGOULÊME, ch.-l. du dép. de la Charente, anc. capit. de l'Angoumois, sur la Charente; 50 500 hab. *(Angoumois* ou *Angoumoisins)*. Papeterie; moteurs électriques. Cathédrale romane. Salon international de la bande dessinée.

ANGOULÊME (Louis Antoine DE BOURBON, *duc* D'), dernier dauphin de France (1775-1844). Il commanda l'expédition d'Espagne (1823), renonça au trône lors de l'abdication de son père Charles X, en 1830.

ANGOULÊME (Marie-Thérèse Charlotte, *duchesse* D'), fille de Louis XVI, épouse du précédent (1778-1851), appelée *Madame Royale*. Elle fut emprisonnée trois ans au Temple. Elle eut une grande influence sur Louis XVIII et sur Charles X.

ANGOUMOIS ou **COMTÉ D'ANGOULÊME,** pays de France, réuni à la Couronne en 1308. Il fut donné en apanage à divers princes capétiens. Capit. *Angoulême*. Il forma en partie le dép. de la Charente, en partie celui de la Dordogne. (Hab. *Angoumoisins.*)

ANGSTRÖM [ɑ̃gstrøm] n. m. (de *Ångström*). Unité de longueur valant un dix-milliardième de mètre (symb. : Å). [Cette unité n'est plus légale en France.]

ÅNGSTRÖM (Anders Jonas), physicien suédois (1814-1874). Auteur de travaux sur l'analyse spectrale, il a identifié diverses raies du spectre solaire et a fait les premières mesures de longueurs d'onde.

ANGUILLE [ɑ̃gij] n. f. (lat. *anguilla*, petit serpent). **1.** Poisson osseux comestible, à peau très visqueuse, vivant en eau douce et dans la mer. — **2.** *Anguille de mer*, congre. — **3.** *Il y a anguille sous roche*, il y a quelque chose de secret dont on soupçonne l'existence.

— ENCYCL. En forme de serpent, l'*anguille* nage par ondulations du corps. L'épais mucus qui recouvre sa peau lui permet de supporter des changements rapides dans la salinité de l'eau. Migratrices, les anguilles adultes descendent les cours d'eau, rejoignent les océans pour aller pondre et mourir dans la mer des Sargasses, d'où les jeunes (civelles) reviennent pour remonter, en plusieurs années, fleuves et rivières d'Europe.

ANGUILLULE [ɑ̃gilyl] n. f. (de *anguille*). Nom usuel commun à de nombreux vers microscopiques de la classe des nématodes qui pullulent dans le sol, dans divers organismes végétaux qu'ils parasitent, y déterminant parfois des excroissances, ou galles.

ANGULAIRE adj., **ANGULEUX, EUSE** adj. ⟶ ANGLE.

ANHYDRE [anidr] adj. (de *an* priv., et gr. *hudôr*, eau). *Chim.* Qui ne contient pas d'eau : *Sel anhydre.*

ANHYDRIDE [anidrid] n. m. (de *anhydre*). Corps qui peut donner naissance à un acide en se combinant avec l'eau : *Anhydride sulfureux.*

ANIANE, ch.-l. de cant. de l'Hérault, à 29 km à l'E. de Lodève; 1 700 hab. Importante abbaye au Moyen Âge.

ANICHE, comm. du Nord, à 13 km à l'E. de Douai; 9 700 hab. Verrerie.

ANICROCHE [anikrɔʃ] n. f. (de *croche*). *Fam.* Petit obstacle qui empêche la réalisation d'une affaire et crée un ennui passager (souvent dans des phrases négatives) [syn. INCIDENT].

ANIE *(pic d')*, sommet des Pyrénées occidentales; 2 504 m.

ÂNIER, ÈRE n. ⟶ ÂNE.

ANILINE [anilin] n. f. (du portug. *anil*, indigo). Substance chimique découverte dans la distillation de l'indigo et obtenue aujourd'hui à partir des goudrons de houille : *L'aniline est très utilisée dans l'industrie des colorants. C'est un poison violent.*

ANIMAL, AUX [animal, -mo] n. m. (lat. *animal*, être vivant). **1.** Etre vivant muni en principe d'une bouche et d'une cavité digestive et capable d'ingérer des proies solides (autres animaux ou végétaux, vivants ou morts) pour, ensuite, assimiler les substances nutritives. ⟶ ENCYCL. — **2.** Par oppos. à HOMME, être animé, privé de raison et de langage : *Les chiens, les chats sont des animaux.* — **3.** Personne grossière, stupide ou brutale (souvent terme d'injure) : *Cet animal-là est incapable d'être à l'heure.* ◆ **animal, e, aux** adj. Propre à l'animal : *La chaleur animale* (= celle qui est fournie par les animaux eux-mêmes). *Le règne animal* (= l'ensemble des animaux). ◆ **animalcule** n. m. Animal

règne animal

SOUS-RÈGNES	EMBRANCHEMENTS	CLASSES	CARACTÈRES
protozoaires (formés d'une seule cellule)	ciliés protozoaires à pseudopodes flagellés		se déplacent à l'aide de cils. se déplacent à l'aide de pseudopodes. se déplacent à l'aide de fouets.
métazoaires (formés d'un grand nombre de cellules)	spongiaires	éponges	deux parois, un sac digestif à nombreux orifices.
	cœlentérés	hydres méduses coraux	deux parois, un sac digestif à un seul orifice.
	vers	annelés plats ronds	corps mou, pas de squelette.
	mollusques	gastéropodes céphalopodes lamellibranches	corps mou, un pied, un manteau, le plus souvent une coquille.
	arthropodes	crustacés myriapodes arachnides insectes	carapace chitineuse. pattes articulées.
	échinodermes	oursins étoiles de mer	squelette dermique calcaire, symétrie rayonnée.
	vertébrés	poissons batraciens reptiles oiseaux mammifères	squelette interne avec une colonne vertébrale, symétrie bilatérale.

très petit, qu'on ne peut voir qu'au microscope. ◆ **animalier** n. et adj. m. Peintre ou sculpteur représentant des animaux. ◆ **animalité** n. f. Ensemble des caractères propres à l'animal (par oppos. aux FACULTÉS HUMAINES).

— ENCYCL. ***animal.*** On compte environ 1 million et demi d'espèces animales dont 1 million sont des insectes. L'ensemble des êtres vivants est réparti en deux grands groupes appelés *règnes :* le règne végétal, le règne animal. L'ensemble des animaux constitue le *règne animal* divisé en embranchements, classes, ordres, familles. → tableau p. 64.

ANIMER [anime] v. t. (lat. *animare*). **1.** *Animer qqch.*, lui donner de la vie, du mouvement, de la vivacité : *Animer une conversation. Le vin anime un peu ses joues* (syn. ILLUMINER). *Le désir anime son regard* (syn. FAIRE BRILLER). — **2.** *Animer qq'un*, le pousser à agir, inspirer les mobiles de son action (souvent au passif) : *Il animait le coureur de la voix et du geste* (syn. ENCOURAGER, EXCITER). *La foi qui l'anime est respectable* (syn. CONDUIRE). *Je suis animé du désir de bien faire* (= je brûle du désir). ◆ ***s'animer*** v. pr. Prendre vie; mettre de l'ardeur à faire quelque chose : *Les rues commencent à s'animer vers dix heures* (syn. S'AGITER). *Ses yeux s'animent dès qu'il la voit* (syn. S'ALLUMER). ◆ **animé, e** adj. **1.** Plein d'activité, de mouvement : *La conversation fut animée* (syn. ARDENT, VIF). — **2.** Se dit, en grammaire, des termes qui désignent des êtres vivants (*père, chien,* etc.) : *Les êtres animés.* — **3.** *Dessin animé,* film composé d'une suite de dessins qui donnent l'illusion du mouvement. → ENCYCL. ◆ **animateur, trice** n. Personne qui donne de l'entrain, du mouvement, à une réunion, à un spectacle, etc. : *L'animateur d'un spectacle de variétés* (syn. PRÉSENTATEUR). ◆ **animation** n. f. **1.** Mouvement, activité : *Son arrivée mit de l'animation dans la petite ville.* — **2.** Mouvement vif, ardent : *Discuter avec animation* (syn. CHALEUR, VIVACITÉ). ◆ **inanimé, e** [inanime] adj. Qui a perdu la vie ou semble, par son immobilité, l'avoir perdue : *Rester inanimé sur le sol* (syn. INERTE). ◆ **ranimer** v. t. Redonner la vie, la force, la vigueur : *Ranimer le courage. Cette allusion maladroite ranima sa colère* (syn. RÉVEILLER). *Ranimer le feu* (syn. ATTISER). ◆ ***se ranimer*** v. pr. : *Il se ranime après un long évanouissement* (= il reprend conscience). ◆ **réanimer** v. t. Ramener à la vie : *Le chirurgien réanima le cœur par des massages.* ◆ **réanimation** n. f.

— ENCYCL. Le *dessin animé* est une technique cinématographique qui consiste à donner l'apparence du mouvement à une suite de dessins enregistrés image par image. Inventée par l'Anglais J. Stuart Blackton (1907), cette technique est reprise aux États-Unis, à partir de 1925-1930 par Walt Disney et les frères Fleisher. Alliant le son et le dessin, Walt Disney invente *Mickey Mouse*, la souris téméraire et espiègle. Le succès de Mickey le contraint à inventer d'autres personnages : le chien *Pluto*, l'intarissable canard *Donald Duck*. Mais le grand rival de Walt Disney est *Popeye*, le marin rendu invincible par l'absorption d'une boîte d'épinards (« spinach »), créé par les frères Fleisher.

Après 1945, on assiste à un renouvellement du dessin animé : certes, Walt Disney se maintient toujours (il réalise entre autres : *Cendrillon*, 1950; *Peter Pan*, 1953; *les 101 Dalmatiens*, 1960; *le Livre de la jungle*, 1968), mais des concurrents plus audacieux, en créant les personnages de *Bugs Bunny* le lapin, *Tom et Jerry* le chat et la souris, *Woody Woodpecker* le pivert survolté, substituent à l'univers optimiste, moral, calme de Disney, un univers violent et frénétique.

Le dessin animé s'est développé dans de nombreux pays, chacun ayant un style propre. La technique du dessin animé s'est également étendue aux films scientifiques et surtout publicitaires.

ANIMOSITÉ [animozite] n. f. (du lat. *animus*, courage). Désir de nuire, qui se manifeste souvent par l'emportement : *Je n'ai aucune animosité à votre égard* (syn. MALVEILLANCE; contr. SYMPATHIE). *L'animosité des adversaires* (syn. ANTIPATHIE, RESSENTIMENT; contr. BIENVEILLANCE). *Répliquer avec animosité* (syn. ↑COLÈRE, VIOLENCE).

ANIMISME [animism] n. m. (du lat. *anima*, âme). Doctrine philosophique d'après laquelle tout objet de la nature renferme un esprit invisible qui le gouverne.

— ENCYCL. L'*animisme* remonte aux origines de l'humanité. Pour l'homme primitif, les phénomènes qu'il ne comprend pas sont dirigés par des forces obscures, occultes, d'où les notions d' « esprits », bons ou mauvais, de « sorts », etc. Cet animisme aboutit à la sorcellerie, à la magie (dont le but est de dominer ou de détourner ces forces mystérieuses), aux superstitions, aux tabous, etc.

ANION [anjɔ̃] n. m. (du gr. *ana*, en haut, et *ion*). Ion chargé négativement. (Dans l'électrolyse, il se dirige vers l'anode.)

ANIS [ani] n. m. (gr. *anison*). **1.** Plante odorante venue d'Orient dont on extrait une essence aromatique servant à parfumer certaines boissons alcoolisées. (Famille des ombellifères.) — **2.** *Anis étoilé*, fruit de la badiane. ◆ **anisette** n. f. Liqueur composée avec de l'anis.

ANJERO-SOUDJENSK, v. de l'U. R. S. S., en Sibérie, dans le Kouzbass; 120 000 hab. Houille.

ANJOU, anc. province française et région géographique s'étendant principalement sur l'actuel département de Maine*-et-Loire. Capit. *Angers.*

GÉOGRAPHIE. Située aux confins du Bassin parisien *(Anjou blanc)* et du Massif armoricain *(Anjou noir)*, cette région est un carrefour de rivières (le Loir, la Sarthe et la Mayenne y forment la Maine, affluent de la Loire). Les vallées, au climat doux, abrité, aux écarts de températures réduits, sont de riches secteurs d'agriculture spécialisée (vignoble, cultures fruitières et maraîchères, pépinières), d'élevage parfois, dernière activité que l'on retrouve sur les plateaux, souvent juxtaposée aux cultures céréalières. L'industrie est modérément développée. Sa principale ressource est l'exploitation du sous-sol : ardoisières de Trélazé (les plus importantes de France) et modestes mines de fer de Segré.

HISTOIRE. L'Anjou doit son nom aux *Andécaves*, peuplade celte vaincue par César. Le *comté d'Angers*, créé au IXe s., devint bientôt l'un des principaux fiefs de France. Il fut agrandi et englobé au XIIe s. dans un vaste ensemble que dirigeait le roi d'Angleterre Henri II Plantagenêt.

- *1205. Philippe Auguste, vainqueur de Jean sans Terre, s'empare de l'Anjou.*
- *1246. L'Anjou devient un apanage* qui passe aux Valois.*
- *1328. À l'avènement de Philippe VI, l'Anjou revient à la couronne de France.*
- *1360. Jean le Bon donne le duché d'Anjou en apanage à son fils Louis Ier d'Anjou.*
- *1481. Après la mort du roi René, l'Anjou est rattaché à la Couronne sous Louis XI.*

ANJOUAN → NDZOUANI.

ANKARA, capit. de la Turquie, dans l'Anatolie centrale; 2 204 000 hab.

ANKYLOSE [ɑ̃kiloz] n. f. (gr. *agkulôsis*). Diminution plus ou moins complète de la liberté de mouvement d'une articulation. ◆ **ankyloser** v. t. Provoquer un engourdissement (souvent au passif) : *Avoir la main ankylosée* (= engourdie). ◆ ***s'ankyloser*** v. pr. Être gagné par l'engourdissement.

Anna Karenine, roman de Tolstoï (1876-1877).

ANNABA, ancienn. **Bône,** port du nord-est de l'Algérie; 256 000 hab. Centre métallurgique.

ANNALES [anal] n. f. pl. (lat. *annales*). **1.** Ouvrage qui rapporte les événements année par année : *Les annales du second Empire* (syn. CHRONIQUES). — **2.** Titre de revues, de recueils périodiques : *Annales politiques, de géographie,* etc.

Annales, la plus importante composition historique de Tacite (IIe s.) traitant de l'évolution de l'Empire de la mort d'Auguste à celle de Néron. Il n'en reste qu'une petite partie.

ANNAM, région centrale du Viêt-nam, entre le Tonkin et la Cochinchine. V. pr. *Huê, Da Nang* (Tourane).

HISTOIRE. Le nom d'*Annam* désigna d'abord le royaume formé par le Tonkin et par une partie des provinces du sud de la Chine, puis l'empire d'Annam, dont l'étendue, variable, a englobé les pays allant du Tonkin à la Cochinchine. Le terme d'*Annam* a été employé par la France pour désigner la partie centrale de l'Indochine française.

ANNAPOLIS, v. de l'est des États-Unis, capit. du Maryland; 29 600 hab. Académie navale.

ANNAPPES, anc. comm. du Nord, à 7,5 km à l'E. de Lille, auj. partie de *Villeneuve*-d'Ascq.* Instituts scientifiques des universités de Lille.

ANNAPŪRNĀ ou **ANAPŪRNĀ,** massif de l'Himalaya, dans le Népal; 8 078 m. C'est le premier sommet de plus de 8 000 m qui ait été conquis; le 3 juin 1950, les Français M. Herzog et L. Lachenal atteignirent le sommet.

ANNE D'AUTRICHE (1601-1666), infante d'Espagne, puis reine de France par son mariage avec Louis XIII (1615), fille de Philippe III, roi d'Espagne, et de Marguerite d'Autriche. Elle intrigua contre Richelieu et fut régente de 1643 jusqu'à la majorité de son fils Louis XIV (1661).

ANNE BOLEYN (v. 1507-1536), deuxième femme d'Henri VIII, roi d'Angleterre. Accusée d'adultère, elle fut condamnée à mort et décapitée.

ANNE DE BRETAGNE, née à Nantes (1477-1514), duchesse de Bretagne (1488-1514). Elle épousa Maximilien d'Autriche (1490), puis Charles VIII (1491), roi de France. Après la mort de ce dernier, elle épousa Louis XII (1499), confirmant ainsi l'union de la Bretagne à la France.

ANNE DE FRANCE, dite **de Beaujeu,** princesse capétienne (1460-1522), fille aînée de Louis XI. Elle fut régente du royaume pendant la minorité de son frère Charles VIII (1483-1491).

ANNE STUART (1665-1714), reine de Grande-Bretagne et d'Irlande (1702-1714), fille de Jacques II. Sous son règne fut signé l'Acte d'union (1707), par lequel l'Angleterre et l'Écosse formaient désormais un seul État, la Grande-Bretagne. À sa mort, la dynastie de Hanovre remplaça celle des Stuarts.

ANNEAU [ano] n. m. (lat. *anulus*). **1.** Cercle en métal, en bois, qui sert à attacher, à retenir un objet. — **2.** Petit cercle en métal que l'on porte au doigt : *L'anneau de mariage est plus souvent appelé « alliance »*. — **3.** L'un des éléments identiques, ou tout au moins ressemblants, qui, placés à la file, constituent le corps d'une annélide ou d'un articulé. — **4.** *Math.* ⟶ ENCYCL. ◆ **anneaux** n. m. pl. Agrès de gymnastique composé de deux cercles métalliques fixés à l'extrémité de deux cordes suspendues au portique. ◆ **annelé, e** adj. Disposé en anneaux. ‖ *Vers annelé* ⟶ ANNÉLIDES. ◆ **annulaire** [anylɛr] adj. Qui a la forme d'un anneau. ‖ *Protubérance annulaire*, partie du tronc cérébral située entre le bulbe et les pédoncules cérébraux.
— ENCYCL. En mathématiques, un *anneau* est un ensemble E muni de deux lois* de composition interne, notées usuellement + et ×, appelées addition et multiplication et vérifiant les propriétés :
(E, +) est un groupe* commutatif;
la loi × est associative* et distributive* par rapport à la loi +.
On note (E, +, ×) l'anneau.
L'anneau est *commutatif* si la loi × est commutative*; l'anneau est *unitaire* si la loi × possède un élément* neutre qu'on appelle *unité* de l'anneau et qui se note 1.
Exemples : (ℤ, +, ×) est l'anneau commutatif et unitaire des entiers relatifs; l'ensemble des polynômes, muni de l'addition et de la multiplication, est un anneau commutatif et unitaire.

ANNECY, ch.-l. du dép. de la Haute-Savoie, à l'extrémité nord du *lac d'Annecy;* 51 600 hab. Centre touristique.
Le *lac d'Annecy*, long de 14 km, a une largeur maximale de 3 300 m.

ANNÉE n. f. ⟶ AN.

ANNELÉ, E adj. ⟶ ANNEAU.

ANNÉLIDES [anelid] n. f. pl. (de *anneau*). Embranchement du règne animal regroupant des invertébrés qui ont un corps mou, segmenté en nombreux *anneaux*, et une cavité contenant les organes, cloisonnée en segments semblables. (Ce sont les *vers annelés* qu'on distingue des vers ronds et des vers plats. Ils sont aquatiques ou vivent dans la terre humide.)
— ENCYCL. Les *annélides* comprennent trois classes :
les annélides à soies nombreuses (les *néréis*, l'*arénicole des pêcheurs*, les *serpules*, les *spirographes*);
les annélides à soies peu nombreuses (le *lombric* ou *ver de terre*, les *tubifex*);
les annélides sans soies (la *sangsue médicinale*).

ANNEMASSE, ch.-l. de cant. de la Haute-Savoie, près de l'Arve, à 30 km au S.-O. de Thonon; 26 400 hab.

ANNEXE [anɛks] n. f. et adj. (lat. *annexus*). Ce qui se rattache à quelque chose de plus important (bâtiment, document, etc.) : *Être logé à l'annexe de l'hôtel. Un article annexe* (contr. PRINCIPAL).

ANNEXER [anɛkse] v. t. (de *annexe*). Faire entrer quelque chose dans une unité déjà existante, dans un ensemble : *annexer une pièce à un dossier* (syn. JOINDRE). *Nice a été annexée à la France au XIXᵉ s.* (syn. INCORPORER, RATTACHER). ◆ **s'annexer** v. pr. *S'annexer qq'un*, se l'attacher d'une manière exclusive. ◆ **annexion** n. f. : *L'annexion de l'Autriche par l'Allemagne en 1938* (syn. RATTACHEMENT). ◆ **annexionnisme** n. m. Politique visant à l'annexion de nouveaux territoires ou pays.

ANNIBAL ⟶ HANNIBAL.

ANNIHILER [aniile] v. t. (du lat. *nihil*, rien). **1.** *Annihiler qqch.*, le détruire complètement : *La résistance de nos adversaires a été pratiquement annihilée* (syn. ANÉANTIR, PARALYSER). — **2.** *Annihiler qq'un*, réduire à rien sa volonté, sa personnalité; anéantir une personne. ◆ **annihilation** n. f. : *L'annihilation de ses efforts* (syn. ANÉANTISSEMENT).

ANNIVERSAIRE [anivɛrsɛr] adj. (lat. *anniversarius*, annuel). Qui rappelle le souvenir d'un événement arrivé à pareil jour une ou plusieurs années auparavant : *La cérémonie anniversaire de l'armistice de 1918.* ◆ n. m. Retour annuel d'un jour marqué par quelque événement, et en particulier du jour de la naissance : *Un gâteau d'anniversaire* (= celui qui est fait pour célébrer cette date de naissance). *Messe d'anniversaire* (= office religieux célébré annuellement pour une personne décédée).

ANNŒULLIN, comm. du Nord, à 18 km au S. de Lille; 7 200 hab.

ANNONAIRE adj. ⟶ ANNONE.

ANNONAY, ch.-l. de cant. de l'Ardèche, à 34 km au N.-O. de Tournon; 20 100 hab. *(Annonéens).* Industrie du papier.

ANNONCE n. f. ⟶ ANNONCER.

Annonce faite à Marie *(l')*, drame de Paul Claudel (1912).

ANNONCER [anɔ̃se] v. t. (du lat. *nuntius*, message). **1.** (sujet nom de personne ou de chose) *Annoncer qqch.*, le faire savoir : *Annoncer une nouvelle* (syn. APPRENDRE, COMMUNIQUER). *Annoncer son arrivée* (syn. AVERTIR, AVISER). — **2.** *Annoncer qq'un*, faire savoir qu'il est arrivé et demande à être reçu. — **3.** (sujet nom de chose) *Annoncer qqch.*, en être le signe certain : *Ces nuages noirs annoncent la pluie* (syn. PRÉSAGER). *La sonnerie annonce la fin du travail* (syn. MARQUER, PRÉVENIR DE). ◆ **s'annoncer** v. pr. (sujet nom de chose). Se présenter d'une certaine façon : *La saison s'annonce bien.* ◆ **annonce** n. f. **1.** Sens 1 et 2 du v. t. : *L'annonce de son départ m'a surpris* (syn. NOUVELLE). *Ce froid est déjà l'annonce de l'hiver* (syn. PRÉLUDE). *Il vit dans cet incident l'annonce d'événements graves* (syn. PRÉSAGE, SIGNE). — **2.** Avis donné au public par voie d'affiche, par la radio, par l'insertion dans un journal : *Les petites annonces.* ◆ **annonceur** n. m. Personne ou entreprise qui paie une émission publicitaire à la radio ou l'insertion d'un avis dans un journal. ◆ **annonciateur, trice** adj. Qui annonce, indique.

ANNONCIATION [anɔ̃sjasjɔ̃] n. f. (du lat. *annuntiare*). Message de l'ange Gabriel à la Vierge Marie pour lui annoncer qu'elle sera la mère du Messie (prend une majusc.).

ANNONE [anɔn] n. f. (du lat. *annus*, année). Dans l'Antiquité romaine, approvisionnement de blé fait par l'État et distribué gratuitement au peuple. ◆ **annonaire** adj. *Provinces annonaires*, provinces (Afrique, Égypte) qui, dans l'Antiquité, étaient tenues de fournir à Rome une certaine quantité de blé *(annone)*.

ANNOT, ch.-l. de cant. des Alpes-de-Haute-Provence, à 22 km à l'O. de Puget-Théniers; 1 060 hab. Centre touristique.

ANNOTER [anɔte] v. t. (lat. *annotare*). *Annoter un texte*, y ajouter des remarques écrites : *Il a annoté en marge le rapport qui lui a été adressé.* ◆ **annotation** n. f. Remarque ou commentaire sur un texte : *Une marge couverte d'annotations.*

ANNUAIRE [anɥɛr] n. m. (du lat. *annuus*, annuel). Recueil paraissant chaque année et contenant des renseignements de nature diverse (commerciaux, administratifs, scientifiques, etc.) sur les événements de l'année précédente, des indications sur les abonnés d'un service public, sur les membres d'une société savante, etc. (avec une majusc. quand il est spécifié).

ANNUEL, ELLE adj., **ANNUELLEMENT** adv., **ANNUITÉ** n. f. ⟶ AN.

1. ANNULAIRE adj. ⟶ ANNEAU.

2. ANNULAIRE [anylɛr] n. m. (du lat. *anulus*, anneau). Quatrième doigt à partir du pouce (celui auquel on met d'ordinaire l'anneau de mariage).

ANNULER [anyle] v. t. (du lat. *nullus*, nul). *Annuler qqch.*, le rendre ou le déclarer sans effet; le supprimer : *Annuler une commande* (syn. RÉSILIER). *Annuler une invitation* (syn. DÉCOMMANDER). ◆ **annulation** n. f. : *L'annulation d'un traité* (syn. ABOLITION, ABROGATION).

ANOBLIR v. t., **ANOBLISSEMENT** n. m. ⟶ NOBLE.

ANODE [anɔd] n. f. (du gr. *ana*, en haut, et *hodos*, route). Électrode (chargée positivement) d'arrivée du courant dans un voltamètre ou un tube à gaz raréfié.

ANODIN, E [anɔdɛ̃, -in] adj. (de *an* priv., et gr. *odunê*, douleur). **1.** Se dit d'une chose qui ne présente aucun danger ou qui n'a aucune importance : *Une blessure anodine* (syn. BÉNIN, LÉGER; contr. GRAVE). *Tenir des propos anodins* (= sans méchanceté). *Une réflexion anodine* (syn. INSIGNIFIANT). — **2.** Se dit de quelqu'un qui n'a ni personnalité ni originalité : *Un personnage anodin* (syn. FALOT).

ANOMALIE [anɔmali] n. f. (gr. *anômalia*). Ce qui s'écarte de la normale, de l'habitude, du bon sens, de ce qui est admis en général : *L'anomalie d'une situation* (syn. BIZARRERIE, ÉTRANGETÉ; contr. RÉGULARITÉ). *Le daltonisme est une anomalie* (= déviation du type normal). ◆ **anomal, e, aux** adj. Qui n'est pas conforme au modèle général; exceptionnel. (Rem. *Anomal* appartient à la langue scientifique ou grammaticale. *Anormal* n'ayant pas de substantif correspondant, on se sert de *anomalie*.)

ÂNON n. m. ⟶ ÂNE.

ÂNONNER [anɔne] v. i. et t. (de *ânon*). Réciter ou lire avec peine, en détachant chaque syllabe et sans intonation expressive : *L'élève ânonnait sa leçon.* ◆ **ânonnement** n. m.

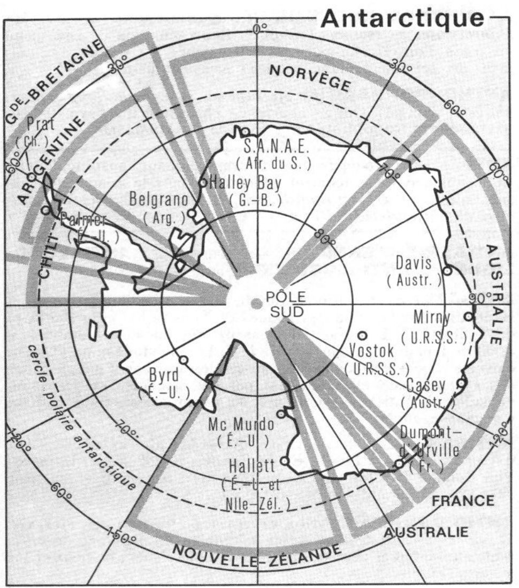

ANONYME [anɔnim] adj. et n. (de *an* priv., et gr. *onoma*, nom). **1.** Se dit d'une personne dont on ignore le nom, ou d'écrits dont l'auteur est ou reste volontairement inconnu : *Auteur anonyme. Une foule anonyme* (= des passants inconnus). — **2.** Se dit d'un objet sans originalité, sans personnalité : *Son appartement est plein de ces meubles anonymes que l'on retrouve partout.* ◆ **anonymat** n. m. : *Le dénonciateur a préféré garder l'anonymat* (= ne pas se déclarer l'auteur de cet acte). ◆ **anonymement** adv.

ANOPHÈLE [anɔfɛl] n. m. (gr. *anôphelês*, nuisible). Genre de moustique qui, par sa piqûre, transmet à l'homme le microbe du paludisme. (Ordre des diptères.)

ANORAK [anɔrak] n. m. (mot esquimau). Veste de sport, imperméable et à capuchon.

ANOREXIE [anɔrɛksi] n. f. (de *an* priv., et gr. *orexis*, appétit). Perte de l'appétit. ◆ **anorexique** adj. et n. Atteint d'anorexie.

ANORMAL, E, AUX adj. et n., **ANORMALEMENT** adv. ⟶ NORMAL 1.

ANOUILH (Jean), auteur dramatique français (1910-1987). Son théâtre va de la fantaisie des « pièces roses » (*le Bal des voleurs*, 1938), et de l'humour des « pièces brillantes » (*la Répétition ou l'Amour puni*, 1950) à la satire des « pièces grinçantes » (*Pauvre Bitos ou le Dîner de têtes*, 1956) et au pessimisme des « pièces noires » (*Antigone*, 1944). Il a également fait représenter, en 1969, *Cher Antoine*, en 1970, *les Poissons rouges.*

ANOURES [anur] n. m. pl. (de *an* priv., et gr. *oura*, queue). Sous-classe de vertébrés amphibiens, caractérisés par l'absence de queue et les formes trapues de l'adulte, qui respire toujours par des poumons. (Leurs larves ont une queue qu'elles perdent au cours des métamorphoses. Les divers types d'anoures sont les *grenouilles*, les *rainettes*, les *crapauds*, par oppos. aux URODÈLES [batraciens pourvus d'une queue].)

ANOXIE [anɔksi] n. f. (de *an* priv., et *oxie*, tiré du préf. gr. *oxy* [oxygène]). Diminution ou suppression de l'apport d'oxygène aux cellules d'un tissu vivant.
— ENCYCL. L'*anoxie tissulaire* peut être la conséquence d'une asphyxie, d'un défaut de globules rouges, d'un arrêt circulatoire, d'un empoisonnement du sang ou de la cellule par divers toxiques. L'anoxie tissulaire aboutit à la mort et à la destruction du tissu intéressé.

ANSCHLUSS [anʃlus] n. m. (mot all.). Rattachement de l'Autriche à l'Allemagne imposé par Hitler en 1938. (⟶ AUTRICHE.)

ANSE [ãs] n. f. (lat. *ansa*). **1.** Partie recourbée par laquelle on prend une tasse, un panier. — **2.** Ce qui a la forme d'un arc : *Anse intestinale.* — **3.** Petite baie : *Se baigner dans une anse.* — **4.** *Faire sauter* (ou *danser*) *l'anse du panier*, en parlant d'un domestique, majorer le prix des achats effectués pour quelqu'un, afin d'en tirer pour soi-même un bénéfice.

ANSELME *(saint)* [1033-1109]. Abbé bénédictin du Bec-Hellouin (Normandie), il fut archevêque de Canterbury (1093).

ANSÉRIDÉS [ãseride] n. m. pl. Syn. d'ANATIDÉS.

ANSÉRIFORMES [ãserifɔrm] n. m. pl. (du lat. *anser*, oie, et *forma*, forme). Ordre d'oiseaux palmipèdes ayant un bec garni de lamelles cornées *(oies, canards, cygnes).*

ANTAGONISME [ãtagɔnism] n. m. (gr. *antagônisma*). État d'opposition, de lutte entre des personnes, des nations, des doctrines, etc. : *L'antagonisme entre l'Église et l'État* (contr. ENTENTE, UNION). ◆ **antagoniste** ou **antagonique** adj. : *Les forces antagonistes* (syn. HOSTILE, OPPOSÉ, RIVAL). ◆ **antagoniste** n. m. Personne qui lutte avec une autre : *Sur le ring les antagonistes paraissaient épuisés* (syn. ADVERSAIRE).

ANTAKYA ⟶ ANTIOCHE.

ANTALYA, anciennn. **Adalia,** port de la côte sud de la Turquie; 95 200 hab.

ANTAN (D') [dãtã] loc. adj. (bas lat. *anteannum*, l'année précédente). Placée après un nom, signifie *du temps passé* (littér.) : *Les amours d'antan* (syn. D'AUTREFOIS). *Oublions les querelles d'antan* (syn. DE JADIS; contr. ACTUEL).

ANTANANARIVO ⟶ TANANARIVE.

ANTARCTIDE, nom parfois donné à l'ANTARCTIQUE.

ANTARCTIQUE [ãtarktik] adj. (gr. *antarktikos*). **1.** Se dit du pôle Sud et des régions qui l'environnent (contr. ARCTIQUE). — **2.** Se dit des animaux et des plantes des contrées froides de l'hémisphère austral.

ANTARCTIQUE, continent presque entièrement compris à l'intérieur du cercle polaire antarctique, 13 millions de km²; inhabité.

GÉOGRAPHIE. La situation de ce continent explique le froid très vif qui y règne. En hiver, la température oscille autour de — 60 °C, tandis qu'en été elle dépasse rarement — 10 °C. On a enregistré des minimums de — 90 °C. Ce froid est aggravé par des vents très violents qui divergent du pôle vers les côtes. Une calotte glaciaire, atteignant 4 000 m d'épaisseur au centre, masque presque entièrement le relief du continent.

La vie n'est attestée que par une maigre végétation, et une faune de phoques et de manchots principalement près des côtes. L'homme n'est présent que dans quelques stations scientifiques.

HISTOIRE. L'exploration commence seulement au XIXe siècle.

- *1821. L'Américain Palmer découvre la péninsule dite « terre de Graham ».*
- *1840-1841. L'Anglais J. C. Ross découvre la terre Victoria.*
- *1903-1905. Expédition du Français Charcot.*
- *14 décembre 1911. Amundsen atteint le pôle, précédant Scott d'un mois.*
- *1946-1947. Expédition américaine de Byrd.*
- *1949. Début des expéditions françaises en terre Adélie.*
- *1958. Raid au pôle de Fuchs et Hillary.*

ANTE [ãt] n. f. (lat. *anta*, pilastre). Pilier saillant sur la surface d'un mur.

ANTÉCÉDENCE [ãtesedãs] n. f. (de *antécédent*). Phénomène par lequel une rivière puissante maintient le tracé général de son cours malgré les déformations tectoniques.

1. ANTÉCÉDENT [ãtesedã] n. m. (du lat. *antecedere*, précéder). Nom ou pronom auquel le pronom relatif se substitue dans la formation d'une proposition relative : *Dans la phrase « J'ai lu le livre que tu m'as prêté », le pronom relatif « que » a pour antécédent « livre ».*

2. ANTÉCÉDENTS [ãtesedã] n. m. pl. (même étym.). **1.** *Les antécédents de qq'un*, les actes antérieurs d'une personne, qui permettent de comprendre ou de juger sa conduite présente (terme admin.). — **2.** *Les antécédents de qqch.*, ce qui l'a précédé, ce qui en est la cause, l'origine : *Les antécédents d'une affaire.*

ANTÉCHRIST [ãtekrist] n. m. (de *anti*, contre, et *Christ*). Imposteur qui, d'après l'Apocalypse, doit venir quelque temps avant la fin du monde pour essayer d'établir une religion opposée à celle de Jésus-Christ.

ANTÉDILUVIEN, ENNE [ãtedilyvjɛ̃, -ɛn] adj. (du lat. *ante*, avant, et *diluvium*, déluge). *Fam.* et *péjor.* Se dit de ce qui n'appartient plus à son temps, de ce qui est passé de mode (syn. ↓ANACHRONIQUE, ↓DÉMODÉ). [*Antédiluvien* se disait de la période qui a précédé le Déluge.]

ANTENNE [ɑ̃tɛn] n. f. (lat. *antenna*). **1.** Conducteur métallique qui permet d'émettre ou de recevoir les ondes électromagnétiques (émissions de radio, de télévision, etc.); ces émissions elles-mêmes : *Être à l'antenne* (= être prêt à émettre ou à recevoir l'émission). — **2.** *Avoir des antennes dans un lieu*, y avoir des sources de renseignements. — **3.** Organe allongé, mobile, situé sur la tête des insectes et des crustacés, siège du toucher et, parfois, de l'odorat. — **4.** Petite unité avancée d'un grand service : *Antenne chirurgicale. Antenne administrative d'une préfecture.*

ANTÉPÉNULTIÈME [ɑ̃tepenyltjɛm] adj. et n. (lat. *antepaenultimus*). Se dit de la syllabe d'un mot qui précède l'avant-dernière, ou pénultième.

ANTÉPOSÉ, E [ɑ̃tepoze] adj. (du lat. *ante*, avant, et *poser*). Se dit, en grammaire, d'un mot placé avant un autre et dont il dépend : *Lorsque « grand » est antéposé, il a un sens moral : un grand homme; lorsqu'il est postposé, il a un sens physique : un homme grand.*

ANTÉRIEUR, E [ɑ̃terjœr] adj. (lat. *anterior*). **1.** Qui est placé devant, en avant dans l'espace : *La partie antérieure du pont du navire* (syn. AVANT; contr. ARRIÈRE). *Les pattes antérieures du chien* (contr. POSTÉRIEUR). — **2.** Qui précède dans le temps (souvent suivi d'un compl. avec la prép. *à*) : *Le régime antérieur au régime actuel* (contr. POSTÉRIEUR). *Rétablir l'état de choses antérieur* (syn. PREMIER). — **3.** Se dit, en grammaire, des temps passés des verbes indiquant une action qui en précède une autre : *Futur antérieur, passé antérieur.* (⟶ TEMPS.) ◆ **antérieurement** adv. (syn. AVANT; contr. ULTÉRIEUREMENT). ◆ **antériorité** n. f. : *L'antériorité de ses travaux relativement aux vôtres est incontestable.*

ANTHÉMIS [ɑ̃temis] n. f. (du gr. *anthos*, fleur). Nom de plusieurs espèces de camomille.

ANTHÉOR, station balnéaire de la côte de l'Esterel, à 16 km à l'E. de Saint-Raphaël (Var).

ANTHÈRE [ɑ̃tɛr] n. f. (gr. *anthêros*, fleur). *Bot.* Partie globuleuse qui surmonte l'étamine des phanérogames dans laquelle se forment les grains de pollen et qui s'ouvre à maturité pour laisser échapper ceux-ci.

ANTHOLOGIE [ɑ̃tɔlɔʒi] n. f. (du gr. *anthos*, fleur, et *legein*, cueillir). Recueil de morceaux choisis d'œuvres littéraires ou musicales.

ANTHOZOAIRES [ɑ̃tɔzɔɛr] n. m. pl. (du gr. *anthos*, fleur, et *zôon*, animal). *Zool.* Classe de cœlentérés groupant des animaux marins fixés, vivant généralement en colonies et se reproduisant sans métamorphose ni forme nageuse, tels que les *anémones de mer*, les *polypiers constructeurs*, le *corail rouge*, les *gorgones*, etc.

ANTHRACITE [ɑ̃trasit] n. m. (du gr. *anthrax*, *-akos*, charbon). Variété de houille très riche en carbone (de 90 à 95 p. 100), qui brûle à peu près sans fumée et avec une flamme très courte. ◆ adj. inv. D'un gris foncé, presque noir.

ANTHRAX [ɑ̃traks] n. m. (gr. *anthrax*, charbon). Tumeur inflammatoire de la peau, qui résulte de la réunion de plusieurs furoncles et s'étend au tissu conjonctif sous-cutané.

ANTHROPO-, élément tiré du gr. *anthrôpos*, homme, et qui entre comme préfixe dans la composition de nombreux mots.

ANTHROPOCENTRISME [ɑ̃trɔposɑ̃trism] n. m. (de *anthropo-*, et *centre*). Philosophie qui considère l'homme comme le centre de l'univers.

ANTHROPOÏDES [ɑ̃trɔpɔid] adj. et n. m. (de *anthropo-*, et gr. *eidos*, forme). Se dit des singes *(gibbon, orang-outan, chimpanzé, gorille)* qui ressemblent le plus à l'homme (forme du visage, absence de queue, intelligence).

ANTHROPOLOGIE [ɑ̃trɔpɔlɔʒi] n. f. (de *anthropo-*, et gr. *logos*, science). Ensemble des sciences dont l'objet est l'étude de l'homme. ‖ *Anthropologie physique*, étude de l'homme envisagé dans la série animale. (Cette science s'efforce de définir la notion de race, groupe naturel d'hommes présentant un ensemble de caractères héréditaires communs. Elle établit une classification biologique des races fondée sur les caractères comparés de l'anatomie, de la physiologie et de la pathologie.) ‖ *Anthropologie sociale et culturelle*, étude scientifique des sociétés, de leurs structures sociales, de leurs systèmes de valeurs, de leurs croyances, etc. ◆ **anthropologique** adj. ◆ **anthropologue** n.

ANTHROPOMÉTRIE [ɑ̃trɔpɔmetri] n. f. (de *anthropo-*, et gr. *metron*, mesure). **1.** Technique de mesure des différentes parties du corps humain. — **2.** Méthode d'identification des criminels, reposant sur la description du corps humain (mesures, photographies, empreintes digitales). ◆ **anthropométrique** adj. Relatif à l'anthropométrie : *Fiche anthropométrique.*

ANTHROPOMORPHISME [ɑ̃trɔpɔmɔrfism] n. m. (de *anthropo-*, et gr. *morphê*, forme). **1.** Représentation de Dieu sous les traits d'un être humain. — **2.** Tendance à attribuer aux animaux des sentiments humains, des pensées humaines.

ANTHROPOPHAGE [ɑ̃trɔpɔfaʒ] adj. et n. (de *anthropo-*, et gr. *phagein*, manger). Qui se nourrit de chair humaine (syn. CANNIBALE). ◆ **anthropophagie** n. f. Syn. de CANNIBALISME.

ANTI-, préfixe tiré du gr. *anti*, contre, indiquant l'hostilité, l'opposition ou la défense (contre), et entrant dans la composition de substantifs (*antigel, antirouille, antivol*, etc.) ou d'adjectifs (*anticlérical, antiparlementaire*, etc.).

ANTIAÉRIEN, ENNE adj. ⟶ AÉRIEN 1. / **ANTIALCOOLIQUE** adj., **ANTIALCOOLISME** n. m. ⟶ ALCOOL.

ANTI-ATLAS, massif cristallin du Maroc méridional, séparé du Haut-Atlas par le sillon des plaines du Sous (à l'O.), du Dadès et du Todra (à l'E.). Il s'agit de massifs très anciens, culminant à 3 300 m, inclinés doucement vers le S. Les montagnes de l'Ouest, dans les vallées desquelles se trouvent des oasis, sont peuplées par des sédentaires; celles de l'Est par des nomades et des semi-nomades. L'Anti-Atlas renferme de nombreuses mines (cobalt, manganèse, cuivre).

ANTIBES, ch.-l. de cant. des Alpes-Maritimes, sur la Côte d'Azur, à 11 km à l'E.-N.-E. de Cannes; 63 200 hab. *(Antibois).* Ville fondée par les Grecs. Vestiges de l'Antiquité et château (XIVe-XVIe s.). Grand centre touristique.

ANTIBIOGRAMME [ɑ̃tibjɔgram] n. m. (de *anti-*, gr. *bios*, vie, et *gramme*). Culture d'un germe microbien en présence de différents antibiotiques pour mesurer l'action de chacun de ceux-ci sur le germe étudié.

ANTIBIOTIQUE [ɑ̃tibjɔtik] n. m. et adj. (de *anti-*, et gr. *bios*, vie). Substance chimique qui empêche le développement ou la multiplication de certains microbes.
— ENCYCL. Les premières substances *antibiotiques* furent extraites de cultures de champignons : la *pénicilline* (isolée par Fleming de *Penicillium notatum*), première substance connue; de même la *streptomycine*.

Actuellement, il existe de nombreux médicaments antibiotiques qui sont extraits industriellement de cultures de champignons et de cultures bactériennes *(solutricine)* ou synthétisés industriellement. Les antibiotiques ont deux types d'action : une action *bactéricide* (ils tuent les germes) et une action *bactériostatique* (ils empêchent la multiplication des germes, donc l'envahissement de l'organisme infecté).

Le médecin choisit le corps le plus actif contre le germe en cause, en pratiquant un *antibiogramme* avant le traitement. Le germe est prélevé sur le malade et mis en contact avec différents antibiotiques. L'antibiotique le plus efficace sera celui autour duquel le microbe ne se développera pas.

Depuis l'apparition des antibiotiques, des germes initialement très sensibles à un antibiotique sont devenus aujourd'hui « résistants » : il faudrait des doses trop fortes, que l'organisme ne supporterait pas, pour juguler une infection autrefois guérie par des doses infimes. C'est un grand problème pour les médecins qui doivent chercher de nouveaux antibiotiques et utiliser en même temps plusieurs antibiotiques (comme dans la tuberculose).

ANTICATHODE [ɑ̃tikatɔd] n. f. *(anti-*, et *cathode).* Lame métallique, qui, dans un tube électronique, reçoit les rayons cathodiques et émet des rayons X.

ANTICHAMBRE [ɑ̃tiʃɑ̃br] n. f. (it. *anticamera*). **1.** Vestibule d'un appartement; pièce qui sert de salle d'attente dans un bureau, un cabinet ministériel, etc. — **2.** *Courir les antichambres*, aller chez l'un et l'autre pour solliciter quelque faveur, quelque place. ‖ *Faire antichambre*, attendre que la personne que l'on vient voir veuille bien vous recevoir.

ANTICHAR adj. ⟶ CHAR 2.

ANTICIPER [ɑ̃tisipe] v. t. ind. (du lat. *ante*, avant, et *capere*, prendre). *Anticiper sur qqch.*, commencer de le faire avant le moment prévu ou fixé; considérer des événements comme ayant eu lieu avant qu'ils se produisent : *Anticiper sur l'avenir* (syn. DEVANCER); et absolum. : *N'anticipe pas, cela arrivera bien assez tôt.* ◆ v. t. *Anticiper un paiement*, le faire avant la date prévue. ◆ **anticipé, e** adj. : *Des paiements anticipés* (= faits avant la date fixée). *Un retour anticipé* (= en avance). ◆ **anticipation** n. f. : *Par anticipation* (= avant terme) [syn. PAR AVANCE]. *Littérature d'anticipation* ⟶ ENCYCL.
— ENCYCL. La *littérature d'anticipation* s'apparente aux récits de voyages dans des pays imaginaires (*les Voyages de Gulliver*, de Swift), mais elle crée aussi un univers fantastique en partant de connaissances scientifiques acquises et en préjugeant de leur évo-

lution (*De la Terre à la Lune*, *Vingt Mille Lieues sous les mers*, de Jules Verne). Le plus souvent, elle se révèle un moyen de dénoncer les dangers d'une science capable de développer de monstrueux pouvoirs de destruction (*la Guerre des mondes*, de H. G. Wells) ou de réduire les hommes à l'état de robots (*R. U. R.*, de K. Čapek; *le Meilleur des mondes*, d'A. Huxley). La littérature d'anticipation a donné naissance à une profusion de romans, de nouvelles (R. Bradbury), de bandes dessinées et de films, qui relèvent du genre de la science-fiction*.

ANTICLÉRICAL, E, AUX adj. et n., **ANTICLÉRICALISME** n. m. → CLERGÉ.

ANTICLINAL, E, AUX [ɑ̃tiklinal, -no] adj. et n. m. (de *anti-*, et gr. *klinein*, pencher). Se dit d'un pli où les couches sont convexes vers le haut (contr. SYNCLINAL). [On distingue, dans un *anticlinal*, son axe, sa charnière, ses flancs. Les sommets des anticlinaux sont des sites particulièrement favorables à l'accumulation de pétroles.]
→ illustration PLI.

ANTICOAGULANT, E adj. et n. m. → COAGULER. / **ANTICOLONIALISME** n. m., **ANTICOLONIALISTE** adj. et n. → COLONIE 1. / **ANTICOMMUNISME** n. m., **ANTICOMMUNISTE** adj. et n. → COMMUNISME. / **ANTICONCEPTIONNEL, ELLE** adj. → CONCEVOIR 1. / **ANTICONFORMISME** n. m., **ANTICONFORMISTE** adj. et n. → CONFORME.

ANTICORPS [ɑ̃tikɔr] n. m. (*anti-*, et *corps*). Substance défensive engendrée par l'organisme à la suite de l'introduction dans celui-ci d'un antigène, et concourant au mécanisme de l'immunité. (→ ANTIGÈNE.)

ANTICYCLONE [ɑ̃tisiklon] n. m. (*anti-*, et *cyclone*). Centre de hautes pressions atmosphériques, d'où divergent les vents : *L'anticyclone des Açores.* ◆ **anticyclonal, e, aux** ou **anticyclonique** adj. Qui se rapporte à un anticyclone : *Temps anticyclonal. Aire anticyclonique.*
— ENCYCL. Dans un *anticyclone*, l'air s'affaisse lentement pendant qu'un mouvement de rotation l'entraîne dans le sens des aiguilles d'une montre dans l'hémisphère Nord, dans le sens opposé dans l'hémisphère Sud.

Les anticyclones résultent soit de mécanismes généralisés d'affaissement (*anticyclones dynamiques :* cas des îles Hawaii), soit de l'alourdissement de l'air sous l'effet de très basses températures (*anticyclones thermiques :* Sibérie), soit de la combinaison des deux causes précitées (*anticyclones mixtes :* Açores). Les anticyclones maintiennent généralement un temps clair et sec.

ANTIDATER v. t. → DATE. / **ANTIDÉMOCRATIQUE** adj. → DÉMOCRATIE. / **ANTIDÉRAPANT, E** adj. → DÉRAPER. / **ANTIDIPHTÉRIQUE** adj. → DIPHTÉRIE. / **ANTIDIURÉTIQUE** adj. → DIURÉTIQUE.

ANTIDOTE [ɑ̃tidɔt] n. m. (du gr. *antidotos*, donné contre). **1.** Médicament destiné à combattre les effets d'un poison. — **2.** Remède contre une douleur morale, un ennui (syn. DÉRIVATIF).

ANTIENNE [ɑ̃tjɛn] n. f. (du gr. *antiphônos*, qui répond). **1.** Refrain chanté avant et après un psaume. — **2.** Répétition continuelle et lassante de la même chose.

ANTIFER *(cap d')*, promontoire calcaire de la côte du pays de Caux (Seine-Maritime), près d'Étretat; 110 m de haut. Un port pétrolier est établi près de ce cap.

ANTIFRICTION [ɑ̃tifriksjɔ̃] adj. et n. m. (*anti-*, et *friction*). Alliage à base d'antimoine dont on garnit les coussinets des paliers de machine pour réduire le frottement.

ANTIGEL n. m. → GELER.

ANTIGÈNE [ɑ̃tiʒɛn] n. m. (*anti-*, et *gène*). Substance de nature protéique* (bactérie, virus, parasite, tissu greffé) qui, pénétrant dans l'organisme, suscite la fabrication par celui-ci d'anticorps. ◆ **antigénique** adj. : *Substances antigéniques.*
— ENCYCL. La réaction *antigène-anticorps* est une réaction immunitaire*, destinée à assurer la défense de l'organisme. Cette réaction est toujours spécifique, c'est-à-dire que seul l'anticorps élaboré au contact d'un antigène peut s'unir à ce dernier.

Parfois, les anticorps donnent à l'organisme une *résistance* contre l'agent infectieux en cause : l'anticorps se combine avec l'agent infectieux (= antigène) et permet que celui-ci soit détruit plus rapidement. On dit alors que l'anticorps est *protecteur.* Ainsi, le B. C. G. représente un antigène qui, introduit dans l'organisme, provoque la formation d'anticorps : lorsque l'individu sera en contact avec le bacille de Koch (= celui de la tuberculose), ces anticorps le neutraliseront immédiatement, avant que l'organisme soit infecté. Le B. C. G. permet donc d'*immuniser* contre la tuberculose. C'est le principe de toute *vaccination.* De même, on ne peut contracter deux fois la rougeole car au deuxième contact avec le virus, l'antigène est neutralisé par les anticorps qui ont été formés à la suite de la première maladie.

Plus souvent, ces anticorps sont non pas protecteurs mais seulement *témoins* de l'existence d'une infection microbienne. Ainsi, la présence dans le sang d'un malade d'anticorps anti-bacille de la typhoïde signifie que ce malade est en contact avec le bacille de la typhoïde, ce qui permet au médecin de diagnostiquer la maladie.

ANTIGONE, fille d'Œdipe, sœur d'Étéocle et de Polynice. Elle fut condamnée à mort pour avoir, malgré la défense du roi Créon, enseveli son frère Polynice, tué devant Thèbes.

Antigone, tragédie de Sophocle (442 av. J.-C.).

ANTIGUA ET BARBUDA, État des Antilles, indépendant depuis 1981 dans le cadre du Commonwealth, formé par les îles d'Antigua, de Barbuda et de Redonda; 442 km²; 80 000 hab. Capit. *Saint John's.*

antikomintern *(pacte)*, pacte conclu entre l'Allemagne et le Japon contre l'Internationale communiste (1936). L'Italie y adhéra en 1937, l'Espagne en 1939.

ANTI-LIBAN, chaîne de montagnes du Proche-Orient, parallèle au Liban, dont elle est séparée par la plaine de la Bekaa; 2 629 m.

ANTILLES, archipel séparant l'océan Atlantique de la mer des Caraïbes, au large des côtes de l'Amérique centrale. Les îles se groupent en deux ensembles : à l'O., les *Grandes Antilles,* à l'E., les *Petites Antilles.* ◆ **antillais, e** adj. et n. Des Antilles.

Grandes Antilles

	SUPERFICIE	POPULATION	
Cuba	111 000 km²	10 500 000 hab.	État indépendant
Dominicaine (rép.)	48 400 km²	6 200 000 hab.	État indépendant
Haïti	27 750 km²	6 400 000 hab.	État indépendant
Jamaïque	11 425 km²	2 500 000 hab.	État indépendant
Porto Rico	8 897 km²	3 197 000 hab.	États-Unis

Petites Antilles

	SUPERFICIE	POPULATION	
Barbade (la)	431 km²	260 000 hab.	État indépendant
Guadeloupe	1 709 km²	328 400 hab.	France
Martinique	1 100 km²	328 600 hab.	France
Trinité	4 827 km²	1 100 000 hab.	État indépendant
Antilles néerl.	993 km²	230 000 hab.	Pays-Bas

Ce groupe d'îles au relief varié correspond aux pointements d'une chaîne sous-marine récente accompagnée de volcanisme.

Le climat tropical, aux températures élevées, présente des variations d'humidité suivant l'exposition; les versants au vent, bien arrosés, sont couverts par la forêt dense, tandis que sur les versants sous le vent, plus secs, pousse la savane.

La population est mêlée : des Blancs, anciens colons et fonctionnaires, des Noirs, descendants des esclaves, et des métis. Les autochtones (les « Caraïbes ») ont pratiquement disparu.

Les cultures tropicales (canne à sucre surtout, bananes, ananas, café) et quelques richesses minières (bauxite de la Jamaïque) et pétrolières (Trinité) sont les produits essentiels de ces îles. Le tourisme est devenu, presque partout, une ressource importante. L'industrie est inexistante. Le niveau de vie reste très bas, et le chômage est fréquent parmi une population dont l'accroissement naturel est très élevé.

ANTILOPE [ɑ̃tilɔp] n. f. (angl. *antelope*). Ruminant aux cornes creuses et identiques dans les deux sexes, vivant en troupeaux dans les régions chaudes, et doué pour la course. (Bovidés.)
— ENCYCL. Le groupe des *antilopes* (plus de cent espèces) comprend des animaux divers par la taille (de celle d'un chevreau à celle d'un bœuf), par la forme de leurs cornes, par leurs silhouettes (lourde comme le gnou, ou svelte comme la gazelle).

ANTIMATIÈRE n. f. → MATIÈRE 1. / **ANTIMÉRIDIEN** n. m. → MÉRIDIEN. / **ANTIMILITARISME** n. m., **ANTIMILITARISTE** adj. et n. → MILITAIRE. / **ANTIMITE** adj. et n. m. → MITE.

ANTIMOINE [ɑ̃timwan] n. m. (de l'ar. *ithmid*). Corps simple solide (Sb) d'un blanc bleuâtre, cassant, dont la densité est 6,7 environ, fondant vers 630 °C, et qui se rapproche de l'arsenic.
— ENCYCL. L'*antimoine* s'allie à beaucoup de métaux, dont il augmente la dureté; aussi figure-t-il, avec le plomb et l'étain, dans les caractères d'imprimerie et dans divers alliages antifrictions. Les principaux producteurs sont la Chine et l'Afrique du Sud.

ANTINATIONAL, E, AUX adj. → NATION. / **ANTINEUTRON** n. m. → NEUTRON.

ANTINOMIE [ɑ̃tinɔmi] n. f. (de *anti-*, et gr. *nomos*, loi). Contradiction entre deux lois, deux principes de philosophie. ◆ **antinomique** adj. Qui forme antinomie.

ANTINUCLÉAIRE adj. → NUCLÉAIRE 1.

ANTIOCHE, en turc **Antakya,** v. du sud-est de la Turquie, sur l'Oronte; 66 400 hab.
• *301 av. J.-C. Fondation d'Antioche, qui devient, au début du IIe s., la capitale de l'empire séleucide.*
• *IVe s. apr. J.-C. Apogée de la ville, qui compte plus de 200 000 hab.*
• *636. Occupation par les Arabes.*
• *969. Antioche retombe entre les mains des Byzantins.*
• *1098-1268. Antioche est la capitale d'un État latin fondé par les croisés (principauté d'Antioche).*

ANTIOCHE *(pertuis d'),* détroit entre l'île d'Oléron et l'île de Ré.

ANTIOCHOS, nom porté par treize rois séleucides.

ANTIPAPE n. m. → PAPE. / **ANTIPARASITE** adj. et n. m., **ANTIPARASITER** v. t. → PARASITE. / **ANTIPARLEMENTAIRE** adj. → PARLEMENT. / **ANTIPARTICULE** n. f. → PARTICULE 1.

ANTIPATHIE [ɑ̃tipati] n. f. (de *anti-,* et gr. *pathos,* passion). Hostilité instinctive à l'égard de quelqu'un ou de sa conduite : *Avoir de l'antipathie pour son voisin* (syn. AVERSION; contr. AFFECTION, SYMPATHIE). ◆ **antipathique** adj. : *Un visage dur, froid, antipathique* (syn. DÉSAGRÉABLE; contr. AIMABLE, SYMPATHIQUE).

ANTIPERSONNEL [ɑ̃tipɛrsɔnɛl] adj. inv. *(anti-,* et *personnel).* Se dit des armes destinées à la mise hors de combat des soldats.

ANTIPHRASE [ɑ̃tifrɑz] n. f. (de *anti-,* et gr. *phrasis,* parole). Manière de s'exprimer qui consiste à donner (par crainte superstitieuse ou par ironie) à une personne ou à une chose le contraire du nom qui lui convient, ou à employer une phrase dans un sens contraire au sens véritable : *C'est par antiphrase que les Grecs appelaient les Furies « Euménides »* [littéral. *« les Bienveillantes »*].

ANTIPODE [ɑ̃tipɔd] n. m. (de *anti-,* et gr. *podos,* pied). **1.** Lieu de la Terre diamétralement opposé à un autre lieu : *La Nouvelle-Zélande est à peu près à l'antipode de la France.* — **2.** Lieu très éloigné par rapport à celui où l'on est (surtout dans *aux antipodes*) : *Faire un voyage aux antipodes.* — **3.** *Être à l'antipode de, aux antipodes de,* être à l'opposé de, être très loin de.

ANTIPROTON n. m. → PROTON.

ANTIQUE [ɑ̃tik] adj. (lat. *antiquus*). **1.** (après le nom) Qui date de la période historique appelée *Antiquité,* ou qui en a les caractères : *Des statuettes antiques furent retrouvées au cours des fouilles.* — **2.** (avant ou après le nom) Très vieux, passé de mode (ironiq. et littér.) : *Une antique et vénérable coutume veut que...* (syn. DÉMODÉ, VÉTUSTE). ◆ **antiquaille** [ɑ̃tikaj] n. f. *Péjor.* Objet ancien de peu de valeur (syn. VIEILLERIE). ◆ **antiquaire** n. Personne qui vend des objets anciens (meubles, vases, médailles, etc.). ◆ **antiquité** n. f. **1.** (avec une majusc.) Période qui va des origines des temps historiques à la chute de l'Empire romain, et plus spécialem. les civilisations grecque et romaine. → ENCYCL. — **2.** Temps très ancien : *De toute antiquité* (= depuis toujours). — **3.** Objet d'art remontant à l'époque gréco-romaine ou à une époque ancienne (souvent au plur.) : *Le musée des antiquités.*
— ENCYCL. On distingue plusieurs périodes dans l'*Antiquité :* l'*Antiquité préhistorique,* ou préhistoire; l'*Antiquité orientale,* histoire des peuples anciens de l'Orient; l'*Antiquité* proprement dite, ou *Antiquité classique,* histoire de la Grèce et de Rome; l'*Antiquité chrétienne.*
■ *La fin de l'Antiquité.* Les historiens la situent le plus souvent en 395 apr. J.-C. (mort de Théodose et division définitive de l'Empire romain en Occident latin et en Orient grec).

ANTIRABIQUE adj. → RAGE 1. / **ANTIRACISTE** adj. et n. → RACE.

ANTIRÉFLEXIF, IVE [ɑ̃tireflɛksif, -iv] adj. *(anti-,* et *réflexif).* Math. *Relation binaire antiréflexive* → RELATION 2.

ANTIRELIGIEUX, EUSE adj. → RELIGION. / **ANTIROUILLE** adj. et n. m. → ROUILLE. / **ANTISCORBUTIQUE** adj. et n. m. → SCORBUT.

ANTISÉMITISME [ɑ̃tisemitism] n. m. *(anti-,* et *sémite).* Attitude d'hostilité systématique à l'égard des Juifs. ◆ **antisémite** adj. et n.
— ENCYCL. Le Moyen Âge connut des accès d'*antisémitisme* fréquents. Aux raisons religieuses s'ajoutèrent des raisons économiques : la difficulté pour les chrétiens de faire le commerce de l'argent, en principe interdit par l'Église, réserva cette activité aux Juifs. La société occidentale considéra ceux-ci comme des étrangers, en les cantonnant souvent dans des quartiers spéciaux (ghettos), en leur imposant le port d'insignes infamants. En France, après l'abolition (1791) des mesures qui les frappaient encore à la fin de l'Ancien Régime, une grande partie des Juifs acquirent la citoyenneté française.
L'antisémitisme, érigé en doctrine, se déchaîna dans plusieurs pays à la fin du XIXe s. En France, il s'exaspéra avec l'affaire Dreyfus*, tandis qu'en Russie et en Europe orientale (Hongrie, Roumanie) il prenait une tournure très violente (sanglants pogroms*). Il atteignit son maximum avec le triomphe de l'hitlérisme en Allemagne à partir de 1933. Les mesures prises contre les Juifs visaient à leur extermination systématique, qui devait être réalisée dans des camps de concentration* (entre 1933 et 1945, six millions de Juifs européens au moins ont péri).

ANTISEPTIQUE [ɑ̃tisɛptik] adj. et n. m. (de *anti-,* et gr. *sêpein,* pourrir). Se dit de ce qui a pour effet d'empêcher l'infection : *L'alcool, l'eau oxygénée sont des antiseptiques.* ◆ **antisepsie** [ɑ̃tisɛpsi] n. f. Ensemble des méthodes qui préservent contre l'infection, en détruisant les microbes. (→ ASEPSIE.)

ANTISOCIAL, E, AUX adj. → SOCIAL 1.

ANTISTROPHE [ɑ̃tistrɔf] n. f. *(anti-,* et *strophe).* Dans la poésie grecque, groupe de vers répondant exactement à un autre groupe de vers, appelé *strophe.*

ANTISYMÉTRIQUE [ɑ̃tisimetrik] adj. *(anti-,* et *symétrique).* Math. *Relation antisymétrique.* → RELATION 2. ◆ **antisymétrie** n. f.

ANTI-TAURUS, montagne de Turquie; 3 014 m.

ANTITÉTANIQUE adj. → TÉTANOS.

ANTITHÈSE [ɑ̃titɛz] n. f. (de *anti-,* et gr. *thesis,* position). **1.** Opposition faite, dans la même phrase, entre deux expressions ou deux mots exprimant des idées absolument contraires : *Et, « monté sur le faîte », il aspire à « descendre »* (Corneille) [syn. OPPOSITION]. — **2.** Personne ou chose qui est l'opposé, l'inverse d'une autre : *Il est l'antithèse de son frère.* ◆ **antithétique** adj.

ANTITOXINE n. f. → TOXINE. / **ANTITUBERCULEUX, EUSE** adj. → TUBERCULOSE. / **ANTIVARIOLIQUE** adj. → VARIOLE. / **ANTIVÉNÉNEUX, EUSE** adj. → VÉNÉNEUX. / **ANTIVENIMEUX, EUSE** adj. → VENIN. / **ANTIVOL** adj. et n. m. → VOL 2.

ANTOFAGASTA, port du nord du Chili; 125 100 hab. Aéroport. Terminus du chemin de fer transandin. Nitrates, cuivre.

ANTOINE *(saint),* ermite de la Haute-Égypte (251-356); célèbre pour les tentations qu'il subit et dont il sortit victorieux.

ANTOINE DE PADOUE *(saint),* prédicateur franciscain (v. 1195-1231). On l'invoque pour retrouver les objets perdus.

ANTOINE (Marcus Antonius, en fr. **Marc**), général romain (83-30 av. J.-C.). Après l'assassinat de César, il fut maître de Rome. Avec Octavien et Lépide, il forma le second triumvirat (43). Vainqueur de Brutus et de Cassius, il reçut en partage l'Orient. Ébloui par Cléopâtre VII, reine d'Égypte, il répudia sa femme Octavie pour l'épouser. Octavien (frère d'Octavie) le vainquit à Actium (31 av. J.-C.). Assiégé dans Alexandrie, Antoine s'y donna la mort.

Antoine et Cléopâtre, drame de Shakespeare (1606).

ANTOINE (André), acteur et directeur de théâtre (1858-1943). En 1887, il fonda le *Théâtre-Libre.*

ANTONELLO DA MESSINA, peintre italien (v. 1430-v. 1479). Il est surtout célèbre pour ses portraits d'hommes *(le Condottiere).*

ANTONESCU ou **ANTONESCO** (Ion), maréchal roumain (1882-1946). Premier ministre en 1940, il exigea l'abdication du roi Charles et exerça une dictature absolue sur son pays. Il engagea la Roumanie contre l'U. R. S. S. aux côtés de l'Axe. Arrêté en août 1944, il fut exécuté.

ANTONIN le Pieux (86-161), empereur romain (138-161). Fils adoptif et successeur d'Hadrien. Son règne marqua l'apogée de l'Empire.

ANTONINS (les), nom donné à sept empereurs romains (NERVA, TRAJAN, HADRIEN, ANTONIN, MARC AURÈLE, VERUS, COMMODE) qui régnèrent de 96 à 192 apr. J.-C. Leur règne marqua pour l'Empire une période de paix et de prospérité *(siècle d'or).*

ANTONIONI (Michelangelo), cinéaste italien (né en 1912), auteur de *l'Avventura* (1959), *la Nuit* (1961), *l'Éclipse* (1962), *le Désert rouge* (1964), *Blow up* (1966), *Zabriskie Point* (1969), *Profession : reporter* (1974), *Identification d'une femme* (1982).

ANTONY, ch.-l. d'arrond. des Hauts-de-Seine, à 8 km au S. de Paris; 54 700 hab. Résidence universitaire.

ANTONYME [ɑ̃tɔnim] n. m. (de *anti-,* et gr. *onoma,* nom). Mot qui a un sens opposé à celui d'un autre : *« Laid » est l'antonyme de « beau »* (contr. SYNONYME).

ANTRE [ɑ̃tr] n. m. (gr. *antron*). **1.** *L'antre d'une bête,* la cavité naturelle profonde qui peut lui servir d'abri ou de repaire (littér.). — **2.** *L'antre de qq'un,* le lieu mystérieux ou redoutable qui lui sert de retraite.

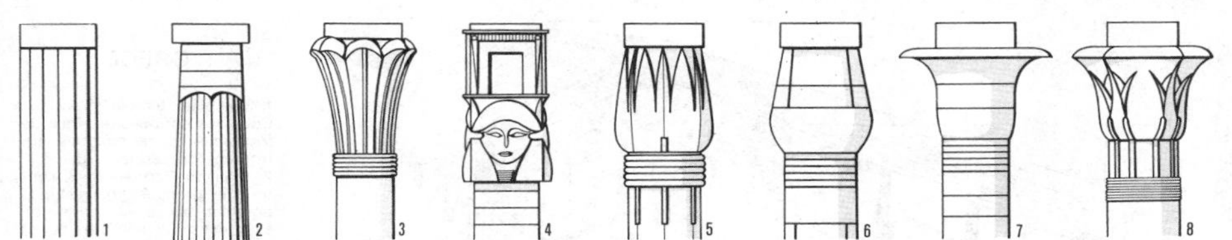

Profils de colonnes égyptiennes. — 1. Colonne protodorique (temple de Deir el-Bahari). 2. Colonne protodorique (pyramide de Djeser). 3. Colonne palmiforme ou dactyliforme (temple de Saqqarah). 4. Colonne hathorique (temple de Dendérah). 5. Colonne lotiforme (tombeau de Ptah à Chepses). 6. Colonne papyriforme fermée (temple de Louxor). 7. Colonne papyriforme ouverte ou campaniforme (temple de Louxor). 8. Colonne composite (temple de Karnak).

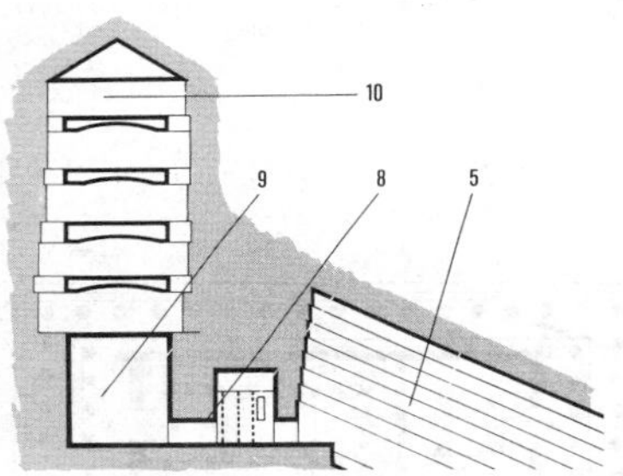

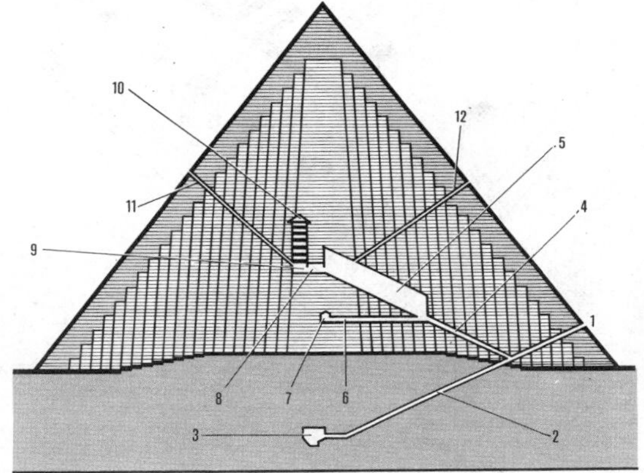

Coupe de la grande pyramide de Guizèh et du caveau royal, tombeau du roi Chéops. — 1. Accès au couloir intérieur. 2. Couloir intérieur en pente. 3. Chambre souterraine. 4. Boyau conduisant à la galerie principale. 5. Galerie principale. 6. Couloir débouchant à l'entrée de la galerie principale. 7. Petite chambre. 8. Salle des herses. 9. Caveau contenant le sarcophage royal. 10. Système de décharge protégeant la chambre funéraire. 11 et 12. Boyaux de ventilation.

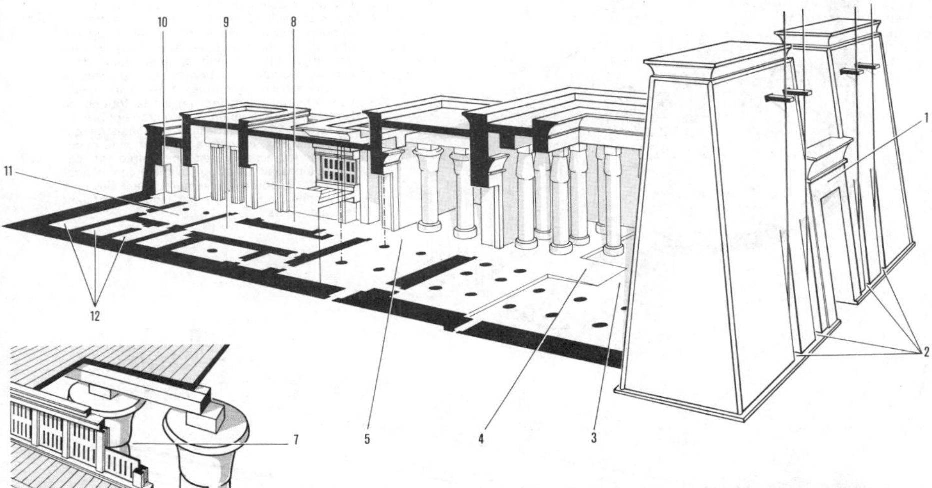

Coupe du temple du dieu Khonsou, à Karnak. Le pylône (1) comporte quatre rainures (2) servant à fixer les mâts ornés de banderoles. La cour (3) est entourée d'un portique soutenu par une double rangée de colonnes monostyles. Une rampe (4) précède la salle hypostyle (5) : huit colonnes soutiennent le toit à deux niveaux (6) percé de fenêtres (7). La partie la plus vénérable du temple de Khonsou est constituée par la salle de la Barque (8), entourée d'un déambulatoire (9), et par la petite salle du naos (10), précédée d'une seconde salle hypostyle (11), à quatre colonnes, sur laquelle s'ouvrent six petites chapelles annexes (12). La construction du temple date de la XXe dynastie (Ramsès III).

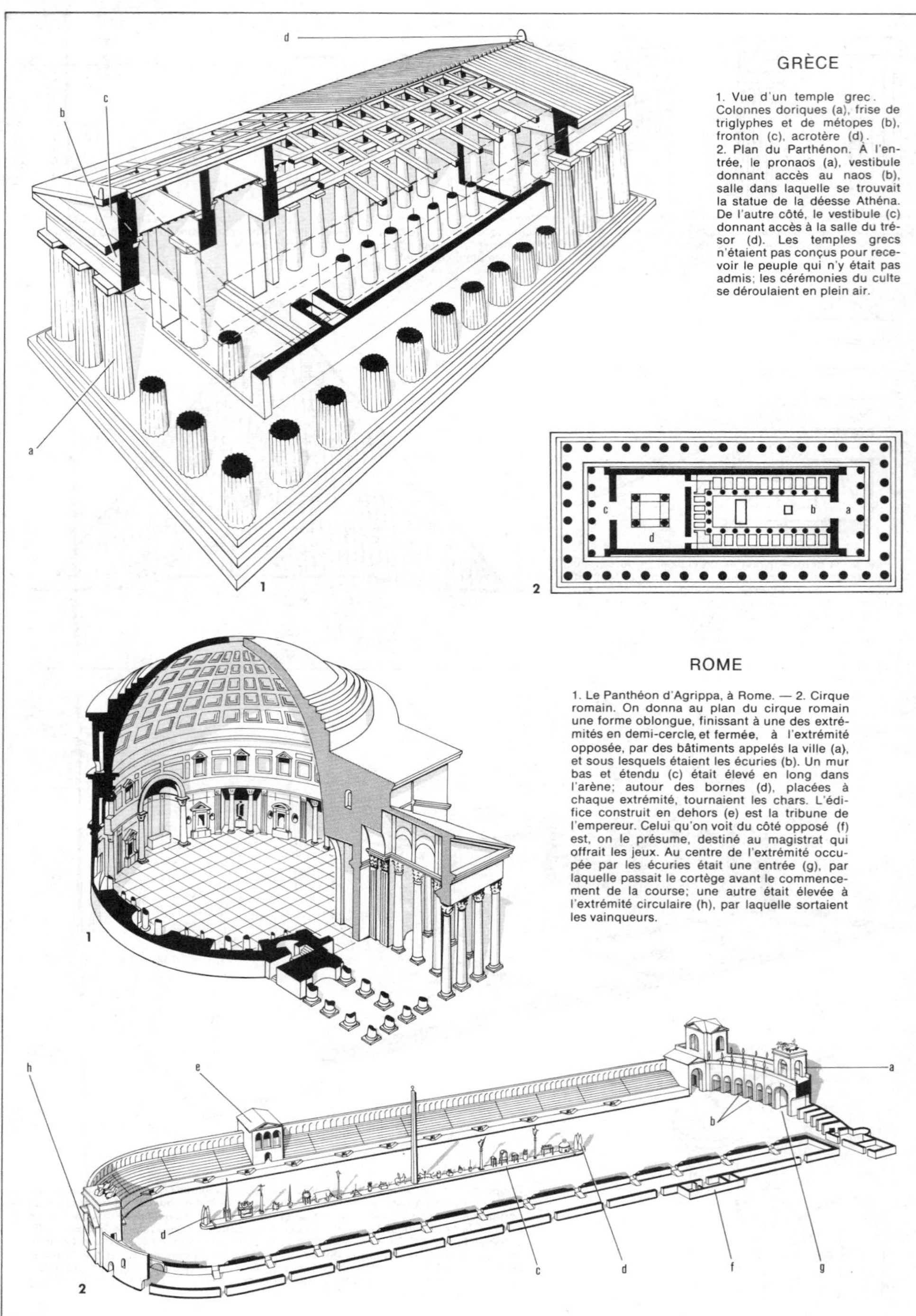

GRÈCE

1. Vue d'un temple grec. Colonnes doriques (a), frise de triglyphes et de métopes (b), fronton (c), acrotère (d).
2. Plan du Parthénon. À l'entrée, le pronaos (a), vestibule donnant accès au naos (b), salle dans laquelle se trouvait la statue de la déesse Athéna. De l'autre côté, le vestibule (c) donnant accès à la salle du trésor (d). Les temples grecs n'étaient pas conçus pour recevoir le peuple qui n'y était pas admis; les cérémonies du culte se déroulaient en plein air.

ROME

1. Le Panthéon d'Agrippa, à Rome. — 2. Cirque romain. On donna au plan du cirque romain une forme oblongue, finissant à une des extrémités en demi-cercle, et fermée, à l'extrémité opposée, par des bâtiments appelés la ville (a), et sous lesquels étaient les écuries (b). Un mur bas et étendu (c) était élevé en long dans l'arène; autour des bornes (d), placées à chaque extrémité, tournaient les chars. L'édifice construit en dehors (e) est la tribune de l'empereur. Celui qu'on voit du côté opposé (f) est, on le présume, destiné au magistrat qui offrait les jeux. Au centre de l'extrémité occupée par les écuries était une entrée (g), par laquelle passait le cortège avant le commencement de la course; une autre était élevée à l'extrémité circulaire (h), par laquelle sortaient les vainqueurs.

ANTRIM, localité d'Irlande du Nord. Le *plateau d'Antrim*, au N., est formé de laves basaltiques entaillées par la mer en falaises pittoresques (= Chaussée des Géants).

ANTSERANANA → DIÉGO-SUAREZ.

ANUBIS, dieu égyptien, figuré avec le corps d'un homme et la tête d'un chacal. Il était le dieu des Morts.

ANURIE [anyri] n. f. (de *an* priv., et gr. *ouron*, urine). *Méd.* Arrêt de la sécrétion rénale, en amont de la vessie.

ANUS [anys] n. m. (mot lat.). *Anat.* Orifice d'excrétion des résidus alimentaires non absorbés par les parois digestives. ◆ **anal, e, aux** adj. Relatif à l'anus.

ANVERS, en néerl. **Antwerpen,** port de Belgique, sur la rive droite de l'estuaire de l'Escaut, à 47 km au N. de Bruxelles; 497 000 hab. Environ 800 000 dans l'agglomération. Reliée à la Meuse par le canal Albert, la ville est le troisième port d'Europe (après Rotterdam et Marseille) avec un trafic de 78 millions de t; l'importation du pétrole tient une part importante dans ce trafic. Anvers est aussi un grand centre industriel (taille des diamants, industries de transformation, etc.).

- *XIIIe s. Anvers devient un centre industriel (draps) et commercial (foires).*
- *XVe s. Création d'une bourse de commerce. Anvers devient une grande place financière.*
- *1648. La paix de Westphalie ferme à la navigation l'embouchure de l'Escaut. Déclin d'Anvers.*
- *1792. Prise de la ville par les Français.*
- *1815. Anvers est incluse par le congrès de Vienne dans les Pays-Bas.*
- *1830-1832. Anvers est intégrée à la Belgique.*

ANXIEUX, EUSE [ɑ̃ksjø, -øz] adj. et n. (lat. *anxiosus*). **1.** Se dit de quelqu'un (ou de sa conduite) qui éprouve (ou qui manifeste) un sentiment de grande inquiétude, dû à l'attente ou à l'incertitude : *Je suis anxieux de l'avenir* (syn. ↓SOUCIEUX; contr. SEREIN, TRANQUILLE). — **2.** *Être anxieux de* (et l'infin.), être extrêmement désireux de. ◆ **anxieusement** adv. ◆ **anxiété** n. f. : *Notre anxiété redoubla, on ne le voyait pas rentrer* (syn. ↑ANGOISSE, INQUIÉTUDE).

ANZIN, comm. du Nord, dans la banlieue nord-ouest de Valenciennes, sur l'Escaut; 14 650 hab. *(Anzinois).* Sidérurgie.

ANZIO, port d'Italie, sur la côte du Latium; 15 900 hab. Objectif d'un débarquement opéré par 50 000 soldats anglo-américains pour couper les arrières allemands (janvier 1944).

A.-O. F., abrév. désignant l'anc. *Afrique-Occidentale française.*

AORISTE [aɔrist] n. m. (gr. *aoristos*, indéterminé). Temps de la conjugaison grecque qui indique un passé indéterminé.

AORTE [aɔrt] n. f. (gr. *aortê*, veine). Principale artère de l'organisme qui distribue le sang rouge (riche en oxygène) à toutes les parties du corps.
— ENCYCL. L'*aorte* part du ventricule gauche, monte dans le thorax et décrit une courbe après laquelle naissent toutes les artères destinées aux deux membres supérieurs et à la tête (c'est la *crosse de l'aorte*); elle redescend ensuite et, après avoir franchi le diaphragme, passe dans l'abdomen, presque contre la colonne vertébrale. Après avoir formé les deux *artères rénales*, l'aorte se termine à la hauteur de l'ombilic (= nombril), en se divisant en deux *artères iliaques* qui vont apporter le sang oxygéné au bassin et aux deux membres inférieurs.
■ *Pathologie.* L'aorte peut être le siège de nombreuses maladies.
Certaines atteignent les valvules situées à la naissance de l'aorte et provoquent l'*insuffisance aortique*, lorsque le sang passe anormalement de l'aorte dans le ventricule gauche par des « fuites » dans l'appareil valvulaire, le *rétrécissement aortique*, quand cet orifice (trop étroit de naissance) gêne le passage du sang. Le médecin diagnostique ces maladies en auscultant le cœur : il entend des souffles anormaux.
Des maladies provoquent la formation de dépôts sur les parois de l'aorte et de ses branches, gênant le passage du sang *(athérome).* Dans ce groupe, citons l'*infarctus* du myocarde*, maladie cardiaque grave.
→ illustration en couleurs CIRCULATION pp. 272-273.

AOSTE, v. d'Italie, capit. de la *vallée d'Aoste*, sur la Doire Baltée; 37 000 hab. Centre commercial et touristique.

AOSTE *(vallée d'),* région autonome (depuis 1948) d'Italie, dans les Alpes occidentales, correspondant à la vallée de la Doire Baltée *(val d'Aoste)* et aux vallées latérales des affluents; 109 300 hab. *(Valdôtains).* Une partie de la population parle le français. La principale ressource est le tourisme (centres de sports d'hiver de Courmayeur et de Breuil-Cervinia).

AOUDH ou **OUDH,** anc. royaume de l'Inde, berceau des Aryens, auj. dans l'Uttar Pradesh.

AOÛT [u] ou [ut] n. m. (lat. *augustus*). Huitième mois de l'année. (→ MOIS.)

août 1789 *(nuit du 4)*, séance de l'Assemblée constituante pendant laquelle furent votés la suppression des derniers privilèges féodaux et le rachat des redevances seigneuriales.

août 1792 *(journée du 10)*, journée révolutionnaire marquée par l'insurrection parisienne contre les Tuileries, la constitution de la Commune et la chute de la royauté.

AOÛTAT [auta] n. m. (de *août*). Larve du trombidion dont la piqûre entraîne de vives démangeaisons. (Long. 1 mm.)

APACHES, Indiens du sud-ouest des États-Unis. À la fin du XIXe siècle, ils firent activement la guerre aux colons. Depuis lors, certains vivent encore dans les réserves (Arizona, Nouveau-Mexique, Texas, Oklahoma).

APAISER [apɛze] v. t. (de *paix*). **1.** *Apaiser qq'un*, le ramener à des sentiments de calme, de paix : *Apaiser un homme en colère* (syn. AMADOUER, RADOUCIR). *Apaiser le peuple par des promesses* (syn. CALMER; contr. EXCITER). — **2.** *Apaiser qqch.*, mettre fin à un mouvement, satisfaire un sentiment, un désir : *Apaiser sa soif* (syn. ÉTANCHER). *Apaiser sa faim* (syn. CALMER). ◆ ***s'apaiser*** v. pr. Devenir calme : *La tempête s'apaise* (syn. DÉCROÎTRE, TOMBER). *Sa colère s'est apaisée* (syn. SE CALMER). ◆ **apaisant, e** adj. : *Des paroles apaisantes.* ◆ **apaisement** n. m. : *Le gouvernement a donné des apaisements en ce qui concerne les augmentations d'impôt* (= a rassuré l'opinion).

APANAGE [apanaʒ] n. m. (de l'anc. fr. *apaner*, doter). **1.** Portion de domaine donnée par les souverains à leurs fils cadets ou à leurs frères, et revenant à la Couronne après l'extinction des descendants mâles de ces derniers. — **2.** *Être l'apanage de qq'un, d'un groupe*, lui appartenir en propre : *Les rhumatismes sont l'apanage de la vieillesse.* ‖ *Avoir l'apanage de qqch.*, être seul à en jouir : *Ne pas avoir l'apanage de la sagesse* (= ne pas en avoir l'exclusivité, le monopole).

APARTÉ [aparte] n. m. (lat. *a parte*, à part). Entretien assez bref que deux personnes tiennent en particulier pour ne pas être entendues des autres (syn. fam. MESSE BASSE). — LOC. ADV. *En aparté*, en confidence : *Il me raconta en aparté sa dernière aventure* (syn. EN TÊTE À TÊTE).

APARTHEID [apartɛd] n. m. (mot afrikaans). En Afrique du Sud, ségrégation systématique des gens de couleur, séparés des Blancs en toutes circonstances.
— ENCYCL. Appliqué progressivement à partir de 1913, l'*apartheid* s'est renforcé avec l'arrivée au pouvoir, en 1948, du parti nationaliste. Suscitant une opposition grandissante, il a été aboli — au moins au niveau des institutions — entre 1989 et 1991.

APATHIE [apati] n. f. (gr. *apatheia*, insensibilité). Manque permanent de réaction, dû à une absence de volonté, d'énergie ou de sensibilité : *Secouer son apathie* (syn. MOLLESSE; contr. ÉNERGIE). ◆ **apathique** adj. et n. : *Il a un caractère apathique* (syn. INDOLENT, MOU; contr. ACTIF, DYNAMIQUE, ÉNERGIQUE).

APATRIDE adj. et n. → PATRIE.

APCHÉRON, presqu'île de l'U. R. S. S., qui s'avance en mer Caspienne, dans le prolongement du Caucase. Là se trouve une partie du grand gisement pétrolier de Bakou; l'exploitation est pratiquée jusque dans la mer.

APELDOORN, v. des Pays-Bas, dans la Gueldre; 130 700 hab.

APENNIN (l') ou **APENNINS** (les), chaîne de montagnes formant l'axe de la péninsule italienne; 2 914 m au Gran Sasso. Au N. de la vallée du Tibre, l'Apennin septentrional a une topographie assez molle. L'Apennin central, avec le massif des Abruzzes, possède les plus hauts sommets, essentiellement calcaires. Vers le S., l'Apennin devient une suite de gros massifs calcaires dominant des dépressions argileuses. En Calabre apparaissent des massifs granitiques (Aspromonte, 1 956 m).

APERCEVOIR [apɛrsəvwar] v. t. (de *percevoir*). [Conj. **34.**] *Apercevoir qq'un, qqch.*, voir, après quelque recherche, une personne ou une chose que l'éloignement, la petitesse ou d'autres raisons empêchent de découvrir d'emblée (sens souvent très proche de VOIR) : *Apercevoir une lumière* (syn. DISCERNER). *Apercevoir la vérité* (syn. DEVINER, SAISIR). ◆ ***s'apercevoir*** v. pr. *S'apercevoir de qqch.* ou *que* (suivi de l'indic.; ou, parfois, littér., du subj. quand la principale est négative ou interrogative), en prendre conscience, remarquer que : *Je ne me suis pas aperçu que l'heure était déjà avancée* (syn. REMARQUER). ◆ **aperçu** [apɛrsy] n. m. Vue générale, le plus souvent schématique : *Ce résumé vous donnera un* *aperçu du livre* (syn. IDÉE, VUE). ◆ **entr'apercevoir** v. t. : *Je n'ai fait que l'entr'apercevoir* (= apercevoir un court instant).

APÉRITIF [aperitif] n. m. (du lat. *aperire*, ouvrir). Boisson alcoolisée que l'on prend avant le repas, sous prétexte de stimuler l'appétit (contr. DIGESTIF). ◆ **apéritif, ive** adj. : *Boisson, liqueur apéritive.* (→ DIGESTIF.)

APESANTEUR n. f. → PESANTEUR 2.

APÉTALES [apetal] n. f. pl. (de *a* priv., et *pétale*). Groupe de plantes dicotylédones dont les fleurs sont dépourvues de corolle, comme le *gui*, le *chêne*, le *saule*, l'*ortie*, l'*oseille*, la *betterave*.

À-PEU-PRÈS n. m. inv. → PRÈS.

APEURÉ, E adj. → PEUR.

APHASIE [afazi] n. f. (gr. *aphasia*, mutisme). Trouble du langage, dû à une lésion du cerveau. ◆ **aphasique** adj. et n.

APHÉLIE [afeli] n. m. (du gr. *apo*, loin, et *hêlios*, soleil). Point de l'orbite d'une planète ou d'une comète le plus éloigné du Soleil (contr. PÉRIHÉLIE).

APHIDIENS [afidjɛ̃] n. m. pl. (de *aphis*, mot créé par Linné). Famille d'insectes de l'ordre des homoptères, comprenant différents genres de pucerons (notamment le *phylloxéra*), en général très nuisibles aux plantes.

APHONE [afɔn] adj. (gr. *aphônos*). Se dit de quelqu'un qui n'a plus de voix : *Il était aphone à force d'avoir hurlé* (= sans voix).

APHORISME [afɔrism] n. m. (gr. *aphorismos*). Maxime concise à valeur très générale : *« Tel père, tel fils » est un aphorisme* (syn. PROVERBE).

APHRODISIAQUE [afrɔdizjak] adj. et n. m. (de *Aphrodite*). Se dit de certaines substances excitantes telles que le *champagne*, les *épices*, etc.

APHRODITE, déesse grecque de la Beauté et de l'Amour. Les Romains l'assimilèrent à *Vénus*.

APHTE [aft] n. m. (du gr. *aptein*, brûler). Petite ulcération qui siège sur les muqueuses. ◆ **aphteuse** [aftøz] adj. f. *Fièvre aphteuse*, maladie épidémique, due à un virus, atteignant les bestiaux (bœuf, vache, porc, mouton).

APHYLLE [afil] adj. (de *a* priv., et gr. *phullon*, feuille). Se dit de plantes dont la tige est dépourvue de feuilles, comme la *cuscute*.

API [api] n. m. (du n. d'*Appius*, qui, le premier, aurait cultivé des pommes de ce genre). Sorte de petite pomme rouge et blanche, ferme et sucrée : *Un api; une pomme d'api.*

APIA, capit. des Samoa ; 33 000 hab.

APICULTURE [apikyltyr] n. f. (du lat. *apis*, abeille, et *culture*). Art d'élever les abeilles pour la production du miel, de la cire, etc. ◆ **apiculteur** n. m. Personne qui fait l'élevage des abeilles. ◆ **apicole** adj. Qui concerne l'élevage des abeilles.

APIDÉS [apide] n. m. pl. (du lat. *apis*, abeille). Famille d'insectes hyménoptères comprenant l'*abeille domestique* et les *abeilles sauvages*.

APIS, taureau sacré des Égyptiens auquel on rendait un culte.

APITOIEMENT n. m., **APITOYER** v. t., **S'APITOYER** v. pr. → PITIÉ.

APLANIR [aplanir] v. t. (du lat. *planus*, uni). **1.** *Aplanir une surface*, la rendre unie alors qu'elle était inégale : *Aplanir un terrain* (syn. NIVELER). — **2.** *Aplanir une chose*, en diminuer la rudesse, supprimer ce qui fait obstacle : *Les difficultés sont aplanies* (syn. SUPPRIMER). ◆ **s'aplanir** v. pr. Devenir uni, facile : *Les obstacles se sont aplanis.* ◆ **aplanissement** n. m. : *L'aplanissement des difficultés* (syn. SUPPRESSION). [→ PLAN 1.]

APLASIE [aplazi] n. f. (de *a* priv., et gr. *plassein*, façonner). *Méd.* Absence de développement d'un tissu, d'un organe.

APLAT [apla] n. m. (de *aplatir*). Teinte unie, dans une peinture, une gravure, un imprimé.

APLATIR v. t., **APLATISSEMENT** n. m. → PLAT 1 et 2.

1. APLOMB [aplɔ̃] n. m. (de *à plomb*, à la perpendiculaire). **1.** Verticalité parfaite donnée par la direction du fil à plomb : *Vérifier l'aplomb d'un mur.* — **2.** État d'équilibre, de stabilité : *Perdre son aplomb;* surtout dans la loc. adv. *d'aplomb : Il ne tient pas d'aplomb* (= perpendiculairement). *Je ne suis pas d'aplomb* (= je ne me sens pas bien). ◆ **aplombs** n. m. pl. Position des membres d'un animal par rapport au sol.

2. APLOMB [aplɔ̃] n. m. (même étym). *Péjor.* Assurance effrontée, audace qui ne recule devant rien : *Quel aplomb!* (syn. fam. TOUPET; contr. RÉSERVE, TIMIDITÉ).

APNÉE [apne] n. f. (de *a* priv., et gr. *pnein*, respirer). Arrêt plus ou moins prolongé de la respiration.

APOCALYPSE [apɔkalips] n. f. (gr. *apokalupsis*, révélation). Événement épouvantable, catastrophe dont l'étendue et la gravité sont comparables à la fin du monde : *Un paysage d'apocalypse.* (L'Apocalypse est le livre du Nouveau Testament où saint Jean fait état de révélations qui embrassent la totalité des temps.) ◆ **apocalyptique** adj. : *Une vision apocalyptique* (syn. ÉPOUVANTABLE).

APOCOPE [apɔkɔp] n. f. (du gr. *apokoptein*, retrancher). Retranchement d'une lettre, d'une ou de plusieurs syllabes à la fin d'un mot : *Les abréviations « ciné », « métro », « moto » sont des exemples d'apocopes.*

APOCRYPHE [apɔkrif] adj. (du gr. *apokruptein*, cacher). *Texte apocryphe*, texte qui n'est pas authentique, qui est douteux, suspect (contr. AUTHENTIQUE).

APODE [apɔd] adj. (gr. *apodos*). Se dit d'un animal qui n'a pas de pieds, de pattes. ◆ **apodes** n. m. pl. **1.** Ordre de batraciens sans membres. — **2.** Sous-ordre de poissons sans nageoires ventrales *(anguilles, congres, murènes).*

APOGÉE [apɔʒe] n. m. (gr. *apogeios*, éloigné de la Terre). **1.** *Astron.* Point de l'orbite d'un astre ou d'un satellite artificiel où il se trouve le plus éloigné de la Terre (contr. PÉRIGÉE). — **2.** Le plus haut degré que l'on puisse atteindre (suivi d'un compl. ou accompagné d'un adj. poss.) : *Il est maintenant à l'apogée des honneurs* (syn. FAÎTE, SOMMET).

APOLITIQUE adj., **APOLITISME** n. m. → POLITIQUE.

APOLLINAIRE (Wilhelm Apollinaris DE KOSTROWITZKY, dit **Guillaume**). Poète et écrivain français (1880-1918). Très tôt mêlé aux milieux littéraires et artistiques, il s'intéresse aussi bien aux œuvres du passé qu'aux initiatives de l'avant-garde (peinture cubiste). Il écrit des romans (*le Poète assassiné*, 1916), des nouvelles, des essais (*les Peintres cubistes*, 1913). Mais c'est surtout dans la poésie qu'il s'affirme avec éclat, avec deux recueils qui comptent parmi les œuvres capitales de la poésie moderne. Dans *Alcools* (1913), il traite des thèmes traditionnels (l'amour, la mort) en supprimant toute ponctuation; les plus célèbres poèmes de ce recueil sont : *le Pont Mirabeau, Zone, la Chanson du Mal-Aimé.* Dans *Calligrammes* (1918), il cherche à représenter visuellement, par la disposition des lettres, des mots et des vers, les objets qui forment le thème du poème (montre, cravate, jet d'eau, etc.). Engagé volontaire, il fut grièvement blessé à la guerre et mourut emporté par l'épidémie de grippe de 1918. Sa sensibilité délicate, ses tentatives pour créer des formes nouvelles en font un des annonciateurs du surréalisme et un des plus grands poètes modernes.

APOLLON. *Myth. gr.* Le plus beau des dieux, celui du Jour et du Soleil, fils de Zeus. Il avait à Delphes un sanctuaire et un oracle.

APOLLON [apɔlɔ̃] n. m. (de *Apollon*). Jeune homme très beau.

Apollon du Belvédère (l'), statue antique considérée comme le type de la beauté classique.

APOLOGIE [apɔlɔʒi] n. f. (gr. *apologia*, défense). Discours écrit ou oral qui défend, justifie, loue une personne ou une chose (surtout avec *faire*) : *Faire l'apologie de qq'un* (syn. ÉLOGE). *Faire l'apologie du crime* (syn. PANÉGYRIQUE). ◆ **apologétique** adj. Qui contient une apologie; qui tient de l'apologie : *Une lettre apologétique.* ◆ n. f. Partie de la théologie qui a pour objet de défendre la religion chrétienne contre les attaques. ◆ **apologiste** n. : *Se faire l'apologiste acharné d'une cause* (syn. AVOCAT, DÉFENSEUR).

APOLOGUE [apɔlɔg] n. m. (gr. *apologos*, récit). Récit en prose ou en vers qui a une intention moralisatrice : *Les apologues d'Ésope, de Phèdre* (syn. FABLE).

APONÉVROSE [apɔnevroz] n. f. (gr. *aponeurôsis*, durcissement en tendons). Membrane conjonctive qui enveloppe les muscles et dont les prolongements ou tendons fixent les muscles aux os.

APOPHYSE [apɔfiz] n. f. (gr. *apo*, hors de, et *phusis*, croissance). Excroissance naturelle de la surface d'un os.

APOPLEXIE [apɔplɛksi] n. f. (du gr. *apoplêttein*, renverser). Arrêt brutal du fonctionnement d'un organe ou de l'organisme tout entier. ◆ **apoplectique** adj. Relatif à l'apoplexie. ◆ adj. et n. Prédisposé à l'apoplexie.

APOSTASIE [apɔstazi] n. f. (gr. *apostasia*, abandon). *Péjor.* Renonciation publique à une religion, à une doctrine ou à un parti (syn. ABJURATION, RENIEMENT). ◆ **apostasier** v. i. et t. ◆ **apostat, e** adj. et n. Qui a apostasié.

A POSTERIORI [apɔsterjɔri] loc. adv. et adj. (mots lat. signif. *en partant de ce qui vient après*). En se fondant sur l'expérience.

sur les faits constatés; en considérant les résultats : *On ne s'aperçoit trop souvent qu'« a posteriori » de ses erreurs* (contr. A PRIORI).

APOSTILLE [apɔstij] n. f. (de l'anc. fr. *postille*, annotation). Addition faite en marge d'un acte juridique.

APOSTOLAT n. m., **APOSTOLIQUE** adj. ⟶ APÔTRE.

1. APOSTROPHE [apɔstrɔf] n. f. (du gr. *apostrephein*, détourner). **1.** Figure de style par laquelle on suspend un récit, un discours, pour s'adresser directement à une personne ou à une chose personnifiée. ‖ *Mot mis en apostrophe* ⟶ FONCTION 1. — **2.** Interpellation brusque, et parfois brutale, adressée à quelqu'un. ◆ **apostropher** v. t. *Apostropher qq'un*, s'adresser à lui brusquement, parfois d'une manière brutale, impolie.

2. APOSTROPHE [apɔstrɔf] n. f. (gr. *apostrophos*). Signe graphique de l'élision ('). [L'apostrophe est employée avec les mots *le, la, je, me, te, se, ne, de, que, ce* devant un mot commençant par une voyelle ou un *h* muet; avec *si* devant *il;* avec *lorsque, puisque, quoique* devant *il, elle, en, on, un, une;* avec *quelque* devant *un, une;* etc.]

APOTHÈME [apɔtɛm] n. m. (du gr. *apotithenai*, abaisser). *Math.* Segment issu du centre d'un polygone régulier et perpendiculaire à un de ses côtés : *L'aire de la surface limitée par un polygone régulier est égale au produit du demi-périmètre de ce polygone par la longueur de son apothème.*

APOTHÉOSE [apɔteoz] n. f. (gr. *apotheôsis*). **1.** Dans l'Antiquité, déification des empereurs romains, des héros après leur mort. — **2.** Honneurs extraordinaires rendus à une personne : *Les obsèques de Victor Hugo furent une apothéose* (syn. CONSÉCRATION). — **3.** Dernière partie, et la plus brillante, d'une manifestation artistique (syn. BOUQUET).

APOTHICAIRE [apɔtikɛr] n. m. (du gr. *apothêkê*, magasin). *Compte d'apothicaire*, compte très compliqué et très obscur, ou laissant présumer un montant fortement majoré. (*Apothicaire* est l'appellation ancienne du pharmacien.)

APÔTRE [apotr] n. m. (gr. *apostolos*, envoyé de Dieu). **1.** Nom donné aux douze disciples de Jésus et à ceux qui ont porté les premiers l'Évangile dans un pays. ⟶ ENCYCL. — **2.** *Se faire l'apôtre d'une doctrine, d'une opinion*, en être le propagandiste ardent. — **3.** *Faire le bon apôtre*, se dit péjor. de quelqu'un qui, sous des dehors de bonhomie, tente de duper, de tromper. ◆ **apostolat** [apɔstɔla] n. m. Mission d'un apôtre ou d'un propagandiste : *Il cherche à convaincre, et il y a chez lui un goût de l'apostolat* (syn. PROSÉLYTISME). ◆ **apostolique** adj. : *Une vertu apostolique* (= conforme à l'exemple des apôtres).
— ENCYCL. Les premiers disciples de Jésus-Christ ont d'abord été ceux de Jean-Baptiste : André et Pierre, et les fils de Zébédée, Jacques, dit *le Majeur*, et Jean, tous quatre pêcheurs fixés sur les bords du lac de Tibériade. Par la suite, Jésus se choisit huit disciples, qu'il appela *apôtres :* Philippe, Barthélemy, Matthieu, Thomas, Jacques, dit *le Mineur*, Simon, Jude et Judas *l'Iscariote*, qui fut traître. La personnalité exceptionnelle de Paul lui permettra d'être admis parmi les Apôtres, bien qu'il n'ait pas connu Jésus vivant.

APPALACHES *(monts)*, massif montagneux de l'est de l'Amérique du Nord, entre l'estuaire du Saint-Laurent et l'Alabama; 2 037 m au mont Mitchell, dans le Sud. Ce massif a donné son nom à un type de relief. (⟶ APPALACHIEN.) À l'O. de la chaîne s'étend le *plateau appalachien*, formé d'une pénéplaine (1 261 m dans les Catskill); à l'E., le *plateau du Piedmont* est incliné vers la plaine côtière. Les ressources minières sont très importantes : le bassin charbonnier, aux réserves gigantesques, fournit la majeure partie de la production houillère des États-Unis. Gisements de minerai de fer dans le Sud.

APPALACHIEN, ENNE [apalaʃjɛ̃, -ɛn] adj. **1.** Relatif aux Appalaches. — **2.** *Relief appalachien*, type de relief formé de crêtes parallèles de hauteur relativement constante, séparées par des dépressions allongées. ⟶ schéma ci-dessous.
— ENCYCL. Le *relief appalachien* résulte d'une reprise d'érosion sur une pénéplaine développée dans une zone de terrains alternativement durs et tendres, anciennement plissée. L'érosion déblaye les couches tendres et remet en valeur les couches dures.

1. APPARAÎTRE [aparɛtr] v. i. (du lat. *apparere*). [Conj. **64;** auxil. *être* ou rarement *avoir.*] **1.** *Apparaître à qq'un* (suivi d'un attribut), se présenter à lui sous tel ou tel aspect : *Ces chansons nous apparaissent aujourd'hui démodées* (syn. PARAÎTRE, SEMBLER). — **2.** *Il apparaît que* (suivi de l'indic. quand la principale est positive, et du subj. lorsqu'elle est négative ou interrogative), on constate, on reconnaît que : *Il apparaît, d'après l'enquête, que le crime a été commis par ce suspect* (syn. RESSORTIR, RÉSULTER). *Il n'apparaît pas que tous aient compris* (= il ne semble pas).

2. APPARAÎTRE [aparɛtr] v. i. (même étym.). [Conj. **64;** auxil. *être.*] Se montrer brusquement, d'une manière inattendue : *Les montagnes apparurent au loin* (syn. SE DÉCOUVRIR, SE DÉTACHER; contr. DISPARAÎTRE). *Une voiture apparut brusquement* (syn. SURVENIR). *La vérité apparaîtra un jour ou l'autre* (syn. SE FAIRE JOUR, SURGIR). ◆ **réapparaître** v. i. (auxil. *avoir* ou *être*). Apparaître de nouveau après une absence. ◆ **apparition** [aparisjɔ̃] n. f. **1.** Action, pour une personne, de paraître en un lieu; fait, pour une chose, d'être visible, de se manifester : *Il n'a fait qu'une brève apparition. L'apparition d'une maladie* (syn. COMMENCEMENT, DÉBUT; contr. DISPARITION). — **2.** Manifestation d'un être surnaturel, d'un fantôme : *Croire aux apparitions.* ◆ **réapparition** n. f. : *On signale la réapparition de l'épidémie dans certains quartiers.*

APPARAT [apara] n. m. (lat. *apparatus*, préparatifs). *Avec apparat, en grand apparat*, avec un grand déploiement de faste (syn. POMPE, SOLENNITÉ; contr. SIMPLICITÉ). ‖ *D'apparat*, qui se fait avec solennité, qui s'accompagne de luxe, d'ostentation : *Habit, tenue d'apparat* (= revêtus pour les cérémonies solennelles).

APPAREIL [aparɛj] n. m. (du lat. *apparare*, préparer) [souvent suivi d'un adj. ou d'un compl. qui limite l'extension du terme]. **1.** Groupe de pièces disposées pour fonctionner ensemble; dispositif : *Un aspirateur est un appareil électrique.* — **2.** Ensemble d'organes qui assurent une fonction du corps : *L'appareil digestif.* — **3.** (sans adj.) Téléphone : *Qui est à l'appareil?;* avion : *L'appareil a décollé.* — **4.** Ensemble des organismes constituant un syndicat, un parti, etc. : *L'appareil syndical.* — **5.** Taille et dispo-

RELIEF APPALACHIEN. Les hautes surfaces, d'altitude à peu près constante, sont les témoins de l'ancienne surface d'érosion. Le réseau hydrographique ne tient pas compte de la structure.

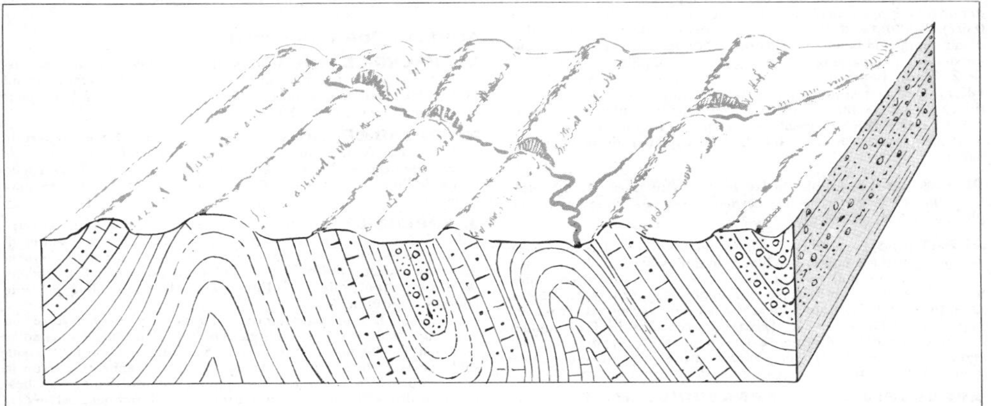

sition des pierres dans une construction. — **6.** *Dans le plus simple appareil*, nu. ◆ **appareillage** n. m. : *Appareillage électrique*, ensemble des appareils employés dans les installations électriques.

APPAREILLAGE n. m. ⟶ APPAREIL et APPAREILLER 1.

APPAREILLEMENT n. m. ⟶ APPAREILLER 2.

1. APPAREILLER [aparɛje] v. i. (de *appareil*). *Navire qui appareille*, qui quitte le port et prend sa route. ◆ **appareillage** n. m. Ensemble des manœuvres à exécuter pour qu'un navire quitte le port.

2. APPAREILLER [aparɛje] v. t. (de *pareil*). Grouper des objets pareils, pour former un ensemble : *Appareiller des couverts* (contr. DÉPAREILLER). ◆ ***s'appareiller*** v. pr. S'accoupler, en parlant des animaux. ◆ **appareillement** n. m. **1.** Action d'appareiller, de grouper des objets pareils : *L'appareillement d'un service de table*. — **2.** Accouplement de deux animaux pour la reproduction.

APPARENCE [aparɑ̃s] n. f. (du lat. *apparere*, apparaître). **1.** Aspect extérieur qui répond plus ou moins à la réalité : *Il ne faut pas se fier aux apparences. Sous une apparence souriante, il cache une réelle dureté* (syn. DEHORS, EXTÉRIEUR). *Sauver les apparences* (= ne rien montrer qui puisse nuire à sa propre réputation). — **2.** *En apparence*, à en juger par l'extérieur. ‖ *Selon toute apparence*, d'une manière vraisemblable, d'après ce que l'on sait. ◆ **apparent, e** adj. **1.** Se dit de quelque chose qui apparaît clairement, qui est visible à tous : *Il porte ses décorations de manière apparente* (syn. OSTENSIBLE; contr. DISCRET). *Sans raison apparente, il nous a quittés* (syn. MANIFESTE). — **2.** Se dit de quelque chose dont l'aspect ne correspond pas à la réalité : *Une politesse apparente qui cache une hostilité réelle* (syn. TROMPEUR). ◆ **apparemment** adv. À en juger par l'extérieur; selon ce qui apparaît.

APPARENTÉ (ÊTRE) [aparɑ̃te] v. passif [**à**] (de *parent*). **1.** Être parent ou allié d'une famille. — **2.** Présenter des traits communs avec quelque chose. — **3.** (sujet nom de personne) Avoir une attitude politique proche de celle d'un groupement politique déterminé : *Un député qui est apparenté à l'U. D. R.* ◆ ***s'apparenter*** v. pr. [**à**]. **1.** (sujet nom de personne) S'allier par le mariage à une famille. — **2.** (sujet nom de chose) Avoir des traits communs avec quelque chose. ◆ **apparentement** n. m. **1.** État de celui qui est apparenté politiquement (sens 3 du v.). — **2.** Alliance électorale permise entre plusieurs listes par certains systèmes électoraux.

APPARIER v. t. ⟶ PAIRE.

APPARITEUR [aparitœr] n. m. (lat. *apparitor*). Huissier attaché à une faculté.

APPARITION n. f. ⟶ APPARAÎTRE 2.

APPARTEMENT [apartəmɑ̃] n. m. (it. *appartamento*). Partie d'un immeuble composée de plusieurs pièces qui servent d'habitation.

APPARTENIR [apartənir] v. t. ind. [**à**] (du lat. *pertinere*, se rattacher à). [Conj. **22.**] **1.** (sujet nom de chose) Être la propriété de quelqu'un; être à sa disposition : *Ce stylo vous appartient-il?* (= est-il à vous?). — **2.** (sujet nom de personne ou de chose) Faire partie de : *Cela n'appartient pas à mon sujet* (syn. CONCERNER). *Cette pièce appartient au genre comique* (syn. RELEVER DE). — **3.** *Il appartient à qq'un de (faire)*, il est de son devoir, de son droit de (faire). ◆ ***s'appartenir*** v. pr. *Ne pas s'appartenir*, ne pas être libre d'agir comme on l'entend. ◆ **appartenance** n. f. **1.** Fait, pour une personne, d'appartenir à un groupe politique, social, etc. — **2.** *Math.* Relation entre ensembles qui est une notion* première, donc non définissable à partir d'autres notions mathématiques. (⟶ ENSEMBLE.) [Si E et F sont deux ensembles, la relation $E \in F$ se lit « E est élément de F » ou « E appartient à F ». Si E n'est pas élément de F, on note $E \notin F$ la relation de non-appartenance.]

APPAS [apɑ] n. m. pl. (du lat. *pastus*, nourriture). **1.** Attraits : *Les appas de la gloire*. — **2.** Charmes physiques d'une femme, et, plus spécialem., sa poitrine.

APPÂT [apɑ] n. m. (du lat. *pastus*, nourriture). **1.** Ce dont on se sert pour attirer le poisson, le gibier, et qui est fixé sur le piège lui-même (syn. AMORCE). — **2.** *L'appât de qqch.*, ce qui excite quelqu'un à faire quelque chose : *L'appât du gain* (syn. DÉSIR). ◆ **appâter** v. t. **1.** *Appâter un gibier, un poisson*, les attirer par un appât (syn. AMORCER). — **2.** *Appâter des volailles*, les faire manger de force une pâtée destinée à les engraisser : *Appâter des oies* (syn. GAVER). — **3.** *Appâter qq'un*, l'attirer par quelque chose d'alléchant : *Il cherche à l'appâter par des promesses* (syn. SÉDUIRE).

APPAUVRIR v. t., **APPAUVRISSEMENT** n. m. ⟶ PAUVRE 1.

APPEAU [apo] n. m. (de *appel*). Sifflet avec lequel on imite le cri des animaux pour les attirer.

APPEL n. m. ⟶ APPELER 1 et 2.

APPELANT, E adj. et n., **APPELÉ** n. m. ⟶ APPELER 1.

1. APPELER [aple] v. t. (lat. *appellare*). [Conj. **6.**] **1.** *Appeler une personne, un animal*, les faire venir, attirer leur attention, les engager à agir, par un cri, un geste, etc., ou par un message, un ordre : *Appeler de loin* (syn. HÉLER). *Il a été appelé à comparaître devant le tribunal* (syn. CITER). *Être appelé sous les drapeaux* (= être incorporé dans l'armée). *Appeler le peuple aux armes* (= le soulever). — **2.** *Appeler qq'un à une fonction*, l'y désigner : *Le général est appelé à un nouveau commandement* (syn. NOMMER). — **3.** (sujet nom de chose) *Appeler (qqch.)*, rendre nécessaire, entraîner comme conséquence : *Sa mauvaise conduite appelle une sanction* (syn. EXIGER, RÉCLAMER). *Cet exploit est appelé à passer à la postérité* (syn. DESTINER). — **4.** (sujet nom de personne) *En appeler à*, s'en remettre à : *J'en appelle à votre discrétion.* ‖ (sujet nom de chose) *En appeler*, avoir pour conséquence : *Un coup en appelle un autre* (syn. ENTRAÎNER). ‖ *Appeler l'attention de qq'un sur qqch.*, l'engager à réfléchir, à prendre en considération quelque chose (syn. ATTIRER). ◆ **appel** [apɛl] n. m. **1.** *Un appel au secours. À cet appel, les dons affluèrent* (syn. DEMANDE). *L'appel à l'autorité internationale* (syn. RECOURS). *Un appel à la révolte* (syn. EXCITATION). — **2.** *Dr.* Voie de recours qui a pour objet de faire réformer par une juridiction supérieure un jugement rendu en premier ressort : *Ce jugement est sans appel* (= irrévocable). — **3.** *Mil.* Ensemble des opérations par lesquelles les jeunes gens appartenant à un contingent sont convoqués pour accomplir leur service national : *Devancer l'appel*. — **4.** En sports, phase du saut qui succède à la course d'élan et par laquelle commence le saut proprement dit, le sauteur frappant le sol du pied pour bondir avec plus de force. — **5.** *Appel d'air*, aspiration d'air qui facilite la combustion dans un foyer. — **6.** *Appel de fonds*, demande de versements d'argent. — **7.** Fam. *Un appel du pied*, une invite. ‖ *Un appel téléphonique*, un coup de téléphone. ‖ *Faire appel à qq'un ou à qqch.*, invoquer leur intervention : *Je fais appel à votre bonté* (syn. SOLLICITER). ◆ **appelant, e** n. et adj. *Dr.* Celui, celle qui appelle d'un jugement. ◆ **appelé** n. m. Jeune homme accomplissant son service national.

2. APPELER [aple] v. t. (même étym.). [Conj. **6.**] (Sujet nom de personne.) **1.** *Appeler qq'un, qqch.*, lui donner un nom, une qualification : *On l'appela Jean* (syn. PRÉNOMMER). *Comment l'appelle-t-on?* (syn. NOMMER). *J'appelle cela une stupidité* (syn. QUALIFIER). — **2.** *Appeler qq'un*, vérifier sa présence en prononçant son nom : *Appeler les élèves d'une classe* (syn. FAIRE L'APPEL DE). ◆ ***s'appeler*** v. pr. **1.** Avoir comme nom : *Il s'appelle André* (syn. SE NOMMER). — **2.** *Voilà qui s'appelle parler*, voilà une manière franche et vigoureuse de s'exprimer. ◆ **appel** n. m. : *Faire l'appel*, vérifier la présence de personnes dans un groupe (classe, section, etc.) en prononçant leurs noms. ◆ **contre-appel** n. m. Second appel pour vérifier le premier. ‖ Pl. des *contre-appels*. ◆ **appellation** n. f. Nom donné à une chose, ou qualificatif appliqué à une personne : *Ce vin est d'appellation contrôlée* (= d'un lieu de récolte vérifié). *L'appellation d'origine* (syn. DÉNOMINATION, NOM). *Une appellation injurieuse* (syn. MOT). [⟶ RAPPELER.]

APPELL (Paul), mathématicien français (1855-1930). Il étudia surtout les fonctions algébriques et l'application des mathématiques à la mécanique.

APPELLATION n. f. ⟶ APPELER 2.

1. APPENDICE [apɛ̃dis] n. m. (lat. *appendix*, ce qui est suspendu). Ensemble de remarques, de notes ou de textes qui, n'ayant pu trouver place dans le corps d'un livre, ont été mis à la fin pour le compléter (syn. SUPPLÉMENT).

2. APPENDICE [apɛ̃dis] n. m. (même étym.). **1.** Ce qui sert de prolongement à une partie principale : *Appendice en forme de langue, de bec*. — **2.** Nom donné à certains organes fixés sur le corps des insectes, des crustacés (pattes, antennes, pièces buccales).

3. APPENDICE [apɛ̃dis] n. m. (même étym.). *Anat.* Diverticule creux, en forme de doigt de gant, abouché au cæcum (il mesure de 6 à 10 cm de long) : *Le chirurgien lui a enlevé l'appendice*. ◆ **appendicite** n. f. Inflammation de l'appendice. ◆ **appendicectomie** n. f. Enlèvement de l'appendice par une opération chirurgicale.

— ENCYCL. L'*appendice* (abrév. d'*appendice vermiculaire* ou *appendice iléo-cæcal*) est un organe inutile. Pourtant, les maladies qu'il peut causer sont parfois graves. Son inflammation est responsable de la crise d'*appendicite aiguë* qui se manifeste par de la température, des vomissements et une violente douleur au bas-ventre à droite. L'intervention chirurgicale, d'urgence, est nécessaire pour éviter la *péritonite* (= inflammation du péritoine).

APPENTIS [apɑ̃ti] n. m. (du lat. *appendere*, suspendre). **1.** Petit toit à une seule pente, appuyé du faîte à un mur, et dont la partie inférieure est soutenue par des poteaux. — **2.** Petit bâtiment adossé contre un grand.

APPENZELL, cant. de Suisse, enclavé dans celui de Saint-Gall, et divisé depuis 1597, pour des raisons religieuses, en deux demi-cantons : *Rhodes-Extérieures,* à majorité protestante (48 700 hab.; ch.-l. *Herisau*), et *Rhodes-Intérieures,* entièrement catholique (13 400 hab.; ch.-l. *Appenzell*).

APPERT (Nicolas), inventeur français (1749-1841). Ses recherches portèrent sur la conservation des aliments par la chaleur et conduisirent à la création des industries de la conserve.

APPESANTIR [apəzɑ̃tir] v. t. (de *pesant*). **1.** *Appesantir qq'un, qqch.,* le rendre moins rapide, moins vif : *L'âge appesantit sa démarche* (syn. ALOURDIR). — **2.** (sujet nom de personne) *Appesantir son autorité sur qq'un,* la faire peser plus lourdement. ◆ ***s'appesantir*** v. pr. **1.** Devenir plus lourd, plus pesant : *Il sentait sa tête s'appesantir sous l'effet du vin* (syn. S'ALOURDIR). — **2.** *S'appesantir sur qqch.,* s'y attarder, insister dessus : *S'appesantir sur des détails.* ◆ **appesantissement** n. m. État d'une personne que l'âge, la maladie ont rendu moins active.

APPÉTIT [apeti] n. m. (lat. *appetitus*, désir). **1.** Désir par lequel se manifeste le besoin de manger : *Elle a un appétit d'oiseau* (= très petit). — **2.** *Rester sur son appétit,* ne pas satisfaire entièrement son besoin de manger; n'être pas satisfait de ce qu'on vient de voir, d'entendre, de lire, etc. (syn. RESTER SUR SA FAIM). ◆ **appétence** n. f. Désir qui porte vers tout objet propre à satisfaire un penchant naturel et, en particulier, qui porte à désirer un aliment. ◆ **inappétence** n. f. Défaut d'appétit, dégoût pour les aliments. ◆ **appétissant, e** adj. **1.** Qui excite le désir de manger : *Un plat appétissant* (syn. ALLÉCHANT). — **2.** Qui met en goût, plaît (syn. ENGAGEANT).

APPIEN, historien grec, né à Alexandrie (v. 95 apr. J.-C.), auteur d'une *Histoire romaine.*

Appienne *(voie),* en lat. *via Appia,* voie romaine qui allait de Rome à Brindisi et fut commencée par Appius Claudius (312 av. J.-C.). Elle était bordée de tombeaux, dont les restes subsistent.

APPLAUDIR [aplodir] v. t. et i. (lat. *applaudere*). **1.** *Applaudir qq'un* ou *qqch.,* les louer ou les approuver en battant des mains, en frappant des pieds, etc., lors d'une représentation, d'un discours, etc. : *L'assemblée, debout, applaudit l'orateur* (syn. ACCLAMER; contr. HUER). — **2.** *Applaudir à une chose,* l'approuver entièrement : *J'applaudis à votre initiative* (syn. SE RÉJOUIR DE). ◆ **applaudissement** n. m. Battement de mains en signe d'acclamation (contr. HUÉES, SIFFLETS).

APPLICABLE adj. → APPLIQUER 2.

APPLICATION n. f. → APPLIQUER 1, 2 et 3.

APPLIQUE n. f. → APPLIQUER 1.

APPLIQUÉ, E adj. → APPLIQUER 3.

1. APPLIQUER [aplike] v. t. (lat. *applicare*). *Appliquer une chose* (objet, matière) *sur, contre, à,* mettre cette chose sur une autre de manière qu'elle y adhère, la poser, la plaquer contre ou sur quelque chose : *Appliquer une couche de vernis* (syn. ÉTENDRE, PASSER). *Appliquer une échelle contre un mur* (syn. APPUYER). ◆ ***s'appliquer*** v. pr. Être posé, mis : *Cet enduit s'applique bien sur le plafond.* ◆ **application** n. f. : *L'application de papier peint sur le mur* (syn. POSE). ◆ **applique** n. f. Objet fixé au mur d'une manière permanente, en particulier pour servir à l'éclairage de la pièce.

2. APPLIQUER [aplike] v. t. (même étym.). *Appliquer qqch.* (sans compl., ou avec *à* suivi d'un substantif ou d'un infin.), mettre en pratique un procédé, une théorie; faire porter une action sur quelque chose ou sur quelqu'un : *Appliquer la loi. Appliquer une peine rigoureuse à un accusé* (syn. INFLIGER). ◆ ***s'appliquer*** v. pr. : *Ce jugement s'applique parfaitement à son cas* (syn. CONVENIR, CORRESPONDRE). ◆ **applicable** adj. : *La loi est applicable aux mineurs dans ce cas.* ◆ **inapplicable** adj. ◆ **application** n. f. **1.** *L'application des décisions prises par le congrès* (syn. MISE EN PRATIQUE). *Les applications pratiques d'une découverte* (syn. UTILISATION). — **2.** *École d'application,* école où de jeunes officiers d'active provenant des écoles de formation reçoivent une instruction technique particulière : *L'école d'application de l'artillerie à Châlons-sur-Marne.* — **3.** *Math.* → ENCYCL. ◆ **inapplication** n. f. : *L'inapplication d'un règlement.*

— ENCYCL. *Application f d'un ensemble E dans un ensemble F :* relation* binaire (ou correspondance) entre les éléments de E et ceux de F telle que pour tout élément x de E, *il existe* un élément de F, *et un seul,* noté $f(x)$, qui lui corresponde.

E est l'*ensemble de définition,* ou l'*ensemble de départ* de l'application; F en est l'*ensemble d'arrivée.* L'élément $f(x)$ de F est l'*image* de x par l'application f. On note la situation précédente par

$$f : E \longrightarrow F \qquad \text{ou} \qquad f : E \longrightarrow F$$
$$x \longmapsto f(x) \qquad\qquad x \leadsto f(x)$$

Une application f de E dans F est donc une fonction* de E dans F telle que tout élément de E ait une image dans F. Si A est une partie de E, on note $f < A >$ ou $f^{+}(A)$ [ou encore $f(A)$, mais cette notation ambigue est à éviter] l'ensemble des images $f(x)$, lorsque x décrit la partie A; $f < A >$ est une partie de F.

Application surjective, ou surjection : Si tout élément de F est l'image d'*au moins* un élément de E.

Application injective, ou injection : Si tout élément de F est l'image d'*au plus* un élément de E.

Application bijective, ou bijection : Si elle est à la fois injective et surjective, c'est-à-dire si tout élément de F est l'image d'*un et d'un seul* élément de E.

■ *Composition des applications.* Si E, F, G sont trois ensembles, f une application de E dans F, g une application de F dans G, on définit une application h de E dans G qui, à tout élément x de E, associe l'élément $h(x) = g[f(x)]$ de G.

L'application h est appelée *application composée* de f par g et se note $h = g \circ f$ (lire « g rond f » mais remarquer que f est appliquée avant g).

L'opération qui à f et g associe $h = g \circ f$ est la *composition des applications. Propriétés :* la composition des applications est associative*, mais non commutative*. La composée de deux bijections est une bijection.

La relation réciproque* d'une application f est une bijection si, et seulement si, f est une bijection.

Application identique ou identité : application f d'un ensemble E dans lui-même telle que, pour tout élément x de E, $f(x) = x$.

→ illustration en couleurs pp. 80-81.

3. APPLIQUER (S') [saplike] v. pr. (même étym.) [sujet nom de personne]. *S'appliquer à qqch., à faire qqch.,* y porter beaucoup de soin, d'attention : *S'appliquer à son travail. S'appliquer à bien faire* (syn. S'EMPLOYER). ◆ **appliqué, e** adj. Attentif à son travail : *Un élève appliqué* (syn. STUDIEUX, TRAVAILLEUR). ◆ **application** n. f. : *Travailler avec application* (syn. ZÈLE). ◆ **inappliqué, e** adj. ◆ **inapplication** n. f.

APPOGGIATURE [apɔdʒjatyr] n. f. (de l'it. *appoggiare*, appuyer). Petite note de musique voisine d'une note principale et qui lui sert d'ornement.

APPOINT [apwɛ̃] n. m. (de *point*). **1.** *Donner, faire l'appoint,* compléter une somme donnée en billets avec de la menue monnaie. — **2.** (suivi d'un compl. du nom ou accompagné d'un adj.) Aide qui vient s'ajouter : *L'entrée des États-Unis dans la guerre constitua pour les Alliés un appoint décisif* (syn. APPUI).

APPOINTÉ, E [apwɛ̃te] adj. et n. (de *point*). Se dit de quelqu'un qui reçoit un salaire attaché à une fonction ou à un emploi : *Il est appointé au mois.* ◆ **appointements** n. m. pl. : *Ses appointements sont insuffisants* (syn. TRAITEMENT [d'un fonctionnaire], SALAIRE [d'un ouvrier]).

APPONTEMENT [apɔ̃tmɑ̃] n. m. (de *pont*). Plate-forme fixe le long de laquelle un navire vient s'amarrer pour le chargement ou le déchargement.

1. APPORTER [apɔrte] v. t. (lat. *apportare*). **1.** (sujet nom de personne, de véhicule, etc.) *Apporter qqch.,* le porter à un endroit, le porter avec soi : *L'avion a apporté ces fleurs dans la journée* (syn. TRANSPORTER). — **2.** (sujet nom de personne) Syn. de METTRE, DONNER, avec une valeur un peu plus précise : *Il nous apporte des nouvelles de votre fils* (syn. DONNER). *Apporter du soin à exécuter un travail* (syn. METTRE). *Apporter des preuves* (syn. ALLÉGUER, FOURNIR). ◆ **apport** [apɔr] n. m. Action d'apporter quelque chose (mots abstraits comme compl., ou sens financ.); ce qui est apporté : *Des apports d'argent liquide. L'apport de la civilisation romaine* (syn. CONTRIBUTION, PART).

2. APPORTER [apɔrte] v. t. (même étym.) [sujet nom de chose]. *Apporter qqch.,* produire un résultat : *Le repos qu'apportent les vacances* (syn. PROCURER). *Cette découverte apportera un changement dans nos habitudes* (syn. CAUSER, ENTRAÎNER).

APPOSÉ, E [apoze] adj. (de *apposer*). Se dit d'un terme mis en apposition. (→ FONCTION 1.)

APPOSER [apoze] v. t. (de *poser*). *Apposer une chose,* la mettre sur une autre pour qu'elle y reste fixée (terme admin.) : *Apposer des affiches* (syn. COLLER). *Apposer sa signature* (syn. INSCRIRE, METTRE). ◆ **apposition** n. f. : *L'apposition du cachet de la poste sur le timbre d'une lettre.*

1. APPOSITION n. f. → APPOSER.

2. APPOSITION n. f. *Mot mis en apposition* → FONCTION 1.

APPRÉCIER [apresje] v. t. (du lat. *pretium*, prix). **1.** *Apprécier qqch.*, en estimer la valeur, l'importance, selon son jugement personnel : *Apprécier les distances* (syn. ÉVALUER). — **2.** *Apprécier qq'un* ou *qqch.*, en reconnaître l'importance, les estimer à leur juste valeur : *On l'apprécie pour sa discrétion. Apprécier la qualité d'un vin* (syn. GOÛTER, PRISER [littér.]). *Il apprécie les bons repas* (syn. AIMER). — **3.** *Ne pas apprécier qqch.*, le juger défavorablement, ne pas l'aimer. ◆ **appréciable** adj. *Obtenir des résultats appréciables dans son travail* (syn. ↑IMPORTANT). ◆ **inappréciable** adj. Sens 2 du v. : *Une aide inappréciable* (syn. INESTIMABLE). ◆ **appréciation** n. f. **1.** Action de déterminer la valeur de quelque chose (sens 1 du v.) : *L'appréciation de la distance de freinage* (syn. ESTIMATION). — **2.** Jugement intellectuel ou moral qui suit un examen critique : *Porter sur un élève des appréciations favorables* (syn. AVIS, OBSERVATION).

1. APPRÉHENDER [apreɑ̃de] v. t. (lat. *apprehendere*, saisir). *Appréhender qq'un*, procéder à son arrestation : *Appréhender un malfaiteur* (syn. usuel ARRÊTER; contr. RELÂCHER).

2. APPRÉHENDER [apreɑ̃de] v. t. (même étym.). *Appréhender qqch.*, *appréhender de* (et l'infin.) ou *que* (suivi d'un subj. et de la négation *ne*), s'inquiéter d'avance d'un danger possible, d'un malheur éventuel : *Il appréhendait de laisser les enfants seuls* (syn. AVOIR PEUR, CRAINDRE). ◆ **appréhension** n. f. : *Il éprouve de l'appréhension avant les examens* (syn. CRAINTE, INQUIÉTUDE).

APPRENDRE [aprɑ̃dr] v. t. et t. ind. (du lat. *apprehendere*). [Conj. **54.**] **1.** *Apprendre qqch.*, *apprendre que* (et l'indic.), acquérir une connaissance, recevoir une information que l'on ignorait : *Il apprend l'anglais* (syn. ÉTUDIER). *J'ai appris la nouvelle de sa mort.* — **2.** *Apprendre à* (et l'infin.) *à qq'un*, lui faire acquérir la connaissance de quelque chose : *Apprendre à compter à un enfant* (syn. ENSEIGNER). *Cela vous apprendra à vivre!* (= cela vous servira de leçon). ◆ ***s'apprendre*** v. pr. (sujet nom de chose). Être appris, se fixer dans la mémoire : *Ces vers s'apprennent facilement* (syn. SE RETENIR). ◆ **désapprendre** v. t. Oublier ce qu'on a appris. ◆ **rapprendre** ou **réapprendre** v. t. : *Rapprendre une leçon. Réapprendre à marcher.*

APPRENTI, E [aprɑ̃ti] n. (de *apprendre*). **1.** Jeune homme, jeune fille qui apprend un métier sous la direction d'un moniteur, d'un instructeur, d'un contremaître, d'un artisan, etc. : *Un apprenti menuisier.* — **2.** Personne qui manque d'habileté dans ce qu'elle fait : *C'est un travail d'apprenti* (syn. NOVICE). — **3.** *Un apprenti sorcier*, celui qui, par imprudence, est la cause d'événements dangereux dont il n'est plus le maître. ◆ **apprentissage** n. m. **1.** Formation professionnelle; temps pendant lequel on est apprenti. ⟶ ENCYCL. — **2.** Ensemble des modifications de l'activité psychologique découlant de l'influence plus ou moins répétée de l'environnement et permettant une meilleure adaptation à celui-ci. — **3.** *Faire l'apprentissage de*, acquérir la connaissance de : *Faire l'apprentissage de son métier* (syn. APPRENDRE).

— ENCYCL. L'*apprentissage*, formation professionnelle d'un jeune travailleur, est donné en partie dans un *centre de formation d'apprentis* (C. F. A.), en partie dans une entreprise ou chez un patron *(apprentissage artisanal)*, en suivant des cours d'instruction générale pratique et technique. Un diplôme sanctionne les deux ou trois années d'apprentissage (selon le type de métier choisi) : certificat d'aptitude professionnelle (C. A. P.). À partir de 1987, l'apprentissage s'ouvre progressivement (moyennant un allongement de la durée des contrats) à la préparation du brevet d'études professionnelles (B. E. P.) et du baccalauréat professionnel. (Pour la *Formation professionnelle agricole* ⟶ AGRICULTURE.)

La préparation à l'apprentissage peut s'effectuer, dès quatorze ans, dans les *classes préprofessionnelles* de niveau* ou dans les *classes préparatoires* à l'apprentissage.* (⟶ ENSEIGNEMENT.)

Les centres de formation d'apprentis fonctionnent sous le contrôle de l'État. Des conventions sont passées avec différents organismes d'enseignement, et les chambres de métiers jouent un rôle important dans cette formation.

L'apprentissage se fait à la suite d'un contrat qui doit être présenté à l'inspecteur du travail. L'apprenti doit avoir entre seize et vingt-cinq ans. L'employeur doit remplir des conditions très précises : être agréé par un comité départemental, être reconnu « maître artisan » (pour les artisans), jouir d'une bonne réputation morale, s'engager à donner un enseignement méthodique.

Le financement de l'apprentissage se fait partiellement grâce à la *taxe d'apprentissage*, taxe frappant les employeurs.

Apprenti sorcier *(l')*, poème symphonique de P. Dukas (1897), d'après une ballade de Goethe.

1. APPRÊTER [aprɛte] v. t. (du lat. *praesto*, à la portée de). *Apprêter une chose*, la mettre en état d'être utilisée : *Apprêter le repas* (syn. PRÉPARER). ◆ ***s'apprêter*** v. pr. **1.** *S'apprêter à* (et l'infin.), se disposer à faire, se mettre en état d'accomplir, avoir l'intention de faire (futur immédiat) : *Il s'apprête à partir pour l'Afrique* (syn. SE PRÉPARER). — **2.** (sans compl.) Faire sa toilette : *Elle s'apprête pour le bal* (syn. S'HABILLER, SE PARER). ◆ **apprêté, e** adj. Se dit d'une manière de se conduire ou d'écrire trop étudiée, trop travaillée : *Style apprêté* (syn. AFFECTÉ; contr. SIMPLE, SOBRE). ◆ **apprêts** [aprɛ] n. m. pl. Préparatifs (langue soutenue) : *Les apprêts d'un voyage, d'une fête.*

2. APPRÊTER [aprɛte] v. t. (même étym.). *Apprêter un cuir, une peau, du papier, une étoffe*, etc., lui donner de l'éclat, de la consistance au moyen d'un produit particulier nommé *apprêt.* ◆ **apprêt** [aprɛ] n. m. Substance avec laquelle on prépare les étoffes, les cuirs, ou que l'on étend sur un mur avant une peinture définitive, etc.

APPRIVOISER [aprivwaze] v. t. (du lat. *privatus*, domestique). **1.** *Apprivoiser un animal*, le rendre moins farouche, moins sauvage, en faire un animal domestique (syn. ↑DRESSER). — **2.** *Apprivoiser une personne*, la rendre plus docile, plus douce, plus aimable ou plus sociable (syn. AMADOUER). ◆ ***s'apprivoiser*** v. pr. Devenir moins sauvage : *Ce jeune poulain s'est rapidement apprivoisé. Cet enfant s'est apprivoisé.* ◆ **apprivoisement** n. m.

APPROBATEUR, TRICE n. et adj., **APPROBATIF, IVE** adj., **APPROBATION** n. f. ⟶ APPROUVER.

APPROCHER [aprɔʃe] v. t. (du lat. *prope*, près de). **1.** *Approcher une chose*, la mettre près ou plus près de quelqu'un ou de quelque chose : *Approcher la tasse de ses lèvres* (contr. ÉLOIGNER). — **2.** *Approcher qq'un*, s'avancer près de lui; avoir constamment accès auprès de lui : *Ne m'approchez pas! Approcher les savants les plus réputés* (syn. CÔTOYER, FRÉQUENTER). ◆ v. t. ind. *Approcher de qqch.*, n'en être pas loin, être près de l'atteindre : *Il approche du but qu'il s'est fixé* (syn. TOUCHER À). ◆ v. i. ou ***s'approcher*** v. pr. [**de**]. **1.** Être près d'arriver : *La nuit approche* (ou *s'approche*). — **2.** Venir près de quelqu'un ou de quelque chose : *Approche* (ou *approche-toi*), *j'ai deux mots à te dire* (syn. AVANCER). *Le navire s'approche de la côte* (syn. ARRIVER À). ◆ **approchable** adj. (uniquement avec une négation). Qu'on peut aborder, en parlant d'une personne. ◆ **inapprochable** adj. : *Un chef d'État pratiquement inapprochable* (syn. INABORDABLE). ◆ **approchant** adj. *Quelque chose, rien d'approchant*, quelque chose, rien qui ressemble, qui ait du rapport avec ce dont on vient de parler (syn. ANALOGUE, ÉQUIVALENT). ◆ **approche** n. f. **1.** Mouvement par lequel une personne, un groupe de personnes ou un véhicule s'avance vers quelqu'un ou vers quelque chose; proximité d'une période d'un événement (en partic. dans la loc. prép. *à l'approche de*) : *L'approche du surveillant a dispersé les élèves* (syn. ARRIVÉE, VENUE). *À l'approche du danger, tout le monde s'enfuit.* ‖ *Procédure d'approche*, ensemble des manœuvres effectuées par un avion avant de se poser sur la piste d'atterrissage. — **2.** Manière d'aborder un sujet, un problème : *Cet ouvrage est simplement une approche de la question.* — **3.** Fam. *Travaux d'approche*, ensemble de démarches, d'intrigues dans un but intéressé. ◆ **approches** n. f. pl. Voies et lieux qui permettent d'accéder à une ville, qui sont à proximité d'un endroit quelconque : *Les approches de la côte sont d'un accès difficile* (syn. ABORDS). *Aux approches de la frontière* (= dans les parages de); ce qui annonce une saison, un moment décisif : *Sentir les approches de la mort* (syn. PROXIMITÉ). ◆ **approché, e** adj. Proche de ce qui est exact : *C'est un calcul très approché* (syn. APPROXIMATIF).

APPROFONDI, E adj. ⟶ PROFOND 2.

APPROFONDIR v. t., **APPROFONDISSEMENT** n. m. ⟶ PROFOND 1 et 2.

1. APPROPRIER [aprɔprije] v. t. (du lat. *proprius*, propre). *Approprier une chose*, la rendre propre à une destination précise (surtout au passif) : *Son discours est approprié aux circonstances* (syn. ADAPTER, CONFORMER). ◆ **appropriation** n. f. : *L'appropriation du style au sujet traité* (syn. ADAPTATION). ◆ **approprié, e** adj. Qui convient.

2. APPROPRIER (S') [saprɔprije] v. pr. (même étym.). *S'approprier une chose*, en faire sa propriété, le plus souvent sans droit : *S'approprier injustement des pouvoirs* (syn. S'OCTROYER). *Il s'est approprié la découverte d'un autre* (syn. S'ADJUGER, S'EMPARER). ◆ **appropriation** n. f. Action de se rendre propriétaire.

APPROUVER [apruve] v. t. (lat. *approbare*). **1.** *Approuver qq'un de* (et l'infin.), lui donner raison, être de son avis : *Je vous approuve d'avoir refusé de céder* (syn. FÉLICITER, LOUER). — **2.** *Approuver une chose*, la considérer comme bonne, louable, conforme à la vérité : *Il a approuvé les propos que j'ai tenus.* — **3.** *Approuver une chose*, l'autoriser par une décision administrative, juridique, etc. : *Le Sénat a approuvé le projet de budget* (syn. VOTER). ◆ **approbateur, trice** n. et adj. : *Un sourire approbateur* (syn. FAVORABLE; contr. RÉPROBATEUR). ◆ **approbatif, ive** adj. Qui exprime l'approbation : *Un murmure approbatif.* ◆ **approbation** n. f. : *Manifester son approbation* (syn. ACQUIESCEMENT, ADHÉSION; contr. DÉSACCORD). *Un mineur ne peut se marier sans l'approbation de ses parents* (syn. AGRÉMENT, AUTORISATION). *Approbation de la loi par les députés* (syn. VOTE). ◆ **désapprou-**

ver v. t. Contr. de APPROUVER : *Désapprouver la conduite de son fils* (syn. ↑BLÂMER, CRITIQUER). ◆ **désapprobateur, trice** n. et adj. : *Un silence désapprobateur* (syn. RÉPROBATEUR). ◆ **désapprobation** n. f. : *Des murmures de désapprobation* (syn. ↑RÉPROBATION).

APPROVISIONNEMENT n. m., **APPROVISIONNER** v. t. ⟶ PROVISION.

APPROXIMATION [aprɔksimasjɔ̃] n. f. (du lat. *proximus*, très proche). Ce qui s'approche de la vérité, de la réalité, sans présenter une exactitude rigoureuse : *Chercher la solution d'un problème par approximations successives* (syn. ESSAI, TÂTONNEMENT). ◆ **approximatif, ive** adj. Fait par approximation : *Ces calculs sont très approximatifs* (syn. IMPRÉCIS, VAGUE; contr. EXACT, RIGOUREUX). *Établir un devis approximatif* (syn. APPROCHÉ). ◆ **approximativement** adv. (syn. À PEU PRÈS).

APPUI n. m. ⟶ APPUYER 1 et 2.

APPUI-BRAS n. m., **APPUI-TÊTE** n. m. ⟶ APPUYER 1.

1. APPUYER [apɥije] v. t. (du lat. *podium*, support). [Conj. **3.**] **1.** *Appuyer une chose*, la soutenir au moyen d'un objet qui en assure la stabilité, la placer contre une autre qui lui sert de support : *Appuyer un mur branlant avec des contreforts* (syn. SOUTENIR). *Appuyer une échelle contre un mur* (syn. POSER). — **2.** *Appuyer une chose sur, contre*, etc., la faire peser avec plus ou moins de force sur quelque chose : *Appuyer son genou sur un adversaire à terre. Appuyer son regard sur qq'un* (= le regarder avec insistance). ◆ v. t. ind. **1.** *Appuyer sur, contre une chose*, peser sur elle, s'en servir comme d'un support : *L'armoire n'appuie pas contre le mur. Appuyer sur un argument* (syn. INSISTER, SOULIGNER). — **2.** (sujet nom de personne, de véhicule) Se porter dans une direction donnée : *Il appuya à gauche pour tourner.* ◆ ***s'appuyer*** v. pr. *S'appuyer sur qqch., qq'un*, s'en servir comme d'un support, comme d'un soutien : *S'appuyer sur la rampe du balcon* (syn. S'ACCOUDER). *S'appuyer sur une documentation solide* (syn. SE BASER). *Il s'appuie entièrement sur vous* (syn. COMPTER, SE REPOSER). ◆ **appui** [apɥi] n. m. Ce qui sert à soutenir, ou à maintenir la solidité, la stabilité : *L'appui d'une fenêtre. Il trouve appui (prend appui) sur un rocher. Le point d'appui d'un levier* (= point sur lequel le levier repose pour soulever). *L'ennemi a enlevé plusieurs points d'appui* (= positions fortifiées). ‖ *Appui aérien*, celui qui est fourni par l'aviation militaire aux forces terrestres ou navales. ◆ **appui-bras** n. m. Support placé dans les voitures et permettant aux voyageurs d'appuyer leurs bras. ‖ Pl. des *appuis-bras*. ◆ **appui-tête** n. m. Dispositif réglable adapté à un fauteuil de dentiste, de coiffeur, de voiture, etc., et destiné à soutenir la tête. ‖ Pl. des *appuis-tête*.

2. APPUYER [apɥije] v. t. (même étym.). [Conj. **3.**] *Appuyer qq'un* (ou *sa conduite*), lui fournir une protection, un soutien : *Appuyer un candidat* (syn. AIDER, ENCOURAGER). *Appuyer la demande de qq'un* (syn. PATRONNER, SOUTENIR). ◆ **appui** n. m. Aide donnée à quelqu'un : *Je compte sur votre appui* (syn. SOUTIEN). *Se ménager des appuis* (syn. CONCOURS). *Gagner l'appui d'un supérieur* (syn. PROTECTION). — LOC. ADV. *À l'appui*, pour servir de confirmation, etc. — LOC. PRÉP. *À l'appui de*, pour soutenir : *À l'appui de ses dires, il présenta des documents* (= pour prouver).

1. ÂPRE [ɑpr] adj. (lat. *asper*) [après le nom]. Qui produit une sensation désagréable par son goût, sa sonorité, sa rudesse : *Des poires âpres* (syn. ÂCRE). *Une voix âpre* (syn. RUDE). ◆ **âpreté** n. f. : *L'âpreté de l'hiver* (syn. RIGUEUR).

2. ÂPRE [ɑpr] adj. (même étym.). **1.** (avant ou après le nom) Qui présente un caractère de violence et de dureté : *La lutte a été âpre* (syn. RUDE, VIOLENT). — **2.** *Âpre au gain*, se dit de quelqu'un avide de faire des bénéfices, des profits; très attaché à l'argent (syn. CUPIDE). ◆ **âprement** adv. : *Se défendre âprement* (syn. FAROUCHEMENT). ◆ **âpreté** n. f. : *Combattre avec âpreté* (syn. SAUVAGERIE). *Soutenir des revendications avec âpreté* (syn. ACHARNEMENT; contr. MODÉRATION).

1. APRÈS [aprɛ], **AVANT** [avɑ̃] prép. et adv. (bas lat. *ad pressum; abante*). Indiquent la postériorité ou l'antériorité dans le temps ou dans l'espace, la subordination ou la priorité, etc.
→ tableau page suivante.

---

2. APRÈS-, élément (du lat. *ad pressum*, auprès de) qui entre dans la formation de mots composés, pour indiquer la postériorité.

APRÈS-DEMAIN adv. ⟶ DEMAIN. / **APRÈS-GUERRE** n. m. ou f. ⟶ GUERRE.

APRÈS-MIDI [aprɛmidi] n. m., ou f. inv. (*après*, et *midi*). Partie de la journée comprise entre midi et la tombée de la nuit.

Après-midi d'un faune *(l')*, ballet de V. Nijinski, inspiré du poème de Mallarmé, créé à Paris en 1912 par les Ballets russes de Diaghilev, sur la musique du *Prélude à « l'Après-midi d'un faune »* de Debussy (1894).

APRÈS-SKI [aprɛski] n. m. (*après*, et *ski*). Chaussure que l'on met aux sports d'hiver. ‖ Pl. des *après-skis*.

ÂPRETÉ n. f. ⟶ ÂPRE 1 et 2.

A PRIORI [aprijɔri] loc. adv. ou adj. (mots lat. signif. *en partant de ce qui est avant*). **1.** Se dit de ce qu'on admet en se fondant sur des données antérieures à l'expérience : *Argument, raisonnement « a priori »* (= fondé sur les principes de la raison, non fondé sur les faits, l'expérience). — **2.** Avant d'acquérir les connaissances nécessaires, au premier abord : *« A priori », c'est une bonne idée* (contr. A POSTERIORI). ◆ **a priori** n. m. inv.

À-PROPOS [apropo] n. m. (de *propos*). Ce qui vient juste au moment et dans les circonstances qui conviennent : *Répondre avec à-propos* (syn. PERTINENCE). *Faire preuve d'à-propos* (syn. PRÉSENCE D'ESPRIT). *Avoir l'esprit d'à-propos* (= esprit de repartie).

APSIDE [apsid] n. f. (gr. *apsis*, voûte). *Astron.* Chaque extrémité du grand axe de l'orbite d'un astre.

APT, ch.-l. d'arrond. du Vaucluse, dans le *bassin d'Apt*, au pied du Luberon, à 40 km à l'O. de Manosque; 11 600 hab.

APTE [apt] adj. (lat. *aptus*). *Apte à qqch., à faire qqch.*, se dit d'une personne qui est naturellement capable : *Être jugé apte à suivre une classe.* ◆ **aptitude** n. f. : *Avoir des aptitudes pour les sciences* (syn. CAPACITÉ, PRÉDISPOSITION). ◆ **inapte** adj. : *Il s'est montré inapte à diriger cette entreprise* (syn. INCAPABLE). *Être déclaré inapte au service armé par le conseil de révision.* ◆ **inaptitude** n. f. (syn. INCAPACITÉ).

APTÈRE [aptɛr] adj. (de *a* priv., et gr. *pteron*, aile). Sans ailes : *La puce, le pou sont des insectes aptères.*

APTÉRYX [apteriks] n. m. (de *a* priv., et gr. *pterux*, aile). Oiseau de Nouvelle-Zélande, dont les ailes sont presque inexistantes et dont les plumes brunâtres ressemblent à des crins. (Haut. 30 cm.) [Syn. KIWI.]

APTITUDE n. f. ⟶ APTE.

APULÉE, écrivain latin (IIᵉ s. apr. J.-C.), auteur de *l'Âne d'or*.

APULIE, nom anc. de la région de l'Italie du Sud, appelée aujourd'hui *Pouille*.

APURER [apyre] v. t. (de *pur*). S'assurer que les différents articles d'un compte sont régulièrement établis et appuyés des pièces justificatives. ◆ **apurement** n. m.

'AQABA ou **AKABA** *(golfe d')*, golfe de l'extrémité nord-est de la mer Rouge, au fond duquel est situé le port jordanien d'*'Aqaba*.

AQUAFORTISTE [akwafɔrtist] n. (de l'it. *acquaforte*, eau forte). Graveur à l'eau-forte.

AQUARELLE [akwarɛl] n. f. (de l'it. *acqua*, eau). Peinture faite avec des couleurs délayées dans l'eau; tableau ainsi fait. ⟶ ENCYCL. ◆ **aquarelliste** n. : *Le peintre Seurat fut un remarquable aquarelliste.*
— ENCYCL. L'*aquarelle* est une peinture à l'eau sur papier ou sur carton. À la différence de la gouache, dont les couleurs deviennent opaques, le lavis d'aquarelle est transparent. Introduit en France par les Anglais, l'art de l'aquarelle fut pratiqué par la plupart des peintres romantiques (Géricault, Eugène Lami et surtout Delacroix). Les impressionnistes ont largement utilisé les ressources que leur offrait cette peinture fluide pour noter des impressions fugitives. De nos jours, Dunoyer de Segonzac en est un des maîtres.

AQUARIUM [akwarjɔm] n. m. (mot lat.). **1.** Réservoir d'eau douce ou d'eau de mer dans lequel on entretient des plantes aquatiques, des poissons, etc. — **2.** Local où l'on a réuni, pour les besoins scientifiques, de nombreux aquariums et où le public est admis.

AQUATIQUE [akwatik] adj. (du lat. *aqua*, eau). **1.** *Plante, animal aquatique*, qui pousse, qui vit dans l'eau douce ou sur le bord des marais et des rivières. — **2.** *Paysage aquatique*, où il y a surtout des plans d'eau (syn. MARÉCAGEUX).

AQUEDUC [akdyk] n. m. (lat. *aquaeductus*, conduit d'eau). Canal qui capte l'eau potable et la conduit d'un lieu à un autre : *Les aqueducs peuvent être souterrains ou aériens.*

AQUEUX, EUSE [akø, -øz] adj. (lat. *aquosus*). **1.** Qui contient de l'eau : *Légumes trop aqueux.* — **2.** Qui est de la nature de l'eau. ‖ *Humeur aqueuse*, liquide contenu dans la chambre antérieure de l'œil entre la cornée transparente d'une part, le cristallin et l'iris d'autre part. ◆ **aquosité** n. f.

AQUIFÈRE [akɥifɛr] adj. (du lat. *aqua*, eau). Qui contient de

avant	**après**
1. Antériorité dans le temps. *Il est arrivé avant moi. Ne vous décidez pas tout de suite; réfléchissez avant* (syn. AUPARAVANT, PRÉALABLEMENT [langue soignée]). *On a construit une nouvelle route; avant, il fallait faire un long détour* (syn. AUPARAVANT, AUTREFOIS, JADIS).	1. Postériorité dans le temps. *Il est arrivé bien après moi. N'allez pas trop vite; il sera trop tard après pour regretter* (syn. ENSUITE). *Après le repas, nous irons au cinéma.*
2. Antériorité de situation dans l'espace, dans le cours d'un mouvement. *Le bureau de poste est juste avant le pont* (en partant d'ici). *N'allez pas jusqu'à la place; arrêtez-vous avant.*	2. Postériorité de situation dans l'espace, dans le cours d'un mouvement. *La maison est juste après l'église* (en partant d'ici). *Allez jusqu'à l'angle de la rue, après vous verrez la rivière* (syn. ET PUIS, ENSUITE)
3. Priorité de rang. *Il place son intérêt avant celui des autres.*	3. Infériorité de rang. *Dans la hiérarchie des grades, le lieutenant vient après* (derrière) *le capitaine.*
4. L'éloignement du point de départ (employé seulement comme adv. et dans la langue soignée, avec les mots *bien, plus, si, assez, fort, trop*). *Creusez plus avant. Je me suis engagé trop avant. Fort avant dans la nuit* (= la nuit étant fort avancée).	4. L'hostilité, ou l'attachement, le contact immédiat avec. (L'emploi de *après* à la place de *à, sur, contre* est souvent de la langue familière.) *Les chiens aboient après le facteur* (= contre). *Il crie après les enfants. Il est après son travail* (= il s'en occupe sans cesse). *Il attend après lui* (= il désire sa venue). *Il court après elle. Il demande après lui.*
en avant loc. adv. **en avant de** loc. prép. (en un lieu ou vers un lieu situé devant) *Nous étions dans la même salle de spectacle, moi sur le côté, lui en avant* (syn. DEVANT). *Regarde en avant* (= devant toi). *Partez en avant, je vous rejoindrai* (syn. DEVANT; contr. EN ARRIÈRE, EN ARRIÈRE DE). *En avant! marche!* (ordre d'avancer donné à une troupe). *Mettre qqch. en avant* (l'alléguer), souvent pour dissimuler les vraies raisons : *Il a mis en avant ses obligations professionnelles.*	**d'après** loc. prép. (conformément à, selon le modèle de) *Il peint d'après nature. D'après vous, quel est le coupable?* (syn. POUR, SELON). *On peut juger de l'ensemble d'après ce spécimen* (syn. PAR, SUR).
LOC. ADV. **Avant cela,** auparavant. **Avant tout,** principalement : *Il faut avant tout finir ce qui a été entrepris.*	LOC. ADV. **Après cela,** ensuite. **Après coup,** une fois la chose faite, trop tard : *Après coup, il a regretté d'être venu.* **Après tout,** tout bien considéré : *Après tout, il a sans doute raison.* **Et puis après!,** cela ne change rien; il n'y a pas lieu d'en déduire des conclusions.
LOC. PRÉP. ou LOC. CONJ. **avant de, avant que** antériorité dans le temps *avant de* + infin. (le sujet de l'infin. est le même que celui de la principale) *avant que* + subj., avec ou sans *ne* (le sujet de la subordonnée est différent de celui de la principale) *Consulte-moi avant d'agir. Il hésitait avant de commencer. Rentre avant qu'il (ne) pleuve.*	PRÉPOSITION ou LOC. CONJ. **après, après que** postériorité dans le temps *après* + infin. passé (le sujet de l'infin. est le même que celui de la principale) *après que* + ind. ou subj. (le sujet de la subordonnée est différent de celui de la principale) *Après avoir souri, il lui pardonna. Bien des années après qu'il fut parti, on reconstruisit la maison.*
avant adj. inv. Qui est à l'avant d'un véhicule (contr. ARRIÈRE); **d'avant** loc. adj. *Les roues avant. Traction avant. Marche avant* (= qui permet d'aller en avant). *La semaine d'avant* (= avant celle-là).	**d'après** loc. adj. *La minute d'après, il sortit* (syn. SUIVANT).

l'eau en quantité variable, circulante ou stagnante : *Une nappe aquifère.*

AQUILA (L'), v. d'Italie dans les Abruzzes; 61 000 hab.

AQUILIN [akilɛ̃] adj. m. (du lat. *aquila*, aigle). *Nez aquilin*, nez recourbé en bec d'aigle (syn. NEZ BOURBONIEN).

AQUILON [akilɔ̃] n. m. (lat. *aquilo*, vent du nord). Vent du nord; tout vent froid et violent.

AQUITAIN *(Bassin)* ou **AQUITAINE** *(bassin d')*, région naturelle (bassin sédimentaire) occupant le sud-ouest de la France, couvrant en majeure partie les Régions Aquitaine*, Midi-Pyrénées* et Poitou-Charentes*.

AQUITAINE, région du sud-ouest de la France; 41 308 km²; 2 656 500 hab. Ch.-l. *Bordeaux.*

GÉOGRAPHIE. Comprenant les cinq départements de la Dordogne, de la Gironde, des Landes, de Lot-et-Garonne et des Pyrénées-Atlantiques, la région ne recouvre qu'une partie du Bassin aquitain. Elle est encore en grande partie rurale.

L'*agriculture* emploie près du quart de la population active (contre une moyenne de 15 p. 100 en France). La culture de la vigne (dans le Bordelais surtout) domine les autres activités agricoles : exploitation de la forêt (Landes et une partie de la Gironde), cultures variées et intensives des vallées du Périgord (Dordogne, Isle) et de la Garonne (autour d'Agen), élevage (dans les Pyrénées-Atlantiques).

Les *villes* ne sont pas très importantes, en dehors de Bordeaux (la cinquième de France), dont le rayonnement ne s'étend pas cependant à toute la région. Pau, ville industrielle, s'est récemment développée surtout avec la mise en valeur du gaz naturel de

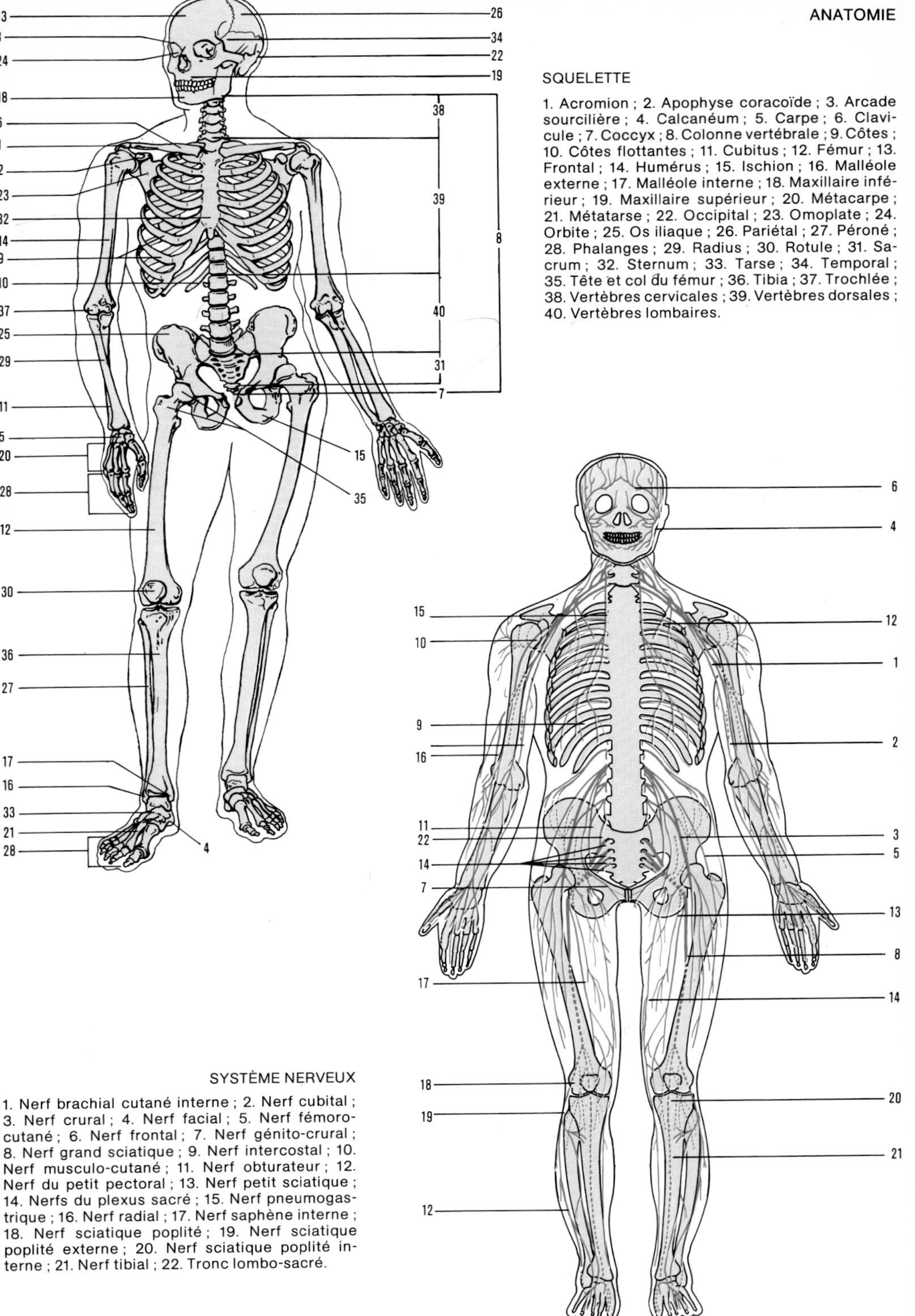

SQUELETTE

1. Acromion ; 2. Apophyse coracoïde ; 3. Arcade sourcilière ; 4. Calcanéum ; 5. Carpe ; 6. Clavicule ; 7. Coccyx ; 8. Colonne vertébrale ; 9. Côtes ; 10. Côtes flottantes ; 11. Cubitus ; 12. Fémur ; 13. Frontal ; 14. Humérus ; 15. Ischion ; 16. Malléole externe ; 17. Malléole interne ; 18. Maxillaire inférieur ; 19. Maxillaire supérieur ; 20. Métacarpe ; 21. Métatarse ; 22. Occipital ; 23. Omoplate ; 24. Orbite ; 25. Os iliaque ; 26. Pariétal ; 27. Péroné ; 28. Phalanges ; 29. Radius ; 30. Rotule ; 31. Sacrum ; 32. Sternum ; 33. Tarse ; 34. Temporal ; 35. Tête et col du fémur ; 36. Tibia ; 37. Trochlée ; 38. Vertèbres cervicales ; 39. Vertèbres dorsales ; 40. Vertèbres lombaires.

SYSTÈME NERVEUX

1. Nerf brachial cutané interne ; 2. Nerf cubital ; 3. Nerf crural ; 4. Nerf facial ; 5. Nerf fémoro-cutané ; 6. Nerf frontal ; 7. Nerf génito-crural ; 8. Nerf grand sciatique ; 9. Nerf intercostal ; 10. Nerf musculo-cutané ; 11. Nerf obturateur ; 12. Nerf du petit pectoral ; 13. Nerf petit sciatique ; 14. Nerfs du plexus sacré ; 15. Nerf pneumogastrique ; 16. Nerf radial ; 17. Nerf saphène interne ; 18. Nerf sciatique poplité ; 19. Nerf sciatique poplité externe ; 20. Nerf sciatique poplité interne ; 21. Nerf tibial ; 22. Tronc lombo-sacré.

CIRCULATION DU SANG

1. Aorte abdominale ; 2. Artère carotide ; 3. Artère coronaire ; 4. Artère et veine cubitales ; 5. Artère faciale ; 6. Artère fémorale ; 7. Artère humérale ; 8. Artère péronière ; 9. Artère pulmonaire ; 10. Artère temporale ; 11. Auricule droite ; 12. Cœur ; 13. Crosse de l'aorte ; 14. Crosse de la saphène ; 15. Foie ; 16. Poumon ; 17. Rein ; 18. Rate ; 19. Veine basilique ; 20. Veine cave inférieure ; 21. Veine cave supérieure ; 22. Veine céphalique ; 23. Veine faciale ; 24. Veine fémorale ; 25. Veine jugulaire interne ; 26. Veine porte ; 27. Veine et artère pulmonaires ; 28. Veine et artère radiales ; 29. Veine saphène interne ; 30. Veine sous-clavière.

MUSCLES

1. Biceps ; 2. Biceps crural ; 3. Couturier ; 4. Muscle poplité ; 5. Cubital antérieur ; 6. Deltoïde ; 7. Demi-membraneux ; 8. Demi-tendineux ; 9. Droit antérieur ; 10. Droit interne ; 11. Éminence thénar ; 12. Extenseur commun ; 13. Extenseur commun des orteils ; 14. Extenseur propre du gros orteil ; 15. Frontal ; 16. Grand dentelé ; 17. Grand dorsal ; 18. Grand droit ; 19. Grand fessier ; 20. Grand oblique ; 21. Grand palmaire ; 22. Grand pectoral ; 23. Grand rond ; 24. Interosseux ; 25. Jambier antérieur ; 26. Jumeau externe ; 27. Jumeau interne ; 28. Long péronier latéral ; 29. Long supinateur ; 30. Masséter ; 31. Moyen adducteur ; 32. Moyen fessier ; 33. Occipital ; 34. Orbiculaire des lèvres ; 35. Orbiculaire des paupières ; 36. Pectiné ; 37. Petit et grand zygomatique ; 38. Petit oblique ; 39. Psoas ; 40. Rhomboïde ; 41. Soléaire ; 42. Sous-épineux ; 43. Splénius ; 44. Sterno-cléido-mastoïdien ; 45. Temporal ; 46. Tendon d'Achille ; 47. Tenseur du fascia lata ; 48. Trapèze ; 49. Triangulaire des lèvres ; 50. Triceps ; 51. Vaste interne.

qualités d'une application

représentation d'une fonction qui n'est pas une application : certains éléments de E n'ont pas d'image par f. ▶

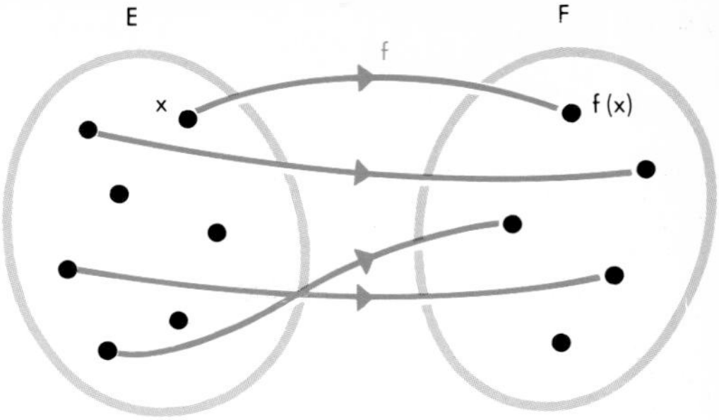

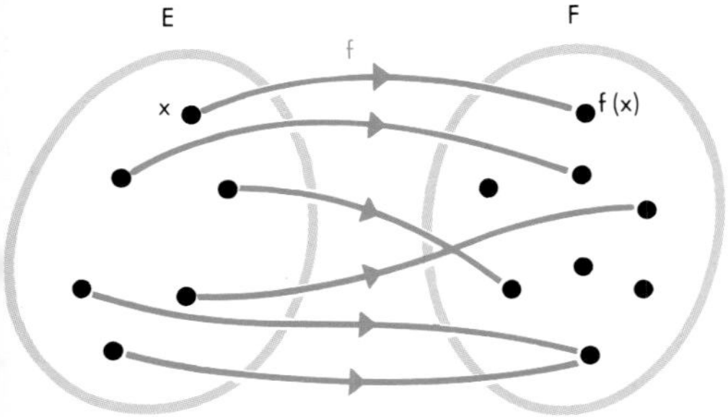

◀ représentation d'une application : tout élément de E a une image dans F par l'application f.

surjection ▶

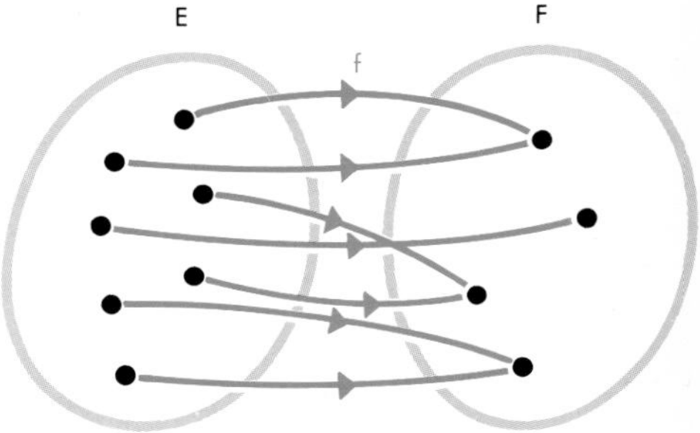

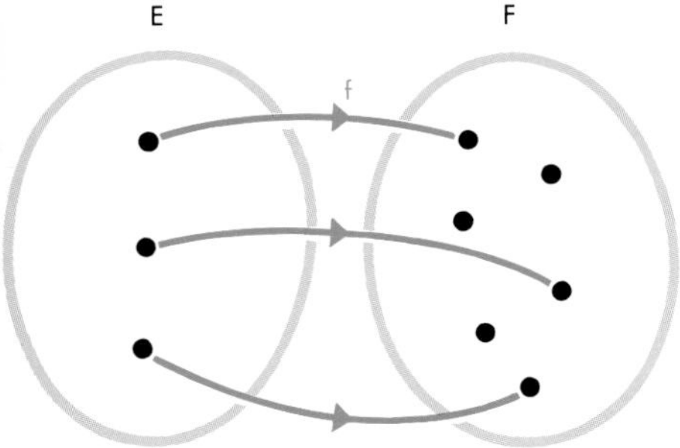

◀ injection

bijection ▶

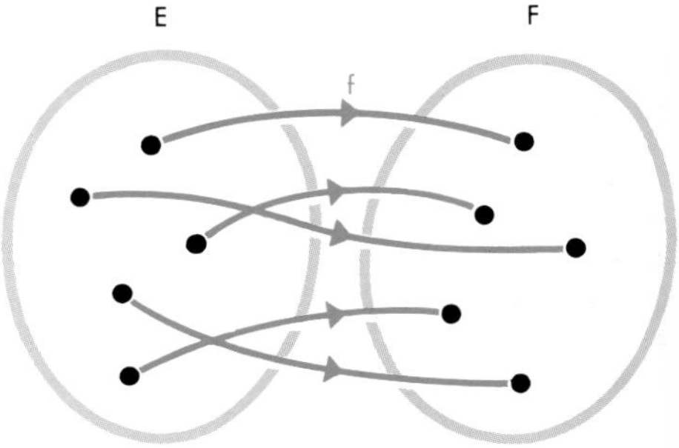

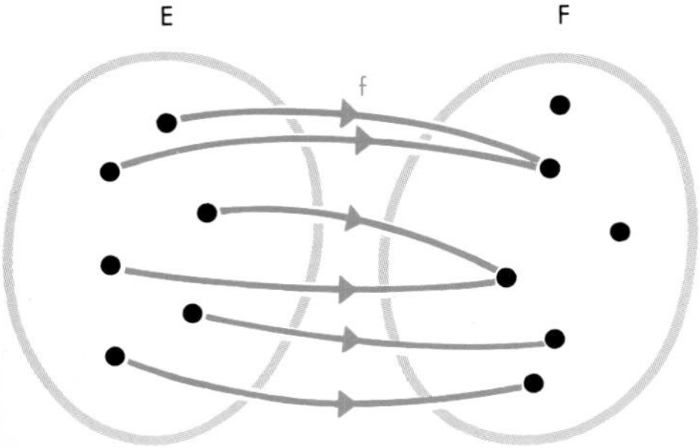

◀ application ni injective, ni surjective (donc, non bijective).

relation réciproque d'une application

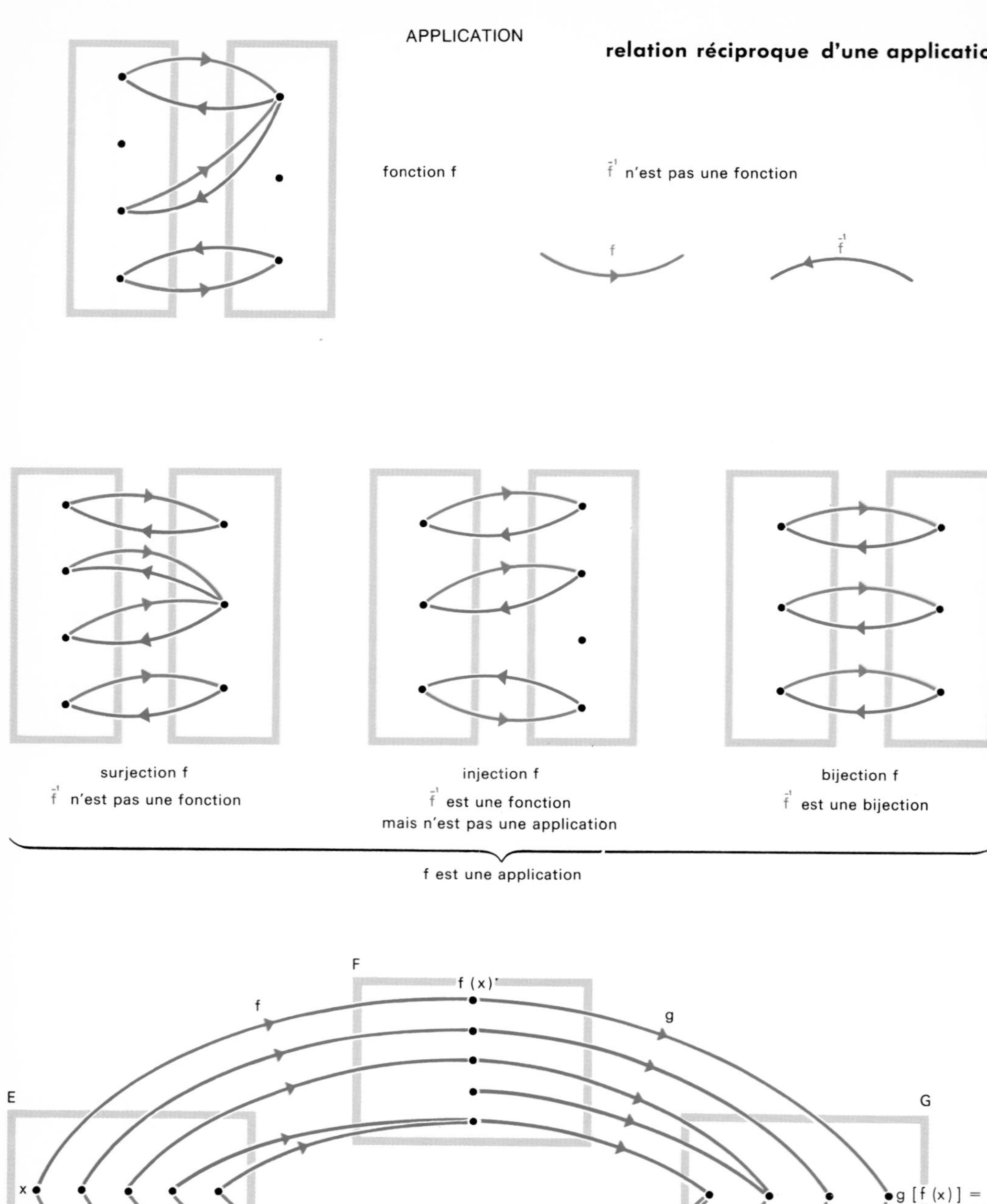

composition des applications

Lacq. Bayonne constitue le noyau principal d'une agglomération, englobant notamment Biarritz, grand centre touristique.

L'*industrie* emploie encore moins du tiers de la population active. L'exploitation tardive des ressources énergétiques (lignite d'Arjuzanx, gaz naturel de Lacq, pétrole de Parentis) explique ce retard industriel. Le développement économique de l'Aquitaine est gêné par sa situation géographique excentrée.

vin	5 millions d'hl
lignite	0,7 million de t
pétrole brut	1,4 million de t
pétrole raffiné	3,3 millions de t
gaz naturel épuré	7,5 milliards de m³

HISTOIRE. L'Aquitaine primitive s'étendait de la Loire aux Pyrénées et des Cévennes à l'Atlantique.

- *1152. L'Aquitaine passe aux Anglais à la suite du remariage d'Aliénor avec Henri II Plantagenêt.*
- *1453. Bataille de Castillon : la France reconquiert l'Aquitaine (appelée «Guyenne») à la fin de la guerre de Cent Ans).*

(*Rem.* Il ne faut pas confondre l'Aquitaine historique avec le bassin d'Aquitaine [la majeure partie du bassin de la Garonne].)

AQUOSITÉ n. f. → AQUEUX.

ARA [ara] n. m. (mot tupi). Perroquet de l'Amérique du Sud, à longue queue et à plumage coloré. (Famille des psittacidés.)

ARABE [arab] adj. et n. (lat. *arabus*). Qui parle une langue sémitique répandue sous différentes formes dans le Proche-Orient et en Afrique du Nord. ‖ *Chiffres arabes* (par oppos. à ROMAINS), les dix signes de notre numération écrite introduits par les Arabes : 0, 1, 2, 3, 4, 5, 6, 7, 8, 9. ◆ n. m. et adj. Langue sémitique dont les dialectes parlés diffèrent sensiblement, mais dont la forme littéraire est commune. → ENCYCL. ◆ **arabique** adj. Qui appartient, qui est propre à l'Arabie : *Le désert arabique.* ◆ **arabiser** v. t. : *Arabiser une population, c'est lui faire adopter la langue arabe et la religion musulmane.* ◆ **arabisant** n. m. Celui qui étudie la langue ou la civilisation arabes. ◆ **panarabe** adj., **panarabisme** n. m. → ces mots.
— ENCYCL. L'*arabe* est une langue faisant partie du groupe méridional des langues sémitiques; il s'est imposé à partir du VIIe s. grâce au Coran et à l'Islām qui en ont fait une langue religieuse pour le monde musulman, et une langue littéraire pour les peuples dont le domaine s'étend largement sur l'Asie et l'Afrique.

arabe *(Ligue)*, organisme constitué en 1945 pour renforcer l'unité du monde arabe, à l'initiative de l'Égypte, et comprenant, outre ce pays, l'Arabie Saoudite, l'Iraq, le Liban, la Syrie, la Transjordanie (devenue la Jordanie) et le Yémen. Au fur et à mesure de leur accession à l'indépendance, quatorze États nouveaux ainsi que l'O.L.P. y ont adhéré entre 1953 et 1977. L'Égypte, suspendue en 1979 (après la signature du traité de paix avec Israël), a été réintégrée dans la Ligue en 1989. Son siège est au Caire.

ARABESQUE [arabɛsk] n. f. (it. *arabesco*). **1.** *Peint.* et *sculpt.* Ornement caractérisé par un entrelacement de feuillages, de lettres et de figures de fantaisie. — **2.** Ensemble de lignes sinueuses entrelacées : *La fumée décrit dans le ciel des arabesques* (syn. VOLUTE).

ARABIE, péninsule constituant l'extrémité sud-ouest de l'Asie, entre la mer Rouge et le golfe Persique ; 3 millions de km².

GÉOGRAPHIE

Vaste plateau accidenté par quelques chaînons montagneux et massifs volcaniques, l'Arabie subit presque entièrement un climat désertique, peu favorable au développement d'activités agricoles, sauf dans le Sud, qui reçoit les pluies de mousson de l'océan Indien et où des cultures variées sont possibles. Elle constitue un immense terrain de parcours pour les troupeaux des Bédouins nomades (chameaux, moutons).

Le pétrole a fait la fortune de certains États : Arabie Saoudite, Koweït et Qaṭar. Une grande inégalité y oppose toutefois la faible minorité des privilégiés à l'ensemble de la population.

HISTOIRE

L'Arabie a connu dans l'Antiquité des empires prestigieux, notamment au S. celui de Saba (VIIIe s. av. J.-C.-Ier s. apr. J.-C.) et au N. celui de Pétra (IVe s. av. J.-C.-Ier s. apr. J.-C.).

- *60 av. J.-C. Début de la domination romaine (qui ne s'étend cependant pas à tout le pays).*
- *570 apr. J.-C. Naissance de Mahomet à La Mecque. Toute l'Arabie est progressivement gagnée à l'islām.*
- *1517-1918. La région est partiellement sous la suzeraineté turque. Les Britanniques s'établissent au XIXe s. à Aden et sur le golfe Persique.*

Des États modernes indépendants sont créés : Arabie* Saoudite, Yémen*, Qaṭar, Bahreïn et Koweït, Oman et Émirats arabes unis.

ARABIE SAOUDITE, royaume s'étendant sur la majeure partie de la péninsule d'Arabie.

SUPERFICIE 2 150 000 km² (France : 550 000 km²).
POPULATION 14 700 000 hab.; 6 hab. au km² (France : 103); accroissement annuel de la population, 2,7 p. 100.
CAPITALE Riyāḍ (1,3 million d'hab.).

GÉOGRAPHIE

Le pays est constitué par un vaste plateau dissymétrique, qui descend en pente douce vers l'E. tandis qu'il se relève vigoureusement à l'O. avant de retomber sur la mer Rouge.

Le climat désertique règne sur la majeure partie du pays.

	TEMPÉRATURES MOYENNES janv.	juil.	PLUIES
Riyāḍ	17 °C	34 °C	53,3 mm

L'élevage nomade de chameaux et d'ovins occupe la majeure partie de la population, tandis que quelques cultures sont pratiquées dans les zones plus humides (céréales, dattes).

La découverte et l'exploitation du pétrole (sur le golfe Persique) ont fourni une source importante de revenus (l'Arabie Saoudite est un des plus grands producteurs mondiaux); mais la structure sociale du pays, encore féodale, fait que ceux-ci ne profitent qu'à une très faible minorité.

dattes	450 000 t
ovins	3 500 000 têtes
pétrole	229 millions de t

Les villes saintes, Médine et surtout La Mecque, attirent chaque année de nombreux pèlerins musulmans.

HISTOIRE

L'Arabie Saoudite est née des conquêtes de l'émir du Nadjd, 'Abd al-'Aziz ibn Sa'ūd, faites à partir de 1913 sur les régions possédées par les Turcs.

- *1932. Création du royaume d'Arabie Saoudite.*
- *1964. L'émir Fayṣāl exerce la totalité des pouvoirs.*
- *1975. Après l'assassinat de Fayṣāl, son frère, l'émir Khāled, lui succède.*
- *1982. Le prince Fahd succède à son frère, l'émir Khāled.*

En 1991, la force multinationale déployée sur le territoire saoudien après l'invasion du Koweït par les Irakiens (1990) intervient contre l'Iraq (janv.) et libère le Koweït (févr.). [→ GOLFE *(guerre du)*.]

ARABIQUE adj. → ARABE.

ARABIQUE *(golfe)*, anc. nom de la MER ROUGE.

ARABISANT n. m., **ARABISER** v. t. → ARABE.

ARABLE [arabl] adj. (du lat. *arare*, labourer). *Terre arable*, partie du sol qui peut être retournée par le soc de la charrue et propre à la culture (syn. CULTIVABLE, LABOURABLE .

ARACAJU, port du nord-est du Brésil; 183 900 hab.

ARACHIDE [araʃid] n. f. (gr. *arakhidna*). Plante tropicale originaire du Brésil dont les pédoncules floraux se recourbent vers le sol après la fécondation pour y enterrer le fruit. (Famille des papilionacées.)
— ENCYCL. Les fruits de l'*arachide*, ou cacahouètes, fournissent une huile utilisée en cuisine et en savonnerie, et sont aussi consommés après torréfaction. Les principaux pays producteurs sont :

Inde	7 millions de t	Indonésie	830 000 t
Chine	4 100 000 t	Sénégal	750 000 t
États-Unis	2 millions de t	Nigeria	600 000 t

ARACHNÉ, jeune Lydienne qui excellait dans l'art de tisser. Athéna, jalouse de son habileté, la métamorphosa en araignée.

ARACHNÉEN, ENNE [arakneɛ̃, -ɛn] adj. (du gr. *arakhnê*, araignée). Propre à l'araignée; qui a la légèreté de la toile d'araignée : *Gaze arachnéenne.*

ARACHNIDES [araknid] n. m. pl. (du gr. *arakhnê*, araignée). Classe qui appartient à l'embranchement des arthropodes et qui comprend trois ordres principaux : araignées, scorpions, acariens.
— ENCYCL. Les *arachnides* sont des animaux à peau chitineuse dont le corps est formé d'un céphalothorax et d'un abdomen sans appendices. Le céphalothorax porte six paires d'appendices articulés : une paire de chélicères (ou crochets venimeux) en avant de la bouche; une paire de pattes-mâchoires encadrant la bouche; quatre paires de pattes locomotrices terminées par des griffes.

Le développement des arachnides se fait par mues, sans métamorphoses.

ARACHNOÏDE [araknɔid] n. f. (du gr. *arakhnê*, araignée, et *eidos*, aspect). *Anat.* L'une des trois enveloppes (méninges) entourant l'encéphale et la moelle épinière, située entre la pie-mère et la dure-mère.

ARAD, v. de Roumanie, près de la Hongrie; 143 000 hab.

'ARAFĀT (Yasser), homme politique palestinien, né en 1929. Président, depuis 1969, de l'Organisation de libération de la Palestine, il est le principal chef de la résistance palestinienne.

ARAGO (François), astronome et physicien français (1786-1853). Il est l'auteur de travaux sur la polarisation, la vitesse du son, l'électromagnétisme. Esprit libéral, très populaire, il fut nommé membre du Gouvernement provisoire en 1848 et dirigea les ministères de la Guerre et de la Marine.

ARAGON, en esp. **Aragón,** région du nord-ouest de l'Espagne comprenant les provinces de Huesca, Saragosse et Teruel; 1 152 700 hab. *(Aragonais).*
GÉOGRAPHIE. Les Pyrénées au N., zone d'élevage des moutons et de petite polyculture, et la chaîne calcaire des monts Ibériques au S., région aride entrecoupée de bassins où pousse l'olivier, encadrent le riche bassin de l'Èbre. Les eaux relativement abondantes du fleuve ont favorisé le développement de l'irrigation : l'Aragon possède 30 p. 100 des terres irriguées espagnoles. Des cultures variées y sont pratiquées : légumes, céréales, betterave à sucre, tandis que l'on cultive la vigne et l'olivier sur les collines sèches. C'est sur l'Èbre que s'est développée la ville principale de la région, Saragosse (479 800 hab.).
HISTOIRE. Le royaume d'Aragon s'unit au XIIe s. à la Catalogne. Il s'agrandit ensuite par la conquête de Valence, des Baléares, de la Corse, de la Sardaigne et de la Sicile.
- *1469. Mariage des Rois Catholiques, Ferdinand, roi d'Aragon, et Isabelle de Castille.*
- *1474. Union des deux royaumes.*

ARAGON (Louis), écrivain français (1897-1982). Un des fondateurs du surréalisme (*le Paysan de Paris*, 1926), il adhère ensuite au communisme, et ses idées politiques sont à la base de ses romans qui peignent la société française, en mêlant personnages historiques et imaginaires (*les Cloches de Bâle*, 1933; *les Beaux Quartiers*, 1936; *Aurélien*, 1945; *les Communistes*, 1949-1950; *la Semaine sainte*, 1958). Il a été, avec Paul Eluard, un des poètes de la Résistance (*le Crève-Cœur*, 1941) et unit le lyrisme traditionnel (*les Yeux d'Elsa*, 1942; *le Fou d'Elsa*, 1963) à la célébration de l'action politique (*Élégie à Pablo Neruda*, 1966). En 1986 est publié *Défense de l'infini*, fragments retrouvés d'un roman brûlé par Aragon en 1927.

ARAIGNÉE [arɛɲe] n. f. (lat. *aranea*). **1.** Animal à peau chitineuse dont le corps comprend un céphalothorax et un abdomen. (Classe des arachnides, embranchement des arthropodes.) ⟶ ENCYCL. — **2.** *Araignée de mer*, nom usuel du *crabe maïa* (à cause de ses huit longues pattes), crustacé décapode, à abdomen réduit.
— ENCYCL. Le corps d'une *araignée* se compose de deux parties nettement séparées :
Le *céphalothorax*, qui porte : huit yeux simples; deux crochets venimeux en avant de la bouche (les chélicères), que l'araignée utilise pour tuer ou paralyser ses proies; deux appendices encadrant la bouche (palpes), dont le rôle est surtout sensoriel; quatre paires de pattes articulées, velues, terminées par trois griffes (elles servent à la locomotion).
L'*abdomen*, rattaché au céphalothorax par un pédoncule, qui contient la plupart des organes (foie, intestin, glandes reproductrices).
Presque toutes les araignées fabriquent de la soie qu'elles utilisent pour la chasse, pour leurs déplacements, pour leurs pontes.
Le *développement de l'araignée* se fait par mues successives. À la mue, l'araignée se pend par les pattes à sa toile : le céphalothorax se déchire et libère l'araignée dans sa nouvelle peau.
Les araignées les plus communes sont la *tégénaire*, l'*épeire*, la *tarentule*, la *mygale*, la *lycose*, l'*argyronète*.

ARAIRE [arɛr] n. m. (du lat. *arare*, labourer). Instrument de labour, utilisé pour émietter superficiellement la terre et la rejeter symétriquement des deux côtés de la raie.

ARAL *(mer d')*, mer intérieure de l'U. R. S. S. (dans le Kazakhstan); 39 000 km². C'est un lac très salé, soumis à une forte évaporation, alimenté par le Syr-Daria et l'Amou-Daria. Mais l'irrigation à partir de ces fleuves a réduit considérablement la superficie en eau.

ARAMÉEN, ENNE [arameɛ̃, -ɛn] adj. et n. (du n. d'*Aram*, un des fils de Sem d'apr. la Bible). Qui concerne les Araméens. ◆ **araméen** n. m. Langue sémitique de l'Ouest, qui fut la langue de l'Orient ancien du VIIIe s. av. J.-C. jusqu'à la conquête d'Alexandre.

ARAMÉENS, populations de race sémite qui, d'abord nomades, fondèrent divers États en Syrie.

ARAN *(val d')*, haute vallée des Pyrénées espagnoles (Catalogne). Elle renferme les sources de la Garonne.

ARANJUEZ, v. d'Espagne (Castille-la Manche), sur le Tage; 27 300 hab. Palais royal.

ARARAT *(mont)*, massif volcanique de la Turquie orientale (Arménie), où, suivant la tradition biblique, s'arrêta l'arche de Noé (5 165 m).

ARASER [araze] v. t. (du lat. *radere*, raser). **1.** User un relief, une surface jusqu'à disparition des saillies : *Un massif ancien arasé.* — **2.** Mettre au même niveau que le reste (syn. NIVELER). ◆ **arasement** n. m.

ARATOIRE [aratwar] adj. (du lat. *arare*, labourer). *Instrument aratoire*, outil qui sert à la culture des terres.

ARAUCANIE, nom donné autrefois à la partie méridionale du Chili, entre les Andes et le Pacifique, habitée par les *Araucans*, qui luttèrent contre les conquérants espagnols jusqu'au XIXe s.

ARAUCARIA [arokarja] n. m. (de *Arauco*, v. du Chili). Grand conifère de l'Amérique du Sud et de l'Océanie.

ARAVALLI *(monts)*, hauteurs de l'Inde formant le rebord des plateaux du Deccan au-dessus de la plaine indo-gangétique.

ARAXE ou **ARAKS,** riv. d'Asie, née en Turquie, qui sert de frontière entre la Turquie et l'U. R. S. S., puis entre l'Iran et l'U. R. S. S., et qui rejoint la Koura (r. dr.) dans l'Azerbaïdjan soviétique; 994 km.

ARBALÈTE [arbalɛt] n. f. (lat. *arcuballista*). Arme du Moyen Âge, faite d'un arc d'acier monté sur un fût et bandé avec un ressort. (On s'en sert encore dans un jeu de caractère sportif.) ◆ **arbalétrier** n. m. Celui qui était armé d'une arbalète.

ARBÈLES, v. d'Assyrie près de laquelle Alexandre le Grand remporta une victoire qui amena la ruine de l'Empire achéménide (331 av. J.-C.).

1. ARBITRE [arbitr] n. m. (lat. *arbitrium*, jugement). *Libre arbitre*, faculté qu'a la volonté de se déterminer librement : *Il n'a plus son libre arbitre et agit sous la contrainte* (= sa liberté de jugement, la possibilité de décider librement). ◆ **arbitraire** adj. **1.** Qui dépend de la seule volonté humaine et non de l'observation d'une loi, d'une règle. — **2.** Se dit d'une décision humaine prise aux dépens de la justice, de la vérité ou de la raison : *Une arrestation arbitraire* (syn. INJUSTIFIÉ). *Imposer un pouvoir arbitraire* (syn. DESPOTIQUE). *Un choix arbitraire* (syn. GRATUIT). ◆ n. m. Autorité despotique qui n'est soumise à aucune règle. ◆ **arbitrairement** adv. : *Décider arbitrairement.*

2. ARBITRE [arbitr] n. m. (lat. *arbiter*). **1.** Celui qui est choisi pour régler un différend, pour veiller à la régularité d'épreuves sportives : *On le prit pour arbitre dans cette querelle. L'arbitre siffle une faute.* — **2.** Celui qui dispose du sort des autres et règle à son gré leur activité : *Ce groupe politique est devenu l'arbitre de la situation* (syn. MAÎTRE). ◆ **arbitrer** v. t. Sens 1 du substantif : *Arbitrer un conflit.* ◆ **arbitrage** n. m. : *L'arbitrage d'un match. L'arbitrage de la Cour suprême aux États-Unis.* ◆ **arbitral, e, aux** adj. : *Se conformer au jugement arbitral.*

ARBOIS, ch.-l. de cant. du Jura, à 11 km au N. de Poligny, dans le vignoble jurassien; 4 200 hab. *(Arboisiens).* Vins.

ARBORER [arbɔre] v. t. (it. *arborare*, dresser un mât). **1.** *Arborer un drapeau*, le monter en haut d'un mât, le mettre sur la façade d'une maison, etc. — **2.** *Arborer un insigne, un chapeau*, etc., le porter avec fierté, de façon à attirer l'attention. — **3.** *Arborer un sourire*, faire en sorte que ce sourire soit vu de tous; laisser voir sa joie, sa satisfaction. ‖ *Arborer l'étendard de la révolte*, se révolter (littér.).

ARBORESCENT adj., **ARBORICOLE** adj., **ARBORICULTEUR** n. m., **ARBORICULTURE** n. f., **ARBORISATION** n. f. ⟶ ARBRE 1.

ARBOUSIER [arbuzje] n. m. (du prov. *arbousso*). Arbrisseau du Midi, à feuilles rappelant celles du laurier, et dont le fruit rouge vif, comestible, est l'*arbouse.* (Haut. max. 5 m.) [Famille des éricacées.]

1. ARBRE [arbr] n. m. (lat. *arbor*). **1.** Végétal vivace de grande taille, présentant une tige principale ou tronc dressée verticalement et, le plus souvent, des branches. ⟶ ENCYCL. — **2.** *Arbre généalogique* ⟶ GÉNÉALOGIE. — **3.** *Arbres de la liberté*, arbres plantés au début de la Révolution française pour symboliser la conquête de la liberté. ◆ **arborescent, e** adj. Qui a presque la forme, le caractère d'un arbre : *Fougères arborescentes.* ◆ **arboricole** adj. Qui vit dans les arbres. ◆ **arboriculteur** n. m. Celui qui

CHÊNE ROUVRE
ROBINIER FAUX-ACACIA
HÊTRE
ORME
ÉRABLE SYCOMORE
BOULEAU
PEUPLIER D'ITALIE
PIN SYLVESTRE
ÉPICÉA
MÉLÈZE

s'occupe d'arboriculture. ◆ **arboriculture** n. f. Culture des arbres, notamment des arbres fruitiers, considérés individuellement. ◆ **arborisation** n. f. Dessin naturel présentant des ramifications comparables aux branches d'arbre dans des corps minéraux, ou sur les vitres quand il gèle. ◆ **arbrisseau** n. m. Petit arbre qui se ramifie dès sa base comme le noisetier. ◆ **arbuste** n. m. Plante ligneuse plus petite qu'un arbre, mais présentant un tronc principal.
— ENCYCL. L'*arbre* est fait de trois parties : les *racines;* le *tronc* ou *tige;* le *houppier* (branches et feuillage). La masse principale d'un arbre est constituée par le bois. Les *arbres à feuilles caduques* sont ceux qui perdent leurs feuilles en saison sèche ou hivernale, par opposition aux *arbres à feuilles persistantes* (conifères).

2. ARBRE [arbr] n. m. (même étym.). Axe destiné à transmettre le mouvement d'une machine. ‖ *Arbre à cames* ⟶ CAME.
— ENCYCL. On distingue, d'une part, l'*arbre moteur* ou *arbre de couche,* mis directement en mouvement par la machine motrice (c'est le cas de l'arbre-manivelle, ou *vilebrequin,* des voitures automobiles), et, d'autre part, les *arbres de transmission,* grâce auxquels les organes à mouvoir reçoivent le mouvement de l'arbre de couche *(arbre à cardan)* ou d'un levier de manœuvre, comme c'est le cas pour les arbres tournants des systèmes d'aiguillage ou de signalisation des chemins de fer.

3. ARBRE [arbr] n. m. (même étym.). *Math.* Schéma permettant la résolution de certains problèmes qu'on peut décomposer en un nombre fini de problèmes élémentaires dont la solution ne comporte que deux éventualités seulement.
— ENCYCL. Supposons qu'un problème puisse se décomposer en un nombre fini de problèmes élémentaires dont la solution ne comporte que deux réponses possibles : *oui* ou *non.* On résoudra le problème posé en envisageant successivement tous les problèmes élémentaires. Le raisonnement utilisé pourra être représenté par un schéma qu'on appelle *arbre,* à cause de sa forme caractéristique.

Exemple : soit E un ensemble ayant quatre éléments, $E = \{a, b, c, d\}$. Cherchons toutes les parties de E. Le problème élémentaire utilisé sera : si P est une partie de E et s un élément de E, x est-il élément de P?

En appliquant successivement cette question pour $x = a, b, c$ et d, on envisage toutes les possibilités : on obtient ainsi toutes les parties de l'ensemble E. → graphique ci-dessous.

ARBRISSEAU n. m., **ARBUSTE** n. m. → ARBRE 1.

1. ARC [ark] n. m. (lat. *arcus*). **1.** Arme formée d'une baguette de bois ou de métal que l'on courbe au moyen d'une corde tendue avec effort, et avec laquelle on lance des flèches : *Un tireur à l'arc.* — **2.** *Avoir plus d'une corde à son arc,* avoir plusieurs moyens de parvenir au but que l'on s'est fixé. ◆ **archer** [arʃe] n. m. Tireur à l'arc.
— ENCYCL. En France, des corps d'*archers* servent sous les Capétiens. Les archers anglais contribuent aux défaites françaises de Crécy (1346), Poitiers (1356), Azincourt (1415). Les premiers archers « nationaux » datent de Charles VII, qui en forme un corps de 4 000 hommes en 1445 : ce sont les *francs archers.* Ils disparaissent en France sous François Ier (1515-1547), mais les Anglais les conserveront jusqu'au XVIIe s.

2. ARC [ark] n. m. (même étym.). *Arc de cercle,* portion de cercle comprise entre deux points. (⟶ CERCLE.)

3. ARC [ark] n. m. (même étym.). **1.** *Archit.* Courbe que décrit une voûte (l'adj. ou le compl. indique la forme) : *L'arc en plein cintre, ou arc roman, est formé d'une demi-circonférence.* — **2.** *Arc de triomphe,* monument en forme d'arc, élevé en l'honneur de quelqu'un ou pour commémorer un événement.
— ENCYCL. L'arc de triomphe était érigé, dans l'Antiquité, pour célébrer le triomphe d'un général vainqueur. Ces monuments se multiplient au Ier s. av. J.-C.; le Haut Empire romain marque l'apogée de l'arc de triomphe qui s'enrichit au triple point de vue des matériaux (marbre), des dimensions (trois arches dont une grande au centre), enfin de l'ornementation : colonnes flanquant les passages, scènes sculptées au-dessus des arches, etc. (*ex.* : l'arc de Titus, à Rome).

Leur usage se répandit surtout en France, à l'époque classique et jusqu'au XIXe s. : à Paris, la porte Saint-Denis (1671-1672), la porte Saint-Martin (1674), l'arc du Carrousel (1805) et celui de l'Étoile. L'érection de ce dernier fut décrétée par Napoléon Ier en 1806; son inauguration eut lieu en 1836. Sa hauteur est de 49,54 m, sa largeur de 44,82 m, et son épaisseur de 22,21 m. Il est décoré de sculptures par Pradier, Cortot, Étex, Rude *(le Départ des volontaires en 1792),* et porte inscrits les noms de 386 généraux de la République et de l'Empire. Sous la grande arcade se trouve, depuis 1920, la pierre tombale du Soldat inconnu.

4. ARC [ark] n. m. (même étym.). *Arc électrique,* décharge électrique à travers un gaz, produisant une température très élevée et une vive lumière, et accompagnée d'une volatilisation partielle des électrodes, habituellement constituées de charbon.
— ENCYCL. L'*arc électrique* est utilisé comme source de lumière dans certains types de projecteurs, comme source calorifique dans certains fours électriques. La soudure à l'arc connaît un développement considérable. On peut utiliser des arcs produits entre des électrodes métalliques : *arc au fer, arc au tungstène.*

ARC, riv. des Alpes du Nord, affl. de l'Isère (r. g.); 150 km. Sa vallée porte le nom de *Maurienne.* Nombreuses centrales hydroélectriques.

ARC ⟶ JEANNE D'ARC *(sainte).*

ARCACHON, ch.-l. de cant. de la Gironde, à 60 km au S.-O. de Bordeaux, sur la baie constituant le *bassin d'Arcachon;* 13 700 hab.

Le *bassin d'Arcachon* (150 km²) est la plus grande région d'ostréiculture de France. Stations balnéaires.

ARCADE [arkad] n. f. (it. *arcata*). **1.** Ensemble de piliers ou de colonnes laissant entre eux une ouverture dont la partie supérieure est en forme d'arc. — **2.** *Arcade sourcilière,* proéminence située à la base de l'os frontal et au-dessus de chaque orbite.

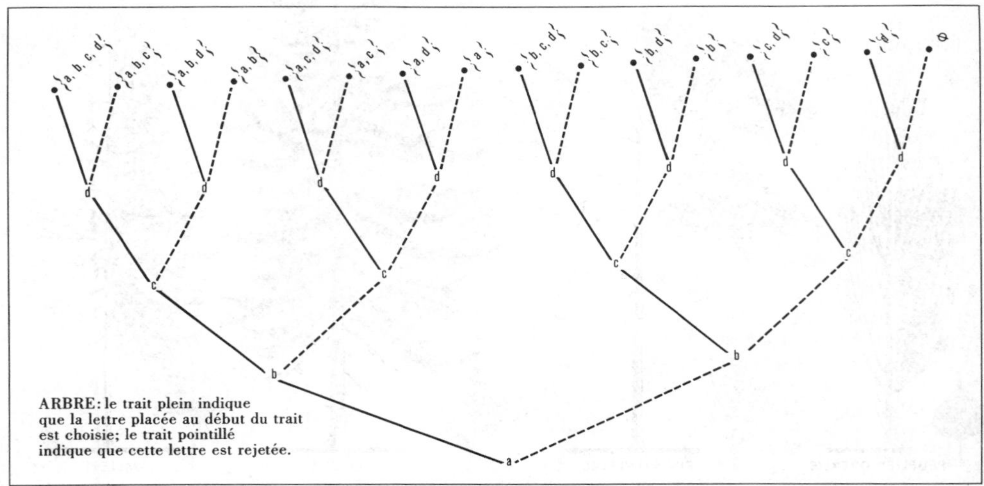

ARBRE: le trait plein indique que la lettre placée au début du trait est choisie; le trait pointillé indique que cette lettre est rejetée.

ARCADIE, région de la Grèce anc., dans la partie centrale du Péloponnèse, habitée par les *Arcadiens.* (En poésie, on appelait autrefois *Arcadie* un pays imaginaire du bonheur pastoral.)

ARCANES [arkan] n. m. pl. (du lat. *arcanus,* secret). *Les arcanes d'une science, d'une technique,* les secrets, les mystères qu'elles présentent pour le non-initié.

ARC-BOUTER (S') [sarkbute] v. pr. (de *arc,* et *bouter,* pousser) [sujet nom de personne]. *S'arc-bouter sur, à, contre qqch.,* y prendre appui pour exercer une pesée plus forte ou offrir une résistance plus grande à la poussée. ◆ **arc-bouté, e** part. passé : *Les pieds arc-boutés au mur, il retenait la porte* (syn. APPUYÉ). ◆ **arc-boutant** n. m. Demi-arc qui, à l'extérieur d'un édifice gothique, sert à neutraliser la poussée des voûtes sur la croisée d'ogives, en la reportant sur des contreforts. ‖ Pl. des *arcs-boutants.*

ARCEAU [arso] n. m. (de *arc*). Arc en forme de demi-cercle; objet qui a cette forme : *Les arceaux d'une voûte. Les arceaux d'un jeu de croquet.*

ARC-EN-CIEL [arkɑ̃sjɛl] n. m. (*arc, en* et *ciel*). Phénomène météorologique en forme d'arc lumineux, présentant les sept couleurs du spectre (violet, indigo, bleu, vert, jaune, orangé, rouge). ‖ Pl. des *arcs-en-ciel.*
— ENCYCL. Le phénomène de l'*arc-en-ciel* s'observe quand un nuage se résout en pluie dans la partie du ciel opposée au Soleil par rapport à l'observateur. On voit alors, totalement ou partiellement, un arc présentant les couleurs du spectre solaire : le violet est à l'intérieur, le rouge à l'extérieur. L'arc-en-ciel est dû à la *réfraction* et à la *réflexion totale* des rayons solaires dans les gouttes de pluie.

ARC-ET-SENANS, comm. du Doubs, à 16 km au N. d'Arbois; 1 200 hab. Anc. « saline royale » construite de 1775 à 1779 par Ledoux.

ARCHAÏSME [arkaism] n. m. (du gr. *arkhaios,* ancien). **1.** Caractère d'une forme, d'un mot, d'une construction, d'une tournure qui appartient à une époque antérieure à celle où on l'emploie; ce mot ou cette construction (contr. NÉOLOGISME). ⟶ ENCYCL. — **2.** Caractère de ce qui date d'une autre époque et apparaît comme désuet ou périmé : *L'archaïsme de ses procédés de fabrication a provoqué la ruine de cette industrie.* ◆ **archaïque** [arkaik] adj. (syn. ANCIEN, PÉRIMÉ; contr. MODERNE, RÉNOVÉ). ◆ **archaïsant, e** adj. : *Le style archaïsant des « Mémoires » de Saint-Simon.*
— ENCYCL. On distingue :
des *archaïsmes de vocabulaire.* Il s'agit de l'emploi de mots disparus de la langue courante (ex. : *choir* pour « tomber », *moult* pour « beaucoup », *occire* pour « tuer », *ouïr* pour « entendre »), ou de l'emploi de mots de la langue d'aujourd'hui dans un sens disparu (ex. : *chef* pour « tête », *vilain* pour « paysan »);
des *archaïsmes de syntaxe* (forme ou construction grammaticale ancienne). Exemple : *Il « orra » le chant du pâtre toute sa vie* [Apollinaire] (le futur du verbe *ouïr* [entendre] n'est plus usité). *Une amie « me vient » voir* [Colette] (le pronom personnel [*me*] complément d'un infinitif dépendant d'un verbe à un mode personnel se plaçait jusqu'au XVIIe s. devant ce verbe).

ARCHANGE n. m. ⟶ ANGE.

1. ARCHE [arʃ] n. f. (lat. *arca,* coffre). *L'arche de Noé,* selon la Bible, grand bateau que Noé construisit par ordre de Dieu pour se sauver du Déluge, ainsi que sa famille et toutes sortes d'animaux.

2. ARCHE [arʃ] n. f. (du lat. *arcus,* arc). Voûte en forme d'arc, que supportent les piles d'un pont.

ARCHÉGONE [arkegon] n. m. (du gr. *arkhê,* principe, et *gonê,* génération). Petit organe en forme de bouteille et contenant une cellule reproductrice femelle, ou *oosphère,* existant chez les mousses, les cryptogames vasculaires et les gymnospermes.

ARCHÉOLOGIE [arkeɔlɔʒi] n. f. (du gr. *arkhaios,* ancien, et *logos,* science). Étude des civilisations passées grâce aux monuments et objets qui en subsistent. ◆ **archéologique** adj. : *Des recherches archéologiques.* ◆ **archéologue** n.
— ENCYCL. L'*archéologie* est devenue une science aux techniques bien définies, la principale étant la pratique des *fouilles.*

Les fouilles sont entreprises à partir de données historiques (documents ou traditions), d'indices découverts sur un terrain (vestiges isolés ou anomalies à la surface du sol) qui laissent supposer des découvertes importantes. Elles consistent en une étude minutieuse des couches successives du sol (méthode stratigraphique).

Les produits des fouilles sont ensuite étudiés selon des techniques scientifiques : analyse chimique (comparaison des matières premières, teneur en fluor des ossements), analyse des pollens, aimantation des terres cuites, radio-activité (méthode du carbone 14 qui permet de dater les objets).

L'archéologie s'est orientée également vers les recherches sous-marines. Par ailleurs, elle a été renouvelée par la photographie aérienne, et le récent recours à l'informatique et aux mathématiques tend à en faire une véritable science.

ARCHER n. m. ⟶ ARC 1.

ARCHET [arʃɛ] n. m. (de *arc*). **1.** Baguette de bois dur sur laquelle est tendue une mèche de crins qui, par frottement, met en vibration les cordes d'un instrument de musique (violon, alto, violoncelle, etc.). — **2.** Appareil sonore des sauterelles.

ARCHÉTYPE [arketip] n. m. (gr. *arkhetupon,* modèle primitif). Modèle original ou idéal d'après lequel sont réalisés un ouvrage, une chose.

ARCHEVÊCHÉ n. m., **ARCHEVÊQUE** n. m. ⟶ ÉVÊQUE.

ARCHI-, préfixe (du gr. *arkhein,* commander) entrant dans la composition d'adjectifs (souvent substantivés) pour exprimer l'idée du superlatif : *archifou, archimillionnaire.* Ces composés avec *archi-* sont du style familier et le plus souvent péjoratifs.

Archi- est entré aussi en composition avec quelques mots indiquant une fonction ecclésiastique *(archidiacre)* ou un titre nobiliaire *(archiduc)* pour exprimer la supériorité hiérarchique.

ARCHICHANCELIER n. m. ⟶ CHANCELIER. / **ARCHIDIACONAT** n. m., **ARCHIDIACRE** n. m. ⟶ DIACRE. / **ARCHIDUC** n. m., **ARCHIDUCHÉ** n. m., **ARCHIDUCHESSE** n. f. ⟶ DUC 1.

ARCHIMÈDE, savant de l'Antiquité, né à Syracuse, en Sicile (287-212 av. J.-C.). Il calcula pour la première fois une valeur approchée du nombre π, étudia le levier, imagina les roues dentées, la vis sans fin, établit les formules de calcul de nombreuses aires et volumes, en particulier ceux de la sphère, etc. En physique, il définit la théorie du centre de gravité. Enfin, pour résoudre un problème que lui avait posé le tyran Hiéron, il trouva, en prenant son bain, dit-on, le principe qui porte son nom : *Tout corps plongé dans un fluide est soumis à une poussée verticale, dirigée de bas en haut, égale au poids du fluide déplacé.* Dans l'enthousiasme de cette découverte, il se serait élancé dans les rues de Syracuse en criant : *Eurêka!* (= « J'ai trouvé! »).

Les Romains assiégeant Syracuse, il incendia à distance, dit-on, la flotte romaine à l'aide de miroirs. La ville fut cependant prise et Archimède tué par un soldat.

ARCHIPEL [arʃipɛl] n. m. (it. *arcipelago*). Ensemble d'îles disposées en groupe à l'intérieur d'une surface maritime définie : *Les îles de la mer Égée forment un archipel.*

Archipel du Goulag *(l'),* par A. Soljenitsyne, dossier d'accusation sur la répression politique et culturelle en U. R. S. S.

ARCHIPRÊTRE n. m. ⟶ PRÊTRE.

ARCHITECTE [arʃitɛkt] n. (gr. *arkhitectôn,* maître constructeur). Technicien diplômé capable de concevoir, de réaliser des plans d'édifices de tous ordres, d'en établir le devis et d'en diriger l'exécution. ◆ **architecture** n. f. **1.** Art et manière de construire les édifices. — **2.** Disposition de l'édifice : *L'architecture majestueuse des temples de la Grèce.* — **3.** Structure ou construction complexe : *L'architecture savante d'un roman.* ◆ **architectural, e, aux** adj. : *La disposition architecturale d'un édifice.*

ARCHITRAVE [arʃitrav] n. f. (it. *architrave*). *Archit.* Partie qui repose directement sur les chapiteaux des colonnes ou sur d'autres points d'appui de l'entablement.

ARCHIVES [arʃiv] n. f. pl. (gr. *arkheia*). Ensemble de documents (pièces manuscrites, imprimés, etc.) qui proviennent d'une nation, d'une collectivité, d'une famille ou d'un individu. ◆ **archiviste** n. : *Les archivistes ont la garde des archives.* ◆ **archiviste-paléographe** n. Titre des élèves diplômés de l'École nationale des chartes. ◆ **archiver** v. t. Classer dans les archives.

ARCHONTE [arkɔ̃t] n. m. (gr. *arkhôn*). Magistrat chargé, dans diverses cités grecques, des plus hautes fonctions.

ARCIMBOLDO (Giuseppe), peintre italien (v. 1527-1593), auteur d'étranges figures formées par des assemblages de fleurs, de fruits, de coquillages, etc.

ARCIS-SUR-AUBE, ch.-l. de cant. de l'Aube, à 28 km au N. de Troyes; 3 400 hab.

- *20 mars 1814. Napoléon bat en retraite devant les Autrichiens.*

ARCOLE, village de l'Italie du Nord, en Vénétie.

- *17 novembre 1796. Bonaparte, s'exposant courageusement, enlève le pont d'Arcole aux Autrichiens.*

ARÇON [arsɔ̃] n. m. (du lat. *arcus,* arc). Armature de la selle.

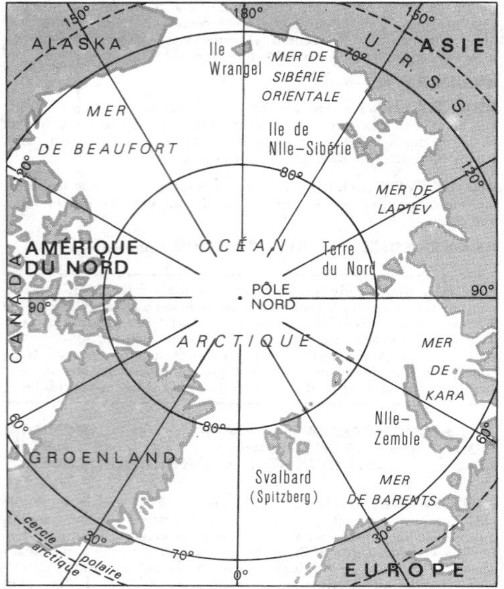

Arctique

formée de deux arcades, le pommeau et le troussequin, reliées par deux bandes de bois : *Vider les arçons* (= tomber de cheval). *Rester ferme sur ses arçons* (= se tenir bien en selle). ◆ **désarçonner** v. t. **1.** Jeter à bas de son cheval : *Le jockey fut désarçonné.* — **2.** *Désarçonner qq'un*, le mettre dans l'impossibilité de répondre, en lui posant une question embarrassante, en le plaçant devant un événement imprévu, etc. (syn. DÉCONCERTER, DÉMONTER, TROUBLER).

ARCTIQUE [arktik] adj. (gr. *arktikos*, du nord). Relatif au pôle Nord : *Expédition arctique* (= vers les régions proches du pôle). *Faune arctique* (= celle du Grand Nord).

ARCTIQUE, vaste région continentale et insulaire située à l'intérieur du cercle polaire arctique, englobant le nord de l'Amérique de l'Europe et de la Sibérie, le Groenland et le Svalbard (Spitzberg).

GÉOGRAPHIE. Le climat très froid (moyennes annuelles de — 10 °C à — 20 °C) et les vents violents limitent le développement de la flore (toundra), de la faune (rennes, ours blancs, phoques) et de la densité humaine. Très dispersés, les groupes humains (Esquimaux, Lapons, Samoyèdes), initialement pêcheurs et chasseurs exclusivement, s'intègrent progressivement dans l'économie moderne. Bases scientifiques et stratégiques. Exploitations minières. (⟶ POLAIRES [*régions*].)

HISTOIRE. La recherche d'un passage vers le N. pour atteindre le Pacifique a beaucoup contribué aux explorations des régions arctiques dès le XVIe s.

- *1596. W. Barents atteint le Spitzberg.*
- *1734-1743. Grandes expéditions des Russes au N. de la Sibérie.*
- *1879. Le Suédois A. Nordenskjöld réussit à naviguer en bordure de la Sibérie, ouvrant le passage du Nord-Est.*
- *6 avril 1909. L'Américain Peary atteint le pôle en traîneau.*
- *10 mai 1926. L'Américain Byrd survole le pôle.*

ARCTIQUE *(océan)*, ensemble des mers situées dans la partie boréale du globe, limité par les côtes septentrionales de l'Asie, de l'Amérique et de l'Europe, et par le cercle polaire arctique (66° 33′ de latitude nord).

ARCUEIL, ch.-l. du cant. du Val-de-Marne, dans la banlieue sud de Paris; 20 100 hab. Aqueduc.

LOCALITÉS PRINCIPALES	NOMBRE D'HAB.
Annonay	20 100
Aubenas	13 100
Privas	10 600
Tournon	9 700
Le Teil	8 400
Bourg-Saint-Andéol	7 700

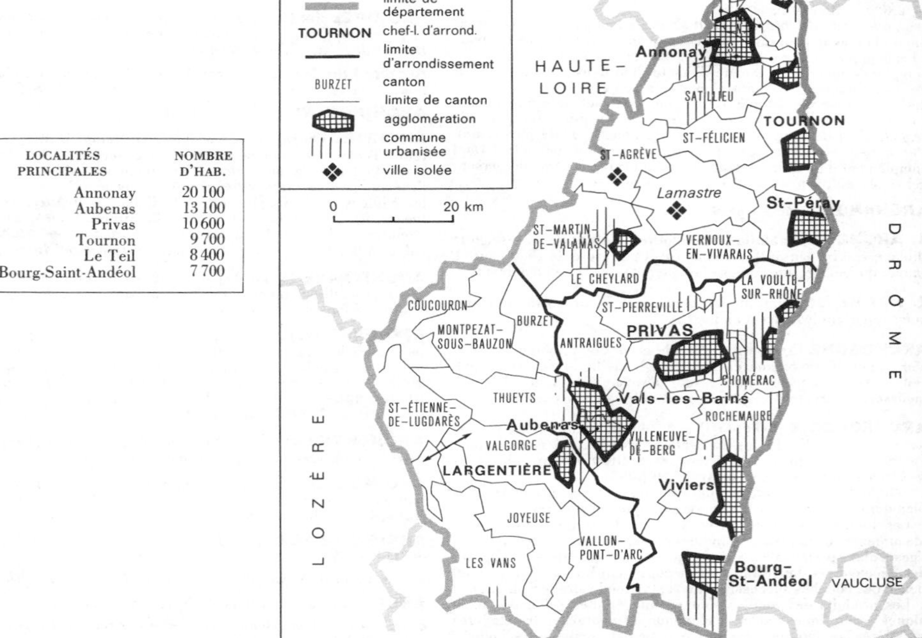

Ardèche

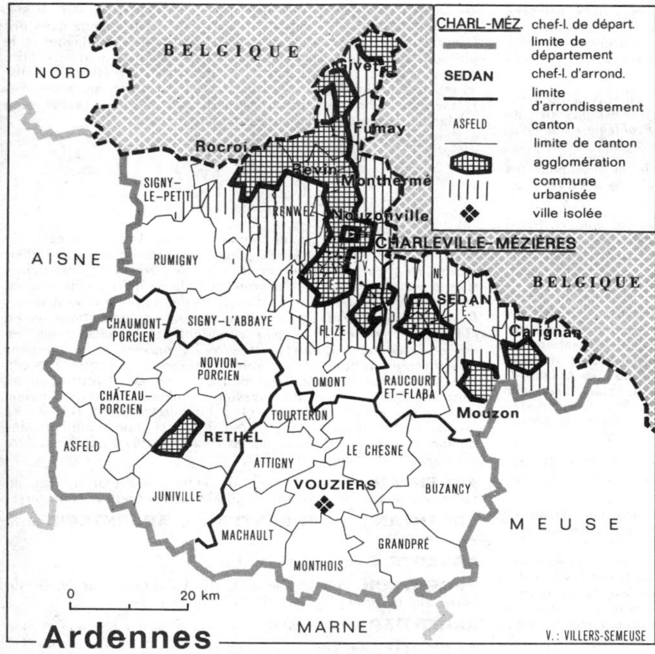

LOCALITÉS PRINCIPALES	NOMBRE D'HAB.
Charleville-Mézières	61 600
Sedan	24 500
Revin	10 600
Rethel	9 100
Givet	7 700

ARCY-SUR-CURE, comm. de l'Yonne, à 20 km au N.-O. d'Avallon. Grottes ayant livré d'importants vestiges préhistoriques.

ARDÈCHE, riv. du sud de la France, née dans les Cévennes, qui entaille de cañons les roches calcaires du bas Vivarais, avant de rejoindre le Rhône (r. dr.); 120 km.

ARDÈCHE (07), dép. de la bordure sud-est du Massif central (Région Rhône-Alpes); 5 529 km²; 268 000 hab. (48 au km²) [France : 103]. Ch.-l. *Privas.*
ADMINISTRATION. 3 arrond. (*Largentière*, 42 700 hab.; *Privas*, 109 100 hab.; *Tournon*, 116 200 hab.). / 33 cant. / 338 comm.

Limité à l'E. par la vallée du Rhône, le département est formé au N.-O. *(haut Vivarais* ou *monts du Vivarais)* de plateaux granitiques ou volcaniques (Mézenc, Gerbier-de-Jonc) et au S.-E. *(bas Vivarais)* de collines arides, surtout calcaires, dominant la vallée du Rhône.

Désertant les plateaux, la population et les activités se sont concentrées dans les vallées des affluents du Rhône (Eyrieux, Ouvèze, Ardèche).

L'*agriculture*, qui emploie encore le sixième de la population active, présente deux secteurs distincts : exploitation de la forêt et élevage sur les hauts plateaux, cultures fruitières et maraîchères dans les vallées.

L'*industrie* occupe environ les deux cinquièmes de la population active. Elle est représentée par la chaux et les ciments, l'électricité d'origine nucléaire, les textiles, la papeterie, les constructions mécaniques.

La faiblesse du *secteur tertiaire* coïncide avec l'insuffisance de l'urbanisation (les villes sont toutes d'importance très moyenne), surtout en comparaison des pôles d'attraction que sont les régions lyonnaise et marseillaise proches; l'émigration persiste.

ARDÉIDÉS [ardeide] n. m. pl. (du lat. *ardea*, héron). Famille d'oiseaux échassiers, comprenant les *hérons*, les *aigrettes*, les *butors* : *Les ardéidés se nourrissent de poissons, batraciens, reptiles ou insectes aquatiques. À l'exception des butors, qui vivent solitaires dans les roseaux, ils sont tous sociables et nichent en colonies appelées « héronnières ».*

ARDENNE (l') ou **ARDENNES** (les), massif aux confins de la France, de la Belgique et du Luxembourg.

ARDENNES (08), dép. du nord-est de la France (Région Champagne-Ardenne); 5 229 km²; 302 300 hab. (58 au km²) [France : 103]. Ch.-l. *Charleville-Mézières.*
ADMINISTRATION. 4 arrond. (*Charleville-Mézières*, 177 200 hab.; *Rethel*, 34 300 hab.; *Sedan*, 66 800 hab.; *Vouziers*, 24 100 hab.). / 37 cant. / 460 comm.

Le département s'étend au N. sur le massif ancien de l'Ardenne, au S. sur le Bassin parisien, sédimentaire. La population et l'industrie se sont concentrées dans la *vallée de la Meuse* jalonnée par les principales agglomérations.

L'*agriculture* occupe près de 10 p. 100 de la population active, part comparable à la moyenne française : élevage et exploitation forestière des plateaux boisés du nord et de l'est *(Ardenne* et *Argonne)*; cultures (céréales) sur les terres calcaires de l'ouest *(Champagne crayeuse, Porcien)*.

L'industrie, qui emploie plus de 40 p. 100 de la population active (= plus que la moyenne nationale), est fondée sur la métallurgie et sur les activités textiles. Elle est peu dynamique, malgré l'implantation d'une centrale nucléaire (la première à uranium enrichi) à Chooz.

La faiblesse du *secteur tertiaire* qui n'atteint pas encore la moyenne nationale traduit l'absence de grandes villes (seule Charleville-Mézières peut être considérée comme un centre régional). La persistance de l'émigration explique la décroissance actuelle de la population, qui contraste fortement avec l'essor du département voisin de la Marne.

1. ARDENT, E [ardɑ̃, -ɑ̃t] adj. (du lat. *ardere*, brûler). **1.** Qui chauffe fortement : *Le soleil est ardent à midi* (syn. BRÛLANT, CHAUD). — **2.** *Chambre ardente* ⟶ CHAMBRE. ‖ *Chapelle ardente* ⟶ CHAPELLE 1. ‖ *Être sur des charbons ardents* ⟶ CHARBON. ◆ **ardeur** [ardœr] n. f. Chaleur extrême : *L'ardeur du soleil.*

2. ARDENT, E [ardɑ̃, -ɑ̃t] adj. (même étym.). **1.** Se dit d'une chose qui a un caractère de violence, de force, de passion : *Une lutte ardente* (syn. ACHARNÉ). *Il a d'ardentes convictions* (syn. PASSIONNÉ). — **2.** Se dit d'un être prompt à s'enflammer : *Avoir une nature ardente* (syn. FOUGUEUX; contr. ENDORMI). — **3.** *Ardent à qqch.*, qui s'y porte, s'y adonne avec ardeur : *Être ardent au travail* (syn. EMPRESSÉ À). ◆ **ardemment** [ardamɑ̃] adv. : *Il souhaite ardemment votre retour* (syn. VIVEMENT). ◆ **ardeur** n. f. Force qui porte à faire quelque chose : *Il a encore toute l'ardeur de la jeunesse* (syn. DYNAMISME, FOUGUE). *Il ne montre aucune ardeur au travail* (syn. EMPRESSEMENT). *L'ardeur des combattants a faibli* (syn. IMPÉTUOSITÉ).

ARDOISE [ardwaz] n. f. (orig. obscure). Roche schisteuse grise, bleutée ou mauve, qui peut se diviser en feuilles minces, utilisées pour la couverture des maisons, la fabrication de crayons, de tablettes pour écrire, etc. : *Les maisons à toits d'ardoise sont plus nombreuses dans l'ouest de la France.* ◆ **ardoisière** n. f. Carrière d'ardoise.

ARDU, E [ardy] adj. (lat. *arduus*). Se dit d'un travail qu'il est difficile de mener à bien, d'un problème qu'il n'est pas aisé de résoudre : *Une tâche ardue* (syn. PÉNIBLE). *Problème ardu* (syn. DUR; contr. AISÉ, FACILE).

ARE [ar] n. m. (lat. *area*, surface). Unité de mesure pour les surfaces agraires. (→ MESURE, *unités de mesure*.) ◆ **aréage** n. m. Mesurage des terres par are.

ARÉIQUE [areik] adj. (de *a* priv., et gr. *rhein*, couler). Privé d'écoulement régulier des eaux : *Le Sahara est une région aréique.* ◆ **aréisme** n. m. État d'une région aréique : *L'aréisme règne sur 17 p. 100 des surfaces émergées.*

ARÈNE [arɛn] n. f. (lat. *arena*, sable). **1.** Espace sablé, au centre des amphithéâtres, où combattaient les gladiateurs. ‖ *Descendre dans l'arène*, participer activement à une discussion, à une lutte politique, littéraire. — **2.** Sable résultant de la désagrégation des roches granitiques. ◆ **arènes** n. f. pl. **1.** Amphithéâtre antique. — **2.** Endroit aménagé pour les courses de taureaux. ◆ **arénacé, e** adj. De la consistance du sable; qui contient du sable : *Sédiment arénacé.* ◆ **arénicole** adj. Qui vit dans le sable. ◆ n. f. Ver marin de l'embranchement des annélides vivant dans le sable. ◆ **arénisation** n. f. Décomposition des roches cristallines en arène.

ARÉOLE [areɔl] n. f. (du lat. *area*, aire). **1.** Cercle rougeâtre qui entoure un point inflammatoire. — **2.** Cercle pigmenté qui entoure le mamelon du sein.

ARÉOMÈTRE [areɔmɛtr] n. m. (du gr. *araios*, peu dense, et *metron*, mesure). Instrument qui sert à déterminer la densité des liquides.
— ENCYCL. L'*aréomètre* se compose d'une boule lestée et surmontée d'une tige graduée. Plongé dans un liquide, il flotte verticalement et s'enfonce d'autant plus que le liquide est moins dense. Suivant sa destination, l'aréomètre prend le nom d'*alcoomètre*, de *pèse-lait*, de *pèse-sirop*, de *pèse-acide*, etc. Les aréomètres les plus employés sont les *aréomètres Baumé*.

ARÉOPAGE [areɔpaʒ] n. m. (gr. *Areios pagos*, colline d'Arès). **1.** Tribunal suprême d'Athènes, qui siégeait sur la colline d'Arès, composé depuis Solon d'anciens archontes et chargé de juger les affaires criminelles (avec une majusc.). — **2.** Assemblée, groupe de personnes éminentes, écrivains, savants, juristes, etc.

AREQUIPA, v. du Pérou méridional; 447 400 hab. Centre commercial.

ARÈS, dieu grec de la Guerre, assimilé à *Mars* par les Romains.

1. ARÊTE [arɛt] n. f. (lat. *arista*, épi). **1.** Os mince et pointu qui se trouve chez presque tous les poissons. — **2.** Barbe des épis de l'orge, du seigle.

2. ARÊTE [arɛt] n. f. (même étym.). **1.** Angle saillant, en particulier d'un rocher; ligne d'intersection de deux versants montagneux : *Grimper le long d'une arête rocheuse.* — **2.** Toute ligne saillante : *L'arête du nez.* — **3.** *Math.* Segment commun à deux faces adjacentes d'un polyèdre : *Un cube a douze arêtes.*

ARÉTIN (Pietro ARETINO, dit l'), écrivain italien (1492-1556). Ses écrits, parfois licencieux, sont toujours pleins de verve.

AREZZO, v. d'Italie, en Toscane, sur l'Arno supérieur; 91 000 hab.

ARGELÈS-GAZOST, station thermale des Hautes-Pyrénées, à 13 km au S.-O. de Lourdes; 3 450 hab.

ARGELÈS-SUR-MER, station thermale des Pyrénées-Orientales, sur la Méditerranée; 5 800 hab.

ARGENS, fl. côtier de la Provence, dont le cours inférieur sépare les massifs des Maures et de l'Esterel; 116 km.

1. ARGENT [arʒɑ̃] n. m. (lat. *argentum*). **1.** Métal (Ag) précieux, brillant et inoxydable, qui, mêlé à du cuivre pour être plus résistant, sert en particulier à faire des pièces de monnaie. → ENCYCL. — **2.** *D'argent*, se dit de ce qui a l'éclat, la blancheur du métal (littér.) : *Les reflets d'argent de l'étang sous la lune* (syn. ARGENTÉ). ◆ **argentan** n. m. Alliage de cuivre, de nickel et de zinc, dont la couleur blanche rappelle celle de l'argent. ◆ **argenté, e** adj. Qui a la couleur ou l'éclat de l'argent : *Un gris argenté* (gris mêlé de blanc). ◆ **argenter** v. t. Recouvrir d'argent : *Des cuillers de métal argenté.* ◆ **argenterie** n. f. Vaisselle en argent. ◆ **argentifère** adj. Qui renferme de l'argent. ◆ **argenture** n. f. **1.** Art, action d'argenter. — **2.** Dépôt d'une couche d'argent métallique, par électrolyse ou par évaporation sous vide. ◆ **désargenter** v. t. Enlever la couche d'argent : *Un couteau désargenté.*

— ENCYCL. L'*argent* se rencontre rarement à l'état pur dans le sol; il est le plus souvent combiné au soufre ou à l'antimoine dans des minerais assez pauvres. Après l'or, il est le plus malléable et le plus ductile de tous les métaux, c'est-à-dire qu'il peut être étiré sans se rompre. Il fond à 960 °C. Sa densité est de 10,5. On l'allie au cuivre pour lui donner plus de dureté (argenterie, monnaie). Ses sels (chlorure, bromure, nitrate) sont utilisés en photographie et en médecine. Les principaux pays producteurs sont :

Mexique	2 000 t
Pérou	1 800 t
U. R. S. S.	1 500 t
États-Unis	1 400 t
Canada	1 200 t

2. ARGENT [arʒɑ̃] n. m. (même étym.). Toute monnaie, de quelque métal qu'elle soit, de quelque nature qu'elle soit (billet, pièces, etc.), qui sert de numéraire : *Il a de l'argent* (= il est riche). *Il en a pour son argent* (= en proportion de ce qu'il a déboursé ou de sa peine). *L'argent n'a pas d'odeur* (= peu importe d'où il vient). *Payer en argent frais* (= en billets et non pas en actions ou en obligations). *Payer en argent comptant* (= immédiatement, en espèces) [contr. À CRÉDIT]. *Prendre les paroles de qq'un pour argent comptant* (fam.) [= les croire naïvement]. ◆ **argenté, e** adj. Fam. *N'être pas argenté*, avoir peu d'argent. ◆ **argentier** n. m. Autref., officier chargé de pourvoir la maison du roi en objets nécessaires à l'ameublement et à l'habillement du roi, de sa famille et de ses officiers. ‖ *Grand argentier* (fam.), ministre des Finances; responsable financier. ◆ **désargenté, e** adj. Fam. *Être désargenté*, être démuni d'argent.

ARGENTAN, ch.-l. d'arrond. de l'Orne, sur l'Orne, dans la *plaine* ou *campagne d'Argentan;* 18 000 hab. Appareils ménagers.

ARGENTAN n. m., **ARGENTER** v. t., **ARGENTERIE** n. f., → ARGENT 1.

ARGENTÉ, E adj. → ARGENT 1 et 2.

ARGENTEUIL, ch.-l. d'arrond. du Val-d'Oise, au N.-O. de Paris, sur la Seine; 96 000 hab. Métallurgie.

ARGENTIER n. m. → ARGENT 2.

ARGENTIFÈRE adj. → ARGENT 1.

1. ARGENTIN, E [arʒɑ̃tɛ̃, -in] adj. et n. De l'Argentine.

2. ARGENTIN, E [arʒɑ̃tɛ̃, -in] adj. (de *argent*). *Son argentin*, son clair, comme celui d'une pièce d'argent que l'on fait sonner.

ARGENTINE, en esp. **República Argentina,** république fédérale de l'Amérique du Sud, s'allongeant du tropique sud à la Terre de Feu, sur la façade atlantique.

SUPERFICIE 2 780 000 km² (France : 550 000 km²).

POPULATION 31 900 000 hab. *(Argentins);* 11 hab. au km² (France : 103); taux de natalité, 22,9 p. 1 000; taux de mortalité, 9,4 p. 1 000.

CAPITALE Buenos Aires (3 millions d'hab., agglomération 10 millions d'hab.).

VILLES PRINCIPALES Córdoba (983 200 hab.); Rosario (957 300 hab.).

LANGUE espagnol.

MONNAIE peso.

GÉOGRAPHIE

Des plaines occupent la plus grande partie du pays : *Chaco* au N., *Pampa* au centre. Au S. apparaît le *plateau de Patagonie.* Mais le pays est bordé à l'O. sur toute sa longueur par la *Cordillère des Andes*, chaîne étroite et élevée qui compte des volcans encore en activité (Aconcagua, Llullaillaco). La présence de cette montagne empêche la pénétration des vents d'ouest et explique la relative sécheresse du climat. Celui-ci, subtropical au N., devient tempéré au centre, et froid et très sec au S. *(désert de Patagonie).*

	TEMPÉRATURES MOYENNES janv.	juil.	PLUIES
Corrientes	26 °C	17 °C	1 203 mm
Buenos Aires	24 °C	10 °C	987 mm
Santa Cruz	13 °C	3 °C	147 mm

La prairie, qui occupe toute la partie centrale, se transforme en steppe au S. et en brousse, ou même en forêt, au N. (Chaco).

La population est peu dense et surtout très inégalement répartie. Le centre groupe les deux tiers des habitants, et c'est là que se situent les principales villes. La seule agglomération de Buenos Aires groupe environ le tiers de la population du pays.

Les *activités agricoles* varient en fonction du climat. Au N., on pratique des cultures tropicales, souvent grâce à l'irrigation. Au S., des troupeaux de moutons parcourent les steppes de Patagonie. Au centre, la Pampa est la région la plus riche : elle est vouée aux cultures tempérées (blé, maïs, légumes, vigne) et surtout à l'élevage bovin.

maïs	10 millions de t	bovins	53 millions de têtes
blé	13 millions de t	ovins	30 millions de têtes
vin	25 millions d'hl	viande	3 500 000 t

Les *richesses du sous-sol* sont encore peu exploitées à cause de leur éloignement des grands centres. Seuls le pétrole et le potentiel hydro-électrique commencent à l'être. Des *activités industrielles* se sont développées dans les villes : industries textiles, alimentaires, métallurgie de transformation. Mais l'industrie lourde produit peu, et l'Argentine doit importer en particulier de l'acier et du matériel d'équipement.

pétrole	25 millions de t
gaz naturel	15 milliards de m³
électricité	43 milliards de kWh
acier	2 500 000 t

Au sein de l'Amérique latine, l'Argentine apparaît comme relativement développée. Mais le pays est lourdement endetté.

Argentine

HISTOIRE

■ LA COLONISATION.

- *1516. L'Espagnol Díaz de Solís aborde dans le Río de La Plata.*
- *1580. Fondation de Buenos Aires.*

Les Espagnols s'établissent progressivement à l'intérieur du pays. Ils y introduisent le cheval et les bovins qui s'y multiplient rapidement. Au XVIIIᵉ s. se créent d'immenses propriétés ou *estancias.* Les propriétaires de grands troupeaux tiennent une place prépondérante dans la hiérarchie sociale.

■ L'INDÉPENDANCE.

- *1810. Le vice-roi, représentant du roi d'Espagne, est déposé.*
- *1813. Les patriotes commandés par San Martín chassent les Espagnols.*
- *1816. Le congrès de Tucumán proclame l'indépendance du pays.*
- *1853. L'Argentine se donne une constitution libérale et fédérale.*

■ L'ARGENTINE MODERNE. De 1850 à 1929, la croissance économique s'accompagne d'une très forte immigration européenne.

- *1929-1943. Période de crise économique, de tensions sociales et de dictatures militaires.*
- *1943-1955. Gouvernement dictatorial de Perón.*

Le régime de Perón met en œuvre un programme de réformes sociales et économiques fondamentales et s'efforce de rendre l'Argentine économiquement indépendante, en particulier à l'égard des États-Unis. Mais l'opposition de la bourgeoisie, de l'Église et de l'armée provoque le départ de Perón.

- *1966. L'armée prend le pouvoir.*

Des difficultés politiques et économiques l'amènent à organiser des élections qui aboutissent au retour au pouvoir de Perón (1973). Mais Perón meurt en 1974 et sa femme lui succède.

- *1976. Isabel Perón, incapable de faire face au chaos économique et politique, est renversée par une junte militaire.*
- *1982. Échec d'une tentative de conquête des îles Malouines.*
- *1983. Retour des civils au pouvoir. Raúl Alfonsín, leader du parti radical, est élu président de la République.*

L'équilibre entre le pouvoir civil, confronté à une grave crise économique et sociale, et l'armée reste cependant fragile.

- *1989. Le « péroniste » (= héritier des idées de Perón) Carlos Saúl Menem est élu président de la République.*

ARGENTON-SUR-CREUSE, ch.-l. de cant. de l'Indre, à 30 km au S.-O. de Châteauroux; 6 100 hab.

ARGENTURE n. f. ⟶ ARGENT 1.

ARGHEZI (Ion N. TEODORESCU, dit **Tudor**), écrivain roumain (1880-1967). Il célèbre aussi bien l'héroïsme révolutionnaire que l'amour de la terre ou les angoisses et les joies de la condition humaine.

ARGILE [arʒil] n. f. (lat. *argilla*). **1.** Roche sédimentaire tendre, absorbant l'eau et devenant alors une pâte imperméable. ⟶ ENCYCL. — **2.** *Argile à silex,* argile brune, avec des rognons durs de silex, résultant de la dissolution sur place de calcaires à silex. ◆ **argileux, euse** adj. : *Terrain argileux.*

— ENCYCL. Constituée essentiellement de silicate d'alumine hydratée, l'*argile* a la propriété d'absorber l'eau pour former une pâte malléable (terre glaise). Ainsi, l'argile peut être façonnée par divers procédés. Desséchée, elle devient dure, ce qui en a fait une des premières matières que l'homme ait su travailler : elle sert à fabriquer toutes les poteries céramiques. Sa couleur varie du blanc au gris foncé, en passant par le vert et le rouge.

L'*argile à blocaux* est une boue argileuse contenant des blocs de toutes dimensions tapissant le fond des glaciers (moraine de fond).

La *marne* est une argile contenant au moins 15 p. 100 de calcaire.

■ *Géographie.* Dans les régions argileuses domine une topographie de dépressions et petites collines. L'imperméabilité facilite le ruissellement qui donne naissance à des ravinements (= bad-lands) si le sol n'est pas protégé par une couverture végétale. Des couches d'argile devenues plastiques à la suite de grosses pluies peuvent être à l'origine de glissements de terrain.

ARGOLIDE, région de Grèce, dans le nord-est du Péloponnèse. Ch.-l. *Argos.* Ce fut le centre d'une civilisation très prospère vers 1400-1200 av. J.-C.

ARGON [argɔ̃] n. m. (du gr. *argos*, inactif). Corps simple gazeux (Ar), incolore, qui constitue le centième de l'atmosphère terrestre. Il sert à remplir les ampoules électriques à incandescence.

ARGONAUTE [argɔnot] n. m. (de *Argonautes*). Mollusque des mers chaudes, long de 60 cm. (Classe des céphalopodes.)

ARGONAUTES, héros grecs légendaires, commandés par Jason et qui, sur le navire *Argo*, allèrent conquérir la Toison d'or en Colchide. Jason réussit à s'en emparer grâce à la fille du roi de Colchide, Médée, qui s'enfuit avec lui.

ARGONNE, région de collines boisées de l'est du Bassin parisien, entre l'Aisne et son affluent l'Aire.

ARGOS, v. de Grèce, ch.-l. de l'Argolide; 19 900 hab. Dans l'Antiquité, la ville d'Argos fut longtemps à la tête d'une puissante confédération. Mais la rivalité de Sparte l'affaiblit peu à peu malgré l'alliance d'Athènes.

ARGOT [argo] n. m. (orig. obscure). Ensemble de termes, de locutions ou de formes grammaticales dont usent les gens d'un même groupe social ou professionnel, et par lesquels ils se distinguent consciemment des autres groupes : *Argot scolaire* (= des écoliers). *Argot militaire. Argot parisien* (syn. JARGON, PARLER). ⟶ ENCYCL. ◆ **argotique** adj. : *Certains termes argotiques ont pu passer dans la langue populaire.*

— ENCYCL. À l'origine, ce mot désignait la collectivité des truands et mendiants qui vivaient dans les cours* des miracles et y formaient le *royaume de l'argot*. Le terme s'est ensuite appliqué à leur langage secret ou *jargon*. L'existence de ce langage est attestée dès le XIIIe s. Jusqu'au XIXe s., il resta un code secret dont se servaient les malfaiteurs entre eux. Puis l'argot se répandit dans le peuple et devint une forme extrême du français populaire (*langue verte* du « milieu » des faubourgs parisiens). C'est ainsi que *abasourdir, amadouer, boniment, dupe, grivois, gueux, truc*, etc. (à l'origine mots du langage secret des truands), sont passés dans l'usage populaire, puis même dans le langage courant. Peu à peu, la notion d'argot s'est étendue à d'autres groupes fermés qui, liés par un même sentiment de solidarité et voulant se distinguer du reste de la population, ont créé des mots techniques compris par eux seuls; ainsi sont nés les *argots professionnels* réservés aux seuls initiés : argot scolaire (des grandes écoles), militaire, sportif et surtout argot de chaque profession, de chaque métier (le cocher dira que son cheval est un *bourrin*, un *canasson;* le tisserand dira *trimer* [de trame] pour travailler; le terrassier, lui, dira *piocher;* le soldat dira *passer l'arme à gauche* pour mourir).

Nombreux sont les termes qui peu à peu sont passés dans la langue courante et, de ce fait, l'argot doit se renouveler sans cesse. Mais aujourd'hui, ce renouvellement se traduit plutôt par une déformation sémantique des mots (addition de suffixes, abréviations, prononciations particulières) que par une authentique création de termes nouveaux.

ARGOVIE, en all. **Aargau,** cant. du nord de la Suisse; 447 500 hab. Ch.-l. *Aarau.*

ARGUER [argɥe] v. t. (du lat. *arguere*, prouver). [L'*e* muet et l'*i* qui suivent le radical peuvent prendre un tréma : *Il arguë, nous arguïons.*] *Arguer de qqch., arguer que* (et l'indic.), en déduire une conséquence, prétexter que (langue soutenue) : *Arguer de son ancienneté pour obtenir un avancement* (syn. FAIRE ÉTAT DE, SE PRÉVALOIR DE).

ARGUMENT [argymɑ̃] n. m. (lat. *argumentum*). **1.** Preuve, raisonnement apportés à l'appui d'une affirmation : *Appuyer son affirmation d'arguments très clairs* (syn. DÉMONSTRATION). *Tirer argument d'un fait*, le prendre comme preuve de ce qu'on avance. — **2.** Abrégé d'une pièce de théâtre, d'un ouvrage littéraire, etc. : *Le programme donnait l'argument de la comédie.* ◆ **argumenter** v. i. Présenter une série d'arguments. ◆ **argumentation** n. f. Ensemble des arguments tendant à une conclusion.

ARGUTIE [argysi] n. f. (lat. *argutia*). Raisonnement d'une subtilité excessive, dont on use en général pour dissimuler le vide de la pensée ou l'absence de preuve (syn. FINESSE).

ARGYLL, anc. comté d'Écosse, au S. des Grampians; le ch.-l. était *Lochgilphead.*

ARGYRONÈTE [arʒirɔnɛt] n. f. (du gr. *arguros*, argent, et *neô*, je file). Araignée aquatique, qui tisse dans l'eau, entre les plantes, une sorte de cloche qu'elle remplit d'air et où elle se tient à l'affût. (Classe des arachnides.)

ÅRHUS, port du Danemark, sur la côte orientale du Jylland; 244 800 hab.

1. ARIA [arja] n. m. (de l'anc. fr. *harier*, harceler). *Fam.* Obstacle imprévu qui procure du désagrément ou de l'embarras : *Que d'arias!* (syn. ENNUI, SOUCI).

2. ARIA [arja] n. f. (mot it.). Air, mélodie.

ARIANE. *Myth. gr.* Fille de Minos et de Pasiphaé. Elle donna à Thésée, venu en Crète pour combattre le Minotaure, le fil à l'aide duquel il put sortir du Labyrinthe après avoir tué le monstre.

ARIANISME [arjanism] n. m. (du n. d'*Arius*). Doctrine hérétique d'Arius* qui niait l'unité des trois personnes de la Sainte-Trinité, et par conséquent la divinité de Jésus-Christ. ◆ **arien, enne** adj. et n. Qui concerne ou qui était partisan de la doctrine d'Arius.

1. ARIDE [arid] adj. (lat. *aridus*). Se dit d'un sol, d'une région qui sont naturellement dépourvus de végétation : *Terre aride* (syn. SEC). *Des étendues arides* (syn. DÉSERTIQUE, INCULTE). ‖ *Climat aride*, climat où les précipitations sont très faibles. ◆ **aridité** n. f. : *L'aridité du sol* (syn. SÉCHERESSE). ‖ *Indice d'aridité*, formule permettant d'apprécier l'humidité d'une région par rapport à sa température. ◆ **semi-aride** adj. Se dit des régions, du climat, dans les zones proches des déserts.

2. ARIDE [arid] adj. (même étym.). **1.** Se dit de quelqu'un qui manque de sensibilité, de tendresse : *Cœur aride* (syn. FROID). *Esprit aride* (= qui ne produit pas ou difficilement). — **2.** Se dit de quelque chose qui est dépourvu de charme, d'agrément : *Sujet aride* (syn. INGRAT). ◆ **aridité** n. f. Sens 1 et 2 de l'adj.

ARIÈGE, affl. de la Garonne (r. dr.), long de 170 km. Né dans les Pyrénées-Orientales, l'Ariège traverse Foix, puis Pamiers. Il est coupé d'aménagements hydro-électriques (Aston).

ARIÈGE (09), dép. des Pyrénées et du bassin d'Aquitaine (Région Midi-Pyrénées); 4 890 km²; 136 400 hab. (28 au km²) [France : 103]. Ch-l. *Foix.*

ADMINISTRATION. 3 arrond. (*Foix*, 52 600 hab.; *Pamiers*, 55 900 hab.; *Saint-Girons*, 28 000 hab.). / 22 cant. / 332 comm.

Le département s'étend au S. sur une partie des hautes Pyrénées (à environ 1 000 m d'altitude), au centre sur les chaînons de la montagne du *Plantaurel* (à environ 500 m d'altitude), et au N. sur une région de collines, extrémité méridionale du Bassin aquitain. Il est traversé par la *vallée de l'Ariège*, jalonnée par les deux principales villes, Pamiers et Foix.

L'*agriculture* emploie encore près de 20 p. 100 de la population active (proportion double de la moyenne nationale) juxtaposant l'élevage ovin sur les hauteurs et la polyculture dans les collines.

L'*industrie* occupe 39 p. 100 de cette population active (part inférieure à la moyenne française). Elle est représentée traditionnellement par la métallurgie (Foix), l'extraction du talc (Luzenac) et le textile (Lavelanet). L'hydro-électricité (centrales d'Aston, de L'Hospitalet) a favorisé le développement de l'électrométallurgie (aciers spéciaux, aluminium).

À cette activité économique médiocre s'ajoute la faiblesse du *secteur tertiaire* (qui n'emploie que le tiers de la population active), liée à celle de l'urbanisation. La population est aujourd'hui en diminution et l'émigration persiste.

ARIEN, ENNE adj. et n. ⟶ ARIANISME.

ARIETTE [arjɛt] n. f. (it. *arietta*). Petite mélodie de caractère aimable.

ARILLE [arij] n. m. (bas lat. *arillus*, grain de raisin). *Bot.* Tégument qui se développe après la fécondation autour de la graine et qui constitue, par exemple avec la graine de l'if, un « faux fruit ».

ARIOSO [arjozo] n. m. (mot it.). *Mus.* Fragment musical, apparenté à l'air, mais dont la forme est moins rigoureuse. ‖ Pl. des *ariosos.*

ARIOSTE (Ludovico ARIOSTO, dit **l'**), poète italien (1474-1533), auteur du poème *le Roland furieux* (1516-1532).

ARISTARQUE DE SAMOS, astronome grec (310-230 av. J.-C.). Précurseur de Copernic, il eut, le premier, l'idée de la rotation de la Terre sur elle-même et autour du Soleil.

ARISTIDE le Juste, général et homme d'État athénien (v. 540-v. 468 av. J.-C.). Il se couvrit de gloire à Marathon, mais fut banni par ostracisme à l'instigation de Thémistocle. Rappelé par les Athéniens, il combattit vaillamment à Salamine et à Platée.

ARISTOCRATE [aristokrat] n. (du gr. *aristokrateia*, gouvernement des meilleurs). **1.** *Péjor.* Membre de la classe des nobles, des privilégiés (littér.) [syn. NOBLE; péjor. HOBEREAU]. — **2.** Personne qui a de la distinction, qui a des manières, des qualités mondaines : *À son élégance et à son langage recherché, on sent chez lui l'aristocrate* (syn. HOMME DU MONDE). ◆ **aristocratie** [aristokrasi] n. f. **1.** Forme de gouvernement où le pouvoir est détenu par la classe des nobles (contr. DÉMOCRATIE). — **2.** Classe des nobles (terme hist.) [syn. NOBLESSE; par oppos. à BOURGEOISIE, ROTURIERS]. — **3.** Ensemble de ceux qui sont l'élite dans un domaine scientifique ou artistique (littér.) : *L'aristocratie de la science.* ◆ **aristocratique** adj. (n'est pas péjor.) : *Il a des manières aristocratiques* (syn. DISTINGUÉ, RAFFINÉ; contr. VULGAIRE).

LOCALITÉS PRINCIPALES	NOMBRE D'HAB.
Pamiers	15 200
Foix	10 100
Lavelanet	8 400
Saint-Girons	7 700
Tarascon-sur-Ariège	3 900

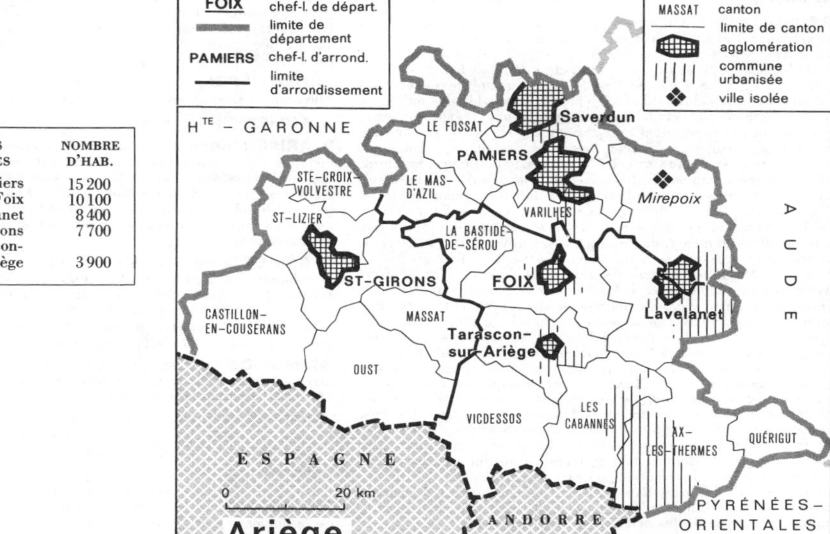

Ariège

ARISTOPHANE, poète comique athénien (v. 445-v. 386 av. J.-C.). Ses onze pièces, dont le ton va de la bouffonnerie la plus grossière à la plus délicate poésie, sont pour la plupart inspirées par des questions d'actualité : il raille Socrate dans *les Nuées,* Euripide dans *les Grenouilles,* préconise une politique de paix dans *les Acharniens, la Paix, Lysistrata,* critique la justice athénienne dans *les Guêpes,* les utopies politiques de Platon dans *l'Assemblée des femmes;* mais il sait aussi, comme dans *les Oiseaux,* faire la part de la féerie.

ARISTOTE, philosophe grec (384-322 av. J.-C.). Il fut le précepteur et l'ami d'Alexandre le Grand et le fondateur de l'école péripatéticienne. Son système nous montre toute la nature comme un immense effort de la matière brute pour s'élever jusqu'à la pensée et à l'intelligence. Pendant tout le Moyen Âge, il inspira les philosophes. Il nous paraît aujourd'hui comme le « dernier » des savants dont l'esprit ait pu embrasser toutes les sciences de son temps.

ARISTOTÉLICIEN, ENNE [aristɔtelisjɛ̃, -ɛn] adj. Conforme à la doctrine d'Aristote. ◆ n. Partisan de ce philosophe. ◆ **aristotélisme** n. m. Doctrine d'Aristote.

ARITHMÉTIQUE [aritmetik] n. f. (gr. *arithmêtikê*, science des nombres). Partie des mathématiques qui se consacre à l'étude des nombres, à leur calcul et à leur représentation écrite. (⟶ NUMÉRATION.) ◆ **arithmétique** adj. : *Faire des opérations arithmétiques.*

ARIUS, prêtre, né à Alexandrie (v. 280-336). Vers 323, il commença à prêcher sa doctrine, l'arianisme*. Il fut excommunié par le concile de Nicée (325).

ARIZONA, État du sud-ouest des États-Unis, formé de plateaux arides; 295 024 km²; 1 945 000 hab. Capit. *Phoenix.*

ARKANSAS, État du centre-est des États-Unis, à l'O. du Mississippi, drainé par la rivière *Arkansas* (2 333 km), affl. du Mississippi (r. dr.); 137 539 km²; 1 978 000 hab. Capit. *Little Rock.*

ARKHANGELSK, port de l'U. R. S. S., sur la mer Blanche; 343 000 hab.

ARKWRIGHT (*sir* Richard), ingénieur anglais (1732-1792). Il contribua à diffuser l'emploi de la *mule-jenny,* la première machine de filature semi-mécanique, réalisée par son compatriote Hargreaves. C'est l'un des créateurs de l'industrie cotonnière anglaise.

ARLBERG, col d'Autriche (alt. 1 802 m), entre le Tyrol et le Vorarlberg. Il est percé par un tunnel ferroviaire et par un tunnel routier.

ARLEQUIN, E [arləkɛ̃, -in] n. (de l'anc. fr. *Hellequin,* n. d'un diable). Personne qui s'est déguisée d'un costume à losanges mi-vert, mi-jaune reproduisant celui d'Arlequin, personnage de la comédie italienne. ◆ **arlequinade** n. f. Bouffonnerie d'arlequin; action ridicule.

ARLES, ch.-l. d'arrond. des Bouches-du-Rhône, sur le Rhône (r. g.); 50 300 hab. *(Arlésiens).* Englobant la Camargue*, Arles est la plus vaste commune de France (758 km²). Centre rizicole. Tourisme. Importante cité romaine, Arles conserve de très beaux vestiges de l'Antiquité, avec un amphithéâtre très bien conservé (les arènes), un théâtre et des thermes. La ville possède, en outre, avec l'église Saint-Trophime, ancienne cathédrale, un des plus remarquables monuments de l'école romane provençale.

Arlésienne *(l'),* conte d'Alphonse Daudet, publié dans les *Lettres de mon moulin* (1866). L'auteur en a tiré le mélodrame dont G. Bizet a écrit la musique de scène (1872).

ARLON, v. de Belgique, ch.-l. de la prov. de Luxembourg, sur la Semois; 14 300 hab.

ARLY, riv. des Alpes du Nord qui rejoint l'Isère (r. dr.), près d'Albertville; 32 km.

Armada (l'*Invincible*), nom donné à la flotte envoyée par Philippe II, en 1588, contre l'Angleterre pour détrôner Élisabeth Ire et rétablir le catholicisme. Elle comprenait 130 navires de combat. Mais les attaques hardies des Anglais détruisirent 63 vaisseaux et l'expédition se solda par un échec retentissant.

ARMAGNAC [armaɲak] n. m. Eau-de-vie de vin très renommée, que l'on fabrique dans les départements formés par l'ancien pays d'Armagnac, essentiellement dans le dép. du Gers.

ARMAGNAC, région de collines du sud-ouest de la France, entre les vallées de la Save à l'E. et de la Gélize à l'O., consacrée à la polyculture, associant culture céréalière, élevage et viticulture.

ARMAGNACS *(faction des),* parti dont les luttes avec la faction des Bourguignons* déchirèrent la France sous Charles VI et sous Charles VII. Le conflit ne prit fin qu'au traité d'Arras (1435), conclu entre Charles VII et Philippe le Bon.

ARMANÇON, riv. du sud-est du Bassin parisien, affl. de l'Yonne (r. dr.); 174 km.

ARMAND *(aven),* gouffre du causse Méjean (Lozère).

ARMATEUR n. m. ⟶ ARMER 2.

1. ARMATURE n. f. ⟶ ARMER 3.

2. ARMATURE [armatyr] n. f. (lat. *armatura*). *Mus.* Ensemble des altérations (dièse, bémol) placées à la clef sur la portée : *L'armature indique le ton d'un morceau de musique.*

ARMAVIR, v. de l'U. R. S. S., au N. du Caucase; 146 000 hab.

ARME [arm] n. f. (lat. *arma*). **1.** Tout ce qui sert à attaquer ou à se défendre (instrument, moyen technique, argument, etc.) : *Armes offensives, défensives. Une arme à feu* (= fusil, revolver, etc.). *Une arme blanche* (= couteau, baïonnette, etc.). *Déposer les armes* (= se rendre). *Une arme à double tranchant* (= un moyen qui peut se retourner contre celui qui l'emploie). — **2.** Ensemble des militaires qui, à l'origine, se servaient au combat d'une même catégorie d'armes, et qui constituent auj. chacun des éléments des armées (infanterie, artillerie, chasse aérienne, cavalerie, arme nucléaire, etc.). ◆ **armes** n. f. pl. **1.** Profession militaire; la guerre (dans quelques express.) : *Il est sous les armes* (= il est à l'armée). *Des frères d'armes* (= de combat). — **2.** Symboles formant le blason d'une famille, d'une ville, etc. : *Les armes de la Ville de Paris.* — **3.** *Donner, fournir des armes contre soi,* donner soi-même des raisons, des arguments, des moyens à ses adversaires. ‖ *(Être) en armes,* avoir sur soi une arme à feu (en parlant d'un groupe). ‖ *Faire ses premières armes,* débuter dans une carrière. ‖ *Fait d'armes,* exploit militaire. ‖ *Maître d'armes,* celui qui enseigne l'escrime. ‖ *Passe d'armes,* discussion vive et brillante entre des interlocuteurs. ‖ *Passer qq'un par les armes,* le fusiller. ‖ *Porter les armes contre,* faire la guerre. ‖ *Prendre les armes,* se soulever, partir pour combattre. ‖ *Prise d'armes,* cérémonie militaire où les troupes sont rassemblées, pour une remise de décorations par exemple. ◆ **armer** v. t. **1.** *Armer une personne, un pays,* les fournir d'armes, de moyens d'attaque, de défense : *Être armé jusqu'aux dents* (= être fortement armé). — **2.** *Armer qqch.,* le garnir d'armes, d'une arme : *Armer une place forte. Une canne armée d'une pointe de fer.* — **3.** *Armer qq'un de qqch.,* lui donner quelque chose comme moyen de défense, de protection (souvent au passif) : *Il faut armer le gouvernement de pouvoirs exceptionnels* (syn. DOTER, MUNIR). — **4.** *À main armée,* par la violence, avec les armes : *Attaque à main armée.* ‖ *Forces armées,* ensemble des moyens militaires d'un pays, des armées. ◆ **s'armer** v. pr. **1.** *S'armer de* (suivi d'un nom désignant une arme), se munir d'une arme, prendre des armes pour combattre : *S'armer d'un bâton pour faire face à l'adversaire.* — **2.** *S'armer de qqch.,* se munir de ce qui peut être utile pour faire face à un obstacle, à un événement imprévu et désagréable, etc. (compl. nom abstrait) : *Armez-vous de patience.* ◆ **armement** n. m. **1.** Action de munir d'armes (sens 1 du v.) : *L'armement des volontaires.* — **2.** Ensemble des armes, des moyens d'attaque et de défense d'une troupe, d'un pays, d'un soldat; préparatifs de guerre : *Freiner la course aux armements.* ◆ **armurier** [armyrje] n. m. Personne qui vend ou répare des armes à feu. ◆ **armurerie** n. f. Magasin, atelier, activité de l'armurier. ◆ **désarmer** v. t. **1.** *Désarmer qq'un, un pays,* leur enlever leurs armes (souvent au passif). — **2.** *Désarmer qq'un,* le calmer, faire cesser sa colère, sa haine, etc. : *Les pleurs de l'enfant le désarmèrent* (syn. FLÉCHIR, TOUCHER). ‖ *Être désarmé,* être sans défense : *Il est désarmé devant les difficultés de l'existence.* ◆ v. i. **1.** Cesser toute fabrication d'armes; supprimer ou réduire ses forces militaires. — **2.** Abandonner sa violence, sa colère, son obstination : *Sa haine ne désarme pas* (syn. CÉDER). — **3.** Cesser toute activité : *Malgré l'âge, il ne désarme pas* (syn. RENONCER). ◆ **désarmant, e** adj. Qui laisse sans réaction, sans défense : *Il est d'une naïveté désarmante.* ◆ **désarmement** n. m. **1.** Action d'enlever les armes. — **2.** Réduction des effectifs militaires et des fabrications d'armes. ◆ **réarmer** v. t. et i. Armer de nouveau. ◆ **réarmement** n. m. : *Le réarmement d'un pays.*

ARMÉE [arme] n. f. (de *armer*). **1.** Forces militaires d'un pays ou d'un groupe de pays : *L'armée de l'air* (= l'aviation). *L'armée de mer* (= la marine). *La zone des armées* (= la zone de combat). — **2.** Grande unité militaire : *Une armée comporte plusieurs corps d'armée, qui comprennent chacun plusieurs régiments.* — **3.** *Une armée de* (suivi d'un nom plur.), une grande foule de (syn. MULTITUDE, QUANTITÉ). [→ aussi GRADE 2.]

ARMEMENT n. m. → ARME et ARMER 2.

ARMÉNIE, en arm. **Hayastan,** région montagneuse de l'Asie occidentale au S. du Caucase, partagée entre l'Iran, la Turquie et l'U. R. S. S. Longtemps royaume indépendant, l'Arménie est disputée du XVIe au XVIIe s. entre les Turcs et les Perses qui ravagent le pays. C'est le début d'un vaste mouvement d'émigration arménien.

- *1827-1828. Conquête d'Erevan par les Russes.*
- *1894-1916. Les Turcs massacrent la population en Arménie occidentale, provoquant de nouveau l'exode de nombreux Arméniens.*
- *1920. Les régions septentrionales de l'Arménie constituent une république socialiste soviétique.*

ARMÉNIE *(république socialiste fédérative soviétique d'),* en russe **Armianskaïa SSR,** la plus petite des républiques d'U. R. S. S.; 29 800 km^2; 3,3 millions d'hab. *(Arméniens)* [111 au km^2]. Capit. *Erevan* (791 000 hab.). Ce petit État montagneux, au climat continental marqué par des étés chauds et des hivers rigoureux, a longtemps vécu dans l'isolement. L'industrie s'y est développée depuis la Seconde Guerre mondiale. Les minerais locaux (cuivre, plomb, zinc) alimentent la métallurgie. De gros complexes d'industries mécaniques et chimiques ont été créés. L'irrigation améliore les conditions de l'agriculture, qui produit du coton, du tabac, du vin. En décembre 1988, le nord de l'Arménie soviétique est touché par un violent tremblement de terre.

ARMENTIÈRES, ch.-l. de cant. du Nord, à 16 km au N.-O. de Lille, sur la Lys; 26 000 hab. Industries textiles.

1. ARMER v. t. → ARME.

2. ARMER [arme] v. t. (lat. *armare,* équiper). *Armer un navire,* l'équiper de ce qui est utile pour naviguer et lui fournir un équipage. ◆ **armateur** n. m. Celui qui prend à son compte l'équipement d'un navire. ◆ **armement** n. m. : *L'armement d'un navire* (= le matériel et l'équipage). ◆ **désarmer** v. t. *Désarmer un navire,* en retirer l'équipage et le matériel. ◆ **désarmement** n. m. ◆ **réarmer** v. t.

3. ARMER [arme] v. t. (même étym.). Pourvoir d'une enveloppe métallique, d'un renforcement de métal : *Le béton armé.* ◆ **armature** n. f. **1.** Assemblage, dispositif qui maintient ensemble ou renforce les différentes parties d'un tout. — **2.** Ferraillage de béton armé. — **3.** Ce qui sert de base, de soutien à une organisation quelconque : *L'armature d'un parti politique.*

ARMISTICE [armistis] n. m. (du lat. *arma,* armes, et *sistere,* arrêter). Interruption momentanée des hostilités après accord entre les belligérants (syn. TRÊVE).

ARMOIRE [armwar] n. f. (lat. *armarium*). Grand meuble en bois ou en métal fermé de portes et servant à ranger les objets domestiques, en particulier le linge.

ARMOIRIES [armwari] n. f. pl. (de l'anc. fr. *armoier,* orner d'armes héraldiques). Emblème en couleurs, propre à une famille noble, une ville, un pays. ◆ **armorial** n. m. Recueil des armoiries de la noblesse d'une nation, d'une province, d'une famille : *L'armorial de Bretagne.* ◆ **armorié, e** adj. : *Vaisselle armoriée* (= décorée d'armoiries). [→ ARMES, BLASON.]

ARMOISE [armwaz] n. f. (de *plante d'Artémis*). Plante aromatique : *L'absinthe et le génépi appartiennent au genre armoise.* (Famille des composées.)

ARMOR ou **ARVOR,** n. celtique de la Bretagne, signif. *sur la mer.* De là vient le nom d'*Armorique.* On a souvent opposé l'*Armor* (le Pays de la mer, les régions côtières) à l'intérieur, l'*Arcoat* (le Pays des bois).

ARMORIAL n. m. → ARMOIRIES.

ARMORICAIN *(Massif),* région naturelle (massif ancien) de l'ouest de la France, culminant au mont des Avaloirs. Il occupe la Région de Bretagne* et partiellement celles de Basse-Normandie* et des Pays-de-la-Loire*.

ARMORIÉ, E adj. → ARMOIRIES.

ARMORIQUE (du celte *Armor*), nom donné, aux époques celtique, gallo-romaine et franque, à la contrée de la Gaule occidentale débordant très largement la Bretagne actuelle. La population de la péninsule reçut, du Ve au VIIe s., des immigrants celtes venus des îles Britanniques et chassés par les invasions saxonnes. La péninsule de la Gaule, peuplée par ces « Bretons » de Grande-Bretagne, s'appela désormais *Britannia,* Bretagne.

ARMSTRONG (Louis), trompettiste et chanteur de jazz noir américain (1900-1971). Il fut un des plus grands improvisateurs de jazz.

ARMURE [armyr] n. f. (lat. *armatura*). **1.** Ensemble de pièces métalliques (casque, cuirasse, etc.) qui protégeait l'homme de guerre de la fin du Moyen Âge au XVIIe s. → ENCYCL. — **2.** Mode d'entrecroisement des fils de chaîne et de trame constituant un tissu. — **3.** Enveloppe en métal dur, destinée à protéger un câble électrique.

— ENCYCL. Faite de peaux, de mailles ou de plaques de fer ou d'acier, traitée parfois luxueusement, l'*armure* s'est complétée, perfectionnée, alourdie avec les progrès de l'armement jusqu'au début du XVIIe s., pour se simplifier, s'alléger ensuite au fur et à mesure que ceux-ci rendaient son efficacité incertaine et modifiaient la tactique. Les cuirasses ont été portées par la cavalerie de réserve jusqu'en 1914.

L'armure complète a duré deux siècles environ (XVe et XVIe s.) et comprenait un grand nombre de pièces (jusqu'à cent) savamment ajustées et articulées. Les armures complètes, extrêmement coûteuses, étaient fragiles. Des *armures de joute* apparaissent vers la fin du XIVe s.; elles sont plus pesantes que les *armures de guerre.* Les *armures de parade* sont décorées de gravures et de ciselures.

ARMURERIE n. f., **ARMURIER** n. m. → ARME.

ARNAULD (Antoine), nommé **le Grand Arnauld,** théologien français (1612-1694), défenseur des jansénistes contre les jésuites. Il a composé avec Nicole, en 1662, la *Logique de Port-Royal.*

ARNAY-LE-DUC, ch.-l. de cant. de la Côte-d'Or, à 28 km au N.-E. d'Autun; 2500 hab.

ARNHEM, v. des Pays-Bas, capit. de la Gueldre, sur le Rhin; 131400 hab.

ARNICA [arnika] n. f. (du gr. *ptarein*, éternuer). Plante de montagne, à fleurs jaunes, dont on extrait une teinture utile en cas de contusion. (Haut. 50 cm.) [Famille des composées.]

ARNO, fl. d'Italie, qui passe à Florence, à Pise, et se jette dans la Méditerranée; 241 km.

ARÔME [arom] n. m. (gr. *arôma*). Odeur agréable qui se dégage d'une fleur, d'un vin, etc. : *L'arôme des œillets* (syn. PARFUM). *L'arôme d'un vin* (syn. BOUQUET). *L'arôme d'un civet de lièvre* (syn. FUMET). ◆ **aromate** [arɔmat] n. m. Toute substance d'origine végétale qui répand une odeur agréable, utilisée en médecine, en parfumerie ou en cuisine. (On extrait les aromates des plantes les plus diverses : girofle, muscade, vanille, cannelle, poivre, menthe, anis, thym, laurier, moutarde, etc.) ◆ **aromatique** adj. **1.** *La lavande est une plante aromatique* (syn. ODORIFÉRANT). — **2.** Chim. *Hydrocarbures aromatiques*, composés dont la molécule renferme au moins une fois l'arrangement hexagonal qui caractérise le benzène. ◆ **aromatiser** v. t. Parfumer avec une substance aromatique (surtout au part. passé) : *Un chocolat aromatisé.*

ARONDE [arɔ̃d] n. f. (lat. *hirundo*). Anc. nom de l'HIRONDELLE.

AROSA, station de sports d'hiver de Suisse, dans les Grisons.

ARP (Hans), poète, peintre et sculpteur français (1886-1966). Il fut lié aux mouvements dada, surréaliste et abstrait.

ARPAJON, ch.-l. de cant. de l'Essonne, à 25 km au S. de Paris, sur l'Orge; 8100 hab. *(Arpajonnais).*

ARPÈGE [arpɛʒ] n. m. (it. *arpeggio*, jeu de harpe). Accord dont on joue les notes successivement au lieu de les jouer simultanément.

ARPENT [arpɑ̃] n. m. (gaul. *arepennis*). Ancienne mesure agraire, qui n'est plus utilisée que dans quelques express., avec le sens de « surface peu étendue ». ◆ **arpentage** n. m. Évaluation de la superficie des terres : *Faire l'arpentage d'une propriété.* ◆ **arpenter** v. t. Mesurer la superficie des terres. ◆ **arpenteur** n. m. Professionnel chargé d'effectuer des relèvements de terrains et des calculs de surface.

1. ARPENTER v. t. ⟶ ARPENT.

2. ARPENTER [arpɑ̃te] v. t. (de *arpent*). Parcourir à grands pas : *Arpenter une cour de long en large.*

ARPENTEUR n. m. ⟶ ARPENT.

ARPENTEUSE [arpɑ̃tøz] n. et adj. (de *arpenter*). Chenille des papillons géomètres, ou *phalènes*, qui semble progresser en arpentant.

ARQUEBUSE [arkəbyz] n. f. (néerl. *hakebusse*). Première arme à feu portative, utilisée en France de la fin du XVe s. au début du XVIIe s. ◆ **arquebusier** n. m. Fantassin ou cavalier armé d'une arquebuse.

ARQUER [arke] v. t. (de *arc*). Courber en arc (surtout au part. passé) : *Le dos arqué* (syn. VOÛTÉ).

ARQUES, ch.-l. de cant. du Pas-de-Calais, à 4 km à l'E. de Saint-Omer; 9200 hab. *(Arquais).*

ARQUES-LA-BATAILLE, comm. de la Seine-Maritime, à 6 km au S.-E. de Dieppe; 2700 hab.

• *21 septembre 1589. Victoire de Henri IV sur le duc de Mayenne.*

ARRACHAGE n. m. ⟶ ARRACHER 1.

ARRACHÉ [araʃe] n. m. (de *arracher*). En haltérophilie, mouvement amenant d'un seul coup la barre au-dessus de la tête, au bout d'un ou des deux bras tendus. ◆ **à l'arraché** loc. adv. Avec un effort violent, à la limite des forces.

ARRACHEMENT n. m., **ARRACHE-PIED (D')** ⟶ ARRACHER 2.

1. ARRACHER [araʃe] v. t. (du lat. *eradicare*, déraciner). **1.** *Arracher qqch.*, enlever avec effort ce qui tient à quelque chose, ce qui est enfoncé en terre, ce qui est accroché, enfoui, etc. : *Arracher une dent* (syn. EXTIRPER, EXTRAIRE). — **2.** *Arracher le cœur, des larmes*, etc., causer une peine extrême. ◆ **s'arracher** v. pr. *S'arracher les cheveux*, être désespéré de ne rien pouvoir faire; être plein de rage, de dépit. ◆ **arrachage** n. m. : *L'arrachage des betteraves.* ◆ **arracheur** n. m. : *Mentir comme un arracheur de dents*, mentir effrontément.

2. ARRACHER [araʃe] v. t. (même étym.). **1.** *Arracher qqch.*, l'obtenir avec peine : *Arracher de l'argent à un avare* (syn. SOUTIRER). *Arracher la victoire à l'ennemi* (syn. ENLEVER). — **2.** *Arracher qq'un d'un endroit, d'un état déterminé*, l'en faire sortir de force, l'en retirer avec effort : *La sonnerie du réveil m'arracha du lit.* — **3.** *Arracher qq'un à qqch.*, l'en détacher avec peine, l'enlever à : *Qui pourra l'arracher à ses habitudes?* (syn. DÉTACHER, DÉTOURNER DE). *Cette réflexion l'arracha à sa torpeur* (syn. SOUSTRAIRE, TIRER). ◆ **s'arracher** v. pr. **1.** *S'arracher de, à qqch.*, se tirer avec effort hors d'un lieu, d'un état : *S'arracher de son lit. S'arracher au sommeil.* — **2.** *S'arracher qq'un, qqch.*, se disputer la présence de quelqu'un, la possession de quelque chose. ◆ **arrachement** n. m. Sens 3 du v. t. (syn. DÉCHIREMENT). ◆ **arrache-pied (d')** loc. adv. Avec acharnement, au prix d'un effort persévérant : *Travailler d'arrache-pied.*

ARRACHEUR n. m. ⟶ ARRACHER 1.

ARRAISONNER [arɛzɔne] v. t. (de *raison*). *Arraisonner un navire, un avion*, en contrôler la nationalité, la cargaison, la destination, etc. ◆ **arraisonnement** n. m. : *L'arraisonnement est une mesure de la police maritime ou aérienne.*

1. ARRANGER [arɑ̃ʒe] v. t. (de *rang*) [sujet nom de personne]. *Arranger qqch.*, le disposer d'une manière convenable, le mettre ou le remettre en état : *Arranger sa coiffure* (syn. ORDONNER). *Arranger son appartement* (syn. INSTALLER). *Arranger un pique-nique* (syn. ORGANISER, PRÉPARER). *Arranger une pièce de théâtre* (syn. ADAPTER). ◆ **arrangement** n. m. **1.** Action de disposer convenablement les choses : *L'arrangement des mots dans une phrase* (syn. DISPOSITION, ORDRE). *Modifier l'arrangement d'une pièce* (syn. INSTALLATION), *d'une coiffure* (syn. ORDONNANCEMENT). — **2.** Transformation d'une œuvre musicale écrite pour certaines voix, certains instruments ou certains ensembles, en vue de son exécution par des voix, des instruments ou des ensembles différents (par ex., la réduction d'une œuvre d'orchestre pour le piano).

2. ARRANGER [arɑ̃ʒe] v. t. (même étym.). **1.** (sujet nom de personne) *Arranger qqch.*, le régler de manière à supprimer un différend, une difficulté : *Arranger une affaire. Arranger une entrevue entre deux personnes* (syn. MÉNAGER). — **2.** (sujet nom de chose) *Arranger qq'un*, être adapté, convenir à quelqu'un : *Il est difficile d'arranger tout le monde* (syn. SATISFAIRE). ◆ **s'arranger** v. pr. **1.** Se mettre d'accord : *Les deux familles se sont arrangées à l'amiable.* — **2.** (sujet nom de chose) Finir bien : *Cela s'arrangera* (= cela ira mieux). — **3.** *S'arranger pour* (et l'infin.), prendre ses dispositions pour. ‖ *S'arranger de qqch.*, s'en satisfaire. ◆ **arrangeant, e** adj. Se dit de quelqu'un de caractère facile, prêt à la conciliation (syn. ACCOMMODANT). ◆ **arrangement** n. m. Accord conclu entre particuliers, entre États, etc. (syn. COMPROMIS).

ARRAS, capit. de l'Artois, ch.-l. du dép. du Pas-de-Calais, sur la Scarpe; 45400 hab. *(Arrageois).* Centre industriel important (textiles) et constructions mécaniques. Grand marché agricole.

HISTOIRE. Cité importante à l'époque gallo-romaine, la ville est, au Moyen Âge, la capitale du comté d'Artois. L'industrie de la tapisserie y joue alors un grand rôle. (⟶ ARTOIS.)

ARRÉE *(monts d')*, hauteurs du Finistère, portant le point culminant de la Bretagne (384 m au signal de Toussaines).

ARRÉRAGES [areraʒ] n. m. pl. (du lat. *retro*, en arrière). Ce qui est dû d'un revenu quelconque : *Les arrérages d'une pension.*

ARRESTATION n. f. ⟶ ARRÊTER 2.

ARRÊT n. m. ⟶ ARRÊTER 1, 2 et 3.

ARRÊTÉ n. m. ⟶ ARRÊTER 3.

ARRÊTE-BŒUF [arɛtbœf] n. m. inv. (de *arrêter*, et *bœuf*). Nom usuel de la bugrane, plante herbacée, garnie d'épines. (Famille des papilionacées.)

1. ARRÊTER [arete] v. t. (du lat. *restare*, rester). **1.** *Arrêter qq'un, qqch.*, les empêcher d'avancer, les maintenir fixes, immobiles (souvent au passif) : *La file des camions est arrêtée* (syn. IMMOBILISER, STOPPER). *Rien ne l'arrête* (syn. REBUTER). — **2.** *Arrêter qqch.*, interrompre une action, empêcher de se dérouler normalement; en suspendre le cours : *On n'arrête pas le progrès* (syn. RETENIR). *Arrêter le travail* (syn. SUSPENDRE). — **3.** *Arrêter ses regards sur qq'un* ou *sur qqch.*, les tenir fixés sur eux. — **4.** *Arrêter ses soupçons sur qq'un*, le soupçonner. ◆ v. i. ou **s'arrêter** v. pr. **1.** Cesser d'avancer, d'agir, de parler. — **2.** *Arrêter de faire*, cesser de faire : *Il arrête* (ou *s'arrête*) *de lire.* ◆ **s'arrêter** v. pr. **1.** (sujet nom désignant un mécanisme) Cesser de fonctionner : *La pendule s'arrêta.* — **2.** (sujet nom de personne) *S'arrêter quelque part*, y rester plus ou moins longtemps. — **3.** (sujet nom de personne) *S'arrêter à qqch.*, s'y maintenir après réflexion : *Il s'est arrêté finalement à notre projet initial;* y faire attention : *Il ne faut pas vous arrêter à des détails.* ◆ **arrêt** [arɛ] n. m. **1.** Action d'arrêter ou de s'arrêter : *L'arrêt des hostilités* (syn. INTERRUPTION). *Un temps d'arrêt* (syn. PAUSE). *Un cran d'arrêt.* — **2.** Station où s'arrête régulièrement un véhicule de transport en commun : *Un arrêt d'autobus* (syn. STATION). — **3.** *Rester, tomber en arrêt devant*, s'arrêter soudain devant quelque chose qui vous étonne. — **4.** *Sans arrêt*, d'une manière continue.

2. ARRÊTER [arete] v. t. (même étym.). *Arrêter qq'un*, le faire et le retenir prisonnier : *Arrêter un voleur* (syn. APPRÉHENDER). ◆ **arrestation** n. f. : *L'arrestation d'un criminel* (contr. MISE EN LIBERTÉ). ◆ **arrêt** n. m. *Mandat d'arrêt*, ordre d'arrestation. ‖ *Maison d'arrêt*, prison. ◆ **arrêts** n. m. pl. Punition infligée à un officier, à un sous-officier ou à un élève : *Être aux arrêts.*

3. ARRÊTER [arete] v. t. (même étym.). *Arrêter une chose*, la déterminer d'une manière définitive : *Arrêter le jour d'une réunion* (syn. FIXER). *Avoir une idée bien arrêtée.* ◆ **arrêt** n. m. Décision de justice prise après délibération : *Le tribunal a rendu son arrêt* (syn. JUGEMENT). ◆ **arrêté** n. m. Décision administrative.

ARRÊTS n. m. pl. ⟶ ARRÊTER 2.

ARRHES [ar] n. f. pl. (lat. *arrha*, gage). Somme d'argent que l'acheteur remet au vendeur comme avance sur le prix d'achat (syn. ACOMPTE).

ARRIÉRATION n. f. ⟶ ARRIÉRÉ 1.

1. ARRIÈRE [arjɛr] adv. (bas lat. *adretro*, en arrière). Du côté opposé à celui vers lequel on va, vers lequel on est tourné (contr. de AVANT adv. et restreint à quelques emplois) : *Avoir vent arrière. Faire machine arrière* (= revenir sur ses dires). ◆ interj. : *Arrière!* (= au loin). — LOC. ADV. *En arrière : Faire un pas en arrière* (= vers le côté opposé à la marche). — LOC. PRÉP. *En arrière de* (= derrière qq'un ou qqch.). ◆ adj. inv. Situé à la partie postérieure : *Les roues arrière d'une voiture* (contr. AVANT). ◆ **arrière** n. m. **1.** Partie opposée à l'avant : *L'arrière d'un bateau.* — **2.** Région située à l'intérieur du pays, relativement à la zone des combats. — **3.** Joueur qui, dans une équipe de football, de rugby, etc., a surtout un rôle de défense. ◆ **arrières** n. m. pl. Zone opposée à celle qui fait face à l'ennemi, à l'adversaire, et où on a la possibilité de se retirer.

---

2. ARRIÈRE-, élément qui entre dans la formation de substantifs, de mots composés, pour indiquer une relation de postériorité dans l'espace ou dans le temps.

---

1. ARRIÉRÉ, E [arjere] adj. et n. (de *arrière*). Se dit d'une personne, d'un pays dont le développement intellectuel et matériel, le degré d'instruction sont anormalement bas. ◆ adj. Qui appartient à une époque périmée, démodée : *Il a des idées arriérées.* ◆ **arriération** n. f. **1.** État d'une personne arriérée. — **2.** *Arriération mentale*, état d'une personne dont l'âge mental est inférieur à l'âge physique.

2. ARRIÉRÉ [arjere] n. m. (même étym.). Ce qui reste dû d'une somme qu'on s'est engagé à payer à une date précise.

ARRIÈRE-BAN n. m. ⟶ BAN 1. / **ARRIÈRE-BOUCHE** n. f. ⟶ BOUCHE. / **ARRIÈRE-BOUTIQUE** n. f. ⟶ BOUTIQUE. / **ARRIÈRE-COUR** n. f. ⟶ COUR 1. / **ARRIÈRE-GARDE** n. f. ⟶ GARDE 2. / **ARRIÈRE-GORGE** n. f. ⟶ GORGE 1. / **ARRIÈRE-GOÛT** n. m. ⟶ GOÛT.

ARRIÈRE-GRAND-MÈRE n. f., **ARRIÈRE-GRAND-ONCLE** n. m., **ARRIÈRE-GRANDS-PARENTS** n. m. pl., **ARRIÈRE-GRAND-PÈRE** n. m., **ARRIÈRE-GRAND-TANTE** n. f., **ARRIÈRE-NEVEU** n. m., **ARRIÈRE-NIÈCE** n. f., **ARRIÈRE-PETITE-FILLE** n. f., **ARRIÈRE-PETIT-FILS** n. m., **ARRIÈRE-PETITS-ENFANTS** n. m. pl. ⟶ PARENTÉ.

ARRIÈRE-PAYS n. m. inv. ⟶ PAYS 1. / **ARRIÈRE-PENSÉE** n. f. ⟶ PENSER. / **ARRIÈRE-PLAN** n. m. ⟶ PLAN 2. / **ARRIÈRE-PORT** n. m. ⟶ PORT 1. / **ARRIÈRES** n. m. pl. ⟶ ARRIÈRE 1.

ARRIÈRE-SAISON [arjɛrsezɔ̃] n. f. (*arrière*, et *saison*). Fin de l'automne ou commencement de l'hiver. ‖ Pl. des *arrière-saisons.*

ARRIÈRE-TRAIN [arjɛrtrɛ̃] n. m. (*arrière*, et *train*). Partie postérieure du corps des quadrupèdes, comprenant les membres postérieurs et la région voisine du tronc. ‖ Pl. des *arrière-trains.*

ARRIMER [arime] v. t. (du germ. *rum*, espace). *Arrimer qqch.*, fixer solidement la charge d'un navire, des colis dans un wagon, dans un camion, etc. ◆ **arrimage** n. m. : *L'arrimage des caisses sur le pont est défectueux.*

1. ARRIVER [arive] v. i. (bas lat. *arripare*, toucher à la rive). [Conj. avec l'auxil. *être*.] **1.** (sujet nom de chose) Se produire, avoir lieu : *Il lui est arrivé une aventure extraordinaire* (syn. ADVENIR). *Un malheur n'arrive jamais seul* (syn. SURVENIR). — **2.** *Il arrive que* (et le subj.), il advient que.

2. ARRIVER [arive] v. i. (même étym.). [Conj. avec l'auxil. *être*.] **1.** (sujet nom de personne ou de chose) Parvenir au lieu de destination, au terme de sa route, etc. : *Arriver à Paris. Le courrier est arrivé;* parvenir à un certain état : *Il est arrivé à un âge où il faut se reposer.* — **2.** (sujet nom de personne et sans compl.) Parvenir à un état social jugé supérieur : *Il veut arriver* (syn. RÉUSSIR). — **3.** (sujet nom d'être animé) *Arriver à qqch., à faire qqch.*, réussir à l'obtenir, y parvenir : *Il est arrivé à ses fins* (= il a réussi dans son entreprise). — **4.** *En arriver à* (et l'infin.), aller jusqu'à, être dans un état d'esprit tel que (syn. EN VENIR À). ◆ **arrivage** n. m. Action de parvenir à destination, en parlant des marchandises, du matériel, etc.; quantité de marchandises qui arrivent. ◆ **arrivant, e** n. Personne qui arrive en un endroit déterminé : *Les premiers arrivants ont pris les meilleures places.* ◆ **arrivé, e** n. Personne qui est parvenue en un endroit : *Les derniers arrivés n'ont pu entrer au stade.* ◆ adj. : *Un homme arrivé* (= qui a obtenu une situation sociale aisée). ◆ **arrivée** n. f. Action d'arriver; moment, endroit où arrive une personne, une chose : *On signale l'arrivée du train* (syn. APPROCHE). *Le juge à l'arrivée a déclassé le vainqueur.* ◆ **arrivisme** n. m. Désir de réussir à tout prix (sens 2 du v.). ◆ **arriviste** adj. et n. : *Des politiciens arrivistes.*

ARROGANT, E [arɔgɑ̃, -ɑ̃t] adj. (du lat. *arrogare*, revendiquer). Qui manifeste un orgueil blessant à l'égard des autres : *Des paroles arrogantes* (syn. IMPERTINENT; contr. DÉFÉRENT). *Un ton arrogant* (syn. HAUTAIN, SUPÉRIEUR; contr. FAMILIER). ◆ **arrogance** n. f. : *Son arrogance n'a pas de limite* (syn. IMPUDENCE, MORGUE, SUFFISANCE; contr. MODESTIE).

ARROGER (S') [sarɔʒe] v. pr. (lat. *arrogare*, réclamer pour soi). *S'arroger qqch.*, s'attribuer une qualité ou un pouvoir sans y avoir droit : *S'arroger un titre* (syn. USURPER). *S'arroger le droit de* (syn. S'APPROPRIER).

ARROMANCHES-LES-BAINS, comm. du Calvados, à 10 km au N.-E. de Bayeux; 395 hab. Station balnéaire.

• *6 juin 1944. Débarquement de la 50e division anglaise (Arromanches reste célèbre par le port artificiel que les Alliés y construisirent aussitôt).*

ARRONDIR v. t. ⟶ ROND.

1. ARRONDISSEMENT n. m. ⟶ ROND.

2. ARRONDISSEMENT [arɔ̃dismɑ̃] n. m. (de *arrondir*). Subdivision administrative des départements, de certaines grandes villes.

— ENCYCL. En créant les *départements* l'Assemblée constituante les partagea en *districts* qui devinrent nos *arrondissements* actuels. Comme le *canton*, l'arrondissement ne jouit pas de la « personnalité* civile » : il ne peut posséder aucun domaine, ni engager des dépenses; il n'a pas de budget propre.

L'arrondissement est seulement une *circonscription administrative*, placée sous l'autorité d'un sous-préfet, dépendant lui-même d'un préfet. Résidant au *chef-lieu d'arrondissement*, le sous-préfet conseille les municipalités; il est le trait d'union entre la commune, dont il connaît bien les problèmes, et le gouvernement.

Au chef-lieu d'arrondissement sont rattachés certains services administratifs : inspection primaire, compagnie de gendarmerie, un ingénieur des Ponts et Chaussées, un receveur principal de l'Enregistrement*, un tribunal d'instance, parfois de grande instance (l'arrondissement est aussi une *subdivision judiciaire* [⟶ JUSTICE]).

Le département comprend plusieurs arrondissements. On en compte actuellement 327 sur le territoire métropolitain. L'arrondissement peut être une petite ville, comme Florac (Lozère), Calvi (Corse), ou une très grande ville, comme Le Havre (Seine-Maritime) ou Reims (Marne). Il groupe toujours plusieurs cantons.

Des cas très particuliers sont ceux présentés par Paris et quelques très grandes villes divisées en arrondissements qui ont leur budget propre et fonctionnent administrativement comme autant de villes. (Paris en compte 20, Marseille 16, Lyon 9.)

⟶ illustration DÉPARTEMENT pp. 400-401.

ARROSER [aroze] v. t. (du lat. *ros, roris*, rosée). **1.** Répandre de l'eau sur une chose, ou sur qq'un : *Arroser des fleurs;* se dit aussi d'autres liquides : *Arroser d'essence des chiffons pour y mettre le feu.* — **2.** Lancer de haut des projectiles sur quelqu'un ou sur une chose : *Arroser les assaillants de pierres.* — **3.** *Fam.* Offrir à boire à l'occasion d'un événement heureux : *Arroser un succès* (syn. FÊTER). ◆ **arrosage** n. m. Surtout sens 1 du v. : *L'arrosage du jardin.* ◆ **arroseur** n. m. Jardinier préposé à l'arrosage. ‖ Dernière ramification d'un réseau d'irrigation. ◆ **arroseuse** n. f. Véhicule servant à arroser les rues d'une ville. ◆ **arrosoir** n. m. Récipient muni d'une anse et d'un tuyau terminé par une «pomme» percée de trous, avec lequel on arrose.

ARROUX, riv. de France, qui traverse Autun avant de rejoindre la Loire (r. dr.); 120 km.

ARROYO [arɔjo] n. m. (mot esp.). Dans les pays tropicaux, chenal, naturel ou artificiel, reliant des cours d'eau.

ARS *(curé d')* ⟶ JEAN-BAPTISTE MARIE VIANNEY *(saint).*

ARSENAL, AUX [arsənal, -no] n. m. (du vénitien *arzana*). **1.** Établissement industriel pour l'équipement, le ravitaillement et l'armement des navires : *L'arsenal de Toulon, de Brest.* — **2.** *Un arsenal de* (et un nom plur. désignant des armes ou des moyens d'action), une grande quantité. ‖ *L'arsenal des lois,* l'ensemble des droits contenus dans les lois.

ARSENIC [arsənik] n. m. (gr. *arsenikos,* mâle). Corps simple (As), solide, grisâtre, d'apparence métallique. (Son oxyde, l'anhydride arsénieux, dit parfois *arsenic blanc,* est très toxique; son antidote est le lait.)

ARSONVAL (Arsène D'), physicien français (1851-1940). Il perfectionna le galvanomètre et appliqua à la médecine les courants de haute fréquence.

ARS-SUR-FORMANS, comm. de l'Ain, à 9 km à l'E. de Villefranche-sur-Saône; 719 hab. Saint-Jean-Baptiste Vianney en fut le curé.

ART [ar] n. m. (lat. *ars, artis*). **1.** Expression d'un idéal de beauté correspondant à un type de civilisation déterminé : *L'art chinois. L'art moderne. Une œuvre d'art* (= une statue, un tableau, etc.). *Un amateur d'art* (= celui qui collectionne les œuvres d'art). ‖ *L'art pour l'art,* théorie selon laquelle l'art ne doit avoir d'autre fin que lui-même, en dehors de toute préoccupation morale ou utilitaire. — **2.** Ensemble des règles intéressant un métier, une profession ou une activité humaine (souvent suivi d'un adj. qui précise le domaine de l'art) : *Art culinaire* (= manière de préparer les aliments). *Art dramatique* (= secteur de la littérature comprenant les œuvres de théâtre; ensemble des moyens et des techniques utilisés pour les représenter sur la scène). *Arts ménagers* (= techniques qui ont pour objet de faciliter la tâche de la ménagère). *Art militaire* (= métier des armes). *Art oratoire* (= éloquence). *Arts plastiques* (= ensemble des arts du dessin, y compris la peinture et la sculpture). *Art vétérinaire* (= connaissance et pratique des soins aux animaux). — **3.** Au plur., syn. de BEAUX-ARTS (peinture, sculpture, architecture, etc.). — **4.** *L'art de* (et l'infin.), la manière habile de faire quelque chose : *Avoir l'art de plaire* (syn. TALENT). ◆ **artiste** [artist] n. **1.** Personne qui a le sens du beau, dont la profession et les talents sont consacrés aux beaux-arts (sens 1 et 3 de ART) : *Le peintre, le sculpteur sont des artistes.* — **2.** Celui qui interprète une œuvre musicale, théâtrale, etc. : *Un comédien est un artiste dramatique* (syn. ACTEUR). — **3.** Celui qui, en se consacrant à un art, se libère des contraintes bourgeoises : *Mener une vie d'artiste* (syn. BOHÈME). — **4.** Nom donné à ceux qui pratiquent des métiers manuels où existe un certain souci esthétique (sens 2 de ART) : *Artiste capillaire* (= coiffeur). ◆ adj. Qui a le goût, le sentiment de ce qui est beau; qui manifeste ce goût. ◆ **artistement** adv. : *Un salon artistement décoré.* ◆ **artistique** adj. **1.** Relatif aux arts (peinture, architecture, sculpture, etc.) : *Avoir le sens artistique* (= le sens du beau). — **2.** Fait avec le souci du beau : *Une décoration artistique.* ◆ **artistiquement** adv.

Art d'aimer *(l'),* poème d'Ovide.

Art d'être grand-père *(l'),* recueil poétique de V. Hugo (1877).

Art poétique ou **Épître aux Pisons,** poème didactique d'Horace.

Art poétique *(l'),* poème didactique de Boileau (1674), où l'auteur fait une classification des genres poétiques et définit le rôle du poète, ainsi que les conditions de son travail.

arts et métiers *(Conservatoire national des),* musée et établissement public d'enseignement supérieur technique, pour l'application des sciences à l'industrie.

arts et métiers *(École nationale supérieure d'),* école nationale d'enseignement technique supérieur, placée sous l'autorité du ministère de l'Éducation nationale, et formant des ingénieurs.

ÁRTA, v. de Grèce, près du *golfe d'Árta,* formé par la mer Ionienne; 20 500 hab.

Artaban, héros d'un roman de La Calprenède, *Cléopâtre,* dont le caractère plein de fierté a passé en proverbe : *Fier comme Artaban.*

ARTAGNAN (Charles DE BATZ, *comte* D'), gentilhomme gascon (1611-1673). Maréchal de camp, il fut tué au siège de Maastricht. Il est le héros des *Trois Mousquetaires* d'A. Dumas.

ARTAUD (Antonin), écrivain français (1896-1948). Poète et auteur d'essais dramatiques.

ARTAXERXÈS, nom de trois rois perses.

ARTÉMIS, déesse grecque de la Chasse, fille de Zeus, représentée armée d'un arc et de flèches.

1. ARTÈRE [artɛr] n. f. (gr. *artêria*). Vaisseau qui conduit le sang du cœur vers la périphérie et les organes : *L'artère fémorale* (= celle de la cuisse). ⟶ ENCYCL. ◆ **artériel, elle** adj. : *La tension artérielle.* ◆ **artériole** n. f. Artère de petite section. ◆ **artériosclérose** n. f. Durcissement des parois des artères. ◆ **artérite** n. f. Altération inflammatoire ou dégénérative d'une artère.

— ENCYCL. Les principales *artères* sont : les *artères pulmonaires,* qui naissent du ventricule droit du cœur et conduisent le sang « bleu » aux poumons; l'*aorte* qui conduit le sang « rouge » du ventricule gauche vers tous les tissus.

■ *Les maladies des artères.* Les artères peuvent être atteintes par beaucoup de maladies. Toutes aboutissent à une obstruction et à une interruption du flot sanguin. Il en résulte l'anoxie* des tissus irrigués par l'artère, qui meurent (= ils se « nécrosent »). Certains malades peuvent ainsi perdre des doigts (*artérite* des membres supérieurs) ou même une jambe, car le chirurgien doit amputer le malade pour éviter la gangrène (= infection du membre atteint).

2. ARTÈRE [artɛr] n. f. (même étym.). Grande voie de communication urbaine.

ARTÉSIEN, ENNE [artezjɛ̃, -ɛn] adj. et n. **1.** De l'*Artois.* — **2.** *Puits artésien,* puits qui donne une eau jaillissante.

— ENCYCL. Pour qu'un puits soit dit *puits artésien,* il faut que la nappe d'eau qui l'alimente soit prisonnière entre deux couches imperméables, et que le puits soit percé dans une région suffisamment basse pour que l'eau jaillisse en vertu du principe des vases communicants.

ARTHRITE n. f. ⟶ ARTICULER 3.

ARTHROPODES [artrɔpɔd] n. m. pl. (du gr. *arthron,* articulation, et *pous, podos,* pied). Embranchement d'animaux invertébrés, caractérisés par une peau chitineuse, des appendices articulés (= mobiles les uns par rapport aux autres), une croissance accompagnée de mues. (Il comprend les *crustacés,* les *myriapodes,* les *insectes,* les *arachnides,* soit plus de la moitié du règne animal tout entier.) [Syn. ARTICULÉS.] ⟶ tableau ci-dessus.

	CLASSE	DIVISIONS DU CORPS	PATTES	ANTENNES	RESPIRATION
principaux caractères distinctifs des arthropodes	arachnides	deux parties : céphalothorax + abdomen	quatre paires		trachées, poumons
	crustacés	deux parties variables	nombreuses, dissemblables	deux paires	branchies
	myriapodes	deux parties : tête + tronc	nombreuses, semblables	une paire	trachées
	insectes	trois parties : tête + thorax + abdomen	trois paires	une paire	trachées

ARTHROSE n. f. ⟶ ARTICULER 3.

ARTHUR ou **ARTUS,** roi légendaire du pays de Galles (fin du Ve-début du VIe s. apr. J.-C.), qui anima la résistance des Celtes contre la conquête par les Saxons. Ses aventures ont donné naissance aux romans courtois du *cycle d'Arthur* ou *cycle de la Table ronde.* Arthur y apparaît comme le modèle de la courtoisie, suzerain de chevaliers qui prennent place autour d'une table ronde afin d'éviter les querelles de préséance, et qui rivalisent d'audace pour obéir au code de l'amour chevaleresque ou pour répondre à l'appel de la foi mystique.

ARTHUR, nom de trois comtes de Bretagne.

ARTICHAUT [artiʃo] n. m. (du lombard *articiocco*). Plante potagère dont la volumineuse inflorescence fournit, avant de s'ouvrir, un réceptacle qui est comestible, ainsi que la base des bractées. (Famille des composées.) ‖ *Fond d'artichaut,* partie charnue sur laquelle sont implantées les feuilles.

1. ARTICLE [artikl] n. m. (lat. *articulus*, articulation). Objet destiné à être commercialisé, à être vendu dans les boutiques et les magasins : *Les articles de voyages. Un article de Paris est un bijou, un objet de mode. Vendeur qui fait l'article* (= qui vante, fait valoir la marchandise).

2. ARTICLE [artikl] n. m. (même étym.). Écrit formant un tout, inséré dans une publication, un journal : *L'article de fond d'un quotidien* (syn. ÉDITORIAL).

3. ARTICLE [artikl] n. m. (même étym.). **1.** Division ou subdivision (souvent marquée d'un chiffre) dans un traité, un catalogue, un contrat, etc., reliée à ce qui précède et à ce qui suit : *Les articles du Code civil. Article par article* (= point par point). *Il est intransigeant sur l'article de l'honnêteté* (= sur le chapitre, en matière de, au sujet de). — **2.** *À l'article de la mort*, au moment de mourir. ◆ **articulet** n. m. Petit article (syn. ENTREFILET).

4. ARTICLE [artikl] n. m. (même étym.). Terme grammatical désignant les déterminants du substantif. (→ CLASSE 4 et LE.)

1. ARTICULER [artikyle] v. t. et i. (lat. *articulare*). **1.** Émettre distinctement des sons à l'aide des organes de la parole : *Il n'a pu articuler un seul mot* (syn. EXPRIMER). — **2.** Prononcer en détachant les mots, les syllabes : *Articuler son nom* (syn. ÉNONCER). ◆ **articulation** n. f. (syn. PRONONCIATION). ◆ **articulatoire** adj. : *Avoir des difficultés articulatoires.* ◆ **inarticulé, e** adj. Émis sans netteté : *Des sons inarticulés.*

2. ARTICULER [artikyle] v. t. (même étym.). Assembler par des jointures permettant un certain jeu (surtout au passif) : *Des jouets articulés* (= dont les divers éléments peuvent se mouvoir). ◆ ***s'articuler*** v. pr. Être lié l'un à l'autre; être en rapport ou dépendre de : *Les trois parties de son exposé s'articulent parfaitement les unes aux autres.* ◆ **articulation** n. f. Disposition ordonnée et dépendante des diverses parties d'un raisonnement, d'un discours, etc. : *Les articulations d'un exposé* (syn. ENCHAÎNEMENT). ◆ **désarticuler** v. t. *Désarticuler qqch.*, lui faire perdre sa cohésion, détruire l'assemblage de ses parties : *Le choc a désarticulé le mécanisme.* ◆ ***se désarticuler*** v. pr. Perdre sa cohésion.

3. ARTICULER (S') [sartikyle] v. pr. (même étym.) [sujet nom désignant un os]. Se joindre l'un à l'autre en gardant la mobilité : *Le tibia s'articule sur le fémur.* ◆ **articulation** n. f. **1.** Jointure entre deux os. → ENCYCL. — **2.** *Zool.* Région du tégument des arthropodes où la chitine s'amincit, permettant les mouvements des segments. ◆ **articulaire** adj. : *Une douleur articulaire.* ◆ **arthrite** n. f. Inflammation d'une articulation. ◆ **arthrose** n. f. Affection non inflammatoire des articulations. ◆ **désarticuler** v. t. Faire sortir de l'articulation (syn. DÉBOÎTER, DISLOQUER). ◆ ***se désarticuler*** v. pr. Mouvoir ses articulations à l'excès : *Le clown se désarticule pour faire rire.* ◆ **désarticulation** n. f.

— ENCYCL. Il existe trois types d'*articulations* chez l'homme : les *articulations immobiles* (comme les sutures des os du crâne); les *articulations semi-mobiles* (vertèbres); les *articulations mobiles* (épaule, genou, coude, etc.). Schématiquement, l'articulation se compose de deux surfaces osseuses en contact l'une avec l'autre et d'une gaine fibreuse entourant en manchon la jointure des deux os : c'est la *capsule articulaire* dont certaines zones particulièrement épaisses sont appelées *ligaments articulaires.* L'intérieur de la capsule est tapissé par une mince enveloppe séreuse (la *synoviale*) qui sécrète la *synovie* (= liquide qui lubrifie les surfaces).

▪ *Les maladies des articulations.* Ce sont les *arthroses*, maladies des personnes âgées, qui limitent la mobilité articulaire *(ankylose)* par une production anormale de substance osseuse; les *arthrites*, maladies inflammatoires car elles s'accompagnent d'une sensation de chaleur et d'une douleur au niveau de l'articulation intéressée.

Les *accidents* (chute de ski, de cheval, accident d'automobile, etc.) peuvent aussi léser les articulations : l'*entorse* distend et déchire les ligaments, mais les surfaces articulaires ne sont pas déplacées; dans la *luxation*, les surfaces articulaires peuvent se déboîter après un choc plus violent (les ligaments étant rompus ou non).

ARTICULÉS [artikyle] n. m. pl. Syn. d'ARTHROPODES*.

ARTICULET n. m. → ARTICLE 3.

1. ARTIFICE [artifis] n. m. (lat. *artificium*). Ruse servant à tromper quelqu'un sur la nature réelle d'une chose; moyen habile et ingénieux souvent destiné à corriger la réalité : *Tenter par des artifices de cacher la vérité* (syn. MENSONGE). *Les artifices du style.* ◆ **artificieux, euse** adj. : *Des paroles artificieuses* (syn. HYPOCRITE).

2. ARTIFICE [artifis] n. m. (même étym.). **1.** *Feu d'artifice*, série, suite de tirs faits à l'aide de produits destinés à exploser avec des effets lumineux et sonores. — **2.** *C'est un vrai feu d'artifice*, se dit de la conversation de quelqu'un, d'un ouvrage qui éblouit par son esprit, son éclat. ◆ **artificier** n. m. **1.** Celui qui tire les feux d'artifice. — **2.** Militaire chargé de la préparation des munitions avant le tir.

1. ARTIFICIEL, ELLE [artifisjɛl] adj. (lat. *artificialis*, fait avec art). Produit par le travail de l'homme (contr. NATUREL) : *Un lac artificiel. Des fleurs artificielles.*

2. ARTIFICIEL, ELLE [artifisjɛl] adj. (même étym.). Se dit de ce qui trompe en cachant ou en corrigeant la réalité, de ce qui ne paraît pas naturel : *Un enthousiasme artificiel* (syn. CONTRAINT, FACTICE). ◆ **artificiellement** adv.

ARTIFICIER n. m. → ARTIFICE 2.

ARTIFICIEUX, EUSE adj. → ARTIFICE 1.

ARTILLERIE [artijri] n. f. (de l'anc. fr. *artillier*, équiper d'engins de guerre). **1.** Partie de l'armée spécialisée dans le service des canons. ‖ *Artillerie de campagne*, celle qui est chargée de l'appui de l'infanterie et des blindés au combat. ‖ *Artillerie guidée*, celle qui est équipée de missiles sol-sol ou sol-air pouvant tirer des projectiles à charge nucléaire. ‖ *Artillerie lourde*, celle qui comprend les canons de gros calibre (supérieurs à 105 mm). — **2.** *Pièce d'artillerie*, canon. ◆ **artilleur** n. m. Militaire appartenant à l'artillerie.

ARTIMON [artimɔ̃] n. m. (génois *artimone*). Mât le plus à l'arrière d'un voilier.

ARTIODACTYLES [artjodaktil] n. m. pl. (du gr. *artios*, pair, et *daktulos*, doigt). Groupe d'ongulés ayant un nombre pair de doigts à chaque patte, et comprenant les *ruminants* et les *porcins.*

1. ARTISAN [artizɑ̃] n. m. (it. *artigiano*). Celui qui exerce une activité manuelle pour son propre compte : *Le cordonnier, l'ébéniste sont des artisans.* ◆ **artisanal, e, aux** adj. : *Les méthodes artisanales* (contr. INDUSTRIEL). ◆ **artisanat** n. m. Condition sociale de l'artisan.

2. ARTISAN [artizɑ̃] n. m. (même étym.). *Être l'artisan de qqch.*, en être le responsable, en être la cause.

ARTISTE adj. et n., **ARTISTEMENT** adv., **ARTISTIQUE** adj., **ARTISTIQUEMENT** adv. → ART.

ARTIX, comm. des Pyrénées-Atlantiques, à 5 km au S.-E. de Lacq; 3 200 hab. Centrale thermique alimentée par le gaz de Lacq.

ARTOIS, anc. prov. du nord de la France, correspondant à la majeure partie du dép. du Pas-de-Calais.

GÉOGRAPHIE. L'Artois constitue un seuil entre la Picardie, au S., et la plaine de Flandre, au N. L'Artois méridional est formé par des collines, inclinées de l'O. vers l'E. (300 à 200 m), correspondant à un anticlinal de craie. L'Artois du Nord est un talus menant à la plaine flamande et dominant le bassin du Pas-de-Calais.

HISTOIRE. L'Artois, qui faisait partie de la Flandre, est incorporé au domaine royal en 1223, à l'avènement de Louis VIII.

- *1477. Devenu possession des ducs de Bourgogne, l'Artois passe à la maison d'Autriche à la mort de Charles le Téméraire.*
- *1482. Traité d'Arras : l'Artois est rattaché à la France.*
- *1659. Traité des Pyrénées. Après avoir appartenu aux Habsbourg d'Espagne (Charles Quint), depuis 1529, l'Artois, sauf Aire et Saint-Omer, fait retour à la France.*

ARUBA, île néerlandaise de la mer des Antilles, au large du Venezuela ; 60 700 hab. Elle est dotée, à partir de 1986, d'un statut particulier ouvrant la voie à l'indépendance.

ARUM [arɔm] n. m. (gr. *aron*). Plante à petites fleurs disposées en épis. (Noms usuels GOUET, PIED-DE-VEAU.) [Aracées.]

ARUNACHAL PRADESH, État du nord-est de l'Inde; 84 000 km^2; 700 000 hab. Cap. *Itanagar.*

ARVE, riv. des Alpes françaises du Nord, née dans le massif du Mont-Blanc, affl. du Rhône (r. g.); 100 km.

ARVERNES, peuple de la Gaule qui occupait l'Auvergne actuelle. Vercingétorix fut leur chef. Capit. *Gergovie.*

ARVIDA, v. du Canada, dans le Québec; 15 300 hab. Industrie de l'aluminium.

ARYENS ou **ĀRYA,** nom qui semble avoir désigné, dans l'Antiquité, les populations du bassin oriental de la Méditerranée qui envahirent le nord de l'Inde. Le terme fut repris par le racisme hitlérien pour désigner les Européens d'origine germanique.

ARYTHMIE [aritmi] n. f. (de *a* priv., et gr. *rhuthmos*, rythme). **1.** Irrégularité et inégalité des contractions du cœur. — **2.** Absence de rythme en général.

ARZIW, ancienn. **Arzew,** v. de l'Algérie, sur le *golfe d'Arziw;* 11 500 hab. Port au débouché du gaz saharien d'Hassi-R'Mel et du pétrole d'Assi-Messaoud. Usine de liquéfaction du gaz.

1. AS [ɑs] n. m. (lat. *as*, unité de monnaie). **1.** Carte marquée d'un seul signe; face d'un dé ou moitié de domino marquée d'un seul point. — **2.** *Fam.* Celui qui est le premier dans son genre : *Un as du volant* (= un conducteur exceptionnel).

MER DE CHINE
ORIENTALE
CHINE
T'ai-pei
Ryū kyū
(Japon)
T'AI-WAN
Tropique du Cancer
HONGKONG
(G.-B.)
Macao
(Port.)
OCÉAN
PACIFIQUE
20°
Hanoi
GOLFE
DU TONKIN
Hai-nan
Vientiane
LAOS
VIÊT-NAM
MER DE CHINE
MÉRIDIONALE
PHILIPPINES
Luçon
Manille
THAÏLANDE
Bangkok
CAMBODGE
Phnom Penh
Hô Chi Minh-Ville
GOLFE
DE SIAM
MER
ANDAMAN
Palauan
MER
DE SULU
Mindanao
Arch.
Sulu
MALAYSIA
Bandar Seri
Begawan
BRUNEI
MER
DE CÉLÈBES
Kuala Lumpur
SINGAPOUR
Sumatra
Bornéo
0°
Équateur
Célèbes
Bangka
Belitung
INDONÉSIE
MER
DE
BANDA
MER DE JAVA
Jakarta
OCÉAN
INDIEN
Java
Bali
Sumbawa
Flores
Lombok
Timor
Sumba
Asie du Sud-Est
0
500
1000 km
100°
110°

ASIE

GROENLAND
ALASKA
Cercle polaire arctique
Pôle Nord
Svalbard (Norv.)
EUROPE
Tallin
ESTONIE
Riga
LITUANIE
LETTONIE
Vilnious
BIÉLO-RUSSIE
Minsk
Moscou
Kiev
Kichinev
MOLDAVIE
UKRAINE
U.R.S.S.
RUSSIE
Ankara
TURQUIE
GÉORGIE
KAZAKHSTAN
Tbilissi
CHYPRE
Nicosie
Erevan
AZERBAÏDJAN
ARMÉNIE
Bakou
Beyrouth
LIBAN
SYRIE
Damas
ISRAËL
Jérusalem
'Ammān
JORDANIE
IRAQ
Bagdad
OUZBÉKISTAN
TURKMÉNISTAN
Achkhabad
Tachkent
Frounze
Alma-Ata
KIRGHIZISTAN
Douchambé
TADJIKISTAN
Oulan Bator
MONGOLIE
CORÉE DU NORD
Pyongyang
JAPON
Séoul
CORÉE DU SUD
Pékin
Téhéran
IRAN
ZONE NEUTRE
KOWEÏT
Koweït
ARABIE
AFGHĀNISTĀN
Kaboul
Islāmābād
CHINE
BAHREÏN
QAṬAR
Riyāḍ
SAOUDITE
PĀKISTĀN
NÉPAL
New Delhi
Katmandou
BHOUTAN
T'ai-pei
Tropique du
T'AI-WAN
FÉDÉRATION DES ÉMIRATS ARABES UNIS
Mascate
OMAN
INDE
Dacca
BANGLA-DESH
BIRMANIE
HONGKONG (G.-B.)
Hanoi
Sana
YÉMEN
LAOS
Vientiane
VIÊT-NAM
PHILIPPINES
Manille
THAÏLANDE
Socotora (Yémen)
Rangoon
Bangkok
CAMBODGE
AFRIQUE
Iles Laquedives (Inde)
Iles Andaman et Nicobar (Inde)
Phnom Penh
Hô Chi Minh-Ville
SRI LANKA
Colombo
BRUNÉI
MALDIVES
MALAYSIA
Kuala Lumpur
SINGAPOUR
Équateur
INDONÉSIE
Jakarta
0
1000
2000 km
50°
60°
70°
80°
90°
100°
110°
120°

OCÉAN ARCTIQUE
Pôle Nord
Cercle polaire arctique
Dt de Béring
I. Vrangel
MER DE SIBÉRIE ORIENTALE
Mts de l'Anadyr
C. Navarin
MER DE BÉRING
Svalbard
Archipel François-Joseph
Terre du Nord
Nlle-Sibérie
Nlle-Zemble
MER DE KARA
Pén. de Taimyr
MER DE LAPTEV
Plaine de Sibérie septle
Mts Tcherski
Mts de Verkhoïansk
Mts de la Kolyma
Kamtchatka
MER D'OKHOTSK
Cap Lopatka
Iles Kouriles
EUROPE
Oural
Ienisseï
Lena
PLATEAU DE SIBÉRIE ORIENTALE
PLATEAU DE L'ALDAN
Ob
Plaine de Sibérie occidentale
Sakhaline
PLATEAU STANOVOÏ
Mts Stanovoï
Mts de la Boureïa
Mts Iablonovyï
Amour
Pt Khingan
Sikhote Alin
Hokkaidō
MER NOIRE
Volga
Oural
Irtych
LAC BAÏKAL
Saïan
Gd Khingan
HAUTEURS DU KAZAKHSTAN
Altaï
Altaï mongol
Caucase
Taurus
CASPIENNE
MER
PLAT. DE L'OUST-OURT
MER D'ARAL
L. BALKHACH
Syr-Daria
Désert de Kyzylkoum
Désert de Karakoum
Amou-Daria
Désert de Gobi
MER DU JAPON
Honshū
Corée
Désert de Syrie
Tigre
Euphrate
Elbourz
▲5604
Dacht-i Kevīr
Dacht-i Lūt
Zagros
Kuh-i Rūd
T'ien-chan
Alaï
Pamir
Désert de Takla-makan
Nan-chan
KOUKOU-NOR
Tsaïdam
MER Chan-tong JAUNE
Shikoku
Kyū shū
Houang-ho
Kūh-i Bābā
Hindū Kūch
Karakoram
Altyntagh
PLATEAU DU TIBET
Ts'in-ling
MER DE CHINE ORIENTALE
Ryū kyū
Golfe Persique
Péninsule arabique
Indus
Himalaya
Bassin Rouge
Yang-tseu-kiang
Brahmapoutre
Plaine indo-gangétique
Désert de Thar
Everest 8880
Gange
Dt de Formose
Tropique du Cancer
Formose
Rub 'al-Khālī
Golfe d'Oman
Ra's al-Hadd
Mts Aravalli
Mts Vindhya
Mts Satpura
Mts Naga
Arakan
Irawaddy
PLATEAU DU YUN-NAN
C. Engaño
Luçon
Hai-nan
MER D'OMAN
PLATEAU DU DECCAN
Ghāts occidentaux
Ghāts orientaux
Côte de Malabār
Côte de Coromandel
GOLFE DU BENGALE
Tenasserim
Péninsule Indochinoise
Mékong
MER DE CHINE MÉRIDIONALE
G. D'ADEN
Socotora
AFRIQUE
Iles Laquedives
Iles Andaman
GOLFE DE SIAM
Isthme de Kra
Pte de Camau
Palauan
MER DE SULU
Mindanao
Ceylan
C. Comorin
Iles Nicobar
MER DE CÉLÈBES
Iles Maldives
Détroit de Malacca
Bornéo
échelle des altitudes
200 m
500
1000
2000
3000
OCÉAN INDIEN
Équateur
Sumatra
Célèbes
Moluques
MER DE BANDA
MER DE JAVA
Java
Sumbawa
Flores
Bali
Lombok
Sumba
Timor
0
1000
2000 km
50°
60°
70°
80°
90°
100°
110°
120°

GRÈCE
Athènes
Ankara
TURQUIE
U. R. S. S.
MER CASPIENNE
Rhodes
Crète
MER MÉDITERRANÉE
Nicosie
CHYPRE
SYRIE
LIBAN
Beyrouth
Damas
ISRAËL
Jérusalem
'Ammān
JORDANIE
Le Caire
Bagdad
IRAQ
Téhéran
IRAN
Kaboul
AFGHĀNISTĀN
PĀKISTĀN
Koweït
KOWEÏT
ZONE NEUTRE
GOLFE PERSIQUE
BAHREÏN
Manāma
QAṬAR
Doha
Dibay
Abū Ẓabī
ÉMIRATS ARABES UNIS
(Oman)
G. D'OMAN
Mascate
Tropique du Cancer
INDE
20°
ÉGYPTE
MER ROUGE
Riyād
ARABIE SAOUDITE
La Mecque
AFRIQUE
OMAN
SOUDAN
OCÉAN INDIEN
Sana
YÉMEN
ÉTHIOPIE
0
500 km
Asie Occidentale

2. AS [ɑs] n. m. (même étym.). Unité monétaire de bronze chez les Romains.

ASCAGNE ou **IULE,** fils d'Énée. Fondateur d'Albe la Longue. César se glorifiait de descendre de lui.

ASCARIDE [askarid] ou **ASCARIS** [askaris] n. m. (gr. *askaris*). Ver parasite de l'intestin grêle de l'homme et du porc, du cheval et du bœuf, du chat et du chien. (Long. 10 à 25 cm.) [Classe des nématodes.]

1. ASCENDANT [asɑ̃dɑ̃] n. m. (du lat. *ascendere*, monter). Attrait intellectuel, psychologique exercé par quelqu'un de supérieur : *Professeur qui a de l'ascendant sur ses étudiants* (syn. AUTORITÉ, INFLUENCE). *User de son ascendant pour* (syn. SUPÉRIORITÉ).

2. ASCENDANT [asɑ̃dɑ̃] n. m. (même étym.). Chacun des parents dont on descend (surtout au plur.) [contr. DESCENDANT]. ◆ **ascendance** n. f. : *Être d'ascendance ouvrière.*

3. ASCENDANT, E [asɑ̃dɑ̃, -ɑ̃t] adj. (même étym.). Qui va en montant : *Mouvement ascendant* (syn. ASCENSIONNEL). ◆ **ascendance** n. f. Courant aérien dirigé de bas en haut : *Les ascendances sont utilisées pour le vol à voile.*

ASCENSEUR [asɑ̃sœr] n. m. (du lat. *ascendere*, monter). Appareil installé dans un immeuble et permettant de transporter des personnes dans une cabine qui se déplace verticalement.

1. ASCENSION [asɑ̃sjɔ̃] n. f. (lat. *ascensio*). Action de monter au sommet d'une montagne, de s'élever dans l'air, etc. : *Faire l'ascension d'un pic* (syn. ESCALADE). ◆ **ascensionnel, elle** adj. Qui tend à monter ou à faire monter.

2. ASCENSION [asɑ̃sjɔ̃] n. f. (même étym.). Élévation miraculeuse de Jésus-Christ au ciel en présence de ses disciples; fête que l'Église célèbre en l'honneur de cet acte miraculeux, quarante jours après Pâques : *Le jeudi de l'Ascension* (en ce sens, prend une majusc.).

ASCENSION *(île de l')*, petite île anglaise de l'océan Atlantique.

ASCENSIONNEL, ELLE adj. ⟶ ASCENSION 1.

ASCÈTE [asɛt] n. (du gr. *askein*, exercer). Personne qui, se consacrant à la vie spirituelle, mortifie son corps par de dures privations, ou qui s'impose une vie rude et austère en se privant des plaisirs matériels (contr. JOUISSEUR). ◆ **ascèse** n. f. (ordinairement dans le sens religieux) : *L'ascèse des moines.* ◆ **ascétique** adj. : *Une vie ascétique. Un visage ascétique* (= dont la maigreur témoigne d'une vie austère). ◆ **ascétisme** n. m. : *L'ascétisme des ermites chrétiens. L'ascétisme d'un érudit* (syn. AUSTÉRITÉ).

ASCIDIE [asidi] n. f. (gr. *askidion*, petite outre). **1.** Animal marin vivant fixé aux rochers, qui peut atteindre 15 cm de hauteur. (Embranchement des procordés.) — **2.** Organe en forme d'urne, constitué par les feuilles de certaines plantes carnivores *(népenthès).*

ASCLÉPIOS, dieu grec de la Médecine, fils d'Apollon. Les Romains l'adoptèrent sous le nom d'*Esculape.*

ASCOMYCÈTES [askɔmisɛt] n. m. pl. (du gr. *askos*, outre, et *mukês*, champignon). Classe de champignons dont les spores se forment dans des asques* : *penicillium, pezize, morille, truffe.*

ASCORBIQUE [askɔrbik] (de *a* priv., et *scorbut*). *Acide ascorbique*, vitamine C, antiscorbutique.

ASDRUBAL ⟶ HASDRUBAL.

ASELLE [azɛl] n. m. (lat. *asellus*, petit âne). Cloporte d'eau douce, au corps aplati.

ASEPSIE [asɛpsi] n. f. (de *a* priv., et gr. *sêpsis*, infection). Ensemble des méthodes qui ont pour but de prévenir tout risque d'infection pendant l'intervention chirurgicale. (Ces techniques sont la stérilisation des instruments par l'autoclave, la stérilisation des locaux et de l'air par les rayons ultraviolets, la stérilisation de l'habillage du chirurgien et de ses aides, la préparation du champ opératoire.) ◆ **aseptique** adj. : *Pansement aseptique.* ◆ **aseptiser** v. t. Rendre aseptique, stériliser.

ASEXUÉ, E [asɛksɥe] adj. *(a* priv., et *sexué).* Qui n'a pas de sexe. ‖ *Reproduction asexuée* ou *végétative*, celle qui ne se fait pas par l'intermédiaire de cellules reproductrices, ou gamètes, par ex. le *bouturage*, le *marcottage.*

ASHKENAZIM, nom donné jadis aux Juifs originaires de Germanie. Par la suite, il ne s'appliqua qu'à ceux des régions occidentale et méridionale.

ASHTART ou **ISHTAR,** nom d'une divinité sémitique, connue chez les Grecs sous le nom d'*Astarté*, déesse de la Guerre chez les Assyriens, de l'Amour à Ourouk et à Sidon, et, en général, déesse de la Fécondité.

ASIATE [azjat] adj. et n. Personne originaire d'Asie. ◆ **asiatique** adj. et n. De l'Asie.

ASIE, une des cinq parties du monde, située presque entièrement dans l'hémisphère Nord, la plus vaste et la plus peuplée.

SUPERFICIE 44 millions de km² (Amérique : 42 millions de km²; Afrique : 30 millions de km²; Europe : 10 millions de km²).

POPULATION 3,15 milliards d'hab. La densité est de 71,5 hab. au km² (Europe : 70; Afrique : 22; Amérique : 17).

⟶ cartes en couleurs pp. 96-97.

ASIE MINEURE, nom que donnait les Anciens à la péninsule de l'Asie occidentale, bordée par la mer Noire, la mer Égée et la Méditerranée. Elle fut un des principaux points de contact des civilisations orientales et occidentales au cours de l'histoire.

- *XIIᵉ s. av. J.-C. La ruine de Troie et l'invasion des Phrygiens entraînent la destruction du royaume hittite.*
- *546 av. J.-C. Avec Cyrus, l'Asie Mineure passe sous la domination perse.*
- *499 av. J.-C. Les Grecs de la côte occidentale révoltés contre le joug perse reçoivent l'aide des Grecs d'Europe : c'est le début des guerres médiques*.*
- *334 av. J.-C. Alexandre le Grand conquiert l'Asie Mineure sur la Perse.*
- *189 av. J.-C. La victoire des Romains à Magnésie marque le début de la domination romaine.*

À partir de 1067, les Turcs Seldjoukides occupent presque tout le pays. Au milieu du XVᵉ s. les Turcs s'imposent définitivement.

- *1920. Le traité de Sèvres rend effectif le démembrement de l'empire turc, l'ancienne Asie Mineure correspond au territoire de la République turque.*

ASILE [azil] n. m. (gr. *asulon*). **1.** Maison de retraite pour les vieillards, les nécessiteux. — **2.** Lieu où une personne est à l'abri de ceux qui la poursuivent, où elle trouve protection : *Trouver asile chez un ami* (syn. ABRI, REFUGE). *Le droit d'asile des ambassades.* — **3.** *Asile d'aliénés*, ou simplement *asile*, lieu où sont hospitalisés les malades mentaux (syn. HÔPITAL PSYCHIATRIQUE).

'ASĪR, région de l'Arabie Saoudite, en bordure de la mer Rouge, entre le Hedjaz et le Yémen.

ASMARA, v. d'Éthiopie, capit. de l'Érythrée; 276 400 hab.

ASNIÈRES-SUR-SEINE, agglomération de la banlieue nord-ouest de Paris (Hauts-de-Seine); 71 200 hab.

ASOCIAL, E, AUX adj. ⟶ SOCIAL 1.

ASOKA ⟶ AÇOKA.

ASPARAGUS [asparagys] n. m. (mot lat.). Plante ornementale au feuillage léger et filiforme, utilisée par les fleuristes pour agrémenter les bouquets.

ASPE *(vallée d')*, vallée des Pyrénées françaises (Pyrénées-Atlantiques), où coule le *gave d'Aspe.*

1. ASPECT [aspɛ] n. m. (lat. *aspectus*, regard). **1.** Manière dont une chose ou une personne se présente à la vue : *Il a l'aspect d'un jeune premier* (syn. AIR, ALLURE). *La région présente un aspect désolé* (syn. SPECTACLE). *La situation se présente sous un aspect engageant* (syn. DEHORS, JOUR). — **2.** *À l'aspect de*, à la vue de.

2. ASPECT [aspɛ] n. m. (même étym.). Notion grammaticale qui, en particulier dans le verbe, oppose ce qui est en train de se faire à ce qui est accompli : *L'opposition entre « il rentre en ce moment » et « il est rentré à la maison » représente l'aspect en français.* ◆ **aspectuel, elle** adj.

ASPERGE [aspɛrʒ] n. f. (lat. *asparagus*). Plante potagère dont on mange les pousses, ou *turions*, quand elles sont encore tendres. (Famille des liliacées.)

ASPERGER [aspɛrʒe] v. t. (lat. *aspergere*). *Asperger qq'un, qqch.*, les mouiller légèrement en projetant de l'eau sur eux. ◆ **s'asperger** v. pr. ◆ **aspersion** n. f. : *L'aspersion de l'eau bénite.*

ASPERGILLUS [aspɛrʒilys] n. m. (du lat. *aspergillum*, goupillon). Moisissure qui se développe sur les substances sucrées (confitures). [L'aspergillus fait partie des champignons ascomycètes; ses spores, ou *conidies*, naissent d'axes rayonnant autour d'un renflement terminal.]

ASPÉRITÉ [asperite] n. f. (lat. *asperitas*). Saillie ou inégalité d'une surface (surtout au plur.) : *Enlever les aspérités d'une planche avec un rabot* (syn. RUGOSITÉ).

ASPERSION n. f. → ASPERGER.

ASPHALTE [asfalt] n. m. (gr. *asphaltos*). Préparation à base de bitume, destinée au revêtement des chaussées, des trottoirs. ◆ **asphalter** v. t. Recouvrir d'asphalte. ◆ **asphaltage** n. m. : *L'asphaltage de la route.*

ASPHODÈLE [asfɔdɛl] n. m. (gr. *asphodelos*). Plante bulbeuse à fleurs blanches, dont une espèce est ornementale. (Famille des liliacées.)

ASPHYXIE [asfiksi] n. f. (de *a* priv., et gr. *sphuxis*, pouls). **1.** Arrêt ou ralentissement de la fonction respiratoire (syn. ÉTOUFFEMENT). → ENCYCL. — **2.** Arrêt dans le développement d'une activité essentielle d'un pays : *Le blocus a provoqué une asphyxie progressive du pays* (syn. PARALYSIE). ◆ **asphyxier** v. t. Sens 1 et 2 du substantif. ◆ **asphyxiant, e** adj. : *Les gaz asphyxiants ont été employés pendant la Première Guerre mondiale.*

— ENCYCL. L'*asphyxie* peut être la *conséquence* de nombreux *accidents* ou *maladies*. Ainsi, l'air peut ne pas arriver aux poumons si un obstacle se présente à travers les voies respiratoires : l'eau, en cas de noyade; la terre, dans les accidents provoquant un ensevelissement; une maladie, comme la diphtérie (croup); une paralysie des muscles de la respiration (comme dans la polyomyélite); une contracture des muscles de la respiration (tétanos, électrocution).

L'asphyxie peut être aussi la conséquence de lésions et de maladies de l'appareil respiratoire (maladies graves et étendues des poumons et même maladies graves du sang : anémies).

Elle peut être enfin la conséquence d'anomalies de l'air respiré (manque d'oxygène à cause de l'altitude ou de pièces à atmosphère confinée), air vicié à cause de produits toxiques (l'oxyde de carbone, toxique pour les globules rouges).

Les *signes de l'asphyxie* sont surtout l'arrêt de la respiration : le thorax et le ventre sont immobiles, une glace placée devant la bouche ouverte du sujet ne se ternit pas; parfois, l'arrêt du cœur, dans les cas de « syncope blanche »; une coloration anormale de la peau du sujet. La constatation d'un arrêt de la respiration impose d'urgence la désobstruction des voies respiratoires ainsi que la respiration artificielle, et éventuellement un massage cardiaque externe si le cœur est arrêté.

1. ASPIC [aspik] n. m. (lat. *aspis, -idis*). Une des deux espèces de vipères de France, qui fréquente surtout les lieux secs et pierreux, les broussailles.

2. ASPIC [aspik] n. m. (orig. obscure). Préparation culinaire consistant en une gelée de viande assaisonnée et colorée, dans laquelle sont introduits des filets de volaille ou de poisson, des truffes, du foie gras, etc., et que l'on moule en formes variées.

1. ASPIRANT, E adj. et n. → ASPIRER 1 et 2.

2. ASPIRANT [aspirɑ̃] n. m. (de *aspirer*). **1.** Élève officier de la marine militaire. — **2.** Grade des armées de terre et de l'air. (→ GRADE 2.)

1. ASPIRER [aspire] v. t. (lat. *aspirare*, souffler vers). **1.** (sujet nom d'être animé) *Aspirer un gaz*, le faire pénétrer dans les poumons : *Aspirer un peu d'air frais* (syn. HUMER, RESPIRER); et, absolum. : *Aspirez!* (contr. EXPIRER). — **2.** *Aspirer un liquide*, le faire pénétrer dans l'appareil digestif : *Aspirer une boisson avec une paille.* — **3.** (sujet nom de chose) Attirer en créant un vide partiel : *Une pompe aspire l'eau.* ◆ **aspirant, e** adj. : *Pompe aspirante* (= qui élève l'eau). ◆ **aspiré, e** adj. « *H* » *aspiré*, en français, *h* initial interdisant la liaison avec le mot qui précède. ◆ **aspiration** n. f. **1.** Action de faire monter des liquides ou des gaz en produisant un vide. — **2.** Action de prononcer un son en l'accompagnant d'un souffle. ◆ **aspirateur** n. m. Appareil qui a pour rôle d'absorber les poussières ou les gaz et vapeurs diverses.

2. ASPIRER [aspire] v. t. ind. (même étym.). *Aspirer à une chose*, y être porté par un sentiment, un instinct, un désir profond : *J'aspire au repos* (syn. SOUPIRER APRÈS). ◆ **aspirant, e** n. Candidat à un emploi, à un titre. ◆ **aspiration** n. f. : *Permettre à des aspirations de se réaliser* (syn. DÉSIR, SOUHAIT).

ASPIRINE [aspirin] n. f. (all. *Aspirin*). Dénomination commune de l'acide acétylsalicylique, médicament utilisé très couramment, notamment contre les maux de tête.

ASPRE [aspr] n. f. (lat. *asper*, rude). Dans le Roussillon, colline caillouteuse, où prospèrent vigne et arbres fruitiers.

ASPROMONTE, massif granitique d'Italie (Calabre); 1 956 m.

ASQUE [ask] n. m. (gr. *askos*, outre). Sac reproducteur caractéristique des champignons ascomycètes* : *Les spores se forment à l'intérieur de l'asque.*

ASQUITH (Herbert Henry), homme politique britannique (1852-1928). Premier ministre (1908-1916), il défendit le Home* Rule.

ASSAGIR v. t., **ASSAGISSEMENT** n. m. → SAGE.

ASSAILLIR [asajir] v. t. (du lat. *salire*, sauter). [Conj. **23.**] 1. *Assaillir qq'un*, l'attaquer vivement, se précipiter sur lui (souvent au passif) : *Il fut assailli dans une rue déserte.* — **2.** *Assaillir qq'un de qqch.*, le harceler de demandes importunes, lui susciter des difficultés, des ennuis : *Être assailli par les soucis* (syn. ACCABLER). *Assaillir de questions* (syn. HARCELER). ◆ **assaillant, e** adj. et n. : *Repousser les assaillants.* ◆ **assaut** [aso] n. m. **1.** Attaque vive, violente, à plusieurs : *Donner, livrer l'assaut à une forteresse* (= l'attaquer). *La foule prit d'assaut les guichets.* — **2.** *Faire assaut de*, lutter d'émulation en matière de : *Ils ont fait assaut de générosité* (syn. RIVALISER).

ASSAINIR v. t., **ASSAINISSEMENT** n. m. → SAIN 1.

ASSAISONNER [asɛzɔne] v. t. (de *saison*). **1.** (sujet nom de personne) *Assaisonner un aliment*, y ajouter des condiments propres à en relever le goût (poivre, moutarde, vinaigre, sel, etc.) [syn. ACCOMMODER] : *Ce plat est trop assaisonné* (syn. ÉPICER, PIMENTER). — **2.** *Assaisonner qqch.*, le rendre plus agréable en ajoutant quelque chose de plaisant, d'inattendu (littér.) : *Assaisonner la conversation de mots plaisants.* ◆ **assaisonnement** n. m. : *Cette salade manque un peu d'assaisonnement.*

ASSAM, État de l'Inde situé au N.-E. du pays, au pied de l'Himalaya, entre le Bangladesh et la Birmanie; 78 500 km^2; 19 897 000 hab. (253 au km^2). Capit. *Dispur.* L'État correspond au bassin du Brahmapoutre, fleuve qui a construit une vaste plaine alluviale. Le climat très humide (2 553 mm par an) et les faibles pentes dans la plaine expliquent les nombreux marécages qui s'y développent, rendant la vie malsaine. La population, peu nombreuse pour l'Inde, vit essentiellement de la culture du thé sur les plateaux.

ASSASSIN [asasɛ̃] n. m. (ar. *hachchāchī*, buveur de hachisch). **1.** Celui qui tue avec préméditation un être humain; celui qui est responsable de la mort d'un autre (syn. CRIMINEL, MEURTRIER). — **2.** *À l'assassin!* appel au secours de quelqu'un qui est attaqué ou qui poursuit un meurtrier. ◆ **assassinat** n. m. **1.** Meurtre commis avec préméditation (syn. CRIME). — **2.** Acte de violence injuste contre quelque chose : *L'assassinat des libertés* (syn. ATTENTAT [*contre*]). ◆ **assassiner** v. t. : *Le commerçant a été assassiné dans sa boutique* (syn. TUER).

ASSASSINS ou **HACHĪSCHINS,** secte musulmane qui, à l'époque des croisades, se débarrassait souvent de ses adversaires par l'assassinat. Ses membres se grisaient de hachisch.

ASSAUT n. m. → ASSAILLIR.

ASSÈCHEMENT n. m., **ASSÉCHER** v. t. → SEC 1.

ASSEMBLAGE n. m. → ASSEMBLER.

ASSEMBLÉE [asɑ̃ble] n. f. (de *assembler*). **1.** Réunion en un lieu d'un certain nombre de personnes : *L'assemblée était bruyante* (syn. ASSISTANCE, AUDITOIRE, PUBLIC). — **2.** Réunion de délégués, de députés, d'élus, etc., qui délibèrent ensemble sur des questions politiques : *L'Assemblée nationale.*

— ENCYCL. Parmi les assemblées politiques on distingue : les *assemblées constituantes*, souveraines pour établir une constitution; les *assemblées législatives* qui rédigent les lois et les *assemblées souveraines* ou *conventions* qui ont à la fois le pouvoir de faire les lois *(pouvoir législatif)* et celui de les faire mettre à exécution *(pouvoir exécutif)*.

■ *Histoire. La Constituante* (9 juillet 1789-30 septembre 1791), appelée auparavant *Assemblée nationale* et primitivement *États généraux;* elle abolit les privilèges féodaux (nuit du 4 août), proclama la souveraineté nationale, la séparation des pouvoirs législatif, exécutif et judiciaire, l'égalité des citoyens devant la loi, divisa la France en départements.

Assemblée constituante, assemblée élue au suffrage universel après la révolution de février 1848, afin de donner à la France une nouvelle constitution.

Assemblée constituante, chacune des deux assemblées françaises élues en novembre 1945, puis en juin 1946, pour donner une nouvelle constitution au pays. Seule la seconde parvint à faire approuver par un référendum un projet de compromis.

Assemblée législative (1er octobre 1791-21 septembre 1792), assemblée française qui succéda à la Constituante et céda la place à la Convention.

Assemblée législative (28 mai 1849-2 décembre 1851), assemblée qui succéda à la Constituante de 1848 et qui fut dissoute par le coup d'État de Louis Napoléon Bonaparte.

Assemblée nationale (1871-1875), assemblée élue pendant la guerre franco-allemande; elle dut accepter les conditions de Bismark. Elle vota à une seule voix de majorité la Constitution républicaine de 1875.

Assemblée nationale, l'une des deux assemblées parlementaires de la France dans les Constitutions de 1946 et de 1958 (c'est l'ancienne Chambre des députés). Elle siège au Palais-Bourbon. Avec le *Sénat*, elle forme le *Parlement* (pouvoir législatif). Composée d'environ 500 députés (effectif porté à 577 en 1986), elle *discute les projets de lois* déposés par le gouvernement et les propositions présentées par les députés ou transmises par le Sénat. Elle peut mettre en cause la responsabilité du gouvernement par le vote d'une motion de censure qui, votée à la majorité, oblige le gouvernement à démissionner. Les séances sont publiques, mais elles résultent d'un long travail préparatoire effectué en groupes restreints (commissions spécialisées). Un compte rendu des séances est publié par le *Journal officiel*.

ASSEMBLER [asɑ̃ble] v. t. (du lat. *simul*, ensemble). **1.** *Assembler des choses*, les mettre ensemble quand elles sont isolées ou éparses, afin de former un tout en les adaptant ou en les combinant : *Assembler des idées* (syn. RASSEMBLER). *Assembler les pièces d'un puzzle* (syn. RÉUNIR; contr. DISPERSER). — **2.** *Assembler des personnes*, auj. remplacé par RASSEMBLER. ◆ ***s'assembler*** v. pr. (syn. SE RÉUNIR). ◆ **assemblage** n. m. : *Un assemblage de pièces* (syn. COMBINAISON).

ASSEN, v. des Pays-Bas, ch.-l. de la Drenthe; 41 300 hab.

ASSENER ou **ASSÉNER** [asene] v. t. (de l'anc. fr. *sen*, direction). *Assener un coup à qq'un*, lui porter avec vigueur un coup bien dirigé (syn. ↓APPLIQUER).

ASSENTIMENT [asɑ̃timɑ̃] n. m. (du lat. *assentire*). Affirmation que l'on est en parfait accord avec quelqu'un : *Donner son assentiment à un projet* (syn. ADHÉSION, APPROBATION). *Avec son assentiment, je me suis mis au travail* (syn. ACCORD, CONSENTEMENT; contr. DÉSACCORD).

1. ASSEOIR [aswar] v. t. (lat. *assidere*). [Conj. **44.**] **1.** *Asseoir une chose*, la placer en équilibre sur sa base : *Asseoir une maison sur de solides fondations;* l'établir d'une manière stable : *Asseoir une théorie sur des preuves irréfutables* (syn. FONDER). *Asseoir son jugement sur des témoignages* (syn. APPUYER). — **2.** *Asseoir l'impôt*, en établir les bases d'imposition.

2. ASSEOIR [aswar] v. t. (même étym.). [Conj. **44.**] **1.** *Asseoir qq'un*, le mettre sur son séant, l'installer sur un siège : *Asseoir un bébé sur sa chaise. Asseoir un prince sur le trône* (= le faire roi). — **2.** *Faire asseoir qq'un*, l'inviter à prendre un siège. — **3.** *Être assis*, être sur son séant, être sur un siège. ◆ ***s'asseoir*** v. pr. Se mettre sur son séant, sur un siège : *S'asseoir à table* (= s'attabler [plus rare]). ◆ **rasseoir** v. t. **1.** Asseoir de nouveau. — **2.** *Faire rasseoir qq'un*, l'inviter à s'asseoir de nouveau. ◆ ***se rasseoir*** v. pr. S'asseoir de nouveau.

ASSERMENTÉ, E adj. et n. → SERMENT.

ASSERTION [asɛrsjɔ̃] n. f. (du lat. *asserere*, affirmer). Proposition avancée qui est donnée comme vraie : *Cette assertion est sans fondement* (syn. AFFIRMATION). *Étayer ses assertions par une démonstration* (syn. DIRES).

ASSERVIR [asɛrvir] v. t. (de *serf*). **1.** *Asservir qq'un*, un pays, etc., les réduire à un état de grande dépendance, les priver de liberté (souvent au passif) : *Empire qui asservit les nations voisines* (syn. ASSUJETTIR, SOUMETTRE; contr. ÉMANCIPER, LIBÉRER). *La presse est asservie* (syn. ENCHAÎNER; contr. AFFRANCHIR). — **2.** Se rendre maître de : *Asservir ses passions à sa volonté* (syn. SOUMETTRE). ◆ ***s'asservir*** v. pr. Être soumis à; entrer sous la dépendance totale de. ◆ **asservissement** n. m. : *L'asservissement à un tyran, à la mode* (syn. ↑ESCLAVAGE, SOUMISSION; contr. ÉMANCIPATION).

ASSESSEUR [asɛsœr] n. m. (lat. *assessor*, qui s'asseoit à côté). **1.** Personne qui siège à côté d'une autre pour l'assister dans ses fonctions. — **2.** Adjoint d'un magistrat.

ASSEZ [ase], **TROP** [tro] adv. (bas lat. *ad satis*, en suffisance; *troppus*, troupeau). Indiquent la quantité suffisante ou excessive. → tableau ci-dessous.

ASSIDU, E [asidy] adj. (lat. *assiduus*). **1.** Se dit de quelqu'un qui est constamment présent auprès d'une autre personne ou à l'endroit où l'appellent son devoir ou ses obligations : *Il est très assidu auprès d'elle* (syn. EMPRESSÉ). *Un élève assidu* (syn. APPLIQUÉ, ZÉLÉ). — **2.** Se dit d'une conduite, d'une attitude, etc., qui manifeste de la constance, de l'obstination : *Fournir un travail assidu* (syn. RÉGULIER, SOUTENU). ◆ **assidûment** adv. (syn. CONTINUELLEMENT, RÉGULIÈREMENT). ◆ **assiduité** n. f. : *L'assiduité d'un employé à son bureau* (syn. PONCTUALITÉ, RÉGULARITÉ). ◆ **assiduités** n. f. pl. Empressement auprès d'une femme.

ASSIÉGEANT, E n. et adj., **ASSIÉGER** v. t. → SIÈGE 3.

assez	trop
1. Quantité suffisante : *a*) avec un verbe : *Tu as assez parlé aujourd'hui, tu dois être fatigué.* *b*) avec un adjectif ou un adverbe : *La boîte n'est pas assez grande* (syn. SUFFISAMMENT). *Je le reconnais bien : je l'ai vu assez souvent.* *c*) avec un nom (et la prép. *de*) : *Avoir assez d'argent. Il a maintenant assez de livres.* *d*) suivi de la prép. *pour* (et l'infin.) ou de la conj. *pour que* (et le subj.) : *Il est assez connu dans la région pour pouvoir se présenter à cette élection. Il parle assez haut pour qu'on l'entende.*	1. Quantité excessive : *a*) avec un verbe : *Il a trop mangé. Nous ne sommes pas trop de cinq pour déplacer la voiture.* *b*) avec un adjectif ou un adverbe : *Il est trop bête. Je l'ai trop peu vu.* *c*) avec un nom (et la prép. *de*) : *Tu as mis trop de sel. Il y a trop de papiers sur le bureau.* *d*) suivi de *pour* (et l'infin.) ou de *pour que* (et le subj.) : *Il est trop myope pour t'avoir vu. Je suis trop soucieux d'exactitude pour que l'on puisse me reprocher cette erreur.*
2. Valeur intensive (= passablement, très), en général avec une intonation particulière. *Il est assez vieux pour son âge. Il était déjà assez malade l'année dernière. Je vous ai assez vu* (= trop).	2. Valeur superlative (= très), en général avec une intonation particulière ou dans une phrase négative. *Tu sais, elle est vraiment trop jolie! Il n'est pas trop content.*
LOC. DIV.	LOC. DIV.
C'en est assez (langue soignée), **c'est assez, en voilà assez** (langue commune), marque l'impatience de celui qui parle (syn. CELA SUFFIT) devant une attitude ou un événement qui va au-delà de ce qu'il est possible de supporter. **Assez!, assez de...!,** interj. manifestant le désir de voir s'arrêter le discours d'une personne ou de voir cesser quelque chose qui excède ou ennuie : *Assez! taisez-vous. Assez de paroles, passez aux actes.* **En avoir assez, avoir assez (de)** [fam.], considérer que la mesure est comble, que l'attitude ou l'événement dépasse ce qui est supportable : *J'en ai assez de vos hésitations* (syn. ÊTRE FATIGUÉ). *Vous m'importunez sans cesse; j'en ai assez* (syn. ÊTRE EXCÉDÉ).	**C'en est trop, c'est trop,** marque l'impatience de celui qui parle, avec le même sens que C'EST ASSEZ : *C'en est trop, je ne veux plus vous voir.* **De trop,** en excès : *Les deux francs sont de trop;* en surnombre, qui n'est pas désiré : *Vous n'êtes pas de trop* (= votre présence n'est pas indésirable).
	LOC. ADV.
	Par trop, renforce, renforce *trop* (littér.) : *Il est par trop exigeant.* **En trop,** en une quantité qui excède ce qui est normal ou attendu : *Il y a deux personnes en trop dans cette voiture.*

1. ASSIETTE [asjɛt] n. f. (du lat. *assidere*, être assis). **1.** Manière dont un cavalier est assis sur sa selle, dont quelqu'un se tient sur ses pieds, dont quelque chose repose sur sa base : *Le cavalier perdit son assiette et tomba* (syn. ÉQUILIBRE). *L'assiette d'une colonne* (syn. ASSISE). *L'assiette de l'impôt* (= ce qui doit être imposé). — **2.** Fam. *N'être pas dans son assiette*, être mal à l'aise, se sentir malade.

2. ASSIETTE [asjɛt] n. f. (même étym.). **1.** Pièce de vaisselle, presque plate ou légèrement creuse, dans laquelle chacun reçoit ses aliments à table. — **2.** Contenu de l'assiette : *Une assiette anglaise* (= un assortiment de viandes froides variées). ◆ **assiettée** n. f. Sens 2 de ASSIETTE : *Une assiettée de pommes de terre.*

ASSIGNAT [asiɲa] n. m. (de *assigner*). Billet émis en France de 1789 à 1796, non convertible en espèces, mais qui pouvait être « assigné », remboursé sur le produit de la vente des biens du clergé.
— ENCYCL. Pour éviter la banqueroute, l'Assemblée nationale constituante décida, le 21 décembre 1789, l'émission d'un emprunt de 400 millions d'assignats, remboursables en *biens nationaux* (biens du clergé « mis à la disposition de la nation » le 2 novembre 1789). En 1790 les billets avaient « cours forcé » : l'assignat était devenu papier-monnaie. La multiplication des émissions par les assemblées révolutionnaires provoqua une inflation, et les assignats se dépréciêrent vite. En 1796, l'émission était arrêtée.

ASSIGNER [asiɲe] v. t. (lat. *assignare*). **1.** *Assigner une chose à qq'un, à un groupe de personnes, à un organisme*, etc., la lui donner en partage, la désigner comme devant lui être attribuée : *Dans la distribution des logements, on lui a assigné l'appartement du troisième étage* (syn. ATTRIBUER). *Les objectifs assignés par le plan ont été réalisés* (syn. DÉTERMINER, FIXER). *Assigner de nouveaux crédits à l'enseignement* (syn. AFFECTER). — **2.** *Assigner qq'un à un poste, à un emploi*, etc., l'établir à ce poste (syn. AFFECTER). — **3.** *Être assigné à résidence*, être contraint à résider en un endroit déterminé. ◆ **assignation** n. f. **1.** Citation à comparaître devant une autorité judiciaire. — **2.** *L'assignation des parts d'un héritage* (syn. ATTRIBUTION). — **3.** *L'assignation à résidence.*

1. ASSIMILER [asimile] v. t. (lat. *assimilare*, rendre semblable). *Assimiler qq'un ou qqch. à une autre personne* ou *à une autre chose*, les rapprocher en les considérant comme semblables, identiques, ou en les rendant tels (syn. COMPARER, RAPPROCHER). ◆ ***s'assimiler*** v. pr. **1.** *S'assimiler à (un groupe)*, devenir semblable à tous les autres membres de ce groupe : *Les nouveaux immigrants se sont vite assimilés* (syn. S'INTÉGRER). — **2.** *S'assimiler à qq'un*, se comparer à lui. ◆ **assimilé** n. m. Personne qui a le statut d'une catégorie donnée, sans avoir les titres requis pour faire partie de cette catégorie : *Cadres et assimilés.* ◆ **assimilable** adj. : *Son emploi est assimilable à celui d'un ouvrier* (syn. COMPARABLE). ◆ **inassimilable** adj. ◆ **assimilation** n. f. Action de rendre, de considérer comme semblable : *L'assimilation de la vie à un songe. Politique d'assimilation à l'égard des réfugiés* (syn. INTÉGRATION).

2. ASSIMILER [asimile] v. t. et i. (même étym.). **1.** (sujet nom désignant un être vivant, un organisme) *Assimiler un aliment*, le transformer en sa propre substance. — **2.** (sujet nom de personne) *Assimiler des connaissances*, les comprendre, les retenir (syn. ACQUÉRIR); et absolum. : *Cet enfant assimile bien* (= comprend facilement). ◆ ***s'assimiler*** v. pr. Être digéré : *Certains aliments s'assimilent plus facilement que d'autres.* ◆ **assimilable** adj. ◆ **assimilation** n. f. **1.** *L'assimilation des connaissances.* — **2.** Propriété que possèdent les organismes vivants de reconstituer leur propre substance à partir d'éléments puisés dans le milieu et absorbés par la digestion. ⟶ ENCYCL. ‖ *Assimilation chlorophyllienne*, phénomène par lequel la plante verte, à la lumière, élabore des matières organiques à partir d'éléments minéraux, en utilisant le gaz carbonique de l'air : *L'assimilation chlorophyllienne se traduit extérieurement par une absorption de gaz carbonique et par un rejet d'oxygène.*
— ENCYCL. L'*assimilation* est la propriété caractéristique et fondamentale de la matière vivante. Elle permet la croissance et la reproduction des espèces autotrophes et hétérotrophes. Les espèces *autotrophes* effectuent la synthèse de substances organiques à partir de substances minérales (*ex.* : les végétaux verts qui effectuent la photosynthèse et certaines bactéries). Les *hétérotrophes* tirent leurs substances organiques des végétaux autotrophes (*ex.* : plantes non vertes [saprophytes ou parasites], animaux herbivores, carnivores ou omnivores).

ASSIOUT, v. d'Égypte, en Haute-Égypte; 154 000 hab. Un important barrage a été construit sur le Nil de 1892 à 1902. Assiout fut longtemps la capit. du royaume de Haute-Égypte.

ASSISE, v. d'Italie en Ombrie; 24 400 hab. Ville d'art conservant des ruines romaines, une forteresse médiévale, et la basilique San Francesco (XIIIe s.) décorée par Cimabue et Giotto. Ce dernier et ses élèves exécutèrent les fresques de la *Vie de saint François.*

1. ASSISE [asiz] n. f. (de *asseoir*). Dans une construction, rangée de pierres posées horizontalement : *Les assises d'un pont.*

2. ASSISE [asiz] n. f. (même étym.). Base qui donne la solidité à un ensemble, à un système : *Établir son pouvoir sur des assises solides* (syn. FONDEMENT).

3. ASSISES [asiz] n. f. pl. (même étym.). **1.** Tribunal qui juge les crimes *(cour d'assises)*. — **2.** Réunion plénière des membres de sociétés scientifiques, littéraires, de partis politiques (syn. CONGRÈS).

1. ASSISTER [asiste] v. t. ind. (lat. *assistere*, se tenir à côté). *Assister à qqch.*, y être présent comme spectateur, ou y participer : *Assister à un match. Assister à la messe.* ◆ **assistant, e** n. et adj. Personne présente comme spectateur ou comme témoin en un lieu (surtout au plur.) : *Une minorité d'assistants protesta* (syn. AUDITEUR, SPECTATEUR). ◆ **assistance** n. f. **1.** Action d'assister : *Son assistance au cours est très irrégulière* (syn. FRÉQUENTATION, PRÉSENCE). — **2.** Ensemble des personnes présentes à une réunion, à une cérémonie (syn. ASSEMBLÉE, AUDITOIRE, PUBLIC).

2. ASSISTER [asiste] v. t. (même étym.). *Assister qq'un*, lui donner aide, secours ou protection : *Il se fit assister par une secrétaire* (syn. AIDER). *Son fils l'assista dans ses derniers moments* (syn. RÉCONFORTER). ◆ **assistant, e** adj. et n. **1.** Auxiliaire, aide de quelqu'un : *médecin assistant.* — **2.** *Assistante sociale* ⟶ SOCIAL. — **3.** Dans l'enseignement supérieur, catégorie particulière d'enseignants dont la fonction est le plus souvent de dispenser des enseignements dirigés qui correspondent à un cours fondamental. ◆ **assistance** n. f. **1.** Secours donné à celui qui est dans le besoin : *Il m'a promis son assistance* (syn. AIDE, APPUI, PROTECTION). — **2.** Ensemble des organismes, établissements publics, etc., qui viennent en aide aux personnes socialement dans le besoin : *L'Assistance publique. Un enfant de l'Assistance* (= dont l'Assistance publique a assumé la tutelle, par suite de la mort ou de la défaillance des parents). ◆ **non-assistance** n. f. : *Être poursuivi devant les tribunaux pour non-assistance à personne en danger.*

Association européenne de libre-échange (A.E.L.E.), groupement de pays constitué en 1960 pour favoriser la libre circulation des marchandises entre eux. En font partie aujourd'hui : l'Autriche, la Finlande, l'Islande, le Liechtenstein, la Norvège, la Suède et la Suisse.

ASSOCIER [asɔsje] v. t. (du lat. *socius*, allié). **1.** *Associer qq'un à une chose*, le faire participer à celle-ci : *Associer ses collaborateurs aux bénéfices de l'entreprise* (syn. PARTAGER AVEC). — **2.** *Associer une chose à une autre, associer des choses*, les mettre ensemble, les rendre solidaires, conjointes : *Associer la prudence au courage* (syn. ALLIER). — **3.** *Associer des personnes, des choses*, les réunir dans une même unité (syn. GROUPER, UNIR) : *Le malheur les a associés* (syn. RAPPROCHER). ◆ ***s'associer*** v. pr. **1.** Participer à quelque chose avec quelqu'un : *Il s'est associé à un homme d'affaires* (syn. COLLABORER, S'ENTENDRE AVEC). *S'associer au chagrin d'un ami* (syn. PARTICIPER). — **2.** Être en accord : *Couleurs qui s'associent* (syn. S'HARMONISER). ◆ **associatif, ive** adj. *Math.* ⟶ ENCYCL. ◆ **association** n. f. **1.** Action d'associer ou de s'associer : *Des associations de mots* (syn. AGENCEMENT, COMBINAISON). *Associations d'idées* (= une idée ou une image en évoque une autre). — **2.** Groupe de personnes réunies pour atteindre un but commun ou pour défendre leurs intérêts : *L'association sportive* (syn. CLUB). *Une association internationale s'est constituée contre le racisme* (syn. LIGUE). ◆ **associé, e** adj. et n. : *Il est pour moi un associé fidèle* (syn. COLLABORATEUR). *Les membres associés d'une académie* (= ceux qui en font partie sans être membres titulaires). ◆ **coassocié, e** n. Associé avec d'autres.
— ENCYCL. ***associatif.*** Une loi* de composition interne, notée $*$, définie dans un ensemble E, est *associative* si pour tout triplet (x, y, z) d'éléments de E on a : $(x * y) * z = x * (y * z)$. On note $x * y * z$ la valeur commune des deux membres.
Exemples : l'addition et la multiplication définies dans l'ensemble $\mathbb{Z}$ des entiers relatifs sont associatives; l'intersection et la réunion des parties d'un ensemble E sont associatives; la soustraction dans $\mathbb{Z}$ n'est pas associative, car

$$(2-3)-1=-2 \text{ et } 2-(3-1)=0.$$

ASSOIFFER v. t. ⟶ SOIF.

ASSOLEMENT [asɔlmɑ̃] n. m. (de l'anc. fr. *sole*, planche). Division des terres labourables en *soles* (= parcelles de terre), chacune d'elles étant consacrée à une culture différente chaque année. (La répétition d'une même culture sur une parcelle entraîne, en effet, un appauvrissement du sol.)
— ENCYCL. Au Moyen Âge, deux systèmes d'*assolement* étaient en vigueur : l'*assolement biennal*, hérité du système romain, qui laissait la terre en jachère une année sur deux; l'*assolement triennal*, où la rotation des cultures permettait une utilisation plus judi-

cieuse des ressources du sol (blé ou seigle semé à l'automne la première année, avoine ou orge semé au printemps la deuxième année, jachère la troisième année [au XVIIIe s., on supprima cette année de jachère au profit de racines, telle la betterave, qui nettoient et fument la terre]).

ASSOMBRIR v. t., **ASSOMBRISSEMENT** n. m. → SOMBRE.

ASSOMMER [asɔme] v. t. (du lat. *somnus*, sommeil). **1.** *Assommer qq'un, un animal*, le frapper d'un coup qui tue, renverse, ou simplement étourdit : *Assommer un bœuf* (syn. ABATTRE). *Être assommé par la chaleur* (syn. ACCABLER). — **2.** *Fam.* Provoquer l'ennui ou la contrariété : *Ce roman m'assomme* (syn. ENNUYER). *Assommer de questions* (syn. IMPORTUNER). ◆ **assommant, e** adj. *Fam.* Sens 2 du v. : *Un conférencier assommant* (syn. ENNUYEUX). *Il est assommant avec ses hésitations perpétuelles* (syn. FATIGANT). ◆ **assommoir** n. m. **1.** *Coup d'assommoir*, événement qui provoque la stupeur. — **2.** Autref., débit de boissons de dernière catégorie.

Assommoir *(l')*, roman d'Émile Zola (1877), septième volume des *Rougon-Macquart**.

ASSOMPTION [asɔ̃psjɔ̃] n. f. (lat. *assumptio*). **1.** Élévation de la Sainte Vierge au ciel. — **2.** Jour où l'Église catholique en célèbre la fête (15 août) [en ce sens, prend une majusc.].

ASSOMPTION → ASUNCIÓN.

ASSONANCE [asɔnɑ̃s] n. f. (du lat. *assonare*, faire écho). Répétition, à la fin de deux vers, de la même voyelle accentuée.
— ENCYCL. L'*assonance* consiste dans la répétition d'un même son portant l'accent tonique (ainsi, « a » long dans *âge* et *âme* [ɑ], « o » nasalisé dans *sombre* et *tondre* [ɔ̃]); elle diffère de la rime en ce qu'elle ne tient pas compte des consonnes qui entourent ce timbre vocalique accentué (*ex.* : l'assonance en « a » dans *campagne* et *rivage* [a]; en « e » ouvert dans *éclaire* et *emmène* [ɛ]). Dès le XIIe s., la versification devenant plus savante, on exigea la similitude ou *homophonie* non seulement de la dernière voyelle accentuée, mais en même temps de ce qui suivait cette voyelle, c'est-à-dire la *rime*.

1. ASSORTIR [asɔrtir] v. t. (de *sorte*) [surtout à l'infin., au part. passé et au prés. de l'indic.]. Mettre ensemble des choses ou des personnes qui se conviennent parfaitement : *Assortir des couleurs* (syn. ACCORDER). *Des époux bien assortis. Des hors-d'œuvre assortis* (= composés de mets très divers). ◆ ***s'assortir*** v. pr. **1.** *S'assortir à qqch.*, lui convenir : *Son manteau s'assortit à la robe.* — **2.** *S'assortir de qqch.*, en être accompagné : *Le livre s'assortit d'une préface.* ◆ **assortiment** n. m. Ensemble de choses, de personnes formant un tout et qui ont entre elles un certain rapport de convenance : *Un curieux assortiment de couleurs* (syn. ALLIANCE, MÉLANGE). ◆ **désassortir** v. t. Séparer des choses assorties (surtout au part. passé) : *Service de table désassorti.*

2. ASSORTIR [asɔrtir] v. t. (même étym.). *Assortir un commerçant*, le pourvoir des articles, des marchandises nécessaires à la vente au détail (syn. APPROVISIONNER); souvent au part. passé : *Un épicier bien assorti.* ◆ **assortiment** n. m. Ensemble de marchandises, d'articles de même genre : *Un asssortiment d'étoffes, d'outils.* ◆ **désassortir** v. t. Dégarnir un magasin de marchandises (surtout au part. passé) : *Boutique désassortie.* ◆ **désassortiment** n. m. ◆ **réassortir** v. t. Fournir de nouveau un magasin, un commerçant des marchandises nécessaires à la vente. ◆ **réassortiment** n. m.

ASSOUAN, v. d'Égypte, en Haute-Égypte, en aval de la première cataracte; 127 600 hab. Un grand barrage sur le Nil forme un immense lac (lac Nasser) qui permet d'irriguer 700 000 ha de terres gagnées sur le désert. Une centrale hydro-électrique très importante utilise ses eaux.

ASSOUPIR [asupir] v. t. (du lat. *sopire*, calmer). **1.** *Assoupir qq'un*, le plonger dans un demi-sommeil, l'endormir doucement : *La chaleur l'assoupit.* — **2.** *Assoupir un sentiment, une passion*, etc., les rendre moins forts, les calmer (littér.) : *Assoupir la douleur* (syn. APAISER, ÉTOUFFER). ◆ ***s'assoupir*** v. pr. : *Le malade s'assoupit* (syn. S'ENDORMIR). *Laissons les haines s'assoupir* (syn. S'APAISER). ◆ **assoupissement** n. m. : *Il cède à l'assoupissement* (syn. SOMNOLENCE, TORPEUR).

ASSOUPLIR v. t., **ASSOUPLISSEMENT** n. m. → SOUPLE.

ASSOURDIR v. t., **ASSOURDISSANT, E** adj., **ASSOURDISSEMENT** n. m. → SOURD 1 et 2.

ASSOUVIR [asuvir] v. t. (du lat. *sopire*, calmer) [sujet nom d'être animé]. **1.** *Assouvir sa faim, son appétit*, les calmer complètement en mangeant (syn. CONTENTER, RASSASIER). — **2.** *Assouvir un sentiment violent* (*vengeance, haine, colère*, etc.), le satisfaire pleinement par un acte de vengeance, de colère : *Il assouvit sa fureur sur cet être sans défense* (syn. PASSER). *Assouvir sa curiosité* (syn. SATISFAIRE). ◆ ***s'assouvir*** v. pr. Être rassasié. ◆ **assouvissement** n. m. : *L'assouvissement des désirs* (syn. SATISFACTION). ◆ **inassouvi, e** adj. : *Des désirs inassouvis* (syn. INSATISFAIT).

ASSUÉRUS, nom biblique d'un roi perse nommé *Xerxès* par les Grecs. Il épousa la Juive Esther, qui fit rapporter l'ordre d'extermination de son peuple.

1. ASSUJETTIR [asyʒetir] v. t. (de *sujet*). **1.** *Assujettir un peuple, une nation*, etc., les placer sous une domination absolue, les priver du droit de se gouverner eux-mêmes (souvent au part. passé) : *Libérer les peuples assujettis* (contr. AFFRANCHI). — **2.** *Assujettir une personne*, la maintenir dans une stricte obéissance ou dépendance (syn. ENCHAÎNER, SOUMETTRE). — **3.** *Assujettir qq'un à qqch.*, le plier à une obligation stricte (souvent au passif) : *Être assujetti à un horaire* (syn. SOUMETTRE). ◆ ***s'assujettir*** v. pr. *S'assujettir à qqch.*, s'y soumettre (syn. SE PLIER). ◆ **assujetti, e** n. Personne tenue par la loi de verser un impôt ou une taxe, ou bien de s'affilier à un groupement professionnel ou mutualiste : *Les assujettis à la Sécurité sociale.* ◆ **assujettissant, e** adj. : *Un travail assujettissant* (syn. ASTREIGNANT). ◆ **assujettissement** n. m. : *L'assujettissement à l'impôt de tous les revenus.*

2. ASSUJETTIR [asyʒetir] v. t. (même étym.). *Assujettir qqch.*, le fixer de manière à le maintenir immobile ou stable : *Assujettir les planches d'une caisse* (syn. AGENCER, CLOUER).

ASSUMER [asyme] v. t. (lat. *assumere*, prendre sur soi) [sujet nom de personne]. **1.** *Assumer la responsabilité de qqch.*, s'en considérer comme responsable. ‖ *Assumer le risque de qqch.*, accepter d'en subir les conséquences. — **2.** *Assumer une fonction, un rôle*, etc., s'en charger volontairement.

ASSUR, ASSOUR ou **ASHOUR,** la plus anc. capit. de l'Assyrie au S. de l'actuelle Mossoul. Elle fut remplacée, vers le Xe s. av. J.-C., par Ninive.

ASSUR, ASSOUR, ou **ASHOUR,** dieu suprême des Assyriens, dieu guerrier, mais aussi bienveillant.

ASSURANCE n. f. → ASSURER 1, 3 et 4.

ASSURBANIPAL, en gr. **Sardanapalos,** roi d'Assyrie de 669 à 627 av. J.-C. Il fit la conquête de la Basse-Égypte.

ASSURÉ, E adj. et n. → ASSURER 1, 2, 3 et 4.

ASSURÉMENT [asyremɑ̃] adv. (de *assuré*). **1.** D'une manière qui ne comporte aucun doute ni aucune contestation : *Ceci est assurément inutile* (syn. INCONTESTABLEMENT, INDISCUTABLEMENT, SANS AUCUN DOUTE, SÛREMENT). — **2.** Renforce *oui* dans une réponse affirmative (syn. CERTAINEMENT, CERTES). — **3.** Sert de réponse affirmative : *« La menace de conflit est-elle écartée? — Assurément »* (syn. ABSOLUMENT, CERTAINEMENT).

1. ASSURER [asyre] v. t. (du lat. *securus*, sûr). **1.** *Assurer à qq'un que* (et l'indic.), lui donner comme sûr, certain, vrai que : *Je lui ai assuré que tu n'habitais plus Paris* (syn. CERTIFIER, JURER, SOUTENIR). — **2.** *Assurer qq'un d'une chose*, lui demander de ne pas en douter : *Il m'a assuré de son amitié;* la lui rendre certaine : *Son courage nous assure de sa combativité* (syn. GARANTIR). ◆ ***s'assurer*** v. pr. *S'assurer d'une chose, s'assurer que*, rechercher la preuve de cette chose, contrôler ou confirmer ce fait : *Assurez-vous que la porte est fermée* (syn. VÉRIFIER). ◆ **assuré, e** adj. : *Un succès assuré* (syn. SÛR). ◆ **assurance** n. f. : *J'ai l'assurance de son acceptation* (syn. CERTITUDE). *Donner des assurances* (syn. GARANTIE, PREUVE). *Veuillez recevoir l'assurance de...* (formule de politesse).

2. ASSURER [asyre] v. t. (même étym.). *Assurer une chose*, faire en sorte qu'elle ne manque pas, qu'elle ne s'arrête pas : *Assurer une permanence le dimanche* (syn. TENIR). *Assurer le ravitaillement* (syn. POURVOIR À). ◆ ***s'assurer*** v. pr. Se garantir le service de quelqu'un, l'usage d'une chose; se pourvoir de quelque chose pour n'en pas manquer : *S'assurer de puissants appuis. S'assurer des revenus suffisants.* ◆ **assuré, e** adj. : *Avoir sa retraite assurée.*

3. ASSURER [asyre] v. t. (même étym.). **1.** Faire garantir des biens ou des personnes contre certains risques moyennant le paiement d'une somme convenue : *Assurer ses récoltes contre la grêle.* — **2.** Garantir les biens d'autrui (souvent au passif) : *La voiture est assurée tous risques* (= pour tous les accidents éventuels). ◆ ***s'assurer*** v. pr. Prendre une garantie pour ses biens ou sa personne : *S'assurer contre l'incendie.* ◆ **assuré, e** n. : *Les assurés sociaux* (= qui sont inscrits à la Sécurité sociale). ◆ **assurance** n. f. Contrat par lequel une *société d'assurances* représentée par un *assureur* s'engage à verser une indemnité à un *assuré* pour le dédommager d'un risque déterminé, moyennant le paiement d'une cotisation ou *prime*, et selon les modalités précisées par écrit. (L'indemnité convenue n'est versée que si le dommage [accident, vol, incendie, maladie, etc.] survient dans les conditions fixées lors de l'établissement du contrat, la *police d'assurances*.) → ENCYCL.

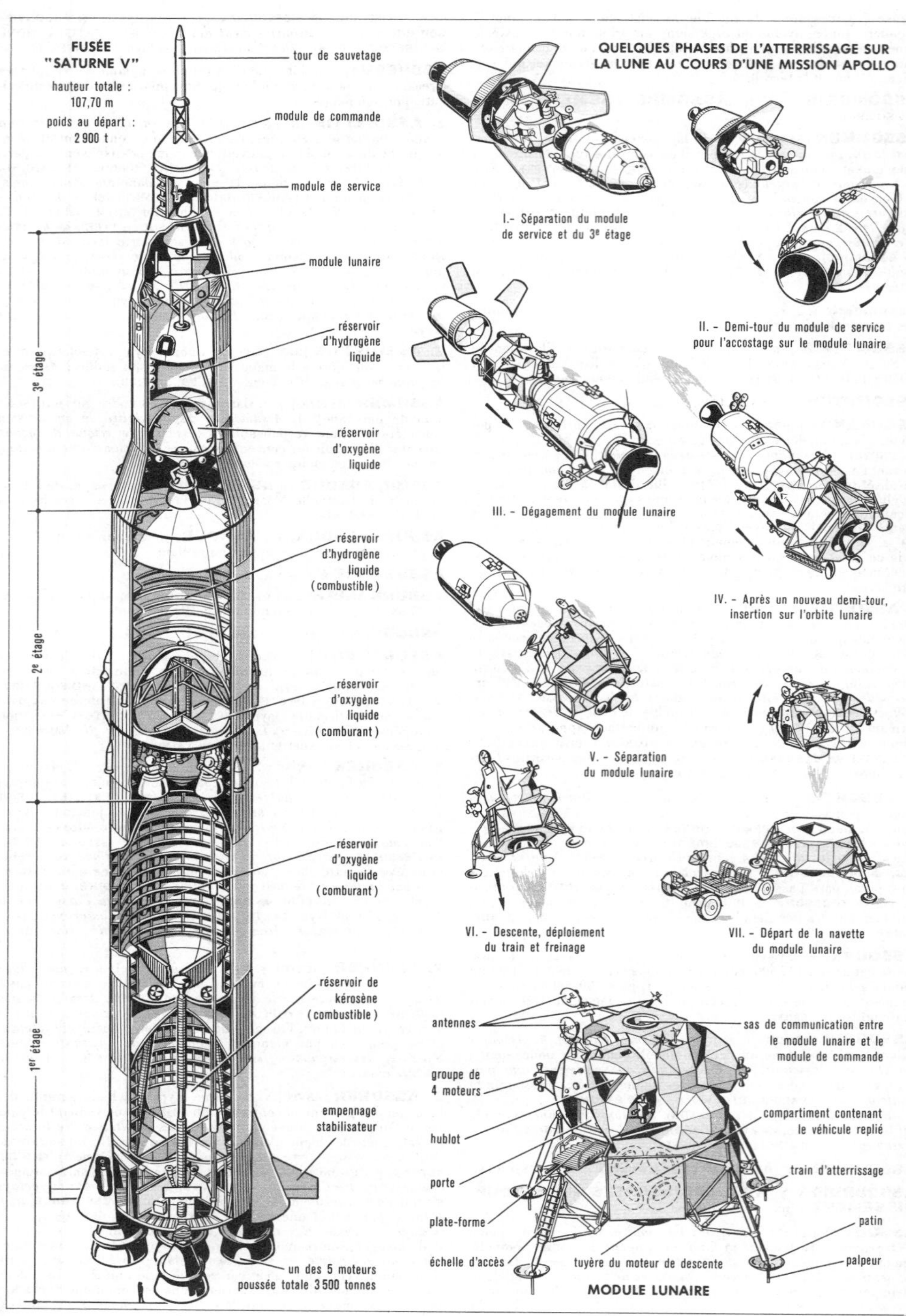
FUSÉE
"SATURNE V"
hauteur totale : 107,70 m
poids au départ : 2 900 t
tour de sauvetage
module de commande
module de service
module lunaire
réservoir d'hydrogène liquide
réservoir d'oxygène liquide
réservoir d'hydrogène liquide (combustible)
réservoir d'oxygène liquide (comburant)
réservoir d'oxygène liquide (comburant)
réservoir de kérosène (combustible)
empennage stabilisateur
un des 5 moteurs
poussée totale 3 500 tonnes
3e étage
2e étage
1er étage
QUELQUES PHASES DE L'ATTERRISSAGE SUR LA LUNE AU COURS D'UNE MISSION APOLLO
I.- Séparation du module de service et du 3e étage
II. - Demi-tour du module de service pour l'accostage sur le module lunaire
III. - Dégagement du module lunaire
IV. - Après un nouveau demi-tour, insertion sur l'orbite lunaire
V. - Séparation du module lunaire
VI. - Descente, déploiement du train et freinage
VII. - Départ de la navette du module lunaire
antennes
groupe de 4 moteurs
hublot
porte
plate-forme
échelle d'accès
tuyère du moteur de descente
sas de communication entre le module lunaire et le module de commande
compartiment contenant le véhicule replié
train d'atterrissage
patin
palpeur
MODULE LUNAIRE

LES DIFFÉRENTES PHASES D'UNE MISSION LUNAIRE APOLLO

retournement de la capsule
entrée dans l'atmosphère
largage du module de service
VII
retour vers la Terre
récupération
lancement
orbite terrestre
V
VI
freinage
départ vers la Lune
I
II
III
rotation de 180°
IV
orbite lunaire

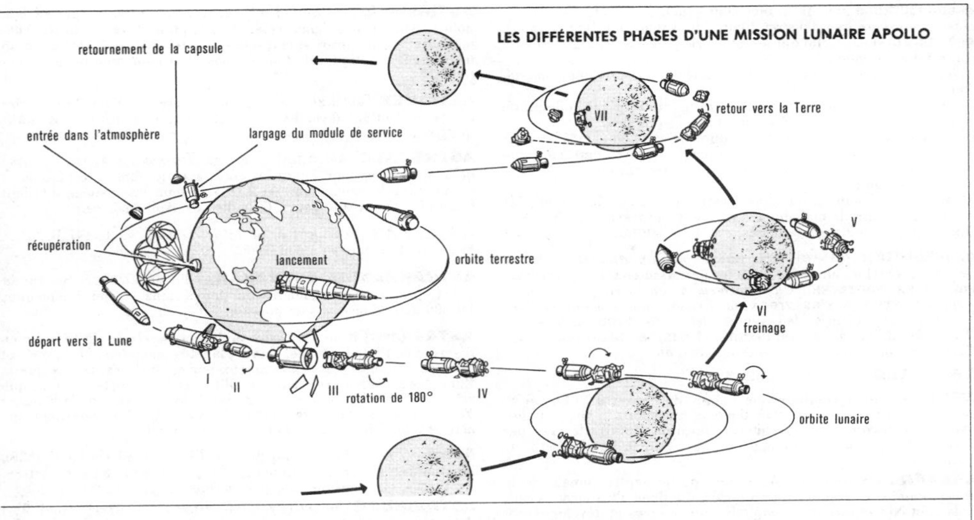

QUELQUES ENGINS CARACTÉRISTIQUES DE LA CONQUÊTE DE L'ESPACE

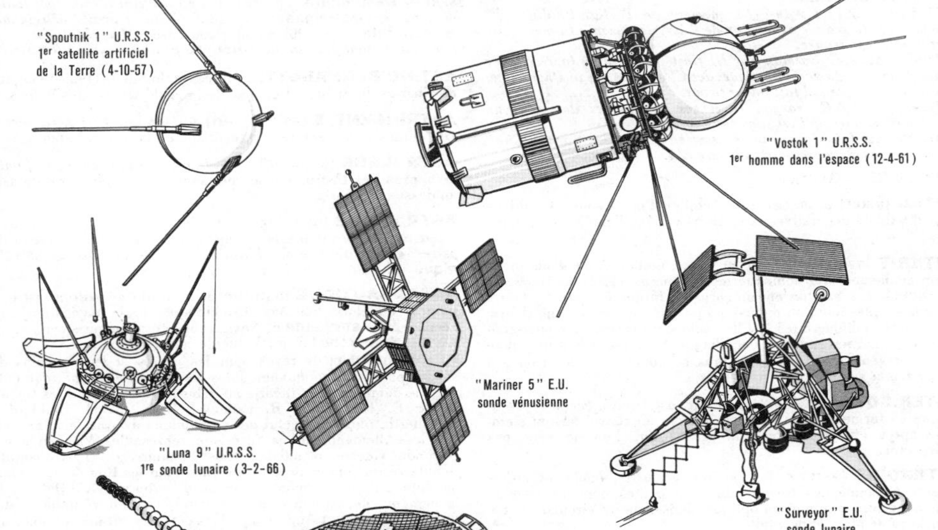

"Spoutnik 1" U.R.S.S.
1er satellite artificiel
de la Terre (4-10-57)
"Vostok 1" U.R.S.S.
1er homme dans l'espace (12-4-61)
"Mariner 5" E.U.
sonde vénusienne
"Luna 9" U.R.S.S.
1re sonde lunaire (3-2-66)
"Surveyor" E.U.
sonde lunaire
"Lunakhod" U.R.S.S.
véhicule automatique
Véhicule lunaire E.U.

◆ **coassurance** n. f. Assurance simultanée d'un même risque par plusieurs assureurs, dans la limite de valeur du bien garanti. ◆ **assureur** n. m. Celui qui prend les risques à sa charge dans un contrat d'assurance.
— ENCYCL. Les *assurances*, très variées, comprennent notamment :
l'*assurance sur la vie* ou *assurance-vie*, garantie d'une indemnité, en cas de décès de l'assuré, au profit de ses proches;
l'*assurance automobile* : tout conducteur de véhicule à moteur (« deux-roues » compris) est obligé, par la loi, de contracter une assurance pour les dommages risquant d'être causés « au tiers », c'est-à-dire à autrui;
les *assurances sociales*, qui sont constituées en vue de garantir les travailleurs contre la maladie, les accidents du travail, le chômage, l'invalidité, la vieillesse, le décès, etc. (⟶ SOCIAL.)

4. ASSURER [asyre] v. t. (même étym.). *Assurer qqch.*, la rendre plus stable, plus sûre, plus ferme : *Assurer ses arrières* (syn. PRÉSERVER, PROTÉGER). *Un désarmement qui assurerait la paix* (syn. GARANTIR). ◆ ***s'assurer*** v. pr. Prendre une position stable : *Cavalier qui s'assure bien sur sa selle.* ◆ **assuré, e** adj. : *Démarche, voix assurée* (syn. DÉCIDÉ, FERME). ◆ **assurance** n. f. : *Parler avec assurance* (syn. AISANCE, APLOMB).

ASSUREUR n. m. ⟶ ASSURER 3.

ASSY, localité de Haute-Savoie (comm. de Passy), à 15 km au N. de Saint-Gervais. Station climatique et de sports d'hiver. Église moderne construite par l'architecte Navarina (1950), décorée par Fernand Léger, Matisse, Rouault, Braque, Lurçat, Bonnard et Germaine Richier.

ASSYRIE, royaume de l'Asie anc., partie septentrionale de la Mésopotamie. L'Assyrie apparut très tôt dans l'histoire; Assur, Calach et Ninive furent ses capitales successives et développèrent un art brillant.

- *XIXe s. av. J.-C. Une dynastie akkadienne étend son influence jusqu'au pays hittite.*
- *1115-1077 av. J.-C. Avec l'avènement de Téglath-Phalasar Ier commence la grande expansion de l'Assyrie, jusqu'à la mer Noire et à la Méditerranée.*
- *859-824 av. J.-C. Salmanasar III finit par vaincre la résistance des Araméens du golfe Persique, des Chaldéens, de la Phénicie et d'Israël, auxquels il fait payer tribut.*
- *722-627 av. J.-C. Sargon II et ses successeurs dominent un immense empire, qui est sans cesse à reconquérir.*
- *612-609 av. J.-C. Le royaume assyrien est détruit par les Chaldéens et les Mèdes, et partagé entre eux.*

ASTARTÉ ⟶ ASHTART.

ASTER [astɛr] n. m. (lat. *aster*, étoile). Plante souvent cultivée pour ses fleurs décoratives aux coloris variés. (Famille des composées.)

ASTÉRIE [asteri] n. f. (du lat. *aster*, étoile). Animal marin de l'embranchement des échinodermes. (Nom usuel ÉTOILE DE MER.)
— ENCYCL. Les *astéries* ont un corps en forme de disque entouré de bras souples (cinq au moins) qui portent, sur la face inférieure, les « pieds ambulacraires ». Elles sont carnivores, se nourrissent de moules, huîtres et autres coquillages. Elles possèdent un « pouvoir de régénération » de leurs bras sectionnés. On les trouve à marée basse sur les côtes rocheuses.

ASTÉRISQUE [asterisk] n. m. (gr. *asteriskos*). Signe typographique en forme d'étoile (*), qui indique un renvoi ou qui s'emploie après l'initiale d'un nom propre que l'on ne veut pas écrire, etc.

ASTÉROÏDE [asterɔid] n. m. (du gr. *astêr*, étoile, et *eidos*, aspect). Chacune des très nombreuses petites planètes visibles seulement avec des moyens optiques puissants, et circulant entre les orbites de Mars et de Jupiter.

ASTHÉNIE [asteni] n. f. (de *a* priv., et gr. *sthenos*, force). Diminution des forces, d'origine nerveuse ou psychique. ◆ **asthénique** adj. Qui est relatif à l'asthénie.

ASTHME [asm] n. m. (gr. *asthma*). Affection caractérisée par des crises de suffocation. ◆ **asthmatique** adj. **1.** *Une respiration asthmatique.* — **2.** *Fam.* Qui manque de souffle. ◆ adj. et n. Qui est atteint d'asthme.

ASTI [asti] n. m. (de *Asti*, v. d'Italie). Vin blanc muscat mousseux, récolté près d'Asti (Italie du Nord).

ASTICOT [astiko] n. m. (orig. incert.). Larve de la mouche à viande (ou mouche bleue), dont on se sert en particulier comme appât pour la pêche.

ASTICOTER [astikɔte] v. t. (orig. incert.). Fam. *Asticoter qq'un*, l'irriter ou l'agacer par des remarques ou des reproches minimes, mais constants.

ASTIGMATE [astigmat] adj. et n. (de *a* priv., et gr. *stigma*, point). Affecté d'astigmatisme. ◆ **astigmatisme** n. m. **1.** Anomalie de la vision provoquant une vision trouble. — **2.** Défaut d'un instrument d'optique ne donnant pas d'un point une image ponctuelle.

ASTIQUER [astike] v. t. (de *astic*, morceau d'os). *Fam.* Faire briller en frottant (syn. FAIRE RELUIRE; fam. BRIQUER). ◆ **astiquage** n. m.

ASTRAGALE [astragal] n. m. (gr. *astragalos*). **1.** Os du tarse qui s'articule en haut et sur les côtés avec le tibia et le péroné, et en bas avec le calcanéum. — **2.** Plante dont une espèce d'Orient fournit la gomme adragante. (Famille des papilionacées.)

ASTRAKAN [astrakɑ̃] n. m. (d'*Astrakhan'*, v. de l'U. R. S. S.). Fourrure d'un agneau à poil frisé.

ASTRAKHAN' ou **ASTRAKAN,** ville de l'U. R. S. S., sur la Volga, près de l'embouchure du fleuve dans la mer Caspienne; 410 500 hab. Conserves de poisson.

ASTRE [astr] n. m. (gr. *astron*). **1.** Corps céleste de forme bien déterminée (Soleil, étoiles, Lune, planètes, comètes). [Le Soleil et les étoiles sont des astres lumineux par eux-mêmes, tandis que la Lune, les planètes avec leurs satellites, et les comètes ne font que réfléchir la lumière solaire.] — **2.** Symbole de l'éclat, de la beauté : *Beau comme un astre.* ◆ **astral, e, aux** adj. Qui appartient aux astres; relatif aux astres : *Les influences astrales.*

Astrée *(l')*, roman en cinq parties d'Honoré d'Urfé (1607-1628). L'action retrace l'amour du berger Céladon pour la bergère Astrée. Au XVIIe s., il a eu une immense influence (préciosité).

ASTREINDRE [astrɛ̃dr] v. t. (lat. *astringere*, serrer). [Conj. **55.**] *Astreindre qq'un (à qqch.)*, le soumettre à une tâche difficile, pénible (souvent au passif) : *Être astreint à travailler tous les matins de très bonne heure* (syn. FORCER, OBLIGER; contr. DISPENSER). ◆ ***s'astreindre*** v. pr. [**à**] : *Il s'est astreint à examiner tout le dossier.* ◆ **astreignant, e** adj. : *Un travail astreignant.* ◆ **astreinte** n. f. Obligation rigoureuse : *La régularité et la ponctualité sont pour lui des astreintes pénibles* (syn. CONTRAINTE).

ASTRID BERNADOTTE, princesse de Suède (1905-1935), fille de Charles de Suède, et épouse de Léopold III, roi des Belges.

ASTRINGENT, E [astrɛ̃ʒɑ̃, -ɑ̃t] adj. (du lat. *astringere*, serrer). Qui diminue la sécrétion intestinale et la transpiration.

ASTROLABE [astrɔlab] n. m. (du gr. *astron*, astre, et *lambanein*, prendre). Instrument servant à mesurer la hauteur d'un astre au-dessus de l'horizon.

ASTROLOGIE [astrɔlɔʒi] n. f. (du gr. *astron*, astre, et *logos*, science). Art de prédire les événements d'après l'observation des astres. ◆ **astrologue** n. : *L'astrologue Nostradamus.* ◆ **astrologique** adj. : *Des prédictions astrologiques.*

ASTRONAUTIQUE [astrɔnotik] n. f. (du gr. *astron*, astre, et *nautês*, matelot). Science et technique de la navigation dans l'espace. ◆ **astronaute** n. Navigateur interplanétaire (syn. COSMONAUTE). ◆ **astronef** n. m. Véhicule interplanétaire.
— ENCYCL. Objet de rêves pour les poètes et les écrivains des siècles passés — notamment Jules Verne — l'*astronautique* entre dans le domaine de la théorie au début du XXe s. avec les travaux de K. E. Tsiolkovski, R. Esnault-Pelterie, R. H. Goddard et H. Oberth, puis dans celui de la technique avec la mise au point par les Allemands de la fusée de représailles V2 pendant la Seconde Guerre mondiale. Mais l'histoire de l'astronautique débute véritablement avec le lancement par les Russes du premier satellite artificiel « Spoutnik I » le 4 octobre 1957. Depuis, les lancements de satellites se sont multipliés, un véritable match opposant Russes et Américains. Ces derniers ont mis au point une navette spatiale récupérable après chaque mission.

- *4 oct. 1957. Lancement par les Russes du premier de tous les satellites, « Spoutnik I ».*
- *12 avr. 1961. Lancement par les Russes de « Vostok I » avec Y. Gagarine, premier homme dans l'espace.*
- *18 mars 1965. Lancement de « Voskhod II » par les Russes. A. Leonov effectue la première sortie dans l'espace.*
- *15 déc. 1965. Premier rendez-vous américain dans l'espace avec arrimage des cabines habitées « Gemini VI » et « Gemini VII ».*
- *16 juil. 1969. Lancement par les Américains d'« Apollo XI ». A. Armstrong et E. Aldrin sont les premiers hommes sur la Lune.*
- *12 sept. 1970. Lancement par les Russes de l'engin automatique « Luna XVI » qui ramène des échantillons lunaires.*
- *26 juil. 1971. Lancement d'« Apollo XV » par les Américains. D. Scott et J. Irwin utilisent un véhicule lunaire.*
- *28 mai 1971. Lancement par les Russes de la sonde « Mars III » qui se pose sur la planète Mars le 2 décembre. Elle émet des informations pendant quelques secondes.*

- *3 mars 1972. Lancement par les Américains de la sonde automatique « Pioneer 10 » qui « frôle » Jupiter en décembre 1973.*
- *17 juill. 1975. Premier rendez-vous spatial entre Américains et Russes (« Apollo » - « Soyouz »).*
- *5 mars 1979. Survol de Jupiter par la sonde américaine « Voyager 1 ».*
- *Nov. 1980. Survol de Saturne par la sonde « Voyager 1 ».*
- *12-14 avr. 1981. Premier vol de la navette spatiale américaine « Columbia ».*
- *28 nov. - 8 déc. 1983. Premier vol du laboratoire spatial européen « Spacelab ».*
- *24 janv. 1986. Survol d'Uranus par la sonde « Voyager 2 ».*
- *28 janv. 1986. Explosion de la navette spatiale « Challenger » après son décollage.*
- *8-13 mars 1986. Survol de la comète de Halley par les sondes Véga 1 et 2 (U. R. S. S.), Giotto (Europe), Suisei et Sakigake (Japon).*
- *21 déc. 1988. Les Soviétiques Vladimir Titov et Moussa Manarov reviennent sur terre après avoir passé un an à bord de la station « Mir » (record de séjour dans l'espace).*
- *25 août 1989. Survol de Neptune par la sonde « Voyager 2 ».*

→ illustrations pp. 102-103 et en couleurs pp. 112-113.

ASTRONOMIE [astrɔnɔmi] n. f. (du gr. *astron*, astre, et *nomos*, loi). Étude scientifique de l'univers, de sa constitution, de ses lois et de son évolution. ◆ **astronomique** adj. **1.** *Faire des calculs astronomiques.* — **2.** *Fam.* D'une grandeur, d'une quantité énorme (surtout en parlant d'argent) : *Prix astronomiques* (syn. EXAGÉRÉ).

→ illustrations pages suivantes.

ASTUCE [astys] n. f. (lat. *astutia*, ruse). *Fam.* Manière ingénieuse et habile d'agir, de parler permettant de se procurer un avantage, de déjouer une difficulté ou simplement d'amuser, souvent aux dépens des autres; la plaisanterie elle-même : *Connaître les astuces du métier* (syn. fam. FICELLES). *Il y a beaucoup d'astuce dans ce qu'il dit* (syn. FINESSE, INTELLIGENCE). *Lancer une astuce* (syn. PLAISANTERIE). ◆ **astucieux, euse** adj. et n. Se dit d'une personne qui a de l'habileté, de l'ingéniosité : *C'est un astucieux qui a su se débrouiller dans la vie* (syn. MALIN; fam. ROUBLARD). ◆ adj. Se dit de quelque chose qui manifeste de l'adresse, de l'habileté : *Un projet astucieux* (syn. ADROIT, INGÉNIEUX). ◆ **astucieusement** adv.

ASTURIAS (Miguel Angel), écrivain guatémaltèque (1899-1974). Auteur de poèmes et de romans consacrés à l'histoire et aux problèmes sociaux de son pays *(Légendes du Guatemala, Monsieur le Président, Week-end au Guatemala).* [Prix Nobel, 1967.]

ASTURIES (les), en esp. **Asturias**, anc. province du N.-O. de l'Espagne, correspondant à la province actuelle d'Oviedo.

GÉOGRAPHIE. Les Asturies s'étendent sur le versant nord de la chaîne Cantabrique, jusqu'à l'océan Atlantique. Elles fournissent près de la moitié du charbon espagnol, du fer et du zinc. Ces matières premières alimentent le centre métallurgique d'Oviedo.

HISTOIRE. De 29 à 19 av. J.-C., les Asturies sont occupées par les Romains.

- *573-711. Les Wisigoths se rendent maîtres de la province.*
- *866-910. Apogée du royaume des Asturies sous Alphonse III.*

ASUNCIÓN, en fr. **Assomption,** capit. du Paraguay, sur le fleuve Paraguay; 600 000 hab.

ASYMÉTRIE n. f., **ASYMÉTRIQUE** adj. → SYMÉTRIE.

ASYMPTOTE [asɛ̃ptɔt] n. f. (gr. *asumptôtos*, qui ne coïncide pas). Ligne droite qui, si on la prolonge à l'infini, se rapproche indéfiniment d'une courbe sans jamais la toucher.

ASYNCHRONE [asɛ̃krɔn] adj. (de *a* priv., et *synchrone*). *Moteur asynchrone*, moteur électrique à courant alternatif, et dont la vitesse dépend de la charge.

ASYNDÈTE [asɛ̃dɛt] n. f. (gr. *asundeton*, absence de liaison). *Gramm.* Suppression des mots de liaison (conjonctions, adverbes) dans une phrase ou entre deux phrases pour donner plus de vivacité et de force. (Ainsi l'absence de coordination dans : *Boulets, mitraille, obus, mêlés aux flocons blancs, / Pleuvaient* [Hugo].)

ATACAMA, région désertique du Chili septentrional. Mines.

ATAHUALPA, dernier des souverains incas, étranglé en 1533 par ordre de Pizarro.

Atala, roman de Chateaubriand (1801), épisode du *Génie du christianisme.*

ATALANTE. *Myth. gr.* Fille du roi Iasos. Célèbre pour son agilité à la course, elle ne voulut épouser que celui qui l'y vaincrait. Hippomène, conseillé par Aphrodite, fit tomber des pommes d'or sur le terrain, et tandis qu'elle se baissait pour les ramasser, il atteignit le but avant elle.

ATATÜRK → MUSTAFA KEMAL.

ATAVISME [atavism] n. m. (du lat. *atavus*, ancêtre). **1.** Réapparition de certains caractères venus d'un ancêtre, et qui ne s'étaient pas manifestés dans les générations intermédiaires. — **2.** Instinct héréditaire, habitudes ancestrales : *Le vieil atavisme paysan.* ◆ **atavique** adj.

ATÈLE [atɛl] n. m. (du gr. *atelês*, incomplet). Singe de l'Amérique du Sud, dit *singe-araignée* à cause de la longueur extrême de ses membres. (Long. 70 cm, sans la queue.) [Famille des cébidés.]

ATELIER [atəlje] n. m. (de l'anc. fr. *astelle*, éclat de bois). **1.** Local où un artisan travaille; partie d'une usine où des ouvriers travaillent au même ouvrage : *L'atelier d'un menuisier. L'atelier de montage dans une usine d'automobiles.* — **2.** Lieu où travaille un artiste peintre. — **3.** *Ateliers nationaux*, chantiers créés pour les chômeurs par le Gouvernement provisoire de la IIe République, en 1848.

ATERMOYER [atɛrmwaje] v. i. (de l'anc. fr. *termoyer*, vendre à terme) [sujet nom de personne]. Remettre ce que l'on doit faire à plus tard, afin de gagner du temps (souvent à l'infin.) [syn. DIFFÉRER, RETARDER, TRAÎNER EN LONGUEUR]. ◆ **atermoiement** n. m. (surtout au plur.) : *Je suis exaspéré par ses atermoiements* (syn. FAUX-FUYANT, TERGIVERSATION).

ATHABASKA, riv. du Canada occidental, qui finit dans le *lac d'Athabaska*, constituant ainsi la section supérieure du Mackenzie*; 1 200 km. Importants gisements de sables bitumineux.

ATHALIE, reine de Juda (v. 841-835 av. J.-C.). Elle usurpa le trône à la mort de son fils Ochosias, en faisant périr tous ses petits-fils, sauf Joas, mais fut tuée dans une émeute.

Athalie, tragédie en 5 actes, avec chœurs, de Racine (1691).

ATHANASE *(saint)*, patriarche d'Alexandrie, célèbre Père de l'Église (v. 295-373). Il lutta contre l'arianisme.

ATHÉE [ate] n. et adj. (de *a* priv., et gr. *theos*, dieu). Qui nie l'existence de Dieu (contr. CROYANT). ◆ **athéisme** n. m.

ATHÉNA, déesse grecque de la Pensée, des Arts, des Sciences et de l'Industrie, fille de Zeus. Elle a donné son nom à Athènes. Elle fut assimilée à *Minerve* par les Romains.

ATHÊNAGORAS, prélat orthodoxe (1886-1972). Il a beaucoup fait pour le rapprochement des chrétiens grecs et latins (rencontre avec le pape Paul VI à Jérusalem en 1964).

ATHÉNÉE [atene] n. m. (gr. *athênaion*, temple d'Athéna). En Belgique et en Suisse, établissement secondaire d'enseignement public, pour les garçons.

ATHÈNES, en gr. **Athênai** ou **Athina,** capit. de la Grèce; 886 000 hab. [3 027 000 avec les banlieues] *(Athéniens).*

GÉOGRAPHIE. Située au cœur d'une plaine ouverte sur la mer Égée, Athènes joint à sa fonction administrative le rôle de métropole économique. Avec son port, Le Pirée, par lequel se fait la majorité des échanges avec l'étranger, elle groupe les deux tiers des activités industrielles du pays. Mais en dehors de certains quartiers privilégiés, les conditions de vie de ses habitants sont souvent misérables, encore aggravées par le chômage. La ville est un des grands centres touristiques du monde grâce à la beauté de ses monuments antiques et à la richesse de ses musées.

HISTOIRE. Avant le Xe s. av. J.-C., la ville est fondée sur le rocher de l'Acropole (à partir duquel elle s'étendra) et réalise l'unification politique de l'Attique.

- *683 av. J.-C. La noblesse terrienne des Eupatrides évince la monarchie et dirige la ville.*
- *594 av. J.-C. Solon réduit les pouvoirs de l'aristocratie par une série de réformes, et met en place les organismes politiques : la « boulê » (sénat), l'« ecclésia » (assemblée générale des citoyens) et le tribunal de l'« héliée ».*
- *507 av. J.-C. Les réformes de Clisthène achèvent de faire d'Athènes une démocratie.*
- *490-479 av. J.-C. Les guerres médiques, qui se terminent par la victoire d'Athènes, en font la première ville de la Grèce.*

Au Ve s., « siècle de Périclès », s'ouvre une période très brillante. Athènes, embellie par de nouveaux monuments (Parthénon), rayonne par son activité littéraire (Eschyle, Sophocle, Euripide, Aristophane, Socrate), artistique (Phidias) et commerciale (le Pirée devient le centre du commerce de la Méditerranée orientale).

- *431-404 av. J.-C. La guerre du Péloponnèse fait perdre à Athènes sa puissance politique au profit de Sparte.*
- *338 av. J.-C. Vaincus à Chéronée, les Athéniens doivent subir la tutelle macédonienne.*

Au IIe s. av. J.-C. Athènes tombe, avec toute la Grèce, sous la domination romaine. Après des occupations successives au cours de l'histoire, elle est comprise au XVe s. dans l'empire turc, avant de devenir en 1834 la capitale du royaume de Grèce.

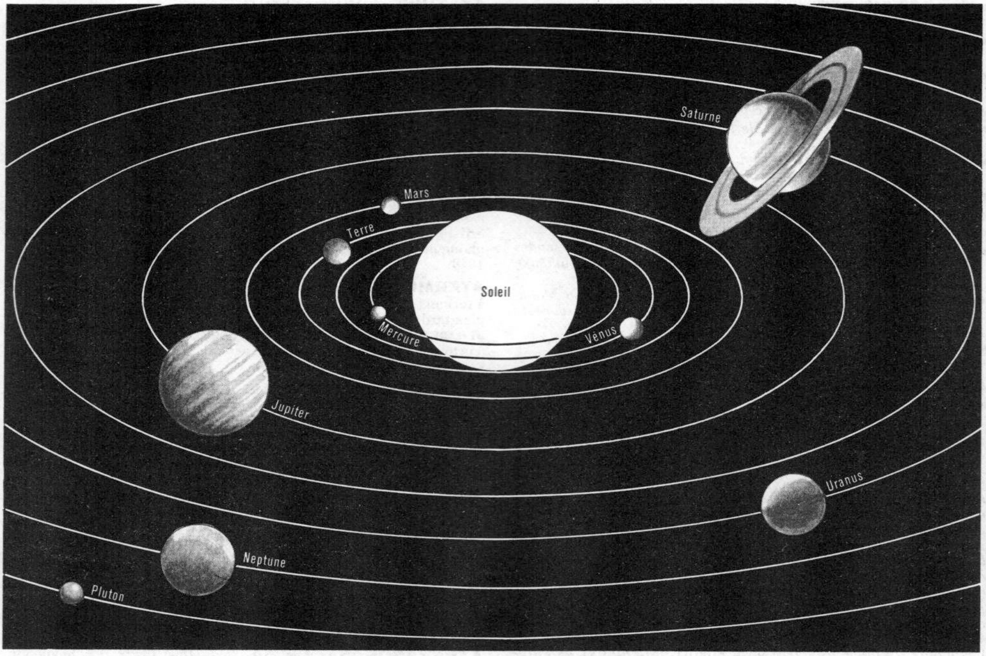

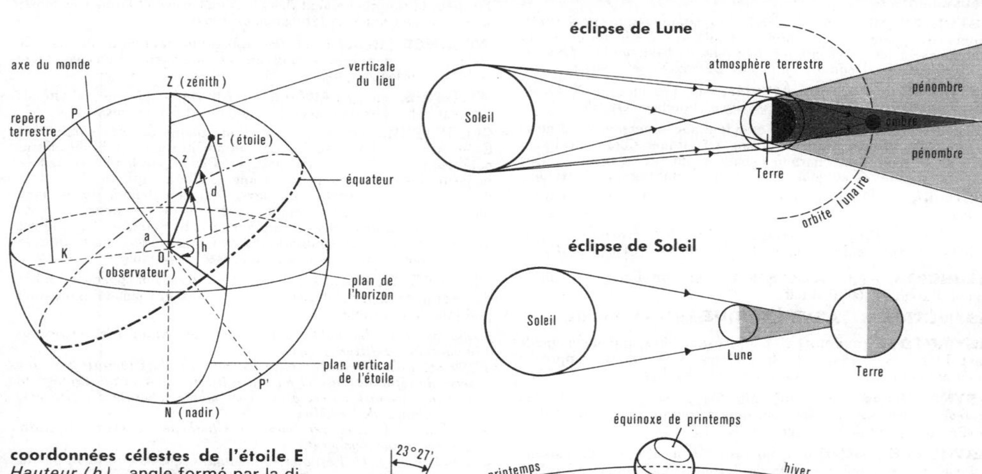

coordonnées célestes de l'étoile E
Hauteur (h), angle formé par la direction OE de l'étoile et le plan de l'horizon, mesuré à partir de l'horizon vers l'étoile; *distance zénithale (z)*, angle formé par la direction OE de l'étoile et la verticale du lieu OZ, compté à partir de OZ; *azimut (a)*, angle formé par le plan vertical de l'étoile et par le plan vertical d'un repère terrestre K, compté de 0° à 360°, à partir de K dans le sens des aiguilles d'une montre; *déclinaison (d)*, angle compté à partir de l'équateur et formé par la direction de l'étoile et le plan de l'équateur.

éclipse de Lune

éclipse de Soleil

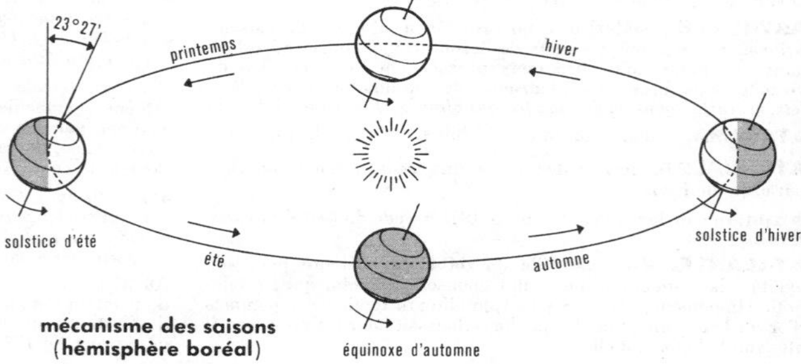

mécanisme des saisons
(**hémisphère boréal**)

ordre de succession des orbites planétaires autour du Soleil

planète	distance au Soleil (demi-grand axe de l'orbite)	période de révolution sidérale ans	jours
Mercure	0,39		88
Vénus	0,72		225
La Terre	1,00	1	0
Mars	1,52	1	322
Jupiter	5,20	11	315
Saturne	9,55	29	167
Uranus	19,22	84	7
Neptune	30,11	164	280
Pluton	39,52	248	157

Mercure
Vénus
Terre
Mars
Soleil
Jupiter
Saturne
Uranus
Neptune
Pluton

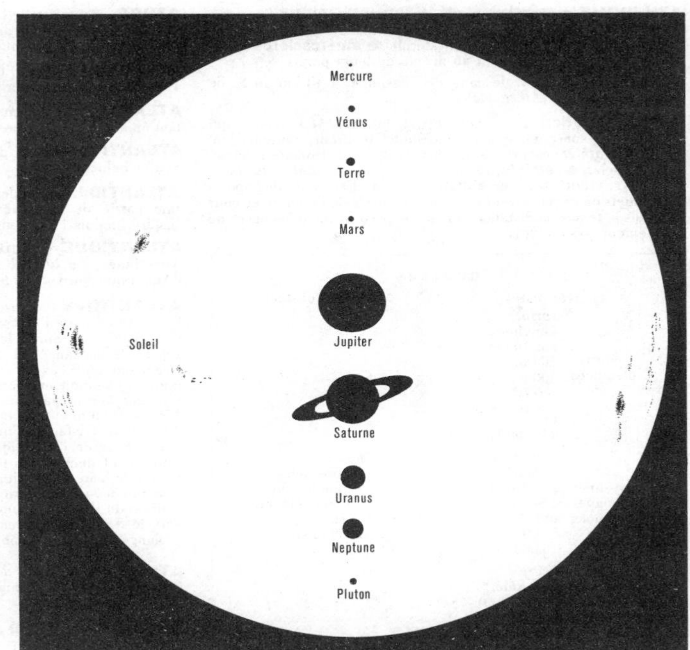

dimensions comparées des différentes planètes et du Soleil

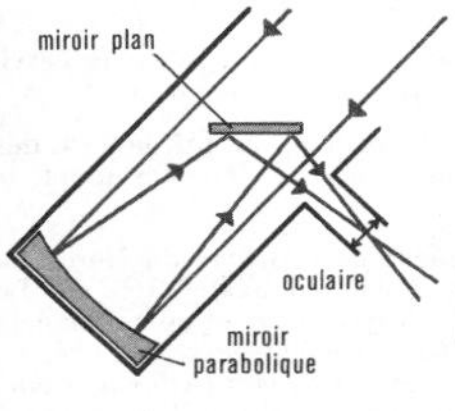

miroir plan
oculaire
miroir parabolique

principe du télescope de Newton

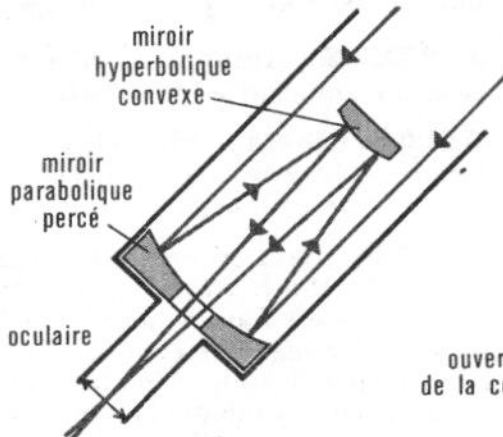

miroir hyperbolique convexe
miroir parabolique percé
oculaire

principe du télescope Cassegrain

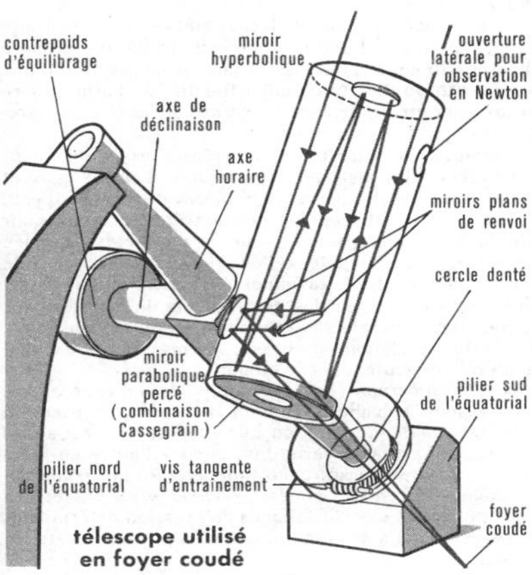

contrepoids d'équilibrage
miroir hyperbolique
ouverture latérale pour observation en Newton
axe de déclinaison
axe horaire
miroirs plans de renvoi
cercle denté
miroir parabolique percé (combinaison Cassegrain)
pilier sud de l'équatorial
pilier nord de l'équatorial
vis tangente d'entrainement
foyer coudé

télescope utilisé en foyer coudé

coupe d'un observatoire

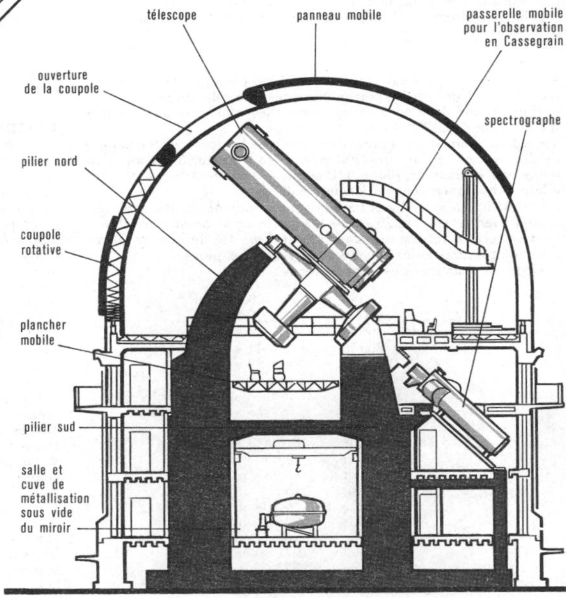

télescope
panneau mobile
passerelle mobile pour l'observation en Cassegrain
ouverture de la coupole
spectrographe
pilier nord
coupole rotative
plancher mobile
pilier sud
salle et cuve de métallisation sous vide du miroir

ATHÉROME [aterom] n. m. (du gr. *atharê,* bouillie). Lésion des artères, caractérisée par la présence, au niveau de leur tunique interne, de dépôts graisseux (cholestérol). ◆ **athérosclérose** n. f. Maladie des artères siégeant au niveau de leurs parois.

ATHIS-MONS, ch.-l. de cant. de l'Essonne, à 18 km au S. de Paris; 29 000 hab. *(Athégiens).*

ATHLÈTE [atlɛt] n. m. (gr. *athlêtês,* lutteur). **1.** Personne qui pratique un sport, en général individuel (coureur, sauteur, lanceur) : *Un athlète complet* (syn. ↓SPORTIF). — **2.** Homme robuste, bien musclé. ◆ **athlétique** adj. : *Une carrure athlétique* (syn. PUISSANT, VIGOUREUX). ◆ **athlétisme** n. m. Ensemble des sports individuels où se retrouvent les gestes naturels de l'homme et pour lesquels le temps, la distance et la hauteur constituent les bases de classement. ⟶ ENCYCL.

courses

	courses plates	courses d'obstacles
courtes distances	*sprint* (ou vitesse) sur 100 m, 200 m, 400 m. *relais** 4 × 100 m, et 4 × 400 m.	
moyennes et longues distances	*demi-fond* et *fond* sur 800 m, 1 500 m, mile*, 5 000 m, 10 000 m.	*haies* (10 obstacles à franchir sur 110 m et 400 m; 35 sur 3 000 m steeple).
grand fond	*heure.* *marathon** (42,195 km).	

concours

sauts	lancers
saut en hauteur	poids (7,257 kg)
saut en longueur	disque (2 kg)
triple saut	javelot (800 g)
saut à la perche	marteau (7,257 kg)

* *relais* (les coureurs d'une même équipe se transmettent un bâton cylindrique de 30 cm de long, appelé *témoin*).
* *mile* (= 1 609,34 m).
* *marathon* (non pas la distance de Marathon à Athènes, mais celle du château de Windsor au stade de White City à Londres).

— ENCYCL. Né en Angleterre, aujourd'hui pratiqué dans tous les pays, l'*athlétisme* est le sport de base des jeux Olympiques.

Il comprend deux sortes d'épreuves : les *courses* et les *concours* qui donnent lieu à l'établissement de records.

Le *décathlon* est une épreuve qui combine les résultats (en points) de dix courses et concours (100 m, saut en longueur, lancement du poids, saut en hauteur, 400 m, 110 m haies, lancement du disque, saut à la perche, lancement du javelot, 1 500 m).

On inclut en outre dans l'athlétisme la *marche* (contact ininterrompu avec le sol sur 20 et 50 km) et le *cross-country* (course à pied en terrain varié n'excédant pas 16 km). Ce dernier ne figure plus au programme des épreuves des jeux Olympiques.

Ordre de grandeur des performances :

100 m	9 s 9/10
200 m	19 s 7/10
400 m	43 s 3/10
800 m	1 mn 41 s
1 500 m	3 mn 29 s
5 000 m	13 mn
10 000 m	27 mn 8 s
110 m haies	13 s
400 m haies	47 s
3 000 m steeple	8 mn 5 s
hauteur	2,45 m
longueur	8,95 m
triple saut	18 m
perche	6,10 m
poids	23 m
disque	74 m
javelot	97 m
marteau	87 m
heure	21 km

ATHOS, montagne de la Grèce (Macédoine), située dans le sud de la péninsule la plus orientale de la Chalcidique. Ses couvents, fondés au Xᵉ s., groupent environ 4 000 moines orthodoxes.

ATLANTA, v. des États-Unis, capit. de l'État de Georgie; 497 000 hab. L'agglomération compte 1 597 800 hab.

ATLANTE [atlɑ̃t] n. m. (du n. d'*Atlas*). Statue d'homme supportant un entablement, une corniche.

ATLANTIC CITY, v. des États-Unis (New Jersey); 64 000 hab. Station balnéaire.

ATLANTIDE, île fabuleuse qui, selon les Anciens, aurait couvert une partie de l'emplacement occupé par l'Atlantique. Elle a inspiré, depuis Platon, de nombreux récits légendaires.

ATLANTIQUE [atlɑ̃tik] adj. (de *Atlas*). **1.** Relatif à l'océan Atlantique : *Le littoral atlantique.* — **2.** Relatif au « pacte de l'Atlantique Nord » : *La politique atlantique.*

ATLANTIQUE *(océan),* océan bordé par l'Europe et l'Afrique à l'E., l'Amérique à l'O. Sa superficie (106 200 000 km²) le place au deuxième rang après le Pacifique. Relativement étroit, il est séparé de l'océan Arctique par un seuil tandis qu'il communique largement, au S., avec l'océan Antarctique. Deux séries de bassins, d'une profondeur moyenne de 7 000 m, à l'E. et à l'O., sont séparées par une dorsale médiane d'origine volcanique, profonde de 1 500 à 3 000 m et qui émerge parfois en formant des îles (Açores, Ascension, Tristan da Cunha).

Les eaux de l'Atlantique sont affectées par de nombreux courants, dont deux froids (le courant du Labrador, qui descend le long de la côte d'Amérique du Nord; le courant de Benguela, qui remonte du sud de l'Afrique jusqu'à l'équateur) et deux chauds (le courant du Brésil, qui longe la côte du Brésil de la zone équatoriale vers le S.; le Gulf Stream*, parti des côtes de Floride, qui est prolongé jusqu'à l'Europe par la dérive nord-atlantique).

ATLANTIQUE *(mur de l'),* ensemble des positions fortifiées construites par les Allemands de 1941 à 1944, sur les côtes de l'Atlantique.

ATLANTIQUE NORD *(pacte de l'),* ou **O. T. A. N.** ⟶ ORGANISATION* DU TRAITÉ DE L'ATLANTIQUE NORD.

1. ATLAS [atlas] n. m. (du n. d'*Atlas*). Recueil de cartes ou de tableaux sur un sujet : *Atlas géographique, historique.*

2. ATLAS [atlas] n. m. (même étym.). Première vertèbre cervicale qui supporte la tête (s'articule avec l'*axis*). ⟶ SQUELETTE

ATLAS, dans la mythologie grecque, divinité qui prit le parti des Géants contre les dieux. Il fut condamné par Zeus à soutenir le ciel sur ses épaules.

ATLAS, grand ensemble montagneux de l'Afrique du Nord. Au Maroc, le *Haut Atlas* culmine au djebel Toubkal (4 165 m). Le Haut Atlas est flanqué au N. par le *Moyen Atlas* et au S., au-delà de l'oued Sous, par l'*Anti-Atlas.* Cet ensemble est prolongé, en Algérie, par des chaînons qui dominent le Sahara *(Atlas présaharien)* et par les montagnes qui constituent l'*Atlas tellien.*

ATMOSPHÈRE [atmɔsfɛr] n. f. (du gr. *atmos,* vapeur, et *sphaira,* sphère). **1.** Région proche de l'environnement terrestre. ⟶ ENCYCL. — **2.** Air que l'on peut respirer en un lieu : *L'atmosphère surchauffée du bureau.* — **3.** Milieu dans lequel on est : *Vivre dans une atmosphère d'hostilité* (syn. AMBIANCE). — **4.** Unité de pression, égale au poids d'une colonne cylindrique de mercure ayant pour hauteur 76 cm et pour base 1 cm² : *Une pression d'une atmosphère.* ◆ **atmosphérique** adj. Relatif à l'atmosphère (sens 1) : *La pression atmosphérique se mesure à l'aide d'un baromètre.* ⟶ ENCYCL.

— ENCYCL. L'*atmosphère* terrestre est composée essentiellement d'azote et d'oxygène, de quantités très faibles d'autres gaz, et d'une proportion variable de gaz carbonique et de vapeur d'eau. Elle est formée d'une série de couches concentriques et exerce sur tout point de la terre une pression due à son poids, appelée *pression atmosphérique.* Elle joue à l'égard de la terre un rôle protecteur, notamment contre le rayonnement solaire qu'elle filtre.

L'atmosphère est affectée par des mouvements de masses d'air, créant une circulation générale et se manifestant au niveau du sol par les vents. Cette circulation, qui brasse les masses d'air chaud et froid, joue un rôle essentiel dans le climat*.

■ La *pression atmosphérique* est due au poids qu'exerce une colonne d'air au point considéré. A 0 m d'altitude, la pression normale est de 760 mm de mercure (ou 1 013 millibars), c'est-à-dire 1 atmosphère. Mais la pression varie d'un point à l'autre en fonction de divers facteurs (température, altitude, etc.). À la surface du globe s'individualisent ainsi des zones de *basses pressions* et des zones de *hautes pressions.* Ces différences de pression déterminent la formation des vents qui s'écoulent des hautes pressions vers les basses pressions.

ATOLL [atɔl] n. m. (mot des îles Maldives). Îlot des mers tropicales chaudes, formé par des récifs coralliens en forme d'anneau, entourant une lagune centrale, le *lagon*.

ATOME [atom] n. m. (gr. *atomos*, indivisible). **1.** Particule chimiquement indivisible, qui forme la plus petite quantité d'un élément qui puisse entrer en combinaison; système complexe de particules constitué d'un noyau et d'électrons. ⟶ ENCYCL. — **2.** Fam. *Atomes crochus*, éléments que chacun porterait en soi et qui créeraient une affinité, un courant de sympathie avec les personnes possédant des éléments semblables. ◆ **atome-gramme** n. m. Valeur en grammes de la masse atomique d'un élément chimique. (C'est la masse de l'atome multipliée par le nombre d'Avogadro*.) ‖ Pl. des *atomes-grammes*. ◆ **atomique** adj. **1.** Relatif aux atomes : *Théorie atomique.* — **2.** Qui utilise l'énergie provenant de la désintégration des noyaux d'atomes (uranium, plutonium); qui s'y rapporte. ‖ *Bombe atomique*, dite *A*, bombe utilisant l'énergie atomique. (⟶ BOMBE 1.) ‖ *Énergie atomique*, énergie dégagée par la désintégration des noyaux d'atomes. ‖ *Masse atomique*, masse relative des atomes des divers éléments chimiques. ‖ *Numéro* ou *nombre atomique d'un élément*, nombre de protons de son noyau. ‖ *Pile atomique*, réacteur dans lequel on pratique la fission* des noyaux d'atomes. ◆ **antiatomique** adj. Qui protège des radiations nocives dégagées par l'explosion de projectiles atomiques. ◆ **atomiste** adj. et n. : *Un savant atomiste* (= spécialisé dans les recherches atomiques). ◆ **atomistique** n. f. Étude des propriétés des atomes. ◆ **désatomisé, e** adj. Se dit d'une région où il n'y a aucune installation militaire dotée d'engins atomiques.
— ENCYCL. L'*atome* est constitué par un noyau formé de *neutrons*, particules sans charge électrique, et de *protons* positifs, autour duquel gravitent des *électrons* négatifs. Le nombre des protons du noyau, égal au nombre d'électrons satellites, caractérise l'élément chimique : c'est son *numéro atomique*. Deux atomes isotopes ne diffèrent que par le nombre de neutrons. Les noyaux des atomes de quelques corps ont tendance à se désagréger avec libération intense d'énergie (radio-activité, pile et bombe atomiques).

⟶ illustration page suivante.

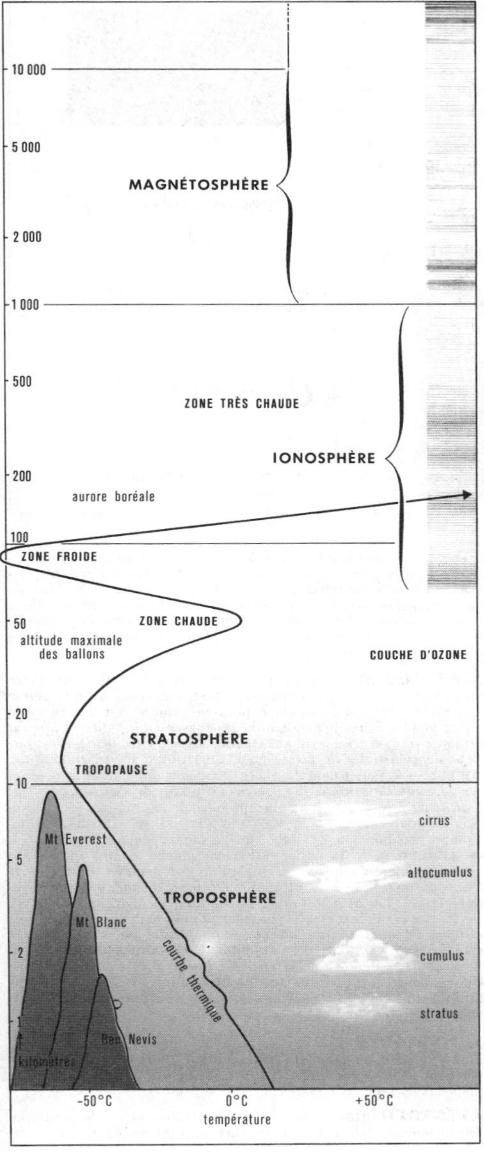

ATOMISER [atɔmize] v. t. (de *atome*). Pulvériser en fines gouttelettes ou en particules extrêmement ténues (syn. VAPORISER). ◆ **atomiseur** n. m. Pulvérisateur contenant de l'air sous pression.

ATOMISTE adj. et n., **ATOMISTIQUE** n. f. ⟶ ATOME.

ATONAL, E, ALS adj., **ATONALITÉ** n. f. ⟶ TON 2.

1. ATONE [atɔn] adj. (gr. *atonos*, relâché). Qui manque d'énergie, de force, de vivacité : *Un regard atone* (syn. ÉTEINT, MORNE). ◆ **atonie** n. f. Manque de vitalité, de force : *Un état d'atonie voisin de la prostration* (syn. INERTIE, TORPEUR; contr. ÉNERGIE).

2. ATONE [atɔn] adj. (même étym.). *Mot, syllabe, voyelle atone*, qui ne porte pas l'accent (syn. INACCENTUÉ; contr. TONIQUE).

ATOURS [atur] n. m. pl. (de l'anc. fr. *atourner*, orner). *Être paré de ses plus beaux atours*, avoir mis ses parures les plus belles.

ATOUT [atu] n. m. (*à*, et *tout*). **1.** Dans les jeux de cartes, couleur choisie ou déterminée selon une convention et qui l'emporte sur les autres couleurs; carte de cette couleur : *Jouer le sans-atout* (= partie où il n'y a pas d'atout). — **2.** Chance de réussir : *Son atout principal, c'est son énergie.*

ATRABILAIRE [atrabilɛr] adj. et n. (du lat. *atrabilis*, bile noire). Qui est porté à la mauvaise humeur, à l'irritation, à la colère. ‖ *L'Atrabilaire amoureux*, sous-titre du *Misanthrope* de Molière.

ÂTRE [ɑtr] n. m. (gr. *ostrakon*). Partie de la cheminée où l'on fait le feu; la cheminée elle-même.

ATRIDES, nom des descendants d'Atrée, roi de Mycènes, particulièrement Agamemnon et Ménélas. La famille des Atrides est célèbre par la tragique malédiction qui la poursuivit et qui multiplia l'assassinat, le parricide, l'adultère et l'inceste.

ATRIUM [atrijɔm] n. m. (mot lat.). Cour intérieure dans les habitations romaines, où se trouvait souvent un bassin central.

ATROCE [atrɔs] adj. (lat. *atrox, -ocis*) [ordinairement après le nom]. Qui provoque la répulsion, la douleur, l'indignation par sa laideur, par son caractère ignoble, par sa cruauté : *Un crime atroce* (syn. EFFROYABLE, MONSTRUEUX). *Des douleurs atroces* (syn. TERRIBLE). ◆ **atrocement** adv. : *Souffrir atrocement* (syn. HORRIBLEMENT, TERRIBLEMENT). ◆ **atrocité** n. f. : *L'atrocité d'un crime* (syn. BARBARIE, CRUAUTÉ). *Les atrocités de la guerre* (syn. CRIME, MONSTRUOSITÉ). *Dire des atrocités* (syn. CALOMNIE, HORREUR).

ATROPHIE [atrɔfi] n. f. (gr. *atrophia*). Diminution de volume ou de poids d'un organe ou d'un membre, par suite d'un défaut de nutrition; perte ou affaiblissement d'une faculté chez un individu; réduction d'une activité dans un pays : *L'atrophie des muscles. L'atrophie de l'intelligence* (syn. DIMINUTION). *L'atrophie d'un secteur économique* (syn. DÉPÉRISSEMENT; contr. HYPERTROPHIE). ◆ **atrophié, e** adj. : *Membres atrophiés. Volonté atrophiée.* ◆ **atrophier (s')** v. pr. **1.** (sujet nom désignant un muscle, un organe) Diminuer de volume (contr. S'HYPERTROPHIER). — **2.** (sujet nom abstrait) Perdre de sa force (syn. ↓S'AFFAIBLIR, SE DÉGRADER).

ATROPINE [atrɔpin] n. f. (du lat. *atropa*, belladone). Produit extrait de la belladone qui apaise les spasmes et dilate la pupille.

ATTABLER (S') v. pr., **ÊTRE ATTABLÉ** ⟶ TABLE 1.

1. ATTACHER [ataʃe] v. t. (de l'anc. fr. *estachier*, fixer). **1.** *Attacher qqch., qq'un*, leur mettre un lien, les fixer, les joindre

LES TROIS PARTICULES ÉLÉMENTAIRES

le proton (positif)
le neutron (neutre) } constituent le noyau

l'électron (négatif) tourne autour du noyau

Dans un atome, il y a normalement le même nombre d'électrons et de protons et un nombre égal ou supérieur de neutrons.

L'ATOME LE PLUS SIMPLE ET SES TROIS ISOTOPES

L'hydrogène (H) est constitué par un mélange de trois isotopes :

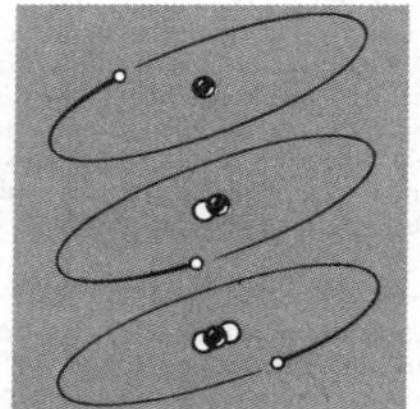

99,98 p. 100 d'hydrogène léger
$^{1}_{1}\mathrm{H}$ (1 proton) (1 électron)

0,02 p. 100 d'hydrogène lourd ou deutérium
$^{2}_{1}\mathrm{H}$ (1 proton, 1 neutron) (1 électron)

0,0000001 p. 100 de tritium ou tritérium
$^{3}_{1}\mathrm{H}$ (1 proton, 2 neutrons) (1 électron)

Les isotopes diffèrent seulement par le nombre des neutrons de l'atome.

Signification du symbole

$^{238}_{92}\mathrm{U}$

L'ATOME NATUREL LE PLUS LOURD

L'uranium (U) est constitué par un mélange de trois isotopes :

99,30 p. 100 de $^{238}_{92}\mathrm{U}$

0,70 p. 100 de $^{235}_{92}\mathrm{U}$

0,006 p. 100 de $^{234}_{92}\mathrm{U}$

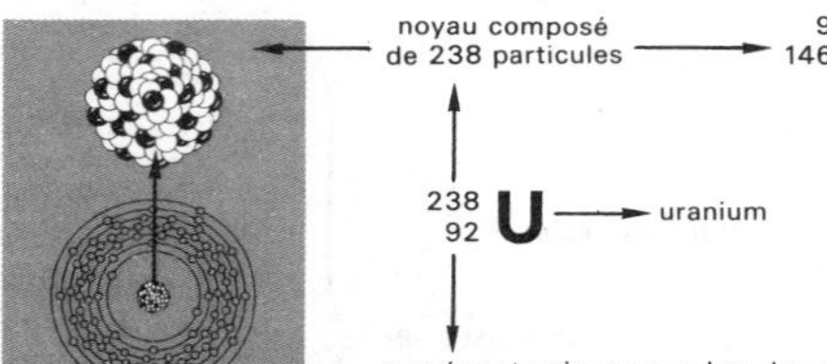

au moyen d'un lien : *Attacher un arbuste à un tuteur* (syn. LIER). *Attacher un chien à sa niche* (contr. DÉTACHER). *Attacher un paquet* (syn. FICELER). — **2.** Réunir les deux extrémités d'un lien, les fixer l'une à l'autre par un nœud : *Attacher sa ceinture* (syn. AGRAFER, BOUCLER). *Attacher ses lacets de chaussures* (syn. NOUER). ◆ v. i. ou ***s'attacher*** v. pr. [**à**]. **1.** (sujet nom de chose) Coller à un corps : *Le gâteau a attaché au moule* (syn. ADHÉRER). — **2.** (sujet nom de chose) *S'attacher à qqch.*, être associé à cette chose, en être inséparable : *Les avantages qui s'attachent à ce titre.* ◆ **attache** n. f. **1.** Ce qui sert à attacher (lien, courroie, épingle, agrafe, etc.). — **2.** *Être à l'attache*, être attaché. ‖ *Port d'attache* → PORT 1. — **3.** (au plur.) Poignets, chevilles : *Avoir des attaches fines.* ◆ **rattacher** v. t. *Rattacher un être animé, une chose*, l'attacher de nouveau.

2. ATTACHER [ataʃe] v. t. (même étym.). Lier à quelqu'un ou à quelque chose par l'affection, la sympathie, par une relation durable ou par quelque autre agrément : *De nombreux souvenirs m'attachent à cette région.* ◆ ***s'attacher*** v. pr. **1.** *S'attacher à qq'un, à qqch.*, établir un lien d'amour, d'amitié, de sympathie avec lui; être attiré par quelque chose, avoir du goût pour : *Un maître qui s'attache à ses élèves. Il s'attache trop à l'argent* (contr. SE DÉTACHER). — **2.** (sujet nom de personne) Se donner comme tâche de (et l'infin. ou un nom d'action) : *L'avocat s'attache à prouver l'innocence de son client* (syn. S'APPLIQUER, S'EMPLOYER). ◆ **attachant, e** adj. Qui suscite l'intérêt, la sympathie : *Un livre attachant* (syn. ATTRAYANT). ◆ **attache** n. f. Lien d'amour, d'amitié, de sympathie : *Rien ne me retient ici, je n'y ai aucune attache.* ◆ **attaches** n. f. pl. [**avec**]. **1.** Liens de parenté : *Ils ont de lointaines attaches.* — **2.** Relations qui font dépendre une personne d'un milieu : *Conserver des attaches avec son pays natal* (syn. LIEN). ◆ **attachement** n. m. Lien de fidélité, d'affection, de sympathie pour quelqu'un, ou goût pour quelque chose (contr. DÉTACHEMENT).

3. ATTACHER [ataʃe] v. t. (même étym.). **1.** *Attacher du prix, de l'importance, de l'intérêt à qqch.*, le considérer comme précieux, important, intéressant (syn. ACCORDER, ATTRIBUER). ‖ *Attacher un sens, une signification à des paroles, à un geste*, etc., les interpréter, y voir une intention. — **2.** *Attacher ses regards, ses yeux, sa pensée, sa réflexion*, etc., *sur qq'un* ou *sur qqch.*, faire de cette personne ou de cette chose l'objet d'un regard ou d'une pensée soutenus (littér.). ◆ ***s'attacher*** v. pr. *S'attacher à qqch.*, lui accorder de l'importance, le considérer attentivement : *S'attacher aux détails* (syn. S'ARRÊTER).

1. ATTAQUER [atake] v. t. (it. *attaccare*). **1.** (sujet nom d'être animé) *Attaquer une personne, une chose*, entreprendre une action violente contre cette personne pour la vaincre, ou contre cette chose pour la faire disparaître, la repousser : *La petite troupe fut attaquée par surprise* (syn. ASSAILLIR). *Attaquer les institutions par de violents articles de presse* (syn. CRITIQUER; contr. DÉFENDRE, LOUER). — **2.** (sujet nom de chose) *Attaquer une chose*, la détériorer : *La rouille attaque le fer* (syn. RONGER). ◆ ***s'attaquer*** v. pr. *S'attaquer à qq'un, à qqch.*, entreprendre de les combattre : *S'attaquer au gouvernement* (syn. S'EN PRENDRE À). ◆ **attaquant** n. m. Troupe, soldat, joueur, etc., qui attaque, engage le combat. ◆ **attaque** n. f. **1.** Action offensive menée contre quelqu'un; critique violente adressée à quelqu'un : *Repousser l'attaque de l'ennemi* (syn. ASSAUT, CHARGE). *Déclencher une attaque* (syn. OFFENSIVE). *Les attaques de la partie adverse* (syn. ACCUSATION). — **2.** Accès violent mais passager d'une maladie : *Avoir une attaque de goutte. Une attaque d'apoplexie*, ou simplem. *une attaque* (syn. CONGESTION CÉRÉBRALE). ◆ **contre-attaque** n. f. Passage de la défense à l'offensive : *Passer à la contre-attaque.* ‖ Pl. des *contre-attaques.* ◆ **contre-attaquer** v. i. et t. ◆ **inattaquable** adj. Qu'on ne peut pas attaquer : *Sa conduite est inattaquable* (syn. IRRÉPROCHABLE).

2. ATTAQUER [atake] v. t. (même étym.). *Attaquer qqch.*, l'entreprendre, en commencer l'exécution : *Attaquer un travail, un morceau de musique.* ◆ **attaque** n. f. Fam. *Être d'attaque*, être dispos (syn. fam. EN FORME).

ATTARDER [atarde] v. t. (de *tard*). *Attarder qq'un*, le mettre en retard (emploi rare à l'actif; le plus souvent au passif) : *Il a été* *attardé par l'orage* (syn. plus usuel RETARDER). ◆ ***s'attarder*** v. pr. **1.** *S'attarder à faire qqch., s'attarder à une chose,* rester longuement à la faire. — **2.** (sans compl. introduit par *à*) Se mettre en retard; demeurer quelque part au-delà du temps habituel : *Il s'est attardé chez des amis* (syn. RESTER). ◆ **attardé, e** adj. et n. **1.** Dont l'intelligence n'est pas au niveau où elle devrait être : *Cet enfant est un peu attardé pour son âge.* — **2.** En retard sur son siècle, sur son époque : *Des conceptions attardées* (syn. DÉSUET, PÉRIMÉ).

1. ATTEINDRE [atɛ̃dr] v. t. (lat. *attingere*, toucher). [Conj. **55.**] *Atteindre qq'un,* réussir à le blesser, à le toucher gravement, à le troubler moralement : *Le coup de feu l'atteignit au bras* (syn. BLESSER). *Ce reproche ne m'atteint pas* (syn. ÉBRANLER, OFFENSER). ◆ **atteinte** n. f. **1.** Dommage matériel ou moral causé à quelqu'un : *Résister aux atteintes du froid. Atteinte à l'autorité de l'État* (syn. ATTAQUE, ATTENTAT). *Porter atteinte à* (= causer un préjudice à). — **2.** (au plur.) *Les premières atteintes d'un mal* (= attaques, manifestations).

2. ATTEINDRE [atɛ̃dr] v. t. (même étym.). [Conj. **55.**] **1.** *Atteindre une personne, une chose,* réussir à les toucher alors qu'elles sont éloignées ou élevées : *Atteindre une cible, un but. Atteindre le terme d'une étape* (syn. ARRIVER, PARVENIR À). — **2.** *Atteindre qq'un,* entrer en rapport avec lui : *Je réussis à l'atteindre par téléphone.* ◆ v. t. ind. Parvenir avec un certain effort : *Atteindre à la perfection.* ◆ **atteinte** n. f. *Hors d'atteinte, hors de l'atteinte de,* qui ne peut être touché (par) : *Il est hors d'atteinte des balles* (syn. HORS DE PORTÉE).

1. ATTELER [atle] v. t. (du lat. *protelum*, attelage de bœufs). [Conj. **6.**] *Atteler des animaux de trait (chevaux, bœufs,* etc.), *un wagon,* etc., *à qqch.,* les relier à un véhicule ou à un instrument agricole, à d'autres voitures, etc. ◆ **attelage** n. m. Action d'atteler; ce qui sert à atteler. ◆ **dételer** v. t. **1.** Détacher des animaux attelés : *Dételer les bœufs.* — **2.** Détacher un véhicule de l'animal ou des animaux chargés de le tirer : *Dételer une charrette.*

2. ATTELER [atle] v. t. (même étym.). [Conj. **6.**] *Atteler qq'un à un travail,* lui faire entreprendre ce travail. ◆ ***s'atteler*** v. pr. *S'atteler à un travail,* entreprendre un travail long et difficile (syn. S'ATTAQUER, SE METTRE À). ◆ **dételer** v. i. *Fam.* Renoncer à son activité, s'interrompre.

ATTELLE [atɛl] (du lat. *assis*, planche). Petite pièce de bois pour maintenir des os fracturés (syn. ÉCLISSE).

ATTENANT, E [atnɑ̃, -ɑ̃t] adj. (de l'anc. fr. *attenir*). Qui tient à quelque chose (terme admin.) : *La maison attenante à la nôtre* (syn. CONTIGU).

ATTENDRE [atɑ̃dr] v. t. (lat. *attendere*, être attentif). [Conj. **50.**] **1.** (sujet nom d'être animé) *Attendre qq'un, qqch., attendre de* (et l'infin.), *que* (et le subj.), rester en un lieu en comptant sur leur arrivée, sur un événement : *Il se fait attendre* (= il est en retard). — **2.** (sujet nom de personne) *Attendre une chose (de qq'un),* compter sur elle, sur son éventualité : *J'attends pour demain votre coup de téléphone.* — **3.** (sujet nom de personne) Fam. *Attendre qq'un à,* guetter le moment où il s'engagera dans une difficulté dont il ne se tirera pas : *Je vous attends au tournant.* — **4.** (sujet nom désignant une femme) *Attendre un enfant,* être enceinte. — **5.** (sujet nom de chose) *Attendre qq'un,* lui être destiné : *Une surprise l'attendait.* ◆ v. t. ind. *Attendre après qq'un, après qqch.,* compter avec impatience sur son arrivée, sur sa réalisation. → ENCYCL. ◆ v. i. **1.** (sujet nom d'être animé) Rester dans un lieu jusqu'à ce qu'un événement se produise : *J'attends jusqu'à son arrivée.* — **2.** (sujet nom de chose) Rester intact : *Les pêches n'attendront pas à demain, mangez-les.* ◆ ***s'attendre*** v. pr. *S'attendre à qqch., à* (suivi d'un infin.), *à ce que* (et le subj.) [littér.], regarder comme probable : *Je m'attends à ce qu'il me fasse une remarque* (syn. PRÉSUMER, PRÉVOIR). ◆ **attendant (en)** loc. adv. Indique une opposition (quoi qu'il en soit) [syn. TOUJOURS EST-IL QUE, EN TOUT CAS]. ◆ **attendu** n. m. *Les attendus d'un jugement,* les motifs de la décision prise. ◆ **attendu** prép., **attendu que** loc. conj. Indique la cause (langue surtout admin.) : *On ne peut pas se fier à ces résultats, attendu que les calculs sont approximatifs* (syn. ÉTANT DONNÉ QUE, VU QUE). ◆ **attente** n. f. **1.** Action de rester jusqu'à l'arrivée de quelqu'un ou de quelque chose; temps pendant lequel on demeure ainsi : *La salle d'attente d'une gare* (= où les voyageurs peuvent rester en attendant le train). — **2.** Action de compter sur quelqu'un ou sur quelque chose : *Il n'a pas répondu à l'attente de ses professeurs* (syn. ESPÉRANCE, SOUHAIT). *Contre toute attente* (syn. ESPOIR). ◆ **attentisme** n. m. Politique ou attitude consistant à ne pas prendre parti et à différer les décisions importantes en attendant les événements. ◆ **attentiste** adj. et n. ◆ **inattendu, e** adj. : *Une arrivée inattendue* (syn. BRUSQUE, IMPRÉVU, INOPINÉ). *C'est inattendu de sa part* (syn. EXCEPTIONNEL; contr. NORMAL).

— ENCYCL. *Attendre après* est correct quand il exprime le besoin qu'on a de ce qu'on attend : *Je n'attends pas après cet argent. On n'attend plus qu'après cela.* Mais *attendre après l'autobus,* où le sens est « rester dans un lieu jusqu'à l'arrivée de l'autobus », est du langage familier.

ATTENDRIR v. t. → TENDRE 1 et 2 adj.

ATTENDRISSANT, E adj., **ATTENDRISSEMENT** n. m. → TENDRE 2 adj.

ATTENDRISSEUR n. m. → TENDRE 1 adj.

ATTENDU n. m., **ATTENDU** prép., **ATTENDU QUE** loc. conj. → ATTENDRE.

ATTENTAT [atɑ̃ta] n. m. (du lat. *attentare*, porter la main sur). Attaque criminelle ou illégale commise à l'égard de personnes, de biens, de droits, de sentiments collectifs reconnus par la loi : *Attentat contre la sûreté de l'État* (syn. COMPLOT). *Tomber victime d'un attentat* (syn. AGRESSION). *Attentat à la pudeur.* ◆ **attenter** v. t. ind. *Attenter à une chose,* commettre contre elle une tentative criminelle pour la détruire : *Attenter à la vie de qq'un.* ◆ **attentatoire** adj. [**à**] (terme admin.) : *Mesures attentatoires à la liberté de la presse* (= qui portent atteinte à). *Une décision attentatoire à la justice* (syn. CONTRAIRE, OPPOSÉ).

ATTENTE n. f. → ATTENDRE.

ATTENTER v. t. ind. → ATTENTAT.

1. ATTENTION [atɑ̃sjɔ̃] n. f. (du lat. *attendere*, être attentif). Action de concentrer son esprit sur un sujet déterminé : *Écouter avec attention. Faites attention avant de traverser* (= prenez garde). *J'ai fait attention à* (ou *de*) *ne pas* (syn. VEILLER À). ◆ **inattention** n. f. Contr. de ATTENTION : *Être puni pour son inattention* (syn. DISTRACTION). *Une faute d'inattention* (syn. ÉTOURDERIE). ◆ **attentif, ive** adj. Se dit d'une personne (ou de sa conduite) qui prête attention à quelqu'un ou à quelque chose : *Être attentif à ne blesser personne* (syn. SOUCIEUX DE). *Prêter une oreille attentive* (contr. DISTRAIT). ◆ **attentivement** adv. ◆ **inattentif, ive** adj. Qui manifeste de l'inattention : *Élève inattentif en classe* (syn. DISTRAIT, ÉTOURDI).

2. ATTENTION [atɑ̃sjɔ̃] n. f. (même étym.). Action de témoigner à quelqu'un des égards, de se soucier de sa santé, de son bonheur, etc.; témoignage adressé à cette occasion : *Il est plein d'attention pour sa mère* (syn. PRÉVENANCE). *Ce cadeau est une attention charmante* (syn. DÉLICATESSE). ◆ **attentionné, e** adj. Qui manifeste de la gentillesse à l'égard de quelqu'un (syn. EMPRESSÉ).

ATTENTISME n. m., **ATTENTISTE** adj. et n. → ATTENDRE.

ATTENTIVEMENT adv. → ATTENTION 1.

ATTÉNUER [atenɥe] v. t. (lat. *attenuare*, affaiblir) [sujet nom de personne ou de chose]. *Atténuer une chose,* la rendre moins forte, moins violente, moins grave : *Prendre un cachet pour atténuer un mal de tête* (syn. CALMER). *Atténuer une peine* (syn. ADOUCIR, TEMPÉRER; contr. AGGRAVER). ◆ ***s'atténuer*** v. pr. Devenir moins fort, moins grave : *Sa douleur s'est atténuée* (syn. DIMINUER; contr. AUGMENTER). ◆ **atténuant, e** adj. *Circonstances atténuantes,* faits particuliers dont les juges et les jurés tiennent compte pour appliquer la loi pénale de manière indulgente. ◆ **atténuation** n. f. : *L'atténuation d'une peine, de souffrances.*

ATTERRER [atere] v. t. (de *à*, et *terre*). *Atterrer qq'un,* provoquer chez lui la stupéfaction, l'accablement, une peine profonde (souvent au passif) : *Je suis atterré par cette nouvelle* (syn. ACCABLER, CONSTERNER). ◆ **atterrant, e** adj. : *Une nouvelle atterrante.*

ATTERRIR [aterir] v. i. *(à,* et *terre)* [sujet nom désignant un avion, une fusée, un engin, un pilote]. Se poser à terre. ◆ **atterrissage** n. m. : *Piste, terrain d'atterrissage.* ‖ *Train d'atterrissage* → TRAIN 1.

ATTERRISSEMENT [aterismɑ̃] n. m. (de l'anc. fr. *atterrir*, remplir de terre). Amas de terres, de sables apportés par les eaux.

ATTESTER [atɛste] v. t. (du lat. *testis*, témoin). **1.** (sujet nom de personne) Certifier l'exactitude d'une chose : *Il atteste qu'il a dit la vérité.* — **2.** (sujet nom de chose) *Attester qqch., de qqch.,* en être la preuve irréfutable : *Ce document atteste la vérité du témoignage* (syn. DÉMONTRER, TÉMOIGNER DE). *Le fait est attesté par les témoins* (syn. CONFIRMER, GARANTIR). *Ces paroles attestent qu'il n'a rien compris* (syn. INDIQUER, MARQUER, PROUVER). — **3.** *J'atteste les dieux que, de,* je prends les dieux à témoin que, de (littér.). ◆ **attestation** n. f. Déclaration orale ou écrite de la véracité d'un fait : *Délivrer une attestation de bonne conduite* (syn. CERTIFICAT).

ATTIÉDIR v. t. → TIÈDE 1 et 2.

ATTIFER [atife] v. t. (de l'anc. fr. *tiffer*, parer). Fam. *Attifer qq'un,* l'habiller ou le parer avec mauvais goût, d'une manière bizarre (souvent passif ou pron.) [syn. ACCOUTRER, AFFUBLER]. ◆ **attifement** n. m. Fam. : *Porter un curieux attifement* (syn. ACCOUTREMENT).

ATTIGNY, ch.-l. de cant. des Ardennes, à 14,5 km au N.-O. de Vouziers, sur l'Aisne; 1 300 hab. Anc. résidence des rois francs.

ATTILA (mort en 453), roi des Huns établis dans la plaine hongroise (Pannonie). Il envahit en 441 le territoire byzantin des Balkans, puis franchit le Rhin en 451, laissa Paris de côté, mais ne put s'emparer d'Orléans et fut battu aux champs Catalauniques, à l'O. de Troyes, par le Romain Aetius, et Théodoric, roi des Wisigoths. En 452, il lança ses hordes sur l'Italie, mais le pape Léon le Grand le convainquit d'épargner Rome contre le paiement d'un tribut. Il se retira alors en Pannonie. L'empire d'Attila ne survécut pas à sa mort soudaine.

Attila, tragédie de Corneille (1667).

ATTIQUE, péninsule de la Grèce où se trouve Athènes.

1. ATTIQUE [atik] adj. (gr. *attikos*). Qui a rapport à la manière, au goût des anciens Athéniens : *Finesse attique.*

2. ATTIQUE [atik] n. m. (même étym.). *Archit.* **1.** Construction de type athénien, élevée au-dessus de la corniche de l'entablement pour masquer la naissance du toit. — **2.** Petit étage supplémentaire souvent décoré de pilastres.

ATTIRAIL [atiraj] n. m. (de l'anc. fr. *atirer*, disposer). *Fam.* Ensemble d'objets divers et encombrants, mais souvent nécessaires à un usage précisé par le compl. : *Un attirail de voyage.*

ATTIRER [atire] v. t. *(à,* et *tirer)* **1.** *Attirer qqch.*, le tirer vers soi, vers le lieu où l'on se trouve : *L'aimant attire le fer.* — **2.** *Attirer qq'un, un être animé*, l'inviter à venir en lui laissant attendre un bien, un avantage, ou par quelque appât : *Ce spectacle attirait les foules. Être attiré dans un guet-apens* (syn. ENTRAÎNER). — **3.** *Attirer qqch. à, sur qq'un*, appeler vers lui un événement heureux ou fâcheux (souvent comme pron. réfléchi) : *Sa bienveillance lui attirait toutes les sympathies* (syn. GAGNER, PROCURER). *S'attirer les pires ennuis.* ◆ **attirant, e** adj. Se dit de manières, d'un visage, d'un lieu qui plaît et retient par quelque trait inhabituel : *Une figure attirante* (syn. ATTRAYANT, ↑SÉDUISANT; contr. REPOUSSANT); souvent dans des phrases négatives : *Proposition qui n'a rien d'attirant* (syn. ALLÉCHANT). ◆ **attirance** n. f. Action d'attirer ou d'être attiré; charme particulier qui pousse vers quelqu'un ou vers quelque chose; séduction exercée par quelqu'un ou par quelque chose : *Une attirance invincible* (syn. ATTRAIT); surtout dans l'express. : *L'attirance du gouffre* (= vertige qui entraîne). ◆ **attraction** n. f. ⟶ ATTRACTION 1.

ATTISER [atize] v. t. (du lat. *titio*, tison). **1.** *Attiser le feu*, le ranimer en faisant mieux flamber les bûches, en remuant les tisons. — **2.** *Attiser une passion (la haine, les désirs,* etc.), *une querelle*, l'exciter (littér.) [syn. ENFLAMMER].

ATTITRÉ, E [atitre] adj. (de *titre*). Se dit d'une personne titulaire d'un emploi, investie d'un rôle, d'une fonction : *Fournisseur attitré* (syn. EN TITRE).

ATTITUDE [atityd] n. f. (it. *attitudine*). **1.** Manière de se tenir (en parlant d'une personne) : *Une attitude gracieuse* (syn. ALLURE, MAINTIEN). — **2.** En chorégraphie, pose verticale dans laquelle une jambe est levée et pliée en arrière, tandis que l'autre est tendue et posée à terre, un bras et parfois les deux étant levés. — **3.** Manière d'être à l'égard de quelqu'un; disposition extérieure manifestant certains sentiments : *Une attitude intransigeante* (syn. POSITION). *Son attitude est incompréhensible* (syn. COMPORTEMENT, CONDUITE).

ATTLEE (Clement), homme politique britannique (1883-1967). Chef du parti travailliste, il fut Premier ministre de 1945 à 1951.

ATTORNEY [atɔrnɛ] n. m. (mot angl.; de l'anc. fr. *atorné*, préposé à). *Attorney général*, aux États-Unis, ministre du gouvernement fédéral qui remplit des fonctions semblables à celles d'un ministre de la Justice.

ATTOUCHEMENT [atuʃmɑ̃] n. m. (de *toucher*). Action de toucher doucement avec la main (syn. CARESSE).

1. ATTRACTION [atraksjɔ̃] n. f. (du lat. *attrahere*, tirer à soi). Action d'attirer; force qui attire : *Morceau de fer qui subit l'attraction d'un aimant. Sa personnalité exerce une grande attraction sur les foules* (syn. ATTIRANCE, ATTRAIT). ‖ *Loi de l'attraction universelle* ou *loi de Newton*, loi en vertu de laquelle tous les corps matériels s'attirent mutuellement, en raison directe de leurs masses et en raison inverse du carré de leurs distances. (Cette loi a été établie par Newton en 1687 pour expliquer la pesanteur et le mouvement des astres.) ◆ **attractif, ive** adj. : *L'aimant a une force attractive. Elle fut le point attractif de la soirée.*

2. ATTRACTION [atraksjɔ̃] n. f. (même étym.). **1.** Jeu mis à la disposition du public : *Les attractions d'une kermesse.* — **2.** Partie du spectacle d'un music-hall, d'un cirque.

ATTRAIT [atrɛ] n. m. (du lat. *attrahere*, attirer). **1.** Ce par quoi une chose ou une personne attire, procure du plaisir, de l'agrément : *L'attrait de l'aventure, de la nouveauté* (syn. ATTIRANCE). — **2.** *Avoir, éprouver de l'attrait pour une chose, pour une personne*, être séduit par elle (syn. GOÛT, PENCHANT). — **3.** *Les attraits d'une femme*, sa beauté, ses charmes. ◆ **attrayant, e** [atrɛjɑ̃, -ɑ̃t] adj. Se dit de quelque chose qui attire par le plaisir promis, par son agrément : *Un spectacle attrayant. Un visage attrayant* (syn. AGRÉABLE).

1. ATTRAPER [atrape] v. t. (de *à*, et *trappe*). **1.** *Attraper qq'un, qqch.*, les prendre au piège par ruse; arriver à les prendre, à les saisir : *Attraper un ballon au vol* (syn. PRENDRE, SAISIR). *Attraper un voleur* (syn. ARRÊTER). — **2.** *Attraper une chose*, l'atteindre dans sa course, la saisir au vol, rapidement : *Attraper l'autobus.* — **3.** *Attraper la manière d'écrire, de peindre*, etc., réussir à imiter par la plume, par le pinceau, à reproduire.

2. ATTRAPER [atrape] v. t. (même étym.). *Attraper qq'un*, le tromper, lui faire éprouver une déception, une surprise désagréable (souvent au passif) : *Se laisser attraper par des flatteries* (syn. ABUSER, DUPER). *Vous seriez bien attrapé si je vous disais la vérité* (syn. SURPRENDRE). ◆ **attrape** n. f. Petite farce : *Un magasin de farces et attrapes.* ◆ **attrape-nigaud** n. m. Ruse grossière qui ne trompe que les sots. ‖ Pl. des *attrape-nigauds*.

3. ATTRAPER [atrape] v. t. (même étym.). Fam. *Attraper qq'un*, lui faire des reproches : *Attraper un enfant* (syn. RÉPRIMANDER). ◆ **attrapade** n. f. Syn. fam. de RÉPRIMANDE.

4. ATTRAPER [atrape] v. t. (même étym.). Fam. *Attraper une maladie, une punition*, etc. (accident fâcheux), en être atteint, la subir : *Attraper un coup de soleil.* ◆ ***s'attraper*** v. pr. Être contagieux : *Un rhume s'attrape facilement.* (⟶ aussi RATTRAPER.)

ATTRAYANT, E adj. ⟶ ATTRAIT.

ATTRIBUER [atribye] v. t. (lat. *attribuere*). **1.** *Attribuer qqch. à qq'un*, le lui donner comme avantage, comme part, etc. : *Cette propriété lui fut attribuée par le testament* (syn. ASSIGNER). *J'attribue peu d'importance à cette déclaration* (syn. ACCORDER, PRÊTER). — **2.** *Attribuer une chose à qq'un*, le considérer comme l'auteur ou la cause de cette chose : *A qui attribuez-vous le mérite de cette invention?* (syn. IMPUTER, RECONNAÎTRE). ◆ ***s'attribuer*** v. pr. Se donner à soi-même comme avantage, comme propriété : *Il s'attribue ce qui ne lui appartient pas* (syn. S'APPROPRIER). *Il s'attribue le succès de l'entreprise* (syn. S'ARROGER, REVENDIQUER). ◆ **attributaire** n. Personne à qui a été attribué un lot, un héritage, etc. ◆ **attribution** n. f. **1.** Action d'attribuer : *L'attribution d'un rôle à un acteur.* — **2.** (au plur.) Étendue de la compétence d'une administration, d'une fonction, d'un cadre, etc. : *Cela n'entre pas dans mes attributions.* — **3.** *Complément d'attribution* ⟶ FONCTION 1. ◆ **attribut** [atriby] n. m. Ce qui appartient en propre à quelqu'un, à une fonction ou à un métier; ce qui en est le symbole représentatif : *Le droit de grâce est un attribut du chef de l'État* (syn. PRÉROGATIVE, PRIVILÈGE). *Le sceptre est l'attribut de la royauté* (syn. SYMBOLE).

1. ATTRIBUT n. m. ⟶ ATTRIBUER.

2. ATTRIBUT [atriby] n. m. (lat. *attributum*, chose attribuée). Fonction grammaticale d'un adjectif ou d'un substantif relié à un substantif par un verbe : *Dans la phrase « Pierre est fatigué », « fatigué » est attribut de Pierre.* (⟶ FONCTION 1.)

ATTRIBUTAIRE n., **ATTRIBUTION** n. f. ⟶ ATTRIBUER.

ATTRISTER [atriste] v. t. (de *à*, et *triste*). *Attrister qq'un*, le rendre triste, lui causer de la peine (syn. ↓CHAGRINER, DÉSOLER, PEINER). ◆ ***s'attrister*** v. pr. Devenir triste : *Je m'attriste de le voir désemparé* (contr. SE RÉJOUIR). ◆ **attristant, e** adj. : *Spectacle attristant* (syn. AFFLIGEANT).

ATTROUPER (S') [satrupe] v. pr. (de *troupe*). Se réunir en foule, en général pour agir (syn. SE RASSEMBLER). ◆ **attroupement** n. m. (syn. RASSEMBLEMENT).

ATWOOD (George), physicien anglais (1746-1807), inventeur d'une machine pour l'étude de la chute des corps (1784).

AU, AUX art. contractés ⟶ À et LE.

AUBADE [obad] n. f. (prov. *aubada*). Concert qui était donné à l'aube sous les fenêtres de quelqu'un. (⟶ SÉRÉNADE.)

AUBAGNE, ch.-l. de cant. des Bouches-du-Rhône, à 17 km à l'E. de Marseille; 38 600 hab. *(Aubagnais).* Centre de la Légion étrangère.

AUBAINE [obɛn] n. f. (de l'anc. fr. *aubain*, étranger). Avantage ou profit inattendu, chance inespérée (souvent avec les adj. *bonne, quelle*) [syn. ↓OCCASION].

1. AUBE [ob] n. f. (lat. *alba*, blanche). **1.** Clarté blanchâtre qui apparaît dans le ciel au moment où le jour naît : *Se lever à l'aube* (= de très bonne heure). — **2.** *Être à l'aube de*, être au commencement de.

U.S.I.S.

Resté autour de la Lune,
le vaisseau Apollo
a été photographié à partir
du module qui assure
la liaison avec le sol de la Lune.

U.S.I.S.

Essais d'un module lunaire
autour de la Terre
avant les missions Apollo.

U.S.I.S.

James B. Irwin
et le premier véhicule lunaire
(mission *Apollo XV*).

U.S.I.S.

Lors de la mission *Apollo XVII*,
Jack Schmitt prélève
des échantillons de roches lunaires.

U.S.I.S.

Vue de la face cachée de la Lune
prise lors du voyage de retour
du vaisseau *Apollo XVII*.

U.S.I.S.

La station orbitale *Skylab* après accostage du véhicule Apollo (à gauche).

U.S.I.S.

Autour de la Terre, rencontre, avant accostage, d'un Apollo américain (à gauche) et d'un Soyouz soviétique.

C.N.E.S.

C.N.E.S.

À Kourou (Guyane), mise à feu du lanceur Diamant qui satellisera l'engin *Éole* (ci-dessus).

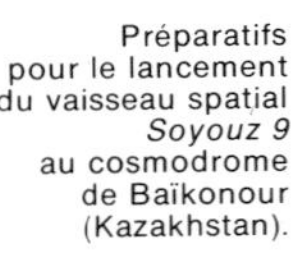

B.S.I.

Préparatifs pour le lancement du vaisseau spatial *Soyouz 9* au cosmodrome de Baïkonour (Kazakhstan).

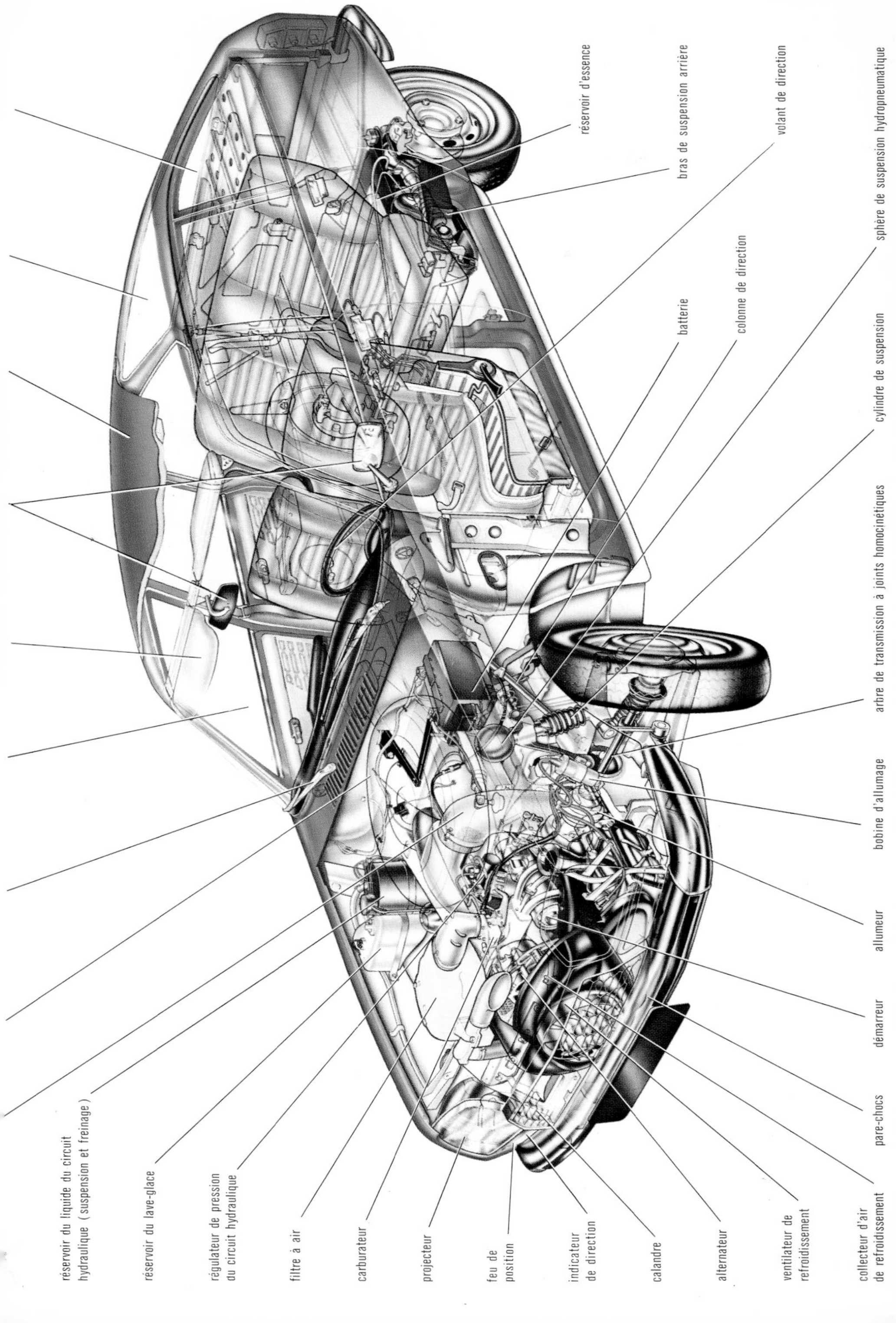

réservoir du liquide du circuit hydraulique (suspension et freinage)
réservoir du lave-glace
régulateur de pression du circuit hydraulique
filtre à air
carburateur
projecteur
feu de position
indicateur de direction
calandre
alternateur
ventilateur de refroidissement
collecteur d'air de refroidissement
pare-chocs
démarreur
allumeur
bobine d'allumage
arbre de transmission à joints homocinétiques
cylindre de suspension
sphère de suspension hydropneumatique
colonne de direction
batterie
volant de direction
bras de suspension arrière
réservoir d'essence

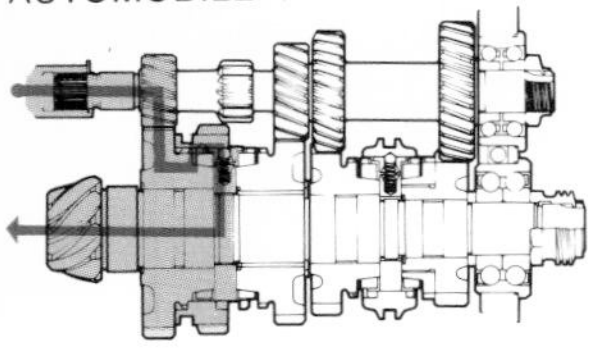

1re

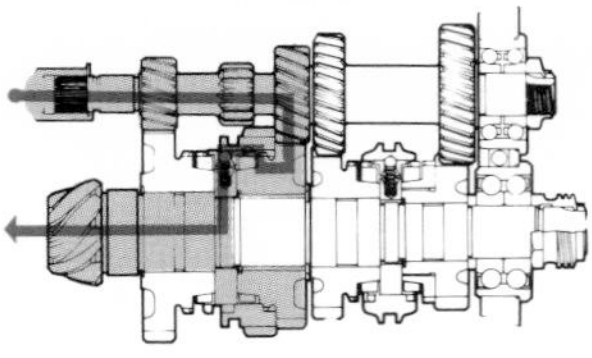

2e

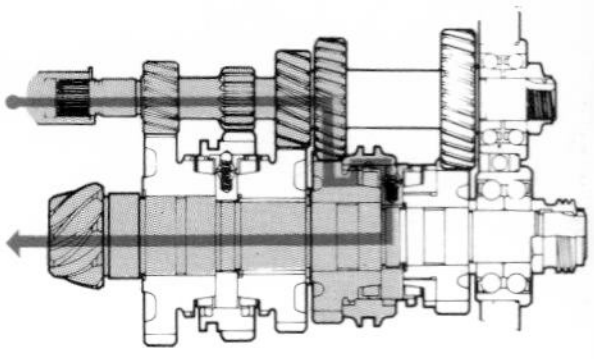

3e

RAPPORT DES ENGRENAGES DE LA BOÎTE DE VITESSES

démultiplication
1re : 3,8182
2e : 2,3750
3e : 1,5238
4e : 1,1200
AR. : 4,1818

marche arrière

4e

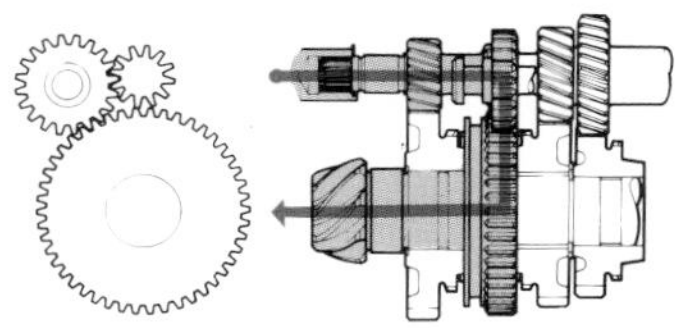

différentiel
planétaire
satellite
axe de fourchette 1re, 2e
axe de fourchette 3e, 4e
axe de fourche
de marche arriè
prise du compte
de vites
mécanisme
à diaphragme
embrayage
disque
d'embrayage
arbre prima
arbre seconda
portant le pignon d'attaq
pignon d'attaq
arbre d'entrée
plateau d'entraineme
du joint homocinétiq
levier de commande
de débrayage

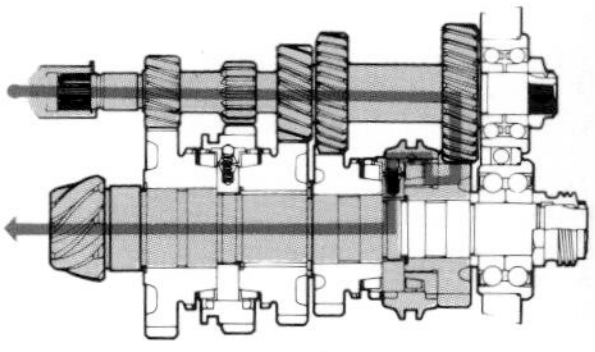

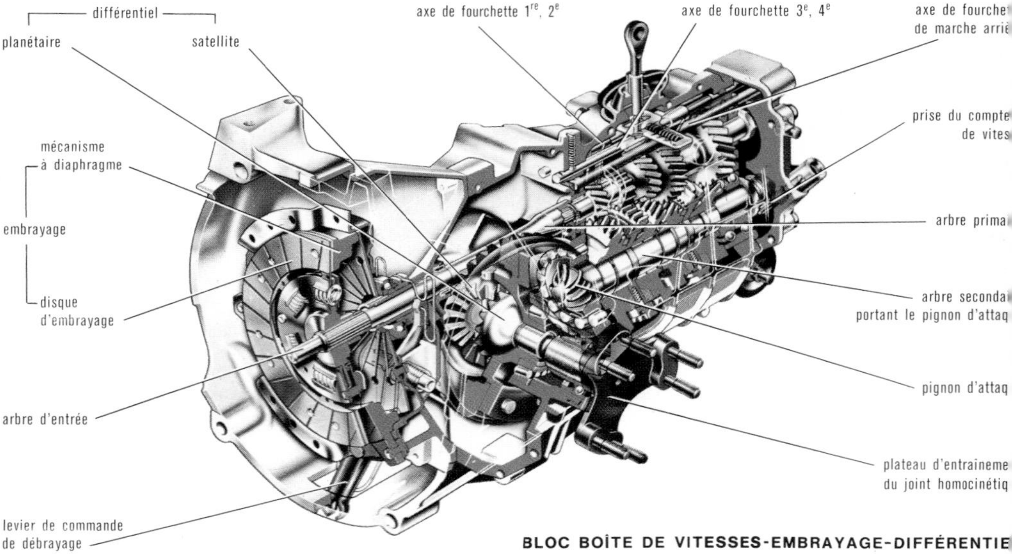

BLOC BOÎTE DE VITESSES-EMBRAYAGE-DIFFÉRENTIE

coupelles d'étanchéité
pistons
arrivée du liquide
étrier
garnitures
de friction
disque

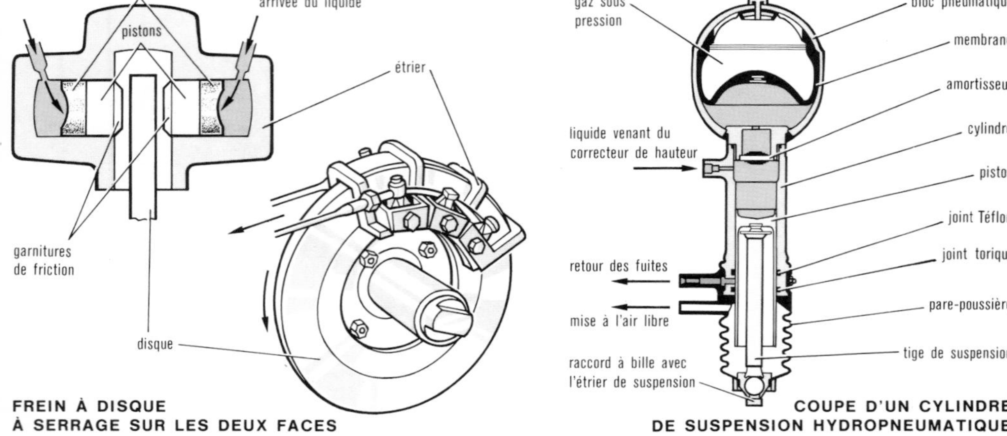

FREIN À DISQUE À SERRAGE SUR LES DEUX FACES

gaz sous
pression
bloc pneumatique
membrane
amortisseur
cylindre
liquide venant du
correcteur de hauteur
pistor
joint Téflon
joint torique
retour des fuites
pare-poussière
mise à l'air libre
tige de suspension
raccord à bille avec
l'étrier de suspension

COUPE D'UN CYLINDRE DE SUSPENSION HYDROPNEUMATIQUE

2. AUBE [ob] n. f. (lat. *alba*, robe blanche). Long vêtement blanc porté dans les cérémonies religieuses.

3. AUBE [ob] n. f. (lat. *alapa*, soufflet). Chacune des palettes fixées sur une roue mue par la machine d'un bateau et qui, par réaction, exercent sur celui-ci une action propulsive : *Les bateaux à aubes ont joué un grand rôle au XIXe s. sur le Mississippi.*

AUBE, riv. de l'est du Bassin parisien; 248 km. Elle prend sa source sur le plateau de Langres, traverse la Champagne, et rejoint la Seine (r. dr.).

AUBE (10), dép. de l'est du Bassin parisien (Région Champagne-Ardenne); 6004 km^2; 289300 hab. (48 au km^2) [France : 103]. Ch.-l. *Troyes.*

ADMINISTRATION. 3 arrond. (*Bar-sur-Aube*, 33200 hab.; *Nogent-sur-Seine*, 49000 hab.; *Troyes*, 207100 hab.). / 33 cant. / 430 comm.

Le département s'étend sur la partie méridionale de la Champagne, *Champagne crayeuse* dans l'Ouest, *Champagne humide* dans l'Est. Les vallées de l'Aube et de la Seine traversent le département du S.-E. au N.-O.

L'*agriculture* emploie 10 p. 100 de la population active (part comparable à la moyenne française). La grande culture (céréales) domine dans la Champagne crayeuse, où les plaines ont été amendées par l'usage intensif d'engrais. L'élevage est plus répandu dans l'Est, aux sols argileux.

L'*industrie* occupe près de la moitié de la population active (c'est-à-dire nettement plus que la moyenne nationale). elle doit cette prépondérance à l'importance du textile, qui connaît cependant des difficultés.

Le *secteur tertiaire* (= bureaux, commerces, etc.) n'emploie que 43 p. 100 de cette population active, malgré la présence d'une importante agglomération, Troyes, capitale française de la bonneterie.

• *1814. Combats de Napoléon contre les Alliés (Troyes, Arcis-sur-Aube).*

AUBENAS, ch.-l. de cant. de l'Ardèche, à 6 km au S. de Vals-les-Bains, au-dessus de l'Ardèche; 13100 hab. *(Albenassiens).*

AUBÉPINE [obepin] n. f. (lat. *alba spina*, épine blanche). Arbrisseau épineux utilisé pour former des haies et dont les fleurs, blanches ou roses, apparaissent au printemps. (Famille des rosacées.)

AUBÈRE [obɛr] adj. m. (de l'esp. *hobero*). Se dit d'un cheval dont la robe est entre le blanc et le bai.

AUBERGE [obɛrʒ] n. f. (de l'anc. fr. *herberge*). Petit hôtel et restaurant de campagne. ◆ **aubergiste** n. Personne qui tient une auberge.

Auberges de la Jeunesse (A. J.), centres d'accueil et de vacances économiques organisés pour les jeunes. En France, elles se développèrent beaucoup à l'époque du Front* populaire.

AUBERGINE [obɛrʒin] n. f. (ar. *al-bādinjān*). Plante dont le fruit oblong, généralement d'une couleur violette, est comestible. ◆ adj. inv. Qui à la couleur violette de l'aubergine.

AUBERGISTE n. ⟶ AUBERGE.

AUBERVILLIERS, ch.-l. de cant. de la Seine-Saint-Denis, à 2 km au N.-E. de Paris; 67800 hab.

AUBIER [obje] n. m. (du lat. *albus*, blanc). **1.** Partie jeune du tronc et des branches d'un arbre, située à la périphérie, sous l'écorce, et constituée par les dernières couches annuelles de bois encore vivantes. — **2.** L'un des noms usuels du SAULE.

AUBIGNÉ (Agrippa D'), écrivain français (1552-1630). Calviniste ardent, il a mis toutes ses passions dans son grand poème épique et satirique, *les Tragiques* (1616). Il fut le grand-père de Mme de Maintenon.

AUBIGNY-SUR-NÈRE, ch.-l. de cant. du Cher, en Sologne, à 28 km au S.-O. de Gien; 5700 hab.

AUBIN, ch.-l. de cant. de l'Aveyron, à 4 km au S. de Decazeville; 6000 hab.

AUBISQUE *(col de l'),* col des Pyrénées, entre Eaux-Bonnes et Argelès-Gazost; 1709 m.

AUBOUÉ, comm. de Meurthe-et-Moselle, à 6 km au S.-E. de Briey; 3700 hab. Sidérurgie.

AUBRAC, haut plateau basaltique du Massif central, dans le sud de l'Auvergne, entre les vallées du Lot et de la Truyère, culminant à 1469 m au Truc de Mailhebiau. Élevage des bovins.

AUBRAIS (Les), hameau de la comm. de Fleury-les-Aubrais, à 3 km au N. d'Orléans. Grand centre ferroviaire (gare d'Orléans).

AUBURN [obœrn] adj. inv. (mot angl.). Brun, châtain, avec des reflets roux : *Des cheveux auburn.*

AUBUSSON, ch.-l. d'arrond. de la Creuse, sur la Creuse; 6200 hab. *(Aubussonnais).* Colbert y organisa une manufacture royale de tapisserie. À partir de 1940, avec Lurçat et Gromaire, Aubusson devint le foyer de la renaissance de la tapisserie.

AUBY, comm. du Nord, à 6 km au N. de Douai; 8800 hab.

Aucassin et Nicolette, roman de la première moitié du XIIIe s., appelé *chantefable*, car il se compose de petites strophes en vers destinées au chant, et de morceaux en prose, faits pour

LOCALITÉS PRINCIPALES	NOMBRE D'HAB.
Troyes	64800
Romilly-sur-Seine	16300
La Chapelle-Saint-Luc	16200
Saint-André-les-Vergers	10700
Sainte-Savine	9700
Bar-sur-Aube	7100
Saint-Julien-les-Villas	5800
Pont-Sainte-Marie	5100
Nogent-sur-Seine	5100
Brienne-le-Château	4100

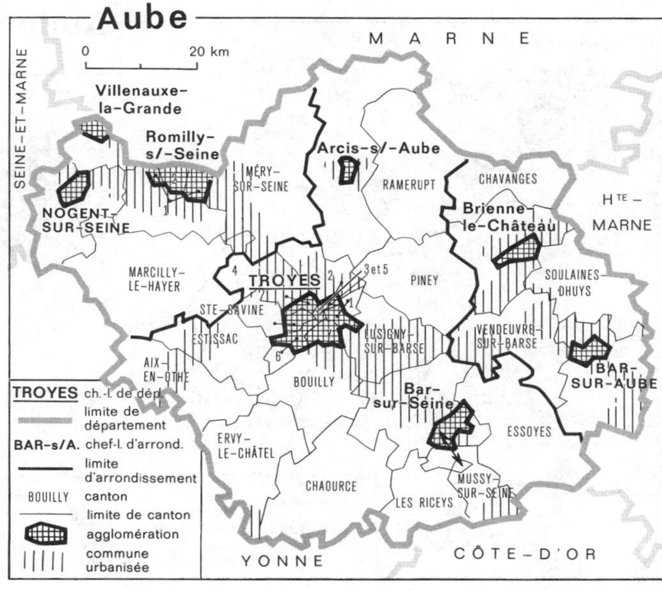

EMPLOIS	aucun aucunement	pas un
1. Accompagné de *ne*, dans la langue écrite et dans la langue parlée soignée (sans *ne* dans la langue parlée fam.).	*a*) adjectif indéfini : *Je n'ai aucune information à ce sujet;* rarement au pluriel (sauf avec un nom sans sing.) : *On ne lui fit aucunes funérailles;* *b*) pronom indéfini (souvent avec un compl.) : *Aucun d'entre vous ne permettra cette infamie;* *c*) adverbe : *Il n'est aucunement responsable.*	a) adjectif indéfini : *Il n'y a pas un roman dans sa sa bibliothèque;* b) pronom indéfini : *Il n'en est pas un qui ne sache la réponse.*
2. Sans *ne*, dans les réponses, avec une valeur négative.	*« Avez-vous trouvé des acquéreurs pour votre maison? — Aucun. »* *« S'est-il excusé? — Aucunement. »*	*« Combien de réponses? — Pas une. »* Fam. *Il est menteur comme pas un* (= extrêmement menteur).

Rem. *D'aucuns*, quelques personnes (littér.) : *D'aucuns pensent que son dernier discours est très mauvais.*
Aucun, quelqu'un (littér.) [dans les phrases interrogatives ou dubitatives] : *Pensez-vous qu'aucun soit dupe de ce que vous avez dit?*

être dits à haute voix. C'est l'idylle de deux adolescents : Aucassin, fils du comte de Beaucaire, et Nicolette, esclave sarrasine.

AUCH, ch.-l. du dép. du Gers, sur le Gers; 25 500 hab. *(Auscitains).* Cathédrale des XVe et XVIe s.

AUCHEL, ch.-l. de cant. du Pas-de-Calais, à 5 km à l'O. de Bruay-en-Artois; 12 500 hab. *(Auchellois).*

AUCKLAND, port de la Nouvelle-Zélande (île du Nord); 840 000 hab. Constructions navales.

AUCUN, E [okœ̃, -yn], **PAS UN, PAS UNE** [pazœ̃, -yn] adj. et pron. indéf. (bas lat. *aliquunus; pas* et *un, une*). Exprime la négation portant sur un substantif exprimé ou représenté. ◆ **aucunement** adv. Exprime une négation absolue portant sur un verbe, un adjectif ou un adverbe. → tableau ci-dessus.

AUDACE [odas] n. f. (lat. *audacia*). Hardiesse qui conduit à mépriser les obstacles (en bonne part ou péjor.) : *La confiance en soi donne de l'audace* (syn. COURAGE, ↑TÉMÉRITÉ; contr. LÂCHETÉ, TIMIDITÉ). *Quelle audace d'interrompre ainsi le conférencier!* (syn. EFFRONTERIE, IMPERTINENCE, INSOLENCE). *Payer d'audace* (= chercher à sortir d'une situation difficile par une action résolue, presque désespérée, en ignorant l'obstacle). ◆ **audacieux, euse** adj. et n. Qui agit avec résolution ou avec impertinence. ◆ adj. Qui témoigne de cette attitude : *Une solution audacieuse* (syn. HARDI, TÉMÉRAIRE; contr. TIMORÉ). ◆ **audacieusement** adv.

AUDE, fl. du sud de la France; 223 km. Née dans les Pyrénées-Orientales, l'Aude traverse Limoux, puis Carcassonne, avant de rejoindre la Méditerranée.

AUDE (11), dép. du sud de la France (Région Languedoc-Roussillon); 6 139 km²; 280 700 hab. (45 au km²) [France : 103]. Ch.-l. *Carcassonne.*
ADMINISTRATION. 3 arrond. (*Carcassonne*, 129 800 hab.; *Limoux*, 43 200 hab.; *Narbonne*, 107 700 hab.). / 34 cant. / 437 comm.

Le département est formé au N. par la bordure méridionale du Massif central *(Montagne Noire)*, au S. par l'avant-pays pyrénéen, avec notamment le *massif des Corbières.* Ces régions sont séparées par le *seuil du Lauragais* et la vallée de l'Aude, dépressions jalonnées de villes et empruntées par le canal du Midi.

L'*agriculture* emploie encore près de 25 p. 100 de la population active (le triple de la moyenne nationale). Cette prépondérance est due à l'importance de la viticulture répandue notamment dans les Corbières et leur pourtour (régions de Limoux), en bordure du littoral méditerranéen.

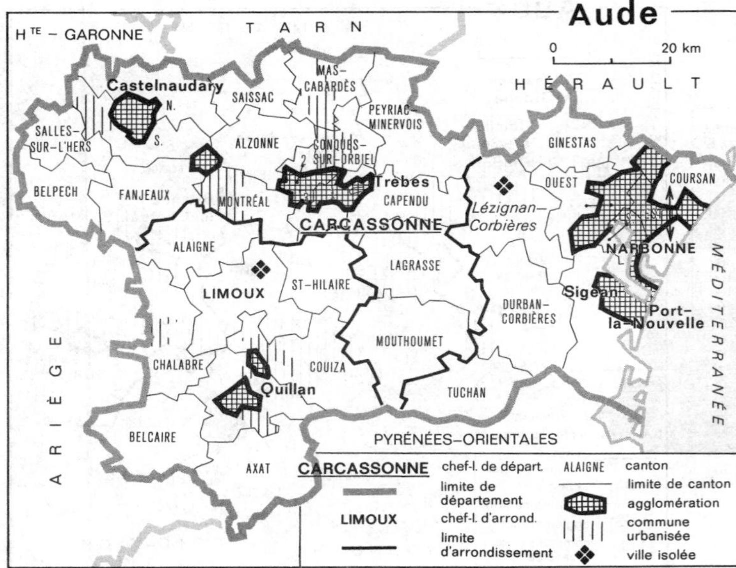

LOCALITÉS PRINCIPALES	NOMBRE D'HAB.
Narbonne	42 700
Carcassonne	42 500
Castelnaudary	11 400
Limoux	10 900
Lézignan-Corbières	7 700
Trèbes	5 600
Quillan	4 600
Port-la-Nouvelle	4 500
Coursan	4 000
Sigean	3 100

La place de l'*industrie* est modeste ; elle est représentée surtout par le textile et le travail du cuir.
Le *secteur tertiaire* a connu une forte progression, liée à l'équipement touristique de la côte.
Le faible taux d'accroissement de la *population* résulte de l'insuffisance du secteur industriel. Le développement sensible des deux principales villes, Carcassonne et Narbonne, compense à peine la persistance du dépeuplement des hauteurs.

AU-DEDANS, AU-DEHORS, AU-DELÀ, AU-DESSOUS, AU-DESSUS, AU-DEVANT loc. adv. → DEDANS, DEHORS, DELÀ, DESSOUS, DESSUS, DEVANT.

AUDENARDE, en néerl. **Oudenaarde,** v. de Belgique (Flandre-Orientale), sur l'Escaut; 21 800 hab.
• *1708. Défaite du duc de Vendôme devant le Prince Eugène et Marlborough.*

AUDIBERTI (Jacques), écrivain français (1899-1965), auteur de poèmes, de romans et de pièces de théâtre *(Le mal court, l'Effet Glapion, la Fourmi dans le corps).*

AUDIBLE [odibl] adj. (lat. *audibilis*). Se dit des sons que l'oreille humaine peut percevoir ou tolérer, ou d'une musique qui peut être écoutée sans déplaisir. ◆ **inaudible** adj. : *Dans cette région, les émissions sont inaudibles. Cette musique est inaudible.*

1. AUDIENCE [odjɑ̃s] n. f. (du lat. *audire*, entendre). **1.** Fait d'être écouté ou lu favorablement, avec intérêt ou attention : *J'espère que ce livre trouvera l'audience de nombreux lecteurs.* — **2.** Entretien accordé par un supérieur, une personne en place, etc. : *Solliciter une audience.*

2. AUDIENCE [odjɑ̃s] n. f. (même étym.). Séance d'un tribunal : *L'audience a eu lieu à huis clos.*

AUDIERNE, baie du Finistère méridional, limitée par les pointes du Raz et de Penmarch, sur laquelle est établi le port d'Audierne; 3 100 hab.

AUDINCOURT, ch.-l. de cant. du Doubs, à 6 km au S.-E. de Montbéliard, sur le Doubs; 17 600 hab. *(Audincourtois).* Église moderne (vitraux de Léger, Bazaine et Le Moal).

AUDIOVISUEL, ELLE adj. → AUDITION 1.

AUDIT [odit] n. m. (angl. *Internal Auditor*). **1.** Procédure de contrôle de l'exécution des objectifs d'une entreprise. — **2.** Personne chargée de cette mission.

AUDITEUR, TRICE [oditœr, -tris] n. (du lat. *audire*, entendre). **1.** Personne qui écoute un cours, une émission de radio, etc. — **2.** Fonctionnaire chargé de préparer les décisions que prendront ses supérieurs : *Auditeur au Conseil d'État, à la Cour des comptes.* ◆ **auditoire** n. m. Ensemble des personnes qui assistent à un cours, qui entendent un discours : *Un auditoire attentif* (syn. ASSISTANCE). *Il a conquis son auditoire* (syn. PUBLIC).

1. AUDITION [odisjɔ̃] n. f. (lat. *auditio*). Action d'écouter ou d'entendre : *Avoir des troubles de l'audition* (syn. OUÏE). *L'audition est difficile dans cette région* (syn. ÉCOUTE). ◆ **auditif, ive** adj. Relatif à l'oreille, à l'ouïe. ‖ *Conduit auditif*, canal faisant communiquer le pavillon de l'oreille avec l'oreille moyenne et se terminant au tympan. ‖ *Nerf auditif*, voie nerveuse conduisant à l'encéphale la sensation recueillie par l'oreille. ◆ **audiovisuel, elle** [odjovizɥɛl] adj. Se dit de ce qui appartient aux méthodes d'information ou de communication et d'enseignement qui utilisent la présentation d'images, de films et d'enregistrements sonores. ◆ n. m. Ensemble des méthodes, des techniques audiovisuelles. — ENCYCL. ***enseignement audiovisuel des langues.*** Le langage étant un moyen de communication, il est important de saisir globalement le sens d'une phrase, prononcée parfaitement, avec l'accent et l'intonation du pays, sans avoir à traduire. Ainsi, le professeur présente aux élèves des *images* ou un *film* avec la *bande magnétique* correspondante. Ces derniers reconnaissent les termes déjà acquis et les situations créées par l'image aident à comprendre les autres. Ensuite, le professeur s'assure de la bonne compréhension par des questions ou des phrases complètes dans la langue étudiée.

2. AUDITION [odisjɔ̃] n. f. (même étym.). Présentation par un artiste d'une partie de son répertoire, d'une œuvre musicale, d'un tour de chant, etc. : *Passer une audition.* ◆ **auditionner** v. t. Entendre un artiste présenter son répertoire : *Le jury a auditionné les nouveaux candidats.* ◆ v. i. Présenter son numéro devant quelqu'un. ◆ **auditorium** [oditɔrjɔm] n. m. Salle aménagée, du point de vue acoustique, pour l'audition d'œuvres musicales ou théâtrales, pour l'enregistrement d'émissions de radio et de télévision.

AUDITOIRE n. m. → AUDITEUR.

AUDITORIUM n. m. → AUDITION 2.

AUDRAN, famille de graveurs français. Le plus célèbre est GÉRARD (1640-1703) qui a gravé les œuvres des peintres Le Brun, Mignard, Poussin et Le Sueur.

AUDUN-LE-TICHE, comm. de la Moselle, à 18 km au S.-E. de Longwy; 6 400 hab. Sidérurgie.

AUER (Karl), chimiste autrichien (1858-1929), inventeur du manchon de la lampe à gaz, dit *bec Auer.*

AUERSTEDT ou **AUERSTAEDT,** bourg d'Allemagne (Saxe), au N.-E. de Weimar.
• *14 oct. 1806. Victoire de Davout sur les Prussiens.*

1. AUGE [oʒ] n. f. (lat. *alveus*, cavité). Grand récipient servant à donner à boire ou à manger au bétail, surtout aux porcs (syn. plus usuels ABREUVOIR [pour les chevaux et les bœufs], MANGEOIRE).

2. AUGE [oʒ] n. f. (même étym.). Vallée à fond plat et à versants raides, le plus souvent façonnée par les glaciers.

3. AUGE [oʒ] n. f. (même étym.). Vide entre les branches du maxillaire inférieur du cheval.

AUGE *(pays d')*, région de la basse Normandie, entre les vallées de la Touques et de la Dives. C'est un pays bocager, tourné essentiellement vers l'élevage (beurre et fromage). V. pr. *Lisieux.*

AUGEREAU (Pierre), maréchal et pair de France (1757-1816), créé duc de Castiglione pour avoir pris cette ville au cours de la campagne d'Italie. Il exécuta le coup d'État du 18-Fructidor (4 septembre 1797). En 1815, il se rallia à Louis XVIII.

AUGERON, ONNE [oʒrɔ̃, -ɔn] adj. et n. Du pays d'Auge : *Cheval augeron.*

AUGIAS, roi légendaire d'Élide, l'un des Argonautes. Héraclès nettoya ses immenses écuries en y faisant passer le fleuve Alphée.

AUGIER (Émile), auteur dramatique français (1820-1889). Il s'est consacré à la peinture de la société de son temps (*le Gendre de M. Poirier*, 1854) dans des pièces qui illustrent une morale bourgeoise traditionnelle.

AUGMENTER [ɔgmɑ̃te] v. t. (du lat. *augere*, accroître). **1.** *Augmenter une chose*, la rendre plus grande, plus importante, en accroître la quantité, le prix : *Augmenter la vitesse d'une voiture* (syn. ACCROÎTRE). *Augmenter les salaires* (contr. DIMINUER). — **2.** *Augmenter qq'un*, lui donner un salaire, un traitement plus élevé. ◆ v. i. Devenir plus grand; croître en quantité, en prix, en intensité : *La vie augmente beaucoup* (= les prix montent). *La population augmente* (syn. CROÎTRE). *Son mal a augmenté* (syn. S'AGGRAVER). ◆ **augmentation** n. f. : *L'augmentation progressive des taxes* (syn. AGGRAVATION; contr. BAISSE). *L'augmentation de la vitesse* (syn. ACCROISSEMENT). *Demander une augmentation* (= une hausse de salaire).

AUGSBOURG, v. d'Allemagne, en Bavière, sur le Lech; 247 000 hab.
• *1530. Les protestants y présentent la « Confession d'Augsbourg », profession de foi des luthériens, rédigée par Melanchthon.*
• *1686. La ligue d'Augsbourg est constituée entre l'Autriche, l'Espagne, la Suède et quelques princes allemands contre Louis XIV. (Ces États soutinrent contre le roi de France une guerre de neuf ans [1688-1697] qui se termina par le traité de Ryswick.)*

AUGURE [ogyr] n. m. (lat. *augurium*). **1.** Personne qui se croit en mesure de prédire l'avenir, de faire des prévisions dans un domaine donné (souvent ironiq.) [syn. DEVIN, PROPHÈTE]. — **2.** *De bon, de mauvais augure*, qui annonce quelque chose d'heureux, de malheureux : *Cela n'est pas de bon augure pour l'avenir* (syn. PRÉSAGE). ‖ *Oiseau de mauvais augure*, personne dont l'arrivée ou les paroles annoncent d'ordinaire quelque chose de fâcheux. ‖ *En accepter l'augure*, espérer voir se réaliser l'événement prédit. ◆ **augurer** v. t. et i. *Augurer de qqch.*, tirer d'un événement un pressentiment, une vue sur l'avenir : *Il a auguré de mon silence que je l'approuvais* (syn. CONJECTURER, PRÉSUMER). *Ce travail laisse bien augurer de la suite* (syn. PRÉSAGER).

AUGUSTA, v. des États-Unis (Géorgie); 71 000 hab. — V. des États-Unis, capit. du Maine; 22 000 hab.

1. AUGUSTE [ogyst] adj. (lat. *augustus*) [avant ou après le nom]. Qui a quelque chose d'imposant par sa grandeur ou sa solennité : *Le geste auguste du semeur.*

2. AUGUSTE [ogyst] n. m. (d'*Auguste*, n. pr.). Type de clown.

AUGUSTE, en lat. **Caius Caesar Octavianus Augustus** (63 av. J.-C.-14 apr. J.-C.), empereur romain (27 av. J.-C.-14 apr. J.-C.). De son vrai nom *Octave*, il fut adopté par son grand-oncle Jules César et fut appelé dès lors *César Octavien.* Il s'entendit avec Antoine et Lépide pour former le second triumvirat. Resté seul maître du pouvoir après sa victoire d'Actium (31 av. J.-C.) sur Antoine, il se fit donner, avec le surnom d'*Auguste*, les pouvoirs répartis jusqu'alors entre plusieurs magistrats (27 av. J.-C.). N'ayant pas de fils, il adopta successivement les fils de sa fille Julie, puis son beau-fils Tibère, qui lui succéda.

Le *siècle d'Auguste*, brillante période de la civilisation romaine, fut illustré par Horace, Virgile, Tite-Live, Ovide. Le titre d'*Auguste* fut porté par les empereurs à partir de Nerva (96).

AUGUSTE, nom de plusieurs princes de Saxe et rois de Pologne.

AUGUSTIN, AUGUSTINE [ogystɛ̃, -in] n. (de *saint Augustin*). Religieux, religieuse de l'ordre de Saint-Augustin. ◆ **augustinien, enne** adj. et n. **1.** Qui concerne saint Augustin. — **2.** Qui adopte la théorie de saint Augustin sur la grâce : *Les jansénistes se disaient augustiniens.* ◆ **augustinisme** n. m. **1.** Doctrine de saint Augustin. — **2.** Dénomination donnée souvent à la doctrine des jansénistes.

AUGUSTIN *(saint)*, en lat. **Aurelius Augustinus,** Père de l'Église latine, né en Afrique du Nord (354-430). Ses *Confessions* montrent l'action de la grâce dans l'âme du pécheur. Dans *la Cité de Dieu*, il tente de dégager le sens surnaturel de l'histoire. Ses écrits polémiques défendent la foi catholique contre les païens et les hérétiques. L'influence de saint Augustin a dominé la théologie occidentale jusqu'à saint Thomas d'Aquin.

AUGUSTINIEN, ENNE adj. et n., **AUGUSTINISME** n. m. ⟶ AUGUSTIN.

Augustinus *(l')*, traité théologique (1640) dans lequel Jansénius exposa la doctrine qui, dans sa pensée, était celle de saint Augustin sur la grâce, le libre arbitre et la prédestination. L'ouvrage est à l'origine du jansénisme*.

AUJOURD'HUI [oʒurdɥi] adv. (de *au*, *jour*, et anc. fr. *hui*). **1.** Le jour où l'on est (ne peut pas s'employer avec un passé simple; ⟶ TEMPS [*expression du*]) : *D'aujourd'hui en quinze, nous nous reverrons* (= dans quinze jours). — **2.** Le temps présent, l'époque actuelle : *Les hommes d'aujourd'hui* (syn. [DE] MAINTENANT). *Aujourd'hui, il y a près de neuf millions de personnes dans la région parisienne* (syn. ACTUELLEMENT, PRÉSENTEMENT). — **3.** *Au jour d'aujourd'hui*, renforcement fam. de *aujourd'hui*, maintenant, à notre époque.

AULIQUE [olik] adj. (du lat. *aula*, cour). *Conseil aulique*, tribunal suprême dans l'anc. Empire germanique.

AULIS, port de Béotie, où, selon *l'Iliade*, se réunit la flotte des Grecs avant son départ pour Troie et où Iphigénie fut sacrifiée.

AULNAY-SOUS-BOIS, ch.-l. de cant. de la Seine-Saint-Denis. à 10 km au N.-E. de Paris; 76 000 hab.

AULNE ou **AUNE** [on] n. m. (lat. *alnus*). Arbre à feuilles tronquées au sommet, croissant souvent au bord de l'eau et qui peut atteindre jusqu'à 20 m de hauteur. (Famille des bétulacées.)

AULNE, fl. de Bretagne, né dans les monts d'Arrée, qui passe à Châteaulin avant de se jeter dans la rade de Brest; 140 km.

AULNOYE-AYMERIES, comm. du Nord. à 12 km au N.-O. d'Avesnes-sur-Helpe; 10 300 hab.

AULU-GELLE, érudit latin (IIe s. apr. J.-C.), auteur des *Nuits attiques*, source de renseignements intéressants sur la civilisation antique.

AULX [o] n. m. pl. Un des plur. de AIL.

AUMALE (Henri D'ORLÉANS, *duc* D'), général français (1822-1897), quatrième fils de Louis-Philippe. Il se distingua en Algérie, où il enleva la smala d'Abd el-Kader (1843).

AUMANCE, riv. du sud du Bassin parisien, affl. du Cher (r. dr.); 58 km.

AUMÔNE [omon] n. f. (gr. *eleêmosunê*, pitié). Don ou faveur qu'on accorde par charité à celui qui est dans la misère ou le malheur : *Faire l'aumône à un mendiant* (= donner de l'argent). *Faire l'aumône d'un regard* (syn. FAVEUR).

AUMÔNIER [omonje] n. m. (de *aumône*). Prêtre attaché à un établissement, à un corps de troupes, etc., pour y assurer le service divin et y donner l'instruction religieuse. ◆ **aumônerie** n. f. Charge d'aumônier.

AUMÔNIÈRE [omonjɛr] n. f. (de *aumône*). Bourse portée à la ceinture.

AUNE [on] n. f. (frq. *alina*). **1.** Ancienne mesure de longueur, variable selon les lieux, et qui à Paris valait 1,188 m. — **2.** *Savoir ce qu'en vaut l'aune*, connaître par expérience les difficultés ou les points faibles d'une chose.

AUNÉE [one] n. f. (lat. *inula*). Plante dont le rhizome et les racines sont employés en thérapeutique. (Famille des composées.)

AUNIS, anc. prov. de France, entre le Poitou et la Saintonge. La *plaine d'Aunis* est une plate-forme calcaire qui domine le Marais poitevin au N. et le Marais charentais au S. L'ensemble de l'Aunis et de la Saintonge correspond approximativement au dép. de la Charente-Maritime.

- *507. Clovis intègre l'Aunis dans le royaume franc.*
- *1271. L'Aunis est réuni au domaine royal.*
- *1360. Le traité de Brétigny donne l'Aunis aux Anglais.*
- *1371-1373. Du Guesclin est vainqueur des Anglais : l'Aunis fait retour au domaine royal.*

AUPARAVANT [oparavɑ̃] adv. (de *avant*). Indique qu'un fait se situe dans le temps avant un autre (syn. usuel AVANT). *Rendez-vous chez Gilbert, mais auparavant passe à la maison* (syn. AVANT, D'ABORD).

AUPRÈS [oprɛ] adv. (de l'art. *au*, et *près*). Indique la proximité : *Auprès, dans une corbeille, il y avait des fleurs* (syn. À CÔTÉ). ◆ **auprès de** loc. prép. **1.** Suivi d'un nom d'être animé ou de chose. *a)* Indique la proximité (lieu) : *Elle est restée toute la nuit auprès de son fils malade* (syn. AU CHEVET DE). *Il est venu s'asseoir auprès de moi* (syn. À CÔTÉ DE). *b)* Indique la comparaison : *Ce roman est médiocre auprès du précédent* (syn. EN COMPARAISON DE). — **2.** Suivi d'un nom d'être animé. *a)* Indique le recours (= en s'adressant à) : *Il a fait des démarches pressantes auprès du ministre. b)* Indique l'estimation (= dans l'opinion de) : *Il ne jouit auprès de moi d'aucune estime particulière* (= dans mon esprit).

AUQUEL, AUXQUELS, AUXQUELLES pron. rel. et interr. ⟶ LEQUEL.

AURA [ora] n. f. (mot lat. signif. *souffle*). **1.** Sorte de halo enveloppant le corps, visible aux seuls initiés, dans les sciences occultes. — **2.** Atmosphère qui entoure ou qui semble entourer une personne.

AURANGĀBĀD, v. de l'Inde (Mahārāshtra); 97 700 hab. Grottes décorées de fresques (VIe s.).

AURANGZEB (1618-1707), empereur moghol de l'Inde (1658-1707), descendant de Tīmūr Lang. Il porta l'Empire moghol à son apogée.

AURAY, ch.-l. de cant. du Morbihan, sur la *rivière d'Auray* (estuaire d'un fleuve côtier, le Loch), à 18 km à l'O. de Vannes; 10 400 hab. *(Alréens).*

AURE, vallée des Hautes-Pyrénées, drainée par la Neste d'Aure.

AURÈLE (Marc) ⟶ MARC AURÈLE.

Aurelia *(via)*, l'une des principales voies romaines, qui partait de Rome pour aboutir à *Arelate* (Arles) en Gaule.

Aurélia, ou le Rêve et la vie, œuvre en prose de Gérard de Nerval (1855).

AURÉLIEN (v. 214-275), empereur romain de 270 à 275. Il vainquit Zénobie, reine de Palmyre, et fut tué par un de ses affranchis. Il fut un réformateur hardi, restaura l'unité romaine et fit entourer Rome de murs qui existent encore. Il fut le premier empereur qui se soit fait diviniser de son vivant.

1. AURÉOLE [oreɔl] n. f. (lat. *aureola*). **1.** Cercle lumineux dont les peintres entourent la tête des saints. — **2.** *L'auréole du martyre, de la victoire*, etc., la gloire éclatante qui vient des souffrances endurées, du succès, etc. ‖ *Parer, entourer qq'un d'une auréole*, le glorifier d'une manière éclatante. ◆ **auréoler** v. t. Entourer d'une auréole (surtout au passif) : *Il est auréolé d'un prestige immense.*

2. AURÉOLE [oreɔl] n. f. (même étym.). Trace laissée par un détachant sur une étoffe, sur un papier, etc.

AURÈS, massif montagneux de l'Algérie méridionale, culminant au djebel Chelia (2 328 m). Il est habité par des Berbères, les Chaouïas.

AURIC (Georges), compositeur français (1899-1983), auteur du ballet *les Fâcheux*, de l'opéra *Phèdre* et de musique de films.

1. AURICULAIRE adj. ⟶ AURICULE 1.

2. AURICULAIRE [orikylɛr] n. m. (de *auricule*). Le petit doigt de la main, ainsi nommé parce que son faible diamètre lui permet de s'introduire dans l'oreille.

1. AURICULE [orikyl] n. f. (lat. *auricula*, petite oreille). **1.** Lobe ou bout de l'oreille. — **2.** Oreille externe tout entière. ◆ **auriculaire** adj. Qui a rapport à l'oreille : *Maladie auriculaire.* ‖ *Témoin auriculaire*, celui qui a entendu de ses propres oreilles.

2. AURICULE [orikyl] n. f. (même étym.). Portion de chacune des oreillettes du cœur, débordant sur la face antérieure de cet organe. ◆ **auriculo-ventriculaire** adj. Relatif à la fois à l'oreillette et au ventricule du cœur : *Orifices auriculo-ventriculaires.*

AURIFÈRE [orifɛr] adj. (du lat. *aurum*, or, et *ferre*, porter). Qui renferme de l'or : *Terrain aurifère.*

AURIFIER [orifje] v. t. (du lat. *aurum*, or, et *facere*, faire). Obturer une dent creuse par aurification. ◆ **aurification** n. f. Obturation d'une dent creuse, obtenue en tassant de petites feuilles d'or.

AURIGE [oriʒ] n. m. (lat. *auriga*). Conducteur de char dans les courses du cirque.

AURIGNACIEN [oriɲasjɛ̃] n. m. (de *Aurignac*, ch.-l. de cant. de la Haute-Garonne). Période du paléolithique supérieur, dont les outils sont caractérisés par des lames de silex finement retouchées et par l'apparition d'objets en os (homme de Grimaldi et de Cro-Magnon).

AURIGNY, en angl. **Alderney,** une des îles Anglo-Normandes, à la pointe du Cotentin; 1 700 hab. Ch.-l. *Sainte-Anne.* Tourisme.

AURILLAC, ch.-l. du dép. du Cantal, sur la Jordanne, dans le *bassin d'Aurillac;* 33 200 hab. *(Aurillacois).* Importante fabrique de parapluies.

AURIOL (Vincent), homme politique français (1884-1966). Socialiste, il fut président de la République de 1947 à 1954.

AUROCHS [orɔk] n. m. (all. *Auerochs*, bœuf de plaine). Bœuf sauvage noir d'Europe centrale, disparu depuis le Moyen Âge. (On appelle parfois improprement *aurochs* le bison d'Europe des parcs nationaux polonais.)

AURON, station de sports d'hiver de la comm. de Saint-Étienne-de-Tinée (Alpes-Maritimes); alt. 1 608 m.

AURORE [orɔr] n. f. (lat. *aurora*). **1.** Lueur qui apparaît dans le ciel juste avant le lever du soleil (syn. AUBE) : *Dès l'aurore* (= de très bonne heure le matin). ‖ *Aurore polaire* (*boréale* ou *australe*), phénomène atmosphérique lumineux particulier aux régions proches du pôle Nord. — **2.** *Être à l'aurore de*, être au commencement de (syn. ÊTRE À L'AUBE DE).

AUSCHWITZ, en polon. **Oświęcim,** localité polonaise, à 30 km au S.-E. de Katowice. Son nom désigna l'ensemble de quatre camps de concentration ouverts par les nazis dès mai 1940. Des millions de déportés, surtout des Juifs et des Polonais, passèrent par ces camps, où la plupart périrent.

AUSCULTER [oskylte] v. t. (lat. *auscultare*) [sujet nom désignant un médecin]. Écouter les bruits produits par un organisme, avec ou sans l'intermédiaire d'un appareil, afin d'établir un diagnostic. ◆ **auscultation** n. f. Méthode d'écoute des bruits produits par les différents organes internes pendant leur fonctionnement.

— ENCYCL. ***auscultation.*** Pour *ausculter*, le médecin se sert soit de son oreille collée à la peau du malade, soit d'un appareil, le stéthoscope. Il ausculte surtout trois organes : le cœur, les poumons, les vaisseaux.

Le *cœur.* On entend, normalement, deux bruits à chaque battement du cœur : le premier, sourd et prolongé, correspond au début de la contraction; le second, sec et bref, est dû à la fermeture des valvules sigmoïdes aortiques et pulmonaires (fin de la contraction). Le médecin peut percevoir des anomalies dans ces bruits et déceler ainsi les atteintes des valvules cardiaques, auriculo-ventriculaires ou sigmoïdes artérielles.

Les *poumons.* En plaçant le stéthoscope sur la cage thoracique, le médecin entend les bruits du fonctionnement respiratoire : le « murmure vésiculaire » est dû à l'entrée de l'air dans les vésicules pulmonaires. On peut percevoir ainsi, notamment, une diminution ou une disparition du murmure vésiculaire quand les alvéoles ne fonctionnent plus, ou une transmission anormale du souffle laryngo-trachéal dans des zones où on ne l'entend pas normalement (pneumonie, par ex.).

Les *vaisseaux* (surtout les artères) : souffles anormaux quand l'artère est partiellement bouchée.

AUSONE, poète latin (v. 310-v. 395). Son chef-d'œuvre est le poème sur *la Moselle.*

AUSPICES [ospis] n. m. pl. (lat. *auspicium*). **1.** À Rome, présages que l'on tirait du vol et du comportement des oiseaux. — **2.** *Sous les meilleurs auspices, sous d'heureux* (ou *de malheureux*) *auspices*, avec les meilleures (ou les plus mauvaises) chances initiales de réussite (ou d'échec). ‖ *Sous les auspices de qq'un*, grâce à sa protection et à son appui (langue soignée) [syn. SOUS LE PATRONAGE DE].

AUSSI [osi], **SI** [si] adv. (du lat. *aliud*, autre chose, et *sic*, ainsi; lat. *sic*, ainsi). Indiquent l'égalité ou l'intensité. → tableau ci-dessous.

aussi	**si**
1. Avec un adjectif ou un adverbe, et généralement suivi d'une proposition de comparaison introduite par *que* (et éventuellement l'indic.), indique l'égalité.	1. Avec un adjectif ou un adverbe, et généralement suivi d'une proposition de conséquence introduite par *que* (et l'indic.), indique l'intensité.
Proposition affirmative.	
Il est aussi sympathique que vous. Il vient aussi fréquemment qu'on peut l'espérer.	*Il est si timide qu'il n'ose faire cette démarche.*
Dans une proposition négative ou interrogative, *aussi* et *si* ont le même sens de quantité égale.	
Il n'était pas aussi généreux qu'on le croyait. Est-il aussi faible que vous le dites?	*Il n'était pas si généreux qu'on le croyait. Est-il si faible que vous le dites?*
2. Après un nom ou un pronom, indique une égalité (sans compl.).	2. Après une phrase négative, un nom ou un pronom, indique une affirmation renforcée.
Pierre est venu et vous aussi. Sa femme aussi aime la musique.	*Il n'accepte pas, moi si.* (Après une phrase positive, la négation est *pas : Il a accepté, moi pas.*)
Lorsque la phrase est négative, on emploie ordinairement NON PLUS : *Vous ne le voulez pas, et moi non plus.*	Après une question négative, indique une affirmation (correspond à OUI après une phrase affirmative). *« N'es-tu pas libre? — Si. »*
3. Sert de coordination consécutive entre deux phrases, introduit une explication.	On emploie *(je dis) que si* pour contredire une proposition négative.
Il est brutal; aussi tout le monde le fuit (syn. C'EST POURQUOI, EN CONSÉQUENCE). *Je me suis trompé de jour; aussi c'est ma faute, je n'ai pas noté le rendez-vous* (syn. APRÈS TOUT).	*Cette équipe ne remportera pas le championnat : je prétends (je dis) que si.*
Aussi peut être renforcé par *bien : Aussi bien est-ce ta faute* (langue soignée).	Renforcement de *si : que si, si fait* (littér.) : *« N'as-tu pas fait ce que je t'avais dit? — Si fait. » « Tu ne t'es pas rappelé notre conversation? — Que si! »*
LOC. CONJ. DE COORDINATION	LOC. CONJ. DE SUBORDINATION
aussi bien que (comparaison)	**si bien que** (conséquence)
Lui aussi bien que sa femme préfèrent la mer à la montagne (syn. AINSI QUE).	*Il restait indécis, si bien qu'un autre prit sa place.*

aussitôt	sitôt
1. Adverbe : *a*) avec un verbe : *Je l'ai appelé et il est arrivé aussitôt* (syn. IMMÉDIATEMENT, TOUT DE SUITE); *b*) avec un participe : *Aussitôt dit, aussitôt fait* (= la décision est suivie immédiatement de l'action); *c*) devant une préposition ou un adverbe *(après, avant) : Aussitôt après le départ du train, il se rappela qu'il avait oublié de fermer l'eau.*	1. Adverbe : *a*) avec un verbe dans la loc. adv. *de sitôt* (prochainement) : *Il ne reviendra pas de sitôt* (syn. D'ICI LONGTEMPS); *b*) avec un participe : *Sitôt attablé à la terrasse du café, il se mit à raconter son aventure;* *c*) devant une préposition *(après, avant) : Sitôt après la gare de Lausanne, le train s'arrêta.*
2. Préposition : *Aussitôt mon arrivée, on défit les malles* (syn. DÈS).	2. Préposition : *Sitôt le petit déjeuner du matin, elle était prête au départ.*
LOC. CONJ. **aussitôt que, aussitôt après que** *Aussitôt qu'il apprit la nouvelle de sa réussite, il lui envoya une lettre de félicitations* (syn. DÈS L'INSTANT OÙ).	LOC. CONJ. **sitôt que, sitôt après que** *Il commença l'examen du manuscrit sitôt qu'il lui fut remis* (syn. DÈS QUE).

AUSSIÈRE ou **HAUSSIÈRE** [osjɛr] n. f. (du lat. *helcium*, corde de halage). Cordage qui sert à l'amarrage des navires et aux manœuvres.

AUSSITÔT [osito] adv. et prép., **AUSSITÔT QUE** loc. conj., **SITÔT** [sito] adv. et prép., **SITÔT QUE** loc. conj. *(aussi*, et *tôt; si*, et *tôt)*. Indiquent la postériorité immédiate. → tableau ci-dessus.

AUSTEN (Jane), romancière anglaise (1775-1817). Elle peint dans ses romans les mœurs provinciales de la petite bourgeoisie anglaise : *Orgueil et préjugé* (1813).

AUSTÈRE [ostɛr] adj. (lat. *austerus*). **1.** Se dit d'une personne (ou de son attitude) qui a de la sévérité dans ses principes moraux, de la gravité dans son caractère : *Avoir un air austère et rébarbatif* (syn. ↑GLACIAL, SEC). *Mener une vie austère* (syn. ASCÉTIQUE). — **2.** Se dit d'une chose d'où est exclu tout ornement, toute douceur, tout agrément : *Une robe austère* (contr. GAI). ◆ **austérité** n. f. : *Avoir une réputation d'austérité* (syn. PURITANISME, RIGORISME). *L'austérité des mœurs* (syn. SÉVÉRITÉ).

AUSTERLITZ, en tchèque **Slavkov**, v. de Tchécoslovaquie, en Moravie méridionale, sur la Littava.

Napoléon Ier y remporta une grande victoire sur les Austro-Russes, le 2 décembre 1805. Cet événement entraîna la dislocation de la troisième coalition, groupant l'Angleterre, l'Autriche et la Russie. Après avoir occupé Vienne, Napoléon s'était porté vers le N. à la rencontre des armées de François II et d'Alexandre Ier. Il déploya ses 74 000 hommes face au plateau de Pratzen, occupé par l'ennemi, qui disposait de 90 000 hommes, ne laissant à sa droite que des forces réduites; il inspira ainsi aux Austro-Russes la tentation de le tourner par le S., pour lui couper la route de Vienne.

L'ennemi manœuvra comme Napoléon avait su le lui suggérer, et les Français, avec Soult, s'emparèrent du plateau et coupèrent les armées ennemies en deux. La victoire fut complète. L'empereur d'Autriche sollicita un armistice, qui mit fin à la guerre, tandis que les Russes se retiraient en Pologne.

AUSTIN, v. des États-Unis, capit. du Texas, sur le Colorado; 345 000 hab.

AUSTRAL, E [ostral] adj. (du lat. *auster*, vent du midi). Se dit de tout ce qui concerne la partie sud de la Terre (contr. BORÉAL) : *L'hémisphère austral.* ‖ *Océan austral*, nom parfois donné à l'*océan Antarctique.* ‖ *Terres australes*, le continent antarctique.

AUSTRALASIE, ensemble géographique formé par l'Australie et la Nouvelle-Zélande.

AUSTRALES ET ANTARCTIQUES FRANÇAISES *(terres)*, territoire français d'outre-mer, groupant l'archipel des Kerguelen, la terre Adélie, les îles Saint-Paul et Amsterdam, l'archipel Crozet.

AUSTRALIE, en angl. **Commonwealth of Australia**, État de l'Océanie s'étendant sur une vaste île entre l'océan Pacifique et l'océan Indien, membre du Commonwealth.

GÉOGRAPHIE

Trois ensembles de relief s'individualisent dans cette île aux contours massifs :
à l'O., un vaste plateau peu élevé constitué de terrains anciens rabotés;
à l'E., la *Cordillère australienne*, qui culmine au mont Kosciusko (2 228 m);
au centre, une zone déprimée, formée de deux bassins ouverts l'un vers le N., l'autre vers le S. (bassin du Murray).

Un *climat* désertique, surtout accentué à l'O., règne sur la majeure partie du pays. Seules deux franges, tropicale au N. et tempérée méditerranéenne au S. et au S.-E., sont épargnées par la sécheresse.

	TEMPÉRATURES MOYENNES janv.	juil.	PLUIES
tropical (Darwin)	28,3 °C	24,8 °C	1 490 mm
méditerranéen (Sydney)	21,5 °C	12,1 °C	1 137 mm

Le *scrub*, végétation épineuse, couvre toutes les régions sèches de l'Ouest, passant peu à peu vers l'E. à la savane, tandis qu'au N. pousse la forêt tropicale et au S. le maquis. L'isolement du continent australien y a permis la conservation d'une flore et d'une faune (kangourous, ornithorynques) très particulières.

La *population* est caractérisée par la faiblesse de sa densité et l'inégalité de sa répartition. Tout le centre du pays est pratiquement vide d'hommes. La population, constituée presque uniquement de Blancs, les indigènes ayant été décimés, est concentrée dans les zones où les conditions naturelles sont les plus favorables : les régions côtières, et particulièrement le S.-E.; 70 p. 100 des Australiens résident dans des villes, et le pays compte quelques grandes agglomérations toutes situées près des ports.

SUPERFICIE 7 700 000 km² (France : 550 000 km²).
POPULATION 16 800 000 hab. *(Australiens);* 2 hab. au km² (France : 103); taux de natalité, 16,1 p. 1 000; taux de mortalité, 7,7 p. 1 000.
CAPITALE Canberra (245 000 hab.).
VILLES PRINCIPALES Sydney (3 310 000 hab.); Melbourne (2 837 000 hab.); Brisbane (1 124 000 hab.); Adélaïde (934 200 hab.); Perth (949 000 hab.).
LANGUE anglais.
ÉCONOMIE produit national brut par hab., 10 119 dollars (France : 9 484); consommation d'énergie par hab., 6 000 kg d'équivalent charbon; 1 automobile pour 2,5 hab.
MONNAIE dollar australien.

L'*agriculture* reste le secteur le plus important de l'économie.

ovins	140 millions de têtes	blé	20 millions de t
laine	700 000 t	sucre	3 500 000 t
bovins	22 millions de têtes	vin	4 millions d'hl

Les vastes étendues sont consacrées soit à l'élevage (grands troupeaux d'ovins pour la laine, bovins pour la viande et le lait), soit à des cultures céréalières très mécanisées exigeant peu de main-d'œuvre. La canne à sucre au N., les arbres fruitiers et la vigne au S. couvrent également de grandes surfaces.

Mais l'*industrie* a beaucoup progressé depuis la guerre. Les ressources minérales sont nombreuses et diverses. Or et argent, qui

industries extractives	uranium (métal)	4 400 t
	plomb	445 000 t
	zinc	650 000 t
	bauxite	32 millions de t
	fer	57 millions de t
	houille	125 millions de t
électricité		120 milliards de kWh
acier		6 200 000 t
automobiles		400 000 unités

ont attiré les premiers Européens, ont cédé la place à d'autres productions, dont l'uranium. La houille (Newcastle) et le fer (Whyalla) ont permis le développement d'une sidérurgie, localisée au S., qui alimente les diverses industries mécaniques. L'industrie textile est également en expansion, ainsi que la chimie.

Bien que toutes les possibilités du pays ne soient pas exploitées, l'Australie est un pays riche; le niveau de vie est l'un des plus élevés du monde. Mais elle souffre d'un manque de main-d'œuvre. C'est pourquoi l'immigration y est de nouveau autorisée, bien que pratiquement limitée aux Blancs. Le pays, qui exporte beaucoup de produits agricoles, doit encore importer des produits manufacturés. Le problème des transports intérieurs reste crucial à cause des grandes distances qui séparent les divers foyers d'activité.

HISTOIRE

C'est au début du XVIIe s. que l'Australie fut atteinte par les Hollandais.

- *1770. James Cook aborde le continent.*
- *1788. Début de la colonisation anglaise, qui va s'étendre progressivement sur tout le continent au cours du XIXe s.*

En 1851, la découverte de mines d'or près de Melbourne attire une abondante immigration, en grande majorité britannique. Celle des Noirs et des Asiatiques est limitée par la loi. Cultivateurs et éleveurs de moutons rivalisent pour l'occupation du sol. De nouvelles colonies se créent à mesure que la population augmente.

- *1901. Les colonies australiennes se fédèrent et forment le Commonwealth australien. Membres du Commonwealth britannique, elles accentuent leur politique protectionniste.*

Au XXe s., l'Australie maintient sa tradition démocratique. Elle participe activement aux deux guerres mondiales aux côtés des Alliés.

Depuis 1945, l'économie progresse rapidement. L'immigration demeure importante. L'île a maintenu sa fidélité au Commonwealth et à l'alliance occidentale : elle a soutenu les États-Unis dans leur politique asiatique jusqu'en 1971, mais elle s'efforce également d'accroître ses relations économiques avec le Japon, vaste débouché pour ses exportations, et établit des relations avec la Chine et le Viêt-nam. Elle est une des grandes puissances du Pacifique.

- *1986. L'Australia Act abolit les derniers pouvoirs d'intervention directe de la Grande-Bretagne dans les affaires australiennes. (Élisabeth II reste cependant reine d'Australie.)*

AUSTRALIEN, ENNE [ostraljẽ, -ɛn] adj. et n. D'Australie.

AUSTRALIENS, population indigène de l'Australie, appartenant au rameau océanien des races noires. Ils sont actuellement en voie de disparition car la colonisation européenne les a progressivement privés de toutes leurs ressources. Leur alimentation était équilibrée entre la chasse, celle des kangourous en particulier, et la cueillette ou le ramassage des petits animaux, des insectes, des plantes comestibles, pratiqués par les femmes. Ces populations confectionnaient leurs armes en pierre taillée ou polie, en bois. Leur armement est composé de lances projetées au moyen du propulseur, de bâtons de jet (boomerang) et de boucliers.

AUSTRALOPITHÈQUE [ostralɔpitɛk] n. m. (du lat. *australis*, méridional, et du gr. *pithêkos*, singe). Primate fossile du Quaternaire d'Afrique australe et orientale, considéré en général comme un ancêtre possible de l'homme.

AUSTRASIE, royaume oriental de la Gaule franque; capit. *Metz* (511-771). Rivale heureuse de la Neustrie, elle fut le berceau de la dynastie carolingienne. (Hab. *Austrasiens*).

AUSTRO-HONGROIS, E [ostroɔ̃grwa, -az] adj. Relatif à l'ancien empire d'Autriche-Hongrie.

austro-prussienne *(guerre)* [1866], conflit qui opposa la Prusse, soutenue par l'Italie, à l'Autriche, appuyée par les principaux États de la Confédération allemande, et qui se termina par la victoire de la Prusse et de l'Italie.

- *3 juil. 1866. Victoire prussienne de Sadowa.*
- *23 août 1866. La paix de Prague consacre la réorganisation de l'Allemagne sous l'égide de la Prusse.*
- *3 oct. 1866. Le traité de Vienne donne la Vénétie à l'Italie.*

AUTAN [otɑ̃] n. m. (mot prov.). Vent du sud-est, violent, chaud et très sec, qui souffle sur l'Aquitaine.

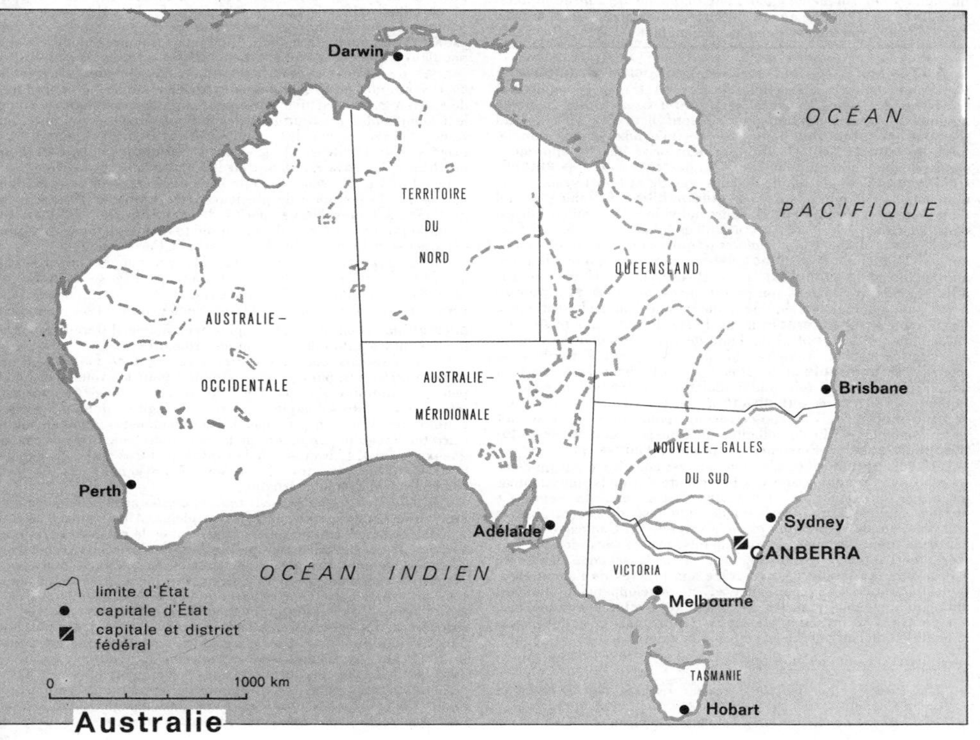

Australie

AUTANT [otɑ̃], **TANT** [tɑ̃] adv. (du lat. *aliud*, autre chose, et *tantum*, tant; lat. *tantum*, tant). Indiquent la quantité ou l'intensité. → tableau page 121.

AUTARCIE [otarsi] n. f. (gr. *autarkeia*, qui se suffit à soi-même). Régime économique d'un pays qui cherche à se suffire à lui-même, qui vit sans importer de productions étrangères; vie économique en circuit fermé : *L'Allemagne nazie chercha à vivre en autarcie.* ◆ **autarcique** adj.

AUTEL [otɛl] n. m. (lat. *altaria*). **1.** Dans les églises, table sur laquelle le prêtre célèbre le sacrifice de la messe. — **2.** *Le trône et l'autel*, la monarchie et l'Église. ‖ *Sacrifier qqch. sur l'autel de (l'honneur, la science*, etc.), y renoncer au profit de (l'honneur, la science, etc.). — **3.** *Autels de la patrie*, autels élevés dès le début de la Révolution française, symboles d'un culte nouveau ayant pour dogmes la patrie, la loi et la philosophie.

AUTEUR [otœr] n. m. (lat. *auctor*). **1.** *L'auteur de qqch.*, celui qui en est la cause : *L'auteur du crime* (= le criminel, l'assassin). *L'auteur de l'invention* (= l'inventeur). — **2.** (sans compl.) Écrivain : *Une femme auteur. Citez vos auteurs* (= vos sources). ‖ *Droits d'auteur*, sommes que touche un écrivain, un musicien, un artiste, lorsque ses œuvres sont éditées ou reproduites. ◆ **coauteur** [kootœr] n. m. Auteur associé à un autre pour un même travail littéraire.

AUTHENTIQUE [otɑ̃tik] adj. (gr. *authentikos*, qui agit de sa propre autorité). **1.** Dont la réalité, la vérité ou l'origine indiquée ne peut être contestée : *Le tableau authentique est au Louvre, celui-ci n'est qu'une copie* (syn. ORIGINAL). *Une histoire authentique* (syn. EXACT; contr. FAUX, IMAGINAIRE). — **2.** Qui correspond à la vérité profonde : *Une émotion authentique* (syn. SINCÈRE, VRAI; contr. CONVENTIONNEL, SIMULÉ). ◆ **authentiquement** adv. : *Des paroles rapportées authentiquement.* ◆ **authenticité** n. f. : *L'authenticité d'un tableau, d'un testament.* ◆ **authentifier** v. t. Donner le caractère authentique, véridique à un document.

AUTHIE, fl. côtier du nord du Bassin parisien, qui se jette dans la Manche; 100 km.

---

1. AUTO- (gr. *autos*, soi-même), élément qui, en français, entre dans la composition de mots comme pronom réfléchi complément du nom (= « de soi-même », ou « par soi-même ») : *Faire son autocritique* (= porter un jugement sur ses propres actes). *Autodestruction* (= destruction de soi-même par soi-même).

---

2. AUTO [oto] n. f. Abrév. fam. de AUTOMOBILE. ◆ **autobus** n. m. Grand véhicule automobile destiné au transport collectif à l'intérieur des zones urbaines. ◆ **autocar** n. m. Grand véhicule automobile destiné au transport collectif hors des villes et au tourisme. ◆ **autodrome** n. m. Piste destinée aux courses automobiles. ◆ **auto-école** n. f. Établissement privé où l'on apprend à conduire une voiture automobile. ‖ Pl. des *auto-écoles.* ◆ **automitrailleuse** n. f. Engin blindé à roues, rapide et tout terrain, armé d'un canon et de mitrailleuses. ◆ **automobile** n. f. Véhicule muni d'un moteur et destiné au transport individuel ou familial (abrév. dans la langue parlée : AUTO; VOITURE est plus usuel). → ENCYCL. ◆ adj. : *Les transports automobiles* (= qui se font par automobiles, autocars, autobus). ◆ **automobiliste** n. Personne qui conduit une automobile. ◆ **automoteur** n. m. Pièce d'artillerie montée sur son affût chenillé, produisant son propre mouvement. ◆ **autopompe** n. f. Camion automobile équipé d'une pompe à incendie actionnée par le moteur. ◆ **autoradio** n. m. Poste de radio monté sur une automobile. ◆ **autorail** n. m. Train de voyageurs dont la traction est réalisée par un véhicule mû par un moteur à combustion interne. ◆ **autoroute** n. f. Route à deux chaussées séparées, aménagée pour recevoir une circulation automobile intense et rapide. → ENCYCL. ◆ **autostrade** n. f. Syn. vieilli de AUTOROUTE. ◆ **auto-stop** n. m. Procédé consistant, pour un piéton, à arrêter un automobiliste afin de solliciter un transport gratuit. ◆ **auto-stoppeur, euse** n. Personne qui pratique l'auto-stop.

— ENCYCL. ***automobile.*** L'automobile est constituée par un *châssis* reposant sur deux essieux, à l'extrémité desquels sont montées les roues, chaussées de *pneumatiques* et munies de *freins.* Ce châssis soutient tout le mécanisme composé du *moteur*, de la *transmission*, de la *direction* et de la *suspension.* Une carrosserie y est fixée pour protéger les occupants. Après des débuts très modestes l'automobile connaît, à partir de la seconde moitié du XXe s., une utilisation massive grâce aux progrès de l'automatisation, grâce aussi à la naissance et au développement du sport automobile. Depuis peu, les constructeurs s'efforcent d'une part d'accroître la sécurité des passagers, d'autre part de lutter contre la pollution de l'air par les gaz d'échappement.

→ illustrations en couleurs pp. 112-113.

- *1770. Première automobile à vapeur réalisée par le Français Joseph Cugnot.*
- *1860. Étienne Lenoir invente le moteur à explosion.*
- *1885. Gottlieb Daimler construit le premier moteur à essence.*
- *1888. John B. Dunlop invente le pneumatique à chambre à air.*
- *1891. René Panhard et Émile Levassor construisent la première voiture équipée d'un changement de vitesse.*
- *1893. Rudolf Diesel réalise le premier moteur fonctionnant à l'huile lourde.*
- *1919. André Citroën instaure le montage à la chaîne dans son usine de Javel.*
- *1937. La General Motors commercialise l' « hydramatic », premier changement de vitesse automatique.*
- *1945. Apparition du frein à disque.*
- *1969. Citroën réalise le moteur à injection à commande électronique.*

■ *Production mondiale.* La production mondiale totale d'automobiles (voitures de tourisme et véhicules utilitaires) était inférieure à 4 millions d'unités (75 p. 100 de voitures de tourisme) en 1938. Elle dépasse 40 millions (dont 30 de voitures de tourisme) aujourd'hui. Les États-Unis ont assuré au moins la moitié de la production mondiale jusque vers 1960; mais leur part est tombée aux environs du quart. Cette chute est liée à l'ascension spectaculaire du Japon, qui les a rejoints aujourd'hui, et à la progression des grands producteurs de l'Europe occidentale, les pays de l'Est axant plutôt leurs efforts sur la fourniture de véhicules utilitaires.

	VOITURES DE TOURISME	VÉHICULES UTILITAIRES
États-Unis	8 000 000	3 000 000
Japon	7 000 000	4 400 000
Allemagne	4 000 000	320 000
France	3 000 000	400 000
Italie	1 450 000	170 000
U. R. S. S.	1 300 000	800 000

■ *Le sport automobile.* Les performances et le confort actuel des automobiles sont dus, en partie, au sport automobile dont le but est de mettre à l'épreuve les véhicules. On distingue deux types principaux de compétitions : les courses de circuit et les rallyes.

Les *courses de circuit* se divisent en deux groupes suivant le genre de voiture utilisé : *a)* Les courses de *monoplaces (*formule 1, surtout). La grande compétition de formule 1 (épreuve de *vitesse pure*) est le *Championnat du monde des conducteurs* qui comporte un certain nombre de grands prix disputés dans divers pays. Le pilote qui a totalisé le plus grand nombre de points pour ces prix est sacré champion du monde. Une autre grande compétition très populaire est celle des *Cinq Cents Miles d'Indianapolis. b)* Les courses de voitures à *vocation sportive.* Ce sont des voitures de sport courantes et des *prototypes* (premier modèle d'une voiture destinée à la construction en série). La grande compétition en est le *Championnat international des marques* disputé sur une douzaine d'épreuves où les qualités d'*endurance* s'ajoutent aux exigences de la vitesse (*Vingt-Quatre Heures du Mans* en France et *Mille Kilomètres de Monza* en Italie).

Les *rallyes.* Ce sont des épreuves *routières* qui se déroulent parfois sur le territoire de plusieurs pays. Ces compétitions sont destinées à toutes les catégories de voitures, placées dans des conditions plus proches de la circulation quotidienne. Les plus célèbres sont le rallye de Monte-Carlo et Paris-Dakar.

Quelques grands pilotes : Juan Manuel Fangio, né en 1911, argentin; Jim Clark (1936-1968), britannique; Jackie Stewart, né en 1939, britannique; Niki Lauda, né en 1949, autrichien; Alain Prost, né en 1955, français; Ayrton Senna, né en 1960, brésilien.

autoroutes. Deux caractéristiques techniques différencient profondément les autoroutes des routes ordinaires.

Les croisements avec les autres voies se font toujours à des niveaux différents, par des ponts simples, pour les voies qui recoupent les autoroutes, ou par des « échangeurs », constructions aux tracés souvent très complexes, lorsqu'il s'agit de donner l'accès à l'autoroute. Ainsi, en principe, les automobilistes n'ont jamais à s'arrêter lorsqu'ils circulent sur les autoroutes où il n'y a pas de « feux rouges ». L'avantage de la *rapidité* est très grand et, lorsque le trafic n'est pas trop dense, des « moyennes » de plus de 100 km/h sont aisément atteintes.

Les voies sont complètement indépendantes car les deux sens de circulation sont séparés par des terre-pleins. Ainsi l'un des risques d'accident les plus graves disparaît, celui de la collision de véhicules venant en sens inverse l'un de l'autre. La *sécurité* est encore considérablement améliorée par l'installation, sur le terre-plein central, de « glissières » destinées à empêcher le passage accidentel d'un véhicule sur l'autre partie de l'autoroute.

■ *Les principaux réseaux d'autoroutes.* Ce sont les Italiens qui réalisèrent, dès 1924, les premières autoroutes et, aujourd'hui, leur pays est l'un des mieux pourvus dans ce domaine, avec un réseau de 6 800 km. Le régime hitlérien développa ensuite, à partir de 1933, le principal réseau européen de voies nouvelles, en partie pour des raisons militaires. L'Allemagne compte aujourd'hui près de 10 000 km d'autoroutes. Les États-Unis, malgré un retard initial, ont réalisé un immense réseau, s'étendant sur plus de

autant	tant
1. L'égalité entre deux quantités : *autant de,* suivi d'un nom au pluriel ou au singulier, ou *autant,* suivi d'un verbe d'état et éventuellement de *que* (et l'indic.), expriment une comparaison. *Il a commis autant d'erreurs que vous. J'ai fourni autant de preuves qu'il était possible. Ils sont autant que nous* (= aussi nombreux). *J'en prendrai deux fois autant* (= la même quantité).	1. L'importance d'une quantité telle qu'elle peut entraîner une conséquence : *tant de,* suivi d'un nom au pluriel ou au singulier et éventuellement de *que* (et l'indic.) [syn. TELLEMENT]. *C'est une affreuse petite maison de banlieue comme il y en a tant.*
2. L'égalité d'intensité entre deux actions verbales : *autant* dépendant d'un verbe, suivi éventuellement de *que* (et l'indic.), exprime une comparaison. *Il lit autant que moi. Il travaille toujours autant.*	2. L'intensité d'une action verbale : *tant* dépendant d'un verbe, suivi éventuellement de *que* (et l'indic.), exprime la conséquence (syn. TELLEMENT). *Comme il est gros, mais il mange tant! Il a tant travaillé qu'il est tombé malade.* *Rien ne l'empêche tant de venir que sa timidité* (on peut en ce cas employer *autant*).
3. L'égalité entre deux qualités : *autant* après un adjectif est littéraire et vieilli; il reste usuel lorsque l'adjectif est remplacé par *le (l'),* pronom personnel neutre, suivi de *que* (et l'indic.), exprimant une comparaison. *Il est modeste autant qu'habile* (auj. seul usuel : *Il est aussi modeste qu'habile*). *Généreux, il l'est autant que vous, assurément.*	3. L'intensité d'une qualité : on emploie *tant* devant un participe; *tant* est usuel devant un adjectif lorsque la conséquence est exprimée dans une proposition placée avant (dans les autres cas, on emploie toujours auj. *si* ou *tellement*). *Cette vertu tant vantée ne se manifeste guère* (syn. SI, TELLEMENT). *Il m'exaspère, tant il est bavard* (syn. TELLEMENT).
4. Dans une comparaison, indique que l'objet restant le même est examiné à des points de vue différents : *autant de* suivi d'un nom pluriel. *Les livres qu'il possède sont autant d'éditions originales.*	4. La quantité imprécise dans une répartition ou une distribution à l'intérieur d'un groupe. *Il prête de l'argent à tant pour cent. Le personnel, tant ouvriers qu'ingénieurs.* *Tous tant que nous sommes* indique un ensemble que l'on prend ou que l'on considère sans examen détaillé (= tous sans exception).
ADV. CORRÉLATIFS ET LOC. ADV.	LOC. ADV.
Autant... autant, insiste sur la relation d'égalité : *Autant la géographie l'intéresse, autant l'histoire l'ennuie.* **Autant vaut,** indique une restriction dans l'affirmation (= comme si la chose était ainsi [langue littér.]; syn. plus usuels OU PRESQUE, PEU S'EN FAUT, POUR AINSI DIRE) : *C'est un homme mort ou autant vaut.* **Autant** (et l'infin.), il est aussi avantageux de : *Autant faire cela que de rester inactif.* **Autant dire que,** c'est comme si : *Autant dire qu'il est perdu.* **C'est autant de, c'est toujours autant de,** indique une restriction sur la totalité (style de la conversation) : *C'est toujours autant de sauvé de la destruction* (syn. C'EST TOUJOURS CELA DE). **Pour autant,** sert d'opposition et de coordination causale avec la phrase précédente (= pour cela cependant) : *Il a beaucoup travaillé, il n'a pas réussi pour autant.*	**Tant bien que mal,** exprime l'approximation : *Il apprend ses leçons tant bien que mal.* **Tant soit peu,** indique la quantité minimale possible (= si peu que ce soit) : *Restez tant soit peu près de lui, cela lui fera plaisir;* et, substantiv. : *Un tant soit peu.* **Tant et si bien,** insiste sur l'intensité : *Il fit tant et si bien qu'on le renvoya* (= il agit de telle manière que). **Tant pis,** indique la résignation devant un événement contraire : *J'ai perdu, tant pis!* **Tant mieux,** indique la satisfaction devant un événement heureux : *Il a réussi, tant mieux!* **Tant qu'à faire** (style de la conversation), indique ce qui est préférable en de telles circonstances : *Tant qu'à faire, partons tout de suite* (syn. DANS L'ÉTAT ACTUEL DES CHOSES); avec un autre verbe à l'infinitif : *Tant qu'à vendre à perte, fermons la boutique.* **Tant s'en faut,** loin de là, bien au contraire.
LOC. CONJ.	LOC. CONJ.
D'autant que (et l'indic.), exprime une relation causale en insistant sur cette relation : *Je ne comprends pas votre façon d'agir, d'autant que rien ne vous obligeait à vous conduire ainsi.* **D'autant plus, moins, mieux que** (et l'indic.), exprime une relation causale, en insistant sur l'importance de la cause : *Il est d'autant plus responsable de ses actes qu'il a cherché à les dissimuler.*	**Tant que** (et l'indic.), exprime la coïncidence totale dans la durée (il est distinct de *tant que* indiquant la conséquence [⟶ 1, 2, 3] ou la comparaison [4]) : *Tant qu'il vivra, la propriété restera intacte* (syn. AUSSI LONGTEMPS QUE). *Il vaut mieux voyager tant qu'on est jeune* (syn. PENDANT QUE).
Pour autant que (et le subj.), exprime la proportion et la restriction (= dans la seule mesure où) : *Pour autant que je sache, le dossier a été transmis.* **Autant que** (et le subj.), exprime l'opposition proportionnelle (= dans la mesure où) : *Il ne pleuvra pas aujourd'hui, autant qu'on puisse le prévoir.*	**Tant s'en faut que** (et le subj.), exprime une opposition (= bien loin que) : *Tant s'en faut qu'il se soumette.* **En tant que** (et l'indic.), exprime l'équivalence (= selon que, en qualité de) : *Engager quelqu'un en tant qu'ingénieur.* **Si tant est que,** indique une supposition restrictive (= à supposer que) : *L'incident a dû se produire comme il le rapporte, si tant est qu'il dise la vérité.*

50 000 km. Quant à la France, le grand retard qu'elle avait pris est aujourd'hui comblé puisqu'elle dispose de 6 500 km, et que Paris est en liaison directe avec Lille, Strasbourg, Lyon, Marseille, Nice, Perpignan, Bordeaux, Toulouse, Clermont-Ferrand, Nantes et Rennes.

AUTOBIOGRAPHIE n. f. ⟶ BIOGRAPHIE.

AUTOBUS n. m., **AUTOCAR** n. m. ⟶ AUTO 2.

AUTOCHTONE [otokton] adj. et n. (de *auto-*, et gr. *khthôn*, terre). Originaire du pays qu'il habite ou descendant de populations qui habitent depuis longtemps ce pays (syn. ABORIGÈNE, INDIGÈNE).

AUTOCLAVE [otoklav] n. m. et adj. (de *auto-*, et lat. *clavis*, clef). Récipient métallique à parois épaisses et à fermeture hermétique, pour opérer la cuisson ou la stérilisation par la vapeur sous pression.

AUTOCOLLANT, E adj. et n. m. → COLLE 1.

AUTOCRATIE [otokrasi] n. f. (du gr. *autokratês*, qui gouverne par lui-même). Système politique où le chef de l'État dispose d'un pouvoir absolu dont il use à sa guise (syn. DESPOTISME). ◆ **autocratique** adj. : *Pouvoir autocratique.* ◆ **autocrate** n. m. Syn. de DESPOTE.

AUTOCRITIQUE n. f. ⟶ CRITIQUE 1.

AUTOCUISEUR [otokɥizœr] *(auto-*, et *cuiseur)* n. m. Appareil pour cuire les aliments sous pression.

AUTODAFÉ [otodafe] n. m. (portug. *auto da fe*, acte de foi). **1.** Action ayant pour objet de détruire par le feu des objets condamnés, des livres jugés nuisibles. — **2.** En Espagne et dans l'empire espagnol, proclamation solennelle d'un jugement prononcé par l'Inquisition sur un impie, un juif ou un hérétique.

AUTODÉFENSE n. f. ⟶ DÉFENDRE 1. / **AUTODESTRUCTION** n. f. ⟶ DÉTRUIRE. / **AUTODÉTERMINATION** n. f. ⟶ DÉTERMINER 2.

AUTODIDACTE [otodidakt] n. et adj. (de *auto-*, et gr. *didaskein*, enseigner). Personne qui s'est instruite elle-même, par les livres ou par l'expérience, sans avoir reçu un enseignement professoral.

AUTODROME n. m., **AUTO-ÉCOLE** n. f. ⟶ AUTO 2.

AUTOFÉCONDATION n. f. ⟶ FÉCOND 1. / **AUTOFINANCEMENT** n. m. ⟶ FINANCE.

AUTOGAMIE [otogami] n. f. (de *auto-*, et gr. *gamos*, mariage). Fécondation directe des ovules d'une fleur par le pollen de la même fleur (syn. AUTOFÉCONDATION).

AUTOGÈNE [otoʒɛn] adj. *(auto-*, et *gène). Soudure autogène*, soudure de deux pièces de métal par fusion, avec ou sans apport d'un métal ayant la même composition que celui des pièces à souder.

AUTOGESTION n. f. ⟶ GÉRER.

AUTOGRAPHE [otograf] adj. (de *auto-*, et gr. *graphein*, écrire). Écrit de la main même de l'auteur : *Une lettre autographe de V. Hugo.* ◆ n. m. Signature, accompagnée souvent d'une courte formule, que l'on sollicite d'une personne célèbre.

AUTOGREFFE n. f. → GREFFE 2 / **AUTOGUIDAGE** n. m., **AUTOGUIDE** adj. → GUIDE 1. / **AUTO-INDUCTION** n. f. → INDUIRE 1. / **AUTO-INTOXICATION** n. f. → TOXIQUE.

AUTOLYSE [otoliz] n. f. (de *auto-*, et gr. *lusis*, dissolution). Destruction des tissus par les enzymes qu'ils contiennent en eux-mêmes : *La viande faisandée a subi un début d'autolyse.*

AUTOMATE [otomat] n. m. (gr. *automatos*, qui se meut par lui-même). **1.** Machine qui, par certains dispositifs mécaniques ou électriques, est capable d'actions imitant celles des corps animés. — **2.** *(Agir) comme un automate*, (agir) comme une machine, d'une manière inconsciente. ‖ *Gestes d'automate*, gestes réguliers qui échappent à la volonté, à la réflexion, et dépendent de l'habitude. — ENCYCL. Connus dès l'Antiquité, les *automates* connurent leur grand essor au XVIIIe s. Vaucanson construisit un *Canard*, qui était capable de battre des ailes, de nager, de barboter, d'avaler du grain et de rejeter un produit semblable à de la fiente.

AUTOMATION n. f. ⟶ AUTOMATIQUE 1.

1. AUTOMATIQUE [otomatik] adj. (de *automate*). Se dit de quelque chose qui est mû par des moyens mécaniques, à l'exclusion d'une intervention humaine directe : *La fermeture automatique des portes.* ‖ *Arme automatique*, arme à feu dans laquelle la pression due au gaz de combustion de la poudre effectue, à la place du tireur, la plupart des opérations nécessaires au fontionnement (*ex.* mitrailleuse). ◆ **semi-automatique** adj. *Arme semi-automatique*, arme dont le fonctionnement ne requiert l'intervention du tireur que pour provoquer le départ du coup. ◆ **automation** n. f. Technique faisant appel à des machines automatiques, et qui permet à un secteur d'une entreprise ou à l'entreprise elle-même de fonctionner avec une main-d'œuvre très réduite. ◆ **automatiser** v. t. Rendre le fonctionnement automatique. ◆ **automatisation** n. f. Substitution d'une machine à un homme pour effectuer un travail déterminé.

2. AUTOMATIQUE [otomatik] adj. (même étym.). **1.** Se dit de mouvements humains qui se produisent sans l'intervention de la volonté de la personne : *Gestes automatiques* (syn. MACHINAL; contr. CONSCIENT, VOLONTAIRE). — **2.** Se dit de qui intervient d'une manière régulière, comme mû par un mécanisme : *L'avancement automatique des fonctionnaires à l'ancienneté.* ◆ **automatiquement** adv. D'une façon automatique, de façon inévitable. ◆ **automatisme** n. m. : *L'automatisme des gestes instinctifs. Obéir avec un automatisme aveugle.*

AUTOMITRAILLEUSE n. f. ⟶ AUTO 2.

AUTOMNE [otɔn] n. m. (lat. *automnus*). **1.** Saison de l'année qui suit l'été et précède l'hiver (23 septembre-22 décembre). — **2.** *Être à l'automne de sa vie*, être sur le déclin (littér.). ◆ **automnal, e, aux** [otɔnal, -o] adj. (littér.) : *Un soleil automnal.*

AUTOMOBILE n. f. et adj., **AUTOMOBILISTE** n., **AUTOMOTEUR** n. m. ⟶ AUTO 2.

AUTONOME [otonɔm] adj. (de *auto-*, et gr. *nomos*, loi). **1.** Se dit d'un territoire, d'une communauté qui s'administre librement, se gouverne par ses propres lois, à l'intérieur d'une organisation plus vaste dirigée par un pouvoir central ou selon des règlements particuliers : *Région autonome de la République italienne.* — **2.** Se dit des syndicats ouvriers qui ne sont pas affiliés à une centrale syndicale. ◆ **autonomie** n. f. Sens 1 de l'adj. : *Ces États ont d'abord eu leur autonomie avant d'acquérir leur indépendance* (contr. TUTELLE). *Autonomie financière* (contr. DÉPENDANCE). ◆ **autonomiste** adj. et n. Qui revendique l'autonomie d'une province.

AUTOPOMPE n. f. ⟶ AUTO 2.

AUTOPORTRAIT n. m. ⟶ PORTRAIT. / **AUTOPROPULSÉ, E** adj. ⟶ PROPULSER.

AUTOPSIE [otɔpsi] n. f. (gr. *autopsia*, action de voir de ses propres yeux). Dissection d'un cadavre en vue de connaître les causes de la mort. ◆ **autopsier** v. t. : *Autopsier un cadavre.*

AUTORADIO n. m., **AUTORAIL** n. m. → AUTO 2.

AUTORISER [otorize] v. t. (du lat. *auctor*, garant). **1.** *Autoriser qq'un à* (et l'infin.), lui donner la permission ou le droit de (faire) : *Autoriser un élève à sortir* (syn. HABILITER, PERMETTRE; contr. INTERDIRE). — **2.** *Autoriser qqch.*, le permettre, le rendre possible : *La réunion a été autorisée;* le rendre légitime : *Cette nouvelle autorise quelque espérance* (syn. JUSTIFIER). ◆ ***s'autoriser*** v. pr. (sujet nom de personne) *S'autoriser d'une chose pour* (et l'infin.), s'appuyer sur elle pour (faire) [syn. SE PRÉVALOIR DE, SE RECOMMANDER DE]. ◆ **autorisé, e** adj. Qui s'impose par ses mérites, sa valeur, sa situation sociale : *Des avis autorisés* (syn. QUALIFIÉ). ◆ **autorisation** n. f. : *Donner l'autorisation de sortir* (syn. PERMISSION). *Demander l'autorisation de construire* (syn. PERMIS).

AUTORITÉ [otorite] n. f. (lat. *auctoritas*). **1.** Droit ou pouvoir de commander, de se faire obéir : *Exercer une autorité absolue* (syn. COMMANDEMENT, POUVOIR). *Abuser de son autorité* (syn. PUISSANCE). — **2.** Influence qui s'impose aux autres en vertu d'un privilège, d'une situation sociale, d'un mérite, etc. (indiqués par le compl. du nom) : *Jouir d'une grande autorité* (syn. CRÉDIT, PRESTIGE, RÉPUTATION). — **3.** Personne ou ouvrage dont les jugements sont admis comme vrais. — **4.** (au plur.) Représentants du pouvoir politique, administratif, policier; hauts fonctionnaires : *Les autorités civiles, militaires et religieuses étaient présentes à la cérémonie* (syn. OFFICIELS). — **5.** *D'autorité, de sa propre autorité*, sans consulter personne, sans permission. ◆ **autoritaire** adj. **1.** Qui impose son commandement, son pouvoir d'une manière absolue : *Un régime autoritaire* (syn. DICTATORIAL, TOTALITAIRE). — **2.** Qui ne tolère pas l'opposition ni la contradiction : *Être autoritaire* (syn. ABSOLU). ◆ **autoritarisme** n. m. : *Son autoritarisme le faisait craindre de tous.*

AUTOROUTE n. f., **AUTO-STOP** n. m., **AUTO-STOPPEUR, EUSE** n., **AUTOSTRADE** n. f. → AUTO 2.

AUTOSATISFACTION n. f. ⟶ SATISFAIRE.

AUTOS SACRAMENTALES [otossakramɛntalɛs] n. m. pl. (mots esp. signif. *drames du saint sacrement*). Drames à sujet religieux, qui se sont développés en Espagne aux XVIe et XVIIe s., et qui sont comparables aux mystères français du Moyen Âge.

AUTOSUGGESTION n. f. ⟶ SUGGESTION 2.

AUTOTOMIE [ototomi] n. f. (de *auto-*, et gr. *tomê*, coupure). Amputation spontanée et réflexe d'une partie du corps (appendices des crustacés, queue des lézards) qu'opèrent certains animaux sur eux-mêmes pour échapper à un danger.

AUTOTROPHIE [ototrɔfi] n. f. (de *auto-*, et gr. *trophê*, nourriture). Mode de nutrition des êtres vivants capables de subsister, de croître et de se reproduire dans un milieu naturel, purement minéral. ◆ **autotrophe** adj. et n. Se dit des êtres vivants qui se nourrissent par autotrophie (contr. HÉTÉROTROPHE).
— ENCYCL. L'*autotrophie* est surtout le fait des plantes vertes, contenant de la chlorophylle, qui captent l'énergie lumineuse, la transforment en énergie chimique et l'emploient à la synthétisation de leurs substances organiques à partir de substances minérales (l'eau et les constituants minéraux du sol, le carbone du gaz carbonique atmosphérique). À la *photosynthèse* des autotrophes s'oppose la *chimiosynthèse* de certaines bactéries. Les autres êtres vivants, ou *hétérotrophes*, dépendent tous des autotrophes.

1. AUTOUR [otur] n. m. (lat. *accipiter*, épervier). Oiseau rapace diurne, attaquant le gibier et les oiseaux de basse-cour. (Long de 50 à 60 cm, il a un vol extrêmement rapide. Pour ses qualités de chasseur au vol, l'autour a longtemps été utilisé en fauconnerie.) [Famille des falconidés.]

2. AUTOUR adv., **AUTOUR DE** loc. prép. (de l'art. *au*, et *tour*). Indiquent un rapport d'environnement ou de proximité. → tableau ci-dessus.

VALEURS	**autour de** (avec un nom ou un pronom)	**autour**
1. Indique l'espace environnant.	*La circulation autour de Paris est difficile. La Terre tourne autour du Soleil. Il tourne autour de la question, mais n'ose pas l'aborder.*	*Servir du lapin avec des oignons autour.*
2. Indique le voisinage immédiat.	*Ceux qui vivent autour de moi. Ses enfants restent autour d'elle* (= auprès d'elle).	*On l'arrêta près de la maison du crime; il rôdait autour depuis plusieurs jours* (syn. AUX ALENTOURS).
3. Suivi d'un nom de nombre ou d'un mot désignant une quantité, indique l'approximation.	*Il gagne autour de dix mille francs par mois* (syn. ENVIRON, À PEU PRÈS). *Cela se passait autour des années 30* (syn. AUX ALENTOURS DE).	
4. Il peut être renforcé par l'adverbe *tout.*	*Les badauds faisaient cercle tout autour de lui.*	*L'aigle avait aperçu sa proie; il tournait tout autour dans le ciel.*

1. AUTRE [otr] adj. indéf. (lat. *alter*). **1.** Indique une différence, une distinction entre la chose ou la personne considérée, et des choses ou des gens appartenant à la même catégorie : *Prends ton autre manteau. Mon opinion est tout autre* (contr. IDENTIQUE, SEMBLABLE). *Il faut vous y prendre d'une autre manière* (syn. DIFFÉRENT). *Une autre fois, on ne nous y reprendra plus* (syn. NOUVEAU, SECOND); avec les pron. *personne* et *quelqu'un* : *Je n'ai rencontré personne d'autre. Quelqu'un d'autre a-t-il téléphoné?* — **2.** Indique l'exclusion : *Il n'y a pas d'autre moyen;* avec le mot *chose : Si vous venez, c'est autre chose, nous irons au théâtre* (= tout est changé). — **3.** *Autre part*, indique un lieu différent de celui où l'on situe l'action ou distant de celui où l'on se trouve : *Ne faites pas de bruit, allez autre part* (syn. AILLEURS). ‖ *D'autre part*, introduit la seconde partie d'une alternative (la première est *d'une part*), ou un point de vue différent du premier : *Le voyage sera fatigant, d'autre part nous arriverons très tôt le matin* (syn. EN OUTRE, DE PLUS). — **4.** (avec un nom précédé de l'art. déf.) Indique une opposition entre deux objets, deux groupes, deux personnes, deux idées, etc. : *Ce projet est valable, l'autre l'est aussi. Dans l'autre vie* (= après la mort). *L'autre jour, j'ai mené les enfants au jardin des Plantes* (= un de ces derniers jours, par oppos. à AUJOURD'HUI). — **5.** *L'un et l'autre* (et un nom), les deux : *Ils seront punis pour l'un et l'autre méfait.* — **6.** (avec les pron. *nous* et *vous*) Indique que le groupe ainsi formé est considéré à l'exclusion de tous ceux qui n'en font pas partie : *Venez donc avec moi, vous autres!* ◆ **autrement** adv. **1.** Indique que l'action est faite d'une façon différente : *Il se représente la situation autrement qu'elle n'est. Voici ce qui doit être fait; n'agissez pas autrement* (syn. DIFFÉREMMENT, D'UNE AUTRE MANIÈRE). — **2.** Sert à exprimer l'hypothèse contraire : *Obéis, autrement tu seras puni* (syn. DANS LE CAS CONTRAIRE, SANS QUOI, SINON). — **3.** Sert de renforcement à un comparatif (devant l'adv. *plus*) ou exprime lui-même un comparatif de supériorité (fam.) : *Il a autrement plus de talent que moi* (syn. BEAUCOUP, BIEN); comme syn. de BEAUCOUP (souvent avec une négation au sens de TRÈS PEU) : *Cela ne m'a pas autrement étonné* (= cela ne m'a pas beaucoup étonné) [syn. TELLEMENT].

2. AUTRE [otr] pron. indéf. (même étym.). **1.** Renvoie à un nom ou à un pronom énoncé dans la phrase précédente : *Tu as mangé une pomme, en veux-tu une autre?;* au plur., sans art. *(d'autres) : Ne rejette pas sur d'autres ce que tu as fait* (= d'autres personnes). *J'en ai vu bien d'autres* (= j'ai déjà eu des expériences plus pénibles). ‖ *Et autres*, s'emploie à la fin d'une énumération (syn. ET CAETERA). ‖ *Entre autres* → ENTRE. ‖ *De temps à autre*, parfois, à intervalles réguliers. ‖ *De part et d'autre*, des deux côtés, chez les uns comme chez les autres. — **2.** (avec un art. déf. et en oppos. avec *l'un* [ou *un*]) Indique la seconde personne ou le second groupe : *Ce qui satisfait l'un ne satisfait pas l'autre. C'est l'un ou l'autre* (= décide-toi, il n'y a que deux solutions). *C'est tout l'un ou tout l'autre* (= il va d'un excès à l'excès opposé, il n'a pas de milieu). *Un jour ou l'autre* (= à une époque indéterminée dans l'avenir). ‖ *Les autres*, indique l'ensemble ou le groupe de personnes que l'on oppose à soi-même ou à un individu : *Il se méfie des autres* (syn. AUTRUI, LES GENS). ‖ *L'un dans l'autre*, une chose compensant l'autre, en moyenne. — **3.** *L'un l'autre, les uns les autres*, express. qui renforcent l'idée de réciprocité, en particulier dans les verbes pronominaux dits *réciproques : Ils se sont battus les uns les autres* (syn. MUTUELLEMENT).

AUTREFOIS [otrəfwa] adv. *(autre*, et *fois)*. Indique un passé lointain, en général considéré comme révolu (avec un temps passé) : *Cela s'est passé autrefois* (syn. JADIS; contr. AUJOURD'HUI). *Les gens d'autrefois* (= ceux des époques passées).

AUTREMENT adv. → AUTRE 1.

AUTRICHE, en all. **Österreich,** république de l'Europe centrale.

GÉOGRAPHIE

L'Autriche est un État essentiellement montagneux. Les Alpes couvrent les trois quarts du pays, formant trois ensembles s'allongeant d'E. en O. : les *Préalpes du Sud*, bordées au N. par la vallée de la Drave qui forme le bassin de Klagenfurt; les *massifs centraux*, cristallins, qui portent les plus hauts sommets; les vallées de l'Inn et de l'Enns séparent ces derniers des *Préalpes du Nord.* Ces montagnes élevées ne posent guère de problèmes à la circulation, grâce aux cols et aux vallées élargies par les glaciers.

Au N., la région du Danube, formée par une série de plaines, et à l'E., le Burgenland, début de la plaine hongroise, constituent les seules parties basses du pays.

Le *climat* continental, qui règne sur l'ensemble du pays, subit des variations locales en fonction de l'altitude et de l'exposition.

La *population* est relativement dense, mais le quart des Autrichiens habite Vienne. Cette disproportion est due à l'effondrement de l'Empire austro-hongrois dont elle était la capitale. Les autres villes n'arrivent pas à rétablir l'équilibre entre Vienne et le reste du pays.

Compte tenu de l'étendue des montagnes, l'*agriculture* couvre des surfaces importantes. Mais elle reste traditionnelle : c'est une petite polyculture trop souvent peu modernisée, à laquelle est associé l'élevage bovin. Les produits agricoles ne suffisent pas aux besoins du pays.

bovins	2 500 000	têtes
porcins	3 900 000	têtes
blé	1 500 000	t
seigle	400 000	t
pomme de terre	1 100 000	t
betterave à sucre	2 500 000	t

L'Autriche possède diverses ressources minérales : lignite, pétrole, fer. La sidérurgie, localisée surtout à Linz et Graz, alimente des industries mécaniques variées. Le potentiel hydro-électrique n'est pas totalement exploité, mais l'électrochimie et la métallurgie de l'aluminium se développent. Le textile, activité ancienne, fournit encore de nombreux emplois. Mais ces industries

SUPERFICIE 84 000 km² (France : 550 000 km²).

POPULATION 7 600 000 hab. *(Autrichiens);* 90 hab. au km² (France : 103); taux de natalité, 11,3 p. 1 000; taux de mortalité, 12,2 p. 1 000.

CAPITALE Vienne (1 614 800 hab.).

VILLES PRINCIPALES Graz (248 500 hab.) ; Linz (202 900 hab.) ; Salzbourg (139 400 hab.) ; Innsbruck (115 200 hab.).

LANGUE allemand.

ÉCONOMIE population active : secteur primaire 9 p. 100, secondaire 38 p. 100, tertiaire 53 p. 100 ; produit national brut par hab., 8 892 dollars (France : 9 484) ; consommation d'énergie par hab., 4 000 kg d'équivalent charbon ; 1 automobile pour 3,5 hab.

MONNAIE schilling.

sont surtout localisées au N. et à l'E., le reste du pays apparaissant comme déshérité.

lignite	3 millions de t	acier	5 millions de t
pétrole	1 200 000 t	coton (filés)	17 000 t
fer	1 million de t	laine (filés)	10 000 t
électricité	42 milliards de kWh	aluminium	100 000 t

Le *tourisme,* que favorisent les beaux paysages alpestres, est en progression et comble le déficit commercial.

HISTOIRE

Très anciennement peuplés, les territoires qui ont constitué l'Autriche ont été occupés par Rome avant l'ère chrétienne, puis envahis par les Barbares.

- *803. Charlemagne forme la marche de l'Est.*

Le nom d'*Österreich* (= Autriche) n'apparaît qu'en 996.

- *1156. La marche est constituée en duché héréditaire.*

Au XIIIᵉ s., le duché devient possession de Rodolphe Iᵉʳ de Habsbourg, empereur depuis 1273. Le sort de l'Autriche est désormais confondu avec celui de la maison des Habsbourg, qui va développer ses territoires à partir de ce noyau initial.

- *1493-1519. Maximilien Iᵉʳ fonde la puissance de la maison d'Autriche.*

Héritier de tous les territoires des Habsbourg et de la couronne impériale germanique (restée dans la famille depuis 1438), Maximilien Iᵉʳ y ajoute la Franche-Comté et les Pays-Bas, jette les bases du futur empire de Charles Quint, et prépare l'héritage des royaumes de Hongrie et de Bohême (1526), par une habile politique matrimoniale.

- *1699. Le traité de Karlowitz marque l'aboutissement de la lutte contre les Turcs qui cèdent à l'Autriche la Hongrie et la Transylvanie.*

Le XVIIIᵉ s. voit l'apogée de la maison d'Autriche.

- *1714. Au traité de Rastatt, la maison d'Autriche obtient les Pays-Bas, le Milanais, Naples et la Sardaigne, après trois guerres contre Louis XIV.*

De 1740 à 1790, Marie-Thérèse, puis son fils Joseph II réorganisent le pays et pratiquent une politique de centralisation et de germanisation, en appliquant les principes du despotisme éclairé.

- *1772. Le premier partage de la Pologne attribue à l'Autriche la Galicie.*

De la déclaration de Pillnitz (1791) au congrès de Vienne (1815), l'Autriche lutte contre la France révolutionnaire et impériale. Elle recouvre finalement les territoires perdus au cours de ses défaites successives et obtient une situation prépondérante en Italie et dans la Confédération germanique. Puis, jusqu'en 1848, l'Autriche est dirigée en fait par le chancelier Metternich : elle est l'arbitre de l'Europe et la gardienne de la réaction antilibérale (Sainte-Alliance).

- *1866. La défaite de Sadowa devant les Prussiens va entraîner l'effacement des Habsbourg en Allemagne.*
- *1867-1918. L'Autriche se réunit à la Hongrie pour former une double monarchie, avec un seul souverain, François-Joseph (qui meurt en 1916).*

En 1918, l'empire des Habsbourg disparaît.

- *12 nov. 1918. La République autrichienne est proclamée et forme un État fédéral.*
- *1938. L'Autriche est absorbée par l'Allemagne de Hitler* (= Anschluss) *et fait partie du Reich jusqu'en 1945.*
- *1955. Après dix ans d'occupation par les puissances alliées, l'Autriche devient un État neutre.*

Elle est dirigée par deux grands partis, le parti populiste (ou chrétien-démocrate) et le parti socialiste, qui fournissent les chanceliers (dont Bruno Kreisky, de 1970 à 1983) et les présidents de la République.

AUTRICHE-HONGRIE, nom donné, de 1867 à 1918, à la monarchie double comprenant : l'empire d'Autriche, ou Cisleithanie (capit. *Vienne*), et le royaume de Hongrie, ou Transleithanie (capit. *Budapest*), mais gardant une dynastie commune, celle des Habsbourg. (→ AUTRICHE et HONGRIE.)

AUTRICHIEN, ENNE [otriʃjɛ̃, -ɛn] adj. et n. D'Autriche.

AUTRUCHE [otryʃ] n. f. (du lat. *avis,* oiseau, et *struthio,* autruche). **1.** Grand oiseau coureur des steppes et savanes d'Afrique. (Classe des ratites.) → ENCYCL. — **2.** *Avoir un estomac d'autruche,* digérer n'importe quoi sans difficulté. ‖ *Pratiquer la politique de l'autruche,* manière de se conduire consistant à croire un danger inexistant parce qu'on feint de l'ignorer.
— ENCYCL. Haute de 2,60 m et pesant environ 100 kg, l'*autruche* doit sa course rapide (40 km/h) à ses pattes au métatarse très allongé, terminées par seulement deux doigts munis de sortes de sabots. Les ailes, au contraire, sont réduites et impropres au vol. La tête, portée par un long cou, est petite et aplatie. Le plumage, volumineux et léger, était très recherché pour la mode jusqu'en

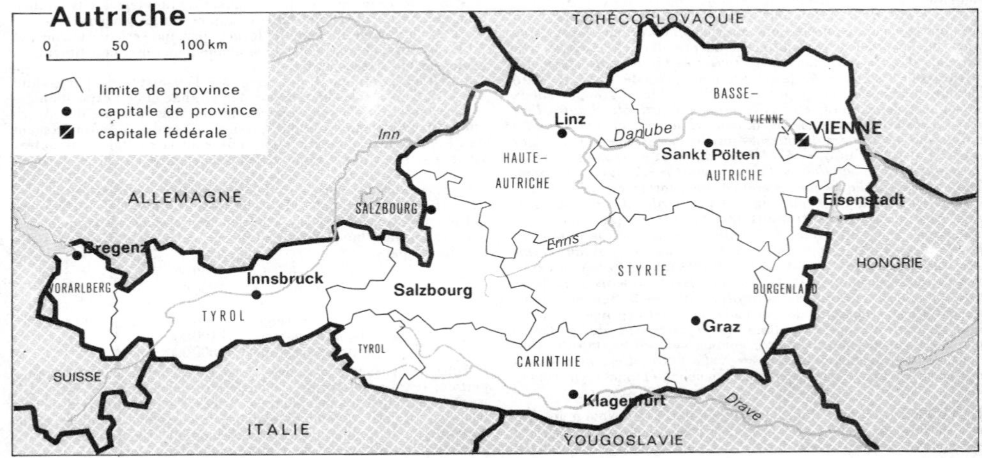

1914. La nourriture de l'autruche est surtout végétale. L'autruche vit jusqu'à cinquante ans.

AUTRUI [otrɥi] pron. indéf. (de *autre*). Ensemble des personnes autres que soi-même (littér., langue religieuse ou moralisante; limité à la fonction de compl.) : *Soyez aussi exigeant pour vous que vous l'êtes pour autrui* (syn. usuel LES AUTRES).

AUTUN, ch.-l. d'arrond. de Saône-et-Loire, sur l'Arroux, à 28 km au N.-O. du Creusot; 22200 hab. *(Autunois).* Capit. des Éduens. Autun fut une cité très importante sous la domination romaine. C'est l'une des villes de France les plus riches en monuments gallo-romains. La cathédrale Saint-Lazare (XIIe s.) est un des chefs-d'œuvre de l'art roman bourguignon.

AUTUNOIS, petite région du nord-est du Massif central, au S.-E. d'Autun. Anc. exploitations houillères sur ses bordures.

AUVENT [ovɑ̃] n. m. (orig. gaul.). Petit toit en saillie au-dessus d'une porte, d'une fenêtre, pour les garantir de la pluie.

AUVERGNAT, E [ovɛrɲa, -at] adj. et n. De l'Auvergne.

AUVERGNE, Région du centre de la France; 26013 km^2; 1332700 hab. *(Auvergnats).* Ch.-l. *Clermont-Ferrand.*

GÉOGRAPHIE. Couvrant les quatre départements de l'*Allier*, du *Cantal*, de la *Haute-Loire* et du *Puy-de-Dôme*, l'Auvergne s'étend sur la partie volcanique, la plus élevée du Massif central, ce qui explique la faiblesse de la densité moyenne de la population (51 hab. au km^2), inférieure de près de moitié à la moyenne nationale.

L'*agriculture* emploie encore plus du quart de la population active (celle-ci représentant 40 p. 100 de la population totale). À l'élevage sur les hauteurs, dans la partie méridionale, s'opposent les cultures de la vallée de l'Allier (Limagnes) et d'une partie du Bourbonnais. Les grandes agglomérations sont Clermont-Ferrand (253000 hab.), la capitale régionale, Montluçon (72000 hab.), cité industrielle, et Vichy (59000 hab.), grande station thermale.

L'*industrie* ne fournit des emplois que dans une proportion bien inférieure à la moyenne nationale. La fabrication des pneumatiques domine à Clermont-Ferrand (berceau de Michelin) et à Montluçon. Loin derrière viennent la métallurgie et l'industrie du bois. Les ressources du sous-sol sont aujourd'hui inexistantes. Une partie de l'électricité produite (surtout d'origine hydraulique) est exportée vers d'autres régions. La persistance d'une certaine émigration explique la stagnation de la population dans les dernières années.

HISTOIRE. Rattachée à la province romaine d'Aquitaine en 52 av. J.-C., après la défaite de Vercingétorix, roi des Arvernes, à Alésia, l'Auvergne forma sous les Francs un comté du royaume d'*Aquitaine* (778).

- *1527. Le duché d'Auvergne est réuni au domaine royal.*
- *1629. Richelieu fait raser les forteresses d'Auvergne.*
- *1665-1666. Louis XIV institue des tribunaux exceptionnels, les « Grands Jours d'Auvergne », contre l'opposition des féodaux.*
- *1693. Le Dauphiné d'Auvergne est légué à la Couronne par la Grande Mademoiselle, duchesse de Montpensier.*

AUVERS-SUR-OISE, comm. du Val-d'Oise, à 6 km au N.-E. de Pontoise; 5800 hab. Ce village est célèbre par le séjour qu'y firent des peintres illustres, et notamment Van Gogh.

AUXERRE, ch.-l. du dép. de l'Yonne, sur l'Yonne; 41200 hab. Belle cathédrale édifiée du XIIIe au XVIe s. Église abbatiale conservant des peintures murales de l'époque carolingienne.

AUXERROIS, anc. pays de France, région de plateaux calcaires au S. de la Champagne.

AUXILIAIRE [oksiljɛr] adj. et n. (du lat. *auxilium*, secours). **1.** Qui aide, prête son concours momentanément; chose dont l'action s'ajoute à celle d'une autre : *Il est pour moi un auxiliaire précieux* (syn. AIDE, SECOND). ‖ *Auxiliaire médical*, toute personne qui, sans être docteur en médecine, participe au traitement des malades, comme les infirmières, les masseurs-kinésithérapeutes, etc. ‖ *Maître auxiliaire*, professeur non titulaire, chargé par le recteur et à titre essentiellement provisoire, d'assurer l'intérim d'un emploi vacant de professeur titulaire ou d'assurer une suppléance. — **2.** En grammaire, se dit des verbes qui, perdant leur signification propre, servent à former les temps composés des verbes actifs et pronominaux, et les temps simples et composés des verbes passifs. ⟶ ENCYCL.

— ENCYCL. En dehors des auxiliaires proprement dits *(avoir* et *être)*, qui servent, avec les participes passés, à former les temps composés des verbes, le français connaît des auxiliaires de temps et de mode appelés aussi *semi-auxiliaires.*

Les *auxiliaires de temps (aller, faire, laisser, venir)* construits avec un infinitif servent à indiquer diverses nuances de temps (le futur rapproché : l'orage *va* éclater; le passé rapproché : il *vient* de sortir).

Les *auxiliaires de mode (devoir, pouvoir)* servent à exprimer la manière selon laquelle se produit l'action marquée par le verbe (la probabilité, la vraisemblance : il *doit* maintenant être arrivé; l'approximation : il *peut* être trois heures).

AUXINE [oksin] n. f. (du lat. *augere*, croître). Substance élaborée par certains tissus des plantes et qui, en diffusant vers d'autres parties, en assure la croissance.

AUXOIS, région du sud-est du Bassin parisien, entre les hautes vallées du Serein et de l'Armançon.

AUXONNE, ch.-l. de cant. de la Côte-d'Or, sur la Saône (r. g.), à 16 km au N.-O. de Dole; 7700 hab. *(Auxonnois).* Métallurgie.

AVACHIR [avaʃir] v. t. (frq. *waikjan*). **1.** *Avachir une chose*, la rendre molle et flasque (syn. DÉFORMER); surtout au part. passé : *Porter des chaussures avachies.* — **2.** *Avachir qq'un*, lui faire perdre son énergie, sa volonté : *Cette inaction l'a avachi* (syn. ↓AMOLLIR). ◆ ***s'avachir*** v. pr. **1.** (sujet nom de chose) Devenir mou : *Ce costume commence à s'avachir* (syn. SE DÉFORMER). *Son corps s'avachit* (= est déformé par l'embonpoint). — **2.** (sujet nom de personne) Se laisser aller, perdre tout maintien : *S'avachir dans un fauteuil* (= s'y laisser tomber par mollesse) [syn. S'AFFALER]. ◆ **avachissement** n. m. (syn. AFFAIBLISSEMENT, RELÂCHEMENT).

1. AVAL [aval] n. m. *(à* et *val).* Partie d'un cours d'eau comprise entre un point déterminé et l'embouchure ou le confluent (contr. AMONT); surtout dans la loc. adv. *en aval* et la loc. prép. *en aval de*, plus près de l'embouchure ou du confluent par rapport à un point donné : *Rouen est en aval de Paris, sur la Seine.*

2. AVAL [aval] n. m. (ar. *al-walā*, mandat). *Donner son aval*, donner sa garantie, son approbation anticipée à quelque projet. (L'*aval* est un terme de banque désignant la garantie donnée par un tiers au porteur d'une lettre de change.) ‖ Pl. des *avals.* ◆ **avaliser** v. t. *Avaliser qqch.*, l'appuyer, l'approuver en accordant sa caution (syn. CAUTIONNER, GARANTIR).

AVALANCHE [avalɑ̃ʃ] n. f. (du lat. *labina*, glissement de terrain). **1.** Masse de neige qui se détache et dévale sur le versant d'une montagne. ‖ *Couloir d'avalanche*, passage emprunté par une avalanche. ⟶ ENCYCL. — **2.** *Une avalanche de coups, d'injures, de mots*, etc., une grande quantité de choses qui accablent quelqu'un (syn. MASSE, PLUIE).

— ENCYCL. Les conditions météorologiques, un brusque adoucissement de la température commandent parfois des *avalanches* catastrophiques : en 1970, celle qui se produisit sur le plateau d'Assy, en Haute-Savoie, fit 74 morts. Aussi lutte-t-on énergiquement contre ce phénomène. Les méthodes les plus utilisées consistent à barrer les pentes par des clayonnages, des filets métalliques, des systèmes de piquets, des ailettes en Duralumin, qui stabilisent la neige, et, surtout, à entretenir la forêt là où c'est possible.

AVALER [avale] v. t. (de *aval* 1). **1.** *Avaler une chose* (mot concret), la faire descendre dans le gosier, manger rapidement (peut s'employer sans compl.) : *Avaler d'un trait un verre d'eau* (syn. BOIRE). *Avaler sans mâcher* (syn. ABSORBER). ‖ Fam. *Avaler sa langue*, garder le silence. ‖ *Avaler la pilule, le morceau*, supporter sans protester une chose désagréable. — **2.** *Avaler un livre, un spectacle*, le lire, le regarder avec avidité ou rapidement. — **3.** Fam. *Avaler qqch.* (mot abstrait), le croire avec naïveté, sans réflexion. ◆ **ravaler** v. t. **1.** *Ravaler sa salive*, avaler. — **2.** Garder en soi-même, faire en sorte de ne pas montrer extérieurement : *Ravaler sa colère, son envie de rire.*

AVALISER v. t. ⟶ AVAL 2.

AVALLON, ch.-l. d'arrond. de l'Yonne, à 38 km à l'E. de Clamecy, au-dessus du Cousin; 9300 hab.

AVALONNAIS, région de la basse Bourgogne, autour d'Avallon.

À-VALOIR [avalwar] n. m. inv. *(à*, et *valoir).* Paiement partiel anticipé, fourni en déduction d'une plus forte somme qui est due : *Ce chèque constitue un à-valoir de 2000 F sur le compte dont nous vous sommes débiteurs.*

AVALOIRS *(mont* ou *signal des)*, point culminant (avec la forêt d'Écouves) du Massif armoricain, à l'O. d'Alençon; 417 m.

1. AVANCER [avɑ̃se] v. t. (du lat. *abante*, avant). [Conj. **1.**] Porter, pousser en avant : *Avancer la main vers un objet* (syn. ALLONGER). *Avancer le cou pour mieux voir* (syn. TENDRE); faire venir au-devant de quelqu'un : *La voiture est avancée.* ◆ v. i. ou ***s'avancer*** v. pr. **1.** Aller ou se porter en avant : *Avancer lentement* (syn. MARCHER). *Il s'avance rapidement* (syn. APPROCHER, VENIR). — **2.** Sortir de l'alignement, faire saillie : *Le balcon avance*, ou *s'avance sur la rue* (contr. ÊTRE EN RETRAIT). ◆ **avance** [avɑ̃s] n. f. Action de marcher en avant (sens 1 de S'AVANCER) : *L'avance de l'armée se poursuit* (syn. PROGRESSION; contr. RECUL, RETRAITE). ◆ **avancée** n. f. Partie qui fait saillie (sens 2 du v. i.) : *L'avancée du rocher au-dessus de la mer* (syn. SURPLOMB).

2. AVANCER [avɑ̃se] v. t. (même étym.). [Conj. **1.**] **1.** *Avancer* *une chose*, l'effectuer, la fixer avant le moment prévu : *Avancer son départ* (syn. HÂTER; contr. DIFFÉRER, REMETTRE, REPORTER, RETARDER). — **2.** *Avancer qqch., qq'un*, le faire progresser, le rapprocher du but : *Avancer son travail*. — **3.** *Avancer de l'argent*, verser par avance ce qui est dû ou fournir une somme à rembourser ensuite, à valoir (syn. PRÊTER). — **4.** *Avancer une montre, une pendule*, la mettre en avance sur l'heure réelle (contr. RETARDER). ◆ v. i. ou **s'avancer** v. pr. **1.** Progresser, approcher de son terme : *La nuit avance* ou *s'avance* (= l'aube est proche, ou on entre au plus profond de la nuit). — **2.** *Montre, pendule qui avance*, qui indique une heure en avance sur l'heure réelle (contr. RETARDER). ◆ **avancé, e** adj. **1.** Se dit de ce qui est loin de son début : *À une heure avancée de la nuit* (= fort avant dans la nuit). *Être d'un âge avancé* (= être vieux). — **2.** Se dit de celui (ou de ses idées) qui devance son époque, qui est en avance sur ses contemporains : *Professer des opinions avancées* (syn. NON CONFORMISTE; contr. RETARDATAIRE). — **3.** Qui est à un niveau supérieur relativement à un point déterminé : *Il est avancé pour son âge* (syn. PRÉCOCE). — **4.** Se dit de fruits, de légumes, de denrées, etc., qui commencent à s'abîmer : *La viande est avancée* (contr. FRAIS). ◆ **avance** [avɑ̃s] n. f. **1.** Espace parcouru avant quelqu'un, ou temps qui anticipe sur le moment prévu (souvent dans des loc.) : *Les coureurs ont de l'avance sur le peloton. Le train a cinq minutes d'avance* (contr. RETARD). *Prévenir à l'avance* (= avant le moment prévu). — **2.** Paiement anticipé d'une partie du salaire, du prix; prêt fourni à charge de remboursement ultérieur : *Obtenir une avance* (syn. ACOMPTE). *Verser une avance* (syn. PROVISION). ◆ **avancement** n. m. **1.** Action de progresser (sens 2 du v. t.) : *L'avancement des travaux* (syn. PROGRESSION). — **2.** Action de monter en grade, de progresser dans une carrière : *Avancement à l'ancienneté* (syn. PROMOTION).

3. AVANCER [avɑ̃se] v. t. (même étym.). [Conj. **1.**] (Sujet nom de personne.) *Avancer qqch.*, le mettre en avant, le donner pour vrai : *Avancer une hypothèse* (syn. PROPOSER, SUGGÉRER). *Prouvez ce que vous avancez* (syn. AFFIRMER, ALLÉGUER, DIRE). ◆ ***s'avancer*** v. pr. *Il s'est trop avancé*, il est sorti des limites permises; il a pris une position risquée. ◆ **avances** n. f. pl. Demandes faites en vue de nouer ou de renouer des relations : *Faire des avances* (syn. APPROCHES).

AVANIE [avani] n. f. (it. *avania*). Affront public qui humilie ou déshonore (dans quelques express.) : *Subir des avanies* (syn. HUMILIATION, OUTRAGE). *Infliger une avanie à qq'un* (= l'outrager).

1. AVANT prép. et adv. ⟶ APRÈS.

2. AVANT [avɑ̃] n. m. (bas lat. *abante*). **1.** Partie antérieure d'un objet : *L'avant d'une voiture* (contr. ARRIÈRE). *L'avant d'un navire* (= la proue). ‖ *Aller de l'avant*, agir hardiment, sans se préoccuper des obstacles. — **2.** Au rugby, jeu à XIII, joueur dont la mission principale est de gagner le ballon dans les mêlées et dans les touches et de préparer l'action des lignes arrière. ‖ Au football, basket-ball, handball, joueur placé en position avancée sur le terrain et chargé de conduire l'attaque : *La ligne d'avants. Un avant-centre.*

---

3. AVANT-, élément qui entre dans la formation de nombreux mots composés, pour indiquer l'antériorité.

---

1. AVANTAGE [avɑ̃taʒ] n. m. (de *avant*). Ce qui donne une supériorité à une personne sur d'autres : *Faire valoir ses avantages* (syn. ATOUT, TALENT). *Se montrer à son avantage* (= se faire valoir). *Prendre l'avantage sur* (syn. LE DESSUS). ◆ **avantager** v. t. : *Cette robe l'avantage beaucoup* (= la fait paraître plus belle). ◆ **avantageux, euse** adj. et n. Se dit de quelqu'un (ou de son comportement) qui est fier d'avantages, souvent supposés : *Il fait l'avantageux devant l'assistance* (syn. FAT, SUFFISANT). ◆ **avantageusement** adv. : *Être avantageusement connu* (= avoir bonne réputation). ◆ **désavantage** n. m. Ce qui donne l'infériorité, cause un désagrément : *La situation présente des désavantages* (syn. INCONVÉNIENT). *La dispute tourna à son désavantage* (syn. DÉTRIMENT; contr. FAVEUR). ◆ **désavantager** v. t. : *Ce cheval est désavantagé en terrain lourd* (syn. HANDICAPER). ◆ **désavantageux, euse** adj. : *Se montrer sous un jour désavantageux* (syn. DÉFAVORABLE).

2. AVANTAGE [avɑ̃taʒ] n. m. (même étym.). Ce qui apporte un profit matériel ou moral, donne du plaisir : *Avantage pécuniaire* (syn. GAIN). *J'ai eu l'avantage de faire votre connaissance* (formule de politesse : j'ai eu le plaisir). *Les avantages du métier* (syn. AGRÉMENT). *Tirer avantage des circonstances* (syn. BÉNÉFICE). ◆ **avantager** v. t. *Avantager qq'un*, lui donner un avantage (syn. FAVORISER). ◆ **avantageux, euse** adj. Se dit de quelque chose qui offre un avantage, qui procure un gain, donne un profit : *Une occasion avantageuse* (syn. INTÉRESSANT). *Des articles à un prix avantageux* (= bon marché). ◆ **avantageusement** adv. : *Il a avantageusement tiré parti de la situation* (= au mieux, à son profit). ◆ **désavantage** n. m. : *Le partage a été fait à son désavantage*. ◆ **désavantager** v. t. ◆ **désavantageux, euse** adj. : *Conclure un marché très désavantageux* (syn. DÉFAVORABLE).

AVANT-BEC [avɑ̃bɛk] n. m. (*avant*, et *bec*). Éperon en maçonnerie disposé à l'avant d'une pile de pont pour diviser l'eau. ‖ Pl. des *avant-becs*.

AVANT-BRAS n. m. ⟶ BRAS. / **AVANT-CENTRE** n. m. ⟶ CENTRE 4.

AVANT-CORPS [avɑ̃kɔr] n. m. inv. (*avant*, et *corps*). Partie d'un bâtiment qui s'avance par rapport à la plus grande partie de la façade.

AVANT-COUREUR adj. m. ⟶ COURIR. / **AVANT-DERNIER, ÈRE** adj. et n. ⟶ DERNIER. / **AVANT-GARDE** n. f. ⟶ GARDE 2. / **AVANT-GOÛT** n. m. ⟶ GOÛT. / **AVANT-GUERRE** n. m. ou f. ⟶ GUERRE. / **AVANT-HIER** loc. adv. ⟶ HIER. / **AVANT-PORT** n. m. ⟶ PORT 1. / **AVANT-POSTE** n. m. ⟶ POSTE 2. / **AVANT-PREMIÈRE** n. f. ⟶ PREMIER 1. / **AVANT-PROJET** n. m. ⟶ PROJETER 1. / **AVANT-PROPOS** n. m. inv. ⟶ PROPOSER 2. / **AVANT-SCÈNE** n. f. ⟶ SCÈNE.

AVANT-TRAIN [avɑ̃trɛ̃] n. m. (de *avant*, et *train*). Partie avant d'une voiture, qui comprend la suspension, le mécanisme de direction et, parfois, les organes moteurs et tracteurs. ‖ Pl. des *avant-trains*.

AVANT-VEILLE n. f. ⟶ VEILLE 1.

AVARE [avar] adj. et n. (lat. *avarus*). **1.** Se dit de quelqu'un qui aime à accumuler l'argent sans en faire usage (syn. CUPIDE, LADRE). — **2.** *Être avare d'une chose*, la distribuer chichement, ne pas la donner avec générosité, largesse; ne pas la prodiguer : *Être avare de paroles* (= n'être pas bavard) [contr. PRODIGUE]. ◆ **avarice** n. f. Attachement excessif aux richesses et désir de les accumuler (syn. LADRERIE; contr. LARGESSE). ◆ **avaricieux, euse** adj. et n. Dont l'avarice s'exerce dans les petites choses (syn. CHICHE, MESQUIN).

Avare *(l')*, comédie en 5 actes et en prose, de Molière (1668). Elle ridiculise l'avarice du vieil Harpagon.

AVARIE [avari] n. f. (it. *avaria*). Dommage éprouvé par un navire, un véhicule ou par son chargement : *La cargaison a subi des avaries* (syn. DÉGÂT). ◆ **avarier** v. t. *Avarier une chose*, lui causer un dommage (surtout au passif) : *Le bâtiment a été avarié* (syn. ENDOMMAGER). *Des fruits avariés* (syn. GÂTER, POURRIR).

AVARS ou **AVARES,** peuple originaire de l'Asie centrale qui envahit l'Europe. Charlemagne les arrêta (796) et les intégra à son Empire.

AVATAR [avatar] n. m. (sanskr. *avatāra*, descente du ciel sur la terre). **1.** Nom donné aux différentes incarnations des dieux dans l'Inde, surtout à celles de Vishnu. — **2.** Transformation, métamorphose, changement, le plus souvent en mal : *Les avatars de certains mots sont curieux*. — **3.** *Fam.* Malheur, accident fâcheux : *Subir des avatars.*

AVE [ave] n. m. inv. (lat. *Ave* [*Maria*], salut [Marie]). Premier mot de la salutation de l'ange Gabriel à la Vierge; cette prière même.

AVEC [avɛk], **SANS** [sɑ̃] prép. et plus rarement adv. (bas lat. *apud-hoc;* lat. *sine*). Indiquent l'accompagnement ou l'absence, la manière, le moyen, etc. → tableau ci-contre.

AVELINE [avlin] n. f. (lat. *nux abellana*, noisette d'Abella). Fruit de l'avelinier. ◆ **avelinier** n. m. Variété de noisetier à gros fruits. (Famille des cupulifères.)

AVEN [avɛn] n. m. (mot du Rouergue). Gouffre formé en région calcaire.
— ENCYCL. Les *avens* se forment soit par dissolution, soit par effondrement de la voûte de grandes grottes. Les premiers sont étroits et sinueux; les seconds, plus cylindriques, peuvent atteindre d'assez grandes dimensions (aven Armand, sur le causse Méjean).

1. AVENANT, E [avnɑ̃, -ɑ̃t] adj. (de l'anc. fr. *avenir*, convenir). Se dit de quelqu'un (ou de son visage, de son attitude) qui plaît par sa gentillesse, sa grâce (syn. AFFABLE).

2. AVENANT (À L') [alavnɑ̃] loc. ou loc. adj. (même étym.). **1.** En accord avec ce qui précède : *Le début de l'ouvrage est confus et le reste à l'avenant* (syn. DE MÊME, PAREILLEMENT). — **2.** Comme cela se présente.

AVÈNEMENT [avɛnmɑ̃] n. m. (de l'anc. fr. *avenir*, arriver). *Avènement d'un régime, d'un roi*, etc., son établissement, son installation, son accession au pouvoir. ‖ *L'avènement du Messie*, sa venue sur la terre.

AVENIR [avnir] n. m. (de *à*, et *venir*). **1.** Le temps futur : *Prédire l'avenir*. — **2.** Situation future d'une personne : *Il a devant lui un brillant avenir* (syn. CARRIÈRE). — **3.** *À l'avenir*, à partir de ce jour : *À l'avenir, avertissez-moi* (syn. DÉSORMAIS, DORÉNAVANT).

‖ *Avoir de l'avenir*, être destiné à un succès brillant. ‖ *D'avenir*, dont le sort sera brillant, exceptionnel; qui doit connaître des succès : *L'électronique est une carrière d'avenir.*

AVENT [avɑ̃] n. m. (lat. *adventus*, arrivée). Temps fixé par l'Église catholique pour se préparer à la fête de Noël, et qui comprend les quatre dimanches qui précèdent celle-ci.

AVENTIN *(mont)*, une des sept collines de Rome, située à l'extrémité sud-ouest de la ville, sur la rive gauche du Tibre. Ce fut de bonne heure un quartier populaire. Pendant sa révolte contre le patriciat (494 av. J.-C.), une partie de la plèbe s'était réfugiée sur l'Aventin.

AVENTURE [avɑ̃tyr] n. f. (bas lat. *adventura*). **1.** Ce qui arrive à quelqu'un d'imprévu, d'extraordinaire, de nouveau : *C'est une drôle d'aventure* (syn. AFFAIRE, HISTOIRE). *Un roman, un film d'aventures* (= où l'action mouvementée est faite d'événements extraordinaires). *Dire la bonne aventure* (= prédire l'avenir). — **2.** Entreprise hasardeuse qui attire ceux qui ont le goût du risque : *Tenter l'aventure* (= entreprendre quelque chose de très incertain). — **3.** *À l'aventure*, sans but fixé à l'avance : *Marcher, partir à l'aventure* (syn. AU HASARD). ‖ *D'aventure, par aventure*, par hasard. ◆ **aventurer** v. t. (sujet nom de personne). *Aventurer qqch.*, l'exposer à des risques : *Aventurer sa réputation dans une affaire douteuse* (syn. HASARDER, JOUER, RISQUER). ◆ ***s'aventurer*** v. pr. (sujet nom de personne). Courir un risque, un danger : *S'aventurer sur un pont branlant* (syn. S'ENGAGER, SE RISQUER). ◆ **aventuré, e** adj. : *Une entreprise aventurée* (syn. HASARDEUX, RISQUÉ). ◆ **aventureux, euse** adj. **1.** Se dit d'une personne (ou de son comportement) qui se lance dans l'aventure, qui aime l'aventure. — **2.** Se dit d'une chose pleine de risques, d'aventures : *Un projet aventureux* (syn. TÉMÉRAIRE). ◆ **aventurier, ère** n. Personne sans scrupule, qui se procure l'argent, le pouvoir par des intrigues ou par des moyens violents et illégaux. ◆ **aventurisme** n. m. Tendance à prendre, en politique, des mesures hâtives. ◆ **mésaventure** n. f. Aventure désagréable, qui a des conséquences fâcheuses : *Conter ses mésaventures* (syn. DÉBOIRES).

AVENU, E [avny] adj. (de l'anc. fr. *avenir*, arriver). *Nul et non avenu*, se dit de ce qui n'a pas plus de valeur que si cela n'avait jamais existé.

AVENUE [avny] n. f. (de l'anc. fr. *avenir*, arriver). **1.** Large voie, en général plantée d'arbres (syn. ALLÉE, BOULEVARD). — **2.** Ce qui conduit à un but : *Les avenues de la fortune, du pouvoir.*

AVÉRER (S') [savere] v. pr. (du lat. *verus*, vrai) [sujet nom de personne ou de chose]. Se manifester, apparaître (avec un adj. ou un substantif attributs indiquant une qualité) : *Il s'est avéré incapable de faire face à la situation* (syn. ↓SE MONTRER, SE RÉVÉLER); avec les adj. indiquant un défaut (cet emploi est déconseillé par quelques lexicographes) : *Ce raisonnement s'avère faux;* comme impers. : *Il s'avère que le plan est inapplicable* (= il est manifeste, clair). ◆ **avéré, e** adj. : *C'est un fait avéré*, c'est un fait certain, reconnu (syn. INCONTESTABLE). ‖ *Il est avéré que*, il est établi (acquis) comme vrai que (surtout admin.).

AVERNE, lac d'Italie, près de Naples, d'où s'échappent des émanations sulfureuses. Dans l'Antiquité, on le considérait comme l'entrée des Enfers.

AVERROÈS (ibn RUCHD, dit), médecin et philosophe arabe (1126-1198), commentateur d'Aristote. Ses doctrines philosophiques inclinaient vers le matérialisme et le rationalisme. Elles furent condamnées par l'Université de Paris.

AVERS [avɛr] n. m. (lat. *adversus*, qui est en face). Côté d'une monnaie, d'une médaille, qu'on appelle communément la *face* (par oppos. à REVERS).

AVERSE [avɛrs] n. f. (de *pleuvoir à verse*). **1.** Pluie subite et violente, mais de peu de durée : *Ils ont été surpris par une averse* (syn. ONDÉE). — **2.** *Une averse de*, une grande quantité de (syn. plus usuel PLUIE).

AVERSION [avɛrsjɔ̃] n. f. (lat. *aversio*). Répulsion violente pour quelque chose, dégoût haineux ressenti à l'égard de quelqu'un (compl. introduit par *pour*) : *Avoir de l'aversion pour le travail* (syn. RÉPUGNANCE). *J'essaie de surmonter mon aversion pour cet homme* (syn. ↓ANTIPATHIE).

AVERTIR [avɛrtir] v. t. (lat. *advertere*). *Avertir qq'un d'une chose, que* (et l'indic.), l'informer de cette chose, afin qu'il y prenne garde, que son attention soit attirée sur elle : *Je vous avertis que je serai à Lyon le 25 février* (syn. ANNONCER, AVISER). *Avertir d'un danger* (syn. PRÉVENIR). *Tenez-vous pour averti* (= soyez sur vos gardes). ◆ **averti, e** adj. Se dit de quelqu'un qui a une connaissance, une expérience approfondie de quelque chose : *Il est très*

avec PRÉP.	**sans** PRÉP.
1. Accompagnement, accord, réunion. *Il se promène avec ses enfants* (syn. EN COMPAGNIE DE). *Il est aimable avec tout le monde* (syn. ENVERS). *Il est avec nous* (en notre compagnie ou de notre parti [= pour nous]).	1. Privation, absence, séparation. *Il est parti sans sa serviette. Un livre sans illustrations.*
2. Manière. *Il avance avec prudence.*	2. Manière. *Il agit sans passion. Une maison sans confort.*
3. Moyen, instrument utilisés, cause. *Il a ouvert la boîte de conserve avec un couteau.* *Avec le temps, il oubliera* (= grâce au temps).	3. Moyen, instrument non utilisés. *Grimper à l'arbre sans échelle. Sans disponibilités, il ne peut s'engager dans l'entreprise* (syn. FAUTE DE).
4. Simultanéité. *Il se lève avec le jour.*	4.
5. Opposition, contraste de la condition. *Se battre avec qq'un* (syn. CONTRE). *Avec tant de qualités, il a cependant échoué* (syn. EN DÉPIT DE, MALGRÉ).	5. Condition négative *Sans ce défaut, il serait un excellent homme* (= s'il n'avait pas ce défaut). *Sans cet accident, il aurait pu venir* (= s'il n'avait pas eu).
ADV.	ADV. (emploi limité).
Il a pris sa canne et s'en est allé avec.	*As-tu des tickets de métro? Je suis parti sans* (fam.).
LOC. PRÉP.	LOC. PRÉP.
D'avec, indique un rapport de différence, de séparation : *Distinguer l'ami d'avec le flatteur. Il a divorcé d'avec sa femme.*	**Non sans,** indique la concession (« et toutefois ») : *Il accepta non sans de nombreuses hésitations* (= et pourtant il hésita longtemps).
	LOC. CONJ.
	Sans que, non sans que (avec le subj. et sans négation, le sujet étant différent de celui de la principale) : *Je suis sorti sans qu'il s'en aperçoive.* Lorsque la principale et la subordonnée ont le même sujet, on emploie *sans* et l'infinitif : *Travailler sans perdre une minute.*

averti des derniers travaux en la matière (syn. AU COURANT DE). *C'est un critique averti* (syn. COMPÉTENT). ◆ **avertissement** n. m. **1.** Action d'avertir : *Négliger un avertissement* (syn. AVIS, CONSEIL). *Un mystérieux avertissement* (syn. PRÉSAGE, SIGNE). — **2.** Blâme avec menace de sanction : *Un avertissement du conseil de discipline.* — **3.** Petite préface d'un livre : *Un avertissement au lecteur.* ◆ **avertisseur** n. m. **1.** Dispositif destiné à produire un signal, pour attirer l'attention de quelqu'un : *On parle surtout d'avertisseurs pour les automobilistes* (syn. KLAXON). — **2.** *Avertisseurs d'incendie*, postes téléphoniques disséminés dans une ville et reliés aux casernes de pompiers.

AVESNES-SUR-HELPE, ch.-l. d'arrond. du Nord, dans l'*Avesnois*, à 18 km au S. de Maubeuge; 6 500 hab.

AVEU n. m. ⟶ AVOUER.

AVEUGLE [avœgl] adj. et n. (lat. *ab oculis*, sans yeux). **1.** Privé de la vue : *Être aveugle de naissance* (ou *aveugle-né*). ⟶ ENCYCL. — **2.** *Passion (colère, amour, haine) aveugle*, dont la violence extrême fait perdre le jugement. ‖ *Rendre aveugle qq'un*, lui faire perdre la faculté de juger lucidement : *La colère te rend aveugle.* ‖ *Confiance (attachement, courage, dévouement, foi, sacrifice) aveugle*, sans limites ni réserve (syn. ABSOLU, TOTAL). ‖ (sujet nom de personne) *Être aveugle envers qq'un*, ne pas voir ses défauts. ‖ *Parler, juger en aveugle*, sans réflexion. — **3.** *Point aveugle*, zone de la rétine dépourvue de cellules visuelles, au point de départ du nerf optique. — **4.** *Vallée aveugle*, dans le relief karstique, vallée qui se termine brusquement par un escarpement à l'amont. ◆ **aveuglément** adv. Sans réflexion ni jugement, sans faire d'objection (surtout avec des verbes signif. *obéir*) : *Exécuter aveuglément les consignes.* ◆ **aveugler** v. t. **1.** *Aveugler qq'un*, le priver de la vue : *Il a été aveuglé par l'explosion d'une bombe;* ou priver de la lucidité : *Il est aveuglé par la passion.* — **2.** *Le soleil (une lueur vive, une lampe) aveugle qq'un*, l'empêche de voir par son trop vif éclat (souvent au passif) : *Il a été aveuglé par des phares d'auto* (syn. ÉBLOUIR). ‖ *Aveugler une voie d'eau* (dans un bateau), la boucher avec les moyens du bord. ◆ ***s'aveugler*** v. pr. [***sur***] (sujet nom de personne). Manquer de jugement à propos de quelqu'un, ne pas vouloir voir ses défauts (syn. SE TROMPER). ◆ **aveuglant, e** adj. : *Lumière aveuglante* (= éblouissante). *Vérité aveuglante* (= claire, évidente). ◆ **aveuglement** n. m. Passion extrême, allant jusqu'à la perte du jugement; obstination dans un point de vue. ◆ **aveuglette (à l')** loc. adv. **1.** *Fam.* Sans rien y voir, comme un aveugle : *Avancer à l'aveuglette dans une pièce obscure.* — **2.** Fam. *Agir, répondre à l'aveuglette*, sans savoir où l'on va, sans voir les conséquences; au hasard (syn. À TÂTONS).

— ENCYCL. Au Moyen Âge, les *aveugles* vivaient de la mendicité ou se faisaient chanteurs, jongleurs, amuseurs du public. Au XIIIe s., Saint Louis fonde pour ceux de Paris l'hospice des Quinze-Vingts. Mais ce n'est qu'à la fin du XVIIIe s. qu'on s'avisa de généraliser leur instruction : en 1784, Valentin Haüy fonda, à Paris, la première école spéciale, qui est devenue l'Institution nationale des jeunes aveugles. Aux caractères ordinaires en relief utilisés par Valentin Haüy pour l'instruction de ses élèves, on a substitué, en 1852, l'alphabet conventionnel en points saillants imaginé par Louis Braille*.

AVEULIR v. t., **AVEULISSEMENT** n. m. ⟶ VEULE.

AVEYRON, riv. du sud-ouest de la France, affl. du Tarn (r. g.); 250 km. Né dans les Causses, il passe à Rodez et Villefranche-de-Rouergue.

AVEYRON (12), dép. du sud du Massif central (Région Midi-Pyrénées); 8 730 km^2; 278 700 hab. (32 au km^2) [France : 103]. Ch.-l. *Rodez.*

ADMINISTRATION. 3 arrond. (*Millau*, 71 600 hab.; *Rodez*, 135 100 hab.; *Villefranche-de-Rouergue*, 72 000 hab.). / 46 cant. / 304 comm.

Le département s'étend sur les plateaux de la partie méridionale du Massif central, découpés par de profondes vallées : l'*Aubrac* est compris entre Truyère et Lot, le *causse Comtal* et le *causse de Séverac* entre Lot et Aveyron, le *Ségala* entre Aveyron et Tarn. Le

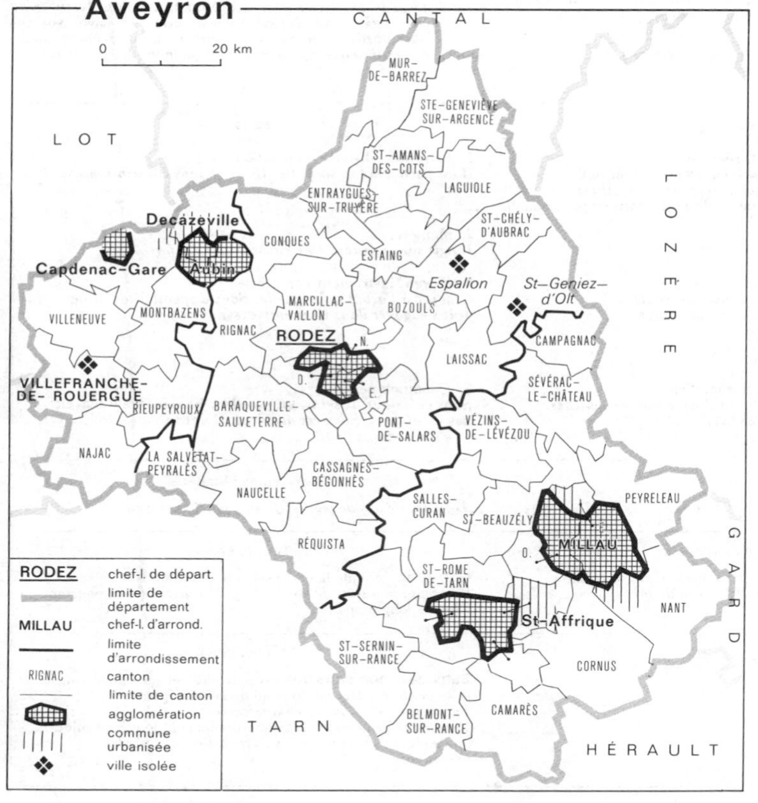

LOCALITÉS PRINCIPALES	NOMBRE D'HAB.
Rodez	26 300
Millau	22 300
Villefranche-de-Rouergue	13 900
Onet-le-Château	9 800
Decazeville	9 200
Saint-Affrique	9 200
Aubin	6 000
Capdenac-Gare	5 500

relief et la rigueur du climat expliquent la faiblesse de la population (sa densité, voisine de 30 hab. au km², n'est guère que le tiers de la moyenne pour la France entière).

L'*agriculture* emploie encore plus du quart de la population active, proportion très élevée. En dehors des cultures céréalières du Ségala et de la mise en valeur de quelques sections de vallées, l'élevage ovin domine : c'est la ressource presque exclusive des hauteurs (fabrication du roquefort dans les Causses).

L'*industrie* occupe moins de 30 p. 100 de la population active. L'extraction de la houille a pratiquement disparu à Aubin et Decazeville; le travail du cuir demeure actif à Millau, cependant que l'électricité des centrales de la Truyère (Brommat notamment) est partiellement exportée.

Le *secteur tertiaire* emploie à peine le tiers de la population active. Sa faiblesse est liée à la médiocrité des centres urbains, établis dans les vallées. L'émigration déjà ancienne persiste.

AVIATEUR, TRICE n., **AVIATION** n. f. ⟶ AVION.

AVICENNE (ibn SĪNĀ, dit), philosophe et médecin iranien (980-1037). Il est l'auteur d'un *Canon de la médecine* et d'une théorie de la connaissance.

AVICULTURE [avikyltyr] n. f. (du lat. *avis*, oiseau). Élevage des oiseaux, des volailles. ◆ **aviculteur, trice** n. Éleveur d'oiseaux, de volailles. ◆ **avicole** adj. Qui concerne l'aviculture.

AVIDE [avid] adj. (lat. *avidus*). **1.** *Avide d'une chose*, qui la désire avec voracité, avec passion : *Être avide d'argent* (syn. ↓ÉPRIS; contr. DÉTACHÉ DE, INDIFFÉRENT À). — **2.** *Avide de* (et l'infin.), qui désire passionnément (faire) [syn. ANXIEUX, IMPATIENT]. — **3.** (sans compl.) Qui a ou qui manifeste un désir passionné de voir, d'entendre, etc. : *Tendre une oreille avide.* ◆ **avidement** adv. : *Manger, lire avidement.* ◆ **avidité** n. f. Désir de dévorer, de posséder : *Manger avec avidité* (syn. GLOUTONNERIE, VORACITÉ). *Être d'une avidité insatiable* (syn. CUPIDITÉ, RAPACITÉ).

AVIGNON, ch.-l. du dép. du Vaucluse, sur la rive gauche du bas Rhône; 91 500 hab. Important centre commercial et touristique. La ville conserve des remparts du XIIe et du XIVe s., le palais des Papes (XIVe s.) et la cathédrale Notre-Dame-des-Doms, un bel exemple de l'école romane de Provence.

• *1309-1376. La ville est le lieu de séjour des papes.*

Avec ses environs, elle constitue une possession de la papauté jusqu'à la Révolution. Elle est annexée à la France en 1791.

ÁVILA, v. d'Espagne (Castille-León); 31 000 hab. Patrie de sainte Thérèse. La ville garde une imposante enceinte médiévale et de nombreuses églises romanes.

AVILIR v. t., **AVILISSANT** adj., **AVILISSEMENT** n. m. ⟶ VIL 1 et 2.

AVINÉ, E [avine] adj. (de *vin*). Qui a trop bu ou qui manifeste l'ivresse.

AVION [avjɔ̃] n. m. (du lat. *avis*, oiseau). Appareil de navigation aérienne plus lourd que l'air, capable de se déplacer au moyen d'un moteur à hélice ou d'un moteur à réaction. ◆ **porte-avions** n. m. inv. Navire de guerre spécialement construit pour servir de base de départ à des avions. ◆ **aviation** [avjasjɔ̃] n. f. Navigation aérienne au moyen d'avions; ensemble des avions, dont on précise souvent l'affectation par un adj. ou un compl. : *Aviation de chasse, de bombardement. L'aviation ennemie a attaqué nos bases.* ⟶ ENCYCL. ◆ **aviateur, trice** n. Personne qui fait partie de l'équipage d'un avion, et en particulier qui le pilote.

— ENCYCL. Inexistante au début de ce siècle, l'*aviation* a connu un développement exceptionnellement rapide au cours du deuxième et du troisième quart du XXe s. L'*aviation commerciale* assure maintenant l'essentiel du transport de passagers sur les longues distances au détriment des autres moyens de communication. Les milieux militaires ont utilisé très vite ce nouveau moyen d'action, et le rôle stratégique de l'avion dans les guerres modernes semble avoir atteint son apogée.

■ *Les grands pionniers de l'aviation :* Clément Ader, Louis Blériot, Louis Breguet, Geoffroy De Havilland, Henri Farman, Roland Garros, Charles Lindbergh, Jean Mermoz, Saint-Exupéry.

→ illustrations page suivante et en couleurs à AÉRONAUTIQUE pp. 16-17.

AVION, ch.-l. de cant. du Pas-de-Calais, à 2 km au S. de Lens; 21 000 hab.

AVIRON [avirɔ̃] n. m. (de l'anc. fr. *viron*, tour). **1.** Rame servant à manœuvrer une embarcation. — **2.** *Sports.* Pratique du canotage à l'aviron.

— ENCYCL. L'*aviron* compte, au niveau des grandes compétitions internationales (dont les jeux Olympiques), huit catégories d'embarcations et deux façons de ramer : *en couple* (avec un aviron dans chaque main), cas du *skiff*, du *double-scull* et du *quatre; en pointe* (avec un seul aviron, plus grand), cas du *deux sans barreur*, du *deux avec barreur*, du *quatre sans barreur*, du *quatre avec barreur* et du *huit* (toujours barré). Les épreuves se déroulent sur 2 000 m, courus, selon les embarcations, entre 6 mn et 8 mn 30 s.

AVIS [avi] n. m. (de l'anc. fr. *ce m'est avis*, cela me paraît bon). **1.** Manière de voir : *Quel est votre avis?* (syn. OPINION, SENTIMENT). *À son avis* (= à son point de vue, selon lui). *Prendre l'avis de son père* (syn. CONSEIL). — **2.** Information donnée ou reçue, notamment par écrit et par voie d'affiche : *Un avis affiché sur le mur* (syn. NOTIFICATION). *Suivant l'avis donné* (syn. RENSEIGNEMENT). *Jusqu'à nouvel avis* (syn. JUSQU'À PLUS AMPLE INFORMÉ). *Sauf avis contraire* (= sauf contrordre) [syn. INDICATION]. — **3.** *Être d'avis que* (suivi du subj.), *être d'avis de* (suivi d'un infin.), penser que le mieux serait que, de (syn. PROPOSER). ◆ **aviser** v. t. *Aviser qq'un de qqch.*, l'en informer, le lui faire savoir (souvent au passif) : *Être avisé de la date d'une cérémonie* (syn. AVERTIR, PRÉVENIR).

AVISÉ, E [avize] adj. (de *aviser*). Qui a un jugement réfléchi et qui agit en conséquence : *Il a été bien mal avisé de ne pas m'attendre* (= imprudent, irréfléchi) [on peut écrire MALAVISÉ]. *Un homme avisé* (syn. AVERTI, SENSÉ). ◆ **malavisé, e** adj. et n. Qui agit sans discernement.

1. AVISER v. t. ⟶ AVIS.

2. AVISER [avize] v. t. (de *viser*). *Aviser qq'un* ou *qqch.*, l'apercevoir soudain, alors qu'on ne l'avait pas remarqué : *Il avisa dans la foule un de ses amis* (syn. DISTINGUER, REMARQUER). ◆ **s'aviser** v. pr. *S'aviser de qqch., que* (et l'indic.), en prendre conscience, le remarquer soudain : *Il s'est avisé qu'il avait oublié ses papiers* (syn. S'APERCEVOIR, DÉCOUVRIR).

3. AVISER [avize] v. i. (de *avis*). Prendre une décision, généralement en fonction d'une nouvelle situation : *Il faudrait aviser, au cas où il ne viendrait pas.* ◆ v. t. ind. *Aviser à qqch.*, y pourvoir : *Avisons au plus pressé* (syn. PARER). ◆ **s'aviser** v. pr. *S'aviser de* (suivi d'un infin.), être assez audacieux pour : *Ne vous avisez pas de recommencer* (syn. ESSAYER, OSER).

AVISO [avizo] n. m. (esp. *barca de aviso*). Petit bâtiment de guerre servant à l'escorte des convois navals.

AVITAMINOSE n. f. ⟶ VITAMINE.

AVIVER [avive] v. t. (du lat. *vivus*, vif). Remplacé dans la langue usuelle par RAVIVER.

1. AVOCAT, E [avɔka, -at] n. (lat. *advocatus*, appelé auprès). **1.** Personne dont la profession est de défendre des accusés devant la justice, de donner des consultations juridiques aux clients qui la consultent au sujet de leurs droits et de leurs obligations dans une situation donnée : *Un avocat plaide, prononce une plaidoirie, défend son client.* — **2.** Personne qui prend la défense de quelqu'un, de quelque chose : *Se faire l'avocat d'une cause.* — **3.** *Avocat général*, membre du ministère public, près de la Cour de cassation, de la Cour des comptes et des cours d'appel. (Il remplace le procureur général, en cas d'empêchement de ce dernier; il représente la société aux audiences des tribunaux.) — **4.** *L'avocat du diable*, celui qui, tout en adhérant à une thèse, à une opinion, présente des arguments qui pourraient y être opposés; celui qui défend malgré tout une mauvaise cause.

2. AVOCAT [avɔka] n. m. (esp. *avocado*). Fruit de l'avocatier, en forme de poire. ◆ **avocatier** n. m. Arbre d'Amérique, très cultivé en Floride et en Californie pour son fruit. (Famille des lauracées.)

AVOCETTE [avɔsɛt] n. f. (it. *avocetta*). Oiseau échassier, à long bec recourbé vers le haut, au plumage noir et blanc. (Ordre des charadriiformes.)

AVOGADRO (Amedeo DI QUAREGNA, *comte*), chimiste et physicien italien (1776-1856). En 1811, il énonça la célèbre hypothèse selon laquelle il y a toujours le même nombre de molécules dans des volumes égaux de gaz différents.

On appelle *nombre d'Avogadro* le nombre de molécules contenues dans une molécule-gramme, dont la valeur est 6×10^{23}.

AVOINE [avwan] n. f. (lat. *avena*). Céréale dont les grains, portés par des grappes lâches, servent à l'alimentation des chevaux et des volailles. (Famille des graminacées.) ‖ *Folle avoine*, espèce d'avoine sauvage, commune dans les champs, les lieux incultes.

— ENCYCL. Les principaux pays producteurs d'avoine sont :

U. R. S. S.	15	millions de t
États-Unis	7	millions de t
Allemagne	3,1	millions de t
Canada	3	millions de t
Pologne	2,8	millions de t
France	1,8	million de t

AVOINE, comm. d'Indre-et-Loire, à 8 km au N.-O. de Chinon, près du confluent de la Loire et de la Vienne; 1 800 hab. Centrale nucléaire, en bordure de la Loire. Musée du nucléaire.

1. AVOIR v. t. → ÊTRE 2.

2. AVOIR [avwar] n. m. (infin. pris comme subst.). Désigne l'ensemble des biens, la fortune : *Son avoir est considérable.*

AVOISINER [avwazine] v. t. (de *voisin*). Être voisin, proche de (matériellement ou moralement) : *Notre propriété avoisine la rivière. Son mutisme avoisine l'insolence* (syn. APPROCHER DE). ◆ **avoisinant, e** adj. : *Les rues avoisinantes* (syn. ATTENANT, PROCHE).

AVON, comm. de Seine-et-Marne, à 3 km à l'E. de Fontainebleau; 15 300 hab.

AVORIAZ, station de sports d'hiver de Haute-Savoie (comm. de Morzine). Festival du film fantastique.

AVORTER [avɔrte] v. i. (lat. *abortare*). **1.** (sujet nom de femme) Expulser un fœtus avant terme. — **2.** (sujet nom de chose) Rester sans résultat appréciable, ne pas venir à son terme : *Sa négligence a fait avorter le projet* (syn. ÉCHOUER; contr. RÉUSSIR). ◆ **avortement** n. m. **1.** Interruption spontanée ou provoquée de la grossesse. — **2.** *L'avortement d'un projet.* ◆ **avorton** n. m. **1.** Plante ou animal venu avant terme. — **2.** Être chétif, mal fait.

AVOUÉ [avwe] n. m. (lat. *advocatus*, appelé auprès). Officier ministériel qui représentait les plaideurs devant certains tribunaux. (Depuis le 16 septembre 1972, la profession d'avoué a fusionné avec celle d'*avocat*.)

AVOUER [avwe] v. t. (lat. *advocare*, recourir à). **1.** *Avouer un crime, un méfait*, admettre qu'on est l'auteur d'une action blâmable; et, intransitiv. : *Il a fini par avouer.* — **2.** *Avouer une chose, avouer que* (et l'indic.), l'admettre comme vrai; déclarer réel que : *Il faut avouer qu'il a raison* (syn. CONVENIR, RECONNAÎTRE). *Il a avoué son ignorance* (syn. CONFESSER). *Ne pas avoir d'ennemis avoués* (= déclarés). ◆ **aveu** [avø] n. m. **1.** *Passer aux aveux* (= avouer son crime). *Il a fait l'aveu de sa faute* (syn. CONFESSION). — **2.** *Homme sans aveu*, individu sans moralité. ‖ *Ne rien faire sans l'aveu de qq'un*, sans son autorisation. ‖ *De l'aveu de*, au témoignage de. ◆ **inavouable** adj. Qu'on ne peut avouer.

AVRANCHES, ch.-l. d'arrond. de la Manche, à 26 km au S.-E. de Granville, au-dessus de l'estuaire de la Sée; 10 400 hab.

• *31 juil. 1944. Percée opérée par la Ire armée américaine dans le front allemand (= trouée d'Avranches).*

AVRIL [avril] n. m. (lat. *aprilis*). **1.** Quatrième mois de l'année. (→ MOIS.) — **2.** *Poisson d'avril*, attrape traditionnelle faite le 1er avril.

AVULSION [avylsjɔ̃] n. f. (du lat. *avulsus*, arraché). Action d'arracher : *L'avulsion d'une dent.*

AVUNCULAIRE [avɔ̃kylɛr] adj. (du lat. *avunculus*, oncle maternel). Qui a rapport à l'oncle, à la tante.

1. AXE [aks] n. m. (lat. *axis*, essieu). **1.** Ligne qui passe par le centre d'un corps, dans la partie médiane d'un lieu considéré dans sa longueur : *On avait disposé des canons dans l'axe de la rue.* — **2.** Pièce sur laquelle s'articulent d'autres pièces animées d'un mouvement circulaire : *L'axe de la roue est faussé.* — **3.** *Bot.* Ensemble formé par la racine principale et la tige d'une plante. — **4.** *Axe cérébro-spinal*, ensemble de la moelle épinière et de l'encéphale (syn. NÉVRAXE). — **5.** *Math.* Droite orientée, c'est-à-dire droite munie d'un repère* (O, I). → ENCYCL. ‖ *Axe de symétrie d'une figure. Axe d'une symétrie orthogonale* → SYMÉTRIE. ‖ *Axe d'une surface de révolution* → SURFACE* DE RÉVOLUTION. ◆ **axial, e, aux** adj. Qui est disposé suivant un axe ou se rapporte à un axe. ◆ **désaxer** v. t. *Désaxer une chose*, la mettre hors de son axe.

— ENCYCL. **axe.** *Droite euclidienne orientée.*

Un axe $\mathscr{A}$ est un ensemble E (dont les éléments sont appelés des *points*), muni d'une famille $\mathscr{F}$ de bijections de E sur l'ensemble $\mathbb{R}$ des nombres réels, telle que :

pour toute bijection f de $\mathscr{F}$ et pour toute constante réelle a, l'application g définie pour tout point M par $g(M)=f(M)+a$ est aussi une bijection de la famille $\mathscr{F}$;

réciproquement, si f_1 et f_2 sont deux bijections de la famille $\mathscr{F}$, il existe une constante réelle a telle que, pour tout point M, $f_2(M)=f_1(M)+a$.

Les bijections f de $\mathscr{F}$ sont les *graduations* de l'axe. Le nombre $f(M)$ est l'*abscisse* du point M pour la graduation f considérée.

A et B étant deux points quelconques de l'axe, le nombre $f(B)-f(A)$ [abscisse de B moins abscisse de A] ne dépend pas, d'après la définition, du choix de la graduation f. Ce nombre est noté $\overline{AB}$ (lire « AB relatif » ou « AB surligné » ou « mesure algébrique de AB »).

Pour trois points quelconques A, B et C, on a la formule de Chasles $\overline{AC}=\overline{AB}+\overline{BC}$, car pour toute graduation f,

$$f(C)-f(A)=[f(C)-f(B)]+[f(B)-f(A)].$$

On définit sur l'axe une relation d'ordre : le point A est « avant » le point B si $\overline{AB}$ est positif ou nul.

Si f est une graduation de la famille $\mathscr{F}$, on appelle *repère* de l'axe $\mathscr{A}$ associé à f, un couple (O, I) de points tel que $f(O)=0$ et $f(I)=1$. Si (O, I) est un repère, $\overline{OI}=1$. Réciproquement, tout couple (O, I) de points tel que $\overline{OI}=1$ est un repère. Si (O, I) est un repère d'un axe associé à la graduation f de la famille $\mathscr{F}$, tout point M de l'axe est caractérisé par un réel x tel que $f(M)=x \Longleftrightarrow \overline{OM}=x$; x est l'*abscisse* de M par rapport au repère (O, I).

Une droite physique (un décimètre par exemple) munie d'une graduation illustre la notion d'axe. Sur l'exemple choisi, deux

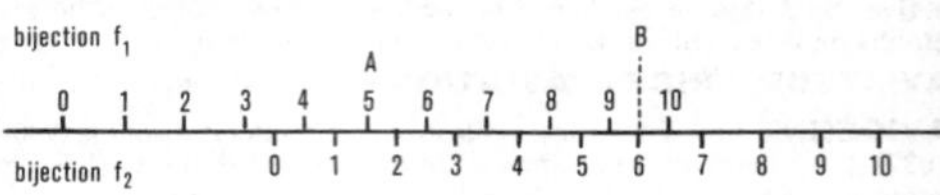

graduations en cm sont définies par deux bijections f_1 et f_2 telles que :

$$f_1(A)=5 \qquad f_1(B)=9{,}5$$
$$f_2(A)=1{,}5 \qquad f_2(B)=6.$$

Les bijections f_1 et f_2 sont liées par $f_1(M)=f_2(M)+3{,}5$, pour tout point M.

$\overline{AB}$ est bien indépendant de la bijection (ou de la graduation) choisie car, dans les deux cas :

$$\overline{AB}=f_2(B)-f_2(A)=9{,}5-5=4{,}5$$
$$\overline{AB}=f_1(B)-f_1(A)=6-1{,}5=4{,}5$$

2. AXE [aks] n. m. (même étym.). Direction générale selon laquelle on règle son comportement : *L'axe de la politique américaine* (syn. LIGNE). ◆ **axer** v. t. Organiser autour d'une idée essentielle : *Axer sa démonstration sur tel argument* (syn. CENTRER). ◆ **désaxer** v. t. *Désaxer qq'un*, rompre son équilibre intellectuel et moral : *La mort de cet être cher l'a désaxé* (syn. DÉSÉQUILIBRER). ◆ **désaxé, e** adj. et n. (syn. ↑MALADE MENTAL).

Axe (l'), alliance formée en 1936 par l'Allemagne et l'Italie.

AXER v. t. → AXE 2.

AXIAL, E, AUX adj. → AXE 1.

AXILLAIRE [aksilɛr] adj. (du lat. *axilla*, aisselle). **1.** Relatif à l'aisselle : *Nerf axillaire.* — **2.** *Bourgeon axillaire*, bourgeon latéral placé à l'aisselle d'une feuille.

AXIOME [aksjom] n. m. (gr. *axiôma*). Proposition évidente, qui n'est pas susceptible de discussion et qui est admise comme hypothèse de base, notamment en mathématiques (syn. PRINCIPE). ◆ **axiomatique** n. f. Étude des structures que possèdent certains ensembles définis par des systèmes d'axiomes. ◆ **axiomatisation** n. f. Élaboration d'un système d'axiomes.

— ENCYCL. Un *axiome* d'une théorie mathématique est une proposition que l'on choisit de considérer comme vraie, sans justification, et qui sert de point de départ à la théorie. Les propriétés établies par un raisonnement à partir des axiomes sont des *théorèmes*. La première tentative d'*axiomatisation* de la géométrie est due à Euclide qui a énoncé quinze axiomes dont le célèbre « postulat d'Euclide ». (→ EUCLIDE.)

Exemple : Les axiomes utilisés dans la définition du plan affine (→ PLAN) sont : les trois axiomes d'incidence, l'axiome de Thalès.

AXIS [aksis] n. m. (mot lat.). Deuxième vertèbre du cou, qui s'articule avec l'*atlas*, première vertèbre. → SQUELETTE.

AX-LES-THERMES, station thermale de l'Ariège, à 42 km au S.-E. de Foix, sur l'Ariège; 1 600 hab. Sports d'hiver sur le *plateau du Saquet.*

AXOLOTL [aksɔlɔtl] n. m. (mot mexicain). Vertébré aquatique des lacs du Mexique, caractérisé par sa longue queue natatoire et ses branchies externes en houppes très apparentes. C'est en fait la larve de l'*amblystome*, triton mexicain, qui, normalement, peut se reproduire, mais meurt ordinairement sans s'être métamorphosée en amblystome. (Classe des amphibiens.)

AXONE [akson] n. m. (du gr. *axôn*, axe). Long prolongement cytoplasmique de la cellule nerveuse, que parcourt l'influx nerveux.

AXOUM → AKSOUM.

AY ou **AŸ,** ch.-l. de cant. de la Marne, à 3 km au N.-E. d'Épernay, au pied de la montagne de Reims; 4 900 hab. Vins de Champagne.

AYACUCHO, v. du Pérou, sur le versant est de la Cordillère occidentale; 23 800 hab.

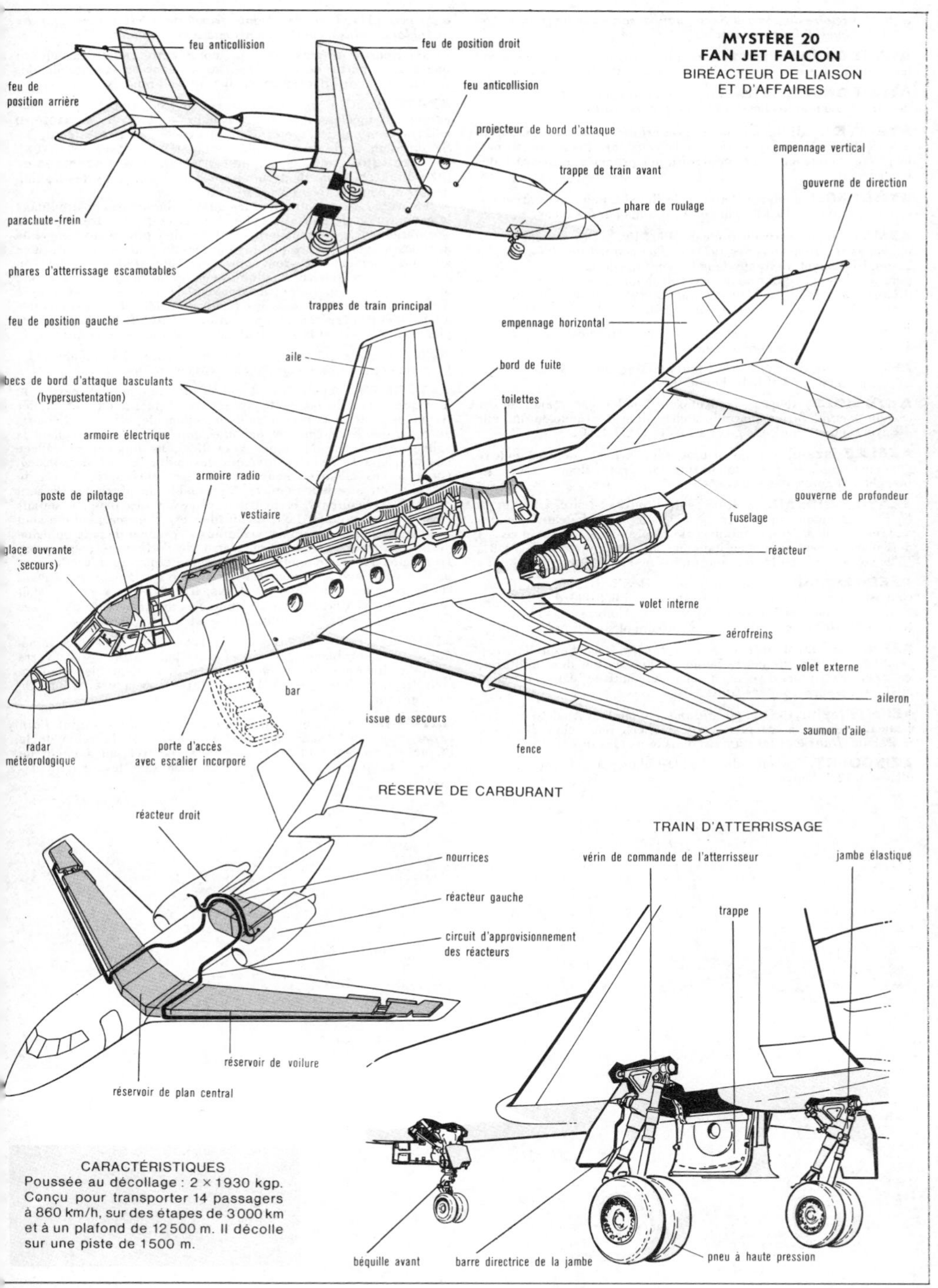

CARACTÉRISTIQUES
Poussée au décollage : 2 × 1930 kgp. Conçu pour transporter 14 passagers à 860 km/h, sur des étapes de 3000 km et à un plafond de 12500 m. Il décolle sur une piste de 1500 m.

• *1824. Victoire du général Sucre, qui consacre l'indépendance des républiques d'Amérique latine.*

AYANT CAUSE [ɛjɑ̃koz] n. m. (de *avoir*, et *cause*). Celui à qui les droits d'une personne ont été transmis. ‖ Pl. des *ayants cause.*

AYANT DROIT [ɛjɑ̃drwa] n. m. (de *avoir*, et *droit*). Celui qui a des droits à quelque chose. ‖ Pl. des *ayants droit.*

AYE-AYE [ajaj] n. m. (onomat.; du cri de l'animal). Mammifère arboricole de Madagascar, à grands yeux, de mœurs nocturnes, long, sans la queue, de 40 cm. (Ordre des primates, sous-ordre des lémuriens.)

AYMARAS, Indiens du Pérou et de Bolivie. Leur civilisation eut son apogée de 1000 à 1300; ils furent soumis par les Incas.

AYMÉ (Marcel), écrivain français (1902-1967). Ses romans et ses nouvelles (*la Jument verte*, 1933; *le Passe-Muraille*, 1942) allient l'attendrissement à l'ironie dans la peinture de la société contemporaine. Son anticonformisme s'est également exprimé au théâtre (*Clérambard*, 1950; *la Tête des autres*, 1952). Il a écrit pour les enfants des *Contes du chat perché* (1934).

AYR, port de Grande-Bretagne, sur la côte ouest de l'Écosse; 47 900 hab. Constructions navales.

AYTRÉ, ch.-l. de cant. de la Charente-Maritime, à 4 km au S.-E. de La Rochelle; 7 400 hab. Fonderie.

AYYŪBIDES, dynastie musulmane fondée par Ṣalāḥ al-Dīn (Saladin), et qui forma quatre branches, dont la principale fut celle d'Égypte, où elle succéda aux Fāṭimides (1171-1250).

AZALÉE [azale] n. f. (gr. *azalos*, sec). Arbuste dont on cultive plusieurs espèces pour la beauté de leurs fleurs, roses ou blanches. (Famille des éricacées.)

AZAY-LE-RIDEAU, ch.-l. de cant. d'Indre-et-Loire, à 21 km au N.-E. de Chinon, sur l'Indre; 2 900 hab. Son château, une des œuvres les plus caractéristiques de la première Renaissance, est déjà marqué par l'influence italienne; il a été construit de 1518 à 1529, sur un îlot de l'Indre, pour un financier.

AZERBAÏDJAN, république fédérée de l'U. R. S. S., en Transcaucasie orientale, sur la mer Caspienne; 7 000 000 d'hab. Capit. *Bakou.* Pétrole (péninsule d'Apchéron). Culture du coton. — Région de l'Iran, en bordure de l'Azerbaïdjan soviétique.

AZEROLE [azrɔl] n. f. (esp. *acerola*). Fruit de l'azerolier, ressemblant à une petite cerise jaune, et dont on fait des confitures. ◆ **azerolier** n. m. Espèce d'aubépine cultivée dans la région méditerranéenne pour ses fruits.

AZIMUT [azimyt] n. m. (ar. *al-samt*, chemin). **1.** Angle d'un plan vertical avec un autre plan vertical choisi pour plan d'origine. — **2.** Fam. *Dans tous les azimuts*, dans toutes les directions.

AZINCOURT, comm. du Pas-de-Calais, à 14 km au N. d'Hesdin; 228 hab.

• *25 oct. 1415. L'armée féodale française y est écrasée par les Anglais, moins nombreux, mais mieux commandés.*

Le roi Henri V d'Angleterre put, après cette victoire, conquérir une grande partie de la France, au moment où la querelle des Armagnacs et des Bourguignons divisait les Français.

AZOTE [azɔt] n. m. (de *a* priv., et gr. *zôê*, vie). Corps simple gazeux (N), incolore, inodore et insipide. ⟶ ENCYCL. ◆ **azoté, e** adj. Qui contient de l'azote : *Aliments azotés.* ◆ **azoteux** adj. m. Se dit d'un acide oxygéné de l'azote (HNO_2) [syn. NITREUX]. ◆ **azotique** adj. Syn. de NITRIQUE. ◆ **azotobacter** [azɔtobaktɛr] n. m. Bactérie vivant dans les racines des légumineuses et pouvant fixer l'azote de l'air.

— ENCYCL. L'*azote* entre pour les quatre cinquièmes environ dans la composition de l'air atmosphérique, et ne peut entretenir ni la respiration ni la combustion. C'est un des principaux éléments dont les animaux et les plantes ont besoin pour se nourrir. Les animaux trouvent cet azote dans leur alimentation végétale ou animale. Les végétaux en empruntent à l'air atmosphérique une quantité assez importante; ils trouvent dans la terre une source d'alimentation azotée dans les résidus de la décomposition des animaux et des végétaux. La plus grande partie de l'azote, dont les plantes cultivées ont besoin, leur est fournie par les engrais.

AZOV *(mer d')*, golfe formé par la mer Noire. Il s'enfonce entre l'Ukraine et la Russie méridionale, et reçoit le Don.

AZTÈQUES, peuple qui dominait la plus grande partie du Mexique, avant la conquête espagnole. À la fin du XIIe s., les Aztèques quittent la région qu'ils occupent depuis un millénaire, au S.-O. des États-Unis, et par une lente migration atteignent la vallée centrale du Mexique. Vers 1325, ils fondent un village lacustre, appelé *Tenochtitlán*, qui deviendra la ville de Mexico. Grâce à des alliances heureuses ils parviennent, au cours du XVe s., à étendre leur empire à l'ensemble du Mexique. Ils sont d'habiles agriculteurs, et le tribut versé par les peuples soumis enrichit leur capitale. Leur civilisation est alors particulièrement brillante. Elle produit un art vigoureux et original dans le domaine de la sculpture, du masque en pierre, de l'orfèvrerie notamment. La religion aztèque domine la vie publique et privée. L'un de leurs mythes contribue à les démoraliser lorsque les Espagnols arrivent sur leurs côtes : un dieu qui a disparu autrefois vers l'O. doit revenir par l'E. Cortés apparaît comme ce dieu de retour parmi ses fidèles. La prise de Tenochtitlán en est facilitée (1520).

AZUR [azyr] n. m. (ar. *lāzaward*, lapis-lazuli). **1.** Substance minérale de couleur bleue. ‖ *Pierre d'azur*, lapis-lazuli. — **2.** Verre coloré en bleu par l'oxyde de cobalt. — **3.** Couleur bleu clair du ciel, des flots (littér.). — **4.** Le ciel (littér.). ◆ **azuré, e** adj. De couleur azur.

AZYME [azim] adj. et n. m. (de *a* priv., et gr. *zumê*, levain). *Pain azyme*, pain sans levain, que les juifs font cuire la veille de la Pâque, en mémoire du repas que leurs ancêtres, au moment de quitter l'Égypte, avaient fait avec du pain sans levain *(fête des Azymes).*

B n. m. **1.** Deuxième lettre de l'alphabet et la première des consonnes. ⟶ introduction de l'ouvrage. — **2.** Nom de la note *si* en anglais, de la note *si* bémol en allemand.

BAAL, nom donné à tous les faux dieux dans la Bible.

BAALBEK ou **BALBEK,** en ar. **Ba'albak,** v. du Liban, au pied du versant occidental de l'Anti-Liban; 18 000 hab. Grande cité phénicienne, nommée *Héliopolis* par les Grecs, ce fut une colonie romaine très prospère à l'époque des Antonins. Elle possède d'importants vestiges de son passé.

1. BABA [baba] adj. (onomat.; de *ébahi*). *Fam.* Se dit de quelqu'un qui est étonné à l'extrême (surtout dans *en être, en rester baba*) [syn. INTERLOQUÉ, STUPÉFAIT].

2. BABA [baba] n. m. (mot polon.). Gâteau garni de raisins de Corinthe, arrosé de rhum.

BABEL, nom hébreu de Babylone. Selon la Genèse, les descendants de Noé tentèrent d'édifier une immense *tour* pour atteindre le ciel. Leur orgueil fut puni par la confusion où se trouvèrent plongées les masses innombrables d'hommes nécessaires à la construction : d'origines très variées, ils ne parlaient pas la même langue. (Par extension, l'expression *tour de Babel* désigne un lieu où l'on parle un grand nombre de langues différentes, une réunion où règne une grande confusion, où tout le monde parle sans pouvoir s'entendre.)

BĀBER ou **BABŪR** (v. 1483-1530), fondateur de l'empire des Grands Moghols de l'Inde.

BABEUF (François Noël, dit **Gracchus**), révolutionnaire français (1760-1797). Il développa des théories communistes conçues, pour la première fois, comme un programme politique. Au début de 1796, il tenta de renverser le Directoire (« conspiration des Égaux »). Il fut arrêté, condamné à mort et exécuté.

BABEURRE [babœr] n. m. (de *bas*, et *beurre*). **1.** Résidu liquide de la fabrication du beurre. — **2.** Fromage obtenu par chauffage de ce résidu.

BABILLER [babije] v. i. (d'une racine *bab-*, onomat.). Parler ou bavarder très vite, pour dire des choses futiles : *Les petits babillaient entre eux* (syn. GAZOUILLER). *Ces dames babillent des heures entières* (syn. péjor. JACASSER). ◆ **babillage** n. m. (syn. BAVARDAGE; péjor. JACASSEMENT). ◆ **babil** [babil] n. m. Bavardage de petits enfants (littér.) [syn. GAZOUILLIS].

BABINES [babin] n. f. pl. (d'une racine *bab-*, onomat.). **1.** Lèvres pendantes du singe, du chameau, du chien, etc. — **2.** *Fam.* Lèvres d'un gourmand (limité à quelques express.) : *S'essuyer, se lécher les babines.*

BABINSKI (Joseph), médecin français d'origine polonaise (1857-1932). Il découvrit plusieurs signes qui permettent de déceler certaines maladies organiques précises du système nerveux.

BABIOLE [babjɔl] n. f. (it. *babbola*). *Fam.* Tout objet sans valeur ou toute chose sans importance : *Acheter quelque babiole. C'est une babiole!* (syn. BAGATELLE, BÊTISE).

BABIROUSSA [babirusa] n. m. (du malais *babi*, porc, et *rusa*, cerf). Porc sauvage des Célèbes, à canines supérieures très recourbées. (Ordre des ongulés, famille des suidés.)

BÂBORD [bɑbɔr] n. m. (néerl. *bakboord*). Côté gauche d'un navire dans le sens de la marche (surtout dans les express. *à bâbord, par bâbord*). ◆ **tribord** [tribɔr] n. m. Côté droit d'un navire, dans le sens de la marche (surtout dans les express. *à tribord, par tribord*).

BABORS *(chaîne* ou *kabylie des)*, massif montagneux d'Algérie, au S. du golfe de Bougie; 2 004 m au Grand Babor.

BABOUCHE [babuʃ] n. f. (ar. *bābūch*). Pantoufle en cuir, laissant le talon libre.

BABOUIN [babwɛ̃] n. m. (de *babine*). Gros singe cynocéphale de l'Afrique centrale, très robuste.

BABYLONE, v. de l'Antiquité, en Mésopotamie, sur les bords de l'Euphrate. (Ses ruines sont à 160 km au S.-E. de Bagdad.)

- *V. 2350 av. J.-C. Fondation par les Akkadiens.*
- *V. 1830-1530 av. J.-C. Première dynastie babylonienne; le principal souverain de cette époque fut Hammourabi.*
- *XVIe-VIIe s. av. J.-C. Invasions et dominations successives des Hittites, des Kassites puis des Assyriens.*
- *626-539 av. J.-C. Empire néo-babylonien ou Empire chaldéen.*

Cet empire est marqué par la haute personnalité de Nabuchodonosor, roi de 605 à 562 av. J.-C. Il écrasa à Karkemish le pharaon égyptien Néchao, puis prit Jérusalem (587) et emmena en captivité ses habitants. Babylone connut alors une période de splendeur (enceintes fortifiées; temple de Mardouk; Jardins suspendus, l'une des « Sept Merveilles du monde »; tour à étages dite *tour de Babel*).

- *539 av. J.-C. Cyrus II prend Babylone. La Babylonie devient province perse.*
- *331 av. J.-C. Alexandre le Grand s'empare de Babylone dont il fait la capitale de ses possessions asiatiques.*

Les successeurs d'Alexandre, les Séleucides, abandonnèrent peu à peu la ville, qui tomba en ruine.

1. BAC n. m. ⟶ BACCALAURÉAT.

2. BAC [bak] n. m. (bas lat. *baccus*, récipient). Cuve ou large récipient servant à divers usages. ‖ *Bac à glace*, dans un réfrigérateur, récipient cloisonné en compartiments, qui, remplis d'eau, servent à former de petits cubes de glace.

3. BAC [bak] n. m. (même étym.). Bateau large et plat, qui sert à passer gens et véhicules d'une rive à l'autre d'un cours d'eau.

BACCALAURÉAT [bakalɔrea] n. m. (du lat. *bacca lauri*, baie de laurier). Examen marquant la fin du second cycle de l'enseignement du second degré : le diplôme donne droit au titre de bachelier (syn. fam. BAC, BACHOT). → ENCYCL. ◆ **bachelier, ère** [baʃəlje, -ɛr] n. Celui, celle qui a passé avec succès le baccalauréat. ◆ **bachot** n. m. Abrév. de BACCALAURÉAT. ◆ **bachoter** v. t. et i. *Fam.* Préparer hâtivement et superficiellement un examen et en particulier le baccalauréat, ou une matière d'examen. ◆ **bachotage** n. m. : *Un bachotage intensif.*

— ENCYCL. Les lycées d'enseignement général et technologique préparent au *baccalauréat d'enseignement général* et au *baccalauréat technologique*. On passe le baccalauréat après une épreuve de français subie à l'issue de la classe de première. Ce diplôme est en principe exigé pour l'inscription dans les universités et pour la préparation à l'entrée dans les grandes écoles.

Actuellement, le baccalauréat d'enseignement général compte six séries : A (philosophie-lettres : comportant 3 options [A1 : lettres et mathématiques; A2 : lettres et langues; A3 : lettres et arts]), B (économique et social), C (mathématiques et sciences physiques), D (mathématiques et sciences de la nature), D′ (sciences agronomiques et techniques), E (mathématiques et techniques).

Le baccalauréat technologique comporte 18 séries : F1 (construction mécanique), F2 (électronique), F3 (électrotechnique), F4 (génie civil), F5 (physique), F6 (chimie), F7 (sciences biologiques; option biochimie), F7′ (sciences biologiques; option biologie), F8 (sciences médico-sociales), F9 (énergie et équipement), F10 (microtechniques; appareillage et optique), F11 (musique : option instrument), F11′ (musique : option danse), F12 (arts appliqués), G1 (techniques administratives), G2 (techniques quantitatives de gestion), G3 (techniques commerciales), H (informatique).

Le *baccalauréat professionnel*, mis en place progressivement (auj. une vingtaine d'options), consacre une formation de technicien approfondie. Il se prépare en deux ans après le brevet d'études professionnelles, dans les lycées professionnels. Il peut aussi être obtenu par la voie de l'apprentissage. Il permet, comme le baccalauréat technologique, l'accès direct à la vie active.

BACCARA [bakara] n. m. (orig. inc.). Jeu de cartes en usage dans les casinos.

BACCARAT, ch.-l. de cant. de Meurthe-et-Moselle, à 25 km au S.-E. de Lunéville, sur la Meurthe; 5 600 hab. *(Bachânois).* Célèbre cristallerie dont la production commença en 1819.

BACCARAT [bakara] n. m. (de *Baccarat*). Cristal de la manufacture de Baccarat.

BACCHANALES [bakanal] n. f. pl. (lat. *Bacchanalia*, fêtes de Bacchus). Fêtes religieuses célébrées dans la Rome antique en l'honneur de Bacchus. ◆ n. f. *Fam.* Débauche bruyante.

BACCHUS, nom donné au dieu grec *Dionysos* par les Romains. C'était le dieu du Vin.

BACH (Jean-Sébastien), compositeur allemand (1685-1750). Il se fait rapidement connaître comme violoniste, claveciniste et organiste.

- *1708-1717. Organiste et musicien de chambre, puis maître de chapelle à Weimar, ses fonctions au service du prince de Saxe-Weimar l'amènent à écrire de nombreuses œuvres pour orgue et des cantates.*
- *1717. Nommé maître de la musique à Köthen, il dispose d'un orchestre pour lequel il va écrire la plupart de ses œuvres de musique instrumentale (dont les fameux « Concertos brandebourgeois », 1721).*
- *1723. Directeur de la musique et cantor de Saint-Thomas de Leipzig, il écrit pour cette ville beaucoup de musique d'orgue et de musique vocale. Il compose ses grandes œuvres religieuses (« Magnificat », 1723; « Passion selon saint Jean », 1723; « Passion selon saint Matthieu », 1729).*
- *1749. Frappé d'une attaque de paralysie, il devient aveugle. Il travaille cependant à ses dernières œuvres, dont l' « Art de la fugue ».*

La vie de Bach fut celle d'un musicien de l'époque classique : tributaire des princes qui le rétribuaient, c'est à leur demande qu'il écrivit la plupart de ses œuvres. Les rois de Prusse, d'Autriche et de Pologne furent parmi ses plus fervents admirateurs.

De ses deux mariages, il eut 19 enfants, dont beaucoup devinrent des virtuoses ou des compositeurs : notamment WILHELM FRIEDEMANN (1710-1784), CARL PHILIPP (1714-1788) et JOHANN CHRISTIAN, ou JEAN-CHRÉTIEN (1735-1782).

Le génie de Bach s'exprime dans la perfection de l'écriture, l'équilibre, la raison, la puissance, la spiritualité qui se dégagent de sa musique.

BÂCHE [bɑʃ] n. f. (lat. *bascauda*, baquet). **1.** Toile épaisse et imperméabilisée qui sert à protéger des intempéries les marchandises, les objets : *Mettre une bâche sur une voiture.* — **2.** Petit coffre recouvert d'un châssis vitré, utilisé pour la culture des primeurs. ◆ **bâcher** v. t. : *Couvrir d'une bâche.*

BACHELARD (Gaston), philosophe français (1884-1962), auteur d'ouvrages sur la philosophie des sciences.

BACHELIER, ÈRE n. ⟶ BACCALAURÉAT.

BÂCHER v. t. ⟶ BÂCHE.

BACHKIRIE *(république autonome de)*, république autonome de l'U. R. S. S., s'étendant sur l'Oural méridional; 3 818 100 hab. *(Bachkirs)*. Capit. *Oufa*.

BACHOT n. m., **BACHOTAGE** n. m., **BACHOTER** v. t. et i. ⟶ BACCALAURÉAT.

1. BACILLE [basil] n. m. (lat. *bacillum*, bâtonnet). Microbe en forme de bâtonnet, le plus souvent considéré sur le plan de sa nocivité : *Le bacille de Koch est le microbe de la tuberculose.* ◆ **bacillaire** adj. et n. Qui renferme, qui porte des bacilles.

2. BACILLE [basil] n. m. (même étym.). Insecte herbivore du midi de la France, ressemblant à une brindille. (Long. 10 cm.) [Ordres des phasmes.]

BÂCLER [bɑkle] v. t. (bas lat. *bacculare*). Fam. *Bâcler un travail*, s'en acquitter avec une hâte excessive et un total manque de soin : *Bâcler ses devoirs.* ◆ **bâclage** n. m.

BACON [bekœn] n. m. (mot angl.). Lard fumé maigre.

BACON (Roger), moine franciscain anglais (v. 1220-1294). Un des plus grands savants du Moyen Âge, il fut le premier à s'apercevoir que le calendrier julien était erroné. En optique, il indiqua les lois de la réflexion et les phénomènes de réfraction et donna une théorie de l'arc-en-ciel. Il décrivit plusieurs inventions mécaniques : bateaux, voitures et machines volantes.

BACON (Francis), baron VERULAM, chancelier d'Angleterre et philosophe (1561-1626). Il fut un des créateurs de la méthode expérimentale et déclara : *On ne triomphe de la nature qu'en lui obéissant.*

BACTÉRIE [bakteri] n. f. (gr. *baktêria*, bâton). Nom général donné aux microbes unicellulaires de forme allongée *(bacilles)* ou sphérique *(coques) : Les bactéries forment un embranchement du règne végétal.* ⟶ ENCYCL. ◆ **bactéricide** adj. et n. m. Se dit de certains antibiotiques qui tuent les microbes et de certains désinfectants et antiseptiques chimiques (phénol, alcool, eau de Javel). ◆ **bactérien, enne** adj. Relatif aux bactéries. ◆ **bactériologie** n. f. Partie de la microbiologie qui concerne les bactéries : *La bactériologie a été presque entièrement créée par Pasteur.* ◆ **bactériologique** adj. Relatif à la bactériologie : *Analyse bactériologique.* ◆ **bactériologiste** n. Spécialiste de bactériologie. ◆ **bactériostatique** adj. et n. m. Se dit d'une substance qui arrête le développement des bactéries sans les tuer.

— ENCYCL. On désigne sous le nom de *bactéries* un groupe de microbes* qui est le plus étendu et le plus divers du monde microscopique.

Certaines bactéries, le plus petit nombre, sont responsables de maladies humaines (bacille de Koch de la tuberculose, par ex.). Dans la nature, d'autres bactéries jouent un rôle biologique essentiel : putréfaction des matières animales et végétales, fermentation. Ainsi le pétrole et le charbon sont dus à l'action de bactéries.

Chez l'homme même, la « flore bactérienne » normale de la peau, des muqueuses et du gros intestin joue un rôle important : ainsi, les bactéries intestinales contribuent à la nutrition de l'homme, à la synthèse de vitamines.

Les bactéries sont souvent utilisées industriellement (médicaments antibiotiques, fermentation alcoolique, lactique [yaourts, fromages]).

On les appelle, suivant leur forme : *cocci* (coques), en forme de sphère (streptocoque); *bacilles*, en forme de bâtonnet (bacille de Koch); *spirilles*, en forme spiralée (tréponème de la syphilis).

BACTRIANE, pays de l'Asie anc., au N. de l'Afghānistān actuel. La Bactriane fut conquise par Alexandre (329-327 av. J.-C.); à sa mort, elle échut aux Séleucides.

BADAJOZ, v. du sud-est de l'Espagne, en Estrémadure, sur le Guadiana; 101 700 hab. Anc. place forte.

BADAUD [bado] n. m. (du prov. *badar*, regarder bouche bée). Personne qui s'attarde à regarder le spectacle de la rue (fém. inusité) : *Déjà, auprès des deux voitures accidentées, les badauds se rassemblaient.* ◆ adj. m. D'une curiosité superficielle : *Ce qu'il peut être badaud!* ◆ **badauderie** n. f.

BADE, en all. **Baden**, anc. État de l'Allemagne rhénane qui s'étendait le long du Rhin, depuis le lac de Constance jusqu'au confluent du Neckar.

- *1771. Formation d'un margraviat de Bade.*
- *1806. Allié à Napoléon, le margrave reçoit le titre de grand-duc de Bade.*
- *1871. Le pays de Bade devient un État de l'Empire allemand.*
- *1919. Constitution d'une république de Bade.*
- *1949. Réuni au Wurtemberg, le pays constitue l'État de Bade-Wurtemberg dans la République fédérale d'Allemagne.*

BADEN-BADEN, v. d'Allemagne (Bade-Wurtemberg), au pied de la Forêt-Noire; 40 000 hab. Station thermale.

BADEN-POWELL (Robert, *baron*), général anglais (1857-1941), fondateur du scoutisme (1908).

BADERNE [badɛrn] n. f. (orig. obscure). *Fam.* et *péjor.* Homme (souvent militaire) âgé et d'esprit borné.

BADE-WURTEMBERG, État *(Land)* d'Allemagne, qui s'étend entre le lac de Constance et le Neckar, sur la plaine de Bade, la Forêt-Noire et une partie du bassin de Souabe-Franconie; 35 750 km^2; 9 288 000 hab. (260 au km^2). Capit. *Stuttgart*.

L'État est formé par la réunion de diverses régions naturelles. À l'O., au bord du Rhin, la *plaine de Bade* est l'équivalent de l'Alsace. On y pratique une polyculture basée sur les plantes commerciales : houblon, tabac, betterave, et la vigne pousse sur les collines. La *Forêt-Noire*, massif cristallin humide, fournit ses herbages à l'élevage bovin orienté vers la production laitière. Le bassin sédimentaire de *Souabe-Franconie*, s'appuyant sur la Forêt-Noire, est le domaine de la petite polyculture.

Mais le Land est surtout la deuxième région industrielle d'Allemagne : constructions mécaniques (automobiles par ex.), optique, horlogerie. L'industrie se concentre surtout dans deux foyers : Stuttgart et sa région, et vers le confluent Rhin-Neckar, autour de Mannheim.

Stuttgart	632 900 hab.	Karlsruhe	258 400 hab.
Mannheim	330 600 hab.	Fribourg	168 200 hab.

BADGE [badʒ] n. m. (mot angl.). Insigne.

BAD GODESBERG, station hydrominérale située dans la banlieue de Bonn (Allemagne).

BADIANE [badjan] n. f. (du persan *bâdyân*, anis). Arbuste originaire du Tonkin, dont le fruit, appelé *anis étoilé*, contient une essence odorante utilisée pour la fabrication de boissons anisées. (Famille des magnoliacées.)

BADIGEON [badiʒɔ̃] n. m. (orig. inc.). **1.** Enduit de chaux dont on revêt les murs extérieurs des maisons. — **2.** Préparation pharmaceutique. ◆ **badigeonner** v. t. Revêtir, enduire d'un badigeon : *Badigeonner un mur. Badigeonner le fond de la gorge avec un désinfectant* ◆ **badigeonnage** n. m.

BADIN, E [badɛ̃, -in] adj. (mot prov. signif. *sot*). Se dit d'une personne (ou de son attitude) qui aime à plaisanter, qui est d'une humeur légère et gaie : *Tenir des propos badins* (syn. LÉGER). *Répondre d'un air badin* (contr. SÉRIEUX). ◆ **badiner** v. i. **1.** Parler en plaisantant, sans prendre les choses au sérieux. — **2.** *Ne pas badiner sur une chose*, ne pas la considérer à la légère, être très strict sur ce point. ◆ **badinage** n. m. Propos légers et plaisants : *Un innocent badinage.*

BADINE [badin] n. f. (de *badiner*). Canne ou baguette flexible et légère, utilisée souvent comme cravache.

BADINER v. i. ⟶ BADIN.

Badinguet, surnom donné à Napoléon III et emprunté au nom de l'ouvrier dont les vêtements avaient été utilisés par Louis Napoléon pour son évasion du fort de Ham, en 1846.

BAD-LANDS [badlɑ̃ds] n. f. pl. (angl. *bad*, mauvais, et *land*, terre). Terres argileuses disséquées par le ruissellement torrentiel en de multiples ravins qui ne laissent entre eux que des crêtes aiguës.

BADMINTON [badmintɔn] n. m. (mot angl.). Jeu de volant apparenté au tennis.

BADOGLIO (Pietro), maréchal italien (1871-1956). Vice-roi d'Éthiopie (1938), puis commandant en chef de l'armée, il fut président du Conseil après la chute de Mussolini (1943), et traita avec les Alliés.

BADOIS, E [badwa, -az] adj. et n. Du pays de Bade.

BAEYER (Adolf VON), chimiste allemand (1835-1917), auteur de la première synthèse de l'indigo (1880).

BAFFIN (William), navigateur anglais (1584-1622). À la recherche d'un passage vers la Chine, il franchit le détroit de Davis à l'O. du Groenland. Son nom a été donné à la plus grande île de l'archipel arctique canadien (*terre de Baffin*, longue de 1 600 km).

BAFOUER [bafwe] v. t. (prov. *bafar*, se moquer). *Bafouer qq'un*, le traiter de manière à l'outrager et le ridiculiser.

BAFOUILLER [bafuje] v. i. (orig. incert.). *Fam.* et *pejor.* S'exprimer d'une manière embarrassée et confuse : *Bafouiller une réponse inintelligible* (syn. BALBUTIER). *Bafouiller des excuses* (syn. BREDOUILLER, MARMONNER). ◆ **bafouillage** n. m.

BAGAGE [bagaʒ] n. m. (de l'angl. *bag*, paquet). **1.** (au plur.) Ensemble des malles, des valises ou des sacs pour le voyage : *Faire enregistrer ses bagages.* — **2.** (au sing.) Valise, sac, etc., qui contient des objets ou des vêtements : *Je n'ai qu'un petit bagage à main* (= celui que l'on conserve avec soi). — **3.** Ensemble des connaissances que l'on a pu acquérir : *Bagage intellectuel.* — **4.** *Partir avec armes et bagages*, partir sans rien laisser. ‖ *Plier bagage*, partir rapidement. ◆ **bagagiste** n. m. Employé chargé, dans un hôtel, dans une gare ou dans un aéroport, de la manutention des bagages. ◆ **porte-bagages** n. m. inv. Dispositif adapté à un véhicule (bicyclette, voiture, etc.) pour transporter des bagages.

BAGARRE [bagar] n. f. (prov. *bagarro*). **1.** Querelle violente entre plusieurs personnes, accompagnée de coups et aboutissant à une mêlée : *Provoquer une bagarre* (syn. RIXE). *La discussion dégénéra en une bagarre générale* (syn. ÉCHAUFFOURÉE). — **2.** *Fam.* Match ardent entre deux équipes ou entre des concurrents dans une compétition. ◆ **bagarrer** v. i. ou **se bagarrer** v. pr. **1.** *Fam.* Se quereller, se battre. — **2.** *Fam.* Discuter avec ardeur, pour convaincre : *Il aime bagarrer pour ses idées* (syn. LUTTER). ◆ **bagarreur, euse** adj. et n. Se dit de quelqu'un qui aime les disputes, la discussion ou le combat; qui est toujours prêt à se battre au cours d'une compétition.

BAGASSE [bagas] n. f. (esp. *bagazo*, marc). Partie ligneuse de la canne à sucre, restant dans les moulins après l'extraction du jus sucré.

BAGATELLE [bagatɛl] n. f. (it. *bagatella*, tour de bateleur). **1.** Chose, objet de peu de valeur, de peu d'utilité ou de peu d'importance : *Dépenser son argent en bagatelles* (syn. BABIOLE, COLIFICHET). — **2.** Petite somme; faible prix : *J'ai acheté cette voiture d'occasion pour une bagatelle.* ‖ Ironiq. *La bagatelle de*, la somme considérable de : *Il a perdu la bagatelle de dix mille francs.* — **3.** Affaire sans importance, chose dépourvue d'intérêt, de sérieux : *Se disputer pour une bagatelle* (syn. VÉTILLE). *Perdre son temps en bagatelles* (syn. BALIVERNE, FUTILITÉ). — **4.** Morceau de musique de caractère léger et facile.

BAGDAD, capit. de l'Iraq, sur le Tigre; 3 205 000 hab. Centre commercial. Industries textiles. Bagdad fut une ville très prospère sous la dynastie des 'Abbāssides, du VIIIe au XIIIe s.

BAGNE [baɲ] n. m. (it. *bagno*, bain). Lieu où étaient détenus les condamnés aux travaux forcés (syn. PÉNITENCIER). ◆ **bagnard** n. m. (syn. FORÇAT).

— ENCYCL. La marine employa autrefois les *bagnards* comme rameurs dans les *galères* de l'État. Mais, à partir de 1748, la rame cédant la place à la voile, les galériens furent internés dans certains ports de guerre. On les enferma dans d'anciens établissements de bains, d'où le nom de *bagne* donné à tous les locaux contenant les galériens, qui y étaient mis aux fers. Les travaux forcés remplacèrent ensuite cette peine (1810). En 1854, on institua pour les condamnés aux travaux forcés la transportation aux colonies (Saint-Laurent-du-Maroni, en Guyane). À leur tour très critiqués, les bagnes coloniaux furent supprimés (1938).

BAGNÈRES-DE-BIGORRE, ch.-l. d'arrond. des Hautes-Pyrénées, à 21 km au S. de Tarbes, sur l'Adour; 9 900 hab. *(Bagnérais).* Importante station thermale.

BAGNÈRES-DE-LUCHON ou **LUCHON,** ch.-l. de cant. de la Haute-Garonne, dans les Pyrénées; 3 600 hab. *(Luchonnais).* Station thermale. Sports d'hiver à *Superbagnères*, à 1 800 m d'alt.

BAGNEUX, ch.-l. de cant. des Hauts-de-Seine, à 6 km au S. de Paris; 40 400 hab.

BAGNOLES-DE-L'ORNE, comm. de l'Orne, à 39 km au S.-O. d'Argentan; 783 hab. Station thermale et touristique.

BAGNOLET, ch.-l. de cant. de la Seine-Saint-Denis, dans la banlieue est de Paris; 32 600 hab.

BAGNOLS-SUR-CÈZE, ch.-l. de cant. du Gard, à 11 km au S. de Pont-Saint-Esprit; 17 800 hab.

BAGOU [bagu] n. m. (de l'anc. fr. *bagouler*, parler à tort et à travers). *Fam.* Élocution facile, qui se traduit souvent par un flot de paroles destinées à tromper ceux auxquels elles s'adressent : *Le camelot essaie, par son bagou, d'amener les badauds à acheter cet objet inutile. Avoir du bagou* (= avoir la langue bien pendue).

BAGUE [bag] n. f. (néerl. *bagge*, anneau). **1.** Anneau que l'on porte au doigt : *Bague de fiançailles.* — **2.** Objet, pièce qui a la forme d'un anneau, destiné à des usages divers : *Une bague de serrage. La bague d'un cigare est un anneau de papier décoré.* ◆ **baguage** n. m. Pose d'une bague, où sont gravées des références, sur la patte d'un oiseau. (La reprise de la bague permet de déterminer les voies de migration, les lieux d'hivernage, de reproduction, la longévité, la densité des espèces étudiées.) ◆ **baguer** v. t. Garnir d'une bague (le plus souvent au passif) : *Des doigts bagués. Un cigare bagué d'or. Baguer un oiseau.*

BAGUENAUDER [bagnode] v. i. (mot prov.). *Fam.* Se promener sans but précis, en perdant son temps (syn. FLÂNER).

BAGUER v. t. ⟶ BAGUE.

BAGUETTE [bagɛt] n. f. (du lat. *baculum*, bâton). **1.** Petit bâton mince, généralement flexible : *Des baguettes de tambour. Frapper le flanc d'un cheval avec une baguette* (syn. BADINE). — **2.** *D'un coup de baguette (magique)*, d'une manière si rapide et si extraordinaire que l'on pourrait croire à une intervention surnaturelle. ‖ *Mener à la baguette*, d'une manière dure et autoritaire. ‖ *Marcher à la baguette*, fonctionner avec régularité, sous une dure autorité. — **3.** *Baguette de pain*, pain long et mince d'environ 300 g.

BAGUIRMI, anc. sultanat musulman du Soudan central, à l'E. du lac Tchad.

BAH! [bɑ] interj. (onomat.). Marque le début d'une phrase exclamative dont les intonations expriment en général le désappointement, l'indifférence ou l'étonnement mêlé de doute.

BAHAMAS *(archipel des)*, ancienn. **îles Lucayes,** État insulaire de l'Atlantique, s'allongeant sur 1 000 km au N. de Cuba et de Haïti; 250 000 hab. Capit. *Nassau*, dans l'île New Providence. L'archipel est formé de 30 îles importantes, de 700 îlots et de 2 000 rochers coralliens. C'est une grande région touristique.

- *1492. Christophe Colomb arrive dans le Nouveau Monde à l'île « San Salvador » (Guanahani ou Samana Cay), l'une des Lucayes.*
- *1973. Occupé par les Anglais depuis le début du XVIIe s., l'archipel accède à l'indépendance.*

BAHIA, État de l'est du Brésil; 7 508 800 hab. Capit. *Salvador.*

BAHÍA BLANCA, port d'Argentine; 182 200 hab.

BAHREÏN ou **BAHRAIN** *(îles)*, archipel du golfe Persique, près de la côte d'Arabie (en 1986, il est relié à l'Arabie Saoudite par un pont); 660 km^2; 500 000 hab. Capit. *Manāma*, dans l'île principale, Bahreïn, qui a donné son nom au groupe. Anc. principauté britannique devenue un État indépendant en 1971. Production de pétrole (2 300 000 t).

BAHR EL-AZRAK, autre nom du NIL BLEU.

BAHR EL-GHAZAL, cours d'eau du Soudan, exutoire d'une cuvette marécageuse formée surtout par le Nil Blanc.

1. BAHUT [bay] n. m. (orig. inc.). Coffre de bois muni d'un couvercle bombé ou non, ou petit buffet de forme basse.

2. BAHUT [bay] n. m. (orig. inc.). *Arg. scol.* Lycée, collège. ◆ **bahuter** v. t. Soumettre les nouveaux à des brimades (syn. BIZUTER).

BAI, E [bɛ] adj. (lat. *badius*, brun). Se dit d'un cheval à robe brune, dont la crinière et les extrémités sont noires.

1. BAIE [bɛ] n. f. (lat. *bacca*). Fruit charnu, non compartimenté, et contenant en son centre les graines, ou *pépins* (*ex. :* groseille, raisin).

2. BAIE [bɛ] n. f. (de l'anc. fr. *baer*, être ouvert). Large ouverture pratiquée dans un mur, et servant de fenêtre ou de porte : *Une baie vitrée.*

3. BAIE [bɛ] n. f. (bas lat. *baia*). Échancrure de la côte (moins grande qu'un *golfe*) : *La baie du Mont-Saint-Michel.*

BAÏF (Jean Antoine DE), poète français (1532-1589), membre de la Pléiade.

BAIGNER [bɛɲe] v. t. (bas lat. *balneare*). **1.** *Baigner qqch.*, le tremper complètement dans un liquide, surtout dans l'eau : *Baigner le chien dans la rivière.* — **2.** *Fleuve qui baigne une ville, une région*, qui les traverse : *La Seine baigne Paris* (syn. ARROSER). ‖ *Mer qui baigne telle ou telle côte*, qui la touche : *La Manche baigne les rivages de la Normandie.* ‖ *Lumière qui baigne qqch.*, qui se répand largement sur quelque chose. — **3.** *Baigner de larmes, de sang*, etc., couvrir de larmes, de sang, etc. quelqu'un ou son visage (surtout au passif) : *Son visage était baigné de sueur* (syn. ↑INONDER, ↓MOUILLER). ◆ v. i. **1.** *Baigner dans un liquide*, y rester plongé : *Des cerises baignant dans l'alcool* (syn. TREMPER). — **2.** Être comme enveloppé par quelque chose : *Tout le paysage baignait dans la brume.* — **3.** (sujet nom de personne) *Baigner dans son sang*, être étendu, blessé ou mort, dans son propre sang. ◆ ***se baigner*** v. pr. **1.** (sujet nom de personne) Tremper entièrement son corps ou une partie du corps dans l'eau (syn. PRENDRE UN BAIN). — **2.** *Se baigner dans le sang*, prendre plaisir au meurtre, au carnage (littér.). ◆ **baignade** [bɛɲad] n. f. **1.** Endroit d'une rivière où l'on peut se baigner. — **2.** Action de se baigner : *C'est le moment de la baignade* (syn. BAIN). ◆ **baigneur, euse** n. Personne qui se baigne, en particulier au bord de la mer. ◆ n. m. Poupée nue faite pour être mise à l'eau sans inconvénient. ◆ **baignoire** n. f. Cuve dans laquelle on prend des bains. (⟶ BAIN.)

1. BAIGNOIRE n. f. ⟶ BAIGNER.

2. BAIGNOIRE [bɛɲwar] n. f. (de *baigner*). Loge du rez-de-chaussée d'un théâtre.

BAÏKAL *(lac)*, lac de l'U. R. S. S., en Sibérie centrale; 31 500 km². Long de 640 km, large de 60 à 85 km, il occupe un fossé tectonique dû à de grandes failles. L'Angara est son émissaire. Pêcheries importantes.

BAÏKONOUR, v. de l'U. R. S. S. (Kazakhstan). Base de lancement de missiles et d'engins spatiaux.

BAIL [baj] n. m. (du lat. *bajulare*). **1.** Contrat par lequel le possesseur légal d'un immeuble ou d'une terre en cède l'usage ou la jouissance à certaines conditions et pour un temps déterminé : *Le fermier avait un bail de neuf ans renouvelable.* — **2.** Somme due annuellement ou trimestriellement, en vertu de ce contrat, par le locataire, le fermier, etc., au propriétaire : *Payer ses baux.* ‖ *Il y a un bail!*, il y a longtemps. ‖ Pl. des *baux.* ◆ **bailler** v. t. Donner, fournir, procurer : *Bailler de l'argent.* ‖ *La bailler bonne, la bailler belle*, dire une chose extraordinaire et incroyable. ◆ **bailleur, eresse** n. Personne qui donne en bail. ‖ *Bailleur de fonds*, personne qui fournit des fonds à un particulier ou à une société.

BAILÉN, v. de l'Espagne méridionale, en Andalousie, au S. de la sierra Morena; 13 200 hab.

• *Juil. 1808. Le général français Dupont capitule avec 9 000 hommes, ce qui constitue un grave échec pour Napoléon.*

BÂILLEMENT n. m. ⟶ BÂILLER.

BAILLER v. t. ⟶ BAIL.

BÂILLER [bɑje] v. i. (lat. *batare*, tenir la bouche ouverte). **1.** (sujet nom d'être animé) Ouvrir largement la bouche, avec une contraction instinctive des muscles de la face : *Bâiller de faim, d'ennui, de fatigue, de sommeil.* — **2.** (sujet nom de chose) Être entrouvert; être mal fermé, mal ajusté : *La porte bâille et claque au moindre courant d'air. Le col trop large bâille sur son cou.* ◆ **bâillement** n. m. : *Étouffer un bâillement. Le bâillement d'une chemise.*

BAILLEUL, ch.-l. de cant. du Nord, à 12 km au N.-O. d'Armentières; 13 400 hab. *(Bailleulois).* Industries textiles.

BAILLEUR, ERESSE n. ⟶ BAIL.

BAILLI [baji] n. m. (de l'anc. franç. *baillir*, administrer). Agent du roi ou d'un seigneur, chargé, à partir de la fin du XIIᵉ s., de fonctions judiciaires. ◆ **bailliage** n. m. **1.** Territoire soumis à la juridiction d'un bailli. — **2.** Tribunal présidé par le bailli. — **3.** Demeure du bailli.

— ENCYCL. La fonction de *bailli* fut instituée à la fin du XIIᵉ s. pour surveiller les officiers royaux dans le Nord et dans l'Est. Envoyés d'abord en missions temporaires, les baillis se fixèrent ensuite dans des circonscriptions délimitées, ou *bailliages.* Leurs pouvoirs, très larges, comprenaient notamment la convocation du ban*, la centralisation des recettes et la réunion d'assises judiciaires quatre fois par an. Ils furent les artisans de l'unité du royaume et de la toute-puissance du roi. Mais la vénalité* des charges altéra l'institution dès le XVᵉ s. L'établissement des *gouverneurs* limita beaucoup leurs attributions.

BÂILLON [bɑjɔ̃] n. m. (de *bâiller*). Bandeau que l'on applique sur la bouche ou tampon qu'on enfonce dans la bouche de quelqu'un, pour l'empêcher de parler ou de crier. ◆ **bâillonner** v. t. **1.** *Bâillonner qq'un*, lui mettre un bâillon. — **2.** *Bâillonner la presse, l'opinion publique*, etc., les mettre dans l'impossibilité de s'exprimer librement (syn. MUSELER). ◆ **bâillonnement** n. m.

BAILLY (Jean Sylvain), astronome et homme politique français (1736-1793). Maire de Paris (15 juillet 1789), il fit tirer sur les manifestants qui, réunis au Champ-de-Mars après la fuite à Varennes, réclamaient la déchéance de Louis XVI (17 juillet 1791). Arrêté en 1793, il fut condamné à mort et exécuté.

BAIN [bɛ̃] n. m. (lat. *balneum*). **1.** Action de plonger un corps (surtout le corps humain) dans un liquide, complètement ou partiellement : *Prendre un bain froid* (= se baigner dans l'eau froide). *Des bains de boue.* — **2.** Le liquide dans lequel on plonge un corps : *Vider le bain.* — **3.** *Petit bain, grand bain*, parties de la piscine désignées selon la profondeur. — **4.** *Bain de soleil*, exposition du corps au soleil afin de le faire brunir. ‖ *Bain de vapeur*, station dans une atmosphère saturée de vapeur d'eau, pour provoquer la sudation. ◆ **bains** n. m. pl. Établissement où l'on prend des bains pour des raisons d'hygiène ou médicales : *Les bains municipaux.* ‖ *Salle de bains*, pièce réservée aux soins de toilette et contenant divers appareils sanitaires (baignoire, douche, etc.).

Bain *(ordre du)*, ordre de chevalerie anglais, institué en 1725.

BAIN-MARIE [bɛ̃mari] n. m. (du n. de *Marie*, sœur de Moïse, auteur supposé d'un traité d'alchimie). Liquide chaud dans lequel on met un récipient contenant ce qu'on veut faire chauffer; le récipient lui-même. ‖ Pl. des *bains-marie.*

BAÏONNETTE [bajɔnɛt] n. f. (de *Bayonne*). Petite épée qui s'adapte au bout du fusil. ‖ *Douille à baïonnette*, douille de lampe électrique qui s'adapte comme une baïonnette.

BAÏSE (la), riv. du sud-ouest de la France, née sur le plateau de Lannemezan, qui passe à Mirande et Condom. Elle rejoint la Garonne (r. g.); 190 km.

BAISER [beze] v. t. (lat. *basiare*). Poser ses lèvres sur quelqu'un ou sur une chose par affection ou en signe de respect : *Baiser un enfant sur la joue. Baiser un crucifix* (syn. EMBRASSER). ◆ **baiser** n. m. (plus usuel que le verbe) : *Donner un baiser sur le front. Donner le baiser de paix à qq'un* (= se réconcilier avec lui). ‖ *Baiser de Judas*, baiser perfide, de traître. (Allusion au baiser que Judas donna à Jésus pour le désigner à ses ennemis.) ◆ **baise-main** n. m. Geste de politesse consistant à baiser la main d'une dame.

BAISSER [bɛse] v. t. (du lat. *bassus*, bas). **1.** *Baisser une chose*, la faire descendre, la ramener à un niveau plus bas : *Baisser un store* (syn. ABAISSER; contr. RELEVER, REMONTER). *Baisser le col de sa chemise* (syn. RABATTRE). — **2.** *Baisser la main, le nez, la tête, les yeux*, etc., les porter, les incliner vers le bas; dans des express. : *Se jeter tête baissée* (= sans réfléchir, sans regarder). *Baisser le nez* (ou *la tête*) *devant des reproches* (= avoir une attitude confuse). — **3.** *Baisser la voix, baisser une flamme, baisser les prix*, etc., en diminuer la force, l'intensité, le montant (syn. RÉDUIRE; contr. AUGMENTER). ◆ v. i. Diminuer de hauteur, de valeur, de force, etc. : *La mer a baissé* (syn. DESCENDRE). *Le soleil baisse* (syn. DÉCLINER). *Le baromètre baisse* (contr. REMONTER). *Sa vue baisse* (syn. DÉCROÎTRE, FAIBLIR). ◆ ***se baisser*** v. pr. Se pencher, se courber. ◆ **baisse** [bɛs] n. f. Sens du v. i. : *La baisse de la température* (contr. ÉLÉVATION). *La baisse des prix* (syn. DIMINUTION; contr. AUGMENTATION, HAUSSE). *La baisse du cours des actions* (syn. CHUTE). [⟶ aussi ABAISSER, RABAISSER.]

Bajazet, tragédie de Racine (1672).

BAJOUES [baʒu] n. f. pl. *(bas*, et *joue)*. *Péjor.* Joues humaines flasques et pendantes.

BĀKHTARĀN → KERMĀNCHĀH.

BAKOU, v. de l'U. R. S. S., capit. de la république d'Azerbaïdjan, sur la Caspienne, dans la péninsule d'Apchéron; 1 435 000 hab. Centre pétrolier. Industries chimiques.

BAKOU (Second-), région pétrolifère de l'U. R. S. S. entre l'Oural et la Volga.

BAKOUNINE (Mikhail Alexandrovitch), révolutionnaire russe (1814-1876). Il rompit avec Marx en 1872 et se fit le théoricien de l'anarchie dans *l'État et l'anarchie* (1873), où il s'oppose à tout pouvoir : même révolutionnaire, ce dernier trahit le peuple dans la mesure où il veut s'éterniser.

BAL [bal] n. m. (de l'anc. fr. *baller*, danser). Réunion où l'on danse en musique; local où l'on danse : *Ouvrir le bal* (= être le premier à danser).

BALADE [balad] n. f. (de *ballade*). Syn. fam. de PROMENADE : *Faire une balade.* ◆ **se balader** v. pr. *Fam.* Se promener.

BALADEUR [baladœr] n. m. Autre nom du WALKMAN.

BALADEUSE [baladøz] n. f. (de *se balader*). Lampe électrique munie d'un long fil qui permet de la déplacer.

BALADIN [baladɛ̃] n. m. (du prov. *balar*, danser). Comédien ambulant, clown, acrobate qui amuse le public par des spectacles donnés sur des tréteaux (syn. BATELEUR, SALTIMBANQUE).

BALAFRE [balafr] n. f. (de l'anc. fr. *leffre*, lèvre). Grande entaille faite par un instrument tranchant, en général au visage; cicatrice qu'elle laisse : *En se rasant, il se fit une balafre* (syn. ENTAILLE). ◆ **balafrer** v. t. Blesser en faisant une longue entaille au visage ou au corps (surtout au part. passé) : *Une joue balafrée.* ◆ **balafré, e** adj. : *Henri de Guise fut surnommé « le Balafré ».*

BALAGNE (la), région du nord-ouest de la Corse.

BALAI [balɛ] n. m. (du gaul. *banatlo*, genêt). **1.** Brosse munie d'un long manche, et dont on se sert pour nettoyer : *Donner un coup de balai* (= enlever rapidement la poussière). *Un balai mécanique.* — **2.** *Manche à balai*, levier qui permet d'agir sur le gouvernail de profondeur et sur les ailerons d'un avion; désigne aussi une personne grande et maigre. — **3.** Frottoir en charbon qui, dans les moteurs électriques, assure le contact entre une pièce fixe et une pièce mobile. ◆ **balayer** [balɛje] v. t. (Conj. **4.**) **1.** *Balayer une pièce*, en enlever la poussière avec un balai. — **2.** *Balayer les ordures, la poussière*, etc., les enlever, les pousser en un autre lieu, avec un balai. ‖ *Le vent a balayé les nuages* (syn. CHASSER). — **3.** *Balayer un lieu*, se répandre sur la totalité de la surface considérée, la recouvrir, l'envelopper : *Les projecteurs balaient le ciel pour repérer l'avion* (syn. FOUILLER). *Le vent balaie la plaine.* — **4.** (sujet surtout nom de personne) Faire disparaître rapidement, chasser : *Balayer les arguments de ses adversaires* (syn. ÉCARTER, REJETER). *Balayer les soucis* (syn. SUPPRIMER). ◆ **balayage** n. m. **1.** Action de balayer. — **2.** Exploration par un faisceau électronique des éléments, ou *points*, d'une image sur un écran de télévision. ◆ **balayeur** n. m. Celui qui est préposé au balayage des rues. ◆ **balayeuse** n. f. Véhicule qui, muni de brosses rotatives et d'un réservoir d'eau, est utilisé pour le nettoyage des rues. ◆ **balayette** n. f. petit balai : *Ramasser les miettes de pain avec une balayette et une petite pelle.*

BALAKLAVA, port de l'U. R. S. S. (Ukraine), en Crimée, sur la mer Noire; 10 000 hab.

• *25 oct. 1854. Combat entre Russes et Anglais, célèbre par la charge de la cavalerie anglaise, commandée par lord Cardigan (« charge de la brigade légère »).*

BALALAÏKA [balalaika] n. f. (mot russe). Sorte de guitare dont la caisse de résonance est de forme triangulaire, à trois cordes, employée en Russie pour exécuter de la musique populaire.

1. BALANCE n. f. → BALANCER 3.

2. BALANCE [balɑ̃s] n. f. (du lat. *bis*, deux fois, et *lanx*, plateau). **1.** Appareil qui sert à peser, à évaluer des masses. → ENCYCL. — **2.** *Tenir la balance égale*, avoir une attitude impartiale entre deux personnes ou deux partis. ‖ *Faire pencher la balance en faveur de qq'un, de qqch.*, prendre parti pour. ‖ *Peser dans la balance*, être d'une grande importance, d'un grand poids : *Cet argument n'a pas pesé lourd dans la balance.* ‖ *Jeter qqch. dans la balance*, dire, faire quelque chose qui emporte la décision.

— ENCYCL. La *balance* ordinaire se compose essentiellement d'une barre métallique rigide, appelée *fléau*, traversée perpendiculairement à sa longueur par trois prismes d'acier, les *couteaux*. L'arête du couteau situé au milieu du fléau repose sur un plan d'agate ou d'acier, disposé à la partie supérieure d'une colonne verticale munie de pieds à vis calantes. Les deux autres couteaux sont placés aux extrémités du fléau; sur leurs arêtes sont accrochés deux plateaux, dans lesquels on place les corps à peser. Grâce aux vis calantes, on règle la balance de façon que les arêtes des couteaux soient horizontales. Au fléau est fixée une aiguille indicatrice, dont la pointe se déplace devant un cadran gradué.

■ *Types de balances.* Les *balances de précision* sont placées à l'intérieur d'une cage de verre, dans une atmosphère desséchée. Une échelle micrométrique est fixée à l'aiguille, que l'on observe dans un viseur. Le fléau comporte une division sur laquelle, pour parfaire l'équilibre, on peut disposer des cavaliers, petits fils métalliques en forme de V renversé. On peut ainsi parvenir à mesurer une masse de 100 g, par exemple, à 0,1 mg près.

La *balance de Roberval* est un appareil commercial à plusieurs fléaux, dont les plateaux, découverts, sont maintenus de manière à rester horizontaux. La *balance romaine* se compose d'un fléau dissymétrique reposant sur un couteau soutenu par un anneau que l'on tient à la main. Le corps à peser est suspendu au plus court bras du levier, et l'autre bras, gradué, porte un curseur pesant que l'on déplace pour obtenir l'équilibre. Les *balances automatiques* exécutent l'opération de pesée sans intervention humaine. Elles enregistrent le poids mesuré et en impriment la valeur sur un ticket.

3. BALANCE [balɑ̃s] n. f. (même étym.). Petit filet dont la forme rappelle un plateau de balance et qu'on utilise pour la pêche des crustacés : crevettes (en mer) et écrevisses (en eau douce).

BALANCE (la), constellation zodiacale de l'hémisphère austral. — Septième signe du zodiaque, correspondant à la période du 23 septembre au 24 octobre.

BALANCÉ, E adj. → BALANCER 3.

BALANCEMENT n. m. → BALANCER 1 et 3.

1. BALANCER [balɑ̃se] v. t. (de *balance*) [sujet nom de personne ou de chose]. *Balancer qqch., qq'un*, les mouvoir tantôt d'un côté, tantôt de l'autre : *L'enfant, sur sa chaise, balance ses jambes.* ◆ v. i. ou **se balancer** v. pr. (sujet nom d'objet) Aller d'un côté et de l'autre d'un point fixe : *Le lustre se balance dangereusement* (syn. OSCILLER). ◆ v. pr. (sujet nom de personne) **1.** Jouer sur une balançoire. — **2.** Faire mouvoir constamment son corps : *Se balancer sur ses jambes* (syn. SE DANDINER). ◆ **balancement** n. m. : *Le balancement d'un lustre* (syn. OSCILLATION). *Le balancement des hanches* (syn. DANDINEMENT). ◆ **balancier** n. m. **1.** Pièce animée d'un mouvement de va-et-vient (oscillation) qui règle la marche d'une machine, et en particulier des horloges, des montres, etc. — **2.** Longue perche dont se servent les funambules et autres acrobates pour assurer leur équilibre à grande hauteur. — **3.** Nom donné aux petits appendices en forme de bâtonnets qui remplacent, chez les insectes diptères, les ailes postérieures. (Les balanciers sont indispensables à l'équilibre de l'insecte pendant le vol.) ◆ **balançoire** n. f. Siège suspendu à deux cordes, sur lequel on se balance.

2. BALANCER [balɑ̃se] v. t. (même étym.) [sujet nom de personne]. **1.** Très fam. *Balancer qqch.*, le lancer violemment. — **2.** Fam. *Balancer qq'un, qqch.*, s'en débarrasser : *Balancer un employé* (syn. CONGÉDIER, RENVOYER). *Balancer ses vieux meubles* (syn. VENDRE).

3. BALANCER [balɑ̃se] v. t. (même étym.) [sujet nom de personne]. **1.** *Balancer un compte*, en équilibrer le débit et le crédit. — **2.** *Balancer le pour et le contre*, hésiter entre deux décisions possibles (syn. PESER). ◆ v. i. (sujet nom de personne) Rester hésitant : *Mon cœur balance.* ◆ **se balancer** v. pr. Arriver à un point d'équilibre : *Les forces en présence se balancent* (syn. S'ÉQUILIBRER, SE NEUTRALISER). ◆ **balancé, e** adj. **1.** *Phrase bien balancée*, dont les diverses parties s'équilibrent (syn. HARMONIEUX). — **2.** Pop. *Personne bien balancée*, bien faite (syn. BIEN PROPORTIONNÉ; fam. BIEN BÂTI). ◆ **balance** n. f. **1.** Équilibre général : *La balance des forces dans le monde.* — **2.** *Mettre en balance*, évaluer en mettant en comparaison : *Il a mis en balance les avantages et les inconvénients* (syn. COMPARER). — **3.** En comptabilité, montant représentant la différence entre la somme du débit et la somme du crédit, et que l'on ajoute à la plus faible des deux pour égaliser les totaux. (On dit également SOLDE.) ‖ *Balance commerciale*, compte des importations et des exportations de marchandises d'un pays. ‖ *Balance des comptes*, document retraçant les mouvements de marchandises, de capitaux et de revenus, intervenus entre un pays et un ou plusieurs autres. ‖ *Balance des paiements*, document retraçant l'ensemble des échanges entre un pays ou un groupe de pays et un autre pays ou le reste du monde. ◆ **balancement** n. m. : *Le balancement harmonieux d'une phrase* (syn. RYTHME).

BALANCIER n. m., **BALANÇOIRE** n. f. → BALANCER 1.

BALANE [balan] n. f. (gr. *balanos*, gland). Petit crustacé fixé sur les rochers littoraux ou sur les coquillages, entouré de plaques calcaires blanches formant une sorte de cratère. (Taille, 1 cm.) [Sous-classe des cirripèdes.]

BALARUC-LES-BAINS, comm. de l'Hérault, à 5 km au N. de Sète; 4 400 hab. Station thermale.

BALATA [balata] n. m. (orig. inc.). Nom commun à divers arbres des Guyanes et du Venezuela, fournissant des bois commerciaux et un latex. (Famille des sapotacées.)

BALATON *(lac)*, lac de Hongrie, au pied des monts Bakony.

Très peu profond (3 à 12 m), c'est un des plus grands lacs d'Europe (596 km²).

BALAYAGE n. m., **BALAYER** v. t., **BALAYETTE** n. f., **BALAYEUR** n. m., **BALAYEUSE** n. f. ⟶ BALAI.

BALBOA (Vasco NÚÑEZ DE), conquistador espagnol (1475-1517). En 1513, il franchit l'isthme de Darién et découvrit la « mer du Sud » (= l'océan Pacifique).

BALBUTIER [balbysje] v. i. et t. (du lat. *balbus*, bègue). **1.** *Personne qui balbutie*, qui s'exprime en articulant mal, d'une manière confuse ou hésitante : *La peur le fait balbutier* (syn. péjor. et fam. BAFOUILLER). *Balbutier des excuses* (syn. BREDOUILLER, MARMONNER). — **2.** *Science, technique, personne* (considérée sur le plan de son activité intellectuelle) *qui balbutie*, qui en est à ses débuts. ◆ **balbutiement** [balbysimɑ̃] n. m. : *Les balbutiements d'un enfant, du cinéma.*

BALBUZARD [balbyzar] n. m. (de l'angl. *bald*, chauve, et *buzzard*, rapace). Oiseau rapace diurne qui se nourrit uniquement de poissons qu'il capture dans ses serres en plongeant à la surface de l'eau. (Ordre des falconiformes.)

BALCON [balkɔ̃] n. m. (it. *balcone*). **1.** Plate-forme entourée d'une balustrade, qui fait saillie sur une façade; appui d'une fenêtre : *Prendre l'air sur le balcon. Être accoudé au balcon.* — **2.** Dans les salles de spectacle (théâtre, cinéma, etc.), galerie au-dessus de l'orchestre.

BALDAQUIN [baldakɛ̃] n. m. (it. *baldacchino*, étoffe de soie de Bagdad). Tenture dressée au-dessus d'un trône, d'un catafalque, d'un lit, etc.

BALDUNG (Hans), surnommé **Grien** ou **Grün**, peintre et graveur (1484 ou 1485-1545). Formé en Alsace, il travailla dans l'atelier de Dürer. Il a souvent traité des sujets macabres ou fantastiques.

BALDWIN (Stanley), homme politique britannique (1867-1947). Conservateur, il fut Premier ministre en 1923, de 1924 à 1929 et de 1935 à 1937.

BÂLE, en all. **Basel,** v. de Suisse, sur le Rhin, à proximité des frontières française et allemande; 204900 hab. La ville s'est beaucoup développée au XIXe s., comme important nœud de communications : centre ferroviaire, Bâle est également un port important sur le Rhin. L'industrie joue aussi un rôle considérable, et la plus dynamique est l'industrie chimique.

- *1431-1449. Un concile tenu à Bâle aboutit à une rupture avec Rome et à l'élection de l'antipape Félix V.*
- *5 avril 1795. Traité de Bâle, entre la France et la Prusse, qui abandonne la rive gauche du Rhin.*
- *22 juil. 1795. Second traité de Bâle entre l'Espagne et la France, qui restitue les territoires conquis au-delà des Pyrénées en échange de la partie espagnole de l'île de Saint-Domingue.*

BALÉARES, archipel espagnol de la Méditerranée occidentale ; 5014 km²; 655900 hab. *(Baléares)*. Ch.-l. *Palma* (dans l'île de Majorque). Les îles principales sont : *Majorque*, 400000 hab. ; *Minorque*, 60000 hab.; *Ibiza*, 36000 hab. Ces îles au relief accidenté, souvent abrupt, jouissent d'un climat méditerranéen très doux. Le développement considérable du tourisme a bouleversé la vie traditionnelle des îles, qui accueillent plusieurs millions de touristes chaque année.

1. BALEINE [balɛn] n. f. (lat. *balaena*). Mammifère marin, le plus grand animal qui ait jamais existé (jusqu'à 25 m de long et 150 t de poids), activement chassé pour sa graisse et pour sa chair. (Ordre des cétacés.) ◆ **baleineau** n. m. Petit de la baleine qui, à sa naissance, mesure 5 m et pèse jusqu'à 6 t. ◆ **baleinier** n. m. Navire utilisé pour capturer et remorquer les baleines. ◆ **baleinière** n. f. Petite embarcation longue et fine, utilisée autref. pour la chasse de la baleine au harpon et qui sert de canot de bord sur tous les navires (syn. CANOT).

— ENCYCL. La *baleine* a la forme d'un grand poisson si ce n'est la position horizontale de la nageoire caudale. Elle respire par des poumons, mais elle peut rester vingt minutes en plongée. Elle meurt étouffée sous son propre poids lorsqu'elle s'échoue. Son énorme bouche ne contient pas de dents, mais 600 lames cornées, les *fanons*, qui pendent de la mâchoire supérieure; les fanons jouent le rôle d'une grille filtrante, qui retient les minuscules proies dont la baleine se nourrit exclusivement, tandis que l'animal rejette l'eau où nageaient ces proies. Toutes les espèces de baleines sont auj. menacées d'extinction, ce qui a conduit les communautés internationales à fixer des quotas de pêche, allant jusqu'à l'interdiction mondiale de toute campagne en 1986.

2. BALEINE [balɛn] n. f. (même étym.). Tige ou lame flexible, dont on se sert en particulier pour la monture des parapluies, et que l'on utilisait aussi pour les corsets.

BALEINEAU n. m., **BALEINIER** n. m., **BALEINIÈRE** n. f. ⟶ BALEINE 1.

BALÉNOPTÈRE [balenɔptɛr] n. m. (de *baleine*, et gr. *pteron*, aile). Mammifère marin voisin de la baleine, mais à face ventrale striée, et possédant une nageoire dorsale (syn. RORQUAL).

BALFOUR (Arthur James), homme politique britannique (1848-1930). Conservateur, il fut Premier ministre de 1902 à 1906. Ministre des Affaires étrangères (1916-1919), il fit, en 1917, la célèbre *déclaration* promettant d'établir en Palestine un « foyer national juif », qui est à l'origine de l'État d'Israël.

BALI, île d'Indonésie, séparée de Java par le *détroit de Bali* et limitant au sud la *mer de Bali;* 2469000 hab. *(Balinais)*. Ch.-l. *Singaradja.*

BALISE [baliz] n. f. (orig. inc.). Marque, objet (bouée, poteau, dispositif lumineux, etc.) signalant en mer un chenal, des écueils, et indiquant sur terre le tracé d'une piste d'aviation, celui d'une route, d'un canal, etc. ◆ **baliser** v. t. Munir de balises : *La partie navigable du fleuve a été balisée.* ◆ **balisage** n. m. : *Le balisage des routes permet de signaler les virages, les carrefours.*

BALISIER [balizje] n. m. (orig. incert.). Plante originaire de l'Inde et cultivée dans les régions chaudes pour son rhizome, riche en féculents. Certaines espèces à fleurs décoratives sont connues sous le nom de *canna*. (Famille des cannacées.)

1. BALISTE [balist] n. f. (du gr. *ballein*, lancer). Machine de guerre romaine lançant, au moyen d'une rampe inclinée à 45°, des traits ou des projectiles à une distance de 100 à 500 m.

2. BALISTE [balist] n. m. (même étym.). Poisson osseux des mers tropicales, ainsi appelé parce qu'il a, devant la nageoire dorsale, un aiguillon pouvant se redresser comme l'antenne d'une baliste.

BALISTIQUE [balistik] n. f. (de *baliste*). Science qui étudie les mouvements des corps dans l'espace et plus spécialem. ceux des projectiles de guerre. ◆ adj. Relatif à l'art de lancer les projectiles : *Théorie balistique.* ‖ *Engin, missile balistique*, mobile dont le mouvement s'accomplit sous la seule action des forces de gravitation, à l'exclusion des forces de propulsion et de portance de l'air. (La plupart des missiles modernes, qui utilisent la fusée comme moyen initial de propulsion, sont dits *balistiques* par référence à la seconde partie de leur trajectoire, qui est analogue à celle des projectiles classiques, et pendant laquelle ils sont soumis à la seule action des forces de gravitation.)

BALIVEAU [balivo] n. m. (de l'anc. fr. *baer*, regarder). Jeune arbre réservé dans un taillis, pour devenir bois de futaie. (Le baliveau sert de point de repère au bûcheron dans son travail.) ◆ **balivage** n. m. Choix ou marque des baliveaux dans une coupe. (Le balivage est accompagné du martelage, opération qui consiste à marquer l'arbre d'une empreinte.)

BALIVERNE [balivɛrn] n. f. (orig. obscure). Propos futile, occupation sans intérêt : *Débiter des balivernes* (syn. SORNETTE). *S'amuser à des balivernes* (syn. BAGATELLE).

BALKANISATION [balkanizasjɔ̃] n. f. (de *Balkans;* par allusion aux événements de la fin du XIXe s. jusqu'à la Première Guerre mondiale). Évolution historique qui aboutit à la formation de nombreux petits États, à partir d'un ensemble présentant une certaine unité géographique. ◆ **balkanique** adj. Des Balkans : *Guerres balkaniques.*

BALKANS *(péninsule des)* ou **PÉNINSULE BALKANIQUE,** la plus orientale des péninsules de l'Europe méditerranéenne, s'étendant sur la Bulgarie, la Yougoslavie, l'Albanie, la Grèce et la Turquie d'Europe.

GÉOGRAPHIE

La montagne occupe la majeure partie de la péninsule. Des chaînes plissées, prolongeant les Alpes à l'O. (chaîne calcaire des Alpes dinariques et Pinde) et les Carpates à l'E. (mont Balkan) encadrent le massif ancien du Rhodope. Les plaines sont rares : vallées (Maritza, Vardar et portion du bassin du Danube), bassins d'effondrement dans la montagne et plaines littorales souvent étroites. Le climat, méditerranéen aux étés secs sur les côtes, devient continental à l'intérieur, surtout à l'E.

Les *populations*, peu denses, sont variées, avec prépondérance des Slaves. Elles se sont longtemps cantonnées dans les montagnes pour échapper aux persécutions.

L'*agriculture* reste le secteur prédominant de l'économie : polyculture traditionnelle (céréales, vigne, oliviers) associée à l'élevage ovin, souvent transhumant.

Les ressources minérales, variées, sont exploitées, mais l'industrialisation est encore faible. La péninsule des Balkans reste une des régions les moins développées d'Europe.

HISTOIRE

Région charnière entre l'Europe et l'Asie, les Balkans ont vu, au cours de l'histoire, affluer de nombreux peuples. Les Serbes, les Croates et les Bulgares s'y installèrent au Moyen Âge.

• *1389. Les Turcs se rendent maîtres de la péninsule.*

Au XVIIe s., l'Autriche et la Russie entreprennent la reconquête de la région. Profitant des rivalités entre ces deux puissances et de l'effondrement de l'Empire ottoman, les peuples balkaniques se constituent en États indépendants au XIXe s. (Grèce et Serbie, 1830; Bulgarie, 1878). Mais cette évolution provoque une série de conflits qui mirent aux prises les grandes puissances.

• *1877-1878. Guerre russo-turque : les Russes, alliés aux Serbes et aux Monténégrins, battent l'armée turque.*
• *1912-1913. Première guerre balkanique : la Serbie, la Bulgarie, la Grèce et le Monténégro déclarent la guerre à la Turquie qui doit céder aux alliés la Crète et les territoires continentaux.*
• *1913. Deuxième guerre balkanique : les Bulgares entrent en guerre contre leurs anciens alliés. Vaincus, ils perdent la plupart des territoires conquis.*
• *1919-1920. Des traités créent la Yougoslavie par la réunion des «Slaves du Sud».*

BALKHACH, lac de l'U. R. S. S. dans le Kazakhstan, très peu profond; 17 300 km².

BALLADE [balad] n. f. (prov. *balada,* danse). **1.** Au Moyen Âge, poème lyrique d'origine chorégraphique. — **2.** À partir du XIVe s., poème à forme fixe. — **3.** Dès la fin du XVIIIe s., poème narratif en strophes, qui met en œuvre une légende populaire ou une tradition historique. ⟶ ENCYCL. — **4.** *Mus.* Pièce instrumentale pour piano ou pour orchestre, mise en honneur par les romantiques (ex. : *le Roi des aulnes* de Schubert, ballades de Chopin, Brahms, Fauré).
— ENCYCL. Le terme *ballade* désignait vers 1250 une chanson de danse dont la forme variait beaucoup. C'est au XIVe s. que la ballade se constitue sous une forme rigoureuse, avec Guillaume de Machaut (trois couplets suivis chacun d'un refrain avec accompagnement d'un instrument de musique). Après lui, la ballade n'est plus chantée ni dansée : destinée à être dite, elle devient un genre à forme fixe (trois strophes, ou couplets, suivies d'un envoi d'une demi-strophe). Les mêmes rimes sont reprises dans toutes les strophes et dans le même ordre; le dernier vers de la première strophe reparaît comme dernier vers de chaque strophe (et de l'envoi) et forme refrain. L'envoi reproduit la forme de la seconde moitié d'une strophe. Le plus souvent, la ballade est écrite en vers de 8 ou 10 syllabes et les strophes comprennent autant de vers que les vers ont de syllabes (telles sont les ballades d'É. Deschamps, Charles d'Orléans, Villon).
On appelle aussi ballade un poème partagé en stances* égales et prenant pour sujet un fait historique ou légendaire. Illustrée en Angleterre par les *Ballades lyriques* de Wordsworth et Coleridge, elle est pratiquée par les romantiques français (Hugo, *Odes et Ballades* [1826]; Musset) : ils cherchèrent à rivaliser avec les poètes allemands qui avaient porté ce genre à sa perfection à la fin du XVIIIe s. (Bürger, Schiller, Goethe, Uhland).
À l'époque moderne, la ballade connaît un bouleversement de sa structure (des vers blancs, des alexandrins rimés sont dissimulés sous une prose rythmée) avec Paul Fort *(Ballades françaises),* Jules Laforgue, Apollinaire *(la Chanson du Mal-Aimé)* et Aragon.

BALLANT, E [balɑ̃, -ɑ̃t] adj. (de l'anc. fr. *baller,* danser). *Les bras ballants, les jambes ballantes,* qui se balancent, qui pendent nonchalamment.

1. BALLAST [balast] n. m. (mot angl.). Pierres concassées, maintenant les traverses d'une voie ferrée; remblai ainsi formé.

2. BALLAST [balast] n. m. (même étym.). Compartiment de remplissage d'un sous-marin : *Remplir les ballasts.*

1. BALLE [bal] n. f. (it. *palla*). Projectile des armes à feu (fusil, pistolet, etc.) : *Une balle perdue* (= qui a manqué son objectif).

2. BALLE [bal] n. f. (même étym.). **1.** Petite sphère qui peut rebondir et qui est utilisée dans de nombreux jeux ou sports : *Balle de ping-pong, de tennis, de golf. Jouer à la balle* (syn. BALLON). *Couper une balle* (= la frapper de manière à lui imprimer un mouvement de rotation sur elle-même). *La balle de match* (= le point qui décide de l'issue du match). — **2.** *Saisir la balle au bond,* profiter immédiatement de l'occasion favorable. ‖ *Se renvoyer la balle,* se rejeter mutuellement la responsabilité d'une affaire. — **3.** *Enfant de la balle,* celui qui est élevé dans le métier d'artiste de son père (comédien, acrobate, etc.). ◆ **ballon** [balɔ̃] n. m. **1.** Grosse balle faite d'une vessie gonflée d'air et recouverte de cuir, que l'on utilise dans divers sports; jouet d'enfant fait d'une sphère de caoutchouc gonflée de gaz : *Ballon de rugby, de basket-ball, de football. Ballon qui s'envole.* — **2.** Appareil rempli d'un gaz plus léger que l'air et qui peut ainsi s'élever dans l'atmosphère. ⟶ ENCYCL. ‖ *Ballon dirigeable* ⟶ DIRIGEABLE. — **3.** *Ballon d'essai,* nouvelle lancée pour étudier les réactions de l'opinion publique, afin d'évaluer les chances de réussite d'un projet. ◆ **ballon-sonde** n. m. Ballon muni d'appareils enregistreurs destinés à l'exploration météorologique de la haute atmosphère. ‖ Pl. des *ballons-sondes.* ◆ **ballonnet** n. m. Petit ballon. ◆ **ballonné, e** adj. Se dit des parties du tube digestif gonflées par des gaz : *Il a trop bu, il a le ventre ballonné* (= distendu). ◆ **ballonnement** n. m. : *Le ballonnement du ventre* (syn. DISTENSION).
— ENCYCL. Le *ballon* comprend le ballon proprement dit, ou *enveloppe,* et la *nacelle,* panier d'osier suspendu par des cordes à un filet qui entoure complètement la partie supérieure du ballon. Des ballons d'un type différent sont aujourd'hui utilisés, notamment dans la recherche scientifique.
Les *ballons captifs* sont reliés au sol ou à un navire. Leur utilisation est avant tout militaire. Appelés *saucisses,* ils ont été très utilisés comme observatoires, pour régler les tirs d'artillerie, notamment pendant la Première Guerre mondiale. Leur vulnérabilité les a condamnés, mais ils ont été de nouveau employés pendant la Seconde Guerre mondiale comme *ballons de protection,* dont les câbles de retenue permettaient d'arrêter les avions opérant à basse altitude.

3. BALLE [bal] n. f. (de l'anc. fr. *baller,* vanner). Enveloppe du grain des céréales : *Matelas rempli de balle d'avoine.*

4. BALLE [bal] n. f. (frq. *balla*). Gros paquet de marchandises : *Des balles de coton sont entassées sur les quais.* ◆ **ballot** [balo] n. m. Paquet de marchandises, de vêtements.

BALLERINE [balrin] n. f. (it. *ballerina*). Danseuse d'une certaine classe, appartenant à un corps de ballet : *Les ballerines de l'Opéra.*

BALLET [balɛ] n. m. (it. *balletto*). Danse figurée, exécutée ou non sur un thème musical par plusieurs danseurs ou danseuses; musique destinée à illustrer cet argument; troupe de danseurs : *Le chorégraphe règle le ballet. Le corps de ballet est composé de tous les danseurs d'un théâtre.*
— ENCYCL. Aux XVIe et XVIIe s., le ballet est un spectacle de danse et de pantomime, très en faveur en France. On l'appelle *ballet de cour* (illustré par Lully). Au XVIIIe s., le ballet est intégré dans les spectacles d'opéras. On l'appelle *opéra-ballet* (illustré par Rameau). Aux XIXe et XXe s., le ballet devient un spectacle indépendant, souvent d'une haute valeur musicale, et dont des extraits sont parfois joués au concert *(suite de ballet).*
Exemples de ballets : Tchaïkovsky, *Casse-Noisette, le Lac des cygnes;* Ravel, *Boléro, Daphnis et Chloé;* Stravinski, *l'Oiseau de feu, le Sacre du printemps.*

1. BALLON n. m. ⟶ BALLE 2.

2. BALLON [balɔ̃] n. m. (de l'all. *Ball*). Dans les Vosges, sommet arrondi.

BALLONNÉ, E adj., **BALLONNEMENT** n. m., **BALLONNET** n. m., **BALLON-SONDE** n. m. ⟶ BALLE 2.

BALLOT n. m. ⟶ BALLE 4.

BALLOTTAGE [balɔtaʒ] n. m. (de *ballotter*). Résultat négatif obtenu dans une élection lorsque aucun des candidats n'a réuni la majorité requise, et obligeant à procéder à un nouveau scrutin *(scrutin de ballottage).*

BALLOTTER [balɔte] v. t. (de l'anc. fr. *ballotte,* petite balle). **1.** *Ballotter qq'un, qqch.,* les secouer violemment dans divers sens (surtout au passif) : *La petite barque, ballottée en tous sens, finit par se retourner* (syn. AGITER, BALANCER). — **2.** *Ballotter qq'un,* le faire passer continuellement d'un sentiment à un autre (surtout au passif) : *Je suis ballotté entre l'appréhension et la joie* (syn. TIRAILLER). ◆ v. i. Être animé d'un mouvement rapide qui porte d'un côté et d'autre : *Ce violon ballotte dans son étui* (syn. REMUER). ◆ **ballottement** n. m.

BALLOTTINE [balɔtin] n. f. (de l'anc. fr. *ballotte,* petite balle). Petite galantine roulée, composée de volaille et de farce.

BALL-TRAP [baltrap] n. m. (mot angl.). Appareil à ressort, lançant en l'air des disques d'argile qui servent de cibles pour l'entraînement au tir au fusil.

BALLUCHON [balyʃɔ̃] n. m. (de *balle* 4). Petit paquet entouré d'une étoffe et contenant en général du linge ou des effets personnels.

BALMAT (Jacques), guide de la vallée de Chamonix (1762-1834). En 1786, il atteignit le premier le sommet du mont Blanc, accompagné du docteur M. G. Paccard.

Balmoral *(château de),* château d'Écosse, dans les Grampians, sur la Dee. Résidence d'été des souverains de Grande-Bretagne.

BALNÉAIRE [balneɛr] adj. (du lat. *balneum,* bain). *Station balnéaire,* ville ou village situé au bord de la mer, servant de séjour de vacances pour les citadins, qui y prennent des bains de mer.

BALOURD, E [balur, -urd] adj. et n. (it. *balordo*). Se dit d'une personne (ou de sa conduite) maladroite et sans délicatesse : *Il est un peu balourd* (syn. LOURDAUD; contr. DÉLICAT, FIN). *Vous êtes un balourd, vous auriez dû lui parler* (syn. SOT, STUPIDE). ◆ **balourdise** n. f. (syn. MALADRESSE; fam. GAFFE).

BALOUTCHISTAN ou **BALUCHISTĀN** ou **BÉLOUTCHISTAN,** région montagneuse partagée entre l'Iran et le Pākistān.

BALSA [balza] n. m. (mot esp.). Bois très léger provenant d'Amérique centrale, et utilisé pour les modèles réduits d'avion, de bateau, de machine, etc.

BALSAMIER [balzamje] ou **BAUMIER** [bomje] n. m. (du lat. *balsamum*, baume). Arbre des régions chaudes et du Proche-Orient, dont les bourgeons fournissent un produit odoriférant utilisé en pharmacie. (Famille des burséracées.)

BALSAMINE [balzamin] n. f. (du lat. *balsamum*, baume). Plante des bois montagneux, à fleurs jaunes, appelée *impatiens*, car son fruit, à maturité, éclate au moindre contact en projetant les graines.

BALTARD (Victor), architecte français (1805-1874). Il fut un des premiers à utiliser le fer dans les constructions qu'il a élevées, notamment, à Paris, pour les Halles centrales (1854) qui ont été démolies en 1971-72.

BALTE [balt] adj. et n. De la Baltique.

BALTES *(pays)*, nom donné à l'ensemble formé par les républiques d'Estonie, de Lettonie et de Lituanie (régions côtières de la *Baltique* orientale).

BALTHAZAR, nom de l'un des Rois mages.

BALTIMORE, port de l'est des États-Unis (Maryland); 905 800 hab. Grand centre industriel (sidérurgie, chimie).

BALTIQUE *(mer)*, mer de l'Europe du Nord, comprise entre le Danemark, l'Allemagne, la Pologne, les pays baltes, l'U. R. S. S., la Finlande et la Suède. Presque fermée, elle communique à l'O. avec la mer du Nord par les détroits danois. Elle est prolongée au N. par le golfe de Botnie et à l'E. par celui de Finlande, qui restent longtemps gelés en hiver. C'est une mer peu profonde (459 m), peu salée, et peu poissonneuse.

BALUBAS, peuple noir du sud du Zaïre. Leur art est très riche.

BALUE [et non **La Balue**] (Jean), prélat français (v. 1421-1491). Il capta les bonnes grâces de Louis XI et fut nommé aumônier du roi, secrétaire d'État, puis cardinal (1467). Comblé d'honneurs, il entama des négociations secrètes avec le duc de Bourgogne, Charles le Téméraire. Louis XI le fit enfermer onze ans au château de Loches, alors prison d'État, mais probablement pas dans une cage de fer.

BALUSTRADE [balystrad] n. f. (it. *balaustrata*). Clôture à jour qui est établie, à hauteur d'appui, le long d'une terrasse, d'un balcon, d'un pont : *Être accoudé à la balustrade du pont* (syn. PARAPET, GARDE-FOU).

BALUSTRE [balystr] n. m. (it. *balaustro*). **1.** Petit pilier généralement employé avec d'autres et assemblé avec eux par une tablette pour former un appui ou une clôture. — **2.** *Compas à balustre* ou *balustre*, compas ayant une tête en forme de balustre.

BALZAC (Jean-Louis GUEZ, dit DE), écrivain français (1597-1654). Agent d'affaires du cardinal de La Vallette, il commence à écrire de Rome des *Lettres*, qui, publiées en 1624, lui valent un succès éclatant. Critique (il prend parti pour Corneille dans la querelle du *Cid*), écrivain politique (*le Prince*, 1631) et moraliste (*le Socrate chrétien*, 1652; *Aristippe ou De la cour*, 1658), il a joué un rôle essentiel dans la formation de la prose classique (clarté, harmonie).

BALZAC (Honoré DE), écrivain français, né à Tours (1799-1850).

- *1807-1813. Études chez les ex-oratoriens de Vendôme.*

En 1814, il s'installe à Paris, et devient clerc de notaire.

- *1819-1825. Il publie une trentaine de romans sous divers pseudonymes (Horace de Saint-Aubin, lord R'hoone).*

Il se lance ensuite dans les affaires, mais son imprimerie et sa fonderie font faillite. Encouragé par Mme de Berny, il revient à la littérature avec *le Dernier Chouan* (1829), premier roman signé Balzac.

En 1832, un long drame d'amour débute avec l'« Étrangère », la comtesse polonaise Éveline Hanska.

Il publie *Eugénie Grandet* (1833), *le Père Goriot* (1834-1835), *le Lys dans la vallée* (1835), *les Illusions perdues* (1837-1839).

- *1841. Préparant une édition de ses œuvres complètes il imagine de grouper l'ensemble sous le titre de « la Comédie humaine ».*
- *1846. « La Cousine Bette. »*
- *1847. « Le Cousin Pons. »*

Il se marie en 1850 avec Mme Hanska, mais gravement malade depuis 1848, il meurt le 18 août à Paris.

Pour entreprendre de tracer, dans ses détails infinis, la fidèle histoire, le tableau exact des mœurs de notre société moderne, il fallait toute l'audace, la volonté obstinée, l'énergie au travail d'un Balzac qui, dans sa *Comédie humaine*, a réuni 91 romans où apparaissent 2 000 personnages.

Sa méthode allie l'observation à l'imagination : après avoir décrit avec minutie les paysages ou les intérieurs, il nous représente le physique de ses personnages, et ce physique révèle leur caractère, leurs vices ou leurs passions. Au milieu d'une foule d'êtres vivants, on retrouve en passant d'un roman à l'autre quelques figures qui jouent les grands premiers rôles (Rastignac, Vautrin...). Ces héros incarnent à la fois un tempérament, un milieu social, une passion : Vautrin personnifie le crime, Rastignac l'ambition, Mme de Mortsauf la vertu. L'imagination de Balzac en a fait des types humains vivants et vrais qui semblent sortir du cadre du roman pour s'installer dans la vie réelle. Grâce à lui, le roman est la vie même, reproduite dans tout son mouvement.

BALZANE [balzan] n. f. (du lat. *balteus*, bande). Tache de poils blancs au-dessus du sabot d'un cheval.

BAMAKO, capit. du Mali, sur la rive gauche du Niger; 404 000 hab. Centre administratif et commercial.

BAMBARAS, peuple noir du Mali et du Sénégal.

BAMBERG, v. d'Allemagne (Bavière), sur la Regnitz; 73 900 hab. Port fluvial.

BAMBIN [bɑ̃bɛ̃] n. m. (it. *bambino*). *Fam.* Petit enfant (souvent avec une nuance de tendresse).

BAMBOCHER [bɑ̃bɔʃe] v. i. (de l'it. *bamboccio*, pantin). *Fam.* Mener une vie peu sérieuse, où dominent les bons repas; faire la noce.

BAMBOU [bɑ̃bu] n. m. (malais *bambu*). **1.** Nom donné à différentes variétés de plantes analogues à des roseaux, qui poussent dans les pays chauds et dont la tige atteint jusqu'à 25 m : *Des palissades de bambou.* (Les bambous sont utilisés pour construire des maisons villageoises, des meubles, des nattes, etc. Les jeunes pousses sont comestibles.) — **2.** Fam. *Coup de bambou*, défaillance physique, accès de folie.

BAMILÉKÉS, peuple noir du sud-ouest du Cameroun.

1. BAN [bɑ̃] n. m. (frq. *ban*, proclamation). **1.** Au Moyen Âge, ensemble des vassaux directs du suzerain. — **2.** Convocation de ceux-ci : *Lever le ban.* ◆ **arrière-ban** n. m. Les vassaux qui n'étaient pas convoqués en premier lieu. ‖ Pl. des *arrière-bans.* ‖ *Convoquer le ban et l'arrière-ban de ses amis* (= en rassembler le plus grand nombre possible).

2. BAN [bɑ̃] n. m. (même étym.). *Être en rupture de ban avec*, avoir brisé avec les contraintes imposées par son milieu social, son entourage, etc. : *Par ce mariage, il est en rupture de ban avec sa famille.* ‖ *Mettre qq'un au ban d'(un groupe social)*, l'en déclarer indigne, le dénoncer comme méprisable aux yeux de ce groupe : *Ce scandale l'a mis au ban de l'opinion publique.*

3. BAN [bɑ̃] n. m. (même étym.) [sujet nom désignant le clairon ou le tambour]. *Ouvrir, fermer le ban*, précéder ou clore certaines cérémonies militaires comme la remise de décorations, l'hommage aux morts. ‖ *Un ban pour...*, invitation faite à des assistants d'applaudir d'une manière rythmée en l'honneur de quelqu'un.

4. BANS [bɑ̃] n. m. pl. (même étym.). Annonce de mariage publiée à l'église et à la mairie, afin que ceux qui connaissent des empêchements éventuels les fassent savoir : *Publier les bans.*

1. BANAL, E, AUX [banal, -no] adj. (de *ban*). *Four, moulin banal*, à l'époque féodale, four, moulin public, dont l'usage était obligatoire et soumis à une redevance. ◆ **banalité** n. f. Obligation d'user d'un instrument banal contre redevance.

2. BANAL, E, ALS [banal] adj. (même étym.). Employé par tous ou connu de tout le monde, et sans originalité (souvent péjor.) : *Un cas assez banal* (syn. COMMUN, COURANT, ORDINAIRE; contr. EXTRAORDINAIRE). *Des propos banals* (syn. INSIPIDE, REBATTU). *Une plaisanterie banale* (syn. PLAT; contr. ORIGINAL). ◆ **banalité** n. f. : *Débiter des banalités* (syn. PLATITUDE, PONCIF).

BANALISER [banalize] v. t. (de *banal*). *Banaliser une voie de chemin de fer*, faire circuler des trains sur cette voie, dans un sens ou dans l'autre.

BANALITÉ n. f. ⟶ BANAL 1 et 2.

BANANE [banan] n. f. (portug. *banana*). Fruit comestible du bananier : *Les bananes sont de longs fruits, cueillis verts, dont la chair est sucrée et nourrissante.* ◆ **bananeraie** n. f. Plantation de bananiers. ◆ **bananier** n. m. **1.** Grande plante des régions équatoriales : *Les fruits du bananier sont disposés en une grappe volumineuse appelée « régime ».* ⟶ ENCYCL. — **2.** Navire construit pour le transport des régimes de bananes.

— ENCYCL. Au milieu du bouquet formé par les feuilles du *bananier*, longues de 2 m, se développe une inflorescence qui devient à maturité un régime de bananes. Le bananier, dont la production peut dépasser 100 t à l'ha, est une des plantes les plus utiles à l'homme. Outre ses fruits, ses feuilles servent de fourrage et constituent les toitures des cases dans les régions de production.

BANAT, région de l'Europe centrale constituée par des plaines partagées entre la Hongrie, la Roumanie et la Yougoslavie.

1. BANC [bɑ̃] n. m. (germ. *banki*). Siège étroit et long pour plusieurs personnes, muni ou non d'un dossier, et qui, éventuellement, dans les assemblées ou les tribunaux, peut être réservé à telle ou telle catégorie de personnes : *Les bancs d'une classe sont les sièges des élèves. À l'Assemblée nationale, il y a un banc réservé aux ministres. Les accusés sont assis sur un banc au tribunal.*

2. BANC [bɑ̃] n. m. (même étym.). **1.** Amas de sable ou couche de roche, de pierre, etc., de forme allongée : *Un banc de sable est une accumulation de sable dans la mer ou dans une rivière.* — **2.** *Banc de poissons*, troupe nombreuse de poissons de même espèce. — **3.** *Banc de brume*, masse de brume de forme allongée. — **4.** *Banc d'essai*, installation sur laquelle on monte les machines dont on veut éprouver le fonctionnement : *Mettre un moteur au banc d'essai* (= en faire l'épreuve).

BANCAIRE adj. ⟶ BANQUE 1.

BANCAL, E, ALS [bɑ̃kal] adj. (de *banc*). **1.** *Personne bancale*, qui boite fortement ou dont les jambes ne sont pas droites; se dit aussi de ses jambes. — **2.** *Meuble bancal*, dont l'un des pieds est plus court que les autres (syn. BOITEUX). — **3.** *Idée, projet bancal*, qui ne repose pas sur des bases solides, incontestables et qui révèle un défaut : *Un raisonnement bancal.*

BANCHE [bɑ̃ʃ] n. f. (de *banc*). Panneau de coffrage utilisé pour la construction des murs en béton ou en pisé.

BANCO [bɑ̃ko] n. m. (mot it.). *Faire banco*, au baccara et à d'autres jeux, tenir seul l'enjeu contre le banquier.

BANCO ⟶ BANQUO.

BANDA *(îles)*, îles du groupe des Moluques (Indonésie).

BANDAGE n. m. ⟶ BANDE 1.

BANDAR SERI BEGAWAN, anc. **Brunei,** capit. du sultanat de Brunei; 37 000 hab.

1. BANDE [bɑ̃d] n. f. (frq. *binda*, lien). Morceau étroit et long de tissu mince et souple, de caoutchouc, de papier, etc., qui sert à lier, à maintenir, à recouvrir : *Réunir deux feuilles par une bande de papier collant. Mettre une bande autour d'un genou blessé.* ◆ **bandeau** n. m. **1.** Pièce de tissu, de caoutchouc, etc., que l'on met autour de la tête ou du front, ou sur les yeux de quelqu'un (pour l'empêcher de voir) : *Retenir ses cheveux avec un bandeau.* — **2.** Pour une femme, cheveux divisés sur le milieu du front et lissés de chaque côté de la tête. — **3.** *Avoir un bandeau sur les yeux*, être aveuglé sur quelque chose (syn. AVOIR DES ŒILLÈRES). ◆ **bandelette** n. f. : *Les bandelettes d'une momie.* ◆ **bander** v. t. Couvrir, entourer d'une bande ou d'un bandeau : *À colin-maillard, on bande les yeux d'un joueur. Bander une jambe.* ◆ **bandage** n. m. **1.** Assemblage de bandes destinées à protéger, à contenir ou à comprimer une partie du corps. — **2.** Cercle métallique ou bande de caoutchouc qui entoure la jante d'une roue. ◆ **débander** v. t. Ôter une bande, un bandeau.

2. BANDE [bɑ̃d] n. f. (même étym.). **1.** Ce qui est étroit, long et mince : *Une bande de terrain. La bande d'un film* (syn. PELLICULE). — **2.** *Bande dessinée*, histoire racontée en une série de dessins où la parole, les bruits sont contenus dans des « bulles » paraissant s'échapper de la bouche des personnages ou même des objets. ‖ *Bande magnétique*, ruban en matière plastique servant de support aux oxydes magnétiques utilisés pour l'enregistrement des sons au magnétophone. (On utilise également des bandes magnétiques pour l'entrée ou la sortie des données dans les calculatrices électroniques.) ‖ *Bande perforée*, bande de papier dans laquelle des chiffres et des lettres sont enregistrés sous forme de perforations. — **3.** Bordure élastique qui entoure le tapis d'un billard. — **4.** *Math.* D et D' étant deux droites parallèles dans un plan, on appelle *bande* [*D, D'*] l'intersection du demi-plan de bord D contenant D' et du demi-plan de bord D' contenant D. (*Rem.* Une bande est un ensemble convexe* car elle est l'intersection de deux ensembles convexes.) ⟶ figure.

3. BANDE [bɑ̃d] n. f. (it. *banda*, troupe). **1.** Réunion d'hommes ou d'animaux qui vont en groupe ou s'associent dans un but quelconque (le compl. du nom marque la composition de la bande) : *Une bande d'enfants* (syn. TROUPE). *Une bande de chiens errants* (syn. HORDE). *Une bande de voleurs* (syn. GANG). — **2.** *Faire bande à part*, se mettre à l'écart des autres. ◆ **débander (se)** v. pr. (sujet nom désignant une troupe, un groupe). Fuir en désordre de tous côtés : *L'armée se débanda devant l'ennemi* (syn. ↓SE DISPERSER, ↑S'ENFUIR; contr. SE RASSEMBLER). ◆ **débandade** n. f. : *Ce fut une débandade générale* (syn. FUITE, SAUVE-QUI-PEUT). *La débandade d'une armée* (syn. ↑DÉBÂCLE, DÉROUTE). — LOC. ADV. *À la débandade*, en désordre (syn. AU HASARD, À VAU-L'EAU).

4. BANDE [bɑ̃d] n. f. (même étym.). *Donner de la bande*, se dit d'un bateau qui subit une forte inclinaison sous l'effet du vent ou d'une avarie.

BANDEAU n. m., **BANDELETTE** n. f. ⟶ BANDE 1.

1. BANDER v. t. ⟶ BANDE 1.

2. BANDER [bɑ̃de] v. t. (de *bande* 1). *Bander qqch.*, le tendre avec effort : *Il bande son arc afin d'envoyer la flèche* (syn. TENDRE). ◆ **débander** v. t. : *Débander un ressort* (syn. DÉTENDRE).

BANDERILLE [bɑ̃drij] n. f. (esp. *banderilla*). Bâtonnet muni d'une pointe crochue et de rubans que les toreros plantent sur le garrot des taureaux pour les affaiblir.

BANDEROLE [bɑ̃drɔl] n. f. (it. *banderuola*). Longue bande d'étoffe, attachée au haut d'une hampe ou à des montants, qui sert d'ornement ou porte une inscription : *Au-dessus de la tête des manifestants se déployait une longue banderole.*

BANDIAGARA, localité du Mali, située sur le plateau de grès habité par les Dogons et limité par de vertigineuses falaises.

BANDIT [bɑ̃di] n. m. (it. *bandito*, banni). **1.** Individu qui se livre, seul ou avec d'autres, à des attaques à main armée, à des vols, et parfois commet des crimes : *Des bandits s'emparèrent de la sacoche* (syn. GANGSTER). *Les bandits de grand chemin* (syn. BRIGAND). — **2.** Individu malhonnête et sans conscience (terme d'injure) : *Ce commerçant est un bandit* (syn. FRIPOUILLE, VOLEUR). ◆ **banditisme** n. m. Ensemble d'actions criminelles (vols, assassinats) : *Une recrudescence générale du banditisme.*

BANDOENG ⟶ BANDUNG.

BANDOL, comm. du Var, à 19 km à l'O. de Toulon; 6 700 hab. Station balnéaire et petit port.

BANDOULIÈRE [bɑ̃duljɛr] n. f. (esp. *bandolera*). Bande de cuir ou d'étoffe portée en diagonale sur la poitrine pour soutenir un objet. ‖ *En bandoulière*, se dit d'un objet porté en écharpe de l'épaule à la hanche opposée : *Fusil en bandoulière.*

BANDUNG ou **BANDOENG,** v. d'Indonésie, dans l'ouest de l'île de Java; 1 201 700 hab.

- *Avril 1955. La conférence de Bandung réunit les représentants de 30 pays asiatiques et africains.*

Elle condamna le racisme et le colonialisme et admit le principe des subsides des grands États étrangers pour remédier au sous-développement.

BANGALORE, v. de l'Inde, capit. du Karnātaka, dans le sud du Deccan; 2 476 000 hab.

BANGKA ou **BANKA,** île d'Indonésie, au S.-E. de Sumatra. Importants gisements d'étain (cassitérite).

BANGKOK, officiellement **Krung Thep,** capit. de la Thaïlande, sur la rive gauche d'un des bras du Ménam, près de son embouchure; 4 870 000 hab. Grand centre commercial et touristique.

BANGLADESH, république de l'Asie méridionale, à l'E. de l'Inde, correspondant à l'anc. Pākistān oriental; 143 000 km²; 114 700 000 hab. (802 au km²). Capit. *Dacca* (3 500 000 hab.). V. pr. *Chittagong* (1 388 500 hab.) et *Khulna* (623 200 hab.).

GÉOGRAPHIE

Correspondant à la partie orientale du delta du Gange et du Brahmapoutre, le Bangladesh s'étend en majeure partie sur des terres basses et marécageuses. Le climat de mousson chaud et humide,

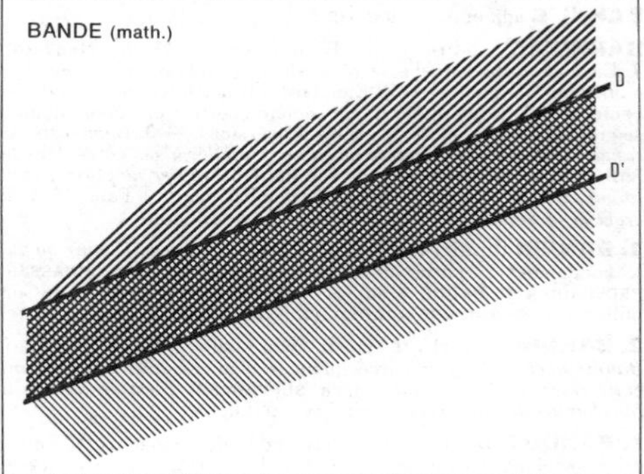

qui affecte l'ensemble du pays, est responsable d'inondations parfois catastrophiques.

	TEMPÉRATURES MOYENNES min.	max.	PLUIES
Chittagong	21,3 °C	29,9 °C	3 000 mm

La population rurale, très dense et en rapide accroissement, pratique une agriculture intensive avec deux ou trois récoltes par an. Mais les cultures commerciales (thé et surtout jute) occupent de grandes surfaces, expliquant, après la pression démographique, l'insuffisance de la production vivrière (riz).

riz 21 millions de t; jute 700 000 t.

Malgré l'aide de l'Inde et de l'U. R. S. S., le Bangladesh est, avec ses campagnes surpeuplées et ses ressources limitées, un des pays les plus misérables du monde.

HISTOIRE

- *1970. Victoire électorale des partisans de l'indépendance du Pākistān oriental.*
- *Déc. 1971. Constitution du Bangladesh (= Bengale libre), à la suite d'un conflit indo-pakistanais.*
- *1975. À la tête du pays depuis 1971, Mujibur Rahman meurt lors d'un coup d'État. Une junte militaire prend le pouvoir.*
- *1978. Le général Ziaur Rahman est élu chef de l'État.*
- *1981. Z. Rahman est assassiné.*
- *1983. Le général Ershad se proclame chef de l'État.*
- *1990. Ershad démissionne.*
- *1991. La bégum Khaleda Zia, veuve de Z. Rahman, devient Premier ministre à la suite d'élections libres.*

BANGUI, capit. de la République centrafricaine, sur l'Oubangui; 387 100 hab. Centre commercial.

BANGWEULU ou **BANGOUÉLO** *(lac)*, lac de la Zambie.

BANIAN [banjɑ̃] n. m. (mot hind. signif. *marchand*). *Figuier banian*, ou *banian*, figuier de l'Inde, aux racines adventices verticales et aériennes.

BANJA LUKA, v. de Yougoslavie (Bosnie); 89 900 hab.

BANJERMASSIN ou **BANDJERMASSIN,** v. d'Indonésie, dans le sud de Bornéo, sur le Barito; 281 700 hab. Port pétrolier.

BANJO [bɑ̃dʒo] n. m. (mot anglo-amér.). Guitare ronde dont la caisse est faite, dans sa partie supérieure, d'une peau tendue.

BANJUL, ancienn. **Bathurst,** capit. de la Gambie; 46 500 hab.

BANKS *(île de)*, île de l'archipel arctique canadien.

BANLIEUE [bɑ̃ljø] n. f. *(ban,* et *lieue).* Ensemble des agglomérations situées tout autour d'un centre urbain, et qui ont une activité en relation étroite avec lui : *La grande banlieue comprend les agglomérations distantes de 20 à 30 km du centre de Paris.* ◆ **banlieusard, e** [bɑ̃ljøzar, -ard] n. Personne qui habite la banlieue d'une ville.
— ENCYCL. L'extension des *banlieues* de peuplement a été provoquée par l'accroissement de la population des grandes villes, le développement de l'industrie et surtout des moyens de communication, facilitant le déplacement des habitants à l'intérieur de l'agglomération formée par la ville et la banlieue. On distingue les *banlieues résidentielles* plus ou moins éloignées de la ville, de caractère bourgeois ou ouvrier, les *banlieues industrielles*, etc.

BANNALEC, ch.-l. de cant. du Finistère, à 15 km au N.-O. de Quimperlé; 5 200 hab.

BANNI, E adj. et n. ⟶ BANNIR 1.

BANNIÈRE [banjɛr] n. f. (du germ. *band*, étendard). **1.** Enseigne sous laquelle se rangeaient les vassaux d'un seigneur pour aller à la guerre. — **2.** Étendard qui porte les insignes d'une confrérie, d'une paroisse, d'une société sportive et autour duquel se groupent ses membres dans les processions. — **3.** *Combattre, se ranger*, etc., *sous la bannière de qq'un*, marcher à ses côtés dans la lutte qu'il a entreprise, être de son parti. ‖ *Arborer, déployer*, etc., *la bannière de*, donner le signal du combat pour... ‖ Fam. *C'est la croix et la bannière*, c'est d'une incroyable difficulté.

1. BANNIR [banir] v. t. (frq. *bannjan*, proclamer). *Bannir qq'un*, le condamner à quitter un pays, un parti, etc. (syn. CHASSER, PROSCRIRE). ◆ **banni, e** adj. et n. Expulsé de son pays, de son milieu, etc. ◆ **bannissement** n. m. (syn. EXIL).

2. BANNIR [banir] v. t. (même étym.) [sujet nom de personne]. *Bannir qqch.*, l'écarter parce qu'on le juge nuisible : *J'ai banni entièrement l'usage du tabac* (syn. SUPPRIMER). *C'est un mot qu'il faut bannir de notre vocabulaire* (syn. ÔTER, RAYER).

1. BANQUE [bɑ̃k] n. f. (it. *banca*, table de changeur). **1.** Entreprise spécialisée dans le commerce de l'argent; siège de cette entreprise. ⟶ ENCYCL. — **2.** *Billet de banque* ⟶ BILLET. ‖ *Banque des yeux, du sang, des os*, service des hôpitaux chargé de la conservation des yeux, du sang, des os, en vue de leur utilisation chirurgicale. ◆ **banquier** n. m. Celui qui possède ou dirige une banque. ◆ **bancaire** adj. : *Un établissement bancaire* (= une banque). *Un chèque bancaire.*
— ENCYCL. La *banque* apparaît dès le Moyen Âge en France, mais sa forme moderne naît sous le Consulat (1800) avec la Banque de France, en plein essor vers 1848; des établissements de crédit groupent l'argent déposé par leurs clients pour le prêter à des personnes ou à des sociétés, moyennant un intérêt*.
■ *Rôle des banques.* Lorsqu'un chef d'entreprise a besoin d'argent pour moderniser son exploitation, il emprunte la somme nécessaire à une banque qui la lui avance sous forme de *prêt** remboursable dans un délai convenu, avec versement d'intérêts : c'est le *crédit**. La banque verse un intérêt à ses clients, à qui l'argent prêté rapporte (= fructifie). Des entreprises très importantes, parfois l'État, sollicitent des prêts pour entreprendre de grands travaux.
Banques d'affaires. Elles travaillent avec des capitaux considérables et consentent des prêts remboursables à long terme (plus de sept ans) à des grandes entreprises.
Banques de crédit. Elles prêtent aux particuliers qui veulent, par exemple, bâtir une maison, et pratiquent le crédit pour quelques années (moyen terme). Le Crédit foncier de France, la Caisse des dépôts et consignations, le Crédit agricole (notamment pour les équipements agricoles) sont des banques de crédit.
Banques de dépôts. Le client y dépose son argent; ayant ainsi un *compte en banque*, il peut se servir du *carnet de chèques* et de la *carte bancaire* émis par cette banque pour régler ses achats, sans avoir recours aux billets ni aux pièces de monnaie. De plus, les banques de dépôts lui consentent des sortes de prêts à court terme (*escompte**). Le Crédit Lyonnais, la Banque nationale de Paris, la Société Générale sont des banques de dépôts.
Banque de France. Seule banque d'émission nationale, c'est un établissement nationalisé depuis 1945 ayant le privilège d'émettre les billets de banque, les pièces de monnaie étant fabriquées (= frappées) à l'hôtel de la Monnaie, à Paris.

2. BANQUE [bɑ̃k] n. f. (même étym.). A certains jeux, fonds d'argent qu'a devant lui celui qui tient le jeu (= le banquier). ‖ *Faire sauter la banque*, gagner tout l'argent mis en jeu par le banquier. ◆ **banquier** n. m. Celui qui tient le jeu contre tous les autres joueurs.

BANQUEROUTE [bɑ̃krut] n. f. (it. *banca rotta*). Incapacité pour un commerçant, une banque, une entreprise, et parfois pour un État, de faire face à ses engagements financiers : *Faire banqueroute* (syn. FAILLITE, KRACH).

BANQUET [bɑ̃kɛ] n. m. (it. *banchetto*). Repas fastueux ou solennel, qui réunit un certain nombre de personnes (convives) : *Un banquet de cent couverts a été donné en l'honneur du corps diplomatique* (syn. FESTIN). ◆ **banqueter** [bɑ̃kte] v. i. (Conj. **7.**) Prendre part à un banquet.

Banquet *(le)*, dialogue de Platon (v. 385 av. J.-C.), qui a pour cadre un banquet offert par Agathon à ses amis et pour objet l'amour et la science du beau.

BANQUETTE [bɑ̃kɛt] n. f. (languedocien *banqueta*). **1.** Siège rembourré, d'un seul tenant, qui occupe toute la largeur d'une automobile, la longueur d'un compartiment de chemin de fer; banc en bois ou canné, sans dossier : *Une banquette de piano.* — **2.** Replat sur un versant.

BANQUIER n. m. ⟶ BANQUE 1 et 2.

BANQUISE [bɑ̃kiz] n. f. (du scand. *pakke*, paquet, et *is*, glace). Ensemble des glaces formées, dans les régions polaires, par la congélation de l'eau de mer.
— ENCYCL. La *banquise* se forme lorsque la température de l'eau de mer s'abaisse au-dessous de — 1 ou de — 2 °C. Ses mouvements aboutissent à la formation de monticules chaotiques. Les limites des banquises arctiques et antarctiques subissent de grandes variations selon les saisons, surtout dans l'Antarctique.

BANQUO, gouverneur sous Duncan, roi d'Écosse (XIe s.). Il resta spectateur muet du meurtre de son maître par Macbeth. Dans la suite, il devint lui-même suspect au meurtrier, qui le fit égorger.

BANTOU, E [bɑ̃tu] adj. Relatif aux Bantous : *Musique bantoue.* ◆ **bantou** n. m. Désignation conventionnelle d'un ensemble de langues négro-africaines constituant une extension méridionale de la famille soudanaise.

BANTOUS, populations noires de l'Afrique, parlant des langues de la même famille, mais appartenant à des ethnies diverses. Les principales tribus sont celles des Zoulous et des Matabélés.

BANTOUSTAN [bɑ̃tustɑ̃] n. m. Nom donné en Afrique du Sud, à chacun des « foyers nationaux » attribués à la population noire.

BANVILLE (Théodore DE), poète français (1823-1891), auteur des *Odes funambulesques*, 1857.

BANYULS-SUR-MER, comm. des Pyrénées-Orientales, à 39 km au S.-E. de Perpignan; 4300 hab. Port de pêche et station balnéaire. Vins doux très réputés.

BAOBAB [baɔbab] n. m. (mot ar.). Arbre des régions tropicales (Afrique, Australie), dont le tronc atteint jusqu'à 20 m de circonférence. (Famille des bombacacées.)

BAO-DAÏ (né en 1913), empereur d'Annam en 1925. Sous la pression du Viêt-minh, il abdiqua le 25 août 1945, puis tenta d'unifier le Viêt-nam de 1949 à 1955, date à laquelle il fut définitivement écarté par un référendum.

BAPTÊME [batɛm] n. m. (du gr. *baptizein*, immerger). **1.** Dans la religion chrétienne, sacrement destiné à effacer le péché originel et à faire entrer dans la communauté chrétienne celui qui le reçoit. — **2.** *Baptême d'une cloche, d'un navire*, cérémonie solennelle au cours de laquelle ils sont bénis et reçoivent leur nom. — **3.** *Recevoir le baptême du feu, le baptême de l'air*, aller au combat ou monter en avion pour la première fois. ◆ **baptiser** [batize] v. t. **1.** *Baptiser qq'un*, lui administrer le sacrement du baptême. — **2.** *Baptiser qq'un, qqch.*, donner à une personne un prénom (nom de baptême) ou un surnom, donner à une chose un nom : *On le baptisa Joseph. Baptiser la place de la gare du nom d'un grand homme.* ◆ **baptismal, e, aux** adj. Qui sert au baptême : *Les fonts baptismaux sont une sorte de bassin où l'on baptise les enfants.* ◆ **baptiste** n. Membre d'une importante branche des Églises protestantes, issue de l'anabaptisme*. ◆ **baptistère** [batistɛr] n. m. Édifice que l'on construisait jadis près d'une cathédrale pour y baptiser. (On trouve de nombreux baptistères en Italie : Pise, Vérone, Florence.) ◆ **débaptiser** v. t. Enlever à quelqu'un et surtout à quelque chose, son nom, sa dénomination, pour lui en donner un autre.

BAQUET [bakɛ] n. m. (dimin. de *bac*). Petite cuve de bois servant à divers usages : *Transporter un baquet d'eau pour faire la lessive.*

1. BAR [bar] n. m. (angl. *bar*, barre). **1.** Débit de boissons où les consommateurs se tiennent debout ou sont assis sur de hauts tabourets devant le comptoir. — **2.** Le comptoir lui-même où l'on sert à boire : *Prendre une consommation au bar.* ◆ **barman** [barman] n. m. Serveur au comptoir d'un bar.

2. BAR [bar] n. m. (néerl. *baers*). Poisson des estuaires, voisin de la perche (syn. LOUP). [Famille des percidés.]

3. BAR [bar] n. m. (gr. *baros*, pesanteur). Unité de pression atmosphérique, valant 1 million de baryes*. (Le bar équivaut à env. 750 mm de mercure.)

BAR *(comté de)*, comté correspondant à la région du *Barrois**.

- *1301. Le comté de Bar se reconnaît vassal du roi de France pour ses possessions situées sur la rive gauche de la Meuse.*
- *1480. Union avec la Lorraine.*
- *1766. Réunion à la France, en même temps que la Lorraine.*

BARABBAS, agitateur dont les Juifs réclamèrent la libération à l'occasion de la Pâque, au lieu de Jésus, qu'ils voulurent crucifier.

BĀRĀBUDUR ou **BOROBUDUR,** grand temple bouddhique du centre de Java (v. 825).

BARACALDO, v. du nord de l'Espagne (Biscaye), près de Bilbao; 109200 hab. Mines de fer. Métallurgie lourde.

BARAGOUIN [baragwɛ̃] n. m. (du breton *bara*, pain, et *gwin*, vin). Langage incompréhensible et surtout langue étrangère qu'on ne comprend pas : *Quel baragouin! Exprimez-vous en un français correct* (syn. CHARABIA, JARGON). ◆ **baragouiner** v. i. et t. (sujet nom de personne). **1.** S'exprimer assez mal dans une langue : *Il baragouine un peu l'anglais.* — **2.** Parler une langue inintelligible : *Ces étrangers baragouinent entre eux.*

BARAKA [baraka] n. f. (mot ar. signif. *bénédiction*). Faveur divine qui donne la chance.

BARAQUE [barak] n. f. (it. *baracca*, hutte). **1.** Construction légère et provisoire, généralement en bois : *Une baraque en planches sert de remise pour les outils. Les baraques foraines* (= les boutiques de forains, dans une foire). — **2.** *Fam.* et *péjor.* Maison, habitation en général en mauvais état ou peu confortable : *Quelle baraque! il y a encore une fuite d'eau!* ◆ **baraquement** n. m. Construction provisoire, en bois, en métal, etc., plus grande que la baraque, et destinée à abriter des soldats, des prisonniers, des réfugiés, des ouvriers, etc.

BARATIN [baratɛ̃] n. m. (de l'anc. fr. *barater*, tromper). *Pop.* Boniment; bavardage intarissable.

BARATTE [barat] n. f. (de l'anc. fr. *barate*, agitation). Appareil dans lequel on bat la crème du lait pour obtenir du beurre. ◆ **baratter** v. t. Agiter la crème dans la baratte. ◆ **barattage** n. m. Brassage de la crème du lait pour obtenir le beurre.

BARBACANE [barbakan] n. f. (ar. *barbak-kaneh*, galerie servant de rempart devant une porte). Au Moyen Âge, ouvrage de fortification situé en avant d'une porte de place forte, pour en assurer la défense extérieure.

BARBADE (la), en angl. **Barbados,** État indépendant, membre du Commonwealth, constitué par la plus orientale des Antilles; 431 km^2; 260000 hab. Capit. *Bridgetown.* L'île vit essentiellement de la culture de la canne à sucre.

BARBANT, E adj. ⟶ BARBER.

1. BARBARE [barbar] adj. et n. (gr. *barbaros*, étranger). **1.** Se dit des personnes que les Grecs, les Romains, puis les premiers chrétiens considéraient comme étrangères à leur civilisation. ‖ *Invasions barbares*, invasions des peuples étrangers à la Méditerranée romaine (du IIIe au VIe s. apr. J.-C.). — **2.** Se dit de quelqu'un qui agit avec une cruauté, une inhumanité digne des barbares : *Ces barbares firent exécuter des milliers d'innocents* (syn. CRUEL, FÉROCE; contr. HUMAIN). ◆ **barbarie** n. f. : *Ce crime est un acte de barbarie* (syn. CRUAUTÉ, SAUVAGERIE). *Faire sortir une peuplade de sa barbarie primitive* (contr. CIVILISATION).

2. BARBARE [barbar] adj. et n. (même étym.). Qui n'est pas conforme à l'usage admis : *« Vous disez », pour « vous dites », est une forme barbare* (syn. INCORRECT). ◆ **barbarisme** n. m. Faute de langage, qui consiste à employer des mots inexistants ou déformés : *Le passé simple « cousut » au lieu de « cousit » est un barbarisme.*

BARBARESQUE [barbarɛsk] adj. et n. (it. *barbaresco*). Relatif aux peuples de l'anc. Barbarie (Afrique du Nord).

BARBARIE n. f. ⟶ BARBARE 1.

BARBARIE ou **ÉTATS BARBARESQUES,** nom donné jadis aux régions de l'Afrique du Nord situées à l'O. de l'Égypte : Maroc, Algérie, Tunisie, régence de Tripoli.

BARBARISME n. m. ⟶ BARBARE 2.

1. BARBE [barb] n. f. (lat. *barba*). **1.** Poils qui poussent sur les joues, la lèvre inférieure et le bas du visage de l'homme : *Avoir de la barbe au menton.* — **2.** Poils qui poussent sous la mâchoire de certains animaux : *Barbe de bouc.* — **3.** Filament de certains végétaux. — **4.** Bavure d'un papier mal coupé, d'un métal. — **5.** Filament implanté de chaque côté d'une plume d'oiseau. — **6.** *Agir à la barbe de qq'un*, en sa présence mais sans qu'il le sache et en dépit de son opposition. ‖ *Rire dans sa barbe*, en cachette, sans le faire ouvertement. ◆ **barbiche** n. f. Petite touffe de barbe au menton. ◆ **barbichette** n. f. Petite barbiche. ◆ **barbier** n. m. Nom donné anciennement à celui qui rasait le visage ou soignait la barbe. ◆ **barbillon** n. m. Filament olfactif ou gustatif placé de chaque côté de la bouche, chez certains poissons. ◆ **barbu, e** adj. et n. Qui a de la barbe. ◆ **ébarber** v. t. (sens 3 et 4 de BARBE). **1.** Couper le chevelu des végétaux qu'on transplante. — **2.** Enlever les parties excédantes des feuilles pliées, en reliure; enlever les aspérités d'une pièce de métal. ◆ **imberbe** adj. Qui n'a pas de barbe : *Le visage imberbe d'un adolescent.*

2. BARBE [barb] adj. et n. m. (it. *barbero*). Cheval d'Afrique du Nord (Barbarie), surtout répandu au Maroc.

Barbe-Bleue *(la)*, conte de Perrault. Barbe-Bleue a déjà égorgé six épouses et va faire subir le même sort à la septième lorsque celle-ci est délivrée par ses frères, qui tuent le sanguinaire mari.

BARBEAU [barbo] n. m. (du lat. *barba*, barbe; à cause de la présence de quatre barbillons à la lèvre supérieure de ce poisson). Poisson d'eau douce, long de 50 cm. (Famille des cyprinidés.)

BARBECUE [barbəkju] n. m. (mot angl.). Appareil de cuisson à l'air libre, fonctionnant au charbon de bois, pour griller ou rôtir.

BARBELÉ, E [barbəle] adj. et n. m. (de l'anc. fr. *barbel*, pointe). *Fil de fer barbelé*, fil de fer muni de pointes, utilisé comme clôture ou comme moyen de défense : *Un camp de prisonniers entouré de barbelés.*

BARBER [barbe] v. t. (de *barbe*). *Fam.* Ennuyer. ◆ **barbant, e** adj.

BARBEROUSSE, nom donné par les historiens occidentaux aux deux pirates turcs, fondateurs de l'État d'Alger au XVIe s., 'Arūdj et Khayr al-Dīn, son frère. Ce dernier (mort en 1546) reconnut la suzeraineté ottomane, et se joignit à la flotte française contre Charles Quint (1543-1544).

BARBEROUSSE ⟶ FRÉDÉRIC Ier, empereur germanique.

BARBÈS (Armand), homme politique français (1809-1870). Il participa à l'insurrection du 12 mai 1839 et fut envoyé en détention perpétuelle; il fut libéré par la révolution de 1848. Il tenta de constituer un gouvernement insurrectionnel à l'Hôtel de Ville le 15 mai 1848. Condamné, puis gracié par Napoléon III en 1854, il mourut en exil.

BARBET [barbɛ] n. m. (de *barbe*). **1.** Chien d'arrêt qui convient surtout à la chasse au canard. — **2.** *Crotté comme un barbet*, se dit de quelqu'un qui est couvert de boue.

BARBEY D'AUREVILLY (Jules), écrivain français (1808-1889), auteur de nouvelles *(les Diaboliques)*, de romans *(le Chevalier Des Touches)*, d'études littéraires et dramatiques.

BARBEZIEUX-SAINT-HILAIRE, anc. **Barbezieux,** ch.-l. de cant. de la Charente, à 35 km au S.-O. d'Angoulême; 5400 hab.

BARBICHE n. f., **BARBICHETTE** n. f., **BARBIER** n. m. —→ BARBE.

Barbier de Séville *(le)* **ou la Précaution inutile,** comédie de Beaumarchais (1775). Sur ce thème Rossini a composé un opéra-comique (1816).

BARBILLON n. m. —→ BARBE.

BARBITURIQUE [barbityrik] adj. et n. m. (de l'all. *Barbitursäure*, et de *urique*). Se dit de dérivés de l'urée, qui sont utilisés comme sédatifs, somnifères.

BARBIZON, comm. de Seine-et-Marne (arrond. de Melun), sur la bordure ouest de la forêt de Fontainebleau; 1273 hab.
La localité a donné son nom à un groupe de peintres (XIXe s.), *l'école de Barbizon*, qui réintroduisirent plus de naturel dans la peinture de paysage (Théodore Rousseau, Millet, Decamps, Corot, etc.).

BARBON [barbɔ̃] n. m. (it. *barbone*). *Péjor.* Homme d'un âge plus que mûr.

1. BARBOTER [barbɔte] v. i. (peut-être de *bourbe*) [sujet nom d'être animé]. S'agiter dans l'eau, dans la boue, etc.

2. BARBOTER [barbɔte] v. i. (même étym.). Traverser un liquide, en parlant d'un gaz : *Faire barboter un gaz dans l'eau.* ◆ **barbotage** n. m. Passage d'un gaz à travers un liquide.

BARBOTEUSE [barbɔtøz] n. f. (de *barboter*). Vêtement d'enfant, qui laisse libres les bras et les jambes et forme une culotte légèrement bouffante.

BARBOUILLER [barbuje] v. t. (de *bourbe*). **1.** (sujet nom de personne ou de chose) Couvrir rapidement et grossièrement d'une couche de couleur ou d'une substance salissante : *Barbouiller un mur.* — **2.** *Avoir le cœur barbouillé*, avoir la nausée, avoir mal au cœur. ◆ **barbouillage** n. m. : *Il appelle « peinture » ces affreux barbouillages.* ◆ **barbouilleur** n. m. : *Un barbouilleur qui vend très cher ses mauvaises toiles* (= un mauvais peintre). ◆ **débarbouiller** v. t. *Débarbouiller qq'un*, lui laver le visage. ◆ ***se débarbouiller*** v. pr. *Fam.* Se laver. ◆ **débarbouillage** n. m.

BARBU, E adj. —→ BARBE.

BARBUDA → ANTIGUA ET BARBUDA.

BARBUE [barby] n. f. (de *barbu*). Poisson marin voisin du turbot, long de 70 cm.

BARBUSSE (Henri), romancier français (1873-1935), auteur du *Feu* (1916), œuvre réaliste sur la Première Guerre mondiale.

BARCAROLLE [barkarɔl] n. f. (it. *barcaruolo*). **1.** Chanson des gondoliers vénitiens. — **2.** Pièce vocale ou instrumentale au rythme berceur (*ex.* : barcarolle des *Contes d'Hoffmann*, d'Offenbach; barcarolle pour piano de Chopin, Fauré).

BARCASSE [barkas] n. f. (de *barque*). Barque utilisée pour le débarquement des passagers et des marchandises lorsque le navire ne peut accoster.

BARCELONE, en esp. **Barcelona,** v. d'Espagne, capit. de la Catalogne; 1828000 hab. (deuxième ville d'Espagne par la population, après Madrid).

GÉOGRAPHIE. Barcelone est installée sur une étroite plaine littorale en bordure de la Méditerranée. La ville s'est surtout développée depuis le XVIIIe s. L'industrie textile est à l'origine de son expansion (coton, laine, textiles artificiels et synthétiques). Parallèlement, l'industrie mécanique et diverses autres activités se sont implantées plus récemment. Ville étape sur la Costa Brava, Barcelone accueille chaque année de nombreux touristes.
La ville conserve des édifices gothiques et la singulière église de la Sagrada Familia (= de la Sainte-Famille), chef-d'œuvre de l'architecte Gaudí*, commencée en 1884, mais restée inachevée.

HISTOIRE. Fondée par les Grecs, la ville fut un important centre romain.

- *714. Conquête par les Arabes.*
- *874. La ville devient indépendante.*

Au XIIIe s., Barcelone est une importante place commerciale et financière, en rapport avec l'Orient. La ville devient un grand centre industriel à partir de la fin du XIXe s.

- *1936-1939. Pendant la guerre civile, la ville est un bastion de la résistance des républicains.*

BARCELONNETTE, ch.-l. d'arrond. des Alpes-de-Haute-Provence, à 69 km à l'E. de Gap; 3300 hab. Ancien centre d'émigration vers le Mexique.

BARDA [barda] n. m. (ar. *barda'a*). *Fam.* Matériel d'équipement que l'on emporte avec soi, ou simplement bagages lourds et encombrants.

BARDANE [bardan] n. f. (lyonnais *bardane*, punaise). Plante commune dans les décombres, haute de 1 m et dont les fruits, terminés par de petits crochets, s'accrochent aux vêtements et à la toison des animaux. (Famille des composées.)

1. BARDE [bard] n. m. (lat. *bardus*). Poète et chanteur, chez les Celtes.

2. BARDE [bard] n. f. (ar. *barda'a*, bât). Armure du cheval de guerre (XIIIe-XVIe s.).

3. BARDE [bard] n. f. (même étym.). Tranche de lard dont on enveloppe les pièces de viande que l'on veut rôtir. ◆ **barder** v. t. : *Barder une volaille.*

1. BARDEAU n. m. (de *barde*). Planche mince en forme de tuile, revêtant la façade ou le toit des bâtiments en pays de montagne.

2. BARDEAU n. m. —→ BARDOT.

1. BARDER [barde] v. t. (de *barde*). **1.** Recouvrir avec des pièces d'un métal dur (fer, acier), pour protéger ou consolider (souvent au passif) : *La porte était bardée de vieilles ferrures.* — **2.** *Avoir la poitrine bardée de décorations*, être couvert de décorations (syn. CONSTELLÉ). ‖ (sujet nom de personne) *Être bardé contre qqch.*, être capable d'y résister.

2. BARDER v. t. —→ BARDE 3.

BARDO (Le), localité de la banlieue de Tunis; 40 700 hab.

- *12 mai 1881. Signature d'un traité avec la France, établissant le protectorat de cette dernière sur la Tunisie.*

BARDONNÈCHE, en it. **Bardonecchia,** localité d'Italie, dans les Alpes du Piémont, à la sortie du tunnel du Mont-Cenis. Station d'altitude et de sports d'hiver.

BARDOT ou **BARDEAU** [bardo] n. m. (it. *bardotto*, bête qui porte le bât). Bête de somme, produit du cheval et de l'ânesse.

BARÈGES, comm. des Hautes-Pyrénées, à 7 km au N.-E. de Luz-Saint-Sauveur; 344 hab. Station thermale et centre de sports d'hiver.

BARELI ou **BAREILLY,** v. de l'Inde (Uttar Pradesh), à l'E. de Delhi; 326000 hab. Textiles.

BARÈME [barɛm] n. m. (de *Barrême*, mathématicien du XVIIe s.). Répertoire, recueil, table de calculs tout faits; ensemble de tarifs, de prix, etc., concernant un domaine précis; échelle de salaires : *Le barème des tarifs des chemins de fer.*

BARENTIN, comm. de la Seine-Maritime, à 17 km au N.-O. de Rouen; 12800 hab. *(Barentinois).* Musée de sculpture en plein air.

BARENTS ou **BARENTSZ** (Willem), explorateur néerlandais (v. 1555-1597). Il conduisit deux expéditions dans les mers arctiques, à la recherche du passage du Nord-Est vers la Chine. Il découvrit la Nouvelle-Zemble et le Spitzberg.

BARENTS *(mer de)*, mer bordière de l'océan Arctique, entre la Scandinavie, le Svalbard et la Nouvelle-Zemble; 1400000 km². Pénétrée par les eaux relativement tièdes de l'Atlantique, cette mer est accessible en toute saison (port de Mourmansk).

BARFLEUR, comm. de la Manche (arrond. de Cherbourg), près de la *pointe de Barfleur*, extrémité nord-est du Cotentin; 630 hab. Station balnéaire. Petit port qui fut très important au Moyen Âge.

1. BARGE [barʒ] n. f. (orig. obscure). Oiseau échassier, long de 40 cm, ressemblant à la bécasse, mais plus haut sur pattes, qui fréquente les marais. (Famille des scolopacidés.)

2. BARGE [barʒ] n. f. (bas lat. *barga*). **1.** Barque utilisée pour la pêche en rivière. — **2.** Péniche de débarquement.

BARGUIGNER [bargiɲe] v. i. (frq. *borganjan*, emprunter). Fam. *Sans barguigner*, sans hésiter (souvent dans des contextes où il s'agit de payer; vieilli) : *Il a tout acheté sans barguigner.*

BARI, port d'Italie, dans les Pouilles; 387000 hab. La ville fut prospère au Moyen Âge grâce à ses relations commerciales avec la Syrie.

BARIL [baril] n. m. (orig. incert.). Petit tonneau; son contenu : *Un baril de vin. De la lessive en baril.*

BARILLET [barijɛ] n. m. (de *baril*). **1.** Pièce cylindrique et mobile du revolver, destinée à recevoir les cartouches. — **2.** Boîte cylindrique qui contient le grand ressort d'une montre, d'une pendule.

BARIOLER [barjɔle] v. t. (de *barre*, et anc. fr. *rioler*, rayer). Peindre, marquer de couleurs vives qui ne s'harmonisent pas ensemble : *Les enfants bariolent leurs cahiers de dessins de tons criards* (syn. PEINTURLURER). ◆ **bariolé, e** adj. (syn. BIGARRÉ). ◆ **bariolage** n. m.

BARISAN *(monts)*, chaîne de montagnes de Sumatra; 3 801 m.

BARKHANE [barkan] n. f. (orig. inc.). Dune en forme de croissant, orientée perpendiculairement au vent : *Les champs de barkhanes du Sahara.*

BAR-LE-DUC, ch.-l. du dép. de la Meuse, dans le Barrois, sur l'Ornain; 20 100 hab. Métallurgie. Textile. L'église Saint-Pierre (XVe s.) contient le mausolée de René de Chalon, prince d'Orange.

BARLETTA, port d'Italie dans les Pouilles; 77 200 hab.

BARLIN, ch.-l. de cant. du Pas-de-Calais, à 10 km au S. de Béthune; 7 800 hab.

BARLOW (Peter), physicien britannique (1776-1862). Il perfectionna le télescope et détermina la façon de compenser à bord d'un navire l'action des masses métalliques sur l'aiguille de la boussole.

BARMAN n. m. ⟶ BAR 1.

BARMEN, anc. v. d'Allemagne, auj. quartier de *Wuppertal.*

BARNAOUL, v. de l'U. R. S. S., en Sibérie, sur l'Ob'; 439 100 hab. Industries chimiques, métallurgiques et alimentaires.

BARNAVE (Antoine), homme politique français (1761-1793). Partisan d'une monarchie constitutionnelle, conseiller occulte de la famille royale, il fut décapité sous la Terreur.

BARNEVILLE-CARTERET, ch.-l. de cant. de la Manche, sur la côte ouest du Cotentin; 2 300 hab. Station balnéaire.

BARNUM (Phineas Taylor), impresario et directeur de cirque américain (1810-1891). Il organisa à travers le monde des spectacles de cirque à grande mise en scène.

BARODA, auj. **Vadodara,** v. de l'Inde, dans le Gujerāt; 467 400 hab.

BAROGRAPHE [barɔgraf] n. m. (du gr. *baros*, pesanteur, et *graphein*, enregistrer). Baromètre enregistreur, traçant la courbe des altitudes successives atteintes par un aviateur.

BAROJA (Pío), écrivain espagnol (1872-1956). Il exprima dans ses romans l'amour de son Pays basque.

BAROMÈTRE [barɔmɛtr] n. m. (du gr. *baros*, pesanteur, et *metron*, mesure). **1.** Instrument servant à mesurer la pression de l'air, et par suite, la hauteur à laquelle on s'élève, ainsi qu'à prévoir approximativement les changements atmosphériques. — **2.** Se dit de tout ce qui est sensible à des variations et peut être assimilé à cet instrument : *La presse est le baromètre de l'opinion publique. La Bourse est le baromètre de l'activité économique.* ◆ **barométrique** adj. : *Pression barométrique* (= indiquée par le baromètre).

— ENCYCL. Inventé en 1643 par Torricelli, le *baromètre à mercure* se compose d'un tube vertical vidé d'air et rempli de mercure. Son extrémité supérieure est fermée et son extrémité inférieure, ouverte, plonge dans une cuvette pleine de mercure, sur la surface duquel agit la pression atmosphérique, qui fait monter plus ou moins le mercure dans le tube (= 76 cm au niveau de la mer, en moyenne).

Le *baromètre anéroïde* se compose d'une boîte métallique vidée d'air, à parois minces, qui se déforme suivant les variations de la pression atmosphérique. Ces déformations sont transmises à une aiguille qui se déplace devant un cadran.

Le *baromètre enregistreur* est un baromètre anéroïde dont l'aiguille est munie d'une plume spéciale : celle-ci laisse sa trace sur un papier quadrillé.

Le baromètre sert à déterminer l'altitude d'un lieu (la pression de l'air diminue avec l'altitude) et joue un rôle primordial dans la prévision du temps. Des mesures simultanées de la pression atmosphérique, effectuées en des lieux très nombreux, permettent en effet de dresser des *cartes de la pression atmosphérique* dans une grande région ou sur un continent, et de déterminer, à un moment donné, la répartition géographique des grandes masses d'air : anticyclones* (où les pressions sont fortes) et dépressions. Leur évolution obéit à des lois qui permettent de prévoir le temps dans les jours à venir.

BARON [barɔ̃] n. m. (frq. *baro*, homme libre). **1.** Titre donné à un seigneur féodal, puis à un noble (intermédiaire entre chevalier et vicomte). — **2.** *Les barons de la finance*, les gros banquiers. ◆ **baronne** n. f. Femme d'un baron (sens 1).

BARONET [barɔnɛ] n. m. (mot angl.). En Angleterre, titre héréditaire des membres d'un ordre de chevalerie créé en 1611.

BARONNE n. f. ⟶ BARON.

BARONNIES (les), massif calcaire des Préalpes françaises du Sud (Drôme); 1 759 m.

BAROQUE [barɔk] adj. (portug. *barroco*, perle irrégulière). Dont l'irrégularité, l'étrangeté a un caractère choquant : *C'est un esprit baroque qui ne peut rien faire comme tout le monde* (syn. BIZARRE, EXCENTRIQUE, EXTRAVAGANT; contr. NORMAL). ◆ n. m. et adj. Style architectural, pictural, littéraire et musical dont les formes précieuses, contournées ou accentuées, s'opposent à celles de la Renaissance et du classicisme (XVIe-XVIIIe s.).

— ENCYCL. L'*art baroque* désigne le style qui a succédé à celui de la Renaissance classique, du milieu du XVIe s. au milieu du XVIIIe s. en Italie et dans d'autres pays catholiques. Né à Rome dans le groupe des successeurs de Michel-Ange (Maderno, le Bernin, Borromini...), il s'est répandu jusqu'en Amérique latine, où il a atteint son plus haut degré d'exubérance. Expression de la Contre-Réforme, il veut rendre l'église accueillante et renouvelle les thèmes de l'art religieux; mais c'est aussi un art de cour, qui exprime l'absolutisme des princes; à l'art équilibré et mesuré de la Renaissance, l'art baroque, avant tout théâtral et somptueux, oppose le faste de la décoration, la recherche du mouvement (draperies), l'utilisation des lignes courbes (colonnes torses, volutes) dans le but d'étonner et d'éblouir. Ces caractères expliquent qu'il soit peu représenté dans l'art français dont il contredit les principes fondamentaux.

Les principaux exemples de l'art baroque se trouvent en Italie, en Allemagne, en Autriche, en Espagne.

→ illustrations en couleurs pp. 160-161.

Une *littérature baroque* s'est développée parallèlement en France, sous Henri IV et Louis XIII, illustrée surtout par Agrippa d'Aubigné et Robert Garnier. Elle se caractérise par un effort pour traduire le mouvement, la primauté de la sensation sur l'idée, par le goût du pathétique violent et la libre création des formes (images saisissantes, emphase, antithèses, etc.).

BAROUD [barud] n. m. (mot ar.). *Baroud d'honneur*, combat où l'on se sait vaincu mais que l'on soutient pour l'honneur.

BAROUF [baruf] n. m. (it. *baruffa*, bagarre). *Pop.* Tapage.

BARQUE [bark] n. f. (prov. *barca*). Nom collectif désignant toutes sortes de petits bateaux : *Les barques des pêcheurs* (syn. EMBARCATION). *Faire une promenade en barque.* ◆ **barquette** n. f. Pâtisserie en forme de barque.

BARQUISIMETO, v. du Venezuela, à l'O. de Caracas; 334 300 hab.

BARR, ch.-l. de cant. du Bas-Rhin, à 17 km au N. de Sélestat; 4 600 hab.

BARRAGE n. m. ⟶ BARRER 2.

BARRANQUILLA, principal port de Colombie, sur l'Atlantique, à l'embouchure du Magdalena; 691 700 hab. Grand centre industriel.

BARRAS (Paul, *vicomte* DE), homme politique français (1755-1829). Il contribua, avec Tallien et Fouché, à la chute de Robespierre. Commandant en chef de l'armée de l'Intérieur, il réprima l'insurrection royaliste du 13 vendémiaire an IV. Élu Directeur, il démissionna au 18-Brumaire.

1. BARRE [bar] n. f. (bas lat. *barra*). **1.** Pièce de bois ou de métal, allongée, droite et souvent étroite : *Des barres de fer. L'or coulé en barres* (= lingots de forme allongée). ‖ *C'est de l'or en barre*, c'est une valeur ou une affaire sûre, une chose précieuse. — **2.** *Barre fixe*, appareil de gymnastique formé par une traverse horizontale de fer ou de bois rond, soutenue par deux montants. ‖ *Barres parallèles*, appareil de gymnastique composé de deux barres de bois fixées parallèlement sur des montants verticaux. ‖ *Barre de torsion*, barre élastique qui remplace le ressort pour assurer la suspension des voitures et de certaines motocyclettes. ◆ **barreau** [baro] n. m. Petite barre qui sert comme appui, comme fermeture, etc. : *Des barreaux de chaise. Les barreaux d'une cage.*

2. BARRE [bar] n. f. (même étym.). Trait de plume, qui a la forme d'une ligne droite et étroite : *Tirer deux barres sur un chèque.* ‖ Mus. *Barre de mesure*, trait perpendiculaire aux lignes de la portée et qui sépare les mesures. ◆ **barrer** v. t. **1.** *Barrer ce qui est écrit*, y tracer une barre afin de l'annuler : *Barrer d'un coup de crayon un passage à supprimer* (syn. BIFFER, RATURER). — **2.** *Barrer un chèque*, y tracer deux traits parallèles et transversaux, afin que seule la banque puisse en toucher le montant. ◆ **barres** n. f. pl. Jeu de plein air où les joueurs, divisés en deux camps que sépare une barre tracée sur le sol, se poursuivent à la course.

3. BARRE [bar] n. f. (même étym.). Déferlement violent qui se produit près de certaines côtes lorsque la houle se brise sur les hauts-fonds.

BARRAGES DE RETENUE OU DE RÉGULATION

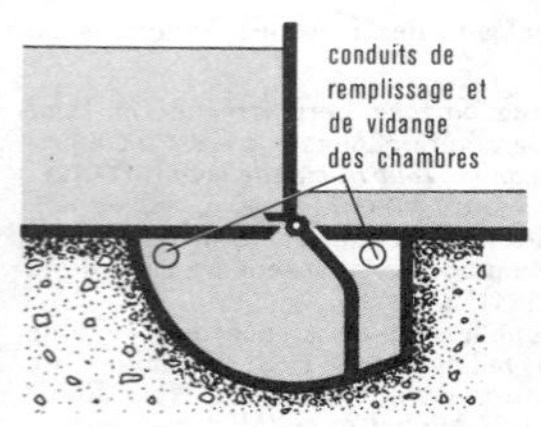

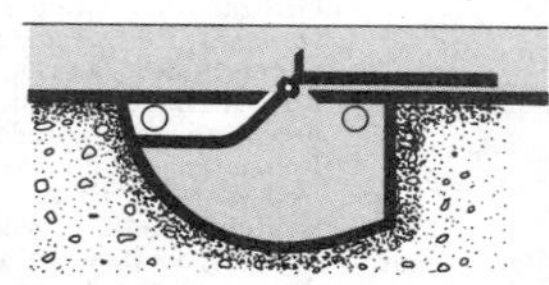

BARRAGE À TAMBOUR

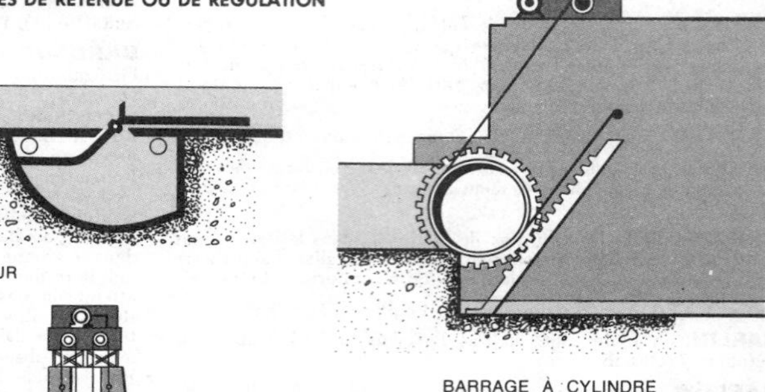

BARRAGE À CYLINDRE

Comprend un ou plusieurs cylindres à axe horizontal, mobiles sur deux chemins de roulement disposés obliquement. Il est préféré au barrage à vannes levantes.

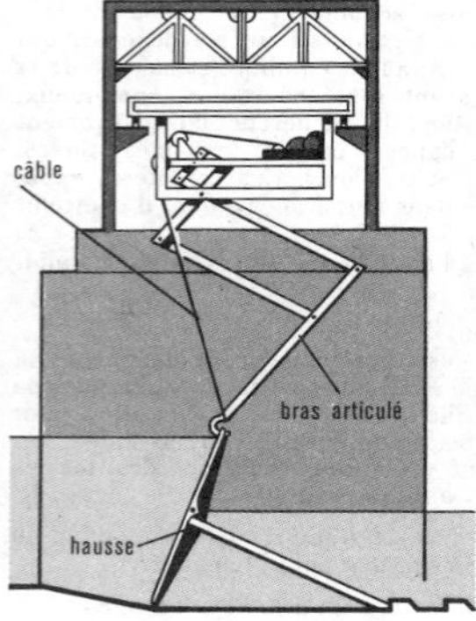

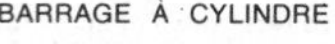

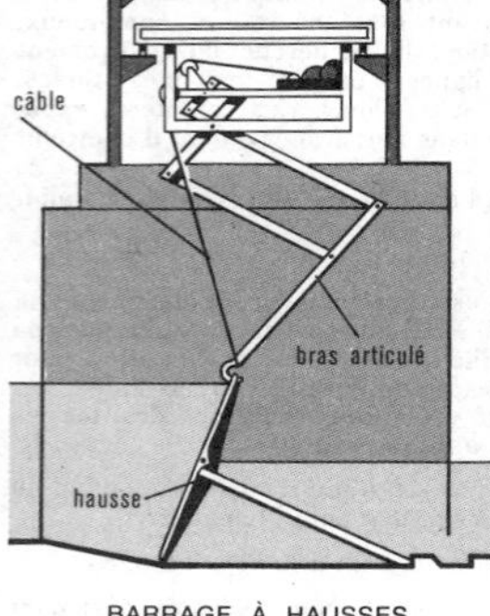

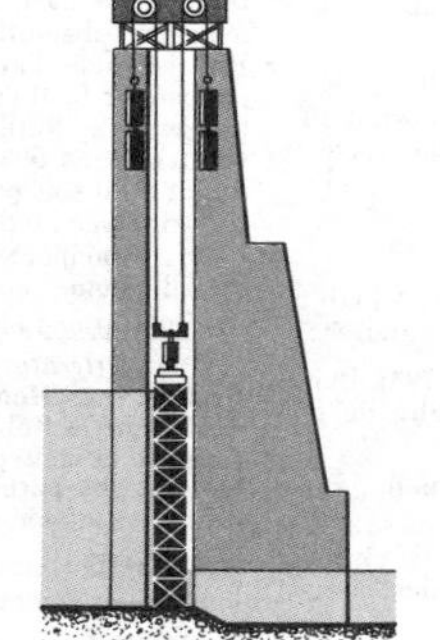

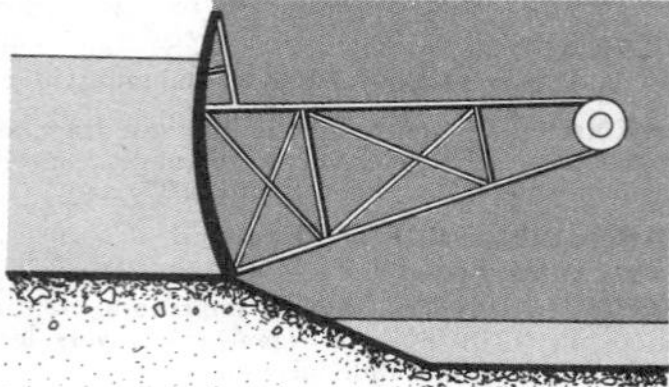

BARRAGE À HAUSSES

Se compose de hausses maintenues dans une position verticale par des supports qui s'arc-boutent sur le radier.

BARRAGE À VANNES LEVANTES

Comprend un certain nombre de piles entre lesquelles peuvent glisser des vannes verticales limitées par le poids et par le risque de vibration.

BARRAGE À SEGMENTS

Se compose de segments mobiles autour d'un axe de rotation, qui permettent de fermer la passe.

BARRAGES-RÉSERVOIRS OU GRANDS BARRAGES

BARRAGE-POIDS

BARRAGE-VOÛTE

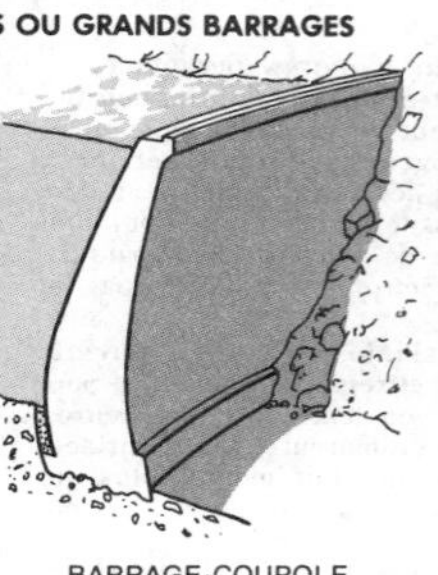

BARRAGE-COUPOLE

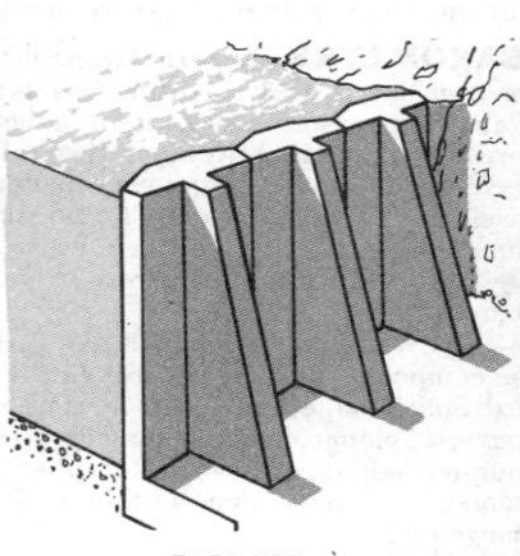

BARRAGE À TÊTES AMONT MASSIVES

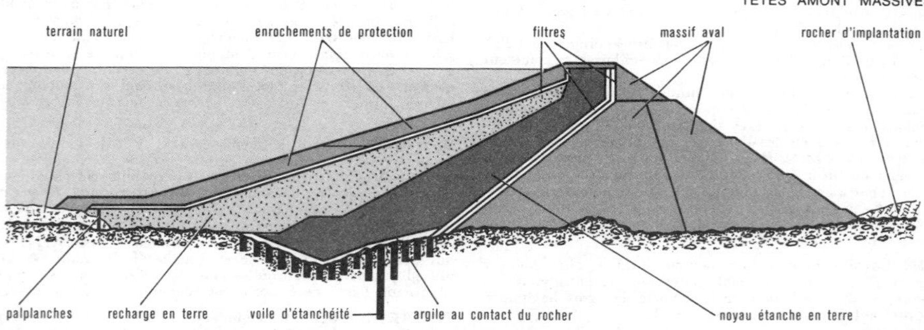

COUPE D'UN BARRAGE EN TERRE

4. BARRE [bar] n. f. (même étym.). **1.** Dispositif qui commande le gouvernail d'un bateau. — **2.** *Donner un coup de barre*, changer brusquement d'orientation, de direction. ‖ *Tenir la barre*, diriger, gouverner. ◆ **barrer** v. t. ou i. : *L'embarcation est barrée par un marin.* ◆ **barreur** n. m. Celui qui tient le gouvernail (la barre) dans une embarcation.

5. BARRE [bar] n. f. (même étym.). Barrière qui, dans un tribunal, sépare les magistrats du public : *Paraître à la barre* (= se présenter devant les juges). ◆ **barreau** [baro] n. m. Espace réservé aux avocats, dans le prétoire; la profession et l'ordre des avocats : *Être avocat au barreau de Paris.*

BARRE (Raymond), homme politique français (né en 1924). Premier ministre de 1976 à 1981, il mit en place un plan économique de lutte contre l'inflation (« plan Barre »).

BARREAU n. m. ⟶ BARRE 1 et 5.

BARREN GROUNDS [barən grawnds] (angl. *barren*, stérile, et *ground*, terre). Terme désignant les toundras du Canada septentrional.

1. BARRER v. t. ⟶ BARRE 2 et 4.

2. BARRER [bare] v. t. (de *barre*). **1.** (sujet nom de personne ou de chose) *Barrer une rue, une route, une porte*, etc., les fermer de manière que le passage soit interdit. — **2.** *Barrer la route à qq'un*, mettre un obstacle à ses projets. ◆ **barrage** n. m. **1.** Action de barrer; obstacle disposé pour barrer un passage : *Un barrage de police. Faire barrage* (= empêcher). ‖ *Tir de barrage*, tir destiné à stopper une attaque terrestre ou à interdire aux avions adverses une zone déterminée. — **2.** Ouvrage qui barre un cours d'eau (la retenue étant utilisée comme source d'énergie, pour les besoins de l'irrigation, etc.) : *Construire un barrage sur la Durance.*
— ENCYCL. Les premiers *barrages* alimentant des aqueducs furent construits au début de l'ère chrétienne par les Romains. On utilisa d'abord des masses de terre, puis de la pierre et, enfin, du béton armé. Toutefois, certains barrages modernes sont encore construits avec de la terre et les matériaux rocheux trouvés à proximité (barrage de Serre-Ponçon, sur la Durance).
■ *Types de barrages. Les barrages de retenue* traversent le lit d'une rivière et créent une dénivellation entre l'amont et l'aval.
Les *grands barrages*, ou *barrages-réservoirs*, établis en travers d'une vallée pour accumuler un certain volume d'eau, sont utilisés pour l'irrigation, la protection contre les crues, la production de force motrice. Parmi les ouvrages en béton, on distingue : le *barrage-poids*, à profil triangulaire, qui oppose son seul poids à la poussée de l'eau; le *barrage-voûte*, qui présente une courbure dont la convexité est tournée vers l'amont, de sorte que la poussée de l'eau est reportée sur les rives; le *barrage à contreforts*, formé d'un système de contreforts soutenant un mur amont; le *barrage mixte*, qui combine les techniques du barrage-voûte et du barrage-poids, permet de réduire l'épaisseur qu'aurait ce dernier.

1. BARRES [bar] n. f. pl. (de *barre*). Espaces symétriques entre les incisives et les molaires chez le cheval (on y place le mors), le bœuf, le lapin.

2. BARRES n. f. pl. ⟶ BARRE 2.

BARRÈS (Maurice), écrivain français (1862-1923). Cet individualiste raffiné commence par analyser et exalter son « moi ».

- *1888-1891. Trilogie du « Culte du moi ». (« Sous l'œil des Barbares », 1888; « Un homme libre », 1889; « le Jardin de Bérénice », 1891.)*
- *1889-1893. Il est élu député boulangiste de Nancy.*

Ayant approfondi son enracinement à sa province (la Lorraine) et à sa patrie, il se fait le champion du nationalisme.

- *1897-1902. Publication de la nouvelle trilogie du « Roman de l'énergie nationale » qui comprend « les Déracinés » (1897).*

Défendant les vertus traditionnelles (patriotisme, catholicisme), il exalte le culte de la terre (fidélité au sol natal) et des morts (*Colette Baudoche*, 1909; *la Colline inspirée*, 1913).

1. BARRETTE [barɛt] n. f. (it. *barretta*). Bonnet noir, à trois ou à quatre cornes, des ecclésiastiques; bonnet rouge des cardinaux.

2. BARRETTE [barɛt] n. f. (de *barre*). **1.** Pince allongée servant à retenir les cheveux. — **2.** Petit rectangle portant le ruban d'une décoration; bijou de forme allongée.

BARREUR n. m. ⟶ BARRE 4.

BARRICADE [barikad] n. f. (de *barrique*). **1.** Obstacle fait de l'entassement de matériaux divers, et mis en travers d'une rue ou d'un passage : *Les manifestants élèvent des barricades avec les pavés de la rue.* — **2.** *Être de l'autre côté de la barricade*, être du parti opposé. ◆ **barricader** v. t. (sujet nom de personne). **1.** Obstruer le passage au moyen de barricades. — **2.** Fermer solidement : *Barricader portes et fenêtres.* ◆ **se barricader** v. pr. **1.** Résister par la force derrière une barricade (syn. SE RETRANCHER). — **2.** *Se barricader (dans sa chambre)*, s'y enfermer pour ne recevoir personne.

Barricades *(journées des)*, nom donné à plusieurs émeutes parisiennes.

- *12 mai 1588. Les Ligueurs obligent Henri III à s'enfuir de Paris.*
- *26 août 1648. Émeute dirigée contre Mazarin et Anne d'Autriche au début de la Fronde.*

BARRIÈRE [barjɛr] n. f. (de *barre*). **1.** Clôture faite d'un assemblage de pièces de bois, de métal : *La barrière de l'enclos. La barrière du passage à niveau.* ‖ *Autref.* Porte, clôture à l'entrée d'une ville où étaient établis des bureaux d'octroi. — **2.** Obstacle naturel qui empêche de circuler d'un lieu à un autre : *Les montagnes forment une barrière infranchissable.* — **3.** Obstacle qui sépare deux personnes, deux groupes, qui empêche la réalisation de quelque chose : *J'ai mis une barrière à ses prétentions.*

BARRIÈRE (Grande), édifice corallien bordant la côte nord-est de l'Australie, sur 2 400 km env.

BARRIQUE [barik] n. f. (prov. *barrica*). Tonneau de 200 à 250 litres de capacité, qui sert au transport des liquides : *Mettre du vin en barriques.*

BARRIR [barir] v. i. (lat. *barrire*). Crier, en parlant de l'éléphant. ◆ **barrissement** n. m.

BARROIS, région de l'est du Bassin parisien, au S. de l'Argonne. C'est un plateau calcaire s'élevant vers l'E. (400 m), couvert de forêts et faiblement peuplé.

BARROT (Odilon), homme politique français (1791-1873). Monarchiste constitutionnel, il dirigea sous la monarchie de Juillet un courant d'opposition réformiste, dit *gauche dynastique*. Il organisa la *campagne des banquets* contre le ministère Guizot (1847).

BARRY (Jeanne BÉCU, *comtesse* DU) [1743-1793], favorite de Louis XV. Elle fut guillotinée sous la Terreur.

BAR-SUR-AUBE, ch.-l. d'arrond. de l'Aube, dans le Barrois, à 42 km à l'E. de Troyes; 7 100 hab. *(Baralbins* ou *Barsuraubois).*

BART (Jean), marin français (1650-1702). Corsaire de la marine royale française, il obtint de nombreux succès sur les Hollandais et les Anglais.

BARTAS (Guillaume DE SALLUSTE, *seigneur* DU), poète français (1544-1590). Il apparut comme un imitateur et un rival de Ronsard, avec moins de mesure et de goût.

BARTAVELLE [bartavɛl] n. f. (prov. *bartavèlo*, loquet). Oiseau du Jura, des Alpes, des Pyrénées, long de 35 cm, voisin de la perdrix. (Famille des phasianidés.)

BARTH (Karl), théologien protestant suisse (1886-1968). Il a profondément marqué par son enseignement la théologie calviniste et le christianisme tout entier.

BARTHÉLEMY (René), physicien français (1889-1954), l'un des créateurs de la télévision en France.

BARTHOLDI (Frédéric Auguste), sculpteur français (1834-1904). Ses deux œuvres les plus célèbres sont le *Lion de Belfort* (1880), taillé dans le roc, et *la Liberté éclairant le monde* (1886), à l'entrée du port de New York.

BARTÓK (Béla), compositeur, pianiste virtuose et chercheur hongrois (1881-1945), l'un des plus éminents représentants de la musique moderne. Outre des chœurs et chansons folkloriques restitués, on lui doit de la musique symphonique, un opéra (*le Château de Barbe-Bleue*, 1911), un ballet pantomime (*le Mandarin merveilleux*, 1919), de la musique de chambre (six quatuors à cordes), de la musique pour piano (*Sonate pour deux pianos et percussion*, 1937).

BARYCENTRE [barisɑ̃tr] n. m. (du gr. *barus*, lourd, et *centre*). **1.** Centre de gravité. — **2.** *Math.* ⟶ ENCYCL.
— ENCYCL. Soit Δ (lire delta) une droite* affine, A et B deux de ses points, a et b deux réels de somme non nulle. Le point M, dont l'abscisse dans un repère pris sur Δ est

$$x_M = \frac{ax_A + bx_B}{a + b}$$

(x_A abscisse de A, x_B abscisse de B), ne dépend pas du repère choisi. On dit que M est le *barycentre* des points A et B affectés respectivement des coefficients a et b.
Exemple : le milieu I d'un bipoint (A, B) peut être considéré comme le barycentre des points A et B affectés de coefficients égaux à a (nombre quelconque non nul), car, dans un repère quelconque, pris sur la droite affine déterminée par A et B, son abscisse est

$$x_I = \frac{x_A + x_B}{2} = \frac{ax_A + ax_B}{2a} \quad \text{quel que soit } a \text{ non nul.}$$

BARYE [bari] n. f. (du gr. *barus*, lourd). Unité de pression dans le système C. G. S., correspondant à 0,1 pascal.

BARYE (Antoine Louis), sculpteur français (1795-1875), spécialiste de la représentation minutieuse des animaux.

BARYSPHÈRE [barisfɛr] n. f. (du gr. *barus*, lourd, et *sphère*). Partie intérieure du globe terrestre, caractérisée par sa densité élevée.

BARYTE n. f. ⟶ BARYUM.

BARYTON [baritɔ̃] n. m. (du gr. *barus*, grave, et *tonos*, ton). **1.** Voix d'homme intermédiaire entre le ténor et la basse, aux sonorités chaudes et caressantes; homme doué de cette voix. — **2.** Se dit de certains instruments à vent de même registre sonore : *Saxophone baryton.*

BARYUM [barjɔm] n. m. (du gr. *barus*, lourd). Métal (Ba) blanc d'argent, de densité 3,7, fondant à 710 °C. (Un composé, le *sulfate de baryum*, est utilisé en peinture [il constitue le « blanc fixe »] et en radiologie [opaque aux rayons X, il permet d'obtenir en radioscopie et en radiographie l'image des cavités digestives].) ◆ **baryte** n. f. Oxyde de baryum, de couleur blanchâtre, de densité 5,5.

1. BAS, BASSE [bɑ, bɑs] adj. (lat. *bassus*). **1.** (après le nom) Se dit de ce qui a peu de hauteur ou d'intensité, de ce qui est incliné vers le sol : *La salle basse du château* (= dont le plafond est peu élevé). *Le fleuve est bas, la mer est basse* (= ce sont les basses eaux). *Marcher la tête basse* (contr. HAUT). *Partir l'oreille basse* (= humilié, penaud). *Il a la vue basse* (= il ne voit pas bien, il est myope). *La température est basse* (contr. ÉLEVÉ). *La messe basse est une messe non chantée* (contr. GRAND-MESSE). ‖ *Chambre basse*, la Chambre des communes, en Angleterre, par oppos. à la Chambre des lords. — **2.** (avant le nom) Se dit de ce qui vient après dans le temps, de ce qui est inférieur par sa position, sa situation géographique ou sociale, par sa qualité, sa quantité ou son prix : *La basse Seine* (= la partie de son cours située vers la mer). *Les basses Alpes* (contr. LES HAUTES ALPES). *La basse latinité* (celle du Bas-Empire, des IVe et Ve s.). *Au bas mot* (= en évaluant au plus faible). *En ce bas monde* (= sur la terre) [contr. AU CIEL]. ◆ **bas** adv. **1.** Correspond à tous les sens de l'adj. : *Il chante trop bas* (= d'une voix trop grave). *Parlez bas* (= à voix basse). — **2.** *Être très bas*, en parlant d'une personne, être proche de la mort. ‖ *Jeter bas*, abattre, détruire. ‖ *Mettre bas*, déposer : *Mettre bas les armes* (= cesser de combattre); en parlant des animaux, faire ses petits. — **3.** *À bas*, vers la terre ou à terre : *Mettre une maison à bas* (= la détruire). *Il est tombé à bas de son cheval;* comme interj., cri d'hostilité : *À bas la dictature!* (syn. MORT À). ‖ *En bas*, à l'étage inférieur, au-dessous de : *Il habite en bas* (contr. EN HAUT). *Il est tombé la tête en bas* (= la tête la première). ‖ *De haut en bas, du haut en bas de*, dans sa totalité, depuis la partie la plus élevée jusqu'à la plus basse. ‖ *De bas en haut*, dans le sens ascendant. ◆ **bas** n. m. **1.** *Le bas de* (suivi d'un compl. du nom), la partie inférieure de : *Le bas du visage.* — **2.** *Les hauts et les bas*, la succession des périodes heureuses et malheureuses.

2. BAS, BASSE [bɑ, bɑs] adj. (même étym.) [avant ou après le nom]. Se dit de quelqu'un (ou de sa conduite, ou de son activité) qui est inférieur, sans valeur sur le plan moral, méprisable : *C'est une âme basse* (syn. ABJECT). *Une basse vengeance* (syn. HONTEUX, IGNOBLE). ◆ **bassement** adv. D'une manière vile : *Il s'est conduit bassement à son égard* (syn. IGNOBLEMENT). ◆ **bassesse** n. f. Manque de noblesse ou d'élévation morale; action qui manifeste des sentiments vils : *Pousser la flatterie jusqu'à la bassesse* (syn. SERVILITÉ). *Vous avez commis une bassesse en le dénonçant* (syn. IGNOMINIE, VILENIE; contr. GRANDEUR).

3. BAS [bɑ] n. m. (de *bas-de-chausses*). **1.** Pièce du vêtement féminin destinée à couvrir la jambe et le pied : *Mettre des bas de Nylon.* (Les *bas* ont été aussi une pièce du vêtement masculin.) — **2.** *Bas de laine*, cachette où l'on mettait les sommes économisées. ◆ **demi-bas** n. m. Bas qui s'arrête au-dessous du genou.

BASAL, E, AUX [bazal, -zo] adj. (de *base*). *Métabolisme basal*, dépense énergétique minimale, inévitable, d'un sujet, même au repos complet, correspondant aux fonctions naturelles (respiration, circulation, digestion, etc.).

BASALTE [bazalt] n. m. (lat. *basanites*). Roche volcanique presque noire, à structure microlitique, constituée essentiellement de cristaux de plagioclase, pyroxène et olivine, enrobés par une pâte vitreuse. ◆ **basaltique** adj. : *Relief basaltique.*
— ENCYCL. Les *basaltes* sont des laves fluides, qui s'épanchent en vastes coulées. Ce sont les principaux constituants des volcans de forme aplatie mais de grand diamètre, du type hawaiien. Ils donnent des paysages de grands plateaux monotones, faiblement inclinés, comme la planèze de Saint-Flour (Cantal). En refroidissant, ils prennent souvent l'aspect de grands prismes hexagonaux que l'on qualifie d'*orgues :* les orgues d'Espaly, ceux de Bort dans le Massif central, la Chaussée des Géants en Irlande.

BASANE [bazan] n. f. (de l'ar. *bitana*, doublure). Peau de mouton tannée, utilisée en maroquinerie, en sellerie et dans l'industrie de la chaussure.

BASANÉ, E [bazane] adj. (de *basane*). Se dit de la peau brunie par le soleil et le grand air : *Un teint basané* (syn. BRONZÉ).

BAS-BLEU [bablø] n. m. (de l'angl. *blue-stocking*). *Péjor.* Femme écrivain dont la sensibilité a disparu pour faire place au pédantisme. ‖ Pl. des *bas-bleus.*

BAS-CÔTÉ [bɑkote] n. m. (*bas*, et *côté*). **1.** Voie latérale d'une route, en général réservée aux piétons : *Marcher sur le bas-côté de la route.* — **2.** Nef latérale d'une église. ‖ Pl. des *bas-côtés.*

BASCULANT, E adj. ⟶ BASCULER.

1. BASCULE n. f. ⟶ BASCULER.

2. BASCULE [baskyl] n. f. (de l'anc. fr. *baculer*). Balance pour gros objets.

BASCULER [baskyle] v. i. (de *bascule*) [sujet nom de personne ou de chose]. Faire un mouvement qui déséquilibre et entraîne la chute : *L'ouvrier, en essayant de rattraper une corde de l'échafaudage, a basculé dans le vide* (syn. CULBUTER, TOMBER). ◆ v. t. Faire tomber en déséquilibrant : *Basculer un chariot* (syn. RENVERSER). ◆ **basculant, e** adj. : *Une benne basculante.* ◆ **bascule** n. f. *À bascule*, se dit d'une pièce d'appareil faite pour pivoter dans un plan vertical, ou d'un siège qu'on peut basculer d'avant en arrière : *Un fauteuil à bascule. Un cheval à bascule.*

1. BASE [baz] n. f. (gr. *basis*, point d'appui). **1.** Socle sur lequel un corps est installé; partie inférieure d'un corps par laquelle il repose sur autre chose : *La base d'une colonne* (syn. PIED, SUPPORT). *La base d'un édifice* (syn. FONDATION). *La base de la colline* (syn. BAS; contr. SOMMET). — **2.** Droite ou plan d'une figure géométrique sur lesquels tombe la perpendiculaire mesurant la hauteur de cette figure : *La base d'un triangle.*

2. BASE [baz] n. f. (même étym.). **1.** Ce qui est l'origine, le principe fondamental sur lequel tout repose (souvent au plur.) : *Établir les bases d'un accord* (syn. CONDITIONS). *Ce raisonnement est fondé sur des bases solides* (syn. PRINCIPES). *Il est à la base de tout* (syn. ORIGINE). *Saper les bases* (syn. ASSISES). *Apprendre les formules de base* (= fondamentales). — **2.** *À base de*, dont le principal composant est : *Ces détersifs sont toujours à base de soude.* — **3.** Math. *Base d'un système de numération*, nombre de chiffres utilisés pour représenter les nombres entiers dans un système de numération donné. (On utilise usuellement le système de numération à base dix [⟶ NUMÉRATION].) ‖ *Base dans l'ensemble des vecteurs du plan affine*, couple $(\vec{V}_1, \vec{V}_2)$ de vecteurs de directions différentes. ⟶ ENCYCL. — **4.** Ensemble des adhérents d'un parti politique ou d'un syndicat (par oppos. aux DIRIGEANTS) : *Les délégués syndicaux demandèrent à consulter la base avant d'accepter.* ◆ **baser** v. t. *Baser une chose sur une autre*, donner à la première la seconde comme principe ou comme fondement : *Sa démonstration est solidement basée sur des faits* (syn. ÉTABLIR, FONDER). ◆ **se baser** v. pr. : *Sur quoi vous basez-vous pour dire cela?* (syn. SE FONDER).
— ENCYCL. **base.** Tout vecteur $\vec{V}$ est d'une manière, et d'une seule, *combinaison linéaire* de $\vec{V}_1$ et $\vec{V}_2$, c'est-à-dire qu'il existe un couple unique (*a*, *b*) de réels tels que $\vec{V} = a\vec{V}_1 + b\vec{V}_2$.

Le couple (*a*, *b*) est appelé couple des *coordonnées* de $\vec{V}$ dans la base $(\vec{V}_1, \vec{V}_2)$.

Le couple $(a\vec{V}_1, b\vec{V}_2)$ de vecteurs est appelé couple des *composantes* de $\vec{V}$ dans la base $(\vec{V}_1, \vec{V}_2)$.

3. BASE [baz] n. f. (même étym.). Lieu de concentration de troupes et de moyens matériels pour conduire des opérations militaires : *Des bases navales, aériennes. Base de ravitaillement* (syn. CENTRE). ◆ **baser** v. t. Concentrer en un lieu (surtout au passif) : *Une unité de chars est basée à Rambouillet.*

4. BASE [baz] n. f. (même étym.). Corps chimique capable de neutraliser un acide en se combinant à lui. ⟶ ENCYCL. ◆ **basique** adj. **1.** Se dit d'un corps, d'un milieu, qui présente les caractéristiques chimiques d'une base. — **2.** *Roche basique*, roche endogène contenant moins de 55 p. 100 de silice.
— ENCYCL. La fonction *base* est caractérisée par un ensemble de propriétés, notamment l'action sur les réactifs colorés (une base colore en bleu le tournesol, en rouge violacé la phtaléine), l'action sur les acides pour donner des sels, avec formation d'eau et dégagement de chaleur.

A une base correspond un *anhydride de base*, ou *oxyde basique.*

BASE-BALL [bɛzbol] n. m. (mot angl.). Jeu qui se pratique aux États-Unis avec une balle et une *batte*, et des *piquets (bases)* jalonnant le parcours qui doit être suivi par chaque joueur lorsqu'il a frappé la balle.

BAS-EMPIRE, terme sous lequel les historiens désignent l'Empire romain, de la mort de Sévère Alexandre (235) à la fin de l'Empire d'Occident (476).

BASER v. t. —→ BASE 2 et 3.

BAS-FOND [bɑfɔ̃] n. m. *(bas,* et *fond).* **1.** Endroit de la mer ou d'une rivière où l'eau est peu profonde; terrain bas : *S'échouer sur un bas-fond. Les bas-fonds humides de la vallée.* — **2.** Péjor. *Les bas-fonds de la société,* la partie de la population qui vit en marge de la collectivité (syn. non péjor. SOUS-PROLÉTARIAT).

BASIC [bazik] n. m. (angl. *b[eginner's] a[ll purpose] s[ymbolic] i[nstruction] c[ode]*). En informatique, langage de programmation principalement utilisé sur les micro-ordinateurs.

BASIDE [bazid] n. f. (de *base*). Sorte de poils portant les spores chez certains champignons.

— ENCYCL. Sorte de grande halle, située en général près du forum, la *basilique* romaine abritait les diverses activités publiques des citoyens. Rectangulaire, elle était couverte d'une charpente que supportaient des rangées de colonnes. Les deux premières basiliques chrétiennes furent édifiées à Rome après 312.

BASIQUE adj. —→ BASE 4.

BASKET [baskɛt] n. m. ou f. Chaussure de sport en toile légère et à semelle de caoutchouc, montant jusqu'à la cheville.

BASKET-BALL [baskɛtbol] ou **BASKET** n. m. (mot angl. signif. *balle au panier*). Sport qui oppose deux équipes présentant chacune cinq joueurs sur le terrain, et dont l'objet est de marquer le plus de points possible en faisant entrer le ballon dans un panier. ◆ **basketteur, euse** n. Joueur, joueuse de basket-ball : *Les basketteurs s'efforcent de marquer un panier* (= envoyer le ballon dans le panier).

— ENCYCL. La partie de *basket-ball* se joue en deux mi-temps de

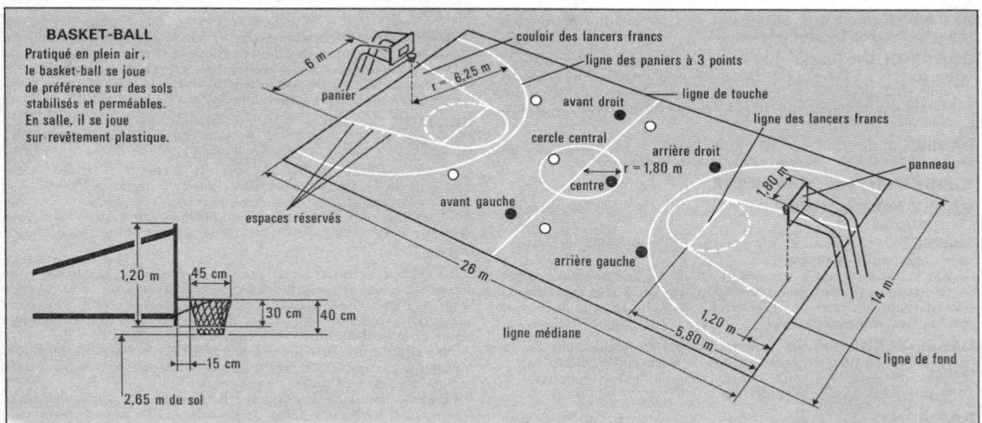

20 mn chacune et est dirigée par deux arbitres, assistés d'un chronométreur et d'un marqueur. Le joueur en possession du ballon ne peut avancer qu'en dribblant (= en faisant rebondir le ballon au sol avec une seule main). Le panier marqué compte pour deux points (trois points pour un tir réussi au-delà de 6,25 m du panier), le lancer franc (accordé pour faute de l'équipe adverse) réussi, pour un point.

BASIDIOMYCÈTES [bazidjomisɛt] n. m. pl. (de *baside,* et gr. *mukês,* champignon). Classe de champignons comptant de 30 000 à 40 000 espèces, dont la plupart des champignons communs à pied et à chapeau (bolet, psalliote, oronge, lactaire, russule, etc.) et divers parasites des plantes cultivées (rouilles, charbons, etc.). [les basidiomycètes se caractérisent par la position externe de leurs spores, disposées par groupes de quatre sur des *basides.*]

BASILDON, v. de Grande-Bretagne, au N.-E. de Londres; 129 100 hab. C'est une ville nouvelle.

BASILE *(saint),* Père de l'Église grecque (v. 329-379). Évêque de Césarée (370), il combattit l'arianisme. Il est surtout célèbre pour le développement qu'il a donné aux communautés de moines et à l'établissement de leurs règles.

BASILE Ier le Macédonien (v. 812-886), empereur byzantin (867-886). — BASILE II (957-1025), empereur byzantin de 963 à sa mort, il soumit les Bulgares (989-1018), pacifia l'Italie et les rives de l'Adriatique, et se rendit maître de l'Arménie et de la Géorgie. A sa mort, l'Empire byzantin avait retrouvé la puissance du temps de Justinien.

BASILEUS [bazilø s] n. m. (mot gr. signif. *roi*). Titre officiel du roi de Perse jusqu'à la conquête arabe, puis de l'empereur byzantin.

1. BASILIC [bazilik] n. m. (gr. *basiliskos,* petit roi). **1.** Serpent fabuleux, dont le regard avait, disait-on, la faculté de tuer. — **2.** Grand lézard de l'Amérique tropicale, voisin de l'iguane, long de 80 cm, à crête dorsale écailleuse. (Famille des iguanidés.)

2. BASILIC [bazilik] n. m. (gr. *basilikon,* royal). Plante aromatique originaire d'Asie. (Famille des labiacées.)

BASILICATE, région du sud de l'Italie, qui s'ouvre sur le golfe de Tarente.

BASILIQUE [bazilik] n. f. (lat. *basilica*). **1.** Chez les Romains, édifice où l'on rendait la justice et où s'assemblaient les marchands. — **2.** Nom des premières églises chrétiennes qui conservèrent le plan rectangulaire de l'édifice profane. — **3.** Nom donné à une église privilégiée, de première importance après la cathédrale : *La basilique Saint-Pierre de Rome.*

BASOCHE [bazɔʃ] n. f. (du lat. *basilica,* église). **1.** Ancienne communauté formée par les clercs des cours de justice, qui fut supprimée en 1790. — **2.** *Fam.* Ensemble des gens de loi.

BASQUE [bask] n. f. (du prov. *basta,* pli). Partie d'un vêtement qui, partant de la taille, recouvre les hanches. ‖ *Être toujours pendu aux basques de qq'un,* le suivre partout, ne pas le quitter d'un pas, en l'importunant ou en le gênant.

BASQUE [bask] adj. et n. (lat. *Vasco*). **1.** Du pays des Basques : *Le folklore basque.* — **2.** Habitant ou originaire de ce pays. ◆ n. m. Langue parlée par les Basques dans le nord-ouest de l'Espagne et, en France, dans les Pyrénées-Atlantiques. (Elle n'appartient pas au groupe indo-européen et est apparentée aux langues caucasiennes.)

BASQUE *(Pays),* région partagée entre la France (partie occidentale des Pyrénées-Atlantiques) et l'Espagne.

GÉOGRAPHIE. Le *Pays basque français* s'étend sur la partie occidentale des Pyrénées-Atlantiques et sur la basse vallée de l'Adour. A l'intérieur, essentiellement rural, voué à l'élevage et à la polyculture, peu peuplé, s'oppose la région côtière, animée par l'industrie, le commerce (Bayonne, Boucau, Anglet) et le tourisme (Biarritz, Saint-Jean-de-Luz qui est aussi un port de pêche).

Les *Provinces basques espagnoles,* en esp. *Provincias Vascongadas,* forment une région de l'Espagne du Nord, regroupant les provinces de Biscaye, Guipúzcoa et Alava; 7 261 km²; 1 878 600 hab. (284 au km²). Elles s'étendent sur la région montagneuse qui prolonge les Pyrénées vers la chaîne Cantabrique. Leur climat doux et humide favorise l'extension des herbages (élevage bovin). La pêche est active. Les mines de fer de Bilbao ont été à l'origine du développement industriel : les centres sidérurgiques produisent 65 p. 100 de l'acier espagnol. Le tourisme est également une source importante de revenus (Saint-Sébastien).

HISTOIRE. Les provinces basques n'ont jamais connu l'indépendance politique, mais elles ont bénéficié jusqu'au XIXe s. d'une large autonomie. Aussi furent-elles le siège, surtout en Espagne, de mouvements nationalistes revendiquant, en recourant parfois au terrorisme, l'autonomie ou même l'indépendance.

• *1980. Accession à l'autonomie du Pays basque espagnol, dont la capitale est fixée à Vitoria.*

Cependant, des extrémistes, partisans d'une indépendance basque totale, poursuivent des actions terroristes.

BAS-RELIEF [bɑrəljɛf] n. m. (*bas*, et *relief*). Sculpture qui se détache avec une faible saillie sur un fond uni de pierre. || Pl. des *bas-reliefs*.

BASSANO DEL GRAPPA, v. d'Italie (Vénétie, prov. de Vicence), sur la Brenta; 30 500 hab.

• *7 sept. 1796. Victoire de Bonaparte sur les Autrichiens.*

1. BASSE adj. f. → BAS 1 et 2.

2. BASSE [bɑs] n. f. (it. *basso*). Voix ou instrument qui fait entendre les sons les plus graves.

BASSE-COUR [bɑskur] n. f. (*basse*, et *cour*). **1.** Partie de la ferme réservée à l'élevage de la volaille et d'autres petits animaux (lapins). — **2.** *Animaux de basse-cour*, ou simplement la *basse-cour*, ensemble des animaux qui vivent dans cette partie de la ferme. || Pl. des *basses-cours*.

BASSÉE (La), ch.-l. de cant. du Nord, à 13 km à l'E. de Béthune; 6 300 hab. *(Basséens)*. Industries diverses.

BASSEMENT adv., **BASSESSE** n. f. → BAS 2.

BASSE-NORMANDIE, Région de l'ouest de la France. (→ NORMANDIE [BASSE-].)

BASSET [basɛ] n. m. et adj. (de *bas*). Nom donné à différentes races de chiens bas sur pattes.
— ENCYCL. La formation du *basset* est due à une anomalie (arrêt de développement des membres) : le corps et la tête des bassets sont identiques à ceux des grands chiens, mais leurs jambes sont très courtes, droites ou torses.

BASSE-TERRE (la), île formant la partie occidentale de la Guadeloupe (Antilles françaises); ch.-l. *Basse-Terre* (13 800 hab.). Malgré son nom, c'est une terre très accidentée culminant à 1 484 m au volcan de la Soufrière.

BASSIGNY, pays du sud-est du Bassin parisien, au N. du plateau de Langres. C'est une région humide, orientée vers l'élevage.

1. BASSIN [basɛ̃] n. m. (bas lat. *baccinus*). Récipient portatif, large et de forme circulaire. ◆ **bassine** n. f. Large récipient de forme circulaire, en métal ou en matière plastique, destiné à divers usages domestiques : *Laver la vaisselle dans une bassine.*

2. BASSIN [basɛ̃] n. m. (même étym.). Maçonnerie destinée à recevoir de l'eau, et servant de réservoir ou d'ornement : *Les jets d'eau du bassin des Tuileries* (syn. PIÈCE D'EAU).

3. BASSIN [basɛ̃] n. m. (même étym.). Partie d'un port où les navires, à l'abri du vent et de la grosse mer, chargent et déchargent leurs marchandises et peuvent être réparés.

4. BASSIN [basɛ̃] n. m. (même étym.). **1.** *Bassin houiller*, gisement étendu ou groupe de gisements exploités par plusieurs mines, formant une unité géographique et géologique : *Le bassin houiller de la Ruhr.* — **2.** *Bassin hydrographique*, aire drainée par un fleuve et ses affluents. — **3.** *Bassin de réception*, partie supérieure du cours d'un torrent, en forme d'entonnoir raviné à flanc de montagne, où se rassemblent les eaux de ruissellement. — **4.** *Bassin sédimentaire*, dépression en forme de cuvette résultant de l'affaissement lent d'une portion de socle qui s'accompagne du dépôt de sédiments. → ENCYCL.
— ENCYCL. Dans un *bassin sédimentaire*, les couches déposées, dont l'épaisseur totale moyenne est de l'ordre du millier de mètres, affleurent généralement en auréoles concentriques, les plus anciennes sur le pourtour, les plus récentes au centre, partie la plus déprimée. Lorsqu'elles sont alternativement dures et tendres et un peu inclinées, les couches sédimentaires, modelées par l'érosion, forment des reliefs de côte (notamment dans l'est du Bassin parisien). Si ces couches sont légèrement plissées, les parties anticlinales sont évidées par l'érosion (pays de Bray et Boulonnais).

5. BASSIN [basɛ̃] n. m. (même étym.). *Anat.* Ceinture osseuse située à la partie inférieure du tronc et articulée avec les membres inférieurs.
— ENCYCL. Partie inférieure du tronc, le *bassin* circonscrit une cavité en forme d'entonnoir. Il est divisé en deux parties : le *grand bassin* qui contient le cæcum et l'appendice (= la partie terminale du côlon); le *petit bassin* qui contient le rectum, la vessie, la partie terminale des uretères, l'urètre et les différents organes de l'appareil reproducteur.

Le *squelette du bassin* est constitué par les deux os iliaques, le sacrum et le coccyx, qui, articulés entre eux, forment la ceinture pelvienne.

BASSIN ROUGE, région déprimée de la Chine (Sseu-tch'ouan), traversée par le Yang-tseu, intensément mise en culture.

BASSINE n. f. → BASSIN 1.

BASSINOIRE [basinwar] n. f. (de *bassin*). Bassin de métal à couvercle perforé ou ajouré, pourvu d'un long manche, et qui, rempli de braises, servait à chauffer les lits. ◆ **bassiner** v. t. Chauffer un lit avec une bassinoire.

BASSON [bɑsɔ̃] n. m. (it. *bassone*). Instrument de musique à vent, long de 1,37 m, de tessiture (= registre sonore) grave, à anche double (comme le hautbois et le cor anglais), qui fait partie de la famille des bois.

BASSORA ou **BAŞRA,** v. d'Iraq, sur la rive ouest du Chaṭṭ al-'Arab, à 120 km du golfe Persique; 600 000 hab. (deuxième ville de l'Iraq). Grand port.

BASTIA, ch.-l. de la Haute-Corse, sur la côte nord-est de l'île; 45 081 hab. *(Bastiais)*. Deuxième ville de la Corse par la population (après Ajaccio), Bastia est construite autour d'une calanque et s'est étendue vers le N., où le port moderne a été aménagé. C'est un centre touristique. Citadelle des XVe-XVIe s.

BASTIDE [bastid] n. f. (prov. *bastida*, bâtie). **1.** Maison de campagne, dans le Midi. — **2.** Ville forte créée d'autorité, au Moyen Âge, dans le sud-ouest de la France.
— ENCYCL. Du XIe au XIVe s., abbayes, seigneurs et royauté construisirent de nombreuses *bastides* dans le midi de la France. Les colons y étaient attirés par l'octroi de franchises spéciales. Le plan des bastides, toujours régulier, comporte souvent une vaste place centrale bordée d'arcades, près de laquelle s'ouvre le porche de l'église.

BASTILLE [bastij] n. f. (altér. de *bastide*). **1.** Ouvrage de défense prenant souvent la forme d'un château à tourelles placé à l'entrée d'une ville. — **2.** Château fort autrefois établi à Paris, et qui servit longtemps de prison d'État. (En ce sens, prend une majusc.) ◆ **embastiller** v. t. Emprisonner à la Bastille.
— ENCYCL. La *Bastille* fut construite à l'E. de Paris (porte Saint-Antoine) à partir de 1370. Ses courtines étaient entourées de fossés et flanquées de huit grosses tours rondes.

Citadelle militaire à l'origine, la Bastille fut surtout célèbre comme prison d'État à partir de Richelieu. Elle devint le symbole de l'arbitraire royal, les détenus y étant enfermés par lettres de cachet. C'est pourquoi le peuple de Paris s'en empara le 14 juillet 1789: elle ne contenait alors que sept détenus.

La *prise de la Bastille* fut provoquée par la concentration des troupes royales autour de Paris et de Versailles et surtout par le remplacement du populaire Necker par Breteuil (11 juillet). Le 13, la foule s'arma de piques. Les électeurs du tiers* état organisèrent alors une « milice bourgeoise » (future garde nationale) pour maintenir l'ordre. Afin d'armer la milice, des fusils furent demandés à Launay, gouverneur de la Bastille, qui refusa et fit tirer sur la foule. Au deuxième assaut, Launay capitula; il fut massacré. La prise de la forteresse obligea Louis XVI à rappeler Necker le 16 et à venir officiellement à Paris le 17 pour sanctionner les faits accomplis.

La chute de la prison d'État fut, après coup, saluée comme la victoire de l'insurrection populaire sur l'arbitraire royal. C'est pourquoi le 14 juillet eut un retentissement européen et fut choisi comme fête nationale de la France par la IIIe République, en 1880.

BASTINGAGE [bastɛ̃gaʒ] n. m. (du prov. *bastengo*). Bord du navire qui dépasse le pont : *S'appuyer au bastingage.*

BASTION [bastjɔ̃] n. m. (de *bastille*). **1.** Fortification faisant partie d'un système de défense. — **2.** Ce qui forme le centre de résistance inébranlable d'un parti, d'une organisation, d'une doctrine, etc.

BASTOGNE, v. de Belgique, ch.-l. d'arrond. de la prov. de Luxembourg; 6 400 hab.

• *Déc. 1944. Violents combats entre Américains et Allemands lors de l'offensive de ces derniers dans les Ardennes.*

BASTONNADE [bastɔnad] n. f. (de l'it. *bastone*, bâton). Volée de coups de bâton.

BASTRINGUE [bastrɛ̃g] n. m. (orig. incert.). **1.** *Pop.* Ensemble d'objets hétéroclites. — **2.** *Pop.* Désordre bruyant, causé en général par des danseurs ou par un orchestre médiocre (syn. TAPAGE, VACARME). — **3.** *Pop.* Bal populaire.

BASUTOLAND, protectorat britannique de l'Afrique australe de 1868 à 1966. (→ LESOTHO.)

BAS-VENTRE n. m. → VENTRE.

BÂT [bɑ] n. m. (du gr. *bastazein*, porter). **1.** Selle rudimentaire placée sur le dos des ânes, des mulets, des chevaux, pour le transport de charges : *Fixer un fardeau sur un bât.* — **2.** *Voilà où le bât blesse*, c'est le point faible, celui où l'on peut atteindre quelqu'un, le vexer. ◆ **bâter** v. t. Mettre un bât : *Bâter un mulet.*

BATACLAN [bataklɑ̃] n. m. (onomat.). **1.** *Fam.* Attirail ou paquets encombrants et divers (syn. usuel BAZAR). — **2.** Fam. *Et tout le bataclan*, et tout le reste.

BATAILLE [bataj] n. f. (bas lat. *battalia*, escrime). **1.** Combat livré entre deux armées, entre deux ou plusieurs personnes : *Une bataille de boules de neige. Une bataille électorale. Être maître du champ de bataille* (= en avoir chassé l'ennemi). *Ranger l'armée en bataille* (syn. EN LIGNE). *Une bataille rangée* (syn. RIXE). — **2.** Jeu de cartes qui se joue à deux. ◆ **batailler** v. i. Se battre; livrer combat (inusité dans le sens mil.) : *Il bataille avec ardeur pour ses idées* (syn. COMBATTRE, LUTTER). ◆ **batailleur, euse** adj. et n. : *Un batailleur* (syn. BAGARREUR). *Un esprit batailleur* (syn. COMBATIF).

BATAILLON [batajɔ̃] n. m. (it. *battaglione*). **1.** Unité militaire composée de plusieurs compagnies : *Un bataillon de chars, d'infanterie.* ‖ *Chef de bataillon*, premier grade de la hiérarchie des officiers supérieurs. (Le chef de bataillon porte quatre galons au képi et sur les pattes d'épaules. On l'appelle « mon commandant ».) — **2.** *Un bataillon de*, une troupe nombreuse de : *Des bataillons de spectateurs.*

1. BÂTARD [bɑtar] n. m. (orig. incert.). Pain de fantaisie entre la baguette et le pain d'un kilogramme.

2. BÂTARD, E [bɑtar, -ard] adj. et n. (orig. incert.). **1.** Se dit de quelqu'un né de parents qui ne sont pas mariés légalement : *Le comte de Toulouse était un bâtard de Louis XIV* (syn. ENFANT ADULTÉRIN, NATUREL). — **2.** Se dit d'un animal qui n'est pas de race pure, mais est issu de croisements. — **3.** Se dit d'une chose qui tient de deux genres différents ou opposés : *Une œuvre bâtarde qui tient du roman et de l'essai.* ‖ *Écriture bâtarde* (ou *bâtarde* n. f.), écriture presque droite qui tient de la ronde et de l'anglaise. ◆ **abâtardir (s')** v. pr. Perdre les qualités idéales d'une race, d'un groupe social, d'un art, etc. (littér.) [syn. plus fréquent DÉGÉNÉRER].

BÂTARDEAU ou **BATARDEAU** [batardo] n. m. (de l'anc. fr. *bastart*, digue). Digue provisoire, destinée à protéger un chantier de la submersion.

BATAVE *(République)*, nom que portèrent les Pays-Bas de 1795 à 1806 avant d'être érigés en royaume de Hollande par Napoléon Ier.

BATAVES, peuple germanique fixé primitivement à l'embouchure du Rhin.

BATAVIA [batavja] n. f. (de *Bataves*). Sorte de laitue.

BÂTÉ [bɑte] adj. m. (de *bât*). *Âne bâté*, personne très ignorante.

BATEAU [bato] n. m. (de l'anc. angl. *bât*). **1.** Nom collectif de toutes sortes de navires ou d'embarcations : *Bateau de pêche. Prendre le bateau* (= s'embarquer). *Bateau de guerre* (syn. NAVIRE). — **2.** Fam. *Mener qq'un en bateau, lui monter un bateau*, le tromper par une histoire imaginée de toutes pièces. ◆ **bateau-citerne** n. m. Bateau aménagé pour le transport des liquides. ‖ Pl. des *bateaux-citernes.* ◆ **bateau-mouche** n. m. Bateau qui assure le transport des promeneurs sur la Seine. ‖ Pl. des *bateaux-mouches.* ◆ **bateau-pilote** n. m. Bateau qui amène un pilote aux navires entrant dans un port. ‖ Pl. des *bateaux-pilotes.* ◆ **bateau-pompe** n. m. Bateau équipé pour la lutte contre le feu. ‖ Pl. des *bateaux-pompes.* ◆ **batelier** [batəlje] n. m. Celui qui est chargé de la conduite des bateaux de la navigation fluviale (péniches, remorqueurs). ◆ **batellerie** [batɛlri] n. f. Ensemble des activités nécessaires au transport par voie fluviale.

Bateau ivre *(le)*, poème d'Arthur Rimbaud (1872).

Bateau-Lavoir (le), maison de la rue Ravignan, à Paris. De 1908 à 1914, s'y réunirent des poètes et des artistes, dont Guillaume Apollinaire et Picasso; le cubisme s'y élabora.

BATELEUR [batlœr] n. m. (de l'anc. fr. *baastel*, marionnette). Personne qui, sur une estrade en plein air, amuse le public par ses tours d'adresse.

BATELIER n. m., **BATELLERIE** n. f. ⟶ BATEAU.

BÂTER v. t. ⟶ BÂT.

BAT-FLANC [baflɑ̃] n. m. inv. (de *battre*, et *flanc*). **1.** Cloison séparant des chevaux dans une écurie. — **2.** Plancher surélevé et incliné, servant de lit aux soldats d'un poste de garde ou à des prisonniers.

BATH, v. de Grande-Bretagne (Angleterre), à l'O. de Bristol; 82 800 hab. Grande station thermale.

BATHOLITE [batɔlit] n. m. (du gr. *bathus*, profond, et *lithos*, pierre). Masse de roches endogènes (= d'origine profonde), en forme de dôme ou de culot, recoupant comme à l'emporte-pièce les roches encaissantes.

BATHURST ⟶ BANJUL.

BATHYAL, E, AUX [batjal, -o] adj. (du gr. *bathus*, profond). Se dit parfois de la région des océans correspondant au talus continental, de 200 à 2 000 ou 3 000 m de profondeur.

BATHYMÉTRIE [batimetri] n. f. (du gr. *bathus*, profond, et *metron*, mesure). Mesure de la profondeur des mers. ◆ **bathymétrique** adj. **1.** Relatif à la bathymétrie. — **2.** *Carte bathymétrique*, carte portant les courbes de niveau du fond sous-marin.

BATHYSCAPHE [batiskaf] n. m. (du gr. *bathus*, profond, et *skaphê*, barque). Appareil autonome de plongée profonde, permettant d'explorer les profondeurs de la mer.
— ENCYCL. Inventé par le professeur A. Piccard (1884-1962), le *bathyscaphe* n'est pas relié par câble à la surface; il est constitué d'une cabine sphérique, abritant les observateurs, et d'un flotteur allongé rempli d'essence, plus légère que l'eau, ce qui lui assure sa flottabilité. Le lest principal est constitué par de la grenaille de fer. Les déplacements horizontaux sont obtenus au moyen de deux hélices. L'observation, permise par de puissants phares, se fait par d'épais hublots en Plexiglas. Lancé en 1961, le bathyscaphe français *Archimède* atteignit en 1962 la profondeur de 9 500 m dans la fosse des Kouriles, au large du Japon.

BATHYSPHÈRE [batisfɛr] n. f. (du gr. *bathus*, profond, et *sphère*). Sphère très résistante, suspendue à un câble, et permettant de descendre dans les profondeurs de la mer. (La bathysphère permit à l'Américain William Beebe, en 1934, d'atteindre une profondeur de 906 m aux environs des Bermudes.)

BÂTI, E adj. et n. m. ⟶ BÂTIR.

BATIFOLER [batifɔle] v. i. (de l'it. *battifolle*, boulevard où l'on allait s'amuser) [sujet nom de personne]. S'amuser à des choses sans importance, à des riens, à des enfantillages, ou tenir des propos galants à une femme (péjor. et fam.). ◆ **batifolage** n. m. : *Un batifolage sans conséquence* (syn. AMUSEMENT, JEU FOLÂTRE).

1. BÂTIMENT n. m. ⟶ BÂTIR.

2. BÂTIMENT [bɑtimɑ̃] n. m. (de *bâtir*). Navire de grandes dimensions : *Les bâtiments de la flotte sont ancrés à Brest.*

bâtiment *(École supérieure du)*, établissement d'enseignement technique supérieur, formant des ingénieurs destinés à travailler dans l'entreprise du bâtiment, dans les bureaux d'études pour les sociétés d'entreprise et dans les bureaux d'architectes.

BÂTIR [bɑtir] v. t. (frq. *bastjan*). **1.** *Bâtir une maison, un pont*, etc. (objet matériel), élever ou faire élever sur le sol, avec des matériaux divers, un ensemble destiné à un usage précis : *Bâtir un pont sur l'Yonne* (syn. CONSTRUIRE; contr. DÉTRUIRE). *Bâtir de nouvelles écoles* (syn. ÉDIFIER). *Bâtir une cabane* (syn. MONTER). *Terrain à bâtir* (= destiné à la construction). — **2.** *Bâtir une chose* (nom abstrait), l'établir sur des bases quelconques, selon une disposition, un projet déterminés : *Bâtir une théorie* (syn. ÉTABLIR, FONDER). *Une phrase mal bâtie* (syn. AGENCER). — **3.** *Bâtir des châteaux en Espagne*, former des projets irréalisables. — **4.** *Bâtir une robe*, en assembler les pièces en les cousant provisoirement à longs points. ◆ **bâti, e** adj. *Bien, mal bâti*, solide, de forte carrure, ou difforme (syn. BIEN, MAL FAIT). ◆ **bâti** n. m. **1.** Assemblage de pièces de menuiserie ou de charpente servant ordinairement de cadre, de support : *Une machine-outil fixée sur un bâti.* — **2.** Série de points allongés servant à marquer sur le tissu le contour d'un patron ou à assembler deux parties d'un vêtement. ◆ **bâtiment** n. m. **1.** Ce qui a été construit, bâti pour servir à l'habitation : *Ravaler la façade des bâtiments publics* (syn. ÉDIFICE, MONUMENT). *Le plan des nouveaux bâtiments de la faculté* (syn. CONSTRUCTION). *Les bâtiments s'élèvent rapidement* (syn. IMMEUBLE, MAISON). — **2.** *Industrie du bâtiment*, ou le *bâtiment*, ensemble du personnel et des industries qui concourent à la construction des maisons, des immeubles, des édifices, etc. ◆ **bâtisse** n. f. Construction sans caractère particulier (en général péjor.) : *Détruire les vieilles bâtisses.* ◆ **bâtisseur** n. m. **1.** Celui qui fait construire ou construit de grands ensembles (suivi d'un compl. du nom) : *Un bâtisseur de villes* (syn. ARCHITECTE, URBANISTE). — **2.** Celui qui fonde quelque chose : *Les bâtisseurs d'empires* (syn. FONDATEUR). ◆ **débâtir** v. t. Enlever le bâti d'une couture. ◆ **rebâtir** v. t. : *Rebâtir une ville* (syn. RECONSTRUIRE).

BATNA, v. de l'Algérie orientale, au N. de l'Aurès; 54 900 hab. Centre commercial.

BÂTON [bɑtɔ̃] n. m. (bas lat. *bastum*). **1.** Branche d'arbre, tige d'arbuste, taillée et ajustée pour servir à la marche, pour être utilisée comme arme ou comme outil, ou pour servir à diriger ou conduire : *S'appuyer sur un bâton* (syn. CANNE). *Une volée de coups* *de bâton* (syn. TRIQUE). *Le bâton du chef d'orchestre* (syn. BAGUETTE); peut symboliser une dignité, l'autorité, le commandement : *Recevoir le bâton de maréchal.* — **2.** Objet fait de matière consistante et qui a une forme allongée : *Bâton de craie.* — **3.** *À bâtons rompus*, d'une manière discontinue, sans suite : *Parler à bâtons rompus.* ‖ *Avoir son bâton de maréchal*, atteindre le but suprême de son ambition. ‖ *Être le bâton de vieillesse de qq'un*, être le soutien d'un vieillard. ‖ *Mener une vie de bâton de chaise*, avoir une vie déréglée, agitée. ‖ *Mettre des bâtons dans les roues*, susciter des difficultés à quelqu'un, élever des obstacles pour empêcher l'accomplissement de quelque chose. ◆ **bâtonnet** n. m. Petit bâton. (⟶ BASTONNADE.)

BÂTONNIER [bɑtɔnje] n. m. (de *bâton*). Titre donné au chef élu de l'ordre des avocats inscrits auprès d'une cour ou d'un tribunal : *Le bâtonnier de l'ordre des avocats de Paris.*

BATON ROUGE, v. du sud des États-Unis, capit. de la Louisiane, sur le Mississippi; 166 000 hab. Raffineries de pétrole.

BATOUMI ou **BATOUM,** port de l'U. R. S. S. (Géorgie) sur la mer Noire; 100 600 hab.

BATRACIENS [batrasjɛ̃] n. m. pl. (du gr. *batrakhos*, grenouille). Syn. d'AMPHIBIENS*.

BATTAGE n. m., **BATTANT, E** adj. et n. m., **BATTE** n. f. ⟶ BATTRE 2.

1. BATTEMENT n. m. ⟶ BATTRE 2.

2. BATTEMENT [batmɑ̃] n. m. (de *battre*). Intervalle de temps dont on peut disposer avant une action, un travail, etc.

1. BATTERIE [batri] n. f. (de *battre*). Groupement de plusieurs accumulateurs électriques, de piles, etc. : *Faire recharger la batterie de sa voiture.*

2. BATTERIE [batri] n. f. (même étym.). **1.** Unité d'artillerie, composée de plusieurs pièces. — **2.** (au plur.) Moyens habiles pour réussir : *Dévoiler ses batteries* (= jeter le masque). — **3.** *Mettre une arme en batterie*, la disposer de telle manière qu'elle soit en état de tirer immédiatement.

3. BATTERIE [batri] n. f. (même étym.). Ensemble des instruments de percussion dans un orchestre et plus particulièrement ceux avec lesquels on marque le rythme d'un morceau (tambour, triangle, cymbales, grosse caisse, etc.). ◆ **batteur** n. m. Celui qui tient les instruments de percussion dans un orchestre, de jazz notamment.

4. BATTERIE [batri] n. f. (même étym.). *Batterie de cuisine*, ensemble des ustensibles de métal (casseroles, plats, etc.) utilisés pour la cuisine.

BATTEUR n. m. ⟶ BATTERIE 3 ET BATTRE 2.

BATTEUSE n. f. ⟶ BATTRE 2.

1. BATTRE [batr] v. t. (lat. *battuere*). [Conj. **56.**] (Sujet nom de personne.) **1.** *Battre qq'un, un animal*, lui donner des coups (syn. CORRIGER, avec idée de punition, FRAPPER). — **2.** *Battre un ennemi, un adversaire*, etc., remporter la victoire sur lui : *Battre un ennemi à plate couture* (= lui infliger une défaite totale). ◆ **se battre** v. pr. **1.** Se donner mutuellement des coups, engager le combat l'un contre l'autre : *Ils se sont battus en duel* (syn. COMBATTRE). — **2.** Soutenir un combat : *L'armée s'est vaillamment battue. Se battre contre les préjugés* (syn. LUTTER). ◆ **battu, e** adj. *Avoir l'air d'un chien battu*, avoir un air humble et craintif. ‖ *Yeux battus*, yeux fatigués. ◆ **imbattable** adj. : *Une équipe imbattable* (syn. INVINCIBLE).

2. BATTRE [batr] v. t. (même étym.). [Conj. **56.**] **1.** (sujet nom de personne) *Battre qqch.*, lui donner des coups en vue d'un résultat précis (traitement, nettoyage, etc.) : *Battre des œufs en neige. Battre un tapis* (pour en enlever la poussière). *Battre les céréales* (pour en extraire le grain). — **2.** (sujet nom de chose) S'élancer contre, se jeter sur : *Les vagues battent la digue* (syn. ASSAILLIR). *La pluie bat les vitres* (syn. CINGLER, FOUETTER). — **3.** *Battre le fer pendant qu'il est chaud*, poursuivre activement une entreprise, profiter d'une occasion. ‖ *Battre le pavé*, aller et venir sans but. (⟶ aussi CARTE, MESURE, MONNAIE, SEMELLE, etc.) ◆ v. i. **1.** (sujet nom de chose) Donner des coups contre un obstacle; faire entendre des bruits plus ou moins forts de choc : *Une porte qui bat. La pluie bat contre la vitre.* — **2.** *Battre des mains*, les frapper l'une contre l'autre (syn. APPLAUDIR). ‖ *Battre du tambour*, le faire retentir. ‖ *Le cœur bat*, il est animé de pulsations (syn. PALPITER). ◆ **battage** n. m. **1.** Action de battre les céréales avec la batteuse pour en extraire les grains : *Le battage du blé* (parfois au plur. pour désigner la saison de ces travaux). — **2.** *Fam.* Publicité tapageuse : *On fait un grand battage autour de ce nouveau produit.* ◆ **battant, e** adj. *À une (deux, trois, etc.) heure(s) battante(s)*, à une (deux, trois, etc.) heure(s) précise(s) [syn. fam. TAPANT]. ‖ *Pluie battante*, qui tombe avec violence. ‖ Fam. *Mener une affaire tambour battant*, avec vivacité, avec résolution. ◆ **battant** n. m. **1.** Pièce métallique suspendue à l'intérieur d'une cloche, dont elle vient frapper la paroi. — **2.** Partie mobile d'une porte, d'une fenêtre; vantail. ◆ **batte** n. f. **1.** Outil servant à battre, à tasser, etc. : *Batte pour le beurre. Batte de maçon.* — **2.** Dans certains sports (base-ball, cricket, etc.), bâton servant à renvoyer la balle. ◆ **battement** n. m. **1.** Choc répété d'un corps contre un autre, provoquant un bruit rythmé, ou simple mouvement alternatif : *Battements de mains* (syn. APPLAUDISSEMENTS). *Les battements du cœur* (syn. PULSATIONS). — **2.** Phénomène dû à la superposition de deux sons de fréquences voisines. ◆ **batteur** n. m. Appareil ménager, destiné à faire des mélanges, à préparer des sauces, de la mayonnaise, etc. ◆ **batteuse** n. f. Machine à égrener les céréales. ◆ **battu, e** adj. *Sol battu, terre battue*, sol nu, durci par une pression répétée.

3. BATTRE [batr] v. t. (même étym.). [Conj. **56.**] *Battre le pays, la région*, etc., les parcourir en les explorant minutieusement : *Les gendarmes ont battu la région pour retrouver les voleurs.* ‖ *Battre la campagne* ⟶ CAMPAGNE 2. ‖ *Battre en retraite*, fuir : *L'armée bat en retraite*; se dérober : *Devant l'objection, il battit en retraite.* ◆ **battu, e** adj. *Chemins, sentiers battus*, banalités, lieux communs. ◆ **battue** n. f. Chasse qu'on pratique en faisant battre les bois par des rabatteurs. (⟶ RABATTRE.)

BATTU, E adj. ⟶ BATTRE 1, 2 et 3.

BATTUE n. f. ⟶ BATTRE 3.

BATZ *(île de)*, île des côtes nord de la Bretagne, en face de Roscoff (Finistère); 800 hab.

BATZ-SUR-MER, comm. de la Loire-Atlantique, dans la presqu'île du Croisic; 2 600 hab. Station balnéaire.

BAUD [bo] n. m. (du n. de l'ingénieur *Émile Baudot*, 1845-1903). Unité de vitesse télégraphique, correspondant à la transmission d'un point de l'alphabet Morse par seconde.

BAUD, ch.-l. de cant. du Morbihan, à 23 km au S. de Pontivy; 5 100 hab.

BAUDELAIRE (Charles), poète et écrivain français (1821-1867). Révolté par le remariage de sa mère avec le commandant Aupick, le jeune Baudelaire mène au quartier Latin, à Paris, une vie dissipée. Pour l'y soustraire, sa famille le fait embarquer sur un voilier en partance pour les Indes. Ce voyage enrichira sa sensibilité et l'on retrouvera l'exotisme des îles dans ses poèmes.

Il découvre Edgar Poe, et traduit ses *Contes*.

• *1857. Baudelaire publie « les Fleurs du mal ». Il est condamné en correctionnelle pour l'immoralité de six poèmes.*

Rêvant d'un idéal de pureté et de beauté, il cherche dans l'opium et le haschich un remède contre l'angoisse (*les Paradis artificiels*, 1860). Après avoir publié les *Petits Poèmes en prose* (1861-1869), miné par la maladie et la misère, il meurt à quarante-six ans.

Son art, qui découvre dans l'univers de mystérieuses « correspondances », est à la source de la sensibilité moderne.

BAUDET [bodɛ] n. m. (de l'anc. fr. *bald*, lascif). Âne (syn. fam. BOURRICOT).

BAUDOUIN, nom de cinq rois de Jérusalem, de 1100 à 1186.

BAUDOUIN, nom de deux empereurs latins d'Orient : BAUDOUIN Ier, empereur en 1204 et 1205; BAUDOUIN II, empereur de 1240 à 1261.

BAUDOUIN Ier, roi des Belges, né en 1930, fils aîné du roi Léopold III et de la reine Astrid. Il est devenu roi en juillet 1951, à la suite de l'abdication de son père.

BAUDRICOURT (Robert DE), capitaine de Vaucouleurs. Il fit conduire Jeanne d'Arc à Chinon, en 1429.

BAUDRIER [bodrije] n. m. (du lat. *baldeus*, bande). **1.** Bande de cuir ou d'étoffe portée en écharpe et qui soutient le sabre, l'épée ou la hampe d'un drapeau. — **2.** Double anneau de corde auquel l'alpiniste attache la corde qui le lie à son compagnon.

BAUDROIE [bodrwa] n. f. (mot prov.). Poisson à la bouche énorme, au dos couvert de filaments dits *pêcheurs* qu'il agite pour attirer ses proies. (On l'utilise souvent dans la préparation de la bouillabaisse. On la vend sous le nom de *lotte*.) [Famille des lophiidés.]

BAUDRUCHE [bodryʃ] n. f. (orig. inc.). **1.** Pellicule de caoutchouc dont on fait des ballons : *Un ballon en baudruche.* — **2.** Désigne une personne sotte et prétentieuse, une théorie sans consistance.

BAUGE [boʒ] n. f. (mot gaul.). **1.** Lieu fangeux où le sanglier se vautre pendant le jour. — **2.** Lieu où gîtent divers animaux (porc, lièvre, écureuil, etc.). — **3.** Tout endroit sordide.

BAUGÉ, ch.-l. de cant. du Maine-et-Loire, à 18 km au S. de La Flèche; 3 900 hab. *(Baugeois).* Château du XVe s.

BAUGEOIS, région de l'Anjou septentrional, formée de plateaux couverts de landes et de forêts, traversée par les vallées du Loir, de la Sarthe et de la Mayenne.

BAUGES (les), massif des Préalpes françaises du Nord, entre les cluses d'Annecy et de Chambéry; 1 704 m au Semnoz.

Bauhaus, établissement d'enseignement de l'architecture et des arts appliqués, fondé en 1919 par l'architecte Gropius en Allemagne, à Weimar. Les professeurs (en partic. des peintres abstraits comme Kandinsky, Klee) voulurent réaliser, dans le cadre d'une architecture « fonctionnelle », l'union de tous les arts. Ainsi naquirent les premières recherches d'esthétique industrielle, avec pour but une adaptation toujours plus parfaite de la forme des objets à leur utilisation, suivant les principes, nouveaux à l'époque, de simplicité et de clarté des volumes, d'économie de fabrication et de commodité pour l'utilisateur de l'édifice. Tout l'art contemporain, et en particulier l'art abstrait, a été marqué par les recherches du Bauhaus. Le *design* est aujourd'hui le continuateur de ce style sobre et fonctionnel.

BAULE-ESCOUBLAC (La), ch.-l. de cant. de la Loire-Atlantique, à 17 km à l'O. de Saint-Nazaire; 14 700 hab. Grande station balnéaire.

BAUME [bom] n. m. (lat. *balsamum*). **1.** Substance odoriférante que sécrètent certaines plantes et que l'on utilise à divers usages pharmaceutiques ou industriels; onguent employé comme calmant ou pour cicatriser. — **2.** *Mettre du baume au cœur*, réconforter, apaiser, redonner courage. ◆ **embaumer** [ɑ̃bome] v. t. *Embaumer un cadavre*, le traiter avec des substances spécialement préparées pour en assurer la conservation. ◆ **embaumement** n. m. : *L'embaumement d'un cadavre.* ◆ **embaumeur** n. m. Celui qui a pour métier d'embaumer les corps.

BAUMÉ (Antoine), pharmacien et chimiste français (1728-1804). Il imagina l'aréomètre* qui porte son nom.

BAUME-LES-DAMES, ch.-l. de cant. du Doubs, à 30 km au N.-E. de Besançon, en bordure du Jura; 5 700 hab. *(Baumois).* Horlogerie. Diamants industriels.

BAUTZEN, v. d'Allemagne (Saxe), au pied des monts de Lusace; 49 000 hab.

• *20-21 mai 1813. Victoire de Napoléon sur les Russes et les Prussiens.*

BAUX-DE-PROVENCE (Les), comm. des Bouches-du-Rhône (arrond. d'Arles), à 9 km au S.-O. de Saint-Rémy, dans les Alpilles. Ce fut, au Moyen Âge, une ville assez importante, siège d'un puissant fief, dont les remparts, les maisons, le château ont été en partie taillés dans la roche. Exploitation de bauxite.

BAUXITE [boksit] n. f. (du n. des *Baux-de-Provence*). Roche sédimentaire de couleur rougeâtre, composée d'alumine, avec oxyde de fer et silice, et exploitée comme minerai d'aluminium. — ENCYCL. La production de la *bauxite* s'est considérablement développée pour satisfaire la demande croissante d'aluminium. Comprise entre 10 et 15 millions de t au début des années 1950, elle atteint actuellement 90 millions de t. Les principaux pays producteurs sont:

Australie	32 millions de t	Yougoslavie	3,4 millions de t
Guinée	15 millions de t	Hongrie	3 millions de t
Jamaïque	9 millions de t	Guyana	2,5 millions de t
U. R. S. S.	6,5 millions de t	Grèce	2,4 millions de t
Surinam	3,4 millions de t	France	1,6 million de t

BAVARD, E [bavar, -ard] adj. et n. (de l'anc. fr. *bave*, babil). **1.** Se dit de quelqu'un qui parle beaucoup, ou qui est incapable de se retenir de parler : *Il est bavard en classe* (contr. SILENCIEUX). *Un orateur bavard* (syn. PROLIXE; contr. BREF, CONCIS). *Un roman bavard* (syn. VERBEUX). — **2.** Se dit de quelqu'un qui n'est pas capable de retenir un secret, qui commet des indiscrétions : *On ne peut pas lui faire confiance; il est trop bavard* (syn. INDISCRET; contr. DISCRET). ◆ **bavarder** v. i. **1.** *Péjor.* Parler beaucoup : *Elle bavarde avec toutes les commères du quartier* (syn. fam. JACASSER, PAPOTER). — **2.** S'entretenir familièrement et à loisir avec quelqu'un : *Bavarder sur le pas de sa porte* (syn. CAUSER, CONVERSER). — **3.** Révéler ce qui devait être gardé secret; parler d'une manière défavorable de quelqu'un : *On a arrêté toute la bande; un complice avait bavardé. On bavarde beaucoup sur ton compte* (syn. JASER). ◆ **bavardage** n. m. : *Notre projet est découvert; il y a eu des bavardages* (syn. INDISCRÉTION). *Des bavardages calomnieux* (syn. CANCAN, POTIN, RAGOT).

BAVAROIS, E [bavarwa, -waz] adj. et n. De Bavière.

BAVAROIS [bavarwa] n. m. (orig. obscure). Entremets froid au chocolat, au rhum, etc.

BAVAY, ancienn. **Bavai,** ch.-l. de cant. du Nord, à 14 km à l'O. de Maubeuge, dans le Hainaut; 4 100 hab. *(Bavaysiens).* Ce fut un centre important à l'époque gallo-romaine.

BAVE [bav] n. f. (onomat. empr. au lat.). Salive ou écume qui coule de la bouche des hommes ou de la gueule des animaux. ◆ **baver** v. i. **1.** (sujet nom d'être animé) Laisser couler la bave : *Baver et postillonner en parlant.* — **2.** *Liquide qui bave*, qui se répand largement : *L'encre a bavé et fait une tache.* — **3.** *Baver sur qq'un*, chercher à le salir par des calomnies, des propos vils. ‖ Pop. *En baver*, se donner beaucoup de peine; supporter des ennuis graves (syn. EN VOIR DE TOUTES LES COULEURS). ◆ **bavette** n. f. ou **bavoir** n. m. Petite pièce de lingerie que l'on met sous le menton des bébés pour protéger les vêtements contre la bave. ◆ **baveux, euse** adj. **1.** *La gueule baveuse d'un chien.* — **2.** *Omelette baveuse*, peu cuite et moelleuse. ◆ **bavure** n. f. **1.** *L'encre a fait des bavures* (syn. TACHE). — **2.** Fam. *Sans bavures* (= impeccable).

1. BAVETTE n. f. ⟶ BAVE.

2. BAVETTE [bavɛt] n. f. (de *bave*). Morceau du bœuf constitué par les muscles de la paroi de l'estomac.

BAVEUX, EUSE adj. ⟶ BAVE.

BAVIÈRE, en all. **Bayern,** État de l'Allemagne; 70 550 km²; 10 959 000 hab. (155 au km²). Capit. *Munich.*

GÉOGRAPHIE. L'État s'étend sur trois ensembles naturels :
au S., le rebord de la chaîne alpine;
au centre, le plateau bavarois, couvert par des dépôts glaciaires, porte des forêts et des prairies (c'est là qu'est située la capitale, Munich, centre industriel et administratif). Vers le Danube, les températures s'adoucissent et les cultures sont plus variées;
au N., la Bavière englobe une partie du bassin de Souabe et de Franconie : les plateaux, froids et peu fertiles, portent de maigres cultures tandis que les villes se sont développées dans les vallées qui coulent vers le Rhin (Nuremberg).

HISTOIRE. Peuplée originairement de Celtes, puis occupée par les Romains, la Bavière fut envahie par les Barbares.

• *911. Le duché de Bavière devient indépendant.*
• *1070-1180. Dynastie des Guelfes.*
• *1180. Dynastie des Wittelsbach (qui durera jusqu'en 1918).*
• *1623. Le duc de Bavière, catholique, devient Électeur.*
• *1805-1806. Napoléon transforme le duché en royaume, qui devient membre de la Confédération du Rhin.*
• *1871. La Bavière est incorporée dans l'Empire allemand.*
• *1919. La Bavière devient une république parlementaire.*
• *1923. À Munich, une tentative de coup d'État, menée par Hitler, échoue.*
• *1949. La Bavière devient un État de l'Allemagne de l'Ouest.*

BAVOIR n. m., **BAVURE** n. f. ⟶ BAVE.

BAYADÈRE [bajadɛr] n. f. (portug. *bailadeira*). Danseuse de l'Inde.

BAYARD *(col)*, passage des Hautes-Alpes, entre les vallées du Drac et de la Durance; 1 248 m.

BAYARD (Pierre TERRAIL, *seigneur* DE), capitaine français (1476-1524). Il se distingua par sa bravoure, particulièrement pendant les guerres d'Italie (sous Charles VIII, Louis XII et François Ier) et mérita le surnom de *Chevalier sans peur et sans reproche.* Il s'illustra surtout au siège de Canosa (défense du pont du Garigliano, 1502) et devant Brescia (1512). Il arma chevalier François Ier le soir de la bataille de Marignan (1515) et fut tué en couvrant la retraite de l'armée du Milanais.

BĀYAZĪD Ier, en fr. **Bajazet** (1347-1403), sultan turc ottoman (1389-1402). Il conquit l'Asie Mineure, vainquit les Occidentaux à Nicopolis (1396), mais fut vaincu et pris par Timūr Lang à Ancyre (1402).

BAYER [baje] v. i. (de *béer*). *Bayer aux corneilles*, perdre son temps à regarder stupidement en l'air (syn. RÊVASSER). [⟶ BÂILLER.]

BAYEUX, ch.-l. d'arrond. du Calvados, à 27 km au N.-O. de Caen; 15 200 hab. *(Bayeusains* ou *Bajocasses).* Anc. ville gallo-romaine. Belle cathédrale gothique.

• *8 juin 1944. Bayeux est la première ville française libérée des Allemands.*

BEAUX-ARTS. Le musée de la Reine-Mathilde conserve la *tapisserie de Bayeux.* En fait, c'est une broderie à l'aiguille, sur toile, en laine de huit couleurs (long. 70,34 m, larg. 0,50 m), représentant en 58 scènes la conquête de l'Angleterre par les Normands.

BAYLE (Pierre), écrivain français (1647-1706). Érudit, sceptique, défenseur de la tolérance, Bayle personnifie l'« esprit critique ». Il eut une grande influence sur les philosophes du XVIIIe s. (Voltaire, les encyclopédistes).

• *1694-1704. « Pensées sur la comète ».*
• *1696-1697. « Dictionnaire historique et critique ».*

BAYONNE, ch.-l. d'arrond. des Pyrénées-Atlantiques, au confluent de l'Adour et de la Nive, à 7 km à l'E. de Biarritz; 43 000 hab. La ville garde les restes de son enceinte romaine et médiévale, les ouvrages de Vauban, deux châteaux et une cathédrale (XIIIe-XVIe s.). Le port importe du charbon et exporte du soufre provenant du raffinage du gaz de Lacq.

BAYREUTH, v. d'Allemagne, en Bavière, sur le Main; 69 000 hab. Théâtre construit par le roi de Bavière Louis II pour la représentation des œuvres de Richard Wagner (1876). (Il est le siège d'un festival annuel.)

BAZAINE (Achille), maréchal de France (1811-1888). À la tête de l'armée de Lorraine, il capitula dans Metz en 1870.

BAZAR [bazar] n. m. (persan *bāzār*, souk). **1.** Magasin où l'on vend toutes sortes d'objets. — **2.** *Fam.* Ensemble d'objets divers, en désordre (syn. fam. FOURBI). — **3.** Marché public couvert en Orient et en Afrique du Nord.

BAZARDER [bazarde] v. t. (de *bazar*). *Fam.* Se débarrasser rapidement; vendre à n'importe quel prix.

BAZAS, ch.-l. de cant. de la Gironde, à 15 km au S. de Langon, dans le *Bazadais;* 5 200 hab. *(Bazadais).* Cathédrale gothique.

BAZEILLES, comm. des Ardennes (arrond. et à 3 km au S.-E. de Sedan); 1 700 hab.

• *1er sept. 1870. Les Français y livrent d'héroïques combats contre les Bavarois (épisode de la « Maison des dernières cartouches »).*

BAZILLE (Frédéric), peintre français (1841-1870), un des initiateurs de l'impressionnisme.

BAZIN (Jean-Pierre HERVÉ-BAZIN, dit **Hervé**), écrivain français (né en 1911), auteur de romans qui forment une satire violente de la vie bourgeoise : *Vipère au poing* (1948), *la Tête contre les murs* (1949), *la Mort du petit cheval* (1950), *le Matrimoine* (1967).

BAZOIS (le), région à l'E. du Morvan.

BAZOOKA [bazuka] n. m. (mot anglo-amér.). Lance-roquettes antichar utilisé par les Américains pendant la Seconde Guerre mondiale.

B. B. C., abrév. de *British Broadcasting Corporation*, dénomination officielle de la Radiodiffusion britannique.

B. C. G., abrév. du vaccin *bilié de Calmette et Guérin*, vaccin contre la tuberculose.
— ENCYCL. Le *B. C. G.* est un vaccin constitué de germes *vivants*, mais incapables de donner la maladie, tout en suscitant par leur pouvoir antigénique* la formation d'anticorps* qui protègent le sujet vacciné contre le bacille de Koch.
La vaccination est pratiquée par scarification*, injection ou prise buccale pour les nouveau-nés. Elle est *obligatoire* à l'école, à l'armée, chez le nouveau-né. Les sujets ayant reçu le B. C. G. ont une cuti-réaction* positive : ils sont protégés contre la tuberculose.

BEACHY HEAD, promontoire des côtes d'Angleterre.

• *30 juin 1690. Au large du promontoire, Tourville défait une flotte anglo-hollandaise.*

BÉANT, E adj. → BÉER.

BÉARN (le), région du sud-ouest de la France (E. du dép. des Pyrénées-Atlantiques), comptant environ 200 000 hab. V. pr. *Pau.* Le Béarn correspond essentiellement à la majeure partie du bassin du gave d'Oloron et aux régions drainées par le moyen gave de Pau. Sa partie méridionale montagnarde (pyrénéenne) vit de l'élevage, de la sylviculture (= exploitation de la forêt) et du tourisme. L'avant-pays est formé de collines vouées aux cultures et à l'élevage.

HISTOIRE. Le Béarn est une ancienne province française qui, aux IXe-Xe s., s'est constituée en une vicomté dépendant du duché de Gascogne.

• *1290. Le Béarn est uni au comté de Foix.*

Il passera, avec celui-ci, dans la maison d'Albret, puis de Navarre, au XVe s. Au XVIe s., la Réforme pénètre dans le Béarn.

• *1562. Le futur Henri IV devient roi de Navarre. Il est le dernier comte de Béarn.*
• *1620. Louis XIII réunit le Béarn à la Couronne.*

BÉARNAIS, E [bearnɛ, -ɛz] adj. et n. **1.** Du Béarn. ‖ *Le Béarnais*, Henri IV. — **2.** *Sauce béarnaise*, à l'œuf et au beurre fondu.

BÉAT, E [bea, -at] adj. (lat. *beatus*, heureux). Se dit de quelqu'un (et de son comportement) qui manifeste un contentement de soi et une absence d'inquiétude proches de la sottise (ironiq. et péjor.) : *Un air, un sourire béat.* ◆ **béatement** adv. ◆ **béatitude** n. f. Satisfaction sans bornes, grand bonheur que rien ne vient troubler.

BÉATIFIER [beatifje] v. t. (lat. *beatificare*). Dans la langue religieuse, mettre au nombre des bienheureux. ◆ **béatification** n. f. Acte par lequel le pape donne à une personne décédée le titre de *bienheureux*. (L'étape suivante est la *canonisation.*) ◆ **béatitude** n. f. Félicité des bienheureux.

BÉATRICE ou **BEATRIX,** reine des Pays-Bas, née en 1938. Sa mère, Juliana, ayant abdiqué en sa faveur, elle lui succède sur le trône des Pays-Bas en 1980.

BEATTY (David), amiral britannique (1871-1936). Il s'illustra à la bataille du Jutland (1916).

BEAU ou **BEL, BELLE** [bo, bɛl] adj. (lat. *bellus*) [*beau* devant les noms masc. commençant par une consonne, et *bel* devant les noms masc. commençant par une voyelle ou un *h* muet]. **1.** Se dit d'un être animé ou d'une chose qui suscite un plaisir admiratif par sa forme, ou une idée de noblesse morale, de supériorité intellectuelle, de parfaite adaptation ou de totale conformité à ce qu'on attend ou espère (contr. LAID) : *Une belle femme* (syn. BIEN FAIT, ↓JOLI). *Un beau succès* (syn. ↑REMARQUABLE). *Voilà une belle occasion manquée* (syn. PROPICE). *Prononcer un beau discours* (syn. ↑BRILLANT). *Il a eu une belle mort* (= il est mort noblement, ou sans souffrir). *Mourir de sa belle mort* (= dans son lit, et non par accident). *Un beau geste* (syn. ÉLEVÉ, GÉNÉREUX). *Avoir une belle santé* (syn. PROSPÈRE). *Il est de belle humeur* (syn. ENJOUÉ, GAI). *Pendant la belle saison* (= au printemps ou en été). *C'est le bel âge* (= la jeunesse). *Un beau joueur* (= qui sait perdre sans se fâcher); et, substantivement : *Un vieux beau* (= un homme âgé qui veut faire le galant). *Au plus beau du récit* (= au moment le plus intéressant). *Le beau sexe* (= les femmes). — **2.** Indique une quantité importante, l'intensité : *Il a une belle fortune* (syn. GRAND, IMPORTANT). *Il a reçu une belle gifle* (syn. FAMEUX, MAGISTRAL). *S'arrêter au beau milieu de la route* (syn. PLEIN). — **3.** *Ironiq.* Considéré comme mauvais, hypocrite, non conforme à ce qui est convenable (dans des express.) : *Tout ceci, ce sont de belles paroles* (syn. FALLACIEUX, TROMPEUR). *Nous sommes dans de beaux draps!* (= dans une mauvaise situation). *La belle affaire!* (= ce n'est pas si difficile ni si étonnant). *En dire de belles sur qq'un* (= révéler sur lui des choses peu flatteuses). *En faire de belles* (= faire des sottises). *En voilà une belle demande!* (= ridicule, stupide). *Le plus beau de l'histoire* (syn. EXTRAORDINAIRE). — **4.** *Un beau matin, un beau jour*, etc., indique un matin, un jour indéfini où se produit un fait inopiné. ◆ adv. *Avoir beau* (et l'infin.), s'efforcer vainement de (exprime la concession) : *Vous avez beau dire. Il a beau être tard* (= bien qu'il soit tard). ‖ *Il fait beau*, le temps est clair (il ne pleut pas). ‖ *Il ferait beau voir*, il serait dangereux de : *Il ferait beau voir qu'on n'obéisse pas à mes ordres* (= on serait mal inspiré de). ‖ *Voir en beau*, d'une manière favorable. — LOC. ADV. *Bel et bien*, réellement, véritablement. ◆ **beau** n. m. **1.** Ce qui est beau, plaisant, séduisant : *Rechercher le beau pour lui-même.* — **2.** *C'est du beau!*, il n'y a pas lieu d'être fier. ‖ *Faire le beau*, se pavaner; se dit d'un chien qui se tient assis sur son arrière-train et lève ses pattes de devant. ◆ **beauté** n. f. **1.** Caractère de ce qui est beau (dans tous les sens de l'adj.) : *La beauté d'un paysage* (syn. MAGNIFICENCE, ↑SPLENDEUR). *La beauté du visage* (contr. LAIDEUR). *Avoir la beauté du diable* (= un éclat séducteur qui passe rapidement). *La beauté d'un sentiment* (syn. NOBLESSE). — **2.** Femme belle : *Voir passer une jeune beauté.* — LOC. ADV. *En beauté*, d'une manière brillante, en parlant d'un achèvement : *Mourir, partir en beauté.* ◆ **bellâtre** n. m. Homme physiquement beau, mais niais et fat. ◆ **belle** n. f. Femme aimée (terme d'amitié, de familiarité souvent ironiq.) : *Il écrit à sa belle.* — LOC. ADV. *De plus belle*, plus fort qu'avant. ◆ **belles-lettres** n. f. pl. Étude et ouvrages littéraires considérés comme une source de plaisirs de l'esprit. ◆ **embellir** [ɑ̃bɛlir] v. t. Rendre ou faire paraître plus beau : *Ces fleurs embellissent le jardin* (syn. AGRÉMENTER; contr. ENLAIDIR). *Son imagination embellit la réalité* (syn. IDÉALISER, POÉTISER). *Il embellit la vérité* (syn. ENJOLIVER). ◆ v. i. **1.** Devenir beau ou plus beau : *Elle a embelli.* — **2.** *Les difficultés ne font que croître et embellir*, elles gagnent en importance. ◆ **embellissement** n. m. : *Les embellissements d'une maison* (syn. DÉCORATION, ORNEMENT).

BEAUCAIRE, ch.-l. de cant. du Gard, sur le Rhône (r. dr.), en face de Tarascon; 13 000 hab. *(Beaucairois* ou *Beaucairiens).* Château (XIIe-XIVe s.). Importantes foires au Moyen Âge.

BEAUCE (la), région du Bassin parisien, au S. de Paris, formant une grande plaine calcaire. Sa richesse agricole est liée à ses riches terres limoneuses et à la proximité de Paris, grand marché de consommation : c'est une région de grande culture du blé, fortement mécanisée, pratiquée par des exploitations de plusieurs centaines d'ha. Les villes sont établies à la périphérie, dans les vallées entourant cette étendue sèche (Châteaudun, sur le Loir, Pithiviers, Étampes et Chartres, la cité la plus importante, sur l'Eure). ◆ **beauceron, onne** [bosrɔ̃, -ɔn] adj. et n. De la Beauce.

BEAUCOUP adv. → PEU.

Beaucoup de bruit pour rien, comédie de Shakespeare (1598).

BEAU-FILS [bofis] n. m., **BELLE-FILLE** [bɛlfij] n. f. (*beau*, et *fils; belle*, et *fille*). **1.** Relativement à un des époux, le fils ou la fille que l'autre a eus d'un précédent mariage. — **2.** Relativement aux parents, syn. moins fréquent de GENDRE, et plus fréquent de BRU. (→ PARENTÉ.)

BEAUFORT, ch.-l. de cant. de la Savoie, sur le Doron, dans le *massif de Beaufort* ou *Beaufortin* (massif cristallin entre l'Arly et la Tarentaise); 2000 hab. *(Beaufortains).* Station touristique.

BEAUFORT *(échelle de)*, échelle proposée par l'amiral *Beaufort* en 1806 (modifiée en 1946), et utilisée en météorologie pour mesurer la force du vent. (Elle est cotée de 0 [la fumée s'élève verticalement] à 17 [ouragan catastrophique].)

BEAU-FRÈRE [bofrɛr] n. m., **BELLE-SŒUR** [bɛlsœr] n. f. (*beau*, et *frère; belle*, et *sœur*). **1.** Relativement à un des époux, le frère ou la sœur de l'autre. — **2.** Relativement à des frères ou à des sœurs, mari de la sœur ou femme du frère. (→ PARENTÉ.)

BEAUGENCY, ch.-l. de cant. du Loiret, à 25 km au S.-O. d'Orléans, sur la Loire (r. dr.); 7300 hab. Château des XIVe-XVe s.

BEAUHARNAIS *(de)*, famille noble originaire de l'Orléanais. ALEXANDRE (1760-1794), général en chef de l'armée du Rhin en 1793 (et condamné à mort comme complice de la reddition de Mayence), fut le premier mari de Joséphine Tascher de La Pagerie avec qui il eut deux enfants : HORTENSE (1783-1837), femme de Louis Bonaparte, mère de Napoléon III; EUGÈNE (1781-1824), qui fut nommé vice-roi d'Italie et qui remplaça l'Empereur, puis Murat en 1812, lors de la retraite de Russie.

BEAUJEU, ch.-l. de cant. du Rhône, à 36 km au S.-O. de Mâcon; 2000 hab. *(Beaujolais).* Anc. capit. du Beaujolais.

BEAUJEU (Anne DE) → ANNE DE FRANCE.

BEAUJOLAIS (le), région de l'est du Massif central. La vallée de l'Azergues est dominée, à l'O., par les *monts du Beaujolais.* La *Côte beaujolaise*, à l'E., domine la vallée de la Saône et fournit des grands crus (Fleurie, Juliénas, etc.) et des vins jeunes *(beaujolais nouveau).*

BEAUJOLAIS [boʒɔlɛ] n. m. Vin du Beaujolais.

BEAULIEU-SUR-MER, station balnéaire des Alpes-Maritimes, à 10 km à l'E. de Nice; 4300 hab. *(Berlugans).*

BEAUMARCHAIS (Pierre Augustin CARON DE), écrivain français (1732-1799). Fils d'horloger, il invente la montre à échappement et enseigne la harpe aux filles de Louis XV. Enrichi dans des spéculations, il est condamné pour fraude en 1773.

Sa célébrité repose sur deux pièces : *le Barbier de Séville* (1775), comédie d'intrigue où tout s'embrouille et se débrouille avec une adresse éblouissante; *le Mariage de Figaro* (1784), pièce dirigée contre les nobles, qui annonçait l'approche de la Révolution.

BEAUMONT, port des États-Unis (Texas); 120 000 hab.

BEAUMONT-SUR-OISE, ch.-l. de cant. du Val-d'Oise, à 19 km au N.-E. de Pontoise; 8300 hab.

BEAUNE, ch.-l. d'arrond. de la Côte-d'Or, à 38 km au S.-S.-O. de Dijon, au pied de la *Côte de Beaune;* 21 100 hab. *(Beaunois).* Grand centre du commerce des vins. La ville, entourée de remparts, est d'une grande richesse en monuments : l'hôtel-Dieu (XVe s.) dont le musée garde le polyptyque du *Jugement dernier* de Van der Weyden, des églises des XIIe, XIIIe et XIVe s., l'hôtel des ducs de Bourgogne (XIVe-XVIe s.) et l'hôtel de la Rochepot (XVIe s.).

BEAUNEVEU (André), peintre, sculpteur et miniaturiste français de la seconde moitié du XIVe s. Imagier de Charles V, il sculpta de nombreuses statues pour Saint-Denis.

BEAU-PÈRE [bopɛr] n. m., **BELLE-MÈRE** [bɛlmɛr] n. f. (*beau*, et *père; belle*, et *mère*). **1.** Relativement à un des époux, le père ou la mère de la personne qu'il a épousée. — **2.** Second mari de la mère, ou seconde femme du père, par rapport aux enfants d'un premier lit. (→ PARENTÉ.)

BEAUPRÉ [bopre] n. m. (néerl. *boegspriet*). Mât placé obliquement sur l'avant d'un navire.

BEAUSOLEIL, ch.-l. de cant. des Alpes-Maritimes, au N.-E. de Monte-Carlo; 11 700 hab. *(Beausoleillais).*

BEAUTÉ n. f. → BEAU.

BEAUTÉ *(île de)*, surnom de la CORSE.

BEAUVAIS, ch.-l. du dép. de l'Oise, à 74 km au N.-N.-O. de Paris, sur le Thérain; 54 100 hab.

• *27 juin-22 juil. 1472. Jeanne Hachette défend la ville assiégée par Charles le Téméraire.*

BEAUX-ARTS. La ville garde le plus élevé des monuments gothiques (48 m de hauteur de voûte au chœur), la magnifique cathédrale Saint-Pierre. Celle-ci n'a qu'un chœur et un transept, le premier entrepris en 1247, le second en 1500. Les vitraux sont des XIIIe, XIVe et XVIe s. et modernes. L'église Saint-Étienne a une nef romane, un chœur gothique et de beaux vitraux (célèbre verrière de l'arbre de Jessé, XVIe s.).

La *Manufacture nationale de tapisserie de Beauvais* a été réunie administrativement à celle des Gobelins en 1936.

BEAUVAISIS, petit pays de l'anc. France; capit. *Beauvais.*

BEAUVOIR (Simone DE), femme de lettres francaise (1908-1986). Elle a écrit des romans, des pièces de théâtre et des essais philosophiques et autobiographiques où elle reprend des thèses très proches de l'existentialisme de Sartre : *l'Invitée* (1943), *le Sang des autres* (1944), *le Deuxième Sexe* (1949), *les Mandarins* (prix Goncourt, 1954), *Mémoires d'une jeune fille rangée* (1958), *la Force de l'âge* (1960), *la Force des choses* (1963), *Tout compte fait* (1972), *la Cérémonie des adieux* (1981).

BEAUX-ARTS [bozar] n. m. pl. (*beau*, et *art*). Ensemble des arts visant à une expression esthétique (poésie, musique, sculpture, peinture, etc.).

BEAUX-PARENTS [boparɑ̃] n. m. pl. (*beau*, et *parent*). Relativement à un des époux, le père et la mère de l'autre. (→ PARENTÉ.)

BÉBÉ [bebe] n. m. (de l'angl. *baby*). Tout petit enfant (en général au-dessous de trois ans) : *Un bébé dans son berceau* (syn. NOURRISSON).

BÉBÊTE adj. → BÊTE 3.

BE-BOP n. m. → BOP.

1. BEC [bɛk] n. m. (lat. *beccus*). **1.** Bouche cornée et saillante des oiseaux : *L'oiseau frappait du bec contre sa cage. Nez en bec d'aigle* (= crochu). — **2.** Objet ayant la forme d'un bec d'oiseau : *Nettoyer le bec de sa plume.* — **3.** Pointe de terre au confluent de deux cours d'eau, ou qui s'avance dans la mer : *Le bec d'Ambès.* — **4.** *Fam.* Bouche : *Avoir la pipe au bec;* et dans des loc. : *Je lui ai cloué le bec* (= je l'ai réduit au silence). *Une prise de bec* (= échange de propos vifs). ◆ **bec-de-cane** n. m. **1.** Serrure comportant uniquement un pêne demi-tour. — **2.** Poignée de porte, en forme de bec. ‖ Pl. des *becs-de-cane.* ◆ **bec-de-lièvre** n. m. Difformité congénitale de la lèvre supérieure, fendue comme celle du lièvre. ‖ Pl. des *becs-de-lièvre.* ◆ **bec-de-perroquet** n. m. Mâchoires cornées des céphalopodes. ‖ Pl. des *becs-de-perroquet.* ◆ **becquée** [beke] n. f. Nourriture donnée par petits morceaux : *Donner la becquée à un petit enfant.* ◆ **becqueter** [bɛkte] v. t. (Conj. **8.**) En parlant des oiseaux, piquer avec le bec, pour manger.

2. BEC [bɛk] n. m. (même étym.). **1.** *Bec de gaz*, ou *bec*, support soutenant une lanterne avec éclairage au gaz, qui était installé dans les rues des villes (auj. RÉVERBÈRE). — **2.** Fam. *Tomber sur un bec*, être arrêté par une difficulté imprévue.

BÉCANE [bekan] n. f. (peut-être de *bec*). *Fam.* Bicyclette (syn. VÉLO).

BÉCARRE [bekar] n. m. (it. *b quadro*). Signe musical qui annule l'effet du dièse ou du bémol.

BÉCASSE [bekas] n. f. (de *bec*). **1.** Oiseau échassier atteignant 50 cm, au bec long et mince, qui fréquente les taillis et les bois où il se nourrit d'insectes, de vers, de larves. (C'est un gibier recherché.) [Famille des scolopacidés.] — **2.** *Fam.* Femme d'intelligence bornée et d'une grande crédulité (syn. ↑IDIOTE). ◆ **bécasseau** n. m. **1.** Oiseau échassier mesurant au plus 25 cm de long, à bec plus court que la bécasse, qui cherche dans la vase les petits crustacés, les vers dont il se nourrit. (Il se déplace en bandes nombreuses.) — **2.** Petit de la bécasse. ◆ **bécassine** n. f. Oiseau échassier voisin de la bécasse, mais plus petit (au plus 30 cm de long), au bec long avec lequel il sonde la vase à la recherche des vers dont il se nourrit. (Son vol en zigzag est caractéristique.)

Bécassine, type de servante bretonne très bonne fille mais étourdie, créé par les dessinateurs Pinchon et Caumery.

BEC-CROISÉ [bɛkkrwaze] n. m. (*bec*, et *croisé*). Oiseau passereau, granivore, long de 18 cm, à gros bec (ses deux mandibules se chevauchent à leur extrémité, d'où son nom), vivant dans les forêts de conifères. (Famille des fringillidés.) ‖ Pl. des *becs-croisés.*

BEC-DE-CANE n. m., **BEC-DE-LIÈVRE** n. m., **BEC-DE-PERROQUET** n. m. → BEC 1.

BÉCHAMEL [beʃamɛl] n. f. (d'un nom propre). Sauce blanche faite avec de la crème ou du lait : *Poulet à la béchamel.*

BÊCHE [bɛʃ] n. f. (orig. obscure). Outil formé d'une lame de fer large et tranchante fixée à un manche, qui sert à retourner la terre. ◆ **bêcher** [beʃe] v. t. : *Bêcher son jardin.*

BEC-HELLOUIN (Le), comm. de l'Eure, à 6 km au N. de Brionne; 476 hab. Abbaye bénédictine *(abbaye du Bec)* fondée au

XIe s. par le bienheureux Hellouin. (L'école du monastère, dirigée par saint Anselme, fut très célèbre.) De l'abbaye, il reste une tour du XVe s. et des bâtiments des XVIIe et XVIIIe s.

BÊCHER v. t. ⟶ BÊCHE.

BECHET (Sidney), musicien noir américain de jazz (1897-1959). Virtuose du saxophone et de la clarinette, il est l'un des plus célèbres représentants du style Nouvelle-Orléans.

BÊCHEUR, EUSE [beʃœr, -øz] adj. et n. (orig. incert.). *Fam.* Personne prétentieuse, méprisante.

BECHUANALAND ⟶ BOTSWANA.

BECKET (Thomas) ⟶ THOMAS BECKET.

BECKETT (Samuel), écrivain irlandais (1906-1989). Fixé en France, il entreprend, dans des nouvelles et des romans en anglais, une méditation sur l'absurdité de la condition humaine, puis poursuit en français sa peinture d'êtres moribonds qui, en de longs soliloques, mêlent passé et présent, désirs et réalités. Il est l'auteur de récits en prose (*Murphy* [en anglais], 1938; *Molloy*, 1951; *l'Innommable*, 1953) et de pièces de théâtre (*En attendant Godot*, 1953; *Fin de partie*, 1957; *Oh les beaux jours*, 1961).

• *1969. Prix Nobel de littérature.*

BÉCOTER [bekɔte] v. t. (de *bec*). *Fam.* Donner de petits baisers (surtout comme verbe réciproque). ◆ **bécot** n. m. *Fam.* Petit baiser.

BECQUE (Henry), auteur dramatique français (1837-1899). Il a écrit des drames réalistes (*les Corbeaux*, 1882).

BECQUÉE n. f., **BECQUETER** v. t. ⟶ BEC 1.

BECQUEREL (Henri), physicien français (1852-1908). Il étudia la phosphorescence et découvrit la radioactivité de l'uranium (1896).

BEDAINE n. f. ⟶ BEDON.

BÉDANE [bedan] n. m. (de *bec*, et anc. fr. *ane*, canard). Ciseau taillé en biseau pour creuser le bois et le métal.

BÉDARIEUX, ch.-l. de cant. de l'Hérault, à 29 km au S.-O. de Lodève, sur l'Orb; 6 500 hab. *(Bédariciens).*

BEDEAU [bədo] n. m. (frq. *bidal*). Laïque préposé au service du matériel dans une église.

BEDON [bədɔ̃] n. m. (de l'anc. fr. *boudine*, ventre). *Fam.* Gros ventre. ◆ **bedonner** v. i. *Fam.* Prendre du ventre. ◆ **bedonnant, e** adj. *Fam.* Qui a du ventre. ◆ **bedaine** n. f. *Fam.* Gros ventre.

BÉDOUINS, nom donné en Afrique et au Moyen-Orient aux populations nomades et semi-nomades de langue arabe.

BÉE adj. f. ⟶ BÉER.

BEECHER-STOWE (Harriet BEECHER, Mrs. STOWE, dite **Mrs.**), romancière américaine (1811-1896). Son ouvrage sur la vie des esclaves noirs, *la Case de l'oncle Tom* (1851-1852), fut un élément important pour la propagande antiesclavagiste.

BÉER [bee] v. i. (bas lat. *batare*, être ouvert). *Béer d'admiration, d'étonnement*, regarder d'un air admiratif ou étonné (rare et presque toujours à l'infin., au prés. et à l'imp. de l'indic.). ◆ **béant, e** adj. Grand ouvert : *Un gouffre béant. Des yeux béants.* ◆ **bée** [be] adj. f. *Rester bouche bée*, être frappé d'un grand étonnement.

BEERSHEBA ou **BIRSHEBA,** v. d'Israël, en bordure du désert du Néguev; 90 400 hab.

BEETHOVEN (Ludwig VAN), compositeur allemand, né à Bonn (1770-1827). Enfant prodige, il donne son premier concert à huit ans. Il est organiste à quatorze ans et devient bientôt un pianiste virtuose célèbre.

• *1792. Il se fixe à Vienne. (Des membres de la noblesse viennoise le protègent.)*

Dès lors, il compose des œuvres de salon d'esprit classique avec certaines innovations personnelles : des sonates pour piano *(la Pathétique, Au clair de lune)*, des quatuors à cordes, sa première symphonie (en *ut* majeur).

La surdité, qu'il tentera de dissimuler, est la cause d'un véritable désespoir dont on retrouvera l'écho dans ses œuvres.

De 1801 à 1815, c'est la période de grande exaltation romantique marquée par une intense production (il confère à sa musique ses sentiments de joie, passion, puissance, douleur, etc.) : Beethoven écrit alors 7 de ses 9 symphonies, dont la troisième, dite *Héroïque* 1804), la sixième, dite *Pastorale* (1808); 3 concertos pour piano, 1 concerto pour violon, 14 sonates pour piano (dont l'*Appassionata* et *l'Aurore*); 1 opéra *(Fidelio)*. Ces vibrants chefs-d'œuvre disent l'intensité de sa passion, la force de son énergie indomptable.

À partir de 1818, sa santé s'améliore : il écrit ses plus grands chefs-d'œuvre. Ce musicien, désormais retranché du monde par une surdité incurable, ce misanthrope, va retrouver la paix de l'âme et chanter la joie dans son immortelle neuvième symphonie (1823). Il compose ensuite ses 5 derniers quatuors.

BEFFROI [befrwa] n. m. (germ. *bergfrid*). Tour ou clocher utilisé pour sonner l'alarme.

BÉGAYER [begeje] v. i. et t. (de l'anc. fr. *béguer*). Parler ou prononcer avec difficulté ou embarras les mots et les phrases : *La peur le faisait bégayer* (syn. BREDOUILLER). *Bégayer une excuse* (syn. BALBUTIER). ◆ **bégaiement** n. m. ◆ **bègue** [bɛg] adj. et n. Qui bégaie.

— ENCYCL. Le *bégaiement* est caractérisé par la répétition de certaines syllabes et par leur prononciation avec un effort produisant une sorte d'explosion, ainsi que par un arrêt devant d'autres, avant de parvenir à les prononcer.

Le bégaiement est parfois associé à des troubles respiratoires (inspiration trop violente et trop brève, par ex.). Il est souvent lié à des troubles psychologiques.

BEGIN (Menahem), homme politique israélien (né en 1913). Premier ministre de 1977 à 1983, il amorce avec l'Égypte des négociations qui aboutissent à un traité de paix en 1979. En 1982, il décide l'occupation du Liban du Sud. (Prix Nobel de la paix, 1978.)

BÈGLES, ch.-l. de cant. de la Gironde, dans la banlieue sud-est de Bordeaux; 23 400 hab. *(Béglais).*

BÉGONIA [begɔnja] n. m. (plante dédiée en 1690 à *Michel Bégon*, gouverneur français de Saint-Domingue). Plante originaire de l'Amérique et de l'Asie tropicales, aux fleurs blanches, roses ou rouges. (Type de la famille des *bégoniacées*.)

BÈGUE adj. et n. ⟶ BÉGAYER.

BÉGUEULE [begœl] adj. et n. f. (de *bée*, et *gueule*). Se dit d'une femme qui pousse la pudeur à l'excès (syn. PRUDE, PUDIBOND).

1. BÉGUIN n. m. ⟶ BÉGUINE.

2. BÉGUIN [begɛ̃] n. m. (orig. obscure). Fam. *Avoir un* (ou *le*) *béguin pour qq'un*, en être amoureux.

BÉGUINE [begin] n. f. (orig. incert.). Femme pieuse des Pays-Bas ou de Belgique, qui, sans prononcer de vœux, vit dans une sorte de couvent. ◆ **béguin** n. m. Coiffe des béguines. ◆ **béguinage** n. m. Couvent des béguines.

BÉGUM [begɔm] n. f. (de *beg*, seigneur). Titre donné aux princesses indiennes.

BEHAIM (Martin), cosmographe et navigateur allemand (1459-1507). Il termina en 1492 un globe terrestre qui résume l'état des connaissances géographiques à la veille de la découverte du Nouveau Monde.

BÉHANZIN, dernier roi du Dahomey (1844-1906). Fils de Glé-Glé, il devint roi en 1889, mais son État fut conquis par les Français en 1893.

BEHREN-LÈS-FORBACH, ch.-l. de cant. de la Moselle (arrond. et à 5 km au S.-E. de Forbach); 11 200 hab.

BEIGE [bɛʒ] adj. et n. m. (orig. obscure). Couleur gris jaunâtre.

BEIGNET [bɛɲɛ] n. m. (de l'anc. fr. *buyne*, bosse). Pâte contenant ou non une substance alimentaire (fruit, légume, viande, etc.) et passée dans une friture brûlante.

BEIRA, région du Portugal central, entre le Tage et le Douro.

BEIRA, port du Mozambique; 113 700 hab. Débouché des voies ferrées du Zimbabwe, de Zambie et du Zaïre.

BEJAIA ou **BIJAIA,** ancienn. **Bougie,** v. d'Algérie, sur le *golfe de Bejaia;* 63 000 hab. Port pétrolier.

BÉJART, famille de comédiens français : ARMANDE (v. 1642-1700) épousa Molière en 1662.

BÉJART (Maurice), danseur et chorégraphe français (né en 1927), un des principaux artisans du ballet moderne.

BEKAA, plaine du Liban, prolongement du « fossé » du Jourdain.

1. BEL adj. m. ⟶ BEAU.

2. BEL [bɛl] n. m. (du n. de *Graham Bell*). Unité servant à mesurer l'intensité d'un son. ◆ **décibel** [desibɛl] n. m. Dixième partie du bel : *La voix moyenne a pour intensité 55 décibels.*

BÊLANT, E adj. ⟶ BÊLER.

BELAU ⟶ PALAOS.

BEL CANTO [bɛlkɑ̃to] n. m. (mots it. signif. *beau chant*). Art du chant fondé sur la beauté du son et la virtuosité.

BELÉM, faubourg de Lisbonne, où est établi un couvent, souvent considéré comme un parfait exemple de style manuélin.

BELÉM anc. **Pará,** v. du Brésil septentrional, capit. de l'État de Pará, sur une branche de l'embouchure de l'Amazone; 1 117 000 hab. Centre commercial.

BÊLEMENT n. m. ⟶ BÊLER.

BÉLEMNITE [belɛmnit] n. f. (gr. *belemnitês*, pierre en forme de flèche). Genre de mollusque céphalopode fossile, caractéristique de l'ère secondaire, voisin des calmars actuels.

BÊLER [bɛle] v. i. et t. (lat. *belare*, onomat.). **1.** (sujet nom désignant des moutons, des chèvres) Crier. — **2.** (sujet nom de personne) Crier ou chanter d'une voix tremblotante. ◆ **bêlant, e** adj. ◆ **bêlement** n. m. : *Le bêlement des moutons.*

BELETTE [bəlɛt] n. f. (de *belle*). Petit mammifère carnassier, remarquable par ses pattes très courtes, qui lui permettent de pénétrer dans les terriers des lapins et des autres rongeurs pour les saigner et se nourrir de leur sang. (La belette déniche aussi les oiseaux. Son activité est surtout nocturne. On la chasse pour sa fourrure.) [Famille des mustélidés.]

BELFAST, capit. de l'Irlande du Nord (Ulster), sur le vaste estuaire du *Belfast Lough;* 362 000 hab. Principal centre industriel de l'Ulster.

BELFORT, ch.-l. du *Territoire de Belfort*, sur la Savoureuse; 52 700 hab. *(Belfortains).* Le rôle militaire initial, dû à la position entre Vosges et Jura sur la *porte de Bourgogne* (appelée aussi *trouée de Belfort*), s'est effacé devant la fonction industrielle : le textile, d'abord prédominant, est aujourd'hui supplanté par la métallurgie. Belfort est le centre d'une agglomération d'environ 75 000 hab.

- *1648. La ville est incorporée à la France par le traité de Westphalie.*
- *4 nov. 1870-18 févr. 1871. La ville résiste héroïquement aux Prussiens (le monument de Bartholdi, le « Lion de Belfort », commémore cette défense).*

BELFORT (Territoire de) [90], dép. de l'est de la France (Région Franche-Comté); 610 km²; 132 00 hab. (210 au km²) [France : 103]. Ch.-l. *Belfort.*

ADMINISTRATION. 1 arrond. (*Belfort*, 128 125 hab.). / 15 cant. / 99 comm.

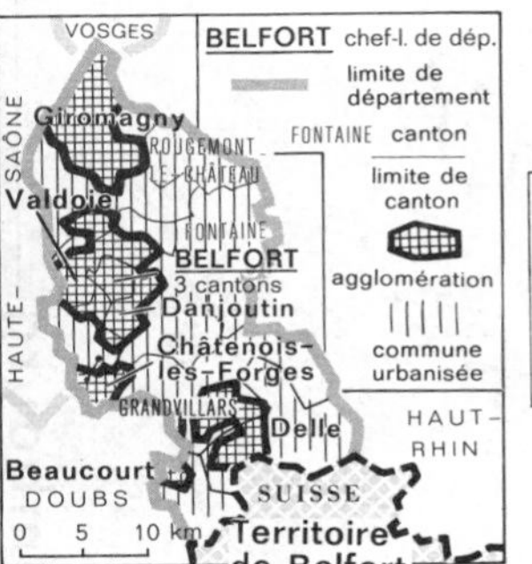

LOCALITÉS PRINCIPALES	NOMBRE D'HAB.
Belfort	52 700
Delle	8 200
Beaucourt	5 700
Valdoie	4 600
Giromagny	3 700

GÉOGRAPHIE. Le Territoire de Belfort s'étend sur l'extrémité méridionale des Vosges, sur la région déprimée de la *porte de Bourgogne.* La densité élevée de sa population (plus de deux fois la moyenne nationale) et la prépondérance de l'industrie sont liées à la présence de l'agglomération de Belfort, qui regroupe près des deux tiers de la population totale du territoire. L'industrie du coton, en régression relative, est relayée par des activités nouvelles : électromécanique et électronique.

HISTOIRE. Le Territoire de Belfort a dépendu du comté de Ferrette (qui faisait partie de l'anc. royaume de Bourgogne) avant d'être compris au XIVᵉ s. dans le pays de Sundgau*, possession de la maison d'Autriche.

- *1871. Le Territoire constitue une division administrative formée par la partie du dép. du Haut-Rhin restée française à la suite de la défense de Belfort.*
- *1922. Cette division administrative reçoit le statut de département.*

BELGE [bɛlʒ] adj. et n. (lat. *Belgae*). De Belgique. ◆ **belgicisme** n. m. Locution propre au français de Belgique.

BELGIQUE, en néerl. **België,** royaume de l'Europe occidentale, sur la mer du Nord, entre la France, le Luxembourg, l'Allemagne et les Pays-Bas.

SUPERFICIE 30 500 km² (France : 550 000 km²).
POPULATION 9 900 000 hab. *(Belges);* 325 hab. au km² (France : 103); taux de natalité, 13,3 p. 1 000; taux de mortalité, 12,1 p. 1 000.
CAPITALE Bruxelles (144 000 hab., agglomération 1 042 000 hab.).
AGGLOMÉRATIONS PRINCIPALES Anvers (1 568 900 hab.); Liège (438 800 hab.); Gand (223 100 hab.).
DIVISIONS ADMINISTRATIVES

provinces	*superficie*	*population*
Anvers	2 860 km²	1 546 400 hab.
Brabant	3 370 km²	2 198 300 hab.
Flandre-Occidentale	3 134 km²	1 062 800 hab.
Flandre-Orientale	2 980 km²	1 317 900 hab.
Hainaut	3 790 km²	1 320 100 hab.
Liège	3 880 km²	1 013 600 hab.
Limbourg	2 420 km²	666 100 hab.
Luxembourg	4 420 km²	217 700 hab.
Namur	3 660 km²	384 000 hab.

LANGUES français, néerlandais, allemand.
ÉCONOMIE population active : secteur primaire 3 p. 100; secondaire 31 p. 100; tertiaire 66 p. 100; produit national brut par hab., 8 126 dollars (France : 9 484); consommation d'énergie par hab., 5 329 kg d'équivalent charbon; 1 automobile pour 3 hab.
MONNAIE franc belge.

GÉOGRAPHIE

■ GÉOGRAPHIE PHYSIQUE.

Pays plat, la Belgique se relève doucement du N. vers le S.-E., faisant succéder aux plaines sableuses de *Flandre* et de *Campine*, des plateaux couverts de limons puis, au-delà du *sillon Sambre-Meuse*, le massif ancien des *Ardennes*. Le climat, océanique aux pluies régulières, devient rude dans les Ardennes.

	TEMPÉRATURES MOYENNES janv.	juil.	PLUIES
Bruxelles	5 °C	19 °C	800 mm

■ GÉOGRAPHIE HUMAINE ET ÉCONOMIQUE.

La *population*, très dense, se divise en deux grandes communautés linguistiques : les Flamands (de langue néerlandaise) au N., et les Wallons (francophones) au S. Bruxelles est bilingue. La proportion des hab. résidant dans les villes est très forte (80 p. 100).

L'*agriculture*, bien qu'intensive, ne subvient pas aux besoins du pays. Les cultures sont pratiquées sur les plateaux et dans les plaines, et l'élevage bovin dans le Sud-Est.

blé	1 200 000 t	pomme de terre	1 600 000 t
betterave à sucre	6 000 000 t	bovins	3 000 000 têtes

Mais l'économie du pays repose sur l'*industrie.* Elle a été fondée longtemps sur la production de charbon (réduite essentiellement aujourd'hui à la Campine) qui alimente la sidérurgie. L'importation de minerai du Zaïre a donné naissance à une métallurgie des métaux non ferreux. La chimie se développe à Anvers tandis que le textile (laine à Verviers, coton à Gand) reste actif.

houille	6 millions de t	zinc	270 000 t
acier	11 300 000 t	coton (filés)	60 000 t
cuivre	320 000 t	laine (filés)	110 000 t

L'économie de la Belgique est fondée sur les *échanges.* Avec l'extérieur, ils sont facilités par l'appartenance au Marché commun. Le port d'Anvers a une importance internationale. À l'intérieur, le pays possède un réseau de voies de communication (voies ferrées, canaux) d'une densité remarquable.

HISTOIRE

Le territoire de la Belgique fut envahi à partir du Vᵉ s. apr. J.-C. par les Francs, puis fit partie de l'empire d'Occident constitué par Charlemagne.

- *843. Au traité de Verdun, le pays est partagé entre la France et la Lotharingie, puis la Germanie, l'Escaut servant de frontière.*

À partir du XIIᵉ s. les villes flamandes (Bruges, Gand, Anvers) se développent et s'enrichissent grâce à l'industrie textile.

- *1477. Les différents fiefs de la région (Flandre, Brabant, Hainaut) passent après la mort de Charles le Téméraire à la maison d'Autriche (Habsbourg).*

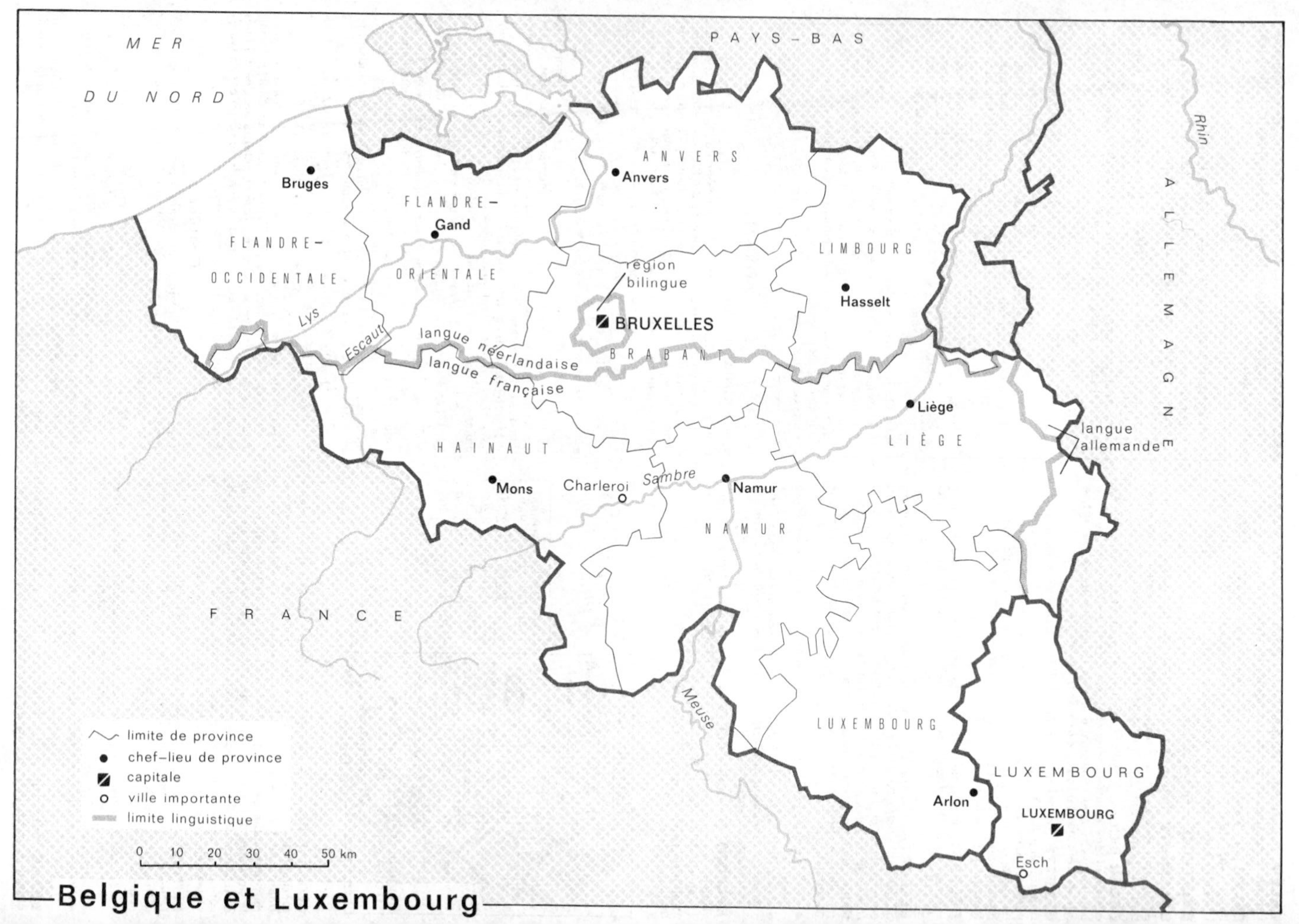

Belgique et Luxembourg

Le règne de Charles Quint est marqué par un grand essor économique. Mais sous Philippe II, les excès du duc d'Albe provoquent l'insurrection des provinces septentrionales (actuels Pays-Bas).

- *1579. Proclamation de l'indépendance de la république des Provinces-Unies. (Les provinces du Sud, l'actuelle Belgique, restent sous la domination espagnole.)*
- *1713. Le territoire belge passe à l'Autriche.*

Le « despote éclairé » Joseph II veut réorganiser la Belgique; une révolution brabançonne chasse les Autrichiens.

- *1790. Proclamation de l'indépendance des « provinces belgiques unies ».*
- *1795. La France annexe la Belgique à la suite des guerres révolutionnaires contre l'Autriche.*
- *1795-1815. Pendant la période révolutionnaire et impériale, la Belgique est réorganisée administrativement et partagée en départements.*
- *1815. Le Congrès de Vienne décide la réunion de la Belgique et de la Hollande en un royaume des Pays-Bas.*

L'union, artificielle, provoque une opposition culturelle, religieuse et linguistique de la part des Belges.

- *1830. Une insurrection bruxelloise amène la proclamation de l'indépendance de la Belgique.*

La neutralité du nouvel État est garantie par les grandes puissances. Léopold Ier devient roi des Belges.

- *1865-1909. Règne de Léopold II qui acquiert à titre personnel l'État du Congo (l'actuel Zaïre), puis le cède à la Belgique (1908).*

Au XIXe s., la lutte entre libéraux et cléricaux domine la vie politique; le parti ouvrier belge est fondé en 1885 à Bruxelles.

- *1909-1934. Règne d'Albert Ier.*

Pendant la Grande Guerre (1914-1918), la Belgique reste presque tout entière sous occupation allemande. La paix revenue, elle obtient les villes d'Eupen et Malmédy, et se voit confier par la Société des Nations un « mandat » sur le territoire africain du Ruanda-Urundi, anc. possession allemande.

- *1934. Léopold III monte sur le trône.*
- *28 mai 1940. La Belgique capitule : les Allemands occupent le pays jusqu'en septembre 1944.*
- *1951. Léopold III, accusé d'une attitude équivoque à l'égard des Allemands, est obligé d'abdiquer.*

Son fils Baudouin Ier lui succède et épouse en 1960 Fabiola de Mora y Aragón.

La vie politique belge contemporaine est marquée par l'alternance au pouvoir des socialistes et des sociaux-chrétiens, parfois regroupés dans un gouvernement de coalition.

La décolonisation a fait perdre à la Belgique le Congo belge. Sur le plan économique, le déclin du charbon a provoqué une grave crise dans les houillères wallonnes (bassin du Borinage). Le « problème linguistique », enfin, oppose Flamands et Wallons.

La Belgique a réalisé avec le Luxembourg et les Pays-Bas une union douanière et économique : le Benelux. Elle est membre de la C. E. E. (« Marché commun »).

- *1977. Le « pacte d'Egmont » découpe la Belgique en trois régions : Flandre, Wallonie (statuts adoptés en 1980) et Bruxelles-Capitale (statut adopté en 1989).*
- *1988. Engagement d'un processus de décentralisation.*

BELGRADE, en serbe **Beograd,** capit. de la Yougoslavie; 1 445 000 hab. Située au cœur d'une plaine, au confluent de la Save et du Danube, Belgrade jouit d'une situation de carrefour. Mais son véritable essor date du XIXe s. Grâce aux deux fleuves navigables, un port a pu se développer, apportant les matières premières nécessaires à l'industrie. Les constructions mécaniques constituent la branche dominante des activités industrielles. Mais la ville a également des fonctions d'échanges, de services, et universitaires. Elle s'accroît rapidement.

1. BÉLIER [belje] n. m. (de l'anc. fr. *belin*). Mouton mâle reproducteur : *La femelle du bélier est la brebis. Le bélier blatère.*

2. BÉLIER [belje] n. m. (de *bélier* 1). Machine de guerre servant à renverser les murs d'une ville assiégée. (Le bélier se composait d'une forte poutre, terminée par une tête de bélier en fer et suspendue à une charpente supérieure. Très répandu dans l'Antiquité, il est encore mentionné au XVe s., date à laquelle il cède le pas au canon.)

BÉLIER (le), constellation zodiacale de l'hémisphère boréal. — Premier signe du zodiaque, correspondant à la période du 21 mars au 20 avril.

BELIN (Édouard), ingénieur français (1876-1963), inventeur d'un appareil *(bélinographe)* transmettant des photographies par les circuits téléphoniques ordinaires.

BÉLISAIRE, général byzantin (v. 494-565). Bras droit de Justinien, il sauva la monarchie byzantine lors de la sédition Nika (532) et reconquit successivement l'Afrique, la Sicile et l'Italie. Il ne put arrêter les Ostrogoths, qui prirent Rome (546), mais empêcha les Huns de s'emparer de Constantinople (559).

BELITUNG ou **BILLITON,** île de l'Indonésie, entre Sumatra et Bornéo; 73 500 hab. Étain.

BELIZE, ancienn. **Honduras britannique,** État de l'Amérique centrale, membre du Commonwealth, à l'E. du Yucatán, sur la mer des Antilles; 23 000 km^2; 180 000 hab. (8 au km^2). capit. *Belmopan;* v. pr. *Belize.*

Exploitations forestières. Agrumes.

- *21 sept. 1981. Proclamation de l'indépendance.*

BELL (Alexander Graham), physicien américain d'origine écossaise (1847-1922). Professeur de sourds-muets, il aboutit, en tentant de faire entendre les sourds, à l'invention du téléphone (1876).

BELLAC, ch.-l. d'arrond. de la Haute-Vienne, à 40 km au N.-O. de Limoges; 5 500 hab.

BELLADONE [bɛladɔn] n. f. (it. *belladona,* belle dame). Plante herbacée des taillis et décombres, à baies noires de la taille d'une cerise. (Très vénéneuse, elle contient un produit, l'atropine, utilisé médicalement à très faible dose.) [Famille des solanacées.]

BELLÂTRE adj. → BEAU.

BELLAY (Joachim DU), poète français, né près de Liré (Anjou) [1522-1560].

- *1549. Il rédige le manifeste de la Pléiade, « Défense et illustration de la langue française », qui trace le programme de la nouvelle école poétique.*
- *1553-1555. Voyage à Rome avec son cousin le cardinal Jean du Bellay.*
- *1558. Il publie les vers écrits à Rome dans « les Antiquités de Rome » et les « Regrets », échos de sa mélancolie et de sa solitude loin du pays natal.*

1. BELLE adj. et n. f. → BEAU.

2. BELLE [bɛl] n. f. (de *beau*). Partie décisive départageant deux joueurs ou deux équipes ayant gagné le même nombre de parties.

Belle au bois dormant *(la),* conte de Charles Perrault, sur lequel Tchaïkovski a écrit un ballet (1890).

BELLEAU (Rémy), poète français (1528-1577), membre de la Pléiade.

BELLEDONNE *(massif de),* massif cristallin des Alpes françaises du Nord; 2 981 m.

BELLE-FILLE n. f. → BEAU-FILS.

BELLEGARDE-SUR-VALSERINE, ch.-l. de cant. de l'Ain, à 25 km au S.-E. de Nantua; 11 800 hab. Centre industriel.

BELLE-ÎLE, île de l'océan Atlantique (Morbihan), à une dizaine de km au S. de Quiberon; 90 km^2; 4 300 hab. *(Bellilois).* Ch.-l. *Le Palais.* Tourisme. Pêche.

BELLE-ISLE *(détroit de),* détroit séparant Terre-Neuve du Labrador.

BELLE-MÈRE n. f. → BEAU-PÈRE.

BELLERIVE-SUR-ALLIER, ancienn. **Vesse,** comm. de l'Allier (arrond. de Vichy), sur l'Allier (r. g.), en face de Vichy; 8 500 hab.

BELLES-LETTRES n. f. pl. → BEAU.

BELLE-SŒUR n. f. → BEAU-FRÈRE.

BELLEVILLE, ch.-l. de cant. du Rhône, à 14 km au N. de Villefranche-sur-Saône, sur la Saône (r. dr.); 6 600 hab.

BELLEY, ch.-l. d'arrond. de l'Ain, à 36 km au N.-O. de Chambéry; 8 400 hab. Industries diverses.

BELLICISME [bɛllisism] n. m. (du lat. *bellicus,* belliqueux). Attitude ou opinion de ceux qui préconisent l'emploi de la force, y compris la guerre, pour régler les affaires internationales (contr. PACIFISME). ◆ **belliciste** adj. et n. (contr. PACIFISTE).

BELLIGÉRANT, E [bɛliʒerɑ̃, -ɑ̃t] adj. et n. (du lat. *belligerare,* faire la guerre). Se dit d'une nation, d'un peuple en état de guerre avec un autre : *Les puissances belligérantes.* ◆ **belligérant** n. m. Celui qui appartient aux forces armées régulières d'un pays en état de guerre. ◆ **cobelligérant, e** adj. et n. Se dit d'une nation qui participe aux côtés d'autres à une guerre contre un adversaire commun. ◆ **belligérance** n. f. ◆ **non-belligérance** n. f. État d'un pays qui ne participe pas à un conflit armé entre deux ou plusieurs nations, sans pour cela être neutre. ◆ **non-belligérant, e** adj. et n.

BELLINI (Giovanni, dit **Giambellino**), peintre vénitien (v. 1429-1516). Il peignit surtout des scènes religieuses, accordant harmonieusement figures et paysages.

BELLINI (Vincenzo), compositeur italien (1801-1835), un des maîtres du bel canto, auteur d'opéras (*la Norma*, 1831).

BELLINZONA, v. de Suisse, ch.-l. du Tessin; 17 000 hab.

BELLIQUEUX, EUSE [bɛllikø, -øz] adj. et n. (lat. *bellicosus*, guerrier). **1.** Qui aime la guerre; qui excite au combat, à la lutte : *Un peuple belliqueux. Des propos belliqueux* (syn. AGRESSIF; contr. PACIFIQUE). — **2.** Qui aime les querelles : *Un enfant belliqueux.*

BELLUAIRE [bɛlɥɛr] n. m. (du lat. *bellua*, bête féroce). Chez les Romains, celui qui, dans les amphithéâtres, combattait les bêtes féroces.

BELLUNO, v. d'Italie, en Vénétie, sur la Piave; 34 500 hab.

● *13 mars 1797. Victoire de Masséna sur les Autrichiens.*

BELMOPAN, capit. du Belize, créée en 1970; 4 000 hab.

BELO HORIZONTE, v. du Brésil, capit. de l'État de Minas Gerais; 1 782 000 hab. Grand centre commercial.

BÉLON ou **BELON** (le), petit fleuve côtier de Bretagne, près de Pont-Aven; 25 km. Huîtres *(belons).*

BELOTE [bəlɔt] n. f. (de *Belot*, n. du Français qui perfectionna ce jeu d'origine hollandaise). Jeu qui se joue avec trente-deux cartes, entre deux, trois ou quatre joueurs.

BÉLOUTCHISTAN ⟶ BALOUTCHISTAN.

BELT (**Grand-** et **Petit-**), nom de deux détroits : le premier entre les îles de Fionie et de Sjaelland; le second entre l'île de Fionie et le Jylland. Ils réunissent la mer Baltique à la mer du Nord par le Cattégat et le Skagerrak.

BÉLUGA ou **BÉLOUGA** [beluga] n. m. (du russe *bielyi*, blanc). Cétacé proche du narval, de couleur blanche, long de 3 à 4 m.

BELVÉDÈRE n. m. (it. *bello*, beau, et *vedere*, voir). Construction, pavillon au sommet d'un édifice ou sur une terrasse, d'où on peut voir de loin.

BÉMOL [bemɔl] n. m. (de l'it. *b molle*). Altération qui baisse d'un demi-ton la note qu'elle précède. ◆ adj. Se dit de la note elle-même affectée de ce signe.

BEN ALI (Zine El Abidine), homme d'État tunisien, né en 1936, président de la République depuis 1987.

BÉNARÈS, v. de l'Inde, sur la rive gauche du Gange; 560 300 hab. C'est l'une des villes saintes de l'Inde : les pèlerins viennent en foule s'y purifier dans les eaux du Gange.

BEN BELLA (Ahmed), homme politique algérien, né en 1916. L'un des dirigeants de l'insurrection de 1954, interné en France de 1956 à 1962, il fut nommé chef du gouvernement après l'indépendance (1962) et élu président de la République (1963). En 1965, il fut éliminé du pouvoir et emprisonné. Il a été libéré en 1980.

BÉNÉDICITÉ [benedisite] n. m. (lat. *benedicite*, bénissez). Prière qui se récite avant le repas : *Dire son bénédicité.*

BÉNÉDICTIN, E [benediktɛ̃, -in] n. (du lat. *Benedictus*, Benoît). **1.** Religieux, religieuse de l'ordre de saint Benoît. — **2.** *Travail de bénédictin*, travail intellectuel minutieux, ou travail qui demande de longues et patientes recherches.
— ENCYCL. C'est le Mont-Cassin, en Italie, qui fut le berceau de l'ordre *bénédictin :* Benoît y élabora la règle qui allait être la charte de la plus grande partie de l'institution monacale. Les moines bénédictins jouèrent un rôle de premier plan dans la formation de l'art roman. Différentes réformes intervinrent, dont la plus importante fut celle de Cluny (XIe s.). Par la suite, l'ordre donna naissance à diverses branches : Camaldules, Célestins et surtout Cisterciens, plus tard Trappistes.

BÉNÉDICTION n. f. ⟶ BÉNIR.

1. BÉNÉFICE [benefis] n. m. (lat. *beneficium*, bienfait). **1.** Profit réalisé dans une entreprise industrielle ou commerciale par la vente d'un produit, etc. : *Être intéressé aux bénéfices.* ‖ *Bénéfice brut*, celui qui est évalué sans tenir compte des frais. ‖ *Bénéfice net*, celui qui ressort quand toutes les charges ont été déduites. — **2.** Avantage quelconque tiré d'un état ou d'une action : *Il a été élu au bénéfice de l'âge* (= parce qu'il était le plus âgé) [syn. PRIVILÈGE]. *Il perd le bénéfice de ses efforts* (syn. RÉCOMPENSE). — **3.** *Sous bénéfice d'inventaire*, sous réserve de vérification ultérieure. ◆ **bénéficiaire** adj. et n. Qui profite d'un avantage : *Il a été le principal bénéficiaire du testament.* ◆ adj. Qui produit un bénéfice : *L'opération financière s'est révélée bénéficiaire* (syn. PROFITABLE; contr. DÉFICITAIRE). ◆ **bénéficier** v. t. ind. *Bénéficier d'une chose*, en tirer un profit, un avantage : *Il bénéficie de l'indulgence du jury* (syn. JOUIR, PROFITER).

2. BÉNÉFICE [benefis] n. m. (même étym.). **1.** Concession de terres faite par un suzerain à un vassal, le plus souvent en récompense et en échange de certaines obligations. (Avec les Carolingiens, le bénéfice devient héréditaire et astreint le vassal à certains devoirs, dont le service militaire. Le mot *bénéfice* fit place, au XIe s., au mot *fief.*) — **2.** *Bénéfice ecclésiastique*, système par lequel un membre du clergé remplissait la charge d'un office sacré et recevait en échange le droit de percevoir les revenus de la dotation attachés à cet office.

BÉNÉFIQUE [benefik] adj. (lat. *beneficus*). Qui tourne à l'avantage de quelqu'un ou de quelque chose : *Ce séjour lui a été bénéfique* (syn. BIENFAISANT). *Des conséquences bénéfiques* (syn. HEUREUX).

BENELUX, ensemble économique formé par la **Be**lgique, les Pays-Bas ou **Ne**derland et le **Lux**embourg. Des accords monétaire et douanier, signés en 1943 et 1944, ont constitué la première étape vers une union économique, achevée par le traité signé en 1958 et entrée en vigueur en 1960.

BENEŠ (Edvard), homme d'État tchécoslovaque (1884-1948), président de la République (1935-1938 et 1945-1948).

BENÊT [bənɛ] adj. et n. m. (de *benoît*, béni). D'une simplicité un peu sotte (souvent précédé, comme substantif, de l'adj. *grand;* se dit surtout des adolescents) : *Son grand benêt de fils* (syn. DADAIS, NIGAUD). *Il est un peu benêt* (syn. NIAIS; contr. FUTÉ, MALIN).

BÉNÉVENT, en it. **Benevento,** v. d'Italie, en Campanie; 60 200 hab. Arc de triomphe antique. Cathédrale romane.

● *275 av. J.-C. Victoire des Romains sur Pyrrhos.*

BÉNÉVOLE [benevɔl] adj. (lat. *benevolus*, bienveillant). **1.** Se dit d'une personne qui fait quelque chose sans y être obligée, sans en tirer un profit : *Une infirmière bénévole* (syn. VOLONTAIRE). — **2.** Se dit de quelque chose qui est fait sans obligation, d'une manière désintéressée : *Une aide bénévole* (syn. GRACIEUX; contr. INTÉRESSÉ). ◆ **bénévolement** adv. (syn. GRACIEUSEMENT, GRATUITEMENT). ◆ **bénévolat** n. m.

BENGALE, région de l'Asie méridionale, partagée entre la République indienne et le Bangladesh.

GÉOGRAPHIE

Le Bengale s'étend sur les plaines alluviales du Gange et du Brahmapoutre, et sur leur delta. Les pluies, apportées par la mousson d'été, y sont très abondantes (Calcutta, 1 600 mm par an). C'est une région très peuplée (400 à 1 400 hab. au km²), et ses deux principales productions (riz et jute) ne suffisent pas à faire vivre une population en rapide accroissement. Les grandes agglomérations (Calcutta, plus de 9 millions d'hab., et Dacca, 3 500 000 hab.) abritent des milliers de chômeurs.

HISTOIRE

Indépendant jusqu'au début du XIIIe s., le Bengale passe à cette époque sous la domination de la dynastie afghane.

● *1576. Le Bengale devient province de l'empire du Grand Moghol.*
● *1696. Création de Fort William (l'actuelle Calcutta) par les Anglais de la Compagnie des Indes orientales.*

À partir du milieu du XVIIIe s., le Bengale est le point de départ de la conquête britannique de l'Inde.

● *1858. Le Bengale devient une des provinces de la vice-royauté, érigée en Empire des Indes en 1876.*

Au XXe s., il est un des foyers du nationalisme indien.

● *1947. Indépendance de l'Inde.*

L'ancienne province du Bengale est divisée en deux parties : le Bengale-Occidental (Calcutta) est rattaché à l'Union indienne, la partie est devient le Pākistān oriental.

● *1971. Le Pākistān oriental devient indépendant sous le nom de « république du Bangladesh (= Bengale libre) à la suite d'un conflit entre l'Inde et le Pākistān.*

BENGALE *(golfe du)*, partie de l'océan Indien comprise entre le Bangla Desh, l'Inde, Ceylan, la Birmanie et la Malaisie.

1. BENGALI [bɛ̃gali] adj. et n. Du Bengale. (Rem. *Bengali* prend la marque du plur. : *Les Bengalis. Les peuples bengalis.* Il ne prend jamais la marque du féminin.) ◆ n. m. Langue indo-aryenne, parlée dans le Bengale-Occidental, au Bangladesh et dans le sud de l'Assam.

2. BENGALI [bɛ̃gali] n. m. (de *Bengale*). Petit passereau à

Giraudon

Vassili Kandinsky (1866-1944),
Aquarelle abstraite
(1910). Coll. part.

Piet Mondrian (1872-1944),
Composition rouge, jaune et bleue
(1930). Zurich, coll. part.

Lauros-Giraudon

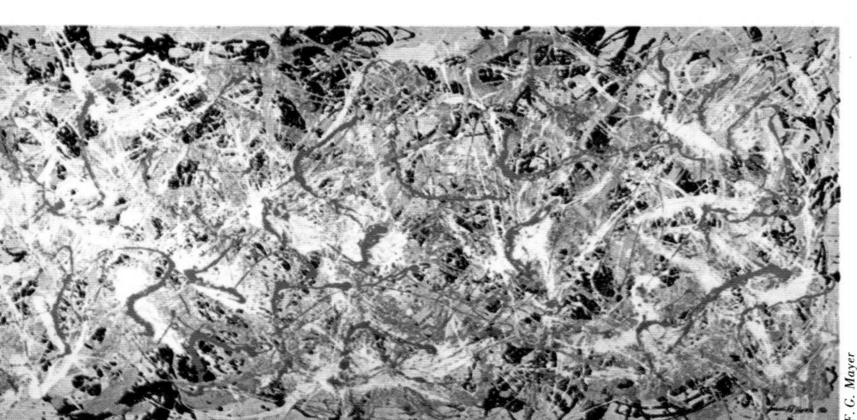

F. G. Mayer

Jackson Pollock (1912-1956),
Composition nº 27 (1950).
New York.

Giraudon

Hans Arp (1886-1966),
la Planche à œufs (1922).
Liège, coll. part.

Lauros-Giraudon-Candelier

Bavière : intérieur de l'église de Wies (milieu XVIIIe s.)

Rome : façade de l'église Saint-Charles-aux-Quatre-Fontain
par Francesco Borromini (v. 1662).

Scala

Rome : plafond du palais Barberi
par Pierre de Cortone (164

Scala

plumage bleu et brun, originaire d'Afrique, souvent élevé en volière.

BENGHAZI, port de Libye, en Cyrénaïque; 282 000 hab. Enjeu d'importants combats entre les forces de l'Axe et les Britanniques en 1941 et 1942.

BEN GOURION (David), homme politique israélien, d'origine polonaise (1886-1973). À la tête du gouvernement provisoire qui proclama l'État d'Israël (1948), il a été Premier ministre et ministre de la Défense de 1949 à 1953 et de 1955 à 1963.

BENGUELA, v. de l'Angola, sur l'Atlantique; 41 000 hab. Le *courant de Benguela* est un courant marin froid, de l'Atlantique austral, remontant vers l'équateur le long des côtes d'Afrique.

BÉNIGNITÉ [beniɲite] n. f. (lat. *benignitas,* bonté). Qualité d'une personne douce et bienveillante (littér.) [syn. DOUCEUR; contr. MALIGNITÉ].

BÉNIN, IGNE [benɛ̃, -iɲ] adj. (lat. *benignus*). Qui ne présente aucun caractère de gravité : *Un accident bénin* (syn. LÉGER; contr. GRAVE). *Une maladie bénigne* (syn. INOFFENSIF; contr. MALIGNE).

BÉNIN, anc. royaume de la côte de Guinée, à l'O. du delta du Niger. Il connut son apogée au XVIIe s. L'art du Bénin (statues en bronze et en ivoire) est l'un des plus beaux d'Afrique noire.

BÉNIN *(république populaire du)* → DAHOMEY.

BÉNIR [benir] v. t. (lat. *benedicere,* dire du bien). [Conj. **15.**] **1.** *Bénir qq'un, qqch.,* appeler sur eux la protection de Dieu : *Le prêtre bénit les fidèles.* — **2.** *Bénir qqch.,* montrer une grande joie de voir tel ou tel événement se produire : *Je bénis le concours de circonstances qui nous a réunis* (syn. SE FÉLICITER DE; contr. MAUDIRE). — **3.** *Bénir qq'un,* en faire sa louange pour manifester sa reconnaissance : *Bénissez notre bienfaiteur* (syn. GLORIFIER). ◆ **bénit, e** adj. *Eau bénite, pain bénit,* consacrés par une cérémonie religieuse. → ENCYCL. ◆ **bénédiction** [benediksjɔ̃] n. f. **1.** Acte religieux qui appelle la protection de Dieu sur quelqu'un ou sur quelque chose : *Le pape a donné sa bénédiction à la foule.* — **2.** *C'est une bénédiction,* c'est un événement heureux, inattendu, presque miraculeux. ‖ Fam. *Donner sa bénédiction à qq'un,* l'approuver entièrement. ◆ **bénitier** n. m. **1.** Petit bassin destiné à contenir de l'eau bénite, et qui se trouve près de l'entrée de l'église. — **2.** Nom usuel donné aux mollusques lamellibranches du genre tridacne (leurs coquilles servent parfois de bénitiers dans les églises).

— ENCYCL. Le verbe *bénir* présente deux formes au part. passé : *béni, e* et *bénit, e. Bénit, e* n'est usité que dans certaines express. où il s'agit d'objets consacrés par une cérémonie religieuse : *Du pain bénit. De l'eau bénite. Béni, e* est employé dans tous les autres cas, et en particulier lorsqu'il sert à former les temps composés du verbe à la forme active, même s'il s'agit d'une bénédiction rituelle : *Nation bénie de Dieu. Le clergé a béni les drapeaux.*

BENJAMIN, E [bɛ̃ʒamɛ̃, -in] n. (de *Benjamin*). Le plus jeune des enfants d'une famille (contr. AÎNÉ).

BENJAMIN, douzième et dernier fils de Jacob et de Rachel. Benjamin a donné son nom à l'une des douze tribus d'Israël.

BENJOIN [bɛ̃ʒwɛ̃] n. m. (du lat. *benzoe*). Résine aromatique tirée du tronc d'un arbrisseau d'Asie méridionale, et utilisée en médecine comme antiseptique.

BENNE [bɛn] n. f. (lat. *benna*). **1.** Wagonnet employé en particulier pour transporter le charbon dans les mines; cage métallique qui sert à remonter ce charbon à la surface. — **2.** Caisse basculante montée sur un camion.

BEN NEVIS, point culminant de la Grande-Bretagne, en Écosse, dans les Grampians; 1 343 m.

BÉNODET, comm. du Finistère, à 16 km au S. de Quimper, à l'entrée (r. g.) de l'estuaire de l'Odet; 2 300 hab. Station balnéaire.

BENOÎT, E [bənwa, -at] adj. (lat. *benedictus,* béni) [avant ou après le nom]. Qui a un air, un aspect doucereux (surtout péjor. et littér.) : *Un benoît personnage* (syn. HYPOCRITE; contr. DIRECT, FRANC). ◆ **benoîtement** adv.

BENOÎT DE NURSIE *(saint),* patriarche des moines d'Occident (v. 480-v. 547). V. 529, il se retira au Mont-Cassin, qui devint le centre du renouveau monastique en Occident; à ses moines, Benoît donna une règle qui conférait à l'abbé du monastère une forte autorité.

BENOÎT, nom porté par quinze papes, dont BENOÎT XV né en 1854, pape de 1914 à sa mort (1922).

BENOIT (Pierre), romancier français (1886-1962), auteur de *l'Atlantide* (1919).

BENOÎTEMENT adv. → BENOÎT.

BENTHOS [bɛ̃tos] n. m. (mot gr. signif. *profondeur*). Ensemble des êtres qui vivent sur le fond de la mer ou des eaux douces et se déplacent peu, par oppos. au PLANCTON.

Benvenuto Cellini, opéra d'Hector Berlioz (1838).

BENZ (Carl), ingénieur allemand (1844-1929). Il construisit un moteur à gaz fonctionnant selon le cycle à deux temps (1878), puis un tricycle à moteur à explosion, fonctionnant à l'essence (1886).

BENZÈNE [bɛ̃zɛn] n. m. (du lat. *benzoe,* benjoin). Hydrocarbure cyclique (C_6H_6), liquide, volatil, combustible, extrait des goudrons de houille. (Utilisé comme solvant, le benzène est surtout le point de départ de la fabrication de colorants, détergents, insecticides, plastiques, etc.) ◆ **benzénique** adj. Se dit des corps apparentés au benzène. ◆ **benzine** n. f. Nom commercial d'un mélange d'hydrocarbures provenant d'un traitement du benzol. ◆ **benzol** n. m. Mélange de benzène et de toluène, extrait des goudrons de houille. (Le benzol est la source de nombreux carburants et solvants.) ◆ **benzolisme** ou **benzénisme** n. m. Maladie professionnelle due à la manipulation du benzol ou de ses dérivés.

BÉOTIE, contrée de l'anc. Grèce dont la capit. était *Thèbes.* (Hab. *Béotiens.*) Au Ve s. av. J.-C., confédérée en ligue, puis alliée des Perses contre les Grecs, elle lutta contre Athènes et Sparte.

BÉOTIEN, ENNE [beɔsjɛ̃, -ɛn] adj. et n. (de *Béotie*). Se dit des gens qui ne montrent aucun intérêt pour les arts, et passent pour des êtres incultes et grossiers, ou, plus simplement, de ceux qui ne sont pas initiés à un art, une science (syn. RUSTRE; comme adj. INCULTE, LOURD) : *Être un béotien en mathématiques* (contr. SPÉCIALISTE). [Les gens originaires de *Béotie* étaient considérés en Grèce comme des rustres.]

BÉQUILLE [bekij] n. f. (de *bec*). **1.** Bâton muni d'une petite traverse, sur lequel les gens qui ont aux jambes une infirmité ou une blessure s'appuient pour marcher : *Après sa fracture, il se déplaçait avec deux béquilles.* — **2.** Support pour maintenir à l'arrêt un véhicule à deux roues.

BÉRANGER (Pierre Jean DE), chansonnier français (1780-1857). Ses chansons, d'inspiration patriotique et politique, lui valurent une immense popularité *(le Roi d'Yvetot, le Dieu des bonnes gens, la Grand-Mère).*

BÉRARDE (La), localité de l'Isère, à 31 km au S.-E. de Bourg-d'Oisans, dans l'Oisans. Station touristique à 1 740 m d'alt.

BERBÈRE [bɛrbɛr] adj. et n. (lat. *barbarus*). Relatif aux Berbères. ◆ n. m. La langue la plus ancienne en Afrique du Nord, parlée par les Berbères.

BERBÈRES, populations d'Afrique du Nord qui occupent surtout les régions montagneuses : Kabylie, Aurès, Mzab et Hoggar en Algérie; Atlas et Rif au Maroc. Les Berbères sont de religion musulmane, mais ils se distinguent par leur langue et une culture originale. Ils résistèrent farouchement à l'influence étrangère. Ils furent à l'origine des grandes dynasties des Almoravides et des Almohades.

BERCAIL [bɛrkaj] n. m. (du lat. *berbex,* brebis) [n'a pas de plur.]. *Rentrer, revenir au bercail,* rentrer à la maison paternelle ou familiale (syn. FOYER). [Le *bercail* était une bergerie.]

BERCE [bɛrs] n. f. (mot de l'Est). Plante commune dans les lieux humides, haute de 1 à 1,50 m, à grandes ombelles, portant des fleurs blanches. (Famille des ombellifères.)

BERCER [bɛrse] v. t. (de l'anc. fr. *bers,* berceau). **1.** Balancer d'un mouvement doux et régulier : *Bercer un enfant.* — **2.** Provoquer un sentiment de calme, d'apaisement, de joie : *Une musique lointaine vint bercer ses oreilles* (syn. CHARMER). *Son enfance a été bercée par le récit de légendes* (syn. IMPRÉGNER). — **3.** *Bercer qq'un de qqch.,* le tromper par des promesses illusoires. ◆ ***se bercer*** v. pr. S'illusionner : *Il se berce des promesses qu'on lui a faites* (syn. SE LEURRER). ◆ **berceau** n. m. **1.** Petit lit où l'on couche les jeunes enfants et où on peut les balancer légèrement. — **2.** Lieu d'où est originaire une famille, où a commencé une chose : *Ce village est le berceau de ma famille. La Grèce fut le berceau des arts.* — **3.** *Au berceau, dès le berceau,* dès l'enfance, très jeune. — **4.** *Voûte en berceau,* voûte en plein cintre, dont les naissances portent sur deux murs parallèles. ◆ **bercement** n. m. ◆ **berceur, euse** adj. : *Un rythme berceur.* ◆ **berceuse** n. f. Chanson pour endormir les enfants, ou morceau de musique dont le rythme imite celui de cette chanson (ex. : *Berceuse* pour piano de Chopin, pour violon de Fauré).

BERCHTESGADEN, v. d'Allemagne, dans les Alpes bavaroises; 6 000 hab. Aux environs, site de la résidence de Hitler.

BERCK, comm. du Pas-de-Calais, sur la côte picarde, à 16 km au S. du Touquet; 15 700 hab. Centre important de cure marine pour les malades atteints de tuberculose articulaire ou osseuse et pour la rééducation des poliomyélitiques. Station balnéaire.

Bercy, quartier de l'est de Paris, sur la rive droite de la Seine. Anciens entrepôts pour les vins. Palais omnisports. Ministère de l'Économie et des Finances.

BÉRÉNICE, nom de plusieurs princesses égyptiennes de la famille des Ptolémées, et de deux princesses juives.

Bérénice, tragédie de Racine (1670).

BÉRET [berɛ] n. m. (béarnais *berret*). **1.** Coiffure plate et ronde propre aux Basques et aux Béarnais. — **2.** Toute coiffure de même forme.

BEREZINA, riv. de l'U. R. S. S. (Biélorussie), affl. du Dniepr; 587 km. À la fin de novembre 1812, les débris de la Grande Armée se trouvèrent cernés entre trois armées russes aux abords de la Berezina, soudain dégelée. Trompant l'ennemi sur le point de passage choisi, Napoléon fit jeter deux ponts sur la rivière; pendant vingt-quatre heures, nuit et jour (25-26 novembre), les pontonniers du général Éblé travaillèrent dans l'eau glacée, permettant à la plupart des soldats français de passer.

BERG (Alban), compositeur autrichien (1885-1935). Représentant de l'école viennoise, c'est un adepte de la technique dodécaphonique*. Ses œuvres les plus célèbres sont : *Wozzeck*, opéra (1921), *À la mémoire d'un ange*, concerto pour violon (1935).

BERGAME, v. d'Italie, en Lombardie; 126 500 hab.

BERGAMOTE [bɛrgamɔt] n. f. (it. *bergamotta*). Fruit d'un arbre voisin de l'oranger *(bergamotier)* dont on extrait une essence d'odeur agréable.

BERGE [bɛrʒ] n. f. (bas lat. *barica*). Bord, en surplomb, d'une rivière, d'un canal : *Amarrer une barque à la berge.*

BERGER, ÈRE [bɛrʒe, -ɛr] n. (du lat. *berbex*, brebis). **1.** Celui, celle qui garde les moutons ou les chèvres. — **2.** *L'étoile du Berger*, la planète Vénus. ◆ **berger** n. m. Race de chiens employés à la garde des troupeaux de moutons : *Un berger allemand.* ◆ **bergerie** n. f. **1.** Bâtiment où l'on abrite les moutons. — **2.** Poésie qui a pour sujet les amours des bergers : *« Les Bergeries » de Racan.*

BERGERAC, ch.-l. d'arrond. de la Dordogne, sur la rive droite de la Dordogne, à 47 km au S.-O. de Périgueux; 27 700 hab. Ce fut au XVIᵉ s. l'une des principales citadelles des protestants.

BERGÈRE [bɛrʒɛr] n. f. (de *berger*). Fauteuil large et profond, dont le siège est garni d'un coussin. (Elle est caractéristique du style Louis XV.)

BERGERIE n. f. ⟶ BERGER.

BERGERONNETTE [bɛrʒərɔnɛt] n. f. (de *berger*). Petit passereau caractérisé par une queue longue et toujours agitée, qui fréquente surtout les bords de l'eau et se nourrit d'insectes. Les hochements de sa queue lui ont fait donner le nom de *lavandière* ou de *hoche-queue*. (Famille des motacillidés.)

BERGÈS (Aristide), ingénieur français (1833-1904). Il fut le premier à utiliser l'énergie des chutes d'eau, la *houille blanche* (1869).

BERGIUS (Friedrich), industriel allemand (1884-1949). Il a créé la première méthode industrielle de synthèse des carburants.

BERGMAN (Torbern Olof), chimiste suédois (1735-1784). Spécialiste de l'analyse chimique, il identifia le manganèse et isola le tungstène.

BERGMAN (Ingmar), cinéaste suédois, né en 1918, auteur de films à l'univers étouffant reflétant le drame de la condition humaine : *le Septième Sceau* (1957), *les Fraises sauvages* (1957), *Persona* (1966), *l'Heure du loup* (1968), *Cris et Chuchotements* (1972), *Fanny et Alexandre* (1982).

BERGSLAG, région minière et industrielle de la Suède centrale, entre le golfe de Botnie et le lac Vänern. La sidérurgie y était renommée dès le XIIIᵉ s.

BERGSON (Henri), philosophe français (1859-1941), auteur de *l'Essai sur les données immédiates de la conscience* (1889), *Matière et Mémoire* (1896), *le Rire* (1900), *l'Évolution créatrice* (1907), *les Deux Sources de la morale et de la religion* (1932).

BERGUES, ch.-l. de cant. du Nord, à 9 km au S.-E. de Dunkerque; 4 700 hab. Anc. fortifications de Vauban.

BÉRIBÉRI [beriberi] n. m. (d'une langue de l'Inde). Maladie, due à une insuffisance de vitamine B_1 dans l'alimentation, qui sévissait surtout en Extrême-Orient, à une époque où les populations asiatiques se nourrissaient surtout de riz décortiqué.

BÉRING ou **BEHRING** *(détroit de)*, détroit entre l'Asie et l'Amérique septentrionale, réunissant l'océan Pacifique à l'océan Arctique. Il doit son nom au navigateur danois Vitus Béring (1681-1741), qui était au service de Pierre le Grand.

BERKELEY (George), évêque et philosophe irlandais (1685-1753). Il nie l'existence de la matière et affirme que tout ce qui existe est idée.

BERLIN, capit. de l'Allemagne, sur la Sprée. La ville constitue un État couvrant 883 km² et comptant 3 400 000 hab.

GÉOGRAPHIE. Berlin demeure de loin la plus grande ville d'Allemagne (la plus importante métropole entre Paris et Moscou), bien que très excentrée géographiquement. C'est un centre administratif, commercial, culturel et aussi industriel (constructions mécaniques et électriques).

HISTOIRE. Née tardivement, Berlin ne devint une vraie ville qu'après 1685, grâce, en partie, à l'afflux de 20 000 protestants français exilés.

- *1701. Berlin, capitale de la Prusse.*
- *1871. Berlin, capitale de l'Empire allemand.*
- *1878. Congrès et traité de Berlin réglant provisoirement la question d'Orient.*

Berlin ne devient la véritable métropole économique, intellectuelle et artistique de l'Allemagne qu'après 1919.

- *1945-1990. Occupation alliée.*
- *1948-1949. Le blocus de Berlin par les Soviétiques aboutit au partage de la ville en deux parties.*
- *1961. Un mur séparant Berlin-Est de Berlin-Ouest est construit par la R. D. A. pour enrayer l'exode de ses citoyens.*
- *1989. La libre circulation entre les deux parties de la ville est rétablie (chute du mur dans la nuit du 9 au 10 nov.).*
- *1990. Berlin redevient la capitale de l'Allemagne.*

BERLINE [bɛrlin] n. f. (de *Berlin*). Automobile dont la carrosserie est une conduite intérieure, à quatre portes et à quatre glaces de côté.

BERLINGOT [bɛrlɛ̃go] n. m. (it. *berlingozzo*). Bonbon en forme de losange, à base de sucre cuit et aromatisé.

BERLIOZ (Hector), compositeur français (1803-1869).

- *1830. Sa passion pour l'actrice Harriet Smithson lui inspire la « Symphonie fantastique » dont la première audition déclenchera un scandale.*

Il obtient le grand prix de Rome de musique et séjourne trois ans dans cette ville. Il y commence son opéra *Benvenuto Cellini* (représenté en 1838).

- *1837. Le ministère de l'Intérieur lui commande une messe de requiem (« Grand-Messe des morts »).*

De nombreux voyages à l'étranger, où il est accueilli triomphalement, augmentent sa rancœur contre le public français, qui méconnaît son talent.

- *1846. « La Damnation de Faust » est un échec.*
- *1854. «L'Enfance du Christ» (oratorio) est bien accueilli.*

Sa connaissance très sûre des instruments, le raffinement dans l'art de mélanger les timbres, l'emploi important des cuivres confèrent à sa musique des effets poétiques ou dramatiques d'une grande intensité et font de lui le créateur de l'orchestre moderne. Il est le plus parfait représentant du romantisme français.

BERLUE [bɛrly] n. f. (de l'anc. fr. *belluer*, éblouir) [sujet nom de personne]. Fam. *Avoir la berlue*, juger faussement de quelque chose : *Si je n'ai pas la berlue, c'est bien lui* (syn. FAIRE ERREUR, SE TROMPER).

BERME [bɛrm] n. f. (néerl. *berm*, talus). Passage étroit qui sépare une tranchée, un fossé, un canal, etc. des terres de déblai provenant de son creusement.

BERMUDES, en angl. **Bermuda**, archipel britannique, situé dans l'Atlantique, à 1 000 km à l'E.-S.-E. du cap Hatteras; 52 300 hab. Ch.-l. *Hamilton*. L'archipel est formé de plus de 300 îles et îlots coralliens. C'est une grande région touristique.

BERNACHE [bɛrnaʃ] n. f. (de l'irland. *bairneach*). Oie sauvage de petite taille, au bec court, au plumage noir et blanc. (Elle fréquente les côtes et niche dans les zones arctiques, migrant jusqu'à la Méditerranée.)

BERNADETTE SOUBIROUS *(sainte)* [Lourdes 1844-1879]. Fille d'un meunier, elle avait quatorze ans quand, dans une des grottes qui bordent le gave aux abords de Lourdes, la Sainte Vierge lui serait apparue à 18 reprises (1858). Ce fut l'origine du pèlerinage de Lourdes. Bernadette fut canonisée en 1933.

BERNADOTTE (Jean), maréchal de France ⟶ CHARLES XIV, roi de Suède.

BERNANOS (Georges), écrivain français (1888-1948). L'œuvre romanesque de Bernanos (*Sous le soleil de Satan*, 1926; *le Journal* *d'un curé de campagne*, 1936) est placée sous le double signe du mal et de la grâce. Il excelle à dépeindre des êtres déchirés qui vont à la sainteté par les souffrances les plus atroces. Dénonçant la médiocrité, les mensonges, les bassesses, il ne rend sensible la puissance de Dieu que par la conscience qu'il sait donner de la présence permanente du Démon.

BERNARD de Clairvaux *(saint)* [1090-1153]. Religieux à Cîteaux, il fonda en 1115 l'abbaye de Clairvaux, qui devint le berceau d'une réforme bénédictine : les Cisterciens (*moines blancs* de Cîteaux) opposèrent leur austérité au relâchement des Clunisiens *(moines noirs)*. Très conservateur, Bernard fut un théologien mystique, particulièrement opposé au rationalisme d'Abélard. Il prêcha la deuxième croisade à Vézelay (1146) et fut le conseiller écouté des rois (Louis VII) et des papes (Innocent II).

BERNARD (Claude), physiologiste français (1813-1878). Il démontra notamment le rôle du pancréas dans la digestion des corps gras. Son *Introduction à l'étude de la médecine expérimentale* (1865) définit les principes fondamentaux de la recherche scientifique.

BERNARDIN DE SAINT-PIERRE (Henri), écrivain français, (1737-1814). Il séjourna à l'île de France (= île Maurice), dont il fit une description colorée et pleine de sensibilité. Dans ses *Études de la nature* (1784), il cherche à prouver l'existence de Dieu par les merveilles de la nature.

• *1787. Il publie « Paul et Virginie », roman qui le rend célèbre.*

Ses contemporains, saturés d'une société pervertie, goûtent cette idylle colorée et pure qui se passe dans les décors lointains.

BERNARD-L'ERMITE [bɛrnarlɛrmit] n. m. inv. (empr. au languedocien). Nom usuel du PAGURE, crustacé décapode très commun sur tous les rivages, et caractérisé par son abdomen dénudé, ce qui l'oblige à abriter l'arrière de son corps dans une coquille vide (quelle qu'elle soit), qu'il traîne avec lui quand il se déplace.

BERNAY, ch.-l. d'arrond. de l'Eure, à 30 km à l'E.-S.-E. de Lisieux, dans le Lieuvin: 10 900 hab. *(Bernayens)*.

BERNE [bɛrn] n. f. (orig. incert.). *Drapeau en berne*, celui qui est hissé, en signe de deuil, à mi-hauteur du mât et dont l'extrémité seule est flottante.

BERNE, en all. **Bern**, capit. de la Suisse, sur l'Aar; 141 300 hab. Centre administratif, commercial et bancaire.

Le *canton de Berne* est le deuxième de la Suisse par la superficie (6 044 km^2, après les Grisons) et par le peuplement (917 400 hab., après celui de Zurich).

• *1848. Berne devient la capitale de la Suisse.*

• *1978. Une partie du Jura francophone est détachée du canton.*

BERNER [bɛrne] v. t. (orig. incert.). *Berner qq'un*, le tromper en lui faisant croire des choses fausses : *Berner un homme crédule* (syn. DUPER; fam. FAIRE MARCHER).

BERNIN (Gian Lorenzo BERNINI), peintre, sculpteur et architecte italien (1598-1680). Il s'affirma comme le maître du baroque. Son style de sculpteur se caractérise par un mouvement intense, une expression souvent théâtrale, la merveilleuse souplesse du traitement des draperies. Il éleva à Rome de nombreux monuments, des fontaines, des tombeaux, le baldaquin de Saint-Pierre. Il ajouta à la basilique Saint-Pierre la double colonnade courbe formée de 4 rangées de colonnes.

• *1655. Cédant aux instances de Louis XIV et de Colbert, il vient en France pour construire la façade principale du Louvre. Le roi refusa ses projets et ce fut alors que la doctrine classique triompha à la cour.*

BERNINA *(massif de la)*, massif des Alpes (Grisons), entre les hautes vallées de l'Adda et de l'Inn; 4 052 m au pic de la Bernina.

BERNIQUE [bɛrnik] n. f. (breton *bernic*). Nom usuel de la PATELLE, mollusque gastropode à coquille conique.

BERNOULLI, famille de mathématiciens suisses, qui joua durant tout le XVIIIe s. un rôle de premier plan.

BERRE *(étang de)*, étang des Bouches-du-Rhône, au N.-O. de Marseille, communiquant avec la Méditerranée par le chenal de Martigues et le tunnel du Rove. L'étang de Berre est devenu aujourd'hui une annexe pétrolière de Marseille. Sur ses rives sont implantées de grandes raffineries de pétrole qui représentent près du quart de la capacité française de raffinage. Sur ces raffineries se greffent de nombreuses usines pétrochimiques. Doublant celui de Lavéra, un grand port pétrolier est aménagé au S.-O. de l'étang de Berre proprement dit, sur le golfe de Fos*.

Berre-l'Étang est un ch.-l. de cant. situé sur la rive nord; 12 100 hab.

BERRICHON, ONNE [bɛriʃɔ̃, -ɔn] adj. et n. Du Berry.

BERRUGUETE (Alonso), sculpteur et peintre espagnol (v. 1488-1561). Il est considéré comme un des plus grands artistes du XVIe s. espagnol (stalles de la cathédrale de Tolède).

BERRY (le), région du sud du Bassin parisien. Au-delà de la Loire, entre la Sologne et le Massif central.

Le Berry comprend la *Champagne berrichonne*, partie la plus étendue, et les secteurs périphériques de la *Brenne* et du *Boischaut* au S., du *Sancerrois* à l'E. Cultures et élevage se partagent la Champagne berrichonne où sont situées les principales villes : Issoudun et surtout Châteauroux, Vierzon et Bourges (capit. du Berry); les industries métallurgiques et textiles y prédominent. La Brenne, entre l'Indre et la Creuse, est parsemée d'étangs; le Boischaut, de l'Indre au Cher, est surtout voué à l'élevage; le Sancerrois porte des vignobles.

BERRY (Jean DE FRANCE, *duc* DE), prince capétien, fils de Jean II le Bon (1340-1416), comte de Poitiers (1356-1360), duc de Berry et d'Auvergne (1360-1416). Après la folie de Charles VI, il partagea la régence avec son frère, le duc de Bourgogne. À partir de 1410, il favorisa les Armagnacs puis traita avec les Anglais et devint capitaine de Paris et lieutenant du Languedoc (1413). Mécène fastueux, il possédait de merveilleux manuscrits enluminés, dont le plus célèbre est les *Très Riches Heures du duc de Berry*.

BERRY (Charles Ferdinand DE BOURBON, *duc* DE), prince français (1778-1820). Second fils du comte d'Artois Charles X, il fut assassiné le 13 février 1820 au sortir de l'Opéra, par Louvel. Cet acte terroriste, qui était le fait d'un isolé, servit de prétexte aux ultras pour obtenir le départ du ministre constitutionnel Decazes et le retour à une politique d'autorité.

Sa femme, Marie-Caroline DE BOURBON-SICILE tenta, en 1832, d'organiser un soulèvement contre Louis-Philippe. Elle fut arrêtée. Discréditée par la naissance d'une fille qu'elle déclara le fruit d'un mariage secret, elle fut libérée peu après.

BERRYER (Pierre Antoine), avocat français (1790-1868). Il défendit la cause de la liberté de la presse, soutint le droit d'association des ouvriers (1844-1845) et la liberté des congrégations religieuses (1845). À partir de 1830, il fut à la Chambre le porte-parole des légitimistes.

BERTHE, dite **Berthe au grand pied,** femme de Pépin le Bref, mère de Charlemagne; morte en 783.

BERTHELOT (Marcelin), chimiste français (1827-1907). Il s'attacha à la reproduction artificielle des espèces chimiques existant dans les êtres vivants, réalisant un grand nombre de synthèses (alcool, méthane, acétylène, etc.).

BERTHIER (Louis Alexandre) [1753-1815], prince DE WAGRAM, maréchal de France. Major général de la Grande Armée de 1805 à 1814, il fut un fidèle collaborateur de Napoléon, qui le nomma maréchal de France en 1804. Il se rallia néanmoins à Louis XVIII, qui le créa pair de France.

BERTHOLLET (Claude, *comte*), chimiste français (1748-1822). Il découvrit en 1789 les propriétés décolorantes des hypochlorites (eau de Javel), qu'il mit à profit pour le blanchiment des toiles, et prépara les chlorates, qu'il employa comme explosifs. En 1803, il énonça les règles, qui portent son nom, permettant de prévoir les réactions de double décomposition entre sels, acides et bases.

BÉRULLE (Pierre DE), cardinal français (1575-1629). Il travailla à la réforme de plusieurs ordres, fondant lui-même en 1611 une société de prêtres séculiers, dits *de l'Oratoire**, ou *Oratoriens*. Bérulle fut l'un des principaux artisans de la renaissance du catholicisme en France au XVIIe s.

BÉRYL [beril] n. m. (gr. *bêrullos*). Silicate naturel d'aluminium et de béryllium, dont il existe des variétés verte (émeraude), bleu nuancé de vert (aigue-marine), rose (morganite), jaune (héliodore). ◆ **béryllium** n. m. Corps simple métallique (Be), de numéro atomique 4. (Découvert en 1798 par Vauquelin, il est employé comme ralentisseur de neutrons dans certains réacteurs.)

BERZELIUS (Jacob), chimiste suédois (1779-1848), un des créateurs de la chimie moderne. Il divisa cette science en chimie minérale et en chimie organique, introduisit l'usage des lettres comme symboles des éléments et, choisissant l'oxygène pour base, il donna en 1847 un premier tableau des éléments chimiques. Il isola de nombreux corps simples (sélénium, calcium, baryum, strontium, thorium).

BESACE [bəzas] n. f. (du lat. *bis*, double, et *saccus*, sac). Long sac ouvert au milieu et fermé aux deux bouts qui se portait sur l'épaule.

BESANÇON, ch.-l. de la Région Franche-Comté et du dép. du Doubs, sur le Doubs; 119 700 hab. *(Bisontins)*. Cette anc. place forte est auj. une grande ville industrielle, la première de France pour la fabrication des montres et un important fournisseur de textiles synthétiques. C'est aussi un centre commercial, intellectuel (université, musée, festival de musique) et administratif. La diversité et l'essor de ses fonctions expliquent la croissance rapide de l'agglomération.

BESICLES [bezikl] n. f. pl. (de l'anc. fr. *béricles;* de *béryl,* pierre fine servant à faire des loupes). Anciennes lunettes rondes.

BÉSIGUE [bezig] n. m. (orig. inc.). Jeu de cartes.

BESKIDES, chaîne du nord-ouest des Carpates (Tchécoslovaquie et Pologne); 1 725 m.

BESKRA → BISKRA.

BESOGNE [bəzɔɲ] n. f. (anc. fém. de *besoin*). Tâche imposée à quelqu'un dans le cadre de sa profession ou en raison de circonstances déterminées : *Une rude besogne* (syn. TRAVAIL). *Aller vite en besogne* (=travailler vite ou brûler les étapes). ◆ **besogneux, euse** adj. Qui accepte des tâches nombreuses et mal rétribuées; qui est dans la gêne, la pauvreté.

BESOIN [bəzwɛ̃] n. m. (frq. *bisunnia*). **1.** Sentiment d'un manque, état d'insatisfaction portant un individu ou une collectivité à accomplir certains actes indispensables à la vie personnelle ou sociale, à désirer ce qui lui fait défaut : *Il ressent le besoin de se distraire* (syn. DÉSIR, ENVIE). *Il est poussé par le besoin d'argent* (syn. MANQUE). — **2.** Ce qui est nécessaire, indispensable pour satisfaire ce désir personnel, pour répondre à cette nécessité sociale : *Les besoins en main-d'œuvre sont considérables.* — **3.** État de pauvreté de celui qui manque du nécessaire (limité à quelques express.) : *Il est dans le besoin* (syn. INDIGENCE). — **4.** *Avoir besoin de* (et l'infin.), *que* (suivi du subj.), être poussé (par la nécessité, par le manque, etc.) à faire telle ou telle chose : *Nous n'avons pas besoin de l'attendre, il nous rejoindra* (=nous ne sommes pas obligés de). *J'ai besoin que vous m'aidiez* (=il faut que). ‖ *Avoir bien besoin de,* avoir tort de faire telle ou telle chose (phrase exclamative) : *Vous aviez bien besoin de le lui dire!* (=il ne fallait pas le lui dire). ‖ *Pour les besoins de la cause,* dans le seul dessein de démontrer ce que l'on dit. ‖ *S'il en est besoin, si besoin est,* s'il est nécessaire. ‖ *Au besoin,* s'il est nécessaire (syn. À LA RIGUEUR, LE CAS ÉCHÉANT, SI NÉCESSAIRE).

BESSARABIE, région de l'U. R. S. S., entre les vallées du Prout et du Dniestr. C'est une riche région agricole (maïs, tabac, betterave à sucre, vignobles). V. pr. *Chişinău.*

- *1812. La région est incorporée à la Russie.*
- *1856-1878. La partie méridionale est intégrée à la Moldavie.*
- *1920. La Bessarabie devient roumaine.*
- *1945. Intégration à l'U. R. S. S. dans le cadre de la Moldavie.*

BESSÈGES, ch.-l. de cant. du Gard, à 30 km au N. d'Alès; 4 400 hab. *(Bességeois).* Métallurgie.

BESSEMER [bɛsmɛr] n. m. (du n. de l'inventeur). Convertisseur inventé par sir *Henry Bessemer* (1813-1898), pour transformer la fonte en acier par insufflation d'air sous pression.

BESSIÈRES (Jean-Baptiste), maréchal de France (1768-1813). Il participa à toutes les campagnes de l'Empire, joua un rôle important en Espagne et fut tué la veille de la bataille de Lützen.

BESSIN, région de la Normandie occidentale en bordure du Massif armoricain. Élevage bovin.

BESSINES-SUR-GARTEMPE, ch.-l. de cant. de la Haute-Vienne, à 20 km au S.-O. de La Souterraine; 3 000 hab. Traitement de l'uranium extrait à La Crouzille.

1. BESTIAIRE [bɛstjɛr] n. m. (du lat. *bestia,* bête). Chez les Romains, condamné à mort ou esclave qui combattait contre les bêtes féroces dans les jeux du cirque.

2. BESTIAIRE [bɛstjɛr] n. m. (même étym.). **1.** Au Moyen Âge, ouvrage comportant des descriptions ou des récits sur les animaux. — **2.** Dans la poésie moderne, recueil de poèmes sur les animaux.

BESTIAL, E, AUX adj., **BESTIALEMENT** adv., **BESTIALITÉ** n. f. → BÊTE 2.

BESTIAUX n. m. pl. → BÉTAIL.

BESTIOLE n. f. → BÊTE 1.

BEST-SELLER [bɛstsɛlœr] n. m. (mot amér. signif. *le mieux vendu*). Livre qui a obtenu un grand succès de librairie. ‖ Pl. des *best-sellers.*

1. BÊTA [bɛta] n. m. (mot gr.). **1.** Deuxième lettre de l'alphabet grec (β), correspondant au *b.* — **2.** Phys. *Rayons bêta,* flux d'électrons émis par certains éléments radio-actifs.

2. BÊTA, ASSE adj. → BÊTE 3.

BÉTAIL [betaj] n. m. (de *bête*). Ensemble des animaux de la ferme élevés pour la production agricole, à l'exception de la volaille : *Le gros bétail est formé des bœufs, des veaux et des vaches; le petit bétail des moutons et des porcs.* ◆ **bestiaux** [bɛstjo] n. m. pl. Animaux dont l'ensemble forme le bétail.

BÊTATRON [bɛtatrɔ̃] n. m. (de [*rayons*] *bêta,* et [*élec*]*tron*). Appareil accélérateur de particules, servant à produire des électrons animés d'une grande énergie.

1. BÊTE [bɛt] n. f. (lat. *bestia*). **1.** Tout être vivant autre que l'homme (syn. ANIMAL). — **2.** *Bête à bon Dieu,* coccinelle. ‖ *Bêtes fauves,* lion, tigre, etc. ‖ *Bêtes de somme,* chevaux, ânes, etc. — **3.** *Chercher la petite bête,* chercher à découvrir le défaut peu important qui permettra de déprécier quelqu'un ou quelque chose. ‖ *Regarder qq'un comme une bête curieuse,* le considérer avec étonnement. ◆ **bestiole** [bɛstjɔl] n. f. Petite bête.

2. BÊTE [bɛt] n. f. (même étym.). **1.** Personne considérée comme un animal à cause de son comportement : *C'est une bonne, une brave bête* (= une personne sans finesse, mais généreuse). — **2.** *La bête noire de qq'un,* la personne ou la chose qu'il a en horreur, ou celle qu'il redoute le plus. ◆ **bestial, e, aux** [bɛstjal, -tjo] adj. Qui fait ressembler l'homme à la bête : *Une fureur bestiale* (syn. SAUVAGE). *Un instinct bestial* (syn. ANIMAL). ◆ **bestialement** adv. ◆ **bestialité** n. f. : *La bestialité de cet acte a soulevé l'indignation générale* (syn. SAUVAGERIE).

3. BÊTE [bɛt] adj. (même étym.). **1.** Sans intelligence, sans réflexion, ou simplement sans attention : *Il a l'air bête* (syn. IDIOT, STUPIDE). *Je suis bête d'avoir oublié cela* (syn. ÉTOURDI); souvent accompagné d'une comparaison qui sert de superl. (fam.) : *Il est bête comme ses pieds.* — **2.** Fam. *C'est bête comme chou,* c'est très facile. ◆ **bêtement** adv. : *J'ai agi bêtement en le vexant. Il a dit tout bêtement que...* (= tout simplement). ◆ **bête** n. f. *Faire la bête,* simuler la bêtise pour en savoir davantage. ◆ **bébête** adj. *Fam.* Sert à atténuer l'adj. *bête* (syn. ENFANTIN, NIAIS). ◆ **bêta, asse** adj. et n. *Fam.* D'une sottise épaisse, d'une naïveté ridicule (parfois terme d'affection avec l'adj. *gros*) : *Un grand garçon un peu bêta* (syn. SOT). *Mon gros bêta.* ◆ **bêtifier** v. i. *Fam.* Parler d'une manière niaise, à la façon des petits enfants. ◆ **bêtise** [betiz] n. f. **1.** Manque d'intelligence : *Être d'une rare bêtise* (syn. IMBÉCILLITÉ, STUPIDITÉ). *Il a eu la bêtise de le lui dire* (syn. ↓MALADRESSE; contr. ESPRIT, FINESSE). — **2.** Parole ou action peu intelligente : *Essayer de rattraper une bêtise* (syn. GAFFE). — **3.** Chose sans importance : *Se disputer pour une bêtise* (syn. BAGATELLE). ◆ **abêtir** [abetir] v. t. Rendre bête, stupide : *Le travail monotone a fini par l'abêtir* (syn. plus usuel ABRUTIR). ◆ **s'abêtir** v. pr. Devenir bête, stupide (syn. S'ABRUTIR). ◆ **abêtissement** n. m. (syn. ABRUTISSEMENT). ◆ **abêtissant, e** adj. : *Un spectacle abêtissant.*

BÉTEL [betɛl] n. m. (de l'hind. *vettila*). Espèce de poivrier grimpant de l'Extrême-Orient. (La feuille est utilisée comme masticatoire avec de la noix d'arec et de la chaux.) [Famille des pipéracées.]

BÊTEMENT adv. → BÊTE 3.

BETHLÉEM, v. de Cisjordanie, en Palestine; 24 100 hab. Lieu de naissance de Jésus-Christ.

BÉTHUNE, ch.-l. d'arrond. du Pas-de-Calais; 26 100 hab. *(Béthunois).* Constructions mécaniques. Pneumatiques.

BÊTIFIER v. i. → BÊTE 3.

BÉTIQUE *(chaîne),* montagnes du sud-est de l'Espagne, du détroit de Gibraltar au cap de la Nao; 3 478 m au Mulhacén, dans la sierra Nevada.

1. BÊTISE → BÊTE 3.

2. BÊTISE [betiz] n. f. (par allusion à l'erreur de dosage qui la créa). *Bêtise de Cambrai,* berlingot à la menthe fabriqué à Cambrai.

BÉTOIRE [betwar] n. f. (du lat. *bibere,* boire). *Géogr.* Syn. de AVEN, en Normandie.

BÉTON [betɔ̃] n. m. (lat. *bitumen*). **1.** Matériau de construction, formé de sable, de ciment, de gravier et d'eau, et particulièrement résistant. → ENCYCL. — **2.** *Béton armé,* béton dans lequel sont enrobées des armatures métalliques destinées à résister à des efforts de flexion ou de traction auxquels le béton ordinaire résisterait mal. → ENCYCL. ‖ *Béton précontraint* → ENCYCL. ◆ **bétonner** v. t. Construire avec du béton : *Bétonner un mur.* ◆ v. i. Dans la langue du football, pratiquer une défense difficile à franchir, en renforçant les lignes arrière. ◆ **bétonnage** n. m. ◆ **bétonnière** n. f. Machine servant à fabriquer du béton.

— ENCYCL. Le *béton* se prépare par simple mélange des constituants avec une certaine quantité d'eau. Ce mélange peut se faire à la pelle ou au moyen d'engins mécaniques (malaxeurs ou bétonnières). Le béton frais est ensuite jeté directement par couches minces dans des coffrages ou dans des moules, où il durcit progressivement. Le *béton armé* permet de réaliser des constructions très résistantes, et son emploi connaît une extension considérable. Le principe du *béton précontraint* (1888) consiste à armer un béton de barres d'acier très fortement tendues, qui confèrent à l'ensemble des caractéristiques particulières de résistance et d'élasticité. Le béton précontraint permet d'édifier des constructions légères et hardies. Il conduit à une grosse économie de matériaux.

BETSILÉOS, peuple de Madagascar, vivant sur le plateau central (région de Fianarantsoa).

BETTE [bɛt] ou **BLETTE** [blɛt] n. f. (lat. *beta*). Plante voisine de la betterave, cultivée comme légume pour ses feuilles et ses pétioles. (Famille des chénopodiacées.)

BETTERAVE [bɛtrav] n. f. (*bette*, et *rave*). Plante cultivée dont la racine épaisse sert, suivant les espèces, à divers usages alimentaires. (Famille des chénopodiacées.) ◆ **betteravier, ère** adj. : *L'industrie betteravière est concentrée dans le nord de la France.* ◆ **betteravier** n. m. Gros producteur de betteraves.
— ENCYCL. On distingue : les *betteraves rouges*, rondes ou longues, consommées en hors-d'œuvre; les *betteraves fourragères* et *demi-sucrières*, dont la racine atteint le plus grand développement, et qui sont cultivées pour l'alimentation du bétail en hiver; les *betteraves sucrières*, dont le jus, contenant jusqu'à 20 p. 100 de saccharose, est extrait pour la fabrication du sucre ou de l'alcool. (C'est depuis le Blocus* continental qu'on extrait industriellement la saccharose de la betterave.) Les principaux pays producteurs de betterave sucrière sont :

U. R. S. S.	75,7 millions de t	France	20 millions de t
États-Unis	25,8 millions de t	Pologne	14,3 millions de t
Allemagne	20,8 millions de t		

BÉTULACÉES [betylase] n. f. pl. (du lat. *betulla*, bouleau). Famille de plantes dicotylédones apétales comprenant l'*aune*, le *bouleau*, le *charme*.

BEUGLER [bøgle] v. i. (du lat. *buculus*, jeune bœuf) [sujet nom désignant un bovin]. Émettre un cri long et intense (syn. plus usuel MUGIR). ◆ v. i. et t. (sujet nom de personne). *Fam.* Produire un son prolongé et désagréable; crier ou chanter très fort : *Faire beugler son poste de radio. Il beugle ses chansons plus qu'il ne chante vraiment* (syn. HURLER). ◆ **beuglement** n. m. : *Le beuglement du taureau* (syn. MUGISSEMENT). *Les beuglements de la fanfare.*

BEURRE [bœr] n. m. (lat. *butyrum*). **1.** Matière alimentaire grasse extraite de la crème du lait par le barattage. — **2.** Substance grasse que l'on extrait de divers végétaux : *Beurre de cacao.* — **3.** Fam. *Compter pour du beurre*, ne pas entrer en ligne de compte. ‖ Fam. *Faire son beurre*, gagner beaucoup d'argent dans une affaire plus ou moins honnête. ‖ *Petit beurre*, biscuit au beurre. ‖ *Œil au beurre noir*, qui porte les traces d'un coup. ◆ **beurrer** v. t. ◆ **beurrerie** n. f. Lieu où l'on fabrique le beurre. ◆ **beurrier** n. m. Récipient où l'on conserve du beurre.

BEUVERIE [bøvri] n. f. (de *boire*). Partie de plaisir où l'on boit jusqu'à l'ivresse : *Le repas dégénéra en beuverie.*

BEUVRON (le), riv. de Sologne, affl. de la Loire (r. g.); 125 km.

BEUVRY, comm. du Pas-de-Calais, à 3 km à l'E. de Béthune; 8800 hab.

BÉVUE [bevy] n. f. (*bé-*, préf. péjor., et *vue*). Méprise grossière, due à l'ignorance ou à la maladresse : *Commettre une bévue* (syn. ↓ERREUR). *Signaler quelques bévues* (syn. FAUTE).

BEY [bɛ] n. m. (turc *beg*, seigneur). Titre porté autref. par les officiers supérieurs de l'armée turque et les hauts fonctionnaires. ◆ **beylicat** n. m. Contrée soumise à l'autorité d'un bey.

BEYLE (Henri) ⟶ STENDHAL.

BEYLICAT n. m. ⟶ BEY.

BEYROUTH, en ar. **Bayrūt,** capit. du Liban; 700000 hab. Beyrouth doit l'essentiel de sa prospérité à ses activités portuaires. Le trafic du port est de 2,5 millions de t env., et beaucoup de marchandises transitent ensuite vers la Syrie et la Jordanie. La ville joue le rôle de place bancaire pour tout le Moyen-Orient. Cependant, à partir de 1975, elle subit de très graves dégâts par suite des nombreux conflits qui ensanglantent le Liban.

BÈZE (Théodore DE), théologien protestant (1519-1605). Il participa au colloque de Poissy (1561) et, après la mort de Calvin, dont il était le principal collaborateur, devint recteur de l'académie de Genève (1564). Il fut un des initiateurs de la Renaissance littéraire.

BÉZIERS, ch.-l. d'arrond. de l'Hérault, sur l'Orb et le canal du Midi; 78500 hab. (*Biterrois*). Grand marché de vin du Languedoc.

BHOPĀL, v. de l'Inde, capit. du Madhya Pradesh; 392000 hab. Une fuite de gaz toxique, en 1984, provoque la mort de plus de 2500 personnes.

BHOUTAN ou **BHUTĀN,** État d'Asie, situé sur les pentes sud de l'Himalaya; 47000 km²; 1500000 hab. (32 au km²). Capit. *Thimbu.*

GÉOGRAPHIE. Le Bhoutan est un État montagneux au climat très humide, sauf dans les vallées intérieures abritées de la mousson. Les ressources essentielles proviennent de l'agriculture, développée dans les grandes vallées grâce à l'irrigation (riz, maïs, blé). L'aide de l'Inde permet au pays de construire des routes et de sortir de son isolement.

HISTOIRE. Occupé au XVIIe s. par des bandes tibétaines, le Bhoutan devient vassal de l'Inde à partir de 1865.

- *1910-1949. Le pays est contrôlé par les Britanniques.*
- *1949. Il est soumis à un semi-protectorat indien.*
- *1971. Le Bhoutan est admis à l'O. N. U.*

BI-, BIS-, élément tiré du latin *bis*, deux fois, et qui entre comme préfixe dans la composition de nombreux mots.

BIAFRA (le), nom pris par la province orientale du Nigeria lorsqu'elle fit sécession en 1967. Le gouvernement fédéral réduisit par la force ce mouvement séparatiste. La région est habitée par une majorité d'Ibos.

BIAIS [bjɛ] n. m. (gr. *epikarsios*, oblique). Moyen indirect, détourné, de résoudre une difficulté, d'atteindre un but : *Il cherche un biais pour éviter cette démarche* (syn. DÉTOUR). — LOC. ADV. *De biais, en biais*, d'une manière oblique par rapport à la direction principale : *Regarder de biais. Traverser la rue en biais* (syn. OBLIQUEMENT). — LOC. PRÉP. *Par le biais de*, par le moyen indirect, détourné de. ◆ **biaiser** [bjeze] v. i. (sujet nom de personne). User de moyens détournés, hypocrites, ou de ménagements : *Il est inutile de biaiser, allez droit au fait* (syn. LOUVOYER).

BIALYSTOK, v. du nord-est de la Pologne; 229700 hab.

BIARRITZ, grande station balnéaire et thermale des Pyrénées-Atlantiques, à 8 km à l'O. de Bayonne; 26600 hab.

BIBANS (*chaîne des*), chaîne de l'Atlas, au S. de la Grande Kabylie, percée par le défilé des *Portes de fer;* 1735 m.

BIBELOT [biblo] n. m. (onomat.). Petit objet décoratif, en général rare ou précieux : *Ce salon est encombré de bibelots.*

BIBERON [bibrɔ̃] n. m. (du lat. *bibere*, boire). Petite bouteille munie d'une tétine, qui sert à l'allaitement des nourrissons.

BIBLE [bibl] n. f. (gr. *biblia*, livres saints). **1.** Recueil des livres de l'Écriture sainte, qui comprend, pour les chrétiens, l'Ancien et le Nouveau Testament (prend une majusc. en ce sens); volume qui contient ces livres (avec une minusc. en ce sens). — **2.** Ouvrage fondamental qui fait autorité et que l'on consulte souvent : *Ce livre est pour lui une véritable bible.* ◆ **biblique** adj.
— ENCYCL. L'Ancien Testament comprend trois groupes de livres (Pentateuque, Prophètes, Hagiographes), relatifs à la religion, à l'histoire, aux institutions et aux mœurs des Juifs. Le Nouveau Testament comprend les quatre Évangiles, les Actes des Apôtres, les Épîtres, l'Apocalypse.

BIBLIOBUS [biblijɔbys] n. m. (du gr. *biblion*, livre, et *bus*). Bibliothèque itinérante, installée dans un véhicule automobile.

BIBLIOGRAPHIE [biblijɔgrafi] n. f. (du gr. *biblion*, livre, et *graphein*, décrire). Ensemble des ouvrages et des publications se rapportant à un domaine ou à un sujet précis; science qui a pour objet la recherche, la description et le classement des textes imprimés : *Établir la bibliographie d'une thèse.* ◆ **bibliographique** adj. : *Une notice bibliographique.*

BIBLIOPHILE [biblijɔfil] n. (du gr. *biblion*, livre, et *philos*, ami). Amateur de livres rares et précieux. ◆ **bibliophilie** n. f. Amour des livres.

BIBLIOTHÈQUE [biblijɔtɛk] n. f. (du gr. *biblion*, livre, et *thêkê*, coffre). **1.** Meuble, salle ou édifice destinés à recevoir une collection de livres : *Une bibliothèque vitrée. La Bibliothèque nationale, à Paris.* — **2.** Collection de livres appartenant à un particulier, à une collectivité, à un organisme public ou à l'État : *Se constituer une bibliothèque.* — **3.** Péjor. *Rat de bibliothèque*, personne qui passe son temps à faire des recherches dans les bibliothèques. ◆ **bibliothécaire** n. Personne chargée de la conservation et de la communication des livres dans une bibliothèque.

Bibliothèque nationale, bibliothèque d'État française qui doit son origine aux collections formées par les rois de France. Elle s'accroît par le « dépôt légal », par dons et legs, par acquisitions et échanges et comporte actuellement plus de 12 millions de volumes imprimés, 14 millions de documents iconographiques (estampes et photographies) et 136000 manuscrits.

BIBLIQUE adj. ⟶ BIBLE.

BICAMÉRISME [bikamerism] n. m. (de *bi-*, et lat. *camera*, chambre). Système politique reposant sur la coexistence de deux assemblées législatives.

BICARBONATE [bikarbɔnat] n. m. *(bi-*, et *carbonate).* Carbonate acide, et en particulier sel de sodium ($NaHCO_3$) : *Le bicarbonate de sodium facilite la digestion.*

BICENTENAIRE n. m. ⟶ CENT.

BICÉPHALE [bisefal] adj. (de *bi-*, et gr. *kephalê*, tête). Qui a deux têtes.

BICEPS [bisɛps] n. m. (lat *biceps*, à deux têtes). Muscle long dont le rôle est de fléchir l'avant-bras sur le bras (symbole de la force physique dans quelques express.) : *Gonfler les biceps.*

BICHAT (Xavier), médecin et anatomiste français (1771-1802). Il fut le fondateur de l'anatomie générale, qui considère non pas les organes en particulier, mais les éléments qui entrent dans leur structure, les tissus.

BICHE [biʃ] n. f. (du lat. *bestia*, bête). Femelle du cerf et autres cervidés.

BICHON, ONNE [biʃɔ̃, -ɔn] n. (de *barbichon*, chien barbet). Petit chien ou petite chienne à poil long.

BICHONNER [biʃɔne] v. t. (de *bichon*). *Bichonner un animal, un enfant*, les entourer de petits soins, faire leur toilette avec soin et coquetterie (syn. CHOYER). ◆ **se bichonner** v. pr. *Péjor.* Faire sa toilette avec recherche et coquetterie (syn. SE POMPONNER).

BICHROMATE [bikrɔmat] n. m. *(bi-*, et *chromate).* Sel de l'anhydride chromique et en particulier sel à base de potassium.

BICKFORD [bikfɔrd] ou **CORDEAU BICKFORD** n. m. (du n. d'un ingénieur anglais). Cordeau de matière fusante pour l'allumage des explosifs. (Il brûle assez lentement pour permettre à l'utilisateur de s'éloigner.)

BICOLORE adj. ⟶ COULEUR.

BICONCAVE adj. ⟶ CONCAVE.

BICONVEXE adj. ⟶ CONVEXE.

BICOQUE [bikɔk] n. f. (it. *bicocca*, petit château). *Fam.* et *péjor.* Petite maison ou immeuble vieux et délabré (syn. BARAQUE).

BICORNE [bikɔrn] n. m. (lat. *bicornis*). Chapeau à deux pointes, que les officiers ou les gendarmes ont porté au XIXe s. et que portent encore les académiciens et les polytechniciens.

BICYCLETTE [bisiklɛt] n. f. (de *bi-*, et *cycle*). Véhicule à deux roues de diamètre égal, dont la roue arrière est mise en mouvement par un mécanisme comprenant des pédales, une chaîne et un pignon (syn. fam. BÉCANE, VÉLO). ◆ **bicycle** n. m. Véhicule à deux roues de diamètre différent l'un de l'autre, dont la roue avant, la plus grande, est à la fois directrice et motrice, et la roue arrière simplement porteuse.
— ENCYCL. L'apparition de la pédale, en 1865, devait donner naissance au *bicycle* d'abord, à la *bicyclette* ensuite. En 1879, l'Anglais Lawson imagina la transmission par chaîne du mouvement du pédalier à l'axe de la roue arrière.

L'adoption de la roue libre permet d'immobiliser le pédalier pendant que la bicyclette continue son trajet, sur sa lancée ou dans une pente. En appuyant alternativement sur chacune des *pédales*, on provoque la rotation d'une couronne dentée. Celle-ci engrène sur une chaîne qui entraîne, par un pignon, la roue arrière, alors que la roue avant est directrice. Le rapport entre le nombre de dents du pédalier et celui du pignon d'axe définit le *développement* de la machine, ou démultiplication. Il est nécessaire de pouvoir disposer de plusieurs démultiplications pour vaincre les résistances variées dues aux pentes plus ou moins fortes de la route. Pour cette raison, la *transmission* comporte un *changement de vitesse.*

▪ *Législation.* Tout cycle doit porter une plaque métallique avec les noms et domicile du propriétaire. Les règlements de police imposent aux cyclistes diverses obligations : avertisseur pouvant s'entendre à 50 m, lanterne allumée dès la chute du jour, obligation d'utiliser les pistes cyclables, feu rouge et Cataphote à l'arrière, etc.

BIDASSOA (la), fl. côtier des Pyrénées-Atlantiques; 70 km env. Né en Espagne, il forme la frontière avec la France pendant ses 10 derniers km.

● *1659. Signature du traité des Pyrénées dans l'île des Faisans (qui est située dans l'estuaire du fleuve).*

BIDAULT (Georges), homme politique français (1899-1983), président du Conseil national de la Résistance en juin 1943 et plusieurs fois président du Conseil et ministre des Affaires étrangères sous la IVe République.

1. BIDET [bidɛ] n. m. (de l'anc. fr. *bider*, trotter). Petit cheval trapu, de selle ou de trait.

2. BIDET [bidɛ] n. m. (même étym.). Cuvette plus longue que large, pour la toilette.

BIDON [bidɔ̃] n. m. (scand. *bida*, vase). Récipient de fer-blanc où l'on met du pétrole, de l'huile, etc.

BIDONVILLE [bidɔ̃vil] n. m. *(bidon*, et *ville).* Quartier d'une ville où les habitations sont constituées de cabanes faites avec divers matériaux, et où s'entassent des populations misérables : *Les bidonvilles se situent en général à la périphérie des grandes agglomérations.*

BIEF [bjɛf] n. m. (bas lat. *bedum*, canal). **1.** Secteur d'un cours d'eau compris entre deux chutes ou deux rapides successifs. — **2.** Secteur d'un canal navigable compris entre deux écluses.

BIELEFELD, v. d'Allemagne (Rhénanie-du-Nord-Westphalie), à l'O.-S.-O. de Hanovre; 168 900 hab.

BIELLE [bjɛl] n. f. (orig. incert.). Barre métallique reliant deux pièces mobiles par des articulations fixées à chaque extrémité, et qui transmet un mouvement : *Les bielles d'un moteur à explosion sont actionnées par les pistons. Couler une bielle, c'est faire fondre l'alliage spécial dont elle est chemisée.* ◆ **embieller** v. t. Monter et ajuster les bielles d'un moteur ou d'une machine à vapeur. ◆ **embiellage** n. m.

BIÉLORUSSIE, république fédérative de l'U. R. S. S., située à la frontière polonaise; 208 000 km²; 10,2 millions d'hab. (49 au km²). Capit. *Minsk* (907 100 hab.). S'étendant sur des collines morainiques et de vastes zones marécageuses, la Biélorussie offre de maigres possibilités agricoles. La forêt de conifères couvre une bonne partie du territoire. Le seigle, la pomme de terre et surtout le lin sont cultivés dans les clairières. Les herbages entretiennent un important troupeau de bovins. ◆ **biélorusse** [bjelorys] adj. et n. De la Biélorussie.

1. BIEN [bjɛ̃] adv. (lat. *bene*). **1.** De manière avantageuse, profitable, parfaitement adaptée à la situation; de façon excellente : *Il a bien vendu sa voiture* (= dans de bonnes conditions). *Elle est bien coiffée* (= avec élégance). *Il a accueilli ma demande ni bien ni mal* (= sans marquer de sentiments très nets). ‖ *C'est bien fait*, vous avez mérité ce qui vous est arrivé. — **2.** Devant un adj., un part. ou un adv., prend une valeur de superl. atténué, et devant un verbe, une valeur intensive : *Je suis bien content de vous voir* (syn. FORT, TRÈS). *Il est bien entendu que* (syn. TOUT À FAIT). *Il a été bien averti* (syn. DÛMENT). — **3.** *Bien des* (suivi d'un nom plur.), une grande quantité de : *Elle a bien des ennuis* (syn. BEAUCOUP). — **4.** Accentue une affirmation, en annonçant une restriction introduite par *mais : J'ai bien téléphoné, mais vous n'étiez pas rentré.* ‖ *Mais bien*, renforce l'opposition : *Ce n'est pas une étourderie, mais bien une erreur volontaire.* — **5.** *Aller bien*, être en bonne santé. ‖ *Vouloir bien*, syn. usuel de ACQUIESCER, CONSENTIR : *Il a bien voulu le recevoir* (syn. ACCEPTER DE). — LOC. ADV. *Aussi bien* (syn. DU RESTE). ‖ *Bien plus*, marque une gradation qui renchérit sur une affirmation. — LOC. INTERJ. *Eh bien!*, indique l'étonnement, l'admiration, l'indignation, etc., d'une manière assez vive. — LOC. CONJ. *Si bien que, tant et si bien que*, introduit une conséquence (avec l'indic.) [= de sorte que]. ‖ *Aussi bien que*, introduit une comparaison. ‖ *Bien que* ⟶ ce mot.

2. BIEN [bjɛ̃] adj. inv. (même étym.) [souvent comme attribut]. **1.** En bonne santé : *Il est bien ces jours-ci;* bien fait : *Un homme bien de sa personne* (syn. BEAU). — **2.** En qui on peut avoir confiance; d'une parfaite droiture : *C'est un homme bien* (syn. COMPÉTENT, CONSCIENCIEUX, SÉRIEUX). — **3.** *Être bien*, en parlant d'une personne, être à l'aise : *On est bien ici;* être en bons termes : *Il est bien avec sa concierge;* en parlant d'une chose, être sagement fait : *Tout est bien qui finit bien.*

3. BIEN [bjɛ̃] n. m. (même étym.). **1.** Ce qui procure un avantage, un profit, un plaisir : *Il lui veut du bien* (= il est prêt à lui rendre service). *C'est pour son bien que je lui dis cela* (= dans son intérêt). *Elle fait le bien autour d'elle* (= elle est charitable). *Ces cachets me font du bien* (= soulagent ma douleur). — **2.** Ce qui est conforme à un idéal, qui a une valeur morale : *Discerner le bien du mal. C'est un homme de bien* (= vertueux). — **3.** *En tout bien tout honneur*, dans une intention honnête. ‖ *Être du dernier bien avec qq'un*, être un de ses amis intimes. ‖ *Mener à bien*, conduire jusqu'au succès final.

4. BIEN [bjɛ̃] n. m. (même étym.). **1.** Ce dont on peut disposer en toute propriété, ce qui vous appartient, que l'on possède : *Il a dépensé tout son bien* (syn. CAPITAL). *Laisser tous ses biens à ses héritiers* (syn. FORTUNE). *Les biens de ce monde* (= les avantages matériels). *Le navire a péri corps et biens* (= avec équipage et cargaison). — **2.** *Biens nationaux*, ensemble de biens collectifs ou privés, appropriés par l'État pendant la période révolutionnaire.
— ENCYCL. Tous les *biens* sont *meubles* ou *immeubles.*

Les *biens meubles* peuvent être déplacés, soit par leurs propres moyens (comme les animaux), soit par une intervention extérieure, comme le mobilier, un fonds de commerce, des actions*...

Les *biens immeubles* sont, par définition, des biens qui ne peuvent pas être déplacés, fixés au sol ou dans le sol (maison, terrain, bois, tunnel, matériel industriel ou agricole, glace scellée au mur) ou que la loi considère ou déclare comme tels.

Les *biens corporels* sont des biens que l'on peut toucher, qui existent matériellement (buffet, moutons, terre), par oppos. aux *biens incorporels* que l'on ne peut pas toucher, qui n'ont qu'une existence abstraite, mais une valeur pécuniaire certaine (clientèle d'un médecin, invention).

Les *biens publics* ne sont pas susceptibles de propriété comme les rivages de la mer, les cours d'eau navigables, etc., par oppos. aux *biens privés*, biens venant d'une succession, comme un musée légué à l'État ou à un département. (⟶ DOMAINE* PUBLIC.)

■ *Histoire*. Selon leur origine, on distinguait quatre catégories de *biens nationaux* : les *biens du clergé* qui représentaient 10 p. 100 des terres et qui furent mis à la disposition de la nation à la demande de Talleyrand (2 novembre 1789) [ils servirent à garantir la valeur des assignats*]; les *biens des émigrés*, vendus à partir de juillet 1792, qui profitèrent surtout aux acheteurs bourgeois des villes; les *biens communaux*, qui devaient être répartis parmi les habitants de la commune, à la demande du tiers d'entre eux (loi de 1793); les *biens des suspects*, à répartir entre les indigents (décrets de 1794). La distribution gratuite des deux dernières catégories ne fut réalisée que partiellement.

La vente des biens nationaux avait abouti, malgré tout, à un gigantesque transfert des propriétés; elle avait, d'autre part, contribué à lier, de manière semblait-il définitive, la bourgeoisie française, principale bénéficiaire de l'opération, à la cause de la France révolutionnaire et impériale. La Charte de 1814 garantit à leurs acquéreurs la propriété des biens nationaux.

Bien public *(ligue du)*, ligue formée en 1464 par les seigneurs contre le roi Louis XI. La révolte groupa une grande partie de la noblesse. Contre elle, le roi livra en 1465 la bataille indécise de Montlhéry. La résistance de Paris et d'adroites tractations amenèrent la dissolution de la ligue la même année.

BIEN-AIMÉ, E [bjɛ̃neme] adj. et n. *(bien,* et *aimé).* Qui est l'objet d'une tendresse particulière : *Ma fille bien-aimée. Son bien-aimé* (syn. AMOUREUX).

BIEN-ÊTRE [bjɛ̃nɛtr] n. m. inv. *(bien,* et *être).* **1.** Sensation agréable que produit la pleine satisfaction des besoins que l'on ressent : *Ressentir un bien-être général* (syn. QUIÉTUDE; contr. MALAISE). — **2.** Situation financière qui permet de satisfaire les besoins de l'existence : *Il recherche avant tout son bien-être matériel* (syn. AISANCE, CONFORT).

BIENFAIT [bjɛ̃fɛ] n. m. (lat. *benefactum*). **1.** Acte de bonté à l'égard de quelqu'un : *Combler de bienfaits* (syn. FAVEUR). *J'ai été mal récompensé de mes bienfaits* (syn. GÉNÉROSITÉ). *Être reconnaissant d'un bienfait* (syn. SERVICE). — **2.** Conséquences heureuses de quelque événement : *Les bienfaits du traitement se font sentir. Jouir des bienfaits de la science* (syn. AVANTAGE). ◆ **bienfaisant, e** adj. **1.** *Chose bienfaisante,* qui a une action ou une influence utile, salutaire : *Le climat de la montagne lui sera bienfaisant* (syn. BÉNÉFIQUE; contr. MALFAISANT). — **2.** *Personne bienfaisante,* qui fait le bien. ◆ **bienfaisance** [bjɛ̃fəzɑ̃s] n. f. *Œuvre, société de bienfaisance,* association formée pour venir en aide à des déshérités, à des pauvres, dont le but est de faire du bien. ◆ **bienfaiteur, trice** [bjɛ̃fɛtœr, -tris] n. et adj. Personne qui fait du bien à autrui : *Un généreux bienfaiteur* (syn. DONATEUR). *Les savants sont les bienfaiteurs de l'humanité* (contr. ENNEMI).

BIEN-FONDÉ [bjɛ̃fɔ̃de] n. m. *(bien,* et *fondé). Le bien-fondé de qqch.,* son caractère légitime, raisonnable; le fait de reposer sur des bases exactes, sérieuses : *Examiner le bien-fondé d'une réclamation* (syn. JUSTESSE).

BIEN-FONDS [bjɛ̃fɔ̃] n. m. *(bien,* et *fonds).* Bien immobilier, tel que terre, maison, immeuble. ‖ Pl. des *biens-fonds.*

BIENHEUREUX, EUSE [bjɛ̃nørø, -øz] adj. *(bien,* et *heureux)* [avant ou, moins souvent, après le nom]. Qui rend très heureux, qui favorise des projets, des désirs (superl. de HEUREUX dans la langue soignée) : *Une bienheureuse rencontre* (contr. MALHEUREUX). ◆ n. **1.** Personne dont l'Église catholique a reconnu la sainteté sans l'admettre aux honneurs du culte universel. — **2.** Fam. *Dormir comme un bienheureux,* dormir profondément et paisiblement.

BIENNAL, E, AUX [bjɛnal, -no] adj. (bas lat. *biennalis*). Qui dure deux ans ou qui se produit tous les deux ans : *Exposition biennale* (syn. BISANNUEL). ◆ **biennale** n. f. : *La biennale de Venise est une manifestation qui a lieu tous les deux ans.*

BIENNE, en all. **Biel,** v. du nord-ouest de la Suisse, sur les bords du *lac de Bienne,* qui communique avec le lac de Neuchâtel par la Thièle; 64 300 hab. Horlogerie.

BIEN-PENSANT, E [bjɛ̃pɑ̃sɑ̃, -ɑ̃t] n. et adj. *(bien,* et *pensant). Péjor.* Personne dont les convictions religieuses ou politiques et le comportement social sont conformes à la tradition : *Les milieux bien-pensants* (syn. CONFORMISTE; contr. LIBRE PENSEUR).

BIEN QUE [bjɛ̃kə] loc. conj. (suivie du subj.). Indique la concession, ou l'existence d'un fait qui aurait pu empêcher la réalisation de l'action ou de l'état exprimés dans la principale (appartient plutôt à la langue écrite; les conj. usuelles en langue parlée sont *quoique, malgré que*) : *Bien que sa voiture fût en rodage, il ne la ménageait guère;* peut s'employer aussi avec un part. ou un adj.

BIENSÉANT, E [bjɛ̃seɑ̃, -ɑ̃t] adj. *(bien,* et *séant).* Se dit de ce qui est conforme aux usages, à la manière habituelle de se conduire : *Il a fait preuve d'une discrétion bienséante;* s'emploie presque toujours dans l'express. *il est bienséant de* (suivie d'un infin.) [syn. CONVENABLE, CORRECT, POLI; contr. INCONVENANT, MALSÉANT]. ◆ **bienséance** n. f. Ce qu'il convient de dire ou de faire dans des circonstances données : *Sa toilette brave les bienséances* (syn. CONVENANCE, DÉCENCE). *Les règles de la bienséance* (syn. SAVOIR-VIVRE).

BIENTÔT [bjɛ̃to] adv. *(bien,* et *tôt).* **1.** Indique qu'une action se produira au bout d'un temps relativement bref, dans un avenir proche : *Nous serons bientôt en vacances* (syn. DANS PEU DE TEMPS). — **2.** *À bientôt, à très bientôt!,* j'espère vous revoir dans peu de temps. ‖ *Cela est bientôt dit,* cela est vite dit.

BIENVEILLANT, E [bjɛ̃vɛjɑ̃, -ɑ̃t] adj. (de *bien,* et anc. fr. *veuillant,* voulant). Qui montre des dispositions favorables, de l'indulgence à l'égard de quelqu'un : *Un sourire bienveillant* (syn. AIMABLE, OBLIGEANT). *Des paroles bienveillantes* (contr. DÉSOBLIGEANT, MALVEILLANT). ◆ **bienveillance** n. f. : *Témoigner de la bienveillance* (syn. BONTÉ, INDULGENCE; contr. HOSTILITÉ, MALVEILLANCE). *Chercher à gagner la bienveillance de ses supérieurs* (syn. FAVEUR). *Je vous suis reconnaissant de votre bienveillance* (syn. COMPLAISANCE, COMPRÉHENSION).

BIENVENU, E [bjɛ̃vny] adj. et n. *(bien,* et *venu).* **1.** Accueilli ou reçu avec faveur, qui arrive au moment précis où l'on en a besoin (seulement comme attribut) : *Ce cadeau est vraiment le bienvenu* (contr. MALVENU). — **2.** *Soyez le bienvenu, la bienvenue,* formule de politesse indiquant que votre arrivée est accueillie avec plaisi ◆ **bienvenue** n. f. *Souhaiter la bienvenue à qq'un,* lui faire bo accueil, le saluer à son arrivée. ‖ *Discours de bienvenue,* celui qu l'on tient pour accueillir un personnage officiel. ‖ *Cadeau de bi venue,* cadeau offert à quelqu'un que l'on accueille.

BIENVENÜE (Fulgence), ingénieur français (1852-1936). Il r lisa le métropolitain de Paris.

1. BIÈRE [bjɛr] n. f. (néerl. *bier*). Boisson fermentée, prépa surtout à partir de l'orge et du houblon : *Bière blonde, brune.*

— ENCYCL. La préparation de la *bière* se fait dans les brasserie partir de l'orge germée et séchée (malt), et comporte deux op tions : le *brassage,* au cours duquel le moût est préparé, soumi l'ébullition et additionné de houblon, et la *fermentation,* conséc tive à l'ensemencement d'une levure.

2. BIÈRE [bjɛr] n. f. (frq. *bera,* civière). Coffre en bois, de forme allongée, où l'on met un mort : *La mise en bière* (= le moment où l'on met le mort dans la bière). *Porter la bière en terre* (syn. plus usuel CERCUEIL).

BIFFER [bife] v. t. (de l'anc. fr. *biffe,* étoffe rayée). Mettre une barre, un trait de plume sur ce qui a été écrit, pour l'annuler (syn. plus usuels BARRER, RATURER, RAYER) : *Biffer un mot inutile* (syn. SUPPRIMER). ◆ **biffage** n. m. : *Ce manuscrit est couvert de biffages* (syn. plus usuel RATURE).

BIFIDE [bifid] adj. (de *bi-,* et lat. *findere,* fendre). Fendu en deux parties : *La langue bifide des serpents.*

BIFOCAL, E, AUX [bifɔkal, -ko] adj. *(bi-,* et *focal).* Se dit d'un verre de lunettes dont les parties supérieure et inférieure présentent des distances focales différentes.

BIFTECK [biftɛk] n. m. (angl. *beefsteak,* tranche de bœuf). Tranche de bœuf ou de cheval, cuite sur le gril ou à la poêle : *Un bifteck saignant* (= très peu cuit), *à point* (= moyennement cuit).

BIFURQUER [bifyrke] v. i. (du lat. *bifurcus,* fourchu). **1.** *Route, voie de chemin de fer qui bifurque* (sans compl. ou avec un compl. introduit par *à, dans*), qui se divise en deux : *La route bifurque au village* (contr. SE REJOINDRE). *La voie ferrée bifurque à Dijon* (contr. SE RACCORDER). — **2.** *Véhicule, train qui bifurque* (sans compl. ou avec un compl. introduit par *vers, sur*), qui abandonne une direction pour en suivre une autre; *personne qui bifurque,* qui change de métier, de fonction, etc. : *Au croisement, la voiture a bifurqué brusquement vers la gauche* (syn. SE DIRIGER). *Le train bifurque sur Besançon* (syn. ÊTRE AIGUILLÉ). *Ses affaires allaient* *mal, il bifurqua vers la politique* (syn. S'ORIENTER). ◆ **bifurcation** n. f. Division en deux branches, en deux voies; endroit où se fait cette division (emploi plus large que le verbe; se dit aussi d'une artère, d'une tige, etc.) : *La voiture s'arrêta devant la borne qui marquait la bifurcation* (syn. CARREFOUR, FOURCHE). *À la bifurcation de la route de Versailles et de l'autoroute de l'Ouest* (syn. EMBRANCHEMENT). *La bifurcation d'une tige de plante. La bifurcation dans les études* (syn. CHANGEMENT D'ORIENTATION).

BIGAME [bigam] adj. et n. (gr. *digamos*, double mariage). Légalement marié à deux personnes en même temps. ◆ **bigamie** n. f. Situation d'une personne bigame.

BIGARADIER [bigaradje] n. m. (du prov. *bigarrado*, bigarré). Oranger dont les fruits amers sont utilisés en confiserie, en confiturerie, dans la fabrication de liqueurs. (Les fleurs donnent par distillation une essence parfumée, l'essence de néroli, et l'eau de fleur d'oranger.)

BIGARRÉ, E [bigare] adj. (de l'anc. fr. *garre*, de deux couleurs). **1.** Formé de couleurs ou de dessins variés, dont l'assemblage donne une impression de disparate : *Une chemise bigarrée* (syn. BARIOLÉ). — **2.** Composé d'éléments divers et qui ne forment pas un ensemble harmonieux : *Une langue bigarrée, faite de français et d'espagnol* (syn. DISPARATE). *Une société bigarrée* (syn. MÊLÉ; contr. HOMOGÈNE). ◆ **bigarrure** n. f. : *Les tatouages dessinent sur leurs visages d'étranges bigarrures* (syn. BARIOLAGE).

BIGARREAU [bigaro] n. m. (de *bigarré*). Cerise rouge ou blanche, à chair très ferme et sucrée.

BIGLER [bigle] v. i. et t. (du lat. *bis*, deux fois, et *oculus*, œil). *Pop.* Loucher; regarder du coin de l'œil.

BIGORNE [bigɔrn] n. f. (mot prov.; du lat. *bicornis*, à deux cornes). Chacune des pointes qui forment les extrémités d'une enclume.

BIGORNEAU [bigɔrno] n. m. (de *bigorne*). Nom usuel donné à certaines *littorines* comestibles. (Famille des mollusques gastéropodes.)

BIGORRE (la), région de l'est du dép. des Hautes-Pyrénées, correspondant essentiellement à la haute vallée de l'Adour, de part et d'autre de Tarbes.

BIGOT, E [bigo, -ɔt] adj. et n. (d'un juron d'anc. angl. *bî God*, par Dieu). *Péjor.* Se dit de quelqu'un qui pratique la religion d'une manière étroite et bornée. ◆ **bigoterie** n. f. Dévotion outrée (syn. non péjor. PIÉTÉ).

BIGOUDEN [bigudɛn] n. f. (mot breton). Nom donné aux femmes de Pont-l'Abbé (Finistère), à cause de leur coiffe appelée aussi *bigouden* (n. m.).

BIGOUDI [bigudi] n. m. (orig. incert.). Petit rouleau autour duquel les femmes enroulent leurs cheveux pour les faire onduler.

BIGRE ! [bigr] interj. (de *bougre*). Exprime l'étonnement, la protestation. ◆ **bigrement** adv. Marque l'intensité : *Il a bigrement changé* (syn. BEAUCOUP).

BIGUE [big] n. f. (prov. *biga*, poutre). Grue très puissante utilisée dans les ports maritimes.

BIGUINE [bigin] n. f. (mot des Antilles). Danse populaire des Antilles.

BIHĀR, État de l'Inde, dans le nord-est du Deccan et dans la partie orientale de la plaine du Gange; 174 000 km^2; 69 915 000 hab. (402 au km^2). Capit. *Patna* (916 000 hab.). L'État est un grand producteur de riz, d'arachide, de canne à sucre, de tabac et de jute.

BIHEBDOMADAIRE adj. → HEBDOMADAIRE.

BIHOREAU [biɔro] n. m. (orig. obscure). Oiseau proche du héron, à plumage vert foncé sur le dos. (Famille des ardéidés.)

BIISK, v. de l'U. R. S. S., en Sibérie; 186 300 hab.

BIJECTION [biʒɛksjɔ̃] n. f. (de *bi-*, et bas lat. *jectare*, jeter). *Math.* Application bijective. ◆ **bijectif, ive** adj. *Application bijective* → APPLIQUER 2, *encycl.*

BIJOU, pl. **BIJOUX** [biʒu] n. m. (breton *bizou*, anneau). **1.** Petit objet de parure (anneau, collier, pendentif, broche, etc.), précieux par la matière (or, platine, etc.) ou par le travail (orfèvrerie) : *Une femme parée de magnifiques bijoux* (syn. JOYAU). — **2.** Tout objet dont l'élégance ou le travail délicat rappellent ceux d'un bijou : *Cette petite voiture est un véritable bijou.* ◆ **bijouterie** n. f. Art, commerce ou magasin de celui qui fait ou vend des bijoux. ◆ **bijoutier, ère** n.

BIKINI, atoll de Micronésie (archipel des îles Marshall).

• *1946. Premières expériences nucléaires américaines.*

BILAME [bilam] n. m. (*bi-*, et *lame*). Bande métallique double, formée de deux lames minces de métaux inégalement dilatables, soudées en leurs extrémités. (Sous l'effet de la température, la bande métallique s'incurve.)

BILAN [bilɑ̃] n. m. (it. *bilancio*, balance). **1.** *Bilan d'une entreprise, d'une société*, etc., inventaire résumé de sa situation financière, comportant, à un moment donné, un état de l'actif* et du passif* : *Une société commerciale dresse, établit ou arrête son bilan. Déposer son bilan, c'est, pour un commerçant, se déclarer incapable d'effectuer ses paiements* (= être en faillite). — **2.** *Bilan d'une série d'événements, d'une opération*, leur résultat, positif ou négatif. *Les diplomates ont fait le bilan de la situation* (= ont dressé un état, ont fait le point).

BILATÉRAL, E, AUX adj. → LATÉRAL.

BILBAO, v. du nord de l'Espagne, en Biscaye, sur l'estuaire du rio Nervión; 410 500 hab. Centre d'extraction du minerai de fer. Sidérurgie et industrie chimique.

• *1936-1937. Centre de résistance des Basques républicains pendant la guerre civile.*

BILBOQUET [bilbɔkɛ] n. m. (de *bille*, bâtonnet, et *bouquer*, encorner). Jouet formé d'une boule percée d'un trou et reliée par une cordelette à un petit bâton pointu, sur lequel il faut enfiler cette boule.

BILE [bil] n. f. (lat. *bilis*). **1.** Liquide jaunâtre et âcre, sécrété par le foie et qui concourt à la digestion des aliments. → ENCYCL. — **2.** *Décharger, épancher sa bile*, dire ce qu'on a sur le cœur. ‖ *Échauffer la bile de qq'un*, le mettre en colère (littér.). ‖ Fam. *Se faire de la bile*, se faire du souci, du tourment. ◆ **biliaire** adj. Qui concerne la bile, qui la produit (terme méd.). ‖ *Vésicule biliaire*, réservoir allongé, logé à la face inférieure du foie, où s'accumule la bile. → ENCYCL. ◆ **bilieux, euse** adj. et n. **1.** *Visage, teint bilieux*, qui manifeste une abondance de bile dans l'organisme : *Il a le teint jaune, presque verdâtre des bilieux.* — **2.** *Personne bilieuse*, qui est portée à se mettre en colère, qui est toujours de mauvaise humeur ou pessimiste. ◆ **bilirubine** n. f. Pigment fondamental de la bile, qui lui donne la couleur dorée qu'elle a au moment où elle est formée par le foie.

— ENCYCL. La *bile* est sécrétée d'une façon continue par le foie et s'accumule dans la vésicule biliaire. Après les repas, l'arrivée du chyme* dans l'intestin grêle déclenche les contractions de la vésicule biliaire et le déversement de la bile dans l'intestin, où elle va aider à la digestion (celle des graisses en particulier).

La vésicule biliaire est une poche qui sert au stockage de la bile entre les repas. La bile y arrive par les canaux hépatique puis cystique.

▪ *Maladies de la vésicule biliaire.* Elles peuvent être graves. La plupart sont dues à la formation de pierres *(calculs)* par la bile; les déplacements de ces calculs vont entraîner une série de phénomènes.

La colique hépatique. Le malade a mal au flanc droit, sous les côtes, et à l'épaule droite, après un bon repas. Il vomit.

Si le calcul se bloque dans le canal cholédoque, il empêche la bile de se déverser normalement. Le malade présente la même douleur que précédemment, mais de plus il a un teint jaune (= ictère) dû au passage des pigments de la bile dans le sang : il souffre d'une *cholécystite aiguë*, qui peut s'infecter et provoquer fièvre et frissons *(angiocholite aiguë)*. À ce stade, on doit recourir à une intervention chirurgicale.

BILHARZIE [bilarzi] n. f. (du n. d'un médecin allemand qui découvrit ce parasite). Ver parasite causant à l'homme une grave maladie tropicale, la *bilharziose*, qui affecte notamment l'intestin.

BILIAIRE adj., **BILIEUX, EUSE** adj. → BILE.

BILINGUE [bilɛ̃g] adj. (lat. *bilinguis*). *Ouvrage, texte bilingue*, qui est en deux langues différentes : *Un dictionnaire bilingue offre la traduction des mots d'une langue dans une autre.* ◆ adj. et n. *Individu, population bilingue*, qui use couramment de deux langues différentes dans le milieu où il se trouve. ◆ **bilinguisme** [bilɛ̃gɥism] n. m. État d'une population, d'un individu bilingue : *Le bilinguisme en Alsace.*

BILIRUBINE n. f. → BILE.

BILLARD [bijar] n. m. (de *bille*). **1.** Jeu qui se joue avec trois « boules » (ou *billes*) d'ivoire, qu'on pousse avec une « queue » sur une table de bois rectangulaire, entourée de bandes élastiques et couverte d'un « tapis » vert; la table elle-même ou la salle où l'on joue : *Faire une partie de billard* (ou *faire un billard*). — **2.** Fam. *Passer, monter sur le billard*, subir une opération chirurgicale (= monter sur la table d'opération).

BILLAUD-VARENNE (Jean Nicolas), Conventionnel (1756-1819). Il eut une part de responsabilité dans les massacres de Septembre, soutint d'abord Robespierre, puis contribua à sa chute (1794). Il fut déporté à Cayenne en 1795.

1. BILLE [bij] n. f. (frq. *bikkil*, dé). Petite boule de terre cuite, de marbre, de verre, d'agate qui sert pour des jeux d'enfants, ou boule d'ivoire avec laquelle on joue au billard, à la roulette ou à la boule.

2. BILLE [bij] n. f. (bas lat. *bilia*, tronc d'arbre). *Bille de bois, d'acajou*, etc., tronçon découpé dans le tronc ou dans une grosse branche. ◆ **billot** n. m. **1.** Tronc de bois sur lequel on coupe de la viande, du bois, etc.; pièce de bois sur laquelle on tranchait la tête des condamnés. — **2.** *J'en mettrais ma tête sur le billot*, je parierais sur ma vie que ce que je dis est exact.

BILLET [bijɛ] n. m. (de l'anc. fr. *billette*, avis officiel). **1.** Petite carte comportant un message, une invitation : *Écrire un billet doux à sa bien-aimée* (= une lettre d'amour). — **2.** Petit carré de papier comportant un numéro, une indication attestant le droit de bénéficier d'un service public, etc. : *Un billet de chemin de fer. Un billet de loterie. Un billet de métro* (syn. usuel TICKET). — **3.** *Billet de banque* ou *billet*, monnaie en papier ⟶ ENCYCL.
— ENCYCL. Le *billet de banque* est une monnaie fiduciaire, c'est-à-dire en laquelle on doit placer sa confiance. Cette confiance était, à l'origine, basée sur le fait qu'à tout moment, et sur simple présentation, il était possible d'obtenir l'équivalent de la valeur indiquée en pièces de monnaie métallique.
En France, seule la Banque de France est l'organisme dit *d'émission;* elle a le monopole de la mise en circulation du papier-monnaie, ou billets de banque.

BILLEVESÉES [bilvəze] n. f. pl. (mot de l'Ouest signif. *boyau gonflé*). Paroles vaines, frivoles, sans rapport avec la vérité (emploi littér.) : *N'écoutez pas ces billevesées* (syn. BALIVERNES, FADAISES). *Il a traité de billevesées tous les projets présentés* (syn. CHIMÈRE, UTOPIE). *Raconter des billevesées* (syn. SORNETTES, SOTTISES).

BILLION [biljɔ̃] n. m. (de *bi-*, et *million*). Un million de millions, soit 10^{12}.

1. BILLON [bijɔ̃] n. m. (de *bille*). Crête formée par la terre amoncelée de deux sillons adossés : *Labours en billons.*

2. BILLON [bijɔ̃] n. m. (même étym.). **1.** Monnaie décriée ou défectueuse. — **2.** Toute monnaie dont la valeur commerciale est inférieure à celle pour laquelle elle est en circulation.

BILLOT n. m. ⟶ BILLE 2.

BILLY-MONTIGNY, comm. du Pas-de-Calais, entre Lens et Hénin-Liétard; 7 800 hab.

BIMBELOTERIE [bɛ̃blɔtri] n. f. (de *bibelot*). Fabrication, commerce de jouets d'enfants, de petits articles qui servent aux usages domestiques.

BIMENSUEL, ELLE adj. ⟶ MENSUEL.

BIMÉTALLISME [bimetalism] n. m. (de *bi-*, et *métal*). Système monétaire fondé sur un double étalon, or et argent.

BIMOTEUR [bimɔtœr] adj. et n. m. *(bi-*, et *moteur)*. Se dit d'un avion à deux moteurs.

BINAGE n. m. ⟶ BINER.

BINAIRE [binɛr] adj. (du lat. *bini*, groupe de deux). **1.** Se dit d'une chose formée de deux unités, présentant deux aspects, deux faces : *Un rythme binaire* (= à deux temps). — **2.** Math. *Relation binaire* ⟶ RELATION. ‖ *Système binaire*, système de numération à base deux. (⟶ NUMÉRATION.)

BINCHE, v. de Belgique, dans le Hainaut, à 16 km à l'O.-S.-O. de Mons; 10 400 hab. Célèbre carnaval.

BINER [bine] v. t. (prov. *binar*). Retourner la partie superficielle de la terre avec une binette. ◆ **binage** n. m. ◆ **binette** n. f. Outil de jardinier.

BINET (Alfred), psychologue français (1857-1911). Ses études sur la mesure du développement de l'intelligence chez les jeunes enfants sont à l'origine de la méthode des tests mentaux.

BINETTE n. f. ⟶ BINER.

BINIOU [binju] n. m. (mot breton). Sorte de cornemuse qui accompagne les danses bretonnes.

BINOCLE [binɔkl] n. m. (du lat. *bini*, groupe de deux, et *oculus*, œil). Lorgnon maintenu sur le nez par une pince à ressort, ou tenu à la main à l'aide d'un manche.

BINOCULAIRE adj. et n. m. ⟶ OCULAIRE 2.

BINÔME [binom] n. m. et adj. (de *bi-*, et gr. *nomos*, part). Polynôme ayant deux termes : — *3 x^2+2 est un binôme.*

BIOCHIMIE [bjoʃimi] n. f. (du gr. *bios*, vie, et *chimie*). Partie de la chimie comprenant l'étude des constituants de la matière vivante et de leurs réactions (syn. CHIMIE BIOLOGIQUE).

BIOGÉOGRAPHIE [bjɔʒeografi] n. f. (du gr. *bios*, vie, et *géographie*). Partie de la géographie qui étudie la répartition à la surface du globe des végétaux et des animaux.

BIOGRAPHIE [bjɔgrafi] n. f. (du gr. *bios*, vie, et *graphein*, décrire). Histoire de la vie d'un personnage : *Écrire sa propre biographie* (ou *autobiographie*). ◆ **biographique** adj. : *Une notice biographique.* ◆ **biographe** n. : *Les biographes donnent peu de détails sur cette période de sa vie.* ◆ **autobiographie** n. f. Histoire de la vie de quelqu'un écrite par lui-même.

BIOLOGIE [bjɔlɔʒi] n. f. (du gr. *bios*, vie, et *logos*, science). Science des êtres vivants en général et plus particulièrement du cycle reproductif (biologie moléculaire, biologie cellulaire, embryologie, génétique, étude de la reproduction et de la sexualité, évolution). ◆ **biologique** adj. ◆ **biologiste** n.

BIOMASSE [bjɔmas] n. f. (du gr. *bios*, vie, et *masse*). Masse totale des êtres vivants animaux et végétaux subsistant en équilibre sur une surface donnée de sol ou dans un volume donné d'eau océanique ou douce.

BIOPSIE [bjɔpsi] n. f. (du gr. *bios*, vie, et *opsis*, vue). Prélèvement d'un fragment d'organe ou de tumeur sur un être vivant, en vue d'un examen scientifique.

BIOSPHÈRE [bjɔsfɛr] n. f. (du gr. *bios*, vie, et *sphère*). Couche particulière de notre planète, constituée par l'ensemble des êtres vivants et par les milieux favorables à leur développement.

BIOXYDE n. m. ⟶ OXYDE.

BIPARTI, E [biparti] ou **BIPARTITE** [bipartit] adj. (de *bi-*, et *parti*, partagé). Constitué de deux parties ou ensembles : *Un gouvernement biparti* (= avec des ministres appartenant à deux partis). ◆ **bipartisme** n. m. Système de gouvernement fondé sur l'existence de deux partis politiques principaux.

BIPÈDE [bipɛd] adj. et n. (de *bi-*, et lat. *pedem*, pied). Se dit d'un animal qui a deux pieds.

BIPLACE [biplas] adj. et n. *(bi-*, et *place)*. Se dit d'un véhicule et en particulier d'un avion qui a deux places.

BIPLAN [biplɑ̃] n. m. *(bi-*, et *plan)*. Avion dont chacune des ailes comporte deux plans de sustentation.

BIPOINT [bipwɛ̃] n. m. *(bi-*, et *point)*. *Math.* Couple de points*. [On note (A, B) le bipoint formé des points A et B.]

BIPOLARISATION [bipɔlarizasjɔ̃] n. f. *(bi-*, et *polarisation)*. Situation caractérisée par le regroupement de la vie politique autour de deux partis principaux.

BIQUE [bik] n. f. (altér. de *biche*). *Fam.* Chèvre.

BIRÉACTEUR [bireaktœr] adj. et n. m. *(bi-*, et *réacteur)*. Se dit d'un avion propulsé par deux réacteurs.

BIR HAKEIM, point d'eau de Libye. Les Forces françaises libres, commandées par Kœnig, y résistèrent aux troupes allemandes de Rommel du 27 mai au 11 juin 1942.

BIRKENHEAD, v. de l'ouest de l'Angleterre (Cheshire), près de la Mersey, en face de Liverpool; 137 700 hab. Chantiers navals.

BIRMANIE, État de l'Asie du Sud-Est, ouvert sur le golfe du Bengale. → cartes ASIE pp. 96-97.

SUPERFICIE 678 000 km² (France : 550 000 km²).
POPULATION 40 800 000 hab. *(Birmans);* 60 hab. au km² (France : 103); accroissement annuel de population, 2,3 p. 100.
CAPITALE Rangoon (3 662 000 hab.).
VILLE PRINCIPALE Mandalay (417 300 hab.).
LANGUE birman.
ÉCONOMIE consommation d'énergie par hab., 65 kg d'équivalent charbon; 1 automobile pour 900 hab.
MONNAIE kyat.

GÉOGRAPHIE

Des chaînes de montagnes orientées N.-S. isolent au centre le bassin de l'Irrawaddy et celui, moins important, de la Salouen, qui se terminent par de vastes deltas. Un climat de mousson, humide surtout au bord de la mer, affecte l'ensemble du pays.

	TEMPÉRATURES MOYENNES janv.	juil.	PLUIES
Rangoon	25 °C	26 °C	2 653 mm

La Birmanie est un pays essentiellement agricole. La région centrale, autour de Mandalay, connaît encore une polyculture traditionnelle : riz, millet, arachide. Mais l'aménagement du delta de l'Irrawaddy, autour de Rangoon, a permis le développement d'une monoculture du riz dont la Birmanie est un gros exportateur. Dans les montagnes, les forêts fournissent des bois précieux (teck). On exploite enfin un peu de pétrole.

riz 9 400 000 t; pétrole 1 296 000 t

HISTOIRE

Au cours de l'histoire, la Birmanie a été occupée par des peuples d'origines variées. Les Birmans sont arrivés au début du IXe s.
- *XIe s. Constitution d'un État birman.*
- *1287. Invasion mongole qui détruit cet État.*

Au cours du XIXe s. les Anglais s'assurent par les armes la possession du pays qui est englobé dans l'Empire des Indes.
- *1942-1945. Occupation japonaise au cours de la Seconde Guerre mondiale.*
- *1948. Création de l'Union birmane.*

Elle pratique une politique de stricte neutralité et à tendance socialiste (nationalisations).
- *1962. Le général Ne Win prend le pouvoir.*
- *1981. Ne Win est remplacé par le général San Yu, mais conserve la réalité du pouvoir.*

L'opposition au régime autoritaire ne cesse de grandir.
- *1988. Dans un contexte de crise grave, Ne Win et San Yu quittent leurs fonctions. Les gouvernements militaires se succèdent.*

Diverses minorités sont depuis la création de l'Union en insurrection contre le pouvoir central.

BIRMINGHAM, v. de Grande-Bretagne, dans les Midlands; 2 359 000 hab. (banlieues incluses). La présence de minerai de fer (aujourd'hui épuisé) et de houille à proximité explique le précoce développement de la métallurgie. Birmingham est le centre d'une vaste conurbation industrielle, le Pays noir *(Black Country)*.

BIRMINGHAM, v. des États-Unis (Alabama), dans le sud des Appalaches; 300 900 hab. Minerai de fer. Centre sidérurgique.

BIROBIDJAN, v. de l'U. R. S. S., dans l'Extrême-Orient, ch.-l. d'un district autonome colonisé par des Juifs; 55 700 hab.

BIRON (Charles DE GONTAUT, *duc* DE) [1562-1602], maréchal général des camps et armées de Henri IV (1597), duc et pair, et gouverneur de la Bourgogne (1598). Il conspira avec le duc de Savoie et l'Espagne contre le roi. Condamné à mort, il fut décapité.

---

1. BIS-, préf. → BI-.

---

2. BIS [bis] adv. et adj. (lat. *bis*, deux fois). Indique la répétition ou l'annexe d'un numéro d'ordre : *Habiter au 12* bis *de la rue de Lyon. L'article 4* bis. (On dira, pour les annexes suivantes, *ter*, *quater*.)

3. BIS [bis] interj. et n. m. (même étym.). Cri par lequel on demande la répétition de ce qu'on vient de voir ou d'entendre. ◆ **bisser** [bise] v. t. : *Bisser un musicien.*

4. BIS, E [bi, biz] adj. (orig. incert.). **1.** D'une couleur gris foncé tirant sur le brun : *Avoir le teint bis. De la toile bise.* — **2.** *Pain bis*, pain de couleur grise, à cause du son qu'il renferme.

BISAÏEUL, E n. → AÏEUL.

1. BISANNUEL, ELLE adj. → AN.

2. BISANNUEL, ELLE [bizanɥɛl] adj. *(bis-*, et *annuel)*. *Plante bisannuelle*, plante qui ne fleurit, ne fructifie et ne meurt que la deuxième année, comme la *carotte*, la *betterave*, etc.

BISAYAS → VISAYAS.

BISBILLE [bisbij] n. f. (it. *bisbiglio*, murmure). *Fam.* Petite querelle, dispute futile et sans conséquence : *Être en bisbille avec qq'un* (syn. ÊTRE BROUILLÉ, FÂCHÉ).

BISCARROSSE, comm. des Landes (arrond. de Mont-de-Marsan), près de l'extrémité nord de l'*étang de Biscarrosse;* 9 000 hab.

BISCAYE, en esp. **Vizcaya,** l'une des prov. basques d'Espagne; 1 043 300 hab. *(Biscaïens)*. Capit. *Bilbao*.

BISCHWILLER, ch.-l. de cant. du Bas-Rhin, à 8 km au S.-E. d'Haguenau; 10 800 hab. Textiles. Métallurgie.

BISCORNU, E [biskɔrny] adj. *(bis-*, et *cornu)* [placé après le nom]. **1.** *Objet biscornu*, dont la forme est irrégulière : *Un vieux chapeau déformé, tout biscornu.* — **2.** Péjor. et fam. *Chose biscornue*, qui n'est pas conforme à ce que l'on attend, aux usages établis, à la raison : *Avoir des idées biscornues* (syn. BIZARRE, EXTRAVAGANT). *Esprit biscornu* (contr. RAISONNABLE, SENSÉ).

BISCOTTE [biskɔt] n. f. (it. *biscotto*). Tranche de pain de mie séchée au four, et pouvant être conservée longtemps.

1. BISCUIT [biskɥi] n. m. *(bis-*, et *cuit)*. **1.** Pâtisserie faite avec de la farine, des œufs et du sucre. — **2.** Galette très dure, destinée à être conservée très longtemps, utilisée autrefois dans l'armée. ◆ **biscuiterie** n. f. Industrie et commerce des biscuits et des gâteaux secs; usine spécialisée dans cette fabrication.

2. BISCUIT [biskɥi] n. m. (même étym.). Ouvrage de porcelaine ayant l'aspect d'un marbre blanc très fin : *Un bibelot en biscuit de Sèvres.*

1. BISE [biz] n. f. (frq. *bisa*). Vent glacial qui souffle en général du N. ou de l'E. (syn. BLIZZARD).

2. BISE [biz] n. f. (de *biser*, baiser). *Fam.* Petit baiser.

BISEAU [bizo] n. m. (du lat. *bis*, deux fois). **1.** Bord taillé obliquement, au lieu de former une arête coupée à angle droit. — **2.** *En biseau*, dont le bord est coupé en oblique : *Glace taillée en biseau.* ◆ **biseauter** v. t. : *Biseauter un diamant. Les cartes biseautées ont le bord marqué de manière à être reconnues par celui qui donne.* ◆ **biseautage** n. m.

BISET [bizɛ] n. m. (de *bis* 4). Pigeon sauvage à plumage gris bleuté. (C'est l'ancêtre des races de pigeons domestiques.)

BISEXUÉ, E adj. → BISSEXUÉ.

BISKRA, auj. **Beskra,** v. d'Algérie, en bordure de l'Aurès; 53 200 hab. Grande oasis. Centre touristique.

BISMARCK (Otto, *prince* VON), homme d'État prussien (1815-1898).
- *1862. Bismarck est nommé ministre président de Prusse par Guillaume Ier.*

Bismarck s'attache d'abord à créer une armée puissante et bien entraînée. C'est un des fondateurs de l'unité allemande.
- *1864. Guerre des Duchés : la Prusse conquiert le Slesvig et le Holstein sur le Danemark.*
- *1866. Victoire de Sadowa; traité de Prague.*

La Prusse prend la place prépondérante jusque-là occupée par l'Autriche qui, vaincue, est éliminée d'Allemagne. Une Confédération de l'Allemagne du Nord est fondée.

En dressant le sentiment national allemand contre la France, Bismarck obtient le ralliement des États du Sud.
- *1871. La victoire de l'Allemagne sur la France permet à Bismarck d'achever l'unité et de créer l'Empire allemand.*

Bismarck devient chancelier du Reich et président du Conseil de Prusse. Il s'attache à renforcer l'autorité du gouvernement impérial face aux particularismes des États. Il soutient contre le parti catholique le conflit du Kulturkampf*. Puis, cherchant à briser le parti social-démocrate, Bismarck tente de détacher de lui les classes ouvrières en adoptant un socialisme d'État.
- *1872. L'alliance avec la Russie et l'Autriche-Hongrie maintient la France dans l'isolement.*
- *1882. La Triplice*, avec l'Autriche-Hongrie et l'Italie, prolonge cet isolement.*
- *1884-1885. Conférence de Berlin. Bismarck fait de l'Allemagne une puissance coloniale.*
- *1890. Après l'accession à l'Empire de Guillaume II, qui critique sa politique, Bismarck doit quitter le pouvoir.*

BISMARCK *(archipel)*, ancienn. **Nouvelle-Bretagne,** archipel de la Mélanésie; 157 000 hab. Anc. colonie allemande, auj. partie de la Papouasie-Nouvelle-Guinée.

BISMUTH [bismyt] n. m. (all. *Wismut*). Métal (Bi) d'un blanc gris un peu rougeâtre, fondant à 270 °C en diminuant de volume, de densité 9,8, cassant et facile à réduire en poudre. (On l'utilise surtout allié à d'autres métaux; le *sous-nitrate* est employé dans le traitement des affections gastro-intestinales.)

BISON [bizɔ̃] n. m. (lat. *bison*). Mammifère ruminant, constituant deux espèces, l'une américaine, l'autre européenne, caractérisé par une bosse sur le garrot et un collier de fourrure laineuse et pesant de 800 à 1 200 kg. (Famille des bovidés.)

— ENCYCL. ***bison.*** L'espèce américaine a été massacrée aux États-Unis par les pionniers, désireux de priver les Indiens de leur principal gibier. L'espèce européenne a vu ses derniers représentants sauvages détruits par les Allemands en Pologne en 1942. Ils subsistent aujourd'hui dans des réserves ou en captivité. Les représentations de bisons sur les parois des grottes préhistoriques indiquent l'importance de ce gibier pour les chasseurs paléolithiques d'Europe.

BISONTIN, E [bizɔ̃tɛ̃, -in] adj. et n. (de *Bisontum;* autre forme de *Vesontio*, n. lat. de Besançon). De Besançon.

BISQUE [bisk] n. f. (orig. obscure). Potage fait d'un coulis d'écrevisses, de quenelles, etc.

BISQUER [biske] v. i. (orig. obscure). *Faire bisquer qq'un,* lui faire éprouver un dépit rageur (syn. fam. FAIRE ENRAGER).

BISSAC [bisak] n. m. *(bis-,* et *sac).* Sorte de besace.

BISSAU, capit. et v. pr. de la Guinée-Bissau; 71 200 hab.

BISSECTRICE [bisɛktris] n. f. (de *bis-,* et *secteur).* **1.** *Bissectrice d'un couple de demi-droites (Oa, Ob) de même origine O,* axe de l'unique symétrie* orthogonale qui applique O*a* sur O*b.* [Si Oz est une demi-droite portée par la bissectrice de (O*a*, O*b*); les

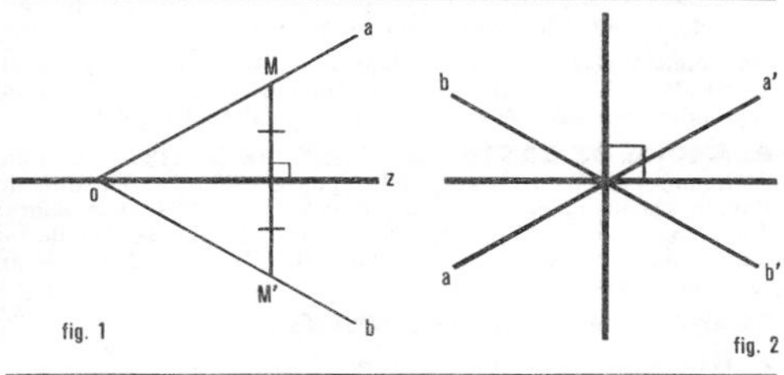

fig. 1 fig. 2

angles géométriques $\widehat{aOz}$ et $\widehat{bOz}$ sont égaux.] ⟶ *fig.* 1. — **2.** *Bissectrice d'un couple de deux droites* aa' *et* bb' *sécantes,* axes des deux symétries orthogonales qui appliquent *aa'* sur *bb'.* (*Rem.* Les bissectrices de tout couple de droites sécantes sont perpendiculaires.) ⟶ *fig.* 2.

BISSER v. t. ⟶ BIS 3.

BISSEXTILE [bisɛkstil] adj. f. (lat. *bissextilis*). *Année bissextile,* année qui est composée de 366 jours, au lieu de 365 (et qui revient tous les quatre ans).

BISSEXUÉ ou **BISEXUÉ** [bisɛksɥe] adj. (de *bi-,* et *sexué*). Se dit d'un être vivant, animal ou plante, qui possède à la fois des organes mâles et des organes femelles (syn. HERMAPHRODITE).

BISTOURI [bisturi] n. m. (orig. incert.). Petit couteau chirurgical, qui sert à faire des incisions dans les tissus.

BISTRE [bistr] adj. et n. m. inv. (orig. obscure). Brun jaunâtre. ◆ **bistré, e** adj. : *Avoir le teint bistré* (syn. BRONZÉ).

BISTROT [bistro] n. m. (orig. obscure). **1.** *Fam.* Débit de boissons ou restaurant modeste : *Aller prendre un verre au bistrot* (syn. usuel CAFÉ). — **2.** Patron du café ou du restaurant (vieilli).

BISULFITE [bisylfit] n. m. *(bi-,* et *sulfite).* Sel acide de l'acide sulfuré.

BITCHE, ch.-l. de cant. de la Moselle, à 33 km à l'E. de Sarreguemines; 7 800 hab.

BITERROIS, région du bas Languedoc (Hérault) sur le cours inférieur de l'Orb et de l'Hérault. V. pr. *Béziers.* Vignobles.

BITERROIS, E [bitɛrwa, -az] adj. et n. (de *Biterro,* nom lat. de Béziers). De Béziers.

BITHYNIE, région et anc. royaume du nord-ouest de l'Asie Mineure, en bordure du Pont-Euxin et de la Propontide. V. pr. *Brousse.*

BITOLA ou **BITOLJ,** ancienn. **Monastir,** v. de Yougoslavie (Macédoine), dans la plaine de Pélagonie; 65 800 hab.

BITTE [bit] n. f. (du scand. *biti,* poutre). Pièce de bois ou de métal fixée sur un quai ou à l'avant d'un navire, et sur laquelle on enroule les cordages.

BITUME [bitym] n. m. (lat. *bitumen*). Mélange d'hydrocarbures dont on se sert pour le revêtement des chaussées et des trottoirs, l'imperméabilisation du papier, la protection des ouvrages en béton enterrés, etc. (syn. usuel ASPHALTE). ◆ **bitumer** v. t. : *Les ouvriers sont en train de bitumer la chaussée.* ◆ **bitumage** n. m.

BITURIGES, peuple de l'anc. Gaule, qui occupait le Berry. Capit. *Avaricum* (auj. Bourges).

BIUNIVOQUE [biynivɔk] adj. *(bi-,* et *univoque). Math.* Se dit d'une relation binaire (ou correspondance) entre un ensemble E et un ensemble F lorsque à tout élément x de E correspond un élément y et un seul de F : *Une correspondance biunivoque est donc une application* bijective de E sur F.* (Cette terminologie est officiellement abandonnée.)

BIVALENT, E adj. ⟶ VALENCE.

BIVALVES [bivalv] n. m. pl. *(bi-,* et *valve).* Classe de mollusques aquatiques dont la coquille est formée de deux valves réunies par un ligament élastique. (C'est une des trois classes de l'embranchement des mollusques.)

BIVOUAC [bivwak] n. m. (du suisse all. *Biwacht*). Campement en plein air, établi provisoirement par des troupes ou par une expédition : *Des feux de bivouac. Coucher au bivouac.* ◆ **bivouaquer** v. i. Camper ou passer la nuit en plein air.

BIZARRE [bizar] adj. (it. *bizzarro*). Se dit de quelqu'un, de quelque chose qui s'écarte de l'usage commun, qui surprend par son étrangeté : *Sa conduite apparaît bizarre à son entourage* (syn. ÉTONNANT, EXCENTRIQUE; contr. NORMAL). *Un chapeau bizarre* (syn. COCASSE, ÉTRANGE). *Une idée bizarre* (syn. EXTRAVAGANT). *Un homme bizarre* (syn. INQUIÉTANT). ◆ **bizarrement** adv. ◆ **bizarrerie** n. f. : *La bizarrerie de son humeur me rend perplexe* (syn. EXTRAVAGANCE, INSTABILITÉ). *La bizarrerie d'une idée* (syn. ÉTRANGETÉ, FANTAISIE, SINGULARITÉ).

BIZERTE, v. de Tunisie, sur la Méditerranée, au débouché du *lac de Bizerte*; 51 700 hab. Aménagée par les Français, la base navale de Bizerte joue un rôle important par sa situation au cœur de la Méditerranée.

- *1963. Elle est évacuée par la France.*

BIZET (Georges), compositeur français (1838-1875). Sa musique est claire, élégante et d'un langage harmonique très personnel. Cependant ses meilleures œuvres se heurteront d'abord à l'indifférence et même à l'hostilité du public.

- *1872. « L'Arlésienne », musique de scène pour le mélodrame d'A. Daudet.*
- *1875. « Carmen », opéra adapté de la nouvelle de P. Mérimée, donnera à Bizet la gloire mondiale.*

BIZUT ou **BIZUTH** [bizy] n. m. (orig. incert.). *Arg. scol.* Élève nouvellement arrivé ou élève de première année dans les classes préparatoires aux grandes écoles. ◆ **bizuter** v. t. Faire subir des brimades aux bizuts lors de leur arrivée. ◆ **bizutage** n. m.

BJØRNSON (Bjørnstjerne), écrivain norvégien (1832-1910), auteur de romans, d'œuvres lyriques et de drames.

BLA-BLA-BLA ou **BLA-BLA** [blabla] n. m. (onomat.). *Fam.* Discours vide, sans intérêt (syn. VERBIAGE).

BLACKBOULER [blakbule] v. t. (de l'angl. *to blackball*). Fam. *Blackbouler qq'un,* le rejeter par un vote, l'évincer, ou le refuser à un examen : *Un ministre blackboulé aux élections* (syn. BATTRE). *Candidat blackboulé au bachot* (syn. RECALER). ◆ **blackboulage** n. m.

BLACKBURN, v. de Grande-Bretagne, dans le Lancashire; 101 700 hab. Industries textiles (coton).

BLACK COUNTRY, région industrielle de l'Angleterre, s'étendant au N.-O. de Birmingham. La houille y a permis, au XIXe s., le développement d'une importante région de métallurgie.

BLACK-OUT [blakaut] n. m. inv. (mot angl.). **1.** Obscurcissement total d'une ville, ordonné au cours d'opérations militaires et utilisé pour camoufler des objectifs contre les attaques aériennes. — **2.** *Faire le black-out sur un événement,* faire le silence à son sujet.

BLAFARD, E [blafar, -ard] adj. (all. *bleichvar,* pâle). *Lumière blafarde, visage blafard,* dont la pâleur accentuée est désagréable ou triste : *La lueur blafarde de la lune* (syn. PÂLE, TERNE; contr. CRU). *Le teint blafard d'un malade* (syn. BLANC, BLÊME, LIVIDE).

BLAGNAC, comm. de la Haute-Garonne, à 7 km à l'O. de Toulouse; 14 900 hab. Aéroport de Toulouse.

BLAGOVECHTCHENSK, v. de l'U. R. S. S., dans l'Extrême-Orient, à la frontière chinoise; 127 800 hab.

1. BLAGUE [blag] n. f. (du néerl. *blagen,* se gonfler). *Blague à tabac,* petit sac de cuir, de matière plastique, etc., où les fumeurs mettent leur tabac.

2. BLAGUE [blag] n. f. (même étym.). **1.** *Fam.* Farce faite pour tromper celui qui en est l'objet : *Faire une blague à un ami.* — **2.** *Fam.* Propos plaisants tenus pour amuser : *Raconter des blagues* (syn. HISTOIRE). *Blague à part* (= sérieusement). ◆ **blaguer** v. i. *Fam.* Plaisanter en parlant. ◆ v. t. *Fam.* Railler : *Il blague sa femme sur son nouveau chapeau* (syn. TAQUINER). ◆ **blagueur, euse** adj. et n. Fam. : *C'est un blagueur* (syn. PLAISANTIN).

3. BLAGUE [blag] n. f. (même étym.). *Fam.* Action inconsidérée, faute commise par légèreté : *Il a fait des blagues dans sa jeunesse* (syn. SOTTISE).

BLAIN, ch.-l. de cant. de la Loire-Atlantique, à 35 km au N.-O. de Nantes; 7 200 hab.

1. BLAIREAU [blɛro] n. m. (de l'anc. fr. *blaire,* tacheté de blanc). Mammifère plantigrade, omnivore, commun dans les bois d'Europe occidentale, où il creuse des terriers. (Famille des mustélidés.)

2. BLAIREAU [blɛro] n. m. (de *blaireau* 1). Brosse de poils fins dont on se sert pour se savonner la barbe.

BLAKE (Robert), amiral anglais (1599-1657). Au service de l'armée de Cromwell, il détruisit la flotte royaliste au large de Carthagène en 1650.

BLAKE (William), poète, peintre et graveur anglais (1757-1827). Tirant ses sujets de la Bible, des poètes médiévaux ou de ses mythes personnels, il a composé des poèmes lyriques et épiques, qu'il illustra lui-même.

BLÂME [blɑm] n. m. (du gr. *blasphêmein*, outrager). **1.** Jugement condamnant ou désapprouvant la conduite d'autrui : *Une action digne de blâme* (syn. DÉSAPPROBATION; contr. LOUANGE). *S'attirer un blâme mérité* (syn. CONDAMNATION, REPROCHE). — **2.** Sanction consistant en une réprimande officielle : *Infliger un blâme à un élève* (contr. FÉLICITATION). ◆ **blâmer** v. t. : *Sa conduite est à blâmer* (syn. CONDAMNER, DÉSAPPROUVER; contr. EXCUSER). *Il faut le plaindre et non le blâmer* (syn. JETER LA PIERRE). ◆ **blâmable** adj. : *Une action blâmable* (syn. CONDAMNABLE, RÉPRÉHENSIBLE).

1. BLANC, BLANCHE [blɑ̃, -ɑ̃ʃ] adj. (frq. *blank*, brillant) [après le nom]. **1.** Se dit, par oppos. à NOIR, d'une couleur analogue à celle du lait ou de la neige : *Une colombe blanche.* — **2.** Se dit de ce qui n'est pas sali ou terni : *Mettre des draps blancs* (= propres). — **3.** *Arme blanche, carte blanche, drapeau blanc, mariage blanc, nuit blanche, pain blanc, patte blanche, pierre blanche, vers blancs*, etc. ⟶ ARME, CARTE, etc. ‖ *Blanc comme neige*, innocent. ‖ *Bulletin blanc*, bulletin de vote mis dans l'urne, et sur lequel n'est porté aucun nom ni exprimé aucun avis. ‖ *Examen blanc*, examen d'essai avant l'examen définitif. ‖ *Sauce blanche*, sauce faite avec du lait et de la farine. ‖ *Voix blanche*, sans timbre et qui trahit la peur. ‖ *Dire tantôt blanc, tantôt noir*, avoir l'esprit de contradiction. ◆ **blanchâtre** adj. D'un blanc qui n'est pas net. ◆ **blancheur** n. f. Couleur blanche : *La blancheur de la neige.* ◆ **blanchir** v. t. Rendre blanc : *L'âge blanchit les cheveux.* ◆ v. i. Devenir blanc : *Ses cheveux blanchissent.* ‖ *Blanchir sous le harnais*, vieillir dans un emploi, une situation. ◆ **blanchiment** n. m. Action de rendre ou de devenir blanc : *Le blanchiment d'une façade.*

2. BLANC [blɑ̃] n. m. (même étym.). **1.** Couleur blanche : *Il a les dents d'un blanc éclatant* (= très blanches). — **2.** Matière colorante : *Passer une couche de blanc.* — **3.** Vêtement, linge, tissu de couleur blanche : *Être vêtu de blanc.* ‖ *Saison du blanc*, période de l'année (janvier) où sont présentées les dernières nouveautés concernant le linge et la lingerie. — **4.** Dans une page, partie qui ne reçoit pas l'impression (espaces entre les lignes, entre les signes, marges) : *Laisser des blancs.* — **5.** *Blanc de blancs*, en Champagne, vin blanc non champagnisé; dans d'autres régions, vin blanc fait à partir de raisins blancs. ‖ *Blanc de champignon*, mycélium du champignon de couche qui sert à la multiplication dans les champignonnières. ‖ *Blanc de l'œil*, la cornée. ‖ *Blanc d'œuf* (par oppos. au JAUNE), partie blanchâtre et gluante de l'œuf. ‖ *Blanc de poulet*, chair blanchâtre recouvrant le bréchet des volailles. ‖ *De but en blanc* ⟶ BUT. ‖ *Chauffer à blanc*, soumettre un métal au feu jusqu'à ce qu'il passe du rouge au blanc. ‖ *Chèque en blanc*, chèque qui ne porte pas d'autre mention que la signature du tireur. ‖ *Écrire noir sur blanc*, affirmer par écrit, sans qu'aucune contestation puisse s'élever (syn. AVEC NETTETÉ). ‖ *Saigner à blanc*, tuer en laissant couler tout le sang de la victime; épuiser toutes les ressources de quelqu'un. ‖ *Signer en blanc un papier* (chèque, procuration, etc.), apposer sa signature sur un papier où l'on a laissé la place pour écrire quelque chose. ‖ *Tirer à blanc*, effectuer un tir avec des cartouches sans projectile *(cartouche à blanc)*.

3. BLANC, BLANCHE [blɑ̃, -ɑ̃ʃ] adj. et n. (même étym.). Se dit d'une personne appartenant à une race caractérisée en particulier par la blancheur de la peau (le nom s'écrit avec une majusc.) : *Les Noirs et les Blancs.*

BLANC *(cap)*, extrémité nord-est de la Tunisie.

BLANC *(cap)*, cap de la côte du Sahara occidental.

BLANC (Le), ch.-l. d'arrond. de l'Indre, sur la Creuse, à 60 km à l'E. de Poitiers; 8 100 hab.

BLANC *(mont)*, point culminant des Alpes et du *massif du Mont-Blanc*, sur le territoire français; 4 807 m. Le sommet fut atteint pour la première fois le 8 août 1786 par le Dr Paccard et le guide Jacques Balmat.

BLANC (Louis), historien et homme politique français (1811-1882). Socialiste, il contribua par ses écrits à la chute de la monarchie de Juillet et fut membre du Gouvernement provisoire en février 1848.

BLANC-BEC [blɑ̃bɛk] n. m. *(blanc*, et *bec)*. Jeune homme sans expérience et sûr de soi : *Ces jeunes blancs-becs n'ont plus aucun respect pour leurs aînés.*

BLANCHARD (Jean-Pierre), aéronaute français (1753-1809). Il fut le premier à traverser la Manche en ballon, de Douvres à Calais (1785).

BLANCHÂTRE adj. ⟶ BLANC 1.

1. BLANCHE adj. f. ⟶ BLANC 1 et 3.

2. BLANCHE [blɑ̃ʃ] n. f. (de *blanc*). Note de musique qui vaut la moitié de la ronde, ou deux noires, ou quatre croches.

BLANCHE *(mer)*, mer dépendant de l'océan Arctique, au N.-O. de l'U. R. S. S., libre de glaces du milieu de mai au début de septembre. Sur sa rive sud est établi le port d'Arkhangelsk.

BLANCHE DE CASTILLE, reine de France (1188-1252). Fille d'Alphonse VIII de Castille, elle épousa (1200) le fils aîné de Philippe Auguste, qui devint roi (Louis VIII) en 1223, mais mourut dès 1226. Louis IX n'ayant que douze ans, Blanche de Castille fut régente du royaume : son énergie lui permit de laisser à son fils un royaume pacifié.

BLANCHEUR n. f., **BLANCHIMENT** n. m. ⟶ BLANC 1.

1. BLANCHIR v. t. et i. ⟶ BLANC 1.

2. BLANCHIR [blɑ̃ʃir] v. t. (de *blanc*). Rendre propre : *Donner son linge à blanchir* (syn. NETTOYER). *Un pensionnaire nourri et blanchi* (= à qui l'on donne la nourriture et dont on nettoie le linge). ◆ **blanchissage** n. m. Action de nettoyer le linge. ◆ **blanchisserie** n. f. Usine où l'on nettoie le linge, les étoffes, etc.; boutique du commerçant qui fait nettoyer le linge et le repasse (syn. LAVERIE). ◆ **blanchisseur, euse** n.

3. BLANCHIR [blɑ̃ʃir] v. t. (de *blanc*). *Blanchir qq'un*, le faire déclarer innocent : *Il est sorti blanchi du procès* (syn. DISCULPER).

BLANC-MESNIL (Le), ch.-l. de cant. de la Seine-Saint-Denis, à 6 km au N.-E. de Paris; 47 100 hab.

BLANC-NEZ *(cap)*, promontoire calcaire du Boulonnais, sur le pas de Calais.

BLANC-SEING [blɑ̃sɛ̃] n. m. (de *blanc*, et anc. fr. *seing*, signe). Feuille blanche au bas de laquelle on a apposé sa signature, et que l'on confie à quelqu'un pour qu'il la remplisse comme il l'entend.

BLANQUEFORT, ch.-l. de cant. de la Gironde, à 10 km au N. de Bordeaux; 11 000 hab. École d'agriculture.

BLANQUETTE [blɑ̃kɛt] n. f. (de *blanc*). *Blanquette de veau*, ragoût de veau à la sauce blanche.

BLANQUI (Louis Auguste), homme politique français (1805-1881). L'un des chefs de l'opposition républicaine et socialiste, il fut condamné en 1849 à dix ans de prison. De nouveau arrêté sur l'ordre de Thiers en 1871, il ne fut libéré qu'en 1879. Il croyait en la possibilité d'une insurrection victorieuse réalisée par une minorité décidée.

BLANZY, comm. de Saône-et-Loire, à 2 km au N. de Montceau-les-Mines; 7 000 hab. Houille.

BLASCO IBÁÑEZ (Vicente), écrivain espagnol (1867-1928), auteur d'*Arènes sanglantes* (1908).

BLASER [blɑze] v. t. (néerl. *blasen*, gonfler) [sujet nom de chose]. *Blaser qq'un (de* ou *sur* une chose), le rendre indifférent ou insensible aux émotions vives, au plaisir, par l'abus qui en a été fait (presque toujours au passif) : *Il est blasé sur tout* (syn. DÉSABUSER). *Je suis blasé de ce genre de lecture* (syn. FATIGUER, RASSASIER). ◆ ***se blaser*** v. pr. *Se blaser de qqch.*, s'en dégoûter. ◆ **blasé,** e adj. et n. : *Un esprit blasé. Faire le blasé* (syn. SCEPTIQUE).

BLASON [blazɔ̃] n. m. (orig. obscure). **1.** Ensemble des armoiries formant l'écu d'un État, d'une ville, d'une famille : *Les fleurs de lis du blason de la maison de France.* — **2.** *Redorer son blason*, rétablir sa fortune, sa situation de manière qu'elle redevienne digne du titre que l'on porte.

BLASPHÈME [blasfɛm] n. m. (gr. *blasphêmia*). Parole outrageante à l'égard de Dieu, d'une divinité ou de tout ce qui est considéré comme sacré et respectable : *Proférer des blasphèmes* (syn. ↓INSULTE). ◆ **blasphémer** v. i. et t. *Blasphémer contre qq'un* ou *contre qqch.*, ou (littér.) *blasphémer qq'un, qqch.*, tenir des propos injurieux ou insultants contre eux : *Blasphémer contre le ciel* (syn. MAUDIRE). *Une telle conduite blasphème la morale* (syn. OUTRAGER). ◆ **blasphémateur, trice** n. et adj. ◆ **blasphématoire** adj. : *Des propos blasphématoires* (syn. IMPIE, SACRILÈGE).

BLASTODERME [blastɔdɛrm] n. m. (du gr. *blastos*, bourgeon, et *derma*, peau). Petite lame de cellules, située au pôle supérieur du jaune de l'œuf des oiseaux, et dont le développement fournira l'embryon. (On l'appelle souvent *germe*.)

BLATÉRER [blatere] v. i. (lat. *blaterare*) [sujet nom désignant le chameau, le dromadaire, le bélier]. Crier.

BLATTE [blat] n. f. (lat. *blatta*). Insecte dont les principales espèces, appelées *cafards* ou *cancrelats*, se rencontrent dans les cuisines. (Ordre des orthoptères.)

BLAVET (le), fl. de la Bretagne, qui débouche dans l'Atlantique en formant, avec le Scorff, la rade de Lorient; 140 km.

BLAYE, ch.-l. d'arrond. de la Gironde, sur la rive droite de la Gironde, à 49 km au N. de Bordeaux; 4800 hab.

BLAYE-LES-MINES, comm. du Tarn, à 3 km au S.-O. de Carmaux; 3900 hab.

BLÉ [ble] n. m. (orig. incert.). **1.** Plante herbacée annuelle, dont la graine fournit la farine utilisée pour la fabrication du pain *(blé tendre)* ou des pâtes alimentaires *(blé dur)* selon les variétés. (Famille des graminacées.) — **2.** Grain de cette plante, séparé de l'épi : *Moudre le blé.* — **3.** *Blé noir*, sarrasin. — **4.** *Manger son blé en herbe*, dépenser d'avance son revenu.
— ENCYCL. Le *blé* est la céréale la plus répandue dans le monde. Sa production, variable selon les années, est le plus souvent légèrement supérieure à 500 millions de t. Exclu de la zone tropicale trop humide, le blé s'étend dans toute la zone tempérée, remontant assez haut en latitude, jusqu'en Norvège. Les principaux pays producteurs sont :

U. R. S. S.	90 millions de t	Canada	22 millions de t
Chine	85 millions de t	Turquie	17 millions de t
États-Unis	70 millions de t	Argentine	13 millions de t
Inde	45 millions de t	Italie	10 millions de t
France	30 millions de t	Monde	520 millions de t

BLED [blɛd] n. m. (ar. *bled*, terrain). **1.** En Afrique du Nord, l'intérieur des terres. — **2.** *Pop.* Petit village; la campagne.

BLÊME [blɛm] adj. (orig. obscure). D'un blanc mat et terne qui donne une impression désagréable : *Un teint blême* (syn. LIVIDE). *Une lueur blême* (syn. BLAFARD). ◆ **blêmir** v. i. Devenir blême : *Il blêmit d'épouvante* (syn. PÂLIR, VERDIR; contr. ROUGIR). ◆ v. t. Rendre blême (surtout au part. passé) : *Un visage blêmi par la fatigue.*

BLENDE [blɛ̃d] n. f. (mot all.). Sulfure naturel de zinc constituant le principal minerai de zinc.

BLENNORRAGIE [blenɔraʒi] n. f. (du gr. *blenna*, mucus, et *rhagê*, éruption). Maladie vénérienne caractérisée par une inflammation de la muqueuse des organes génitaux et due au gonocoque*.

BLÉRIOT (Louis), ingénieur, industriel et aviateur français (1872-1936). Sur un monoplan construit par ses soins, il effectua la première traversée de la Manche en aéroplane, de Calais à Douvres, le 25 juillet 1909. Il fut l'un des premiers industriels de l'aviation en France.

BLÉSER [bleze] v. i. (du lat. *blaesus*, bègue). Substituer, en parlant, une consonne faible à une consonne forte, comme *zerbe* pour *gerbe*, *pizon* pour *pigeon* (syn. ZÉZAYER).

BLÉSOIS, E [blezwa, -az] ou **BLAISOIS, E** [blɛzwa, -az] adj. et n. De Blois.

1. BLESSER [blese] v. t. (frq. *blettjan*, meurtrir). **1.** *Blesser qq'un* (une partie du corps), le frapper d'un coup, l'atteindre d'une balle, etc., qui produit une plaie ou une lésion : *La balle a blessé le poumon droit. Être blessé mortellement, grièvement.* — **2.** *Blesser quelque partie du corps de qq'un*, lui causer une gêne importante, une douleur vive, une impression désagréable : *Avoir les pieds blessés par ses chaussures. Cette musique blesse nos oreilles* (syn. ÉCORCHER). ◆ **se blesser** v. pr. : *Il s'est blessé en tombant* (= il s'est fait une blessure). ◆ **blessé, e** n. Personne qui a reçu une ou plusieurs blessures : *Un blessé au bras. Des blessés de guerre* (syn. INVALIDE, MUTILÉ). ◆ **blessure** n. f. Lésion de l'organisme produite par un coup, un instrument piquant, tranchant, etc.

2. BLESSER [blese] v. t. (même étym.). **1.** *Blesser qq'un*, lui causer une douleur morale par une parole, un acte indélicat, offensant : *Ce mot le blessa* (syn. HEURTER, OFFENSER). *Il a été blessé dans son amour-propre* (syn. FROISSER). *J'ai été blessé au vif par ses reproches* (syn. TOUCHER, ↑ULCÉRER). — **2.** *Blesser qqch.*, lui causer un préjudice, lui porter atteinte : *Blesser les intérêts de qq'un* (= lui nuire). *Blesser les convenances* (syn. ENFREINDRE). ◆ **se blesser** v. pr. Se formaliser, se vexer. ◆ **blessant, e** adj. : *Des paroles blessantes* (syn. DÉSOBLIGEANT, OFFENSANT, VEXANT). *Son orgueil le rend blessant* (syn. ARROGANT, CASSANT). ◆ **blessure** n. f. Atteinte portée à quelqu'un dans sa sensibilité, ses sentiments : *Une blessure d'amour-propre.*

BLET, BLETTE [blɛ, blɛt] adj. (frq. *blet*, pâle). Se dit d'un fruit trop mûr. ◆ **blettissement** n. m. Altération des fruits après la maturité.

BLETTE n. f. ⟶ BETTE.

BLETTISSEMENT n. m. ⟶ BLET.

1. BLEU [blø] adj. (frq. *blao*). **1.** Se dit d'une couleur analogue à celle du ciel sans nuages (la nuance peut être indiquée par un second adjectif) : *Des yeux bleus. Une cravate bleu foncé. Bleu horizon. De l'encre bleu-noir. Bleu marine.* — **2.** Se dit de la couleur présentée par la peau meurtrie, contusionnée, ou par la peau d'une personne saisie de froid, de colère, d'étonnement ou de peur. — **3.** *Avoir du sang bleu*, être d'origine noble. ‖ *Colère bleue*, violente colère. ‖ Fam. *En être bleu*, être stupéfait. ‖ *Maladie bleue*, ensemble des malformations congénitales du cœur et des gros vaisseaux. ‖ *Peur bleue*, très grande peur. ‖ *Zone bleue*, quartiers centraux d'une ville où le stationnement des automobiles est limité. ◆ **bleuâtre** adj. D'une couleur qui tire sur le bleu : *La fumée bleuâtre des cigarettes.* ◆ **bleuir** v. t. Rendre bleu (sens 1 et 2) : *La lune bleuissait les marais. Des lèvres bleuies par le froid.* ◆ v. i. Devenir bleu (sens 1 et 2). ◆ **bleuté, e** adj. Légèrement coloré en bleu : *Des reflets bleutés.*

2. BLEU [blø] n. m. (même étym.). **1.** Matière colorante bleue : *Passer une couche de bleu.* ‖ *Bleu de méthylène* ⟶ MÉTHYLE. — **2.** Marque laissée par un coup : *Il s'est fait un bleu au bras.* — **3.** *N'y voir que du bleu*, ne pas se rendre compte exactement de ce qui se passe. ‖ *Passer au bleu*, disparaître frauduleusement (en parlant surtout d'une somme d'argent). ‖ *Poisson au bleu*, cuit au court-bouillon.

3. BLEU [blø] n. m. (même étym.). Vêtement en toile bleue que les ouvriers portent pendant le travail : *Bleu de travail.*

4. BLEU [blø] n. m. (même étym.). Nouveau venu dans une caserne, un lycée ou un établissement quelconque : *Brimer les bleus.*

5. BLEU [blø] n. m. (même étym.). Sous la Révolution, nom que les Vendéens donnaient aux soldats de la République, à cause de la couleur de leur uniforme.

6. BLEU [blø] n. m. (même étym.). *Bleu d'Auvergne*, fromage de lait de vache caillé, à moisissures internes.

BLEU *(fleuve)*, nom donné par les jésuites du début du XVIIIe s. au Yang-tseu-kiang.

BLEUÂTRE adj. ⟶ BLEU 1.

BLEUET [bløɛ] n. m. (de *bleu*). Petite fleur bleue très commune dans les champs de blé. (Famille des composées.)

BLEUIR v. t. et i., **BLEUTÉ, E** adj. ⟶ BLEU 1.

BLIDA, auj. **El-Boulaïda**, v. d'Algérie, en bordure de la Mitidja, au pied de l'*Atlas de Blida;* 98500 hab.

BLINDER [blɛ̃de] v. t. (all. *blenden*, aveugler). **1.** *Blinder un engin, une porte, un coffre*, etc., les garnir d'un revêtement d'acier qui les met à l'abri des coups, des projectiles, etc. : *Un engin blindé est un véhicule de combat, recouvert d'un blindage. Une division blindée est une unité militaire qui comporte des formations de chars d'assaut.* — **2.** Fam. *Blinder qq'un*, le rendre insensible (surtout au passif) : *Les malheurs l'ont blindé contre l'injustice* (syn. ENDURCIR). ◆ **blindé** n. m. Véhicule de combat constituant l'élément de l'*arme blindée* (= l'ensemble des unités de chars et de cavalerie). ⟶ ENCYCL. ◆ **blindage** n. m. **1.** Revêtement d'acier qui protège les vaisseaux, les véhicules, contre les projectiles ennemis, le souffle, la chaleur, etc. — **2.** Coffrage qui protège contre les éboulis, dans une mine.
— ENCYCL. Les *blindés* furent utilisés pour la première fois par les Anglais en 1916, et par les Français à Berry-au-Bac en 1917. L'efficacité de l'arme nouvelle fut consacrée par la part capitale prise par les chars dans les contre-offensives victorieuses de Foch en 1918.
Au début de la Seconde Guerre mondiale, l'association du char et de l'avion fut l'outil décisif de la tactique allemande de la guerre* éclair, dont les succès furent d'emblée spectaculaires (campagne de Pologne en 1939, de France en mai-juin 1940, de Russie à partir de juin 1941).

BLIZZARD [blizar] n. m. (mot anglo-amér.). Vent violent et glacial, accompagné de tempêtes de neige, qui, venant du N., souffle dans les régions du Grand Nord.

1. BLOC [blɔk] n. m. (néerl. *bloc*, tronc d'arbre abattu). **1.** Masse considérable et pesante, d'un seul tenant, en général peu ou pas travaillée : *Un bloc de marbre. Un bloc de pierre.* — **2.** Ensemble solide, compact, dont on ne peut rien détacher, dont toutes les parties dépendent les unes des autres : *Ces divers éléments forment un bloc* (syn. UN TOUT). — **3.** Groupement de partis politiques, d'États, qui, malgré des divergences, ont assez de points communs pour s'unir : *Le bloc des gauches. Le bloc des pays socialistes* (syn. COALITION, UNION). || *Faire bloc*, s'unir pour faire front. — **4.** *Bloc opératoire*, partie d'un service de chirurgie réservée aux interventions chirurgicales. (Il comprend la salle d'opération, les locaux de stérilisation, d'anesthésie, de radiologie.) — LOC. ADV. *En bloc*, tout ensemble, sans entrer dans le détail : *Repousser en bloc toutes les revendications* (syn. EN GROS, DANS SA TOTALITÉ). ◆ **bloc-cylindres** n. m. Dans une voiture, ensemble formé par les cylindres du moteur et leur chemise d'eau. || Pl. des *blocs-cylindres*. ◆ **bloc-diagramme** n. m. Représentation d'une région en perspective et en coupe. || Pl. des *blocs-diagrammes*. ◆ **bloc-moteur** n. m. Dans une voiture, ensemble formé par la réunion, en un seul bloc, du moteur, de l'embrayage et de la boîte de vitesses. || Pl. des *blocs-moteurs*.

2. BLOC [blɔk] n. m. (même étym.). Ensemble de feuilles collées les unes aux autres d'un côté et facilement détachables : *Un bloc de papier à lettres*. ◆ **bloc-notes** ou **bloc** n. m. Ensemble de feuillets détachables formant bloc : *Inscrire un rendez-vous sur son bloc-notes*. || Pl. des *blocs-notes*.

3. BLOC [blɔk] n. m. (même étym.). *Pop.* Prison, civile ou militaire.

4. BLOC (À) [ablɔk] loc. adv. (de *bloquer*). Complètement, à fond : *Serrer un écrou à bloc. Travailler à bloc* (= beaucoup).

1. BLOCAGE n. m. ⟶ BLOQUER 2.

2. BLOCAGE [blɔkaʒ] n. m. (de *bloquer*). Maçonnerie formée de matériaux de différentes grosseurs mêlés à du mortier.

BLOC-CYLINDRES n. m., **BLOC-DIAGRAMME** n. m. ⟶ BLOC 1.

BLOCKHAUS [blɔkos] n. m. inv. (all. *Block*, bille de bois, et *Haus*, maison). **1.** Fortin muni de blindages (béton ou acier), établi pour défendre un point particulier. — **2.** Poste de commandement blindé sur un navire de ligne.

BLOC-MOTEUR n. m. ⟶ BLOC 1.

BLOC-NOTES n. m. ⟶ BLOC 2.

BLOC-SYSTÈME [blɔksistɛm] n. m. (de l'angl. *to block*, fermer). Sur une voie de chemin de fer, dispositif de signalisation destiné à empêcher toute collision entre des trains circulant ou manœuvrant sur une même voie. || Pl. des *blocs-systèmes*.

BLOCUS [blɔkys] n. m. (néerl. *blochuus*). Encerclement étroit d'une ville, d'un port, d'une position quelconque occupés par des adversaires, en vue d'empêcher toute communication avec l'extérieur : *Lever le blocus du port. Maintenir le blocus économique d'un pays* (= empêcher toute relation commerciale avec les pays étrangers).

Blocus continental, ensemble de mesures prises par Napoléon Ier en 1806 et 1807 pour priver l'Angleterre de relations commerciales avec le continent, en réponse au blocus maritime anglais des côtes européennes. Ces mesures visaient à vaincre l'Angleterre par une « asphyxie » économique. La France y gagna le développement de son industrie et l'essor de cultures de remplacement (betterave à sucre). Mais les conséquences politiques furent graves : la haine de l'Europe contre la domination française fut à l'origine des interventions militaires de Napoléon au Portugal, en Espagne et en Russie, qui devaient finalement causer la chute de l'Empire.

BLOEMFONTEIN, v. de la république d'Afrique du Sud, capit. de l'État libre d'Orange; 180 200 hab.

BLOIS, ch.-l. du dép. de Loir-et-Cher, à 172 km au S.-O. de Paris, sur la Loire; 49 200 hab. *(Blaisois* ou *Blésois).* Centre touristique et commercial.

HISTOIRE. Dès le haut Moyen Âge, Blois est le centre d'un puissant comté qui atteint son apogée dans la première moitié du XIIe s. sous Thibaud IV.

• *1391. Le comté est acheté par Louis d'Orléans.*

Au XVIe s., Blois, résidence royale, accueille les états généraux en 1576 et 1588.

• *1588. Assassinat du duc de Guise au château de Blois.*

BEAUX-ARTS. La ville conserve de nombreuses églises, de vieux hôtels et, surtout, un très beau château dont les parties les plus anciennes datent du XIIIe s. Louis XII fit rebâtir une aile, à partir de 1498, et François Ier fit construire (1515 à 1524) le fameux escalier et la façade de la « Loge » sur la Loire. Au XVIIe s. Gaston d'Orléans fit élever une aile nouvelle par Mansart.

BLOK (Aleksandr Aleksandrovitch), poète russe (1880-1921), auteur d'un poème sur la révolution d'Octobre, *les Douze* (1918).

BLOND, E [blɔ̃, -ɔ̃d] adj. et n. (orig. incert.). Se dit de quelqu'un dont les cheveux ou la barbe ont une couleur proche d'un jaune doré; qui a cette couleur : *Être blond comme les blés. Bière blonde.* ◆ **blondasse** adj. et n. D'un blond fade. ◆ **blondeur** n. f. ◆ **blondinet, ette** adj. et n. Qui a les cheveux blonds : *Une petite blondinette.* ◆ **blondir** v. i. Devenir blond : *Ses cheveux ont blondi.* ◆ v. t. Rendre blond (surtout comme réfléchi) : *Elle s'est blondi les cheveux.*

BLONDIN [blɔ̃dɛ̃] n. m. (du n. d'un acrobate). Transporteur aérien utilisé pour déplacer les matériaux sur les grands chantiers de travaux publics.

BLONDINET, ETTE adj. et n., **BLONDIR** v. t. et i. ⟶ BLOND.

BLOOM [blum] n. m. (mot angl.). Lingot rectangulaire d'acier n'ayant encore subi que les premières passes de laminage.

1. BLOQUER [blɔke] v. t. (de *bloc*). *Bloquer plusieurs choses*, les grouper en un ensemble, en une seule masse : *Bloquer deux paragraphes en un seul* (syn. RÉUNIR).

2. BLOQUER [blɔke] v. t. (même étym.). **1.** *Bloquer qq'un*, lui interdire tout mouvement en l'arrêtant, en le cernant, en le serrant complètement, etc. : *Être bloqué sur la route par un accident* (syn. IMMOBILISER). *Ne bloquez pas le passage* (syn. BARRER, OBSTRUER). *Bloquer ses freins* (syn. SERRER). *Bloquer un écrou* (syn. CALER). — **2.** *Bloquer qqch.*, en suspendre l'usage, la libre disposition : *Les crédits sont bloqués* (syn. GELER). ◆ **se bloquer** v. pr. S'immobiliser accidentellement : *La clef s'est bloquée dans la serrure* (syn. SE COINCER). ◆ **blocage** n. m. Action de bloquer : *Le blocage des prix et des salaires* (= leur maintien à un niveau donné). ◆ **débloquer** v. t. *Débloquer une chose*, la remettre en mouvement, en circulation : *Débloquer un écrou* (syn. DÉVISSER). *Débloquer les salaires* (= permettre leur augmentation). ◆ **déblocage** n. m. : *Le déblocage des crédits.*

BLOTTIR (SE) [səblɔtir] v. pr. (de l'all. *blotten*, écraser) [sujet nom d'être animé]. Se replier sur soi-même afin de tenir le moins de place possible : *Se blottir sous les couvertures* (syn. S'ENFOUIR, SE RECROQUEVILLER). *La bête se blottit dans un coin* (syn. SE TAPIR). ◆ **être blotti** v. passif : *La maison était blottie au creux d'un vallon* (= cachée au fond).

BLOUSE [bluz] n. f. (orig. obscure). **1.** Vêtement de travail que l'on met par-dessus les autres pour travailler : *Mettre une blouse pour éviter de se salir.* — **2.** Corsage ample et léger.

BLOUSER [bluze] v. t. (de *blouse*). Fam. *Blouser qq'un*, le tromper.

BLOUSON [bluzɔ̃] n. m. (de *blouse*). Veste courte et bouffante s'arrêtant aux hanches.

BLOY (Léon), écrivain français (1846-1917). D'inspiration chrétienne, il s'attaque aux vices d'un monde conformiste et tourne en dérision la bourgeoisie.

BLÜCHER (Gebhard Leberecht), maréchal prussien (1742-1819). Il se distingua pendant la campagne de France (1814), fut défait à Ligny par Napoléon (1815), mais arriva à temps pour secourir Wellington à Waterloo.

BLUE-JEAN [bludʒin] n. m. (mot amér. signif. *treillis bleu*). Pantalon collant en toile. || Pl. des *blue-jeans*.

BLUE MOUNTAINS, en fr. **montagnes Bleues,** nom donné à plusieurs chaînes de montagnes, notamment en Australie et aux États-Unis (dans les Appalaches).

BLUES [bluz] n. m. (mot amér. signif. *chants bleus*, c'est-à-dire « tristes »). Chant du folklore noir américain utilisé dans le jazz comme base d'improvisation. (D'inspiration religieuse, ces chants ont un caractère lent et rêveur, très mélancolique.)

BLUFF [blœf] n. m. (mot anglo-amér.). Attitude de quelqu'un qui, par son assurance ou par l'intimidation, veut tromper son adversaire sur ses forces ou sur ses intentions réelles : *Elle ne partira pas, c'est du bluff* (syn. VANTARDISE). ◆ **bluffer** v. i. et t. : *Il bluffe quand il se dit sûr de réussir à ce concours* (syn. SE VANTER). *Il nous a bluffés* (syn. TROMPER). ◆ **bluffeur, euse** adj. et n.

BLUM (Léon), homme politique et écrivain français (1872-1950). Chef du parti socialiste S. F. I. O., il constitua un gouvernement de *Front populaire* (1936). Livré par le gouvernement de Vichy à l'ennemi, déporté en Allemagne (1943), il fut libéré en 1945.

BLUTER [blyte] v. t. (anc. néerl. *biutelen*). Tamiser la farine pour en ôter une partie du son. ◆ **blutage** n. m. Action de tamiser la farine ou d'autres substances broyées. ◆ **blutoir** n. m. Tamis pour bluter la farine.

BOA [boa] n. m. (lat. *boa*). Genre de reptile de l'ordre des ophidiens, comprenant des serpents de grande taille habitant l'Amérique tropicale et Madagascar : *Le boa, non venimeux, se nourrit de vertébrés qu'il étouffe.*

BOABDIL, nom donné en Occident à **Abū 'Abd Allāh,** roi de Grenade, qui fut battu par les Rois Catholiques en 1492.

BOBARD [bɔbar] n. m. (orig. incert.). *Fam.* Nouvelle mensongère, que les gens naïfs acceptent sans peine : *Raconter des bobards.*

BOBÈCHE [bɔbɛʃ] n. f. (de *bobine*). Disque de verre, de matière plastique ou de métal, qui empêche la cire d'une bougie de se répandre.

BOBIGNY, ch.-l. de la Seine-Saint-Denis, au N.-E. de Paris; 42 700 hab. *(Balbyniens).*

BOBINE [bɔbin] n. f. (d'une onomat.). **1.** Cylindre de bois, de métal, de matière plastique, etc., sur lequel on enroule du fil, de la soie, de la ficelle. — **2.** Cylindre creux sur lequel est enroulé un fil métallique isolé, que peut parcourir un courant électrique. ‖ *Bobine d'allumage,* dans une automobile, partie du système d'allumage par batterie, dans laquelle s'effectue la transformation de tension du courant. — **3.** Rouleau de pellicule photographique sensible dont le conditionnement permet de charger un appareil en plein jour. ◆ **bobinage** n. m. **1.** Action de bobiner. — **2.** Dispositif formé d'un fil électrique isolé, enroulé en spires serrées sur un cylindre. ◆ **bobiner** v. t. Enrouler en bobine. ◆ **bobineuse** n. f. Machine à bobiner. ◆ **bobinoir** n. m. Bobineuse mécanique. ◆ **débobiner** v. t. Dérouler (les fils d') une bobine. ◆ **débobinage** n. m. ◆ **embobiner** v. t. **1.** Enrouler du fil sur une bobine. — **2.** *Embobiner qq'un,* le séduire par de belles paroles.

BOBINETTE [bɔbinɛt] n. f. (de *bobine*). Petite pièce de bois mobile, qui servait à fermer les portes à la campagne.

BOBINEUSE n. f., **BOBINOIR** n. m. ⟶ BOBINE.

BOBO [bobo] n. m. (onomat.). Petite douleur, petite blessure (langage enfantin) : *Avoir bobo* (= avoir mal). *Soigner un bobo sans gravité.*

BOBO-DIOULASSO, v. du Burkina; 113 000 hab.

BOBSLEIGH [bɔbslɛg] n. m. (de l'angl. *to bob,* se balancer, et *sleigh,* traîneau). Sorte de traîneau sur lequel peuvent prendre place plusieurs personnes pour glisser sur des pistes de glace et de neige.

BOCAGE [bɔkaʒ] n. m. (du norm. *bosc,* bois). Type de paysage où les champs et les prairies sont limités par des haies ou des rangées d'arbres, et où l'habitat est dispersé en fermes et en petits villages. ◆ **bocager, ère** adj. Relatif au bocage.

— ENCYCL. Le paysage de *bocage* est le plus répandu dans les régions de l'ouest de la France, en particulier en Vendée et dans le sud du Cotentin *(Bocage normand).* On l'a expliqué par l'action de facteurs naturels : terrains imperméables, sols acides et froids, climat de type océanique, frais et humide. Mais le bocage s'étend également sur des terrains perméables, tandis que certaines régions armoricaines sont occupées par de véritables « campagnes », plaines découvertes.

La nécessité de clore une prairie ou un champ a pu répondre à des obligations multiples, d'ordre économique ou juridique. La clôture jouait alors le rôle d'une barrière, d'une limite, face à la lande et à la forêt. Elle était surtout la marque d'un individualisme agraire et s'accompagnait du regroupement des terres en domaines d'un seul tenant et de la dispersion de l'habitat. Le remembrement rural et la nécessité de disposer de grandes surfaces pour utiliser les machines agricoles d'une façon rentable tendent à réduire aujourd'hui les paysages de bocage.

BOCAL, AUX [bɔkal, -ko] n. m. (it. *boccale*). **1.** Récipient de verre, de matière plastique, etc., dont l'orifice est assez large et dont on se sert pour conserver toutes sortes de produits : *Le confiseur met les bonbons dans de grands bocaux.* — **2.** *Bocal à poissons rouges* (syn. AQUARIUM).

BOCCACE, écrivain italien (1313-1375). Fixé à Florence à partir de 1350, il y composa son *Décaméron,* où il décrit la vie des bourgeois florentins. Il créa avec ce chef-d'œuvre la prose italienne moderne et donna le modèle de la nouvelle réaliste et satirique.

BOCCHERINI (Luigi), compositeur italien (1743-1805). Sa production, très abondante, est d'une grande variété : opéras, oratorios, cantates, airs de concert, symphonies, quintettes à cordes, quatuors, etc. Il apparaît surtout comme un des maîtres de la musique de chambre du XVIIIe s.

BOCHIMANS ou **BOSCHIMANS,** peuple nomade vivant dans le désert de Kalahari. Leur groupe est l'un des plus anciens de l'Afrique australe. (Les Bochimans ont une petite taille [1,52 m en moyenne], la peau jaunâtre, une face large et carrée, de tendance prognathe*. Au nombre de 7 000 env., il vivent principalement de la chasse.)

BOCHUM, v. d'Allemagne (Rhénanie-du-Nord-Westphalie), dans la Ruhr; 408 000 hab. Houille. Sidérurgie.

BOCK [bɔk] n. m. (de l'all. *Bockbier*). **1.** Verre à bière contenant environ un quart de litre; son contenu : *Boire un bock.* (On parle auj. plutôt d'*un demi.*) — **2.** Récipient muni d'un tube et d'une canule pour injections.

BODIN (Jean), juriste français (1530-1596). Premier théoricien du droit moderne, il écrivit un traité : *la République* (1576), dans lequel il développe les principes d'une monarchie dont les pouvoirs doivent être modérés par la convocation des états généraux.

BOERS (mot néerl. signif. *paysans*), descendants des colons hollandais essentiellement, mais aussi allemands et français, établis au XVIIe s. dans la région du Cap en Afrique australe, et qui luttèrent contre les Anglais à la fin du XIXe s. (⟶ AFRIQUE DU SUD.)

BŒUF [bœf, au pl. bø] n. m. (lat. *bos, bovis*). **1.** Terme collectif désignant les animaux de l'espèce bovine. — **2.** Mâle adulte de cette espèce que l'on a châtré dans son jeune âge pour le rendre plus traitable et plus facile à engraisser : *Les bœufs de labour.* (⟶ BOVIN.) — **3.** Personne très vigoureuse, à forte musculature *(fort comme un bœuf)* ou travailleur acharné : *Il travaille comme un bœuf.* ‖ *Mettre la charrue avant* (ou *devant*) *les bœufs,* commencer par où l'on aurait dû finir.

BOĞAZKALE ou **BOĞAZKÖY,** site archéologique de Turquie, près d'Ankara. Ruines de temples et de palais d'une capitale des Hittites.

BOGIE ou **BOGGIE** [bɔʒi] n. m. (angl. *bogie*). Chariot porteur à deux ou trois essieux, sur lequel pivote le châssis d'un véhicule ferroviaire et destiné à favoriser le guidage pendant la marche.

BOGNY-SUR-MEUSE, comm. des Ardennes, à 17 km au N. de Charleville-Mézières; 6 300 hab.

BOGOTÁ, capit. de la Colombie; 4 294 000 hab. Elle est située dans un riche bassin agricole, au cœur des Andes, à 2 600 m d'alt.

BOGUE [bɔg] n. f. (breton *bolc'h*). Enveloppe de la châtaigne, armée de piquants.

BOHAIN-EN-VERMANDOIS, ch.-l. de cant. de l'Aisne, à 20 km au N.-E. de Saint-Quentin; 7 300 hab.

BOHÈME [bɔɛm] n. f. (de *Bohême*). Milieu d'artistes ou d'écrivains qui vivent au jour le jour, sans règles; genre de vie de ce milieu. ◆ n. m. et adj. Qui mène une vie désordonnée et insouciante : *C'est un bohème qui vit en marge de la société.*

BOHÊME, en tchèque **Český,** partie occidentale de la Tchécoslovaquie; 52 500 km^2; 6 millions d'hab. (114 au km^2). Capit. *Prague* (1 176 000 hab.).

GÉOGRAPHIE. La Bohême s'étend sur un bassin sédimentaire drainé par l'Elbe et encadré par quatre massifs anciens : monts Métallifères au N.-O., Forêt de Bohême au S.-O., collines de Moravie au S.-E., monts des Géants au N.-E.

La partie nord du bassin (Polabí), où les sédiments sont les plus épais, est une riche région agricole (blé, houblon, betterave à sucre). Sur les hauteurs on pratique l'élevage bovin. La présence de gisements de houille (bassin de Plzeň), de lignite, et de divers minerais métallifères explique l'ancienneté du développement industriel.

HISTOIRE. Occupée successivement par des Celtes *Boïens,* auxquels elle doit son nom, puis par des Germains, les Marcomans, et des Slaves, la Bohême fait partie, au IXe s., de la Grande-Moravie.

- *921-1306. Dynastie slave des Přemyslides.*
- *1310. Début de la dynastie de Luxembourg.*

Cette dynastie dirige le pays jusqu'au milieu du XVe s. Son principal souverain, Charles IV (1346-1378), fonde l'université de Prague.

- *1415. Exécution du réformateur religieux Jan Hus.*
- *1526. Ferdinand d'Autriche est proclamé roi de Bohême et de Hongrie.*

Avec lui commence la domination des Habsbourg, qui va durer jusqu'en 1918. Une politique de germanisation et de catholicisation est pratiquée.

- *1618. La « défenestration de Prague » ouvre la guerre de Trente Ans.*
- *1620. Bataille de la Montagne-Blanche (Bílá Hora) : les protestants sont écrasés.*

La Bohême devient pour trois siècles province autrichienne.

- *1918. Effondrement de l'Empire austro-hongrois.*

Les Tchèques proclament leur indépendance. La Bohême devient une partie de la Tchécoslovaquie.

BOHÉMIEN, ENNE [bɔemjɛ̃, -ɛn] n. et adj. (de *Bohême*). Nomade ou vagabond qui vit de petits métiers artisanaux, qui dit la bonne aventure, etc.

BOHÉMOND, nom porté par sept princes d'Antioche (XIe-XIIIe s.) : BOHÉMOND Ier (v. 1050-1111) fut l'un des chefs de la 1re croisade (1095) et s'empara d'Antioche en 1098.

BOHR (Niels), physicien danois (1885-1962). Prix Nobel (1922) pour sa théorie sur la structure de l'atome. C'est à lui qu'est due la conception suivant laquelle les corpuscules et les ondes représentent les deux aspects complémentaires d'une même réalité.

BOILEAU (Nicolas), dit **Boileau-Despréaux,** écrivain français (1636-1711). Dans ses douze *Satires* en vers, parues de 1666 à 1706, il critique les poètes et les « libertins » de son temps, exprime son dédain pour la littérature romanesque, la poésie galante, et son admiration pour Molière.

- *1669-1698. « Épîtres ».*

L'*Art poétique* (1674) expose les préceptes généraux de la doctrine classique ainsi que les règles des principaux genres.

- *1674-1683. « Le Lutrin », poème héroï-comique.*
- *1677. Boileau est nommé historiographe du roi.*

Dans ses *Réflexions sur Longin* (1694), il prend parti dans la querelle des Anciens* et des Modernes pour les écrivains antiques.

La doctrine de Boileau n'a pas inspiré les chefs-d'œuvre du classicisme, mais elle les a définis en formules frappantes et en vers rigoureux. Son mérite est d'avoir su comprendre les aspirations de son temps et d'avoir défendu les grands écrivains (Molière, Racine).

BOIRE [bwar] v. t. et i. (lat. *bibere*). [Conj. **75.**] **1.** (sujet nom d'être animé) Avaler un liquide quelconque : *Il boit trop* (= il absorbe trop de vin, trop d'alcool). *Nous allons boire à votre santé, à vos succès* (= en exprimant des vœux pour votre santé, en saluant vos succès). — **2.** (sujet nom de chose) Absorber un liquide : *Le buvard boit l'encre.* — **3.** *Boire les paroles de qq'un,* l'écouter avec une attention soutenue, avec une admiration béate. ‖ *Il y a à boire et à manger dans cette affaire,* le bon et le mauvais y sont mêlés. ◆ **boire** n. m. *Le boire et le manger,* le liquide et la nourriture solide que l'on absorbe. ◆ **boisson** n. f. Liquide que l'on boit pour se désaltérer : *Les débits de boissons* (= les établissements où l'on vend des boissons à consommer sur place). *S'adonner à la boisson* (= à l'alcoolisme). ◆ **buvable** adj. **1.** Que l'on peut boire (souvent dans des phrases négatives) : *Ce vin a un goût de bouchon, il n'est pas buvable. Des ampoules buvables.* — **2.** *Fam.* Qui peut être supporté, accepté : *Ce roman est buvable* (syn. POTABLE). ◆ **imbuvable** adj. : *Cette eau croupie est imbuvable. Ce film est imbuvable* (fam.). ◆ **buveur, euse** n. Celui, celle qui boit ou qui a l'habitude de boire : *Un buveur invétéré* (= un alcoolique).

1. BOIS [bwa] n. m. (germ. *bosk*). **1.** Substance compacte de l'intérieur des arbres, constituant le tronc, les branches et les racines : *Mettre du bois dans la cheminée.* ⟶ ENCYCL. — **2.** Objet fait en bois : *Un bois de lit* (= les pièces formant la menuiserie d'un lit). *Les bois de justice* (= la guillotine). — **3.** Gravure sur bois : *Les bois de Toulouse-Lautrec.* — **4.** *Bois dur,* nom donné aux bois feuillus, à l'exception de quelques essences comme le peuplier, par oppos. au *bois tendre* des conifères. ‖ *Bois de mine,* bois rond de petites dimensions, destiné à l'étaiement des galeries de mine. ‖ *Bois d'œuvre,* nom collectif des grumes, parties des arbres abattus aptes au sciage, au déroulage ou au tranchage. — **5.** *N'être pas de bois,* être sensible, facile à émouvoir ou à troubler. ‖ *On va voir de quel bois je me chauffe,* menace à l'adresse de quelqu'un. ‖ *Toucher du bois,* chercher à conjurer le mauvais sort en touchant de la main un objet en bois. ‖ *Visage de bois,* visage fermé, hostile. ◆ **boiser** v. t. *Boiser une galerie de mine,* la consolider avec du bois. ◆ **boisage** n. m. **1.** Action de consolider une galerie de mine. — **2.** Ensemble des bois servant à la consolider. ◆ **boiserie** n. f. Ouvrage en bois dont on revêt parfois les murs intérieurs.
— ENCYCL. ***bois.*** Dans la coupe transversale du tronc on peut distinguer, de l'extérieur vers le centre : l'*écorce* en forme de manchon protecteur; une couche claire, peu épaisse, d'aspect feuilleté, le *liber,* dont les vaisseaux conduisent la sève nourricière dans toutes les parties de la plante; une région épaisse, fibreuse et résistante, présentant des anneaux alternativement clairs et sombres, le *bois* proprement dit.

2. BOIS [bwɑ] n. m. (même étym.). Lieu couvert d'arbres : *À l'orée du bois* (syn. FORÊT). *Un homme des bois* (= un sauvage, un rustre). ◆ **boisé, e** adj. Garni d'arbres : *Une région boisée.* ◆ **boiser** v. t. *Boiser un lieu,* y planter des arbres en grand nombre. ◆ **boisement** n. m. Action de planter des arbres dans une région, un terrain. ◆ **déboiser** v. t. Dégarnir un terrain, une montagne de ses bois et de ses forêts. ◆ ***se déboiser*** v. pr. Perdre progressivement sa couverture de forêts : *Les montagnes des Alpes du Sud se sont déboisées.* ◆ **déboisement** n. m. Action de déboiser, résultat de cette action. ⟶ ENCYCL. ◆ **reboiser** v. t. : *On plante de jeunes arbres pour reboiser la montagne.* ◆ **reboisement** n. m.
— ENCYCL. Le *déboisement* entraîne de graves conséquences : il supprime une protection naturelle contre le vent et, en dénudant le sol, provoque une érosion accélérée des versants par les eaux de ruissellement et par les torrents, dont le régime devient de plus en plus irrégulier. Aussi a-t-on réglementé le déboisement et favorisé le reboisement des montagnes menacées.

3. BOIS [bwɑ] n. m. pl. (même étym.). Cornes caduques du cerf, du daim, du renne, etc.

4. BOIS [bwɑ] n. m. pl. (même étym.). Terme collectif désignant la famille des instruments à vent en bois, tous actionnés par des clés, quelquefois remplacés aujourd'hui par des instruments en métal, et comprenant dans l'orchestre les flûtes, les hautbois, les clarinettes, les bassons et les saxophones.

BOISAGE n. m. ⟶ BOIS 1.

BOISCHAUT, partie du Berry, sur les rives de l'Indre, depuis Le Blanc jusqu'à Issoudun. V. pr. *La Châtre.* C'est un pays verdoyant (élevage et polyculture).

BOIS-COLOMBES, ch.-l. de cant. des Hauts-de-Seine, à 5 km au N.-O. de Paris; 23 800 hab.

BOISÉ, E adj., **BOISEMENT** n. m. ⟶ BOIS 2.

BOISER v. t. ⟶ BOIS 1 et 2.

BOISERIE n. f. ⟶ BOIS 1.

BOIS-LE-DUC, en néerl. **'s Hertogenbosch,** v. des Pays-Bas, ch.-l. du Brabant-Septentrional; 171 400 hab.

BOISSEAU [bwaso] n. m. (orig. incert.). **1.** Anc. mesure de capacité pour les matières sèches (grains), valant 12,5 litres; son contenu. — **2.** *Mettre la lumière sous le boisseau,* cacher la vérité (loc. empruntée à l'Évangile).

BOISSON n. f. ⟶ BOIRE.

BOISSY-SAINT-LÉGER, ch.-l. de cant. du Val-de-Marne, à 14 km au S.-E. de Paris; 12 700 hab.

1. BOÎTE [bwat] n. f. (bas lat. *buxida*). **1.** Coffret en bois, en carton, en métal, etc., avec ou sans couvercle, dans lequel on peut mettre quelque chose (la destination ou le contenu peuvent être indiqués par la prép. *à* ou *de*) : *Boîte à outils. Boîte de dragées. Boîte à lettres* (ou *aux lettres*). — **2.** *Boîte crânienne,* syn. de CRÂNE. ‖ *Boîte à musique,* boîte ou coffret contenant un mécanisme qui, mû par un ressort, reproduit un air de musique. ‖ *Boîte de vitesses,* organe renfermant les engrenages de changement de vitesse d'une automobile. — **3.** Fam. *Mettre qq'un en boîte,* le taquiner, se moquer de lui. ◆ **boîtier** n. m. Boîte qui renferme le mouvement d'une montre. (⟶ DÉBOÎTER, EMBOÎTER.)

2. BOÎTE [bwat] n. f. (même étym.). **1.** *Fam.* et *péjor.* Lieu de travail, local d'habitation. — **2.** *Boîte de nuit,* cabaret ouvert la nuit, qui présente parfois des spectacles de music-hall.

BOITER [bwate] v. i. (orig. incert.). **1.** Marcher en inclinant le corps d'un côté plus que de l'autre, ou alternativement de l'un et de l'autre côté, par suite d'un défaut d'un membre inférieur (syn. CLAUDIQUER). — **2.** Présenter un défaut de symétrie, d'équilibre, de cohérence : *Ce fauteuil ancien boite. Un raisonnement qui boite* (syn. fam. CLOCHER). ◆ **boiteux, euse** adj. et n. : *Talleyrand était surnommé « le Diable boiteux ». Un boiteux* (syn. ÉCLOPÉ). ◆ adj. : *Une chaise boiteuse* (syn. BANCAL, BRANLANT). *Une explication boiteuse* (syn. CHANCELANT, INSUFFISANT, MALADROIT). *Votre phrase est boiteuse* (= incorrecte, mal équilibrée). ◆ **boitiller** v. i. Boiter légèrement.

BOÎTIER n. m. ⟶ BOÎTE 1.

BOITILLER v. i. ⟶ BOITER.

1. BOL [bɔl] n. m. (gr. *bôlos,* bouchée). *Bol alimentaire,* masse formée par les aliments, correspondant à une déglutition.

2. BOL [bɔl] n. m. (angl. *bowl*). **1.** Petit récipient affectant la forme d'une demi-sphère, et qui sert à contenir certaines boissons; le contenu du récipient : *Mettre les bols sur la table. Boire un bol de lait.* — **2.** *Prendre un bol d'air,* aller respirer au grand air, à la campagne (syn. S'AÉRER, S'OXYGÉNER). ◆ **bolée** n. f. Contenu d'un bol : *Bolée de cidre.*

BOLBEC, ch.-l. de cant. de la Seine-Maritime, à 30 km à l'E.-N.-E. du Havre; 12 800 hab. Industries textiles.

BOLCHEVIQUE ou **BOLCHEVIK** [bɔlʃəvik] adj. et n. (du russe *bolchevik,* qui fait partie de la majorité). Se dit de la fraction majoritaire du parti social-démocrate russe, formée après l'adoption des thèses de Lénine. ◆ **bolchevisme** n. m. Syn. vieilli de COMMUNISME.
— ENCYCL. Au congrès du parti social-démocrate russe de 1903, la majorité affirma sa volonté de créer un parti centralisé, décidé à réaliser la révolution prolétarienne par l'insurrection, contre une minorité (les *mencheviks*) favorable à la participation d'éléments

bourgeois dans l'établissement d'une démocratie politique. Les *bolcheviks* s'emparèrent du pouvoir par la révolution d'octobre-novembre 1917 et fondèrent en 1918 le parti communiste.

BOLÉE n. f. ⟶ BOL 2.

1. BOLÉRO [bɔlero] n. m. (esp. *bolero*). Danse populaire espagnole de mouvement vif, datant du XVIIIe s. (Elle est caractérisée par un rythme précis de castagnettes accompagnées de guitare et de tambourin. On retrouve cette danse dans certaines œuvres de Weber, de Chopin et dans le célèbre *Boléro* de Ravel [1928].)

2. BOLÉRO [bɔlero] n. m. (même étym.). Veste courte, s'arrêtant à la taille et ouverte sur le devant.

BOLESLAS, nom de cinq souverains de Pologne (Xe-XIIIe s.).

BOLET [bɔlɛ] n. m. (lat. *boletus*). Terme désignant divers champignons aux spores groupées dans des tubes sous le chapeau. (L'un d'eux, le *bolet Satan*, est très indigeste; les autres [*cèpes*] sont des comestibles appréciés.) [Classe des basidiomycètes.] ⟶ illustration en couleurs CHAMPIGNONS.

BOLIDE [bɔlid] n. m. (gr. *bolis*, jet). **1.** Véhicule qui va à une très grande vitesse. — **2.** (sujet nom de personne ou d'objet) *Passer, arriver comme un bolide*, très vite.

BOLÍVAR (Simón), général et homme politique sud-américain (1783-1830).

- *1810. Il participe à une première insurrection contre le régime colonial espagnol.*
- *1813. Il entre à Caracas, mais une contre-offensive espagnole l'oblige à fuir.*
- *1819. Proclamation de la République vénézuélienne, après une seconde campagne : Bolívar est élu président.*

Après les victoires de Boyacá et de Carabobo sur les Espagnols, il fédère sous le nom de *Colombie* les régions libérées : Nouvelle-Grenade, Venezuela, puis Équateur (où son lieutenant Sucre remporte la victoire en 1822).

Bolívar a souhaité réunir tous les États affranchis du nord de l'Amérique latine en une république des États-Unis du Sud, projet auquel s'opposent les États-Unis et l'Angleterre.

- *1830. Bolívar est contraint d'abandonner le pouvoir.*

BOLIVIE, en esp. **Bolivia**, république de l'Amérique du Sud.

SUPERFICIE 1 098 600 km² (France : 550 000 km²).
POPULATION 7 100 000 hab. *(Boliviens)*; 6,5 hab. au km² (France: 103); taux de natalité, 20,2 p. 1 000; taux de mortalité, 8,3 p. 100.
CAPITALES La Paz (881 000 hab.) et Sucre (63 000 hab.).
LANGUE espagnol.
ÉCONOMIE consommation d'énergie par hab., 365 kg d'équivalent charbon ; 1 voiture pour 120 hab.
MONNAIE boliviano.

GÉOGRAPHIE

Le pays s'étend à l'O. sur les hauts plateaux andins et à l'E. sur une partie de la cuvette amazonienne. Le climat tropical humide s'assèche et se refroidit avec l'altitude.

	TEMPÉRATURES MOYENNES janv.	juil.	PLUIES
Santa Cruz (alt. 400 m)	25 °C	21 °C	1 275 mm
La Paz (alt. 3 650 m)	10 °C	7 °C	572 mm

La *population*, peu dense, compte plus de la moitié d'Indiens. Elle se concentre sur les hauts plateaux où se situent la plupart des grandes villes (La Paz, Oruno, Potosí).

L'*agriculture* est peu intensive. À quelques pauvres cultures est associé un peu d'élevage.

Les *richesses minières* sont essentielles : l'argent, exploité par les Espagnols, a cédé la place à l'étain et au pétrole (secteurs aujourd'hui en crise du fait de l'effondrement des cours).

étain	10 000 t	ovins	9 200 000 têtes
pétrole	1,2 million de t		

HISTOIRE

Dès le XIIIe s., le territoire bolivien est englobé dans l'Empire inca fondé à Cuzco (Pérou).

- *1538. Les conquistadores espagnols soumettent les Indiens.*

De riches mines d'argent sont découvertes.

- *1825. L'indépendance de la Bolivie est proclamée, après la victoire de Bolívar et de Sucre.*
- *1836-1839. Le Pérou et la Bolivie constituent une confédération.*
- *1879-1883. Guerre du Pacifique à l'issue de laquelle la Bolivie abandonne au Chili sa façade océanique.*
- *1932-1935. Guerre avec le Paraguay pour la possession du désert du Chaco qui échappe finalement à la Bolivie.*
- *1952-1964. Présidence de Victor Paz Estenssoro, qui nationalise les mines et amorce une réforme agraire.*

Après la chute d'Estenssoro, divers gouvernements se succèdent. Celui de Hugo Banzer Suarez, en place de 1971 à 1978, est un gouvernement autoritaire de droite.

- *1978-1979. Plusieurs coups d'État militaires se succèdent.*

En 1979, le régime se libéralise mais, dès 1980, de nouveaux soulèvements militaires se produisent.

- *1982. Élection de Hernan Siles Zuazo à la présidence; il tente d'établir un régime démocratique de gauche.*
- *1985. Retour au pouvoir de Paz Estenssoro.*
- *1989. Élection du social-démocrate Jaime Paz Zamora à la présidence de la République.*

BOLLÈNE, ch.-l. de cant. du Vaucluse, à 9 km à l'E. de Pont-Saint-Esprit; 12 700 hab. Usine hydro-électrique sur le canal de dérivation du Rhône.

BOLOGNE, v. d'Italie, en Émilie; 493 900 hab. Centre commercial. Nombreux monuments du Moyen Âge et de la Renaissance.

BOLTON, v. de Grande-Bretagne, dans le Lancashire; 154 000 hab. Textiles.

BOLZANO, en all. **Bozen,** v. du nord de l'Italie (Haut-Adige); 106 800 hab. Centre touristique.

BOMBANCE [bɔ̃bɑ̃s] n. f.[!] (d'une racine onomat. *bob-*, gonflé). Fam. *Faire bombance*, manger beaucoup (vieilli).

BOMBARDE [bɔ̃bard] n. f. (du lat. *bombus*, bruit sourd). Au Moyen Âge, machine de guerre, qui lançait des boulets et des pierres.

BOMBARDEMENT n. m., **BOMBARDER** v. t., **BOMBARDIER** n. m. ⟶ BOMBE 1.

BOMBAY, port de l'Inde, capit. de l'État de Mahārāshtra, dans deux îles reliées au continent, sur l'océan Indien; 8,5 millions d'hab. Textiles, raffinage du pétrole, métallurgie, produits chimiques.

1. BOMBE [bɔ̃b] n. f. (it. *bomba*). **1.** Projectile chargé d'un explosif et muni d'un dispositif qui le fait éclater : *Commettre un attentat à la bombe.* ⟶ ENCYCL. ‖ *Bombe atomique (bombe « A »)*, bombe utilisant la fission* de l'uranium ou du plutonium comme source d'énergie. (⟶ ATOME et ENCYCL.) ‖ *Bombe à hydrogène* ou *thermonucléaire (bombe « H »)*, bombe utilisant la libération d'énergie due à la fusion d'atomes d'éléments légers (hydrogène et ses isotopes) en atomes d'éléments plus lourds. (⟶ THERMONUCLÉAIRE.) — **2.** *Bombe glacée*, glace moulée sous la forme d'un tronc de cône ou de pyramide. ‖ *Bombe volcanique*, fragment de matière volcanique projeté en l'air par un volcan, et qui retombe

sur le sol. — **3.** *Tomber comme une bombe, faire l'effet d'une bombe,* se dit d'une nouvelle, d'un événement qui arrive brusquement et provoque la stupeur. ◆ **bombarder** v. t. **1.** *Bombarder une position ennemie, une ville, un port,* etc., l'attaquer avec des bombes. — **2.** *Bombarder qq'un,* l'accabler de projectiles quelconques ou de ce qui peut être assimilé à des projectiles : *Les spectateurs bombardent les acteurs de tomates. Il fut bombardé de questions.* — **3.** *Bombarder qq'un à un poste, à un emploi,* l'y nommer brusquement, alors qu'il n'y semblait pas destiné. ◆ **bombardement** n. m. ◆ **bombardier** n. m. Avion destiné à opérer des bombardements.

— ENCYCL. Les *bombes* apparurent en Allemagne au XVIe s. Ce furent d'abord des projectiles sphériques creux qui agissaient par leur poids, par leurs éclats ou par leur charge. Depuis, le terme s'applique presque exclusivement aux projectiles lancés par avions. Leur poids varie entre 50 kg et 10 t, leur dimension entre quelques centimètres (bombes incendiaires) et 8 m.

▪ *Bombe atomique.* Le principe de la bombe atomique est celui de la pile atomique. La première bombe atomique a été essayée par les Américains le 16 juin 1945. Le 6 et le 9 août, deux bombes furent lancées sur les villes japonaises d'Hiroshima et de Nagasaki, ce qui provoqua la capitulation du Japon et la fin de la Seconde Guerre mondiale.

Mais les destructions effroyables provoquées par ces raids (60 000 morts et 100 000 blessés à Hiroshima) développèrent un grand mouvement d'opinion contre l'usage de ces armes terribles. Depuis, aucune puissance n'a encore osé les utiliser. L'éventualité d'un conflit nucléaire entre les grandes puissances fait toutefois peser une menace effrayante sur l'humanité tout entière dont la destruction presque totale est désormais possible.

2. BOMBE [bɔ̃b] n. f. (même étym.). Coiffure de protection des cavaliers.

3. BOMBE [bɔ̃b] n. f. (de *bombance*). Fam. *Faire la bombe,* se livrer aux plaisirs, à la débauche (syn. BOMBANCE, RIPAILLE).

BOMBER [bɔ̃be] v. t. (de *bombe* 1). Donner une forme renflée, convexe (surtout au part. passé) : *Bomber la poitrine* (syn. GONFLER). ◆ v. i. Devenir renflé, convexe : *Sous le poids de la toiture, le mur bombe légèrement.* ◆ **bombement** n. m. Syn. de RENFLEMENT.

BOMBYX [bɔ̃biks] n. m. (gr. *bombux,* ver à soie). **1.** Nom du papillon dont la chenille est le *ver à soie.* (Type de la famille des *bombycidés.*) — **2.** Nom usuel de nombreux papillons de nuit, généralement nuisibles.

1. BON, BONNE [bɔ̃, bɔn] adj. (lat. *bonus*) [avant le nom]. **1.** Se dit des choses qui ont les qualités propres à leur nature, qui présentent des avantages ou procurent un plaisir, qui sont appropriées au but poursuivi : *Un bon roman* (syn. INTÉRESSANT). *Souhaiter bonne chance* (syn. HEUREUX). *Il a reçu une bonne leçon* (syn. SALUTAIRE). *Raconter de bonnes histoires* (syn. AMUSANT). *De bons conseils* (syn. AVISÉ, JUDICIEUX). — **2.** Avec un nom indiquant la quantité, exprime l'importance de cette quantité : *Un bon nombre* (syn. ↑CONSIDÉRABLE). *À une bonne distance* (syn. GRAND). *Un bon bout de temps* (= assez longtemps). — **3.** *Bon à, pour (qqch.),* approprié à, adapté pour. — **4.** *À quoi bon!,* exclamation de résignation, de dépit, de découragement (= à quoi cela servirait-il?). ‖ *C'est bon,* express. indiquant une approbation, une conclusion. ◆ **bon** adv. *Il fait bon,* le temps est agréable; il est agréable de (suivi d'un infin.) : *Il ne fait pas bon le contredire* (= c'est dangereux de). ‖ *Sentir bon,* avoir une odeur agréable. ‖ *Tenir bon,* résister. ‖ *Pour de bon, pour tout de bon,* d'une manière réelle; sans plaisanter : *Mais tu es en colère pour de bon!* (syn. VÉRITABLEMENT). *Cette fois-ci je vous parle pour de bon* (syn. SÉRIEUSEMENT). ◆ **bon** n. m. Ce qui se distingue par ses qualités (morales, intellectuelles) ou le profit qu'il procure (en général précédé de *du*) : *Il y a du bon dans la vie* (= du plaisir, des choses agréables). ◆ **bonifier** v. t. Rendre meilleur (emploi restreint) : *Par les engrais, il bonifie ses terres.* ◆ **se bonifier** v. pr. Devenir meilleur : *Son caractère ne se bonifie pas en vieillissant* (syn. usuel S'AMÉLIORER) ◆ **bonification** n. f. **1.** *La bonification des vins* (syn. AMÉLIORATION). — **2.** En Italie, ensemble des travaux destinés à assécher et à assainir des terres marécageuses.

2. BON, BONNE [bɔ̃, bɔn] adj. (même étym.) [avant le nom]. **1.** Se dit de personnes (parfois d'animaux) qui se distinguent par des aptitudes, par des qualités de cœur, d'esprit, ou par des qualités morales; se dit de la conduite qui manifeste de telles dispositions : *Un bon élève* (syn. DOUÉ). *J'ai bonne conscience* (= je suis satisfait moralement). *Distribuer de bonnes paroles* (syn. RÉCONFORTANT). *Un bon vivant* (= quelqu'un qui prend la vie du bon côté). ‖ *Bon pour* (suivi d'un nom d'être animé), bienveillant, compatissant : *Être bon pour les animaux.* — **2.** Se dit de quelqu'un qui est naïf et candide en raison de sa bienveillance (péjor., ironiq. ou affectueux) : *Un bon garçon, auquel il ne faut pas demander plus qu'il ne peut* (syn. BRAVE). ◆ n. (sens 1 de l'adj.) : *Les bons et les méchants.* ◆ **bonasse** adj. D'une bonté excessive allant jusqu'à la naïveté et la bêtise. ◆ **bonnement** adv. *Tout bonnement,* si l'on veut dire la vérité sans détour : *Allez tout bonnement le trouver* (syn. DIRECTEMENT, SANS FAÇON). *Il est tout bonnement insupportable* (syn. RÉELLEMENT, VRAIMENT). ◆ **bonté** n. f. **1.** Sert de substantif à BON : *Il l'a traité avec bonté* (syn. BIENVEILLANCE, GÉNÉROSITÉ). *Ayez la bonté de...* (syn. GENTILLESSE, OBLIGEANCE). — **2.** *Bonté divine! Bonté du ciel!,* exclamations marquant une surprise très vive. ◆ **bontés** n. f. pl. Marques de bienveillance : *Merci de toutes vos bontés.*

3. BON [bɔ̃] n. m. (même étym.). **1.** Billet qui autorise à toucher une somme d'argent ou des objets en nature auprès d'une personne ou d'un organisme désignés sur le billet : *Recevoir un bon de caisse* (= dont le montant est payable à la caisse de l'entreprise). ‖ *Bon du Trésor,* engagement, souscrit par le Trésor public ou par des sociétés financières, de payer une somme déterminée à une certaine époque au porteur ou au titulaire du titre. — **2.** *Bon à tirer,* dernière épreuve d'un ouvrage, qui est renvoyée à l'imprimerie pour indiquer que le tirage peut avoir lieu.

BON *(cap),* péninsule du nord-est de la Tunisie.

BONAPARTE (les), famille dont est issu l'empereur Napoléon Ier. CHARLES MARIE BONAPARTE (1746-1785) épouse LETIZIA RAMOLINO (1750-1836); ils ont huit enfants : JOSEPH (1768-1844), roi de Naples en 1806, roi d'Espagne de 1808 à 1813. — NAPOLÉON (1769-1821). [→ NAPOLÉON Ier.] Il épouse en 1796 Joséphine de Beauharnais, puis en 1810 Marie-Louise de Habsbourg-Lorraine (1791-1847) dont il eut NAPOLÉON CHARLES FRANÇOIS JOSEPH (1811-1832), roi de Rome, duc de Reichstadt (« l'Aiglon »). — LUCIEN (1775-1840). — ÉLISA (1777-1820). — LOUIS (1778-1846), roi de Hollande de 1806 à 1810; il épouse Hortense de Beauharnais dont il eut LOUIS NAPOLÉON (1808-1873). [→ NAPOLÉON III.] Le fils de celui-ci, EUGÈNE LOUIS NAPOLÉON (1856-1879), le « Prince impérial », fut tué chez les Zoulous. — PAULINE (1780-1825). — CAROLINE (1782-1839), qui épouse Murat en 1800, reine de Naples (1808). — JÉRÔME (1784-1860), roi de Westphalie de 1807 à 1813, qui eut pour fils le prince NAPOLÉON (1822-1891). Le petit-fils de ce dernier, le prince NAPOLÉON LOUIS (né en 1914), est l'actuel prétendant bonapartiste au trône de France.

BONASSE adj. → BON 2.

BONBON [bɔ̃bɔ̃] n. m. (redoublement de l'adj. *bon*). Confiserie destinée à être sucée ou croquée. ◆ **bonbonnière** n. f. **1.** Petite boîte artistement décorée pour mettre les bonbons. — **2.** *Fam.* Petit appartement ravissant.

BONBONNE [bɔ̃bɔn] n. f. (prov. *boumbouno*). Grande bouteille à large ventre, en verre ou en grès, souvent protégée par de l'osier, ou récipient en métal destiné à contenir des liquides et en particulier de l'alcool, de l'huile, etc.

BONBONNIÈRE n. f. → BONBON.

BOND [bɔ̃] n. m. (du lat. *bombire,* faire du bruit). **1.** Pour un être animé, action de s'élever brusquement de terre par une détente des membres inférieurs ou postérieurs : *Les bonds des acrobates* (syn. CABRIOLE). *Le bond d'un cheval* (syn. SAUT). *Ne faire qu'un bond* (= se précipiter). — **2.** Pour une chose en mouvement, action de rejaillir ou de changer brusquement de direction après avoir heurté un obstacle : *Le ballon fit plusieurs bonds. La balle fait un faux bond* (= va dans une direction inattendue). — **3.** Brusque mouvement qui marque un progrès, une hausse, etc. : *La Bourse a fait un bond* (syn. BOOM). — **4.** *Faire faux bond à qq'un,* manquer le rendez-vous que l'on a avec lui; ne pas tenir ses engagements à son égard. ‖ *Saisir la balle au bond,* saisir l'occasion qui se présente. ◆ **bondir** v. i. **1.** Faire un bond (sens 1 et 2) : *Le tigre bondit sur sa proie* (syn. S'ÉLANCER). *Il bondit jusqu'à la porte* (= il y alla en hâte). — **2.** Avoir une émotion violente (indiquée par le compl. introduit par *de*) : *Bondir de joie* (syn. TRESSAILLIR). ◆ **bondissement** n. m. Action de bondir. ◆ **rebondir** v. i. **1.** Faire un nouveau bond, être repoussé par l'obstacle heurté : *La balle rebondit sur le mur* (syn. RICOCHER). — **2.** Avoir des conséquences nouvelles, un développement imprévu : *Par sa question, il fit rebondir la discussion.* ◆ **rebond** [rəbɔ̃] n. m. Sens 1 du v. : *Le rebond de la balle trompa le joueur.* ◆ **rebondissement** n. m. Sens 2 du v. : *Les rebondissements imprévus d'une enquête policière.*

BONDE [bɔ̃d] n. f. (gaul. *bunda*). **1.** Bouchon obturant l'ouverture située à la partie basse d'un réservoir, d'un étang, d'un bassin. — **2.** Trou rond d'un tonneau, par lequel on verse le liquide.

BONDÉ, E [bɔ̃de] adj. (de *bonde*). Se dit d'un véhicule, d'un local où se presse une foule de gens : *Le métro est bondé* (syn. COMBLE).

BONDIEUSERIE [bɔ̃djøzri] n. f. (de *bon Dieu*). **1.** *Péjor.* et *fam.* Dévotion exagérée et surtout extérieure (syn. BIGOTERIE). — **2.** (au plur.) *Péjor.* et *fam.* Objets de piété.

BONDIR v. i., **BONDISSEMENT** n. m. → BOND.

BONDRÉE [bɔ̃dre] n. f. (breton *bondrask*). Rapace diurne qui ressemble à une petite buse. (Famille des falconidés.)

BONDY, ch.-l. de cant. de la Seine-Saint-Denis, à 6 km au N.-E. de Paris; 44 300 hab.

BÔNE ⟶ 'ANNABA.

BONHEUR [bɔnœr] n. m. (de *bon*, et *heur*, chance). **1.** Circonstance favorable qui amène le succès, la réussite d'une action, d'une entreprise, etc. : *Il a eu le bonheur d'obtenir cette place* (syn. CHANCE; fam. VEINE; contr. MALCHANCE). *Il écrit avec bonheur* (= avec justesse). — **2.** État de pleine et entière satisfaction : *Le bonheur parfait* (contr. MALHEUR). *Quel bonheur de vous revoir* (syn. JOIE). *C'est un grand bonheur pour moi* (syn. AVANTAGE, PLAISIR). — **3.** *Au petit bonheur*, au hasard, n'importe comment. ‖ *Jouer de bonheur*, réussir par extraordinaire là où tout semblait présager l'échec. ‖ *Porter bonheur*, donner de la chance. — LOC. ADV. *Par bonheur*, par un heureux concours de circonstances : *Par bonheur, il ne nous a pas vus* (syn. HEUREUSEMENT, PAR CHANCE). ◆ **porte-bonheur** n. m. inv. Bijou ou objet quelconque, considéré comme apportant la chance (syn. AMULETTE, FÉTICHE, GRIGRI).

BONHOMME [bɔnɔm] n. m., **BONNE FEMME** [bɔnfam] n. f. *(bon*, et *homme; bonne*, et *femme)*. **1.** Terme fam. qui désigne une personne quelconque (souvent accompagné d'un adj. qui fixe son âge, péjor. ou avec une nuance de pitié, d'affection) : *Un vieux bonhomme* (= un vieillard). *Mon petit bonhomme* (en s'adressant à un enfant). *Ce sont des remèdes de bonne femme* (= des remèdes d'une efficacité douteuse). — **2.** Toute figure reproduisant grossièrement la forme humaine : *Un bonhomme de neige*. — **3.** *Aller son petit bonhomme de chemin*, poursuivre son action sans hâte excessive, mais sûrement. ‖ Pl. des *bonshommes*, des *bonnes femmes*. ◆ **bonhomme** adj. Qui manifeste de la simplicité jointe à une grande bonté, de la cordialité : *Un air bonhomme*. ◆ **bonhomie** [bɔnɔmi] n. f. Bonté du cœur, jointe à une certaine simplicité ou naïveté.

BONHOMME *(col du)*, col des Alpes entre la Tarentaise et la vallée du Nant Borrant; 2 329 m.

BONHOMME *(col du)*, col des Vosges (Haut-Rhin), utilisé par la route de Saint-Dié à Colmar; 949 m.

BONI [bɔni] n. m. (lat. [*aliquid*] *boni* quelque chose *de bon*). Bénéfice fait en économisant sur la dépense (terme commercial).

BONIFACE, nom de neuf papes, dont BONIFACE VIII (v. 1235-1303), pape de 1294 à 1303. En 1300, il proclama la supériorité du pape sur les rois et, en 1303, excommunia Philippe le Bel. Ce dernier envoya Nogaret et Colonna se saisir de sa personne, à Anagni.

BONIFACIO, ch.-l. de cant. de la Corse-du-Sud, près de l'extrémité sud de l'île; 3 000 hab. *(Bonifaciens)*. La vieille ville, qui se prolonge par la citadelle, domine le port, situé sur un long bras de mer. Centre touristique.

1. BONIFICATION n. f. ⟶ BON 1.

2. BONIFICATION [bɔnifikasjɔ̃] n. f. (de *boni*). **1.** *Bonification d'intérêts*, remise d'une partie des intérêts dus par un emprunteur. — **2.** Dans un concours de recrutement, avantage accordé à certains en raison de leurs états de service, de leur âge, etc. — **3.** Avantage, points supplémentaires accordés à un concurrent dans une épreuve sportive.

BONIFIER v. t. ⟶ BON 1.

BONIMENT [bɔnimɑ̃] n. m. (de l'arg. *bonnir*, dire). *Fam.* et *péjor.* Propos habiles destinés à convaincre de la qualité d'une marchandise, d'un spectacle.

BONINGTON (Richard Parkes), peintre anglais (1802-1828), auteur d'aquarelles romantiques.

BONJOUR [bɔ̃ʒur], **BONSOIR** [bɔ̃swar] n. m. *(bon*, et *jour; bon*, et *soir)*. Termes de salutation. → tableau ci-dessous.

BONN, v. d'Allemagne sur le Rhin; 300 000 hab. Capitale de la République d'Allemagne fédérale de 1949 à 1990.

BONNARD (Pierre), peintre français (1867-1947). Il a peint des scènes de la rue et d'intérieur, des paysages, des natures mortes, des nus. (⟶ NABIS.)

1. BONNE [bɔn] n. f. (de l'adj. *bon*). **1.** Domestique assurant l'ensemble des travaux du ménage dans une famille, un hôtel, etc. : *Une bonne à tout faire*. — **2.** *Bonne d'enfant*, celle qui doit prendre soin des enfants et les promener (syn. NURSE). ◆ **bonniche** n. f. Syn. pop. et péjor. de BONNE.

2. BONNE adj. f. ⟶ BON 1 et 2.

BONNE-ESPÉRANCE *(cap de)*, promontoire de l'Afrique australe, sur l'Atlantique, découvert en 1486 par B. Dias, qui le nomma *cap des Tempêtes*, et appelé, dit-on, *cap de Bonne-Espérance* par le roi Jean II.

BONNE FEMME n. f. ⟶ BONHOMME.

BONNEMENT adv. ⟶ BON 2.

1. BONNET [bɔnɛ] n. m. (bas lat. *abonnis*). **1.** Coiffure, en général souple et sans rebord (pour les hommes, ou pour les femmes) : *Un bonnet de fourrure. Un bonnet de bain*. ‖ *Bonnet d'âne* ⟶ ÂNE. ‖ *Bonnet de nuit*, bonnet que certaines personnes mettent pour dormir. ‖ *Bonnet phrygien*, bonnet porté dans l'Antiquité en Asie occidentale et adopté par la Révolution française sous le nom de *bonnet rouge*. — **2.** Fam. *Avoir la tête près du bonnet*, être vif et emporté (syn. fam. ÊTRE SOUPE AU LAIT). ‖ *Gros bonnet*, personnage important ou influent. ‖ *Opiner du bonnet*, donner son adhésion complète. ‖ *Prendre qqch. sous son bonnet*, en prendre seul la responsabilité (syn. AGIR DE SON PROPRE CHEF, DE SA PROPRE INITIATIVE). ◆ **bonnetière** n. f. Armoire primitivement destinée au rangement des bonnets et, depuis, à celui des vêtements, du linge, etc.

2. BONNET [bɔnɛ] n. m. (même étym.). Seconde poche de l'estomac des ruminants dans laquelle passent les aliments remontant de la panse dans la bouche pour y être ruminés.

BONNETEAU [bɔnto] n. m. (de *bonnet*). Jeu prohibé qui consiste à faire passer rapidement trois cartes sous les yeux des naïfs (il s'agit de deviner où se trouve l'une des cartes).

BONNETERIE [bɔnɛtri] ou [bɔntri] n. f. (de *bonnet*). Industrie, commerce d'articles d'habillement en tissu à mailles; ces articles eux-mêmes : *Les chandails, les tricots, les chaussettes, etc. sont des articles de bonneterie*. ◆ **bonnetier, ière** [bɔntje, -ɛr] n. Industriel, commerçant en bonneterie.

BONNETIÈRE n. f. ⟶ BONNET 1.

BONNETTE [bɔnɛt] n. f. (de *bonnet*). **1.** Petite voile carrée installée à côté des voiles principales, pour augmenter la surface de la voilure. — **2.** En photographie, lentille qui s'adapte à l'objectif d'un appareil pour en modifier la distance focale.

BONNEUIL-SUR-MARNE, ch.-l. de cant. du Val-de-Marne (arrond. de Créteil); 14 800 hab. Port fluvial sur la Marne.

BONNEVAL, ch.-l. de cant. d'Eure-et-Loir, à 14 km au N.-E. de Châteaudun, sur le Loir; 4 900 hab. *(Bonnevalais)*.

BONNEVILLE, ch.-l. d'arrond. de la Haute-Savoie, sur l'Arve, à 21 km au S.-E. d'Annemasse; 9 100 hab. Anc. capit. du Faucigny. Industrie de l'aluminium. Horlogerie.

BONNICHE n. f. ⟶ BONNE 1.

BONNIER (Gaston), botaniste français (1853-1922), auteur d'ouvrages sur les espèces florales françaises.

BONNOT *(la bande à)*, groupe d'anarchistes qui attaquèrent des banques sous la conduite de Jules Joseph Bonnot (1876-1912). Celui-ci fut abattu avec un complice à Choisy-le-Roi.

BONSOIR n. m. ⟶ BONJOUR.

BONTÉ n. f., **BONTÉS** n. f. pl. ⟶ BON 2.

BONZE [bɔ̃z] n. m. (jap. *bozu*, prêtre). **1.** Prêtre ou moine bouddhiste. — **2.** *Fam.* Personnage important (parfois péjor. au sens de personnage prétentieux).

BONJOUR	**BONSOIR**
Utilisé lorsqu'on rencontre quelqu'un dans la journée ou, plus rarement, lorsqu'on le quitte.	Utilisé lorsqu'on rencontre quelqu'un dans la fin de l'après-midi ou, plus souvent, lorsqu'on le quitte.
Bonjour, comment allez-vous ce matin? Il vous souhaite bien le bonjour (= il m'a chargé de vous transmettre son salut). *C'est simple comme bonjour* (fam.) [= très facile].	*Bonsoir, c'est l'heure de mon train, il faut que je me presse* (syn. AU REVOIR). *Allons, les enfants, dites bonsoir et allez vous coucher. Vous ne voulez pas venir au cinéma, eh bien, bonsoir!*

BOOKMAKER [bukmɛkœr] n. m. (mot angl. signif. *faiseur de livre*). Celui qui tient, reçoit les paris sur les champs de courses.

BOOLE (George), mathématicien britannique (1815-1864), l'un des créateurs de la logique mathématique contemporaine.

BOOM [bum] n. m. (mot amér. signif. *détonation*). Hausse importante des valeurs en Bourse; accroissement rapide de l'expansion d'un État, d'une entreprise, ou de la vente d'un article : *Le boom économique du Japon, après la guerre* (syn. EXPANSION). *Le boom de la construction* (contr. EFFONDREMENT, KRACH).

BOOMERANG ou **BOUMERANG** [bumrɑ̃g] n. m. (mot angl.). **1.** Arme australienne, de forme courbe, qui revient à son point de départ après sa trajectoire et qui est utilisée comme jeu. — **2.** Acte d'hostilité qui se retourne contre son auteur.

BOOTH (William), prédicateur et réformateur britannique (1829-1912). En 1865, il fonda la Mission chrétienne qui, en 1878, devint l'Armée du salut.

BOOTLEGGER [butlegœr] n. m. (mot amér. signif. *celui qui cache sa bouteille dans sa botte*). Aux États-Unis, trafiquant d'alcool au temps de la prohibition (1919-1933).

BOP [bɔp] ou **BE-BOP** [bibɔp] n. m. (onomat.). Style de jazz, né vers 1914 à New York. (C'est une sorte d'improvisation qui apparaît brusquement au cours d'un morceau.)

BOQUETEAU n. m. ⟶ BOSQUET.

BOR, v. de Yougoslavie, en Serbie orientale; 15 000 hab. Mines de cuivre.

BORA [bɔra] n. f. (mot slovène; du gr. *Boreas*, le vent du Nord). Vent froid et violent du nord-est, qui souffle sur l'Adriatique entre Trieste et Dubrovnik.

BORA BORA, île volcanique de la Polynésie française.

BORAX [bɔraks] n. m. (ar. *bawraq*). Sel de sodium d'un acide borique condensé, utilisé pour le décapage des métaux, l'ignifugeage des toiles de décors. ◆ **borate** n. m. Sel de l'acide borique. ◆ **bore** n. m. Métalloïde (B), de densité 2,4, solide, dur et noirâtre, présentant certaines analogies avec le carbone. (Il a été découvert en 1808 par Gay-Lussac et Thenard.) ◆ **borique** adj. m. Se dit d'un acide contenant du bore.

BORBORYGME [bɔrbɔrigm] n. m. (gr. *borborugmos*). Bruit produit par le déplacement des gaz ou des liquides dans le tube digestif.

1. BORD [bɔr] n. m. (frq. *bord*, bord de vaisseau). **1.** Partie qui forme le tour, l'extrémité d'une surface, d'un objet, etc. : *Les bords de la table* (syn. REBORD). *Passer ses vacances au bord de la mer* (= région côtière). *Le bord d'un fleuve* (syn. RIVE). *Le bord d'une rivière* (syn. BERGE). *Le bord de la route* (syn. CÔTÉ). *Camper au bord de la route* (= à proximité immédiate). — **2.** *À pleins bords*, à flots, en abondance. ◆ **border** v. t. **1.** (sujet nom d'être animé) *Border qqch.* (en partic. un vêtement), le garnir d'un bord, d'une bordure pour l'ornementer : *Border un col avec de la fourrure.* — **2.** (sujet nom de chose) *Border qqch.*, en occuper le bord : *Un sentier borde la rivière* (syn. LONGER). — **3.** *Border un lit*, arranger le drap supérieur et les couvertures en les repliant sous le matelas. ‖ *Border une personne*, border le lit où elle est couchée. ‖ *Border une voile*, en raidir le bas avec l'écoute, de façon que le vent puisse la gonfler. ◆ **bordier, ère** adj. *Mer bordière*, mer située en bordure d'un continent. ◆ **bordure** n. f. **1.** Ce qui borde en servant d'ornement : *Une bordure d'arbres. La bordure d'un col.* — **2.** *En bordure de*, à proximité immédiate de : *Une maison en bordure de la forêt* (= sur la lisière de). *Des villas en bordure de mer* (= le long de la mer). ◆ **déborder** v. t. **1.** Ôter la bordure de : *Déborder un rideau.* — **2.** *Déborder un lit* ou *se déborder*, dégager les bords des draps et des couvertures qui étaient glissés sous le matelas.

2. BORD [bɔr] n. m. (même étym.). *Être au bord de, être sur le bord de*, indique la proximité immédiate de l'action : *Il est au bord des larmes* (= prêt à pleurer). *Elle est sur le bord de la crise de nerfs* (syn. ÊTRE SUR LE POINT D'AVOIR).

3. BORD [bɔr] n. m. (même étym.). *Monter à bord (d'un navire)*, embarquer. ‖ *À bord*, sur le navire. ‖ *Carnet, journal de bord*, journal relatant les événements qui se produisent pendant une traversée.

BORDA (Charles DE), mathématicien français (1733-1799), auteur d'études sur le mouvement des projectiles et l'emploi du pendule pour mesurer l'intensité de la pesanteur.

BORDEAUX, ch.-l. du dép. de la Gironde et de la Région Aquitaine; 211 200 hab. *(Bordelais).*

GÉOGRAPHIE. Situé à une centaine de kilomètres de la mer, sur la rive gauche de la Garonne, Bordeaux s'est développé comme port de fond d'estuaire. Sa prospérité, éclatante au Moyen Âge et jusqu'au XVIIIᵉ s., a décliné ensuite, en particulier avec l'accroissement du tonnage des navires gênant la remontée de la Gironde. Le trafic est aujourd'hui de l'ordre de 15 millions de t et des avants-ports se sont constitués : Ambès, Blaye, Pauillac, Le Verdon, par où on importe surtout du pétrole. L'industrie a été largement liée au port (alimentation, pétrochimie), mais elle s'est diversifiée avec le développement plus récent de la construction mécanique, de l'électronique. Au cœur d'une agglomération comptant environ 600 000 hab. (la cinquième de France), Bordeaux est encore un grand centre administratif, commercial et universitaire.

HISTOIRE. Dès l'époque romaine, Bordeaux (Burdigala) fut une métropole importante.

- *1154-1543. Domination anglaise, époque de grande prospérité pour la ville (exportation vers l'Angleterre des vins bordelais).*

Au XVIIIᵉ s., Bordeaux s'enrichit également avec le commerce des îles (traite des esclaves, commerce du sucre). De grands travaux d'urbanisme sont alors entrepris.

Au XIXᵉ s., la ville s'accroît considérablement et joue à diverses reprises un rôle politique.

- *Déc. 1870. Le gouvernement de Gambetta se transporte à Bordeaux.*
- *Fév.-mars 1871. Réunion de l'Assemblée nationale.*
- *Juin 1940. Le gouvernement se replie à Bordeaux.*

BORDEAUX [bɔrdo] n. m. Vin récolté dans le Bordelais. ◆ adj. inv. Rouge violacé.

BORDÉE [bɔrde] n. f. (de *bord*). **1.** Portion de route que parcourt, en gardant le même côté au vent, un navire qui louvoie. — **2.** Salve d'artillerie tirée par les canons d'un côté du vaisseau. — **3.** *Une bordée d'injures*, une grande quantité d'injures.

BORDELAIS, E [bɔrdəlɛ, -ɛz] adj. et n. De Bordeaux. ◆ **bordelaise** n. f. Bouteille à goulot étroit, employée pour les vins de Bordeaux.

BORDELAIS (le), région du dép. de la Gironde, autour de Bordeaux. C'est une grande région viticole, on y distingue : à l'O. de la Garonne et de son estuaire, le *Médoc* (vins les plus célèbres) et les *Graves* (vins blancs surtout); l'*Entre-deux-Mers*, entre les basses vallées de la Garonne et de la Dordogne; le *Blayais*, à l'E. de l'estuaire. Les parties les plus basses portent des cultures maraîchères et des prairies d'élevage.

BORDER v. t. ⟶ BORD 1.

BORDEREAU [bɔrdəro] n. m. (de *bord*). État récapitulatif d'un compte, d'un document, etc. : *Les bordereaux de salaire établis par le caissier.*

BORDIER, ÈRE adj. ⟶ BORD 1.

BORDJ [bɔrdʒ] n. m. (ar. *burdj*, fortin). En Afrique du Nord, construction servant de résidence, de fort.

BORDURE n. f. ⟶ BORD 1.

BORE n. m. ⟶ BORAX.

BORÉAL, E [bɔreal] adj. (du gr. *Boreas*, le vent du Nord). **1.** *Hémisphère boréal*, celui qui est au N. de l'équateur (contr. AUSTRAL). — **2.** *Terres boréales, océan boréal, climat boréal*, etc., qui se situe à l'extrême N., qui appartient aux régions proches du pôle Nord (syn. ARCTIQUE). ‖ *Aurore boréale* ⟶ AURORE.

BORGHÈSE, famille italienne, originaire de Sienne. Un de ses membres fut élu pape, sous le nom de PAUL V (1665). — Un autre, CAMILLO (1775-1832), épousa Pauline Bonaparte (1803).

BORGIA, famille italienne d'origine espagnole, qui compta parmi ses membres le pape ALEXANDRE VI. — CÉSAR, fils du précédent (v. 1475-1507), époux de Charlotte d'Albret, bénéficia de l'appui de la France; il occupa la Romagne, le duché d'Urbino et prit Capoue. Il a inspiré Machiavel dans son portrait du Prince. — LUCRÈCE (1480-1519), sœur du précédent, se rendit célèbre par sa beauté et se montra protectrice des arts et des lettres.

1. BORGNE [bɔrɲ] adj. et n. (orig. incert.). Qui ne voit que d'un œil. ◆ **éborgner** v. t. Rendre borgne.

2. BORGNE [bɔrɲ] adj. (de *borgne* 1). *Hôtel borgne*, hôtel de mauvaise apparence, fréquenté par des individus suspects.

BORINAGE (le), région de Belgique (Hainaut), à l'O. de Mons, autref. grande productrice de charbon.

BORIQUE adj. m. ⟶ BORAX.

BORIS GODOUNOV (1551-1605), tsar de Russie (1598-1605). Il vainquit la Suède (1590-1595) et eut à faire face à une grave crise sociale. — Sa vie inspira à Pouchkine une tragédie historique (1825) dont le sujet fut repris par Moussorgski dans un drame musical (1872).

BORMES-LES-MIMOSAS, comm. du Var, à 5 km à l'O.-N.-O. du Lavandou; 3800 hab. Cultures florales (mimosa).

BORN (Max), physicien anglais d'origine allemande (1882-1970), auteur d'une théorie sur le mécanisme électronique de l'affinité chimique.

1. BORNE [bɔrn] n. f. (bas lat. *bodina*). **1.** Pierre ou marque destinée à indiquer un repère, à réserver un emplacement, à barrer un passage, etc. : *Les bornes kilométriques indiquent les distances entre les localités. Les bornes d'un champ* (= celles qui délimitent la propriété). — **2.** *Pop.* Kilomètre. ◆ **bornage** n. m. Opération juridique qui consiste à délimiter deux terrains contigus et à établir des bornes délimitant la propriété privée. ◆ **borne-fontaine** n. f. Fontaine en forme de borne : *Les bornes-fontaines des villages français.* ◆ **borner** v. t. Marquer la limite de : *Borner une propriété, un champ* (= en fixer les limites). *L'horizon est borné par les montagnes* (syn. LIMITER).

2. BORNE [bɔrn] n. f. (même étym.). Ce qui forme la limite d'une action, d'un pouvoir, d'une époque, etc. (le plus souvent au plur.) : *Son ignorance dépasse les bornes* (= va au-delà de ce que l'on peut imaginer). *Il est d'une patience sans bornes* (= illimitée). ◆ **borner** v. t. Enfermer dans des limites déterminées : *Borner ses idées* (syn. LIMITER). *Borner son rôle à* (syn. RESTREINDRE; contr. ÉTENDRE). *Bornez là votre exposé* (syn. ARRÊTER). ◆ ***se borner*** v. pr. : *Bornons-nous à ce qui est indispensable* (syn. SE CONTENTER, S'EN TENIR). ◆ **borné, e** adj. Se dit d'une personne dont les capacités intellectuelles sont peu développées : *Un esprit borné* (syn. ÉTROIT, SCLÉROSÉ; contr. LARGE, OUVERT). *Une intelligence bornée* (syn. OBTUS; contr. PÉNÉTRANT, SUBTIL).

3. BORNE [bɔrn] n. f. (même étym.). Pièce conductrice solidaire d'un appareil électrique et permettant de le relier aux circuits extérieurs.

BORNÉ, E adj. ⟶ BORNE 2.

BORNE-FONTAINE n. f. ⟶ BORNE 1.

BORNÉO, île de l'Insulinde, la troisième du monde par sa superficie; 747000 km²; 9 millions d'hab. (12 au km²). L'île est partagée entre trois États : la majeure partie *(=Kalimantan)* appartient à l'Indonésie; la côte nord *(Sarawak* et *Sabah)* à la Malaysia; le sultanat de *Brunei* est indépendant (1er janv. 84).

GÉOGRAPHIE. Des plateaux occupent la plus grande partie de l'île, surmontés, surtout au N., par des chaînes de montagnes (mont Kinabalu, 4101 m), tandis que le Sud est constitué de grandes plaines alluviales marécageuses.

L'acces, très difficile par la mer, et le climat équatorial, qui s'accompagne du développement de la forêt dense, expliquent le faible peuplement de l'île : tout l'intérieur est encore occupé par des peuplades primitives, les Dayaks.

Les plantations de cocotiers et d'hévéas de la côte nord, et surtout le pétrole, sont les principales ressources de l'île dont la mise en valeur est à peine ébauchée.

HISTOIRE. Bornéo voit l'apparition des Européens au début du XVe s., mais la colonisation n'a lieu qu'au XIXe s.

- *1854. Les Hollandais étendent leur autorité dans l'ouest de l'île.*
- *1888. Tout le Nord passe sous contrôle britannique.*
- *1963. Le Sarawak et le Sabah sont rattachés à la Malaysia.*

BORNER v. t. ⟶ BORNE 1 et 2.

BORNES *(massif des),* ou **MASSIF DU GENEVOIS,** massif des Préalpes françaises, entre l'Arve et le lac d'Annecy; 2438 m.

BORNHOLM, île danoise de la mer Baltique; 588 km²; 47200 hab.

BORNOU, région de l'Afrique occidentale, au S.-O. du lac Tchad, qui constitua un empire dont l'apogée se situe au XVIe s.

BORODINE (Alexandre), compositeur russe (1833-1887), il composa : à partir de 1869, *le Prince Igor',* son unique opéra (inachevé) auquel il travailla pendant dix-huit ans; *Dans les steppes de l'Asie centrale* (1880), poème symphonique; des sonates, des quatuors à cordes, trois symphonies. Tour à tour brillantes ou mélancoliques, ses œuvres sont le reflet du caractère slave.

BORODINO, village de Russie, entre Moscou et Smolensk.

- *7 sept. 1812. Sanglante bataille dite « de la Moskova ».*

BORROMÉES *(îles),* groupe de trois îles du lac Majeur (Italie), *Isola Bella, Isola Madre, Isola Superiore* (ou *île des Pêcheurs*), en face de Stresa.

BORROMINI (Francesco), architecte italien (1599-1667), l'un des maîtres de l'art baroque.

BORT-LES-ORGUES, ch.-l. de cant. de la Corrèze, à 28 km au S.-E. d'Ussel, sur la Dordogne; 5000 hab. *(Bortois).* Barrage et installations hydro-électriques sur la Dordogne. Colonnades de phonolite, dites *orgues de Bort.*

BOSCH (Hiëronymus, dit **Jérôme**), peintre hollandais (v. 1450/1460-1516). Sa prodigieuse imagination invente un univers fantastique et allégorique, peuplé de monstres, qu'il compose des différentes parties d'animaux ou d'insectes soigneusement observés. Sa verve s'apparente à celle des fabliaux, et son goût pour le bizarre annonce Bruegel. Son art exerça une véritable fascination, au XXe s., sur les artistes surréalistes.

BOSCH (Carl), chimiste et industriel allemand (1874-1940). Il fit la synthèse de l'ammoniac.

BOSCHIMANS ⟶ BOCHIMANS.

BOSNIE-HERZÉGOVINE, l'une des républiques fédérées de Yougoslavie; 51129 km²; 4116000 hab. *(Bosniaques* ou *Bosniens).* Capit. *Sarajevo.*

GÉOGRAPHIE. Entre la Save et l'Adriatique, la Bosnie-Herzégovine s'étend sur une partie des chaînes Dinariques. C'est une région aux hivers rudes, assez abondamment arrosée; on y pratique l'élevage sur les hauteurs, les cultures céréalières dans la partie septentrionale, plus basse.

HISTOIRE. La Bosnie fait partie de l'Empire romain, puis de l'Empire byzantin, avant d'être occupée par les Slaves au VIe s.

- *1463-1878. La région est une marche de l'empire turc.*
- *1878-1919. Administrée par l'Empire austro-hongrois, la région est annexée à celui-ci en 1908.*
- *1918. La Bosnie-Herzégovine fait partie de la Yougoslavie.*

BOSPHORE (« Passage du bœuf »), ancienn. **détroit de Constantinople,** détroit faisant communiquer la mer Noire et la mer de Marmara, long de 30 km, large de 300 à 3000 m. Istanbul est situé sur la rive ouest.

BOSQUET [bɔskɛ] n. m. (it. *boschetto*). Petit bois, groupe de petits arbres. ◆ **boqueteau** n. m. Syn. de BOSQUET.

BOSSAGE n. m. ⟶ BOSSE 2.

1. BOSSE [bɔs] n. f. (orig. obscure). **1.** Grosseur anormale qui se forme dans le dos ou sur la poitrine; enflure qui se produit à la tête ou sur un membre à la suite d'un coup : *Se faire une bosse au front en se cognant.* — **2.** Protubérance naturelle de certains animaux : *Les bosses du chameau. La bosse du dromadaire.* — **3.** *Ne chercher que plaies et bosses,* se plaire aux querelles, être d'un caractère batailleur. || Fam. *Rouler sa bosse,* changer continuellement de lieu de résidence sans avoir de situation stable. || Fam. *Avoir la bosse des mathématiques, de la musique,* etc., être particulièrement doué pour ce genre d'études, d'activité (syn. ↑LE GÉNIE DE). ◆ **bossu, e** adj. et n. **1.** Se dit d'une personne qui a une déformation de la colonne vertébrale provoquant une bosse. — **2.** Fam. *Rire comme un bossu,* rire aux éclats.

2. BOSSE [bɔs] n. f. (de *bosse* 1). Élévation arrondie sur une surface : *Les creux et les bosses d'un terrain.* ◆ **bossage** n. m. *Archit.* Saillie en pierre brute ou taillée, laissée à dessein sur le nu d'un mur pour recevoir des sculptures ou pour servir d'ornement. ◆ **bosseler** [bɔsle] v. t. (Conj. **6.**) Déformer par des bosses (surtout au part. adj.) : *Un gobelet tout bosselé.* ◆ ***se bosseler*** v. pr. Se déformer : *En tombant, ce plat s'est bosselé.* ◆ **bosselure** n. f. Ensemble des bosses que présente une surface. ◆ **débosseler** v. t.

3. BOSSE [bɔs] n. f. (même étym.). Fort cordage de marine muni d'une boucle, servant à amarrer ou à remorquer un canot.

BOSSE (Abraham), graveur français (1602-1676). Ses planches offrent un tableau complet de la société française dans la première moitié du XVIIe s.

BOSSELER v. t., **BOSSELURE** n. f. ⟶ BOSSE 2.

BOSSER [bɔse] v. i. (de *bosse*). *Fam.* Travailler.

BOSSOIR [bɔswar] n. m. (de *bosse*). **1.** Appareil de levage situé à l'avant d'un navire et servant à la manœuvre des ancres. — **2.** Avant d'un navire.

BOSSU, E adj. et n. ⟶ BOSSE 1.

BOSSUET (Jacques Bénigne), évêque, orateur et écrivain français (1627-1704).

- *1652. Il est ordonné prêtre.*

À partir de 1659, il acquiert la célébrité à Paris par ses prédications : des sermons (*Sermon sur la mort,* 1662; *Sermons sur l'unité de l'Église,* 1681) et des oraisons funèbres des membres de la famille royale ou de hautes personnalités (Anne d'Autriche, 1667; Henriette d'Angleterre, 1670; prince de Condé, 1687).

- *1670. Précepteur du dauphin, il compose un « Discours sur l'histoire universelle ».*

• *1681. Évêque de Meaux, il se fait le défenseur intransigeant de l'Église de France (controverses avec les protestants).*

Le prestige de Bossuet tient à son génie oratoire. La beauté poétique des images, la vigueur de l'expression, solennelle ou familière selon les circonstances, le rythme et la musicalité donnent à ses phrases, amples et cadencées, une incomparable grandeur.

BOSTON, port des États-Unis, en Nouvelle-Angleterre, capit. du Massachusetts, à l'embouchure de la Charles River; 641 100 hab. L'activité de Boston est principalement commerciale et bancaire.

• *1630. Fondation de la ville, qui joue un grand rôle dans l'histoire des colonies anglaises de l'Amérique du Nord, dont elle est le centre intellectuel.*

• *1773. Boston donne le signal de l'insurrection qui mène à la guerre d'Indépendance.*

BOSTRYCHE [bɔstriʃ] n. m. (gr. *bostrukhos*, boucle de cheveux). Coléoptère d'Europe, qui creuse des galeries dans le bois mort.

BOT [bo] adj. m. (germ. *butta*, émoussé). *Avoir un pied bot*, avoir un pied difforme.

BOTANIQUE [bɔtanik] n. f. (du gr. *botanê*, plante). Étude scientifique des végétaux. ◆ adj. : *Jardin botanique.* ◆ **botaniste** n. Spécialiste de l'étude des végétaux.

BOTANY BAY, baie de la côte est de l'Australie, près de l'actuelle ville de Sydney, découverte par Cook (1770). Elle devint un lieu de déportation à partir de 1787.

BOTEV *(pic)*, point culminant du Balkan, en Bulgarie; 2 376 m.

BOTHA (Louis), général et homme politique sud-africain (1862-1919). Commandant en chef des Boers (1900), il retarda la victoire anglaise par ses opérations de commando. Il devint Premier ministre de l'Union sud-africaine en 1910.

BOTNIE, contrée du nord-est de la Suède et du nord-est de la Finlande, riveraine du *golfe de Botnie.*

BOTNIE *(golfe de)*, partie septentrionale de la Baltique, entre la Finlande et le Norrland suédois.

BOTSWANA, État de l'Afrique australe, formant une union douanière avec l'Afrique du Sud; 570 000 km^2; 1 200 000 hab. (2 au km^2). Capit. *Gaborone.*

Le Botswana s'étend sur le centre et le nord du plateau du Kalahari. Le climat désertique (200 mm de pluies par an) règne sur la plus grande partie du pays, où ne pousse qu'une maigre steppe à épineux. Seule la région orientale est plus arrosée, et l'irrigation y permet la culture. Mais l'élevage constitue la ressource essentielle (1 000 000 de caprins; 2 100 000 bovins).

Les richesses minières sont importantes (amiante, or, argent, manganèse) mais pas toujours exploitées (cuivre, nickel).

• *1966. Ancien protectorat britannique du « Bechuanaland », le Botswana devient indépendant.*

1. BOTTE [bɔt] n. f. (it. *botta*, coup). **1.** Coup de pointe donné avec une épée ou un fleuret : *Allonger, parer, esquiver une botte.* — **2.** *Porter une botte à un contradicteur, à un adversaire*, l'attaquer avec vivacité. ‖ *Botte secrète*, coup dont la parade est inconnue de l'adversaire; attaque perfide.

2. BOTTE [bɔt] n. f. (néerl. *bote*, touffe de lin). Assemblage de produits végétaux de même espèce, serrés et liés ensemble : *Des bottes d'œillets. Des bottes de paille. Une botte de radis.* ◆ **botteler** v. t. Lier en bottes : *Botteler de la paille.*

3. BOTTE [bɔt] n. f. (peut-être de l'adj. *bot*). **1.** Chaussure de cuir, de caoutchouc, qui enferme le pied et la jambe et monte quelquefois jusqu'à la cuisse : *Mettre des bottes pour aller à la chasse.* — **2.** Fam. *Haut comme une botte*, de toute petite taille (surtout en parlant d'un enfant). ◆ **botter** v. t. **1.** Chausser des bottes (surtout au passif) : *Perrault a raconté le conte du « Chat botté ».* — **2.** *Fam.* Donner un coup de pied : *Botter le ballon vers le but* (syn. plus usuel SHOOTER, TIRER). ◆ **bottier** n. m. Artisan qui confectionne à la main des chaussures ou des bottes sur mesure. ◆ **bottillon** n. m. Chaussure montant au-dessus de la cheville et généralement doublée de fourrure. ◆ **bottine** n. f. Chaussure montante couvrant les chevilles et fermée par des boutons, des lacets ou un élastique.

BOTTELER v. t. → BOTTE 2.

BOTTER v. t. → BOTTE 3.

BOTTICELLI (Sandro DI MARIANO FILIPEPI, dit), peintre italien (1444-1510). Sa carrière se déroula surtout à Florence où il peignit, pour les Médicis, des allégories mythologiques et poétiques (*le Printemps*, 1478; *la Naissance de Vénus*, 1485), ainsi que des tableaux religieux (*Couronnement de la Vierge*, 1488).

BOTTIER n. m., **BOTTILLON** n. m., **BOTTINE** n. f. → BOTTE 3.

BOTTROP, v. d'Allemagne (Rhénanie-du-Nord-Westphalie), dans la Ruhr; 115 000 hab. Houille. Sidérurgie.

BOTULISME [bɔtylism] n. m. (du lat. *botulus*, boudin). Intoxication grave causée par l'absorption de conserves fermentées ou de viandes avariées.

BOUAKÉ, v. de la Côte-d'Ivoire, en pays baoulé; 85 000 hab.

1. BOUC [buk] n. m. (gaul. *bucco*). **1.** Mâle de la chèvre. — **2.** *Bouc émissaire*, celui sur qui on fait retomber les fautes des autres et qu'on accuse de tous les malheurs. (Par allusion à la coutume biblique qui consistait à charger un bouc de tous les péchés d'Israël et à le chasser dans le désert.)

2. BOUC [buk] n. m. (de *bouc* 1). Barbe qu'un homme porte au menton, le reste du visage étant rasé.

1. BOUCAN [bukɑ̃] n. m. (it. *baccano*, tapage). *Fam.* Ensemble indistinct de bruits ou de cris assourdissants (surtout dans *faire du boucan*, faire du bruit) : *Quel boucan!* (syn. TAPAGE, VACARME).

2. BOUCAN [bukɑ̃] n. m. (d'une langue de l'Amérique du Sud). Viande fumée des Indiens d'Amérique. ◆ **boucanage** n. m. Action d'exposer des viandes ou des poissons à la fumée pour les faire sécher et les conserver. ◆ **boucaner** v. t. Effectuer le boucanage. ◆ **boucanier** n. m. **1.** Nom donné à certains aventuriers d'origine européenne qui chassaient le bœuf sauvage aux Antilles pour fumer la viande ou pour faire le commerce des peaux. — **2.** Pirate.

BOUCAU, comm. des Pyrénées-Atlantiques, à 5 km au N. de Bayonne, près de l'embouchure de l'Adour (r. dr.); 6 200 hab.

BOUCHAGE n. m. → BOUCHER 1.

BOUCHAIN [buʃɛ̃] n. m. (de *bouche*). Partie arrondie de la carène d'un navire.

BOUCHE [buʃ] n. f. (lat. *bucca*). **1.** Orifice d'entrée du tube digestif, chez l'homme et chez certains animaux → ENCYCL.; lèvres (considérées comme limite extérieure ou comme moyen d'expression) : *Ouvrir la bouche* (= prendre la parole). *Fermer la bouche à qq'un* (= le faire taire). — **2.** Personne considérée sur le plan de la subsistance (dans quelques express.) : *Il a chez lui cinq bouches à nourrir.* — **3.** Orifice de certaines cavités : *Une bouche de métro.* ‖ *Bouche d'égout*, ouverture par où les eaux des rigoles se déversent dans les égouts. ‖ *Bouche à feu*, terme collectif désignant les armes à feu non portatives (canons, mortiers, etc.). ‖ *Bouche d'incendie*, prise d'eau à l'usage des pompiers. — **4.** *Aller, passer de bouche en bouche*, se répandre dans l'opinion, être largement divulgué. ‖ *Bouche cousue!* (syn. SILENCE!). ‖ *C'est saint Jean Bouche-d'Or*, c'est un homme qui parle éloquemment (ou sans retenue), par allusion au nom de saint Jean Chrysostome (du gr. *khrusos*, or, et *stoma*, bouche). ‖ *De bouche à oreille*, directement et à l'insu des autres (syn. CONFIDENTIELLEMENT). ‖ *Être dans toutes les bouches*, être le sujet de toutes les conversations. ‖ *Faire la fine bouche*, se montrer dégoûté et difficile en face d'un mets, d'une œuvre d'art que tout le monde apprécie. ‖ *Faire venir l'eau à la bouche*, donner envie de manger un mets ou de posséder quelque chose. ‖ *Garder pour la bonne bouche*, réserver pour la fin, de façon à rester sur ce qu'on croit être le plus agréable. ◆ **arrière-bouche** n. f. Le fond de la bouche. ‖ Pl. des *arrière-bouches.* ◆ **bouche-à-bouche** n. m. Technique de respiration artificielle qui consiste, pour le sauveteur, à insuffler son propre souffle. ◆ **bouchée** n. f. **1.** Quantité d'un aliment qui entre dans la bouche en une seule fois : *Avaler quelques bouchées de viande.* — **2.** Bonbon au chocolat, fourré de façon variée. — **3.** *Acheter qqch. pour une bouchée de pain*, pour un prix dérisoire, insignifiant. ‖ *Ne faire qu'une bouchée de qqch.*, l'avaler rapidement; *de qq'un* ou *de qqch.*, en venir facilement à bout. ◆ **bouches** n. f. pl. **1.** Embouchure d'un fleuve : *Les bouches du Nil.* — **2.** Entrée d'un golfe, d'un détroit : *Les bouches de Bonifacio.*

— ENCYCL. La *bouche*, ou cavité buccale, est limitée en haut par la voûte palatine et le voile du palais, en bas par la langue et le plancher de la bouche, sur les côtés par la face interne des joues. Elle s'ouvre en avant par l'orifice buccal, circonscrit par les lèvres; elle communique en arrière avec le pharynx par l'isthme du gosier. Pendant la mastication, la salive imprègne les aliments et facilite leur division. C'est pendant ce temps qu'intervient la gustation, qui fait apprécier les qualités ou les défauts des aliments. La stomatologie est la partie de la médecine qui étudie les affections de la bouche.

1. BOUCHER [buʃe] v. t. (de l'anc. fr. *bousche*, touffe de paille [pour fermer]). **1.** *Boucher une ouverture, un passage*, les fermer au moyen de quelque chose (aussi comme pron.) : *Le tuyau est bouché* (syn. OBSTRUER). *Boucher les fentes du mur avec du plâtre* (syn. OBTURER). *Boucher le passage* (syn. BARRER). *Boucher une voie d'eau* (syn. COLMATER). *L'évier s'est bouché* (syn. ENGORGER). *Se boucher le nez* (= se pincer les narines). — **2.** *Boucher qqch.*, en fermer les accès, les perspectives (surtout au passif) : *Toutes les* *carrières sont bouchées* (syn. ENCOMBRER). *L'avenir est bouché* (syn. FERMER). ◆ **bouchage** n. m. Action de boucher. ◆ **bouché, e** adj. **1.** *Cidre bouché*, cidre pétillant, conservé en bouteille bouchée. — **2.** *Le temps, le ciel est bouché*, couvert de nuages. — **3.** Fam. *Être bouché*, se dit de quelqu'un qui ne comprend rien, qui est stupide. ◆ **bouche-trou** [buʃtru] n. m. Personne ou chose servant à combler une place qu'un accident quelconque a rendue vide, ou destinée à faire nombre au milieu d'autres : *L'acteur était grippé; il a fallu trouver un bouche-trou pour le remplacer.* ‖ Pl. des *bouche-trous.* ◆ **déboucher** v. t. **1.** Ôter le bouchon de : *Déboucher une bouteille.* — **2.** Débarrasser de ce qui bouche : *Déboucher un tuyau.* ◆ **se déboucher** v. pr. Cesser d'être bouché : *Le lavabo se débouche peu à peu* (syn. SE DÉSOBSTRUER). ◆ **reboucher** v. t. : *Reboucher un trou.* ◆ **bouchon** n. m. **1.** Ce qui sert à boucher, et en particulier pièce enfoncée dans le goulot d'une bouteille : *Le bouchon de la carafe d'eau.* ‖ *Avoir un goût de bouchon*, se dit d'un vin qui a pris le goût du bouchon trop vieux. — **2.** Flotteur d'une ligne de pêche. — **3.** *Bouchon de circulation*, embouteillage momentané. ◆ **bouchonné, e** adj. Se dit d'un vin qui a un goût de bouchon. ◆ **tire-bouchon** n. m. **1.** Vis en métal munie d'un manche, d'un anneau, etc., que l'on enfonce dans le bouchon d'une bouteille pour le retirer du goulot. ‖ Pl. des *tire-bouchons.* — **2.** *En tire-bouchon*, qui a la forme plus ou moins exacte d'une vis. ◆ **tire-bouchonner** v. t. Rouler en forme de vis, en spirale.

2. BOUCHER, ÈRE [buʃe, -ɛr] n. (de *bouc*). Commerçant qui vend au détail la chair des bœufs, des veaux, des moutons, ou celle des chevaux. ◆ adj. *Garçon boucher*, aide salarié du boucher. ◆ **boucher** n. m. **1.** Personne qui tue les animaux dans les abattoirs. — **2.** Homme cruel et sanguinaire. ◆ **boucherie** [buʃri] n. f. **1.** Boutique où l'on débite la chair des bêtes destinées à la consommation; le commerce lui-même; corporation des bouchers. — **2.** *Péjor.* Carnage, tuerie (massacre d'êtres humains).

BOUCHER (François), peintre et graveur français (1703-1770). Il est l'auteur de bergeries, de scènes religieuses et mythologiques, de paysages, de portraits, de nus surtout, où se reconnaît l'influence de Rubens.

BOUCHER (Hélène), aviatrice française (1908-1934). Elle accomplit seule, à vingt et un ans, le raid Paris-Saigon.

BOUCHER DE CRÈVECŒUR DE PERTHES (Jacques), préhistorien français (1788-1868). En 1844 il trouva près d'Abbeville, dans des alluvions, des instruments de silex. En 1846, il affirme le premier l'existence de l'homme « préhistorique ».

BOUCHERIE n. f. → BOUCHER 2.

BOUCHES n. f. pl. → BOUCHE.

BOUCHES-DU-RHÔNE (13), dép. du sud de la France (Région Provence-Alpes-Côte d'Azur); 5 087 km²; 1 725 000 hab. (338 au km²) [France : 103]. Ch.-l. *Marseille.*

ADMINISTRATION. 4 arrond. (*Aix-en-Provence.* 304 800 hab.; *Arles.* 150 000 hab.; *Istres.* 249 100 hab.; *Marseille.* 1 020 300 hab.). / 47 cant. / 119 comm.

L'ouest du département est surtout constitué de plaines *(Comtat, Crau, Camargue).* À l'E., des chaînons calcaires *(Trévaresse, Sainte-Victoire, Estaque, Sainte-Baume)* sont ouverts par des bassins *(Aix-en-Provence, Huveaune).*

L'*agriculture* variée (fruits et légumes, riz, vigne, élevage bovin) ne tient qu'une place secondaire.

L'*industrie*, développée surtout sur le littoral, du golfe de Fos à La Ciotat, emploie environ 35 p. 100 de la population active. Les activités sont assez variées (métallurgie, chimie, raffinage du pétrole, industrie alimentaire, extraction du lignite).

Le *secteur tertiaire*, qui emploie plus de 60 p. 100 de la population active, doit son extension à la présence d'une très grande ville, Marseille, qui regroupe environ les deux tiers de la population totale des Bouches-du-Rhône. La densité de la population dans le département, un des plus peuplés de France, est plus du triple de la moyenne nationale. L'avenir du département est lié à celui du littoral animé par Marseille, et au succès de l'aménagement du golfe de Fos.

BOUCHE-TROU n. m. → BOUCHER 1.

1. BOUCHON n. m. → BOUCHER 1.

2. BOUCHON [buʃɔ̃] n. m. (de l'anc. fr. *bousche*, touffe de paille). Poignée de foin, de paille ou d'herbe tortillés dont on se sert pour essuyer et frictionner un cheval. ◆ **bouchonner** v. t. Frotter un animal avec un bouchon de paille, de foin.

BOUCHONNÉ, E adj. → BOUCHER 1.

BOUCHOT [buʃo] n. m. (mot poitevin). Ensemble de pieux enfoncés dans la vase sur lesquels se fait la culture des moules.

BOUCLE [bukl] n. f. (lat. *buccula*, petite joue). **1.** Petit anneau ou rectangle de métal, muni d'une pointe de métal ou d'une agrafe, et qui sert à fixer le bout d'une courroie, d'une ceinture, etc. — **2.** Tout ce qui a la forme d'un anneau : *Des boucles d'oreilles* (= bijoux que les femmes s'attachent aux oreilles). *Une boucle de cheveux* (= mèche de cheveux roulés en spirale). *Les boucles de la Seine* (syn. COURBE, MÉANDRE). *Les boucles d'un lacet de soulier* (= nœuds en forme de boucles). — **3.** Acrobatie aérienne consistant à décrire dans l'air une boucle verticale qui, à un moment donné et pour un instant, fait voler l'aviateur la tête en bas. ◆ **boucler** v. t. **1.** Fermer au moyen d'une boucle ou d'une autre manière : *Boucler sa ceinture, sa valise* (contr. OUVRIR). — **2.** Donner la forme d'une boucle (surtout au part. passé) : *La tête bouclée d'un enfant* (= couverte de boucles). — **3.** *Fam.* Enfermer en un lieu d'une manière étroite : *J'ai été bouclé dans ma chambre par la grippe* (syn. RETENIR). *La police a bouclé le quartier* (= l'a encerclé). ◆ v. i. Être frisé : *Ses cheveux bouclent naturellement.* ◆ **bouclage** n. m. Opération militaire ou policière consistant à isoler une zone de terrain, ou un quartier de ville, en vue d'y mener ultérieurement une autre opération (attaque, fouille, etc.). ◆ **bouclette** n. f. Petite boucle de cheveux. ◆ **déboucler** v. t. **1.** Détacher, ouvrir en ôtant la boucle qui retient : *Déboucler sa ceinture* (syn. DÉGRAFER). — **2.** Défaire les boucles de cheveux (employé surtout au part. passé) : *Elle est toute débouclée.*

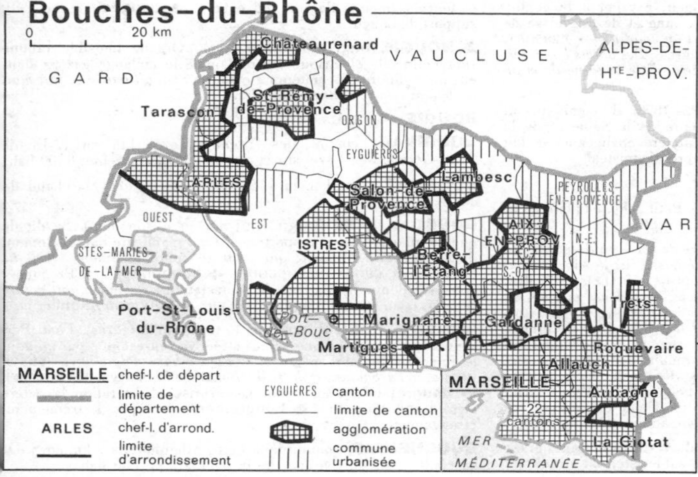

LOCALITÉS PRINCIPALES	NOMBRE D'HAB.
Marseille	878 700
Aix-en-Provence	124 600
Arles	50 800
Martigues	42 000
Aubagne	38 600
La Ciotat	31 700
Marignane	31 200
Istres	30 400
Port-de-Bouc	20 100

1. BOUCLER v. t. → BOUCLE.

2. BOUCLER [bukle] v. t. (de *boucle*). *Fam.* Achever : *Bouclons l'affaire* (syn. FINIR, TERMINER). *Boucler la boucle* (= terminer une série d'opérations qui ramènent au point de départ). *Boucler son budget* (= le maintenir en équilibre).

BOUCLETTE n. f. → BOUCLE.

BOUCLIER [buklije] n. m. (abrév. d'*escu bocler*, écu muni d'une boucle). **1.** Arme défensive, faite d'une plaque de bois, de cuir ou de métal, que les guerriers portaient au bras pour se protéger le corps : *Le bouclier rond des Gaulois.* — **2.** Tout ce qui est un moyen de défense, de protection. — **3.** *Faire un bouclier de son corps à qq'un,* se mettre devant lui afin de le préserver des coups d'un adversaire. ‖ *Levée de boucliers,* protestation unanime manifestant une opposition déterminée. — **4.** *Géogr.* Région formée de terrains précambriens, qui a été réduite à l'état de pénéplaine et qui n'a presque jamais été recouverte par la mer depuis lors. (Les principaux boucliers sont : le canadien, le brésilien, l'africain, le Deccan, le scandinave.)

BOUDDHA, titre donné au prince indien du VIe s. av. J.-C., *Gautama*, de la tribu des Çākya, parce qu'il parvint, en supprimant en lui tout désir, à la perfection, méritant ainsi le titre de *bouddha,* c'est-à-dire « Illuminé ». Il est le fondateur du bouddhisme.

La représentation du Bouddha a été réalisée à partir du Ier s. de notre ère. Il est le plus souvent assis à l'orientale. Les principaux signes de sa sainteté sont la protubérance crânienne, la loupe de poils entre les yeux, et les roues sacrées gravées dans la paume des mains.

BOUDDHISME [budism] n. m. Religion orientale fondée par le Bouddha. ◆ **bouddhique** adj. Relatif au bouddhisme. ◆ **bouddhiste** adj. et n. Adepte du bouddhisme.

— ENCYCL. Le *bouddhisme* est plus une philosophie vécue, une morale, qu'une religion. Il n'enseigne rien au sujet de Dieu; il propose une voie, un « véhicule » de salut constitué par *quatre bons chemins* à suivre : la science, l'abstention des péchés contre ses semblables, l'observation des cinq interdictions (tuer, voler, commettre l'adultère, mentir, s'enivrer) et la pratique de six vertus (aumône, moralité parfaite, patience, énergie, bonté, charité). Le sage doit supprimer en soi tout désir (source de toute souffrance), parvenant ainsi au *nirvāna* (« état d'absence ») : celui qui atteint la perfection peut devenir bouddha. Né en Inde (d'où il disparut progressivement, remplacé par le brahmanisme et l'islām au XIIIe s.), le bouddhisme s'implanta en Chine à partir du IIe s. apr. J.-C. Au Tibet et en Mongolie, il prit la forme du lamaïsme. Mais c'est au Japon qu'il se répandit le plus largement à partir de 552 apr. J.-C. Il y a environ 400 millions de bouddhistes dans le monde, dont 50 millions au Japon.

BOUDER [bude] v. i. (de *bod-*, onomat. exprimant le gonflement). Manifester de la mauvaise humeur par son attitude, son silence : *Bouder dans un coin* (syn. FAIRE LA TÊTE). ◆ v. t. *Bouder qq'un, qqch.,* montrer de la mauvaise humeur, de la rancune contre lui. ◆ **bouderie** n. f. : *Une bouderie passagère* (= un accès de mauvaise humeur). ◆ **boudeur, euse** adj. et n. : *Une mine boudeuse* (syn. GROGNON). *Un visage boudeur* (syn. MAUSSADE, RENFROGNÉ).

BOUDIN [budɛ̃] n. m. (de *bod-*, onomat. exprimant le gonflement). **1.** Charcuterie préparée avec du sang et de la graisse de porc mis dans un boyau. — **2.** *Ressort à boudin* → RESSORT. ◆ **boudiné, e** adj. En forme de boudin; gros : *Des doigts boudinés.* ‖ *Fam.* Serré dans des vêtements étriqués : *Être boudiné dans un costume.*

BOUDIN (Eugène), peintre français (1824-1898). Il peignit surtout des paysages et des marines de l'estuaire de la Seine et de la Bretagne. L'étude très poussée de la lumière changeante le fait considérer comme un précurseur des impressionnistes*.

BOUDINÉ, E adj. → BOUDIN.

BOUDOIR [budwar] n. m. (de *bouder*). Petit salon coquettement orné, où la maîtresse de maison recevait ses intimes.

BOUE [bu] n. f. (gaul. *bawa*). **1.** Mélange de terre ou de poussière et d'eau, formant une couche grasse et épaisse sur le sol : *Patauger dans la boue* (syn. fam. GADOUE; pop. GADOUILLE). — **2.** État de grande déchéance morale, de bassesse; ce qui est infâme, ce qui provoque le dégoût : *Il se vautre dans la boue* (syn. ABJECTION; littér. FANGE). ‖ *Traîner qq'un dans la boue,* l'accabler de propos infamants, de calomnies. ◆ n. f. pl. **1.** Dépôts qui occupent les grands fonds océaniques. — **2.** Dépôts produits par certaines eaux minérales, utilisés pour traiter certaines affections : *Des bains de boues.* ◆ **boueux, euse** adj. Plein de boue : *Un chemin boueux* (syn. littér. FANGEUX). ◆ **boueux** n. m. Celui qui enlève les ordures ménagères. ◆ **éboueur** n. m. Syn. admin. de BOUEUX.

BOUÉE [bwe] n. f. (germ. *baukn*, signal). **1.** Corps flottant qui est destiné à signaler un écueil, un banc de sable, etc., ou à indiquer un passage *(balise);* appareil flottant que l'on jette à une personne tombée à l'eau pour lui permettre de se maintenir à la surface *(bouée de sauvetage).* — **2.** *Bouée de sauvetage,* ce qui peut tirer quelqu'un d'une situation désespérée.

BOUEUX, EUSE adj. et n. m. → BOUE.

BOUFARIK, comm. d'Algérie, dans la Mitidja; 33 100 hab.

BOUFFANT, E adj. → BOUFFER.

BOUFFARDE [bufard] n. f. (de *bouffée*). *Fam.* Grosse pipe.

BOUFFE, *opéra bouffe* → OPÉRA.

BOUFFER [bufe] v. i. (onomat.). Augmenter le volume en se distendant : *Faire bouffer ses cheveux* (syn. GONFLER). ◆ **bouffant, e** adj. : *Une coiffure bouffante.* ◆ **bouffée** n. f. **1.** Souffle, exhalaison qui vient subitement : *Une bouffée d'air frais. Il lui arrivait par bouffées des odeurs de cuisine* (syn. PAR À-COUPS). — **2.** Accès brusque et passager (suivi d'un compl. du nom sans art.) : *Une bouffée d'orgueil.* ‖ *Bouffée de chaleur,* sensation de chaleur particulièrement marquée au niveau du visage, s'accompagnant d'une coloration rosée de la peau. ◆ **bouffir** v. t. et i. **1.** Enfler, prendre un volume excessif, en parlant d'une partie du corps, et surtout du visage : *Avoir les yeux bouffis* (syn. GONFLER). — **2.** *Être bouffi d'orgueil,* être d'une grande vanité. ◆ **bouffissure** n. f. (syn. BOURSOUFLURE, ENFLURE).

BOUFFON, ONNE [bufɔ̃, -ɔn] adj. et n. (it. *buffone*). **1.** Se dit d'une personne qui prête à rire par des plaisanteries, par des gestes exagérément comiques ou par une conduite extravagante (syn. PANTIN, POLICHINELLE). [Le bouffon était un personnage grotesque que les rois entretenaient auprès d'eux pour les divertir.] — **2.** Se dit d'une chose qui fait rire par son aspect grotesque, extravagant : *Une scène bouffonne* (syn. BURLESQUE). ◆ **bouffonnerie** n. f. Ce qui fait rire par son caractère grotesque.

BOUG ou **BOUG MÉRIDIONAL,** fl. de l'U. R. S. S. (Ukraine); 856 km.

BOUGAINVILLE (Louis Antoine, *comte* DE), navigateur français (1729-1811). Il effectua (1766-1769), à bord de la *Boudeuse,* un voyage autour du monde dont il a laissé le récit.

BOUGAINVILLÉE [bugɛ̃vile] n. f. (de *Bougainville*). Plante grimpante rouge violacé. (Famille des nyctaginacées.)

BOUGE [buʒ] n. m. (lat. *bulga*). Local malpropre et d'apparence sordide.

BOUGEOIR n. m. → BOUGIE 1.

BOUGER [buʒe] v. i. (du lat. *bullire*, bouillir). **1.** Faire un mouvement, se déplacer légèrement : *Il bouge continuellement sur sa chaise* (syn. GIGOTER, REMUER). *Je n'ai pas bougé de chez moi* (syn. SORTIR). — **2.** Agir, passer à l'action, en partic. pour protester : *Il est craint et personne n'ose bouger devant lui.* ◆ v. t. *Fam.* Transporter à une autre place : *Bouger un meuble* (syn. DÉPLACER). ◆ **bougeotte** [buʒɔt] n. f. Fam. *Avoir la bougeotte,* désirer fréquemment changer de place, de lieu.

1. BOUGIE [buʒi] n. f. (de *Bougie*, v. d'Algérie). Bâtonnet de forme cylindrique, en cire, en paraffine, etc., entourant une mèche et fournissant une flamme qui éclaire. ◆ **bougeoir** n. m. Petit support de bougie.

2. BOUGIE [buʒi] n. f. (même étym.). Organe amovible, produisant l'étincelle électrique qui enflamme le mélange gazeux dans chaque cylindre des moteurs à explosion : *L'allumage se fait mal, les bougies doivent être encrassées.*

BOUGIE → BEJAIA.

BOUGIVAL, comm. des Yvelines, à 4 km au S.-E. de Saint-Germain-en-Laye, sur la rive gauche de la Seine; 8 700 hab.

BOUGNAT [buɲa] n. m. (de *charbonnier*). *Fam.* Marchand de charbon.

BOUGON, ONNE [bugɔ̃, -ɔn] adj. et n. (onomat.). Se dit de quelqu'un (ou de son comportement) qui manifeste habituellement de la mauvaise humeur, qui proteste continuellement : *Un air bougon* (syn. GROGNON, RONCHON). ◆ **bougonner** v. i. Prononcer entre ses dents des paroles de protestation : *Il bougonnait contre ces gens* (syn. MURMURER; fam. RÂLER). ◆ **bougonnement** n. m.

BOUGRE, ESSE [bugr, -ɛs] n. (bas lat. *Bulgarus*). *Fam.* Personne, individu (avec une valeur affective représentée par un adj.; le fém. est toujours péjor.) : *C'est un bon bougre* (syn. BRAVE HOMME). *Ta bougresse de fille! Bougre d'idiot* (syn. ESPÈCE DE). ◆ **bougre!** interj. marquant la surprise, l'admiration, la colère (syn. BIGRE, FICHTRE). ◆ **bougrement** adv. *Fam.* Extrêmement, étrangement.

BOUGUENAIS, comm. de la Loire-Atlantique, à 9 km au S.-O. de Nantes, sur la rive gauche de la Loire; 11 800 hab.

BOUILLABAISSE [bujabɛs] n. f. (prov. *bouiabaisso*). Soupe provençale de poissons de roche.

BOUILLANT, E adj. —→ BOUILLIR 1 et 2.

BOUILLEUR n. m., **BOUILLI, E** adj. —→ BOUILLIR 1.

BOUILLIE [buji] n. f. (de *bouillir*). **1.** Farine que l'on a fait bouillir dans du lait ou de l'eau jusqu'à ce qu'elle ait la consistance d'une pâte plus ou moins épaisse. — **2.** *Bouillie bordelaise, bouillie bourguignonne*, liquide contenant du sulfate de cuivre, utilisé pour combattre certaines maladies des végétaux. — **3.** *En bouillie*, écrasé de telle manière que la forme primitive ne peut plus être reconnue. — **4.** Fam. *Bouillie pour les chats*, travail inutile.

1. BOUILLIR [bujir] v. i. (lat. *bullire*). [Conj. **31.**] **1.** (sujet nom désignant un liquide ou le contenu d'un récipient) Être animé de mouvements sous l'effet de la chaleur, en dégageant des bulles de vapeur qui viennent crever à la surface : *L'eau bout à 100 °C.* — **2.** Cuire dans un liquide qui bout : *Faire bouillir des légumes.* ◆ v. t. Faire chauffer un liquide jusqu'à la température où il bout; faire cuire dans l'eau : *Laver une plaie à l'eau bouillie* (= qui a bouilli). *Servir de la viande bouillie.* ◆ **bouillant, e** adj. **1.** Qui bout : *De l'huile bouillante.* — **2.** Très chaud : *Prendre un grog bouillant.* ◆ **bouilleur** n. m. *Bouilleur de cru*, celui qui fait distiller des vins, des cidres, des fruits, etc., provenant exclusivement de sa récolte. ◆ **bouilli, e** adj. *Cuir bouilli*, cuir de vache durci par ébullition. ◆ **bouilloire** n. f. Récipient de métal, à large panse, dans lequel on fait bouillir l'eau. ◆ **bouillotte** n. f. Récipient de métal, de grès ou de caoutchouc, qui peut contenir de l'eau chaude et dont on se sert pour chauffer un lit ou pour réchauffer un malade. ◆ **ébouillanter** v. t. **1.** Tremper dans l'eau bouillante. — **2.** Brûler avec de l'eau bouillante : *Elle s'est ébouillanté les mains en faisant la vaisselle.*

2. BOUILLIR [bujir] v. i. (même étym.). [Conj. **31.**] *Bouillir de colère, d'impatience*, etc., être animé d'une violente colère, ne pouvoir se contenir qu'à grand-peine. ‖ *Faire bouillir qq'un*, provoquer son irritation, son impatience (syn. EXASPÉRER). ‖ *Avoir le sang qui bout dans les veines*, avoir la vivacité, la fougue de la jeunesse. ‖ *Mon sang bout quand...*, je m'emporte quand... ◆ **bouillant, e** adj. **1.** Qui a de l'ardeur, de la vivacité; qui est prompt à la colère. — **2.** *Être bouillant de colère, de désir*, etc., être emporté, excité par.

BOUILLOIRE n. f. —→ BOUILLIR 1.

1. BOUILLON [bujɔ̃] n. m. (de *bouillir*). **1.** Aliment liquide obtenu en faisant bouillir dans de l'eau de la viande, des légumes. — **2.** Fam. *Boire un bouillon*, avaler de l'eau en nageant; perdre une somme d'argent considérable dans une affaire. ‖ *Bouillon de culture*, liquide préparé comme milieu de culture bactériologique.

2. BOUILLON [bujɔ̃] n. m. (même étym.). **1.** Bulle gazeuse qui se forme dans un liquide qui bout; agitation de ce liquide : *L'eau bout à gros bouillons.* — **2.** Flot d'un liquide qui s'échappe ou coule avec force : *Un ruisseau sortant à gros bouillons de la source.* ◆ **bouillonner** v. i. **1.** Se dit d'un liquide qui produit des bouillons, soit parce qu'il bout, soit parce qu'il est en mouvement. — **2.** *Bouillonner de colère, d'impatience, avoir le sang qui bouillonne*, se dit de quelqu'un qui est pris d'une violente colère, qui est en proie à une grande impatience, etc. ◆ **bouillonnement** n. m. : *Le bouillonnement d'une source. Le bouillonnement des idées* (syn. TUMULTE). *Le bouillonnement révolutionnaire* (syn. EFFERVESCENCE).

BOUILLONS [bujɔ̃] n. m. pl. (de *bouillon*). Ensemble des exemplaires invendus d'un journal ou d'une revue.

BOUILLOTTE n. f. —→ BOUILLIR 1.

BOUKHARA, v. de l'U. R. S. S., en Asie centrale (Ouzbékistan); 111 600 hab.

• *1868. Capit. d'un émirat, elle est conquise par les Russes.*

BOUKHARINE (Nikolaï Ivanovitch), homme politique soviétique (1888-1938). Compagnon de Lénine, il fut évincé par Staline et exécuté. Il a été réhabilité en 1988.

BOULAÏDA (El-) → BLIDA.

BOULANGER, ÈRE [bulɑ̃ʒe, -ɛr] n. et adj. (du picard *boulenc*). Personne qui fabrique le pain, qui en fait le commerce. ‖ *Ouvrier boulanger* (= celui qui est employé par le patron boulanger pour faire le pain). ◆ **boulangerie** n. f. **1.** Fabrication ou commerce du pain. — **2.** Lieu où se fait la vente du pain. ◆ **boulange** n. f. Métier ou commerce de boulanger.

BOULANGER (Georges), général français (1837-1891). Ministre de la Guerre (1886-1887), de belle prestance, il devint rapidement très populaire. Les mécontents de l'extrême droite et certains éléments de la gauche radicale mirent en lui leur espoir d'établir une république autoritaire ou une monarchie. Élu député par plusieurs départements, il hésita à marcher sur l'Élysée comme ses amis l'en pressaient. Il fut alors inculpé de complot contre l'État et s'enfuit à Bruxelles (1889).

BOULANGERIE n. f. —→ BOULANGER.

BOULANGISME [bulɑ̃ʒism] n. m. (de *Boulanger*). Mouvement politique qui, de 1885 à 1889, réunit sous le nom du général Boulanger divers opposants au régime. ◆ **boulangiste** n. Partisan du général Boulanger.

BOULAY-MOSELLE, ch.-l. d'arrond. de la Moselle. à 27 km au N.-E. de Metz; 4 500 hab. *(Boulageois).*

BOULE [bul] n. f. (lat. *bulla*). **1.** Sphère de métal, de bois, etc. (le compl. du nom, sans art., indique la matière) : *Boule de neige. Le chat est roulé en boule* (= pelotonné). — **2.** *Math.* Solide limité par une sphère. (Une boule est *fermée*, si la sphère elle-même appartient à la boule; elle est *ouverte* si la sphère n'appartient pas à la boule.) — **3.** *Faire boule de neige*, grossir continuellement. ‖ Fam. *Se mettre en boule*, se mettre en colère. — **4.** *Fam.* Tête : *Il a perdu la boule* (= il s'est affolé). ◆ n. f. pl. Jeu qui se joue avec des boules. (Les joueurs, divisés en deux camps, possèdent chacun deux boules qu'ils doivent placer aussi près que possible du cochonnet.) ◆ **boulette** n. f. **1.** Petite boule : *Boulettes de papier, de viande.* — **2.** *Fam.* Grossière erreur, faute stupide (syn. fam. GAFFE). ◆ **boulier** n. m. Appareil formé de tringles sur lesquelles sont fixées des boules et qui sert à compter. ◆ **bouliste** n. Joueur de boules.

BOULÊ [bulɛ] n. f. (mot gr.). Sénat d'une cité grecque, dans l'Antiquité : *La boulê athénienne.*

BOULEAU [bulo] n. m. (lat. *betulla*). Arbre des pays froids et tempérés, haut de 30 m, à écorce blanche et à bois blanc, utilisé en menuiserie et dans la fabrication de la pâte à papier. (Bétulacées.)

BOULE-DE-NEIGE [buldənɛʒ] n. f. *(boule*, et *neige).* Nom usuel de l'OBIER. ‖ Pl. des *boules-de-neige.*

BOULEDOGUE [buldɔg] n. m. (angl. *bulldog*, chien-taureau). Race de chiens d'agrément, à face courte et large, et à nez aplati.

BOULET [bulɛ] n. m. (de *boule*). **1.** Projectile sphérique, de pierre ou de métal, dont on chargeait les canons du XIVe au XIXe s. — **2.** Boule de métal que l'on attachait au pied des forçats (encore dans certaines express.) : *Quel boulet!* — **3.** Charbon aggloméré, de forme ovoïde, utilisé dans les foyers domestiques. — **4.** Région des membres du cheval et des ruminants située entre le canon et le paturon. — **5.** *Tirer sur un adversaire à boulets rouges*, l'attaquer, en paroles ou par écrit, avec violence.

BOULETTE n. f. —→ BOULE.

BOULEVARD [bulvar] n. m. (néerl. *bolwerc*, ouvrage de fortification). **1.** Large voie de circulation urbaine : *Les boulevards extérieurs à Paris sont construits en bordure des fortifications du XIXe s.* — **2.** *Théâtre de boulevard*, comédies légères, représentées dans des théâtres installés sur les Grands Boulevards à Paris. ◆ **boulevardier, ière** adj. Qui a le caractère amusant et frivole de l'esprit de boulevard. ◆ **boulevardier** n. m. Celui qui était un habitué des cafés des Boulevards, à Paris.

BOULEVERSER [bulvɛrse] v. t. (de *boule*, et *verser*). **1.** *Bouleverser qqch.*, le mettre dans le plus complet désordre; en faire disparaître toute organisation : *Elle a bouleversé tous mes papiers* (syn. DÉRANGER). *Il a bouleversé l'horaire de la classe en faisant changer l'heure de ses cours* (syn. PERTURBER, TROUBLER). — **2.** *Bouleverser qq'un*, lui causer une violente émotion (souvent au passif) : *Être bouleversé par une nouvelle* (syn. SECOUER). ◆ **bouleversant, e** adj. : *Un spectacle bouleversant.* ◆ **bouleversement** n. m. : *un bouleversement politique* (syn. RÉVOLUTION, ↓TROUBLE). *Bouleversement des habitudes* (syn. CHANGEMENT, MODIFICATION).

BOULEZ (Pierre), compositeur et chef d'orchestre français (né en 1925). Héritier de la tradition de la musique sérielle, il devient ensuite le leader de la recherche sur la synthèse des sons.

BOULIER n. m. —→ BOULE.

BOULIMIE [bulimi] n. f. (du gr. *bous*, bœuf, et *limos*, faim). Sensation de faim excessive, poussant à une consommation exagérée d'aliments. ◆ **boulimique** adj. Relatif à la boulimie. ◆ adj. et n. Atteint de boulimie.

BOULINE [bulin] n. f. (de l'angl. *bow*, proue, et *line*, corde). Filin, cordage amarré à une voile et servant à lui faire prendre le vent le mieux possible.

BOULISTE n. —→ BOULE.

BOULLE (André Charles), ébéniste français (1642-1732). Il créa des meubles recouverts de marqueterie de cuivre, d'écaille, d'étain.

BOULOGNE *(bois de)*, parc d'environ 800 ha, dans la partie ouest de Paris (XVIe arrond.).

BOULOGNE-BILLANCOURT, ch.-l. d'arrond. des Hauts-de-Seine, au S.-O. de Paris; 102 600 hab. *(Boulonnais).* Grande usine d'automobiles sur la Seine.

BOULOGNE-SUR-MER, ch.-l. d'arrond. du Pas-de-Calais, à l'embouchure de la Liane; 48 300 hab. *(Boulonnais).* Boulogne est le premier port de pêche français (environ 130 000 t de poissons frais : harengs, maquereaux, expédiés dans toute la France) et le deuxième port de voyageurs (trafic avec l'Angleterre). La ville est au cœur d'une agglomération d'environ 100 000 hab.

- *Mai 1803. Napoléon Ier prépare un débarquement en Angleterre, en concentrant à Boulogne 150 000 hommes (camp de Boulogne) et plus de 1 700 bateaux à fond plat. Mais il doit renoncer au débarquement.*

BOULON [bulɔ̃] n. m. (de *boule*). Tige métallique dont une extrémité porte une tête et l'autre un filetage, pour recevoir un écrou. ◆ **boulonner** v. t. Fixer par des boulons. ◆ **déboulonner** v. t. **1.** *Déboulonner une statue,* la démonter, la renverser. — **2.** *Déboulonner qq'un,* détruire son prestige; lui faire perdre sa situation, sa position.

BOULONNAIS, E [bulɔnɛ, -ɛz] adj. et n. **1.** De Boulogne ou du Boulonnais. — **2.** *Cheval boulonnais,* race de chevaux de trait qu'on élève dans le nord de la France.

BOULONNAIS, région du nord de la France (Pas-de-Calais), située à l'O. des collines de l'Artois. C'est une dépression aux sols imperméables, dominée par des talus calcaires.

1. BOULONNER v. t. ⟶ BOULON.

2. BOULONNER [bulɔne] v. i. (de *boulon*). *Fam.* Travailler.

1. BOULOT, OTTE [bulo, -ɔt] adj. et n. (de *boule*). *Fam.* Se dit d'une personne de petite taille et assez forte.

2. BOULOT [bulo] n. m. (orig. incert.). *Fam.* Travail (dans tous les sens du mot) [syn. BESOGNE, MÉTIER].

BOULOURIS, station balnéaire du Var, à 5 km à l'E. de Saint-Raphaël.

BOUMEDIENE (Houari), homme politique algérien (1932-1978), président de la République de 1965 à sa mort.

BOUMERANG n. m. ⟶ BOOMERANG.

1. BOUQUET [bukɛ] n. m. (du picard *bosc,* bois). Tout ce qui se présente en une touffe serrée (arbustes, tiges, fleurs, etc.) : *Un bouquet de roses. Un bouquet d'arbres.* ◆ **bouquetière** n. f. Celle qui vend des fleurs dans les lieux publics.

2. BOUQUET [bukɛ] n. m. (de *bouquet* 1). **1.** Final d'un feu d'artifice. — **2.** *C'est le bouquet!,* se dit de ce qui marque le comble du désagrément (= c'est le plus fort, c'est le comble). ‖ *Garder qqch. pour le bouquet,* réserver pour la fin ce qu'il y a de meilleur ou de plus intéressant.

3. BOUQUET [bukɛ] n. m. (de *bouquet* 1). Parfum agréable exhalé par le vin.

4. BOUQUET [bukɛ] n. m. (de *bouc*). Nom usuel de la CREVETTE ROSE.

BOUQUETIÈRE n. f. ⟶ BOUQUET 1.

BOUQUETIN [buktɛ̃] n. m. (de l'all. *Steinbock,* bouc de rocher). Chèvre sauvage, à longues cornes marquées d'anneaux saillants, qu'on trouve dans les Pyrénées et dans les Alpes, où elle est protégée.

1. BOUQUIN [bukɛ̃] n. m. (de *bouc*). Lièvre mâle.

2. BOUQUIN [bukɛ̃] n. m. (du néerl. *boeckin,* petit livre). *Fam.* Livre. ◆ **bouquiner** v. i. et t. *Fam.* Lire un livre (mais non un journal). ◆ **bouquiniste** n. Libraire qui vend surtout des livres d'occasion : *Les bouquinistes installés sur les quais, à Paris.*

BOURBAKI (Nicolas), pseudonyme collectif et imaginaire de mathématiciens français qui ont entrepris en 1939 un gigantesque traité : *Éléments de mathématique,* qui est une synthèse de toute la pensée mathématique moderne. Les membres du groupe (une vingtaine) doivent démissionner dès qu'ils atteignent l'âge de cinquante ans et sont alors remplacés par des plus jeunes.

BOURBE [burb] n. f. (gaul. *Borvo*). Boue noire et épaisse qui se dépose au fond des eaux stagnantes. ◆ **bourbeux, euse** adj. Rempli d'une boue épaisse : *Eau bourbeuse* (syn. MARÉCAGEUX). *Un sentier bourbeux* (syn. FANGEUX). ◆ **bourbier** n. m. **1.** Endroit creux rempli d'une boue épaisse : *La pluie avait transformé la route de terre en un véritable bourbier.* — **2.** Affaire difficile, mauvaise; entreprise dangereuse de laquelle on aura du mal à se tirer : *Pourrez-vous vous tirer de ce bourbier?* (syn. MAUVAIS PAS). ◆ **embourber** v. t. Mettre dans un bourbier, engager dans un endroit boueux : *Embourber sa voiture* (syn. ENLISER). ◆ **s'embourber** v. pr. Se mettre dans une situation compliquée, dont on se tire avec peine : *S'embourber dans des explications confuses* (syn. S'EMPÊTRER).

BOURBINCE (la), riv. de Saône-et-Loire, affl. de l'Arroux (r. g.); 72 km. Empruntée par le canal du Centre, à proximité du Creusot, sa vallée est industrialisée autour de Blanzy et Montceau-les-Mines.

BOURBON *(île)* ⟶ RÉUNION (la).

Bourbon *(palais),* édifice situé à Paris, sur la rive gauche de la Seine, en face de la place de la Concorde. Construit en 1722, pour la duchesse douairière de Bourbon, il est occupé par l'Assemblée nationale.

BOURBONS, famille régnante d'Europe occidentale dont une branche a régné sur la Navarre puis sur la France. Son origine est le château de Bourbon près de Moulins (Allier); elle s'est élevée jusqu'au rang royal grâce à d'heureuses alliances matrimoniales. Il y a eu plusieurs maisons de Bourbon.

Celle qui a régné sur la France est issue d'Antoine de Bourbon, roi de Navarre (1518-1562), qui eut comme descendants :

- *1589-1610. Henri IV, son fils.*
- *1610-1643. Louis XIII, fils du précédent.*
- *1643-1715. Louis XIV, fils du précédent.*
- *1715-1774. Louis XV, arrière-petit-fils du précédent.*
- *1774-1792. Louis XVI (exécuté en 1793), petit-fils du précédent (son fils, Louis XVII n'a pas régné).*
- *1814-1824. Louis XVIII, frère de Louis XVI.*
- *1824-1830. Charles X, frère du précédent.*

Cette branche « aînée » des Bourbons s'éteignit avec le comte de Chambord, duc de Bordeaux (« Henri V ») en 1883.

Les *Bourbons-Orléans* n'ont eu qu'un représentant sur le trône de France :

- *1830-1848. Louis-Philippe Ier, arrière-petit-fils de l'arrière-petit-fils de Louis XIII.*

Louis-Philippe est le trisaïeul de l'actuel comte de Paris.

Les *Bourbons d'Espagne* descendent de Philippe V d'Anjou, petit-fils de Louis XIV; le dernier roi d'Espagne de cette dynastie fut Alphonse XIII dont le petit-fils, Don Juan Carlos a été le successeur désigné du général Franco. De cette maison des Bourbons d'Espagne sont issues plusieurs branches dont celles de *Bourbon-Parme* et de *Bourbon-Naples.*

BOURBONIEN, ENNE [burbɔnjɛ̃, -ɛn] adj. (de *Bourbons*). **1.** Relatif aux Bourbons. — **2.** *Nez bourbonien,* nez arqué comme l'ont généralement les membres de la famille des Bourbons.

BOURBON-LANCY, ch.-l. de cant. de Saône-et-Loire, à 26 km au N.-O. de Digoin; 6 500 hab. Station thermale.

BOURBON-L'ARCHAMBAULT, ch.-l. de cant. de l'Allier, à 22 km à l'O. de Moulins; 2 600 hab. Anc. capit. du duché de Bourbon. Station hydrominérale.

BOURBONNAIS (le), région du nord du Massif central, correspondant approximativement au dép. de l'Allier.

BOURBONNE-LES-BAINS, ch.-l. de cant. de la Haute-Marne, à 40 km au N.-E. de Langres; 3 300 hab. Station thermale dont les eaux sont utilisées pour le traitement des séquelles de fractures et du rhumatisme chronique.

BOURBOULE (La), comm. du Puy-de-Dôme, à 7 km à l'O. du Mont-Dore; 2 400 hab. Eaux arsenicales utilisées dans le traitement de certaines anémies, des affections cutanées, de l'asthme, etc.

BOURBOURG, ch.-l. de cant. du Nord, à 17 km au S.-O. de Dunkerque; 7 300 hab.

BOURDAINE [burdɛn] n. f. (orig. obscure). Arbuste dont l'écorce est employée comme purgatif. (Famille des rhamnacées.)

BOURDALOUE (Louis), prédicateur français (1632-1704), membre de la Compagnie de Jésus, auteur de dix séries de *Sermons* prononcés durant l'Avent ou le Carême de 1670 à 1693.

BOURDE [burd] n. f. (orig. incert.). *Fam.* Méprise ou erreur due généralement à la sottise, à la naïveté ou à l'étourderie : *Il a fait de grosses bourdes dans sa dictée* (syn. FAUTE). *Commettre une bourde* (syn. ERREUR; fam. GAFFE). ◆ **bourdon** n. m. Dans l'imprimerie, erreur de composition consistant en l'omission d'un mot, d'une phrase ou même d'un passage tout entier d'un manuscrit.

BOURDELLE (Antoine), sculpteur français (1861-1929). Élève de Rodin, il a exécuté près de 900 sculptures, des milliers de dessins, des peintures, des fresques et de nombreux monuments.

1. BOURDON n. m. ⟶ BOURDE.

2. BOURDON [burdɔ̃] n. m. (du lat. *burdus,* mulet). Bâton de pèlerin.

3. BOURDON [burdɔ̃] n. m. (onomat.). **1.** Insecte hyménoptère à corps velu et à abdomen annelé, voisin de l'abeille et butinant comme elle sur les fleurs. (Famille des apidés.) — **2.** *Faux bourdon,* nom donné au mâle de l'abeille. — **3.** Grosse cloche. — **4.** Pop. *Avoir le bourdon,* avoir le cafard, des idées tristes.

BOURDONNER [burdɔne] v. i. (de *bourdon*). **1.** Faire entendre un bruit sourd et continu (en parlant des insectes qui battent des ailes, en parlant d'un moteur, etc.) : *Les ventilateurs bourdonnent* (syn. RONFLER, VROMBIR). — **2.** Faire entendre un bruit confus de voix : *Une foule qui bourdonne.* ◆ **bourdonnement** n. m. : *Le bourdonnement de la ruche.* ‖ *Bourdonnements d'oreille,* sensation sonore due à une affection auriculaire ou à de l'hypertension artérielle.

BOURG [bur] n. m. (bas lat. *burgus,* château fort). **1.** Gros village ou petite ville qui est le centre commercial de la région environnante. — **2.** Dans l'ouest de la France, agglomération principale d'une commune. — **3.** *Bourg pourri,* aux XVIIIe et XIXe s., circonscription électorale britannique dont, en vertu de privilèges anciens, la représentation au Parlement était disproportionnée avec le nombre restreint d'électeurs. ◆ **bourgade** [burgad] n. f. Petit bourg (syn. VILLAGE).

BOURGANEUF, ch.-l. de cant. de la Creuse, à 33 km au S.-S.-O. de Guéret; 4 000 hab. *(Bourgouniauds).*

BOURG-ARGENTAL, ch.-l. de cant. de la Loire, à 28 km au S.-E. de Saint-Étienne; 3 300 hab. *(Bourguisans).* Industrie de la soie.

BOURG-DE-PÉAGE, ch.-l. de cant. de la Drôme, à 18 km au N.-E. de Valence, sur l'Isère; 8 700 hab. *(Péageois).* Chaussures.

BOURG-D'OISANS (Le), ch.-l. de cant. de l'Isère, à 49 km au S.-E. de Grenoble, dans la vallée de la Romanche; 3 100 hab. *(Bourcats).* Centre touristique.

BOURG-EN-BRESSE, ch.-l. du dép. de l'Ain, au N.-E. de Lyon; 43 700 hab. *(Bressans* ou *Bourgeois).* Près du Jura, de la Bresse et des Dombes, Bourg est un vieux marché agricole qui s'est industrialisé (câbles d'acier et constructions d'automobiles).

BOURGEOISIE [burʒwazi] n. f. (de *bourg*). Classe sociale comprenant ceux qui n'exercent pas de métier manuel et ont des revenus ou des traitements relativement élevés : *La bourgeoisie est distincte de la classe ouvrière et de la classe paysanne.* —→ ENCYCL. ◆ **bourgeois, e** adj. **1.** Relatif à la bourgeoisie, à sa manière de vivre, à ses goûts, etc. (souvent péjor., il insiste alors sur la banalité, le manque d'élévation et d'idéal, la platitude, le goût excessif de la sécurité). — **2.** *Cuisine bourgeoise,* sans recherche, mais de bonne qualité. ‖ *Maison bourgeoise,* cossue et où l'on mène un certain train de vie. ◆ **bourgeois, e** n. Personne qui appartient à la bourgeoisie (souvent péjor.) : *Un bourgeois rangé et casanier.* ◆ **bourgeoisement** adv. ◆ **embourgeoiser** v. t. Gagner à la condition bourgeoise; donner à quelqu'un l'esprit bourgeois : *Le confort a embourgeoisé de larges couches sociales.* ◆ **s'embourgeoiser** v. pr. Prendre des habitudes bourgeoises. ◆ **embourgeoisement** n. m. ◆ **petit-bourgeois, petite-bourgeoise** n. Personne qui appartient aux éléments les moins aisés de la bourgeoisie, dont elle possède les défauts traditionnels (étroitesse d'esprit, peur du changement, etc.). ◆ adj. : *Avoir l'esprit petit-bourgeois.* ◆ **désembourgeoiser** v. t.

— ENCYCL. La composition de la *bourgeoisie* a varié au cours des siècles. À l'origine, les bourgeois étaient les marchands groupés et organisés autour d'une citadelle (*Burg* en all.). Ils tentèrent d'obtenir quelques privilèges (mouvement des communes*) et devinrent une puissance économique. La Révolution française en fit la classe dirigeante de l'État. La révolution industrielle du XIXe s. détacha la bourgeoisie, détentrice des moyens de production, du prolétariat* et la transforma en élément conservateur de la société.

Auj., on considère souvent que la bourgeoisie peut être répartie en trois éléments : la *haute bourgeoisie* comprend les industriels, les financiers et les grands propriétaires fonciers; la *moyenne bourgeoisie* est formée des cadres supérieurs de l'industrie et du commerce et de ceux qui exercent des professions libérales (médecins, notaires, etc.); la *petite bourgeoisie* comprend ceux que leur mode de vie et de pensée rapproche de la moyenne bourgeoisie.

Bourgeois de Calais *(les),* un des chefs-d'œuvre de Rodin, érigé à Calais (1884-1886).

Bourgeois gentilhomme *(le),* comédie-ballet en 5 actes et en prose de Molière (1670).

BOURGEON [burʒɔ̃] n. m. (du lat. *burra,* bourre). Organe embryonnaire porté par la tige et les rameaux des plantes, et dont le développement engendre un rameau feuillu *(bourgeon à bois),* un rameau à fleurs *(bourgeon à fruits)* ou une fleur unique *(bouton).* ◆ **bourgeonner** v. i. **1.** (sujet nom désignant un arbre, une branche) Former des bourgeons. — **2.** (sujet nom désignant le visage ou une partie du visage) Se couvrir de boutons. ◆ **bourgeonnement** n. m. **1.** Chez les plantes, croissance et éclosion printanières des bourgeons. — **2.** Chez les animaux aquatiques, comme les cœlentérés, mode de multiplication asexuée dans lequel les rejetons ne se détachent pas de la souche ou ne s'en détachent que très tardivement.

BOURGES, ch.-l. du dép. du Cher, anc. capit. du Berry; 79 400 hab. *(Berruyers).* Située dans l'est de la Champagne berrichonne, Bourges est une ville industrielle (métallurgie et industrie du caoutchouc notamment) et un centre commercial. Festival de musique, annuel *(Printemps de Bourges).*

• *52 av. J.-C. Conquête de la ville (alors Avaricum) par César.*

Centre de résistance à l'invasion anglaise pendant la guerre de Cent Ans, Bourges fut la résidence de Charles VII (le petit « roi de Bourges ») et fut un centre commercial très riche au XVe s. (rôle du négociant Jacques Cœur).

BEAUX-ARTS. La cathédrale (XIIIe s.) est un des plus beaux monuments de France : elle possède cinq portails en façade; celui du centre s'orne d'un admirable *Jugement dernier.* La ville garde aussi l'hôtel Jacques-Cœur (XVe s.), un des plus beaux bâtiments civils de style gothique flamboyant.

BOURGET (Le), ch.-l. de cant. de la Seine-Saint-Denis, à 5 km au N.-E. de Paris; 11 000 hab. Aérodrome. Musée de l'Air et de l'Espace.

BOURGET *(lac du),* lac des Préalpes françaises du Nord (Savoie), à l'O. du massif des Bauges; 14 km^2.

BOURGET (Paul), écrivain français (1852-1935), auteur de romans psychologiques (*le Démon de midi,* 1914) qui exaltent la morale bourgeoise traditionnelle.

BOURG-LA-REINE, comm. des Hauts-de-Seine, à 5 km au S. de Paris; 18 200 hab. *(Burgo-Réginiens* ou *Réginaborgiens).*

BOURG-LÈS-VALENCE, comm. de la Drôme, dans la banlieue nord de Valence; 16 500 hab. *(Bourcains* ou *Bourquins).*

BOURG-MADAME, comm. des Pyrénées-Orientales, à la frontière d'Espagne; 1 200 hab. Station touristique.

BOURGMESTRE [burgmɛstr] n. m. (all. *Burgermeister*). Premier magistrat des villes en Belgique, en Allemagne, en Suisse, aux Pays-Bas, etc., et que l'on nomme *maire* en France.

BOURGNEUF *(baie de),* baie des côtes ouest de la France, au S. de l'estuaire de la Loire.

BOURGNEUF-EN-RETZ, ch.-l. de cant. de la Loire-Atlantique, à 15 km au S.-E. de Pornic; 2 200 hab. Port au Moyen Âge, avant le recul de la mer.

BOURGOGNE, Région du centre-est de la France; 31 582 km^2; 1 680 800 hab. *(Bourguignons).* Ch.-l. *Dijon.*

GÉOGRAPHIE. Formée par les quatre départements de la Côte-d'Or, de la Nièvre, de Saône-et-Loire et de l'Yonne, la Bourgogne s'étend sur les plateaux du sud-est du Bassin parisien, débordant sur l'extrémité nord-est du Massif central. C'est une région dans l'ensemble faiblement peuplée : la densité moyenne (un peu plus de 50 hab. au km^2) dépasse à peine la moitié de la moyenne de la France entière. Dijon est la seule agglomération véritablement importante. Les autres villes sont des centres administratifs et commerciaux (Mâcon, Auxerre) ou industriels (Nevers).

L'*agriculture,* malgré un net recul, emploie encore pratiquement le cinquième de la population active, proportion supérieure à la moyenne de la France. L'élevage est développé, mais la principale ressource du sol est constituée par les vins de Bourgogne.

production de vin : 1 100 000 hl.

L'emploi dans l'*industrie* a progressé, mais la part du secteur secondaire (35 p. 100 de la population active totale) demeure inférieure à la moyenne française. Des constructions mécaniques et surtout électriques se sont récemment développées, notamment dans l'agglomération de Dijon. L'essor de l'industrie ne suffit pas à contrebalancer l'exode rural.

HISTOIRE. Faisant d'abord partie de la Gaule, puis de l'Empire romain, la Bourgogne doit son nom aux *Burgondes* qui l'envahissent au Ve s. apr. J.-C. et fondent un premier royaume.

- *534. Les Francs triomphent des Burgondes.*
- *561. Le second royaume de Bourgogne s'étend jusqu'au littoral méditerranéen.*
- *843. Démembrement de la Bourgogne au traité de Verdun.*
- *921. Fondation du duché de Bourgogne.*
- *1002. Le roi de France Robert le Pieux devient duc de Bourgogne. Il donne naissance à la dynastie capétienne qui va durer jusqu'en 1361.*
- *1363. Philippe le Hardi fonde la seconde maison de Bourgogne.*

Cette puissante dynastie va être un adversaire redoutable du royaume de France jusqu'en 1477. Les successeurs de Philippe le

Hardi, Jean sans Peur (1404-1419), Philippe le Bon (1419-1467) et Charles le Téméraire (1467-1477) sont parmi les princes les plus puissants de l'Europe : la Bourgogne s'agrandit alors de la Flandre, du Brabant, du Hainaut, du Luxembourg, de la Zélande, de la Hollande, de la Frise.

- *1477. Mort de Charles le Téméraire. L'État bourguignon s'effondre.*
- *1482. Louis XI rattache le duché au domaine royal.*

Les autres possessions bourguignonnes passent aux Habsbourg.

BOURGOGNE [burgɔɲ] n. m. Vin produit en Bourgogne. — ENCYCL. La dénomination de *bourgogne* s'applique aux vins de plusieurs régions :
basse Bourgogne (vins blancs de Chablis notamment);
haute Bourgogne (Côte d'Or, de Dijon à Tournus), qui fournit les crus les plus renommés : ceux de la *côte de Nuits* (Gevrey-Chambertin, Chambolle-Musigny, Vougeot, Vosne-Romanée, Nuits-Saint-Georges), ceux de la *côte de Beaune* (Aloxe-Corton, Beaune, Pommard, Volnay, Meursault, Montrachet), ceux de la *côte chalonnaise* (Mercurey);
Mâconnais (de Tournus à Mâcon) [vins blancs de Pouilly et Fuissé];
Beaujolais (vins rouges : Fleurie, Juliénas, moulin-à-vent).

BOURGOGNE *(canal de),* canal reliant l'Yonne à la Saône, passant à Dijon; 242 km.

BOURGOGNE *(porte de)* ⟶ ALSACE *(porte d').*

BOURGOIN-JALLIEU, ch.-l. de cant. de l'Isère, à 15 km à l'O. de La Tour-du-Pin, dans le bas Dauphiné, sur la Bourbre; 23 000 hab. *(Bergusiens).* Textiles.

BOURG-SAINT-ANDÉOL, ch.-l. de cant. de l'Ardèche, sur la rive droite du Rhône, à 15 km au N. de Pont-Saint-Esprit; 7 700 hab. *(Bourguesans).*

BOURG-SAINT-MAURICE, ch.-l. de cant. de la Savoie, près de la rive droite de l'Isère, à 30 km au N.-E. de Moûtiers; 6 700 hab. *(Borains).*

BOURGUEIL, ch.-l. de cant. d'Indre-et-Loire, sur les coteaux du Val de Loire (r. dr.), à 23 km à l'E. de Saumur; 4 200 hab. *(Bourgueillois).* Vins rouges.

BOURGUIBA (Habib), homme d'État tunisien, né en 1903. Président du parti du Néo-Destour, il participe aux conversations qui, en 1956, aboutissent à la reconnaissance par la France de l'indépendance tunisienne. Devenu en 1957 président de la République tunisienne et élu président à vie en 1975, il a été destitué en 1987.

BOURGUIGNON, ONNE [burgiɲɔ̃, -ɔn] adj. et n. **1.** De la Bourgogne. — **2.** *Bœuf bourguignon,* ou *bourguignon* n. m., pièce de bœuf cuisinée avec une sauce au vin rouge et des oignons.

Bourguignons *(faction des),* faction française rivale des Armagnacs*, au cours de la guerre de Cent Ans. Elle avait à sa tête Jean sans Peur, duc de Bourgogne. La lutte entre les deux factions éclata après l'assassinat du duc d'Orléans en 1407. Le parti bourguignon s'allia à l'Angleterre, tandis que les Armagnacs soutenaient le roi de France. Le traité d'Arras (1435), conclu entre Philippe le Bon, duc de Bourgogne, et Charles VII, réconcilia les deux partis.

BOURIATES, peuple mongol de la Sibérie, dans la région du lac Baïkal.

BOURLINGUER [burlɛ̃ge] v. i. (de *boulingue,* petite voile) [sujet nom de personne]. *Fam.* Mener une vie aventureuse, dans des pays différents (syn. *fam.* ROULER SA BOSSE). [Comme terme de marine, il se dit d'un navire qui lutte contre le gros temps.]

BOURMONT (Louis, *comte* DE), maréchal de France (1773-1846). Il commanda l'armée qui s'empara d'Alger en 1830. En 1832, il fut mêlé à la tentative de soulèvement de la duchesse de Berry en Vendée. Condamné à mort par contumace, il rentra en France après une amnistie en 1840.

BOURNEMOUTH, v. de Grande-Bretagne, sur la Manche; 153 400 hab. Grande station balnéaire.

BOURRADE [burad] n. f. (de *bourrer*). Coup brusque donné à quelqu'un pour le pousser, ou comme marque familière d'amitié : *Il s'efforce, par quelques bourrades, de passer* (syn. COUP DE COUDE). *Une bourrade amicale* (syn. TAPE).

BOURRAGE n. m. ⟶ BOURRER.

BOURRASQUE [burask] n. f. (du lat. *Boreas,* le vent du Nord). **1.** Coup de vent violent; ouragan de courte durée : *Le toit a été emporté par la bourrasque* (syn. TOURMENTE). — **2.** Mouvement de colère violent.

BOURRATIF, IVE adj. ⟶ BOURRER.

BOURRE [bur] n. f. (lat. *burra,* laine grossière). **1.** Amas de poils, déchets de tissus, qui servent à garnir, à boucher des trous, etc. — **2.** Dans les cartouches de chasse et les dispositifs de mine, tampon servant à caler la charge explosive.

BOURREAU [buro] n. m. (de *bourrer,* frapper). **1.** Celui qui est chargé d'infliger la peine de mort prononcée par un tribunal. — **2.** Celui qui maltraite d'autres personnes avec cruauté, qui torture : *Bourreau d'enfants.* — **3.** *Bourreau des cœurs,* celui qui a du succès auprès des femmes (syn. DON JUAN, SÉDUCTEUR). ‖ *Bourreau de travail,* celui qui travaille sans arrêt.

BOURRÉE [bure] n. f. (de *bourrer*). Danse populaire très rythmée (Auvergne, Limousin, Berry). [Les compositeurs du XVIIIe s. l'ont utilisée dans leurs suites instrumentales : *Suite n° 3* de J.-S. Bach, *Water Music* de Haendel.]

BOURRELER [burle] v. t. (de *bourreau*). *Être bourrelé de remords,* être tourmenté cruellement par des remords de conscience.

BOURRELET [burlɛ] n. m. (de *bourre*). **1.** Bande de feutre, de papier, de caoutchouc, etc., qui sert à obturer un joint ou à amortir un choc : *Mettre des bourrelets aux fenêtres pour éviter que le vent ne pénètre.* — **2.** *Bourrelet de chair,* renflement de chair.

BOURRELIER [burəlje] n. m. (de l'anc. fr. *bourrel,* collier d'une bête de trait). Ouvrier du cuir fabriquant et préparant les harnachements d'animaux de trait, ainsi que divers articles tels que sacs, courroies, équipements militaires. ◆ **bourrellerie** n. f. Fabrication et réparation des pièces de harnais.

BOURRER [bure] v. t. (de *bourre*). **1.** *Bourrer une chose,* la remplir jusqu'au bord en tassant : *Bourrer une valise.* — **2.** *Bourrer qq'un,* le faire manger trop abondamment (souvent pron.) : *Elle le bourre de gâteaux* (syn. GAVER); lui faire apprendre trop de choses : *Les élèves sont bourrés de latin, d'histoire.* — **3.** *Bourrer qq'un de coups,* le frapper avec violence. ‖ *Bourrer le crâne à qq'un, au public,* le tromper en lui présentant les choses sous un jour favorable, alors que la situation est mauvaise. ◆ **bourrage** n. m. *Bourrage de crâne,* action de persuader par une propagande intensive et mensongère. ◆ **bourratif, ive** adj. Fam. *(Aliment) bourratif,* celui qui alourdit l'estomac, qui se digère mal. ◆ **débourrer** v. t. Enlever ce qui bourre : *Débourrer une pipe qui s'est éteinte.*

BOURRICHE [buriʃ] n. f. (orig. incert.). Panier grossier, sans anse, destiné au transport de la volaille, des huîtres, etc.; son contenu.

BOURRICHON [buriʃɔ̃] n. m. (de *bourriche,* tête). Fam. *Se monter le bourrichon,* se faire des illusions.

BOURRIQUE [burik] n. f. (esp. *borrico*). **1.** *Fam.* Âne ou ânesse. — **2.** *Fam.* Personne dont l'entêtement manifeste un esprit borné ou de la sottise : *Quelle bourrique!* — **3.** *Faire tourner en bourrique,* exaspérer ou abrutir à force de taquiner, de contredire, etc. ◆ **bourricot** n. m. Petit âne.

BOURRU, E [bury] adj. (de *bourre*). Se dit d'une personne dont les manières sont habituellement brusques et dont l'humeur est chagrine : *Sous des dehors bourrus, c'est un excellent homme* (syn. RUDE; contr. AFFABLE, AIMABLE).

1. BOURSE [burs] n. f. (gr. *bursa,* outre). **1.** Petit sac en peau, en tissu à mailles, etc., où l'on met les pièces de monnaie (syn. usuel PORTE-MONNAIE). — **2.** *Tenir les cordons de la bourse,* disposer de l'argent du ménage. ‖ *Sans bourse délier,* sans rien dépenser (syn. GRATUITEMENT). ‖ *Avoir la bourse bien garnie,* avoir beaucoup d'argent. ‖ *Ouvrir sa bourse à qq'un,* lui prêter de l'argent.

2. BOURSE [burs] n. f. (de *bourse* 1). Pension allouée par l'État ou par une collectivité à certains élèves ou étudiants ne disposant pas de ressources financières suffisantes. (Elle est décernée sur dossier et doit permettre aux bénéficiaires de poursuivre leurs études ou leurs recherches, en assurant leur entretien. Le taux des bourses varie selon les ressources des parents : bourse entière, demi-bourse, bourse d'entretien, d'études, etc.) ‖ *Bourse de voyage,* bourse attribuée à des artistes pour étudier sur place des chefs-d'œuvre. ◆ **boursier, ère** n. et adj. Qui bénéficie d'une bourse d'études.

3. BOURSE [burs] n. f. (du n. d'une famille de Bruges, les *Van der Burse,* dont l'hôtel servit de première Bourse) [s'écrit avec une majusc.]. **1.** *Bourse des valeurs,* lieu public où se font les opérations financières sur les valeurs mobilières (titres, actions, obligations*). — **2.** Réunions périodiques des banquiers, financiers, négociants, agents de change, courtiers, pour réaliser des achats et des ventes sur les valeurs publiques ou privées ou pour en constater le cours, la « cotation ». ⟶ ENCYCL. — **3.** *Bourse du travail,* lieu de réunion des syndicats ouvriers. ◆ **boursier, ère** adj. : *Le marché boursier.* ◆ **boursicoter** v. i. *Fam.* Se livrer à de petites opérations sur les valeurs négociées à la Bourse (syn. ↑SPÉCULER). ◆ **boursicotage** n. m. ◆ **boursicoteur, euse** n.

— ENCYCL. L'argent, les titres, les valeurs « mobilières » se vendent ou s'achètent comme de simples marchandises : leur prix, ou cours, donné par la « cotation » de la *Bourse*, varie chaque jour. Dès la fin du Moyen Âge, à Paris, les commerçants et les négociants effectuent leurs opérations financières près du Pont-au-Change. La Bourse s'installe en 1826 là où elle est actuellement, dans un édifice construit en forme de temple antique.

Les affaires boursières se traitent dans la grande salle du rez-de-chaussée appelée *salle publique*, mais où seuls, en fait, les *agents de change** (progressivement remplacés par des *sociétés de Bourse* et appelés à disparaître en 1992) ont accès.

Le fonctionnement de la Bourse connaît aujourd'hui une profonde évolution, notamment avec l'introduction de l'informatique.

BOURSICOTAGE n. m., **BOURSICOTER** v. i., **BOURSICOTEUR, EUSE** n. ⟶ BOURSE 3.

BOURSIER, ÈRE adj. et n. ⟶ BOURSE 2 et 3.

BOURSOUFLER [bursufle] v. t. (de *bourre*, et *souffler*). Gonfler en distendant les bords, les parois, etc. : *La maladie a boursouflé son visage.* ◆ **se boursoufler** v. pr. Présenter par places des enflures, des cloques : *La peinture s'est boursouflée.* ◆ **boursouflé, e** adj. **1.** *Visage boursouflé* (syn. ENFLÉ). — **2.** Se dit d'un style, d'un discours qui compte beaucoup de mots pour peu de contenu. ◆ **boursouflage** n. m. ou **boursouflement** n. m. : *Le boursouflement de la peau* (syn. ENFLURE, GONFLEMENT). ◆ **boursouflure** n. f. : *Les boursouflures du visage* (syn. BOUFFISSURE). *Les boursouflures du style* (syn. EMPHASE).

BOUSCAT (Le), ch.-l. de cant. de la Gironde, dans la banlieue nord-ouest de Bordeaux; 20 900 hab.

BOUSCULER [buskyle] v. t. (de l'anc. fr. *bouteculer*). **1.** *Bousculer qqch., qq'un*, le pousser vivement en créant le désordre, en écartant, en renversant : *Être bousculé par la foule. Il a bousculé le vase en passant et l'a fait tomber* (syn. HEURTER). — **2.** *Bousculer qq'un*, le presser, l'inciter par des reproches à aller plus vite : *Il faut le bousculer pour le faire travailler.* — **3.** (sujet nom de personne) *Être bousculé*, être sollicité par un grand nombre d'affaires diverses : *J'ai été très bousculé cette semaine* (syn. ↑DÉBORDÉ, OCCUPÉ). ◆ **se bousculer** v. pr. Se pousser mutuellement : *Les enfants courent et se bousculent.* ◆ **bousculade** n. f. **1.** Poussée plus ou moins brutale, remous qui se produit dans un groupe de personnes : *La bousculade du métro.* — **2.** Hâte qui amène du désordre et de l'agitation : *La bousculade des derniers préparatifs* (syn. PRÉCIPITATION, REMUE-MÉNAGE).

BOUSE [buz] n. f. (orig. incert.). Fiente de bœuf, de vache.

BOUSIER [buzje] n. m. (de *bouse*). Nom de plusieurs espèces d'insectes coléoptères, qui se nourrissent des excréments des herbivores (le *scarabée sacré*, par ex.).

BOUSILLER [buzije] v. t. (de *bouse*). **1.** Fam. *Bousiller qqch.*, l'endommager gravement, le mettre hors d'usage, et même le détruire complètement. — **2.** *Bousiller un travail*, l'exécuter très mal (syn. BÂCLER).

1. BOUSSOLE [busɔl] n. f. (it. *bussola*, petite boîte). Appareil constitué essentiellement d'une aiguille aimantée reposant sur un pivot, dont l'orientation permet de reconnaître la direction du nord.
— ENCYCL. La *boussole* est employée dans la navigation au long cours, en arpentage et en topographie. Il semble que les Chinois l'utilisaient dès le début de notre ère. C'est d'eux que les Arabes apprirent à se servir de la boussole, puis la révélèrent aux Européens, qui en firent usage à partir du XIIe s.

2. BOUSSOLE [busɔl] n. f. (de *boussole* 1). Fam. *Perdre la boussole*, s'affoler (syn. PERDRE LA TÊTE). ◆ **déboussolé, e** adj. *Fam.* Se dit de quelqu'un qui ne sait plus très bien ce qu'il doit faire, qui est troublé au point de perdre la notion de la réalité (syn. DÉCONCERTÉ, DÉCONTENANCÉ).

BOUT [bu] n. m. (de *bouter*, frapper). **1.** Partie située à l'extrémité d'un corps ou d'un espace, considérés dans le sens de la longueur : *Couper le bout d'une planche* (syn. EXTRÉMITÉ). *Savoir sa leçon sur le bout du doigt* (= parfaitement). *J'ai le mot sur le bout de la langue, sur le bout des lèvres* (= je le connais, mais j'en ai perdu la mémoire). *Avoir de l'esprit jusqu'au bout des ongles* (= être très spirituel). *Voir les choses par le petit bout de la lorgnette* (= par leur petit côté). *Tenir le bon bout* (= être en bonne situation pour réussir). — **2.** Limite visible d'un espace; fin d'une durée, d'une action : *Arriver au bout du chemin. Le bout de la semaine* (syn. FIN). *Nous n'en verrons jamais le bout* (= nous n'achèverons jamais). — **3.** Partie d'une chose, d'une étendue, d'une durée, d'une action : *Manger un bout de pain* (syn. MORCEAU). *Un bon bout de temps* (= longtemps). *Elle a du mal à joindre les deux bouts* [*de l'année*] (= assurer les dépenses). ‖ *Bout d'essai*, courte scène permettant de connaître les aptitudes d'un acteur avant son engagement. — **4.** *Être à bout*, être à la limite de ses forces, de sa résistance : *Ma patience est à bout;* suivi d'un compl. : *Tu es à bout de force* (= très fatigué). ‖ *Pousser qq'un à bout*, le mettre en colère, lui faire perdre patience. ‖ *Venir à bout de qqch.*, en voir la fin, l'achèvement, la complète réalisation. ‖ *Venir à bout de qq'un*, vaincre sa résistance. — LOC. ADV. *Bout à bout*, les deux extrémités étant jointes l'une à l'autre : *Clouer deux planches bout à bout.* ‖ *De bout en bout, d'un bout à l'autre*, du commencement à la fin. ◆ **jusqu'au-boutisme** n. m. Attitude de ceux qui préconisent des solutions extrêmes pour régler un conflit, ou qui poussent à terminer de force une affaire. ◆ **jusqu'au-boutiste** n. m.

BOUTADE [butad] n. f. (de *bouter*, pousser). Mot d'esprit, vif et original (syn. PLAISANTERIE).

BOUTE-EN-TRAIN [butɑ̃trɛ̃] n. m. inv. (de *bouter, en*, et *train*). Personne dont la bonne humeur et le talent de conteur mettent en gaieté ceux avec lesquels elle se trouve.

BOUTEFEU [butfø] n. m. (de *bouter*, et *feu*). **1.** Bâton muni d'une mèche allumée, qui servait à mettre le feu aux canons. — **2.** Celui qui se plaît à provoquer des querelles ou à exciter des discordes. ‖ Pl. des *boutefeux*.

BOUTEILLE [butɛj] n. f. (du lat. *buttis*, tonneau). **1.** Récipient en verre, allongé et à goulot étroit, destiné à contenir des liquides; le contenu de ce récipient : *Déboucher une bouteille. Boire une bonne bouteille.* — **2.** Récipient métallique de forme plus ou moins allongée : *Des bouteilles d'oxygène. Une bouteille de gaz butane.* — **3.** *Avoir de la bouteille*, se dit d'un vin auquel le vieillissement a donné des qualités; se dit fam. d'une personne âgée qui a acquis de l'expérience. ‖ *C'est la bouteille à l'encre*, c'est une situation, une question si confuse, si embrouillée qu'elle est incompréhensible. ◆ **porte-bouteilles** n. m. inv. Châssis servant à soutenir des bouteilles couchées, ou sorte de hérisson métallique pour égoutter les bouteilles. ◆ **rince-bouteilles** n. m. inv. Tige métallique garnie de poils, pour rincer les bouteilles. ◆ **embouteiller** v. t. Mettre en bouteilles une boisson : *Embouteiller du cidre.*

BOUTER [bute] v. t. (frq. *bôtan*, frapper). Pousser, mettre (vieilli) : *Jeanne d'Arc bouta les Anglais hors de France.*

BOUTEUR n. m. ⟶ BULLDOZER.

BOUTIQUE [butik] n. f. (du gr. *apothêkê*). **1.** Local aménagé pour le commerce de détail : *La boutique du boulanger. Tenir boutique de* (= faire le commerce de). *Vendre son fonds de boutique* (= ensemble des articles, du mobilier, etc., qui forment l'essentiel du commerce). — **2.** *Fam.* et *péjor.* Maison ou établissement quelconque. ◆ **arrière-boutique** n. f. Pièce située derrière la boutique. ‖ Pl. des *arrière-boutiques*. ◆ **boutiquier, ère** n. Personne qui tient un petit commerce de détail.

BOUTOIR [butwar] n. m. (de *bouter*). **1.** Ensemble du groin et des canines du sanglier. — **2.** *Coup de boutoir*, choc violent; propos brusque et blessant.

1. BOUTON [butɔ̃] n. m. (de *bouter*, pousser). Pousse qui, sur une plante, donne naissance à une tige, à une fleur ou à une feuille. ◆ **boutonner** v. i. Produire des boutons.

2. BOUTON [butɔ̃] n. m. (même étym.). Petite pustule sur la peau : *Un visage couvert de boutons.* ◆ **boutonneux, euse** adj. Qui a des boutons. ◆ **boutonner** v. i. Se couvrir de boutons.

3. BOUTON [butɔ̃] n. m. (même étym.). **1.** Pièce généralement circulaire, plate ou bombée, de matière dure, que l'on fixe sur les vêtements pour en assurer la fermeture ou pour servir d'ornement : *Des boutons de manchettes.* — **2.** Pièce de forme sphérique ou cylindrique qui sert à ouvrir ou à fermer : *Tourner le bouton de la porte* (syn. POIGNÉE). — **3.** Poussoir, interrupteur d'un appareil électrique, d'un timbre, etc. : *Bouton de sonnette.* ◆ **boutonner** v. t. *Boutonner un vêtement*, le fermer par des boutons. ◆ **boutonnage** n. m. ◆ **boutonnière** n. f. **1.** Petite fente faite à un vêtement pour y passer un bouton : *Porter une fleur à sa boutonnière* (= à celle qui se trouve au revers du veston ou du tailleur). — **2.** Dépression allongée, ménagée par l'érosion dans un anticlinal : *La boutonnière du pays de Bray.* ◆ **bouton-pression** n. m. Petit bouton qui s'accroche par pression dans un œillet métallique. ‖ Pl. des *boutons-pression*. ◆ **déboutonner** v. t. Ouvrir en défaisant les boutons (sens 1). ◆ ***se déboutonner*** v. pr. Défaire les boutons qui attachent ses habits. ◆ **reboutonner** v. t.

BOUTON-D'OR [butɔ̃dɔr] n. m. (de *bouton*, et *or*). Nom usuel donné à diverses renoncules à fleurs jaunes, notamment à la RENONCULE ÂCRE. ‖ Pl. des *boutons-d'or*.

BOUTONNAGE n. m. → BOUTON 3.

BOUTONNER v. t. et i. ⟶ BOUTON 1, 2 et 3.

BOUTONNEUX, EUSE adj. ⟶ BOUTON. 2.

BOUTONNIÈRE n. f., **BOUTON-PRESSION** n. m. → BOUTON 3.

BOUTRE [butr] n. m. (de l'ar. *būt*, voilier). Petit navire arabe, à voile, dont l'arrière est très élevé et l'avant très fin.

BOUT-RIMÉ [burime] n. m. (de *bout*, et *rimé*). Pièce de vers composée sur des rimes données. ◆ **bouts-rimés** n. m. pl. Rimes imposées à un poète pour être employées dans des vers à faire sur un sujet donné ou libre.

BOUTS (Dierick), peintre flamand (v. 1415-1475). Il s'établit à Louvain, dont il devint le peintre officiel. Minutieux coloriste, il a exécuté des tableaux empreints d'une parfaite sérénité.

BOUTURE [butyr] n. f. (de *bouter*). Fragment d'un végétal, détaché artificiellement ou naturellement, susceptible de s'enraciner et de fournir un nouveau pied complet. ◆ **bouturer** v. t. Reproduire par boutures; planter des boutures de.

Bouvard et Pécuchet, roman de Gustave Flaubert (1881).

BOUVET [buvɛ] n. m. (de *bœuf*). Rabot de menuisier.

BOUVET *(île)*, île de l'Atlantique sud découverte en 1739 par le Français Jean-Baptiste Charles Bouvet de Lozier. Elle a été annexée par la Norvège en 1927.

BOUVIER, ÈRE [buvje, -ɛr] n. (du lat. *bos*, bœuf). **1.** Personne qui conduit ou garde les bœufs. — **2.** *Bouvier des Flandres*, race de chiens, utilisée autref. pour garder le gros bétail.

BOUVINES, comm. du Nord, à 12 km au S.-E. de Lille; 577 hab.
• *27 juil. 1214. Victoire remportée par le roi de France Philippe Auguste sur les troupes de l'empereur Otton IV et de ses alliés, le roi d'Angleterre et le comte de Flandre.*

BOUVREUIL [buvrœj] n. m. (de *bouvier*). Passereau des bois et des jardins, à tête et ailes noires, à dos gris et ventre rose. (Famille des fringillidés.)

Bovary *(Madame)* → MADAME BOVARY.

BOVIDÉS [bɔvide] n. m. pl. (du lat. *bos, bovis*, bœuf). Très importante famille de mammifères ruminants, sauvages ou domestiques, comprenant notamment la *vache*, le *mouton*, la *chèvre*, les *gazelles*, les *antilopes*, etc.

BOVIN, E [bɔvɛ̃, -in] adj. (du lat. *bos*, bœuf). **1.** Relatif au bœuf : *Espèce bovine (= ensemble des bœufs, vaches, taureaux).* → ENCYCL. — **2.** *Un regard, un air bovin*, qui marque la stupidité, la bêtise. ◆ **bovinés** ou **bovins** n. m. pl. Sous-famille des bovidés, comprenant le *bœuf*, le *buffle*, le *bison*, etc.
— ENCYCL. Les *bovins* sont utilisés pour le travail, la production du lait et la boucherie. Avec la motorisation progressive de l'agriculture, les races de travail cèdent peu à peu du terrain. En France, les races laitières sont la flamande et la bretonne, la pie noire; les races de boucherie sont la charolaise et la limousine; les grandes races « mixtes » (lait et viande) sont représentées par la normande et la pie rouge de l'Est.
Les bovins se répartissent ainsi (en millions de têtes) :

Monde	1 260	États-Unis	114
Inde	180	Chine	60
Brésil	130	Argentine	55
U. R. S. S.	120	France	24

BOWLING [buliŋ] n. m. (mot angl.). Jeu de quilles, d'origine américaine. (Le jeu comprend 10 quilles de 38 cm de hauteur, disposées en triangle au bout d'une piste de 25,50 m de long sur 1,85 de large. Il faut les renverser avec deux boules de 18 à 32 cm de diamètre.)

BOX [bɔks] n. m. (mot angl.). **1.** Au palais de justice, partie de la salle, séparée du reste, où se trouvent placés les accusés d'un procès : *Être dans le box des accusés.* — **2.** Dans un hôpital, partie d'une salle limitée par des cloisons et destinée à assurer l'isolement d'un malade. — **3.** Dans une écurie, stalle où un cheval est logé sans être attaché. — **4.** Garage pour une automobile particulière. (L'Administration préconise STALLE.) ‖ Au plur., on emploie assez souvent la forme anglaise : des *boxes*.

BOXE [bɔks] n. f. (de l'angl. *box*, coup). Sport de combat où deux adversaires (boxeurs) se battent aux poings, avec des gants, selon des règles déterminées. ◆ **boxer** v. i. et t. **1.** Pratiquer le sport de combat appelé *boxe;* affronter un adversaire selon les règles de ce sport. — **2.** Fam. *Boxer qq'un*, le frapper à coups de poing. ◆ **boxeur** n. m. : *Le manager attacha les gants du boxeur.*
— ENCYCL. **boxe.** Le *ring* est une enceinte carrée et surélevée, limitée par trois rangs de cordes, où combattent les boxeurs; il a de 4,90 m à 6 m de côté. Les *rounds* (ou *reprises*) sont des périodes de trois minutes pendant lesquelles les boxeurs combattent. Les combats professionnels se déroulent généralement en 6, 8, 10 ou 12 rounds de trois minutes (3 rounds de trois minutes chez les amateurs). Une minute de repos sépare chacun des rounds. À la suite de chaque round, un nombre déterminé de points est attribué à chaque boxeur.
Les *victoires* s'obtiennent : *aux points* (le vainqueur est celui qui a le total de points le plus élevé), lorsque le combat est conduit jusqu'à la limite fixée; *par K.-O.* (= *knock-out :* chute au tapis d'un des boxeurs, qui, s'il ne s'est pas relevé au bout de dix secondes, est déclaré vaincu); *par arrêt de l'arbitre, disqualification, abandon* d'un boxeur, enfin *jet de l'éponge* (du « manager » qui arrête le combat de son « poulain »). Il y a *match nul* lorsque les boxeurs ont un nombre de points identique.
La *technique :* les coups doivent tous être portés au-dessus de la ceinture de l'adversaire. Les trois types de coups les plus importants sont le *direct*, le *crochet*, l'*uppercut*.
Les catégories de poids des boxeurs sont :

CATÉGORIES	POIDS MAXIMAL	
	professionnels	*amateurs*
mi-mouche	48,988 kg	48 kg
mouche	50,802 kg	51 kg
coq	53,524 kg	54 kg
plume	57,153 kg	57 kg
super-plume	58,967 kg	pas reconnue
léger	61,235 kg	60 kg
super-léger	63,503 kg	63,500 kg
welter (mi-moyen)	66,678 kg	67 kg
super-welter (super-mi-moyen)	69,853 kg	71 kg
moyen	72,575 kg	75 kg
mi-lourd	79,379 kg	81 kg
lourd-léger	88,451 kg	pas reconnue
lourd	au-dessus	91 kg
super-lourd	pas reconnue	au-dessus

BOXER [bɔksœr] n. m. (mot all. signif. *boxeur*). Chien de garde, voisin du dogue allemand et du bouledogue.

BOXERS ou **BOXEURS,** nom donné par les Anglais aux membres d'une société secrète chinoise, qui, en 1900, attaquèrent les légations européennes et provoquèrent l'intervention des grandes puissances.

BOYARD ou **BOÏAR** [bɔjar] n. m. (mot russe signif. *seigneur*). Nom des anciens nobles en Russie.

1. BOYAU [bwajo] n. m. (lat. *botellus*, petite saucisse) [s'emploie le plus souvent au plur.]. Intestin d'un animal. (On utilise surtout en charcuterie les boyaux de porc comme enveloppe des andouilles, andouillettes, saucisses et saucissons). ◆ **boyaux** n. m. pl. *Fam.* Ensemble des viscères de l'homme.

2. BOYAU [bwajo] n. m. (de *boyau* 1). Corde faite avec les intestins de quelques animaux (mouton, chat) et servant à monter des raquettes ou à garnir certains instruments de musique (violons). ‖ Pl. des *boyaux*.

3. BOYAU [bwajo] n. m. (même étym.). **1.** Conduit de cuir, de toile, de caoutchouc, etc., et en particulier ensemble formé de la chambre à air et de l'enveloppe du pneu dans laquelle elle est placée : *Un cycliste change de boyau après une crevaison.* — **2.** Passage long et étroit, semblable à un conduit : *Un boyau de mine.* ‖ Pl. des *boyaux*.

BOYCOTTER [bɔjkɔte] v. t. (du n. de *Boycott*, le premier propriétaire irlandais mis à l'index). **1.** (sujet nom désignant un groupe de personnes, une collectivité) *Boycotter qq'un, un pays*, éviter toute relation avec celui-ci en refusant en particulier de commercer avec lui, de faire pour lui certains travaux, etc. — **2.** *Boycotter une chose*, se refuser à l'acheter, ne pas en user. ◆ **boycottage** ou **boycott** n. m.

BOYLE (*sir* Robert), chimiste irlandais (1627-1691). Répudiant la théorie d'Aristote, il définit l'élément chimique (1661) et montra que l'air était nécessaire à la respiration. En 1662, il énonça, avant Mariotte, la loi de compressibilité des gaz.

BOYNE, fl. d'Irlande, qui passe à Drogheda et rejoint la mer d'Irlande.
• *1690. Bataille de la Boyne, près de Drogheda : Guillaume III d'Orange est victorieux de Jacques II Stuart (cette victoire consacre le triomphe de la révolution de 1688).*

BOY-SCOUT [bɔjskut] n. m. (mot angl. signif. *garçon éclaireur*). Syn. de SCOUT (souvent employé d'une manière ironiq., pour qualifier une personne dont les bons sentiments s'accompagnent d'une naïveté un peu sotte). ‖ Pl. des *boy-scouts*.

BRABANÇON, ONNE [brabɑ̃sɔ̃, -ɔn] adj. et n. Du Brabant.

Brabançonne *(la)*, hymne national belge (1830).

BRABANT, région historique divisée auj. entre les Pays-Bas et la Belgique.
Le Brabant devint un duché au XIe s. après la réunion des comtés de Bruxelles et de Louvain.

- *1430. Le Brabant revient à Philippe le Bon duc de Bourgogne.*
- *1477. Il passe à la maison d'Autriche.*
- *1648. L'Espagne doit reconnaître aux Provinces-Unies la possession du Brabant septentrional.*
- *1713. Les traités d'Utrecht donnent les Pays-Bas espagnols (y compris le Brabant) à la branche autrichienne des Habsbourg.*

Le Brabant devient français sous la Révolution et l'Empire, puis entre en 1815 dans le royaume des Pays-Bas avant d'être à nouveau divisé lors de la sécession de la Belgique en 1830.

BRABANT, province du centre de la Belgique; 3400 km^2; 2198300 hab. (652 au km^2); ch.-l. *Bruxelles.*
La plaine du Nord passe insensiblement aux bas plateaux brabançons, couverts de limons qui s'appuient au S. sur le socle ancien.
Le Brabant est une riche région agricole : cultures maraîchères et fruitières, céréales, betterave. Mais l'industrie s'est développée depuis longtemps dans les nombreuses villes de la province, notamment à Bruxelles et à Louvain.

BRABANT-SEPTENTRIONAL, en néerl. **Noordbrabant,** prov. méridionale des Pays-Bas; 4900 km^2; 1910300 hab. Ch.-l. *Bois-le-Duc.*

BRACELET [braslɛ] n. m. (de *bras*). Anneau servant d'ornement et encerclant le poignet ou le bras. ◆ **bracelet-montre** n. m. : *Les bracelets-montres permettent de porter la montre au poignet.*

BRACHIAL, E, AUX adj. ⟶ BRAS.

BRACHIOPODES [brakjɔpɔd] n. m. pl. (du gr. *brakhiôn,* bras, et *pous, podos,* pied). Animaux très répandus dans les mers des époques primaire et secondaire, représentés actuellement par quelques espèces. (Ils ont une coquille bivalve et deux bras spiralés, et forment une classe de l'embranchement des vermidiens.)

BRACHYCÉPHALE [brakisefal] adj. et n. (du gr. *brakhus,* court, et *kephalê,* tête). Se dit d'hommes dont le crâne est presque aussi large que long.

BRACHYURES [brakjyr] n. m. pl. (du gr. *brakhus,* court, et *oura,* queue). Nom scientifique des CRABES.

BRACONNER [brakɔne] v. i. (du germ. *brakko,* chien de chasse). Chasser ou pêcher sans permis, avec des engins prohibés, dans des endroits réservés ou à un moment défendu. ◆ **braconnage** n. m. ◆ **braconnier** n. m. : *Le garde-chasse a surpris un braconnier en train de déposer ses pièges.*

BRACTÉE [brakte] n. f. (lat. *bractea,* feuille de métal). *Bot.* Feuille à l'aisselle de laquelle s'embranche le pédoncule porteur de la fleur ou de l'inflorescence.

BRADER [brade] v. t. (néerl. *braden,* gaspiller). Fam. *Brader une chose,* s'en débarrasser, la vendre à très bas prix (syn. LIQUIDER). ◆ **braderie** n. f. Liquidation de marchandises à bas prix, par les commerçants d'une ville.

BRADFORD, v. de Grande-Bretagne, dans le Yorkshire; 293800 hab. Centre d'importance mondiale pour l'industrie de la laine.

BRAGANCE *(maison capétienne de),* famille issue d'Alphonse Ier, duc de Bragance, fils naturel de Jean Ier, roi de Portugal. Ses descendants régnèrent sur le Portugal de 1640 à 1910 et sur le Brésil de 1822 à 1889.

BRAGUETTE [bragɛt] n. f. (de l'anc. fr. *brague*). Ouverture sur le devant et en haut d'un pantalon.

BRAHE (Tycho), astronome danois (1546-1601). Il rédigea un catalogue de 777 étoiles.

BRAHMANE [braman], **BRAHME** ou **BRAME** [bram] n. m. (sanskr. *brāhmana*). Membre de la caste sacerdotale, la première des quatre castes de l'Inde dont l'abolition officielle date de 1947. (Le brahmane est, par naissance, un être sacré, seul qualifié pour enseigner la tradition.) ◆ **brahmanisme** n. m. Religion propre à l'Inde, à laquelle est liée une organisation sociale reposant sur une division en castes héréditaires (syn. HINDOUISME). ◆ **brahmine** n. f. Femme du brahmane.
— ENCYCL. Le *brahmanisme* s'est formé en Inde à partir du *védisme.* Les textes sacrés sur lesquels il repose sont des commentaires rituels des textes *védiques.* Parmi les divinités, innombrables et hiérarchisées, on distingue quatre dieux principaux : *Brahmā, Vishnu, Çiva* et *Çakti* (déesse féminine personnifiant l'énergie). Ces dieux peuvent « descendre » sur la terre et s'incarner; la plus célèbre de ces incarnations ou « avatars » est celle de Vishnu en *Krishna.* Certains animaux (les vaches), certaines plantes sont sacrés. Le but essentiel du brahmanisme, parvenir à la connaissance du divin, est recherché par l'ascèse mystique et spirituelle *(yoga)* et par la contemplation mystique. Après sa mort, l'homme renaît en fonction des actes de sa vie : il passe à travers les états de plante, de roche, d'animal, selon que ces actes ont été bons ou mauvais. Une organisation sociale, fondée sur la division en castes, a été progressivement formée à partir de la religion (Ier-VIIIe s. apr. J.-C.); la prédominance de la caste sacerdotale des *brahmanes* s'est affirmée. Cette caste acquit l'autorité suprême sur la vie sociale et religieuse du peuple. Les devoirs de chaque caste ont été strictement définis. De nos jours, les castes ont été théoriquement abolies.

BRAHMAPOUTRE (le), fl. du sud du Tibet, de l'Inde et du Bangladesh; 2900 km; débit moyen : 12000 m^3/s. Né sous le nom de *Tsangpo,* il se dirige d'abord vers l'E., puis traverse l'Himalaya. Il prend le nom de *Brahmapoutre* après le confluent avec le Dibāng. Dans la plaine d'Assam, ses eaux se mêlent à celles du Gange; les deux fleuves forment un delta commun dans le golfe du Bengale. Le Brahmapoutre est navigable sur 1300 km.

BRAHMINE n. f. ⟶ BRAHMANE.

BRAHMS (Johannes), compositeur allemand (1833-1897). Son père, musicien d'orchestre, le destine dès son plus jeune âge au même métier que lui. Il devient très vite un pianiste remarquable puis un compositeur (sonates pour piano, 1852). De 1852 à 1869, il écrit les *Danses hongroises* pour piano à 4 mains (sur des rythmes tziganes).

- *1868. Son « Requiem allemand » (pour voix et orchestre) le fait admirer de l'Allemagne tout entière.*
- *1876. Première symphonie (« ut » mineur).*

Il a également composé de la musique de chambre et de la musique pour orgue.
Son art unit les principes classiques de clarté et de solidité des formes à l'ardeur et la spontanéité du romantisme.

BRAI [brɛ] n. m. (gaul. *bracu,* boue). Résidu pâteux de la distillation de la houille ou du pétrole.

BRAIES [brɛ] n. f. pl. (lat. *bracae*). Sorte de pantalon des Gaulois.

BRĂILA, v. de Roumanie, sur le Danube inférieur; 154300 hab. Port fluvial.

BRAILLARD, E adj. et n. ⟶ BRAILLER.

BRAILLE (Louis), professeur français (1809-1852). Aveugle à l'âge de trois ans, il inventa un système d'écriture, en points saillants, à l'usage des aveugles.

BRAILLER [braje] v. i. et t. (du lat. *bragere,* braire) [sujet nom de personne]. Crier, pleurer d'une façon assourdissante; parler, chanter avec des éclats de voix : *Un ivrogne qui braille une chanson* (syn. HURLER). ◆ **braillard, e** adj. et n. *Fam.* Qui a l'habitude de crier fort. ◆ **braillement** n. m. Action de brailler; cri assourdissant.

BRAIMENT n. m. ⟶ BRAIRE.

BRAIN-TRUST [brɛntrœst] n. m. (mot angl.). Groupe de techniciens chargé, par un directeur, un ministre, etc., de l'élaboration de projets ou de plans. ‖ Pl. des *brain-trusts.*

BRAIRE [brɛr] v. i. (bas lat. *bragere*). [Conj. **79**; seulement à l'indic. prés. et à l'infin.] *Âne qui brait,* qui pousse des cris (se dit aussi fam. de cris humains ou de chants d'une intensité désagréable). ◆ **braiment** n. m. : *Les braiments d'un âne.*

BRAISE [brɛz] n. f. (germ. *brasa*). **1.** Charbons ardents; charbons de bois éteints avant combustion complète et servant à allumer le feu : *Faire griller de la viande sur la braise.* — **2.** *Être sur la braise,* attendre dans l'anxiété. ◆ **braisé, e** adj. Cuit doucement sans évaporation : *Bœuf braisé.* ◆ **braiser** v. t. Faire cuire à feu doux, sans évaporation.

BRAMANTE (Donato d'Angelo LAZZARI, dit), architecte et peintre italien (1444-1514). Véritable initiateur de la Renaissance classique, il se vit confier par le pape la reconstruction de la basilique Saint-Pierre. (Michel-Ange acheva son ouvrage.)

BRAMER [brame] v. i. (prov. *bramar*) [sujet nom désignant le daim ou le cerf]. Pousser des cris. ◆ **brame** ou **bramement** n. m. Cri du cerf ou du daim.

1. BRANCARD [brɑ̃kar] n. m. (du norm. *branque,* branche). Chacune des tiges de bois ou de métal fixées à l'avant et à l'arrière des appareils destinés au transport des blessés ou des malades; la civière elle-même : *La victime était étendue sur un brancard.* ◆ **brancardier** n. m. Infirmier préposé au service des brancards pour les blessés.

2. BRANCARD [brɑ̃kar] n. m. (même étym.). Chacune des deux prolonges entre lesquelles on attelle un cheval.

BRANCHE [brɑ̃ʃ] n. f. (bas lat. *branca,* patte). **1.** Ramification des tiges ligneuses d'un arbre ou d'un arbuste : *Couper les* *branches d'un arbre.* — **2.** Chacune des divisions, des ramifications des vaisseaux du corps, des nerfs, d'un cours d'eau, d'un appareil, etc. : *Il a cassé les branches de ses lunettes* (= les tiges qui reposent sur les oreilles). *Les branches du compas, des ciseaux.* — **3.** Partie d'un tout qui se diversifie et se ramifie : *Les branches d'une famille. Les branches de la science* (syn. SPÉCIALITÉ). *Les branches de l'enseignement* (syn. SECTION). — **4.** Fam. *Être comme l'oiseau sur la branche,* être dans une situation incertaine, instable. ◆ **branchage** n. m. Ensemble des branches d'un arbre : *Le branchage touffu du tilleul. Ramasser des branchages* (= des branches coupées). ◆ **branchu, e** adj. Garni de branches. ◆ **ébrancher** v. t. *Ébrancher un arbre,* le dépouiller de ses branches.

BRANCHER [brɑ̃ʃe] v. t. (de *branche*). **1.** Mettre en communication les deux branches d'une conduite, d'une canalisation, d'un circuit, etc. — **2.** Mettre en relation avec une installation afin d'assurer le fonctionnement : *Le poste est branché.* ◆ **branchement** n. m. : *Le branchement du téléphone a été fait* (syn. INSTALLATION). ◆ **débrancher** v. t. Supprimer une relation, une communication établie entre deux conduits, deux circuits électriques, etc. : *Débrancher le téléphone* (syn. COUPER). ◆ **débranchement** n. m.

BRANCHIES [brɑ̃ʃi] n. f. pl. (gr. *brankhia*). Organes respiratoires de nombreux animaux aquatiques (poissons, têtards de batraciens, crustacés, lamellibranches, céphalopodes, etc.), capables d'absorber l'oxygène dissous dans l'eau et d'y rejeter le gaz carbonique, et présentant l'aspect d'un arbre aux nombreuses branches. ◆ **branchial, e aux** adj. *Respiration branchiale,* respiration au moyen de branchies (par oppos. à la *respiration pulmonaire*).

BRANCHIOPODES [brɑ̃kjɔpɔd] n. m. pl. (de *branchies,* et gr. *pous, podos,* pied). Sous-classe de crustacés inférieurs, comprenant la *daphnie* ou *puce d'eau.*

BRANCHU, E adj. ⟶ BRANCHE.

BRÂNCUŞI (Constantin), sculpteur roumain de l'école de Paris (1876-1957). D'abord traditionnel, il va vers des formes de plus en plus dépouillées, élémentaires, aboutissant à des volumes abstraits.

BRANDADE [brɑ̃dad] n. f. (du prov. *branda,* remuer). Préparation de morue hachée, présentée sous forme de purée avec de la crème, de l'huile, de l'ail, etc.

BRANDE [brɑ̃d] n. f. (lat. *branda,* bruyère). **1.** Association végétale formant le sous-bois des forêts de pins, caractérisée par la *bruyère,* l'*ajonc,* le *genêt* et la *fougère.* — **2.** Région infertile couverte de cette végétation, qui résulte de la dégradation de la forêt : *Les brandes du Poitou.*

BRANDEBOURG [brɑ̃dbur] n. m. (de *Brandebourg*). Ornement brodé ou en galon, entourant une boutonnière ou en tenant lieu.

BRANDEBOURG, État d'Allemagne; 26 000 km^2; 2 700 000 hab. Capit. *Potsdam.* Il correspond à la partie occidentale du Brandebourg historique, ancien État de l'Allemagne du Nord, dont la capitale était Berlin. Il occupait une partie de la grande plaine glaciaire, sur le cours inférieur de la Havel et de la Sprée.

- *1415. Les Hohenzollern reçoivent le margraviat de Brandebourg.*
- *1618. Le Brandebourg s'augmente de la Prusse.*
- *1701. Frédéric III prend le titre de roi de Prusse sous le nom de Frédéric Ier; dès lors, l'histoire du Brandebourg se confond avec celle de la Prusse.*
- *1945. L'Est du Brandebourg est attribué à la Pologne.*
- *1949-1990. La partie occidentale fait partie de la R. D. A.*

BRANDEBOURG, en all. **Brandenburg,** v. d'Allemagne (Brandebourg), à l'O. de Berlin; 95 000 hab.

BRANDEBOURGEOIS, E [brɑ̃dburʒwa, -az] adj. et n. De ou du Brandebourg.

BRANDIR [brɑ̃dir] v. t. (de l'anc. fr. *brand,* épée) [sujet nom de personne]. **1.** *Brandir un objet,* le lever au-dessus de soi en manifestant une intention agressive ou l'agiter en l'air afin d'attirer l'attention : *Brandir des petits drapeaux* (syn. AGITER). — **2.** *Brandir une chose,* en faire une menace imminente, la présenter comme une arme contre quelqu'un : *Il brandit sa démission* (= il menaça de démissionner).

BRANDON [brɑ̃dɔ̃] n. m. (germ. *brand,* tison). **1.** Débris enflammé d'une matière quelconque : *Jeter un brandon sur des chiffons imbibés d'essence.* — **2.** *Brandon de discorde,* personne ou chose qui trouble la tranquillité, qui est une cause de querelles, voire de combats.

BRANDT (Willy), homme politique allemand (né en 1913). Maire de Berlin (1957-1966), président du parti social-démocrate (1964-1987), il a été chancelier de l'Allemagne de l'Ouest de 1969 à 1974.

BRANDY [brɑ̃di] n. m. (mot angl.). Eau-de-vie pure.

BRANLANT, E adj., **BRANLE** n. m. ⟶ BRANLER.

BRANLE-BAS [brɑlbɑ] n. m. inv. (de l'anc. fr. *branle,* hamac, et *bas*). **1.** Agitation désordonnée et confuse, qui se produit en général au milieu d'un grand bruit. — **2.** *Branle-bas de combat,* ensemble des préparatifs qui précèdent une attaque, un combat.

BRANLER [brɑle] v. i. (de l'anc. fr. *brandeler,* s'agiter). **1.** Manquer d'équilibre, être animé d'un mouvement d'oscillation : *La chaise branle* (syn. OSCILLER). — **2.** *Branler dans le manche,* manquer de solidité, être près de tomber. ◆ v. t. *Branler la tête,* la faire aller de haut en bas (syn. HOCHER). ◆ **branlant, e** adj. : *Un fauteuil branlant* (syn. BANCAL). *Les institutions branlantes d'un régime politique* (syn. INSTABLE; contr. SOLIDE). ◆ **branle** n. m. **1.** Mouvement d'oscillation d'un corps (se dit presque uniquement d'une cloche). — **2.** *Mettre en branle, donner le branle à,* donner une impulsion à une masse, mettre quelqu'un en mouvement : *Cet assassinat donna le branle à une série de révolutions sanglantes.*

BRANLY (Édouard), physicien français (1844-1940). Il a imaginé en 1890 le *cohéreur* à limaille, qui a permis la réception des signaux de télégraphie sans fil dans les premières transmissions à distance.

BRANTÔME, ch.-l. de cant. de la Dordogne, à 27 km au N. de Périgueux; 2 100 hab. Restes de l'anc. abbaye fondée par Charlemagne au VIIIe s.

BRANTÔME (Pierre DE BOURDEILLE, *seigneur* DE), écrivain français (v. 1540-1614). Il composa des biographies : *Vies des hommes illustres et des grands capitaines étrangers* et *Vies des dames illustres, des dames galantes.*

BRAQUAGE n. m. ⟶ BRAQUER 1.

1. BRAQUE [brak] n. m. (it. *bracco*). Chien de chasse à poil ras et à oreilles pendantes, utilisé comme chien d'arrêt.

2. BRAQUE [brak] adj. (de *braque* 1). *Fam.* Se dit d'une personne un peu folle ou extravagante (syn. ↓DÉTRAQUÉ).

BRAQUE (Georges), peintre français (1882-1963). Il participa aux expériences du fauvisme, puis fut, avec Picasso, le créateur du cubisme, peignant surtout des natures mortes.

1. BRAQUER [brake] v. t. (du lat. *bracchium,* bras). **1.** *Braquer un objet, qqch.,* les diriger en visant un objectif : *Les canons furent braqués vers la colline.* — **2.** *Braquer les roues d'une voiture,* les faire obliquer afin de changer de direction. ‖ *Braquer les yeux sur qq'un,* fixer son regard sur lui. ◆ v. i. Faire obliquer une voiture en modifiant la direction des roues; obliquer, en parlant de la voiture : *Cette voiture braque bien.* ◆ **braquage** n. m. : *Le braquage des roues.*

2. BRAQUER [brake] v. t. (de *braquer* 1). *Braquer qq'un,* provoquer chez lui une opposition résolue (souvent au passif ou comme pron.) : *Il est maintenant braqué contre moi* (= il est hostile, opposé).

BRAQUET [brakɛ] n. m. (de *braquemart,* épée). Rapport de démultiplication entre le pédalier et le pignon arrière d'une bicyclette : *Le dérailleur permet de changer de braquet.*

BRAS [bra] n. m. (lat. *bracchium*). **1.** Partie du membre supérieur de l'homme comprise entre l'épaule et le coude : *Le bras et l'avant-bras.* (Le squelette du bras est formé par l'humérus; cet os est articulé en haut avec l'omoplate, en bas avec le cubitus et le radius; les principaux muscles du bras sont le biceps et le triceps.) — **2.** Le membre supérieur en entier : *Ils marchèrent en se donnant le bras* (= en passant le bras de l'un sous le bras de l'autre). *Aller bras dessus, bras dessous* (= en se donnant le bras amicalement). — **3.** *Être en bras de chemise,* n'avoir sur le buste que sa chemise (syn. EN MANCHES DE CHEMISE). — **4.** Personne qui travaille ou qui lutte : *L'industrie du bâtiment manque de bras* (syn. OUVRIER, TRAVAILLEUR). *C'est le bras droit du directeur* (= son aide principal). — **5.** Objet, chose dont la forme rappelle celle d'un bras : *Le bras d'un levier.* ‖ *Bras d'un fleuve,* subdivision du cours principal, séparée par des îles. ‖ *Bras de mer,* partie d'une mer resserrée entre deux terres. ‖ *Bras mort,* ancien bras que le fleuve n'emprunte plus, et qui devient un lac ou un marais. — **6.** Ce qui sert de support latéral dans un siège : *Les bras d'un fauteuil* (syn. ACCOTOIR, ACCOUDOIR). — **7.** *Le bras séculier,* sous l'Ancien Régime, l'autorité civile en tant que protectrice de la religion catholique. — **8.** Dans un certain nombre de loc., désigne l'aide, la force ou la production, la responsabilité, le pouvoir : *Refuser son bras à une entreprise* (syn. CONCOURS). *Il a le bras long* (= il a de l'influence). *Il avait une nombreuse famille sur les bras* (syn. À CHARGE). *Ne restez pas les bras croisés* (= ne restez pas inactif). — LOC. ADV et ADJ. *À bras,* mû avec l'aide des bras (à l'exclusion de tout moyen mécanique) : *La malle fut transportée à bras.* ‖ *À force de bras,* sans autre aide que les bras. ‖ *À tour de bras,* avec force, avec abondance. ‖ *À bras raccourcis,* avec une grande violence. ‖ *À bras ouverts,* avec une amitié expansive, cordialement.

|| *À pleins bras*, en serrant dans ses bras : *Ramener des fleurs à pleins bras* (= des brassées de fleurs). || *Travailler à pleins bras*, travailler beaucoup. || *À bras-le-corps*, par le milieu du corps. ◆ **avant-bras** n. m. inv. Partie du membre supérieur comprise entre le poignet et le coude. ◆ **brachial, e, aux** [brakjal, -kjo] adj. Relatif au bras. ◆ **brassée** n. f. Ce que peuvent contenir les deux bras; grande quantité : *Une brassée de fleurs.*

BRASER [braze] v. t. (de *braise*). Assembler deux métaux par brasure. ◆ **brasure** n. f. Soudure très résistante obtenue par interposition d'un métal ou d'un alliage fusible entre les pièces métalliques à joindre.

BRASIER [brazje] n. m. (de *braise*). **1.** Foyer où le combustible est totalement en feu : *L'incendie avait transformé l'usine en immense brasier.* — **2.** *Son corps est un brasier*, il est brûlant de fièvre. ◆ **brasero** n. m. Récipient métallique, percé de trous et rempli de charbons ardents, destiné au chauffage en plein air.

BRASÍLIA, capit. du Brésil, ch.-l. d'un district fédéral, à 1200 m d'alt.; 1178000 hab. En 1960, la capitale a été officiellement transférée de Rio de Janeiro à Brasília, à l'écart de la côte active du Brésil, pour favoriser le développement des plateaux de l'intérieur.

La ville présente une remarquable réalisation de l'urbanisme actuel : son plan, dû à Lúcio Costa, a la forme d'un triangle équilatéral. Les quartiers d'habitations collectives sont formés de groupes d'immeubles peu élevés, séparés les uns des autres par des espaces verts. Les problèmes de la circulation ont été résolus par l'organisation d'un réseau d'autoroutes urbaines. Les palais gouvernementaux et les édifices de toutes sortes, considérés comme des chefs-d'œuvre de l'architecture actuelle, ont été construits par l'architecte Niemeyer.

BRAŞOV, v. de Roumanie, en Transylvanie; 185300 hab. Important centre industriel. Nombreux monuments du Moyen Âge et des XVe et XVIe s.

BRASSAGE n. m. ⟶ BRASSER.

BRASSARD [brasar] n. m. (de *bras*). Ruban porté autour du bras comme signe distinctif : *Un brassard d'infirmier. Porter un brassard noir en signe de deuil.*

BRASSE [bras] n. f. (lat. *brachia*). Nage sur le ventre, pratiquée par des mouvements simultanés des bras et des jambes, que l'on écarte en faisant des demi-cercles *(brasse classique)* ou en jetant les bras en avant *(brasse papillon)*.

BRASSÉE n. f. ⟶ BRAS.

BRASSER [brase] v. t. (bas lat. *braciare*). **1.** *Brasser qqch.*, le mêler en remuant vigoureusement : *Le boulanger brasse la pâte dans le pétrin.* — **2.** *Brasser de l'argent*, en manier de grosses sommes. || *Brasser des affaires*, en traiter beaucoup en même temps. ◆ ***se brasser*** v. pr. Se mêler, se fondre en un tout (syn. S'AMALGAMER). ◆ **brassage** n. m. : *Le brassage des populations* (syn. AMALGAME, FUSION). ◆ **brasseur** n. m. Désigne souvent péjor. celui qui dirige un nombre important d'affaires financières ou commerciales (syn. non péjor. HOMME D'AFFAIRES).

BRASSERIE [brasri] n. f. (de *brasser*). **1.** Établissement industriel où l'on fabrique de la bière. — **2.** Commerce de boissons où l'on peut consommer des repas froids ou chauds, rapidement préparés. ◆ **brasseur** n. m. Industriel qui fabrique de la bière.

BRASSEUR n. m. ⟶ BRASSER, BRASSERIE.

BRASSIÈRE [brasjɛr] n. f. (de *bras*). Petite chemise courte à manches dont on habille les bébés.

BRASURE n. f. ⟶ BRASER.

BRATISLAVA, en fr. **Presbourg,** v. de Tchécoslovaquie, en Slovaquie-Occidentale, sur le Danube; 325000 hab. Raffinage du pétrole.

BRATSK, v. de l'U. R. S. S., en Sibérie; 155400 hab. Grande centrale hydro-électrique sur l'Angara. Industrie de l'aluminium.

BRAUN (Wernher VON), ingénieur américain, d'origine allemande (1912-1977). Il mit au point les V2 (1944), l'une des « armes nouvelles » (grâce auxquelles Hitler crut pouvoir reconquérir l'avantage sur les Alliés). En 1945, les Américains l'emmenèrent aux États-Unis; il y joua un rôle de premier plan dans la mise au point des fusées astronautiques.

BRAVACHE adj. et n. m., **BRAVADE** n. f. ⟶ BRAVE 2.

1. BRAVE [brav] adj. et n. m. (it. *bravo*). **1.** Placé avant le nom, comme adj. surtout épithète, se dit d'un être animé qui a des qualités de droiture, de loyauté, d'honnêteté : *Elle a épousé un brave garçon. Ce sont de braves gens.* — **2.** *Mon brave homme, ma brave femme, mon brave*, interpellation familière et parfois condescendante à l'adresse d'inférieurs, de gens modestes.

2. BRAVE [brav] adj. et n. m. (même étym.). Se dit d'un être animé (ou de son comportement) qui ne craint pas le danger, qui affronte le risque : *Un combattant brave et même intrépide* (syn. HARDI, VALEUREUX; contr. LÂCHE). *Prendre un air brave* (syn. CRÂNE; contr. POLTRON). *Elle s'est montrée très brave dans ce malheur* (syn. COURAGEUX, VAILLANT). *Un brave que rien n'arrête* (syn. AUDACIEUX; contr. PEUREUX). ◆ **bravement** adv. ◆ **bravache** adj. et n. m. Faux brave (syn. FANFARON). ◆ **bravade** n. f. Acte ou parole par lesquels on montre un courage simulé ou insolent : *Par bravade, il tint un pari stupide* (syn. DÉFI, FANFARONNADE). ◆ **braver** v. t. *Braver qqch., qq'un*, les affronter sans peur, souvent par défi : *Braver le danger* (syn. S'EXPOSER À). *Le journal brava la censure en publiant la nouvelle* (syn. DÉFIER, PROVOQUER). *Braver les convenances* (syn. OFFENSER). ◆ **bravoure** n. f. **1.** Qualité de celui qui est brave, courageux : *Faire preuve de bravoure* (syn. COURAGE; contr. LÂCHETÉ). — **2.** *Air, morceau, scène de bravoure*, passage d'une œuvre littéraire ou musicale particulièrement brillant, et écrit pour attirer l'attention ou susciter l'enthousiasme.

BRAVO [bravo] n. m. (mot it.). Applaudissements, cris qui manifestent l'approbation : *Des bravos enthousiastes.* ◆ **bravo!,** interj. utilisée pour manifester son approbation entière ou son enthousiasme.

BRAVOURE n. f. ⟶ BRAVE 2.

BRAY *(pays de)*, région du nord-ouest du Bassin parisien. C'est une dépression argileuse creusée dans un anticlinal, qui forme une « boutonnière » entre deux falaises de craie. Élevage bovin.

BRAZZA (Pierre SAVORGNAN DE), explorateur français d'origine italienne (1852-1905). Au cours d'une première expédition (1875-1878), il remonta, à partir des côtes du Gabon, le fleuve Ogooué. Un second voyage (1879-1882) le conduisit jusqu'au Congo. Commissaire général du gouvernement français (1886-1897), il entreprit d'organiser les régions qui formeront le Congo français.

BRAZZAVILLE, capit. de la république du Congo ; 300000 hab. Située sur la rive droite du Congo, elle est reliée à Pointe-Noire, sur l'océan Atlantique, par une ligne de chemin de fer.

- *1944. Une conférence présidée par le général de Gaulle est à l'origine de la création de l'Union française.*

BREAK [brɛk] n. m. (mot angl.). **1.** Anc. voiture hippomobile à quatre roues, qui avait un siège très élevé sur le devant et des sièges disposés dans le sens de la longueur. — **2.** Berline ou limousine automobile qui possède à l'arrière, pour le transport des marchandises, un hayon relevable.

BREAKFAST [brɛkfœst] n. m. (mot angl.). Petit déjeuner à l'anglaise.

BREBIS [brəbi] n. f. (bas lat. *berbix, -icis*). **1.** Femelle du bélier : *Les brebis et les béliers appartiennent à l'espèce ovine* (= les moutons). — **2.** *Brebis galeuse*, personne qui pervertit ceux au milieu desquels elle se trouve.

1. BRÈCHE [brɛʃ] n. f. (anc. all. *brecha*, fracture). **1.** Ouverture faite dans un mur, une clôture, etc., et par où l'on peut passer : *Colmater une brèche.* — **2.** *Battre en brèche qq'un* ou *qqch.*, l'attaquer violemment et systématiquement (syn. PORTER ATTEINTE). || *Être toujours sur la brèche*, être toujours en activité. || *Mourir sur la brèche*, mourir en pleine activité. ◆ **ébrécher** [ebreʃe] v. t. **1.** *Ébrécher un objet*, l'endommager par une brèche, une ébréchure : *Un couteau ébréché.* — **2.** *Ébrécher sa fortune, sa réputation*, etc., la diminuer, l'amoindrir par ses actions (syn. ÉCORNER, ENTAMER). ◆ **ébréchure** n. f. Cassure faite au bord d'un objet.

2. BRÈCHE [brɛʃ] n. f. (mot ligure). En géologie, terme désignant des roches à structure fragmentaire, formées d'éléments anguleux soudés par un ciment gréseux ou calcaire : *Brèche volcanique, calcaire.*

BRÉCHET [breʃɛ] n. m. (angl. *brisket*). Crête osseuse médiane du sternum de la plupart des oiseaux, sur laquelle s'insèrent les muscles moteurs des ailes.

BRECHT (Bertolt), auteur dramatique allemand (1898-1956). Après la Première Guerre mondiale, il réfléchit sur les principes de la dramaturgie, usant, tout en les parodiant, de tous les moyens visuels, auditifs et littéraires (musique, cinéma, légendes populaires) : *l'Opéra de quat' sous* (1928). Pour lui, le théâtre doit amener le spectateur à se poser des questions, à contester l'ordre social.

À partir de 1948, il se consacre tout entier à son travail de metteur en scène du Berliner Ensemble. Il élabore à cette époque sa théorie du théâtre « épique ». Les pancartes, les chants, les projections, les éclairages amènent l'acteur à se détacher de son personnage, et le spectateur à comprendre que chaque attitude révèle un phénomène social dont il doit saisir le mécanisme (c'est le phénomène de la « distanciation »).

Ses pièces principales sont : *Mère Courage et ses enfants* (1938), *la Vie de Galilée* (1939), *Maître Puntila et son valet Matti* (1940), *la Résistible Ascension d'Arturo Ui* (1941), *le Cercle de craie caucasien* (1945). L'œuvre de Brecht domine l'évolution du théâtre contemporain.

BREDA, v. des Pays-Bas dans le Brabant-Septentrional; 122 400 hab.

- *1625. Après un long siège, la ville capitule devant les Espagnols de Spinola.*
- *1667. Traité entre la France et l'Angleterre pour la restitution de leurs conquêtes réciproques en Amérique.*

BREDOUILLE [brəduj] adj. (de *bredouiller*). Se dit d'un chasseur, d'un pêcheur qui n'a rien pris, de quelqu'un qui n'a pas réussi à obtenir ce qu'il cherchait.

BREDOUILLER [brəduje] v. i. et t. (altér. de l'anc. fr. *bretonner*, parler comme un Breton). S'exprimer d'une manière précipitée et confuse; ne pas articuler distinctement : *Bredouiller une excuse* (syn. péjor. et fam. BAFOUILLER). *Bredouiller quelques mots en guise de réponse* (syn. BALBUTIER, MARMONNER). ◆ **bredouillement** n. m.

BREENDONK, anc. comm. de Belgique, à 15 km à l'O. de Malines, auj. intégrée à Puurs. Camp de concentration allemand de 1940 à 1944.

1. BREF, BRÈVE [brɛf, brɛv] adj. (lat. *brevis*). **1.** De courte durée (temps) ou, plus rarement, de peu de longueur (espace) : *Une brève entrevue* (syn. COURTE, RAPIDE). *J'ai reçu de lui une lettre très brève* (syn. LACONIQUE; contr. LONG). *Son exposé a été bref mais précis* (syn. CONCIS; contr. PROLIXE). — **2.** *D'un ton bref*, d'une voix tranchante, brutale. ◆ **bref, en bref** adv. En un mot, en peu de mots (syn. EN RÉSUMÉ). ◆ **brève** adj. et n. f. **1.** Voyelle qui a une durée très courte. (Ainsi, dans le mot *dimanche*, la voyelle *i* [i] est brève par rapport à *an* [ɑ̃], qui est long.) — **2.** *Mus.* Se dit d'une note qui suit une autre note pointée. ◆ **brièvement** [brijɛvmɑ̃] adv. En peu de mots, en peu de temps (syn. SUCCINCTEMENT; contr. LONGUEMENT). ◆ **brièveté** n. f. Courte durée, courte longueur : *La brièveté de la vie. La brièveté d'une lettre.*

2. BREF n. m. (lat. *breve*, sommaire). Lettre du pape portant une décision ou une déclaration, mais ayant un caractère privé.

BREGENZ, v. d'Autriche, capit. du Vorarlberg, sur le lac de Constance; 22 800 hab. Centre touristique.

BREGUET (Abraham Louis), horloger français (1747-1823). Il réalisa la montre « à remontoir automatique ». — Son petit-fils LOUIS (1804-1883) imagina le télégraphe mobile. Avec Masson, il créa le premier modèle de bobine d'induction (1841).

BREGUET (Louis), ingénieur et industriel français (1880-1955). Il fut l'un des premiers pilotes et l'un des premiers constructeurs aéronautiques du monde.

BRÉHAIGNE [breɛɲ] adj. f. (orig. obscure). Se dit d'une jument dont les maxillaires portent des crochets et qui est souvent stérile.

BRÉHAT, île de la Manche, au large de la côte de Bretagne (Côtes-d'Armor).

BREJNEV (Leonid Ilitch), homme politique soviétique (1906-1982), secrétaire général du parti communiste de l'U. R. S. S. de 1964 à 1982. En 1977, il devint chef de l'État.

BRELAN [brəlɑ̃] n. m. (anc. all. *bretling*, table). Réunion de trois cartes de même valeur.

BRELOQUE [brəlɔk] n. f. (orig. obscure). **1.** Petit bijou de fantaisie que l'on attache à un bracelet ou à une chaîne de montre. — **2.** *Battre la breloque*, se dit fam. de quelqu'un qui divague, ou d'une montre qui marche irrégulièrement (vieilli).

BRÈME [brɛm] n. f. (frq. *brahsima*). Poisson des eaux douces calmes, à corps haut et plat, comestible, mais à nombreuses arêtes. (Famille des cyprinidés.)

BRÊME, en all. **Bremen,** v. d'Allemagne, capit. de l'*État de Brême* (404 km²; 692 000 hab.), sur la Weser; 545 000 hab. Port de commerce. Raffinage du pétrole.

BREMERHAVEN, v. d'Allemagne (État de Brême), à l'embouchure de la Weser; 137 000 hab. Avant-port de Brême.

BRÉMONTIER (Nicolas Thomas), ingénieur français (1738-1809). Il fixa les dunes du golfe de Gascogne, qui menaçaient d'ensevelir les villages landais, par des boisements de pins et de genêts.

BRENNE (la), région en grande partie marécageuse du sud du Bassin parisien, partie sud-ouest du Berry. Parc régional.

BRENNER *(col du)*, col des Alpes orientales, à la frontière de l'Autriche et de l'Italie. Peu élevé (1 370 m), il est franchi par une autoroute qui a succédé à une route fréquentée depuis l'Antiquité. La voie ferrée, la seule voie transalpine sans tunnel, date de 1867.

BRENNILIS, comm. du Finistère, au S. des monts d'Arrée, à 10 km à l'O. d'Huelgoat; 573 hab.

BRENTA (la), fl. d'Italie du Nord, issu des Dolomites; 174 km.

BRENTANO (Clemens), écrivain allemand (1778-1842). Ses poèmes et ses écrits (*Journal de voyage d'un écolier*, 1818) font de lui un des principaux représentants du romantisme allemand.

BRÉSIL, en portug. **Brasil,** république fédérale de l'Amérique du Sud, groupant 24 États.

SUPERFICIE 8 512 000 km² (France : 550 000 km²).

POPULATION 147 millions d'hab. *(Brésiliens);* 17 hab. au km² (France : 103); taux de natalité, 37,8 p. 1 000; taux de mortalité, 9,5 p. 1000.

CAPITALE Brasília (1 178 000 hab.).

VILLES PRINCIPALES São Paulo (8 494 000 hab.) ; Rio de Janeiro (5 093 000 hab.); Belo Horizonte (1 782 000 hab.); Recife (1 204 700 hab.); Salvador (1 506 600 hab.); Pôrto Alegre (1 126 000 hab.).

LANGUE portugais.

ÉCONOMIE consommation d'énergie par hab., 750 kg d'équivalent charbon ; 1 automobile pour 15 hab.

MONNAIE cruzeiro.

GÉOGRAPHIE

■ GÉOGRAPHIE PHYSIQUE. Le pays s'étend sur deux grandes unités de relief. Le *bassin de l'Amazone* au N. est une cuvette alluviale au climat équatorial, couverte par la forêt dense. Le *plateau brésilien* au S., formé de terrains anciens rabotés par l'érosion, se relève doucement vers le S.-E. où il retombe brusquement sur d'étroites plaines côtières. Les vents humides, qui arrosent la côte, ne pénètrent pas sur le plateau, particulièrement sec au N.-E., et couvert par la brousse *(caatinga)* et la savane *(campos)*.

	TEMPÉRATURES MOYENNES janv.	juil.	PLUIES
Manaus	26 °C	26,6 °C	2 600 mm
Rio de Janeiro	26,5 °C	21 °C	1 400 mm

■ GÉOGRAPHIE HUMAINE ET ÉCONOMIQUE. La *population*, composée d'Indiens, de Blancs et de Noirs, s'accroît très rapidement. Sa répartition est très inégale; aux régions vides de l'Amazonie et du plateau brésilien s'oppose la côte, sur laquelle sont situées les principales villes (à l'exception de Brasília).

L'*agriculture* est caractérisée, historiquement, par la succession de cycles de productions spécialisées destinées à l'exportation (bois tropicaux, canne à sucre, récolte du caoutchouc naturel en Amazonie, enfin café). Le risque de surproduction a obligé le pays à diversifier son agriculture (coton, cacao, riz, manioc). L'élevage bovin est pratiqué dans le Sud. Mais les paysans restent misérables, en particulier dans le Nord-Est, à cause de l'inégale répartition des terres.

café	1 500 000 t	cacao	300 000 t
coton	640 000 t	caoutchouc	35 000 t
sucre	9 millions de t	bovins	130 millions de têtes

L'*industrie* est en partie fondée sur l'exploitation des richesses du sous-sol : or, bauxite, manganèse et fer dans l'État de Minas Gerais, et pétrole d'Amazonie. Mais l'essentiel de l'activité est concentré autour de Rio de Janeiro et surtout de São Paulo, centres industriels aux productions variées, utilisant l'acier des complexes sidérurgiques de Volta Redonda et Belo Horizonte.

fer	60 millions de t	or	55 000 kg
pétrole	24 millions de t	électricité	165 milliards de kWh
manganèse	1 million de t	acier	18 millions de t

Le problème essentiel du Brésil réside dans l'opposition entre la côte, région peuplée et active, et le reste du pays. Les populations misérables du « Nordeste » (= du Nord-Est) émigrent vers Rio et São Paulo, espérant y trouver du travail, mais souvent elles ne font qu'y grossir les bidonvilles. La croissance démographique, le sous-emploi et l'endettement extérieur sont, avec les inégalités régionales, les grands problèmes actuels.

HISTOIRE

Le Brésil, terre du bois rouge comme la « braise » (d'où le nom de *Brasil*), est reconnu par le Portugais Álvares Cabral en 1500. La culture de la canne à sucre est introduite dès le XVIe s. et fait rapidement la fortune du Brésil.

À la fin du XVIIe s. et au début du XVIIIe s., des mines d'or sont

découvertes, surtout dans le Minas Gerais. Au XVIIIe s., le Brésil est le premier producteur mondial d'or. La recherche de l'or provoque le peuplement du Brésil intérieur. De nombreux esclaves noirs sont amenés d'Afrique.

- *1777. Traité de San Ildefonso : fin de la rivalité entre l'Espagne et le Portugal à propos de la possession des régions méridionales.*
- *1815. Au congrès de Vienne, le Brésil est élevé au rang de royaume.*
- *1822. Le régent Pierre, fils du roi de Portugal, proclame l'indépendance du Brésil dont il devient l'empereur.*

Au cours de la première moitié du XIXe s., la culture du café est implantée dans la région de São Paulo, marquant une nouvelle phase de la conquête du sol et du peuplement dans le Brésil tropical; le Brésil récolte la moitié de la production mondiale de café.

- *1888. L'esclavage est aboli.*
- *1889. Coup d'État militaire. L'aristocratie foncière, mécontente de l'abolition de l'esclavage, apporte son soutien à l'armée qui renverse l'empire jugé progressiste et proclame la république.*
- *1891. Le Brésil devient une fédération formée de 20 États.*

De 1891 à 1898, les libéraux s'efforcent sans y parvenir de briser les groupes oligarchiques et de mettre fin à la domination britannique sur l'économie.

- *1898. Les grands propriétaires terriens et les grands commerçants reprennent le pouvoir.*

La prospérité est alors assurée par la monoculture du café. Mais l'économie est soumise aux changements internationaux des prix agricoles.

- *1930-1945. Premier gouvernement de Getúlio Vargas.*

Chef des libéraux, Vargas gouverne avec l'appui des classes moyennes. Il travaille à industrialiser et à moderniser le Brésil, pour le rendre indépendant économiquement.

- *1951-1954. Vargas revient au pouvoir après en avoir été écarté par la droite. Il radicalise son nationalisme économique, et s'attaque aux intérêts pétroliers étrangers.*
- *1956-1961. Présidence de Kubitschek, marquée par une forte industrialisation et par la construction de Brasília.*
- *1961-1964. Présidence de Goulart : une timide réforme agraire est entreprise.*
- *1964-1984. Succession de gouvernements militaires.*

Leur œuvre est caractérisée par la répression à l'égard des « progressistes », et par un développement économique très rapide.

- *1985. Retour des civils au pouvoir. Présidence de José Sarney.*
- *1990. Fernando Collor (élu en 1989) devient président de la République.*

BRESLE (la), fl. côtier séparant la Normandie de la Picardie, rejoignant la Manche au Tréport; 72 km.

BRESSE (la), région argileuse de l'est de la France, limitée par le Jura à l'E., la Saône à l'O., la Dombes au S. et le cours inférieur du Doubs au nord. V. pr. *Bourg-en-Bresse.* L'élevage des bovins est favorisé par l'extension des prairies. Une grande spécialité : l'élevage de la volaille *(poulardes de Bresse).* ◆ **bressan, e** [bresã, -an] adj. et n. De la Bresse.

BRESSUIRE, ch.-l. d'arrond. des Deux-Sèvres, dans l'est du Bocage vendéen; 19 500 hab. *(Bressuirais).*

BREST, ch.-l. d'arrond. du Finistère, sur la rive nord de la *rade de Brest;* 160 400 hab. *(Brestois).* Important port militaire, grâce à sa situation à l'extrémité occidentale du pays et à la sûreté de la rade, siège d'un grand arsenal, Brest s'est industrialisé (électronique, textile) et est devenu un centre universitaire.

BRETAGNE, anc. nom de la Grande-Bretagne dont les différentes régions (Angleterre, Pays de Galles, Écosse) ne prirent leur dénomination actuelle qu'après les grandes invasions.

BRETAGNE, Région de l'ouest de la France; 27 208 km²; 2 707 900 hab. *(Bretons).* Ch.-l. *Rennes.*

GÉOGRAPHIE. La Région, moins étendue que la Bretagne historique, couvre les quatre départements des Côtes-d'Armor, du Finistère, d'Ille-et-Vilaine et du Morbihan. Elle occupe la majeure partie du Massif armoricain.

La *population.* La densité de population est voisine de la moyenne nationale. Mais l'accroissement récent est bien inférieur à celui de l'ensemble de la population française. Deux agglomérations dominent : Rennes (205 700 hab.), capit. et seule grande ville de l'intérieur, et Brest (172 200 hab.).

Le secteur primaire (pêche et agriculture) emploie le tiers de la population active. L'*agriculture,* variée, tient une place importante : céréales du bassin de Rennes, primeurs du Finistère septentrional, etc. La *pêche* est active sur la côte méridionale.

La place de l'*industrie* en contrepartie est très faible, bien que l'emploi ait progressé d'environ 15 p. 100 ces dernières années. Les industries agricoles et alimentaires dominent encore largement; les constructions mécaniques et électriques se sont développées récemment, surtout à Rennes. La production d'énergie est minime, malgré la centrale marémotrice de la Rance.

L'exode rural est encore très important : l'émigration bretonne, attirée surtout par l'agglomération parisienne, s'est toutefois ralentie avec les progrès de l'industrie et surtout le développement des services.

HISTOIRE. Au VIe s. apr. J.-C., l'anc. Armorique romaine devient la Bretagne, après l'arrivée des *Bretons* qui cherchaient refuge au-delà de la Manche devant les invasions anglo-saxonnes. Pendant la période carolingienne, elle reste pratiquement indépendante.

- *938. La Bretagne devient un duché.*
- *1213. L'héritière du duché épouse le capétien Pierre Ier Mauclerc.*
- *1341. La mort sans postérité du duc Jean III déclenche la guerre de la Succession de Bretagne.*
- *1399. Le règne du duc Jean V ouvre une période de prospérité.*

La seconde moitié du XVe s. voit s'affirmer les prétentions du royaume de France sur la Bretagne, avec Louis XI, puis sa fille, Anne de Beaujeu, pendant la minorité du roi Charles VIII.

- *1487-1488. Anne de Beaujeu fait envahir le duché. L'armée bretonne est battue.*
- *1491. Anne, duchesse de Bretagne, doit épouser Charles VIII.*
- *1499. Anne se remarie avec le nouveau roi de France, Louis XII.*

Mais la Bretagne, propriété personnelle de la reine, reste encore théoriquement indépendante. Claude de France, fille de Louis XII et d'Anne de Bretagne, épouse le futur François Ier.

- *1532. François Ier incorpore le duché à la France.*

BRETÈCHE [brətɛʃ] ou **BRETESSE** [brətɛs] n. f. (bas lat. *brittisca,* fortification bretonne). Logette placée autref. au milieu d'une façade pour en renforcer la défense.

1. BRETELLE [brətɛl] n. f. (de l'all. *brittil,* rêne). Bande de cuir, d'étoffe, etc., que l'on passe sur l'épaule et qui, attachée à des objets, sert à les porter sans les tenir à la main : *Mettre l'arme à la bretelle* (=la suspendre à l'épaule au moyen de cette dernière). ◆ **bretelles** n. f. pl. Bandes de tissu portées par les hommes pour tenir leur pantalon; bandes de tissu qui, chez les femmes, retiennent aux épaules les combinaisons, les soutiens-gorge.

2. BRETELLE [brətɛl] n. f. (même étym.). **1.** Courte voie reliant entre eux deux itinéraires routiers importants : *Bretelle de raccordement entre l'autoroute et la route nationale.* — **2.** *Ch. de f.* Appareil permettant de passer d'une voie sur une voie contiguë à l'aide d'aiguillages.

BRETESSE n. f. ⟶ BRETÈCHE.

BRÉTIGNY, hameau de la Beauce (Eure-et-Loir, comm. de Sours).

- *8 mai 1360. Traité conclu entre la France et l'Angleterre qui délivre Jean II le Bon, prisonnier en Angleterre, mais qui donne le sud-ouest de la France au roi Richard III.*

BRÉTIGNY-SUR-ORGE, ch.-l. de cant. de l'Essonne; 19 200 hab. *(Brétignolais).* École de formation des pilotes d'essai.

BRETON, ONNE [brətɔ̃, -ɔn] adj. et n. De la Bretagne. ◆ n. m. Langue celtique en usage en basse Bretagne. ◆ **bretonnant, e** adj. Se dit de la partie de la Bretagne et des Bretons qui ont conservé leur ancien langage et leurs traditions.

BRETON *(pertuis),* détroit entre le Marais poitevin et l'île de Ré.

BRETON (André), écrivain français (1896-1966). Après des études de médecine, il se consacre à la poésie et fonde avec Aragon et Soupault la revue *Littérature* (1919). Ensemble, ils se livrent à des expériences qui provoquent la découverte de l'« écriture automatique ».

- *1924. Le « Manifeste du surréalisme » proclame « la toute-puissance du rêve et le jeu désintéressé de la pensée ». (Il sera suivi du « Second Manifeste du surréalisme » [1930], qui ne fait que confirmer le premier.)*
- *1928. Breton publie « Nadja », roman poétique où il raconte un épisode de sa vie, transposé et interprété sur un plan fantastique.*
- *1932. Les « Vases communicants », où Breton poursuit son exploration du domaine de l'inconscient.*

Jusqu'à sa mort, Breton luttera pour étendre l'audience du mouvement surréaliste* dont il est le théoricien et l'animateur.

BRETONNANT, E adj. ⟶ BRETON.

BRETTE [brɛt] n. f. (de l'anc. fr. *bret,* breton). Épée longue et étroite (XVIe-XVIIe s.). ◆ **bretteur** n. m. Personne qui aime se battre à l'épée.

BRETZEL [brɛtzɛl] n. m. ou f. (mot alsacien). Pâtisserie en forme de huit, dure, saupoudrée de sel et de graines de cumin.

BREUGHEL ⟶ BRUEGEL.

BREUVAGE [brœvaʒ] n. m. (de l'anc. fr. *beivre,* boire). Tout ce qui est préparé pour être bu (souvent avec un adj. péjor.) : *Un breuvage amer* (syn. POTION). *Un breuvage insipide* (syn. BOISSON).

BRÈVE adj. et n. f. ⟶ BREF 1.

BRÉVENT (le), sommet des Alpes (Haute-Savoie) dans le massif des Aiguilles-Rouges; 2 525 m. Téléphérique.

BREVET [brəvɛ] n. m. (de *bref*). **1.** Diplôme, titre ou certificat délivré sous le contrôle de l'État et attestant certaines connaissances ou conférant certains droits ⟶ ENCYCL. — **2.** *Délivrer à qq'un un brevet d'honnêteté, de droiture,* etc., témoigner de son honnêteté, de sa droiture, etc.; en donner l'assurance. — **3.** *Brevet d'invention,* titre que le gouvernement délivre à quiconque se déclare l'auteur d'une invention d'ordre industriel, pour lui en assurer la propriété et l'exploitation exclusive pendant un certain nombre d'années. ◆ **brevetable** adj. Susceptible de recevoir un brevet : *Procédé brevetable.* ◆ **breveté, e** adj. et n. Qui possède un brevet témoignant de certaines capacités : *Un technicien breveté* (syn. DIPLÔMÉ, QUALIFIÉ). ◆ **breveter** v. t. (Conj. **8.**) *Breveter une invention,* la protéger au moyen d'un brevet.

— ENCYCL. A l'issue de la classe de troisième, un élève de collège peut obtenir le *brevet.*

Le *brevet de technicien* (B. T.) se prépare en trois ans après la classe de troisième. Le *brevet de technicien supérieur* (B. T. S.) se prépare en deux ans après obtention du baccalauréat ou du B. T. Le *brevet professionnel* (B. P.) et le *brevet d'études professionnelles* (B. E. P., qui se prépare en deux ans après la troisième ou par la voie de l'apprentissage) attestent une qualification professionnelle spécialisée. Ces diplômes permettent un accès direct à la vie active.

BRÉVIAIRE [brevjɛr] n. m. (lat. *breviarium,* abrégé). **1.** Livre contenant les prières qui doivent être lues chaque jour par les ecclésiastiques. — **2.** Livre, auteur qui inspire la conduite et les réflexions de celui qui en fait sa lecture habituelle.

BRIANÇON, ch.-l. d'arrond. des Hautes-Alpes, dans le *Briançonnais,* sur la Durance; 11 900 hab. Anc. place forte.

BRIANÇONNAIS, région des hautes Alpes françaises du Sud, sur la rive gauche de la Durance supérieure.

BRIAND (Aristide), homme politique français (1862-1932). Socialiste indépendant, c'est l'un des principaux hommes politiques de la IIIe République : il fut vingt-cinq fois ministre et onze fois président du Conseil. Après la Première Guerre mondiale, il prôna le désarmement général et fut l'un des fondateurs de la Société des Nations. Il signa le pacte de Locarno* (1925), tenta un rapprochement franco-allemand (1926) et fut le promoteur du pacte Briand-Kellogg, par lequel soixante nations mettaient la guerre « hors la loi » (1928).

BRIANSK, v. de l'U. R. S. S., au S.-O. de Moscou; 318 000 hab.

BRIARD, E [brijar, -ard] adj. et n. De la Brie.

BRIARE, ch.-l. de cant. du Loiret, sur la Loire (r. dr.), à la jonction du *canal de Briare,* qui relie Loire et Seine, et du canal latéral à la Loire, qui franchit la Loire par un « pont-canal »; 6 300 hab. *(Briarois).*

BRIBE [brib] n. f. (orig. obscure). **1.** Petit morceau, petite quantité : *Bribes de légumes.* — **2.** (surtout au plur.) Éléments épars : *Des bribes de phrases* (syn. FRAGMENT).

BRIC-À-BRAC [brikabrak] n. m. inv. (onomat.). Ensemble d'objets, de choses disparates, vieux et parfois en mauvais état.

BRIC ET DE BROC (DE) [dəbrikedbrɔk] loc. adv. (onomat.). Avec des morceaux pris de tous côtés, au hasard : *Des connaissances acquises de bric et de broc.*

BRICK [brik] n. m. (de l'angl. *brig*). Navire de petit tonnage, à deux mâts gréés à voiles carrées.

BRICOLAGE n. m. ⟶ BRICOLE 2.

1. BRICOLE [brikɔl] n. f. (it. *briccola,* machine de guerre). **1.** Partie du harnais s'appliquant sur les épaules du cheval.

— **2.** Sangle, courroie ou bretelle pour porter des fardeaux ou tirer des voitures.

2. BRICOLE [brikɔl] n. f. (même étym.). *Fam.* Chose sans importance ou sans valeur; menu travail : *Offrir une bricole* (syn. BABIOLE). ◆ **bricoler** v. i. *Fam.* S'occuper à des petits travaux sans importance ou de peu de durée; en partic., s'occuper chez soi à de petits travaux manuels : *Il passe ses dimanches à bricoler dans son appartement.* ◆ v. t. *Bricoler qqch.*, l'arranger, le réparer, d'une manière provisoire : *Bricoler son moteur.* ◆ **bricolage** n. m. : *Ce n'est pas du travail sérieux, c'est du bricolage.* ◆ **bricoleur, euse** n. et adj.

BRIDE [brid] n. f. (anc. all. *bridel*, rêne). **1.** Pièce du harnais du cheval qui sert à le conduire : *La bride comprend la monture, le mors et les rênes.* — **2.** *Brides d'un bonnet*, cordons ou rubans destinés à être noués sous le menton. — **3.** En couture, suite de points de chaînette formant une boutonnière ou réunissant les parties d'une broderie. — **4.** *Mécan.* Lien métallique unissant deux pièces. — **5.** Ficelle avec laquelle on retient les membres d'une volaille. — **6.** En termes de chirurgie, bande de tissu conjonctif réunissant anormalement deux organes. — **7.** *À bride abattue*, à une grande vitesse. ‖ *La bride sur le cou*, librement, sans contrainte. ‖ *Lâcher la bride à ses passions, à son imagination*, etc., leur donner toute liberté. ‖ *Tenir en bride*, contenir, retenir. ‖ *Tourner bride*, rebrousser chemin rapidement. ◆ **bridé, e** adj. *Yeux bridés*, yeux dont les paupières sont étirées en longueur. ◆ **brider** v. t. **1.** *Brider un cheval*, lui passer la bride. — **2.** *Brider une volaille*, lui lier les membres pour qu'ils soient maintenus pendant la cuisson. ◆ **débrider** v. t. **1.** Ôter la bride à un cheval. — **2.** *Débrider une plaie, un abcès*, l'inciser afin de faciliter l'écoulement du pus.

1. BRIDER v. t. ⟶ BRIDE.

2. BRIDER [bride] v. t. (de *bride*). **1.** (sujet nom désignant un vêtement) Serrer trop le corps ou les membres et gêner les mouvements : *Il est bridé dans son costume.* — **2.** *Brider sa conduite*, empêcher ou gêner son action en multipliant les contraintes : *Brider l'enthousiasme d'un jeune homme* (syn. CONTENIR, REFRÉNER). ◆ **débrider** v. t. Laisser entièrement libre de son action, affranchir de toute contrainte (surtout au part. passé) : *Imagination débridée* (syn. EFFRÉNÉ). *Les instincts de violence une fois débridés, personne ne put contenir la foule* (syn. DÉCHAÎNÉ).

1. BRIDGE [bridʒ] n. m. (mot angl.). Jeu de cartes qui se joue à quatre, deux contre deux, avec un jeu de 52 cartes. ◆ **bridger** v. i. Jouer au bridge. ◆ **bridgeur, euse** n.

2. BRIDGE [bridʒ] n. m. (angl. *bridge*, pont). Appareil dentaire fixe prenant appui sur deux dents saines.

BRIE [bri] n. m. (de la *Brie*). Fromage à pâte molle fabriqué avec du lait de vache dans la Brie (Meaux, Melun, Coulommiers).

BRIE (la), région du Bassin parisien entre les vallées de la Marne et de la Seine, constituant la majeure partie du dép. de Seine-et-Marne. C'est un plateau de calcaire grossier recouvert de meulière, elle-même parfois masquée par un revêtement de limon. La région associe la grande culture céréalière (blé, et de plus en plus, maïs) et betteravière à un important élevage bovin.

BRIE-COMTE-ROBERT, ch.-l. de cant. de Seine-et-Marne, à 18 km au N. de Melun; 10600 hab. *(Briards).*

BRIENNE-LE-CHÂTEAU, ch.-l. de cant. de l'Aube, à 28 km au N.-O. de Bar-sur-Aube; 4100 hab. *(Briennois).* Une école militaire où Bonaparte fut élève y exista de 1776 à 1790.

• *29 janv. 1814. Napoléon bat Blücher à proximité.*

BRIENZ *(lac de)*, lac de Suisse (Berne), formé par l'Aar (30 km²). — Il tire son nom du village de *Brienz*, sur ses bords; 2900 hab.

BRIÈRE ou **GRANDE BRIÈRE** (la), région marécageuse de la Loire-Atlantique, entre les estuaires de la Loire et de la Vilaine. (Hab. *Briérons.*) Parc naturel régional.

BRIÈVEMENT adv., **BRIÈVETÉ** n. f. ⟶ BREF 1.

BRIEY, ch.-l. d'arrond. de Meurthe-et-Moselle, à 29 km au N.-O. de Metz, en bordure du *bassin* ferrifère *de Briey;* 4500 hab. *(Briotains* ou *Briotins).*

BRIGADE [brigad] n. f. (it. *brigata*, troupe). **1.** Unité militaire correspondant soit à un petit détachement *(brigade de gendarmerie, de police)*, soit à plusieurs régiments *(brigade d'infanterie, de cavalerie)*. — **2.** Équipe d'ouvriers travaillant sous la surveillance d'un chef de travaux, ou groupe de personnes : *Brigade de cantonniers. Brigade de supporters.* ◆ **demi-brigade** n. f. **1.** Régiment pendant les guerres de la Révolution française. — **2.** Réunion de deux ou trois bataillons sous les ordres d'un colonel : *Une demi-brigade de chasseurs à pied.* ‖ Pl. des *demi-brigades.* ◆ **brigadier** n. m. **1.** Militaire détenteur du grade le moins élevé dans la cavalerie, l'artillerie, le train. ‖ *Brigadier-chef*, grade situé entre le brigadier et le maréchal des logis. (⟶ GRADE 2.) — **2.** Ancien nom du chef de brigade de gendarmerie. — **3.** *Fam.* Général de brigade. ◆ **sous-brigadier** n. m. Douanier ou gardien de la paix d'un rang analogue à celui de caporal dans l'armée. ‖ Pl. des *sous-brigadiers.* ◆ **embrigader** v. t. *Embrigader qq'un*, le faire entrer par contrainte, par persuasion dans un parti, une association (syn. RECRUTER). ◆ ***s'embrigader*** v. pr. S'engager dans un groupe.

Brigades internationales, formations de volontaires étrangers, en majorité communistes, qui, de 1936 à 1939, combattirent avec les républicains pendant la guerre civile d'Espagne.

BRIGAND [brigɑ̃] n. m. (it. *brigante*, qui va en troupe). Celui qui commet des vols à main armée (le mot, en ce sens, est remplacé par BANDIT ou GANGSTER, sauf dans les récits historiques) : *Des brigands attaquaient souvent les diligences.* ◆ **brigandage** n. m. **1.** Vol à main armée. — **2.** Pillage commis le plus souvent par des malfaiteurs organisés en bande.

BRIGANTINE [brigɑ̃tin] n. f. (de l'it. *brigante*, brigand). *Mar.* Voile quadrangulaire de l'arrière, enverguée sur la corne d'artimon.

BRIGHTON, v. de Grande-Bretagne, sur la Manche; 166100 hab. Station balnéaire.

BRIGNOLES, ch.-l. d'arrond. du Var, à 50 km au N.-N.-E. de Toulon; 10900 hab. *(Brignolais).* Anc. résidence des comtes de Provence. Bauxite.

BRIGUER [brige] v. t. (de l'it. *briga*, lutte). **1.** *Briguer un honneur, une faveur*, etc., les rechercher avec ardeur, avec empressement. — **2.** *Briguer une place, un emploi*, chercher à l'obtenir en faisant acte de candidature. ◆ **brigue** n. f. Série de manœuvres secrètes, d'intrigues par lesquelles on cherche à triompher d'un concurrent (littér.) : *Obtenir par la brigue une décoration.*

BRILLER [brije] v. i. (it. *brillare*). **1.** (sujet nom de chose) Émettre de la lumière, un rayonnement lumineux, soit directement, soit par réflexion : *Le soleil brille* (syn. LUIRE). *Les chaussures brillent* (syn. RELUIRE). — **2.** *Yeux, visage*, etc., *qui brillent*, qui manifestent des sentiments vifs : *Ses yeux brillent de joie* (syn. ÉTINCELER, S'ILLUMINER). — **3.** (sujet nom de personne ou d'action) Se manifester d'une manière éclatante par une qualité, par un trait caractéristique : *Le désir de briller* (syn. PARAÎTRE). — **4.** *Faire briller une chose à qq'un, aux yeux de qq'un*, la mettre en évidence pour susciter son intérêt, le séduire, etc. (syn. FAIRE MIROITER, PROMETTRE). ◆ **brillance** n. f. Éclat lumineux (syn. LUMINANCE). ◆ **brillant, e** adj. : *La surface brillante du lac. Il a une situation brillante* (syn. ENVIABLE). *Un discours brillant* (syn. REMARQUABLE). ◆ **brillant** n. m. **1.** Diamant taillé à facettes : *Porter au doigt un brillant.* — **2.** *Avoir, donner du brillant*, avoir, donner de l'éclat. ◆ **brillamment** adv. : *Passer brillamment un concours* (= avec éclat). ◆ **brillantine** n. f. Huile parfumée destinée à rendre les cheveux souples et brillants.

BRIMADE n. f. ⟶ BRIMER.

BRIMBALER v. t. et i. ⟶ BRINGUEBALER.

BRIMBORION [brɛ̃bɔrjɔ̃] n. m. (du lat. *breviarium*). Chose de peu de valeur ou de peu d'importance (vieilli).

BRIMER [brime] v. t. (de *brime*, forme dial. de *brume*). *Brimer qq'un*, lui faire subir une série de vexations ou de contrariétés, lui susciter de continuelles et inutiles difficultés. ◆ **brimade** n. f. : *Faire subir des brimades aux nouveaux élèves* (syn. BAHUTAGE). *Cette interdiction est une brimade* (syn. VEXATION).

BRIN [brɛ̃] n. m. (orig. obscure). **1.** Première pousse d'une graine, petite tige fragile et flexible : *Un brin d'herbe. Un brin de muguet.* — **2.** Petite partie d'une chose longue et mince : *Un brin de paille.* — **3.** Fam. *Un brin de*, une quantité minime : *Il n'y a pas un brin de vent. Prendre un brin de repos* (syn. UN PEU). ‖ *Un beau brin de fille*, une fille grande et bien faite.

BRINDILLE [brɛ̃dij] n. f. (de *brin*). Petite branche assez mince et légère : *Faire un feu de brindilles.*

BRINDISI, v. d'Italie, dans les Pouilles, sur l'Adriatique; 81900 hab. Port de voyageurs vers la Grèce.

BRINGUEBALER [brɛ̃gbale], **BRINQUEBALER** [brɛ̃kbale] ou **BRIMBALER** [brɛ̃bale] v. t. (de *bribe*, et *trimbaler*). Transporter en balançant, en secouant : *L'enfant bringuebalait le seau trop grand pour lui.* ◆ v. i. Être animé d'un mouvement de va-et-vient : *On voit les têtes de voyageurs brimbaler à tous les cahots de la voiture.*

BRIO [brijo] n. m. (mot it.). Vivacité brillante, qui se manifeste par l'entrain ou par l'esprit : *L'équipe a gagné avec brio* (syn. ↑ÉCLAT, PANACHE). *Répondre avec brio* (syn. ↓AISANCE).

BRIOCHE [brijɔʃ] n. f. (du norm. *brier*, broyer). **1.** Pâtisserie qui a la forme d'une boule surmontée elle-même d'une autre petite boule. — **2.** *Fam.* Ventre. ◆ **brioché, e** adj. *Pain brioché*, qui a le goût de la brioche.

BRIONI, archipel yougoslave de l'Adriatique, au large de l'Istrie. Résidence du président de la République.

BRIONNE, ch.-l. de cant. de l'Eure, à 15 km de Bernay, sur la Risle: 5 000 hab.

BRIOUDE, ch.-l. d'arrond. de la Haute-Loire, dans la *Limagne de Brioude*, à 48 km au N.-E. de Saint-Flour: 7 900 hab.

BRIQUE [brik] n. f. (néerl. *bricke*). Matériau de forme rectangulaire, fabriqué avec de l'argile cuite ou non, pour suppléer la pierre naturelle dans la construction : *Une cheminée en brique.* ◆ adj. inv. Couleur de brique, rougeâtre. ◆ **briquage** n. m. **1.** Nettoyage des ponts en bois, sur les navires, à l'aide de briques ou de pierres molles. — **2.** *Fam.* Tout travail de nettoyage tendant à faire briller. ◆ **briquer** v. t. **1.** Nettoyer avec de la brique pilée. — **2.** Nettoyer en frottant vigoureusement (syn. fam. ASTIQUER). ◆ **briquetage** n. m. Action de briqueter. ◆ **briqueter** v. t. Paver, garnir avec des briques. ◆ **briqueterie** n. f. Endroit où l'on fait des briques. ◆ **briqueteur** n. m. Ouvrier procédant à l'édification d'ouvrages en brique. ◆ **briquetier** n. m. Ouvrier procédant à la fabrication des briques et des tuiles. ◆ **briquette** n. f. Sorte de brique faite avec de la tourbe ou des poussières de charbon agglomérées, et servant de combustible.

1. BRIQUET [brikɛ] n. m. (de *brique*). **1.** Petit appareil qui sert à donner du feu : *Briquet à essence, à gaz.* — **2.** *Pierre à briquet*, alliage dont le frottement détache des étincelles très chaudes.

2. BRIQUET [brikɛ] n. m. (de *braque*). Chien courant de petite taille.

BRIQUETAGE n. m., **BRIQUETER** v. t., **BRIQUETERIE** n. f., **BRIQUETEUR** n. m., **BRIQUETIER** n. m., **BRIQUETTE** n. f. ⟶ BRIQUE.

BRIS n. m., **BRISANT** n. m. ⟶ BRISER 1.

BRISBANE, v. de l'Australie, capit. du Queensland; 1 124 000 hab. Port actif et centre industriel.

BRISE [briz] n. f. (orig. incert.). **1.** Petit vent frais et léger, qui souffle, pendant le jour, de la mer vers la terre *(brise de mer)*, ou, pendant la nuit, de la terre vers la mer *(brise de terre)*. — **2.** Vent en général, quand il est peu violent : *La brise du large.*

BRISÉ, E adj. ⟶ BRISER 1.

BRISÉES [brize] n. f. pl. (de *briser*). *Aller, marcher sur les brisées de qq'un*, tenter de le supplanter dans un domaine qui est le sien.

1. BRISER [brize] v. t. (bas lat. *brisare*). **1.** *Briser un objet*, le mettre en pièces brusquement, par choc, pression ou traction : *Briser une vitre* (syn. CASSER). — **2.** *Briser qqch.* (terme abstrait), lui causer un dommage majeur : *Briser une carrière* (syn. DÉTRUIRE). ◆ **se briser** v. pr. **1.** (sujet nom d'objet) Être mis en pièces : *La chaîne s'est brisée.* — **2.** (sujet nom de chose) Se diviser : *Les grosses vagues se brisent contre les rochers.* ◆ v. i. : *Les vagues brisent* (= elles déferlent en rencontrant un obstacle). ◆ **bris** [bri] n. m. Rupture faite avec violence (terme jurid.) : *Bris de clôture, de glace, de scellés.* ◆ **brisant** n. m. Rocher à fleur d'eau sur lequel la mer se brise. ◆ **brisé, e** adj. **1.** *Ligne brisée*, ligne composée de segments de droite qui se coupent. — **2.** *Volet brisé*, volet formé de panneaux qui se replient. ◆ **brise-glace** n. m. inv. Navire construit pour briser la glace qui obstrue un chenal, un port, etc. ◆ **brise-jet** n. m. inv. Petit tuyau adapté à un robinet pour atténuer la violence du jet. ◆ **brise-lames** n. m. inv. Digue, en avant d'un port, pour le protéger de la mer par mauvais temps. ◆ **brise-mottes** n. m. inv. Rouleau pour écraser les mottes de terre. ◆ **brise-tout** n. inv. *Fam.* Personne qui brise tout par maladresse (syn. BRISE-FER). ◆ **brise-vent** n. m. inv. Abri pour protéger les plantes du vent. ◆ **brisure** n. f. **1.** Fente, fêlure dans un objet brisé (syn. CASSURE). — **2.** Endroit où un objet formé de deux parties est articulé : *La brisure d'un volet.*

2. BRISER [brize] v. t. (même étym.). **1.** *Briser qq'un, qqch.*, les faire céder, en venir à bout : *Briser la résistance de l'ennemi* (syn. TRIOMPHER DE, VAINCRE). *Être brisé de fatigue* (syn. ÉPUISER). — **2.** *Briser qqch.*, le faire cesser subitement, y mettre un terme : *Briser un entretien* (syn. ROMPRE). — **3.** *Briser le cœur*, causer une profonde affliction, jeter dans l'abattement. ‖ *Briser une grève*, la faire échouer. ◆ v. i. *Briser avec qq'un*, cesser d'entretenir des relations avec lui. ‖ *Brisons là*, mettons fin à notre discussion. ◆ **se briser** v. pr. : *Tous les efforts se sont brisés sur cette difficulté* (syn. ÉCHOUER). ◆ **brisement** n. m. *Brisement de cœur*, douleur vive (littér.). ◆ **briseur** n. m. *Briseur de grève*, ouvrier qui travaille alors que les autres ouvriers sont en grève (syn. fam. JAUNE); celui qui brise une grève par un acte d'autorité.

BRISGAU, pays d'Allemagne, entre la Forêt-Noire et le Rhin. V. pr. *Fribourg-en-Brisgau.*

BRISTOL, port d'Angleterre (Gloucestershire), sur l'Avon; 425 200 hab. Cathédrale gothique. Constructions navales et aéronautiques.

BRISTOL [bristɔl] n. m. (de *Bristol*). **1.** Carton blanc, léger et satiné, utilisé notamment pour l'impression des cartes de visite. — **2.** Carte de visite.

BRISURE n. f. ⟶ BRISER 1.

BRITANNICUS, fils de Claude et de Messaline (41-55). Héritier du trône impérial, il fut écarté par Agrippine et empoisonné par Néron.

Britannicus, tragédie de Racine (1669).

BRITANNIQUE [britanik] adj. et n. (lat. *Britannicus*). De Grande-Bretagne : *L'Empire britannique. Un Britannique.*

BRITANNIQUES *(îles)*, archipel du nord-ouest de l'Europe, formé de la Grande-Bretagne et de l'Irlande.

BRIVE-LA-GAILLARDE, ch.-l. d'arrond. de la Corrèze, sur la Corrèze (r. g.), dans le *bassin de Brive*, au contact du Massif central et de l'Aquitaine; 54 000 hab. C'est la principale ville du département. Constructions mécaniques et électriques.

BRNO, en all. **Brünn,** v. de Tchécoslovaquie, capit. de la Moravie-Méridionale; 353 900 hab. Citadelle du Spielberg.

Broadway, grande artère de New York.

1. BROC [bro] n. m. (gr. *brokhis*). Récipient en métal ou en matière plastique, muni d'une anse et d'un bec évasé, et utilisé pour transporter de l'eau ou d'autres liquides.

2. BROC (DE BRIC ET DE) loc. adv. ⟶ BRIC ET DE BROC (DE).

BROCANTEUR, EUSE [brɔkɑ̃tœr, -øz] n. (du germ. *brocko*, morceau). Personne qui achète et revend des objets usagés. ◆ **brocante** n. f. *Fam.* **1.** Commerce du brocanteur. — **2.** Objets hétéroclites vendus par le brocanteur.

1. BROCARD [brɔkar] n. m. (du picard *broquer*, piquer). Raillerie répétée à l'adresse de quelqu'un (littér.) : *Son étourderie l'expose aux brocards de tous ses amis* (syn. MOQUERIE). ◆ **brocarder** v. t. Piquer par des railleries (syn. MOQUER, RAILLER).

2. BROCARD [brɔkar] n. m. (du picard *broque*, broche). Chevreuil mâle, plus partic. chevreuil d'un an, dont les bois ne sont pas encore ramifiés.

BROCART [brɔkar] n. m. (it. *broccato*, tissu broché). Étoffe brochée de soie, d'or ou d'argent et enrichie de motifs décoratifs.

BROCÉLIANDE, vaste forêt de la Bretagne (auj. **forêt de Paimpont**), où les romans de la Table ronde font vivre l'enchanteur Merlin.

BROCH (Hermann), écrivain autrichien naturalisé américain (1886-1951), l'un des maîtres de la littérature allemande moderne.

BROCHAGE n. m. ⟶ BROCHER.

BROCHANT, E [brɔʃɑ̃, -ɑ̃t] adj. (de *brocher*). *Brochant sur le tout*, se dit ironiq. de ce qui s'ajoute à tout le reste pour mettre le comble à quelque chose.

BROCHE [brɔʃ] n. f. (bas lat. *brocca*, chose pointue). **1.** Ustensile de cuisine, formé d'une tige de fer que l'on passe à travers une volaille ou un quartier de viande pour les rôtir, en les faisant tourner au-dessus du feu : *Mettre un poulet à la broche.* — **2.** Bijou de femme muni d'une grosse épingle. — **3.** Toute partie cylindrique tournante d'une machine-outil portant une pièce à usiner ou un outil. ◆ **brochette** n. f. **1.** Petite broche (sens 1). — **2.** Ensemble des pièces enfilées sur une brochette : *Une brochette de rognons.* — **3.** Support muni d'un système d'agrafes servant à porter plusieurs décorations ou médailles; l'ensemble.

BROCHER [brɔʃe] v. t. (de *broche*). **1.** *Brocher une étoffe*, y passer, en tissant, des fils d'or, de soie, etc., pour y former des dessins en relief sur le fond uni. — **2.** *Brocher un livre*, en assembler par des fils les feuillets, et les coller dans une couverture légère. ◆ **brochage** n. m. **1.** Action ou manière de brocher une étoffe. — **2.** Ensemble des opérations consistant à brocher un livre. ◆ **brocheur, euse** n. ◆ **brochure** n. f. **1.** Dessin broché sur une étoffe. — **2.** Petit ouvrage broché (et non relié) [syn. OPUSCULE].

BROCHET [brɔʃɛ] n. m. (de *broche*). Poisson carnivore d'eau douce, dont la bouche contient 700 dents. (Il peut vivre plusieurs dizaines d'années et atteindre 1 m de long.)

BROCHETTE n. f. ⟶ BROCHE.

BROCHEUR, EUSE n., **BROCHURE** n. f. ⟶ BROCHER.

BROCKEN, sommet du massif du Harz, en Allemagne; 1 142 m. La légende y situe la réunion des sorcières durant la nuit de Walpurgis (30 avril-1er mai).

BRODEQUIN [brɔdkɛ̃] n. m. (altér. de *brosequin,* sous l'influence de *broder*). **1.** Dans l'Antiquité, chaussure qui couvrait le pied et le bas de la jambe. — **2.** Auj., grosse chaussure très solide, qui monte au-dessus de la cheville : *Des brodequins militaires, de chasseur.*

1. BRODER [brɔde] v. t. (frq. *bruzdôn*). Orner une étoffe de motifs en relief, exécutés à l'aiguille ou à la machine : *Nappe brodée.* ◆ **brodeur, euse** n. ◆ **broderie** n. f. : *Les délicates broderies d'une dentelle.*

2. BRODER [brɔde] v. t. (même étym.). *Fam.* Donner plus d'ampleur à un récit en y ajoutant des épisodes fantaisistes (souvent intransitiv.) : *Broder une histoire* (syn. EXAGÉRER, ↑INVENTER).

BROGLIE (Louis, *duc* DE), physicien français (1892-1987). On lui doit la théorie de la mécanique ondulatoire qui joue un rôle essentiel dans l'explication de la nature de la matière. (Prix Nobel de physique, 1929.)

BROIEMENT n. m. ⟶ BROYER.

BROKEN HILL, v. d'Australie (Nouvelle-Galles du Sud); 35 000 hab. Mines d'argent, de zinc, d'étain.

BROME [brom] n. m. (gr. *brômos,* puanteur). Métalloïde (Br) liquide, rouge foncé, donnant des vapeurs très denses, rouges et suffocantes. ◆ **bromure** n. m. Combinaison du brome avec un corps simple : *Le bromure d'argent est utilisé en photographie.*

BROMFIELD (Louis), romancier américain (1896-1956), auteur de *la Mousson* (1937).

BROMMAT, comm. de l'Aveyron, à 3 km au S.-E. de Mur-de-Barrez; 932 hab. Centrale hydro-électrique alimentée par la Truyère.

BROMURE n. m. ⟶ BROME.

BRON, ch.-l. de cant. du Rhône, à 7 km à l'E. des quartiers centraux de Lyon; 41 500 hab. Aéroport de Lyon.

BRONCHE [brɔ̃ʃ] n. f. (gr. *bronkhia*). Chacun des conduits qui font suite à la trachée-artère et par lesquels l'air s'introduit dans les poumons. ⟶ ENCYCL. ◆ **bronchioles** [brɔ̃ʃjɔl] n. f. pl. Dernières ramifications des bronches, à l'intérieur des poumons. ◆ **bronchique** adj. Relatif aux bronches. ◆ **bronchite** n. f. Inflammation des bronches. ◆ **broncho-pneumonie** [brɔ̃kopnømɔni] n. f. Inflammation grave des bronchioles et des alvéoles pulmonaires.

— ENCYCL. Au niveau de la cinquième vertèbre dorsale, la trachée se divise en deux *bronches;* l'une droite et l'autre gauche, qui se portent vers les poumons correspondants où elles vont se ramifier, pour constituer l'*arbre bronchique.*

Les bronches ont donc deux parties : une partie intrapulmonaire (⟶ POUMON) et une partie extra-pulmonaire.

■ *Maladies des bronches.* Leur inflammation provoque la *bronchite* qui peut être aiguë (elle se manifeste par de la fièvre, de la toux avec essoufflement et une expectoration [= crachats] plus ou moins abondante) ou *chronique* (mêmes symptômes, mais sans fièvre); chez les fumeurs, le *cancer bronchique* (dit, à tort, *cancer des poumons*) affecte l'épithélium* des petites ou grosses bronches irritées par le tabac.

BRONCHER [brɔ̃ʃe] v. i. (orig. incert.) [sujet nom de personne]. **1.** (surtout avec des express. négatives) Manifester ses sentiments par des paroles ou par des gestes : *Personne n'ose broncher* (syn. BOUGER). *Obéir sans broncher* (syn. MURMURER). — **2.** Hésiter, se tromper : *Réciter sa leçon sans broncher une fois* (syn. SE REPRENDRE).

BRONCHIOLES n. f. pl., **BRONCHIQUE** adj., **BRONCHITE** n. f., **BRONCHO-PNEUMONIE** n. f. ⟶ BRONCHE.

BRONTË (Charlotte), romancière anglaise (1816-1855), auteur de *Jane Eyre* (1847). — Sa sœur EMILY (1818-1848) écrivit un roman tragique, *les Hauts de Hurlevent* (1847). — Leur sœur ANNE (1820-1849) fut aussi romancière.

BRONTOSAURE [brɔ̃tɔzɔr] n. m. (du gr. *brontê,* tonnerre, et *saura,* lézard). Reptile fossile du groupe des dinosaures, qui atteignait 22 m de long et devait peser environ 30 t. (Il avait une très petite tête, un long cou et une longue queue, un corps massif.)

BRONZAGE n. m. ⟶ BRONZER.

BRONZE [brɔ̃z] n. m. (it. *bronzo*). **1.** Métal fait d'un alliage de cuivre et d'étain, et qui, connu dès l'Antiquité, a servi à faire des statues, des canons, etc. : *Le bronze était appelé autrefois airain.* ‖ *Bronze d'aluminium,* alliage de cuivre et d'aluminium. — **2.** *Âge du bronze.* ⟶ ENCYCL. — **3.** Statue faite de ce métal : *Offrir un bronze.*

— ENCYCL. Succédant à l'âge du cuivre, l'*âge du bronze* est la période préhistorique correspondant en partie au IIe millénaire av. J.-C., caractérisée par l'emploi d'armes et d'outils en bronze.

BRONZER [brɔ̃ze] v. t. (de *bronze*). Donner une couleur brune, comparable à celle du bronze (se dit en général du teint et souvent au passif) : *Le soleil a bronzé son visage* (syn. BRUNIR, HÂLER). ◆ v. i. Devenir brun. ◆ **bronzé, e** adj. : *Avoir la peau bronzée.* ◆ **bronzage** n. m. Action de bronzer; résultat de cette action.

Brooklyn, quartier de New York, dans l'ouest de Long Island.

1. BROSSE [brɔs] n. f. (bas lat. *bruscia*). **1.** Ustensile de nettoyage, formé de filaments souples : *Une brosse à dents, à habits, à cheveux.* — **2.** *Cheveux en brosse* (ou simplem. *brosse*), coupés courts, droits et raides. ◆ **brosser** v. t. Nettoyer avec une brosse. ◆ **brossage** n. m.

2. BROSSE [brɔs] n. f. (même étym.). Pinceau pour étaler les couleurs. ◆ **brosser** v. t. **1.** Peindre ou ébaucher avec la brosse. — **2.** Faire une description à larges traits : *Le ministre brossa un tableau de la situation* (syn. DÉPEINDRE).

BROSSES (Charles DE) ⟶ DE BROSSES.

BROSSOLETTE (Pierre), professeur et journaliste français (1903-1944). Journaliste socialiste, il devint en 1942, à Londres, conseiller politique du général de Gaulle. Parachuté plusieurs fois en France occupée, il fut arrêté par les Allemands au cours d'une de ses missions. Pour éviter de faire des révélations sous la torture, il se jeta par une fenêtre du cinquième étage d'un immeuble.

BROU [bru] n. m. (de *brout,* pousse verte). Coque verte de la noix et de divers fruits à noyau. (Le brou est le péricarpe du fruit.) ‖ *Brou de noix,* liquide brun fait avec des écorces de noix macérées dans l'eau, et que l'on utilise pour teindre le bois blanc.

BROUET [bruɛ] n. m. (de l'anc. fr. *brou,* bouillon). Aliment presque liquide.

BROUETTE [bruɛt] n. f. (bas lat. *birota,* véhicule à deux roues). Petite caisse munie d'une roue et de deux brancards, et servant au transport de matériaux. ◆ **brouettée** n. f. Contenu d'une brouette : *Des brouettées de terre.* ◆ **brouetter** v. t. Transporter avec une brouette.

BROUHAHA [bruaa] n. m. (onomat.). Bruit prolongé et confus, provoqué par des personnes ou par des choses.

BROUILLAGE n. m. ⟶ BROUILLER 1.

BROUILLARD [brujar] n. m. (de l'anc. fr. *brou,* bouillon). **1.** Amas de gouttelettes d'eau en suspension dans l'air et formant une sorte de nuage près du sol. (Il y a brouillard quand la visibilité est inférieure à 1 km; lorsqu'elle dépasse 1 km, il y a brume.) — **2.** Fam. *Être dans le brouillard,* ne pas voir clairement ce dont il s'agit. ◆ **brouillasser** v. impers. *Il brouillasse,* il tombe une pluie fine.

1. BROUILLER [bruje] v. t. (de l'anc. fr. *brou,* bouillon). *Brouiller qqch.,* le mettre en désordre, en troubler l'ordre, le fonctionnement, la clarté, la pureté : *Brouiller des dossiers* (syn. BOULEVERSER). *Les émissions de la radio sont brouillées par les parasites* (= rendues inaudibles). *Brouiller les pistes* (syn. MÊLER). *Brouiller les cartes* (= rendre la situation compliquée en mettant la confusion). ◆ ***se brouiller*** v. pr. **1.** Être mêlé, en désordre; devenir trouble, confus : *Ma vue se brouille* (= je ne vois plus clair). *Les souvenirs se brouillent dans ma tête* (syn. S'EMMÊLER). — **2.** *Le temps se brouille,* il se gâte, le ciel se couvre de nuages. ◆ **brouillage** n. m. : *Le brouillage d'une émission radiophonique* (= action de la rendre inaudible par des bruits). ◆ **brouillé, e** adj. : *Avoir le teint brouillé* (= altéré, pâle, terne). *Des œufs brouillés* (= mêlés pendant la cuisson). ◆ **brouillon, onne** adj. et n. Qui crée le désordre : *Il a l'esprit brouillon* (syn. CONFUS; contr. CLAIR, MÉTHODIQUE).

2. BROUILLER [bruje] v. t. (même étym.). **1.** *Brouiller des personnes,* les mettre en désaccord, créer entre elles la désunion : *Cet incident a brouillé les deux amis* (syn. SÉPARER; contr. RÉCONCILIER). — **2.** Fam. *Être brouillé avec qq'un,* se trouver en désaccord avec lui. — **3.** *Être brouillé avec une chose,* ne pas avoir d'aptitude pour elle. ◆ ***se brouiller*** v. pr. Se trouver en désaccord : *Ils se sont brouillés pour une babiole* (syn. SE FÂCHER). ◆ **brouille** [bruj] n. f. Désaccord dont les causes sont peu importantes : *Mettre la brouille entre deux frères* (syn. MÉSENTENTE, ZIZANIE). *Être en brouille avec ses parents* (syn. FROID). ◆ **brouillerie** n. f. Syn. de BROUILLE.

1. BROUILLON [brujɔ̃] n. m. (de *brouiller*). Premier état d'un écrit, que l'on corrige en le raturant ou en le surchargeant : *Mettre au net le brouillon d'un exposé.*

2. BROUILLON, ONNE adj. et n. ⟶ BROUILLER 1.

BROUSSAILLE [brusaj] n. f. (de *brosse*). **1.** Touffe, fourré de plantes épineuses ou de ronces, dans les bois (surtout au plur.) : *Se frayer un chemin à travers les broussailles.* — **2.** *Cheveux, barbe en broussaille,* en désordre, mal peignés. ◆ **broussailleux, euse** adj. **1.** *Un jardin broussailleux,* envahi par l'herbe. — **2.** *Sourcils, barbe, cheveux broussailleux,* épais et en désordre. ◆ **débroussailler** v. t. **1.** *Débroussailler un chemin dans un bois.* — **2.** *Débroussailler un texte,* en donner une première explication pour le débarrasser des plus grosses difficultés.

BROUSSE [brus] n. f. (prov. *brousso*). Étendue couverte de buissons et de petits arbres, qui est la végétation habituelle des régions tropicales sèches.

BROUSSE, en turc **Bursa,** v. de Turquie, au S.-E. de la mer de Marmara; 275 900 hab. Ce fut la capit. de l'Empire ottoman de 1327 à 1453.

1. BROUTER [brute] v. t. et i. (de l'anc. fr. *brost,* pousse) [sujet nom désignant certains animaux herbivores]. Manger de l'herbe, de jeunes pousses ou des feuilles en les arrachant sur la plante : *Les vaches, les chèvres broutent.*

2. BROUTER [brute] v. i. (même étym.) [sujet nom désignant un mécanisme]. Agir par à-coups, en parlant d'un frein, d'un embrayage, d'une machine. ◆ **broutage** ou **broutement** n. m. Mouvement saccadé de certains outils, de certains organes mécaniques.

BROUTILLE [brutij] n. f. (de *brouter*). Chose de peu d'importance, de peu de valeur; chose insignifiante.

BROWN (Robert), botaniste écossais (1773-1858). Il a découvert le mouvement désordonné des particules très petites en suspension dans les liquides, appelé depuis *mouvement brownien.*

BROWNING [brawniŋ] n. m. (mot angl.; du n. de l'inventeur). Pistolet automatique à chargeur (calibre 7,65 mm).

BROWNING (Robert), écrivain anglais (1812-1889). La mort de sa femme (Elizabeth BARRETT, auteur du roman en vers *Aurora Leigh,* 1855) lui inspira deux œuvres qui dominent sa production : *Dramatis personae* (1864), suite de monologues passionnés, et *l'Anneau et le livre* (1868-1869).

BROYER [brwaje] v. t. (germ. *brekan,* briser). **1.** *Broyer une chose,* la réduire en petits morceaux ou l'écraser par choc ou par pression : *Le blé est broyé entre les meules. Broyer des couleurs* (syn. PULVÉRISER). — **2.** *Être broyé de fatigue* (syn. BRISER, HARASSÉ). ‖ Fam. *Broyer du noir,* avoir des idées sombres, être pessimiste. ◆ **broyage** ou **broiement** n. m. : *Le broyage des pierres dans un concasseur.* ◆ **broyeur, euse** adj. et n. Qui broie : *Les molaires broyeuses.* ‖ *Insecte broyeur,* insecte dont les pièces buccales sont faites pour broyer (orthoptères, coléoptères). ‖ *Insecte broyeur-lécheur* (hyménoptères). ◆ **broyeur** n. m. Machine à broyer.

BRU [bry] n. f. (lat. *brutis*). Par rapport au père et à la mère, femme du fils (syn. plus usuel BELLE-FILLE). [⟶ PARENTÉ.]

BRUAY-LA-BUISSIÈRE, ancienn. **Bruay-en-Artois,** ch.-l. de cant. du Pas-de-Calais, à 9 km au S.-O. de Béthune; 23 200 hab. L'extraction houillère a disparu de la région.

BRUAY-SUR-L'ESCAUT, comm. du Nord, au N. de Valenciennes; 11 900 hab.

BRUCELLA [brysɛla] n. f. (du n. de David *Bruce*). Nom collectif des microbes qui provoquent les brucelloses. ◆ **brucellose** n. f. Groupe d'affections communes à l'homme *(fièvre de Malte* ou *fièvre ondulante)* et à quelques espèces animales (ruminants, équidés, porcins), causées par une brucella.

BRUCHE [bryʃ] n. f. (gr. *broukhos*). Insecte coléoptère, dont la larve vit dans les graines des légumineuses (pois, haricot, fève, etc.).

BRUCKNER (Anton), compositeur de musique autrichien (1824-1896). Son œuvre se rattache au romantisme.

BRUEGEL ou **BREUGHEL,** famille de peintres flamands. PIETER, dit **Bruegel le Vieux** (v. 1525-1569), est un des plus grands peintres flamands. Il demeura toujours fidèle au réalisme et au folklore de son pays, représentant, dans des paysages familiers, des paysans heureux *(le Repas de noces, la Danse des paysans),* mais aussi des scènes dramatiques, souvenirs des guerres qui déchirèrent la Hollande, et surtout moralisatrices *(la Parabole des aveugles).* Il eut deux fils : PIETER II, dit **Bruegel d'Enfer** (v. 1564-1638), qui peignit des incendies, des scènes tragiques; JAN, dit **Bruegel de Velours** (1568-1625), auteur de tableaux de fleurs, de paysages minutieux, de scènes de genre.

BRUGES, en néerl. **Brugge** (« Pont »), v. de Belgique, ch.-l. de la Flandre-Occidentale, reliée à Zeebrugge, port de la mer du Nord, par un canal maritime de 13 km de long; 119 000 hab. *(Brugeois).*

HISTOIRE. Située au fond de l'estuaire du Zwyn, Bruges fut dès le XIIe s. un port important, une grande ville marchande et un entrepôt des villes de la Hanse. Capit. financière et grand centre de l'industrie drapière, Bruges connut sa plus grande prospérité sous les ducs de Bourgogne (XIVe-XVe s.) : elle a gardé de cette époque des monuments célèbres. Puis Bruges déclina à cause de l'ensablement de son port et de la concurrence d'Anvers.

BRUGES, comm. de la Gironde, dans la banlieue nord-ouest de Bordeaux, en bordure des *marais de Bruges;* 8 000 hab.

BRUGNON [bryɲɔ̃] n. m. (du lat. *prunus,* prune). Hybride de pêche à peau lisse. ◆ **brugnonier** n. m. Variété de pêcher produisant les brugnons.

BRUINE [brɥin] n. f. (lat. *pruina,* gelée blanche). Petite pluie fine et serrée, qui tombe par gouttes imperceptibles. ◆ **bruiner** v. impers. : *Il bruine légèrement.* ◆ **bruineux, euse** adj. : *Un temps bruineux.*

BRUISSEMENT [brɥismɑ̃] n. m. (du bas lat. *brugere,* bruire). Bruit confus, fait de multiples bruits légers : *Le bruissement du vent dans les feuilles* (syn. MURMURE). *Le bruissement d'une robe du soir* (syn. FROUFROU). ◆ **bruire** v. i. (ne s'emploie guère qu'à l'infin. et à l'imp.; sujet nom de chose). Faire entendre un bruissement : *Le vent bruissait dans les feuilles.*

1. BRUIT [brɥi] n. m. (lat. *rugitus,* avec influence de *bruire*). Ensemble de sons sans harmonie, produits par des vibrations plus ou moins irrégulières : *Le bruit de l'orage, du tonnerre* (syn. GRONDEMENT). *Les bruits du cœur* (syn. BATTEMENT). *Un bruit infernal* (syn. VACARME). ◆ **bruiter** v. i. Produire des bruits artificiels à la radio, à la télévision, au théâtre, au cours du tournage d'un film, pour accompagner l'action. ◆ **bruitage** n. m. ◆ **bruiteur** n. m. Spécialiste du bruitage.

2. BRUIT [brɥi] n. m. (même étym.). Nouvelle répandue dans le public; retentissement qu'elle peut avoir : *On a fait du bruit (grand bruit) autour de cette découverte* (= cette découverte a connu une grande publicité). *Répandre de faux bruits.* ◆ **ébruiter** [ebrɥite] v. t. *Ébruiter une nouvelle,* la répandre dans le public : *Le scandale a été ébruité* (syn. DIVULGUER). ◆ **s'ébruiter** v. pr. (sujet nom de chose). Devenir connu : *Les décisions se sont ébruitées* (syn. SE RÉPANDRE, SE SAVOIR).

BRÛLANT, E adj., **BRÛLÉ, E** adj. et n. m. ⟶ BRÛLER.

BRÛLE-POURPOINT (À) [abrylpurpwɛ̃] loc. adv. (de *brûler,* et *pourpoint*). *Poser une question à brûle-pourpoint, demander, dire, interroger à brûle-pourpoint,* de façon brusque, sans préparation ni ménagement.

BRÛLER [bryle] v. t. (de l'anc. fr. *usler,* brûler, et *bruire*). **1.** *Brûler qqch., qq'un,* les détruire, les anéantir, les endommager par le feu : *Brûler des papiers* (syn. CONSUMER). *La maison a été brûlée* (syn. INCENDIER). *Deux personnes ont été brûlées vives* (syn. CARBONISER). — **2.** *Brûler une chose,* l'altérer par l'action du feu, de la chaleur, du froid, d'un acide, etc. : *Elle a brûlé le rôti* (syn. ↑CALCINER). *On brûle le café vert* (syn. TORRÉFIER). *La gelée a brûlé les bourgeons.* — **3.** *Brûler qq'un,* lui causer une sensation de forte chaleur, de dessèchement, de douleur cuisante : *La réverbération du soleil me brûle les yeux.* — **4.** *Brûler un combustible,* l'utiliser comme source d'énergie pour le chauffage, l'éclairage, etc. : *On a brûlé beaucoup d'électricité* (syn. CONSOMMER). — **5.** *Brûler un obstacle, une limite fixée,* les franchir rapidement : *Il a brûlé les étapes* (= il a eu une carrière rapide). *La voiture a brûlé le feu rouge* (= ne s'est pas arrêtée au feu rouge). ‖ *Brûler les planches,* jouer avec beaucoup de brio, en parlant d'un acteur. — **6.** Fam. *Être brûlé,* être découvert, démasqué. ◆ v. i. **1.** Être détruit par le feu, consumé (auxil. *avoir*) : *La forêt a brûlé. Le feu de bois brûle dans la cheminée* (syn. FLAMBER). — **2.** Être impatient de : *Tu brûles de parler* (syn. ↓DÉSIRER). — **3.** Fam. *Le torchon brûle entre eux* (= ils sont en désaccord). *Tu y es presque, tu brûles!* (= tu es près de découvrir ce que tu cherches). ◆ **se brûler** v. pr. **1.** Subir les effets du feu, d'une chaleur violente; s'altérer : *Se brûler avec de l'eau bouillante. Il se brûle les yeux à force de lire* (syn. SE FATIGUER). — **2.** *Se brûler la cervelle,* se tuer d'une balle dans la tête. ◆ **brûlant, e** adj. : *Boire du café brûlant* (= très chaud). *Des regards brûlants* (syn. ARDENT, PASSIONNÉ). *C'est un terrain, un sujet brûlant* (= où la discussion est dangereuse, risquée). ◆ **brûlé, e** adj. *Tête brûlée,* aventurier qui aime le seul risque. ◆ **brûlé** n. m. **1.** Ce qui a subi l'action du feu : *Une odeur de brûlé.* — **2.** Fam. *Ça sent le brûlé,* l'affaire prend une tournure dangereuse. ◆ **brûleur** n. m. Appareil où se produit la combustion du gaz, de l'alcool, du mazout. ◆ **brûlis** n. m. Partie de forêt ou de champ brûlée pour améliorer le sol. ⟶ ENCYCL.

◆ **brûlot** n. m. **1.** Petit navire rempli de matières inflammables et employé aux XVIIe et XVIIIe s. pour incendier les vaisseaux ennemis. — **2.** Eau-de-vie brûlée avec du sucre. — **3.** Journal se livrant habituellement à de violentes polémiques. ◆ **brûlure** n. f. Effet, marque du feu, d'une grande chaleur sur une partie du corps, sur un objet ou une matière; sensation analogue à celle d'une brûlure. — ENCYCL. La *culture sur brûlis*, ou *écobuage*, est une technique agricole primitive très répandue; elle débarrasse le sol des plantes gênantes et fournit par les cendres une certaine quantité d'engrais. Cette méthode de culture porte des noms variés selon les pays : *ray* (Viêt-nam), *ladang* (Indonésie), *tavy* (Madagascar), etc.

BRUMAIRE [brymɛr] n. m. (de *brume*). Deuxième mois du calendrier républicain (23 octobre-21 novembre). [⟶ CALENDRIER, *calendrier républicain*.]

Brumaire (18-) [18-19 brumaire an VIII, 9-10 novembre 1799], coup d'État qui donna le pouvoir à Bonaparte, mit fin au Directoire et préluda au Consulat. Le complot réalisa ses objectifs en deux temps : le 18 brumaire, Barras démissionna, les chambres furent transférées à Saint-Cloud. Bonaparte fut mis à la tête des troupes de Paris; le 19, Lucien, frère de Bonaparte et président des Cinq-Cents, fit expulser les députés par la force.

BRUMATH, ch.-l. de cant. du Bas-Rhin, à 17 km au N. de Strasbourg; 7 700 hab. Forêt domaniale. Vignobles.

BRUME [brym] n. f. (prov. *bruma*). Amas de gouttelettes en suspension dans l'air, qui forme un écran plus ou moins opaque au voisinage du sol ou de la surface des eaux. (⟶ BROUILLARD.) ◆ **brumer** v. impers. Se dit quand il y a de la brume. ◆ **brumeux, euse** adj. **1.** Couvert de brume, chargé de brumes : *Le ciel est brumeux.* — **2.** *Esprit brumeux*, qui manque de clarté et de cohérence dans les idées. ◆ **embrumer** v. t. **1.** Envelopper de brume, de brouillard. — **2.** Assombrir, attrister : *Les craintes qui embrument l'avenir.*

BRUN, E [brœ̃, bryn] adj. (germ. *brûn*). D'une couleur foncée, intermédiaire entre le jaune et le noir : *Avoir le teint brun.* ◆ adj. et n. Qui a les cheveux de couleur foncée : *Une femme brune* (distinct du *châtain*, du *blond*, du *roux*, etc.). ◆ **brun** n. m. Cette couleur elle-même (peut être suivi d'un adj. qui précise la teinte dominante) : *Un brun foncé, un brun rouge.* ◆ **brunâtre** adj. Qui tire sur le brun. ◆ **brunette** n. f. Jeune femme brune. ◆ **brunir** [brynir] v. t. Rendre brun (souvent au passif) : *Il est revenu bien bruni de ses vacances* (syn. BRONZÉ). ◆ v. i. et **se brunir** v. pr. Devenir brun : *Elle cherche à brunir au soleil* (syn. BRONZER). ◆ **brunissement** n. m. : *Le brunissement de la peau.*

BRUNE (Guillaume), maréchal de France (1763-1815). Il s'illustra en Hollande et en Italie et fut assassiné à Avignon pendant la Terreur blanche.

BRUNEHAUT, épouse du roi d'Austrasie Sigebert, née v. 534. Régente de l'Austrasie après l'assassinat de Sigebert (575), elle fut battue par Clotaire II en 596. La mort de deux de ses petits-fils la désignait pour une nouvelle régence, qui fut refusée par l'aristocratie d'Austrasie. Livrée à Clotaire II, elle fut mise à mort en étant attachée à la queue d'un cheval sauvage (613).

BRUNEI, sultanat de la côte nord-ouest de Bornéo, devenu indépendant le 1er janvier 1984; 5 800 km²; 300 000 hab. Capit. *Bandar Seri Begawan* (37 000 hab.). Pétrole et gaz naturel.

BRUNELLESCHI (Filippo), sculpteur et architecte italien (1377-1446), initiateur de la Renaissance à Florence.

BRUNETTE n. f. ⟶ BRUN.

BRUNHES (Jean), géographe français (1869-1930), auteur de *la Géographie humaine* (1910).

BRUNIR v. t. et i., **BRUNISSEMENT** n. m. ⟶ BRUN.

BRUNO *(saint)*, né à Cologne (v. 1035-1101), fondateur de l'ordre des Chartreux.

BRUNO (Giordano), penseur italien (1548-1600). Rationaliste, il fut persécuté et, livré au Saint-Office par Venise, fut brûlé vif.

BRUNOY, ch.-l. de cant. de l'Essonne, à 7 km au S.-E. de Villeneuve-Saint-Georges; 23 900 hab.

BRUNSWICK, en all. **Braunschweig,** ancien duché d'Allemagne qui était formé de nombreuses enclaves, dans l'Allemagne moyenne.

BRUNSWICK, v. d'Allemagne (Basse-Saxe); 257 000 hab. Automobiles.

BRUNSWICK (Charles, *duc* DE) [1735-1806]. Commandant en chef de l'armée prussienne qui envahit la France en 1792, il marchait sur Paris lorsqu'il lança l'ultimatum connu sous le nom de *manifeste de Brunswick*, par lequel, au nom des puissances coalisées, il menaçait de livrer Paris « à une exécution militaire totale » s'il était fait outrage à la famille royale. Cette menace provoqua la journée du 10-Août, qui vit la chute de la royauté. Entré en tractation avec Danton, le duc de Brunswick battit en retraite à Valmy (20 septembre 1792). Il fut battu par Davout à Auerstedt, et mortellement blessé.

BRUSHING [brœʃiŋ] n. m. (n. déposé). Mise en forme des cheveux, mèche après mèche, à l'aide d'une brosse et d'un séchoir à main.

1. BRUSQUE [brysk] adj. (it. *brusco*, âpre) [presque toujours après le nom]. Se dit d'une personne (ou de sa conduite) qui va droit au fait, en agissant avec soudaineté et souvent avec violence : *Un ton brusque* (syn. SEC; contr. DOUX). *Un geste brusque* (syn. BRUTAL, NERVEUX). ◆ **brusquer** v. t. *Brusquer qq'un*, le traiter sans ménagement, en s'efforçant de le faire aller plus vite. ◆ **brusquerie** n. f. Caractère brusque (syn. RUDESSE).

2. BRUSQUE [brysk] adj. (même étym.). Se dit d'une chose qui arrive d'une manière soudaine, imprévue : *Le changement brusque de la situation* (syn. BRUTAL, INATTENDU). ◆ **brusquement** adv. (syn. BRUTALEMENT; contr. DOUCEMENT). ◆ **brusquer** v. t. *Brusquer une chose*, en accélérer le cours, en hâter la fin : *Brusquer une affaire* (syn. PRÉCIPITER ; contr. RETARDER).

1. BRUT, E [bryt] adj. (lat. *brutus*, lourd). **1.** Se dit d'une chose qui n'a pas été traitée, façonnée, qui n'a pas subi de préparation spéciale : *Le pétrole brut* (= non raffiné). *Un diamant brut* (= non taillé). *Servir du champagne brut* (= très sec, non sucré). — **2.** Se dit de ce qui est encore dans son état naturel, qui n'a subi aucune élaboration : *Des idées à l'état brut.*

2. BRUT, E [bryt] adj. (même étym.). Dont on n'a pas déduit certains frais, certaines taxes; dont on n'a pas retranché le poids de l'emballage : *Salaire brut* (= qui n'a encore subi aucune retenue). *Poids brut* (= comprenant celui de l'emballage). ◆ adv. : *Ce colis pèse brut 15 kilos* (contr. NET).

1. BRUTAL, E, AUX [brytal, -to] adj. et n. (bas lat. *brutalis*). Se dit d'une personne (ou de son attitude) qui se comporte d'une manière grossière et violente : *Un homme brutal* (syn. DUR, MÉCHANT; contr. DOUX, HUMAIN). *Une discussion brutale* (syn. ↓VIF). ◆ **brutalement** adv. (syn. DUREMENT). ◆ **brutaliser** v. t. *Brutaliser qq'un*, le traiter d'une manière violente, sauvage (syn. FRAPPER, MALTRAITER). ◆ **brutalité** n. f. : *S'exprimer avec brutalité* (syn. FRANCHISE, ↓RUDESSE). *Condamner les brutalités de la police* (syn. VIOLENCE).

2. BRUTAL, E, AUX [brytal, -to] adj. (même étym.). Se dit d'une chose, d'un événement soudains, inattendus : *La mort brutale d'un ami.* ◆ **brutalement** adv. : *La pluie tomba brutalement* (syn. SUBITEMENT). ◆ **brutalité** n. f. : *La brutalité de l'événement a surpris tout le monde* (syn. BRUSQUERIE).

BRUTE [bryt] n. f. (de *brut*). Homme qui se laisse aller à ses instincts cruels et grossiers, sans être retenu ni par la raison ni par le sentiment : *Il frappe comme une brute.*

BRUTUS (Lucius Junius), neveu de Tarquin le Superbe. Animé d'une haine farouche pour les rois de Rome, il fit abolir la royauté (509 av. J.-C.). Ses fils ayant comploté pour restaurer la monarchie, il présida lui-même à leur exécution. Brutus est resté le type du républicain farouche.

BRUTUS (Marcus Junius), homme politique et écrivain romain (v. 85-42 av. J.-C.). Il entra dans la conjuration contre César. Réfugié en Orient avec son complice Cassius, il fut battu à la bataille de Philippes (42 av. J.-C.) par Octavien et Antoine, et se donna la mort.

BRUXELLES, en néerl. **Brussel,** ch.-l. du Brabant et capit. de la Belgique ; 144 000 hab. *(Bruxellois).*

GÉOGRAPHIE. Située sur la Senne, à un carrefour de voies de communication, Bruxelles est depuis longtemps une importante place commerciale. Sa fonction de capitale lui confère un rôle administratif. Mais des industries variées s'y sont développées. L'agglomération atteint aujourd'hui environ 1 million d'hab.

HISTOIRE. Née vers le Xe s., Bruxelles devint rapidement une étape sur la route Bruges-Cologne et une ville importante dès le XIIIe s.

- *1430. Bruxelles devient la véritable capitale des Pays-Bas après la réunion du Brabant aux autres possessions du duc de Bourgogne Philippe le Bon.*

Aux XVe et XVIe s., la ville connaît une grande prospérité.

- *1713. Bruxelles passe de la souveraineté de l'Espagne à celle de l'Autriche.*
- *1830. Bruxelles est proclamée capitale du nouveau royaume de Belgique.*
- *1958. L'Exposition universelle accueille 42 millions de visiteurs.*

Bruxelles est devenue une des capitales de la Communauté européenne.

BRUYANT, E [brɥijɑ̃, -ɑ̃t] adj. (de *bruire*). **1.** Se dit d'une personne (ou de sa conduite), de choses qui font beaucoup de bruit : *Des enfants très bruyants* (syn. TURBULENT). — **2.** Se dit d'un lieu où il y a beaucoup de bruit : *Une rue bruyante* (contr. SILENCIEUX). ◆ **bruyamment** adv. Avec beaucoup de bruit.

BRUYÈRE [bryjɛr ou brɥijɛr] n. f. (bas lat. *brucaria*). **1.** Plante à petites fleurs violettes ou roses, qui pousse sur les sols siliceux (telle la lande bretonne). [Famille des éricacées.] — **2.** *Terre de bruyère*, produite par la décomposition des feuilles de bruyère.

BRUZ, ch.-l. de cant. d'Ille-et-Vilaine, à 11 km au S.-S.-O. de Rennes ; 8000 hab. Électronique.

BRYOPHITES [brijɔfit] n. f. pl. (du gr. *bruon*, mousse, et *phuton*, plante). Embranchement du règne végétal comprenant les plantes cryptogames *(mousses* et *hépatiques)* qui n'ont ni racines, ni vaisseaux, ni sève, mais qui possèdent un rudiment de tige et parfois des feuilles.

BRY-SUR-MARNE, ch.-l. de cant. du Val-de-Marne, sur la Marne (r. g.), à 14 km à l'E.-S.-E. de Paris; 12200 hab.

BUANDERIE [byɑ̃dri] n. f. (de *buée*). Lieu où se fait la lessive.

BUBALE [bybal] n. m. (gr. *boubalos*, buffle). Grande antilope africaine à cornes en U ou en lyre. (Ordre des ruminants.)

BUBON [bybɔ̃] n. m. (gr. *boubôn*). Ganglion lymphatique enflammé.

BUCARAMANGA, v. de la Colombie; 292000 hab.

BUCAREST, en roum. **Bucureşti,** capit. de la Roumanie; 2082000 hab. Principale ville du pays, Bucarest s'est considérablement développée depuis la dernière guerre, notamment grâce à une croissance industrielle rapide.

- *1812. Traité de paix russo-turque.*
- *1913. Traité de paix entre la Bulgarie d'une part, la Serbie, le Monténégro, la Grèce et la Roumanie de l'autre.*

BUCCAL, E, AUX [bykal, -ko] adj. (du lat. *bucca*). Relatif à la bouche : *Prendre un médicament par voie buccale* (= par la bouche). ‖ *Pièces buccales*, appendices situés en dehors et au voisinage de la bouche, et qui concourent à la préhension et à la trituration des proies chez les animaux invertébrés.

BUCCIN [byksɛ̃] n. m. (du lat. *buccina*, trompe de bouvier). Gros mollusque gastropode carnivore, dont la coquille après perforation du sommet servait aux Anciens de corne d'appel.

Bucéphale, nom du cheval d'Alexandre.

1. BÛCHE [byʃ] n. f. (germ. *busk*, baguette). Gros morceau de bois coupé pour être mis au feu. ◆ **bûcheron** n. m. Celui qui est employé à l'abattage du bois en forêt.

2. BÛCHE [byʃ] n. f. (même étym.). *Fam.* Chute lourde : *Prendre, ramasser une bûche* (= tomber).

BUCHENWALD, camp de concentration allemand, établi en Thuringe, au N.-O. de Weimar, et qui fut ouvert dès 1937 pour les adversaires du nazisme et les Juifs.

1. BÛCHER [byʃe] n. m. (de *bûche*). **1.** Amas de bois, de matières combustibles, sur lequel on brûlait les personnes condamnées au feu. — **2.** Lieu où l'on range le bois à brûler.

2. BÛCHER [byʃe] v. t. et i. (même étym.) [sujet nom de personne]. *Fam.* Travailler, étudier avec ardeur et sans relâche. ◆ **bûcheur, euse** n. et adj. : *Un élève bûcheur.*

BÛCHERON n. m. ⟶ BÛCHE 1.

BÛCHEUR, EUSE n. et adj. ⟶ BÛCHER 2.

BÜCHNER (Georg), poète allemand (1813-1837). Ses idées libérales le condamnèrent à l'exil. Ses deux meilleures œuvres sont une tragédie de la jalousie, *Woyzeck* (publiée après sa mort), et *la Mort de Danton* (1835).

BUCK (Pearl), romancière américaine (1892-1973), auteur de romans qui ont la Chine pour cadre. (Prix Nobel, 1938.)

BUCKINGHAM (Georges VILLIERS, *duc* DE), homme politique anglais (1592-1628), favori des rois Jacques Ier et Charles Ier. Il fut assassiné.

Buckingham Palace, résidence royale à Londres.

BUCOLIQUE [bykɔlik] adj. (du gr. *boukolos*, bouvier). Relatif à la vie des bergers ou à la poésie pastorale. ◆ n. f. Poème pastoral.

Bucoliques, la première grande œuvre de Virgile, composée entre 42 et 39 av. J.-C. Ce sont dix courts dialogues de bergers appelés *églogues*. L'auteur chante dans la quatrième églogue l'apparition d'un nouvel « âge d'or ».

BUCOVINE, en russe **Boukovina,** région des Carpates orientales, partagée entre l'U. R. S. S. (partie de la république d'Ukraine) et la Roumanie. La principale ville, Tchernovtsy, est en territoire soviétique. La Bucovine fut longtemps liée à la Moldavie.

- *1775. Elle est cédée par les Turcs aux Autrichiens qui tentent de la germaniser.*
- *1918. La région est conquise par les Roumains.*
- *1947. Le nord de la Bucovine est annexé par l'U. R. S. S.*

BUDAPEST, capit. de la Hongrie; 2065000 hab. Elle est formée de la réunion de *Buda*, vieille citadelle de la rive droite du Danube, et de *Pest*, ville plus récente de la rive gauche. La ville, un des principaux carrefours de l'Europe centrale, a un rôle administratif et commercial primordial. Des industries variées se développent sur la rive gauche. Budapest est la métropole économique de la Hongrie.

- *13 fév. 1945. Les Soviétiques s'emparent de la ville après de durs combats menés contre les Allemands.*
- *Oct.-nov. 1956. Une insurrection contre le gouvernement est suivie d'une intervention militaire soviétique.*

BUDÉ (Guillaume), philologue et humaniste français (1467-1540). Il développa l'étude du grec ancien en France et obtint de François Ier la nomination des « lecteurs royaux » (= savants spécialisés dans diverses matières), qui constitueront le futur Collège de France (1530).

BUDGET [bydʒɛ] n. m. (angl. *budget*, sac de trésorier). Ensemble, prévu annuellement, des dépenses et des recettes de l'État, d'une collectivité, d'un service public ou d'une entreprise; ensemble mensuel ou annuel constitué par les revenus et les dépenses d'une famille ou d'un particulier : *Le budget est en équilibre quand les dépenses sont égales aux recettes. Boucler son budget* (= établir un équilibre entre ses dépenses et ses revenus). ◆ **budgétaire** adj. : *Les prévisions, les dépenses budgétaires.* ◆ **budgétiser** v. t. Introduire dans le budget. ◆ **budgétisation** n. f.

— ENCYCL. Le *budget de l'État* : ce sont les recettes et les dépenses annuelles prévues pour les besoins de l'État et des services qui s'y rattachent.

Chaque ministre établit le budget nécessaire au fonctionnement de son département ministériel. Un projet de budget national, groupant les différents ministères, est préparé par le Premier ministre. Sous le nom de *loi de finances*, il est soumis à l'examen et au vote du *Parlement* (Assemblée nationale et Sénat).

Le budget de l'État ne fournit pas un équilibre pur et simple des recettes et dépenses; il tend à traduire, en chiffres, l'orientation économique du pays.

En France, le budget obéit à certaines règles, dont celle de l'*universalité* (il doit comprendre les détails de l'ensemble des recettes et des dépenses) et celle de l'*annualité* (les dépenses et les recettes ne sont autorisées que pour l'année en cause).

Le *budget départemental* comprend, comme le budget national, le budget « ordinaire », de fonctionnement, et le budget « extraordinaire », d'équipement. Préparé, depuis la réforme de 1981, par le président du Conseil général, il est exécuté par le comptable départemental du budget.

Le *budget communal* comprend également deux parties, et est préparé et proposé au conseil municipal par le maire; il est exécuté par le comptable de la commune, fonctionnaire du Trésor.

BUÉE [bɥe] n. f. (anc. fr. *buer*, faire la lessive). Dépôt de fines gouttelettes qui se forme sur une surface par condensation : *Vitre couverte de buée.* ◆ **désembuage** n. m. Action de débarrasser une vitre de buée : *Le désembuage du pare-brise de la voiture.*

BUENAVENTURA, principal port de Colombie, sur le Pacifique; 113300 hab.

BUENOS AIRES, capit. de l'Argentine ; 3 millions d'hab. (L'agglomération urbaine compte près de 10 millions d'hab.). Située sur le Rio de La Plata, Buenos Aires est le premier port argentin. À ses activités commerciales (marché de viande et de céréales) se sont jointes quelques industries.

BUFFALO, v. des États-Unis (New York), sur le lac Érié, près du Niagara; 532800 hab.

BUFFALO BILL (William Frederick CODY, dit), pionnier américain (1846-1917). Il participa à la guerre de Sécession et aux opérations contre les Cheyennes et les Sioux. Mais sa célébrité est due surtout à son adresse de chasseur de buffles. Il fut ensuite directeur de cirque.

1. BUFFET [byfɛ] n. m. (orig. obscure). Meuble de la salle à manger ou de la cuisine, destiné à contenir la vaisselle, le linge et le service de table.

2. BUFFET [byfɛ] n. m. (orig. obscure). **1.** Table où sont disposés les mets, les pâtisseries, les boissons destinés aux personnes invitées à une réception : *Un buffet bien garni.* — **2.** *Buffet de la gare*, ou simplement *buffet*, restaurant installé dans les gares à l'usage des voyageurs.

BUFFET (Bernard), peintre et graveur français, né en 1928. Il s'exprime par un dessin linéaire aigu, des figures statiques, des paysages urbains dépouillés et vides.

BUFFLE [byfl] n. m. (it. *bufalo*). Mammifère ruminant, très voisin du bœuf, que l'on trouve en Europe méridionale, en Asie et en Afrique. (Famille des bovidés.)

BUFFON (Georges Louis LECLERC, *comte* DE), naturaliste et écrivain français (1707-1788). Nommé en 1739 intendant du futur Muséum, appelé alors le Jardin du roi, il commença son *Histoire naturelle* en 36 volumes; dans cette œuvre, qu'il écrivit avec plusieurs collaborateurs, il se montra un excellent observateur de la nature et eut l'intuition de la transformation lente de l'univers et de l'évolution des espèces végétales et animales sur la terre.

BUG (le), ou **BUG OCCIDENTAL,** riv. de l'Europe orientale servant de frontière entre la Pologne et l'U. R. S. S. (Ukraine), affl. de la Vistule (r. dr.); 813 km.

BUGEAUD (Thomas Robert), marquis DE LA PICONNERIE, maréchal de France (1784-1849).

- *1836. Envoyé en Algérie, il dirige la lutte contre Abd el-Kader.*
- *1837. Il signe le traité de la Tafna avec Abd el-Kader.*
- *1840. Il est nommé gouverneur général de l'Algérie.*

Bugeaud préconise une colonisation totale par l'armée : le soldat doit aider à l'établissement des routes, aux adductions d'eau, à la mise en valeur des terres.

- *1843. Il est nommé maréchal de France.*
- *1844. Victoire de l'Isly : Bugeaud bat les Marocains accusés de soutenir Abd el-Kader (il reçoit le titre de duc d'Isly).*

BUGEY, région du sud du Jura, dans le dép. de l'Ain, à l'intérieur d'une boucle du Rhône. V. pr. *Belley.* On y distingue parfois le *haut Bugey* (au N.) et le *bas Bugey* (au S.).

1. BUGLE [bygl] n. m. (mot angl.). Nom collectif des instruments à vent en cuivre de la famille des saxhorns.

2. BUGLE [bygl] n. f. (lat. *bugula*). Plante herbacée dont une espèce à fleurs bleues est commune dans les bois humides. (Famille des labiacées.)

BUGRANE [bygran] n. f. (lat. *bucranium*, tête de bœuf). Plante à fleurs roses et à rameaux épineux, commune dans les champs, au bord des chemins. (Famille des papilionacées.)

BUILDING [bildiŋ] n. m. (mot angl.). Immeuble ayant un grand nombre d'étages.

BUIS [bɥi] n. m. (lat. *buxus*). Arbrisseau à feuilles persistantes pouvant vivre plusieurs siècles. (Famille des buxacées.)

BUISSON [bɥisɔ̃] n. m. (de *bosc*, bois). **1.** Bouquet d'arbustes bas, parfois épineux et difficile à traverser : *Des buissons de roses.* — **2.** *Buisson ardent*, buisson qui brûlait sans se consumer, et sous la forme duquel Dieu apparut à Moïse pour lui annoncer sa mission. — **3.** *Buisson d'écrevisses*, plat d'écrevisses disposées en pyramide épineuse. ◆ **buissonneux, euse** adj. Couvert de buissons : *Terrain buissonneux.*

BUISSONNIÈRE [bɥisɔnjɛr] adj. f. (de *buisson*). *Faire l'école buissonnière*, en parlant d'écoliers, de lycéens, aller jouer, flâner au lieu de se rendre à l'école.

BUJUMBURA, ancienn. **Usumbura,** capit. du Burundi; 141 000 hab.

BUKAVU, v. du Zaïre, près du lac Kivu; 180 600 hab.

BULBE [bylb] n. m. (lat. *bulbus*, oignon). **1.** Organe végétal formé par un bourgeon souterrain, portant de nombreuses feuilles charnues et serrées, remplies de réserves nutritives, et permettant à la plante de reformer chaque année ses parties aériennes : *Bulbes de l'oignon, de la jacinthe.* — **2.** *Bulbe rachidien*, portion inférieure de l'encéphale des vertébrés, située au-dessus de la moelle épinière et dont la forme rappelle celle d'un bulbe. Il est formé de substance grise (corps des cellules nerveuses) et de substance blanche (fibres nerveuses). ⟶ ENCYCL. ◆ **bulbaire** adj. Relatif à un bulbe, et spécialem. au bulbe rachidien. ◆ **bulbeux, euse** adj. Qui présente un bulbe, ou qui a la forme d'un bulbe.

— ENCYCL. Le *bulbe rachidien* fait suite à la moelle épinière. Situé entre la boîte crânienne et la colonne vertébrale, il passe dans le trou occipital et s'engage dans le canal rachidien au niveau de l'atlas*.

Ses *fonctions* sont importantes : il contient de nombreux centres nerveux qui règlent le fonctionnement du cœur, de la respiration, de la température du corps.

Les *maladies* ou *accidents* touchant le bulbe entraînent des troubles de la température, du rythme cardiaque et respiratoire, et des paralysies diverses de la face ou des membres. Tout choc atteignant la nuque peut entraîner la mort, par lésion de l'articulation entre le crâne et les premières vertèbres, situées à la hauteur du bulbe.

BULGARE [bylgar] adj. et n. (lat. *Bulgarus*). **1.** De la Bulgarie. — **2.** *Bacille bulgare*, ferment lactique employé dans la fabrication des yaourts. ◆ n. m. Langue slave parlée principalement en Bulgarie.

BULGARIE, en bulgare **Bălgarija,** république de la péninsule des Balkans.

SUPERFICIE 111 000 km² (France : 550 000 km²).

POPULATION 9 000 000 hab. *(Bulgares)*; 81 hab. au km² (France : 103); taux de natalité, 16,5 p. 1000; taux de mortalité, 10,1 p. 1 000.

CAPITALE Sofia (1 082 300 hab.).

VILLES PRINCIPALES Plovdiv (367 200 hab.); Varna (295 000 hab.).

LANGUE bulgare.

ÉCONOMIE consommation d'énergie par hab., 5 300 kg d'équivalent charbon.

MONNAIE lev.

GÉOGRAPHIE

La plaine du Danube, au N., et celle de la Maritza, au centre, sont séparées par le mont Balkan (2 376 m). Au S., le massif du Rhodope culmine à 2 925 m. L'ensemble du pays connaît un climat continental relativement sec.

	TEMPÉRATURES MOYENNES janv.	juil.	PLUIES
Sofia	— 3,7 °C	19,3 °C	602 mm

L'*agriculture* occupe encore la plus grande partie de la population. Pratiquée dans les bassins, elle produit essentiellement céréales, fruits et légumes, vins, roses et tabac. L'élevage ovin et porcin lui est associé.

blé	3 600 000 t	ovins	10 millions de têtes
tabac	125 000 t		

L'*industrie* a fait beaucoup de progrès : aux activités traditionnelles (textile, industries alimentaires) se sont ajoutées métallurgie et chimie, grâce à l'exploitation du lignite et du fer, et le développement de l'hydro-électricité.

lignite	30 millions de t	acier	2 900 000 t
fer	700 000 t	électricité	45 milliards de kWh

HISTOIRE

Territoire de l'anc. Thrace, l'actuelle Bulgarie subit la domination romaine, avant d'être envahie au VIe s. par des Slaves, et au VIIe s. par des peuples originaires des steppes de l'Asie centrale : ils se stabilisent et s'organisent en État.

- *852-889. Le roi Boris Ier, converti au christianisme, ouvre son peuple à l'influence de la civilisation européenne.*

Aux IXe et Xe s., la Bulgarie forme un Empire puissant.

- *1018-1185. Domination byzantine.*
- *1187. Le second Empire bulgare s'organise autour de Tărnovo.*

La Bulgarie devient la puissance dominante des Balkans. À partir de la seconde moitié du XIIIe s., cet empire se morcelle en principautés indépendantes.

- *Fin du XIVe s. La Bulgarie est annexée à l'Empire ottoman pour plus de quatre siècles.*

Cependant le sentiment national bulgare reste vivant. L'émancipation du pays se dessine au XIXe s.

- *1878. Traité de San Stefano : avec l'aide de la Russie, la Bulgarie devient autonome. (Mais les puissances européennes la partagent en deux principautés.)*
- *1908. La Bulgarie devient un royaume indépendant.*

Le tsar Ferdinand rompt tout lien de vassalité avec le sultan.

- *1912. Alliée à la Serbie et à la Grèce, la Bulgarie engage une guerre victorieuse contre la Turquie.*
- *1913. La Bulgarie se retourne contre ses alliés : elle est vaincue et perd presque toutes ses conquêtes au traité de Bucarest.*

Pendant la Première Guerre mondiale, la Bulgarie s'allie à l'Allemagne et à l'Autriche-Hongrie. Elle est vaincue.

- *1919. Perte de l'accès à la mer Égée (traité de Neuilly).*
- *1941-1944. La Bulgarie est aux côtés de l'Allemagne.*
- *1944. Renversement des alliances : les Bulgares se joignent aux troupes soviétiques contre les Allemands.*
- *1946. Proclamation de la république.*

La Bulgarie devient une démocratie populaire avec un régime inspiré de celui de l'U. R. S. S. La vie politique est dominée par le parti communiste dont les premiers secrétaires sont Valko Červenkov (1950-1954) puis Todor Živkov (1954-1989).

- *1990. Le rôle dirigeant du parti communiste est aboli.*
- *1991. L'opposition démocratique forme un gouvernement.*
- *1992. Želju Želev (Jeliou Jelev), président de la République depuis 1990, est confirmé dans ses fonctions par une élection au suffrage universel.*

BULL (Frederik), ingénieur norvégien (1882-1925). Il construisit l'une des premières machines à cartes perforées (1919).

Bull *(John)* [mots angl. signif. *Jean Taureau*], sobriquet donné au peuple anglais.

BULLDOZER [byldozɛr] ou [byldozœr] n. m. (mot angl.). Engin à chenilles, très puissant, qui nivelle et déblaie les terrains au moyen d'une large lame placée à l'avant. (L'Administration préconise le mot BOUTEUR.)

1. BULLE [byl] n. f. (lat. *bulla*, bulle d'eau). Petite poche remplie d'air, de vapeur ou de gaz, qui s'élève à la surface d'un liquide en mouvement, en effervescence; globule formé d'une pellicule de liquide remplie d'air, qui reste en suspension dans l'air : *Des bulles d'air. Des bulles de savon.*

2. BULLE [byl] n. f. (lat. *bulla*, sceau). Décret du pape scellé de plomb, que l'on désigne en général par les premiers mots du texte : *La bulle « Unigenitus ».*

BULLETIN [byltɛ̃] n. m. (de l'it. *bolletino*, billet). Nom donné à tout écrit ou imprimé de caractère officiel, destiné, sous une forme généralement brève, à constater une situation sociale, à faire part d'une décision administrative ou judiciaire, à faire connaître publiquement un avis, à exprimer un vote, etc. (suivi d'un compl. de nom sans art. ou d'un adj.) : *Les médecins ont publié un bulletin de santé sur l'état de leur malade. Bulletin de vote. Bulletin de naissance. Le bulletin trimestriel de l'élève comporte un relevé de ses notes;* sans compl. désigne souvent le bulletin de vote.

BULLY-LES-MINES, comm. du Pas-de-Calais, à 10 km à l'O. de Lens; 12600 hab.

BÜLOW (Friedrich Wilhelm), général prussien (1755-1816). Il contribua aux défaites de Napoléon à Leipzig (1813) et à Waterloo (18 juin 1815) où son arrivée sur le flanc E. des Français fut décisive.

Bundestag, assemblée législative de la République fédérale d'Allemagne, élue pour quatre ans au suffrage universel direct.

Bundeswehr, nom donné en 1956 aux forces armées de l'Allemagne fédérale.

BUNGALOW [bœ̃galo] n. m. (mot angl.). **1.** Dans l'Inde, habitation basse, généralement en bois, entourée de vérandas. — **2.** Maison de campagne en rez-de-chaussée, de construction légère.

BUNKER [bunkœr] n. m. (mot all.). Construction en béton armé, conçue pour protéger des obus, des bombardements.

BUNSEN (Robert), chimiste et physicien allemand (1811-1899). On lui doit le brûleur à gaz *(bec Bunsen)* qui porte son nom. En 1859, il créa, avec Kirchhoff, l'analyse spectrale (= étude de la décomposition de la lumière).

BUÑUEL (Luis), cinéaste d'origine espagnole, naturalisé mexicain (1900-1983). Influencé par le surréalisme, il tourne avec Salvador Dali *l'Âge d'or* (1930). On lui doit encore : *Las Hurdes (Terre sans pain)* [1932], *Los Olvidados* (1949), *Viridiana* (1961), *le Charme discret de la bourgeoisie* (1972).

BUNYAN (John), écrivain anglais (1628-1688), auteur d'une allégorie religieuse qui exerça une profonde influence sur les gens du peuple, *le Voyage du pèlerin* (1678-1684).

BUONARROTI (Michelangelo) ⟶ MICHEL-ANGE.

BUPRESTE [byprɛst] n. m. (gr. *bouprêstis*, qui fait enfler les bœufs). Insecte coléoptère, aux couleurs vives, dont les larves sont très nuisibles aux arbres, où elles creusent des galeries.

BURALISTE [byralist] n. (de *bureau*). Employé préposé à un bureau de poste; commerçant qui tient un bureau de tabac.

BURE [byr] n. f. (lat. *burra*, bourre). *Étoffe, manteau de bure,* étoffe, manteau faits de grosse laine brune.

1. BUREAU [byro] n. m. (de *bure*). **1.** Table, munie ou non de tiroirs, dont on se sert pour écrire : *Ranger ses papiers dans son bureau.* — **2.** Pièce où est installée cette table, et qui est spécialement destinée au travail intellectuel ou à la réception des visiteurs : *L'avocat reçoit ses clients dans son bureau.* — **3.** Mobilier de cette pièce (table, bibliothèque, etc.) : *Un bureau Empire.*

2. BUREAU [byro] n. m. (même étym.). **1.** Établissement public où sont installés des services administratifs, commerciaux ou industriels (souvent au plur.) : *La fermeture des bureaux s'effectue à 18 h. Le bureau de poste* (= la poste). *Bureau de vote* (= lieu indiqué pour déposer son vote). — **2.** Caisse d'un théâtre (syn. GUICHET) : *Une représentation à bureaux fermés* (= réservée aux invités et à ceux qui ont loué leur place). — **3.** Ensemble des employés ou des fonctionnaires qui travaillent dans une administration, dans les services commerciaux, etc. : *Son dossier passe de bureau en bureau.* — **4.** Membres d'une assemblée, d'une association, élus pour diriger les travaux : *Élire un nouveau bureau.* ◆ **bureaucratie** [byrokrasi] n. f. *Péjor.* Ensemble des administrations publiques et ensemble des fonctionnaires qui leur appartiennent considérés du point de vue de l'esprit routinier, lent, tatillon qui les caractérise parfois. ◆ **bureaucrate** n. m. Employé dans les bureaux d'une administration. ◆ **bureaucratique** adj.

BURETTE [byrɛt] n. f. (de l'anc. fr. *buire*, vase). Petit flacon à goulot rétréci, où l'on met l'huile ou le vinaigre nécessaires pour le repas, ou l'eau et le vin utilisés pour la messe.

BURGAS, port de Bulgarie; 106300 hab. Raffinage du pétrole.

BURGENLAND, province de l'Autriche orientale; 272100 hab.

BÜRGER (Gottfried August), poète allemand (1747-1794), auteur de ballades (*Lénore*, 1773).

BURGONDES, anc. peuple germanique, d'origine scandinave. Sur les traces des Alamans, ils atteignirent le Rhin (Vᵉ s.). Vaincus par Aetius, ils furent transférés par les Romains en Savoie et dans la région de Genève, du Rhône et de la Saône. Ils furent soumis par les Francs, et leur territoire fut uni à la Neustrie. Ils ont laissé leur nom à la Bourgogne.

BURGOS, v. d'Espagne (Castille-León); 119900 hab. Monuments gothiques (cathédrale et églises), demeures des XVᵉ et XVIᵉ s.

Burgraves *(les)*, drame en vers de V. Hugo (1843).

BURIDAN (Jean), docteur scolastique (v. 1300-apr. 1358), recteur de l'université de Paris en 1327. On lui prête l'argument dit de *l'âne de Buridan*, illustrant la situation d'un homme sollicité de deux côtés et qui ne sait choisir : par quoi commencerait un âne également pressé par la soif et par la faim, et qui se trouverait placé à égale distance d'un seau d'eau et d'un picotin d'avoine?

BURIN [byrɛ̃] n. m. (it. *burino*). **1.** Ciseau d'acier trempé, pour couper ou graver les métaux. — **2.** Gravure faite exclusivement au burin. ◆ **burineur** n. m. Ouvrier qui enlève avec un burin les bavures de métal sur une pièce.

BURINÉ, E [byrine] adj. (de *burin*). *Visage buriné*, marqué de rides profondes.

BURKINA, nom de la Haute-Volta depuis 1984.

BURLESQUE [byrlɛsk] adj. et n. m. (de l'it. *burla*, farce). **1.** *Genre burlesque*, genre littéraire qui est d'un comique fondé sur le contraste entre le sérieux du sujet et le ridicule ou le trivial de l'expression. — **2.** D'une extravagance risible; farfelu.

BURNOUS [byrnu] n. m. (ar. *burnūs*). **1.** Grand manteau de laine, à capuchon et sans manches, que l'on porte dans les pays musulmans. — **2.** Vêtement de nourrisson à petite capuche.

BURTON (*sir* Richard), explorateur anglais (1821-1890). En 1858, il découvrit le lac Tanganyika.

BURUNDI, république de l'Afrique centrale, au bord du lac Tanganyika; 28000 km²; 5500000 hab. (196 au km²). Capit. *Bujumbura* (141000 hab.).

GÉOGRAPHIE. Le climat, de type équatorial dans les parties basses, est atténué par l'altitude sur les plateaux qui couvrent la plus grande partie du pays. Les ressources sont surtout agricoles. La population, très dense, pratique l'élevage extensif dans la savane et des cultures de café, de coton et de manioc.

HISTOIRE. D'abord intégré à l'Afrique-Orientale allemande, le Burundi, partie méridionale de l'anc. territoire du Ruanda-Urundi, fut placé sous tutelle belge à partir de 1916. Il accéda à l'indépendance en 1962. La vie politique est dominée par les conflits tribaux entre les Hutus (85 p. 100 de la population) et les Tutsis, minoritaires mais qui détiennent traditionnellement le pouvoir (massacres de 1972 et de 1988).

BUS [bys] n. m. Syn. de AUTOBUS. (⟶ AUTO 1.)

BUSARD [byzar] n. m. (de *buse*). Oiseau rapace diurne, long de

50 cm, aux formes élancées, fréquentant le voisinage des marais, où il recherche sa nourriture (reptiles, petits rongeurs, petits oiseaux). [Famille des falconidés.]

1. BUSE [byz] n. f. (lat. *buteo*). Oiseau rapace diurne, long de 50 à 60 cm, grand destructeur de rongeurs, de reptiles, de petits oiseaux qu'il guette perché. (Famille des falconidés.)

2. BUSE [byz] n. f. (néerl. *buse*, conduit). Nom de diverses sortes de conduits ou de tuyaux.

BUSH (George Herbert Walker), homme d'État américain, né en 1924. Républicain, il est président des États-Unis depuis 1989.

BUSQUÉ, E [byske] adj. (de l'it. *busco*, bûchette). *Nez busqué*, qui présente une courbure convexe accentuée (syn. AQUILIN).

BUSSANG *(col de)*, col des Vosges entre la haute Moselle et la vallée de la Thur; 734 m.

BUSTE [byst] n. m. (it. *busto*). **1.** Partie supérieure du corps humain, de la tête à la ceinture : *Redresser le buste* (syn. TORSE); dans le corps féminin, la poitrine seule. — **2.** Reproduction sculptée de la tête, des épaules et de la poitrine de quelqu'un : *Un buste en plâtre de Napoléon.* ◆ **bustier** n. m. Sorte de corset court emboîtant la poitrine.

1. BUT [by] ou [byt] n. m. (frq. *but*, souche, billot). **1.** Terme, limite que l'on s'efforce d'atteindre : *Courir au but.* — **2.** Point que l'on vise : *La flèche passa à côté du but* (syn. CIBLE, OBJECTIF). — **3.** Ce à quoi l'on veut parvenir : *Son but était seulement d'attirer l'attention sur lui* (syn. INTENTION). *Aller droit au but* (= attaquer directement, sans détour). *Manquer son but* (= ce que l'on projetait). *Frapper au but* (= toucher juste à l'endroit convenable). *Toucher au but* (= être près de réussir, de finir). — LOC. ADV. *De but en blanc*, sans aucun ménagement, sans précaution (syn. À BRÛLE-POURPOINT, BRUSQUEMENT, DIRECTEMENT). — LOC. PRÉP. *Dans le but de*, avec l'intention, le dessein de.

2. BUT [by] ou [byt] n. m. (même étym.). **1.** Dans les sports d'équipe, endroit où l'on doit envoyer le ballon pour marquer un avantage (aussi au plur.) : *Le ballon est retombé au-delà de la ligne de but.* — **2.** Point marqué par une équipe : *Marquer un but.* ◆ **en-but** n. m. inv. Espace formant la zone du but au rugby. ◆ **buteur** n. m. Joueur qui marque des buts.

BUTANE [bytan] n. m. (du lat. *butyrum*, beurre). Hydrocarbure gazeux (C_4H_{10}), employé comme combustible et vendu, liquéfié sous faible pression, dans des bouteilles métalliques.

BUTÉ, E adj. → BUTER 1.

BUTÉE [byte] n. f. (de *buter*). **1.** Massif de maçonnerie destiné à résister à une poussée, notamment à celle d'une voûte, à celle des arches d'un pont. — **2.** Pièce servant à limiter la course d'un mécanisme en mouvement : *Butée d'embrayage.*

1. BUTER [byte] v. t. (de *but*). *Buter qq'un*, le pousser à une attitude d'entêtement, d'obstination, de refus (syn. BRAQUER). ◆ ***se buter*** v. pr. : *Il se bute facilement quand on s'avise de le contredire* (syn. S'ENTÊTER). ◆ **buté, e** adj. Se dit de quelqu'un (ou de son attitude) qui manifeste une obstination, un entêtement qu'on ne peut fléchir : *C'est un enfant buté* (syn. TÊTU).

2. BUTER [byte] v. i. (même étym.). **1.** *Buter contre qqch.*, heurter un obstacle, généralement du pied : *Il a buté contre la marche de l'escalier et il est tombé* (syn. TRÉBUCHER). — **2.** Se trouver arrêté par une difficulté : *C'est un problème complexe, contre lequel nous butons depuis longtemps* (syn. ACHOPPER).

BUTEUR n. m. → BUT 2.

BUTIN [bytɛ̃] n. m. (anc. all. *bute*, partage). **1.** Ce qu'on enlève à l'ennemi : *Butin de guerre.* — **2.** Ce que l'on amasse, ce que l'on prend pour son profit : *On a retrouvé le butin des voleurs.*

BUTINER [bytine] v. i. (de *butin*) [sujet nom désignant les abeilles]. Aller de fleur en fleur en amassant du pollen.

BUTLER (Samuel), écrivain anglais (1835-1902). Il se livra à une satire cruelle de la société anglaise dans *Erewhon* (1872).

BUTOIR [bytwar] n. m. (de *buter*). Pièce ou obstacle contre lequel vient buter un mécanisme, une locomotive, un wagon.

BUTOR [bytɔr] n. m. (du lat. *butio*). **1.** Oiseau échassier voisin du héron, à plumage fauve tacheté de noir, nichant dans les roselières du Midi. (Il se nourrit de grenouilles, de petits poissons, de larves aquatiques. En été, son cri retentissant lui a valu le surnom de *bœuf des marais*.) [Famille des ardéidés.] — **2.** Homme grossier, stupide. (En ce sens, le fém. est BUTORDE.)

1. BUTTE [byt] n. f. (fém. de *but*). Légère élévation de terrain (tertre, colline). ‖ *Butte résiduelle*, hauteur taillée dans une roche tendre, et qui était autref. surmontée d'une roche dure. ‖ *Butte témoin*, hauteur formée d'une couche dure surmontant des roches tendres, et qui témoigne de l'ancienne extension d'un revers de côte ou d'un plateau.

2. BUTTE [byt] n. f. (de *butte* 1) [sujet nom de personne]. *Être en butte à*, être exposé aux attaques de (syn. SERVIR DE POINT DE MIRE, DE CIBLE).

BUTYRINE [bytirin] n. f. (du lat. *butyrum*, beurre). Matière grasse que contient le beurre. ◆ **butyrique** adj. Se dit d'un acide existant dans de nombreuses substances grasses.

BUVABLE adj. → BOIRE.

BUVARD [byvar] n. m. (de *boire*). **1.** Papier poreux, non collé, dont on se sert pour sécher l'encre fraîche (on dit aussi PAPIER BUVARD). — **2.** Sous-main garni de feuilles de papier buvard.

BUVETTE [byvɛt] n. m. (de *boire*). Petit restaurant ou comptoir installé dans les gares, les théâtres, etc., où l'on sert des boissons, des sandwiches.

BUVEUR, EUSE n. → BOIRE.

BUXTEHUDE (Dietrich), compositeur allemand (1637-1707), organiste de Lübeck, l'un des grands précurseurs de J.-S. Bach.

BYBLOS, v. de l'anc. Phénicie, au N. de l'actuelle Beyrouth. Fouilles importantes.

BYRON (George Gordon, *lord*), poète anglais (1788-1824). Son enfance difficile, une claudication congénitale développent en lui une mélancolie hautaine et des instincts de révolte. Parti pour l'Orient, il en rapporte les deux premiers chants du *Pèlerinage de Childe Harold* (1812), qui lui assurent la célébrité.

- *1816. Le scandale que provoque la rupture de son mariage le force à quitter l'Angleterre.*

Il mène alors à travers l'Europe une vie de faste et d'insolence, exprimant son cynisme et sa tendresse dans des poèmes (*Manfred*, 1817; *Don Juan*, 1819) et des drames.

- *1823. Il se rend en Grèce, mais meurt des fièvres à Missolonghi.*

Byron a été le type même du héros et de l'écrivain romantiques.

BYSSUS [bisys] n. m. (gr. *bussos*, coton). Faisceau de filaments analogues à de la soie, qui sont sécrétés par une glande située à la base du pied chez certains mollusques bivalves (lamellibranches), comme les moules, et par lesquels l'animal se fixe à son support.

BYZANCE, colonie grecque fondée au VIIe s. av. J.-C. sur le Bosphore*.

- *330. La ville prend le nom de « Constantinople » : elle va devenir la capitale de l'Empire romain d'Orient ou Empire byzantin.*
- *1453. Prise de Constantinople par les Turcs; la ville prend son nom actuel : « Istanbul ».*

BYZANTIN, E [bizɑ̃tɛ̃, -in] adj. et n. (lat. *Byzantinus*). **1.** De Byzance ou de l'Empire byzantin. — **2.** *Querelles, discussions byzantines*, dont on finit par ne plus savoir la cause, le sujet, par suite de leurs complications inutiles.

BYZANTIN *(Empire)*, nom donné à l'Empire romain d'Orient dont la capit. était Constantinople (= l'anc. Byzance), qui dura de 395 à 1453.

- *395. Avant de mourir, Théodose Ier partage l'Empire romain entre ses deux fils : il lègue l'Orient à Arcadius et l'Occident à Honorius.*
- *476. Chute de l'Empire romain d'Occident.*
- *527-565. Règne de Justinien.*

Justinien reprend aux Barbares l'Italie, l'Espagne du Sud et une partie de l'Afrique du Nord. Il accomplit une réorganisation juridique *(Code justinien)*, et fait construire de splendides monuments à Constantinople (basilique Sainte-Sophie) et à Ravenne. Son règne marque le premier « âge d'or » de l'Empire byzantin.

Après la mort de Justinien s'ouvrent trois siècles de difficultés marqués par la perte de la Méditerranée orientale, les invasions lombardes, bulgares et arabes, la querelle des iconoclastes (= briseurs d'images représentant le Christ et les saints).

Sous la dynastie macédonienne (867-1056), l'Empire byzantin devient un Empire chrétien et oriental; sa puissance militaire est restaurée par des empereurs énergiques comme Basile II.

Rempart de la chrétienté contre l'Islām, héritier de l'Antiquité gréco-latine, l'Empire byzantin fait rêver le Moyen Âge par sa richesse et par l'éclat de sa civilisation.

- *1054. Le Grand Schisme: l'Église nationale qui s'est constituée rompt avec la papauté et se proclame « orthodoxe ».*

Avec la dynastie des Comnènes (1081-1185), un déclin lent mais irrémédiable commence.

- *1204. L'Empire latin d'Orient est fondé par les croisés.*
- *1259-1453. Dynastie des Paléologues.*
- *1453. Prise de Constantinople par les Turcs.*

C n. m. **1.** Troisième lettre de l'alphabet et la deuxième des consonnes. —→ introduction de l'ouvrage. — **2.** C, chiffre romain, vaut 100. — **3.** *Mus.* Nom de la note *do*, en anglais et en allemand. ‖ C, signe de mesure à quatre temps. — **4.** °C, symbole du degré Celsius, ou degré thermométrique centésimal.

ÇA pron. dém. —→ CE.

1. ÇÀ! [sa] interj. (bas lat. *ecce hac*). Marque, en combinaison avec *ah!*, le début d'une phrase exclamative ou interrogative exprimant l'impatience, l'indignation : *Ah çà! pour qui me prenez-vous?*

2. ÇÀ [sa] adv. (même étym.). *Çà et là*, d'un côté et d'autre, d'une manière dispersée.

CAB [kab] n. m. (mot angl.). Cabriolet où le cocher était placé par-derrière, sur un siège élevé.

CABALE [kabal] n. f. (hébr. *qabbalah*, tradition). **1.** Doctrine juive sur Dieu et l'univers, selon laquelle le texte de la Bible contient un sens caché, en dehors du sens direct. (Il se découvre en prêtant à chaque lettre un sens secret et divin.) [En ce sens, s'écrit aussi KABBALE.] — **2.** Manœuvres secrètes de gens qui visent à nuire à la réputation, à provoquer l'échec de quelqu'un ou de quelque chose; ensemble de ceux qui forment une cabale (syn. COTERIE). ◆ **cabalistique** adj. **1.** Qui appartient à la cabale. — **2.** *Signe cabalistique*, signe mystérieux, dont le sens n'apparaît qu'à des initiés, des spécialistes.

CABAN [kabɑ̃] n. m. (it. *gabbano;* de l'ar. *qabā'*). Manteau court en usage dans la marine.

CABANE [kaban] n. f. (prov. *cabana*). **1.** Petite maison, le plus souvent en bois (syn. BARAQUE, BICOQUE, CAHUTE). — **2.** Petit logement où l'on élève des animaux : *Des cabanes à lapins* (syn. CLAPIER). ◆ **cabanon** n. m. **1.** En Provence, petite maison de campagne. — **2.** Autref., cellule pour certains déments.

CABARET [kabarɛ] n. m. (de l'anc. néerl. *cabret*). **1.** Établissement de spectacle où l'on présente surtout des chansons satiriques et des revues, et où l'on sert des consommations : *Revue de chansonniers dans un cabaret.* — **2.** Autref., petit débit de boissons, café.

CABAS [kabɑ] n. m. (mot prov.). Panier à provisions, souple, en paille ou en tissu, à ouverture évasée (syn. SAC À PROVISIONS).

CABERNET [kabɛrnɛ] n. m. (mot du Médoc). Cépage rouge cultivé surtout dans la Gironde.

CABESTAN [kabɛstɑ̃] n. m. (mot prov.). Treuil à axe vertical, utilisé dans les manœuvres exigeant de gros efforts.

CABILLAU ou **CABILLAUD** [kabijo] n. m. (néerl. *kabeljau*). Nom usuel de l'ÉGLEFIN, appliqué souvent aussi à la MORUE FRAÎCHE.

CABINDA *(enclave de)*, dépendance de l'Angola, au N. de l'embouchure du Zaïre; 7270 km²; 108000 hab. Ch.-l. *Cabinda.* Pétrole.

CABINE [kabin] n. f. (orig. obscure). **1.** Petite chambre à bord d'un navire. — **2.** Local réservé dans un avion au pilote, dans un train au mécanicien, dans un vaisseau spatial aux astronautes. — **3.** Petite pièce, petit local réservé à divers usages : *Cabine de bain.* ‖ *Cabine téléphonique*, affectée à l'usage du téléphone.

1. CABINET [kabinɛ] n. m. (de *cabine*). **1.** Petite pièce d'une habitation dépendant d'une pièce plus grande : *Cabinet de toilette.* — **2.** Pièce réservée à l'étude, bureau : *Cabinet de travail.* ‖ *Homme de cabinet*, qui aime la vie sédentaire et studieuse. ◆ **cabinets** n. m. pl. Pièce réservée aux besoins naturels (syn. TOILETTES, W.-C.).

2. CABINET [kabinɛ] n. m. (même étym.). **1.** Dans certaines professions (avocats, médecins, hommes d'affaires, etc.), pièce où les clients sont reçus en particulier. — **2.** Dans ces professions, ensemble constitué par le lieu de travail, le matériel, la clientèle : *C'est un cabinet qui marche bien.*

3. CABINET [kabinɛ] n. m. (même étym.). **1.** Ensemble des ministres d'un État : *Former un nouveau cabinet* (= constituer une nouvelle équipe ministérielle). *Un conseil de cabinet* (= réunion des ministres sous la présidence du Premier ministre). — **2.** Ensemble des proches collaborateurs d'un ministre, d'un préfet : *Il est le chef de cabinet du ministre.*

CABINETS n. m. pl. —→ CABINET 1.

1. CÂBLE [kɑbl] n. m. (mot norm.; du bas lat. *capulum*, corde). **1.** Cordage, ordinairement en fils métalliques, destiné à subir un important effort de traction : *Un câble de téléphérique.* — **2.** Faisceau de fils métalliques, le plus souvent revêtu de plusieurs couches isolantes, servant au transport d'énergie électrique, au téléphone, au télégraphe, etc. : *Les liaisons téléphoniques intercontinentales sont assurées par câble sous-marin.* ‖ *Câble hertzien* liaison à distance par un étroit faisceau d'ondes hertziennes, remplaçant un câble. ◆ **câbler** v. t. **1.** Tordre plusieurs cordes ensemble pour en faire un câble. — **2.** Établir les connexions d'un appareil électrique. ◆ **câblage** n. m. **1.** Action de câbler deux ou plusieurs fils, c'est-à-dire de les réunir par une torsion. — **2.** Opération qui consiste à relier ensemble par des connexions les différents organes d'un appareil électrique. ◆ **câblier** n. m. Navire construit spécialement en vue de la pose et de l'entretien des câbles sous-marins.

2. CÂBLE [kɑbl] n. m. (même étym.). *Fam.* Message transmis par câble téléphonique (syn. DÉPÊCHE, TÉLÉGRAMME). ◆ **câbler** v. t. Envoyer un message par câble (syn. TÉLÉGRAPHIER). ◆ **câblage** n. m. : *Le câblage d'une nouvelle.*

CABOCHE [kabɔʃ] n. f. (mot picard; du lat. *caput*, tête). *Fam.* et *péjor.* Tête (dure, résistante). ◆ **cabochard, e** adj. et n. *Fam.* Qui s'entête à ne faire que ce qui lui plaît, qui n'en fait qu'à sa tête (syn. ENTÊTÉ, TÊTU).

CABOCHIENS, faction la plus avancée du parti bourguignon, sous le règne de Charles VI. (Le chef en était Simon Caboche, boucher de Paris.)

CABOSSE [kabɔs] n. f. (de *caboche*). Fruit du cacaoyer, du kapokier, du kolatier.

CABOSSER [kabɔse] v. t. (de l'anc. fr. *caboce*, bosse). Déformer quelque chose par des bosses ou des creux (syn. BOSSELER).

1. CABOT [kabo] n. m. (picard *cabot*, têtard). *Fam.* et *péjor.* Chien.

2. CABOT [kabo] n. m. (abrév. pop. de *cabotin*). Syn. de CABOTIN (sens 1 et 2).

CABOT (Jean), navigateur d'origine génoise (v. 1450-v. 1499). Au service du roi d'Angleterre, il chercha une route maritime vers la Chine par le nord-ouest de l'Atlantique. Il aurait atteint le continent nord-américain, peut-être à l'île de Cap-Breton (1497). — Son fils SÉBASTIEN (1476-1557) découvrit le Río de la Plata pour le compte de Charles Quint.

CABOTAGE [kabɔtaʒ] n. m. (de l'esp. *cabo*, cap). Navigation marchande le long des côtes (par oppos. à NAVIGATION AU LONG COURS). ◆ **caboteur** n. m. Bateau qui pratique le cabotage.

CABOTIN, E [kabɔtɛ̃, -in] n. et adj. (du n. d'un comédien du XVIIᵉ s.). **1.** Acteur médiocre, qui a néanmoins une haute opinion de sa valeur et se donne des airs importants (syn. fam. CABOT). — **2.** Personne qui cherche à se faire remarquer par un comportement prétentieux (syn. COMÉDIEN, M'AS-TU-VU). ◆ **cabotinage** n. m. Attitude pleine de suffisance, goût de l'ostentation. ◆ **cabotiner** v. i. Afficher des attitudes prétentieuses.

CABOURG, comm. du Calvados, à 24 km au N.-E. de Caen, sur la Manche; 3300 hab. *(Cabourgeois).* Station balnéaire.

CABRAL (Pedro Álvares), navigateur portugais (1467 ou 1468-1520 ou 1526). Il aborda au Brésil, dont il prit possession, en 1500.

CABRER [kabre] v. t. (du lat. *capra*, chèvre). **1.** *Cabrer un animal, un cheval*, le faire dresser sur ses pattes de derrière.

— **2.** *Cabrer un avion*, lui faire prendre brusquement une ligne de vol verticale. — **3.** *Cabrer qq'un*, l'amener à une opposition vigoureuse, à un mouvement de révolte (syn. BRAQUER, BUTER). ◆ **se cabrer** v. pr. : *Le cheval s'est cabré devant l'obstacle. Il risque de se cabrer devant vos exigences.*

CABRI [kabri] n. m. (mot prov.). **1.** Syn. méridional de CHEVREAU. — **2.** *Sauter comme un cabri*, sauter gaiement et légèrement.

CABRIOLE [kabrijɔl] n. f. (it. *capriola*, saut de chèvre). Saut agile que l'on fait en se retournant sur soi-même (syn. CULBUTE; fam. GALIPETTE). ◆ **cabrioler** v. i. Faire des sauts agiles (syn. FOLÂTRER, GAMBADER).

CABRIOLET [kabrijɔlɛ] n. m. (de *cabrioler*). **1.** Voiture à cheval, à deux roues, munie d'une capote. — **2.** Automobile décapotable.

CACABER [kakabe] v. i. (lat. *cacabare*). Crier, en parlant de la perdrix, de la caille.

CACAHOUÈTE ou **CACAHUÈTE** [kakawɛt] n. f. (esp. *cacahuate*). Fruit de l'arachide : *Les cacahouètes sont des graines, groupées généralement par trois ou quatre dans des gousses.*

CACAO [kakao] n. m. (mot esp.). Graine du cacaoyer, d'où l'on extrait des matières grasses *(beurre de cacao)* et la poudre de cacao, qui sert à faire le chocolat. ◆ **cacaoté, e** adj. Qui contient du cacao. ◆ **cacaoyer** [kakaɔje] n. m. Petit arbre originaire de l'Amérique du Sud, cultivé pour la production du cacao. (Famille des sterculiacées.)
— ENCYCL. La production mondiale de *cacao* varie selon les années entre 1,2 et 1,6 million de t. Elle provient pour les deux tiers au moins de l'Afrique. Les principaux producteurs sont :

Côte-d'Ivoire	440 000 t	Nigeria	160 000 t
Brésil	300 000 t	Cameroun	115 000 t
Ghāna	200 000 t		

CACATOÈS [kakatɔɛs] n. m. (mot malais). Oiseau d'Australie au plumage blanc, à forte huppe érectile colorée de jaune ou de rouge. (On dit aussi CACATOIS.) [Famille des psittacidés.]

CACHALOT [kaʃalo] n. m. (portug. *cacholotte*). Mammifère marin carnassier, des mers chaudes, d'une taille comparable à celle de la baleine (dont il diffère par la possession de dents fixées à la mâchoire inférieure). [Ordre des cétacés.]
— ENCYCL. Le *cachalot* atteint parfois 20 m de long, 100 t de poids et 4,50 m de largeur caudale. Sa tête renferme jusqu'à 5 t d'une graisse liquide, appelée *blanc de baleine*. Les résidus de sa digestion forment dans son intestin la substance que l'on appelle *ambre gris*, utilisée en parfumerie.

CACHAN, ch.-l. de cant. du Val-de-Marne, à 3,5 km au S. de Paris; 25 100 hab. Centre national de l'enseignement technique.

1. CACHE n. f. ⟶ CACHER.

2. CACHE [kaʃ] n. m. (de *cacher*). Feuille mince découpée pour masquer certaines parties d'un cliché photographique au moment du tirage.

CACHE-CACHE n. m. inv., **CACHE-COL** n. m. inv. ⟶ CACHER.

CACHECTIQUE adj. ⟶ CACHEXIE.

CACHEMIRE, anc. État de l'Inde, auj. partagé entre l'Inde (État de Jammu-et-Cachemire) et le Pākistān. V. pr. *Srīnagar*. Le Cachemire s'étend sur la partie occidentale de l'Himalaya. Aux hauts sommets froids et déserts du Nord (Karakorum) et du Sud, s'oppose au centre le riche bassin de Srīnagar, sur la Jhelum, où se concentre l'essentiel de l'activité. La population pratique la polyculture basée sur le riz et l'élevage de moutons et de chèvres. L'artisanat fournit de la soie et des tissus de poil de chèvre *(cachemire)*.

- *1947. Après le départ des Anglais, le Cachemire est réclamé par le Pākistān et l'Inde.*
- *1949. Sous la surveillance de l'O. N. U., le Cachemire est partagé entre les deux pays; cette décision ne suffit pas à apaiser le conflit qui dure toujours.*

CACHEMIRE [kaʃmir] n. m. (du *Cachemire*). Tissu très fin, fait avec le poil de chèvres du Cachemire ou du Tibet.

CACHER [kaʃe] v. t. (lat. *coactare*, serrer). **1.** (sujet nom d'être animé) Soustraire une chose ou un être vivant à la vue, en les plaçant dans un lieu secret ou en les recouvrant : *Cacher son visage sous un voile* (syn. MASQUER, VOILER). — **2.** (sujet nom de personne ou de chose) Être un obstacle qui empêche de voir : *Cette maison nous cache la plage* (syn. DISSIMULER). — **3.** (sujet nom de personne) Tenir secret, garder pour soi, soustraire à la connaissance de quelqu'un : *Cacher la vérité.* — **4.** (sujet nom de chose) Être un indice qui laisse supposer ou présager : *Un silence qui ne cache rien de bon.* — **5.** *Cacher son jeu*, ne pas laisser apparaître ses intentions. ‖ *Je ne vous cache pas que...*, je vous avoue franchement que... ‖ *L'arbre cache la forêt*, la considération d'un détail fait perdre de vue l'ensemble. ◆ **se cacher** v. pr. **1.** Se soustraire aux regards, aux recherches, ne pas se laisser facilement découvrir. — **2.** Être soustrait aux regards de quelqu'un : *Où peut bien se cacher ce document?* — **3.** *Se cacher de qq'un*, agir à son insu : *L'enfant avait fumé en se cachant de ses parents.* ‖ *Se cacher de qqch.*, le tenir secret : *Je n'ai pas à me cacher de la sympathie que j'ai pour lui.* ◆ **cache** n. f. Lieu secret pour cacher quelque chose ou se cacher. ◆ **cache-cache** n. m. inv. Jeu d'enfants dans lequel un des joueurs cherche les autres qui se sont cachés, et s'efforce, quand il les a découverts, de les toucher avant qu'ils n'aient atteint le « but ». ◆ **cache-col** n. m. inv. Petite écharpe protégeant le cou. ◆ **cache-nez** n. m. inv. Longue écharpe de laine protégeant du froid le cou et le bas du visage. ◆ **cache-pot** n. m. inv. Enveloppe qui sert à dissimuler un pot de fleurs en terre cuite. ◆ **cache-tampon** n. m. inv. Jeu d'enfants dans lequel un des joueurs cache un mouchoir que les autres doivent chercher. (On dit aussi CACHE-MOUCHOIR.) ◆ **cachette** n. f. Endroit où l'on peut cacher ou se cacher. ‖ *En cachette*, loc. adv., *en cachette de*, loc. prép., en se cachant (de) : *Lire en cachette. Agir en cachette d'un ami* (syn. À L'INSU DE). ◆ **cachotterie** n. f. Action de cacher, avec des airs mystérieux, des choses de peu d'importance (le plus souvent au plur.) : *Faire des cachotteries.* ◆ **cachottier, ère** adj. et n. : *Elle ne vous l'avait pas dit? Je ne la croyais pas si cachottière!*

1. CACHET [kaʃɛ] n. m. (de *cacher*). **1.** Objet dont une face, de métal ou de caoutchouc, porte en relief une marque, une inscription à imprimer à l'encre; marque imprimée par cet objet : *Le cachet de la poste* (syn. TAMPON, TIMBRE). — **2.** Objet métallique servant à imprimer dans la cire les armes, les initiales de celui qui l'utilise; empreinte laissée par cet objet : *Apposer son cachet.* ‖ *Lettre de cachet*, lettre fermée d'un cachet du roi, et qui contenait un ordre de sa part. — **3.** Aspect particulier, caractère original qui retient l'attention : *Une petite église de campagne qui a beaucoup de cachet.* ◆ **cacheter** [kaʃte] v. t. (Conj. **8.**) **1.** *Cacheter une bouteille, un colis*, les fermer avec de la cire, portant ou non un cachet. ‖ *Vin cacheté*, vin en bouteille dont le bouchon est recouvert de cire; vin fin. — **2.** *Cacheter une enveloppe, une lettre*, la fermer en la collant. ◆ **décacheter** v. t. : *Décacheter une enveloppe, un pli, une lettre* (= l'ouvrir). *Décacheter une bouteille, un colis* (= l'ouvrir en détruisant le cachet). ◆ **recacheter** v. t.

2. CACHET [kaʃɛ] n. m. (même étym.). **1.** Rétribution d'un artiste, d'un musicien, pour une représentation ou un concert. — **2.** *Courir le cachet*, être obligé de donner des leçons à domicile.

3. CACHET [kaʃɛ] n. m. (même étym.). Médicament consistant en une poudre contenue dans une enveloppe de pain azyme ou agglomérée en pastille (dans ce deuxième cas, le syn. est COMPRIMÉ) : *Un cachet d'aspirine.*

CACHE-TAMPON n. m. inv., **CACHETTE** n. f. ⟶ CACHER.

CACHETER v. t. ⟶ CACHET 1.

CACHEXIE [kaʃɛksi] n. f. (du gr. *kakos*, mauvais, et *hexis*, état). État d'affaiblissement et d'amaigrissement extrêmes, qui se rencontre à la phase avancée de certaines maladies. ◆ **cachectique** adj. Relatif à la cachexie. ◆ adj. et n. Atteint de cachexie : *Un enfant cachectique.*

CACHOT [kaʃo] n. m. (de *cacher*). Cellule obscure où l'on enferme un prisonnier traité avec rigueur; prison en général.

CACHOTTERIE n. f., **CACHOTTIER, ÈRE** adj. et n. ⟶ CACHER.

CACHOU [kaʃu] n. m. (portug. *cacho*). Substance extraite d'un acacia de l'Inde et vendue en pastilles aromatiques.

CACIQUE [kasik] n. m. (mot esp.). **1.** Chef de certaines tribus indiennes d'Amérique. — **2.** Dans l'argot des étudiants, le premier reçu à l'École normale supérieure ou, plus généralement, à un concours quelconque (syn. MAJOR).

CACOPHONIE [kakɔfɔni] n. f. (du gr. *kakos*, mauvais, et *phônê*, voix). Mélange de sons discordants (syn. TINTAMARRE, VACARME); et, en partic. dans une phrase, rencontre de syllabes désagréables à l'oreille (ex. : *Ta tante était tentée de t'attendre*). ◆ **cacophonique** adj. : *Des clameurs cacophoniques.*

CACTACÉES [kaktase] ou **CACTÉES** [kakte] n. f. pl. (du gr. *kaktos*, artichaut épineux). Famille de plantes grasses dicotylédones, originaires du Mexique, adaptées à la sécheresse par leurs tiges charnues, gorgées d'eau, et par leurs feuilles réduites à des épines. ◆ **cactus** [kaktys] n. m. Nom donné à diverses plantes de la famille des cactacées, du genre *opuntia* (nopal, figuier d'Inde).

CADARACHE, écart de la comm. de Saint-Paul-lès-Durance, sur la rive gauche de la Durance (Bouches-du-Rhône), à 16 km au S. de Manosque. Barrage sur la Durance. Centre d'études nucléaires.

CADASTRE [kadastr] n. m. (gr. *katastikhon*, registre). Ensemble de plans, cartes, listes consignés dans un registre public, déterminant avec précision les limites des propriétés, les parcelles de terrain (bâti ou non) de chaque commune. ◆ **cadastral, e, aux** adj. : *Registre cadastral.*
— ENCYCL. Il faut attendre 1850 pour trouver dans les mairies un véritable *cadastre communal*, constitué par trois sortes de documents :
un *plan cadastral*, représentation cartographique détaillée du territoire de la commune, réparti en sections, lieux-dits et parcelles numérotées;
le *registre des états de sections*, indiquant toutes les parcelles dans l'ordre numérique en précisant la nature du terrain, la contenance, le nom du propriétaire;
la *matrice*, groupant, sous le nom de chaque propriétaire, toutes les parcelles qui lui appartiennent, avec références au plan d'ensemble.
Le cadastre est un document public, qui peut être consulté par tous, en cas de contestation entre voisins, soit à la mairie, soit au chef-lieu du département.
Le cadastre sert à établir l'*impôt* sur les propriétés, la *contribution foncière*, compte tenu de l'importance des terrains bâtis ou non bâtis, et de leur valeur.

CADAVRE [kadavr] n. m. (lat. *cadaver*). Corps d'un être humain ou d'un animal mort. ◆ **cadavérique** adj. : *Rigidité cadavérique. Un malade d'une pâleur cadavérique.* (On dit aussi, en ce dernier cas, CADAVÉREUX, EUSE.)

CADDIE [kadi] n. m. (mot angl.). **1.** Au golf, personne portant les clubs des joueurs. — **2.** (nom déposé). Petit chariot métallique.

CADEAU [kado] n. m. (du bas lat. *capitellus*, petite tête). **1.** Chose que l'on offre à quelqu'un en vue de lui faire plaisir (syn. PRÉSENT). — **2.** *Faire cadeau de qqch. à qq'un*, le lui offrir, le lui laisser : *Vous pouvez garder ce couteau, je vous en fais cadeau.*

CADENAS [kadna] n. m. (du lat. *catena*, chaîne). Petite serrure mobile, munie d'un arceau métallique qui se passe dans des pitons fermés. ◆ **cadenasser** v. t. *Cadenasser une porte*, la fermer avec un cadenas.

CADENCE [kadɑ̃s] n. f. (it. *cadenza*). **1.** Répétition de sons, de mouvements qui se succèdent de façon régulière ou mesurée : *Les danseurs suivent la cadence de l'orchestre* (syn. ALLURE, RYTHME). — **2.** Rythme produit par l'arrangement des mots, la disposition des accents et des pauses, en prose et surtout en poésie : *La cadence d'un vers.* — **3.** Rythme du travail d'un ouvrier, de la production d'un atelier : *La cadence d'une chaîne de montage.* — **4.** *Mus.* Enchaînement d'accords qui donnent l'impression de la fin ou de la suspension d'une phrase musicale. — **5.** Rythme en général : *On ne vit pas à la même cadence en ville et à la campagne.* — **6.** *Cadence de tir*, nombre de coups qu'une arme à feu peut tirer en une minute. — LOC. ADV. *En cadence*, selon un rythme régulier : *Ramer en cadence* (syn. RÉGULIÈREMENT). ◆ **cadencé, e** adj. **1.** *Des phrases bien cadencées* (syn. RYTHMÉ). — **2.** *Marcher au pas cadencé*, se dit d'une troupe qui défile en marquant nettement le rythme du pas.

1. CADET, ETTE [kadɛ, -ɛt] adj. et n. (du gascon *capdet*). **1.** Dernier-né des enfants d'une famille : *Il est le cadet de six enfants* (syn. BENJAMIN; contr. AÎNÉ). — **2.** Qui vient après l'aîné; qui est plus jeune (avec ou sans relation de parenté) : *Avoir deux frères cadets.* — **3.** Fam. *C'est le cadet de mes soucis*, c'est ce qui me préoccupe le moins.

2. CADET, ETTE [kadɛ, -ɛt] n. (même étym.). En sports, jeune joueur ou joueuse âgé d'une quinzaine d'années. (L'âge varie suivant les sports, mais la catégorie se situe entre les *minimes* [moins âgés] et les *juniors* [plus âgés].)

3. CADET [kadɛ] n. m. (même étym.). **1.** Autref., jeune gentilhomme destiné à la carrière militaire. — **2.** Auj., élève officier : *Les cadets de Saumur.*

Cadet Rousselle, chanson populaire dont le héros possède toutes choses par trois. Elle semble avoir pris naissance dans l'armée des volontaires de 1792.

CADIX, en esp. **Cádiz,** v. d'Espagne, en Andalousie, sur l'Atlantique; 135 700 hab. La ville est située sur un îlot rocheux relié à la terre par un cordon de sable. Port de pêche.

- *V. 1100 av. J.-C. Fondation par les Carthaginois.*
- *1262. Reconquête par les Espagnols sur les Arabes.*

Au XVIe s., Cadix devient le grand port du commerce avec les nouvelles possessions d'Amérique.

- *1823. La ville est occupée par les Français au cours de leur campagne pour rétablir Ferdinand VII.*

CADMIUM [kadmjɔm] n. m. (du gr. *kadmeia*, minerai de zinc extrait à Kadmos). Métal blanc (Cd), qui accompagne souvent le zinc.
— ENCYCL. Le *cadmium* est un solide brillant, malléable, ayant l'aspect de l'étain. Il a pour densité 8,6 et fond à 320 °C. Il est utilisé notamment pour protéger l'acier contre la corrosion atmosphérique et l'humidité *(cadmiage).*

CADOUDAL (Georges), chef vendéen (1771-1804). Il prit part à la conspiration de la « machine infernale » contre le Premier consul (24 décembre 1800). Il fut guillotiné.

CADRAGE n. m. ⟶ CADRE 1.

CADRAN [kadrɑ̃] n. m. (du lat. *quadrare*, être carré). **1.** *Cadran d'une pendule, d'une montre, d'un baromètre, du téléphone*, etc., surface divisée en graduations ou portant des repères et devant laquelle se déplacent soit des aiguilles indiquant l'heure, la pression atmosphérique, etc., soit un système mobile de repérage. — **2.** *Cadran solaire*, surface où l'on repère l'heure aux différentes époques de l'année, d'après la position de l'ombre portée par une tige. — **3.** Fam. *Faire le tour du cadran*, dormir douze heures de suite.

1. CADRE [kadr] n. m. (du lat. *quadrus*, carré). **1.** Bordure rigide destinée à être placée autour d'un tableau, d'une photographie, d'un miroir (syn. ENCADREMENT). — **2.** Assemblage de pièces rigides constituant l'armature de certains objets : *Le cadre d'une fenêtre* (syn. BÂTI, CHÂSSIS); ensemble de tubes soudés formant l'ossature d'une bicyclette ou d'une motocyclette. — **3.** Collecteur d'ondes utilisé dans un récepteur radiophonique. ⟶ ENCYCL. — **4.** Grande caisse pour les transports par chemin de fer (syn. CONTAINER ou CONTENEUR). ◆ **cadrer** v. t. Situer convenablement un sujet à photographier ou à filmer dans le champ de l'appareil indiqué par les limites du viseur. ◆ **cadrage** n. m. ◆ **cadreur** n. m. Syn. (pour le cinéma et la télévision) de CAMERAMAN. ◆ **encadrer** v. t. *Encadrer qqch.*, le mettre dans un cadre (sens 1 de CADRE) : *Faire encadrer un tableau.* ◆ **encadrement** n. m. **1.** Action d'encadrer : *L'encadrement d'un tableau.* — **2.** Syn. de CADRE au sens 1 : *Cet encadrement convient bien au sujet du tableau*; et, en un sens plus étendu : *On le vit apparaître dans l'encadrement de la porte* (= dans le bâti qui entoure la porte). ◆ **encadreur** n. m. : *Porter une toile chez l'encadreur.* ◆ **désencadrer** v. t. Enlever le cadre (d'un tableau).
— ENCYCL. Dans les récepteurs usuels, l'antenne est remplacée par un *cadre*, formé par un ou plusieurs bobinages conducteurs sur un noyau de ferrite. L'intensité de la réception est maximale lorsque le plan des spires du cadre est orienté dans la direction de l'émetteur. Cet *effet directif* peut être utilisé dans la localisation d'un émetteur.

2. CADRE [kadr] n. m. (même étym.). **1.** Ce qui entoure un espace, une personne; l'espace ainsi délimité : *Un cadre de verdure* (syn. DÉCOR). *Il a passé sa jeunesse dans un cadre bien austère* (syn. ENTOURAGE, MILIEU). — **2.** Ce qui borne l'action de quelqu'un, l'étendue d'un ouvrage : *Sortir du cadre de ses fonctions. Sans sortir du cadre de mon exposé...* (syn. DOMAINE). — **3.** *Dans le cadre de*, dans les limites de, dans les dispositions générales de. ◆ **cadrer** v. i. (sujet nom de chose). *Cadrer avec qqch.*, être en rapport, s'accorder avec : *Ces résultats ne cadrent pas avec nos projets* (syn. CONCORDER, CONVENIR). ◆ **encadrer** v. t. Sens 1 de CADRE : *La forêt encadre la maison* (syn. ENTOURER). *Un malfaiteur encadré de deux gendarmes* (syn. FLANQUER). ◆ **encadrement** n. m. *Math.* On a un *encadrement d'un nombre réel* x, si on a trouvé deux nombres réels a et b tels que $a \leqslant x \leqslant b$. (On dit alors que a et b encadrent x.)

3. CADRE [kadr] n. m. (même étym.). **1.** Membre du personnel exerçant des fonctions de direction ou de contrôle dans une entreprise ou une administration : *Il a droit à la retraite des cadres.* — **2.** Ensemble des officiers et sous-officiers qui concourent au commandement d'une force militaire, qu'ils soient d'active ou de réserve *(cadres d'active, cadres de réserve).* — **3.** *Cadre noir*, ensemble des officiers et sous-officiers chargés de l'enseignement de l'équitation dans l'armée française, partic. à Saumur (l'uniforme est noir). ◆ **encadrer** v. t. *Encadrer qq'un*, le mettre sous une tutelle, sous une autorité afin de constituer un ensemble hiérarchique : *On encadre les soldats du contingent par des sous-officiers de carrière. Les anciens encadrent les nouveaux.* ◆ **encadrement** n. m. : *Un régiment doté d'un bon encadrement* (= ensemble des cadres).

CADREUR n. m. ⟶ CADRE 1 et CAMERAMAN.

CADUC, CADUQUE [kadyk] adj. (du lat. *cadere*, tomber). **1.** Se dit d'un texte de loi, d'un système, etc., qui n'est plus en usage, qui n'a plus cours (syn. DÉSUET, PÉRIMÉ). — **2.** *Feuilles caduques*, qui tombent et se renouvellent chaque année.

CADUCÉE [kadyse] n. m. (du gr. *kêrukeion*, bâton d'un héraut). Attribut du dieu grec Hermès, formé d'une baguette entourée de deux serpents et surmontée de deux ailerons. (Celui des médecins est composé d'un faisceau de baguettes, autour duquel s'enroule un serpent et que surmonte le miroir de la Prudence.)

CÆCUM [sekɔm] n. m. (du lat. *caecus*, aveugle). *Anat.* Cul-de-sac formé par la partie initiale du gros intestin, au-dessous de l'arrivée de l'intestin grêle, et portant l'appendice vermiculaire. ◆ **cæcal, e, aux** adj. Relatif au cæcum.

C. A. E. M. → COMECON.

CAEN, ch.-l. du dép. du Calvados et de la région Basse-Normandie, sur l'Orne; 117 100 hab. *(Caennais).*

GÉOGRAPHIE. Caen est situé à une quinzaine de kilomètres de la mer, à laquelle la ville est reliée par le canal d'Ouistreham. Grâce à la présence voisine de minerai de fer, ce canal a favorisé l'essor de la sidérurgie dans la banlieue (Mondeville). Des industries de transformation (constructions mécaniques) se sont considérablement développées, expliquant dans une large mesure le fort accroissement récent de la population de l'agglomération (160 000 hab.). Outre son rôle industriel, la ville est un centre administratif, commercial, universitaire. C'est la plus grande cité de Normandie en dehors des villes de la basse Seine. Depuis 1986, une ligne maritime (dont l'embarcadère est situé à Riva-Bella) la relie à Portsmouth.

La *campagne de Caen* est une région de champs ouverts, non clos par des haies, formant un paysage original en Normandie.

HISTOIRE. C'est à Guillaume le Conquérant que Caen doit son premier essor. La ville fut la capitale de la basse Normandie. Prise par les Anglais en 1346 puis en 1417, elle demeura anglaise jusqu'en 1450.

● *9 juil. 1944. La ville est libérée par les Anglais, mais elle est presque complètement détruite.*

CÆSIUM ou **CÉSIUM** [sezjɔm] n. m. (lat. *caesius*, bleu). Métal (Cs) rare, de numéro atomique 55, analogue au potassium. (Il est employé dans la fabrication de cellules photo-électriques.)

1. CAFARD [kafar] n. m. (de l'ar. *kāfir*, mécréant). Nom usuel de l'insecte appelé BLATTE (syn. CANCRELAT).

2. CAFARD, E [kafar, -ard] n. (même étym.). *Fam.* Élève qui dénonce un camarade comme coupable d'une faute (syn. MOUCHARD, RAPPORTEUR). ◆ **cafarder** v. t. Fam. *Cafarder qq'un*, le dénoncer hypocritement (surtout scol.) [syn. RAPPORTER]. ◆ **cafardeur, euse** n. Fam. ◆ **cafardage** n. m. Fam.

3. CAFARD [kafar] n. m. (de *cafard* 1). *Fam.* Idées noires, tristesse vague : *Avoir le cafard.* ◆ **cafarder** v. i. Avoir des idées noires. ◆ **cafardeux, euse** adj. **1.** *Fam.* Se dit d'une personne qui a le cafard. — **2.** *Fam.* Se dit d'une chose qui donne le cafard.

1. CAFÉ [kafe] n. m. (de l'ar. *qahwa*). Graines du caféier, que l'on grille et que l'on moud pour en faire des infusions; boisson obtenue avec ces grains. ‖ *Café express*, café obtenu dans des appareils sous pression par passage de la vapeur d'eau. ‖ *Café noir* (= sans addition de lait ou de crème, par oppos. à *café au lait, café-crème*). → ENCYCL. ◆ adj. inv. *Couleur café, café-au-lait*, couleur du café (brun presque noir) ou du café au lait (beige soutenu). ◆ **caféier** [kafeje] n. m. Arbrisseau qui produit le café, haut de 3 m dans les plantations, jusqu'à 10 m dans la nature. (Famille des rubiacées.) ◆ **cafetière** n. f. Récipient servant à préparer l'infusion de café. ◆ **caféine** n. f. Produit présent dans le café, le thé et la noix de kola, possédant une action diurétique, tonicardiaque et excitante sur le système nerveux. ◆ **décaféiner** v. t. Débarrasser le café d'une substance (la caféine) pouvant avoir des effets nocifs (surtout au part. passé) : *Café décaféiné;* ou, substantiv. : *Du décaféiné.*

— ENCYCL. La production mondiale de *café*, stagnante depuis le début des années 1960, oscille entre 5 et 5,5 millions de t. Le déclin relatif de l'Amérique latine est compensé par l'accroissement de la production africaine. Le Brésil n'assure que le quart ou le tiers de la production mondiale contre la moitié vers 1960.

Brésil	1 600 000 t	Côte-d'Ivoire	200 000 t
Colombie	800 000 t	Ouganda	200 000 t
Indonésie	300 000 t	Guatemala	150 000 t
Mexique	250 000 t	Salvador	150 000 t
Éthiopie	240 000 t	Philippines	140 000 t

2. CAFÉ [kafe] n. m. (de *café* 1). Établissement où l'on peut consommer des boissons, alcoolisées ou non : *La terrasse d'un café* (syn. BAR; fam. BISTROT). ◆ **cafétéria** n. f. Lieu public où l'on sert du café, des boissons chaudes, etc. ◆ **cafetier** n. m. Celui qui tient un café. ◆ **café-concert** ou *fam.* **caf' conc'** [kafkɔ̃s] n. m. Music-hall où le public peut consommer en écoutant des chansons, en regardant une revue, etc. ‖ Pl. des *cafés-concerts.*

CAFÉIER n. m., **CAFÉINE** n. f. → CAFÉ 1.

CAFETAN ou **CAFTAN** [kaftɑ̃] n. m. (turc *qaftān*). Robe des Orientaux, richement ornée et doublée de fourrure.

CAFÉTÉRIA n. f., **CAFETIER** n. m. → CAFÉ 2.

CAFETIÈRE n. f. → CAFÉ 1.

CAFOUILLER [kafuje] v. i. (mot picard). **1.** (sujet nom de personne) *Fam.* Agir avec confusion (syn. S'EMBROUILLER, S'EMMÊLER). — **2.** (sujet nom de chose) *Fam.* Fonctionner irrégulièrement, de façon désordonnée : *Le moteur cafouille.* ◆ **cafouillage** ou **cafouillis** n. m. *Fam.* (syn. DÉSORDRE; fam. PAGAILLE).

CAFRES, populations bantoues de l'extrémité de l'Afrique du Sud.

CAGE [kaʒ] n. f. (lat. *cavea*). **1.** Loge faite de barreaux ou de grillage, pour enfermer des oiseaux ou d'autres animaux. — **2.** *Fam.* Au football ou au hockey, espace délimité par les buts : *Envoyer le ballon dans la cage.* — **3.** *Cage d'escalier, d'ascenseur*, emplacement réservé dans une construction pour les recevoir. ‖ *Cage d'extraction*, charpente du puits d'une mine où circulent les bennes, pour remonter au jour le charbon extrait ou le personnel. — **4.** Anat. *Cage thoracique*, cavité formée par les vertèbres, les côtes et le sternum, limitée en bas par le diaphragme et contenant le cœur et les poumons.

CAGEOT [kaʒo] n. m. (de *cage*). Emballage léger, fait de lattes de bois, et destiné au transport de fruits, de légumes, de volailles.

CAGIBI [kaʒibi] n. m. (mot de l'Ouest). *Fam.* Petite pièce, pouvant servir de débarras (syn. RÉDUIT).

CAGLIARI, port d'Italie, en Sardaigne; 232 600 hab. Anc. colonie carthaginoise, qui devint une riche ville romaine.

CAGLIOSTRO (Giuseppe BALSAMO, dit **Alexandre, comte de**), aventurier italien (1743-1795?). Il parcourt presque toutes les villes de l'Europe en vantant ses secrets médicaux, vient à Paris en 1785 et obtient un succès prodigieux. Impliqué avec le cardinal de Rohan dans l'affaire du Collier, il est exilé. En 1789, il est arrêté à Rome, et l'Inquisition le condamne à mort. Cette peine sera commuée en prison perpétuelle.

CAGNE ou **KHÂGNE** [kaɲ] n. f. (orig. incert.). *Arg. scol.* Classe préparatoire à l'École normale supérieure (lettres). ◆ **cagneux, euse** ou **khâgneux, euse** n. Élève d'une cagne.

CAGNES-SUR-MER, ch.-l. de cant. des Alpes-Maritimes, sur la Côte d'Azur, à 12 km au S.-O. de Nice; 35 400 hab. *(Cagnois).*

1. CAGNEUX, EUSE n. → CAGNE.

2. CAGNEUX, EUSE [kaɲœ, -œz] adj. et n. (de l'anc. fr. *cagne*, chienne). Se dit d'une personne ou d'un animal qui a les jambes déformées (genoux rapprochés, pieds écartés).

CAGNOTTE [kaɲɔt] n. f. (prov. *cagnotto*, petit cuvier). Boîte contenant une somme d'argent accumulée par des joueurs, les membres d'une association; cette somme elle-même : *Dépenser la cagnotte.*

CAGOT, E [kago, -ɔt] adj. et n. (mot béarnais). Qui affecte une dévotion outrée, hypocrite (syn. TARTUFE).

CAGOULE [kagul] n. f. (du lat. *cucullus*, capuchon). **1.** Capuchon qui enveloppe toute la tête et qui est percé à l'endroit des yeux. — **2.** Sorte de passe-montagne, porté surtout par les enfants.

CAHIER [kaje] n. m. (lat. *quaterni*, groupe de quatre feuilles). **1.** Assemblage de feuilles de papier agrafées ou cousues ensemble : *Un cahier de brouillon. Il manque un cahier à ce volume.* — **2.** Mémoires contenant les demandes adressées au souverain par un corps d'État : *Cahiers de doléances.* → ENCYCL. — **3.** *Cahier des charges*, ensemble des obligations imposées à un acheteur, à un entrepreneur au moment de l'adjudication.

— ENCYCL. Les *cahiers de doléances* étaient, sous l'Ancien Régime, des documents dans lesquels les assemblées convoquées pour l'élection des députés aux états* généraux consignaient les plaintes, réclamations, vœux et propositions que leurs représentants devaient faire valoir. Ceux qui ont été rédigés pour les états généraux de 1789 expriment de façon précise les revendications du « tiers* état » à la veille de la Révolution.

CAHIN-CAHA [kaɛ̃kaa] adv. (onomat.). Fam. *Aller, marcher cahin-caha*, aller tant bien que mal, avec des hauts et des bas.

CAHORS, ch.-l. du dép. du Lot, à 60 km au N. de Montauban, sur le Lot; 20 800 hab. *(Cadurciens).* Situé dans un méandre du Lot, Cahors a été une ville forte et un grand centre de commerce au Moyen Âge. La cité conserve de vieux hôtels et des maisons médiévales. Pont Valentré fortifié (XIVe s.).

CAHOT [kao] n. m. (du frq. *hottôn*, secouer). **1.** Secousse causée à un véhicule par l'inégalité du sol. — **2.** Difficulté qui donne un cours irrégulier à quelque chose : *Les cahots de l'existence* (syn. PÉRIPÉTIE). ◆ **cahoter** v. t. et i. : *Le tramway cahote les voyageurs* (syn. BALLOTER, SECOUER); le plus souvent au passif : *Une vie cahotée* (syn. AGITÉ). ◆ **cahotant, e** ou **cahoteux, euse** adj. : *Guimbarde cahotante. Un chemin cahoteux.*

CAHUTE [kayt] n. f. (de *cabane*, et *hutte*). Habitation misérable (syn. BARAQUE, BICOQUE).

CAÏD [kaid] n. m. (ar. *qā'id*, chef). *Fam.* Celui qui a une grande autorité sur son entourage; chef de bande. (Ce mot désignait, en Afrique du Nord, un notable à la fois juge, commandant et percepteur.)

CAILLASSE n. f. ⟶ CAILLOU.

CAILLAUX (Joseph), homme politique français (1863-1944). Chef du parti radical, plusieurs fois ministre des Finances, président du Conseil (1911-1912), il fit voter l'impôt sur le revenu.

CAILLE [kaj] n. f. (onomat.). Oiseau voisin de la perdrix, migrateur, habitant les champs et les prairies de plaine. (Famille des phasianidés.)

CAILLER [kaje] v. i. ou **CAILLER (SE)** v. pr. (lat. *coagulare*) [sujet nom désignant le lait ou le sang]. Se transformer en une masse consistante, coaguler. ◆ **caillé** n. m. Partie du lait obtenue par coagulation, sous l'action de la présure, et qu'on utilise pour la fabrication du fromage. ◆ **caillette** n. f. Quatrième poche de l'estomac des ruminants qui, chez le veau, secrète la présure, produit qui fait coaguler le lait. ◆ **caillot** n. m. **1.** Masse semi-solide qui se forme dans le sang lorsqu'il se coagule. — **2.** Masse solide provenant d'autres coagulations.

CAILLIÉ (René), explorateur français (1799-1838). Il est le premier Français qui, se faisant passer pour musulman, réussit à visiter Tombouctou (1828).

CAILLOT n. m. ⟶ CAILLER et COAGULATION.

CAILLOU, pl. **CAILLOUX** [kaju] n. m. (gaul. *caljavo*, pierre). Morceau de pierre de moyenne ou de petite dimension : *Lancer des cailloux* (syn. PIERRE). *Un caillou était entré dans sa chaussure* (syn. GRAVIER). ◆ **caillasse** n. f. **1.** Pierre de qualité inférieure, très dure. — **2.** Cailloux cassés, pierraille. ◆ **caillouter** v. t. Garnir de cailloux : *Caillouter une route* (syn. EMPIERRER). ◆ **caillouteux, euse** adj. Plein de cailloux. ◆ **cailloutis** [-ti] n. m. Cailloux concassés; surface de sol empierrée avec ces cailloux.

CAÏMAN [kaimɑ̃] n. m. (mot esp.). Crocodile à museau large, de l'Amérique centrale et méridionale, parfois long de 6 m.

CAÏN, fils aîné d'Adam et Ève, selon la Genèse. Jaloux d'Abel, son frère, parce que Dieu avait préféré son offrande à la sienne, il le tua. Dieu le maudit et le condamna à une vie errante.

CAÏPHE, grand prêtre juif de 18 à 36 apr. J.-C. Il conduisit le procès de Jésus et le condamna pour s'être affirmé « fils de Dieu ».

CAIRE (Le), en ar. **Al-Qāhira,** capit. de l'Égypte, située près du Nil, à l'amont du delta; 13 millions d'hab. Renfermant de nombreux vestiges d'un passé brillant (mosquées, musées), c'est actuellement une grande cité administrative et commerciale et la première ville d'Afrique par sa population. Université.

Construite au Xe s., Le Caire fut la résidence des Fātimides.

• *1798-1801. La ville est occupée par l'armée de Bonaparte.*

CAIRN [kɛrn] n. m. (mot irland.). Amas de pierres, élevé comme point de repère par les explorateurs des régions polaires et les alpinistes.

1. CAISSE [kɛs] n. f. (lat. *capsa*). **1.** Coffre, boîte faits de planches assemblées; son contenu : *Une caisse à outils. Une caisse de fruits.* — **2.** Carrosserie d'automobile. — **3.** *Grosse caisse*, gros tambour en usage dans une clique. — **4.** *Caisse du tympan*, cavité comprise entre l'oreille interne et le conduit auditif externe (traversée par la chaîne des osselets, elle est fermée en dehors par la membrane du tympan). ◆ **caissette** n. f. Petite caisse. ◆ **caisson** n. m. **1.** Petite caisse : *Un caisson de bouteilles.* — **2.** Grande caisse en métal ou en béton armé, employée pour effectuer des travaux sous l'eau. (Les ouvrages d'art sont réalisés sous l'eau à l'aide de *caissons à air comprimé;* des compresseurs d'air refoulent en permanence de l'air dans le caisson.) — **3.** Compartiment creux d'un plafond, résultant de l'assemblage des solives ou servant à la décoration. ◆ **décaisser** v. t. Enlever d'une caisse. ◆ **encaisser** v. t. Mettre dans une caisse : *Encaisser des orangers.*

2. CAISSE [kɛs] n. f. (même étym.). **1.** Boîte, tiroir, meuble dans lesquels on dépose de l'argent; leur contenu. ‖ *Caisse enregistreuse*, ensemble formé par un tiroir-caisse et une machine à calculer imprimante, qui totalise le montant des achats d'un client. — **2.** *Avoir une somme en caisse*, disposer comme capitaux de cette somme. — **3.** Bureau, guichet d'une administration où se font les paiements : *Se présenter à la caisse pour toucher un chèque.* — **4.** Organisme qui gère des ressources selon certains statuts : *Caisse d'épargne.* (⟶ ÉPARGNER 3.) ◆ **caissier, ère** n. Personne qui tient la caisse d'un établissement. ◆ **décaisser** v. t. *Décaisser une somme*, la tirer de la caisse, l'affecter à un versement ou à un paiement. ◆ **encaisser** v. t. ⟶ à son ordre alphab.

CAJOLER [kaʒɔle] v. t. (du picard *gaioler*, babiller comme un geai en cage). *Cajoler qq'un*, l'entourer de caresses, d'attentions délicates, de paroles tendres, pour lui témoigner son affection ou pour le séduire : *Cajoler un bébé* (syn. CÂLINER). ◆ **cajolerie** n. f. paroles, manières caressantes et tendres. ◆ **cajoleur, euse** adj. et n. : *Ne vous fiez pas à ce cajoleur* (syn. ↑ENJÔLEUR).

CAKE [kek] n. m. (mot angl.). Gâteau contenant des raisins de Corinthe et des fruits confits.

ÇĀKYAMUNI (« le Sage Çākya »), nom sous lequel on désigne le plus souvent SIDDHARTA GAUTAMA, fondateur du bouddhisme. (⟶ BOUDDHA, BOUDDHISME.)

CAL [kal] n. m. (lat. *callum*). Durillon qui se fait sur la peau à l'endroit d'un frottement. ◆ **calleux, euse** [kalø, -øz] adj. **1.** Qui a des cals ou des callosités : *Mains calleuses.* — **2.** *Corps calleux*, une des parties du cerveau moyen qui unit les hémisphères cérébraux. ◆ **callosité** n. f. Durcissement de la peau plus étendu qu'un cal.

CALABRAIS, E [kalabrɛ, -ɛz] adj. et n. De Calabre.

CALABRE, région de l'Italie, à l'extrémité sud de la péninsule; 15 080 km^2; 2 009 200 hab. (133 au km^2) [Italie : 183]. V. pr. *Reggio di Calabria* (172 000 hab.), *Cosenza* (102 100 hab.) et *Catanzaro* (88 200 hab.).

La Calabre correspond à l'extrémité sud de l'Apennin, formée de lourds massifs cristallins (Sila, 1 929 m; Aspromonte, 1 956 m) et bordée de plaines côtières étroites.

Dans les montagnes, la population, groupée en gros villages, se consacre à une pauvre culture de céréales et à l'élevage d'ovins. La côte nord, plus riche, possède agrumes, oliviers et vignes, tandis que la côte sud est l'objet d'un vaste plan de réforme agraire. L'industrie est très faible et de nombreux Calabrais émigrent chaque année vers le N. pour trouver du travail.

CALAGE n. m. ⟶ CALE 1.

CALAIS, ch.-l. d'arrond. du dép. du Pas-de-Calais, sur le *pas de Calais:* 76 300 hab. *(Calaisiens).* Premier port français de voyageurs grâce au trafic vers l'Angleterre, Calais est le centre traditionnel de la dentellerie, mais sa production textile est auj. diversifiée; la ville possède aussi des constructions mécaniques et électriques, ainsi que des industries alimentaires et chimiques.

Petit village de pêcheurs jusqu'au XIIIe s., Calais fut entourée de fortifications et devint célèbre au cours de la guerre de Cent Ans.

• *1347. Le roi d'Angleterre Édouard III assiège et prend Calais (épisode des six bourgeois dont Rodin sculpta le groupe).*

• *1598. La ville redevient française.*

CALAIS *(pas de),* en angl. **Straits of Dover** («détroit de Douvres»), bras de mer entre la France et la Grande-Bretagne, reliant la Manche et la mer du Nord, entre le cap Gris-Nez et le cap Dungeness, en Angleterre. Long de 185 km, large de 31 km au minimum, il est profond de 72 m au maximum. Son franchissement (par tunnel ferroviaire) doit être réalisé en 1993.

CALAMAR n. m. ⟶ CALMAR.

CALAMINE [kalamin] n. f. (du gr. *kadmeia*, minerai de zinc). Résidu charbonneux de la combustion des gaz, qui encrasse les cylindres d'un moteur à explosion.

CALAMITÉ [kalamite] n. f. (lat. *calamitas*). Grand malheur; coup du destin qui frappe cruellement une foule de gens (se dit plus rarement quand la victime est une seule personne) : *La famine, la guerre sont des calamités* (syn. CATASTROPHE, DÉSASTRE, FLÉAU). ◆ **calamiteux, euse** adj. Qui s'accompagne de malheurs : *Une époque calamiteuse.*

1. CALANDRE [kalɑ̃dr] n. f. (orig. inc.). Nom de divers charançons dont les larves dévorent les grains de céréales.

2. CALANDRE [kalɑ̃dr] n. f. (du gr. *kulindros*, cylindre). **1.** Machine composée de cylindres, qui sert à lisser, lustrer ou glacer les étoffes, le papier. — **2.** Partie de la carrosserie d'une automobile qui cache le radiateur.

CALANQUE [kalɑ̃k] n. f. (du prov. *cala*, crique). Sur les côtes de la Méditerranée, crique profonde et étroite.

CALAO [kalao] n. m. (mot malais). Oiseau de l'Asie du Sud-Est et d'Afrique, caractérisé par un énorme bec surmonté d'une protubérance, ou *casque*. (Ordre des passereaux.)

CALAS (Jean), négociant français (1698-1762). Il fut victime d'une erreur judiciaire due à l'intolérance religieuse : accusé faussement d'avoir tué son fils pour l'empêcher d'abjurer le protestantisme, il fut supplicié en 1762. Voltaire contribua à sa réhabilitation et écrivit à cette occasion son *Traité de la tolérance* (1763).

CALCAIRE [kalkɛr] adj. (du lat. *calx*, chaux). Qui contient de la chaux : *Eau calcaire. Terrain calcaire.* ◆ n. m. Roche sédimentaire contenant surtout du carbonate de calcium. ⟶ ENCYCL. ‖ *Relief calcaire* ⟶ KARSTIQUE *(relief).* ◆ **calcicole** adj. Se dit

d'une plante qui prospère sur un sol riche en calcaire, comme la betterave, la luzerne, la lavande. ◆ **calcifuge** adj. Se dit d'une plante qui ne prospère pas bien sur le sol calcaire, comme le châtaignier, la fougère aigle, la bruyère, le genêt, l'ajonc.
— ENCYCL. Les *roches calcaires*, rayées par l'acier, sont détruites par les acides avec dégagement de gaz carbonique. Il existe des calcaires de diverses origines : des *calcaires détritiques* (formés par la destruction par l'érosion d'autres roches calcaires), des *calcaires organiques* (formés par l'assemblage de débris de coquilles : craie, calcaire coquillier), des *calcaires d'origine chimique* (tuf, calcaire oolithique).

CALCANÉUM [kalkaneɔm] n. m. (mot lat.). *Anat.* Le plus volumineux des os du tarse, formant la saillie du talon.

CALCÉDOINE [kalsedwan] n. f. (de *Chalcédoine*, v. de Bithynie). Silice translucide cristallisée, très utilisée en joaillerie dans l'Antiquité. (La calcédoine rouge-orangé est la *cornaline*, la brune la *sardoine*, la verte la *chrysoprase*, la noire l'*onyx*.)

CALCÉMIE n. f., **CALCIFICATION** n. f. ⟶ CALCIUM.

CALCICOLE adj., **CALCIFUGE** adj. ⟶ CALCAIRE.

CALCIN [kalsɛ̃] n. m. (de *calciner*). **1.** Croûte recouvrant la surface des pierres de taille. — **2.** Croûte calcaire qui se dépose à l'intérieur des chaudières à vapeur.

CALCINER [kalsine] v. t. (du lat. *calx, calcis*, chaux). **1.** Brûler en ne laissant subsister que des résidus calcaires. — **2.** Syn. fam. de CARBONISER : *Le rôti va être calciné.*

CALCITE [kalsit] n. f. (du lat. *calx, calcis*, chaux). Carbonate naturel de calcium cristallisé, blanchâtre, jaunâtre ou transparent. (C'est alors le *spath d'Islande.*)

CALCIUM [kalsjɔm] n. m. (du lat. *calx, calcis*, chaux). Métal (Ca) qui joue un rôle important dans l'organisme humain. ◆ **calcémie** n. f. Quantité de calcium contenue dans le sang. ◆ **calcification** n. f. Apport et fixation des sels de calcium dans les tissus organiques. ◆ ***décalcifier*** v. t. Faire perdre à un organisme le calcium qui lui est nécessaire. ◆ ***se décalcifier*** v. pr. Perdre son calcium. ◆ **décalcification** n. f.
— ENCYCL. Le *calcium* est apporté par les aliments : le lait et les fromages en particulier. Il existe dans le sang, sous forme dissoute : le taux de calcium dans le sang (ou *calcémie*) est très stable. Mais, surtout, le calcium est un constituant essentiel des os, auxquels il donne leurs caractères essentiels : dureté et résistance.
De nombreuses *maladies* concernent le rôle du calcium dans l'organisme. Ainsi les *décalcifications*, pertes du calcium, entraînent des fractures ou des déformations de certains os. On les rencontre souvent chez le vieillard.
D'autres maladies sont liées à la diminution du taux de calcium contenu dans le sang, qui peut entraîner des crises de tétanie (= crispation involontaire de la main et du pied).

1. CALCUL [kalkyl] n. m. (du bas lat. *calculare*, compter). **1.** Opération que l'on fait pour trouver le résultat de la combinaison de plusieurs nombres : *Erreur de calcul.* — **2.** *Calcul mental*, opérations effectuées de tête, sans recours à l'écriture. ◆ **calculer** v. t. et i. *Calculer qqch.*, ou *que* (et l'indic.), déterminer par un calcul mathématique. ◆ v. i. Faire des calculs d'argent de façon à ne pas dépasser un budget; limiter les dépenses : *Ce n'est pas la gêne, mais il faut sans cesse calculer* (syn. COMPTER). ◆ **calculable** adj. Qui peut se calculer avec précision. ◆ **calculateur, trice** adj. et n. Qui effectue des calculs mathématiques. ◆ **calculateur** n. m. Machine à calculer utilisant des cartes ou des bandes perforées, ou des rubans magnétiques. ◆ **calculatrice** n. f. **1.** Machine à clavier ou à curseurs, effectuant les quatre opérations arithmétiques. — **2.** Syn. de CALCULATEUR n. m. ◆ **recalculer** v. t. Refaire un calcul, le contrôler.

2. CALCUL [kalkyl] n. m. (même étym.). Ensemble de réflexions, d'estimations; mesures habilement combinées pour obtenir un résultat, parvenir à ses fins : *Mon calcul était juste, il est venu* (syn. PRÉVISION). *Un calcul intéressé* (syn. PROJET). ◆ **calculer** v. t. **1.** *Calculer qqch., que* (et l'indic.), évaluer d'une manière précise : *Calculer ses chances de succès* (syn. ESTIMER, MESURER, PESER, SUPPUTER). — **2.** *Calculer une chose*, la combiner, la choisir et l'arranger habilement en vue d'un résultat avantageux : *Calculer son coup.* ◆ **calculé, e** part. adj. Se dit des actes d'une personne qui agit avec prudence, en prévoyant soigneusement les conséquences : *Prendre un risque calculé* (= voulu, étudié). *Un geste calculé* (contr. NATUREL, SIMPLE, SPONTANÉ). ◆ **calculateur, trice** adj. et n. Qui prévoit habilement, qui combine adroitement. ◆ **incalculable** adj. Qui peut difficilement être évalué, prévu : *Les conséquences de cette décision sont incalculables* (syn. IMPRÉVISIBLE). *Des difficultés incalculables* (syn. INNOMBRABLE).

3. CALCUL [kalkyl] n. m. (lat. *calculus*, petit caillou). *Méd.* Concrétion pierreuse qui se forme parfois dans les cavités des reins, la vessie, la vésicule biliaire, etc. (syn. LITHIASE).
— ENCYCL. Les *calculs des reins* sont responsables des *coliques néphrétiques*, crises douloureuses abdominales pendant lesquelles le malade est agité mais n'a pas de fièvre (quand elles siègent dans le flanc droit, elles peuvent être confondues avec l'appendicite).
Les *calculs de la vésicule biliaire* provoquent des *coliques hépatiques*, crises douloureuses qui s'accompagnent souvent de vomissements. À un stade plus avancé, la *cholécystite aiguë* nécessite une intervention chirurgicale urgente.
Si le calcul parvient dans le canal cholédoque et s'y bloque, empêchant la bile de passer, la peau du malade prend une coloration jaune : il est alors affecté d'un *ictère* (= jaunisse).

CALCUTTA, v. de l'Inde, sur l'Hooghly, capit. du Bengale-Occidental; plus de 9 millions d'hab. Première ville de l'Inde par sa population, Calcutta juxtapose les quartiers d'origine européenne et la ville asiatique. Sa fonction commerciale et ses activités industrielles variées, basées au départ sur le travail du jute, en font une grande place d'affaires. Son port (6 millions de t par an) approvisionne toute la plaine du Gange et le Bangladesh. Mais le nombre d'emplois y est insuffisant par rapport à une population qui s'accroît sans cesse : le chômage est responsable de la misère et de l'entassement qui règnent dans d'immenses bidonvilles.

CALDER (Alexander), sculpteur américain (1898-1976). Il a créé, en assemblant des plaques de tôle, des *stabiles*, de proportions parfois gigantesques, et des *mobiles*, composés de tiges et de petites pièces métalliques peintes que les mouvements de l'air font incessamment bouger.

CALDERÓN DE LA BARCA (Pedro), poète dramatique espagnol (1600-1681). Il fut le dernier en date des grands auteurs de théâtre espagnols. Il a écrit environ 80 autos* sacramentales (= drames à sujet religieux comparables aux mystères français du Moyen Âge) et 111 comédies à thèmes religieux ou historiques : *La vie est un songe* (1635), *le Médecin de son honneur* (1635), *l'Alcade de Zalamea* (v. 1642).

CALDWELL (Erskine), écrivain américain (1903-1987). Il peint dans ses romans des Blancs du sud des États-Unis, en proie à la misère (*la Route au tabac*, 1932; *le Petit Arpent du Bon Dieu*, 1933).

1. CALE [kal] n. f. (all. *Keil*). Objet placé sous ou contre un autre, pour le maintenir d'aplomb ou l'immobiliser, pour conserver un écartement, etc. ◆ **caler** v. t. *Caler qqch.*, l'immobiliser avec une ou plusieurs cales : *Caler une table bancale.* ◆ ***se caler*** v. pr. (sujet nom de personne). S'installer confortablement : *Se caler dans un fauteuil* (syn. SE CARRER). ◆ **calage** n. m. : *Le calage d'un meuble.* ◆ **cale-pied** n. m. Dispositif fixé sur la pédale, pour maintenir le pied du cycliste. ‖ Pl. des *cale-pieds*.

2. CALE [kal] n. f. (du gr. *khalân*, abaisser). **1.** Partie la plus basse dans l'intérieur d'un navire. — **2.** Chantier ou bassin *(cale sèche)* où l'on construit ou répare un navire.

CALÉ, E [kale] adj. (de *caler* 1). **1.** *Fam.* Se dit d'une personne qui sait beaucoup de choses (syn. FORT, SAVANT). — **2.** Se dit d'une chose difficile à comprendre ou à réaliser : *Un problème calé* (syn. ARDU, COMPLIQUÉ).

CALEBASSE [kalbas] n. f. (esp. *calabaza*). Courge qui, vidée et séchée, peut servir de récipient.

CALÈCHE [kalɛʃ] n. f. (all. *Kalesche*). Voiture à cheval découverte, à quatre roues, munie à l'arrière d'une capote à soufflet.

CALEÇON [kalsɔ̃] n. m. (de l'it. *calzoni*). Sous-vêtement masculin en forme de culotte, à jambes longues ou courtes.

CALÉDONIE. *Géogr. anc.* Partie septentrionale de l'île de « Bretagne », correspondant, dans l'ensemble, à l'Écosse actuelle.

CALÉDONIE (Nouvelle-) ⟶ NOUVELLE-CALÉDONIE.

CALÉDONIEN, ENNE [kaledɔnjɛ̃, -ɛn] adj. et n. (de *Calédonie*). *Plissement calédonien*, plissement de l'ère primaire, entre le Silurien et le Dévonien, qui a affecté les régions du nord de l'Europe (Écosse) et le nord de la Sibérie.

CALÉFACTION [kalefaksjɔ̃] n. f. (du lat. *calefacere*, chauffer). Phénomène par lequel une goutte d'eau jetée sur une plaque très chaude reste sous forme d'une sphère liquide, soutenue par la vapeur qu'elle émet.

CALEMBOUR [kalɑ̃bur] n. m. (orig. obscure). Jeu de mots fondé sur les interprétations différentes d'un son ou d'un groupe de sons (ex. : *Une personne alitée, une personnalité*).

CALEMBREDAINE [kalɑ̃brədɛn] n. f. (orig. obscure) [surtout au plur.]. Histoire absurde; propos plus ou moins extravagants qui ne méritent pas d'être écoutés : *Débiter des calembredaines* (syn. BALIVERNE, FADAISE, SORNETTE).

CALENDES [kalɑ̃d] n. f. pl. (lat. *calendae*). **1.** Premier jour du mois, chez les Romains. — **2.** *Renvoyer aux calendes grecques,* remettre une chose à une époque qui n'arrivera pas (les mois grecs n'ayant pas de calendes).
— ENCYCL. Chez les Romains, le mois était divisé en trois parties : les *calendes* qui tombaient le premier jour de la nouvelle lune, les *ides* et les *nones.*

CALENDRIER [kalɑ̃drije] n. m. (lat. *calendarium*, registre de dettes). **1.** Tableau des jours d'une année, disposés en semaines et en mois, comportant généralement l'indication des fêtes religieuses et civiles, et des renseignements astronomiques (phases de la lune, lever et coucher du soleil, éclipses, etc.). — **2.** Programme des différentes activités prévues : *Le calendrier des examens.*
— ENCYCL. Le *calendrier* actuel est dit *grégorien* car il est l'œuvre du pape Grégoire XIII qui a réformé, en 1582, le système préexistant *(calendrier julien).* L'année compte 365 jours; tous les quatre ans, une année « bissextile » compte un jour supplémentaire, le 29 février (par ex. en 1968, 1972, 1976). Le calendrier julien a été utilisé en Russie jusqu'en 1918 : ainsi la révolution d' « octobre » 1917 s'est passée en novembre suivant le calendrier grégorien.
Le *calendrier musulman* comprend 12 mois de 29 ou 30 jours (total 354 ou 355 jours) : son année d'origine est 622 de notre ère (fuite du prophète Mahomet à Médine, ou *hégire*). Le neuvième mois, ou mois du ramadān, est marqué par un jeûne absolu entre le lever et le coucher du soleil.
Le *calendrier républicain* fut utilisé en France de 1793 à 1806. Il comprenait 12 mois de 30 jours chacun, auxquels s'ajoutaient 5 jours supplémentaires ou « sans-culottides ». Les mois étaient divisés en décades (10 jours) et non en semaines. —> tableau.

NOM DES MOIS	DATE DU DÉBUT DU MOIS	ORIGINE
vendémiaire	22 septembre	mois des vendanges
brumaire	22 octobre	mois des brumes
frimaire	21 novembre	mois des frimas
nivôse	21 décembre	mois des neiges
pluviôse	20 janvier	mois des pluies
ventôse	19 février	mois des vents
germinal	21 mars	mois de la germination
floréal	20 avril	mois des fleurs
prairial	20 mai	mois des prairies
messidor	19 juin	mois des moissons
thermidor	19 juillet	mois de la chaleur
fructidor	18 août	mois des fruits

CALE-PIED n. m. —> CALE 1.

CALEPIN [kalpɛ̃] n. m. (de *Calepino*, auteur italien d'un dictionnaire). Petit carnet servant à prendre des notes, à indiquer des rendez-vous, etc. (syn. AGENDA).

1. CALER v. t. —> CALE 1.

2. CALER [kale] v. t. (gr. *khalân*, abaisser). *Caler un moteur*, provoquer son arrêt par une fausse manœuvre. ◆ v. i. **1.** *Le moteur cale*, il s'arrête brusquement. — **2.** (sujet nom de personne) *Fam.* Abandonner ce qu'on a entrepris, céder.

CALFATER [kalfate] v. t. (anc. prov. *calafatar*). Boucher avec de l'étoupe et du goudron les fentes de la coque d'un navire pour la rendre étanche.

CALFEUTRER [kalføtre] v. t. (altér. de *calfater*, d'après *feutre*). Boucher soigneusement les fentes d'une porte, d'une fenêtre, afin d'empêcher l'air de passer. ◆ **calfeutrage** ou **calfeutrement** n. m.

CALGARY, v. du Canada (Alberta); 403 300 hab. Centre commercial et industriel.

CALI, v. de Colombie, sur le versant est de la Cordillère occidentale; 1 955 000 hab.

Caliban, personnage fantastique de *la Tempête* de Shakespeare. Gnome monstrueux, il personnifie la force brutale obligée d'obéir à une puissance supérieure (symbolisée par Ariel), mais toujours en révolte contre elle.

CALIBRE [kalibr] n. m. (ar. *qālib*). **1.** Diamètre intérieur du canon d'une arme à feu; diamètre d'un projectile et, plus généralement, grosseur d'un objet : *Un revolver de gros calibre.* — **2.** Instrument servant d'étalon pour le contrôle des fabrications mécaniques. — **3.** *Fam.* Qualité, valeur, importance d'une personne ou d'une chose : *Une erreur de ce calibre ne peut passer inaperçue* (syn. TAILLE). ◆ **calibrer** v. t. : *Calibrer des fruits* (= les classer selon la grosseur). ◆ **calibrage** n. m. Action de donner le calibre voulu à une pièce usinée (arme à feu) ou de vérifier les dimensions d'un objet.

1. CALICE [kalis] n. m. (lat. *calix, -icis*, coupe). **1.** Vase sacré, utilisé pour la célébration de la messe, et destiné à contenir le vin qui sera consacré. — **2.** *Boire le calice jusqu'à la lie,* supporter courageusement jusqu'au bout l'adversité; endurer les pires vexations (loc. littér.).

2. CALICE [kalis] n. m. (même étym.). Enveloppe extérieure des fleurs, formée par les sépales, et généralement de couleur verte.

CALICOT [kaliko] n. m. (de *Calicut*). Toile de coton, et partic. banderole de tissu portant une inscription.

CALICUT, auj. **Kozhikode,** port du sud-ouest de l'Inde (Kerala) sur le golfe d'Oman; 515 800 hab. Ce fut la première escale de Vasco de Gama en 1498.

CALIFE [kalif] n. m. (ar. *kalīfa*). Titre porté après la mort de Mahomet par les souverains politiques et religieux de l'Empire musulman. ◆ **califat** n. m. **1.** Dignité de calife. — **2.** Durée de son règne. — **3.** Territoire soumis à son autorité.

CALIFORNIE, en angl. **California,** État de l'ouest des États-Unis, en bordure de l'océan Pacifique; 411 000 km² (soit plus que les deux Allemagnes); 23 700 000 hab. (57 au km²) [État-Unis : 24]. Capit. *Sacramento* (254 400 hab.); v. pr. *Los Angeles* (7 032 100 hab.), *San Francisco* (3 109 500 hab.).

GÉOGRAPHIE. La Grande Vallée, longue dépression intérieure parallèle à la côte, est bordée à l'E. par la sierra Nevada (mont Whitney, 4 418 m) et à l'O., en bordure de l'Océan, par la Coast Range.
Un climat méditerranéen, doux et humide, y a permis le développement de riches cultures : agrumes, vigne, légumes.
La présence de gaz naturel et de pétrole a facilité l'industrialisation (chimie, métallurgie). Ces activités sont concentrées dans les villes dont les principales se situent sur la côte. Hollywood, faubourg de Los Angeles, est un centre cinématographique d'importance mondiale.
Actuellement, la Californie, l'un des États les plus dynamiques du pays, en est aussi le plus peuplé. Cela s'explique en partie par la douceur de son climat par rapport au nord-est des États-Unis, qui fait que de nombreux Américains viennent s'y fixer.

HISTOIRE. La Californie fut découverte au XVIe s. par les Espagnols et les Britanniques.

- *1769. Début de la colonisation par les Espagnols.*

Les premiers « yankees » arrivent au début du XIXe s.

- *1848. Après une guerre avec le Mexique, la « haute » Californie est annexée aux États-Unis.*
- *1869. Arrivée du chemin de fer depuis l'E. : la population s'accroît dès lors très vite.*

CALIFOURCHON (À) [akalifurʃɔ̃] loc. adv. (de l'anc. fr. *a calefourchies*, les jambes écartées). Jambe d'un côté, jambe de l'autre : *S'asseoir à califourchon sur une chaise* (syn. À CHEVAL).

CALIGULA (12-41), empereur romain de 37 à 41. Petit-fils adoptif et successeur de Tibère, il inaugura une politique de libéralisme, mais devint bientôt fou. Il prétendit être adoré comme un dieu. Il fut assassiné par les prétoriens et le sénat décida de le rayer de la liste des empereurs.

CÂLIN, E [kɑlɛ̃, -in] adj. (du lat. *calere*, faire chaud). Qui a le goût des caresses; qui exprime une douce tendresse : *Un enfant, un regard câlin* (syn. CARESSANT). ◆ **câlinement** adv. ◆ **câliner** v. t. : *Câliner son enfant* (= le cajoler avec douceur et tendresse). ◆ **câlinerie** n. f. Manières tendres et caressantes.

CALISSON [kalisɔ̃] n. m. (prov. *calissoun*, clayon de pâtissier). Petit gâteau d'amandes pilées, à dessus glacé.

CALLAO, v. du Pérou, près de Lima, sur le Pacifique; 441 300 hab. Grand port de pêche et de commerce.

CALLE (La), auj. **El-Qala,** port de l'Algérie orientale; 9 900 hab. La Compagnie marseillaise du corail s'y établit au XVIIIe s.

CALLEUX, EUSE adj. —> CAL.

Calligrammes, recueil poétique de G. Apollinaire (1918).

CALLIGRAPHIE [kaligrafi] n. f. (du gr. *kallos*, beauté, et *graphein*, écrire). Art de former d'une façon élégante et ornée les caractères de l'écriture. ◆ **calligraphier** v. t. Écrire avec soin et élégance.

CALLOSITÉ n. f. —> CAL.

CALLOT (Jacques), graveur français (1592-1635). Il a gravé plus de quatorze cents pièces, choisissant les sujets les plus variés : mœurs, satire, guerre, religion. Prenant parti pour les humbles, il dénonça la misère et les horreurs de la guerre.

CALMANT, E adj. et n. m. —> CALME.

CALMAR [kalmar] ou **CALAMAR** [kalamar] n. m. (lat. *calamarius*). Mollusque céphalopode carnassier, ressemblant à la seiche par ses dix tentacules, et dont la coquille est réduite à une plaque dorsale cornée transparente, la *plume.* (Les calmars de nos côtes ne dépassent pas 0,80 m, mais les formes de haute mer peuvent atteindre 17 m et se défendre efficacement contre les cachalots, leurs ennemis naturels.) [Nom usuel ENCORNET.]

CALME [kalm] adj. (it. *calma*). **1.** Se dit de ce qui est sans agitation, sans animation : *La mer est calme, sans une vague* (contr. AGITÉ). *La situation internationale est calme* (= sans tension). *Mener une vie bien calme* (syn. PAISIBLE, TRANQUILLE). — **2.** Se dit de quelqu'un (ou de son comportement) qui ne s'emporte pas, qui reste maître de soi : *Un tempérament calme* (syn. PLACIDE; contr. EMPORTÉ, VIOLENT). ◆ **calmement** adv. : *Considérer calmement la situation* (syn. AVEC CALME). ◆ **calme** n. m. **1.** Absence d'agitation, de bruit en un lieu : *Travailler dans le calme* (ou *au calme*). — **2.** *Calmes équatoriaux,* zone de vents faibles dans les régions équatoriales où se produisent de forts mouvements ascendants des masses d'air. ‖ *Calme plat,* absence totale de vent, qui laisse la mer plate, unie. — **3.** Absence de nervosité, d'émotion chez une personne : *Garder un calme imperturbable* (syn. SÉRÉNITÉ). ◆ **calmer** v. t. **1.** *Calmer qq'un,* le rendre plus calme : *Calmer des manifestants* (syn. APAISER; contr. EXCITER). — **2.** *Calmer une sensation, un sentiment,* les rendre moins intenses : *Un remède qui calme la douleur* (syn. ATTÉNUER, ÔTER; contr. AVIVER). ◆ **se calmer** v. pr. (sujet nom de personne ou de chose). Devenir plus calme : *Il était très énervé, mais il s'est calmé. La tempête se calme. Ma rage de dents s'est calmée.* ◆ **calmant, e** adj. et n. m. : *Un traitement calmant* (= qui calme la douleur). *Prendre un calmant.*

CALMETTE (Albert), médecin et bactériologiste français (1863-1933). Il découvrit avec Guérin la méthode de vaccination préventive de la tuberculose par le *vaccin bilié Calmette-Guérin (B. C. G.*).*

CALOMNIE [kalɔmni] n. f. (lat. *calumnia*). Accusation grave et volontairement mensongère contre quelqu'un : *Ce que vous dites est une pure calomnie* (syn. DÉNIGREMENT, DIFFAMATION). ◆ **calomnier** v. t. : *Calomnier un rival* (syn. DÉNIGRER, MÉDIRE DE). ◆ **calomniateur, trice** n. : *Il méprise les calomniateurs* (syn. DÉTRACTEUR, DIFFAMATEUR). ◆ **calomnieux, euse** adj. Se dit des choses qui contiennent ou constituent une calomnie : *Des paroles calomnieuses* (syn. DIFFAMATOIRE). ◆ **calomnieusement** adv.

CALONNE (Charles Alexandre DE), homme politique français (1734-1802). Contrôleur général des Finances en 1783, il restaura la confiance mais, pour combler le déficit financier, dut proposer des réformes hardies. Il fit convoquer, en 1787, une Assemblée des notables : les privilégiés refusèrent l'établissement d'un impôt foncier (la *subvention territoriale*) frappant tous les sujets du roi. Entré en disgrâce, Calonne se retira en Angleterre.

CALONNE-RICOUART, comm. du Pas-de-Calais, à 3 km à l'O. de Bruay-en-Artois; 7 600 hab. *(Calonnois).* Industrie chimique.

CALORIE [kalɔri] n. f. (du lat. *calor,* chaleur). Unité de quantité de chaleur (symb. cal) qui équivaut à 4,185 5 joules : *La calorie (ou petite calorie) est la quantité de chaleur nécessaire pour élever de un degré la température de un gramme d'eau. On détermine en calories la valeur énergétique des aliments.* (→ ALIMENT.) Elle ne compte plus parmi les unités de mesure légales françaises.

CALORIFIQUE [kalɔrifik] adj. (lat. *calorificus*). Qui fournit de la chaleur. ‖ *Capacité calorifique,* produit de la masse d'un corps par sa chaleur spécifique.

CALORIFUGE [kalɔrifyʒ] adj. et n. m. (du lat. *calor,* chaleur, et *fugere,* fuir). Qui empêche la déperdition de la chaleur : *L'amiante est calorifuge.*

CALORIMÉTRIE [kalɔrimetri] n. f. (du lat. *calor,* chaleur, et *metron,* mesure). Partie de la physique qui a pour objet la mesure des quantités de chaleur.

1. CALOT [kalo] n. m. (de *calotte*). Coiffure militaire ou bonnet du même genre porté par des civils.

2. CALOT [kalo] n. m. (mot dial.). Grosse bille à jouer : *L'enfant vise l'agate avec son calot.*

1. CALOTTE [kalɔt] n. f. (de l'anc. fr. *cale,* bonnet). **1.** Petit bonnet rond ne couvrant que le sommet du crâne, en usage chez les ecclésiastiques. ‖ Pop. et péjor. *La calotte,* les prêtres, le clergé. — **2.** *Calotte des cieux,* voûte des cieux, le ciel. ‖ *Calotte crânienne,* partie supérieure de la boîte crânienne. ‖ *Calotte glaciaire,* masses de neige et de glace constituant le sommet arrondi de certaines montagnes; territoire couvert de glace dans les régions polaires.

2. CALOTTE [kalɔt] n. f. (de *calotte* 1). *Fam.* Tape donnée sur la joue, la tête. ◆ **calotter** v. t. *Fam.* Gifler.

CALQUE [kalk] n. m. (du lat. *calcare*). **1.** Dessin obtenu en appliquant un papier transparent sur le dessin à reproduire (syn. DÉCALQUE). — **2.** Imitation, reproduction sans originalité : *Ton discours n'est qu'un calque du sien* (syn. COPIE, DÉMARQUAGE). ◆ **calquer** v. t. **1.** *Calquer un schéma* (syn. DÉCALQUER). — **2.** *Il calque sa conduite sur celle de son ami.*

CALTANISSETTA, v. d'Italie, dans le centre de la Sicile; 60 100 hab. Commerce du soufre.

CALUIRE-ET-CUIRE, ch.-l. de cant. du Rhône, dans la banlieue nord de Lyon, sur la rive gauche de la Saône; 43 300 hab. Centre industriel.

CALUMET [kalymɛ] n. m. (forme dial. de *chalumeau*). Pipe à long tuyau, dont se servaient les Indiens de l'Amérique du Nord.

CALVADOS (14), dép. de l'ouest de la France, formé d'une partie de la Normandie (région Basse-Normandie); 5 548 km^2; 589 600 hab. (107 au km^2) [France: 103]. Ch.-l. *Caen.*

LOCALITÉS PRINCIPALES	NOMBRE D'HAB.
Caen	117 100
Lisieux	25 800
Hérouville-Saint-Clair	24 500
Bayeux	15 200
Vire	14 500
Mondeville	9 600
Falaise	8 800
Honfleur	8 500
Condé-sur-Noireau	7 300
Trouville-sur-Mer	6 000

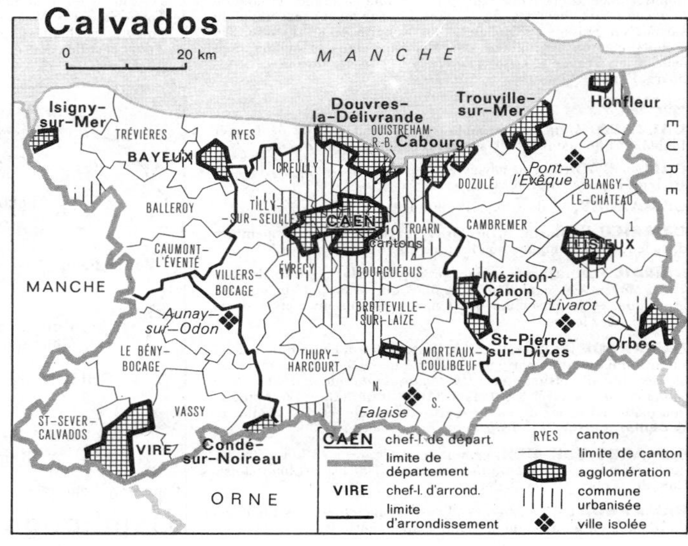

ADMINISTRATION. 4 arrond. (*Bayeux*, 60 400 hab.; *Caen*, 341 000 hab.; *Lisieux*, 132 600 hab.; *Vire*, 55 500 hab.). 48 cant. / 704 comm.

Situé aux confins du Bassin parisien et du Massif armoricain, le dép. juxtapose de nombreux petits pays : *Bessin* à l'O., *campagne de Caen* au centre, *pays d'Auge* à l'E. L'altitude, généralement basse, s'élève un peu dans le Sud-Ouest, partie du *Bocage normand*. Le climat, humide, a favorisé l'extension de l'herbe, elle-même à la base du développement de l'élevage.

L'*agriculture* tient toujours une place importante. L'élevage bovin domine, comme dans l'ensemble de la Normandie, mais ici les cultures ne sont pas absentes (campagne de Caen).

L'*industrie* occupe un peu plus du tiers de la population active, part comparable à la moyenne nationale. Elle est représentée surtout par les industries alimentaires (beurre et fromage) et par la métallurgie de l'agglomération de Caen, qui regroupe environ 30 p. 100 de la population totale du dép.

Le dynamisme de Caen explique la relative importance du *secteur tertiaire*.

Le *tourisme* est surtout actif sur le littoral oriental (Cabourg, Deauville, Trouville).

CALVADOS [kalvados] ou **CALVA** [kalva] n. m. (fam.) [de *Calvados*]. Eau-de-vie de cidre.

CALVAIRE, en araméen **Golgotha,** colline près de Jérusalem, où fut crucifié Jésus-Christ.

CALVAIRE [kalvɛr] n. m. (trad. de l'hébr. *Golgotha*, lieu du crâne [colline où le Christ fut crucifié]). **1.** Croix érigée sur un socle ou sur une plate-forme, dans un lieu public, et commémorant la Passion du Christ : *Les calvaires bretons représentent des groupes de personnages entourant la croix.* — **2.** Longue suite de souffrances physiques ou morales.

CALVI, ch.-l. d'arrond. de la Haute-Corse, sur la côte nord-ouest de l'île; 3 636 hab. Port de voyageurs. Grand centre touristique.

CALVIN (Jean CAUVIN, dit), réformateur français, propagateur de la Réforme en France et en Suisse (1509-1564). Après de brillantes études, il fréquente les humanistes (Lefèvre d'Étaples, Guillaume Budé).

- *1533. Il se rallie à la Réforme* et mène dès lors une vie errante, menacé par les autorités.*
- *1536. Il publie en latin « l'Institution de la religion chrétienne » considérée comme le livre de base du calvinisme*.*
- *1541. Calvin s'installe à Genève où il organise une république protestante.*

CALVINISME [kalvinism] n. m. Doctrine religieuse fondée par Calvin. ◆ **calviniste** adj. et n.

— ENCYCL. Le *calvinisme* se distingue des autres doctrines protestantes par le dogme de la prédestination (le pécheur est sauvé par la seule grâce de Dieu), la réduction des sacrements au baptême et à l'eucharistie, la suppression complète des cérémonies, l'organisation très décentralisée des Églises. On donna en France le nom de *huguenots* aux disciples de Calvin. Le calvinisme est répandu surtout en Suisse, en Hollande, en Hongrie et en Écosse. On compte environ 40 millions de calvinistes dans le monde dont 500 000 en France *(Église réformée de France)*, surtout à Strasbourg, Paris et Nîmes.

CALVITIE n. f. → CHAUVE.

CALYPSO. *Myth. gr.* Nymphe qui habitait une île de la mer Ionienne. Elle accueillit Ulysse naufragé et le retint dix ans.

CAM ou **CÃO** (Diogo), navigateur portugais du XVe s. En 1482, il atteignit l'embouchure du Congo.

CAMAGÜEY, v. de Cuba; 197 000 hab.

CAMAÏEU [kamajø] n. m. (orig. obscure). Genre de peinture dans lequel on n'emploie que les tons d'une seule couleur.

CAMAIL [kamaj] n. m. (anc. prov. *capmalh*, coiffure de fer). **1.** Au Moyen Âge, capuchon de mailles qui se portait sur ou sous le casque. — **2.** Ensemble des longues plumes du cou et de la poitrine, chez le coq.

CAMARADE [kamarad] n. (de l'esp. *camara*, chambre). **1.** Personne à qui on est lié par une familiarité née d'activités communes (études, travail, loisirs, etc.) : *Un camarade d'école, d'atelier. Une bonne camarade* (syn. ↑AMI; fam. COPIN, COPINE). — **2.** Appellation usitée entre membres des partis de gauche et des syndicats. ◆ **camaraderie** n. f. : *Avoir l'esprit de camaraderie.*

CAMARET-SUR-MER, comm. du Finistère, à 43 km au N.-O. de Châteaulin, sur la *baie de Camaret;* 3 300 hab. *(Camarétois).* Port de pêche. Station balnéaire.

CAMARGUE (la), région du sud de la France (dép. des Bouches-du-Rhône), en bordure de la Méditerranée, entre les deux bras du Rhône inférieur. D'une superficie dépassant 700 km² et dépendant administrativement de la commune d'Arles, la Camargue comprend, au S., une partie très marécageuse, occupée en grande partie par l'étang de Vaccarès, où se perpétue l'élevage des taureaux et des chevaux. La partie septentrionale, mieux drainée, est le domaine de la culture du riz (dont la Camargue a pratiquement l'exclusivité en France). Des marais salants ont donné naissance à l'industrie de la soude (Salin-de-Giraud). La Camargue constitue un parc naturel régional (une réserve botanique et zoologique a été créée dans le Sud); le tourisme s'y est beaucoup développé.

CAMARILLA [kamarija] n. f. (mot esp.). Groupe de personnes exerçant une influence déterminante sur un gouvernement.

CAMBACÉRÈS (Jean-Jacques Régis DE), duc DE PARME, homme politique français (1753-1824). Deuxième consul après le 18-Brumaire, il contribua à l'élaboration du Code civil.

CAMBIUM [kɑ̃bjɔm] n. m. (lat. *cambium*, change). *Bot.* Assise génératrice située entre le bois et le liber primaires des plantes vivaces, et formant chaque année un anneau de bois et un anneau de liber dits *secondaires*. (Le cambium n'existe que chez les gymnospermes et chez les dicotylédones.)

CAMBODGE, État de l'Asie du Sud-Est, entre le Viêt-nam et le golfe de Siam.

SUPERFICIE 180 000 km² (France : 550 000 km²).

POPULATION 6 800 000 hab. *(Cambodgiens);* 38 hab. au km² (France : 103); 8 millions d'hab. en 1978; accroissement annuel de population, 2,2 p. 100.

CAPITALE Phnom Penh (400 000 hab.).

LANGUE cambodgien.

GÉOGRAPHIE

Le Cambodge est formé d'une dépression centrale, où s'étend le lac Tonlé Sap qui se déverse dans le Mékong. Cette région est bordée par des plateaux gréseux et basaltiques. Le climat, de mousson, est chaud et humide; le maximum de pluie se situe dans la partie sud-ouest du pays tandis que le Centre est plus sec.

	TEMPÉRATURES MOYENNES janv.	juil.	PLUIES
Phnom Penh	24,6 °C	27,5 °C	1 400 mm

La *population* est concentrée dans la dépression. Relativement peu dense, elle habite surtout la campagne. Phnom Penh, sur le Mékong, est la seule ville d'une certaine importance.

L'*agriculture* reste l'activité essentielle. L'arrivée de la mousson, qui s'accompagne chaque été d'inondations, rythme la vie agricole. On cultive surtout le riz, mais aussi le maïs, le coton, le tabac. Des plantations d'hévéas fournissent du caoutchouc naturel. Les Cambodgiens pratiquent enfin un peu d'élevage. La *pêche*, sur le Tonlé Sap et le Mékong, apporte des ressources appréciables. L'*industrie* se limite à la transformation des produits agricoles (rizeries) et à des conserveries.

Cambodge

HISTOIRE

Au début de l'ère chrétienne, le Cambodge fait partie du royaume khmer du Fou-nan.

- *802. Début de la dynastie d'Angkor qui va durer jusqu'au IVe s. Elle donne naissance à une brillante civilisation.*
- *1431. Angkor tombe aux mains du Siam.*

Au XVIIIe s., la Cochinchine et le Siam interviennent au Cambodge au détriment de son intégrité territoriale.

- *1863. Traité établissant le protectorat de la France.*
- *1953. Le Cambodge devient un État indépendant.*
- *1960-1970. Le prince Norodom Sihanouk est chef de l'État.*
- *1970. À la suite d'un coup d'État militaire, le Cambodge devient la République khmère, dirigée par le général Lon Nol.*
- *1975. Les révolutionnaires l'emportent et établissent un régime très répressif.*
- *1979. Les adversaires du régime s'emparent du pouvoir avec l'aide militaire du Viêt-nam.*
- *1982. Sihanouk réussit à regrouper les adversaires du régime de Phnom Penh. qui maintiennent divers foyers d'insécurité.*
- *1985. L'armée vietnamienne intensifie sa lutte contre la résistance khmère.*

À partir de 1987, des négociations s'engagent en vue d'aboutir à un règlement politique du conflit.

- *1989. La République populaire du Kampuchéa reprend officiellement le nom d'État du Cambodge (avr.). Les troupes vietnamiennes se retirent totalement du pays (sept.).*
- *1991. Un accord est signé à Paris (oct.), qui confie l'administration du Cambodge à un Conseil national suprême (formé en 1990), représentant toutes les factions khmères et dirigé par Norodom Sihanouk. Cette autorité, investie du pouvoir — sous contrôle des Nations unies — jusqu'au retour de la paix et à l'organisation d'élections libres, s'installe à Phnom Penh en novembre.*

CAMBODGIEN, ENNE [kɑ̃bɔdʒjɛ̃, -ɛn] adj. et n. Du Cambodge.

CAMBO-LES-BAINS, comm. des Pyrénées-Atlantiques, à 20 km au S.-S.-E. de Bayonne, sur la rive gauche de la Nive; 5 100 hab. *(Camboards).* Station hydrominérale.

CAMBOUIS [kɑ̃bwi] n. m. (orig. obscure). Huile ou graisse devenue noire après usage prolongé dans les rouages d'une machine ou d'un véhicule.

CAMBRAI, ch.-l. d'arrond. du Nord, capit. du Cambrésis, sur l'Escaut canalisée; 36 600 hab. *(Cambrésiens).* Industries textiles et alimentaires (berlingots dits *bêtises de Cambrai*).

Cambrai *(ligue de)*, nom donné à l'alliance conclue en 1508 entre le pape Jules II, l'empereur Maximilien, Louis XII et Ferdinand d'Aragon, contre Venise. La victoire de Louis XII à Agnadel fut rapidement annulée par l'habile diplomatie vénitienne.

CAMBRER [kɑ̃bre] v. t. (du lat. *camur*, arqué). *Cambrer le corps, une partie du tronc*, les redresser jusqu'à les courber en arrière : *Cambrer les reins* (syn. CREUSER). ◆ ***se cambrer*** v. pr. Se redresser en bombant la poitrine. ◆ **cambré, e** adj. Courbé en arc. ◆ **cambrure** n. f. : *La cambrure de la taille.*

CAMBRÉSIS (le), bas plateau crayeux, domaine de la culture céréalière et betteravière, constituant une voie de passage entre la Flandre et le Bassin parisien, à l'E. de l'Artois. V. pr. *Cambrai.*

CAMBRIDGE, v. de Grande-Bretagne, au N. de Londres; 107 000 hab. L'université (XIIIe s.) est formée de fondations privées, des collèges, dont chacun a sa discipline particulière.

CAMBRIDGE, v. des États-Unis (Massachusetts); 95 000 hab. Université Harvard, la plus ancienne de l'Union (1636).

CAMBRIEN [kɑ̃brijɛ̃] adj. et n. m. (du lat. *Cambria*, pays de Galles). Se dit de la première période de l'ère primaire de — 500 à — 400 millions d'années env.

CAMBRIOLER [kɑ̃brijɔle] v. t. (du prov. *cambro*, chambre). **1.** *Cambrioler une maison, un appartement*, etc., les dévaliser, voler des objets qui s'y trouvent. — **2.** *Cambrioler qq'un*, faire un cambriolage chez lui. ◆ **cambriolage** n. m. Vol, avec ou sans effraction, effectué dans un local. ◆ **cambrioleur, euse** n. : *Les cambrioleurs ont dévalisé le coffre-fort.*

CAMBRONNE (Pierre), général français (1770-1842). Il commandait à Waterloo un des derniers carrés de la Vieille Garde; sommé de se rendre, il aurait riposté : « La garde meurt et ne se rend pas. » D'après une autre version, il répondit par une injure à laquelle son nom est resté attaché (= le « mot de Cambronne »).

CAMBRURE n. f. ⟶ CAMBRER.

CAMBUSE [kɑ̃byz] n. f. (néerl. *kombuis*). Magasin dans l'entrepont d'un navire, contenant les vivres et le vin.

CAME [kam] n. f. (de l'all. *Kamm*, peigne). **1.** Mécanisme conçu pour effectuer une transformation de mouvement au moyen de courbes ou de profils judicieusement calculés. — **2.** *Arbre à cames*, arbre muni de bossages, qui transforme le mouvement circulaire du vilebrequin d'un mécanisme en un mouvement alternatif d'autres organes.

CAME [kam] n. f. (de *camelote*). *Pop.* Drogue. ◆ **camé, e** adj. et n. *Pop.* Drogué. ◆ **camer (se)** v. pr. *Pop.* Se droguer.

CAMÉE [kame] n. m. (it. *cameo*). Pierre précieuse sculptée en relief, portée comme bijou.

CAMÉLÉON [kameleɔ̃] n. m. (gr. *khamaileôn*, lion à terre). Petit reptile arboricole d'Afrique et d'une partie de l'Asie, capable de prendre la couleur du milieu où il est placé (*homochromie**) et doté d'une langue aussi longue que son corps, pouvant se projeter pour capturer des insectes. (Ordre des lézards.)

CAMÉLIA ou **CAMELLIA** [kamelja] n. m. (lat. *camellia*). Arbuste d'ornement d'origine asiatique, dont les fleurs sont blanches, roses ou rouges, et les feuilles vernissées; sa fleur. (Famille des théacées.)

CAMÉLIDÉS [kamelide] n. m. pl. (du lat. *camelus*, chameau). Famille de mammifères ruminants sans cornes, comprenant le *chameau*, le *dromadaire* et les *lamas*.

CAMELOT [kamlo] n. m. (de l'arg. *coesmelot*, petit mercier). Marchand ambulant qui vend des articles de peu de valeur. ◆ **camelote** n. f. *Fam.* Marchandise, produit de mauvaise qualité.

CAMEMBERT [kamɑ̃bɛr] n. m. (du village de *Camembert*, dans l'Orne). Fromage à pâte fermentée molle, fabriqué à partir du lait de vache, en Normandie.

CAMÉRA [kamera] n. f. (lat. *camera*, chambre). Appareil de prise de vues pour le cinéma ou pour la télévision. ◆ **cameraman** n. m. Opérateur chargé de manier la caméra. ‖ Pl. des *cameramen.* (L'Administration préconise le mot CADREUR.)

CAMÉRIER [kamerje] n. m. (it. *cameriere;* du lat. *camera*, chambre). Officier de la chambre du pape ou d'un cardinal.

CAMÉRISTE [kamerist] n. f. (esp. *camarista;* du lat. *camara*, chambre). *Fam.* Femme de chambre.

CAMERLINGUE [kamɛrlɛ̃g] n. m. (it. *camerlingo*). Cardinal qui administre les affaires de l'Église pendant la vacance du Saint-Siège.

CAMERONE, combat de la guerre du Mexique au cours duquel 64 légionnaires résistèrent aux assauts de 2 000 Mexicains, le 30 avril 1863. La date anniversaire de ce fait d'armes est devenue celle de la fête de la Légion étrangère française.

CAMEROUN, État d'Afrique, au fond du golfe de Guinée.

SUPERFICIE 475 000 km² (France : 550 000 km²).

POPULATION 10 800 000 hab. *(Camerounais);* 23 hab. au km² (France : 103); taux de natalité, 43,1 p. 1 000; taux de mortalité, 22,8 p. 1 000.

CAPITALE Yaoundé (440 000 hab.).

VILLE PRINCIPALE Douala (1 030 000 hab.).

LANGUES OFFICIELLES français et anglais.

ÉCONOMIE consommation d'énergie par hab., 90 kg d'équivalent charbon ; 1 automobile pour 150 hab.

GÉOGRAPHIE

Le Cameroun se compose de régions naturelles variées. Des zones de plateaux et collines s'étendent d'une part au S., d'autre part au N., jusqu'au lac Tchad, encadrant le massif cristallin de l'Adamaoua. À l'O., la plaine côtière est dominée par des massifs volcaniques (mont Cameroun, 4 070 m). Le climat, chaud et humide au bord de l'Atlantique, s'assèche progressivement jusqu'au lac Tchad, ce qui explique les changements de la végétation et le passage de la forêt au S. à la savane puis à la steppe au N.

	TEMPÉRATURES MOYENNES janv.	juil.	PLUIES
Yaoundé	24,1 °C	22,7 °C	1 588 mm

La *population*, peu dense, se concentre dans la région côtière, où se situent les grandes plantations de café, de cacao et d'hévéas (caoutchouc). Ailleurs, on pratique surtout l'élevage, plus un peu de culture d'arachides au N.

cacao	115 000 t	bovins	3 millions de têtes
café	125 000 t	ovins	2 200 000 têtes
caoutchouc	18 000 t		

Les *ressources minières* sont peu abondantes (or, cassitérite), en dehors du pétrole (9 millions de tonnes). Le pays commence à utiliser ses cours d'eau pour la production d'électricité, ce qui a permis la création d'une grande usine d'aluminium (à Édéa). Mais par ailleurs l'*industrie* se limite au textile et à la transformation de produits agricoles.

électricité 2 milliards de kWh ; aluminium 73 000 t.

HISTOIRE

Dès le XVe s., le Cameroun fut atteint par les navigateurs portugais. À partir du XVIIe s., les Européens vinrent y chercher des esclaves et de l'ivoire.

- *1884. Le Cameroun est placé sous protectorat allemand.*
- *1914-1916. Au cours de la Première Guerre mondiale, les alliés français, anglais et belges conquièrent le Cameroun.*

Le pays est partagé en deux zones, sous la tutelle de la France et de la Grande-Bretagne.

- *1940. Le Cameroun français se rallie à de Gaulle.*
- *1960. Le Cameroun sous tutelle française devient un État indépendant sous la présidence d'Ahmadou Ahidjo.*
- *1961. La zone sud de l'ancien Cameroun britannique rejoint l'État indépendant (la zone nord se rattache au Nigeria).*
- *1982. Paul Biya succède à Ahidjo.*

CAMEROUN *(mont)*, massif volcanique de l'Afrique, dominant l'est du golfe de Guinée; 4 070 m.

1. CAMION [kamjɔ̃] n. m. (orig. incert.). Seau dans lequel le peintre délaie sa peinture.

2. CAMION [kamjɔ̃] n. m. (orig. incert.). Véhicule automobile destiné à transporter de grosses charges : *Un camion de six tonnes* (= pouvant transporter six tonnes de matériaux). ◆ **camion-citerne** n. m. Camion spécialement conçu pour le transport des liquides. ‖ Pl. des *camions-citernes*. ◆ **camionnette** n. f. Petit camion. ◆ **camionnage** n. m. Transport par camion. ◆ **camionneur** n. m. : *Le camionneur conduisit son véhicule près de la grue* (syn. TRANSPORTEUR ROUTIER).

CAMISARD [kamizar] n. m. (du languedocien *camiso*, chemise). Nom donné aux calvinistes des Cévennes qui, au début du XVIIIe s., luttèrent contre les armées de Louis XIV.
— ENCYCL. ***camisard.*** La révocation de l'édit de Nantes (1685) et les procédés brutaux qui l'accompagnèrent portèrent à leur paroxysme l'exaltation religieuse des paysans cévenols. En 1702, ils entrèrent en lutte ouverte contre les forces royales qu'ils tinrent d'abord en échec. Louis XIV dut envoyer le maréchal de Villars les soumettre par les armes.

CAMISOLE [kamizɔl] n. f. (anc. prov. *camisola*, casaque). *Camisole de force*, blouse emprisonnant les bras le long du corps, que l'on passe à des fous furieux pour les maîtriser.

CAMÕES ou **CAMOENS** (Luís DE), poète portugais (1524-1580). Il composa une épopée à la gloire des explorateurs portugais, *les Lusiades* (1572).

CAMOMILLE [kamɔmij] n. f. (gr. *khamaimêlon*, pomme à terre). Nom donné à plusieurs plantes odorantes de la famille des composées (genres anthémis et matricaire), parfois cultivées pour leurs fleurs, dont les infusions facilitent la digestion.

CAMOUFLER [kamufle] v. t. (de *camouflet*, fumée). **1.** *Camoufler un objet*, le rendre difficilement visible en le masquant, en le bariolant, etc. (surtout mil.). — **2.** *Camoufler un fait, un sentiment*, etc., éviter de les laisser apparaître : *Camoufler ses fautes* (syn. CACHER, DÉGUISER, MASQUER). ◆ **camouflé, e** adj. : *La tenue camouflée des parachutistes.* ◆ **camouflage** n. m. Art de dissimuler du matériel de guerre ou des troupes à l'observation ennemie.

CAMOUFLET [kamuflɛ] n. m. (orig. obscure). Parole, action, situation qui humilie quelqu'un en rabattant brutalement sa fierté, ses prétentions : *Le résultat des élections a été pour lui un cruel camouflet* (syn. AFFRONT, HUMILIATION, VEXATION).

1. CAMP [kɑ̃] n. m. (du lat. *campus*, champ). **1.** Terrain où stationne une troupe qui loge sous la tente ou dans des baraquements; ensemble des abris et du matériel utilisés par cette troupe : *Un camp militaire destiné à l'instruction des recrues.* — **2.** *Camp de concentration* ⟶ CONCENTRER 1. ‖ *Camp retranché*, place forte entourée d'ouvrages avancés, destinés à défendre une position, à garder un passage, etc. ‖ *Camp volant*, camp provisoire établi par des troupes en déplacement. ‖ *Lever le camp*, plier les tentes et le matériel et se tenir prêt à quitter le camp; décamper, s'en aller. ‖ *Lit de camp*, lit pliant ou démontable. ◆ **campement** n. m. **1.** Camp sommairement aménagé : *Un campement de nomades.* — **2.** Ensemble du matériel d'une troupe qui campe : *Ils durent partir en abandonnant une partie du campement.*

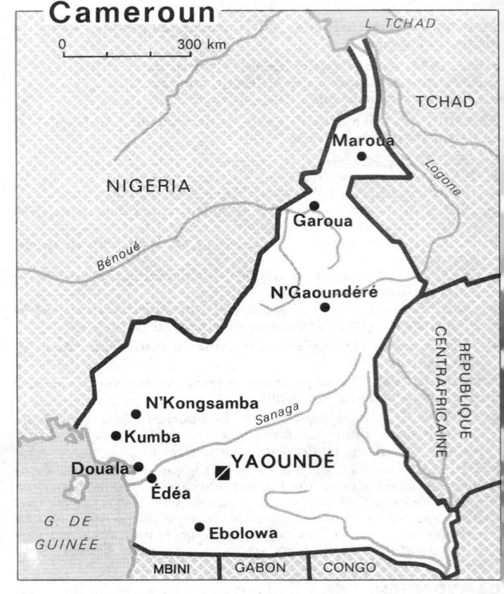

2. CAMP [kɑ̃] n. m. (même étym.). Action de faire du camping (sens 1) : *Ce camp durera une semaine* (syn. CAMPING). ◆ **camper** v. i. Installer les tentes; pratiquer le camping. ◆ **campeur, euse** n. Personne qui pratique le camping. ◆ **camping** [kɑ̃piŋ] n. m. **1.** Activité sportive ou touristique consistant à vivre sous la tente ou dans une remorque spécialement aménagée : *Un terrain de camping.* — **2.** Lieu où les campeurs peuvent installer leur tente, leur roulotte.

3. CAMP [kɑ̃] n. m. (même étym.). Un des partis qui s'opposent : *Le camp des « oui » et le camp des « non » à un référendum* (syn. CLAN, GROUPE).

Camp du Drap d'or, nom donné à la plaine située entre Guines et Ardres (Pas-de-Calais), où en 1520 François Ier rencontra Henri VIII, roi d'Angleterre, afin de négocier avec lui une alliance contre Charles Quint. Cette entrevue échoua.

1. CAMPAGNE [kɑ̃paɲ] n. f. (bas lat. *campania*, plaine). **1.** Étendue de pays découvert et plat ou modérément accidenté. *a)* Par oppos. à BOIS, MONTAGNE, etc. ⟶ ENCYCL. *b)* Par oppos. à VILLE : *Aller à la campagne. Les travaux de la campagne* (= les travaux des champs). — **2.** *Battre la campagne*, parcourir une région en tous sens à la recherche de quelqu'un ou de quelque chose; et fam., avoir des idées un peu extravagantes, chimériques (syn. DÉRAISONNER, DIVAGUER). ‖ *De campagne*, qui réside, qui est situé, qui a lieu à la campagne : *Une maison de campagne* (= une propriété servant de résidence secondaire). *Partie de campagne* (= excursion, promenade à la campagne). ‖ *Rase campagne*, étendue qui n'offre pas d'abri, de protection : *Livrer bataille en rase campagne.* ◆ **campagnard, e** adj. et n. Qui vit à la campagne; qui mène une existence simple; qui a la simplicité ou la gaucherie de la campagne : *Les mœurs campagnardes* (syn. RUSTIQUE).
— ENCYCL. La *campagne* (ou *openfield*) est un type de paysage rural caractérisé par l'absence de haies et de clôtures, la division des champs en parcelles de forme allongée, un habitat groupé de type villageois. Ces caractères opposent la *campagne* au *bocage*. Ce type d'aménagement agraire est lié aux anciennes pratiques collectives de certaines régions, où une partie des terres, chaque année, était réservée aux cultures alors que le reste était abandonné au libre parcours des troupeaux. Le paysage de campagne est particulièrement bien représenté dans la France du Nord et de l'Est, en Belgique et dans certaines parties de l'Allemagne.

2. CAMPAGNE [kɑ̃paɲ] n. f. (même étym.). **1.** Expédition militaire, ensemble d'opérations militaires : *Les campagnes de Napoléon.* — **2.** Entreprise politique, économique, culturelle, humanitaire, etc., de durée déterminée, et mettant en œuvre d'importants moyens de propagande : *Campagne électorale. Une campagne de presse.* — **3.** *Mettre qq'un en campagne*, lui faire faire des démarches pour arriver au but qu'on se propose.

CAMPAGNE ROMAINE, en it. **Agro Romano,** région de l'Italie (Latium), autour de Rome.

CAMPAGNOL [kɑ̃paɲɔl] n. m. (it. *campagnolo*, campagnard). Mammifère rongeur dont l'espèce commune, mesurant 10 cm et possédant une queue courte et poilue, est un fléau pour l'agriculture tant par sa voracité à l'égard des céréales que par sa fécondité : *Le rat d'eau est un campagnol.*

CAMPANELLA (Tommaso), philosophe et dominicain italien (1568-1639). Persécuté pour ses idées, il a écrit, en prison, une des plus remarquables utopies : *la Cité du Soleil* (1623).

CAMPANIE, en it. **Campania,** région de l'Italie méridionale, qui s'étend du Garigliano au golfe de Policastro. V. pr. *Naples.*

Limitée à l'E. par l'Apennin, la Campanie s'ouvre sur la mer par les plaines de Naples et du Sele que séparent les massifs volcaniques du Vésuve et des champs Phlégréens. Dans les montagnes on pratique une pauvre culture de céréales, associée à l'élevage ovin, tandis que les zones basses, souvent marécageuses, sont en cours d'assainissement. Seule la région de Naples offre de riches cultures : agrumes, oliviers, légumes. Mais la densité de la population (372 hab. au km² pour l'ensemble de la région) est très forte et les exploitations sont trop petites pour apporter des revenus suffisants. L'industrie est concentrée à Naples.

CAMPANILE [kɑ̃panil] n. m. (it. *campanile*). Tour abritant les cloches d'une église, dont elle est souvent séparée.

CAMPANULE [kɑ̃panyl] n. f. (du lat. *campana*, cloche). Plante dont la fleur a la forme d'une clochette.

CAMPECHE, port du Mexique, sur la côte ouest de Yucatán; 48 000 hab.

Le *golfe de Campeche* forme l'extrémité sud du golfe du Mexique.

CAMPEMENT n. m. → CAMP 1.

1. CAMPER v. i. → CAMP 2.

2. CAMPER [kɑ̃pe] v. t. (de *camp*). **1.** *Camper qqch.* (objet), le poser hardiment : *Camper son chapeau sur sa tête.* — **2.** *Camper un portrait, un dessin*, etc., le tracer vivement et avec sûreté : *Camper un personnage en trois coups de crayon* (syn. CROQUER, ESQUISSER). ◆ **se camper** v. pr. Prendre une attitude fière et décidée (suivi d'un compl. de lieu) : *Il se campa devant la glace et parut satisfait de lui* (syn. SE PLANTER).

CAMPEUR, EUSE n. → CAMP 2.

CAMPHRE [kɑ̃fr] n. m. (de l'ar. *kāfūr*). Substance aromatique cristallisée, extraite du *camphrier*, laurier cultivé au Japon, en Chine, en Océanie. → ENCYCL. ◆ **camphré, e** adj. *Alcool camphré*, qui contient du camphre.

— ENCYCL. Le *camphre* est un solide blanc et très volatil, d'une odeur caractéristique, fondant à 176° C et bouillant à 204° C; il sert pour la préparation de produits pharmaceutiques et est employé pour la préservation des tissus (laine) contre les insectes.

CAMPINAS, v. du Brésil (État de São Paulo); 382 100 hab.

CAMPINE, région du nord de la Belgique. C'est une plaine inclinée du S.-E. vers le N.-O., qui se prolonge aux Pays-Bas. Ses sols sableux, peu fertiles, portent souvent des forêts ou des landes. L'agriculture s'est orientée vers l'élevage laitier, et vers les cultures maraîchères autour des grandes villes (Anvers). L'extraction de la houille a beaucoup reculé, mais a initialement stimulé l'industrie : métallurgie, chimie. L'agglomération d'Anvers (672 700 hab.) rayonne sur l'ensemble de la région.

CAMPING n. m. → CAMP 2.

Campoformio *(traité de)*, accord signé le 18 octobre 1797, entre la France et l'Autriche, qui mettait fin à la première coalition. La France recevait les Pays-Bas autrichiens (l'actuelle Belgique), les îles Ioniennes et, par un accord secret, la rive gauche du Rhin, de l'Alsace à Coblence. L'Autriche recevait la partie orientale de la république de Venise et des territoires ecclésiastiques en Allemagne. Elle reconnaissait la formation d'une république Cisalpine, comprenant le reste de la Vénétie, le Milanais, le duché de Modène et le nord des États pontificaux.

CAMPRA (André), compositeur français (1660-1744). Auteur de nombreuses tragédies lyriques dont *Tancrède* (1702).

CAMPUS [kɑ̃pys] n. m. (mot lat. signif. *champ*). Ensemble universitaire regroupant unités d'enseignement et résidences.

CAMUS, E [kamy, -yz] adj. (de *mus*[*eau*]). Se dit d'une personne qui a un nez aplati et court.

CAMUS (Albert), écrivain français (1913-1960). Il fait des études de philosophie à Alger puis s'essaie au théâtre et au journalisme.

• *1938. Il publie un recueil de nouvelles, « Noces ».*

• *1942-1943. Il devient célèbre avec un roman, « l'Étranger », et un recueil d'essais philosophiques, « le Mythe de Sisyphe ».*

Après avoir participé à la Résistance, il se consacre à la littérature et publie des romans (*la Peste*, 1947; *la Chute*, 1956), des pièces de théâtre (*Caligula*, 1945; *les Justes*, 1949), des essais philosophiques (*l'Homme révolté*, 1951), des nouvelles (*l'Exil et le royaume*, 1957).

• *1957. Il reçoit le prix Nobel.*

Constatant l'omniprésence de l'injustice et du mal sur la terre, Camus proclame l'absurdité du destin de l'homme. Cette prise de conscience débouche sur une révolte : si l'existence n'a pas de justification, il appartient à l'homme non pas de le constater d'une façon pessimiste sans réagir, mais de lui imposer ses propres valeurs en étant lucide et responsable de lui-même, et en cherchant à introduire dans le monde plus de bonheur et de justice, en un mot « apprendre à être homme » (c'est ce qui caractérise l' « humanisme » de Camus).

CANA, v. de Palestine en Galilée, où Jésus, au cours d'un repas de noces, aurait opéré son premier miracle en changeant de l'eau en vin.

CANAAN *(terre* ou *pays de)*, contrée de l'Asie occidentale, englobant la Palestine et la Phénicie. Selon la Bible, sa possession avait été promise par Dieu aux Israélites (d'où son nom de *Terre promise*). Ceux-ci, conduits par Josué, s'en emparèrent à leur sortie d'Égypte, v. 1200 av. J.-C.

CANADA, État de l'Amérique du Nord, membre du Commonwealth.

GÉOGRAPHIE

Pays immense s'étendant jusqu'aux très hautes latitudes, le Canada comprend quatre grands ensembles structuraux. Les *Rocheuses*, à l'O., formées de crêtes (mont Logan, 6 050 m) encadrant de hauts plateaux, dominent l'océan Pacifique. Au N., le *bouclier canadien* est un vieux socle arasé. Au centre, la *Prairie* prolonge les grandes plaines américaines, tandis que l'Est correspond à la terminaison septentrionale du massif des *Appalaches.* Les glaciers quaternaires ont laissé leur empreinte sur tout le pays sous forme de lacs (les Grands Lacs à la frontière des États-Unis, lac Winnipeg, Grand Lac de l'Esclave, etc.) et de dépôts morainiques.

La barrière des Rocheuses, empêchant la pénétration des vents d'ouest, explique la grande extension du climat continental. Seuls lui échappent le Nord (climat polaire) et le littoral du Pacifique (influences océaniques adoucissantes). Mais tout le pays est marqué par la longueur et la rigueur de l'hiver. La forêt (conifères le plus souvent, feuillus dans la région du Saint-Laurent) couvre près

SUPERFICIE 9 975 000 km² (France : 550 000 km²).

POPULATION 26 300 000 hab. *(Canadiens)*; 3 hab. au km² (France : 103); taux de natalité, 15,5 p. 1 000; taux de mortalité, 7,3 p. 1 000.

CAPITALE Ottawa (agglomération près de 700 000 hab.).

VILLES PRINCIPALES Montréal (980 300 hab., agglomération 2 830 000 hab.); Toronto (599 200 hab., agglomération 3 millions d'hab.); Vancouver (1 200 000 hab.); Winnipeg (540 300 hab.); Hamilton (498 500 hab.); Edmonton (495 700 hab.); Québec (576 000 hab.).

provinces ou territoires	*superficie km²*	*population hab.*	*densité*
Alberta	661 185	1 838 000	2,8
Colombie britannique	948 596	2 466 000	2,6
Manitoba	650 086	1 021 000	1,5
Nord-Ouest (Territoire du)	3 379 683	42 000	0,01
Nouveau-Brunswick	73 437	677 000	9,2
Nouvelle-Écosse	55 490	828 000	14,9
Ontario	1 068 582	8 264 000	7,7
Prince-Édouard	5 657	118 000	20,9
Québec	1 540 680	6 234 000	4,0
Saskatchewan	651 900	921 300	1,4
Terre-Neuve	404 517	557 000	1,3
Yukon	536 324	21 800	0,04

LANGUES OFFICIELLES anglais et français.

ÉCONOMIE population active : secteur primaire 5 p. 100, secondaire 26 p. 100, tertiaire 69 p. 100; consommation d'énergie par hab., 10 000 kg d'équivalent charbon ; 1 automobile pour 2 hab.

MONNAIE dollar canadien.

OCÉAN
ARCTIQUE
ALASKA
(ÉTATS-UNIS)
ISLANDE
GROENLAND
(DANEMARK)
YUKON
Whitehorse
TERRITOIRES DU NORD-OUEST
DISTRICT
DE MACKENZIE
Yellowknife
DISTRICT DE
KEEWATIN
OCÉAN PACIFIQUE
COLOMBIE
BRITANNIQUE
ALBERTA
Edmonton
Calgary
SASKATCHEWAN
Regina
MANITOBA
Winnipeg
ONTARIO
QUÉBEC
OCÉAN
TERRE-
NEUVE
St John's
NOUVEAU-BRUNSWICK
I. DU PRINCE-ÉDOUARD
Québec
Charlottetown
Fredericton
NOUVELLE-
Halifax
ÉCOSSE
Montréal
St-Laurent
OTTAWA
Victoria
Vancouver
ÉTATS-UNIS
Toronto
Hamilton
London
Windsor
ATLANTIQUE
limite de province
capitale de province
capitale fédérale
autres grandes villes
0
1000
km

Canada

de la moitié du pays, mais le Grand Nord est le domaine de la toundra* *(barren grounds).*

	TEMPÉRATURES MOYENNES janv.	juil.	PLUIES
Coppermine	— 28,3 °C	9,4 °C	276 mm
Québec	— 11 °C	18 °C	850 mm
Vancouver	3,1 °C	18 °C	1 350 mm

La *population,* très inégalement répartie, a une densité moyenne extrêmement faible; elle se concentre en deux foyers : la région du Saint-Laurent (première région du peuplement) et le sud de la côte du Pacifique. Le reste du pays, à l'exception de la Prairie, est presque vide. On distingue trois grands groupes : les Canadiens d'origine anglaise, majoritaires (45 p. 100), les Canadiens d'origine française (30 p. 100) et les immigrants récents d'origine variée.

La *vie rurale* est fondée sur la grande culture céréalière de la Prairie, très mécanisée, et surtout sur l'exploitation de la forêt, une des principales richesses du pays, qui est à la base de l'industrie du papier. Une culture intensive (cultures maraîchères et fruitières, plantes fourragères...) associée à l'élevage bovin se développe autour des foyers urbains. La *pêche* constitue un complément de revenus.

blé	21 millions de t	lait	8 millions de t
orge	10,3 millions de t	pêche	1,2 million de t
betteraves	1 million de t	pâte de bois	20 millions de t
bovins	12 300 000 têtes	pâte papier	9 millions de t

Mais l'économie s'est diversifiée grâce à l'exploitation des *ressources du sous-sol :* minerais (fer du Labrador et divers métaux non ferreux : amiante, nickel, zinc, or, uranium, cuivre, etc.) et sources d'énergie (charbon, pétrole, gaz naturel). L'énorme potentiel hydro-électrique est très bien mis en valeur (Rocheuses, Saint-Laurent, baie James).

fer	25 millions de t	charbon	31 millions de t
nickel	175 000 t	pétrole	80 millions de t
or	80 t	gaz naturel	80 milliards de m^3
cuivre	700 000 t		

Toutes ces ressources ont permis le récent développement de l'*industrie,* en grande partie grâce à des capitaux américains. La sidérurgie alimente les constructions aéronautiques et automobiles. La métallurgie des métaux non ferreux (aluminium surtout, grâce à de la bauxite importée) occupe un secteur important. La chimie et l'industrie des pneumatiques sont en plein essor.

électricité	425 milliards de kWh
acier	15 millions de t
aluminium	1,2 million de t
automobiles	1 070 000 unités

Les activités sont localisées sur les lieux d'extraction (dans le Nord en particulier), sur la façade pacifique (Vancouver), dans la Prairie (Edmonton et Winnipeg) et surtout dans les grands centres urbains de l'Est (Montréal, Toronto, Québec, etc.), favorisés par la grande voie navigable du Saint-Laurent.

Le Canada possède donc une puissante industrie qui confère à sa population un haut niveau de vie moyen. Mais l'économie du pays se heurte à l'étroitesse du marché intérieur : reposant sur l'exportation (en grande partie vers les États-Unis, avec lesquels le Canada est lié depuis 1989 par un accord de libre-échange), elle dépend largement des flux du commerce international.

HISTOIRE

La véritable exploration du Canada commence avec Jacques Cartier, à partir de 1534.

- *1608. Fondation de Québec par Champlain.*
- *1627. Le cardinal de Richelieu crée la Compagnie des Cent-Associés, chargée de coloniser le pays.*

L'agriculture se développe, ainsi que le commerce des fourrures. L'évangélisation des Indiens est très active mais les Iroquois combattent les Français et leurs alliés hurons.

- *1661. Création d'une nouvelle compagnie de commerce et de colonisation, la Compagnie des Indes occidentales.*

Les Anglais tentent de s'implanter au Canada (appelé alors *Nouvelle-France*) et combattent les Français.

- *1713. Par le traité d'Utrecht, la France cède l'Acadie à l'Angleterre ainsi que ses droits sur Terre-Neuve et la baie d'Hudson.*
- *1756. Début de la guerre de Sept Ans.*
- *1759. Défaite des Français dirigés par Montcalm aux « plaines d'Abraham », près de Québec.*
- *1763. Par le traité de Paris, Louis XV cède le Canada au roi d'Angleterre.*
- *1783. Traité de Versailles mettant fin au conflit avec les nouveaux « États-Unis » : le Québec est réduit aux régions s'étendant aux bords du Saint-Laurent et au N. des Grands Lacs.*

L'indépendance des États-Unis provoque l'arrivée massive des « loyalistes », de langue anglaise : une deuxième communauté nationale se constitue en face des francophones.

- *1812-1814. Guerre avec les États-Unis : les troupes de ces derniers sont repoussées.*

Les oppositions se développent dans les deux régions avec à leur tête, dans le Haut-Canada, William Lyon Mackenzie et, dans le Bas-Canada, Louis Joseph Papineau.

- *1837. Révoltes chez les anglophones comme chez les francophones, contre le pouvoir trop absolu de Londres.*
- *1841. Entrée en vigueur de l'Acte d'union, qui regroupe les deux provinces canadiennes.*

Après avoir imposé sa solution, Londres favorise une évolution libérale (constitution d'un gouvernement responsable devant l'Assemblée des élus). L'économie se développe rapidement.

- *1867. L'Acte de l'Amérique britannique du Nord crée une Confédération canadienne, formée par l'Ontario, le Québec, le Nouveau-Brunswick et la Nouvelle-Écosse. Un gouvernement fédéral est institué.*
- *1871. La Colombie britannique est intégrée au Canada.*
- *1885. Achèvement du chemin de fer transcontinental.*

Dirigé par le conservateur Macdonald (de 1867 à 1873 et de 1878 à 1891), le Canada bénéficie d'une intense immigration à la fin du XIXe s. et au début du XXe : à côté des deux « peuples fondateurs », une mosaïque de nationalités s'établit dans le pays.

- *1905. L'Alberta et la Saskatchewan sont constituées en provinces.*

Entre les deux guerres mondiales, l'émancipation complète du Canada est acquise avec les gouvernements du libéral William Lyon Mackenzie King (de 1921 à 1930 et de 1935 à 1948).

- *1949. Terre-Neuve entre dans la Confédération.*

Les libéraux sont au pouvoir avec L. Saint-Laurent de 1948 à 1957, L. Pearson (1963-1968), puis P. E. Trudeau (1968-1979).

- *1979. Victoire des conservateurs avec Joseph Clark.*
- *1980. Retour de Trudeau au pouvoir.*
- *1982. La Constitution canadienne n'est plus soumise au contrôle du Parlement britannique.*
- *1984. Démission de Trudeau. B. Mulroney lui succède après la victoire des conservateurs aux élections.*
- *1988. Nouvelle victoire des conservateurs aux élections.*

Mais l'échec, en 1990, d'un accord constitutionnel (dit « du lac Meech »), qui aurait permis l'adhésion du Québec à la Constitution canadienne avec le statut de « société distincte », ouvre une crise politique grave, accrue par des revendications territoriales amérindiennes.

CANADIEN, ENNE [kanadjɛ̃, -ɛn] adj. et n. **1.** Du Canada. — **2.** *Bouclier canadien,* région du Canada située autour de la baie d'Hudson, jusqu'aux Grands Lacs, formée de roches précambriennes très consolidées.

CANADIENNE [kanadjɛn] n. f. (de *canadien*). Veste de tissu doublée de peau de mouton.

CANAILLE [kanaj] n. f. (de l'it. *cane,* chien). **1.** Individu méprisable, sans moralité (syn. GREDIN, SCÉLÉRAT). — **2.** Enfant espiègle : *Petite canaille!* (syn. COQUIN, FRIPON, POLISSON). — **3.** Ensemble de gens de basse condition, considérés comme méprisables : *Fréquenter la canaille* (syn. PÈGRE, RACAILLE). ◆ adj. Cyniquement vulgaire : *Un air canaille.* ◆ **canaillerie** n. f. : *Il n'en est plus à une canaillerie près* (syn. littér. SCÉLÉRATESSE). ◆ **encanailler (s')** v. pr. (sujet nom de personne). Prendre des mœurs, un air vulgaires, en fréquentant la canaille.

1. CANAL [kanal] n. m. (lat. *canalis*). **1.** Cours d'eau artificiel creusé par l'homme et utilisé pour la navigation, l'irrigation ou l'assèchement de certaines régions : *Le canal de Suez.* — **2.** Bras de mer resserré entre deux rivages : *Le canal de Mozambique.* — **3.** *Canal de dérivation,* canal destiné à régulariser le débit d'un cours d'eau à l'époque des crues, ou conduisant une rivière jusqu'à une usine. ‖ *Canal latéral,* canal construit le long d'un cours d'eau, pour suppléer à sa non-navigabilité. — **4.** Conduit servant au transport des liquides ou des gaz, tuyauterie. ‖ Pl. des *canaux.* — LOC. PRÉP. *Par le canal de,* par l'intermédiaire de. ◆ **canaliser** v. t. **1.** *Canaliser un cours d'eau,* le régulariser ou le rendre propre à la navigation par des travaux de maçonnerie, etc. — **2.** *Canaliser des choses, des personnes,* les rassembler et les acheminer dans une direction déterminée. ◆ **canalisation** n. f. **1.** Action de canaliser : *La canalisation de la Moselle.* — **2.** Tuyau ou système de tuyaux installés dans un bâtiment ou dans le sol pour la circulation de liquides ou de gaz : *Vidanger les canalisations d'eau* (syn. CONDUITE).

2. CANAL [kanal] n. m. (même étym.). Chez les êtres animés et les végétaux, nom donné à des cavités, de forme cylindrique, servant de conduits ou de réceptacles : *Canal biliaire, cholédoque.*

|| *Canaux de Havers*, canaux nourriciers des os longs. ◆ **canalicule** n. m. *Canalicules biliaires*, fins canaux aménagés entre les cellules hépatiques, et dans lesquels celles-ci déversent la bile.
— ENCYCL. Les *canaux* de l'organisme sont d'espèces très diverses. Il existe : des *canaux excréteurs des glandes*, tels le *canal cystique*, le *canal hépatique* et le *canal cholédoque*, qui servent à l'écoulement de la bile, le *canal lacrymo-nasal*, par où s'écoulent les larmes, etc.; des *canaux osseux*, tels le *canal médullaire*, canal axial des os longs rempli de moelle, le *canal vertébral* ou *rachidien*, qui contient la moelle épinière. etc.; des *canaux vasculaires*, parmi lesquels il faut citer le *canal thoracique*, principal tronc collecteur de la lymphe, longeant la colonne vertébrale.

3. CANAL [kanal] n. m. (même étym.). En radiotélévision, voie de communication radioélectrique à laquelle est assignée une bande plus ou moins large des fréquences. || Pl. des *canaux*.

CANALETTO (Antonio CANAL, dit **le**), peintre et graveur italien (1697-1768). Il a peint avec précision une grande quantité de tableaux de sa ville natale, Venise, nuançant avec finesse la lumière changeante, observant directement la nature. On lui doit aussi des vues de Londres.

CANALICULE n. m. ⟶ CANAL 2.

CANALISATION n. f., **CANALISER** v. t. ⟶ CANAL 1.

1. CANAPÉ [kanape] n. m. (gr. *kônôpeion*, moustiquaire). Long siège à dossier et accoudoirs, où plusieurs personnes peuvent s'asseoir, et où l'on peut aussi s'étendre.

2. CANAPÉ [kanape] n. m. (de *canapé* 1). Tranche de pain de mie sur laquelle on dépose diverses garnitures.

CANAQUE ou **KANAK, E** [kanak] adj. et n. (d'un mot polynésien signif. *homme*). Se dit des Mélanésiens de Nouvelle-Calédonie. (⟶ NÉO-CALÉDONIEN.)

1. CANARD [kanar] n. m. (de l'anc. fr. *caner*, caqueter). Nom général donné aux oiseaux aquatiques sauvages ou domestiques de la famille des anatidés. ◆ **cane** n. f. Femelle du canard. ◆ **caneton** n. m. Jeune canard.
— ENCYCL. Le *canard* fouille la vase des étangs pour en extraire sa nourriture : algues, vers, petits mollusques et crustacés, etc. Ses pattes palmées, excellentes rames, sont un médiocre instrument de marche (« marche en canard »). Certains canards sont exclusivement marins : *macreuses*, *garrots*, *eiders*. Parmi les races domestiques, on peut citer, pour la production de la chair, le *pékin* et le *canard de Rouen*. Le *canard de Barbarie* (ou *canard d'Inde*, ou *canard musqué*) est très apprécié des gourmets.

2. CANARD [kanar] n. m. (même étym.). **1.** *Fam.* et *péjor.* Fausse nouvelle (syn. BOBARD). — **2.** *Fam.* Journal.

3. CANARD [kanar] n. m. (même étym.). *Fam.* Morceau de sucre trempé dans le café ou un alcool.

CANARDER [kanarde] v. t. (de *canard*). Fam. *Canarder qq'un*, tirer, lancer de nombreux projectiles sur lui, en restant soi-même hors d'atteinte. ◆ **canardière** n. f. Fusil servant à tirer les canards sauvages.

1. CANARDIÈRE [kanardjɛr] n. f. (de *canard*). **1.** Mare établie pour des canards. — **2.** Partie d'un étang disposée pour prendre au filet les canards sauvages.

2. CANARDIÈRE n. f. ⟶ CANARDER.

CANARI [kanari] n. m. (esp. *canario*). Oiseau chanteur des îles Canaries, de couleur jaune verdâtre, du genre des serins.

CANARIES *(îles)*, en esp. **Canarias**, archipel espagnol de l'océan Atlantique, au large du Maroc méridional; 7300 km^2; 1170200 hab. (160 au km^2).

GÉOGRAPHIE. L'archipel compte sept îles habitées partagées en deux provinces.

PROVINCES	ÎLES
Las Palmas	Grande Canarie Lanzarote Fuerteventura
Santa Cruz de Tenerife	Tenerife Gomera Palma Hierro

Ces îles volcaniques ont un climat doux en raison de l'influence océanique. Dans l'ensemble, elles sont fortement peuplées mais les différences de densités entre les îles correspondent à des aptitudes naturelles diverses. Les cultures vivrières ont cédé la place à des cultures commerciales : tomates, oignons, pommes de terre, bananes qui sont exportés vers l'Europe par les ports de Santa Cruz et Las Palmas.
Le *tourisme*, en plein essor, offre une ressource supplémentaire.
HISTOIRE. En 1402, l'archipel est occupé par Jean de Béthencourt, qui se reconnaît vassal de la Castille.
À la fin du XVe s., les Guanches, population autochtone des îles, sont exterminés.

CANARIES *(courant des)*, courant froid de l'Atlantique oriental, dirigé vers le S., le long des côtes d'Afrique, jusqu'à la Mauritanie.

CANARIS (Wilhelm), amiral allemand (1887-1945). Il dirigea le service militaire de renseignements allemand *(Abwehr)* pendant la Seconde Guerre mondiale. Mais, hostile à Hitler, il fut exécuté sur ordre de ce dernier (1945).

CANASTA [kanasta] n. f. (esp. *canasta*, corbeille). Jeu de cartes d'origine sud-américaine.

CANAVERAL *(cap)* ⟶ KENNEDY *(cap)*.

CANBERRA, capit. fédérale de l'Australie, à 250 km au S. de Sydney; 245000 hab. C'est une capitale artificielle, dont la création fut décidée en 1913 et qui fut inaugurée en 1927.

CANCALE, ch.-l. de cant. d'Ille-et-Vilaine, à 14 km à l'E.-N.-E. de Saint-Malo, sur la rive ouest de la baie du Mont-Saint-Michel; 4800 hab. *(Cancalais)*. Port de pêche. Parcs à huîtres.

CANCAN [kɑ̃kɑ̃] n. m. (lat. *quanquam* [prononcé à la française]). Bavardage malveillant (presque uniquement au plur.) : *Faire courir des cancans sur le compte de qq'un* (syn. COMMÉRAGE, RACONTAR; fam. RAGOT). ◆ **cancaner** v. i. Tenir, colporter des propos malveillants. ◆ **cancanier, ère** adj. et n.

CANCER [kɑ̃sɛr] n. m. (mot lat. signif. *crabe*). Tumeur maligne, formée par la multiplication désordonnée des cellules d'un tissu organique : *Un cancer du poumon, du foie*. ◆ **cancéreux, euse** adj. : *Tumeur cancéreuse*. ◆ n. Personne atteinte d'un cancer. ◆ **cancérigène** adj. Se dit de certaines substances capables de provoquer un cancer. ◆ **cancérologie** n. f. Étude des tumeurs malignes (syn. CARCINOLOGIE).
— ENCYCL. Le terme de *cancer* désigne toutes les « tumeurs malignes » (c'est-à-dire graves), avec deux types : les *carcinomes*, tumeurs développées à partir de la peau, des muqueuses ou des glandes, et les *sarcomes*, qui proviennent du tissu conjonctif, des muscles, des os.
■ *Causes du cancer.* Elles sont encore inconnues, mais certains facteurs (abus du tabac et de l'alcool, altération de l'air par les gaz d'échappement des voitures, radiations atomiques, etc.) prédisposent au cancer.
■ *Signes du cancer.* Selon que le cancer est profond ou superficiel, suivant aussi l'organe atteint, cette affection se marque par différents signes; mais, au début, le cancer est presque toujours inapparent.
Il peut se manifester par l'apparition d'un petit « nodule » (= grosseur) qui se sent au toucher (cancer du sein, du corps thyroïde); par de petites hémorragies (= pertes de sang) répétées; par une infection; par une ulcération (= destruction partielle d'un tissu) [cancer de la langue].
Des examens complémentaires sont nécessaires pour faire le diagnostic (= reconnaissance de la maladie).
■ *Diagnostic du cancer.* Le médecin n'est sûr de la nature cancéreuse d'une tumeur qu'après l'examen microscopique du tissu et des cellules qui semblent touchés. Cet examen doit être pratiqué le plus vite possible, parfois avant l'intervention chirurgicale (par une « biopsie* »), parfois pendant cette intervention.
■ *Évolution d'un cancer.* Elle est plus ou moins rapide selon le type du cancer et peut durer quelques mois ou de nombreuses années.
Au *stade initial*, quelques cellules de l'un quelconque des tissus de l'organisme prolifèrent en se divisant de façon anormalement rapide (« mitoses* monstrueuses »). Ainsi se constitue un « nodule », ou « tumeur primitive », constitué de cellules dont le cytoplasme et le noyau sont anormaux. Tout cela donne son caractère malin au nodule.
Lors de la *phase locale*, des nappes (traînées, coulées de cellules) vont envahir et détruire le tissu où est née la tumeur : c'est ce que l'on appelle l'« extension infiltrante » (en « pattes de crabe ») et destructrice du cancer.
Pendant la *phase régionale*, quelques cellules se détachent de la tumeur et passent dans les vaisseaux lymphatiques; elles gagnent avec la lymphe les ganglions voisins : c'est le stade de l'« envahissement ganglionnaire ». Le chirurgien devra enlever la tumeur et les ganglions voisins.
La *phase générale* est caractérisée par le même processus : des cellules passent dans le sang et vont se fixer dans des tissus lointains et dans de nouveaux organes; elles s'y multiplient en créant des « métastases cancéreuses » ou « tumeurs secondaires », bâties comme la tumeur primitive et semblables à elle. Alors, le malade maigrit énormément et meurt d'épuisement.
■ *Traitement.* Actuellement, quand le cancer est reconnu tôt, on sait le guérir : très souvent par la chirurgie, en extirpant la ou les

tumeurs et les ganglions voisins; par la radiothérapie* (utilisation du cobalt* par ex.); par la chimiothérapie*; par le renforcement de l'immunité de l'organisme ou par l'association de plusieurs de ces traitements. L'effort actuel de la médecine porte sur le dépistage du cancer, favorisé par des campagnes d'information auprès du public.

CANCER (le), constellation du zodiaque. — Quatrième signe du zodiaque, correspondant à la période du 22 juin au 22 juillet.

CANCER *(tropique du)*, parallèle de la sphère céleste, situé à une déclinaison de 23° 27′ au N. de l'équateur. — Parallèle de la sphère terrestre correspondant à la latitude 23° 27′ N., et qui délimite au N. la zone dite *tropicale*.

CANCÉREUX, EUSE adj. et n., **CANCÉRIGÈNE** adj., **CANCÉROLOGIE** n. f. —→ CANCER.

CANCHE (la), fl. côtier du nord de la France, en Artois; 96 km.

CANCOILLOTTE [kɑ̃kɔjɔt] n. f. (du franc-comtois *coillotte*, masse caillée). Fromage de Franche-Comté, fait à partir de lait de vache écrémé, mélangé à du beurre.

CANCRE [kɑ̃kr] n. m. (lat. *cancer*, crabe). *Péjor.* Élève paresseux, qui ne progresse pas (contr. fam. CRACK, FORT EN THÈME).

CANCRELAT [kɑ̃krəla] n. m. (néerl. *kakerlak*). Nom usuel des BLATTES ou CAFARDS.

CANDELA [kɑ̃dela] n. f. (mot lat. signif. *chandelle*). Unité d'intensité lumineuse (symb. cd).

CANDÉLABRE [kɑ̃delabr] n. m. (du lat. *candela*, chandelle). Grand chandelier à plusieurs branches.

CANDEUR [kɑ̃dœr] n. f. (lat. *candor*, blancheur). Innocence naïve (souvent ironiq.) : *Une candeur d'enfant* (syn. INGÉNUITÉ, NAÏVETÉ; PURETÉ, sans nuance ironiq.; contr. CYNISME, HYPOCRISIE). ◆ **candide** adj. Se dit de quelqu'un plein de candeur (parfois ironiq.) : *La question candide du vieux savant fit sourire* (syn. INGÉNU, NAÏF; INNOCENT, PUR, sans nuance ironiq.). ◆ **candidement** adv.

CANDI [kɑ̃di] adj. inv. (de l'ar. *qandī*, sucre de canne). *Sucre candi*, sucre cristallisé et purifié.

CANDIDAT, E [kɑ̃dida, -at] n. (du lat. *candidus*, blanc). Personne qui se présente à un examen ou à un concours, qui sollicite sa nomination à une fonction, son élévation à un titre. ◆ **candidature** n. f. Action de se présenter comme candidat; situation de candidat.

CANDIDE adj. —→ CANDEUR.

Candide ou l'Optimisme, conte philosophique de Voltaire (1759).

CANDIDEMENT adv. —→ CANDEUR.

CANDIE, auj. **Hêraklion,** port de Crète; 77 800 hab.

CANE n. f. —→ CANARD 1.

CANET-EN-ROUSSILLON, ch.-l. de cant. des Pyrénées-Orientales, à 10,5 km à l'E. de Perpignan; 7 219 hab. Station balnéaire à *Canet-Plage*.

CANETON n. m. —→ CANARD 1.

1. CANETTE [kanɛt] n. f. (du picard *cane*, cruche de forme allongée). Petite bouteille pour la bière; son contenu.

2. CANETTE [kanɛt] n. f. (it. *cannetta*). Petit cylindre sur lequel est enroulé le fil dans la navette d'un métier à tisser ou le fil d'une machine à coudre.

1. CANEVAS [kanva] n. m. (du picard *caneve*, chanvre). Grosse toile claire pour faire des ouvrages de tapisserie; travail de tapisserie effectué sur cette toile.

2. CANEVAS [kanva] n. m. (de *canevas* 1). Ensemble des principaux points d'une œuvre littéraire ou d'un exposé; disposition des parties : *Ces quelques idées ont servi de canevas à son roman* (syn. PLAN).

CANICHE [kaniʃ] n. m. (de *cane*, parce que ce chien va volontiers à l'eau). Race de chiens d'agrément descendant du barbet et comprenant deux variétés, l'une à poil laineux bouclé, l'autre à poil cordé.

CANICULE [kanikyl] n. f. (lat. *canicula*, petite chienne). Période très chaude de l'été; chaleur accablante de l'atmosphère. ◆ **caniculaire** adj. : *Une chaleur caniculaire.*

CANIDÉS [kanide] n. m. pl. (du lat. *canis*, chien). Famille de mammifères carnassiers dont le type est le chien.
— ENCYCL. Les *canidés* ont une denture complète (42-44 dents, comprenant notamment des molaires broyeuses), un museau allongé, des oreilles dressées, des griffes non rétractiles. Ils sont en général plus coureurs que sauteurs. On range dans cette famille, avec les *chiens*, les *loups* et les *chacals*.

CANIF [kanif] n. m. (frq. *knif*, couteau). Petit couteau de poche à lame pliante.

CANIGOU (le), massif des Pyrénées-Orientales; 2 784 m. Mines de fer.

CANIN, E [kanɛ̃, -in] adj. (du lat. *canis*, chien). Qui se rapporte aux chiens : *La race canine.*

CANINE [kanin] n. f. (de *canin*). Dent située sur chaque demi-mâchoire entre les incisives et les molaires, chez l'homme et chez de nombreux mammifères carnivores *(crocs)*.

CANIVEAU [kanivo] n. m. (orig. inc.). Rigole destinée à l'écoulement des eaux le long d'une chaussée, généralement au bord des trottoirs.

CANNA [kana] n. m. (lat. *canna*, roseau). Plante herbacée à rhizomes, ornementale par ses fleurs (syn. BALISIER).

CANNABINACÉES [kanabinase] n. f. pl. (du lat. *cannabis*, chanvre). Famille de plantes dicotylédones apétales, comprenant le *chanvre*, le *houblon*. ◆ **cannabis** n. m. Syn. de CHANVRE INDIEN.

CANNAGE n. m. —→ CANNER.

1. CANNE [kan] n. f. (lat. *canna*, roseau). Nom usuel de plusieurs grands roseaux. ‖ *Canne à sucre*, graminacée de grande taille (2 à 5 m), cultivée surtout aux Antilles pour le sucre qu'on extrait de la moelle de sa tige. ◆ **cannisse** n. f. Claie de roseaux utilisée pour le jardinage et la décoration intérieure.

2. CANNE [kan] n. f. (même étym.). Bâton terminé par une poignée, une crosse ou un pommeau, et dont on se sert pour marcher. ‖ *Canne blanche*, canne de couleur blanche réservée aux aveugles. ‖ *Canne à pêche*, bâton flexible, souvent en bambou, au bout duquel on fixe une ligne.

3. CANNE [kan] n. f. (même étym.). Grande cruche de cuivre, étamée à l'intérieur, qui servait au transport du lait en Normandie.

CANNELÉ, E [kanle] adj. (de *cannelle* 1). Orné de cannelures : *Des colonnes cannelées.* ◆ **cannelure** [kanlyr] n. f. Rainure tracée parallèlement à d'autres le long d'une colonne ou d'un pilastre.

CANNELIER n. m. —→ CANNELLE 2.

1. CANNELLE [kanɛl] n. f. (de *canne*, tuyau). Robinet de bois qu'on adapte à un tonneau.

2. CANNELLE [kanɛl] n. f. (du lat. *canna*, roseau). Écorce aromatique extraite du *cannelier* qui, réduite en poudre, est utilisée en pâtisserie. ◆ **cannelier** n. m. Arbre du genre *laurier*, dont l'écorce fournit la cannelle.

CANNELLONI [kanelɔni] n. m. (mot it.). Pâte alimentaire roulée en cylindre et farcie.

CANNELURE n. f. —→ CANNELÉ.

CANNER [kane] v. t. (de *canne*). *Canner un siège*, en garnir le fond ou le dossier en entrelaçant des lanières de rotin. ◆ **cannage** n. m. ◆ **canneur, euse** n. : *Un canneur de chaises.*

CANNES, v. de l'Antiquité, en Apulie (Pouilles). À proximité, une bataille opposa, en 216 av. J.-C., les Carthaginois d'Hannibal à l'armée romaine, commandée par Varron, qui fut exterminée.

CANNES, grande station balnéaire de la Côte d'Azur, dans l'ouest du dép. des Alpes-Maritimes; 72 800 hab. *(Cannois)*. Développée il y a déjà plus d'un siècle, Cannes est, après Nice, la principale station touristique du littoral méditerranéen français. La ville est le siège d'un important festival du cinéma.

CANNET (Le), ch.-l. de cant. des Alpes-Maritimes, à 3 km au N. de Cannes; 37 400 hab.

CANNEUR, EUSE n. —→ CANNER.

CANNIBALE [kanibal] n. et adj. (esp. *canibal*). Se dit de l'homme qui mange de la chair humaine (syn. ANTHROPOPHAGE) ou d'un animal qui dévore ceux de son espèce. ◆ **cannibalisme** n. m. (syn. ANTHROPOPHAGIE).

CANNISSE n. f. —→ CANNE 1.

CANO (Juan Sebastián DE EL), navigateur espagnol (mort aux Indes en 1526). Il ramena en 1522 le dernier bâtiment de l'expédition de Magellan, à laquelle il participait; il fut ainsi le premier capitaine européen à effectuer le tour du monde.

CANOË [kanoe] n. m. (angl. *canoe*). Embarcation légère, propulsée soit à l'aviron *(canoë français)*, soit à la pagaie simple *(canoë canadien)*. [Le kayak est propulsé à la pagaie double.] ◆ **canoéisme** n. m. Sport du canoë. ◆ **canoéiste** n. Celui, celle qui pratique le sport du canoë.

1. CANON [kanɔ̃] n. m. (gr. *kanôn*, règle). **1.** Décret, règle concernant la foi ou la discipline religieuse. — **2.** Ensemble des livres bibliques considérés comme inspirés par Dieu : *Le canon de l'Ancien, du Nouveau Testament.* — **3.** Partie essentielle de la messe, de la préface à la communion. — **4.** *Canon des saints*, catalogue officiel des saints reconnus par l'Église. ◆ **canonial, e, aux** adj. **1.** Réglé par les canons de l'Église. — **2.** Conforme à la règle : *Vie canoniale.* ◆ **canonique** adj. Conforme aux canons, aux règles de l'Église. ‖ *Droit canonique* ou *droit canon*, recueil des lois, ou canons, qui règlent la discipline ecclésiastique. ‖ *Âge canonique*, âge respectable. ◆ **canoniser** [kanɔnize] v. t. *Canoniser qq'un*, l'inscrire au nombre des saints. ◆ **canonisation** n. f. : *La canonisation est solennellement proclamée par le pape.*

2. CANON [kanɔ̃] n. m. (même étym.). Principe servant de règle; ensemble de proportions établies pour servir à la construction de monuments et surtout à la représentation d'un type humain idéal : *Respecter les canons de la bienséance* (syn. CODE, RÈGLES). *L'« Apollon du Belvédère » peut être considéré comme le canon de la beauté masculine chez les anciens Grecs* (syn. IDÉAL, MODÈLE, TYPE).

3. CANON [kanɔ̃] n. m. (même étym.). *Mus.* Composition à plusieurs voix qui chantent chacune, et l'une après l'autre, la même ligne mélodique : *Le canon le plus simple et le plus connu est le célèbre « Frère Jacques ».*

4. CANON [kanɔ̃] n. m. (it. *cannone*). **1.** Arme à feu non portative : *Un canon antiaérien, antichar.* — **2.** Tube d'une arme à feu, portative ou non : *Le canon d'un fusil.* ◆ **canonner** v. t. Attaquer à coups de canon (syn. BOMBARDER). ◆ **canonnade** n. f. Suite de coups de canon : *La canonnade a été entendue pendant une partie de la nuit.* ◆ **canonnier** n. m. Militaire spécialisé dans le service des canons. ◆ **canonnière** n. f. Bâtiment léger, armé de canons et employé sur les fleuves ou près des côtes.

5. CANON [kanɔ̃] n. m. (même étym.). Os de la patte du cheval, des ruminants, situé entre le poignet ou la cheville et les phalanges.

CAÑON ou **CANYON** [kaɲɔ̃] n. m. (mot esp.). Vallée étroite et profonde aux parois verticales, creusée par un cours d'eau dans un plateau calcaire : *Les cañons du Colorado.* ‖ *Cañon sous-marin*, dépression longue et étroite qui accidente les fonds marins.

CANONIAL, E, AUX adj. ⟶ CANON 1.

CANONICAT [kanɔnika] n. m. (bas lat. *canonicatus*). **1.** Bénéfice de chanoine. — **2.** Dignité, office de chanoine.

CANONIQUE adj., **CANONISATION** n. f., **CANONISER** v. t. ⟶ CANON 1.

CANONNADE n. f., **CANONNER** v. t., **CANONNIER** n. m., **CANONNIÈRE** n. f. ⟶ CANON 4.

CANOPE [kanɔp] n. m. (du n. d'une ville d'Égypte). Vase qui servait dans l'Égypte anc. à enfermer les viscères des morts.

CANOSSA, village d'Italie (Émilie).

• *1077. L'empereur germanique Henri IV, excommunié, y sollicite son pardon du pape Grégoire VII.* (⟶ INVESTITURES [*querelle des*].)

CANOT [kano] n. m. (esp. *canoa*). Embarcation légère, mue par un moteur, à la rame ou parfois à la pagaie : *Canot de sauvetage. Canot pneumatique.* ◆ **canoter** v. i. Ramer sur un canot; se promener en canot. ◆ **canotage** n. m. Action de canoter.

CANOTIER [kanɔtje] n. m. (de *canot*). Chapeau de paille à calotte plate et à bords plats.

CANTABRES, anc. peuple de la péninsule Ibérique qui occupait les monts Cantabriques. Il résista pendant trois siècles à la colonisation romaine.

CANTABRIQUES *(monts)*, massif montagneux d'Espagne qui sépare la Vieille-Castille du littoral septentrional. Il culmine au *Picos de Europa* (2 648 m). Il donne son nom à une région d'Espagne (v. pr. *Santander*).

CANTACUZÈNE, famille qui joua un rôle important dans l'histoire byzantine et roumaine.

CANTAL (15), dép. du Massif central (région Auvergne); 5 726 km²; 162 800 hab. (29 au km²) [France: 103]. Ch.-l. *Aurillac.* ADMINISTRATION. 3 arrond. (*Aurillac*, 83 300 hab.; *Mauriac*, 32 900 hab.; *Saint-Flour*, 46 700 hab.). / 27 cant. / 258 comm.

Situé au cœur du Massif central et occupant la majeure partie du massif volcanique qui lui a donné son nom (1 858 m au plomb du Cantal), le département est montagneux. La rigueur du climat aggrave les problèmes posés par le relief; les conditions naturelles défavorables expliquent la faiblesse de la densité de population.

L'agriculture emploie encore presque le tiers de la population active, c'est-à-dire trois fois plus que la moyenne de la France en général. L'élevage laitier est assez intensif.

L'industrie, partiellement liée à la transformation des produits de l'agriculture, n'occupe guère plus du cinquième de la population active. Les villes sont faiblement peuplées (seul le chef-lieu du département, Aurillac, dépasse le chiffre de 10 000 hab.).

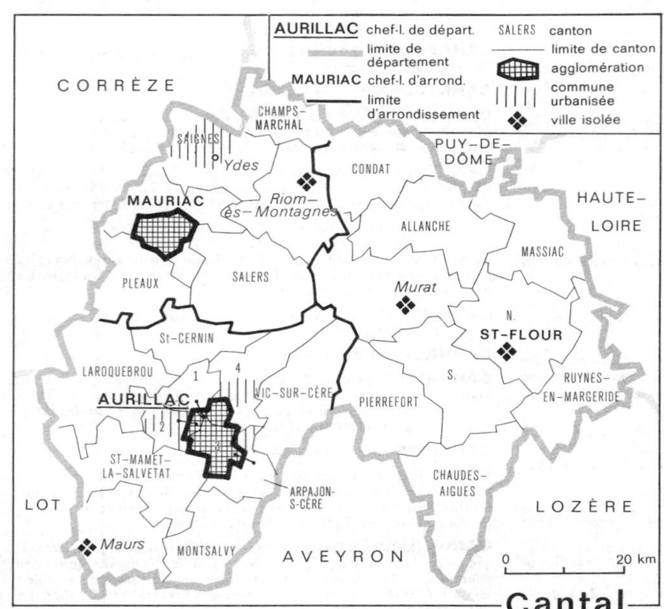

LOCALITÉS PRINCIPALES	NOMBRE D'HAB.
Aurillac	33 200
Saint-Flour	9 100
Arpajon-sur-Cère	5 000
Mauriac	4 800
Riom-ès-Montagnes	3 700
Murat	2 800
Maurs	2 600
Pleaux	2 400
Massiac	2 200
Vic-sur-Cère	2 100

Depuis longtemps, le Cantal est une terre d'émigration, phénomène qui se poursuit encore.

CANTAL [kɑ̃tal] n. m. (de *Cantal*). Fromage à pâte ferme, fabriqué en Auvergne avec du lait de vache, et se présentant en cylindre.

CANTALOUP [kɑ̃talu] n. m. (de *Cantalupo*, villa des papes près de Rome, où ce melon était cultivé). Melon rond à grosses côtes rugueuses et à chair orange foncé.

CANTATE [kɑ̃tat] n. f. (du lat. *cantare*, chanter). Morceau de musique religieuse ou profane, à une ou plusieurs voix avec accompagnement d'orchestre.

CANTATRICE [kɑ̃tatris] n. f. (lat. *cantatrix*). Chanteuse professionnelle d'opéra ou de chant classique.

CANTELEU, comm. de la Seine-Maritime, à 6 km à l'O. du centre de Rouen, au-dessus de la rive droite de la Seine; 15 900 hab. *(Cantiliens).* Château du XVIIe s. bâti par Mansart.

CANTERBURY, en fr. **Cantorbéry,** v. du sud-est de l'Angleterre (Kent); 32 600 hab. Colonie romaine, capit. des rois de Kent, Canterbury devint rapidement le principal foyer religieux de l'Angleterre, siège du primat du royaume : son plus célèbre titulaire fut saint Thomas Becket, assassiné en 1170. La cathédrale de Canterbury, bâtie du XIe au XVIe s., est le siège de l'archevêque-primat anglican.

CANTHARIDE [kɑ̃tarid] n. f. (gr. *kantharis*). Insecte coléoptère vert doré, long de 2 cm, fréquent sur les frênes, surtout dans le Midi.

CANTILÈNE [kɑ̃tilɛn] n. f. (it. *cantilena*). **1.** Chant profane, par oppos. au MOTET (chant sacré). — **2.** Complainte lyrique : *La « Cantilène de sainte Eulalie » est le plus ancien poème français.*

CANTILEVER [kɑ̃tilœvɛr] adj. et n. (mot angl.). Se dit d'un type de pont métallique dont les poutres principales se prolongent en porte à faux et supportent à leur tour une poutre de portée réduite.

1. CANTINE [kɑ̃tin] n. f. (it. *cantina*, cave). Coffre de voyage, spécialem. à l'usage des militaires.

2. CANTINE [kɑ̃tin] n. f. (même étym.). Service chargé de préparer le repas de midi pour le personnel d'une entreprise ou les élèves d'un établissement; salle où l'on prend ce repas (syn. RÉFECTOIRE; MESS, POPOTE, langue mil.). ◆ **cantinière** n. f. Femme qui, jusqu'en 1914, tenait la cantine d'un régiment et suivait la troupe dans ses déplacements.

CANTIQUE [kɑ̃tik] n. m. (lat. *canticum*). **1.** Chant religieux d'action de grâces à la gloire de Dieu ou des saints : *Le cantique de la Vierge, ou « Magnificat ».* — **2.** Chant religieux en langue commune (et non en latin) : *Les fidèles suivaient la procession en chantant des cantiques.* — **3.** Chez les protestants, tout chant religieux autre que les psaumes.

Cantique des Cantiques *(le)*, un des livres de l'Ancien Testament. Ce nom signifie « le Cantique par excellence ». Attribué à tort à Salomon, il a dû être composé au Ve s. av. J.-C. : c'est un poème d'amour mais, suivant une interprétation symbolique, il évoquerait en fait les relations de Yahvé (= Dieu) avec son peuple.

CANTON [kɑ̃tɔ̃] n. m. (anc. prov. *canton*, coin, angle). **1.** En France, subdivision d'un arrondissement. ⟶ ENCYCL. — **2.** En Suisse, chacun des États qui composent la Confédération. ◆ **cantonal, e, aux** adj. : *Les conseillers généraux sont désignés par les élections cantonales.*
— ENCYCL. Le *canton* est une circonscription administrative intermédiaire entre la commune et l'arrondissement. Créé par la Révolution, il groupe plusieurs communes ou constitue une partie de grande ville. Il n'a pas de chef administratif, analogue au préfet pour le département. Le canton porte le nom de la commune qui lui sert de chef-lieu.
Le *chef-lieu de canton*, d'un accès facile pour toutes les communes qui en dépendent, est le siège de quelques administrations et services de l'État (gendarmerie, ponts et chaussées, enregistrement, perception). Il joue aussi un rôle important pour les échanges locaux (foires, marchés, concours agricoles, etc.).
Le canton est également une circonscription électorale, qui élit un *conseiller* général*, représentant les intérêts des différentes communes (élections cantonales). [C'est pour éviter la sous-représentation des villes au conseil général que celles-ci sont souvent partagées en plusieurs cantons.]

CANTON, en chin. **Kouang-tcheou,** v. de la Chine méridionale, capit. du Kouang-tong, sur l'estuaire du Si-kiang; 5 millions d'hab. Ce fut la première ville de Chine où pénétrèrent marchands et missionnaires européens.
● *1917. Sun Yat-sen y fonde une République chinoise conforme à ses idées sociales et nationales.*

CANTONADE (À LA) [alakɑ̃tɔnad] loc. adv. (prov. *cantonada*, angle d'une construction). *Parler, dire, raconter qqch. à la cantonade*, le dire assez haut pour être entendu de nombreuses personnes; le dire à tout venant (contr. EN APARTÉ). [Au théâtre, la *cantonade* est l'intérieur des coulisses, et l'express. *à la cantonade* signifie « en s'adressant à quelqu'un que l'on suppose être dans les coulisses ».]

CANTONAL, E, AUX adj. ⟶ CANTON.

1. CANTONNER [kɑ̃tɔne] v. t. (de *canton*). *Cantonner une troupe*, l'installer dans un cantonnement (presque uniquement au passif). ◆ v. i. Séjourner dans un cantonnement. ◆ **cantonnement** n. m. **1.** Installation temporaire d'une troupe dans des locaux qui ne sont pas normalement destinés à la recevoir : *Le cantonnement de la compagnie se fera dans une école.* — **2.** Local affecté à cet usage : *Rejoindre son cantonnement.*

2. CANTONNER [kɑ̃tɔne] v. t. (même étym.). *Cantonner qq'un*, le tenir isolé dans certaines limites : *On l'a cantonné dans cette fonction.* ◆ **se cantonner** v. pr. (sujet nom de personne). Se tenir à l'écart ou dans certaines limites : *Se cantonner dans son bureau* (syn. S'ISOLER). *Nous nous cantonnerons dans l'explication de ce fait* (syn. SE BORNER, SE LIMITER).

CANTONNIER [kɑ̃tɔnje] n. m. (de *canton*). Ouvrier chargé de l'entretien des routes et des chemins.

CANTOR (Georg), mathématicien allemand d'origine russe (1845-1918). Il fut l'un des premiers à souligner l'importance de la notion d'ensemble*. Ses travaux sur ce sujet, à partir de 1873, marquent le début d'une ère nouvelle dans les mathématiques puisqu'ils permirent d'unifier des branches très diverses de cette science, et de donner naissance à ce qu'on appelle communément la *mathématique moderne.*

CANTORBÉRY ⟶ CANTERBURY.

CANULAR [kanylar] n. m. (de *canule*). *Fam.* Action ou propos visant à abuser de la crédulité de quelqu'un (syn. BLAGUE, FARCE, MYSTIFICATION).

CANULE [kanyl] n. f. (lat. *cannula*). Petit tuyau qui s'adapte au bout d'une seringue ou d'un tube à injection.

CANUT, USE [kany, -yz] n. (de *canette*, bobine). Ouvrier, ouvrière spécialisés dans le tissage de la soie sur métier à bras, dans la région lyonnaise.

canuts *(révolte des)*, insurrection des ouvriers de la soie à Lyon, en novembre 1831. Le refus par les fabricants de donner les salaires qu'ils avaient précédemment acceptés déclencha chez les canuts de la Croix-Rousse un mouvement insurrectionnel qui, du 21 au 24 novembre, s'assura le contrôle de la ville. Le gouvernement envoya 20 000 soldats pour rétablir l'ordre.

CANYON n. m. ⟶ CAÑON.

CÃO (Diogo) ⟶ CAM.

CAOUTCHOUC [kautʃu] n. m. (d'une langue de l'Équateur). **1.** Substance élastique et résistante, provenant de la coagulation du latex de certains arbres tropicaux comme l'hévéa *(caoutchouc naturel)* ou que l'on obtient par synthèse à partir de certains dérivés du pétrole *(caoutchouc synthétique)* ⟶ ENCYCL. — **2.** Fil, bande ou feuille de cette matière : *Le paquet est maintenu par un caoutchouc* (syn. ÉLASTIQUE). ◆ **caoutchouter** v. t. *Caoutchouter un tissu*, l'enduire de caoutchouc (surtout au part. passé) : *Une toile caoutchoutée.* ◆ **caoutchoutage** n. m. : *Le caoutchoutage d'un tissu.* ◆ **caoutchouteux, euse** adj. Qui a la consistance du caoutchouc.
— ENCYCL. La production de *caoutchouc naturel*, presque exclusive jusqu'en 1940, a dominé jusqu'à la fin des années 1950; mais elle était en 1984 (4,3 millions de t) très largement inférieure à celle du *caoutchouc synthétique* (plus de 6 millions de t), dont la prépondérance est nette. Le caoutchouc naturel provient essentiellement de l'Asie du Sud-Est (pour les deux tiers de la Malaysia et de l'Indonésie). Si on représente par N le caoutchouc naturel et par S le caoutchouc synthétique, la production est de :

États-Unis (S)	2,1 millions de t
Malaysia (N)	1,6 million de t
Japon (S)	1,2 million de t
Indonésie (N)	1,1 million de t
France (S)	0,6 million de t
Allemagne (S)	0,4 million de t

1. CAP [kap] n. m. (anc. prov. *cap*, tête). **1.** Pointe de terre qui s'avance dans la mer : *Le cap d'Antibes.* — **2.** *Doubler, passer le cap*, franchir une étape difficile, décisive : *Doubler le cap d'un examen.* — **3.** Direction de l'axe d'un navire ou d'un avion vers un point : *Avoir le cap à l'ouest.* ‖ *Mettre le cap sur*, se diriger vers. ‖ *Changer de cap*, prendre une nouvelle direction.

2. CAP [kap] n. m. (même étym.). *De pied en cap*, loc. adv.

Surtout dans des express. telles que *habiller, équiper de pied en cap*, entièrement (syn. DES PIEDS À LA TÊTE).

CAP (Le), en angl. **Cape Town,** capit. de l'Afrique du Sud; 1 097 000 hab. Situé à la pointe sud de l'Afrique, sur la baie de la Table, Le Cap est un port très important, tant pour les marchandises (4,5 millions de t par an) que pour les passagers. Constructions navales.

CAP *(province du)*, province méridionale de l'Afrique du Sud; 721 000 km^2; 5 091 000 hab. (7 au km^2). Capit. *Le Cap* (1 097 000); v. pr. *Port Elizabeth, East London.*

Au N., de grands plateaux *(Veld* et *Karroo)* s'abaissent vers le bassin de l'Orange, tandis qu'ils se relèvent vers le S. pour retomber brusquement sur une étroite plaine côtière. La région littorale, au climat méditerranéen, possède de riches cultures de fruits (agrumes), de légumes et de vignes. L'intérieur, plus sec, est le domaine des troupeaux d'ovins et de bovins. Le sous-sol fournit des diamants (Kimberley), du cuivre et du manganèse.

C. A. P., abrév. de *certificat* d'aptitude professionnelle.* (→ CERTIFICAT.)

1. CAPABLE [kapabl] adj. (bas lat. *capabilis*) [après le nom]. **1.** Se dit de quelqu'un qui a l'aptitude, le pouvoir de (suivi de la prép. *de* et d'un nom ou d'un infin.) : *Il est capable de comprendre cela* (syn. À MÊME DE, APTE À). *Il est bien capable d'avoir oublié le rendez-vous* (= je ne serais pas surpris s'il l'avait oublié). — **2.** Se dit de quelque chose qui peut avoir tel ou tel effet : *Un programme capable de plaire à tous* (syn. PROPRE À). — **3.** Se dit de quelqu'un qui est prêt à tout faire, que rien n'embarrasse : *Certains sont capables de tout pour réussir* (= ne reculent devant rien, ne sont retenus par aucun scrupule). ◆ **incapable** adj. Contr. de CAPABLE (au sens 1) : *Je suis incapable de lire cette écriture. Je vous crois incapable d'une telle lâcheté.*

2. CAPABLE [kapabl] adj. (même étym.). Se dit de quelqu'un qui a les qualités nécessaires à ses fonctions (sans compl.) : *L'affaire marche mal, faute d'un directeur capable* (syn. COMPÉTENT, QUALIFIÉ; fam. À LA HAUTEUR). ◆ **incapable** adj. et n. : *Cette affaire, menée par des incapables, a mal tourné.* ◆ **capacité** n. f. **1.** Aptitude d'une personne dans tel ou tel domaine : *La capacité professionnelle* (syn. COMPÉTENCE; contr. INCAPACITÉ); souvent au plur. : *On lui a confié une tâche au-dessus de ses capacités.* — **2.** Dans la langue jurid., aptitude d'une personne à acquérir ou à exercer un droit : *Le mineur ne jouit pas de la capacité civile.* — **3.** *Capacité en droit*, diplôme juridique conféré sur examen par les universités, sans diplôme exigé pour s'inscrire, et permettant d'accéder aux études de licence. ◆ **incapacité** n. f. : *Être éliminé pour incapacité* (syn. INAPTITUDE, INCOMPÉTENCE). *Être dans l'incapacité de juger* (syn. IMPOSSIBILITÉ).

1. CAPACITÉ [kapasite] n. f. (du lat. *capax*, qui peut contenir). **1.** Propriété de contenir quelque chose; quantité que peut contenir un récipient : *La capacité d'un vase* (syn. plus usuel CONTENANCE). ‖ *Mesure de capacité*, récipient utilisé pour mesurer les liquides et les matières sèches. — **2.** *Capacité vitale*, la plus grande quantité d'air qu'on puisse faire entrer dans les poumons en partant de l'état d'expiration forcée pour arriver à celui d'inspiration forcée. (Elle est de 3,5 l en moyenne chez l'adulte.)

2. CAPACITÉ n. f. → CAPABLE 2.

CAPARAÇON [kaparasɔ̃] n. m. (de l'esp. *capa*, manteau). **1.** Housse d'ornement dont on revêtait les chevaux dans les cérémonies. — **2.** Housse que l'on met sur le dos d'un cheval pour le protéger contre les intempéries. — **3.** Housse rembourrée qui protège le cheval dans les courses de taureaux. ◆ **caparaçonner** v. t. Couvrir d'un caparaçon.

CAPBRETON, comm. des Landes, à 18 km au N. de Bayonne; 4 600 hab. *(Capbretonnais).* Station balnéaire. L'Adour se jetait autref. dans la mer près de Capbreton, au large duquel se creuse le *gouf de Capbreton*, cañon sous-marin qui entaille le plateau continental jusqu'à 1 000 m de profondeur.

CAP-BRETON *(île du)*, île du Canada (Nouvelle-Écosse), à l'entrée du golfe du Saint-Laurent.

CAPCIR, région des Pyrénées-Orientales, dans le haut bassin de l'Aude. Élevage.

CAP-D'AIL, comm. des Alpes-Maritimes, à 3 km au S.-O. de Monte-Carlo; 4 300 hab. Station balnéaire.

CAPDENAC-GARE, ch.-l. de cant. de l'Aveyron, sur le Lot (r. g.), à 7 km au S.-E. de Figeac; 5 500 hab. Centre ferroviaire.

1. CAPE [kap] n. f. (anc. prov. *capa*). **1.** Vêtement ample et sans manches qui emboîte les épaules, et que l'on porte fermé à l'encolure. — **2.** Étoffe dont se sert le torero pour les passes, par différence avec la *muleta*, réservée au matador. — **3.** *De cape et d'épée*, se dit d'un roman ou d'un film d'aventures dont les héros, batailleurs et chevaleresques, se distinguent par le port de la cape et de l'épée. ‖ *Rire sous cape*, rire en cachette ou réprimer son envie de rire.

2. CAPE [kap] n. f. (même étym.). Feuille de tabac qui ferme l'enveloppe, ou « robe », des cigares.

3. CAPE [kap] n. f. (mot normand). Manœuvre d'un navire qui, par mauvais temps, réduit sa vitesse jusqu'à une allure tout juste suffisante pour qu'il puisse gouverner, ou qui se laisse dériver.

ČAPEK (Karel), dramaturge et romancier tchèque (1890-1938). Sa pièce *R. U. R. (Rossum's Universal Robots)* [1920] montre l'humanité victime de sa victoire sur la matière (le mot *robot* est une création de Čapek). Citons, parmi ses romans d'anticipation, *la Fabrique d'absolu* (1922), *la Guerre des salamandres* (1936).

CAPELINE [kaplin] n. f. (anc. prov. *capelina*). Chapeau de femme à grands bords souples.

C. A. P. E. S., abrév. de *certificat* d'aptitude au professorat de l'enseignement du second degré.*

CAPESTERRE-BELLE-EAU, comm. de la Guadeloupe (arrond. de Basse-Terre); 17 500 hab.

CAPET, surnom de Hugues Ier, roi de France, par allusion à sa cape (= vêtu d'une cape).

CAPET *(Monsieur)*, nom de famille attribué par dérision à Louis XVI, sous la Révolution.

CAPÉTIENS, dynastie des rois de France, issue de Hugues Capet, qui régna de 987 à 1328 ; HUGUES Ier (987-996); ROBERT II *le Pieux* (996-1031); HENRI Ier (1031-1060); PHILIPPE Ier (1060-1108); LOUIS VI *le Gros* (1108-1137); LOUIS VII (1137-1180); PHILIPPE II *Auguste* (1180-1223); LOUIS VIII (1223-1226); LOUIS IX (dit *Saint Louis*) [1226-1270]; PHILIPPE III *le Hardi* (1270-1285); PHILIPPE IV *le Bel* (1285-1314); LOUIS X *le Hutin* (1314-1316); PHILIPPE V *le Long* (1316-1322); CHARLES IV *le Bel* (1322-1328). [À la mort de Charles IV, la couronne passe à son cousin Philippe de Valois : aux Capétiens « directs » succède la dynastie des Valois.]

Les Capétiens directs, au départ simples féodaux, étaient élus par leurs pairs; peu à peu la succession héréditaire fut admise. Le *sacre*, qui faisait du roi un personnage privilégié, véritable représentant de Dieu, justicier suprême, assura leur autorité.

Les Capétiens s'employèrent avant tout à agrandir le domaine royal (par mariages, héritages, achats ou luttes armées) et à combattre les grands seigneurs et le régime féodal. Le plus actif réalisateur de cette œuvre fut Philippe Auguste qui lutta contre les Plantagenêts et détruisit l'Empire angevin.

En 1328, seules la Flandre, la Bretagne, l'Aquitaine et la Bourgogne restaient en dehors du domaine royal. Les Capétiens (à part Saint Louis) s'intéressèrent peu aux croisades. En revanche, ils créèrent la plupart des institutions de la monarchie française et organisèrent celle-ci de façon puissante.

CAP-FERRAT (Saint-Jean-) → SAINT-JEAN-CAP-FERRAT.

CAP-FERRET, écart de la comm. de La Teste (Gironde, arrond. de Bordeaux), à l'extrémité de la pointe qui ferme le bassin d'Arcachon. Station balnéaire.

CAPHARNAÜM, v. de Palestine, en Galilée, sur la rive nord-ouest du lac de Tibériade (État d'Israël). Jésus y enseigna au début de sa vie publique.

CAPHARNAÜM [kafarnaɔm] n. m. (de *Capharnaüm*). Lieu où des objets de toute sorte se trouvent dans le plus grand désordre (syn. BRIC-À-BRAC).

CAP-HORNIER [kapɔrnje] n. m. (de *cap Horn*). Grand voilier long-courrier qui suivait autref. les routes doublant le cap Horn. ‖ Pl. des *cap-horniers.*

1. CAPILLAIRE [kapilɛr] adj. (du lat. *capillus*, cheveu). Qui concerne la chevelure (terme commercial) : *Une lotion capillaire.*

2. CAPILLAIRE [kapilɛr] adj. (même étym.). Qui est fin comme un cheveu (terme scientif.) : *Tube capillaire* (= de très petite section). ‖ *Vaisseaux capillaires*, ou *capillaires* n. m. pl., vaisseaux très fins qui joignent les artérioles aux veinules : *Les vaisseaux capillaires font passer le sang du système artériel dans le système veineux.* ◆ **capillarité** n. f. Phénomène physique constitué par la tendance d'un liquide à s'élever vers le haut d'un tube capillaire ou dans les interstices d'un corps : *L'essence monte dans la mèche du briquet par capillarité.*

3. CAPILLAIRE [kapilɛr] n. m. (même étym.). Nom de plusieurs fougères à pétioles fins comme des cheveux.

CAPILLARITÉ n. f. → CAPILLAIRE 2.

CAPILOTADE [kapilɔtad] n. f. (de l'esp. *capirotada*, ragoût). **1.** Ragoût fait de restes de viande, volaille ou gibier, coupés en petits morceaux. — **2.** Fam. *Mettre en capilotade*, mettre en pièces, en bouillie.

CAPITAINE [kapitɛn] n. m. (du lat. *caput, -itis,* tête). **1.** Grade le plus élevé dans la hiérarchie des officiers subalternes dans les armées de terre et de l'air, qui se situe entre celui de lieutenant et celui de commandant. (Placé à la tête d'une compagnie, d'un escadron, d'une batterie, le capitaine commande l'unité de base non seulement pour le combat, mais aussi pour l'instruction et l'administration. Il est appelé « mon capitaine » et porte trois galons.) — **2.** *Capitaine de corvette, de frégate, de vaisseau,* grades d'officiers de la marine militaire, correspondant à ceux de commandant, lieutenant-colonel et colonel dans les armées de terre et de l'air. (Tous ces officiers sont appelés « commandant ».) [→ GRADE 2.] — **3.** Officier qui commande un navire de commerce. ‖ *Capitaine au long cours,* officier de la marine marchande, assurant le commandement d'un navire reliant des ports très éloignés. — **4.** Chef militaire prestigieux (ordinairement avec un adj. [surtout *grand*], et seulement dans la langue soignée) : *Turenne est un des plus illustres capitaines de son temps.* — **5.** *Capitaine d'industrie,* directeur d'entreprises industrielles ou commerciales (nuance généralement péjor.). — **6.** Chef d'une équipe sportive.

Capitaine Fracasse *(le),* roman de cape et d'épée, de Th. Gautier (1863).

1. CAPITAL, E, AUX [kapital, -to] adj. (du lat. *caput, -itis,* tête). **1.** Se dit d'une chose qui est de toute première importance : *Une question capitale* (syn. ESSENTIEL, PRIMORDIAL; contr. SECONDAIRE). *Il a joué un rôle capital* (syn. DÉCISIF, DE PREMIER PLAN; contr. ACCESSOIRE). *C'est son œuvre capitale* (syn. ŒUVRE MAÎTRESSE). — **2.** *Peine capitale,* syn. de PEINE DE MORT, dans la langue soignée. ‖ *Péchés capitaux* → PÉCHÉ.

2. CAPITAL, AUX [kapital, -to] n. m. (de l'adj.). **1.** Ensemble des biens possédés en argent ou en nature, par oppos. aux intérêts ou revenus qu'ils peuvent produire s'ils sont prêtés ou exploités : *Un capital rapportant cinq mille francs d'intérêts chaque année. Manger son capital* (= dépenser son argent, vendre ses biens). ‖ *Capital monétaire,* somme d'argent disponible par un particulier. — **2.** (au sing.) Ensemble des moyens de production et de ceux qui les possèdent : *Union du capital et du travail.* — **3.** (au sing.) Ensemble des biens intellectuels, spirituels, moraux : *Capital artistique d'un pays* (syn. PATRIMOINE, TRÉSOR). — **4.** (au plur.) Ressources financières dont on dispose, argent liquide qu'on peut investir dans une entreprise : *On manque de capitaux pour lancer cette affaire* (syn. FONDS). → ENCYCL. ◆ **capitaliser** v. t. **1.** Ajouter au capital en argent (sens 1) les intérêts qu'il produit : *Chaque année, la Caisse d'épargne capitalise les intérêts servis à ses déposants.* — **2.** Joindre quelque chose à un capital (sens 3) : *Capitaliser des connaissances* (syn. ACCUMULER). ◆ v. i. Amasser un capital. ◆ **capitalisation** n. f. : *Le coût élevé de la vie ne favorise guère la capitalisation.* ◆ **capitalisme** n. m. Régime économique et social dans lequel les moyens de production (les machines, les usines, les terres, etc.) n'appartiennent généralement pas à ceux qui les mettent en valeur ou en action par leur travail, mais à des particuliers ou à des sociétés qui en tirent une source de profit. ‖ *Capitalisme d'État,* système économique et social où l'État est propriétaire d'une part importante de ces moyens de production. ◆ **capitaliste** adj. Qui se caractérise par le fait que les utilisateurs des moyens de production n'en sont pas propriétaires : *Régime capitaliste.* ◆ n. m. **1.** Celui qui possède des capitaux et qui en tire profit en les investissant dans des entreprises. — **2.** Celui qui est partisan du régime capitaliste. — **3.** *Péjor.* Celui qui est riche.

— ENCYCL. Un particulier peut utiliser son *capital monétaire* pour ses propres besoins, en se faisant construire une maison, par exemple; il peut aussi « investir » son capital (= le placer) dans une entreprise, dans une banque pour le faire « fructifier » (= lui faire produire des *intérêts,* qui procurent un *revenu*).

Réunir des *fonds* (sommes d'argent ou équivalent) constitue la première étape de la formation du *capital technique,* si important dans les pays industrialisés; il est représenté par une multitude de moyens matériels de production : terrain (cultivé ou bâti), outils, machines industrielles, agricoles ou artisanales (de la machine à coudre à l'ordinateur), usines, animaux sélectionnés qui produisent viande, lait, œufs, moyens de transport nécessaires à toute exploitation efficace (matériel roulant, routes, ponts, équipement portuaire, aérien, etc.).

Capital *(le),* traité de Karl Marx (1867). [→ MARX, MARXISME.]

1. CAPITALE [kapital] n. f. (de *capital* 1). *Capitale,* ou *lettre capitale,* lettre majuscule, qui se met en tête d'un alinéa, d'une phrase, d'un nom propre.

2. CAPITALE [kapital] n. f. (même étym.). **1.** Ville où se trouve le siège des pouvoirs publics d'un État : *Madrid est la capitale de l'Espagne;* et, absolum. (par oppos. à la CAMPAGNE, à la PROVINCE) : *Quitter la capitale* (= Paris). — **2.** Ville qui est le principal centre d'une activité : *Limoges est la capitale de la porcelaine en France.*

CAPITALISATION n. f., **CAPITALISER** v. t. et i., **CAPITALISME** n. m., **CAPITALISTE** adj. et n. → CAPITAL 2.

CAPITATION [kapitasjɔ̃] n. f. (du lat. *caput, -itis,* tête). Impôt, taxe par tête. (À l'époque féodale, la capitation était un impôt dû aux seigneurs.)

CAPITEUX, EUSE [kapitø, -øz] adj. (du lat. *caput,* tête) [le plus souvent après le nom]. **1.** *Vin capiteux,* qui monte rapidement à la tête, qui produit une certaine ivresse ou un étourdissement. — **2.** *Parfum capiteux, odeur capiteuse,* qui produit une sorte de trouble agréable, qui excite (syn. ENIVRANT, GRISANT).

CAPITOLE (le), la plus illustre des sept collines de Rome, sur laquelle s'élevait le temple de Jupiter *Capitolin,* protecteur de la cité. (Appelé aussi MONT CAPITOLIN et, parfois, MONT TARPÉIEN.) — Le nom de *Capitole* a été donné à différents monuments publics : Capitole de Washington, Capitole de Toulouse, etc.

CAPITON [kapitɔ̃] n. m. (it. *capitone*). Syn. de CAPITONNAGE (sens 2).

CAPITONNER [kapitɔne] v. t. (de l'it. *capitone,* grosse tête). Rembourrer en faisant des piqûres qui traversent l'étoffe de place en place (surtout au part. passé) : *Un fauteuil capitonné. On a fait capitonner la porte pour assourdir les bruits.* ◆ **capitonnage** n. m. **1.** Action de capitonner. — **2.** Bourre appliquée pour capitonner : *Appuyer sa tête contre le capitonnage de la banquette.* (On dit aussi, en ce sens, CAPITON.)

1. CAPITULAIRE [kapitylɛr] adj. (du lat. *capitulum,* chapitre). Relatif à un chapitre de chanoines, de religieux : *Assemblée capitulaire.*

2. CAPITULAIRE [kapitylɛr] n. m. (même étym.). Ordonnance émanant des rois mérovingiens et carolingiens.

1. CAPITULATION n. f. → CAPITULER.

2. CAPITULATIONS [kapitylasjɔ̃] n. f. pl. (it. *capitolazione,* accord). Conventions réglant jadis le statut des étrangers, principalement dans l'Empire ottoman.

CAPITULE [kapityl] n. m. (lat. *capitulum,* petite tête). *Bot.* Inflorescence formée de petites fleurs serrées les unes contre les autres et insérées sur le pédoncule élargi en plateau : *Les capitules de la marguerite.*

CAPITULER [kapityle] v. i. (du lat. *capitulum,* clause). Cesser toute résistance, se reconnaître vaincu, soit militairement, soit dans une discussion ou dans une situation où des volontés se sont affrontées : *Bazaine capitula dans Metz en 1870* (syn. SE RENDRE). *Je ne capitulerai pas devant un adversaire aussi malhonnête* (syn. CÉDER). ◆ **capitulation** n. f. **1.** Action de capituler : *La capitulation de Napoléon III à Sedan, en 1870. Son silence équivaut à une capitulation.* — **2.** Convention qui règle les conditions d'une reddition (= le fait de se rendre à l'ennemi) : *Discuter les articles de la capitulation.*

CAPONE (Alphonse CAPONE, dit **Al**), gangster américain (1895-1947). Il dirigea à Chicago une bande responsable de nombreux meurtres.

CAPORAL [kapɔral] n. m. (de l'it. *capo,* tête). Militaire détenteur du grade le moins élevé dans l'infanterie, le génie et divers armes ou services. (Le caporal commande une équipe de combat. Il porte deux galons de laine en V renversé sur le bras gauche.) [→ GRADE 2.] ‖ *Le Petit Caporal,* nom familier donné par ses soldats à Napoléon Ier. ◆ **caporal-chef** n. m. Grade immédiatement supérieur à celui de caporal. (Le caporal-chef doit être capable de remplacer le sergent. Ses galons de caporal sont surmontés d'un galon d'or.) ‖ Pl. des *caporaux-chefs.* (→ GRADE 2.)

CAPORALISME [kapɔralism] n. m. (de *caporal*). **1.** Régime politique dans lequel l'armée exerce une influence déterminante. — **2.** Autoritarisme étroit et mesquin.

CAPORETTO, auj. **Kobarid,** village de Yougoslavie (Slovénie), autref. en Italie dans la vallée de l'Isonzo.

- *24 oct. 1917. Défaite des armées italiennes qui doivent céder sur tout le front, en abandonnant aux Austro-Allemands 180 000 prisonniers.*

1. CAPOT [kapo] n. m. (de *cape*). Partie relevable de la carrosserie d'une voiture, qui recouvre le moteur.

2. CAPOT [kapo] adj. inv. (de *capot* 1). Se dit aux jeux de cartes d'un joueur qui n'a fait aucune levée.

1. CAPOTE [kapɔt] n. f. (de *capot* 1). Couverture amovible, de toile ou de cuir, dont sont munies les voitures dites *décapotables.* ◆ **décapoter** v. t. Rabattre, replier la capote. ◆ **décapotable** adj. Se dit d'un véhicule muni d'une capote qu'on peut tendre ou replier à volonté : *Une 2 CV décapotable.*

2. CAPOTE [kapɔt] n. f. (même étym.). Manteau militaire.

CAPOTER [kapɔte] v. i. (de l'express. [*faire*] *cabot*, chavirer) [sujet nom de véhicule]. Se retourner : *L'auto a capoté dans un virage* (syn. CULBUTER, FAIRE UN TONNEAU).

CAPOUE, en it. **Capua,** v. d'Italie en Campanie sur le Volturno; 18 200 hab. La fondation de la ville remonte aux Étrusques. Elle fut prise par Hannibal en 215 av. J.-C. Ses soldats y passèrent l'hiver. — L'express. *les délices de Capoue* fait allusion à cette halte, pendant laquelle l'armée s'affaiblit au lieu d'exploiter sa victoire. Les Romains reprirent Capoue en 211 av. J.-C. et y fondèrent une colonie.

CAPPADOCE, région centrale de l'Asie Mineure. Ce fut le cœur de l'Empire hittite*. Conquise par les Perses (VIe s. av. J.-C.), puis comprise dans l'empire d'Alexandre, elle devint province romaine sous Tibère.

CÂPRE [kɑpr] n. m. ou f. (gr. *kapparis*). Condiment constitué par le bouton à fleur de l'arbuste appelé *câprier*, qu'on a fait macérer dans du vinaigre. ◆ **câprier** n. m.

CAPRI, île italienne du golfe du Naples. Centre touristique.

CAPRICE [kapris] n. m. (de l'it. *capo*, tête). **1.** Décision subite, irréfléchie, changeante : *Un enfant à qui l'on passe tous ses caprices* (syn. FANTAISIE, LUBIE). — **2.** (surtout au plur.) Variations soudaines dans le cours des choses, leur forme, leur mouvement : *Les caprices de la mode, du hasard.* ◆ **capricieux, euse** adj. et n. Se dit de quelqu'un qui agit par caprice : *Les coups de tête d'une fillette capricieuse.* ◆ adj. Se dit de ce qui est sujet à des changements soudains d'allure ou d'aspect : *Humeur capricieuse. La destinée capricieuse nous a réservé bien des surprises* (syn. CHANGEANT, INCONSTANT). ◆ **capricieusement** adv.

Caprices de Marianne *(les)*, comédie d'A. de Musset, publiée en 1833.

CAPRICIEUSEMENT adv., **CAPRICIEUX, EUSE** adj. et n. → CAPRICE.

CAPRICORNE [kaprikɔrn] n. m. (du lat. *caper*, bouc, et *cornu*, corne). Nom collectif des insectes coléoptères de la famille des cérambycidés, caractérisés par leurs longues antennes (syn. LONGICORNE).

CAPRICORNE (le), constellation zodiacale. — Dixième signe du zodiaque, correspondant à la période du 22 décembre au 21 janvier.

CAPRICORNE *(tropique du)*, parallèle de la sphère céleste situé à une déclinaison de —23° 27′ au S. de l'équateur. — Parallèle de la sphère terrestre correspondant à la latitude de 23° 27′25″ et qui délimite, au S., la zone dite *tropicale*.

CÂPRIER n. m. → CÂPRE.

CAPRIN, E [kaprɛ̃, -in] adj. (du lat. *capra*, chèvre). Relatif aux chèvres : *Races caprines.* ◆ **caprins** ou **caprinés** n. m. pl. Sous-famille de ruminants, comprenant les chèvres, les moutons et les espèces sauvages voisines (syn. OVINÉS). [Famille des bovidés.]

CAPSELLE [kapsɛl] n. f. (lat. *capsella*, coffret). Plante commune dans les chemins. (Famille des crucifères.)

1. CAPSULE [kapsyl] n. f. (du lat. *capsa*, boîte). Coiffe de métal ou de plastique qui recouvre le goulot et sert à boucher une bouteille. ◆ **capsuler** v. t. Revêtir d'une capsule le goulot d'une bouteille. ◆ **capsulage** n. m. : *Le capsulage des bouteilles.* ◆ **décapsuler** v. t. Ôter une capsule.

2. CAPSULE [kapsyl] n. f. (même étym.). **1.** Nom donné à certaines enveloppes de l'organisme : *Capsules surrénales* (glandes endocrines situées chacune à la partie supérieure du bord interne d'un rein). [→ SURRÉNAL.] — **2.** Enveloppe soluble contenant certains médicaments de saveur désagréable. — **3.** Fruit dont l'enveloppe dure et sèche s'ouvre par plusieurs fentes (marron d'Inde, iris, œillet) ou par des pores (pavot). — **4.** *Capsule spatiale*, partie habitable d'un satellite artificiel, dans laquelle prennent place les cosmonautes.

CAPTER [kapte] v. t. (lat. *captare*, essayer de prendre). **1.** *Capter qq'un, l'esprit de qq'un*, l'attirer à soi, se le ménager, par adresse, par ruse : *Capter l'attention des élèves. Capter la confiance de qq'un* (syn. SE CONCILIER, GAGNER). — **2.** *Capter une émission radiophonique* ou *télévisée*, parvenir à la recevoir par chance, grâce à des recherches : *Capter un message.* — **3.** *Capter une source, capter une rivière*, etc., en recueillir les eaux pour les utiliser. ◆ **captage** n. m. : *Le captage des eaux d'une rivière.* ◆ **capteur** n. m. *Capteur solaire*, dispositif recueillant l'énergie calorifique du Soleil en vue de son utilisation.

CAPTIEUX, EUSE [kapsjø, -øz] adj. (du lat. *captio*, piège). Se dit de quelque chose (mot abstrait) propre à tromper, par une apparence de vérité ou de raison (langue soignée) : *Des arguments captieux* (syn. ARTIFICIEUX, FALLACIEUX, SPÉCIEUX, TROMPEUR).

CAPTIF, IVE [kaptif, -iv] adj. et n. (du lat. *capere*, prendre). Prisonnier de guerre : *Les captifs étaient souvent emmenés comme esclaves.* ◆ adj. **1.** Privé de liberté, qui est enfermé : *Des animaux captifs* (contr. EN LIBERTÉ). — **2.** *Ballon captif*, aérostat retenu par un câble fixé au sol. — **3.** *Nappe captive*, nappe aquifère intercalée entre deux couches imperméables, dans laquelle, en profondeur, l'eau est sous pression ◆ **captivité** n. f. État de prisonnier; privation de liberté.

CAPTIVER [kaptive] v. t. (bas lat. *captivare*). *Captiver qq'un*, attirer son attention par la beauté, l'originalité ou le mystère; le tenir sous un charme : *Le conférencier a su captiver son auditoire* (syn. ↑PASSIONNER). ◆ **captivant, e** adj. (plus usuel que le verbe) : *Un récit captivant* (syn. PALPITANT, PASSIONNANT).

CAPTIVITÉ n. f. → CAPTIF.

Captivité de Babylone, période (597-538 av. J.-C.) pendant laquelle les Juifs demeurèrent captifs à Babylone, où Nabuchodonosor les avait transportés et d'où Cyrus les tira pour les faire revenir à Jérusalem.

CAPTURER [kaptyre] v. t. (du lat. *capere*, prendre). **1.** *Capturer un être vivant*, s'en emparer, s'en rendre maître : *Les policiers ont capturé le malfaiteur* (syn. ARRÊTER). *Capturer un renard* (syn. ATTRAPER, PRENDRE). — **2.** *Capturer un navire, une cargaison*, les saisir en temps de guerre ou par un acte de piraterie. ◆ **capture** n. f. **1.** Action de capturer : *La capture des papillons. La capture d'un sous-marin.* — **2.** Être vivant (homme ou animal), chose dont on s'empare : *Une belle capture* (syn. PRISE). — **3.** *Géogr.* Phénomène par lequel une rivière détourne à son profit les affluents et même le cours d'une autre rivière. → ENCYCL.
— ENCYCL. Les *captures* peuvent être dues à des déversements qui se produisent lorsqu'une rivière devient incapable d'évacuer ses alluvions : le remblaiement qui s'opère submerge peu à peu la « ligne de partage des eaux » et la rivière passe dans le bassin voisin. D'autres captures sont dues au creusement, par érosion régressive, de la ligne de partage.

CAPUCHE [kapyʃ] n. f. (de l'it. *cappucio*). Syn. de CAPUCHON (sens 1).

CAPUCHON [kapyʃɔ̃] n. m. (de *cape*). **1.** Partie d'un vêtement, en forme de bonnet, qui se rabat sur la tête ou se rejette en arrière (en ce sens, on dit parfois aussi CAPUCHE) : *Le capuchon d'un imperméable.* — **2.** Le vêtement lui-même, en forme de cape avec une capuche. — **3.** Partie mobile d'un stylo, dont on coiffe l'extrémité qui porte la plume ou la bille. ◆ **encapuchonné, e** adj. Se dit de quelqu'un revêtu d'un capuchon, ou de quelque vêtement qui couvre tout le corps à la manière d'un capuchon.

1. CAPUCIN [kapysɛ̃] n. m. (it. *cappuccino*, petit capuchon). Religieux d'une branche de l'ordre des Franciscains.
— ENCYCL. L'ordre des *Capucins* fut fondé en 1528 par Matteo Baschi qui voulait revenir à l'esprit franciscain primitif (pauvreté totale, vie d'ermite telle que l'avait vécue saint François). On compte actuellement env. 15 000 religieux de cet ordre.

2. CAPUCIN [kapysɛ̃] n. m. (de *capucin* 1). Nom usuel du SAÏ, singe d'Amérique du Sud.

CAPUCINE [kapysin] n. f. (de *capucin*). Plante ornementale à feuilles rondes et à fleurs ordinairement orangées.

CAPULETS (les), légendaire famille de Vérone, implacable ennemie des Montaigus. C'est à ces familles qu'appartiennent respectivement Juliette et Roméo.

CAP-VERT *(îles du)*, en portug. **Ilhas de Cabo Verde,** archipel situé au large des côtes du Sénégal; 4 000 km²; 360 000 hab. Capit. *Praia*, sur l'île São Tiago. Anc. bases pour la traite des Noirs. Aérodrome sur l'île de Sal. Culture du caféier.

• *1975. Indépendance de l'archipel, anciennement portugais.*

CAQUE [kak] n. f. (du néerl. *caken*, couper les ouïes d'un poisson). Baril où l'on conserve les harengs salés ou fumés. ‖ Fam. *Serrés comme harengs en caque*, très à l'étroit.

CAQUET [kakɛ] n. m. (onomat.). **1.** *Fam.* Bavardage intempestif; tendance à parler à tort et à travers, souvent avec prétention ou avec malveillance : *Je ne pouvais pas supporter davantage le caquet de la visiteuse.* — **2.** Suite de gloussements ou de petits cris que pousse une poule. — **3.** *Rabattre, rabaisser le caquet à qq'un* (plus rarement *de qq'un*), l'amener à se taire ou à parler avec plus de modestie : *Son échec à l'examen lui a rabaissé son caquet.* ◆ **caqueter** v. i. (Conj. **8.**) **1.** (sujet nom de personne) Bavarder, tenir des propos futiles. — **2.** (sujet nom désignant des oiseaux de basse-cour) Glousser. ◆ **caquetage** n. m. : *Le caquetage de la basse-cour.*

CAQUOT (Albert), ingénieur français (1881-1976). Auteur de travaux sur l'aérostation, il imagina le ballon captif appelé *saucisse* (1914). Il a aussi développé l'emploi du béton armé dans les constructions civiles et dans les travaux publics.

1. CAR [kar] conj. (lat. *quare*, c'est pourquoi). Toujours en tête de la proposition, sert à introduire une explication, une justification ou une preuve à l'appui de l'énoncé précédent : *Il faut nous séparer, car il se fait tard* (syn. ATTENDU QUE, PARCE QUE).

2. CAR [kar] n. m. (mot angl.). Grande voiture automobile destinée aux transports en commun hors des villes ou aux déplacements touristiques (syn. AUTOCAR).

CARABE [karab] n. m. (gr. *karabos*, crabe). Insecte coléoptère à corps allongé et à longues pattes, très utile, car il dévore larves d'insectes, limaces, escargots.

CARABIN [karabɛ̃] n. m. (de l'anc. fr. *escarrabin*, ensevelisseur des pestiférés). *Fam.* Étudiant en médecine.

CARABINE [karabin] n. f. (de *carabin*, soldat de cavalerie). Fusil court, à canon rayé, très employé pour la chasse, l'entraînement et les concours de tir, et qui fut longtemps en usage dans la cavalerie et chez les chasseurs à pied.

CARABINÉ, E [karabine] adj. (de *carabin*, soldat de cavalerie). *Fam.* Se dit de quelque chose qui a une force, une intensité particulière : *Un rhume carabiné.*

CARABINIER [karabinje] n. m. (de *carabine*). **1.** Du XVIIe au XIXe s., soldat à pied ou à cheval, armé d'une carabine. — **2.** En Italie, gendarme. — **3.** En Espagne, douanier *(carabiniero)*.

Carabosse *(la fée)*, fée malfaisante et bossue.

CARACALLA (Marcus Aurelius Antoninus BASSIANUS, dit), empereur romain (188-217). Fils de Septime Sévère auquel il succéda en 211. Fou sanguinaire comme Caligula, il périt assassiné. On lui doit la construction de magnifiques thermes, à Rome, et, surtout, la *Constitution antonine* (212), qui étendait le droit de cité romaine à tous les habitants de l'empire.

CARACAS, capit. du Venezuela, située à 1 050 m d'alt., à proximité de la mer des Antilles, 1 800 000 hab. Caracas est la première ville du pays, dont elle groupe, avec ses banlieues, le cinquième de la population. Ses fonctions sont essentiellement administratives et commerciales, grâce notamment au port de La Guaira. Des industries variées s'y développent. L'agglomération compte 2 944 000 hab.

CARACOLER [karakɔle] v. i. (de l'esp. *caracole*, limaçon). **1.** (sujet nom désignant un cheval) Sauter avec légèreté de divers côtés. — **2.** (sujet nom de personne) Faire caracoler son cheval. — **3.** (sujet nom désignant d'autres animaux, des véhicules) Évoluer de divers côtés avec grâce et vivacité : *Des oiseaux caracolent dans le ciel.*

1. CARACTÈRE [karaktɛr] n. m. (gr. *kharaktêr*, signe gravé). **1.** Signe gravé, ou écrit, appartenant à un système d'écriture : *Déchiffrer des caractères cunéiformes.* — **2.** Pièce de métal fondu, dont l'empreinte forme le signe d'imprimerie.

2. CARACTÈRE [karaktɛr] n. m. (même étym.). **1.** Signe distinctif, marque particulière qui signale à l'attention une chose ou une personne, qui en exprime un aspect remarquable : *Les caractères dominants de la race humaine* (syn. CARACTÉRISTIQUE). — **2.** Accompagné d'un adj., exprime simplement l'état ou la qualité (équivalant alors souvent à un nom abstrait à suffixe *-té*, *-tion*, *-ment*, etc.) : *Le caractère difficile d'une entreprise* (= la difficulté). *Le caractère discret d'une allusion* (= la discrétion). *Le caractère officiel d'une visite.* — **3.** (sans compl. ni adj. qualificatif) Trait ou ensemble de traits donnant à quelque chose son originalité : *Ces vieilles rues ont beaucoup de caractère* (syn. CACHET, PERSONNALITÉ, STYLE). ◆ **caractérisation** n. f. Action de caractériser; ce qui constitue une particularité. ◆ **caractérisé, e** adj. Nettement défini; qui est sans ambiguïté : *C'est là une erreur caractérisée.* ◆ **caractériser** v. t. **1.** (sujet nom de personne) Souligner, mettre en relief les traits dominants de quelque chose ou de quelqu'un : *Je caractériserai en quelques mots ce genre de spectacle.* — **2.** (sujet nom de chose) Constituer le trait essentiel, le signe distinctif : *Avec la franchise qui le caractérise, il est allé droit au but* (syn. DISTINGUER, PARTICULARISER). ◆ ***se caractériser*** v. pr. [***par***]. Avoir pour signe distinctif, se laisser identifier par : *Le latin se caractérise notamment par l'absence d'articles.* ◆ **caractéristique** adj. Qui constitue le signe distinctif, la particularité de : *On reconnaît le Mont-Saint-Michel à sa silhouette caractéristique* (syn. PARTICULIER, TYPIQUE). ◆ n. f. Marque distinctive, trait particulier : *Les journaux ont publié les caractéristiques du nouveau moteur : cylindrée, nombre de tours-minute, consommation, etc.*

3. CARACTÈRE [karaktɛr] n. m. (même étym.). **1.** Ensemble des traits psychologiques et moraux qui composent la personnalité d'un individu : *Cet enfant a un caractère affectueux* (syn. NATURE, NATUREL, TEMPÉRAMENT). — **2.** Aptitude à affirmer vigoureusement sa personnalité, à agir avec décision : *Il n'a pas assez de caractère pour être un bon chef* (syn. ÉNERGIE, FERMETÉ, VOLONTÉ). *Des hommes de caractère* (= des hommes énergiques). — **3.** Personne capable de montrer de la fermeté, de la résolution : *Des caractères comme celui-là peuvent sauver des situations désespérées.* ◆ **caractériel, elle** adj. Qui affecte le caractère : *Troubles caractériels.* ◆ n. Enfant à l'intelligence normale, mais socialement inadapté et présentant des troubles du caractère, tels qu'une tendance à la révolte, à la perversité, etc. ◆ **caractérologie** n. f. Science de la connaissance des caractères.

Caractères *(les)*, ouvrage de La Bruyère (1688).

CARAFE [karaf] n. f. (de l'ar. *gharrāf*, pot à boire). **1.** Bouteille de verre ou de cristal à base large et à goulot étroit. — **2.** Contenu de ce récipient : *Boire une carafe d'eau.* ◆ **carafon** n. m. Petite carafe, destinée plus spécialement au vin; son contenu.

CARAÏBES, anc. population des Petites Antilles et des côtes voisines, qui disparut à la suite de l'arrivée des Européens.

CARAÏBES *(îles)*, nom donné parfois aux PETITES ANTILLES.

CARAÏBES *(mer des)* ou **CARAÏBE** *(mer)*, syn. de MER DES ANTILLES.

CARAMBOLAGE [karɑ̃bɔlaʒ] n. m. (de l'esp. *carambola*, fruit exotique). *Fam.* Série de chocs, de heurts, surtout entre plusieurs véhicules qui se suivent. ◆ **caramboler** v. t. *Fam.* Effectuer un carambolage. (Au billard, *caramboler*, c'est toucher les deux autres billes avec sa propre bille.) ◆ ***se caramboler*** v. pr. Se heurter.

CARAMBOUILLAGE [karɑ̃bujaʒ] n. m. (de l'esp. *carambola*, tromperie). Escroquerie consistant à revendre une marchandise sans l'avoir achetée. ◆ **carambouilleur** n. m.

CARAMEL [karamɛl] n. m. (du lat. *cannamella*, canne à sucre). **1.** Produit obtenu en chauffant du sucre jusqu'à ce qu'il prenne une coloration brune. — **2.** Bonbon fait avec ce sucre roussi. ◆ adj. inv. Qui a la couleur du caramel (entre le beige et le roux). ◆ **caraméliser** v. t. **1.** Transformer en caramel. — **2.** Recouvrir de caramel. ◆ v. i. et ***se caraméliser*** v. pr. : *Le sucre commence à caraméliser.* ◆ **caramélisation** n. f.

CARAN D'ACHE (Emmanuel POIRÉ, dit), dessinateur humoriste français (1859-1909). Son pseudonyme vient du russe *karandache*, crayon.

CARAPACE [karapas] n. f. (esp. *carapacho*). **1.** Revêtement dur et solide formé par le tégument épaissi de divers animaux (tatou, tortue, insectes, crustacés) dont il protège le corps. — **2.** Revêtement dur à la surface d'un objet : *Une carapace de glace s'est formée sur l'étang* (syn. plus courant CROÛTE). — **3.** *Carapace d'indifférence*, indifférence qui met à l'abri du chagrin, du souci, etc.

CARAQUE [karak] n. f. (ar. *karrāka*). Grand navire, étroit du haut et très élevé sur l'eau, utilisé au Moyen Âge et jusqu'à la fin du XVIe s.

CARASSIN [karasɛ̃] n. m. (de l'all. *Karas*). Poisson d'eau douce voisin de la carpe. (Le carassin doré est usuellement appelé *poisson rouge*.)

CARAT [kara] n. m. (ar. *qīrāt*, petit poids). Unité de poids (2 dg) utilisée dans le commerce des pierres précieuses : *Un diamant de 12 carats.*

CARAVAGE (Michelangelo AMERIGHI, ou MERISI, dit **le**), peintre italien (1573-1610). Réagissant contre le maniérisme, il créa un art essentiellement naturaliste, révolutionnaire à son époque; il fit jouer de violents contrastes d'ombre et de lumière sur des personnages pris dans le peuple, campés grandeur nature dans des attitudes vraies. Son influence fut considérable *(la Diseuse de bonne aventure, le Repas d'Emmaüs)*.

CARAVANE [karavan] n. f. (persan *kārawān*). **1.** Troupe de personnes (avec ou sans animaux) voyageant ensemble : *Une caravane de nomades. La caravane du cirque.* — **2.** Roulotte de tourisme, plus ou moins confortablement aménagée, destinée à être remorquée par une auto. ◆ **caravanier** n. m. **1.** Conducteur de bêtes de somme dans une caravane (sens 1). — **2.** Celui qui utilise une caravane de camping (sens 2). ◆ **caravaning** ou **caravanning** [karavaniŋ] n. m. Forme de camping pratiquée par ceux qui utilisent une caravane (sens 2). ◆ **caravansérail** n. m. En Orient, abri pour les voyageurs et leurs montures.

CARAVELLE [karavɛl] n. f. (portug. *caravela*). Navire rapide, utilisé aux XVe et XVIe s., surtout pour des voyages de découverte. (Nom donné auj. à un certain type d'avion commercial.)

CARBOCHIMIE [karboʃimi] n. f. (du lat. *carbo*, *-onis*, charbon, et *chimie*). Chimie industrielle des produits issus de la houille.

CARBOHÉMOGLOBINE n. f. ⟶ CARBONE 1.

CARBONARO [karbɔnaro] n. m. (mot it. signif. *charbonnier*). Affilié au carbonarisme. ‖ Pl. des *carbonari*. ◆ **carbonarisme** n. m. Société politique secrète formée au XIXe s. en Italie pour le triomphe des idées libérales. (Cette société se forma d'abord pour lutter contre les Français, puis contre les souverains italiens restaurés après la défaite napoléonienne et les Autrichiens. Elle répandit son influence libérale en France, mais la *charbonnerie* française [v. 1820] n'eut qu'un rôle très épisodique.)

1. CARBONE [karbɔn] n. m. (du lat. *carbo, -onis,* charbon). Corps simple (C), qui se rencontre, plus ou moins pur, dans la nature, soit cristallisé *(diamant, graphite),* soit amorphe *(charbon de terre, houille, anthracite, lignite),* et qui entre dans la composition de presque tous les tissus animaux ou végétaux. ‖ *Carbone 14,* isotope radio-actif du carbone, qui prend naissance dans l'atmosphère : *La teneur en carbone 14 permet de dater un vestige.* ‖ *Oxyde de carbone* ⟶ ENCYCL. ◆ **carbonate** n. m. Sel ou ester de l'acide carbonique. ◆ **carbonique** adj. *Anhydride* ou *gaz carbonique,* gaz (CO_2) formé de deux volumes d'oxygène pour un volume de carbone, produit par la combustion du charbon, la fermentation des liquides, la respiration des animaux, des plantes. ◆ **carbohémoglobine** n. f. Combinaison instable du gaz carbonique avec l'hémoglobine qui se forme dans les globules rouges, à leur passage dans les capillaires des tissus. ◆ **carboxyhémoglobine** n. f. Combinaison de l'oxyde de carbone avec l'hémoglobine, qui se forme au cours de l'intoxication par l'oxyde de carbone.
— ENCYCL. La combustion du *carbone* donne deux dérivés oxygénés : le *gaz carbonique* (CO_2) et l'*oxyde de carbone* (CO), très toxique même à faible concentration. L'*oxyde de carbone* se trouve dans le gaz de ville et se dégage des foyers ayant un mauvais tirage; inhalé, il se fixe sur l'hémoglobine, donnant la *carboxyhémoglobine,* empêchant la formation normale d'oxyhémoglobine. (⟶ HÉMOGLOBINE.)

2. CARBONE [karbɔn] adj. (même étym.). *Papier carbone,* papier enduit sur une face d'une matière colorante qui se dépose par pression, et utilisé pour exécuter des doubles, notamment à la machine à écrire.

CARBONIFÈRE [karbɔnifɛr] adj. (du lat. *carbo, -onis,* charbon, et *ferre,* porter). Qui contient du charbon : *Terrain carbonifère.* ◆ adj. et n. Se dit de la période de l'ère primaire comprise entre le Dévonien et le Permien, entre — 280 et — 210 millions d'années. (Dans les marécages se formèrent alors d'importants dépôts de houille.)

CARBONIQUE adj. ⟶ CARBONE 1.

CARBONISER [karbɔnize] v. t. (de *carbone*). Brûler au point de transformer en charbon : *Carboniser du bois. Rôti carbonisé* (syn. CALCINER). ◆ **carbonisation** n. f. Opération qui a pour but de transformer en charbon des matières organiques, et en partic. du bois, pour obtenir le charbon de bois.

CARBOXYHÉMOGLOBINE n. f. ⟶ CARBONE 1.

CARBURANT n. m., **CARBURATEUR** n. m., **CARBURATION** n. f. ⟶ CARBURER.

CARBURE [karbyr] n. m. (du lat. *carbo, -onis*). **1.** Combinaison du carbone avec un autre corps simple : *Le gaz d'éclairage contient des carbures d'hydrogène.* — **2.** *Carbure de calcium* (CaC_2), carbure utilisé dans les lampes à acétylène.

CARBURER [karbyre] v. t. (de *carbure*). Effectuer la carburation. ◆ **carburant** n. m. Produit servant à alimenter un moteur à explosion : *L'essence est un carburant.* ◆ **carburateur** n. m. Organe d'un moteur à explosion préparant le mélange d'essence et d'air. ◆ **carburation** n. f. Action de mélanger l'air aux vapeurs d'un liquide combustible (ordinairement de l'essence), pour former un mélange détonant, dans un moteur à explosion.
— ENCYCL. Un *carburant* est un gaz ou un liquide suffisamment volatil (= se transformant aisément en vapeur), formant avec l'air un mélange détonant dont l'explosion fournit l'énergie nécessaire au moteur. Le carburant le plus utilisé est l'*essence.* Le *supercarburant,* à indice d'octane très élevé, est réservé aux moteurs d'automobiles modernes. Les moteurs de véhicules lourds fonctionnent au *gas-oil,* plus économique.

Le *carburateur* comporte une cuve, dite *à niveau constant,* une chambre de carburation et divers éléments assurant le départ à froid, le fonctionnement correct au ralenti et l'accélération au moment des reprises. Le carburateur comporte en outre un filtre à carburant et un filtre à air, destinés à arrêter les impuretés et les poussières.

CARCAN [karkɑ̃] n. m. (lat. *carcanum*). **1.** Collier de fer avec lequel on attachait un criminel au poteau; la peine elle-même. — **2.** Collier de bois qu'on met aux bestiaux pour les empêcher de franchir les haies. — **3.** Ce qui limite étroitement la liberté : *Le carcan de la discipline* (syn. CONTRAINTE, SUJÉTION).

CARCASSE [karkas] n. f. (orig. incert.). **1.** Ensemble des os encore assemblés d'un animal mort : *La carcasse du poulet* (par oppos. aux cuisses, ou pilons, aux ailes et aux abats) [syn. SQUELETTE, quand on parle d'un humain]. — **2.** *Fam.* Corps d'une personne. — **3.** Armature, charpente destinée à soutenir un ensemble : *Ces piliers et ces poutrelles constituent la carcasse de l'immeuble.*

CARCASSONNE, ch.-l. du dép. de l'Aude, sur l'Aude et le canal du Midi; 42 500 hab. Bel ensemble de fortifications du Moyen Âge.

CARCINOME [karsinom] n. m. (du gr. *karkinos,* cancer). Tumeur cancéreuse épithéliale ou glandulaire.

CARDAGE n. m. ⟶ CARDER.

CARDAMINE [kardamin] n. f. (du gr. *kardamon,* cresson). Plante des prés humides, mesurant jusqu'à 50 cm de haut, appelée usuellement *cressonnette.* (Famille des crucifères.)

CARDAN [kardɑ̃] n. m. (de *Cardan*). *Mécan.* Articulation permettant la transmission d'un mouvement de rotation dans toutes les directions. (On dit aussi *suspension à la Cardan, joint de Cardan.*)

CARDAN (Jérôme), médecin, philosophe et mathématicien italien (1501-1576). Il publia dans son livre l'*Ars Magna* (1545) la résolution des équations du troisième degré dont on lui attribue à tort la découverte. Il inventa le mode de suspension qui porte son nom.

CARDE n. f. ⟶ CARDER et CARDON.

CÁRDENAS (Lázaro), homme politique mexicain (1895-1970). Président des États-Unis du Mexique de 1934 à 1940, il nationalisa les entreprises pétrolières (1938).

CARDER [karde] v. t. (du lat. *carduus,* chardon). *Carder la laine,* la peigner et en éliminer les impuretés au moyen d'une machine spéciale garnie de pointes métalliques (ou *carde*). ◆ **cardage** n. m. ◆ **carde** n. f.

CARDIA [kardja] n. m. (gr. *kardia,* cœur). Orifice supérieur de l'estomac, situé non loin du cœur, et par lequel l'estomac communique avec l'œsophage.

CARDIAQUE [kardjak] adj. (du gr. *kardia,* cœur). Qui concerne le cœur, en tant qu'organe principal de la circulation (et généralement quand il s'agit de maladies) : *Une crise cardiaque, un malaise cardiaque.* ◆ adj. et n. Se dit de quelqu'un qui est atteint d'une maladie de cœur. ◆ **cardiogramme** n. m. Tracé des mouvements du cœur au moyen d'un appareil, le *cardiographe.* ◆ **cardiologie** n. f. Partie de la médecine traitant des maladies du cœur. ◆ **cardiologue** n. Médecin spécialisé dans les maladies du cœur. ◆ **cardio-vasculaire** adj. Qui se rapporte au cœur et aux vaisseaux.

CARDIFF, port de Grande-Bretagne, sur la côte du pays de Galles; 278 200 hab. Métallurgie.

CARDIGAN [kardigɑ̃] n. m. (mot angl.). Chandail de laine à manches longues et à col droit, se boutonnant devant.

1. CARDINAL, E, AUX [kardinal, -no] adj. (lat. *cardinalis,* principal). **1.** Se dit de ce qui forme la partie essentielle, de ce qui constitue la chose principale : *Les vertus cardinales* (= les vertus considérées comme fondamentales par la doctrine chrétienne [la justice, la prudence, la tempérance et la force]). — **2.** *Adjectif numéral cardinal,* ou *nombre cardinal,* adjectif numéral qui exprime la quantité, le nombre précis, sans allusion au rang, à l'ordre, comme *vingt* hommes, *mille* hommes. ◆ **cardinal** n. m. *Math.* Terme qui caractérise ce qu'ont en commun deux ensembles tels qu'il existe une bijection de l'un vers l'autre (on dit alors que les deux ensembles sont *équipotents*). [Si E est un ensemble, on note Card (E), ou $\overline{E}$ son cardinal. Le cardinal d'un ensemble fini est le nombre de ses éléments.]

2. CARDINAL [kardinal] n. m. (même étym.). Chacun des prélats qui composent le Sacré Collège et qui, réunis en conclave, élisent le pape : *On donne aux cardinaux le titre d'« éminence », et ils portent des vêtements rouges.* ◆ **cardinalat** n. m. Dignité de cardinal : *Le cardinalat est accordé aux évêques.*

3. CARDINAL [kardinal] n. m. (de *cardinal* 2). Oiseau passereau d'Amérique, au plumage rouge. (Famille des fringillidés.)

CARDINAUX (points) [kardino] loc. (de *cardinal*). Les quatre points de repère permettant de s'orienter : *Les points cardinaux sont le nord, le sud* (ou *midi*), *l'est* (ou *levant, orient*) et *l'ouest* (ou *couchant*). [Pour indiquer les directions intermédiaires, on dit : *nord-est, sud-est, nord-ouest, sud-ouest.*]

CARDIOGRAMME n. m., **CARDIOLOGIE** n. f., **CARDIOLOGUE** n., **CARDIO-VASCULAIRE** adj. ⟶ CARDIAQUE.

CARDON [kardɔ̃] n. m. (mot prov.). Plante potagère voisine de l'artichaut, dont on consomme les feuilles, ou *cardes.*

CARDUCCI (Giosue), poète et critique italien (1835-1907). Son goût pour le classicisme antique le rendit hostile au romantisme monarchique et chrétien, et partisan d'une esthétique sans emphase.

CARÉLIE, région de l'Europe du Nord-Est, entre la mer Blanche et le golfe de Finlande, partagée entre la Finlande et l'U. R. S. S., qui en possède la majeure partie.

CARÉLIE *(république de)*, république autonome de l'U. R. S. S., sur un isthme entre la mer Blanche et le golfe de Finlande; 173 000 km^2; 713 500 hab. Capit. *Petrozavodsk*. La Carélie est un pays de lacs (Ladoga, Onega) et de grandes forêts.

CARÊME [karɛm] n. m. (lat. *quadragesima* [*dies*], le quarantième [jour avant Pâques]). **1.** Pour les catholiques et les orthodoxes, période de pénitence de quarante-six jours, qui s'étend du mercredi des Cendres jusqu'au jour de Pâques. (Les restrictions alimentaires qui marquaient jadis le carême ont été limitées, en 1949, au jeûne du mercredi des Cendres et du vendredi saint.) — **2.** Fam. *Arriver comme mars en carême*, arriver à propos.

CARÉNAGE n. m. —→ CARÈNE 1.

CARENCE [karɑ̃s] n. f. (du lat. *carere*, manquer). **1.** Le fait qu'une personne, un organisme manque à sa tâche, à ses obligations; en partic., manque d'autorité : *La carence des pouvoirs publics* (syn. DÉMISSION; contr. ACTIVITÉ). *Montrer sa carence devant les réalités du moment* (syn. ↓INSUFFISANCE; contr. CAPACITÉ). — **2.** Le fait que quelque chose manque, qu'on en soit privé en totalité ou en partie : *Carence en vitamines* (syn. INSUFFISANCE, MANQUE; contr. ABONDANCE). ‖ *Maladie par carence*, maladie due à un manque de vitamines *(avitaminose)* ou à la privation d'une substance minérale (fer, calcium, etc.) ou organique (protéine) nécessaire à la vie. ◆ **carentiel, elle** adj. : *Maladie carentielle.*

1. CARÈNE [karɛn] n. f. (lat. *carina*, coquille de noix). Partie immergée de la coque d'un navire. ◆ **caréner** v. t. **1.** Nettoyer la carène. — **2.** Donner à la carrosserie d'une voiture une forme propre à faciliter sa progression. ◆ **carénage** n. m. Action de nettoyer ou de réparer la coque d'un navire. ◆ **caréné, e** adj. Qui a une forme fuselée pour réduire la résistance de l'air : *Une carrosserie carénée* (syn. AÉRODYNAMIQUE).

2. CARÈNE [karɛn] n. f. (même étym.). Pièce formée par les deux pétales inférieurs, dans la fleur des papilionacées.

CARENTAN, ch.-l. de cant. de la Manche, à 28 km au N.-O. de Saint-Lô; 6 900 hab. *(Carentanais).* Petit port relié par un canal à la mer.

CARENTIEL, ELLE adj. —→ CARENCE.

CARESSE [karɛs] n. f. (it. *carezza*). **1.** Attouchement marquant la tendresse, l'affection : *Je passai la main sur la tête du chien; à cette caresse il remua la queue.* — **2.** Frôlement doux et agréable produit par quelque chose : *Les caresses de la brise.* ◆ **caresser** v. t. **1.** *Caresser une personne, un animal*, lui faire des caresses. — **2.** *Caresser une chose*, l'effleurer de la main. — **3.** *Caresser un projet, un espoir, une espérance*, l'entretenir avec complaisance (syn. NOURRIR UN PROJET, etc.). ◆ **caressant, e** adj. Se dit de la voix, du regard, etc., qui cause une impression douce comme une caresse, qui exprime la tendresse : *Une voix aux inflexions caressantes* (syn. SUAVE, TENDRE).

CARET [karɛ] n. m. (esp. *carey*). Tortue marine des mers chaudes, comestible, atteignant 1 m de long (syn. CAOUANNE).

CARGAISON [kargɛzɔ̃] n. f. (du prov. *cargar*, charger). Ensemble des marchandises transportées par un navire, un avion : *Les dockers déchargent la cargaison de bananes* (syn. CHARGEMENT).

CARGO [kargo] n. m. (abrév. de l'angl. *cargo-boat*, navire de charge). Navire spécialement destiné au transport des marchandises. ‖ *Cargo mixte*, cargo aménagé pour recevoir un petit nombre de passagers, en sus de sa cargaison.

CARHAIX ou **CARHAIX-PLOUGUER,** ch.-l. de cant. du Finistère, à 18 km au S.-E. de Huelgoat; 9 100 hab. *(Carhaisiens).*

CARI [kari] n. m. (mot malabar). Épice composée de diverses poudres (gingembre, clou de girofle, curcuma, piment, etc.). [On écrit aussi CARY, CARRY, CURRY.]

CARIATIDE n. f. —→ CARYATIDE.

CARIBOU [karibu] n. m. (mot canadien). Renne du Canada.

CARICATURE [karikatyr] n. f. (du lat. *caricare*, charger). **1.** Déformation grotesque d'une personne par l'exagération voulue, dans une intention satirique, des traits caractéristiques du visage ou des proportions du corps (syn. CHARGE). — **2.** *Péjor.* Reproduction déformée de quelque chose : *La façon dont on vous a présenté les faits est une caricature de la vérité* (syn. PARODIE, SIMULACRE). ◆ **caricatural, e, aux** adj. : *Dessin caricatural, récit caricatural* (syn. OUTRÉ). ◆ **caricaturer** v. t. Sens 1 et 2 de CARICATURE : *En quelques coups de crayon, il eut caricaturé les membres du jury. Caricaturer la pensée de qq'un* (syn. ALTÉRER, ↓DÉFIGURER). ◆ **caricaturiste** n. : *Daumier fut un caricaturiste célèbre.*

1. CARIE [kari] n. f. (lat. *caries*, pourriture). Maladie de la dent qui se traduit par une lésion évoluant de l'extérieur vers l'intérieur, détruisant ses parties dures (émail et ivoire) et aboutissant à une perte de substance formant une cavité. ◆ **carié, e** adj. Atteint par la carie.

2. CARIE [kari] n. f. (même étym.). Maladie du blé due à un champignon microscopique altérant les graines.

CARILLON [karijɔ̃] n. m. (du lat. *quaternio*, groupe de quatre objets). **1.** Sonnerie de cloches, vive et gaie (en principe, quatre cloches formant une harmonie, mais se dit aussi d'un nombre différent de cloches, et même d'une seule) [par oppos. à GLAS, tintement de deuil; TOCSIN, sonnerie d'alarme]. — **2.** Horloge sonnant les quarts et les demies, et faisant entendre un air pour marquer les heures; air sonné toutes les heures par cette horloge. ◆ **carillonner** v. t. **1.** *Carillonner une heure, une fête*, l'annoncer par un carillon, ou plus généralement par une sonnerie : *L'horloge carillonne les heures.* — **2.** Fam. *Carillonner une nouvelle*, l'annoncer, la répandre à grand bruit. ◆ v. i. **1.** *Les cloches carillonnent*, elles sonnent en carillon. — **2.** (sujet nom de personne) *Fam.* Agiter vivement la sonnette d'appel à la porte de quelqu'un. ◆ **carillonné, e** adj. Fam. *Aux fêtes carillonnées, les jours de fêtes carillonnées*, dans les grandes occasions. ◆ **carillonneur** n. m. Personne chargée de carillonner.

CARINATES [karinat] n. m. pl. (du lat. *carina*, carène). Sous-classe d'oiseaux dont le sternum est muni d'un bréchet. (Elle renferme tous les oiseaux, sauf les manchots et les ratites.)

CARINTHIE, en all. **Kärnten,** prov. de la république d'Autriche; 9 534 km^2; 525 700 hab. *(Carinthiens).* Capit. *Klagenfurt.*

- *1335. La région devient possession de l'Autriche.*
- *1919. Ses districts méridionaux sont intégrés à la Yougoslavie.*

CARLIN [karlɛ̃] n. m. (du n. de l'acteur Carlo Bertinazzi, dit *Carlin*, dont le masque noir d'Arlequin ressemblait à un museau de chien). Petit dogue à poil ras, à museau noir et écrasé.

CARLING, comm. de la Moselle, à 17 km au S.-O. de Forbach; 3 400 hab. Complexe industriel (centre thermique, cokerie, usines chimiques) situé en presque totalité sur le territoire de la comm. de Saint-Avold.

CARLINGUE [karlɛ̃g] n. f. (anc. scand. *kerling*). Partie de l'avion où prennent place le pilote et les passagers.

CARLISLE, v. de Grande-Bretagne, ch.-l. du comté de Cumberland; 71 500 hab.

CARLISME [karlism] n. m. (de *Carlos*). Opinion, doctrine politique des partisans de don Carlos (Charles* de Bourbon). ◆ **carliste** n. En Espagne, partisan de don Carlos.

— ENCYCL. Le *carlisme* tire son nom de l'infant don Carlos (Charles de Bourbon, 1788-1855), prétendant au trône d'Espagne à la mort de son frère Ferdinand VII en 1833.

Celui-ci ayant supprimé la loi qui excluait les femmes de la succession au trône, sa fille Isabelle est proclamée reine d'Espagne, ce qui ôte à don Carlos et à ses descendants tout droit à la couronne et entraîne trois guerres civiles (1833, 1846, 1872).

La restauration des Bourbons, avec Alphonse XII, en 1874, anéantit les espoirs des carlistes. Cependant le carlisme ne disparaît pas, dans la mesure où, plus qu'une querelle successorale, il représente un sentiment traditionaliste, fondé sur l'aversion du libéralisme.

CARLITTE *(massif du)*, massif granitique des Pyrénées-Orientales; 2 921 m.

CARLOMAN (751-771), fils cadet de Pépin le Bref, frère de Charlemagne. Roi des Francs, avec Charlemagne, pour le Sud et l'Est, il mourut très jeune.

CARLYLE (Thomas), historien et critique anglais (1795-1881). Prenant pour exemples les principaux génies de tous les temps (Luther, Shakespeare, Mahomet, Dante, Napoléon), il a montré l'importance déterminante, dans l'évolution de l'humanité, de ces conducteurs d'hommes, et exalté l'énergie et le devoir des élites (= êtres exceptionnels) à qui il revient de faire avancer l'histoire (*les Héros et le culte des héros*, 1841).

CARMAGNOLE [karmaɲɔl] n. f. (mot de la Savoie). **1.** Veste courte en usage pendant la Révolution. — **2.** Sorte de ronde révolutionnaire dansée en 1793. — **3.** Chanson qui accompagne cette danse.

CARMAUX, ch.-l. de cant. du Tarn, à 16 km au N. d'Albi; 12 200 hab. *(Carmausins).* Bassin houiller exploité dès le Moyen Âge.

CARME [karm] n. m., **CARMÉLITE** [karmelit] n. f. (de *Carmel*). Religieux, religieuse appartenant à l'ordre du Carmel. —→ ENCYCL. ◆ **carmel** n. m. **1.** Couvent des carmes ou des carmélites. — **2.** *Le Carmel*, ordre des Carmes ou des Carmélites.

— ENCYCL. Des ermites se retirèrent au XIIe s. sur le mont Carmel pour y fonder un ordre aux règles très strictes : lever dans la nuit, jeûne rigoureux, pratique du silence et de la pauvreté.

Les règles étant peu à peu assouplies au cours des siècles, une réforme totale, dans le sens de la stricte observance, fut menée par saint Jean de la Croix à partir de 1568. Ainsi fut fondé l'ordre des *Carmes déchaux* ou *déchaussés*, qui compte plus de 4 000 membres : ils vont pieds nus dans des sandales de cuir (d'où leur nom), portent un habit de bure brune, une ceinture de cuir où s'attache un rosaire, et un capuce brun.

L'ordre des *Carmélites* fut fondé en 1451. Parallèlement à la réforme du Carmel, sainte Thérèse d'Ávila ramena l'ordre des Carmélites à la primitive observance *(Carmélites déchaussées)* au XVIe s.

CARMEL *(mont)*, montagne de l'État d'Israël, au-dessus de Haïfa.

CARMÉLITE n. f. → CARME.

Carmen, nouvelle de P. Mérimée (1845), dont a été tiré un opéra-comique (1875), de G. Bizet.

CARMIN [karmɛ̃] n. m. et adj. inv. (ar. *qīrmiz*). Couleur rouge éclatant : *Le carmin se tirait autrefois de la cochenille.* ◆ **carminé, e** adj. Qui est d'un rouge tirant sur le carmin.

CARNAC, comm. du Morbihan, au N. de la baie de Quiberon, à 13 km au S.-O. d'Auray; 4 000 hab. *(Carnacois).* Près de Carnac s'étend un célèbre ensemble de monuments mégalithiques (menhirs, au nombre de 2 800 env., dolmens, tumulus).

CARNAGE [karnaʒ] n. m. (du lat. *caro, carnis*, chair). Meurtre violent et sanglant d'un certain nombre d'êtres vivants (syn. MASSACRE, TUERIE).

CARNASSIER, ÈRE [karnasje, -ɛr] adj. (du lat. *caro, carnis*, viande). Se dit d'un animal qui se nourrit exclusivement de chair crue (syn. CARNIVORE). ‖ *Dent carnassière*, ou *carnassière* n. f., molaire tranchante, volumineuse et dépassante, située très en arrière et qui caractérise les mammifères carnassiers. ◆ **carnassiers** n. m. pl. Ordre de mammifères carnivores, comprenant des animaux aux doigts munis de griffes et dont la denture comporte des canines dépassantes *(crocs)* et des molaires tranchantes, dont la *carnassière* (syn. CARNIVORES).

— ENCYCL. On distingue plusieurs familles de *carnassiers* : les *félidés* (chat, panthère, tigre, lion), les *viverridés* (mangouste), les *hyénidés* (hyène), les *canidés* (chien, loup, renard, chacal), les *mustélidés* (belette, hermine, loutre, fouine), les *procyonidés* (raton laveur) et les *ursidés* (ours).

CARNASSIÈRE [karnasjɛr] n. f. (du prov. *carnasso*, viande). Sac en filet dans lequel le chasseur met son gibier.

CARNASSIERS n. m. pl. → CARNASSIER.

CARNATION [karnasjɔ̃] n. f. (de l'it. *carne*, chair). Teint, coloration des chairs d'une personne.

CARNAVAL, ALS [karnaval] n. m. (it. *carnevale*, mardi gras). **1.** Réjouissances populaires, mascarades, défilés de chars, etc., se situant d'ordinaire dans les jours qui précèdent le mardi gras : *Le carnaval de Nice se déroule en février.* — **2.** Mannequin grotesque, personnifiant le carnaval, qu'on brûle ou qu'on enterre solennellement le mercredi des Cendres (avec une majusc.) : *Sa Majesté Carnaval.* ◆ **carnavalesque** adj. Relatif au carnaval, ou qui a le caractère grotesque, la fantaisie outrée du carnaval.

Carnavalet *(hôtel* ou *musée)*, hôtel parisien du Marais, construit en 1545, décoré par Jean Goujon et remanié en 1645 par François Mansart. Il fut habité de 1677 à 1696 par Mme de Sévigné. La Ville de Paris y a installé un musée historique consacré à l'histoire de la capitale, étendu à l'hôtel Le Peletier de Saint-Fargeau, contigu (XVIIe s., entièrement rénové en 1989).

CARNÉ, E [karne] adj. (du lat. *caro, carnis*, viande). *Alimentation carnée*, composée principalement de viande.

CARNÉ (Marcel), metteur en scène de cinéma français (né en 1909). L'un des chefs de file de l'école réaliste poétique des années 1930 et 1940, il est l'auteur de *Drôle de drame* (1937). *Quai des brumes* et *Hôtel du Nord* (1938), et du *Jour se lève* (1939). Il réalisa ensuite *les Visiteurs du soir* (1942) et *les Enfants du paradis* (1944).

CARNET [karnɛ] n. m. (du lat. *quaternio*, groupe de quatre). **1.** Petit registre, petit cahier sur lequel on inscrit des notes : *Carnet d'adresses. Inscrire un rendez-vous sur son carnet* (syn. AGENDA, CALEPIN). — **2.** Assemblage de billets, de tickets, de timbres, etc., qui peuvent être détachés au moment de l'emploi : *Carnet de chèques* (syn. CHÉQUIER). *Un carnet de tickets d'autobus* (ou, simplem., *un carnet d'autobus*).

CARNIER [karnje] n. m. (du prov. *carn*, viande). Sac destiné à recevoir le gibier.

CARNIOLE, anc. prov. d'Autriche, partagée en 1919 entre la Yougoslavie et l'Italie.

CARNIQUES *(Alpes)*, partie des Alpes orientales, entre les bassins supérieurs de la Piave et du Tagliamento (Italie) et la haute vallée du Gail (Autriche).

CARNIVORE [karnivɔr] adj. (du lat. *caro, carnis*, viande, et *vorare*, dévorer). Qui se nourrit de chair. ◆ **carnivores** n. m. pl. Syn. de CARNASSIERS.

CARNOT (Lazare), homme politique et mathématicien français (1753-1823). Le rôle éminent qu'il eut auprès de l'armée le fit nommer l'*Organisateur de la victoire.*

- *1791-1792. Député à l'Assemblée législative, il se distingue par ses interventions dans les questions militaires et comme représentant en mission auprès des armées.*
- *1793. Il entre au Comité de salut public. Responsable de la Défense nationale, il crée les quatorze armées de la République.*
- *1794. Opposé à la Terreur, il se sépare de Robespierre et contribue à sa chute le 9 thermidor.*
- *1800. Ministre de la Guerre pendant quelques mois, sous le Consulat, il est ensuite écarté du gouvernement.*
- *1814. Il défend la place d'Anvers jusqu'à la chute de Paris.*
- *1815. Ministre de l'Intérieur pendant les Cent-Jours, il s'exile à la Restauration.*

Il est l'auteur d'ouvrages scientifiques importants qui en font l'un des fondateurs de la géométrie moderne.

CARNOT (Nicolas Léonard Sadi), physicien français (1796-1832), fils du précédent. Il énonça le premier des deux principes de la thermodynamique.

CARNOT (Marie François Sadi), homme politique français (1837-1894), petit-fils de Lazare Carnot. Président de la République (1887-1894), il favorisa l'alliance franco-russe. Il fut assassiné à Lyon par un anarchiste italien.

CARNUTES, peuple de la Gaule dont la capit. était Autricum (Chartres).

CAROLINE DU NORD, en angl. **North Carolina,** État de l'est des États-Unis; 136 200 km²; 5 214 000 hab. Capit. *Raleigh.*

CAROLINE DU SUD, en angl. **South Carolina,** État de l'est des États-Unis; 80 432 km²; 2 665 000 hab. Capit. *Columbia.*

CAROLINES *(îles)*, en angl. **Caroline Islands,** archipel de l'océan Pacifique occidental, en Micronésie, administré par les États-Unis pour le compte de l'O. N. U.; 1 100 km²; 69 500 hab. Les îles Carolines dépendirent successivement des Espagnols (depuis 1686), des Allemands (depuis 1899), des Japonais (depuis 1919) et des Américains (depuis 1945).

CAROLINGIENS, famille franque qui succéda aux Mérovingiens en 751 et ressuscita l'empire d'Occident de 800 à 887. Ses derniers représentants régnèrent en Germanie jusqu'en 911 et en France jusqu'en 987.

Les Carolingiens qui se succédèrent en France de 751 à 987 sont : PÉPIN *le Bref* (751-768); CHARLEMAGNE (768-814); LOUIS Ier *le Pieux* (814-840); CHARLES II *le Chauve* (843-877); LOUIS II *le Bègue* (877-879); LOUIS III (879-882); CARLOMAN (879-884); CHARLES *le Gros* (884-887); CHARLES III *le simple* (898-923); LOUIS IV *d'Outremer* (936-954); LOTHAIRE (954-986); LOUIS V (986-987).

Ils constituèrent le vaste empire carolingien, dont l'apogée territoriale coïncida avec le règne de Charlemagne et qui engloba les terres italiennes et germaniques jusqu'à l'Elbe.

Pour reconnaître les services rendus à l'Église par les Carolingiens, défenseurs de la chrétienté, le pape Léon III rétablit l'empire d'Occident en faveur de Charlemagne, malgré l'opposition de Byzance.

Cependant, l'unité de l'empire ne résista pas à la pratique du partage successoral et aux insuffisances d'une administration mal organisée. Le principal héritage des Carolingiens fut culturel; la période carolingienne fut marquée par une véritable « renaissance », d'inspiration surtout religieuse.

CARONCULE [karɔ̃kyl] n. f. (lat. *caruncula*). Nom de diverses excroissances charnues de couleur rougeâtre, comme celle qui pend à la base du bec chez le dindon. ‖ *Caroncule lacrymale*, saillie rouge dans l'angle interne de l'œil.

CARONTE *(étang de)*, étang de la côte de Provence (Bouches-du-Rhône), entre le golfe de Fos et l'étang de Berre.

CAROTÈNE [karɔtɛn] n. m. (de *carotte*). Pigment rouge des végétaux. (Le carotène peut se transformer en vitamine A.)

CAROTIDE [karɔtid] n. f. (gr. *karôtides*). Chacune des artères qui conduisent le sang du cœur à la tête.

1. CAROTTE [karɔt] n. f. (gr. *karôton*). **1.** Plante bisannuelle que l'on cultive pour sa racine pivotante, de couleur orangée, riche en sucre et comestible. (Famille des ombellifères.) — **2.** Enseigne rouge d'un débit de tabac, formée de deux cônes accolés par la base. ◆ **poil-de-carotte** adj. inv. *Fam.* Qui a les cheveux roux (syn. ROUQUIN).

2. CAROTTE [karɔt] n. f. (même étym.). Échantillon cylindrique de terrain, découpé par un *carottier* et remonté à la surface. ◆ **carottage** n. m. Découpage et extraction d'une carotte de terrain au cours d'un sondage. ◆ **carottier** n. m. Outil spécial qui permet de prélever des échantillons de terrain au fond d'un puits de forage.

CAROUBE [karub] n. f. (ar. *kharrūba*). Fruit du caroubier, à pulpe sucrée, comestible, doué de propriétés antidiarrhéiques. (On dit aussi CAROUGE.) ◆ **caroubier** n. m. Arbre méditerranéen, atteignant 10 m de haut. (Famille des césalpiniacées.)

CARPACCIO (Vittore SCARPAZZA, dit), peintre italien (v. 1455-v. 1525). Animé par un grand souci de réalisme, il s'inspira de la somptueuse Venise de son époque, y transposant les scènes de l'histoire sainte. Il fit de nombreuses décorations où se déploie toute une foule très vivante de personnages *(Vie de sainte Ursule)*. On lui doit aussi des tableaux de la vie quotidienne.

CARPATES ou **KARPATES,** chaîne de montagnes de l'Europe centrale, qui s'étend en arc de cercle sur la Tchécoslovaquie, la Pologne, l'U. R. S. S. (Ukraine) et la Roumanie. Les Carpates sont moins élevées que les Alpes, peu marquées par l'érosion glaciaire et très boisées. Elles sont formées de chaînes plissées, gréseuses et schisteuses (flysch), bordant des noyaux cristallins (Tatras, massif de Maramures, Alpes de Transylvanie) qui constituent les parties les plus élevées de la chaîne (2 663 m dans les Tatras). La population est concentrée dans les bassins intérieurs. Les principales ressources sont l'élevage, l'exploitation de la forêt et du sous-sol (pétrole et gaz naturel de Roumanie).

1. CARPE [karp] n. f. (lat. *carpa*). Genre de poissons d'eau douce habitant les eaux calmes et profondes des rivières et des étangs et qui peut atteindre 80 cm de long. (Famille des cyprinidés.) ‖ *Muet comme une carpe*, totalement muet, incapable de trouver un mot à dire. ‖ *Saut de carpe*, bond à plat ventre, que l'on exécute en se retournant sans se servir des mains. ◆ **carpeau** n. m. ou **carpette** n. f. Petite carpe, jeune carpe. ◆ **carpillon** n. m. Très petite carpe.

2. CARPE [karp] n. m. (gr. *karpos*, jointure). Partie du squelette de la main qui s'articule en haut avec l'avant-bras et en bas avec le métacarpe. (Chez l'homme, le carpe est constitué par huit os courts.) ◆ **carpien, enne** adj. Relatif au carpe.

CARPEAUX (Jean-Baptiste), sculpteur français (1827-1875). Il sculpta de nombreux bustes des personnalités du second Empire. Ses trois œuvres les plus importantes sont à Paris : *les Quatre Parties du monde* (jardin de l'Observatoire), *la Danse* (Opéra), qui fit scandale, *le Triomphe de Flore* (pavillon de Flore).

CARPELLE [karpɛl] n. m. (du gr. *karpos*, fruit). Chacune des pièces florales dont l'ensemble, généralement uni en un seul organe, constitue le *pistil* de la fleur.

CARPENTRAS, ch.-l. d'arrond. du Vaucluse, à 23 km au N.-E. d'Avignon; 25 500 hab. *(Carpentrassiens)*. Anc. cité gauloise puis romaine.

1. CARPETTE n. f. ⟶ CARPE 1.

2. CARPETTE [karpɛt] n. f. (angl. *carpet*). Tapis de petites dimensions.

CARPIEN, ENNE adj. ⟶ CARPE 2.

CARPILLON n. m. ⟶ CARPE 1.

CARPOCAPSE [karpɔkaps] n. f. (du gr. *karpos*, fruit, et *kaptein*, cacher). Petit papillon, appelé aussi *pyrale des pommes*, dont la chenille, ou *ver des fruits*, se développe dans les pommes et les poires.

CARQUOIS [karkwa] n. m. (du persan *terkech*). Étui destiné à contenir les flèches d'un archer.

CARRACHE (les), en it. **Carracci,** nom de deux frères, AGOSTINO (1557-1602) et ANNIBALE (1560-1609), et de leur cousin LUDOVICO (1555-1619), peintres italiens célèbres comme auteurs de tableaux religieux, décorateurs et fondateurs d'une académie d'art (Bologne, 1585).

Ils ont assuré, en peinture, le passage du maniérisme* à l'académisme* (étude de l'Antiquité, des grands maîtres de la Renaissance auxquels ils ont pris ce qui leur paraissait le meilleur [= éclectisme], mais aussi l'observation de la nature et la recherche de la vérité expressive [= réalisme]) et même baroque* (peintures décoratives du palais Farnèse à Rome par Annibale).

CARRARE, en it. **Carrara,** v. d'Italie (Toscane); 67 800 hab. Carrières produisant du marbre blanc.

CARRE [kar] n. f. (de *carrer*). Épaisseur d'un objet plat coupé à angle droit : *La carre d'une planche.* ‖ *Carre de ski*, arête qui borde la semelle.

1. CARRÉ, E [kare] adj. (lat. *quadratus*). **1.** Se dit d'une chose qui a la forme d'un quadrilatère : *Une boîte carrée* (= dont la largeur est égale à la hauteur) [syn. CUBIQUE ou PARALLÉLÉPIPÉDIQUE, langue scientif.]. *Une pièce carrée.* — **2.** Se dit de ce qui est large, avec des angles, des contours nettement marqués : *Des épaules carrées* (par oppos. à TOMBANTES). *Visage carré* (par oppos. à ALLONGÉ, OVALE). — **3.** *Mètre carré, décimètre carré,* etc., mesures de surface équivalant à un carré qui aurait un mètre, un décimètre, etc., de côté : *Une pièce de trois mètres sur quatre a douze mètres carrés.* (⟶ MESURE, *unités de mesure.*)

2. CARRÉ [kare] n. m. (même étym.). **1.** Quadrilatère ayant ses quatre côtés égaux et ses côtés non opposés (ou adjacents) deux à deux perpendiculaires (les diagonales d'un carré sont perpendiculaires); objet ayant cette forme : *Un carré de soie* (syn. FICHU, FOULARD). — **2.** *Former le carré*, se disait de la formation d'une unité militaire qui faisait front sur quatre faces. ‖ *Le carré des officiers* (= sur un navire, la salle commune où ils prennent leurs repas). — **3.** *Carré d'un nombre réel* a : c'est le nombre réel noté a^2 égal au produit de a par lui-même (= $a \times a$). ⟶ ENCYCL.

— ENCYCL. Tout *carré* est positif ou nul.

Identités remarquables. Si a et b sont deux nombres réels quelconques :

carré de la somme $(a+b)^2 = a^2 + 2\,ab + b^2$;
carré de la différence $(a-b)^2 = a^2 - 2\,ab + b^2$;
différence des carrés $a^2 - b^2 = (a+b)\,(a-b)$.

3. CARRÉ, E [kare] adj. (même étym.). Se dit d'une personne (ou de ses actes) qui a une grande franchise, qui fait preuve de décision : *Être carré en affaires* (syn. FRANC, SANS DÉTOUR). *Réponse carrée* (syn. NET). ◆ **carrément** adv. **1.** Avec franchise, fermeté, sans détour : *Aborder carrément une question* (syn. FRANCHEMENT). — **2.** *Fam.* Indique la certitude absolue (surtout pour comparer des quantités, des grandeurs) : *En prenant cette route, vous gagnez carrément une heure* (syn. INCONTESTABLEMENT).

1. CARREAU [karo] n. m. (du lat. *quadrus*, carré). **1.** Plaque de ciment, de terre cuite, de faïence, etc., de forme polygonale, utilisée pour le pavage des pièces ou le revêtement des murs. — **2.** Sol constitué par ces plaques assemblées : *Laver à grande eau le carreau d'une pièce* (syn. CARRELAGE). — **3.** *Carreau d'une mine* terrain clos englobant l'orifice d'un puits et les installations d'un mine. ‖ *Carreau des Halles*, à Paris, endroit des Halles où l' vendait les fruits, les légumes, etc. ‖ Fam. *Rester sur le carrea* rester blessé ou mort, à terre, ou, plus souvent, subir un éch être éliminé. ◆ **carreler** [karle] v. t. (Conj. **6.**) *Carreler une pi* la paver de carreaux. ◆ **carrelage** n. m. **1.** Action de carrel — **2.** Revêtement de carreaux sur le sol. ◆ **carreleur** n. Ouvrier qui pose des carrelages ou des revêtements en carreaux

2. CARREAU [karo] n. m. (même étym.). **1.** Plaque de ve d'une fenêtre ou d'une porte vitrée de forme quadrangulaire : *laveur de carreaux* (syn. VITRE). — **2.** Carré servant de m décoratif : *Du tissu à carreaux.* — **3.** Carré ou rectangle formé s le papier quadrillé par le croisement des lignes horizontales et de lignes verticales : *Du papier à carreaux.* — **4.** Une des quatre couleurs de la plupart des jeux de cartes, représentée par un carré rouge; carte de cette couleur. ‖ Fam. *Se tenir à carreau*, être très vigilant, éviter de commettre la moindre faute (syn. ÊTRE, SE TENIR SUR SES GARDES).

CARREFOUR [karfur] n. m. (bas lat. *quadrifurcus*, endroit fourchu en quatre). **1.** Lieu où se croisent plusieurs rues ou plusieurs routes (syn. CROISEMENT). — **2.** Rencontre organisée en vue d'une confrontation d'idées opposées : *Un carrefour d'opinions.*

CARREL (Alexis), physiologiste et chirurgien français (1873-1944), auteur d'importantes découvertes sur la greffe des tissus et leur survie en dehors du corps.

CARRELAGE n. m., **CARRELER** v. t. ⟶ CARREAU 1.

1. CARRELET [karlɛ] n. m. (de *carreau*). Filet monté sur deux cerceaux croisés, suspendus au bout d'une perche, pour pêcher le menu poisson.

2. CARRELET [karlɛ] n. m. (même étym.). Poisson de mer plat et presque aussi large que long (syn. PLIE).

CARRELEUR n. m. ⟶ CARREAU 1.

CARRÉMENT adv. ⟶ CARRÉ 3.

CARRER (SE) [səkare] v. pr. (lat. *quadrare*). *Se carrer dans un fauteuil*, s'y installer bien à l'aise (syn. SE CALER).

CARRIER n. m. ⟶ CARRIÈRE 2.

1. CARRIÈRE [karjɛr] n. f. (du lat. *carrus*, char). **1.** Métier, profession qui comporte des étapes à franchir : *C'est un officier qui a fait une carrière très rapide* (= il a rapidement franchi les différents grades). *La carrière des lettres* (= la littérature, le métier d'écrivain). *La carrière des armes* (= l'armée, le métier militaire). *Militaire de carrière, officier de carrière* (= qui est militaire, officier de métier, par oppos. aux appelés du contingent, aux officiers de réserve). *La Carrière* (avec une majusc., désigne la diplomatie). — **2.** *Donner carrière à qqch.*, le laisser se manifester, se développer librement : *Il a donné carrière à son ambition* (syn. DONNER LIBRE COURS).

2. CARRIÈRE [karjɛr] n. f. (du lat. *quadrus*, carré). Terrain d'où l'on extrait les matériaux minéraux propres à la construction : *Une carrière de sable* (= une sablière). ◆ **carrier** n. m. Ouvrier qui travaille à l'extraction de la pierre dans une carrière.

CARRIÈRES-SUR-SEINE, comm. des Yvelines, à 6 km à l'E. de Saint-Germain-en-Laye; 11 400 hab.

CARRIOLE [karjɔl] n. f. (du lat. *carrus*, char). Petite charrette suspendue : *Une carriole tirée par un âne.*

CARROLL (Lewis) → DODGSON (Charles).

CARROSSABLE [karɔsabl] adj. (de *carrosse*). *Route, chemin carrossable*, où les voitures peuvent circuler (syn. PRATICABLE).

CARROSSAGE [karɔsaʒ] n. m. (de *carrosser*). Angle que fait l'axe de la fusée d'une roue de voiture avec l'horizontale.

CARROSSE [karɔs] n. m. (de l'it. *carro*, char). Anc. voiture de luxe tirée par des chevaux, à quatre roues, suspendue et couverte. ‖ Fam. *La cinquième roue du carrosse*, personne qui ne sert à rien.

CARROSSERIE [karɔsri] n. f. (de *carrosse*). **1.** Revêtement, le plus souvent de tôle, qui habille le châssis d'un véhicule; coque d'une automobile. — **2.** Ensemble des activités qui concourent à la fabrication des carrosseries d'automobiles : *L'industrie de la carrosserie.* ◆ **carrosser** v. t. Munir d'une carrosserie (souvent au part. passé). ◆ **carrossier** n. m. Ouvrier, dessinateur, industriel spécialisé dans la carrosserie.

CARROUSEL [karuzɛl] n. m. (it. *carosela*). Représentation donnée par des groupes de cavaliers faisant évoluer leurs chevaux.

CARRURE [karyr] n. f. (de *carrer*). Largeur du buste d'une épaule à l'autre : *Une carrure d'athlète.*

CARRY n. m. → CARI.

CARTABLE [kartabl] n. m. (du lat. *charta*, papier). Sac dans lequel les écoliers mettent leurs cahiers, leurs livres, etc. (syn. SERVIETTE).

CARTAGENA, port de Colombie; 242 100 hab. Raffinerie de pétrole.

1. CARTE [kart] n. f. (lat. *charta*, papier). **1.** Document fait d'une feuille de carton ou de papier fort, constatant l'identité d'une personne, son appartenance à un groupement, son inscription sur une liste, et lui conférant les droits correspondants, etc. : *Carte de famille nombreuse* (donnant droit à un tarif réduit). ‖ *Carte grise*, carte de couleur grise, attestant la propriété d'une voiture ou d'une moto. ‖ *Carte d'identité* → IDENTIQUE. — **2.** *Carte de visite*, petit rectangle de papier fort sur lequel on a fait imprimer son nom, ses titres et son adresse. — **3.** *Carte perforée*, petit carton portant, sous forme de perforations, des renseignements utilisables en mécanographie, ou les données fournies à un ordinateur. — **4.** *Carte postale*, carte dont une face est destinée à la correspondance, et dont l'autre peut être illustrée. — **5.** *Donner, laisser carte blanche à qq'un*, lui laisser toute liberté d'agir à son gré. ◆ **porte-cartes** n. m. inv. Portefeuille muni de poches transparentes, où l'on range les papiers d'identité, le permis de conduire, etc.

2. CARTE [kart] n. f. (même étym.). Liste des mets ou des boissons qu'on peut choisir dans un restaurant, avec l'indication des prix correspondants (par oppos. à MENU, liste unique des mets composant le repas à prix fixe) : *Dîner à la carte* (= en choisissant ses plats).

3. CARTE [kart] n. f. (même étym.). Représentation conventionnelle, sur une surface plane, des phénomènes géographiques répartis sur le globe ou sur l'une de ses parties → ENCYCL. : *La carte de l'Espagne. Une carte routière.* ‖ *Carte astronomique*, représentation sur un plan d'une portion du ciel. ◆ **cartographie** n. f. Établissement des cartes géographiques. ◆ **cartographe** n. : *Les cartographes de l'Institut géographique national.* ◆ **cartographique** adj.

— ENCYCL. L'*échelle* d'une *carte géographique* est le rapport entre les distances mesurées sur la carte et sur le terrain (sur une carte au 1/50 000, une distance de 1 cm représente 50 000 cm dans la réalité, soit 500 m). La *légende* est l'ensemble des signes conventionnels utilisés pour figurer les phénomènes.

Il existe différents types de cartes. Les *cartes topographiques* représentent les différents éléments du terrain : relief, cours d'eau, etc. En France, la carte d'état-major au 1/80 000 sur laquelle le relief est représenté par des hachures couvre tout le territoire. Elle est maintenant remplacée par une carte au 1/50 000 où le relief est figuré par des courbes de niveau. Les *cartes thématiques* sont la représentation d'un *thème* particulier (*ex.* : les cartes géologiques, la carte de la répartition du blé dans le monde, celle de la densité de population dans un pays, etc.).

4. CARTE [kart] n. f. (même étym.). **1.** Chacun des cartons légers portant sur une face diverses figures en couleurs et dont l'ensemble constitue un *jeu de cartes : Les jeux de cartes ont soit cinquante-deux, soit trente-deux cartes. Une carte maîtresse* (= carte qui fait la levée). *Battre les cartes* (= les mélanger). *Couper les cartes* (= avant de les distribuer, les séparer en deux tas). *Couper une carte* (= la prendre avec une autre carte de la couleur d'atout). — **2.** *Avoir toutes les cartes* (ou *tous les atouts*) *dans son jeu*, avoir toutes les chances de son côté. ‖ *Connaître, découvrir le dessous des cartes*, connaître les combinaisons secrètes d'une affaire. ‖ *Jouer cartes sur table*, agir franchement, sans rien dissimuler. ‖ *Jouer la carte de qqch.*, s'engager à fond dans une option, un choix (syn. PARIER). ‖ *Jouer sa dernière carte*, faire la dernière tentative possible après l'échec de toutes les précédentes (syn. TENTER SA DERNIÈRE CHANCE). ‖ *Tirer les cartes, faire les cartes à qq'un*, lui prédire sa destinée en utilisant un jeu de cartes selon certaines règles. ‖ *Tours de cartes*, exercices d'adresse ou d'illusion exécutés avec des cartes à jouer. ◆ **cartomancienne** n. f. Personne qui prétend prédire l'avenir à l'aide de cartes à jouer.

1. CARTEL [kartɛl] n. m. (all. *Kartell*, défi). Entente entre des groupements financiers, professionnels, syndicaux ou politiques, en vue d'une action concertée.

— ENCYCL. Au *sens économique*, le *cartel* est une entente entre groupements professionnels et entreprises d'une même industrie, pour combattre les effets de la libre concurrence et s'assurer ainsi des bénéfices plus élevés en dominant le marché. Chacun conserve son *autonomie** financière et l'originalité de ses produits de fabrication, contrairement à ce qui se produit lorsque se constitue un *trust**.

Dans un *sens syndical*, le cartel est un regroupement de syndicats différents agissant dans un même but (*ex.* : le cartel de la fonction publique).

Dans un *sens politique*, c'est l'union d'organisations présentant des nuances politiques différentes, mais de même orientation générale (*ex.* : le cartel des gauches de 1924 à 1926).

2. CARTEL [kartɛl] n. m. (it. *cartello*, affiche). Pendule qui s'accroche au mur (vieilli).

CARTER [kartɛr] n. m. (mot angl.; du n. de l'inventeur J. H. *Carter*). Enveloppe rigide protégeant des pièces de machine. (Dans l'automobile, le carter est étanche, la partie inférieure servant de cuvette d'huile.)

CARTER (James Earl, dit **Jimmy**), homme d'État américain, né en 1924. Démocrate, président des États-Unis de 1977 à 1981, il fut le principal artisan du traité de paix israélo-égyptien (1979).

CARTÉSIEN, ENNE [kartezjɛ̃, -ɛn] adj. (de *Cartesius*, n. lat. de Descartes). **1.** *Esprit, raisonnement cartésien*, caractérisé par sa rigueur, ses démarches méthodiques, ses déductions logiques (par allusion à la *philosophie cartésienne*, ou système philosophique de Descartes). — **2.** Math. *Produit cartésien de deux ensembles* → PRODUIT. ◆ **cartésianisme** n. m. Philosophie de Descartes.

CARTHAGE, ville antique d'Afrique du Nord, à une vingtaine de kilomètres de l'actuelle Tunis.

Carthage est fondée vers 825-819 av. J.-C. par des Phéniciens, avec lesquels elle reste en relation constante du IXe au IVe s. av. J.-C. Dès le VIIe s., elle établit des colonies dans les îles de la Méditerranée occidentale (Baléares, Sardaigne, Sicile) et s'oppose aux Grecs établis en Italie du Sud, puis aux Romains.

- *264-241 av. J.-C. Première guerre punique.*

L'armée carthaginoise, composée de mercenaires, échoue face aux Romains. Après cette défaite a lieu une révolte des mercenaires : Carthage est sauvée par Hamilcar Barca. La ville cherche alors à s'étendre en Espagne (fondation d'Alicante et de Carthagène, prise de Sagonte) et même en Gaule.

- *218. Début de la deuxième guerre punique.*

Le fils d'Hamilcar, Hannibal, franchit l'Èbre, les Pyrénées, les Alpes (avec ses éléphants). Il est d'abord victorieux.

- *202. Hannibal est vaincu par Scipion l'Africain à Zama.*
- *149-146 av. J.-C. Troisième guerre punique.*

Suivant les conseils de Caton (*delenda est Cartago*, « il faut détruire Carthage »), les Romains assiègent pendant trois ans Carthage et la rasent complètement en déclarant son site maudit.

Pourtant les Romains fondent un peu plus tard des colonies sur le site de Carthage : la ville nouvelle devient la véritable capitale de l'Afrique romaine.

- *439 apr. J.-C. Prise de Carthage par les Vandales.*
- *534 apr. J.-C. Carthage est reconquise par Bélisaire au profit de l'Empire byzantin. Mais son déclin a commencé.*
- *Vers 695. La ville est prise par les Arabes.*

CARTHAGÈNE, en esp. **Cartagena,** v. du sud-est de l'Espagne, sur la Méditerranée; 143500 hab. Port de guerre. Grande raffinerie de pétrole.

CARTHAGINOIS, E [kartaʒinwa, -az] adj. et n. De Carthage. (⟶ PUNIQUE.)

CARTIER (Jacques), navigateur français (1491-1557). Au service de François Ier, il partit de Saint-Malo en 1534 et atteignit Terre-Neuve. Il reconnut le golfe du Saint-Laurent et prit possession du nouveau pays découvert au nom du roi de France. Chargé d'une deuxième expédition dans l'espoir de découvrir des mines d'or (1535), il remonta le Saint-Laurent jusqu'à Hochelaga (Montréal). En 1541, il effectua un troisième voyage.

CARTILAGE [kartilaʒ] n. m. (lat. *cartilago*). Tissu résistant et élastique, formant le squelette de l'embryon avant l'apparition de l'os et ne subsistant, chez l'adulte, que dans le pavillon de l'oreille, dans le nez, à l'extrémité des os. (Certains poissons [esturgeon, raie, requin] ont un squelette qui reste toute la vie à l'état de cartilage.) ‖ *Cartilage de conjugaison*, cartilage qui se trouve près des extrémités des os, et qui disparaît en s'ossifiant à la fin de la croissance. ◆ **cartilagineux, euse** adj. : *Tissu cartilagineux.*

CARTOGRAPHE n., **CARTOGRAPHIE** n. f., **CARTOGRAPHIQUE** adj. ⟶ CARTE 3.

CARTOMANCIENNE n. f. ⟶ CARTE 4.

1. CARTON [kartɔ̃] n. m. (de *carte*). Petite carte de géographie placée dans l'angle d'une feuille et donnant à plus grande échelle la figuration d'une partie du même tracé.

2. CARTON [kartɔ̃] n. m. (it. *cartone*). **1.** Feuille rigide, faite de pâte à papier, mais plus épaisse qu'une simple feuille de papier : *La couverture de nombreux livres est en carton fort.* — **2.** Boîte faite en cette matière, et servant soit à emballer des marchandises, soit à ranger divers objets : *Un carton à chapeau.* — **3.** Papier fort sur lequel un artiste trace le dessin devant servir de modèle pour l'exécution d'une fresque, d'un vitrail, d'une tapisserie. — **4.** *Carton à dessin*, grand portefeuille permettant de ranger des dessins, des gravures. ‖ Fam. *Faire un carton*, tirer un certain nombre de balles sur une cible, dite *carton.* ◆ **cartonner** v. t. Garnir, munir de carton : *Ce livre se vend broché ou cartonné* (= relié avec une couverture de carton). ◆ **cartonnage** n. m. **1.** Opération consistant à cartonner. — **2.** Objet, armature de carton. ◆ **cartonnier** n. m. Meuble de bureau permettant de classer des dossiers cartonnés en forme de tiroir. ◆ **carton-pâte** n. m. Carton fait de déchets de papier additionnés de colle, et servant à fabriquer des objets par moulage. ‖ Péjor. *Décor de carton-pâte*, édifice, construction peu solide ou de clinquant. ‖ Pl. des *cartons-pâtes.*

1. CARTOUCHE [kartuʃ] n. m. (it. *cartoccio*, cornet de papier). Ornement en forme de carte à demi déroulée, destiné à recevoir une inscription ou des armoiries.

2. CARTOUCHE [kartuʃ] n. f. (it. *cartuccia*, de *carta*, papier). **1.** Ensemble constitué par le projectile, la douille, ou étui (contenant la charge de poudre), et l'appareil d'amorçage d'une arme à feu : *La première cartouche fut mise au point en 1644.* — **2.** Charge d'explosif ou de poudre, logée dans un étui et prête au tir : *Cartouche de dynamite.* — **3.** Petit cylindre contenant un produit quelconque : *Cartouche de stylo.* — **4.** Emballage groupant plusieurs paquets de cigarettes. ◆ **cartoucherie** n. f. Fabrique de cartouches (sens 1). ◆ **cartouchière** n. f. Étui ou ceinture où le chasseur met ses cartouches.

CARTOUCHE (Louis Dominique), chef d'une bande de voleurs (1693-1721). Il fut roué vif en place de Grève.

CARTOUCHERIE n. f., **CARTOUCHIÈRE** n. f. ⟶ CARTOUCHE 2.

CARTWRIGHT (Edmund), inventeur britannique (1743-1823). Il transforma l'industrie du tissage en y introduisant l'emploi de la machine à vapeur (1785). On lui doit aussi une machine à peigner la laine (1790).

CARVIN, ch.-l. de cant. du Pas-de-Calais, à 12 km au N.-E. de Lens; 16200 hab. *(Carvinois).*

CARY n. m. ⟶ CARI.

CARYATIDE ou **CARIATIDE** [karjatid] n. f. (gr. *karuatides*). Statue-colonne en forme de figurine féminine. (Pour les figures masculines, on dit plutôt ATLANTE ou TÉLAMON.)

CARYOPHYLLACÉES [karjɔfilase] n. f. pl. (du gr. *karuon*, noyau, et *phullon*, feuille). Famille de plantes dicotylédones comprenant l'*œillet*, la *saponaire*, etc.

CARYOPSE [karjɔps] n. m. (du gr. *karuon*, noyau, et *opsis*, apparence). Fruit soudé à la graine unique qu'il contient : *Le grain de blé est un caryopse.*

1. CAS [ka] n. m. (lat. *casus*, événement). **1.** Ce qui arrive; situation d'une personne ou d'une chose : *Il neigeait encore au mois de mai : c'est un cas assez rare* (syn. ÉVÉNEMENT, FAIT). *Il faut, selon les cas, aller plus ou moins vite* (syn. CIRCONSTANCE). *Avez-vous envisagé le cas d'un retard?* (syn. ÉVENTUALITÉ, HYPOTHÈSE). *Exposer son cas* (syn. SITUATION). — **2.** Personne qui se trouve dans une situation particulière : *On vient d'amener un malade à l'hôpital : c'est un cas urgent. Sa conduite est extraordinaire, c'est vraiment un cas!* — **3.** *Cas de conscience*, problème difficile qui se pose du point de vue moral ou religieux : *Dois-je accepter ou refuser ce poste? C'est un cas de conscience.* ‖ *Faire cas de qq'un, d'une chose*, l'estimer. ‖ *Faire cas, faire tel ou tel cas, grand cas, peu de cas, plus de cas*, etc. (ou *ne faire aucun cas*) *de qqch.*, accorder à cette chose telle ou telle importance. ‖ *C'est le cas de le dire*, le mot, l'expression convient bien à la circonstance présente (s'emploie fréquemment pour souligner un jeu de mots). — LOC. ADV. *En aucun cas*, quoi qu'il arrive (s'emploie dans une proposition négative) : *En aucun cas, vous ne devez le faire.* ‖ *En ce cas*, alors, s'il en est ainsi (syn. DANS CES CIRCONSTANCES). ‖ *En tout cas, en tous les cas, dans tous les cas*, de toute façon, quoi qu'il en soit : *Je ne sais pas qui a dit cela, en tout cas ce n'est pas moi.* — LOC. PRÉP. *En cas de*, dans l'hypothèse de (mot suivant sans art.) : *En cas d'accident, prévenir M. X...* — LOC. CONJ. *Au cas où, dans le cas où*, s'il arrivait que (le verbe de la proposition introduite étant au conditionnel) : *Au cas où j'aurais un empêchement, je passerais un coup de téléphone.*

2. CAS [ka] n. m. (lat. *casus*, terminaison). Dans les langues qui connaissent des déclinaisons, chacune des formes d'un substantif, d'un adjectif, d'un participe ou d'un pronom qui correspondent à des fonctions déterminées dans la phrase : *Le latin avait six cas.* ⟶ tableau et ENCYCL.

NOM DES CAS	FONCTION
	Désigne ou exprime :
nominatif	le sujet du verbe, de la phrase
vocatif	l'interpellation (mot isolé)
accusatif	l'objet du verbe, le point d'arrivée
génitif	la dépendance ou la possession
datif	l'attribution ou la destination
ablatif	le point de départ, l'éloignement
instrumental	l'instrument de l'action
locatif	le lieu où se passe l'action

— ENCYCL. Des six *cas* de la déclinaison latine, qui correspondaient à des fonctions grammaticales différentes du nom et de l'adjectif, l'ancien français n'en a retenu que deux : le *cas sujet* (issu du nominatif latin) et le *cas régime* (issu de l'accusatif latin) au singulier et au pluriel.

Le *cas sujet* (qui se marquait pour les noms masculins par un *s* final au singulier et l'absence d'*s* au pluriel) était employé pour le sujet, l'attribut et l'apposition au sujet, l'apostrophe. Le *cas régime* (qui se marquait pour les noms masculins par l'absence d'*s* au singulier et un *s* au pluriel) était employé pour tous les compléments sans exception et l'attribut du complément d'objet. *Exemple* : cas sujet sing. *li murs*, cas sujet plur. *li mur;* cas régime sing. *le mur*, cas régime plur. *les murs.*

Une cinquantaine de noms avaient une forme différente pour le cas sujet et le cas régime. *Exemple :* cas sujet *ber*, cas régime *baron;* cas sujet *enfes*, cas régime *enfant.*

Entre le XIIIe et le XIVe s., la déclinaison à deux cas disparut : la plupart des cas sujets se sont perdus (les cas régimes étant plus employés). Il nous reste quelques exemples de ce système de déclinaison à deux cas :

ANCIEN CAS SUJET	ANCIEN CAS RÉGIME
pâtre	pasteur
copain	compagnon
gars	garçon
on	homme

CASABLANCA, en ar. **Dar el-Beida,** v. du Maroc, au bord de l'Atlantique; 2 millions d'hab. Métropole économique du pays, Casablanca est avant tout un port, dont le trafic atteint 13 millions de t. Il exporte des produits bruts : phosphates, minerai de fer et de manganèse, produits agricoles. Mais la ville concentre aussi la moitié de l'industrie du pays.

CASAMANCE (la), riv. du Sénégal méridional, entre la Gambie et la Guinée-Bissau; 320 km.

CASANIER, ÈRE [kazanje, ɛr] adj. et n. (de l'esp. *casa*, maison). Qui aime à rester chez soi, qui a des habitudes de vie très régulières (syn. SÉDENTAIRE; fam. PANTOUFLARD). ◆ adj. Relatif aux personnes qui ont ce caractère : *Habitudes casanières.*

CASANOVA de Seingalt (Giovanni Giacomo), aventurier (1725-1798), célèbre par ses exploits romanesques (notamment son évasion des Plombs de Venise) et galants, qu'il a contés dans ses *Mémoires.*

CASAQUE [kazak] n. f. (persan *kazāgand*, jaquette). **1.** Manteau ample portant un emblème, et qui était porté par-dessus l'armure : *Casaque de mousquetaire.* — **2.** Veste en soie de couleur vive, que portent les jockeys. — **3.** Fam. et péjor. *Tourner casaque*, changer complètement d'opinion, de parti (syn. fam. RETOURNER SA VESTE).

CASBAH [kasba] n. f. (ar. *qasba*, forteresse). **1.** En Afrique du Nord, citadelle ou palais d'un chef. — **2.** À Alger, quartier musulman délimité par des quartiers d'origine européenne. (En ce sens, prend une majusc.).

CASCADE [kaskad] n. f. (du lat. *cascare*, tomber). **1.** Chute d'eau naturelle ou artificielle. — **2.** *Une cascade de*, une grande et soudaine affluence de choses : *Une cascade de paroles.* ‖ *En cascade*, en s'enchaînant sans interruption (se dit ordinairement d'événements défavorables) : *Des malheurs en cascade* (syn. EN SÉRIE).

CASCADES *(chaînes des)* ou **CASCADE RANGE,** chaîne montagneuse du nord-ouest de l'Amérique du Nord; 4 391 m au mont Rainier.

CASCADEUR [kaskadœr] n. m. (de *cascader*). Personne spécialisée dans les exercices acrobatiques plus ou moins périlleux, et qu'on charge souvent de doubler une vedette de cinéma.

1. CASE [kaz] n. f. (lat. *casa*, chaumière). Habitation dans les pays chauds (syn. HUTTE, PAILLOTE).

2. CASE [kaz] n. f. (esp. *casa*). **1.** Compartiment ménagé dans un meuble, un tiroir ou une boîte : *Ranger ses cahiers dans la case de son pupitre* (syn. CASIER). — **2.** Carré ou rectangle tracé sur une surface, sur une feuille de papier, et destiné à recevoir un objet ou une inscription : *Les cases d'un échiquier, d'une grille de mots croisés.* ◆ **casier** n. m. **1.** Ensemble de cases ouvertes par-devant, qui forment un meuble ou une partie de meuble : *Casier à disques.* — **2.** Chacune des cases, chacun des compartiments (syn. de CASE au sens 1) : *Prendre son courrier dans son casier.*

Case de l'oncle Tom *(la)*, roman contre l'esclavage par Mrs. H. Beecher-Stowe (1851).

CASÉINE [kazein] n. f. (du lat. *caseus*, fromage). Substance protéique représentant la majeure partie des protides du lait : *Le lait contient 30 g de caséine par litre.*

CASEMATE [kazmat] n. f. (du gr. *khasma*, gouffre). Petit ouvrage fortifié, en général souterrain.

CASER [kaze] v. t. (de *case* 2). **1.** *Caser qqch.*, le placer judicieusement, ou au prix d'un certain effort : *Jamais je ne pourrai caser tout cela dans ma mémoire* (syn. LOGER). *Caser un bon mot* (syn. PLACER). — **2.** Fam. *Caser qq'un*, lui procurer un emploi; en parlant d'un jeune homme, d'une jeune fille, réussir à les marier. ◆ ***se caser*** v. pr. *Fam.* Se trouver une place, se loger.

CASERNE [kazɛrn] n. f. (prov. *cazerna*, groupe de quatre personnes). **1.** Bâtiment affecté au logement des militaires. — **2.** Bâtiment vaste et d'apparence austère. ◆ **caserner** ou **encaserner** v. t. Installer dans une caserne (surtout au part. passé) : *Des troupes casernées dans les villes voisines.* ◆ **casernement** n. m. **1.** *Le casernement des troupes.* — **2.** Ensemble des constructions d'une caserne : *Les soldats rentrent au casernement.*

CASERTE, v. d'Italie, en Campanie; 62 700 hab.

CASH [kaʃ] adv. (mot angl.). Fam. *Payer cash*, payer comptant, avec une régularité absolue.

1. CASIER n. m. ⟶ CASE 2.

2. CASIER [kazje] n. m. (de *case*). Nasse d'osier ou de grillage métallique servant à pêcher les gros crustacés : *Un casier à homards.*

3. CASIER [kazje] n. m. (même étym.). *Casier judiciaire*, relevé des condamnations encourues par une personne : *Avoir un casier judiciaire vierge* (= sans condamnation).

CASIMIR, nom de cinq ducs et rois de Pologne (XIe-XVIIe s.), dont CASIMIR III *le Grand* (1310-1370), roi de 1333 à 1370; CASIMIR IV *Jagellon* (1427-1492), roi de 1445 à 1492; CASIMIR V, ou JEAN II CASIMIR (1609-1672), roi de 1648 à 1668.

CASIMIR-PERIER (Jean), homme politique français (1847-1907). Président du Conseil en 1893, il réprima avec sévérité les attentats anarchistes. Après l'assassinat de Carnot, il fut élu président de la République (1894). L'hostilité croissante qu'il rencontra de la part de la gauche l'obligea à démissionner (janvier 1895).

CASINO [kazino] n. m. (mot it.). Établissement de jeu, dans certaines stations balnéaires ou thermales, où l'on donne aussi des spectacles.

CASOAR [kazɔar] n. m. (malais *kasouari*). **1.** Oiseau coureur d'Australie, mesurant 1,50 m, au plumage semblable à du crin, et qui a sur le crâne un casque osseux coloré. — **2.** Plumet rouge et blanc ornant le shako des saint-cyriens depuis 1855.

CASPIENNE *(mer)*, mer intérieure située à la limite de l'Europe et de l'Asie, baignant l'U. R. S. S. et l'Iran; 424 300 km^2. En raison de l'évaporation, elle est en voie d'assèchement malgré l'apport des eaux de la Volga et du fleuve Oural. Son niveau est à 28 m en dessous du niveau des océans.

CASQUE [kask] n. m. (esp. *casco*). **1.** Coiffure rigide destinée à protéger la tête : *Un casque de pompier.* — **2.** Appareil électrique épousant la forme de la tête et servant à sécher les cheveux. — **3.** *Casque téléphonique* ou *radiophonique*, récepteur constitué par deux écouteurs montés sur un support formant serre-tête. — **4.** Proéminence osseuse ou calleuse sur la tête ou le bec de certains oiseaux. — **5.** Mollusque gastropode à coquille ventrue et irrégulièrement bossuée, qui vit dans les mers chaudes. ◆ **casqué, e** adj. Coiffé d'un casque.

Casques bleus (les), surnom de la force militaire internationale dépendant de l'O. N. U.

CASQUETTE [kaskɛt] n. f. (de *casque*). Coiffure, ordinairement en étoffe, plate et munie d'une visière.

CASSABLE adj., **CASSAGE** n. m., **CASSANT, E** adj. ⟶ CASSER 1.

CASSATE [kasat] n. f. (it. *cassata*). Crème glacée, d'origine italienne, faite de tranches diversement parfumées.

CASSATION [kasasjɔ̃] n. f. (de *casser*). Annulation d'une décision administrative ou d'un jugement, prononcée par la juridiction compétente.

— ENCYCL. La *Cour de cassation* constitue l'organisme de contrôle le plus élevé en matière de justice. Elle ne prononce pas un nouveau jugement, mais elle contrôle la légalité de jugements déjà prononcés s'il y a contestation.

Un *jugement cassé* (= annulé) par la Cour de cassation permet de renvoyer l'affaire devant une juridiction de même ordre (= de pouvoir équivalent), mais différente de celle qui avait prononcé le premier jugement.

Se pourvoir en cassation signifie, pour un particulier, user de la faculté d'attaquer la décision d'un tribunal (= la contester) en présentant un pourvoi* devant la Cour de cassation.

CASSE n. f. ⟶ CASSER 1.

CASSE-COU [kɑsku] adj. et n. m. inv. (de *casser*, et *cou*). *Fam.* Qui a un goût excessif du risque, qui se lance inconsidérément dans des entreprises hasardeuses (syn. RISQUE-TOUT, TÉMÉRAIRE; contr. CIRCONSPECT, PRUDENT). ◆ n. m. **1.** Passage difficile, chemin escarpé où l'on court le risque de tomber. — **2.** *Crier casse-cou à qq'un*, l'avertir d'un danger auquel il s'expose.

CASSE-CROÛTE [kɑskrut] n. m. inv. (de *casser*, et *croûte*). *Fam.* Repas sommaire.

CASSEL, ch.-l. de cant. du Nord, sur le *mont Cassel* (alt. 176 m), à 11 km au N.-N.-O. d'Hazebrouck; 2 500 hab. *(Casselois).*

• *1328. Les Flamands y sont battus par Philippe VI.*
• *1677. Le duc d'Orléans remporte une victoire sur le prince d'Orange.*

CASSEMENT n. m. ⟶ CASSER 1.

CASSE-NOISETTES ou **CASSE-NOISETTE** [kɑsnwazɛt] n. m. inv. (de *casser*, et *noisette*). Instrument pour casser la coquille des noisettes.

CASSE-NOIX [kɑsnwa] n. m. inv. (de *casser*, et *noix*). **1.** Instrument pour casser les noix. — **2.** *Casse-noix moucheté*, oiseau brun et blanc des Alpes, à bec fort. (Famille des corvidés.)

1. CASSER [kɑse] v. t. (lat. *quassare*, secouer). **1.** Mettre en morceaux, par choc, par pression ou par traction : *Casser un verre, une amarre* (syn. littér. BRISER, ROMPRE). — **2.** Causer une fracture à un os d'un membre; surtout comme pron. et passif : *Il s'est cassé un poignet en tombant* (syn. FRACTURÉ). ◆ v. i. ou **se casser** v. pr. (sujet nom de chose). **1.** Être mis en morceaux, céder : *Si la corde casse* (ou *se casse*), *c'est la chute.* — **2.** Être fragile, être sujet à la casse : *Attention au service de porcelaine; ça se casse* (= c'est cassable). ◆ **cassable** adj. (syn. FRAGILE). ◆ **incassable** adj. : *Verre, lunettes incassables* (= qui ne peuvent pas se casser). ◆ **cassage** n. m. Action de mettre volontairement en morceaux (sens 1 du v. t.) : *Cassage des cailloux.* ◆ **casse** n. f. **1.** *Fam.* Action de mettre en morceaux par mégarde; son résultat : *On reste stupéfait en voyant toute cette casse* (= tous ces objets cassés). — **2.** Vente d'un objet usagé au poids brut : *Une vieille voiture bonne pour la casse.* ◆ **cassement** n. m. *Cassement de tête*, grande fatigue causée par un bruit assourdissant, un travail pénible; soucis. ◆ **cassant, e** adj. (après le nom). **1.** Se dit de quelque chose qui se casse facilement : *La fonte est plus cassante que le fer.* — **2.** Se dit d'une personne (ou de son comportement) qui n'a aucune souplesse de caractère, qui a une raideur excessive : *Un ton cassant* (syn. PÉREMPTOIRE, TRANCHANT). ◆ **casseur, euse** n. **1.** Personne dont la profession est de casser : *Un* *casseur de pierres.* — **2.** Personne qui casse par maladresse. — **3.** *Fam.* Celui qui casse, détériore exprès. ◆ **cassure** n. f. **1.** Endroit où un objet est cassé : *Boucher avec du mastic les cassures du plâtre.* — **2.** En géologie, toute fracture de terrain rocheux. — **3.** *La cassure d'un pantalon,* l'endroit où le pli de repassage se brise, quand le bas du pantalon repose sur la chaussure.

2. CASSER [kɑse] v. t. (même étym.). **1.** *Casser un gradé, un fonctionnaire,* les destituer de leur grade, de leurs fonctions. — **2.** *Casser un jugement, un arrêt, une sentence, un mariage,* les déclarer nuls, en parlant d'une juridiction établie à cet effet.

CASSEROLE [kasrɔl] n. f. (de l'anc. fr. *casse,* poêle). Ustensile de cuisine de forme cylindrique, à fond plat et à manche. ◆ **casserolée** n. f. Contenu d'une casserole.

CASSE-TÊTE [kɑstɛt] n. m. inv. (de *casser,* et *tête*). **1.** Massue en usage chez certaines peuplades ou dans les combats d'autrefois. — **2.** Travail ou jeu qui fatigue beaucoup l'esprit, qui présente des difficultés presque insolubles (ou souvent CASSE-TÊTE CHINOIS).

CASSETTE [kasɛt] n. f. (du lat. *capsa,* petit coffre). **1.** Petit coffre servant à mettre l'argent, les bijoux, etc. — **2.** Étui contenant une bande magnétique préenregistrée ou non que l'on introduit dans un magnétophone.

CASSEUR, EUSE n. ⟶ CASSER 1.

CASSIN *(mont),* en it. **monte Cassino,** colline de l'Italie méridionale, dans le Latium, près du Liri; 519 m. Saint Benoît y fonda un célèbre monastère, perché comme une citadelle. Il fut détruit en 1944 dans les combats entre Alliés et Allemands.

CASSINI (César François), topographe français (1714-1784). Louis XV le chargea de lever à l'échelle de 1 ligne pour 100 toises (1/86 400) la grande carte de France, appelée *carte de Cassini.*

1. CASSIS [kasis] n. m. (du lat. *cassia*). Fruit de l'arbuste de même nom, baie noire ressemblant un peu à la groseille; liqueur obtenue en faisant macérer ce fruit dans l'alcool.

2. CASSIS [kasis] n. m. (de *casser*). Dépression brusque du sol, sur une route, qui imprime une secousse aux véhicules (contr. DOS-D'ÂNE).

CASSIS, comm. des Bouches-du-Rhône, à 22 km au S.-E. de Marseille, au fond de la *baie de Cassis;* 6 300 hab.

CASSITÉRIDES *(îles). Géogr. anc.* Archipel situé au S.-O. de l'île de Bretagne (Grande-Bretagne actuelle), où les Carthaginois allaient chercher l'étain. (Ce sont auj. probablement les *Scilly,* ou *Sorlingues.*)

CASSIUS LONGINUS (Caïus), l'un des meurtriers de César (mort en 42 av. J.-C.). À Philippes, vaincu par Auguste, il se fit tuer par un affranchi.

CASSOLETTE [kasɔlɛt] n. f. (anc. prov. *casoleta,* petite casserole). Petit récipient dans lequel est servi un hors-d'œuvre chaud ou froid, une petite entrée ou un entremets.

CASSONADE [kasɔnad] n. f. (de *casser*). Sucre brut de canne à sucre, qui a la forme de petits cristaux enrobés de mélasse.

CASSOULET [kasulɛ] n. m. (mot languedocien). Ragoût de haricots blancs avec de l'oie, du mouton, du porc, etc.

CASSURE n. f. ⟶ CASSER 1.

CASTAGNETTES [kastaɲɛt] n. f. pl. (esp. *castañeta,* petite châtaigne). Petit instrument à percussion, composé de deux plaquettes de bois reliées par une cordelette et qu'on entrechoque pour accompagner certaines danses espagnoles.

CASTE [kast] n. f. (du lat. *castus,* pur). **1.** Chacune des classes fermées constituant la société traditionnelle dans l'Inde. ⟶ ENCYCL. — **2.** Classe de personnes qui se distingue des autres par ses privilèges et son esprit d'exclusive : *Préjugés de caste* (syn. CLAN). — **3.** Chez les insectes sociaux (abeilles, fourmis, termites), ensemble des individus assurant les mêmes fonctions (les soldats chez les fourmis, les ouvrières chez les abeilles et les termites).
— ENCYCL. Nulle part, la *caste* n'a eu autant de rigueur que dans l'Inde, où elle a été le fondement de tout l'organisme social, politique et religieux jusqu'à l'époque moderne : elle n'a été abolie qu'en 1947.

On distinguait quatre castes : les *brahmanes* ou prêtres, la *noblesse guerrière,* les *bourgeois,* les *artisans.* L'hégémonie (= la suprématie) des brahmanes était la base du système (ils avaient le monopole de la religion et de l'enseignement). Chaque caste était absolument fermée. Celui, par exemple, qui se mariait en dehors de sa caste d'origine commettait une très grave faute qui le mettait au rang des *parya* (= hors castes), dépouillé de tous droits sociaux. La persistance du régime des castes a été le principal obstacle à l'unification de la société indienne.

CASTEL [kastɛl] n. m. (mot prov.). Petit château, manoir.

CASTEL GANDOLFO, comm. d'Italie, dans le Latium, sur le lac d'Albano; 4 400 hab. Lieu de villégiature des papes.

CASTELJALOUX, ch.-l. de cant. de Lot-et-Garonne, à 23 km au S. de Marmande; 5 400 hab. *(Casteljalousains).*

CASTELLAMMARE DI STABIA, port d'Italie, en Campanie, sur le golfe de Naples; 68 600 hab.

CASTELLANE, ch.-l. d'arrond. des Alpes-de-Haute-Provence, sur le Verdon, à 54 km au S.-E. de Digne; 1 300 hab. *(Castellanais).*

CASTELNAUDARY, ch.-l. de cant. de l'Aude, à 36 km au N.-O. de Carcassonne; 11 400 hab. *(Chauriens).*

CASTELSARRASIN, ch.-l. d'arrond. de Tarn-et-Garonne, à 21 km à l'O. de Montauban; 12 200 hab. *(Castelsarrasinois).*

CASTERET (Norbert), spéléologue français (1897-1987). Il a exploré plus d'un millier de grottes, de gouffres et de rivières souterraines et reconnu la source de la Garonne.

CASTIGLIONE DELLE STIVIERE, v. de l'Italie du Nord, au N.-O. de Mantoue; 11 100 hab.

- *1796. Victoire de Bonaparte et d'Augereau sur les Autrichiens.*

CASTILLAN, E [kastijɑ̃, -an] adj. et n. De la Castille. ◆ **castillan** n. m. Langue romane parlée en Espagne, en Amérique latine (sauf au Brésil).

CASTILLE, en esp. **Castilla,** région du centre de l'Espagne, formée de la *Vieille-Castille* (v. pr. : *Valladolid, Burgos*) et de la *Nouvelle-Castille* (v. pr. : *Madrid*). Administrativement, la Vieille-Castille est aujourd'hui rattachée au León (Castille-León), la Nouvelle-Castille, à la Manche (Castille-la Manche), et Madrid constitue une région propre.

GÉOGRAPHIE. Les plateaux de la *Vieille-Castille,* au N., drainée par le Douro, et de la *Nouvelle-Castille,* au S., drainée par le Tage et le Guadiana, sont séparés par les crêtes des sierras de Gredos et de Guadarrama.

Le climat, sec et rude, en fait des régions pauvres où dominent les cultures de céréales à faibles rendements et l'élevage du mouton. À proximité des plaines alluviales, l'irrigation permet des cultures de plus gros rapport : fruits et légumes; la vigne et les oliviers sont surtout présents en Nouvelle-Castille.

HISTOIRE. Aux IXe et Xe s., la Castille est un comté dépendant de la couronne des Asturies.

- *1029. Le roi de Navarre, Sanche III (1000-1035), hérite du comté de Castille.*
- *1037. Le roi de Castille, Ferdinand Ier le Grand, conquiert le León.*
- *1085. Prise de Tolède sur les Arabes par les Castillans. Naissance de la Nouvelle-Castille.*
- *1212. Victoire chrétienne à Las Navas de Tolosa.*

La Reconquête accroît le territoire et la puissance économique de la Castille.

- *1230. Réunion définitive de la Castille et du León.*
- *1469. Mariage de la future reine de Castille et de León, Isabelle la Catholique, avec l'héritier d'Aragon, Ferdinand.*
- *1479. Le traité d'Alcáçovas avec le Portugal confirme la souveraineté d'Isabelle. Ferdinand hérite de l'Aragon.*

CASTLEREAGH (Robert STEWART, *vicomte*), 2e marquis DE LONDONDERRY, homme politique britannique (1769-1822). Ministre des Affaires étrangères à partir de 1812, il fut l'âme de la coalition contre Napoléon et prit une part déterminante dans la rédaction des traités de Paris (1814 et 1815).

CASTOR [kastɔr] n. m. (gr. *kastôr*). Mammifère rongeur du bord des eaux, se nourrissant notamment de bois, célèbre pour ses talents de constructeur et pour sa belle fourrure.
— ENCYCL. Le *castor* a été un animal commun au Canada et dans toute l'Europe jusqu'au XIXe s. Mais chassée pour sa peau, l'espèce faillit être totalement détruite. Le castor se caractérise par sa queue aplatie et écailleuse, ses pattes de derrière palmées. Il utilise ses pattes de devant comme des mains. Il sait abattre des arbres, construire des barrages sur les cours d'eau, édifier des huttes, creuser des terriers. Il nage et plonge aisément.

CASTOR et **POLLUX.** *Myth. gr.* Princes qui participèrent à l'expédition des Argonautes.

CASTRER [kastre] v. t. (lat. *castrare*). Priver un animal mâle de ses glandes génitales (syn. CHÂTRER). ◆ **castration** n. f. : *La castration d'un chat.*

CASTRES, ch.-l. d'arrond. du Tarn, sur l'Agout; 46 900 hab. *(Castrais).* Centre traditionnel de la draperie. Musée (œuvres de Goya).

CASTRO (Fidel), homme politique cubain (né en 1927). Après avoir renversé le dictateur Batista en 1959, il a instauré un régime de type socialiste. Il s'est opposé à l'ingérence politique et économique des États-Unis en Amérique latine et a noué des liens étroits avec l'U. R. S. S.

CASUEL [kazɥɛl] n. m. (du lat. *casus*, événement). Ensemble de gains variables s'ajoutant au gain régulier, en ce qui concerne les bénéfices attachés aux fonctions ecclésiastiques.

CASUISTIQUE [kazɥistik] n. f. (du lat. *casus*, cas de conscience). **1.** Partie de la théologie et de la morale qui traite des cas de conscience. — **2.** Subtilité excessive qu'on met à argumenter. ◆ **casuiste** n. m. **1.** Théologien qui s'attache à résoudre les cas de conscience. — **2.** Celui qui argumente trop subtilement, notamment pour justifier ses fautes ou celles d'autrui.

CASUS BELLI [kazysbɛli] n. m. inv. (mots lat. signif. *cas de guerre*) Tout fait qui peut entraîner rupture avec une puissance et causer la guerre; prétexte par lequel on justifie une guerre.

CATACLYSME [kataklism] n. m. (gr. *kataklusmos*, inondation). Vaste bouleversement destructeur, causé par un tremblement de terre, un cyclone, une guerre, etc. : *La rupture de ce barrage entraînerait un terrible cataclysme dans la vallée* (syn. CATASTROPHE). *L'Ancien Régime fut emporté dans le cataclysme de la Révolution française* (syn. OURAGAN).

CATACOMBES [katakɔ̃b] n. f. pl. (du gr. *kata*, en dessous, et *tumba*, tombe). Cimetières souterrains où les premiers chrétiens tenaient leurs réunions; lieux souterrains où l'on a transporté les ossements des cimetières désaffectés.

— ENCYCL. Les *catacombes romaines* furent creusées pour servir de cimetières, et les chrétiens les utilisèrent jusqu'à Constantin. Elles sont composées de galeries élargies par endroits en chapelles et lieux de réunion. Les tombes, en forme de niches murées, se superposent le long des parois.

Les *catacombes de Paris* sont des carrières où furent transportés principalement les ossements de l'ancien cimetière des Innocents, supprimé en 1781.

CATADIOPTRE [katadjɔptr] n. m. (de *catoptrique* et *dioptrique*). Petit appareil réfléchissant la lumière, employé en signalisation routière pour rendre visible pendant la nuit le véhicule ou l'obstacle qui en est muni.

CATAFALQUE [katafalk] n. m. (it. *catafalco*). Estrade destinée à recevoir un cercueil pour une cérémonie funèbre.

CATALAN, E [katalɑ̃, -an] adj. et n. De la Catalogne. ◆ **catalan** n. m. Langue romane parlée principalem. en Catalogne.

CATALAUNIQUES ou **CATALAUNIENS** *(champs)*, plaines de la Champagne, habitées par les *Catalauni*.

• *451. Les Huns y sont écrasés par une coalition de Romains, de Burgondes, de Francs et de Wisigoths, commandés par Aetius.*

Le lieu de cette bataille se situerait à une vingtaine de kilomètres de Troyes, vers Moirey (comm. de Dierrey-Saint-Julien).

CATALEPSIE [katalɛpsi] n. f. (gr. *katalêpsis*, action de saisir). État d'une personne qui perd momentanément toute sensibilité et toute faculté de mouvement. ◆ **cataleptique** adj. : *Un sommeil cataleptique.*

CATALOGNE, en esp. **Cataluña**, région du nord-est de l'Espagne; 31 930 km²; 5 122 700 hab. (160 au km²). V. pr. *Barcelone*, 1 745 100 hab.

GÉOGRAPHIE. La Catalogne s'étend sur trois ensembles naturels : la partie orientale des Pyrénées, l'est du bassin de l'Èbre et la côte méditerranéenne, longée par un bourrelet montagneux.

Tandis que dans les Pyrénées, peu peuplées, on pratique l'élevage bovin, des cultures variées se sont développées dans le bassin de l'Èbre, grâce à l'irrigation : céréales, fruits et légumes. Sur la côte, les cultures arbustives dominent (vigne, olivier), parfois associées à des primeurs.

Mais la Catalogne est surtout la première région industrielle d'Espagne, grâce à l'agglomération de Barcelone. Le textile (laine et coton) cède peu à peu la place aux industries métallurgiques et chimiques.

La côte *(Costa Brava)* attire de nombreux touristes venus de toute l'Europe occidentale.

HISTOIRE. Constituée au IXᵉ s. par Charlemagne en marche d'Espagne, vassale de la France, l'actuelle Catalogne s'érige en comté de Barcelone au Xᵉ s.

Dans la seconde moitié du XIIᵉ s. la Catalogne s'unit avec l'Aragon.

Au XIXᵉ s. le mouvement autonomiste catalan s'organise fortement.

• *1923. Le capitaine général de Barcelone, Primo de Rivera, dirige un coup d'État militaire.*

• *1931. Proclamation de la République catalane autonome.*

• *Février 1939. Chute de Barcelone devant les forces franquistes. La Catalogne perd alors son autonomie.*

• *1979. La Catalogne retrouve pleinement son autonomie.*

CATALOGUE [katalɔg] n. m. (gr. *katalogos*). **1.** Liste des articles qu'un fabricant, un commerçant, un exposant propose à la clientèle : *Un catalogue de mode.* — **2.** Liste, énumération par ordre : *Catalogue alphabétique.* ◆ **cataloguer** v. t. **1.** *Cataloguer une chose*, l'inscrire à un catalogue : *Cataloguer un livre.* — **2.** Fam. et péjor. *Cataloguer qq'un*, le classer dans une catégorie peu estimable : *Dès que je l'ai aperçu, je l'ai catalogué comme un vaniteux.*

CATALPA [katalpa] n. m. (mot angl.). Arbre à très grandes feuilles et à fleurs en grosses grappes, originaire de l'Amérique du Nord et planté dans les parcs, les avenues. (Famille des bignoniacées.)

CATALYSE [kataliz] n. f. (gr. *katalusis*, action de dissoudre). Augmentation de la vitesse d'une réaction chimique créée par le contact d'un corps *(catalyseur)* étranger au bilan de cette réaction. ◆ **catalyser** v. t. **1.** Intervenir comme catalyseur dans une réaction. — **2.** *Fam.* Provoquer par sa seule présence une réaction : *Catalyser l'enthousiasme.* ◆ **catalyseur** n. m. Corps qui provoque une catalyse sans être lui-même modifié par la réaction. ◆ **catalytique** adj. Relatif à la catalyse : *Action catalytique.*

CATAMARAN [katamarɑ̃] n. m. (mot angl.). Embarcation à voiles, faite de deux coques accouplées.

CATANE, en it. **Catania**, v. d'Italie, en Sicile, sur la mer Ionienne, au S. de l'Etna; 400 000 hab. Nombreux monuments. Principal port sicilien.

CATANZARO, v. d'Italie, en Calabre; 86 300 hab.

CATAPLASME [kataplasm] n. m. (gr. *kataplasma*, emplâtre). Bouillie médicinale, généralement à base de farine de lin (parfois saupoudrée de farine de moutarde), qu'on applique, entre deux linges, sur une partie du corps pour combattre une inflammation.

CATAPULTE [katapylt] n. f. (gr. *katapeltês*). **1.** Machine de guerre qui servait à lancer des projectiles. — **2.** Appareil pour le lancement d'avions ou de missiles sur une aire de décollage réduite (notamment un porte-avions). ◆ **catapulter** v. t. **1.** Lancer par catapulte (sens 2). — **2.** *Fam.* Lancer brusquement, envoyer soudain à une certaine distance et avec force : *Sous le choc, le piéton a été catapulté à plusieurs mètres* (syn. PROJETER).

1. CATARACTE [katarakt] n. f. (gr. *katarraktês*). Importante chute d'eau sur le cours d'un fleuve : *Les cataractes du Niagara* (syn. ↓CHUTE).

2. CATARACTE [katarakt] n. f. (même étym.). Affection de l'œil aboutissant à une opacité du cristallin qui produit une cécité partielle ou complète.

CATARHINIENS [katarinjɛ̃] n. m. pl. (du gr. *kata*, en bas, et *rhis, rhinos*, nez). Singes afro-asiatiques à queue non prenante *(cercopithèques, macaques, babouins)*.

CATARRHE [katar] n. m. (gr. *katarrhos*, écoulement). *Méd.* Inflammation aiguë ou chronique des muqueuses. ◆ **catarrheux, euse** adj. et n.

CATASTROPHE [katastrɔf] n. f. (gr. *katastrophê*). Événement subit qui cause un bouleversement, des destructions, des victimes : *Catastrophe aérienne* (syn. ↓ACCIDENT). *Son échec à cet examen est pour lui une vraie catastrophe* (syn. MALHEUR). — LOC. ADJ. et ADV. *En catastrophe*, en toute hâte, d'urgence : *L'avion a dû atterrir en catastrophe.* ◆ **catastrophique** adj. **1.** Qui a le caractère d'une catastrophe : *Une sécheresse catastrophique.* — **2.** *Fam.* Qui a un caractère désastreux : *Il a eu une note catastrophique* (syn. TRÈS MAUVAIS). ◆ **catastropher** v. t. Fam. *Catastropher qq'un*, le consterner (s'emploie surtout au part. passé) : *Il contemplait le désastre d'un air catastrophé* (syn. ATTERRÉ).

CATCH [katʃ] n. m. (de l'angl. *catch as catch can*, attrape comme tu peux). Lutte où les adversaires peuvent pratiquer presque toutes les prises. ◆ **catcher** v. i. Pratiquer le catch. ◆ **catcheur, euse** n.

CATEAU-CAMBRÉSIS (Le), ch.-l. de cant. du Nord, à 24 km au S.-E. de Cambrai; 8 300 hab. *(Catésiens).*

• *3 avril 1559. Traité du Cateau-Cambrésis.*

Ce traité marqua la fin des guerres d'Italie et la réconciliation des pays catholiques contre les Habsbourg, protestants. Henri II de France recouvrait les places de la Somme, mais abandonnait la Corse aux Génois et renonçait au Milanais; Calais restait à la France.

CATÉCHISME [kateʃism] n. m. (gr. *katêkhismos*, instruction orale). **1.** Instruction religieuse élémentaire, donnée principalement à des enfants. — **2.** Principes fondamentaux d'une religion, d'une doctrine, d'une science. ◆ **catéchèse** n. f. Instruction religieuse en général. ◆ **catéchiser** v. t. **1.** Enseigner le catéchisme. — **2.** Inspirer des opinions, inciter à agir d'une certaine manière : *Catéchiser un timide pour le convaincre* (syn. ENDOCTRINER, FAIRE LA LEÇON À). ◆ **catéchiste** n. et adj. Auxiliaire du prêtre qui enseigne le catéchisme aux enfants : *Une dame catéchiste.*

— ENCYCL. Jusqu'au concile de Trente, l'instruction religieuse était laissée à l'initiative des clercs. Le concile rédigea un modèle de *catéchisme* (dit *du concile de Trente* ou *catéchisme romain*), publié à Rome en 1566, et qui inspira les catéchismes diocésains qui se multiplièrent par la suite. Actuellement, les laïcs sont de plus en plus invités à donner cet enseignement *(mamans catéchistes, précatéchisme).* Chez les protestants, les œuvres de base sont les catéchismes de Luther (1529) et le catéchisme de Calvin (1536).

CATÉCHUMÈNE [katekymɛn] n. (du gr. *katêkhein,* instruire de vive voix). Personne (généralement adulte) qui reçoit l'enseignement religieux pour se préparer au baptême. ◆ **catéchuménat** n. m. État et formation des catéchumènes.

CATÉGORIE [kategɔri] n. f. (du gr. *katêgorein,* énoncer). **1.** Ensemble de personnes ou de choses présentant des caractères distinctifs communs : *Rien ne l'émeut; il est de la catégorie des éternels optimistes* (syn. ESPÈCE, RACE). *Un boxeur de la catégorie des poids légers* (syn. CLASSE). — **2.** *Catégorie grammaticale* ⟶ CLASSE 4. ◆ **catégoriel, elle** adj. : *Une revendication catégorielle des cadres de l'entreprise.*

CATÉGORIQUE [kategɔrik] adj. (gr. *katêgorikos,* affirmatif) [après le nom]. **1.** Se dit d'un comportement, d'un jugement qui est sans équivoque, qui ne laisse place à aucune incertitude : *Un refus catégorique* (syn. ABSOLU, FORMEL). *Une réponse catégorique* (syn. ↓NET; contr. ÉVASIF). — **2.** Se dit d'une personne qui juge d'une manière définitive : *Je suis catégorique : il n'y avait personne dans la pièce* (syn. ↓AFFIRMATIF). ◆ **catégoriquement** adv. : *Nier catégoriquement* (syn. FAROUCHEMENT, ↓FORMELLEMENT).

CATÉNAIRE [katenɛr] adj. (du lat. *catena,* chaîne). *Ch. de f.* Se dit du système de suspension qui maintient à une distance rigoureusement constante du sol le câble conducteur servant à l'alimentation des locomotives en énergie électrique. ◆ n. f. Ce câble lui-même.

CATHARE [katar] n. et adj. (gr. *katharos,* pur). Membre d'une secte religieuse d'origine orientale, répandue au Moyen Âge en Bulgarie *(bogomiles),* en Italie *(patarins),* puis en France, surtout dans le Sud-Ouest, d'où leur surnom d'*albigeois.*

— ENCYCL. Les *cathares* rejetaient les dogmes de l'Église catholique et prêchaient un retour à la pauvreté évangélique.

L'Église considéra le catharisme comme une hérésie et le condamna.

- *1208. Le pape Innocent III décide une « croisade contre les albigeois », menée par Simon de Montfort.*
- *1229. Le traité de Paris met fin à cette guerre dévastatrice.*

Les cathares, errants et désorganisés, se regroupent autour de la forteresse de Montségur.

- *1244. La chute de Montségur porte un coup fatal au catharisme.*

Ses derniers adeptes émigrent vers les Alpes et l'Allemagne.

CATHAY ou **CATAY** (le), nom donné à la Chine par les auteurs occidentaux du Moyen Âge.

CATHÉDRALE [katedral] n. f. (du lat. *cathedra,* chaire épiscopale). Église épiscopale d'un diocèse.

CATHERINE de Sienne *(sainte),* religieuse italienne (1347-1380). Célèbre par ses extases et ses révélations, elle fut la conseillère des papes Grégoire XI et Urbain VI.

CATHERINE Ire (1684-1727), impératrice de Russie (1725-1727), épouse de Pierre le Grand en 1712, elle succéda à son mari à sa mort en 1725, et gouverna avec l'aide de Menchikov.

CATHERINE II (1729-1796), impératrice de Russie (1762-1796). Princesse allemande, elle devint tsarine de Russie en 1762 par son mariage avec Pierre III.

- *1762. Une révolution de palais détrône Pierre III.*

Celui-ci est ensuite mystérieusement assassiné. Catherine II entreprend alors librement une politique de prestige inspirée de l'œuvre de Pierre le Grand. Elle s'emploie d'abord à neutraliser ses adversaires directs, les Turcs.

- *1768-1774. Une première guerre contre les Turcs aboutit au traité de Kutchuk-Kaïnardji.*
- *1774. La tsarine brise la révolte des Cosaques, dirigée par Pougatchev.*
- *1775. Réforme administrative. Un gouvernement autocratique est établi; la centralisation est renforcée.*
- *1783. La Russie annexe la Crimée.*
- *1786-1792. Une deuxième guerre russo-turque est marquée par les victoires de Souvorov. Elle porte la frontière au Dniestr.*
- *1793 et 1795. Deuxième et troisième partages de la Pologne dont les régions orientales sont annexées à la Russie.*

Catherine II voulut être un « despote éclairé » : autocrate, elle protégea cependant les philosophes et les artistes français (notamment Diderot).

CATHERINE D'ARAGON (1485-1536), fille de Ferdinand d'Aragon et d'Isabelle de Castille, reine d'Angleterre (1509-1533) par son mariage avec Henri VIII. L'absence d'héritier mâle décida le roi à demander le divorce. Refusé par le pape, celui-ci fut cependant prononcé par l'archevêque Cranmer, soutenu par la majorité de l'opinion anglaise en 1533. La rupture entre Rome et l'Angleterre fut dès lors définitive.

CATHERINE DE MÉDICIS, princesse italienne et reine de France (1519-1589). Fille de Laurent II de Médicis, elle épousa Henri II (fils de François Ier) et en eut plusieurs enfants dont Marguerite de Valois, la « reine Margot » (première femme du futur Henri IV), et trois fils qui régnèrent sur la France : François II, qui épousa Marie Stuart; Charles IX; Henri III. Pendant la minorité de Charles IX, Catherine de Médicis fut régente du royaume qu'elle dirigea habilement mais sans scrupule. Elle soutint d'abord les protestants (Antoine de Navarre) contre les catholiques (Guise), puis brisa l'influence des premiers, dirigés par l'amiral de Coligny, en ordonnant le massacre de la Saint-Barthélemy (24 août 1572).

CATHODE [katɔd] n. f. (du gr. *kata,* en bas, et *hodos,* chemin). Électrode de sortie du courant dans un électrolyseur, ou électrode qui est la source primaire d'électrons à l'intérieur d'un tube électronique. ◆ **cathodique** adj. Relatif à la cathode. ‖ *Rayons cathodiques,* faisceau d'électrons qui partent de la cathode d'un tube à vide parcouru par un courant. ‖ *Tube cathodique,* tube utilisant un faisceau d'électrons et sur lequel s'inscrit l'image dans un récepteur de télévision.

CATHOLIQUE [katɔlik] adj. (gr. *katholikos,* universel) [après le nom]. **1.** Épithète par laquelle on désigne ordinairement l'Église romaine, sa doctrine et ses fidèles : *Le pape est le chef de l'Église catholique. L'Église, en se déclarant catholique, affirme son universalité.* ‖ *Les Rois catholiques,* titre donné aux souverains d'Espagne, *Ferdinand* et *Isabelle.* — **2.** (dans des express. négatives) *Fam.* Conforme à la morale, aux habitudes courantes : *Il n'a pas l'air très catholique* (syn. HONNÊTE). ◆ n. Fidèle de l'Église catholique. ◆ **catholicisme** n. m. Doctrine de l'Église catholique; manière dont on interprète, dont on pratique cette doctrine. ⟶ ENCYCL. ‖ *Catholicisme libéral,* mouvement de pensée et d'action de catholiques qui, à partir de 1830, voient le progrès de l'Église dans l'acceptation des libertés proclamées en 1789 (liberté politique, civile, économique, individuelle, de l'enseignement, etc.). ‖ *Catholicisme social,* mouvement de pensée et d'action qui essaie de promouvoir une réforme des structures sociales et économiques selon l'esprit de l'Évangile (justice et charité). ◆ **catholicité** n. f. **1.** Caractère catholique, universel : *Un concile œcuménique est une manifestation de la catholicité de l'Église* (syn. UNIVERSALITÉ). — **2.** Ensemble de ceux qui pratiquent la religion catholique.

— ENCYCL. Le *catholicisme* est la religion des chrétiens qui reconnaissent l'autorité du pape, successeur de saint Pierre auquel Jésus dit : « Tu es Pierre et sur cette pierre je bâtirai mon Église. »

La croyance est résumée dans le symbole des apôtres *(= Credo).* Les principaux dogmes du catholicisme sont les mystères de la *Trinité,* de l'*Incarnation* et de la *Rédemption,* la transmission du péché d'Adam à ses descendants et la rédemption (= le rachat) de ce péché par la mort du Christ. Jésus institua sept sacrements pour sanctifier la vie humaine : *baptême, confirmation, eucharistie, pénitence, extrême-onction, ordre* et *mariage.*

L'acte central de la liturgie catholique est le sacrifice eucharistique ou *messe.* Les principales fêtes catholiques sont *Noël, Pâques,* l'*Ascension,* la *Pentecôte,* l'*Assomption* et la *Toussaint.*

On compte dans le monde 825 millions de baptisés (18 p. 100 de la population mondiale).

CATILINA (Lucius Sergius), patricien romain (108-62 av. J.-C.). Il trama contre le sénat une conjuration, dénoncée par Cicéron dans ses *Catilinaires.* En 62 av. J.-C., il fut vaincu et tué à la bataille de Pistoia.

CATIMINI (EN) [ɑ̃katimini] loc. adv. (du gr. *katamênia,* menstrues). En se dissimulant, le plus souvent dans une intention malveillante (syn. EN CACHETTE).

CATION [katjɔ̃] n. m. (de *cat*[*hode*] et *ion*). Ion* de charge positive.

CATON l'Ancien ou **le Censeur,** homme d'État romain (234-149 av. J.-C.), auteur d'une *Histoire de Rome et de l'Italie* et du *Traité sur l'agriculture*.

• *184 av. J.-C. Censeur, il s'efforce d'enrayer le luxe à Rome.*

Acharné à perdre Carthage, il terminait tous ses discours par ces mots : *Ceterum, censeo Carthaginem esse delendam* (« D'ailleurs, je pense qu'il faut détruire Carthage! »).

CATROUX (Georges), général français (1877-1969). Gouverneur militaire de l'Indochine (1940), rallié à de Gaulle, il fut haut-commissaire au Levant après la campagne de Syrie (1941). Grand chancelier de la Légion d'honneur (1954).

CATTÉGAT ou **KATTÉGAT,** bras de mer qui sépare la Suède du Jylland danois.

CATULLE, poète lyrique latin (v. 87-v. 54 av. J.-C.).

CAUCASE, en russe **Kaukaz,** massif montagneux de l'U. R. S. S.; mont Elbrous, 5 642 m, mont Kazbek, 5 047 m. Il constitue la limite traditionnelle entre l'Europe et l'Asie, s'allongeant sur 1 200 km entre la mer Noire et la mer Caspienne. (Hab. *Caucasiens.*)

Ce massif jeune, de type alpin, possède de grands glaciers, et est couvert d'épaisses forêts de conifères. La difficulté de pénétration en a fait un lieu de refuge pour de nombreuses populations persécutées, expliquant son actuelle variété de peuplement.

CAUCHEMAR [koʃmar] n. m. (de l'anc. fr. *caucher*, fouler, et néerl. *mare*, fantôme nocturne). **1.** Rêve pénible, dans lequel on éprouve des sensations d'angoisse. — **2.** *Fam.* Chose ou personne qui importune beaucoup, qui tourmente : *Quel cauchemar, tous ces calculs à refaire!* (syn. TOURMENT). ◆ **cauchemardesque** adj. : *Une aventure cauchemardesque.*

CAUCHOIS, E [koʃwa, -az] adj. et n. Du pays de Caux.

CAUCHON (Pierre), évêque de Beauvais (v. 1371-1442). Partisan du duc de Bourgogne, il présida le tribunal ecclésiastique qui jugea Jeanne d'Arc.

CAUCHY (*baron* Augustin), mathématicien français (1789-1857). Il fut l'un de ceux qui mirent en évidence la notion de groupe* et exposa très rigoureusement le calcul différentiel qui était encore très vague dans bien des esprits.

CAUDAL, E, AUX adj. ⟶ QUEUE 1.

CAUDEBEC-EN-CAUX, ch.-l. de cant. de la Seine-Maritime, sur la Seine (r. dr.), à 12 km au S. d'Yvetot; 2 500 hab. *(Caudebecquais).* Pont routier.

CAUDEBEC-LÈS-ELBEUF, ch.-l. de cant. de la Seine-Maritime, sur la Seine, près d'Elbeuf ; 9 000 hab. *(Caudebecquais).*

CAUDILLO [kodijo] n. m. (mot esp. signif. *capitaine*). **1.** Au XIXe s., en Espagne, chef militaire. — **2.** Terme qui désignait le général Franco.

CAUDINES ⟶ FOURCHES CAUDINES.

CAUDRY, comm. du Nord, à 15 km au S.-E. de Cambrai; 14 100 hab. *(Caudrésiens).* Industries textiles.

CAULESCENT, E [kolɛsɑ̃, -ɑ̃t] adj. (du lat. *caulis*, tige). Se dit d'une plante qui est pourvue d'une tige apparente.

CAURI [kori] ou **CAURIS** [koris] n. m. (d'une langue de l'Inde signif. *coquillage*). Coquille d'un gastropode, qui servait de monnaie dans l'Inde et en Afrique noire.

CAUS (Salomon DE), ingénieur français (v. 1576-1626). Il peut être considéré comme le véritable inventeur de la machine à vapeur. Il a exposé la théorie de l'*expansion* et de la *condensation de la vapeur* et décrit une machine à vapeur pour opérer des pompages.

CAUSAL, E adj., **CAUSALITÉ** n. f. ⟶ CAUSE 1.

CAUSANT, E adj. ⟶ CAUSER 2.

1. CAUSE [koz] n. f. (lat. *causa*, cause). **1.** Ce qui fait qu'une chose est, ce qui la produit : *Rechercher les causes d'un accident* (syn. ORIGINE, SOURCE; contr. CONSÉQUENCE, EFFET). *Je m'explique mal la cause de son retard* (syn. RAISON). *Les causes qui l'ont déterminé à agir* (syn. MOBILE, MOTIF). — **2.** *Être cause de* (suivi d'un nom), avoir pour conséquence, entraîner. ‖ (sujet le plus souvent nom de personne) *Être cause que* (et l'indic.), être responsable du fait que. — LOC. PRÉP. *À cause de*, fournit l'explication, le motif d'un fait : *La réunion est reportée à cause des fêtes* (syn. EN RAISON DE); indique souvent la personne ou la chose responsable d'un événement fâcheux : *Il n'a pas obtenu son permis de conduire à cause d'une fausse manœuvre* (pour un événement heureux, on dit GRÂCE À); indique la personne ou la chose en considération de laquelle on agit : *C'est uniquement à cause de vous que je suis venu ici* (= pour vous être agréable ou pour avoir le plaisir de vous voir). *On le respecte à cause de son âge* (syn. PAR ÉGARD POUR). ‖ *Pour cause de*, s'emploie dans les formules administratives ou les annonces : *Demander un congé pour cause de maladie.* — LOC. INTERJ. *Et pour cause!*, pour de bonnes raisons (qu'on n'indique que par allusion, ou qui sont évidentes). ◆ **causal, e** adj. En grammaire, qui exprime la cause : *« Parce que », « puisque » sont des conjonctions causales.* ◆ **causalité** n. f. Rapport qui unit la cause à son effet : *Le principe de causalité.* ◆ **causer** v. t. (sujet nom d'être animé ou nom de chose). *Causer qqch.*, en être la cause, le produire : *Voilà une lettre qui va lui causer bien des ennuis* (syn. ATTIRER, OCCASIONNER, PROVOQUER, SUSCITER). *La musique me cause de grandes joies* (syn. PROCURER).

2. CAUSE [koz] n. f. (lat. *causa*, procès). **1.** Ensemble des circonstances qui déterminent la situation, au regard de la loi, d'une personne qui comparaît en justice : *L'avocat a longuement étudié la cause de son client* (syn. CAS, DOSSIER). *C'est une cause facile à plaider* (syn. AFFAIRE). — **2.** Ensemble des intérêts à soutenir en faveur d'une personne, d'un groupement, d'une idée, d'une doctrine : *Un journal qui défend la cause des cultivateurs.* — **3.** *Avoir, obtenir gain de cause*, avoir satisfaction, obtenir une décision favorable (on dit de même DONNER GAIN DE CAUSE *à qq'un, à une idée*, etc.). ‖ *La bonne cause*, celle que l'on défend, que l'on considère comme juste. ‖ *La cause est entendue*, il y a maintenant assez d'éléments pour se décider, notre opinion est faite. ‖ *Être en cause*, être concerné par les événements; être l'objet d'un débat; être incriminé, compromis : *De gros intérêts sont en cause dans cette affaire* (syn. EN JEU). *Son honnêteté n'est pas en cause* (syn. EN QUESTION). [On dit de même METTRE EN CAUSE : *L'enquête risque de mettre en cause des personnalités importantes.*] ‖ *Être hors de cause*, ne pas être concerné, échapper à tout soupçon. ‖ *Prendre fait et cause pour qq'un*, prendre son parti, défendre ses intérêts. ‖ *Faire cause commune avec qq'un*, s'unir à lui pour défendre les mêmes intérêts. ‖ *En tout état de cause*, quoi qu'il arrive, quoi qu'il en soit (syn. EN TOUT CAS).

1. CAUSER v. t. ⟶ CAUSE 1.

2. CAUSER [koze] v. t. ind. [**de**] ou i. (lat. *causari*, plaider). **1.** *Causer de qqch. (avec qq'un)*, échanger familièrement des paroles (avec lui) [syn. BAVARDER, CONVERSER, DEVISER (langue soignée), PARLER; fam. DISCUTER]. — **2.** Fam. *Causer à qq'un*, lui parler (surtout avec un pron. pers.). — **3.** *Causer sur qq'un*, ou absolum. *causer*, parler de lui avec malveillance, faire des commérages : *On cause beaucoup sur son compte* (syn. JASER). ◆ **causant, e** adj. (après le nom). *Fam.* Qui cause volontiers : *Une personne peu causante.* ◆ **causerie** n. f. Exposé simple et sans prétention. ◆ **causette** n. f. Fam. *Faire la causette, faire un brin (un bout) de causette*, bavarder familièrement pendant un temps assez court. ◆ **causeur, euse** n. Personne qui cause agréablement : *Le capitaine, brillant causeur, racontait une de ses traversées.*

Causeries du lundi, de Sainte-Beuve (1851-1862), séries d'études critiques consacrées aux auteurs et aux œuvres de la littérature française.

CAUSETTE n. f., **CAUSEUR, EUSE** n. ⟶ CAUSER 2.

CAUSSADE, ch.-l. de cant. de Tarn-et-Garonne, à 22 km au N.-E. de Montauban; 6 100 hab. *(Caussadais).*

CAUSSES (les), plateaux calcaires du sud et du sud-ouest du Massif central. (Hab. *Caussenards.*) On distingue : *a)* les *Grands Causses*, entre les Cévennes et le Rouergue (*causse de Sauveterre*, entre le Lot et le Tarn; *causse de Sévérac* et *causse Comtal*, entre le Lot et l'Aveyron; *causse Noir*, entre la Dourbie et la Jonte; *causse Méjean*, entre la Jonte et le Tarn; *causse de Larzac*, entre la Dourbie et l'Hérault); *b)* les *Causses du Quercy*, entre la Vézère et l'Aveyron (*causse de Martel*, entre la Vézère et la Dordogne; *causse de Gramat*, entre la Dordogne et le Lot; *causse de Limogne*, entre le Lot et l'Aveyron).

Il s'agit, dans tous les cas, de surfaces sèches, dénudées, accidentées, de formes karstiques (= dépressions propres aux régions calcaires comme les dolines, avens, etc.). Ces régions sont consacrées essentiellement à l'élevage du mouton, surtout pour la production du fromage de Roquefort. Entaillés par des gorges profondes qui les délimitent, les Causses sont dépeuplés; la densité y descend souvent au-dessous de 10 hab. au km².

CAUSTIQUE [kostik] adj. (gr. *kaustikos*, brûlant). **1.** Se dit d'un corps qui attaque les tissus organiques : *Soude caustique.* — **2.** Se dit de quelqu'un (ou de son comportement) qui est dur et volontiers cinglant dans la plaisanterie ou la satire : *On redoutait sa verve caustique* (syn. INCISIF, MORDANT). ◆ **causticité** n. f. : *La causticité d'un acide. La causticité d'une critique.*

CAUTELEUX, EUSE [kotlø, -øz] adj. (du lat. *cautela*, défiance). *Péjor.* Se dit de quelqu'un dont l'action manifeste à la fois la crainte et la ruse; se dit aussi de cette action.

CAUTÈRE [kotɛr] n. m. (gr. *kautêrion*, brûlure). Corps brûlant (thermocautère) ou agent chimique (nitrate d'argent) employé pour brûler superficiellement un tissu organique. || Fam. *C'est un cautère sur une jambe de bois,* c'est un remède inutile, un moyen inefficace. ◆ **cautériser** v. t. Brûler superficiellement un tissu. ◆ **cautérisation** n. f. : *La cautérisation est employée pour assurer l'arrêt d'un saignement, pour pratiquer l'ablation de petites tumeurs (verrues), pour éviter l'infection d'une plaie.*

CAUTERETS, comm. des Hautes-Pyrénées, à 17 km au S. d'Argelès-Gazost, dans la vallée du *gave de Cauterets;* 1 100 hab. *(Cauterésiens).* Station thermale.

CAUTÉRISATION n. f., **CAUTÉRISER** v. t. → CAUTÈRE.

CAUTION [kosjɔ̃] n. f. (lat. *cautio*). **1.** Garantie morale constituée par l'appui d'une personnalité : *Un candidat qui se présente avec la caution d'un chef de parti* (syn. APPUI, SOUTIEN). — **2.** Engagement de payer une somme donnée pour garantir l'exécution d'une obligation; cette somme elle-même : *Verser, déposer une caution.* — **3.** *Sujet à caution,* se dit d'une chose dont la vérité n'est pas établie, qui inspire des doutes (syn. CONTESTABLE, DISCUTABLE). ◆ **cautionner** [kosjɔne] v. t. *Cautionner qq'un, qqch.,* lui accorder son appui (syn. APPROUVER, SOUTENIR). ◆ **cautionnement** n. m. : *Verser un cautionnement pour obtenir sa mise en liberté provisoire* (syn. GAGE, GARANTIE).

CAUX *(pays de),* plateau de craie de Normandie (Seine-Maritime), au N. de la Seine, limité au N.-E. par la boutonnière du pays de Bray. (Hab. *Cauchois.*)

Il est recouvert d'argile à silex mais aussi de limons fertiles. Les cultures y sont riches (blé, betterave à sucre, colza, plantes fourragères, lin). On y élève des bovins (vaches laitières surtout). Les fermes (= les *masures*) sont isolées les unes des autres. Les magnifiques falaises de la côte, échancrées par des *valleuses* (= petites vallées se terminant en abrupt au-dessus de la mer) sont interrompues en quelques points où sont établis les ports : Fécamp et Dieppe.

CAVAIGNAC (Louis Eugène), homme politique français (1802-1857). Ministre de la Guerre, il réprima sévèrement l'insurrection de juin 1848 et fut nommé chef du pouvoir exécutif. Candidat aux élections du 10 décembre pour la présidence de la République, il fut battu par Louis Napoléon.

CAVAILLON, ch.-l. de cant. du Vaucluse, près de la Durance, à 24 km au S.-E. d'Avignon; 20 800 hab. *(Cavaillonnais).* Production et commerce des fruits et primeurs (melons).

CAVALAIRE-SUR-MER, comm. du Var, sur la côte des Maures; 3 900 hab. Station balnéaire.

- *15 août 1944. Débarquement des Américains.*

CAVALCADE [kavalkad] n. f. (de l'it. *cavalcare,* chevaucher). Course tumultueuse d'une troupe de cavaliers ou d'une troupe quelconque. ◆ **cavalcader** v. i. : *Courir en troupe désordonnée.*

CAVALER [kavale] v. i. (de l'it. *cavallo,* cheval). Syn. très fam. de COURIR.

1. CAVALIER, ÈRE [kavalje, -ɛr] n. (it. *cavaliere*). **1.** Personne à cheval, ou sachant monter à cheval. — **2.** Fam. *Faire cavalier seul,* mener une action indépendante de celle des autres personnes de son parti, agir par ses propres moyens. ◆ **cavalerie** n. f. Ensemble des soldats combattant à cheval ou de ceux qui, dans les armées modernes, forment les équipages des engins blindés.

— ENCYCL. D'origine très ancienne, la *cavalerie* existait bien avant notre ère, chez les Égyptiens, les Numides, les Perses, les Grecs et les Romains notamment. En France, la première organisation permanente d'une troupe à cheval est due à Charles VII. La cavalerie connut son apogée sous l'Empire. La *cavalerie légère* (hussards*, chasseurs*) était chargée des mouvements rapides et des reconnaissances; la *cavalerie de ligne* (dragons*) pouvait combattre à pied, et la *grosse cavalerie* ou *cavalerie lourde* (carabiniers*, cuirassiers*) agissait surtout par le choc en chargeant au galop. En 1914, les effectifs de la cavalerie représentaient 11 p. 100 de l'armée. En 1940, il existait encore de nombreuses unités à cheval.

2. CAVALIER, ÈRE [kavalje, -ɛr] n. (même étym.). Celui, celle avec qui on forme un couple dans une société (cortège, bal, etc.).

3. CAVALIER, ÈRE [kavalje, -ɛr] adj. (même étym.). Se dit d'une personne (et surtout de son comportement) qui fait preuve d'une liberté excessive dans les relations, de sans-gêne : *Je le trouve un peu cavalier d'avoir répondu à ma place* (syn. DÉSINVOLTE, INSOLENT). ◆ **cavalièrement** adv. : *Il nous a quittés très cavalièrement, sans un mot de remerciement.*

CAVALIER (Jean), chef camisard (1680-1740). Calviniste, il devint le chef des camisards révoltés en 1702. Il fit sa soumission moyennant une pension et un brevet de colonel.

CAVALIÈREMENT adv. → CAVALIER 3.

1. CAVE [kav] n. f. (bas lat. *cava,* fossé). **1.** Pièce souterraine où l'on conserve le vin, le charbon, etc. — **2.** Vins en réserve, vieillissant en bouteilles : *Avoir une bonne cave.* — **3.** Cabaret installé dans le sous-sol d'un immeuble, et où se produit un orchestre de jazz : *Les caves de Saint-Germain-des-Prés.* ◆ **caviste** n. m. Celui qui, dans les hôtels et les restaurants, est spécialement chargé du soin de la cave, parfois du service des vins (syn. SOMMELIER).

2. CAVE [kav] adj. (lat. *cavus,* creux). **1.** *Joues caves,* joues creuses. — **2.** *Veines caves,* les deux grosses veines (veine cave supérieure et veine cave inférieure) qui collectent le sang de la circulation générale et aboutissent à l'oreillette droite du cœur.

1. CAVEAU [kavo] n. m. (de *cave* 1). **1.** Cabaret littéraire au XVIIIe et au XIXe s. — **2.** Nom donné encore à certains cabarets ou théâtres de chansonniers.

2. CAVEAU [kavo] n. m. (même étym.). Construction souterraine située dans un cimetière ou une église et servant de sépulture.

CAVELIER DE LA SALLE → LA SALLE.

CAVENDISH (Henry), physicien et chimiste anglais (1731-1810). Il réalisa la première analyse précise de l'air et la synthèse de l'eau (1784). En 1798, il détermina la densité moyenne de la Terre.

1. CAVERNE [kavɛrn] n. f. (du lat. *cavus,* creux). Cavité naturelle, profonde, dans le roc, sous terre. || *Les hommes des cavernes* (= les hommes préhistoriques qui ont peint des scènes animales sur les parois de certaines cavernes). ◆ **cavernicole** adj. et n. m. Se dit de certains animaux qui recherchent l'obscurité et vivent dans les grottes.

2. CAVERNE [kavɛrn] n. f. (même étym.). Creux qui demeure dans un organe (par ex., le poumon) à la suite d'une maladie, principalement de la tuberculose. ◆ **caverneux, euse** adj. *Voix caverneuse,* voix grave et sonore (qui semble sortir d'une caverne), aux accents plus ou moins sinistres.

Caves du Vatican *(les),* récit d'A. Gide (1914).

CAVIAR [kavjar] n. m. (turc *kâwyâr*). Œufs d'esturgeon salés.

CAVICORNES [kavikɔrn] n. m. pl. (du lat. *cavus,* creux, et *cornu,* corne). Division du sous-ordre des ruminants, comprenant ceux dont les cornes creuses sont fixées sur des prolongements osseux du crâne, les cornillons : *Les bovins, les ovins, les chèvres, les antilopes sont des cavicornes* (syn. BOVIDÉS).

CAVISTE n. m. → CAVE 1.

CAVITÉ [kavite] n. f. (du lat. *cavus,* creux). **1.** Creux, vide dans un corps solide : *Les cavités d'un rocher.* — **2.** Partie creuse du corps humain ou d'un organe. — **3.** *Cavité générale,* chez l'oursin et les échinodermes, espace compris entre la paroi du corps et l'appareil digestif. || *Cavité palléale,* chez les mollusques bivalves, espace situé entre les deux lobes du manteau et la masse viscérale et dans lequel baignent les branchies.

CAVOUR (Camillo BENSO, *comte* DE), homme politique italien (1810-1861). Il s'est attaché à réaliser l'unité italienne au profit de la dynastie de Savoie.

- *1847. Cavour fonde un journal libéral « Il Risorgimento »* (= « Résurrection »).
- *1848. Il est élu député au Parlement de Turin.*
- *1852. Cavour est choisi comme président du Conseil par Victor-Emmanuel II.*

Il constitue un ministère libéral dont les buts principaux sont la modernisation de l'État, la lutte contre l'Autriche, la création de l'unité italienne.

- *1858. Il rencontre à Plombières Napoléon III et jette les bases d'une alliance avec la France contre l'Autriche.*
- *1859. Victoire de Magenta remportée par les Français et les Piémontais sur les Autrichiens.*
- *1860. Cavour réalise l'annexion de l'Émilie et de la Toscane : l'appui de la France vaut à cette dernière Nice et la Savoie.*
- *1861. Le royaume de Sardaigne est érigé en royaume d'Italie.*

Mais Cavour meurt avant que l'unité italienne soit complètement achevée.

CAYENNE, ch.-l. de la Guyane française, sur l'Atlantique; 38 100 hab. Centre administratif.

CAYLEY *(sir* George), inventeur britannique (1773-1857). Le premier, il exposa clairement le principe de l'aéroplane, préconisant, dès le début du XIXe s., l'emploi de l'hélice ainsi que du moteur à gaz ou à explosion.

CAYLEY (Arthur), mathématicien britannique (1821-1895). C'est l'un des fondateurs de l'algèbre moderne. On lui doit notamment l'utilisation systématique des graphes et des flèches pour étudier les relations, les groupes, etc.

CE → tableaux ci-dessous et ci-contre.

CÉANS [seɑ̃] adv. (lat. *ecce hac intus*, par ici dedans). Ici, dans cette maison : *Le maître de céans* (= le maître des lieux).

CEAUŞESCU (Nicolae), homme d'État roumain (1918-1989). Au pouvoir depuis 1965, il établit un régime autoritaire. Renversé par une insurrection en 1989, il est exécuté.

CEBU, île des Philippines; 1 634 200 hab. V. pr. *Cebu* (347 100 hab.), port actif.

C. E. C. A., abrév. de *Communauté* européenne du charbon et de l'acier.*

CECI pron. dém. → CE.

CÉCIDIE [sesidi] n. f. (du gr. *kêkis, kêkidos*, galle). Tumeur végétale, communément désignée sous le nom de GALLE, qui peut être provoquée par un insecte, un acarien, un nématode, un champignon ou une bactérie.

CÉCITÉ [sesite] n. f. (du lat. *caecus*, aveugle). État d'une personne aveugle.

1. CÉDER [sede] v. t. ind. [**à**] et i. (lat. *cedere*, s'en aller). [Conj. **10.**] **1.** (sujet nom d'être animé) Cesser d'opposer une résistance morale ou physique, se laisser aller : *Nos troupes ont cédé sous les assauts de l'ennemi* (syn. PLIER). *Il faut céder à la coutume* (syn. SE PLIER, SE SOUMETTRE). *J'ai failli céder à la tentation* (syn. SUCCOMBER). — **2.** (sujet nom de chose) Ne pas résister à un effort, à l'action de : *La digue a cédé sous la poussée des eaux* (syn. SE ROMPRE). *La branche a cédé* (syn. CASSER, CRAQUER).

2. CÉDER [sede] v. t. (même étym.) [sujet nom d'être animé]. **1.** *Céder une chose à qq'un*, lui faire abandon de cette chose, dont on jouit légitimement : *Céder sa place à une personne âgée* (syn. LAISSER). *Céder sa part d'héritage* (syn. ABANDONNER; contr. GARDER). — **2.** *Céder une chose*, se défaire, en la vendant, d'une chose à laquelle on était attaché, l'abandonner contre dédommagement : *Céder un commerce* (syn. VENDRE). — **3.** *Céder le pas à qq'un*, le laisser passer devant soi, par déférence. ‖ *Céder le pas à qqch.*, prendre une importance moindre : *Les intérêts particuliers doivent céder le pas à l'intérêt général.* ‖ *Le céder en qqch., à qq'un* ou *à qqch.*, lui être inférieur sous ce rapport (langue soignée) : *Il ne le cède à personne en perspicacité.* ◆ **cession** n. f. Sens 1 et 2 du v. (uniquement dans des emplois jurid., avec un compl. du nom indiquant la chose cédée) : *La cession d'un appartement* (syn. VENTE). *Faire cession de ses droits sur une propriété* (= les transférer, les abandonner).

CÉDÉTISTE [sedetist] n. et adj. Membre de la C. F. D. T.

CÉDILLE [sedij] n. f. (esp. *cedilla*, petit c). Signe graphique qui, placé sous le *c*, devant *a, o, u*, indique le son [s] (ex. : *il lança, leçon, déçu*). [Un *c* affecté de ce signe (ç) est appelé *c cédille*.]

---

ce (**c'** devant voyelle; **ç'** devant *a*)

Ce a des emplois limités à certaines locutions ou constructions.

1. Utilisé dans nombre de locutions ou d'expressions :

C'est (→ ÊTRE), loc. qui sert soit à mettre en évidence un nom, un pronom ou un adverbe, soit à désigner ou à montrer : *C'est Georges qui a téléphoné tout à l'heure. Ce sont eux les coupables. Ce sont là des bêtises;* avec une préposition : *C'est à vous de tirer une carte* (= il vous appartient). *C'est à mourir de rire* (= c'est très drôle).

Ce peut être, ce doit être, loc. qui indiquent la possibilité, la probabilité : *Ce devait être lui qui avait déposé le paquet* (= c'était lui sans doute qui...). *Ce ne peut être lui : il n'était pas là.*

Ce que (suivi d'un adj., d'un adv. ou d'un verbe), indique la quantité dans une phrase exclamative directe ou indirecte (syn. COMBIEN, devant un verbe; COMME, devant un adj.) : *Ce que tu peux être bête!* (syn. COMME). *Ce qu'on a ri, ce soir-là!* (syn. COMBIEN).

Et ce (littér.), indique une opposition très forte *(et il a fait ceci alors que...) : Il nous a quittés sans un mot; et ce, après tout ce que nous avons fait pour lui.*

Et pour ce, pour ce faire (langue soignée), et dans cette intention, dans ce dessein : *Nous avons l'intention de passer nos vacances en Italie, et pour ce faire nous préparons longuement notre itinéraire.*

Sur ce, une fois ces événements passés (syn. ALORS, APRÈS CELA, SUR CES ENTREFAITES) : *On lui fit remarquer cette erreur; sur ce, il se mit en colère. Sur ce, je vous quitte.*

2. Utilisé comme antécédent du relatif *qui, que, dont, quoi : Je vous renvoie à ce que j'ai déjà écrit sur le sujet. Il n'a jamais su exactement ce dont on l'accusait. Ce qui est fait est fait.*

Comme antécédent de *qui, que, quoi* dans les propositions interrogatives indirectes : *Je me demande ce qu'il peut faire à cette heure. Je ne comprends pas ce qui a pu dérégler le chauffage. Il ne voyait pas ce à quoi vous faisiez allusion.*

3. Utilisé dans les locutions conjonctives :

C'est que, introduit une explication dans une proposition qui suit une subordonnée hypothétique : *S'il se tait, c'est qu'il est timide* (= c'est parce qu'il est timide).

De ce que, à ce que, introduit une proposition complétive, complément d'un verbe normalement construit avec *de* ou *à : Je me réjouis de ce que vous êtes remis de votre maladie. Il ne s'attend pas à ce que vous soyez des nôtres.*

ceci **cela** **ça**

Ceci renvoie à ce qu'on va dire; *cela* renvoie plus généralement à ce qu'on a dit ou à ce qu'on va dire : il est le plus usuel des deux; il peut prendre une valeur péjorative ou un sens de tendresse. *Ça*, forme familière, est la seule forme usuelle dans la langue parlée.
Cela doit être agréable de vivre dans un site aussi charmant. Ça va être gai. Vous m'avez conseillé de persévérer et cela m'avait, à cette époque, beaucoup encouragé. Votre travail est parfait, à ceci près qu'il s'est glissé une erreur numérique. Retenez bien ceci : je ne paierai pas plus. Ceci me console de cela.

À part ça (cela), si l'on excepte ce point (souvent ironiq.) : *À part ça, c'est le meilleur garçon du monde.*

Après ça (cela), une fois cela réalisé (souvent ironiq.) : *Après ça, il n'y a plus qu'à renoncer à lui faire comprendre quelque chose.*

Ça alors!, marque l'indignation, la surprise, l'admiration.

C'est ça, indique une approbation : *C'est ça, ce cadeau leur fera plaisir;* ou une désapprobation très vive : *C'est ça, ne vous gênez pas, continuez de fouiller dans mes papiers.*

C'est toujours ça (de gagné, de pris), indique une satisfaction résignée : *Il y a trois jours de congés au 1er novembre, c'est toujours ça.*

Comme ça (cela), de cette manière : *Ne me regarde pas comme ça* (syn. AINSI). *Tu écris ton nom comme ça? Où vas-tu comme ça?* (Simple renforcement de la question.)

Comme ci, comme ça, d'une manière médiocre, moyenne (marque l'hésitation) : *« Vous allez bien? — Comme ci, comme ça. »*

Pas de ça, indique un refus absolu : *Ah! non, pas de ça!*

Pour ça (cela), dans cette intention, ce dessein : *Nous allons camper ce week-end, mais, pour ça, il faut faire réparer la voiture;* dans une phrase négative, exprime une opposition : *J'ai lu le mode d'emploi, mais je ne suis pas plus avancé pour ça* (syn. POUR AUTANT).

Pourquoi ça, qui ça, quand ça, comment ça, où ça, interrogations renforcées par *ça : « On a téléphoné pour vous. — Qui ça? » Comment ça, il n'est pas venu au rendez-vous?*

Rien que ça, indique une surprise, un doute ironique devant une petite ou une grande quantité : *« L'équipe adverse a été battue par huit buts d'écart. — Rien que ça? »*

Sans ça, syn. fam. de SINON : *Qu'il vienne, sans ça il aura affaire à moi.*

		pronoms démonstratifs		adjectifs démonstratifs	
ADVERBES	GENRE ET NOMBRE	FORMES	EMPLOIS	FORMES	EMPLOIS
			S'emploient sans adverbe dans un certain nombre de cas limités : avec *de* suivi d'un substantif, d'un infinitif, d'un adverbe; avec un relatif; avec un participe adjectif (fam.).		S'emploient pour désigner, ou pour marquer une référence à un mot déjà cité; ils peuvent être employés avec une valeur péjorative ou emphatique. *Ce, cet, ces* sont les formes usuelles.
	masc. sing.	**celui**	*Nous prendrons le train de cinq heures; celui de huit heures arrive trop tard. J'ai été retenu par celui dont je t'avais parlé.*	**ce** (+ consonne)	*Ce soir, nous irons au concert. Ce courage! vous avez vu!* (emphatique).
				cet (+ voyelle)	*Ah! cet enfant! il nous fera mourir!* (emphatique).
	masc. plur.	**ceux**	*Les pneus arrière sont usés, mais ceux de devant sont encore en bon état. Ses sentiments ne sont pas ceux d'un ingrat.*	**ces**	*Que me veulent ces individus?* (péjor.). *Ah! ces levers de soleil!* (admiratif).
	fém. sing.	**celle**	*Sa passion pour la chasse égale celle qu'il a pour le jeu. Cette inondation est-elle aussi grave que celle provoquée par le Rhône?*	**cette**	*Cette histoire est très drôle. Avec cette tête, vous devez être malade* (péjor.). *Cette réponse ne satisfait personne.*
	fém. plur.	**celles**	*Vous joindrez à ces notes celles envoyées par nos correspondants.*	**ces**	*Ces mésaventures m'ont ému. Ces dames ont bien dîné?*
			S'emploient usuellement pour référer à ce qui est proche ou à ce qui va être dit.		S'emploient pour désigner ce qui est actuel, proche ou ce qui va être dit.
	masc. sing.	**celui-ci**	*Je voudrais changer d'appartement, celui-ci est trop petit.*	**ce ...-ci**	*J'ai été malade ce mois-ci.*
				cet ...-ci	*Cet enfant-ci n'est pas bien portant.*
-ci	masc. plur.	**ceux-ci**	*Il faudra remplacer les meubles, ceux-ci sont vraiment démodés.*	**ces ...-ci**	*Ces arbres-ci sont presque centenaires. Ces costumes-ci sont plus chers.*
	fém. sing.	**celle-ci**	*Choisissez une cravate; celle-ci est fort jolie; celle-là est plus simple.*	**cette ...-ci**	*Cette idée-ci est très raisonnable, à côté du projet précédent. Je préfère cette voiture-ci à cette automobile-là.*
	fém. plur.	**celles-ci**	*Vous avez entendu ces histoires-là; alors écoutez celles-ci.*	**ces ...-ci**	*J'ai été fort occupé toutes ces semaines-ci.*
			S'emploient usuellement par référence à ce qui est loin ou à ce qui a été dit.		S'emploient pour désigner ce qui est loin ou ce qui a été dit.
	masc. sing.	**celui-là**	*C'est un bon roman, mais je préfère celui-là.*	**ce ...-là**	*Ce roman-là est bien meilleur que celui-ci.*
				cet ...-là	*Regardez cet immeuble-là, tout neuf, un peu plus loin que cette maison-ci.*
-là	masc. plur.	**ceux-là**	*Ah! ceux-là, quand ils auront fini de bavarder!*	**ces ...-là**	*Ces murs-là ont besoin d'être repeints.*
	fém. sing.	**celle-là**	*Je ne vois pas ma brosse à dents; celle-là n'est pas la mienne. Ah! celle-là est bien bonne!* (fam.)	**cette ...-là**	*Cette histoire-là me paraît incroyable. Il avait, cette semaine-là, acheté un costume neuf.*
	fém. plur.	**celles-là**	*Parmi les voitures exposées, il fit remarquer que celles-là étaient plus confortables.*	**ces ...-là**	*Ces huîtres-là ne sont pas fraîches.*

CÉDRAT [sedra] n. m. (de l'anc. it. *cedro*, citron). Gros citron utilisé en confiserie. ◆ **cédratier** n. m. Espèce de citronnier fournissant le cédrat.

CÈDRE [sɛdr] n. m. (gr. *kedros*). Grand arbre d'Asie et d'Afrique, dont les branches s'étalent horizontalement sur plusieurs plans. (Ordre des conifères.)
— ENCYCL. Le *cèdre* est un arbre au port majestueux, à aiguilles persistantes. Il atteint de grandes dimensions : 40 m de hauteur et plus, 3 m de diamètre. Son bois léger, rougeâtre et incorruptible est utilisé dans la construction, la menuiserie, l'ébénisterie, la marqueterie.

CÉDRON (le), cours d'eau de Palestine (auj. en Jordanie), dont la vallée sépare Jérusalem du mont des Oliviers. Selon la tradition chrétienne, cette vallée doit être le cadre du Jugement dernier.

C. E. E., abrév. de *Communauté* économique européenne*.

CÉGÉTISTE [seʒetist] n. et adj. Membre de la C. G. T. (Confédération générale du travail).

CEINDRE [sɛ̃dr] v. t. (lat. *cingere*). [Conj. **55.**] (Exclusivement littér.; plus fréquent au part. passé *ceint*.) **1.** *Ceindre la tête, le cou*, etc., mettre autour une chose qui sert d'ornement, de protection, de marque de souveraineté : *Tête ceinte d'un diadème.* —

2. *Ceindre une chose,* la mettre autour de la tête, autour du corps, comme ornement, comme protection ou comme marque de souveraineté : *Ceindre la couronne* (= monter sur le trône). *Le chevalier ceint son épée* (= attache sur lui le baudrier soutenant l'épée).

CEINTURE [sɛ̃tyr] n. f. (lat. *cinctura,* de *cingere,* ceindre). **1.** Partie du squelette qui rattache les membres au tronc : *Ceinture scapulaire* (= omoplates, clavicules). *Ceinture pelvienne* (= bassin). — **2.** Endroit du corps où se place la ceinture : *À la ceinture, jusqu'à la ceinture* (syn. À LA TAILLE). — **3.** Bande de tissu, de cuir, etc., passée autour de la taille ou des hanches : *Son pantalon est maintenu par une ceinture.* — **4.** Au judo, bande d'étoffe indiquant le grade de celui qui la porte : ceinture blanche (pour les débutants), ceinture jaune, ceinture orange, ceinture verte, ceinture bleue, ceinture marron, ceinture noire. — **5.** Ce qui entoure, circonscrit une chose ou un lieu : *La ville s'abritait derrière une ceinture de remparts.* ‖ *Ceinture dorée,* nom donné à une partie des régions côtières de la Bretagne septentrionale, réputée pour ses cultures maraîchères. ‖ *Ceinture verte,* ensemble des parcs et des jardins entourant une ville. ◆ **ceinturon** n. m. Ceinture large, en cuir. ◆ **ceinturer** v. t. **1.** *Ceinturer qq'un,* le saisir par le milieu du corps en vue de le maîtriser. — **2.** *Ceinturer une chose,* l'entourer (surtout au passif) : *La ville est ceinturée d'un boulevard extérieur.*

CELA pron. dém. ⟶ CE.

CÉLADON [seladɔ̃] n. m. et adj. inv. (du n. d'un personnage de *l'Astrée*). Vert pâle, d'un ton pâli et comme poudré : *La couleur céladon a été très à la mode sous Louis XVI.*

CÉLÈBES ou **SULAWESI,** île d'Indonésie, séparée de Bornéo par le détroit de Macassar; 189 000 km²; 10 410 000 hab. (55 au km²). L'île est formée de quatre longues péninsules. Cultures de coprah, de riz et de café. Gisements de fer et de nickel.

CÉLÉBRANT n. m., **CÉLÉBRATION** n. f. ⟶ CÉLÉBRER 1.

CÉLÈBRE [selɛbr] adj. (lat. *celeber, -bris,* fréquenté) [se place parfois avant, plus souvent après le nom]. Qui jouit d'une grande notoriété; qui est très connu, le plus souvent en bien : *Un écrivain célèbre* (syn. ILLUSTRE; contr. INCONNU, OBSCUR). *La Bourgogne produit des vins célèbres* (syn. RENOMMÉ, RÉPUTÉ). ◆ **célébrité** n. f. **1.** Qualité de ce qui est célèbre : *Pasteur doit sa célébrité à ses travaux sur les fermentations* (syn. RENOM). — **2.** Personnage célèbre : *Une célébrité locale présidait la distribution des prix* (syn. GLOIRE).

1. CÉLÉBRER [selebre] v. t. (lat. *celebrare,* visiter en foule). [Conj. **10.**] **1.** *Célébrer une cérémonie, une fête,* l'accomplir avec une plus ou moins grande solennité, la marquer par des manifestations publiques : *La victoire fut célébrée dans l'enthousiasme* (syn. FÊTER). — **2.** (sujet nom désignant un prêtre) *Célébrer la messe,* la dire, officier. ◆ **célébrant** n. m. Prêtre qui dit la messe, qui officie. ◆ **célébration** n. f. : *La célébration de la fête nationale. La célébration de la messe.* ◆ **concélébrer** v. t. (sujet nom désignant un prêtre). *Concélébrer la messe,* la célébrer avec d'autres prêtres autour du même autel. ◆ **concélébration** n. f.

2. CÉLÉBRER [selebre] v. t. (même étym.) [sujet nom de personne ou de chose]. *Célébrer qq'un, qqch.,* les louer solennellement, les glorifier (littér.) : *Les chansons de geste célèbrent les exploits des chevaliers* (syn. CHANTER, EXALTER).

CÉLÉBRITÉ n. f. ⟶ CÉLÈBRE.

CÉLERI [selri] n. m. (lombard *seleri*). Plante potagère dont la culture et la sélection ont produit deux formes : le *céleri-rave,* dont on consomme la racine, et le *céleri à côtes,* où ce sont les pétioles qui sont comestibles. (Famille des ombellifères.)

CÉLÉRITÉ [selerite] n. f. (du lat. *celer,* rapide). Grande vitesse, sans précipitation, dans l'exécution des tâches (langue soignée) [syn. plus usuel RAPIDITÉ].

CÉLESTA [selɛsta] n. m. (de *céleste*). Instrument de musique à percussion, pourvu d'un clavier actionnant des marteaux qui frappent sur des lames d'acier et de cuivre.

CÉLESTE adj. ⟶ CIEL 1 et 2.

CÉLIBAT [seliba] n. m. (lat. *caelibatus*). État d'une personne qui n'est pas mariée : *Le célibat des prêtres.* ◆ **célibataire** n. et adj. Se dit de quelqu'un qui vit dans le célibat.

Célimène, personnage du *Misanthrope* de Molière; jeune coquette, spirituelle et médisante.

CÉLINE (Louis Ferdinand DESTOUCHES, dit **Louis-Ferdinand**), écrivain français (1894-1961). Il publie en 1932 *Voyage au bout de la nuit,* roman insolite, plein de verve et de violence, aussi bien dans les idées (vision cruelle et désespérée de la société) que dans la façon dont elles sont énoncées (style disloqué, imitant le langage parlé, multipliant les points de suspension, plein de mots crus, d'injures et d'invention verbale).

• *1936. Dans « Mort à crédit », Céline traduit son mépris de l'humanité avec la même violence.*

L'antisémitisme forcené de Céline, son attitude favorable à l'Allemagne de Hitler pendant la Seconde Guerre mondiale firent de lui un « écrivain maudit ».

CELLE, CELLE-CI, CELLE-LÀ pron. dém. ⟶ CE.

CELLE-SAINT-CLOUD (La), ch.-l. de cant. des Yvelines, à 7 km au N. de Versailles; 23 300 hab.

CELLIER [selje] n. m. (lat. *cellarium*). Pièce située généralement au rez-de-chaussée d'une maison et ayant un sol en terre battue, dans laquelle on conserve des provisions, du vin, du cidre, etc.

CELLINI (Benvenuto), statuaire et orfèvre italien (1500-1571). Il travailla pour François Iᵉʳ. Ses chefs-d'œuvre sont la statue de *Persée* (Florence), *la Nymphe de Fontainebleau* (Louvre) et la célèbre *salière de François Iᵉʳ* (Autriche).

CELLULAIRE adj. ⟶ CELLULE 1 et 4.

1. CELLULE [selyl] n. f. (du lat. *cella,* chambre). Dans un monastère, petite chambre réservée à un religieux ou à une religieuse; dans une prison, petite pièce où l'on enferme les détenus. ◆ **cellulaire** adj. : *Le fourgon cellulaire transporta le détenu au palais de justice.*

2. CELLULE [selyl] n. f. (même étym.). **1.** Groupement de militants communistes appartenant à une même entreprise, un même quartier ou un même village. — **2.** Groupe de personnes ayant une certaine unité, considéré comme un des éléments qui constituent la société : *La cellule familiale.*

3. CELLULE [selyl] n. f. (même étym.). Alvéole de cire construit par les abeilles.

— ENCYCL. De section hexagonale, disposées sur les deux faces d'un rayon, les *cellules* peuvent être de trois sortes : les plus nombreuses et les plus petites (cellules d'ouvrières) contiennent le *couvain* et reçoivent le miel et le pollen; les deux autres (cellules de mâles et cellules royales) renferment les larves et les nymphes des faux bourdons et des reines.

4. CELLULE [selyl] n. f. (même étym.). Élément constitutif, généralement très petit, de tout être vivant, comprenant un *noyau* entouré d'un *cytoplasme* et d'une *membrane* : *Les végétaux et les animaux sont formés de milliards de cellules.* ◆ **cellulaire** adj. : *La biologie cellulaire* (= qui étudie les cellules vivantes). ◆ **cellulite** n. f. Inflammation du tissu cellulaire sous-cutané. ◆ **multicellulaire** ou **pluricellulaire** adj. Formé de plusieurs cellules.

— ENCYCL. La *cellule* est l'élément fondamental de tout être vivant, c'est-à-dire que tout être vivant est constitué d'un plus ou moins grand nombre de ces parties élémentaires que sont les cellules.

Elle se compose de plusieurs éléments : le *noyau,* corpuscule arrondi situé au centre de la cellule, qui assure la transmission des caractères héréditaires; le *cytoplasme,* matière vivante qui entoure le noyau; la *membrane,* qui entoure le cytoplasme comme la peau entoure le corps.

La cellule est un être vivant : elle se nourrit en absorbant des aliments dans le tissu où elle vit et rejette des déchets; elle respire en puisant l'oxygène dans le sang des capillaires; surtout, elle grandit et se divise.

Les êtres vivants sont groupés en deux classes : les *protozoaires* qui ne sont constitués que d'une seule cellule et les *métazoaires,* formés de plusieurs cellules (= pluricellulaires) : ainsi les animaux et l'homme.

Chez les métazoaires, toutes les cellules de l'organisme adulte dérivent d'une seule cellule à l'origine : *l'œuf.* Plus le nombre de cellules grandit, plus les cellules deviennent différentes les unes des autres : elles se groupent pour former les tissus puis les organes.

Les plus différenciées des cellules de l'homme sont les *cellules nerveuses,* ou *neurones,* qui ne sont plus capables de se multiplier : toute cellule nerveuse détruite est à jamais perdue (dans les accidents et traumatismes crâniens, par ex.). Les neurones sont aussi les cellules les plus sensibles à la privation d'oxygène : ce sont elles qui meurent le plus vite en cas d'anoxie*.

5. CELLULE [selyl] n. f. (même étym.). *Cellule photo-électrique* appareil transformant l'énergie lumineuse en énergie électrique.

CELLULITE n. f. ⟶ CELLULE 4.

CELLULOSE [selyloz] n. f. (de *cellule*). Substance organique du groupe des glucides, contenue dans la membrane des cellules végétales : *Le coton hydrophile est de la cellulose presque pure.* ◆ **cellulosique** adj. Qui contient de la cellulose.

CELSIUS (Anders), astronome et physicien suédois (1701-1744). Il fut l'un des premiers à comparer les éclats lumineux des étoiles et créa l'échelle thermométrique centésimale (1742), à laquelle on a donné son nom.

CELTE adj. et n. m. ⟶ CELTIQUE.

CELTES, groupe de peuples indo-européens qui apparaît au IIe millénaire av. J.-C. et dont l'habitat primitif se situait entre le Rhin et le Danube.

Agriculteurs et artisans habiles, les Celtes formaient une société de type aristocratique au sommet de laquelle se trouvaient les *druides*, qui étaient moins des prêtres que des sages et des devins. Les Celtes rendaient un culte aux forces de la nature et à de nombreux dieux régionaux.

Très tôt les migrations celtes affectent diverses contrées : îles Britanniques, Gaule du Nord, Ibérie, Europe centrale. Mais c'est surtout à partir du VIe s. av. J.-C. que se développe la grande expansion des Celtes : dans la péninsule Ibérique où, mêlés aux Ibères, ils forment le peuple celtibère; dans toute la Gaule, où ils s'implantent aux Ve et IVe s., dans les îles Britanniques, en Italie aux IVe et IIIe s., puis dans les royaumes hellénistiques et en Asie Mineure.

Organisés en vastes tribus indépendantes, les Celtes ne formèrent jamais un État, ni un empire. Leur décadence fut rapide : refoulées par les Germains, les tribus celtes se soumettent progressivement à l'impérialisme romain, du IIe s. av. J.-C. au Ier s. apr. J.-C. Ils conservèrent cependant une civilisation originale dans les parties les plus occidentales de l'Europe : Bretagne, pays de Galles, Écosse et Irlande, où la langue et les traditions celtiques ont été conservées jusqu'à nos jours.

CELTIBÈRES, peuple de l'anc. Espagne, soumis par Carthage, puis par les Romains (IIe s. av. J.-C.). [⟶ CELTES.]

CELTIQUE [sɛltik] ou **CELTE** [sɛlt] adj. Relatif aux Celtes. ◆ n. m. La langue des Celtes.

CELTIQUE, en lat. **Celtica**, division de la Gaule correspondant aux régions qui s'étendent entre l'Atlantique, la Seine et la Garonne.

CELUI, CELUI-CI, CELUI-LÀ pron. dém. ⟶ CE.

CÉMENT [semɑ̃] n. m. (lat. *caementum*). Substance osseuse qui recouvre l'ivoire de la racine des dents.

CÉMENTER [semɑ̃te] v. t. (de *cément*). Modifier la composition d'un métal, en lui incorporant, à haute température, un autre corps (carbone généralement). ◆ **cémentation** n. f.

CÉNACLE [senakl] n. m. (lat. *cenaculum*, salle à manger). 1. Salle où Jésus-Christ se réunit avec ses disciples quand il institua l'eucharistie. — 2. Groupe restreint, cercle de gens de lettres, d'artistes ayant des idées et des goûts communs (souvent péjor.).

Cénacle, groupement littéraire que formèrent les jeunes romantiques réunis de 1823 à 1828 chez Ch. Nodier ou chez V. Hugo.

CENDRARS (Blaise), écrivain français d'origine suisse (1887-1961). Grand voyageur, il a célébré la passion de l'aventure dans ses poèmes et ses romans (*l'Or*, 1925; *Moravagine*, 1926; *l'Homme foudroyé*, 1945).

1. CENDRE [sɑ̃dr] n. f. (lat. *cinis, cineris*). **1.** Résidu qui subsiste (sous forme de poudre) après la combustion complète d'une substance : *Lorsque le bois a brûlé, il reste de la cendre.* — **2.** *Couver sous la cendre*, se développer sourdement avant d'éclater ouvertement. ‖ *Réduire en cendres*, détruire par le feu. ◆ **cendré, e** adj. Dont la couleur est grise, comme mêlée de cendre : *Des cheveux blond cendré.* ◆ **cendrée** n. f. Piste dont le sol est fait de mâchefer et de sable, et qui est utilisée dans les stades pour les courses d'athlétisme. ◆ **cendrier** n. m. Petit récipient destiné à recevoir les cendres de tabac.

2. CENDRES [sɑ̃dr] n. f. pl. (même étym.). **1.** Restes d'une personne morte : *Le retour des cendres de Napoléon* (syn. DÉPOUILLE MORTELLE). — **2.** *Mercredi des Cendres*, chez les catholiques, premier mercredi du Carême, au cours duquel on impose les cendres aux assistants (par un signe de croix tracé sur le front avec de la cendre, en signe de pénitence), en leur disant : « Homme, souviens-toi que tu es poussière et que tu retourneras en poussière. »

CENDRIER n. m. ⟶ CENDRE 1.

Cendrillon ou la Petite Pantoufle de vair, personnage et titre d'un conte de Perrault.

CÈNE [sɛn] n. f. (lat. *cena*, dîner). **1.** Dernier repas que Jésus-Christ prit avec ses apôtres, la veille de sa passion, et au cours duquel il institua le sacrement de l'eucharistie (en ce sens prend une majusc.). — **2.** Cérémonie commémorative de ce repas, célébrée le jeudi saint. — **3.** Chez les protestants, communion sous les deux espèces (le pain et le vin).

Cène *(la)*, fresque peinte par Léonard de Vinci (1495-1497) dans le réfectoire du couvent de Santa Maria delle Grazie, à Milan.

CENIS *(Mont-)*, massif des Alpes (3 610 m), dominant le *col du Mont-Cenis* (2 083 m), emprunté par la route de Lyon à Turin. — Le *tunnel ferroviaire* dit *du Mont-Cenis*, long de 13 668 m et unissant Modane (France) et Bardonnèche (Italie), passe en fait sous le col de Fréjus, au S.-O.

CÉNOBITE [senɔbit] n. m. (gr. *koinobion*, vie en commun). **1.** Moine qui vit en communauté. — **2.** Personne menant une vie austère.

CENON, ch.-l. de cant. de la Gironde, à 4 km à l'E. du centre de Bordeaux; 23 900 hab. *(Cenonnais)*. Vignobles.

CÉNOTAPHE [senɔtaf] n. m. (du gr. *kenos*, vide, et *taphos*, tombeau). Monument en forme de tombeau élevé à la mémoire d'un mort, mais ne renfermant pas son corps.

CENS [sɑ̃s] n. m. (lat. *census*, recensement). **1.** Dénombrement des citoyens tous les cinq ans, chez les Romains. — **2.** Au Moyen Âge, redevance payée par des roturiers à leur seigneur. — **3.** Impôt que l'on paie pour être électeur dans certains pays. ◆ **censeur** n. m. Magistrat romain dont la fonction consistait à faire le recensement des citoyens, à imposer les propriétés et à surveiller les mœurs. ◆ **censitaire** adj. Fondé sur le cens : *Suffrage censitaire.*

CENSÉ, E [sɑ̃se] adj. (du lat. *censere*, estimer) [ordinairement, suivi d'un infin.]. Supposé, réputé : *Nul n'est censé ignorer la loi* (syn. CONSIDÉRÉ COMME, suivi d'un part. prés.). ◆ **censément** adv. *Fam.* D'après ce que les apparences permettent de supposer.

1. CENSEUR n. m. ⟶ CENS.

2. CENSEUR [sɑ̃sœr] n. m. (lat. *censor*). Dans un lycée, fonctionnaire chargé d'assurer la discipline de l'établissement et de contrôler la marche des études. (On l'appelle auj. PROVISEUR ADJOINT.)

3. CENSEUR [sɑ̃sœr] n. m. (même étym.). **1.** Membre d'une commission de censure. — **2.** Personne qui critique avec malveillance. ◆ **censure** n. f. **1.** Examen qu'un gouvernement fait faire des livres, journaux, films, etc., avant d'en autoriser la diffusion; organisme chargé de cet examen. — **2.** *Motion de censure*, celle qui, à l'Assemblée nationale, met en cause par un vote hostile la politique du gouvernement. ◆ **censurer** v. t. **1.** *Censurer un article, un film*, etc., en interdire la publication, la diffusion. — **2.** *Censurer le gouvernement*, adopter contre lui une motion de censure. — **3.** *Censurer des actes, des ouvrages* ou *leur auteur*, les blâmer (syn. CRITIQUER, DÉSAPPROUVER).

CENSITAIRE adj. ⟶ CENS.

CENSURE n. f., **CENSURER** v. t. ⟶ CENSEUR 3.

CENT [sɑ̃] adj. num. et n. m. (lat. *centum*). **1.** *Math.* ⟶ NUMÉRATION. — **2.** Indique aussi un grand nombre indéterminé : *Il l'a répété cent et cent fois.* — **3.** Fam. *Cent pour cent*, entièrement (adv. intensif) : *Il est cent pour cent français.* ‖ Fam. *Être aux cent coups*, ne savoir où donner de la tête, être affolé, indigné ou en colère. ‖ *Faire les cent pas*, aller et venir. ‖ *Il y a cent sept ans*, il y a très longtemps (superl. fam. de LONGTEMPS). ‖ Fam. *Je vous le donne en cent*, je vous défie de deviner. ‖ *Pour cent*, pour une somme de cent francs : *Prêter à cinq pour cent* (à un intérêt de 5 F pour 100 F). ‖ *En un mot comme en cent*, bref, pour nous résumer. ◆ **centaine** n. f. **1.** *Math.* ⟶ NUMÉRATION. — **2.** Groupe de cent unités comptées exactement ou évaluées approximativement : *Il a quatre-vingt-seize ans et il espère bien arriver à la centaine. Il y a une centaine de personnes dans la salle.* ◆ **centenaire** adj. et n. Se dit d'une personne qui a atteint ou dépassé l'âge de cent ans. (⟶ ÂGE.) ◆ n. m. Anniversaire d'un événement qui s'est produit cent ans auparavant ou que l'on célèbre tous les cent ans. ◆ **bicentenaire** n. m. Anniversaire d'un événement qui a eu lieu deux cents ans auparavant. ◆ **tricentenaire** n. m. Troisième centenaire. ◆ **centième** adj. num. ordin. et n. Qui occupe le rang marqué par le nombre cent : *Être reçu centième à un concours.* ◆ n. m. La centième partie : *Le centime représente le centième du franc.* (⟶ NUMÉRATION.) ◆ **centuple** n. m. **1.** Quantité qui vaut cent fois une autre quantité : *Mille est le centuple de dix.* — **2.** Quantité beaucoup plus grande qu'une autre : *Gagner le centuple de sa mise.* — LOC. ADV. *Au centuple*, cent fois plus, beaucoup plus. ◆ **centupler** v. t. Augmenter dans des proportions énormes. ◆ v. i. : *Une production qui centuple.* ◆ **centésimal, e, aux** adj. Divisé en cent parties égales : *Échelle centésimale.* ‖ *Degré centésimal*, chacune des divisions d'une échelle centésimale.

— ENCYCL. *Cent* ne prend un *s* au pluriel que s'il est précédé d'un nombre qui le multiplie, mais il reste invariable quand il est suivi d'un autre nombre : *Deux cents hommes. Deux cents francs. Trois cent dix-huit francs.* Employé comme nom, *cent* prend un *s* au pluriel : *Des mille et des cents.*

Cent Ans *(guerre de)*, nom donné à la série de conflits, séparés par des trêves plus ou moins longues, qui ont opposé aux XIVe et XVe s. la France des Valois à l'Angleterre des Plantagenêts, puis des Lancastres.

- *1337. Le roi de France Philippe VI confisque le fief de Guyenne, possession de son vassal Édouard III, roi d'Angleterre.*

Édouard III, neveu du dernier Capétien direct, revendique alors la couronne de France. C'est le point de départ de la guerre qui n'a d'ailleurs pas comme seul motif cette querelle dynastique : le conflit est lié aussi aux affaires des Pays-Bas, dont la prospérité dépend du commerce britannique. Édouard III veut détacher les cités flamandes de l'influence française et s'en faire des alliées.

La guerre commence par une série de défaites françaises, liées à une crise économique et monétaire, et aussi à la médiocrité des deux premiers Valois, Philippe VI et Jean II le Bon.

- *1346. Bataille de Crécy.*
- *1347. Siège et prise de Calais par les Anglais (épisode des bourgeois de Calais).*
- *1356. Bataille de Poitiers. Triomphe du Prince Noir, héritier d'Angleterre.*
- *1360. Traité de Brétigny. L'Angleterre reçoit le quart sud-ouest de la France.*

Sous le règne de Charles V, aidé par du Guesclin, la situation de la France se redresse.

- *1380. À la mort de Charles V et de du Guesclin, les Anglais n'occupent plus que Calais et la Guyenne.*

Cependant la France est affaiblie par la guerre civile entre Armagnacs et Bourguignons. La Bourgogne, qui a entrepris un rassemblement de territoires, devient une puissance dangereuse pour la monarchie française et va prendre parti pour le roi d'Angleterre. La guerre reprend, marquée par de nouveaux triomphes anglais.

- *1415. Grande victoire anglaise d'Azincourt.*
- *1420. Le traité de Troyes consacre la déchéance du roi de France Charles VI.*

Henri V d'Angleterre se déclare régent de France.

La guerre se poursuit après l'avènement d'Henri VI, qui prend le titre de « roi de France et d'Angleterre », aux dépens du dauphin, futur Charles VII.

Cependant, l'épopée de Jeanne d'Arc marque le début d'une période de victoires décisives pour la France.

- *1429. Jeanne d'Arc délivre Orléans.*

Elle fait ensuite sacrer Charles VII à Reims. Mais, capturée par les Anglais, elle est brûlée à Rouen en 1431.

- *1435. Charles VII se réconcilie avec le duc de Bourgogne Philippe le Bon.*
- *1436. Libération de Paris.*
- *1450. Bataille de Formigny. Les Anglais perdent la Normandie.*
- *1453. Bataille de Castillon : la Guyenne est reconquise par la France. Les Anglais ne conservent plus que Calais.*

La guerre de Cent Ans a vu naître en France un sentiment national et a donné au pays une plus grande cohésion; l'autorité de la monarchie en a été renforcée.

CENTAINE n. f. → CENT.

CENTAURE [sɑ̃tɔr] n. m. (gr. *kentauros*). Être fabuleux, moitié homme, moitié cheval, qui, selon la légende, vivait en Thessalie.

CENTAURÉE [sɑ̃tore] n. f. (gr. *kentaurié*, plante du Centaure). Plante herbacée, de la famille des composées, aux nombreuses espèces *(bleuet)*.

CENTENAIRE adj. et n., **CENTÉSIMAL, E, AUX** adj., **CENTIÈME** adj. num. ordin. et n. → CENT.

CENTIGRADE [sɑ̃tigrad] n. m. (du lat. *centum*, cent, et *gradus*, degré). Centième partie du grade (symb. : cgr), unité d'angle. ‖ *Degré centigrade, thermomètre centigrade*, anc. dénominations abandonnées, depuis la Conférence générale des poids et mesures de 1948, au profit de *degré Celsius, thermomètre Celsius*.

CENTIGRAMME [sɑ̃tigram] n. m. (du lat. *centum*, cent, et *gramme*). Centième partie du gramme (symb. : cg). [→ MESURE, *unités de mesure*.]

CENTILITRE [sɑ̃tilitr] n. m. (du lat. *centum*, cent, et *litre*). Centième partie du litre (symb. : cl). [→ MESURE, *unités de mesure*.]

CENTIME [sɑ̃tim] n. m. (de *cent*). Monnaie, pièce, unité de compte valant la centième partie du franc.

CENTIMÈTRE [sɑ̃timɛtr] n. m. (du lat. *centum*, cent, et *mètre*). **1.** Centième partie du mètre (symb. : cm). — **2.** Ruban de 1 m, 1,50 m ou 2 m, divisé en centimètres. (→ MESURE, *unités de mesure*.)

Cent-Jours (les), période qui s'étend de mars à juin 1815, au cours de laquelle Napoléon Ier tenta de reprendre le pouvoir.

- *1er mars 1815. Venu de l'île d'Elbe, Napoléon débarque au golfe Juan.*
- *20 mars 1815. Après avoir traversé la France (= le vol de l'Aigle), Napoléon entre à Paris d'où Louis XVIII s'est enfui pour la Belgique.*

L'Empereur promulgue un « Acte additionnel aux Constitutions de l'Empire » essai de gouvernement libéral, mais la coalition se reforme et il doit entamer la campagne de Belgique.

- *18 juin 1815. Il est battu à Waterloo par Wellington et Blücher.*
- *22 juin. Napoléon abdique et se rend aux Anglais qui le déportent à l'île de Sainte-Hélène.*

CENTRAFRICAINE *(République)*, État du centre de l'Afrique, entre le Congo et le Tchad. → cartes AFRIQUE pp. 48-49.

SUPERFICIE 620 000 km² (France : 550 000 km²)
POPULATION 2 800 000 hab. *(Centrafricains)*; 5 hab. au km² (France : 103).
CAPITALE Bangui (387 100 hab.).
LANGUE OFFICIELLE français.
ÉCONOMIE consommation d'énergie par hab., 40 kg d'équivalent charbon ; 1 automobile pour 300 hab.

GÉOGRAPHIE

L'État s'étend sur deux cuvettes : l'une, au N., drainée par le Chari vers le lac Tchad, l'autre, au S., où coule l'Oubangui. Elles sont séparées par une ligne de hauteurs atteignant 1 400 m. Le climat, tropical, s'assèche progressivement vers le N. : à la forêt claire succède la savane.

La population, peu dense, pratique la culture vivrière de manioc, mil et maïs. Mais des plantations fournissent du tabac, du café, et surtout du coton pour l'exportation. L'industrie est inexistante, mais le pays possède des gisements d'or, d'uranium et de diamants. Le pays souffre de son isolement.

HISTOIRE

- *1910. L'Oubangui-Chari fait partie de l'A.-É. F.*
- *1958. Le territoire se constitue en une « République centrafricaine », au sein de la Communauté.*
- *1960. Le nouvel État devient entièrement indépendant.*
- *1966. Prise du pouvoir par Bokassa.*
- *1976. L'État prend le nom d'« Empire centrafricain ».*
- *1979. Après un coup d'État, la République est rétablie sous la présidence de David Dacko.*
- *1981. Coup d'État du général Kolingba.*
- *1986. Nouvelle Constitution prévoyant l'élection d'une Assemblée nationale et la création d'un parti unique.*

CENTRAGE n. m. → CENTRE 1.

CENTRAL n. m., **CENTRALE** n. f. → CENTRE 2.

CENTRAL, E, AUX adj. → CENTRE 1 et 2.

centrale des arts et manufactures *(École)*, établissement d'enseignement fondé à Paris en 1829 et qui dispense un enseignement supérieur ayant pour objet la formation d'ingénieurs pour l'industrie, les grands services publics et la recherche appliquée. L'École est installée à Châtenay-Malabry depuis 1969.

CENTRALISATEUR, TRICE adj. et n., **CENTRALISATION** n. f., **CENTRALISER** v. t. et i. → CENTRE 2.

1. CENTRE [sɑ̃tr] n. m. (gr. *kentron*, pointe). **1.** Point intérieur situé à égale distance de tous les points d'un cercle, d'une sphère.

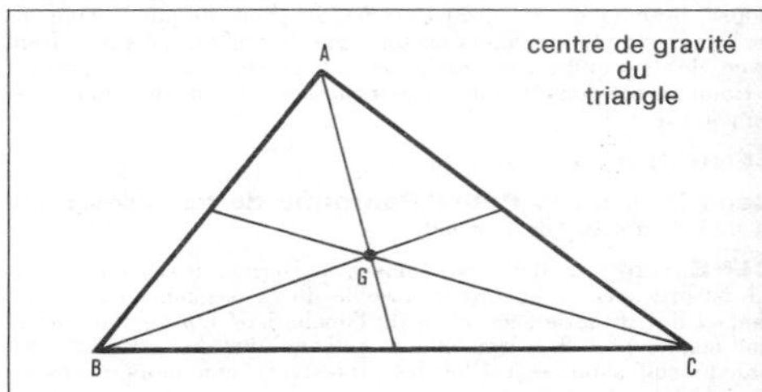

‖ *Centre de gravité d'un triangle ABC*, point G du plan défini par $\overrightarrow{GA} + \overrightarrow{GB} + \overrightarrow{GC} = \overrightarrow{O}$. (Le centre de gravité d'un triangle est le point où concourent les médianes du triangle.) ⟶ *fig.* ‖ *Centre de symétrie d'une figure* ⟶ SYMÉTRIE. — **2.** Région ou partie centrale d'un espace donné : *La ville de Bourges est au centre de la France* (syn. MILIEU). *Habiter dans le Centre, du côté de Moulins* (= dans les régions du centre de la France). — **3.** Point essentiel : *La question financière a été le centre du débat* (syn. CŒUR). — **4.** *Centre d'intérêt*, point sur lequel l'attention se porte à un moment donné. ◆ **centrage** n. m. Opération qui a pour but, en mécanique, de déterminer le centre d'une figure de pièce. ◆ **central, e, aux** adj. : *Il habite un quartier central* (= situé au centre de la ville) [contr. PÉRIPHÉRIQUE]. *La question financière est centrale* (syn. ESSENTIEL). ◆ **centrer** v. t. **1.** Déterminer le centre d'une pièce, ou fixer une pièce par son centre : *Si la roue est mal centrée, le mouvement ne sera pas régulier.* — **2.** *Centrer une activité, une question, une œuvre*, lui donner une direction précise, une orientation déterminée (syn. ORIENTER). ◆ **centrifuge** adj. *Force centrifuge*, force qui tend à éloigner d'un point ou d'un axe tout corps soumis à un mouvement de rotation autour de ce point ou de cet axe. ◆ **centripète** adj. *Force, mouvement centripète*, qui attire, qui mène vers le centre. ◆ **décentrer** v. t. Déplacer l'objectif d'un appareil photographique, pour que son axe ne soit pas au centre de la photo.

2. CENTRE [sɑ̃tr] n. m. (même étym.). **1.** Ville, localité caractérisée par l'importance de sa population ou de l'activité qui s'y déploie : *La Baule est un grand centre touristique* (syn. CITÉ, VILLE). *Les centres ruraux* (syn. AGGLOMÉRATION). ‖ *Centre commercial*, groupement de commerces autour d'un même point dans les grands ensembles. — **2.** Organisme consacré à un ensemble d'activités; lieu où se trouvent les organismes essentiels d'une entreprise : *Centre hospitalo-universitaire* (C. H. U.). — **3.** *Centres nerveux* ⟶ NERF. ◆ **central, e, aux** adj. **1.** *Le préfet est un représentant de l'administration centrale. L'idée centrale d'un livre.* — **2.** *Chauffage central* ⟶ CHAUFFAGE. ◆ **central** n. m. *Central téléphonique*, bureau auquel aboutissent les circuits téléphoniques d'un groupe d'abonnés. ◆ **centrale** n. f. **1.** *Centrale électrique*, ensemble des installations constituant une usine génératrice d'électricité. ‖ *Centrale hydraulique*, usine de production d'énergie électrique à l'aide de moteurs hydrauliques. ‖ *Centrale nucléaire*, usine de production d'énergie électrique à l'aide de moteurs thermonucléaires. ‖ *Centrale thermique*, usine de production d'énergie électrique à l'aide de moteurs thermiques. — **2.** Confédération de syndicats : *Centrales ouvrières.* ◆ **centraliser** v. t. et i. Grouper, ramener vers un organisme central : *Centraliser des renseignements* (syn. RASSEMBLER, RÉUNIR). *Centraliser des services publics* (contr. DÉCENTRALISER). ◆ **centralisation** n. f. Réunion en un seul centre de tous les pouvoirs de décision et d'autorité, pour l'ensemble d'un pays (contr. DÉCENTRALISATION). ◆ **centralisateur, trice** adj. et n. : *Un organisme centralisateur.* ◆ **décentraliser** v. t. et i. Disséminer à travers un pays des industries, des services administratifs qui étaient groupés en un même lieu; transférer aux organismes locaux certaines compétences du pouvoir central : *En décentralisant l'industrie automobile, on fournit du travail à une main-d'œuvre rendue disponible par la mécanisation de l'agriculture.* ◆ **décentralisation** n. f. Action de déléguer certains pouvoirs, auparavant groupés en un même centre, à des organismes locaux élus : *Le pouvoir central délègue une partie de son autorité aux municipalités*, qui décident du règlement des problèmes d'intérêt communal.* (⟶ AMÉNAGEMENT DU TERRITOIRE.)

3. CENTRE [sɑ̃tr] n. m. (même étym.). Ensemble des groupes politiques qui se situent entre la droite et la gauche, dans une assemblée délibérante. ◆ **centriste** adj. et n. : *Députés centristes.* ◆ **centrisme** n. m. Tendances politiques du centre.

4. CENTRE [sɑ̃tr] n. m. (même étym.). *Sports.* **1.** Passe au ballon, de l'aile vers l'axe du terrain. — **2.** Joueur placé au centre de la ligne d'attaque. (Au football, on dit plutôt *avant-centre*, et au rugby *trois-quarts centre.*) ◆ **centrer** v. t. et i. Au football, lancer le ballon de l'aile vers l'axe du terrain : *Il courut le long de la ligne de touche, puis il centra.* ◆ **recentrer** v. t. et i.

CENTRE *(canal du)*, canal qui unit la Saône à la Loire et dessert la région du Creusot, de Montceau-les-Mines, etc.; 114 km.

CENTRE, Région du centre de la France; 39 151 km^2; 2 264 000 hab. (58 au km^2). Ch.-l. *Orléans.*

Groupant les six départements du Cher, d'Eure-et-Loir, de l'Indre, d'Indre-et-Loire, de Loir-et-Cher et du Loiret, la Région s'étend principalement sur le sud du Bassin parisien. La densité moyenne de population est presque inférieure de moitié à la moyenne française; la population se concentre dans certaines sections des vallées (Val de Loire notamment), sites des principales agglomérations, Tours (145 400 hab.) et Orléans (110 000 hab.) en particulier.

L'*agriculture* emploie encore un pourcentage de population active supérieur à 12 p. 100 (donc assez nettement au-dessus de la moyenne nationale). La grande culture céréalière et betteravière est prospère dans la partie nord de la circonscription, occupant la quasi-totalité de la Beauce. Le Val de Loire est intensément mis en valeur.

L'*industrie* emploie les deux cinquièmes de la population active et a connu un développement rapide récemment : le Centre, relativement proche de Paris, a bénéficié largement de la décentralisation industrielle. Les activités les plus importantes sont les constructions mécaniques et électriques.

Centre national de la recherche scientifique ⟶ RECHERCHE SCIENTIFIQUE *(Centre national de la).*

CENTRER v. t. et i. ⟶ CENTRE 1 et 4.

CENTRIFUGE adj., **CENTRIPÈTE** adj. ⟶ CENTRE 2.

CENTRISME n. m., **CENTRISTE** adj. et n. ⟶ CENTRE 3.

CENTUPLE adj. et n. m., **CENTUPLER** v. t. et i. ⟶ CENT.

CENTURIE [sɑ̃tyri] n. f. (lat. *centuria*, groupe de cent citoyens). Division militaire et politique du peuple romain. (Elle comprenait à l'origine 100 hommes. Deux centuries formaient un *manipule.*) ◆ **centurion** n. m. Officier de l'armée romaine placé à la tête d'une centurie.

C. E. P., abrév. de *certificat* d'études primaires.* (⟶ CERTIFICAT.)

CEP [sɛp] n. m. (lat. *cippus*, pieu). Pied de vigne. ◆ **cépage** n. m. Plant de vigne; variété de vigne.

CÈPE [sɛp] n. m. (gascon *cep*). Champignon comestible, à spores, à chapeau épais, poussant dans les bois en été et en automne (syn. BOLET).

CEPENDANT [səpɑ̃dɑ̃] adv. *(ce*, et *pendant).* Marque une forte opposition à ce qui vient d'être dit et joue le rôle d'une conj. de coordination, dont la place est variable dans la phrase : *Elle s'habillait simplement, et cependant avec un goût très sûr* (syn. NÉANMOINS). *Cette histoire semble invraisemblable; elle est cependant vraie* (syn. POURTANT, TOUTEFOIS). [La loc. conj. *cependant que* (= pendant que) appartient à la langue littér.]

CÉPET *(cap)*, cap de la côte de Provence (Var), à l'extrémité d'une presqu'île fermant vers le S. la rade de Toulon.

CÉPHALÉE [sefale] n. f. (du gr. *kephalê*, tête, et *algein*, souffrir). Mal de tête.

CÉPHALONIE, île grecque de la mer Ionienne, à l'entrée du golfe de Patras; 737 km^2; 46 300 hab.

CÉPHALOPODES [sefalɔpɔd] n. m. pl. (du gr. *kephalê*, tête, et *pous, podos*, pied). Importante classe de mollusques, caractérisés par leur pied, divisé en tentacules et entourant la tête, tels que le *poulpe*, la *seiche*, le *nautile*, le *calmar.*

— ENCYCL. Tous les *céphalopodes* sont des animaux marins, nageurs rapides, carnassiers. Ils se caractérisent par un corps mou non segmenté, des tentacules, ou bras porteurs de ventouses adhésives (pour la capture des proies, la reptation sur les rochers, l'accouplement, etc.), un bec corné, une langue râpeuse (pour détruire leurs proies). Le manteau délimite une poche ventrale (cavité respiratoire) où sont les branchies, et dont la brusque contraction projette l'animal vers l'arrière grâce à un entonnoir qui projette vers l'avant une colonne d'eau sous pression. Sa fuite est couverte par un nuage d'encre *(sépia)* que l'animal répand pour se dissimuler. On classe les céphalopodes d'après le nombre de leurs tentacules, en *octopodes* (poulpe) et *décapodes* (seiche, calmar). Les céphalopodes sont comestibles.

CÉPHALO-RACHIDIEN, ENNE [sefalɔraʃidjɛ̃, -ɛn] adj. (du gr. *kephalê*, tête, et *rachidien*). Qui concerne l'encéphale et la moelle épinière (syn. CÉRÉBRO-SPINAL). ‖ *Liquide céphalo-rachidien*, liquide clair qui baigne tout l'axe cérébro-spinal.

CÉPHALOTHORAX [sefalɔtɔraks] n. m. (du gr. *kephalê*, tête, et *thorax*). Région antérieure du corps de certains invertébrés (crustacés, arachnides), qui comprend la tête et le thorax soudés.

CÉRAM, île d'Indonésie, dans le groupe des Moluques; 100 000 hab.

CÉRAMBYCIDÉS [serɑ̃biside] n. m. pl. (du gr. *kerambux*, capricorne, et *eidos*, apparence). Famille d'insectes coléoptères à longues antennes, brillamment colorés, et dont les larves creusent des galeries dans les arbres (syn. LONGICORNES).

CÉRAME [seram] n. m. (gr. *keramon*, vaisselle en terre cuite). Vase antique de terre cuite. ◆ adj. *Grès cérame*, grès employé en poterie.

CÉRAMIQUE [seramik] n. f. (du gr. *keramos*, argile). **1.** Art de fabriquer des poteries. ⟶ ENCYCL. — **2.** Objet fabriqué en terre cuite, en faïence, en porcelaine, etc. : *Carreaux de céramique.*

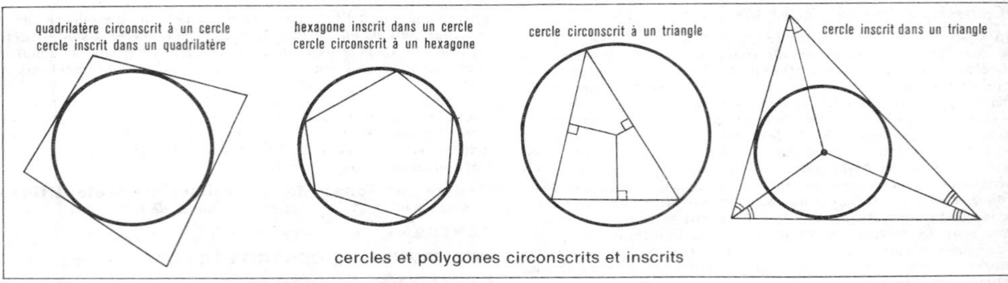

cercles et polygones circonscrits et inscrits

◆ **céramiste** n. Industriel qui fabrique des poteries; ouvrier qui pose les carreaux de céramique; personne qui décore ces objets.
— ENCYCL. L'élément commun des diverses pâtes *céramiques* est l'argile, dont le type le plus pur est le kaolin. On les cuit dans des fours en un ou plusieurs feux. La décoration éventuelle se fait sur la couverte (= émail recouvrant la pâte) ou dans la pâte même (engobes). On peut utiliser des pâtes colorées, des émaux, etc.
■ *L'art de la céramique*. La céramique apparut dès la préhistoire, au néolithique. Les Grecs ont produit des vases en terre cuite lustrée à figures noires, puis rouges. Au XVIe s., en France, les ateliers de Saint-Porchaire produisent des pièces réputées (Bernard Palissy). De grandes manufactures s'installent à Nevers, puis à Rouen et à Moustiers, et fabriqueront, au XVIIe et au XVIIIe s., une faïence émaillée. À l'époque moderne, la céramique prend un nouvel essor, notamment en France; la céramique artisanale se répand et des peintres célèbres la pratiquent.

CÉRASTE [serast] n. m. (gr. *kerastês*, cornu). Serpent venimeux d'Afrique et d'Asie, long de 75 cm, dit aussi VIPÈRE À CORNES, à cause des deux pointes situées au-dessus des yeux.

CERBÈRE. *Myth. gr.* Chien monstrueux, gardien des Enfers, qui dévorait quiconque essayait de tromper sa vigilance.

CERBÈRE [sɛrbɛr] n. m. (de *Cerbère*). Gardien sévère, intraitable.

CERBÈRE *(cap)*, cap de la côte des Pyrénées-Orientales, à la frontière espagnole.

CERCEAU [sɛrso] n. m. (du lat. *circus*, cercle). **1.** Cercle de bois léger que les enfants font rouler, par jeu, en le poussant avec un bâtonnet. — **2.** Cercle de bois ou de métal servant à maintenir les douves d'un tonneau.

1. CERCLE [sɛrkl] n. m. (lat. *circulus*). **1.** *Math.* Ensemble des points d'un plan situés à la même distance (appelée *rayon*) d'un point fixe (appelé *centre*) ⟶ ENCYCL. ‖ *Arc de cercle* ⟶ ENCYCL. — **2.** Objet affectant une forme circulaire : *Les cercles d'un tonneau.* — **3.** Ce dont on fait le tour, dont on embrasse l'étendue par le regard ou par l'esprit : *Un cercle de collines. Le cercle des relations, des connaissances.* — **4.** *Cercle vicieux*, raisonnement défectueux, au terme duquel la pensée revient à son point de départ, ou enchaînement fatal de faits qui ramènent sans cesse à la même situation fâcheuse (syn. SITUATION SANS ISSUE). ‖ *Quadrature du cercle*, problème impossible qui consisterait à construire avec la règle et le compas un carré ayant même aire qu'un cercle donné; difficulté insurmontable, chose impossible à atteindre. ◆ **demi-cercle** n. m. *Math.* ⟶ ENCYCL. ‖ Pl. des *demi-cercles.* ◆ **cercler** v. t. *Cercler qqch.*, l'entourer d'un cercle de métal, de bois, etc. ◆ **cerclage** n. m. : *Le cerclage d'un tonneau est l'opération qui consiste à le munir de cercles.* ◆ **circulaire** adj. **1.** Qui a la forme exacte ou approximative d'un cercle; qui décrit un cercle : *Un bassin circulaire.* — **2.** *Voyage circulaire*, qui ramène au point de départ. ◆ **circulairement** adv. En décrivant un cercle (syn. fam. EN ROND). ◆ **encercler** v. t. **1.** *Encercler un groupe de personnes, un lieu*, les entourer étroitement de toutes parts, de façon à ne laisser échapper personne (syn. CERNER). — **2.** *Encercler une chose*, l'entourer d'une ligne courbe, fermée : *Sur l'article de journal, un nom était encerclé au crayon rouge.* ◆ **encerclement** n. m. Sens 1 du v. : *La garnison a tenté plusieurs sorties pour échapper à l'encerclement.*
— ENCYCL. **cercle.** Si R est le rayon d'un cercle, la longueur du cercle est $2\pi R$, l'aire du disque limité par le cercle est πR^2.
On appelle *corde* tout segment dont les extrémités appartiennent au cercle; on appelle *diamètre* toute corde contenant le centre. ▷
Par trois points non alignés passe un cercle et un seul.
arc de cercle. On appelle *arc de cercle* l'intersection d'un cercle avec un demi-plan dont le bord contient une corde du cercle. Si le bord du demi-plan contient le centre, l'arc de cercle obtenu s'appelle un *demi-cercle*. Chaque arc de cercle d'extrémités A et B a ▷ un axe de symétrie qui le coupe en un point I dit *milieu* de l'arc. L'arc d'extrémités I et A inclus dans l'arc AB est isométrique* à l'arc d'extrémités I et B inclus dans l'arc AB; les deux couples de demi-droites (OI, OA) et (OI, OB) sont isométriques : les angles* géométriques $\widehat{IOA}$ et $\widehat{IOB}$ sont donc égaux.
Mesure des arcs de cercle ⟶ MESURE.

2. CERCLE [sɛrkl] n. m. (même étym.). **1.** Groupement de personnes assemblées en rond : *Un cercle de curieux s'est formé autour du camelot.* — **2.** Groupement de personnes unies par une activité ou des distractions communes; local où se réunissent ces personnes : *Un cercle littéraire.* — **3.** *Cercle de famille*, la proche famille réunie (parents, enfants, grands-parents). ‖ *Faire cercle autour de qq'un, de qqch.*, s'assembler tout autour.

CERCOPITHÈQUE [sɛrkɔpitɛk] n. m. (du gr. *kerkos*, queue et *pithêkos*, singe). Singe d'Afrique à longue queue.

CERCUEIL [sɛrkœj] n. m. (gr. *sarkophagos*). Caisse allongée où l'on enferme le corps d'un mort (syn. BIÈRE).

CERDAGNE, région des Pyrénées orientales, qui fut partagée entre la France et l'Espagne en 1659. La Cerdagne comprend le bassin du *Capcir* (haute vallée de l'Aude), les hautes vallées de la Têt et du Sègre. Élevage et cultures fruitières. Tourisme (Font-Romeu).

CERDAN (Marcel), boxeur français (1916-1949). Champion du monde des poids moyens en 1948.

CÈRE (la), riv. d'Auvergne, affl. de la Dordogne; 110 km. Elle prend sa source au plomb du Cantal.

CÉRÉALE [sereal] n. f. (de *Cérès*). Nom donné à diverses plantes dont les grains (blé, seigle, avoine, orge, riz, maïs, millet sorgho), surtout réduits en farine, servent à la nourriture de l'homme et des animaux domestiques. ◆ **céréalier, ère** adj. Relatif aux céréales : *Production céréalière.* ◆ **céréalier** n. m. : *Les céréaliers sont les gros producteurs de céréales, et en particulier de blé.*

CÉRÉBELLEUX, EUSE [serebɛlø, -øz] adj. (du lat. *cerebrum* cerveau). Qui appartient au cervelet : *Hémisphères cérébelleux.*

CÉRÉBRAL, E, AUX adj. ⟶ CERVEAU.

CÉRÉBRO-SPINAL, E, AUX [serebrɔspinal, -no] adj. (du lat. *cerebrum*, cerveau, et *spina*, épine). Qui concerne l'encéphale et la moelle épinière.

CÉRÉMONIE [seremɔni] n. f. (lat. *caeremonia*, caractère sacré). **1.** Acte plus ou moins solennel, par lequel on célèbre un culte religieux ou une fête profane : *La cérémonie du mariage* — **2.** (sans compl.) Politesse excessive : *Faire des cérémonies* (syn FAÇONS, MANIÈRES). ‖ *Sans cérémonie*, en toute simplicité (syn SANS PROTOCOLE). ◆ **cérémonial** n. m. Règles qui fixent le déroulement d'une cérémonie, ou règles de politesse : *Fatigué de tout ce cérémonial, le roi aurait préféré voyager incognito* (syn. ÉTI

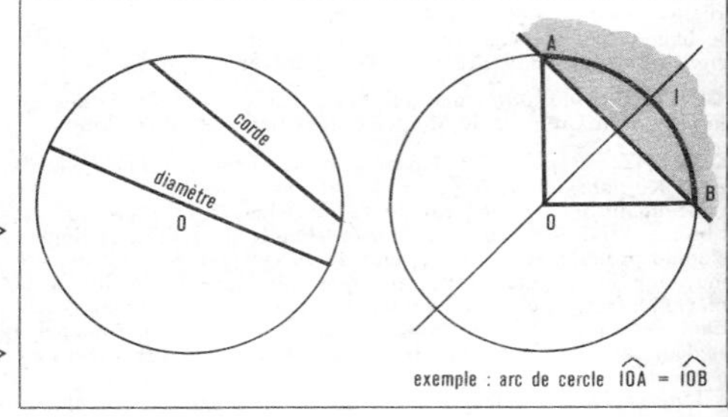

exemple : arc de cercle $\widehat{IOA} = \widehat{IOB}$

QUETTE, PROTOCOLE). *Entre amis, on peut bannir tout cérémonial* (syn. FAÇONS). ‖ Pl. des *cérémonials.* ◆ **cérémonieux, euse** adj. *Péjor.* Se dit de quelqu'un (ou de son comportement) qui montre une politesse excessive : *Un maître d'hôtel cérémonieux* (syn. ↑COMPASSÉ, GUINDÉ). ◆ **cérémonieusement** adv.

CÉRÈS, déesse latine des Moissons et de l'Agriculture.

CÉRET, ch.-l. d'arrond. des Pyrénées-Orientales, à 29 km au S.-O. de Perpignan; 6 900 hab. *(Cérétans).*

CERF [sɛr] n. m. (lat. *cervus*). Ruminant des forêts d'Europe, d'Asie et d'Amérique, atteignant 1,50 m au garrot et vivant en troupeau : *Le cerf brame.* (Famille des cervidés.)
— ENCYCL. L'espèce d'Europe, qui pèse en moyenne 150 kg, est l'objet de la chasse à courre. La femelle du *cerf* est la *biche,* le petit est le *faon;* le mâle porte des bois* d'autant plus développés et ramifiés qu'il est âgé.

CÉRITHE [serit] n. m. (lat. *cerithium*). Mollusque gastropode à coquille allongée, très abondant dans les roches tertiaires (calcaire grossier parisien).

CÉRIUM [serjɔm] n. m. (de *Cérès*). Métal dur, brillant, qui, allié au fer, sert à fabriquer les pierres à briquet (ferrocérium).

CERNAY, ch.-l. de cant. du Haut-Rhin, à 6 km à l'E. de Thann; 10 300 hab. *(Cernéens).*

CERNE n. m. ⟶ CERNER.

CERNEAU [sɛrno] n. m. (de *cerner,* enlever la coque verte [d'une noix]). Nom donné à la noix avant sa complète maturité.

CERNER [sɛrne] v. t. (lat. *circinare*). **1.** (sujet nom de chose) *Cerner qqch.,* être disposé en cercle autour : *Des montagnes cernent la ville* (syn. ENTOURER). — **2.** (sujet nom de personne) *Cerner une personne, un groupe de personnes,* les entourer de tous côtés pour les empêcher de fuir (syn. ENCERCLER). — **3.** *Cerner un lieu,* l'entourer afin d'empêcher que quelqu'un ne s'en échappe : *Les policiers cernent le quartier* (syn. BOUCLER). — **4.** *Cerner une question, une difficulté,* etc., en distinguer l'étendue, en marquer les limites (syn. CIRCONSCRIRE). — **5.** *Yeux cernés,* yeux entourés d'une zone gris bleuâtre, sous l'effet de la fatigue ou d'un mauvais état de santé. ◆ **cerne** n. m. **1.** Zone d'un gris bleuâtre qui entoure parfois les yeux. — **2.** Trace qu'un produit détachant laisse parfois autour de la partie nettoyée d'un tissu (syn. AURÉOLE). — **3.** Couche concentrique d'un arbre coupé en travers : *Le nombre des cernes sert à reconnaître l'âge d'un arbre.*

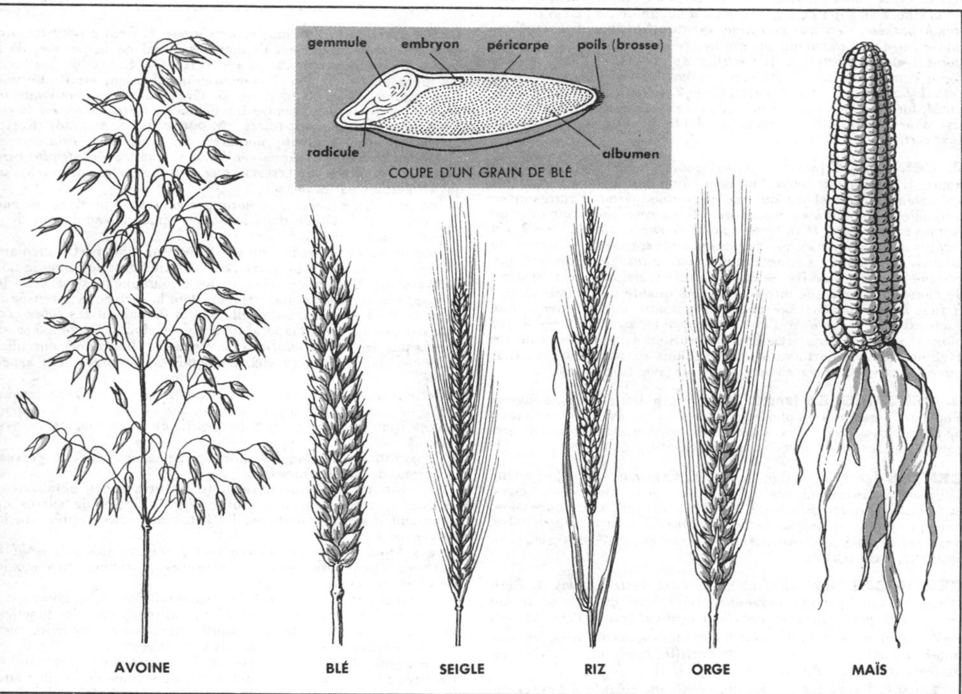

CERFEUIL [sɛrfœj] n. m. (gr. *khairephullon*). Plante aromatique cultivée comme condiment. (Famille des ombellifères.)

1. CERF-VOLANT [sɛrvɔlɑ̃] n. m. *(cerf,* et *volant).* Jouet constitué par une armature garnie de toile ou de papier, qu'on présente au vent de telle sorte qu'il s'élève tout en restant relié à l'opérateur par une ficelle. ‖ Pl. des *cerfs-volants.*

2. CERF-VOLANT [sɛrvɔlɑ̃] n. m. (même étym.). Nom usuel du LUCANE mâle, insecte coléoptère dont les mandibules, en forme de cornes dentelées, rappellent les bois du cerf. ‖ Pl. des *cerfs-volants.*

CERGY, ch.-l. de cant. du Val-d'Oise, à 3 km au S.-O. de Pontoise, sur l'Oise (r. dr.); 17 700 hab. Sur le territoire de la commune a été établie une partie de la ville nouvelle de *Cergy-Pontoise,* où est située la préfecture du Val-d'Oise et qui fait l'objet d'importants travaux d'urbanisme.

Cerisaie *(la),* comédie de Tchekhov, créée en 1904.

CERISE [səriz] n. f. (lat. *cerasum*). Fruit comestible, ordinairement rouge, du cerisier. ◆ adj. inv. De la couleur de la cerise : *Rubans cerise.* ◆ **cerisaie** n. f. Lieu planté de cerisiers. ◆ **cerisier** n. m. **1.** Arbre, cultivé pour ses fruits, ou cerises. (Famille des rosacées.) — **2.** Bois de cet arbre : *Une armoire en cerisier.*

CERQUE [sɛrk] n. m. (gr. *kerkos,* queue). Appendice pair porté par les derniers anneaux abdominaux de certains insectes, comme le perce-oreille.

CERRO DE PASCO, v. du Pérou, à 4 400 m d'alt.; 21 400 hab. Grand centre minier (cuivre, argent, or, plomb, zinc, bismuth).

1. CERTAIN, E [sɛrtɛ̃, -ɛn] adj. (du lat. *certus,* sûr) [après le nom]. **1.** (sans compl.) Se dit des choses sur lesquelles il ne subsiste aucun doute, qui entraînent la conviction : *La victoire de cette équipe est certaine* (syn. ASSURÉ, ÉVIDENT, MANIFESTE; contr. DOUTEUX). *La médecine a fait des progrès certains* (syn. INCONTES-

TABLE, INDÉNIABLE, INDISCUTABLE); et, impers. : *Il est certain, après enquête, que le témoin avait menti* (= il est hors de doute). — **2.** *Certain de* (suivi d'un nom ou d'un infin.), *certain que* (et l'indic.), se dit de quelqu'un qui est convaincu de la vérité, de l'exactitude de quelque chose : *Je suis certain de mes calculs* (syn. SÛR). — **3.** *Sûr et certain*, sert de renforcement aux sens 1 et 2 : *Soyez sûr et certain que je ferai tout mon possible pour vous aider.* ◆ **incertain, e** adj. (après le nom). Se dit de quelque chose ou de quelqu'un qui n'est pas certain (aux sens 1 et 2) : *Un résultat incertain* (syn. ALÉATOIRE, DOUTEUX). *L'avenir reste incertain* (syn. INDÉTERMINÉ). *Les experts sont incertains* (syn. INDÉCIS, PERPLEXE). ◆ **certainement** adv. **1.** Exprime la certitude de celui qui parle : *Vous savez certainement son adresse* (= je suis certain que vous savez son adresse). — **2.** Sert à renforcer une affirmation : *« Viendrez-vous demain? — Certainement »* (syn. ASSURÉMENT). ◆ **certitude** n. f. **1.** Sentiment qu'on a de la vérité, de l'existence de quelque chose : *Cette réponse me donnait la certitude que ma lettre était bien arrivée à destination* (syn. ASSURANCE). — **2.** Chose au sujet de laquelle on n'a aucun doute : *Ce n'est plus une hypothèse, c'est une certitude.* ◆ **incertitude** n. f. État d'une chose ou d'une personne incertaine; point sur lequel il y a des doutes. ◆ **certifier** v. t. **1.** *Certifier une chose*, la déclarer avec force comme certaine : *Pouvez-vous me certifier l'exactitude de cette information?* (syn. GARANTIR). — **2.** *Certifié conforme à l'original*, formule apposée sur une copie par une autorité administrative pour attester officiellement la fidélité de cette copie. ‖ *Professeur certifié* ⟶ CERTIFICAT.

2. CERTAIN, E [sɛrtɛ̃, -ɛn] adj. indéf. (même étym.) [avant le nom]. **1.** *Un certain* (suivi d'un nom commun), invite à considérer spécialement une chose ou une personne parmi d'autres avec lesquelles elle tend à se confondre : *Il est venu nous voir avec un certain cousin à lui. D'un certain point de vue, il a raison.* — **2.** *Un certain* (suivi d'un nom pr. de personne), exprime une nuance de mépris, de dédain : *Connaissez-vous un certain M. Lambert, qui prétend être de vos amis?* — **3.** *Un certain* (suivi d'un nom abstrait de chose), exprime une intensité ou une qualité non négligeables : *Il faut un certain courage pour entreprendre un tel travail. Son oncle est un homme déjà d'un certain âge* (= assez âgé). — **4.** (au plur. et toujours sans art.) Exprime surtout la pluralité, souvent avec une nuance partitive (= quelques-uns parmi d'autres) : *Certaines phrases de ce texte sont équivoques* (syn. QUELQUES).

3. CERTAINS, ES [sɛrtɛ̃, -ɛn] pron. indéf. pl. (même étym.). Plusieurs personnes ou plusieurs choses : *Certains sont incapables de garder un secret* (= il y a des gens qui sont...). *Certains d'entre vous paraissent m'avoir mal compris* (syn. QUELQUES-UNS).

CERTES [sɛrt] adv. (lat. *certo*). **1.** Exprime ou renforce une affirmation (langue soignée) : *« Avez-vous lu ce roman? — Certes, et je l'aime beaucoup. »* — **2.** Souligne souvent une concession, une opposition : *Je ne veux certes pas vous décourager, mais l'entreprise me semble bien difficile* (syn. ASSURÉMENT, BIEN SÛR, ÉVIDEMMENT, SANS DOUTE).

CERTIFICAT [sɛrtifika] n. m. (bas lat. *certificatum*). **1.** Écrit officiel ou signé par une personne compétente, qui atteste un fait concernant quelqu'un : *Un certificat médical* (syn. ATTESTATION). — **2.** Diplôme constatant officiellement les connaissances, les aptitudes de quelqu'un. → ENCYCL. ◆ **certifié, e** adj. et n. Se dit d'un professeur qui est titulaire du C. A. P. E. S.

— ENCYCL. Parmi les principaux *certificats* relatifs à l'enseignement, il faut citer :

le *certificat d'études primaires* (C. E. P.) [on dit encore simplement «le certificat»], aujourd'hui supprimé, diplôme décerné à tout élève qui réussissait un examen d'un niveau de fin d'études primaires.

le *certificat d'aptitude professionnelle* (C. A. P.), sanctionnant deux ou trois ans d'études professionnelles spécialisées (C. A. P. de dessinateur en mécanique, par exemple, de sténo-dactylographe, de vendeur, etc.);

le *certificat d'aptitude au professorat de l'enseignement général de collège* (C. A. P. E. G. C.), aujourd'hui supprimé, qui concernait les enseignants du premier cycle du second degré (collèges), aujourd'hui recrutés parmi les certifiés;

le *certificat d'aptitude au professorat de l'enseignement du second degré* (C. A. P. E. S.), qui est exigé pour enseigner dans les lycées d'enseignement général et technologique et dans les collèges;

le *certificat d'aptitude au professorat de l'enseignement technique* (C. A. P. E. T.), homologue du précédent pour les professeurs d'enseignement technologique des lycées et collèges.

CERTIFIER v. t., **CERTITUDE** n. f. ⟶ CERTAIN 1.

CÉRUMEN [serymɛn] n. m. (du lat. *cera*, cire). Substance grasse, jaune-brun, sécrétée dans le conduit auditif externe par les glandes qui tapissent ce conduit.

CÉRUSE [seryz] n. f. (lat. *cerussa*). Carbonate de plomb, employé en peinture, mais très toxique (syn. BLANC DE CÉRUSE, BLANC D'ARGENT).

CERVANTÈS (Miguel DE), écrivain espagnol (1547-1616).

- *1571. Engagé dans l'armée, il participe à la bataille de Lépante, où, blessé, il perd l'usage d'un bras.*
- *1575-1580. Fait prisonnier par les Turcs, il est emmené en captivité à Alger.*
- *1605. Il tire de ses multiples aventures la matière de son chef-d'œuvre, « Don Quichotte », qui connaît dès sa publication un immense succès.*

Récit des aventures extraordinaires et pittoresques de deux personnages, Don Quichotte, qui ne rêve que d'actions héroïques, et Sancho Pança, pratique et terre à terre, cette œuvre est écrite dans un style naturel et riche qui en fait le chef-d'œuvre de Cervantès.

- *1613. Les « Nouvelles exemplaires ».*

CERVEAU [sɛrvo] n. m. (lat. *cerebrum*). **1.** Centre nerveux situé dans le crâne, et qui est l'organe essentiel de la pensée, de la sensation, du mouvement. ⟶ ENCYCL. — **2.** Ensemble des facultés mentales (intelligence, mémoire, imagination, etc.) : *Cerveau bien organisé* (syn. ESPRIT). — **3.** Organisme qui coordonne les activités d'un service; centre intellectuel : *L'état-major est le cerveau des opérations militaires.* ◆ **cérébral, e, aux** adj. Relatif au cerveau ou à l'activité mentale : *Les deux moitiés du cerveau s'appellent les « hémisphères cérébraux ». Son travail est plus cérébral que manuel* (syn. INTELLECTUEL). ◆ n. Se dit de quelqu'un qui vit surtout par la pensée.

— ENCYCL. On appelle *cerveau* proprement dit la partie supérieure de l'encéphale*, située dans la boîte crânienne, au-dessus de la « tente » du cervelet*.

■ *Anatomie.* Le cerveau humain comprend une partie médiane, qui contient des centres nerveux importants groupés sous le nom de *thalamus*. Elle est cachée par deux volumineuses masses : les *hémisphères cérébraux*, symétriques, dont la surface est creusée de deux profondes scissures (= sillons) qui délimitent les *lobes cérébraux* (lobes frontal, temporal, pariétal, occipital), eux-mêmes sillonnés par des *circonvolutions cérébrales* (= bourrelets enroulés). Tous ces sillons donnent aux hémisphères cérébraux leur aspect plissé.

Cet ensemble est protégé des chocs contre la surface osseuse par trois enveloppes appelées *méninges* qui laissent un espace (occupé par le *liquide céphalo-rachidien*) entre l'os et le tissu nerveux.

■ *Constitution.* Comme les autres organes nerveux, le cerveau comprend deux substances.

La *substance grise* recouvre toute la surface des hémisphères cérébraux et constitue le cortex cérébral, creusé de sillons qui délimitent les circonvolutions. La substance grise représente les *centres nerveux*.

La *substance blanche* occupe tout le centre des hémisphères cérébraux et constitue les voies nerveuses qui relient entre eux les deux hémisphères.

■ *Les fonctions du cerveau.* Elles sont capitales : le cerveau est le centre nerveux « supérieur » où sont localisées toutes les fonctions qui gouvernent l'activité de l'esprit (intelligence, mémoire, pensée), la sensibilité, les mouvements volontaires.

Il est possible de reconnaître sur la surface du cortex cérébral des aires précises qui commandent tous les actes de la vie : aires de la motricité volontaire, de la sensibilité consciente, de la vision, de l'audition, de l'olfaction, du langage parlé, du langage écrit.

Toutes les causes de lésion du cerveau (hémorragies, fractures du crâne, maladies infectieuses du cerveau, comme les méningites) peuvent affecter des fonctions importantes et provoquer des pertes de mémoire, la diminution des facultés intellectuelles, etc.

CERVELAS [sɛrvəla] n. m. (it. *cervellato*). Saucisse cuite, grosse et courte, faite de chair hachée et épicée.

CERVELET [sɛrvəlɛ] n. m. (de *cerveau*). Centre nerveux situé sous le cerveau en arrière du bulbe rachidien. (Lorsqu'on le regarde par le haut, il a la forme d'un papillon aux ailes déployées.)

— ENCYCL. Le *cervelet* comporte une partie médiane, le *vermis*, et *deux lobes latéraux*. Il est situé dans l'étage inférieur de la boîte crânienne, et séparé des hémisphères cérébraux par une membrane qu'on appelle la *tente du cervelet*. La surface du cervelet est constituée de substance grise, creusée par des sillons. Il est relié au reste de l'encéphale (bulbe et noyaux gris du cerveau antérieur) par des *pédoncules cérébelleux* constitués de substance blanche.

■ *Fonctions.* Le cervelet joue un rôle de contrôle sur la contraction des muscles : il assure des actes comme la marche, la station debout, et la correction de tous nos mouvements volontaires. Une lésion du cervelet, quelle qu'elle soit, entraîne donc des troubles de l'équilibre (le sujet tombe, ou marche comme un homme ivre) des troubles du tonus musculaire (muscles mous ou rigides, impossibilité de garder une attitude normale), des troubles de la coordination des mouvements volontaires (le sujet ne peut plus saisir une poignée de porte, allumer une cigarette, boutonner les boutons de ses vêtements : la succession de ces gestes lui est impossible).

CERVELLE [sɛrvɛl] n. f. (lat. *cerebella*). **1.** Désigne la substance qui constitue le cerveau, et notamment le cerveau d'un animal, consommé comme aliment : *Coup qui fait jaillir la cervelle. Acheter une cervelle de mouton chez le boucher.* — **2.** La substance cérébrale considérée comme le siège des facultés intellectuelles : *J'ai beau me creuser la cervelle, je ne comprends pas* (= faire des efforts intellectuels). — **3.** Fam. *Brûler la cervelle à qq'un*, le tuer d'une balle dans la tête. (Dans le cas d'un suicide, on dit souvent *se brûler, se faire sauter la cervelle.*) ‖ *Tête sans cervelle*, personne très étourdie ou manquant de jugement. ◆ **écervelé, e** adj. et n. Se dit de quelqu'un qui agit sans réflexion, qui manque de suite dans les idées (syn. ↓ÉTOURDI, TÊTE EN L'AIR).

CERVETERI, comm. d'Italie dans le Latium, près de la mer Tyrrhénienne; 13 700 hab. Cerveteri fut un des principaux centres étrusques (tombes à tumulus, sarcophages sculptés).

CERVICAL, E, AUX [sɛrvikal, -ko] adj. (du lat. *cervix, -icis*, nuque). Qui concerne le cou : *Vertèbres cervicales* (= les sept vertèbres du cou).

CERVIDÉS [sɛrvide] n. m. pl. (du lat. *cervus*, cerf). Famille de ruminants dont les mâles ou les deux sexes portent des cornes pleines, ramifiées, caduques, appelées *bois (cerf, chevreuil, daim, élan, renne).*

CERVIN *(mont)*, en all. **Matterhorn,** un des principaux sommets des Alpes Pennines, de forme pyramidale, à la frontière de l'Italie et du canton suisse du Valais; 4 478 m.

CERVOISE [sɛrvwaz] n. f. (gaul. *cervesia*). Bière fabriquée avec de l'orge ou d'autres céréales, et consommée dans l'Antiquité et au Moyen Âge.

CES adj. dém. ⟶ CE.

C. E. S., abrév. de *collège* d'enseignement secondaire.*

CÉSALPINIACÉES [sezalpinjase] n. f. pl. (de *Césalpin*, botaniste italien). Famille de plantes légumineuses que l'on trouve dans les pays chauds, et qui comprend le *brésillet*, le *caroubier*, le *févier*, le *gainier*.

CÉSAR [sezar] n. m. (du n. de *Jules César*). Nom que conservèrent les empereurs romains successeurs de Jules César. ‖ *Les Douze Césars*, expression empruntée à Suétone et qui désigne Jules César et les onze premiers empereurs romains (Auguste, Tibère, Caligula, Claude, Néron, Galba, Othon, Vitellius, Vespasien, Titus et Domitien). ◆ **césarisme** n. m. Système de gouvernement comparable à celui qui fut institué par César, et dans lequel un seul homme s'est fait conférer par le peuple la totalité des pouvoirs (syn. DICTATURE).

CÉSAR (Jules), en lat. **Caïus Julius Caesar,** homme d'État romain (101 ou 100-44 av. J.-C.). Neveu de Marius, il devint rapidement un des chefs du parti populaire.

60. Il forme un triumvirat avec Pompée et Crassus.
59. Il est élu consul.
58. Nommé proconsul de la Gaule cisalpine et de la Narbonnaise, il entame la guerre des Gaules.

Il en retrace le déroulement dans une œuvre historique, *De bello Gallico.* Cette conquête lui apporte la gloire militaire et lui donne une armée.

52. Siège d'Alésia. César brise la résistance de Vercingétorix.
49-45. La guerre civile : César franchit le Rubicon. Il entre dans Rome, puis écrase Pompée à Pharsale (48) et ses alliés à Thapsus (46) et à Munda (45). Entre-temps, César installe Cléopâtre VII sur le trône d'Égypte.

De retour à Rome, César établit solidement son pouvoir : dictateur pour dix ans, puis à vie, consul à vie, grand pontife, *imperator* à titre héréditaire, il refuse le titre de roi mais en a tous les attributs. Il continue à favoriser le peuple en rétablissant l'ordre et en réformant profondément les institutions de l'État romain. Il réforme le calendrier, donnant son nom à un mois (juillet), et adopte son petit-neveu Octave. Mais les aristocrates du sénat, dirigés par Cassius et Brutus, forment une conspiration.

15 mars 44 av. J.-C. (ides de mars). Assassinat de Jules César.

César *(Jules)*, drame de Shakespeare (1599).

CÉSARÉE, anc. v. du nord de la Palestine, sur la Méditerranée. Bâtie par Hérode le Grand, elle fut détruite par les Turcs (XIIIe s.).

CÉSARIENNE [sezarjɛn] n. f. (du lat. *caedere*, couper). Opération chirurgicale consistant à extraire le fœtus par incision de la paroi abdominale.

CÉSARISME n. m. ⟶ CÉSAR.

CÉSIUM n. m. ⟶ CAESIUM.

CESSER [sese] v. t. (lat. *cessare*). **1.** *Cesser une chose*, y mettre fin : *Cesser le travail* (syn. ARRÊTER; fam. STOPPER). — **2.** *Cesser de* (et l'infin.), ne pas continuer à, s'interrompre de : *Pendant toute la séance, il n'a pas cessé de bavarder* (syn. ARRÊTER). ◆ v. i. Prendre fin : *Les combats ont cessé* (syn. S'ARRÊTER). ◆ **cessant, e** adj. *Toutes affaires cessantes*, avant toute autre chose, par priorité (langue admin.). ◆ **incessant, e** adj. (avant ou, plus souvent, après le nom). Se dit d'une chose qui ne cesse pas, qui dure ou qui se répète continuellement : *D'incessants efforts* (syn. CONTINUEL, ININTERROMPU). ◆ **cessation** n. f. : *La cessation des hostilités* (syn. ABANDON, ARRÊT). ◆ **cesse** n. f. *N'avoir pas de cesse que, n'avoir ni repos ni cesse que* ou *jusqu'à ce que* (suivi du subj.), ou *tant que* (suivi de l'indic.), ou *avant que* (suivi de l'infin.), ne pas prendre de repos avant que, insister jusqu'à ce que. — LOC. ADV. *Sans cesse*, de façon ininterrompue, continuellement, n'importe quand : *Le médecin peut être sans cesse appelé auprès d'un malade* (syn. À TOUT MOMENT). *Il est sans cesse absent* (syn. CONSTAMMENT, TOUJOURS, TOUT LE TEMPS). ◆ **cessez-le-feu** n. m. inv. Ordre d'arrêter les combats : *Proclamer le cessez-le-feu.*

CESSION n. f. ⟶ CÉDER 2.

C'EST-À-DIRE [sɛtadir] loc. adv. *(c'est, à* et *dire).* Introduit une définition (syn. AUTREMENT DIT, SOIT); une précision; une explication; une rectification : *Je l'ai rencontré hier, c'est-à-dire, plutôt avant-hier.* — LOC. CONJ. *C'est-à-dire que*, introduit une explication, un refus poli dont on donne l'explication.

CESTE [sɛst] n. m. (du lat. *caedere*, frapper). Gantelet garni de fer ou de plomb, dont se servaient les athlètes dans les combats du pugilat.

CESTODES [sɛstɔd] n. m. pl. (du gr. *kestos*, ceinture, et *eidos*, forme). Classe de vers plats comprenant des formes parasites à nombreux anneaux, telles que les *ténias*.

CÉSURE [sezyr] n. f. (du lat. *caedere*, couper). Repos à l'intérieur d'un vers après une syllabe accentuée.
— ENCYCL. La *césure* coupe le vers alexandrin en deux moitiés ou hémistiches. La règle du repos à l'hémistiche, imposée par Malherbe, a été formulée par Boileau :

Que toujours, dans vos vers | le sens, coupant les mots, (6/6)
Suspende l'hémistiche, | en marque le repos. (6/6)

CET, CETTE adj. dém. ⟶ CE.

CÉTACÉS [setase] n. m. pl. (du gr. *kêtos*, gros poisson). Ordre de mammifères aquatiques, presque tous marins, comprenant la *baleine*, le *cachalot*, le *dauphin*, le *narval*, etc.
— ENCYCL. Les *cétacés* ont une peau dépourvue de poils, mais doublée d'une épaisse couche de lard. Les membres postérieurs ont disparu, les membres antérieurs sont conformés en nageoires; il y a une nageoire caudale (horizontale) et parfois une nageoire dorsale. La respiration est pulmonaire comme chez les autres mammifères, mais de nombreux dispositifs favorisent la plongée. La bouche porte des dents chez les *odontocètes* (cachalot, dauphin, orque), des fanons (= lames de corne) chez les *mysticètes* (baleine). Le narval mâle possède une dent géante et unique. L'ordre des cétacés comprend les plus grands animaux ayant jamais existé (le rorqual bleu mesure 30 m et pèse 100 t) et d'autres particulièrement intelligents et usant d'une sorte de langage (dauphin).

CÉTOINE [setwan] n. f. (du lat. *cetonia*). Insecte coléoptère, vert doré, qui se nourrit des fleurs sur lesquelles il vit. (Carabéidés.)

CÉTONE [setɔn] n. f. (de *acétone*). Nom général des composés chimiques analogues à l'acétone.

CEUTA, v. espagnole de la côte d'Afrique, en face de Gibraltar; 67 200 hab.

• *1640. Ceuta devient un préside espagnol.*

CEUX, CELLES pron. dém. ⟶ CE.

CÉVENNES (les), région de France, sur la bordure sud-est du Massif central, entre le causse de Larzac, au S.-O., et le Vivarais, au N.-E.; 1 699 m au signal de Finiels (mont Lozère). Les Cévennes sont formées par une série de blocs cristallins faillés, orientés de l'E. à l'O., aux sommets aplanis. Les principaux massifs sont le *Tanargue*, le *Goulet*, le *mont Lozère*, le *Bougès*, l'*Aigoual*, qui se prolongent par de longues crêtes (= les serres) dominant de profondes vallées. Cette région très boisée est aujourd'hui en partie dépeuplée. Parc national couvrant environ 86 000 ha.

CÉVENOL, E [sevənɔl] adj. et n. Des Cévennes.

CEYLAN ⟶ SRI LANKA.

CÉZALLIER ou **CÉZALIER,** plateau basaltique d'Auvergne, au N.-E. du massif du Cantal; 1 555 m.

CÉZANNE (Paul), peintre français (1839-1906). Provençal de naissance, il fréquente à Paris les impressionnistes* avec qui il expose en 1874; mais son art diffère considérablement du leur : il ne représente pas les formes en mouvement, mais au contraire multiplie les natures mortes* (simples fruits ou légumes posés sur une table). Peu soucieux de perspective, il traduit l'espace et la profondeur par les couleurs. Il a également peint les paysages de la Provence (montagne Sainte-Victoire). Son besoin de reconstruire la réalité selon les lois abstraites de l'harmonie du dessin et de la couleur annonce les cubistes et les peintres abstraits du XXe s.

CÈZE (la), riv. des Cévennes, qui descend du mont Lozère et qui rejoint le Rhône en amont de Roquemaure; 100 km.

CF., abrév. du lat. *confer* signif. *reportez-vous à,* dont on fait précéder l'indication d'un ouvrage, d'un passage auquel on renvoie.

C. F. D. T., abrév. de *Confédération* française démocratique du travail.*

C. F. E.-C. G. C., abrév. de *Confédération française de l'encadrement-C. G. C.* (→ CONFÉDÉRATION* GÉNÉRALE DES CADRES).

C. F. T. C., abrév. de *Confédération française des travailleurs chrétiens.*

C. G. C., abrév. de *Confédération* générale des cadres.*

C. G. S., système d'unités dont les unités fondamentales sont le *centimètre* (longueur), le *gramme* (masse), la *seconde* (temps).

C. G. T., abrév. de *Confédération* générale du travail.*

C. G. T.-F. O., abrév. de *Confédération* générale du travail-Force ouvrière.*

CHABLAIS, massif des Préalpes françaises du Nord, entre le lac Léman, le Faucigny et le massif du Mont-Blanc; 3 109 m au Buet. Le massif a été formé par des nappes de charriage. Élevage.

CHABLIS, ch.-l. de cant. de l'Yonne, sur le Serein, à 16 km au S.-O. de Tonnerre; 2400 hab. Vins blancs réputés.

CHABRIER (Emmanuel), compositeur français (1841-1894), auteur de *España* (1882), *Gwendoline* (1885), *le Roi malgré lui* (1887), la *Bourrée fantasque* (1891). Il eut une grande influence sur l'école française contemporaine (Debussy, Ravel).

CHACAL, ALS [ʃakal] n. m. (turc *tchaqal*). Mammifère carnivore d'Asie et d'Afrique, de la taille d'un renard, qui se nourrit des restes laissés par les grands fauves : *Le chacal jappe.*

CHACO ou **GRAN CHACO,** région de steppes, peu peuplée, de l'Amérique du Sud, partagée entre l'Argentine et le Paraguay.

CHACUN, E [ʃakœ̃, -yn] pron. indéf. (bas lat. *cata unum,* un à un), **CHAQUE** [ʃak] adj. et pron. indéf. (de *chacun*). Indiquent la répartition, la distribution. ⟶ tableau ci-dessous.

Chacun sa vérité, pièce de L. Pirandello (1916).

CHADLI (Chadli BEN DJEDID, dit), officier et homme d'Éta algérien, né en 1929, président de la République de 1979 à 1992

CHADWICK (*sir* James), physicien anglais (1891-1974). Il a découvert l'effet photo-électrique nucléaire et reconnu, en 1932 l'existence du neutron. (Prix Nobel de physique, 1935.)

CHAFOUIN, E [ʃafwɛ̃, -in] adj. et n. (mot du Centre). *Péjor.* Se dit de quelqu'un (ou de son visage) d'aspect chétif, qui a un ai rusé, sournois (syn. CAUTELEUX).

CHAGALL (Marc), peintre et graveur français d'origine russe (1887-1985). Son enfance, passée dans le ghetto de sa ville natale Vitebsk, le marque beaucoup. Sa peinture est inspirée par le folklore juif (fraîcheur et éclat des couleurs, apparente naïveté du dessin). Mais chez lui l'imagination prime sur la réalité. Ainsi quand il veut exprimer son bonheur familial, il se peint sur le épaules de sa femme, leur petite fille volant dans les airs (*Doubl Portrait au verre de vin,* 1917).

CHAGNY, ch.-l. de cant. de Saône-et-Loire, à 17 km au N.-O. de Chalon-sur-Saône, sur la Dheune; 5600 hab. *(Chagnotins).*

1. CHAGRIN [ʃagrɛ̃] n. m. (de *chat,* et *grigner,* se lamente comme les chats). Souffrance morale : *L'enfant a eu un gro chagrin à la mort de son canari* (syn. PEINE). *Un profond chagrir* (syn. DOULEUR, TRISTESSE). ◆ **chagrin, e** adj. **1.** Se dit d'une personne (ou de son comportement) qui éprouve ou qui laisse apparaître de la tristesse, de la contrariété (langue soignée) : *Il paraissait tout chagrin à l'idée de cette promenade manquée* (syn plus usuels CONTRARIÉ, TRISTE). — **2.** Qui est porté à la mauvaise humeur, qui est d'un caractère sombre (vieilli) : *Les gens chagrin trouvent à redire sur tout* (syn. plus usuels BOUGON, MAUSSADE REVÊCHE). ◆ **chagriner** v. t. **1.** (sujet nom de personne ou de chose) *Chagriner qq'un,* lui causer du chagrin, de la peine : *Ce refus m'a vivement chagriné* (syn. ATTRISTER, PEINER). — **2.** (suje nom de chose) *Chagriner qq'un,* lui causer du souci, de la contra riété; lui déplaire : *Dans son explication, il y a un détail qui m chagrine* (syn. CONTRARIER). ◆ **chagrinant, e** adj. : *Nouvell chagrinante* (syn. ↑DÉSOLANT).

2. CHAGRIN [ʃagrɛ̃] n. m. (turc *çâgri*). Cuir grenu, en peau de chèvre ou de mouton, utilisé en reliure.

CHĀH ou **SHĀH** [ʃa] n. m. (mot persan signif. *roi*). Titre porté par les anciens souverains d'Iran et dont l'origine remonte aux souverains perses achéménides. (L'anc. express. « roi des rois » se traduit en persan moderne par *chāhinchāh.*)

CHÂHPUHR, nom porté par trois rois de Perse (IIIe-IVe s.) CHÂHPUHR II persécuta les chrétiens et disputa à Rome la possession de l'Arménie.

CHAHUT [ʃay] n. m. (onomat.). **1.** Vacarme, généralemen accompagné de désordre, fait par des élèves ou des étudiants qu manifestent contre un professeur, un surveillant, une autorité quel

---

chacun
PRON. INDÉF.

1. Répartition. Personne ou chose faisant partie d'un tout et considérée en elle-même, séparément des autres (au sing., souvent avec un compl.) :
Chacun d'entre vous a fait son devoir. Retirez-vous chacun de votre côté. Remettez ces livres chacun à sa place (ou *à leur place*).

2. Distribution. Personne ou chose en général (avec ou sans compl.) :
Ce n'est peut-être pas vrai, mais chacun le dit.
Il accordait à ses visiteurs dix minutes chacun.

3. **Tout un chacun,** renforcement de *chacun :*
Tout un chacun doit connaître les règlements de la circulation (syn. TOUTE PERSONNE). *Comme tout un chacun, il avait longtemps cherché un logement.*

chaque
ADJ. INDÉF.

1. Répartition. Se dit de toute personne ou de toute chose faisant partie d'un tout et considérée en elle-même, séparément des autres (seulement avec un sing.) :
Chaque membre de la famille donna son avis.
Chaque âge a ses plaisirs.

2. Distribution. Se dit d'une personne ou d'une chose en général :
Le téléphone sonne à chaque instant (= à tout instant).
Chaque homme, chaque femme a les préjugés de son sexe (après une suite de substantifs précédés de *chaque,* le verbe se met de préférence au sing.).

PRON. INDÉF.

Emploi limité, dans la langue de la conversation, à des constructions comme : *Acheter des cravates pour dix francs chaque* (au lieu de *chacune*).

conque. — **2.** Grand bruit collectif (syn. TAPAGE). ◆ **chahuter** v. i. Faire du chahut. ◆ v. t. **1.** *Chahuter un professeur, un conférencier,* etc., faire un désordre bruyant pendant son exposé. — **2.** Fam. *Chahuter qqch.*, le bousculer, le traiter sans ménagement. ◆ **chahuteur, euse** adj. et n. : *Élève chahuteur.*

CHAI [ʃɛ] n. m. (gaul. *caio*). Lieu où sont emmagasinés des vins ou des eaux-de-vie en fûts. ‖ *Maître de chai,* personne responsable des soins à donner aux vins et aux eaux-de-vie entreposés dans un chai.

CHAILLOT, quartier du XVIe arrond. de Paris, sur la Seine (r. dr.). — Le *palais de Chaillot* a été construit en 1937 sur l'emplacement de l'ancien *Trocadéro.* Il abrite le musée des Monuments français, le musée de l'Homme, le musée de la Marine, la Cinémathèque française et le Théâtre national de Chaillot.

1. CHAÎNE [ʃɛn] n. f. (lat. *catena*). **1.** Lien constitué par des anneaux métalliques engagés les uns dans les autres : *La chaîne d'une ancre. Il portait au cou une fine chaîne en or.* ‖ *Chaîne d'arpenteur,* chaîne formée d'un ruban d'acier ou de maillons allongés, d'une longueur de 10 m, pour la mesure des distances. — **2.** Ensemble des fils parallèles, régulièrement espacés, disposés dans le sens de la longueur d'une pièce de tissu, et entre lesquels passent les fils de la trame. — **3.** (surtout au plur.) État de dépendance, de servitude (littér.) : *Les chaînes de l'esclavage* (syn. LIENS). ◆ **chaînette** n. f. **1.** Petite chaîne. — **2.** Point à l'aiguille ou au crochet qui présente une série de boucles piquées les unes dans les autres comme les maillons d'une chaîne. ◆ **chaînon** n. m. Chacun des anneaux d'une chaîne (syn. MAILLON). ◆ **déchaîner** v. t. Détacher de sa chaîne : *Déchaîner une barque.* ◆ **enchaîner** v. t. **1.** *Enchaîner un être animé,* l'attacher avec une chaîne : *Enchaîner les bœufs.* — **2.** *Enchaîner qq'un, qqch.*, le soumettre à une contrainte sévère (littér.) : *Un peuple enchaîné par la puissance occupante* (syn. ASSERVIR).

2. CHAÎNE [ʃɛn] n. f. (même étym.). A le sens de « suite ininterrompue » dans quelques express. : *Chaîne de fabrication, de montage* (= série des opérations spécialement coordonnées en vue d'une fabrication industrielle d'objets manufacturés). ‖ *Travail à la chaîne,* organisation du travail dans laquelle chaque ouvrier exécute une seule et même opération sur chacune des pièces qui circulent devant lui; et, fam., travail astreignant, sans un moment de répit. ‖ (sujet nom de personne) *Faire la chaîne,* se placer à la suite les uns des autres pour se transmettre des objets. ‖ *Réaction en chaîne,* succession d'événements dont chacun est la conséquence du précédent. ◆ **chaînon** n. m. Chacun des éléments (personnes ou choses) d'une suite : *Un chaînon de votre raisonnement m'échappe* (syn. MAILLON). ◆ **enchaîner** v. t. *Enchaîner des mots, des idées,* etc., les disposer selon un ordre logique, les faire se succéder. ◆ **s'enchaîner** v. pr. (sujet nom de chose). Être lié par un rapport de dépendance logique : *Les épisodes de ce roman s'enchaînent très naturellement.* ◆ **enchaînement** n. m. : *Un enchaînement de circonstances* (syn. SUITE).

3. CHAÎNE [ʃɛn] n. f. (même étym.). **1.** *Chaîne radiophonique, chaîne de télévision,* ou *chaîne,* ensemble de postes constituant un système de relais et diffusant simultanément le même programme de radio, de télévision : *Les téléspectateurs de la deuxième chaîne.* — **2.** Ensemble comprenant un tourne-disque, un amplificateur et des haut-parleurs : *Une chaîne stéréophonique.*

4. CHAÎNE [ʃɛn] n. f. (même étym.). *Chaîne de montagnes,* ou *chaîne,* suite de montagnes formant une ligne continue : *La chaîne des Pyrénées.* ◆ **chaînon** n. m. Ensemble montagneux faisant partie d'une chaîne secondaire ou se greffant sur elle.

5. CHAÎNE [ʃɛn] n. f. (même étym.). *Chim.* Dans une formule, suite d'atomes de carbone reliés, disposés soit en chaîne ouverte (série grasse), soit en chaîne fermée (série cyclique).

CHAÎNETTE n. f. ⟶ CHAÎNE 1.

CHAÎNON n. m. ⟶ CHAÎNE 1, 2 et 4.

1. CHAIR [ʃɛr] n. f. (lat. *caro, carnis*). **1.** Substance qui constitue les muscles de l'homme et des animaux : *La chair et les os;* parfois au plur. : *Avoir les chairs à vif.* — **2.** Substance comestible de certains fruits, autre que la peau et le noyau ou les pépins : *Une pêche à la chair bien juteuse* (syn. PULPE). — **3.** *Chair à canon,* désigne les soldats que l'on considère comme promis à la mort du fait des guerres. ‖ *Chair de poule,* peau devenue comme granuleuse, sous l'effet du froid ou de la peur. ‖ Fam. *En chair et en os,* se dit d'une personne bien vivante, par oppos. à son portrait, à l'idée qu'on se fait de cette personne, etc. (syn. non fam. EN PERSONNE). ‖ *Être bien en chair,* avoir la chair bien rebondie, un léger embonpoint (syn. fam. ÊTRE GRASSOUILLET). ‖ Fam. *N'être ni chair ni poisson,* ne pas être d'une nature nettement définie; avoir des opinions sans fermeté. ◆ **charnu, e** adj. Constitué de chair, par oppos. à l'ossature; bien fourni en chair : *Les parties charnues du corps.*

2. CHAIR [ʃɛr] n. f. (même étym.). Le corps, par oppos. à l'ÂME, à l'ESPRIT (religieux ou littér.) : *Il préfère les plaisirs de l'esprit, sans mépriser toutefois ceux de la chair.* ◆ **charnel, elle** [ʃarnɛl] adj. Qui a trait aux plaisirs des sens. ◆ **charnellement** adv.

CHAIRE [ʃɛr] n. f. (gr. *kathedra,* siège). **1.** Siège élevé sur une estrade, ou tribune d'où un professeur ou un prédicateur s'adresse à son auditoire. — **2.** Poste d'enseignement, spécialement dans une faculté. — **3.** *Chaire apostolique, chaire de saint Pierre* (= le Saint-Siège, la papauté).

CHAISE [ʃɛz] n. f. (forme dial. de *chaire*). **1.** Siège à dossier, sans bras. — **2.** *Chaise électrique,* dans certains États des États-Unis, fauteuil sur lequel on place un condamné à mort pour l'électrocuter. ‖ *Chaise longue,* chaise pliante en toile sur laquelle on peut s'allonger. ‖ *Chaise à porteurs,* siège fermé et couvert dans lequel on se faisait porter par deux hommes. ‖ *Chaise de poste,* voiture à cheval utilisée autref. pour le transport rapide du courrier et de quelques voyageurs. ◆ **chaisière** n. f. Personne qui perçoit le prix d'occupation des sièges dans les jardins publics.

CHAISE-DIEU (La), ch.-l. de cant. de la Haute-Loire, à 17 km au S. d'Arlanc; 953 hab. *(Casadéens).* L'*abbaye de la Chaise-Dieu* (*Casa Dei,* « maison de Dieu ») fut fondée au XIe s. par Robert de Turlande. Son église (XIVe s.) est un très grand édifice gothique, qui contient le tombeau en marbre noir du pape Clément VI, et une fresque célèbre, *la Danse macabre.*

CHAISIÈRE n. f. ⟶ CHAISE.

CHAKHTY, v. de l'U. R. S. S., dans le Donbass; 205 300 hab. Mines de houille.

1. CHALAND [ʃalɑ̃] n. m. (gr. *khelandion*). Bateau à fond plat, destiné au transport fluvial des marchandises. ◆ **chaland-citerne** n. m. Chaland spécialement conçu pour le transport des liquides en vrac, et particulièrement des produits pétroliers. ‖ Pl. des *chalands-citernes.*

2. CHALAND [ʃalɑ̃] n. m. (de l'anc. fr. *chaloir,* être d'intérêt pour). Acheteur, client d'un marchand (vieilli).

CHALCÉDOINE, ville de l'Antiquité, en Asie Mineure (Bithynie), à l'entrée du Bosphore de Thrace.

CHALCIDIQUE, presqu'île de Grèce, qui se détache de la Macédoine et qui projette vers le S.-E. trois étroites péninsules dont celle du mont Athos*.

CHALCOGRAPHIE [kalkɔgrafi] n. f. (du gr. *khalkos,* cuivre, et *graphein,* écrire). Établissement public où l'on conserve des planches gravées sur lesquelles on tire des épreuves : *La chalcographie du Louvre.*

CHALDÉE, nom d'abord donné à une partie de la région de Sumer, puis à la Babylonie. (⟶ BABYLONE.) ◆ **chaldéen, enne** adj. et n. De la Chaldée.

CHÂLE [ʃɑl] n. m. (persan *shal*). Pièce de tissu que les femmes portent sur les épaules ou sur la tête.

CHALET [ʃalɛ] n. m. (mot de la Suisse romande). **1.** Petit bâtiment à toit plat, fait de planches ou de troncs et de branches d'arbres, et recouvert de tuiles de bois, qui sert d'habitation aux montagnards. — **2.** Habitation champêtre, dont la forme rappelle celle des chalets suisses.

CHALETTE-SUR-LOING, ch.-l. de cant. du Loiret, à 1 km au N. de Montargis, sur le Loing; 15 000 hab.

CHALEUR n. f. ⟶ CHAUD 1 et 2.

CHALEUREUSEMENT adv., **CHALEUREUX, EUSE** adj. ⟶ CHAUD 2.

CHÂLIT [ʃɑli] n. m. (du lat. *catasta,* estrade, et *lectus,* lit). Bois de lit ou armature en fer d'un lit.

CHALLANS, ch.-l. de cant. de la Vendée, à 16 km au N.-E. de Saint-Jean-de-Monts; 13 100 hab. *(Challandais).*

CHALLENGE [ʃalɑ̃ʒ] n. m. (mot angl.). Épreuve sportive où est mis en jeu un titre de champion. ◆ **challenger** [ʃalɑ̃ʒœr] n. m. Sportif qui dispute un challenge en concourant pour le titre avec le champion (se dit surtout en boxe).

CHÂLONS-SUR-MARNE, ch.-l. de la Région Champagne-Ardenne et du dép. de la Marne, sur la Marne; 54 400 hab. *(Châlonnais).* Cathédrale du XIIIe s. La ville fut l'une des grandes foires de Champagne, au Moyen Âge.

CHALON-SUR-SAÔNE, ch.-l. d'arrond. de Saône-et-Loire, sur la Saône et le canal du Centre; 58 000 hab. *(Chalonnais).* Centre industriel (constructions mécaniques, électriques, chimie).

CHALOSSE, région du bassin d'Aquitaine, au S. des Landes, entre l'Adour et le cours inférieur du gave de Pau.

CHALOUPE [ʃalup] n. f. (de l'anc. fr. *eschalope*, coquille de noix). Grand canot assurant le service d'un navire, à bord duquel il est embarqué.

CHALUMEAU [ʃalymo] n. m. (du lat. *calamus*, roseau). **1.** Tuyau de paille, de roseau, etc., dont on se sert pour aspirer un liquide : *Boire avec un chalumeau.* — **2.** Terme désignant la flûte champêtre ou le hautbois. — **3.** Appareil produisant un jet de flamme, utilisé pour fondre des métaux en vue de leur assemblage par soudage ou de leur découpage.

CHALUT [ʃaly] n. m. (mot de l'Ouest). Filet de pêche en forme de poche, qu'on traîne sur les fonds marins. ◆ **chalutier** n. m. Bateau spécialement équipé pour la pêche au chalut.

CHAMADE [ʃamad] n. f. (it. *chiamata*, appel). *Cœur qui bat la chamade*, qui bat à coups précipités, sous l'effet de l'émotion.

CHAMAILLER (SE) [səʃamɑje] v. pr. (de l'anc. fr. *chapeler*, et *mailler*, frapper). Se disputer bruyamment et pour des riens (syn. SE QUERELLER). ◆ **chamaillerie** ou **chamaille** n. f. Querelle bruyante et pour des motifs futiles. ◆ **chamailleur, euse** adj. et n. Qui aime à se chamailler.

CHAMALIÈRES, ch.-l. de cant. du Puy-de-Dôme, dans la banlieue ouest de Clermont-Ferrand ; 18 000 hab. *(Chamaliérois).* Imprimerie de la Banque de France.

CHAMAN [ʃamɑ̃] ou **CHAMANE** [ʃaman] n. m. (mot signif. *prêtre*). Nom donné aux sorciers de l'Asie septentrionale. ◆ **chamanisme** n. m. Ensemble de pratiques magiques de certains peuples de l'Asie centrale et septentrionale.

CHAMARRER [ʃamare] v. t. (de l'esp. *zamarra*, manteau de berger). *Péjor.* Surcharger d'ornements voyants (surtout au passif) : *Un officier en tenue d'apparat, chamarré de décorations.* ◆ **chamarrure** n. f. (surtout au plur.). Ornements voyants.

CHAMBARD [ʃɑ̃bar] n. m. (orig. obscure). *Fam.* Grand désordre, souvent accompagné de vacarme; protestation bruyante. ◆ **chambarder** v. t. *Chambarder qqch.*, le mettre en désordre, sens dessus dessous. ◆ **chambardement** n. m. : *Le chambardement général* (= la révolution, la guerre).

CHAMBELLAN [ʃɑ̃bɛlɑ̃] n. m. (frq. *kamerling*). Officier de cour qui était chargé de tout ce qui concernait le service intérieur de la chambre d'un prince. ‖ *Grand chambellan*, le plus élevé en dignité des chambellans.

CHAMBERLAIN (Joseph), homme d'État britannique (1836-1914). Député libéral en 1876, ministre du Commerce en 1880, ministre des Colonies de 1895 à 1903, il se fit le champion de l'unionisme et de l'impérialisme.

CHAMBERLAIN (*sir* Austen), fils du précédent (1863-1937), député libéral unioniste en 1892, chancelier de l'Échiquier (de 1903 à 1906 et de 1919 à 1921), ministre des Affaires étrangères de 1924 à 1929.

CHAMBERLAIN (*sir* Arthur Neville), demi-frère du précédent (1869-1940); député conservateur en 1918, ministre des Finances en 1931, Premier ministre en 1937. Il s'efforça de maintenir la paix devant le danger hitlérien et signa les accords de Munich (septembre 1938). Cette politique ayant échoué, il déclara la guerre à l'Allemagne (septembre 1939) et fut remplacé par Winston Churchill après les premiers succès allemands (mai 1940).

CHAMBERTIN [ʃɑ̃bɛrtɛ̃] n. m. Grand vin rouge de Bourgogne (commune de Gevrey-Chambertin).

CHAMBÉRY, ch.-l. du dép. de la Savoie, entre les massifs des Bauges et de la Grande-Chartreuse; 54 900 hab. *(Chambériens).* Château des princes de Savoie qui a été restauré au XIXe s. Cathédrale du XVIe s.

• *1232-1562. Chambéry est la capitale des comtes et ducs de Savoie.*

CHAMBOLLE-MUSIGNY, comm. de la Côte-d'Or, à 17 km au S. de Dijon; 364 hab. Grands vins de Bourgogne.

CHAMBON-FEUGEROLLES (Le), ch.-l. de cant. de la Loire, à 8,5 km au S.-O. de Saint-Étienne; 18 200 hab. *(Chambonnaires).* Sidérurgie.

CHAMBORD, comm. de Loir-et-Cher, à 18 km à l'E. de Blois; 206 hab. La forêt domaniale, ou *parc de Chambord*, s'étend sur 4 563 ha; entourée de plus de 30 km de murs, c'est une grande réserve de chasse.
BEAUX-ARTS. Le château, chef-d'œuvre de la Renaissance, fut commencé sur l'ordre de François Ier en 1519 et terminé v. 1540. Il se compose d'une enceinte rectangulaire sur laquelle s'appuie un énorme donjon flanqué de quatre tours. Construit sur un plan médiéval, analogue à celui du château de Vincennes, il innove par la grandeur des proportions, l'abondance des motifs de décoration. Il fut habité par les rois de France jusqu'à Louis XV.

CHAMBORD (Henri DE BOURBON, *duc* DE BORDEAUX, *comte* DE), prince français, dernier représentant de la branche aînée des Bourbons (1820-1883), fils posthume du duc de Berry. Après la mort de Charles X (1836), il devint le prétendant légitime au trône de France sous le nom d'Henri V. Alors que les orléanistes avec le comte de Paris reconnaissaient ses prétentions au trône et que la restauration semblait imminente, le comte de Chambord fit tout échouer par son intransigeance, se refusant à abandonner le drapeau blanc pour le drapeau tricolore (27 octobre 1873).

CHAMBRANLE [ʃɑ̃brɑ̃l] n. m. (du lat. *camerare*, voûter, et *branler*). Bordure en bois ou en pierre qui encadre les cheminées ou bien les baies des portes et des croisées.

1. CHAMBRE [ʃɑ̃br] n. f. (lat. *camera*, plafond voûté). **1.** Pièce d'une maison où l'on couche : *Chambre d'enfants.* ‖ *Garder la chambre*, être retenu chez soi par une maladie. ‖ *Femme de chambre, valet de chambre*, domestiques attachés au service particulier d'une personne ou au service des clients d'un hôtel. ‖ *Musique de chambre* ⟶ MUSIQUE. ‖ *Robe de chambre*, vêtement d'intérieur, ample et long. — **2.** Pièce, local affectés à un usage particulier. ‖ *Chambre froide*, pièce où règne une température voisine de 0 °C et qui sert à conserver par le froid des matières périssables. ‖ *Chambre à gaz*, pièce pour l'exécution par gaz toxiques d'un ou de plusieurs condamnés. ◆ **chambrée** n. f. Ensemble de personnes, et principalement de soldats, logeant dans un même local; ce local même. ◆ **chambrer** v. t. *Chambrer une bouteille de vin*, la faire séjourner dans la pièce où elle sera consommée, pour l'amener à la température ambiante. ◆ **chambrette** n. f. Petite chambre.

2. CHAMBRE [ʃɑ̃br] n. f. (même étym.). Espace clos, cavité. ‖ *Chambre à air*, tube de caoutchouc circulaire, gonflé d'air, fermé par une valve et disposé sur la jante de la roue, à l'intérieur du pneumatique. ‖ *Chambre d'une arme à feu*, partie extrême arrière du canon d'une arme à feu qui reçoit la cartouche ou la charge. ‖ *Chambre de combustion*, partie d'une turbine à gaz où se produit la combustion du carburant. ‖ *Chambre noire* ou *obscure*, boîte noire intérieurement, dont l'une des faces est percée d'une ouverture (munie en général d'une lentille) par laquelle pénètrent les rayons envoyés par les objets extérieurs, dont l'image va se former sur un écran placé à une distance convenable. ‖ *Chambre de Wilson*, *chambre à bulles*, instruments pour observer et photographier les trajectoires des particules élémentaires.

3. CHAMBRE [ʃɑ̃br] n. f. (même étym.). **1.** Lieu où se réunissent certains corps professionnels, certaines sections d'un tribunal, certaines assemblées parlementaires; ensemble des membres de ces corps, sections ou assemblées. ‖ *Chambres de commerce et d'industrie*, établissements publics qui constituent des organes représentatifs des professions industrielles et commerciales auprès des pouvoirs publics. ‖ *Chambres de métiers*, établissements publics qui constituent des organismes représentatifs des professions artisanales auprès des pouvoirs publics (un au moins par département). — **2.** Nom donné à certaines assemblées législatives. ‖ *Chambre des communes, Chambre des lords*, les deux assemblées parlementaires de la Grande-Bretagne. ‖ *Chambre des députés* ou simplem. *la Chambre*, auj. lieu de réunion et assemblée des députés. ⟶ ENCYCL. ‖ *Chambre des représentants*, nom donné à l'une des assemblées du Parlement dans plusieurs pays (Belgique, États-Unis, etc.).
— ENCYCL. La *Chambre des députés* fut une des assemblées du Parlement français sous la Restauration, la monarchie de Juillet et la IIIe République. (Depuis 1946, cet organisme est dit *Assemblée nationale.*)

Chambre ardente, sous l'Ancien Régime, tribunal d'exception chargé de juger les crimes d'hérésie et d'empoisonnement. La plus célèbre est celle qui fut appelée à juger l'affaire *des Poisons* (1679-1680).

CHAMBRÉE n. f., **CHAMBRER** v. t., **CHAMBRETTE** n. f. ⟶ CHAMBRE 1.

CHAMBRIÈRE [ʃɑ̃brijɛr] n. f. (de *chambre*). Fouet très long utilisé pour faire travailler les chevaux au manège.

CHAMEAU [ʃamo] n. m. (gr. *kamêlos*). Mammifère ruminant d'Asie, caractérisé par deux bosses graisseuses sur le dos. (Le dromadaire n'a qu'une bosse.) ◆ **chamelier** n. m. Conducteur de chameaux. ◆ **chamelle** n. f. Femelle du CHAMEAU.

CHAMFORT (Sébastien Roch NICOLAS, dit DE), écrivain français (1740-1794). Il brilla dans les salons en lançant des boutades, qui devaient constituer le recueil posthume de ses *Pensées, maximes et anecdotes* (1803).

CHAMOIS [ʃamwa] n. m. (bas lat. *camox*). Ruminant à cornes recourbées au sommet, vivant dans les hautes montagnes d'Europe où il grimpe et saute avec agilité. (On l'appelle *chamois* dans les Alpes, *isard* dans les Pyrénées.) [Famille des bovidés.]

CHAMONIX-MONT-BLANC, ch.-l. de cant. de la Haute-Savoie, sur l'Arve, à 1 037 m d'alt., à l'entrée du tunnel routier du Mont-Blanc; 9 300 hab. *(Chamoniards)*. École nationale de ski et d'alpinisme. Grand centre touristique.

1. CHAMP [ʃɑ̃] n. m. (lat. *campus*). **1.** Terrain cultivable d'une certaine étendue : *Un champ de blé.* — **2.** *Les champs*, l'ensemble des terres cultivées, par oppos. à la ville ou aux bâtiments de la ferme : *Mener les bêtes aux champs* (syn. PÂTURAGE). ‖ *À travers champs*, sans emprunter de route ni de chemin, en traversant des terrains cultivés. — **3.** Terrain, espace circonscrit réservé à un usage déterminé. ‖ *Champ de bataille*, terrain où se déroulent des combats; lieu où règne un grand désordre : *Cette pièce est un vrai champ de bataille.* ‖ *Champ clos*, lieu fermé de barrières dans lequel avaient lieu des tournois ou des duels judiciaires; lieu où se produit un affrontement, une lutte entre deux ou plusieurs adversaires : *Un débat en champ clos.* ‖ *Champ de courses*, terrain destiné aux courses de chevaux (syn. HIPPODROME). ‖ *Champ d'honneur*, lieu des combats; les combats eux-mêmes, la guerre : *Tomber au champ d'honneur* (= mourir glorieusement en combattant pour son pays). ‖ *Champ de mines*, zone de terrain où sont disposées des mines. ‖ *Champ de tir*, terrain militaire où sont effectués des tirs d'exercice. — LOC. ADV. *À tout bout de champ*, à tout instant, à la moindre occasion. ‖ *Sur-le-champ*, aussitôt, immédiatement. ◆ **champêtre** adj. Relatif à la campagne, considérée comme un lieu où l'on mène une vie simple et libre (syn. RUSTIQUE).

2. CHAMP [ʃɑ̃] n. m. (même étym.). **1.** Portion de l'espace qu'embrasse l'œil et qui contient tous les points visibles dans un instrument d'optique, un objectif : *Champ d'une lunette, d'une caméra.* ‖ *Champ visuel*, portion de l'espace dans laquelle doit être situé un objet pour être vu par un œil maintenu immobile. — **2.** *Champ magnétique, champ électrique, champ de gravitation*, espace dans lequel un aimant, un corps électrisé, un corps pesant sont soumis à des forces. ‖ *Champ opératoire*, région du corps sur laquelle porte une intervention chirurgicale. — **3.** Domaine concret ou abstrait, plus ou moins nettement délimité, où peut se déployer une activité ‖ *Champ d'action*, domaine où peut s'étendre l'activité de quelqu'un. ‖ *Avoir le champ libre, donner, laisser le champ libre à qq'un*, avoir soi-même ou laisser à un autre une entière liberté d'agir ou de parler. — **4.** Fond sur lequel un objet se détache en relief ou en couleurs.

Champ-de-Mars, terrain situé entre l'École militaire et la Seine, autref. affecté aux manœuvres et revues militaires.

CHAMPA ou **TCHAMPA,** royaume d'Indochine (IIIᵉ-XVIIᵉ s.). Le bouddhisme y pénétra dès le IVᵉ s. Le Champa fut anéanti par les Vietnamiens, au XVIIᵉ s.

CHAMPAGNE [ʃɑ̃paɲ] n. m. (de *Champagne*). Vin blanc mousseux que l'on prépare en Champagne. ◆ **champagniser** v. t. Préparer à la manière du champagne. ◆ **champagnisation** n. f.

CHAMPAGNE-ARDENNE, Région de la partie orientale du Bassin parisien, s'étendant sur les dép. des Ardennes, de l'Aube, de la Marne et de la Haute-Marne; 25 600 km^2; 1 345 900 hab. (52 au km^2) [France : 103]. Ch.-l. *Châlons-sur-Marne*.

GÉOGRAPHIE. La Région correspond aux unités géographiques de la *Champagne* et du *massif des Ardennes* et déborde au N.-E. sur les plateaux bordant la Lorraine méridionale. La densité de sa population est faible, à peine plus de la moitié de la moyenne nationale. Les principales agglomérations sont Reims (183 600 hab.), en essor rapide, Troyes (75 500 hab.), Charleville-Mézières (63 300 hab.).

L'*agriculture* emploie environ 10 p. 100 de la population active, pourcentage proche de la moyenne de la France entière. L'élevage domine dans l'Ardenne et les plateaux du Sud-Est; mais la région est surtout connue pour la production de vins de Champagne fournis à partir de vignobles bordant la côte de l'Île-de-France.

L'*industrie* tient une place encore comparable à la moyenne française. En dehors du bâtiment, deux branches dominent : la métallurgie de première transformation (représentée surtout dans les Ardennes) et le textile, dont Troyes est la capitale. Mais les progrès de l'emploi dans l'industrie résultent surtout du développement des constructions mécaniques. Ils ne compensent pas la baisse du nombre des agriculteurs. La région juxtapose des secteurs économiquement très inégaux, prospères dans l'Ouest (Reims-Épernay-Châlons), beaucoup moins dans le Sud-Est, fortement dépeuplé.

HISTOIRE. La Champagne fut possédée par la maison de Vermandois puis par celle de Blois à partir du XIᵉ s. La grande époque champenoise se situe aux XIIᵉ et XIIIᵉ s., pendant lesquels se développent les foires de Lagny, Provins, Troyes, Bar-sur-Aube, protégées par les comtes de Champagne. Situées sur l'une des principales voies de terre reliant l'Italie et la Flandre, grands foyers d'échanges de l'époque, elles fonctionnent régulièrement pendant les trois quarts de l'année. Leur déclin, au XIVᵉ s., est causé par une taxation trop lourde, les ravages de la guerre de Cent Ans et les progrès maritimes qui font emprunter de nouvelles voies au commerce.

- *1284. La Champagne passe dans le domaine royal à la suite du mariage de Jeanne de Champagne avec le futur roi Philippe le Bel.*

CHAMPAGNE-SUR-SEINE, comm. de Seine-et-Marne, à 5 km au N. de Moret; 5 800 hab. Locomotives électriques.

CHAMPAGNISATION n. f., **CHAMPAGNISER** v. t. → CHAMPAGNE.

CHAMPAGNOLE, ch.-l. de cant. du Jura, sur l'Ain, à 23 km au S.-E. de Poligny; 10 100 hab.

CHAMPAIGNE ou **CHAMPAGNE** (Philippe DE), peintre français d'origine flamande (1602-1674). Peintre de Marie de Médicis, il travailla pour elle à la décoration du Luxembourg. Grand portraitiste, janséniste, il fut le peintre attitré du monastère de Port-Royal, où sa fille était religieuse.

CHAMPART [ʃɑ̃par] n. m. (de *champ*, et *part*). Redevance constituée par une quote-part assez élevée de la récolte, qui revenait au seigneur de certains fiefs.

CHAMPENOIS, E [ʃɑ̃pənwa, -az] adj. et n. De la Champagne.

CHAMPÊTRE adj. → CHAMP 1.

CHAMPIGNEULLES, comm. de Meurthe-et-Moselle, à 5 km au N. de Nancy, sur la Meurthe; 8 000 hab. Importante brasserie.

1. CHAMPIGNON [ʃɑ̃piɲɔ̃] n. m. (du lat. *campus*, champ). **1.** Genre de végétaux cryptogames, constituant un vaste embranchement des thallophytes, dépourvus de chlorophylle, vivant en saprophytes (= sur les végétaux en cours de décomposition) ou en parasites, et comprenant des formes très variées, depuis les moisissures et levures jusqu'aux champignons proprement dits (composés d'un réseau souterrain issu d'une spore, le *mycélium*, et d'un appareil sporifère aérien : *pied* et *chapeau*), comestibles ou vénéneux : *L'étude des champignons est la mycologie.* — **2.** *Pousser comme un champignon*, se développer très vite, proliférer. ‖ *Ville-champignon*, qui s'est édifiée en très peu de temps. ◆ **champignonnière** n. f. Endroit où l'on cultive les champignons.

→ illustration en couleurs pp. 256-257.

2. CHAMPIGNON [ʃɑ̃piɲɔ̃] n. m. (de *champignon* 1). *Fam.* Pédale de l'accélérateur d'une automobile.

CHAMPIGNY-SUR-MARNE, ch.-l. de cant. du Val-de-Marne, à 12 km à l'E.-S.-E. de Paris; 76 300 hab.

CHAMPION, ONNE [ʃɑ̃pjɔ̃, -ɔn] n. (germ. *kampjo*, combattant). **1.** Personne ou équipe qui obtient les meilleurs résultats dans une compétition sportive, un concours. — **2.** (suivi d'un compl.) Personne qui défend une cause avec ardeur : *Un homme politique qui s'est fait le champion de l'indépendance de son pays* (syn. DÉFENSEUR, ↓PARTISAN). ◆ **championnat** n. m. Épreuve sportive, concours dont le vainqueur est proclamé champion.

CHAMPLAIN (Samuel DE), colonisateur français, fondateur de la « Nouvelle-France » (= Canada) [v. 1567-1635].

- *1603. Champlain visite la Nouvelle-France et publie le récit de son voyage.*
- *1608. Il fonde Québec.*
- *1610. Combats contre les Iroquois.*
- *1611. Champlain est nommé lieutenant du vice-roi de Nouvelle-France.*

Il poursuit ses voyages d'exploration dans les années suivantes et s'efforce d'affermir l'établissement français.

- *1629. Occupant les fonctions de gouverneur, Champlain a pleine autorité sur le Canada. Il assure l'essor de la nouvelle colonie.*

Champmol *(chartreuse de)*, monastère fondé près de Dijon en 1383 par le duc de Bourgogne Philippe le Hardi pour servir de nécropole à sa lignée. Claus Sluter y éleva le *Puits de Moïse* (1395-1402). La chartreuse a été affectée à un hôpital psychiatrique.

CHAMPOLLION (Jean-François), égyptologue français (1790-1832). Après avoir examiné minutieusement la « pierre de Rosette » où était gravé un texte en l'honneur de Ptolémée V, rédigé à la fois en égyptien et en grec, il put démontrer que la lecture des hiéroglyphes était possible.

champs Élysées, dans la mythologie gréco-romaine, séjour des âmes des morts qui furent vertueux.

CHAMPS-ÉLYSÉES, avenue de Paris, de la place de la Concorde à la place Charles-de-Gaulle.

CHAMROUSSE, station de sports d'hiver de l'Isère.

CHAMS, populations du Viêt-nam et du Cambodge, et qui sont constituées par les survivants de l'Empire du Champa*.

CHANCE [ʃɑ̃s] n. f. (du lat. *cadere*, tomber). **1.** Ensemble de circonstances heureuses; sort favorable : *La chance a voulu que nous nous rencontrions au bon moment. La chance lui a souri : il a gagné gros à la roulette* (syn. fam. VEINE; contr. MALCHANCE). — **2.** (surtout au plur.) Probabilités : *Il y a de fortes chances pour que votre demande soit acceptée.* — **3.** *Bonne chance!*, souhait de succès adressé à quelqu'un. ‖ Fam. *C'est bien ma chance!*, se dit par ironie, pour indiquer qu'on n'a pas de chance. ◆ **chanceux, euse** adj. et n. Se dit d'une personne qui a de la chance (contr. MALCHANCEUX). ◆ **malchance** n. f. **1.** Circonstance malheureuse, ayant abouti à un échec : *Une série de malchances* (syn. fam. TUILE). — **2.** Mauvaise chance persistante : *Jouer de malchance* (syn. MALHEUR). *Être victime de la malchance* (syn. ADVERSITÉ). ◆ **malchanceux, euse** adj. et n. : *Un malchanceux qui a raté son existence.*

CHANCELADE, localité du Périgord (Dordogne), à l'O. de Périgueux; 3300 hab. Elle a donné son nom à une race préhistorique (paléolithique).

CHANCELER [ʃɑ̃sle] v. i. (lat. *cancellare*, disposer une grille). [Conj. **6.**] **1.** (sujet nom de personne ou de chose) Perdre l'équilibre, pencher d'un côté et de l'autre en risquant de tomber : *Le boxeur, atteint d'un crochet du gauche, chancela un instant, puis alla au tapis* (syn. TITUBER, VACILLER). — **2.** (sujet nom de personne ou désignant un comportement) Manquer de fermeté, montrer de l'hésitation, de l'incertitude. ◆ **chancelant, e** adj. : *Une démarche chancelante. Sa santé reste chancelante* (syn. FRAGILE).

CHANCELIER [ʃɑ̃səlje] n. m. (bas lat. *cancellarius*, huissier). **1.** Sous l'Ancien Régime, magistrat titulaire de la plus haute fonction judiciaire, chef suprême de la justice. — **2.** Dignitaire qui a la garde des sceaux dans un corps ou dans un ordre : *Le chancelier de la Légion d'honneur.* — **3.** *Chancelier fédéral*, titre du chef du gouvernement, dans la République fédérale d'Allemagne. — **4.** *Chancelier de l'Échiquier*, ministre des Finances, en Grande-Bretagne. ◆ **chancellerie** n. f. **1.** Administration, service dépendant d'un chancelier : *La grande chancellerie de la Légion d'honneur.* — **2.** *Chancellerie apostolique*, bureaux où sont vérifiés les actes du gouvernement pontifical avant d'être expédiés. ◆ **archichancelier** n. m. Titre de deux grands dignitaires de la cour de Napoléon Ier (*archichancelier d'Empire*, donné à Cambacérès; *archichancelier d'État*, donné à Eugène de Beauharnais).

CHANCEUX, EUSE adj. et n. → CHANCE.

CHANCRE [ʃɑ̃kr] n. m. (lat. *cancer*). *Méd.* Ulcération qui tend à se développer en rongeant les parties environnantes.

CHANDAIL [ʃɑ̃daj] n. m. (de *marchand d'ail*). Tricot, généralement de grosse laine, qui couvre tout le buste et que l'on passe par-dessus la tête (syn. PULL-OVER).

Chandeleur, fête que l'Église catholique célèbre le 2 février en souvenir de la présentation de l'Enfant Jésus au Temple et de la purification de la Vierge.

CHANDELLE [ʃɑ̃dɛl] n. f. (lat. *candela*). **1.** Petit cylindre de suif ou d'une autre matière inflammable, garni en son axe d'une mèche, et qui servait autref. à l'éclairage : *Dîner aux chandelles* (syn. BOUGIE). — **2.** Pièce de bois ou de métal placée verticalement, en guise d'étai, dans une construction. — **3.** Figure de voltige aérienne. — **4.** Fam. *Brûler la chandelle par les deux bouts*, gaspiller ses ressources ou sa santé. ‖ *Devoir une belle, une fière chandelle à qq'un*, lui devoir beaucoup de reconnaissance pour un service important qu'il vous a rendu. ‖ Péjor. *Économies de bouts de chandelle*, économies faites sur de menues dépenses, apportant plus de tracas que d'avantages réels. ‖ *Le jeu n'en vaut pas la chandelle*, le résultat ne vaut pas la peine qu'on se donne pour l'obtenir. ‖ *Voir trente-six chandelles*, éprouver un grand éblouissement, particulièrement à la suite d'un coup à la tête. ◆ **chandelier** n. m. Support pour une ou plusieurs chandelles ou bougies.

CHANDERNAGOR, v. de l'Inde (Bengale-Occidental), sur l'Hooghly; 67 100 hab. Ancien comptoir français (1686-1951).

CHANDIGARH, v. de l'Inde, capit. du Pendjab et de l'Hariana. construite sur les plans de Le Corbusier; 218800 hab.

1. CHANFREIN [ʃɑ̃frɛ̃] n. m. (du lat. *caput*, tête, et *frenare*, freiner). Partie de la tête du cheval, des oreilles aux naseaux; pièce d'armure qui la protégeait.

2. CHANFREIN [ʃɑ̃frɛ̃] n. m. (de l'anc. fr. *chant*, côté, et *fraindre*, briser). Surface oblique obtenue lorsque l'on abat l'arête d'une pierre, d'une pièce de bois ou de métal.

CHANG, dynastie chinoise (v. 1450-1050 av. J.-C.).

CHANGER [ʃɑ̃ʒe] v. t. (bas lat. *cambiare*). **1.** *Changer qqch., qq'un contre* (ou *pour*), les remplacer par quelque chose ou quelqu'un d'autre : *Changer sa voiture pour une nouvelle.* ‖ *Changer de l'argent*, obtenir l'équivalent en une autre monnaie, ou en pièces, en billets de valeur différente. — **2.** *Changer qqch.*, le rendre différent, le modifier : *La suppression de ce mot change un peu le sens de la phrase.* — **3.** *Changer en qqch.*, faire passer à un autre état : *Les pluies ont changé le chemin en bourbier* (syn. TRANSFORMER EN). — **4.** *Cela me change*, c'est différent de mes habitudes. ‖ *Changer un bébé*, lui mettre des couches propres. ‖ *Changer son fusil d'épaule*, prendre de nouvelles dispositions, adopter une tactique différente. ◆ v. t. ind. **1.** (sans autre compl. introduit par *pour* ou *contre*) Remplacer une chose, une personne par une autre : *J'ai changé de voiture. La maison a changé de directeur.* — **2.** *Changer de qqch. avec qq'un*, faire un échange de cette chose avec lui : *Tu ne voudrais pas changer de place avec moi?* — **3.** *Changer d'air*, s'éloigner, partir sous un autre climat. ◆ v. i. **1.** Devenir différent, être transformé ou modifié : *Le baromètre baisse, le temps va changer.* — **2.** *Les temps sont bien changés!*, les circonstances sont bien différentes. ◆ **se changer** v. pr. (sujet nom de personne). Mettre d'autres vêtements. ◆ **change** n. m. **1.** Opération qui consiste à remettre un certain montant en monnaie nationale pour obtenir en contrepartie une somme en monnaie étrangère. (Le prix payé pour une unité de monnaie étrangère est le *cours du change*.) ‖ *Agent de change*, officier ministériel, chargé de procéder aux opérations sur les valeurs et les titres, auprès d'une Bourse* des valeurs. (Progressivement remplacés par des *sociétés de Bourse*, les agents de change doivent disparaître en 1992.) ‖ *Bureau de change*, lieu où s'effectue l'échange entre monnaies étrangères. ‖ *Contrôle des changes*, système dans lequel les opérations de change sur les monnaies sont soumises à une autorisation administrative, ou font l'objet d'une limitation. ‖ *Lettre de change* → ENCYCL. — **2.** *Donner le change à qq'un*, le tromper sur les véritables intentions, sur les sentiments que l'on a. ‖ *Gagner, perdre au change*, être avantagé, désavantagé par un changement ou un échange. ◆ **changeant, e** adj. Se dit d'une chose sujette à changer; se dit de quelqu'un qui manque de constance : *En mars, le temps est changeant* (syn. INCERTAIN, INSTABLE). *Humeur changeante* (syn. INCONSTANT). ◆ **changement** n. m. : *Changement de roue. Changements de température* (syn. VARIATION). *Un changement de programme* (syn. MODIFICATION). ‖ *Changement de vitesse* → VITESSE. ◆ **changeur** n. m. Commerçant qui fait des opérations de change (sens 1). ◆ **inchangé, e** adj. Qui n'a subi aucun changement. ◆ **interchangeable** adj. Se dit de choses qu'on peut intervertir, ou de personnes qu'on peut remplacer les unes par les autres. ◆ **rechange (de)** loc. adj. **1.** Qui peut remplacer un objet, une pièce, momentanément ou définitivement hors d'usage : *Roue de rechange. Pièces de rechange.* — **2.** *Politique, plan de rechange*, que l'on peut adopter au cas où il faudrait renoncer à sa ligne de conduite première.

— ENCYCL. La *lettre de change*, ou *traite*, est un écrit attestant qu'une personne reconnaît avoir à payer à une autre personne, soit sur présentation de la lettre, soit à une date déterminée, une certaine somme d'argent.

La lettre de change joue un rôle économique important : elle sert à des paiements internationaux, sans manipulation d'argent.

CHANG-HAI, v. de Chine, à l'embouchure du Yang-tseu; 10820000 hab. Anc. centre du commerce européen en Chine, grâce à ses concessions internationales, Chang-hai reste actuellement une puissante ville industrielle (textile et métallurgie).

CHANG KAÏ-CHEK ou **TCHANG KAÏ-CHEK,** homme d'État chinois (1887-1975).

- *1911. Il rejoint l'armée révolutionnaire.*

Il s'impose comme chef de la fraction modérée et nationaliste du Kouo-min-tang à la mort de Sun Yat sen (1925).

- *Mars 1927. Il s'empare de la Chine centrale (prise de Nankin).*

Il rompt avec l'U. R. S. S. et les communistes chinois qu'il persécute. Maître de la Chine en 1928, ses attaques contre les zones contrôlées par le parti communiste sont à l'origine de la « Longue Marche » (1934-1935).

- *1937. L'attaque japonaise contre la Chine l'oblige à composer avec les communistes.*

Pendant la Seconde Guerre mondiale, avec le soutien des États-Unis, il maintient la Chine dans la lutte auprès des Alliés.

- *1945. Après la capitulation japonaise, il reprend sans succès le combat contre les communistes dirigés par Mao Tsö-tong.*
- *1949. Il doit abandonner le continent et se retire à Formose, d'où il préside jusqu'à sa mort le gouvernement de la Chine « nationaliste ».*

CHANNEL (the), nom angl. de la MANCHE.

CHANOINE [ʃanwan] n. m. (du gr. *kanôn*, règle). Dignitaire ecclésiastique qui fait partie du chapitre, ou conseil de l'évêque, et qui peut exercer des fonctions religieuses et administratives.

CHANS *(État des)*, État de l'Union de Birmanie; 158000 km²; 2086000 hab. Capit. *Taunggyi.*

CHAN-SI, prov. de la Chine du Nord, à l'E. de la grande boucle du Houang-ho; 157 000 km²; 25 291 000 hab. Capit. *T'ai-yuan.*

CHANSON [ʃɑ̃sɔ̃] n. f. (lat. *cantionem*). **1.** Pièce de vers d'un ton familier, divisée en strophes appelées *couplets*, se terminant en général par un *refrain*, et qui est destinée à être chantée. — **2.** Au Moyen Âge, poésie lyrique composée et chantée par les trouvères et les troubadours. ‖ *Chanson de geste**, poème épique chanté au Moyen Âge, qui célèbre les exploits de personnages historiques ou légendaires. ◆ **chansonnette** n. f. Petite chanson sans prétention. ◆ **chansonnier** n. m. Artiste qui chante ou qui dit des couplets humoristiques ou satiriques, souvent de sa composition, dans des cabarets.

Chanson de Roland *(la)*, la première des chansons de geste* françaises, composée au début du XIIe s. Amplifiant et métamorphosant un événement historique (le massacre de l'arrière-garde de l'armée de Charlemagne par des Basques, en 778), le poème exalte la fidélité au suzerain, l'amour du sol natal, l'enthousiasme religieux de la chrétienté face à l'Islām et la gloire des héros.

CHANSONNETTE n. f., **CHANSONNIER** n. m. ⟶ CHANSON.

1. CHANT [ʃɑ̃] n. m. (lat. *cantus*). **1.** Suite de sons modulés par la voix humaine : *Un chant joyeux.* — **2.** Action de chanter : *La cérémonie s'est terminée par le chant d'un psaume.* ‖ *Chant choral*, chant en chœur. ‖ *Chant grégorien* ⟶ GRÉGORIEN. — **3.** Art de chanter : *Des cours de chant.* — **4.** Sons plus ou moins variés émis par certains oiseaux ou certains insectes : *Le chant du rossignol, des cigales.* — **5.** Partie d'un poème épique ou didactique : *« L'Iliade » comprend vingt-quatre chants.* — **6.** *Chant royal*, poème de forme fixe, analogue à la ballade, en faveur aux XIVe et XVe s. ◆ **chanter** v. i. et t. (sujet nom d'être animé). Faire entendre un chant : *Il chante tous les refrains à la mode.* ◆ v. i. (sujet nom de chose). Produire un bruit plus ou moins modulé : *L'eau commence à chanter dans la bouilloire.* ◆ v. t. **1.** *Chanter qq'un, qqch.*, les célébrer, les louer, notamment en vers : *Chanter les exploits des héros.* — **2.** *Fam.* et *péjor.* Dire, raconter : *Qu'est-ce que tu nous chantes là?* — **3.** *Chanter les louanges de qq'un*, parler de lui en termes très élogieux. ‖ *Chanter victoire*, proclamer bruyamment son succès. ◆ **chantable** adj. : *C'est un air plein de difficultés, à peine chantable.* ◆ **chantant, e** adj. **1.** Se dit d'un air qui se chante aisément, dont la mélodie se retient facilement : *Un air très chantant* (syn. MÉLODIEUX). — **2.** Se dit d'une langue, d'une prononciation dont les sonorités sont agréables à l'oreille : *Les Français du Midi ont un accent chantant.* ◆ **chanteur, euse** n. Personne qui chante, professionnellement ou non : *Un chanteur de charme.* (⟶ CANTATRICE.) ◆ adj. Qui chante : *Oiseaux chanteurs.* ◆ **chantonner** v. i. et t. Chanter à mi-voix, par bribes : *Il chantonnait une romance* (syn. FREDONNER). ◆ **chantonnement** n. m. ◆ **chantre** n. m. Celui qui chante professionnellement, en soliste, des chants religieux pendant un office.

2. CHANT [ʃɑ̃] n. m. (lat. *canthus*, bande de fer bordant une roue). Côté le plus étroit, suivant la longueur, d'une pièce équarrie : *Poser des briques de chant.* ‖ *De chant, sur chant*, dans un plan vertical, sur la face étroite et longue.

Chants de Maldoror, poème en prose de Lautréamont (1868-1869). Cette œuvre, longtemps méconnue, fut revendiquée par les surréalistes comme une des sources de leur inspiration.

CHANTAGE n. m. ⟶ CHANTER 2.

CHANTAL (Jeanne Françoise FRÉMYOT, *baronne* DE) ⟶ JEANNE DE CHANTAL *(sainte)*.

CHANTANT, E adj. ⟶ CHANT 1.

CHANTEFABLE [ʃɑ̃tfabl] n. f. (de *chanter*, et *fable*). Genre littéraire du Moyen Âge, qui faisait alterner des parties récitées, en prose, et des parties chantées, en vers.

1. CHANTER v. i. et t. ⟶ CHANT 1.

2. CHANTER [ʃɑ̃te] v. i. (lat. *cantare*). *Faire chanter qq'un*, exercer sur lui une pression morale, notamment par la menace de révélations compromettantes ou par l'exploitation abusive d'un avantage, en vue de lui soutirer de l'argent ou de l'amener à une acceptation qui lui répugne. ◆ **chantage** n. m. : *Le chantage est un délit.* ◆ **chanteur** adj. m. Fam. *Maître chanteur*, celui qui exerce un chantage.

1. CHANTERELLE [ʃɑ̃trɛl] n. f. (de *chanter*). *Appuyer sur la chanterelle*, insister sur le point délicat. (La *chanterelle* est la corde d'un violon dont le son est le plus aigu.)

2. CHANTERELLE [ʃɑ̃trɛl] n. f. (du gr. *kantharos*, coupe). Champignon à chapeau jaune d'or, commun l'été dans les bois, très estimé (nom usuel GIROLLE). [Classe des basidiomycètes.]

CHANTEUR, EUSE n. et adj. ⟶ CHANT 1 et CHANTER 2.

CHANTIER [ʃɑ̃tje] n. m. (lat. *cantherius*, support). **1.** Lieu où sont accumulés des matériaux de construction, des combustibles, etc. (syn. ENTREPÔT). — **2.** Édifice en cours de construction : *Le chantier d'un immeuble.* — **3.** *Fam.* Lieu en désordre : *Range un peu ta chambre : c'est un vrai chantier.* — **4.** *Chantier de construction navale*, lieu où l'on construit les navires. — **5.** *En chantier*, en cours de réalisation : *Un écrivain qui a plusieurs livres en chantier.*

CHANTILLY, ch.-l. de cant. de l'Oise, à 10 km à l'O. de Senlis, sur la Nonette, en lisière de la *forêt de Chantilly*, qui s'étend sur 7 185 ha; 10 200 hab. *(Cantiliens)*. Champ de courses. Le château fut reconstruit au XIXe s. et légué à l'Institut de France. Il abrite le musée Condé. Ce fut le siège du quartier général français de novembre 1914 à janvier 1917.

CHAN-TONG, prov. de la Chine orientale; 74 420 000 hab. Capit. *Tsi-nan.*

CHANTONNAY, ch.-l. de cant. de la Vendée, à 33 km à l'E. de La Roche-sur-Yon; 7 400 hab. *(Chantonnaisiens)*.

● *5 sept. 1793. Victoire des Vendéens de d'Elbée sur les républicains.*

CHANTONNEMENT n. m., **CHANTONNER** v. i. et t. ⟶ CHANT 1.

CHANTOURNER [ʃɑ̃turne] v. t. (de *chant*, côté, et *tourner*). Découper une pièce de bois ou de métal, suivant un profil courbe.

CHANTRE n. m. ⟶ CHANT 1.

CHANVRE [ʃɑ̃vr] n. m. (gr. *kannabis*). Plante à feuilles palmées, cultivée pour sa tige, fournissant une excellente fibre textile, et pour ses graines, ou chènevis, qui donnent une huile. (Famille des cannabinacées.) ‖ *Chanvre indien*, chanvre dont on retire une sorte de préparation (hachisch) produisant une ivresse euphorique. ‖ *Chanvre de Manille*, fibre textile produite par l'*abaca*, bananier des Philippines.

CHANZY (Antoine Alfred Eugène), général français (1823-1883). Il fut mis par Gambetta, en 1870, à la tête de la IIe armée de la Loire et résista énergiquement aux Allemands.

CHAOS [kao] n. m. (gr. *khaos*). **1.** Confusion générale des éléments avant la création du monde. — **2.** Grand désordre : *Les idées s'agitaient en chaos dans sa tête* (syn. FOUILLIS). *C'est un pays où règne le chaos.* — **3.** Entassement de blocs de certaines roches (grès, granite), qui se forme sous l'action de l'érosion. ◆ **chaotique** [kaɔtik] adj. Qui tient du chaos.

CHAOUÏA (la), plaine côtière du Maroc occidental. V. pr. *Casablanca.*

CHAPARDER [ʃaparde] v. t. (orig. incert.). Fam. *Chaparder un objet*, voler quelque chose de peu de valeur (syn. MARAUDER). ◆ **chapardage** n. m. : *Vivre de menus chapardages* (syn. LARCIN). ◆ **chapardeur, euse** adj. et n.

CHAPE [ʃap] n. f. (bas lat. *cappa*, capuchon). **1.** Ornement sacerdotal en forme de cape, que le célébrant revêt pour certains offices de l'Église catholique. — **2.** Monture métallique qui porte l'axe d'une poulie. — **3.** Épaisseur de gomme constituant la bande de roulement d'un pneumatique.

1. CHAPEAU [ʃapo] n. m. (du lat. *cappa*, capuchon). **1.** Coiffure de formes et de matières diverses, que les hommes et les femmes mettent pour sortir : *Un chapeau de paille.* — **2.** *Coup de chapeau*, salut donné à quelqu'un en soulevant son chapeau; hommage rendu à quelqu'un. ‖ *Parler, saluer chapeau bas*, avec une grande déférence. ‖ Fam. *Tirer son chapeau à qq'un*, lui accorder une admiration sans réserve. ◆ **chapeauté, e** adj. *Fam.* Coiffé d'un chapeau. ◆ **chapelier** n. m. Fabricant ou marchand de chapeaux d'hommes. (Pour les chapeaux de femmes, on dit MODISTE.) ◆ **chapellerie** n. f. Industrie, commerce du chapeau.

2. CHAPEAU [ʃapo] n. m. (même étym.). **1.** Cône arrondi ou calotte qui forme la partie supérieure d'un champignon. — **2.** Partie supérieure de certaines pièces mécaniques, qu'elle recouvre le plus souvent : *Chapeau de palier.* ‖ *Chapeau de roue*, sorte de boîte qui se visse à chaque extrémité de l'essieu d'une voiture, et qui contient la graisse destinée à lubrifier les roulements à billes. — **3.** *Chapeau chinois*, instrument employé dans les musiques militaires, formé d'une calotte de cuivre mince à laquelle pendent des grelots. — **4.** Courte introduction placée en tête d'un article de journal ou de revue.

CHAPELAIN n. m. ⟶ CHAPELLE 1.

CHAPELET [ʃaplɛ] n. m. (de *chapeau*). **1.** Objet de piété, formé de grains enfilés que l'on fait glisser entre ses doigts en récitant des prières; récitation de ces prières. — **2.** Objets réunis ensemble comme les grains d'un chapelet : *Chapelet d'oignons.* — **3.** *Un chapelet de*, une série, une suite ininterrompue de choses.

CHAPELIER n. m. ⟶ CHAPEAU 1.

1. CHAPELLE [ʃapɛl] n. f. (du lat. *cappa*, chape). **1.** Édifice religieux, généralement plus petit qu'une église. — **2.** Salle d'un édifice destinée au culte, ou partie d'une église contenant un autel autre que le maître-autel, et souvent dédiée à un saint : *La chapelle de la Sainte-Vierge.* — **3.** *Chapelle ardente*, salle garnie de tentures noires et éclairée de cierges, où l'on dépose le cercueil d'un mort avant les obsèques. — **4.** *Maître de chapelle*, musicien qui dirige les chanteurs d'une église. ◆ **chapelain** n. m. Prêtre desservant une chapelle privée.

2. CHAPELLE [ʃapɛl] n. f. (même étym.). *Fam.* Petit groupe artistique ou littéraire très fermé : *L'esprit de chapelle.*

CHAPELLE-AUX-SAINTS (La), comm. de la Corrèze, à 45 km au N. de Vayrac; 206 hab. En 1908, on y a découvert un squelette fossile humain typique de l'espèce de Neandertal.

CHAPELLE-D'ARMENTIÈRES (La), comm. du Nord, à 2,5 km au S.-E. d'Armentières; 6 700 hab. *(Chapellois)*. Tissages.

CHAPELLERIE n. f. ⟶ CHAPEAU 1.

CHAPELURE [ʃaplyr] n. f. (du bas lat. *cappulare*, couper). Petites miettes de pain ou pain râpé qu'on répand sur certains mets, avant de les faire cuire.

1. CHAPERON [ʃaprɔ̃] n. m. (de *chape*). **1.** Autref., capuchon qui couvrait la tête et les épaules. — **2.** Bourrelet circulaire placé sur l'épaule gauche des robes de magistrats, de docteurs et de professeurs, d'où pend une bande d'étoffe. — **3.** Petit capuchon dont on coiffe les faucons à la chasse.

2. CHAPERON [ʃaprɔ̃] n. m. (même étym.). Personne âgée ou sérieuse à laquelle on confiait autref. une jeune fille dans ses sorties. ◆ **chaperonner** v. t. *Chaperonner une jeune fille*, lui servir de chaperon.

Chaperon rouge *(le Petit)*, conte de Perrault.

1. CHAPITEAU [ʃapito] n. m. (du lat. *caput, -itis*, tête). Tête d'une colonne couronnant le fût et supportant l'entablement.
— ENCYCL. Les Grecs n'ont connu que le *chapiteau géométrique* (dorique), *à volutes* (ionien) ou *à décor végétal* (corinthien); c'est seulement dans l'art roman du XIIe s. qu'apparaît le *chapiteau historié*. En architecture classique, la décoration du chapiteau emprunte ses caractéristiques à chacun des ordres antiques.

2. CHAPITEAU [ʃapito] n. m. (même étym.). Tente conique sous laquelle les cirques ambulants donnent leurs représentations.

1. CHAPITRE [ʃapitr] n. m. (lat. *capitulum*). **1.** Division d'un livre, d'un règlement, d'un rapport, etc. : *Ce roman comprend quinze chapitres.* — **2.** *Au chapitre de, sur le chapitre de*, en ce qui concerne, sur le point particulier de : *Au chapitre des faits divers, signalons un incendie de forêt* (syn. À LA RUBRIQUE DE). ◆ **chapitrer** v. t. Diviser, répartir en chapitres : *La commission parlementaire a chapitré le budget.*

2. CHAPITRE [ʃapitr] n. m. (même étym.). **1.** Corps des chanoines d'une église, ou assemblée des religieux d'une communauté. — **2.** *Avoir voix au chapitre*, avoir le droit de faire entendre son avis.

1. CHAPITRER v. t. ⟶ CHAPITRE 1.

2. CHAPITRER [ʃapitre] v. t. (de *chapitre*). Instruire de la conduite à tenir; rappeler à l'ordre : *On a beau le chapitrer, il ne s'assagit pas* (syn. RÉPRIMANDER, SERMONNER).

CHAPLIN (Charles Spencer), acteur et metteur en scène de cinéma (1889-1977). Fixé aux États-Unis en 1912, il a créé le personnage de Charlot qui l'a rendu universellement célèbre. On lui doit : *le Pèlerin* (1923), *la Ruée vers l'or* (1925), *le Cirque* (1927), *les Temps modernes* (1935), *le Dictateur* (1940), *Limelight* (1952).

CHAPON [ʃapɔ̃] n. m. (bas lat. *capponem*). Jeune coq que l'on a castré et que l'on engraisse pour le manger.

CHAPPE (Claude), ingénieur français (1763-1805), inventeur du télégraphe optique aérien. La première ligne télégraphique Paris-Lille fut établie en 1794.

CHAPTAL (Jean Antoine), comte DE CHANTELOUP, chimiste et homme politique français (1756-1832). Il créa en France les premières fabriques de produits chimiques (acide sulfurique, chaux, poudre, colorants). Il fonda la première école d'arts et métiers.

CHAPTALISER [ʃaptalize] v. t. (de *Chaptal*). Ajouter du sucre au moût du raisin avant la fermentation, afin d'augmenter la teneur du vin en alcool. ◆ **chaptalisation** n. f. Action de chaptaliser (syn. SUCRAGE).

CHAQUE adj. et pron. indéf. ⟶ CHACUN.

1. CHAR [ʃar] n. m. (lat. *carrus*). **1.** Voiture décorée pour les fêtes publiques : *Les chars de fleurs du carnaval.* — **2.** Dans l'Antiquité, voiture à deux roues, tirée par des chevaux, utilisée dans les combats, les jeux, les cérémonies publiques.

2. CHAR [ʃar] n. m. (même étym.). Engin de guerre blindé, muni de chenilles, motorisé et armé de mitrailleuses, de canons, de missiles, de lance-flammes, etc. (On dit aussi CHAR D'ASSAUT, CHAR DE COMBAT.) [⟶ BLINDER.] ◆ **antichar** adj. Qui s'oppose à l'action des engins blindés : *Canons antichars.*

CHAR (René), poète français (1907-1988). Il participa au mouvement surréaliste *(le Marteau sans maître*, 1934). Durant l'occupation allemande, il composa quelques-uns des plus beaux poèmes sur la Résistance.

CHARABIA [ʃarabja] n. m. (de l'esp. *algarabia*, langue arabe). *Fam.* Langage à peu près ou totalement incompréhensible; style embrouillé (syn. fam. BARAGOUIN, JARGON).

CHARADE [ʃarad] n. f. (occitan *charrado*, causerie). Jeu qui consiste à faire deviner un mot en donnant successivement une définition de chacune de ses syllabes (chaque syllabe forme elle-même un mot défini) : *Mon premier est un animal domestique* [chat]; *mon second abrite des bateaux* [rade]; *mon tout vous est présentement proposé* [charade].

CHARADRIIDÉS [karadriide] n. m. pl. (du gr. *karadrios*, pluvier). Famille d'oiseaux échassiers renfermant les *pluviers*, les *vanneaux*, etc.

CHARADRIIFORMES [karadriifɔrm] n. m. pl. (du gr. *karadrios*, pluvier). Ordre d'oiseaux échassiers au pouce réduit, aux ailes étroites, tels que les *pluviers*, les *vanneaux*, les *bécasses*, les *chevaliers*, les *barges* et les *courlis*.

CHARANÇON [ʃarɑ̃sɔ̃] n. m. (du gaul. *karantionos*, petit cerf). Insecte coléoptère à tête prolongée par une trompe, qui s'attaque aux graines de céréales, de légumineuses, au bois, etc. (Famille des curculionidés.)

1. CHARBON [ʃarbɔ̃] n. m. (lat. *carbonem*). **1.** Corps combustible solide, de couleur noire, d'origine végétale *(houille, anthracite, lignite)*, renfermant une forte proportion de carbone, utilisé comme source de chaleur et d'énergie. ‖ *Charbon de bois*, produit riche en carbone, obtenu par la combustion lente et incomplète du bois (v. 300-400 °C). — **2.** Électrode cylindrique de charbon aggloméré et cuit, qui sert de pôle positif dans certaines piles et de collecteur de courant dans les machines électriques tournantes. — **3.** Fam. *Être sur des charbons ardents* ou *sur des charbons*, être très impatient ou très inquiet (syn. ÊTRE SUR LE GRIL). ◆ **charbonnage** n. m. Exploitation d'une mine de charbon (ou *houillère*) : *Les charbonnages du Nord.* ◆ **charbonner** v. i. Former un résidu de charbon, ou produire une fumée, une suie épaisse. ◆ v. t. **1.** Réduire à l'état de charbon. — **2.** Noircir, salir avec du charbon. ◆ **charbonnier, ère** adj. Relatif à la fabrication ou à la vente du charbon : *L'industrie charbonnière.* ◆ **charbonnier** n. m. **1.** Celui qui fait le commerce ou la livraison du charbon; ouvrier qui fabrique du charbon de bois. — **2.** *La foi du charbonnier*, une foi naïve, aveugle.

2. CHARBON [ʃarbɔ̃] n. m. (même étym.). **1.** Maladie cryptogamique des végétaux, due à des champignons qui, attaquant notamment les céréales, forment dans les ovaires de leurs fleurs une poussière noire constituée par les spores du parasite, ce qui arrête la formation des grains. — **2.** Maladie infectieuse septicémique atteignant certains animaux domestiques (ruminants, chevaux, lapins) ainsi que l'homme, due à une bactérie, le bacille charbonneux, découvert par Pasteur (1881).

Charbonnages de France, entreprise publique, créée en 1946, et qui assure le contrôle et la coordination des activités des *Houillères de bassin*, organes de production, d'exploitation et de vente, créés par la même loi de nationalisation.

CHARCOT (Jean Martin), médecin français (1825-1893). Il a rénové l'étude des maladies nerveuses. Les leçons qu'il fit à la Salpêtrière eurent une très grande influence, notamment sur Freud.

CHARCOT (Jean), savant et explorateur français (1867-1936), fils du précédent. Après des études médicales, il s'orienta vers l'exploration et l'océanographie à bord du *Français*, puis du *Pourquoi-pas?* Il effectua des missions d'abord dans l'Antarctique (1903-1905 et 1908-1910), dans l'Atlantique nord, la Manche, la Méditerranée, puis dans les eaux arctiques (1925-1936). Il périt dans le naufrage du *Pourquoi-pas?*, sur les côtes d'Islande.

CHARCUTER [ʃarkyte] v. t. (de *charcutier*). Fam. *Charcuter qq'un*, l'opérer maladroitement; lui entailler les chairs.

CHARCUTIER, ÈRE [ʃarkytje, -ɛr] n. (de *chair cuite*). Personne qui prépare et vend de la viande de porc, du boudin, des saucisses, etc. ◆ **charcuterie** n. f. **1.** Boutique de charcutier; commerce pratiqué par les charcutiers. — **2.** Produit généralement à base de viande de porc, cuite ou salée, faite par les charcutiers.

CHAMPIGNON DE COUCHE

CÈPE DE BORDEAUX

AMANITE DES CÉSARS (oronge vraie)

CRATERELLE

CHANTERELLE

COPRIN CHEVELU

RUSSULE CHARBONNIÈRE

PIED-BLEU

PIED-DE-MOUTON

LÉPIOTE ÉLEVÉE

LACTAIRE DÉLICIEUX

MORILLE

TRUFFE

PÉZIZE

FISTULINE

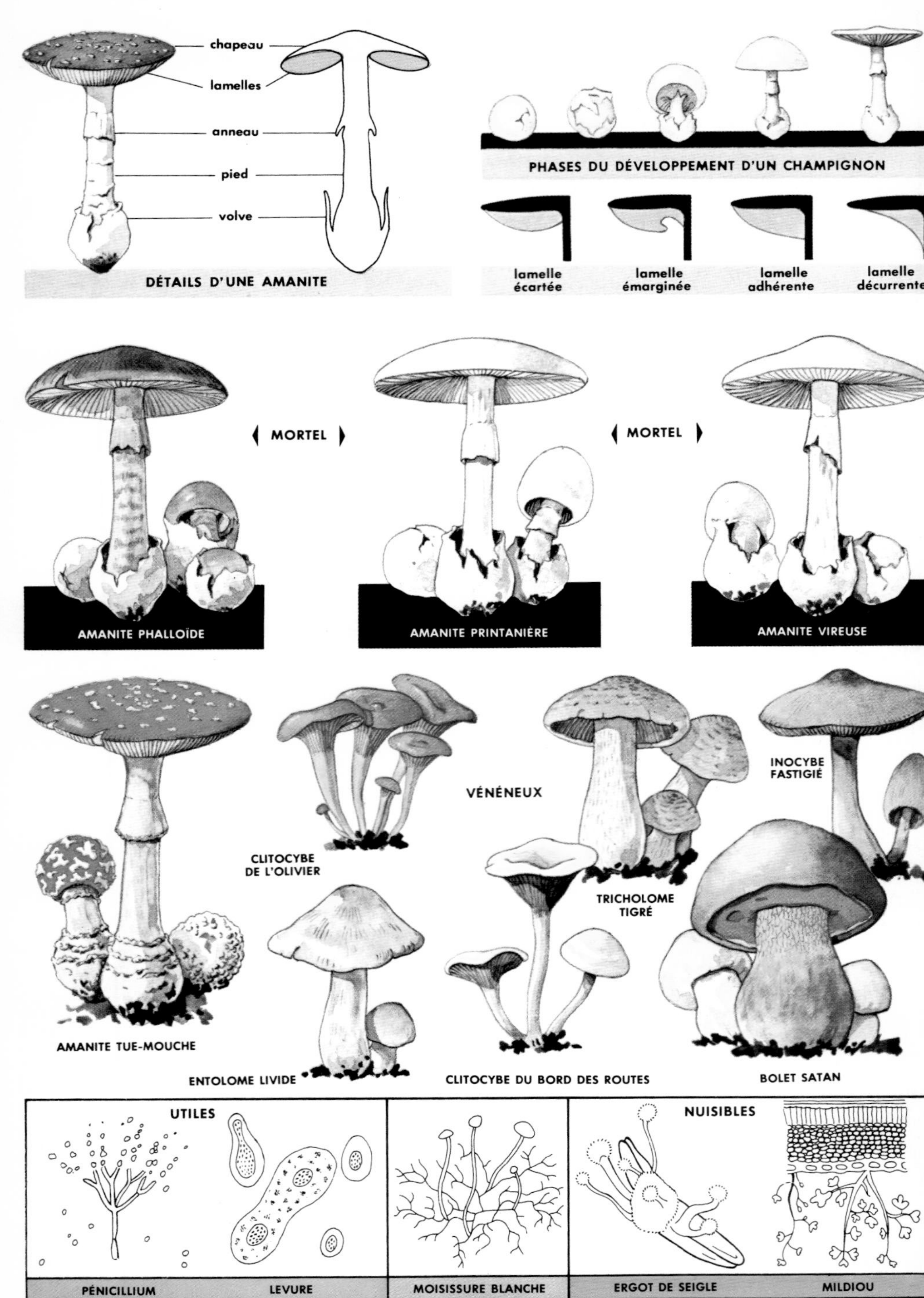
chapeau
lamelles
anneau
pied
volve
DÉTAILS D'UNE AMANITE
PHASES DU DÉVELOPPEMENT D'UN CHAMPIGNON
lamelle écartée
lamelle émarginée
lamelle adhérente
lamelle décurrente
MORTEL
MORTEL
AMANITE PHALLOÏDE
AMANITE PRINTANIÈRE
AMANITE VIREUSE
VÉNÉNEUX
CLITOCYBE DE L'OLIVIER
TRICHOLOME TIGRÉ
INOCYBE FASTIGIÉ
AMANITE TUE-MOUCHE
ENTOLOME LIVIDE
CLITOCYBE DU BORD DES ROUTES
BOLET SATAN
UTILES
NUISIBLES
PÉNICILLIUM
LEVURE
MOISISSURE BLANCHE
ERGOT DE SEIGLE
MILDIOU

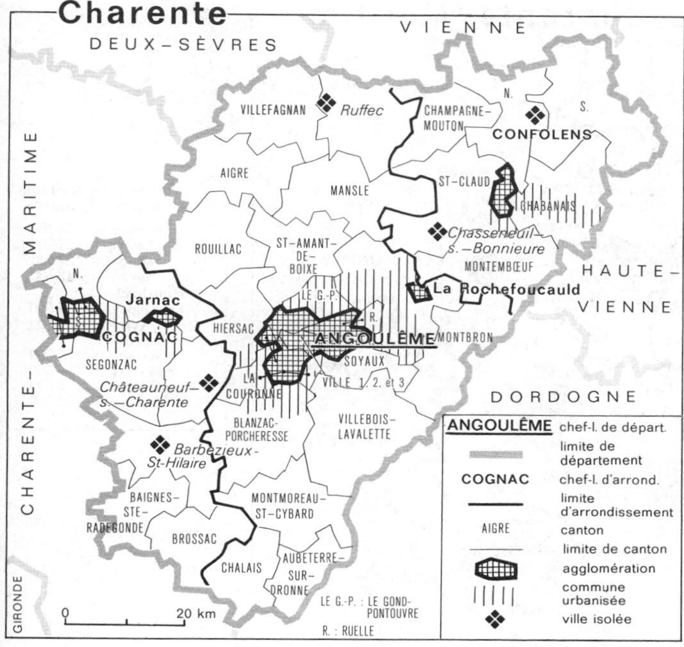

	NOMBRE D'HAB.
Angoulême	50 200
Cognac	21 000
Soyaux	11 000
Ruelle	8 100
La Couronne	6 700
Le Gond-Pontouvre	6 300
Barbezieux-Saint-Hilaire	5 400
Saint-Yrieix-sur-Charente	5 300
L'Isle-d'Espagnac	5 300
Jarnac	4 900

CHARDIN (Jean-Baptiste Siméon), peintre français (1699-1779). Chardin se classe au premier rang des grands peintres réalistes français. Ses sujets sont des natures mortes, des scènes familiales dans le logis bourgeois.

CHARDON [ʃardɔ̃] n. m. (du lat. *carduus*). Nom usuel de plusieurs plantes à feuilles et tiges épineuses, appartenant à la famille des composées *(carline, cirse)*. ‖ *Chardon bleu* ⟶ PANICAUT.

CHARDONNERET [ʃardɔnrɛ] n. m. (de *chardon*). Oiseau passereau chanteur, à plumage rouge, noir, jaune et blanc, qui se nourrit des graines du *chardon*. (Famille des fringillidés.)

CHARENTE (la), fl. côtier de France, né dans le Limousin; 360 km. Son estuaire, en aval de Rochefort, est large et envasé.

CHARENTE (16), dép. du nord du Bassin aquitain (Région Poitou-Charentes); 5 956 km^2; 340 800 hab. (57 au km^2) [France : 103]. Ch.-l. *Angoulême*.

ADMINISTRATION. 3 arrond. (*Angoulême*, 216 100 hab.; *Cognac*, 84 900 hab.; *Confolens*, 39 700 hab.). / 35 cant. / 405 comm.

Le département est formé de bas plateaux calcaires entaillés par les vallées de la Charente et de son affluent la Tardoire. Le climat est à tendance océanique, assez humide.

L'agriculture emploie encore près de 20 p. 100 de la population active (pratiquement le double de la moyenne de la France). À côté de l'élevage et des céréales, la culture de la vigne tient une place importante dans l'Ouest, dans la zone de la Champagne, autour de Cognac, productrice du célèbre alcool.

L'*industrie* occupe aujourd'hui plus du tiers de la population active; elle est liée à la valorisation des produits de l'agriculture (produits laitiers et distilleries).

Le *secteur tertiaire* connaît un développement presque égal à celui de l'industrie.

Malgré des conditions naturelles relativement favorables, le département est peu peuplé; la densité est bien inférieure à la moyenne nationale. Angoulême, la seule agglomération de taille notable, regroupe plus du quart de la population totale du département. Cognac est la seule autre localité dépassant 15 000 hab. L'insuffisance de l'industrialisation, en face des besoins décroissants de l'agriculture en main-d'œuvre, explique la persistance de l'émigration. Certains cantons du Confolentais ont perdu récemment 10 p. 100 de leur population.

CHARENTE-MARITIME (17), dép. du nord du Bassin aquitain (Région Poitou-Charentes); 6 864 km^2; 513 200 hab. (75 au km^2) [France : 103]. Ch.-l. *La Rochelle*.

ADMINISTRATION. 5 arrond. (*Jonzac*, 53 700 hab.; *Rochefort*, 147 300 hab.; *La Rochelle*, 159 900 hab.; *Saintes*, 99 500 hab.; *Saint-Jean-d'Angély*, 52 800 hab.). / 51 cant. / 472 comm.

⟶ carte page suivante.

Le département s'étend sur des plaines et des bas plateaux, généralement calcaires, dont l'altitude dépasse rarement 100 m. Le climat y est océanique, avec des précipitations modérées, relativement plus faibles sur le littoral. Ce dernier, bas, parfois marécageux, est précédé d'îles (Ré et Oléron notamment).

L'*agriculture* emploie encore près de 20 p. 100 de la population active, environ le double de la moyenne nationale. L'élevage et les cultures céréalières sont encore largement répandus. Cependant, dans l'Est, le vignoble se maintient; sa production est destinée à la fabrication du cognac. Les ressources sont variées sur le littoral, avec le tourisme (Royan et les îles notamment), la pêche (La Rochelle), l'ostréiculture (Marennes) et la mytiliculture (= élevage des moules).

L'*industrie* n'occupe guère plus de personnes que l'agriculture; elle est représentée surtout par la métallurgie, notamment à La Rochelle.

Le *secteur tertiaire* emploie aujourd'hui la moitié de la population active, part assez importante, due partiellement à l'activité touristique.

La *population* de la Charente-Maritime s'accroît lentement, et sa densité est assez basse, inférieure à la moyenne nationale. La Rochelle est la seule agglomération importante du département. L'insuffisance de l'industrialisation s'accompagne d'une certaine émigration hors des limites du département. À un littoral assez actif s'oppose une partie intérieure qui se dépeuple.

CHARENTON-LE-PONT, ch.-l. de cant. du Val-de-Marne, dans la banlieue sud-est de Paris, entre la Seine, la Marne et le bois de Vincennes; 20 600 hab. L'hôpital psychiatrique dit *de Charenton* est sur le territoire de la commune de Saint-Maurice.

CHARETTE DE LA CONTRIE (François DE), chef vendéen (1763-1796). Il participe aux victoires royalistes de l'été 1793. Après le traité de pacification de 1795, il reprit les armes, pour aider les émigrés de Quiberon. Capturé par Hoche, il fut exécuté à Nantes.

1. CHARGER [ʃarʒe] v. t. (bas lat. *carricare*). **1.** *Charger un être animé, une chose*, mettre sur eux une charge, une chose pesante : *Charger un chameau, un camion.* — **2.** *Charger un fardeau*, le placer sur ce qui doit le transporter : *Charger des valises sur le toit d'une voiture.* — **3.** *Fam.* Prendre en charge : *Le*

LOCALITÉS PRINCIPALES	NOMBRE D'HAB.
La Rochelle	78 200
Rochefort	27 700
Saintes	27 500
Royan	18 100
Saint-Jean-d'Angély	9 500
Aytré	7 400
Tonnay-Charente	6 500
Surgères	6 500
Pons	5 400
Périgny	3 500

chauffeur de taxi charge un client. — **4.** Couvrir abondamment de quelque chose : *Une table chargée de mets.* ‖ *Temps chargé,* couvert de nuages. ◆ **charge** n. f. Ce que porte ou que peut supporter une personne, un animal, une chose : *Le porteur plie sous la charge* (syn. FARDEAU, POIDS). ‖ *Charge limite,* ou *capacité,* charge maximale qu'un courant d'une puissance donnée peut transporter. ‖ *Charge de rupture,* effort de traction, mesuré en kilogrammes par millimètre carré, sous lequel se rompt une barre, dans les essais de métaux ou de matériaux de construction. ‖ *Charge utile,* poids des personnes, des marchandises, etc., que peut transporter un wagon, un camion (par oppos. à POIDS MORT [= poids de ce wagon, de ce camion vide]). ◆ **chargement** n. m. **1.** Action de charger : *On procède au chargement des colis* (contr. DÉCHARGEMENT). — **2.** Ensemble des objets constituant une charge. ◆ **décharger** v. t. Contr. de CHARGER : *Les dockers déchargent le bateau.* ◆ v. i. *Tissu qui décharge au lavage,* qui perd une partie de son colorant, qui pâlit (syn. DÉTEINDRE). ◆ **décharge** n. f. Lieu où l'on jette les ordures, les décombres. ◆ **déchargement** n. m. : *Le déchargement du camion.* ◆ **recharger** v. t. Charger de nouveau. ◆ **rechargement** n. m. Action de recharger : *Le rechargement d'un bateau.* ◆ **surcharge** n. f. **1.** Charge, poids supplémentaire ou excessif : *Une surcharge de travail* (syn. SURCROÎT). — **2.** Inscription faite par-dessus une autre, qui reste visible : *Un brouillon plein de ratures et de surcharges.* ◆ **surcharger** v. t. **1.** *Surcharger qq'un, qqch.,* leur imposer un poids supplémentaire : *Un camion surchargé. Être surchargé de travail* (syn. ACCABLER, SURMENER). — **2.** *Surcharger un texte, un timbre,* y inscrire une surcharge.

2. CHARGER [ʃarʒe] v. t. (même étym.). *Charger un appareil,* le munir de ce qui est nécessaire à son fonctionnement; assurer son ravitaillement : *Charger un appareil photographique avec une pellicule. Ce revolver est chargé* (= il a une ou plusieurs balles prêtes à être tirées). *La batterie de la voiture a besoin d'être chargée* (= d'être soumise à l'action d'un courant, pour emmagasiner de l'énergie électrique). ◆ **charge** n. f. **1.** Quantité de poudre, d'explosif ou de projectiles : *Charge de plastic.* — **2.** Quantité d'électricité emmagasinée dans un accumulateur : *Si la batterie ne tient pas la charge, il faut la changer.* — **3.** Substance que l'on ajoute à la soie, au papier, au caoutchouc ou aux matières plastiques pour leur donner du corps. — **4.** Ensemble de matériaux transportés en dissolution, en suspension ou roulés au fond du lit par un cours d'eau : *La charge du Houang-ho est très forte.* ◆ **chargeur** n. m. **1.** Dispositif qui permet d'introduire une réserve de munitions dans une arme à feu. — **2.** Appareil permettant de recharger une batterie d'accumulateurs. — **3.** Boîte étanche à la lumière, conçue pour contenir une réserve de pellicule et permettre le chargement en plein jour d'un appareil photographique. ◆ **décharger** v. t. Contr. de CHARGER : *Décharger une arme* (= retirer les munitions qui étaient engagées). *Le bandit déchargea son revolver sur ses poursuivants* (= tira sur eux toutes les balles de son revolver). ◆ **décharge** n. f. **1.** Coup ou ensemble de coups tirés par une ou plusieurs armes à feu (syn. SALVE). — **2.** *Décharge électrique,* passage brusque de courant électrique dans un corps conducteur, ou entre deux pôles à distance. ◆ **recharger** v. t. *Recharger un appareil,* l'approvisionner de nouveau pour le remettre en état de fonctionner : *Recharger un fusil, un poêle, un appareil photographique, une batterie d'accumulateurs.* ◆ **recharge** n. f. **1.** Action de recharger un appareil : *La recharge d'une arme.* — **2.** Ce qui permet d'approvisionner de nouveau : *Une recharge de stylo.*

3. CHARGER [ʃarʒe] v. t. et i. (même étym.) [sujet nom d'être animé]. S'élancer impétueusement sur : *Le sanglier charge les chiens.* ◆ **charge** n. f. **1.** *Une charge de cavalerie* (syn. ATTAQUE). ‖ *Sonner la charge,* se disait d'une batterie de tambours, ou d'une sonnerie de clairons, qui donnait le signal de l'assaut. — **2.** *Revenir à la charge,* faire une nouvelle tentative après qu'une première a échoué; insister.

4. CHARGER [ʃarʒe] v. t. (même étym.). **1.** (sujet nom de personne) *Charger qq'un de* (suivi d'un nom ou d'un infin.), lui donner la responsabilité, la mission de : *Je l'ai chargé de me tenir* *au courant.* — **2.** Attribuer la responsabilité d'un méfait, d'un acte : *L'accusé a chargé son complice* (syn. ACCABLER). ◆ **se charger** v. pr. [**de**] (sujet nom de personne). Prendre sur soi la responsabilité de quelque chose ou de quelqu'un : *Qui veut se charger de faire cette démarche?* (syn. S'OCCUPER). ◆ **charge** n. f. **1.** Ce qui met dans la nécessité de faire des frais, des dépenses : *Il a de grosses charges familiales* (= il doit subvenir aux dépenses importantes de sa famille). *Charges sociales* (= ensemble des dépenses qui incombent à une entreprise en vue d'assurer la protection sociale des travailleurs). — **2.** (suivi d'un compl.) Rôle, mission, choses ou personnes dont on a la responsabilité : *On lui a confié la charge d'organiser la publicité.* — **3.** Point d'une accusation, élément défavorable à un accusé : *Les charges pèsent sur l'accusé* (syn. CHEF D'ACCUSATION, GRIEF). — **4.** *À la charge de qq'un, à charge,* se dit d'une personne qui dépend d'une autre pour sa subsistance, qui vit à ses frais : *Avoir encore un enfant à charge;* se dit de ce qui incombe à quelqu'un, qui doit être payé par lui : *L'entretien intérieur des locaux est à la charge du locataire.* ‖ *À charge de revanche,* étant bien entendu qu'on agira éventuellement de la même façon à votre égard. ‖ *Prendre en charge,* assurer l'entretien, la subsistance de. ‖ *Témoin à charge,* celui dont le témoignage est défavorable à un accusé (contr. TÉMOIN À DÉCHARGE). ◆ **chargé** n. m. *Chargé d'affaires,* diplomate qui représente un gouvernement auprès d'une nation étrangère, à défaut d'ambassadeur. ◆ **décharger** v. t. **1.** *Décharger qq'un,* atténuer ou annuler sa responsabilité : *Ce témoignage déchargeait l'inculpé.* — **2.** *Décharger qq'un de,* le soulager de la responsabilité de, le libérer d'une fonction : *Être déchargé d'un travail.* — **3.** *Décharger son cœur,* dire, pour se soulager, ce qui vous pesait sur le cœur (syn. S'ÉPANCHER). ◆ **se décharger** v. pr. *Se décharger sur qq'un du soin de qqch.,* lui faire confiance, s'en remettre à lui pour la surveillance, l'exécution de quelque chose. ◆ **décharge** n. f. **1.** Écrit par lequel on tient une personne quitte d'une obligation, d'une responsabilité : *Je vous laisse ce colis, mais vous voudrez bien me signer une décharge* (syn. RÉCÉPISSÉ, REÇU). — **2.** *À sa décharge,* pour diminuer sa responsabilité, sa faute. ‖ *Témoin à décharge,* témoin dont la déposition tend à innocenter un accusé (contr. TÉMOIN À CHARGE).

5. CHARGER [ʃarʒe] v. t. (même étym.). *Charger un portrait,* en exagérer certains détails ou traits caractéristiques. ◆ **charge** n. f. Portrait, récit, spectacle contenant des exagérations satiriques qui visent à faire rire.

CHARI (le), fl. de l'Afrique équatoriale; 1200 km. Il se jette dans le lac Tchad par un delta.

CHARIOT [ʃarjo] n. m. (de *char*). **1.** Petite voiture ou plateau monté sur roues, qu'on utilise pour le transport des fardeaux : *Dans les gares, les aéroports, on porte les bagages sur les chariots.* — **2.** Partie d'une machine à écrire dans laquelle est introduit le papier, et qui se déplace au fur et à mesure de la frappe.

CHARISME [karism] n. m. (gr. *kharisma,* grâce, faveur). Prestige, ascendant sur les autres d'une personnalité exceptionnelle.

CHARITÉ [ʃarite] n. f. (lat. *caritas*). **1.** Vertu qui porte à faire ou à souhaiter du bien aux autres. — **2.** Acte fait par amour pour autrui : *Faire la charité* (syn. AUMÔNE, DON). — **3.** *Fête, vente de charité,* fête ou vente dont le profit financier est destiné à une œuvre charitable. ‖ *Filles de la Charité,* congrégation de religieuses qui se vouent au soulagement des pauvres et des malades (syn. SŒURS DE SAINT-VINCENT-DE-PAUL). ◆ **charitable** adj. **1.** Se dit d'une personne qui pratique la charité : *C'est une femme charitable.* — **2.** Se dit de l'attitude, de l'action de quelqu'un qui est inspirée par la charité, qui vise à faire la charité : *Un geste charitable* (= une aumône). ◆ **charitablement** adv. : *On lui a charitablement offert de l'aider.*

CHARITÉ-SUR-LOIRE (La), ch.-l. de cant. de la Nièvre, à 24 km au N.-O. de Nevers; 6500 hab. *(Charitois).* Cette ville doit son origine et son nom à l'un des plus importants prieurés de l'ordre de Cluny (fondé en 1052).

CHARIVARI [ʃarivari] n. m. (gr. *karêbaria,* mal de tête). Ensemble de bruits très forts et très discordants (syn. TUMULTE, VACARME).

CHARLATAN [ʃarlatɑ̃] n. m. (it. *ciarlatano*). **1.** Autref., personne qui, sur les places publiques, vendait des drogues, arrachait les dents, etc., avec un grand luxe de discours, de facéties : *Tabarin fut le roi des charlatans.* — **2.** Celui qui exploite la crédulité du public en prétendant avoir un talent particulier ou des remèdes miracles pour guérir les maladies; mauvais médecin. ◆ **charlatanisme** n. m. ou **charlatanerie** n. f. Agissements de charlatan. ◆ **charlatanesque** adj. Qui est digne d'un charlatan.

CHARLEMAGNE ou **CHARLES Ier le Grand** (747-814), fils aîné de Pépin le Bref. Il devint, à la mort de son père (768), roi des Francs conjointement avec son frère Carloman.

- *771. Charles reste seul roi des Francs après la mort de Carloman.*

Il se consacre à la conquête de nouveaux territoires.

- *774. Vainqueur des Lombards, il reçoit la « couronne de fer ».*

Il devient ainsi maître du nord de l'Italie, dont il fait une sorte de vice-royauté, à la tête de laquelle il place son fils Pépin.

Dans le même temps, il tente de conquérir l'Espagne musulmane.

- *778. Une partie de l'armée franque, sous les ordres de Roland, est massacrée à Roncevaux.*

Renonçant à l'Espagne, Charlemagne se contente de constituer une marche* frontière au S. des Pyrénées.

- *781. Il crée le royaume d'Aquitaine pour son fils Louis.*
- *788. Incorporation de la Bavière à l'État franc, après l'élimination de Tassilon de Bavière.*
- *789-790. Création d'une marche de Bretagne à l'O.*
- *799. La Saxe est rattachée à l'État franc, après des combats acharnés, dirigés par Widukind.*

La même année, Charlemagne soumet les Avars de Pannonie.

Dans tous ces pays, il introduit le christianisme.

- *25 déc. 800. Charlemagne est couronné empereur d'Occident par le pape.*

À partir d'Aix-la-Chapelle, sa capitale, il s'efforça d'organiser son empire.

L'administration locale fut confiée aux comtes et aux évêques qui étaient contrôlés par des « envoyés du maître » (les *missi dominici*) et par des assemblées annuelles de notables (les *plaids*). Les ordres de l'empereur s'exprimaient en des *capitulaires.*

Il favorisa une véritable renaissance culturelle, dite *renaissance carolingienne :* il restaura les études, protégea les lettres et les arts, faisant appel aux lettrés étrangers comme Alcuin, multiplia les ateliers d'art dans les monastères.

Entré vivant dans la légende, Charlemagne devint un héros d'épopée (dans *la Chanson de Roland*); il fut canonisé par l'antipape Pascal III en 1165.

CHARLEROI, v. de Belgique, ch.-l. d'arrond. du Hainaut; 229200 hab. Centre industriel.

EMPEREURS

CHARLES Ier le Grand → CHARLEMAGNE.

CHARLES II, empereur d'Occident ⟶ CHARLES II *le Chauve,* roi de France.

CHARLES III le Gros (839-888), fils de Louis le Germanique (et arrière-petit-fils de Charlemagne).

- *876. Roi d'Alamannie.*
- *881. Empereur d'Occident.*
- *882. Roi de Germanie.*
- *884. Roi de France.*

Il reconstitue en théorie l'empire de Charlemagne.

- *887. La diète de Tribur le dépose à cause de sa lâcheté devant les Normands.*

CHARLES IV de Luxembourg (1316-1378), fils de Jean l'Aveugle, roi de Bohême, et petit-fils de l'empereur Henri VII.

- *1348. Il fonde l'université de Prague.*
- *1355. Il est élu empereur germanique.*
- *1356. Il promulgue la « Bulle d'or », véritable charte de l'Empire germanique.*

En vue d'affranchir celui-ci de la tutelle pontificale, il est décidé que l'empereur sera désormais élu par sept électeurs (4 laïques et 3 ecclésiastiques).

CHARLES V ou **CHARLES QUINT** (1500-1558), fils de Philippe le Beau, archiduc d'Autriche, et de Jeanne, reine de Castille. Une série d'héritages heureux le place à la tête d'un immense empire.

- *1506. Il hérite des Pays-Bas et de la Franche-Comté.*
- *1516. Il hérite des royaumes de Castille, Aragon, Naples et Sicile, ainsi que des colonies espagnoles d'Amérique.*

Il reçoit également les possessions autrichiennes des Habsbourg.

- *1519. Élu empereur du Saint Empire romain germanique, contre François Ier, il prend le nom de Charles V.*

Prétendant à la monarchie universelle, Charles Quint va poursuivre un double but : vaincre la France, dont il est devenu l'ennemi naturel par l'étendue de ses possessions, et lutter contre les hérétiques (= les princes protestants allemands) et les infidèles (= les Turcs).

- *1525. La victoire de Pavie permet à Charles Quint d'imposer à François Ier le traité de Madrid (1526).*
- *1529. Le traité de Cambrai met fin à une seconde offensive contre la France.*

Charles Quint renonce à ses prétentions sur la Bourgogne. La même année, il bat les Turcs devant Vienne.

La lutte contre les Turcs se poursuit en Afrique du Nord.

- *1535. Prise de Tunis.*
- *1538. Armistice de Nice avec la France.*
- *1541. L'expédition contre Alger échoue : Charles Quint ne parvient pas à vaincre les Turcs.*
- *1544. La défaite de Cérisoles marque un nouvel épisode de la guerre contre la France. Elle est suivie du traité de Crépy-en-Laonnois.*
- *1552. La guerre contre la France reprend sous Henri II à propos des trois évêchés, Metz, Toul et Verdun.*
- *1555. Charles Quint doit signer la paix d'Augsbourg avec les princes luthériens.*
- *1555-1556. Devant ces échecs successifs, Charles Quint abdique en faveur de son fils et de son frère et se retire au monastère de Yuste, en Espagne.*

CHARLES VI (1685-1740), deuxième fils de Léopold Ier.

- *1711. Il devient empereur germanique (Charles VI), roi de Hongrie (Charles III) et roi de Sicile (Charles VI).*
- *1713. Par la Pragmatique Sanction il garantit à sa fille Marie-Thérèse la succession d'Autriche.*
- *1738. À l'issue de la guerre de la Succession de Pologne, il perd Naples et la Sicile.*

CHARLES VII ALBERT (1697-1745).

- *1726. Électeur de Bavière.*
- *1742. Empereur germanique.*

Compétiteur de Marie-Thérèse à la succession d'Autriche, il fut chassé par sa rivale.

FRANCE

CHARLES MARTEL (v. 685-741), fils de Pépin d'Herstal, maire du palais d'Austrasie et de Neustrie au temps des « rois fainéants ».

- *732. Bataille de Poitiers. En écrasant les Arabes commandés par 'Abd al-Raḥmān, il sauve la chrétienté.*

Véritable chef de l'État franc, il régla sa succession entre ses fils Carloman et Pépin le Bref.

CHARLES Ier ⟶ CHARLEMAGNE.

CHARLES II le Chauve (823-877), fils de Louis Ier le Pieux et de Judith de Bavière.

- *840. Il devient roi de France à la mort de son père.*
- *841. Allié à son frère Louis le Germanique (roi des Francs orientaux), il bat à Fontenoy-en-Puisaye leur frère aîné Lothaire, qui voulait conserver l'intégralité de l'Empire carolingien.*
- *843. Le traité de Verdun partage l'empire : Charles le Chauve obtient la « Francia occidentalis » dont il devient roi.*

Son règne est marqué par les guerres franco-germaniques, par les progrès de la féodalité et par les invasions normandes.

- *875. À la mort de l'empereur Louis II (fils de Lothaire Ier), Charles II le Chauve reçoit la couronne impériale et acquiert la Provence.*

CHARLES III le Simple (879-929), fils posthume de Louis II le Bègue.

- *893. Il partage le trône avec Eudes.*
- *898. Il devient seul roi de France.*
- *911. Il donne la Normandie à Rollon au traité de Saint-Clair-sur-Epte.*
- *923. Il est détrôné à la suite de sa défaite à Soissons devant Hugues le Grand (père d'Hugues Capet).*

CHARLES IV le Bel (1294-1328), troisième fils de Philippe IV le Bel et de Jeanne Ire de Navarre.

- *1322. Il monte sur le trône de France à la mort de son frère Philippe V le Long.*

Il sera le dernier des Capétiens directs : sa mort ouvrira une querelle de succession.

CHARLES V le Sage (1338-1380), fils de Jean II le Bon.

- *1356. Le dauphin Charles devient régent du royaume, pendant la captivité de son père.*

Il assiste à la Jacquerie et aux troubles parisiens dirigés par Étienne Marcel.

- *1360. Il doit signer le traité de Brétigny par lequel les Anglais reçoivent le quart sud-ouest de la France.*
- *1364. À la mort de Jean le Bon, il devient roi et impose aussitôt la paix à Charles le Mauvais, roi de Navarre.*

Pendant les seize années de son règne, il accomplit une œuvre salutaire; aidé par du Guesclin, il débarrasse la France des Grandes Compagnies et reprend aux Anglais presque toutes les provinces conquises. Il réalise d'heureuses réformes financières, étend les privilèges de l'Université, construit ou embellit plusieurs palais (hôtel Saint-Pol, Louvre) et réunit une importante collection de manuscrits.

CHARLES VI le Bien-Aimé (1368-1422), fils de Charles V.

- *1380. Âgé de douze ans, Charles VI devient roi de France.*

Il gouverne d'abord sous la tutelle de ses oncles qui dilapident le Trésor et provoquent des révoltes par de nouveaux impôts.

- *1388. Charles VI écarte ses oncles et les remplace par les anciens conseillers de son père.*
- *1392. Charles VI a une crise de folie en traversant la forêt du Mans.*

Jusqu'à sa mort, périodes de folie et de lucidité alternent. Sa femme, Isabeau de Bavière, exerce dès lors la réalité du pouvoir; elle évolue d'un parti à l'autre, favorisant d'abord son beau-frère Louis d'Orléans, puis, après l'assassinat de celui-ci (1407), le duc de Bourgogne Jean sans Peur.

La guerre civile éclate alors entre les Armagnacs et les Bourguignons.

- *1415. Victoire anglaise à Azincourt.*

Soutenu par l'Angleterre, Jean sans Peur gouverne au nom de Charles VI, mais il est assassiné en 1419.

- *1420. Traité de Troyes.*

Le nouveau duc de Bourgogne, Philippe le Bon, livre la France à l'Angleterre. Henri V d'Angleterre est reconnu comme héritier légitime du roi de France à la place du dauphin Charles.

- *1422. À la mort de Charles VI et d'Henri V, Henri VI d'Angleterre est proclamé roi de France et d'Angleterre.*

CHARLES VII (1403-1461), fils de Charles VI et d'Isabeau de Bavière.

- *1422. À la mort de son père Charles VI, Charles VII n'est reconnu roi que par une partie de la France et doit fixer sa capitale à Bourges.*
- *1429. Jeanne d'Arc fait sacrer Charles VII à Reims.*
- *1435. Le roi se réconcilie avec le duc de Bourgogne, Philippe le Bon.*
- *1436. Paris est repris.*
- *1438. Charles VII donne à l'Église de France une charte, la pragmatique sanction de Bourges, qui l'assujettit à la royauté.*
- *1440. Une révolte aristocratique (la « Praguerie ») éclate, soutenue par le dauphin. Elle est matée par Charles VII.*
- *1445. Le roi crée une armée régulière, les compagnies d'ordonnance.*

Le banquier Jacques Cœur dirige l'essor économique.

- *1450. Les Anglais sont chassés de Normandie après la bataille de Formigny.*
- *1453. La défaite anglaise à Castillon marque la fin de la guerre de Cent Ans.*

CHARLES VIII (1470-1498), fils de Louis XI et de Charlotte de Savoie.

- *1483. Charles VIII devient roi.*

Anne de Beaujeu, sa sœur, exerce la régence jusqu'en 1494.

- *1484. Les états généraux de Tours confirment l'autorité monarchique.*
- *1488. Les troupes royales écrasent le soulèvement des grands seigneurs contre la régente.*
- *1490. Charles VIII épouse Anne de Bretagne.*

Ce mariage prépare l'annexion de la province à la France. Charles VIII organise alors une expédition en Italie : pour pouvoir agir librement il donne le Roussillon et la Cerdagne à l'Espagne, l'Artois et la Franche-Comté à l'Autriche.

- *1497. Malgré les premiers succès de Charles VIII, l'expédition en Italie est un échec complet.*

CHARLES IX (1550-1574), deuxième fils d'Henri II et de Catherine de Médicis.

- *1560. Charles IX devient roi. Sa mère exerce la régence.*
- *1570. À la suite du traité de Saint-Germain, l'amiral de Coligny, chef des protestants, exerce le pouvoir réel.*
- *24 août 1572. Il consent au massacre de la Saint-Barthélemy.*

CHARLES X (1757-1836), petit-fils de Louis XV, frère de Louis XVI et de Louis XVIII. Il portait le titre de comte d'Artois avant d'accéder au trône.

- *1789-1814. Émigré dès le mois de juillet 1789, il vit en exil en Angleterre.*
- *1814. À la Restauration, il est nommé lieutenant général du royaume.*

Demeuré très attaché aux conceptions politiques de l'Ancien Régime, il devient le chef des ultraroyalistes.

- *1824. Il succède à Louis XVIII.*

En juillet 1830, pour vaincre l'opposition que rencontre sa politique autoritaire, il promulgue les Quatre Ordonnances qui suppriment la liberté de la presse et modifient la loi électorale. Il provoque ainsi le soulèvement des Trois Glorieuses*.

Le succès de l'expédition d'Alger (4 juillet 1830) ne peut enrayer la révolution et Charles X est contraint d'abdiquer et de s'exiler.

AUTRICHE

CHARLES DE HABSBOURG (1771-1847), troisième fils de Léopold II, archiduc d'Autriche, duc de Teschen. Général de l'armée autrichienne pendant les guerres de la Révolution et de l'Empire.

- *1799. Vaincu par Masséna à Zurich.*
- *1809. Vaincu par Napoléon Ier à Wagram.*

BOURGOGNE

CHARLES LE TÉMÉRAIRE (1433-1477), fils de Philippe le Bon, duc de Bourgogne de 1467 à 1477. Maître de la Bourgogne et de la Flandre, il essaya de se constituer une principauté puissante aux dépens de la monarchie capétienne.

- *1465. Chef de la ligue du Bien public, il livre au roi Louis XI la bataille indécise de Montlhéry et l'oblige à signer les traités de Conflans et de Saint-Maur.*
- *1467-1468. Il est vainqueur de l'insurrection liégeoise fomentée par Louis XI.*
- *1468. Il retient Louis XI prisonnier à Péronne et ne le libère qu'après la signature d'un traité humiliant.*
- *1476. Après avoir soumis la Lorraine, Charles est vaincu par les Suisses à Granson et à Morat.*
- *1477. Il est tué devant Nancy.*

Sa fille Marie de Bourgogne ayant épousé le futur empereur Maximilien d'Autriche, les possessions bourguignonnes sont partagées entre la maison des Habsbourg et la France.

ESPAGNE

CHARLES Ier, roi d'Espagne ⟶ CHARLES V (CHARLES QUINT), empereur germanique.

CHARLES II (1661-1700), fils de Philippe IV, roi en 1665. Il perdit plusieurs possessions espagnoles et laissa son pays dans l'anarchie. Son héritage donne lieu à la guerre de la Succession d'Espagne.

CHARLES III (1716-1788), roi d'Espagne en 1759, conclut le pacte de Famille avec la France en 1761.

CHARLES IV (1748-1819), roi d'Espagne (1788-1808), fils de Charles III. Il abdiqua en faveur de Napoléon Ier qui donna la couronne à son frère Joseph.

CHARLES DE BOURBON, comte de Montemolin (1818-1861), prince espagnol prétendant au trône d'Espagne à partir de 1845. Ses partisans s'appelaient les carlistes. (⟶ CARLISME.)

GRANDE-BRETAGNE

CHARLES Ier (1600-1649), fils de Jacques Ier Stuart, roi d'Angleterre, d'Écosse et d'Irlande (1625-1649).

- *1628. La pétition du Droit, présentée par le Parlement, cherche à limiter le pouvoir royal.*
- *1629. Dissolution du Parlement.*

Charles Ier, poussé par sa femme Henriette de France et par ses ministres Buckingham, Strafford et Laud (archevêque de Cantorbéry), gouverne en monarque absolu. Tous les adversaires politiques et religieux sont persécutés.

- *1638. Soulèvement des Écossais.*
- *1640. Acculé par le manque d'argent, Charles Ier convoque le Parlement (Long Parlement, 1640-1653).*

Celui-ci, décidé à briser le pouvoir arbitraire, fait le procès de Strafford et Laud qui sont exécutés.

- *1641. Le Parlement adresse au roi une « Solennelle Remontrance ».*
- *1642-1648. Guerre civile entre la Couronne (les « Cavaliers ») et le Parlement (les « Têtes rondes »).*
- *1645. La nouvelle armée parlementaire commandée par Olivier Cromwell triomphe à Naseby.*
- *1648. Victoire de Cromwell à Preston sur les Écossais auprès desquels Charles Ier s'était réfugié. Épuré par l'armée, le « Parlement croupion » met le roi en accusation.*
- *1649. Exécution de Charles Ier. Proclamation de la république.*

CHARLES II (1630-1685), fils de Charles Ier, roi d'Angleterre, d'Écosse et d'Irlande.

- *1660. Après l'abdication de Richard Cromwell, il est rappelé sur le trône par le général Monk.*
- *1670. Il blesse le sentiment national anglais en s'alliant à la France contre la Hollande pour obtenir l'aide financière de Louis XIV.*
- *1673. Le Parlement l'oblige à remplacer la déclaration d'Indulgence (1672) par le bill du Test qui impose à tous les fonctionnaires l'appartenance à la foi anglicane.*
- *1679. Il sanctionne la loi de l' « habeas corpus », assurant la liberté individuelle.*

SARDAIGNE

CHARLES-ALBERT (1798-1849), roi de Sardaigne (1831-1849). Il lutta contre les Autrichiens, mais fut vaincu en 1848 à Custozza, et en 1849 à Novare.

SUÈDE

CHARLES XII (1682-1718), fils de Charles XI.

- *1697. Il devient roi de Suède et montre rapidement son génie militaire.*
- *1700. Il bat le roi de Danemark à Copenhague.*

La même année, il écrase les Russes à Narva.

- *1703. Victoire de Kissow sur les Polonais.*
- *1709. Charles XII est vaincu par Pierre le Grand à Poltava.*

Il se réfugie en Turquie où il essaie d'obtenir l'appui du sultan contre la Russie.

- *1715. Il regagne la Suède.*
- *1718. Il est tué au siège de Fredrikshald.*

CHARLES XIV ou **CHARLES-JEAN** (Jean-Baptiste BERNADOTTE) [1763-1844], maréchal de France, roi de Suède et de Norvège. Général, il se distingue d'abord dans les guerres de la Révolution et de l'Empire.

- *1804. Il est nommé maréchal d'Empire.*
- *1805. Il devient prince de Pontecorvo.*
- *1810. Déçu par Napoléon, il accepte sa désignation comme prince héritier par les États de Suède et s'installe à Stockholm.*

Rapidement, il s'allie avec Alexandre de Russie contre Napoléon.

- *1813. Il commande une des armées alliées à Leipzig et obtient en récompense l'union des couronnes de Suède et de Norvège.*
- *1818. Il devient définitivement roi de Suède, où il fonde la dynastie actuelle.*

CHARLES (Jacques), physicien français (1746-1823). En 1783, il substitua l'hydrogène à l'air chaud pour le gonflement des aérostats et fit plusieurs ascensions.

CHARLES (Ray), chanteur, pianiste et chef d'orchestre de jazz américain, né en 1930.

CHARLESTON, port de la côte sud-est des États-Unis (Caroline du Sud); 65 900 hab. Ce fut le centre de la résistance des États du Sud pendant la guerre de Sécession. — V. des États-Unis, capit. de la Virginie-Occidentale; 71 500 hab.

CHARLESTON [ʃarlɛstɔn] n. m. (de *Charleston*). Danse d'origine américaine, à la mode vers 1925, caractérisée par des pivotements rapides des jambes sur la pointe des pieds, les genoux restant rapprochés.

CHARLEVILLE-MÉZIÈRES, ch.-l. du dép. des Ardennes, sur la Meuse; 61 600 hab. *(Carolomacériens).* Métallurgie. Place Ducale (1611). Musées. Institut international de la marionnette et École nationale des arts de la marionnette.

CHARLIEU, ch.-l. de cant. de la Loire, à 19 km au N.-E. de Roanne; 4 400 hab. *(Charliandins).* Église (XIe-XIIe s.) dont les deux portails sculptés comptent parmi les chefs-d'œuvre de l'art roman bourguignon. Tissage (soie et coton).

Charlot, personnage de l'écran, créé par Charles Chaplin en 1912. Le chapeau melon, la veste étriquée, le pantalon tombant et la canne souple ont immortalisé sa silhouette, symbolisant à la fois la gentillesse, la sentimentalité et la résignation.

CHARLOTTE [ʃarlɔt] n. f. (de *Charlotte*, n. pr.). **1.** Chapeau féminin souple, dont le bord est formé de volants. — **2.** Entremets consistant en une marmelade de fruits dressée dans un moule tapissé de tranches minces de pain de mie beurrées.

CHARLOTTE, v. du sud-est des États-Unis (Caroline du Nord); 201 000 hab.

1. CHARME [ʃarm] n. m. (lat. *carmen*). **1.** Douceur gracieuse qui séduit chez une personne; qualité d'une chose qui plaît, qui procure du bien-être : *Le charme d'un paysage* (syn. ATTRAIT). *L'automne ne manque pas de charme* (syn. AGRÉMENT). — **2.** *Les* *charmes d'une femme*, ce qui la rend physiquement attirante. — **3.** (sujet nom de personne) Fam. *Faire du charme*, chercher à séduire. ‖ *Se porter comme un charme*, être en très bonne santé. ◆ **charmant, e** adj. (avant ou après le nom) Se dit d'une personne (ou de son comportement) qui est très aimable, agréable à fréquenter; d'une chose qui plaît beaucoup : *C'est un homme charmant* (syn. DÉLICIEUX). *Un charmant petit village* (syn. ↓PLAISANT). ◆ **charmer** v. t. **1.** *Charmer qq'un*, lui causer un grand plaisir : *La voix pure de la cantatrice charmait l'auditoire.* — **2.** (avec un sens atténué) *Être charmé de*, avoir plaisir à : *J'ai été charmé de faire votre connaissance* (syn. ENCHANTER). — **3.** *Charmer des serpents*, les fasciner, les faire évoluer en jouant de la musique. ◆ **charmeur, euse** n. : *Le charmeur de serpents. Ce garçon est un charmeur.* ◆ adj. : *Une voix aux inflexions charmeuses.*

2. CHARME [ʃarm] n. m. (lat. *carpinus*). Arbre de nos forêts, à bois blanc et dense, atteignant 25 m de hauteur. (Famille des bétulacées.) ◆ **charmille** n. f. Allée bordée de charmes ou d'autres arbres taillés régulièrement, et pouvant former une voûte.

CHARMES, ch.-l. de cant. des Vosges, à 25 km au N.-O. d'Épinal, sur la Moselle; 5 500 hab. *(Carpiniens).*

CHARMETTES (Les), hameau de Savoie, près de Chambéry, illustré par le séjour qu'y fit J.-J. Rousseau, chez Mme de Warens.

CHARMEUR, EUSE adj. et n. ⟶ CHARME 1.

CHARMILLE n. f. ⟶ CHARME 2.

CHARNEL, ELLE adj., **CHARNELLEMENT** adv. ⟶ CHAIR 2.

CHARNIER [ʃarnje] n. m. (du lat. *caro*, chair). Fosse où l'on entasse des cadavres d'animaux en cas d'épidémie, ou les corps de personnes exécutées en grand nombre.

CHARNIÈRE [ʃarnjɛr] n. f. (lat. *cardo, -inis*, gond). **1.** Articulation formée de deux pièces métalliques unies par un axe commun, l'une fixe, l'autre pouvant tourner autour de cet axe (syn. GOND). — **2.** Jointure entre les deux valves d'un mollusque bivalve. — **3.** Petite bande de papier gommé pour coller les timbres-poste de collection. — **4.** *Charnière d'un pli*, région où se raccordent les deux flancs du pli d'une couche géologique. — **5.** *À la charnière de*, au point de jonction, de transition : *Le dictionnaire de Bayle se situe à la charnière du XVIIe et du XVIIIe s.*

CHARNU, E adj. ⟶ CHAIR 1.

CHAROGNE [ʃarɔɲ] n. f. (du lat. *caro*, chair). Corps d'une bête morte, plus ou moins en décomposition. ◆ **charognard** n. m. Nom usuel des VAUTOURS (parce qu'ils se nourrissent de charognes).

CHAROLAIS, E ou **CHAROLLAIS, E** [ʃarɔlɛ, -ɛz] adj. et n. Du Charolais. ‖ *Race charolaise*, race de bovins au pelage très clair, fournissant une viande de qualité.

CHAROLAIS ou **CHAROLLAIS,** région de plateaux cristallins situés sur la bordure nord-est du Massif central (Saône-et-Loire), au S. du Morvan. Prairies d'embouche pour l'élevage des bovins *(race charolaise).*

CHAROLLES, ch.-l. d'arrond. de Saône-et-Loire, à 13 km à l'E. de Paray-le-Monial; 3 800 hab. *(Charollais).* Foires importantes (bétail et volaille).

CHARON, nocher (= conducteur d'une barque) des Enfers, qui faisait passer les âmes des morts sur le Styx (= le fleuve limitant les Enfers), moyennant une obole.

1. CHARPENTE [ʃarpɑ̃t] n. f. (lat. *carpentum*). Assemblage de pièces de bois ou de béton armé, destiné à soutenir une construction : *La charpente d'un toit.* ◆ **charpentier** n. m. Ouvrier capable de tracer, d'assembler, de réaliser et de livrer un ouvrage de charpente en bois.

2. CHARPENTE [ʃarpɑ̃t] n. f. (même étym.). **1.** Ensemble des os d'une personne, considéré du point de vue de la robustesse (syn. OSSATURE). — **2.** Ensemble cohérent des points essentiels d'une œuvre littéraire, d'un raisonnement : *La charpente d'un roman* (syn. PLAN, STRUCTURE). ◆ **charpenté, e** adj. *Bien, solidement, puissamment charpenté*, se dit d'une personne qui est d'une constitution physique robuste, ou d'une chose qui est d'une structure rigoureuse : *Un garçon bien charpenté* (syn. BIEN BÂTI). *Une pièce de théâtre solidement charpentée* (syn. STRUCTURÉ).

CHARPENTIER (Marc Antoine), compositeur français (v. 1634-1704). Auteur de nombreuses œuvres religieuses et théâtrales. Il écrivit également de la musique de scène pour des comédies de Molière.

CHARPIE [ʃarpi] n. f. (de l'anc. fr. *charpir*, déchirer). **1.** Débris déchiquetés d'un linge : *Autrefois, on utilisait la charpie pour faire des pansements.* — **2.** *En charpie*, en menus morceaux, déchiqueté.

CHARRETTE [ʃarɛt] n. f. (de *char*). Voiture à deux roues et deux ridelles qui sert au transport des fardeaux : *Une charrette de foin tirée par des bœufs. Une charrette à bras* (= tirée par un homme). ◆ **charretée** [ʃarte] n. f. **1.** Charge d'une charrette : *Une charretée de paille.* — **2.** *Fam.* Grande quantité de choses en vrac. ◆ **charretier** [ʃartje] n. m. **1.** Celui qui conduit une charrette. — **2.** *Péjor.* Homme rustre, grossier : *Jurer comme un charretier* (= très grossièrement).

CHARRIER [ʃarje] v. t. (de *char*). **1.** Transporter des fardeaux dans une charrette ou sur un chariot. — **2.** (sujet nom désignant un cours d'eau) Entraîner dans son courant : *La Seine a charrié des glaçons.* ◆ **charriage** n. m. **1.** Action de charrier. — **2.** *Géol.* Phénomène par lequel une masse de terrain, appelée *nappe*, a avancé de plusieurs kilomètres par-dessus d'autres terrains. (Les terrains les plus anciens recouvrent alors des terrains plus récents.) ◆ **charroyer** [ʃarwaje] v. t. Syn. de CHARRIER au sens 1, insistant sur l'effort nécessité par la masse à transporter. ◆ **charroi** n. m. Transport par charrette ou par chariot.

CHARRON [ʃarɔ̃] n. m. (de *char*). Artisan ou ouvrier qui fabrique et répare les voitures, charrettes, chariots. ◆ **charronnage** n. m. Ouvrage de charron. ◆ **charronnerie** n. f. Industrie du charronnage.

CHARROYER v. t. ⟶ CHARRIER.

CHARRUE [ʃary] n. f. (lat. *carruca*). **1.** Instrument agricole servant à labourer la terre, à l'aide d'un soc tranchant, et qui est tiré par un attelage animal ou par un tracteur. — **2.** Fam. *Mettre la charrue devant* (ou *avant*) *les bœufs*, faire en premier ce qui, logiquement, devrait être fait en second.

CHARTE [ʃart] n. f. (lat. *charta*, papier écrit). **1.** Au Moyen Âge, écrit solennel destiné à consigner des droits ou à régler des intérêts : *Les chartes d'une commune.* — **2.** Acte d'un souverain sur lequel repose la Constitution : *La Grande Charte d'Angleterre.* — **3.** Loi, règle fondamentale sur laquelle s'appuie l'organisation d'un vaste ensemble.

CHARTER [ʃartɛr] n. m. (mot angl.). Avion affrété par une compagnie de tourisme ou par un groupe de personnes, pour une destination choisie par le client et avec un tarif moins élevé que sur les lignes régulières.

chartes *(École nationale des)*, établissement d'enseignement supérieur, fondé en 1821. Il dispense l'enseignement des sciences auxiliaires de l'histoire (archéologie, étude des écritures anciennes, des manuscrits, etc.). Il confère le titre d'*archiviste-paléographe.*

CHARTIER (Alain), écrivain français (v. 1385-1433). Il a laissé des écrits politiques (*le Quadrilogue invectif*, 1422) et des poésies.

CHARTISME [ʃartism] n. m. (de *charte*). Mouvement réformiste qui anima la vie politique britannique entre 1837 et 1848 et qui visait à l'amélioration du sort des travailleurs.

CHARTRES, ch.-l. du dép. d'Eure-et-Loir, sur l'Eure, à 96 km au S.-O. de Paris; 39 200 hab. *(Chartrains).* La cathédrale (XIIe-XIIIe s.) marque le triomphe de l'art gothique.

CHARTRES-DE-BRETAGNE, comm. d'Ille-et-Vilaine, à 8 km au S. de Rennes; 4 900 hab. Importante usine d'automobiles.

CHARTREUSE [ʃartrøz] n. f. (de la *Grande-Chartreuse*). **1.** Couvent de chartreux. — **2.** Liqueur aromatique fabriquée par les moines de la Grande-Chartreuse.

Chartreuse (la *Grande-*), principal monastère de l'ordre des *Chartreux*, fondé par saint Bruno en 1084 dans un vallon du diocèse de Grenoble (auj. *Saint-Pierre-de-Chartreuse*, Isère).

CHARTREUSE (*massif de la* **Grande-**), massif des Préalpes françaises du Nord, entre la cluse de Chambéry et celle de Voreppe; 2 082 m au signal de Chamechaude. Ce massif se caractérise par la netteté des phénomènes d'inversion* du relief (synclinaux perchés). Élevage. Exploitation forestière.

Chartreuse de Parme *(la)*, roman de Stendhal (1839).

1. CHARTREUX n. ⟶ CHARTREUSE (la *Grande-*).

2. CHARTREUX [ʃartrø] n. m. (de *Chartreuse*). Chat à poil gris-bleu.

CHARYBDE, tourbillon du détroit de Messine qui était redouté des navigateurs de l'Antiquité. En face du gouffre de Charybde se trouvait le rocher de Scylla. Le pilote qui cherchait à échapper à un danger pouvait tomber dans l'autre, d'où l'express. *tomber de Charybde en Scylla.*

CHAS [ʃa] n. m. (lat. *capsus*, boîte). Trou d'une aiguille, par lequel on passe le fil.

Chasles *(relation de)* [du n. du mathématicien français Michel *Chasles*, 1793-1880]. Si A, B et C sont trois points quelconques d'un axe muni d'un repère, on appelle *relation de Chasles* l'égalité $\overline{AC} = \overline{AB} + \overline{BC}$.

CHASSAGNE-MONTRACHET, comm. de la Côte-d'Or, à 18 km au S.-O. de Beaune; 454 hab. Vignobles renommés.

CHASSE n. f. ⟶ CHASSER 1 et 2.

CHÂSSE [ʃɑs] n. f. (lat. *capsa*, boîte). Grand coffret ou coffre, souvent richement orné, qui contient le corps ou les reliques d'un saint. (Plus grande qu'un reliquaire, la châsse a la forme d'un sarcophage ou d'une église.)

CHASSÉ-CROISÉ [ʃasekrwaze] n. m. *(chassé*, et *croisé)*. Action de deux personnes qui se cherchent mutuellement sans se rencontrer; échanges réciproques et simultanés n'aboutissant à aucun résultat. ‖ Pl. des *chassés-croisés*.

CHASSELAS [ʃasla] n. m. (du n. d'une comm. de Saône-et-Loire). Raisin blanc de table.

CHASSE-NEIGE n. m. inv. ⟶ CHASSER 2.

CHASSEPOT [ʃaspo] n. m. (du n. de l'inventeur). Fusil de guerre français à aiguille (1866-1874).

1. CHASSER [ʃase] v. t. (lat. *captare*, chercher à prendre). *Chasser un animal*, chercher à le tuer ou à le capturer (souvent intr. en ce sens) : *Chasser le lièvre. Aimer à chasser.* ◆ **chasse** n. f. **1.** Action de poursuivre, de tuer le gibier. ‖ *Chasse à courre*, chasse où le gibier est poursuivi par la meute des chiens et les chasseurs à cheval. ‖ *Chasse sous-marine*, sport consistant à tirer avec un fusil-harpon des poissons que l'on recherche en plongée. ⟶ ENCYCL. — **2.** Gibier tué ou capturé : *La chasse est abondante.* — **3.** Étendue de terrain réservée à la chasse. — **4.** *Aviation de chasse*, ensemble des appareils légers, rapides et puissamment armés, dits *avions de chasse* ou *chasseurs*, chargés de poursuivre et de détruire les avions ennemis. ⟶ ENCYCL. ‖ *Chasse à l'homme*, poursuite d'un homme en vue de l'arrêter ou de l'abattre. ‖ *Donner la chasse à*, poursuivre, pourchasser. ‖ *Prendre qq'un, une voiture en chasse*, se lancer à sa poursuite. ‖ *Se mettre en chasse*, entreprendre activement des recherches. ◆ **chasseresse** n. et adj. f. *Diane chasseresse*, la déesse de la Chasse. ◆ **chasseur, euse** n. **1.** Personne qui chasse. — **2.** Personne qui cherche à se procurer quelque chose avec ardeur, obstination : *Un chasseur d'autographes.* ‖ *Chasseur d'images*, reporter-photographe. ◆ **chasseur** n. m. **1.** Nom donné aux soldats de certains corps d'infanterie et de cavalerie : *Chasseurs à pied ou alpins.* — **2.** Navire ou véhicule conçu pour chasser des bâtiments ou des véhicules de combat adverses : *Chasseur de sous-marins. Chasseur de chars.* — **3.** Appareil de l'aviation de chasse. ‖ *Chasseur bombardier*, avion spécialisé dans les missions d'attaque à la bombe.
— ENCYCL. ***chasse sous-marine.*** L'absence d'appareil respiratoire (autre que le *tuba*) limite la durée de la plongée à quelques dizaines de secondes; les lunettes servent à faciliter la vision. Les chasseurs peuvent descendre jusqu'à 10 et 12 m en dessous de la surface; ils y chassent le mulet, le loup; la pièce de choix reste toujours le mérou.
aviation de chasse. Elle est née au cours de la Première Guerre mondiale, pendant laquelle tous les as de l'aviation (Guynemer, Fonck, von Richthofen, etc.) s'illustrèrent dans ses rangs en opérant soit en *chasse libre*, soit en unités constituées. Elle progressa rapidement et atteignit son plein développement au cours de la Seconde Guerre mondiale.
Les unités aériennes de chasse ont constitué d'abord, notamment pendant la bataille d'Angleterre (1940), l'élément actif et mobile de la protection aérienne du territoire *(chasse d'interception);* elles assurèrent ensuite l'accompagnement et la protection des escadres de bombardement contre la chasse ennemie *(chasse d'escorte* ou *d'accompagnement)*. Elles furent enfin utilisées pour l'attaque d'objectifs terrestres *(chasse d'assaut)*.

2. CHASSER [ʃase] v. t. (même étym.). *Chasser une personne, une chose*, faire partir cette personne par la force ou par un acte d'autorité, repousser cette chose hors de sa place : *Chasser un domestique* (syn. CONGÉDIER). *Chasser l'ennemi de ses positions* (syn. DÉLOGER, EXPULSER). *Le vent chasse les nuages* (syn. POUSSER). ◆ **chasse** n. f. Écoulement rapide d'une certaine quantité d'eau assurant le nettoyage d'un appareil sanitaire. (On dit plus souvent CHASSE D'EAU.) ◆ **chasse-neige** n. m. inv. Appareil servant à déblayer la neige sur les routes ou les voies ferrées.

3. CHASSER [ʃase] v. i. (même étym.) [sujet nom désignant un véhicule ou ses roues]. Glisser de côté par suite d'une adhérence insuffisante au sol.

CHASSERESSE n. et adj. f. ⟶ CHASSER 1.

CHASSÉRIAU (Théodore), peintre français (1819-1856). Élève d'Ingres, il chercha à allier le dessin de celui-ci à la couleur de Delacroix.

1. CHASSEUR, EUSE n. ⟶ CHASSER 1.

2. CHASSEUR [ʃasœr] n. m. (de *chasser*). Domestique en livrée, qui fait les courses dans certains hôtels ou restaurants (syn. GROOM).

CHASSIE [ʃasi] n. f. (bas lat. *caccita*). Substance gluante et jaunâtre qui s'accumule sur le bord des paupières. ◆ **chassieux, euse** adj. et n. Qui a de la chassie : *Yeux chassieux.*

CHÂSSIS [ʃɑsi] n. m. (de *châsse*). Encadrement en bois, en métal soutenant un ensemble : *Châssis de fenêtre, d'un décor de théâtre. Châssis de voiture* (= bâti supportant la caisse d'une voiture).

CHASTE [ʃast] adj. (lat. *castus*, pur) [avant ou après le nom]. Qui évite toute impureté d'âme et de corps, qui respecte la pudeur : *De chastes pensées* (syn. PUDIQUE, PUR). *De chastes oreilles* (syn. INNOCENT). ◆ **chastement** adv. ◆ **chasteté** n. f. Vertu d'une personne qui s'abstient des plaisirs charnels jugés contraires à la morale.

CHASUBLE [ʃazybl] n. f. (du lat. *casula*, manteau à capuchon). **1.** Vêtement liturgique que le prêtre revêt par-dessus l'aube pour célébrer la messe. — **2.** Tout vêtement sans manches qui a cette forme.

CHAT, CHATTE [ʃa, ʃat] n. (lat. *cattus, -a*). **1.** Mammifère carnassier, sauvage ou domestique, caractérisé par un museau court, des molaires tranchantes, des canines en crocs, des griffes rétractiles. (Famille des félidés.) ⟶ ENCYCL. — **2.** Fam. *Avoir un chat dans la gorge*, être soudain enroué, éprouver une gêne subite dans la gorge. ‖ *Donner sa langue au chat*, s'avouer incapable de répondre à une question. ‖ *Être comme chien et chat*, se chamailler à tout instant. ‖ *Il n'y a pas un chat*, il n'y a personne. ‖ *Il n'y a pas de quoi fouetter un chat*, c'est sans importance. ‖ *Jouer à chat*, pratiquer un jeu d'enfants qui consiste à poursuivre et à atteindre un camarade, selon des conventions variées (*chat perché, chat coupé, chat blessé*, etc.). ◆ **chaton** n. m. Jeune chat (mâle ou femelle). ◆ **chatterie** n. f. *Fam.* Manières câlines et caressantes, paroles douces et insinuantes; friandise.
— ENCYCL. Les principales variétés de *chats* domestiques sont : l'*angora*, au poil long; le *siamois*, aux yeux bleus, au pelage beige devenant brun foncé aux pattes, à la queue, aux oreilles et au museau; le *chartreux*, bleuâtre.

Chat botté *(le)*, conte de Perrault.

CHÂTAIGNE [ʃɑtɛɲ] n. f. (lat. *castanea*). Fruit du châtaignier, constitué par une bogue (= enveloppe protégée par ses piquants) contenant deux ou trois graines farineuses et sucrées, comestibles. (La châtaigne est souvent vendue sous le nom de MARRON.) ◆ **châtaigneraie** n. f. Lieu planté de châtaigniers. ◆ **châtaignier** n. m. Arbre à feuilles dentées, caduques. (Famille des fagacées.)

CHÂTAIN [ʃɑtɛ̃] adj. (de *châtaigne*). D'une couleur brun clair, rappelant celle de la châtaigne. ◆ n. m. Cette couleur.

CHÂTEAU [ʃɑto] n. m. (lat. *castellum*, place forte). **1.** Vaste construction, élevée jadis pour servir de résidence à un souverain, un seigneur, un personnage important; grande et belle maison, généralement entourée d'un parc, à la campagne : *Au Moyen Âge les châteaux fortifiés* (ou *châteaux forts*) *étaient défendus par des remparts, des tours, des fossés. Le château de Versailles.* ⟶ ENCYCL. — **2.** *Bâtir, faire des châteaux en Espagne*, former de beaux projets chimériques. ‖ *Vie de château*, existence luxueuse, pleine de confort. — **3.** *Château d'eau*, bâtiment surélevé, servant de réservoir pour la distribution d'eau sous pression. ◆ **châtelain, e** [ʃɑtlɛ̃, -ɛn] n. Propriétaire d'un château. ◆ **châtellenie** n. f. Autref., seigneurie et juridiction du châtelain.
— ENCYCL. Le *château* joue dans la féodalité un rôle important comme siège de la seigneurie : autour de lui s'étend la *châtellenie*, division administrative et judiciaire propre à l'Ancien Régime. Les fonctions féodales du château ne cessent qu'à la Révolution; mais, à partir du XVIe s., il n'est plus qu'une simple résidence de campagne d'un prince ou d'un riche personnage.
En France, le château apparaît au Xe s. à la suite des invasions normandes; d'abord véritable forteresse (avec donjon, douves, pont-levis, tours crénelées, meurtrières), il perd avec la Renaissance son aspect sévère (les châteaux de la Loire) et devient avant tout un signe extérieur de richesse : jaloux de Fouquet qui avait fait construire le château de Vaux, Louis XIV crée Versailles et Marly. Après les destructions de l'époque révolutionnaire, de nombreux châteaux ont été restaurés.

→ illustration page suivante.

CHÂTEAU-ARNOUX, comm. des Alpes-de-Haute-Provence, sur la Durance, à 14 km au S.-E. de Sisteron; 5 700 hab.

CHATEAUBRIAND (François René, *vicomte* DE), écrivain français, né à Saint-Malo (1768-1848).
Son enfance et son adolescence (1768-1791) se passent dans les collèges de Dol, de Rennes et de Dinan et au château de Com-

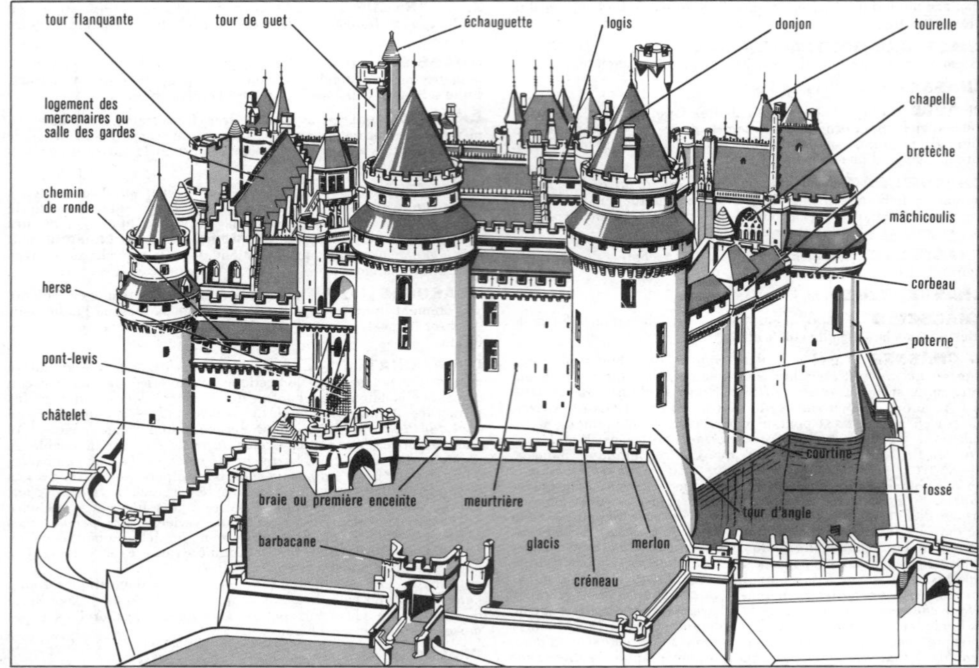

bourg où il a pour confidente sa sœur Lucile qui exerce une grande influence sur sa vocation littéraire.

En 1791, il part pour l'Amérique et en tirera le *Voyage en Amérique* (1827).

- *1797. « Essai [...] sur les révolutions. »*
- *1802. Parution du « Génie du christianisme ou Beautés de la religion chrétienne » qui contient deux petits romans : « Atala » et « René ».*

La jeune génération romantique se reconnaît dans la mélancolie vague et le désenchantement qui tourmentent René : le mal de René deviendra le « mal du siècle ».

- *1809. « Les Martyrs », épopée en prose.*
- *1811. « Itinéraire de Paris à Jérusalem. »*

En 1814, il contribue au retour des Bourbons en publiant un pamphlet *De Buonaparte et des Bourbons;* mais la Restauration le déçoit.

Meneur de l'opposition ultraroyaliste, il est d'abord éloigné par Louis XVIII, qui le nomme ministre de France à Berlin, puis ambassadeur à Londres (1821). Devenu ministre des Affaires étrangères, il organise l'expédition de l'armée française en Espagne (1823).

- *1826. Revenu à l'opposition, Chateaubriand groupe autour de lui la jeunesse romantique et publie « les Natchez » et « les Aventures du dernier Abencérage ».*

Il consacre la dernière partie de sa vie à achever les *Mémoires d'outre-tombe* (1848-1850), récit nostalgique de son existence et de son époque.

CHATEAUBRIAND ou **CHATEAUBRIANT** [ʃatobrijɑ̃] n. m. (de *Chateaubriand*). Bifteck très épais, taillé dans le filet de bœuf.

CHÂTEAUBRIANT, ch.-l. d'arrond. de la Loire-Atlantique, à 54 km au S.-E. de Rennes; 14400 hab. *(Castelbriantais).*

- *22 oct. 1941. Les Allemands fusillent aux environs 27 otages à la suite du meurtre d'un officier allemand.*

CHÂTEAU-CHINON, ch.-l. d'arrond. de la Nièvre, dans le Morvan, à 37 km au N.-O. d'Autun; 2700 hab.

CHÂTEAU-DU-LOIR, ch.-l. de cant. de la Sarthe, à 40 km au S. du Mans; 5900 hab. *(Castéloriens).*

CHÂTEAUDUN, ch.-l. d'arrond. d'Eure-et-Loir, à 39 km au N.-E. de Vendôme; 16100 hab. *(Dunois).* Château (XVe-XVIe s.).

Château-Gaillard, forteresse féodale bâtie en 1194 par Richard Cœur de Lion, non loin des Andelys, et dominant la Seine.

CHÂTEAU-GONTIER, ch.-l. d'arrond. de la Mayenne, sur la Mayenne, à 29 km au S. de Laval; 8400 hab. *(Castrogontériens).*

Château-Lafite, domaine du Bordelais (comm. de Pauillac et de Saint-Estèphe, Gironde). Grands vins rouges (Médoc).

CHÂTEAULIN, ch.-l. d'arrond. du Finistère, sur l'Aulne, à 28 km au N. de Quimper; 6100 hab. *(Castellinois* ou *Châteaulinois).*

Château-Margaux, domaine de la comm. de Margaux (Gironde). Grands vins rouges (Médoc).

CHÂTEAUNEUF-DU-PAPE, comm. du Vaucluse, à 16 km au N. d'Avignon, près du Rhône; 2100 hab. Ruines d'un château du XIVe s., anc. résidence d'été des papes d'Avignon. Vins réputés.

CHÂTEAUNEUF-SUR-LOIRE, ch.-l. de cant. du Loiret, à 25 km à l'E. d'Orléans, sur la Loire (r. dr.); 6000 hab. *(Castelneuviens).*

CHÂTEAURENARD, ch.-l. de cant. des Bouches-du-Rhône, à 11,5 km au S.-E. d'Avignon; 11000 hab. Centre important pour le commerce des primeurs (marché-gare).

CHÂTEAU-RENAULT, ch.-l. de cant. d'Indre-et-Loire, à 26 km au S.-O. de Vendôme; 6200 hab. *(Renaudins).*

CHÂTEAUROUX, ch.-l. du dép. de l'Indre, sur l'Indre; 54000 hab. *(Castelroussins).* Industries textiles (confection, fabrique de draps), métallurgiques, alimentaires.

CHÂTEAU-SALINS, ch.-l. d'arrond. de la Moselle, à 31 km au N.-E. de Nancy; 2800 hab. *(Castelsalinois).*

CHÂTEAU-THIERRY, ch.-l. d'arrond. de l'Aisne, sur la Marne, à 90 km à l'E.-N.-E. de Paris; 14900 hab. *(Castrothéodoriciens).* Maison natale de La Fontaine.

- *12 fév. 1814. Victoire de Napoléon sur Blücher.*
- *Juillet 1918. Les généraux français Mangin et Degoutte repoussent les Allemands (« deuxième bataille de la Marne »).*

Château-Yquem, vignoble bordelais du pays de Sauternes, donnant des vins blancs dorés et sucrés.

CHÂTELAILLON-PLAGE, comm. de la Charente-Maritime, à 12 km au S. de La Rochelle; 5 400 hab. Station balnéaire. Aux environs, parcs à huîtres et à moules.

CHÂTELAIN, E n., **CHÂTELLENIE** n. f. ⟶ CHÂTEAU.

Châtelet, nom donné à deux forteresses de Paris, le *Petit* et le *Grand Châtelet*, démolies en 1782 et 1802.

CHÂTELGUYON, comm. du Puy-de-Dôme, à 6 km au N.-O. de Riom; 4 600 hab. Eaux thermales (affections intestinales).

CHÂTELLERAULT, ch.-l. d'arrond. de la Vienne, sur la Vienne, à 34 km au N.-E. de Poitiers; 36 900 hab. *(Châtelleraudais).*

CHÂTENAY-MALABRY, ch.-l. de cant. des Hauts-de-Seine, à 8 km au S. de Paris; 28 600 hab. École centrale. Musée Chateaubriand à la Vallée-aux-Loups.

CHATHAM, port du S.-E. de l'Angleterre (Kent), sur l'estuaire de la Medway; 51 800 hab. Chantiers de constructions navales (navires de guerre).

CHAT-HUANT [ʃayɑ̃] n. m. (de *chat*, et *huer*). Nom usuel de la HULOTTE. ‖ Pl. des *chats-huants.*

CHÂTIER [ʃɑtje] v. t. (lat. *castigare*). **1.** *Châtier qq'un, qqch.*, frapper, sanctionner d'une peine sévère un coupable ou une faute (littér.) : *Le roi châtia impitoyablement la révolte des paysans* (syn. plus usuel PUNIR). — **2.** *Châtier son style, ses écrits*, y apporter des corrections en vue d'une plus parfaite pureté d'expression. ◆ **châtiment** n. m. Sens 1 du v. : *Les accusés ont été condamnés à la réclusion perpétuelle : c'est le juste châtiment de leurs crimes* (syn. PUNITION).

CHATIÈRE [ʃatjɛr] n. f. (de *chat*). **1.** Trou pratiqué au bas d'une porte pour laisser passer les chats. — **2.** Trou d'aération dans les combles.

CHÂTILLON ou **CHÂTILLON-SOUS-BAGNEUX,** ch.-l. de cant. des Hauts-de-Seine, à 3 km au S. de Paris; 24 800 hab. *(Châtillonnais).* Installations du Commissariat à l'énergie atomique dans un ancien fort.

CHÂTILLON-SUR-SEINE, ch.-l. de cant. de la Côte-d'Or, à 33 km au N.-E. de Montbard, sur la Seine; 8 000 hab. *(Châtillonnais).*

CHÂTIMENT n. m. ⟶ CHÂTIER.

Châtiments *(les)*, recueil de poésies de Victor Hugo (1853).

CHATOIEMENT n. m. ⟶ CHATOYER.

1. CHATON n. m. ⟶ CHAT.

2. CHATON [ʃatɔ̃] n. m. (de *chat*). Bourgeon duveteux des arbres de l'ordre des amentifères (noisetier, saule, etc.).

3. CHATON [ʃatɔ̃] n. m. (frq. *kasto*, caisse). Partie centrale d'une bague dans laquelle une pierre précieuse est enchâssée.

CHATOU, ch.-l. de cant. des Yvelines, à 9 km à l'O. de Paris, sur la Seine (r. dr.); 25 600 hab. Centre résidentiel.

CHATOUILLER [ʃatuje] v. t. (formation expressive). **1.** *Chatouiller qq'un, une partie du corps*, causer, par des attouchements légers et répétés, un tressaillement qui provoque ordinairement le rire. — **2.** *Chatouiller le palais, l'oreille, le nez* (ou *l'odorat*), produire une sensation gustative, auditive, olfactive agréable. ◆ **chatouille** n. f. Syn. fam. de CHATOUILLEMENT. ◆ **chatouillement** n. m. Action de chatouiller; sensation ainsi produite. ◆ **chatouilleux, euse** adj. **1.** Se dit de quelqu'un sensible au chatouillement. — **2.** Se dit de quelqu'un dont l'amour-propre est sensible à la moindre atteinte (syn. SUSCEPTIBLE).

CHATOYER [ʃatwaje] v. i. (de *chat*). **1.** Briller de reflets changeants, selon l'éclairage, et agréables à l'œil (en parlant des pierres précieuses, des étoffes) [syn. ÉTINCELER, SCINTILLER]. — **2.** Produire une sensation vive sur l'esprit, par des effets originaux : *Style qui chatoie.* ◆ **chatoiement** n. m. : *Le chatoiement des toilettes féminines.* ◆ **chatoyant, e** adj. : *L'éclat chatoyant d'un diamant.*

CHÂTRE (La), ch.-l. d'arrond. de l'Indre, sur l'Indre, à 36 km à l'E. de Châteauroux; 5 100 hab.

CHÂTRER [ʃɑtre] v. t. (lat. *castrare*). *Châtrer un animal*, le rendre inapte à la reproduction, par suppression ou altération des organes sexuels : *Le bœuf est châtré, le taureau ne l'est pas.*

CHATT AL-'ARAB, fl. formé en Iraq, formé par la confluence du Tigre et de l'Euphrate; 200 km. Il se jette dans le golfe Persique.

CHATTANOOGA, v. des États-Unis (Tennessee); 130 000 hab.

• *Novembre 1863. Victoire du général Grant sur les Sudistes pendant la guerre de Sécession.*

CHATTE n. f., **CHATTERIE** n. f. ⟶ CHAT.

CHATTERTON [ʃatɛrtɔn] n. m. (du n. de son inventeur). Ruban de toile enduit d'une substance collante et isolante : *Un raccord de fil électrique isolé au chatterton.*

CHATTERTON (Thomas), poète anglais (1752-1770). Il publia en 1768 des poèmes imités du Moyen Âge. Tombé dans la misère, il s'empoisonna. Ses malheurs ont inspiré à Vigny le drame de *Chatterton* (1835).

CHAUCER (Geoffrey), poète anglais (v. 1340-1400), auteur des *Contes de Cantorbéry*, l'un des chefs-d'œuvre de la littérature anglaise, qui contribuèrent à fixer la langue et la grammaire anglaises.

1. CHAUD, E [ʃo, ʃod] adj. (lat. *calidus*) [après ou parfois avant le nom]. **1.** Qui est d'une température élevée : *Une boisson chaude* (syn. ↑BRÛLANT, ↓TIÈDE; contr. FROID). — **2.** Qui cause sur la peau une sensation de température élevée : *Un chaud soleil d'été* (syn. ↑TORRIDE). — **3.** Qui conserve la chaleur, qui préserve bien du froid : *Un manteau bien chaud.* — **4.** *Pleurer à chaudes larmes*, pleurer abondamment. ◆ adv. (seulement dans des express.). *Avoir chaud*, éprouver une sensation de chaleur. ‖ Fam. *J'ai eu chaud*, j'ai eu peur, il a failli m'arriver malheur (syn. JE L'AI ÉCHAPPÉ BELLE). ‖ *Il fait chaud*, loc. impers. correspondant à la loc. pers. *j'ai* (*tu as*, etc.) *chaud.* ‖ *Tenir chaud à qq'un*, lui fournir ou lui conserver de la chaleur, l'empêcher d'avoir froid : *Ces chaussettes de laine lui tiendront chaud aux pieds.* ‖ Fam. *Cela ne me fait ni chaud ni froid*, cela me laisse indifférent. ‖ *Manger, boire chaud*, absorber des aliments ou un liquide chauds. ◆ **chaud** n. m. **1.** Ce qui est chaud (aliment, boisson ou objet que l'on touche). — **2.** Syn. de CHALEUR, dans *au chaud, le chaud et le froid.* — **3.** Fam. *Un chaud et froid*, le passage brusque, pour un être vivant, de la chaleur au froid, causant un rhume, une bronchite, etc. (syn. REFROIDISSEMENT). — **4.** *Opérer à chaud*, pratiquer une intervention chirurgicale alors que le malade est dans un état de crise très aiguë. ◆ **chaude** n. f. Feu vif pour réchauffer une pièce d'habitation : *Faire une chaude* (syn. FLAMBÉE). ◆ **chaudement** adv. De façon à assurer de la chaleur : *Se couvrir chaudement.* ◆ **chaleur** [ʃalœr] n. f. Qualité de ce qui est chaud physiquement; température élevée d'un corps, de l'atmosphère : *La chaleur du poêle. Les métaux sont bons conducteurs de la chaleur. Un été d'une chaleur accablante.* ‖ *Chaleur animale, chaleur végétale*, chaleur produite par les êtres vivants, soit de façon constante, soit lors d'un effort musculaire, d'une fièvre, de la germination, etc. ‖ *Chaleur massique* ou *spécifique*, quantité de chaleur nécessaire pour élever de 1 °C la température d'un corps.

2. CHAUD, E [ʃo, ʃod] adj. (même étym.). **1.** Se dit d'êtres animés (ou de leurs actes) qui montrent de l'empressement, du zèle, de l'ardeur : *Un chaud partisan* (syn. ZÉLÉ). *De chaudes félicitations* (syn. CHALEUREUX). *La bataille a été chaude* (syn. VIF). — **2.** (après le nom) Se dit de ce qui produit sur les sens une impression prenante, qui est doux et attirant : *Les parfums chauds* (syn. CAPITEUX, LOURD; contr. FRAIS, LÉGER). *Voix chaude* (syn. ÉMOUVANT). *Tons chauds* (= rouge, jaune-orangé, pêche, beige rosé). — **3.** *Avoir la tête chaude*, s'emporter facilement. ◆ **chaudement** adv. Avec vivacité, empressement : *Il nous est chaudement recommandé.* ◆ **chauffer** v. t. *Chauffer un candidat*, le préparer activement à un examen. ◆ **chaleur** [ʃalœr] n. f. Ardeur des sentiments : *La chaleur de sa parole a conquis l'auditoire. Cet accueil manquait de chaleur* (syn. EMPRESSEMENT). *Dans la chaleur de la discussion* (syn. ANIMATION, FEU). ◆ **chaleureux, euse** adj. (avant ou après le nom). Qui manifeste de la chaleur, de l'empressement : *Vous lui ferez part de mes chaleureuses félicitations.* ◆ **chaleureusement** adv. : *Remercier chaleureusement.*

CHAUDES-AIGUES, ch.-l. de cant. du Cantal, à 31 km au S. de Saint-Flour; 1 400 hab. *(Caldaguésiens).* Cette station thermale a les eaux les plus chaudes de France (de 57 °C à 81 °C).

CHAUDIÈRE [ʃodjɛr] n. f. (bas lat. *caldaria*, étuve). Appareil destiné à chauffer de l'eau en vue de produire de l'énergie ou de répandre de la chaleur : *La chaudière d'une locomotive. La chaudière du chauffage central.*

CHAUDRON [ʃodrɔ̃] n. m. (de *chaudière*). Grand récipient en cuivre ou en fonte, muni d'une anse, destiné à aller sur le feu. ◆ **chaudronnerie** n. f. Industrie de la fabrication de pièces de tôle embouties ou rivées. ◆ **chaudronnier** n. m. Celui qui travaille dans la chaudronnerie.

CHAUFFAGE n. m., **CHAUFFANT, E** adj., **CHAUFFE** n. f., **CHAUFFE-BAIN** n. m., **CHAUFFE-EAU** n. m. inv., **CHAUFFE-PLATS** n. m. inv. ⟶ CHAUFFER 2.

CHAUFFARD n. m. ⟶ CHAUFFEUR 2.

1. CHAUFFER v. t. ⟶ CHAUD 2.

2. CHAUFFER [ʃofe] v. t. (bas lat. *calefare*). *Chauffer qqch.*, le rendre chaud : *Chauffer l'eau pour le thé. Le soleil chauffe les tuiles.* ◆ v. i. Devenir chaud : *La bassine d'eau chauffe sur le feu.* ◆ ***se chauffer*** v. pr. **1.** (sujet nom d'être animé) S'exposer à une source de chaleur : *Les lézards se chauffent au soleil.* — **2.** Fam. *Je vais lui montrer de quel bois je me chauffe*, je vais le traiter sans ménagement. ◆ **chauffage** n. m. **1.** Action ou manière de chauffer, de se chauffer : *Le chauffage au charbon, le chauffage au mazout, le chauffage au gaz, le chauffage électrique*, etc. — **2.** Moyen de se chauffer, appareil servant à procurer de la chaleur : *Le chauffage est en panne.* — **3.** *Chauffage central*, système de distribution de chaleur dans un appartement, un immeuble, etc., à partir d'une source unique. ◆ **chauffant, e** adj. Qui est pourvu d'un dispositif de chauffage : *Une couverture chauffante. Un dessous-de-plat chauffant.* ◆ **chauffe** n. f. Opération consistant à produire par combustion la chaleur nécessaire à un chauffage industriel ou domestique, et plus particulièrement à conduire cette combustion; temps de cette combustion. ‖ *Chambre de chauffe*, local réservé aux chaudières à bord d'un navire. ◆ **chauffe-bain** n. m. Appareil pour la production instantanée d'eau chaude par le gaz. ‖ Pl. des *chauffe-bains.* ◆ **chauffe-eau** n. m. inv. Appareil de production d'eau chaude par le gaz, l'électricité ou certains combustibles (bois, charbon). ◆ **chauffe-plats** n. m. inv. Réchaud pour tenir les plats au chaud. ◆ **chaufferette** n. f. Sorte de boîte à couvercle percé de trous, où l'on mettait de la braise ou de l'eau chaude, et qui servait de chauffe-pieds. ◆ **chaufferie** n. f. Chambre de chauffe d'un navire, d'une usine, etc. ◆ **chauffeur** n. m. Ouvrier chargé d'entretenir un four, une chaudière. ◆ **surchauffer** v. t. Chauffer de manière excessive (surtout au passif) : *Un local surchauffé.*

1. CHAUFFEUR n. m. ⟶ CHAUFFER 2.

2. CHAUFFEUR [ʃofœr] n. m. (de *chauffer*). Conducteur d'automobile ou de camion. ◆ **chauffard** n. m. Conducteur d'automobile maladroit ou imprudent.

CHAULAGE n. m., **CHAULER** v. t. ⟶ CHAUX.

CHAUME [ʃom] n. m. (lat. *calamus*). **1.** Tige creuse des graminées, formée de nœuds et d'entre-nœuds. — **2.** Partie des tiges des céréales restant au sol quand la moisson est faite (s'emploie aussi au plur.). — **3.** Paille longue dont on a enlevé les grains, utilisée jadis pour couvrir des maisons : *Des toits de chaume.* ◆ **chaumière** n. f. Maison couverte de chaume; nom donné à certains restaurants.

CHAUMONT, ch.-l. de la Haute-Marne, au-dessus de la Marne, à 35 km au N.-O. de Langres; 29 600 hab. *(Chaumontais).* Église des XIIIe et XIVe s., hôtel de ville du XVIIIe s. Centre ferroviaire.

● *1814. Les Alliés y signent le pacte de Chaumont, ébauche de la Quadruple-Alliance.*

CHAUMONT *(buttes)*, hauteurs du nord-est de Paris (128 m d'alt.), qui ont donné leur nom à un parc, les *Buttes-Chaumont.*

CHAUMONT-SUR-LOIRE, comm. de Loir-et-Cher, à 17 km au S.-O. de Blois, sur la Loire, en aval de Blois; 842 hab. *(Chaumontais).* Château (XVe et XVIe s.).

CHAUNY, ch.-l. de cant. de l'Aisne, sur l'Oise, à 32 km au N. de Soissons; 14 000 hab. *(Chaunois).* Centre industriel.

CHAUSEY *(îles)*, groupe d'îlots au large de la côte ouest du Cotentin, dépendance de la comm. de Granville (Manche).

CHAUSSÉE [ʃose] n. f. (bas lat. *calciata* [*via*], route). **1.** Surface d'une rue ou d'une route où circulent les véhicules (par oppos. aux trottoirs, aux accotements) : *Ralentir, chaussée glissante.* — **2.** Long écueil sous-marin dépassant peu le niveau de la mer : *La chaussée de Sein.*

Chaussée des Géants, curiosité naturelle du littoral nord de l'Irlande, formée par 40 000 colonnes de basalte qui s'étendent à une grande distance dans la mer. Leur surface forme un pavage grossier. La formation des colonnades de basalte se produit lors du refroidissement brusque de cette lave, après une éruption volcanique. Des formations analogues sont connues dans le Massif central (orgues d'Espaly, etc.).

CHAUSSE-PIED n. m. ⟶ CHAUSSER.

CHAUSSER [ʃose] v. t. (du lat. *calceus*, soulier). **1.** Mettre des chaussures à ses pieds. — **2.** *Chausser du 38, du 40*, porter des chaussures de ces pointures. — **3.** Mettre une chaussure au pied de quelqu'un. — **4.** *Chausser des skis*, les fixer à ses chaussures. ◆ v. t. ou i. (nom de chaussures comme sujet). Aller, s'adapter au pied, de telle ou telle façon : *Ces escarpins la chaussent bien.* ◆ ***se chausser*** v. pr. Mettre ses chaussures. ◆ **déchausser** v. t. *Déchausser qq'un*, lui enlever ses chaussures : *Déchausser un enfant.* ◆ ***se déchausser*** v. pr. **1.** Enlever ses chaussures. — **2.** (sujet nom désignant les dents) Se déboîter de la gencive. ◆ **rechausser (se)** v. pr. Remettre ses chaussures. ◆ **chaussette** n. f. Pièce d'habillement tricotée, qui s'enfile sur le pied et remonte jusqu'à mi-jambe. ◆ **chausseur** n. m. Fabricant ou marchand de chaussures, en général élégantes, mais de série. ◆ **chausson** n. m. **1.** Chaussure d'appartement à talon bas, faite d'étoffe ou de cuir souple (syn. PANTOUFLE). — **2.** Chaussure plate des danseuses à bout renforcé, ou *pointe*, munie de rubans qui permettent le laçage autour de la cheville. ◆ **chaussure** n. f. **1.** Tout ce qui couvre et protège le pied : soulier, sandale, espadrille, etc. — **2.** *Chaussures montantes* ou *à tige*, souliers qui couvrent la cheville, par oppos. à *chaussures basses*, souliers qui ne couvrent que le pied. — **3.** Fam. *Trouver chaussure à son pied*, trouver ce qui vous convient exactement, trouver quelqu'un qui correspond à vos désirs. ◆ **chausse-pied** n. m. Lame incurvée, en corne, en matière plastique ou en métal, facilitant l'entrée du pied dans la chaussure. ‖ Pl. des *chausse-pieds.*

CHAUSSES [ʃos] n. f. pl. (du lat. *calceus*, chaussure). Partie du vêtement masculin qui couvrait le corps de la ceinture aux genoux *(hauts-de-chausses)* ou pouvait se prolonger jusqu'aux pieds *(bas-de-chausses).*

CHAUSSE-TRAPE [ʃostrap] n. f. (de *chausse*, et *trappe*). **1.** Dispositif pour prendre les animaux sauvages, constitué par un trou camouflé, au fond duquel se trouve un piège. — **2.** *Fam.* Ruse destinée à attraper quelqu'un. ‖ Pl. des *chausse-trapes.*

CHAUSSETTE n. f., **CHAUSSEUR** n. m. ⟶ CHAUSSER.

1. CHAUSSON n. m. ⟶ CHAUSSER.

2. CHAUSSON [ʃosɔ̃] n. m. (de *chausse*). *Chausson aux pommes*, pâtisserie fourrée de marmelade de pommes.

CHAUSSURE n. f. ⟶ CHAUSSER.

CHAUVE [ʃov] adj. et n. (lat. *calvus*). Se dit de quelqu'un dont le crâne est dégarni de cheveux (ou de sa tête elle-même). ◆ **calvitie** [kalvisi] n. f. État d'une personne ou d'un crâne chauve.

CHAUVE-SOURIS [ʃovsuri] n. f. (bas lat. *calvas sorices*). Nom commun aux 200 espèces de mammifères insectivores, aux pattes de devant conformées en ailes, qui constituent l'ordre des *chéiroptères* ou *chiroptères.*

— ENCYCL. Les *chauves-souris* se distinguent de tous les autres mammifères par leur aptitude au vol et leur adaptation à l'obscurité. Si les yeux sont réduits et la vue médiocre, les oreilles sont, en revanche, vastes et complexes, de même que le larynx, et l'animal se guide par « écholocation » : il pousse des cris suraigus (ultrasons), dont il analyse l'écho. Les bras, organes actifs du vol, ont quatre doigts démesurés, soutenant une membrane « chauve » (= sans poils) qui s'attache aux flancs, aux pattes de derrière et (chez certaines espèces seulement) à la queue. Le vol des chauves-souris est aussi aisé que celui d'un oiseau. L'animal vole de nuit, bouche ouverte, et gobe d'innombrables insectes pendant tout l'été. En hiver, faute d'insectes, certaines chauves-souris émigrent, d'autres se rassemblent au plafond des grottes pour y passer en état de sommeil hivernal toute la mauvaise saison. Les chauves-souris ne sont pas toutes insectivores : le petit vampire du Brésil suce le sang des mammifères endormis, la roussette de l'Inde est frugivore.

CHAUVIGNY, ch.-l. de cant. de la Vienne, sur la Vienne, à 23 km à l'E. de Poitiers; 6 800 hab. *(Chauvinois).* Anc. résidence et place forte des évêques de Poitiers. Ruines imposantes de cinq châteaux féodaux.

CHAUVIN, E [ʃovɛ̃, -in] adj. (de *Chauvin*, type de soldat enthousiaste du premier Empire). *Péjor.* Qui a ou manifeste un patriotisme étroit; qui admire trop exclusivement son pays. ◆ **chauvinisme** n. m. Patriotisme exclusif.

CHAUX [ʃo] n. f. (lat. *calx, calcis*, pierre). Oxyde de calcium (CaO), formant la base d'un grand nombre de pierres, telles que le marbre, la craie, la pierre à plâtre, la pierre à bâtir, la pierre à chaux, etc. (La chaux s'obtient par la calcination de la pierre à chaux. Mélangée de sable et d'eau, elle forme des *mortiers* qui durcissent à l'air.) ‖ *Chaux éteinte*, chaux obtenue par action de l'eau sur la chaux vive. ‖ *Chaux hydraulique*, chaux qui se durcit promptement sous l'eau. ‖ *Chaux vive*, chaux qui ne contient pas d'eau. ‖ *Lait de chaux*, chaux éteinte délayée dans de l'eau dont on se sert pour blanchir les murs, chauler les arbres. ◆ **chauler** v. t. **1.** Amender un sol avec de la chaux. — **2.** Enduire le tronc d'un arbre de lait de chaux. ◆ **chaulage** n. m. **1.** Action d'amender les terres avec de la chaux. (L'addition de chaux est recommandée pour enlever l'acidité aux sols, ameublir les sols argileux, augmenter leur perméabilité à l'eau et à l'air, et favoriser ainsi la nutrition des végétaux.) — **2.** Action de répandre un lait de chaux pour détruire des insectes ou des végétations nuisibles sur les murs, le sol, les arbres.

CHAUX-DE-FONDS (La), v. de Suisse (cant. de Neuchâtel), dans une vallée du Jura; 42 300 hab. C'est l'un des plus grands centres de fabrication de montres dans le monde.

CHAVILLE, ch.-l. de cant. des Hauts-de-Seine, à 8 km au S.-O. de Paris; 18 000 hab. *(Chavillois).*

CHAVIN, site archéologique du Pérou, où l'on trouve les restes de vastes édifices. Leurs constructeurs (vers les IXe-IIIe s. av. J.-C.) ont laissé également des statues, terres cuites, bijoux.

CHAVIRER [ʃavire] v. t. (prov. *capvira*, tourner la tête en bas). **1.** *Chavirer qqch.*, le retourner sens dessus dessous, le coucher sur le flanc, le faire tomber à la renverse : *Le vent a chaviré la palissade* (syn. ABATTRE, RENVERSER). — **2.** *Chavirer qq'un*, l'émouvoir, le troubler profondément : *J'en ai le cœur tout chaviré* (syn. fam. RETOURNER). ◆ v. i. : *Le bateau a chaviré* (syn. BASCULER). ◆ **chavirement** n. m. : *Le chavirement du radeau. Un profond chavirement se lisait sur son visage.*

CHAZELLES-SUR-LYON, ch.-l. de cant. de la Loire, à 33 km au N. de Saint-Étienne; 5 000 hab. *(Chazellois).*

CHÉCHIA [ʃeʃja] n. f. (ar. *chāchīya*). Coiffure cylindrique en drap rouge de certaines populations d'Afrique, et adoptée naguère par certains corps de troupes françaises d'Afrique.

CHECK-LIST [tʃɛklist] n. f. (mot angl.). Série de questions permettant de vérifier le fonctionnement et le réglage de tous les organes et dispositifs d'un avion avant son envol.

CHECK-UP [tʃɛkœp] n. m. (mot angl.). Examen médical complet d'un individu (syn. BILAN DE SANTÉ).

1. CHEF [ʃɛf] n. m. (lat. *caput*, tête). **1.** Personne qui commande, qui dirige, qui est investie d'une autorité : *L'armée obéit à ses chefs. En l'absence du père, la mère est le chef de famille. Un chef de gare* (= qui est chargé de la gestion de la gare). *Le chef de l'État* (= qui en a la direction suprême). *Un chef d'orchestre* (= qui dirige un orchestre). *Chef syndicaliste* (syn. LEADER). *Les chefs de la révolte* (syn. MENEUR). — **2.** *Chef cuisinier, chef de cuisine*, ou simplem. *chef*, celui qui dirige la cuisine d'un restaurant. ‖ *Chef de file*, personne derrière laquelle se rangent celles qui soutiennent une opinion, qui s'engagent dans une action. ‖ *En chef*, en qualité de chef suprême : *Général en chef.* (Rem. *Chef* demeure masculin, même quand il désigne une femme.) ◆ **sous-chef** n. m. Celui qui seconde le chef ou qui dirige en son absence. ‖ Pl. des *sous-chefs.* ◆ **chefferie** n. f. Organisation politique de l'Afrique noire, qui a pour origine la famille large, vivant autour d'un patriarche.

2. CHEF [ʃɛf] n. m. (même étym.). *Chef d'accusation*, point important sur lequel se fonde une accusation; argument. — LOC. ADV. *Au premier chef*, au plus haut degré, plus que tous les autres ou tout le reste (syn. PAR EXCELLENCE). ‖ *De ce chef*, pour cette raison, de ce fait. ‖ *De son propre chef*, de sa propre initiative, de lui-même. — LOC. PRÉP. *Du chef de qq'un*, en vertu des droits de quelqu'un (jurid.) : *Il est héritier du chef de sa femme.*

CHEF-D'ŒUVRE [ʃɛdœvr] n. m. (de *chef*, et *œuvre*). Ouvrage exécuté avec un art qui touche à la perfection; œuvre la plus admirable dans un genre donné. ‖ Pl. des *chefs-d'œuvre.*

CHEFFERIE n. f. ⟶ CHEF 1.

CHEF-LIEU [ʃɛfljø] n. m. (*chef* signif. principal, et *lieu*). Ville principale d'un département, d'un arrondissement ou d'un canton. ‖ Pl. des *chefs-lieux.*

CHEFTAINE [ʃɛftɛn] n. f. (de l'anc. fr. *chevetain*, capitaine). Jeune fille qui dirige un groupe de scouts (guides ou louveteaux).

CHEIKH [ʃɛk] n. m. (ar. *chaykh*, vieillard). Chef de tribu arabe.

CHÉIROPTÈRES [keirɔptɛr] ou **CHIROPTÈRES** [kirɔptɛr] n. m. pl. (du gr. *kheir*, main, et *pteron*, aile). Ordre de mammifères, appelés aussi CHAUVES-SOURIS*.

CHE-KIA-TCHOUANG, v. de Chine, capit. du Ho-pei; 600 000 hab.

CHÉLICÈRES [kelisɛr] n. f. pl. (du gr. *khêlê*, pince, et *keras*, corne). Appendices des arachnides, formant une paire de crochets, qui sont venimeux chez l'araignée.

CHÉLIDOINE [kelidwan] n. f. (gr. *khelidôn*, hirondelle). Plante herbacée à fleurs jaunes, appelée aussi HERBE AUX VERRUES. (Elle passe, à tort, pour guérir les verrues.) [Famille des papavéracées.]

CHELIFF (le), le plus long oued d'Algérie; 700 km.

CHELLES, ch.-l. de cant. de Seine-et-Marne, sur la Marne, à 8,5 km à l'O. de Lagny; 41 900 hab. *(Chellois).*

CHÉLONIENS [kelonjɛ̃] n. m. pl. (du gr. *khelônê*, tortue). Ordre de reptiles constitué par les *tortues.*

CHELSEA, quartier résidentiel de l'ouest de Londres, sur la Tamise (r. g.). Siège d'une manufacture de porcelaine au XVIIIe s.

1. CHEMIN [ʃəmɛ̃] n. m. (bas lat. *camminus*). **1.** (avec un adj., ou comme compl. d'un verbe ou d'un substantif) Voie de communication aménagée pour aller d'un point à un autre, sur le plan local et en général à la campagne (*route* est le terme usuel pour désigner les voies de communication entre les villes; la *rue* est une voie urbaine) : *Un chemin creux* (= entre deux talus). *Un voleur de grand chemin* (= qui attaquait les voyageurs sur la route). *Suivre le long de la rivière le chemin de halage* (= où l'on tirait les péniches). *Le chemin vicinal dépend du budget de la commune.* ‖ *Chemin de ronde*, passage aménagé sur la partie supérieure d'une muraille fortifiée. — **2.** Espace à parcourir, direction d'un lieu à un autre, sans référence à un type particulier de voies de communication (le plus souvent dans des express.) : *Le plus court chemin passe par le petit bois* (syn. TRAJET). *Demander son chemin* (syn. ITINÉRAIRE, ROUTE). *Prendre le chemin de la ville* (= se diriger vers). *Passez votre chemin* (= ne vous arrêtez pas). ‖ *Chemin de croix* ⟶ CROIX 1. ‖ *Le chemin des écoliers* (= le chemin le plus long, celui qui permet de s'amuser). *Chemin faisant, il me racontait sa mésaventure* (= tout en marchant). — LOC. ADV. *En chemin*, pendant le trajet, pendant le temps que l'on met à parcourir un espace indéterminé. ◆ **chemineau** n. m. Celui qui parcourt les chemins à la recherche de travail et vit de mendicité. ◆ **cheminer** v. i. **1.** (sujet nom de personne) Suivre son chemin régulièrement (syn. MARCHER). — **2.** (sujet nom désignant une route, une voie) S'étendre selon tel ou tel itinéraire (langue soignée) : *Un sentier qui chemine à flanc de coteau.* ◆ **cheminement** n. m. Action de faire du chemin : *Le cheminement d'une troupe.*

2. CHEMIN [ʃəmɛ̃] n. m. (même étym.). Ligne de conduite, manière de se comporter; voie, moyen qui conduit à un but, à un résultat (le plus souvent dans des express.) : *Le chemin de la gloire. Aller son chemin sans faire attention aux autres* (= continuer sans défaillance ce que l'on a entrepris). *Aller son petit bonhomme de chemin* (= poursuivre son entreprise sans bruit, doucement, sans éclat, mais sûrement). *Ne pas y aller par quatre chemins* (= aller droit au but, agir sans détour). *Il a fait du chemin depuis que nous l'avons connu* (= il a vite progressé, il s'est élevé dans la hiérarchie sociale). *Il a fait son chemin* (= il a réussi à atteindre une position sociale élevée). *Il s'est mis sur mon chemin, en travers de mon chemin* (= il a contrecarré mes projets). *Il a montré le chemin* (= il a été l'initiateur) [syn. DONNER L'EXEMPLE]. *Ne pas en prendre le chemin* (= être loin de se réaliser [sujet nom de chose]; être loin de réaliser quelque chose [sujet nom de personne]). *Rester dans le droit chemin* (= rester honnête). ◆ **cheminer** v. i. (sujet nom désignant une idée). Progresser : *Cette idée a cheminé dans les esprits.* ◆ **cheminement** n. m. : *Le cheminement de la pensée* (syn. ÉVOLUTION, PROGRESSION).

CHEMIN DE FER [ʃəmɛ̃dfɛr] n. m. (de *chemin*, et *fer*). **1.** Voie de communication formée par deux lignes parallèles de rails d'acier sur lesquels circulent des trains. — **2.** Moyen de transport utilisant la voie ferrée (syn. TRAIN). ⟶ ENCYCL. — **3.** Administration et exploitation de ce mode de transport. ◆ **cheminot** [ʃəmino] n. m. Employé ou ouvrier des chemins de fer. (⟶ FERROVIAIRE.)
—ENCYCL. Les grandes dates de l'histoire du *chemin de fer* sont :

- *1804. Première locomotive à vapeur conçue par les Anglais Richard Trevithick et Andrew Vivian.*
- *1828. Inauguration de la ligne Andrézieux-Saint-Étienne, première voie ferrée française.*
- *1829. « La Fusée » de Stephenson avec une chaudière tubulaire inventée par le Français Marc Seguin remporte un concours public où s'affrontent traction à vapeur et traction animale.*
- *1893. Une locomotive à vapeur roule à 165 km/h.*
- *1895. La traction électrique fait son apparition en Amérique.*

À la fin du XIXe s., on a dépassé les 180 km/h. La traction électrique et la traction Diesel font leur apparition dès cette époque et commencent à concurrencer la traction à vapeur avant de supplanter celle-ci presque partout.

Le chemin de fer est alors le moyen de transport le plus important. Mais, très vite, il a été concurrencé par l'automobile et surtout par l'aviation. Il tente aujourd'hui d'améliorer ses techniques pour rester compétitif. De nouvelles voies sont construites, qui permettent d'atteindre des vitesses très élevées. Le train à grande vitesse (T. G. V.) a été mis en service à partir de 1981 sur la ligne Paris-Lyon *(T. G. V. Paris-Sud-Est)* et à partir de 1989 sur le réseau Ouest et Sud-Ouest *(T. G. V. Atlantique)*; une nouvelle ligne, se dirigeant vers le Nord, est en cours de réalisation (liée à la construction du tunnel sous la Manche).

⟶ illustrations en couleurs pp. 272-273.

chemins de fer français *(Société nationale des)* **[S. N. C. F.],** établissement public industriel et commercial, soumis au contrôle de l'État et dont les origines remontent à 1937. Elle est chargée de gérer l'ensemble du réseau ferroviaire français.

Chemin des Dames (le), route du dép. de l'Aisne, entre l'Aisne et l'Ailette. Pendant la Première Guerre mondiale, le Chemin des Dames fut le théâtre de violents combats, notamment au moment de l'offensive française de Nivelle (16-21 avril 1917), qui échoua, et lors de l'offensive allemande sur Château-Thierry (27 mai 1918).

CHEMINEAU n. m. ⟶ CHEMIN 1.

CHEMINÉE [ʃəmine] n. f. (du lat. *caminus*, four). **1.** Construction en maçonnerie permettant de faire du feu, comprenant un foyer et un conduit par où s'échappe la fumée. — **2.** Partie inférieure de la cheminée qui sert d'encadrement à l'âtre : *Cheminée de marbre.* — **3.** Partie supérieure du conduit qui évacue la fumée et que l'on voit sur le toit. — **4.** Pour les alpinistes, passage étroit et vertical qui s'ouvre dans un mur rocheux ou glaciaire. ‖ *Cheminée des fées* ou *demoiselle*, pyramide ou colonne de roche tendre coiffée d'un bloc résistant qui protège le soubassement contre l'érosion. ‖ *Cheminée volcanique*, conduit par lequel montent les laves et les projections volcaniques dans un volcan.

CHEMINEMENT n. m., **CHEMINER** v. i. ⟶ CHEMIN 1 et 2.

CHEMINOT n. m. ⟶ CHEMIN DE FER.

CHEMISAGE n. m. ⟶ CHEMISE 3.

1. CHEMISE [ʃəmiz] n. f. (lat. *camisia*). **1.** Partie de l'habillement, en tissu léger, qui couvre le buste et comporte un col et un boutonnage : *Passer un chandail par-dessus sa chemise.* ‖ *Chemise de nuit*, vêtement de nuit porté par les femmes. — **2.** *En bras, en manches de chemise*, sans vêtement sur sa chemise, sans veste. ‖ Fam. *Changer de qqch. comme de chemise*, en changer souvent, ne pas s'y attacher : *Il change d'opinion comme de chemise.* ◆ **chemiserie** n. f. Fabrication des chemises; magasin où l'on vend des chemises. ◆ **chemisette** n. f. Petite chemise d'homme ou corsage de femme à manches courtes. ◆ **chemisier** n. m. **1.** Fabricant ou marchand de chemises. — **2.** Corsage léger, ouvragé sur le devant, porté par les femmes.

2. CHEMISE [ʃəmiz] n. f. (même étym.). Feuille repliée de papier fort ou de carton, dans laquelle on range des papiers.

3. CHEMISE [ʃəmiz] n. f. (même étym.). Enveloppe intérieure ou extérieure d'une pièce mécanique. ◆ **chemiser** v. t. Garnir d'une chemise. ◆ **chemisage** n. m. Action de chemiser.

CHEMISERIE n. f., **CHEMISETTE** n. f., **CHEMISIER** n. m. ⟶ CHEMISE 1.

CHEMNITZ → KARL-MARX-STADT.

CHÊNAIE n. f. ⟶ CHÊNE.

CHENAL [ʃənal] n. m. (lat. *canalis*). Passage naturel ou artificiel, ouvert entre des rochers, des îles, des bancs, et accessible aux navires : *Les chenaux sont balisés pour éviter les échouages.*

CHENAPAN [ʃənapɑ̃] n. m. (all. *Schnapphahn*). *Fam.* Individu sans moralité (syn. VAURIEN, ↑VOYOU).

CHÊNE [ʃɛn] n. m. (gaul. *cassanus*). Arbre forestier commun en Europe, caractérisé par son écorce craquelée, ses branches tordues, ses fruits *(glands)* insérés dans une cupule et ses feuilles caduques. (Famille des fagacées.) ⟶ ENCYCL. ‖ *Chêne vert*, ou *yeuse*, variété de chêne des régions méditerranéennes, à feuillage persistant. ◆ **chênaie** n. f. Bois de chênes. ◆ **chêne-liège** n. m. Variété de chêne, au feuillage persistant, dont l'écorce fournit le liège : *Les chênes-lièges de la Côte d'Azur.*
— ENCYCL. Le *chêne* est l'un de nos plus grands arbres, et sa longévité est extrême (jusqu'à deux mille ans). On l'exploite principalement pour son bois (mobilier, chauffage), ainsi que pour son écorce, qui fournit du tanin*. Ses glands ont servi à nourrir les porcs (« droit de glandée » au Moyen Âge). En dehors des forêts, on plante de jeunes chênes en vue de récolter des truffes sur leurs racines (*chênes truffiers* du Périgord et de haute Provence).

CHENET [ʃənɛ] n. m. (de *chien*). Nom donné à des barres métalliques, allant par paire et destinées à supporter le bois dans le foyer d'une cheminée.

CHÈNEVIS [ʃɛnvi] n. m. (de l'anc. fr. *cheneve*, chanvre). Graine de chanvre.

CHÉNIER (André DE), poète français (1762-1794). Il accueille avec joie la Révolution, mais proteste ensuite contre les excès de la Terreur. Devenu suspect après la mort de Louis XVI, il est guillotiné. Son œuvre était inconnue; elle ne fut publiée qu'au XIXe s.

L'admirateur enthousiaste de la poésie grecque s'exprime dans les *Bucoliques (la Jeune Tarentine)* et les *Idylles*.

L'homme du XVIIIe s. s'exprime dans les *Épîtres* et les *Élégies*, ainsi que dans un poème didactique inachevé, l'*Hermès*, dont la préface, *l'Invention*, expose la doctrine du poète : « Sur des pensers nouveaux faisons des vers antiques. »

Le poète satirique s'exprime dans les *Ïambes*, écrits en prison.

CHENIL n. m. ⟶ CHIEN 1.

1. CHENILLE [ʃənij] n. f. (lat. *canicula*, petite chienne). Nom usuel de la larve des papillons. ◆ **écheniller** v. t. *Écheniller un arbre, une plante*, en détruire les chenilles. ◆ **échenillage** n. m.
— ENCYCL. La *chenille* est un animal mou (sauf la tête), pourvu de trois paires de pattes et de plusieurs paires de ventouses abdominales. Souvent ornée de vives couleurs, la chenille est parfois pourvue d'excroissances cornues et de poils. Toutes les chenilles sont strictement végétariennes, et la plupart ne consomment qu'une seule espèce végétale, qu'elles ne quittent pas; leur voracité les rend des plus nuisibles aux cultures. Celles qui atteignent le stade de la nymphose* s'y préparent parfois en s'enfermant dans un cocon de soie, comme le bombyx* du mûrier.

2. CHENILLE [ʃənij] n. f. (de *chenille* 1). Bande métallique articulée, qui équipe les véhicules destinés à circuler en tous terrains. ◆ **chenillé, e** adj. Se dit d'un véhicule muni de chenilles. ◆ **chenillette** n. f. Véhicule militaire chenillé et blindé, servant à transporter du matériel ou des hommes sur le champ de bataille.

CHENNEVIÈRES-SUR-MARNE, ch.-l. de cant. du Val-de-Marne, au S.-E. de Paris; 17 400 hab.

CHENONCEAUX, comm. d'Indre-et-Loire, sur le Cher, à 12 km au S.-E. d'Amboise; 361 hab. Élevé de 1515 à 1522, le château de « Chenonceau » fut relié par un pont à la rive gauche du Cher au milieu du XVIe s. par Diane de Poitiers. À la fin du même siècle, une grande galerie, surmontée de deux étages, fut élevée sur ce pont par Catherine de Médicis.

CHÉNOPODIACÉES [kenɔpɔdjase] n. f. pl. (du gr. *khênopous*, patte d'oie). Famille de plantes dicotylédones apétales, comprenant l'*épinard*, la *betterave*, etc.

CHENÔVE, ch.-l. de cant. de la Côte-d'Or, à 3 km au S.-O. de Dijon; 19 500 hab. Cuverie des ducs de Bourgogne (XIIIe et XVe s.).

CHEN-SI, prov. de la Chine du Nord-Ouest; 29 millions d'hab. Capit. *Si-ngan*.

CHENU, E [ʃəny] adj. (du lat. *canus*, blanc). *Vieillard chenu*, aux cheveux blanchis par l'âge (littér.).

CHEN-YANG, ancienn. **Moukden,** v. de la Chine du Nord-Est, capit. de la province de Leao-ning; 4 400 000 hab. Sidérurgie.

CHÉOPS, deuxième roi de la IVe dynastie pharaonique d'Égypte (v. 2600 av. J.-C.). Il fut le constructeur de la plus grande des pyramides de Guizèh.

CHÉPHREN, quatrième pharaon de la IVe dynastie, constructeur de la deuxième pyramide de Guizèh.

CHEPTEL [ʃɛptɛl] n. m. (lat. *capitale*, ce qui est le principal d'un bien). Ensemble des animaux *(cheptel vif)* et du matériel *(cheptel mort)* d'une exploitation agricole.

CHÈQUE [ʃɛk] n. m. (de l'angl. *Exchequer bill*, billet du trésor). Écrit par lequel le titulaire d'un compte en banque ou d'un compte courant postal donne des ordres de paiement à son profit ou à celui d'un tiers sur des fonds (somme d'argent ou provision) portés à son crédit*, c'est-à-dire ceux dont il dispose. ‖ *Libeller* ou *faire un chèque*, en remplir les différentes rubriques, avant de le mettre en circulation. ‖ *Donner un chèque en blanc à qq'un*, lui donner toute liberté d'action. ◆ **chéquier** n. m. Carnet de chèques.
— ENCYCL. Pour se faire ouvrir un *compte chèque*, tout particulier peut déposer de l'argent dans une banque ou dans un bureau de poste; il reçoit un reçu et un carnet de chèques. Un *chèque barré* porte deux traits obliques parallèles, ce qui signifie qu'il ne peut être touché que par l'intermédiaire du banquier ou du chef de centre de chèques postaux chez qui le porteur a un compte. (Aujourd'hui, les banques ne fournissent ordinairement à leurs clients que ce type de chèque.) Un *chèque à ordre* porte le nom du bénéficiaire, précédé de la formule « à ordre » et se transmet par endossement. (Endosser un chèque, c'est apposer, au dos, sa signature pour le faire circuler.) Un *chèque au porteur* ne mentionne pas le nom du bénéficiaire, et est donc payable à toute personne qui le présente (le « porteur »). Un *chèque sans provision* est un chèque qui ne peut être payé faute de « provision » (= somme déposée à la banque par le « payeur »). Un *chèque en blanc* est un chèque que l'on donne à quelqu'un, en indiquant le nom de la personne, mais en laissant à cette dernière le soin de porter le montant de la somme à toucher.

1. CHER, CHÈRE [ʃɛr] adj. (lat. *carus*, aimé). **1.** Se dit d'un être vivant ou d'une chose qui est l'objet d'une vive tendresse, d'un grand attachement (avant le nom, sauf dans quelques express.) : *C'est sa plus chère amie. Le thé cher aux Anglais* (contr. DÉTESTÉ DE). *La liberté nous est plus chère que la vie* (syn. PRÉCIEUX); ironiq. : *Ce cher Gustave!* — **2.** (en s'adressant à une personne, dans des formules de politesse) Marque une sympathie souvent assez vague : *Cher monsieur;* et absolum. : *Mon cher, ma chère.* (⟶ CHÉRIR.)

2. CHER, CHÈRE [ʃɛr] adj. (lat. *carus*, coûteux) [après le nom]. **1.** D'un prix élevé : *Un tissu cher* (syn. COÛTEUX, ONÉREUX; contr. BON MARCHÉ). — **2.** Qui vend, qui fournit à des prix élevés : *Le tailleur le plus cher du quartier.* ◆ **cher** adv. **1.** À un prix élevé, moyennant une somme importante : *Des médicaments qui coûtent cher.* — **2.** *Payer cher*, acquérir, gagner par de lourds sacrifices : *Un peuple qui a payé cher son indépendance;* expier, racheter par une punition que l'on subit : *Je lui ferai payer cher sa désinvolture.* ‖ Fam. *Personne qui ne vaut pas cher,* qui est d'une moralité douteuse, qui n'est pas recommandable. ◆ **chèrement** adv. **1.** Au prix de lourds sacrifices : *Une voiture chèrement acquise.* — **2.** *Vendre chèrement sa vie,* se défendre avec vaillance avant de succomber. ◆ **cherté** n. f. : *Se plaindre de la cherté de la vie.* ◆ **enchérir** ou, plus usuel, **renchérir** v. i. Devenir plus cher. ◆ **enchérissement** ou **renchérissement** n. m. Hausse des prix : *L'enchérissement des denrées agricoles* (contr. BAISSE). [⟶ ENCHÈRE, RENCHÉRIR 2.]

CHER (le), riv. du centre de la France, affl. de la Loire (r. g.); 320 km. Né en Combrailles, il coule dans le Massif central au fond d'une gorge; la vallée s'élargit en aval de Montluçon.

CHER (18), dép. du sud du Bassin parisien (Région Centre); 7235 km²; 320200 hab. (44 au km²) [France : 103]. Ch.-l. *Bourges.*

ADMINISTRATION. 3 arrond. (*Bourges,* 172200 hab.; *Saint-Amand-Montrond,* 71200 hab.; *Vierzon,* 76700 hab.). / 35 cant. / 290 comm.

Situé dans le sud du Bassin parisien, riverain de la Loire, le département occupe la partie orientale du *Berry* et l'extrémité orientale de la *Sologne,* marécageuse, terre de chasse et d'étangs. L'altitude y est le plus souvent inférieure à 200 m, sauf dans le Nord-Est (collines du *Sancerrois*) et le Sud (premières avancées du Massif central).

L'*agriculture* emploie le huitième de la population active. L'élevage est surtout développé dans le Sud *(Boischaut);* les cultures dominent dans le Centre *(Champagne berrichonne);* la vigne fait la richesse du Sancerrois.

L'*industrie,* anciennement développée, occupe plus des deux cinquièmes de la population active. Elle est représentée par la métallurgie (surtout à Bourges et à Vierzon) et le textile.

Le département est peu peuplé (la densité est inférieure de plus de moitié à la moyenne nationale). La *population* ne s'accroît que lentement et certains cantons ruraux connaissent même un dépeuplement (en particulier autour de Saint-Amand-Montrond).

CHERBOURG, ch.-l. d'arrond. de la Manche; 30100 hab. Port militaire sur la Manche, fermé par une longue digue. Arsenal. Institut national des techniques de la mer.

• *26 juin 1944. La ville est libérée par les Américains, après de violents combats et la destruction des installations du port.*

CHERCHELL, v. d'Algérie, sur la Méditerranée, à l'emplacement de l'antique *Césarée* de Mauritanie; 17900 hab. Ruines romaines (aqueduc, thermes). Musée d'antiques.

CHERCHER [ʃɛrʃe] v. t. (lat. *circare,* parcourir). **1.** (sujet nom d'être animé) *Chercher qq'un, qqch.,* s'efforcer de les trouver, de les découvrir : *Il cherche son frère dans toute la maison. Chercher un emploi.* — **2.** (sujet nom de personne) *Chercher qqch.,* s'efforcer de s'en souvenir : *Je cherche le mot qu'il a prononcé en m'abordant.* — **3.** *Chercher qqch.,* essayer de l'atteindre, l'avoir en vue : *Il ne cherche que son avantage dans cette affaire* (syn. VISER À). — **4.** (sujet nom de personne) *Chercher une chose,* aller au-devant d'elle, s'y exposer : *Tu cherches un accident en conduisant si vite.* — **5.** *Aller chercher, venir chercher qq'un ou qqch.,* aller, venir dans un lieu où se trouve cette personne ou cette chose pour la ramener ou la remporter : *J'irai chercher de l'argent à la banque.* ‖ Fam. *Ça va chercher dans les...,* cela atteindra approximativement la somme, le total de. — **6.** (sujet nom d'être animé) *Chercher à* (et l'infin.), s'efforcer de (syn. ESSAYER, TÂCHER, TENTER). — **7.** Fam. *Chercher des histoires, chercher la petite bête, chercher midi à quatorze heures* ⟶ HISTOIRE, BÊTE 1, MIDI. ◆ **chercheur, euse** n. **1.** (sans compl.) Personne qui se consacre à la recherche scientifique. — **2.** (avec un compl.) *Chercheur d'or,* celui qui essaie de trouver de l'or (souvent employé dans un sens historique : celui qui, au début du siècle, cherchait à découvrir des filons dans l'est

LOCALITÉS PRINCIPALES	NOMBRE D'HAB.
Bourges	79400
Vierzon	34900
Saint-Amand-Montrond	12800
Saint-Doulchard	7900
Saint-Florent-sur-Cher	7800
Mehun-sur-Yèvre	7200
Aubigny-sur-Nère	5700
Dun-sur-Auron	4200
Sancoins	3700
La Guerche-sur-l'Aubois	3300

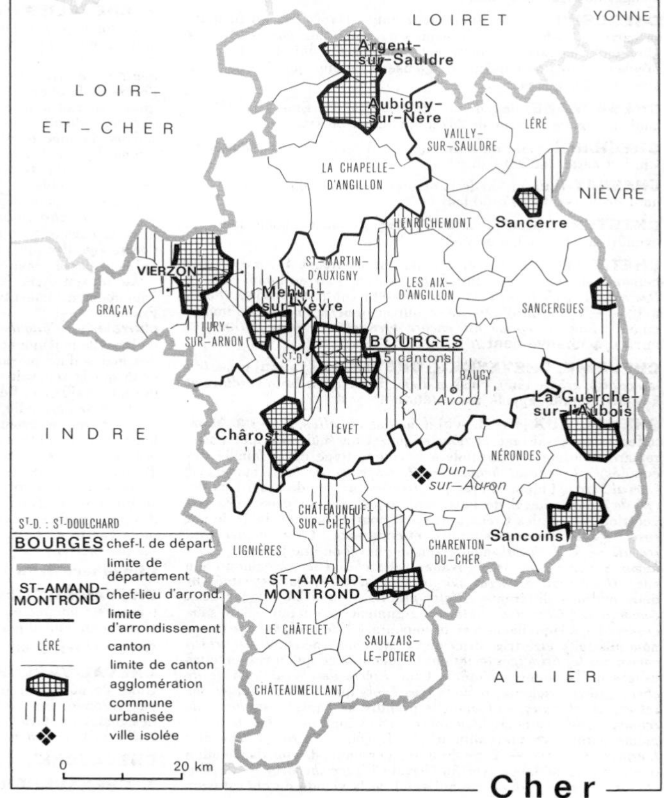

des États-Unis). ◆ **rechercher** v. t. Chercher de nouveau (sens 1 et 2 du v.).

CHÈRE [ʃɛr] n. f. (bas lat. *cara*, visage). *Bonne chère*, nourriture abondante et de qualité. ‖ *Faire bonne chère* (= faire un bon repas). *Faire chère lie* (= faire un joyeux festin).

CHÈREMENT adv. → CHER 2.

CHÉRI, E adj. et n. → CHÉRIR.

CHÉRIF [ʃerif] n. m. (ar. *charīf*). Musulman descendant de Mahomet. ◆ **chérifien, enne** adj. Qui concerne le royaume du Maroc (vieilli) : *Gouvernement chérifien.*

CHÉRIR [ʃerir] v. t. (de *cher* 1). *Chérir qq'un, qqch.*, leur être très attaché : *Une mère chérit ses enfants* (syn. ↑ADORER, ↓AIMER). *Chérir la liberté* (contr. DÉTESTER). ◆ **chéri, e** adj. et n. Tendrement aimé : *Un être chéri.*

CHÉRONÉE, v. de Béotie.

• *338 av. J.-C. Philippe de Macédoine bat les Athéniens et les Thébains.*
• *86 av. J.-C. Sulla bat les troupes de Mithridate VI.*

CHERRAPUNJI ou **TCHERRAPOUNDJI,** localité de l'Inde (Meghalaya), au S. de Shillong. On y enregistre l'une des plus fortes moyennes annuelles de précipitations : de l'ordre de 10 000 mm, soit près de 20 fois plus qu'à Paris.

CHERRY [ʃɛri] n. m. (mot angl. signif. *cerise*). Eau-de-vie de cerise.

CHERSONÈSE, nom donné par les Grecs à plusieurs péninsules, dont deux étaient célèbres : la *Chersonèse Taurique* (auj. la Crimée) et la *Chersonèse de Thrace* (auj. presqu'île de Gallipoli).

CHERTÉ n. f. → CHER 2.

CHÉRUBIN [ʃerybɛ̃] n. m. (de l'hébreu *keroûbîm*, ange). Enfant aux traits fins, aux joues rondes. (Les chérubins sont une catégorie d'anges de l'Ancien Testament.)

CHERUBINI (Luigi), compositeur italien (1760-1842). Il fit toute sa carrière en France où il occupa de nombreux postes officiels (directeur du Conservatoire, notamment). On lui doit de nombreuses œuvres de musique religieuse et de musique de chambre, ainsi que dix opéras.

CHESAPEAKE, baie de la côte orientale des États-Unis (Maryland et Virginie), longue de 287 km, large de 30 km.

CHESHIRE, comté du nord-ouest de l'Angleterre; 895 800 hab. Ch.-l. *Chester* (62 700 hab.).

CHESNAY (Le), ch.-l. de cant. des Yvelines, dans la banlieue nord de Versailles; 27 700 hab.

CHESTER [ʃɛstɛr] n. m. (de *Chester*). Fromage anglais de forme cylindrique, fait au lait de vache.

CHÉTIF, IVE [ʃetif, -iv] adj. (bas lat. *cactivus*). **1.** Se dit d'une personne de faible constitution, qui n'a pas l'air en bonne santé : *Des enfants chétifs* (syn. FLUET, MAIGRE; contr. ROBUSTE, VIGOUREUX). — **2.** Se dit d'une chose qui manque d'ampleur, d'importance : *Son entreprise est encore bien chétive* (syn. MODESTE, PETIT). ◆ **chétivement** adv.

CHEVAINE, CHEVESNE ou **CHEVENNE** [ʃəvɛn] n. m. (du lat. *capito*, grosse tête). Poisson d'eau douce à dos brun verdâtre et à ventre argenté, appelé aussi MEUNIER.

CHEVAL, AUX [ʃəval, -vo] n. m. (lat. *caballus*, rosse). **1.** Mammifère ongulé sauvage et domestique, à un seul doigt par patte, remarquable par son aptitude à la course (type de la famille des équidés) : *Le cheval hennit.* — **2.** *Chevaux de bois*, manège. ‖ *Cheval marin*, l'hippocampe. ‖ *Petits chevaux*, jeu de hasard. ‖ *Cheval de Troie*, cheval de bois dans lequel étaient dissimulés des guerriers, et que les Grecs utilisèrent pour s'emparer de Troie par ruse. — **3.** Personne très robuste et endurante : *C'est un cheval au travail.* — **4.** *À cheval*, monté sur un cheval ou une jument : *Deux hommes à cheval* (= deux cavaliers). ‖ *À cheval sur*, à califourchon sur : *Il s'asseoit à cheval sur un tronc d'arbre;* qui est situé sur deux endroits différents : *Cette propriété est à cheval sur deux communes.* ‖ *Cheval de bataille*, argument qu'on fait valoir sans cesse, idée à laquelle on revient toujours. ‖ *Être à cheval sur* (et un nom abstrait), être très strict en ce qui concerne... : *Il est très à cheval sur les principes* (= il tient beaucoup à ce qu'on respecte les usages de la bonne société). ‖ Fam. *Fièvre de cheval, remède de cheval*, fièvre violente, remède très énergique. ‖ Fam. *Monter sur ses grands chevaux*, se fâcher, le prendre de haut. ‖ *Un cheval de retour*, un accusé déjà plusieurs fois condamné pour des délits de même nature. ◆ **chevalin, e** adj. **1.** Qui concerne le cheval : *L'espèce chevaline.* — **2.** Se dit d'une personne, de son visage qui a quelque ressemblance avec un cheval : *Visage chevalin.* — **3.** *Boucherie chevaline*, boucherie qui vend de la viande de cheval (syn. BOUCHERIE HIPPOPHAGIQUE). ◆ **chevaucher** [ʃəvoʃe] v. i. et t. (sujet nom de personne). Aller à cheval, à cheval sur (littér.) : *Sancho Pança chevauchait un âne* (syn. MONTER). ◆ **chevauchée** n. f. Course, randonnée à cheval.

— ENCYCL. Comme tous les équidés, le *cheval* possède à chaque patte un unique doigt, terminé par un épais sabot. Son régime est herbivore et, au besoin, granivore. Sa force musculaire et son aptitude à la course sont remarquables. Son croisement avec les espèces voisines est fécond, mais le produit obtenu (*mulet* ou *bardot*, par ex.) ne peut, lui, se reproduire. On nomme *poulain* le jeune mâle, *pouliche* la jeune femelle, *étalon* le mâle reproducteur, *hongre* le mâle qui a subi la castration, *jument* la femelle adulte, *poulinière* la jument qu'on spécialise dans la reproduction.

Parmi les races de chevaux français de trait (= pour tirer des véhicules et, surtout, des instruments agricoles), citons l'ardennais, le boulonnais, le percheron, le trait du Nord; parmi les chevaux de selle, le normand et le demi-sang anglo-normand; parmi les races étrangères, les chevaux arabes, persans, russes, les races anglaises, etc.

CHEVAL-ARÇONS [ʃəvalarsɔ̃] n. m. inv. (*cheval*, et *arçons*). Appareil de gymnastique constitué par une pièce de bois montée sur quatre pieds. (On dit aussi CHEVAL D'ARÇONS.)

CHEVALEMENT [ʃəvalmɑ̃] n. m. (de *cheval*). Réunion de poutres et de madriers, pour étayer un bâtiment, un mur.

CHEVALERESQUE [ʃəvalrɛsk] adj. (de l'it. *cavalleresco*). Se dit de quelqu'un (ou de sa conduite) qui manifeste des sentiments nobles, généreux, des manières élégantes (syn. COURTOIS).

CHEVALERIE n. f. → CHEVALIER 2.

CHEVALET [ʃəvalɛ] n. m. (de *cheval*). **1.** Support en bois sur lequel le peintre pose le tableau qu'il exécute. — **2.** Tréteau qui servait à la torture.

1. CHEVALIER [ʃəvalje] n. m. (bas lat. *caballarius*). Oiseau échassier voisin du bécasseau, commun près des étangs ou sur les côtes d'Europe occidentale. (Famille des scolopacidés.)

2. CHEVALIER [ʃəvalje] n. m. (même étym.). **1.** Membre d'un ordre fondé pour honorer ceux qui se sont distingués dans quelque activité, ou de certaines confréries; grade dans cet ordre : *Le grade de chevalier est le premier décerné dans l'ordre de la Légion d'honneur.* — **2.** Au Moyen Âge, noble admis solennellement dans l'ordre de la chevalerie. → ENCYCL. — **3.** *Chevalier errant*, celui qui parcourait le monde pour redresser les torts. ‖ *Chevalier d'industrie*, individu sans scrupule, qui vit d'expédients. ‖ *Chevalier servant*, homme empressé à satisfaire les moindres désirs d'une femme. ‖ *Chevalier de la Triste-Figure*, titre donné par Cervantès à Don Quichotte. ◆ **chevalerie** n. f. Institution militaire féodale, propre à la noblesse, qui imposait à ses membres des obligations religieuses et patriotiques et exaltait la bravoure. → ENCYCL.

— ENCYCL. ***chevalier.*** Dans l'Antiquité, les chevaliers servaient dans la cavalerie et faisaient partie d'une classe de la société, l'*ordre équestre* (qui, à Rome, était le second socialement, juste après la classe sénatoriale).

Au Moyen Âge, les chevaliers (qui portaient ce titre après l'adoubement) constituèrent la base de l'organisation militaire en France.

chevalerie. L'*adoubement* était la cérémonie solennelle au cours de laquelle le jeune noble devenait chevalier : il recevait ses armes des mains d'un parrain. L'institution de la chevalerie imposait à celui qui la recevait une règle de vie et des obligations morales (loyauté, vaillance, fidélité, respect de la femme, protection de la veuve et de l'orphelin, défense de la foi et de l'Église).

La chevalerie évolua dans plusieurs sens : l'obligation de combattre pour la foi trouva son épanouissement dans la fondation des *ordres militaires*, à la fois religieux et guerriers, comme ceux du Temple et de Saint-Jean de Jérusalem (→ MALTE); l'influence des romans de chevalerie et de l'amour « courtois » (= celui des cours seigneuriales, raffiné) fit du chevalier un héros légendaire, capable des plus grandes folies (= tournois, prouesses pendant les batailles de la guerre de Cent Ans) pour prouver sa valeur à la « dame de ses pensées ».

Chevaliers de la Table ronde → ARTHUR.

CHEVALIÈRE [ʃəvaljɛr] n. f. (de *chevalier*). Large bague portée par un homme ou par une femme, et sur le chaton de laquelle sont généralement gravées des initiales ou des armoiries.

CHEVALIN, E adj. → CHEVAL.

CHEVAL-VAPEUR [ʃəvalvapœr] n. m. (*cheval*, et *vapeur*). Unité de puissance (symb. : ch) équivalant à 75 kilogrammètres par seconde, soit environ 736 watts, utilisée pour la voiture et désignant, au pluriel, un type de voiture : *Une quatre-chevaux (une 4 CV).* ‖ Pl. des *chevaux-vapeur.*

CHEVAUCHÉE n. f. → CHEVAL.

1. CHEVAUCHER v. i. et t. → CHEVAL.

2. CHEVAUCHER [ʃəvoʃe] v. t. ou i. ou **SE CHEVAUCHER** v. pr. (bas lat. *caballicare*, monter à cheval) [sujet nom de chose]. Être superposé : *On pose ces bandes de papier peint en faisant légèrement chevaucher les bords. Ces deux emplois du temps se chevauchent.* ◆ **chevauchement** n. m. **1.** État de deux objets dont l'un se superpose en partie à l'autre : *Le chevauchement de deux planches.* — **2.** *Géol.* Avancée d'une série de terrains sur d'autres terrains, résultant d'un pli couché dont le flanc inverse a disparu par étirement : *Une nappe de charriage* est un chevauchement de très grande ampleur (plusieurs kilomètres).*

CHEVAU-LÉGER [ʃəvoleʒe] n. m. (de *cheval*, et *léger*). Soldat d'un corps de cavalerie légère organisé en France du XVIe au XIXe s. et qui disparut de l'armée française en 1815. ‖ Pl. des *chevau-légers.*

CHEVÊCHE [ʃəvɛʃ] n. f. (de *chouette*). Chouette de petite taille (25 cm) qui fréquente les régions aux arbres clairsemés et les bocages.

CHEVELU, E adj., **CHEVELURE** n. f. ⟶ CHEVEU.

CHEVENNE n. m. ⟶ CHEVAINE.

CHEVERNY, comm. de Loir-et-Cher, en Sologne, à 14 km au S.-E. de Blois; 715 hab. Le château de style Louis XIII fut terminé en 1634.

CHEVESNE n. m. ⟶ CHEVAINE.

CHEVET [ʃəvɛ] n. m. (du lat. *caput*, tête). **1.** L'extrémité du lit où l'on pose la tête : *Table de chevet* (= placée tout près du lit). ‖ *Livre de chevet*, livre de prédilection auquel on revient constamment. — **2.** *Être au chevet d'un malade*, rester auprès de son lit, le soigner avec assiduité. — **3.** Extrémité d'une nef d'église, derrière l'autel, généralement en hémicycle, orientée vers l'E.

CHEVEU [ʃəvø] n. m. (lat. *capillus*). **1.** Poil de la tête, chez les humains : *Une mèche de cheveux.* — **2.** Fam. *S'arracher les cheveux*, manifester un grand désespoir, un dépit impuissant. ‖ Fam. *Faire dresser les cheveux sur la tête*, causer de la frayeur (syn. ÉPOUVANTER). ‖ Fam. *Cela ne tient qu'à un cheveu, il s'en faut d'un cheveu*, il s'en faut de très peu, cela dépend d'un rien (syn. CELA NE TIENT QU'À UN FIL). ‖ *Toucher un cheveu de la tête de qq'un*, lui causer le plus petit dommage : *Si vous touchez un cheveu de sa tête, vous aurez affaire à moi.* ‖ Fam. *Couper les cheveux en quatre*, être trop pointilleux, faire des distinctions trop subtiles. ‖ Fam. *C'est tiré par les cheveux*, se dit d'une explication qui manque de solidité, d'une comparaison qui manque de logique. ◆ **chevelu, e** adj. **1.** Pourvu de cheveux longs et fournis, ou, en parlant de végétaux, de racines ressemblant à des cheveux : *Une tête chevelue. L'épi chevelu du maïs.* — **2.** *Cuir chevelu*, la peau du crâne. ◆ **chevelure** n. f. Ensemble des cheveux d'une personne (se dit surtout de cheveux longs, abondants). ◆ **échevelé, e** [eʃəvle] adj. **1.** Se dit d'une personne qui a les cheveux en désordre (syn. ÉBOURIFFÉ). — **2.** Se dit de ce qui manifeste un enthousiasme désordonné, de la frénésie : *Danse échevelée.*

1. CHEVILLE [ʃəvij] n. f. (lat. *clavicula*, petite clé). **1.** Petite tige de bois qu'on engage dans un trou pour fixer un assemblage de charpente, de menuiserie, d'ébénisterie, ou dans un mur de maçonnerie pour y enfoncer une vis. — **2.** *Cheville ouvrière*, grosse cheville sur laquelle pivote l'avant-train d'une voiture; personne qui joue un rôle essentiel dans une organisation, qui en est le principal soutien. — **3.** Pièce de bois composée d'une tige conique et d'une tête, et qui sert à tendre les cordes du violon, etc. — **4.** Dans un texte littéraire, mot de remplissage (inutile pour le sens) complétant la mesure d'un vers (syn. REDONDANCE). — **5.** Fam. *Être en cheville avec qq'un*, lui être associé dans une entreprise; être en relation d'affaires ou d'intérêts avec lui. ◆ **chevillé, e** adj. **1.** Assemblé par des chevilles (sens 1) : *Un buffet rustique chevillé.* — **2.** Fam. *Avoir l'âme chevillée au corps*, survivre à une grave maladie, à un grave accident, etc. (syn. AVOIR LA VIE DURE). ◆ **chevillette** n. f. Petite cheville.

2. CHEVILLE [ʃəvij] n. f. (même étym.). **1.** Partie inférieure de la jambe, au-dessus du cou-de-pied, présentant de part et d'autre un renflement osseux, formé par les apophyses inférieures du tibia et du péroné. — **2.** Fam. *Ne pas arriver à la cheville de qq'un*, lui être très inférieur.

— ENCYCL. Articulation importante, la *cheville* est formée par trois os : le *tibia* et le *péroné*, qui constituent une cavité dans laquelle s'emboîte l'*astragale*. Ce sont les extrémités inférieures du tibia et du péroné qui font saillie sous la peau et qui sont appelées *cheville*.

L'astragale, en pivotant dans la *mortaise*, permet les mouvements de flexion-extension du pied. La cheville est une articulation fragile, sujette aux *entorses**, aux *luxations** et aussi aux *fractures** car elle supporte tout le poids du corps.

CHEVILLY-LARUE, ch.-l. de cant. du Val-de-Marne, à 7 km au S. de Paris; 16 000 hab.

CHEVIOT *(monts)*, hautes collines à la limite de l'Écosse et de l'Angleterre; 810 m. Élevage (moutons dits *cheviots*).

CHEVIOTTE [ʃəvjɔt] n. f. (de *Cheviot*). Laine d'agneau d'Écosse; étoffe faite avec cette laine.

1. CHÈVRE [ʃɛvr] n. f. (lat. *capra*). **1.** Mammifère ruminant sauvage ou domestique des régions montagneuses. (Type de la tribu des caprinés, ou caprins; famille des bovidés.) [Le mot désigne souvent la femelle seule. Le mâle est le *bouc*. Le cri de la chèvre est le *bêlement*.] ⟶ ENCYCL. — **2.** Fam. *Ménager la chèvre et le chou*, ménager les deux partis auxquels on a affaire, ne pas trop se compromettre. ◆ **chevreau** n. m. **1.** Petit de la chèvre (sans distinction de sexe). — **2.** Peau de chèvre ou de chevreau, utilisée en particulier pour la fabrication de gants ou de chaussures élégantes. ◆ **chevrette** n. f. Jeune chèvre femelle. ◆ **chevrier, ère** n. Personne qui garde des chèvres.

— ENCYCL. De même taille que le mouton, la *chèvre* s'en distingue par une paire de cornes faiblement arquées, par un pelage fourni, mais sans finesse, par un caractère plus indépendant et par une aptitude beaucoup plus grande à sauter et à grimper. Elle se nourrit d'herbe, de jeunes pousses, de ronces. En plus du lait et de la viande, elle fournit de la laine (chèvre angora en Turquie, production des tissus de cachemire aux Indes).

2. CHÈVRE [ʃɛvr] n. f. (même étym.). Appareil propre à élever des fardeaux, à soutenir une pièce de bois que l'on façonne.

CHÈVREFEUILLE [ʃɛvrəfœj] n. m. (lat. *caprifolium*). Genre de lianes aux fleurs odorantes, répandues dans les bois d'Europe occidentale, et dont plusieurs espèces sont ornementales. (Famille des caprifoliacées.)

CHEVRETTE n. f. ⟶ CHÈVRE 1 et CHEVREUIL.

CHEVREUIL [ʃəvrœj] n. m. (lat. *capreolus*). Mammifère ruminant sauvage, d'Europe et d'Asie, dont les bois n'ont que deux cors ou andouillers (famille des cervidés) : *Le petit du chevreuil est le faon.* ◆ **chevrette** n. f. Femelle adulte du chevreuil. ◆ **chevrotin** n. m. Petit du chevreuil, ayant moins de six mois.

CHEVREUSE, ch.-l. de cant. des Yvelines, à 19 km au N.-E. de Rambouillet, sur l'Yvette; 4 800 hab. Dans la *vallée de Chevreuse* (parc naturel régional), sites pittoresques.

CHEVRIER, ÈRE n. ⟶ CHÈVRE.

1. CHEVRON [ʃəvrɔ̃] n. m. (du lat. *capra*, chèvre). Pièce de bois équarri supportant les lattes sur lesquelles sont fixées les tuiles ou les ardoises d'un toit.

2. CHEVRON [ʃəvrɔ̃] n. m. (même étym.). **1.** Galon en forme de V renversé, porté jadis sur la manche par certains soldats; motif ornemental ayant cette forme. — **2.** Tissu croisé, de laine ou de coton, présentant des côtes en zigzag.

CHEVRONNÉ, E [ʃəvrɔne] adj. (de *chevron*). *Fam.* Se dit de quelqu'un qui a une longue pratique, qui a fait ses preuves depuis longtemps dans un métier, une activité.

CHEVROTAIN [ʃəvrɔtɛ̃] n. m. (de *chevrot*, chevreau). Petit mammifère ruminant d'Asie et d'Afrique, voisin des porcins : *Les chevrotains ne portent pas de bois.* [Type de la famille des tragulidés.]

CHEVROTER [ʃəvrɔte] v. i. et t. (de *chevrot*, chevreau). Parler ou chanter d'une voix tremblotante. ◆ **chevrotant, e** adj. : *Une voix chevrotante.* ◆ **chevrotement** n. m. Tremblement de la voix qui fait penser au bêlement de la chèvre.

CHEVROTIN n. m. ⟶ CHEVREUIL.

CHEVROTINE [ʃəvrɔtin] n. f. (de *chevrotin*). Plomb de gros calibre pour la chasse au chevreuil ou au gros gibier.

CHEWING-GUM [ʃwiŋgɔm] n. m. (de l'angl. *to chew*, mâcher, et *gum*, gomme). Gomme parfumée que l'on mâche.

CHEYENNES, Indiens d'Amérique du Nord, qui furent en lutte avec les Sioux et qui durent émigrer vers les plaines de l'Ouest (Oklahoma et Montana).

CHEYLARD (Le), ch.-l. de cant. de l'Ardèche, à 21 km au S.-O. de Lamastre; 4 400 hab. *(Cheylarois)*. Industries textiles.

CHEZ [ʃe] prép. (du lat. *in casa*, dans la maison). **1.** Indique une localisation dans la demeure *(aller chez des amis)*, le pays *(chez les Anglais)* ou le temps *(chez les Anciens)*, l'œuvre littéraire ou artistique de quelqu'un (*chez Corneille* = dans ses tragédies); indique la présence de quelque chose dans le physique, dans le comportement de quelqu'un : *C'est chez lui une habitude* (= en lui). — **2.** *Chez* peut être précédé de *de, par, vers* ou d'une loc. prép. contenant *de* : *Je reviens de chez lui. Nous passerons par chez nos parents. Au-dessus de chez moi.* ◆ **chez-moi, chez-toi, chez-soi,** etc. n. m. inv. Demeure où l'on vit, logement (le pron. varie avec le sujet de la phrase) : *Quand j'aurai un chez-moi, venez me voir. Meubler son chez-soi.*

CHIANTI (le), région d'Italie, en Toscane. Vignobles réputés.

CHIASMA [kjasma] n. m. (gr. *khiasma*). *Anat.* Croisement en forme d'X : *Le chiasma des nerfs optiques.*

CHIBA, v. du Japon, au centre de Honshū; 482 100 hab.

CHIBCHAS, anc. peuple de l'Amérique centrale et de l'Amérique du Sud (Colombie). La civilisation chibcha, très brillante, fut ruinée au XVIe s. par les Espagnols.

CHIC [ʃik] n. m. (all. *Schick*, adresse). **1.** *Fam.* Allure élégante, distinguée d'une personne, aspect gracieux d'une chose : *Elle a du chic* (syn. ÉLÉGANCE). — **2.** *Avoir le chic de, pour* (et un infin. ou un nom), être très habile à (syn. ART); et ironiq. : *Vous avez le chic pour être absent quand on a besoin de vous* (= une sorte de fatalité veut que vous soyez toujours absent...). — **3.** *Peindre, travailler de chic*, d'inspiration, sans modèle, de mémoire. ◆ adj. (inv. en genre; avant ou après le nom). **1.** *Fam.* Se dit des personnes ou des choses qui ont de l'élégance, de la distinction, qui suscitent une certaine admiration : *Des robes chics.* — **2.** *Fam.* Se dit des personnes (ou de leur comportement) bienveillantes, complaisantes, serviables : *C'est un chic garçon.* ◆ **chic!** interj. Quelle chance! quel bonheur!

CHICAGO, v. des États-Unis (Illinois), au bord du lac Michigan; 3 005 000 hab. (agglomération 7 103 000 hab.).

Grand nœud de communications, Chicago se développe à partir du milieu du XIXe s. grâce à l'arrivée du chemin de fer. C'est actuellement un grand centre commercial dont le port est actif.

Chicago est au centre d'une riche région agricole, et son industrialisation a commencé par des minoteries et surtout des abattoirs. Mais d'autres activités sont devenues prépondérantes, notamment les industries mécaniques. Les quartiers d'habitation du centre, délaissés par les classes moyennes qui préfèrent habiter dans les pavillons des banlieues, ont tendance à se dégrader : c'est là que s'entassent les classes les plus pauvres de la population, en particulier les Noirs.

1. CHICANE [ʃikan] n. f. (d'un rad. *chic-*, petit). Querelle de mauvaise foi, portant sur des détails : *Chercher chicane à qq'un.* ◆ **chicaner** v. i. et t. : *Ne chicanons pas sur ces chiffres* (syn. ERGOTER). *On ne lui chicane pas ses frais de déplacement* (syn. DISCUTER). ◆ **chicanerie** n. f. Syn. de CHICANE. ◆ **chicaneur, euse** ou **chicanier, ère** adj. et n. Qui aime à chicaner : *Les chicaniers trouveront toujours à redire.*

2. CHICANE [ʃikan] n. f. (de *chicane* 1). Série d'obstacles disposés sur une route de façon à imposer un parcours en zigzag.

1. CHICHE [ʃiʃ] adj. (d'un rad. *tchitch-*, qui évoque la petitesse). Se dit d'une personne qui répugne à dépenser, à donner, ou qui est peu prodigue de quelque chose : *Être chiche de compliments* (syn. AVARE). ◆ **chichement** adv. Avec parcimonie, en évitant même les menues dépenses : *Ils vivent très chichement* (syn. MODESTEMENT, PETITEMENT).

2. CHICHE [ʃiʃ] adj. (même étym.). Fam. *Chiche de* (et l'inf.), capable de, assez hardi pour. ‖ *Chiche que...!, chiche!*, expriment un défi lancé ou accepté.

3. CHICHE [ʃiʃ] adj. m. (lat. *cicer*, pois). *Pois chiche*, légumineuse comestible des régions méditerranéennes, excellent fourrage, et dont le fruit *(poids chiche* ou *pois cornu)* convient à l'alimentation humaine.

CHICHÉN ITZÁ, site du Mexique, dans le nord du Yucatán. Là s'élevait une des villes les plus importantes de l'Empire maya. Il en demeure des vestiges dont un temple et une pyramide.

CHICHESTER, v. de Grande-Bretagne (Sussex), près de la Manche; 20 500 hab. Centre universitaire. Cathédrale (XIIe s.).

CHICHI [ʃiʃi] n. m. (onomat.). Fam. *Faire du chichi, des chichis*, agir avec affectation, manquer de simplicité (syn. FAIRE DES EMBARRAS, DES FAÇONS, DES MANIÈRES). ◆ **chichiteux, euse** adj. et n. *Fam.* Qui fait des chichis.

CHICORÉE [ʃikɔre] n. f. (gr. *kikhorion*). Plante herbacée dont on consomme en salade les feuilles de plusieurs espèces cultivées (chicorée frisée, scarole, endive) : *Les racines de chicorée sauvage sont torréfiées et réduites en grains qu'on ajoute parfois au café.* (Famille des composées.)

CHICOT [ʃiko] n. m. (d'un rad. *chic-*, petit). *Fam.* Partie d'une dent cassée ou cariée qui reste dans la gencive.

CHICOTIN [ʃikɔtɛ̃] n. m. (pour *socotrin*, aloès de Socotora). Suc amer extrait de l'aloès, de la coloquinte : *Amer comme chicotin.*

1. CHIEN [ʃjɛ̃] n. m. (lat. *canis*). Mammifère carnassier, domestiqué depuis très longtemps, et dont il existe de nombreuses races ayant diverses aptitudes : *Le chien aboie.* (Famille des canidés.) ⟶ ENCYCL. — LOC. FAM. **1.** (compl. d'un nom avec *de*) *Vie de chien, métier de chien, temps de chien* (ou *chienne de vie, chien de métier, chien de temps*), existence, métier, temps très pénibles, très désagréables. ‖ *Coup de chien*, brusque tempête en mer; émeute soudaine, agitation. ‖ *Mal de chien*, grand mal, difficulté extrême. — **2.** (avec *comme*) *Malade comme un chien*, très malade. ‖ *Traiter qq'un comme un chien*, sans le moindre égard, avec mépris et rudesse. ‖ *Recevoir qq'un comme un chien dans un jeu de quilles*, le recevoir très mal, le rabrouer. ‖ *Vivre, être comme chien et chat*, se chamailler continuellement. — **3.** *Être coiffé à la chien*, avec des mèches folles, les cheveux ébouriffés. ‖ *En chien de fusil*, en repliant les jambes et en ramenant les genoux vers la poitrine : *Il dort couché en chien de fusil.* ‖ *Se regarder en chiens de faïence*, se dévisager fixement avec une froideur hostile. ‖ *Entre chien et loup*, à la tombée de la nuit, au crépuscule. ‖ *Avoir du chien*, en parlant d'une femme, avoir un charme piquant. ‖ *Je lui garde un chien de ma chienne*, je saurai bien me venger (syn. IL NE PERD RIEN POUR ATTENDRE). — LOC. INTERJ. *Nom d'un chien!*, juron familier. ◆ **chenil** [ʃənil] n. m. Lieu où on élève, où on dresse, où on loge des chiens. ◆ **chien-chien** n. m. *Fam.* et *ironiq.* Petit chien entouré de soins exagérément délicats. ◆ **chien-loup** n. m. Chien domestique, d'une race qui ressemble à celle des loups. ‖ Pl. des *chiens-loups.* ◆ **chienne** n. f. **1.** Femelle du chien. — **2.** *Fam.* et *péjor.* Femme sans moralité. ◆ **chiot** n. m. Chien encore tout jeune.

— ENCYCL. Le *chien* est caractérisé par des canines en crocs, des molaires tranchantes et des molaires broyeuses; ses griffes ne sont pas rétractiles. Animal intelligent, le chien est des plus aptes au dressage. Il a été spécialisé par l'homme dans diverses fonctions : tirer des traîneaux (régions arctiques), garder les troupeaux, veiller sur les habitations, dépister les truffes, le gibier *(chien d'arrêt)* ou l'homme lui-même *(chiens policiers, chiens sauveteurs)*, poursuivre et atteindre le gibier *(chiens courants)*. À cette diversité des fonctions répond une diversité très grande de races : un saint-bernard peut peser 100 kg, un petit pékinois 1,5 kg. La *chienne*, après une gestation de deux mois, met bas deux à seize *chiots*, qu'elle nourrit pendant six semaines. Le chien vit entre dix et quinze ans.

2. CHIEN [ʃjɛ̃] n. m. (même étym.). Pièce d'une arme à feu qui, autref., portait le silex et qui provoquait la mise à feu de la poudre. (Actuellement, elle sert à guider et à renforcer l'action du percuteur vers l'arrière de la cartouche.)

3. CHIEN DE MER ⟶ ROUSSETTE.

CHIENDENT [ʃjɛ̃dɑ̃] n. m. (de *dent de chien*). **1.** Nom commun à deux graminacées, vivaces par leurs rhizomes, qui envahissent rapidement les cultures et dont la destruction est difficile. — **2.** *Fam.* Difficulté, ennui.

CHIENLIT [ʃjɑ̃li] n. f. (de *chie, en* et *lit.*). **1.** Masque de carnaval. — **2.** *Fam.* Mascarade.

CHIEN-LOUP n. m., **CHIENNE** n. f. ⟶ CHIEN.

CHIERS (la), riv. du nord de la Lorraine, affl. de la Meuse (r. dr.); 112 km. Née au Luxembourg, elle conflue en amont de Sedan.

CHIFFE [ʃif] n. f. (de l'anc. fr. *chipe*, chiffon). **1.** Syn. assez rare de CHIFFON au sens 1. — **2.** *Être mou comme une chiffe, être une chiffe molle*, se dit d'une personne qui est d'une grande mollesse, qui n'a aucune énergie.

CHIFFON [ʃifɔ̃] n. m. (de *chiffe*). **1.** Lambeau de vieux linge, de tissu : *Un chiffon de laine.* — **2.** Péjor. *Chiffon de papier*, contrat, pacte, traité considéré comme sans valeur. ‖ Fam. *Parler chiffons*, parler de toilettes féminines, et par extens., de choses futiles. ◆ **chiffonnier, ère** n. **1.** Personne qui ramasse, pour les revendre, des chiffons ou des vieux objets mis au rebus. — **2.** Fam. *Se battre comme des chiffonniers*, se battre avec acharnement.

CHIFFONNER [ʃifɔne] v. t. (de *chiffon*). **1.** *Chiffonner qqch.*, le froisser, le marquer de faux plis. — **2.** Fam. *Chiffonner qq'un*, le préoccuper, le contrarier (syn. ENNUYER, TRACASSER). ◆ **chiffonnage** ou **chiffonnement** n. m. : *Le chiffonnement d'un vêtement.* ◆ **déchiffonner** v. t. Syn. de DÉFROISSER.

1. CHIFFONNIER, ÈRE n. ⟶ CHIFFON.

2. CHIFFONNIER [ʃifɔnje] n. m. (de *chiffon*). Commode à nombreux tiroirs superposés. ◆ **chiffonnière** n. f. Commode plus petite que le chiffonnier.

1. CHIFFRE [ʃifr] n. m. (de l'ar. *sifr*, zéro). **1.** Signe servant à représenter un nombre (⟶ NUMÉRATION) : *Le nombre six cent trente-cinq (635) s'écrit avec les chiffres six, trois, cinq.* ‖ *Chiffres arabes, romains* ⟶ ENCYCL. — **2.** Initiales d'un nom entrelacées de façon artistique : *Faire broder son chiffre.*

— ENCYCL. Les *chiffres* que nous utilisons, dits *chiffres arabes*, furent introduits en Europe au Xe s. par le pape Sylvestre II. Leur dénomination rappelle que c'est aux Arabes que nous devons notre

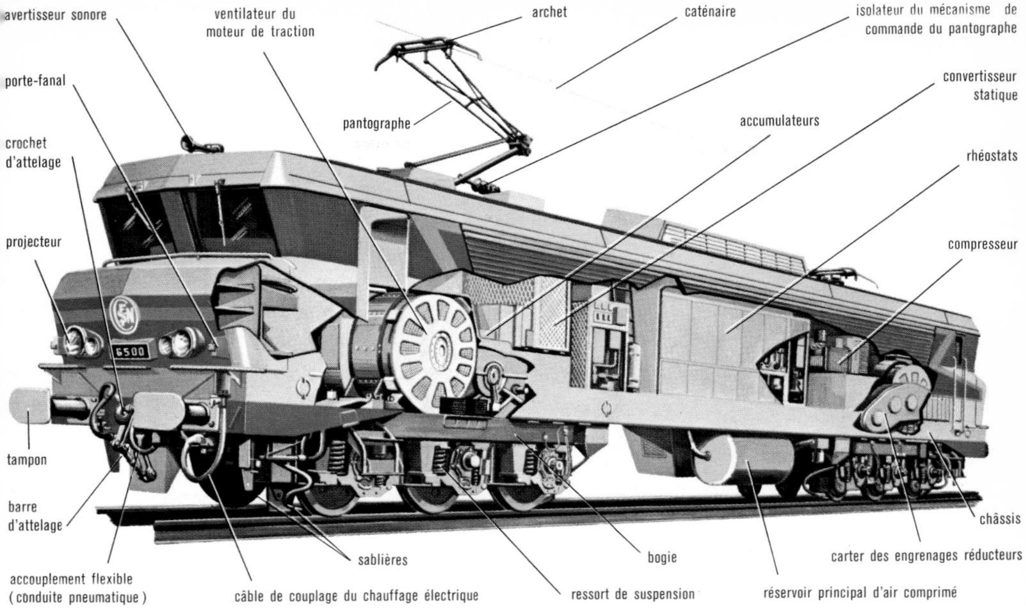

avertisseur sonore
ventilateur du moteur de traction
archet
caténaire
isolateur du mécanisme de commande du pantographe
porte-fanal
convertisseur statique
pantographe
accumulateurs
crochet d'attelage
rhéostats
projecteur
compresseur
tampon
barre d'attelage
châssis
sablières
bogie
carter des engrenages réducteurs
accouplement flexible (conduite pneumatique)
câble de couplage du chauffage électrique
ressort de suspension
réservoir principal d'air comprimé

CHEMINS DE FER

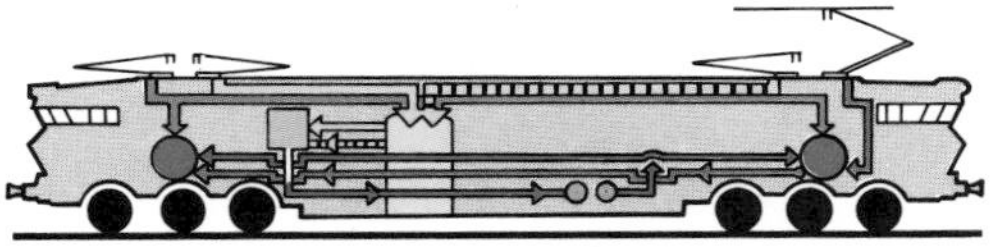

Locomotive électrique quadricourant à bogies monomoteurs
Série C C 40 100

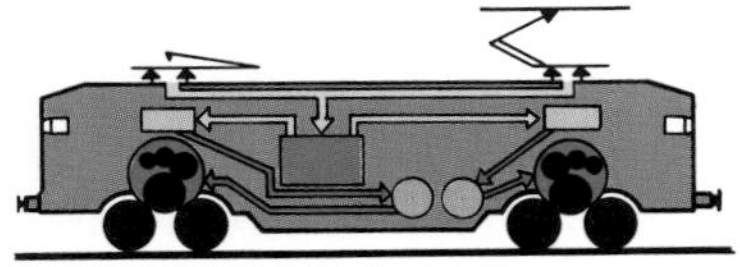

Locomotive électrique à courant monophasé et bogies monomoteurs
Série B B 17 000

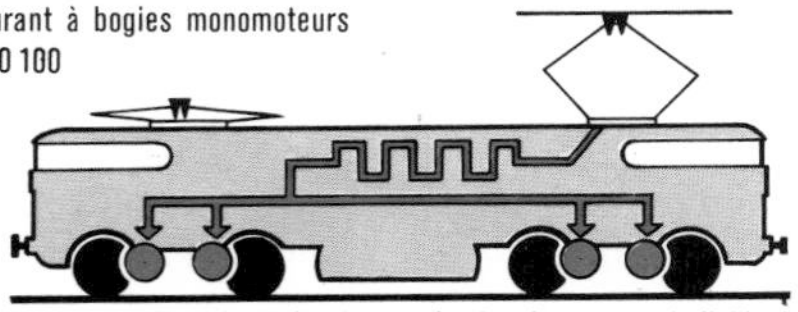

Locomotive électrique de vitesse; bogies à moteurs individuels
Série B B 9 200

WAGONS DE MARCHANDISES ET TRANSPORTS SPÉCIAUX

Citerne type "Transportation corps" 1944 à bogies

Trémie à déchargement automatique à bogies

Couvert bois, 4 portes, à bogies

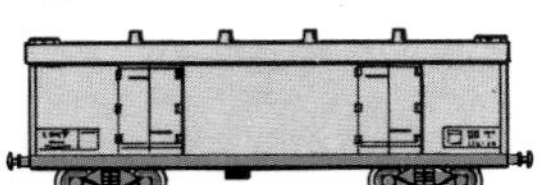
Frigorifique, à bogies

Plat surbaissé, à bogies

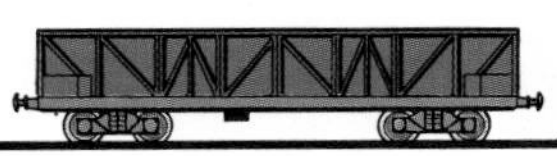
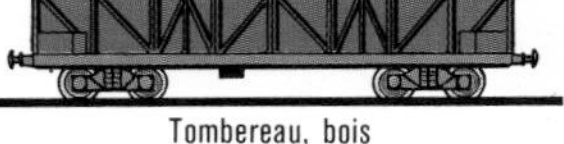
Tombereau, bois

Plat-bord bas à 2 essieux

Transport auto à double caisse sur 3 essieux

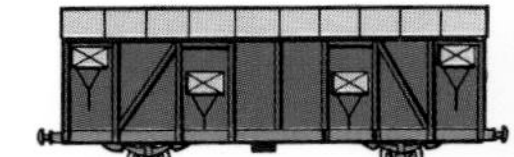
Couvert U.I.C. à 2 essieux

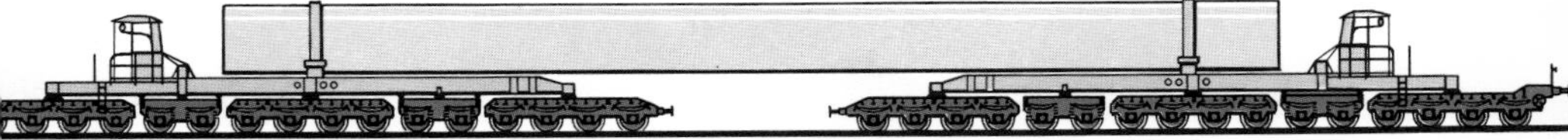
Transporteur exceptionnel composé de 2 demi-wagons symétriques de 16 essieux chacun

TURBOTRAIN - MOTRICE T.G.V.

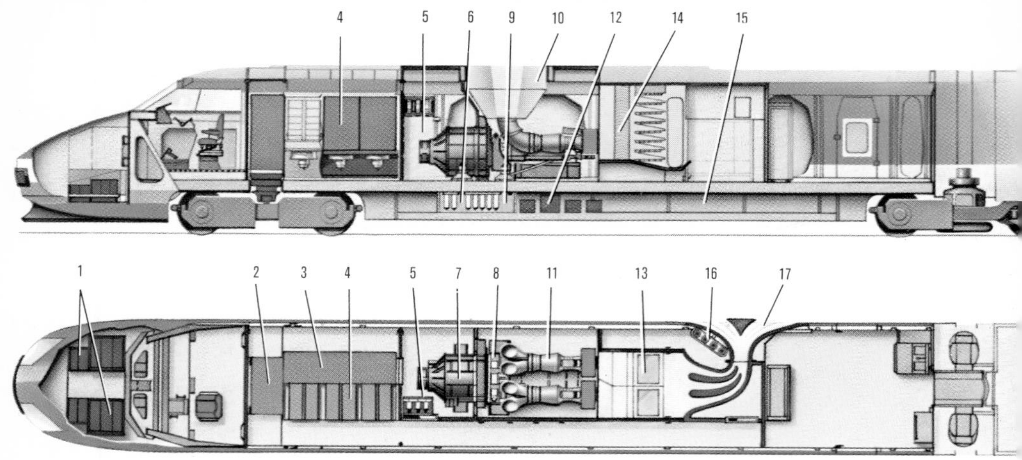

1. Accumulateurs ; 2 Appareillage électrique B. T. ; 3. Appareillage électrique H. T. ; 4. Bloc de freinage rhéostatiqu 5. Redresseurs ; 6. Appareillage accessoire des turbomoteurs ; 7 Alternateurs ; 8. Réducteur ; 9. Appareillage pneun tique ; 10. Échappement ; 11. Turbomoteurs ; 12. Transformateurs ; 13. Filtres d'air ; 14. Abat-son ; 15. Soute de combu tible ; 16. Extincteurs (Fréon) ; 17. Diffuseur.

LOCOMOTIVE DIÉSEL ÉLECTRIQUE - TYPE C C 68 000

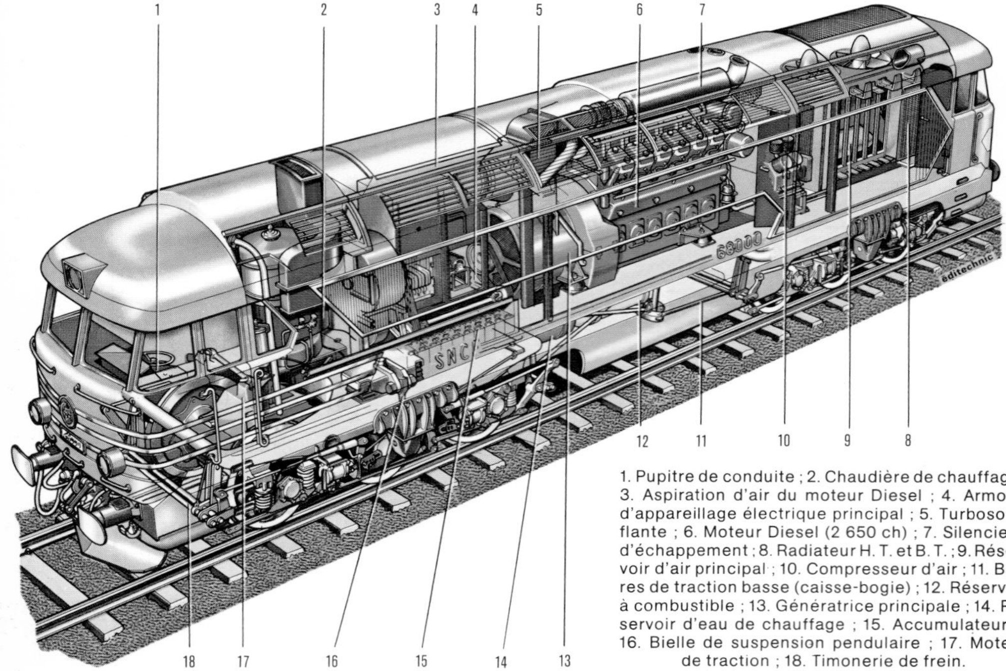

1. Pupitre de conduite ; 2. Chaudière de chauffage 3. Aspiration d'air du moteur Diesel ; 4. Armoir d'appareillage électrique principal ; 5. Turbosouf flante ; 6. Moteur Diesel (2 650 ch) ; 7. Silencieu d'échappement ; 8. Radiateur H. T. et B. T. ; 9. Réser voir d'air principal ; 10. Compresseur d'air ; 11. Bar res de traction basse (caisse-bogie) ; 12. Réservoi à combustible ; 13. Génératrice principale ; 14. Ré servoir d'eau de chauffage ; 15. Accumulateurs 16. Bielle de suspension pendulaire ; 17. Moteu de traction ; 18. Timonerie de frein.

TYPES DE LOCOMOTIVES DIESEL

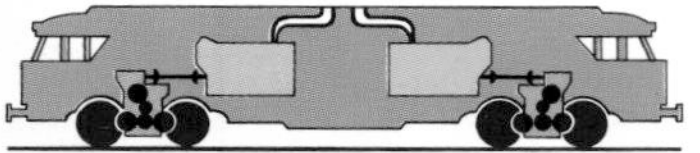

locomotive Diesel à transmission hydraulique. Série B B 69 000

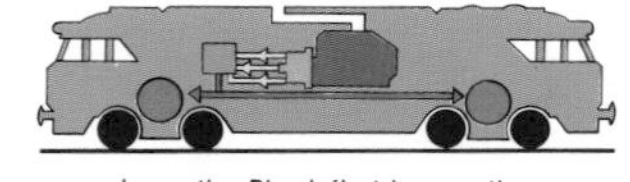

locomotive Diesel électrique continu triphasé. Série B B 67 300

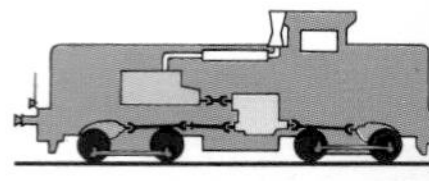

locomotive Diesel à transmission hydromécanique. Série B B 71 00C

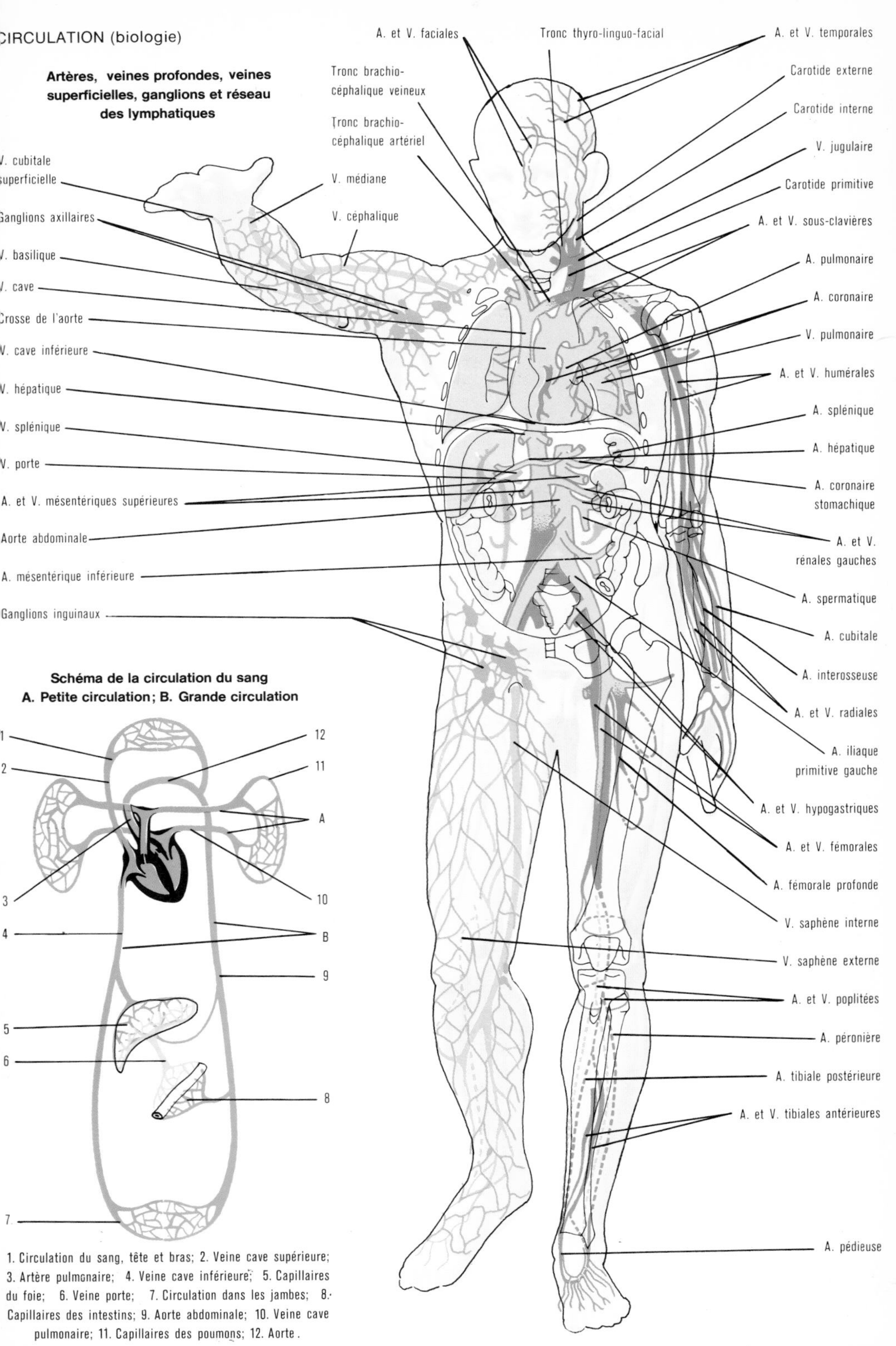

1. Circulation du sang, tête et bras; 2. Veine cave supérieure; 3. Artère pulmonaire; 4. Veine cave inférieure; 5. Capillaires du foie; 6. Veine porte; 7. Circulation dans les jambes; 8. Capillaires des intestins; 9. Aorte abdominale; 10. Veine cave pulmonaire; 11. Capillaires des poumons; 12. Aorte.

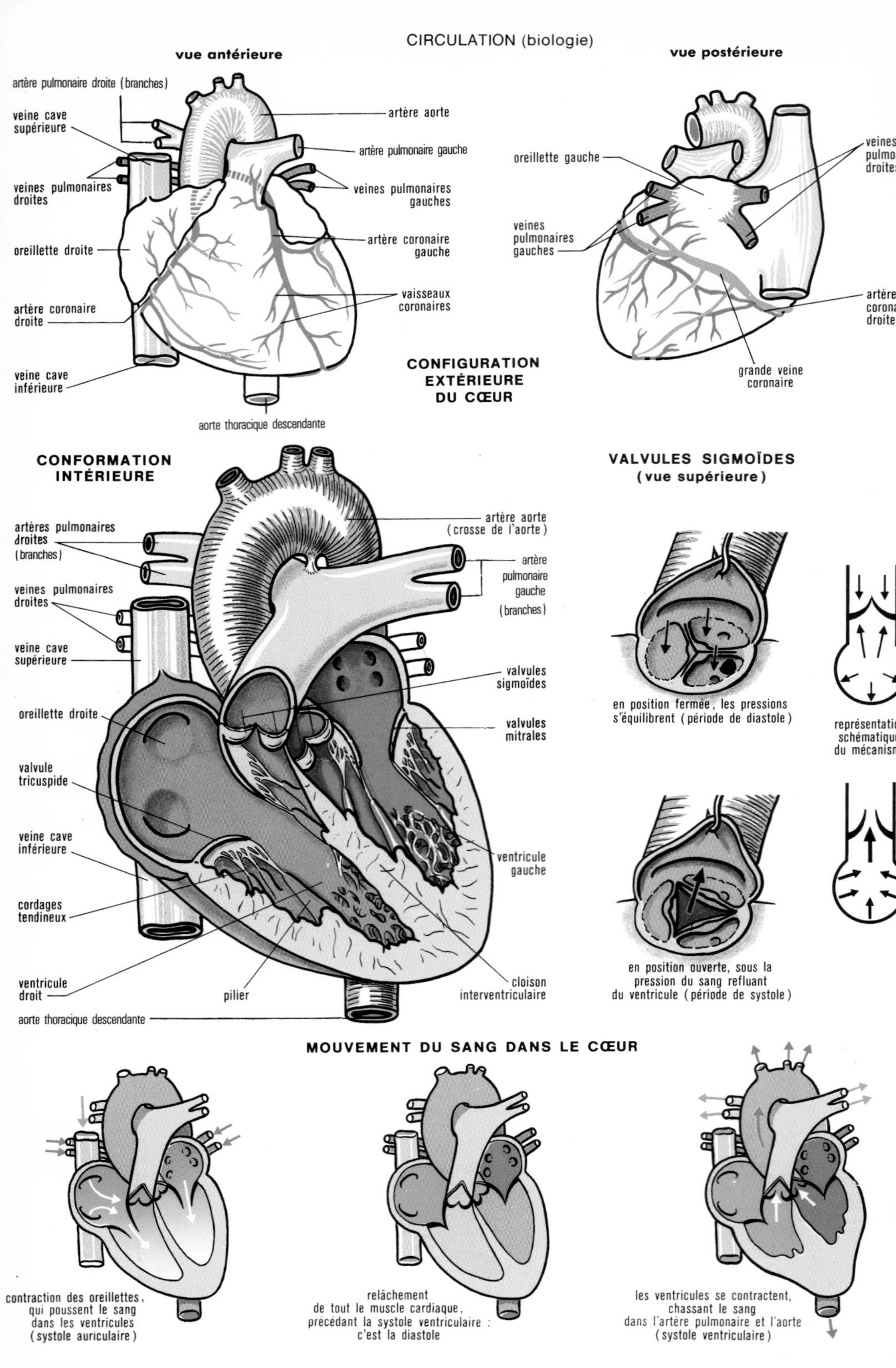

vue antérieure
artère pulmonaire droite (branches)
veine cave supérieure
veines pulmonaires droites
oreillette droite
artère coronaire droite
veine cave inférieure
aorte thoracique descendante
artère aorte
artère pulmonaire gauche
veines pulmonaires gauches
artère coronaire gauche
vaisseaux coronaires
vue postérieure
oreillette gauche
veines pulmonaires gauches
veines pulmonaires droites
artère coronaire droite
grande veine coronaire
CONFIGURATION EXTÉRIEURE DU CŒUR
CONFORMATION INTÉRIEURE
artères pulmonaires droites (branches)
veines pulmonaires droites
veine cave supérieure
oreillette droite
valvule tricuspide
veine cave inférieure
cordages tendineux
ventricule droit
aorte thoracique descendante
pilier
artère aorte (crosse de l'aorte)
artère pulmonaire gauche (branches)
valvules sigmoïdes
valvules mitrales
ventricule gauche
cloison interventriculaire
VALVULES SIGMOÏDES (vue supérieure)
en position fermée, les pressions s'équilibrent (période de diastole)
représentation schématique du mécanisme
en position ouverte, sous la pression du sang refluant du ventricule (période de systole)
MOUVEMENT DU SANG DANS LE CŒUR
contraction des oreillettes, qui poussent le sang dans les ventricules (systole auriculaire)
relâchement de tout le muscle cardiaque, précédant la systole ventriculaire : c'est la diastole
les ventricules se contractent, chassant le sang dans l'artère pulmonaire et l'aorte (systole ventriculaire)

système écrit de numération décimale. Les Hébreux, les Grecs, les Romains représentaient les nombres par des lettres. Les *chiffres romains* sont encore employés pour certains usages particuliers : I = 1, V = 5, X = 10, L = 50, C = 100, D = 500, M = 1 000.

2. CHIFFRE [ʃifr] n. m. (même étym.). Montant d'une somme (dépense ou recette) : *Le commerçant fait un chiffre double de celui de l'année précédente.* (On dit aussi, en ce sens, CHIFFRE D'AFFAIRES.) ◆ **chiffrer** v. t. (sujet nom de personne). Évaluer, traduire en chiffres une dépense ou une recette : *Chiffrer le montant des réparations.* ◆ v. i. (sujet nom de chose). Atteindre un coût élevé : *Tous ces déplacements finissent par chiffrer.*

3. CHIFFRE [ʃifr] n. m. (même étym.). **1.** Code secret utilisé pour mettre un message sous une forme inintelligible aux non-initiés; service d'un ministère spécialement affecté à la correspondance en langage chiffré. — **2.** *Chiffre d'un coffre-fort*, combinaison secrète de chiffres servant à l'ouvrir. ◆ **chiffrer** v. t. *Chiffrer un texte, un message*, le transcrire au moyen d'un code pour en assurer le secret. ◆ **chiffrement** n. m. Opération qui consiste à transformer un texte clair (ou *libellé*) en un texte inintelligible (ou *cryptogramme*). ◆ **chiffreur** n. m. Personne qui est attachée au service du chiffre. (⟶ DÉCHIFFRER.)

CHIGNOLE [ʃiɲɔl] n. f. (du lat. *ciconia*, cigogne). Instrument permettant de percer des trous dans le métal ou le bois, au moyen de forets (syn. PERCEUSE).

CHIGNON [ʃiɲɔ̃] n. m. (du lat. *catena*, chaîne). Torsade ou tresse de cheveux qu'une femme enroule au-dessus de sa nuque.

CHĪ'ISME [ʃiism] n. m. (ar. *chī'a*, parti). Doctrine des musulmans (*chī'ites*) qui considèrent que la succession d'Abū Bakr (beau-père de Mahomet) à la tête des croyants était illégale et que le califat devait revenir aux descendants d''Alī (gendre de Mahomet).

CHIKAMATSU MONZAEMON (Sugimori NOBUMORI, dit), dramaturge japonais (1653-1724), auteur de cent huit pièces.

CHILDEBERT Ier (m. en 558), roi franc (511-558), fils de Clovis et de Clotilde. Il obtint en partage le pays situé entre la Seine et la Loire. Avec Clotaire, son frère, il conquit le royaume des Burgondes. — CHILDEBERT II (570-595) fut roi d'Austrasie (575-595) et de Bourgogne (593-595). — CHILDEBERT III (683-711) fut roi de Neustrie et de Bourgogne (695-711).

CHILDÉRIC Ier (v. 436-481), roi des Francs Saliens (v. 458-481), père de Clovis. Il fut chassé par ses sujets. — CHILDÉRIC II (v. 653-675), roi d'Austrasie (662-675), fils de Clovis II et de Bathilde. — CHILDÉRIC III (m. en 754), dernier roi mérovingien (743-751), déposé par Pépin le Bref.

CHILI, en esp. **Chile**, république de l'Amérique du Sud, sur le Pacifique.

SUPERFICIE 757 000 km² (France : 550 000 km²).

POPULATION 13 millions d'hab. *(Chiliens);* 17 hab. au km² (France : 103); taux de natalité, 25 p. 1 000; taux de mortalité, 7,2 p. 1 000.

CAPITALE Santiago (3 700 000 hab., agglomération 4 200 000 hab.).

VILLES PRINCIPALES Valparaíso (276 300 hab.); Concepción (265 600 hab.).

LANGUE OFFICIELLE espagnol.

ÉCONOMIE consommation d'énergie par hab., 925 kg d'équivalent charbon; 1 automobile pour 30 hab.

MONNAIE peso.

GÉOGRAPHIE

■ GÉOGRAPHIE PHYSIQUE.

Pays de l'Amérique andine, le Chili s'étire sur plus de 4 000 km tandis que sa largeur moyenne est de 200 km. Il s'étend sur trois ensembles longitudinaux : les Andes proprement dites à l'E., une dépression centrale discontinue, et la Cordillère côtière. L'extension en latitude explique la diversité du climat : désertique au N., celui-ci devient méditerranéen au niveau de Santiago, puis océanique de plus en plus froid vers le S., jusqu'à disparition de la forêt.

	TEMPÉRATURES MOYENNES janv.	juil.	PLUIES
Iquique (désertique)	21 °C	14,2 °C	3 mm
Santiago (méditerranéen)	20,1 °C	6 °C	173 mm
Punta Arenas (océanique froid)	10,1 °C	1,1 °C	328 mm

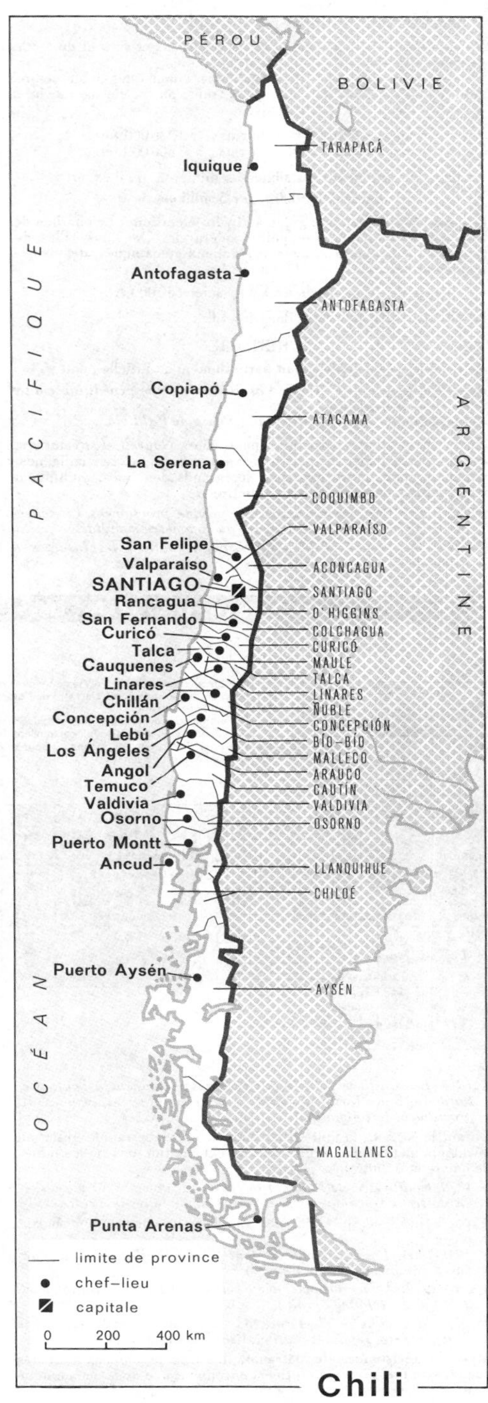

Chili

■ GÉOGRAPHIE HUMAINE ET ÉCONOMIQUE.

La *population*, composée de Blancs, d'Indiens et surtout de métis, se concentre dans les plaines centrales.

L'*agriculture* dépend des conditions climatiques : au centre, cultures de céréales, de vigne et de fruits, au S., élevage bovin et ovin. S'y ajoute une pêche active.

blé	850 000 t	bovins	3 336 000 têtes
vin	8 800 000 hl	ovins	5 600 000 têtes

Le pays vit surtout de ses richesses minières, qu'il exporte.

cuivre 1 050 000 t; fer 5 millions de t

L'*industrie* se développe grâce à l'hydro-électricité. Le charbon de Concepción alimente une petite sidérurgie. Dans les villes du Centre sont implantées des constructions mécaniques, des usines textiles et des industries alimentaires.

électricité 10 milliards de kWh; acier 650 000 t.

Le chômage est important dans les villes.

HISTOIRE

La conquête espagnole se fait partiellement et difficilement.

- *1540. L'Espagnol Pedro de Valdivia mène une expédition contre les Indiens Araucans.*
- *1541. Fondation de Santiago par Pedro de Valdivia.*

Aux XVIIe et XVIIIe s. le Chili, appelé alors *Nouvelle-Estrémadure*, est une des colonies les plus pauvres de l'Espagne. Les indigènes, exploités pour mettre en valeur les grands domaines, multiplient les révoltes contre la domination étrangère.

- *1810. Les Chiliens d'origine européenne proclament l'indépendance de leur pays qu'ils ouvrent au commerce mondial.*
- *1814. Des troupes fidèles à l'Espagne battent les insurgés à Rancagua.*
- *1818. Les Chiliens dirigés par O'Higgins viennent à bout, avec l'aide de San Martín, des armées et de la flotte espagnoles. Ils proclament la République chilienne.*

Durant le XIXe s., le jeune État connaît un essor rapide grâce au développement de l'agriculture et à l'exploitation des riches mines de cuivre et de nitrates.

- *1879. Conflit avec le Pérou et la Bolivie à propos de la possession du désert d'Atacama, riche en nitrates. Victoire du Chili.*

À partir de 1938, le Chili met en place une législation sociale avancée.

- *1958-1964. Les conservateurs font face à l'inflation et au chômage par une politique d'austérité.*
- *1964-1970. Gouvernement démocrate-chrétien d'Eduardo Frei. Début d'une réforme agraire.*
- *1970. La victoire électorale du socialiste Allende est suivie d'importantes réformes (nationalisations des mines).*

Mais les résistances du patronat, des classes moyennes et des sociétés américaines expropriées, entraînent une crise économique et un durcissement des luttes sociales.

- *Sept. 1973. Le président Allende trouve la mort au cours d'un soulèvement militaire. Le nouveau régime du général Pinochet organise la répression contre l'ensemble de la gauche.*
- *Sept. 1980. Une nouvelle Constitution confirme le caractère autoritaire du régime.*

Mais le régime doit faire face à des oppositions de plus en plus vives et à une grave crise économique.

- *Oct. 1988. Le « non » l'emporte lors du référendum organisé pour assurer la prolongation du mandat du général Pinochet.*

Malgré ce désaveu populaire, celui-ci est autorisé par la Constitution de 1980 à se maintenir au pouvoir jusqu'en 1990.

- *Mars 1990. Le démocrate-chrétien Patricio Aylwin (élu à la présidence de la République en 1989) succède à Pinochet.*

CHILLY-MAZARIN, ch.-l. de cant. de l'Essonne, à 15 km au S. de Paris; 17 300 hab.

CHILPÉRIC Ier (539-584), roi de Soissons (561-584), fils de Clotaire Ier. Après la mort de son père, il obtint en partage la Neustrie.

CHIMBORAZO, volcan des Andes de l'Équateur; 6 272 m.

Chimène, héroïne du *Cid* de Corneille.

CHIMÈRE [ʃimɛr] n. f. (gr. *khimaira*, monstre fabuleux). **1.** Monstre fabuleux, ayant la tête et le poitrail d'un lion, le ventre d'une chèvre, la queue d'un dragon et crachant le feu. — **2.** Projet séduisant, mais irréalisable; idée vaine, qui n'est que le produit de l'imagination (syn. UTOPIE). ◆ **chimérique** adj. **1.** Se dit de quelqu'un qui se complaît dans les chimères : *Un esprit chimérique.* — **2.** Se dit de ce qui a le caractère irréel d'une chimère : *Des projets chimériques.*

CHIMIE [ʃimi] n. f. (de *alchimie*). Science qui étudie la nature et les propriétés des corps simples, l'action de ces corps les uns sur les autres et les combinaisons dues à cette action. ‖ *Chimie générale*, étude des lois relatives à l'ensemble des corps chimiques. ‖ *Chimie industrielle*, celle qui traite des opérations intéressant l'industrie. ‖ *Chimie minérale*, celle qui étudie les métalloïdes, les métaux et leurs combinaisons. ‖ *Chimie organique*, celle qui étudie les composés du carbone. ◆ **chimiothérapie** n. f. *Méd.* Méthode de traitement par l'emploi de médicaments chimiques. ◆ **chimique** adj. Relatif à la chimie, obtenu par la chimie : *Une réaction chimique. Une usine de produits chimiques.* ‖ *Éléments chimiques* → tableau. ◆ **chimiste** n. Spécialiste de chimie.

CHIMPANZÉ [ʃɛ̃pɑ̃ze] n. m. (empr. à une langue d'Afrique). Singe anthropoïde des forêts équatoriales d'Afrique et d'Indonésie, le plus intelligent de tous les animaux, arboricole et frugivore, aux membres adaptés au grimper mais peu aptes à la marche, à la tête ronde, au front court et fuyant, séparé de la face par des arcades orbitaires très saillantes. (Le chimpanzé vit obligatoirement en société au point que l'individu isolé est incapable de survivre sans l'aide de l'homme.) [Famille des pongidés.]

CHINCHILLA [ʃɛ̃ʃila] n. m. (mot esp.). Rongeur d'Amérique du Sud, chassé pour sa fourrure gris perle de grande valeur.

CLASSIFICATION DES ÉLÉMENTS CHIMIQUES

Chaque case du tableau correspond à un élément, dont on trouve le nom, le symbole, le numéro atomique (nombre d'électrons de l'atome) en haut à gauche, la masse atomique en haut à droite.
Les électrons de l'atome sont disposés en couches successives; les éléments qui figurent sur une même ligne, ou période, comportent le même nombre de couches, une seule pour l'hydrogène et l'hélium, 2 pour la période suivante, qui va du lithium au néon, et ainsi de suite.

1 1 H HYDROGÈNE																	2 4 He HÉLIUM
3 6,9 Li LITHIUM	4 9 Be BÉRYLLIUM											5 10,8 B BORE	6 12 C CARBONE	7 14 N AZOTE	8 16 O OXYGÈNE	9 19 F FLUOR	10 20,2 Ne NÉON
11 23 Na SODIUM	12 24,3 Mg MAGNÉSIUM											13 27 Al ALUMINIUM	14 28,1 Si SILICIUM	15 31 P PHOSPHORE	16 32,1 S SOUFRE	17 35,5 Cl CHLORE	18 39,9 Ar ARGON
19 39,1 K POTASSIUM	20 40,1 Ca CALCIUM	21 45 Sc SCANDIUM	22 47,9 Ti TITANE	23 51 V VANADIUM	24 52 Cr CHROME	25 54,9 Mn MANGANÈSE	26 55,8 Fe FER	27 58,9 Co COBALT	28 58,7 Ni NICKEL	29 63,5 Cu CUIVRE	30 65,4 Zn ZINC	31 69,7 Ga GALLIUM	32 72,6 Ge GERMANIUM	33 74,9 As ARSENIC	34 79 Se SÉLÉNIUM	35 79,9 Br BROME	36 83,8 Kr KRYPTON
37 85,5 Rb RUBIDIUM	38 87,6 Sr STRONTIUM	39 88,9 Y YTTRIUM	40 91,2 Zr ZIRCONIUM	41 92,9 Nb NIOBIUM	42 96 Mo MOLYBDÈNE	43 96 Tc TECHNÉTIUM	44 101,7 Ru RUTHÉNIUM	45 102,9 Rh RHODIUM	46 106,7 Pd PALLADIUM	47 107,9 Ag ARGENT	48 112,4 Cd CADMIUM	49 114,8 In INDIUM	50 118,7 Sn ÉTAIN	51 121,8 Sb ANTIMOINE	52 127,6 Te TELLURE	53 126,9 I IODE	54 131,3 Xe XÉNON
55 132,9 Cs CÆSIUM	56 137,4 Ba BARYUM	57 à 71 TERRES RARES SÉRIE DES LANTHANIDES	72 178,6 Hf HAFNIUM	73 180,9 Ta TANTALE	74 183,9 W TUNGSTÈNE	75 186,3 Re RHÉNIUM	76 190,2 Os OSMIUM	77 193,1 Ir IRIDIUM	78 195,2 Pt PLATINE	79 197,2 Au OR	80 200,6 Hg MERCURE	81 204,4 Tl THALLIUM	82 207,2 Pb PLOMB	83 209 Bi BISMUTH	84 210 Po POLONIUM	85 210 At ASTATE	86 222 Rn RADON
87 221 Fr FRANCIUM	88 226 Ra RADIUM	89 à 105 ÉLÉMENTS RARES SÉRIE DES ACTINIDES															

CHINE *(république populaire de)*, État de l'Asie orientale.

GÉOGRAPHIE

Une ligne orientée S.-O.-N.-E. sépare la Chine en deux grands ensembles.

SUPERFICIE 9 600 000 km² (France : 550 000 km²).

POPULATION 1 110 millions d'hab. *(Chinois)*; 116 hab. au km² (France : 103).

CAPITALE Pékin (9 830 000 hab.).

VILLES PRINCIPALES Chang-hai (10 820 000 hab.); T'ien-tsin (7 764 000 hab.); Tchong-k'ing (2 765 000 hab.); Chen-yang (4 400 000 hab.); Wou-han (3 500 000 hab.); Canton (5 millions d'hab.); Nankin (3 millions d'hab.).

LANGUE OFFICIELLE chinois.

MONNAIE yuan.

La *Chine occidentale* est formée de hautes chaînes montagneuses (Himalaya, K'ouen-louen) dominant des hauts plateaux (Tibet, Mongolie-Intérieure) et des dépressions intérieures (Sin-kiang). Le climat continental y est marqué par une aridité très forte, des étés torrides et des hivers glacials.

La *Chine orientale* comprend au N. du fleuve Yang-tseu-kiang des plateaux (Chen-si, Chan-si) dominant des plaines ouvertes sur la mer (Mandchourie, plaine du Houang-ho), et au S. un ensemble de collines trouées de dépressions (Bassin rouge, Si-kiang). Le climat continental du Nord, à fortes pluies d'été, permettant la croissance de la forêt tempérée ou de la prairie, est relayé au S. par un climat tropical humide, influencé par la mousson.

	TEMPÉRATURES MOYENNES janv.	juil.	PLUIES
Pékin (Chine du Nord)	— 5 °C	25 °C	603 mm
Canton (Chine du Sud)	14 °C	28 °C	1 619 mm

La Chine est le pays le plus peuplé du monde, et s'accroît de 15 millions d'hab. par an. Mais cette population est très inégalement répartie. L'Ouest est presque vide, tandis que la population se concentre dans les bassins, les vallées et sur les côtes de la Chine orientale.

L'économie du pays a été complètement transformée par la révolution socialiste et est marquée par la planification.

La Chine reste un pays essentiellement rural : elle compte 80 p. 100 de paysans. Les terres, concentrées dans les communes populaires, ont été redistribuées aux exploitants (tout en restant propriété de l'État). Les productions essentielles sont, au N. du Yang-tseu, le blé associé au millet et à l'orge, et au S., le riz associé au thé, aux oléagineux, au coton et à la canne à sucre. Mais les rendements restent faibles et irréguliers et un effort d'amélioration des terres vierges (par l'irrigation) est en cours.

blé	85 millions de t	thé	400 000 t
maïs	70 millions de t	coton	5 700 000 t
sorgho	17 millions de t	sucre	5 300 000 t
riz	180 millions de t	arachides	4 millions de t

L'*industrie*, limitée au Nord-Est avant la guerre, a fait d'énormes progrès depuis 1949. Elle est fondée sur la production de charbon (Chen-si, Chan-si), l'aménagement hydro-électrique (Houang-ho) et, à un moindre degré, la production de pétrole. Les ressources minières sont variées : fer, aluminium, etc. L'accent est mis sur l'industrie lourde. La sidérurgie alimente la fabrication de biens d'équipement. Le textile reste localisé autour de Chang-hai et T'ien-tsin. La chimie est orientée vers la production d'engrais.

charbon	750 millions de t	acier	43 millions de t
pétrole	115 millions de t	coton (filés)	3 200 000 t
fer	60 millions de t	électricité	370 milliards de kWh

L'industrie est localisée dans les villes du Nord-Est (T'ien-tsin, Pékin, Chen-yang, Ngan-chan), dans les anciens ports (Chang-hai, Canton), mais aussi dans les complexes nouvellement créés (Chan-si).

La Chine essaie de vivre sur elle-même et limite le plus possible ses importations. Mais elle a besoin de produits agricoles, de matières premières, de biens d'équipement. Le commerce extérieur, autrefois effectué surtout avec l'U. R. S. S., a diversifié ses partenaires depuis le différend idéologique entre les deux pays. Chang-hai est le principal port, suivi par Tien-tsin et Canton.

Au total, la Chine a fait d'énormes progrès depuis 1949. Le niveau de vie s'est considérablement accru, l'industrie s'est développée. Le gouvernement essaie de freiner l'expansion démographique. L'amélioration des voies de communication a favorisé la mise en valeur des régions centrales, apportant un remède à l'insuffisance de la production alimentaire.

HISTOIRE

La Chine préhistorique (IIe millénaire av. J.-C.) est déjà densément peuplée. Elle a une civilisation agricole et pratique le culte des ancêtres et des divinités du sol.

Au VIIIe s. av. J.-C. se forment de puissantes seigneuries qui préfigurent les provinces chinoises.

- *453-221 av. J.-C. La Chine féodale se désagrège et traverse une période mouvementée, dite des « Royaumes combattants ».*

Le confucianisme*, puis le taoïsme* se développent.

- *221-206 av. J.-C. Dynastie des Ts'in. Elle réalise une première unification du pays et fonde le premier Empire chinois.*

C'est sous cette dynastie qu'est construite la Grande Muraille contre les invasions.

- *206 av. J.-C.-220 apr. J.-C. Dynastie des Han.*

Le bouddhisme s'introduit en Chine. Les Chinois contrôlent la « route de la soie ».

- *618-907. Dynastie des Tang. L'influence chinoise s'étend au-delà du Tibet jusqu'aux régions indo-iraniennes.*
- *960-1279. Dynastie des Song. Des réformes libérales sont entreprises.*
- *1279. Après la conquête de la Chine par les Mongols de Gengis khān, la dynastie des Yuan dirige le pays jusqu'en 1368.*

La Chine s'ouvre à l'Occident par la mer et par la route mongole à travers le désert (voyage de Marco Polo).

- *1368. Une réaction nationale amène au pouvoir les Ming.*

La dynastie (qui va régner jusqu'en 1644) transfère la capitale de Nankin à Pékin; elle accroît le rôle des mandarins (hauts fonctionnaires) et développe le faste impérial.

Au début du XVIe s., les premiers Européens (Portugais) s'installent en Chine. La Mongolie et le Tibet sont occupés.

- *1644. Début de la dynastie mandchoue des Ts'ing. Elle va durer jusqu'en 1911.*

Au XVIIIe s. les Européens (Anglais surtout) ont des activités commerciales importantes en Chine. Mais le pays se ferme progressivement à leur influence.

- *1839-1842. « Guerre de l'opium » avec les Anglais.*

Le traité de Nankin ouvre cinq ports au commerce européen.

- *1894-1895. Guerre entre le Japon et la Chine, à propos de la possession de la Corée.*

La victoire du Japon discrédite la dynastie mandchoue. Le traité de Shimonoseki marque le début du démembrement de la Chine par les Occidentaux. Devant l'assujettissement chinois, des mouvements de résistance nationale se développent (naissance du Kouo-min-tang, dirigé par Sun Yat-sen).

- *1911. Sun Yat-sen renverse la dynastie mandchoue et proclame la république.*

Yuan Che-k'ai lui succède comme président de la République. Sa mort, en 1916, ouvre une période d'anarchie et de guerre civile.

- *1921. Création d'un parti communiste chinois.*
- *1927. Chang Kaï-chek, nationaliste modéré du Kouo-min-tang, prend le pouvoir à Nankin.*
- *1931. Création d'une République communiste chinoise par Mao Tsö-tong.*
- *1934-1935. La « Longue Marche ».*

Les communistes, combattus par les nationalistes, sont contraints de battre en retraite vers le Chen-si.

- *1937-1945. Offensive des Japonais contre la Chine.*

Nationalistes et communistes luttent contre l'ennemi commun.

- *1946. Après la défaite japonaise, la guerre civile reprend entre Chang Kaï-chek et Mao Tsö-tong. Elle se termine par la victoire des communistes. Les nationalistes se réfugient à Formose.*
- *1949. Création de la république populaire de Chine.*

Un régime socialiste s'instaure : collectivisation et planification.

- *1960. De grandes divergences apparaissent entre la Chine et l'U. R. S. S., jusque-là alliées.*
- *1962. Conflits frontaliers avec l'Inde.*
- *1964. La Chine réalise sa première bombe atomique.*
- *1966. La « révolution culturelle » apparaît comme une offensive générale contre les vestiges de la bourgeoisie.*
- *1969. Graves incidents de frontière entre Russes et Chinois.*
- *1971. Admission de la Chine communiste à l'O. N. U.*
- *1972. Visite du président Nixon en Chine.*
- *1976. Mort de Mao Tsö-tong. Hua Kuo-feng lui succède.*
- *1977. Réhabilitation de Teng Hsiao-ping.*
- *1979. Établissement de relations diplomatiques avec les États-Unis. Intervention chinoise au Nord Viêt-nam.*

limite de province, municipalité, région autonome
chef-lieu
capitale
autre ville importante
0
500 km
U. R. S. S.
MONGOLIE
MONGOLIE INTÉRIEURE
JAPON
CORÉE DU NORD
CORÉE DU SUD
OCÉAN
PACIFIQUE
PHILIPPINES
T'AI-WAN
T'AI-PEI
HONGKONG (G.-B.)
HAINAN
VIÊT-NAM
LAOS
THAÏLANDE
BIRMANIE
BANGLA DESH
BHOUTAN
NÉPAL
INDE
PĀKISTĀN
AFGHĀNISTĀN
HEI-LONG-KIANG
Harbin
Tch'ang-tch'ouen
KI-LIN
Chen-yang
LEAO-NING
Ngan-chan
PÉKIN
Liu-ta
T'ien-tsin
HO-PEI
Houhehot
Che-kia-tchouang
T'ai-yuan
Ts'ing-tao
Tsi-nan
CHAN-SI
CHAN-TONG
Houang-ho
Tcheng-tcheou
KIANG-SOU
HO-NAN
Nankin
Chang-hai
Ho-fei
NGAN-HOUEI
Hang-tcheou
TCHÖ-KIANG
HOU-PEI
Wou-han
Nan-tch'ang
Tch'ang-cha
HOU-NAN
KIANG-SI
Fou-tcheou
FOU-KIEN
Kouei-yang
KOUEI-TCHEOU
KOUANG-TONG
Canton
KOUANG-SI
Nan-ning
Kouen-ming
YUN-NAN
SSEU-TCH'OUAN
Tch'eng-tou
Tch'ong-k'ing
Si-ngan
CHEN-SI
KAN-SOU
Yin-tch'ouan
NING-HIA
Si-ning
Lan-tcheou
TS'ING-HAI
Yang-tseu-kiang
SIN-KIANG
Ouroumtsi
TIBET
Lhassa
Chine

• *1980. Hua Kuo-feng est remplacé à la tête du gouvernement par Tchao Tseu-yang.*

La Chine poursuit une politique de réforme économique, d'ouverture sur l'étranger et de révision du maoïsme.

• *1982. La nouvelle Constitution rétablit le poste de président de la République.*

• *1983. Élection de Li Sien-nien à la présidence.*

Le processus de modernisation économique s'accélère mais, entraînant un développement de la corruption et de fortes hausses de prix, provoque à partir de la fin de 1986 une grave crise sociale.

• *1987. Retrait officiel de Teng Hsiao-ping (qui reste l'homme fort du régime). Tchao Tseu-yang est nommé à la tête du parti et cède la direction du gouvernement à Li P'eng.*

• *1988. Li Sien-nien est remplacé à la présidence par le général Yang Chang-k'ouen.*

• *1989. La visite de M. Gorbatchev à Pékin consacre la normalisation des relations avec l'U. R. S. S. Les étudiants et la population réclament la libéralisation du régime : l'armée est envoyée contre les manifestants, qui sont victimes d'une répression sanglante (juin). Tchao Tseu-yang est limogé et remplacé par Tsiang Tsö-min.*

CHINE *(mer de)*, mer bordière de l'océan Pacifique, s'étendant le long des côtes de Chine.

CHINÉ, E [ʃine] adj. (de *Chine*). Se dit d'un tissu ou d'un fil de laine de différentes couleurs, ou de ce qui présente un aspect comparable à ce tissu : *Une laine chinée.*

1. CHINOIS, E [ʃinwa, -waz] adj. et n. (de *Chine*). De la Chine : *La civilisation chinoise.* ◆ n. m. **1.** Langue parlée en Chine : *Il apprend le chinois.* — **2.** Fam. *C'est du chinois*, c'est incompréhensible. ◆ **chinoiserie** n. f. Petit objet d'art chinois.
— ENCYCL. Le *chinois* comporte plusieurs dialectes : le pékinois (parlé par 70 p. 100 de la population) est la langue officielle. La *langue parlée* est monosyllabique. La *langue écrite* se compose non pas d'un alphabet mais de caractères (ou idéogrammes) indiquant un sens, une idée et constituant une image plus ou moins stylisée. (Ainsi le caractère qui signifie « être humain » est figuré par deux traits représentant deux jambes.) Les caractères sont tracés de haut en bas en colonnes qui se lisent *de droite à gauche.*

2. CHINOIS, E [ʃinwa, -waz] adj. et n. (de *chinois* 1). *Fam.* Pointilleux à l'excès, qui a le goût de la complication. ◆ **chinoiser** v. i. *Fam.* Ergoter, chercher des subtilités, des complications (syn. CHICANER). ◆ **chinoiserie** n. f. *Fam.* Complication excessive.

CHINON, ch.-l. d'arrond. d'Indre-et-Loire, sur la Vienne, à 29 km au S.-E. de Saumur; 8 900 hab. *(Chinonais).* Centrale nucléaire (commune d'Avoine). Ruines de trois châteaux (XIIe-XIVe s.), dont celui où Jeanne d'Arc rencontra Charles VII en 1429.

CHIO, île grecque dans la partie ouest de la mer Égée, près du golfe de Smyrne; 858 km^2; 53 900 hab.

• *1822. Lors de l'insurrection grecque, la population est massacrée par les Turcs (sujet d'un tableau de Delacroix).*

CHIOGGIA, v. d'Italie, au S. de la lagune de Venise; 49 900 hab.

CHIOT n. m. ⟶ CHIEN 1.

CHIOURME [ʃjurm] n. f. (du gr. *keleusma*, ordre). Autref., ensemble des rameurs d'une galère.

CHIPER [ʃipe] v. t. (de l'anc. fr. *chipe*, chiffon). *Fam.* Dérober.

CHIPIE [ʃipi] n. f. et adj. (de *chipe*, et *pie*). *Fam.* Femme ou jeune fille désagréable, grincheuse ou dédaigneuse.

CHIPOLATA [ʃipɔlata] n. f. (de l'it. *cipolla*, oignon). Petite saucisse de porc.

CHIPOTER [ʃipɔte] v. i. (de l'anc. fr. *chipe*, chiffon). Discuter sur des vétilles, chercher des difficultés (syn. ERGOTER). ◆ v. t. *Fam.* Discuter mesquinement sur quelque chose, contester sur de menues dépenses. ◆ **chipoteur, euse** adj. et n. ◆ **chipotage** n. m.

CHIPPENDALE (Thomas), ébéniste anglais (v. 1718-1779). Le *style Chippendale* succéda au style Queen Anne et s'épanouit en Angleterre entre 1750 et 1770 (emploi fréquent de l'acajou).

CHIPS [ʃips] adj. et n. f. ou m. pl. (mot angl.). *Pommes chips*, ou *chips*, minces rondelles de pommes de terre frites.

1. CHIQUE [ʃik] n. f. (d'une onomat. *tchikk-*). **1.** Tabac ayant subi une préparation spéciale, et que l'on mâche. — **2.** Fam. *Mou comme une chique*, se dit d'une personne sans énergie, sans vigueur. ◆ **chiquer** v. i. et t. Mâcher du tabac. ◆ **chiqueur** n. m.

2. CHIQUE [ʃik] n. f. (même étym.). *Puce chique*, insecte des pays tropicaux parasite de l'homme et de certains animaux.

CHIQUÉ [ʃike] n. m. (de *chic*). **1.** *Fam.* Simulation de sentiments; apparence trompeuse : *C'est du chiqué* (syn. BLUFF). — **2.** Fam. *Faire du chiqué*, prendre des airs importants, affecter des manières distinguées (syn. usuel FAIRE DES MANIÈRES).

CHIQUENAUDE [ʃiknod] n. f. (prov. *chicanaudo*). Coup donné avec un doigt replié contre le pouce et brusquement détendu.

CHIQUER v. i. et t., **CHIQUEUR** n. m. ⟶ CHIQUE 1.

CHIRAC (Jacques), homme politique français (né en 1932). Premier ministre de 1974 à 1976 et de 1986 à 1988, président du Rassemblement pour la République (R. P. R.) et maire de Paris depuis 1977.

CHIRĀZ, v. du sud de l'Iran; 269 900 hab. Tapis renommés.

CHIRICO (Giorgio DE) ⟶ DE CHIRICO.

CHIROMANCIE [kiromɑ̃si] n. f. (du gr. *kheir*, main, et *manteia*, divination). Art de prédire l'avenir d'après les lignes de la main. ◆ **chiromancienne** n. f. Personne qui exerce la chiromancie.

CHIROPTÈRES n. m. pl. ⟶ CHÉIROPTÈRES.

CHIRURGIE [ʃiryrʒi] n. f. (gr. *kheirourgia*, travail manuel). Partie de l'art médical qui comporte l'intervention du praticien sur une partie du corps, un organe, etc., généralement au moyen d'instruments. ◆ **chirurgical, e, aux** adj. : *Une intervention chirurgicale* (syn. OPÉRATION). ◆ **chirurgien** n. m. Médecin qui exerce la chirurgie. ◆ **chirurgien-dentiste** n. m. Syn. admin. de DENTISTE.

CHISTERA [ʃistera] n. m. (du lat. *cistella*, petite corbeille). Panier recourbé et allongé que l'on attache au poignet pour jouer à la pelote basque.

CHITINE [kitin] n. f. (du gr. *khitôn*, tunique). Substance organique sécrétée par la peau de certains invertébrés articulés (insectes notamment) et constituant une carapace protectrice. ◆ **chitineux, euse** adj. Formé de chitine : *Carapace chitineuse.*

CHITTAGONG, port du Bangladesh; 1 388 500 hab. Exportation de jute. Industries chimiques. Aciérie.

CHIUSI, comm. d'Italie, en Toscane; 8 800 hab. Évêché. Nœud ferroviaire. Antique cité étrusque.

CHLEUHS, population berbère du Maroc (Haut et Anti-Atlas).

CHLORE [klɔr] n. m. (gr. *khlôros*, vert). Corps simple (Cl), gazeux à la température ordinaire, de couleur verdâtre, d'odeur forte et suffocante. ⟶ ENCYCL. ◆ **chlorate** n. m. Sel de l'acide chlorique. ◆ **chloré, e** adj. Qui contient du chlore. ◆ **chlorhydrique** [klɔridrik] adj. m. *Acide chlorhydrique*, combinaison de chlore et d'hydrogène (HCl). [Il sert à préparer l'hydrogène, le chlore, et à décaper les métaux.] ◆ **chlorique** adj. *Acide chlorique*, acide oxygéné dérivé du chlore ($HClO_3$). ◆ **chlorure** n. m. Combinaison du chlore avec un corps simple ou composé, sel de l'acide chlorhydrique. (Le *chlorure de sodium* [NaCl], ou sel marin, se retire des eaux de la mer.)
— ENCYCL. Le *chlore* détruit la partie colorante des matières végétales et animales. Son action sur la soude fournit un mélange dont la solution est l'*eau de Javel**. L'industrie l'emploie pour le blanchiment des tissus. C'est un désinfectant puissant.

CHLORELLES [klɔrɛl] n. f. pl. (du gr. *khlôros*, vert). Algues vertes unicellulaires.

CHLORHYDRIQUE adj. m., **CHLORIQUE** adj. ⟶ CHLORE.

CHLOROFORME [klɔrɔfɔrm] n. m. (de *chlore* et [*acide*] *formique*). Liquide incolore ($CHCl_3$) résultant de l'action du chlore sur l'alcool. (Longtemps utilisé comme anesthésique, le chloroforme [découvert en 1831] a été abandonné en raison de son action toxique sur le cœur et sur le foie.) ◆ **chloroformer** v. t. *Chloroformer qq'un*, l'endormir au chloroforme.

CHLOROPHYLLE [klɔrɔfil] n. f. (du gr. *khlôros*, vert, et *phullon*, feuille). Pigment vert présent dans les parties éclairées de certaines plantes capables de se nourrir par photosynthèse* et appelées pour ce motif *plantes vertes.* (La chlorophylle permet aux plantes de réaliser la photosynthèse de leur matière organique par fixation du carbone provenant du gaz carbonique [atmosphérique ou dissous dans l'eau]. Elle transforme l'énergie lumineuse solaire en énergie chimique.) ◆ **chlorophyllien, enne** adj. De la chlorophylle. ‖ *Assimilation chlorophyllienne* ⟶ PHOTOSYNTHÈSE.

CHLOROPLASTE [klɔrɔplast] n. m. (du gr. *khlôros*, vert, et *plassein*, modeler). Corpuscule des cellules végétales coloré par la chlorophylle et jouant un rôle actif dans la photosynthèse.

CHLOROSE [klɔroz] n. f. (du gr. *khlôros*, vert). Disparition partielle de la chlorophylle des végétaux entraînant le jaunissement des feuilles et provoquée par un excès d'humidité du sol ou par des atteintes parasitaires des racines.

CHLORURE n. m. → CHLORE.

CHOA, région d'Éthiopie. V. pr. *Addis-Abeba.*

1. CHOC [ʃɔk] n. m. (de l'onomat. *tchok*). **1.** Contact brusque, plus ou moins violent, entre deux ou plusieurs objets (ou êtres animés) : *Je me suis cogné la tête contre un poteau, le choc a été rude* (syn. COUP). *Le moindre choc pourrait briser ce vase* (syn. HEURT). — **2.** Affrontement violent de deux troupes adverses : *Au premier choc, les divisions ennemies durent céder du terrain* (syn. RENCONTRE). — **3.** *De choc,* se dit de troupes, de militants spécialement entraînés au combat offensif, à l'action directe, ou d'une doctrine présentée avec dynamisme : *Des bataillons de choc. Des syndicalistes de choc.* ‖ *Prix choc,* prix défiant toute concurrence, pratiqué par un commerçant pour attirer la clientèle. ‖ *Choc en retour,* conséquence d'un acte, effet d'une force qui atteint, de façon inattendue, l'auteur de cet acte (syn. CONTRECOUP). ◆ **choquer** v. t. *Choquer un objet,* lui donner un choc (syn. COGNER, HEURTER). ◆ **entrechoquer** v. t. Choquer l'un contre l'autre. ◆ ***s'entrechoquer*** v. pr. : *Des mots s'entrechoquent dans son esprit.* ◆ **entrechoquement** n. m. : *Les deux combattants s'affrontaient dans un entrechoquement d'épées et de boucliers.*

2. CHOC [ʃɔk] n. m. (même étym.). **1.** Émotion violente et brusque : *Il n'est pas encore bien remis du choc que lui a causé la mort de son meilleur ami* (syn. COUP). — **2.** *État de choc,* abattement physique qui résulte d'un traumatisme quel qu'il soit. → ENCYCL. ◆ **choquer** v. t. *Choquer qq'un* (ou ses goûts, ses sentiments), lui causer une contrariété, agir à l'encontre de ses sentiments ou de ses principes : *Il a été très choqué de ne pas recevoir d'invitation* (syn. FROISSER, OFFENSER). *Ne vous choquez pas de ma question* (syn. FORMALISER, OFFUSQUER); lui occasionner un choc émotionnel : *Ce terrible accident l'a durement choqué* (syn. COMMOTIONNER). ◆ **choquant, e** adj. : *Une injustice choquante* (syn. CRIANT). *Un mot choquant* (syn. ↓DÉPLACÉ, MALSONNANT).

— ENCYCL. L'*état de choc* peut être consécutif à un accident *(choc traumatique),* une opération chirurgicale *(choc opératoire),* à l'anesthésie elle-même *(choc anesthésique),* une irruption dans l'organisme de protéines étrangères *(choc anaphylactique*),* des brûlures *(choc des grands brûlés),* une hémorragie *(choc hémorragique),* des causes médicales (infarctus du myocarde, etc.).

Le choc peut apparaître soit immédiatement, soit quelque temps après le phénomène qui l'a déclenché. Il se manifeste chez un malade conscient par une prostration (le sujet est comme accablé, fatigué à l'extrême et très pâle), ou, au contraire, par une grande agitation. Une baisse considérable de la tension artérielle, qui entraîne une forte accélération des battements du cœur. Les mains, les pieds, le nez et les lèvres sont froids et de couleur bleutée (= cyanose); les jambes sont zébrées de raies rosâtres, en particulier au niveau des genoux. Le malade sue beaucoup (sueurs froides), et n'urine plus. Sa respiration est rapide, saccadée.

Dans l'immédiat, il faut procéder à deux opérations :
allonger le sujet, tête basse et jambes surélevées (ainsi les organes vitaux sont approvisionnés en sang [le cerveau surtout]); ce simple geste peut éviter une lésion cérébrale grave, voire mortelle;
s'assurer que le sujet respire bien (sinon, il faut faire une respiration artificielle); il faut aussi l'installer confortablement et le réchauffer (couvertures).

Le médecin appelé cherchera à rétablir une circulation sanguine correcte en perfusant du sang de même groupe ou tout liquide d'usage médical (plasma, sérum physiologique), et en prescrivant des médicaments qui soutiennent le cœur et remontent la tension.

CHOCARD [ʃɔkar] n. m. (variante de *choucas*). Oiseau passereau très voisin du crave, différent par son bec jaune, par son habitat strictement montagnard (Alpes, Pyrénées). [Famille des corvidés.]

CHOCOLAT [ʃɔkɔla] n. m. (esp. *chocolate*). **1.** Produit comestible, composé essentiellement de cacao et de sucre. — **2.** Boisson préparée avec ce produit cuit dans du lait ou de l'eau. ◆ adj. inv. De la couleur brune du chocolat. ◆ **chocolaté, e** adj. Qui contient du chocolat. ◆ **chocolatier, ère** n. Fabricant de chocolat.

CHODERLOS DE LACLOS → LACLOS.

CHOÉPHORE [kɔefɔr] n. (du gr. *khoê,* libation, et *phoros,* qui porte). Celui, celle qui, chez les Grecs, portait les offrandes destinées aux morts.

Choéphores *(les),* tragédie d'Eschyle (458 av. J.-C.). Elle forme la partie centrale de *l'Orestie,* entre *Agamemnon* et *les Euménides.*

1. CHŒUR [kœr] n. m. (gr. *khoros*). **1.** Groupe de chanteurs et chanteuses exécutant une œuvre musicale à l'unisson ou à plusieurs voix : *Un oratorio pour soli, chœur et orchestre.* — **2.** Morceau de musique destiné à être chanté par un groupe : *Beethoven n'a écrit qu'une symphonie avec chœur, la neuvième.* — **3.** Groupe de personnes parlant ou agissant avec ensemble; paroles, cris, etc. que ces personnes font entendre collectivement : *Un chœur de protestations, de louanges* (syn. CONCERT). — **4.** Dans l'Antiquité, groupe de personnes exécutant, lors de certaines fêtes ou représentations théâtrales, des danses, des mouvements rythmés, et chantant ou déclamant ensemble : *Dans la tragédie grecque, le chœur exprimait généralement de façon lyrique les sentiments des spectateurs.* — LOC. ADV. *En chœur,* ensemble, avec unanimité. ◆ **choral, e, aux** ou **als** [kɔral, -ro] adj. Qui concerne les chœurs (sens 1 et 2) : *Chant choral.* ◆ **choral, als** n. m. **1.** Chant religieux écrit pour des chœurs. — **2.** Pièce d'orgue de même caractère : *Bach a composé de nombreux chorals.* ◆ **chorale** n. f. Société de personnes qui chantent, de façon plus ou moins habituelle, des œuvres musicales à l'unisson ou à plusieurs voix. ◆ **choriste** n. Personne qui fait partie d'un chœur, d'une chorale.

2. CHŒUR [kœr] n. m. (même étym.). **1.** Partie d'une église formée de travées droites réunissant le transept à l'abside et réservée au clergé pendant les cérémonies : *Le maître-autel est situé dans le chœur.* — **2.** *Enfant de chœur,* jeune garçon qui assiste le prêtre dans les offices religieux; *fam.* Personne naïve, facile à duper.

CHOIR [ʃwar] v. i. (lat. *cadere*). [Conj. **49.**] Syn. vieilli de TOMBER (seulement à l'infin., avec une intention plus ou moins plaisante, surtout dans *laisser choir*) : *Laisser choir ses amis* (syn. ABANDONNER).

CHOISEUL (Étienne François, *duc* DE), ministre français (1719-1785). Secrétaire d'État aux Affaires étrangères (1758-1761), puis à la Guerre (1761-1770), il renforça l'alliance de la France avec l'Autriche (1758) et conclut le pacte de Famille (1761). Premier ministre de fait jusqu'en 1770, il réorganisa la France après la guerre de Sept Ans. Pendant son ministère, la Lorraine (1766) et la Corse (1768) furent réunies à la France. Ami des encyclopédistes, il fit supprimer la Compagnie de Jésus (1764).

CHOISIR [ʃwazir] v. t. (germ. *kausjan,* goûter). **1.** *Choisir qq'un, qqch.,* les prendre, les adopter de préférence aux autres choses ou aux autres personnes : *Choisir un modèle de chaussures* (syn. SE FIXER SUR, SÉLECTIONNER). *Les électeurs ont choisi leurs représentants* (syn. DÉSIGNER, ÉLIRE). *De ces deux solutions, je choisis la plus simple* (syn. OPTER POUR). — **2.** *Choisir de* (et l'infin.), prendre la décision, le parti de. — **3.** *Choisir si, où, quand,* etc. (et l'indic.), juger, décider si, où, quand, etc. ◆ **choisi, e** adj. **1.** Se dit de ce qui est recherché avec soin, d'une qualité toute particulière : *Il s'exprime dans un vocabulaire choisi.* — **2.** *Morceaux choisis,* recueil de textes en prose ou en vers tirés des œuvres de un ou de plusieurs écrivains. ◆ **choix** n. m. **1.** Action de choisir : *Arrêter* (ou *fixer*) *son choix sur une robe de soie.* — **2.** Ce qui est choisi : *Il a préféré la discussion à la violence; c'est un choix raisonnable.* — **3.** Possibilité, liberté de choisir *(avoir, donner, laisser,* etc., *le choix) : Avoir le choix entre deux itinéraires.* — **4.** Ensemble varié de choses choisies en raison de leur qualité ou de leur convenance à une fin déterminée : *Un choix de poèmes* (syn. ANTHOLOGIE). *Un choix de disques* (syn. SÉLECTION). — **5.** Catégorie à laquelle appartient un article commercial en fonction de sa qualité : *On vend au rabais les articles de second choix.* — **6.** *Au choix,* avec toute liberté de choisir : *Au choix du client* (syn. AU GRÉ DE). ‖ *Avancement, promotion au choix,* pour un fonctionnaire, avancement dépendant d'une décision des supérieurs hiérarchiques (contr. AVANCEMENT, PROMOTION À L'ANCIENNETÉ). ‖ *De choix,* de très bonne qualité, exquis. ‖ *De mon* (*ton, son,* etc.) *choix,* choisi par moi (toi, lui, etc.). ‖ *Sans choix,* sans discernement (syn. INDISTINCTEMENT). ‖ *Faire choix de qqch.,* choisir. ‖ *N'avoir que l'embarras du choix,* avoir en abondance ce qu'on cherche et n'avoir qu'à choisir. ‖ *Ne pas avoir le choix,* ne pas avoir d'autre ressource, devoir en passer par là, bon gré mal gré.

CHOISY-LE-ROY, ch.-l. de cant. du Val-de-Marne, au S. de Paris, sur la Seine; 35 500 hab. *(Choisyens).*

CHOIX n. m. → CHOISIR.

CHOLÉCYSTITE [kɔlesistit] n. f. (du gr. *kholê,* bile, et *kustis,* vessie). Inflammation de la vésicule biliaire. (→ BILE.)

CHOLÉDOQUE [kɔledɔk] adj. m. (du gr. *kholê,* bile, et *dekhesthai,* recevoir). Se dit du canal (long de 5 cm environ) formé par la réunion du canal hépatique et du canal cystique, et qui conduit la bile au duodénum. (→ VÉSICULE BILIAIRE.)

CHOLÉRA [kɔlera] n. m. (gr. *kholera,* bile). *Choléra* (dit *asiatique*), maladie endémique* dans certaines régions d'Asie (Bengale surtout). ◆ **cholérique** adj. Relatif au choléra : *Vibrion cholérique.* ◆ adj. et n. Atteint du choléra.

— ENCYCL. Le *choléra* se propage par épidémies vers l'Asie du Nord-Est, l'Afrique et l'Europe (par le pèlerinage à La Mecque, notamment). Il est dû à la pénétration dans l'intestin d'un germe, le *vibrion cholérique,* découvert par Koch. Il est transporté par l'eau souillée surtout, les mains, les crudités.

Les principaux *signes* de la maladie sont : après une incubation courte (quelques heures à trois jours), une *diarrhée* débutant brutalement, accompagnée de vomissements. Diarrhée et vomissements entraînent une déshydratation intense (= perte d'eau) responsable de la gravité de la maladie (choc cardio-vasculaire, chute de la tension artérielle et de la température, arrêt des urines, coma et mort après trois ou quatre jours).

La *prophylaxie* (= l'ensemble des mesures pour prévenir la maladie) est un problème international. Il s'agit d'isoler les cas particuliers au fur et à mesure qu'ils sont repérés. De nombreux pays imposent la *vaccination préventive* à tous les voyageurs qui y viennent : elle donne une immunité de durée brève.

CHOLESTÉROL [kɔlɛsterɔl] n. m. (du gr. *kholê*, bile, et *steros*, solide). Alcool d'origine exclusivement animale présent dans la bile, le sang et tous les tissus : *L'excès de cholestérol sanguin est l'une des causes de l'athérosclérose**.

CHOLET, ch.-l. d'arrond. de Maine-et-Loire, sur la Moine; 54000 hab. *(Choletais).*

CHOLOKHOV (Mikhaïl Aleksandrovitch), romancier soviétique (1905-1984), auteur du *Don paisible* (1928-1940). [Prix Nobel, 1965.]

CHO LON, v. du Viêt-nam méridional, près d'Hô Chi Minh-Ville (Saigon); 230000 hab.

CHÔMER [ʃome] v. i. (bas lat. *caumare*, se reposer pendant la chaleur). **1.** (sujet nom de personne) Ne pas travailler par manque d'ouvrage : *Cet ouvrier chôme.* — **2.** (sujet nom de chose) Cesser d'être productif, d'être actif : *Laisser chômer un capital* (syn. DORMIR). *La conversation ne chômait pas* (contr. SE RALENTIR, TARIR). ◆ v. t. *Chômer une fête, un jour*, les célébrer en s'abstenant de travailler. ‖ *Jour chômé*, celui où l'on ne travaille pas. ◆ **chômage** n. m. Situation d'une personne, d'une entreprise, d'un secteur de l'économie qui manque de travail : *Si cette usine fermait ses portes, plus de mille ouvriers seraient réduits au chômage. Un chômage partiel* (contr. PLEIN-EMPLOI). ◆ **chômeur, euse** n. Personne qui est involontairement en chômage.

CHONDRIOME [kɔ̃drijom] n. m. (gr. *khondrion*, petit grain). Ensemble de corpuscules vivants, en grains ou en filaments, appelés *chondriosomes*, existant dans le cytoplasme des cellules. ◆ **chondriosome** n. m. (syn. MITOCHONDRIE).

CHOOZ, comm. du dép. des Ardennes, sur la Meuse, à 5 km au S. de Givet; 809 hab. Centrale thermonucléaire.

CHOPE [ʃɔp] n. f. (alsacien *schoppe*). Grand verre ou gobelet muni d'une anse et dans lequel on sert la bière.

CHOPIN (Frédéric), compositeur polonais, de père français (1810-1849).

- *1818. Premier concert public.*
- *1828-1829. Première tournée de concerts en Europe centrale.*
- *1831. Chopin se fixe définitivement à Paris, après l'insurrection de Varsovie.*

Introduit dans la haute société parisienne, sa réputation de pianiste et de compositeur est bien vite établie. Il travaille beaucoup, écrit son deuxième concerto, une ballade, des « polonaises », des nocturnes.

- *1837. Il se lie intimement avec George Sand.*
- *1847. George Sand s'éloigne de Chopin : c'est une terrible épreuve pour le musicien, qui ne travaille plus. Sa santé décline.*
- *1848. Dernière tournée de concerts en Angleterre et en Écosse.*
- *1849. Chopin meurt de la tuberculose le 17 octobre, à l'âge de trente-neuf ans.*

En tant que pianiste virtuose, Chopin a créé une nouvelle écriture du piano qui emploie toutes les ressources de la main et du clavier. Cette virtuosité éblouissante, disciplinée et pourtant essentiellement poétique apparaît dans ses vingt *Études*.

La musique de Chopin nous révèle des qualités très romantiques, par la courbe élégante de ses lignes mélodiques, le raffinement de ses harmonies *(préludes, nocturnes, impromptus, valses...)*, avec aussi parfois des élans de passion et de violence héroïque *(scherzos, ballades...)*. Chopin exprime aussi dans son art l'âme de son peuple *(mazurkas, polonaises)*.

CHOPINE [ʃɔpin] n. f. (de l'anc. all. *schöpen*). **1.** Autref., mesure de capacité équivalant approximativement à un demi-litre. — **2.** *Fam.* Bouteille de vin.

CHOQUANT, E adj. ⟶ CHOC 2.

CHOQUER v. t. ⟶ CHOC 1 et 2.

CHORAL, E adj. et n. m., **CHORALE** n. f. ⟶ CHŒUR 1.

CHORÈGE [kɔrɛʒ] n. m. (du gr. *khoros*, chœur, et *agein*, conduire). Dans la Grèce antique, citoyen qui devait organiser à ses frais les chœurs des concours dramatiques ou musicaux.

CHORÉGRAPHIE [kɔregrafi] n. f. (du gr. *khoreia*, danse, et *graphein*, écrire). Art d'écrire, de diriger, d'ordonner des ballets, des danses selon la musique; ensemble des pas et des évolutions dont est constitué un ballet : *Une chorégraphie minutieusement réglée.* ◆ **chorégraphique** adj. ◆ **chorégraphe** n. Personne qui crée et règle les figures d'une danse, d'un ballet.

CHORISTE n. ⟶ CHŒUR 1.

CHORIZO [tʃɔriso] n. m. (mot esp.). Saucisse espagnole très pimentée.

CHOROÏDE [kɔrɔid] n. f. (du gr. *khorion*, membrane, et *eidos*, aspect). Membrane de l'œil, située entre la rétine et la sclérotique, se continuant en avant par l'iris : *La choroïde forme la « chambre noire » de l'œil.*

CHORUS [kɔrys] n. m. (mot lat. signif. *chœur*). Fam. *Faire chorus*, manifester bruyamment et collectivement son approbation, répéter avec ensemble les paroles de quelqu'un.

CHORZÓW, v. de Pologne, en haute Silésie; 154400 hab. Houille. Sidérurgie. Engrais.

1. CHOSE [ʃoz] n. f. (lat. *causa*). **1.** Terme le plus général par lequel on désigne tout ce qui existe et que l'on peut concevoir comme un objet concret ou abstrait, matériel ou spirituel : *Le nom est un mot qui désigne une personne, un animal ou une chose. Il a accompli des choses sensationnelles* (= des exploits). *On m'a raconté une chose amusante* (= une histoire, un fait). — **2.** (express. avec *chose* au sing.) *C'est une chose (de)..., c'est une autre chose* (ou *c'en est une autre de*)..., il y a une grande différence. ‖ *La chose publique*, les affaires de l'État, la nation (langue soignée). ‖ *Quelque* chose* ⟶ ce mot. ‖ *C'est peu de chose*, c'est peu important. ‖ *Grand-chose*, beaucoup (surtout avec une négation) : *Je n'y ai pas compris grand-chose.* — **3.** (au plur.) *Les choses*, la situation, les événements : *Regarder les choses en face.* ‖ *Les choses humaines*, l'ensemble des activités des hommes, la condition humaine. ‖ *C'est dans l'ordre des choses*, c'est conforme aux lois naturelles. ‖ *Faire bien* (ou *bien faire*) *les choses, ne pas faire les choses à moitié*, dépenser sans lésiner, aller jusqu'au bout d'une action entreprise. ‖ *Parler de choses et d'autres*, converser sur des sujets divers. ‖ *Leçon de choses*, exercice scolaire visant à développer le vocabulaire de tout jeunes enfants et à leur donner des notions scientifiques en partant de l'observation des objets ou des êtres qui les entourent.

2. CHOSE [ʃoz] adj. (de *chose* 1). Fam. *Un peu chose, tout chose*, plus ou moins décontenancé, mal à l'aise, avec une impression mal définie de gêne : *Avoir un air tout chose.*

CHOSTAKOVITCH (Dimitri), compositeur soviétique (1906-1975). Il s'exprime avec lyrisme et pittoresque. Son œuvre, très importante, comprend treize symphonies, un concerto pour piano, un concerto pour violon, un concerto pour piano, trompette et cordes, des opéras, des musiques de film, des ballets (dont *l'Âge d'or*, 1930).

CHOTT [ʃɔt] n. m. (ar. *shāṭi'*). En Afrique du Nord, terre salée qui entoure une sebkha*; ensemble de la dépression où se localise la sebkha.

1. CHOU, CHOUX [ʃu] n. m. (lat. *caulis*). **1.** Plante dont de nombreuses variétés sont cultivées pour l'alimentation de l'homme et des animaux. (Famille des crucifères.) ⟶ ENCYCL. — **2.** Petite pâtisserie soufflée : *Choux à la crème.* — **3.** Fam. *Bête comme chou*, se dit d'un problème, d'une difficulté facile à comprendre, à résoudre (syn. SIMPLE COMME BONJOUR). ‖ Fam. *Aller planter ses choux*, se retirer à la campagne, ou s'occuper de besognes simples auxquelles on est plus apte qu'au travail qu'on faisait. ‖ Fam. *Faire chou blanc*, échouer dans une démarche, une entreprise. ‖ Fam. *Faire ses choux gras de qqch.*, en faire son profit avec plaisir, alors que d'autres le dédaignaient.

— ENCYCL. On distingue : les *choux pommés*, aux feuilles formant boule (ils sont lisses ou cloqués, verts ou rouges; ce sont les plus cultivés pour l'alimentation humaine); les *choux de Bruxelles*, dont on mange les bourgeons; les *choux fourragers* et *frisés*, aux feuilles étalées, utilisés pour l'alimentation du bétail; les *choux-fleurs*, dont on mange l'ensemble de l'inflorescence, principalement les pédoncules floraux; les *choux-raves*, dont on mange la tige charnue.

2. CHOU, CHOUX [ʃu] n. m. (de *chou* 1). **1.** *Fam.* Terme d'affection. (En ce sens, le fém. est CHOUTE.) — **2.** Fam. *Bout de chou*, petit enfant (avec une nuance de sympathie amusée). ◆ **chou** adj. (inv. en genre). *Fam.* Joli, mignon, gentil. ◆ **chouchou, oute** n. *Fam.* Enfant, élève préféré, favori. ◆ **chouchouter** v. t. *Fam.* Choyer, gâter tout spécialement. ◆ **chouchoutage** n. m. *Fam.* Favoritisme.

CHOUAN [ʃwɑ̃] n. m. (du n. de Jean Cottereau, dit *Jean Chouan*, chef des insurgés, ainsi appelé parce qu'il utilisait le cri du chouan [chat-huant] comme signe de ralliement). Nom donné

aux paysans du Maine, de Bretagne et de Normandie qui s'insurgèrent contre la République pendant la Révolution. ◆ **chouannerie** n. f. Insurrection, guerre des chouans.
— ENCYCL. Le mouvement de la *chouannerie* se développa en même temps que l'insurrection vendéenne, avec laquelle il ne faut pas le confondre. Provoqué par la levée de 300 000 hommes, le 24 février 1793, et par la politique religieuse de la Révolution, il prit un aspect de guérilla et de brigandage. En liaison avec l'armée vendéenne, la chouannerie se prolongea jusqu'en 1801.

Chouans *(les)*, roman d'H. de Balzac (1829).

CHOUCAS [ʃukɑ] n. m. (onomat.). Oiseau passereau voisin de la corneille, à plumage noir, sauf la nuque qui est grise, vivant en bandes bruyantes dans les tours, les clochers, et aussi en plaine (associé aux freux). [Long. 35 cm.] (Famille des corvidés.)

CHOUCHOU, OUTE n., **CHOUCHOUTAGE** n. m., **CHOUCHOUTER** v. t. ⟶ CHOU 2.

CHOUCROUTE [ʃukrut] n. f. (alsacien *sûrkrût*, herbe aigre). Chou découpé en fines lanières, salé et fermenté, que l'on mange cuit, ordinairement avec une garniture de charcuterie et de pommes de terre.

CHOU EN-LAI ou **TCHEOU NGEN-LAI,** général et homme politique chinois (1898-1976). Il participa à la Longue Marche (1934). Il fut Premier ministre de la république populaire de Chine de 1949 à sa mort.

CHOUETTE [ʃwɛt] n. f. (anc. fr. *çuete*). Nom général donné aux oiseaux rapaces nocturnes qui ne possèdent pas de plumes en aigrette de chaque côté de la tête (seuls les hiboux en ont).
— ENCYCL. Longtemps considérée comme nuisible et de mauvais augure, la *chouette* se nourrit surtout de petits mammifères (souris et campagnols), d'oiseaux, parfois d'insectes. On rencontre en France la *chouette hulotte*, la *chevêche*, l'*effraie*. (Cri : la chouette *chuinte*.) [Famille des strigidés.]

CHOU-FLEUR n. m. ⟶ CHOU 1, *encycl.*

CHOU-KOU-TIEN, village de Chine, au S.-O. de Pékin. Site préhistorique où fut découvert le sinanthrope* en 1921.

CHOU-RAVE n. m. ⟶ CHOU 1, *encycl.*

CHOW-CHOW [ʃoʃo] n. m. (mot angl.). Race de chiens originaires de Chine, où ils sont élevés pour leur fourrure.

CHOYER [ʃwaje] v. t. (onomat.). *Choyer qq'un*, l'entourer d'attentions tendres, de soins affectueux (syn. fam. DORLOTER, ÊTRE AUX PETITS SOINS POUR).

CHRÊME [krɛm] n. m. (gr. *khrisma*, huile). Huile mêlée de baume, bénite solennellement par l'évêque le jeudi saint, employée en onction au baptême, à la confirmation, à l'ordination, ainsi que dans la consécration des monuments et des objets sacrés. (On dit habituellement SAINT CHRÊME.)

CHRÉTIEN, ENNE [kretjɛ̃, -ɛn] adj. et n. (lat. *christianus*). Qui est baptisé et professe la religion de Jésus-Christ : *Les chrétiens adorent un Dieu unique en trois personnes.* ◆ adj. **1.** Relatif ou conforme à la doctrine de Jésus-Christ : *Religion chrétienne.* — **2.** *Ère chrétienne*, ère qui commence à la naissance du Christ (nos années sont comptées à partir de cette date). ◆ **chrétiennement** adv. : *Vivre chrétiennement.* ◆ **chrétienté** n. f. **1.** Ensemble des pays, des peuples chrétiens : *Toute la chrétienté a prié pour la paix.* — **2.** Communauté particulière de chrétiens : *La chrétienté d'Orient.* ◆ **christianisme** [kristjanism] n. m. Religion chrétienne. ⟶ ENCYCL. ◆ **christianiser** v. t. Convertir au christianisme; pénétrer des idées chrétiennes (syn. ÉVANGÉLISER). ◆ **déchristianiser** v. t. : *Certaines régions sont très déchristianisées* (= ne sont plus chrétiennes). ◆ **déchristianisation** n. f.
— ENCYCL. Religion fondée sur l'enseignement, la personne et la vie de Jésus-Christ, le *christianisme*, qui inclut les catholiques, les orthodoxes, les protestants, compte auj. près de 1 milliard de fidèles (un quart de l'humanité), ce qui en fait la religion la plus répandue dans le monde.

La doctrine est fondée sur la croyance en un dieu unique *(monothéisme)* incarné en une personne réelle et vivante, à la fois homme et dieu : le Christ; sur la croyance en l'immortalité de l'âme et en la résurrection des corps; sur la loi de l'amour du prochain, qui ne fait qu'un avec l'amour de Dieu, et sur la possibilité d'un salut pour l'homme (bonheur éternel qui résulte du fait d'être sauvé de l'état de péché) avec l'aide de la grâce.

Né en Judée, le christianisme fut d'abord répandu en Orient, puis prêché dans le monde méditerranéen par les Apôtres, après la mort du Christ.

- *64. Début des grandes persécutions contre les chrétiens, sous le règne de Néron.*
- *313. Par l'édit de Milan, Constantin Ier proclame la liberté du culte. Le christianisme est reconnu officiellement. L'empereur se convertit.*

À partir de cette doctrine, des hérésies diverses vont se développer, dont les principales sont l'arianisme, l'iconoclasme, le catharisme.

- *325. Le concile œcuménique de Nicée condamne l'arianisme qui niait la divinité de Jésus-Christ.*
- *380. Théodose interdit le culte des idoles et ferme les temples païens; le christianisme devient religion d'État.*

Du IIe au XIe s., l'Europe est évangélisée.

- *1054. Le Grand Schisme sépare l'Église byzantine et l'Église latine. Constitution de l'Église « orthodoxe ».*

Au XVIe s., le protestantisme (Luther, Calvin) se sépare de l'Église romaine, qui s'efforce alors d'assurer les bases d'une contre-réforme catholique.

À partir du XVIIIe s., le christianisme doit lutter contre le rationalisme qui prépare la déchristianisation du monde contemporain. Cependant, au XIXe s., il se répand dans toutes les parties du monde grâce aux missions qui accompagnent la colonisation.

L'évolution actuelle du christianisme tend à rapprocher les diverses religions qui se réclament de Jésus-Christ (catholicisme, orthodoxie, protestantisme) : c'est l'*œcuménisme*.

CHRÉTIEN DE TROYES, poète français (v. 1135-v. 1183). Les cinq romans qui subsistent de lui se rattachent tous au *cycle d'Arthur* : Érec et Énide, Cligès, Lancelot ou le Chevalier à la charrette, Yvain ou le Chevalier au lion, Perceval ou le Conte du Graal*. Ses romans, écrits en octosyllabes à rimes plates, mêlent le merveilleux* et l'univers quotidien, illustrent l'amour courtois, comportent des analyses psychologiques. Ils font de Chrétien de Troyes le maître de la littérature courtoise* dans la France de langue d'oïl du XIIe s.

CHRÉTIENNEMENT adv., **CHRÉTIENTÉ** n. f. ⟶ CHRÉTIEN.

CHRIST (gr. *khristos;* traduction de l'hébreu *māshiāh* [« Messie »], celui qui a reçu l'onction sacrée), Jésus-Christ, pour les chrétiens. (De manière encore très générale, les catholiques emploient le mot Christ avec l'article *le*, que les protestants n'utilisent pas.)

CHRIST [krist] n. m. (de *Christ*). Représentation de Jésus-Christ : *Un christ d'ivoire* (syn. CRUCIFIX).

CHRISTCHURCH, v. de la Nouvelle-Zélande, sur la côte est de l'île du Sud; 322 000 hab.

CHRISTIAN, nom de dix rois de Danemark dont CHRISTIAN IV (1577-1648), roi de Danemark et de Norvège en 1588. Il prit part à la guerre de Trente Ans. — CHRISTIAN X (1870-1947), roi de Danemark, fils de Frédéric VIII. Il succéda à son père en 1912.

CHRISTIANIA [kristjanja] n. m. (de *Christiania*, anc. n. d'Oslo). Mouvement de virage par changement brutal de direction des skis, qui restent parallèles.

CHRISTIANISER v. t., **CHRISTIANISME** n. m. ⟶ CHRÉTIEN.

CHRISTINE (1626-1689), reine de Suède (1632-1654). Elle protégea les arts et les lettres, et attira à sa cour de nombreux savants, parmi lesquels Descartes. Elle abdiqua en 1654 en faveur de Charles-Gustave et se convertit au catholicisme.

CHRISTINE DE PISAN, femme de lettres française (v. 1364-v. 1430). Fille d'un astrologue et médecin italien appelé à la cour de Charles V, elle se trouva veuve à vingt-cinq ans et, pour élever ses enfants, se mit à écrire. La guerre civile l'obligea à se réfugier dix ans dans un cloître. Elle a laissé des ouvrages politiques et historiques *(Livre des faits et bonnes mœurs du roi Charles V)*, des traités didactiques *(le Chemin de long estude, la Cité des dames)*, des recueils de ballades et de poèmes lyriques *(Cent Ballades d'amant et de dame, Ditié* [= pièce de vers] *de Jeanne d'Arc)*.

CHRISTOPHE *(saint)*. Selon la légende, il porta l'Enfant Jésus sur ses épaules pour lui faire traverser une rivière. Il est protecteur des voyageurs, et en particulier des automobilistes.

CHRISTOPHE (Georges COLOMB, dit), dessinateur français (1856-1945), auteur de livres humoristiques écrits et dessinés pour les enfants (*la Famille Fenouillard*, 1895; *le Sapeur Camember*, 1896; *l'Idée fixe du savant Cosinus*, 1899).

CHROMAGE n. m. ⟶ CHROME.

CHROMATINE [krɔmatin] n. f. (du gr. *khrôma, khrômatos*, couleur). Substance colorable du noyau des cellules vivantes, élément principal des chromosomes*.

1. CHROMATIQUE [krɔmatik] adj. (du gr. *khrôma*, couleur). Relatif aux couleurs.

2. CHROMATIQUE [krɔmatik] adj. (du gr. *khrôma*, ton). *Mus.* Se dit d'une série de sons procédant par demi-tons soit en mon-

ant, soit en descendant. ⟶ ENCYCL. ‖ *Gamme chromatique,* ;amme formée des douze demi-tons chromatiques et diatoniques ·xistant dans un intervalle d'octave. ‖ *Intervalle chromatique,* ntervalle entre deux sons de même nom, séparés par un demi-ton. ◆ **chromatisme** n. m. Usage du genre chromatique dans une :omposition musicale.
– ENCYCL. Le *demi-ton chromatique* est l'intervalle formé par leux notes de même nom, dont l'une est altérée (*sol-sol* dièse) par ›pposition au demi-ton diatonique formé par deux notes de nom lifférent *(si-do)*.

3. CHROMATIQUE [krɔmatik] adj. (de *chromosome*). Biol. *Réduction chromatique,* phénomène s'effectuant pendant la néiose*, qui donne naissance aux gamètes mâles et femelles, et ›ar lequel deux cellules filles n'héritent que de la moitié des :hromosomes contenus dans le noyau de la cellule mère.

CHROMATISME n. m. ⟶ CHROMATIQUE 2.

CHROMATOGRAPHIE [krɔmatɔgrafi] n. f. (du gr. *khrôma,* :ouleur, et *graphein,* écrire). *Chim.* Ensemble de méthodes de séparation et d'analyse, par adsorption sur un solide ou partage :ntre deux solvants, des constituants d'un solide.

CHROMATOPHORE [krɔmatɔfɔr] n. m. (du gr. *khrôma,* couleur, et *pheirein,* porter). Cellule pigmentée du derme de la peau, :apable, par ses modifications rapides, de changer la couleur de 'animal qui possède de telles cellules : *La peau du caméléon* :*ontient des chromatophores.*

CHROME [krom] n. m. (du gr. *khrôma,* couleur). **1.** Corps simple Cr) métallique, blanc, dur, inoxydable, dont les combinaisons sont ·emarquables par leur belle coloration. (Le chrome fut découvert :n 1797 par le Français Vauquelin. Il est employé en revêtement ›rotecteur et dans certains alliages.) — **2.** Partie métallique revêtue d'une couche de ce métal, notamment dans une carrosserie l'automobile. ◆ **chromer** v. t. Revêtir d'une couche de chrome. ◆ **chromage** n. m. Dépôt d'une mince pellicule résistante de :hrome métallique par électrolyse : *Le chromage des métaux.* ◆ **chromé, e** adj. Qui contient du chrome; qui est recouvert de :hrome. ◆ **chromique** adj. Se dit d'un acide oxygéné du chrome. ◆ **chromisation** n. f. Procédé de cémentation par le chrome. (On lit aussi CHROMAGE THERMIQUE.) ⟶ ENCYCL.
– ENCYCL. La *chromisation* confère à certains alliages ferreux, surtout aux aciers, des propriétés superficielles (grande dureté) grâce à un revêtement riche en chrome. De très nombreuses pièces d'aviation, des éléments de fours, d'outillage, des :ubes, etc. sont traités par chromisation.

CHROMOLITHOGRAPHIE [krɔmɔlitɔgrafi] n. f. (du gr. *khrôma,* couleur, et *lithographie*). **1.** Procédé par lequel on obtient, au moyen de la lithographie, des dessins en plusieurs couleurs par mpressions successives. — **2.** Épreuve obtenue par ce procédé. ◆ **chromo** n. m. Abrév. de CHROMOLITHOGRAPHIE (sens 2).

CHROMOSOME [kromozom] n. m. (du gr. *khrôma,* couleur, et *sôma,* corps). Chacun des bâtonnets distincts contenus dans le noyau d'une cellule animale ou végétale, et qui sont les supports les caractères morphologiques et fonctionnels dont ils permettent a transmission héréditaire. ◆ **chromosomique** adj. : *Aberration** *chromosomique.*

1. CHRONIQUE [krɔnik] adj. (du gr. *khronos,* temps). **1.** *Maladie chronique,* maladie qui dure longtemps et évolue lentement (contr. AIGU). — **2.** Se dit d'une situation fâcheuse qui dure ou se répète (syn. CONSTANT, CONTINUEL, QUOTIDIEN). ◆ **chronicité** n. f. État de ce qui est chronique. ◆ **chroniquement** adv.

2. CHRONIQUE [krɔnik] n. f. (gr. *khronika biblia,* livres qui se rapportent au temps). **1.** Recueil de faits historiques rapportés dans l'ordre de leur succession dans le temps : *Les « Chroniques » de Froissart.* — **2.** Article de journal ou de revue, émission radiodiffusée ou télévisée consacrés quotidiennement ou périodiquement à des informations, des commentaires d'un certain ordre : *Chronique sportive, théâtrale.* — **3.** Ensemble de nouvelles, de bruits qui se répandent (syn. RUMEUR PUBLIQUE) : *Ce petit scandale a défrayé la chronique* (= alimenté les potins, les commérages). ◆ **chroniqueur** n. m. Auteur, rédacteur d'une chronique (aux sens 1 et 2) : *Villehardouin, Joinville, Froissart sont des chroniqueurs plutôt que des historiens. Un chroniqueur littéraire.*

Chroniques, œuvre de l'écrivain Jean Froissart, qui raconte, en français, l'histoire de l'Europe entre 1325 et 1400.

CHRONIQUEUR n. m. ⟶ CHRONIQUE 2.

CHRONO-, élément tiré du gr. *khronos,* « temps », et qui entre comme préfixe dans la composition de nombreux mots.

CHRONOGRAPHE [krɔnɔgraf] n. m. (de *chrono-,* et gr. *graphein,* écrire). Montre possédant un mécanisme permettant de mesurer des intervalles de temps en minutes, secondes et fractions de seconde : *Un chronographe doit indiquer le temps avec une approximation au moins égale au 1/5 de seconde.*

CHRONOLOGIE [krɔnɔlɔʒi] n. f. (de *chrono-,* et gr. *logos,* science). **1.** Science qui vise à établir les dates des faits historiques. — **2.** Ordre de succession des événements : *Je vous cite quelques faits en vrac, sans souci de leur chronologie.* ◆ **chronologique** adj. : *Le récit respecte fidèlement l'ordre chronologique.* ◆ **chronologiquement** adv. Selon l'ordre chronologique.

CHRONOMÈTRE [krɔnɔmɛtr] n. m. (de *chrono-,* et gr. *metron,* mesure). Montre de précision, réglée dans différentes positions et sous des températures variées. ◆ **chronométrer** v. t. Mesurer exactement une durée à l'aide d'un chronomètre ou, plus généralement, d'une montre : *Chronométrer une course.* ◆ **chronométrage** n. m. : *Le chronométrage d'une épreuve sportive.* ◆ **chronométreur** n. m. Celui qui chronomètre.

CHRYSALIDE [krizalid] n. f. (du gr. *khrusos,* or). Nymphe des insectes lépidoptères, entre le stade chenille *(larve)* et le stade papillon *(imago) : La chrysalide est souvent enfermée dans un cocon de soie.*

CHRYSANTHÈME [krizɑ̃tɛm] n. m. (du gr. *khrusos,* or, et *anthemon,* fleur). Plante ornementale qui fleurit en automne. (Famille des composées.)

CHRYSOMÉLIDÉS [krizomelide] n. m. pl. (du gr. *khrusos,* or, et *melos,* membre). Importante famille d'insectes coléoptères, comprenant notamment le *doryphore,* le *criocère,* la *donacie.*

C. H. U., abrév. de *centre hospitalo-universitaire* ⟶ CENTRE 2.

CHUCHOTER [ʃyʃɔte] v. i. et t. (onomat.). Parler, dire à voix basse, indistinctement (syn. MURMURER). ◆ **chuchotement** n. m. Bruit de voix qui chuchotent.

CHUINTER [ʃɥɛ̃te] v. i. (onomat.). **1.** Crier en parlant de la chouette. — **2.** Faire entendre un son chuintant. ◆ **chuintant, e** adj. et n. f. Se dit de certaines consonnes fricatives : *ch* [ʃ] et *ge* [ʒ], qui se prononcent comme des sifflantes, mais avec les lèvres poussées en avant (ex. : *chien, jaune*). ◆ **chuintement** n. m. **1.** Sifflement non strident, provoqué par le passage d'un liquide ou d'un gaz à travers un orifice étroit : *Un chuintement ininterrompu rappelait la fuite du robinet d'évier.* — **2.** Son (sorte de raclement soufflé) émis par les rapaces nocturnes lorsqu'ils sont inquiétés.

CHURCHILL (le), fl. du Canada qui rejoint la baie d'Hudson; 1 600 km. À son embouchure, *Port Churchill* est le point terminus du chemin de fer de la baie d'Hudson.

CHURCHILL (*sir* Winston Leonard SPENCER), homme politique britannique (1874-1965).

- *1900. Il est élu député conservateur.*

Par la suite, il sera deux fois député libéral, avant de rallier définitivement le parti conservateur (1924).

- *1910-1911. Ministre de l'Intérieur, il réalise d'importantes réformes sociales.*
- *1911-1915. Premier lord de l'Amirauté, il réforme la flotte.*
- *1924-1929. Il devient ministre des Finances.*
- *1940-1945. Premier ministre et chef du parti conservateur, il impose comme but à la Grande-Bretagne « la victoire à tout prix ».*

Churchill obtient l'aide des États-Unis et signe avec Roosevelt la Charte de l'Atlantique. Il préconise une coopération militaire avec l'U. R. S. S. contre l'Allemagne, mais s'oppose aux projets d'expansion soviétique de Staline. Il collabore au succès du débarquement en Normandie et aux opérations alliées en Europe. Il est écarté du pouvoir par le succès des travaillistes aux élections de 1945.

- *1951-1955. Churchill est de nouveau Premier ministre. Prix Nobel de littérature en 1953.*

CHURRIGUERA (José DE), architecte et décorateur espagnol (1665-1723). Il a donné son nom au style dit *churrigueresque* qui a marqué l'architecture baroque espagnole, et qui se caractérise par son exubérance dans la décoration des édifices.

CHUT! [ʃyt] interj. (onomat.). S'emploie pour demander le silence (syn. SILENCE!).

CHUTE [ʃyt] n. f. (de *chu,* part. passé de *choir*). **1.** Sert de substantif au verbe *tomber* (action de tomber) : *J'ai fait une chute sur le verglas. Chutes de neige. La chute d'un gouvernement* (syn. RENVERSEMENT). *La chute soudaine des cours de la Bourse* (syn. BAISSE BRUTALE, ↑EFFONDREMENT). — **2.** Action de commettre une faute, de tomber dans la déchéance : *Selon la Bible, Adam et Ève, après la chute, furent chassés du paradis terrestre* (syn. PÉCHÉ). — **3.** Masse d'eau qui se déverse d'une certaine hauteur : *Les chutes du Niagara* (syn. CASCADE, CATARACTE). — **4.** Morceau qui reste d'une matière dans laquelle on a taillé des objets : *Les* *chutes de tissu* (syn. DÉCHET). — **5.** À certains jeux de cartes, levées qu'on avait demandées et qu'on n'a pas faites : *Ils avaient demandé quatre piques, ils font deux de chute.* — **6.** *Chute des reins,* le bas du dos. ◆ **chuter** v. i. *Fam.* **1.** Tomber, échouer : *La motion de censure risque de faire chuter le ministère.* — **2.** À certains jeux de cartes, ne pas réaliser le nombre de levées où s'était arrêtée l'enchère : *Ils ont chuté de trois levées.*

CHYLE [ʃil] n. m. (gr. *khulos,* suc). Liquide blanchâtre contenu dans l'intestin grêle, résultant de la digestion des aliments. ◆ **chylifère** adj. et n. m. Vaisseau lymphatique situé dans chaque villosité (= petite saillie) de l'intestin, qui évacue le chyle vers la circulation sanguine.

CHYME [ʃim] n. m. (gr. *khumos,* humeur). Bouillie résultant de la digestion gastrique des aliments.

CHYPRE, île et État de la Méditerranée orientale; 9 251 km^2; 680 000 hab. (74 au km^2) [*Chypriotes* ou *Cypriotes*]. Capit. *Nicosie* (161 000 hab.). Langues : *grec* et *turc.*

GÉOGRAPHIE

Deux chaînes de montagnes, le *Karpas* au N. et le *Tróghodos* au S., sont séparées par une dépression centrale, la *Mésorée.*

Les montagnes sont le domaine de l'élevage ovin, tandis que dans la Mésorée des travaux d'irrigation ont permis le développement de diverses cultures : blé, orge, vigne, coton et agrumes.

blé 18 000 t; vin 560 000 hl; ovins 500 000 têtes

Dans la partie méridionale de l'île on exploite le cuivre et la pyrite de fer. Mais cela n'a donné naissance à aucune industrie et les villes ont des fonctions surtout commerciales.

HISTOIRE

Chypre, renommée par sa richesse en cuivre, fut très tôt colonisée par les Grecs, puis par les Phéniciens, et occupée tour à tour par les Égyptiens, les Assyriens et les Perses : brillant foyer de la civilisation hellénistique, elle fut englobée dans l'Empire lagide en 295 av. J.-C.

- *58 av. J.-C. Chypre passe aux Romains puis, au Ve s. apr. J.-C., aux Byzantins.*
- *862-965. Occupation arabe.*
- *1191. Richard Cœur de Lion conquiert Chypre qu'il vend aux Templiers.*
- *1192. L'île est achetée par Gui de Lusignan.*
- *1197. Elle devient un royaume latin fortement marqué par l'influence française.*
- *1489. Venise impose à Chypre sa tutelle administrative.*
- *1571. L'île devient une province de l'Empire ottoman.*
- *1878. L'administration de Chypre est confiée à la Grande-Bretagne. Celle-ci l'annexe en 1914.*
- *1955-1959. Une guerre civile oppose la majorité grecque et la minorité turque; elle aboutit à l'indépendance de Chypre dans le cadre du Commonwealth.*
- *1960. Proclamation de la république, avec un président grec (Mgr Makarios) et un vice-président turc.*

Des heurts sanglants entre les deux communautés, en 1963 et en 1965, ont amené l'intervention de l'O. N. U.

- *1974. Une crise écarte temporairement du pouvoir Mgr Makarios, ce qui donne l'occasion aux Turcs d'occuper le nord de l'île.*
- *1977. Mort de Makarios. Spyros Kyprianou lui succède.*
- *1983. Proclamation unilatérale d'une « République turque du nord de Chypre ». présidée par Rauf Denktash.*
- *1988. Georges Vassiliou, élu président de la République, succède à S. Kyprianou.*

CI adv. ⟶ LÀ.

CIANO (Galeazzo), comte DE CORTELLAZZO, homme politique italien (1903-1944). Gendre de Mussolini, il devint en 1936 ministre des Affaires étrangères; il joua un rôle important dans la formation de l'axe Rome-Berlin. Le 25 juillet 1943, il prit position contre Mussolini et fut fusillé l'année suivante.

CIBLE [sibl] n. f. (de l'all. *Scheibe*). **1.** But sur lequel on tire des projectiles: *Placer les balles au centre de la cible. Les soldats en fuite étaient une cible facile.* — **2.** *(Être) la cible de,* être visé par des propos malveillants, railleurs; être le point de mire.

CIBOIRE [sibwar] n. m. (lat. *ciborium*). Vase sacré où l'on conserve les hosties consacrées.

CIBOULE [sibul] n. f. (du lat. *caepulla,* oignon). Plante cultivée, originaire de Sibérie, dont les feuilles ventrues servent de condiment (syn. CIVE). [Famille des liliacées.]

CIBOULETTE [sibulɛt] n. f. (de *ciboule*). Plante cultivée pour ses feuilles creuses et cylindriques servant de condiment (syn. CIVETTE). [Famille des liliacées.]

CICATRICE [sikatris] n. f. (lat. *cicatrix, -icis*). **1.** Marque laissée sur la peau, après la guérison, par une blessure, une incision. — **2.** Traces matérielles ou morales laissées par les malheurs, les souffrances : *Une ville qui présente encore des cicatrices de la guerre.* ◆ **cicatriciel, elle** adj. Relatif à une cicatrice (sens 1). ◆ **cicatriser** v. t. **1.** *Cicatriser une plaie,* favoriser la formation d'une cicatrice, hâter la fermeture d'une plaie : *L'exposition à l'air et au soleil cicatrise la blessure.* — **2.** *Cicatriser une douleur,* l'apaiser, la calmer : *Le temps cicatrise toutes les peines.* ◆ v. i. et ***se cicatriser*** v. pr. : *La plaie s'est cicatrisée* ou *a cicatrisé.* ◆ **cicatrisation** n. f. Phénomène par lequel une plaie se ferme.

CICÉRON, en lat. **Marcus Tullius Cicero,** homme politique, orateur et philosophe latin (106-43 av. J.-C.). D'origine plébéienne et provinciale, il noue à Rome des liens avec la classe sénatoriale et milite dans les rangs des conservateurs. Des voyages en Orient grandissent sa réputation intellectuelle. Rentré à Rome après la mort de Sulla, il commence une brillante carrière d'avocat et d'homme politique : en 76, il est questeur, en 69 édile, en 66 préteur, en 63 consul.

- *63. Il déjoue la conjuration de Catilina.*

Par la suite, son refus du pouvoir personnel l'oppose aux nouveaux protagonistes de la politique romaine.

- *58-57. Cicéron doit s'exiler.*
- *51-50. Il part comme proconsul en Cilicie (Asie Mineure).*
- *49-48. Il prend parti pour Pompée puis, après la défaite de celui-ci à Pharsale, compte sur l'indulgence de César.*
- *44-43. Il essaie de dresser Octave contre Antoine, mais la formation du second triumvirat (Antoine, Lépide, Octave) fait de lui un proscrit : il est assassiné sur l'ordre d'Antoine.*

S'il fut un homme politique médiocre, il porta par contre l'éloquence latine à son apogée dans ses plaidoyers *(Verrines, Pro Murena, Pro Milone)* et dans ses harangues politiques *(Catilinaires, Philippiques),* et fit preuve dans sa correspondance d'un grand talent d'écrivain *(Ad Atticum, Ad familiares).*

CICINDÈLE [sisɛ̃dɛl] n. f. (lat. *cicindela,* ver luisant). Insecte coléoptère carnassier, voisin des carabes, utile à l'agriculture. (Il mesure 1 cm de long et a des élytres verts tachetés de jaune.)

CICONIIDÉS [sikɔniide] n. m. pl. (du lat. *ciconia,* cigogne). Famille d'oiseaux échassiers, comprenant notamment la *cigogne,* le *marabout,* l'*ombrette.*

CI-CONTRE loc. adv. ⟶ CONTRE.

CICUTINE n. f. ⟶ CIGUË.

CID CAMPEADOR (Rodrigo DÍAZ DE VIVAR, dit **le**), héros espagnol (1043-1099). Capitaine de Sanche II de Castille, puis d'Alphonse VI de León, il épousa en 1074 doña Jimena, cousine du roi. Banni en 1081, il se mit au service du roi maure de Saragosse, s'empara de Valence (1094) et y régna jusqu'à sa mort. Sa vaillance l'avait fait surnommer par les musulmans *Sīdī* (« le Cid », c'est-à-dire « mon seigneur »). Après sa mort, ses restes furent transportés et ensevelis dans la cathédrale de Burgos. Son personnage est au centre d'une des plus populaires épopées espagnoles.

Il inspira dès 1140 le *Poème du Cid,* puis le *Romancero du Cid.* En 1618, Guilhem de Castro écrivit deux pièces de théâtre : *les Enfances du Cid* et *les Entreprises de jeunesse du Cid.* C'est la première de ces deux pièces qui inspira à Corneille sa tragi-comédie du *Cid* (1636).

CI-DESSOUS, CI-DESSUS, CI-DEVANT loc. adv. ⟶ DESSOUS, DESSUS, DEVANT.

CIDRE [sidr] n. m. (du gr. *sikera,* boisson enivrante). Boisson constituée par du jus de pomme fermenté : *On consomme beaucoup de cidre en Normandie et en Bretagne.* ◆ **cidrerie** n. f. Usine où l'on fabrique du cidre.

Cie, abrév. de *compagnie,* désignant les associés d'un commerçant ou d'une société commerciale.

1. CIEL [sjɛl] n. m. (lat. *caelum*). **1.** Espace infini qui s'étend au-dessus de nos têtes : *Les étoiles brillent au ciel* (syn. littér. FIRMAMENT). — **2.** Aspect de l'atmosphère, selon le temps qu'il fait : *Un ciel clair, serein, dégagé* (= sans nuages), *gris, sombre, couvert.* — **3.** *À ciel ouvert,* se dit d'une carrière exploitée en plein air, par oppos. aux mines souterraines. ‖ *Entre ciel et terre,* dans l'air, en suspens au-dessus du sol. ‖ *Ciel de lit,* dais placé au-dessus d'un lit et auquel sont suspendus des rideaux. ◆ **cieux** n. m. pl. S'emploie parfois au lieu du sing. (littér.) : *Contempler la voûte des cieux. Aller vivre sous d'autres cieux* (= dans un autre pays). [*Rem.* Le plur. est *ciels* dans *ciels de lit* ou quand le mot désigne un aspect pittoresque ou une représentation sur un tableau : *Les ciels de l'Île-de-France sont célèbres.*] ◆ **ciel** adj. inv. *Bleu ciel,* d'un bleu clair. ◆ **céleste** [selɛst] adj. **1.** (après le nom) Relatif au ciel, au firmament : *On appelle « sphère céleste » la voûte du ciel au centre de laquelle l'observateur a l'impression de* e trouver et sur laquelle semblent situés les astres. — **2.** *Corps* ·*élestes*, les astres.

2. CIEL [sjɛl] n. m. (même étym.). **1.** Selon la religion chrétienne, bonheur parfait de vivre toujours avec Dieu et les saints lans la gloire des ressuscités (syn. PARADIS; contr. ENFER). — **2.** Puissance divine, providence : *Le ciel a favorisé ce projet.* — **3.** *Être au septième ciel*, être dans un état de bonheur parfait. *Tomber du ciel*, survenir fort à propos. ◆ **cieux** n. m. pl. A la nême valeur que les sens 1 et 2 : *Notre Père, qui es aux cieux.* ◆ **céleste** adj. (peut être placé avant le nom). **1.** Qui est relatif au ·iel en tant que séjour de Dieu, des bienheureux : *Le royaume* ·*éleste. Le Père céleste* (= Dieu). ‖ *Céleste Empire*, nom donné utref. à la Chine, dont l'empereur était appelé *Fils du Ciel. Demeure céleste*, le paradis. — **2.** Se dit de ce qui cause un ·rofond ravissement, qui charme par sa douceur, sa pureté (littér.) : *La céleste beauté d'un paysage.*

1. CIERGE [sjɛrʒ] n. m. (du lat. *cera*, cire). Longue chandelle le cire qu'on brûle dans les églises.

2. CIERGE [sjɛrʒ] n. m. (de *cierge* 1). Genre de plantes grasses lont les plus connues ont l'aspect de colonnes pouvant atteindre 5 m. (Famille des cactacées.)

CIEUX n. m. pl. ⟶ CIEL 1 et 2.

CIGALE [sigal] n. f. (prov. *cigala*). Insecte abondant dans la ·égion méditerranéenne, vivant sur les arbres, dont il puise la sève. Ordre des homoptères.) [En été, les mâles font entendre un bruit ·trident et monotone. On dit que la cigale *craquette*.]

CIGARE [sigar] n. m. (esp. *cigarro*). Petit rouleau de feuilles de abac spécialement traitées, destiné à être fumé. ◆ **cigarette** n. f. Cylindre de tabac haché, entouré de papier très fin, que l'on fume.

CI-GÎT [siʒi] loc. verbale (du lat. *ecce hic*, ici, et *gésir*). Formule ·rdinaire des épitaphes précédant le nom du mort (= ici repose).

CIGOGNE [sigɔɲ] n. f. (prov. *cegonha*). Grand oiseau échassier nigrateur. (Famille des ciconiidés.) [La cigogne fait son nid de ·ranches sur le toit des maisons. L'arrivée des cigognes en Alsace nnonce la fin des froids de l'hiver.] ◆ **cigogneau** n. m. Petit de a cigogne.

CIGUË [sigy] n. m. (lat. *cicuta*). Plante vénéneuse dont on ·xtrayait, dans la Grèce antique, un poison (la *cicutine*) destiné à 'exécution des condamnés : *Platon raconte en détail, dans le « Phédon », comment Socrate but la ciguë.*

CI-INCLUS, E [siɛ̃kly, -yz] loc. adj. ou adv. (du lat. *ecce hic*, ici, ·t *inclus, e*). Qui est contenu dans cet envoi (terme admin.) : *Vous rouverez ci-inclus copie de la réponse que je lui ai adressée.*

CI-JOINT, E [siʒwɛ̃, -wɛ̃t] loc. adj. ou adv. (du lat. *ecce hic*, ici, ·t *joint, e*). Joint à cet envoi (terme admin.) : *Notes ci-jointes. Ci-oint quittance.*

CIL [sil] n. m. (lat. *cilium*). *Anat.* Poil qui pousse au bord des ·aupières. ‖ *Cils vibratiles*, prolongements protoplasmiques de certaines cellules animales ou végétales qui, par leurs mouvements ·ythmiques, provoquent le déplacement de la cellule dans son nilieu liquide ou créent dans l'organisme un courant de liquide cellules fixes de certains épithéliums). ◆ **ciliaire** adj. Qui appartient ou se rapporte aux cils. ◆ **cilié, e** adj. Garni de cils. ◆ **ciliés** 1. m. pl. Embranchement de protozoaires, caractérisés par la possession de cils vibratiles *(paramécie, vorticelle)*. ◆ **ciller** [sije] ·. i. **1.** Fermer et rouvrir rapidement les paupières (syn. plus usuel CLIGNER DES YEUX). — **2.** Fam. *Ne pas oser ciller*, être rempli de ·rainte, ne pas broncher.

CILICE [silis] n. m. (lat. *cilicium*). Chemise ou ceinture de crin ·u d'étoffe rude, portée sur la peau par mortification.

CILICIE, région de la Turquie d'Asie, dans le sud-est de l'Anatolie. V. pr. *Adana.*

CILIÉ, E adj., **CILIÉS** n. m. pl., **CILLER** v. i. ⟶ CIL.

CIMABUE (Cenni di Pepo [?], dit), peintre et mosaïste italien v. 1240-1302). Empreint de la tradition byzantine, il introduisit lans son œuvre le frémissement de la vie, qui s'épanouira chez on élève Giotto. Il peignit des fresques à la basilique d'Assise.

CIMAISE ou **CYMAISE** [simɛz] n. f. (gr. *kumation*, petite vague). Moulure de boiserie à hauteur d'appui, sur laquelle repose a première rangée des toiles dans une exposition, et où le tableau ·st le mieux en vue : *Obtenir les honneurs de la cimaise.*

CIMAROSA (Domenico), compositeur italien (1749-1801). Auteur le nombreux opéras et opéras-comiques dont le plus célèbre est *le Mariage secret* (1792).

CIMBRES, un des peuples germaniques qui, avec les Teutons, envahirent la Gaule au IIe s. apr. J.-C.

• *101 av. J.-C. Les Cimbres sont vaincus par Marius à Verceil.*

CIME [sim] n. f. (gr. *kuma*). **1.** Partie la plus élevée d'un arbre ou d'une montagne : *Le vent agite la cime des peupliers. Les alpinistes ont atteint la cime* (syn. SOMMET). — **2.** *La cime de la gloire*, le plus haut sommet de la gloire (littér.).

CIMENT [simɑ̃] n. m. (lat. *caementum*, pierre brute). **1.** Poudre de calcaire et d'argile qui, additionnée de sable et d'eau, forme un mortier durcissant au séchage et liant les matériaux de construction. ⟶ ENCYCL. — **2.** Lien moral très fort (langue soignée) : *Les épreuves subies en commun sont le ciment de notre amitié.* ◆ **cimenter** v. t. **1.** Assembler, fixer au mortier de ciment : *Cimenter un anneau dans le mur.* — **2.** Revêtir d'une couche de ciment : *Cimenter le sol de sa cave.* — **3.** *Cimenter qqch.* (nom abstrait), l'affirmer, l'établir solidement. ◆ **cimenterie** n. f. Fabrique de ciment. ◆ **cimentier** n. m. Ouvrier qui emploie du ciment; personne qui en fabrique.

— ENCYCL. Le *ciment* le plus utilisé est le *ciment Portland artificiel.* Il est fabriqué au voisinage de la carrière de calcaire. La cuisson a lieu à une température d'environ 1 450 °C. Le produit cuit, ou *clinker*, est refroidi, puis broyé avec un peu de gypse.

CIMETERRE [simtɛr] n. m. (it. *scimitarra*). Sabre oriental, à un seul tranchant, dont la lame courbe va en s'élargissant vers l'extrémité.

CIMETIÈRE [simtjɛr] n. m. (gr. *koimêtêrion*, lieu où l'on dort). **1.** Terrain où l'on enterre les morts. — **2.** Terrain où sont rassemblés des voitures, des engins hors d'usage.

Cimetière marin *(le)*, poème de P. Valéry (1920), repris dans *Charmes* (1922).

CIMIER [simje] n. m. (de *cime*). Ornement qui forme la partie supérieure d'un casque.

CINABRE [sinabr] n. m. (gr. *kinnabari*). Sulfure naturel de mercure, d'un rouge vermillon, dont on extrait ce métal.

CINCINNATI, v. des États-Unis (Ohio), sur l'Ohio; 452 500 hab. Centre industriel. L'agglomération compte 1 385 000 hab.

CINÉASTE n. m., **CINÉ-CLUB** n. m. ⟶ CINÉMA.

CINÉMA [sinema] n. m. (abrév. de *cinématographe*). **1.** Art qui consiste à réaliser des films, dont les images mobiles sont projetées sur un écran. — **2.** Salle destinée à la projection de films. ◆ **ciné** n. m. *Fam.* Syn. de CINÉMA. ◆ **cinéaste** n. m. Auteur ou réalisateur de films. ◆ **ciné-club** [sineklœb] n. m. Association organisant des séances de présentation, de projection et parfois de discussion de films ayant un intérêt particulier dans l'histoire du cinéma. ‖ Pl. des *ciné-clubs.* ◆ **Cinémascope** n. m. (nom déposé). Procédé cinématographique de projection sur un écran large. ◆ **cinémathèque** n. f. Lieu où l'on conserve les films cinématographiques, et où l'on projette ceux qui ne sont plus dans le circuit commercial. ◆ **cinématographier** v. t. Enregistrer une scène sur film, en vue de la reproduire sur l'écran (syn. usuel FILMER). ◆ **cinématographique** adj. Relatif au cinéma : *L'industrie cinématographique.* ◆ **cinéphile** adj. et n. Amateur de cinéma. ◆ **Cinérama** n. m. (nom déposé). Procédé cinématographique qui utilise la juxtaposition, sur le même écran, de trois images provenant de trois projecteurs, pour créer l'impression du relief.

— ENCYCL. Le *cinéma* est né d'une part de l'observation au XVIIIe s. d'une loi fondamentale — la persistance de l'image sur la rétine de l'œil —, d'autre part des progrès de l'analyse photographique du mouvement.

Les frères Lumière* firent la synthèse des nombreuses découvertes de la période d'intenses recherches du XIXe s. et produisirent le premier *cinématographe.* En 1895, Louis Lumière réalise les premiers films et Georges Méliès construit à Montreuil le premier studio du monde.

Très vite, le cinéma sort de l'artisanat pour devenir une véritable industrie, d'abord avec la commercialisation du *cinéma muet*, ensuite avec l'essor du *cinéma parlant* (*le Chanteur de jazz*, 1927, premier film parlant).

• *1952. Aux États-Unis, sortie du premier spectacle en Cinérama.*
• *1953. Premier film en Cinémascope : « la Tunique » (H. Koster).*

À l'origine simple distraction des foules, le cinéma s'est affirmé comme un art.

→ tableau page suivante.

CINÉMATIQUE [sinematik] n. f. (du gr. *kinêma, -atos*, mouvement). Partie de la mécanique qui étudie les mouvements des corps en fonction du temps, sans tenir compte des forces qui les produisent.

CINÉMATOGRAPHIER v. t., **CINÉMATOGRAPHIQUE** adj., **CINÉPHILE** adj. et n. ⟶ CINÉMA.

1. CINÉRAIRE [sinerɛr] adj. (du lat. *cinis, cineris*, cendre). *Urne cinéraire*, vase qui renferme les cendres d'un corps incinéré (= brûlé après la mort).

Les œuvres marquantes du cinéma mondial

DATE	FILM	RÉALISATION
1914	*Naissance d'une nation*	D. W. Griffith (É.-U.)
	Cabiria	G. Pastrone (It.)
1916	*Intolérance*	D. W. Griffith (É.-U.)
1919	*le Trésor d'Arne*	M. Stiller (Suède)
	le Cabinet du docteur Caligari	R. Wiene (All.)
1920	*la Charrette fantôme*	V. Sjöström (Suède)
1921	*le Gosse*	Ch. Chaplin (É.-U.)
	Nanouk l'Esquimau	R. J. Flaherty (É.-U.)
	la Sorcellerie à travers les âges	B. Christensen (Suède)
1922	*Nosferatu le vampire*	F. W. Murnau (All.)
	les Nibelungen	Fritz Lang (All.)
1923	*les Rapaces*	E. von Stroheim (É.-U.)
1924	*le Dernier des hommes*	F. W. Murnau (All.)
	la Croisière du « Navigator »	B. Keaton et D. Crisp (É.-U.)
1925	*le Cuirassé « Potemkine »*	S. M. Eisenstein (U.R.S.S.)
	la Ruée vers l'or	Ch. Chaplin (É.-U.)
	Metropolis	Fritz Lang (All.)
	Napoléon	Abel Gance (Fr.)
1926	*Faust*	F. W. Murnau (All.)
	le Mécano de la Générale	B. Keaton et C. Bruckman (É.-U.)
	la Mère	V. Poudovkine (U.R.S.S.)
1927	*l'Aurore*	F. W. Murnau (É.-U.)
	Octobre	S. M. Eisenstein (U.R.S.S.)
1928	*la Foule*	King Vidor (É.-U.)
	le Vent	V. Sjöström (Suède)
	la Passion de Jeanne d'Arc	C. Dreyer (Fr.)
	le Cirque	Ch. Chaplin (É.-U.)
1929	*Hallelujah!*	King Vidor (É.-U.)
1930	*la Terre*	A. Dovjenko (U.R.S.S.)
	l'Ange bleu	J. von Sternberg (All.)
1931	*les Lumières de la ville*	Ch. Chaplin (É.-U.)
	À nous la liberté	René Clair (Fr.)
	Tabou	F. W. Murnau et R. J. Flaherty (É.-U.)
	M le Maudit	Fritz Lang (All.)
	l'Opéra de quat' sous	G. W. Pabst (All.)
1932	*Je suis un évadé*	Mervyn Le Roy (É.-U.)
	Scarface	H. Hawks (É.-U.)
1933	*King-Kong*	M. Cooper et E. Schoedsack (É.-U.)
1934	*l'Homme d'Aran*	R. J. Flaherty (É.-U.)
	l'Impératrice rouge	J. von Sternberg (É.-U.)
	l'Atalante	Jean Vigo (Fr.)
	New York-Miami	F. Capra (É.-U.)
1935	*les Temps modernes*	Ch. Chaplin (É.-U.)
	la Kermesse héroïque	J. Feyder (Fr.)
1937	*l'Enfance de Gorki*	M. Donskoï (U.R.S.S.)
	Alexandre Nevski	S. M. Eisenstein (U.R.S.S.)
1938	*J'ai le droit de vivre*	Fritz Lang (É.-U.)
	la Grande Illusion	J. Renoir (Fr.)
1939	*la Règle du jeu*	J. Renoir (Fr.)
	Le jour se lève	Marcel Carné (Fr.)
	la Chevauchée fantastique	John Ford (É.-U.)
	Autant en emporte le vent	V. Fleming (É.-U.)
1940	*le Dictateur*	Ch. Chaplin (É.-U.)
	les Raisins de la colère	John Ford (É.-U.)
1941	*Citizen Kane*	Orson Welles (É.-U.)
1942	*Ossessione*	L. Visconti (It.)
	To be or not to be	Ernst Lubitsch (É.-U.)
1943	*Jour de colère* (Dies irae)	C. Dreyer (Danemark)
1944	*Ivan le Terrible*	S. M. Eisenstein (U.R.S.S.)
	les Enfants du paradis	Marcel Carné (Fr.)
1945	*Rome, ville ouverte*	R. Rossellini (It.)
	Brève Rencontre	D. Lean (G.-B.)
1947	*Monsieur Verdoux*	Ch. Chaplin (É.-U.)
	le Trésor de la sierra Madre	John Huston (É.-U.)
1948	*Louisiana Story*	R. J. Flaherty (É.-U.)
	le Voleur de bicyclette	V. De Sica (It.)
1950	*Rashômon*	Akira Kurosawa (Japon)
	le Fleuve	Jean Renoir (Fr.)
	Los Olvidados	Luis Buñuel (Mexique)
	le Journal d'un curé de campagne	R. Bresson (Fr.)
	la Ronde	Max Ophuls (Fr.)
	Miracle à Milan	V. De Sica (It.)
1951	*l'Inconnu du Nord-Express*	A. Hitchcock (É.-U.)
	Mademoiselle Julie	Alf Sjöberg (Suède)
1952	*Limelight*	Ch. Chaplin (É.-U.)
	Casque d'or	Jacques Becker (Fr.)
	Vivre	Akira Kurosawa (Japon)
	le Manteau	A. Lattuada (It.)
	Chantons sous la pluie	S. Donen (É.-U.)
1953	*Contes de la lune vague après la pluie*	K. Mizoguchi (Japon)
1954	*Senso*	L. Visconti (It.)
	les Sept Samouraïs	Akira Kurosawa (Japon)
1955	*Sourires d'une nuit d'été*	Ingmar Bergman (Suède)
	Lola Montes	Max Ophuls (Fr.)
1956	*le Septième Sceau*	Ingmar Bergman (Suède)
	le Cri	M. Antonioni (It.)
	Un condamné à mort s'est échappé	R. Bresson (Fr.)
	Guerre et paix	King Vidor (É.-U.)
	le Trône de sang	Akira Kurosawa (Japon)
1957	*les Fraises sauvages*	Ingmar Bergman (Suède)
1958	*la Soif du mal*	Orson Welles (É.-U.)
	Nazarin	Luis Buñuel (Mexique)
	Cendres et diamant	A. Wajda (Pologne)
1959	*Hiroshima, mon amour*	A. Resnais (Fr.)
	l'Avventura	M. Antonioni (It.)
	Rio Bravo	H. Hawks (É.-U.)
	la Dolce Vita	F. Fellini (It.)
	À bout de souffle	J.-L. Godard (Fr.)
1961	*l'Année dernière à Marienbad*	A. Resnais (Fr.)
	Viridiana	Luis Buñuel (Mexique)
	West Side Story	R. Wise et J. Robbins (É.-U.)
	Salvatore Giuliano	Francesco Rosi (It.)
1963	*le Guépard*	L. Visconti (It.)
	Huit et Demi	F. Fellini (It.)
	America America	E. Kazan (É.-U.)
1964	*le Désert rouge*	M. Antonioni (It.)
	la Femme du sable	H. Teshigahara (Japon)

DATE	FILM	RÉALISATION	DATE	FILM	RÉALISATION
1965	*Persona* *les Amours d'une blonde* *les Sans-Espoir*	Ingmar Bergman (Suède) M. Forman (Tchéc.) M. Jancso (Hongrie)	1972	*Orange mécanique* *Psaume rouge*	S. Kubrick (É.-U.) M. Jancso (Hongrie)
1966	*Mouchette* *Andrei Roublev* *Accident* *Blow-up*	R. Bresson (Fr.) A. Tarkovski (U.R.S.S.) J. Losey (G.-B.) M. Antonioni (It.)	1973	*Cris et chuchotements*	I. Bergman (Suède)
			1975	*Barry Lyndon*	S. Kubrick (É.-U.)
1967	*le Dieu noir et le diable blond*	G. Rocha (Brésil)	1976	*Providence* *l'Homme de marbre*	A. Resnais (Fr.) A. Wajda (Pol.)
1968	*Ådalen 31*	B. Widerberg (Suède)	1979	*Apocalypse now*	F. F. Coppola (É.-U.)
1969	*Satyricon*	F. Fellini (It.)	1980	*Kagemusha*	A. Kurosawa (Japon)
			1984	*Amadeus*	M. Forman (Tchéc.)
1971	*Mort à Venise* *le Conformiste*	L. Visconti (It.) B. Bertolucci (It.)	1988	*le Dernier Empereur*	B. Bertolucci (It.)

2. CINÉRAIRE [sinerɛr] n. f. (même étym.). Plante ornementale à feuillage argenté. (Famille des composées.)

CINÉRAMA n. m. ⟶ CINÉMA.

CINÉTIQUE [sinetik] adj. (gr. *kinêtikos*, mobile). Relatif au mouvement. ‖ *Art cinétique*, forme d'art plastique ayant pour but de donner à l'œuvre un caractère changeant et de créer une illusion d'optique. (Il est fondé sur les effets du dessin géométrique, de la couleur, du mouvement réel [machines et mobiles] ou apparent [tableaux de Vasarely], associé à des effets de lumière artificielle.) ‖ *Énergie cinétique*, énergie que possède un corps, du fait de son mouvement. (Pour un solide en translation, elle est égale au demi-produit de sa masse par le carré de sa vitesse.) ◆ n. f. Branche de la dynamique qui étudie les lois régissant le déplacement des corps dans le cadre de leur inertie.

CINGHALAIS, E ou **CINGALAIS, E** [sɛ̃galɛ, -ɛz] adj. et n. De Ceylan (Sri Lanka). ◆ n. m. Langue officielle de Ceylan.

1. CINGLER [sɛ̃gle] v. t. (de l'anc. fr. *sangler*, frapper avec une sangle). **1.** *Cingler qq'un, qqch.*, le frapper d'un coup vif, avec un objet mince et flexible (lanière, baguette, etc.) : *Cingler son cheval d'un coup de fouet.* — **2.** (sujet nom désignant le vent, la pluie ou les vagues) Frapper, s'abattre vivement et continûment sur : *La pluie cingle les vitres* (syn. FOUETTER). — **3.** (sujet nom de personne) Atteindre par des mots blessants : *Il cingla son adversaire d'une réplique impitoyable.* ◆ **cinglant, e** adj. Se dit de paroles vexantes, blessantes, adressées à quelqu'un, et du ton sur lequel on les exprime : *Une remarque cinglante.*

2. CINGLER [sɛ̃gle] v. i. (de l'anc. scand. *sigla*, faire voile). Faire voile, se diriger vers un but déterminé : *Le yacht cingle vers le port.*

CINNA (Lucius Cornelius), général romain (mort en 84 av. J.-C.). Partisan de Marius, consul en 87, il resta seul chef du parti populaire après la mort de Marius. Il fut assassiné.

CINNA (Cneius Cornelius), arrière-petit-fils de Pompée. Il fut traité avec clémence par Auguste, contre lequel il avait conspiré.

Cinna ou la Clémence d'Auguste, tragédie de P. Corneille (1640-1641).

CINQ [sɛ̃k, mais sɛ̃ devant un mot commençant par une consonne] adj. num. cardin. (lat. *quinque*) ⟶ NUMÉRATION. ◆ **cinquième** adj. num. ordin. ◆ n. f. Deuxième année du premier cycle du second degré. ◆ **cinquièmement** adv.

Cinq *(groupe des)*, réunion de musiciens russes du XIXᵉ s., associant, autour de son fondateur Balakirev, les noms de Cui, Moussorgski, Borodine et Rimski-Korsakov. Ils furent à la base du renouveau de l'école russe.

CINQ-MARS (Henri COIFFIER DE RUZÉ, *marquis* DE), gentilhomme français (1620-1642). Grand écuyer de France, il complota l'assassinat de Richelieu avec l'aide de l'Espagne. Découvert, il fut arrêté et exécuté.

Cinq-Mars, roman historique d'Alfred de Vigny (1826).

CINQUANTE [sɛ̃kɑ̃t] adj. num. cardin. (lat. *quinquaginta*) ⟶ NUMÉRATION. ◆ **cinquantaine** n. f. ⟶ ÂGE. ◆ **cinquantième** adj. num. ordin. ◆ **cinquantenaire** n. m. **1.** Cinquantième anniversaire. — **2.** Syn. vieilli de QUINQUAGÉNAIRE.

CINQUIÈME adj. num. ordin., **CINQUIÈMEMENT** adv. ⟶ CINQ et NUMÉRATION.

CINTO *(monte)*, point culminant de la Corse; 2 710 m.

CINTRE [sɛ̃tr] n. m. (du lat. *cinctura*, ceinture). **1.** *Archit.* Courbure concave de la surface intérieure d'une voûte ou d'un arc : *L'art roman se caractérise notamment par l'arc en plein cintre* (= en demi-cercle). — **2.** Support incurvé sur lequel on place les vêtements. — **3.** (souv. au plur.) Partie d'un théâtre située au-dessus de la scène, allant du haut du décor jusqu'aux combles, et d'où l'on fait descendre et remonter les décors. ◆ **cintrer** v. t. **1.** Donner une courbure (syn. COURBER, INCURVER). — **2.** Serrer un vêtement à la hauteur de la taille. ◆ **cintrage** n. m.

CIOTAT (La), ch.-l. de cant. des Bouches-du-Rhône, à 33 km au S.-E. de Marseille, sur la côte de Provence; 31 700 hab. *(Ciotadens)*. Port de pêche et station balnéaire.

CIPAYE [sipaj] n. m. (mot portug.; du persan *sipahi*, soldat). Dans l'Inde, aux XVIIIᵉ et XIXᵉ s., soldat autochtone au service des Anglais, des Français ou des Portugais.

cipayes *(révolte des)*, guerre qui opposa aux Anglais, en 1857-1858, les cipayes de la Compagnie des Indes. Limitée à la vallée moyenne du Bengale, la révolte échoua. La prise de Delhi termina la première phase de la lutte. Mais, à l'instigation de Nana-Sahib, chef de l'insurrection, la résistance se prolongea jusqu'à la prise de Lucknow.

CIPPE [sip] n. m. (lat. *cippus*, colonne). Petite stèle portant une inscription funéraire ou votive.

CIRAGE n. m. ⟶ CIRE 2.

CIRCAÈTE [sirkaɛt] n. m. (du gr. *kirkos*, faucon, et *aetos*, aigle). Oiseau rapace diurne, de grande taille (70 cm de long), habitant les régions boisées du centre et du sud de la France. (Autres noms JEAN-LE-BLANC, AIGLE DES SERPENTS, car il se nourrit de reptiles.) [Famille des accipitridés.]

CIRCASSIE, anc. nom de la région s'étendant au N. du Caucase.

CIRCÉ, magicienne qui joue un grand rôle dans *l'Odyssée* d'Homère. Elle fit boire aux compagnons d'Ulysse une liqueur enchantée, qui les transforma en pourceaux.

CIRCONCIRE [sirkɔ̃sir] v. t. (lat. *circumcidere*, couper autour). [Conj. **72**; sauf part. passé *circoncis, e*.] Pratiquer la circoncision sur quelqu'un. ◆ **circoncis, e** adj. et n. ◆ **circoncision** n. f. Opération rituelle ou chirurgicale consistant à sectionner le prépuce : *La circoncision est un rite des religions juive et islamique.*

CIRCONFÉRENCE [sirkɔ̃ferɑ̃s] n. f. (du lat. *circumferre*, faire le tour). **1.** *Math.* Ligne courbe plane, fermée, limitant une surface. — **2.** *Math.* Syn. abandonné de *cercle*. (⟶ CERCLE.) — **3.** Ligne fermée ou zone qui marque la limite d'une chose : *La circonférence d'une ville* (syn. POURTOUR).

CIRCONFLEXE [sirkɔ̃flɛks] adj. (lat. *circumflexus*, fléchi autour). *Accent circonflexe*, signe (ˆ) qui note l'allongement de certaines voyelles ou qui sert à distinguer des mots homonymes. (⟶ ACCENT 1, *encycl.*)

CIRCONLOCUTION [sirkɔ̃lɔkysjɔ̃] n. f. (du lat. *circum*, autour, et *locutio*, expression). Expression détournée utilisée par prudence, par discrétion, pour éviter un mot blessant ou jugé trop rude (syn. DÉTOUR, PÉRIPHRASE).

CIRCONSCRIRE [sirkɔ̃skrir] v. t. (lat. *circumscribere*, tracer

autour). [Conj. **71.**] **1.** Entourer d'une ligne qui marque la limite : *Circonscrire une propriété par des murs.* — **2.** Réduire à certaines limites; définir les limites de : *Les recherches sont circonscrites à la partie sud de la forêt. Le conférencier a commencé par circonscrire son sujet* (syn. DÉLIMITER). — **3.** En géométrie, tracer une figure dont tous les côtés sont tangents à un cercle, ou tracer un cercle passant par tous les sommets d'un polygone : *Circonscrire un carré à un cercle.* ⟶ ENCYCL. ◆ **circonscription** n. f. **1.** Action de circonscrire (sens 3) une figure à une autre. — **2.** Division administrative d'un territoire : *Circonscription électorale.* ‖ *Circonscription d'action régionale,* division administrative du territoire français. (Cette expression est aujourd'hui remplacée par le terme *région**.)
— ENCYCL. ***cercle et polygone circonscrits.*** Un *polygone circonscrit à un cercle* est un polygone dont les côtés sont tangents au cercle (le cercle est alors inscrit dans le polygone). [⟶ CERCLE, *figure.*] Un *cercle circonscrit à un polygone* est un cercle auquel appartiennent tous les sommets du polygone (le polygone est alors inscrit dans le cercle). *Exemple :* le cercle circonscrit à un triangle a pour centre le point de concours des médiatrices des côtés du triangle. (⟶ CERCLE, *figure.*)

CIRCONSPECT, E [sirkɔ̃spɛ, -ɛkt] adj. (du lat. *circumspicere,* regarder à l'entour). Se dit d'une personne (ou de son comportement) qui fait preuve de prudence réfléchie : *Il est trop circonspect pour s'engager à la légère* (syn. PRÉCAUTIONNEUX; contr. ÉCERVELÉ, TÉMÉRAIRE). *Un silence circonspect* (syn. ↓PRUDENT). ◆ **circonspection** n. f. Prudence qui incite à ne négliger aucune circonstance avant de parler ou d'agir.

CIRCONSTANCE [sirkɔ̃stɑ̃s] n. f. (du lat. *circumstare,* se tenir autour). **1.** Ensemble des faits qui accompagnent un événement (surtout au plur.) : *L'expérience a eu lieu dans des circonstances défavorables* (syn. CONDITION). *Les circonstances économiques incitent à la prudence* (syn. CONJONCTURE, SITUATION). *En pareille circonstance, le plus sage est d'attendre* (syn. CAS). *Circonstance atténuante* (= un élément qui atténue la responsabilité). — **2.** *De circonstance,* conforme à la situation, à l'époque (syn. D'ACTUALITÉ, DE SAISON). ‖ *Œuvre de circonstance,* œuvre littéraire ou artistique inspirée ou commandée à l'auteur à l'occasion d'un événement particulier. ◆ **circonstancié, e** adj. Se dit d'un exposé, d'un rapport, etc., qui détaille les circonstances : *Un compte rendu circonstancié de la réunion* (syn. DÉTAILLÉ). ◆ **circonstanciel, elle** adj. *Complément circonstanciel,* complément qui indique dans quelles circonstances a lieu l'action : temps, lieu, cause, but, moyen, etc. (par oppos. aux compléments d'objet, d'attribution, d'agent).

CIRCONVENIR [sirkɔ̃vnir] v. t. (lat. *circumvenire,* venir autour). [Conj. **22.**] *Circonvenir qq'un,* le séduire, se le concilier par des manœuvres habiles.

CIRCONVOLUTION [sirkɔ̃vɔlysjɔ̃] n. f. (du lat. *circumvolvere,* rouler autour). *Circonvolutions cérébrales,* bourrelets sinueux qu'offre la surface du cerveau et du cervelet. ‖ *Décrire des circonvolutions,* faire des cercles autour d'un point.

CIRCUIT [sirkɥi] n. m. (du lat. *circum,* autour, et *ire,* aller). **1.** Trajet à parcourir pour faire le tour d'un lieu : *Le circuit d'une ville.* — **2.** Parcours touristique ou d'une épreuve sportive avec retour au point de départ : *Le circuit du Mans.* — **3.** Mouvement d'aller et retour des biens, des services : *Le circuit des capitaux.* — **4.** *Circuit électrique,* ensemble de conducteurs dans lequel peut passer un courant électrique. ‖ *Circuit imprimé,* ensemble électrique dont les connexions sont réalisées à l'aide de rubans de cuivre très minces, plaqués sur un support isolant sur lequel sont fixés les composants (diodes, résistances, condensateurs).

1. CIRCULAIRE adj. → CERCLE 1.

2. CIRCULAIRE [sirkylɛr] n. f. (du lat. *circulus,* cercle). Lettre établie en plusieurs exemplaires, et adressée à des destinataires différents pour leur communiquer les mêmes informations : *Circulaire administrative.*

CIRCULAIREMENT adv. ⟶ CERCLE 1.

CIRCULER [sirkyle] v. i. (du lat. *circulus,* cercle) [sujet nom de personne ou de chose]. Se déplacer selon un trajet défini, soit en un sens unique, soit en différents sens : *Le sang circule dans les vaisseaux. Les autos circulent sur l'autoroute* (syn. fam. DÉFILER). *Des rumeurs alarmantes circulent déjà* (syn. SE PROPAGER, SE RÉPANDRE). ◆ **circulation** n. f. **1.** Mouvement de ce qui circule : *Les ventilateurs créent une circulation d'air.* ‖ *Circulation atmosphérique,* ensemble des grands mouvements de masses d'air affectant l'atmosphère terrestre. ⟶ ENCYCL. — **2.** Mouvement des véhicules et des piétons se déplaçant sur les voies de communication; ensemble des véhicules qui circulent : *La circulation intense sur les routes* (syn. TRAFIC). — **3.** Mouvement des marchandises, des biens, des valeurs, de la monnaie qui passent de main en main : *La circulation monétaire.* ‖ *Mettre en circulation,* répandre dans le public. — **4.** *Circulation du sang,* mouvement du sang, que le cœur envoie par les artères aux organes, et qui revient des organes au cœur par les veines, après être passé par les capillaires : *Avoir des troubles de la circulation.* ⟶ ENCYCL. ◆ **circulatoire** adj. Relatif à la circulation du sang dans l'organisme : *L'appareil circulatoire est l'ensemble des organes assurant la circulation du sang et de la lymphe (cœur, artères, capillaires, veines).*

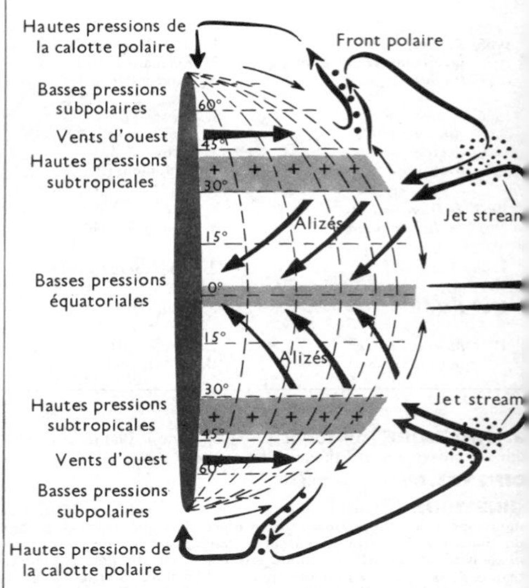

Hautes pressions de la calotte polaire
Front polaire
Basses pressions subpolaires
Vents d'ouest
Hautes pressions subtropicales
Alizés
Jet stream
Basses pressions équatoriales
Alizés
Hautes pressions subtropicales
Jet stream
Vents d'ouest
Basses pressions subpolaires
Hautes pressions de la calotte polaire

Circulation atmosphérique

Situation au sol

— ENCYCL. ***circulation atmosphérique.*** Au-dessus des pôles, l'air très froid est responsable de hautes pressions stables. Dans la zone tempérée, la circulation générale est dominée par les grands vents d'ouest qui soufflent régulièrement, entraînant les perturbations atmosphériques. Dans la zone intertropicale, les alizés* soufflent des hautes pressions subtropicales vers l'équateur.

Mais cette circulation est perturbée par différents facteurs : l'inégale répartition des terres et des mers est responsable du franchissement de l'équateur en été par l'alizé de l'hémisphère Sud, qui devient la mousson*. La présence de chaînes de montagnes élevées à l'O. du continent américain gêne la pénétration des vents d'ouest. → illustration ci-dessus.

circulation du sang. Chez l'homme, on distingue :
la *petite circulation,* ou *circulation pulmonaire,* qui part du cœur droit par l'artère pulmonaire, amène le sang veineux aux poumons où il se débarrasse du gaz carbonique et s'enrichit en oxygène, et revient au cœur gauche par les quatre veines pulmonaires;
la *grande circulation,* ou *circulation générale,* qui part du ventricule gauche, amène le sang artériel aux organes et le ramène (ayant perdu son oxygène et gagné du gaz carbonique) au cœur droit, d'où repart un nouveau circuit.

Il existe deux circulations particulières :
la *circulation portale* (dont la *veine porte* est l'élément anatomique principal), qui prélève le sang veineux, chargé en aliments dans les capillaires intestinaux, l'amène par la veine porte au foie, où il est débarrassé des substances nutritives; les veines sushépatiques prennent ce sang à la sortie et le ramènent au cœur droit;
la *circulation lymphatique,* où la lymphe formée de plasma sanguin et de globules blancs circule dans les vaisseaux qui l'amènent du niveau de l'intestin grêle à la veine cave supérieure.

→ illustrations en couleurs pp. 272-273.

CIRCUMNAVIGATION n. f. (du lat. *circum,* autour de, et *navigation*). Voyage maritime autour d'un continent.

CIRCUMPOLAIRE adj. (du lat. *circum,* autour de, et *polaire*). **1.** Qui est ou qui se fait autour du pôle : *La navigation circumpolaire.* — **2.** Voisin du pôle : *Étoile circumpolaire.*

1. CIRE [sir] n. f. (lat. *cera*). Membrane qui recouvre la base du bec de certains oiseaux (rapaces, perroquets, pigeons).

2. CIRE [sir] n. f. (même étym.). **1.** Substance molle et jaunâtre, sécrétée par les abeilles qui en font les rayons de leurs ruches : *On utilise la cire pour la fabrication du cirage, pour l'entretien des meubles.* — **2.** Substance malléable qui provient de certaines feuilles, fleurs ou graines. ◆ **ciré, e** adj. Enduit de cire ou de cirage. ‖ *Toile cirée*, toile enduite d'un produit qui la rend imperméable. ◆ **ciré** n. m. Vêtement de toile huilée, imperméable. ◆ **cirage** n. m. Produit à base de cire, destiné à l'entretien et au lustrage du cuir. ◆ **cirer** v. t. *Cirer qqch.*, l'enduire, le frotter de cire ou de cirage : *Cirer un parquet. Cirer des chaussures.* ◆ **cireur** n. m. Celui qui fait métier de cirer les parquets ou les chaussures. ◆ **cireuse** n. f. Appareil électrique destiné à cirer et lustrer les parquets. ◆ **cireux, euse** adj. *Teint, visage cireux*, dont la couleur rappelle celle de la cire (syn. BLAFARD, BLÊME).

1. CIRQUE [sirk] n. m. (lat. *circus*). **1.** Chez les Romains, vaste enceinte où l'on célébrait les jeux publics. — **2.** Enceinte ordinairement circulaire, où se donnent des spectacles variés : numéros d'acrobatie, scènes de bouffonnerie, dressage d'animaux, etc.; ensemble de l'entreprise qui donne ces spectacles.
— ENCYCL. Dans l'Antiquité romaine, le *cirque*, dont le Circus Maximus de Rome donne un exemple, est conçu comme une enceinte de forme allongée, aux extrémités faites en demi-cercle, et qui est constituée par des gradins où s'asseyent les spectateurs (385 000 pour le Circus Maximus). L'arène est divisée dans le sens de la longueur en deux parties séparées par la *spina*, sorte de barrière limitée à ses deux extrémités par deux bornes. On avait coutume de commencer les jeux du cirque par une procession, apparentée au cérémonial du triomphe, et qui rappelait l'origine religieuse des jeux. Après quoi se déroulaient les courses de chars. Les combats des gladiateurs et les chasses, qui avaient lieu d'ordinaire dans l'amphithéâtre, se firent souvent au cirque.
Le cirque moderne prend naissance en Angleterre, d'abord sous forme ambulante, puis dans des établissements particuliers, à la fin du XVIIIe s. Aux exercices d'équitation se mêlaient, chez Astley, des ombres chinoises, des jeux d'acrobates, etc. En France, le Cirque olympique, ouvert en 1807, connut un succès croissant.
Entre les deux guerres mondiales, les cirques voyageurs annexèrent à leur établissement les ménageries, naguère spectacle forain.
Les arts du cirque comprennent les spécialités suivantes : l'équilibre, l'acrobatie, le jonglage, le funambulisme, les exercices aériens, l'art équestre, les évolutions sur roues (cycle, motocycle, patins à roulettes), l'art clownesque, les hommes de force, le dressage-domptage.

2. CIRQUE [sirk] n. m. (même étym.). **1.** *Cirque glaciaire*, dépression semi-circulaire entourée de montagnes aux parois abruptes, située à l'amont d'une vallée glaciaire. (Le cirque est souvent séparé du reste de la vallée par un verrou, derrière lequel peut subsister un lac : *Le cirque de Gavarnie dans les Pyrénées.*) — **2.** Dépression circulaire à la surface de la Lune ou de Mars.

CIRRHOSE [siroz] n. f. (du gr. *kirrhos*, roux). Maladie du foie caractérisée par des granulations roussâtres de l'organe.
— ENCYCL. La *cirrhose* est, le plus souvent, la conséquence de l'alcoolisme, mais elle peut être due à des maladies atteignant le foie (hépatite virale, cirrhose de Wilson, hémochromatose), et à des maladies carentielles, dues à une nourriture insuffisante.

CIRRO-CUMULUS [sirokymylys] n. m. (de *cirrus*, et *cumulus*). Nuage formé par des groupes de flocons blancs nettement séparés (ciel moutonné).

CIRRO-STRATUS [sirostratys] n. m. (de *cirrus*, et *stratus*). Nuage de haute altitude, qui a la forme d'un voile blanchâtre et ténu, dessinant un halo autour de la lune ou du soleil.

CIRRUS [sirys] n. m. (mot lat. signif. *filament*). Nuage blanc en forme de filaments, constitué de fines aiguilles de glace, flottant à haute altitude (10 000 m env.). [Les cirrus forment avec les altocumulus un ciel pommelé qui précède généralement de peu l'arrivée du mauvais temps.]

CIRSE [sirs] n. m. (lat. *cirsium*). Plante épineuse, usuellement appelée CHARDON. (Famille des composées.)

CISAILLE n. f. et n. f. pl., **CISAILLER** v. t. → CISEAU 2.

CISALPINE *(Gaule)*, nom que les Romains donnaient à la partie septentrionale de l'Italie, située, pour eux, en deçà des Alpes.

CISALPINE *(république)*, État formé en Italie du Nord par Bonaparte avec pour capitale Milan (1797-1802).

1. CISEAU [sizo] n. m. (du lat. *caedere*, couper). Lame d'acier affûtée à une extrémité, généralement munie d'un manche, et servant à travailler soit le bois, soit la pierre ou le métal : *Un ciseau de menuisier, de sculpteur.* ◆ **ciseler** v. t. (Conj. **5.**) **1.** *Ciseler un métal, un objet précieux*, le sculpter avec art. — **2.** Travailler finement (avec un mot abstrait) : *Un sonnet habilement ciselé.* ◆ **ciseleur** n. m. **1.** Artiste qui cisèle des motifs décoratifs sur les métaux. — **2.** *Ciseleur de vers*, écrivain qui compose ses vers avec un art raffiné. ◆ **ciselure** n. f. Travail du ciseleur : *Une broche ornée de fines ciselures.*

2. CISEAUX [sizo] n. m. pl. (même étym.). Instrument servant à couper, formé de deux lames d'acier tranchantes, croisées en X et mobiles autour d'un pivot : *Des ciseaux de couturière.* ◆ **cisaille** n. f. ou **cisailles** n. f. pl. Gros ciseaux destinés à couper le métal ou à tailler des arbustes. ◆ **cisailler** v. t. *Cisailler qqch.*, le couper avec des cisailles.

3. CISEAU [sizo] n. m. (même étym.). Au catch, prise consistant à saisir et à maintenir l'adversaire en croisant les jambes autour de lui. ◆ n. m. pl. Mouvement de jambes, ressemblant à un coup de ciseaux, utilisé dans le saut en hauteur ainsi que par les danseurs, les nageurs, les écuyers dans différents mouvements.

CISELER v. t., **CISELEUR** n. m., **CISELURE** n. f. → CISEAU 1.

CISJORDANIE, région située à l'O. du Jourdain (5 575 km^2; env. 1 million d'hab.). Faisant partie du royaume de Jordanie depuis 1949, cette région est occupée et administrée par les Israéliens depuis leur victoire lors de la troisième guerre israélo-arabe (juin 1967). À partir de déc. 1987, cette occupation se heurte à un soulèvement populaire palestinien.

- *1988. Le roi Ḥusayn de Jordanie rompt (juill.) les liens unissant son pays et la Cisjordanie, reconnaissant l'O. L. P. comme représentant unique du peuple palestinien.* (→ PALESTINE.)

CISLEITHANIE, nom sous lequel on désignait l'Autriche, dans l'Empire austro-hongrois, par oppos. à la Hongrie, appelée *Transleithanie*, la *Leitha* formant la frontière entre les deux.

CISPADANE *(république)*, république organisée par Bonaparte en 1796 au S. du Pô et unie en 1797 à la république Cisalpine.

CISTE [sist] n. m. (gr. *kisthos*). Arbrisseau méditerranéen à fleurs dialypétales blanches ou roses, et dont une espèce fournit le labdanum. (Ordre des papavérales.)

CISTERCIEN, ENNE [sistɛrsjɛ̃, -ɛn] adj. et n. (de *Cistercium*, n. lat. de Cîteaux). Qui appartient à l'ordre de Cîteaux*.

CISTUDE [systyd] n. f. (du lat. *cista*, corbeille, et *testudo*, tortue). Tortue d'eau douce européenne.

CITADELLE [sitadɛl] n. f. (it. *cittadella*, petite cité). **1.** Partie fortifiée de certaines villes. — **2.** Lieu, organisme où l'on défend certaines valeurs morales, centre de résistance : *Un parti politique qui est la citadelle du libéralisme* (syn. BASTION).

CITADIN, E n. → CITÉ.

CITATION n. f. → CITER 1 et 2.

CITÉ [site] n. f. (lat. *civitatem*). **1.** Syn. de VILLE (langue soignée); sert aussi à désigner une ville ancienne : *Le maire et les conseillers municipaux sont les représentants de la cité. Rome est une des plus célèbres cités du monde.* — **2.** Groupe d'immeubles formant une agglomération plus ou moins importante, souvent dans la banlieue d'une ville, et destiné au logement des ouvriers *(cité ouvrière)* ou des étudiants *(cité universitaire)*. — **3.** Dans certaines villes, partie la plus ancienne, généralement entourée de remparts ou de défenses naturelles (avec une majusc.) : *La Cité de Carcassonne. Notre-Dame de Paris est dans l'île de la Cité.* — **4.** Dans l'Antiquité, unité territoriale et politique constituée en général par une ville et la campagne environnante : *La Confédération athénienne groupait des cités grecques sous la direction d'Athènes.* — **5.** *Droit de cité*, autref., droit d'être admis au nombre des citoyens avec les privilèges qui y étaient attachés (par oppos. aux esclaves, aux étrangers qui n'en bénéficiaient pas). ‖ *Avoir droit de cité*, avoir droit d'être admis à figurer dans un domaine : *Ce mot n'a pas droit de cité en bon français.* ◆ **citadin, e** n. Personne qui habite la ville (contr. RURAL). ◆ adj. Relatif à la ville : *La vie citadine est plus agitée que la vie rurale* (syn. plus usuel, URBAIN). ◆ **cité-dortoir** n. f. Agglomération en banlieue, que les habitants quittent dans la journée pour travailler dans une grande ville, et qu'ils n'habitent véritablement que le soir. ‖ Pl. des *cités-dortoirs*. ◆ **cité-jardin** n. f. Groupe d'immeubles d'habitation édifiés parmi des espaces verts. ‖ Pl. des *cités-jardins*.

CITÉ *(île de la)*, île de la Seine, qui fut le berceau de Paris. Centre de l'anc. Lutèce, elle devint au Moyen Âge *la Cité*, par oppos. à *la Ville* (r. dr.) et à *l'Université* (r. g.). C'est dans la Cité que se trouvent la cathédrale Notre-Dame de Paris, le Palais de justice et la Sainte-Chapelle, la Préfecture de police, l'Hôtel-Dieu.

CÎTEAUX, hameau de Bourgogne (comm. de Saint-Nicolas-lès-Cîteaux), à 23 km au S. de Dijon. Il occupe l'emplacement de l'abbaye fondée par saint Robert en 1098, qui fut le berceau de l'ordre des Cisterciens.

L'ordre de Cîteaux se développe brillamment au XIIe s., où il reçoit une règle inspirée de celle de saint Benoît. En 1153, il compte 343 monastères affiliés. Les monastères cisterciens se caractérisent par la simplicité de leur plan (nef unique) et la sobriété de leur décor. En revanche, les manuscrits sont d'un luxe et d'un art raffinés. À partir du XIVe s., la rigueur de l'esprit cistercien en architecture s'adoucit peu à peu.

Les monastères cisterciens et les exploitations agricoles qui en dépendaient jouèrent un grand rôle dans l'expansion des défrichements du Moyen Âge.

CITÉ-DORTOIR n. f., **CITÉ-JARDIN** n. f. → CITÉ.

1. CITER [site] v. t. (lat. *citare*). **1.** *Citer qqch.*, le désigner avec précision : *Citez-moi les principales comédies de Molière* (syn. NOMMER). *Citer ses sources* (syn. INDIQUER, MENTIONNER). — **2.** *Citer qq'un* (ou ses paroles, ses écrits), reproduire exactement ce qu'il a dit ou écrit : *Citer un vers de Virgile.* ◆ **citation** n. f. **1.** Propos, écrit que l'on rapporte exactement : *Une citation textuelle se met entre guillemets.* — **2.** Récompense honorifique accordée à un militaire ayant accompli une action d'éclat : *Une citation à l'ordre de la division, de l'armée, de la nation.*

2. CITER [site] v. t. (même étym.). *Citer qq'un*, le sommer de se présenter devant un tribunal comme témoin, comme prévenu, etc. ◆ **citation** n. f. Action de citer en justice; écrit par lequel on signifie cette sommation.

CITERNE [sitɛrn] n. f. (du lat. *cista*, coffre). **1.** Réservoir où l'on recueille des eaux de pluie. — **2.** Réservoir pour produit pétrolier. — **3.** Véhicule pour le transport des liquides.

CITHARE [sitar] n. f. (gr. *kithara*). **1.** Dans la Grèce antique, sorte de lyre dont le nombre de cordes variait entre 5 et 11. — **2.** Instrument à cordes d'Europe centrale. ◆ **cithariste** n. Joueur, joueuse de cithare.

CITOYEN, ENNE [sitwajɛ̃, -jɛn] n. (de *cité*). **1.** Dans l'Antiquité, celui qui jouissait du droit de cité* (par oppos. aux simples habitants : esclaves, sujets, étrangers) et participait au gouvernement de la cité. — **2.** Membre d'un État, considéré du point de vue de ses droits politiques et de ses devoirs envers son pays : *Il vit en France depuis dix ans, mais il est resté citoyen américain* (syn. admin. RESSORTISSANT). — **3.** *Fam.* et *péjor.* Personne, individu : *Un drôle de citoyen* (syn. TYPE). ◆ **citoyenneté** n. f. Qualité de citoyen (syn. NATIONALITÉ). ◆ **concitoyen, enne** n. Personne du même pays, de la même région, de la même ville : *Le maire défend les intérêts de ses concitoyens* (contr. ÉTRANGER). [→ CIVIQUE.]

CITRIQUE [sitrik] adj. (du lat. *citrus*, citron). Se dit d'un acide qui existe dans le citron, les groseilles et divers fruits. ◆ **citrate** n. m. Sel de l'acide citrique.

CITROËN (André), industriel français (1878-1935), fondateur d'une des plus importantes entreprises françaises de construction automobile. Après la Première Guerre mondiale, il fabriqua en grande série une voiture populaire. En 1934, il lança sa voiture à traction avant, qui eut un succès considérable.

CITRON [sitrɔ̃] n. m. (lat. *citrus*). Fruit du citronnier, de saveur acide et de couleur jaune. ◆ adj. inv. De la couleur jaune, légèrement verdâtre du citron. ◆ **citronnier** n. m. Arbre qui produit les citrons. (Famille des rutacées.) ◆ **citronnade** n. f. Boisson faite de jus de citron et d'eau sucrée. ◆ **citronnelle** n. f. Nom de diverses plantes dont les feuilles, quand on les froisse, laissent une odeur de citron.

CITROUILLE [sitruj] n. f. (du lat. *citrium*, concombre). Nom donné à certaines espèces de courges, en particulier au potiron et à son fruit.

CIUDAD JUÁREZ, v. du Mexique, à la frontière des États-Unis, en face d'El Paso; 597 000 hab.

ÇIVA ou **SIVA,** troisième personne de la Trinité hindoue. ◆ **çivaïsme** n. m. Secte du brahmanisme prenant Civa pour dieu suprême.

CIVE [siv] n. f. (lat. *cepa*, oignon). Syn. de CIBOULE.

CIVELLE [sivɛl] n. f. (du lat. *caecus*, aveugle). Jeune anguille au moment de sa remontée de la mer dans les cours d'eau. (Long. 6 à 7 cm.)

CIVET [sivɛ] n. m. (de *cive*). Ragoût de lièvre, de lapin ou d'un autre gibier mariné, préparé avec du vin, des oignons, etc.

1. CIVETTE [sivɛt] n. f. (lat. *zibetto*). Mammifère carnassier, à pelage gris orné de bandes et de taches noires, et mesurant 50 cm de long. (La civette, qui vit en Afrique et en Inde, possède une poche anale dont la sécrétion, d'odeur forte et tenace, est employée en parfumerie.) [Famille des viverridés.]

2. CIVETTE [sivɛt] n. f. (de *cive*). Syn. de CIBOULETTE.

CIVIÈRE [sivjɛr] n. f. (bas lat. *cibaria*, qui sert au transport des provisions). Brancards réunis par une toile, servant au transport des blessés ou des malades.

1. CIVIL, E [sivil] adj. (du lat. *civis*, citoyen). **1.** Qui concerne les citoyens (se dit par oppos. à MILITAIRE et à RELIGIEUX) : *Le mariage civil se fait à la mairie. La vie civile* (contr. MILITAIRE). — **2.** *Action civile* → ACTION 3. ‖ *Droit civil* → DROIT 3. ‖ *Droits civils*, droits appartenant à tous les membres d'une société, quels que soient leur âge, leur sexe ou leur nationalité (par oppos. à *droits politiques*). ‖ *État civil* → ÉTAT 2. ‖ *Guerre civile* → GUERRE. ‖ *Partie civile* → PARTIE 4. ‖ *Responsabilité civile* → RESPONSABILITÉ. ◆ **civil** n. m. **1.** Celui qui n'est ni militaire ni religieux (dans ce second cas, on dit plutôt LAÏC). — **2.** *En civil* sans uniforme : *Soldat en civil.* ‖ Fam. *Dans le civil*, en dehors de la vie militaire. ◆ **civilement** adv. **1.** Sans cérémonie religieuse *Il a été enterré civilement.* — **2.** Au regard de la loi civile : *Vous êtes civilement responsable de vos enfants.*

2. CIVIL, E [sivil] adj. (même étym.). Qui observe les convenances, les bonnes manières dans les relations sociales (langue soignée) : *Voilà un procédé qui n'est pas très civil* (syn. usuels COURTOIS, POLI). ◆ **incivil, e** adj. : *Attitude incivile* (syn. GROSSIER). ◆ **civilité** n. f. Respect des bienséances (syn. COURTOISIE, POLITESSE). ◆ **civilités** n. f. pl. Paroles de politesse, témoignages de considération plus ou moins déférente (syn. COMPLIMENTS, SALUTATIONS). ◆ **incivilité** n. f. Manque de civilité; faute contre les bons usages (syn. IMPOLITESSE, INCORRECTION).

civil *(Code)*, réunion de 36 lois, refondues en 2 281 articles, qui constituent la base du droit civil en France. Ce code (souvent appelé *Code Napoléon*), promulgué dans son ensemble le 21 mars 1804, a été largement remanié depuis.

CIVILEMENT adv. → CIVIL 1.

CIVILISER [sivilize] v. t. (de *civil* 2). **1.** *Civiliser des personnes* ou *un pays*, les amener d'un état primitif à un état supérieur d'évolution matérielle, intellectuelle, artistique et morale : *La conquête romaine a civilisé la Gaule.* — **2.** *Civiliser qq'un*, le rendre plus raffiné dans ses manières, plus courtois (syn. fam. DÉGROSSIR). — **3.** *Être civilisé*, avoir perdu les mœurs primitives, avoir atteint un certain degré d'évolution intellectuelle ou industrielle. ◆ ***se civiliser*** v. pr. Devenir civilisé. ◆ **civilisateur, trice** adj. *Le rôle civilisateur de l'école.* ◆ **civilisation** n. f. **1.** Action de civiliser ou de se civiliser : *La civilisation pénètre progressivement les régions les plus reculées.* — **2.** Forme particulière de la vie d'une société, dans les domaines moral et religieux, politique, artistique, intellectuel, économique : *La civilisation hellénique classique est marquée par l'empreinte de la civilisation crétoise.*

CIVILITÉ n. f., **CIVILITÉS** n. f. pl. → CIVIL 2.

CIVIQUE [sivik] adj. (du lat. *civis*, citoyen). Relatif au citoyen et à son rôle dans la vie politique. ‖ *Droits civiques*, droits que la loi confère aux citoyens. ‖ *Instruction civique*, enseignement destiné à préparer les élèves à leur rôle de citoyen. ◆ **civisme** n. m. Vertu du bon citoyen, qualité de celui qui se dévoue au bien de l'État.

CIVITAVECCHIA, v. d'Italie, sur la mer Tyrrhénienne; 44 200 hab. C'est le port de Rome.

CLABAUD [klabo] n. m. (de *clapper*). Chien de chasse à oreilles pendantes, qui aboie fortement. ◆ **clabauder** v. i. **1.** En parlant du chien, aboyer fortement ou mal à propos. — **2.** Tenir des propos médisants. ◆ **clabaudage** n. m. ou **clabauderie** n. f. Médisance, criaillerie importune et sans raison. ◆ **clabaudeur, euse** n. et adj.

CLAFOUTIS [klafuti] n. m. (de *clafir*, remplir, mot du Centre). Gâteau composé d'une pâte à crêpe contenant des cerises.

CLAIE [klɛ] n. f. (mot gaul.). **1.** Treillis d'osier ou de fil métallique : *On fait sécher les fromages sur des claies.* — **2.** Clôture de lattes jointives ou à claire-voie. ◆ **clayette** n. f. Petite claie. ◆ **clayon** n. m. Petite claie pour faire égoutter les fromages ou conserver les fruits. ◆ **clayonnage** n. m. Claie de pieux et de branchages pour soutenir des terres, fermer un passage.

1. CLAIR, E [klɛr] adj. (lat. *clarus*). **1.** Qui répand ou qui reçoit beaucoup de lumière : *La salle est très claire* (syn. ÉCLAIRÉ; contr. SOMBRE). — **2.** D'une couleur peu marquée; qui a plus d'analogie avec le blanc qu'avec le noir : *Teint clair* (contr. FONCÉ). *Des tissus bleu clair* (contr. FONCÉ, SOMBRE). — **3.** Qui laisse passer les rayons lumineux, qui permet de voir distinctement : *Du verre clair* (syn. TRANSPARENT; contr. DÉPOLI, OPAQUE, TRANSLUCIDE). *L'eau claire d'un ruisseau* (syn. LIMPIDE; contr. TROUBLE). *Par temps clair* (= quand il n'y a ni nuages ni brume). — **4.** Peu épais, peu consistant : *Une sauce claire* (= très liquide) [contr. ÉPAIS]. — **5.** *Son clair*, son qui est distinct, bien timbré (contr. SOURD, VOILÉ); qui a une certaine hauteur dans la gamme : *Le tintement clair d'une clochette* (contr. GRAVE). ◆ **clair** n. m. **1.** *Clair de lune*, clarté répandue par la lune. ‖ *Sabre au clair*, sabre dégainé au jour, hors du fourreau. — **2.** (souvent au plur.) Partie lumineuse, éclairée d'un tableau : *Les ombres et les clairs.* ◆ adv. *Voir clair,* percevoir distinctement les objets; comprendre nettement. ‖ *Il fait clair,* il fait grand jour, on y voit nettement. ◆ **clairet, ette** adj. Clair et léger, sous le rapport de la couleur, du son : *Du vin clairet* (on dit parfois, en ce sens, *du clairet* n. m.). *Voix clairette* (syn. AIGU). ◆ **clair-obscur** n. m. Effet d'opposition des parties claires et des parties sombres dans une peinture, une gravure, ou dans un paysage naturel : *Les clairs-obscurs de Rembrandt.* ◆ **clarté** n. f. Qualité d'une lumière claire; éclairage permettant de distinguer nettement les objets : *Le ciel est d'une clarté incomparable* (syn. LUMINOSITÉ). *La lampe répandait une douce clarté dans la pièce* (syn. LUMIÈRE). ◆ **clarifier** v. t. *Clarifier qqch.,* le rendre clair : *Clarifier un liquide en le filtrant* (syn. PURIFIER). ◆ **clarification** n. f. : *La clarification d'un sirop.*

2. CLAIR, E [klɛr] adj. (même étym.). **1.** Se dit d'une chose ou du comportement d'une personne qui a une signification, un sens nettement intelligible : *Ces empreintes sur le sol sont un signe clair du passage du gibier* (syn. ÉVIDENT, MANIFESTE). *Un exposé très clair* (contr. OBSCUR). *Une attitude claire* (syn. NET; contr. ÉQUIVOQUE). — **2.** Se dit d'une personne qui comprend rapidement et qui se fait nettement comprendre : *Un esprit clair* (= qui sait démêler les traits essentiels d'un ensemble confus). — **3.** *Clair comme le jour,* très facile à comprendre. ◆ **clair** n. m. *Mettre des notes au clair,* les présenter sous une forme compréhensible, les rédiger. ‖ *Tirer au clair une question, une affaire,* élucider ce qui en elle était obscur. ‖ *Le plus clair de,* l'essentiel de, ce que l'on peut retenir en résumé. ‖ *Le plus clair de son temps, de son travail,* la partie la plus importante, la quasi-totalité. ‖ *En clair,* en langage courant, compréhensible (contr. EN CODE). ◆ adv. *Parler clair,* s'exprimer avec netteté, sans ambiguïté. ◆ **clairement** adv. De façon distincte, nette, compréhensible. ◆ **clarté** n. f. Qualité de ce qui est clair pour l'esprit, nettement intelligible : *La clarté d'un exposé.* ◆ **clartés** n. f. pl. Connaissances générales; renseignements permettant d'éclaircir les points obscurs (syn. APERÇUS, ÉCLAIRCISSEMENTS). ◆ **clarifier** v. t. *Clarifier une situation, un problème,* les rendre plus clairs par l'esprit (contr. OBSCURCIR). ◆ **clarification** n. f. : *La clarification d'un problème* (syn. ÉCLAIRCISSEMENT).

CLAIR (René CHOMETTE, dit **René**), cinéaste français (1898-1981). Il a réalisé des films imprégnés de tendresse, de poésie et d'un réalisme souvent touché par l'onirisme (= le rêve) : *le Million* (1931), *À nous la liberté* (1931), *14-Juillet* (1932), *Fantôme à vendre* (1935), *Ma femme est une sorcière* (1942), *Le silence est d'or* (1947), *Porte des Lilas* (1957).

CLAIRE d'Assise *(sainte)* [1193 ou 1194-1253]. Issue d'une famille noble d'Assise, elle se plaça sous la direction spirituelle de saint François. La maison où elle se retira, à Saint-Damien, fut le premier monastère des *pauvres dames,* ou *clarisses*.*

CLAIREMENT adv. ⟶ CLAIR 2.

CLAIRET, ETTE adj. ⟶ CLAIR 1.

CLAIRETTE [klɛrɛt] n. f. (de *clair*). Vin blanc mousseux du Midi, produit surtout dans la Drôme : *Clairette de Die.*

CLAIRE-VOIE [klɛrvwa] n. f. (de *clair,* et *voie*). Clôture formée d'éléments espacés laissant passer le jour. ‖ Pl. des *claires-voies.* ◆ **claire-voie (à)** loc. adv. ou adj. Dont les éléments sont espacés, laissent passer la lumière : *Une porte à claire-voie.*

CLAIRIÈRE [klɛrjɛr] n. f. (de *clair*). Endroit dégarni d'arbres dans une forêt.

CLAIR-OBSCUR ⟶ CLAIR 1.

CLAIRON [klɛrɔ̃] n. m. (de *clair* signif. sonore). **1.** Instrument à vent en cuivre, au son éclatant, utilisé surtout dans l'armée pour effectuer les sonneries réglementaires. — **2.** Soldat qui joue du clairon.

CLAIRONNER [klɛrɔne] v. t. (de *clairon*). Proclamer bruyamment : *Ne lui confiez jamais un secret, il irait le claironner partout.*

CLAIRSEMÉ, E [klɛrsəme] adj. *(clair,* et *semé).* Répandu de-ci, de-là, dispersé : *Remarques clairsemées* (syn. ÉPARS). *Des applaudissements clairsemés* (syn. RARE; contr. NOURRI).

CLAIRVAUX, dépendance de la comm. de Ville-sous-la-Ferté (Aube), dans le Barrois, sur l'Aube.

- *1115. Fondation de l'abbaye par Étienne, abbé de Cîteaux. Saint Bernard en fut le premier abbé.*
- *1808. Les bâtiments abritent une maison de détention.*

CLAIRVOYANT, E [klɛrvwajɑ̃, -ɑ̃t] adj. *(clair,* adv., et *voyant).* **1.** Se dit de quelqu'un (ou de son comportement) qui discerne, comprend clairement les choses (syn. AVISÉ, PERSPICACE). — **2.** Se dit aussi, par oppos. aux aveugles, des gens qui ont une vue normale. ◆ **clairvoyance** n. f. : *Sa clairvoyance lui a permis d'éviter bien des désagréments* (syn. LUCIDITÉ, PERSPICACITÉ).

CLAM [klam] n. m. (de l'angl. *to clam,* serrer). Mollusque bivalve comestible qui vit enfoui dans le sable des plages de l'Atlantique.

CLAMART, ch.-l. de cant. des Hauts-de-Seine, à 3 km au S.-O. de Paris; 48 700 hab.

CLAMECY, ch.-l. d'arrond. de la Nièvre, au confluent de l'Yonne et du Beuvron, sur le canal du Nivernais, à 42 km au S. d'Auxerre; 5 800 hab. *(Clamecycois).*

CLAMER [klame] v. t. (lat. *clamare*). *Clamer qqch.,* le dire à haute voix avec véhémence : *Clamer son innocence* (syn. CRIER). ◆ **clameur** n. f. Cri collectif, plus ou moins confus, exprimant un sentiment vif : *Clameurs hostiles de la foule.*

CLAMP [klɑ̃p] n. m. (néerl. *klamp,* crampon). Pince chirurgicale servant à obturer les gros vaisseaux.

CLAN [klɑ̃] n. m. (irland. *clann,* tribu). **1.** Groupe de personnes constituant une catégorie à part, rassemblées par des intérêts ou des opinions communes : *Le clan de l'opposition* (syn. PARTI). — **2.** Dans certaines sociétés, groupement de familles qui constitue une division de la tribu : *Clan totémique.*

CLANDESTIN, E [klɑ̃dɛstɛ̃, -in] adj. (du lat. *clam,* en secret). **1.** Se dit de ce qui échappe à l'observation, qui se fait en cachette : *Des manœuvres clandestines* (syn. SECRET). — **2.** Se dit d'une personne ou d'une chose qui enfreint un règlement et se dérobe à la surveillance : *Un passager clandestin.* ◆ **clandestinement** adv. : *Le prisonnier correspondait clandestinement avec des complices* (syn. SECRÈTEMENT). ◆ **clandestinité** n. f. **1.** Caractère clandestin : *La clandestinité des préparatifs d'un complot* (syn. SECRET). — **2.** État d'une personne qui mène une existence clandestine : *Ils s'étaient connus dans la clandestinité, sous l'Occupation.*

CLAPET [klapɛ] n. m. (de l'anc. fr. *claper,* frapper). Soupape, généralement constituée par une lamelle mobile, qui ne laisse passer un fluide que dans un sens.

CLAPEYRON (Émile), ingénieur et physicien français (1799-1864), un des fondateurs de la thermodynamique.

CLAPIER [klapje] n. f. (du prov. *clap,* tas de pierres). Cabane où l'on élève les lapins domestiques.

CLAPIR [klapir] v. i. (de l'onomat. *klapp-*) [sujet nom désignant le lapin]. Pousser un cri.

CLAPOTER [klapɔte] v. i. (de l'onomat. *klapp-*) [sujet nom désignant l'eau]. Se briser en vagues courtes et serrées qui produisent un bruit caractéristique en se rencontrant. ◆ **clapotis** ou **clapotement** n. m. Agitation et bruit léger de l'eau qui clapote.

CLAPPEMENT [klapmɑ̃] n. m. (de l'onomat. *klapp-*). Bruit sec que produit la langue quand on la détache brusquement du palais. ◆ **clapper** v. i. Faire entendre un clappement.

CLAQUAGE n. m., **CLAQUANT, E** adj. ⟶ CLAQUER 2.

1. CLAQUE n. f. ⟶ CLAQUER 1.

2. CLAQUE [klak] n. m. (de *claquer*). Chapeau haut de forme à ressorts, pouvant s'aplatir et se mettre sous le bras.

CLAQUEMENT n. m. ⟶ CLAQUER 1.

CLAQUEMURER (SE) [səklakmyre] v. pr. ou **ÊTRE CLAQUEMURÉ** v. passif (anc. fr. *à claquemur,* en un lieu si étroit que le mur claque). *Fam.* S'enfermer étroitement (syn. littér. CLAUSTRER, CLOÎTRER).

1. CLAQUER [klake] v. i. (de l'onomat. *klakk-*) [sujet nom de personne ou de chose]. Produire un bruit sec : *Faire claquer un fouet. Claquer des dents.* ◆ v. t. **1.** *Claquer qqch.,* l'appliquer brusquement, le fermer avec un bruit sec : *Claquer un pupitre. Claquer la porte.* — **2.** (sujet nom de personne) *Claquer qq'un,* le frapper d'une ou de plusieurs claques (syn. GIFLER). ◆ **claque** n. f. **1.** Coup appliqué avec le plat de la main : *Recevoir une claque* (syn. GIFLE). — **2.** *La claque,* le groupe des spectateurs, souvent rémunérés, chargés d'applaudir bruyamment une pièce, un artiste, un orateur, pour entraîner les applaudissements du public. — **3.** Fam. *Tête à claques,* personne désagréable, au visage déplaisant. ◆ **claquement** n. m. Bruit sec de ce qui claque : *Un claquement de portière.* ◆ **claquet** n. m. Latte produisant un bruit continuel sur un moulin. ◆ **claquettes** n. f. pl. Style de danse d'origine américaine dans lequel la pointe et le talon de la chaussure frappent le sol.

2. CLAQUER [klake] v. i. (même étym.) [sujet nom de chose]. *Fam.* Céder, se casser, devenir inutilisable : *Ficelle qui claque.* ◆ v. t. **1.** Fam. *Claquer qqch.,* le dépenser, le gaspiller. — **2.** Fam. *Claquer qq'un,* le fatiguer jusqu'à l'épuisement : *Cet effort physique m'a claqué* (syn. ÉREINTER). ◆ ***se claquer*** v. pr. Se fatiguer jusqu'à l'épuisement. ◆ **claquant, e** adj. Fam. : *Un travail claquant* (syn. ÉPUISANT). ◆ **claquage** n. m. *Claquage d'un muscle*, distension, décollement de ce muscle ou de son ligament.

CLAQUETER [klakte] v. i. (de *claquer*) [sujet nom désignant la cigogne]. Émettre un cri.

CLAQUETTES n. f. pl. ⟶ CLAQUER 1.

CLARENDON (Edward HYDE, Ier *comte* DE), homme politique anglais (1609-1674). L'un des chefs du parti royaliste modéré, il s'entendit avec Monk et prépara la restauration de Charles II. Celle-ci réalisée (1660), il devint Premier ministre.

CLARIFICATION n. f., **CLARIFIER** v. t. ⟶ CLAIR 1 et 2.

CLARINE [klarin] n. f. (de *clair*). Clochette que l'on pend au cou des animaux au pâturage en montagne.

CLARINETTE [klarinɛt] n. f. (du prov. *clarin*, hautbois). Instrument à vent, à anche simple, du groupe des bois, utilisé dans l'orchestre symphonique. ◆ **clarinette** ou **clarinettiste** n. Musicien qui joue de la clarinette.

CLARISSE [klaris] n. f. (de sainte *Claire*). Religieuse de l'ordre mendiant de moniales contemplatives, fondé en 1212 par sainte Claire et dont saint François d'Assise rédigea la règle.

CLARTÉ n. f. ⟶ CLAIR 1 et 2.

CLARTÉS n. f. pl. ⟶ CLAIR 2.

1. CLASSE [klas] n. f. (lat. *classis*). Catégorie de personnes ayant mêmes intérêts, même condition sociale : *La classe ouvrière. La classe bourgeoise.* ‖ *Lutte des classes*, selon les marxistes, opposition entre les travailleurs, qui mettent les moyens de production en action, et les capitalistes, qui détiennent ces moyens de production et qui prélèvent de ce fait, et à leur profit, une partie de la valeur du travail fourni par les premiers. ◆ **déclassé, e** adj. et n. Se dit de celui qui est passé dans une classe sociale différente de celle où il se trouvait ou dans une condition plus médiocre.

2. CLASSE [klas] n. f. (même étym.). **1.** En histoire naturelle, chacune des grandes divisions d'un embranchement d'êtres vivants, subdivisée elle-même en ordres. — **2.** Math. *Classes d'équivalence associées à une relation d'équivalence*, chacun des sous-ensembles obtenus en effectuant dans un ensemble donné une partition à l'aide d'une relation d'équivalence. (⟶ RELATION* D'ÉQUIVALENCE.) — **3.** Ensemble des jeunes gens atteignant la

classes grammaticales

CATÉGORIE	DÉFINITION	SENS ET FONCTION DANS LA PHRASE	EXEMPLES
substantif (ou **nom**)	Mot susceptible de porter les marques du genre et du nombre et constituant un des deux éléments de base de la phrase *(groupe nominal)*, l'autre étant le verbe.	Indique une substance (être, chose, notion).	*La* TABLE *est mise. Les* ENFANTS *sont sortis. Le* BIEN *est l'ennemi du mal.*
déterminant (article, adjectif possessif, démonstratif, relatif, interrogatif, exclamatif, indéfini, numéral)	Mot indiquant le genre et le nombre du substantif et comportant éventuellement l'indication d'un autre rapport.	*article :* donne une détermination plus ou moins précise au nom; *adjectif possessif :* indique qu'un être ou un objet appartient à quelqu'un ou à quelque chose; *adjectif démonstratif :* sert à montrer un être ou un objet; *adjectif relatif* (rare) : réunit par la répétition du substantif (et avec *lequel*) deux propositions; *adjectif interrogatif :* invite à indiquer la qualité d'un être ou d'une chose sur lesquels porte la question; *adjectif exclamatif :* exprime l'admiration, la surprise, l'indignation portant sur un substantif; *adjectif indéfini :* accompagne un nom pour indiquer une idée vague de quantité, de qualité, etc.; *adjectif numéral :* désigne le nombre et le rang des êtres ou des choses qu'il détermine.	LA *porte de la maison fait face à* LA *route.* *Il a vendu* SA *maison.* CETTE *pendule retarde.* *Les témoins sont arrivés,* LESQUELS *témoins étaient apeurés.* *De* QUEL *pays êtes-vous originaire?* QUEL *beau livre!* *En* CERTAINES *circonstances, il faut être prudent.* *Attends* DEUX *minutes.*
préposition	Mot invariable servant aux compléments d'un substantif, d'un verbe, d'un adjectif, d'un adverbe, d'un pronom.	Joint un nom, un pronom, un adjectif ou un gérondif à un autre terme (verbe, nom, etc.) en établissant un rapport entre les deux.	*Le livre* DE *mon fils. Il manque* DE *bonté.*
conjonction	Mot invariable qui sert à réunir deux mots, deux groupes de mots ou deux propositions.	*conj. de coordination :* unit des mots, des groupes de mots ou des propositions de même nature; *conj. de subordination :* relie une proposition subordonnée à la proposition dont elle dépend.	*Il n'avait pas pu venir* CAR *son train avait eu du retard. Il n'avait pu venir* PARCE QUE *son train avait eu du retard.*

même année l'âge du service militaire : *La classe 1974 venait d'être appelée sous les drapeaux.* ‖ *Faire ses classes,* recevoir les premiers éléments de l'instruction militaire. — **4.** Catégorie de la place d'un voyageur, dans un transport en commun, distinguée par le confort et le prix du billet : *On voyage en métro en première ou en deuxième classe.* — **5.** Grade, rang attribué à des personnes ou à des choses distinguées selon un ordre d'importance, de valeur, de qualité (la première classe étant la plus importante) : *Il ne descend que dans des hôtels de première classe. Un soldat de deuxième classe* (= celui qui n'a ni grade ni distinction). — **6.** Fam. *Avoir de la classe* (syn. DISTINCTION). ‖ *De classe, de grande classe,* d'une valeur supérieure : *C'est un musicien de grande classe* (syn. TALENT).

3. CLASSE [klas] n. f. (même étym.). **1.** Ensemble d'élèves qui suivent le même enseignement : *Entrer en classe de première.* ‖ *Classe de neige,* classe d'une école primaire, qui part un mois l'hiver à la montagne pratiquer le ski sans interrompre le travail scolaire. — **2.** Enseignement distribué, séance de travail scolaire : *Faire la classe. La classe se termine à midi.* — **3.** Salle où est donné l'enseignement. — **4.** *En classe,* dans la salle d'enseignement, pendant les heures de cours : *Un élève peu attentif en classe* (= à l'école). ◆ **interclasse** n. f. ou m. Intervalle qui sépare deux heures de classe. ◆ **classique** adj. À l'usage des classes (vieilli en ce sens) : *Un éditeur classique* (syn. usuel SCOLAIRE).

4. CLASSE [klas] n. f. (même étym.). *Classes grammaticales, parties du discours,* noms divers par lesquels on désigne les espèces de mots selon la fonction que ces mots ont dans la phrase ou selon les différences fondamentales de sens qu'ils présentent : *On distingue souvent les espèces de mots en mots variables (verbes, noms, adjectifs, pronoms, articles) et mots invariables (adverbes, conjonctions, prépositions, interjections).* → tableau ci-dessous.

CLASSER [klase] v. t. (de *classe*). **1.** *Classer des personnes ou des choses,* les ranger par catégories ou dans un ordre déterminé : *Classer des livres.* — **2.** *Classer une affaire, un dossier,* cesser de s'en occuper, les considérer comme réglés; abandonner les investigations. ◆ ***se classer*** v. pr. (sujet nom de personne ou de chose). Obtenir un rang : *Il s'est classé premier en français.* ◆ **classement** n. m. **1.** Action de classer : *Classement de fiches. Le procès n'aura pas lieu : il a obtenu le classement de l'affaire.* — **2.** Manière de classer, ordre dans lequel sont classées les personnes ou les choses : *Un classement alphabétique. Il a un bon classement* (= il est dans les meilleurs). ◆ **classeur** n. m. **1.** Meuble de bureau permettant de classer des papiers. —

classes grammaticales

CATÉGORIE	DÉFINITION	SENS ET FONCTION DANS LA PHRASE	EXEMPLES
verbe	Mot susceptible de porter les marques de personne, de nombre et de temps et constituant un des deux éléments de base de la phrase *(groupe verbal),* l'autre étant le substantif.	Indique un procès (= exprime une « action » réalisée par le sujet de la phrase, que le verbe soit transitif ou intransitif).	*Le téléphone* SONNAIT. *Les passants* COURENT *dans la rue.*
adjectif qualificatif	Mot susceptible de porter les marques (genre et nombre) du substantif avec lequel il est relié.	Indique une qualité de l'être ou de l'objet désigné par le nom ou le pronom.	*Une aventure* EXTRAORDINAIRE *lui était arrivée. Le temps est* GRIS. *Une robe* VERTE.
pronom	Mot qui se substitue au substantif dans les phrases et qui comporte éventuellement l'indication d'un autre rapport.	*pronoms personnels :* désignent les personnes qui parlent, à qui l'on parle ou celles dont on parle;	IL *écoute le concert à la radio.*
		pronoms possessifs : représentent un substantif et ajoutent une idée de possession;	*C'est mon livre, ce n'est pas* LE TIEN.
		pronoms démonstratifs : désignent un être ou une personne en les montrant;	*Il regarda* CELUI *qui s'avançait.*
		pronoms relatifs : remplacent un substantif ou un pronom personnel exprimé dans la proposition qui précède en établissant une relation entre les deux propositions;	*Les abricots* QUE *tu as cueillis ne sont pas mûrs.*
		pronoms interrogatifs : désignent la personne ou la chose sur laquelle porte l'interrogation;	*De* QUOI *parlez-vous?*
		pronoms indéfinis : désignent une personne, une chose ou une idée d'une manière vague et indéterminée.	PERSONNE *n'est venu.*
adverbe	Mot invariable qui accompagne un verbe, un adjectif ou un autre adverbe pour en modifier ou en préciser le sens.	Modifie le sens du verbe, de l'adjectif ou d'un autre adverbe.	*Il avance* LENTEMENT. *J'ai* BEAUCOUP *travaillé. Ce* TRÈS *beau cadeau m'a fait plaisir. Il court* VITE. *Boire* TROP *d'eau. Il mange* TRÈS *peu.*
		On distingue donc les adverbes de manière, de lieu, de temps, de quantité, etc.	
		Les adverbes d'affirmation, de négation et d'interrogation servent à affirmer, à nier ou à interroger.	*Il* NE *m'a* PAS *vu. « Est-il venu? —* OUI. *»* EST-CE QU'*il est venu? Des leçons* PAS *sues.*
interjection	Mot invariable isolé, formant une phrase à lui seul, sans relation avec les autres propositions.	Sert à exprimer une émotion, un ordre ou un bruit.	OH! *le magnifique tableau.* HÉ! *vous, là-bas! approchez.*

2. Chemise de carton ou de papier où l'on range des feuilles. ◆ **classifier** v. t. *Classifier qqch.*, répartir en classes, en catégories, selon un ordre logique. ◆ **classification** n. f. : *Une classification scientifique des animaux se fonde sur leurs principaux caractères naturels.* ◆ **classificateur, trice** adj. : *Un esprit classificateur.* ◆ **déclasser** v. t. *Déclasser qqch.*, déranger d'un certain classement : *Des livres déclassés.* ◆ **déclassement** n. m. ◆ **reclasser** v. t. **1.** *Reclasser qqch.*, le classer de nouveau : *Reclasser des fiches.* — **2.** *Reclasser qq'un*, redonner un emploi, une fonction dans la société à des personnes dans l'incapacité d'exercer leur précédente profession : *Reclasser des victimes d'accidents du travail.* ◆ **reclassement** n. m. : *Le reclassement des objets d'une collection. Le reclassement des réfugiés.*

CLASSICISME n. m. ⟶ CLASSIQUE 2.

CLASSIFICATEUR, TRICE adj., **CLASSIFICATION** n. f., **CLASSIFIER** v. t. ⟶ CLASSER.

1. CLASSIQUE adj. ⟶ CLASSE 3.

2. CLASSIQUE [klasik] adj. (lat. *classicus*, de première classe). **1.** En langue et en littérature, qui appartient au courant dominant en France au XVIIe s., notamment après 1660 : *Racine, Molière, La Fontaine sont de grands écrivains classiques.* — **2.** Dans les beaux-arts, qui appartient à la période s'étendant, en France, du XVIe au XVIIIe s. et qui s'inspire plus ou moins de l'Antiquité gréco-latine : *Le palais de Versailles est un bel exemple d'architecture classique. La peinture classique est illustrée par les noms de Clouet, Poussin, La Tour, Watteau, David*, etc. — **3.** Qui appartient à l'Antiquité grecque (notamment au siècle de Périclès) ou romaine (notamment au siècle d'Auguste) : *Cicéron, Horace, Virgile sont des écrivains classiques. Les études classiques* (= celles qui comportent l'étude du latin, et accessoirement du grec, ainsi que des civilisations anciennes). *Section classique* (par oppos. à MODERNE, TECHNIQUE). — **4.** Qui est conforme à une tradition, qui évite les innovations hardies : *Un complet de coupe classique* (syn. HABITUEL, TRADITIONNEL). — **5.** Qui a lieu habituellement en pareil cas : *C'est un coup classique.* — **6.** Qui fait autorité, qui est un modèle du genre : *Cette théorie scientifique est maintenant classique.* ◆ n. m. **1.** Auteur, œuvre qui appartient à la tradition ou qui fait autorité dans sa spécialité : *Les classiques du cinéma* (= les films dont la célébrité est consacrée). — **2.** Auteur de l'Antiquité grecque ou romaine, ou du classicisme français : *La bataille d'« Hernani » opposa les partisans des classiques à ceux des romantiques.* ◆ **classiquement** adv. : *Il est habillé classiquement.* ◆ **classicisme** n. m. **1.** Caractère de ce qui est classique : *Le classicisme de ses goûts ne réserve aucune surprise* (syn. CONFORMISME; contr. FANTAISIE). — **2.** Ensemble de tendances et de théories qui se manifestent en France sous le règne de Louis XIV et qui s'expriment dans de nombreuses œuvres littéraires ou artistiques restées célèbres: ensemble de la production littéraire ou artistique et des auteurs appartenant à cette école : *Le romantisme s'est affirmé en opposition au classicisme.* ⟶ ENCYCL.

— ENCYCL. Le *classicisme*, défini comme la recherche de l'harmonie et de l'équilibre, alliés à la pureté de l'expression et au sens de la mesure, n'apparaît pas comme une doctrine littéraire ou artistique précise établie à une période déterminée, mais plutôt comme un ensemble de tendances et de traditions présentes à toutes les époques dans les domaines littéraire, artistique et musical, principalement en France.

Le terme de *littérature classique* désigne cependant plus précisément la littérature du XVIIe s., représentée par la génération des écrivains de 1660-1680, admirateurs des auteurs anciens : Molière, La Fontaine, Racine, Boileau, Bossuet, Mme de La Fayette. Leurs œuvres allient la rigueur de la composition, la précision et la clarté du style à la recherche du naturel, du vraisemblable et à la finesse de l'analyse morale et psychologique *(Phèdre, la Princesse de Clèves).*

Appliqué aux *beaux-arts*, le terme *classicisme* a une signification plus étendue et caractérise les œuvres des XVIe, XVIIe et XVIIIe s. L'art classique, qui trouve ses sources d'inspiration dans l'Antiquité gréco-romaine, s'oppose à l'art baroque par son refus du décor triomphal et pathétique. et son sens des proportions.

Représenté au XVIe s. par Pierre Lescot, Jean Goujon, Germain Pilon, il connut son apogée au XVIIe s. avec François Mansart. Nicolas Poussin, Claude le Lorrain. Le style classique français (château de Versailles) servit de modèle à l'étranger.

On peut également parler de *musique classique* à propos des œuvres des musiciens français du XVIIe s. (Lully. Couperin. Rameau), mais également de Purcell, en Angleterre, Pachelbel en Allemagne, Corelli et Scarlatti en Italie. Les mêmes caractères (équilibre, clarté, élégance, maîtrise de l'expression) se retrouvent chez les musiciens du siècle suivant (Bach, Haydn, Mozart, Beethoven) et s'opposent à ceux de la musique « romantique ».

→ illustration en couleurs pp. 352-353.

CLAUDE Ier (10 av. J.-C.-54 apr. J.-C.), empereur romain (41-54), petit-neveu d'Auguste. Proclamé empereur par le sénat, il constitua une monarchie bureaucratique centralisée. Dominé par ses affranchis (Narcisse, Pallas), il le fut aussi par ses deux femmes successives, Messaline et Agrippine. Il fut empoisonné par cette dernière, après qu'il eut adopté Néron, fils d'Agrippine, au détriment de Britannicus, fils de Messaline.

CLAUDE (Georges), physicien français (1870-1960). Il a imaginé de dissoudre l'acétylène dans l'acétone pour son transport. Il a mis au point un procédé de liquéfaction de l'air et utilisé le néon pour l'éclairage par luminescence.

CLAUDEL (Paul), écrivain français (1868-1955).

- *1886. Il lit les « Illuminations » et « Une saison en enfer » de Rimbaud.*

Il reçoit alors un « choc poétique » dont les effets se prolongeront jusqu'à la fin de sa vie.

La même année, il retrouve la foi. Dès lors son mysticisme chrétien animera son œuvre.

Pour le théâtre, il écrit : *Tête d'or* (1889), *Partage de midi* (1905), *l'Otage* (1910), *l'Annonce faite à Marie* (1911), *le Soulier de satin* (1924), représenté en 1943. Dans ses pièces, Claudel montre que les aspirations contradictoires de l'homme (conflit entre la chair et l'esprit) ne se résoudront que dans un dépassement de soi-même et la reconnaissance de l'amour sauveur de Dieu.

La *poésie lyrique* de Claudel est illustrée par les *Cinq Grandes Odes*, qui sont une tentative de saisie de toutes les réalités vivantes du monde, de compréhension de l'univers, recréé par l'intermédiaire des mots et du rythme qui traduit le frémissement de la vie.

CLAUDICATION [klodikasjɔ̃] n. f. (du lat. *claudicare*, boiter). Action de boiter. ◆ **claudicant, e** adj. Qui révèle la claudication : *Une démarche claudicante.* ◆ **claudiquer** v. i. Boiter.

CLAUSE [kloz] n. f. (lat. *clausa*). **1.** Article stipulé dans un contrat, un traité : *Une des clauses de l'accord prévoit la répartition équitable des charges.* — **2.** *Clause de style*, formule reproduite traditionnellement telle quelle dans certains types de contrats; disposition formelle, sans importance.

CLAUSEWITZ (Karl VON), général et théoricien militaire prussien (1780-1831). Son traité *De la guerre*, publié après sa mort, eut une grande influence sur la doctrine politique et militaire de l'état-major allemand, sur les théoriciens marxistes (Engels, Marx, Lénine) et sur les stratèges russes (Chapochnikov) et chinois (Mao Tsö-tong).

CLAUSTRER [klɔstre] v. t. (du lat. *claustrum*, cloître). *Claustrer qq'un*, l'enfermer étroitement, l'isoler (surtout à la forme pron. et au part. passé) : *Vivre claustré* (syn. littér. CLOÎTRER; fam. CLAQUEMURER). ◆ **claustration** n. f. État de celui qui est enfermé dans un lieu clos. ◆ **claustrophobie** n. f. Angoisse maladive consistant à ne pouvoir rester dans un lieu clos.

CLAVAIRE [klavɛr] n. f. (du lat. *clava*, massue). Champignon des bois, en forme de touffes rameuses jaunes ou blanchâtres. (Classe des basidiomycètes.)

CLAVEAU [klavo] n. m. (du lat. *clavis*, clef). *Archit.* Pierre appareillée pour entrer dans la construction d'un arc, d'une voûte, etc.

CLAVECIN [klavsɛ̃] n. m. (du lat. *clavis*, clef, et *cymbalum*, cymbale). Instrument de musique à clavier et à cordes pincées, dont l'apparence est celle d'un piano. ◆ **claveciniste** n.

CLAVETTE [klavɛt] n. f. (du lat. *clavis*, clef). Cheville, ordinairement métallique, servant à assembler deux pièces.

CLAVICORDE [klavikɔrd] n. m. (du lat. *clavis*, clef, et *chorda*, corde). Instrument à clavier et à cordes, ces dernières étant frappées par un petit marteau : *Le clavicorde est considéré comme l'ancêtre du piano.*

CLAVICULE [klavikyl] n. f. (lat. *clavicula*, petite clef). Chez les vertébrés, chacun des deux os longs, un peu courbés en S, faisant partie de la ceinture scapulaire et allant du sternum à l'omoplate.

CLAVIER [klavje] n. m. (du lat. *clavis*, clef). **1.** Ensemble des touches d'un instrument de musique (piano, orgue, accordéon, etc.), d'une machine à écrire ou d'une machine analogue. — **2.** Ensemble des notes qu'une voix peut émettre, des possibilités que l'on a dans un domaine donné : *Le clavier des sensations.*

CLAYES-SOUS-BOIS (Les), comm. des Yvelines, à 11 km à l'O. de Versailles ; 17 200 hab.

CLAYON n. m., **CLAYONNAGE** n. m. ⟶ CLAIE.

CLÉ n. f. ⟶ CLEF.

CLEARING [kliriŋ] n. m. (mot angl.). *Accord de clearing*, accord conclu entre deux ou plusieurs pays, aux termes duquel le produit d'exportations est affecté au règlement d'importations, en vue d'équilibrer les échanges.

1. CLEF ou **CLÉ** [kle] n. f. (lat. *clavis*). **1.** Pièce métallique qu'on introduit dans une serrure pour l'actionner : *Porte fermée à clef. Garder un document sous clef* (= dans un endroit fermé à clef). *Les voleurs sont sous clef* (= en prison, sous les verrous). — **2.** Outil utilisé pour serrer ou desserrer des écrous ou des vis, monter ou démonter, tendre ou détendre le ressort d'un mécanisme, etc. : *Clef à molette.* ‖ *Clef anglaise*, outil à mâchoires mobiles pour pouvoir s'adapter aux écrous de toutes tailles. — **3.** Pièce mobile bouchant ou ouvrant les trous d'un instrument à vent du groupe des bois (flûte, hautbois...). — **4.** *Clef des champs*, liberté d'aller où l'on veut. ‖ *Mettre la clef sous la porte*, fermer sa maison et disparaître furtivement. ◆ **porte-clefs** ou **porte-clés** n. m. inv. Anneau ou étui pour porter plusieurs clefs.

2. CLEF ou **CLÉ** [kle] n. f. (même étym.). **1.** Position stratégique qui commande un accès; moyen de parvenir à un résultat : *Gibraltar est la clef de la Méditerranée. La clef de la réussite, c'est la ténacité.* — **2.** Renseignement qu'il faut connaître pour comprendre le sens d'une allusion, pour résoudre une difficulté : *Je crois avoir trouvé la clef du mystère* (= le moyen de l'expliquer). — **3.** *Clef de voûte*, pierre centrale d'une voûte ou d'un arceau et qui, placée la dernière, maintient toutes les autres; point essentiel sur lequel repose un système, une théorie, etc. ◆ adj. Dont dépend tout le reste, qui explique ou conditionne tout : *La gloire est une des notions clefs du théâtre cornélien* (syn. DE BASE, FONDAMENTAL). *Un poste clef* (syn. CAPITAL, ESSENTIEL).

3. CLEF ou **CLÉ** [kle] n. f. (même étym.). *Mus.* Signe mis au début d'une portée musicale pour indiquer le nom et la hauteur des notes (*clé de sol* pour les sons aigus, *clé de fa* pour les sons graves, *clé d'ut* pour les sons intermédiaires) : *Il y a deux bémols à la clef* (= inscrits à côté de la clef et valables pour tout le morceau).

4. CLEF ou **CLÉ** [kle] n. f. (même étym.). Nom de certaines prises de lutte libre ou de judo qui consistent à enserrer un membre de l'adversaire.

Clélie, roman de Mlle de Scudéry, en 10 volumes (1654-1660).

CLÉMATITE [klematit] n. f. (du gr. *klêma*, sarment). Plante grimpante, à tiges ligneuses, dont il existe des espèces sauvages et des espèces cultivées. (Famille des renonculacées.)

CLÉMENCE n. f. ⟶ CLÉMENT.

CLEMENCEAU (Georges), homme politique français (1841-1929).

- *1875-1893. Député de la Seine, puis du Var, chef de la gauche radicale, il s'oppose à la politique coloniale de Jules Ferry et combat le boulangisme.*
- *1906-1909. Président du Conseil, il réprime les troubles sociaux avec vigueur, ce qui provoque la rupture de son ministère avec les socialistes.*
- *1913. Il fonde le journal d'opposition « l'Homme libre », devenu « l'Homme enchaîné » après l'établissement de la censure.*
- *Nov. 1917-janv. 1920. Rappelé à la présidence du Conseil, il se consacre essentiellement à la conduite de la guerre.*

Lors de la victoire, la popularité de Clemenceau est immense. Une loi déclare qu'il a « bien mérité de la patrie ». Son tempérament et sa physionomie l'ont fait surnommer *le Tigre.*

- *1920. Il est battu aux élections présidentielles.*

CLÉMENT, E [klemɑ̃, -ɑ̃t] adj. (lat. *clemens*). **1.** Se dit de quelqu'un (ou de son comportement) qui ne punit pas avec rigueur ceux qui ont commis un méfait : *Le juge a été clément* (syn. INDULGENT; contr. RIGOUREUX). — **2.** Se dit du temps météorologique, du climat qui est doux (contr. RIGOUREUX). ◆ **clémence** n. f. : *Des paroles de clémence qui laissent présager une large amnistie. La clémence du temps* (syn. DOUCEUR). ◆ **inclémence** n. f. Contr. de CLÉMENCE (sens 2 de l'adj.) : *L'inclémence du temps.*

CLÉMENT, nom de quatorze papes dont CLÉMENT VII (Jules *de Médicis* [1478-1534], pape de 1523 à 1534). Il prit parti pour François Ier contre Charles Quint, ce qui provoqua le sac de Rome par les Impériaux en 1526. En 1530, il dut couronner Charles Quint à Bologne. Ses démêlés avec Henri VIII d'Angleterre furent à l'origine du schisme anglican.

CLÉMENT (René), cinéaste français, né en 1913. Il a réalisé *la Bataille du rail* (1944), *Jeux interdits* (1951), *Monsieur Ripois* (1953), *Paris brûle-t-il ?* (1966).

CLÉMENTINE [klemɑ̃tin] n. f. (du n. du P. *Clément*, qui obtint le fruit en 1902). Variété de mandarine. (Famille des aurantiacées.)

CLENCHE [klɑ̃ʃ] n. f. (frq. *klinka*). Pièce principale du loquet d'une porte, qui entre dans le mentonnet et tient la porte fermée.

CLÉOPÂTRE, nom de sept reines d'Égypte. La plus célèbre fut CLÉOPÂTRE VII (69-30 av. J.-C.), reine de 51 à 30 av. J.-C. Elle rêvait de reconstituer à son profit l'empire d'Alexandre.

- *48 av. J.-C. César, vainqueur à Pharsale, entre dans Alexandrie. Cléopâtre le séduit et le suit à Rome (45).*
- *36 av. J.-C. Après la mort de César, elle regagne l'Égypte et s'allie à Antoine qui était chargé de la défense de l'Orient romain.*

L'Égypte lagide connut alors sa plus grande extension avec l'annexion de plusieurs territoires.

- *31 av. J.-C. La flotte d'Antoine et de Cléopâtre est écrasée par celle d'Octave à la bataille d'Actium.*
- *30 av. J.-C. Prise d'Alexandrie. Antoine se suicide. Cléopâtre, après avoir tenté en vain de séduire Octave, se suicide également. L'Égypte devient province romaine.*

CLEPSYDRE [klɛpsidr] n. f. (gr. *klepsudra*). Horloge antique, d'origine égyptienne, mesurant le temps par un écoulement régulier d'eau dans un récipient gradué.

CLEPTOMANE [klɛptɔman] adj. et n. (du gr. *kleptein*, voler). Qui a la manie de voler. ◆ **cleptomanie** n. f.

1. CLERC [klɛr] n. m. (lat. *clericus*). Employé d'une étude de notaire, d'avoué, etc.

2. CLERC n. m. ⟶ CLERGÉ.

CLERGÉ [klɛrʒe] n. m. (lat. *clericatus*). Ensemble des ecclésiastiques d'une religion, d'un pays, d'une ville, d'une paroisse, etc. ‖ *Clergé constitutionnel* ou *assermenté*, ecclésiastiques qui avaient prêté serment à la Constitution civile du clergé de 1790, par oppos. au *clergé réfractaire* ou *insermenté.* ‖ *Clergé régulier*, ensemble des membres du clergé appartenant à des ordres religieux. ‖ *Clergé séculier*, ensemble des prêtres desservant les paroisses, qui vivent dans le monde (le « siècle »). ◆ **clerc** [klɛr] n. m. Celui qui est entré dans l'état ecclésiastique : *Les clercs et les laïcs.* ◆ **clergyman** [klɛrdʒiman] n. m. **1.** Ministre du culte protestant. — **2.** *Habit de clergyman*, tenue ecclésiastique se rapprochant de la tenue civile et adoptée par les prêtres catholiques. ◆ **clérical, e, aux** adj. et n. Dévoué aux intérêts du clergé, de ceux qui sont favorables à l'intervention du clergé dans les affaires publiques et privées (notamment dans le domaine politique). ◆ **cléricalisme** [klerikalism] n. m. Tendance de ceux qui sont favorables à l'intervention du clergé dans les affaires publiques et privées (notamment dans le domaine politique); attitude de ceux qui soutiennent cette tendance. ◆ **anticlérical, e, aux** adj. et n. Opposé à l'influence du clergé dans les affaires publiques, dans l'enseignement, etc. ◆ **anticléricalisme** n. m. : *L'anticléricalisme s'était développé en France au XIXe s. avec l'aide que l'Église avait alors apportée aux pouvoirs absolus.*

CLERMONT, ch.-l. d'arrond. de l'Oise, à 65 km au N. de Paris; 8700 hab. *(Clermontois).*

CLERMONT-FERRAND, ch.-l. du dép. du Puy-de-Dôme et de la Région Auvergne; 151000 hab. *(Clermontois).* Formée par la fusion de Clermont et de Montferrand (1630), elle a dû initialement son essor à sa position en bordure de la vallée de l'Allier, sur l'une des rares voies de pénétration du Massif central, au contact de la plaine (Grande Limagne ou *Limagne de Clermont*) et de la montagne (chaîne des Puys). Clermont-Ferrand a bénéficié ensuite de l'implantation et du développement de l'industrie du caoutchouc : c'est la capitale française de la fabrication des pneumatiques.

Clermont, fondé par les Romains, fut la capitale des Arvernes. La ville devint un évêché important, où se tinrent au Moyen Âge plusieurs conciles.

- *1095. Le pape Urbain IV y prêche la première croisade.*
- *1248. Début de la construction de la cathédrale, magnifique édifice gothique en lave sombre.*

CLERMONT-L'HÉRAULT, ancienn. **Clermont-de-Lodève,** ch.-l. de cant. de l'Hérault, à 18 km au S.-E. de Lodève; 5900 hab. *(Clermontais).* Ce fut, au XVIe s., un des centres du protestantisme languedocien.

CLÉRY-SAINT-ANDRÉ, ch.-l. de cant. du Loiret, à 15 km au S.-O. d'Orléans, près de la Loire; 2250 hab. Le tombeau de Louis XI se trouve dans la basilique Notre-Dame (XVe s.).

CLEVELAND, v. des États-Unis (Ohio), sur le lac Érié; 750900 hab. Grand port de commerce qui importe du minerai de fer et exporte du charbon. Centre sidérurgique.

1. CLICHÉ [kliʃe] n. m. (de l'onomat. *clitch-*). Plaque métallique ou pellicule permettant d'obtenir des épreuves typographiques ou photographiques (syn. NÉGATIF).

2. CLICHÉ [kliʃe] n. m. (de *cliché* 1). Expression toute faite, idée banale exprimée souvent et dans les mêmes termes (syn. LIEU COMMUN).

CLICHY, ch.-l. de cant. des Hauts-de-Seine, dans la banlieue nord-ouest de Paris; 47000 hab. *(Clichois).* Hôpital Beaujon. Grand centre industriel.

CLICHY-SOUS-BOIS, comm. de la Seine-Saint-Denis, à 11 km au N.-E. de Paris; 24 700 hab. *(Clichois).*

CLIENT, E [klijɑ̃, -ɑ̃t] n. (lat. *cliens*). **1.** À Rome, plébéien qui se plaçait sous la protection d'un patricien. — **2.** Personne qui reçoit de quelqu'un, contre paiement, des fournitures commerciales ou des services : *Les clients d'un magasin* (syn. ACHETEUR). *Les clients d'un médecin* (syn. MALADE). *Le chauffeur de taxi a déposé son client à la gare* (syn. PASSAGER). ◆ **clientèle** n. f. **1.** Ensemble des clients d'une personne ou d'un établissement : *La clientèle d'un médecin.* — **2.** Ensemble des partisans, des adeptes : *La clientèle d'un parti politique.*

CLIGNER [kliɲe] v. i. et t. (du lat. *cludere*, fermer) [sujet nom de personne]. *Cligner des yeux* ou *cligner les yeux*, les fermer à demi, plisser les paupières sous l'effet d'une lumière vive, du vent, etc., ou pour mieux distinguer les contrastes; avoir un brusque battement de paupières : *Des yeux qui clignent sans cesse.* ‖ *Cligner de l'œil*, faire un signe de l'œil à quelqu'un. ◆ **clignement** n. m. : *Un clignement d'œil discret l'avertit que j'avais compris.* ◆ **clignoter** v. i. **1.** (sujet nom désignant les yeux, les paupières) Se fermer et se rouvrir vivement, par réflexe. — **2.** (sujet nom désignant une lumière) S'allumer et s'éteindre alternativement ou avoir un éclat irrégulier : *Il doit y avoir un faux contact, car l'ampoule électrique clignote.* ◆ **clignotant, e** adj. : *Des yeux clignotants. Une lumière clignotante.* ◆ **clignotant** n. m. Dispositif à lumière intermittente, qui, sur un véhicule, sert à signaler un changement de direction. ◆ **clignotement** n. m. : *Il a un tic, un perpétuel clignotement de paupières. Le clignotement d'une lampe.* ◆ **clin** n. m. *Clin d'œil*, mouvement de la paupière qu'on abaisse et relève vivement pour faire signe à quelqu'un : *Faire des clins d'œil (ou des clins d'yeux).* — LOC. ADV. *En un clin d'œil*, en un temps très court.

1. CLIMAT [klima] n. m. (gr. *klima*, inclinaison). Ensemble des phénomènes météorologiques (température, pression atmosphérique, vent, précipitations) qui caractérisent l'état moyen de l'atmosphère et son évolution en un lieu donné : *La France a un climat tempéré. Un climat doux, sec, humide, sain.* ⟶ ENCYCL. ◆ **climatique** adj. **1.** *Un pays soumis à des variations climatiques.* — **2.** *Station climatique*, lieu de séjour dont le climat est reconnu bienfaisant. ◆ **climatiser** v. t. *Climatiser une salle*, la maintenir à une température agréable. ◆ **climatiseur** n. m. Appareil permettant de réaliser la climatisation dans un endroit clos. ◆ **climatisation** n. f. : *La climatisation de ce cinéma laisse à désirer.* ◆ **climatologie** n. f. Étude scientifique des climats.

— ENCYCL. Le *climat* est déterminé par la situation géographique du lieu (latitude, altitude, éloignement de la mer) et par la circulation* atmosphérique. Le globe est divisé en grandes zones climatiques : la zone équatoriale, la zone tropicale, la zone tempérée et la zone froide.

2. CLIMAT [klima] n. m. (même étym.). Ensemble de circonstances dans lesquelles on vit; situation morale : *Un climat de bonne camaraderie règne ici* (syn. AMBIANCE, ATMOSPHÈRE).

CLIN n. m. ⟶ CLIGNER.

1. CLINIQUE [klinik] adj. (du gr. *klinê*, lit). Qui se fait près du lit du malade; qui s'établit d'après l'observation directe du malade et non d'après la théorie : *Examen clinique.* ‖ *Signes cliniques*, signes ou symptômes que le médecin peut observer par la vue, le toucher, etc. ◆ **clinicien** n. m. Médecin qui étudie les maladies par l'observation directe des malades.

2. CLINIQUE [klinik] n. f. (même étym.). Établissement de soins privé, réservé surtout à la chirurgie ou à l'obstétrique*.

CLINKER [kliŋkœr] n. m. (mot angl. signif. *scorie*). Produit de la cuisson des constituants du ciment à la sortie du four, mais avant broyage.

CLINQUANT, E [klɛ̃kɑ̃, -ɑ̃t] adj. (de l'anc. fr. *clinquer*, faire du bruit). Qui a plus d'éclat extérieur que de valeur : *Phrases clinquantes* (syn. RONFLANT). ◆ **clinquant** n. m. **1.** Fine lamelle de métal brillant, employée comme ornement sur un tissu. — **2.** Ornement brillant, mais de médiocre valeur : *Bijoux de clinquant.*

CLIO. *Myth. gr.* Muse de la Poésie épique et de l'Histoire.

1. CLIP [klip] n. m. (mot. angl. signif. *pince*). Agrafe ou broche munie d'un ressort.

2. CLIP [klip] n. m. (mot angl. signif. *extrait*). Court métrage cinématographique ou vidéo qui illustre une chanson, qui présente le travail d'un artiste. (On dit aussi VIDÉO-CLIP.)

CLIPPER [klipœr] n. m. (mot angl. signif. *qui coupe [les flots]*). Voilier rapide très employé au XIXe s.

CLIPPERTON *(île)*, îlot du Pacifique, disputé entre le Mexique et la France, attribué à celle-ci par arbitrage du roi d'Italie (1931).

1. CLIQUE [klik] n. f. (de l'anc. fr. *cliquer*, faire du bruit). *Péjor.* Groupe de personnes qui s'unissent pour intriguer ou nuire.

2. CLIQUE [klik] n. f. (même étym.). Ensemble des tambours et des clairons d'un régiment.

3. CLIQUES [klik] n. f. pl. (de l'onomat. *clic-clac*). Fam. *Prendre ses cliques et ses claques*, s'en aller promptement (syn. DÉCAMPER, DÉGUERPIR).

CLIQUET [klikɛ] n. m. (de l'anc. fr. *cliquer*, faire du bruit). Petit levier destiné à permettre le mouvement d'une roue dentée dans un seul sens.

CLIQUETER [klikte] v. i. (de l'anc. fr. *cliquer*, faire du bruit). [Conj. **8.**] (Sujet nom de chose.) Produire un bruit d'entrechoquement : *Les convives étaient à table : on entendait cliqueter les couverts.* ◆ **cliquetis** [klikti] n. m. Ensemble des bruits produits par de menus chocs : *Le cliquetis d'une machine à écrire.*

CLISSE [klis] n. f. (de *claie*, et *éclisse*). **1.** Petite claie pour égoutter les fromages. — **2.** Enveloppe d'osier, de jonc, pour bouteilles.

CLISSON, ch.-l. de cant. de la Loire-Atlantique, à 29 km au S.-E. de Nantes, sur la Sèvre Nantaise; 5 000 hab. *(Clissonnais).*

CLISTHÈNE, homme d'État athénien (VIe s. av. J.-C.). Fondateur de la démocratie athénienne, il institua l'ostracisme (= exil des citoyens suspects d'intentions politiques douteuses) pour lutter contre la tyrannie.

CLITORIS [klitɔris] n. m. (gr. *kleitoris*). *Anat.* Petit organe érectile de la vulve.

CLIVE DE PLASSEY (Robert, *baron*), administrateur britannique (1725-1774). Il substitua l'influence britannique à celle des Français sur une partie de l'Inde.

CLIVER [klive] v. t. (néerl. *klieven*, fendre). Tailler une pierre, un minéral, en épaisseur, en utilisant le sens des feuillets qui les constituent. ◆ **clivage** n. m. **1.** Action de cliver. — **2.** Distinction, répartition selon certains niveaux : *Le clivage des couches sociales* (syn. DÉLIMITATION).

CLOAQUE [klɔak] n. m. (lat. *cloaca*, égout). **1.** Endroit très sale, où croupissent des eaux, où traînent des ordures : *La cour de ferme, envahie de purin, était un vrai cloaque* (syn. BOURBIER). — **2.** Réceptacle situé à la portion terminale de l'intestin, chez les oiseaux, les reptiles et les batraciens.

CLOCHARD, E [klɔʃar, -ard] n. (du lat. *cloppus*, boiteux). *Fam.* Personne sans domicile, menant une vie oisive et misérable (syn. SANS-LOGIS, VAGABOND).

CLOCHE [klɔʃ] n. f. (bas lat. *clocca*). **1.** Instrument de métal (généralement du bronze) en forme de coupe renversée, que l'on fait sonner en le frappant avec un marteau ou un battant : *Les cloches de l'église.* — **2.** Couvercle en verre, de forme bombée, destiné à protéger des aliments, des plantes : *Cloche à fromage.* — **3.** *Cloche à plongeur*, appareil en forme de cloche, permettant de travailler sous l'eau. — **4.** *Chapeau cloche* ou *cloche*, chapeau à bord évasé et rabattu tout autour. ‖ Pl. des *chapeaux cloches.* — **5.** Fam. *Son de cloche*, façon de présenter un récit, aspect d'une question. — **6.** Fam. *Déménager à la cloche de bois*, déménager clandestinement. ◆ **clocher** n. m. **1.** Tour qui contient les cloches d'une église. — **2.** Fam. *Revoir, retrouver son clocher*, revenir avec plaisir dans son pays natal, dans la ville ou le village où l'on a longtemps vécu. — **3.** Fam. *Esprit de clocher*, attachement au cercle étroit des choses et des gens qui vous entourent habituellement. ‖ *Querelles, rivalités de clocher*, qui n'ont qu'un intérêt local. ◆ **clocheton** n. m. Petit clocher ou simple ornement architectural en forme de pyramide ou de cône. ◆ **clochette** n. f. **1.** Petite cloche (syn. CLARINE). — **2.** Corolle de certaines fleurs rappelant la forme d'une cloche : *Les clochettes du muguet.*

1. CLOCHER n. m. ⟶ CLOCHE.

2. CLOCHER [klɔʃe] v. i. (du lat. *cloppus*, boiteux) [sujet nom de chose]. *Fam.* Aller de travers, ne pas fonctionner ou ne pas se dérouler normalement. ◆ **cloche-pied (à)** loc. adv. *Marcher, courir*, etc. *à cloche-pied*, en sautant sur un pied.

CLOCHETON n. m., **CLOCHETTE** n. f. ⟶ CLOCHE.

CLOISON [klwazɔ̃] n. f. (du lat. *clausus*, clos). **1.** Mur léger ou paroi mince séparant les pièces d'une maison, les cases d'une boîte, etc. ‖ *Cloison étanche*, paroi métallique qui divise un navire en compartiments étanches pour limiter l'envahissement de l'eau en cas de perforation de la coque. — **2.** *Anat.* Paroi séparant deux cavités dans un organisme : *La cloison du nez, du cœur.* ◆ **cloisonné, e** adj. et n. m. Se dit des émaux dont les motifs sont séparés par de minces cloisons verticales retenant la matière vitrifiée. ◆ **cloisonner** v. t. Séparer par des cloisons. ◆ **cloisonnage** ou **cloisonnement** n. m. Action de cloisonner; dispositif en cloisons.

CLOÎTRE [klwatr] n. m. (lat. *claustrum*). **1.** Galerie couverte encadrant la cour d'un monastère. — **2.** Syn. de COUVENT. ◆ **cloîtrer** v. t. *Cloîtrer qq'un*, l'enfermer dans un cloître. ◆ ***se cloîtrer*** v. pr. ou ***être cloîtré*** v. passif (sujet nom de personne). Se tenir ou être tenu étroitement enfermé dans un lieu : *Il vit cloîtré chez lui.*

CLONE [klɔn] n. m. (gr. *klôn*, jeune pousse). Ensemble des descendants ou des fragments régénérés d'un individu unique (animal ou végétal) : *Les boutures d'un même géranium sont des clones.*

CLOPINER [klɔpine] v. i. (de l'anc. fr. *clopin*, boiteux). *Fam.* Boiter quelque peu, marcher avec difficulté (syn. BOITILLER). ◆ **clopin-clopant** loc. adv. (sujet nom de personne). *Aller, marcher clopin-clopant*, aller en boitant, en traînant la jambe.

CLOPORTE [klɔpɔrt] n. m. (de *clore*, et *porte*). Crustacé terrestre à respiration branchiale, atteignant 2 cm de long, qui vit sous les pierres et dans les lieux sombres et humides. (Ordre des isopodes.)

CLOQUE [klɔk] n. f. (forme picarde de *cloche*). **1.** Boursouflure qui se développe sur les feuilles du pêcher sous l'action d'un champignon parasite. — **2.** Enflure locale de la peau, ou simplement de l'épiderme, causée en général par une brûlure, par un contact irritant, etc. ◆ **cloquer** v. i. Former des cloques, des boursouflures.

CLORE [klɔr] v. t. (lat. *claudere*). [Conj. **81.**] **1.** Syn. de FERMER (littér. et dans quelques loc.) : *Clore une lettre* (syn. CACHETER). *Nous avons trouvé porte close* (= il n'y avait personne pour nous ouvrir). *Clore le bec* (= faire taire). *Clore la marche* (= marcher le dernier de tous). — **2.** *Clore un terrain*, l'entourer d'une clôture. — **3.** *Clore qqch.*, y mettre un terme, en marquer la fin : *Clore le débat* (*la séance, l'enquête*, etc.) [contr. OUVRIR]. — **4.** *L'incident est clos*, mettons fin à cette querelle, qu'il n'en soit plus question. ◆ **clos, e** adj. *Champ clos*, autref., terrain entouré de barrières, pour les tournois, les combats singuliers. ‖ *Huis clos* ⟶ HUIS. ‖ *En vase clos*, sans contact avec l'extérieur : *Une expérience chimique réalisée en vase clos. Un enfant élevé en vase clos.* ◆ **clos** n. m. **1.** Terrain cultivé ou pré entouré d'une clôture. — **2.** Vignoble : *Le clos Vougeot.* — **3.** *Le clos et le couvert*, la clôture et la couverture de l'habitation (langue admin.).

CLOTAIRE, nom de quatre rois mérovingiens, dont : CLOTAIRE Ier (497-561), roi de Soissons (511-558), roi des Francs (558-561), dernier fils de Clovis; CLOTAIRE II (584-629), roi de Neustrie (584-629), roi des Francs (613-629), fils de Chilpéric Ier et de Frédégonde.

CLOTILDE *(sainte)*, princesse burgonde (v. 475-545), fille de Chilpéric. Elle épousa Clovis Ier, roi des Francs, et contribua à la conversion de celui-ci au catholicisme.

CLÔTURE [klotyr] n. f. (lat. *clausura*). **1.** Toute enceinte qui ferme l'accès d'un terrain (mur, haie, grillage, palissade, etc.). — **2.** Action de fermer, de clore, de clôturer : *La clôture du magasin* (syn. FERMETURE). *La séance de clôture d'un congrès* (= dernière séance). — **3.** Partie d'un monastère où ne peuvent pénétrer les personnes étrangères. ◆ **clôturer** v. t. Syn. le plus usuel de CLORE, aux sens 2 et 3 de ce mot : *Clôturer un terrain. Clôturer un débat par un vote.*

1. CLOU [klu] n. m. (lat. *clavus*). **1.** Tige de métal ayant une pointe et une tête, et destinée à être plantée, en général pour fixer ou consolider, accrocher quelque chose. — **2.** (au plur.) Fam. *Les clous*, le passage clouté. ◆ **clouer** v. t. **1.** *Clouer une chose*, la fixer avec un ou plusieurs clous : *Clouer le couvercle d'une caisse.* — **2.** *Clouer qq'un*, le réduire à l'immobilité : *Une crise de rhumatisme l'a cloué au lit.* ◆ **déclouer** v. t. Contr. de CLOUER au sens 1 : *Déclouer une caisse.* ◆ **reclouer** v. t. : *Reclouer une planche de la palissade.* ◆ **clouter** v. t. **1.** Garnir de clous (surtout au part. passé) : *Faire clouter des chaussures. Une porte cloutée.* — **2.** *Passage clouté*, double rangée de clous à large tête plantés en travers d'une chaussée pour y marquer un passage destiné en priorité aux piétons. ◆ **cloutage** n. m. Ensemble de clous disposés d'une certaine façon.

2. CLOU [klu] n. m. (de *clou* 1). **1.** *Clou de girofle*, bouton à fleur du giroflier, desséché au soleil et employé comme épice. — **2.** *Méd.* Nom usuel du FURONCLE.

3. CLOU [klu] n. m. (de *clou* 1). Fam. *Le clou d'une fête, d'un spectacle, d'un festin*, la partie la mieux réussie, la plus brillante.

CLOUER v. t. ⟶ CLOU 1.

CLOUET (les), peintres et dessinateurs probablement d'origine flamande, mais qui occupent une place importante dans l'art français. JEAN (v. 1475-1541) illustra de miniatures le manuscrit de *la Guerre gallique* et dessina des portraits, représentant plusieurs fois François Ier. — Son fils FRANÇOIS (v. 1520-1572) a laissé des portraits, notamment des dessins, des grands personnages de son temps.

CLOUTAGE n. m., **CLOUTER** v. t. ⟶ CLOU 1.

CLOVIS Ier (465-511), fondateur de la monarchie franque.

- *481. Clovis devient roi des Francs Saliens de Tournai à la mort de son père Childéric Ier.*
- *486. Il bat Syagrius à Soissons et acquiert tous les territoires encore tenus par Rome entre la Somme et la Seine.*
- *497 ou 499. Après avoir vaincu les Alamans, il se fait baptiser.*

Devenu ainsi le seul roi barbare catholique, il reçoit l'appui du clergé gallo-romain, grâce auquel il occupe pacifiquement le pays situé entre Seine et Loire.

- *507. Allié au roi burgonde Gondebaud, qu'il avait vaincu en 500, il bat les Wisigoths à Vouillé et s'empare de l'Aquitaine.*
- *509. Les Francs Ripuaires une fois soumis, son royaume s'étend du Rhin aux Pyrénées.*

Seul roi de presque toute la Gaule, Clovis reçoit de l'empereur d'Orient le titre de *patrice* et protège le catholicisme.

- *511. À sa mort, son royaume est partagé entre ses quatre fils.*

CLOVISSE [klɔvis] n. f. (prov. *clauvisso;* de *claus*, qui se ferme). Nom donné à des mollusques bivalves comestibles qu'on trouve en Méditerranée. (Ailleurs, on les appelle PALOURDES.)

CLOWN [klun] n. m. (mot angl.). **1.** Au cirque, artiste chargé de divertir les spectateurs par des acrobaties, des bouffonneries. — **2.** Celui qui divertit les autres par sa drôlerie : *Faire le clown* (syn. fam. GUIGNOL, PITRE, SINGE). ◆ **clownerie** [klunri] n. f. Farce, drôlerie de clown (syn. FACÉTIE [langue soignée], PITRERIE, SINGERIE [fam.]). ◆ **clownesque** adj. Digne d'un clown.

1. CLUB [klœb] n. m. (mot angl.). **1.** Société politique : *Le club des Jacobins.* — **2.** Société littéraire, ou cercle plus ou moins aristocratique, où l'on se réunit pour causer, lire, jouer. — **3.** Association sportive ou touristique : *Le Touring Club de France.*

2. CLUB [klœb] n. m. (mot angl.). Canne de golf.

CLUJ-NAPOCA, ancienn. **Cluj,** v. de Roumanie, en Transylvanie. Principal centre de Transylvanie; 212 700 hab.

CLUNISIEN, ENNE [klynizjɛ̃, -ɛn] adj. Relatif à l'ordre de Cluny. ◆ **cluniste** n. m. Religieux de l'ordre de Cluny.

CLUNY, ch.-l. de cant. de Saône-et-Loire, à 24 km au N.-O. de Mâcon; 4 700 hab. *(Clunisois).*

- *910. Fondation par Guillaume le Pieux, duc d'Aquitaine, d'une abbaye dépendant directement du pape et non des évêques.*

Sa règle est celle de saint Benoît, mais le travail manuel e pratiquement supprimé en faveur de l'office divin et des activit intellectuelles.

- *931. Le pape permet à l'abbaye de mettre sous son autorité tout celles dont elle entreprendra la réforme. La règle clunisienne répand alors dans toute la chrétienté.*
- *1095. Consécration de l'abbatiale, le plus vaste monument d l'Occident, chef-d'œuvre de l'art roman. (Elle fut en grand partie détruite au XIXe s.)*

L'apogée de l'ordre se situe au XIIe s. : il compte alors 1 038 maisons et possède de puissants moyens d'action.

Cluny *(hôtel* et *musée de)*, hôtel du XVe s., situé à Paris. Il renferme les ruines du palais de Julien, appelé les *Thermes de Lutèce*, et un musée consacré à l'évocation de la vie au Moyen Âge.

CLUPÉIDÉS [klypeide] n. m. pl. (du lat. *clupea*, alose). Famille de poissons osseux, marins ou d'eau douce, comprenant l'*alose*, le *hareng*, la *sardine*, le *sprat*.

CLUSAZ (La), comm. de la Haute-Savoie, à 26 km au S. de Bonneville; 1 700 hab. *(Clusassiens).* Station touristique à 1 040 m d'alt.

CLUSE [klyz] n. f. (lat. *clusa*, endroit fermé). *Géogr.* Gorge entaillée par une rivière transversale dans l'anticlinal d'un plissement de type jurassien.

CLUSES, ch.-l. de cant. de la Haute-Savoie, à 15 km à l'E. de Bonneville, dans la cluse de l'Arve; 15 900 hab. *(Clusiens).* École nationale d'horlogerie.

CLYDE (la), fl. d'Écosse, qui arrose Glasgow et rejoint la mer d'Irlande; 170 km.

CLYTEMNESTRE. *Myth. gr.* Épouse d'Agamemnon, mère d'Iphigénie. Ne pouvant pardonner la mort de sa fille (son père l'avait sacrifiée aux dieux), elle tua Agamemnon et fut tuée par son fils Oreste.

CNOSSOS, v. de la Crète antique. Son palais fut la résidence princière de la dynastie de Minos et fut détruit par un tremblement de terre au XVIIIe s. av. J.-C. Une véritable ville fut fondée autour d'un second palais (1600-1400 av. J.-C.).

C. N. P. F., abrév. du *Conseil* national du patronat français.*

C. N. R. S., abrév. du *Centre national de la recherche* scientifique.*

CO-, préfixe issu du lat. *cum*, avec, qui entre dans la formation de nombreux mots pour indiquer la participation, la réunion.

COACCUSÉ, E n. → ACCUSER 1.

1. COACH [kotʃ] n. m. (mot angl.). Carrosserie fermée d'automobile, à deux portes, dont le dossier des sièges avant se rabat pour permettre l'accès aux places arrière.

2. COACH [kotʃ] n. m. Entraîneur d'une équipe, d'un sportif de haut niveau.

COACQUÉREUR n. m. → ACQUÉRIR.

COADJUTEUR [kɔadʒytœr] n. m. (de *co-*, et lat. *adjutor*, aide). Ecclésiastique désigné pour aider un évêque, un archevêque à exercer ses fonctions.

COAGULER [kɔagyle] v. t. (lat. *coagulare*). *Coaguler un liquide*, le faire figer, lui donner une consistance solide : *La présure coagule le lait* (syn. usuel FAIRE CAILLER). ◆ v. i. ou **se coaguler** v. pr. : *Le sang coagule à l'air* (syn. FIGER ou SE FIGER). ◆ **coagulant, e** adj. et n. m. Qui a la propriété de coaguler. ◆ **anticoagulant, e** adj. et n. m. Qui empêche la coagulation du sang. ◆ **coagulation** n. f. Phénomène par lequel un liquide organique (sang, lymphe, lait) se prend en une masse solide, ou *coagulum* (= caillot). → ENCYCL.

— ENCYCL. La *coagulation du sang* est un phénomène très complexe, qui aboutit à la transformation du *fibrinogène*, corps normalement dissous dans le sang, en *fibrine*, corps insoluble qui va former un réseau de filaments, une sorte de filet emprisonnant les globules rouges et blancs; ainsi se forme le *caillot* qui laisse surnager le *sérum* (plasma dépourvu de fibrinogène). Sous l'action d'autres substances, ce caillot se dissout après un certain temps.

La *coagulation* est déclenchée, semble-t-il, par toute anomalie de la paroi des vaisseaux (blessure, en particulier). Elle ne se produit pas dans un vaisseau sanguin normal.

■ *Les maladies de la coagulation.* Elles sont très nombreuses, et importantes à connaître.

Parfois, *le sang coagule trop vite* et bouche les vaisseaux par des caillots anormaux : on parle de *thrombose vasculaire*. Si les caillots se détachent et sont emportés par le sang, émigrent dans d'autres territoires, ils peuvent provoquer une *embolie*.

Parfois, *le sang ne coagule pas assez vite* et expose à des hémorragies. Ces troubles s'observent dans les maladies du foie, les déficits en vitamine K, l'hémophilie.

COALESCENCE [kɔalɛsɑ̃s] n. f. (du lat. *coalescere*, croître ensemble). *Chim.* Action par laquelle les granules d'une suspension colloïdale ou les gouttelettes d'une émulsion s'unissent pour former des granules ou des gouttelettes plus volumineuses.

COALITION [kɔalisjɔ̃] n. f. (du lat. *coalescere*, s'unir). **1.** Réunion de forces, d'intérêts divers, d'États, de partis, réalisée occasionnellement pour agir puissamment contre un État, un homme, une politique, etc. : *Le ministère a été renversé par une coalition des partis de la gauche et du centre. Être victime d'une coalition d'intérêts opposés* (syn. ALLIANCE). — **2.** Nom donné aux ligues conclues par les puissances européennes contre la France de Louis XIV, de la Révolution et de l'Empire. → ENCYCL. ◆ **coaliser** v. t. Unir les forces de plusieurs personnes, de plusieurs peuples contre un autre (syn. ↓GROUPER, RASSEMBLER). ◆ **se coaliser** v. pr. : *Trois des candidats se sont coalisés contre le quatrième* (syn. S'UNIR). ◆ **coalisé, e** adj. et n. : *Les puissances coalisées* (syn. ALLIÉ).

— ENCYCL. Il y eut trois *coalitions* contre Louis XIV :

	MEMBRES DE LA COALITION	PRINCIPAUX TRAITÉS
première coalition	Provinces-Unies, Brandebourg, Empire, Espagne (1673-1674)	paix de Nimègue (1678)
deuxième coalition	« Ligue d'Augsbourg » (Espagne, Empire, quelques princes allemands) [1686], Provinces-Unies (1688), Angleterre et Bavière (1689), Savoie (1690)	paix de Ryswick (1697)
troisième coalition	« Grande Alliance de La Haye » (Angleterre, Provinces-Unies, Empire, Prusse, Palatinat, Saxe, Mayence, Trèves) [1701]	traités d'Utrecht (1713) et de Rastatt (1714)

Sous la Révolution et l'Empire, il y eut sept coalitions. → tableau ci-dessous.

COALTAR [koltar] n. m. (de l'angl. *coal*, charbon, et *tar*, goudron). Anc. appellation du GOUDRON DE HOUILLE.

COASSER [kɔase] v. i. (du gr. *koax*, onomat.) [sujet nom désignant une grenouille]. Faire entendre des cris. ◆ **coassement** n. m. Cri de la grenouille, du crapaud.

COASSOCIÉ, E n. → ASSOCIER.

	MEMBRES DE LA COALITION	PRINCIPALES BATAILLES	PRINCIPAUX TRAITÉS
première coalition (1793)	Angleterre, Russie, Sardaigne, Espagne, Naples, Prusse, Autriche, Empire, Bade, Hesse, Toscane, Hanovre	Neerwinden (18 mars 1793) Hondschoote (6 sept. 1793) Fleurus (26 juin 1794) campagne d'Italie (1796-1797)	traités de Paris, de Bâle et de La Haye (1795) traité de Campoformio (1797)
deuxième coalition (1799)	Angleterre, Deux-Siciles, Turquie, Russie, Autriche	Zurich (sept. 1799) Marengo (14 juin 1800) Hohenlinden (3 déc. 1800)	paix de Lunéville (1801) et d'Amiens (1802)
troisième coalition (1805)	Angleterre, Russie, Autriche	Ulm (20 oct. 1805) Austerlitz (2 déc. 1805)	paix de Presbourg (1805)
quatrième coalition (1806)	Russie, Angleterre, Prusse	Iéna, Auerstaedt (14 oct. 1806) Eylau (8 fév. 1807) Friedland (14 juin 1807)	traités de Tilsit (1807)
cinquième coalition (1809)	Angleterre, Autriche	Wagram (5-6 juil. 1809)	paix de Vienne (1809)
sixième coalition (1813)	Angleterre, Russie, Prusse, Autriche, Suède	Leipzig (16-19 oct. 1813) campagne de France (1814)	traité de Paris (1814)
septième coalition (1815)	Angleterre, Russie, Autriche, Prusse (« pacte de Chaumont »)	Waterloo (18 juin 1815)	2e traité de Paris (1815)

COASSURANCE n. f. ⟶ ASSURER 3.

COAST RANGE (« Chaîne côtière »), chaîne montagneuse de l'Amérique du Nord, bordant l'océan Pacifique de la Colombie britannique à la Californie, sur 3 700 km; 2 706 m d'alt. dans les monts Klamath.

COATI [kɔati] n. m. (mot du Brésil). Mammifère de l'Amérique du Sud, à corps et à museau allongés, chassant lézards et insectes. (Ordre des carnassiers.)

COAUTEUR n. m. ⟶ AUTEUR.

COBALT [kɔbalt] n. m. (all. *Kobalt*). Métal (Co) blanc rougeâtre, dur et cassant, fondant vers 1 490 °C, et de densité 8,8. (Ce métal est employé en alliage avec le cuivre, le fer et l'acier, et dans la préparation de certains colorants, en général bleus.) ‖ *Cobalt 60*, isotope radio-actif du cobalt, utilisé dans le traitement du cancer.

COBAYE [kɔbaj] n. m. (mot indigène d'Amérique). **1.** Petit mammifère rongeur d'Amérique du Sud, élevé surtout pour faire des expériences de laboratoire, et appelé aussi COCHON D'INDE. — **2.** Personne sur qui on tente une expérience.

COBDEN (Richard), industriel, économiste et homme politique britannique (1804-1865). Il fit campagne en faveur du libre-échange et préconisa, en politique étrangère, la conciliation et la non-intervention.

COBELLIGÉRANT, E adj. et n. ⟶ BELLIGÉRANT.

COBLENCE, en all. **Koblenz,** v. d'Allemagne (Rhénanie-Palatinat), au confluent de la Moselle et du Rhin; 119 400 hab. Coblence fut pendant la révolution le lieu de ralliement des émigrés français.

COBOURG, v. d'Allemagne, en Bavière, au pied du Thüringerwald; 42 900 hab.

COBRA [kɔbra] n. m. (mot portug.). Nom usuel du NAJA, serpent très commun dans l'Inde. Il possède une glande à venin et sa morsure peut être mortelle. Le cobra est caractérisé par son pouvoir d'élargir et d'aplatir la région de son cou, ce qui fait apparaître sur la face dorsale un ornement en forme de lunettes, d'où son surnom de SERPENT À LUNETTES. (Famille des colubridés.)

COCA [kɔka] n. m. (mot esp.). Arbuste du Pérou, dont les feuilles ont des propriétés stimulantes et renferment un alcaloïde, la *cocaïne*. ◆ n. f. Substance extraite des feuilles de cette plante. ◆ **cocaïne** [kɔkain] n. f. Alcaloïde extrait des feuilles de coca, utilisé comme anesthésique local en médecine et avec laquelle certains s'intoxiquent volontairement (cette drogue est une des plus dangereuses). ◆ **cocaïnomane** n. Personne qui se drogue à la cocaïne.

COCAGNE [kɔkaɲ] n. f. (orig. obscure). *Mât de cocagne*, dans les fêtes publiques, mât glissant, au sommet duquel sont suspendus divers objets qu'il faut aller décrocher. ‖ *Pays de cocagne*, pays imaginaire où l'on vit heureux, ayant à volonté tout, et sans peine. ‖ *Vie de cocagne*, celle où l'on goûte toutes sortes de plaisirs.

COCAÏNE n. f., **COCAÏNOMANE** n. ⟶ COCA.

COCARDE [kɔkard] n. f. (de l'anc. fr. *coquart*, vaniteux). Emblème ou insigne circulaire aux couleurs nationales, souvent en tissu plissé, parfois simplement peint : *Avoir une cocarde à la boutonnière. Les avions militaires portent des cocardes indiquant leur nationalité.* ◆ **cocardier, ère** adj. *Péjor.* Se dit de quelqu'un (ou d'écrits, de paroles) qui exprime un amour excessif des décorations, de la gloire militaire : *Patriotisme cocardier.*

COCASSE [kɔkas] adj. (de l'anc. adj. *coquard*, vantard). Se dit de quelqu'un, de quelque chose qui est d'une bizarrerie comique : *Une histoire cocasse* (syn. ↓DRÔLE). ◆ **cocasserie** n. f. : *La cocasserie du quiproquo nous fit éclater de rire.*

COCCINELLE [kɔksinɛl] n. f. (du lat. *coccinus*, écarlate). Insecte coléoptère, appelé aussi BÊTE À BON DIEU, utile, car il se nourrit de pucerons. (L'espèce la plus commune possède des élytres orangés garnis de sept points noirs.)

COCCYX [kɔksis] n. m. (gr. *kokkux*, coucou). *Anat.* Pièce osseuse, triangulaire et aplatie, située à l'extrémité inférieure du sacrum et formée par la soudure des dernières vertèbres, atrophiées.

COCHABAMBA, v. de Bolivie, dans un bassin de la Cordillère orientale; 149 900 hab. Raffinage du pétrole.

1. COCHE [kɔʃ] n. m. (all. *Kutsche*). **1.** Grande diligence dans laquelle on voyageait. — **2.** *Manquer le coche*, laisser passer une occasion favorable, arriver trop tard. ‖ *La mouche du coche*, personne qui montre un zèle excessif et inutile (par allus. à la fable de La Fontaine).

2. COCHE [kɔʃ] n. m. (bas lat. *caudica*, sorte de canot). *Coche d'eau*, bateau tiré par des chevaux sur le chemin de halage, qui transportait des voyageurs et des marchandises.

3. COCHE [kɔʃ] n. f. (bas lat. *cocca*). Entaille faite dans un corps solide; marque, signe. ◆ **cocher** v. t. Marquer d'un trait, d'un repère : *Cocher un nom sur une liste.*

COCHENILLE [kɔʃnij] n. f. (esp. *cochinilla*, cloporte). Insecte homoptère voisin des pucerons, souvent nuisible aux plantes cultivées, mais dont une espèce fournissait autref. un colorant, le *carmin.*

1. COCHER v. t. ⟶ COCHE 3.

2. COCHER [kɔʃe] n. m. (de *coche* 1). Conducteur d'une voiture tirée par un ou plusieurs chevaux et destinée au transport des personnes.

COCHÈRE [kɔʃɛr] adj. f. (de *coche* 1). *Porte cochère*, dans un immeuble, grande porte à deux battants donnant sur la rue et permettant le passage des voitures.

COCHIN, port de l'Inde (Kerala), sur la côte de Malabār; 438 400 hab. (avec Ernākulam et Alwaye). En 1502, Vasco de Gama y établit un comptoir portugais.

COCHINCHINE, région constituant l'extrémité méridionale de la république du Viêt-nam, sur le golfe du Siam et la mer de Chine méridionale. V. pr. *Hô Chi Minh-Ville* (ancienn. *Saigon*).

La Cochinchine fut longtemps comprise dans l'empire khmer du Cambodge.

- *1698. À partir de cette date, la Cochinchine moderne se constitue au profit de la dynastie vietnamienne des Nguyên.*
- *1859. Occupation de Saigon par l'amiral Rigault de Genouilly.*
- *1867. L'ensemble du pays est soumis à la France.*
- *1887. La Cochinchine devient une colonie française comprise dans l'Union indochinoise.*
- *1949. La Cochinchine fait désormais partie du Viêt-nam.*

1. COCHON [kɔʃɔ̃] n. m. (orig. obscure). **1.** Mammifère domestique, voisin du sanglier, élevé pour sa chair : *Le cochon grogne.* — **2.** *Cochon de lait*, petit cochon qui tète encore. ‖ *Cochon d'Inde*, syn. usuel de COBAYE. ‖ *Cochon de mer*, syn. de MARSOUIN. ◆ **cochonnaille** n. f. *Fam.* Viande de porc; charcuterie. ◆ **cochonnet** n. m. Petit cochon.

2. COCHON, ONNE [kɔʃɔ̃, -ɔn] adj. et n. (de *cochon* 1). *Fam.* Sale, dégoûtant, physiquement ou moralement. ◆ **cochonner** v. t. Fam. *Cochonner qqch.*, l'exécuter salement, sans soin; le mettre en mauvais état. ◆ **cochonnerie** n. f. **1.** *Fam.* Saleté; objet ou parole sale. — **2.** *Fam.* Objet de mauvaise qualité.

1. COCHONNET [kɔʃɔnɛ] n. m. ⟶ COCHON 1.

2. COCHONNET [kɔʃɔnɛ] n. m. (de *cochon*). Petite boule servant de but à la pétanque.

COCKCROFT (*sir* John Douglas), physicien anglais (1897-1967). Il réalisa avec Walton, en 1932, les premières transmutations de la matière.

COCKER [kɔkɛr] n. m. (mot angl.). Chien de chasse à poil long et à oreilles tombantes, à robe noire ou rousse.

COCKPIT [kɔkpit] n. m. (mot angl.). **1.** Dans un yacht, réduit étanche, à l'arrière, où se tient le barreur et parfois l'équipage. — **2.** Dans un avion, emplacement du pilote.

COCKTAIL [kɔktɛl] n. m. (mot angl.). **1.** Boisson obtenue en mélangeant des alcools, des sirops, parfois des aromates. — **2.** Œuvre faite d'un mélange d'éléments très divers. — **3.** Réception en fin de journée. — **4.** *Cocktail Molotov*, bouteille remplie d'essence utilisée comme explosif.

1. COCO [koko] n. m. (mot portug.). *Noix de coco*, fruit comestible du cocotier, utilisé notamment en pâtisserie. (La partie consistante de l'amande, le *coprah*, fournit une graisse végétale, le résidu servant d'aliments aux bestiaux. La partie liquide, ou *lait de coco*, est comestible et sucrée.) ◆ **cocoteraie** n. f. Lieu planté de cocotiers. ◆ **cocotier** n. m. Palmier des régions tropicales, atteignant 25 m de haut, et dont le fruit est la noix de coco.

2. COCO [koko] n. m. (de *lait de coco*). Boisson rafraîchissante à base de réglisse et de citron.

COCON [kɔkɔ̃] n. m. (prov. *coucoun*). Enveloppe soyeuse dans laquelle vivent les chrysalides des vers à soie et des araignées.

COCORICO [kɔkɔriko] interj. et n. m. Onomat. imitant le cri du coq.

COCOTERAIE n. f., **COCOTIER** n. m. ⟶ COCO 1.

1. COCOTTE [kɔkɔt] n. f. (onomat.). **1.** Poule (langage enfantin). — **2.** *Cocotte en papier*, morceau de papier plié de telle façon qu'il présente quelque ressemblance avec une poule. — **3.** *Fam.* Femme de mœurs légères.

2. COCOTTE [kɔkɔt] n. f. (orig. incert.). Petite marmite à anses avec un couvercle, servant à cuire les aliments à feu doux et prolongé.

COCTEAU (Jean), écrivain français (1889-1963). La primauté qu'il donnait à la poésie a marqué : ses romans (*Thomas l'Imposteur*, 1923; *les Enfants terribles*, 1929); son théâtre, où il renouvelle les grands thèmes des légendes grecques, montrant l'homme face à un destin aveugle qui l'écrase mais luttant pour être libre (*Orphée*, 1927; *la Machine infernale*, 1934); ses films, où son attirance vers le surréalisme et son goût pour le merveilleux s'expriment dans *le Sang d'un poète* (1930), *la Belle et la Bête* (1946), *Orphée* (1949), *le Testament d'Orphée* (1959).

Dessinateur et peintre, il a contribué à la diffusion du cubisme et a décoré plusieurs chapelles (Villefranche-sur-Mer, Milly-la-Forêt).

COCU, E [koky] n. et adj. (de *coucou*). *Fam.* Époux, épouse trompés.

COD *(cap)*, cap de la côte est des États-Unis (Massachusetts).

CODA [kɔda] n. f. (mot it.). *Mus.* Période vive et bruyante, qui sert de conclusion à un morceau de musique.

CODAGE n. m. ⟶ CODE 2.

1. CODE [kɔd] n. m. (lat. *codex*). **1.** Recueil de lois ou de règlements : *Le Code civil ou code Napoléon. Le Code pénal.* ‖ *Code de la route*, ensemble de la législation concernant la circulation routière. — **2.** Ensemble des conventions en usage dans un domaine déterminé : *Le code de la politesse, de l'honneur.* ◆ **codifier** v. t. *Codifier qqch.*, lui donner la forme d'un système organisé de principes, en établir les règles : *Vaugelas s'efforça de codifier le bon usage de la langue.* ◆ **codification** n. f.

2. CODE [kɔd] n. m. (même étym.). Système convenu (signes, lettres, chiffres) par lequel on transcrit ou on traduit un message : *Code secret.* ◆ **coder** v. t. Transcrire par un code en un autre langage : *Coder un message.* ◆ **codage** n. m. Action de coder. ◆ **décoder** v. t. Mettre en langage clair un message codé. ◆ **décodage** n. m. Syn. de DÉCHIFFREMENT.

CODÉINE [kɔdein] n. f. (du gr. *kôdeia*, tête de pavot). Produit extrait de l'opium : *La codéine calme la toux.*

CODER v. t. ⟶ CODE 2.

CODÉTENU, E n. ⟶ DÉTENIR 2.

CODEX [kɔdɛks] n. m. (mot lat.). Nom porté jusqu'en 1963 par la PHARMACOPÉE* française.

CODICILLE [kɔdisil] n. m. (du lat. *codex*, code). Disposition ajoutée à un testament pour le compléter, le modifier ou l'annuler.

CODIFICATION n. f., **CODIFIER** v. t. ⟶ CODE 1.

CODIVISEUR n. m. ⟶ DIVISER.

COÉDITEUR, TRICE adj. et n., **COÉDITION** n. f. ⟶ ÉDITER.

COEFFICIENT [kɔefisjɑ̃] n. m. *(co-*, et *efficient)*. **1.** Nombre fixant la valeur de chacune des épreuves d'un examen. — **2.** En mathématiques, le coefficient d'un monôme ax^n est le nombre réel a qui précède la partie littérale : *3 est le coefficient de* $3x^2$. — **3.** En physique, nombre caractérisant une propriété déterminée d'une substance : *Coefficient d'absorption.* — **4.** Facteur, pourcentage : *Coefficient d'erreur.*

CŒLACANTHE [selakɑ̃t] n. m. (du gr. *koilos*, creux, et *akantha*, épine). Poisson osseux de couleur bleu acier, dont les ancêtres remonteraient à 300 millions d'années, et qui peut être considéré comme intermédiaire entre les poissons et les amphibiens.

CŒLENTÉRÉS [selɑ̃tere] n. m. pl. (du gr. *koilos*, creux, et *enteron*, intestin). Vaste embranchement d'animaux (10 000 espèces), presque tous marins, dans lequel on trouve les *hydres*, les *méduses*, les *coralliaires*. (Le corps des cœlentérés est une cavité digestive à orifice unique. Ils ont des cellules venimeuses à filament déroulable. Leur reproduction se fait par œufs et souvent par simple bourgeonnement.)

CŒLIAQUE [seljak] adj. (du gr. *koilia*, ventre). *Anat.* Qui appartient aux viscères abdominaux. ‖ *Tronc cœliaque*, branche de l'aorte qui irrigue le foie, l'estomac, la rate et l'intestin.

COÉQUIPIER, ÈRE n. ⟶ ÉQUIPE.

COERCITION [kɔɛrsisjɔ̃] n. f. (du lat. *coercere*, contraindre). Action de contraindre quelqu'un à faire quelque chose (langue soignée). ◆ **coercitif, ive** adj. Se dit de quelque chose qui contraint : *Des lois coercitives.* ◆ **coercible** adj. Qu'on peut retenir, réprimer (surtout dans des express. négatives ou restrictives) : *Des impulsions difficilement coercibles.* ◆ **incoercible** adj. : *Un rire incoercible* (= un fou rire).

Coëtquidan, camp d'instruction militaire de Bretagne (Morbihan), à 45 km au S.-O. de Rennes, siège de l'École spéciale militaire de Saint-Cyr et de l'École militaire interarmes.

1. CŒUR [kœr] n. m. (lat. *cor, cordis*). **1.** Chez l'homme et les animaux supérieurs, muscle creux de forme ovoïde qui est situé au milieu du thorax. (C'est le principal organe de la circulation du sang.) — **2.** La région du cœur, le devant de la poitrine : *Serrer qq'un sur son cœur.* — **3.** L'estomac : *Avoir mal au cœur, avoir le cœur barbouillé* (= avoir la nausée).

— ENCYCL. *Description du cœur.* Le cœur de l'homme ressemble à une pyramide dont la pointe se trouve en avant et à gauche (on la sent battre sous le sein gauche).

C'est un muscle rouge qui est creusé de quatre cavités communiquant deux à deux, de telle sorte que les cavités droites ne communiquent pas avec les cavités gauches. Il y a ainsi une oreillette droite et une oreillette gauche, aux parois minces, communiquant avec le ventricule correspondant : ventricule droit ou ventricule gauche, à paroi épaisse, puissante.

Entre l'oreillette et le ventricule correspondant se trouvent les valvules auriculo-ventriculaires droite et gauche : elles sont formées par un orifice bordé de lames disposées en entonnoir (les valves) et reliées aux parois du ventricule par des cordages de différents types. Ces valves s'écartent lorsque le sang passe de l'oreillette vers le ventricule, se rapprochent et ferment l'orifice dans le cas inverse.

De chaque ventricule part une artère : l'artère pulmonaire à droite, l'aorte à gauche, dont l'orifice est équipé par un système de valves, les valvules sigmoïdes, pulmonaire et aortiques, formées par trois replis internes des parois, qui, par leur disposition en nid d'hirondelle, permettent la sortie du sang du ventricule dans l'artère, et non le passage inverse.

Les vaisseaux partant ou aboutissant au cœur sont importants à connaître :

dans l'oreillette droite arrivent les deux veines caves; la supérieure ramène le sang bleu de la tête et des bras, l'inférieure le sang bleu du tronc et des membres inférieurs;

du ventricule droit part l'artère pulmonaire qui se divise en deux branches, pour chacun des poumons;

dans l'oreillette gauche arrivent quatre veines pulmonaires ramenant le sang qui a subi l'hématose dans les poumons (sang rouge, riche en oxygène);

du ventricule gauche part l'artère aorte qui distribue le sang rouge à l'ensemble du corps.

Le cœur est nourri par deux artères (petites mais capitales), qui sont les premières branches de l'aorte, nées au-dessus des valvules sigmoïdes aortiques : les artères coronaires.

■ *Fonctionnement du cœur.* Le cœur fonctionne comme une pompe aspirante refoulante, assurant la circulation du sang.

Le cœur se contracte rythmiquement, de façon automatique, indépendante de la volonté : c'est un muscle rouge non volontaire; cette contraction est contrôlée par le système nerveux central : du bulbe rachidien partent des nerfs qui peuvent accélérer (effort, émotion) ou ralentir (repos) le rythme cardiaque. Mais, même isolé, un cœur continue à battre seul car il possède un tissu spécial qui, au sein du muscle, assure la contraction autonome du cœur.

Le travail du cœur se passe en trois temps :

deux temps de contraction (systole); des oreillettes d'abord, chassant le sang à travers les valvules auriculo-ventriculaires, vers les ventricules qui s'emplissent; des ventricules ensuite, qui se contractent en même temps; la contraction des ventricules entraîne la fermeture des valvules auriculo-ventriculaires, l'ouverture des valvules sigmoïdes et la sortie du sang à grande vitesse dans les artères; pendant ces deux temps, le cœur s'est vidé du sang qu'il contenait;

un temps de relâchement (diastole), plus long que la contraction; le cœur se détend et le sang afflue aux oreillettes et vers les ventricules : les valvules auriculo-ventriculaires sont ouvertes et les valvules sigmoïdes fermées.

■ *Les maladies du cœur.* Elles sont très diverses.

Ce sont les maladies des valvules entraînant des insuffisances valvulaires (la valvule fuit pendant sa fermeture normale) ou des rétrécissements valvulaires, diminuant l'orifice et gênant le passage du sang. Ces maladies se traduisent par des bruits anormaux à l'auscultation; elles apparaissent souvent chez l'enfant et l'adolescent après un rhumatisme articulaire.

Les maladies du muscle cardiaque, moins fréquentes, sont souvent la conséquence des maladies valvulaires.

Les maladies des coronaires (fréquentes) atteignent l'homme âgé et sont souvent dues à l'athérosclérose* : ce sont l'angine de poitrine et l'infarctus du myocarde.

Enfin, chez l'enfant, on rencontre parfois des malformations du cœur existant à la naissance (ouvertures anormales entre le cœur droit et le cœur gauche avec mélange des sangs veineux et artériel).

⟶ illustration en couleurs CIRCULATION pp. 272-273.

2. CŒUR [kœr] n. m. (même étym.). **1.** Partie centrale des choses : *Un cœur de salade. Au cœur de l'été, de l'hiver* (= au moment où la chaleur, le froid sont le plus intenses). *Au cœur du problème* (= au point essentiel). — **2.** Une des quatre couleurs du jeu de cartes : *Le valet de cœur.*

3. CŒUR [kœr] n. m. (même étym.). **1.** Disposition à être ému, à compatir; bienveillance, bonté : *Il a le cœur sur la main* (= il est très bon, très généreux). *Cette attention me va droit au cœur* (= m'émeut profondément). *C'est un cœur d'or* (= une personne très généreuse, très bonne). *Cela vous déchire, vous brise, vous fend, vous serre le cœur* (= cela vous peine profondément, vous inspire une grande pitié). — **2.** Siège de la tendresse, de l'affection, de l'amour. — **3.** Siège de la joie ou de la tristesse : *Avoir le cœur gai, léger, triste, lourd, gros.*‖*De gaieté de cœur* (= volontairement). — **4.** Ardeur, désir qui porte vers quelque chose, courage mis à le faire : *Il met du cœur à l'ouvrage* (syn. ÉNERGIE). *Je n'ai pas eu le cœur de le réveiller* (= le cruel courage). *Voici un projet qui me tient au cœur* (ou *que j'ai à cœur*) [= auquel je suis très attaché]. *J'ai à cœur de vous prévenir* (= je m'en fais un devoir). *Si le cœur vous en dit* (= si cela vous tente). — **5.** Conscience, dispositions morales, pensées intimes : *Un cœur pur, simple* (syn. ÂME). *Je lui ai dit ce que j'avais sur le cœur* (= je lui ai dit ce que je gardais secret et qui me pesait). *À cœur ouvert, cœur à cœur* (= en toute sincérité, sans rien dissimuler). *C'était le cri du cœur* (= une exclamation traduisant spontanément les pensées ou les sentiments intimes). — **6.** *De bon cœur, de grand cœur, de tout cœur,* très volontiers. ‖ *Être de tout cœur avec qq'un,* s'associer à sa peine, à sa joie, à son espoir. ‖ *Ne pas porter qq'un dans son cœur,* avoir de l'antipathie pour lui. ‖ *En avoir le cœur net,* s'informer avec précision, de façon à savoir à quoi s'en tenir. ‖ *Réciter, savoir, apprendre par cœur,* de mémoire, d'une façon mécanique. ◆ **sans-cœur** adj. et n. inv. Personne qui manque de sensibilité, de reconnaissance.

CŒUR (Jacques), homme d'affaires français (1395-1456). Il mit sa fortune au service du roi Charles VII et reçut de celui-ci des privilèges qui accrurent sa puissance commerciale.

- *1440. Jacques Cœur est nommé argentier (= ministre des Finances) de Charles VII.*

Il contribue à assainir la monnaie.

- *1442. Il entre au Conseil royal.*

Il est chargé de missions diplomatiques qui profitent à ses activités économiques multiples (exploitation minière, commerce lointain, armement naval, banque).

- *1451. Sa réussite suscitant la jalousie, il est arrêté et ses biens sont confisqués.*

Son hôtel, à Bourges, reste le monument caractéristique de l'architecture civile au XVe s.

COËVRONS, collines du bas Maine.

COEXISTENCE n. f., **COEXISTER** v. i. → EXISTER.

1. COFFRE [kɔfr] n. m. (gr. *kophinos,* corbeille). **1.** Meuble en forme de caisse, s'ouvrant par un couvercle, où l'on range toutes sortes d'objets. — **2.** Partie d'une carrosserie de voiture destinée au logement des bagages. — **3.** Syn. de COFFRE-FORT. — **4.** *Fam.* Poitrine, poumons, voix : *Avoir du coffre.* ◆ **coffrage** n. m. Planches destinées à contenir du ciment frais jusqu'à son durcissement. ◆ **coffrer** v. t. **1.** Munir d'un coffrage. — **2.** Fam. *Coffrer qq'un,* l'arrêter, l'emprisonner. ◆ **coffre-fort** n. m. Coffre d'acier à serrure de sûreté, pour enfermer des valeurs, de l'argent : *Les coffres-forts d'une banque.* ◆ **coffret** n. m. Petit coffre souvent orné : *Un coffret à bijoux.*

2. COFFRE [kɔfr] n. m. (même étym.). Poisson osseux des mers chaudes, couvert de plaques.

COGESTION n. f. → GÉRER.

COGITER [kɔʒite] v. i. ou t. (lat. *cogitare*). *Fam.* Syn. affecté de PENSER, RÉFLÉCHIR. ◆ **cogitation** n. f. Fam. : *Quel est le fruit de tes cogitations?*

Cogito, ergo sum, mots lat. signif. *je pense, donc je suis,* formule par laquelle Descartes exprime la première certitude que peut acquérir la pensée.

COGNAC, ch.-l. d'arrond. de la Charente, sur la Charente (r. g.), à 42 km à l'O. d'Angoulême; 21 000 hab. *(Cognaçais).* Au centre d'un vignoble réputé, la ville est universellement connue par ses distilleries de cognac ou de fine champagne.

COGNAC [kɔɲak] n. m. (de *Cognac*). Eau-de-vie très estimée, obtenue par distillation des vins produits dans la région de Cognac (Charente et Charente-Maritime).

COGNASSIER n. m. → COING.

COGNÉE [kɔɲe] n. f. (bas lat. *cuneata,* en forme de coin). **1.** Hache de bûcheron à fer étroit et à long manche. — **2.** Fam. *Jeter le manche après la cognée,* abandonner soudain par découragement ce qu'on avait entrepris.

COGNER [kɔɲe] v. i. et t. ind. (du lat. *cuneus,* coin). **1.** *Cogner sur, contre, dans qqch.,* lui donner un coup, des coups : *Cogner sur un piquet pour l'enfoncer. Cogner du poing sur la table* (syn. ↓FRAPPER [langue soignée], TAPER). — **2.** *Cogner à la porte, à la fenêtre,* etc., *cogner au mur, au plafond,* y donner des coups pour avertir de sa présence ou pour manifester son mécontentement (syn. FRAPPER, HEURTER, TAPER). ◆ v. t. Fam. *Cogner un objet,* lui faire subir un choc, un heurt. ‖ Fam. *Cogner qq'un,* le heurter : *Il m'a cogné du coude.* ◆ **se cogner** v. pr. **1.** Se donner un coup : *Il s'est cogné contre le buffet.* — **2.** *Se cogner la tête contre les murs,* chercher désespérément à sortir d'une situation sans issue. ◆ **cognement** n. m. Bruit sourd provoqué par un coup.

COGNOMEN [kɔgnɔmɛn] n. m. (mot lat. signif. *surnom*). Après le *praenomen* (prénom) et le *nomen* (nom), troisième élément constitutif du nom officiel d'un citoyen romain.

COHABITATION n. f., **COHABITER** v. i. → HABITER.

COHÉRENT, E [kɔerɑ̃, -ɑ̃t] adj. (du lat. *cohaerere,* être attaché ensemble). Se dit de quelque chose dont tous les éléments se tiennent et s'harmonisent ou s'organisent logiquement : *Ces joueurs ont fini par constituer une équipe de football très cohérente* (syn. HOMOGÈNE). *Un raisonnement cohérent.* ◆ **cohérence** n. f. Harmonie logique, absence de contradiction entre les divers éléments d'un ensemble d'idées ou de faits. ◆ **incohérent, e** adj. Se dit de ce qui n'est pas cohérent, ce qui manque de suite, d'unité : *Des paroles incohérentes* (syn. ABSURDE). ◆ **incohérence** n. f. : *Un discours plein d'incohérence.* ◆ **cohésion** n. f. État d'un corps, d'un groupe formant un tout, aux parties bien liées : *La cohésion du ciment. La cohésion d'un exposé.*

COHÉRITIER, ÈRE n. → HÉRITER.

COHÉSION n. f. → COHÉRENT.

COHL (Émile COURTET, dit **Émile**), dessinateur français (1857-1938). Photographiant des dessins successifs décomposant les mouvements, il créa le « dessin animé ».

COHORTE [kɔɔrt] n. f. (lat. *cohors, -ortis,* troupe). **1.** Unité de la légion romaine (10 cohortes de 600 hommes chacune formaient une légion; chaque cohorte était divisée en 6 centuries). — **2.** Troupe de personnes : *La cohorte des admirateurs.*

COHUE [kɔy] n. f. (breton *cochuy*). Foule confuse : *Fuir la cohue;* désordre qui règne dans une foule : *La cohue d'un grand magasin* (syn. BOUSCULADE).

COI, COITE [kwa, kwat] adj. (lat. *quietus,* tranquille). *Se tenir coi, rester coi,* rester complètement silencieux et immobile, par crainte, prudence, perplexité (littér.) [syn. TRANQUILLE].

1. COIFFE n. f. → COIFFER 1.

2. COIFFE [kwaf] n. f. (bas lat. *cofia*). Enveloppe destinée à assurer soit la protection d'un mécanisme *(coiffe d'étanchéité de fusée),* soit à revêtir l'ogive d'un noyau, d'un projectile perforant *(coiffe de balle perforante).*

1. COIFFER [kwafe] v. t. (de *coiffe*). **1.** *Coiffer qq'un,* lui couvrir la tête d'un chapeau. — **2.** (sujet nom de personne) *Être coiffé de,* avoir la tête couverte de : *Être coiffé d'un béret.* ◆ **coiffe** n. f. Tissu ou dentelle que les femmes portent sur la tête comme ornement dans certaines provinces. ◆ **coiffure** n. f. Tout ce qui sert à couvrir la tête : *On voyait dans la foule des coiffures très diverses : feutres, chapeaux de paille, nœuds de ruban,* etc. ◆ **décoiffer** v. t. *Décoiffer qq'un,* lui enlever sa coiffure, son chapeau : *Le vent l'a décoiffé et son chapeau s'est envolé.* ◆ **se décoiffer** v. pr. Enlever son chapeau par respect. ◆ **recoiffer (se)** v. pr. Remettre son chapeau.

2. COIFFER [kwafe] v. t. (même étym.). Arranger la chevelure, la disposer d'une certaine manière. ◆ **se coiffer** v. pr. Se peigner, arranger ses cheveux. ◆ **coiffeur, euse** n. Personne dont la profession est de couper les cheveux, de les disposer selon la mode. ◆ **coiffeuse** n. f. Petite table munie d'une glace et des objets que les femmes utilisent pour les soins de beauté. ◆ **coiffure** n. f. Manière ou art de disposer les cheveux : *Coiffure bouffante. Salon de coiffure.* ◆ **décoiffer** v. t. *Décoiffer qq'un,* déranger l'ordonnancement de ses cheveux, sa coiffure : *Le vent l'a décoiffée* (syn. DÉPEIGNER). ◆ **recoiffer (se)** v. pr. (syn. SE REPEIGNER).

3. COIFFER [kwafe] v. t. (même étym.). **1.** Être placé au-dessus, couronner : *Le nuage coiffe le sommet de la montagne.* — **2.** *Coiffer au poteau,* dépasser un concurrent sur la ligne d'arrivée. — **3.** *Coiffer un organisme, un service administratif,* exercer son autorité sur cet organisme, ce service, être placé hiérarchiquement au-dessus : *Le bureau central coiffe les différents comités locaux* (syn. SUPERVISER).

COIFFEUR, EUSE n. → COIFFER 2.

COIFFURE n. f. → COIFFER 1 et 2.

COIMBATORE, v. du sud-est de l'Inde (Tamil Nadu); 917 000 hab. Industries textiles.

COIMBRA ou **COÏMBRE,** v. du Portugal, dans la Beira; 56 000 hab. Université célèbre.

1. COIN [kwɛ̃] n. m. (lat. *cuneus*). **1.** Angle formé par l'intersection de deux lignes ou deux plans : *Il s'est cogné au coin de la table. Dans un coin de la pièce* (syn. ANGLE). *À tous les coins de rues* (= à tous les carrefours, très communément). — **2.** *Un petit coin*, une petite localité. ‖ *Le coin du feu*, les côtés de la cheminée; le foyer. ‖ *Regarder du coin de l'œil*, sans en avoir l'air. ‖ *Sourire en coin*, sourire dissimulé. ‖ Fam. *Les quatre coins de*, tous les endroits, jusqu'aux plus reculés : *Aux quatre coins du monde.* ‖ *Jeu des quatre coins*, jeu dans lequel quatre personnes vont d'un coin à un autre d'un espace carré, alors qu'un cinquième essaie de s'emparer d'un coin lorsqu'il est inoccupé.

2. COIN [kwɛ̃] n. m. (même étym.). Pièce de fer ou de bois dur taillée en biseau à une de ses extrémités et servant à fendre le bois.

1. COINCER [kwɛ̃se] v. t. (de *coin*). *Coincer qqch., qq'un*, l'immobiliser en le serrant dans un coin, dans un espace étroit : *Un des tiroirs de la commode est coincé* (syn. BLOQUER). *J'ai été coincé par la foule contre la balustrade* (syn. SERRER). ◆ **coincement** n. m. État d'une pièce mécanique coincée, immobilisée. ◆ **décoincer** v. t. : *Décoincer un tiroir bloqué* (syn. DÉBLOQUER).

2. COINCER [kwɛ̃se] v. t. (de *coincer* 1). Fam. *Coincer qq'un*, le mettre dans l'impossibilité de répondre, de s'échapper; le mettre dans l'embarras.

COÏNCIDER [kɔɛ̃side] v. i. ou t. ind. **[avec]** (lat. *coincidere*, tomber en même temps) [sujet nom de chose]. S'adapter, correspondre exactement; occuper le même espace ou tomber au même moment : *Faire coïncider l'extrémité de deux tuyaux* (= ajuster). *Comme les deux cérémonies coïncident, je n'assisterai qu'à l'une d'elles* (= ont lieu en même temps). *Votre désir coïncide avec le mien* (syn. CONCORDER). ◆ **coïncidence** n. f. Rencontre fortuite : *Une heureuse coïncidence* (syn. CONCOURS DE CIRCONSTANCES, HASARD).

COÏNCULPÉ, E n. → INCULPER.

COING [kwɛ̃] n. m. (lat. *cotoneum*). Fruit du cognassier, de couleur jaune, ayant la forme d'une grosse poire, un goût âpre, la peau veloutée. ◆ **cognassier** n. m. Arbre fruitier originaire d'Asie qui produit le coing. (Famille des rosacées.)

COIRE, en all. **Chur,** v. de Suisse, ch.-l. du cant. des Grisons, dans la vallée du Rhin; 31 200 hab. Centre touristique.

COIRON, plateau volcanique de la bordure orientale du Massif central, dans le Vivarais (Ardèche).

COÏT [kɔit] n. m. (du lat. *coire*, aller ensemble). Accouplement du mâle et de la femelle.

COKE [kɔk] n. m. (mot angl.). Combustible obtenu par distillation de la houille en vase clos. ◆ **cokéfaction** n. f. Transformation de la houille en coke par l'action de la chaleur. ◆ **cokerie** n. f. Usine de fabrication de coke.

1. COL [kɔl] n. m. (lat. *collum*). **1.** Partie d'un vêtement qui entoure le cou : *Un col de chemise.* — **2.** *Faux col*, col amovible qui s'adapte à une chemise; *fam.* la partie mousseuse d'un verre de bière.

2. COL [kɔl] n. m. (même étym.). **1.** Partie étroite et allongée d'une bouteille, d'un vase. — **2.** Partie rétrécie de certains os : *Le col du fémur est la partie du fémur située à son extrémité supérieure, à proximité de la tête arrondie.*

3. COL [kɔl] n. m. (même étym.). Partie déprimée d'une crête montagneuse, permettant de passer d'un versant à l'autre : *Le col de l'Iseran fait communiquer les vallées de l'Arc et de l'Isère.*

COLA ou **KOLA** [kɔla] n. m. (mot lat.). Arbre poussant sur la côte occidentale d'Afrique, dont le fruit, la *noix de cola*, contient des produits stimulants (caféine) et qui entre dans la composition de diverses boissons. (On dit aussi COLATIER ou KOLATIER.) [Famille des sterculiacées.]

COLBERT (Jean-Baptiste), homme d'État français (1619-1683). D'une famille de marchands drapiers champenois, il fut recommandé à Louis XIV par Mazarin.

- *1661. Il entre au « conseil d'En-Haut ».*
- *1664. Colbert devient surintendant des Bâtiments.*
- *1665. Il devient contrôleur général des Finances.*
- *1668-1669. Il est promu secrétaire d'État à la Maison du roi et à la Marine.*

En fait, Colbert administre tout, sauf les Affaires étrangères et la Guerre. Son système économique, le *colbertisme*, est la version française du *mercantilisme*, et part du principe que la prospérité d'un pays est étroitement liée à la masse des métaux précieux dont il dispose. L'État doit donc accroître ce stock en pratiquant une politique protectionniste (= en limitant les importations et en favorisant les exportations) et en développant l'industrie. Colbert crée donc des entreprises nouvelles, les *manufactures*, qui échappent à la réglementation des corporations; il encourage le développement de la marine marchande et organise la flotte de guerre. Il est par ailleurs le véritable directeur des beaux-arts, créant ou reconstituant de nombreuses académies. Travailleur acharné et méthodique, mais « homme des impôts et des règlements », il meurt impopulaire.

COLCHESTER, v. de l'Angleterre orientale (Essex); 65 100 hab.

COLCHIDE, anc. région de l'Asie, à l'E. du Pont-Euxin. Selon la légende, les Argonautes* allèrent y chercher la Toison d'or.

COLCHIQUE [kɔlʃik] n. m. (gr. *kolkhikon*, plante de Colchide). Plante commune dans les prés humides, à fleurs roses apparaissant en automne, très vénéneuse par le produit toxique qu'elle contient (la *colchicine*). [Famille des liliacées.]

COLCOTAR [kɔlkɔtar] n. m. (ar. *qolqotar*). Oxyde ferrique employé pour polir le verre.

COLÉOPTÈRES [kɔleɔptɛr] n. m. pl. (du gr. *koleos*, étui, et *pteron*, aile). Immense ordre d'insectes (au moins 300 000 espèces), dont les ailes antérieures, ou élytres, fortement imprégnées de chitine, servent de protection au repos, et dont les ailes postérieures membraneuses sont utilisées pour le vol.
— ENCYCL. Les *coléoptères* sont pourvus de puissantes pièces buccales broyeuses. Beaucoup sont nuisibles (hanneton, charançon, vrillette, bostryche); les seuls qui soient utiles sont ceux qui dévorent d'autres insectes (carabe, coccinelle).

COLÈRE [kɔlɛr] n. f. (lat. *cholera*). **1.** Violent accès d'humeur, mouvement d'hostilité envers quelqu'un ou quelque chose : *Il est entré dans une colère terrible* (syn. FUREUR, RAGE). *Des paroles prononcées sous le coup de la colère* (syn. EMPORTEMENT). — **2.** *En colère*, violemment irrité (syn. ↓FURIEUX). ◆ **coléreux, euse** ou **colérique** adj. Enclin à la colère : *Enfant coléreux.* ◆ **décolérer** v. i. (uniquement dans des phrases négatives) : *Il ne décolère pas depuis ce matin* (= il ne cesse pas d'être en colère).

COLERIDGE (Samuel Taylor), écrivain anglais (1772-1834). Avec le poète William Wordsworth, il entreprit de rénover l'inspiration de la poésie anglaise et publia les *Ballades lyriques* (1798). C'est dans ce recueil, qui marque l'avènement du romantisme, que se trouve son chef-d'œuvre, *la Complainte du vieux marin.*

COLETTE (Sidonie Gabrielle), femme de lettres française (1873-1954).

- *1900-1903. Elle écrit, en collaboration avec son premier mari (Willy), la série des « Claudine » qui raconte l'expérience d'une jeune fille indépendante et exaltée.*

Romancière de l'amour, Colette en décrit tous les aspects et les problèmes dans un style imagé et sensuel : *Chéri* (1920), *le Blé en herbe* (1923), *la Chatte* (1933).

De son enfance campagnarde, de son amour de la nature et des bêtes naissent *la Maison de Claudine* (1922), *la Naissance du jour* (1928), *Sido* (1930), imprégnés de souvenirs du terroir.

COLIBACILLE [kɔlibasil] n. m. (du gr. *kôlon*, gros intestin, et *bacille*). Bactérie en forme de bâtonnet existant toujours dans le sol, souvent dans l'eau, le lait et certains aliments, qui vit normalement dans l'intestin de l'homme et des animaux, mais peut envahir différents tissus et organes et devenir pathogène*. ◆ **colibacillose** n. f. Maladie provoquée par ces colibacilles : *Les organes les plus fréquemment atteints par la colibacillose sont l'intestin (diarrhée), les voies biliaires, les voies urinaires (cystite).*

COLIBRI [kɔlibri] n. m. (mot des Antilles). Minuscule oiseau d'Amérique, au plumage éclatant, dont le long bec tubulaire sert à boire le nectar des fleurs (syn. OISEAU-MOUCHE.) [Famille des trochilidés.]

COLIFICHET [kɔlifiʃɛ] n. m. (orig. obscure). Petit ornement de fantaisie : *Les boucles d'oreilles, les broches et autres colifichets.*

COLIGNY, dit **l'amiral de Coligny** (1519-1572). Il défendit Saint-Quentin contre les Espagnols (1557), dut se rendre et fut retenu prisonnier jusqu'en 1559. Au cours de sa captivité, il se convertit au calvinisme et devint l'un des chefs du parti protestant. Il prit un grand ascendant sur Charles IX, mais fut l'une des premières victimes de la Saint-Barthélemy.

COLIMAÇON [kɔlimasɔ̃] n. m. (du picard *calimachon*). **1.** Syn. rare de ESCARGOT. — **2.** *Escalier en colimaçon*, en spirale.

COLIN [kɔlɛ̃] n. m. (néerl. *colfish*). **1.** Poisson de mer appelé aussi LIEU. — **2.** Nom donné sur les marchés au MERLU ou MERLUCHE vendu en tranches.

COLINÉAIRE adj. ⟶ LINÉAIRE.

COLIN-MAILLARD [kɔlɛ̃majar] n. m. (de deux n. pr., *Colin*, et *Maillard*). Jeu dans lequel un des joueurs, les yeux bandés, cherche à attraper et à reconnaître les autres joueurs à tâtons.

COLIQUE [kɔlik] n. f. (du gr. *kôlon*, gros intestin). *Méd.* Vive douleur abdominale. ‖ *Colique hépatique*, douleur aiguë due au passage d'un calcul dans les voies biliaires, ou à la contraction de la vésicule. ‖ *Colique néphrétique*, douleur aiguë des voies urinaires, causée par un calcul.

COLIS [kɔli] n. m. (it. *colli*, charges portées sur le cou). Paquet de taille moyenne ou de grande taille, destiné à être expédié.

Colisée, amphithéâtre de Rome achevé sous Titus (80 apr. J.-C.). Il renfermait 80 rangs de gradins et pouvait contenir plus de 100 000 spectateurs. Il en subsiste auj. des ruines grandioses.

COLITE n. f. ⟶ CÔLON.

COLLABORER [kɔlabɔre] v. t. ind. ou i. (lat. *collaborare*). *Collaborer avec qq'un à qqch.*, travailler avec lui à une œuvre commune : *De nombreux spécialistes ont collaboré à la rédaction du dictionnaire* (syn. PARTICIPER). *Au lieu de nous concurrencer, nous pourrions collaborer* (syn. COOPÉRER). ◆ **collaboration** n. f. : *La revue s'est assuré la collaboration de plusieurs écrivains.* ◆ **collaborateur, trice** n. : *Le directeur a remercié ses collaborateurs de leur aide.* (Ces mots avaient pris un sens péjor. pendant la Seconde Guerre mondiale, s'appliquant à ceux qui aidaient l'armée d'occupation en France ou qui sympathisaient avec les occupants.)

COLLAGE n. m., **COLLANT, E** adj. et n. m. ⟶ COLLE 1.

COLLANTE n. f. ⟶ COLLE 2.

COLLAPSUS [kɔlapsys] n. m. (mot lat.). *Méd.* Diminution rapide des forces et de la pression artérielle, avec ou sans syncope : *Collapsus cardio-vasculaire.*

COLLATÉRAL, E, AUX [kɔlateral, -ro] adj. et n. (du lat. *cum*, avec, et *latus, lateris*, côté). **1.** Se dit d'une personne parente, mais hors de la ligne directe : *Les frères, les oncles, les cousins sont des collatéraux.* — **2.** *Anat.* Se dit d'un nerf ou d'une artère qui naît d'un tronc principal. — **3.** *Points collatéraux*, points situés à égale distance de deux points cardinaux (N.-E., N.-O., S.-E., S.-O.).

1. COLLATION [kɔlasjɔ̃] n. f. (lat. *collatio*). Repas léger.

2. COLLATION [kɔlasjɔ̃] n. f. (lat. *collatio*; de *conferre*, réunir). Comparaison de textes, de documents pour s'assurer de leur conformité. ◆ **collationner** v. t. *Collationner des textes*, les comparer entre eux ou avec l'original.

1. COLLE [kɔl] n. f. (gr. *kolla*). Substance gluante, liquide ou en pâte, utilisée pour faire adhérer des objets entre eux. ◆ **coller** v. t. **1.** *Coller qqch.*, le faire adhérer avec de la colle : *Coller un timbre sur une lettre.* — **2.** *Coller une chose à, contre une autre*, l'y appliquer très près, la placer contre elle : *Coller son oreille à la porte pour écouter.* ◆ v. i. ou t. ind. **1.** *Coller à qqch.*, y être adhérent (en parlant d'une matière gluante, poisseuse) : *La boue colle aux semelles* (syn. ADHÉRER). — **2.** *Fam.* S'appliquer contre : *Un maillot qui colle au corps.* — **3.** Convenir d'une manière étroite : *Cette description colle à la réalité.* ◆ **collage** n. m. **1.** Action de coller : *Le collage du papier sur le mur.* — **2.** Composition artistique faite de diverses matières, et principalement de papier collé. ◆ **collant, e** adj. Qui colle, qui adhère; qui s'applique exactement : *Papier collant. Une robe collante.* ◆ **collant** n. m. **1.** Maillot de danseuse. — **2.** Sous-vêtement en voile ou en mousse élastique qui moule la partie inférieure du corps, de la taille aux pieds. ◆ **colleur** n. m. : *Colleur d'affiches.* ◆ **autocollant, e** adj. et n. m. Qui colle de soi-même : *Une vignette autocollante. Ce badge est un autocollant.* ◆ **décoller** v. t. *Décoller qqch.*, le séparer, le détacher de ce à quoi il était collé : *On a décollé l'enveloppe à la vapeur.* ◆ **décollement** n. m. **1.** Action de décoller; état de ce qui est décollé. — **2.** *Méd.* Séparation anormale de tissus organiques naturellement adhérents : *Décollement de la rétine.* ◆ **encoller** v. t. *Encoller qqch.*, l'enduire de colle ou d'apprêt : *Encoller une bande de papier peint.* ◆ **encollage** n. m. ◆ **recoller** v. t. *Recoller qqch.*, le réparer au moyen de colle. ◆ v. t. ind. *Recoller à qqch.*, s'y replacer très près : *Le cycliste attardé recolle au peloton.* ◆ **recollage** ou **recollement** n. m. : *Le recollage des morceaux d'un vase.*

2. COLLE [kɔl] n. f. (de *colle* 1). **1.** *Fam.* Question embarrassante, petit problème dont la solution demande beaucoup d'ingéniosité : *Poser une petite colle.* — **2.** *Arg. scol.* Interrogation périodique de contrôle : *Passer une colle d'histoire.* ◆ **coller** v. t. Fam. *Coller qq'un*, le mettre dans le cas de ne pas pouvoir répondre convenablement à une question : *Il n'est pas facile de le coller en histoire;* le refuser à un examen : *Il a été collé à son bachot.* ◆ **collante** n. f. *Arg. scol.* Convocation à un examen ou à un concours. ◆ **incollable** adj. *Fam.* Se dit de quelqu'un qu'on ne peut pas coller : *Candidat incollable.*

3. COLLE [kɔl] n. f. (même étym.). *Arg. scol.* Punition qui oblige un élève à venir à l'école en dehors des heures normales de classe (syn. CONSIGNE). ◆ **coller** v. t. Fam. *Coller un élève*, le retenir, le faire revenir à l'école comme punition (syn. CONSIGNER).

COLLECTE [kɔlɛkt] n. f. (du lat. *colligere*, recueillir). Action de recueillir de l'argent ou des objets, souvent dans une intention de bienfaisance : *On a organisé des collectes en faveur des sinistrés* (syn. QUÊTE). ◆ **collecter** v. t. Faire une collecte de : *Collecter des fonds* (syn. RASSEMBLER, RECUEILLIR, RÉUNIR). ◆ **collecteur** n. m. : *Un collecteur de fonds.*

1. COLLECTEUR [kɔlɛktœr] n. m. (du lat. *colligere*, recueillir). **1.** Pièce d'un moteur électrique ou d'une dynamo sur laquelle frottent les balais. — **2.** *Collecteur d'ondes*, conducteur électrique (antenne, cadre) dont le rôle est de capter les ondes hertziennes. ◆ adj. et n. m. *Égout collecteur*, ou simplem. *collecteur*, égout qui reçoit les eaux de plusieurs canalisations de moindre importance.

2. COLLECTEUR n. m. ⟶ COLLECTE.

COLLECTIF, IVE [kɔlɛktif, -iv] adj. (du lat. *colligere*, réunir). **1.** Qui concerne un ensemble de personnes, qui est le fait d'un groupe : *Un billet collectif de chemin de fer* (contr. INDIVIDUEL). *Une visite collective de musée* (= en groupe). — **2.** *Terme collectif*, ou *collectif* n. m., terme qui exprime une idée de groupe, comme *foule, troupe, rangée*, etc. ◆ **collectif** n. m. Projet de loi par lequel le gouvernement sollicite des assemblées parlementaires une modification du volume des crédits. ◆ **collectivement** adv. (contr. INDIVIDUELLEMENT, PERSONNELLEMENT). ◆ **collectivité** n. f. Groupe d'individus habitant un même pays, une même agglomération, ou simplement ayant des intérêts communs : *Les collectivités locales avaient délégué leurs représentants* (= les communes et les départements). ‖ *Collectivité territoriale*, partie du territoire d'un État jouissant d'une autonomie de gestion au moins partielle. ◆ **collectivisme** n. m. Système économique visant à la mise en commun au profit de la collectivité des moyens de production. ◆ **collectiviste** adj. et n. : *Les doctrines collectivistes.* ◆ **collectiviser** v. t. Mettre les moyens de production au service de la collectivité, par expropriation ou par nationalisation. ◆ **collectivisation** n. f. : *La collectivisation des terres.*

1. COLLECTION [kɔlɛksjɔ̃] n. f. (lat. *collectio*, réunion). **1.** Ensemble d'objets réunis et classés par curiosité, par goût esthétique ou dans une intention documentaire : *Collection de timbres, de tableaux.* — **2.** Ensemble des modèles nouveaux présentés avant chaque saison par un couturier. — **3.** Fam. *Une collection de*, une série, un ensemble de personnes bizarres, caractéristiques. ◆ **collectionner** v. t. **1.** *Collectionner des objets*, les réunir en collection. — **2.** Fam. *Collectionner des choses*, les accumuler : *Il collectionne tous les premiers prix.* ◆ **collectionneur, euse** n. : *Un collectionneur d'estampes.*

2. COLLECTION [kɔlɛksjɔ̃] n. f. (même étym.). En termes de médecine, accumulation, amas : *Une collection de pus.*

COLLECTIVEMENT adv., **COLLECTIVISATION** n. f., **COLLECTIVISER** v. t., **COLLECTIVISME** n. m., **COLLECTIVISTE** adj. et n., **COLLECTIVITÉ** n. f. ⟶ COLLECTIF.

1. COLLÈGE [kɔlɛʒ] n. m. (lat. *collegium*). Établissement d'enseignement du premier cycle du second degré : *La distinction entre collèges d'enseignement secondaire (C. E. S.), collèges d'enseignement général (C. E. G.) et collèges d'enseignement technique (C. E. T.) a été supprimée en 1975.* ◆ **collégien, enne** n. **1.** Élève d'un collège. — **2.** *Péjor.* Personne naïve, sans expérience.

2. COLLÈGE [kɔlɛʒ] n. m. (même étym.). Corps de personnes ayant même dignité, mêmes fonctions. ‖ *Le Sacré Collège*, le corps des cardinaux dans l'Église romaine. ‖ *Collège électoral*, ensemble des électeurs d'une circonscription, appelés à participer à une élection déterminée. ◆ **collégial, e, aux** adj. **1.** *Chapitre collégial*, chapitre de chanoines établi dans une église sans siège épiscopal. ‖ *Église collégiale*, église qui possède un chapitre collégial. — **2.** *Direction collégiale*, comité directeur d'une entreprise, d'une société, etc., composé de plusieurs membres. ◆ **collégialité** n. f.

Collège de France, établissement d'enseignement fondé à Paris en 1530, sous le nom de *Collège du roi*, par François Ier. Les cours, ouverts à tous, sont confiés aux maîtres les plus éminents, universitaires ou non, qui y donnent un enseignement relatif aux résultats obtenus dans les recherches où ils se sont spécialisés.

COLLÉGIAL, E, AUX adj., **COLLÉGIALITÉ** n. f. ⟶ COLLÈGE 2.

COLLÉGIEN, ENNE n. ⟶ COLLÈGE 1.

COLLÈGUE [kɔllɛg] n. (lat. *collega*). Personne exerçant le même genre de fonctions administratives ou qui fait partie du même établissement qu'une autre : *Des collègues de bureau.* (→ CONFRÈRE.)

COLLER v. t. et i. → COLLE 1, 2 et 3.

COLLERETTE [kɔlrɛt] n. f. (de *collier*). **1.** Volant plissé, ou froncé, placé en garniture au bord d'une encolure ou d'un décolleté de robe. — **2.** Anneau qui entoure la partie supérieure du pied de certains champignons tels que les amanites.

1. COLLET [kɔlɛ] n. m. (de *col*). **1.** Petite pèlerine courte recouvrant les épaules. — **2.** *Collet monté* (loc. adj. inv.), guindé, affecté.

2. COLLET [kɔlɛ] n. m. (même étym.). **1.** Lacet à nœud coulant que l'on pose sur le passage des lapins ou des lièvres pour les prendre. — **2.** *Saisir, prendre qq'un au collet, mettre la main au collet de qq'un*, s'emparer de lui, le mettre en état d'arrestation.

3. COLLET [kɔlɛ] n. m. (même étym.). Ligne de séparation entre la racine d'une dent et sa couronne, entre la tige d'une plante et sa racine.

COLLETER (SE) [sәkɔlte] v. pr. (de *collet* 2). En venir aux mains; se battre (syn. fam. S'EMPOIGNER).

COLLEUR n. m. → COLLE 1.

COLLIER [kɔlje] n. m. (bas lat. *collarium*). **1.** Ornement porté autour du cou, ordinairement par les femmes : *Collier de perles.* — **2.** Partie du harnais servant à atteler un cheval. — **3.** Cercle métallique destiné au serrage d'un tuyau, d'un poteau, etc. — **4.** Partie du plumage ou de la robe de certains animaux autour du cou, dont la couleur est différente de celle du corps. — **5.** (sujet nom de personne) Fam. *Prendre, reprendre le collier*, se mettre, se remettre à une tâche pénible. ‖ *Donner un coup de collier*, fournir un effort intense. — **6.** *Collier de barbe*, ou simplem. *collier*, bande étroite de barbe taillée court.

COLLIMATEUR [kɔlimatœr] n. m. (du lat. *collineare*, viser). Appareil de visée pour le tir.

COLLINE [kɔlin] n. f. (du lat. *collis*). Élévation de terrain de moyenne importance, de forme arrondie (syn. HAUTEUR).

COLLIOURE, comm. des Pyrénées-Orientales, à 3 km au N. de Port-Vendres; 2 700 hab. Station balnéaire et port. Vins.

COLLISION [kɔlizjɔ̃] ou [kɔllizjɔ̃] n. f. (lat. *collisio*). **1.** Rencontre plus ou moins rude entre des corps en mouvement, ou choc d'un corps en mouvement sur un obstacle : *Une collision de voitures* (syn. TAMPONNEMENT). — **2.** Heurt violent entre des groupes hostiles : *On craignait une collision entre la police et les manifestants* (syn. BAGARRE, ÉCHAUFFOURÉE).

COLLO, auj. **El-Qoll,** v. d'Algérie, sur la côte orientale de la *Kabylie de Collo;* 52 200 hab.

COLLODION [kɔlɔdjɔ̃] n. m. (du gr. *kollôdês*, collant). Solution de nitrocellulose dans un mélange d'alcool et d'éther, qu'on utilise en photographie, en pharmacie, etc.

COLLOÏDE [kɔlɔid] n. m. (du gr. *kolla*, colle, et *eidos*, forme). Corps dans lequel des particules *(micelles)* se trouvent en suspension dans un liquide, grâce à une sorte d'équilibre dit *état colloïdal : La colle de gélatine est un colloïde.*

COLLOQUE [kɔllɔk] n. m. (lat. *colloquium*). Entretien, débat portant généralement sur des questions scientifiques, politiques, diplomatiques, etc. (syn. CONFÉRENCE, SYMPOSIUM).

COLLOT D'HERBOIS (Jean-Marie), homme politique français (1750-1796). Entré au Comité de salut public en 1793, il écrasa l'insurrection royaliste lyonnaise. En conflit avec Robespierre, il joua, comme président de la Convention, un rôle décisif au 9-Thermidor. Déporté en Guyane en 1795, il y mourut.

COLLUSION [kɔllyzjɔ̃] n. f. (lat. *collusio*). Entente secrète entre deux ou plusieurs personnes en vue de tromper quelqu'un ou de lui causer un préjudice.

COLLUVION [kɔllyvjɔ̃] n. f. (de *co-*, et *alluvion*). *Géol.* Dépôt résultant d'une mobilisation et d'un transport à faible distance sur un versant.

COLLYRE [kɔlir] n. m. (gr. *kollurion*, onguent). Médicament liquide qui s'applique sur la conjonctive de l'œil.

COLMAR, ch.-l. du dép. du Haut-Rhin, sur la bordure ouest de la plaine d'Alsace; 63 800 hab. *(Colmariens).* Industries mécaniques et textiles. Colmar garde de nombreux monuments anciens.

COLMATER [kɔlmate] v. t. (de l'it. *colmata*, comblement). **1.** *Colmater une brèche, une fente, une fuite*, la boucher plus ou moins complètement : *Pour colmater provisoirement la fuite, nous avions entouré d'un chiffon la canalisation* (syn. AVEUGLER). — **2.** *Mil.* Rétablir la continuité d'un front après une percée faite par l'ennemi. ◆ **colmatage** n. m. : *Le colmatage d'une voie d'eau.*

COLOCATAIRE n. → LOUER 1.

COLOGNE, en all. **Köln,** v. d'Allemagne (Rhénanie-du-Nord-Westphalie) sur le Rhin (r. g.); 940 600 hab. Sa situation sur le Rhin, à un carrefour de voies ferrées, en a fait une grande place commerciale, au port fluvial actif.

Dès le Moyen Âge, Cologne, membre de la Hanse*, joue un rôle économique important. La proximité de la Ruhr y a permis une industrialisation variée. Cologne est une ville d'art et un centre intellectuel; elle possède de nombreux monuments anciens mais sa célèbre cathédrale n'a été achevée qu'au XIXe s.

COLOGNE *(eau de)*, eau cosmétique ou de toilette.

COLOMB (Christophe), navigateur génois (v. 1451-1506).

- *1476. Il se fixe au Portugal.*

Mais il ne peut obtenir l'appui du roi de ce pays pour son projet de navigation vers les Indes par l'ouest (la rotondité de la Terre n'est alors plus mise en doute). Il propose ses services à Isabelle la Catholique, reine d'Espagne, qui finit par accepter.

- *3 août 1492. Il quitte Palos avec trois navires : la « Santa María », la « Pinta » et la « Niña ».*
- *12 oct. 1492. Colomb « découvre » l'Amérique en abordant à Guanahani ou à Samana Cay (une des îles Bahamas) qu'il baptise « San Salvador ». (Mais il croit avoir atteint les dépendances de l'Asie.)*

Il aborde ensuite à Cuba et Haïti (qu'il nomme *Hispaniola*), puis revient en Espagne (mars 1493).

- *Sept. 1493-juin 1496. Deuxième voyage au cours duquel il reconnaît la Dominique, la Guadeloupe, Porto Rico, la Jamaïque et la côte sud-ouest de Cuba.*
- *1498. Troisième voyage au cours duquel il découvre la Trinité et longe la côte de l'Amérique du Sud à l'E. de l'Orénoque; mais il ne peut maîtriser une rébellion des premiers colons d'Hispaniola et voit ses pouvoirs contestés.*
- *1502-1504. Quatrième voyage au cours duquel il explore la côte de l'Amérique centrale du Honduras au golfe de Darién.*

Il meurt persuadé d'avoir touché des dépendances asiatiques et non un continent nouveau.

COLOMBAGE [kɔlɔ̃baʒ] n. m. (du lat. *columna*, colonne). Construction en pans de bois, dont les vides sont remplis par une maçonnerie légère de brique ou de plâtre; charpente apparente de cette construction : *Une maison à colombage.*

COLOMBE [kɔlɔ̃b] n. f. (lat. *columba*, pigeon). Nom donné à différents oiseaux voisins des pigeons, au plumage entièrement blanc. → ENCYCL. ◆ **colombier** n. m. Bâtiment où l'on élève des pigeons (syn. PIGEONNIER). ◆ **colombiformes** ou **colombins** n. m. pl. Ordre d'oiseaux granivores comprenant les *pigeons* et les formes voisines *(colombes, tourterelles)*, au vol puissant, qui nourrissent leurs petits d'une sécrétion de leur jabot. ◆ **colombophile** adj. et n. Qui élève et emploie des pigeons voyageurs. ◆ **colombophilie** n. f.

— ENCYCL. Le christianisme fit de la *colombe* l'image de l'Esprit-Saint. Elle est aussi le symbole de la paix (avec un rameau d'olivier, comme dans la légende de Noé).

COLOMBE (Michel), sculpteur français (v. 1430-v. 1513). Son œuvre allie la tradition gothique à certains traits de la Renaissance italienne.

COLOMBES, ch.-l. de cant. des Hauts-de-Seine, à 5 km au N.-O. de Paris, sur la Seine (r. g.); 78 800 hab. Stade Yves-du-Manoir.

COLOMBEY-LES-DEUX-ÉGLISES, comm. de la Haute-Marne, à 15 km à l'E. de Bar-sur-Aube. Anc. résidence privée du général de Gaulle.

COLOMBIE, État du N.-O. de l'Amérique du Sud, bordé par les océans Atlantique et Pacifique.

SUPERFICIE 1 140 000 km^2 (France : 550 000 km^2).

POPULATION 31,2 millions d'hab. *(Colombiens);* 27 hab. au km^2 (France : 103), taux de natalité, 33,2 p. 1 000; taux de mortalité, 11,2 p. 1 000.

CAPITALE Bogotá (4 294 000 hab.).

VILLES PRINCIPALES Medellín (1 760 000 hab.); Cali (1 955 000 hab.); Barranquilla (691 700 hab.).

LANGUE OFFICIELLE espagnol.

ÉCONOMIE consommation d'énergie par hab., 750 kg d'équivalent charbon; 1 automobile pour 100 hab.

MONNAIE peso colombien.

GÉOGRAPHIE

L'extrémité nord de la cordillère des Andes isole la région côtière, étroite et insalubre, de la partie est qui est un morceau de la grande forêt amazonienne.

La population, comprenant une majorité de métis, se concentre sur les hauts plateaux andins, où le climat équatorial est tempéré par l'altitude. C'est là que se situent les grandes villes, à l'exception des deux ports de Barranquilla et Cartagena.

	TEMPÉRATURES MOYENNES janv.	juil.	PLUIES
Bogotá	14 °C	13,5 °C	986 mm

La variété des climats en fonction de l'altitude permet des activités agricoles diverses : tropicales jusqu'à 2 000 m (café, canne à sucre, coton) pour l'exportation, tempérées au-dessus (céréales, élevage bovin).

maïs	880 000 t	sucre de canne	1 200 000 t
café	800 000 t	bovins	24 millions de têtes

Le sous-sol recèle d'importantes richesses. Si l'or est en déclin, le charbon, le fer et surtout le pétrole voient leur exploitation se développer. L'industrialisation a commencé depuis la dernière guerre (sidérurgie à Paz del Río, industries de transformation), mais elle reste à un niveau faible.

or	22 000 kg	pétrole	9 millions de t
charbon	5 millions de t	acier	700 000 t

Le commerce extérieur, exportation de produits bruts (café, pétrole) et importation de biens de consommation, se fait surtout avec les États-Unis, dont le pays dépend étroitement.

HISTOIRE

Au XVIe s., les conquistadores espagnols fondent les premières cités sur le littoral de la mer des Antilles. La recherche de l'Eldorado, pays de l'or, les attire ensuite vers l'intérieur du continent.

- *1717. Bogotá devient capitale de la colonie de la « Nouvelle-Grenade ».*
- *1809. Premiers soulèvements contre l'Espagne.*
- *1819. Triomphe de l'insurrection grâce à l'action de Bolívar.*

La victoire des insurgés amène la création d'une république de Grande-Colombie qui unit la Nouvelle-Grenade, le Venezuela, Panamá et (ultérieurement) l'Équateur jusqu'en 1830.

Pendant le XIXe s. règne une grande instabilité politique, marquée par la rivalité entre conservateurs centralistes et libéraux fédéralistes. De puissants particularismes locaux apparaissent. L'économie est essentiellement fondée sur le café.

- *1899-1903. Guerre civile.*
- *1903. L'isthme de Panamá se rend indépendant de la Colombie.*
- *1948-1958. Une guerre civile larvée oppose libéraux et conservateurs.*

De 1958 à 1978, à la suite d'un amendement constitutionnel, les deux partis se succèdent régulièrement au pouvoir et se partagent toutes les charges politiques et administratives.

- *1982. Belisario Betancur est élu président.*
- *1986. Virgilio Barco lui succède à la tête de l'État.*

Mais le pays est en proie à la violence, liée aux tensions politiques (guérillas) et à l'emprise des trafiquants de drogue.

- *1990. César Gaviria Trujillo accède à la présidence.*

COLOMBIE-BRITANNIQUE, province de l'ouest du Canada, en bordure des États-Unis; 948 600 km²; 2 291 000 hab. (2,4 au km²). Capit. *Victoria* (60 900 hab.). → carte CANADA.

GÉOGRAPHIE. Les montagnes Rocheuses occupent la plus grande partie de la province. Les forêts qui les couvrent fournissent de la matière première aux scieries et aux papeteries, tandis que les rivières sont équipées de centrales hydro-électriques. Les richesses du sous-sol (charbon, cuivre, zinc, plomb), jointes à l'abondance de l'électricité, expliquent le développement d'une industrie dynamique, surtout représentée à Vancouver (410 400 hab.), débouché de la province sur le Pacifique.

HISTOIRE. En 1592, les Espagnols longent les côtes du pays.

- *1792-1794. Exploration du littoral par l'Anglais Vancouver.*
- *1793. Exploration de l'intérieur par Mackenzie.*
- *1858. La colonie britannique de la Colombie est constituée.*
- *1871. Elle est intégrée au Canada.*
- *1885. Arrivée du chemin de fer transcontinental.*

COLOMBIER n. m., **COLOMBIFORMES** ou **COLOMBINS** n. m. pl. → COLOMBE.

Colombine, soubrette de la comédie italienne.

COLOMBO, capit. de Sri Lanka (Ceylan), sur la côte ouest de l'île; 1 million d'hab. Le port de Colombo est une escale très importante sur les lignes de l'Extrême-Orient. Métallurgie lourde.

COLOMBOPHILE adj. et n., **COLOMBOPHILIE** n. f. → COLOMBE.

COLON n. m. → COLONIE 1 et 3.

CÔLON [kolɔ̃] n. m. (gr. *kôlon*). Nom donné à la totalité du gros intestin, excepté sa dernière portion, le rectum. ◆ **colite** n. f. Inflammation du côlon.

COLONEL [kɔlɔnɛl] n. m. (de l'it. *colonna*, troupe en colonne). Grade le plus élevé des officiers supérieurs des armées de terre et de l'air. (Le colonel exerce soit le commandement d'un régiment, soit un commandement territorial [subdivision]. Il porte cinq galons de la même couleur [→ GRADE 2].) ◆ **colonelle** n. f. *Fam.* Femme d'un colonel.

1. COLONIE [kɔlɔni] n. f. (lat. *colonia*). Territoire occupé et administré par une nation en dehors de ses frontières, et demeurant sous la dépendance étroite de la métropole : *Marseille est une ancienne colonie phocéenne.* ◆ **colon** n. m. Celui qui est venu ou dont les parents sont venus s'établir dans une colonie. ◆ **colonial, e, aux** adj. Relatif aux colonies : *Cultures coloniales.* ‖ *Système colonial,* système qui impose des règles limitatives au commerce des colonies, en faveur de la métropole, et, souvent par retour, au commerce de la métropole, en faveur des colonies. (Les règles constituaient le « pacte colonial ».) ◆ **colonial** n. m. Celui qui vit ou qui a vécu aux colonies. ◆ **colonialisme** n. m. Doctrine qui prône l'établissement et le développement des colonies en tant que sources de richesse et de puissance pour la nation qui les possède. ◆ **colonialiste** adj. et n. Relatif au colonialisme; partisan du colonialisme. ◆ **anticolonialisme** n. m. Opposition au colonialisme. ◆ **anticolonialiste** adj. et n. : *Politique anticolonialiste.* ◆ **néo-colonialisme** n. m. Nouvelle forme de colonialisme qui impose la domination économique à un pays. ◆ **néo-colonialiste** adj. et n. ◆ **coloniser** v. t. **1.** *Coloniser un pays,* le transformer en un pays dépendant d'une métropole : *Le Canada fut en partie colonisé par des Français au XVIIe s.* — **2.** *Coloniser une région,* la peupler de colons. ◆ **colonisateur, trice** adj. et n. Celui qui colonise : *Les relations entre le peuple colonisateur et le peuple colonisé.* ◆ **colonisation** n. f. : *La colonisation de l'Algérie par la France a commencé en 1830.* ◆ **décoloniser** v. t. Faire cesser le régime colonial, donner l'indépendance à une colonie. ◆ **décolonisation** n. f. Passage d'une colonie à l'indépendance.

2. COLONIE [kɔlɔni] n. f. (même étym.). **1.** Groupe de personnes d'une même nationalité établies dans un pays étranger ou une ville étrangère : *La colonie française de Londres.* — **2.** Réunion de personnes que rapprochent leurs goûts ou leur situation : *Une colonie de peintres.* — **3.** Réunion d'animaux ayant une vie collective plus ou moins organisée : *Une colonie de castors,* *d'abeilles;* rassemblement d'oiseaux nicheurs, en général d'une même espèce, dont les nids, souvent nombreux, sont très proches les uns des autres.

3. COLONIE [kɔlɔni] n. f. (même étym.). *Colonie de vacances,* ou simplem. *colonie,* ou fam. *colo,* groupe d'enfants passant leurs vacances sous la conduite de moniteurs. ◆ **colon** n. m. *Fam.* Enfant d'une colonie de vacances.

1. COLONNE [kɔlɔn] n. f. (lat. *columna*). **1.** Support vertical de forme cylindrique composé d'une base, d'un fût et d'un chapiteau, et qui sert à soutenir certaines parties d'un édifice, en même temps qu'à l'orner : *Colonne dorique.* — **2.** Support, montant de forme cylindrique : *Un lit à colonnes.* — **3.** Monument commémoratif de même forme : *La colonne Vendôme.* ◆ **colonnade** n. f. Rangée de colonnes le long d'un bâtiment ou incluse dans un édifice : *Les colonnades du Panthéon.* ◆ **colonnette** n. f. Petite colonne souvent appliquée contre un pilier ou contre un mur.

2. COLONNE [kɔlɔn] n. f. (de *colonne* 1). **1.** Fluide ou autre substance affectant une forme plus ou moins cylindrique et s'élevant verticalement : *Colonne d'air, de fumée.* || *Colonne barométrique,* colonne de mercure s'élevant au-dessus du niveau de la cuve dans le tube d'un baromètre. || *Colonne montante,* principale canalisation ascendante d'eau, de gaz, d'électricité, dans un immeuble de plusieurs étages. — **2.** *Colonne vertébrale,* chez l'homme et chez les animaux vertébrés, ensemble des vertèbres qui, articulées entre elles, forment un axe osseux s'étendant du crâne au bassin (syn. RACHIS). → ENCYCL.

— ENCYCL. Pièce maîtresse du squelette, la *colonne vertébrale* constitue le squelette du tronc.

Chez l'homme, elle comprend 33 vertèbres : 7 *cervicales,* 12 *dorsales* (qui portent les 12 paires de côtes), 5 *lombaires.* Les neuf dernières vertèbres sont soudées en deux blocs : le *sacrum* (5 vertèbres) et le *coccyx* (4 vertèbres).

Toutes ces vertèbres sont séparées par des *disques intervertébraux,* fibreux, qui contribuent à la souplesse de l'ensemble et permettent les mouvements. Les vertèbres sont constituées, en avant, par un corps, et, en arrière, par une partie creuse : le *canal rachidien,* où passe la moelle épinière.

Les deux premières vertèbres ont un rôle important :
l'*atlas* articule le crâne avec la colonne vertébrale et permet les mouvements d'avant en arrière de la tête;
l'*axis,* deuxième vertèbre, possède une saillie en pivot, qui permet à l'atlas et au crâne de tourner à droite et à gauche.
→ illustration à SQUELETTE.

3. COLONNE [kɔlɔn] n. f. (de *colonne* 1). Alignement vertical de chiffres; section verticale d'une page, contenant un texte ou laissée en blanc : *La colonne des unités. Les colonnes d'un journal.*

4. COLONNE [kɔlɔn] n. f. (de *colonne* 1). **1.** Alignement de personnes les unes derrière les autres, et partic. d'une troupe en marche : *Une colonne d'infanterie.* — **2.** *Cinquième colonne,* nom donné à des éléments ennemis qui se sont introduits au sein même d'un pays en guerre, d'un parti, d'une formation, etc., et qui conduisent des manœuvres hostiles.

Colonnes d'Hercule, nom donné dans l'Antiquité au lieu où Hercule aurait posé les bornes du monde, de part et d'autre du détroit de Gibraltar.

COLONNETTE n. f. → COLONNE 1.

COLOPHANE [kɔlɔfan] n. f. (gr. *kolophônia,* résine de Colophon [ville de l'Asie Mineure]). Résine jaune, solide, transparente, qui forme le résidu de la distillation de la térébenthine. (Les danseurs l'utilisent pour renforcer leur contact avec le sol.)

COLOQUINTE [kɔlɔkɛ̃t] n. f. (gr. *kolokunthis*). Plante voisine de la pastèque, dont le fruit fournit une pulpe amère et purgative, surtout employée pour les animaux. (Famille des cucurbitacées.)

COLORADO *(rio),* fl. de l'ouest des États-Unis, qui aboutit au golfe de Californie; 2 250 km. Dans l'Arizona, il entaille l'aride *plateau du Colorado* par des cañons, gorges étagées extraordinairement profondes, qui constituent l'une des plus célèbres curiosités naturelles du monde.

COLORADO, État de l'ouest des États-Unis; 270 000 km^2; 2 357 000 hab. Capit. *Denver.*

COLORANT, E adj. et n. m., **COLORATION** n. f., **COLORÉ, E** adj., **COLORER** v. t., **COLORIAGE** n. m., **COLORIER** v. t., **COLORIS** n. m., **COLORISTE** n. → COULEUR.

COLOSSE [kɔlɔs] n. m. (gr. *kolossos*). **1.** Statue de proportions énormes : *Le colosse de Rhodes.* — **2.** Homme, ou, plus rarement, animal remarquable par sa grande taille, sa force extraordinaire. ◆ **colossal, e, aux** adj. Se dit d'êtres animés ou de choses qui sont d'une taille, d'une importance énorme : *Un effort colossal* (syn. GIGANTESQUE). *Une fortune colossale* (syn. IMMENSE). ◆ **colossalement** adv. : *Un homme colossalement riche* (syn. EXTRÊMEMENT).

COLPORTER [kɔlpɔrte] v. t. (du lat. *comportare,* transporter). **1.** *Colporter des marchandises,* les porter de lieu en lieu pour les vendre. — **2.** *Colporter des propos, des bruits,* etc., les répandre parmi diverses personnes. ◆ **colportage** n. m. ◆ **colporteur, euse** n. **1.** Marchand ambulant qui propose des marchandises à domicile. — **2.** *Un colporteur de fausses nouvelles* (syn. PROPAGATEUR).

COLT (Samuel), ingénieur américain (1814-1862). Il inventa un pistolet à barillet dit *revolver* (1835).

COLUBRIDÉS [kɔlybride] n. m. pl. (du lat. *colubra,* couleuvre). Famille de reptiles ophidiens comprenant les *couleuvres.*

COLUMBARIUM [kɔlɔ̃barjɔm] n. m. (mot lat. signif. *colombier).* Bâtiment pourvu de niches où sont conservées les cendres des personnes incinérées.

COLUMBIA, fl. d'Amérique du Nord, né dans les Rocheuses canadiennes, qui rejoint le Pacifique, en aval de Portland; 1 953 km.

COLUMBIA, v. des États-Unis, capit. de la Caroline du Sud; 113 500 hab.

COLUMBIA *(district de),* district fédéral des États-Unis, directement administré par le Congrès; 756 500 hab. Là se trouve Washington, capit. de l'Union.

COLUMBUS, v. des États-Unis, capit. de l'Ohio; 539 700 hab. Grand centre industriel (sidérurgie, constructions mécaniques).

COLUMELLE [kɔlymɛl] n. f. (lat. *columella,* petite colonne). Colonne spiralée constituant l'axe selon lequel est enroulée la coquille des mollusques gastropodes.

COL-VERT ou **COLVERT** [kɔlvɛr] n. m. *(col,* cou, et *vert).* Le plus commun de nos canards sauvages, souche des canards domestiques. || Pl. des *cols-verts* ou *colverts.*

COLZA [kɔlza] n. m. (néerl. *koolzaad,* semence de chou). Plante voisine du chou, à fleurs jaunes, cultivée pour ses graines, fournissant jusqu'à 45 p. 100 d'huile. (Famille des crucifères.)

COMA [kɔma] n. m. (gr. *kôma,* sommeil profond). État pathologique (= anormal), dû à une maladie ou à une blessure grave, dans lequel le malade semble dormir profondément. ◆ **comateux, euse** adj. : *L'accidenté est dans un état comateux.*

— ENCYCL. Le *coma* est dû à une perte de la conscience, de la sensibilité et souvent de la motricité (= faculté de se mouvoir) : le malade n'est pas réveillé par les causes habituelles (lumière, son de la voix humaine, toucher); il faut des incitations très fortes (par ex. des pincements) pour obtenir une réponse.

Le coma peut être la conséquence de *maladies du système nerveux* (accident, hémorragie, maladies infectieuses du système nerveux central), d'*intoxications* qui peuvent être d'origine interne (maladies des reins, diabète, etc.) ou provenir d'un agent extérieur (poison, oxyde de carbone, drogue).

COMANCHES, Indiens originaires de l'actuel Wyoming, auj. confinés dans une réserve de l'Oklahoma.

COMATEUX, EUSE adj. → COMA.

COMBATTRE [kɔ̃batr] v. t. et i. (du lat. *cum,* avec, et *battuere,* battre). [Conj. **56.**] **1.** *Combattre qq'un,* se battre contre lui, s'opposer à lui par la violence ou dans un débat : *Combattre l'ennemi. Le gouvernement est combattu par les partis de l'opposition.* — **2.** *Combattre qqch.,* s'opposer à son action, chercher à le faire échouer : *Les pompiers combattent l'incendie* (syn. LUTTER CONTRE). *Combattre un projet de loi.* ◆ **combat** n. m. Action des adversaires qui combattent violemment, ou d'une personne qui lutte pour soutenir une cause : *Un combat est une opération militaire moins importante qu'une bataille. Combat de boxe. Engager le combat contre la vie chère* (syn. LUTTE). ◆ **combattant, e** adj. et n. : *Unité combattante* (= qui combat). *Anciens combattants* (= ceux qui ont combattu dans l'une des deux dernières guerres). ◆ **non-combattant, e** n. et adj. : *Les infirmiers et les médecins sont considérés comme des non-combattants.* ◆ **combatif, ive** adj. Se dit de quelqu'un (ou de son attitude) porté à combattre, qui recherche la lutte : *Avoir une humeur combative* (syn. AGRESSIF, BELLIQUEUX). ◆ **combativité** n. f. : *L'annonce de ce premier succès a accru la combativité de nos hommes.*

COMBE [kɔ̃b] n. f. (gaul. *cumba*). Vallée entaillée dans la voûte anticlinale d'un plissement jurassien, et limitée par deux escarpements calcaires, les crêts.

COMBE DE SAVOIE, région des Alpes françaises du Nord (Isère), parcourue par l'Isère, entre la cluse de Chambéry et la région d'Albertville. C'est la partie nord du Sillon alpin.

:OMBES (Émile), homme politique français (1835-1921). Un des :hefs du parti radical, il fut président du Conseil de 1902 à 1905. Il ›ratiqua une politique résolument anticléricale (fermeture des :coles religieuses non autorisées) et proposa la loi de séparation de 'Église et de l'État, qui fut votée après son départ du gouvernement en 1905.

:OMBIEN [kɔ̃bjɛ̃] adv. interr. ou exclam. de quantité (de 'anc. fr. *com*, comment, et *bien*). **1.** Modifie un verbe, un adv. ou ›n adj. : *Combien coûte ce livre?* (syn. QUEL PRIX?). *Combien ıesure, combien pèse cet enfant?* (syn. QUELLE TAILLE, QUEL ›OIDS?). *Combien je suis heureux de le revoir!* (syn. COMME, QUE). – **2.** *Ô combien!*, exprime l'intensité : *Il eût été, ô combien! ›référable de ne rien dire* (syn. BIEN, TRÈS). — **3.** *Combien de* (suivi ''un nom sing. ou plur.), quelle quantité, quel nombre de : *Comien de temps faut-il pour faire ce trajet?* — **4.** *Combien*, seul, peut ignifier « quel nombre de personnes? »; il s'emploie ainsi comme ujet, ou repris par *en* comme compl. : *Combien sont venus? ombien en voit-on qui se découragent!*; et adjectiv. : *Combien êtesous?* (= quel est votre nombre?). ◆ n. m. inv. Fam. *Tous les ombien?* (= à quelle fréquence?). [Rem. *Combien de*, suivi d'un om plur., et *combien*, employé seul au sens 4, sont traités comme es mots plur. : *Combien s'en souviennent encore? Combien de hotos as-tu prises?*] ◆ **combientième** adj. et n. m. *Fam.* Dans :s phrases interrogatives, appelle l'indication d'un chiffre, jour du ıois (en langue admin., le QUANTIÈME), rang, place, etc. : *« Nous ›mmes le combientième? — Le 10 avril. »* (⟶ NUMÉRATION.)

. COMBINAISON n. f. ⟶ COMBINER.

:. COMBINAISON [kɔ̃binɛzɔ̃] n. f. (de *combiner*). **1.** Sousêtement féminin. — **2.** Vêtement de travail d'une seule pièce :unissant veste et pantalon : *Une combinaison de mécanicien, de ilote.*

:OMBINAT [kɔ̃bina] n. m. (de *combiner*). En U.R.S.S., unité ıdustrielle groupant sur un territoire déterminé l'ensemble des tablissements dont les activités sont solidaires.

:OMBINER [kɔ̃bine] v. t. (bas lat. *combinare*, unir deux choses nsemble). Joindre, disposer d'une certaine manière plusieurs hoses en vue d'obtenir un résultat précis : *La musique est l'art de ›mbiner les sons* (syn. ASSEMBLER). *C'est un plan adroitement ›mbiné* (syn. CALCULER). *Il a tout combiné au mieux de ses intérêts* ›yn. ARRANGER). ◆ **combinaison** n. f. **1.** Manière de combiner es choses : *Combinaison de lettres, de chiffres, de couleurs.* – **2.** Manœuvre habile en vue de tel ou tel résultat : *Je ne veux pas ıtrer dans ces combinaisons louches* (syn. fam. MANIGANCE). – **3.** *Chim.* Union de plusieurs corps simples donnant un corps ›mposé; ce corps lui-même. — **4.** Math. *Combinaison linéaire*, un :cteur $\overrightarrow{V}$ est *combinaison linéaire* d'un couple de vecteur $(\overrightarrow{V_1}, \overrightarrow{V_2})$ il existe un couple (a, b) de nombres réels tels que $\overrightarrow{V} = a\overrightarrow{V_1} + b\overrightarrow{V_2}$. ◆ **combinatoire** adj. Relatif aux combinaisons. ◆ **combine** n. f. *am.* Moyen ingénieux, parfois peu scrupuleux, de réussir. **combiné, e** adj. Dans le langage militaire, se dit d'une opéraon qui intéresse simultanément plusieurs armes. ◆ n. m. Ensemble résultant d'une combinaison. — **2.** Appareil téléphoique réunissant l'écouteur et le microphone et permettant de arler tout en écoutant. — **3.** Épreuve réunissant plusieurs spécia:és d'un sport. ◆ **recombiner** v. t.

:OMBLANCHIEN [kɔ̃blɑ̃ʃjɛ̃] n. m. (de *Comblanchien*, comm. e la Côte-d'Or). Calcaire très dur, prenant un aspect poli, utilisé ›ur faire des revêtements et des dallages.

. COMBLE [kɔ̃bl] n. m. (lat. *cumulus*, monceau). **1.** Degré ctrême d'un sentiment, d'un défaut ou d'une qualité, d'un état : *tre au comble de la joie. Sa colère était à son comble. C'est un ›mble* (= c'est trop fort!). — **2.** *Pour comble, pour comble de alheur, de misère, d'infortune*, ce qui est pire, comme surcroît de alheur, etc.

. COMBLE [kɔ̃bl] n. m. (lat. *culmen*, sommet) [au plur.]. La ırtie d'un bâtiment directement située sous le toit : *Il loge dans ıe mansarde, sous les combles.* — LOC. ADV. *De fond en comble*, ıns la totalité, dans les moindres parties d'une habitation, entiè:ment.

. COMBLE [kɔ̃bl] adj. (de *combler*). **1.** Très plein (limité à ıelques express.) : *Un spectacle qui fait salle comble* (= qui attire : très nombreux spectateurs). — **2.** *La mesure est comble*, les nites de la patience sont atteintes, je ne peux pas en supporter ıvantage.

OMBLER [kɔ̃ble] v. t. (lat. *cumulare*). **1.** *Combler un trou, un ›droit creux, un vide*, etc., le remplir entièrement : *Combler un ssé avec de la terre* (syn. BOUCHER). *Ce livre vient combler une cune* (= y remédier). — **2.** *Combler un désir, un vœu, un espoir*, le tisfaire pleinement, le réaliser. — **3.** *Combler qq'un*, contenter ıtièrement ses désirs : *C'est pour moi, ce beau cadeau? Vous me ›mblez!* — **4.** *Combler qq'un de qqch.* (*dons, bienfaits, éloges*, etc.), lui en donner une grande quantité, le lui prodiguer. ◆ **comblement** n. m. Sens 1 du v.

COMBOURG, ch.-l. de cant. d'Ille-et-Vilaine, à 24 km au S.-E. de Dinan; 4700 hab. *(Combourgeois).* Château (XIe-XVe s.) où René de Chateaubriand passa une partie de sa jeunesse.

COMBRAILLE ou **COMBRAILLES** (la), région du Massif central s'étendant sur l'extrémité nord-ouest de l'Auvergne *(Combraille d'Auvergne)* et sur une partie du Bourbonnais *(Combraille bourbonnaise)*, à l'O. de l'Allier. C'est un pays verdoyant, vivant de l'élevage des bovins.

COMBURANT, E [kɔ̃byrɑ̃, -ɑ̃t] adj. et n. m. (du lat. *comburere*, brûler). Se dit d'un corps qui, par combinaison avec un autre, amène la combustion de ce dernier : *L'oxygène est comburant.*

COMBUSTION [kɔ̃bystjɔ̃] n. f. (du lat. *comburere*, brûler). **1.** Action de brûler, de consumer ou de se consumer par le feu : *Le charbon de bois est obtenu par la combustion lente et incomplète du bois.* — **2.** *Chim.* Ensemble des phénomènes qui se produisent lorsqu'un corps se combine avec l'oxygène en dégageant de la chaleur. ‖ *Combustion organique*, ensemble des oxydations qui s'accomplissent dans l'organisme. — **3.** *Moteur à combustion interne*, moteur dans lequel l'énergie fournie par un combustible est directement transformée en énergie mécanique. ◆ **combustibilité** n. f. Propriété des corps combustibles : *La combustibilité d'un gaz.* ◆ **combustible** adj. Qui a la propriété de se consumer, d'alimenter le feu : *Le bois sec est combustible.* ◆ n. m. **1.** Matière capable de se consumer, notamment pour fournir du chauffage : *Le charbon, la tourbe, le mazout sont des combustibles.* — **2.** *Phys.* Matière capable de fournir de l'énergie par fission ou fusion nucléaire. ◆ **incombustible** adj. : *L'amiante est incombustible.*

CÔME, v. d'Italie, en Lombardie, au fond de la branche sudouest du *lac de Côme;* 98000 hab. Belle cathédrale en marbre (XIVe-XVIe s.). — Le *lac de Côme* (146 km²) est traversé par l'Adda.

Comecon, sigle de l'express. anglaise *Council for Mutual Economic Assistance*, en fr. *Conseil d'assistance* (ou *d'aide*) *économique mutuelle* (C. A. E. M.), organisme qui regroupa de 1949 à 1991 l'U. R. S. S., la plupart des États européens de type socialiste, ainsi que la Mongolie, Cuba et le Viêt-nam.

1. COMÉDIE [kɔmedi] n. f. (lat. *comoedia*). Pièce de théâtre destinée généralement à faire rire, par la présentation de situations drôles ou la peinture des mœurs et des caractères; genre littéraire constitué par les pièces de cette sorte (par oppos. à TRAGÉDIE) : *La comédie veut un dénouement heureux.* ⟶ ENCYCL. ‖ *Comédie musicale*, genre de spectacle associant le chant, la danse et la prose, en vogue aux États-Unis et en Grande-Bretagne dès la fin du XIXe s., et qui s'est inspiré de l'opérette française. ◆ **comédien, enne** n. Acteur, actrice qui joue des pièces de théâtre, interprète des rôles (comiques ou dramatiques) à la radio, à la télévision, au cinéma.
— ENCYCL. Il existe plusieurs genres de *comédies.*

L'intérêt de la *comédie d'intrigue* repose sur le récit d'événements compliqués (par ex., certaines comédies de Molière comme *les Fourberies de Scapin* ou les comédies de Régnard au XVIIIe s.).

La *comédie de caractères* a pour objet principal la peinture développée d'un ou de plusieurs caractères. En France, Corneille en fut le créateur avec *le Menteur*, ouvrant ainsi la voie à Molière qui voulait « peindre les hommes au naturel » (*l'Avare, le Tartuffe, le Misanthrope*, etc.).

Dans la *comédie de mœurs*, on trouve la satire des mœurs d'une époque (*le Mariage de Figaro*, de Beaumarchais), ou d'une classe de la société. Dans plusieurs de ses pièces (*le Malade imaginaire, le Médecin malgré lui*, etc.), Molière fait la critique des médecins de son temps. De la même manière, au XVIIIe s., Lesage décrit les mœurs des financiers dans *Turcaret.*

2. COMÉDIE [kɔmedi] n. f. (de *comédie* 1). **1.** Manifestation hypocrite de sentiments qu'on n'éprouve pas réellement : *C'est de la comédie* (syn. FRIME). — **2.** *Fam.* Manœuvre compliquée, agaçante : *Quelle comédie, tous ces formulaires à remplir!* — **3.** *Fam.* Agissements insupportables : *Cesse tes comédies!* (syn. fam. HISTOIRE, SCÈNE). ◆ **comédien, enne** adj. et n. Qui déguise ses pensées, ses sentiments : *Il est très comédien, mais il s'est trahi* (syn. HYPOCRITE, SIMULATEUR).

Comédie humaine *(la)*, titre général sous lequel Balzac a réuni ses romans à partir de l'édition de 1842.

Comédie-Française, société des comédiens-français (on disait autref. les *Français*, par oppos. aux *Italiens*) et, par extens., du Théâtre-Français, géré par cette société. Elle doit son origine à Louis XIV qui, en 1680, ordonna la fusion de la troupe de Molière avec les acteurs du Marais et de l'Hôtel de Bourgogne, pour former une troupe unique, face aux comédiens-italiens. La Comédie-Française s'installa en 1804 dans le local qu'elle occupe encore au Palais-Royal.

Comédie-Italienne, nom sous lequel on désigne les diverses troupes venues d'Italie en France du XVIe au XVIIe s., appelées par les Valois, Marie de Médicis et plus tard Mazarin. Expulsés de France en 1697, pour une pièce qui attaquait Mme de Maintenon, les comédiens-italiens revinrent en 1716 et jouèrent bientôt presque exclusivement en français : Lesage et Marivaux leur confièrent de nombreuses pièces. En 1762, la Comédie-Italienne fusionna avec l'Opéra-Comique.

COMÉDIEN, ENNE adj. et n. ⟶ COMÉDIE 1 et 2.

Comédies et proverbes, titre général sous lequel sont réunies les pièces d'Alfred de Musset.

COMÉDON [kɔmedɔ̃] n. m. (du lat. *comedere*, manger). Bouchon graisseux obstruant l'orifice d'une glande sébacée et constituant les « points noirs » du visage.

COMESTIBLE [kɔmɛstibl] adj. (du lat. *comedere*, manger). Qui peut servir de nourriture à l'homme : *Le marron d'Inde n'est pas comestible.* ◆ **comestibles** n. m. pl. Produits alimentaires : *Une boutique de comestibles.*

COMÈTE [kɔmɛt] n. f. (du gr. *komêtês*, chevelu). **1.** Astre d'aspect nébuleux accompagné d'une traînée lumineuse. ⟶ ENCYCL. — **2.** Fam. *Tirer des plans sur la comète*, faire de vastes projets, en pensant que les circonstances seront favorables.
— ENCYCL. Les *comètes* visibles à l'œil nu sont très rares. Leur aspect fait apparaître une *tête*, comprenant un *noyau*, toujours très petit, entouré d'un nuage gazeux et vaporeux, ou *chevelure*, prolongé d'une traînée lumineuse, ou *queue*, toujours dirigée à l'opposé du Soleil.

COMICE [kɔmis] n. m. (lat. *comitium*). **1.** Pendant la Révolution française, réunion des électeurs pour nommer les membres des assemblées délibérantes. — **2.** *Comice agricole*, réunion formée par les propriétaires et les fermiers d'un arrondissement pour améliorer la production agricole. ◆ n. m. pl. Chez les Romains, assemblées du peuple dans lesquelles on élisait les magistrats et où l'on discutait des affaires publiques.

COMINES-WARNETON, en néerl. **Komen-Waasten,** comm. du Nord, sur la Lys (r. dr.), à 10 km au N.-O. de Tourcoing; 10 900 hab. *(Cominois).* Industries textiles (coton).

1. COMIQUE [kɔmik] adj. (lat. *comicus*). Qui appartient au genre de la comédie (pièce destinée à faire rire) : *Le théâtre comique du Moyen Âge.* ◆ n. m. Auteur de comédies.

2. COMIQUE [kɔmik] adj. (même étym.). Se dit d'une chose qui fait rire ou d'une personne dont le comportement excite le rire : *Il m'est arrivé une aventure comique* (syn. AMUSANT, DRÔLE). ◆ n. m. **1.** Ce qui provoque le rire; caractère amusant : *Le comique d'une scène peut tenir au caractère des personnages, à leurs gestes, à leurs paroles, à leur situation.* — **2.** Artiste, fantaisiste spécialisé dans les rôles comiques. ◆ **comiquement** adv.

COMITÉ [kɔmite] n. m. (angl. *committee*). **1.** Réunion de personnes déléguées par une assemblée, une autorité, ou se groupant de leur propre initiative, pour traiter certaines affaires. ‖ *Comité d'entreprise*, comité formé par les délégués élus des ouvriers, des employés et des cadres, sous la présidence du chef d'entreprise, pour assurer certaines activités, en partic. dans le domaine social. — **2.** *En petit comité*, en un cercle restreint de personnes qualifiées, entre intimes.

Comité français de libération nationale (C. F. L. N.), organisme constitué à Alger en juin 1943. Il devint un véritable gouvernement qui prit en mai 1944 le nom de *gouvernement provisoire de la République française.*

Comité de salut public, organisme créé par la Convention le 6 avril 1793, afin d'exercer le pouvoir exécutif. D'avril à juillet 1793, le Comité fut dominé par Danton. Celui-ci éliminé, Robespierre en devint la personnalité marquante. De septembre 1793 à juillet 1794, la même équipe, constamment maintenue au pouvoir, appliqua la Terreur*. Des divisions internes aboutirent à la chute de Robespierre le 9 thermidor. Le Comité disparut en même temps que la Convention en 1795.

Comité de sûreté générale, organisme institué par la Convention le 2 octobre 1792. Chargé de la « police générale et intérieure », il dirigeait la justice et la police révolutionnaires. Il contribua largement à la chute de Robespierre.

1. COMMANDER [kɔmɑ̃de] v. t. ou t. ind. [**à**] (lat. *commendare*, confier, donner un ordre). **1.** (sujet nom de personne) *Commander une armée, un détachement, des soldats, une équipe*, etc., ou *commander à une armée*, en être le chef : *Commander un navire, une expédition* (= en avoir la direction, la responsabilité). — **2.** *Commander à qq'un de* (et l'infin.), *commander qqch. à qq'un*, lui en donner l'ordre (syn. ORDONNER). — **3.** *Commander à ses sentiments, à ses membres*, exercer sur eux le strict contrôle de sa volonté, les gouverner (syn. MAÎTRISER). — **4.** (sans compl. d'objet) Exercer l'autorité : *C'est moi qui commande ici.* ◆ **commandant** n. m. **1.** Celui qui commande, qui dirige : *Le commandant du poste.* — **2.** Appellation donnée au titulaire du premier grade de la hiérarchie des officiers supérieurs dans les armées de terre et de l'air, et à tous les officiers supérieurs dans la marine. (⟶ GRADE 2.) ◆ **commande** n. f. *De commande*, imposé par quelqu'un ou par les circonstances; qui n'est pas sincère : *Faire preuve d'un optimisme de commande.* ‖ *Sur commande*, quand l'ordre en est donné. ◆ **commandement** n. m. **1.** Action de commander, rôle de celui qui commande. — **2.** *Commandements de Dieu*, les principaux préceptes transmis par Moïse aux Hébreux et valables pour les chrétiens (syn. DÉCALOGUE). — **3.** Ensemble des autorités militaires supérieures.

2. COMMANDER [kɔmɑ̃de] v. t. (même étym.). *Commander un travail à qq'un, un repas dans un restaurant, une tonne de charbon*, etc., en demander la fourniture, la livraison. ◆ **commande** n. f. **1.** Demande de marchandises adressée à un fournisseur; travail demandé à un fabricant, un entrepreneur, etc. : *Passer la commande.* — **2.** Marchandise commandée : *Livrer la commande.* ◆ **décommander** v. t. Annuler une commande ou une invitation, un rendez-vous.

3. COMMANDER [kɔmɑ̃de] v. t. (même étym.) [sujet nom de chose]. **1.** *Commander qqch.*, agir, assurer un contrôle sur elle : *Cette manette commande la sonnerie d'alarme. Une forteresse qui commande la vallée* (= la domine par sa position). — **2.** *Commander une chose, commander que* (suivi du subj.), entraîner la nécessité de cette chose : *La situation commande la plus grande fermeté* (syn. APPELER, REQUÉRIR). *Les circonstances commandent que l'on soit ferme* (syn. EXIGER, IMPOSER). ◆ **se commander** v. pr. *Pièces d'une maison qui se commandent*, disposées de telle sorte qu'on doit passer par l'une pour aller dans une autre. ◆ **commande** n. f. **1.** Élément d'un mécanisme qui assure le fonctionnement de l'ensemble : *Le pilote se met aux commandes (prend les commandes) de son avion.* — **2.** *Prendre les commandes, passer les commandes à qq'un*, prendre la direction d'une affaire, la confier à quelqu'un.

COMMANDERIE [kɔmɑ̃dri] n. f. (de *commander*). **1.** Bénéfice (= concession d'un domaine) attaché autref. à un ordre militaire ou religieux (ordres de Saint-Jean de Jérusalem, du Temple, Teutonique). — **2.** Résidence de celui qui était pourvu de ce bénéfice. ◆ **commandeur** n. m. **1.** Chevalier pourvu d'une commanderie : *Commandeur de l'ordre de Malte.* — **2.** Grade dans l'ordre de la Légion d'honneur, au-dessus d'officier. — **3.** *Commandeur des croyants*, titre donné aux anciens califes.

COMMANDITE [kɔmɑ̃dit] n. f. (it. *accomándita*, dépôt). *Société en commandite*, société commerciale dans laquelle des associés *(commanditaires)* apportent des capitaux, des fonds, sans prendre part à la gestion. ◆ **commanditer** v. t. Fournir des fonds à une entreprise commerciale.

COMMANDO [kɔmɑ̃do] n. m. (mot portug.). **1.** Petit groupe de soldats, chargé de missions spéciales et opérant isolément. — **2.** Petit groupe d'hommes armés, qui se livre à des actes de violence (attentats, sabotages, détournements d'avions, etc.).

COMME [kɔm] conj. ou adv. (lat. *quomodo*, comment). **1.** Exprime un rapport de temps, en introduisant une subordonnée à l'imp. de l'indic. qui indique une action ou un état en cours : *Comme le soir tombait, nous arrivâmes au village* (syn. ALORS QUE, TANDIS QUE). — **2.** Exprime un rapport de cause, en introduisant une subordonnée à l'indic. qui précède toujours la proposition principale : *Comme la voiture est en panne, il faut aller à pied* (syn. ÉTANT DONNÉ QUE, PUISQUE, VU QUE). — **3.** Exprime un rapport de comparaison, de conformité, en introduisant une subordonnée à l'indic. ou au conditionnel, ou sans verbe : *Tout s'est passé comme je l'avais prédit* (syn. AINSI QUE). *On ne rencontre pas souvent un homme comme lui* (syn. TEL QUE). — **4.** S'emploie dans les comparaisons à valeur intensive : *Rapide comme l'éclair, bavard comme une pie* (= très), etc. — **5.** Devant un nom ou un adj. au superl., indique en quelle qualité, à quel titre on considère quelqu'un ou quelque chose : *Comme doyen d'âge, c'est à vous de faire le discours* (syn. EN QUALITÉ DE, EN TANT QUE). — **6.** Sert à introduire un exemple : *Les animaux domestiques, comme le chien, le chat, le cheval* (syn. TEL, TEL QUE). — **7.** Sert à atténuer une énonciation (le plus souvent devant un adj. ou un part. passé) : *Il était comme envoûté par cet homme* (syn. POUR AINSI DIRE; fam. QUASIMENT). — **8.** *Comme cela, comme ça*, de cette façon, dans ces conditions. ‖ Fam. *Comme ça*, ou *comme ci, comme ça*, ni bien ni mal, moyennement. ‖ *Comme il faut*, de la bonne façon, bien : *Tiens-toi comme il faut à table* (syn. CONVENABLEMENT, CORRECTEMENT); et, adjectiv., de bonne éducation, distingué : *Une personne très comme il faut.* ‖ *Comme si*, indique une comparaison avec un cas hypothétique : *Ça se casse comme si c'était du verre.* ‖ *Tout comme*, exactement de la même façon que : *Je l'ai vu tout comme je vous vois.* ‖ Fam. *C'est tout comme*, cela revient au même. ◆ adv. exclam. **1.** Exprime l'intensité, parfois la manière : *Comme je suis heureux!* (syn. QUE). — **2.** Fam. *Comme vous y allez!*, vou ne manquez pas de hardiesse, vous exagérez. || *Dieu sait comme,* par des moyens sur lesquels il vaut mieux ne pas insister. || *Comme quoi,* annonce la conclusion tirée d'une observation : *Il est heureux maintenant, comme quoi tout finit par s'arranger.*

Comme il vous plaira, comédie de Shakespeare (1599).

commedia dell'arte (mots it.), forme théâtrale née en Italie, enrichie d'improvisations, et qui s'opposait à la comédie écrite, dont le texte devait être respecté par les acteurs. Les personnages sont traditionnels; les principaux sont Arlequin, Pierrot, Scaramouche, Pantalone, Pulcinella. Les personnages féminins, Colombine, Isabelle, etc. Des « comédiens de l'art » vinrent à plusieurs reprises, aux XVIIe et XVIIIe s., à Paris et exercèrent une grande influence sur le théâtre français. (⟶ COMÉDIE-ITALIENNE.)

COMMÉMORER [kɔmemɔre] v. t. (lat. *commemorare*). *Commémorer qqch.*, en rappeler le souvenir, avec plus ou moins de solennité : *Commémorer une bataille.* ◆ **commémoratif, ive** adj. Destiné à commémorer. ◆ **commémoration** n. f. : *Le 14 juillet, jour de la commémoration de la prise de la Bastille.*

COMMENCER [kɔmɑ̃se] v. t. (bas lat. *cominitiare*) [sujet nom d'être animé]. Faire la première partie de : *Commencer des travaux* (syn. ENTREPRENDRE). *Commencer la lecture d'un roman. Commencer sa journée par une séance de culture physique* (syn. ATTAQUER, ENTAMER). ◆ v. i. et t. ind. **1.** (sujet nom de chose) Être au début de son déroulement, avoir comme point de départ : *L'été commence le 21 juin* (syn. DÉBUTER). — **2.** (sujet nom d'être animé ou nom de chose) *Commencer à,* plus rarement *commencer de* (et l'infin.), marque le début d'une action ou d'un état : *L'orchestre commence à jouer* (ou *de jouer*). — **3.** *Commencer par,* indique ce qui est fait avant autre chose. ◆ **commencement** n. m. **1.** Ce qui forme la première partie d'un ensemble, ce qui doit être suivi d'autre chose : *Il s'est produit un commencement d'incendie* (syn. DÉBUT). — **2.** *Commençons par le commencement,* prenons le récit dans l'ordre chronologique, ou faisons les choses dans l'ordre normal de leur enchaînement. ◆ **recommencer** v. t., i. ou t. ind. [**à**]. Commencer de nouveau, reprendre à partir du commencement : *Le vent recommence à souffler. Je recommence mes explications.* ◆ **recommencement** n. m. : *On prétend parfois que l'histoire est un perpétuel recommencement.*

COMMENSAL, E, AUX [kɔmɑ̃sal, -so] n. (du lat. *cum,* avec, et *mensa,* table). **1.** Personne qui mange habituellement à la même table qu'une ou plusieurs autres. — **2.** Espèce animale qui vit associée à une autre, surtout en profitant de sa nourriture, sans lui porter préjudice : *Le poisson pilote est le commensal du requin.* ◆ **commensalisme** n. m. Genre de vie qui caractérise les espèces animales commensales.

COMMENSURABLE [kɔmmɑ̃syrabl] adj. (du lat. *cum,* avec, et *mensura,* mesure). Se dit de choses que l'on peut évaluer, comparer à l'aide d'une unité commune. ◆ **incommensurable** adj. Se dit de ce qui est si grand qu'il ne peut être mesuré : *Une foule incommensurable* (syn. INNOMBRABLE). *Il est d'une bêtise incommensurable* (syn. ILLIMITÉ). ◆ **incommensurablement** adv.

COMMENT [kɔmɑ̃] adv. (de l'anc. fr. *com,* et *-ment*). Sert à interroger sur la manière ou le moyen : *Comment écrit-on votre nom? Comment partiras-tu, en voiture ou par le train?* ◆ adv. ou interj. **1.** Exprime l'étonnement, la réprobation, l'indignation : *Comment pouvez-vous croire qu'on vous oublie! Comment? vous voilà?* — **2.** *Comment?,* s'emploie pour demander à quelqu'un de répéter ce qu'il vient de dire. — **3.** Fam. *Et comment!,* insiste sur une affirmation, ou exprime avec force une réponse affirmative (syn. AH OUI!, BIEN SÛR!, CERTAINEMENT!). ◆ n. m. inv. *Le comment,* la façon dont une chose se fait ou s'est faite : *Savoir le pourquoi et le comment des choses.*

COMMENTER [kɔmmɑ̃te] ou [kɔmɑ̃te] v. t. (lat. *commentari*). *Commenter un texte, un événement,* etc., l'accompagner de remarques qui l'expliquent, l'interprètent ou le jugent. ◆ **commentaire** n. m. **1.** Notes écrites ou remarques orales visant à faciliter la compréhension d'un texte. — **2.** Interprétation volontiers malveillante des paroles ou des actes de quelqu'un : *Faire des commentaires.* — **3.** Fam. *Cela se passe de commentaires,* c'est assez clair (se dit de ce qui traduit une intention, un sentiment). || *Sans commentaire!,* vous pouvez juger de vous-même. ◆ **commentateur, trice** n. **1.** Personne qui commente des textes. — **2.** Personne qui commente des nouvelles, des informations à la radio, à la télévision.

Commentaires, Mémoires historiques de Jules César sur la guerre des Gaules et sur la guerre civile (Ier s. av. J.-C.).

COMMENTRY, ch.-l. de cant. de l'Allier, à 14 km au S.-E. de Montluçon; 9 400 hab. *(Commentryens).* Sidérurgie. Industries textiles et chimiques. Produits pharmaceutiques.

COMMÉRAGE n. m. ⟶ COMMÈRE.

1. COMMERCE [kɔmɛrs] n. m. (lat. *commercium*). **1.** Achat et vente de marchandises, de produits divers : *Commerce de gros, de demi-gros, de détail. Le commerce extérieur* (= le commerce avec les pays étrangers). *Ce produit n'est pas encore dans le commerce* (= il n'est pas en vente dans les magasins, les boutiques). — **2.** Magasin ou boutique, marchandise et clientèle constituant un fonds : *Il a acheté un commerce de quincaillerie.* — **3.** *Chambre de commerce,* assemblée consultative de commerçants. || *Fonds de commerce* ⟶ FONDS. || *Navire de commerce,* navire se livrant exclusivement au commerce des marchandises (syn. CARGO). || *Registre du commerce,* registre administratif sur lequel doit obligatoirement figurer toute personne exerçant une activité commerciale. || *Représentant de commerce,* personne chargée de rechercher et de conclure des affaires pour le compte d'un commerçant. || *Voyageur de commerce,* intermédiaire qui voyage afin de traiter des affaires pour une maison de commerce. ◆ **commerçant, e** n. Personne qui se consacre au commerce. ◆ adj. **1.** Où il y a du commerce : *Un quartier commerçant.* — **2.** Favorable au commerce, qui attire la clientèle : *Un procédé commerçant.* ◆ **commercer** v. i. *Commercer avec un pays,* faire du commerce avec lui. ◆ **commercial, e, aux** adj. : *Un objet qui n'a aucune valeur commerciale* (syn. MARCHAND). ◆ **commercialement** adv. : *Une affaire commercialement avantageuse.* ◆ **commercialiser** v. t. *Commercialiser un produit,* le répandre dans le commerce, le mettre en vente. ◆ **commercialisation** n. f.

2. COMMERCE [kɔmɛrs] n. m. (même étym.). Ensemble des relations sociales entre les personnes (suivi d'un compl.) [littér.] : *Il est devenu irritable au point que le commerce de tous ses semblables lui est insupportable* (syn. FRÉQUENTATION, SOCIÉTÉ).

COMMERCY, ch.-l. d'arrond. de la Meuse, sur la Meuse, à 18 km au S. de Saint-Mihiel; 8 000 hab. *(Commerciens).*

COMMÈRE [kɔmɛr] n. f. (lat. *commater,* marraine). *Fam.* Femme curieuse, bavarde. ◆ **commérer** v. i. *Fam.* Parler de manière indiscrète. ◆ **commérage** n. m. *Fam.* Bavardage indiscret : *Ce sont des commérages* (syn. POTIN).

1. COMMETTRE [kɔmɛtr] v. t. (lat. *committere*). [Conj. **57.**] *Commettre une action blâmable, regrettable,* s'en rendre coupable : *Commettre un crime* (syn. PERPÉTRER). *Commettre une erreur* (syn. usuel FAIRE). ◆ ***se commettre*** v. pr. Avoir lieu : *Il se commet bien des atrocités pendant les guerres.*

2. COMMETTRE (SE) [səkɔmɛtr] v. pr. (même étym.). [Conj. **57.**] Entrer en rapport avec des gens méprisables, les fréquenter (littér.) : *Se commettre avec des voyous.*

COMMINATOIRE [kɔminatwar] adj. (du lat. *comminari,* menacer). **1.** *Dr.* Se dit d'une sanction qui n'a que la valeur d'une menace : *Arrêt comminatoire.* — **2.** Destiné à intimider par son caractère catégorique : *Un ton comminatoire* (syn. ↑MENAÇANT).

COMMIS [kɔmi] n. m. (de *commettre*). **1.** Personne qui, dans une maison de commerce ou un bureau, occupe un emploi subalterne. — **2.** *Commis voyageur,* syn. de REPRÉSENTANT DE COMMERCE ou de VOYAGEUR DE COMMERCE (plus usuels). — **3.** *Grand commis de l'État,* haut fonctionnaire.

COMMISÉRATION [kɔmizerasjɔ̃] n. f. (lat. *commiseratio*). Sentiment où se mêlent de la pitié et de la compassion en présence des malheurs d'autrui.

COMMISSAIRE [kɔmisɛr] n. m. (du lat. *committere,* confier). **1.** Celui qui est chargé d'organiser, d'administrer, en général pour une durée limitée : *Commissaire d'une fête.* — **2.** *Commissaire de police,* ou simplem. *commissaire,* celui qui dirige des services de police, veille au maintien de l'ordre et à la sécurité des citoyens. — **3.** *Commissaire aux comptes,* expert chargé de contrôler les comptes du conseil d'administration d'une société anonyme pour le compte des actionnaires de celle-ci. — **4.** *Commissaire de la République,* nom donné de 1982 à 1988 au représentant de l'État dans le département (auj. PRÉFET). || *Commissaire de la République adjoint,* nom donné de 1982 à 1988 au représentant de l'État dans l'arrondissement (auj. SOUS-PRÉFET). ◆ **commissaire-priseur** n. m. Officier ministériel (= homme de loi) chargé d'estimer les objets mobiliers et de les vendre aux enchères dans les ventes publiques. || Pl. des *commissaires-priseurs.* ◆ **commissariat** n. m. Bureau du commissaire de police.

Commissariat à l'énergie atomique, établissement de caractère scientifique, technique et industriel, créé en 1945 pour poursuivre toutes recherches scientifiques et techniques en vue de l'utilisation de l'énergie atomique dans les divers domaines de la science, de l'industrie et de la défense nationale.

1. COMMISSION [kɔmisjɔ̃] n. f. (lat. *commissio;* de *committere,* confier). Groupe de personnes chargées d'étudier une question, de régler une affaire : *La commission d'armistice a été saisie* *de l'incident.* ‖ *Commission d'enquête,* groupe de parlementaires ou de techniciens désignés par une assemblée parlementaire ou par les pouvoirs publics pour effectuer une enquête, notamment à la suite d'un scandale ou d'une catastrophe. ‖ *Commission rogatoire,* mission confiée par un juge à un autre juge ou à un officier de police, en vue de procéder à des recherches d'informations.

2. COMMISSION [kɔmisjɔ̃] n. f. (même étym.). **1.** Charge qu'une personne donne à une autre de faire quelque chose à sa place; mission qui lui est confiée (message ou objet à transmettre) : *J'ai une commission pour vous de la part de vos parents.* — **2.** Activité de celui qui se charge, moyennant une remise, de l'achat ou du placement de marchandises, de transactions pour le compte d'une autre personne. — **3.** Pourcentage ou rétribution que touche un commissionnaire : *Il faut déduire du prix de vente la commission de l'agence.* ◆ **commissionnaire** n. **1.** Celui qui est chargé d'une commission (message ou marchandise) pour quelqu'un : *Donner un pourboire au commissionnaire.* — **2.** Intermédiaire commercial qui fait des opérations pour le compte d'autrui. ‖ *Commissionnaire en douane,* personne ou société accomplissant pour autrui les formalités de douane. ◆ **commissionner** v. t. Donner à quelqu'un commission de vendre ou d'acheter.

3. COMMISSIONS [kɔmisjɔ̃] n. f. pl. (même étym.). Denrées, provisions que l'on achète quotidiennement (syn. COURSES).

COMMISSURE [kɔmisyr] n. f. (lat. *commissura*). *Commissure des lèvres,* point de jonction des lèvres.

1. COMMODE [kɔmɔd] adj. (lat. *commodus,* approprié). Se dit d'une chose bien appropriée à l'usage qu'on en attend; qui offre de la facilité : *Cet outil est très commode* (syn. PRATIQUE). *Un texte qui n'est pas commode à traduire* (syn. AISÉ, FACILE). ◆ **commodément** adv. : *Être commodément assis dans un fauteuil* (syn. CONFORTABLEMENT). ◆ **commodité** n. f. : *Pour plus de commodité, on a rassemblé ici toute la documentation nécessaire* (syn. FACILITÉ). *Cet appartement est pourvu de toutes les commodités* (syn. ÉLÉMENTS DE CONFORT). ◆ **incommode** adj. Se dit d'une chose qui n'est pas d'un usage facile, ou qui cause de la gêne : *Un outil incommode. Une position incommode* (syn. INCONFORTABLE). ◆ **incommodité** n. f. ◆ **malcommode** adj. Se dit de ce qui n'est pas commode : *Cette armoire trop haute est très malcommode. Un horaire de trains malcommode* (= mal adapté). ◆ **incommoder** v. t. *Incommoder qq'un,* lui causer une gêne, un malaise physique : *La chaleur incommode.* ◆ **incommodant, e** adj. : *Une odeur incommodante.*

2. COMMODE [kɔmɔd] adj. (de *commode* 1). *Personne qui n'est pas, qui est peu commode,* d'un caractère difficile, peu aimable.

3. COMMODE [kɔmɔd] n. f. (de *armoire commode*). Meuble à tiroirs, servant surtout à ranger le linge.

COMMODE (161-192), empereur romain (180-192), fils de Marc Aurèle. Son règne fut marqué par une politique financière désastreuse, par sa cruauté et par le rôle néfaste de ses favoris.

COMMODÉMENT adv., **COMMODITÉ** n. f. ⟶ COMMODE 1.

COMMODORE [kɔmɔdɔr] n. m. (mot angl.). Titre donné, dans les marines britannique et américaine, à tout officier supérieur commandant un groupe de bâtiments.

COMMONWEALTH OF NATIONS *(Communauté de nations),* ensemble des pays issus de l'Empire britannique, unis par une commune allégeance à la couronne britannique. Cette communauté a été établie par le statut de Westminster (1931).

COMMOTION [kɔmɔsjɔ̃] n. f. (lat. *commotio,* mouvement). **1.** Secousse très violente provoquée par un tremblement de terre, une explosion. — **2.** Violent ébranlement nerveux ou psychique, consécutif à un choc : *Commotion cérébrale.* ◆ **commotionner** v. t. (surtout au passif) : *L'accident l'avait sérieusement commotionné* (syn. ↑TRAUMATISER). ◆ **commotionné, e** adj.

COMMUER [kɔmɥe] ou [kɔmmɥe] v. t. (lat. *commutare*). *Commuer une peine, une sentence,* la changer en une autre moins forte. ◆ **commutation** n. f. : *Bénéficier d'une commutation de peine* (syn. RÉDUCTION).

1. COMMUN, E [kɔmœ̃, -yn] adj. (lat. *communis*). **1.** Qui appartient à tous, qui concerne tout le monde ou qui est partagé avec d'autres : *L'intérêt commun* (syn. GÉNÉRAL, PUBLIC; contr. INDIVIDUEL, PARTICULIER). *L'effort commun* (= mené ensemble) [syn. COLLECTIF]. *Ce réflexe est commun à tous les débutants* (= se trouve habituellement chez eux). — **2.** Gramm. *Nom commun,* nom qui désigne un être ou une chose considérés comme appartenant à une catégorie générale (ex. : *chien, maison, sagesse*), par oppos. à *nom propre.* — **3.** *D'un commun accord,* après s'être tous concertés (syn. À L'UNANIMITÉ, UNANIMEMENT). ‖ *En commun,* à la disposition de tous, sans distinction : *Les dépenses étaient mises en commun.* ‖ *Faire cause commune avec qq'un,* défendre les mêmes idées que lui, se solidariser avec lui. ‖ *Sens commun* ⟶ SENS.

2. COMMUN, E [kɔmœ̃, -yn] adj. (de *commun* 1). **1.** Se dit de quelque chose qui abonde, qu'on trouve couramment : *Le fer est un métal commun. La méthode la plus commune consiste à...* (syn. COURANT, HABITUEL, USUEL). — **2.** *Péjor.* Se dit de quelqu'un ou de quelque chose qui manque de distinction, d'élégance (syn. VULGAIRE). — **3.** *Lieu commun,* idée couramment admise, banale à force d'être répétée (syn. IDÉE REÇUE). ◆ **commun** n. m. *Le commun des mortels,* les humains en général, les gens. ◆ **communément** adv. : *C'est une idée communément admise* (syn. COURAMMENT, GÉNÉRALEMENT).

3. COMMUN [kɔmœ̃] n. m. (même étym.). *Les communs,* les bâtiments consacrés au service, dans une grande maison.

COMMUNAL, E, AUX adj. ⟶ COMMUNE.

COMMUNARD, E [kɔmynar, -ard] adj. et n. (de *Commune* [*de Paris*]). Celui, celle qui participa à la Commune de Paris, en 1871.

COMMUNAUTÉ [kɔmynote] n. f. (lat. *communitas*). **1.** Caractère de ce qui est commun à plusieurs personnes, de ce qu'elles ont en commun : *Communauté de sentiments.* — **2.** Personnes qui vivent ensemble ou qui ont un idéal, des intérêts communs, et, en partic., religieux d'un même monastère : *Une communauté de bénédictins.* — **3.** *Communauté linguistique, culturelle,* etc., ensemble de personnes parlant la même langue, ayant la même culture, etc. — **4.** *Dr.* Régime de mariage en vertu duquel certains biens sont communs aux deux époux; ces biens eux-mêmes. — **5.** *Communauté urbaine,* organisme regroupant pour une administration commune une grande ville et les communes voisines ⟶ ENCYCL. ◆ **communautaire** adj. : *Il n'a pas l'esprit communautaire* (= il est plus préoccupé de ses propres intérêts que de ceux de la communauté).

— ENCYCL. Une *communauté urbaine* est administrée par des délégués des diverses communes formant un *conseil de communauté.* Bordeaux, Lille, Lyon et Strasbourg ont été les premières agglomérations instituées d'office en communautés urbaines.

Toute ville de plus de 50 000 hab. qui le souhaite peut devenir une communauté urbaine (*ex.* : Dunkerque). Comme la commune, elle jouit de la personnalité civile.

Communauté, association qui avait été formée en 1958 par la France, les départements et les territoires d'outre-mer, et douze républiques africaines.

Communauté économique européenne (C. E. E.), appelée souvent MARCHÉ COMMUN, association créée en 1957 par le traité de Rome. Elle réunit l'activité économique de chacun des pays membres, à l'origine Allemagne de l'Ouest, Belgique, France, Italie, Luxembourg, Pays-Bas. En 1973 d'autres membres y sont intégrés : Grande-Bretagne, Irlande, Danemark. La Grèce y entre à son tour en 1981, l'Espagne et le Portugal en 1986.

La C. E. E. vise à la suppression des barrières douanières, à l'établissement de la libre circulation de la main-d'œuvre, des personnes, des capitaux, etc. L'*Acte unique européen,* conclu en 1986 et ratifié par les États membres en 1986 et 1987, a contribué à intensifier le processus d'unification, précisé en 1991 lors du *sommet de Maastricht* (où ont été fixées, notamment, les étapes décisives de l'Union économique et monétaire [U. E. M.]).

Arrivée à un stade décisif de la réalisation de son intégration, la C. E. E. est en outre confrontée aujourd'hui à des problèmes de croissance, d'une part en raison de l'apparition depuis 1990 de nouveaux candidats (anciens pays socialistes de l'Europe de l'Est) et d'autre part à la suite du rapprochement engagé avec l'Association* européenne de libre-échange (création, prévue pour 1993, d'un Espace économique européen [E. E. E.]).

Les principales institutions européennes sont : une *Commission européenne,* qui fait des propositions au Conseil des ministres;

un *Conseil des ministres,* qui a pouvoir de décision;

une *Assemblée parlementaire européenne* (518 députés en 1989) qui exerce un contrôle sur la Commission;

un *Comité économique et social* (rôle consultatif);

une *Cour de justice,* qui règle les désaccords pouvant survenir entre les États, à propos de l'application des traités;

des *organisations financières,* comme la *Banque européenne d'investissement* (B. E. I.), qui contribue au développement des régions pauvres de la communauté; le *Fonds social européen,* qui facilite les échanges de main-d'œuvre entre les pays, en fonction de besoins; le *Fonds européen de développement.*

Communauté européenne du charbon et de l'acier (C. E. C. A.), association conclue en 1951 entre l'Allemagne (République fédérale), la Belgique, la France, l'Italie, le Luxembourg et les Pays-Bas en vue de l'établissement d'un marché commun du charbon et de l'acier.

Communauté européenne de l'énergie atomique (Euratom), association conclue en 1957 entre l'Allemagne (République fédérale), la Belgique, la France, l'Italie, le Luxembourg et les Pays-Bas en vue de favoriser la croissance des industries nucléaires dans les pays membres.

COMMUNE [kɔmyn] n. f. (bas lat. *communia*, réunion de gens ayant une vie commune). **1.** Circonscription territoriale française, administrée par un maire et un conseil municipal, et constituant la plus petite division administrative de la France. ⟶ ENCYCL. ‖ *Syndicat de communes*, groupement formé par des communes voisines qui, isolément, ne disposent pas de moyens suffisants pour construire les équipements nécessaires (stade, piscine, etc.). — **2.** *Chambre des communes*, assemblée des députés en Grande-Bretagne. ◆ **communal, e, aux** adj. **1.** Qui appartient à la commune : *École communale.* — **2.** Qui concerne la commune : *Budget communal.* ◆ **intercommunal, e, aux** adj. Qui concerne plusieurs communes.

— ENCYCL. Depuis 1884, les communes, malgré une population très inégale, ont les mêmes droits et la même organisation : chacune est administrée par un *maire* et ses *adjoints* assistés d'un *conseil municipal*. Tous sont élus, tous les six ans, par l'ensemble des citoyens *(élections municipales)*. [⟶ CONSEIL MUNICIPAL.]

La commune a des ressources propres et doit faire face à des dépenses (entretien des bâtiments communaux, traitement des personnels de la mairie, routes...) bien définies dans le *budget communal.* Elle peut être propriétaire de terrains, d'immeubles *(biens communaux)*, les faire fructifier, vendre, acheter, etc.

La loi de décentralisation de 1982 a supprimé les tutelles administratives et budgétaires. Les délibérations et les arrêtés pris par les autorités communales sont désormais exécutoires de plein droit.

→ cartes et schémas pages suivantes.

Commune de Paris, gouvernement municipal de Paris de 1789 à 1795. À cette commune se substitua une Commune insurrectionnelle, organe essentiel du gouvernement jusqu'à la fin de 1793.

Commune de Paris, gouvernement insurrectionnel formé à Paris après la levée du siège de la ville par les Prussiens, et vaincu par l'armée des « versaillais » (18 mars-27 mai 1871). Il s'agit d'une tentative des milieux socialistes et ouvriers pour gérer les affaires politiques sans recours à l'État. La misère, les déceptions nées de la capitulation, les maladresses d'une Assemblée nationale très conservatrice et installée à Versailles, la suppression de la solde des gardes nationaux en furent les principales causes.

Les organes révolutionnaires étaient le Comité central de la garde nationale et un Conseil général de la Commune de Paris. Le but des « communards » était triple : révolutionnaire, anticlérical et social. Mais les insurgés ne purent faire front aux versaillais.

21-28 mai. C'est la « semaine sanglante ». Les versaillais ayant pénétré dans Paris, la ville se couvrit de barricades. Des monuments tels que les Tuileries et l'Hôtel de Ville furent incendiés. Les derniers combats se déroulèrent au Père-Lachaise où les communards furent fusillés au pied du « mur des Fédérés ».

La répression fut très dure. Elle priva le parti révolutionnaire de ses chefs jusqu'à l'amnistie promulguée en 1880.

COMMUNÉMENT adv. ⟶ COMMUN 2.

COMMUNIANT, E n. ⟶ COMMUNIER 1.

COMMUNICABLE adj., **COMMUNICATIF, IVE** adj., **COMMUNICATION** n. f. ⟶ COMMUNIQUER.

1. COMMUNIER [kɔmynje] v. i. (lat. [*altari*] *communicare*, approcher de l'autel). Recevoir la communion, ou sacrement de l'eucharistie. ◆ **communiant, e** n. **1.** Personne qui communie. — **2.** *Premier communiant, première communiante*, celui, celle qui fait sa première communion (ou communion privée). ◆ **communion** n. f. **1.** Chez les chrétiens, réception du sacrement de l'eucharistie. → ENCYCL. — **2.** *Communion privée* ou *première communion*, cérémonie où l'enfant communie pour la première fois. — **3.** *Communion solennelle*, syn. de PROFESSION DE FOI.

— ENCYCL. La *communion* eucharistique chez les *catholiques* est l'acte par lequel les chrétiens reçoivent le corps et le sang de Jésus-Christ (sous la forme d'une hostie consacrée).

Chez les *protestants*, la communion a lieu sous les deux espèces du pain (hostie) et du vin. Elle se nomme *sainte cène*.

2. COMMUNIER [kɔmynje] v. i. (même étym.). Être en complète union d'idées, de sentiments (littér.) : *Deux amis qui communient dans la même admiration pour Bach.* ◆ **communion** n. f. *Communion d'idées, de sentiments*, accord complet.

COMMUNIQUER [kɔmynike] v. t. (lat. *communicare*). **1.** *Communiquer qqch. à qq'un*, le mettre à sa disposition pour qu'il en prenne connaissance; lui donner connaissance de quelque chose qu'il ignore : *Communiquer un dossier, un avis.* — **2.** (sujet nom de chose) Transmettre quelque chose : *Le Soleil communique la chaleur.* ◆ v. i. **1.** (sujet nom de personne) Entretenir une correspondance, des relations : *Communiquer par téléphone.* — **2.** *Pièces d'une maison qui communiquent entre elles*, disposées de telle sorte qu'on puisse passer directement de l'une dans l'autre. ◆ **se communiquer** v. pr. (sujet nom de chose). Se répandre, se propager : *Le feu s'est communiqué aux bâtiments voisins.* ◆ **communicable** adj. (surtout dans des loc. négatives ou restrictives) : *Une impression difficilement communicable.* ◆ **incommunicable** adj. *Pensée, sentiment incommunicable*, qu'on ne peut faire partager à autrui. ◆ **incommunicabilité** n. f. ◆ **communicatif, ive** adj. **1.** Se dit d'une attitude, d'un sentiment qui tend à gagner d'autres personnes : *Un rire communicatif.* — **2.** Se dit d'une personne qui a tendance à faire part aux autres de ses idées ou de ses sentiments : *Un garçon peu communicatif* (syn. OUVERT). ◆ **communication** n. f. **1.** Action de communiquer, de transmettre : *La communication d'une nouvelle.* — **2.** Exposé fait sur une question à une société savante. — **3.** Moyen de liaison, de jonction : *Cette ville est située sur une grande voie de communication.* — **4.** *Communication (téléphonique)*, mise en relation de deux correspondants par téléphone. ◆ **communiqué** n. m. Information diffusée par la presse, la radio, la télévision.

COMMUNISME [kɔmynism] n. m. (de *commun*). Système politique, économique, social, tendant à la suppression de la lutte des classes par la collectivisation (= mise en commun) des moyens de production. ⟶ ENCYCL. ◆ **communiste** adj. et n. : *Le parti communiste.* ◆ **communisant, e** adj. et n. Qui a des sympathies pour le communisme sans adhérer au parti communiste. ◆ **anticommunisme** n. m. Opposition au communisme. ◆ **anticommuniste** adj. et n.

— ENCYCL. À la fin du XVIIIe s. (Babeuf) et au début du XIXe s. apparaissent les premiers doctrinaires modernes du *communisme.* Les idées socialistes se répandent dès la première partie du XIXe s. dans la classe ouvrière. (En France, les principaux penseurs socialistes sont Cabet, Louis Blanc, Fourier, Proudhon, Saint-Simon.) Puis dans la deuxième partie du XIXe s., Karl Marx forge une doctrine et un programme d'action qui l'emportent dès 1890 sur les autres idéologies du mouvement ouvrier.

Dans le système communiste qui s'appuie sur la doctrine de Karl Marx (⟶ MARXISME), les usines, les terres, les capitaux (propriétés privées) sont exploités, non plus au bénéfice de particuliers, de sociétés ou de trusts, mais au profit de la collectivité.

C'est en Russie que se développe le premier système politique durable se réclamant du communisme. En 1917, Lénine et les bolcheviks instaurent, à la suite de la révolution d'Octobre, un régime socialiste qui doit, dans leur esprit, permettre le passage au communisme, c'est-à-dire à une société sans classes et où les structures de l'État doivent disparaître. Dans un premier stade, la dictature du prolétariat édifie une société socialiste où l'État possède les moyens de production et où le seul parti politique est le parti communiste, dirigé jusqu'en 1924 par Lénine, puis à sa mort par Staline (mort en 1953).

Dans le reste du monde, des partis se constituent peu après la révolution russe (en France en 1920), regroupés dans la IIIe Internationale (1919-1943).

COMMUTATEUR [kɔmytatœr] n. m. (du lat. *commutare*, changer). Dispositif permettant de faire passer le courant électrique, à volonté, dans différents circuits ou appareils. ◆ **commutatrice** n. f. Machine tournante, servant à transformer du courant alternatif en courant continu et inversement.

COMMUTATIF, IVE [kɔmytatif, -iv] adj. (du lat. *commutare*, changer). *Math.* Se dit d'une loi* de composition interne, notée par exemple $*$, définie sur un ensemble E si pour tout couple (x, y) d'éléments de E on a $x * y = y * x$. (*Ex. :* l'addition et la multiplication dans l'ensemble $\mathbb{Z}$ des entiers relatifs sont commutatives; la soustraction dans $\mathbb{Z}$ n'est pas commutative car $3 - 2 = 1$ et $2 - 3 = -1$.) ‖ *Anneau commutatif*, anneau* $(E, +, \times)$ pour lequel la loi $\times$ est commutative. ‖ *Groupe commutatif* (ou *abélien*), groupe* $(E, *)$ pour lequel la loi de composition interne $*$ est commutative.

1. COMMUTATION n. f. ⟶ COMMUER.

2. COMMUTATION [kɔmytasjɔ̃] n. f. (lat. *commutatio*). *Linguist.* Substitution d'un terme à un autre.

3. COMMUTATION [kɔmytasjɔ̃] n. f. (même étym.). Modification de la configuration d'un circuit électrique par l'établissement ou la rupture de certains contacts.

COMMUTATRICE n. f. ⟶ COMMUTATEUR.

COMMYNES, COMMINES ou **COMINES** (Philippe DE), chroniqueur français (1447-1511). Chambellan de Charles le Téméraire, il passe au service de Louis XI en 1472. Sous Charles VIII, ayant pris le parti des princes contre les Beaujeu, il est emprisonné et exilé. Rappelé à la cour, il joue un rôle important dans la préparation des guerres d'Italie. Il a composé des *Mémoires.*

COMNÈNE, famille byzantine qui a donné six empereurs (XIe-XIIe s.).

COMODORO RIVADAVIA, ville de l'Argentine, en Patagonie; 72 900 hab. Gisements de pétrole et de gaz naturel.

COMORES *(archipel des)*, île de l'océan Indien, au N.-O. de Madagascar, constituant un État indépendant; 1 900 km²; 420 000 hab. Capit. *Moroni.* L'archipel comprend trois îles

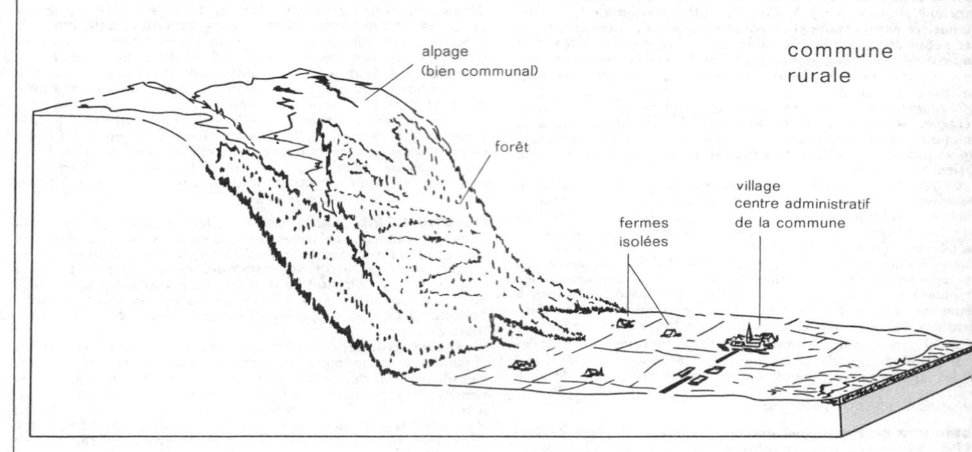

De la commune rurale à la commune urbaine, tous les types peuvent être rencontrés. La commune rurale traditionnelle a des moyens d'existence réduits. Elle doit faire souvent appel à l'État ou trouver des partenaires pour constituer des groupements de communes qui permettent de financer les grosses dépenses indispensables (adduction d'eau par exemple). Certaines peuvent attirer sur leur territoire une zone industrielle qui leur permettra d'accroître leurs ressources.

La commune urbaine se trouve confrontée à des problèmes de grande envergure : construction de logements à bon marché, écoles, zones de loisirs, équipement sportif, création d'un réseau de communications moderne, voies express, métro financé en partie par la ville. Tous ces problèmes réclament des équipes de spécialistes (financiers ou ingénieurs) qui viennent augmenter l'importance de cette main-d'œuvre que l'on classe dans le secteur tertiaire. La vie de la commune est donc conditionnée par un équilibre de plus en plus précaire entre ses revenus, qui semblent souvent peu importants, et ses dépenses qui, si elles n'étaient pas consenties, entraîneraient tôt ou tard l'exode de ses habitants vers des régions ou des villes organisées d'une manière plus moderne.

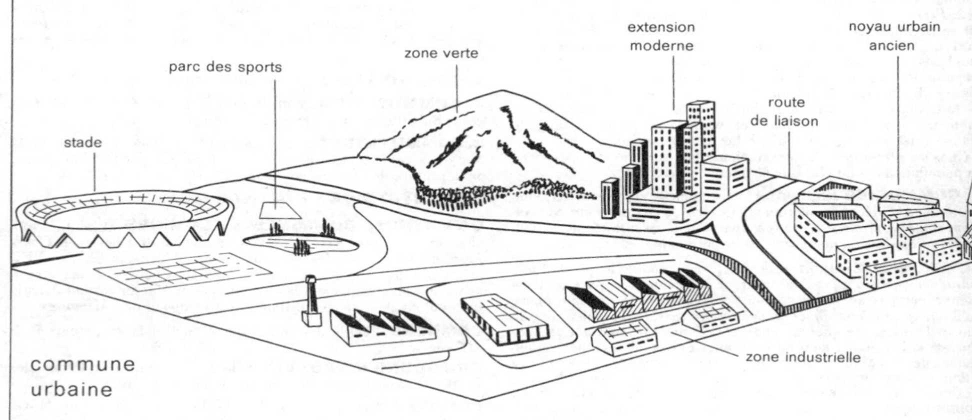

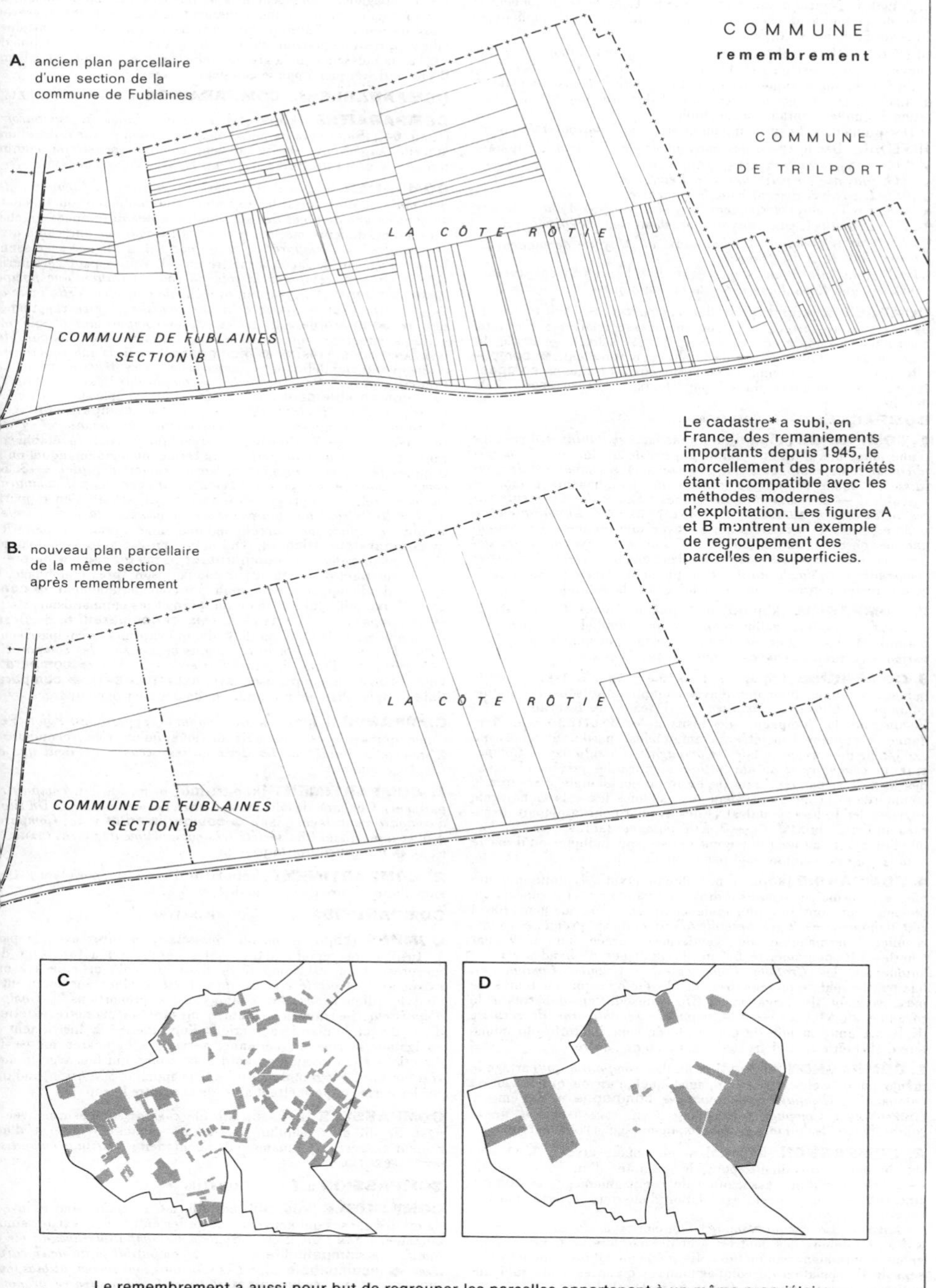

Le cadastre* a subi, en France, des remaniements importants depuis 1945, le morcellement des propriétés étant incompatible avec les méthodes modernes d'exploitation. Les figures A et B montrent un exemple de regroupement des parcelles en superficies.

Le remembrement a aussi pour but de regrouper les parcelles appartenant à un même propriétaire. Celles-ci étaient auparavant dispersées d'une façon anarchique après héritages et achats. Les figures C et D montrent la situation des terres d'un même propriétaire, avant et après le remembrement.

principales: *Ngazidja* (ancienn. Grande Comore, qui concentre près de la moitié de la population), *Moili* (ancienn. Mohéli) et *Ndzouani* (ancienn. Anjouan).

GÉOGRAPHIE. Ces îles, volcaniques, ont un relief tourmenté. Le climat, tropical, est plus ou moins humide selon l'exposition.

La population pratique une agriculture vivrière à base de maïs et de manioc. Des plantations fournissent des produits pour l'exportation : vanille, coprah, cacao, huiles.

Des problèmes de surpeuplement se posent, surtout à Anjouan.

HISTOIRE. Dès le XIe s., des musulmans s'établissent à Anjouan.

- *1816. Protectorat français sur Anjouan.*
- *1843. Mayotte est rattachée à la Réunion.*
- *1912. L'archipel devient colonie française.*
- *1958. Les Comores deviennent territoire français d'outre-mer.*
- *1975. L'archipel, sauf Mayotte, proclame son indépendance.*
- *1976. Par référendum, les habitants de Mayotte demandent à rester dans le cadre français.*
- *1978. À la suite d'un coup d'État, une nouvelle Constitution instaure une République fédérale et islamique.*

COMPACT, E [kɔ̃pakt] adj. (lat. *compactus*). **1.** Dont toutes les parties sont resserrées, formant une masse épaisse : *Une pâte compacte. Une foule compacte* (syn. DENSE, SERRÉ). — **2.** Se dit d'un appareil, d'une voiture de faible encombrement. ◆ **compacité** n. f. (seulement techn.) : *La compacité du béton.* ◆ **compactage** n. m. Pilonnage du sol pour le tasser et en accroître la densité.

COMPAGNE n. f. ⟶ COMPAGNON 1.

1. COMPAGNIE [kɔ̃paɲi] n. f. (bas lat. *compania*). **1.** Présence d'une personne, d'un être animé auprès de quelqu'un : *Le berger n'a pour toute compagnie que son chien et ses moutons. Je vous laisse en bonne compagnie* (=avec une ou plusieurs personnes agréables). — **2.** Réunion de personnes : *Égayer la compagnie par ses histoires* (syn. ASSEMBLÉE, ASSISTANCE). — **3.** *En galante compagnie*, se dit d'un homme qui est avec une femme. ‖ *En compagnie de*, en ayant auprès de soi : *Il dîne en compagnie d'un ami* (syn. AVEC). ‖ *La bonne compagnie*, les gens bien élevés. ‖ *Fausser compagnie à qq'un*, le quitter brusquement. ‖ *Tenir compagnie à qq'un*, rester auprès de lui pour lui éviter la solitude.

2. COMPAGNIE [kɔ̃paɲi] n. f. (même étym.). Chez certains animaux (cervidés, gallinacés), groupe familial composé des parents et des jeunes de l'année, restant ensemble jusqu'aux pariades suivantes : *Une compagnie de perdreaux.*

3. COMPAGNIE [kɔ̃paɲi] n. f. (même étym.). **1.** Association de personnes réunies pour une œuvre commune, ou sous des statuts communs : *L'illustre Compagnie* (=l'Académie française). ‖ *La Compagnie*, la Compagnie de Jésus. (⟶ JÉSUITE.) — **2.** Nom donné à certaines sociétés commerciales, partic. à celles qui exploitent un service public : *Compagnie d'assurances.* ‖ *Compagnies de commerce et de navigation*, compagnies privées chargées dès le XVIe s. par les États de l'Europe occidentale d'assurer le commerce et la mise en valeur des colonies (*ex. :* la Compagnie anglaise des Indes orientales). [Elles avaient pour la plupart disparues au début du XIXe s.] — **3.** *Et compagnie* (abrév. : *et Cie*), loc. que l'on ajoute au nom d'une entreprise pour indiquer qu'il existe d'autres associés qui ne sont pas nommés.

4. COMPAGNIE [kɔ̃paɲi] n. f. (même étym.). **1.** Unité militaire placée en principe sous les ordres d'un capitaine, et composée de plusieurs sections (la compagnie comprend généralement 100 à 200 hommes). — **2.** *Compagnie d'ordonnance*, première troupe régulière permanente de gendarmes, créée en 1439 par Charles VII, pour mettre fin aux brigandages de bandes armées autonomes, les *Grandes Compagnies.* ‖ *Grandes Compagnies*, bandes de soldats mercenaires au Moyen Âge qui, en temps de paix, vivaient de brigandage. (Du Guesclin en débarrassa le royaume au XIVe s.) — **3.** *Compagnie républicaine de sécurité* (C. R. S.), unité mobile de police placée sous l'autorité du ministère de l'Intérieur et chargée du maintien de l'ordre.

1. COMPAGNON [kɔ̃paɲɔ̃] n. m. (lat. *companio*, qui partage le même pain). Celui qui accompagne quelqu'un ou qui vit en sa compagnie : *Compagnon de route.* ◆ **compagne** n. f. Fém. de COMPAGNON : *Compagnes de classe* (syn. CAMARADE). *Il ne se consolait pas de la mort de sa compagne* (syn. ÉPOUSE, FEMME).

2. COMPAGNON [kɔ̃paɲɔ̃] n. m. (même étym.). **1.** Ouvrier du bâtiment travaillant pour le compte d'un entrepreneur. — **2.** Membre d'une association de compagnonnage. ◆ **compagnonnage** n. m. Autref., association d'ouvriers de la même profession. ⟶ ENCYCL.

— ENCYCL. Le *compagnonnage* commença à s'organiser dès le XVe s., en dehors des confréries et des corporations. Les compagnons s'unissaient par métiers. Ils n'étaient admis à pénétrer au sein de l'association de compagnonnage qu'après avoir subi une initiation, souvent inspirée du cérémonial catholique.

Au cours de son *tour de France*, le compagnon recevait dans chaque ville une aide fraternelle : logement, nourriture, emploi. Les compagnons s'engageaient à ne pas travailler au-dessous d'u certain salaire minimal; non seulement ils organisaient des grève mais ils jetaient l'interdit sur certains patrons et sur certain villes. Après une nouvelle période de grande vigueur au début c XIXe s., la naissance de la grande industrie et celle du syndicalisn firent s'effriter peu à peu le compagnonnage.

COMPARABLE adj., **COMPARAISON** n. f. ⟶ COMPARER.

COMPARAÎTRE [kɔ̃parɛtr] v. i. (de l'anc. fr. *comparoi* [Conj. **64.**] (Sujet nom de personne.) Se présenter sur ordre d'u autorité supérieure, de la justice, comme accusé ou comn témoin. ◆ **comparution** n. f. : *La comparution de l'accusé.*

COMPARER [kɔ̃pare] v. t. (lat. *comparare*). **1.** *Comparer d personnes ou des choses*, les examiner simultanément ou success vement en vue de juger des similitudes et des différences qu'ell présentent, de leurs mérites respectifs : *Comparer une copie av l'original.* — **2.** *Comparer qq'un* ou *qqch. à*, souligner sa resser blance avec lui, de façon à mettre en relief un aspect caractéri tique : *On peut comparer le rôle du cœur à celui d'une pomp* ◆ **se comparer** v. pr. (surtout précédé de *pouvoir*) : *Telle fable c La Fontaine peut se comparer à une comédie* (= être rapproché de). ◆ **comparable** adj. : *Des choses comparables* (= qui o certains caractères communs). *Arriver à des résultats comparabl* (syn. ANALOGUE, VOISIN). ◆ **incomparable** adj. D'une supériorit d'une qualité qui défie toute comparaison : *Des fleurs d'une beau incomparable. Un spectacle incomparable* (syn. UNIQUE ◆ **incomparablement** adv. (renforce un comparatif) : *Ceci e incomparablement plus utile que cela.* ◆ **comparaison** n. **1.** Action de comparer : *La comparaison des avantages et d inconvénients.* — **2.** Procédé de style qui consiste à établir u rapport entre ce dont on parle et un terme analogique auquel on compare *(gai comme un pinson, bavard comme une pie).* — **3.** *E comparaison, par comparaison, en comparaison de, par compara son avec*, relativement, proportionnellement, si l'on s'en rapport à : *Les fruits sont bon marché. en comparaison du mois dernie* ‖ *Sans comparaison (avec)*, indique une grande supériorit ◆ **comparateur, trice** adj. Qui aime, qui est apte à comparer *Esprit comparateur.* ◆ **comparateur** n. m. Instrument de préc sion permettant d'effectuer, par comparaison après étalonnage, mesure d'une longueur en l'amplifiant considérablement. ◆ **com paratif, ive** adj. Qui utilise ou qui permet les comparaisons : *Ur étude comparative des prix de revient.* ◆ **comparatif** n. m. Deg de signification de l'adj. ou de l'adv. qui exprime la comparaison *« Plus beau », « aussi beau », « moins beau » sont les comparati de supériorité, d'égalité, d'infériorité de « beau ».* ◆ **comparat vement** adv. En comparaison (syn. RELATIVEMENT). ◆ **compara tiste** n. Spécialiste de littérature et de grammaire comparées.

COMPARSE [kɔ̃pars] n. (it. *comparsa*, apparition). *Péjor.* Pe sonne qui est présente, mais ne joue qu'un rôle secondaire *L'enquête a établi que les deux autres accusés n'étaient que d simples comparses.*

1. COMPARTIMENT [kɔ̃partimɑ̃] n. m. (du lat. *compartir* partager). Chacune des divisions d'une chose cloisonnée : *Un tiro à compartiments* (syn. CASE). ◆ **compartimenter** v. t. : *Compart menter une caisse. Une société très compartimentée* (syn. CLOISON NER). ◆ **compartimentage** n. m.

2. COMPARTIMENT [kɔ̃partimɑ̃] n. m. (même étym.). Div sion d'une voiture de chemin de fer.

COMPARUTION n. f. ⟶ COMPARAÎTRE.

COMPAS [kɔ̃pɑ] n. m. (de *compasser*, mesurer avec le pas **1.** Instrument servant à tracer des cercles ou à rapporter d mesures, et qui est composé de deux branches articulées à ur extrémité. ‖ *Avoir le compas dans l'œil*, évaluer correctement l'œil les dimensions, les distances, les proportions. ‖ *Comp d'épaisseur*, instrument servant à mesurer le diamètre extérie d'une tige ou le diamètre intérieur d'un tube. — **2.** Instrument c navigation marine ou aérienne, servant à comparer toutes l directions à la direction du nord magnétique qui fait avec le no vrai (ou nord géographique) un angle appelé *déclinaison*, indiqu sur les cartes et permettant ainsi de connaître le cap.

COMPASSÉ, E [kɔ̃pase] adj. (de *compasser*, mesurer avec pas). Se dit de quelqu'un (ou de ses manières) qui est d'ur raideur exagérée, qui manque de spontanéité : *Attitude compass* (syn. AFFECTÉ).

COMPASSION n. f. ⟶ COMPATIR.

COMPATIBLE [kɔ̃patibl] adj. (du lat. *compati*, souffrir avec Se dit des choses qui peuvent s'accorder entre elles, exister simu tanément : *Son travail est difficilement compatible avec la vie famille.* ◆ **compatibilité** n. f. : *La compatibilité de deux cara tères.* ◆ **incompatible** adj. : *Ces solutions sont incompatibles* (sy INCONCILIABLE). ◆ **incompatibilité** n. f. : *Un divorce pronon pour incompatibilité d'humeur* (= impossibilité de s'accorder, c vivre ensemble). *Il y a incompatibilité entre les fonctions de dépu* *et celles de préfet* (= une même personne ne peut les exercer simultanément).

COMPATIR [kɔ̃patir] v. t. ind. (lat. *compati*, souffrir avec). *Compatir à la douleur de qq'un*, s'y associer par un sentiment de pitié. ◆ **compatissant, e** adj. : *Des paroles compatissantes.* ◆ **compassion** n. f. : *Un regard plein de compassion* (syn. APITOIEMENT).

COMPATRIOTE [kɔ̃patrijɔt] n. (du lat. *cum*, avec, et *patriota*, qui est du pays). Se dit d'une personne qui est du même pays qu'une autre (syn. CONCITOYEN).

COMPENSER [kɔ̃pɑ̃se] v. t. (lat. *compensare*). *Compenser qqch.*, équilibrer un effet par un autre, dédommager d'un inconvénient par un avantage : *La beauté du paysage compense le manque de confort de l'hôtel.* ‖ *Compenser une dette*, la solder au moyen d'une créance. ◆ **compensateur, trice** adj. Qui donne une compensation : *Toucher une indemnité compensatrice.* ◆ n. m. Appareil destiné à compenser une différence ou, plus couramment, une variation (de longueur, d'effort, etc.). ◆ **compensation** n. f. **1.** *Le bonheur de ses enfants est pour elle une compensation suffisante de la peine qu'elle s'est donnée* (syn. DÉDOMMAGEMENT). — **2.** En termes de banque et de Bourse, opération qui consiste à régler les achats et les ventes au moyen de virements réciproques, sans déplacement de titres ni d'argent.

COMPÈRE [kɔ̃pɛr] n. m. (lat. *compater*, parrain). Toute personne qui est complice d'une autre pour faire une supercherie.

COMPÈRE-LORIOT [kɔ̃pɛrlɔrjo] n. m. *(compère*, et *loriot)*. Inflammation de la paupière : *Des compères-loriots* (syn. ORGELET).

1. COMPÉTENCE n. f. ⟶ COMPÉTENT.

2. COMPÉTENCE [kɔ̃petɑ̃s] n. f. (lat. *competentia*, juste rapport). Aptitude d'une eau courante à déplacer des matériaux d'une taille donnée. (Les matériaux transportés sont d'autant plus gros que la compétence, qui dépend du débit, de la pente et de la densité, est plus élevée. Des eaux boueuses peuvent transporter de gros blocs. Une chute brutale de la compétence entraîne un dépôt de matériaux, comme une diminution de débit.)

COMPÉTENT, E [kɔ̃petɑ̃, -ɑ̃t] adj. (du lat. *competere*, convenir à). Se dit de quelqu'un qui est apte à juger, à décider, à faire quelque chose : *Être compétent en archéologie* (syn. CONNAISSEUR, EXPERT). *Autorités compétentes* (syn. QUALIFIÉ). ◆ **compétence** n. f. **1.** *La compétence d'un tribunal* (= son droit de juger une affaire). *Faire appel à la compétence d'un spécialiste* (syn. APTITUDE, QUALIFICATION). *Cette affaire n'est pas de ma compétence* (= de mon ressort). — **2.** *Fam.* Personne qualifiée : *Les plus hautes compétences médicales* (syn. SOMMITÉ). ◆ **incompétent, e** adj. ◆ **incompétence** n. f. : *Un employé renvoyé pour incompétence* (syn. INCAPACITÉ).

COMPÉTITION [kɔ̃petisjɔ̃] n. f. (du lat. *competere*, briguer). **1.** Épreuve sportive mettant aux prises plusieurs concurrents (syn. MATCH). — **2.** *Être, entrer en compétition avec*, se poser en rival, en concurrent de (syn. CONCURRENCE). ◆ **compétitif, ive** adj. Se dit d'un prix, d'un article commercial qui peut supporter la concurrence avec d'autres : *Des prix de vente compétitifs* (syn. CONCURRENTIEL). ◆ **compétitivité** n. f. Caractère d'un prix ou d'une économie qui sont compétitifs.

COMPIÈGNE, ch.-l. d'arrond. de l'Oise, sur l'Oise, à 76 km au N.-E. de Paris; 43 300 hab. Centre résidentiel en bordure de la *forêt de Compiègne*, qui s'étend sur 14 450 ha.

L'anc. château de Charles V, reconstruit au XVIIIe s. dans un style sévère, néo-classique, fut la résidence préférée de Napoléon III. Il abrite auj. une importante collection de mobilier français et un musée de la Voiture et du Tourisme.

COMPILER [kɔ̃pile] v. t. (lat. *compilare*, piller). *Péjor.* Emprunter à divers auteurs ou documents la matière, les idées d'un ouvrage (syn. COPIER, PLAGIER). ◆ **compilateur, trice** n. *Péjor.* Auteur qui ne fait qu'emprunter aux autres, qui n'a aucune originalité. ◆ **compilation** n. f. *Péjor.* Œuvre sans originalité, composée d'emprunts.

COMPLAINTE [kɔ̃plɛ̃t] n. f. (du bas lat. *complangere*, se lamenter). Chanson populaire racontant les malheurs d'un personnage légendaire.

COMPLAIRE (SE) [səkɔ̃plɛr] v. pr. (lat. *complacere*). [Conj. **77.**] (Sujet nom de personne.) Trouver du plaisir, de l'agrément dans tel ou tel état : *Il se complaît dans son ignorance.*

COMPLAISANT, E [kɔ̃plɛzɑ̃, -ɑ̃t] adj. (de *complaire*). **1.** Se dit d'une personne (ou de son comportement) qui cherche à se rendre utile, à satisfaire les désirs de quelqu'un : *Le voisin m'a aidé à déménager l'armoire; il est très complaisant* (syn. SERVIABLE). — **2.** Se dit de quelqu'un qui fait preuve d'une indulgence coupable : *Un père trop complaisant aux caprices de son fils.* ◆ **complaisamment** adv. **1.** Avec une complaisance qui manque de retenue : *Détailler complaisamment un récit.* — **2.** Pour être agréable : *Il m'a très complaisamment prêté sa voiture* (syn. OBLIGEAMMENT). ◆ **complaisance** n. f. **1.** Désir d'être agréable, de rendre service : *Il a poussé la complaisance jusqu'à m'accompagner* (syn. AMABILITÉ, OBLIGEANCE, SERVIABILITÉ). — **2.** Sentiment de satisfaction que l'on a par orgueil ou par indulgence : *Se regarder avec complaisance.* — **3.** Péjor. *Certificat, attestation de complaisance*, accordés en vue d'être agréable à l'intéressé, mais peu conformes à la vérité.

1. COMPLÉMENT [kɔ̃plemɑ̃] n. m. (lat. *complementum*). Ce qu'il faut ajouter à une chose incomplète pour la compléter : *Demander un complément d'information* (syn. SUPPLÉMENT). *Le complément d'une somme à payer* (syn. RESTE). ◆ **complémentaire** adj. Qui sert à compléter : *Une somme complémentaire.* ‖ Math. *Angles géométriques complémentaires*, se dit de deux angles* géométriques si la somme de leurs écarts* angulaires est l'écart angulaire de l'angle géométrique droit ($\frac{\pi}{2}$ si l'unité de mesure choisie est le radian, unité légale, ou 90 si l'unité de mesure est le degré). ◆ n. m. Math. *Complémentaire d'une partie d'un ensemble* ⟶ PARTIE 1. ◆ **complémentarité** n. f.

2. COMPLÉMENT [kɔ̃plemɑ̃] n. m. (même étym.). *Gramm.* Mot ou groupe de mots qui s'ajoute à un autre pour en compléter le sens : *On appelle « complément direct » celui qui n'est pas relié au verbe par une préposition, et « complément indirect » celui qui est relié au verbe par une préposition. On distingue des compléments d'objet, de circonstance, d'attribution, d'agent, etc.* (⟶ FONCTION 1.)

1. COMPLET, ÈTE [kɔ̃plɛ, -ɛt] adj. (lat. *completus*, achevé). **1.** Se dit d'une chose à laquelle il ne manque rien, de ce qui est entièrement réalisé : *Un trousseau complet* (syn. ENTIER). *Un échec complet* (syn. TOTAL). — **2.** Se dit d'un moyen de transport, d'un récipient, d'une salle de spectacle, etc., qui ne peut rien contenir de plus : *L'autobus est complet* (syn. PLEIN). — **3.** Se dit d'une personne qui a toutes les qualités désirables : *C'est un homme complet, à la fois cultivé, sportif, etc.* (syn. ACCOMPLI, ACHEVÉ). — **4.** Fam. *C'est complet!*, voilà encore un nouvel ennui! (syn. fam. IL NE MANQUAIT PLUS QUE ÇA!). ‖ *Au complet, au grand complet*, sans que personne ou rien ne manque. ◆ **incomplet, ète** adj. Contr. de COMPLET (sens 1) : *Nos renseignements sont incomplets* (syn. FRAGMENTAIRE, PARTIEL). ◆ **complètement** adv. : *Le malade n'est pas complètement rétabli* (syn. ENTIÈREMENT, TOTALEMENT). ◆ **incomplètement** adv. : *Des bûches incomplètement consumées.* ◆ **compléter** v. t. *Compléter qqch.*, le rendre complet en ajoutant ce qui manque : *Faire un stage pour compléter sa formation* (syn. ACHEVER). ◆ **se compléter** v. pr. Devenir complet : *Sa collection se complète peu à peu.*

2. COMPLET [kɔ̃plɛ] n. m. (même étym.). Vêtement d'homme dont le veston, le gilet et le pantalon sont faits du même tissu.

COMPLÉTIVE [kɔ̃pletiv] adj. et n. f. (lat. *completivus*, qui complète). *Proposition complétive*, proposition subordonnée complément d'objet, sujet ou attribut. (Ex. : [*Je vois*] *que tout va bien.*)

1. COMPLEXE [kɔ̃plɛks] adj. (lat. *complexus*, qui contient). Se dit d'un ensemble, d'un tout dont les éléments sont combinés d'une manière qui n'est pas immédiatement claire pour l'esprit, qui est difficile à analyser : *Les données de ce problème sont très complexes* (syn. COMPLIQUÉ; contr. SIMPLE). *Une situation complexe* (contr. CLAIR, NET). ◆ **complexité** n. f. : *La complexité d'un calcul.*

2. COMPLEXE [kɔ̃plɛks] n. m. (même étym.). **1.** Ensemble d'établissements industriels concourant à une même activité économique : *Un complexe sidérurgique.* — **2.** *Chim.* Corps obtenu par le groupement de plusieurs molécules.

3. COMPLEXE [kɔ̃plɛks] n. m. (all. *Komplex*). Ensemble de sentiments et de souvenirs inconscients, acquis au stade de l'enfance, qui conditionnent plus ou moins le comportement conscient de l'individu : *Avoir un complexe d'infériorité.* ◆ **complexé, e** adj. et n. Fam. : *Il est trop complexé pour parler ou agir avec naturel.* ◆ **décomplexé, e** adj. *Fam.* Qui a perdu tout complexe, toute retenue.

COMPLEXION [kɔ̃plɛksjɔ̃] n. f. (lat. *complexio*). Constitution physique d'une personne, état de son organisme, surtout sous le rapport de la résistance : *Un enfant d'une complexion délicate* (syn. NATURE).

COMPLEXITÉ n. f. ⟶ COMPLEXE 1.

COMPLICATION n. f. ⟶ COMPLIQUER.

COMPLICE [kɔ̃plis] adj. et n. (lat. *complex, -icis*, uni étroitement). **1.** Qui participe secrètement à l'action répréhensible d'un autre, ou qui est au courant de cette action : *Le cambrioleur avait deux complices.* — **2.** Qui manifeste un accord secret : *Ils échangèrent un regard complice.* ◆ **complicité** n. f. : *Être accusé de* *complicité. Il y a une grande complicité entre eux* (syn. CONNIVENCE).

COMPLIES [kɔ̃pli] n. f. pl. (du lat. *completa [hora]*, heure accomplie). Dernière partie de l'office divin catholique, après vêpres.

COMPLIMENT [kɔ̃plimɑ̃] n. m. (esp. *cumplimiento*). Parole affectueuse, flatteuse, adressée à quelqu'un : *Le lauréat a reçu les compliments de son entourage* (syn. FÉLICITATIONS). *Vous ferez mes compliments à vos parents* (formule de politesse) [= vous leur ferez part de mon bon souvenir]. ◆ **complimenter** v. t. : *Complimenter un élève* (syn. FÉLICITER). ◆ **complimenteur, euse** n. Flatteur, souvent excessif.

COMPLIQUER [kɔ̃plike] v. t. (lat. *complicare*, lier ensemble). Rendre moins simple, plus difficile à comprendre ou à réaliser : *Toute une série d'incidents viennent compliquer l'action de ce roman* (syn. EMBROUILLER). ◆ ***se compliquer*** v. pr. **1.** Devenir plus difficile, plus confus : *L'affaire se complique.* — **2.** *Ne pas se compliquer l'existence*, user toujours des moyens les plus faciles. ◆ **compliqué, e** adj. **1.** Se dit d'une chose difficile à comprendre, à retenir, à exécuter, à démêler, en raison du grand nombre, de l'enchevêtrement de ses parties : *Un mécanisme compliqué. Un problème compliqué* (contr. SIMPLE). — **2.** Se dit d'une personne qui n'agit pas simplement, qui recherche la difficulté : *Un esprit compliqué.* ◆ **complication** n. f. **1.** État de ce qui est compliqué; ensemble compliqué : *La complication d'un mécanisme.* — **2.** Élément nouveau qui entrave le déroulement normal d'une chose; en partic., évolution nouvelle d'une maladie, aggravation : *Une pneumonie est parfois la complication d'une grippe.* — **3.** (au plur.) Obstacles qui s'opposent à l'accomplissement de quelque chose : *Faire des complications* (syn. DIFFICULTÉS, EMBARRAS).

COMPLOT [kɔ̃plo] n. m. (orig. incert.). **1.** Menées secrètes et concertées de plusieurs personnes contre quelqu'un ou contre une institution : *Un complot visait à renverser le régime* (syn. CONJURATION, ↑CONSPIRATION). — **2.** Fam. *Mettre qq'un dans le complot*, le mettre au courant de ce qui se prépare en secret. ◆ **comploter** v. i. Former des complots (syn. ↑CONSPIRER). ◆ v. t. **1.** Faire le complot de : *Comploter un coup d'État* (syn. TRAMER). — **2.** Faire à plusieurs des projets, des préparatifs secrets : *Qu'est-ce que vous complotez encore dans votre coin?* ◆ **comploteur, euse** adj. et n. (syn. ↑CONSPIRATEUR).

COMPLUVIUM [kɔ̃plyvjɔm] n. m. (mot lat.). *Antiq. rom.* Ouverture carrée au milieu du toit de l'atrium. (Les eaux de pluies, par cette ouverture, tombaient dans l'impluvium.)

COMPONCTION [kɔ̃pɔ̃ksjɔ̃] n. f. (du lat. *compungere*, affecter). Air de gravité humble, de recueillement affecté (ironiq.).

1. COMPORTER [kɔ̃pɔrte] v. t. (lat. *comportare*, transporter). Avoir comme parties essentielles, comprendre, renfermer quelque chose par nature : *Son discours comportait trois parties* (syn. SE COMPOSER DE). *Cette règle ne comporte aucune exception* (syn. ADMETTRE, SOUFFRIR).

2. COMPORTER (SE) [səkɔ̃pɔrte] v. pr. (de *comporter* 1). Agir de telle ou telle façon : *Il s'est mal comporté à mon égard* (syn. SE CONDUIRE). ◆ **comportement** n. m. Manière de se comporter : *Son comportement avec moi est étrange* (syn. ATTITUDE, CONDUITE).

COMPOSANT, E adj., n. m. et f., **COMPOSÉ, E** adj. et n. m. ⟶ COMPOSER 1.

COMPOSÉES [kɔ̃poze] ou **COMPOSACÉES** [kɔ̃pozase] n. f. pl. (de *composer*). Très grande famille (au moins 13 000 espèces) de plantes présentant de nombreuses fleurs minuscules rassemblées en capitules (*marguerite, chardon, chicorée*, etc.).

1. COMPOSER [kɔ̃poze] v. t. (du lat. *componere*, mettre ensemble). **1.** (sujet nom de personne) Former un tout en assemblant divers éléments : *Composer un bouquet de fleurs* (syn. ASSEMBLER, DISPOSER). *Composer un numéro téléphonique sur le cadran.* ‖ *Composer un mot, une ligne*, en imprimerie, assembler les caractères qui formeront ce mot, cette ligne. — **2.** (sujet nom d'être animé ou nom de chose) Entrer comme élément constituant d'un tout, être la matière de : *Les hommes qui composent l'équipe* (syn. CONSTITUER). ◆ ***se composer*** v. pr. ou ***être composé*** v. passif [**de**]. Être formé de, consister en : *L'eau se compose d'hydrogène et d'oxygène.* ◆ **composant, e** adj. Qui entre dans la composition d'un corps, d'un ensemble : *Les éléments composants.* ◆ n. m. : *L'huile de lin est un composant du mastic.* ‖ *Composant électronique*, élément entrant dans la constitution des circuits électroniques. ◆ n. f. Élément constitutif, donnée (mot abstrait) : *La hausse des prix et le chômage partiel étaient les composantes principales du malaise social.* ‖ *Math.* ⟶ ENCYCL. ◆ **composé, e** adj. **1.** Constitué de plusieurs éléments : *Le sel de cuisine est un corps composé* (= formé par la combinaison de plusieurs éléments simples). *« Essuie-glace » est un mot composé* (= formé de plusieurs mots). *Le plus-que-parfait est un temps composé* (= temps d'un verbe formé du part. passé précédé d'un auxil.). — **2.** *Intérêts composés*, intérêts qu'on ne touche pas et qui, s'ajoutant au capital, produisent à leur tour un intérêt. ◆ n. m. Ensemble formé de plusieurs éléments. ◆ **composition** n. f. **1.** Action ou manière de composer une chose : *La composition d'un mets* (syn. CONFECTION). *La composition d'une tragédie* (syn. STRUCTURE). *La composition d'une assemblée* (syn. CONSTITUTION, FORMATION). *La composition de l'eau. La composition d'un texte destiné à être imprimé.* — **2.** Math. *Loi de composition interne sur un ensemble* ⟶ LOI. ‖ *Composition de deux applications* ⟶ APPLICATION. — **3.** *Gramm.* Formation de mots par combinaison de mots simples ou par addition d'un préfixe.

— ENCYCL. ***composante.*** Si $(\overrightarrow{V_1}, \overrightarrow{V_2})$ est une base* de l'ensemble des vecteurs du plan affine, tout vecteur $\overrightarrow{V}$ s'écrit d'une manière unique comme une combinaison linéaire de la base $(\overrightarrow{V_1}, \overrightarrow{V_2})$, c'est-à-dire qu'il existe un couple unique (a, b) de nombres réels tels que $\overrightarrow{V} = a\,\overrightarrow{V_1} + b\,\overrightarrow{V_2}$. Le couple de vecteurs $(a\,\overrightarrow{V_1}, b\,\overrightarrow{V_2})$ est le couple des composantes de $\overrightarrow{V}$ dans la base $(\overrightarrow{V_1}, \overrightarrow{V_2})$.

2. COMPOSER [kɔ̃poze] v. t. (même étym.). Écrire de la musique : *Beethoven a composé neuf symphonies.* ◆ **compositeur, trice** n. Personne qui compose de la musique. ◆ **composition** n. f. Œuvre musicale.

3. COMPOSER [kɔ̃poze] v. i. (même étym.). Faire un exercice scolaire sur un sujet donné, dans un temps déterminé, en vue d'un classement : *Composer en mathématiques.* ◆ **composition** n. f. **1.** Exercice scolaire : *Réussir sa composition d'histoire.* — **2.** *Composition française*, exercice littéraire destiné à apprendre aux élèves à ordonner et à exprimer leurs idées (syn. RÉDACTION).

4. COMPOSER [kɔ̃poze] v. i. (même étym.) [sujet nom de personne]. Trouver un accommodement : *Il faut parfois composer avec ses adversaires* (syn. TRANSIGER). ◆ **composition** n. f. *Amener qq'un à composition*, l'amener à céder une partie de ses exigences en vue d'un compromis. ‖ *Être de bonne composition*, se laisser faire, être accommodant.

5. COMPOSER [kɔ̃poze] v. t. (même étym.). **1.** (sujet nom de personne) *Composer son visage, son maintien*, prendre une expression, une attitude ne correspondant pas aux sentiments éprouvés (littér.). — **2.** *Visage, air composé*, qui cherche à exprimer des sentiments non ressentis (syn. AFFECTÉ).

COMPOSITE [kɔ̃pozit] adj. (lat. *compositus*). **1.** Fait d'éléments très divers : *Une foule composite* (syn. DISPARATE, ↑HÉTÉROCLITE). — **2.** Se dit d'un style d'architecture élaboré par les Romains, adopté par les bâtisseurs classiques, et qui associe décorativement des éléments empruntés aux ordres dorique, ionique, corinthien.

COMPOSITEUR, TRICE n. ⟶ COMPOSER 2.

COMPOSITION n. f. ⟶ COMPOSER 1, 2, 3 et 4.

COMPOST [kɔ̃pɔst] n. m. (du lat. *compositus*, composé). Mélange de terre, de résidus organiques et de chaux, qui se transforme peu à peu en terreau et qui est utilisé comme engrais.

COMPOSTEUR [kɔ̃pɔstœr] n. m. (de l'it. *composto*, composé). Appareil à lettres ou à chiffres interchangeables, servant à marquer, à numéroter, à dater. ◆ **compostage** n. m. Action de composter. ◆ **composter** v. t. Marquer, numéroter avec un composteur : *Composter un ticket de métro.*

COMPOTE [kɔ̃pɔt] n. f. (du lat. *componere*, mettre ensemble). **1.** Fruits cuits, entiers ou en morceaux, avec du sucre : *Une compote de pommes.* — **2.** Fam. *En compote*, meurtri, malmené. ◆ **compotier** n. m. Coupe à pied pour servir des fruits crus ou en compote.

COMPOUND [kɔ̃pund] adj. inv. (mot angl. signif. *composé*). Se dit de certains organes ou appareils mécaniques associés.

COMPRÉHENSIBILITÉ n. f., **COMPRÉHENSIBLE** adj., **COMPRÉHENSIF, IVE** adj. ⟶ COMPRENDRE 2.

COMPRÉHENSION n. f. ⟶ COMPRENDRE 1 et 2.

1. COMPRENDRE [kɔ̃prɑ̃dr] v. t. (lat. *comprehendere*). [Conj. **54.**] **1.** (sujet nom de chose) Avoir en soi, être formé de : *Cette symphonie comprend quatre mouvements* (syn. COMPORTER, SE COMPOSER DE). — **2.** (sujet nom de personne) *Comprendre qqch.*, le faire entrer dans un tout : *Nous avons compris dans ce total les diverses taxes* (syn. INCLURE, INTÉGRER). ◆ **compréhension** n. f. Math. *Définition d'un ensemble en compréhension* ⟶ ENSEMBLE. ◆ **compris, e** adj. *Y compris, non compris*, en y comprenant (incluant), sans y comprendre (excluant).

2. COMPRENDRE [kɔ̃prɑ̃dr] v. t. (même étym.). [Conj. **54.**] (Sujet nom de personne.) **1.** *Comprendre qqch.*, en saisir par l'esprit le sens, s'en faire une idée claire : *J'ai très bien compris vos* *explications* (syn. SAISIR). *Nous comprenons les difficultés de l'entreprise* (syn. SE RENDRE COMPTE DE, SE REPRÉSENTER). — **2.** *Comprendre qqch.*, s'en faire une représentation idéale : *Voilà comme je comprends des vacances* (syn. VOIR). — **3.** *Comprendre qq'un, l'attitude, l'action de qq'un*, entrer dans ses raisons, admettre ses mobiles : *Sans doute, il a tort et je ne l'approuve pas, mais je le comprends.* ◆ **compréhensible** adj. Qu'on peut comprendre (sens 1 et 3 du v.) : *Des paroles difficilement compréhensibles* (syn. INTELLIGIBLE). *Un désir bien compréhensible* (syn. NATUREL, NORMAL). ◆ **incompréhensible** adj. : *Des propos incompréhensibles* (syn. HERMÉTIQUE, OBSCUR). *Un accident incompréhensible* (syn. INEXPLICABLE). ◆ **compréhensibilité** n. f. ◆ **incompréhensibilité** n. f. : *La traduction de ce texte est d'une incompréhensibilité totale.* ◆ **compréhensif, ive** adj. Qui comprend volontiers les gens (sens 3 du v.), qui admet facilement le point de vue des autres : *Un employé compréhensif m'a renseigné* (syn. BIENVEILLANT, DÉVOUÉ). ◆ **incompréhensif, ive** adj. : *Un homme incompréhensif* (syn. BUTÉ, INTRANSIGEANT). ◆ **compréhension** n. f. **1.** Aptitude à comprendre (en parlant d'une personne) : *Avoir une grande rapidité de compréhension.* — **2.** Facilité à être compris (en parlant d'une chose) : *Un texte d'une compréhension difficile.* — **3.** Désir d'entrer dans les vues des autres : *J'ai été charmé de sa compréhension à mon égard.* ◆ **incompréhension** n. f. Manque de compréhension. ◆ **compris, e** adj. *C'est compris?* ou, elliptiq. et fam., *compris?*, sert à souligner énergiquement un ordre ou une défense. ◆ **incompris, e** adj. Se dit d'une chose qui échappe à la compréhension : *Un énoncé incompris.* ◆ adj. et n. Se dit d'une personne (ou de son comportement) qui n'est pas appréciée à sa valeur : *Il prétend être un incompris.*

COMPRESSE [kɔ̃prɛs] n. f. (du lat. *compressare*, comprimer). Linge qu'on applique sur une partie du corps, malade ou blessée.

COMPRIMER [kɔ̃prime] v. t. (lat. *comprimere*). **1.** *Comprimer qqch.*, en resserrer par la force les parties, réduire par la pression son volume : *De la paille comprimée en ballots. Comprimer une artère pour arrêter une hémorragie.* — **2.** *Comprimer qq'un*, le serrer : *Les voyageurs sont comprimés dans l'autobus* (syn. TASSER). — **3.** *Comprimer des dépenses*, les réduire. — **4.** *Comprimer ses larmes, son envie de rire, sa colère*, faire effort sur soi pour les retenir (syn. RÉPRIMER). ◆ **compresseur** adj. et n. m. Appareil qui augmente la pression d'un gaz en diminuant le volume qui lui est offert. ‖ *Rouleau compresseur*, rouleau de pierre, de fonte, pour aplanir le sol. ◆ **compressibilité** n. f. *Phys.* Propriété que possèdent tous les corps de céder à la pression en diminuant de volume. ◆ **compressible** adj. Qu'il est possible de comprimer. ◆ **incompressible** adj. : *Des dépenses incompressibles* (= dont on ne peut pas réduire le montant). ◆ **compression** n. f. **1.** *Une compression de crédits, de personnel* (syn. RÉDUCTION). — **2.** Dans un moteur à explosion, pression atteinte par le mélange détonant, dans le cylindre, avant son allumage (contr. DILATATION). ◆ **décompression** n. f. : *Le recul du piston produit une brusque décompression du gaz.* ◆ **comprimé, e** adj. Se dit de ce qui, ayant subi une forte pression, a diminué de volume ou est aplati. ‖ *Air comprimé*, air dont on a diminué le volume par compression pour en augmenter la pression en vue de son utilisation lors de sa détente. ◆ **comprimé** n. m. Pastille pharmaceutique, qu'on avale ou qu'on fait dissoudre.

COMPRIS, E adj. ⟶ COMPRENDRE 1 et 2.

COMPROMETTRE [kɔ̃prɔmɛtr] v. t. (lat. *compromittere*). [Conj. **57.**] **1.** *Compromettre qq'un*, lui porter préjudice, nuire à sa réputation : *Un homme politique compromis dans un scandale.* — **2.** *Compromettre une chose*, l'exposer à un dommage : *Compromettre sa santé.* ◆ **se compromettre** v. pr. Risquer sa situation, son honneur. ◆ **compromettant, e** adj. : *Documents compromettants.* ◆ **compromission** n. f. **1.** Action de se compromettre soi-même. — **2.** Action de se prêter à des accommodements avec d'autres personnes, en renonçant à une partie de ses principes moraux.

COMPROMIS [kɔ̃prɔmi] n. m. (lat. *compromissum*). **1.** Accord obtenu par des concessions réciproques : *Les deux délégations sont parvenues à un compromis.* — **2.** État intermédiaire : *Son attitude est un compromis entre l'indifférence et le mépris* (syn. MOYEN TERME).

COMPROMISSION n. f. ⟶ COMPROMETTRE.

1. COMPTER [kɔ̃te] v. t. (lat. *computare*) [sujet nom de personne]. **1.** *Compter des choses, des personnes*, en calculer le nombre ou la quantité : *La fermière compte ses poules* (syn. DÉNOMBRER). — **2.** *Compter qqch.*, le faire entrer dans un calcul d'ensemble, le mettre au nombre de : *Cela pèse bien vingt kilos, sans compter l'emballage* (syn. TENIR COMPTE DE). *On compte ce livre parmi les meilleurs de l'année* (syn. RANGER). — **3.** Estimer à tel ou tel prix : *Le mécanicien nous a compté deux cents francs de réparation* (syn. FACTURER). — **4.** (sujet nom d'être animé ou de chose) Avoir à son actif, posséder, être formé de : *Il compte de nombreux amis parmi les peintres.* — **5.** *Ses jours sont comptés*, il n'a plus longtemps à vivre. ‖ *On peut compter* (et un compl. d'objet), indique la rareté d'un fait : *On peut compter les visites qu'il m'a faites depuis un an.* ‖ *On ne compte plus* (et un compl. d'objet), indique le grand nombre. ‖ *À pas comptés*, lentement, précautionneusement. ◆ v. i. (sujet nom de personne). **1.** Énoncer la suite des nombres : *Un enfant qui sait compter jusqu'à cinquante.* — **2.** Ne dépenser qu'avec réflexion, avec réserve : *Avec un budget restreint, il faut compter sans cesse.* — **3.** *Donner, dépenser sans compter*, sans se limiter, largement. — LOC. PRÉP. *À compter de*, en prenant comme point de départ dans le temps (syn. À DATER DE, À PARTIR DE). ◆ **comptable** adj. **1.** Se dit d'une chose qui concerne la comptabilité : *Rapport comptable.* — **2.** Se dit d'une personne qui a la charge de, qui doit répondre de (syn. RESPONSABLE). — **3.** *Expert-comptable* ⟶ EXPERT. ◆ n. Personne chargée de la comptabilité. ◆ **comptabilité** n. f. **1.** Science des comptes : *Suivre des cours de comptabilité.* — **2.** Ensemble des comptes d'une entreprise, d'un commerce, d'une collectivité; service administratif chargé de ces comptes. ⟶ ENCYCL. ◆ **comptage** n. m. Action de compter des objets pour les dénombrer : *Le comptage des articles stockés* (syn. DÉNOMBREMENT). ◆ **comptant** [kɔ̃tɑ̃] adj. m. *Argent comptant*, argent versé immédiatement au moment de l'achat. ‖ Fam. *Prendre pour argent comptant les paroles de qq'un*, les croire sans défiance. ◆ adv. *Payer, acheter comptant*, payer sans délai (contr. À CRÉDIT, À TEMPÉRAMENT, À TERME). ◆ **compte** n. m. **1.** Action de compter; résultat de cette action : *La maîtresse de maison fait le compte des personnes à inviter* (syn. DÉNOMBREMENT). *Je n'arrive jamais au même compte* (syn. TOTAL). — **2.** Somme ou quantité qui revient à quelqu'un : *Il n'a pas touché tout son compte* (syn. DÛ). — **3.** État de ce qui est dû ou reçu : *Ouvrir un compte en banque* (= compte alimenté par les versements que l'on fait à un établissement bancaire). — **4.** *À bon compte*, dans des conditions avantageuses, avec le minimum de dommage. ‖ *Au bout du compte, en fin de compte, tout compte fait*, une fois l'ensemble examiné, tout bien considéré (pour exprimer une conclusion logique) [syn. APRÈS TOUT, AU TOTAL, FINALEMENT, SOMME TOUTE, AU DEMEURANT (langue soignée)]. ‖ Fam. *Avoir son compte*, avoir été malmené, tué, ou être ivre. ‖ *Demander compte de qqch. à qq'un*, lui demander des explications à ce sujet, l'inviter à se justifier. ‖ *Donner son compte à un employé, à un ouvrier*, le congédier. ‖ *Entrer en ligne de compte*, être pris en considération. ‖ *Laisser pour compte une marchandise*, la refuser quoiqu'on l'ait commandée. ‖ *Laisser pour compte une personne, une chose*, la négliger, la laisser de côté. ‖ *Mettre sur le compte de*, imputer à : *Mettre une faute sur le compte de son camarade.* ‖ *Pour le compte de qq'un, d'une société*, etc., au profit de cette personne, de cette société, etc.; en son nom. ‖ *Prendre à son compte qqch.*, s'en charger, assumer les dépenses correspondant à cela. ‖ *Régler ses comptes*, mettre ses affaires en ordre, rendre compte de ses actions. ‖ *Rendre compte de qqch. à qq'un*, lui en faire une relation, un exposé. ‖ *Rendre compte de sa conduite, rendre des comptes*, se justifier. ‖ *Se rendre compte de qqch.*, s'en apercevoir, en avoir une notion nette. ‖ *S'établir, s'installer, travailler à son compte*, prendre la direction d'une entreprise artisanale, commerciale, industrielle; ne plus dépendre d'un employeur. ‖ *Son compte est bon*, il n'a rien de bon à espérer, il est perdu. ‖ *Tenir compte de*, prendre en considération. ‖ *Trouver son compte à qqch.*, trouver son avantage. ‖ *Tu te rends compte!*, exclamation qui souligne l'intérêt, l'importance d'un fait. ◆ **compte chèques** n. m. Abrév. usuelle de *compte courant des chèques postaux* (compte ouvert dans un centre de chèques postaux). ◆ **compte courant** n. m. Compte ouvert dans un établissement bancaire et où sont indiquées les sommes versées et dues. ◆ **compte-gouttes** n. m. inv. **1.** Petite pipette en verre servant à compter des gouttes. — **2.** Fam. *Au compte-gouttes*, avec parcimonie. ◆ **compte-tours** n. m. inv. Appareil servant à compter le nombre de tours faits par un arbre mobile dans un temps donné. ◆ **compteur** n. m. Appareil qui mesure ou qui enregistre des distances, des vitesses, des consommations : *Compteur kilométrique. Compteur à gaz, à électricité.* ‖ *Compteur de Geiger*, instrument qui sert à déceler et à compter les particules émises par un corps radio-actif. ◆ **décompter** [dekɔ̃te] v. t. Retrancher une somme d'un compte : *Décompter les frais de voyage* (syn. DÉDUIRE, DÉFALQUER). ◆ **décompte** n. m. **1.** Somme déduite d'un compte. — **2.** Décomposition d'une somme payée, ou à payer, en ses éléments de détail. ◆ **recompter** v. t. Compter de nouveau (sens 1).

— ENCYCL. Établie selon des règles précises, la *comptabilité* permet de connaître rapidement la situation d'une entreprise, d'un commerce, d'un organisme public. On a souvent recours à des tableaux pour regrouper les différents résultats.

La loi oblige les commerçants à tenir une comptabilité, c'est-à-dire retracer par écrit tout ce qu'ils reçoivent en marchandise ou argent et ce qu'ils paient. On distingue plusieurs types de comptabilité.

Dans la *comptabilité simple*, les dépenses et les recettes sont enregistrées sur un seul livre, dans l'ordre où elles se produisent (ordre chronologique).

Dans la *comptabilité en partie double*, le commerçant établit sa comptabilité simple, mais aussi le compte de chacun de ses clients et de ses fournisseurs. Ainsi, à tout moment, il peut connaître leur situation par rapport à la sienne.

La *comptabilité matière* est la tenue de registres où figurent, non pas des comptes financiers, mais des comptes d'objets, comme la matière première mise en œuvre pour une fabrication, un cubage de bois, un nombre de boulons, etc.

Comme les entreprises, l'État, les départements, les communes, les établissements publics sont tenus d'établir leur comptabilité *(comptabilité publique)*. Les dépenses et les recettes doivent être réparties selon le budget prévu.

2. COMPTER [kɔ̃te] v. i. et t. ind. (même étym.) [sujet nom d'être animé ou de chose]. **1.** Avoir de l'importance, être pris en considération : *C'est le résultat qui compte. Voilà un succès qui compte!* (= un succès remarquable). — **2.** *Compter avec qqch., qq'un,* en tenir compte, les prendre en considération : *Il faut compter avec la fatigue.* — **3.** *Compter sans qq'un* ou *qqch.*, en négliger l'importance, l'influence. — **4.** *Compter parmi,* figurer au nombre de. — **5.** *Compter pour,* avoir la valeur de : *Tous ces efforts ne comptent pour rien.* — **6.** *Compter sur qq'un,* lui faire confiance, être convaincu de son acceptation. — **7.** *Compter sur qqch., y compter, compter que* (et l'indic., ou le subj. quand *compter* est à la forme négative ou interrogative), espérer fermement en son action, sa présence, etc. : *Je ne compte pas qu'il vienne à présent.* — **8.** *Compter* (suivi de l'infin.), se proposer de : *Nous comptons partir à l'aube.* — LOC. CONJ. *Sans compter que,* sans oublier de prendre en considération que.

COMPTE(-)RENDU [kɔ̃trɑ̃dy] n. m. *(compte,* et *rendu).* Rapport fait sur un événement, une situation, un ouvrage, la séance d'une assemblée. ‖ Pl. des *comptes(-)rendus.*

COMPTE-TOURS n. m. inv., **COMPTEUR** n. m. ⟶ COMPTER 1.

COMPTINE [kɔ̃tin] n. f. (de *compter*). Chanson que chantent ou récitent les enfants pour déterminer, par le compte des syllabes, à qui sera dévolu un certain rôle dans certains jeux.

COMPTOIR [kɔ̃twar] n. m. (de *compter*). **1.** Table étroite et élevée sur laquelle sont servies les consommations dans un débit de boissons. — **2.** Table sur laquelle un commerçant dispose ses marchandises ou reçoit ses paiements. — **3.** Nom donné parfois à certains établissements commerciaux ou financiers.

COMPULSER [kɔ̃pylse] v. t. (lat. *compulsare*). *Compulser un livre, un texte,* s'y référer pour une vérification, un renseignement (syn. CONSULTER).

COMTAT (le) ou **COMTAT VENAISSIN,** pays de l'anc. France, entre le Rhône, la Durance et le mont Ventoux, s'étendant sur les plaines fertiles du Vaucluse.

• *1274. Philippe III le Hardi cède le Comtat au pape Grégoire X.*
• *14 sept. 1791. Le territoire est réuni à la France.*

COMTE [kɔ̃t] n. m., **COMTESSE** [kɔ̃tɛs] n. f. (lat. *comes, -itis,* compagnon). Titre de noblesse intermédiaire entre ceux de marquis (marquise) et de vicomte (vicomtesse). ◆ **comté** n. m. Domaine d'un comte.

Comte de Monte-Cristo *(le),* roman d'Alexandre Dumas père (1846).

COMTE (Auguste), philosophe français (1798-1857), fondateur du positivisme. Son *Cours de philosophie positive* (1830-1842) est une des œuvres capitales de la philosophie du XIXe s. Le premier, il a montré qu'il existait une science des faits sociaux, qu'il a appelée *sociologie**.

1. COMTÉ n. m. ⟶ COMTE.

2. COMTÉ [kɔ̃te] n. m. (de *Franche-Comté*). Fromage de la Franche-Comté, analogue au gruyère.

COMTESSE n. f. ⟶ COMTE.

COMTOIS, E [kɔ̃twa, -az] adj. et n. De la Franche-Comté.

CONAKRY, capit. de la Guinée, port sur l'Atlantique; 763 000 hab. Centre administratif et industriel.

CONCARNEAU, ch.-l. de cant. du Finistère, à 23 km au S.-E. de Quimper, sur la côte de Cornouaille; 18 200 hab. *(Concarnois).* Concarneau est le principal centre français de la pêche au thon. Conserveries de poisson.

CONCASSER [kɔ̃kase] v. t. (lat. *conquassare*). Broyer une matière en fragments grossiers : *Du sucre concassé.* ◆ **concasseur** n. m. Appareil servant à concasser.

CONCAVE [kɔ̃kav] adj. (lat. *concavus*). Dont la surface est en creux : *Un miroir concave* (contr. CONVEXE). ◆ **concavité** n. f. : *La concavité du sol a créé un marécage.* ◆ **biconcave** adj. Qui offre deux faces concaves opposées : *Les myopes portent des vers biconcaves.*

CONCÉDER [kɔ̃sede] v. t. (lat. *concedere*). [Conj. **10.**] *Concéder qqch. à qq'un,* le lui accorder comme avantage; renoncer en sa faveur à certaines exigences; admettre son point de vue qui est différent : *Le propriétaire lui a concédé l'exploitation de ce terrain. Concéder un point important dans une discussion* (syn. ADMETTRE, RECONNAÎTRE). ◆ **concessive** adj. f. *Proposition subordonnée concessive,* celle qui indique une opposition ou une restriction à l'idée exprimée dans la principale : *Les propositions concessives (ou de concession) sont introduites par « bien que », « quoique », « encore que », « quelque... que »,* etc. ◆ **concession** n. f. **1.** Privilège, droit que l'on obtient de l'État en vue d'une exploitation : *Une concession minière.* — **2.** Terrain vendu ou loué pour servir de sépulture dans un cimetière. — **3.** Abandon de ses droits, de ses prétentions. ‖ *Faire des concessions,* céder sur certains points. ◆ **concessionnaire** n. m. Intermédiaire commercial qui a reçu d'un producteur un droit exclusif de vente dans une région déterminée.

CONCÉLÉBRATION n. f., **CONCÉLÉBRER** v. t. ⟶ CÉLÉBRER 1.

1. CONCENTRER [kɔ̃sɑ̃tre] v. t. (de *centrer*). **1.** *Concentrer des choses, des personnes,* les rassembler, les réunir en un point : *La foule attendait, concentrée sur la place* (contr. DISPERSER, ÉPARPILLER). — **2.** *Concentrer une solution, un mélange,* en augmenter la richesse, la teneur en produit dissous. ◆ **se concentrer** v. pr. Se rassembler : *L'intérêt de l'œuvre se concentre dans ce chapitre.* ◆ **concentration** n. f. **1.** *La concentration de la population dans les grandes villes.* — **2.** *Phys.* Masse d'un corps dissoute dans l'unité de volume de la solution : *La concentration d'un alcool.* — **3.** *Écon. polit.* Constitution d'une entreprise de grande dimension à partir d'entreprises plus petites, par groupement, fusion, entente, achat, etc. — **4.** *Camp de concentration,* lieu où sont rassemblés des détenus politiques, des suspects divers. ⟶ ENCYCL. ◆ **concentrationnaire** adj. Qui se rapporte aux camps de concentration. ◆ **concentré, e** adj. *Solution concentrée,* qui contient une quantité importante du produit dissous (contr. ÉTENDU). ‖ *Lait concentré,* lait dont on a réduit la partie aqueuse. ◆ **concentré** n. m. Substance extraite d'une autre, en général par élimination d'eau : *Du concentré de tomate* (syn. EXTRAIT). ◆ **déconcentration** n. f. : *Favoriser la déconcentration industrielle.*

— ENCYCL. Des *camps de concentration* furent organisés par les Anglais pendant la guerre des Boers et, plus récemment, en Espagne pendant la guerre civile (1936-1939). Les nazis leur donnèrent la sinistre réputation qu'ils ont conservée depuis lors.

Dès 1933, les opposants au régime de Hitler furent ainsi enfermés. À partir de 1939, les camps se multiplièrent : les résistants des pays occupés et les Juifs y furent déportés et contraints au travail forcé. Pour les Juifs, les camps furent le plus souvent le prélude à une extermination systématique (passage dans les chambres à gaz dans lesquelles les prisonniers mouraient par asphyxie avant d'être incinérés dans des fours crématoires). Près de 12 millions de personnes en furent les victimes.

Les camps les plus importants se trouvaient en Allemagne (Dachau, Buchenwald, Orianenburg) et en Pologne (Auschwitz).

Pour sa part, l'U. R. S. S. maintient un système concentrationnaire (organisation du goulag*).

2. CONCENTRER [kɔ̃sɑ̃tre] v. t. (même étym.). *Concentrer son esprit, son attention, son regard,* etc., *sur qq'un* ou *sur qqch.,* fixer son attention, son regard sur cette personne, réfléchir profondément à cette chose. ◆ **se concentrer** v. pr. (sujet nom de personne). Fixer avec intensité son attention, réfléchir profondément. ◆ **concentration** n. f. : *Concentration de l'esprit* (contr. DISPERSION, ÉPARPILLEMENT). ◆ **concentré, e** adj. Se dit de quelqu'un très absorbé dans ses réflexions.

CONCENTRIQUE [kɔ̃sɑ̃trik] adj. (de *centre*). Se dit de figures géométriques ayant le même centre : *Des cercles concentriques.*

CONCEPCION, v. du Chili central; 265 600 hab. Archevêché. Centre industriel (métallurgie, industries textiles et chimiques).

CONCEPT [kɔ̃sɛpt] n. m. (lat. *conceptus,* conception de l'esprit). Idée abstraite et générale (terme philos.) : *Le concept du temps.*

CONCEPTION n. f. ⟶ CONCEVOIR 1 et 2.

CONCERNER [kɔ̃sɛrne] v. t. (bas lat. *concernere*). **1.** *Concerner qq'un* ou *qqch.,* s'y rapporter : *Voici un avis qui vous concerne* (syn. INTÉRESSER). *Cette affaire vous concerne* (= c'est à vous de vous en occuper). — **2.** *En ce qui concerne,* pour ce qui est de, quant à.

1. CONCERT [kɔ̃sɛr] n. m. (it. *concerto,* accord). **1.** Exécution d'une œuvre musicale : *Un concert de musique ancienne.* — **2.** *Concert d'éloges, de lamentations,* etc., unanimité dans l'éloge, les lamentations, etc. ◆ **concerto** n. m. Œuvre musicale caractérisée par l'alternance ou la combinaison d'un ou de deux instruments solistes et de l'orchestre : *Des concertos pour violon et orchestre.* ◆ **concertant, e** adj. Se dit d'une musique qui exploite les ressources offertes par l'association de plusieurs instruments solistes avec l'orchestre.

2. CONCERT (DE) [dəkɔ̃sɛr] loc. adv. (même étym.). Avec ensemble, en s'étant mis d'accord : *Agir de concert avec ses amis.* ◆ **concerter** v. t. *Concerter qqch.*, le préparer, l'organiser d'un commun accord : *Un plan habilement concerté.* ◆ **se concerter** v. pr. (sujet nom de personne). Se consulter pour mettre au point un projet commun. ◆ **concertation** n. f. Action de se concerter.

CONCERTO n. m. → CONCERT 1.

CONCESSION n. f., **CONCESSIONNAIRE** n. m., **CONCESSIVE** adj. f. → CONCÉDER.

CONCEVABLE adj. → CONCEVOIR 2.

1. CONCEVOIR [kɔ̃səvwar] v. t. (lat. *concipere*). [Conj. **34.**] (Sujet nom désignant une femme.) *Concevoir un enfant*, devenir enceinte (littér. ou admin.). ◆ **conception** n. f. Action par laquelle un enfant est conçu. ◆ **anticonceptionnel, elle** adj. *Produit anticonceptionnel*, produit dont l'usage empêche la fécondation.

2. CONCEVOIR [kɔ̃səvwar] v. t. (même étym.). [Conj. **34.**] (Sujet nom de personne.) **1.** Se représenter par la pensée : *On concevrait mal qu'il ne réponde pas à l'invitation* (syn. ADMETTRE, COMPRENDRE). — **2.** *Concevoir un sentiment*, l'éprouver (littér.) [syn. NOURRIR]. — **3.** *Lettre conçue en ces termes*, rédigée ainsi. ◆ **conception** n. f. Représentation qu'on se fait d'une chose, idée qu'on en a : *Nous n'avons pas la même conception de la politique à suivre* (syn. OPINION, POINT DE VUE). *Exposer ses conceptions* (syn. THÉORIE). ◆ **concevable** adj. Qu'on peut concevoir (sens 1), qu'on peut admettre : *Une autre explication serait concevable* (syn. ADMISSIBLE, IMAGINABLE). ◆ **inconcevable** adj. : *Agir avec une légèreté inconcevable* (syn. INADMISSIBLE, INCROYABLE, INIMAGINABLE).

CONCHYLIOLOGIE [kɔ̃kiljɔlɔʒi] n. f. (du gr. *konkhulion*, coquille, et *logos*, science). Science qui traite des coquilles, des coquillages.

CONCIERGE [kɔ̃sjɛrʒ] n. (du lat. *conservus*, compagnon d'esclavage). Personne préposée à la garde d'un hôtel, d'une maison, d'un immeuble, etc. ◆ **conciergerie** n. f. Fonctions d'un ou d'une concierge; sa demeure.

Conciergerie, partie médiévale du Palais de Justice de Paris. Prison depuis 1392, elle joua un grand rôle sous la Révolution, en 1793-1794 : Marie-Antoinette, Charlotte Corday, Danton, Robespierre, Lavoisier, Chénier y furent emprisonnés.

CONCILE [kɔ̃sil] n. m. (lat. *concilium*). Assemblée d'évêques et de théologiens décidant de questions doctrinales. ◆ **conciliaire** adj. : *Père conciliaire. Décision conciliaire.*
— ENCYCL. L'Église romaine a réuni vingt et un conciles *œcuméniques* (= auxquels sont convoqués tous les évêques et qui sont présidés par le pape).

- *325. Le concile de Nicée condamne l'hérésie de l'arianisme*.*
- *1123. Le concile du Latran condamne la simonie* et le nicolaïsme*.*
- *1414-1418. Le concile de Constance met fin au schisme d'Occident.*
- *1545-1563. Le concile de Trente lutte contre la réforme protestante.*
- *1869-1870. Le concile de Vatican I définit l'infaillibilité pontificale.*
- *1962-1965. Le concile de Vatican II, présidé par Jean XXIII, puis par Paul VI, définit l'attitude de l'Église romaine en face du monde moderne.*

CONCILIABLE adj. → CONCILIER.

CONCILIABULE [kɔ̃siljabyl] n. m. (lat. *conciliabulum*, lieu de réunion). Entretien privé, ou même secret, généralement long.

CONCILIAIRE adj. → CONCILE.

CONCILIER [kɔ̃silje] v. t. (lat. *conciliare*). **1.** *Concilier des personnes*, les mettre d'accord. — **2.** *Concilier des choses*, les rendre compatibles, alors qu'elles sont ou paraissent opposées : *Comment concilier ces deux exigences contraires?* (syn. ACCORDER). ◆ **se concilier** v. pr. *Se concilier qq'un, qqch.*, se rendre cette personne favorable, obtenir, conquérir cette chose. ◆ **conciliable** adj. : *Deux souhaits parfaitement conciliables.* ◆ **inconciliable** adj. ◆ **conciliant, e** adj. **1.** Se dit d'une personne (ou de son comportement) disposée à s'entendre avec les autres : *Il est très conciliant* (syn. ACCOMMODANT, TOLÉRANT). — **2.** Propre à ramener le bon accord : *Des paroles conciliantes.* ◆ **conciliation** n. f. Arrangement, accord entre des personnes ou des choses : *Tenter une démarche de conciliation entre deux adversaires.* ◆ **conciliateur, trice** adj. et n. : *Jouer le rôle de conciliateur.* (→ RÉCONCILIER.)

CONCINI (Concino), aventurier italien (mort en 1617). Venu en France avec Marie de Médicis, il prit, ainsi que sa femme Leonora Galigaï, un certain ascendant sur la reine. Maréchal de France en 1613, il fut Premier ministre de fait. Son avidité et son incapacité motivèrent plusieurs révoltes des grands seigneurs. Louis XIII ordonna son arrestation. Comme il résistait, il fut tué.

CONCIS, E [kɔ̃si, -iz] adj. (lat. *concisus*). Se dit de quelqu'un (de ses paroles, de ses écrits) qui exprime beaucoup d'idées en peu de mots : *Expliquer en termes concis* (syn. BREF, SUCCINCT; contr. DIFFUS, PROLIXE). ◆ **concision** n. f. : *La concision est une condition de la clarté* (syn. BRIÈVETÉ, LACONISME; contr. PROLIXITÉ, VERBIAGE).

CONCITOYEN, ENNE n. → CITOYEN.

CONCLAVE [kɔ̃klav] n. m. (lat. *conclave*, chambre fermée à clé). Assemblée de cardinaux pour élire un pape; lieu où ils sont réunis pour l'élire. (L'élection a lieu dans la chapelle Sixtine au Vatican.)

CONCLURE [kɔ̃klyr] v. t. (lat. *concludere*). [Conj. **68.**] **1.** *Conclure qqch.*, le mener à son terme, le réaliser complètement : *Conclure un pacte* (syn. SIGNER). — **2.** *Conclure qqch. par*, lui donner comme conclusion : *Il a conclu son discours par un appel à l'unité.* — **3.** *Conclure une chose d'une autre*, en tirer une conséquence : *Il n'a pas répondu à ma lettre, j'en conclus qu'il est absent.* ◆ v. t. ind. *Conclure à une chose*, se prononcer pour elle : *Les juges conclurent à la mort.* ◆ **concluant, e** adj. Qui apporte une confirmation, une preuve : *Le résultat est concluant* (syn. CONVAINCANT, PROBANT). ◆ **conclusion** n. f. **1.** Action de conclure (sens 1) : *La conclusion de l'accord a été difficile* (syn. RÉALISATION). — **2.** Partie terminale qui exprime les idées essentielles auxquelles aboutit le développement d'une dissertation (contr. INTRODUCTION). — **3.** Conséquence déduite d'un raisonnement, d'un ou de plusieurs faits : *On en arrive à la conclusion qu'il a menti.* — LOC. ADV. *En conclusion*, de tout cela il ressort que... (syn. BREF, EN FIN DE COMPTE, EN UN MOT).

CONCOMBRE [kɔ̃kɔ̃br] n. m. (anc. prov. *cocombre*). Plante potagère fournissant un fruit allongé et vert, qu'on prépare en salade. (Famille des cucurbitacées.)

CONCOMITANT, E [kɔ̃kɔmitɑ̃, -ɑ̃t] adj. (du lat. *concomitari*, accompagner). Se dit d'un phénomène qui se produit en même temps qu'un autre, ou qui l'accompagne. ◆ **concomitance** n. f. Coexistence ou évolution simultanée de deux faits (syn. SIMULTANÉITÉ).

CONCORDANCE n. f., **CONCORDANT, E** adj. → CONCORDER.

CONCORDAT [kɔ̃kɔrda] n. m. (lat. *concordatum*). Traité entre le pape et un gouvernement pour régler les rapports entre l'Église et l'État. (Il concerne la discipline et l'organisation ecclésiastique à l'exclusion des questions de foi et de dogme.) ◆ **concordataire** adj. Relatif à un concordat.
— ENCYCL. Les principaux *concordats* sont :

- *1122. À Worms, entre le pape Calixte II et l'empereur Henri V.*

Il met fin à la querelle des Investitures.

- *1516. Entre Léon X et François Ier.*

Il règle les relations de la monarchie française et de l'Église jusqu'à la Révolution.

Le roi de France y acquiert le droit de nommer de nombreux archevêques, évêques et abbés et de leur conférer les bénéfices attachés à leur siège.

- *1801. Entre Bonaparte et Pie VII.*

Il rétablit la paix religieuse troublée par la Révolution.

Le chef du gouvernement nomme les archevêques et les évêques, qui reçoivent du pape l'investiture canonique; le pape abandonne toute revendication sur la vente des biens ecclésiastiques confisqués par les lois révolutionnaires. En échange, l'État s'engage à servir un traitement aux évêques et aux curés.

Le concordat de 1801 est demeuré en vigueur jusqu'à la loi de séparation de l'Église et de l'État, en 1905.

CONCORDE [kɔ̃kɔrd] n. f. (lat. *concordia*). Bonne entente entre des personnes : *Un climat de concorde règne* (syn. HARMONIE, PAIX, UNION). ◆ **discorde** n. f. Contr. de CONCORDE : *Semer la discorde* (syn. DIVISION, ZIZANIE).

Concorde *(place de la)*, place de Paris, à l'entrée des Champs-Élysées, créée par Louis XV. Les bâtiments qui la bordent au N. sont l'œuvre de l'architecte Jacques-Ange Gabriel (1753). Les fontaines et les statues de villes qui la décorent sont du XIXe s. L'obélisque de Louxor y a été érigé en 1836.

CONCORDER [kɔ̃kɔrde] v. i. (lat. *concordare*) [sujet nom de chose]. Être en conformité avec autre chose : *Tous les témoignages concordent* (syn. COÏNCIDER, CORRESPONDRE). ◆ **concordant, e** adj. Se dit de choses qui sont en accord entre elles : *Des preuves concordantes* (syn. CONVERGENT). *Un récit peu concordant avec la réalité* (syn. CONFORME À). ◆ **concordance** n. f. **1.** Rapport de conformité entre deux ou plusieurs choses : *Concordance de témoignages* (syn. ACCORD, UNITÉ). *J'ai été frappé par la concordance* *des dates* (syn. COÏNCIDENCE). — **2.** *Géol.* Disposition de couches sédimentaires qui se succèdent de façon continue. — **3.** Gramm. *Concordance des temps,* règles suivant lesquelles le temps du verbe d'une proposition subordonnée dépend du temps de celui de la proposition principale. ◆ **discordant, e** adj. **1.** Contr. de CONCORDANT. Qui présente un désaccord : *Opinions discordantes.* — **2.** *Sons discordants,* qui manquent d'harmonie (syn. CACOPHONIQUE). ◆ **discordance** n. f. **1.** *On note une discordance dans les deux récits* (syn. plus usuel DIVERGENCE). — **2.** *Géol.* Disposition des couches séparées d'autres couches par une surface qui recoupe les plus anciennes et qui marque une phase d'érosion.

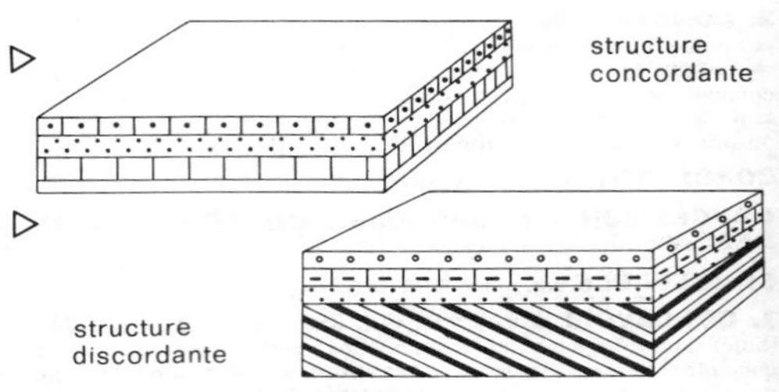

1. CONCOURIR [kɔ̃kurir] v. t. ind. **[à]** (lat. *concurrere*). [Conj. **29.**] (Sujet nom de personne ou de chose.) Tendre ensemble vers un même but : *Tous les détails de composition concourent à l'harmonie générale du tableau.* ◆ **concourant, e** adj. *Lignes, forces concourantes,* qui se rencontrent au même point : *Dans un triangle les hauteurs sont concourantes.* ‖ *Efforts concourants,* qui tendent au même résultat. ◆ **concours** [kɔ̃kur] n. m. **1.** Aide, participation à une activité : *Prêter son concours.* — **2.** *Concours de circonstances, d'événements,* rencontre, coïncidence de faits.

2. CONCOURIR [kɔ̃kurir] v. i. (même étym.). [Conj. **29.**] (Sujet nom de personne.) Participer à un concours, être en concurrence avec d'autres en vue d'obtenir une place, un titre, un prix. ◆ **concours** n. m. **1.** Examen permettant de classer les candidats à une place, à un prix, à l'admission à une grande école, etc. : *Se présenter à un concours.* ‖ Lutte sportive : *Concours hippique.* ‖ *Concours général,* ensemble de compositions qui ont lieu chaque année entre les meilleurs élèves des classes supérieures de tous les lycées et collèges de France. — **2.** *Hors concours,* qui a été précédemment récompensé et n'est plus admis à concourir; et, fam., qui surpasse de loin tous les autres, qui est hors de pair : *Un tireur hors concours* (syn. D'ÉLITE).

CONCRET, ÈTE [kɔ̃krɛ, -ɛt] adj. (lat. *concretus,* épais). **1.** Qui se rapporte à la réalité, par oppos. à ce qui est une vue de l'esprit, un produit de l'imagination, une abstraction : *Des exemples concrets* (syn. MATÉRIEL; contr. ABSTRAIT). *Des promesses concrètes* (syn. RÉEL; contr. ILLUSOIRE). — **2.** *Nom concret,* nom qui désigne un être ou un objet que les sens peuvent percevoir : *« Table » est un nom concret* (contr. ABSTRAIT). ‖ *Musique concrète,* musique qui cherche à assembler des « objets sonores » (sons variés) provenant de sources diverses. (Ces bruits et sons sont reproduits tels quels ou dosés, changés, mélangés sur une bande magnétique.) ◆ **concrètement** adv. (contr. ABSTRAITEMENT). ◆ **concrétiser** v. t. Réaliser de façon concrète ce qui était abstrait, faire passer du stade de projet à celui de realité : *Concrétiser un rêve en le réalisant* (syn. MATÉRIALISER). ◆ **se concrétiser** v. pr. : *Le programme commence à se concrétiser* (syn. SE RÉALISER).

CONCRÉTION [kɔ̃kresjɔ̃] n. f. (lat. *concretio*). **1.** *Géol.* Agglomération de particules arrivant à former un corps solide : *Les stalactites et les stalagmites sont des concrétions calcaires.* — **2.** *Méd.* Syn. de CALCUL.

CONCRÉTISER v. t. ⟶ CONCRET.

CONCUBIN, E [kɔ̃kybɛ̃, -in] n. (lat. *concubina*). Qui vit maritalement avec une personne de l'autre sexe sans être marié avec elle. ◆ **concubinage** n. m.

CONCUPISCENCE [kɔ̃kypisɑ̃s] n. f. (du lat. *concupiscere,* désirer). Attrait pour les plaisirs sensuels (surtout langue relig.). ◆ **concupiscent, e** adj.

CONCURREMMENT [kɔ̃kyramɑ̃] adv. (de *concurrent*). **1.** En même temps (syn. À LA FOIS, SIMULTANÉMENT). — **2.** *Concurremment avec,* en ajoutant son action à celle de quelqu'un ou de quelque chose, ou en rivalisant avec.

1. CONCURRENT, E [kɔ̃kyrɑ̃, -ɑ̃t] n. et adj. (du lat. *concurrere,* concourir). Qui participe à un concours, à une épreuve sportive.

2. CONCURRENT, E [kɔ̃kyrɑ̃, -ɑ̃t] n. et adj. (même étym.). Qui est en rivalité d'intérêts avec d'autres : *Si je suis mécontent de mon fournisseur, je m'adresserai à son concurrent.* ◆ **concurrence** n. f. **1.** Rivalité d'intérêts entre commerçants ou industriels qui tentent d'attirer à eux la clientèle par les meilleures conditions de prix, de qualité, etc. : *Un article vendu à un prix défiant toute concurrence* (= à bas prix). — **2.** *Entrer en concurrence avec qq'un,* entrer en rivalité avec lui; (sujet nom de chose) entrer en compétition avec quelque chose. ‖ *Jusqu'à concurrence de,* jusqu'à la limite de. ◆ **concurrencer** v. t. Faire concurrence à. ◆ **concurrentiel, elle** adj. Qui soutient la concurrence : *L'industrie textile doit devenir concurrentielle* (syn. COMPÉTITIF).

CONCUSSION [kɔ̃kysjɔ̃] n. f. (lat. *concussio,* secousse). Abus qu'un fonctionnaire fait de son autorité en percevant indûment et sciemment de l'argent de ceux qui dépendent de lui (souvent pris dans le sens de DÉTOURNEMENT). ◆ **concussionnaire** adj. et n. Coupable de concussion.

CONDAMNER [kɔ̃dane] v. t. (lat. *condemnare*). **1.** (sujet nom de personne) *Condamner qq'un,* frapper d'une peine quelqu'un déclaré coupable (contr. ACQUITTER) : *Il a été condamné à mort.* — **2.** (sujet nom de personne) *Condamner une personne, un acte,* les déclarer coupables : *Condamner la violence* (syn. BLÂMER, DÉSAPPROUVER). *Une locution condamnée par les puristes* (syn. PROSCRIRE). — **3.** *Condamner un malade,* déclarer qu'il ne peut pas guérir, qu'il est perdu. — **4.** *Condamner une porte, une ouverture,* en rendre l'usage impossible, l'obstruer. — **5.** (sujet nom de chose) Faire apparaître la culpabilité de : *Son silence le condamne* (syn. ACCABLER). — **6.** *Condamner qq'un à qqch.,* le mettre dans la pénible obligation, la nécessité de faire cette chose : *Son accident le condamne à de longs mois d'immobilité.* ◆ **condamnable** [kɔ̃danabl] adj. Qui mérite d'être condamné (sens 2) : *Son geste n'a rien de condamnable* (syn. BLÂMABLE, RÉPRÉHENSIBLE). ◆ **condamnation** n. f. **1.** Jugement qui condamne; action de condamner (aux différents sens) : *Condamnation à mort. Condamnation des abus* (syn. ↓CRITIQUE). — **2.** Fait qui constitue un témoignage accablant contre : *Cet échec est la condamnation de cette théorie.* ◆ **condamné, e** n. Personne qui a subi une condamnation.

CONDÉ *(maison de),* branche collatérale de la maison capétienne de Bourbon-Vendôme, issue de LOUIS Ier DE BOURBON (1530-1569), oncle d'Henri IV. Chef calviniste, il est assassiné après la bataille de Jarnac par Montesquiou, sur l'ordre du duc d'Anjou. — HENRI Ier DE BOURBON (1552-1588), son fils, soutient la cause de son cousin Henri de Navarre (futur Henri IV de France) et se distingue à Coutras. — LOUIS II dit *le Grand Condé* (1621-1686), petit-fils du précédent, fut un des plus grands hommes de guerre du XVIIe s. :

- *1643. Il remporte la victoire de Rocroi sur les Espagnols.*
- *1644-1645. Victoires de Fribourg et de Nördlingen contre les Espagnols et les Impériaux.*
- *1646. Le Grand Condé reçoit la capitulation de Dunkerque.*
- *1648. Il écrase à Lens l'infanterie espagnole, ce qui hâte la conclusion du traité de Westphalie.*
- *1651. Il prend la tête de la « Fronde des princes », lutte contre Turenne au faubourg Saint-Antoine, puis passe du côté des Espagnols.*
- *1659. Lors du traité des Pyrénées, il rentre en grâce auprès de Louis XIV et il est remis en possession de son commandement.*
- *1668. Il conquiert la Franche-Comté pendant la guerre de Dévolution.*

Le Grand Condé s'illustre encore pendant la guerre de Hollande. — LOUIS JOSEPH (1736-1818) est l'un des premiers nobles à émigrer (1789). En 1792, il organise l'armée contre-révolutionnaire dite *armée de Condé.* — LOUIS ANTOINE HENRI, duc D'ENGHIEN (1772-1804), dernier héritier des Condés, est enlevé en territoire allemand en 1804 sur l'ordre de Bonaparte, jugé sommairement et fusillé dans les fossés de Vincennes. Par l'exécution d'un prince du sang, Bonaparte pensait briser toute tentative de restauration des Bourbons.

CONDENSATEUR [kɔ̃dɑ̃satœr] n. m. (de *condenser*). **1.** *Phys.* Appareil servant à emmagasiner une charge électrique. — **2.** *Opt.* Lentille servant à éclairer un objet dont on veut former une image.

1. CONDENSER [kɔ̃dɑ̃se] v. t. (lat. *condensare,* rendre épais). **1.** *Condenser un corps,* le faire passer de l'état gazeux à l'état liquide par refroidissement ou compression : *Le froid condense la vapeur d'eau* (syn. LIQUÉFIER). — **2.** *Lait condensé,* syn. de LAIT CONCENTRÉ. ◆ **condensation** n. f. : *La condensation de la vapeur d'eau.*

2. CONDENSER [kɔ̃dɑ̃se] v. t. (de *condenser* 1). Résumer un récit en peu de mots. ◆ **condensé** n. m. Résumé succinct.

CONDENSEUR [kɔ̃dɑ̃sœr] n. m. (angl. *condenser*). **1.** *Phys.* Appareil servant, dans certaines machines, à condenser une vapeur. — **2.** *Opt.* Système optique servant à éclairer l'objet examiné au microscope.

CONDESCENDRE [kɔ̃desɑ̃dr] v. t. ind. (bas lat. *condescendere*, se mettre au niveau de). [Conj. **50.**] (Sujet nom de personne.) Péjor. *Condescendre à qqch.*, y consentir en donnant l'impression de faire une faveur (syn. S'ABAISSER). ◆ **condescendant, e** adj. Péjor. : *Ton condescendant* (syn. ↑DÉDAIGNEUX). ◆ **condescendance** n. f. Péjor. : *Il le traitait avec condescendance* (syn. HAUTEUR).

CONDÉ-SUR-L'ESCAUT, ch.-l. de cant. du Nord, à 14 km au N.-E. de Valenciennes; 13 700 hab. Anc. château des princes de Condé.

CONDÉ-SUR-NOIREAU, ch.-l. de cant. du Calvados, à 12 km au N. de Flers; 7 300 hab. *(Condéens).* Marché agricole.

CONDILLAC (Étienne BONNOT DE), philosophe français (1715-1780). Pour lui, une seule source de connaissance est acceptable par l'esprit, la sensation, d'où dérivent, par simple transformation, l'attention, le jugement, le raisonnement.

CONDIMENT [kɔ̃dimɑ̃] n. m. (lat. *condimentum*). Produit comestible ajouté à un aliment pour en relever le goût : *Les cornichons, les câpres, le poivre, la moutarde sont des condiments.*

CONDISCIPLE [kɔ̃disipl] n. (lat. *condiscipulus*). Compagnon, compagne d'études.

1. CONDITION [kɔ̃disjɔ̃] n. f. (du lat. *condicere*, fixer par accord). **1.** Circonstance extérieure dont dépendent les personnes et les choses (souvent au plur.) : *Les conditions atmosphériques sont favorables au lancement de la fusée. Dans ces conditions* (= dans ce cas). — **2.** Base d'un accord, convention entre des personnes : *Les conditions d'un traité* (syn. CLAUSE). *Un fournisseur qui fait des conditions avantageuses* (syn. PRIX). — **3.** *Mettre des personnes en condition*, les préparer peu à peu à recevoir une nouvelle désagréable, à accepter une situation nouvelle sans réagir. ‖ *Sous condition*, sous certaines réserves. ‖ *Prendre un article à condition*, en parlant d'un commerçant, accepter un article qu'il pourra rendre à son fournisseur s'il ne l'a pas vendu après un délai convenu. — LOC. PRÉP. et CONJ. *À condition de* (suivi d'un infin.), *à condition que* (suivi du subj.), expriment une nécessité ou une obligation préalable (syn. POURVU QUE, SI). ◆ **conditionnel, elle** adj. **1.** Qui dépend d'une condition : *Mon accord est conditionnel.* — **2.** *Mode conditionnel*, ou *conditionnel* n. m., mode du verbe qui présente l'action comme une éventualité, une hypothèse. ‖ *Proposition subordonnée conditionnelle*, celle qui exprime une condition dont dépend la proposition principale, et qui est introduite par des conjonctions telles que *si, pourvu que, à moins que.* ◆ **inconditionnel, elle** adj. : *Appui inconditionnel* (syn. SANS RÉSERVE, TOTAL). ◆ **inconditionnellement** adv. : *Se soumettre inconditionnellement.* ◆ **conditionner** v. t. **1.** *Conditionner qqch.*, être la condition de : *Ma décision est conditionnée par une foule de choses* (syn. DÉTERMINER). — **2.** *Conditionner une marchandise, un produit*, les emballer en vue de leur présentation dans le commerce. — **3.** *Conditionner qq'un*, le déterminer à agir d'une certaine façon, créer chez lui certains réflexes (surtout au part. passé) : *Il est conditionné par l'éducation qu'il a reçue.* ‖ *Réflexe conditionné* ⟶ RÉFLEXE. — **4.** *Bien, mal conditionné*, se dit d'une chose qui répond bien ou mal à l'usage pour lequel elle a été conçue : *Une cuisine bien conditionnée.* — **5.** *Air conditionné*, air maintenu automatiquement, dans une salle, une habitation, à certaines conditions de température, d'humidité, etc. ◆ **conditionnement** n. m. **1.** Présentation, dans son emballage, d'un article commercial. — **2.** Établissement d'un comportement nouveau au moyen de la création de réflexes* conditionnés.

2. CONDITION [kɔ̃disjɔ̃] n. f. (même étym.). **1.** Situation sociale, rang occupé par une personne : *On croise dans la rue des gens de toutes les conditions* (syn. CLASSE). — **2.** État physique : *Les athlètes sont en bonne condition* (syn. fam. EN FORME).

Condition humaine *(la)*, roman d'A. Malraux (1933).

CONDOLÉANCES [kɔ̃dɔleɑ̃s] n. f. pl. (de l'anc. fr. *condoloir*, avoir de la douleur). Témoignage donné à quelqu'un de la part qu'on prend à sa douleur : *Présenter ses condoléances.*

CONDOM, ch.-l. d'arrond. du Gers, sur la Baïse, à 38 km au S.-O. d'Agen; 7 800 hab. *(Condomois).* Centre du commerce des eaux-de-vie d'Armagnac.

CONDOMINIUM [kɔ̃dɔminjɔm] n. m. (mot angl.; du lat. *dominium*, souveraineté). Droit de souveraineté exercé en commun par plusieurs puissances sur un même pays : *La France et la Grande-Bretagne ont exercé un condominium sur les Nouvelles-Hébrides jusqu'en 1980.*

CONDOR [kɔ̃dɔr] n. m. (mot esp.). Grand vautour des Andes, qui atteint 3 m d'envergure et possède un plumage noir et blanc. (Famille des rapaces.)

CONDORCET (Marie Jean Antoine CARITAT, *marquis* DE), mathématicien, philosophe et homme politique français (1743-1794). Il collabora à l'*Encyclopédie.* Député à l'Assemblée législative et à la Convention, il réforma l'instruction publique. Ami des Girondins, il fut arrêté en 1794 et s'empoisonna dans sa prison. Ses cendres ont été transférées au Panthéon à Paris en 1989.

CONDOTTIERE [kɔ̃dɔtjɛr] n. m. (mot it.). Autref., chef des partisans ou de soldats mercenaires en Italie. ‖ Pl. des *condottieri.*

CONDROZ (le), région de Belgique entre la Meuse, l'Ourthe et la Lesse.

1. CONDUIRE [kɔ̃dɥir] v. t. (lat. *conducere*). [Conj. **70.**] **1.** (sujet nom de personne) *Conduire un être animé*, le mener d'un lieu à un autre : *Les agents ont conduit le vagabond au poste* (syn. EMMENER). *Conduire un aveugle dans la rue* (syn. GUIDER). — **2.** *Conduire un véhicule, un avion*, etc., le diriger, en assurer la manœuvre (souvent intr.). — **3.** *Conduire une affaire, un pays*, en avoir la direction, le gouvernement : *Les fouilles sont conduites par un archéologue célèbre.* — **4.** *Cette route, ce chemin conduit à tel endroit*, en les suivant on arrive à cet endroit. — **5.** *Conduire qq'un à qqch., à faire qqch.*, orienter son action vers cela : *Cela me conduit à penser que...* (syn. AMENER, PORTER). — **6.** Avoir pour conséquence : *Une politique qui conduit à l'inflation* (syn. ABOUTIR). ◆ **conducteur, trice** n. **1.** Personne qui conduit un véhicule (syn. CHAUFFEUR). — **2.** Personne qui assure la bonne marche : *Conducteur des travaux.* ◆ adj. et n. **1.** *Phys.* Se dit de tout corps susceptible de transmettre la chaleur, l'électricité : *Les métaux sont bons conducteurs de l'électricité.* — **2.** *Fil conducteur*, principe qui guide quelqu'un dans une recherche. ◆ **conductibilité** n. f. **1.** *Phys.* Propriété que possèdent les corps de transmettre la chaleur ou l'électricité. — **2.** *Physiol.* Propriété qu'a le nerf de propager l'influx nerveux. ◆ **conductible** adj. ◆ **conduction** n. f. **1.** *Phys.* Action de transmettre de proche en proche la chaleur, l'électricité. — **2.** *Physiol.* Propagation de l'influx nerveux sur tout le trajet d'un nerf. ◆ **conduite** n. f. **1.** Action de conduire, de guider vers un endroit déterminé des êtres animés : *Conduite d'un troupeau.* — **2.** Action de diriger un véhicule : *Leçons de conduite.* — **3.** Action de commander, de diriger : *Conduite d'une armée, d'une entreprise.* — **4.** *Conduite intérieure*, type d'automobile dont la carrosserie est entièrement fermée.

2. CONDUIRE (SE) [səkɔ̃dɥir] v. pr. (de *conduire* 1) [Conj. **70.**] Agir de telle ou telle façon : *Il s'est mal conduit* (syn. SE TENIR). *Il sait se conduire en société* (= respecter les bienséances). ◆ **conduite** n. f. Manière de se conduire : *Un élève qui se fait remarquer par sa mauvaise conduite* (syn. TENUE). *Dans cette affaire, sa conduite a été louche* (syn. ATTITUDE, COMPORTEMENT). ◆ **inconduite** n. f. Mauvaise conduite, débauche.

CONDUIT [kɔ̃dɥi] n. m. (de *conduire*). Tuyau, canal, et notamment canal naturel de l'organisme : *Conduit auditif. Conduit lacrymal.* ◆ **conduite** n. f. Canalisation : *Une conduite d'eau a éclaté.* ‖ *Conduite forcée*, conduite qui amène l'eau sous pression depuis un barrage jusqu'aux machines de l'usine d'utilisation.

CONDUITE n. f. ⟶ CONDUIRE 1 et 2 et CONDUIT.

CONDYLE [kɔ̃dil] n. m. (gr. *kondulos*). *Anat.* Chez les vertébrés, surface articulaire osseuse en relief, permettant des mouvements étendus (articulation du maxillaire inférieur avec les temporaux).

1. CÔNE [kon] n. m. (gr. *kônos*). **1.** Solide déterminé par une surface conique* coupée par un plan. (La portion du plan limitant le cône est la *base.* La distance du sommet au plan de base est la *hauteur.* Le volume du cône est égal au tiers du produit de l'aire de la base par la hauteur.) ‖ *Cône de révolution*, solide obtenu en coupant une surface* conique de révolution par un plan perpendiculaire à son axe. (⟶ SURFACE* DE RÉVOLUTION et VOLUME.) — **2.** Objet ayant cette forme. ◆ **conique** adj. Qui a la forme d'un cône. ‖ *Surface conique*, surface engendrée par une droite (appelée *génératrice*) qui se déplace en passant par un point fixe (appelé *sommet*), en s'appuyant sur une courbe plane (appelée *directrice*). ‖ *Surface de révolution conique* ⟶ SURFACE* DE RÉVOLUTION.

2. CÔNE [kon] n. m. (même étym.). *Cône de déjection*, accumulation de matériaux de toutes tailles (blocs, galets, sables) faite par un torrent lorsque sa pente diminue brusquement à son débouché dans une plaine ou une vallée transversale. ‖ *Cône volcanique*, relief en forme de tronc de cône plus ou moins régulier qu'un volcan construit par l'accumulation soit de laves qui s'écoulent du cratère et se solidifient sur le pourtour, soit de projections (cendres, scories) qui se déposent autour de la cheminée. (Selon la nature des matériaux, le cône peut avoir des pentes très faibles [type « hawaiien »], ou des pentes raides [type « strombolien »].)

3. CÔNE [kon] n. m. (même étym.). Fruit des conifères (pin, sapin, etc.).

4. CÔNE [kon] n. m. (même étym.). Coquillage gastéropode.

1. CONFECTION [kɔ̃fɛksjɔ̃] n. f. (lat. *confectio*) [suivi d'un compl.]. Action de faire, de réaliser quelque chose en plusieurs opérations : *La confection d'un gâteau* (syn. EXÉCUTION). ◆ **confectionner** v. t. *Confectionner un objet, une chose*, exécuter une chose dont la complexité requiert plusieurs opérations (syn. FABRIQUER, FAIRE). *Confectionner une sauce* (syn. APPRÊTER, PRÉPARER).

2. CONFECTION [kɔ̃fɛksjɔ̃] n. f. (même étym.). Fabrication de vêtements en série : *Vêtement de confection* (syn. PRÊT-À-PORTER; contr. SUR MESURE). ◆ **confectionneur, euse** n.

CONFÉDÉRATION [kɔ̃federasjɔ̃] n. f. (bas lat. *confoederatio*, pacte). **1.** Union d'États qui se soumettent à un pouvoir général tout en conservant un gouvernement particulier, le pouvoir central étant essentiellement constitué par un organisme de coordination dont presque toutes les décisions doivent être prises à l'unanimité des États membres. — **2.** Groupement de syndicats au sein d'un organisme national; groupement professionnel : *La Confédération générale du travail.* ◆ **confédéral, e, aux** adj. Relatif à une confédération. ◆ **confédéré, e** adj. et n. Uni par confédération : *Les États confédérés.* ◆ n. m. pl. Pendant la guerre de Sécession*, les sudistes (par oppos. aux *fédéraux*, ou nordistes).

Confédération française de l'encadrement-C. G. C. ou **C. F. E.-C. G. C.** → CONFÉDÉRATION GÉNÉRALE DES CADRES.

Confédération française démocratique du travail ou **C.F.D.T.**, groupement syndical français issu en 1964 de la majorité de la C.F.T.C. (Confédération française des travailleurs chrétiens), elle-même créée en 1919.

Confédération générale des cadres ou **C.G.C.**, organisation syndicale française créée en 1944, devenue en 1981 la *Confédération française de l'encadrement-C. G. C.* ou *C. F. E.-C. G. C.*

Confédération générale du travail ou **C.G.T.**, groupement syndical français créé en 1895. En 1947, une scission provoqua la création, en 1948, de la C.G.T.-F.O. *(Confédération générale du travail-Force ouvrière)*.

Confédération du Rhin, ligue de princes et de rois allemands constituée en 1806 à l'instigation de Napoléon qui se fit reconnaître son « protecteur ». Les principaux membres en étaient les rois de Bavière, de Wurtemberg et l'archevêque de Mayence. La ligue se désagrégea après la défaite française de Leipzig (1813).

Confédération germanique, union des États allemands instaurée par le congrès de Vienne (1815). Son but était d'empêcher la réalisation de l'unité allemande au profit de la Prusse. La victoire prussienne de Sadowa (1866) marqua son échec.

CONFÉDÉRÉ, E adj. et n. → CONFÉDÉRATION.

Confédérés d'Amérique *(États)*, ou **Confédération sudiste** (1er février 1861-9 avril 1865), nom donné aux onze États du sud des États-Unis (les deux Carolines, Mississippi, Floride, Alabama, Georgie, Louisiane, Texas, Virginie, Arkansas et Tennessee) qui firent sécession. (→ SÉCESSION [*guerre de*].)

CONFÉRENCE n. f., **CONFÉRENCIER, ÈRE** n. → CONFÉRER 2.

1. CONFÉRER [kɔ̃fere] v. t. (lat. *conferre*, attribuer). **1.** (sujet nom de personne) *Conférer qqch. à qq'un*, lui accorder, attribuer comme honneur : *Conférer la médaille militaire* (syn. DÉCERNER). — **2.** (sujet nom de chose) Donner une valeur, une qualité particulière à : *Le changement d'intonation peut conférer des sens différents aux mêmes paroles.*

2. CONFÉRER [kɔ̃fere] v. i. (lat. *conferre*, mettre ensemble) [sujet nom de personne]. Être en conversation : *Le directeur conférait avec ses collaborateurs* (syn. DISCUTER, S'ENTRETENIR). ◆ **conférence** n. f. **1.** Échange de vues entre deux ou plusieurs personnes sur telle ou telle question : *Être en conférence.* — **2.** Réunion de diplomates, de délégués de plusieurs pays en vue du règlement de problèmes internationaux : *La Conférence du désarmement.* — **3.** Exposé oral fait sur une question littéraire, artistique ou scientifique : *Faire une conférence* (syn. ↓CAUSERIE). — **4.** *Conférence de presse*, réunion au cours de laquelle une personne fait un exposé devant des journalistes et répond à leurs questions. ◆ **conférencier, ère** n. Personne qui fait une conférence (sens 3).

CONFERVE [kɔ̃fɛrv] n. f. (lat. *conferva*). Algue verte filamenteuse.

CONFESSER [kɔ̃fese] v. t. (du lat. *confiteri*, avouer). **1.** *Confesser qqch., que* (et l'indic.), le reconnaître, le dire avec regret (langue soignée ou relig.) : *Je confesse que j'avais tort* (syn. AVOUER). *Confesser ses péchés.* — **2.** *Confesser qq'un*, entendre sa confession; et fam., l'amener habilement à des aveux. ◆ ***se confesser*** v. pr. Dans la religion catholique, faire l'aveu de ses fautes à un prêtre pour recevoir l'absolution. ◆ **confesse** n. f. *Aller à confesse*, aller se confesser. ◆ **confession** n. f. **1.** Aveu de ses péchés à un prêtre pour en obtenir l'absolution : *Le secret de la confession.* — **2.** Aveu d'un fait. — **3.** Résumé des articles qui contiennent la déclaration de foi d'une Église, d'une personne, etc. : *La Confession d'Augsbourg.* ◆ **confessionnal, aux** n. m. Isoloir où les pénitents confessent leurs fautes à un prêtre catholique. ◆ **confesseur** n. m. Prêtre qui confesse.

1. CONFESSION n. f. → CONFESSER.

2. CONFESSION [kɔ̃fesjɔ̃] n. f. (lat. *confessio*). Appartenance à telle ou telle religion : *Être de confession catholique, luthérienne* (syn. CULTE). ◆ **confessionnel, elle** adj. *Établissement confessionnel*, école privée qui donne un enseignement religieux d'un culte déterminé.

CONFESSIONNAL, AUX n. m. → CONFESSER.

CONFESSIONNEL, ELLE adj. → CONFESSION 2.

Confessions *(les)*, ouvrage autobiographique de Jean-Jacques Rousseau, rédigé de 1765 à 1770 et publié après sa mort, la première partie en 1782, la seconde en 1789.

CONFETTI [kɔ̃feti] n. m. (mot it.). Petite rondelle de papier de couleur : *Lancer des poignées de confettis.*

CONFIANCE [kɔ̃fjɑ̃s] n. f. (lat. *confidentia*). **1.** Sentiment de sécurité d'une personne qui se fie entièrement à quelqu'un ou à quelque chose (sans art. dans les loc. avec *avoir, perdre, donner, inspirer*, etc.) : *J'ai une confiance totale en cet ami* (contr. DÉFIANCE, MÉFIANCE). *Avoir confiance en soi* (= être assuré de ses possibilités physiques ou intellectuelles). — **2.** *Personne de confiance*, qui mérite qu'on lui confie un rôle important. ‖ *Question de confiance*, question posée à une assemblée législative par un chef de gouvernement en vue d'obtenir l'approbation de sa politique. ‖ *Voter la confiance*, en parlant d'une assemblée parlementaire, émettre un vote favorable au gouvernement sur une question jugée par lui essentielle. ◆ **confiant, e** adj. Qui fait preuve de confiance (contr. DÉFIANT, MÉFIANT).

CONFIDENCE n. f., **CONFIDENT, E** n., **CONFIDENTIEL, ELLE** adj., **CONFIDENTIELLEMENT** adv. → CONFIER 2.

1. CONFIER [kɔ̃fje] v. t. (lat. *confidere*). *Confier une chose, une personne à qq'un, à un organisme*, les remettre à sa garde, les laisser à ses soins.

2. CONFIER [kɔ̃fje] v. t. (même étym.). *Confier qqch. à qq'un*, le lui dire en secret. ◆ ***se confier*** v. pr. *Se confier à qq'un*, faire part à un confident de ses idées ou de ses sentiments intimes. ◆ **confidence** [kɔ̃fidɑ̃s] n. f. Déclaration faite en secret à quelqu'un. ◆ **confident, e** n. **1.** Personne qui reçoit des confidences. — **2.** Au théâtre, personnage de condition inférieure, auquel un personnage important révèle ses sentiments et ses intentions, afin d'en instruire les spectateurs. ◆ **confidentiel, elle** adj. : *Avoir un entretien confidentiel avec qq'un* (= seul à seul). ◆ **confidentiellement** adv.

CONFIGURATION [kɔ̃figyrasjɔ̃] n. f. (lat. *configuratio*, ressemblance). Forme extérieure, aspect d'ensemble (se dit surtout d'un relief géographique) : *La configuration d'un pays.*

1. CONFINER [kɔ̃fine] v. t. ind. (de *confins*) [sujet nom de chose, ordinairement abstrait]. *Confiner à qqch.*, en être très proche : *Un air de satisfaction qui confine à l'insolence* (syn. FRISER).

2. CONFINER [kɔ̃fine] v. t. (même étym.). Enfermer dans des limites étroites : *Je ne veux pas le confiner dans ce bureau.* ◆ ***se confiner*** v. pr. **1.** S'enfermer dans un lieu d'où on ne sort presque jamais. — **2.** Se limiter à une occupation, à une activité unique. ◆ **confiné, e** adj. *Air confiné*, non renouvelé. ◆ **confinement** n. m. Situation des groupes humains, animaux ou végétaux occupant en trop grand nombre un milieu fermé (île, étang, etc.), et placés de ce fait dans des conditions défavorables (manque d'oxygène, de nourriture, accumulation des déchets).

CONFINS [kɔ̃fɛ̃] n. m. pl. (lat. *confinium*). Limites extrêmes d'un pays, d'un territoire : *Il habite aux confins de la Normandie et de la Bretagne.*

1. CONFIRE [kɔ̃fir] v. t. (lat. *conficere*, achever). [Conj. **72.**] *Confire des fruits*, les imprégner d'un sirop de sucre. ‖ *Confire des cornichons, des olives*, etc., les faire macérer dans du vinaigre. ◆ **confiserie** n. f. **1.** Travail du confiseur. — **2.** Magasin de confiseur. — **3.** Produit préparé ou vendu par un confiseur : *Manger des confiseries.* ◆ **confiseur, euse** n. Personne qui prépare ou qui vend des fruits confits, des sucreries, etc. ◆ **confit, e** adj. Conservé dans du sucre, du vinaigre, etc. ◆ n. m. Viande de porc, d'oie, de canard, etc., conservée enrobée dans sa graisse. ◆ **confiture** n. f. Préparation constituée par des fruits, ou du jus de fruits, cuits avec du sucre.

2. CONFIRE (SE) [səkɔ̃fir] v. pr. (de *confire* 1). [Conj. **72.**] Se pénétrer d'une habitude au point d'y perdre toute personnalité : *Se confire en dévotion.* ◆ **confit, e** adj. *Confit de, en dévotion*, d'une dévotion excessive.

1. CONFIRMER [kɔ̃firme] v. t. (lat. *confirmare*, affermir). **1.** *Confirmer qq'un*, le rendre plus ferme dans une croyance, une intention : *J'hésitais à continuer, mais il m'a confirmé dans mon entreprise.* — **2.** *Confirmer un fait, une nouvelle*, etc., en attester la vérité, renforcer la conviction que quelqu'un a de son authenticité : *L'expérience a confirmé l'hypothèse.* ◆ **confirmation** n. f. : *Avoir confirmation d'une nouvelle.*

2. CONFIRMER [kɔ̃firme] v. t. (même étym.). Donner à quelqu'un le sacrement de confirmation. ◆ **confirmation** n. f. **1.** Chez les catholiques, sacrement par lequel l'Église (et le Christ par elle) reconnaît le chrétien capable de témoigner de sa foi, grâce à l'action de l'Esprit-Saint en lui. — **2.** Chez les protestants, acte par lequel, après deux ans d'instruction religieuse, les jeunes gens confirment publiquement les vœux de leur baptême et sont admis à participer à la cène. ◆ **confirmand, e** n. Personne qui va recevoir la confirmation. ◆ **confirmé, e** n. Personne qui l'a reçue.

CONFISCATION n. f. ⟶ CONFISQUER.

CONFISERIE n. f., **CONFISEUR, EUSE** n. ⟶ CONFIRE 1.

CONFISQUER [kɔ̃fiske] v. t. (lat. *confiscare*). *Confisquer qqch. à qq'un*, l'en déposséder par un acte d'autorité : *Le professeur a confisqué à l'élève son illustré.* ◆ **confiscation** n. f.

CONFIT, E adj. et n. m. ⟶ CONFIRE 1 et 2.

CONFITEOR [kɔ̃fiteɔr] n. m. inv. (mot lat. signif. *je confesse*). Prière catholique commençant par ce mot, et par laquelle on se reconnaît pécheur.

CONFITURE n. f. ⟶ CONFIRE 1.

CONFLAGRATION [kɔ̃flagrasjɔ̃] n. f. (lat. *conflagratio*). Déchaînement général de violence, bouleversement universel par la guerre (langue soignée).

CONFLANS-SAINTE-HONORINE, ch.-l. de cant. des Yvelines, sur la Seine, en amont du confluent de l'Oise, à 8 km au S. de Pontoise; 29000 hab. *(Conflanais).* Important centre de batellerie.

CONFLENT (le), région des Pyrénées-Orientales, traversée par la Têt.

CONFLIT [kɔ̃fli] n. m. (bas lat. *conflictus*, combat). Violente opposition matérielle ou morale : *Le monde a connu deux grands conflits dans la première moitié du XXe s.* (syn. GUERRE). *Un conflit d'intérêts, d'opinions. Entrer en conflit avec les autorités* (syn. LUTTE). ◆ **conflictuel, elle** adj. Qui comporte une cause de conflit : *Une situation conflictuelle.*

CONFLUER [kɔ̃flye] v. i. (lat. *confluere*). Se réunir, en parlant de deux grands cours d'eau : *La Seine et la Marne confluent à Charenton.* ◆ **confluence** n. f. Action de confluer. ◆ **confluent** n. m. Point de jonction de deux cours d'eau, de deux glaciers ou de deux courants marins. (Après un confluent, le lit s'élargit, s'approfondit, la vitesse augmente; des alluvions se déposent souvent à la pointe du confluent.)

CONFOLENS, ch.-l. d'arrond. de la Charente, sur la Vienne, à 58 km au N.-O. de Limoges; 3200 hab. *(Confolentais).* Église romane.

1. CONFONDRE [kɔ̃fɔ̃dr] v. t. (lat. *confundere*). [Conj. **51.**] **1.** *Confondre des choses*, les mêler jusqu'à ne plus les distinguer. — **2.** *Confondre une chose, un être animé avec un autre*, les prendre l'un pour l'autre. ◆ ***se confondre*** v. pr. (sujet nom de chose). Ne pas être distinct : *Ces deux couleurs se confondent de loin.* (⟶ CONFUS 1.)

2. CONFONDRE [kɔ̃fɔ̃dr] v. t. (même étym.). [Conj. **51.**] **1.** *Confondre qq'un*, le mettre hors d'état de se justifier : *Confondre un accusé.* — **2.** *Être confondu*, être profondément pénétré d'un sentiment : *Être confondu de gratitude. On reste confondu devant une telle naïveté* (syn. STUPÉFAIT). ◆ ***se confondre*** v. pr. : *Se confondre en remerciements, en excuses, en politesses*, etc., les prodiguer avec empressement. (⟶ CONFUS 2.)

CONFORMATION n. f. ⟶ CONFORMÉ.

CONFORME [kɔ̃fɔrm] adj. (lat. *conformis*). **1.** Se dit de quelque chose dont la forme correspond à un modèle, à un point de référence : *Une copie conforme à l'original. Une décision conforme au règlement.* — **2.** Géogr. *Faille conforme*, faille dont la partie abaissée est du côté aval du pendage des couches. ◆ **conformer** v. t. Rendre conforme quelque chose (nom abstrait) : *Conformer sa conduite à ses paroles* (syn. ADAPTER). ◆ ***se conformer*** v. pr. (sujet nom de personne). *Se conformer à qqch.*, agir en adaptant son comportement au modèle proposé; se régler sur quelque chose : *Se conformer au programme* (syn. RESPECTER). ◆ **conformément** adv. [**à**] : *Conformément à l'usage* (syn. SELON; contr. CONTRAIREMENT). ◆ **conformité** n. f. État de ce qui présente un accord complet, une adaptation totale : *Conformité de vues* (syn. CONCORDANCE). *Ses actes ne sont pas en conformité avec ses principes* (syn. ACCORD). ◆ **non-conformité** n. f. : *La non-conformité de cette installation de chauffage aux règles de la sécurité.* ◆ **conformisme** n. m. *Péjor.* Respect absolu de certaines traditions, de la morale sociale en usage. ◆ **conformiste** adj. et n. Qui se conforme sans originalité aux usages, aux principes généralement admis. ◆ **non-conformisme** ou **anticonformisme** n. m. : *Le non-conformisme est le refus des usages établis ou des opinions reçues qui entravent le progrès ou font obstacle à l'originalité d'expression* (syn. INDÉPENDANCE; péjor. ANARCHISME). *L'anticonformisme est un refus de s'intégrer aux structures d'une société.* ◆ **non-conformiste** ou **anticonformiste** n. et adj. : *Une attitude non conformiste* (syn. INDÉPENDANT, INDIVIDUALISTE). *Être anticonformiste par sa manière de vivre* (syn. ↑ANARCHISTE).

CONFORMÉ, E [kɔ̃fɔrme] adj. (de *conformer*). *Nouveau-né bien conformé*, qui est né sans tare, sans défaut physique. ◆ **conformation** n. f. Manière dont sont assemblées les parties d'un corps organisé : *Conformation du squelette.* ‖ *Vice de conformation*, défaut physique.

CONFORMÉMENT adv., **CONFORMER** v. t., **CONFORMISME** n. m., **CONFORMISTE** adj. et n., **CONFORMITÉ** n. f. ⟶ CONFORME.

CONFORT [kɔ̃fɔr] n. m. (angl. *comfort*). Ensemble des commodités, des agréments que procure le bien-être matériel : *Il aime son confort* (syn. AISES). *Un appartement de grand confort* (syn. STANDING). ◆ **confortable** adj. **1.** Qui procure le confort : *Un hôtel confortable.* — **2.** Qui permet d'être sans soucis : *Il a des revenus confortables.* ◆ **confortablement** adv. ◆ **inconfortable** adj. : *Un siège inconfortable. Une situation inconfortable* (syn. INCOMMODE). ◆ **inconfortablement** adv.

CONFRÈRE [kɔ̃frɛr] n. m. (de l'anc. fr. *confrarie*). Chacun de ceux qui exercent une même profession libérale, qui appartiennent à un même corps, par rapport aux autres membres de la même profession, du même corps : *Un médecin, un avocat, un prêtre, un académicien qui s'entretient avec un confrère* (fém. rare CONSŒUR). ◆ **confraternel, elle** adj. : *Relations confraternelles* (= propres à des confrères). ◆ **confraternité** n. f. Bons rapports entre confrères. ◆ **confrérie** n. f. Association fondée sur des principes religieux.

CONFRONTER [kɔ̃frɔ̃te] v. t. (lat. *confrontare*). **1.** *Confronter des textes, des idées, des explications*, etc., les rapprocher pour les comparer ou les opposer. — **2.** *Confronter des témoins, des accusés*, les mettre en présence les uns des autres en vue de contrôler l'exactitude de leurs déclarations. ◆ **confrontation** n. f. : *Une confrontation de points de vue. La confrontation de deux accusés.*

CONFUCIANISME [kɔ̃fysjanism] n. m. Doctrine philosophique et morale de Confucius et de ses successeurs.

CONFUCIUS, philosophe chinois considéré comme le fondateur du confucianisme (v. 551-479 av. J.-C.). Il aurait été d'origine princière, mais il vécut dans la pauvreté. Dans son enseignement, il insiste sur la sincérité dans les rapports humains, sur la nécessité d'établir l'harmonie en soi par la pratique des vertus, et autour de soi par le respect des autres.

1. CONFUS, E [kɔ̃fy, -yz] adj. (lat. *confusus*). **1.** Se dit de ce qui manque d'ordre : *Un amas confus de vêtements* (syn. DÉSORDONNÉ). *Une explication confuse* (syn. EMBROUILLÉ). — **2.** Se dit d'une personne qui manque de clarté dans les idées : *Esprit confus* (syn. BROUILLON). [⟶ CONFONDRE 1.] ◆ **confusément** adv. (contr. DISTINCTEMENT, NETTEMENT). ◆ **confusion** n. f. Erreur d'une personne qui confond, qui prend une chose pour une autre : *Une confusion de noms.* ◆ **confusionnisme** n. m. Attitude d'esprit visant à entretenir la confusion des idées et à empêcher l'analyse des faits.

2. CONFUS, E [kɔ̃fy, -yz] adj. (même étym.). Se dit d'une personne troublée par le sentiment de sa faute, de sa maladresse ou par l'excès de bonté qu'on lui témoigne : *Je suis confus de la peine que vous vous êtes donnée pour moi.* (⟶ CONFONDRE 2.) ◆ **confusion** n. f. Embarras d'une personne qui a vivement conscience de sa faute, de son indignité, ou gêne qui est causée par une timidité excessive : *Être rempli de confusion.*

1. CONGÉ [kɔ̃ʒe] n. m. (lat. *commeatus*). **1.** Autorisation spéciale donnée à quelqu'un de cesser son travail; période de cette cessation de travail : *Un congé de maladie.* — **2.** Courtes vacances : *Les écoliers ont eu trois jours de congé.* — **3.** *Congés payés*, période de vacances payées que la loi accorde à tous les salariés. ⟶ ENCYCL. ‖ *Prendre un congé*, se faire accorder une autorisation de cesser le travail. ‖ *Prendre son congé*, démissionner de ses fonctions militaires ou administratives. ‖ *Prendre congé de qq'un*, quitter cette personne, lui dire au revoir. ‖ *Donner congé à un locataire*, lui signifier qu'il devra quitter les lieux. ◆ **congédier** v. t. *Congédier qq'un*, l'inviter à partir, le mettre dehors. ◆ **congédiement** n. m. Octroi ou réception d'un congé.
— ENCYCL. La loi du 20 juin 1936 reconnaissait le droit à un *congé payé* pour tous les travailleurs salariés, pendant deux semaines, après un an d'activité. La durée a été allongée en plusieurs phases et atteint cinq semaines en 1982.

Les salariés et assimilés, les retraités, les pensionnés et les allocataires, assurés sociaux, peuvent obtenir sur leur demande, à la S. N. C. F., un «billet annuel» de congé avec réduction de 25 p. 100 sur le prix normal du billet de chemin de fer.

2. CONGÉ [kɔ̃ʒe] n. m. (même étym.). Autorisation écrite donnée par le fisc de transporter une marchandise soumise à un droit de circulation, notamment les boissons alcoolisées.

CONGÉDIEMENT n. m., **CONGÉDIER** v. t. → CONGÉ 1.

CONGELER [kɔ̃ʒle] v. t. (lat. *congelare*). [Conj. 5.] **1.** Transformer un liquide en solide par l'action du froid. — **2.** *Congeler une substance*, la soumettre à l'action du froid, afin de la conserver : *De la viande congelée.* ◆ **congélateur** n. m. Appareil frigorifique dans lequel, grâce à une température très basse (— 24 °C), les aliments peuvent être conservés très longtemps. ◆ **congélation** n. f. : *La congélation de l'eau, de la viande.* ◆ **décongeler** v. t. Ramener un corps congelé à son état ordinaire.

CONGÉNÈRE [kɔ̃ʒenɛr] n. (lat. *congener*). Être animé ou plante qui est de la même espèce qu'un autre ou une autre.

CONGÉNITAL, E, AUX [kɔ̃ʒenital, -to] adj. (du lat. *congenitus*, né avec). Se dit d'un défaut physique ou moral acquis dès la naissance.

CONGÈRE [kɔ̃ʒɛr] n. f. (lat. *congeries*, amas). Amas de neige entassée par le vent.

CONGESTION [kɔ̃ʒɛstjɔ̃] n. f. (lat. *congestio*, amas). Afflux anormal de sang dans une partie du corps : *Une congestion pulmonaire, cérébrale.* ◆ **congestionner** v. t. Produire une congestion dans : *Teint congestionné.* ◆ **décongestionner** v. t. **1.** Faire cesser la congestion. — **2.** Faire cesser un encombrement, faciliter la circulation (syn. DÉSENCOMBRER).

CONGLOMÉRAT [kɔ̃glɔmera] n. m. (du lat. *conglomerare*, entasser). **1.** *Géol.* Roche sédimentaire détritique, formée par l'agglomération de galets *(poudingue)* ou de fragments de roches anguleux *(brèche)*, réunis par un ciment calcaire ou siliceux. — **2.** *Écon.* Ensemble né de la fusion, en une même société financière, de plusieurs entreprises aux activités souvent fort diverses.

CONGO (le), fleuve de l'Afrique équatoriale. On lui redonne auj. le nom sous lequel les découvreurs portugais le connaissaient au XVIe s., le Zaïre*.

CONGO *(république du)*, anc. **Congo-Brazzaville,** État de l'Afrique équatoriale.

SUPERFICIE 342 000 km² (France : 550 000 km²).

POPULATION 2 200 000 hab. *(Congolais);* 6 hab. au km² (France : 103); accroissement annuel de la population, 2,6 p. 100.

CAPITALE Brazzaville (300 000 hab.).

LANGUE OFFICIELLE français.

ÉCONOMIE consommation d'énergie par hab., 600 kg d'équivalent charbon; 1 automobile pour 75 hab.

GÉOGRAPHIE

Un plateau s'étend sur la plus grande partie du pays, qui est drainé par le Congo et l'Oubangui, et leurs affluents de rive droite. Il est séparé du littoral par le massif de Mayombé. De climat équatorial, le pays est couvert par la forêt à l'O., qui s'éclaircit vers l'E.

	TEMPÉRATURES MOYENNES janv.	juil.	PLUIES
Brazzaville	25,3 °C	21 °C	1 368 mm

La population pratique la cueillette dans la forêt, ou une agriculture sur brûlis à très faible rendement. De grandes plantations sont aux mains de sociétés qui exportent de l'huile de palme, de la canne à sucre, des arachides.

arachides 15 000 t; huile de palme 6 000 t; manioc 460 000 t.

Les ressources du sous-sol sont variées (or, plomb et surtout pétrole [6 Mt], aujourd'hui base des exportations par le port de Pointe-Noire). L'industrie est inexistante, sauf à Brazzaville.

HISTOIRE

- *1958. Création de la république du Congo, ancien territoire de l'Afrique-Équatoriale française, qui accède à l'indépendance complète en 1960.*
- *1959-1963. Gouvernement autoritaire de l'abbé Fulbert Youlou.*
- *1963-1968. Présidence de Massemba-Debat.*

D'abord libéral et technocratique, ce gouvernement se radicalise, s'oriente de plus en plus à gauche.

- *1969-1977. Marien Ngouabi préside la République populaire du Congo.*
- *1979. Denis Sassou-Nguesso devient président.*
- *1990-91. Abandon de la voie marxiste-léniniste. Un gouvernement de transition vers la démocratie est mis en place.*

CONGO *(république démocratique du),* ou **CONGO-KINSHASA,** noms portés par l'anc. CONGO BELGE jusqu'en 1971. C'est auj. la république du ZAÏRE*.

CONGO BELGE, territoire qui correspond à l'actuel ZAÏRE* et qui succéda lui-même en 1908 à l'« État indépendant du Congo », fondé en 1885 par le roi des Belges Léopold II.

CONGOLAIS, E [kɔ̃gɔlɛ, -ɛz] adj. et n. Du Congo.

CONGRATULER [kɔ̃gratyle] v. t. (lat. *congratulari*). *Congratuler qq'un*, le féliciter abondamment. ◆ **congratulations** n. f. pl. : *Échanger des congratulations* (syn. FÉLICITATIONS).

CONGRE [kɔ̃gr] n. m. (gr. *gongros*). Poisson marin, long de 2 à 3 m, gris-bleu foncé, vivant dans les creux de rochers. (Ordre des apodes; famille des anguillidés.) [Autre nom ANGUILLE DE MER.]

CONGRÉGATION [kɔ̃gregasjɔ̃] n. f. (bas lat. *congregatio*, association religieuse). **1.** Association de personnes ecclésiastiques ou laïques, unies par un lien religieux et ayant en commun certaines règles de vie. — **2.** *Congrégation romaine*, assemblée de prélats chargés d'examiner certaines affaires en cour de Rome. ◆ **congréganiste** adj. et n. Qui fait partie d'une congrégation.

CONGRÈS [kɔ̃grɛ] n. m. (lat. *congressus*). **1.** Assemblée de souverains, d'ambassadeurs, pour traiter d'intérêts politiques : *Le congrès de Vienne (1814-1815) régla le sort de l'Europe au lendemain des guerres napoléoniennes.* — **2.** Aux États-Unis, le Parlement (il est composé du Sénat et de la Chambre des représentants). — **3.** Réunion de personnes qui délibèrent sur des intérêts communs, des études communes, etc. : *Congrès scientifique.* ◆ **congressiste** n. Membre d'un congrès.

CONGRU, E [kɔ̃gry] adj. (lat. *congruus*). Fam. *Portion congrue*, quantité d'aliments à peine suffisante attribuée à quelqu'un; ressources insuffisantes.

CONIFÈRES [kɔnifɛr] n. m. pl. (du lat. *conus*, cône, et *ferre*, porter). Classe d'arbres dont les fruits sont en forme de cône et qui ont un feuillage persistant (*sapin, pin, if*, etc.).

CONIQUE adj. → CÔNE.

CONJECTURE [kɔ̃ʒɛktyr] n. f. (lat. *conjectura*). Simple supposition, qui n'a encore reçu aucune confirmation (syn. HYPOTHÈSE). ◆ **conjectural, e, aux** adj. Fondé sur des conjectures : *Une théorie conjecturale.* ◆ **conjecturer** v. t. Se représenter par conjecture (syn. PRÉSUMER, PRÉVOIR).

1. CONJOINT, E [kɔ̃ʒwɛ̃, -ɛ̃t] adj. (du lat. *conjungere*, lier ensemble). *Note, remarque conjointe*, note, remarque qui accompagne un texte. ◆ **conjointement** adv. En même temps qu'une autre chose ou une autre personne.

2. CONJOINT, E [kɔ̃ʒwɛ̃, -ɛ̃t] n. (même étym.). Chacun des deux époux considéré par rapport à l'autre (terme admin.).

1. CONJONCTIF, IVE adj. ⟶ CONJONCTION 2.

2. CONJONCTIF, IVE [kɔ̃ʒɔ̃ktif, -iv] adj. (lat. *conjunctivus*, qui sert à lier). Anat. *Tissu conjonctif*, tissu animal jouant un rôle de remplissage, de soutien ou de protection : *Le derme, les tendons des muscles, la sclérotique sont formés de tissu conjonctif.*

1. CONJONCTION [kɔ̃ʒɔ̃ksjɔ̃] n. f. (lat. *conjunctio*). Union, rencontre (langue soignée) : *Conjonction de talents.*

2. CONJONCTION [kɔ̃ʒɔ̃ksjɔ̃] n. f. (même étym.). *Gramm.* Mot invariable qui sert à relier deux mots, deux groupes de mots ou deux propositions : *Les conjonctions de coordination et les conjonctions de subordination.* (⟶ CLASSE 4.) ◆ **conjonctif, ive** adj. Qui a la nature d'une conjonction : *« De telle sorte que », « tandis que », « pourvu que » sont des locutions conjonctives.*

CONJONCTIVE [kɔ̃ʒɔ̃ktiv] n. f. (de *conjonctif*). *Anat.* Membrane muqueuse qui recouvre la face postérieure des paupières et qui se replie pour revêtir le segment antérieur du globe oculaire jusqu'au pourtour de la cornée. ◆ **conjonctivite** n. f. *Méd.* Inflammation de la conjonctive, se traduisant par une rougeur superficielle de l'œil, par une sécrétion qui agglutine les paupières au réveil.

CONJONCTURE [kɔ̃ʒɔ̃ktyr] n. f. (du lat. *conjungere*, lier ensemble). **1.** Situation qui résulte d'un concours de circonstances; occasion : *Une conjoncture heureuse.* — **2.** Ensemble des éléments dont dépend la situation économique, démographique, politique ou sociale d'un pays à un moment donné. ◆ **conjoncturel, elle** adj. Relatif à la conjoncture économique (sens 2).

CONJUGAISON n. f. ⟶ CONJUGUER 1 et 2 et CONJUGUÉES.

CONJUGAL, E, AUX [kɔ̃ʒygal, -go] adj. (du lat. *conjux*, époux, épouse). Se dit, surtout dans la langue admin., de ce qui concerne les relations entre époux. ◆ **conjugalement** adv. En tant que mari et femme : *Vivre conjugalement* (syn. MARITALEMENT).

1. CONJUGUER [kɔ̃ʒyge] v. t. (lat. *conjugare*, unir). *Conjuguer un verbe*, en énumérer toutes les formes dans un ordre déterminé. ◆ **conjugaison** n. f. Ensemble des formes du verbe, qui se distribuent selon les personnes, les modes, les temps et les types de radicaux : *La conjugaison constitue la flexion du verbe. Il y a plusieurs ensembles de formes en français, qui, sur le plan historique, sont réparties en trois conjugaisons : 1re conjugaison, en « -er »; 2e conjugaison, en « -ir/-iss »; 3e conjugaison, en « -ir », « -oir », « -re ». On répartit aussi les conjugaisons, selon leur morphologie, en verbes à un radical (« chanter »), deux radicaux (« dormir/dort »), trois radicaux (« aller/irai/va »).* ⟶ introduction de l'ouvrage *(conjugaison des verbes).*

2. CONJUGUER [kɔ̃ʒyge] v. t. (même étym.). *Conjuguer ses efforts*, les unir en vue d'un résultat (syn. JOINDRE). ◆ **conjugaison** n. f. : *La conjugaison des bonnes volontés doit faire aboutir ce projet* (syn. RÉUNION, UNION).

CONJUGUÉES [kɔ̃ʒyge] n. f. pl. (de *conjuguer*). Algues vertes unicellulaires ou filamenteuses, ne produisant jamais de spores mobiles et se reproduisant par « conjugaison ». ◆ **conjugaison** n. f. Mode de reproduction sexuée de certains protozoaires ciliés et de certaines algues vertes.

1. CONJURER [kɔ̃ʒyre] v. t. (lat. *conjurare*, jurer ensemble). *Conjurer la perte, la mort de qq'un*, former ensemble le projet de la provoquer. ◆ **conjuration** n. f. Groupement clandestin de personnes qui préparent un acte de violence, un coup d'État : *La conjuration de Catilina* (syn. COMPLOT, CONSPIRATION). ◆ **conjuré** n. m. Personne qui participe à une conjuration (syn. COMPLOTEUR, CONSPIRATEUR).

2. CONJURER [kɔ̃ʒyre] v. t. (même étym.). *Conjurer qq'un de faire qqch.*, l'en prier très instamment, comme d'une chose capitale, sacrée (syn. ADJURER, SUPPLIER).

3. CONJURER [kɔ̃ʒyre] v. t. (même étym.). *Conjurer un accident, un mauvais sort, une crise*, etc., réussir à l'éviter.

CONNAISSANCE n. f. ⟶ CONNAÎTRE.

CONNAISSEMENT [kɔnɛsmɑ̃] n. m. (de *connaître*). *Mar.* Récépissé de chargement des marchandises transportées par un navire : *Les clauses du contrat de transport figurent fréquemment sur le connaissement.*

CONNAISSEUR, EUSE adj. et n. ⟶ CONNAÎTRE.

CONNAÎTRE [kɔnɛtr] v. t. (lat. *cognoscere*). [Conj. **64.**] **1.** *Connaître qq'un, qqch.*, pouvoir les identifier : *Connaître qq'un de vue* (= l'avoir remarqué, mais ne pas être en relation avec lui), *de nom, de réputation* (= avoir lu ou entendu prononcer son nom, avoir entendu parler de lui). — **2.** *Connaître qq'un*, être en relation avec : *Connaître un ministre.* — **3.** *Connaître qq'un, qqch.*, être renseigné sur sa nature, son aspect, ses qualités et ses défauts : *Je connais un restaurant où l'on mange bien.* — **4.** *Connaître qqch.*, en avoir la pratique, l'expérience, être au courant de : *Connaître la musique* (syn. SAVOIR; contr. IGNORER). — **5.** Syn. de AVOIR : *Une comédie qui a connu un grand succès* (syn. RENCONTRER). — **6.** *Ne connaître que*, ne considérer que, ne s'occuper que de : *Ne connaître que son plaisir.* ‖ *Je ne connais que lui, que cela*, je le connais, je connais cela très bien. ‖ *Faire connaître qqch. à qq'un*, l'en informer. ‖ *Se faire connaître*, dire son identité; montrer sa valeur. ‖ Fam. *Ni vu ni connu*, se dit d'un acte qu'on a habilement accompli sans se faire remarquer. ‖ *S'y connaître, se connaître en*, avoir de la compétence dans tel domaine (syn. S'Y ENTENDRE). ◆ v. t. ind. Dr. *Connaître de*, prendre connaissance d'une question et la juger; avoir le droit de statuer sur : *Tribunal auquel il appartient d'en connaître.* ◆ **connaissance** n. f. **1.** Activité intellectuelle de celui qui vise à avoir la compétence de quelque chose, qui étudie afin d'acquérir la pratique; cette compétence elle-même : *Sa connaissance de l'anglais lui a été très utile. Un romancier qui a une profonde connaissance du cœur humain* (syn. ↑SCIENCE). — **2.** (au plur.) Choses connues, science : *Avoir des connaissances étendues* (syn. SAVOIR). — **3.** *Perdre, reprendre connaissance*, ne plus avoir, retrouver le sentiment de sa propre existence (syn. S'ÉVANOUIR, SE RANIMER). ‖ *Être sans connaissance*, être évanoui. — **4.** *Donner connaissance de qqch. à qq'un*, l'en informer; lui communiquer un document. ‖ *Prendre connaissance d'un texte*, le lire. ‖ Fam. *C'est une vieille connaissance*, il y a longtemps que je le connais. ‖ *À ma connaissance*, dans la mesure où je suis informé (syn. AUTANT QUE JE SACHE). ‖ *En connaissance de cause*, en sachant bien de quoi il s'agit, avec une claire conscience de ce qu'on fait. ◆ **connaisseur, euse** adj. et n. Capable d'apprécier, qui s'y connaît : *Il dégustait en connaisseur un vieux vin de Bourgogne.* ◆ **inconnu, e** adj. et n. Qui n'est pas connu : *Son visage m'est inconnu. Un inconnu m'a adressé la parole.* ◆ **inconnue** n. f. Élément d'un problème qu'on ignore, donnée qu'on ne possède pas.

CONNECTER v. t., **CONNECTEUR** n. m. ⟶ CONNEXE.

CONNECTICUT (le), fl. côtier de l'est des États-Unis; 533 km. Il se jette dans l'Atlantique.

CONNECTICUT, État côtier du nord-est des États-Unis, en Nouvelle-Angleterre; 12 973 km²; 3 032 200 hab. Capit. *Hartford.*

CONNÉTABLE [kɔnetabl] n. m. (bas lat. *comes stabuli*, comte de l'étable). Commandant suprême des armées royales françaises du XIIe au XVIIe s. (Les pouvoirs du connétable, dont du Guesclin fut le plus célèbre, étaient considérables. En 1627, Richelieu supprima cette charge, qui portait ombrage au roi.

CONNEXE [kɔnɛks] adj. (lat. *conexus*). Se dit d'une chose qui est étroitement liée à une autre. ◆ **connecter** v. t. **1.** Unir, lier des choses entre elles. — **2.** *Électr.* Établir une connexion entre divers organes ou machines. ◆ **connecteur** n. m. Appareil destiné à établir une connexion. ◆ **connexion** n. f. **1.** *Connexion d'idées* (syn. LIAISON, UNION). — **2.** Liaison d'un appareil électrique à un circuit, ou de deux appareils électriques.

CONNIVENCE [kɔnivɑ̃s] n. f. (du lat. *conivere*, fermer les yeux). Entente secrète entre des personnes en vue d'une action : *Le prisonnier s'est échappé grâce à la connivence d'un gardien* (syn. COMPLICITÉ).

CONNOTATION [kɔnɔtasjɔ̃] n. f. (du lat. *cum*, avec, et *notation*). Ensemble des valeurs affectives prises par un mot en dehors de sa signification (ou *dénotation*).

CONQUE [kɔ̃k] n. f. (gr. *konkhê*, coquille). **1.** Nom usuel d'un mollusque gastropode dont la coquille, conique, atteint 30 cm et plus. (L'usage de cette coquille comme trompe d'appel, après section de la pointe, est général dans l'Antiquité et dans le monde asiatique et océanien actuel.) — **2.** Cavité profonde du pavillon de l'oreille, au niveau de laquelle s'ouvre le conduit auditif externe.

CONQUÉRIR [kɔ̃kerir] v. t. (bas lat. *conquaerere*). [Conj. **21.**] **1.** *Conquérir un pays*, s'en rendre maître par la force des armes. — **2.** Se rendre maître de quelque chose, en être victorieux. — **3.** Attirer à soi par ses qualités : *Tous les invités ont été conquis par la gentillesse de leurs hôtes* (syn. ↓GAGNER). — **4.** Obtenir au prix d'efforts ou de sacrifices : *Il a conquis ses galons sur le champ de bataille.* ◆ **conquérant, e** adj. et n. : *Un peuple conquérant. Alexandre le Grand fut un conquérant célèbre. Prendre un air conquérant* (= présomptueux, fier). ◆ **conquête** n. f. **1.** Action de conquérir : *La conquête d'un pays. La conquête d'un diplôme* (syn. OBTENTION). — **2.** Pays conquis; personne dont on a conquis le cœur : *Napoléon perdit toutes ses conquêtes. Il se promène avec sa nouvelle conquête.* ◆ **reconquérir** v. t. Conquérir de nouveau. ◆ **reconquête** n. f.

CONQUES, ch.-l. de cant. de l'Aveyron, à 37 km au N.-O. de Rodez; 404 hab. *(Conquois).* L'abbaye de Conques, qui dut son importance aux reliques de sainte Foy, martyre d'Agen, fut, pendant tout le Moyen Âge, un grand lieu de pèlerinage. L'église, commencée au XIe s., est un des plus beaux spécimens de l'art roman. Le trésor renferme des pièces d'orfèvrerie célèbres (statue d'or de sainte Foy, Xe s.).

CONQUET (Le), comm. du Finistère, à 24 km à l'O. de Brest; 2 000 hab. *(Conquetois).* Port de pêche. Station balnéaire.

CONQUÊTE n. f. → CONQUÉRIR.

CONQUISTADOR [kɔ̃kistadɔr] n. m. (mot esp. signif. *conquérant*). Nom donné aux aventuriers et nobles d'Espagne qui découvrirent l'Amérique centrale et méridionale. ‖ Pl. des *conquistadores.*
— ENCYCL. Les *conquistadores*, dont les principaux furent Cortés et Pizarro, réussirent à soumettre à l'influence espagnole d'immenses territoires en très peu d'années, de 1519 (entrée de Cortés à Mexico) à 1533 (exécution du dernier roi inca par Pizarro).

CONRAD, nom porté par trois empereurs germaniques (XIe-XIIIe s.).

CONRAD (Józef Konrad KORZENIOWSKI, dit **Joseph**), écrivain anglais d'origine polonaise (1857-1924). Il est l'auteur de romans d'aventures maritimes et exotiques (*Lord Jim*, 1900; *Typhon*, 1903).

1. CONSACRER [kɔ̃sakre] v. t. (lat. *consecrare*). **1.** Revêtir d'un caractère sacré, vouer à Dieu : *La nouvelle église a été consacrée.* — **2.** *Consacrer le pain, le vin, une hostie*, dans la religion chrétienne, convertir le pain et le vin en la propre substance de Jésus-Christ. — **3.** *Consacrer une pratique, une expression*, etc., en faire une règle habituelle. ◆ **consacré, e** adj. **1.** Se dit de ce qui a reçu une consécration religieuse : *Une hostie consacrée.* — **2.** Qui a reçu la sanction de l'usage, qui est de règle en telle circonstance : *Une expression consacrée* (syn. RITUEL). ◆ **consécration** n. f. **1.** Action de consacrer religieusement. — **2.** Action de confirmer, de ratifier : *La consécration d'un talent.*

2. CONSACRER [kɔ̃sakre] v. t. (même étym.). *Consacrer qqch. à*, l'employer, le vouer à : *Consacrer son temps à l'étude.* ◆ ***se consacrer*** v. pr. Se donner exclusivement à une œuvre (en général d'ordre intellectuel) : *Il se consacre entièrement à ce projet* (syn. S'ADONNER).

CONSANGUIN, E [kɔ̃sɑ̃gɛ̃, -in] adj. et n. (lat. *consanguineus*). Issu du même père, mais pas de la même mère. ◆ **consanguinité** n. f. Parenté qui unit les enfants d'un même père.

1. CONSCIENCE [kɔ̃sjɑ̃s] n. f. (lat. *conscientia*). Sentiment qu'on a de son existence et de celle du monde extérieur; représentation qu'on se fait de quelque chose : *Perdre conscience* (syn. CONNAISSANCE). *J'ai conscience d'avoir prononcé une parole imprudente* (=je me rends compte que). ◆ **conscient, e** adj. Se dit d'une personne qui a conscience de ce qu'elle fait; se dit aussi de son action : *Il est conscient de l'importance de son rôle* (syn. LUCIDE). ◆ **inconscient, e** adj. : *Des enfants inconscients de la portée de leurs paroles. Il faut qu'il soit un peu inconscient pour proposer une chose pareille* (=qu'il ne se rende pas compte de ce qu'elle a de déplacé). ◆ n. m. Ensemble des faits psychiques* qui échappent totalement à la conscience. ◆ **consciemment** adv. ◆ **inconsciemment** adv. : *Faire un geste inconsciemment* (syn. MACHINALEMENT). ◆ **subconscient** n. m. Zone de faits psychiques* dont une personne n'a que faiblement conscience, mais qui influent sur l'ensemble de son comportement.

2. CONSCIENCE [kɔ̃sjɑ̃s] n. f. (même étym.). **1.** Sentiment qui fait qu'on porte un jugement moral sur ses actes, sens du bien et du mal; respect du devoir : *Ma conscience ne me reproche rien. Avoir la conscience tranquille.* ‖ *Avoir bonne, mauvaise conscience*, avoir le sentiment qu'on n'a rien à se reprocher, ou, au contraire, qu'on est en faute. — **2.** *Conscience professionnelle*, soin avec lequel on exerce son métier. ‖ *Cas de conscience*, situation délicate dans laquelle il faut agir selon sa conscience, sans référence précise à une règle. ‖ *Objection de conscience*, attitude de ceux qui, invoquant des motifs moraux, refusent de porter les armes et de revêtir l'uniforme militaire. ‖ *Liberté de conscience*, droit de pratiquer librement la religion de son choix. ‖ *En conscience*, honnêtement. ‖ *En mon âme et conscience, la main sur la conscience*, en toute sincérité. ‖ *Dire tout ce qu'on a sur la conscience*, ne rien cacher. ◆ **consciencieux, euse** adj. Se dit d'une personne qui accomplit son devoir de son mieux, avec application, qui fait bien ce qu'elle fait : *Un ouvrier consciencieux. Un travail consciencieux* (syn. HONNÊTE, SÉRIEUX). ◆ **consciencieusement** adv. : *Travailler consciencieusement* (syn. HONNÊTEMENT, SÉRIEUSEMENT).

CONSCRIT [kɔ̃skri] n. m. (lat. *conscriptus*, inscrit sur une liste). Soldat nouvellement arrivé à l'armée et n'ayant pas encore achevé son instruction. ◆ **conscription** n. f. Système de recrutement fondé sur l'appel annuel de jeunes gens du même âge.

CONSÉCRATION n. f. → CONSACRER 1.

CONSÉCUTIF, IVE [kɔ̃sekytif, -iv] adj. (lat. *consecutus*, suivi). **1.** Se dit de choses qui se succèdent dans le temps sans interruption : *Dormir huit heures consécutives* (syn. À LA FILE, DE SUITE). — **2.** *Consécutif à*, se dit de ce qui apparaît comme le résultat, la conséquence de quelque chose : *Les dégâts consécutifs à l'incendie* (syn. CAUSÉ, ENTRAÎNÉ PAR). — **3.** *Proposition subordonnée consécutive*, syn. de SUBORDONNÉE DE CONSÉQUENCE. ◆ **consécutivement** adv. Sans interruption, à la suite.

1. CONSEIL [kɔ̃sɛj] n. m. (lat. *consilium*). **1.** Avis donné à quelqu'un pour orienter son action : *Je suivrai votre conseil. Je ne prends conseil que de moi-même* (=je ne demande l'avis de personne). *Cet homme est de bon conseil* (=il sait conseiller convenablement). — **2.** *Avocat-conseil, ingénieur-conseil*, etc., personne qui donne des avis, spécialem. en matière technique. ◆ **conseiller** v. t. *Conseiller qq'un, qqch. à qq'un*, lui donner des avis en vue de modifier sa conduite : *Le médecin lui a conseillé le bord de la mer* (syn. RECOMMANDER). ◆ **conseiller, ère** n. Personne ayant pour fonction de donner des conseils. ◆ **conseilleur, euse** n. *Péjor.* Personne qui prodigue des conseils : *Les conseilleurs ne sont pas les payeurs* (=il est plus facile de conseiller que d'agir). ◆ **déconseiller** v. t. *Déconseiller qqch. à qq'un, déconseiller à qq'un de faire qqch.*, l'en détourner, l'en dissuader : *Je lui ai déconseillé cet achat, d'acheter cette télévision.*

2. CONSEIL [kɔ̃sɛj] n. m. (même étym.). **1.** Groupe de personnes chargées de délibérer, d'administrer, ou d'exercer une juridiction. — **2.** Séance, délibération du conseil : *Assister au conseil.* — **3.** *Conseil des Anciens, Conseil des Cinq-Cents*, assemblées politiques créées par la Constitution de l'an III (1795) et formant le corps législatif. (Le Conseil des Anciens votait les projets de lois proposés par les Cinq-Cents. Ces deux assemblées furent dissoutes par le coup d'État du 18 brumaire an VIII [1799].) ‖ *Conseil de discipline*, assemblée chargée de faire respecter les règles d'une profession. ‖ *Conseil de famille*, assemblée de parents présidée par le juge des tutelles, pour délibérer sur les intérêts d'un mineur. ‖ *Conseil général*, organe élu, chargé de régler par ses délibérations les diverses affaires du département. → ENCYCL. ‖ *Conseil de guerre*, appellation donnée de 1665 à 1928 aux tribunaux permanents de l'armée. ‖ *Conseil des ministres*, réunion des ministres sous la présidence du chef de l'État. ‖ *Conseil municipal*, organe élu chargé de régler par ses délibérations les affaires de la commune. → ENCYCL. ‖ *Conseil régional*, organe chargé de régler par ses délibérations les affaires de la Région et dont l'élection au suffrage universel, organisée par la loi de 1982 sur la décentralisation, a eu lieu pour la première fois en mars 1986. ◆ **conseiller, ère** n. Personne qui fait partie d'un conseil : *Un conseiller municipal.*
— ENCYCL. ***conseil général.*** C'est une assemblée élue composée de l'ensemble des *conseillers généraux* d'un département. Comme les conseillers municipaux, les conseillers généraux sont élus au suffrage universel direct, pour six ans.

Le conseil général comprend un conseiller par canton, mais cette dernière circonscription a des chiffres de population très variables : cette inégalité de représentation entraîne des conséquences politiques car les conseillers généraux sont amenés à désigner les sénateurs.

Depuis la loi de 1982 sur la décentralisation, le président du conseil général élu par ce dernier est l'organe exécutif du département. Il prépare et exécute les délibérations du conseil général, ordonne les dépenses et prescrit l'exécution des recettes.
conseil municipal. Les conseillers municipaux sont élus par les habitants d'une commune pour sauvegarder leurs intérêts. Les élections ont lieu tous les six ans au suffrage universel direct. Selon l'importance de la commune, le nombre des conseillers varie. Dès leur première séance, ils élisent le maire et ses adjoints (1 à 12 maximum, sauf à Paris, Lyon et Marseille).

Le conseil municipal se réunit au moins quatre fois par an, en sessions « ordinaires » et, sur convocation du maire, en sessions « extraordinaires ». Les séances sont publiques. Les décisions prises (délibérations) sont consignées sur un registre. Des groupes d'études (= commissions) sont constitués pour approfondir des domaines particuliers : voirie, urbanisme, affaires sociales...

Le rôle du conseil municipal est complexe. Il lui faut : gérer les intérêts de la commune et prendre les décisions nécessaires (achats, ventes, travaux); contrôler et organiser les services communaux; voter le budget de la commune; formuler des vœux, émettre des avis pour améliorer la vie des habitants.

Depuis la loi de 1982 sur la décentralisation, les délibérations et les arrêtés pris par les autorités municipales sont exécutoires de plein droit. Les actes administratifs et budgétaires sont respectivement soumis au contrôle a posteriori du représentant de l'État dans le département (le préfet) et de la chambre régionale des comptes. Le budget voté par le conseil municipal est préparé et exécuté par le maire.

Conseil des Anciens → CONSEIL 2.

Conseil des Cinq-Cents → CONSEIL 2.

Conseil constitutionnel, organisme créé en 1958 pour veiller à la régularité des élections et des opérations de référendum, à la conformité des lois avec la Constitution.

Conseil économique et social, organisme créé en 1958, qui donne son avis sur les projets de lois ou de plans à caractère économique ou social.

Conseil d'État, organe consultatif dont les attributions consistent à donner un avis préalable sur certains décrets du gouvernement, ainsi que sur le texte des projets de lois.

Le Conseil d'Etat constitue le contrôle suprême auquel tout citoyen peut avoir recours directement en cas de litige avec un service administratif. Si ce dernier a abusé de ses pouvoirs (pour révoquer un fonctionnaire, par ex.), le Conseil d'État rétablit les droits de l'intéressé. Les arrêts (= décisions) du Conseil d'État font jurisprudence, c'est-à-dire qu'ils doivent être considérés comme une loi nouvelle.

Le Conseil d'État ne tranche que les affaires les plus importantes. les autres sont confiées à des tribunaux administratifs.

Conseil national du patronat français (C. N. P. F.), association groupant la plupart des organisations professionnelles patronales.

Conseil national de la Résistance (C. N. R.), organisme constitué par Jean Moulin en 1943, regroupant des mouvements de résistance*.

Conseil de la République, seconde chambre du Parlement dans la Constitution de 1946.

Conseil du roi, organisme de l'Ancien Régime issu de l'assemblée des dignitaires dont le roi prenait avis au Moyen Âge. Encore mal défini au XVIe s., le Conseil royal portait des noms variables : *Conseil privé, Conseil du roi, Conseil étroit, Conseil d'État.* Sous Louis XIV, il subit des transformations définitives et comprit quatre sections spécialisées :
le *Conseil d'État*, ou *Conseil d'en haut*, ou *Conseil secret*, qui ne comprenait que le roi et les « ministres d'État », ce conseil étant essentiellement politique;
le *Conseil des dépêches* qui étudiait les rapports des intendants et s'occupait essentiellement de l'administration intérieure du royaume;
le *Conseil des finances*, qui procédait à la répartition de la taille, établissait les baux des fermes, etc.;
le *Conseil privé* ou *des parties*, section judiciaire du Conseil, qui était composé de conseillers d'État et de maîtres des requêtes chargés de statuer sur les difficultés administratives et jouant ainsi un peu le rôle de l'actuel Conseil d'État.

Conseil de sécurité, organisme des Nations unies composé de quinze membres dont les « cinq Grands » : U. R. S. S., Grande-Bretagne, France, Chine populaire, États-Unis. Le Conseil de sécurité a pour principal but le maintien de la paix internationale et la sécurité dans le monde.

CONSEILLER, ÈRE n. → CONSEIL 1 et 2.

CONSEILLER v. t., **CONSEILLEUR, EUSE** n. → CONSEIL 1.

CONSENSUS [kɔ̃sɛ̃sys] n. m. (mot lat.). Accord de plusieurs personnes, de plusieurs textes.

CONSENTIR [kɔ̃sɑ̃tir] v. t. ind. (lat. *consentire*, décider en accord). [Conj. **19.**] *Consentir à qqch.*, accepter qu'une chose ait lieu, se fasse : *Je consens à votre départ, à ce que vous partiez* (ou simplem. *que vous partiez*) [contr. S'OPPOSER]. ◆ v. t. *Consentir une remise à un acheteur, un délai de paiement*, etc., accorder cette remise, ce délai. ◆ **consentant, e** adj. ◆ **consentement** n. m. : *Un enfant mineur ne peut se marier qu'avec le consentement de ses parents* (syn. ACCEPTATION, APPROBATION). *Il a agi sans mon consentement* (syn. ACCORD, AGRÉMENT; contr. OPPOSITION, REFUS).

CONSÉQUENCE [kɔ̃sekɑ̃s] n. f. (lat. *consequentia*, suite). **1.** Ce qui est produit par quelque chose, ce qui en découle : *La diminution des épidémies est une conséquence des progrès de l'hygiène* (syn. EFFET, RÉSULTAT; contr. CAUSE). *Nous ne pouvons pas prévoir toutes les conséquences de nos actes* (syn. RÉPERCUSSION, SUITE). — **2.** *Proposition subordonnée de conséquence*, celle qui présente un fait comme la suite entraînée par l'action qu'exprime le verbe de la proposition principale (conjonctions : *de sorte que, à tel point que, si bien que*, etc.). — **3.** *Une affaire de conséquence, sans conséquence*, qui a, qui n'a pas grande importance. ‖ *Une affaire qui tire, qui ne tire pas à conséquence*, qui est susceptible d'avoir, de ne pas avoir de suites importantes. ‖ *En conséquence*, comme suite logique : *Nous devons partir avant le jour; en conséquence, le lever sera à quatre heures;* conformément à, dans une mesure appropriée : *Agir en conséquence.* ◆ **conséquent, e** [kɔ̃sekɑ̃, -ɑ̃t] adj. **1.** Se dit d'une personne qui agit avec logique, ou des actes de cette personne : *Un homme conséquent dans sa conduite.* — **2.** *Rivière conséquente*, rivière qui, dans un relief de côte*, s'écoule suivant une direction parallèle à l'inclinaison des couches géologiques. ◆ **conséquent (par)** loc. adv. Annonce une conséquence (syn. DONC, EN CONSÉQUENCE). ◆ **inconséquent, e** adj. Se dit d'une personne qui est en contradiction avec elle-même, ou d'une chose qui n'est pas conforme à la logique (syn. ILLOGIQUE). ◆ **inconséquence** n. f. Manque de suite dans les idées ou les actes; chose dite ou faite sans réflexion (syn. ILLOGISME).

1. CONSERVATEUR [kɔ̃sɛrvatœr] n. m. (lat. *conservator*). Fonctionnaire chargé de la garde et de l'administration d'un bien public : *Un conservateur de musée. Un conservateur des Eaux et Forêts.* ◆ **conservation** n. f. **1.** Fonctions d'un conservateur. — **2.** Services qu'il dirige; local abritant ces services.

2. CONSERVATEUR, TRICE [kɔ̃sɛrvatœr, -tris] adj. et n. (même étym.). Se dit des personnes (ou de leurs opinions) qui cherchent à conserver l'ordre établi, notamment dans le domaine politique et social : *Parti conservateur.* ◆ **conservatisme** n. m. Attitude de ceux qui sont hostiles aux innovations.

conservateur *(parti)*, l'un des grands partis politiques britanniques (le terme de *conservateur* fut substitué à celui de *tory* après la réforme électorale de 1832). De 1832 à 1914, le parti conservateur alterna au pouvoir avec le parti libéral, mais, à partir de 1886, il domina la vie politique. Entre les deux guerres, le parti conservateur resta prédominant. La Seconde Guerre mondiale mit en valeur la personnalité exceptionnelle de W. Churchill. Depuis les conservateurs alternent au pouvoir avec les travaillistes.

1. CONSERVATION n. f. → CONSERVATEUR 1.

2. CONSERVATION n. f. → CONSERVER 1 et 2.

3. CONSERVATION [kɔ̃sɛrvasjɔ̃] n. f. (lat. *conservatio*). *Conservation des sols*, ensemble des mesures prises pour lutter contre l'érosion des sols cultivés.
— ENCYCL. La *conservation des sols* est un problème économique essentiel dans les pays à érosion vigoureuse. Dans les pays méditerranéens, la constitution de *terrasses* est un très ancien procédé de conservation des sols, permettant la mise en culture de collines ou de versants montagneux. Dans les pays techniquement évolués (États-Unis), on a généralisé l'emploi de méthodes propres à limiter ou à retarder considérablement les destructions : par exemple, on effectue des labours en suivant les courbes de niveau. Ailleurs (U. R. S. S.), la plantation de bandes boisées contribue également à préserver les sols de l'érosion par le vent et modifie le climat local (humidité accrue).

CONSERVATISME n. m. → CONSERVATEUR 2.

CONSERVATOIRE [kɔ̃sɛrvatwar] n. m. (it. *conservatorio*, école de musique). Établissement d'enseignement artistique, technique, etc.

Conservatoire national supérieur d'art dramatique, établissement d'enseignement situé à Paris, où l'on enseigne l'art dramatique et l'histoire de la dramaturgie.

Conservatoire national supérieur de musique, établissement d'enseignement créé à Paris en 1795. Depuis 1979, l'établissement de Paris a son homologue à Lyon.

1. CONSERVER [kɔ̃sɛrve] v. t. (lat. *conservare*). *Conserver un produit périssable*, le garder en bon état, le préserver de l'altération : *Le froid conserve les aliments.* ◆ **conservation** n. f. : *La conservation des fruits.* ◆ **conserve** n. f. Aliment conservé, et en partic. aliment conservé en boîte métallique stérilisée. ◆ **conserverie** n. f. Usine de conserves.

2. CONSERVER [kɔ̃sɛrve] v. t. (même étym.). **1.** *Conserver qq'un, qqch.*, les maintenir durablement en sa possession : *J'ai conservé l'habitude de me lever tôt* (contr. PERDRE). *Conserver l'espoir* (syn. GARDER). — **2.** *Bien conservé*, se dit d'une personne qui, malgré son âge, paraît encore jeune. ◆ **conservation** n. f. : *La conservation des souvenirs.*

CONSIDÉRABLE [kɔ̃siderabl] adj. (de *considérer*). Se dit de quelqu'un, de quelque chose dont l'importance n'est pas négligeable, qui mérite qu'on en tienne compte : *Cette pièce a obtenu un succès considérable* (syn. ↓NOTABLE). *Des pertes considérables* (syn. ↑MASSIF). ◆ **considérablement** adv. (syn. LARGEMENT, ↓NOTABLEMENT).

CONSIDÉRANT (Victor), homme politique français (1808-1893). Disciple de Fourier*, il popularisa la notion de « droit au travail ».

CONSIDÉRATION n. f. → CONSIDÉRER 1 et 3.

1. CONSIDÉRER [kɔ̃sidere] v. t. (lat. *considerare*). *Considérer qq'un, qqch.*, les regarder avec attention, les examiner avec soin et de façon critique : *Tous les assistants considéraient le nouvel arrivé* (syn. OBSERVER). *Tout bien considéré* (= quand tous les problèmes ont été étudiés). *Ne considérer que son intérêt* (syn. TENIR COMPTE DE). ◆ **considération** n. f. **1.** (sujet nom de personne) *Prendre en considération qq'un* ou *qqch.*, en faire cas, ne pas le négliger. — **2.** (sujet nom de chose) *Mériter considération*, retenir l'attention par son importance, son intérêt. — **3.** *En considération de, sans considération de*, en tenant compte de, sans tenir compte de. ◆ **reconsidérer** v. t. Examiner de nouveau en vue de modifier, de trouver une meilleure solution : *Reconsidérer une question, un problème, un projet, une affaire* (syn. RÉÉTUDIER, RÉEXAMINER).

2. CONSIDÉRER [kɔ̃sidere] v. t. (même étym.). *Considérer que* (et l'indic. ou le subj. si la proposition principale est négative ou interrogative), être d'avis que : *Je ne considère pas qu'il soit trop tard* (syn. ESTIMER, JUGER).

3. CONSIDÉRER [kɔ̃sidere] v. t. (même étym.). **1.** *Considérer qq'un* ou *qqch. comme* (adj., part. ou substantif), lui attribuer telle qualité, le tenir pour : *Je considère cette réponse comme un refus. On considère ce boxeur comme le futur champion de France.* — **2.** *Considérer qq'un*, l'avoir en estime, le respecter (souvent comme part. adj.) : *Il est très considéré dans les milieux scientifiques.* ◆ **considération** n. f. **1.** Raison servant de mobile : *Cette considération m'avait échappé quand j'ai envisagé nos vacances.* — **2.** (surtout au plur.) Idées développées, raisonnement : *Se perdre en considérations.* — **3.** Bonne opinion qu'on a de quelqu'un : *Il jouit de la considération de tous ses voisins* (syn. ESTIME, RESPECT). — **4.** *Par considération pour qq'un*, en raison de l'estime que l'on a pour lui. ◆ **déconsidérer** v. t. (sujet nom de chose). Faire perdre à une personne, à une doctrine, etc. la considération dont elle jouissait (syn. DISCRÉDITER). ◆ ***se déconsidérer*** v. pr. Agir de manière à perdre la considération dont on est l'objet : *Il se déconsidère par son étroitesse d'esprit* (=il perd son crédit). ◆ **déconsidération** n. f. : *Une théorie tombée en déconsidération* (syn. DISCRÉDIT).

1. CONSIGNER [kɔ̃siɲe] v. t. (lat. *consignare*). *Consigner qqch.*, fixer par écrit ce qu'on veut retenir ou transmettre à quelqu'un (syn. ENREGISTRER, NOTER). ◆ **consigne** n. f. Ordre strict donné à quelqu'un qui est chargé de l'exécuter : *Observer, respecter, appliquer la consigne* (syn. INSTRUCTIONS, MOT D'ORDRE).

2. CONSIGNER [kɔ̃siɲe] v. t. (même étym.). *Consigner un emballage, une bouteille*, les facturer avec garantie de remboursement à la personne qui les rapportera. ◆ **consigne** n. f. **1.** Somme correspondant à un objet consigné par un commerçant; cet objet lui-même. — **2.** Bureau d'une gare où l'on dépose provisoirement des bagages. ◆ **consignation** n. f. **1.** Dépôt d'argent fait en garantie de quelque chose. — **2.** Action de consigner.

3. CONSIGNER [kɔ̃siɲe] v. t. (même étym.). *Consigner des troupes, des élèves*, les priver de sortie. ◆ **consigne** n. f. **1.** Punition infligée à un élève et consistant en une tâche à faire à l'école (syn. en arg. scol. COLLE). — **2.** Punition militaire consistant en une privation de sortie. ◆ **consigné, e** adj. et n. Se dit des militaires ou des élèves privés de sortie par punition, mesure d'ordre ou de santé.

CONSISTANT, E [kɔ̃sistɑ̃, -ɑ̃t] adj. (de *consister*). **1.** Se dit d'un corps dont la fluidité est réduite, qui est à l'état pâteux ou même solide : *Peinture, soupe consistante* (syn. ÉPAIS; contr. LIQUIDE). *Un plat consistant* (syn. ↑COPIEUX). — **2.** *Rumeur consistante, bruit consistant*, rumeur qui semble fondée, qui mérite l'attention. ◆ **consistance** n. f. : *Surveiller la consistance de la sauce* (syn. ÉPAISSISSEMENT). ◆ **inconsistant, e** adj. Qui manque de substance, de fermeté, de netteté (se dit souvent de l'esprit ou d'une production de l'esprit). ◆ **inconsistance** n. f. : *L'inconsistance d'un raisonnement.*

CONSISTER [kɔ̃siste] v. t. ind. (lat. *consistere*). **1.** *Consister en* (et un nom sans art. défini), *consister dans* (et un nom, généralement avec un art., un adj. poss., etc.), être composé de, constitué par : *Une propriété qui consiste en herbages, cultures et forêts. Le salut consistait dans la fuite immédiate* (syn. RÉSIDER). — **2.** *Consister à* (et l'infin.), avoir pour nature de, se réduire à : *Votre erreur consiste à croire que tout le monde vous approuve.*

CONSISTOIRE [kɔ̃sistwar] n. m. (lat. *consistorium*). **1.** Assemblée de cardinaux convoquée par le pape. — **2.** Assemblée de rabbins ou de pasteurs protestants qui délibèrent des intérêts de leur communauté.

CONSŒUR n. f. → CONFRÈRE.

CONSOLABLE adj., **CONSOLANT, E** adj., **CONSOLATEUR, TRICE** adj. et n., **CONSOLATION** n. f. → CONSOLER.

CONSOLE [kɔ̃sɔl] n. f. (de *consolateur*, figure d'homme portant une corniche). Support fixé à ou appuyé contre un mur : *Mettre un vase de fleurs sur une console.*

CONSOLER [kɔ̃sɔle] v. t. (lat. *consolari*). **1.** *Consoler qq'un*, soulager sa peine, sa tristesse. — **2.** *Consoler un chagrin, une douleur*, l'apaiser. ◆ ***se consoler*** v. pr. *Se consoler de qqch.*, cesser d'en souffrir, d'en être affecté. ◆ **consolable** adj. (surtout dans des express. négatives ou restrictives) : *Certaines douleurs sont difficilement consolables.* ◆ **inconsolable** adj. Que l'on ne peut consoler. ◆ **consolant, e** adj. : *Des propos consolants* (syn. RÉCONFORTANT). ◆ **consolateur, trice** adj. et n. Se dit d'une personne qui console, ou de ses actes : *Paroles consolatrices.* ◆ **consolation** n. f. **1.** Soulagement, apaisement d'un chagrin, d'une douleur. — **2.** *Lot de consolation*, lot moins important, qu'on attribue parfois à ceux qui n'ont pas gagné.

1. CONSOLIDER [kɔ̃sɔlide] v. t. (lat. *consolidare*). *Consolider qqch.*, le rendre plus solide, plus résistant (syn. RENFORCER). ◆ **consolidation** n. f. : *La consolidation d'un pont* (syn. AFFERMISSEMENT).

2. CONSOLIDER [kɔ̃sɔlide] v. t. (même étym.). *Financ.* Substituer une dette à moyen ou à long terme à une dette à court terme. ◆ **consolidation** n. f. : *La consolidation d'une dette permet au gouvernement de limiter les menaces qui pèsent sur la trésorerie de l'État.*

CONSOMMATEUR, TRICE n., **CONSOMMATION** n. f. → CONSOMMER.

1. CONSOMMÉ, E [kɔ̃sɔme] adj. (de *consommer*). Se dit d'un être animé ou d'une activité qui atteint à une certaine perfection dans une qualité : *Diplomate consommé* (syn. PARFAIT, placé avant le nom). *Un tableau exécuté avec un art consommé* (syn. ACHEVÉ).

2. CONSOMMÉ [kɔ̃sɔme] n. m. (même étym.). Bouillon au suc de viande.

CONSOMMER [kɔ̃sɔme] v. t. (lat. *consummare*). **1.** (sujet nom de personne) *Consommer une chose*, l'employer comme aliment : *Consommer du pain* (syn. MANGER). — **2.** (sujet nom de chose) *Consommer une chose*, l'utiliser comme source d'énergie ou comme matière première, si bien qu'elle cesse d'être utilisable : *Cette chaudière consomme beaucoup de charbon.* ◆ v. i. (sujet nom de personne). Prendre une boisson dans un café. ◆ **consommateur, trice** n. **1.** Personne qui achète un produit pour son usage. — **2.** Personne qui boit ou mange dans un café, un restaurant. ◆ **consommation** n. f. **1.** Action de consommer des produits naturels ou industriels : *Consommation de viande, d'eau, de gaz, d'électricité, d'essence.* ‖ *Société de consommation*, express. qui désigne un type de société où l'ensemble des moyens publicitaires développe une consommation excessive (aliments, produits ménagers, vêtements, gadgets, etc.) qui ne correspond pas forcément aux besoins réels des consommateurs. — **2.** Boisson ou nourriture prise dans un café.

CONSOMPTION [kɔ̃sɔ̃psjɔ̃] n. f. (lat. *consumptio*). Amaigrissement et dépérissement progressifs d'une personne (littér.).

CONSONANCE [kɔ̃sɔnɑ̃s] n. f. (lat. *consonantia*). Qualité du son des syllabes d'un mot, d'une phrase : *Une langue aux consonances harmonieuses. Il a un nom d'une consonance germanique.* ◆ **consonant, e** adj. Se dit de sons qui forment un accord harmonieux.

CONSONNE [kɔ̃sɔn] n. f. (lat. *consona*, lettre dont le son se joint à celui de la voyelle). Son que les organes de la parole produisent par le passage du souffle à travers la gorge et la bouche; nom donné aux lettres qui transcrivent ces bruits : *Le français comporte vingt consonnes ou semi-consonnes, que l'on appelle en général par le point d'articulation, c'est-à-dire le lieu où se situe l'obstacle (labiales, dentales, gutturales), ou par le mode de franchissement de l'obstacle (occlusives, sifflantes, chuintantes).* ◆ **consonantique** [kɔ̃sɔnɑ̃tik] adj. Relatif aux consonnes; qui appartient à une consonne : *Le système consonantique d'une langue.* ◆ **semi-consonne** ou **semi-voyelle** n. f. Son intermédiaire entre la voyelle et la consonne : *Le français connaît trois semi-consonnes* [j], [ɥ], [w]. ◆ **consonantisme** n. m. Ensemble des consonnes d'une langue. → introduction de l'ouvrage page VIII.

CONSORT [kɔ̃sɔr] adj. m. (lat. *consors, -ortis*, qui partage le sort). *Prince consort*, mari non couronné d'une reine, dans certains pays.

CONSORTIUM [kɔ̃sɔrsjɔm] n. m. (mat lat.). Groupement d'entreprises industrielles, financières, commerciales, constitué pour effectuer des opérations communes.

CONSORTS [kɔ̃sɔr] n. m. pl. (lat. *consors, -ortis*, qui partage le sort). Péjor. *Et consorts*, ceux et celles qui appartiennent à la même catégorie.

CONSPIRER [kɔ̃spire] v. i. (lat. *conspirare*) [sujet nom de personne]. Préparer clandestinement un acte de violence contre un homme politique, ou viser à renverser un régime (syn. COMPLOTER). ◆ v. t. ind. [**à**] (sujet nom de chose). Concourir à (littér.) : *Tout conspire à la réussite de ce projet.* ◆ **conspirateur, trice** n. et adj. : *Les conspirateurs préparaient un attentat* (syn. COMPLOTEUR, CONJURÉ). ◆ **conspiration** n. f. Complot politique ayant souvent une assez grande ampleur, ou intrigue menée contre quelqu'un : *Un écrivain victime de la conspiration du silence* (= de l'entente entre les critiques pour éviter de parler de lui).

CONSPUER [kɔ̃spɥe] v. t. (lat. *conspuere*, couvrir de crachats). *Conspuer qq'un*, lui manifester bruyamment son hostilité, son mépris.

CONSTABLE (John), peintre anglais (1776-1837). Il fut l'un des initiateurs du paysage moderne et exerça une influence certaine sur Delacroix, les peintres de Fontainebleau et de l'école de Barbizon. À la fois réaliste et romantique, il peignait par petites touches juxtaposées, rendant avec un éclat remarquable le vert intense des feuillages et des gazons.

CONSTAMMENT adv., **CONSTANCE** n. f. ⟶ CONSTANT 1.

CONSTANCE, en all. **Konstanz,** v. d'Allemagne (Bade-Wurtemberg), sur le lac de Constance; 56 700 hab.

• *1414-1418. Le concile de Constance condamne Wyclif et Jan Hus* et met fin au grand schisme d'Occident, proclamant la supériorité des conciles œcuméniques sur les papes.*

CONSTANCE *(lac de)*, en all. **Bodensee,** lac situé entre l'Allemagne, l'Autriche et la Suisse; 540 km²; long. 60 km; profondeur 250 m. Le lac de Constance est traversé par le Rhin. Grande région touristique.

CONSTANCE, nom de trois empereurs romains : CONSTANCE Ier *Chlore* (v. 225-306), empereur romain de 305 à 306, père de Constantin Ier, fondateur de la dynastie des Flaviens; CONSTANCE II (317-361), fils de Constantin Ier, empereur de 337 à 361; CONSTANCE III, empereur en 421, associé à Honorius.

1. CONSTANT, E [kɔ̃stɑ̃, -ɑ̃t] adj. (lat. *constans, -antis,* ferme) [après ou avant le nom]. Se dit de ce qui dure ou qui se répète sans modification : *Son fils lui cause un souci constant* (syn. CONTINUEL, PERMANENT). ◆ **constamment** [kɔ̃stamɑ̃] adv. Sans interruption ni modification dans le temps (syn. À TOUT INSTANT, SANS CESSE). ◆ **constance** n. f. **1.** Qualité de ce qui dure ou se reproduit sans cesse, de ce qui est stable : *Devant la constance de ses échecs, il a fini par se décourager* (syn. PERMANENCE). — **2.** Qualité d'une personne qui persévère dans une action ou un état : *Poursuivre un effort avec constance* (syn. PERSÉVÉRANCE). — **3.** Fam. *Vous avez de la constance!*, se dit ironiq. à quelqu'un qui s'obstine sans espoir, ou à quelqu'un qui a des prétentions excessives. ◆ **constante** n. f. Tendance générale permanente : *La constante d'une politique.* ◆ **inconstant, e** adj. Se dit surtout d'une personne, plus rarement d'une chose, qui manque de constance, de stabilité : *Un homme inconstant en amour* (syn. INFIDÈLE, VOLAGE). ◆ **inconstance** n. f. : *Elle se plaignait de l'inconstance de son mari* (syn. INFIDÉLITÉ). *L'inconstance d'un caractère* (syn. VERSATILITÉ).

2. CONSTANT, E [kɔ̃stɑ̃, -ɑ̃t] adj. (même étym.). Math. *Application constante*, se dit d'une application *f* d'un ensemble E dans

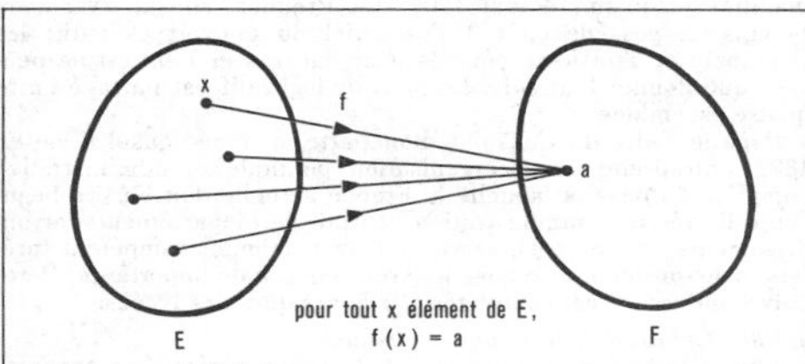

un ensemble F si tous les éléments de E ont, par *f*, la même image dans F. ⟶ *fig.* ◆ n. f. **1.** *Math.* Quantité de valeur fixe; dans une équation, nombre indépendant des variables. — **2.** *Phys.* Caractéristique physique (point de fusion ou d'ébullition, masse volumique, etc.) permettant d'identifier un corps pur.

CONSTANT DE REBECQUE (Benjamin), homme politique et écrivain français (1767-1830). Membre du Tribunat après le 18-Brumaire, il est exclu de cette assemblée pour son opposition libérale en 1802.

• *1815. Il prend position contre Napoléon, puis, par une volte-face surprenante, lui offre ses services pendant les Cent-Jours.*

Il rédige l'Acte additionnel aux constitutions de l'Empire.

• *1816. Il publie un roman, « Adolphe ».*

C'est une œuvre autobiographique (on y reconnaît sa liaison avec Mme de Staël) mais surtout un des chefs-d'œuvre du roman d'analyse psychologique.

• *1819. Élu député, il est jusqu'à sa mort une des personnalités les plus populaires du parti libéral.*
• *1830. Il est l'un des 221 députés qui donnent la couronne à Louis-Philippe.*

CONSTANŢA ou **CONSTANTZA,** port de Roumanie, sur la mer Noire; 306 800 hab. Constanţa effectue presque tout le commerce maritime de la Roumanie. Chantiers navals. La ville doit son origine à une colonie grecque du Pont-Euxin. Ovide y fut exilé et y mourut.

CONSTANTE n. f. ⟶ CONSTANT 1 et 2.

CONSTANTIN, nom de deux papes : CONSTANTIN Ier, pape de 708 à 715; CONSTANTIN II, pape de 767 à 769, qui figure parmi les antipapes dans l'Annuaire pontifical.

CONSTANTIN, nom porté par plusieurs empereurs romains et byzantins, dont CONSTANTIN Ier *le Grand* (⟶ article suivant) et CONSTANTIN VII *Porphyrogénète*, empereur byzantin de 912 à 959, dont le règne fut marqué par un grand essor des lettres et des arts.

CONSTANTIN Ier le Grand (entre 270 et 288-337), empereur romain, fils de Constance Chlore.

• *306. Il est proclamé empereur à la mort de son père, par ses soldats.*

Il règne d'abord conjointement avec Maxence, Galère et Maximien.

• *312. Par sa victoire au pont Milvius, sous les murs de Rome, il élimine Maxence.*
• *313. Par l'édit de Milan, Constantin établit la liberté des cultes religieux.*
• *325. L'empereur rétablit l'unité impériale en se débarrassant de Licinius qui lui était associé.*

Il s'emploie ensuite à la défense des frontières menacées. La même année, il convoque un concile œcuménique à Nicée, qui condamne l'arianisme*.

Constantin apparaît alors comme le chef de l'Église, tout en restant grand pontife et maître du paganisme. Son règne voit le triomphe du christianisme, auquel lui-même se convertit à la fin de sa vie.

• *330. L'empereur inaugure Constantinople, « la nouvelle Rome », construite sur le site de Byzance.*

La ville est le symbole de l'Empire qui prend sous Constantin la forme d'une monarchie de droit divin, à l'orientale, dans laquelle l'empereur est au centre de tout.

De plus en plus, l'armée est envahie par des recrues barbares.

• *337. À sa mort, Constantin laisse l'empire partagé entre cinq héritiers, détruisant ainsi, à nouveau, son unité.*

CONSTANTIN, nom porté par deux rois de Grèce : CONSTANTIN Ier (1868-1923), roi de 1913 à 1917 et de 1920 à 1922, favorable à l'Allemagne pendant la Première Guerre mondiale; CONSTANTIN II, né en 1940, roi en 1964, en exil depuis 1967.

CONSTANTINE, auj. **Qacentina,** v. de l'Algérie orientale; 438 000 hab. La ville occupe un site célèbre sur un rocher qui domine le cañon du Rummel et est abordable d'un seul côté. C'est un centre commercial au contact du Tell et des Hautes Plaines.

CONSTANTINOPLE, nom donné par Constantin Ier à l'anc. BYZANCE*, qui sera appelée plus tard par les Turcs ISTANBUL*.

• *324. Constantin le Grand choisit le site de Byzance pour fonder Constantinople, la « nouvelle Rome », qu'il inaugure en 330.*

Résidence de l'empereur à partir du Ve s., Constantinople devient rapidement la capitale politique, religieuse et intellectuelle de l'Empire byzantin*. Parée de splendides monuments (basilique Sainte-Sophie), ville fortifiée, Constantinople résiste successivement aux Barbares, aux Arabes et aux Russes. Pendant tout le Moyen Âge, la ville est le plus grand centre mondial d'industries de luxe et de transformation. L'activité de son port, bien situé sur le Bosphore, attire de nombreuses colonies étrangères, surtout italiennes.

• *1204. Prise de Constantinople par les croisés.*
• *1261. Michel VIII Paléologue reprend Constantinople aux Latins.*

Le commerce et les différentes activités de la ville sont peu à peu accaparés par les étrangers qui entraînent par leurs rivalités incessantes un lent déclin économique.

• *1453. Les Turcs Ottomans, conduits par Mehmet II, prennent Constantinople, la rebaptisent Istanbul et en font leur capitale.*

CONSTATER [kɔ̃state] v. t. (du lat. *constat,* il est certain). *Constater une chose, constater que* (et l'indic.), remarquer objectivement : *On constate une hausse du coût de la vie* (syn. ENREGISTRER). *Le médecin légiste a constaté le décès* (=l'a certifié par un acte authentique). ◆ **constatation** n. f. : *Vous me ferez part de vos constatations* (syn. OBSERVATION, REMARQUE). ◆ **constat** [kɔ̃sta] n. m. Acte par lequel un huissier ou un agent de la force publique constate officiellement un fait intéressant un litige.

CONSTELLATION [kɔ̃stelasjɔ̃] n. f. (du lat. *stella,* étoile). Groupe d'étoiles fixes voisines, représentant une figure conventionnelle à laquelle on a attribué un nom : *La constellation de la Grande Ourse.*

CONSTELLER [kɔ̃stele] v. t. (de *constellation*). Couvrir de choses nombreuses, d'une infinité de points rappelant des étoiles.

CONSTERNER [kɔ̃stɛrne] v. t. (lat. *consternare*). *Consterner qq'un*, le jeter dans un grand abattement, l'accabler de tristesse : *Cette nouvelle me consterne* (syn. DÉSOLER, NAVRER). *Avoir un air consterné* (syn. ATTERRÉ, CATASTROPHÉ). ◆ **consternant, e** adj. : *Des nouvelles consternantes* (syn. AFFLIGEANT, NAVRANT). *Il est d'une bêtise consternante* (syn. EFFARANT). ◆ **consternation** n. f. Abattement causé par une catastrophe, une profonde déception.

CONSTIPER [kɔ̃stipe] v. t. (lat. *constipare*). *Méd.* Rendre les selles rares et difficiles. ◆ **constipation** n. f. Difficulté d'aller à la selle (contr. DIARRHÉE).

CONSTITUANT, E adj. ⟶ CONSTITUER et CONSTITUTION 2.

constituante *(Assemblée nationale)* ⟶ ASSEMBLÉE.

CONSTITUÉ, E adj. ⟶ CONSTITUTION 2.

CONSTITUER [kɔ̃stitɥe] v. t. (lat. *constituere*). **1.** (sujet nom de personne) *Constituer qqch.*, former un tout en rassemblant divers éléments : *Constituer une collection de pierres.* — **2.** (sujet nom désignant des personnes ou des choses) *Constituer qqch.*, être les éléments qui forment un tout : *Les trois premières sections constituent l'avant-garde* (syn. FORMER). — **3.** Être l'élément essentiel, la base d'une chose : *La préméditation constitue une circonstance aggravante.* — **4.** *Personne bien, mal constituée*, qui a une bonne, une mauvaise conformation physique. ◆ ***se constituer*** v. pr. *Se constituer prisonnier*, se livrer à la justice. ◆ **constituant, e** ou **constitutif, ive** adj. Se dit de ce qui entre dans la constitution d'un tout, de ce qui est propre à la nature d'une chose. ◆ **constitution** n. f. **1.** Action de constituer : *La constitution d'un dossier* (syn. ÉTABLISSEMENT). — **2.** Manière dont est constitué une chose, un être vivant, un groupe de personnes, etc. : *Avoir une solide constitution* (syn. COMPLEXION). *La constitution d'une équipe.* ◆ **constitutionnel, elle** adj. Relatif à la constitution physique de quelqu'un : *Une faiblesse constitutionnelle.*

1. CONSTITUTION n. f. ⟶ CONSTITUER.

2. CONSTITUTION [kɔ̃stitysjɔ̃] n. f. (lat. *constitutio*). Ensemble de textes qui précisent la forme du gouvernement (royauté ou république par ex.), l'organisation et le fonctionnement de l'État (s'écrit souvent avec une majusc.) : *Le droit de grève est inscrit dans la Constitution.* ⟶ ENCYCL. ◆ **constituant, e** adj. Se dit de ce qui a le droit et le pouvoir d'établir ou de modifier la constitution d'un État : *Assemblée constituante.* ◆ **constitué, e** adj. *Autorités constituées, corps constitués*, catégories de fonctionnaires ou d'administrateurs établies ou reconnues par les lois, la Constitution en vigueur. ◆ **constitutionnel, elle** adj. **1.** Se dit d'une chose conforme à la constitution d'un pays : *Loi constitutionnelle.* — **2.** Se dit de ce qui se rapporte à la Constitution : *Le Conseil constitutionnel est un organisme chargé de veiller au respect de la Constitution.* — **3.** *Monarchie constitutionnelle*, système politique dans lequel le pouvoir royal est soumis à une constitution, par oppos. à *monarchie absolue.* ◆ **constitutionnellement** adv. En conformité avec la constitution d'un État. ◆ **anticonstitutionnel, elle** ou **inconstitutionnel, elle** adj. Contraire à la Constitution. ◆ **anticonstitutionnellement** ou **inconstitutionnellement** adv. : *Un décret pris anticonstitutionnellement.* ◆ **constitutionnalité** n. f. Qualité de ce qui est conforme à la Constitution. ◆ **inconstitutionnalité** n. f.

— ENCYCL. Une *constitution* est généralement préparée par une *assemblée constituante.* (⟶ ASSEMBLÉE.) Mais, en France, celle de la Ve République, en vigueur actuellement, a été rédigée par le gouvernement du général de Gaulle à qui le *pouvoir constituant* avait été reconnu. Ensuite elle fut adoptée par un référendum (= vote où chaque citoyen doit répondre par oui ou par non) en 1958. La Constitution précise que « la souveraineté nationale » (= autorité suprême de la nation) appartient au peuple qui l'exerce par ses représentants élus (députés, sénateurs et président de la République) et par la voie du référendum. Elle définit les électeurs comme étant « tous les nationaux français majeurs des deux sexes, jouissant de leurs droits civils et politiques ». Ainsi, chaque citoyen, qui n'a pas fait l'objet de condamnations, peut donner son avis : c'est le principe du suffrage* universel.

Constitution civile du clergé, nom donné au décret du 12 juillet 1790, voté par l'Assemblée constituante, qui donnait à l'Église de France une nouvelle organisation et la subordonnait étroitement à l'État : les évêques et les curés étaient désormais élus et rétribués par l'État. Le décret était d'inspiration nettement gallicane* : l'investiture « spirituelle » était donnée aux évêques par les archevêques et non plus par le pape.

La Constitution provoqua une crise grave dans le clergé français qui se divisa en « clergé assermenté » ou « constitutionnel » et « clergé non assermenté » ou « réfractaire ».

CONSTITUTIONNEL, ELLE adj. ⟶ CONSTITUER et CONSTITUTION 2.

CONSTITUTIONNELLEMENT adv. ⟶ CONSTITUTION 2.

CONSTRICTEUR [kɔ̃striktœr] adj. et n. m. (du lat. *constrictus*, serré). **1.** Se dit des muscles qui resserrent certains canaux ou orifices. — **2.** *Boa constricteur* ou *constrictor*, boa ainsi nommé à cause de la façon dont il serre dans ses replis les animaux qu'il veut étouffer.

CONSTRUIRE [kɔ̃strɥir] v. t. (lat. *construere*). [Conj. **70.**] *Construire qqch.*, assembler selon un plan les éléments d'un édifice, d'un appareil, d'un ouvrage de l'esprit, d'une phrase : *Construire une maison* (syn. BÂTIR, ÉDIFIER; contr. DÉMOLIR, DÉTRUIRE). *Une pièce de théâtre habilement construite* (syn. COMPOSER). *Construire une théorie* (syn. ÉCHAFAUDER). ◆ **constructeur, trice** n. et adj. : *Un constructeur d'automobiles. Une imagination constructrice* (contr. DESTRUCTEUR). ◆ **constructif, ive** adj. Se dit de ce qui contribue à l'élaboration d'une solution, d'un système : *Critiques constructives* (syn. POSITIF; contr. DESTRUCTIF). ◆ **construction** n. f. **1.** Action ou manière de construire : *La construction d'un immeuble* (contr. DÉMOLITION, DESTRUCTION). *La construction d'un roman.* — **2.** Édifice construit (syn. BÂTIMENT). — **3.** *Gramm.* Arrangement, disposition des mots dans la proposition et des propositions dans la phrase, faits selon le sens, le style ou les usages de chaque langue. — **4.** *Constructions mécaniques*, ensemble des industries qui fabriquent des machines-outils, des équipements industriels, des appareils de levage et de manutention, de mines, de travaux publics, des équipements domestiques, etc. ◆ **reconstruire** v. t. Construire de nouveau après destruction ou démolition (syn. REBÂTIR). ◆ **reconstruction** n. f. : *La reconstruction d'une région dévastée par la guerre.*

CONSUL [kɔ̃syl] n. m. (lat. *consul*). **1.** À Rome, magistrat élu pour un an qui partageait avec un collègue le pouvoir suprême. — **2.** Jusqu'en 1790, nom donné, dans le midi de la France, à des magistrats municipaux, appelés *échevins* dans le Nord. — **3.** En France, nom de chacun des trois chefs du pouvoir exécutif depuis l'an VIII jusqu'à l'Empire (de 1799 à 1804). — **4.** Agent qui a pour mission de protéger ses compatriotes à l'étranger et de donner à son gouvernement des informations politiques et commerciales. ◆ **consulaire** adj. **1.** Relatif au consul. — **2.** *Tribunaux consulaires*, nom parfois donné aux juridictions commerciales. ◆ **consulat** n. m. **1.** Charge de consul; sa durée. — **2.** Résidence d'un consul. — **3.** Gouvernement des consuls établi en France par la Constitution de l'an VIII.

Consulat, gouvernement établi en France après le coup d'État du 18 brumaire an VIII (9 novembre 1799) et mis officiellement en place par la Constitution de l'an VIII (10 novembre 1799). Il se maintint jusqu'au 18 mai 1804. Le Premier consul, Napoléon Bonaparte, possède en fait l'essentiel du pouvoir exécutif; les Deuxième et Troisième consuls (Cambacérès et Lebrun) ne peuvent que donner leur avis. Le pouvoir législatif est partagé entre quatre assemblées.

Dans le cadre du Consulat, Bonaparte, nommé consul à vie en 1802, entreprend une réorganisation politique et administrative complète du pays, à laquelle la France actuelle doit encore beaucoup. Il crée une administration centralisée (départements, arrondissements, communes), servie par un personnel compétent (préfets, sous-préfets), et réalise une réforme fiscale importante. Cette œuvre intérieure est complétée par la création des lycées.

- *1800. Création de la Banque de France.*
- *1801. Par la paix de Lunéville, le Consulat obtient la reconnaissance de l'annexion de la rive gauche du Rhin. Le concordat met fin au schisme de l'Église constitutionnelle.*
- *1804. Le Code civil couronne l'œuvre judiciaire du Consulat.*

Le 18 mai, le Consulat est remplacé par l'Empire, le Premier consul devenant empereur héréditaire des Français sous le nom de Napoléon Ier.

CONSULTER [kɔ̃sylte] v. t. (lat. *consultare*). **1.** *Consulter qq'un*, s'enquérir de son avis, rechercher auprès de lui une information : *Consulter un médecin.* — **2.** *Consulter un livre, un plan, le règlement*, etc., y chercher un renseignement. ‖ *Consulter sa montre, un baromètre* (= regarder quelle heure il est, quelle est l'évolution probable du temps). ◆ v. i. *Médecin qui consulte l'après-midi*, qui reçoit les malades à son cabinet l'après-midi. ◆ ***se consulter*** v. pr. S'entretenir pour s'enquérir des avis réciproques : *Nous nous sommes consultés avant d'agir.* ◆ **consultant, e** adj. et n. Se dit de la personne qui, en droit ou en médecine, donne des consultations : *Avocat, médecin consultant.* ◆ **consultatif, ive** adj. Qui a pour fonction de donner son avis sur certaines questions : *Un comité consultatif. Je m'adresse à vous à titre consultatif* (= pour avoir votre avis). ◆ **consultation** n. f. **1.** Action de demander un avis; visite d'un client à un médecin ou à un spécialiste quelconque. — **2.** Action de donner un avis (avocat, médecin); examen d'un malade par un médecin à son cabinet. — **3.** Action de chercher un renseignement : *Un livre de consultation facile.*

CONSUMER [kɔ̃syme] v. t. (lat. *consumere*). **1.** (sujet nom de chose) *Consumer qqch.*, le détruire progressivement, notamment par le feu (s'emploie surtout au part. passé) : *Tisons consumés* (syn. BRÛLÉ). — **2.** (sujet nom exprimant un sentiment) *Consumer qq'un*, s'emparer de tout son être, le tourmenter (littér.) : *Il était consumé de chagrin* (syn. MINER, RONGER). ◆ ***se consumer*** v. pr. Être détruit progressivement, surtout par le feu : *La cigarette se consumait dans le cendrier* (syn. BRÛLER).

CONSUMÉRISME [kɔ̃symerism] n. m. (de l'angl. *consumer*, consommateur). Action concertée des consommateurs en vue de défendre leurs intérêts.

CONTACT [kɔ̃takt] n. m. (lat. *contactus*). **1.** État ou action de deux corps qui se touchent; sensation produite par un objet qui touche la peau : *Le contact du velours est doux.* — **2.** En parlant de personnes, et souvent au plur., rapport de connaissance qui permet des entretiens : *Avoir de nombreux contacts avec le monde des affaires* (= avoir des rapports suivis avec ce milieu). *Il s'est affiné au contact de cette personne* (= depuis qu'il la fréquente). — **3.** Maintien d'une relation, d'une communication : *Je resterai en contact avec vous* (syn. RAPPORT, RELATION). — **4.** *Contact (électrique)*, liaison établie entre deux points d'un circuit : *L'automobiliste met le contact et actionne le démarreur.* — **5.** *Verres, lentilles de contact*, verres correcteurs de la vue, qui s'appliquent directement sur l'œil. ◆ **contacter** v. t. *Contacter une personne, un organisme*, etc., entrer en contact, en relation avec cette personne, cet organisme, etc. (syn. ATTEINDRE, TOUCHER).

CONTAGION [kɔ̃taʒjɔ̃] n. f. (lat. *contagio*). **1.** Transmission d'une maladie par contact direct ou indirect. — **2.** Transmission d'un état affectif : *Se laisser gagner par la contagion du rire.* ◆ **contagionner** v. t. *Contagionner qq'un*, lui transmettre une maladie par contagion. ◆ **contagieux, euse** adj. Se dit d'une maladie, d'un comportement susceptible d'être transmis à d'autres : *La coqueluche est contagieuse. L'exemple de la paresse est contagieux.* ◆ adj. et n. Atteint d'une maladie contagieuse.

CONTAINER [kɔ̃tɛnɛr] n. m. (mot angl.-amér.). Caisse métallique pour le transport ou le parachutage de marchandises. (L'Administration préconise CONTENEUR.)

CONTAMINER [kɔ̃tamine] v. t. (lat. *contaminare*, souiller). Infecter de germes microbiens, de virus, d'un mal quelconque : *Un malade qui risque de contaminer sa famille. Ne vous laissez pas contaminer par les vices de votre entourage* (syn. CORROMPRE). ◆ **contamination** n. f.

CONTAMINES-MONTJOIE (Les), comm. de la Haute-Savoie, à 9 km au S. de Saint-Gervais; 1 027 hab. Centre de sports d'hiver.

CONTE n. m. ⟶ CONTER.

CONTEMPLATEUR, TRICE n., **CONTEMPLATIF, IVE** adj. et n., **CONTEMPLATION** n. f. ⟶ CONTEMPLER.

Contemplations *(les)*, recueil de poésies de Victor Hugo (1856).

CONTEMPLER [kɔ̃tɑ̃ple] v. t. (lat. *contemplari*). *Contempler qq'un, qqch.*, en regarder longuement, avec tel ou tel sentiment, l'aspect général : *Les rescapés contemplaient avec horreur le désastre.* ◆ **contemplatif, ive** adj. et n. **1.** Se dit d'une personne (ou de son comportement) qui s'abandonne à la contemplation : *Un air, un regard contemplatifs.* — **2.** Se dit des ordres religieux dont les membres vivent cloîtrés. ◆ **contemplation** n. f. **1.** Action de regarder avec attention quelque chose, quelqu'un. — **2.** Concentration de l'esprit sur des sujets intellectuels ou religieux; méditation. ◆ **contemplateur, trice** n. Personne qui contemple.

CONTEMPORAIN, E [kɔ̃tɑ̃pɔrɛ̃, -ɛn] adj. et n. (lat. *contemporaneus*). **1.** Se dit des personnes ou des choses qui sont de la même époque : *Pascal et Molière étaient contemporains.* — **2.** Se dit de personnes ou de choses qui appartiennent au moment présent : *Problèmes contemporains* (syn. ACTUEL). — **3.** *Histoire contemporaine*, histoire qui concerne l'époque actuelle depuis 1789.

CONTEMPTEUR, TRICE [kɔ̃tɑ̃ptœr, -tris] n. (lat. *contemptor*). Personne qui méprise, dénigre (littér.).

1. CONTENANCE n. f. ⟶ CONTENIR 1.

2. CONTENANCE [kɔ̃tnɑ̃s] n. f. (de *contenir*). En parlant d'une personne, manière de se tenir en telle ou telle circonstance : *Faire bonne contenance* (= faire preuve de fermeté dans une circonstance difficile). *Perdre contenance* (= se troubler). *Se donner une contenance* (= dissimuler son trouble, son ennui). ◆ **décontenancer** [dekɔ̃tnɑ̃se] v. t. (sujet nom de personne ou de chose). *Décontenancer qq'un*, le jeter dans un grand embarras (syn. DÉMONTER, TROUBLER). ◆ ***se décontenancer*** v. pr. Perdre son assurance, se troubler.

1. CONTENIR [kɔ̃tnir] v. t. (lat. *continere*). [Conj. **22.**] **1.** (sujet nom de chose) *Contenir qqch.*, le renfermer, l'avoir à soi : *L'air contient environ quatre cinquièmes d'azote.* — **2.** (sujet nom désignant un récipient, une salle, etc.) *Contenir qqch.*, pouvoir le recevoir; avoir comme capacité : *Cet autocar peut contenir trente-cinq personnes.* ◆ **contenance** n. f. **1.** Quantité que peut contenir une chose : *La contenance d'un réservoir* (syn. CAPACITÉ). — **2.** Étendue d'un terrain : *Un bois d'une contenance de deux cents hectares* (syn. SUPERFICIE). ◆ **contenant** n. m. Ce qui contient (généralement par oppos. à CONTENU). ◆ **contenu** n. m. **1.** Ce qui est à l'intérieur d'un récipient : *Tout le contenu de l'encrier s'est répandu sur la table.* — **2.** Idées, notions qui sont exprimées dans un texte, un mot, etc. : *Le contenu d'un testament* (syn. TENEUR). *Le contenu de certains mots* (syn. SENS).

2. CONTENIR [kɔ̃tnir] v. t. (même étym.). [Conj. **22.**] *Contenir qq'un, qqch.*, les empêcher de progresser, de se répandre, de se manifester : *Contenir son envie de rire* (syn. RÉFRÉNER, RÉPRIMER, RETENIR). ◆ ***se contenir*** v. pr. Retenir l'expression de sentiments violents, en particulier la colère. ◆ **contention** n. f. **1.** Action de maintenir quelque chose en place, en partic. les fragments d'un os fracturé, à l'aide d'appareils. — **2.** *Moyens de contention*, procédés employés pour immobiliser un animal qu'on veut ferrer ou opérer.

CONTENT, E [kɔ̃tɑ̃, -ɑ̃t] adj. (lat. *contentus*). **1.** Se dit d'un être animé dont les désirs, les goûts sont satisfaits, qui a ce qui lui plaît (contr. MÉCONTENT) : *Je suis très content de ma voiture* (syn. SATISFAIT). *Je serais content que vous veniez me voir* (syn. HEUREUX). — **2.** *Content de soi, de sa personne*, qui s'approuve, s'admire. ◆ n. m. *Avoir (tout) son content de qqch.*, en avoir autant qu'on en désirait, même davantage. ◆ **contenter** v. t. **1.** *Contenter qq'un*, combler ses désirs, répondre à ses vœux (syn. SATISFAIRE; contr. MÉCONTENTER). — **2.** *Contenter une envie, un caprice, un besoin*, etc., les faire cesser en les satisfaisant. ◆ ***se contenter*** v. pr. *Se contenter d'une chose*, se trouver suffisamment satisfait par elle, limiter ses désirs à elle : *Il se contente d'un bénéfice modeste.* ◆ **contentement** n. m. **1.** Action de contenter; sentiment de celui dont les désirs sont satisfaits : *Son contentement se lit sur son visage* (syn. BONHEUR, JOIE, PLAISIR). — **2.** *Contentement de soi*, satisfaction, plus ou moins mêlée de vanité, qu'on éprouve en jugeant son action, sa propre personne. ◆ **mécontent, e** adj. et n. Se dit de quelqu'un qui n'est pas content, qui éprouve du dépit, du ressentiment. ◆ **mécontenter** v. t. : *Une augmentation des impôts mécontenterait tout le monde* (syn. DÉPLAIRE À, IRRITER). ◆ **mécontentement** n. m. : *Exprimer son mécontentement* (syn. ↑IRRITATION).

CONTENTIEUX [kɔ̃tɑ̃sjø] n. m. (lat. *contentiosus*). *Dr.* **1.** Ensemble des questions faisant l'objet de procès, de contestations. — **2.** Service administratif chargé de régler les litiges.

1. CONTENTION n. f. ⟶ CONTENIR 2.

2. CONTENTION [kɔ̃tɑ̃sjɔ̃] n. f. (lat. *contentio*, tension). Intense concentration d'esprit.

CONTENU n. m. ⟶ CONTENIR 1.

CONTER [kɔ̃te] v. t. (lat. *computare*). **1.** (sujet nom de personne) *Conter qqch.*, faire le récit d'une histoire vraie ou imaginaire, exposer en détail (littér.) [syn. usuel RACONTER]. — **2.** *En conter à qq'un*, chercher à le tromper, lui en faire accroire. ‖ *S'en laisser conter*, se laisser tromper, duper. ‖ *Conter fleurette à une femme*, lui faire la cour. ◆ **conte** n. m. Récit, assez court, d'aventures imaginaires. ◆ **conteur, euse** n. **1.** Qui aime à conter : *Un conteur agréable* (syn. NARRATEUR). — **2.** Auteur de contes.

Contes, de Ch. Perrault, publiés en 1697, connus aussi sous le titre de *Contes de ma mère l'Oye*. La plupart d'entre eux *(Peau d'Âne, la Belle au bois dormant, le Petit Chaperon rouge, Barbe-Bleue, le Chat botté, Cendrillon, Riquet à la houppe, le Petit Poucet)* appartiennent à la tradition populaire.

Contes, de H. C. Andersen, publiés de 1835 à 1872, et comprenant notamment : *le Vilain Petit Canard, la Petite Sirène.*

Contes de Noël, de Ch. Dickens (1843-1846). Les plus connus sont *le Chant de Noël (Christmas Carol)* et *le Grillon du foyer.*

CONTESTER [kɔ̃tɛste] v. t. et i. (lat. *contestari*). *Contester qqch.*, ne pas le reconnaître fondé, exact, valable : *Contester une décision* (syn. DISCUTER). *Je ne lui conteste pas le droit d'exposer ses idées* (syn. REFUSER). *Récit très contesté* (= controversé). ◆ **contestable** adj. : *Une hypothèse contestable* (syn. DISCUTABLE). ◆ **incontestable** adj. : *Sa bonne foi est incontestable* (syn. CERTAIN, HORS DE DOUTE, INDISCUTABLE). ◆ **incontestablement** adv. (syn. À COUP SÛR, ASSURÉMENT, INDISCUTABLEMENT, SANS AUCUN DOUTE). ◆ **contestataire** adj. et n. Qui conteste la société : *Une manifestation de contestataires.* ◆ **contestation** n. f. **1.** Discussion, désaccord sur le bien-fondé d'une prétention, la légitimité d'un acte, l'exactitude d'un fait. — **2.** Refus global et systématique d'accepter la société dans laquelle on vit. ◆ **conteste (sans)** loc. adv. Sans que l'on puisse présenter une objection, une opposition, une réserve (presque toujours avec un superl., langue soignée) : *Être sans conteste le plus fort* (syn. ASSURÉMENT, INDISCUTABLEMENT, SANS CONTREDIT).

CONTEUR, EUSE n. ⟶ CONTER.

CONTEXTE [kɔ̃tɛkst] n. m. (lat. *contextus*, assemblage). **1.** Ensemble du texte auquel appartient un mot, une expression, une phrase : *Certaines phrases isolées de leur contexte sont incompréhensibles.* — **2.** Ensemble des circonstances dans lesquelles se situe un fait, et qui lui confèrent sa valeur, sa signification : *Le contexte social, politique, économique* (syn. ↓SITUATION). ◆ **contextuel, elle** adj.

CONTEXTURE [kɔ̃tɛkstyr] n. f. (de *contexte*). Manière dont sont liées entre elles les diverses parties d'un corps, d'un ouvrage complexe (syn. COMPOSITION, STRUCTURE).

CONTI ou **CONTY** *(maison de)*, branche cadette de la maison de Bourbon-Condé. ARMAND DE BOURBON, prince **de Conti** (1629-1666), frère du Grand Condé, participe aux troubles de la Fronde. — LOUIS FRANÇOIS DE BOURBON, prince **de Conti** (1717-1776), son petit-fils, joua un rôle important sous le règne de Louis XV et tenta de se faire élire roi de Pologne.

CONTIGU, Ë [kɔ̃tigy] adj. (lat. *contiguus*). Se dit d'un terrain, d'un local qui touche à un autre, qui lui fait immédiatement suite, ou d'une chose abstraite qui est étroitement liée à une autre : *La salle à manger est contiguë au salon* (syn. ATTENANT, VOISIN). ◆ **contiguïté** [kɔ̃tigɥite] n. f. : *La contiguïté de deux maisons.*

CONTINENCE [kɔ̃tinɑ̃s] n. f. (lat. *continentia*, maîtrise de soi). Abstention des plaisirs sexuels (syn. CHASTETÉ). ◆ **continent, e** adj. Se dit d'une personne qui s'abstient des plaisirs sexuels (syn. CHASTE). ◆ **incontinence** n. f. **1.** Manque de retenue en face des plaisirs sexuels. — **2.** *Incontinence de langage, de paroles*, absence de sobriété, de retenue dans sa façon de parler. — **3.** *Incontinence d'urine*, émission involontaire d'urine. ◆ **incontinent, e** adj.

1. CONTINENT [kɔ̃tinɑ̃] n. m. (du lat. *continere*, contenir). Vaste étendue de terre qu'on peut parcourir sans traverser la mer (par oppos. à la mer ou à une île) : *Le détroit de Gibraltar sépare l'Espagne du continent africain.* ⟶ ENCYCL. ‖ Spécialem., l'Europe, par rapport aux îles Britanniques. ‖ *L'Ancien Continent*, l'Europe, l'Asie et l'Afrique. ‖ *Le Nouveau Continent*, l'Amérique. ◆ **continental, e, aux** adj. **1.** Qui appartient à l'intérieur d'un continent, qui concerne un continent. — **2.** *Climat continental*, climat de l'intérieur des continents, sous les latitudes moyennes, caractérisé par de fortes variations de températures entre l'été et l'hiver. (Des étés chauds, aux orages fréquents, contrastent avec des hivers froids, mais secs. En Europe, c'est le climat d'une grande partie de la Pologne, de la plaine russe. En Amérique du Nord, il intéresse la plus grande partie des Grandes Plaines. Il s'oppose au *climat océanique**.) — **3.** *Plateau continental*, zone marine de faible pente bordant les continents, d'une profondeur inférieure à 200 m. ◆ **continentalité** n. f. Ensemble de caractères climatiques déterminés par l'affaiblissement des influences maritimes dès qu'on avance vers l'intérieur d'un continent. ◆ **intercontinental, e, aux** adj. Qui est situé ou qui a lieu entre des continents.

— ENCYCL. On distingue traditionnellement six *continents :* l'Europe, l'Asie, l'Afrique, l'Amérique, l'Antarctique et l'Océanie, formée par l'Australie, la Nouvelle-Zélande et de nombreuses petites îles. Ils couvrent moins du tiers de la surface du globe et sont concentrés dans l'hémisphère Nord. Selon la théorie de Wegener, ou théorie de la *dérive des continents*, réactualisée par la théorie de la *tectonique des plaques*, ils n'auraient primitivement constitué qu'une seule masse, qui se serait peu à peu scindée pour former les six étendues émergées actuelles.

2. CONTINENT, E adj. ⟶ CONTINENCE.

1. CONTINGENT, E [kɔ̃tɛ̃ʒɑ̃, -ɑ̃t] adj. (du lat. *contingere*, arriver par hasard). Se dit de ce qui peut arriver ou ne pas arriver, ce qui est soumis au hasard : *Des événements contingents* (syn. ACCIDENTEL, FORTUIT, OCCASIONNEL; contr. CERTAIN). ◆ **contingences** n. f. pl. Événements qui peuvent se produire ou non, qui échappent à toute prévision.

2. CONTINGENT [kɔ̃tɛ̃ʒɑ̃] n. m. (de *contingent* 1). Ensemble des jeunes gens appelés en même temps au service* national.

3. CONTINGENT [kɔ̃tɛ̃ʒɑ̃] n. m. (même étym.). Quantité attribuée à quelqu'un ou fournie par quelqu'un : *Un contingent de marchandises* (syn. ATTRIBUTION, LOT). ◆ **contingenter** v. t. *Contingenter un produit commercial*, en organiser officiellement la répartition, pour en limiter la distribution (syn. RATIONNER). ◆ **contingentement** n. m.

CONTINUER [kɔ̃tinɥe] v. t. (lat. *continuare*). *Continuer qqch.*, ne pas interrompre ce qu'on a commencé; reprendre ce qui avait été interrompu : *Continuez votre exposé* (syn. POURSUIVRE; contr. CESSER). *Je continue à croire que tout ira bien* (syn. PERSISTER). ◆ v. i. (sujet nom d'être animé ou nom de chose). Ne pas interrompre son cours, reprendre son action : *La tempête a continué toute la nuit* (syn. DURER, SE POURSUIVRE, SE PROLONGER). ◆ v. i. ou ***se continuer*** v. pr. (sujet nom de chose). **1.** Ne pas être interrompu : *La pluie continue.* — **2.** Être prolongé : *La propriété se continue par une vaste forêt.* ◆ **continu, e** adj. Se dit de ce qui ne présente pas d'interruption dans le temps ou dans l'espace : *Un effort continu* (syn. ASSIDU). *Un trait continu* (syn. ININTERROMPU). ◆ **continuité** n. f. **1.** Qualité d'une chose qui est sans interruption dans sa durée, dans son étendue. — **2.** *Solution de continuité*, interruption qui se présente dans l'étendue d'un corps, d'un ouvrage, dans le déroulement d'un phénomène. ◆ **continûment** adv. : *Il pleut continûment depuis trois jours.* ◆ **continuateur, trice** n. Personne qui continue une œuvre commencée par une autre. ◆ **continuation** n. f. Action de continuer; ce qui continue : *La continuation d'une grève* (syn. POURSUITE, PROLONGATION; contr. ARRÊT, CESSATION). *L'action de ce ministre a été la continuation de celle de son prédécesseur* (syn. PROLONGEMENT, SUITE). ◆ **continuel, elle** adj. Se dit de ce qui se répète sans cesse : *Absences continuelles* (syn. CONSTANT, ↑PERPÉTUEL; contr. ÉPISODIQUE, RARE). ◆ **continuellement** adv. (syn. CONSTAMMENT, SANS ARRÊT, SANS CESSE, TOUT LE TEMPS).

CONTONDANT, E [kɔ̃tɔ̃dɑ̃, -ɑ̃t] adj. (du lat. *contundere*, écraser). Se dit d'un objet dont les coups causent des meurtrissures ou des fractures, mais qui ne coupe ni ne déchire les chairs. (⟶ CONTUSION.)

CONTORSION [kɔ̃tɔrsjɔ̃] n. f. (du lat. *torquere*, tordre). Mouvement violent qui donne au corps ou à une partie du corps une posture étrange, grotesque, et qui s'accompagne souvent de grimaces : *Un pitre qui se livre à toutes sortes de contorsions.* ◆ **contorsionner** v. t. ◆ ***se contorsionner*** v. pr. Faire des contorsions. ◆ **contorsionniste** n. Acrobate spécialisé dans les contorsions.

CONTOUR [kɔ̃tur] n. m. (du bas lat. *contornare*, arrondir). **1.** Ligne ou surface qui marquent la limite d'un corps : *Le contour d'une forêt.* — **2.** Ligne sinueuse : *Les contours d'une rivière* (syn. MÉANDRE). ◆ **contourner** v. t. **1.** *Contourner un objet, un édifice, un lieu*, suivre un trajet qui, au lieu de les rencontrer, en fait le tour : *La rivière contourne la colline.* — **2.** *Contourner une difficulté*, trouver un biais permettant de l'éviter habilement (syn. ÉLUDER). — **3.** *Style contourné*, manière d'écrire affectée, manquant de naturel et de simplicité. ◆ **contournement** n. m.

CONTRACEPTION [kɔ̃trasɛpsjɔ̃] n. f. (mot angl.). Ensemble des moyens employés pour empêcher la fécondation et, par conséquent, pour limiter les naissances. ◆ **contraceptif, ive** adj. Qui cause ou favorise la contraception.

1. CONTRACTER [kɔ̃trakte] v. t. (du lat. *contractus*, resserré). **1.** Phys. *Contracter un corps*, le réduire à un volume moindre (contr. DILATER). — **2.** *Contracter qq'un*, le rendre tendu, nerveux (surtout au passif) : *La perspective de parler en public le contracte.* — **3.** *Contracter un muscle*, lui faire faire un effort de traction. ‖ *Contracter le visage, les traits*, en faire jouer les muscles de sorte que l'expression devienne plus dure : *Visage contracté par la souffrance* (= tendu). ◆ ***se contracter*** v. pr. **1.** Se réduire, diminuer de volume. — **2.** Faire un effort de traction. — **3.** Devenir dur, tendu. ◆ **contracté, e** adj. *Articles contractés*, formes de l'article défini combiné avec les prépositions *à* ou *de : Les articles contractés sont « au », « aux », « du », « des ».* ◆ **contractile** adj. Se dit des muscles et autres organes capables de se contracter. ◆ **contraction** n. f. **1.** *La contraction d'un gaz par refroidissement* (contr. DILATATION). — **2.** *Contraction du visage* (syn. DURCISSEMENT). ‖ *Contraction d'un muscle*, réponse mécanique du muscle à une excitation, selon laquelle il se raccourcit en se gonflant. ◆ **décontracter (se)** v. pr. Cesser d'être contracté (sens 2 et 3 de *contracter*) : *Muscle, visage qui se décontracte* (syn. SE DÉTENDRE). ◆ **décontracté, e** adj. *Fam.* Se dit d'une personne (ou de ses gestes, de ses attitudes) qui n'a pas d'appréhension, qui ne manifeste pas de contrariété (syn. DÉTENDU). ◆ **décontraction** n. f. État d'un muscle décontracté, d'une personne qui se détend.

2. CONTRACTER [kɔ̃trakte] v. t. (du lat. *contractus*, convention). **1.** *Contracter un engagement, une obligation, une dette*, se lier juridiquement ou moralement par un engagement. — **2.** *Contracter une dette de reconnaissance*, avoir une obligation morale à l'égard de quelqu'un qui vous a rendu service. ‖ *Contracter mariage avec qq'un*, l'épouser (terme admin.). ◆ **contractant, e** adj. et n. Qui prend un engagement par contrat. ◆ **contractuel, elle** adj. **1.** Se dit de ce qui est fixé par contrat : *Emploi contractuel.* — **2.** *Agent contractuel*, ou *contractuel* n. m., agent d'un service public qui, sans être fonctionnaire, est engagé par contrat. ◆ **contrat** n. m. Acte officiel qui constate une convention entre deux ou plusieurs personnes. ‖ *Contrat d'assurance*, contrat par lequel un assureur s'engage à verser une certaine somme à une personne, lorsqu'une éventualité dommageable se produira. ‖ *Contrat de mariage*, contrat conclu, avant le mariage, pour fixer le régime des biens des époux. ‖ *Contrat de travail*, contrat qui lie un patron à ses salariés.

3. CONTRACTER [kɔ̃trakte] v. t. (de *contracter* 2). *Contracter une maladie, une habitude*, en être atteint, se laisser gagner par elle (langue soignée) [syn. ATTRAPER, PRENDRE].

CONTRACTILE adj., **CONTRACTION** n. f. ⟶ CONTRACTER 1.

CONTRACTUEL, ELLE adj. et n. m. ⟶ CONTRACTER 2.

CONTRADICTEUR, TRICE n., **CONTRADICTION** n. f., **CONTRADICTOIRE** adj., **CONTRADICTOIREMENT** adv. ⟶ CONTREDIRE.

CONTRAINDRE [kɔ̃trɛ̃dr] v. t. (lat. *constringere*). [Conj. **55.**] (Sujet nom de personne ou de chose.) *Contraindre qq'un à*, lui imposer une action, une attitude, un état : *La maladie le contraint au repos* (syn. OBLIGER). *On le contraignit à partir* (syn. FORCER). ◆ ***se contraindre*** v. pr. (sujet nom de personne). *Se contraindre à*, s'imposer l'obligation de. ◆ **contraignant, e** adj. : *Une occupation contraignante* (syn. IMPÉRIEUX). ◆ **contraint, e** adj. Se dit d'une attitude qui manque de naturel : *Une politesse contrainte* (syn. AFFECTÉ). ◆ **contrainte** n. f. **1.** Nécessité à laquelle on soumet quelqu'un ou quelque chose : *Il n'a cédé que sous la contrainte* (syn. FORCE). — **2.** État de gêne où se trouve réduit celui qui subit une pression quelconque : *Agir sans contrainte.* — **3.** *Contrainte par corps*, emprisonnement de certaines personnes coupables de ne pas avoir payé leurs impôts.

CONTRAIRE [kɔ̃trɛr] adj. (lat. *contrarius*). **1.** Se dit de choses qui sont en opposition totale : *Des opinions contraires* (syn. OPPOSÉ). — **2.** *Contraire à* (et un substantif), se dit d'une chose incompatible avec une autre; qui va à l'encontre de : *Une décision contraire au règlement* (contr. CONFORME). *Un aliment contraire à la santé* (syn. NUISIBLE). — **3.** Géogr. *Faille contraire*, faille dont la lèvre affaissée est du côté amont du pendage des couches, par oppos. à *faille conforme*. ◆ n. m. Personne ou chose qui est tout l'opposé d'une autre : *Il est tout le contraire de son frère. La pauvreté est le contraire de la richesse.* ‖ *Au contraire, bien au contraire, tout au contraire*, loc. adv., *au contraire de*, loc. prép., d'une manière tout opposée, à l'inverse (de). ◆ **contrairement à** loc. prép. D'une manière contraire à (contr. CONFORMÉMENT À).

CONTRALTO [kɔ̃tralto] n. m. (mot it.). La plus grave des voix de femme. ‖ Pl. des *contraltos*.

CONTRAPUNTIQUE adj. ⟶ CONTREPOINT.

CONTRARIER [kɔ̃trarje] v. t. (du lat. *contrarius*, contraire). **1.** *Contrarier l'action de qq'un, de qqch.*, y faire obstacle (syn. CONTRECARRER). — **2.** *Contrarier des lignes, des couleurs*, etc., les placer, les mettre en opposition. — **3.** *Contrarier qq'un*, lui causer du déplaisir, le mécontenter en s'opposant à ses goûts, à ses projets : *J'avais l'intention de m'absenter, mais si cela vous contrarie, je reste avec vous* (syn. ENNUYER). ◆ **contrariant, e** adj. : *Un incident contrariant* (syn. ENNUYEUX, FÂCHEUX, REGRETTABLE). ◆ **contrariété** n. f. **1.** Sentiment d'une personne qui rencontre un obstacle à ses projets : *Dissimuler sa contrariété sous un air détaché* (syn. DÉPLAISIR). — **2.** Ce qui contrarie quelqu'un : *Toutes ces contrariétés avaient fini par lui aigrir le caractère* (syn. ENNUI).

CONTRASTE [kɔ̃trast] n. m. (it. *contrasto*). Opposition marquée entre deux choses : *Contraste d'ombre et de lumière.* ◆ **contraster** v. i. (sujet nom de chose). *Contraster avec une chose*, être en opposition avec elle : *Deux couleurs qui contrastent* (syn. S'OPPOSER). ◆ **contrasté, e** adj. Dont les oppositions sont très accusées : *Votre photographie est trop contrastée* (= l'opposition entre les noirs et les blancs est excessive).

CONTRAT n. m. ⟶ CONTRACTER 2.

Contrat social *(Du)* **ou Principes du droit politique** (1762), de J.-J. Rousseau.

CONTRAVENTION n. f. ⟶ CONTREVENIR.

1. CONTRE [kɔ̃tr] prép. (lat. *contra*, en face de). **1.** Exprime le contact, la juxtaposition : *Serrer son fils contre sa poitrine* (syn. SUR). *Sa maison est contre la mairie* (syn. À CÔTÉ DE, AUPRÈS DE). — **2.** Exprime l'opposition, l'hostilité : *Se battre contre un ennemi, contre les préjugés* (syn. AVEC). *Un remède contre la grippe* (syn. POUR). *Il a agi ainsi contre l'avis de ses conseillers* (syn. CONTRAIREMENT À; contr. SELON). ‖ *Envers et contre tout* (ou *tous*), en dépit de tous les obstacles. — **3.** Exprime l'échange : *Il a troqué sa voiture contre une moto* (syn. POUR). — **4.** Exprime la proportion : *On trouve vingt films médiocres contre un bon* (syn. POUR). — LOC. ADV. *Ci-contre*, indique la proximité; en regard, sur la page d'un livre; vis-à-vis. ‖ *Par contre*, indique une considération opposée (loc. déconseillée par certains grammairiens) [syn. EN COMPENSATION, EN REVANCHE]. ‖ *Là contre*, en opposition à cela. ◆ n. m. *Le pour et le contre*, les raisons favorables et les raisons défavorables.

---

2. CONTRE-, préfixe (du lat. *contra*, opposé, contraire) indiquant une hostilité, une opposition ou le voisinage, et entrant dans la composition de substantifs (*contre-indication, contre-manifestation*, etc.) ou de verbes (*contre-attaquer, contrebalancer*, etc.). Le préfixe *contre-* est concurrencé en français contemporain par le préfixe *anti-*.

CONTRE-ALIZÉ n. m. ⟶ ALIZÉ. **CONTRE-ALLÉE** n. f. ⟶ ALLÉE 1. **CONTRE-AMIRAL** n. m. ⟶ AMIRAL. / **CONTRE-APPEL** n. m. ⟶ APPELER 2. / **CONTRE-ATTAQUE** n. f., **CONTRE-ATTAQUER** v. i. et t. ⟶ ATTAQUER 1.

CONTREBALANCER [kɔ̃trəbalɑ̃se] v. t. *(contre-*, et *balancer)* [sujet nom de chose]. *Contrebalancer une chose*, exercer une action opposée à une autre et tendant à l'annuler (surtout avec un mot abstrait) : *Poids qui en contrebalance un autre* (syn. ÉQUILIBRER). *Les avantages contrebalancent les inconvénients* (syn. COMPENSER).

CONTREBANDE [kɔ̃trəbɑ̃d] n. f. (it. *contrabbando*). **1.** Trafic par lequel on introduit clandestinement dans un pays des marchandises interdites ou sur lesquelles on n'acquitte pas les droits de douane : *Passer du tabac en contrebande.* — **2.** Marchandises ainsi introduites. ◆ **contrebandier** n. m. Personne qui se livre à la contrebande.

CONTREBAS [kɔ̃trəbɑ] n. m. *(contre-*, et *bas)*. Endroit situé à un niveau inférieur. ‖ *En contrebas*, loc. adv. ou loc. adj., *en contrebas de*, loc. prép. : *La rivière coule en contrebas de la maison* (contr. EN CONTRE-HAUT DE).

CONTREBASSE [kɔ̃trəbɑs] n. f. (it. *contrabbasso*). Le plus grand et le plus grave des instruments à cordes de la famille des violons. ◆ **contrebassiste** n. Personne qui joue de la contrebasse. (On dit aussi CONTREBASSE.)

CONTREBASSON [kɔ̃trəbɑsɔ̃] n. m. *(contre-*, et *basson)*. Instrument à vent de la famille des hautbois.

CONTRECARRER [kɔ̃trəkare] v. t. (de l'anc. fr. *contrecarre*, résistance). *Contrecarrer une action, un projet*, s'y opposer en suscitant des obstacles (syn. CONTRARIER).

CONTRECHAMP [kɔ̃trəʃɑ̃] n. m. *(contre-*, et *champ)*. Prise de vues cinématographiques, effectuée dans la direction exactement opposée à celle de la précédente.

CONTRECŒUR (À) [akɔ̃trəkœr] loc. adv. *(contre-*, et *cœur)*. Avec répugnance : *Accepter une proposition à contrecœur* (syn. MALGRÉ SOI). *À contrecœur, il repartit chez lui* (= contre son gré) [contr. VOLONTIERS].

CONTRECOUP [kɔ̃trəku] n. m. *(contre-*, et *coup)*. Coup moral ou physique qui est la conséquence d'un autre : *En se mettant à boire, il a fait son malheur, et par contrecoup celui de sa famille* (syn. RÉPERCUSSION).

1. CONTRE-COURANT n. m. ⟶ COURANT 3.

2. CONTRE-COURANT (À) [akɔ̃trəkurɑ̃] loc. adv., **À CONTRE-COURANT DE** loc. prép. *(contre-*, et *courant)*. Dans le sens contraire (de) : *Il est pénible de nager à contre-courant. Il a eu le courage de poursuivre ses recherches à contre-courant de l'opinion commune.*

CONTREDIRE [kɔ̃trədir] v. t. (lat. *contradicere*). [Conj. **72.**] **1.** (sujet nom de personne) *Contredire qq'un*, dire le contraire de ce qu'il avance (syn. DÉMENTIR, RÉFUTER). — **2.** (sujet nom de chose) *Contredire une chose*, être en opposition avec elle, être incompatible avec elle : *Cette hypothèse est contredite par les faits.* ◆ ***se contredire*** v. pr. Émettre des affirmations incompatibles : *Il se contredit sans cesse dans ses explications.* ◆ **contradicteur, trice** n. : *L'orateur a répondu aux objections de ses contradicteurs.* ◆ **contradiction** n. f. : *Contradictions dans les déclarations d'un accusé* (syn. DISCORDANCE, INCOMPATIBILITÉ). *Ses actes sont en contradiction avec ses principes* (syn. OPPOSITION). *C'est par esprit de contradiction qu'il n'est pas d'accord avec moi* (= par besoin de contredire à tout prix). ◆ **contradictoire** adj. **1.** Se dit de choses entre lesquelles il y a contradiction, incompatibilité : *Théories contradictoires* (syn. INCOMPATIBLE). — **2.** *Conférence, débat, réunion contradictoire*, où les opposants sont admis à critiquer les idées émises et à exposer leurs propres idées. — **3.** *Jugement contradictoire*, jugement rendu après que les prétentions des deux parties ont été exposées (s'oppose à *jugement par défaut*). ◆ **contradictoirement** adv. Avec un débat contradictoire, des arguments pour et contre. ◆ **contredit (sans)** loc. adv. Sans contestation possible (langue soignée) [syn. SANS CONTESTE].

CONTRÉE [kɔ̃tre] n. f. (bas lat. [*regio*] *contrata*, [pays] situé en face). Étendue de pays (ordinairement suivi d'un compl., d'un adj. qui caractérise son aspect particulier, ses productions) : *Des contrées lointaines* (syn. PAYS). *Une contrée riche en primeurs* (syn. RÉGION).

CONTRE-ÉCROU n. m. ⟶ ÉCROU 1.

CONTRE-EMPREINTE [kɔ̃trɑ̃prɛ̃t] n. f. *(contre-*, et *empreinte)*. *Géol.* Relief formé sur une roche par un dépôt d'argile dans une empreinte en creux. ‖ Pl. des *contre-empreintes*.

CONTRE-ENQUÊTE n. f. ⟶ ENQUÊTE. **CONTRE-ÉPREUVE** n. f. ⟶ ÉPROUVER. / **CONTRE-ESPIONNAGE** n. m. ⟶ ESPION. / **CONTRE-EXPERTISE** n. f. ⟶ EXPERT.

CONTREFAIRE [kɔ̃trəfɛr] v. t. (lat. *contrafacere*). [Conj. **76.**] **1.** *Contrefaire qq'un, ses gestes*, etc., les imiter en les déformant, les reproduire de façon ridicule, grotesque (syn. PARODIER; fam. SINGER). — **2.** *Contrefaire sa voix, son visage*, etc., les déformer pour tromper. — **3.** (sujet nom de personne) *Être contrefait*, avoir une conformation physique défectueuse (syn. ÊTRE DIFFORME). ◆ **contrefaçon** n. f. Imitation frauduleuse : *La contrefaçon des billets de banque est passible de la réclusion.* ◆ **contrefacteur** n. m. Celui qui est coupable de contrefaçon (syn. FAUSSAIRE).

CONTRE-FEU n. m. ⟶ FEU 1.

CONTREFICHER (SE) v. pr. ⟶ FICHER 3.

1. CONTREFORT [kɔ̃trəfɔr] n. m. *(contre-*, et *fort)*. **1.** *Archit.* Pilier de renforcement, soit en saillie sur un mur, soit séparé de celui-ci, dont la poussée lui est transmise par un arc-boutant. — **2.** Pièce de cuir renforçant l'arrière d'une chaussure.

2. CONTREFORTS [kɔ̃trəfɔr] n. m. pl. (même étym.). Montagnes moins élevées qui font suite au massif principal.

CONTRE-HAUT (EN) [ɑ̃kɔ̃trəo] loc. adv. ou loc. adj., **EN CONTRE-HAUT DE** loc. prép. *(contre-*, et *haut)*. En un point plus élevé (contr. EN CONTRE-BAS).

CONTRE-INDICATION [kɔ̃trɛ̃dikasjɔ̃] n. f. *(contre-*, et *indication)*. Circonstance particulière qui s'oppose à l'emploi d'un médicament. ‖ Pl. des *contre-indications*. ◆ **contre-indiquer** v. t. **1.** Écarter comme dangereux pour la santé de quelqu'un. — **2.** Présenter comme peu favorable, étant donné les circonstances.

CONTRE-JOUR n. m. ⟶ JOUR 2.

CONTREMAÎTRE [kɔ̃trəmɛtr] n. m. *(contre-*, et *maître)*. Personne qui surveille et dirige le travail d'une équipe d'ouvriers ou d'ouvrières.

CONTRE-MANIFESTANT, E n., **CONTRE-MANIFESTATION** n. f., **CONTRE-MANIFESTER** v. i. ⟶ MANIFESTER 2. / **CONTREMARCHE** n. f. ⟶ MARCHE 2. / **CONTREMARQUE** n. f. ⟶ MARQUER. / **CONTRE-MESURE** n. f. ⟶ MESURE 3. / **CONTRE-OFFENSIVE** n. f. ⟶ OFFENSIF.

CONTREPARTIE [kɔ̃trəparti] n. f. *(contre-*, et *partie)*. **1.** Ce que l'on donne en échange d'autre chose : *Obtenir la contrepartie financière de la perte de temps subie.* — **2.** Ce qui constitue une sorte d'équivalent, d'effet opposé : *C'est un métier pénible, mais il a une contrepartie, la longueur des vacances* (syn. COMPENSATION, DÉDOMMAGEMENT). — **3.** Opinion contraire (syn. CONTRE-PIED). — LOC. ADV. *En contrepartie*, en compensation, en échange; en revanche.

CONTRE-PENTE n. f. ⟶ PENTE. / **CONTRE-PERFORMANCE** n. f. ⟶ PERFORMANCE.

CONTREPÈTERIE ou **CONTREPETTERIE** [kɔ̃trəpɛtri] n. f. (de l'anc. fr. *contrepéter*, imiter par dérision). Interversion des syllabes ou des lettres d'un mot ou d'une expression qui produit un effet plaisant. (Ex. : *les épaules de saint Pitre*, au lieu de *les épîtres de saint Paul*.)

CONTRE-PIED [kɔ̃trəpje] n. m. *(contre-*, et *pied)*. **1.** Ce qui va exactement à l'encontre d'une opinion, de la volonté de quelqu'un : *Sa théorie est le contre-pied de la vôtre* (syn. INVERSE, OPPOSÉ). — **2.** *Prendre le contre-pied*, faire exactement l'inverse pour s'opposer. ‖ *Prendre un adversaire à contre-pied*, le déséquilibrer en envoyant la balle à un endroit opposé à celui où il l'attend (tennis, football, etc.). ‖ Pl. des *contre-pieds*.

CONTRE-PLAQUÉ [kɔ̃trəplake] n. m. (de *contre-*, et *plaquer*). Bois en plaques formées de feuilles collées ensemble, avec les fibres croisées. ‖ Pl. des *contre-plaqués*.

CONTREPOIDS [kɔ̃trəpwa] n. m. *(contre-*, et *poids)*. **1.** Poids qui équilibre totalement ou en partie un autre poids ou une force : *Il portait une valise de chaque main pour faire contrepoids.* — **2.** Ce qui compense un effet : *La prudence de ce conseiller sert de contrepoids à la fougue de son maître* (syn. FREIN).

CONTREPOINT [kɔ̃trəpwɛ̃] n. m. (*contre-*, et *point*, note). Technique musicale consistant à combiner plusieurs lignes mélodiques. ◆ **contrapuntique** adj. Écrit suivant les règles du contrepoint.

CONTREPOISON n. m. → POISON. / **CONTRE-POUVOIR** n. m. → POUVOIR 2. / **CONTRE-PROJET** n. m. → PROJETER 1. / **CONTRE-PROPOSITION** n. f. → PROPOSER 1.

CONTRER [kɔ̃tre] v. t. et i. (de *contre*). Au jeu de bridge, parier que l'équipe adverse ne fera pas le nombre de levées annoncé. ◆ v. t. Fam. *Contrer qq'un*, s'opposer efficacement à son action.

Contre-Réforme, réforme catholique qui suivit, aux XVIe et XVIIe s., la Réforme protestante, et qui avait pour but le redressement spirituel de l'Église et le retour au catholicisme des pays qui s'en étaient écartés. Elle fut marquée par une renaissance du mysticisme et du sentiment religieux (sainte Thérèse d'Ávila, saint Jean de la Croix).

- *1540. La Compagnie de Jésus (Jésuites), fondée par Ignace de Loyola, est organisée définitivement.*
- *1545-1563. Le concile de Trente est convoqué par le pape Paul III pour remédier aux abus dont souffre l'Église et pour assurer l'unité de la foi et de l'Église.*

Il interdit le cumul des bénéfices et l'absentéisme des prêtres, et définit le dogme.

Le Contre-Réforme ne parvient cependant pas à son but principal, l'élimination des hérésies protestantes.

CONTRE-RÉVOLUTION n. f. ⟶ RÉVOLUTION 2.

CONTRESCARPE [kɔ̃trɛskarp] n. f. *(contre-*, et *escarpe)*. Talus ou mur bordant extérieurement le fossé qui entoure un ouvrage fortifié.

CONTRESENS [kɔ̃trəsɑ̃s] n. m. *(contre-*, et *sens)*. **1.** Interprétation inexacte d'un mot, d'une phrase : *Version latine pleine de contresens.* — **2.** Ce qui est anormal, ce qui va à l'encontre du bon sens, du naturel : *Sa conduite est un contresens* (syn. ABSURDITÉ, NON-SENS). — LOC. ADV. et PRÉP. *À contresens, à contresens de*, dans un sens contraire au sens naturel.

CONTRESIGNER v. t. ⟶ SIGNER 1.

CONTRETEMPS [kɔ̃trətɑ̃] n. m. *(contre-*, et *temps)*. Événement fâcheux, qui vient soudain contrarier un projet ou le cours normal des choses. — LOC. ADV. *À contretemps*, sans respecter la mesure, le rythme : *Un musicien qui joue un passage à contretemps;* mal à propos : *Agir à contretemps.*

CONTRE-TERRORISME n. m. → TERREUR. / **CONTRE-TORPILLEUR** n. m. → TORPILLE.

CONTRETYPE [kɔ̃trətip] n. m. *(contre*, et *type)*. Copie d'une photographie; copie positive d'un film tirée à partir d'un autre positif.

CONTREVENIR [kɔ̃trəvnir] v. t. ind. (lat. *contravenire*). [Conj. **22.**] *Contrevenir à un règlement, à un ordre*, agir contrairement à ses prescriptions : *Contrevenir au Code de la route* (syn. ENFREINDRE). ◆ **contravention** n. f. **1.** Infraction mineure par le préjudice ou par le trouble social causés. — **2.** Procès-verbal dressé par un représentant de l'autorité et constatant une infraction à un règlement, notamment en matière de circulation. — **3.** Amende correspondant à cette infraction : *Payer une contravention.* ◆ **contrevenant, e** n. Personne qui enfreint un règlement.

CONTREVENT [kɔ̃trəvɑ̃] n. m. *(contre-*, et *vent)*. Volet placé à l'extérieur d'une fenêtre.

CONTREVÉRITÉ n. f. ⟶ VÉRITÉ. / **CONTRE-VISITE** n. f. ⟶ VISITE. / **CONTRE-VOIE** n. f. ⟶ VOIE 2.

CONTREXÉVILLE, comm. des Vosges, à 5,5 km au S.-O. de Vittel; 4600 hab. *(Contrexévillois)*. Station hydrominérale.

CONTRIBUABLE n. → CONTRIBUTIONS 2.

CONTRIBUER [kɔ̃tribɥe] v. t. ind. (lat. *contribuere*) [sujet nom de personne ou de chose]. *Contribuer à qqch., à faire qqch.*, participer à un résultat par sa présence, par une action, par un apport d'argent : *Contribuer au succès d'une entreprise. Contribuer à l'achat d'un cadeau.* ◆ **contribution** n. f. **1.** Part apportée par quelqu'un à une œuvre commune : *La contribution de Diderot à l'« Encyclopédie » fut capitale* (syn. PARTICIPATION). — **2.** *Mettre qq'un à contribution*, recourir à ses services, lui demander d'accomplir une tâche.

1. CONTRIBUTION n. f. ⟶ CONTRIBUER.

2. CONTRIBUTIONS [kɔ̃tribysjɔ̃] n. f. pl. (lat. *contributio*). **1.** Syn. de IMPÔTS : *Payer ses contributions. Contributions directes* (= versées directement aux services des Finances). *Contributions indirectes* (= taxes prélevées sur certains produits). — **2.** Administration chargée de l'établissement et de la perception des impôts (avec une majusc.). ◆ **contribuable** n. Personne soumise à l'impôt.

CONTRISTER [kɔ̃triste] v. t. (lat. *contristare*). *Contrister qq'un* le jeter dans une grande tristesse (littér., surtout au passif) [syn ATTRISTER, CHAGRINER, PEINER].

CONTRIT, E [kɔ̃tri, -it] adj. (lat. *contritus*). **1.** Se dit de quel qu'un qui se repent d'un acte et qui se le reproche (littér.) : *Il est contrit de sa maladresse* (syn. CONFUS). — **2.** Qui marque le repentir : *Avouer sa faute d'un air contrit* (syn. REPENTANT). ◆ **contrition** n. f. Regret d'une faute qu'on a commise (terme relig.) [syn REPENTIR].

CONTRÔLE [kɔ̃trol] n. m. (anc. fr. *contrerole*, registre de vérification). **1.** Vérification attentive et minutieuse de la régularité d'un état ou d'un acte, de la validité d'une pièce : *Un inspecteur chargé* *du contrôle des prix* (syn. ↓SURVEILLANCE). — **2.** Bureau chargé de ce genre de vérifications : *Se présenter au contrôle.* — **3.** Maîtrise de sa propre conduite, faculté de diriger convenablement des véhicules, des appareils, etc. : *La colère lui a fait perdre le contrôle de lui-même. Garder le contrôle de sa voiture.* — **4.** Liste détaillée de personnes dont la présence, les activités, etc. doivent être vérifiées : *Cette personne ne figure plus sur les contrôles de la maison.* — **5.** Opération industrielle permettant d'éliminer les pièces dont les caractéristiques s'écartent des limites tolérées. — **6.** *Contrôle budgétaire,* méthode de gestion des entreprises visant à comparer, activité par activité, les réalisations avec les prévisions faites en début d'exercice*. ‖ *Contrôle des changes* ⟶ CHANGER. ‖ *Contrôle des naissances,* possibilité pour les couples de maîtriser le nombre des naissances, par l'utilisation de méthodes anticonceptionnelles (syn. PLANNING FAMILIAL). ◆ **contrôleur, euse** n. Personne (employé, fonctionnaire, etc.) chargée de vérifier l'état d'un appareil, de contrôler les billets, etc. ‖ *Contrôleur de la navigation aérienne,* technicien chargé de contrôler et diriger les mouvements des avions (syn. fam. AIGUILLEUR DU CIEL). ‖ *Contrôleur général,* officier ordonnateur des dépenses, qui, dès 1564, assistait le surintendant des Finances. (Au XVIIe s., il y en eut deux. Après l'élimination de Fouquet [1661], il n'y en eut plus qu'un seul. Les plus célèbres furent Colbert, Law, Machault, Turgot, Calonne.) ◆ **contrôler** v. t. **1.** *Contrôler qq'un, qqch.,* exercer sur eux un contrôle : *Contrôler la qualité de la marchandise* (syn. VÉRIFIER). *Contrôler ses nerfs* (syn. MAÎTRISER). — **2.** En termes mil., avoir la maîtrise de la situation dans un secteur : *Nos troupes contrôlent cette zone.* ◆ **se contrôler** v. pr. Avoir la maîtrise de soi, de sa conduite, de ses sentiments, de ses réactions. ◆ **incontrôlé, e** adj. : *Des éléments incontrôlés* (= échappant au contrôle des autorités). ◆ **contrôlable** adj. Qui peut être vérifié. ◆ **incontrôlable** adj. : *Des rumeurs incontrôlables.*

CONTRORDRE n. m. ⟶ ORDRE 2.

CONTROUVÉ, E [kɔ̃truve] adj. (du lat. *contropare*). Se dit d'une histoire, d'un détail inventés pour tromper, pour masquer la vérité (syn. INVENTÉ, MENSONGER).

CONTROVERSE [kɔ̃trɔvɛrs] n. f. (lat. *controversia*). Discussion, motivée le plus souvent par des interprétations différentes d'un mot, d'un texte, d'une doctrine (syn. CONTESTATION, DÉBAT). ◆ **controversable** adj. : *Une opinion controversable* (syn. CONTESTABLE). ◆ **controverser** v. t. (surtout au part. passé) : *L'exactitude de ce récit a été controversée* (syn. CONTESTER, DISCUTER).

CONTUMACE [kɔ̃tymas] n. f. (lat. *contumacia,* obstination). **1.** Refus d'un accusé de comparaître devant un tribunal : *Être condamné par contumace.* — **2.** *Purger sa contumace,* se présenter volontairement devant un tribunal quand on a été condamné par contumace. ◆ **contumax** adj. et n. Se dit d'une personne en état de contumace.

CONTUSION [kɔ̃tyzjɔ̃] n. f. (lat. *contusio*). Meurtrissure causée par un coup, un choc, sans déchirure de la peau ni fracture des os. (⟶ CONTONDANT.) ◆ **contusionner** v. t. Faire des contusions, meurtrir.

CONURBATION [kɔnyrbasjɔ̃] n. f. (du lat. *cum,* avec, et *urbs,* ville). Type d'agglomération consistant en la juxtaposition de centres urbains d'importance à peu près égale.
— ENCYCL. La *conurbation* se distingue de l'agglomération classique par le fait que, à la différence de celle-ci, elle n'est pas nettement dominée par un centre urbain (Paris et l'agglomération parisienne ne forment pas une conurbation), mais résulte du développement simultané de villes indépendantes qui finissent par se rejoindre. Fréquente en Grande-Bretagne, en Allemagne, au Japon, aux États-Unis, la conurbation en France n'est représentée que par l'ensemble formé par Lille, Roubaix et Tourcoing; d'autres exemples de conurbations s'amorcent cependant : Le Havre et Rouen, Lyon et Saint-Étienne, Nantes et Saint-Nazaire.

CONVAINCRE [kɔ̃vɛ̃kr] v. t. (lat. *convincere*). [Conj. **85.**] (Sujet nom de personne ou de chose.) **1.** *Convaincre qq'un (de qqch.),* l'amener par le raisonnement ou par des preuves à reconnaître quelque chose comme vrai; emporter son adhésion : *Votre raisonnement est ingénieux, mais il ne m'a pas convaincu* (syn. ↓PERSUADER). — **2.** Apporter des preuves de la culpabilité d'une personne : *L'accusé a été convaincu de participation au meurtre.* ◆ **convaincant, e** adj. : *Raisonnement convaincant* (syn. ↓PERSUASIF). *Une expérience convaincante* (syn. PROBANT). ◆ **convaincu, e** adj. Qui adhère fermement à une opinion, à une croyance : *C'est un partisan convaincu de l'unité européenne* (syn. DÉTERMINÉ, RÉSOLU). *Parler d'un ton convaincu* (syn. ↓ASSURÉ). ◆ **conviction** n. f. **1.** État d'une personne qui croit fermement en ce qu'elle dit ou pense : *J'ai la conviction qu'il est encore temps d'agir* (syn. CERTITUDE). — **2.** Conscience qu'une personne a de l'importance, du sérieux de ses actes : *Il exécute les ordres, mais sans conviction.* — **3.** *Pièces à conviction,* ensemble des preuves matérielles de la culpabilité d'un accusé. ◆ **convictions** n. f. pl. Croyances religieuses, philosophiques, etc.

CONVALESCENT, E [kɔ̃valɛsɑ̃, -ɑ̃t] adj. et n. (du lat. *convalescere,* reprendre des forces). Se dit d'une personne qui revient à la santé après une maladie. ◆ **convalescence** n. f. Retour progressif à la santé : *Entrer en convalescence.*

CONVECTION ou **CONVEXION** [kɔ̃vɛksjɔ̃] n. f. (du lat. *cum,* avec, et *vectus,* transporté). Mouvement vertical de l'air (par oppos. à l'ADVECTION, qui désigne les mouvements horizontaux).

CONVENABLE adj., **CONVENABLEMENT** adv., **CONVENANCE** n. f. ⟶ CONVENIR 2.

1. CONVENIR [kɔ̃vnir] v. t. (lat. *convenire*). [Conj. **22.**] **1.** (sujet nom de personne) *Convenir de* (et l'infin. ou un nom), *convenir que* (et l'indic.), se mettre d'accord sur ce qui doit être fait, adopter d'un commun accord (l'auxiliaire est *avoir* dans l'usage courant, *être* dans la langue soignée) : *Nous avons convenu d'un lieu de rendez-vous* (syn. DÉCIDER). *Nous étions convenus de nous écrire.* — **2.** *Convenir de* (et un nom), *convenir que* (et l'indic.), *convenir* (et l'infin. sans prép.), reconnaître comme vrai : *Il a bien été obligé de convenir de son erreur. Convenez que la ressemblance est frappante* (syn. ADMETTRE, ↑AVOUER). ◆ **disconvenir** v. t. ind. *Ne pas disconvenir de qqch.,* ne pas le contester (langue soignée) : *Vous avez raison, je n'en disconviens pas* (syn. NIER). ◆ **convention** n. f. **1.** Règle, accord permanent convenus à l'intérieur d'un groupe, entre des personnes : *Les conventions du code de la politesse. L'action de la pièce est située dans un Orient de convention* (= de fantaisie, factice). — **2.** Accord officiel passé entre des États, des sociétés, des individus, en vue de produire un effet juridique, social, politique : *Une convention a été signée entre les représentants du patronat et ceux des syndicats* (syn. ↓ACCORD, ARRANGEMENT). ‖ *Convention collective du travail,* accord relatif aux conditions de travail, conclu entre une ou plusieurs organisations syndicales de travailleurs et un ou plusieurs groupements d'employeurs. ◆ **conventionné, e** adj. Lié par une convention à un organisme de sécurité sociale *(clinique conventionnée, médecin conventionné).* ◆ **conventionnel, elle** adj. : *Des signes conventionnels* (syn. ↑ARBITRAIRE). *La lettre se termine par une formule conventionnelle de politesse* (syn. BANAL, CONVENU). *Les armements conventionnels* (= classiques, connus et utilisés depuis longtemps; par oppos. à NUCLÉAIRE).

2. CONVENIR [kɔ̃vnir] v. t. ind. (même étym.). [Conj. **22.**] **1.** (sujet nom d'être animé ou de chose) *Convenir à qq'un, à qqch.,* être conforme aux possibilités, aux goûts de quelqu'un; être approprié à une chose, à une situation : *Si la date ne vous convient pas, vous pouvez en proposer une autre* (syn. AGRÉER [langue soignée], PLAIRE). — **2.** *Il convient de* (et l'infin.) ou *que* (et le subj.), exprime ce qui est requis par la situation, les bienséances, ce qui est souhaitable : *Il convient d'être prudent* (syn. IL Y A LIEU). *Il convient que chacun fasse un effort* (syn. ↑IL FAUT). ◆ **convenu, e** adj. Se dit de ce qui n'est pas naturel, de ce qui ne correspond pas à un sentiment profond : *Une politesse convenue* (syn. ARTIFICIEL, FACTICE). ◆ **convenable** adj. **1.** *Convenable à, pour,* se dit d'une chose ou d'un être animé que ses qualités rendent approprié à un usage, à une action déterminée (parfois sans compl.) : *Un coin de rivière convenable pour la pêche* (syn. PROPICE). — **2.** (sans compl.) Se dit de quelqu'un, de quelque chose qui respecte les bienséances, la morale, qui est conforme à l'usage, au bon sens : *Ne la regardez pas aussi fixement, ce n'est pas convenable* (syn. BIENSÉANT, DÉCENT). — **3.** (sans compl.) Se dit de quelque chose qui est d'une qualité suffisante, sans plus : *Un devoir convenable* (syn. fam. ACCEPTABLE, HONNÊTE). ◆ **convenablement** adv. Sens 2 et 3 de CONVENABLE : *Se tenir convenablement. Il s'exprime déjà très convenablement en anglais* (syn. CORRECTEMENT). *Si le miroir est convenablement placé, il réfléchira la lumière* (syn. COMME IL FAUT, CORRECTEMENT). ◆ **convenance** n. f. **1.** Qualité de ce qui convient à quelqu'un ou à quelque chose : *Un style remarquable par la convenance des termes* (syn. PROPRIÉTÉ). — **2.** (au plur.) Bons usages, manière d'agir des gens bien élevés : *Respecter les convenances* (syn. BIENSÉANCE). — **3.** *À ma (ta, sa,* etc.) *convenance,* selon ce qui me (te, lui, etc.) convient. — **4.** *Mariage de convenance,* mariage conclu selon des considérations d'intérêt, de position sociale, etc. ‖ *Convenances personnelles,* raisons qu'on n'indique pas (express. admin.). ◆ **inconvenance** n. f. Manquement aux bons usages (syn. ↑GROSSIÈRETÉ, INCORRECTION). ◆ **inconvenant, e** adj. : *Il montrait une joie inconvenante devant cette famille en deuil* (syn. DÉPLACÉ, INDÉCENT, MALSÉANT).

1. CONVENTION n. f. ⟶ CONVENIR 1.

2. CONVENTION [kɔ̃vɑ̃sjɔ̃] n. f. (lat. *conventio,* assemblée). Aux États-Unis, congrès d'un parti, réuni en vue de désigner un candidat à la présidence.

Convention nationale, assemblée constituante française de la Révolution, qui succéda à l'Assemblée législative, et gouverna la France du 21 septembre 1792 au 26 octobre 1795.

À l'origine elle comprend trois partis : Girondins à droite, Plaine ou Marais au centre, Montagnards à gauche.

L'histoire de la Convention se divise en trois périodes, selon les partis au pouvoir.

• *21 sept. 1792. Convention girondine.*

Elle vote d'abord l'abolition de la royauté et la proclamation de la république, puis (19 janvier 1793) la mort du roi.

Les Girondins doivent faire face à la première coalition. Les revers militaires (Neerwinden, 18 mars) et l'insurrection vendéenne entraînent leur chute.

• *2 juin 1793. Convention montagnarde.*

Le pouvoir appartient au Comité de salut public, dominé par Robespierre. Il édicte la loi du maximum des prix et des salaires pour enrayer la crise économique. Le Comité de sûreté générale, chargé de la police politique, établit un régime de terreur, qui permet de briser les révoltes intérieures. Des rivalités internes aboutissent à l'élimination des hébertistes, des dantonistes, puis de Robespierre.

• *28 juil. 1794. La Convention thermidorienne marque une réaction violente contre la période précédente.*

Elle met fin aux institutions révolutionnaires. Elle résiste aux émeutes populaires, écrase l'émeute royaliste, pacifie la Vendée et termine la guerre étrangère (traités de Bâle et de La Haye, 1795).

Après avoir voté la Constitution de l'An III et le « décret des deux tiers » (août 1795), la Convention thermidorienne se sépare et fait place au Directoire (octobre 1795).

CONVENTIONNÉ, E adj., **CONVENTIONNEL, ELLE** adj. → CONVENIR 1.

CONVENTUEL, ELLE [kɔ̃vɑ̃tɥɛl] adj. (du lat. *conventus*, couvent). Qui concerne un couvent.

CONVENU, E adj. → CONVENIR 2.

CONVERGER [kɔ̃vɛrʒe] v. i. (bas lat. *convergere*) [sujet nom de chose]. Aboutir à un même point : *Une ville où convergent six grandes routes. Nos pensées convergent* (contr. DIVERGER). ◆ **convergent, e** adj. Se dit de choses qui convergent : *Les enquêteurs ont remarqué plusieurs détails convergents* (= qui orientent l'enquête dans la même direction). *Des efforts convergents* (= qui tendent au même but). *Une lentille convergente est celle qui fait converger des rayons lumineux en un même point* (contr. DIVERGENT). ◆ **convergence** n. f. **1.** Le fait d'aboutir au même point (contr. DIVERGENCE). — **2.** *Convergence des méridiens*, variation de l'angle (azimut) sous lequel un même grand cercle de la sphère terrestre coupe les méridiens successifs.

CONVERS, E [kɔ̃vɛr, -ɛrs] adj. (lat. *conversus*, converti). Se dit des religieux et des religieuses d'un couvent qui sont chargés des tâches matérielles : *Frère convers, sœur converse.*

CONVERSER [kɔ̃vɛrse] v. i. (lat. *conversari*, vivre avec). *Converser avec qq'un*, échanger avec lui des propos sur un ton familier (langue soignée) [syn. BAVARDER, CAUSER]. ◆ **conversation** n. f. Communication orale d'idées (langue usuelle) : *Une conversation animée; à bâtons rompus* (syn. BAVARDAGE, ENTRETIEN).

CONVERSION n. f. → CONVERTIR 1 et 2.

CONVERTI, E adj. et n. → CONVERTIR 1.

CONVERTIBILITÉ n. f., **CONVERTIBLE** adj. → CONVERTIR 2.

1. CONVERTIR [kɔ̃vɛrtir] v. t. (lat. *convertere*). *Convertir qq'un à*, le faire changer d'opinion, d'avis, l'amener à croire : *Convertir les païens au christianisme.* ◆ ***se convertir*** v. pr. [**à**]. Changer de croyance, abandonner les idées qu'on professait pour adhérer à d'autres : *Il s'est converti au socialisme.* ◆ **converti, e** adj. et n. **1.** Se dit d'une personne qui a été amenée à une croyance : *Baptiser un converti.* — **2.** *Prêcher un converti, parler, s'adresser à un converti*, vouloir convaincre quelqu'un qui est déjà convaincu. ◆ **conversion** n. f. Action de convertir ou de se convertir.

2. CONVERTIR [kɔ̃vɛrtir] v. t. (même étym.). **1.** *Convertir qqch. (en)*, le transformer entièrement, en faire quelque chose d'autre, l'adapter à de nouvelles fonctions : *Les abeilles convertissent le pollen en miel.* — **2.** *Convertir des nombres, des unités*, etc., exprimer les mêmes valeurs avec des systèmes différents de nombres, d'unités : *Convertir des francs en dollars.* — **3.** *Convertir des biens*, en réaliser la valeur en argent afin de les transformer en une autre catégorie de biens : *Il a converti ses titres de rente en terrains à bâtir.* ◆ **convertible** adj. **1.** Qui peut être transformé. — **2.** Se dit d'une monnaie qui peut être échangée contre une autre équivalente. ◆ **inconvertible** adj. : *Monnaie inconvertible.* ◆ **convertibilité** n. f. : *La convertibilité des monnaies.* ◆ **conversion** n. f. : *Les élèves doivent opérer des conversions de nombres complexes en nombres décimaux.* ◆ **convertissage** n. m. Opération métallurgique faite au convertisseur. ◆ **convertisseur** n. m. **1.** Grande cornue métallique à revêtement réfractaire, où, par oxydation (en général un vif courant d'air), la fonte est transformée en acier. — **2.** Machine utilisée pour transformer un courant électrique alternatif en courant continu et inversement, ou pour modifier le nombre de phases. ◆ **reconvertir** v. t. : *Reconvertir une usine d'aviation en une usine de voitures automobiles.* ◆ ***reconvertir (se)*** v. pr. Changer d'activité, de métier. ◆ **reconversion** n. f. Adaptation d'une industrie, d'une main-d'œuvre à de nouveaux besoins, à de nouvelles conditions économiques.

CONVEXE [kɔ̃vɛks] adj. (lat. *convexus*, arrondi). **1.** Dont la forme présente une courbure sphérique en relief : *Un bouton convexe* (syn. BOMBÉ). *Un miroir convexe* (contr. CONCAVE). — **2.** *Math.* Se dit d'un ensemble de points si tout segment joignant deux points de cet ensemble est inclus dans l'ensemble.

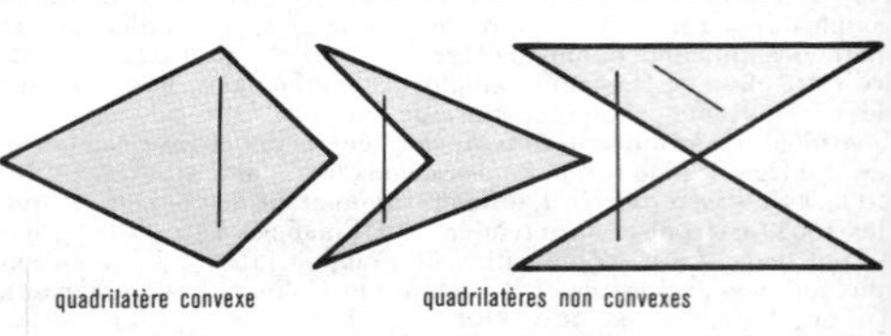

(*Rem.* L'intersection de deux ensembles convexes est un ensemble convexe.) → *fig.* ◆ **biconvexe** adj. Qui offre deux faces convexes opposées : *La loupe est souvent une lentille biconvexe.* ◆ **convexité** n. f. : *La convexité d'un miroir.*

CONVEXION n. f. → CONVECTION.

CONVICTION n. f. → CONVAINCRE.

CONVIER [kɔ̃vje] v. t. (bas lat. *convitare*). **1.** *Convier qq'un à un repas, à une réunion*, l'y inviter. — **2.** *Convier qq'un à* (et l'infin.) le pousser avec insistance à accomplir telle ou telle action.

CONVIVE [kɔ̃viv] n. (lat. *conviva*). Personne qui prend part à un repas.

CONVIVIALITÉ [kɔ̃vivjalite] n. f. (angl. *conviviality*). Capacité d'une société à favoriser la tolérance et les échanges réciproques des personnes et des groupes qui la composent.

CONVOCATION n. f. → CONVOQUER.

CONVOI [kɔ̃vwa] n. m. (du lat. *cum*, avec, et *viare*, faire route). **1.** Suite de véhicules transportant des personnes ou des choses vers une certaine destination. — **2.** Suite de voitures de chemin de fer entraînées par une seule machine (terme admin.) [syn. usuel TRAIN]. — **3.** Cortège accompagnant le corps d'un défunt à une cérémonie de funérailles. ◆ **convoyer** v. t. Accompagner en groupe pour protéger (syn. ESCORTER). ◆ **convoyeur, euse** adj. et n. : *Les bateaux convoyeurs* (syn. ESCORTEUR). ◆ **convoiement** n. m. **1.** Action de convoyer. — **2.** Escorte d'un convoi.

CONVOITER [kɔ̃vwate] v. t. (du lat. *cupiditas*, désir). *Convoiter un bien*, le désirer vivement : *Convoiter un poste* (syn. RECHERCHER). ◆ **convoitise** n. f. : *Sa convoitise l'a fait agir malhonnêtement* (syn. AVIDITÉ, CUPIDITÉ).

CONVOLER [kɔ̃vɔle] v. i. (lat. *convolare*). Se marier (toujours ironiq.) : *Convoler en justes noces.*

CONVOLVULACÉES [kɔ̃vɔlvylase] n. f. pl. (du lat. *convolvere*, enrouler). Famille de plantes dicotylédones, souvent aptes à grimper par enroulement de la tige *(liseron).*

CONVOQUER [kɔ̃vɔke] v. t. (lat. *convocare*). **1.** *Convoquer une assemblée, les membres d'une commission*, etc., les inviter à tenir une réunion. — **2.** *Convoquer qq'un*, lui donner l'ordre de se présenter, le prier fermement de venir. ◆ **convocation** n. f. **1.** Action de convoquer : *Convocation d'une assemblée.* — **2.** Avis écrit invitant à se présenter : *Recevoir une convocation.*

CONVOYER v. t., **CONVOYEUR, EUSE** adj. et n. → CONVOI.

CONVULSER [kɔ̃vylse] v. t. (du lat. *convellere*, arracher). Contracter violemment les traits du visage, provoquer une crispation tordant les membres : *La crise d'épilepsie lui convulsait tout le corps.* ◆ **convulsif, ive** adj. Qui a le caractère violent et involontaire des convulsions : *Un rire convulsif.* ◆ **convulsivement** adv. : *Le malade s'agitait convulsivement dans son lit.* ◆ **convulsion** n. f. Contraction musculaire violente et involontaire (surtout au plur.) : *Un bébé pris de convulsions* (syn. SPASME). ◆ **convulsionnaires** n. pl. Fanatiques jansénistes du début du XVIIIe s., auxquels l'exaltation religieuse causait des convulsions, au cimetière Saint-Médard à Paris.

COOK (James), navigateur anglais (1728-1779). Au cours d'un premier voyage de circumnavigation, il découvrit les îles de la Société (1769) et explora la Nouvelle-Zélande (1770). Un leuxième voyage (1772-1775) le conduisit dans l'Antarctique. En 1776, il partit à la recherche d'un passage par mer au N. de 'Amérique et découvrit les îles Sandwich (Hawaii). Après avoir pénétré dans l'océan Arctique par le détroit de Béring, il revint hiverner aux îles Sandwich, où il fut tué dans une rixe avec les ndigènes. Ses voyages et ses levées hydrographiques ont fait aire un progrès considérable à la connaissance de l'océan Pacifique. Ils marquent la fin de l'ère des voyages de découverte et le début de celle des explorations scientifiques.

COOK *(détroit de),* bras de mer séparant les deux îles principales le la Nouvelle-Zélande.

COOLIDGE (William David), physicien américain (1873-1975). Il nventa en 1913 le tube à cathode incandescente pour la production des rayons X, dit *ampoule de Coolidge.*

COOLIE [kuli] n. m. (du n. d'une caste de l'Inde, réduite à une condition inférieure). Travailleur asiatique.

COOPER (James Fenimore), romancier américain (1789-1851). Ses romans d'aventures donnent une image épique de la lutte entre les pionniers et les Peaux-Rouges. Ses cinq meilleurs récits, dont *le Dernier des Mohicans* (1826), constituent les *Contes de Bas-le-Cuir.*

COOPÉRANT n. m., **COOPÉRATIF, IVE** adj., **COOPÉRATION** n. f. ⟶ COOPÉRER.

COOPÉRATIVE [kɔɔperativ] n. f. (de *coopérer*). Groupement économique rassemblant des personnes qui ont des intérêts communs et qui gèrent ceux-ci sur la base de l'égalité de leurs droits et de leurs obligations; locaux où sont établis les bureaux de cette organisation : *Une coopérative agricole.* ◆ **coopérateur, trice** n. Membre d'une coopérative.

— ENCYCL. Parmi les principaux types de *coopératives,* on distingue :

les *coopératives de consommation,* qui vendent à tous les consommateurs des produits au prix du marché, tout en s'efforçant de faire pression contre les hausses spéculatives; les profits qu'elles réalisent ainsi sont répartis entre les adhérents en fonction de leurs achats;

les *coopératives de production agricole,* rares dans les pays occidentaux, très nombreuses en U. R. S. S. (kolkhozes), en Chine et dans les autres pays socialistes, fréquentes en Israël (kibboutzim);

les *coopératives d'habitation,* qui ont pour but de faciliter le logement des adhérents, et parmi lesquelles les *coopératives d'habitation à loyer modéré* sont les plus importantes;

les *coopératives ouvrières de production,* surtout fréquentes dans l'industrie du bâtiment.

COOPÉRER [kɔɔpere] v. t. ind. (lat. *cooperari*) [sujet nom d'être animé ou, plus rarement, de chose]. *Coopérer à qqch.,* participer à une œuvre commune : *Coopérer à la rédaction d'un dictionnaire* (syn. COLLABORER, CONTRIBUER). ◆ **coopérant** n. m. Jeune volontaire qui effectue un service civil dans certains pays étrangers pendant la durée de ses obligations militaires. ◆ **coopération** n. f. **1.** *Ce projet est le fruit de la coopération de plusieurs bureaux d'études* (syn. COLLABORATION). — **2.** *Service de la coopération,* forme particulière du service* national actif, applicable à certains jeunes gens volontaires pour apporter leurs connaissances techniques et pratiques à certains États étrangers qui en font la demande. ◆ **coopératif, ive** adj. Qui participe volontiers à une action commune.

COOPTATION [kɔɔptasjɔ̃] n. f. (lat. *cooptatio*). Mode de recrutement consistant, pour une assemblée, à désigner elle-même ses membres.

COORDONNER [kɔɔrdɔne] v. t. (*co-,* et *ordonner*). **1.** *Coordonner des choses* (souvent nom abstrait), disposer des éléments divers en vue d'obtenir un ensemble cohérent, un résultat déterminé : *Coordonner les parties d'un discours. Coordonner des efforts* (syn. COMBINER, HARMONISER). — **2.** Relier des termes grammaticaux par une conjonction de coordination. ◆ **coordination** n. f. Action de coordonner; état de ce qui est coordonné : *La coordination des recherches* (syn. HARMONISATION). *La coordination de ces propositions est réalisée par la conjonction « mais ».* (⟶ aussi CONJONCTION 2.) ◆ **coordonnant** n. m. Terme qui exprime la coordination grammaticale. ◆ **coordonnées** n. f. pl. **1.** Éléments qui permettent de déterminer la position d'un point sur une surface ou dans l'espace selon un système de référence : *Coordonnées géographiques.* — **2.** *Math.* Chacun des deux nombres réels caractérisant un point dans un plan rapporté à un repère*, ou caractérisant un vecteur dans une base* donnée. (⟶ BASE, REPÈRE.)

COPACABANA, quartier de Rio de Janeiro (Brésil). Station balnéaire.

COPAIN [kɔpɛ̃] n. m., **COPINE** [kɔpin] n. f. (de l'anc. fr. *compain,* qui partage le même pain). *Fam.* Camarade de classe, de travail, de loisirs, qui est souvent de la même génération.

COPARTAGEANT, E adj., **COPARTAGER** v. t. ⟶ PARTAGER.

COPEAU [kɔpo] n. m. (du lat. *cuspis,* fer d'une lance). Lamelle très fine de bois ou de métal enlevée avec un instrument tranchant, en partic. un rabot.

COPEAU (Jacques), directeur de théâtre français (1879-1949). Il créa en 1913 le théâtre du Vieux-Colombier, où il entreprit de renouveler la technique théâtrale.

COPENHAGUE, en danois **København,** capit. du Danemark, sur la côte est de l'île de Sjaelland, au bord de l'Øresund; 648 000 hab. (aggl. 1 381 000 hab.). Principal port danois, Copenhague a un site particulier, englobant de nombreux lacs et débordant sur l'île d'Amager. La ville, qui groupe un quart de la population du Danemark, en est aussi la métropole économique.

COPERNIC (Nicolas), astronome polonais (1473-1543). Dans son *Traité sur les révolutions des mondes célestes,* il bouleversa les données de l'astronomie ancienne et démontra le double mouvement des planètes, sur elles-mêmes et autour du Soleil. Sa théorie fut vérifiée par Galilée en 1610.

COPIER [kɔpje] v. t. (du lat. *copia,* abondance). **1.** *Copier un écrit, une œuvre d'art* (dessin, tableau, statue, etc.), les reproduire avec exactitude, trait pour trait (syn. RECOPIER). — **2.** Transcrire frauduleusement un texte au lieu de rédiger personnellement un devoir, une composition (souvent sans compl. d'objet) : *Copier sur son voisin.* — **3.** *Copier qq'un, qqch.,* l'imiter : *Il s'efforce de copier les gens qu'il fréquente.* ◆ **copiage** n. m. Action d'un élève, d'un candidat qui copie (sens 2). ◆ **copieur, euse** adj. et n. Qui copie (sens 2) : *Punir un copieur.* ◆ **copie** n. f. **1.** Reproduction d'un texte écrit ou d'une œuvre d'art : *J'ai gardé une copie de la lettre que je lui ai adressée* (syn. DOUBLE, DUPLICATA). *Ce tableau est une copie* (syn. FAUX, IMITATION). — **2.** Feuille de papier servant à un écolier, à un étudiant pour rédiger un travail : *Acheter un paquet de copies.* — **3.** Devoir d'élève : *Plusieurs candidats ont remis une copie blanche* (= n'ont rien su écrire sur le sujet proposé). ◆ **copiste** n. Personne qui établit une copie d'un texte; en partic. celui qui, avant la découverte de l'imprimerie, reproduisait des manuscrits. ◆ **recopier** v. t. Syn. courant de COPIER (sens 1), en partic. pour les textes qu'on a soi-même écrits une première fois : *Recopier un brouillon* (syn. METTRE AU NET).

COPIEUX, EUSE [kɔpjø, -øz] adj. (lat. *copiosus*) [avant ou plus souvent après le nom]. Qui est en grande quantité, qui offre une riche matière : *Un repas copieux* (syn. ABONDANT, ↑PLANTUREUX). ◆ **copieusement** adv. (syn. ABONDAMMENT).

COPILOTE n. m. ⟶ PILOTE.

COPINE n. f. ⟶ COPAIN.

COPISTE n. ⟶ COPIER.

COPLANAIRE adj. ⟶ PLAN 1.

COPRAH ou **COPRA** [kɔpra] n. m. (mot portug.). Nom donné à l'amande contenue dans la noix de coco desséchée et prête à être traitée pour l'extraction de l'huile.

COPRODUCTION n. f. ⟶ PRODUIRE 3.

COPROPHAGE [kɔprɔfaʒ] adj. et n. m. (du gr. *kopros,* excrément, et *phagein,* manger). Qui se nourrit d'excréments : *Insecte coprophage.*

COPROPRIÉTAIRE n., **COPROPRIÉTÉ** n. f. ⟶ PROPRIÉTÉ 1.

COPTES, nom donné à l'origine aux habitants de l'Égypte et, de nos jours, aux chrétiens d'Égypte et d'Éthiopie.

COPULATION [kɔpylasjɔ̃] n. f. (lat. *copulatio,* union). Accouplement d'un mâle et d'une femelle.

COPULE [kɔpyl] n. f. (lat. *copula,* ce qui sert à attacher). *Gramm.* Nom donné au verbe *être* lorsqu'il est vide de sens et sert à lier l'attribut au sujet d'une proposition : *Dans « Pierre est heureux », le verbe « être » est une copule.*

COPYRIGHT [kɔpirajt] n. m. (mot angl. signif. *droit de copie*). **1.** Droit pour un auteur ou son éditeur d'exploiter une œuvre littéraire, artistique ou scientifique. — **2.** Marque de ce droit symbolisé par le signe ©, au verso de la page de titre.

1. COQ [kɔk] n. m. (onomat.). **1.** Oiseau de basse-cour qui est le mâle de la poule domestique : *Le cri du coq est désigné par l'onomatopée « cocorico ».* (Ordre des gallinacés.) — **2.** Nom du mâle de plusieurs autres espèces : *Un coq faisan.* ‖ *Coq de bruyère,* oiseau de l'ordre des gallinacés, long de 85 cm, gibier estimé, vivant en montagne (syn. TÉTRAS). — **3.** *Le coq gaulois,* un des emblèmes de la nation française (par rapprochement du lat. *gallus,* coq, et *Gallus,* gaulois). — **4.** Fam. *Être comme un coq en pâte,* être choyé, confortablement installé. ◆ **coquelet** n. m. Jeune coq.

2. COQ [kɔk] n. m. (de *coq* 1). *Poids coq,* catégorie de boxeurs dont le poids est compris entre 50,802 kg et 53,524 kg.

3. COQ [kɔk] n. m. (néerl. *kok,* cuisinier). Cuisinier à bord d'un navire.

COQ-À-L'ÂNE [kɔkalan] n. m. inv. (de *sauter du coq à l'âne*). Passage brusque, dans la conversation, d'une idée à une autre qui est sans rapport avec la première.

1. COQUE [kɔk] n. f. (lat. *coccum,* excroissance d'une plante). **1.** Enveloppe solide et dure d'un œuf (syn. COQUILLE) : *Œuf à la coque* (= cuit dans sa coquille). — **2.** Enveloppe ligneuse de certains fruits : *Coque de noix.* — **3.** Enveloppe dans laquelle s'enferme la larve de certains insectes pour s'y transformer en chrysalide : *Coque du ver à soie* (syn. COCON). — **4.** Mollusque bivalve comestible, vivant enfoui dans le sable (syn. CARDIUM).

2. COQUE [kɔk] n. f. (de *coque* 1). **1.** Carcasse d'un navire, d'un avion. — **2.** Bâti métallique rigide qui, dans certaines voitures, tient lieu de châssis et de carrosserie.

COQUELET n. m. ⟶ COQ 1.

COQUELICOT [kɔkliko] n. m. (onomat.). Plante à fleur d'un rouge vif, de l'espèce du pavot, qu'on voit fréquemment dans les champs de céréales.

COQUELUCHE [kɔklyʃ] n. f. (orig. incert.). **1.** Maladie contagieuse atteignant surtout les enfants, et caractérisée notamment par des quintes de toux. — **2.** *Fam.* Personne qui est l'objet d'un engouement passager du public. ◆ **coquelucheux, euse** adj. et n. : *Une toux coquelucheuse.*

COQUET, ETTE [kɔkɛ, -ɛt] adj. (de *coq* 1.). **1.** (après le nom) Se dit d'un homme ou d'une femme qui cherche à plaire par sa toilette, par le soin de sa personne, qui a le goût de l'élégance. — **2.** (avant ou après le nom) Se dit d'une chose, et surtout d'une habitation ou de ce qui s'y rapporte, qui plaît par son élégance : *Une coquette villa.* — **3.** Fam. *Une somme coquette,* une somme importante. ◆ adj. et n. f. Se dit d'une femme qui cherche à plaire aux hommes, à se faire un cercle d'adorateurs sans s'attacher profondément à tel ou tel d'entre eux. ◆ **coquettement** adv. ◆ **coquetterie** n. f. **1.** Qualité d'une personne coquette, de ce qui est coquettement mis, aménagé, etc. : *La coquetterie de la toilette, d'un salon.* — **2.** Désir de plaire par un caractère original.

COQUETIER [kɔktje] n. m. (de *coque*). **1.** Petit godet creux pour manger des œufs à la coque. — **2.** Marchand d'œufs et de volailles. — **3.** Fam. *Gagner le coquetier,* réussir un coup heureux ou, ironiq., commettre une sottise.

COQUETTE n. et adj. f., **COQUETTEMENT** adv., **COQUETTERIE** n. f. ⟶ COQUET.

1. COQUILLE [kɔkij] n. f. (bas lat. *conchilia*). **1.** Organe externe dur et riche en sels calcaires édifié par divers animaux pour se protéger : *Coquille d'huître, d'escargot, de moule.* ‖ *Coquille Saint-Jacques,* mollusque marin bivalve comestible (syn. PECTEN, PEIGNE). — **2.** *Rentrer dans sa coquille,* fuir la société. ‖ *Sortir de sa coquille,* sortir de son isolement. — **3.** Coque vide des œufs et des noix. — **4.** *Coquille de beurre,* petite quantité de beurre roulée et servie avec un mets. ‖ *Coquille de noix,* embarcation fragile. ◆ **coquillage** n. m. **1.** Coquille d'un mollusque, considérée le plus souvent sous son aspect de curiosité, d'ornement. — **2.** Mollusque qui vit dans cette coquille : *Manger des coquillages.* ◆ **coquillier, ère** adj. Se dit d'une roche qui contient de nombreuses coquilles fossiles : *Calcaire coquillier.*

2. COQUILLE [kɔkij] n. f. (de *coquille* 1). Faute matérielle dans une composition typographique.

COQUIN, E [kɔkɛ̃, -in] adj. et n. (de *coq* 1.). **1.** Se dit ordinairement, avec une nuance de sympathie, d'un enfant espiègle, malicieux. — **2.** Se dit d'une personne d'une moralité douteuse : *Un fieffé coquin.* ◆ **coquinerie** n. f. **1.** *La coquinerie de cet enfant se lit sur son visage* (syn. ESPIÈGLERIE, MALICE). — **2.** *Être victime de la coquinerie d'un individu* (syn. ↑ESCROQUERIE).

1. COR [kɔr] n. m. (lat. *cornu,* corne). **1.** Instrument de musique à vent, en cuivre, composé d'une embouchure, d'un long tube conique enroulé sur lui-même et d'un pavillon. → ENCYCL. — **2.** *Réclamer à cor et à cri,* avec une grande insistance. ◆ **corniste** n. Personne qui joue du cor dans un orchestre.

— ENCYCL. Le *cor* offre une grande variété de timbres. Dans *Pierre et le Loup* de Prokofiev les trois cors représentent le loup.

Le *cor de chasse* est un cor simple, sans pistons, qui ne donne que les sons naturels.

Le *cor chromatique,* muni de pistons, permet de jouer toutes les notes de la gamme.

Le *cor anglais* n'est pas en fait un cor, mais un *hautbois alto.*

2. COR [kɔr] n. m. (même étym.). Chacune des ramifications des bois d'un cerf. ‖ *Cerf dix cors,* cerf âgé de plus de six ans, dont les bois portent cinq andouillers de chaque côté.

3. COR [kɔr] n. m. (même étym.). Durillon qui se forme sur un orteil.

CORAIL, AUX [kɔraj, -ro] n. m. (lat. *corallium*). Animal des mers chaudes constitué par une colonie de polypes fixés sur un squelette calcaire rouge ou blanc, apprécié en bijouterie. (Haut. max. 30 cm.) [Embranchement des cœlentérés.] ◆ **corallien, enne** adj. Formé de coraux. ‖ *Calcaire corallien,* calcaire composé de débris de coraux fossiles. ◆ **corallifère** adj. Qui porte des coraux : *Des fonds marins corallifères.*

— ENCYCL. Les *coraux* édifient des récifs en bordure des littoraux (Grande Barrière de la côte orientale de l'Australie) et autour des petites îles; ils peuvent aussi former à eux seuls des îles (atolls*).

CORAIL *(mer de),* partie du Pacifique, située entre l'Australie et les Nouvelles-Hébrides.

● *Mai 1942. Victoire aéronavale des Américains sur les Japonais.*

CORALLIEN, ENNE adj., **CORALLIFÈRE** adj. ⟶ CORAIL.

Coran ou **Koran** (de l'ar. *al-Qur'ān,* la Lecture), livre sacré des musulmans. ◆ **coranique** adj. Relatif au Coran.

— ENCYCL. Le *Coran* représente la parole de Dieu, révélée à Mahomet. Écrit en arabe, il se compose de 114 chapitres, ou *sourates.* Recueil de dogmes et de préceptes moraux, il est le fondement de la civilisation musulmane, la source du droit, de la morale, de l'administration. (⟶ ISLĀM.)

CORBEAU [kɔrbo] n. m. (lat. *corvus*). Oiseau passereau mesurant plus de 60 cm de longueur, au plumage noir et au bec noir. (Famille des corvidés.) [Cri : le corbeau *croasse.*]

CORBEIL-ESSONNES, ch.-l. de cant. de l'Essonne, au confluent de la Seine et de l'Essonne, à 35 km au S. de Paris; 38 100 hab. Minoterie. Électronique.

1. CORBEILLE [kɔrbɛj] n. f. (du lat. *corbis,* panier). Panier en général sans anses, destiné à recevoir des objets de diverses sortes : *Une corbeille de fruits. Corbeille à ouvrage* (= où se trouvent le fil, les aiguilles, etc.). *Corbeille à papier.*

2. CORBEILLE [kɔrbɛj] n. f. (même étym.). **1.** Parterre circulaire ou ovale couvert de fleurs. — **2.** À la Bourse, espace circulaire entouré d'une balustrade, autour de laquelle les agents de change se font verbalement leurs offres et demandes mutuelles. (Cet espace traditionnel est en voie de disparition avec l'évolution des modes de cotation.) — **3.** Au théâtre, places situées au balcon au-dessus de l'orchestre ou aux trois premiers rangs des fauteuils d'orchestre.

CORBIE, ch.-l. de cant. de la Somme, à 17 km à l'E. d'Amiens, en Picardie; 6 300 hab. *(Corbéens).* Siège d'une importante abbaye au Moyen Âge.

● *1636. Prise de la ville par les Espagnols.*

CORBIÈRE (Édouard Joachim, dit **Tristan**), poète français (1845-1875), auteur des *Amours jaunes* (1873), recueil de vers unissant la souffrance et le sarcasme.

CORBIÈRES (les), région du midi de la France (Aude), formée par la bordure des Pyrénées au-dessus des plaines de l'Aude et du bas Languedoc. Élevage (moutons et bovins). Vignobles réputés.

CORBILLARD [kɔrbijar] n. m. (du n. de la ville de *Corbeil;* coche d'eau faisant le service entre Paris et Corbeil). Voiture ou fourgon automobile servant à transporter les morts.

CORDAGE n. m. ⟶ CORDE.

CORDAY D'ARMONT (Charlotte DE) [1768-1793], descendante de Corneille. Ses convictions girondines et sa haine des excès révolutionnaires la poussèrent à tuer Marat : elle le poignarda dans son bain, le 13 juillet 1793. Elle fut guillotinée.

1. CORDE [kɔrd] n. f. (gr. *khordê,* boyau). **1.** Lien assez gros, fait de fils tordus ensemble ou tressés et servant à des usages divers : *Grimper à la corde.* ‖ *Corde à nœuds,* grosse corde garnie de nœuds à laquelle on monte à la force des bras. ‖ *Corde raide,* câble tendu en l'air, sur lequel les acrobates exécutent leurs exercices. ‖ Fam. *Marcher, danser, être sur la corde raide,* être dans une situation critique, faire des prodiges d'adresse pour se maintenir. — **2.** Lien utilisé pour la pendaison, supplice de la potence : *Mériter la corde.* ‖ Fam. *Avoir, se mettre la corde au cou,* être, se mettre dans une situation désespérée ou dans un état de dépendance totale. — **3.** *Usé jusqu'à la corde,* se dit d'un tissu si usé qu'il laisse voir les fils de la trame; se dit de ce qui perd tout intérêt, toute efficacité à force d'être ressassé : *Une plaisanterie usée jusqu'à la corde* (syn. ÉCULÉ, REBATTU). ◆ **cordage** n. m. Corde ou câble faisant partie du gréement d'un bateau. ◆ **cordé, e** adj. **1.** En forme de corde. ‖ *Lave cordée,* lave dont la surface, en coulant, a pris l'aspect de paquets de cordages. — **2.** Filandreux comme une corde. ◆ **cordeau** n. m. **1.** Petite corde ou ficelle qu'on tend pour tracer un alignement. — **2.** *Fait, tiré, tracé au cordeau,* se dit de ce qui est d'une régularité parfaite, voire excessive. ◆ **cordée** n. f. Groupe d'alpinistes reliés entre eux au moyen d'une corde, par mesure de sécurité. ◆ **cordelette** n. f. Corde courte et mince. ◆ **cordelière** n. f. **1.** Corde souple et torsadée servant de ceinture : *Cordelière de robe de chambre.* — **2.** Petite tresse de couleur servant de cravate. ◆ **corderie** n. f. Industrie de la fabrication des ficelles, des cordes et des câbles non métalliques. ◆ **cordier** n. m. Fabricant de cordes. ◆ **encorder (s')** v. pr. S'attacher à la corde qui assure les alpinistes d'une cordée, un groupe de spéléologues.

2. CORDE [kɔrd] n. f. (même étym.). **1.** Fil de boyau, d'acier, de Nylon, etc., qu'on fait vibrer dans certains instruments de musique, ou qui tend un arc, garnit une raquette : *Le violon a quatre cordes. Il a cassé trois cordes de sa raquette.* — **2.** *Cordes vocales,* muscles et ligaments du larynx, limitant latéralement l'orifice de la glotte et dont les vibrations sont à l'origine de la voix. — **3.** (sujet nom de personne) *Avoir plus d'une corde à son arc, plusieurs cordes à son arc,* avoir plusieurs moyens de se tirer d'affaire, avoir des ressources variées. ‖ *Toucher la corde sensible de qq'un,* lui parler de ce qui lui tient le plus à cœur. ◆ **corder** v. t. *Corder une raquette,* la garnir de cordes. ◆ **cordes** n. f. pl. Terme collectif désignant les instruments à cordes frottées utilisés dans l'orchestre : violon, alto, violoncelle, contrebasse.

3. CORDE [kɔrd] n. f. (même étym.). **1.** *Math.* Segment de droite joignant deux points d'un cercle, ou d'une courbe quelconque. — **2.** *Prendre un virage à la corde,* suivre le plus court trajet dans un virage, en se tenant le plus près possible du bord de la route.

CORDÉ, E adj., **CORDEAU** n. m., **CORDÉE** n. f., **CORDELETTE** n. f. ⟶ CORDE 1.

CORDELIER [kɔrdəlje] n. m. (de *cordelle,* cordon). Nom anc. donné aux religieux de l'ordre de Saint-François d'Assise (appelés aussi FRÈRES MINEURS et FRANCISCAINS), qui portent à la taille une corde à trois nœuds, symbole de la pauvreté.

Cordeliers *(club des),* club révolutionnaire, fondé par Danton, Marat, Camille Desmoulins, sous le nom de *Société des droits de l'homme et du citoyen* (1790-1794). Il s'installa dans un couvent de cordeliers désaffecté.

CORDELIÈRE n. f., **CORDERIE** n. f. ⟶ CORDE 1.

CORDER v. t., **CORDES** n. f. pl. ⟶ CORDE 2.

CORDES, ch.-l. de cant. du Tarn, à 25 km au N.-O. d'Albi; 1 100 hab. Anc. bastide qui a gardé son aspect médiéval.

1. CORDIAL, E, AUX [kɔrdjal, -djo] adj. (du lat. *cor, cordis,* cœur) [avant ou après le nom]. Se dit de paroles, de gestes, d'attitudes qui expriment avec simplicité une sympathie sincère : *Un accueil cordial* (syn. ↑AMICAL, SYMPATHIQUE). ◆ **cordialement** adv. (syn. ↑AMICALEMENT). ◆ **cordialité** n. f. : *Ses propos témoignaient d'une grande cordialité à notre égard* (syn. SYMPATHIE).

2. CORDIAL [kɔrdjal] n. m. (même étym.). Liqueur tonique, reconstituante.

CORDIER n. m. ⟶ CORDE 1.

CORDILLÈRE [kɔrdijɛr] n. f. (esp. *cordillera*). Chaîne de montagnes : *La cordillère des Andes.*

CÓRDOBA, v. d'Argentine, sur le río Primero; 983 200 hab. Centre industriel. Université.

CORDON [kɔrdɔ̃] n. m. (de *corde*). **1.** Petite corde ou tresse servant à attacher, à suspendre, à tirer, etc. : *Cordon de sonnette Nouer les cordons d'un tablier.* ‖ Fam. *Tenir les cordons de la bourse,* administrer l'argent du ménage, contrôler les dépenses. — **2.** Sorte de corde au moyen de laquelle un concierge ouvrait la porte d'un immeuble. — **3.** Large ruban servant d'insigne à une décoration : *Le grand cordon de la Légion d'honneur.* — **4.** Ligne formée par une suite de personnes ou de choses : *Un cordon de troupe protégeait l'hôtel de ville.* — **5.** *Cordon littoral,* langue de sable formée (dans un golfe ou une baie) de débris déposés par un courant côtier, et qui emprisonne parfois en arrière une nappe d'eau (lagune). ‖ *Cordon ombilical,* vaisseau qui unit le fœtus au placenta de sa mère. ‖ *Cordon sanitaire,* ensemble des postes de surveillance établis aux frontières d'un pays ou autour d'une région où sévit une épidémie, pour l'isoler des territoires voisins. ◆ **cordonnet** n. m. Mince cordon employé en broderie.

CORDON-BLEU [kɔrdɔ̃blø] n. m. *(cordon,* et *bleu).* Cuisinière très habile. ‖ Pl. des *cordons-bleus.*

CORDONNET n. m. ⟶ CORDON.

CORDONNIER, ÈRE [kɔrdɔnje, -ɛr] n. (de l'anc. fr. *cordoan,* cuir de Cordoue). Personne qui répare des chaussures. ◆ **cordonnerie** n. f. Métier, boutique du cordonnier.

CORDOUE, en esp. **Córdoba,** v. de l'Espagne méridionale, en Andalousie, sur le Guadalquivir; 235 600 hab. *(Cordouans).* Produits chimiques. Cordoue fut jadis célèbre pour ses cuirs *(cordouanneries).* L'anc. mosquée, commencée en 785, fut convertie en cathédrale par Charles Quint. Importante colonie romaine, Cordoue fut le siège d'un émirat indépendant de 756 à 1236.

CORÉ ou **PERSÉPHONE.** *Myth. gr.* Déesse des Enfers, fille de Zeus et de Déméter.

CORÉE, péninsule de l'Asie orientale, entre la mer Jaune et la mer du Japon, partagée politiquement en deux États : *Corée du Nord* et *Corée du Sud.*

La Corée a été placée très tôt sous la suzeraineté de la Chine.

- *XIIIe s. apr. J.-C. Occupation par les Mongols.*
- *1392. La dynastie nationale des Li fait de Séoul sa capitale.*

Elle occupe le trône jusqu'à l'époque moderne.

Au XVIIe s., la Corée est placée sous la vassalité chinoise.

- *1876. La Corée s'ouvre au monde moderne en signant un traité de commerce avec le Japon.*
- *1894-1895. Le pays est le théâtre d'un conflit entre le Japon et la Chine qui perd sa suzeraineté sur la Corée.*
- *1910. Le Japon annexe complètement la Corée.*
- *1945. Après la Seconde Guerre mondiale, le pays est occupé par les Alliés, Soviétiques au N., Américains au S.*

La coopération étant impossible entre les deux zones, le pays est partagé en deux États (1948) : la république démocratique populaire de Corée, au N., soutenue par l'U. R. S. S., avec Kim Il-song comme président du Comité central; et la république de Corée, au S., appuyée par les États-Unis, sous la présidence de Syngman Rhee.

- *1950-1953. La guerre de Corée est un des moments les plus graves de la « guerre froide ».*

D'abord victorieux, les Nord-Coréens sont considérés comme les agresseurs de la Corée du Sud par l'O. N. U. Avec l'appui des États-Unis, les Sud-Coréens occupent presque toute la péninsule, mais l'intervention des Chinois permet aux Nord-Coréens de retrouver pratiquement leurs frontières initiales.

- *1960. Syngman Rhee abandonne la présidence.*
- *1961. Un régime militaire dictatorial s'installe en Corée du Sud. Le général Park Chung Hee devient président de la République.*

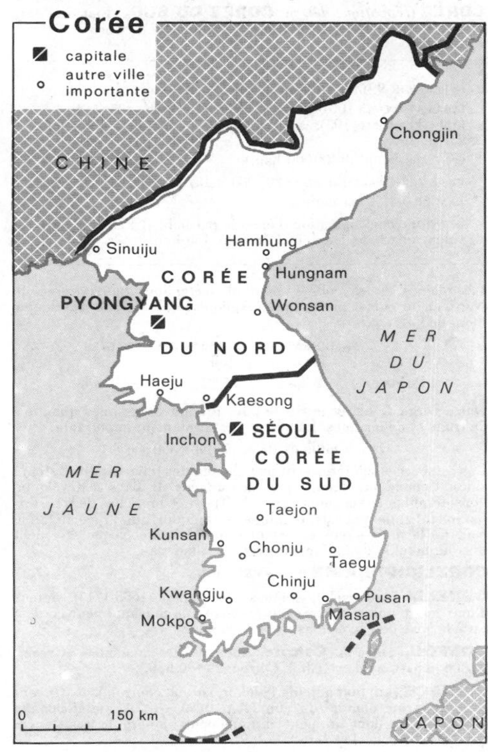

- *1979. Assassinat du président Park Chung Hee.*
- *1980. Le général Chon Too-hwan est élu à la présidence de la République.*
- *1987. Face à une opposition divisée, Roh Tae-woo, candidat officiel, remporte l'élection présidentielle en Corée du Sud et succède (1988) à Chon Too-hwan.*
- *1991. Les deux Corées sont admises à l'O. N. U. Elles signent entre elles un accord de réconciliation et de coopération.*

CORÉE *(république démocratique populaire de)*, ou **CORÉE DU NORD,** État de l'Asie orientale, occupant la partie nord de la péninsule de Corée.

SUPERFICIE 120 500 km² (France : 550 000 km²).
POPULATION 22 500 000 hab. *(Nord-Coréens);* 187 hab. au km² (France : 103); accroissement annuel de population, 2,8 p. 100.
CAPITALE Pyongyang (1 800 000 hab.).
LANGUE OFFICIELLE **coréen.**

Cet État, montagneux, connaît un climat rigoureux en hiver.

	TEMPÉRATURES MOYENNES janv.	juil.	PLUIES
Pyongyang	— 8 °C	24 °C	930 mm

Aussi l'*agriculture* y est-elle peu développée : le sixième des terres seulement est mis en valeur, dans des fermes collectives (blé et riz surtout). La pêche apporte des revenus appréciables.

riz 5 millions de t; pêche 1 600 000 t.

Mais la Corée est un *pays industriel.* Ses ressources minérales sont variées : fer, charbon, or. Associées à l'hydro-électricité, elles ont permis la création d'une industrie métallurgique et chimique, notamment à Pyongyang.

charbon	35 millions de t	électricité	35 milliards de kWh
fer	3,2 millions de t	acier	6,5 millions de t

CORÉE *(république de)*, ou **CORÉE DU SUD,** État de l'Asie orientale occupant la partie sud de la péninsule de Corée.

SUPERFICIE 99 000 km² (France : 550 000 km²).
POPULATION 43 100 000 hab. *(Sud-Coréens);* 435 hab. au km² (France : 103); accroissement annuel de population, 2,4 p. 100.
CAPITALE Séoul (8 400 000 hab.).
VILLE PRINCIPALE Pusan (3 200 000 hab.).
LANGUE OFFICIELLE **coréen.**
ÉCONOMIE consommation d'énergie par hab., 1 400 kg d'équivalent charbon; 1 automobile pour 150 hab.

Les plaines et les collines sont plus étendues qu'en Corée du Nord, et un climat plus doux y explique le plus grand développement de l'*agriculture.*

	TEMPÉRATURES MOYENNES janv.	juil.	PLUIES
Pusan	2 °C	25 °C	1 416 mm

Outre l'orge, le blé et le riz, le pays produit de grandes quantités de fruits et de légumes. La pêche y est également importante.

riz 7,8 millions de t; pêche 2 500 000 t.

Les ressources minières sont peu abondantes (charbon, tungstène, zinc). Cependant, depuis quelques années, le pays a développé considérablement la sidérurgie (13 Mt) et des branches de transformation (chantiers navals, textile, électronique), qui, grâce au faible coût de la main-d'œuvre, ont une compétitivité élevée et jouent un rôle notable dans le commerce international.

CORELIGIONNAIRE n. ⟶ RELIGION.

CORELLI (Arcangelo), compositeur italien (1653-1713), auteur d'une œuvre qui, consacrée entièrement à la musique pour cordes, est à la base de l'école classique du violon.

CORFOU, ancienn. **Corcyre,** une des îles Ioniennes (Grèce); 92 300 hab. *(Corfiotes).* Ch.-l. *Corfou* (29 400 hab.).

CORIACE [kɔrjas] adj. (de l'anc. fr. *coroie*, courroie). **1.** *Aliment coriace*, ferme comme du cuir (syn. DUR). — **2.** Fam. *Personne coriace*, celle dont on peut difficilement vaincre la résistance, l'obstination (syn. ↓TENACE).

CORIANDRE [kɔrjɑ̃dr] n. f. (gr. *koriandron*). Plante à fleurs blanches, dont le fruit sert de condiment et dont l'huile est utilisée en pâtisserie et à divers usages.

CORINDON [kɔrɛ̃dɔ̃] n. m. (mot d'une langue de l'Inde). Pierre fine, la plus dure après le diamant, dont les plus belles variétés sont le *rubis* et le *saphir.*

CORINTHE, en gr. **Korinthos,** port de Grèce sur le *golfe de Corinthe;* 20 800 hab. *(Corinthiens).* — Le *canal de Corinthe* traverse l'isthme du même nom, qui relie le Péloponnèse au reste de la Grèce.

Corinthe fut l'une des cités les plus riches de la Grèce antique. Elle fonda de nombreuses colonies en Grande-Grèce (Italie du Sud) et entretint un commerce actif avec les cités d'Ionie (Asie Mineure).

- *431 av. J.-C. Le soutien fourni par Athènes aux colonies corinthiennes révoltées est une des causes de la guerre du Péloponnèse.*
- *146 av. J.-C. Destruction de Corinthe par les Romains.*
- *44 av. J.-C. César y établit une colonie romaine et en fait la capitale de l'Achaïe.*
- *50-62. Saint Paul évangélise Corinthe.*
- *1458-1821. Corinthe est occupée successivement par les Turcs, les Vénitiens, puis de nouveau par les Turcs.*
- *1821. La ville est rattachée définitivement à la Grèce.*

CORINTHIEN, ENNE [kɔrɛ̃tjɛ̃, -ɛn] adj. et n. De Corinthe. ◆ n. et adj. m. Un des ordres d'architecture, caractérisé par l'emploi de la feuille d'acanthe.

CORIOLAN, en lat. **Caius Marcius Coriolanus,** général romain du Vᵉ s. av. J.-C. Condamné à l'exil malgré ses brillants services, il se tourna contre sa patrie.

Coriolan, drame de Shakespeare (v. 1607).

CORIOLIS (Gaspard), ingénieur et mathématicien français (1792-1843). On lui doit le fameux théorème (qui porte son nom) sur le mouvement relatif. Ce théorème se prête à l'étude des mouvements à la surface de la Terre, compte tenu de la rotation diurne. Ainsi, la rotation de la Terre dévie tous les courants aériens vers la droite sur l'hémisphère Nord et vers la gauche sur l'hémisphère Sud. (⟶ ANTICYCLONE.)

CORK, v. de la république d'Irlande, capit. de la prov. de Munster, sur l'estuaire de la Lee; 128 200 hab.

CORMEILLES-EN-PARISIS, ch.-l. de cant. du Val-d'Oise, à 12 km au N.-O. de Paris; 14 600 hab.

CORMORAN [kɔrmɔrɑ̃] n. m. (de l'anc. fr. *corp*, corbeau, et *marenc*, marin). Oiseau palmipède marin, long de 60 à 80 cm, qui fréquente les côtes rocheuses et les falaises où il construit son nid; il se nourrit de poissons qu'il capture en plongeant. (Famille des phalacrocoracidés.)

CORNAC [kɔrnak] n. m. (portug. *cornaca*). Conducteur d'un éléphant.

CORN BELT, région des États-Unis, s'étendant de l'Ohio au Nebraska, où prédomine la culture du maïs *(corn).*

1. CORNE [kɔrn] n. f. (lat. *cornu*). **1.** Excroissance dure et pointue qui pousse, par paire, sur le front de certains mammifères ruminants : *Les bovidés ont des cornes creuses, les cervidés des cornes ramifiées, ou bois.* — **2.** Excroissance qui surmonte le nez du rhinocéros. — **3.** Excroissance charnue de la tête des escargots, de divers insectes, de la vipère céraste, etc. — **4.** Tout ce qui se termine en pointe comme une corne. — **5.** *Faire les cornes à qq'un*, pointer deux doigts dans sa direction, d'un geste moqueur. ‖ *Faire une corne à une feuille de papier, à une carte de visite*, en replier un coin. ◆ **corner** v. t. *Corner les pages d'un livre*, en replier un ou plusieurs coins. ◆ **cornillon** n. m. Prolongement osseux du crâne de certains ruminants, servant de squelette aux cornes. ◆ **cornu, e** adj. Qui a des cornes. ◆ **encorner** v. t. Percer, blesser à coups de cornes.

2. CORNE [kɔrn] n. f. (de *corne* 1). **1.** Instrument d'appel fait d'une corne d'animal munie d'une anche*. — **2.** Syn. vieilli d'AVERTISSEUR (de voiture). ◆ **corner** v. t. et i. **1.** *Corner qq'un*, donner un coup d'avertisseur pour attirer son attention (vieilli) [syn. KLAXONNER]. — **2.** *Corner une nouvelle, ses intentions*, etc., les répandre à grand bruit, les annoncer de tous côtés.

3. CORNE [kɔrn] n. f. (même étym.) [au sing. seulement]. **1.** Substance dure qui forme le sabot de certains quadrupèdes. — **2.** Callosité de la peau : *Avoir de la corne sous la plante des pieds.* ◆ **corné, e** adj. : *Avoir la peau cornée* (syn. CALLEUX).

CORNE D'OR (la), baie du Bosphore, à Istanbul.

CORNÉ, E adj. ⟶ CORNE 3.

CORNED-BEEF [kɔrnbif] n. m. (mots angl.; de *corned*, salé, et *beef*, bœuf). Conserve de viande de bœuf salée.

CORNÉE [kɔrne] n. f. (lat. *cornea* [*tunica*], [tunique] cornée). Partie antérieure, transparente, du globe oculaire, en forme de calotte sphérique un peu saillante.

CORNEILLE [kɔrnɛj] n. f. (lat. *cornicula*). **1.** Oiseau passereau voisin des corbeaux, mais plus petit, au plumage tout noir ou marqué de gris (corneille mantelée). [Famille des corvidés.] — **2.** *Bayer aux corneilles* ⟶ BAYER.

CORNEILLE (Pierre), poète dramatique français (1606-1684). Avocat au parlement de Rouen, Corneille s'essaie d'abord à la comédie : *la Place Royale* (1634), *l'Illusion comique* (1636).

• *1637. « Le Cid », tragi-comédie inspirée d'une pièce espagnole de Guilhem de Castro, reçoit du public un accueil triomphal, mais suscite une vive querelle littéraire, car elle n'est ni conforme aux règles ni à la vraisemblance.*

Corneille se consacre ensuite aux tragédies « régulières », à la fois tragédies du héros et tragédies politiques (le drame personnel d'un homme est lié au sort d'un État tout entier) : *Horace* (1640), *Cinna* (1640-1641) et *Polyeucte* (1641-1642), tragédie à sujet chrétien. Parvenu au sommet de sa carrière dramatique, Corneille hésite sur la voie à suivre.

• *1643. Retour à la comédie avec « le Menteur »; « Don Sanche d'Aragon » (1649).*

Avec *Rodogune* (1644) et *Héraclius* (1647), Corneille met l'accent sur le pathétique et le dénouement habile d'une intrigue compliquée.

• *1651. « Nicomède », tragédie qui célèbre le triomphe du héros stoïcien.*

Après l'échec de *Pertharite* (1652), Corneille abandonne le théâtre et traduit en vers *l'Imitation de Jésus-Christ* (1651-1656).

• *1659-1674. Les dernières tragédies : « Œdipe » (1659), « Sertorius » (1662), « Tite et Bérénice » (1670), « Suréna » (1674).*

Corneille est le véritable créateur de la tragédie classique. Avec lui, celle-ci cesse d'être le simple récit d'événements successifs pour devenir une étude de caractères. D'extérieur, le drame devient intérieur. L'intrigue, souvent compliquée, place les héros dans des situations extraordinaires où ils sont déchirés entre leur idéal — idéal d'honneur familial chez le Cid, du martyre chrétien chez Polyeucte, du patriotisme dans Horace — et une passion : c'est le *conflit cornélien.* Le plus souvent le devoir l'emporte sur cette passion et les héros sortiront magnifiés de ce choix qui fonde la leçon héroïque de Corneille.

CORNEILLE (Thomas), poète dramatique français (1625-1709), frère de Pierre Corneille. Il composa quarante-trois pièces de théâtre.

CORNÉLIEN, ENNE [kɔrneljɛ̃, -ɛn] adj. (de *Cornelius,* trad. lat. du n. de *Corneille*). **1.** Se dit de l'œuvre de Pierre Corneille, de ce qui est typiquement représentatif de cette œuvre : *Le théâtre cornélien.* — **2.** Se dit d'une situation, d'un débat qui appelle une décision héroïque : *Un conflit cornélien.*

CORNELIUS NEPOS, historien latin (v. 99-v. 24 av. J.-C.).

CORNEMUSE [kɔrnəmyz] n. f. (de *cornemuser,* jouer de la musette). Instrument de musique champêtre, dont la sonorité est proche de celle du hautbois, et qui est formé d'une poche de cuir servant de soufflerie, sur laquelle sont fixés des tuyaux munis d'anches* vibrantes. (Il existe plusieurs types d'instruments de la même famille : *bagpipe, biniou, musette.*)

CORNER v. t. et i. ⟶ CORNE 1 et 2.

CORNER [kɔrnɛr] n. m. (mot angl. signif. *coin*). **1.** Au football, faute d'un joueur qui envoie le ballon derrière la ligne des buts de son équipe. — **2.** Remise en jeu du ballon par l'équipe adverse, à la suite de cette faute.

1. CORNET [kɔrnɛ] n. m. (de *corne*). **1.** Cône de papier contenant des bonbons, des dragées, des frites, des dés, etc. — **2.** Cône de pâtisserie dans lequel on présente une crème glacée.

2. CORNET [kɔrnɛ] n. m. (de *cornet* 1). *Cornet à pistons,* instrument de musique à vent, en cuivre, à embouchure, auquel sont adaptés des pistons et dont la sonorité est intermédiaire entre la trompette et le cor. (Il est très employé dans les harmonies et fanfares.)

CORNETTE [kɔrnɛt] n. f. (de *corne* 1). **1.** Coiffure de tissu portée par certaines religieuses. — **2.** Anc. étendard d'une compagnie de cavalerie.

CORNIAUD ou **CORNIOT** [kɔrnjo] n. m. (de *corne*). Chien bâtard.

1. CORNICHE [kɔrniʃ] n. f. (it. *cornice*). **1.** Moulure en surplomb en haut d'un édifice, d'une armoire, etc. — **2.** Route taillée au flanc d'une paroi abrupte, ou dominant de haut un vaste paysage et partic. la mer.

2. CORNICHE [kɔrniʃ] n. f. (de *cornichon*). *Arg. scol.* Classe préparatoire à Saint-Cyr.

CORNICHON [kɔrniʃɔ̃] n. m. (de *corne*). Petit concombre que l'on fait macérer dans du vinaigre pour servir de condiment.

CORNIÈRE [kɔrnjɛr] n. f. (de *corne*). *Constr.* Pièce d'acier profilée, à deux branches en équerre, utilisée dans les constructions métalliques.

CORNILLON n. m. ⟶ CORNE 1.

CORNIMONT, comm. des Vosges, à 20 km au S. de Gérardmer; 4 600 hab.

CORNIOT n. m. ⟶ CORNIAUD.

CORNISTE n. ⟶ COR 1.

CORNO GRANDE, sommet du massif du Gran Sasso, dans les Abruzzes (Italie); 2 914 m. Station touristique sur ses pentes, d'où Mussolini fut libéré par les Allemands (12 septembre 1943).

CORNOUAILLE, région du sud-ouest de la Bretagne, entre la pointe du Raz et l'embouchure de la Laïta.

CORNOUAILLES, comté d'Angleterre ⟶ CORNWALL.

CORNU, E adj. ⟶ CORNE 1.

CORNUE [kɔrny] n. f. (de *cornu*). **1.** *Chim.* Vase à col étroit et courbé pour la distillation. — **2.** *Industr.* Four pour le même usage.

CORNWALL, en fr. **Cornouailles,** comté de Grande-Bretagne, s'étendant sur la péninsule qui forme le sud-ouest de l'Angleterre; 380 000 hab. Ch.-l. *Truro.*

COROGNE (La), en esp. **La Coruña,** port du nord-ouest de l'Espagne, en Galice; 189 700 hab. Pêche. Raffinerie de pétrole.

COROLLAIRE [kɔrɔlɛr] n. m. (lat. *corollarium,* petite couronne). Ce qui est entraîné comme conséquence nécessaire, ce qui va de pair avec quelque chose. ◆ adj. Se dit de ce qui résulte naturellement de quelque chose, de ce qui s'y rattache : *Transmettre un ordre et les consignes corollaires.* ◆ **corollairement** adv. Comme conséquence nécessaire de ce qui vient d'être dit.

COROLLE [kɔrɔl] n. f. (lat. *corolla,* petite couronne). Ensemble des pétales d'une fleur.

COROMANDEL *(côte de),* partie orientale de la péninsule de l'Inde. C'est une côte basse, parfois lagunaire.

CORON [kɔrɔ̃] n. m. (de l'anc. fr. *cor[n],* angle). Groupe d'habitations ouvrières en pays minier.

CORONAIRE [kɔrɔnɛr] adj. (du lat. *corona,* couronne). *Artères coronaires,* les deux artères qui, partant de l'aorte, apportent au cœur le sang nécessaire à son fonctionnement. ◆ **coronarite** n. f. Inflammation des artères coronaires.

CORONER [kɔrɔnœr] n. m. (mot angl.). Officier de justice dans les pays anglo-saxons (ses fonctions sont limitées à l'enquête sur la cause des morts violentes).

COROT (Jean-Baptiste, Camille), peintre français (1796-1875). Coloriste subtil, il fut surtout un remarquable paysagiste, traduisant avec une extrême justesse l'atmosphère lumineuse des paysages et leur perspective aérienne.

COROZO [kɔrɔzo] n. m. (mot esp.). Substance très dure, tirée des grosses graines d'un arbre de l'Amérique tropicale. (On en fait notamment des boutons.)

CORPORATION [kɔrpɔrasjɔ̃] n. f. (mot angl. signif. *corps constitué*). **1.** Sous l'Ancien Régime, association de personnes exerçant la même profession, et qui était soumise à une réglementation très stricte. ⟶ ENCYCL. — **2.** Ensemble, organisé ou non, des personnes exerçant les diverses activités d'une même profession : *La corporation des bouchers.* ◆ **corporatif, ive** adj. **1.** Propre à une corporation : *Revendications corporatives.* — **2.** *Esprit corporatif,* esprit de solidarité entre les membres d'une même corporation. ◆ **corporativement** adv. ◆ **corporatisme** n. m. Doctrine favorable au groupement des travailleurs en corporations organisées.

— ENCYCL. Apparues au XIe s., les *corporations* comprenaient toute une hiérarchie : *apprentis, compagnons* ou ouvriers salariés; *maîtres* ou patrons, parmi lesquels étaient choisis les *jurés,* chefs de la corporation. Les corporations réglementaient la production (qualité, prix, bénéfices), ainsi que les conditions de travail, pour éviter la concurrence. Au Moyen Âge, elles obtinrent souvent une participation au gouvernement des villes. Au XVIIe s., étroitement contrôlées par Colbert, elles perdirent leur autonomie et dès lors déclinèrent. Elles furent définitivement abolies par la loi d'Allarde, en 1791.

1. CORPS [kɔr] n. m. (lat. *corpus, corporis*). **1.** Partie matérielle d'un être animé, souvent opposée, chez l'homme, à l'âme ou à l'esprit : *La belette a un corps allongé. Faire l'autopsie d'un corps* (syn. CADAVRE). — **2.** Tronc de l'homme, par oppos. à la tête et aux membres. — **3.** *À mi-corps*, jusqu'au milieu du corps. ‖ *Corps et âme*, de tout son être, sans réserve. ‖ *Perdu corps et biens*, se dit d'un bateau qui a sombré avec son équipage. ‖ *Prendre, saisir à bras-le-corps*, saisir quelqu'un de force par le milieu du corps; attaquer résolument les difficultés. ‖ *Un corps à corps* n. m., un combat où l'on frappe directement l'adversaire; une mêlée. ‖ *Se jeter, s'élancer à corps perdu*, de toutes ses forces, sans retenue. ◆ **corporel, elle** adj. Qui concerne le corps humain : *Douleurs corporelles* (syn. PHYSIQUE).

2. CORPS [kɔr] n. m. (même étym.). **1.** Objet, substance considérés dans leur nature matérielle : *Corps solide, liquide.* ‖ *Corps étranger*, substance ne faisant pas partie de l'organisme et qui vient du dehors (projectile) ou s'est constituée sur place (calcul, fragment d'os). ‖ *Corps gras*, substances neutres comprenant les graisses végétales et animales. ‖ *Corps mort*, ancre mouillée à poste fixe, et sur la chaîne de laquelle peuvent s'amarrer les bateaux. ‖ *Corps simples*, corps qui ne peuvent pas être décomposés et ne contiennent qu'un élément chimique : *L'hydrogène est un corps simple.* ‖ *Corps composés*, corps formés par l'union de plusieurs éléments chimiques différents : *L'eau est un corps composé.* — **2.** Partie principale d'une chose : *Les remarques sont dispersées dans le corps de l'ouvrage.* ‖ *Corps de bâtiment*, ensemble de constructions formant le bâtiment principal d'une propriété. — **3.** *Math.* ⟶ ENCYCL. — **4.** *Donner corps à qqch.*, faire en sorte que ce ne soit pas une idée sans rapport avec la réalité. ‖ *Faire corps avec*, adhérer à, être solidaire de (syn. FAIRE BLOC AVEC). ‖ (sujet généralement nom abstrait) *Prendre corps*, commencer à s'organiser, à se préciser; devenir cohérent, consistant : *Un projet qui prend corps* (syn. SE CONCRÉTISER, PRENDRE FORME). ◆ **corpuscule** n. m. Très petite particule de matière. (⟶ INCORPORER.)
— ENCYCL. Un *corps*, ou *champ* (d'après l'angl. *field*), est un ensemble E muni de deux lois* de composition interne (usuellement notées + et ×, appelées *addition* et *multiplication*) et vérifiant les propriétés suivantes :
(E, +) est un groupe* commutatif, d'élément neutre noté 0;
la loi × est associative*;
elle est distributive* par rapport à la loi +;
elle possède un élément* neutre (noté 1 et appelé *unité*);
elle est telle que tout élément non nul de E possède un inverse* (symétrique* pour la loi ×).

Le corps est *commutatif* si la loi × est commutative; on note (E, +, ×) le corps.

Un corps est un cas particulier d'anneau*.

Exemples : $(\mathbb{Q}, +, \times)$ corps commutatif des nombres rationnels; $(\mathbb{R}, +, \times)$ corps commutatif des nombres réels; $(\mathbb{Z}, +, \times)$ anneau commutatif des entiers relatifs n'est pas un corps car, par exemple, 3 n'admet pas d'inverse dans $\mathbb{Z}$.

Corps ordonné : soit (E, +, ×) un corps tel que E soit muni d'une relation* d'ordre, notée $\leqslant$. Le corps $(E, +, \times, \leqslant)$ est *ordonné* si :
$\leqslant$ est une relation d'ordre *total* sur E (si deux éléments quelconques de E sont comparables par $\leqslant$);
quels que soient les éléments *a*, *b* et *c* de E,

si $a \leqslant b$, alors $a + c \leqslant b + c$,
si $0 \leqslant a$ et $0 \leqslant b$, alors $0 \leqslant ab$.

Exemples : $(\mathbb{R}, +, \times, \leqslant)$ corps ordonné des nombres réels; $(\mathbb{Q}, +, \times, \leqslant)$ corps ordonné des nombres rationnels.

3. CORPS [kɔr] n. m. (même étym.). **1.** Ensemble de personnes appartenant à une même catégorie professionnelle, jouant le même rôle politique, etc. ‖ *Corps constitués*, les divers tribunaux ou administrations établis par la Constitution. ‖ *Corps diplomatique*, ensemble des représentants des États étrangers auprès d'un gouvernement. ‖ *Corps électoral*, l'ensemble des électeurs d'un pays. ‖ *Corps enseignant*, l'ensemble des professeurs. ‖ *Les grands corps de l'État*, les organes supérieurs de l'Administration et de la Justice. ‖ *Corps législatif*, assemblée élue, chargée de voter les lois sous le Consulat, le premier et le second Empire. ‖ *Corps de métier*, corporation. — **2.** *Esprit de corps*, solidarité entre les membres d'une même profession, d'une même corporation. (⟶ CORPORATION.) — **3.** Nom donné à divers éléments d'une armée, dotés d'une certaine autonomie : *Corps d'armée* (= grande unité militaire comprenant plusieurs divisions). ‖ *Corps franc*, groupe de volontaires, d'effectif limité, constitué pour des opérations isolées. (On dit auj. COMMANDO.) ‖ *Corps de garde*, groupe de soldats assurant la garde d'un bâtiment militaire; le local où se tient cette troupe. ‖ *Corps de troupe*, unité s'administrant d'une façon indépendante (régiment, bataillon). — **4.** Réunion de choses de même sorte, d'ouvrages ou de textes appartenant au même domaine; ensemble de règles, de principes : *Corps de doctrine.*

CORPULENCE [kɔrpylɑ̃s] n. f. (lat. *corpulentia*). Grandeur et grosseur du corps humain : *Une personne de forte corpulence.* ◆ **corpulent, e** adj. Ample de corps (syn. GROS; contr. MINCE).

CORPUS CHRISTI, port du sud des Etats-Unis (Texas), sur le golfe du Mexique; 167 700 hab. Raffinage de pétrole et pétrochimie.

CORPUSCULE n. m. ⟶ CORPS 2.

CORRAL [kɔral] n. m. (mot esp.). Enclos où l'on enferme les bœufs et les chevaux en Amérique latine et dans le sud des États-Unis.

CORRASION [kɔrazjɔ̃] n. f. (du lat. *corradere*, enlever en raclant). Travail d'usure qu'accomplit dans les régions désertiques le vent chargé de sable.

CORRECT, E [kɔrɛkt] adj. (lat. *correctus*). **1.** Se dit d'une chose qui ne contient pas de fautes, qui est conforme aux règles, à la normale : *Une phrase correcte* (contr. FAUTIF). *Calcul correct* (syn. EXACT, JUSTE). — **2.** Se dit d'une chose qui est d'une qualité moyenne : *Un devoir correct* (syn. ACCEPTABLE). — **3.** Se dit d'une personne (ou de son comportement) qui respecte les bienséances, les convenances : *Tenue correcte. Une attitude correcte.* ◆ **incorrect, e** [ɛ̃kɔrɛkt] adj. Contr. de CORRECT aux sens 1 et 3 : *L'erreur résulte d'une lecture incorrecte* (syn. DÉFECTUEUX, MAUVAIS [placé avant le nom]). *Des propos incorrects* (syn. INCONVENANT, MALSÉANT). ◆ **correctement** adv. Sens 1, 2, 3 de l'adj. ◆ **incorrectement** adv. ◆ **correction** n. f. Qualité d'une chose ou d'une personne correcte. ◆ **incorrection** n. f. **1.** Faute contre la grammaire : *Un texte plein d'incorrections.* — **2.** Faute contre les bienséances; état d'une personne qui commet de telles fautes : *Ce retard est une grave incorrection.*

CORRECTEUR, TRICE n., **CORRECTIF, IVE** adj. et n. m. ⟶ CORRIGER 1.

CORRECTION n. f. ⟶ CORRECT et CORRIGER 1 et 2.

CORRECTIONNEL, ELLE [kɔrɛksjɔnɛl] adj. (de *correction*). *Tribunal correctionnel*, ou *correctionnelle* n. f., tribunal qui juge les délits*.

CORRÈGE (Antonio ALLEGRI, dit **le**), peintre italien (v. 1489-1534). De tempérament passionné, il eut pour thème privilégié la femme, lui prêtant dans ses compositions religieuses des sentiments profanes. Sa sensualité aimable s'exprime plus librement dans les scènes mythologiques, où les figures voluptueuses, harmonieusement groupées, baignent dans une lumière diffuse et argentée. Dans ses compositions destinées aux églises, il réussit, dans le raccourci et dans la perspective, des tours de force qui annoncent le baroque.

CORREGIDOR, île des Philippines, à l'entrée de la baie de Manille. Les troupes de MacArthur y résistèrent plusieurs mois aux Japonais avant de l'évacuer (1941-1942). Elle fut réoccupée par les Américains en février 1945.

CORRÉLATION [kɔrelasjɔ̃] n. f. (lat. *correlatio*). **1.** Relation réciproque entre deux choses. — **2.** *Gramm.* Rapport de deux termes dont l'un appelle logiquement l'autre : *« Trop » est en corrélation avec « pour » dans « trop poli pour être honnête ».* ◆ **corrélatif, ive** adj. et n. m. **1.** Se dit de choses qui sont en corrélation : *L'effet et la cause sont corrélatifs.* — **2.** *Gramm.* Se dit des termes indiquant une relation entre deux membres d'une phrase, comme *tel... que, trop... pour*, et plus spécialem. du premier de ces deux termes.

CORRESPONDANCE n. f., **CORRESPONDANT, E** adj. et n. ⟶ CORRESPONDRE 1 et 2.

1. CORRESPONDRE [kɔrɛspɔ̃dr] v. t. ind. (lat. *correspondere*). [Conj. **51.**] **1.** (sujet nom de chose ou d'être animé) *Correspondre à qqch., à qq'un*, être approprié à ses qualités, conforme à un état de fait : *Il a trouvé un emploi qui correspond à ses capacités. Cette nouvelle rubrique correspond au désir exprimé par les lecteurs* (syn. RÉPONDRE). — **2.** (sujet nom de chose) *Correspondre à qqch.*, être dans un rapport de symétrie avec lui, en être l'homologue : *Le grade de lieutenant de vaisseau dans l'armée de mer correspond à celui de capitaine dans l'armée de terre* (syn. ÉQUIVALOIR). — **3.** (sujet nom de chose) *Correspondre à qqch.*, lui être relié, être en relation avec lui : *La pédale qui correspond au frein* (syn. COMMANDER). ◆ v. i. ou **se correspondre** v. pr. **1.** (sujet nom de chose) Être en communication, permettre l'accès de l'un à l'autre : *Un appartement dont les pièces correspondent* (syn. COMMUNIQUER). — **2.** Être en concordance d'horaire : *Deux trains qui correspondent.* ◆ **correspondance** n. f. **1.** Rapport de conformité, de symétrie : *La correspondance de leurs goûts les rapproche* (syn. AFFINITÉ). *Correspondances entre les couleurs et les sons* (syn. HARMONIE). — **2.** Math. *Correspondance entre un ensemble E et un ensemble F*, relation binaire de E vers F. (⟶ RELATION* BINAIRE.) — **3.** Communication établie entre plusieurs lieux : *Correspondance ferroviaire entre deux villes.* — **4.** Concordance d'horaire entre deux moyens de transport. — **5.** Moyen de transport qui assure la liaison avec un autre : *La correspondance passe à huit heures.* ◆ **correspondant, e** adj. : *Se procurer une arme à feu et les munitions correspondantes.*

2. CORRESPONDRE [kɔrɛspɔ̃dr] v. t. ind. ou i. (même étym.). [Conj. **51.**] (Sujet nom de personne.) *Correspondre avec* *qq'un*, entretenir avec lui des relations par lettre ou par téléphone. ◆ **correspondance** n. f. **1.** Action de s'entretenir par l'intermédiaire des lettres, du téléphone, etc.; échange de lettres. — **2.** Ensemble des lettres reçues ou adressées : *Lire sa correspondance* (syn. COURRIER). — **3.** Chronique adressée par le correspondant d'un journal. — **4.** *Carnet de correspondance*, carnet sur lequel figurent les notes d'un élève, les observations des professeurs, et qui doit être signé de ses parents. ◆ **correspondant, e** n. **1.** Personne avec qui on est en relation épistolaire, téléphonique, etc. — **2.** Personne chargée de veiller sur un élève interne. — **3.** Collaborateur local d'un journal, chargé de fournir les informations qu'il recueille au lieu où il se trouve.

CORRÈZE (La), riv. du Massif central, qui arrose le dép. de la Corrèze, passe à Tulle, Brive-la-Gaillarde, et rejoint la Vézère (r. g.); 85 km.

CORRÈZE (19), dép. de l'ouest du Massif central (région Limousin); 5 857 km²; 241 500 hab. (63 au km²) [France : 103]. Ch.-l. *Tulle.*

ADMINISTRATION. 3 arrond. (*Brive-la-Gaillarde*, 119 200 hab. ; *Tulle*, 84 300 hab.; *Ussel*, 38 000 hab.). / 37 cant. / 286 comm.

Ce département s'étend essentiellement sur la partie la plus élevée du Limousin (plateau de Millevaches). Le climat, humide, est rude en hiver. La vie se concentre dans les vallées de la Corrèze et de la Dordogne, qui descendent vers l'Aquitaine et où se situent les principales villes : Brive et Tulle, sur la Corrèze, Argentat, sur la Dordogne.

La médiocrité des conditions naturelles explique la faiblesse du peuplement. L'*agriculture* est encore l'activité principale : elle emploie environ 25 p. 100 de la population active; l'élevage domine sur les hauteurs et les cultures se réfugient dans les parties basses (bassin de Brive).

L'*Industrie*, peu développée, occupe à peine le tiers de la population active. Outre la production d'électricité hydraulique, elle est orientée vers les constructions mécaniques, l'alimentation.

Le *secteur tertiaire* (= bureaux, commerce, etc.) est aussi peu important. Presque tous les cantons ruraux ont enregistré récemment une diminution de leur population.

CORRIDA [kɔrida] n. f. (mot esp. signif. *course*). **1.** Course de taureaux. — **2.** *Fam.* Agitation tumultueuse.

CORRIDOR [kɔridɔr] n. m. (it. *corridore*). Passage étroit qui met en communication plusieurs pièces d'un même appartement ou plusieurs logements situés au même étage (syn. COULOIR).

1. CORRIGER [kɔriʒe] v. t. (lat. *corrigere*). **1.** (sujet nom de personne) *Corriger qqch.*, en faire disparaître les défauts, les erreurs : *Corriger un tir* (syn. RECTIFIER). *Corriger son jugement* (syn. RÉVISER, REVOIR). *Corriger un devoir* (= en relever les fautes et l'apprécier, le noter). — **2.** (sujet nom de chose) *Corriger qq'un*, atténuer ou éliminer un de ses défauts : *Si cette mésaventure pouvait le corriger de son inexactitude!* ◆ **se corriger** v. pr. **1.** (sujet nom désignant un défaut) Disparaître par l'effort volontaire de la personne elle-même : *Sa paresse commence à se corriger.* — **2.** (sujet nom de personne) Faire disparaître un défaut par une action persévérante : *Il était très coléreux, mais il s'est corrigé* (syn. S'AMÉLIORER). ◆ **corrigé** n. m. **1.** Solution type, modèle de devoir rédigé. — **2.** Ouvrage donnant les solutions des exercices contenus dans le livre destiné à l'élève. ◆ **corrigible** adj. Se dit d'un défaut qu'il est possible de corriger (surtout dans des express. négatives ou restrictives). ◆ **incorrigible** adj. (avant ou après le nom). Se dit d'une personne ou d'un défaut qu'on ne peut pas corriger : *Une paresse incorrigible.* ◆ **incorrigiblement** adv. ◆ **correcteur, trice** n. Personne qui corrige des devoirs, des épreuves d'imprimerie. ◆ **correctif, ive** adj. Qui vise à corriger : *Gymnastique corrective.* ◆ n. m. Parole, acte qui constitue une mise au point, qui corrige un excès, une maladresse (syn. NUANCE, RECTIFICATIF). ◆ **correction** n. f. **1.** Action de corriger une chose ou une personne : *La correction d'une erreur* (syn. RECTIFICATION). — **2.** Amélioration apportée à un écrit : *Un manuscrit chargé de corrections.*

2. CORRIGER [kɔriʒe] v. t. (même étym.) [sujet nom de personne]. *Corriger qq'un*, le punir corporellement (syn. CHÂTIER). ◆ **correction** n. f. : *Recevoir une correction.*

CORROBORER [kɔrɔbɔre] v. t. (lat. *corroborare*, fortifier). *Corroborer une hypothèse, une opinion, un fait*, etc., leur donner plus de crédit, en confirmer le bien-fondé, la véracité : *Le récit du témoin corrobore les déclarations de la victime* (syn. CONFIRMER; contr. INFIRMER). ◆ **corroboration** n. f.

CORRODER [kɔrɔde] v. t. (lat. *corrodere*). *Corroder une matière*, la détruire progressivement par une action chimique (syn. plus usuel ATTAQUER, RONGER). ◆ **corrosif, ive** adj. **1.** Se dit d'une substance qui a la propriété de ronger, de détruire, spécialement les tissus organiques, ou de causer une vive irritation de la peau. — **2.** Se dit de quelqu'un dont les remarques, les critiques sont mordantes (littér.). ◆ **corrosion** n. f. Sens 1 de l'adj.

CORROMPRE [kɔrɔ̃pr] v. t. (lat. *corrumpere*). [Conj. **53.**] **1.** *Corrompre qqch.* (nom concret), en causer l'altération, le rendre impropre à l'utilisation : *La chaleur risquait de corrompre les aliments* (syn. GÂTER, POURRIR). — **2.** *Corrompre qqch.* (nom abstrait), en altérer la pureté : *Corrompre les cœurs* (syn. DÉPRAVER). — **3.** *Corrompre qq'un*, le détourner de son devoir, le porter à l'immoralité : *Socrate fut accusé de corrompre les jeunes gens* (syn. PERVERTIR); obtenir par de l'argent, des cadeaux, etc. qu'il agisse malhonnêtement : *Corrompre un juge* (syn. ACHETER, SOUDOYER). ◆ **corrupteur, trice** adj. et n. Sens 2 et 3 de

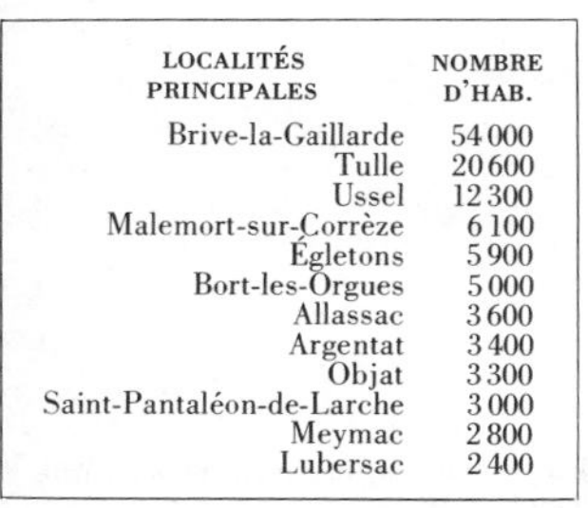

LOCALITÉS PRINCIPALES	NOMBRE D'HAB.
Brive-la-Gaillarde	54 000
Tulle	20 600
Ussel	12 300
Malemort-sur-Corrèze	6 100
Égletons	5 900
Bort-les-Orgues	5 000
Allassac	3 600
Argentat	3 400
Objat	3 300
Saint-Pantaléon-de-Larche	3 000
Meymac	2 800
Lubersac	2 400

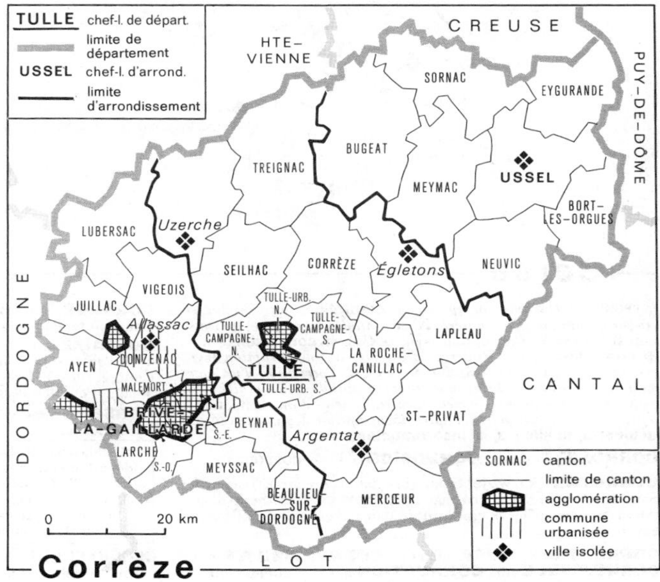

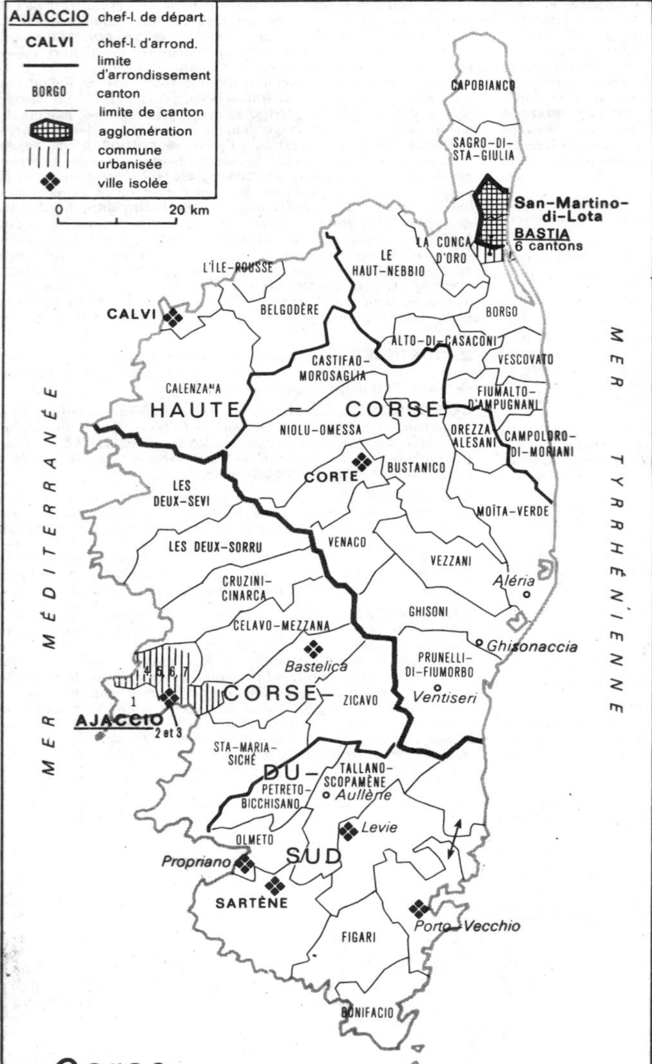

Corse

Haute-Corse	
LOCALITÉS PRINCIPALES	NOMBRE D'HAB.
Bastia	45 100
Corte	5 400
Calvi	3 600
Borgo	3 400
Ghisonaccia	3 300
Ville-de-Pietrabugno	2 800
Lucciana	2 700
L'Île-Rousse	2 650
Aléria	2 400

Corse-du-Sud	
LOCALITÉS PRINCIPALES	NOMBRE D'HAB.
Ajaccio	55 300
Porto-Vecchio	8 100
Sartène	3 200
Propriano	3 100
Bonifacio	2 700

CORROMPRE : *Un livre corrupteur.* ◆ **corruptible** adj. Sujet à se laisser corrompre : *Des matériaux corruptibles* (syn. usuel PUTRESCIBLE). *Un employé corruptible* (syn. VÉNAL). ◆ **corruptibilité** n. f. ◆ **corruption** n. f. : *Préserver des fruits de la corruption* (syn. POURRISSEMENT). *La corruption des mœurs. Corruption d'un juge.* ◆ **incorruptible** adj. : *Une matière incorruptible à l'humidité* (syn. usuel IMPUTRESCIBLE). *Un cœur incorruptible* (= d'une honnêteté à toute épreuve). *Un fonctionnaire incorruptible* (syn. ↓INTÈGRE). ◆ **incorruptibilité** n. f. ◆ **incorruptiblement** adv.

CORROSIF, IVE adj., **CORROSION** n. f. ⟶ CORRODER.

CORROYER [kɔrwaje] v. t. (bas lat. *conredare*). [Conj. **3.**] Soumettre les cuirs au corroyage. ◆ **corroyage** n. m. Série d'opérations par lesquelles le cuir brut de tannage est amené à l'état de cuir fini.

CORRUPTEUR, TRICE adj. et n., **CORRUPTIBILITE** n. f., **CORRUPTIBLE** adj., **CORRUPTION** n. f. ⟶ CORROMPRE.

CORSAGE [kɔrsaʒ] n. m. (de *corps*). Vêtement ou partie du vêtement féminin couvrant le buste.

CORSAIRE n. m. (it. *corsaro*). Autref., capitaine d'un navire qui, avec l'autorisation de son gouvernement, chassait et tentait de capturer des navires d'autres nationalités; le navire lui-même. ◆ adj. *Pantalon corsaire*, pantalon étroit s'arrêtant au mollet.

CORSE, île française de la Méditerranée; 8 680 km². Ch.-l. *Ajaccio* et *Bastia*.

ADMINISTRATION. Depuis 1975, la Corse est divisée en deux départements : la *Haute-Corse* (ch.-l. *Bastia;* 3 arrond. : *Bastia* [85 200 hab.]; *Calvi* [14 900 hab.]; *Corte* [31 500 hab.]; 30 cant./236 comm.) et la *Corse-du-Sud* (ch.-l. *Ajaccio;* 2 arrond. : *Ajaccio* [78 200 hab.]; *Sartène* [30 400 hab.]; 22 cant./124 comm.).

GÉOGRAPHIE. L'altitude dépasse le plus souvent 1 000 m dans la partie centrale de l'île et ne descend au-dessous de 200 m que sur une étroite bande littorale, élargie seulement dans l'Est (plaine d'Aléria) et le Sud. Le relief élevé explique la fréquente abondance des précipitations; la latitude méridionale est responsable de leur répartition (sécheresse de l'été) et aussi de la douceur des températures sur le littoral.

L'*agriculture* emploie près de 20 p. 100 de la population active. L'élevage, celui des moutons essentiellement, est pratiqué dans la montagne; la vigne est assez répandue dans la plaine orientale, ainsi que les cultures fruitières (agrumes). L'*industrie* occupe également le quart de la population active.

L'importance du *secteur tertiaire* est liée en partie au tourisme, surtout estival, qui est devenu une des ressources essentielles de l'île (régions d'Ajaccio, Calvi et Porto-Vecchio, notamment). Toutefois, c'est une activité encore saisonnière et locale, concernant essentiellement les littoraux, qui ne peut empêcher une émigration résultant de la faiblesse de l'industrialisation.

HISTOIRE. Occupée dès la préhistoire, la Corse fut colonisée par les Romains au IIIe s. av. J.-C. Après la ruine de l'Empire romain, l'insécurité favorise le morcellement de l'autorité.

- *1077-1123. L'administration de l'île est confiée à l'archevêque de Pise.*

Les Pisans sont supplantés par la république de Gênes, à laquelle le sort de la Corse sera lié de la fin du XIVe s. au XVIIIe s.

- *XVIIIe s. Paoli lutte pour l'indépendance corse, mais ne peut empêcher la cession de l'île à la France (1768).*
- *1769. Naissance à Ajaccio de Napoléon Bonaparte.*
- *1789. L'Assemblée nationale constituante décrète que l'île fait partie intégrante de la France.*
- *1796. Bonaparte étouffe une tentative de sécession de Paoli.*
- *Septembre 1943. Libération de la Corse par les résistants et les troupes françaises venues d'Afrique du Nord.*
- *Août 1975. Des violences à Aléria sont suivies par le développement des tendances autonomistes et indépendantistes.*
- *1982. La Corse est érigée en Région administrative pourvue d'une assemblée régionale.*
- *1991. Elle devient une collectivité territoriale à statut particulier.*

CORSE [kɔrs] adj. et n. De la Corse. ◆ n. m. Langue, proche de l'italien, parlée en Corse.

CORSE *(cap)*, péninsule de la Corse, formant l'extrémité septentrionale de l'île. Vignobles.

CORSÉ, E adj. → CORSER.

CORSELET [kɔrsəlɛ] n. m. (de *corps*). Chez les coléoptères, premier anneau du thorax, qui porte une paire de pattes.

CORSER [kɔrse] v. t. (de *corps*). **1.** *Corser qqch.* (difficulté, histoire, etc.), lui donner de la force, de l'intérêt, une vigueur parfois excessive : *Corser un récit de quelques détails inventés.* — **2.** *Corser un repas*, le rendre plus copieux. ◆ **se corser** v. pr (sujet nom de chose). Se compliquer, prendre un tour nouveau : *L'affaire se corse.* ◆ **corsé, e** adj. **1.** Qui a un goût relevé : *Vin corsé, sauce corsée.* — **2.** Plantureux, copieux : *Repas corsé.* — **3.** Qui contient des détails scabreux : *Histoire corsée.* — **4.** Qui est d'importance : *Affaire corsée.*

CORSET [kɔrsɛ] n. m. (de *corps*). Sous-vêtement féminin baleiné qui enserre et maintient le buste. ◆ **corseter** v. t. Serrer dans un corset. ◆ **corsetier, ère** n. Personne qui fabrique des corsets.

CORTE, ch.-l. d'arrond. de la Haute-Corse, dans le centre de l'île; 5 446 hab. *(Cortenais).* Citadelle. Université.

CORTÈGE [kɔrtɛʒ] n. m. (it. *corteggio*). **1.** Suite de personnes qui en accompagnent une autre ou qui défilent sur la voie publique (syn. DÉFILÉ, ESCORTE). — **2.** Ensemble de choses qui vont de pair avec une autre : *La guerre amène avec elle tout un cortège de misères* (syn. ACCOMPAGNEMENT).

CORTEMAGGIORE, comm. d'Italie, en Émilie; 5 700 hab. Exploitation de méthane surtout et de pétrole.

CORTES [kɔrtɛs] n. f. pl. (mot esp.). Assemblées chargées, dans les États ibériques, de discuter les lois et de voter l'impôt.

CORTÉS (Hernán), conquistador espagnol (1485-1547).

- *1518. Venu de Cuba, il part à la conquête du Mexique.*
- *1519. Il débarque sur la côte du golfe du Mexique.*
- *1519-1524. Sanglante conquête de l'empire aztèque dirigé par Moctezuma. Prise et destruction de Tenochtitlán (Mexico). Cortés devient gouverneur général des pays conquis qui prennent le nom de « Nouvelle-Espagne ».*

En 1540, Cortés rentre en Espagne. Mais son ambition inquiète la Cour et il finit ses jours dans la disgrâce.

CORTEX [kɔrtɛks] n. m. (mot lat. signif. *écorce*). Anat. **1.** *Cortex cérébral*, syn. de ÉCORCE CÉRÉBRALE. — **2.** *Cortex surrénal*, partie périphérique de la glande surrénale. ◆ **cortical, e, aux** adj. **1.** Relatif au cortex cérébral : *Cellules corticales.* — **2.** Relatif à la corticosurrénale : *Hormones corticales.* ◆ **corticosurrénale** adj. et n. f. Se dit d'une glande endocrine constituée par la région périphérique (écorce) de la capsule surrénale : *Les hormones produites par la corticosurrénale sont les corticostéroïdes.*

CORTINA D'AMPEZZO, comm. de l'Italie du Nord, en Vénétie, dans les Dolomites; 7 900 hab. Centre touristique (alt. 1 224-3 000 m).

CORTISONE [kɔrtizɔn] n. f. (mot angl.). Une des hormones sécrétées par le cortex surrénal, recréée synthétiquement depuis 1943. (La cortisone et ses dérivés sont employés notamment dans le cas d'insuffisance surrénale, les rhumatismes, l'asthme et certaines maladies du sang.)

CORTON [kɔrtɔ̃] n. m. (d'*Aloxe-Corton*). Vin de Bourgogne récolté dans la commune d'Aloxe-Corton (Côte-d'Or).

CORTONE (Pierre DE), peintre et architecte italien (1596-1669). Un des plus éminents représentants du style baroque à Rome, il s'affirma comme un remarquable décorateur, notamment au palais Pitti, à Florence.

CORVÉE [kɔrve] n. f. (du lat. *corrogare*, inviter). **1.** Travail gratuit qui était dû par le paysan à son seigneur. → ENCYCL. — **2.** Travaux d'entretien, de cuisine exécutés par des soldats, les membres d'une communauté. — **3.** Tâche ennuyeuse, pénible ou rebutante imposée à quelqu'un. ◆ **corvéable** adj. *Taillable et corvéable à merci*, se dit, par allus. à la situation des serfs au Moyen Âge, d'une personne qu'un supérieur peut soumettre à toutes sortes d'obligations.

— ENCYCL. Les paysans devaient assurer gratuitement l'entretien et l'exploitation des domaines seigneuriaux en échange du droit d'exploitation de leurs terres. Les *corvées*, l'une des formes de l'imposition seigneuriale, assuraient la mise en valeur de la terre réservée au seigneur, le transport des produits et l'entretien des outils de travail, des constructions, des fossés, etc. À l'époque franque, les corvées étaient lourdes : le serf était *corvéable à merci.* Plus tard, la corvée se réduisit à quelques jours par an pour des travaux d'intérêt général. À partir de Louis XIV, les paysans soumis à la taille devaient au roi un certain nombre de jours par an pour la construction et l'entretien des routes : ce fut la *corvée royale.* Les corvées seigneuriales ou royales furent abolies par la Constituante (nuit du 4 août 1789 et loi du 15 mars 1790).

CORVETTE [kɔrvɛt] n. f. (de l'anc. néerl. *korver*, bateau chasseur). **1.** Anc. navire de guerre intermédiaire entre le brick et la frégate. — **2.** Auj., petit bâtiment chasseur de sous-marins ou escorteur. — **3.** *Capitaine de corvette*, officier de marine de grade équivalent à celui de commandant dans l'armée de terre. (→ GRADE 2.)

CORVIDÉS [kɔrvide] n. m. pl. (du lat. *corvus*, corbeau). Famille d'oiseaux passereaux de grande taille, comprenant toutes les espèces de *corbeaux*, la *pie*, le *geai*, le *casse-noix.*

CORVISART (Jean), médecin français (1755-1821). Premier médecin de Napoléon, il vulgarisa la méthode de la percussion* dans les affections de la poitrine.

CORYMBE [kɔrɛ̃b] n. m. (gr. *korumbos*). *Bot.* Inflorescence où les pédoncules sont de longueur inégale, mais où toutes les fleurs sont à peu près sur un même plan. (Ex. : *pommier.*)

CORYPHÉE [kɔrife] n. m. (gr. *koruphaios*). Chef de chœur, dans le théâtre grec.

CORYZA [kɔriza] n. m. (gr. *koruza*, écoulement nasal). Inflammation de la muqueuse des fosses nasales, dite RHUME DE CERVEAU.

COS, île grecque du Dodécanèse (Sporades du Sud), près de la côte de Turquie; 19 000 hab.

COSAQUES, populations nomades installées à partir du XVe s. dans les steppes de la Russie méridionale. Organisés militairement en circonscriptions territoriales dirigées par un *hetman* élu, les Cosaques formèrent plusieurs groupes, dont les principaux sont les *Cosaques du Dniepr* et les *Cosaques du Don.*

COSENZA, v. d'Italie, en Calabre; 102 100 hab.

Cosi fan tutte, opéra bouffe en 2 actes, livret de Da Ponte, musique de W. A. Mozart (1790).

COSIGNATAIRE adj. et n. → SIGNER 1.

COSINUS [kɔsinys] n. m. *(co-,* et *sinus).* Math. *Cosinus d'un nombre* → TRIGONOMÉTRIE.

COSMÉTIQUE [kɔsmetik] adj. et n. m. (gr. *kosmêtikos*, relatif à la parure). **1.** Substance ou préparation utilisée en cosmétologie. — **2.** Produit capillaire servant à fixer la chevelure. ◆ **cosmétologie** n. f. Étude de tout ce qui se rapporte à la préparation et à l'application des produits de beauté.

COSMIQUE adj. → COSMOS 1 et 2.

COSMODROME n. m., **COSMONAUTE** n. → COSMOS 2.

COSMOGONIE n. f., **COSMOGONIQUE** adj., **COSMOGRAPHIE** n. f., **COSMOGRAPHIQUE** adj. → COSMOS 1.

COSMOPOLITE [kɔsmɔpɔlit] adj. (gr. *kosmopolitês*, citoyen du monde). **1.** Se dit d'un groupe, d'un lieu où se trouvent des personnes de nationalités très diverses : *Un quartier cosmopolite.* — **2.** Se dit d'une personne qui a vécu dans de nombreux pays, ou qui aime à vivre dans des pays différents. ◆ **cosmopolitisme** n. m. : *Le cosmopolitisme d'un port, d'un artiste.*

1. COSMOS [kɔsmos] n. m. (mot gr. signif. *monde*). L'univers, considéré comme un ensemble organisé obéissant à des lois. ◆ **cosmique** adj. **1.** Relatif à l'ensemble des astres constituant l'univers : *Les lois cosmiques.* — **2.** Qui a des proportions fantastiques : *Un bouleversement cosmique.* ◆ **cosmogonie** n. f. Théorie visant à expliquer la formation de l'univers. ◆ **cosmogonique** adj. : *Le système cosmogonique de Laplace.* ◆ **cosmographie** n. f. Partie de l'astronomie consacrée à la description de l'univers. ◆ **cosmographique** adj.

2. COSMOS [kɔsmos] n. m. (même étym.). Immensité de l'univers hors de l'atmosphère terrestre : *Une fusée qui se perd dans le cosmos* (syn. ESPACE). ◆ **cosmique** adj. Relatif à l'espace que la science cherche à découvrir, hors de l'atmosphère terrestre : *Vaisseau cosmique* (syn. SPATIAL). ‖ *Rayons cosmiques*, rayonnement complexe, de grande énergie, qui, en traversant l'atmosphère, produit une ionisation de l'air par arrachement d'électrons aux atomes. ◆ **cosmodrome** n. m. Terrain de lancement ou d'atterrissage des engins spatiaux. ◆ **cosmonaute** n. Membre de l'équipage d'un engin spatial.

COSNE-COURS-SUR-LOIRE, anciennn. **Cosne-sur-Loire,** ch.-l. d'arrond. de la Nièvre, sur la Loire (r. dr.), à 41 km au S.-E. de Gien; 12 650 hab. *(Cosnois).* Métallurgie.

1. COSSE [kɔs] n. f. (lat. *cochlea*, coquille d'escargot). Enveloppe renfermant les graines de certaines légumineuses : *Cosse de pois.* ◆ **écosser** v. t. Dépouiller de sa cosse : *Écosser des haricots.*

2. COSSE [kɔs] n. f. (néerl. *kous*, anneau). Languette métallique placée à l'extrémité d'un conducteur électrique et destinée à établir le contact.

COSSU, E [kɔsy] adj. (de *cosse* 1). Se dit d'une personne qui vit dans une large aisance, ou de ce qui révèle cette aisance : *Un intérieur cossu* (syn. ↓AISÉ).

COSTA (Lúcio), architecte brésilien, né en 1902. Il fut chargé, en 1956, d'établir le plan d'urbanisme de Brasília.

COSTA BRAVA, littoral de la Catalogne, entre la frontière française et l'embouchure du río Tordera. Tourisme.

COSTA DEL SOL, partie du littoral méditerranéen de l'Espagne, d'Almería jusqu'au-delà de Málaga. Tourisme.

COSTAL, E, AUX adj. → CÔTE 1.

COSTA RICA, État de l'Amérique centrale, entre le Nicaragua au N. de Panamá au S.; 51 000 km²; 3 millions d'hab. (59 hab. au km²). Capit. *San José* (428 000 hab.). Langue : *espagnol.*
→ cartes AMÉRIQUE pp. 48-49.

GÉOGRAPHIE

Une chaîne montagneuse dépassant 3 000 m d'altitude sépare la plaine littorale du Pacifique du vaste bassin du río San Juan, fleuve qui se jette dans l'Atlantique. Le climat, tropical, permet la croissance de la forêt dans les parties basses, en particulier au N. Mais la population, en majorité blanche, habite surtout les hauts plateaux du Centre, où elle se consacre à la culture du café, du coton et du cacao. Des plantations de bananiers sont installées sur les côtes du Pacifique et de la mer des Caraïbes.

bananes 1 300 000 t; café 130 000 t.

Ces produits sont destinés à l'exportation. L'industrie, encore modeste, ne cesse cependant de croître. Près de la moitié du commerce extérieur se fait avec les États-Unis, desquels dépend l'économie, relativement prospère, du pays.

HISTOIRE

- *1502. Colomb reconnaît la côte orientale du pays.*
- *XVIe-XIXe s. Le Costa Rica fait partie de la colonie espagnole du Guatemala. Les révoltes d'Indiens y sont nombreuses.*
- *1821. Le Costa Rica se sépare de l'Espagne et devient une république où l'esclavage est aussitôt supprimé.*

COSTAUD [kɔsto] adj. et n. (du prov. *costo*, côte). *Fam.* Se dit d'une personne ou d'une chose forte, robuste (fém. COSTAUD ou COSTAUDE).

COSTES (Dieudonné), aviateur français (1892-1973). Il effectua un tour du monde avec Joseph Le Brix (octobre 1927-avril 1928) et réalisa avec Maurice Bellonte la première liaison aérienne sans escale Paris-New York (1930)

COSTUME [kɔstym] n. m. (it. *costume*, coutume). **1.** Ensemble des pièces qui composent un vêtement : *Un costume trois pièces* (= veste, pantalon, gilet). — **2.** Manière de s'habiller : *L'histoire du costume* (syn. HABILLEMENT). ◆ **costumer** v. t. **1.** *Costumer qq'un*, le vêtir d'un déguisement : *Costumer un enfant en page.* — **2.** *Bal costumé*, bal où les invités viennent en travesti. ◆ **costumier, ère** n. Personne qui vend, loue ou garde des costumes de bal, de théâtre.

COSY [kɔzi] n. m. (mot angl.). Divan comportant une étagère et destiné à être placé dans l'angle d'une pièce.

COTE [kɔt] n. f. (lat. *quota* [*pars*], quote-part). **1.** Indication chiffrée de la valeur marchande de titres mobiliers, des chances d'un cheval de course, etc. : *La cote d'un timbre rare, des actions d'une société.* — **2.** Tableau, publication indiquant les cours officiels des monnaies, des valeurs négociées à la Bourse, ou les cours officieux de certaines marchandises. — **3.** Marque constituée par des lettres ou des chiffres et servant à classer les pièces d'un dossier, les pages d'un registre d'état civil, les livres d'une bibliothèque, etc. — **4.** *Topogr.* Indication de l'altitude d'un lieu, du niveau d'un cours d'eau, des dimensions réelles d'une chose représentée en plan : *Le sommet de la colline est à la cote 520. Le fleuve a atteint la cote d'alerte* (= si la crue continue, il y aura inondation). — **5.** *Fam.* Indication de la valeur morale ou intellectuelle d'une personne ou d'une chose : *Un écrivain dont la cote commence à baisser* (syn. POPULARITÉ, RENOMMÉE). ◆ **coter** v. t. **1.** *Coter qqch., qq'un*, l'affecter d'une cote, en apprécier la valeur, le niveau : *Une valeur boursière non cotée.* — **2.** *Être coté*, être estimé, apprécié. ◆ **cotation** n. f. : *La cotation des actions en Bourse. La cotation des copies* (syn. NOTATION).

1. CÔTE [kot] n. f. (lat. *costa*). **1.** *Anat.* Chacun des os allongés et courbes qui forment la cage thoracique. → ENCYCL. — **2.** Partie allongée, en relief à la surface d'un objet : *Du velours à côtes;* saillie à la surface de certains fruits. — **3.** Partie supérieure de la côte d'un bœuf, d'un veau, d'un mouton, etc., avec les muscles qui y adhèrent. — LOC. ADV. *Côte à côte*, l'un à côté de l'autre. ◆ **costal, e, aux** adj. Qui appartient aux côtés (sens 1) : *Cartilages costaux.* ◆ **intercostal, e, aux** adj. Qui se situe entre les côtes : *Douleur intercostale.* ◆ **côtelé, e** adj. Se dit d'un tissu à côtes : *Du velours côtelé.* ◆ **côtelette** n. f. Morceau de viande adhérent à la côte de l'animal et découpé avec celle-ci.
— ENCYCL. Les *côtes*, au nombre de 12 de chaque côté, forment la charpente de la cage thoracique; en arrière, elles s'articulent avec la colonne vertébrale; en avant, les sept premières se rattachent par l'intermédiaire d'un cartilage costal au sternum; les 8e, 9e et 10e rejoignent le cartilage sous-jacent *(fausses côtes);* les deux dernières sont libres *(côtes flottantes).* Les côtes sont des os plats, convexes en dehors, concaves en dedans.

2. CÔTE [kot] n. f. (même étym.). **1.** Géogr. *Relief de côte* (ou *cuesta*), dans une région où le pendage* des couches géologiques est faible et où alternent couches dures et couches tendres, forme de relief caractérisée par un talus à pente raide, le *front*, qui s'oppose à un plateau faiblement incliné en sens inverse, le *revers : Le relief de côte est fréquent dans les bassins sédimentaires (ex. :* les côtes de Meuse). — **2.** Pente d'une colline; route qui suit cette pente : *En haut de la côte* (syn. MONTÉE). *Dévaler une côte* (syn. DESCENTE). ◆ **coteau** [kɔto] n. m. Colline, et, en partic., versant d'une colline couvert de cultures, surtout de vigne.

3. CÔTE [kot] n. f. (même étym.). *Géogr.* Zone continentale qui est au contact ou au voisinage de la mer : *Une côte rocheuse, sablonneuse, rectiligne, découpée, basse* (syn. LITTORAL). → ENCYCL. ◆ **côtier, ère** adj. : *La navigation côtière* (= près des côtes). *Un fleuve côtier est un cours d'eau qui prend sa source non loin de la côte et qui se jette dans la mer.*
— ENCYCL. Les *côtes élevées*, rocheuses, dominent la mer par des falaises. Celles-ci sont attaquées par les vagues qui projettent des galets et ont tendance à reculer.

Les *côtes basses*, au contraire, correspondent à des secteurs abrités où la mer, par l'intermédiaire de courants côtiers, accumule des alluvions formant des plages.

Par érosion des parties saillantes (caps) et alluvionnement dans les parties abritées (anses, baies), les côtes ont tendance à se régulariser.

CÔTE D'ARGENT, littoral français de l'Atlantique, entre la Gironde et la Bidassoa.

CÔTE D'AZUR, nom donné à la partie orientale du littoral français de la Méditerranée. Dans son sens le plus large, la Côte d'Azur s'étend sur plus de 200 km depuis Cassis, à l'E. de Marseille, jusqu'à la frontière italienne. Dans un sens plus ancien, il s'agit seulement de l'extrémité orientale de ce secteur, de Cannes à Menton. C'est à son climat méditerranéen (hivers doux, étés très ensoleillés) que la Côte d'Azur a dû de devenir l'une des plus mportantes régions touristiques françaises. Elle est jalonnée de ıombreuses stations balnéaires. Les plus importantes sont celles le Nice (devenue l'une des plus grandes agglomérations fran-;aises), Cannes, Antibes, Saint-Raphaël, Saint-Tropez. Malgré le léveloppement des terrains de camping, de l'équipement hôtelier, a saturation est fréquemment atteinte pendant les mois d'été, en ›articulier dans la partie orientale, à l'E. d'Hyères.

CÔTE D'ÉMERAUDE, littoral français de la Manche, entre Cancale et le cap Fréhel.

CÔTE D'OR, ligne de hauteurs calcaires formant la bordure du Bassin parisien, au-dessus de la plaine de la Saône. Son vignoble célèbre comprend plusieurs secteurs : la petite côte de Dijon, la côte de Nuits et la côte de Beaune.

CÔTES DE MEUSE ou **HAUTS DE MEUSE,** ligne de hau-eurs du bassin de Paris, entre Neufchâteau et Dun-sur-Meuse, lominant la plaine de la Woëvre.

CÔTE VERMEILLE, littoral français de la Méditerranée, de Collioure à Cerbère.

1. CÔTÉ [kote] n. m. (du lat. *costa*, côte). **1.** Chez l'homme et chez les animaux, partie droite ou partie gauche de la poitrine, du tronc : *Il a été blessé au côté droit* (syn. FLANC). — **2.** *Point de côté,* douleur à la poitrine ou au ventre qui gêne la respiration.

2. CÔTÉ [kote] n. m. (même étym.). **1.** Partie ou face latérale d'une chose, désignée par oppos. à telle ou telle autre; zone marquée par une limite : *On entre dans la maison par le côté gauche. Il marchait sur le côté droit de la route* (= la partie droite par rapport au sens de la marche). *Je vois un parc de l'autre côté de la grille* (= celui où je ne suis pas). — **2.** *Math.* Chacun des segments formant un polygone : *Un triangle est un polygone à trois côtés.* — **3.** Aspect sous lequel apparaît la personnalité de quelqu'un, la nature de quelque chose : *Le côté faible d'une personne* (= son défaut habituel ou ce qu'elle sait le moins). *Il faut envisager le côté pratique de l'opération* (= l'opération du point de vue pratique). — **4.** *Être aux côtés de qq'un,* être auprès de lui, lui apporter son aide, son soutien : *Il se range aux côtés des libéraux* (= il rallie leur parti). ‖ *Mettre, être de côté,* en réserve et à l'abri des circonstances présentes. ‖ *Laisser de côté qq'un* ou *qqch.*, le négliger, ne pas s'en occuper. — LOC. ADV. *De côté,* en présentant une partie latérale, obliquement : *Le crabe marche de côté* (syn. DE BIAIS); hors d'une trajectoire, de la partie centrale : *Faire un bond de côté.* ‖ *De tous côtés,* dans toutes les directions, partout. — LOC. ADV. ou PRÉP. *À côté (de),* à un endroit voisin (de) : *Il s'assit à côté de moi* (syn. AUPRÈS DE); en dehors (de), en manquant le but : *Il a mis toutes ses balles à côté de la cible;* en comparaison (de) : *Cette plaidoirie a fait un gros effet; celle de l'avocat adverse a paru bien faible à côté;* en plus (de) : *Il est comptable dans une usine, mais il a un travail à côté* (syn. PARALLÈLE). — LOC. PRÉP. *Du côté de,* à proximité de, dans (ou de) la direction de, vers : *Il habite du côté de la mairie;* dans le parti de : *Il s'est mis du côté du plus faible.* ‖ *Du côté paternel, maternel* (ou *du père, de la mère*), selon la parenté relative au père, à la mère : *Un oncle du côté paternel.* ◆ **côtoyer** v. t. **1.** *Côtoyer qq'un,* être en contact, avoir des relations avec lui : *Côtoyer des gens de toutes conditions* (syn. FRÉQUENTER). — **2.** *Côtoyer qqch.* (nom concret), en parlant d'un chemin, d'une voie ferrée, etc., s'étendre le long de lui : *La route côtoie la rivière* (syn. LONGER). — **3.** (sujet nom d'être animé ou de chose) *Côtoyer une chose* (nom abstrait), en être proche : *Côtoyer le ridicule* (syn. FRISER, FRÔLER). ◆ **côtoiement** n. m. : *Le côtoiement du tragique et du comique dans une œuvre littéraire.*

COTEAU n. m. → CÔTE 2.

CÔTE-DE-L'OR, en angl. **Gold Coast,** anc. nom du GHĀNA*.

CÔTE-D'IVOIRE *(république de la),* État de l'Afrique occidentale, sur la côte nord du golfe de Guinée.

SUPERFICIE 322 000 km² (France : 550 000 km²).
POPULATION 12 100 000 hab. *(Ivoiriens);* 38 hab. au km² (France : 103); accroissement annuel de population, 2,6 p. 100.
CAPITALE Yamoussoukro (depuis 1983) 35 000 hab.
LANGUE OFFICIELLE français.
ÉCONOMIE consommation d'énergie par hab., 155 kg d'équivalent charbon; 1 automobile pour 70 hab.

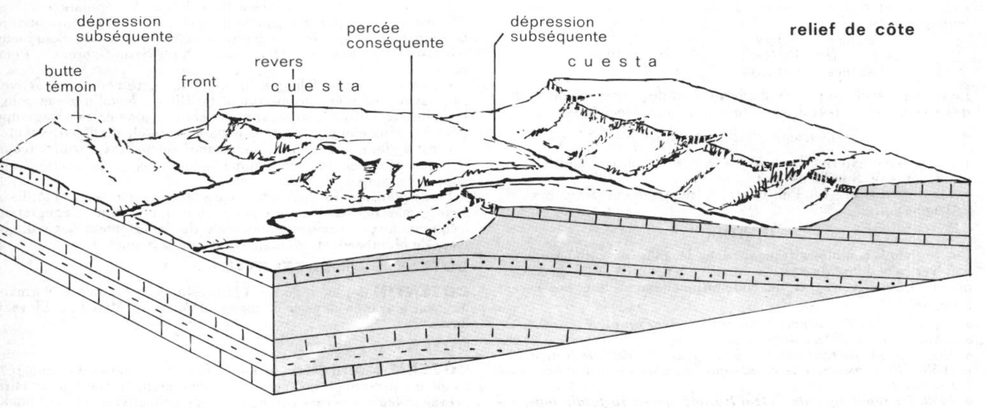

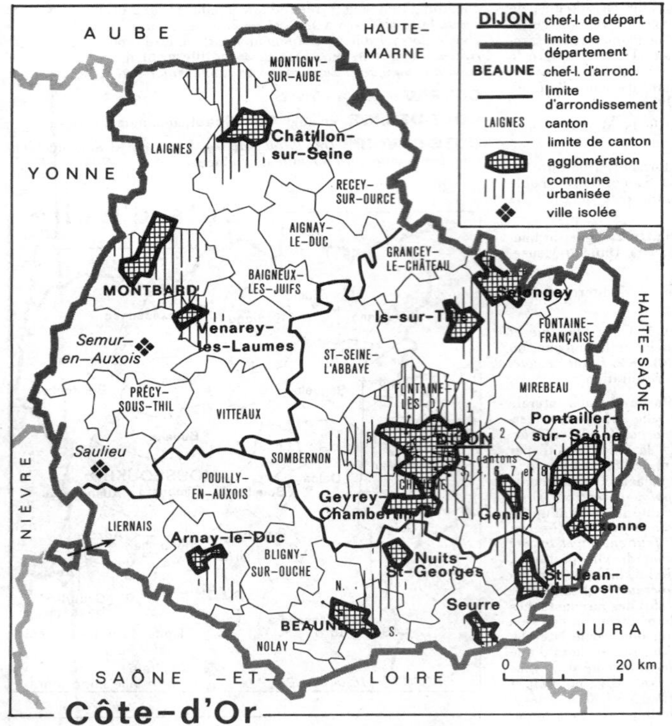

Côte-d'Or

LOCALITÉS PRINCIPALES	NOMBRE D'HAB.
Dijon	145 600
Beaune	21 100
Chenôve	19 500
Talant	11 700
Longvic	8 900
Châtillon-sur-Seine	8 000
Montbard	7 900
Auxonne	7 900
Fontaine-lès-Dijon	7 100
Marsannay-la-Côte	5 900
Nuits-Saint-Georges	5 500
Semur-en-Auxois	5 400

GÉOGRAPHIE

Le pays est constitué par un vaste plateau s'abaissant doucement jusqu'à la côte. Le littoral, bordé de lagunes, a un climat tropical humide et est couvert par la forêt dense. À l'intérieur, celle-ci cède la place à la savane.

	TEMPÉRATURES MOYENNES janv.	juil.	PLUIES
Abidjan	27 °C	26 °C	2 040 mm

À côté des cultures vivrières (riz et manioc) se sont développées des cultures pour l'exportation : café, cacao, bananes, arachide. Celles-ci ont donné naissance à une industrie de traitement de leurs produits.

manioc	800 000 t	café	200 000 t
riz	500 000 t	cacao	440 000 t
bananes	150 000 t		

Le pays possède un peu de manganèse et des mines de diamants. des gisements de pétrole ont été récemment découverts.

électricité 2 milliards de kWh.

Le commerce extérieur se fait par le port d'Abidjan dont le trafic est de près de 8 millions de t.

La Côte-d'Ivoire est l'un des pays relativement développés de l'Afrique noire.

HISTOIRE

Les premiers comptoirs français dans le golfe de Guinée ont été établis dès le début du XVIIIe s., mais ce n'est qu'à la fin du XIXe s. que la Côte-d'Ivoire est devenue officiellement une possession française.

- *1887-1889 et 1892. Binger explore l'intérieur du pays.*
- *1893. Création de la colonie française de la Côte-d'Ivoire.*
- *1895. La colonie est rattachée à l'Afrique-Occidentale française.*
- *1958. Elle constitue une république, membre de la Communauté française.*
- *1960. La république de Côte-d'Ivoire acquiert sa totale indépendance.*

Depuis lors, dirigée par Houphouët-Boigny, elle joue un rôle primordial dans la politique générale de l'Afrique occidentale.

CÔTE-D'OR (21), dép. formé par une partie de la Bourgogne (Région Bourgogne); 8 763 km²; 473 600 hab. (52 au km²) [France : 103]. Ch.-l. *Dijon*.

ADMINISTRATION. 3 arrond. (*Dijon*, 316 300 hab.; *Beaune*, 87 700 hab.; *Montbard*, 69 500 hab.). / 43 cant. / 705 comm.

Ce vaste département est formé de régions naturelles très variées (l'extrémité septentrionale du *Morvan*, une partie du *plateau de Langres*, la *Côte d'Or*, les plateaux du *Châtillonnais*, les plaines de la vallée de la Saône).

L'*agriculture* emploie environ 10 p. 100 de la population active. Elle est dominée par le vignoble qui jalonne le versant oriental de la Côte d'Or et qui fournit les plus célèbres crus de Bourgogne (Gevrey-Chambertin, Meursault, Nuits-Saint-Georges, Pommard, etc.).

L'*indusrie* emploie plus de 35 p. 100 de cette population active. Elle est représentée surtout autour de Dijon : métallurgie et constructions électriques, alimentation; cette agglomération regroupe plus des deux cinquièmes de la population totale du département.

C'est à elle que l'on doit l'importance du *secteur tertiaire* (commerce, enseignement, etc.), qui emploie plus de la moitié de la population active.

Le dynamisme de Dijon est encore largement responsable de la forte croissance récente de population qui masque l'émigration fréquente aux extrémités occidentale du département (arrondissement de Montbard) et orientale (vallée de la Saône).

CÔTELÉ, E adj., **CÔTELETTE** n. f. ⟶ CÔTE 1.

COTENTIN (le), nom donné à la presqu'île de la basse Normandie, qui s'avance dans la Manche (dép. de la Manche). Élevage bovin.

COTER v. t. ⟶ COTE.

COTERIE [kɔtri] n. f. (de l'anc. fr. *cote*, cabane). Groupe restreint de personnes qui se soutiennent mutuellement pour faire prévaloir leurs intérêts sur ceux de la collectivité (syn. CERCLE, CHAPELLE, CLAN).

CÔTE-RÔTIE, vignoble situé dans la commune d'Ampuis, sur le Rhône (r. dr.) [dép. du Rhône], à 26 km de Lyon.

CÔTE-SAINT-ANDRÉ (La), ch.-l. de cant. de l'Isère, à 25 km au S. de Bourgoin; 4400 hab.

CÔTES-D'ARMOR (22), anc. Côtes-du-Nord, dép. formé d'une partie de la Bretagne (Région Bretagne); 6 880 km²; 538 900 hab.; (78 au km²) [France : 103]. Ch.-l. *Saint-Brieuc.*

ADMINISTRATION. 4 arrond. (*Saint-Brieuc*, 243 200 hab.; *Dinan*, 113 500 hab.; *Guingamp*, 90 800 hab.; *Lannion*, 91 300 hab.). / 52 cant. / 369 comm.

Le département s'étend sur une partie du Massif armoricain : la partie méridionale, relativement élevée *(monts d'Arrée* et *landes du Mené)* est un pays de cultures. La partie septentrionale, plus basse, est découpée par des rias* sur le littoral.

L'agriculture est l'activité la plus importante : elle emploie plus du quart de la population active. Elle associe cultures céréalières et élevage bovin, mais possède certaines spécialisations régionales (légumes dans le Trégorrois [= région de Tréguier]). La pêche est peu importante et le littoral vit surtout de ses stations balnéaires.

L'industie occupe moins de 30 p. 100 de la population active et se développe peu, malgré certaines réalisations spectaculaires (télécommunications dans la région de Lannion). Saint-Brieuc est l'unique ville importante du département.

La place prépondérante de l'agriculture et la faiblesse de l'industrialisation expliquent la persistance d'une intense émigration rurale au-delà des limites du département. Le développement très fort de la région de Saint-Brieuc masque le dépeuplement de l'intérieur.

COTHURNE [kɔtyrn] n. m. (gr. *kothornos*). Chaussure à haute semelle des acteurs tragiques de l'Antiquité.

COTIDAL, E, AUX [kɔtidal, -do] adj. (de l'angl. *tide*, marée). Géogr. *Courbe cotidale*, courbe passant par tous les points où la marée a lieu à la même heure.

CÔTIER, ÈRE adj. ⟶ CÔTE 3.

COTILLON [kɔtijɔ̃] n. m. (de *cotte*). **1.** Jupon des paysannes. — **2.** *Accessoires de cotillon*, objets divers (confettis, serpentins, etc.) utilisés parfois dans les fêtes, les bals.

COTISER [kɔtize] v. i. (de *cote*). Verser une somme d'argent à un organisme, à une association, pour contribuer aux dépenses communes. ◆ ***se cotiser*** v. pr. Collecter de l'argent entre soi en vue d'une dépense commune. ◆ **cotisant, e** adj. et n. : *Les membres cotisants.* ◆ **cotisation** n. f. Somme versée par chacun des membres d'un groupe pour contribuer à ses dépenses.

CÔTOIEMENT n. m. ⟶ CÔTÉ 2.

COTON [kɔtɔ̃] n. m. (ar. *qutun*). **1.** Duvet fourni par les poils longs et fins fixés aux graines du cotonnier; fil ou tissu fait de cette matière. ⟶ ENCYCL. — **2.** Fam. *Avoir les jambes en coton*, éprouver une faiblesse des jambes, se sentir fatigué. ‖ *Élever un enfant dans du coton*, l'entourer de trop de soin, lui donner une éducation trop douillette. ‖ Fam. *Filer un mauvais coton*, dépérir, avoir une santé ébranlée. ◆ **cotonnade** n. f. Tissu de coton ou contenant des fibres de coton. ◆ **cotonneux, euse** adj. **1.** Qui rappelle le coton par sa consistance ou son aspect : *Un brouillard cotonneux.* — **2.** Se dit d'un fruit ou d'un végétal recouvert de duvet : *Des feuilles cotonneuses.* ◆ **cotonnier** n. m. Plante herbacée ou arbuste originaire de l'Inde, haut de 0,50 m à 1,50 m, cultivé dans tous les pays chauds pour le coton qui entoure ses graines. (Famille des malvacées.) ◆ **cotonnier, ère** adj. : *L'industrie cotonnière.* ◆ **coton-poudre** ou **fulmicoton** n. m. Explosif formé de nitro-cellulose, obtenu en traitant du coton cardé par un mélange d'acide nitrique et sulfurique. ‖ Pl. des *cotons-poudre.*

— ENCYCL. **Le *coton* est encore auj. le textile le plus utilisé dans le monde, mais sa prépondérance, ancienne, tend à disparaître devant la concurrence croissante des fibres synthétiques. Les principaux producteurs mondiaux sont :**

Chine	5,7 millions de t	Brésil	0,6 million de t
États-Unis	2,8 millions de t	Turquie	0,6 million de t
U. R. S. S.	2,5 millions de t	Égypte	0,4 million de t
Inde	1,2 million de t	Monde	17 millions de t
Pākistān	0,9 million de t		

Le coton faisant l'objet d'un commerce international assez développé, l'industrie cotonnière ne se confond pas toujours avec la géographie de la production. Les plus puissantes industries cotonnières sont celles des États-Unis, de l'U. R. S. S., de l'Inde, du Japon, de la Corée du Sud.

COTONOU, principal port et la plus grande ville de la république populaire du Bénin; 327 000 hab.

COTON-POUDRE n. m. ⟶ COTON.

COTOPAXI, volcan de la cordillère des Andes (Équateur); 5 897 m.

CÔTOYER v. t. ⟶ CÔTÉ 2.

COTRE [kɔtr] n. m. (angl. *cutter*). Petit bâtiment à un seul mât et deux focs, à formes fines et élancées.

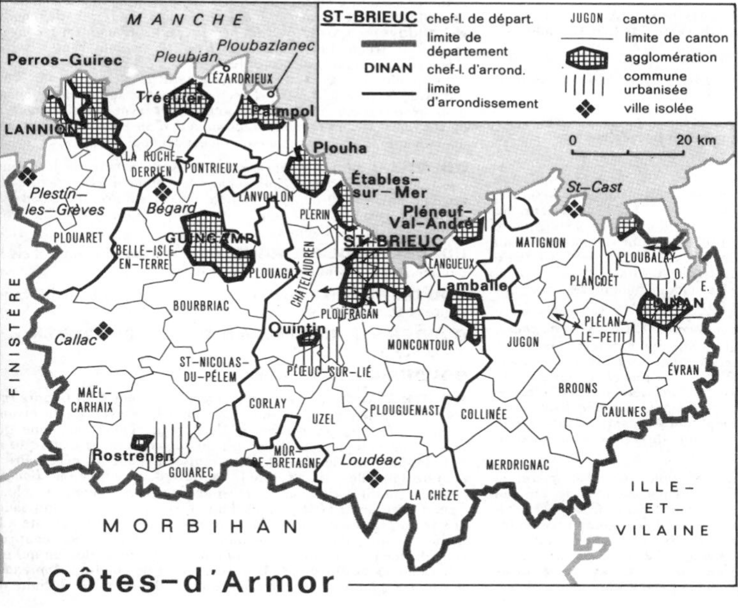

Côtes-d'Armor

LOCALITÉS PRINCIPALES	NOMBRE D'HAB.
Saint-Brieuc	51 400
Lannion	17 200
Dinan	14 200
Loudéac	10 800
Plérin	10 800
Ploufragan	10 800
Lamballe	10 100
Guingamp	9 500
Paimpol	8 400
Perros-Guirec	7 500
Trégueux	6 500
Bégard	5 300
Rostrenen	4 400

COTTAGE [kɔtaʒ] n. m. (mot angl.). Maison de campagne.

COTTE [kɔt] n. f. (frq. *kotta,* manteau de laine). *Cotte de travail,* ou simplem. *cotte,* salopette de toile bleue portée par les ouvriers pendant leur travail. ‖ *Cotte d'armes,* vêtement ample qui se portait sur l'armure. ‖ *Cotte de mailles,* tunique faite de petits anneaux de fer, qui protégeait le chevalier, l'homme d'armes (syn. HAUBERT).

COTTE (Robert DE), architecte français (1656-1735). Beau-frère et élève de Jules Hardouin-Mansart, il fut l'une des figures les plus importantes de l'architecture à la fin du XVIIe et au début du XVIIIe s. Il construisit la chapelle du château de Versailles, l'église Saint-Roch, de nombreux hôtels à Paris; Lyon lui doit la place Bellecour. Il dessina les plans de l'actuelle maison de la Légion d'honneur à Saint-Denis. Technicien averti et décorateur habile, il fut l'un des créateurs du style Régence, apportant ainsi une grâce nouvelle à la majesté du style Louis XIV.

COTTON BELT, région agricole du sud-est des États-Unis, s'étendant du Texas à la Caroline du Nord, et qui était consacrée autrefois essentiellement à la culture du coton.

COTY (René), homme politique français (1882-1962). Indépendant, il fut élu président de la République en 1953 et fut remplacé par le général de Gaulle le 8 janvier 1959.

COTYLE [kɔtil] n. f. (gr. *kotulê,* cavité). *Anat.* Cavité d'un os qui reçoit un autre os.

COTYLÉDON [kɔtiledɔ̃] n. m. (gr. *kotulêdôn,* cavité). *Bot.* Sorte de feuille portée par la plantule des végétaux à graines, et qui joue un rôle important lors de la germination.
— ENCYCL. L'ensemble des plantes à graines est partagé en trois groupes naturels selon le nombre des *cotylédons :* un seul chez les *monocotylédones* (palmier, blé, lis), deux chez les *dicotylédones* (chêne, pommier, marguerite), plus de deux chez les *gymnospermes* (pin, cèdre).

COU [ku] n. m. (lat. *collum*). **1.** Partie du corps qui joint la tête aux épaules. — **2.** *Être dans les soucis, dans ses études,* etc. *jusqu'au cou,* y être plongé, n'avoir rien d'autre en tête. ‖ Fam. *Prendre ses jambes à son cou,* se mettre à courir à toute vitesse. ‖ *Laisser la bride sur le cou à qq'un,* lui laisser une entière liberté. ‖ *Sauter au cou de qq'un,* l'embrasser chaleureusement. ‖ *Se casser le cou,* se tuer ou se blesser gravement en tombant; échouer totalement dans une entreprise.

COUARD, E [kwar, -ard] adj. et n. (de l'anc. fr. *coue,* queue). Qui a peur au moindre danger (syn. LÂCHE, POLTRON). ◆ **couardise** n. f. : *Sa dérobade est une preuve de couardise.*

COUBERTIN (Pierre DE), éducateur français (1863-1937). Grâce à son action, les premiers jeux Olympiques* modernes eurent lieu à Athènes en 1896.

COUBRE *(pointe de la),* cap de la péninsule d'Arvert (Charente-Maritime), formant l'extrémité nord de l'estuaire de la Gironde.

COUCHAGE n. m., **COUCHANT** adj. et n. m. ⟶ COUCHER 2.

1. COUCHE [kuʃ] n. f. (de *coucher*). Lit, lieu où l'on s'étend pour se reposer (littér.).

2. COUCHE [kuʃ] n. f. (même étym.). Linge absorbant ou rectangle en matière cellulosique que l'on intercalle entre la peau d'un nourrisson et la culotte.

3. COUCHE [kuʃ] n. f. (même étym.). **1.** Étendue uniforme d'une matière appliquée sur une surface : *Une couche de peinture, de neige.* — **2.** *Géol.* Dépôt sédimentaire de faible épaisseur, de nature homogène, qui forme une assise d'un étage géologique : *Couche argileuse.* — **3.** Ensemble de personnes appartenant au même milieu : *Couches sociales* (syn. CATÉGORIE). — **4.** *Champignon de couche,* nom usuel de la PSALLIOTE CHAMPÊTRE, champignon comestible cultivé dans les champignonnières sur des couches alternées de fumier et de terre calcaire.

1. COUCHER [kuʃe] v. t. (lat. *collocare*). **1.** *Coucher une chose, une personne,* l'étendre sur le sol ou sur une surface plane : *Les blés sont couchés par l'orage* (contr. DRESSER). *Coucher un blessé sur un brancard* (syn. ALLONGER). — **2.** *Coucher une chose par écrit,* la consigner, l'inscrire dans un rapport, un acte officiel, etc. — **3.** *Coucher une personne sur un testament, sur une liste,* etc., l'y inscrire comme un des héritiers, un des participants à une action, etc. — **4.** *Coucher qq'un en joue,* diriger vers lui le canon d'un fusil (syn. VISER).

2. COUCHER [kuʃe] v. t. (même étym.). *Coucher qq'un,* le mettre au lit (contr. LEVER). ◆ v. i. (sujet nom d'être animé). Prendre le repos de la nuit; s'étendre pour dormir : *Coucher sur un divan.* ◆ ***se coucher*** v. pr. **1.** (sujet nom d'être animé) S'étendre horizontalement, s'allonger : *Se coucher sur l'herbe;* se mettre au lit : *Je vais me coucher* (contr. SE LEVER). — **2.** *Le soleil, la lune se couche,* ils disparaissent à l'horizon (contr. SE LEVER). ◆ **couchage** n. m. **1.** Possibilité de se coucher. — **2.** *Sac de couchage,* sac généralement garni de duvet dans lequel les campeurs se mettent pour dormir. ◆ **couchant** adj. m. *Soleil couchant,* soleil prêt à disparaître à l'horizon; moment correspondant de la journée. ‖ *Chien couchant,* chien dressé à se tenir en arrêt quand il sent le gibier, par oppos. à *chien courant.* ◆ **couchant** n. m. **1.** Aspect du ciel au moment où le soleil se couche. — **2.** Côté de l'horizon où le soleil se couche (littér.) [syn. usuels OCCIDENT, OUEST; contr. LEVANT]. ◆ **coucher** n. m. Action ou moment de se coucher (en parlant d'un être animé ou d'un astre) : *Le coucher du roi. Admirer un coucher de soleil.* ◆ **couchette** n. f. Lit ou banquette de repos sur un bateau ou dans un train. ◆ **coucheur, euse** n. Fam. *Mauvais coucheur,* homme difficile à vivre. ◆ **découcher** v. i. Ne pas rentrer coucher chez soi. ◆ **recoucher (se)** v. pr. Se remettre au lit après s'être levé.

COUCHES [kuʃ] n. f. pl. (de *coucher*). **1.** État d'une femme qui accouche ou qui vient d'accoucher. — **2.** (au sing.) Fam. *Fausse couche,* expulsion spontanée d'un fœtus non viable.

COUCHETTE n. f., **COUCHEUR, EUSE** n. ⟶ COUCHER 2.

COUCI-COUÇA [kusi kusa] adv. (d'après *comme ci comme ça*). *Fam.* Ni bien ni mal, médiocrement (syn. COMME CI COMME ÇA, TOUT DOUCEMENT).

1. COUCOU [kuku] n. m. (onomat.). **1.** Oiseau migrateur, à dos gris et à ventre blanc rayé de brun. (Le coucou vit surtout dans les bois, où le retour de son chant annonce le printemps. Il dépose ses œufs dans le nid d'autres oiseaux plus petits.) [Famille des cuculidés.] — **2.** Pendule de bois munie d'un système d'horlogerie imitant le cri du coucou aux heures et demi-heures. — **3.** *Fam.* et *péjor.* Avion, voiture d'autrefois.

2. COUCOU [kuku] n. m. (même étym.). *Bot.* Nom usuel de deux plantes à fleurs jaunes, la PRIMEVÈRE OFFICINALE et le NARCISSE DES BOIS.

COUCOUMELLE [kukumɛl] n. f. (prov. *coucoumèlo*). Nom usuel de l'AMANITE VAGINÉE, champignon comestible à chapeau gris ou jaunâtre.

COUDE [kud] n. m. (lat. *cubitus*). **1.** Partie extérieure, saillante, de l'articulation du bras et de l'avant-bras : *S'appuyer sur les coudes;* cette articulation, formée par l'extrémité inférieure de l'humérus et l'extrémité supérieure du radius et du cubitus : *Luxation du coude.* — **2.** Partie d'une manche de vêtement qui recouvre le coude : *Sa veste est usée aux coudes.* — **3.** Courbure brusque d'une chose : *La rivière fait un coude en contournant la colline.* — **4.** *Coude à coude,* se dit de personnes très rapprochées l'une de l'autre, ou qui se sentent solidaires dans une tâche; et comme n. m. : *Un coude à coude réconfortant.* ‖ Fam. *Jouer des coudes,* se frayer un passage dans une foule serrée; se démener habilement pour s'assurer une situation avantageuse. ‖ *Se serrer, se tenir les coudes,* s'entraider, entretenir le sentiment de solidarité. ◆ **couder** v. t. *Couder un objet,* le plier en forme de coude. ◆ **coudoyer** v. t. *Coudoyer des personnes,* les rencontrer fréquemment, les fréquenter : *Au ministère, il coudoie toutes sortes d'hommes politiques.* ◆ **coudoiement** n. m. Fréquentations, contacts habituels. ◆ **accouder (s')** [sakude] v. pr. ou **être accoudé** v. passif **[à, sur]**. Poser ses coudes sur quelque chose dont on se sert comme appui. ◆ **accoudoir** n. m. : *Les accoudoirs ou les « bras » d'un fauteuil. L'accoudoir d'un prie-Dieu* (= ce sur quoi on appuie ses coudes lorsqu'on est agenouillé).

COUDÉE [kude] n. f. (de *coude*). **1.** Anc. mesure de longueur équivalent à la distance qui sépare le coude de l'extrémité du médius (environ 50 cm). — **2.** *Être à cent coudées au-dessus de qq'un,* lui être très supérieur. ‖ *Avoir les coudées franches,* avoir une grande liberté d'action.

COUDEKERQUE-BRANCHE, ch.-l. de cant. du Nord, dans la banlieue sud de Dunkerque; 24 100 hab.

COU-DE-PIED [kudpje] n. m. *(cou, de* et *pied).* Partie supérieure et saillante du pied. ‖ Pl. des *cous-de-pied.*

COUDER v. t., **COUDOIEMENT** n. m., **COUDOYER** v. t. ⟶ COUDE.

COUDRAIE n. f. ⟶ COUDRIER.

COUDRE [kudr] v. t. et i. (lat. *consuere*). [Conj. **59.**] *Coudre (un objet),* l'attacher par une suite de points faits avec du fil et une aiguille : *Coudre un bouton.* ‖ *Machine à coudre,* machine qui exécute mécaniquement divers travaux de couture. ◆ **cousette** n. f. **1.** Jeune couturière. — **2.** Petit étui contenant un nécessaire à couture (aiguilles, fil, dé, etc.). ◆ **cousu, e** adj. Fam. *Bouche cousue!,* ne dites rien sur la question, gardez un secret absolu. ‖ Fam. *Cousu de fil blanc,* se dit d'une ruse, d'une malice qui saute aux yeux. ‖ *Cousu main,* se dit d'un travail de couture exécuté à la main, et, fam., d'un ouvrage quelconque fait avec beaucoup de soin, d'excellente qualité. ‖ *Cousu d'or,* se dit de quelqu'un qui est très riche. ◆ **couture** n. f. **1.** Action ou art de coudre : *Apprendre la couture.* ‖ *La haute couture,* les grands couturiers. — **2.** Suite de

›oints au moyen desquels deux morceaux de tissu sont assemblés : *outure faite à la main.* — **3.** Cicatrice d'une plaie. — **4.** *Battre à plate couture*, infliger une défaite complète à une armée, à un concurrent. ‖ Fam. *Regarder, examiner qqch. sous toutes les coutures*, l'examiner très attentivement et en tous sens. ◆ **couturé, e** adj. Marqué de cicatrices : *Un visage tout couturé* (syn. BALAFRÉ). ◆ **couturier** n. m. Directeur d'une maison de couture, spécialisé dans la création de modèles et l'exécution de toilettes féminines. ◆ **couturière** n. f. Femme employée dans une maison de couture ou établie à son compte et exécutant des vêtements féminins. ◆ **découdre** v. t. Défaire une couture : *Découdre un ourlet.* ◆ **décousu, e** adj. *Récit, œuvre littéraire décousus*, dont les parties sont mal liées. ◆ **recoudre** v. t. : *Recoudre un vêtement déchiré. Recoudre une blessure.*

COUDRIER [kudrije] n. m. (du lat. *corylus*). Autre nom du NOISETIER. (Ordre des cupulifères.) ◆ **coudraie** n. f. Lieu planté de coudriers.

COUÉ (Émile), pharmacien et psychothérapeute français (1857-1926), auteur d'une méthode de guérison par autosuggestion.

COUENNE [kwan] n. f. (du lat. *cutis*, peau). Peau épaisse du porc, employée notamment en charcuterie. ◆ **couenneux, euse** adj. Qui ressemble à la couenne.

COUËRON, comm. de la Loire-Atlantique, sur la rive droite de l'estuaire de la Loire, à 13 km à l'O. de Nantes; 14 100 hab. Métallurgie.

COUESNON (le), fl. de l'ouest de la France, qui sépare la Normandie de la Bretagne et qui se jette dans la baie du Mont-Saint-Michel; 90 km.

1. COUETTE [kwɛt] n. f. (lat. *culcita*, coussin). Édredon de plume.

2. COUETTE [kwɛt] n. f. (de *coue*, queue). Mèche de cheveux en forme de queue, retenue par un lien.

COUFFIN [kufɛ̃] n. m. (prov. *coufo*). Cabas pour le transport des marchandises.

COUFIQUE ou **KŪFIQUE** [kufik] adj. et n. m. (du n. de la ville de Kūfa). Se dit d'une forme anc. de l'écriture arabe, employée pour la calligraphie du Coran.

COUGUAR ou **COUGOUAR** [kugwar] n. m. (brésilien *cuguaçuara*). Autre nom du PUMA.

COUINER [kwine] v. i. (onomat.). **1.** (sujet nom désignant un animal) *Fam.* Faire entendre un cri. — **2.** (sujet nom de chose) Faire entendre un grincement léger. ◆ **couinement** n. m. : *Le couinement d'un tiroir, d'un lapin, d'un porc.*

COULAGE n. m. ⟶ COULER 1.

1. COULANT, E adj. ⟶ COULER 1.

2. COULANT, E [kulɑ̃, -ɑ̃t] adj. (de *couler*). *Fam.* Se dit d'une personne peu exigeante, portée à l'indulgence : *Un directeur coulant* (syn. ACCOMMODANT).

COULÉE n. f. ⟶ COULER 1.

COULEMELLE [kulmɛl] n. f. (lat. *columella*, petite colonne). Nom usuel de la LÉPIOTE ÉLEVÉE, champignon comestible.

1. COULER [kule] v. t. (lat. *colare*, filtrer). Verser dans un creux ou sur une surface une matière en fusion, une substance liquide ou pâteuse : *Couler de la cire dans une fente. Couler un lit de ciment sur le sol. Couler une cloche* (= jeter le métal en fusion dans le moule). ◆ v. i. **1.** (sujet nom désignant un liquide ou une pâte) Se déplacer d'un mouvement continu, se répandre : *La rivière coule* (syn. RUISSELER). *Le sable coule dans le sablier. Le sang coule de la blessure.* — **2.** *Récipient, robinet qui coule*, qui laisse échapper un liquide (syn. FUIR). — **3.** *Paroles, roman, style*, etc., *qui coulent tout seuls*, qui se suivent, se déroulent avec naturel, qui ont un mouvement aisé. ‖ *Récit, explication qui coule de source*, qui se développe selon un enchaînement abondant et naturel. ‖ *Faire couler de l'encre*, se dit d'une chose ou d'une personne au sujet de laquelle on écrit ou on parle beaucoup. ‖ *Faire couler le sang*, être la cause ou le responsable de massacres, de blessures. ◆ **coulage** n. m. : *Le coulage du métal dans le moule.* ◆ **coulant, e** adj. **1.** Se dit d'un liquide, d'une substance qui coule facilement : *Une pâte coulante* (syn. FLUIDE, LIQUIDE). — **2.** Se dit d'un style aisé : *Des vers coulants.* — **3.** *Nœud coulant* ⟶ NŒUD 1. ◆ **coulée** n. f. **1.** Quantité de matière en fusion ou plus ou moins liquide qui se répand : *Une coulée de lave.* — **2.** Masse de métal en fusion que l'on verse dans un moule; action de verser ce métal pour former les lingots ou des objets moulés. ◆ **coulure** n. f. Trace laissée par une substance liquide ou visqueuse qui a coulé le long d'un objet : *Des coulures de peinture.*

2. COULER [kule] v. i. (même étym.) [sujet nom désignant le temps]. Passer de façon continue : *Une petite ville où la vie coule doucement* (syn. S'ÉCOULER). ◆ v. t. (sujet nom de personne). *Couler des jours heureux*, mener une vie heureuse, sans incidents.

3. COULER [kule] v. t. (même étym.). **1.** *Couler un bateau*, l'envoyer au fond de l'eau (syn. SABORDER). — **2.** *Couler qq'un*, le discréditer. ‖ *Couler un commerce*, le ruiner. ‖ *Couler une bielle* ⟶ BIELLE. ◆ v. i. *Bateau, nageur*, etc., *qui coule*, qui s'enfonce dans l'eau et va au fond (syn. S'ABÎMER [littér.], S'ENGLOUTIR, SOMBRER).

COULEUR [kulœr] n. f. (lat. *color, -oris*). **1.** Qualité d'un corps éclairé qui produit sur l'œil une certaine impression lumineuse, variable selon la nature du corps (indépendamment de sa forme) ou selon la lumière qui l'atteint : *Une robe de couleur claire* (syn. TEINTE). *Une écharpe aux couleurs délicates* (syn. COLORIS, NUANCE, TON). — **2.** Matière colorante : *Boîte de couleurs* (= boîte de peinture). ‖ *Marchand de couleurs*, commerçant qui vend des peintures et divers articles de droguerie. — **3.** Caractère d'un style, d'un spectacle, etc., qui attire l'attention par son originalité, sa vigueur : *Un récit qui ne manque pas de couleur* (syn. RELIEF). — **4.** Opinions de quelqu'un, partic. en politique (syn. ÉTIQUETTE). — **5.** Chacune des quatre images du jeu de cartes (cœur, carreau, trèfle, pique). — **6.** *Couleur locale*, ensemble de traits particuliers qui différencient un paysage, les mœurs d'une époque, etc., et dont la reproduction vise à donner une impression de pittoresque (peut être employée adjectiv.). ‖ *Homme, femme de couleur*, personne qui n'est pas de race blanche. ‖ *Haut en couleur*, se dit de quelqu'un qui est très rouge de teint, ou d'un récit, d'un style plein de verve, d'expressions pittoresques. ‖ (sujet nom de personne) *Changer de couleur*, pâlir subitement. ‖ *Annoncer la couleur*, indiquer la couleur d'atout, aux jeux de cartes; *fam.* Faire connaître ses intentions. ◆ n. f. pl. **1.** *Les couleurs*, le drapeau national : *Hisser, baisser les couleurs* (= hisser, descendre le drapeau le long du mât). — **2.** Teint du visage : *Perdre ses couleurs* (= devenir pâle). — **3.** *En voir de toutes les couleurs*, avoir toutes sortes d'ennuis. ◆ **couleur de** ou **couleur** adj. inv. : *Des yeux couleur d'azur.* — LOC. PRÉP. *Sous couleur de* (et l'infin. ou un nom), sous prétexte de (littér.). ◆ **colorer** [kɔlɔre] v. t. *Colorer qqch.*, lui donner une couleur, généralement vive : *Le soleil colore les fruits.* ◆ ***se colorer*** v. pr. Devenir coloré. ◆ **colorant, e** adj. : *Un produit colorant.* ◆ n. m. Substance qu'on fait dissoudre dans un liquide ou une pâte pour leur donner une couleur. ◆ **coloré, e** adj. **1.** Qui est de couleur vive : *Teint coloré* (contr. PÂLE). — **2.** Qui a du brillant, de l'originalité, de l'éclat : *Un récit très coloré* (syn. IMAGÉ, PITTORESQUE). ◆ **coloration** n. f. Aspect d'un corps coloré, nuance de la couleur donnée à quelque chose : *La coloration de la peau* (syn. PIGMENTATION). *Le peintre a fidèlement rendu la coloration des yeux* (syn. COULEUR). ◆ **coloris** n. m. **1.** Effet qui résulte du mélange et de l'emploi des couleurs. — **2.** Nuance de la couleur : *Des étoffes aux riches coloris.* ◆ **coloriste** n. Peintre qui s'exprime par la couleur plutôt que par le dessin. ◆ **décolorer** v. t. Faire disparaître ou altérer la couleur de. ◆ ***se décolorer*** v. pr. Perdre sa couleur : *Sa robe s'est décolorée au soleil. Elle veut se faire décolorer* (= elle veut faire changer la couleur de ses cheveux). ◆ **décolorant, e** adj. et n. m. Se dit d'une substance qui décolore. ◆ **décoloration** n. f. : *Une décoloration des cheveux.* ◆ **colorier** v. t. *Colorier un objet, un dessin*, lui appliquer des couleurs. ◆ **coloriage** n. m. : *Un album de coloriages.* ◆ **incolore** adj. **1.** Qui n'a pas de couleur ou qui n'est pas coloré : *L'eau purifiée est incolore* (syn. CLAIRE, LIMPIDE). *Des verres de lunettes incolores* (contr. TEINTÉ). — **2.** Qui manque d'éclat, de vivacité : *Un style incolore* (syn. FADE, PLAT, TERNE). ◆ **bicolore** adj. Qui comporte deux couleurs. ◆ **multicolore** adj. Qui a un grand nombre de couleurs. ◆ **tricolore** adj. **1.** Se dit d'un objet qui a trois couleurs, principalement les couleurs nationales françaises (bleu, blanc, rouge) : *Le drapeau tricolore.* ‖ *Écharpe tricolore*, écharpe aux couleurs nationales, insigne de certaines fonctions publiques, comme celle de maire. — **2.** *Feu tricolore*, feu de signalisation routière qui est tantôt vert (voie libre), tantôt rouge (stop), tantôt orange (prudence). ◆ adj. et n. m. *Fam.* Dans la langue du sport, Français : *L'équipe tricolore a remporté la victoire.*

COULEUVRE [kulœvr] n. f. (lat. *colubra*). Nom donné à des serpents ovipares, inoffensifs pour l'homme soit faute de venin, soit parce que leurs crochets sont à l'arrière de la bouche. (Famille des colubridés.) ⟶ ENCYCL. ‖ *Avaler des couleuvres*, être obligé de subir des vexations, des affronts sans riposter. ‖ Fam. *Paresseux comme une couleuvre*, très paresseux. ◆ **couleuvreau** n. m. Petit d'une couleuvre.

— ENCYCL. Toutes les *couleuvres* ont une pupille ronde et une longue queue difficile à distinguer du tronc. Elles diffèrent des vipères par leur taille généralement plus grande. La France en héberge une dizaine d'espèces, qui se rendent utiles en détruisant les petits rongeurs. Leur taille varie, selon l'espèce, de 0,70 à 2,50 m. Les *couleuvres à collier*, qui peuvent atteindre 1,50 m, semi-aquatiques, se nourrissent de poissons et de grenouilles. Les *couleuvres vipérines*, plus petites (au plus 0,70 m), ressemblent aux vipères par leur coloration brun roussâtre et leurs dessins en zigzags. Les *couleuvres vert et jaune*, qui atteignent 2 m, se montrent plus agressives.

COULEUVRINE [kulœvrin] n. f. (de *couleuvre*). Anc. canon fin et long (XVe-XVIIe s.).

COULIS [kuli] adj. m. (de *couler*). *Vent coulis*, filet d'air qui pénètre dans une pièce par une fente ou un entrebâillement.

1. COULISSE [kulis] n. f. (de *coulis*). **1.** Partie d'un théâtre cachée par les décors ou le rideau, et située de part et d'autre ou en arrière de la scène (s'emploie plus souvent au plur.). — **2.** (au plur.) Côté secret de quelque domaine d'activité : *Les coulisses de la politique.* — **3.** *Regard, œil en coulisse*, regard de connivence ou de curiosité lancé à la dérobée. ‖ *Se tenir, rester dans la coulisse*, agir en secret, rester caché tout en participant à une action.

2. COULISSE [kulis] n. f. (même étym.). Rainure dans laquelle une pièce mobile peut glisser; la pièce elle-même : *Une porte à coulisse* (syn. GLISSIÈRE). ‖ *Trombone à coulisse*, trombone pourvu de tubes coulissant pour faire varier le son. ◆ **coulisser** v. i. (sujet nom désignant un objet). Glisser sur des coulisses ou le long d'un axe. ◆ **coulissant, e** adj. Qui glisse sur des coulisses : *Des persiennes coulissantes.* ◆ **coulissement** n. m. : *Le coulissement d'un curseur sur une règle.*

COULOIR [kulwar] n. m. (de *couler*). **1.** Passage étroit et allongé, permettant la communication de plusieurs pièces entre elles. — **2.** Passage desservant les compartiments d'une voiture de chemin de fer. — **3.** Passage naturel étroit, permettant d'aller d'un lieu dans un autre : *Les alpinistes suivaient un couloir rocheux.* — **4.** Zone d'une piste d'athlétisme délimitée par deux lignes parallèles, dans laquelle chaque concurrent doit se tenir pendant une course. — **5.** *Couloir aérien*, itinéraire défini que doivent suivre les avions dans certains cas. — **6.** *Couloir d'avalanche*, chemin emprunté régulièrement par des avalanches et constitué par un valonnement du versant.

COULOMB (Charles DE), physicien français (1736-1806). Il découvrit en 1785 la loi fondamentale sur les actions électrostatiques et magnétiques.

COULOMB [kulɔ̃] n. m. (de *Coulomb*). Unité de quantité d'électricité (symb. : c). [C'est la quantité d'électricité que transporte en 1 seconde un courant de 1 ampère.]

COULOMMIERS, ch.-l. de cant. de Seine-et-Marne, à 29 km au S.-E. de Meaux, sur le Grand Morin; 12 250 hab. *(Columériens).*

COULOMMIERS [kulɔmje] n. m. (de *Coulommiers*). Fromage à pâte molle fermentée, de forme cylindrique, fabriqué dans l'est du Bassin parisien.

COULPE [kulp] n. f. (du lat. *culpa*, faute). Dans certains ordres religieux, confession publique des manquements à la règle de l'ordre. ‖ *Battre sa coulpe*, se frapper la poitrine en disant *mea culpa* (= « c'est ma faute »); exprimer son repentir.

COULURE n. f. ⟶ COULER 1.

COUP [ku] n. m. (lat. *colaphus*, coup de poing). [A. Généralement précisé par un complément introduit par *de*.] **1.** Choc donné à un objet ou à un être animé par un corps en mouvement : *Enfoncer un clou à coups de marteau.* — **2.** Action de frapper un être animé; bagarre : *En venir aux coups;* marque ou blessure laissée par un coup : *Être noir de coups.* — **3.** Action de manier, de faire fonctionner vivement un instrument, un appareil : *Donner un coup de brosse. En quelques coups de crayon, il a esquissé le portrait.* — **4.** Bruit soudain produit par un choc, une déflagration, ou par l'usage d'un instrument : *Un coup de canon, de sonnette;* heure précise sonnée par une horloge : *Les douze coups de midi.* — **5.** Manifestation violente d'une force naturelle : *Un coup de vent*

[B. Généralement sans compl.] **1.** Émotion violente, acte ou événement qui atteint vivement quelqu'un : *Cette mauvaise nouvelle lui a donné un coup* (= l'a fortement ému). — **2.** Action importante, acte décisif, surtout mauvaise action (souvent péjor.) : *Méditer un mauvais coup* (= un méfait, une traîtrise). *Manquer son coup.* — **3.** Au jeu, chacune des phases d'une partie, chacune des combinaisons d'un joueur : *Mettre l'adversaire échec et mat en trois coups.* — **4.** Syn. de FOIS, souvent fam. (notamment dans des loc.) : *On ne réussit pas à tous les coups* (ou *à tout coup*). *Il a répondu juste du premier coup* (ou *au premier coup*).

[C. Locutions diverses.] **1.** (avec un adj.) *Coup bas*, à la boxe, coup porté au-dessous de la ceinture; action déloyale. ‖ *Coup double*, à la chasse, coup qui abat deux pièces de gibier. ‖ *Coup droit*, au tennis, au ping-pong, frappe de la balle du côté où l'on tient normalement la raquette. ‖ *Coup dur*, événement fâcheux. ‖ *Coup fourré* ⟶ FOURRÉ 2. ‖ *Coup franc*, coup de pied donné, au rugby, à la suite d'un arrêt de volée, et, au football, accordé à la suite d'une irrégularité de l'adversaire. ‖ Fam. *Sale coup*, événement qui cause un grave dommage; action malhonnête. — **2.** (suivi d'un compl.) *Coup de chance, de veine*, circonstance favorable attribuée au hasard. ‖ *Coup de chapeau*, salutation qu'on adresse à quelqu'un en ôtant son chapeau; hommage adressé à quelqu'un dans le cours d'un discours, d'un ouvrage. ‖ *Coup de chien*, violente bourrasque sur mer, tempête de peu de durée. ‖ *Coup d'éclat*, action hardie, décisive, qui a un grand retentissement. ‖ *Coup d'envoi* ⟶ ENVOYER. ‖ *Coup d'épée dans l'eau*, tentative inutile. ‖ *Coup d'essai* ⟶ ESSAYER. ‖ *Coup d'État* ⟶ ÉTAT 4 ‖ *Coup de feu*, coup tiré avec une arme à feu. ‖ Fam. *Coup de fil*, communication téléphonique. ‖ *Coup de force*, acte violent et illégal d'un gouvernement, d'un parti ou d'un homme pour exercer le pouvoir. ‖ *Coup de foudre* ⟶ FOUDRE 1. ‖ *Coup de grâce* ⟶ GRÂCE 1. ‖ *Coup de grisou* ⟶ GRISOU. ‖ Fam. *Coup de main*, aide apportée à quelqu'un; action rapide et hardie, accomplie par une petite troupe. ‖ *Coup de maître*, action remarquablement réussie. ‖ *Coup d'œil*, regard ou examen rapide : *Il a tout compris au premier coup d'œil;* aptitude à juger, à apprécier rapidement : *Il se fie à son coup d'œil;* spectacle que l'on découvre d'un seul regard : *Un promontoire d'où l'on a un beau coup d'œil.* ‖ Fam. *Coup de pompe*, état d'une personne soudainement épuisée. ‖ *Coup de pouce*, aide légère, favorisant plus ou moins honnêtement la réussite d'une entreprise. ‖ *Coup pour rien*, action qui n'aboutit à aucun résultat, qui n'est pas prise en compte. ‖ *Coup de sang*, attaque d'apoplexie. ‖ *Coup de soleil* ⟶ SOLEIL 1. ‖ *Coup de téléphone* ⟶ TÉLÉPHONE. ‖ *Coup de tête*, décision soudaine, peu réfléchie. ‖ *Coup de théâtre*, changement subit dans une situation. ‖ (sujet nom de personne) Fam. *Passer en coup de vent*, passer sans s'arrêter ou s'arrêter très peu de temps. — **3.** (précédé d'une prép.) [loc. prép. ou adv.] *À coups de*, en recourant largement à. ‖ *Après coup*, une fois la chose faite. ‖ *Être dans le coup*, participer à une entreprise, être au courant d'un secret. ‖ *Du coup*, en conséquence, du fait même, dès lors. ‖ *Du même coup*, par la même occasion, la même conséquence. ‖ *D'un coup, d'un seul coup*, en une seule fois. ‖ Fam. *Pour le coup, pour un coup*, cette fois, pour une fois. ‖ *Sous le coup (de)* [en parlant d'une personne], sous la menace (de) : *Être sous le coup d'un arrêté d'expulsion;* sous l'effet (de) : *Être sous le coup d'une émotion.* ‖ *Mourir sur le coup*, instantanément, dès que le coup a été reçu. ‖ *Sur le coup de dix heures, de midi*, etc., vers dix heures, midi, etc. ‖ *Coup sur coup*, successivement. ‖ *Tout à coup, d'un coup*, subitement, soudain. — **4.** (précédé d'un verbe) *Avoir, prendre, attraper le coup*, le tour de main, le savoir-faire. ‖ *Faire d'une pierre deux coups*, atteindre un double résultat par une seule action. ‖ Fam. *Faire les quatre cents coups*, se livrer à toutes sortes d'excès. ‖ *Marquer le coup*, montrer, par des paroles ou par des actes, que l'on ne veut pas laisser quelque chose inaperçu. ‖ Fam. *En prendre un coup*, subir un dommage, une atteinte, une douleur. ‖ Fam. *Risquer, tenter le coup*, essayer (syn. TENTER SA CHANCE). ‖ Fam. *Tenir le coup*, résister. ‖ (sujet nom de chose) *Valoir le coup*, avoir une importance qui mérite qu'on s'en soucie, qu'on y donne ses soins (syn. VALOIR LA PEINE).

COUPABLE [kupabl] adj. et n. (du lat. *culpa*, faute). **1.** Se dit d'un être animé qui est l'auteur ou le responsable d'une faute : *S'il n'était pas coupable, pourquoi se serait-il enfui?* (contr. INNOCENT). *Ses conseillers sont plus coupables que lui* (syn. BLÂMABLE, FAUTIF). — **2.** (sujet nom désignant un accusé ou son avocat) *Plaider coupable*, ne pas contester les faits incriminés (contr. PLAIDER NON COUPABLE). ◆ adj. Se dit d'un acte qui mérite réprobation ou condamnation : *Une parole coupable* (syn. BLÂMABLE, CONDAMNABLE, RÉPRÉHENSIBLE). ◆ **culpabilité** n. f. État d'une personne, caractère d'un acte coupables (contr. INNOCENCE).

COUPAGE n. m., **COUPANT, E** adj. ⟶ COUPER 1.

COUP-DE-POING [kudpwɛ̃] n. m. *(coup, de,* et *poing).* **1.** Arme de silex grossièrement taillée, caractéristique des premières industries paléolithiques (syn. BIFACE). — **2.** *Coup-de-poing américain*, arme de main faite d'une main de fer percée de trous pour les doigts. ‖ Pl. des *coups-de-poing.*

1. COUPE [kup] n. f. (lat. *cuppa*). **1.** Vase ou verre destiné à recevoir une boisson, un dessert, etc.; contenance de ce verre : *Des coupes à champagne.* — **2.** Vase ou objet d'art, généralement en métal précieux, attribué comme récompense au vainqueur ou à l'équipe victorieuse d'une compétition sportive.

2. COUPE [kup] n. f. (de *coupe* 1). Compétition sportive où, le plus souvent, les rencontres entre les équipes aboutissent à l'élimination directe du vaincu (par oppos. au CHAMPIONNAT).

3. COUPE n. f. ⟶ COUPER 1.

COUPÉ [kupe] n. m. (de *carrosse coupé*, carrosse à un seul fond). **1.** Voiture fermée, à quatre roues, généralement à deux places. — **2.** Anc. forme de carrosserie pour automobile de ville, comportant, à l'avant, le siège du chauffeur et, à l'arrière, une caisse fermée avec ou sans strapontin.

COUPE-CHOUX, COUPE-CIRCUIT, COUPE-COUPE n. m. inv. ⟶ COUPER 1.

COUPÉE [kupe] n. f. (de *couper*). Ouverture pratiquée dans le lanc d'un navire, pour permettre d'y entrer ou d'en sortir grâce à échelle dite *de coupée.*

COUPE-FEU, COUPE-FILE, COUPE-GORGE, COUPE-PAPIER n. m. inv. —→ COUPER 1.

1. COUPER [kupe] v. t. (de *coup*). **1.** *Couper une chose* (nom concret), la diviser au moyen d'un instrument tranchant, d'un projectile : *Couper la tête à un condamné* (syn. TRANCHER). *Couper un membre* (syn. AMPUTER). *Couper un gâteau* (syn. DÉCOUPER). *La balle a coupé une artère* (syn. SECTIONNER). — **2.** *Couper qqch.*, retrancher une partie d'un ensemble : *La fin de l'émission a été coupée.* — **3.** *Couper qq'un de qqch., de qq'un*, l'isoler en le séparant : *Il vit coupé du reste du monde.* — **4.** Faire cesser la continuité d'une chose, interrompre : *La communication téléphonique a été coupée. Couper le courant. Son père l'avait menacé de lui couper les vivres* (= de cesser d'assurer son entretien). *Couper l'appétit* (= enlever l'envie de manger). — **5.** *Couper une balle*, au tennis, au ping-pong, renvoyer la balle en lui donnant un effet de rotation sur elle-même. ‖ *Couper une carte*, à un jeu de cartes, jouer un atout sur une carte d'une autre couleur jouée par un adversaire. ‖ *Couper les cartes*, ou, intransitiv., *couper*, partager un jeu de cartes en deux paquets. ‖ Fam. *Couper les cheveux en quatre*, être exagérément pointilleux, chicaneur. ‖ *Couper ses effets à qq'un*, lui causer une gêne qui l'empêche d'obtenir l'effet de surprise ou d'admiration qu'il escomptait. ‖ Fam. *Couper l'herbe sous le pied à qq'un*, le devancer dans une entreprise de façon à lui en ôter la possibilité ou le mérite. ‖ *Couper la parole à qq'un*, l'interrompre en parlant en même temps que lui (sujet nom de personne); ne pas lui permettre de parler (sujet nom de chose indiquant une cause physique, morale) : *L'émotion lui coupait la parole.* ‖ *Couper le souffle à qq'un*, lui causer un grand saisissement. ‖ *Couper une boisson*, la mêler d'eau. ◆ v. i. **1.** (sujet nom de chose) Être tranchant, affilé : *Votre couteau ne coupe pas, il faut l'aiguiser.* — **2.** (sujet nom d'être animé) Aller par un itinéraire direct, prendre un raccourci : *Couper à travers champs.* ◆ v. t. ind. Fam. *Couper à une corvée, à un inconvénient*, s'y soustraire, y échapper. ◆ **se couper** v. pr. **1.** Se faire une entaille, une blessure avec un instrument tranchant. — **2.** *Se couper en quatre pour qq'un*, faire l'impossible pour le satisfaire. ◆ **coupage** n. m. Mélange de vin ou d'alcool avec de l'eau ou avec un vin ou un alcool différent. ◆ **coupant, e** adj. **1.** *Une lame bien coupante* (syn. AFFILÉ, TRANCHANT). — **2.** *Parole coupante, ton coupant*, manière de parler péremptoire. ◆ **coupe** n. f. **1.** Action ou manière de couper. — **2.** Action, art de tailler un tissu pour en faire un vêtement; manière dont est fait ce vêtement : *Un complet d'une coupe élégante.* — **3.** Métrage prélevé sur une pièce de tissu. — **4.** Action de tailler les cheveux afin de coiffer; manière dont les cheveux sont taillés. — **5.** Action de séparer en deux paquets le jeu de cartes. — **6.** Étendue d'un bois destinée à être coupée. — **7.** Légère pause marquée dans le débit d'un vers : *Dans les vers classiques, la coupe principale est le plus souvent à l'hémistiche* (syn. CÉSURE). — **8.** Représentation par le dessin d'un édifice, d'une machine, etc., supposés coupés par un plan quelconque, de manière à montrer la disposition des pièces ou des organes intérieurs. ‖ *Coupe géologique*, profil établi suivant un tracé linéaire, d'après une carte topographique et la carte géologique qui y correspond. — **9.** *Coupe claire*, coupe sévère clairsemant les arbres. ‖ *Coupe sombre*, coupe partielle, qui épargne assez d'arbres pour laisser de l'ombre; action de retrancher une partie importante d'un ensemble. — **10.** *Être sous la coupe de qq'un*, dépendre de lui, être sous son autorité. ◆ **coupe-choux** n. m. inv. **1.** Sabre court. — **2.** *Fam.* Rasoir à lame. ◆ **coupe-circuit** n. m. inv. Appareil destiné à couper un circuit électrique lorsque l'intensité y dépasse une certaine valeur. ◆ **coupe-coupe** n. m. inv. Sabre d'abattis, utilisé en partic. dans la forêt vierge, dans les plantations exotiques. ◆ **coupe-feu** n. m. inv. Dispositif destiné à arrêter la propagation des incendies (mur dans un bâtiment, large allée dans une forêt). ◆ **coupe-file** n. m. inv. Carte officielle permettant à son titulaire de franchir des barrages de police, de passer par priorité dans une foule, etc. ◆ **coupe-gorge** n. m. inv. Lieu, établissement dangereux où l'on risque de se faire attaquer par des malfaiteurs. ◆ **coupe-papier** n m. inv. Instrument de bureau constitué par une lame de métal, d'os, etc., et destiné à couper des feuilles de papier. ◆ **couperet** n. m. **1.** Couteau ou hachoir de cuisine ou de boucherie. — **2.** Lame de la guillotine. ◆ **coupeur, euse** n. Ouvrier tailleur qui coupe les vêtements. ◆ **coupon** n. m. **1.** Reste d'une pièce de tissu. — **2.** Titre détachable joint à une action ou à une obligation, et qu'on remet pour percevoir l'intérêt. ◆ **coupure** n. f. **1.** Séparation produite dans la continuité d'un corps par un instrument tranchant : *Il s'est fait une coupure au doigt* (syn. ENTAILLE). — **2.** Interruption d'un courant électrique. — **3.** Rupture entre des époques successives; divergence d'opinions, etc. — **4.** Suppression d'un passage dans un ouvrage destiné à l'impression, dans une pièce de théâtre ou un film. — **5.** Billet de banque. — **6.** *Coupures de journaux, de presse*, fragments découpés dans les journaux à propos d'un événement politique, littéraire, etc. ◆ **recouper** v. t. **1.** Couper de nouveau. — **2.** *Recouper un vêtement*, lui donner une coupe différente (syn. RETOUCHER). [—→ DÉCOUPER.]

2. COUPER (SE) [səkupe] v. pr. (de *couper* 1). *Fam.* Laisser échapper ou laisser deviner par mégarde ce qu'on voulait cacher (syn. SE TRAHIR). ◆ **recouper** v. t. Apporter une confirmation : *Témoignage qui en recoupe un autre.* ◆ ***se recouper*** v. pr. Correspondre en se confirmant : *Leurs déclarations se recoupent.* ◆ **recoupement** n. m. Vérification d'un fait au moyen de renseignements provenant de sources différentes.

COUPERET n. m. —→ COUPER 1.

COUPERIN, famille française de musiciens, organistes, clavecinistes et compositeurs des XVIIe et XVIIIe s. — Son plus célèbre représentant est FRANÇOIS, dit *le Grand* (1668-1733). Organiste de la Chapelle et claveciniste du roi, il a composé des œuvres vocales, de la musique de chambre *(Concerts royaux)* et surtout plus de deux cents pièces de clavecin qui en font le grand maître du clavecin français.

COUPEROSE [kuproz] n. f. (lat. *cuprirosa*, rose de cuivre). *Méd.* Coloration rouge du visage, due à une dilatation des vaisseaux capillaires. ◆ **couperosé, e** adj.

COUPEUR, EUSE n. —→ COUPER 1.

1. COUPLE [kupl] n. f. (lat. *copula*, lien). Réunion de deux choses de même espèce : *Une couple d'œufs.* (Pour les choses qui vont ordinairement par deux, on dit *paire.*)

2. COUPLE [kupl] n. m. (même étym.). **1.** Homme et femme mariés, ou unis par les liens de l'amour, ou réunis momentanément pour une danse, dans un cortège, etc. — **2.** Animaux réunis deux à deux, mâle et femelle : *Un couple de renards.* (—→ ACCOUPLER.) ◆ **coupler** v. t. *Coupler des mécanismes*, les réunir par deux, coordonner automatiquement leur fonctionnement : *Un appareil photographique avec télémètre couplé* (= dont le réglage commande automatiquement la mise au point de l'objectif). ◆ **couplage** n. m. : *Le couplage de deux résistances électriques.* ◆ **couplé** n. m. Aux courses de chevaux, mode de pari consistant à désigner les deux premiers d'une épreuve. ◆ **coupleur** n. m. Dispositif de connexion des circuits d'un appareil ou d'un ensemble électrique. (—→ ACCOUPLER 2.)

3. COUPLE [kupl] n. m. (même étym.). **1.** *Mécan.* Système de deux forces égales, parallèles et de sens contraire. — **2.** *Math.* Ensemble ordonné ayant deux éléments, c'est-à-dire dont on distingue un premier et un second élément.

— ENCYCL. On note (a, b) le couple dont a est le premier élément et b le second.

Deux couples (a, b) et (c, d) sont égaux si et seulement si $a=c$ et $b=d$.

Si a est un élément de E et b un élément de F, (a, b) est un élément du produit* cartésien $E \times F$.

Rem. Il ne faut pas confondre le couple (a, b) qui est un ensemble ordonné, et la paire $\{a, b\}$, ensemble non ordonné à deux éléments.

Exemples : les couples (a, b) et (b, a) sont différents, les paires $\{a, b\}$ et $\{b, a\}$ sont égales; $\{a, a\}$ n'est pas une paire, car c'est un ensemble à un seul élément qu'il faut noter $\{a\}$, (a, a) est un couple, différent de l'ensemble $\{a\}$.

COUPLET [kuplɛ] n. m. (de *couple* 1). **1.** Strophe d'une chanson : *Les couplets sont souvent séparés par un refrain.* — **2.** Au théâtre, tirade d'une certaine importance après laquelle est ménagé un repos : *Les couplets héroïques d'Horace et de Curiace.*

COUPLEUR n. m. —→ COUPLE 1.

COUPOLE [kupɔl] n. f. (it. *cupola*). **1.** *Archit.* Voûte en demi-sphère (désigne surtout la voûte vue de l'intérieur de l'édifice; l'aspect extérieur s'appelle généralement *dôme*) : *La coupole des Invalides, à Paris.* — **2.** *Entrer sous la Coupole*, être élu à l'Académie française.

COUPON n. m., **COUPURE** n. f. —→ COUPER 1.

1. COUR [kur] n. f. (lat. *cohors, cohortis*). **1.** Espace découvert, clos de murs ou de bâtiments et dépendant d'une habitation ou d'un bâtiment public : *La cour de la ferme. Les enfants jouent dans la cour de l'école.* ‖ *Cour d'honneur*, principale cour d'un palais, d'un château. — **2.** *Côté cour*, par oppos. à *côté jardin*, côté droit d'un théâtre, pour le spectateur placé face à la scène. — **3.** *Cour des Miracles*, nom donné autref. à des lieux où vivaient rassemblés des mendiants et des voleurs. (Il en existait dans toutes les grandes villes.) ◆ **arrière-cour** n. f. Petite cour servant de dégagement. ‖ Pl. des *arrière-cours.* ◆ **courette** n. f. Petite cour.

2. COUR [kur] n. f. (même étym.). **1.** Ensemble des personnages qui entourent un souverain : *Les courtisans résidaient à la cour.* ‖ *Gens de cour*, personnes ayant le ton, les manières des courtisans. — **2.** Le souverain et ses ministres constituant le gouvernement d'un pays : *Un diplomate qui avait été envoyé en mission auprès de* *nombreuses cours en Europe.* — **3.** Entourage de personnes empressées à plaire à quelqu'un, à rechercher ses faveurs : *Un romancier entouré de toute une cour d'admirateurs.* — **4.** *Être bien, être mal en cour,* se dit d'une personne qui jouit, qui ne jouit pas de la faveur de quelqu'un. ‖ *Faire sa cour,* chercher à se ménager la faveur de quelqu'un. ‖ *Faire la cour à une femme,* chercher à lui plaire, à gagner son cœur par toutes sortes d'attentions (syn. COURTISER). ◆ **courtisan** n. m. **1.** Homme qui fait partie de la cour d'un souverain. — **2.** Celui qui flatte par intérêt un personnage important. ◆ **courtiser** v. t. *Courtiser une femme,* lui faire la cour. ‖ Péjor. *Courtiser un personnage influent,* chercher à gagner sa faveur.

3. COUR [kur] n. f. (même étym.). *Dr.* Dénomination de certains tribunaux, juridictions importantes, dont les décisions portent le nom d'*arrêts.* ‖ *Avocat à la cour,* avocat inscrit au barreau établi au siège d'une cour d'appel. ‖ *Cour d'appel,* juridiction devant laquelle on peut « faire appel » (= demander un nouveau jugement). ‖ *Cour d'assises,* juridiction de droit commun (une par département), qui est chargée de juger sans appel les personnes accusées d'avoir commis des crimes. ‖ *Cour de cassation,* tribunal suprême qui a pour mission de casser (= annuler), lorsqu'elles violent la loi, certaines décisions qui lui sont soumises. (L'affaire dont le jugement est cassé est renvoyée devant un tribunal qui l'étudie et la juge de nouveau.)

Cour des comptes, organisme suprême qui contrôle la comptabilité des services gérés par l'État, des grandes administrations (comme la Sécurité sociale), des collectivités locales (départements, communes), des entreprises nationalisées, etc. Cet organisme a succédé en 1807 aux chambres des comptes de l'Ancien Régime.

Un rapport annuel, public, est présenté chaque année au chef de l'État par la Cour des comptes : ce document regroupe les observations faites sur les abus et irrégularités constatés dans la comptabilité nationale. Il contient aussi des propositions de réformes pour améliorer la gestion des finances publiques.

Cour internationale de justice, organe judiciaire principal de l'Organisation des Nations unies. Elle siège à La Haye (Pays-Bas) et a pour rôle de régler les désaccords d'ordre juridique qui surviennent dans les États membres de l'O. N. U.

Cour de sûreté de l'État, tribunal créé en 1963, qui jugeait en temps de paix les crimes et délits contre la sûreté de l'État ou la discipline des armées. Il a été supprimé en 1981.

COURAGE [kuraʒ] n. m. (de *cœur*). **1.** Énergie morale, force d'âme qui permet de résister aux épreuves, d'affronter le danger ou la souffrance, qui pousse à agir avec fermeté : *Un soldat qui s'est battu avec courage* (syn. BRAVOURE, HARDIESSE, VAILLANCE). — **2.** Ardeur mise à entreprendre une tâche : *Travailler avec courage* (syn. ZÈLE). — **3.** *Avoir le courage de ses opinions,* ne pas hésiter à manifester ses opinions et à y conformer sa conduite. ‖ Fam. *Prendre son courage à deux mains,* déployer toute sa volonté pour surmonter ses appréhensions, pour oser faire quelque chose. ◆ **courage!** interj. ◆ **courageux, euse** adj. (avant ou après le nom). Se dit d'un être animé qui manifeste du courage, ou d'une attitude, d'une action inspirée par le courage : *Un sauveteur courageux* (syn. BRAVE [placé après le nom], VAILLANT). ◆ **courageusement** adv. : *Lutter courageusement* (syn. BRAVEMENT, VAILLAMMENT, VALEUREUSEMENT). ◆ **décourager** v. t. **1.** *Décourager qq'un,* lui ôter son courage (syn. DÉMORALISER). — **2.** *Décourager le crime, les bonnes volontés,* etc., détourner de leurs projets ceux qui seraient tentés de commettre un crime, de faire preuve de bonne volonté, etc. ◆ ***se décourager*** v. pr. (sujet nom de personne). Perdre courage. ◆ **décourageant, e** adj. : *Une série d'échecs décourageants* (syn. DÉMORALISANT, ↑DÉSESPÉRANT). ◆ **découragement** n. m. État d'une personne découragée : *Se laisser aller au découragement* (syn. ABATTEMENT, ↑DÉSESPOIR). ◆ **encourager** v. t. **1.** (sujet nom de personne ou de chose) *Encourager qq'un,* lui donner du courage, le porter à agir : *Votre présence m'encourage* (syn. ENHARDIR). *Nous l'avons encouragé à continuer* (syn. INCITER, POUSSER). — **2.** *Encourager un projet, une œuvre,* etc., en favoriser la réalisation, le développement. ◆ **encourageant, e** adj. : *Résultat encourageant.* ◆ **encouragement** n. m. : *Des cris d'encouragement.*

COURAMMENT adv. ⟶ COURANT 2.

1. COURANT, E adj. ⟶ COURIR.

2. COURANT, E [kurɑ̃, -ɑ̃t] adj. (de *courir*). **1.** Se dit de ce qui ne sort pas de l'ordinaire, qu'on trouve sans difficulté : *Le téléphone est d'un usage courant* (syn. NORMAL, QUOTIDIEN, RÉPANDU; contr. EXCEPTIONNEL, RARE). *Une arme d'un modèle courant* (syn. USUEL; contr. SPÉCIAL). *Les résultats obtenus par les procédés courants* (syn. CLASSIQUE, HABITUEL, ORDINAIRE). *C'est un problème courant* (syn. BANAL, FRÉQUENT). — **2.** *Affaires courantes,* les actes administratifs habituels. ‖ *Monnaie courante,* pratique habituelle. ◆ **couramment** adv. : *Il parle couramment l'allemand* (= sans difficulté, avec naturel). *Une question qu'on me pose couramment* (syn. FRÉQUEMMENT).

3. COURANT [kurɑ̃] n. m. (même étym.). **1.** (sans compl. ou avec un compl. désignant un liquide ou un fluide). Mouvement d'un liquide ou d'un fluide dans tel ou tel sens; rapidité de ce mouvement : *La barque a été emportée par le courant. Un courant d'air.* ‖ *Courant marin,* ou *courant océanique,* mouvement qui entraîne des masses d'eau considérables à la surface ou à l'intérieur même des océans. ⟶ ENCYCL. — **2.** (avec un compl. nom de personne ou de chose) Mouvement orienté d'un ensemble de personnes ou de choses; tendance générale des idées ou des sentiments : *Courants de population* (syn. MOUVEMENT). *Le courant de l'histoire* (= la marche, le progrès). *Bénéficier d'un vaste courant de sympathie.* — **3.** *Courant électrique,* déplacement d'électricité à travers un conducteur. ‖ *Courant alternatif,* courant circulant alternativement dans un sens, puis dans un autre. ‖ *Courant continu,* courant ayant toujours le même sens, et dont l'intensité est constante. ‖ *Courant porteur,* courant alternatif de fréquence élevée, utilisé pour transmettre des signaux. — **4.** (avec un nom de personne) *Au courant,* qui est informé de quelque chose, qui a la pratique de la marche d'une affaire : *Êtes-vous au courant de derniers projets?* (syn. CONNAÎTRE). *Mettre au courant* (syn. RENSEIGNER). — **5.** *Dans le courant de la semaine, du mois, de l'année* à un moment d'une de ces périodes. ‖ *Remonter le courant,* réagir contre une tendance, redresser la situation. ◆ **contre-courant** n. m. Flot de la marée qui remonte les fleuves et qui se heurte au courant fluvial, en provoquant une vague, appelée *mascaret* sur la Seine. ‖ Pl. des *contre-courants.*

— ENCYCL. Des masses d'eau tiède remontent de la zone intertropicale vers les pôles tandis que des masses d'eau froide font le chemin inverse. Ce sont les grands *courants* océaniques, parmi lesquels on distingue les *courants chauds* (comme le Gulf Stream dans l'Atlantique nord) et les *courants froids* (comme le courant de Benguela dans l'Atlantique sud). Ils jouent un rôle important car ils influent sur le climat et aussi sur les mouvements des poissons.

Localement s'établissent des *courants secondaires* comme les courants de marée.

COURANTE [kurɑt] n. f. (de *courir*). Danse française à trois temps, très en vogue au XVIIe s.

COURBATU, E [kurbaty] adj. (*court,* et *battu*). **1.** Se dit du cheval dont la respiration et les mouvements sont gênés. — **2.** Se dit de quelqu'un qui ressent une lassitude douloureuse dans tout le corps. ◆ **courbature** n. f. **1.** État du cheval courbatu. — **2.** Lassitude générale, accompagnée de douleurs musculaires. ◆ **courbaturé, e** adj. Fam. : *Avoir le dos courbaturé.* ◆ **courbaturer** v. t. Donner, causer une courbature; fatiguer extrêmement.

COURBE [kurb] adj. (lat. *curvus*). Se dit d'une ligne ou d'une surface qui a plus ou moins la forme ou la coupe d'un arc : *Un arbre aux branches courbes* (syn. ARQUÉ). *La tôle de la carrosserie est courbe* (syn. INCURVÉ). ◆ n. f. **1.** Ligne courbe : *La route fait une courbe.* — **2.** Graphique représentant les variations d'un phénomène; évolution de ce phénomène : *Courbe de température. La courbe du progrès.* — **3.** *Courbe de niveau,* en cartographie, ligne imaginaire reliant tous les points situés à une même altitude, utilisée pour représenter le relief : *La photographie aérienne a permis de donner beaucoup de précision au tracé des courbes de niveau.* ◆ **courber** v. t. **1.** *Courber un objet,* le rendre courbe en exerçant une force sur lui : *Le vent courbe les peupliers* (syn. PLIER, PLOYER). — **2.** *Courber la tête, le dos, l'échine,* tenir la tête penchée en avant, arrondir le dos, généralement en signe d'humilité, de soumission. ◆ ***se courber*** v. pr. (sujet nom de personne). Incliner le corps en avant. ◆ **courbement** n. m. ◆ **courbette** n. f. **1.** *Fam.* Salut obséquieux. — **2.** *Faire des courbettes devant* (ou *à*) *qq'un,* lui prodiguer des marques exagérées de déférence. ◆ **courbure** n. f. **1.** État, aspect de ce qui est courbe. — **2.** Partie courbe d'une chose.

COURBET (Gustave), peintre français (1819-1877). En réaction contre le romantisme, il devint le chef de file du réalisme. Il pratiqua un art robuste (coloris obscurs, formes compactes), cherchant à rendre la vie sous ses multiples aspects en prenant résolument position contre les sujets historiques, mythologiques, etc., de la peinture traditionnelle. Ses toiles, jugées « vulgaires », soulevèrent des scandales (*l'Enterrement à Ornans, l'Atelier du peintre).* Ses idées sociales avancées lui firent soutenir la Commune en 1871, ce qui lui valut six mois de prison. Il s'exila alors en Suisse.

COURBETTE n. f. ⟶ COURBE.

COURBEVOIE, ch.-l. de cant. des Hauts-de-Seine, à 3 km au N.-O. de Paris, sur la Seine; 59 900 hab.

COURBURE n. f. ⟶ COURBE.

COURCELLES-LÈS-LENS, comm. du Pas-de-Calais, à l'E. d'Hénin-Liétard; 5 900 hab.

COURCHEVEL, section de la comm. de Saint-Bon-Tarentaise (Savoie), à 24 km au S.-E. de Moûtiers. Station de sports d'hiver.

Lauros-Giraudon

es Bergers d'Arcadie
(1638-1639),
de Nicolas Poussin.
sée du Louvre, Paris.

Art
CLASSIQUE

Lauros-Giraudon

La Saône,
lpture de J.-B. Tuby,
à Versailles.

La Colonnade du Louvre,
d'après les projets
de Claude Perrault (1668).

Lauros

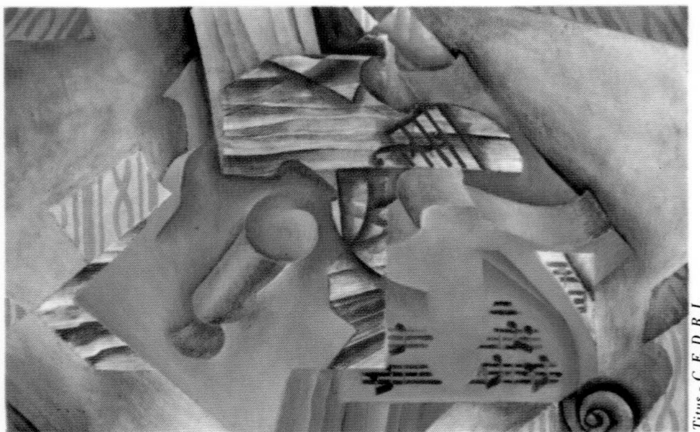

Juan Gris, *Violon au verre* (1913).
Musée national d'Art moderne, Paris.

Titus - C. E. D. R. I.

Lauros-Giraudon

Robert Delaunay,
la *Tour Eiffel* (1910-1911).
Musée de Bâle (Suisse).

Georges Braque, *le Guéridon rouge* (1939-1949).
Musée national d'Art moderne, Paris.

Giraudon

Alfred J. Wyatt, Philadelphia Museum of Art

Pablo Picasso, *les Trois Musiciens* (1921).
Philadelphia Museum of Art (États-Unis).

COURETTE n. f. ⟶ COUR 1.

1. COUREUR, EUSE n. ⟶ COURIR.

2. COUREURS [kurœr] n. m. pl. (de *courir*). Nom collectif donné aux oiseaux des quatre ordres suivants : les struthioniformes (autruches); les rhéiformes (nandous); les casuariiformes (casoars, émeus); les aptérygiformes (kiwis). [Ces oiseaux n'ont pas de bréchet et sont inaptes au vol. À l'exclusion des kiwis, ils sont tous de grande taille.] (Syn. RATITES.)

COURGE [kurʒ] n. f. (lat. *cucurbita*). Plante potagère dont on consomme comme légume les grosses baies. (Famille des cucurbitacées.) ◆ **courgette** n. f. Fruit allongé de certaines courges, que l'on consomme à l'état jeune.

COURIER (Paul-Louis), écrivain français (1772-1825). Auteur de pamphlets (= écrits courts et satiriques) contre le gouvernement de la Restauration (*Pamphlet des Pamphlets*, 1824), il laissa également un recueil de *Lettres écrites de France et d'Italie*.

COURIR [kurir] v. i. (lat. *currere*). [Conj. **29.**] **1.** (sujet nom d'être animé) Se déplacer rapidement en faisant agir vivement ses jambes ou ses pattes : *Le chien court après un lièvre. Courir à toutes jambes, à fond de train, à perdre haleine* (= courir très vite). — **2.** (sujet nom de personne ou de certains animaux) Participer à une course. — **3.** (sujet nom de personne) Aller de divers côtés pour chercher quelque chose, dans une intention précise : *J'ai couru partout pour trouver une pièce de rechange* (syn. SE DÉMENER). — **4.** (sujet nom de chose) Être mû par un mouvement rapide : *Une benne qui court le long d'un câble* (syn. ↓SE DÉPLACER). — **5.** (sujet nom de chose) Se dérouler dans le temps : *Par le temps qui court* (= dans les circonstances actuelles). — **6.** (sujet nom de chose) S'étendre en longueur : *Un sentier qui court sur la falaise.* — **7.** (sujet nom désignant une nouvelle, un bruit, etc.) Se répandre rapidement : *Ne vous fiez pas aux rumeurs qui courent* (syn. SE PROPAGER). *On a fait courir le bruit de sa mort* (syn. CIRCULER). — **8.** *Courir à sa perte, à sa ruine, à un échec*, agir d'une manière qui provoquera infailliblement le désastre, la ruine, l'échec. ‖ *Courir au plus pressé*, se hâter de faire ce qui est le plus urgent. ‖ *Courir après la fortune, après le succès*, les rechercher avec empressement. ◆ v. t. **1.** *Courir les bals, les agences, les magasins*, etc., les fréquenter assidûment, aller sans cesse de l'un à l'autre. — **2.** *Courir les filles* (ou simplem. *courir*), les courtiser, les rechercher. — **3.** *Courir un cent mètres, le Grand Prix*, etc., disputer cette compétition sportive. — **4.** *Courir un risque, un danger*, y être exposé : *C'est un risque à courir* (= une chance à tenter). — **5.** *Courir un cerf, un sanglier*, les poursuivre dans une chasse à courre. — **6.** (sujet nom de chose) Être abondamment répandu dans : *Une plaisanterie qui courait les salons.* — **7.** (sujet nom de personne ou de chose) Fam. *Courir les rues*, être très commun, banal : *Un livre qui court les rues.* — LOC. ADV. *En courant*, à la hâte : *Répondre en courant à une lettre.* ◆ **courant, e** adj. *Chien courant*, chien de chasse dressé à poursuivre le gibier, par oppos. à *chien couchant.* ‖ *Eau courante*, eau qui s'écoule, par oppos. à *eau stagnante;* installation de distribution d'eau dans une habitation : *Un appartement qui n'a pas l'eau courante.* ‖ *Le mois courant, le 15 courant*, le mois où l'on est, le 15 du présent mois. ◆ **couru, e** adj. Recherché : *Spectacle couru.* ◆ **coureur, euse** n. **1.** Personne qui participe à une compétition sportive consistant en une course : *Coureur à pied, coureur cycliste.* ‖ *Coureur des bois*, chasseur ou trafiquant de pelleteries, qui, pour se procurer des fourrures, pénétrait en plein cœur des pays occupés par les tribus indiennes de la Nouvelle-France (Canada). — **2.** Personne qui recherche les aventures amoureuses. ◆ **avant-coureur** adj. m. Qui précède et annonce un événement prochain (surtout avec le mot *signe*) : *Les signes avant-coureurs du printemps* (syn. ANNONCIATEUR). ◆ **course** n. f. **1.** Action d'un être animé qui court : *Photographier un cheval en pleine course.* — **2.** Mouvement ou déplacement rapide d'un objet dans l'espace : *Le navire ralentit sa course.* — **3.** Compétition sportive où plusieurs concurrents luttent de vitesse : *Une course à pied. Une course de chevaux.* — **4.** Mouvement rapide vers un but, en général

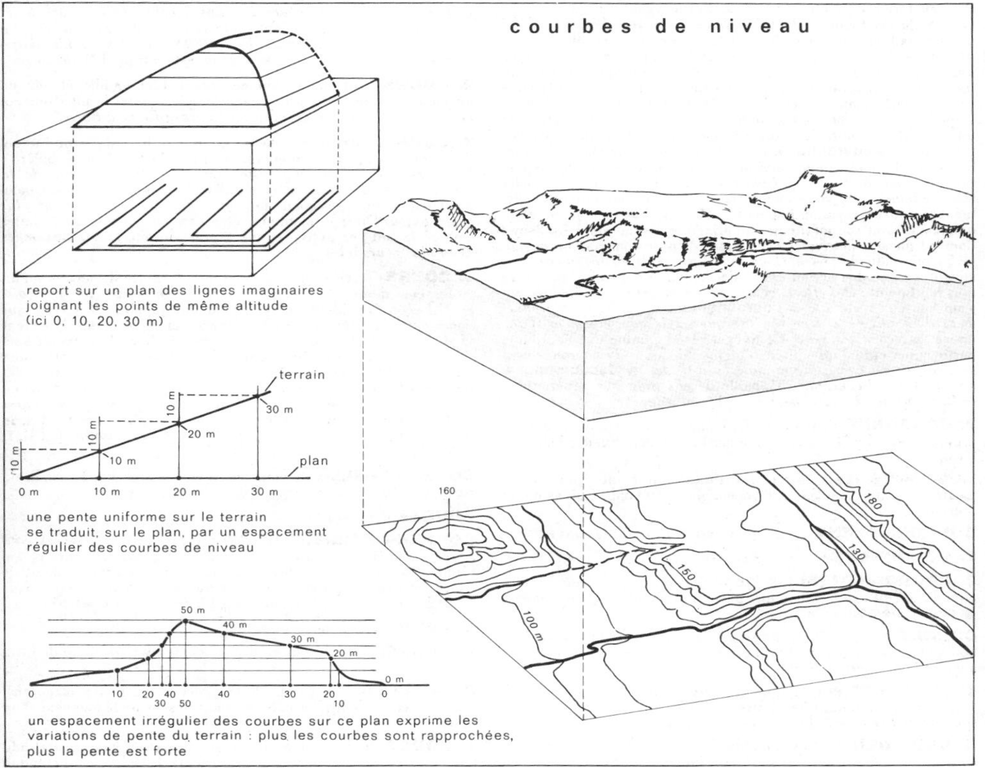
courbes de niveau
report sur un plan des lignes imaginaires joignant les points de même altitude (ici 0, 10, 20, 30 m)
terrain
10 m
30 m
20 m
10 m
plan
0 m
10 m
20 m
30 m
une pente uniforme sur le terrain se traduit, sur le plan, par un espacement régulier des courbes de niveau
50 m
40 m
30 m
20 m
0 m
0
10
20
30
40
50
40
30
20
10
0
un espacement irrégulier des courbes sur ce plan exprime les variations de pente du terrain : plus les courbes sont rapprochées, plus la pente est forte
160
180
130
150
100 m

dans une lutte entre plusieurs rivaux : *La course aux armements.* — **5.** Trajet parcouru par un corps mobile; le mouvement lui-même : *La course du piston dans le cylindre.* — **6.** Trajet parcouru en montagne par un alpiniste et correspondant à une ascension déterminée. — **7.** Trajet fait à la demande d'un client par un taxi. — **8.** (sujet nom de personne) Fam. *Être dans la course,* être au courant de l'actualité, avoir suivi le cours des événements (souvent dans une phrase négative). ◆ n. f. pl. **1.** Allées et venues pour se procurer quelque chose; achats faits chez un commerçant : *Avoir des courses à faire. Elle a déposé ses courses dans le couloir* (syn. ACHATS, COMMISSIONS, EMPLETTES). — **2.** *Courses de chevaux,* ou simplem. *courses,* sport où des chevaux sont engagés dans une course. ◆ **coursier** n. m. Celui qui a pour emploi de faire des courses en ville (transmission de messages, de paquets, etc.), pour le compte d'un patron, d'une entreprise, etc.

COURLANDE, région de Lettonie, entre la Baltique et la Dvina. V. pr. *Liepaia.*

COURLIS [kurli] n. m. (onomat.; d'après le cri de l'oiseau). Oiseau échassier migrateur, long de 70 cm, habitant près des eaux douces ou sur les côtes, à long bec arqué vers le bas.

COURMAYEUR, comm. d'Italie, dans le Val d'Aoste, au pied du mont Blanc; 1 700 hab. Centre touristique et d'alpinisme, près du débouché du tunnel du Mont-Blanc.

COURNEUVE (La), ch.-l. de cant. de la Seine-Saint-Denis, à 3 km au N.-E. de Paris; 33 700 hab.

COURNOT (Antoine Augustin), mathématicien, économiste et philosophe français (1801-1877). Sa doctrine repose sur le calcul des probabilités.

1. COURONNE [kurɔn] n. f. (lat. *corona*). **1.** Ornement circulaire, qu'on porte sur la tête en certaines circonstances : *Une couronne royale. La mariée portait une couronne de fleurs.* — **2.** Ornement porté sur la tête et qui est un signe de distinction, une récompense : *Une couronne de laurier.* — **3.** Autorité royale, dynastie souveraine (ordinairement avec une majusc.) : *Les États liés par des traités à la Couronne d'Angleterre.* — **4.** Objet de forme circulaire : *Acheter une couronne chez le boulanger* (= un pain en forme de couronne). — **5.** Partie visible de la dent qui émerge du maxillaire et dont l'ivoire est recouvert d'émail; revêtement métallique posé par un dentiste sur une dent et qui reconstitue artificiellement cette partie. — **6.** *Couronne de fer,* couronne byzantine dont le nom vient du cercle de fer qui s'y trouvait incrusté, et qui aurait été faite en partie d'un des clous de la vraie croix. (Charlemagne la ceignit en 774, Charles Quint en 1530, et Napoléon Ier en 1805.) ‖ *Couronne mortuaire,* fleurs disposées sur un support circulaire, offertes à la mémoire d'un défunt lors des funérailles. ◆ **couronner** v. t. **1.** (sujet nom de personne) *Couronner qq'un,* lui mettre une couronne sur la tête en signe de distinction, de récompense. — **2.** *Couronner un roi, un prince,* lui poser solennellement une couronne sur la tête en lui conférant officiellement le pouvoir royal ou impérial. — **3.** *Couronner un ouvrage, un auteur,* honorer son mérite par un prix, une distinction. — **4.** (sujet nom de chose) *Couronner qqch.,* être disposé tout autour de lui. — **5.** (sujet nom de chose) *Couronner l'œuvre de qq'un, sa carrière,* constituer une distinction éminente pour une personne, porter au plus haut point : *Des efforts couronnés de succès* (= qui aboutissent à un heureux résultat). ◆ **couronnement** n. m. **1.** *Le couronnement d'un roi.* — **2.** *Une réussite qui est le couronnement d'une année de recherches.* — **3.** Ce qui est placé comme une couronne, partie supérieure d'un édifice, d'un meuble, etc. : *Le couronnement de l'édifice est constitué par une balustrade.* ◆ **découronné, e** adj. **1.** *Arbre découronné,* dépouillé de ses branches supérieures. — **2.** *Souverain découronné,* déchu de son trône.

2. COURONNE [kurɔn] n. f. (même étym.). Unité monétaire principale dans divers pays (Danemark, Norvège, Suède, Tchécoslovaquie, etc.).

COURONNE (La), autref. **La Palud,** ch.-l. de cant. de la Charente, à 8 km au S.-O. d'Angoulême; 6 600 hab. Ruines d'une abbaye.

COURONNEMENT n. m. ⟶ COURONNE 1 et COURONNER 2.

1. COURONNER v. t. ⟶ COURONNE 1.

2. COURONNER (SE) [səkurɔne] v. pr. (lat. *coronare*) [sujet nom désignant un cheval ou une personne]. Se blesser aux genoux. ◆ **couronnement** n. m.

COURRE [kur] v. t. (lat. *currere*). *Chasse à courre,* chasse où l'on poursuit le gros gibier à cheval et avec des chiens. (Le mot est un anc. infin. de *courir.*)

1. COURRIER [kurje] n. m. (it. *corriere;* du lat. *currere,* courir). **1.** Homme qui portait les lettres en malle-poste : *L'affaire du courrier de Lyon.* — **2.** Porteur de dépêches : *Le courrier du roi.*

2. COURRIER [kurje] n. m. (de *courrier* 1). Moyen de transport (voiture, bateau, avion) servant à acheminer la correspondance ou assurant un service commercial régulier. ◆ **long-courrier** n. m. et adj. Avion, bateau assurant les transports sur de longues distances : *Les long-courriers entre Paris et Tōkyō.* ◆ **moyen-courrier** n. m. et adj. Avion destiné à effectuer des transports sur des distances inférieures à 2 000 km. ‖ Pl. des *moyen-courriers.*

3. COURRIER [kurje] n. m. (même étym.). **1.** Ensemble de la correspondance (lettres, imprimés, paquets) : *Le facteur distribue le courrier.* — **2.** Rubrique d'un journal où sont insérées les lettres des lecteurs et les réponses de la rédaction (avec un compl., un adj.) : *Le courrier du cœur permet à des gens d'exposer anonymement leurs problèmes sentimentaux.* ◆ **courriériste** n. Journaliste chargé d'une chronique dans un journal.

COURRIÈRES, ch.-l. de cant. du Pas-de-Calais, sur la Deûle, à 4 km au N. d'Hénin-Liétard; 12 500 hab.

COURRIÉRISTE n. ⟶ COURRIER 3.

COURROIE [kurwa] n. f. (lat. *corrigia*). **1.** Bande de cuir, de tissu, etc., servant à tenir ou à fixer un objet. — **2.** *Courroie de transmission,* ou simplem. *courroie,* bande de cuir servant à transmettre le mouvement d'une poulie à une autre.

COURROUX [kuru] n. m. (du lat. *corruptum,* aigri). Vive colère (littér.). ◆ **courroucer** v. t. Mettre en colère. ◆ ***se courroucer*** v. pr.

1. COURS [kur] n. m. (lat. *cursus*). **1.** Suite de faits dont l'enchaînement s'étend sur une certaine durée : *Le cours d'une maladie* (syn. DURÉE). *Le cours de la guerre* (syn. DÉROULEMENT). *L'enquête suit son cours* (= elle se poursuit). — **2.** Écoulement des eaux d'un fleuve, d'une rivière : *La Seine a un cours régulier.* — **3.** Trajet parcouru par un fleuve ou une rivière. — **4.** *Cours d'eau,* nom général donné à toutes les eaux courantes (fleuve, rivière, ruisseau, canal). — **5.** *Cours d'un astre,* mouvement, réel ou apparent, de cet astre. — **6.** *Donner cours, donner* (ou *laisser*) *libre cours à,* laisser se manifester sans retenue. ‖ *Être en cours,* se dit d'un événement, d'une action qui a commencé et qui s'achemine plus ou moins directement vers son achèvement. ‖ *Capitaine au long cours,* officier de la marine marchande qualifié pour naviguer au long cours. ‖ *Naviguer au long cours,* parcourir de longues distances en haute mer. — LOC. PRÉP. *Au cours de, dans le cours de, en cours de* (et un compl. sans art.), pendant toute la durée de : *Je l'ai vu plusieurs fois au cours de l'année* (syn. DURANT, PENDANT). *L'appartement est en cours d'aménagement* (= on est en train de l'aménager).

2. COURS [kur] n. m. (même étym.). Lieu public étendu en longueur et propre à la promenade (emploi limité; le plus souvent accompagné d'un nom propre) : *Le Cours-la-Reine à Paris.*

3. COURS [kur] n. m. (même étym.). **1.** Prix de vente actuel d'un produit industriel ou commercial ou d'une valeur mobilière : *Le cours des voitures d'occasion* (syn. COTE). *Les cours de la Bourse.* — **2.** *Avoir cours,* être utilisable comme moyen de paiement (sujet nom désignant la monnaie) : *Ces pièces n'ont plus cours aujourd'hui;* être admis, être pris en considération (sujet nom désignant une pratique, une expression, etc.) : *Ses mensonges n'ont plus cours ici.*

4. COURS [kur] n. m. (même étym.). **1.** Série de leçons qu'un professeur donne sur une matière : *Un cours de français.* — **2.** Leçon faite dans une école ou une faculté : *Un élève qui s'amuse pendant le cours.* — **3.** Ouvrage qui expose l'enseignement suivi d'un professeur dans une matière. — **4.** Établissement spécialisé dans une branche d'enseignement ou s'adressant à une catégorie particulière d'élèves : *Un cours privé* (syn. ÉTABLISSEMENT SCOLAIRE). — **5.** Dans l'enseignement élémentaire, chacune des divisions entre lesquelles est réparti le programme des études, de six à onze ans. (On distingue le *cours préparatoire* [C. P.], le *cours élémentaire* [C. E. 1, C. E. 2], le *cours moyen* [C. M. 1, C. M. 2].)

COURS-LA-VILLE, comm. du Rhône, à 28,5 km au N.-E. de Roanne; 5 100 hab. *(Coursiauds).* Industries textiles.

COURSE n. f. ⟶ COURIR.

COURSE-CROISIÈRE [kurskrwazjɛr] n. f. *(course,* et *croisière).* Compétition organisée en mer sur un long parcours et qui réunit des bateaux à voiles obéissant à un même règlement de course et classés généralement, en raison de leur différence de taille, selon un calcul de handicap. ‖ Pl. des *courses-croisières.*

1. COURSIER n. m. ⟶ COURIR.

2. COURSIER [kursje] n. m. (de *cours*). Syn. poétique de CHEVAL.

COURSIVE [kursiv] n. f. (de l'it. *corsivo,* où l'on peut courir). Passage réservé entre les cabines, dans le sens de la longueur d'un navire.

1. COURT, E [kur, la liaison ne se fait pas au sing.; kurt] adj. (lat. *curtus*) [après ou parfois avant le nom]. **1.** Qui a peu d'étendue en longueur : *Une chemise à manches courtes* (contr. LONG). *Je l'ai suivi sur une courte distance.* — **2.** Dont la durée est relativement brève : *La vie est courte* (syn. BREF). — **3.** *Avoir la mémoire courte*, oublier rapidement. ◆ adv. **1.** *Des cheveux coupés court.* — **2.** *S'arrêter court, demeurer, rester, se trouver court*, se trouver soudain incapable de continuer, de sortir d'une situation embarrassante. ‖ *Couper court à*, faire cesser brusquement : *Un communiqué officiel a coupé court à tous les commentaires;* éliminer en bloc : *Il a coupé court à toutes les formalités.* — LOC. ADV. *Aller au plus court*, procéder de la façon la plus simple et la plus rapide. ‖ *Prendre qq'un de court*, le prendre au dépourvu, sans lui laisser le temps de réfléchir ou d'agir. ‖ (sujet nom de chose) *Tourner court*, cesser brusquement, n'aboutir à aucun résultat. ‖ *Tout court*, sans rien de plus : *On l'appelle Pierre tout court* (= sans ajouter son nom de famille). — LOC. PRÉP. *À court de*, se dit de celui qui a épuisé toutes ses ressources. ◆ **courtaud, e** adj. et n. Se dit d'une personne de petite taille et assez grosse (syn. BOULOT, TRAPU). ◆ **écourter** [ekurte] v. t. *Écourter qqch.*, en diminuer la durée ou la longueur : *Écourter son séjour* (syn. ABRÉGER). *Un texte écourté* (syn. TRONQUER). ◆ **raccourcir** [rakursir] v. t. **1.** *Raccourcir qqch.*, le rendre plus court : *Raccourcir une jupe* (contr. ALLONGER, RALLONGER), *un exposé* (syn. ABRÉGER, RÉDUIRE). — **2.** *Tomber sur qq'un à bras raccourcis*, le frapper de toutes ses forces. ◆ v. i. Devenir plus court : *Les jours commencent à raccourcir* (contr. ALLONGER, RALLONGER). ◆ **raccourci** n. m. Chemin plus court : *En prenant ce raccourci vous arriverez plus vite* (contr. DÉTOUR). — LOC. ADV. *En raccourci*, d'une façon plus brève (syn. EN ABRÉGÉ). ◆ **raccourcissement** n. m. : *Le raccourcissement des jours.*

2. COURT [kur] n. m. (mot angl.). Terrain spécialement préparé pour le jeu de tennis.

COURTAGE n. m. ⟶ COURTIER.

COURTAUD, E adj. et n. ⟶ COURT 1.

COURT-BOUILLON [kurbujɔ̃] n. m. (*court*, et *bouillon*). Bouillon épicé, mêlé de vin ou de vinaigre, dans lequel on fait cuire du poisson. ‖ Pl. des *courts-bouillons*.

COURT-CIRCUIT [kursirkɥi] n. m. (*court*, et *circuit*). *Électr.* Mise en contact de deux conducteurs dont les potentiels sont différents, ce qui provoque le passage direct du courant d'un point à l'autre au lieu du circuit normal : *Si vos fils sont mal isolés, vous risquez un court-circuit.* ‖ Pl. des *courts-circuits*. ◆ **court-circuiter** v. t. **1.** *L'éclairage de la pièce a été court-circuité* (= son fonctionnement a été détruit par un court-circuit). — **2.** Fam. : *Une démarche qui court-circuite la voie hiérarchique* (= qui ne passe pas par les divers échelons successifs).

COURTELINE (Georges MOINAUX, dit **Georges**), écrivain français (1858-1929). Il a laissé une œuvre abondante, remarquable par la justesse de l'observation, la précision du trait, la vivacité de la satire, souvent amère (*les Gaîtés de l'escadron*, 1886; *le Train de 8 h 47*, 1888; *Messieurs les ronds-de-cuir*, 1893).

COURTEPOINTE [kurtəpwɛ̃t] n. f. (de l'anc. fr. *coutepointe*, matelas piqué). Couverture de lit piquée.

COURTIER, ÈRE [kurtje, -tjɛr] n. (de l'anc. fr. *courre*, courir). Personne qui joue un rôle d'intermédiaire dans une opération commerciale. ◆ **courtage** n. m. Opération du courtier; rémunération qui lui est due.

COURTILIÈRE [kurtiljɛr] n. f. (de *courtil*, jardin). Insecte appelé usuellement TAUPE-GRILLON, car il creuse des galeries dans le sol à l'aide de ses pattes antérieures, larges et plates. (Ordre des orthoptères.)

COURTINE [kurtin] n. f. (lat. *cortina*, tenture). *Mil.* Mur d'un rempart joignant les flancs de deux bastions contigus.

COURTINE (La), ch.-l. de cant. de la Creuse, à 20 km au N. d'Ussel; 1250 hab. Grand camp militaire.

COURTISAN n. m. ⟶ COUR 2.

COURTISANE [kurtizan] n. f. (it. *cortigiana*). Femme de mœurs légères.

COURTISER v. t. ⟶ COUR 2.

COURTOIS, E [kurtwa, -waz] adj. (de l'anc. fr. *court*, cour princière). **1.** Se dit généralement d'un homme (ou de son attitude) qui se conduit avec une politesse distinguée, une parfaite correction : *Des paroles courtoises* (syn. AIMABLE, POLI; contr. GROSSIER). *Son procédé n'est guère courtois* (syn. ÉLÉGANT). — **2.** *Littérature courtoise*, littérature raffinée, apparue aux XIᵉ-XIIᵉ s. dans les petites cours seigneuriales, principalem. dans le midi de la France, et célébrant l'amour et les exploits chevaleresques. ⟶ ENCYCL. ◆ **courtoisement** adv. ◆ **courtoisie** n. f. Politesse raffinée. ◆ **discourtois, e** adj. Qui offense par manque de courtoisie : *Il a été très discourtois en refusant mon offre* (syn. INÉLÉGANT, ↑GROSSIER, MUFLE). ◆ **discourtoisie** n. f. Manque de courtoisie.

— ENCYCL. La *littérature courtoise*, comme l'indique l'étymologie du mot, s'adressait à un public aristocratique. Au XIIᵉ s., une vie mondaine se crée dans les cours seigneuriales. La chevalerie devient une classe héréditaire aux règles de conduite bien codifiées : les dames donnent le ton et imposent une politesse raffinée. Aussi retrouvera-t-on dans les œuvres littéraires les thèmes nouveaux du respect de la femme, de l'*amour courtois* caractérisé par la soumission absolue du chevalier à l'égard de sa dame, des observations psychologiques, et, au point de vue de la forme, le souci de la pureté du style et de l'exactitude de la versification.

La littérature courtoise comprend, sous la forme lyrique, la *chanson courtoise*, dont les troubadours provençaux furent les initiateurs. Ses principaux représentants sont Jaufré Rudel, Bernard de Ventadour, Conon de Béthune, Gace Brulé, Thibaud de Champagne, Colin Muset. Sous la forme narrative, les *romans courtois* sont essentiellement caractérisés par le conflit entre l'aventure ou l'action, et l'amour ou la soumission parfaite à la dame. Ils se distinguent des chansons de geste, auxquelles ils succèdent, par ce culte rendu à la femme aimée, où l'élégance du ton et des manières s'ajoute à la profondeur et à la délicatesse des sentiments; pour la forme, le vers octosyllabe succède aux laisses assonancées. On distingue dans ces romans courtois des imitations de l'Antiquité (*Roman d'Alexandre*, *Roman de Thèbes*, *Roman de Troie*), des romans « bretons » (cycle d'Arthur), des romans d'aventures (les *Lais* de Marie de France). Benoît de Sainte-Maure, Chrétien de Troyes, Marie de France sont les principaux représentants de ces divers genres.

COURTRAI, en néerl. **Kortrijk**, v. de Belgique, en Flandre-Occidentale, sur la Lys; 77300 hab. Monuments du Moyen Âge.

• *1302. Défaite des Français par les Flamands.*

COURT-VÊTU, E [kurvety] adj. (*court*, adv., et *vêtu*). Se dit d'une personne qui porte un vêtement court (littér.) : *Des jeunes filles court-vêtues.*

COURU, E adj. ⟶ COURIR.

COUSCOUS [kuskus] n. m. (mot ar.). Plat de l'Afrique du Nord, composé de semoule de blé dur servie avec des légumes, du mouton ou du poulet.

COUSERANS (le), région des Pyrénées centrales (Ariège), dans le bassin du Salat.

COUSETTE n. f. ⟶ COUDRE.

1. COUSIN [kuzɛ̃] n. m. (du lat. *culex, culicis*). Moustique de nos régions, bourdonnant et piqueur.

2. COUSIN, E [kuzɛ̃, -in] n. (du lat. *consobrinus*). Personne née ou descendant de l'oncle ou de la tante d'une autre. ‖ *Cousins germains*, les enfants de frères ou de sœurs. ‖ *Cousins issus de germains*, les enfants issus de cousins germains. (⟶ PARENTÉ.) ◆ n. et adj. *Fam.* Personne ou chose qui présente de l'analogie avec une autre. ◆ **cousinage** n. m. *Fam.* Lien de parenté entre des cousins éloignés.

Cousin Pons *(le)*, roman de Balzac (1847).

Cousine Bette *(la)*, roman de Balzac (1846).

COUSINAGE n. m. ⟶ COUSIN 2.

1. COUSSIN [kusɛ̃] n. m. (du lat. *coxa*, cuisse). Sac rembourré, destiné au confort d'une personne qui s'asseoit, s'accoude, s'agenouille, s'adosse, etc. ◆ **coussinet** n. m. Petit coussin.

2. COUSSIN [kusɛ̃] n. m. (de *coussin* 1). *Coussin d'air*, couche d'air insufflée sous un véhicule terrestre (Aérotrain) ou marin (aéroglisseur), qui le soulève légèrement, afin de lui permettre de glisser au-dessus du sol ou de l'eau.

1. COUSSINET n. m. ⟶ COUSSIN 1.

2. COUSSINET [kusinɛ] n. m. (de *coussin*). *Mécan.* **1.** Pièce cylindrique en métal doux, dans laquelle peut tourner un arbre mobile. — **2.** Pièce métallique fixée sur une traverse de voie ferrée et maintenant les rails.

COUSTEAU (Jacques-Yves), officier de marine, océanographe et cinéaste français, né en 1910. À bord du navire océanographique *la Calypso*, il a effectué plusieurs croisières de recherches. On lui doit l'invention d'un scaphandre autonome, d'une caméra sous-marine spéciale et d'une « île flottante » permettant les observations océanographiques. Il est l'auteur de nombreux films sous-marins : *le Monde du silence* (1955), *le Monde sans soleil* (1964).

COUSTOU (Guillaume), sculpteur français (1677-1746). Il est l'auteur des *Chevaux de Marly* (place de la Concorde à Paris). Il travailla avec son frère NICOLAS (1658-1733).

COUSU, E adj. ⟶ COUDRE.

COÛT n. m. ⟶ COÛTER.

COUTANCES, ch.-l. d'arrond. de la Manche, sur la Soulle, à

27 km au S.-O. de Saint-Lô; 13 400 hab. *(Coutançais)*. Cathédrale de la première moitié du XIIIe s., chef-d'œuvre du gothique normand.

COÛTANT adj. m. ⟶ COÛTER.

1. COUTEAU [kuto] n. m. (lat. *cultellus*). **1.** Instrument tranchant, composé d'une lame et d'un manche. — **2.** Fam. *Visage en lame de couteau*, visage mince, allongé, à profil saillant. ‖ *Brouillard à couper au couteau*, brouillard très épais. ‖ *Être à couteaux tirés avec qq'un*, être en très mauvais termes avec lui. ‖ *Avoir le couteau sur ou sous la gorge*, être contraint par la nécessité ou la menace à agir contre son gré. ‖ *Retourner, enfoncer le couteau dans la plaie*, aviver la peine ou le dépit de quelqu'un. ◆ **coutelas** n. m. Grand couteau de cuisine, de boucher, etc. (considéré comme un instrument dangereux). ◆ **coutelier, ère** adj. : *L'industrie coutelière*. ◆ n. m. Fabricant ou marchand de couteaux. ◆ **coutellerie** n. f. **1.** Industrie ou commerce des couteaux. — **2.** Magasin où l'on vend des couteaux.

2. COUTEAU [kuto] n. m. (de *couteau* 1). *Couteau à palette*, petite truelle d'acier flexible, dont les peintres se servent soit pour mélanger les couleurs sur la palette, soit pour peindre en pleine pâte sur la toile.

3. COUTEAU [kuto] n. m. (de *couteau* 1). Coquillage bivalve des plages de l'Europe occidentale, en forme de long rectangle enfoncé verticalement dans le sable à marée basse (syn. SOLEN).

COUTELAS n. m., **COUTELIER, ÈRE** adj. et n. m., **COUTELLERIE** n. f. ⟶ COUTEAU 1.

COÛTER [kute] v. i. (lat. *constare*). **1.** (sujet nom de chose) Avoir tel ou tel prix à l'achat ou à la vente : *Ce livre ne coûte pas cher.* — **2.** (sujet nom de personne ou de chose) Être cause de dépenses : *Mon voyage m'a coûté cher.* — **3.** (sujet nom de chose; sans compl. ou avec un infin. indiquant l'action ou l'état) Être pénible : *Cet aveu lui a beaucoup coûté*; et impers. : *Il m'en coûte de ne pas pouvoir vous aider.* ◆ v. t. **1.** *Coûter qqch. à qq'un*, lui causer un effort, un ennui : *Cet ouvrage m'a coûté de longues veilles* (syn. VALOIR); lui causer un dommage, lui faire perdre quelque chose : *Cette imprudence a failli lui coûter la vie.* — **2.** Fam. *Coûter les yeux de la tête*, être très coûteux. ‖ Fam. *Coûte que coûte*, quelle que soit l'importance de l'effort nécessaire (syn. À TOUT PRIX). ◆ **coût** [ku] n. m. Somme que coûte une chose, prix de revient : *Constater une hausse du coût de la vie* (= de la moyenne des prix de tout ce qui s'achète). ◆ **coûtant** adj. m. *Au prix coûtant*, sans bénéfice pour le vendeur. ◆ **coûteux, euse** adj. **1.** Qui coûte cher ou qui occasionne des dépenses importantes : *Un outillage coûteux* (syn. ONÉREUX). — **2.** Qui impose des efforts, qui a des suites fâcheuses : *Une erreur coûteuse.* ◆ **coûteusement** adv. : *Une maison coûteusement aménagée.*
— *Rem.* On considère que le participe passé *coûté* est invariable quand il est construit avec un complément de prix répondant à la question *combien? : Les dix francs que ce livre m'a coûté;* qu'il s'accorde avec le complément d'objet direct si celui-ci le précède, au sens figuré de *causer, occasionner : Les peines que ce travail m'a coûtées.*

COUTHON (Georges), homme politique français (1755-1794). Conventionnel, membre du Comité de salut public, il forma avec Robespierre et Saint-Just une sorte de triumvirat et réprima l'insurrection de Lyon (1793). Il fut guillotiné au 10-Thermidor.

COUTIL [kuti] n. m. (du lat. *culcita*, matelas). Toile robuste de fil ou de coton : *Un pantalon de coutil.*

COUTRAS, ch.-l. de cant. de la Gironde, à 17 km au N.-E. de Libourne; 6 400 hab. Vignobles. Uranium.

COUTUME [kutym] n. f. (lat. *consuetudinem*). **1.** Usages anciens et généraux ayant force de loi, et dont l'ensemble forme le *droit coutumier.* — **2.** Manière habituelle d'agir répandue dans une société; pratique consacrée par un long usage : *C'est sa coutume d'arriver en retard* (syn. USAGE). *Une province qui tient à garder ses coutumes* (syn. TRADITION). — **3.** *Avoir coutume de* (suivi d'un infin.), indique ce qu'on fait de manière habituelle (syn. AVOIR L'HABITUDE DE). ‖ *Selon sa coutume*, comme il fait habituellement. ‖ *Plus, moins, autant que de coutume*, exprime une comparaison avec le cas habituel : *Il avait mangé plus que de coutume.* ◆ **coutumier, ère** adj. **1.** Régi par la coutume : *Droit coutumier.* (Les pays coutumiers du nord de la France étaient jadis régis par la coutume, à la différence des pays du Midi, régis par le droit romain écrit.) — **2.** Syn. de HABITUEL (langue soignée). — **3.** *Être coutumier du fait*, se dit généralement, avec une intention péjor., de quelqu'un qui a l'habitude de commettre quelque acte répréhensible. (⟶ ACCOUTUMER.)

COUTURE n. f., **COUTURÉ, E** adj., **COUTURIER, ÈRE** n. ⟶ COUDRE.

COUVAIN n. m., **COUVAISON** n. f., **COUVÉE** n. f. ⟶ COUVER 1.

COUVENT [kuvɑ̃] n. m. (lat. *conventus*, assemblée). **1.** Maison de religieux ou de religieuses vivant en communauté (syn. MONASTÈRE). — **2.** Pensionnat de jeunes filles tenu par des religieuses. (⟶ CONVENTUEL.)

1. COUVER [kuve] v. t. et i. (lat. *cubare*, être couché). **1.** (sujet nom désignant un oiseau) Se tenir sur ses œufs pour les faire éclore. — **2.** (sujet nom de personne) *Couver qq'un*, l'entourer de soins, l'élever avec une tendresse exagérée (syn. CHOYER, DORLOTER). — **3.** *Couver des yeux* (ou *du regard*) *qq'un* ou *qqch.*, le regarder longuement avec tendresse ou convoitise. ◆ **couvain** [kuvɛ̃] n. m. Ensemble des œufs et des larves des abeilles et d'autres insectes qui vivent en société. ◆ **couvaison** n. f. Temps pendant lequel un oiseau couve ses œufs (les soumet à la chaleur de son corps) pour les faire éclore. (Il est de vingt et un jour pour la poule, de vingt-huit jours pour la cane, de vingt-huit à trente jours pour l'oie.) ◆ **couvée** n. f. **1.** Ensemble des œufs couvés en même temps ou des oiseaux éclos en même temps. — **2.** *Fam.* Jeunes enfants entourés de soins par leur mère (syn. NICHÉE). ◆ **couveuse** n. f. **1.** Oiseau de basse-cour qui couve. — **2.** *Couveuse artificielle*, appareil permettant l'éclosion des œufs, sans l'intervention de la femelle couveuse; appareil où l'on maintient les bébés nés prématurément (syn. INCUBATEUR). ◆ **couvi** adj. m. Se dit d'un œuf à demi couvé ou pourri.

2. COUVER [kuve] v. t. (de *couver* 1). *Couver une maladie*, en éprouver les signes annonciateurs. ◆ v. i. (sujet nom désignant une maladie, un mal, un complot). Être latent, sur le point d'éclater : *La révolte couvait depuis longtemps* (syn. ↓SE PRÉPARER).

COUVERCLE n. m. ⟶ COUVRIR 1.

1. COUVERT, E adj. et n. m. ⟶ COUVRIR 1 et 2.

2. COUVERT [kuvɛr] n. m. (de *couvrir*). **1.** Ensemble des accessoires de table mis à la disposition de chaque convive (assiettes, verres, cuillers, fourchettes, couteaux, etc.) : *Mettre le couvert.* — **2.** Cuiller, fourchette et couteau : *Des couverts d'argenterie.*

COUVERTURE n. f. ⟶ COUVRIR 1 et 2.

COUVEUSE n. f., **COUVI** adj. m. ⟶ COUVER 1.

COUVRE-CHEF [kuvrəʃɛf] n. m. (*couvre*, et *chef*). Syn. plaisant de CHAPEAU. ‖ Pl. des *couvre-chefs.*

COUVRE-FEU [kuvrəfø] n. m. (*couvre*, et *feu*). **1.** Signal ordonnant à une troupe d'éteindre les lumières; heure à partir de laquelle il est défendu d'avoir de la lumière. — **2.** Interdiction de sortir des maisons dans un pays en état de siège. ‖ Pl. des *couvre-feux.*

COUVRE-LIT [kuvrəli] n. m. (*couvre*, et *lit*). Couverture de lit, généralement piquée et garnie de volants. ‖ Pl. des *couvre-lits.*

COUVRE-PIED ou **COUVRE-PIEDS** [kuvrəpje] n. m. (*couvre*, et *pied*). Couverture de lit, faite de deux pièces de tissu assemblées l'une sur l'autre, garnies intérieurement de laine ou de duvet, et ornée de piqûres. ‖ Pl. des *couvre-pieds.*

COUVREUR n. m. ⟶ COUVRIR 1.

1. COUVRIR [kuvrir] v. t. (lat. *cooperire*). [Conj. **16.**] **1.** *Couvrir qqch.* ou *qq'un*, mettre sur eux un objet ou une matière destinés à les protéger : *Elle a fait des housses pour couvrir ses fauteuils. Un manteau qui couvre les genoux. Couvrir chaudement un enfant* (syn. VÊTIR). — **2.** *Couvrir qqch.*, le cacher en mettant dessus un objet : *Un voile qui couvre le visage.* — **3.** *Couvrir un récipient*, placer dessus un objet *(couvercle)* qui le ferme. — **4.** *Couvrir une chose* ou *une personne de choses*, en poser sur eux un grand nombre, un amoncellement : *Couvrir un tableau d'inscriptions* (syn. CHARGER). *On l'a couvert d'éloges* (syn. COMBLER). *Couvrir qq'un de ridicule, de honte* (= l'accabler de ridicule, de honte). — **5.** *Couvrir un bruit*, le masquer, empêcher qu'on l'entende en produisant un bruit plus fort. ◆ **se couvrir** v. pr. **1.** (sujet nom de chose) *Se couvrir de qqch.*, être progressivement gagné par quelque chose qui se répand à la surface : *Les prés qui se couvrent de fleurs.* — **2.** (sujet nom de personne) Mettre un vêtement, mettre son chapeau. — **3.** *Le temps se couvre*, les nuages s'accumulent. ◆ **couvercle** [kuvɛrkl] n. m. Partie mobile qui sert à couvrir un récipient : *Visser le couvercle d'un bocal.* ◆ **couvert, e** adj. *Allée couverte*, allée au-dessus de laquelle les arbres font une voûte de verdure. ‖ *À mots couverts*, par allusions, sans s'exprimer clairement (syn. EN TERMES VOILÉS). ‖ *Voix couverte*, voix dont le timbre n'est pas clair (syn. ENROUÉ, VOILÉ). ◆ n. m. **1.** Voûte de feuillage, de branchages (littér.) : *Dormir sous le couvert d'un hêtre.* — **2.** *Le vivre et le couvert*, la nourriture et le logement. (⟶ aussi COUVRIR 2.) ◆ **couverture** n. f. **1.** Pièce de laine ou de tissu servant à couvrir et à protéger du froid. — **2.** Toit d'une maison (syn. TOITURE). — **3.** Enveloppe de protection : *Une couverture de cahier.* — **4.** *Tirer la couverture à soi*, s'approprier tous les avantages d'une opération, au détriment des autres participants. ◆ **couvreur** n. m. Ouvrier qui pose ou répare les toitures. ◆ **découvrir** v. t. *Découvrir qqch., qq'un*, leur enlever ce qui les couvrait, ce qui les protégeait : *Une robe qui découvre les épaules* (= laisse apparaître). ◆ ***se découvrir*** v. pr. **1.** (sujet nom de personne) Ôter son chapeau. — **2.** (sujet nom de personne) S'exposer aux coups, aux attaques : *Un boxeur qui se découvre.* — **3.** *Le temps se découvre*, il s'éclaircit. ◆ **découvert, e** adj. *Lieu, terrain découvert*, qui n'offre pas de protection à une troupe, qui n'est ni boisé ni bâti. ‖ *Combattre à visage découvert*, affronter franchement son adversaire. ◆ **recouvrir** v. t. **1.** (sujet nom de chose ou de personne) Couvrir de nouveau (sens 1, 2, 3 de ce verbe). — **2.** (sujet nom de chose ou de personne) Couvrir complètement (sens 1, 2, 3 de ce verbe) : *La nappe recouvre la table. Recouvrir un mur de peinture* (syn. PEINDRE). *La neige recouvrait la campagne.* — **3.** (sujet nom de personne ou de comportement) *Recouvrir qqch.*, le masquer sous de fausses apparences : *Son attitude désinvolte recouvre une grande timidité* (syn. CACHER). — **4.** (sujet nom de chose) *Recouvrir une chose*, s'étendre à elle, correspondre à toute son étendue : *Une étude du vocabulaire qui recouvre une partie de la fin du XIX*e *siècle* (syn. EMBRASSER). ◆ ***se recouvrir*** v. pr. **1.** Se couvrir réciproquement : *Des tuiles qui se recouvrent* (syn. SE CHEVAUCHER, S'IMBRIQUER). — **2.** Devenir entièrement couvert : *Les champs se recouvrent d'herbe.* ◆ **recouvrement** n. m. : *Le recouvrement d'une région par les eaux d'un fleuve.*

2. COUVRIR [kuvrir] v. t. (même étym.). [Conj. **16.**] **1.** *Couvrir qq'un*, assumer la responsabilité de ses actes, le mettre à l'abri des poursuites judiciaires. — **2.** *Couvrir le risque de qq'un*, assurer une garantie contre ce risque, une protection à cette personne : *Une police d'assurance qui couvre des risques étendus.* — **3.** *Couvrir les frais, les dépenses*, les compenser par d'autres recettes. — **4.** *Couvrir la retraite d'une troupe*, protéger cette troupe dans sa retraite. ◆ ***se couvrir*** v. pr. (sujet nom de personne). Se ménager une protection, une assurance. ◆ **couvert** n. m. (dans des loc. diverses). *À couvert*, loc. adv., *à couvert de*, loc. prép., à l'abri (de), en sécurité : *Se mettre à couvert contre des réclamations éventuelles* (= dégager sa responsabilité). ‖ *Sous le couvert de*, loc. prép., sous la responsabilité de quelqu'un, ou sous l'apparence de quelque chose (littér.) : *Sous le couvert de la plaisanterie, il lui a dit quelques dures vérités.* ◆ **couverture** n. f. **1.** Personne, action, situation qui sert à protéger, à masquer : *Il aurait voulu se servir de moi comme couverture* (syn. PARAVENT). — **2.** Dispositif militaire de protection d'une zone ou d'une opération : *Couverture aérienne.* — **3.** Valeurs ou sommes déposées en garantie d'une opération financière ou commerciale.

3. COUVRIR [kuvrir] v. t. (même étym.). [Conj. **16.**] *Couvrir une distance*, la parcourir.

COVENTRY, v. de Grande-Bretagne, au centre de l'Angleterre; 334 800 hab. Industries mécaniques (automobile, aviation, matériel électrique) et chimiques.

COVER-GIRL [kɔvœrgœrl] n. f. (de l'angl. *cover*, couverture, et *girl*, jeune femme). Jeune femme posant pour les photographies de journaux illustrés, en partic. pour la page de couverture.

COW-BOY [kɔbɔj] ou [kaɔbɔj] n. m. (mot angl. signif. *garçon de vache*). Gardien de troupeau dans un ranch américain. ‖ Pl. des *cow-boys*.

COXALGIE [kɔksalʒi] n. f. (du lat. *coxa*, hanche, et gr. *algos*, souffrance). Affection tuberculeuse de l'articulation des hanches.

COYOTE [kɔjɔt] n. m. (aztèque *coyotl*). Mammifère carnassier d'Amérique, voisin du loup et du chacal.

COYPEL, famille de peintres français (XVIIe et XVIIIe s.) : NOËL (1628-1707), ANTOINE (1661-1722), NOËL NICOLAS (1690-1734), CHARLES ANTOINE (1694-1752).

COYZEVOX ou **COYSEVOX** (Antoine), sculpteur français (1640-1720). Il travailla pour le château de Versailles et surtout pour Marly (*Chevaux de l'abreuvoir*, auj. au jardin des Tuileries). Portraitiste, il a sculpté une cinquantaine de bustes de Louis XIV et des principaux personnages de son temps *(le Grand Condé)*.

C.Q.F.D., abrév. de *ce qu'il fallait démontrer*, formule par laquelle on conclut une démonstration mathématique ou, fam., une démonstration quelconque.

CRABE [krab] n. m. (néerl. *crabbe*). **1.** Nom commun donné aux crustacés décapodes ayant un abdomen court et replié sous le thorax. (Carnivores, les crabes vivent toujours au voisinage de l'eau, douce ou salée.) — **2.** Fam. *Panier de crabes*, groupe de personnes qui cherchent à se nuire mutuellement.

CRABIER [krabje] n. m. (de *crabe*). *Héron crabier*, petit héron de couleur brun jaunâtre qui fréquente les bords des eaux douces où il se nourrit de crustacés, mollusques, insectes. (Famille des ardéidés.)

CRACHER [kraʃe] v. t. (bas lat. *craccare*). **1.** (sujet nom d'être animé) Rejeter de sa bouche : *Cracher un noyau.* — **2.** (sujet nom de personne) *Cracher des injures, des sottises*, les lancer vivement à l'adresse de quelqu'un. — **3.** (sujet nom de chose) *Cracher des projectiles, de la fumée*, etc., lancer ces projectiles, émettre avec force cette fumée. ◆ v. i. **1.** Rejeter des crachats : *Cracher par terre.* — **2.** *Plume qui crache*, qui accroche le papier et projette des gouttelettes d'encre. ‖ *L'appareil radio, de télévision crache*, il fait entendre des bruits parasites. ◆ **crachat** n. m. **1.** Salive ou mucosité qu'on crache. — **2.** *Fam.* Large décoration d'un ordre de chevalerie. ◆ **craché, e** adj. Fam. *C'est son portrait craché, c'est lui tout craché*, c'est son portrait très ressemblant. ◆ **crachement** n. m. **1.** *Crachement de sang*, vomissement de sang. — **2.** Bruit d'un récepteur radiophonique, téléphonique, etc., qui crache (syn. CRÉPITEMENT). ◆ **crachin** n. m. Pluie très fine. ◆ **crachoir** n. m. **1.** Récipient mis à la disposition de quelqu'un pour cracher. — **2.** Fam. *Tenir le crachoir à qq'un*, rester auprès de lui pour entretenir la conversation. ◆ **crachoter** v. i. Cracher souvent et à petits coups. ◆ **crachotement** n. m. ◆ **recracher** v. t. Syn. de CRACHER (sens 1 du v. t.).

CRACK [krak] n. m. (mot angl.). **1.** Excellent cheval de course. — **2.** *Fam.* Celui qui excelle dans une matière.

CRACKING n. m. ⟶ CRAQUAGE.

CRACOVIE, en polon. **Kraków,** v. de la Pologne méridionale, sur la haute Vistule; 735 100 hab. Cette ville médiévale, qui garde de nombreux monuments, est célèbre par l'ancienneté et l'intensité de son activité économique et intellectuelle. Elle fut la capitale de la Pologne du XIVe au XVIe s. Sa vieille métallurgie a été renforcée par l'édification récente du grand centre sidérurgique moderne de Nowa Huta dans la banlieue.

CRAIE [krɛ] n. f. (lat. *creta*). **1.** Roche calcaire, d'origine marine, le plus souvent blanche ou blanchâtre, tendre et friable, qui s'est formée à la période crétacée. — **2.** Bâtonnet de cette substance, servant à écrire au tableau noir. ◆ **crayeux, euse** [krɛjø, -øz] adj. **1.** Qui contient de la craie, qui est fait de craie : *Un terrain crayeux.* — **2.** Qui a l'aspect de la craie : *Une substance crayeuse.*

CRAINDRE [krɛ̃dr] v. t. (bas lat. *cremere*). [Conj. **55.**] **1.** *Craindre qq'un, qqch.*, éprouver de l'inquiétude, de la peur, causée par eux : *C'est un homme violent, tous ses voisins le craignent* (syn. AVOIR PEUR DE, ↑REDOUTER). *Je crains les difficultés de ce voyage* (syn. APPRÉHENDER). — **2.** (sujet nom d'être animé ou de chose) *Craindre qqch.*, y être sensible, risquer de subir un dommage à cause de lui : *Ces petits oiseaux sont fragiles, ils craignent le froid.* (*Rem.* On dit *craindre de*, et l'infin., quand l'infin. a le même agent que *craindre; craindre que*, et le subj., dans le cas contraire; la proposition subordonnée contient alors le plus souvent un *ne* explétif : *On n'a pas craint de mêler ces deux couleurs* [syn. HÉSITER À]. *Je crains que vous n'ayez oublié* [ou *que vous ayez oublié*] *quelque chose.* Si la subordonnée est négative, on emploie *ne pas : Il craint qu'on ne le comprenne pas.* Si *craindre* est à la forme négative, on n'emploie pas le *ne* explétif dans la subordonnée : *Ne craignez pas qu'on vous blâme.*) ◆ **crainte** n. f. Sentiment d'un être qui craint : *La crainte qu'on ne le surprenne poursuit le malfaiteur* (syn. PEUR). — LOC. PRÉP. et CONJ. *De crainte de, de crainte que*, expriment la cause : *Il marche lentement, de crainte de tomber.* ◆ **craintif, ive** adj. (avant ou plus souvent après le nom). Se dit d'un être (ou de son comportement) qui est porté à la crainte : *Un enfant craintif* (syn. PEUREUX). ◆ **craintivement** adv. : *L'enfant serrait craintivement la main de son père.*

CRAIOVA, v. de la Roumanie méridionale, en Olténie; 188 300 hab.

CRAMBE [krɑ̃b] n. m. (gr. *krambê*, chou). Plante appelée aussi CHOU MARIN, cultivée pour ses pétioles comestibles. (Famille des crucifères.)

CRAMOISI, E [kramwazi] adj. (ar. *qirm'zı*, rouge de kermès). **1.** Se dit d'une chose qui est d'un rouge intense, légèrement violacé. — **2.** Se dit d'une personne dont le visage devient très rouge sous l'effet de la honte, de la colère, etc.

CRAMPE [krɑ̃p] n. f. (frq. *kramp*, courbé). **1.** Contraction prolongée, douloureuse et involontaire d'un muscle. — **2.** *Crampes d'estomac*, tiraillements douloureux dans cet organe.

CRAMPON [krɑ̃pɔ̃] n. m. (frq. *krampo*, crochet). **1.** Morceau de métal recourbé, qu'on engage dans deux pièces pour les rendre fermement solidaires : *Deux moellons assemblés par un crampon.* — **2.** Crochet métallique ou petit cylindre de cuir, de métal, etc., fixé à la semelle de certaines chaussures pour empêcher de glisser. — **3.** *Fam.* Personne importune dont on n'arrive pas à se débarrasser. ◆ **cramponner** v. t. Fam. *Cramponner qq'un*, s'attacher à lui, insister auprès de lui avec une obstination qui l'importune. ◆ ***se cramponner*** v. pr., ***être cramponné*** v. passif. **1.** *Se cramponner, être cramponné à qqch., à qq'un*, s'accrocher des mains, des pieds, à cette chose ou à cette personne : *Un alpiniste cramponné à un rocher* (syn. AGRIPPÉ). — **2.** *Se cramponner, être cramponné à un espoir, à une décision, à un règlement*, etc., s'y tenir fermement malgré les obstacles, ne pas s'en laisser détourner.

1. CRAN [krɑ̃] n. m. (de l'anc. fr. *crener*, entailler). **1.** Entaille faite dans un objet pour retenir une pièce qui vient s'y engager : *Couteau à cran d'arrêt.* — **2.** Trou fait dans une courroie pour la fixer. — **3.** Degré, rang d'importance : *Avancer, reculer, monter, descendre d'un cran.* — **4.** Ondulation d'une chevelure. ◆ **cranter** v. t. Faire des crans à quelque chose.

2. CRAN [krɑ̃] n. m. (même étym.). *Fam.* Énergie, fermeté, endurance dans l'épreuve : *Avoir du cran.*

CRANACH (Lucas), dit **l'Ancien,** peintre et graveur allemand (1472-1553). On lui doit des scènes mythologiques et religieuses, des portraits, des nus, au charme subtil.

1. CRÂNE [krɑn] n. m. (gr. *kranion*). **1.** Cavité osseuse contenant et protégeant l'encéphale, chez les vertébrés. ⟶ ENCYCL. — **2.** *Fam.* Intelligence, mémoire : *Vous avez le crâne dur* (= vous comprenez difficilement). ◆ **crânien, enne** adj. Sens 1 de CRÂNE : *Boîte crânienne.*

— ENCYCL. Le *crâne humain* est constitué de huit os, solidement engrenés les uns aux autres par des articulations appelées *sutures crâniennes.*

Il se compose de deux parties :
la *voûte* crânienne, aux os minces (un frontal, deux pariétaux, un occipital), qui forme le « toit » protégeant les hémisphères cérébraux;
la *base* du crâne, épaisse, composée par l'ethmoïde, le sphénoïde et les deux temporaux. Elle est percée de nombreux trous laissant passer les nerfs crâniens et la moelle épinière, ainsi que les vaisseaux nourrissant l'encéphale; c'est par le trou occipital, dans l'os occipital, que passe la moelle épinière, qui se continue, à ce niveau, dans le bulbe rachidien.

Les *fractures du crâne* peuvent être très graves si elles occasionnent des dommages dans le système nerveux central.

2. CRÂNE [krɑn] adj. (de *crâne* 1) [avant ou après le nom]. Se dit de quelqu'un (ou de son comportement) qui est fier et décidé : *Un air crâne.* ◆ **crânement** adv. : *Ils chantaient crânement sous la pluie glaciale* (syn. FIÈREMENT). ◆ **crâner** v. i. *Péjor.* Prendre un air de supériorité, faire l'important. ◆ **crânerie** n. f. *Fam.* Bravoure, fierté un peu ostentatoire. ◆ **crâneur, euse** adj. et n. *Péjor.* Se dit d'une personne qui se montre prétentieuse ou fanfaronne.

CRAN-GEVRIER, comm. de la Haute-Savoie, dans la banlieue ouest d'Annecy; 15 100 hab. *(Gévriens).*

CRÂNIEN, ENNE adj. ⟶ CRÂNE 1.

CRANS-SUR-SIERRE, localité de la Suisse (Valais). Station de sports d'hiver (alt. 1 500-2 600 m).

CRANTER v. t. ⟶ CRAN 1.

CRAON, ch.-l. de cant. de la Mayenne, à 19 km à l'O. de Château-Gontier; 5 000 hab. Élevage de porcs.

1. CRAPAUD [krapo] n. m. (germ. *krappa*). Batracien à formes lourdes et trapues, à peau verruqueuse (= présentant des petits monticules ressemblant à des verrues), insectivore, menant une vie terrestre et nocturne. (Sous-classe des anoures.)

2. CRAPAUD [krapo] n. m. (de *crapaud* 1). Fauteuil évasé et bas, à siège et dossier capitonnés.

CRAPAUDINE [krapodin] n. f. (de *crapaud*). **1.** Plaque percée ou grille placée à l'entrée d'un tuyau d'écoulement pour empêcher les déchets d'y pénétrer. — **2.** Pièce de métal qui reçoit le gond d'une porte.

CRAPULE [krapyl] n. f. (lat. *crapula*, ivresse). Individu sans moralité, capable de commettre n'importe quelle bassesse. ◆ adj. : *Il a un air crapule.* ◆ **crapulerie** n. f. Caractère ou acte d'une crapule : *Commettre une crapulerie* (syn. CANAILLERIE). ◆ **crapuleux, euse** adj. **1.** Plein de bassesse, de débauche : *Une vie crapuleuse.* — **2.** *Crime crapuleux, action crapuleuse,* méfait accompli pour des motifs sordides. ◆ **crapuleusement** adv.

CRAQUAGE [krakaʒ] n. m. (de *craquer*). Procédé de raffinage qui modifie la composition d'une fraction pétrolière par l'effet combiné de la température, de la pression, et parfois d'un catalyseur (ce terme remplace l'anc. CRACKING, prohibé par l'Administration).

CRAQUELER [krakle] v. t. (de *craquer*). [Conj. **6.**] Fendiller la surface de (surtout au part. passé) : *De la porcelaine craquelée.* ◆ ***se craqueler*** v. pr. Se couvrir de fentes. ◆ **craquelure** n. f. Fissure dans le vernis, la pâte d'une peinture ou l'émail d'une céramique (syn. FENDILLEMENT).

CRAQUER [krake] v. i. (de l'onomat. *krakk*). **1.** Céder, se briser, se déchirer avec un bruit sec : *Un gâteau qui craque sous la dent* (syn. CROQUER). *Son pantalon a craqué aux genoux.* — **2.** Produire un bruit dû à un frottement : *Le parquet craque.* — **3.** Échouer, s'effondrer, avoir une défaillance physique ou morale : *Une entreprise commerciale qui craque. Un athlète qui craque.* ◆ v. t. **1.** Briser, déchirer : *Il a craqué sa veste.* — **2.** *Craquer une allumette,* l'allumer en la frottant sur une surface rugueuse (frottoir). ◆ **craquement** n. m. Bruit d'un objet qui craque. ◆ **craqueter** v. i. (Conj. **8.**) **1.** Faire entendre de petits craquements : *On entend le parquet craqueter.* — **2.** Crier, en parlant de la cigogne.

CRASE [kraz] n. f. (gr. *krasis*, mélange). En grec, contraction de la voyelle ou de la diphtongue finale d'un mot avec la voyelle ou la diphtongue initiale du mot suivant : *La crase est notée par un signe spécial appelé « coronis ».*

CRASSANE [krasan] n. f. (de *Crazannes*, en Saintonge). Variété de poire fondante.

1. CRASSE [kras] n. f. (lat. *crassus*, épais). Couche de saleté qui adhère à la surface d'un corps : *Lessiver un plafond pour en ôter la crasse.* ◆ **crasseux, euse** adj. Se dit d'une chose ou d'une personne couverte de crasse (syn. ↓SALE). ◆ **décrasser** v. t. Débarrasser de sa crasse : *Décrasser du linge, une casserole* (syn. ↓NETTOYER). ◆ **décrassage** ou **décrassement** n. m. : *Le décrassage d'un poêle* (syn. ↓NETTOYAGE). ◆ **encrasser** v. t. Salir de crasse : *Une encre qui encrasse le stylo.* ◆ **s'encrasser** v. pr. Devenir sale : *Le moteur s'est encrassé.* ◆ **encrassement** n. m. : *L'encrassement du filtre ralentit l'arrivée du carburant.*

2. CRASSE [kras] adj. f. (de *crasse* 1). *Ignorance, paresse, bêtise crasse,* grossière et inadmissible.

CRASSIER [krasje] n. m. (de *crasse*). Amoncellement des déchets, scories et résidus d'une usine métallurgique.

1. CRATÈRE [kratɛr] n. m. (gr. *kratêr*). Dans l'Antiquité grécolatine, grand vase à large ouverture et à deux anses, où l'on mêlait le vin et l'eau.

2. CRATÈRE [kratɛr] n. m. (même étym.). Dépression située au sommet (ou plus rarement sur le flanc) d'un cône volcanique. ⟶ ENCYCL. ‖ *Cratère lunaire*, grande dépression à peu près circulaire, à la surface de la Lune.

— ENCYCL. Les matériaux volcaniques (laves, projections) qui arrivent par la cheminée du volcan sont évacués par le *cratère.* Selon le type d'activité du volcan, la forme du cratère peut varier. Il peut être régulier, ou égueulé (la lave s'écoulant toujours du même côté), ou il peut y en avoir plusieurs emboîtés. Dans le cratère des volcans éteints s'installe souvent un lac.

CRATERELLE [kratrɛl] n. f. (de *cratère*). Champignon comestible, en forme d'entonnoir, brun violacé, croissant dans les bois en été et en automne (nom usuel TROMPETTE DES MORTS). [Classe des basidiomycètes.]

CRAU (la), région de Provence (Bouches-du-Rhône), entre le bras principal du delta du Rhône et les Alpilles. La Crau est formée par les alluvions anciennes caillouteuses du Rhône et de la Durance. Pâturage à moutons en hiver, cette région est auj. en partie irriguée (rizières).

CRAU (La), ch.-l. de cant. du Var, à 7 km au N.-O. d'Hyères; 9 200 hab.

CRAVACHE [kravaʃ] n. f. (turc *qïrbâtch*, fouet). **1.** Baguette flexible avec laquelle un cavalier stimule son cheval. — **2.** *Mener, conduire qq'un à la cravache*, le diriger avec autorité et brutalité. ◆ **cravacher** v. t. Frapper à coups de cravache.

CRAVATE [kravat] n. f. (de *Croate*). **1.** Étroite bande d'étoffe qui entoure le cou en passant sous le col de la chemise et qu'on noue par-devant. (La cravate fut introduite en France après 1656 par les soldats croates au service de Louis XIV, qui portaient des bandes de linge autour du cou.) — **2.** Insigne des grades élevés de certains ordres : *Cravate de commandeur de la Légion d'honneur.* ◆ **cravater** v. t. **1.** *Cravater qq'un*, lui mettre une cravate (surtout au part. passé et à la forme pron.). — **2.** *Cravater une gerbe de fleurs*, l'entourer d'un ruban décoratif.

CRAVE [krav] n. m. (du gaul. *craganno*). Oiseau passereau à bec et pattes rouges qui vit en montagne (Alpes, Causses, Pyrénées) et sur les côtes rocheuses de Bretagne. (Ses acrobaties aériennes sont très spectaculaires.) [Famille des corvidés.]

CRAWL [krol] n. m. (mot angl.). Nage rapide, caractérisée par un battement continu des pieds et par une rotation verticale alternative des bras : *Le crawl est appelé « nage libre » en compétition.* ◆ **crawlé, e** adj. *Dos crawlé*, crawl sur le dos.

CRAYEUX, EUSE adj. ⟶ CRAIE.

CRAYON [krɛjɔ̃] n. m. (de *craie*). **1.** Bâtonnet de bois renfermant une mine de graphite et servant à écrire. — **2.** *Crayon à bille*, sorte de porte-mine, dont la pointe est constituée par une petite bille en contact avec un réservoir contenant une encre spéciale. ‖ *Coup de crayon* ⟶ COUP. ◆ **crayonner** v. t. Écrire ou dessiner à la hâte avec un crayon. ◆ **crayonnage** n. m. Action de crayonner: dessin tracé au crayon.

1. CRÉANCE [kreɑ̃s] n. f. (de l'anc. fr. *creire*, croire). Droit qu'une personne a d'exiger de quelqu'un une chose, généralement une somme d'argent (contr. DETTE). ◆ **créancier, ère** n. Personne envers qui on a une dette (contr. DÉBITEUR).

2. CRÉANCE [kreɑ̃s] n. f. (même étym.). Action de croire à la véracité de quelque chose (langue soignée, et dans quelques express., comme *donner créance, mériter créance, trouver créance*). ‖ *Lettres de créance* ⟶ LETTRE 2.

CRÉATEUR, TRICE n. et adj., **CRÉATIF, IVE** adj., **CRÉATION** n. f., **CRÉATIVITÉ** n. f., **CRÉATURE** n. f. ⟶ CRÉER.

CRÉCELLE [kresɛl] n. f. (du lat. *crepitare*, craquer). **1.** Jouet comportant une lame flexible qui frappe bruyamment, à coups répétés, les pales ou les crans d'un moulinet quand on le fait tourner autour de son axe. — **2.** *Fam.* Personne qui importune par son bavardage. — **3.** *Voix de crécelle*, voix sèche et désagréable.

CRÉCERELLE [kresrɛl] n. f. (de *crécelle*). Oiseau rapace, à plumage brun tacheté de noir, long de 35 cm, souvent confondu avec l'épervier sous le terme d'ÉMOUCHET, commun en France et se nourrissant de souris et campagnols qu'il guette en pratiquant le vol sur place (ou « vol en Saint-Esprit ») qui le caractérise. (On dit aussi FAUCON CRÉCERELLE.) [Famille des falconidés.]

1. CRÈCHE [krɛʃ] n. f. (frq. *kripja*). Représentation de l'étable de Bethléem (où naquit Jésus-Christ), sous la forme d'un petit édifice garni de personnages. (La *crèche* était une mangeoire pour bestiaux.)

2. CRÈCHE [krɛʃ] n. f. (de *crèche* 1). Établissement organisé pour la garde des tout jeunes enfants dont la mère travaille hors de son domicile.

CRÉCY-EN-PONTHIEU, ch.-l. de cant. de la Somme, à 18,5 km au N. d'Abbeville; 1 600 hab. *(Crécéens).*

• *26 août 1346. Philippe VI de France y est vaincu par Édouard III d'Angleterre au cours de la première grande bataille de la guerre de Cent Ans.*

L'armée anglaise, bien inférieure en nombre, remporte grâce à ses archers une éclatante victoire sur la chevalerie française.

CRÉDENCE [kredɑ̃s] n. f. (it. *credenza*, confiance). **1.** Au Moyen Âge, meuble sur lequel on faisait l'épreuve des mets et des boissons avant de les servir, pour s'assurer qu'ils ne renfermaient pas de poison. — **2.** Meuble pour ranger la vaisselle ordinaire et exposer la vaisselle précieuse. — **3.** Table sur laquelle on place les objets nécessaires au culte.

CRÉDIBILITÉ [kredibilite] n. f. (du lat. *credere*, croire). Caractère de ce qui est croyable : *Son récit manque de crédibilité* (syn. VRAISEMBLANCE). ◆ **crédible** adj. Qui est vraisemblable.

1. CRÉDIT [kredi] n. m. (du lat. *credere*, avoir confiance). **1.** Considération, estime dont jouissent une personne ou son œuvre, ses actes, du fait qu'ils paraissent dignes de confiance : *Auteur qui trouve crédit auprès du public. User de son crédit auprès de qq'un* (syn. INFLUENCE). — **2.** *Faire crédit à qq'un*, lui faire confiance en attendant qu'il ait les moyens de réussir. ◆ **discrédit** n. m. **1.** Perte de considération subie par une chose ou une personne (syn. DÉFAVEUR). — **2.** *Jeter le discrédit sur qq'un ou sur qqch.*, lui nuire dans l'opinion des gens. ◆ **discréditer** v. t. *Discréditer qq'un* ou *qqch.*, le faire baisser dans l'estime des gens (syn. DÉCRIER).

2. CRÉDIT [kredi] n. m. (même étym.). **1.** Délai accordé par un organisme vendeur (commerçant, industriel...) à un client pour payer un achat : *La maison vous fera crédit pendant trois mois* (= au bout de trois mois, vous devrez avoir réglé totalement le prix de votre acquisition). *Acheter à crédit* (syn. À TEMPÉRAMENT). ‖ *Crédit à court terme*, avance consentie pour moins d'un an. ‖ *Crédit à long terme*, prêt accordé pour plus de sept ans. ‖ *Crédit à moyen terme*, prêt remboursable dans un délai pouvant varier de un à sept ans. ‖ *Lettre de crédit*, document délivré par un banquier à son client, afin de lui permettre de toucher de l'argent chez un banquier d'une autre ville. — **2.** Somme dont on dispose pour une dépense : *Le Parlement a voté des crédits.* — **3.** Organisme de prêt : *Crédit foncier. Crédit municipal. Crédit agricole.* ⟶ ENCYCL. — **4.** *Porter une somme au crédit de qq'un*, la porter à son actif, augmenter d'autant son avoir (par oppos. à DÉBIT, somme due par une personne). ◆ **créditer** v. t. *Créditer qq'un* (ou *un compte*) *d'une somme*, la porter à son actif. ‖ *Être crédité d'un temps*, se le voir attribuer (langue du sport). ◆ **créditeur, trice** n. et adj. Qui a une somme d'argent à son actif, sur des livres de commerce ou à son compte en banque (contr. DÉBITEUR).

— ENCYCL. **Des sociétés dites de *crédit* prêtent des sommes souvent très importantes à des particuliers pour l'achat d'un logement, d'un fonds de commerce, de matériel industriel d'appareils ménagers, etc. Elles reçoivent en contrepartie des *intérêts** qui** viennent s'ajouter au remboursement du prêt consenti. Tout crédit n'est accordé qu'après étude de la situation financière du demandeur.

Le *Crédit agricole* est un système de crédit spécialement créé pour aider les agriculteurs et les industries agricoles à améliorer leurs exploitations.

Le *Crédit foncier* est un établissement qui, sous la surveillance de l'État, prête aux particuliers des sommes remboursables au bout d'un temps assez long (= prêt à long terme, soit plus de sept ans) pour les aider à acheter un logement, un immeuble, un local commercial, etc.

Le *crédit municipal* (appelé ancienn. *mont-de-piété*) consent des prêts d'argent aux particuliers qui y ont déposé, en gage, des objets de valeur.

CRÉDIT-BAIL [kredibaj] n. m. *(crédit*, et *bail)*. Opération de financement à moyen ou, parfois, à long terme pour l'achat de biens d'équipement, dans laquelle un organisme financier se porte acheteur du matériel (ou même de constructions) dont une entreprise a besoin, et le lui loue pendant la durée normale d'amortissement (syn. déconseillé par l'Administration LEASING).

CREDO [kredo] n. m. (mot lat. signif. *je crois*). **1.** Texte qui renferme les principaux points de la foi des chrétiens (prend une majusc. en ce sens) [syn. SYMBOLE DES APÔTRES]. — **2.** Ensemble des opinions essentielles de quelqu'un en matière de politique, de philosophie, de science.

CRÉDULE [kredyl] adj. (lat. *credulus*). Se dit d'une personne (ou de son comportement) portée à croire trop facilement ce qu'on lui dit : *Il est trop crédule; il s'est laissé berner* (syn. CONFIANT, INGÉNU, NAÏF). ◆ **incrédule** adj. : *Secouer la tête d'un air incrédule* (syn. SCEPTIQUE). ◆ **crédulité** n. f. Trop grande facilité à croire. ◆ **incrédulité** n. f. (syn. SCEPTICISME).

CRÉER [kree] v. t. (lat. *creare*). **1.** (sujet nom désignant Dieu) Faire exister ce qui n'existait pas, tirer du néant : *Dieu a créé l'univers.* — **2.** (sujet nom de personne) *Créer qqch.*, lui donner une existence, une forme, le réaliser à partir de rien : *Un romancier qui crée ses personnages* (syn. CONCEVOIR, IMAGINER). *Créer une usine* (syn. FONDER, MONTER). *Créer un mot* (syn. FABRIQUER, INVENTER). — **3.** (sujet nom de chose) *Créer qqch.* (nom abstrait), le produire, en être la cause : *Ce refus nous crée des difficultés* (syn. CAUSER, OCCASIONNER, SUSCITER). — **4.** *Créer un rôle, une pièce*, être le premier à jouer ce rôle au théâtre, à monter cette piece. ◆ **créateur, trice** n. et adj. : *Adorer le créateur du monde* (et, absolum., *le Créateur*, Dieu). *L'imagination, la puissance créatrice.* ◆ **créatif, ive** adj. Qui présente des dons pour créer. ◆ **créativité** n. f. Pouvoir créateur. ◆ **création** n. f. **1.** Action de créer : *La création du monde selon la Bible.* — **2.** Ensemble du monde créé, êtres vivants et choses : *L'homme apparaît sur la terre comme le chef d'œuvre de la création.* — **3.** Œuvre créée, réalisée par une ou plusieurs personnes : *Les créations d'un grand couturier.* ◆ **créature** n. f. **1.** Être créé, et spécialem. l'homme par rapport à Dieu : *L'hommage des créatures à leur Créateur.* — **2.** Personne humaine : *Il fréquente des créatures peu recommandables.* — **3.** *Péjor.* Personne toute dévouée aux intérêts d'une autre, à qui elle doit entièrement sa situation (syn. PROTÉGÉ). ◆ **recréer** v. t. : *Le metteur en scène a recréé l'atmosphère antique* (syn. FAIRE REVIVRE, RENDRE). ◆ **recréation** n. f.

CREIL, ch.-l. de cant. de l'Oise, à 10 km au N.-O. de Senlis, sur l'Oise; 36 100 hab. Industries métallurgiques. Importante centrale thermique.

CRÉMAILLÈRE [kremajɛr] n. f. (gr. *kremastêr*, qui suspend). **1.** Instrument de métal comportant des crans et des anneaux, permettant de suspendre des récipients au-dessus du foyer d'une cheminée. ‖ *Pendre la crémaillère*, fêter par un repas ou par une réception son installation dans un nouveau logement. — **2.** Sur certaines voies ferrées, rail supplémentaire, muni de dents, sur lesquelles engrène un pignon de la locomotive : *Chemin de fer à crémaillère.*

CRÉMATION [kremasjɔ̃] n. f. (du lat. *cremare*, brûler). Action de brûler les cadavres (syn. INCINÉRATION). ◆ **crématoire** adj. *Four crématoire*, four spécial destiné à l'incinération des cadavres.

CRÈME [krɛm] n. f. (bas lat. *crama*). **1.** Matière grasse du lait, avec laquelle on fait le beurre. — **2.** Entremets ou dessert fait ordinairement de lait, d'œufs et de sucre : *Crème renversée.* — **3.** Fromage fondu ou fromage à tartiner : *Crème de gruyère.* — **4.** Liqueur extraite de certains fruits : *Crème de cassis.* — **5.** Pâte onctueuse pour la toilette ou les soins de beauté : *Crème de beauté.* ◆ adj. inv. Blanc légèrement jaune : *Des gants crème.* ◆ **crémer** v. i. *Le lait crème*, il se couvre d'une couche de crème à sa surface. ◆ **crémerie** n. f. **1.** Commerce du lait, du beurre, des œufs, de la crème, des fromages, etc. — **2.** Boutique où l'on vend ces produits. ◆ **crémeux, euse** adj. Qui contient beaucoup de crème ou qui a la consistance onctueuse de la crème : *Du lait crémeux. Un enduit crémeux.* ◆ **crémier, ère** n. Personne qui tient une crémerie. ◆ **écrémer** v. t. **1.** *Écrémer du lait*, en retirer la crème, la matière grasse. — **2.** Fam. *Écrémer une équipe, une classe,* etc., en choisir, en retirer les meilleurs éléments. ◆ **écrémage** n. m. : *L'écrémage du lait.* ◆ **écrémeuse** n. f. Machine à écrémer le lait.

CRÉMIEU, ch.-l. de cant. de l'Isère, à 35 km à l'O. de Lyon; 2500 hab. — *L'île Crémieu,* ou *plateau de Crémieu,* est un petit massif isolé dans un coude du Rhône.

CRÉMIEUX (Adolphe), homme politique français (1796-1880). Ministre de la Justice (1870), il obtint la qualité de citoyens français pour les Juifs d'Algérie.

CRÉMONE [kremɔn] n. f. (orig. incert.). Double verrou pour fermer les fenêtres.

CRÉMONE, en it. **Cremona,** v. de l'Italie septentrionale, en Lombardie, près du Pô; 82 100 hab. Jadis renommée pour la fabrication des violons, elle fut la patrie de plusieurs familles de luthiers, dont celle des Stradivarius.

CRÉNEAU [kreno] n. m. (de l'anc. fr. *cren,* cran). **1.** Échancrure carrée ménagée à la partie supérieure d'un mur de fortification, d'un parapet, et par laquelle on peut tirer sur un assaillant : *Les créneaux d'un château fort.* — **2.** *Faire un créneau,* ranger une voiture au bord d'un trottoir, entre deux autres voitures en stationnement. ◆ **crénelé, e** adj. Qui a des créneaux ou des dentelures en forme de créneaux.

CRÉOLE [kreɔl] n. et adj. (esp. *criollo*). **1.** Personne de race blanche née dans les plus anciennes colonies européennes d'outremer (Antilles, Réunion, etc.). — **2.** Langue parlée dans de nombreuses îles des Antilles : *Le créole est caractérisé par le fait que les « r » sont à peine prononcés.*

CRÉOSOTE [kreɔzɔt] n. f. (du gr. *kreas,* chair, et *sôzein,* conserver). Liquide incolore, extrait du goudron, employé comme antiseptique.

CRÊPAGE n. m. ⟶ CRÊPER.

1. CRÊPE [krɛp] n. m. (anc. fr. *cresp,* frisé). **1.** Tissu léger de soie ou de laine, ayant un aspect ondulé : *Le crêpe de Chine.* — **2.** Tissu noir qu'en signe de deuil une personne porte sur elle (au revers ou à la manche du veston) ou que l'on noue à un drapeau.

2. CRÊPE [krɛp] n. f. (même étym.). **1.** Galette très légère, à la farine de blé ou de sarrasin, cuite à la poêle. — **2.** Fam. *Retourner qq'un comme une crêpe,* le faire changer complètement d'opinion. ◆ **crêperie** n. f. Lieu où l'on fait, où l'on consomme des crêpes.

CRÊPER [krepe] v. t. (de *crêpe*). *Crêper les cheveux,* les apprêter avec le peigne de façon à les faire bouffer. ◆ ***se crêper*** v. pr. (sujet nom désignant des femmes). Fam. *Se crêper le chignon,* en venir aux mains, s'empoigner par les cheveux. ◆ **crêpage** n. m.

CRÊPERIE n. f. ⟶ CRÊPE 2.

CRÉPI n. m. ⟶ CRÉPIR.

CRÉPINE [krepin] n. f. (de l'anc. fr. *cresp,* frisé). Sphère (ou cylindre) métallique percée de trous et servant à arrêter les corps étrangers à l'ouverture d'un tuyau d'aspiration.

CRÉPIR [krepir] v. t. (de l'anc. fr. *cresp,* frisé). Recouvrir d'un crépi : *Crépir un mur, une maison.* ◆ **crépi** n. m. Enduit à base de chaux, de plâtre ou de ciment, qu'on applique sur un mur sans le lisser. ◆ **crépissage** n. m. Action de crépir. ◆ **décrépir** v. t. *Décrépir un mur, une maison,* lui enlever son crépi. ◆ ***se décrépir*** v. pr. Perdre son crépi : *La façade s'est décrépie.* ◆ **recrépir** v. t. : *Faire recrépir une façade.*

CRÉPITER [krepite] v. i. (lat. *crepitare*). Produire une série de bruits secs : *Le feu, la mitrailleuse crépitent.* ◆ **crépitement** n. m. Bruit de ce qui crépite.

CRÉPON [krepɔ̃] n. m. (de l'anc. fr. *cresp,* frisé). Tissu gaufré à la machine et présentant des ondulations irrégulières. ◆ adj. m. *Papier crépon,* papier gaufré utilisé à des fins décoratives.

CRÉPU, E [krepy] adj. (de l'anc. fr. *cresp,* frisé). Se dit de cheveux frisés serrés, ou d'une personne qui a de tels cheveux.

CRÉPUSCULE [krepyskyl] n. m. (lat. *crepusculum*). **1.** Reste de lumière qui demeure après le coucher du soleil et s'atténue progressivement jusqu'à la nuit complète; moment correspondant de la journée (syn. TOMBÉE DE LA NUIT). — **2.** Période de déclin (littér.) : *La vieillesse est le crépuscule de la vie.* ◆ **crépusculaire** adj. Qui appartient au crépuscule : *Une clarté crépusculaire.*

CRÉPY-EN-VALOIS, ch.-l. de cant. de l'Oise, à 23 km à l'E. de Senlis; 12300 hab.

CRESCENDO [kreʃɛndo] adv. (mot it.). **1.** *Mus.* Indication de l'augmentation progressive de l'intensité du son. — **2.** *Aller crescendo,* aller en augmentant. ◆ n. m. **1.** Passage musical qui doit être exécuté en augmentant progressivement le son. — **2.** Accroissement progressif : *Un crescendo d'émotion.* ◆ **decrescendo** adv. Contr. de CRESCENDO (diminution progressive).

CRESPIN, comm. du Nord, à 15 km au N.-E. de Valenciennes; 4900 hab. Métallurgie.

CRESSON [krɛsɔ̃] n. m. (frq. *kresso*). Plante herbacée comestible, qui croît dans l'eau douce. (Famille des crucifères.) ◆ **cressonnière** [krɛsɔnjɛr] n. f. Bassin d'eau courante, où l'on fait croître le cresson dit « de fontaine ».

CRESSON (Édith), femme politique française (née en 1934). Elle est la première femme à accéder, en France, au poste de Premier ministre (1991).

CREST, ch.-l. de cant. de la Drôme, sur la Drôme, à 28 km au S.-E. de Valence; 7850 hab.

CRÉSUS, dernier roi de Lydie (v. 560-546 av. J.-C.), qui devait sa richesse, disait-on, à l'exploitation des sables aurifères du fleuve Pactole.

CRÉSUS [krezys] n. m. (de *Crésus*). *Fam.* Homme très riche.

CRÊT [krɛ] n. m. (de *crête*). Sommet montagneux, arête rocheuse.

CRÉTACÉ, E [kretase] adj. (lat. *creta,* craie). Se dit d'une période géologique de la fin de l'ère secondaire, pendant laquelle s'est formée notamment la craie. (Troisième et dernière période de l'ère secondaire, le Crétacé va de — 110 millions d'années à — 65 millions d'années.)

1. CRÊTE [krɛt] n. f. (lat. *crista*). Excroissance cutanée dont sont pourvus certains animaux (oiseaux, batraciens) : *La crête des gallinacés est charnue, rouge et dentelée.*

2. CRÊTE [krɛt] n. f. (même étym.). *Crête d'un mur, d'une montagne, d'une vague,* la ligne du sommet. ◆ **écrêter** v. t. Supprimer la partie la plus élevée.

CRÈTE, au Moyen Âge **Candie,** île grecque de la Méditerranée orientale, délimitant au S. la *mer de Crète:* 8 300 km²; 456 200 hab. *(Crétois).* Capit. *La Canée (Khaniá).* → carte GRÈCE.

GÉOGRAPHIE. L'île s'allonge sur 265 km d'E. en O. Des chaînes calcaires (2460 m au mont Ida) dominent la côte sud de l'île, où les plaines sont rares; mais les montagnes s'abaissent doucement vers le N. L'économie est fondée sur l'élevage de moutons et de chèvres, les cultures de la vigne, de l'olivier et des agrumes.

HISTOIRE. Dès le IVe millénaire av. J.-C., la Crète devint un foyer de grande civilisation, dont le principal centre fut Cnossos. La grande prospérité maritime et commerciale de l'île au IIe millénaire donna naissance à la légende du roi Minos*. Renommée mondialement pour son artisanat (céramique), la civilisation de la Crète minoenne a beaucoup influencé celle de la Grèce primitive : les Crétois construisirent de magnifiques palais (Cnossos, Phaïstos, Malia).

Après le XVe s. av. J.-C. commence le déclin de l'île; envahie par les Doriens vers la fin du IIe millénaire, la Crète s'intègre dans le monde grec.

- *67 av. J.-C. La Crète est prise par les Romains.*

Occupée par les musulmans au IXe s. apr. J.-C., elle est reprise par Byzance au Xe s. avant de devenir, au XIIIe s., une base vénitienne. Au XVIIe s., l'île est conquise progressivement par les Turcs.

- *1898. La Crète obtient son autonomie, sous suzeraineté ottomane.*
- *1913. Elle est rattachée à la Grèce.*

CRÈTE *(mer de),* partie méridionale de la mer Égée.

CRÉTEIL, ch.-l. du dép. du Val-de-Marne, à 7 km au S.-E. de Paris, sur la Marne (r. g.); 71700 hab. *(Cristoliens).*

CRÉTIN, E [kretɛ̃,-in] adj. et n. (mot du Valais). **1.** *Fam.* Idiot, imbécile. — **2.** Atteint de crétinisme. ◆ **crétinerie** n. f. *Fam.* État ou action de crétin (au sens 1). ◆ **crétinisme** n. m. **1.** État de certains individus dont le développement physique, intellectuel et affectif est très incomplet. — **2.** Syn. de CRÉTINERIE.

CRÉTOIS, E [kretwa, -waz] adj. et n. De la Crète.

CRETONNE [krətɔn] n. f. (de *Creton,* village de l'Eure). Tissu d'ameublement en coton imprimé.

CREUSAGE n. m. ⟶ CREUSER.

CREUSE (la), riv. du nord du Massif central et du Berry, affl. de la Vienne (r. dr.); 255 km. Née sur le plateau de Millevaches, elle coule d'abord dans une vallée étroite, qui s'élargit au sortir du Massif central.

CREUSE (23), dép. du nord-ouest du massif central (Région Limousin); 5565 km²; 140000 hab. (25 au km²) [France : 103]. Ch.-l. *Guéret.*

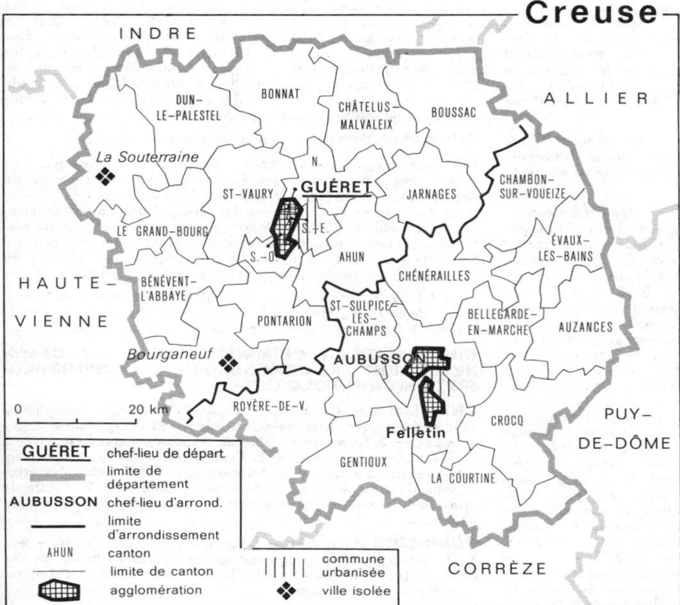

LOCALITÉS PRINCIPALES	NOMBRE D'HAB.
Guéret	16600
Aubusson	6200
La Souterraine	5850
Bourganeuf	4000
Felletin	3100
Saint-Vaury	2500

ADMINISTRATION. 2 arrond. (*Guéret*, 93600 hab.; *Aubusson*, 46400 hab.). / 27 cant. / 260 comm.

Le département s'étend sur les terres cristallines des hauteurs de la *Marche* et des plateaux de la *Combrailles*. Cet ensemble est ouvert par quelques vallées dont la plus importante est celle de la Creuse. Les précipitations, abondantes, tombent surtout sous forme de neige en hiver.

Les conditions naturelles, défavorables, expliquent largement la faiblesse du peuplement. L'*agriculture* reste l'activité la plus importante : elle emploie encore un peu plus du tiers de la population active, et est oreintée surtout vers l'élevage bovin. L'*industrie* (tapisseries à Aubusson, travail du bois) est très peu développée (elle occupe seulement le quart de la population active). Cette insuffisance, comme celle du *secteur tertiaire*, est à rapprocher de l'absence de grande ville. En dehors des cantons de Guéret et d'Aubusson, le département est affecté par une importante émigration.

CREUSER [krøze] v. t. et i. (de *creux*). **1.** *Creuser qqch.*, y faire un trou en ôtant de la matière, lui donner une forme creuse : *Creuser le sol. Un danseur qui creuse les reins* (syn. CAMBRER). — **2.** *Creuser un trou, un fossé*, etc., faire une cavité dans le sol : *Un renard qui creuse son terrier.* — **3.** *Creuser un problème, une idée, une question*, etc., y réfléchir attentivement, l'approfondir. — **4.** *Creuser l'estomac*, ou simplem. *creuser*, causer un grand appétit : *Le grand air creuse.* ◆ **se creuser** v. pr. **1.** Devenir creux. — **2.** *Fam.* Faire un effort de réflexion. (On dit aussi SE CREUSER LA CERVELLE, L'ESPRIT, LA TÊTE.) ◆ **creusement** ou **creusage** n. m. : *Le creusement d'une tranchée.* ◆ **recreuser** v. t. Creuser de nouveau ou plus profondément.

CREUSET [krøzɛ] n. m. (de l'anc. fr. *croisel*, sorte de lampe). **1.** Récipient utilisé pour fondre certains corps par la chaleur. — **2.** Partie inférieure d'un haut fourneau, où se rassemble le métal fondu. — **3.** Lieu où diverses influences, différentes choses se mêlent (littér.) : *Le bassin méditerranéen a été le creuset de brillantes civilisations.*

CREUSOT (Le), ch.-l. de cant. de Saône-et-Loire, à 30 km au S.-E. d'Autun; 32300 hab. *(Creusotins).* Fondée à la fin du XVIIIe s., la ville doit son origine à un riche bassin houiller. Au XIXe s., les frères Schneider créèrent l'importante Société des forges et ateliers du Creusot. Le charbon venant à s'épuiser, l'industrie se tourna alors vers la sidérurgie et la métallurgie de transformation.

CREUTZWALD, ancienn. **Creutzwald-la-Croix**, comm. de la Moselle, à 15 km au N. de Saint-Avold; 15200 hab. Mines de houille.

CREUX, EUSE [krø, -øz] adj. (bas lat. *crosus*). **1.** Se dit d'une chose dont l'intérieur est vide : *La tige creuse du roseau* (contr. PLEIN). — **2.** Qui présente une concavité : *Une assiette creuse* (contr. PLAT). *Joues creuses* (contr. REBONDI). — **3.** *Discours creux, devoir creux, phrase creuse, idée creuse*, etc., qui manque de substance (syn. PAUVRE, ↑VIDE; contr. RICHE, SUBSTANTIEL). — **4.** *Chemin creux*, encaissé entre des talus de terre, des haies. ‖ *Classe creuse*, en démographie, tranche de la population née au cours d'une même année et dont l'importance numérique est anormalement faible. ‖ *Heures creuses, jours creux*, heures, jours pendant lesquels l'activité est réduite. ‖ *Son creux*, son que rend un objet vide quand il reçoit un choc. ‖ *Voix creuse*, voix grave et sonore. ‖ *Yeux creux*, enfoncés dans les orbites (syn. CAVE). ‖ Fam. *Avoir le ventre creux*, être affamé. ◆ n. m. **1.** Partie vide ou concave : *Le creux d'un rocher. Le creux de la main.* — **2.** *Creux de la mer*, profondeur entre deux lames, mesurée de la crête à la base. — **3.** *Le creux de l'estomac*, la légère dépression du thorax au niveau de l'estomac. ◆ adv. *Objet qui sonne creux*, qui rend un son indiquant qu'il est vide.

CREVAISON n. f., **CREVANT, E** adj. → CREVER.

CREVASSE [krəvas] n. f. (de *crever*). **1.** Déchirure béante à la surface d'un corps ou du sol : *Les crevasses d'un vieux mur* (syn. FISSURE, LÉZARDE). — **2.** Fente dans un glacier : *Un alpiniste tombé dans une crevasse.* — **3.** Fente peu profonde de la peau : *Des crevasses aux mains* (syn. GERÇURE). ◆ **crevasser** v. t. Marquer de crevasses : *L'explosion a crevassé la façade* (syn. FISSURER, LÉZARDER). ◆ **se crevasser** v. pr. Être marqué de crevasses.

CRÈVE-CŒUR n. m. inv. → CREVER.

CREVER [krəve] v. t. (lat. *crepare*). **1.** *Crever qqch.*, le faire éclater, le déchirer, le faire céder, le percer, y faire un trou, une brèche : *Crever un pneu.* — **2.** Fam. *Crever qq'un, un cheval*, etc., l'épuiser de fatigue (syn. fam. ÉREINTER). — **3.** (sujet nom désignant un acteur, une émission) *Crever l'écran*, faire une très vive impression sur les spectateurs. ‖ *Crever les yeux*, être d'une évidence éclatante, être très visible. ◆ v. i. **1.** Éclater sous l'effet d'une pression, d'une modification : *Une bulle de savon qui crève. La digue a crevé* (syn. SE ROMPRE). *Le pneu a crevé* (= s'est dégonflé après avoir été percé). — **2.** *Cycliste, automobiliste qui crève*, dont la bicyclette ou la voiture a un pneu crevé. — **3.** (sujet nom d'animal ou de plante) Mourir. — **4.** (sujet nom de personne) Fam. *Crever de*, être comme plein à éclater, excédé de : *Crever* *d'envie, de chaleur, d'ennui.* ‖ *Crever de faim,* être très affamé. ◆ **increvable** adj. **1.** *Pneus increvables,* conçus de manière à éviter les crevaisons. — **2.** *Fam.* Se dit d'une personne qui n'est jamais fatiguée par le travail, par l'effort, etc. ◆ **crevaison** n. f. Éclatement ou déchirure d'un objet gonflé (se dit surtout d'un pneu). ◆ **crevant, e** adj. *Fam.* Qui fatigue extrêmement : *Un métier crevant* (syn. ÉPUISANT). ◆ **crève-cœur** n. m. inv. Peine profonde, souvent mêlée de compassion.

CREVETTE [krəvɛt] n. f. (forme picarde de *chevrette*). Nom donné à plusieurs crustacés marins ou d'eau douce. (Plusieurs espèces sont comestibles : *crevette grise, crevette rose* ou *bouquet.*) [Ordre des décapodes.]

CRI [kri] n. m. (du lat. *quiritare,* crier). **1.** Violente émission de voix provoquée par une émotion ou destinée à attirer l'attention, consistant en un son inarticulé ou en une parole prononcée : *Pousser un cri de douleur* (syn. ↑HURLEMENT). *Un cri de surprise* (syn. EXCLAMATION). — **2.** Son, ou ensemble de sons, émis par un animal et caractéristique de son espèce. — **3.** *À grands cris,* en poussant de grands cris, ou en insistant vivement. ‖ *Jeter, pousser les hauts cris,* protester énergiquement, se montrer scandalisé. ‖ *Le dernier cri,* le degré extrême du perfectionnement, le modèle le plus récent : *Cet appareil est le dernier cri de la technique;* et adjectiv. : *La mode dernier cri.* — LOC. ADV. *À cor et à cri,* en parlant haut et en insistant vivement. ◆ **crier** v. i. **1.** (sujet nom d'être animé) Pousser un cri ou des cris : *Un enfant qui crie de peur.* — **2.** (sujet nom de personne) Élever la voix pour manifester bruyamment sa colère, son mécontentement : *Une mère qui crie après ses enfants* (syn. ↑VOCIFÉRER). — **3.** *Crier au scandale, à la trahison,* etc., dénoncer vigoureusement le scandale, la trahison, etc. ‖ *Crier au miracle,* proclamer qu'une chose semble miraculeuse. ‖ *Crier à tue-tête, comme un sourd* (fam.), etc., pousser de grands cris. — **4.** (sujet nom de chose) Produire un bruit aigu : *Un tiroir qui crie* (syn. GRINCER). ◆ v. t. (sujet nom de personne). **1.** Dire d'une voix forte, manifester énergiquement : *Crier un ordre. Crier son indignation.* — **2.** Annoncer à très haute voix ce qu'on vend : *Crier des journaux.* — **3.** *Crier qqch. sur les toits,* le faire savoir partout. ‖ *Crier gare, crier casse-cou,* avertir quelqu'un d'un danger. ‖ *Crier famine, crier misère,* se plaindre de la faim, de la misère. ‖ *Crier grâce,* reconnaître sa défaite en demandant à l'adversaire de cesser la lutte. ‖ *Crier vengeance,* réclamer la vengeance d'un acte révoltant. ◆ **criant, e** adj. Qui frappe vivement l'attention : *Injustice criante* (syn. FLAGRANT, MANIFESTE). *Vérité criante* (syn. FRAPPANT, SAISISSANT). ◆ **criailler** v. i. **1.** Crier désagréablement, de façon répétée; émettre continuellement des cris de protestation. — **2.** Crier, en parlant de l'oie, du faisan, du paon, de la pintade. ◆ **criaillement** n. m. ou **criaillerie** n. f. Cris discordants, querelle, suite de récriminations (souvent au plur.). ◆ **criailleur, euse** adj. et n. *Fam.* ◆ **criard, e** adj. et n. *Péjor.* **1.** Qui crie désagréablement à tout propos. — **2.** Qui a un timbre déplaisant, aigre : *Voix criarde.* — **3.** *Couleurs criardes,* couleurs crues et contrastant désagréablement entre elles. ‖ *Dette criarde,* dette qu'il est urgent de rembourser, qui est réclamée avec insistance. ◆ **criée** n. f. *Vente à la criée,* vente aux enchères publiques. ◆ **crieur, euse** n. **1.** Personne qui crie souvent. — **2.** *Crieur de journaux,* celui qui les vend en criant leurs titres sur la voie publique. (→ DÉCRIER, RÉCRIER [SE].)

CRIBLE [kribl] n. m. (bas lat. *criblum*). **1.** Récipient à fond plat perforé, destiné à trier des graines, du gravier, etc. — **2.** *Passer au crible,* examiner très attentivement en critiquant, trier. ◆ **cribler** v. t. **1.** *Cribler une matière, des graines,* etc., les trier, les épurer en les passant au crible. — **2.** (sujet nom de chose) *Être criblé de trous, de taches,* etc., en être parsemé sur toute la surface. — **3.** (sujet nom de personne) *Être criblé de dettes,* être accablé de dettes nombreuses. ◆ **criblage** n. m. ◆ **cribleur** n. m. ou **cribleuse** n. f. Machine à cribler les graines et les semences.

CRIC [krik] n. m. (anc. all. *kriec*). Appareil agissant directement sur un fardeau par poussée pour le soulever ou le déplacer sur une faible course : *On utilise un cric pour changer la roue d'une voiture.*

CRICKET [krikɛt] n. m. (mot angl.). Jeu d'équipe anglais, qui se joue avec des battes de bois, des balles et des guichets.

CRICRI [krikri] n. m. (onomat.). Syn. de GRILLON.

CRIÉE n. f., **CRIER** v. t. et i., **CRIEUR, EUSE** n. → CRI.

CRIME [krim] n. m. (lat. *crimen*). **1.** Homicide volontaire : *L'arme du crime est un poignard* (syn. ASSASSINAT, MEURTRE). — **2.** *Dr.* Grave infraction à la loi, jugée généralement par la cour d'assises et punie par une peine afflictive et infamante (mort, réclusion criminelle, détention criminelle), par oppos. à CONTRAVENTION ou à DÉLIT : *Crime contre la sûreté de l'État.* (→ JUSTICE.) — **3.** *Ce n'est pas un crime,* c'est une faute légère, excusable. ◆ **criminalité** n. f. Ensemble des infractions criminelles commises dans une société définie, pendant une période définie. ◆ **criminel, elle** adj. et n. **1.** Se dit d'une personne coupable d'un crime ou d'un acte qui constitue un crime : *On a arrêté un des criminels qui ont tué le banquier* (syn. ASSASSIN, MEURTRIER). *Un incendie criminel.* — **2.** *Droit criminel, législation criminelle, juge, procès criminel,* qui concernent les crimes, qui sont chargés de les juger. ◆ **criminellement** adv. : *Juger criminellement une affaire* (= devant une juridiction criminelle). ◆ **criminologie** n. f. Étude des causes de la délinquance et des remèdes possibles. ◆ **criminologiste** ou **criminologue** n. m. Spécialiste en criminologie.

Crime et châtiment, roman de Dostoïevski (1866).

CRIMÉE, région de l'U.R.S.S., en Ukraine, formée par une grande presqu'île qui s'avance dans la mer Noire et sépare cette dernière de la mer d'Azov; 27 000 km²; 1 813 000 hab.

La côte sud de la Crimée est dominée par une chaîne de montagnes moyennes (1 545 m); le versant nord est constitué de plateaux s'abaissant doucement vers une plaine marécageuse qui forme la partie septentrionale de la presqu'île. La douceur du climat fait de cette région la « Côte d'Azur » des Soviétiques.

• *1854-1855. La guerre de Crimée oppose aux Russes les Turcs, l'Angleterre, la France et le Piémont, qui triomphent après le siège de Sébastopol'. Elle se termine par le traité de Paris (1856).*

CRIMINALITÉ n. f., **CRIMINEL, ELLE** adj. et n., **CRIMINELLEMENT** adv., **CRIMINOLOGIE** n. f., **CRIMINOLOGISTE** ou **CRIMINOLOGUE** n. m. → CRIME.

CRIN [krɛ̃] n. m. (lat. *crinis,* cheveu). **1.** Poil long et raide poussant sur le cou et à la queue du cheval et de quelques autres animaux. — **2.** *Crin végétal,* fibre de certains végétaux employée à divers usages industriels. — **3.** Fam. *À tous crins,* ou *à tout crin,* sans mesure, à outrance. ◆ **crinière** n. f. **1.** Ensemble des crins du cou d'un cheval ou de quelque autre animal. — **2.** Touffe de crins ornant certains casques. — **3.** *Fam.* et *péjor.* Chevelure abondante.

CRINOLINE [krinɔlin] n. f. (de l'it. *crino,* crin, et *lino,* lin). Vaste jupon bouffant, maintenu par des cercles d'acier ou des baleines. (Les crinolines furent à la mode sous le second Empire; elles élargissaient les jupes.)

CRIQUE [krik] n. f. (scand. *kriki*). Petite baie offrant un abri naturel aux bateaux.

CRIQUET [krikɛ] n. m. (de l'onomat. *krikk-*). Nom commun donné aux insectes de l'ordre des orthoptères. (Famille des acridiens.)

— ENCYCL. Plus petits que la sauterelle verte, les *criquets* sont des animaux très prolifiques, très voraces, exclusivement végétariens. Lorsque des causes liées au manque de nourriture les rendent migrateurs, ils deviennent un terrible fléau qui ravage les cultures.

1. CRISE [kriz] n. f. (gr. *krisis,* phase décisive). **1.** Manifestation aiguë d'un trouble physique ou moral chez une personne : *Crise de foie. Crise de nerfs. Une crise de mélancolie* (syn. ACCÈS). — **2.** *Fam.* Enthousiasme soudain, mouvement d'ardeur.

2. CRISE [kriz] n. f. (même étym.). **1.** Période difficile dans la vie d'une personne ou d'une société, situation tendue, de l'issue de laquelle dépend le retour à un état normal : *Crise de conscience, crise politique.* ‖ *Crise économique,* rupture d'équilibre entre la production et la consommation, dont les conséquences sont des faillites, du chômage et, parfois, un effondrement des cours des valeurs mobilières : *La crise économique de 1929.* — **2.** Manque de quelque chose sur une vaste échelle : *Crise de main-d'œuvre* (syn. PÉNURIE; contr. PLÉTHORE).

CRISPER [krispe] v. t. (lat. *crispare,* rider). **1.** *Crisper une partie du corps,* en contracter vivement les muscles : *Avoir les mains crispées sur le volant.* — **2.** Fam. *Crisper qq'un,* le mettre dans un état d'irritation, d'agacement. ◆ **crispant, e** adj. Fam. : *Une attente crispante* (syn. AGAÇANT, EXASPÉRANT). ◆ **crispation** n. f. **1.** Contraction musculaire extrême, état de tension. — **2.** Vif agacement.

CRISPI (Francesco), homme politique italien (1818 - 1901). Président du Conseil en 1887, il établit la politique étrangère de l'Italie sur la base de la Triple-Alliance* et mena en Afrique une politique d'expansion coloniale.

CRISSER [krise] v. i. (du frq. *krîsan,* grincer). Produire un crissement : *Le gravier crisse sous les pas.* ◆ **crissement** n. m. Bruit produit par l'écrasement de certaines matières; bruit aigu d'un corps qui grince : *Un crissement de pneus.*

1. CRISTAL, AUX [kristal, -to] n. m. (gr. *krustallos,* glace). **1.** Substance minérale solide, souvent transparente, affectant une forme géométrique bien définie : *Le gros sel se présente sous forme de cristaux.* ‖ *Cristal de roche* ou *de montagne,* quartz hyalin, dur et limpide, qui présente dans sa forme primitive des prismes hexagonaux terminés par deux pyramides à six faces. — **2.** *Cristaux de neige,* flocons diversement étoilés. ◆ **cristallin, e** [kristalɛ̃, -in] adj. Géol. *Roches cristallines,* roches qui se sont formées à l'intérieur de la terre, par cristallisation à l'état solide (roches métamorphiques) ou à partir d'un magma liquide (roches éruptives) [syn. ROCHES ENDOGÈNES]. ◆ **cristalliser** v. t. **1.** *Cristalliser une substance*, la faire passer à l'état de cristaux : *Du sucre cristallisé.* — **2.** Préciser ou fixer quelque chose de vague ou des sentiments sur quelqu'un : *Cristalliser une impression diffuse.* ◆ v. i. Se condenser en cristaux. ◆ ***se cristalliser*** v. pr. **1.** Devenir cohérent en prenant corps : *Sa pensée s'est cristallisée en quelques formules concises* (syn. SE CONCRÉTISER). — **2.** Se concentrer, se fixer : *Son esprit tout entier se cristallise sur celle qu'il aime.* ◆ **cristallisation** n. f. **1.** Action de cristalliser, de se cristalliser : *Le quartz est produit par la cristallisation de la silice. Ce projet, c'était la cristallisation de tous ses espoirs.* — **2.** Phénomène psychologique décrit par Stendhal, selon lequel les moindres circonstances de la vie semblent cristalliser, autour de la personne aimée, de nouveaux charmes qui l'embellissent. ◆ **cristallographie** n. f. Science des cristaux et des lois qui président à leur formation. ◆ **cristallophyllien, enne** adj. *Géol.* Se dit de roches métamorphiques de structure cristalline et feuilletée : *Le gneiss et le micaschiste sont des roches cristallophylliennes.*

2. CRISTAL, AUX [kristal, -to] n. m. (même étym.). Verre blanc, très pur et limpide, d'une sonorité claire : *Du cristal de Baccarat. Une voix pure comme du cristal.* ◆ **cristaux** n. m. pl. Objets en cristal, et en partic. verres à boire. ◆ **cristallerie** n. f. **1.** Fabrique d'objets en cristal. — **2.** Art de fabriquer des objets en cristal. — **3.** Ensemble des objets en cristal, service de table ou objets, contribuant au luxe d'une maison. ◆ **cristallin, e** adj. Qui a la limpidité ou la sonorité claire du cristal : *Une voix cristalline.*

CRISTALLERIE n. f. ⟶ CRISTAL 2.

1. CRISTALLIN, E adj. ⟶ CRISTAL 1 et 2.

2. CRISTALLIN [kristalɛ̃] n. m. (de *cristal*). Élément constitutif de l'œil, en forme de lentille biconvexe, placé dans le globe oculaire en arrière de la pupille, et faisant partie des milieux transparents qui font converger les rayons lumineux sur la rétine.

CRISTALLISATION n. f., **CRISTALLISER** v. t. et i., **CRISTALLOGRAPHIE** n. f., **CRISTALLOPHYLLIEN, ENNE** adj. → CRISTAL 1.

CRISTAUX n. m. pl. ⟶ CRISTAL 2.

CRITÈRE [kritɛr] n. m. (du gr. *krinein*, discerner). Principe auquel on se réfère pour émettre une appréciation, pour conduire une analyse.

CRITÉRIUM [kriterjɔm] n. m. (gr. *kritêrion*, ce qui sert à juger). Épreuve sportive destinée à sélectionner les concurrents d'un championnat ou les meilleurs athlètes d'une spécialité.

1. CRITIQUE [kritik] n. f. (du gr. *krinein*, juger). **1.** Art de juger les œuvres littéraires ou artistiques; jugement ou ensemble des jugements portés sur une telle œuvre : *La critique est un genre littéraire. Une critique objective, partiale.* — **2.** Ensemble des personnes qui donnent des jugements dans la presse sur les œuvres littéraires ou artistiques : *La critique est unanime.* — **3.** Examen détaillé d'exactitude, d'authenticité : *L'avocat a fait une critique serrée des déclarations de l'adversaire.* — **4.** Jugement hostile, parole ou écrit dirigés contre quelqu'un ou contre quelque chose (syn. ↑DÉNIGREMENT). ◆ n. m. Personne qui pratique la critique (au sens 1) : *Critique d'art, critique dramatique.* ◆ adj. **1.** Se dit d'un examen, d'une attitude qui cherche à discerner les qualités et les défauts d'une œuvre, l'exactitude ou l'authenticité d'une déclaration, d'un fait : *Observations critiques.* — **2.** *Esprit critique*, attitude de celui qui n'accepte un fait ou une opinion qu'après en avoir examiné la valeur; personne qui adopte cette attitude : *Le bon historien doit faire preuve d'esprit critique;* attitude de celui qui tend à ne remarquer que les défauts; personne qui adopte cet état d'esprit. ◆ **critiquer** v. t. **1.** *Critiquer qq'un, les actes de qq'un*, les juger défavorablement, leur trouver des défauts : *Sa conduite a été très critiquée* (syn. BLÂMER, DÉSAPPROUVER). — **2.** *Critiquer qqch.*, en discuter la valeur, en examiner les qualités et les défauts : *Critiquer un livre avec impartialité.* ◆ **critiquable** adj. Qui mérite d'être critiqué (sens 1 du v.) : *Une décision critiquable* (syn. DISCUTABLE). *Une attitude critiquable* (syn. BLÂMABLE, CONDAMNABLE). ◆ **critiqueur, euse** adj. et n. Porté à critiquer. ◆ **autocritique** n. f. Analyse critique qu'une personne fait de sa propre conduite.

2. CRITIQUE [kritik] adj. (même étym.). **1.** Se dit d'une situation, d'un état, etc., où l'on peut craindre un malheur soudain : *Être dans une situation critique* (syn. ↓ALARMANT, ↑TRAGIQUE). — **2.** *Moment, période critique*, moment proche d'une décision grave.

Critique de la raison pure (1781), ***Critique de la raison pratique*** (1788), ouvrages philosophiques de Kant.

CROASSER [krɔase] v. i. (onomat.) [sujet nom désignant le corbeau, la corneille]. Crier. ◆ **croassement** n. m.

CROATIE, État de l'Europe balkanique; 56 540 km^2; 4 422 600 hab. *(Croates).* Capit. *Zagreb.*

GÉOGRAPHIE. La Croatie s'étend sur des régions naturelles variées : plaines situées entre la Save et la Drave au N., chaînons calcaires et *poljés** au centre, littoral adriatique au S.-O.

HISTOIRE. Au Xe s., un royaume croate se constitue entre la Drave et l'Adriatique.

- *1102. La Croatie est unie à la Hongrie, avec un statut particulier.*
- *1918. La Croatie, de population slave, forme avec la Serbie et la Slovénie un royaume qui devient ensuite la Yougoslavie.*
- *1942-1945. Pendant la Seconde Guerre mondiale, la Croatie devient un État indépendant sous protectorat germano-italien.*
- *1945. La Croatie fait retour à la Yougoslavie.*
- *1991. La Croatie se déclare indépendante (juin). De violents combats opposent les Croates aux insurgés serbes de Croatie et à l'armée fédérale yougoslave.*
- *1992. L'indépendance de la Croatie est reconnue par la communauté internationale.*

CROC [kro] n. m. (frq. *krōk*, crochet). **1.** Chacune des quatre canines fortes, longues et pointues des mammifères carnassiers : *Les crocs d'un tigre, d'un chien.* ‖ *Montrer les crocs*, se faire menaçant. — **2.** Tige recourbée où l'on peut suspendre quelque chose : *Un croc de boucher.* — **3.** Crochet monté sur une perche.

CROCE (Benedetto), philosophe, historien et critique italien (1866-1952). Sa méthode s'inspire de Hegel. Il a exercé une grande influence sur la pensée italienne contemporaine.

CROC-EN-JAMBE [krɔkɑ̃ʒɑ̃b] n. m. *(croc, en,* et *jambe).* **1.** Action de placer son pied devant les jambes de quelqu'un qui marche, de façon à le faire tomber. — **2.** Manœuvre déloyale pour nuire à quelqu'un. ‖ Pl. des *crocs-en-jambe.*

CROCHE [krɔʃ] n. f. (de *croc*). *Mus.* Note dont la queue porte un crochet, égale à la huitième partie de la ronde et représentée par le chiffre 8. ◆ **double croche** n. f. Croche qui porte deux crochets et qui vaut la moitié de la croche. ◆ **triple croche** n. f. Croche qui porte trois crochets et qui vaut le quart de la croche.

CROCHE-PIED [krɔʃpje] n. m. (de *crocher*, et *pied*). Syn. usuel de CROC-EN-JAMBE (en sens 1).

1. CROCHET [krɔʃɛ] n. m. (de *croc*). **1.** Morceau de métal recourbé servant à suspendre ou à fixer quelque chose : *Le tableau est suspendu par des crochets.* — **2.** Grosse aiguille ayant une encoche à une extrémité et destinée à certains travaux de broderie, de dentelle, etc.; ouvrage exécuté avec cette aiguille. — **3.** Dent à venin des serpents venimeux. — **4.** Signe graphique proche de la parenthèse par la forme et l'emploi : [ ]. — **5.** Détour sur un trajet : *Je ferai un crochet pour vous voir.* — **6**. À la boxe, coup de poing porté horizontalement, en décrivant une courbe avec le bras replié.

2. CROCHET [krɔʃɛ] n. m. (de *crochet* 1). Fer recourbé avec lequel, à défaut de clef, on ouvre une serrure. ◆ **crocheter** v. t. (Conj. **7.**) *Crocheter une serrure*, l'ouvrir avec un crochet. ◆ **crochetage** n. m. ◆ **crocheteur** n. m. **1.** *Un crocheteur de serrures.* — **2.** Autref., portefaix (= celui qui portait les fardeaux).

3. CROCHETS [krɔʃɛ] n. m. pl. (même étym.). Fam. *Être, vivre aux crochets de qq'un*, vivre à ses dépens, à sa charge.

CROCHU, E [krɔʃy] adj. (de *croc*). **1.** Recourbé et terminé en pointe : *Un oiseau au bec crochu. Un nez crochu.* — **2.** Fam. *Avoir les doigts crochus*, être avare ou cupide. ‖ Fam. *Atomes crochus*, sympathie spontanée entre deux personnes.

CROCODILE [krɔkɔdil] n. m. (lat. *crocodilus*). **1.** Reptile africain et indien, dangereux dans l'eau pour l'homme et le bétail : *Le crocodile vagit.* [Ordre des crocodiliens.] — **2.** Fam. *Larmes de crocodile*, larmes hypocrites. ◆ **crocodiliens** n. m. pl. Ordre de reptiles comprenant de grands animaux fluviaux carnivores dont la peau est renforcée par des plaques osseuses libres *(crocodile, gavial, alligator, caïman).*

CROCUS [krɔkys] n. m. (mot lat.; du gr. *krokos*, safran). Plante herbacée à bulbe, poussant au printemps, dont une espèce à fleurs jaunes est le *safran.* (Famille des iridacées.)

CROIRE [krwar] v. t. (lat. *credere*). [Conj. **74.**] **1.** *Croire une chose, croire* (et l'infin.), *croire que* (et l'indic.), considérer comme vrai, être convaincu de quelque chose : *Je crois ce qu'on m'a raconté* (syn. SE FIER À). — **2.** *Croire* (et l'infin.), *croire que* (et l'indic.), estimer probable ou possible : *Je crois avoir trouvé la solution* (syn. PENSER). — **3.** *Croire* (et un attribut, un compl. d'objet ou une proposition objet introduite par *que* ou par une express. circonstancielle), considérer comme : *Je vous crois capable de réussir* (syn. ESTIMER, JUGER). *On le croyait ailleurs* (syn. SUPPOSER). — **4.** *Croire* (et une proposition interrogative ou exclamative objet), imaginer, se représenter : *Vous ne sauriez croire à quel point j'ai été touché de ce geste.* — **5.** *Croire qq'un,* ajouter foi à ses paroles, avoir confiance en lui : *Ce témoin mérite d'être cru.* — **6.** *En croire qq'un, qqch.,* se fier à cette personne ou à cette chose sur un point particulier : *À l'en croire, tous les autres sont des incapables* (= selon lui). *Tout ira bien, croyez-en mon expérience.* — **7.** *Ne pas en croire ses yeux, ses oreilles,* être extrêmement surpris de ce qu'on voit ou de ce qu'on entend. (Rem. *Croire que* est suivi d'une subordonnée à l'indic. si la principale est affirmative, au subj. ou parfois à l'indic. si la principale est négative ou interrogative.) ◆ v. t. ind. **1.** *Croire à une chose,* la juger vraie, réelle : *Croire à la médecine* (= être convaincu de son efficacité). — **2.** *Croire en qq'un,* avoir confiance en lui : *J'ai toujours cru en lui. Croire en Dieu, au diable, aux fantômes* (= avoir foi en leur existence). ◆ v. i. Avoir la foi religieuse : *Il avait cessé de croire depuis plusieurs années.* ◆ ***s'en croire, se croire*** v. pr. Avoir une trop haute opinion de soi, être vaniteux. ◆ **croyable** adj. Se dit d'une chose qui peut être crue (surtout dans des express. négatives, interrogatives ou restrictives) : *Est-il croyable que vous n'ayez rien remarqué?* ◆ **croyant, e** adj. et n. Qui a la foi religieuse. ◆ **incroyable** adj. : *Une violence, une chance incroyable* (syn. EXTRAORDINAIRE). *Incroyables difficultés* (syn. INIMAGINABLE, PRODIGIEUX). ◆ **incroyablement** adv. : *Il est incroyablement distrait.* ◆ **croyance** n. f. **1.** Action de croire à l'existence ou à la vérité d'un être ou d'une chose : *La croyance en Dieu. La croyance au progrès continuel de l'humanité* (syn. FOI). — **2.** Opinion religieuse, philosophique, politique : *Croyances politiques* (syn. CONVICTIONS). — **3.** *Au-delà de toute croyance,* plus qu'on ne saurait croire. ◆ **incroyant, e** adj. et n. Qui n'a pas la foi religieuse. ◆ **incroyance** n. f.

CROISADE [krwazad] n. f. (de l'anc. fr. *croisée,* croisade). **1.** Nom donné aux expéditions lancées au Moyen Âge par des chrétiens pour chasser les musulmans de la Terre sainte. ⟶ ENCYCL. — **2.** Action d'ensemble, entreprise pour créer un mouvement d'opinion en vue d'un résultat d'intérêt commun : *Une croisade pour la paix.* ◆ **croisé** n. m. Celui qui, au Moyen Âge, participait à une croisade.

— ENCYCL. Les croisades sont les expéditions menées du XIe au XIIIe s. par l'Europe chrétienne pour reprendre le Saint-Sépulcre (= l'emplacement du tombeau du Christ) aux Turcs Seldjoukides. Elles ont le double aspect de pèlerinage armé et de guerre sainte contre les païens. Le mouvement, financé par la papauté, fut quasi permanent, mais on distingue généralement huit croisades.

La 1re croisade (1096-1099), dont l'idée fut lancée par le pape Urbain II au concile de Clermont (1095), donne lieu à deux expéditions distinctes : la première, populaire, désordonnée, sous la direction de Pierre l'Ermite, est rapidement anéantie par les Turcs; la seconde, puissamment organisée, comprend plusieurs armées féodales qui prennent Nicée, Antioche et Jérusalem (1099). Elle aboutit à la création d'États chrétiens, dont le royaume de Jérusalem.

La 2e croisade (1147-1149) est prêchée par saint Bernard et dirigée par Louis VII de France et l'empereur Conrad III, qui mettent en vain le siège devant Damas.

La 3e croisade (1189-1192), causée par la prise de Jérusalem par le sultan Saladin, a pour chefs Frédéric Barberousse (qui se noie en Cilicie), Philippe Auguste et Richard Cœur de Lion (qui prend Chypre puis Saint-Jean-d'Acre en 1191).

La 4e croisade (1202-1204), prêchée par le pape Innocent III et dirigée par Baudoin IX de Flandre et Boniface II de Montferrat, est détournée de son but initial (l'Égypte) par les Vénitiens chargés du transport; ceux-ci amènent les croisés à conquérir Zara puis Constantinople : la ville est mise à sac et les croisés y établissent un Empire latin. Les Vénitiens obtiennent d'énormes avantages commerciaux et territoriaux.

La 5e croisade (1217-1221) n'est qu'une incursion sans résultat en Égypte.

La 6e croisade (1228-1229) est conduite par l'empereur Frédéric II qui traite avec les musulmans et obtient, pour un temps, Jérusalem, Bethléem et Nazareth.

La 7e croisade (1248-1254) est dirigée par le roi de France Louis IX (Saint Louis) qui a fait le vœu d'anéantir l'Égypte, la grande puissance musulmane. Il prend Damiette mais est fait prisonnier à Mansourah. Il revient en France, après avoir payé une forte rançon.

La 8e croisade (1270) est conduite également par Saint Louis qui meurt de la peste devant Tunis.

Les croisades échouèrent à cause des rivalités entre les nations ou les seigneurs chrétiens. Leur résultat immédiat fut la naissance d'États latins en Orient. Les autres conséquences des croisades furent la création d'ordres religieux et militaires (comme celui de Saint-Jean de Jérusalem, celui des Templiers et celui des chevaliers Teutoniques), l'essor des ports et du commerce méditerranéens, et surtout la mise en contact des civilisations de l'Orient (musulmane et byzantine) et de l'Occident.

CROISÉ n. m. ⟶ CROISADE.

CROISÉ, E adj. ⟶ CROISER 1.

1. CROISÉE [krwaze] n. f. (de *croiser*). Ouvrage de menuiserie servant à clore une fenêtre (se dit souvent de la fenêtre quand on la voit de l'intérieur) : *Regarder dans la rue par la croisée.*

2. CROISÉE [krwaze] n. f. (même étym.). **1.** Point où deux choses se rencontrent. ‖ *La croisée des chemins,* le moment de faire un choix important qui engage l'avenir. — **2.** *Croisée d'ogives* ⟶ OGIVE.

1. CROISER [krwaze] v. t. (de *croix*). **1.** Disposer deux choses l'une sur l'autre en croix ou en X : *S'asseoir en croisant les jambes.* — **2.** *Route, rue qui en croise une autre,* qui la traverse, qui forme avec elle une croix (syn. COUPER). — **3.** *Croiser qq'un, un véhicule,* le rencontrer et passer auprès de lui dans le sens opposé. — **4.** *Croiser deux races,* accoupler deux animaux de même genre, mais de races différentes, de façon à obtenir un produit hybride. ◆ v. i. *Une veste qui croise bien,* dont les deux parties de devant se recouvrent convenablement. ◆ ***se croiser*** v. pr. **1.** Se rencontrer. — **2.** *Regards, yeux qui se croisent,* regards échangés soudain entre deux personnes. ‖ *Lettres qui se croisent,* lettres échangées entre deux personnes, mais acheminées en même temps, de sorte qu'aucun des deux correspondants n'a reçu celle de l'autre au moment où il envoie la sienne. ‖ *Se croiser les bras,* rester inactif, cesser le travail. ◆ **croisé, e** adj. *Étoffe croisée,* étoffe à fils très serrés. ‖ *Feux croisés* ⟶ FEU 4. ‖ *Mots croisés* ⟶ MOT. ‖ *Rimes croisées,* rimes disposées de telle manière que rimes féminines et rimes masculines sont alternées. ◆ **croisement** n. m. **1.** État de deux choses croisées. — **2.** Action de deux personnes ou de deux véhicules qui se croisent. — **3.** Point où se coupent plusieurs routes, plusieurs lignes (syn. CARREFOUR). — **4.** Action de croiser des animaux (sens 4 du v.). ◆ **décroiser** v. t. Séparer ce qui était croisé : *Décroiser les jambes.* ◆ **entrecroiser** v. t. Croiser en divers sens : *Entrecroiser des brins d'osier.* ◆ ***s'entrecroiser*** v. pr. : *Un réseau de routes qui s'entrecroisent.* ◆ **entrecroisement** n. m.

2. CROISER [krwaze] v. i. (même étym.). *Bateau qui croise dans tel ou tel secteur,* qui navigue en divers sens pour exercer une surveillance. ◆ **croiseur** n. m. Navire de guerre destiné aux missions d'escorte, de reconnaissance, etc. ◆ **croisière** n. f. **1.** Voyage touristique ou mission militaire accompli par un navire. — **2.** *Vitesse de croisière d'un bateau, d'un avion,* sa meilleure allure, dans des conditions normales, sur un long parcours. ‖ *Vitesse de croisière d'une chose, d'une personne,* son rythme normal d'activité après une période de rodage, d'adaptation.

CROISIC (Le), ch.-l. de cant. de la Loire-Atlantique, à 10 km à l'O. de La Baule, près de la *pointe du Croisic;* 4 300 hab. *(Croisicais).* Ce fut un port important aux XVIe et XVIIe s. C'est auj. un port de pêche (sardines) et un centre touristique.

CROISIÈRE n. f. ⟶ CROISER 2.

CROISILLON n. m. ⟶ CROIX 3.

CROISSANCE n. f. ⟶ CROÎTRE.

1. CROISSANT, E adj. ⟶ CROÎTRE.

2. CROISSANT [krwasɑ̃] n. m. (de *croître*). **1.** *Croissant de lune,* forme apparente de la lune, lorsqu'elle est éclairée sur moins de la moitié de sa surface. — **2.** Figure rappelant la forme d'un croissant de lune : *Un parterre de fleurs en croissant.* ‖ *Le Croissant,* l'Empire turc. (Le croissant de lune avait été adopté comme symbole par les Turcs.)

3. CROISSANT [krwasɑ̃] n. m. (de *croissant de lune*). Pâtisserie feuilletée, courbe et amincie aux extrémités.

CROÎTRE [krwɑtr] v. i. (lat. *crescere*). [Conj. **66.**] **1.** (sujet nom d'être animé ou inanimé) Se développer en grandeur (langue soignée) : *Croître en taille* (syn. GRANDIR). — **2.** (sujet nom de chose) Se développer en importance : *Le son croît en intensité* (syn. S'ACCROÎTRE, AUGMENTER). *Sa vanité n'a fait que croître et embellir* (= n'a cessé de se développer). — **3.** (sujet nom de végétal) Pousser naturellement : *Le blé croît* (syn. POUSSER). ◆ **croissant, e** adj. : *Un désir croissant. Une chaleur croissante* (syn. GRANDISSANT). ◆ **croissance** n. f. Développement de l'individu animal ou végétal, considéré du seul point de vue quantitatif (longueur, volume ou poids) : *La croissance d'un enfant. La croissance des plantes* (syn. POUSSE). ‖ *Croissance économique,* augmentation du produit net de l'économie. ◆ **décroître** v. i. (sujet nom de chose). Diminuer progressivement : *Ses revenus décroissent peu à peu. En automne, les jours décroissent.* ◆ **décroissant, e** adj. : *Une vitesse décroissante.* ◆ **décroissance** n. f. : *La décroissance d'une popularité* (syn. BAISSE, DIMINUTION).

1. CROIX [krwa] n. f. (lat. *crux*). **1.** Anc. instrument de supplice, formé de deux pièces de bois assemblées transversalement et sur lequel on attachait les condamnés à mort : *Jésus-Christ fut mis à mort sur la croix.* — **2.** Représentation de la croix commémorant la mort de Jésus-Christ. — **3.** Souffrances physiques ou morales, épreuve difficile à supporter (langage pieux) : *Cette maladie est pour lui une croix.* || *C'est la croix et la bannière*, il y a beaucoup de difficultés à vaincre; c'est toute une affaire. (Souligne le mal qu'on a eu à vaincre l'entêtement de quelqu'un.) — **4.** *La Croix*, la religion chrétienne, l'Église, la chrétienté : *L'affrontement de la Croix et du Croissant* au Moyen Âge.* — **5.** *Chemin de croix*, le chemin que Jésus-Christ parcourut en portant sa croix, de Jérusalem jusqu'au Calvaire; série de 14 tableaux ou d'autres représentations rappelant les étapes de la passion de Jésus-Christ devant lesquelles les chrétiens s'arrêtent pour prier le vendredi saint. || *Mystère de la Croix*, le mystère de la rédemption (= rachat) des hommes par la mort de Jésus-Christ sur la croix. || *Signe de croix*, geste de piété des chrétiens, consistant à tracer sur soi une croix en portant la main droite au front, puis à la poitrine, puis à chaque épaule en disant « au nom du Père, du Fils et du Saint-Esprit ».

2. CROIX [krwa] n. f. (même étym.). Décoration en forme de croix qui se porte pendue à un ruban : *La croix de la Légion d'honneur.*

3. CROIX [krwa] n. f. (même étym.). **1.** Forme ou représentation particulière de la croix. || *Croix gammée* (ou *svastika*), croix dont chaque branche est terminée par un coude. (Ce symbole avait été adopté comme emblème par l'Allemagne de Hitler.) || *Croix latine*, croix dont une branche est plus longue que les autres. || *Croix de Lorraine*, croix à deux croisillons inégaux et parallèles. (Emblème de la France libre durant la Seconde Guerre mondiale et des partisans du général de Gaulle.) || *Croix de Malte*, croix que les chevaliers de Malte portaient sur leurs vêtements. || *Croix rouge*, dessin d'une croix rouge sur fond blanc, insigne international des ambulances, des services de santé. || *Croix de Saint-André*, en forme d'X. || *Croix de Saint-Antoine*, en forme de T. — **2.** Signe formé par deux traits qui se coupent : *Mettre une croix en marge.* ◆ **croix (en)** loc. adv. Disposé en forme de croix ou d'X : *Les bras en croix.* ◆ **croisillon** n. m. **1.** Dans une croix, la pièce la plus courte, qui forme traverse. — **2.** Barre qui divise un battant de fenêtre en plusieurs parties. — **3.** Ensemble d'éléments disposés en croix. (⟶ CROISER.)

CROIX, comm. du Nord, faubourg nord de Lille; 19 400 hab.

CROIX DU SUD, constellation de l'hémisphère austral en forme de croix, dont la grande branche est orientée vers le pôle Sud.

Croix-Rouge, organisme international, fondé en 1863 par le Suisse Henri Dunant pour venir en aide aux victimes de la guerre. En temps de paix, la Croix-Rouge remplit une œuvre de solidarité mondiale dans tous les domaines de la bienfaisance (secours nationaux et internationaux en cas de catastrophes).

CRO-MAGNON, écart de la comm. des Eyzies-de-Tayac-Sireuil (Dordogne). Des fossiles humains, dits *race de Cro-Magnon*, y furent découverts en 1868.

CROMLECH [krɔmlɛk] n. m. (du breton *crom*, rond, et *lech*, pierre). Groupe de pierres verticales, ou *menhirs*, disposées en cercle autour d'une autre plus grande.

CROMPTON (Samuel), tisserand anglais (1753-1827). On lui doit la construction de la *mule-jenny*, machine à filer le coton.

CROMWELL (Olivier), homme d'État anglais (1599-1658). Gentilhomme campagnard, calviniste convaincu, il joua un rôle capital dans la première révolution anglaise.

- *1640. Élu député à la Chambre des communes, il devient rapidement chef de l'opposition puritaine et parlementaire à l'arbitraire monarchique et à l'épiscopat.*
- *1645. À la tête des révoltés, il bat les troupes royales à Naseby.*
- *1649. Le « Parlement croupion », épuré par Cromwell, élimine la Chambre des lords et condamne à mort le roi Charles Ier.*

La république est proclamée et une dictature militaire s'installe.
La même année, Cromwell soumet les Irlandais, qui sont dépossédés de leur sol.

- *1650-1651. L'Écosse est soumise et unie à l'Angleterre.*
- *1653. Cromwell fait dissoudre le Parlement croupion.*

Sous le titre de lord-protecteur d'Angleterre, d'Écosse et d'Irlande, il exerce désormais un pouvoir despotique. Ses guerres victorieuses contre les Provinces-Unies et l'Espagne démontrent la suprématie anglaise.

- *1658. À la mort de Cromwell, son fils Richard se montre incapable d'assurer sa succession.*

La monarchie est rétablie deux ans plus tard au profit de Charles II.
L'œuvre de Cromwell reste cependant capitale dans l'histoire anglaise : la monarchie, l'Église établie et l'aristocratie qu'il avait combattues ne retrouvèrent plus par la suite leur puissance passée.

Cromwell, drame historique en 5 actes, en vers, de V. Hugo (1827), dont la préface fut considérée comme le manifeste du théâtre romantique.

CRONIN (Archibald Joseph), romancier anglais (1896-1981). Ses œuvres les plus connues sont *la Citadelle* (1937), *les Clefs du royaume* (1941), *les Vertes Années* (1944).

CRONOS. *Myth. gr.* Dieu du Temps. Il avait détrôné son père et dévorait ses propres enfants à leur naissance pour éviter que pareille mésaventure ne lui survienne. Mais son épouse Rhéa remplaça par une pierre le dernier-né, Zeus, qui détrôna à son tour Cronos pour devenir le roi des dieux. Les Romains assimilèrent Cronos à *Saturne.*

CROOKES (*sir* William), chimiste et physicien anglais (1832-1919). Il découvrit la nature des rayons cathodiques.

1. CROQUANT, E adj. ⟶ CROQUER 1.

2. CROQUANT, E [krɔkɑ̃, -ɑ̃t] n. (de *croquer*, détruire). **1.** Nom donné à des paysans révoltés sous Henri IV et sous Louis XIII. — **2.** *Péjor.* Paysan, paysanne (vieilli).

CROQUE AU SEL (À LA) loc. adv. ⟶ CROQUER 1.

CROQUE-MITAINE ou **CROQUEMITAINE** [krɔkmitɛn] n. m. (de *croquer*, et *mitaine*). **1.** Personnage fantastique évoqué parfois pour effrayer les enfants. — **2.** *Fam.* Personne d'apparence terrible, mais peu redoutable.

CROQUE-MONSIEUR [krɔkmøsjø] n. m. inv. (de *croquer*, et *monsieur*). Sandwich chaud au fromage et au jambon.

CROQUE-MORT [krɔkmɔr] n. m. (de *croquer*, et *mort*). **1.** *Fam.* Employé des pompes funèbres. — **2.** *Air, visage de croque-mort*, air lugubre d'une personne.

1. CROQUER [krɔke] v. t. (de l'onomat. *krokk-*). **1.** Broyer entre ses dents avec un bruit sec : *Croquer des bonbons.* — **2.** Manger en broyant avec les dents, ou avec avidité : *Croquer une pomme. Le chat croque la souris.* — **3.** Fam. *Croquer de l'argent*, le dépenser très largement : *Croquer un héritage* (syn. DILAPIDER). ◆ v. i. (sujet nom d'un aliment). Produire un bruit sec quand les dents le broient. ◆ **croquant, e** adj. : *Une croûte bien croquante.* ◆ **croque au sel (à la)** loc. adv. Avec du sel comme seul assaisonnement. ◆ **croquette** n. f. Boulette frite de pâte ou de viande hachée.

2. CROQUER [krɔke] v. t. (même étym.). **1.** *Croquer qq'un, un paysage*, etc., le dessiner en quelques coups de crayon, en tracer rapidement l'esquisse. — **2.** Fam. *À croquer*, très joli. ◆ **croquis** n. m. **1.** Dessin rapide, qui note les traits essentiels, caractéristiques. — **2.** Compte rendu succinct : *Faire un rapide croquis de la situation.*

CROQUET [krɔkɛ] n. m. (mot angl.). Jeu consistant à faire passer, sous des arceaux disposés selon un trajet déterminé, des boules que l'on pousse avec un maillet.

CROQUETTE n. f. ⟶ CROQUER 1.

CROQUIS n. m. ⟶ CROQUER 2.

CROS (Charles), poète et inventeur français (1842-1888). En même temps que Ducos du Hauron, il imagina le procédé indirect de photographie des couleurs (1869). Avant Edison, il eut l'idée du phonographe. Il se fit une réputation d'humoriste par ses monologues comiques et ses poèmes, qui lui valurent d'être célébré par les surréalistes comme un de leurs inspirateurs.

CROSNE [kron] n. m. (de *Crosne*, dans l'Essonne). Plante cultivée comme légume pour ses rhizomes en forme de chapelet, légèrement sucrés. (Famille des labiacées.)

CROSS-COUNTRY [krɔskuntri] ou **CROSS** n. m. (mot angl.). Épreuve de course à pied en terrain varié avec obstacles, et dont la longueur est inférieure à 16 km.

CROSSE [krɔs] n. f. (germ. *krukja*, béquille). **1.** Bâton à l'extrémité supérieure recourbée, et qui est un insigne de la mission pastorale des évêques. — **2.** Bâton courbé qui, dans certains jeux, sert à pousser une boule : *Crosse de hockey.* — **3.** Extrémité recourbée de certaines plantes : *Les jeunes feuilles de fougère sont enroulées en crosse.* — **4.** Anat. *Crosse de l'aorte*, région recourbée de l'aorte, près de son origine dans le cœur. — **5.** *Crosse d'un fusil, d'un pistolet*, la partie postérieure, qu'on épaule ou qu'on tient en main.

CROTALE [krɔtal] n. m. (gr. *krotalon*, castagnette). Serpent venimeux américain. (Les mues successives s'accumulent au bout de la queue en formant un grelot, ou *cascabelle*, qui vaut au crotale son nom usuel de SERPENT À SONNETTE.) [Famille des vipéridés.]

CROTONE, v. de l'Italie méridionale, en Calabre, sur le golfe de Tarente; 51 000 hab. Ce fut l'une des villes les plus célèbres et les plus prospères de la Grande-Grèce.

CROTOY (Le), comm. de la Somme, à 26 km au N.-O. d'Abbeville, sur la baie de la Somme; 2 400 hab. *(Crotellois).* Importante station balnéaire. Pêche.

CROTTE [krɔt] n. f. (frq. *krotta*). **1.** Excrément de certains animaux ou de l'homme. — **2.** *Crotte de chocolat*, sorte de bonbon au chocolat fourré. ◆ **crottin** n. m. Crotte de cheval, de mulet.

CROTTÉ, E [krɔte] adj. (de *crotte*). Sali de boue : *Des bottes crottées.* ◆ **décrotter** v. t. Nettoyer de ses salissures de boue : *Décrotter des chaussures.* ◆ **décrottoir** n. m. Lame métallique fixée au sol près du seuil d'une maison pour gratter la boue des semelles. ◆ **indécrottable** adj. *Fam.* Se dit de quelqu'un qui est d'une ignorance, d'une sottise résistant à tout.

CROTTIN n. m. ⟶ CROTTE.

CROULANT, E adj. ⟶ CROULER 1.

CROULE [krul] n. f. (de *crouler* 2). Chasse à la bécasse, à l'époque de l'accouplement, lors des passages de printemps.

1. CROULER [krule] v. i. (bas lat. *crotalare*, secouer). **1.** (sujet nom désignant un édifice, une construction, etc.) Tomber sur sa base, s'effondrer : *Un vieux mur qui croule* (syn. S'ÉCROULER, TOMBER EN RUINE). — **2.** Perdre sa puissance, être ruiné : *Un empire qui commence à crouler.* — **3.** (sujet nom de personne ou de chose) *Crouler sous qqch.*, en être accablé, en être exagérément chargé : *Les porteurs croulent sous leurs charges.* — **4.** (sujet nom de personne) *Se laisser crouler*, s'affaisser, tomber de toute sa masse (syn. S'AFFALER). ◆ **croulant, e** adj. **1.** Qui tombe en ruine, qui s'effondre : *Une masure croulante. Une autorité croulante.* — **2.** Se dit d'une personne épuisée par son grand âge : *Un vieillard croulant.* ◆ **croulement** n. m. : *Le croulement d'une maison, d'une civilisation* (syn. plus usuel ÉCROULEMENT).

2. CROULER [krule] v. i. (de *crouiller*, croasser). Crier, en parlant de la bécasse.

CROUP [krup] n. m. (mot angl.). *Méd.* Extension sous le larynx de la diphtérie*, dont les fausses membranes obstruent l'orifice glottique : *Le croup peut provoquer la mort par asphyxie.*

CROUPE [krup] n. f. (germ. *kruppa*). **1.** Partie postérieure du corps d'un cheval, constituée par les fesses et le haut des cuisses. — **2.** *Fam.* Fesses d'une personne. — **3.** Partie renflée d'une montagne ou d'une colline. — **4.** *En croupe*, se dit d'un deuxième cavalier, assis derrière le cavalier principal : *Monter en croupe.* ◆ **croupetons (à)** loc. adv. Dans la position d'une personne accroupie. ◆ **croupière** n. f. Partie du harnais reposant sur la croupe du cheval, du mulet, etc. ◆ **croupion** n. m. Partie postérieure du corps d'un oiseau ou d'une volaille, comprenant les dernières vertèbres et supportant les plumes de la queue. (Chez la plupart des oiseaux, le croupion porte la glande uropygienne sécrétant une matière grasse servant à l'imperméabilisation du plumage.)

CROUPI, E adj. ⟶ CROUPIR.

CROUPIER [krupje] n. m. (de *croupe*). Employé d'une maison de jeux qui paie et ramasse l'argent pour le compte du directeur.

CROUPIÈRE n. f., **CROUPION** n. m. ⟶ CROUPE.

CROUPIR [krupir] v. i. (de *croupe*). **1.** (sujet nom de personne) Rester dans un état méprisable, honteux. — **2.** *Eau qui croupit*, eau stagnante qui se corrompt. ◆ **croupi, e** adj. Se dit d'un liquide corrompu par la stagnation. ◆ **croupissant, e** adj. : *Une vie croupissante. Une eau croupissante.* ◆ **croupissement** n. m.

CROUSTADE [krustad] n. f. (prov. *crostado*). Croûte de pâte brisée ou feuilletée, que l'on garnit de viande, de poisson, etc.

CROUSTILLER [krustije] v. i. (de *croûte*) [sujet nom désignant un gâteau, une croûte, etc.]. Croquer agréablement sous la dent. ◆ **croustillant, e** adj. **1.** *Une galette croustillante.* — **2.** Fam. *Histoire croustillante*, qui contient des détails licencieux (syn. ↑GRIVOIS, LESTE).

CROÛTE [krut] n. f. (lat. *crusta*). **1.** Partie superficielle du pain, du fromage, d'un pâté, etc., plus dure que l'intérieur. — **2.** Couche extérieure durcie, à la surface d'un corps : *Une croûte de glace.* ‖ *Croûte terrestre*, écorce terrestre. — **3.** Plaque formée sur la peau par le sang séché. — **4.** *Fam.* Œuvre d'un peintre sans talent. ◆ **croûton** n. m. **1.** Morceau de pain dur ou extrémité d'un pain. — **2.** Morceau de pain frit accompagnant certains plats. ◆ **encroûter** v. t. Recouvrir d'une croûte. ◆ ***s'encroûter*** v. pr. Se couvrir d'une espèce de croûte : *Les chaudières s'encroûtent.*

CROUZILLE (La), hameau de la comm. de Saint-Sylvestre (Haute-Vienne), à 19 km au N. de Limoges. Importante exploitation de minerai d'uranium.

CROYABLE adj., **CROYANCE** n. f., **CROYANT, E** adj. et n. ⟶ CROIRE.

CROYDON, v. de la banlieue sud de Londres; 327 100 hab. Ancien aéroport international.

CROZET *(îles)*, archipel français du sud de l'océan Indien (46° de latitude sud), formé de terres volcaniques.

CROZON, ch.-l. de cant. du Finistère, à 34 km au N.-O. de Châteaulin, dans la *presqu'île de Crozon*, 7 800 hab.

C.R.S., abrév. de ***compagnies républicaines de sécurité***, **unités mobiles de police dépendant du ministère de l'Intérieur.**

1. CRU [kry] n. m. (de *croître*). **1.** Terroir spécialisé dans la production d'un vin; vin provenant de ce terroir : *Visiter un cru célèbre du Bordelais.* — **2.** *Du cru*, du pays, de la région où l'on est, dont il est question. ‖ Fam. *De son cru*, qu'on a inventé soi-même.

2. CRU, E [kry] adj. (lat. *crudus*). *Aliment cru*, qui n'a pas subi la cuisson : *Manger des fruits crus* (contr. CUIT). ◆ **crudité** n. f. : *La crudité des légumes.* ◆ n. f. pl. Fruits ou légumes crus.

3. CRU, E [kry] adj. (même étym.). **1.** *Lumière crue, couleur crue*, violente, sans atténuation (contr. DOUX, TAMISÉ). — **2.** *Paroles crues*, paroles brutales, réalistes. ‖ *Mot cru* (syn. CHOQUANT). ◆ adv. *Je vous le dis tout cru*, je vous le dis franchement, sans ménagement. ◆ **cru (à)** loc. adv. **1.** Directement : *Lumière qui tombe à cru.* — **2.** Sans selle : *Monter à cru.* ◆ **crudité** n. f. Sens 2 de CRU : *La crudité du langage* (syn. VERDEUR). ◆ **crûment** adv. *Parler crûment*, sans ménagement, en termes énergiques.

CRUAUTÉ n. f. ⟶ CRUEL.

CRUCHE [kryʃ] n. f. (frq. *krûka*). **1.** Récipient de grès ou de terre, à anse et à bec. — **2.** *Tant va la cruche à l'eau qu'à la fin elle se casse* (proverbe), à force de braver un danger, on finit par en être victime. — **3.** *Fam.* Personne stupide. ◆ **cruchon** n. m. Petite cruche ou petite carafe.

CRUCIAL, E, AUX [krysjal, -sjo] adj. (du lat. *crux, crucis*, croix). Se dit de ce qui est très important : *Problème crucial* (syn. ESSENTIEL). *C'est le moment crucial du choix* (syn. DÉCISIF).

CRUCIFÈRES [krysifɛr] n. f. pl. (du lat. *crux, crucis*, croix). Vaste famille de plantes à fleurs dicotylédones, comprenant environ 2 500 espèces, dont le *chou*, le *navet*, le *radis*, la *moutarde*, le *colza*, les *cressons*, etc. (La fleur des crucifères doit son nom à ses quatre pétales en croix. Elle a aussi quatre sépales et six étamines, dont deux plus petites que les autres. Le fruit est une silique*, souvent très allongée.)

CRUCIFIER [krysifje] v. t. (du lat. *crux, crucis*, croix). *Crucifier qq'un*, lui infliger le supplice de la croix. ◆ **crucifié** n. m. *Le Crucifié*, Jésus-Christ. ◆ adj. Se dit parfois d'une attitude exprimant une douleur profonde, supportée avec une certaine résignation. ◆ **crucifiement** n. m. ou **crucifixion** n. f. **1.** Action de crucifier. — **2.** Tableau représentant la mise en croix de Jésus-Christ. ◆ **crucifix** [krysifi] n. m. Objet de dévotion représentant Jésus-Christ en croix.

CRUCIVERBISTE [krysivɛrbist] n. (du lat. *crux, crucis*, croix). Amateur de mots croisés.

CRUDITÉ n. f. ⟶ CRU 2 et 3.

CRUE [kry] n. f. (de *croître*). Gonflement d'un cours d'eau : *La rivière est en crue.* ◆ **décrue** n. f. Baisse du niveau des eaux, après une crue.

CRUEL, ELLE [kryɛl] adj. (lat. *crudelis*) [après ou plus rarement avant le nom]. **1.** Se dit d'une personne, d'un animal (ou de son comportement) qui se plaît ou qui n'hésite pas à faire souffrir : *Un tyran cruel* (syn. BARBARE, INHUMAIN, ↑SANGUINAIRE). *Le tigre est cruel* (syn. FÉROCE). — **2.** Se dit de quelque chose qui cause une souffrance physique, qui atteint vivement, qui blesse moralement : *Un froid cruel* (syn. RIGOUREUX). *Votre question me plonge dans un cruel embarras* (syn. PÉNIBLE). ◆ **cruauté** n. f. **1.** Caractère d'une personne ou d'une chose cruelle : *La cruauté d'un enfant envers les animaux* (syn. BARBARIE, ↑SADISME). *La cruauté du destin* (syn. DURETÉ, RIGUEUR). — **2.** Acte cruel : *Réprimer les cruautés* (syn. ATROCITÉ). ◆ **cruellement** adv. : *Le soulèvement fut réprimé cruellement* (syn. ↓SÉVÈREMENT). *La main-d'œuvre faisait cruellement défaut* (syn. TERRIBLEMENT).

CRÛMENT adv. ⟶ CRU 3.

CRURAL, E, AUX [kryral, -ro] adj. (du lat. *crus, cruris*, jambe). Qui appartient à la cuisse. ‖ *Nerf crural*, branche volumineuse du plexus lombaire.

CRUSTACÉS [krystase] n. m. pl. (du lat. *crusta*, croûte). Classe d'animaux articulés, généralement aquatiques, caractérisés par une carapace chitino-calcaire et par une respiration branchiale, tels que les *crabes*, les *crevettes*, les *cloportes*, etc. (Les crustacés font partie de l'embranchement des arthropodes*.)

CRYPTE [kript] n. f. (du gr. *kruptos*, caché). Partie souterraine d'une église.

CRYPTOGAME [kriptɔgam] adj. et n. m. (du gr. *kruptos*, caché, et *gamos*, mariage). Se dit des plantes pluricellulaires *(champignons, algues, fougères, mousses)* sans fleurs (par oppos. à celles qui portent des fleurs [PHANÉROGAMES]). ‖ *Cryptogames vasculaires*, embranchement du règne végétal, comprenant les *fougères*, les *prêles*, les *lycopodes*, et possédant des vaisseaux où circule la sève. ◆ **cryptogamique** adj. Se dit des maladies causées aux plantes cultivées par un champignon parasite : *Le mildiou est une maladie cryptogamique.* (Les maladies cryptogamiques de l'homme et des animaux sont appelées *mycoses*.)

CRYPTOGRAPHIE [kriptɔgrafi] n. f. (du gr. *kruptos*, caché, et *graphein*, écrire). Ensemble des techniques utilisées pour transcrire en écriture secrète un texte qui est en clair, et inversement. ◆ **cryptographique** adj.

CUAUHTÉMOC, dernier empereur aztèque. Il fut pendu par ordre de Cortés en 1525.

CUBA, État de l'Amérique centrale, correspondant à la plus grande des Antilles, situé au S. de la Floride.

SUPERFICIE 111 000 km² (France : 550 000 km²).

POPULATION 10 500 000 hab. *(Cubains);* 95 hab. au km² (France : 103); taux de natalité, 28,9 p. 1 000; taux de mortalité, 6,6 p. 1 000.

CAPITALE La Havane (1 925 000 hab.).

VILLE PRINCIPALE Santiago de Cuba (345 300 hab.).

LANGUE OFFICIELLE espagnol.

ÉCONOMIE 1 automobile pour 60 hab.

MONNAIE peso cubain.

GÉOGRAPHIE

L'île, qui s'allonge sur 1 300 km, est formée de plaines et de plateaux calcaires, sauf au S. où s'élève le massif cristallin de la sierra Maestra. Le climat, tropical, a une saison sèche qui dure de novembre à avril.

	TEMPÉRATURES MOYENNES janv.	juil.	PLUIES
La Havane	22 °C	27 °C	1 172 mm

L'*agriculture* reste l'activité essentielle. La canne à sucre constitue la ressource principale. Le sucre, exporté autrefois vers les États-Unis, l'est maintenant vers l'U. R. S. S. Cuba possède également des plantations de tabac et de fruits (ananas). Mais depuis la révolution, un effort est fait pour développer les cultures vivrières et l'élevage.

sucre	8 millions de t	bovins	4 millions de têtes
tabac	45 000 t	café	25 000 t

On intensifie également l'exploitation des ressources minières : chrome, nickel (40 000 t). Mais l'*industrie*, répartie dans les grandes villes, et notamment à La Havane, se limite à des raffineries de sucre et des manufactures de tabac. C'est par le port de La Havane que se fait la plus grande partie des exportations.

HISTOIRE

- *1492. Christophe Colomb découvre l'île alors peuplée d'Indiens Arawaks.*

Durant le XVIe s., la colonisation espagnole se développe, avec l'exploitation du tabac dont l'Espagne se réserve le monopole et l'utilisation des esclaves noirs.

Au XVIIIe s., la culture de la canne à sucre progresse.

- *1818. L'Espagne accorde la liberté générale de commerce.*

Le XIXe s. est marqué par de multiples soulèvements en faveur de l'émancipation de l'île.

- *1878. L'esclavage est aboli.*
- *1895. L'effondrement du marché du sucre provoque une nouvelle insurrection qui aboutit à la guerre hispano-américaine (1898).*
- *1898. L'Espagne renonce à sa colonie. Cuba devient une république, contrôlée par les États-Unis jusqu'en 1939.*
- *1959. Le mouvement révolutionnaire, dirigé par Fidel Castro, renverse le dictateur Batista.*

Fidel Castro entreprend une importante réforme agraire, nationalise les entreprises américaines et met en œuvre un plan d'industrialisation de l'île. Dès lors, l'expérience cubaine va servir d'exemple à la lutte révolutionnaire en Amérique latine et en Afrique.

- *1961-62. Les mesures économiques castristes et les liens étroits créés entre le régime cubain et l'U. R. S. S. suscitent une vive tension avec les États-Unis.*

À partir de 1977, les relations avec les États-Unis s'améliorent.

- *1989-1991. Cuba est gravement affecté (économiquement et politiquement) par l'effondrement des régimes communistes en Europe de l'Est et dans le tiers monde.*

Se raidissant dans sa position d'orthodoxie idéologique, le régime se trouve de plus en plus isolé au niveau international.

CUBAGE n. m. → CUBE.

CUBAIN, E [kybɛ̃, -ɛn] adj. et n. De Cuba.

CUBE [kyb] n. m. (gr. *kubos*, dé à jouer). **1.** Polyèdre régulier dont les faces sont des carrés. (Un cube a six faces, huit sommets, douze arêtes.) ‖ *Cube d'un nombre réel* a, nombre réel $a^3 = a \times a \times a$. (Le cube de *a* a le même signe que *a*.) — **2.** Objet en forme de cube : *Jeu de cubes.* — **3.** *Cube d'air d'une pièce*, son volume d'air. ◆ adj. *Mètre cube, décimètre cube*, etc., volume équivalent à celui d'un cube ayant 1 mètre, 1 décimètre, etc., de côté. ◆ **cuber** v. t. Évaluer un volume en mètres cubes, décimètres cubes, etc. ◆ v. i. Avoir un volume, une capacité de : *Citerne qui cube 2 000 litres.* ◆ **cubage** n. m. **1.** Action de cuber. — **2.** Volume, capacité. ◆ **cubique** adj. Qui a la forme d'un cube : *Une boîte cubique.*

CUBISME [kybism] n. m. (de *cube*). École moderne d'art se proposant de représenter les objets sous des formes géométriques. ◆ **cubiste** adj. et n. : *La peinture cubiste.*

— ENCYCL. Le *cubisme* est une tendance artistique moderne apparue vers 1906, et dont Cézanne fut le précurseur. Les peintres cubistes (Picasso : *les Demoiselles d'Avignon, Femme à la guitare;* Braque : *Composition à l'as de trèfle;* Juan Gris : *le Petit Déjeuner;* Fernand Léger : *Nature morte aux cylindres colorés*) s'inspirèrent de son principe selon lequel tout, dans la nature, pouvait être traduit en formes géométriques (cylindre, sphère, cône). Ils abandonnèrent donc l'imitation directe de la nature pour créer un art

nouveau, s'adressant surtout à l'intelligence et à l'esprit. Le peintre cubiste ne représente plus seulement l'image qu'il perçoit d'un objet, sur une seule face, mais tous ses aspects simultanément suivant plusieurs perspectives et dans des formes simplifiées. Le cubisme eut une influence considérable sur l'évolution du goût, en architecture et dans les arts décoratifs.

→ illustration en couleurs pp. 352-353.

CUBITAINER [kybitenɛr] n. m. (de *cubi[que]* et *[con]tainer*). Cube de plastique enveloppé dans du carton, pour le transport des liquides (vin surtout).

CUBITUS [kybitys] n. m. (mot lat.). *Anat.* Le plus gros des deux os de l'avant-bras, dont l'extrémité forme la saillie du coude.

CUCURBITACÉES [kykyrbitase] n. f. pl. (du lat. *cucurbita*, courge). Famille de plantes dicotylédones gamopétales à tige rampante, comme la *citrouille*, la *courge*, le *melon*.

CÚCUTA, v. de Colombie; 175 300 hab.

CUEILLIR [kœjir] v. t. (lat. *colligere*). [Conj. **24.**] **1.** *Cueillir un fruit, une fleur*, les détacher de leur branche, de leur tige : *Cueillir des fraises* (syn. RÉCOLTER). — **2.** Fam. *Cueillir qq'un*, aller le chercher ou l'attendre pour l'emmener avec soi : *J'irai vous cueillir en voiture. Cueillir un voleur* (syn. ARRÊTER); frapper de manière inattendue : *Être cueilli à froid.* ◆ **cueillette** [kœjɛt] n. f. Action de cueillir des fruits (syn. RÉCOLTE). ◆ **cueilleur, euse** n. Personne qui cueille. ◆ **cueilloir** n. m. Instrument de jardinier, formé d'une cisaille montée sur une hampe et d'une corbeille pour recevoir les fruits (syn. CUEILLE-FRUITS).

CUÉNOT (Lucien), biologiste français (1866-1951). Il a étudié l'hérédité, l'adaptation et l'écologie.

CUERS, ch.-l. de cant. du Var, à 20 km au N.-E. de Toulon; 6 600 hab.

CUESTA [kwɛsta] n. f. (mot esp. signif. *côte*). *Géogr.* Syn. de CÔTE 2.

CUGNOT (Joseph), ingénieur français (1725-1804). En 1770, il construisit la première voiture automobile à vapeur, et, en 1771, un second modèle, plus grand, appelé *fardier*, pour le transport des lourdes charges.

CUI (César), compositeur russe (1835-1918), auteur d'opéras. Membre du « groupe des Cinq », il en fut surtout le porte-parole et le défenseur.

1. CUILLER ou **CUILLÈRE** [kɥijɛr] n. f. (lat. *cochlearium*). **1.** Ustensile, généralement en métal, comprenant un manche et une partie creuse, et servant à porter des aliments à la bouche ou à les remuer dans un récipient : *Cuiller à soupe, à dessert, à café.* — **2.** Ustensile de cuisine plus grand et souvent en bois. — **3.** Fam. *En deux coups de cuiller à pot*, de façon expéditive, très rapidement. ‖ Fam. *Être à ramasser à la petite cuiller*, être en piteux état, blessé ou brisé de fatigue. ‖ Fam. *Ne pas y aller avec le dos de la cuiller*, servir abondamment d'un mets; manquer de modération dans ses paroles ou dans ses actes. ◆ **cuillerée** [kɥijre] n. f. Contenu d'une cuiller : *Ajouter trois cuillerées de sucre.* ◆ **cuilleron** n. m. Partie creuse d'une cuiller.

2. CUILLER [kɥijɛr] n. f. (de *cuiller* 1). **1.** Nom d'un grand nombre d'outils ayant la forme creuse d'une cuiller : *Cuiller de fondeur, de plombier. Cuiller de coulée.* — **2.** Engin de pêche en forme de cuiller et muni d'hameçons.

CUILLERÉE n. f. → CUILLER 1.

1. CUILLERON n. m. → CUILLER 1.

2. CUILLERON [kɥijrɔ̃] n. m. (de *cuiller*). Chez les insectes diptères, organe en forme d'écaille protégeant chaque balancier.

1. CUIR [kɥir] n. m. (gr. *korion*). **1.** Peau d'animal, tannée et préparée pour divers usages. — **2.** Peau épaisse de certains animaux. — **3.** *Cuir chevelu*, la peau de la tête recouverte de cheveux.

2. CUIR [kɥir] n. m. (de *cuir* 1). Faute de liaison dans la prononciation. (Ex. : *Vous devez faire* [z]*-erreur.*)

CUIRASSE [kɥiras] n. f. (de *cuir*). **1.** Partie de l'armure qui recouvrait le dos et la poitrine du combattant. — **2.** Revêtement métallique protecteur d'un ouvrage, d'un véhicule (char de combat), d'un avion, d'un navire ou d'un matériel de guerre en général. — **3.** Attitude morale qui protège des blessures d'amour-propre, des souffrances, etc. : *Une cuirasse d'indifférence.* — **4.** *Défaut de la cuirasse*, point faible de quelqu'un ou de quelque chose. ◆ **cuirasser** v. t. Rendre insensible : *Une longue expérience m'a cuirassé contre de telles critiques* (syn. ENDURCIR). ◆ ***se cuirasser*** v. pr. Devenir insensible : *Se cuirasser contre l'attendrissement.* ◆ **cuirassé, e** adj. Dont les éléments principaux sont protégés par un blindage : *Navire cuirassé.* ◆ n. m. Grand navire de ligne qui était doté d'une puissante artillerie et protégé par d'épais blindages. ◆ **cuirassier** n. m. Soldat de cavalerie, jadis porteur d'une cuirasse. (Les régiments de cuirassiers constituent, auj., les régiments de chars des divisions modernes.)

Cuirassé « Potemkine » *(le)*, film soviétique réalisé en 1925 par S. M. Eisenstein.

CUIRE [kɥir] v. t. (lat. *coquere*). [Conj. **70.**] **1.** *Cuire un aliment*, le rendre propre à la consommation par l'action de la chaleur : *Cuire un rôti au four.* — **2.** *Cuire des briques, de la porcelaine, des poteries*, etc., en soumettre la pâte à la chaleur d'un four, pour la durcir. — **3.** Fam. *Dur à cuire*, se dit de quelqu'un qui ne se laisse pas faire, qui résiste. ◆ v. i. **1.** (sujet nom d'aliment) Subir une modification dans sa substance sous l'action de la chaleur, en vue de la consommation : *Un civet qui cuit à feu doux.* — **2.** (sujet nom de personne) *Fam.* Être accablé de chaleur : *On cuit dans cette pièce.* — **3.** Éprouver une sensation de brûlure : *La peau me cuit.* ◆ v. impers. *Il leur en cuira*, ils auront à s'en repentir. ◆ **cuisant, e** adj. (avant ou plus souvent après le nom). **1.** Qui cause une vive douleur physique comparable à une brûlure : *Une blessure cuisante.* — **2.** Se dit d'un événement qui affecte très douloureusement : *Un cuisant échec.* ◆ **cuisson** n. f. Action de cuire; état de ce qui est cuit. ◆ **recuire** v. t.

CUISINE [kɥizin] n. f. (bas lat. *cocina*). **1.** Pièce destinée à la préparation des aliments. — **2.** Art ou manière d'apprêter les aliments : *Faire la cuisine* (= préparer le repas). — **3.** Aliments considérés sous le rapport de la manière dont ils sont apprêtés : *Une cuisine indigeste.* — **4.** *Batterie de cuisine*, ensemble des ustensiles d'une cuisine. — **5.** *Fam.* et *péjor.* Manœuvres plus ou moins louches, arrangement qui manque de dignité : *Cuisine électorale.* ◆ **cuisiner** v. t. *Cuisiner un plat, un aliment*, le préparer, l'accommoder. ‖ *Plat cuisiné*, plat vendu tout préparé. ◆ v. i. Faire la cuisine : *Elle cuisine remarquablement.* ◆ **cuisinette** n. f. Petite partie d'une pièce aménagée pour servir de cuisine. (Ce terme doit être, selon l'Administration, substitué à KITCHENETTE.) ◆ **cuisinier, ère** n. **1.** Personne chargée de préparer les aliments. — **2.** *Il est bon, mauvais cuisinier*, il fait bien, mal la cuisine. ◆ **cuisinière** n. f. Appareil destiné à la cuisson des aliments et muni d'un four. ◆ **culinaire** [kylinɛr] adj. Relatif à la cuisine : *Une recette culinaire.*

1. CUISINER v. t. et i. → CUISINE.

2. CUISINER [kɥizine] v. t. (de *cuisine*). Fam. *Cuisiner qq'un*, l'interroger longuement pour obtenir un aveu, un renseignement.

CUISINETTE n. f. → CUISINE.

CUISINIER, ÈRE n. → CUISINE.

CUISSE [kɥis] n. f. (lat. *coxa*, hanche). **1.** Partie de la jambe qui va de la hanche au genou : *Le squelette de la cuisse est constitué par le fémur.* — **2.** Fam. *Se croire sorti de la cuisse de Jupiter*, se juger supérieur aux autres par sa naissance, ses qualités. ◆ **cuisseau** n. m. Partie du veau comprenant la cuisse, la région du bassin et le jarret. ◆ **cuissot** n. m. Cuisse de cerf, de sanglier, de chevreuil. ◆ **cuissard** n. m. Culotte de jersey, de laine ou de soie noire, faisant partie de l'équipement du coureur cycliste. ◆ **cuissardes** n. f. pl. Bottes de cuir ou de caoutchouc dont la tige monte jusqu'en haut des cuisses.

CUISSON n. f. → CUIRE.

CUISSOT n. m. → CUISSE.

CUISTRE [kɥistr] n. m. (de l'anc. fr. *quistre*, marmiton). Personne qui fait un étalage intempestif d'un savoir souvent mal assimilé, qui tranche avec une assurance excessive. ◆ **cuistrerie** n. f. Manière d'être d'un cuistre.

CUIVRE [kɥivr] n. m. (lat. [*aes*] *cyprium*, [bronze] de Chypre). **1.** Métal (Cu), de couleur rougeâtre : *Le cuivre est très employé comme conducteur électrique.* ‖ *Cuivre jaune*, laiton. ‖ *Cuivre rouge*, cuivre pur. → ENCYCL. — **2.** *Arts graph.* Planche gravée sur ce métal. — **3.** Objet de ce métal (surtout au plur.) : *Faire les cuivres* (= faire briller les poignées, boutons, etc., en cuivre). ◆ n. m. pl. *Mus.* Terme général désignant, dans un orchestre, les instruments à vent dont le corps est métallique (cors, trompettes, trombones). ◆ **cuivré, e** adj. **1.** Dont la couleur rappelle celle du cuivre : *Un teint cuivré* (syn. BASANÉ, BRONZÉ). — **2.** Se dit d'un son bien timbré, rappelant celui des instruments en cuivre. ◆ **cuivreux, euse** adj. *Métaux cuivreux*, ceux qui contiennent du cuivre en alliage.

— ENCYCL. Le *cuivre* existe dans la nature à l'état natif* ou combiné à différents corps, notamment le soufre. De densité 8,94, il fond à 1 084 °C. D'une faible dureté, mais très malléable et très ductile, il est bon conducteur de la chaleur et de l'électricité. Inaltérable à l'eau ou à la vapeur d'eau, il sert à la fabrication de nombreux objets (fils, tubes, chaudrons, etc.). Sous l'action de l'air humide chargé de gaz carbonique, il se couvre d'une couche de vert-de-gris. Avec les acides faibles (vinaigre), il forme des corps toxiques. Les principaux pays producteurs sont :

Chili	1 300 000 t	Canada	700 000 t
États-Unis	1 100 000 t	Zambie	600 000 t
U. R. S. S.	1 000 000 t	Zaïre	500 000 t

CUJAS (Jacques), jurisconsulte français (1520-1590), l'un des principaux représentants de l'école historique, qui étudia les textes romains en les replaçant dans leur temps.

CUL [ky] n. m. (lat. *culus*). **1.** *Pop.* Partie de l'homme et de certains animaux qui comprend les fesses et le fondement (mot jugé grossier). — **2.** Partie postérieure ou inférieure, fond de certains objets : *Le cul d'une bouteille, d'une lampe* (langue normale). [⟶ ACCULER.]

CULASSE [kylas] n. f. (de *cul*). **1.** Bloc métallique fermant la partie arrière du canon d'une arme à feu. — **2.** Couvercle fermant la partie supérieure des cylindres dans un moteur à explosion.

CULBUTE [kylbyt] n. f. (de *cul*, et *buter*, heurter). **1.** Tour qu'une personne fait sur elle-même en mettant la tête et les mains par terre et en roulant sur le dos, les pieds passant au-dessus de la tête : *Faire des culbutes* (syn. fam. GALIPETTE). — **2.** Chute brusque, à la renverse ou avec un retournement, d'une personne ou d'une chose : *Faire une culbute dans un escalier.* — **3.** *Fam.* Revers de fortune, perte d'une situation (syn. FAILLITE, RUINE). ◆ **culbuter** v. t. **1.** *Culbuter qqch.* ou *qq'un*, le faire tomber brusquement, en le renversant. — **2.** *Culbuter une armée, des troupes*, les mettre en déroute. ◆ v. i. Tomber en se renversant. ◆ **culbuteur** n. m. Dans un moteur à explosion, pièce permettant de renvoyer la commande du mouvement des soupapes par-dessus la culasse du cylindre, lorsque celles-ci sont en tête de culasse.

CUL-DE-JATTE [kydʒat] n. m. *(cul, de,* et *jatte)*. Personne amputée des jambes ou privée de l'usage de ses jambes, et ne pouvant se déplacer qu'au moyen d'un chariot ou d'une voiturette. ‖ Pl. des *culs-de-jatte.*

CUL-DE-LAMPE [kydlɑ̃p] n. m. *(cul, de,* et *lampe)*. **1.** *Archit.* Ornement de plafond et de voûte ressemblant au dessous d'une lampe d'église. — **2.** *Arts graph.* Vignette gravée placée à la fin d'un livre, d'un chapitre. ‖ Pl. des *culs-de-lampe.*

CUL-DE-SAC [kydsak] n. m. *(cul, de,* et *sac)*. **1.** Extrémité d'une rue ou d'un passage sans issue (syn. IMPASSE). — **2.** Entreprise qui ne mène à rien : *S'engager dans un cul-de-sac.* ‖ Pl. des *culs-de-sac.*

CULÉE [kyle] n. f. (de *cul*). *Archit.* Massif de maçonnerie formant l'appui extrême d'un pont sur chaque rive, destiné à résister à la poussée des arches et à raccorder le pont avec ses rampes d'accès.

CULEX [kylɛks] n. m. (mot lat.). Nom scientifique du moustique appelé usuellement COUSIN.

CULINAIRE adj. ⟶ CUISINE.

CULMINER [kylmine] v. i. (du lat. *culmen*, sommet). Atteindre son point ou son degré le plus élevé : *Le massif des Alpes culmine à 4 807 m, au mont Blanc. Sa fureur culmina quand il découvrit le désastre* (syn. ÊTRE À SON COMBLE). ◆ **culminant, e** adj. *Point culminant*, point le plus élevé, degré extrême (syn. SOMMET). ◆ **culmination** n. f. Passage d'un astre à son point le plus élevé au-dessus de l'horizon.

1. CULOT [kylo] n. m. (de *cul*). **1.** Partie constituant le fond de certains objets : *Le culot d'une ampoule électrique* (= partie métallique engagée dans la douille). — **2.** Partie postérieure de l'étui d'une cartouche ou d'un obus, qui contient en son centre l'appareil d'amorçage. — **3.** *Culot volcanique*, anc. cheminée volcanique remplie de lave dure que l'érosion a mise en saillie (syn. NECK).

2. CULOT [kylo] n. m. (même étym.). *Fam.* Hardiesse excessive, grand aplomb (syn. AUDACE, EFFRONTERIE). ◆ **culotté, e** adj. Très fam. *Être culotté*, avoir de l'audace, du toupet.

3. CULOT [kylo] n. m. (même étym.). Dépôt accumulé dans le fourneau d'une pipe, au fond d'un récipient. ◆ **culotter** v. t. **1.** *Culotter une pipe*, la fumer suffisamment pour qu'il s'y forme un culot, pour qu'elle s'imprègne de l'odeur du tabac. — **2.** *Portefeuille, livre*, etc., *culotté*, devenu foncé, noirci, patiné par un usage répété. ◆ **culottage** n. m. : *Le culottage d'une pipe.*

CULOTTE [kylɔt] n. f. (de *cul*). **1.** Vêtement masculin qui couvre le corps de la ceinture aux genoux, en entourant séparément chaque cuisse. — **2.** Sous-vêtement féminin. — **3.** Morceau du bœuf et du veau dans la partie postérieure de la croupe. ◆ **culotter** v. t. *Culotter un enfant*, le vêtir d'une culotte. ◆ ***se culotter*** v. pr. Mettre sa culotte, son pantalon. ◆ **déculotter** v. t. *Déculotter un enfant*, lui ôter sa culotte. ◆ ***se déculotter*** v. pr. ◆ **reculotter** v. t. *Reculotter un enfant*, lui remettre sa culotte. ◆ ***se reculotter*** v. pr.

CULOTTÉ, E adj. ⟶ CULOT 2.

CULOTTER v. t. ⟶ CULOT 3 et CULOTTE.

CULPABILITÉ n. f. ⟶ COUPABLE.

CULTE [kylt] n. m. (lat. *cultus*). **1.** Hommage rendu à Dieu, à un saint ou à une divinité quelconque : *Un ministre du culte* (= un prêtre, un pasteur, etc.). — **2.** Forme de pratique religieuse : *Culte catholique, protestant* (syn. RELIGION). — **3.** Chez les protestants, office religieux, composé de prières récitées, de chants, de commentaires de la Bible, etc. — **4.** Vénération profonde, amour fervent pour quelqu'un ou pour quelque chose : *Il vouait un véritable culte à la mémoire de son père.* — **5.** *Objets du culte*, objets servant à la célébration des cérémonies religieuses, aux sacrements. ◆ **cultuel, elle** adj. : *Les édifices cultuels* (= les lieux du culte).

CUL-TERREUX [kytɛrø] n. m. *(cul,* et *terreux)*. *Fam.* et *péjor.* Paysan. ‖ Pl. des *culs-terreux.*

1. CULTIVER [kyltive] v. t. (lat. *cultivare*). **1.** *Cultiver la terre, un terrain*, etc., y faire les travaux nécessaires pour l'amener à produire. — **2.** *Cultiver des plantes, des céréales, de la vigne*, etc., les faire pousser, en assurer l'exploitation. ◆ **cultivé, e** adj. : *Terre cultivée.* ◆ **cultivable** adj. Se dit d'une terre qu'on peut cultiver. ◆ **cultivateur, trice** n. Personne dont la profession consiste à cultiver la terre (syn. AGRICULTEUR). ◆ **culture** n. f. **1.** Action ou manière de cultiver le sol, les plantes : *Culture artisanale. La culture du blé.* ‖ *Cultures dérobées*, cultures de plantes à cycle très court de végétation, qu'on pratique entre deux cultures principales. ‖ *Système de culture*, organisation de la succession des cultures et des jachères, ou de la rotation des cultures. — **2.** Terrain cultivé : *La route traverse de riches cultures.* — **3.** Biol. *Bouillon de culture* ⟶ BOUILLON 1. ‖ *Culture microbienne*, méthode consistant à placer une petite quantité de germes microbiens dans un milieu permettant d'obtenir leur multiplication, afin de les étudier. ◆ **cultural, e, aux** adj. Qui se rapporte à la culture du sol : *Procédés culturaux.* ◆ **inculte** adj. Se dit d'un terrain qui n'est pas cultivé.

2. CULTIVER [kyltive] v. t. (même étym.). **1.** *Cultiver son esprit, sa mémoire, un goût*, etc., les développer, les enrichir par des lectures, des exercices, etc. — **2.** *Cultiver un art* (d'agrément), s'y adonner (langue soignée) : *Il cultive la poésie.* — **3.** *Cultiver des relations, cultiver qq'un*, entretenir soigneusement ces relations, s'efforcer de plaire à cette personne, dans un esprit plus ou moins intéressé (syn. SOIGNER). ◆ ***se cultiver*** v. pr. Enrichir son esprit, son goût par la lecture, la conversation, les spectacles, les voyages, etc. ◆ **cultivé, e** adj. : *Une femme cultivée.* ◆ **culture** n. f. **1.** Enrichissement de l'esprit; état d'un esprit enrichi par des connaissances variées et étendues : *Sa culture musicale est très sûre.* — **2.** Ensemble de la production littéraire, artistique, spirituelle d'une communauté humaine : *La culture occidentale* (syn. CIVILISATION). — **3.** *Culture physique*, ensemble d'exercices propres à fortifier et à entretenir le corps (syn. GYMNASTIQUE). — **4.** *Maison de la culture*, établissement géré par l'État et une municipalité, qui a pour but de rendre accessible au plus grand nombre les œuvres capitales du patrimoine culturel. ‖ *Maison des jeunes et de la culture*, établissement destiné aux jeunes, et qui comprend des ateliers, des salles de jeux, des foyers éducatifs. ◆ **culturel, elle** adj. : *Un attaché culturel est un fonctionnaire chargé d'assurer des liaisons et des échanges intellectuels entre son pays et celui où il est en fonctions.* ◆ **inculte** adj. : *Un esprit inculte* (= qui n'est pas cultivé). ◆ **inculture** n. f. Manque total de connaissances, ignorance.

CULTUEL, ELLE adj. ⟶ CULTE.

CULTURAL, E, AUX adj. ⟶ CULTIVER 1.

CULTURE n. f. ⟶ CULTIVER 1 et 2.

CULTUREL, ELLE adj. ⟶ CULTIVER 2.

CUMBERLAND *(massif du)*, région du nord-ouest de l'Angleterre; 978 m. Le Cumberland est un massif ancien soulevé au Tertiaire et sculpté au Quaternaire par des glaciers qui ont creusé les cuvettes de nombreux lacs pittoresques *(Lake District).*

CUMES, en lat. **Cumae**, v. de Campanie, colonie grecque fondée au VIIIe s. av. J.-C., elle était célèbre par l'antre de la sibylle qui s'y trouvait.

CUMIN [kymɛ̃] n. m. (gr. *kuminon*). *Bot.* Ombellifère cultivée pour ses graines utilisées comme aromates; ces graines.

CUMULER [kymyle] v. t. (lat. *cumulare*, entasser). *Cumuler des fonctions, des titres, des traitements*, etc., exercer simultanément ces fonctions, avoir droit à ces différents titres, percevoir en même temps ces traitements. ◆ **cumulable** adj. Qui peut être cumulé : *Revenus qui sont cumulables avec un salaire.* ◆ **cumul** n. m. : *Le cumul de plusieurs fonctions.* ◆ **cumulard** n. m. *Fam.* Personne qui cumule plusieurs traitements. (⟶ ACCUMULER.)

CUMULO-NIMBUS [kymylonɛ̃bys] n. m. inv. (de *cumulus*, amas, et *nimbus*, nuage). Masse puissante de nuages sombres, à grand développement vertical (400 à 10 000 m) responsable des averses de grêle et des orages.

CUMULO-STRATUS n. m. ⟶ STRATO-CUMULUS.

CUMULUS [kymylys] n. m. (mot lat. signif. *amas*). Nuage de beau temps, blanc, à contours très nets, dont la base est plate, tandis que le sommet, en dôme, dessine des protubérances arrondies. (La base est entre 200 et 500 m, et le sommet parfois à 8 km.)

CUNÉIFORME [kyneifɔrm] adj. (du lat. *cuneus*, coin, et *forme*). *Écriture cunéiforme, caractères cunéiformes*, système d'écriture de l'anc. Mésopotamie, utilisant des caractères en forme de coins.

CUNICULICULTURE [kynikylikyltyr] n. f. (du lat. *cuniculus*, lapin, et *culture*). Élevage du lapin domestique.

CUPIDE [kypid] adj. (lat. *cupidus*). Se dit d'une personne qui recherche avidement la richesse, ou du comportement de cette personne (syn. ÂPRE AU GAIN, ↓INTÉRESSÉ, RAPACE). ◆ **cupidement** adv. ◆ **cupidité** n. f. Recherche immodérée des richesses.

CUPIDON, dieu de l'Amour chez les Romains, correspondant à l'*Éros* grec.

CUPRIFÈRE [kyprifɛr] adj. (du lat. *cuprum*, cuivre, et *ferre*, porter). Qui renferme du cuivre : *Roche cuprifère.*

CUPRONICKEL [kyprɔnikɛl] n. m. (du lat. *cuprum*, cuivre, et *nickel*). Alliage de cuivre et de nickel.

CUPULE [kypyl] n. f. (lat. *cupula*, petite coupe). Organe enveloppant les fruits des arbres de l'ordre des *cupulifères* (chêne, hêtre, châtaignier, noisetier, charme).

CURABLE [kyrabl] adj. (du lat. *cura*, soin). Se dit d'un malade ou d'une maladie susceptible de guérir. ◆ **incurable** adj. et n. Qui ne peut être guéri.

CURAÇAO, île néerlandaise de la mer des Antilles (îles Sous-le-Vent), au N. du Venezuela; 450 km²; 155 000 hab. Capit. *Willemstad.* Raffinerie de pétrole. Plantations d'agrumes.

CURAÇAO [kyraso] n. m. (de *Curaçao*). Liqueur faite avec des écorces d'orange, du sucre et de l'eau-de-vie.

CURAGE n. m. ⟶ CURER.

CURARE [kyrar] n. m. (mot caraïbe). Poison végétal, d'action paralysante, dont les Indiens de l'Amérique du Sud enduisent leurs flèches. (Il est employé en anesthésie.) ◆ **curarisant, e** adj. et n. m. Se dit d'une substance qui agit comme le curare.

CURATIF, IVE [kyratif, -iv] adj. (du lat. *cura*, soin). *Traitement curatif*, traitement médical qui vise à la guérison d'une maladie déclarée (par oppos. à PRÉVENTIF).

CURCULIONIDÉS [kyrkyljɔnide] n. m. pl. (du lat. *curculio*, charançon, et gr. *eidos*, apparence). Famille d'insectes coléoptères, appelés aussi CHARANÇONS, et comprenant plus de 50 000 espèces.

1. CURE n. f. ⟶ CURÉ.

2. CURE [kyr] n. f. (lat. *cura*, soin, souci). Traitement médical qu'on suit pendant un temps plus ou moins long, et qui consiste à absorber certains aliments ou certaines boissons, à adopter un certain genre de vie ou à passer un certain temps dans une station spécialisée : *Elle a fait une cure thermale pour soigner son foie* (= elle a bu des eaux minérales, suivi un régime, etc., dans une station appropriée). ◆ **curiste** n. Personne qui fait une cure dans une station thermale.

3. CURE [kyr] n. f. (même étym.). *N'avoir cure de qqch.*, ne pas s'en soucier (littér.).

CURE (la), riv. de Bourgogne, affl. de l'Yonne (r. dr.); 112 km. Elle forme le réservoir des Settons.

CURÉ [kyre] n. m. (du lat. *cura*, soin). Prêtre catholique chargé de la direction d'une paroisse. ◆ **cure** n. f. **1.** Poste d'un curé qui dirige une paroisse. — **2.** Habitation du curé (syn. PRESBYTÈRE). ◆ **curial, e, aux** adj. Qui concerne le curé ou la cure.

CURE-DENT n. m. ⟶ CURER.

CURÉE [kyre] n. f. (de *cuir*). **1.** À la chasse à courre, distribution, abandon aux chiens des entrailles de la bête abattue. — **2.** Ruée vers des biens, des places qu'on se dispute après la chute d'un homme, d'un régime politique, etc.

CURE-ONGLES n. m. inv., **CURE-OREILLE** n. m. ⟶ CURER.

CURER [kyre] v. t. (lat. *curare*, prendre soin). *Curer un endroit, un objet creux*, le nettoyer, le débarrasser des dépôts accumulés : *Curer un étang, une pipe.* ◆ **curage** n. m. : *On procède chaque année au curage de la citerne.* ◆ **cure-dent** n. m. Petite pointe taillée dans une plume ou faite de diverses matières, et destinée à débarrasser les dents des restes de nourriture. ‖ Pl. des *cure-dents.* ◆ **cure-ongles** n. m. inv., **cure-oreille** n. m. Petits instruments destinés au nettoyage des ongles, au curage des oreilles. ‖ Pl. des *cure-oreilles.* ◆ **curette** n. f. Instrument allongé, généralement terminé par une palette, et servant à curer un outil, une machine, etc. (syn. RACLETTE). ◆ **cureter** v. t. Nettoyer avec la curette. ◆ **curetage** n. m. (⟶ RÉCURER.)

Curia regis (mots lat. signif. *Cour du roi*), organe principal de l'administration monarchique au Moyen Âge.

CURIACES ⟶ HORACES.

CURIAL, E, AUX adj. ⟶ CURÉ.

1. CURIE [kyri] n. f. (lat. *curia*). **1.** Chez les Romains, subdivision de la tribu. — **2.** Lieu de réunion des comices curiates et plus tard du sénat romain. ◆ **curiate** adj. Relatif aux curies : *Lois curiates.* ‖ *Comices curiates*, assemblée politique romaine.

2. CURIE [kyri] n. f. (it. *curia*). Organisme gouvernemental, administratif et judiciaire du Saint-Siège romain.

3. CURIE [kyri] n. m. (du n. de Pierre et Marie *Curie*). En physique nucléaire, unité d'activité d'un corps radio-actif.

CURIE (Pierre), physicien français (1859-1906). Avec sa femme MARIE (née SKŁODOWSKA) [1867-1934], il se consacra à la radioactivité; tous deux isolèrent le polonium, puis le radium (1898).

CURIETHÉRAPIE [kyriterapi] n. f. (de *Curie*, et gr. *therapeia*, traitement). Traitement médical par les rayonnements radio-actifs du radium, du thorium ou des éléments artificiels.

CURIEUX, EUSE [kyrjø, -øz] adj. (lat. *curiosus*). **1.** (placé après le nom) *Curieux de qqch., curieux de* (et l'infin.), ou sans compl., se dit d'un être animé qui a le désir de voir, d'entendre, de connaître, de comprendre (ou du comportement de cet être) : *Il est surtout curieux d'astronomie;* et, substantiv., avec une nuance péjor. : *C'est une curieuse* (= une personne qui cherche à savoir ce qui ne la regarde pas). — **2.** (placé avant ou après le nom, et sans compl.) Se dit d'un être animé ou d'une chose qui éveille l'intérêt par quelque particularité qui surprend : *Une curieuse nouvelle* (syn. DRÔLE DE, ÉTONNANT, ÉTRANGE). — **3.** Fam. *Regarder qq'un comme une bête curieuse*, le regarder avec insistance, d'une manière indiscrète. ◆ n. m. Personne avide de voir, de savoir : *Des curieux s'arrêtaient devant la vitrine.* ◆ **curieusement** adv. Sens 2 de l'adj. : *Il marche curieusement, comme un somnambule* (syn. BIZARREMENT, DRÔLEMENT, ÉTRANGEMENT). ◆ **curiosité** n. f. **1.** Qualité d'une personne ou d'une chose curieuse (sens 1 et 2 de l'adj.) : *Sa curiosité a été punie* (syn. INDISCRÉTION). *La curiosité de la forme d'un objet* (syn. BIZARRERIE, ÉTRANGETÉ). — **2.** Chose qui éveille l'intérêt ou la surprise : *Ce monument est une des curiosités de la ville.* ◆ n. f. pl. Objets rares, recherchés par les collectionneurs : *Un magasin de curiosités.* ◆ **incuriosité** n. f. Absence complète de curiosité intellectuelle.

CURISTE n. ⟶ CURE 2.

CURITIBA, v. du Brésil méridional, capit. de l'État de Paraná; 624 400 hab.

CURLING [kœrliŋ] n. m. (mot angl.). Sport analogue au jeu de boules, qui consiste à faire glisser sur la glace un lourd palet de pierre polie ou de fonte.

CURRICULUM VITAE [kyrikylɔmvite] n. m. (mots lat. signif. *carrière de la vie*). Ensemble des indications concernant l'état civil, les diplômes et les distinctions, les activités passées d'une personne qui pose sa candidature à un concours, à un emploi, etc.

CURRY n. m. ⟶ CARI.

CURSEUR [kyrsœr] n. m. (lat. *cursor*, coureur). Petite lame ou pointe fine qui glisse à volonté et qu'on peut déplacer le long d'une tige ou d'une règle, généralement graduée.

CURSIF, IVE [kyrsif, -iv] adj. (du lat. *currere*, courir). **1.** Se dit d'une lecture, de remarques, etc., faites superficiellement, rapidement. — **2.** *Écriture cursive*, écriture tracée au courant de la plume, par oppos. à l'*écriture calligraphiée.*

CURULE [kyryl] adj. (lat. *curulis*). Se disait d'un siège d'ivoire réservé à certains magistrats romains, et des magistratures qui conféraient le privilège d'en user.

CURVILIGNE [kyrviliŋ] adj. (du lat. *curvus*, courbe, et *ligne*). Se dit d'une figure formée de lignes courbes. ◆ **curvimètre** n. m. Instrument servant à mesurer la longueur des lignes courbes tracées sur le papier.

CUSCUTE [kyskyt] n. f. (ar. *kuchūt*). Genre de plantes parasites, dépourvues de chlorophylle, qui envoient leurs suçoirs dans es tissus des plantes sur lesquelles elles se fixent (trèfle, luzerne, oublon, lin, etc.), leur causant de graves dommages. (Famille des onvolvulacées.)

CUSSET, ch.-l. de cant. de l'Allier, à 3 km à l'E. de Vichy; 4 900 hab. *(Cussetois).* Station thermale et centre industriel.

1. CUSTODE [kystɔd] n. f. (lat. *custodia*, garde). Boîte dans aquelle le prêtre porte la communion aux malades.

2. CUSTODE [kystɔd] n. f. (même étym.). Glace latérale fixe, à auteur de la roue arrière, dans certaines voitures.

CUSTOZZA ou **CUSTOZA,** hameau de l'Italie du Nord (Vénéie), au S.-O. de Vérone.

25 juil. 1848. Victoire des Autrichiens sur les Italiens.
24 juin 1866. Nouvelle victoire autrichienne sur les Italiens.

CUTANÉ, E [kytane] adj. (du lat. *cutis*, peau). Relatif à la peau : *Une affection cutanée.* ◆ **sous-cutané, e** adj. **1.** Situé sous la eau : *Tissu sous-cutané.* — **2.** Qui se fait sous la peau : *Une piqûre ous-cutanée.*

CUTICULE [kytikyl] n. f. (lat. *cuticula*). **1.** *Bot.* Pellicule supercielle imperméable des tiges jeunes et des feuilles. — **2.** *Zool.* one superficielle du tégument des animaux articulés (insectes, rustacés).

CUTI-RÉACTION [kytireaksjɔ̃], ou fam. **CUTI** [kyti] n. f. (du at. *cutis*, peau, et *réaction*). Test de contrôle des réactions d'un rganisme à certaines maladies (tuberculose), au moyen de substances déposées sur la peau légèrement scarifiée. ‖ Pl. des *cutiéactions.*

— ENCYCL. La *cuti-réaction* est dite *positive* lorsqu'il y a une éaction (rougeur), *négative* s'il n'y en a pas au bout de vingtuatre à trente-six heures. L'expression *virer sa cuti* indique que la uti-réaction à la tuberculine, négative chez tous les nouveau-nés, evient positive, soit naturellement par primo*-infection, soit par application du B.C.G.*, vaccin contre la tuberculose.

CUVE [kyv] n. f. (lat. *cupa*). **1.** Grand réservoir pour la fermentaon du raisin. — **2.** Grand récipient, généralement enterré, servant différents usages domestiques ou industriels. ◆ **cuvage** n. m. u **cuvaison** n. f. Opération qui consiste à soumettre à la fermenation dans des cuves le raisin destiné au vin rouge. ◆ **cuvée** n. f. . Quantité de liquide contenu dans une cuve. — **2.** Récolte de vin e toute une vigne. ◆ **cuver** v. i. Être dans une cuve et y ermenter, en parlant de la vendange. ◆ v. t. Fam. *Cuver son vin,* aisser se dissiper l'ivresse par le sommeil ou le repos.

CUVELAGE [kyvlaʒ] n. m. (de *cuve*). Revêtement d'un puits de nine étanche et capable de résister à la pression de l'eau.

CUVER v. i. et t. ⟶ CUVE.

1. CUVETTE [kyvɛt] n. f. (de *cuve*). Récipient portatif large et eu profond, qui sert à divers usages domestiques.

2. CUVETTE [kyvɛt] n. f. (même étym.). Dépression de terrain ermée de tous côtés : *La ville est située au fond d'une cuvette.*

CUVIER (Georges, *baron*), zoologiste et paléontologiste français 1769-1832). Créateur de l'anatomie comparée et de la paléontoloie, il a fourni les bases des classifications actuelles à l'intérieur es grands groupes.

CUXHAVEN, port d'Allemagne (Basse-Saxe), à l'embouchure de Elbe; 43 500 hab. Avant-port de Hambourg.

CUZCO ou **CUSCO,** v. du Pérou méridional, dans les Andes, à 650 m d'alt.; 108 900 hab. Anc. capit. de l'empire des Incas.

CV, symbole de l'unité de puissance fiscale d'un moteur, expriée en chevaux-vapeur.

CYANHYDRIQUE adj. ⟶ CYANURE.

CYANOPHYCÉES [sjanɔfise] n. f. pl. (du gr. *kuanos*, bleu, et *phukos*, algue). Groupe de végétaux pluricellulaires dont la chlorohylle est masquée par un pigment bleu (syn. ALGUES BLEUES).

CYANOSE [sjanoz] n. f. (gr. *kuanôsis*, couleur bleu sombre). oloration bleuâtre de la peau, lors de certaines maladies.

— ENCYCL. La *cyanose* est due à la présence dans le sang d'une op grande quantité d'hémoglobine. La coloration bleuâtre est en énéral visible au niveau des extrémités (mains, pieds, nez, reilles, lèvres).

CYANURE [sjanyr] n. m. (du gr. *kuanos*, bleu sombre). Nom énéral des sels et esters de l'acide cyanhydrique, dont certains ont des poisons violents. ◆ **cyanhydrique** adj. *Acide cyanhyrique*, nom scientifique de l'ACIDE PRUSSIQUE (CNH), toxique iolent.

CYBÈLE, grande déesse de l'Asie Mineure. Elle est souvent ppelée la MÈRE DES DIEUX ou la GRANDE MÈRE. Divinité de la ature, elle personnifiait la puissance de végétation.

CYBERNÉTIQUE [sibɛrnetik] n. f. (gr. *kubernêtikê*, art de gouverner). Science qui étudie les mécanismes se gouvernant euxmêmes, chez les êtres vivants et dans les machines automatiques. ◆ **cybernéticien, enne** n.

CYCLABLE adj. ⟶ CYCLE 2.

CYCLADES, îles grecques de la mer Égée, ainsi nommées parce qu'elles forment un cercle (gr. *kuklos*) autour de Délos; 86 100 hab. Les principales îles sont : *Andros, Naxos, Paros, Santorin, Syra, Milo.*

CYCLAMEN [siklamɛn] n. m. (gr. *kuklaminos*). Plante des Alpes et du Jura, à fleurs roses, dont on cultive certaines variétés à grandes fleurs. (Famille des primulacées.)

1. CYCLE [sikl] n. m. (gr. *kuklos*, cercle). **1.** Suite de phénomènes se reproduisant périodiquement dans le même ordre : *Le cycle des saisons.* ‖ Biol. *Cycle reproductif*, ensemble des phénomènes de croissance et de reproduction qui s'étendent depuis le zygote (œuf fécondé) d'une génération jusqu'au zygote de la génération suivante. ‖ *Cycle menstruel*, période (d'une durée moyenne de 28 jours chez la femme) au terme de laquelle a lieu la menstruation*. — **2.** *Littér.* Ensemble de poèmes, de romans, en général épiques, ayant pour centre d'intérêt le même fait, le même héros, la même famille : *Le cycle d'Arthur.* — **3.** Dénomination officielle donnée aux divisions de certains programmes d'études. ⟶ ENCYCL. — **4.** *Chim.* Chaîne carbonée fermée, existant dans les molécules de certains composés organiques. — **5.** Géogr. *Cycle d'érosion*, ensemble des états du relief au cours de son évolution vers une pénéplaine*, sous l'action de l'érosion. ⟶ ENCYCL. — **6.** *Cycles biosphériques*, déplacements cycliques subis de façon massive par certains éléments (carbone, oxygène, azote, soufre, phosphore, etc.) ou par certains composés (eau) à travers les organismes vivants et le monde minéral. — **7.** *Cycle d'un moteur à explosion*, suite des phénomènes nécessaires au fonctionnement d'un moteur à explosion, et qui se produisent dans chacun de ses cylindres. (On distingue deux cycles : le *cycle à quatre temps*, qui nécessite quatre opérations [admission, compression, explosion, échappement] pendant deux tours de vilebrequin; le *cycle à deux temps*, où toutes les opérations sont réalisées pendant un seul tour de vilebrequin.) ◆ **cyclique** adj. Se dit d'un phénomène qui se reproduit périodiquement : *Une crise cyclique.* (⟶ RECYCLER.)

— ENCYCL. ***cycle scolaire.*** Le *cycle élémentaire* intéresse les enfants de six à onze ans, le *cycle d'observation* ceux de onze à treize ans (il est commun à tous les enfants qui ne doivent pas aller au-delà de l'âge d'obligation scolaire [seize ans]). D'autre part, pour ceux qui entrent dans l'enseignement général, on distingue un *premier cycle* (treize à quinze ans) et un *second cycle* (quinze à dix-huit ans).

cycle d'érosion. Cette évolution se fait en trois stades : la *jeunesse*, quand les vallées sont encaissées et les versants raides; la *maturité*, quand la raideur des pentes s'atténue et que les rivières sont moins actives; la *sénilité*, quand ne subsistent que des collines molles entre de larges vallées. L'établissement d'un cycle d'érosion exige une longue période de stabilité, ce qui semble ne se produire que rarement.

2. CYCLE [sikl] n. m. (même étym.). Ensemble des véhicules du type de la *bicyclette*, du *tandem*, du *vélomoteur*, etc. (terme industr. et commercial; souvent au plur.) : *Un marchand de cycles.* ◆ **cyclable** adj. *Piste cyclable*, chemin parallèle à la route et qui est réservé aux seuls cyclistes. ◆ **cyclisme** n. m. Sport et utilisation de la bicyclette. ⟶ ENCYCL. ◆ **cycliste** adj. Qui se rapporte à l'utilisation de la bicyclette : *Une course cycliste.* ◆ n. Personne qui utilise la bicyclette comme moyen de locomotion ou qui pratique le sport de la bicyclette. ◆ **cyclo-cross** n. m. Sport consistant à parcourir à bicyclette et à pied un terrain varié. ◆ **cyclomoteur** n. m. Bicyclette munie d'un moteur auxiliaire. ◆ **cyclotourisme** n. m. Tourisme pratiqué à bicyclette ou à cyclomoteur.

— ENCYCL. Le *cyclisme* est le sport des courses à bicyclette se déroulant sur route ou sur piste aménagée (vélodrome).

Parmi les épreuves *sur route*, on distingue les *courses en ligne* (ou classiques) qui se disputent en un jour de ville à ville (Paris-Roubaix, Milan-San Remo), les *courses par étapes* (Tour de France, Tour d'Italie, Tour d'Espagne, Tour de l'Avenir) et les *courses contre la montre* (Grand Prix des Nations).

Parmi les épreuves *sur piste*, on distingue la *vitesse* (sprint sur 1 000 m entre deux coureurs), la *poursuite* (entre deux coureurs partis de points diamétralement opposés), le *demi-fond* (100 km derrière moto), les *Six-Jours* (disputés par équipes de deux coureurs qui se relaient) et les *records* (de la plus grande vitesse).

CYCLONE [siklon] n. m. (mot angl.; du gr. *kuklos*, cercle). Centre de basses pressions atmosphériques autour duquel la pression augmente plus ou moins régulièrement, et vers lequel convergent les vents (syn. HURRICANE, TYPHON).

— ENCYCL. Dans la zone tempérée, les *cyclones* se déplacent lentement, généralement vers l'E., et ce sont eux qui déterminent le temps. Dans la zone tropicale, les cyclones sont des ouragans qui se forment sur la mer et se déplacent à grande vitesse, accompagnés de vents très violents et de pluies torrentielles.

CYCLOPE. *Myth. gr.* Géant forgeron n'ayant qu'un œil au milieu du front.

CYCLOPE [siklɔp] n. m. (de *Cyclope*). *Travail de cyclope*, œuvre exigeant une force extraordinaire. ◆ **cyclopéen, enne** adj. **1.** Dont l'importance, la masse évoque la puissance des Cyclopes (syn. COLOSSAL, GIGANTESQUE). — **2.** Se dit de monuments anciens, vastes et massifs, formés de pierres juxtaposées, non liées par un mortier. (Les murs de Tirynthe ou de Mycènes en sont un exemple remarquable.)

CYCLOTOURISME n. m. ⟶ CYCLE 2.

CYCLOTRON [siklotrɔ̃] n. m. (de *cycle*, et *électron*). Accélérateur de particules électrisées, leur communiquant des vitesses très élevées, en vue d'obtenir des transmutations et des désintégrations d'atomes. (Il fut imaginé vers 1931 par l'Américain E. O. Lawrence.)

CYGNE [siɲ] n. m. (gr. *kuknos*). **1.** Oiseau aquatique migrateur, au long cou souple, au plumage blanc ou blanc et noir, et dont une espèce toute blanche *(cygne muet)* de Sibérie est domestiquée comme élément décoratif des pièces d'eau. — **2.** *Chant du cygne*, œuvre artistique composée par un écrivain ou par un musicien juste avant sa mort (littér.).

1. CYLINDRE [silɛ̃dr] n. m. (gr. *kulindros*). **1.** *Math.* Solide limité par une surface cylindrique* et deux plans parallèles coupant les génératrices. (Les portions de plan limitant le cylindre sont les *bases*. La distance des plans de base est la *hauteur*. Le volume du cylindre est égal au produit de l'aire de la base par la hauteur.) ‖ *Cylindre droit*, cylindre dont les plans de base sont perpendiculaires aux génératrices. ‖ *Cylindre de révolution*, cylindre droit dont les bases sont des disques. — **2.** Objet ayant cette forme. ◆ **cylindrique** adj. Qui a la forme exacte ou approximative d'un cylindre : *Une colonne cylindrique*. ‖ Math. *Surface cylindrique*, surface engendrée par une droite (appelée *génératrice*) qui se déplace parallèlement à une direction fixe en s'appuyant sur une courbe plane (appelée *directrice*) dont le plan coupe la direction donnée. ‖ *Surface de révolution cylindrique* ⟶ SURFACE* DE RÉVOLUTION.

2. CYLINDRE [silɛ̃dr] n. m. (même étym.). *Mécan.* Pièce dans laquelle se meut le piston d'un moteur. ◆ **cylindrée** n. f. Capacité des cylindres d'un moteur à explosion : *La cylindrée d'un moteur est égale au produit de la surface du piston par sa course, multiplié par le nombre de cylindres que possède le moteur.*

CYMBALE [sɛ̃bal] n. f. (gr. *kumbalon*). Instrument de musique à percussion, formé de deux disques de bronze (avec poignée en cuir) que l'on frappe l'un contre l'autre. ◆ **cymbalier** n. m. Joueur de cymbales.

CYME [sim] n. f. (gr. *kuma*, ce qui s'enfle). *Bot.* Type d'inflorescence formée d'un axe principal et d'axes secondaires tous terminés par une fleur (*ex. :* euphorbe, orpin, myosotis).

CYNÉGÉTIQUE [sineʒetik] adj. (du gr. *kunêgetein*, chasser). Qui concerne la chasse : *Les plaisirs cynégétiques.*

CYNIPS [sinips] n. m. (du gr. *kuôn*, chien, et *ips*, insecte rongeur). Insecte parasite qui vit sur les chênes, et qui provoque, en pondant, des excroissances sphériques, dites *noix de galle*. (Ordre des hyménoptères.)

CYNIQUE [sinik] adj. et n. (gr. *kunikos*, de chien). **1.** Se dit de l'école philosophique d'Antisthène, dont les adeptes prétendaient revenir à la nature et affirmaient un mépris complet des convenances sociales et de l'opinion publique : *Diogène est le plus connu des cyniques.* — **2.** Se dit de quelqu'un (ou de son comportement) qui brave ostensiblement les principes moraux, les convenances; qui choque consciemment : *Une mauvaise foi cynique* (syn. EFFRONTÉ, ÉHONTÉ, IMPUDENT). ◆ **cynisme** n. m. **1.** Doctrine des philosophes cyniques. — **2.** Attitude d'une personne cynique. ◆ **cyniquement** adv. : *Il racontait cyniquement son crime.*

CYNOCÉPHALE [sinɔsefal] n. m. (du gr. *kuôn*, *kunos*, chien, et *kephalê*, tête). Singes d'Afrique dont la tête est allongée comm celle d'un chien *(babouin, hamadryas, mandrill).*

CYPRÈS [siprɛ] n. m. (lat. *cupressus*). Arbres résineux au feuilles persistantes réduites à des écailles, à fruits coniques, e dont une variété en forme de fuseau est plantée isolément dans le cimetières ou en haies serrées pour couper le vent du nord dans l vallée du Rhône *(cyprès de Lambert)*. [Ordre des conifères.]

CYPRIEN *(saint)*, Père de l'Église latine (v. 200-258), évêque d Carthage.

CYPRIN [siprɛ̃] n. m. (gr. *kuprinos*, carpe). Nom parfois donn aux cyprinidés, et, plus spécialem., à la carpe et au poisson roug (CYPRIN DORÉ ou CARASSIN). ◆ **cyprinidés** [siprinide] n. m. pl Vaste famille de poissons osseux des eaux douces, dont le type es la carpe. (La couleur de leur chair les fait appeler POISSON BLANCS.)

CYPRIOTE adj. et n. ⟶ CHYPRE.

CYRANO DE BERGERAC (Savinien DE), écrivain françai (1619-1655). Il a exprimé ses vues sur la nature et la politique dan des récits de voyages imaginaires à travers les planètes (*Histoir comique des États et Empires de la Lune*, 1657; *Histoire comiqu des États et Empires du Soleil*, 1662).

Cyrano de Bergerac, comédie héroïque en 5 actes, en vers d'Edmond Rostand (1897).

CYRÉNAÏQUE, anc. possession italienne d'Afrique, partie nord est de la Libye. V. pr. *Benghazi.*

CYRÈNE, v. fondée par des Grecs en Afrique, à l'O. de l'Égypte au VIIe s. av. J.-C. Elle fut conquise par Alexandre en 331 av. J.-C puis par Rome en 96 av. J.-C.

CYRILLE *(saint)*, surnommé **le Philosophe** (v. 827-869). Ave son frère Méthode (v. 825-885) il évangélisa les Slaves de l'Europ centrale et traduisit la Bible et la liturgie grecque en langue sl vonne. Ils créèrent l'écriture glagolitique, d'où est issu l'alphabe *cyrillique.*

CYRILLIQUE [sirilik] adj. (de saint *Cyrille*). *Alphabet cyri lique*, alphabet slave.

CYRUS II le Grand (m. en 530 av. J.-C.), roi de Perse de 558 530 env. av. J.-C. Cyrus se révolta contre son aïeul Astyage, q avait cherché à le faire périr, et prit le titre de roi des Mèdes et de Perses. Après avoir battu Crésus de Lydie (546), il s'attaqua au colonies grecques d'Asie (545-539) et s'empara de Babylone. devint maître d'un territoire s'étendant de la Caspienne à l'Inde.

CYSTICERQUE [sistisɛrk] n. m. (du gr. *kustis*, vessie, e *kerkos*, queue). Dernier stade larvaire du ténia, vésicule d'enviro 1 cm de diamètre qui se forme dans les muscles du bœuf pour l *ténia inerme*, sous la langue du porc pour le *ténia armé.*

CYSTITE [sistit] n. f. (du gr. *kustis*, vessie). *Méd.* Inflammatio de la vessie.

CYTHÈRE ou **CÉRIGO,** île grecque de la mer Égée, entre l Péloponnèse et la Crète; 9 900 hab. Possession d'Argos puis d Sparte, Cythère était célèbre pour sa production de pourpre et so sanctuaire d'Aphrodite.

CYTISE [sitiz] n. m. (gr. *kutisos*). Arbuste à grappes de fleur jaunes, utilisé comme plante ornementale ou pour constituer de haies. (Famille des papilionacées.)

CYTOLOGIE [sitɔlɔʒi] n f. (du gr. *kutos*, cellule, et *logo* science). Science qui étudie les cellules des êtres organisés.

CYTOPLASME [sitɔplasm] n. m. (du gr. *kutos*, cellule, e [*proto*]*plasme*). Constituant de la cellule* vivante, formé d'ur substance fondamentale, ou hyaloplasme, tenant en suspensic des enclaves variées (vacuoles, chondriome et autres organites) e entourant le noyau.

CZAR n. m. ⟶ TSAR.

CZESTOCHOWA ou **CZENSTOCHOWA,** v. de la Pologr méridionale, sur la Warta; 196 400 hab. Pèlerinage très fréquent *(Vierge noire)*. Sidérurgie. Industries textiles et chimiques.

D n. m. **1.** Quatrième lettre de l'alphabet et la troisième des onsonnes. — **2.** D, chiffre romain, vaut 500. — **3.** *Mus.* Nom de a note *ré* en anglais et en allemand. — **4.** *Math.* D, lettre utilisée our représenter l'ensemble des nombres décimaux. (→ NOMBRE.) — **5.** *Système D,* habileté à se tirer d'affaire.

DACCA, capit. du Bangladesh, sur la bordure orientale du delta lu Gange; 3,5 millions d'hab. Centre commercial et administratif.

DACHAU, v. d'Allemagne, en Bavière, au N.-O. de Munich; 3 000 hab. Camp de concentration sous le régime de Hitler.

DACIE, ensemble des pays de l'Antiquité situés sur la rive auche du Danube, et correspondant à la Roumanie actuelle.

• *101-107 apr. J.-C. Les Daces sont soumis par les Romains.*

1. DACTYLE [daktil] n. m. (gr. *daktulos,* doigt). Pied formé l'une syllabe longue suivie de deux brèves (—∪∪), dans les vers recs et latins.

2. DACTYLE [daktil] n. m. (même étym.). *Bot.* Graminée fouragère des régions tempérées.

DACTYLOGRAPHIE [daktilɔgrafi] n. f. (du gr. *daktulos,* loigt, et *graphein,* écrire). Art d'écrire avec une machine. ◆ **dactylo** n. f. **1.** Abrév. courante de *dactylographie.* — **2.** Personne achant dactylographier des textes. ◆ **dactylographier** v. t. Écrire à l'aide d'une machine (syn. TAPER). ◆ **dactylographique** adj.

DACTYLOSCOPIE [daktilɔskɔpi] n. f. (du gr. *daktulos,* doigt, t *skopein,* examiner). Procédé d'identification des personnes par es empreintes digitales.

1. DADA [dada] n. m. (onomat.). *Fam.* Idée chère à quelqu'un, ui la répète fréquemment : *C'est son dada* (syn. MAROTTE).

2. DADA [dada] n. m. (onomat.). Dénomination, volontairement ide de sens, adoptée par un mouvement d'art et de littérature apparu en 1916, et qui prétendait, par la dérision, le asard, l'intuition, abolir la société, la littérature et l'art traditionels. → ENCYCL. ◆ **dadaïsme** n. m. Nom donné au mouvement ADA. ◆ **dadaïste** n. et adj. Partisan, adepte du dadaïsme.
— ENCYCL. Le mouvement *dada* naquit pendant la Première Guerre mondiale simultanément à Zurich et à New York comme rotestation de groupes d'artistes contre l'absurdité universelle. Il ut surtout actif en Allemagne et en France. Ses principaux promoeurs furent Tristan Tzara, Arp, Picabia, Max Ernst, André Breton, Aragon, Paul Eluard, Benjamin Péret, Marcel Duchamp. Affichant n non-conformisme poussé jusqu'au scandale, il s'épuisa dans des echerches formelles (papiers collés, objets saugrenus, poèmes ans paroles). La plupart de ses partisans évoluèrent vers le suréalisme* ou l'action révolutionnaire.

DADAIS [dadɛ] n. m. (onomat.). *Grand dadais,* grand jeune omme gauche et sot (syn. NIAIS, NIGAUD).

DADAÏSME n. m., **DADAÏSTE** adj. et n. → DADA 2.

DAGHESTAN, république autonome de l'U.R.S.S., au bord de la Caspienne; 1 429 000 hab. Capit. *Makhatchkala.*

DAGOBERT Ier, roi des Francs de 629 à 638, fils de Clotaire II. Chef d'un royaume unifié (regroupant l'Austrasie, la Neustrie et la Bourgogne), il est secondé par l'intelligent saint Éloi dans la réorganisation du pays. Il accorde d'importants privilèges à l'abbaye le Saint-Denis. Il soumet la Gascogne et la Bretagne. À sa mort, e nouvelles divisions amènent le déclin du pouvoir mérovingien et e début du pouvoir des maires du palais.

DAGUE [dag] n. f. (prov. *daga*). Poignard en usage autrefois.

DAGUERRE (Jacques), inventeur français (1787-1851). Il s'assoia à Nicéphore Niepce (1829) pour perfectionner l'invention de la hotographie et inventa le premier de tous les appareils photograhiques, le *daguerréotype* (1838).

DAGUET [dagɛ] n. m. (de *dague*). Jeune cerf (de un à deux ans), ux bois en forme de tiges droites et courtes, sans ramifications.

DAHLIA [dalja] n. m. (de *Dahl,* botaniste suédois). Plante herbacée à fleurs ornementales, dont la racine est faite de tubercules. (Famille des composées.)

DAHOMEY *(république du),* auj. **république du Bénin,** État de l'Afrique occidentale, sur le golfe de Guinée, entre le Togo et le Nigeria. → cartes AFRIQUE pp. 48-49.

SUPERFICIE 113 000 km² (France : 550 000 km²).
POPULATION 4,7 millions d'hab. *(Béninois);* 42 hab. au km² (France : 103); accroissement annuel de la population, 2,7 p. 100.
CAPITALE Porto-Novo (104 000 hab.).
VILLE PRINCIPALE Cotonou (327 000 hab.).
LANGUE OFFICIELLE français.
ÉCONOMIE consommation d'énergie par hab., 40 kg d'équivalent charbon; 1 automobile pour 200 hab.

GÉOGRAPHIE

Le pays s'étend sur un ensemble de collines et de plateaux. Le climat, équatorial au S., permettant la croissance de la forêt, s'assèche progressivement vers le N. où pousse la savane.

	TEMPÉRATURES MOYENNES janv.	juil.	PLUIES
Cotonou	26,8 °C	25,5 °C	1 480 mm

La population, noire, se concentre dans la région côtière où elle vit surtout de l'*agriculture* (manioc et cultures d'exportation).

manioc 600 000 t; huile de palme 40 000 t; arachides 50 000 t.

Les rares *industries* existantes traitent les produits agricoles. Les exportations se font par le port de Cotonou.

HISTOIRE

À partir de la seconde moitié du XIXe s., la France s'installe progressivement au Dahomey.

- *1893. La France élimine le roi Béhanzin et occupe le pays qui devient une colonie de l'Afrique-Occidentale française, directement administrée par la métropole.*
- *1960. Le Dahomey devient une république indépendante.*
- *1972. Au terme d'un nouveau coup d'État militaire, Mathieu Kérékou prend le pouvoir et engage le pays sur la voie du socialisme marxiste-léniniste.*
- *1975. Le pays reprend le vieux nom africain de Bénin.*
- *1991. À la suite d'une démocratisation du régime (Constitution de 1990), Nicéphore Soglo est élu, face à M. Kérékou, à la présidence de la République.*

DAIGNER [deɲe] v. t. (lat. *dignare,* juger digne) [suivi d'un infin. sans prép.]. Avoir la bonté de (d'un supérieur à un inférieur) : *Daignez nous excuser. Daigner répondre* (syn. CONDESCENDRE À).

DAIM [dɛ̃] n. m. (lat. *dama*). **1.** Mammifère ruminant, voisin du cerf, mais plus petit, à robe tachetée de blanc et aux bois aplatis à leur extrémité. (Famille des cervidés.) — **2.** Peau de cet animal utilisée pour l'habillement ou en maroquinerie. ◆ **daine** [dɛn] n. f. Femelle du daim.

DAIMLER (Gottlieb), ingénieur allemand (1834-1900). Il réalisa un moteur léger au gaz de pétrole.

DAIREN → TA-LIEN.

DAIS [dɛ] n. m. (lat. *discus,* plateau). Tenture dressée au-dessus d'un autel, d'un trône, ou qu'on porte dans les processions audessus du saint sacrement.

DAKAR, capit. du Sénégal; 980 000 hab. Située sur la presqu'île du Cap-Vert, Dakar est avant tout un port (de voyageurs, de pêche et de commerce) dont la fondation date de l'époque coloniale, et qui dessert toute une partie de l'Afrique occidentale. Des industries diverses s'y sont développées. Sa fonction de capitale lui confère un rôle administratif, et elle est le siège d'une université.

DAKOTA, nom de deux des Etats unis d'Amérique, dans les Grandes Plaines, emprunté à celui d'un groupe d'Indiens, les Dakotas. Le *Dakota du Nord* (183 022 km²; 632 000 hab.; capit. *Bismarck*) est à prépondérance agricole (blé et orge, élevage bovin) malgré la présence de pétrole et de lignite. Le *Dakota du Sud* (199 551 km²; 679 000 hab.; capit. *Pierre*) est surtout tourné vers l'élevage, à côté du blé et du maïs. Le sous-sol contient de l'or.

DALADIER (Édouard), homme politique français (1884-1970). Radical-socialiste, président du Conseil de 1938 à 1940, il signa l'accord de Munich* (1938).

DALAÏ-LAMA [dalailama] n. m. (mots tibétains). Titre donné au chef de la religion bouddhique résidant traditionnellement à Lhassa, dont la juridiction spirituelle s'étend, en droit, sur le Tibet, la Mongolie, une partie de la Chine occidentale, le Bouthan et le Sikkim. (Le dalaï-lama actuel [Tenzin Gyatso, né en 1935], quatorzième du nom, a dû se réfugier dans le nord de l'Inde en 1959. Il a reçu le prix Nobel de la paix en 1989.)

DALAT, v. du Viêt-nam méridional, dans la région des plateaux moïs; 105 000 hab. Station climatique.

DALÉCARLIE, région de la Suède centrale.

DALI (Salvador), peintre et graveur espagnol (1904-1989). Il fut à Paris, à partir de 1929, le plus étonnant créateur d'images oniriques du surréalisme.

DALILA, femme qui, d'après la Bible, livra Samson aux Philistins après lui avoir coupé les cheveux, dans lesquels résidait sa force.

DALLAGE n. m. → DALLE.

DALLAPICCOLA (Luigi), compositeur italien (1904-1975). Auteur de musique dodécaphonique*.

DALLAS, v. des États-Unis (Texas); 844 400 hab. Raffinage du pétrole et pétrochimie. Électronique. Le président Kennedy y fut assassiné en 1963.

DALLE [dal] n. f. (anc. scand. *daela*, gouttière). Plaque de pierre, de ciment, de verre, etc., pour paver le sol, faire des revêtements, recouvrir les tombes, etc. ◆ **daller** v. t. Paver au moyen de dalles. ◆ **dallage** n. m. **1.** Action de daller. — **2.** Ensemble de dalles formant le revêtement d'un sol.

DALMATIE, région de la Yougoslavie (Croatie), sur la côte de l'Adriatique, bordée par de nombreuses îles *(archipel dalmate)*. Tourisme. ◆ **dalmate** adj. et n. De la Dalmatie.

DALMATIEN, ENNE [dalmasjɛ̃, -ɛn] n. (de *Dalmatie*). Chien d'agrément à robe blanche couverte de nombreuses petites taches noires ou brun foncé.

DALMATIQUE [dalmatik] n. f. (lat. *dalmatica*, vêtement de laine de Dalmatie). **1.** Tunique romaine. — **2.** Tunique d'apparat des empereurs romains et, au Moyen Âge, des rois de France.

DALOU (Jules), sculpteur français (1838-1902). Représentant du réalisme dans la sculpture, il a exécuté *le Triomphe de la République*, place de la Nation à Paris, et de nombreux bustes.

DALTON (John), physicien et chimiste anglais (1766-1844). Il donna à la théorie atomique des Anciens une base scientifique. Il étudia sur lui-même la maladie connue sous le nom de *daltonisme*.

DALTONISME [daltɔnism] n. m. (de *Dalton*). Anomalie de la vision des couleurs entraînant le plus souvent la confusion entre le rouge et le vert. ◆ **daltonien, enne** adj. et n. Affecté de daltonisme.

DAMAGE n. m. → DAME 5.

DAMAS, capit. de la Syrie; 1 251 000 hab. La ville est située dans une oasis irriguée par le Barada. Les activités artisanales (soieries, tapis...), quoique encore florissantes, y sont peu à peu supplantées par des industries modernes. Grand centre commercial.

- *64 av. J.-C. La ville est prise par les Romains.*

Par la suite elle est évangélisée par saint Paul, converti sur le « chemin de Damas ».

- *635. Les Arabes s'emparent de Damas, qui devient la résidence de nombreux califes.*
- *1400. La ville est prise par les Mongols.*
- *1516. Occupation de Damas par les Turcs, qui y maintiendront leur administration jusqu'en 1918.*
- *1920. Damas est occupée par les Français, qui l'évacuent définitivement en 1946.*

DAMASQUINÉ, E [damaskine] adj. (de *Damas*). Se dit d'un objet de métal incrusté de filets d'or ou d'argent.

DAMASSÉ, E [damase] adj. et n. m. (de *Damas*). Se dit d'une étoffe dont le tissage forme des dessins ornementaux.

1. DAME [dam] n. f. (lat. *domina*, maîtresse). **1.** Femme mariée par oppos. à DEMOISELLE. — **2.** Femme en général (avec une nuance de politesse). — **3.** Titre donné, à diverses époques, aux femmes de haut rang. (Au Moyen Âge, le titre de dame s'appliquait aux femmes de seigneurs, les femmes d'écuyers n'ayant droit qu'au titre de *damoiselle*. Au XVᵉ s., les femmes nobles attachées au service de la reine portaient le titre de dames : *dames d'honneur, dames d'atour*, etc.)

2. DAME [dam] n. f. (de *dame* 1). Figure du jeu de cartes : *La dame de trèfle.*

3. DAME [dam] n. f. (de *dame* 1). **1.** Pièce du jeu d'échecs : *Échec à la dame* (syn. REINE). — **2.** Pion doublé au jeu de dames. — **3.** *Jeu de dames*, jeu qui se joue à deux avec des pions sur un damier. ◆ **damer** v. t. **1.** Donner à un pion la valeur de la dame après lui avoir fait traverser tout le damier. — **2.** Fam. *Damer le pion à qq'un*, prendre un avantage décisif sur lui. ◆ **damier** n. m. **1.** Tableau carré divisé en cent cases, alternativement noires et blanches, pour jouer aux dames. — **2.** Toute surface divisée en carrés de couleurs différentes.

4. DAME [dam] n. f. (de *dame* 1). *Mar.* Appareil placé de chaque côté d'une embarcation, et servant à encastrer les avirons pour ramer. (On dit aussi DAME DE NAGE.)

5. DAME [dam] n. f. (de *dame* 1). Outil qui sert à enfoncer les pavés ou à tasser la terre (syn. DEMOISELLE, HIE). ◆ **damer** v. t. Tasser fortement la terre avec une dame : *Damer du béton. Damer des pavés.* ◆ **damage** n. m.

6. DAME ! [dam] interj. (anc. fr. *par Nostre Dame!*). A une valeur de conclusion : *« Il n'est pas content? — Dame! »* (syn. BIEN SÛR, PARBLEU).

Dame aux camélias *(la)*, roman d'Alexandre Dumas fils (1848).

DAME-JEANNE [damʒan] n. f. (de *dame*, et *Jeanne*). Grosse bouteille de grès ou de verre d'une contenance de 20 à 50 l, souvent garnie d'une clisse. ‖ Pl. des *dames-jeannes*.

DAMER v. t. → DAME 3 et 5.

DAMIER n. m. → DAME 3.

DAMIETTE, v. d'Égypte, à l'extrémité nord-est du delta du Nil; 86 300 hab. Port sur la Méditerranée.

- *1249. Saint Louis s'empare de la ville mais doit la rendre l'année suivante pour payer sa rançon.*

DAMMARIE-LES-LYS, comm. de Seine-et-Marne, à 2 km au S. de Melun; 19 800 hab. Ruines de l'abbaye du Lys, fondée par Blanche de Castille.

DAMNATION n. f. → DAMNER.

Damnation de Faust *(la)*, opéra d'Hector Berlioz (1846).

DAMNER [dane] v. t. (lat. *damnare*). **1.** (sujet nom désignant Dieu) *Damner qq'un*, le condamner aux peines de l'enfer (langue relig.). — **2.** Fam. *Dieu me damne!*, se dit pour marquer l'étonnement. ◆ v. i. *Faire damner qq'un*, provoquer chez lui de l'exaspération (syn. FAIRE ENRAGER). ◆ **se damner** v. pr. Mériter par sa conduite la damnation éternelle (langue relig.). ◆ **damnation** [danasjɔ̃] n. f. Condamnation d'une âme aux peines de l'enfer. ◆ **damné, e** adj. (normalement avant le nom). *Fam.* Se dit d'un être animé ou d'une chose dont on est mécontent : *Ces damnés gamins!* (syn. MAUDIT, SACRÉ, SATANÉ). ◆ n. et adj. **1.** Qui est condamné à l'enfer. ‖ *Âme damnée* → ÂME 1. — **2.** *Souffrir comme un damné*, souffrir très cruellement.

DAMOCLÈS, courtisan de Denys l'Ancien (IVᵉ s. av. J.-C.). Comme il enviait le bonheur de son maître, celui-ci l'invita à prendre sa place dans un festin : Damoclès aperçut au-dessus de sa tête une épée suspendue par un crin de cheval. Il comprit alors combien le bonheur d'un roi est fragile.

DĀMODAR (la), riv. de l'Inde, qui rejoint l'Hooghly; 545 km. Sa moyenne vallée est une des plus grandes régions industrielles de l'Inde (sidérurgie et métallurgie).

DAMOISEAU [damwazo] n. m. (lat. *dominicellus*). Au Moyen Âge, jeune gentilhomme qui n'était pas encore chevalier. ◆ **damoiselle** n. f. Titre donné, au Moyen Âge, aux filles nobles avant le mariage, puis aux femmes mariées de la petite noblesse et même de la bourgeoisie.

DAMPIERRE-EN-YVELINES, comm. des Yvelines, à 15 km au N.-E. de Rambouillet; 999 hab. Château reconstruit par Hardouin-Mansart au XVIIᵉ s. Le parc a été dessiné par Le Nôtre.

DANAÏDES, nom des 50 filles de Danaos, roi légendaire d'Argos qui, sauf une, tuèrent leur époux la nuit de leurs noces. Elles furent précipitées dans le Tartare et condamnées à remplir d'eau un tonneau sans fond.

DANAKIL, population qui vit entre les montagnes d'Éthiopie et la mer Rouge.

DA NANG, ancienn. **Tourane,** port du Viêt-nam méridional, au S.-E. de Huê; 492 200 hab. Base navale.

DANCING n. m. ⟶ DANSE.

DANDINER (SE) [sədɑ̃dine] v. pr. (de l'anc. fr. *dandin*, cloche) [sujet nom d'être animé]. Donner à son corps un mouvement nonchalant de balancement plus ou moins ridicule. ◆ **dandinement** n. m. : *Le dandinement des canards.*

DANDY [dɑ̃di] n. m. (mot angl.). Homme qui affecte une suprême élégance dans sa toilette et dans ses goûts. ‖ Pl. des *dandys*. ◆ **dandysme** n. m.

DANEMARK, en dan. **Danmark,** État de l'Europe septentrionale, au N. de l'Allemagne.

GÉOGRAPHIE

■ GÉOGRAPHIE PHYSIQUE.

Le pays s'étend sur la presqu'île du *Jylland*, prolongée vers l'E. par un archipel (îles de *Sjaelland*, de *Fionie*...). Morceau de la grande plaine du Nord, son relief plat n'est accidenté que par des petites collines d'origine glaciaire. Le climat, océanique, est frais en raison de la latitude.

	TEMPÉRATURES MOYENNES janv.	juil.	PLUIES
Copenhague	1 °C	18 °C	589 mm

■ GÉOGRAPHIE HUMAINE ET ÉCONOMIQUE.

La population, inégalement répartie, est plus dense dans les îles, le Jylland offrant des terrains peu favorables à l'*agriculture*. Celle-ci

Danemark

SUPERFICIE 43 000 km² (France : 550 000 km²).

POPULATION 5 100 000 d'hab. *(Danois);* 119 hab. au km² (France : 103); taux de natalité, 12,2 p. 1 000; taux de mortalité, 9,9 p. 1 000.

CAPITALE Copenhague (648 000 hab., agglomération 1 381 000 hab.).

VILLES PRINCIPALES Århus (244 800 hab.); Odense (165 500 hab.); Ålborg (154 700 hab.).

LANGUE OFFICIELLE danois.

ÉCONOMIE population active : secteur primaire 7 p. 100, secondaire 28 p. 100, tertiaire 65 p. 100; produit national brut par hab., 11 020 dollars (France : 9 484); consommation d'énergie par hab.; 5 650 kg d'équivalent charbon; 1 automobile pour 2,5 hab.

MONNAIE couronne danoise.

représente en effet un secteur très important de l'économie. C'est l'élevage, bovin et porcin, qui prédomine. Il est pratiqué dans des exploitations au matériel très moderne, souvent groupées en coopératives, et les rendements sont très élevés.

orge	6 millions de t	porcins	9 millions de têtes
betterave à sucre	3 500 000 t	lait	530 000 t
bovins	2 900 000 têtes		

Mais situé au contact entre mer du Nord et mer Baltique, le Danemark a toujours été un pays à vocation maritime. On pêche chaque année 1,8 million de t de poissons, qui sont l'une des bases de l'alimentation.

L'*industrie* se partage entre deux pôles : production de matériel agricole et transformation des produits de la terre d'une part, constructions navales d'autre part. Chimie et constructions électriques sont également en développement.

électricité	25 milliards de kWh
acier	500 000 t
constructions navales	400 000 t

Le Danemark, qui exporte plus de la moitié des produits de son agriculture et importe des matières premières, possède une importante flotte marchande. Les échanges se font surtout avec la Grande-Bretagne et l'Allemagne. Les villes principales, où se localise l'industrie, sont toutes de grands ports et particulièrement la capitale, Copenhague.

Pays dynamique, dont l'agriculture est florissante et l'industrie prospère (favorisée par le pétrole extrait [2,3 Mt] en mer du Nord), le Danemark possède l'un des niveaux de vie les plus élevés du monde. Son intégration dans le Marché commun a facilité l'écoulement de ses produits.

HISTOIRE

Au IXᵉ s., les Vikings (ou « Normands ») du Danemark ravagent les côtes de l'Europe occidentale et conquièrent une partie de l'Angleterre.

Au Xᵉ s. un royaume de Danemark se constitue.

- *1018-1035. Knud le Grand règne sur un grand empire, qui comprend l'Angleterre, le Danemark, et la Norvège qu'il a soumise.*
- *1157-1182. Sous le règne de Valdemar Iᵉʳ est achevée la difficile unité danoise. Le Danemark devient une grande puissance.*
- *1397. L'union de Kalmar (unification de toute la Scandinavie par la réunion sous le même sceptre du Danemark, de la Norvège et de la Suède) engendre un siècle de troubles.*
- *1523. L'élection au trône de Suède de Gustave Iᵉʳ Vasa rompt l'union de Kalmar.*
- *1536. La Réforme luthérienne triomphe au Danemark : le luthéranisme devient religion d'État.*

Au début du XVIIᵉ s. le commerce danois domine toute la Baltique.

- *1625-1629. Le Danemark participe à la guerre de Trente Ans qui aboutit pour lui à un échec.*

Le XVIIIᵉ s. est une période de réformes (particulièrement sous le ministère de Struensee, 1770-1772) et d'expansion économique (agriculture, commerce maritime).

- *1814. La paix de Kiel enlève la Norvège au Danemark, allié de Napoléon, au profit de la Suède.*
- *1864. La guerre des Duchés, contre la Prusse et l'Autriche, se termine par le traité de Vienne.*

Le Danemark y perd Kiel et les duchés de Slesvig, Holstein et Lauenburg.

Au début du XXᵉ s., la gauche s'impose progressivement. Un régime de démocratie parlementaire s'établit.

- *1918. L'Islande devient autonome avant son indépendance complète (1944).*

- *1920. Le Danemark obtient le Slesvig du Nord, après un plébiscite.*
- *1924. Les sociaux-démocrates accèdent au pouvoir.*

Ils introduisent d'importantes réformes sociales et développent le commerce, faisant du Danemark un des pays les plus évolués d'Europe.

- *1940. Le pays est envahi par les Allemands. Il sera occupé jusqu'en 1945.*

Depuis près d'un demi-siècle, la social-démocratie domine la vie politique danoise, mais elle connaît une baisse d'influence.

- *1972. Le Danemark fait partie du Marché commun.*
- *1982. Les conservateurs arrivent au pouvoir.*

DANGER [dɑ̃ʒe] n. m. (bas lat. *dominiarium*, domination). **1.** Circonstances où l'on est exposé à un mal, à un inconvénient, ce qui légitime une inquiétude : *Courir de grands dangers* (syn. PÉRIL [littér.]). *Un remède sans danger* (syn. RISQUE). — **2.** *Il n'y a pas de danger*, ou fam., *pas de danger!* (= la chose n'est pas à craindre). ◆ **dangereux, euse** adj. (avant ou après le nom). Se dit de choses ou d'être animés qui constituent un danger : *Virage dangereux* (syn. RISQUÉ). *Une situation dangereuse* (syn. ↓CRITIQUE, PÉRILLEUX). ◆ **dangereusement** adv.

DANIEL, un des quatre grands prophètes hébreux. Emmené à Babylone en exil, il y resta fidèle à sa religion. Ses ennemis le firent jeter deux fois dans la fosse aux lions, dont il sortit sain et sauf.

DANIELL (John Frederic), physicien anglais (1790-1845), inventeur de la pile électrique à deux liquides (1836).

D'ANNUNZIO (Gabriele), écrivain italien (1863-1938). Il est l'auteur de poésies, de pièces de théâtre et de romans (*l'Enfant de volupté*, 1889; *les Vierges aux rochers*, 1894; *le Feu*, 1899) où se mêlent le culte de la beauté et le raffinement symboliste.

Il fut l'un des plus fougueux partisans de l'intervention italienne pendant la Première Guerre mondiale.

1. DANOIS, E [danwa, -az] adj. et n. Du Danemark. ◆ n. m. Langue nordique parlée au Danemark.

2. DANOIS [danwa] n. m. (de *Danemark*). Chien à poil ras, de très grande taille.

DANS [dɑ̃], **EN** [ɑ̃] prép. (bas lat. *deintus*, au-dedans; lat. *in*). Indiquent soit la situation à l'intérieur d'un lieu ou d'une époque soit la disposition, la manière d'être, etc. → tableau ci-dessous.

DANSE [dɑ̃s] n. f. (du frq. *dintjan*, se mouvoir de-ci, de-là). **1.** Suite de pas et de mouvements rythmés, exécutés le plus souvent sur un air de musique, par une personne seule ou par des partenaires : *Des danses régionales.* — **2.** *Danse classique*, ensemble de mouvements et de pas, codifiés et classés, utilisé dans l'enseignement chorégraphique. — **3.** *Entrer dans la danse*, s'associer à un groupe de danseurs; et, fam., participer à une action violente ou commencer à la subir : *L'artillerie venait d'entrer dans la* (ou *en*) *danse.* ◆ **danser** v. i. et t. **1.** (sujet nom d'être animé) Exécuter une danse, mouvoir son corps en cadence : *Danser une valse. Danser de joie.* — **2.** (sujet nom de chose) Se déplacer en divers sens, être agité : *La barque danse sur les vagues.* — **3.** Fam. *Ne pas savoir sur quel pied danser*, ne pas savoir ce qu'il convient de faire. ◆ **dansant, e** adj. **1.** Se dit d'une chose agitée de mouvements divers : *Des flammes dansantes.* — **2.** *Musique dansante*, qui est propre à faire danser. — **3.** *Soirée*

SENS	**dans** (toujours accompagné d'un déterminant)	**en** (généralement non suivi de l'article)
1. Lieu.	*Il y a une boulangerie dans la rue voisine. Il y a beaucoup de désordre dans la chambre. Il est de plus en plus difficile de garer sa voiture dans Paris* (noms de villes). *Il habite dans la Nièvre* (noms de départements). *Il marche dans l'herbe* (différent de *sur l'herbe*). *Il va d'une pièce dans une autre. J'ai trouvé ce vers dans l'« Héraclius » de Corneille. J'ai lu dans le journal la nouvelle de cet accident. Dans le fond de son cœur, il le regrette. L'idée est dans l'air. Il est entré dans une grande colère.*	*Je vais en Angleterre* (noms de pays fém.), *en Uruguay* (noms de pays masc. commençant par une voyelle), *en Limousin* (noms de provinces ou de régions), *en Sicile* (noms d'îles), *en Saône-et-Loire* (noms de départements formés de deux termes coordonnés par *et*). *On l'a conduit en prison. Le Christ est mort en croix. Il vit en province. Mettre du vin en bouteilles. Il va de ville en ville. Il y a en lui* (emploi avec un pronom) *quelque chose de mystérieux. Il a bien des projets en tête. Il entre en colère.*
2. Temps : *a*) date	*Il viendra dans trois jours. J'irai le voir dans une semaine. Je pourrai réaliser ce projet dans l'année. Dans combien de temps reviendrez-vous?* (en ce sens, le verbe est surtout au futur). *Il était très gai dans le temps* (= autrefois).	*En mon absence, rien n'a été fait. Le vol a eu lieu en l'absence des locataires. En automne, les fruits sont abondants. En semaine, il n'est guère possible de le voir. Le livre sera publié en mars.*
b) durée	*Il est dans sa trentième année. Dans les siècles passés, l'hiver était plus difficile à supporter. Un mois dans l'autre, je m'en tire* (= en faisant une moyenne).	*En vingt ans, le monde a été transformé. Il a fait cent kilomètres en une heure. Il s'affaiblit de jour en jour, de mois en mois* (indique une progression continue).
3. Manière d'être, état.	*La maison s'écroula dans les flammes. Elle est dans l'attente d'un heureux événement. Il vit dans l'oisiveté. Il baigne dans la joie. Sa chambre est dans le plus grand désordre.*	*Il est en bonne santé, en voyage, en deuil. Il reste en attente. La maison est en flammes. Ranger l'armée en bataille. Venez en vitesse. Il a liquidé cette affaire en cinq sec* (fam.). *Vêtements en lambeaux. Chambre en désordre. Il est en habit de soirée. Elle est en blanc. Il parle en homme du monde. Il agit en soldat.*
4. Objet indirect d'un verbe ou d'un substantif.	*Avoir confiance dans la nation.*	*Croire en Dieu. Je me fie en sa parole. J'ai confiance en vous.*
5. Matière ou composants.		*J'ai acheté une montre en or. Une table en bois. Pièce en cinq actes.*
6. Évaluation.	*Ce livre coûte dans les vingt francs* (= approximativement).	
7. Transformation.		*Convertir des francs en dollars. Il se déguise en arlequin. Tout s'en alla en fumée.*
8. Avec une forme en *-ant.*		*Il répondit en souriant. En montant sur l'escabeau, il a glissé.*

dansante, où l'on danse. ◆ **danseur, euse** n. **1.** *Une danseuse de l'Opéra.* ‖ *Danseur, danseuse étoile*, le plus haut titre dans la hiérarchie du corps de ballet de l'Opéra de Paris. — **2.** *En danseuse*, position d'un cycliste qui pédale debout, sans s'asseoir sur la selle, en portant alternativement tout son poids sur chaque pédale. ◆ **dancing** [dɑ̃siŋ] n. m. Établissement public où l'on danse.

DANTE ALIGHIERI, poète italien, né à Florence (1265-1321). Il a composé, dès sa jeunesse, des sonnets amoureux et des canzones (= petits poèmes lyriques), où il célèbre sa passion idéale et presque mystique pour Béatrice Portinari (morte en 1290) qu'il a aimée dès l'âge de neuf ans. C'est en son honneur qu'il composa sa *Vita nuova* (v. 1294). Mais il est surtout connu comme l'auteur de *la Divine Comédie* qui transfigure sur le plan poétique non seulement sa propre vie, mais tout l'univers contemporain.

DANTESQUE [dɑ̃tɛsk] adj. (de *Dante*). Se dit d'une œuvre, d'un spectacle, d'un événement de dimensions fantastiques, d'un caractère effrayant et grandiose : *Une vision dantesque* (syn. APOCALYPTIQUE).

DANTON (Jacques), homme politique français (1759-1794). Il est avocat au Conseil du roi lorsque la Révolution éclate.

- *1790. Il fonde le club des Cordeliers où il s'affirme comme un habile orateur.*
- *1792. Après l'insurrection du 10 août, il est nommé ministre de la Justice par l'Assemblée législative et prend une place prépondérante dans le Conseil exécutif provisoire.*

Face au danger de l'invasion prussienne, il organise la défense nationale et proclame que la victoire exige « de l'audace, encore de l'audace, toujours de l'audace ».

Député de Paris à la Convention, il siège parmi les Montagnards.

- *1793. Il approuve la levée de 300 000 hommes (février), la création du Tribunal révolutionnaire (mars) et du Comité de salut public (avril) dont il est éliminé en juillet.*

Il devient alors le chef des Indulgents qui réclament la fin de la Terreur.

- *1794. Arrêté sur ordre de Robespierre, il est mis en accusation par le Comité de salut public et guillotiné.*

DANTZIG ou **DANZIG** ⟶ GDAŃSK.

DANUBE (le), en all. **Donau**, fl. de l'Europe centrale, le deuxième d'Europe après la Volga pour sa longueur (2 850 km). De direction générale O.-E., il est issu de la Forêt-Noire, et il traverse ou longe successivement l'Allemagne, l'Autriche, la Tchécoslovaquie, la Hongrie, la Yougoslavie, la Roumanie, la Bulgarie et l'U. R. S. S. avant de se jeter dans la mer Noire en un vaste delta. Il traverse notamment trois capitales : Vienne, Budapest et Belgrade. Grande voie navigable, son importance économique reste inférieure à celle du Rhin.

DANUBIEN, ENNE [danybjɛ̃, -ɛn] adj. Relatif au Danube, aux régions drainées par ce fleuve : *Les principautés danubiennes.*

DAOUGAVPILS ou **DAUGAVPILS,** ancienn. **Dvinsk** ou **Dunabourg,** v. de Lettonie, sur la Dvina occidentale; 100 400 hab.

DAPHNIE [dafni] n. f. (du gr. *daphnê*, laurier). Petit crustacé des eaux douces, nageant par saccades grâce à ses antennes, d'où son nom usuel de PUCE D'EAU. (Les daphnies séchées constituent une nourriture pour les poissons d'aquarium.)

Daphnis et Chloé, symphonie chorégraphique avec chœurs de M. Ravel, sur un livret de M. Fokine, créée en 1912 par les Ballets russes.

DARD [dar] n. m. (frq. *daroth*, javelot). **1.** Anc. arme de jet, formée d'une pointe de fer fixée à une hampe de bois. — **2.** Aiguillon à l'aide duquel certaines espèces animales (arthropodes) inoculent leur venin : *Le dard des abeilles, des guêpes. Le dard caudal du scorpion.*

DARDANELLES *(détroit des)*, détroit faisant communiquer la mer Égée et la mer de Marmara, long de 60 km, large de 1,2 à 7 km. Appelé *Hellespont* dans l'Antiquité, ce détroit fut le lieu de violents combats au cours de la Première Guerre mondiale.

- *1915-1916. Les Alliés franco-anglais tentent de forcer les Dardanelles, mais doivent y renoncer après un an de vains combats.*

DARDER [darde] v. t. (de *dard*). **1.** *Darder une flèche, des traits*, les lancer vivement sur la cible (littér.). — **2.** *Darder son regard sur qq'un* ou *sur qqch.*, le regarder avec vivacité ou insistance (littér). ‖ *Le soleil darde ses rayons*, ses rayons sont brûlants (littér.).

DARE-DARE [dardar] loc. adv. (orig. incert.). *Fam.* En toute hâte, à toute allure : *Partir dare-dare.*

DAR ES-SALAAM ou **DAR ES-SALAM,** en ar. **Dār al-Salam,** cap. de la Tanzanie, à l'entrée sud du détroit de Zanzibar; 757 000 hab. Terminus du chemin de fer de Kigoma (sur le lac Tanganyika). Port exportateur. Industries alimentaires. Raffinerie de pétrole.

DARFOUR, région montagneuse du Soudan occidental.

DARÍO (Rubén), poète nicaraguayen (1867-1916), qui est à l'origine du mouvement moderniste en Amérique latine.

DARIOS Ier ou **DARIUS,** roi de Perse de 521 à 486 av. J.-C. Il réorganisa l'Empire perse et envoya contre les Grecs une expédition qui échoua à Marathon (490). — DARIOS III *Codoman*, roi de Perse de 335 à 330 av. J.-C. (⟶ PERSE.)

DARJEELING, v. de l'Inde (Bengale-Occidental), sur les flancs de l'Himalaya; 2 185 m d'alt.; 40 700 hab. Station climatique.

DARLAN (François), amiral et homme politique français (1881-1942). Il reçut en 1939 le titre d'amiral de la flotte et se trouva à la tête des forces navales françaises en 1939-1940. Ministre de la Marine dans le gouvernement Pétain du 16 juin 1940, il fut vice-président du Conseil du gouvernement de Vichy (décembre 1940-avril 1942). À la suite du débarquement allié en Afrique du Nord (8 novembre 1942), il conclut un armistice avec les Américains, se proclama haut-commissaire, dépositaire de la souveraineté française en Afrique du Nord. Il fut assassiné le 24 décembre à Alger.

DARMSTADT, v. de l'Allemagne (Hesse); 141 200 hab. Industries chimiques.

DARNE [darn] n. f. (breton *darn*, morceau). Tranche de poisson : *Une darne de saumon.*

DARNÉTAL, ch.-l. de cant. de la Seine-Maritime, à 4 km à l'E. de Rouen; 10 100 hab. Tréfileries et laminoirs. Tissage du coton.

DARSE [dars] n. f. (it. *darsena*). *Mar.* Bassin dans un port, surtout dans la Méditerranée.

DARTRE [dartr] n. f. (bas lat. *derbita*). Croûte ou irritation de la peau, souvent accompagnée de démangeaisons.

DARWIN (Charles), naturaliste anglais (1809-1882). Les vues originales qu'il a développées dans son célèbre ouvrage *De l'origine des espèces par voie de sélection naturelle* (1859) forment une doctrine, le *darwinisme.*

DARWINISME [darwinism] n. m. Doctrine biologique et philosophique de Charles Darwin, selon laquelle la lutte pour la vie et la sélection naturelle sont les deux facteurs essentiels de l'évolution des espèces vivantes. (⟶ ÉVOLUTION, *encycl.*)

DATE [dat] n. f. (bas lat. *data* [*littera*], [lettre] donnée). **1.** Indication du moment où une lettre a été écrite, un texte écrit ou publié, où un événement a eu ou doit avoir lieu : *Une réponse en date du 15 mars. La date de la découverte de l'Amérique, c'est 1492* (syn. ANNÉE). — **2.** *De fraîche date* (syn. RÉCENT), *de vieille date* (syn. ANCIEN). ‖ *Faire date*, marquer un moment important. ‖ *Le premier, le dernier en date*, le plus ancien, le plus récent. ‖ *Prendre date*, fixer à l'avance le moment d'une action, d'un rendez-vous, etc. ◆ **datable** adj. Dont on peut déterminer la date. ◆ **datation** n. f. **1.** Action de déterminer la date d'un événement, d'un document. — **2.** Indication de date sur un écrit : *Erreur de datation.* ◆ **dater** v. t. **1.** *Dater une lettre, un document*, etc., y inscrire la date. — **2.** *Dater un événement, une œuvre*, etc., en déterminer la date. ◆ v. i. **1.** (sujet nom désignant un événement, une œuvre) Marquer une date importante : *Cet événement datera dans l'histoire* (syn. FAIRE ÉPOQUE). — **2.** (sujet nom de chose) Apparaître comme vieilli, démodé : *Une théorie qui date.* — **3.** *Dater de*, se dit de ce qui remonte à telle ou telle époque : *Une voiture qui date de deux ans.* — **4.** *À dater de*, à partir de. ◆ **antidater** [ɑ̃tidate] v. t. *Antidater une lettre, un acte*, lui mettre une date antérieure à celle de sa rédaction. ◆ **postdater** [pɔstdate] v. t. *Postdater un document*, y inscrire une date postérieure à la date à laquelle il est effectivement établi.

DATIF [datif] n. m. (lat. *dativus* [*casus*], [cas] attributif) ⟶ CAS 2.

DATTE [dat] n. f. (anc. prov. *datil;* du gr. *daktulos*, doigt). Fruit du dattier, à pulpe sucrée comestible. ◆ **dattier** n. m. Espèce de palmier, cultivée dans le nord de l'Afrique et au Moyen-Orient, exigeant un sol humide et un ardent soleil, et dont les fruits (dattes) sont groupés en longues grappes, ou *régimes.*

DATURA [datyra] n. m. (d'une langue de l'Inde). Plante à fleurs blanches ou violettes, contenant un produit toxique. (Famille des solanacées.)

DAUBE [dob] n. f. (de l'esp. *dobar*, cuire à l'étouffée). Manière de faire cuire certaines viandes à l'étouffée; viande ainsi préparée : *Bœuf en daube.*

DAUBER [dobe] v. t. ou i. (de *adouber*, malmener). *Dauber qq'un* ou *sur qq'un*, le railler, en dire du mal par-derrière (littér.).

DAUBIGNY (Charles François), peintre français (1817-1878).

Paysagiste, il chercha à traduire directement les impressions que lui procurait la nature, peignant surtout à Auvers-sur-Oise. Il fut un des premiers à soutenir les impressionnistes, que sa peinture annonçait.

DAUDET (Alphonse), écrivain français (1840-1897). Il est l'auteur de romans (*le Petit Chose*, 1868; *Tartarin de Tarascon*, 1872) et de nouvelles (*Lettres de mon moulin*, 1866; *Contes du lundi*, 1873) où la fantaisie, la tendresse, la poésie de ce Méridional enveloppent de grâce et d'émotion les images tristes ou misérables de la vie.

DAUMIER (Honoré), peintre, lithographe et sculpteur français (1808-1879). Mettant au service de ses idées humanitaires un talent âpre et vigoureux, il grava environ 4 000 lithographies (= gravures sur pierre), publiées, notamment, dans *le Charivari*, et exécuta des suites (= séries d'illustrations consacrées au même sujet) comme celle des *Gens de justice*. Satiriste profond, il a peint sans indulgence toutes les classes de la société de son époque et exercé sa verve contre Louis-Philippe et la monarchie de Juillet (*Rue Transnonain, le 15 avril 1884*). A partir de 1848, il se passionna pour la peinture. Le second Empire ne toléra plus son activité de polémiste.

1. DAUPHIN [dofɛ̃] n. m. (lat. *delphinus*). Mammifère cétacé long de 3 m env. Très sociables, les dauphins vivent en troupes dans les mers tempérées et chaudes et se nourrissent de poissons. D'importants travaux sur le langage des dauphins sont en cours.

2. DAUPHIN [dofɛ̃] n. m. (de *Dauphiné*). **1.** Autref., titre de l'héritier présomptif de la couronne de France (généralement avec une majusc.). — **2.** Successeur désigné de quelqu'un à un poste de gouvernement, de direction.

DAUPHINÉ, région du sud-est de la France, s'étendant sur les dép. des Hautes-Alpes, de la Drôme et de l'Isère.

GÉOGRAPHIE. Situé entre la Provence et la Savoie, le Dauphiné est limité à l'O. et au N. par la vallée du Rhône. La partie orientale et sud-orientale est montagneuse (grands massifs centraux, des Alpes du Queyras à la chaîne de Belledonne, bordés par les massifs préalpins, de la Grande-Chartreuse à la haute vallée de la Durance). Ces régions sont entaillées notamment par les vallées de l'Isère moyenne (Grésivaudan), du Drac et de la Drôme supérieure. Le Nord-Ouest (bas Dauphiné) est une région de collines, entre l'Isère et le Rhône, parcourue notamment par la vallée marécageuse de la Bourbre. Si l'élevage se maintient dans la montagne, cependant qu'une agriculture médiocre domine dans le bas Dauphiné, hommes et activités dynamiques se concentrent dans la vallée du Rhône (en aval de Lyon).

HISTOIRE. Le Dauphiné s'est formé lentement autour d'un noyau : le comté de Vienne.

- *1349. La province est vendue au roi de France Philippe VI qui la transfère, par le traité de Romans, à son petit-fils Charles.*

Le Dauphiné ne fut pas incorporé au domaine royal mais devint l'apanage traditionnel du fils aîné du roi, dès lors appelé *Dauphin.*

- *1355. Le traité de Paris fixe ses limites avec la Savoie.*
- *1419-1426. Annexion du Valentinois et du Diois.*
- *1440-1457. Le Dauphin (futur Louis XI) s'efforce de faire reconnaître l'autonomie de son apanage.*

Devenu roi de France, il ne donne pas le Dauphiné à son fils et en conserve l'administration, tout en garantissant les privilèges de la province.

- *1560. Proclamation de l'union définitive avec la France.*
- *1628. Le Dauphiné perd son autonomie administrative.*
- *1787. Le parlement de Grenoble est le premier à réclamer la réunion des états généraux.*
- *1791. La Constituante partage la province en trois départements (Isère, Drôme et Hautes-Alpes).*

DAUPHINOIS, E [dofinwa, -az] adj. et n. **1.** Du Dauphiné. — **2.** *Gratin dauphinois,* se dit d'une préparation de pommes de terre gratinées, avec lait, œufs et gruyère râpé.

DAURADE [dorad] n. f. (prov. *daurada*, doré). Poisson de mer à la chair appréciée. (S'écrit aussi DORADE.)

DAVANTAGE [davɑ̃taʒ] adv. (de *d'avantage*). Marque la supériorité en quantité, en degré, en durée : *Travailler davantage* (syn. PLUS). *Je ne m'attarderai pas davantage* (syn. PLUS LONGTEMPS).

DAVID, 2e roi hébreu (v. 1015-v. 975 av. J.-C.). Il succéda à Saül, vainquit les Philistins et fonda Jérusalem. Poète et prophète, il a laissé des psaumes d'une magnifique inspiration lyrique. De sa vie, que raconte la Bible, on rappelle surtout son combat singulier avec le géant Goliath, tué d'un coup de fronde. Il fit assassiner un de ses officiers, Urie, pour pouvoir épouser sa femme, Bethsabée.

DAVID, nom de deux rois d'Écosse. — DAVID II ou DAVID BRUCE (1324-1371) ne put empêcher l'Écosse de tomber sous la suzeraineté anglaise.

DAVID (Louis), peintre français (1748-1825). Partisan convaincu de la supériorité des Anciens, il commença par prendre pour modèle la sculpture antique. Sous l'Empire, il devint le premier peintre de Napoléon. Obligé alors de représenter des scènes réelles et non plus inspirées de l'histoire ancienne, son style s'assouplit (*le Sacre de Napoléon*). Ses portraits paraissent aujourd'hui comme la meilleure part de son œuvre (*Madame Récamier*). Il exerça une profonde influence sur la peinture française imposant le « néo-classicisme ».

DAVID d'Angers (Pierre Jean), sculpteur français (1788-1856). Il exécuta le fronton du Panthéon (Paris), de nombreuses statues (*Jean Bart*, Dunkerque), des bustes (*Lamartine, Balzac, Victor Hugo*) et des médaillons d'hommes illustres.

David Copperfield, roman de Charles Dickens (1849).

DAVIS (John), navigateur anglais (v. 1550-1605). Il découvrit en 1585 le détroit qui unit la mer de Baffin à l'Atlantique.

DAVIS (*coupe*), épreuve internationale annuelle de tennis par équipes nationales, créée en 1900 par l'Américain Dwight F. Davis.

DAVOS, comm. de Suisse (cant. des Grisons), dans la *vallée de Davos;* 11 500 hab. Station touristique.

DAVOUT (Louis Nicolas), duc D'AUERSTEDT et prince D'ECKMÜHL, maréchal de France (1770-1823). Il s'illustra à Auerstedt (1806) et à Eckmühl, et fut gouverneur du grand duché de Varsovie (1807).

DAVY (*sir* Humphry), chimiste et physicien anglais (1778-1829). Auteur de travaux sur l'électrolyse, il découvrit le phénomène de l'arc électrique.

DAWES (Charles Gates), financier américain (1865-1951). Il représenta les États-Unis au sein du comité d'experts chargé de résoudre le problème des réparations dues par l'Allemagne à ses anciens adversaires (1923). Le plan mis en œuvre obligeait l'Allemagne à verser des annuités de 1 à 2 milliards et demi de mark-or.

DAX, ch.-l. d'arrond. des Landes, à 49 km au N.-E. de Bayonne sur l'Adour; 19 600 hab. (*Dacquois*). Station thermale où l'on pratique notamment des bains de boue.

DAYAKS, population de Bornéo et de Malaisie. Les Dayaks sont principalement agriculteurs (culture sur brûlis).

DAYTON, v. des États-Unis (Ohio); 267 000 hab. Constructions aéronautiques.

D. D. T. n. m. (abrév. de *dichlorodiphényltrichloréthane*). Insecticide puissant, controversé à cause de son action nuisible sur l'organisme humain.

DE prép. → À.

---

1. DE-, DÉS-, élément tiré du lat. *dis-* et qui, comme le préfixe latin, indique l'action ou l'état inverse de celui qui est exprimé par le terme simple (verbe ou nom d'action et d'état en *-age, -ment -tion, -ance*, etc.) : *déboucher* (contr. de BOUCHER), ôter ce qui bouche; *désamorcer* (contr. de AMORCER), ôter l'amorce.

Souvent, le verbe (ou le nom) qui a le préfixe *dé- (dés-)* forme couple avec le verbe (ou un nom) dont le préfixe est *en- (em-)* et, moins souvent, *a(c)- : encrasser/décrasser; accroître/décroître, accélérer/décélérer.*

Beaucoup de verbes formés avec le suffixe *-iser*, exprimant le sens de « faire devenir », ont un contraire formé avec le préfixe *dé (dés-) : nationaliser/dénationaliser; solidariser/désolidariser.*

---

2. DÉ [de] n. m. (lat. *datum*, pion de jeu). **1.** Petit cube dont chaque face est marquée de points de un à six, et qui est utilisé pour différents jeux. — **2.** *Coup de dé* ou *de dés*, entreprise hasardeuse, où l'on s'engage en comptant seulement sur sa chance.

3. DÉ [de] n. m. (du lat. *digitus*, doigt). Étui de métal pour protéger l'extrémité du doigt qui pousse l'aiguille. (On dit aussi DÉ À COUDRE.)

DÉAMBULER [deɑ̃byle] v. i. (lat. *deambulare*). Aller sans but précis, d'un pas de promenade : *Déambuler à travers la ville.* ◆ **déambulation** n. f. ◆ **déambulatoire** n. m. Galerie de circulation autour du chœur d'une église, et qui relie entre eux les bas-côtés.

DEAUVILLE, comm. du Calvados, à 28 km au N.-O. de Lisieux; 4 800 hab. Importante station balnéaire.

1. DÉBÂCLE [debɑkl] n. f. (de *dé-*, et *bâcler*). Rupture et dislocation de la glace à la surface d'un fleuve. ◆ **débâcler** v. i. Se dit d'une rivière dont la glace, rompue, est emportée par le courant.

2. DÉBÂCLE [debɑkl] n. f. (de *débâcle* 1). **1.** Fuite désordonnée d'une troupe : *Provoquer la débâcle de plusieurs divisions* (syn.

DÉBANDADE, DÉROUTE). — **2.** Effondrement soudain d'une affaire, d'une entreprise (syn. FAILLITE).

DÉBALLER [debale] v. t. (de *dé-*, et *balle*). **1.** *Déballer un objet*, le tirer d'un emballage, d'une caisse, etc. — **2.** *Fam.* Dire ce qu'on a sur le cœur, ce qu'on a gardé longtemps pour soi. ◆ **déballage** n. m. **1.** Action de déballer : *Le déballage des verres.* — **2.** Marchandises déballées et exposées pour être vendues à bas prix. — **3.** *Fam.* Aveu de ce qu'on a gardé longtemps pour soi.

DÉBANDADE n. f., **DÉBANDER (SE)** v. pr. ⟶ BANDE 3.

DÉBANDER v. t. ⟶ BANDE 1 et BANDER 2.

DÉBAPTISER v. t. ⟶ BAPTÊME.

DÉBARBOUILLAGE n. m., **DÉBARBOUILLER** v. t. ⟶ BARBOUILLER.

DÉBARCADÈRE n. m. ⟶ DÉBARQUER.

DÉBARDEUR [debardœr] n. m. (de *dé-*, et *bard*, civière). Ouvrier employé au chargement et au déchargement des bateaux.

DÉBARQUER [debarke] v. t. (de *dé-*, et *barque*). **1.** *Débarquer des marchandises, des passagers*, les faire descendre du bateau ou de tout autre moyen de transport; les déposer à terre (contr. EMBARQUER). — **2.** Fam. *Débarquer qq'un*, l'évincer du poste qu'il occupait. ◆ v. i. **1.** Descendre à terre d'un navire ou descendre d'un véhicule quelconque : *Dans quel port avez-vous débarqué?* — **2.** (sujet nom de personne) *Fam.* Arriver à l'improviste. ◆ **débarquement** n. m. : *Le débarquement du matériel* (contr. EMBARQUEMENT). *Le débarquement des Alliés en Normandie le 6 juin 1944.* ◆ **débarcadère** n. m. Installation, sur une côte ou sur la rive d'un cours d'eau, d'un lac, permettant de débarquer des personnes ou des marchandises. (⟶ EMBARQUER.)

DÉBARRASSER [debarase] v. t. (de *dés-*, et *embarrasser*). **1.** *Débarrasser qq'un, qqch.*, le dégager de ce qui constitue un encombrement : *Débarrasser un visiteur de son pardessus. Débarrasser le grenier.* — **2.** *Débarrasser qq'un*, le délivrer d'un défaut, d'une personne importune : *Débarrasser qq'un d'une mauvaise habitude* (syn. DÉFAIRE). ◆ **se débarrasser** v. pr. (sujet nom de personne). Se défaire de quelqu'un ou de quelque chose. (⟶ EMBARRASSER.) ◆ **débarras** n. m. **1.** Pièce où l'on range ce dont on ne veut pas s'encombrer ailleurs. — **2.** Fam. *Bon débarras!*, exprime la satisfaction qu'on éprouve du départ de quelqu'un ou de la disparition de quelque chose.

DÉBAT n. m. → DÉBATTRE 1.

DÉBÂTIR v. t. ⟶ BÂTIR.

DÉBATTEMENT [debatmɑ̃] n. m. *(dé-*, et *battement). Mécan.* **1.** Mouvement d'un essieu de part et d'autre de sa position moyenne par rapport au châssis, dû à la flexibilité de la suspension. — **2.** Valeur maximale du déplacement correspondant.

1. DÉBATTRE [debatr] v. t. *(dé-*, et *battre).* [Conj. **56.**] (Sujet nom de personne.) *Débattre qqch.*, le mettre en discussion : *Débattre le prix d'une maison* (syn. DISCUTER). ◆ **débat** n. m. Échange de vues pendant lequel les adversaires défendent avec animation des intérêts opposés : *Soulever, ranimer un débat.* ◆ n. m. pl. **1.** Discussions au sein d'une assemblée : *Les débats parlementaires.* — **2.** Phase d'un procès durant l'audience : *Suivre les débats.*

2. DÉBATTRE (SE) [sədebatr] v. pr. (même étym.). [Conj. **56.**] (Sujet nom d'être animé.) **1.** Lutter vivement pour échapper à quelqu'un ou à quelque chose. — **2.** Être aux prises avec des difficultés, chercher à s'en dégager : *Se débattre avec ses soucis quotidiens.*

1. DÉBAUCHER [deboʃe] v. t. (de *dé-*, et *bau*, poutre). **1.** *Débaucher des ouvriers*, les détourner de leur travail, les entraîner à quitter leur employeur. — **2.** *Débaucher du personnel*, lui enlever son emploi dans l'entreprise (syn. LICENCIER, METTRE À PIED; contr. EMBAUCHER). ◆ **débauchage** n. m. (syn. LICENCIEMENT; contr. EMBAUCHAGE, EMBAUCHE). ◆ **débauché, e** adj. : *Des ouvriers débauchés* (syn. usuel LICENCIÉ). [⟶ EMBAUCHER.]

2. DÉBAUCHER [deboʃe] v. t. (même étym.). *Débaucher qq'un*, l'entraîner à l'inconduite. ◆ **débauche** n. f. **1.** Dérèglement des plaisirs sensuels : *Mener une vie de débauche.* — **2.** *Une débauche de*, une grande abondance (syn. PROFUSION). ◆ **débauché, e** adj. et n. : *De jeunes débauchés* (syn. DÉVERGONDÉ).

DÉBET [debɛ] n. m. (mot lat. signif. *il doit*). Ce qui reste dû sur un compte.

DÉBILE [debil] adj. (lat. *debilis*). Se dit de quelqu'un qui manque de force, de vigueur : *Un enfant débile* (syn. CHÉTIF, DÉLICAT). *Une santé débile* (syn. FRAGILE). ◆ n. : *Un débile mental* (= un arriéré). ◆ **débilité** n. f. : *Un état de débilité extrême* (syn. FAIBLESSE). ‖ *Débilité mentale* ou *intellectuelle*, forme d'arriération mentale dans laquelle l'âge mental reste très inférieur à l'âge réel du malade, par suite d'un développement incomplet de l'intelligence. ◆ **débiliter** v. t. *Débiliter qq'un*, l'affaiblir physiquement ou moralement. ◆ **débilitant, e** adj. : *Une oisiveté débilitante.*

DÉBINE [debin] n. f. (de *débiner*). *Fam.* Pauvreté, misère : *Être dans la débine.*

DÉBINER [debine] v. t. (orig. incert.). Fam. *Débiner qq'un*, en dire du mal (syn. DÉNIGRER, MÉDIRE DE).

1. DÉBIT [debi] n. m. (de *débiter*). **1.** *Débit d'un cours d'eau*, volume d'eau qui s'écoule en une seconde en un point donné de son cours. ⟶ ENCYCL. — **2.** Quantité de liquide, de gaz, d'électricité fournie par une source quelconque pendant l'unité de temps : *Le débit d'un robinet.* — **3.** Manière de parler, de lire, de réciter : *Avoir un débit rapide* (syn. ÉLOCUTION). ◆ **débiter** v. t. **1.** Produire, laisser s'écouler une quantité de liquide, de gaz, etc., dans un temps déterminé. — **2.** Péjor. *Débiter des mots, des phrases*, etc., les énoncer d'une façon mécanique ou monotone.
— ENCYCL. Le *débit* d'un cours d'eau est indiqué généralement en mètres cubes par seconde (m^3/s). Lorsqu'on ne spécifie pas le lieu de la mesure, il s'agit du débit à l'embouchure. Il se calcule en multipliant la surface en mètres carrés de la *section mouillée* (= coupe transversale correspondant à la zone occupée par l'eau) par la vitesse moyenne en mètres par seconde. Le débit varie le long du cours en fonction de l'alimentation, des affluents reçus, de l'infiltration, de l'évaporation, des travaux humains (prises d'eau pour l'irrigation, la production d'hydro-électricité, etc.). Les variations du débit sont saisonnières, en rapport avec le climat, et constituent le régime* du cours d'eau.

2. DÉBIT [debi] n. m. (même étym.). **1.** Écoulement de certaines marchandises, vendues au détail; ce qui est ainsi vendu : *Une boutique qui a beaucoup de débit* (= qui vend beaucoup de marchandises). — **2.** *Débit de boissons, de tabac*, établissement où l'on vend des consommations, du tabac. ◆ **débitant, e** n. Personne qui tient un débit de boissons, de tabac. ◆ **débiter** v. t. *Débiter de la marchandise*, la vendre au détail; l'écouler rapidement.

3. DÉBIT [debi] n. m. (lat. *debitum*, dette). Compte des sommes dues par une personne : *Porter un achat au débit d'un client* (contr. CRÉDIT). ◆ **débiter** v. t. *Débiter qq'un d'une somme*, porter cette somme au débit de son compte (contr. CRÉDITER). ◆ **débiteur, trice** n. et adj. **1.** Qui a une dette d'argent, qui est tenu d'exécuter un paiement : *Un débiteur insolvable* (contr. CRÉANCIER). — **2.** Qui a une dette morale envers quelqu'un : *Je reste votre débiteur après tout ce que vous avez fait pour moi.* — **3.** *Compte débiteur*, qui se trouve en débit (contr. CRÉDITEUR).

DÉBITAGE n. m. ⟶ DÉBITER 2.

DÉBITANT, E n. ⟶ DÉBIT 2.

1. DÉBITER v. t. ⟶ DÉBIT 1, 2 et 3.

2. DÉBITER [debite] v. t. (de *dé-*, et *bitte*, billot). *Débiter une matière, un objet*, les couper en morceaux propres à être employés : *Débiter un arbre* (= le réduire en planches). *Débiter un bœuf.* ◆ **débitage** n. m. : *Le débitage de l'arbre en rondins.*

DÉBITEUR, TRICE adj. et n. ⟶ DÉBIT 3.

DÉBLAIEMENT n. m., **DÉBLAIS** n. m. pl. ⟶ DÉBLAYER.

DÉBLATÉRER [deblatere] v. t. ind. (lat. *deblaterare*). Parler longtemps et avec violence contre quelqu'un ou quelque chose (syn. VITUPÉRER).

DÉBLAYER [debleje] v. t. (de *dé-*, et *blé*). **1.** *Déblayer un lieu*, le dégager de ce qui l'encombre. — **2.** Fam. *Déblayer le terrain*, résoudre les difficultés préalables, avant d'aborder l'essentiel. ◆ **déblais** [deblɛ] n. m. pl. Terre ou gravats qu'on retire d'un chantier. ◆ **déblaiement** ou **déblayage** n. m. Action de déblayer.

DÉBLOCAGE n. m., **DÉBLOQUER** v. t. ⟶ BLOQUER 2.

DÉBOBINAGE n. m., **DÉBOBINER** v. t. ⟶ BOBINE.

DÉBOIRES [debwar] n. m. pl. (de *dé-*, et *boire*). Déceptions, échecs amèrement ressentis (syn. DÉCONVENUES, REVERS).

DÉBOISEMENT n. m., **DÉBOISER** v. t. ⟶ BOIS 2.

DÉBOÎTER [debwate] v. t. (de *dé-*, et *boîte*). **1.** *Déboîter un objet*, le faire sortir de sa place, alors qu'il est encastré dans un autre. — **2.** *Déboîter un os*, le faire sortir de son articulation : *Le choc lui a déboîté l'épaule* (syn. DÉMETTRE, LUXER). ◆ v. i. (sujet nom désignant un véhicule). Sortir d'une file de circulation. ◆ **déboîtement** n. m. : *Un déboîtement d'épaule* (syn. LUXATION). [⟶ EMBOÎTER.]

DÉBONNAIRE [debɔnɛr] adj. (de *de bonne aire*, de bonne race). Se dit d'une personne qui fait preuve d'une bonté qui peut aller jusqu'à la faiblesse : *Un directeur débonnaire* (syn. fam. BON ENFANT). ◆ **débonnairement** adv.

1. DÉBORDER [debɔrde] v. i. (de *dé-*, et *bord*). **1.** (sujet nom de liquide) Se répandre par-dessus bord : *La rivière va déborder.* — **2.** (sujet nom de chose, de personne) S'étendre au-delà des limites : *La foule débordait sur la place.* — **3.** *Faire déborder le vase, la coupe,* venir à bout de la patience de quelqu'un par un dernier acte s'ajoutant à toute une série. ◆ v. t. **1.** Dépasser les bords, les limites de : *Un orateur qui déborde son sujet* (= qui sort du sujet). *Déborder l'ennemi* (= en contourner le dispositif, pour l'attaquer sur ses flancs ou par-derrière). — **2.** (sujet nom de personne) *Être débordé (de travail),* être surchargé de travail. ◆ **débordement** n. m. : *Le débordement du fleuve.*

2. DÉBORDER [debɔrde] v. t. ind. (même étym.) [sujet nom d'être animé ou de chose]. *Déborder de,* manifester en surabondance : *Déborder de santé* (syn. ÉCLATER DE). ◆ **débordant, e** adj. **1.** Se dit d'un sentiment, d'une activité qui se manifeste avec force : *Joie débordante* (syn. EXUBÉRANT). — **2.** *Être débordant d'activité, d'éloges,* en prodiguer. ◆ **débordement** n. m. Grande abondance, exubérance : *Un débordement d'injures.* ◆ n. m. pl. Excès, débauche.

3. DÉBORDER v. t. ⟶ BORD 1.

DÉBOTTÉ [debɔte] n. m. (de *dé-*, et *botter*). *Prendre qq'un au débotté,* s'adresser à lui dès son arrivée.

1. DÉBOUCHER v. t. ⟶ BOUCHER 1.

2. DÉBOUCHER [debuʃe] v. i. (de *dé-*, et *bouche*). **1.** (sujet nom d'être animé, de véhicule) Apparaître tout à coup : *Un lapin déboucha de son terrier* (syn. SURGIR). — **2.** (sujet nom désignant une voie, une canalisation) *Déboucher sur, dans,* donner accès à un lieu, y aboutir : *Cette rue débouche sur la plage.* — **3.** (sujet nom désignant une théorie, une recherche) *Déboucher sur,* aboutir à une conséquence nécessaire. ◆ **débouché** n. m. **1.** Endroit où une voie, un chemin, etc. débouche dans un autre : *Au débouché d'une rue.* — **2.** Point de vente d'un produit, champ d'exportation : *Une industrie qui végète, faute de débouchés.* — **3.** Carrière accessible, perspective d'avenir : *Un diplôme qui offre des débouchés variés.*

DÉBOUCLER v. t. ⟶ BOUCLE.

DÉBOULER [debule] v. i. et t. (de *dé-*, et *boule*) [sujet nom de personne ou de chose]. Descendre rapidement, généralement en roulant, le long d'une pente : *Son paquet a déboulé jusqu'en bas* (syn. ROULER). *Débouler l'escalier* (syn. fam. DÉGRINGOLER, DÉVALER). ◆ **déboulé** n. m. : *Le déboulé d'un skieur dans une descente.*

DÉBOULONNER v. t. ⟶ BOULON.

DÉBOURRER v. t. ⟶ BOURRER.

DÉBOURSER [deburse] v. t. (de *dé-*, et *bourse*) [sujet nom de personne]. *Débourser une somme,* la tirer de son avoir pour payer : *Il a déboursé plus de cinq cents francs* (syn. DÉPENSER, PAYER). ◆ **débours** [debur] n. m. Argent déboursé ou avancé par quelqu'un (le plus souvent au plur.) : *Rentrer dans ses débours* (= se faire rembourser). ◆ **déboursement** n. m. Action de débourser.

DÉBOUSSOLÉ, E adj. ⟶ BOUSSOLE 2.

DEBOUT [dəbu] adv. ou adj. inv. (*de*, et *bout* signif. bout à bout). **1.** Dans la position ou la station verticale : *Rester debout. Le malade sera bientôt debout* (= il pourra bientôt se lever) [syn. SUR PIED]. *Tous les matins il est debout à six heures* (= il quitte son lit). — **2.** Se dit de ce qui subsiste, de ce qui a résisté à la destruction : *Le pont du Gard est toujours debout* (syn. INTACT). — **3.** *Mettre une affaire debout,* l'organiser, assurer sa réalisation (syn. METTRE SUR PIED, METTRE EN TRAIN). ‖ (sujet nom désignant une opinion, une théorie, une œuvre) Fam. *Tenir debout,* avoir de la vraisemblance, de la cohérence : *Ses arguments ne tiennent pas debout* (= sont absurdes). ‖ *Conte, histoire à dormir debout,* récit invraisemblable. ◆ **debout!** interj. Lève-toi. levez-vous.

DÉBOUTER [debute] v. t. (*dé-*, et *bouter*). Dr. *Débouter un plaignant,* rejeter, par arrêt, sa demande en justice.

DÉBOUTONNER v. t. ⟶ BOUTON 3.

DÉBRAILLÉ, E [debraje] adj. (*dé-*, et l'anc. fr. *braie*). Se dit d'une personne dont la mise est négligée, dont les vêtements sont en désordre : *Une tenue débraillée.* ◆ n. m. Tenue négligée.

DÉBRANCHEMENT n. m., **DÉBRANCHER** v. t. ⟶ BRANCHER.

1. DÉBRAYER [debreje] v. i. (de *dés-*, et *embrayer*). *Mécan.* Effectuer la manœuvre qui supprime la liaison entre le moteur et l'arbre que celui-ci entraîne (contr. EMBRAYER). ◆ **débrayage** n. m. Dans une automobile, opération qui permet d'effectuer les manœuvres de changement de vitesse : *Le débrayage se fait en général au moyen d'une pédale* (contr. EMBRAYAGE).

2. DÉBRAYER [debreje] v. i. (même étym.) [sujet nom désignant un ouvrier ou un employé]. *Fam.* Cesser volontairement le travail, se mettre en grève. ◆ **débrayage** n. m. : *Une production ralentie par des débrayages.*

DEBRÉ (Michel), homme politique français, né en 1912. Garde des Sceaux en 1958, il joua un grand rôle dans la préparation de la Constitution de la Ve République. Il fut Premier ministre de 1959 à 1962.

DEBRECEN, v. de la Hongrie orientale; 166300 hab.

DÉBRIDER v. t. ⟶ BRIDE et BRIDER 2.

DÉBRIS [debri] n. m. (de l'anc. fr. *débriser*, mettre en pièces). **1.** Fragment d'une chose brisée : *Les débris d'un vase.* — **2.** Ce qui a échappé à la destruction, à la ruine : *Sauver les débris de sa fortune* (syn. RESTES).

DE BROSSES (Charles), magistrat et écrivain français (1709-1777). Président au parlement de Dijon, il étudia les problèmes de formation du langage et est l'auteur de *Lettres familières* (écrites d'Italie en 1739 et 1740).

1. DÉBROUILLER [debruje] v. t. (*dé-*, et *brouiller*). **1.** *Débrouiller une chose* (terme concret), remettre en ordre ce qui est embrouillé : *Débrouiller un écheveau de laine* (syn. DÉMÊLER). — **2.** *Débrouiller qqch.* (nom abstrait), le rendre clair aux yeux ou à l'esprit : *Débrouiller les faits dans un récit* (syn. ÉCLAIRCIR, ÉLUCIDER).

2. DÉBROUILLER (SE) [sədebruje] v. pr. (même étym.). *Fam.* Se tirer d'affaire par ses propres moyens, en faisant preuve d'habileté, d'ingéniosité : *Se débrouiller avec ce qu'on a.* ◆ **débrouillard, e** adj. et n. *Fam.* Se dit d'une personne qui sait se débrouiller (syn. ASTUCIEUX, INGÉNIEUX). ◆ **débrouillardise** n. f. *Fam.* Aptitude à se débrouiller (syn. ASTUCE, INGÉNIOSITÉ).

DÉBROUSSAILLER v. t. ⟶ BROUSSAILLE.

DÉBUCHER [debyʃe] v. i. (de *dé-*, et *bûche*). Sortir du bois, en parlant du gros gibier.

DEBUCOURT (Philibert Louis), peintre et graveur français (1755-1832). Il s'adonna à la gravure en couleurs, se montrant un observateur original et aigu des mœurs de son temps.

DEBURAU, nom de deux mimes célèbres : JEAN-BAPTISTE GASPARD (1796-1846) et JEAN CHARLES, son fils (1829-1873), qui créèrent aux Funambules le type de *Pierrot*.

DÉBUSQUER [debyske] v. t. (de *débucher*, d'après *embusquer*). *Débusquer le gibier, l'ennemi,* etc., le faire sortir de sa retraite, de son refuge. (⟶ EMBUSQUER.)

DEBUSSY (Claude), compositeur français (1862-1918).

Il est l'auteur de mélodies, de cantates, de pièces pour piano *(Children's corner, Préludes),* de musique de chambre, de musique symphonique (*Prélude à l'après-midi d'un faune,* 1894; *Pelléas et Mélisande,* 1893-1902; *la Mer,* 1905). Par ses orchestrations chatoyantes, dégagées de l'influence de Wagner et de la rigueur des formes classiques, Debussy a créé un langage musical nouveau.

DÉBUTER [debyte] v. i. (de *dé-*, et *but*). **1.** (sujet nom de personne) Commencer à occuper un poste, à jouer un rôle, à agir : *Débuter dans un métier.* — **2.** (sujet nom de chose) Avoir son point de départ : *La symphonie débute par un allégro* (syn. COMMENCER). ◆ v. t. : *Débuter la séance par un discours.* (Emploi déconseillé par quelques grammairiens.) ◆ **début** [deby] n. m. **1.** Commencement d'une chose quelconque : *Reprendre un récit à son début* (syn. COMMENCEMENT). *Au début* (syn. D'ABORD). — **2.** (surtout au plur.) Période pendant laquelle quelqu'un entre dans une carrière : *Faire ses débuts dans les cabarets.* ◆ **débutant, e** adj. et n. Se dit d'une personne qui commence dans une carrière.

DEÇÀ adv. ⟶ DELÀ.

DÉCACHETER v. t. ⟶ CACHET 1.

DÉCADE [dekad] n. f. (du gr. *deka*, dix). **1.** Période de dix ans (emploi déconseillé par quelques grammairiens, qui préconisent DÉCENNIE). — **2.** Pendant la Révolution, période de dix jours du calendrier républicain : *Le mois était divisé en trois décades.* ◆ **décadaire** adj. Relatif aux décades du calendrier républicain : *Fêtes décadaires.* ◆ **décadi** n. m. Dixième et dernier jour de la décade, dans le calendrier républicain.

DÉCADENCE [dekadɑ̃s] n. f. (bas lat. *decadentia*). Perte de prestige, de qualité; acheminement vers la ruine : *La décadence d'un empire* (syn. DÉCLIN). *La décadence des mœurs* (syn. RELÂCHEMENT). ◆ **décadent, e** adj. Qui est en décadence ou qui traduit une décadence : *Art décadent, poésie décadente.* ◆ **décadents** n. m. pl. S'est dit, vers 1880, de certains écrivains ou artistes qui ont préparé la voie au symbolisme.

DÉCADI n. m. ⟶ DÉCADE.

DÉCAFÉINER v. t. ⟶ CAFÉ 1.

DÉCAGONE [dekagɔn] n. m. (du gr. *deka*, dix, et *gônia*, angle). *Géom.* Polygone ayant dix côtés.

DÉCAISSER v. t. ⟶ CAISSE 1 et 2.

DÉCALAGE n. m. ⟶ DÉCALER.

DÉCALCIFICATION n. f., **DÉCALCIFIER** v. t. ⟶ CALCIUM.

DÉCALCOMANIE n. f. ⟶ DÉCALQUER.

DÉCALER [dekale] v. t. (*dé-*, et *caler*). Déplacer quelque chose dans l'espace ou dans le temps : *Décaler les meubles d'un mètre. Décaler un repas d'une demi-heure* (syn. AVANCER ou RETARDER). ◆ **décalage** n. m. **1.** Écart dans le temps ou dans l'espace : *Un décalage horaire.* — **2.** Manque de concordance : *Un décalage entre les principes et la réalité.*

DÉCALITRE n. m. ⟶ MESURE, *unités de mesure.*

DÉCALOGUE [dekalɔg] n. m. (du gr. *deka*, dix, et *logos*, parole). Les dix commandements de Dieu, donnés, selon la Bible, à Moïse sur le Sinaï.

DÉCALQUER [dekalke] v. t. (*dé-*, et *calquer*). *Décalquer un dessin*, le reproduire, en en suivant les traits sur une surface. ◆ **décalque** ou **décalquage** n. m. Action de décalquer; image obtenue par ce procédé. ◆ **décalcomanie** n. f. Procédé permettant d'appliquer des images coloriées sur la porcelaine, le verre, le papier, etc.

Décaméron, recueil de contes composés par Boccace entre 1349 et 1353.

DÉCAMÈTRE n. m. ⟶ MESURE, *unités de mesure.*

DÉCAMPER [dekɑ̃pe] v. i. (de *dé-*, et *camp*). *Fam.* Se retirer en hâte d'un lieu (syn. S'ENFUIR; fam. DÉGUERPIR, FILER).

DÉCAN [dekɑ̃] n. m. (du lat. *decem*, dix). Région du ciel, faisant partie d'un des signes du zodiaque, utilisé en astrologie comme point de repère.

DÉCANTER [dekɑ̃te] v. t. (du lat. *canthus*, bec de cruche). **1.** *Décanter un liquide*, le débarrasser de ses impuretés en les laissant se déposer au fond du récipient. — **2.** *Décanter ses idées*, y mettre de l'ordre (syn. CLARIFIER). ◆ v. i. ou **se décanter** v. pr. (syn. SE CLARIFIER). ◆ **décantation** n. f. ou **décantage** n. m. Action de décanter, ou le fait de se décanter.

DÉCAPER [dekape] v. t. (de *dé-*, et *cape*). Débarrasser une surface d'une couche de peinture, d'enduit qui y adhère fortement. ◆ **décapage** n. m. : *Le décapage d'une pièce métallique avant une soudure.* ◆ **décapant** n. m. Produit qui décape.

DÉCAPITER [dekapite] v. t. (du lat. *caput, -itis*, tête). **1.** *Décapiter qq'un*, lui trancher la tête. — **2.** *Décapiter qqch.*, en abattre l'extrémité supérieure : *La tempête a décapité plusieurs arbres.* — **3.** *Décapiter un parti, une bande*, etc., supprimer ou réduire à l'impuissance ses principaux chefs. ◆ **décapitation** n. f. Surtout au sens 1 du v. : *La décapitation à la hache des condamnés à mort.*

DÉCAPODES [dekapɔd] n. m. pl. (du gr. *deka*, dix, et *podos*, pied). Ordre de crustacés supérieurs, de grande taille, dont le céphalothorax porte cinq paires de pattes.
— ENCYCL. Les *décapodes* se divisent en : crustacés à l'abdomen développé (crevette, homard, langouste, écrevisse); crustacés à l'abdomen réduit (crabe tourteau, étrille, crabe araignée); crustacés à l'abdomen mou (pagure [ou bernard-l'ermite]).

DÉCAPOTABLE adj., **DÉCAPOTER** v. t. ⟶ CAPOTE 1.

DÉCAPSULER v. t. ⟶ CAPSULE 1.

DÉCARCASSER (SE) [sədekarkase] v. pr. (de *dé-*, et *carcasse*). *Fam.* Se donner beaucoup de peine, travailler avec acharnement (syn. SE DÉMENER; fam. FAIRE DES PIEDS ET DES MAINS).

DÉCASYLLABE [dekasillab] adj. et n. m. (du gr. *deka*, dix, et *syllabe*). Se dit d'un vers de dix syllabes. (On dit aussi, adjectiv., DÉCASYLLABIQUE.)

DÉCATHLON [dekatlɔ̃] n. m. (du gr. *deka*, dix, et [*penta*]*thlon*). Épreuve d'athlétisme comportant dix compétitions. (⟶ ATHLÈTE.)

DÉCATI, E [dekati] adj. (de *décatir*). *Fam.* Qui a perdu sa fraîcheur, sa jeunesse : *Une actrice trop décatie pour jouer les ingénues.*

DÉCATIR [dekatir] v. t. (de *catir*, donner de l'éclat). Soumettre un tissu à l'action de la vapeur pour lui enlever son brillant et son apprêt.

DECAUVILLE (Paul), industriel français (1846-1922). On lui doit la création du matériel de petits chemins de fer à voie portative de faible largeur (0,40 m à 0,60 m), auquel son nom est resté attaché.

DÉCAVÉ, E [dekave] adj. et n. (de *dé-*, et *cave* 2). *Fam.* Se dit d'une personne (ou de son air) amaigrie, épuisée par la maladie, la fatigue.

DECAZES ET DE GLÜCKSBERG (Élie, *duc*), homme politique français (1780-1860). À la Restauration, en 1815, il fonda le groupe des « constitutionnels », partisans de l'application loyale de la Charte par le roi et la nation. Ministre de l'Intérieur et président du Conseil (1819), il pratiqua une politique libérale. On rendit son libéralisme responsable de l'assassinat du duc de Berry (février 1820) et il dut démissionner.

DECAZEVILLE, ch.-l. de cant. de l'Aveyron, à 28 km au S.-E. de Figeac; 9 200 hab. *(Decazevillois).* Bassin houiller.

DECCAN ou **DEKKAN,** partie péninsulaire de l'Inde, au S. de la plaine Indo-Gangétique. Massif ancien, le Deccan forme un vaste plateau dont les bordures, récemment ressoulevées, forment les Ghâts occidentaux (2 600 m) et orientaux, qui dominent les plaines côtières.

La population se concentre sur les côtes, qui sont les régions les plus arrosées car les Ghâts empêchent la pénétration de la mousson. Elle pratique la culture du riz. Là se situent les grandes villes (Bombay, grand centre de l'industrie du coton, Madras). À l'intérieur, la densité est beaucoup plus faible. À l'exception de la partie nord-ouest où de riches sols noirs, développés sur des roches volcaniques, permettent la culture du coton, la sécheresse limite les possibilités agricoles et l'irrigation est souvent nécessaire.

DÉCÉDER [desede] v. i. (lat. *decedere*, s'en aller) [auxil. *être*] (sujet nom de personne). Mourir de mort naturelle (terme admin.) : *Il est décédé à l'hôpital.* ◆ **décès** [desɛ] n. m. Mort d'une personne (terme admin.) : *Constater le décès.*

DÉCELER [desle] v. t. (*dé-*, et *celer*). [Conj. **5.**] **1.** (sujet nom de personne) *Déceler qqch.*, parvenir à le distinguer d'après certains indices : *Déceler des traces d'arsenic* (syn. DÉCOUVRIR). *On décèle une certaine lassitude dans son attitude* (syn. NOTER, PERCEVOIR, REMARQUER). — **2.** (sujet nom de chose) *Déceler qqch.*, le faire apparaître : *Le ton de sa voix décelait une certaine inquiétude* (syn. RÉVÉLER, TRAHIR). ◆ **décelable** adj. Qui peut être décelé. (⟶ RECELER.)

DÉCÉLÉRATION n. f., **DÉCÉLÉRER** v. i. ⟶ ACCÉLÉRER 1.

DÉCEMBRE [desɑ̃br] n. m. (lat. *december*; de *decem*, dix). Douzième mois de l'année. (⟶ MOIS.)

décembre 1851 *(coup d'État du 2)*, coup d'État exécuté dans la nuit du 1er au 2 décembre 1851 par Louis Napoléon Bonaparte, alors président de la République, et qui prépara la restauration de l'Empire. Les chefs de l'opposition parlementaire furent emprisonnés et au matin du 2 décembre un décret annonça la dissolution de l'Assemblée législative, le rétablissement du suffrage universel et la convocation du peuple pour un plébiscite*. Les tentatives de résistance échouèrent. La répression fut brutale et atteignit surtout les républicains et les socialistes.

DÉCEMMENT adv. ⟶ DÉCENT.

DÉCEMVIR [desɛmvir] n. m. (du lat. *decem*, dix, et *vir*, homme). À Rome, membres (au nombre de dix) des tribunaux permanents, chargés d'intervenir dans les procès relatifs à la liberté.

DÉCENCE n. f. ⟶ DÉCENT.

DÉCENNAL, E, AUX [desenal, -no] adj. (du lat. *decem*, dix, et *annus*, année). **1.** Qui dure dix ans : *Des fonctions décennales.* — **2.** Qui a lieu tous les dix ans : *Des fêtes décennales.* ◆ **décennie** [deseni] n. f. Période de dix ans (langue soignée) [syn. DÉCADE].

DÉCENT, E [desɑ̃, -ɑ̃t] adj. (lat. *decens*). Se dit d'une personne, d'une action, d'un état qui respecte les convenances, d'une situation conforme à ce qu'il est normal d'attendre en de semblables circonstances : *Une tenue décente* (syn. CORRECT). *Il aurait été plus décent de ne rien répondre* (syn. BIENSÉANT). *Un niveau décent* (syn. CONVENABLE). ◆ **indécent, e** adj. : *Des chansons indécentes* (syn. GAULOIS, GRIVOIS). *Une joie indécente* (syn. DÉPLACÉ, IMPUDENT, INCONVENANT). ◆ **décence** n. f. Respect des convenances : *Des paroles que la décence ne permet pas de rapporter en public* (syn. BIENSÉANCE). *Des images contraires à la décence* (syn. PUDEUR). ◆ **indécence** n. f. : *Nous ne supporterons pas de telles indécences* (= des actions, des paroles aussi indécentes). ◆ **décemment** adv. : *S'exprimer décemment* (syn. CONVENABLEMENT). *On ne peut pas décemment le lui reprocher* (syn. HONNÊTEMENT, RAISONNABLEMENT). ◆ **indécemment** adv.

DÉCENTRALISATION n. f., **DÉCENTRALISER** v. t. et i. ⟶ CENTRE 2.

DÉCENTRER v. t. ⟶ CENTRE 1.

DÉCEPTION n. f. ⟶ DÉCEVOIR.

DÉCERNER [desɛrne] v. t. (lat. *decernere*, décider). *Décerner un prix, une récompense à qq'un*, etc., le lui attribuer solennellement.

DÉCÈS n. m. ⟶ DÉCÉDER.

DÉCEVOIR [desəvwar] v. t. (lat. *decipere*, tromper). [Conj. **34.**] (Sujet nom de personne ou nom de chose.) *Décevoir qq'un*, ne pas répondre à son attente : *Ce livre ne m'a pas déçu, je l'ai lu deux fois.* ◆ **déception** n. f. Sentiment d'une personne déçue : *Une cruelle déception* (syn. ↓DÉCONVENUE, DÉSAPPOINTEMENT). ◆ **décevant, e** adj. : *Un résultat décevant.* ◆ **déçu, e** adj. **1.** Se dit d'une personne (ou de son attitude) frustrée dans ses espérances : *Un spectateur, un air déçu.* — **2.** *Espoir déçu*, non réalisé (syn. TROMPÉ).

1. DÉCHAÎNER v. t. ⟶ CHAÎNE 1.

2. DÉCHAÎNER [deʃɛne] v. t. (de *dé-*, et *chaîne*). *Déchaîner un sentiment, un mouvement*, l'amener à se manifester dans toute sa violence : *Déchaîner la fureur d'un interlocuteur* (syn. DÉCLENCHER). ◆ ***se déchaîner*** v. pr. **1.** *Colère, tempête*, etc., *qui se déchaîne*, qui se manifeste très violemment (syn. ↓ÉCLATER). — **2.** *Personne qui se déchaîne contre qq'un* ou *contre qqch.*, qui s'emporte. ◆ **déchaîné, e** adj. : *Une ardeur déchaînée* (syn. EFFRÉNÉ). *Une mer déchaînée* (syn. DÉMONTÉ). ◆ **déchaînement** n. m. : *Un déchaînement d'injures* (syn. FLOT, TORRENT).

DÉCHANT [deʃɑ̃] n. m. (*dé-*, et *chant*). *Mus.* **1.** Genre de contrepoint utilisé au Moyen Âge. — **2.** Sorte de seconde ligne mélodique écrite ou improvisée suivant certaines règles, qui orne le chant donné.

DÉCHANTER [deʃɑ̃te] v. i. (*dé-*, et *chanter*) [sujet nom de personne]. Être amené, par une déception, à rabattre de ses espérances : *Il a bien déchanté quand on l'a traité comme tout le monde.*

DÉCHARGE n. f., **DÉCHARGER** v. t. ⟶ CHARGER 1, 2 et 4.

DÉCHARGEMENT n. m. ⟶ CHARGE 1.

DÉCHARNÉ, E [deʃarne] adj. (de l'anc. fr. *charn*, chair). Se dit d'un être animé réduit à une maigreur excessive : *Un malade au visage décharné.*

DÉCHAUSSER v. t. ⟶ CHAUSSER.

DÈCHE [dɛʃ] n. f. (de *déchoir*). Fam. *Être dans la dèche, dans une dèche noire*, être sans argent, dans la misère (syn. fam. ÊTRE FAUCHÉ).

DÉCHÉANCE n. f. ⟶ DÉCHOIR.

DÉCHET [deʃɛ] n. m. (de *déchoir*). Partie inutilisable d'une matière; morceau qu'on en rejette ou qui s'en détache : *Un cageot de fruits où il y a du déchet* (syn. PERTE). *Des déchets de viande. Des déchets de tissus* (syn. CHUTE).

DÉCHIFFRER [deʃifre] v. t. (de *dé-*, et *chiffre*). **1.** (sujet nom de personne) *Déchiffrer un texte, un manuscrit, des hiéroglyphes*, etc., parvenir à en lire l'écriture peu distincte ou à en comprendre le sens difficilement intelligible : *Déchiffrer une lettre* (syn. ↓LIRE). — **2.** *Déchiffrer de la musique*, jouer ou chanter à première lecture une partition musicale. — **3.** *Déchiffrer les intentions de qq'un, une énigme*, etc., en discerner clairement les éléments, en pénétrer le sens. ◆ **déchiffrable** adj. Que l'on peut déchiffrer. ◆ **indéchiffrable** adj. : *Ecriture indéchiffrable.* ◆ **déchiffrage** n. m. Action de déchiffrer de la musique. ◆ **déchiffrement** n. m. Action de déchiffrer un texte, un mystère, etc. ◆ **déchiffreur, euse** adj. et n. : *Les déchiffreurs d'inscriptions antiques.* (⟶ CHIFFRE 3.)

DÉCHIQUETER [deʃikte] v. t. (de l'anc. fr. *eschiqueté*, découpé en cases). [Conj. **8.**] Mettre en pièces, en lambeaux, en arrachant, déchirant : *Un tigre déchiquetant sa proie.* ◆ **déchiqueté, e** adj. **1.** Mis en pièces, en lambeaux. — **2.** *Géogr.* Se dit d'une forme de relief aux découpures nombreuses et irrégulières : *Une côte déchiquetée.* ◆ **déchiqueture** n. f. Partie déchiquetée d'un objet.

DÉCHIRER [deʃire] v. t. (frq. *skerian*, partager). **1.** *Déchirer qqch.*, en arracher totalement ou en partie un morceau, y faire un accroc : *Déchirer une lettre. Déchirer sa robe* (syn. ACCROCHER). — **2.** *Toux qui déchire la poitrine*, qui cause une vive douleur. — **3.** *Déchirer qq'un*, l'attaquer par de violentes critiques; lui causer une peine cruelle. — **4.** *Déchirer un groupe de gens, un pays*, etc., le diviser en partis opposés : *Les querelles qui ont déchiré la nation.* ◆ ***se déchirer*** v. pr. **1.** Se fendre : *Le sac s'est déchiré.* — **2.** S'attaquer mutuellement et avec malveillance, par des écrits, des paroles. ◆ **déchirant, e** adj. Qui déchire le cœur : *Un spectacle déchirant* (syn. NAVRANT). ◆ **déchirement** n. m. **1.** Action de déchirer. — **2.** Forte douleur morale : *Son départ a été un déchirement pour ses parents.* — **3.** Discorde, division : *Une nation en proie à des déchirements.* ◆ **déchirure** n. f. **1.** Rupture faite en déchirant : *Faire une déchirure à son vêtement.* — **2.** *Déchirure musculaire*, lésion causée à un muscle par un effort trop violent, un coup, etc. ◆ **entre-déchirer (s')** v. pr. Se déchirer mutuellement; s'attaquer mutuellement en paroles ou en écrits.

DE CHIRICO (Giorgio), peintre italien (1888-1978). Un des initiateurs du surréalisme, il réalise des compositions étranges, où les objets (mannequins, statues) paraissent abandonnés dans des paysages vides et des architectures fantastiques. À partir de 1935, il rompt avec son passé et se met à pratiquer un art résolument classique.

DÉCHIRURE n. f. ⟶ DÉCHIRER.

DÉCHOIR [deʃwar] v. i. (du lat. *cadere*, tomber). [Conj. **49.**] (Sujet nom de personne.) Passer à une situation inférieure, socialement ou moralement : *Ce serait déchoir d'accepter ce poste* (syn. S'ABAISSER). *Refuser de déchoir en se soumettant* (syn. S'HUMILIER). ◆ **déchéance** n. f. **1.** Passage à un état inférieur : *L'alcool l'a mené à la déchéance* (syn. AVILISSEMENT, DÉGRADATION). — **2.** Perte légale d'un droit ou d'une fonction, du fait d'une sanction : *La déchéance d'un souverain* (syn. DESTITUTION). *La déchéance de la puissance paternelle.* ◆ **déchu, e** adj. **1.** Qui a perdu son autorité, sa dignité : *Un roi déchu* (syn. DÉCOURONNÉ, DÉTRÔNÉ). — **2.** Qui a perdu, par le péché, la grâce divine : *Ange déchu.*

DÉCHRISTIANISATION n. f., **DÉCHRISTIANISER** v. t. ⟶ CHRÉTIEN.

DÉCHU, E adj. ⟶ DÉCHOIR.

DECHY, comm. du Nord, à 3 km au S.-E. de Douai; 5 800 hab.

DÉCIBEL n. m. ⟶ BEL 2.

DÉCIDÉ, E adj. ⟶ DÉCIDER.

DÉCIDÉMENT [decidemɑ̃] adv. (de *décidé*). Souligne une conclusion, une constatation qui s'impose : *Décidément, il est incorrigible.*

DÉCIDER [deside] v. t. (lat. *decidere*, trancher). **1.** *Décider qqch., décider de* (et un infin. ayant même sujet logique que *décider*), *décider que* (et l'indic. ou parfois le subj.), se prononcer pour cette chose, déterminer ce qu'on doit faire : *Décider de tenter sa chance* (syn. RÉSOUDRE). — **2.** *Décider qq'un* (*à qqch.*, *à faire qqch.*), l'amener à agir, à prendre tel parti : *Je l'ai décidé à venir me rejoindre.* — **3.** (sujet nom de chose) Avoir comme conséquence : *L'intervention de ce député a décidé la chute du ministère* (syn. DÉTERMINER, ENTRAÎNER, PROVOQUER). ◆ v. t. ind. ou dir. **1.** (sujet nom de personne) *Décider de qqch.*, prendre parti à son sujet : *Vous déciderez vous-même de la suite;* et avec une subordonnée interrogative comme compl. : *On peut difficilement décider qui a raison.* — **2.** (sujet nom de chose) *Décider de qqch.*, déterminer l'issue, le sort de : *C'est ce but qui décidera de la partie.* — **3.** *En décider*, apporter une solution à : *Le sort en a décidé ainsi.* ◆ ***se décider*** v. pr. **1.** (sujet nom de personne) Mettre fin à son hésitation : *Il est temps de te décider* (syn. CHOISIR). — **2.** (sujet nom de chose) Être déterminé : *Son sort se décide aujourd'hui.* — **3.** (sujet nom de personne) *Se décider à* ou *pour qqch.*, *à faire qqch.*, fixer son choix sur une chose : *Elle s'est décidée pour cette robe* (syn. SE PRONONCER). *Il paraît décidé à la poursuite des travaux* (syn. SE RÉSOUDRE). ◆ **décidé, e** adj. Se dit d'une personne fermement arrêtée dans son choix, pleine d'assurance (ou de son comportement) : *Des garçons décidés* (syn. DÉTERMINÉ). *Une allure décidée* (syn. ASSURÉ). ◆ **décisif, ive** adj. Se dit de quelque chose qui mène à un résultat définitif : *Une preuve décisive* (syn. FORMEL, INCONTESTABLE, INDISCUTABLE). ◆ **décision** n. f. **1.** Action de décider, de se décider; chose décidée : *Sa décision est prise* (syn. RÉSOLUTION). — **2.** Qualité d'une personne qui n'hésite pas : *Montrer de la décision dans une affaire* (syn. DÉTERMINATION, FERMETÉ).

DÉCIGRAMME n. m. ⟶ MESURE, *unités de mesure.*

DÉCILE [desil] n. m. (du lat. *decimus*, dixième). *Statist.* **1.** Dixième partie d'un ensemble de données classées dans un ordre déterminé. — **2.** Grandeur de l'élément qui partage une série de données en dix groupes également nombreux ou en dix intervalles égaux.

DÉCILITRE n. m. ⟶ MESURE, *unités de mesure.*

DÉCIMAL, E, AUX [desimal, -mo] adj. (du lat. *decimus*, dixième). **1.** Fondé sur le groupement des unités par dizaines : *La numération décimale.* — **2.** Math. *Nombre décimal relatif* ⟶ ENCYCL. ‖ *Développement décimal illimité d'un nombre réel* ⟶ ENCYCL. ‖ *Numération décimale*, système de numération qui utilise dix chiffres. (⟶ NUMÉRATION.) ◆ n. f. Un des chiffres placés à droite de la virgule dans un nombre décimal.
— ENCYCL. ***nombre décimal relatif.*** C'est un nombre qui peut

s'écrire $a.10^n$, produit d'un nombre entier relatif *a* par une puissance de 10 (*n* entier relatif). [⟶ NOMBRE.]

Exemples :

$17{,}54 = 1\,754 \times 10^{-2} = 17\,540 \times 10^{-3}; -833\,000 = -833 \times 10^3.$

développement décimal illimité d'un nombre réel. Tout nombre réel positif peut être identifié à une écriture de la forme :

$A, a_1 a_2 a_3 \dots a_n \dots$

où A est un entier naturel et tel qu'à tout rang *n* ($n \in \mathbb{N}$) corresponde un chiffre a_n ($0 \leqslant a_n \leqslant 9$).

Exemple : $\pi = 3{,}141\,59 \dots$

Tout décimal positif est identifiable à un tel développement, tout les a_n étant nuls à partir d'un certain rang.

Exemples: 8,73 = 8,730 000 ...; 2,72 = 2,720 000 ...

Tout nombre réel non décimal peut être encadré par deux nombres décimaux dont la différence 10^{-n} ($n \in \mathbb{N}$) peut être rendue aussi petite que l'on veut.

Exemple : $3{,}14 < \pi < 3{,}15$ différence $10^{-2} = 0{,}01$
$3{,}141 < \pi < 3{,}142$ différence $10^{-3} = 0{,}001$
$3{,}141\,5 < \pi < 3{,}141\,6$ différence $10^{-4} = 0{,}000\,1$.

On montre qu'un nombre réel étant donné, il est impossible que son développement décimal illimité ne contienne que des 9 à partir d'un certain rang.

Exemple : 8,231 999 999 ... représente en fait le nombre décimal 8,232 000 ... = 8,232.

DÉCIMATION n. f. ⟶ DÉCIMER.

DÉCIME [desim] n. m. (lat. *decimus,* dixième). **1.** Majoration d'un dixième sur un impôt, une amende. — **2.** Sous l'Ancien Régime, taxe perçue par le roi sur le clergé.

DÉCIMER [desime] v. t. (lat. *decimare*). *Décimer des êtres animés,* les faire périr en grand nombre. ◆ **décimation** n. f. Action de décimer, châtiment qui consistait à faire périr un homme sur dix.

DÉCIMÈTRE [desimɛtr] n. m. (du lat. *decimus,* dixième, et *mètre*). **1.** ⟶ MESURE, *unités de mesure.* — **2.** Règle graduée. d'une longueur de 10 ou 20 cm. (On dit parfois, dans ce dernier cas, DOUBLE DÉCIMÈTRE.)

DÉCINES-CHARPIEU, ch.-l. de cant. du Rhône, à 4 km à l'E. de Lyon; 22 800 hab. Textiles artificiels.

DÉCISIF, IVE adj., **DÉCISION** n. f. ⟶ DÉCIDER.

DECIUS ou **DÈCE,** empereur romain (248-251); il persécuta les chrétiens.

DECIZE, ch.-l. de cant. de la Nièvre, à 34 km au S.-E. de Nevers, sur la Loire; 7 500 hab. *(Decizois).* Métallurgie. Caoutchouc. Céramique.

DÉCLAMER [deklame] v. t. (lat. *declamare*) [sujet nom de personne]. *Déclamer un texte,* le réciter, le prononcer avec solennité : *Déclamer des poèmes patriotiques.* ◆ **déclamateur, trice** n. et adj. Se dit d'une personne ou de son discours emphatique, pompeux : *Un conférencier trop déclamateur.* ◆ **déclamation** n. f. **1.** Action ou art de déclamer. — **2.** Discours pompeux : *De longues déclamations.* ◆ **déclamatoire** adj. Péjor. : *Un ton déclamatoire* (syn. EMPHATIQUE, POMPEUX).

DÉCLARER [deklare] v. t. (lat. *declarare*). **1.** *Déclarer qqch.,* le faire connaître nettement, le faire savoir officiellement : *Déclarer ses intentions* (syn. RÉVÉLER). *Déclarer la séance ouverte.* — **2.** Fournir, sous forme de déclaration, certains renseignements à l'Administration : *Déclarer des marchandises à la douane. Déclarer ses revenus.* — **3.** *Déclarer la guerre à une nation,* signifier officiellement son intention d'ouvrir les hostilités contre celle-ci. ◆ ***se déclarer*** v. pr. **1.** (sujet nom de personne) Faire connaître ses sentiments, ses idées : *Un amoureux qui se déclare* (= qui déclare son amour). *Il s'est déclaré pour, contre* (syn. SE PRONONCER). — **2.** (sujet nom de chose) Se manifester nettement : *Un incendie s'est déclaré* (syn. ÉCLATER). ◆ **déclarable** adj. Qui peut ou doit être déclaré. ◆ **déclaration** n. f. Paroles ou écrits par lesquels on déclare quelque chose : *Une déclaration à la presse. Déclaration de guerre. Déclaration de revenus. Déclaration d'amour.*

DÉCLASSÉ, E adj. et n. ⟶ CLASSE 1.

DÉCLASSEMENT n. m., **DÉCLASSER** v. t. ⟶ CLASSER.

DÉCLENCHER [deklɑ̃ʃe] v. t. (de *clenche,* levier). **1.** *Déclencher un mécanisme,* le libérer en manœuvrant une pièce qui avait pour rôle d'en empêcher le fonctionnement : *Déclencher un ressort* (contr. ENCLENCHER). — **2.** Mettre brusquement en action : *Déclencher une grève.* ◆ **déclenchement** n. m. : *Le déclenchement d'une attaque.* ◆ **déclencheur** n. m. Pièce d'un mécanisme qui en déclenche le fonctionnement : *Appuyer sur le déclencheur d'un appareil photographique.*

DÉCLIC [deklik] n. m. (de l'anc. fr. *cliquer,* faire un bruit métallique). **1.** Pièce destinée à déclencher un mécanisme : *Appuyer sur le déclic.* — **2.** Bruit sec que fait un mécanisme qui se déclenche : *Entendre le déclic de l'appareil photographique.*

DÉCLIN n. m. ⟶ DÉCLINER 3.

DÉCLINABLE adj. ⟶ DÉCLINER 2.

1. DÉCLINAISON n. f. ⟶ DÉCLINER 2.

2. DÉCLINAISON [deklinɛzɔ̃] n. f. (de *décliner*). *Astron.* Distance d'un astre à l'équateur céleste, mesurée de 0 à 90° par un arc de grand cercle perpendiculaire à l'équateur. ‖ *Déclinaison magnétique,* angle formé par le méridien magnétique (indiqué par l'aiguille aimantée de la boussole) et le méridien géographique en un point de la surface du globe. ⟶ ENCYCL.

— ENCYCL. La *déclinaison magnétique,* mesurée à l'aide de la boussole de déclinaison, indique la correction que l'on doit apporter à la direction de l'aiguille aimantée pour obtenir celle du nord. Les cartes magnétiques comportent le tracé des *lignes isogones,* joignant les points où la déclinaison est la même. Cette déclinaison varie lentement avec le temps.

DÉCLINANT, E adj. ⟶ DÉCLINER 3.

1. DÉCLINER [dekline] v. t. (lat. *declinare*). **1.** *Décliner une offre, un honneur,* etc., ne pas les accepter (syn. REFUSER, REPOUSSER). *Décliner toute responsabilité* (syn. SE DÉCHARGER DE). — **2.** *Décliner son nom, ses titres,* les indiquer avec précision.

2. DÉCLINER [dekline] v. t. (même étym.). Gramm. *Décliner un nom, un pronom, un adjectif,* dans les langues à flexions, en faire varier la terminaison selon leur fonction grammaticale dans la proposition. ◆ **déclinable** adj. Se dit d'une forme grammaticale qui peut être déclinée. ◆ **indéclinable** adj. ◆ **déclinaison** n. f. Suite de formes que prennent les noms, les adjectifs et les pronoms, selon le genre, le nombre et le cas. (⟶ CAS 2.)

3. DÉCLINER [dekline] v. i. (même étym.). **1.** (sujet nom de personne ou de chose) Perdre de sa vigueur, de son importance : *Malade qui décline. Le jour décline* (syn. BAISSER). — **2.** (sujet nom désignant un astre) Redescendre après avoir atteint le point culminant de sa course. ◆ **déclin** n. m. État de ce qui décline; période où une personne, une chose a perdu son éclat : *Le déclin d'une civilisation* (syn. BAISSE). *Être sur son déclin.* ‖ *Déclin de la lune,* période pendant laquelle décroît le disque éclairé, depuis la pleine jusqu'à la nouvelle lune. ◆ **déclinant, e** adj. : *Une santé déclinante.*

DÉCLIVITÉ [deklivite] n. f. (lat. *declivitas*). État d'un terrain, d'une surface qui s'écarte de l'horizontale (syn. INCLINAISON, PENTE).

DÉCLOUER v. t. ⟶ CLOU 1.

DÉCOCHER [dekɔʃe] v. t. (de *coche,* entaille). **1.** *Décocher une flèche,* la lancer avec un arc ou un autre instrument. — **2.** *Décocher un regard,* jeter un regard vif, hostile, etc. ◆ **décochement** n. m.

DÉCOCTION [dekɔksjɔ̃] n. f. (du lat. *decoquere,* faire cuire). Liquide dans lequel on a fait bouillir des plantes ou une drogue.

DÉCODAGE n. m., **DÉCODER** v. t. ⟶ CODE 2.

DÉCOIFFER v. t. ⟶ COIFFER 1 et 2.

DÉCOINCER v. t. ⟶ COINCER 1.

DÉCOLÉRER v. i. ⟶ COLÈRE.

DÉCOLLAGE n. m. ⟶ DÉCOLLER 2.

DÉCOLLATION [dekɔlasjɔ̃] n. f. (du lat. *decollare,* décapiter). Action de couper la tête : *La décollation de saint Denis.*

DÉCOLLEMENT n. m. ⟶ COLLE 1.

1. DÉCOLLER v. t. ⟶ COLLE 1.

2. DÉCOLLER [dekɔle] v. i. *(dé-,* et *coller). L'avion décolle,* il quitte le sol pour s'élever dans les airs. ◆ **décollage** n. m. (contr. ATTERRISSAGE).

DÉCOLLETAGE [dekɔltaʒ] n. m. (de *dé-,* et *collet*). Fabrication de pièces diverses (vis, boulons, axes, etc.) obtenues sur un tour en les usinant directement les unes à la suite des autres dans une barre de métal. ◆ **décolleter** v. t. Pratiquer le décolletage. ◆ **décolleteur** n. Ouvrier qui fait du décolletage. ◆ **décolleteuse** n. f. Machine-outil employée pour le décolletage (syn. TOUR À DÉCOLLETER).

DÉCOLLETÉ n. m. ⟶ DÉCOLLETER 2.

1. DÉCOLLETER v. t. ⟶ DÉCOLLETAGE.

2. DÉCOLLETER [dekɔlte] v. t. (de *dé-,* et *collet*). [Conj. **8.**] **1.** *Décolleter qq'un,* lui découvrir le cou, la gorge, les épaules : *Cette robe la décollette trop.* — **2.** *Décolleter une robe,* en agrandir le décolleté. ◆ **décolleté** n. m. Partie de la gorge et des épaules laissée à nu par un corsage, une robe.

DÉCOLLETEUR, EUSE n. ⟶ DÉCOLLETAGE.

DÉCOLONISATION n. f., **DÉCOLONISER** v. t. ⟶ COLONIE 1.

DÉCOLORANT, E adj. et n. m., **DÉCOLORATION** n. f., **DÉCOLORER** v. t. ⟶ COULEUR.

DÉCOMBRES [dekɔ̃br] n. m. pl. (de l'anc. fr. *combre*, barrage de rivière). Débris d'un édifice écroulé : *Être enseveli sous les décombres.*

DÉCOMMANDER v. t. ⟶ COMMANDER 2.

1. DÉCOMPOSER [dekɔ̃pɔze] v. t. *(dé-*, et *composer). Décomposer qqch.*, le diviser en ses éléments constituants : *Décomposer une phrase en propositions.* ◆ **décomposable** adj. ◆ **indécomposable** adj. Qui ne peut être décomposé. ◆ **décomposition** n. f. Séparation d'un corps en ses éléments : *La décomposition de l'eau en hydrogène et en oxygène.*

2. DÉCOMPOSER [dekɔ̃pɔze] v. t. (même étym.). *Décomposer le visage, les traits de qq'un*, les altérer profondément : *La frayeur lui décomposait le visage.* ◆ ***se décomposer*** v. pr. **1.** (sujet nom désignant des substances organiques) S'altérer : *De la viande qui se décompose à l'air* (syn. S'ABÎMER, POURRIR). — **2.** (sujet nom désignant le visage) Se modifier profondément sous le coup de l'horreur, de la douleur : *Ses traits se décomposèrent quand il découvrit cet horrible spectacle.* ◆ **décomposition** n. f. : *La décomposition des traits du visage. Un cadavre en état de décomposition* (syn. PUTRÉFACTION).

DÉCOMPRESSION n. f. ⟶ COMPRIMER.

DÉCOMPTE n. m., **DÉCOMPTER** v. t. ⟶ COMPTER 1.

DÉCONCENTRATION n. f. ⟶ CONCENTRER 1.

DÉCONCERTER [dekɔ̃sɛrte] v. t. *(dé-*, et *concerter)* [sujet nom de personne ou de chose]. *Déconcerter qq'un*, le troubler soudain profondément : *Cette réponse l'a déconcerté* (syn. DÉCONTENANCER, DÉROUTER, SURPRENDRE). ◆ **déconcertant, e** adj. : *Un garçon déconcertant* (syn. BIZARRE, CURIEUX).

DÉCONFIT, E [dekɔ̃fi, -it] adj. (de *déconfire*, briser). Se dit de quelqu'un qui est grandement déçu, confus, à la suite d'un échec, d'un espoir qui ne s'est pas réalisé (syn. PENAUD).

DÉCONFITURE [dekɔ̃fityr] n. f. (de *déconfire*, briser). État désastreux des finances, de l'autorité, etc. : *La déconfiture d'un banquier* (syn. RUINE).

DÉCONGELER v. t. ⟶ CONGELER.

DÉCONGESTIONNER v. t. ⟶ CONGESTION.

DÉCONNECTER [dekɔnɛkte] v. t. *(dé-*, et *connecter).* Démonter un raccord fixe ou flexible branché sur un appareil, une tuyauterie.

DÉCONSEILLER v. t. ⟶ CONSEIL 1.

DÉCONSIDÉRATION n. f., **DÉCONSIDÉRER** v. t. ⟶ CONSIDÉRER 3.

DÉCONTENANCER v. t. ⟶ CONTENANCE 2.

DÉCONTRACTÉ, E adj., **DÉCONTRACTER (SE)** v. pr., **DÉCONTRACTION** n. f. → CONTRACTER 1.

DÉCONVENUE [dekɔ̃vny] n. f. (de *dé-*, et *convenu*). Sentiment de quelqu'un dont l'attente a été déçue (syn. DÉCEPTION, DÉSAPPOINTEMENT).

DÉCOR [dekor] n. m. (de *décorer*). **1.** Ensemble de ce qui décore un lieu : *Un décor moyenâgeux* (syn. CADRE). — **2.** Ensemble des accessoires utilisés au théâtre ou au cinéma pour figurer le lieu de l'action : *Un décor en carton-pâte.* — **3.** Simple apparence extérieure : *Tout cela n'est que du décor.* — **4.** (sujet nom désignant un véhicule, un conducteur) Fam. *Aller, entrer dans le décor*, quitter accidentellement la route et heurter un obstacle. ◆ **décorateur, trice** n. Personne qui conçoit et dessine les décors d'un spectacle.

1. DÉCORER [dekɔre] v. t. (lat. *decorare*). *Décorer un lieu*, le doter de choses destinées à embellir, ou être un élément d'embellissement (syn. ORNER, PARER). ◆ **décoration** n. f. **1.** Action ou art de décorer : *La décoration de ce palais a coûté des sommes fabuleuses.* — **2.** Ensemble de ce qui décore : *Changer la décoration d'une maison.* ◆ **décorateur, trice** n. Spécialiste de la décoration : *Un décorateur d'appartement.* ◆ **décoratif, ive** adj. **1.** Se dit de ce qui décore : *Des motifs décoratifs* (syn. ORNEMENTAL). — **2.** *Fam.* Se dit d'une personne qui attire l'attention par sa prestance, ses qualités : *Un personnage décoratif.* — **3.** *Arts décoratifs*, branches de l'industrie dont les productions sont inspirées par un souci artistique (ameublement, arts du métal, céramique, tapisserie, etc.).

2. DÉCORER [dekɔre] v. t. (même étym.). *Décorer qq'un*, lui conférer une décoration. ◆ **décoration** n. f. Insigne d'une distinction honorifique : *Une remise de décorations.* ◆ **décoré, e** adj. et n. Qui a reçu une décoration honorifique.

DÉCORTIQUER [dekɔrtike] v. t. (du lat. *cortex, -ticis*, écorce). **1.** *Décortiquer un arbre, un fruit, des graines*, etc., en retirer l'écorce, l'enveloppe. — **2.** Fam. *Décortiquer un texte, une phrase*, etc., l'analyser minutieusement. ◆ **décorticage** n. m.

DÉCORUM [dekɔrɔm] n. m. (mot lat. signif. *convenance*). Ensemble des convenances, des bienséances qui sont d'usage dans une bonne société : *Être soucieux du décorum* (syn. CÉRÉMONIAL, PROTOCOLE).

DE COSTER (Charles), écrivain belge de langue française (1827-1879), auteur de *la Légende et les aventures d'Uylenspiegel et de Lamme Goedzak* (1867).

DÉCOTE [dekɔt] n. f. *(dé-*, et *cote).* **1.** Abattement consenti sur le montant de certains impôts. — **2.** Évaluation d'une monnaie, d'une valeur cotée en Bourse, inférieure au cours officiel, au cours précédent.

DÉCOUCHER v. i. ⟶ COUCHER 2.

1. DÉCOUDRE v. t. ⟶ COUDRE.

2. DÉCOUDRE [dekudr] v. i. *(dé-*, et *coudre).* [Conj. **59.**] *En découdre*, en venir aux mains : *Il est toujours prêt à en découdre.*

DÉCOULER [dekule] v. i. *(dé-*, et *couler).* Être une conséquence de : *Une série d'erreurs qui découlent d'une faute de traduction* (syn. PROVENIR, RÉSULTER).

DÉCOUPER [dekupe] v. t. *(dé-*, et *couper).* **1.** Couper en morceaux, en parts : *Découper un gigot, une tarte.* — **2.** Couper en suivant les contours : *Découper des images.* ◆ ***se découper*** v. pr. Se détacher en silhouette sur un fond : *Des montagnes qui se découpent sur le ciel.* ◆ **découpé, e** adj. Dont les contours sont irréguliers, marqués de dents ou d'échancrures : *Une côte découpée.* ◆ **découpage** n. m. **1.** Action ou manière de découper : *Le découpage des tôles au chalumeau.* — **2.** Texte issu du scénario d'un film et donnant, plan par plan (= pour chacun des éléments tournés en une seule fois), les indications nécessaires au tournage du film. — **3.** *Découpage électoral*, opération consistant à délimiter les diverses circonscriptions avant une consultation électorale. ◆ **découpeur** n. m. ou **découpeuse** n. f. Machine à découper la laine, le bois, les métaux, etc. ◆ **découpure** n. f. **1.** Objet découpé. — **2.** Entaille faite à un objet découpé. — **3.** *Géogr.* Accident dans le contour des côtes : *Les découpures d'une côte.*

DÉCOUPLÉ, E [dekuple] adj. (de *dé-*, et *coupler*). *Bien découplé*, se dit de quelqu'un dont le corps est vigoureux et harmonieusement proportionné (syn. fam. BIEN BÂTI).

DÉCOUPURE n. f. ⟶ DÉCOUPER.

DECOUR (Daniel DECOURDEMANCHE, dit **Jacques**), professeur et écrivain français (1910-1942). Il créa en 1941 la revue clandestine *les Lettres françaises* et prit une part active à la Résistance. Arrêté, il fut fusillé par les Allemands au Mont-Valérien. Le collège Rollin, à Paris, porte le nom de *lycée Jacques-Decour.*

DÉCOURAGEANT, E adj., **DÉCOURAGEMENT** n. m., **DÉCOURAGER** v. t. ⟶ COURAGE.

DÉCOURONNÉ, E adj. ⟶ COURONNE 1.

DÉCOUSU, E adj. ⟶ COUDRE.

1. DÉCOUVERT [dekuvɛr] n. m. (de *découvrir*). Prêt à court terme accordé par une banque au titulaire d'un compte courant. — LOC. ADV. *Être à découvert*, avoir fait une avance sans garantie.

2. DÉCOUVERT, E adj. ⟶ COUVRIR 1.

DÉCOUVERTE n. f. ⟶ DÉCOUVRIR 2.

1. DÉCOUVRIR v. t. ⟶ COUVRIR 1.

2. DÉCOUVRIR [dekuvrir] v. t. *(dé-*, et *couvrir). Découvrir qqch.*, le faire connaître ; montrer ce qui était obscur, inconnu, caché : *Découvrir ses intentions* (syn. DÉVOILER, RÉVÉLER). *Découvrir un trésor* (syn. TROUVER). ◆ **découverte** n. f. Action de découvrir ce qui était ignoré, inconnu : *Découverte d'un trésor. Découverte scientifique.* ‖ *Les grandes découvertes*, explorations effectuées à la fin du Moyen Âge et pendant la Renaissance, qui permirent aux Européens d'avoir une connaissance approximative sur l'étendue des continents. ⟶ carte. — LOC. ADV. *À la découverte*, dans le but d'explorer, de découvrir.

DÉCRASSAGE ou **DÉCRASSEMENT** n. m., **DÉCRASSER** v. t. → CRASSE 1.

DÉCRÉPIR v. t. ⟶ CRÉPIR.

DÉCRÉPIT, E [dekrepi, -it] adj. (lat. *decrepitus*). Se dit d'une personne qui est dans une extrême déchéance physique en raison de son grand âge. ◆ **décrépitude** n. f.

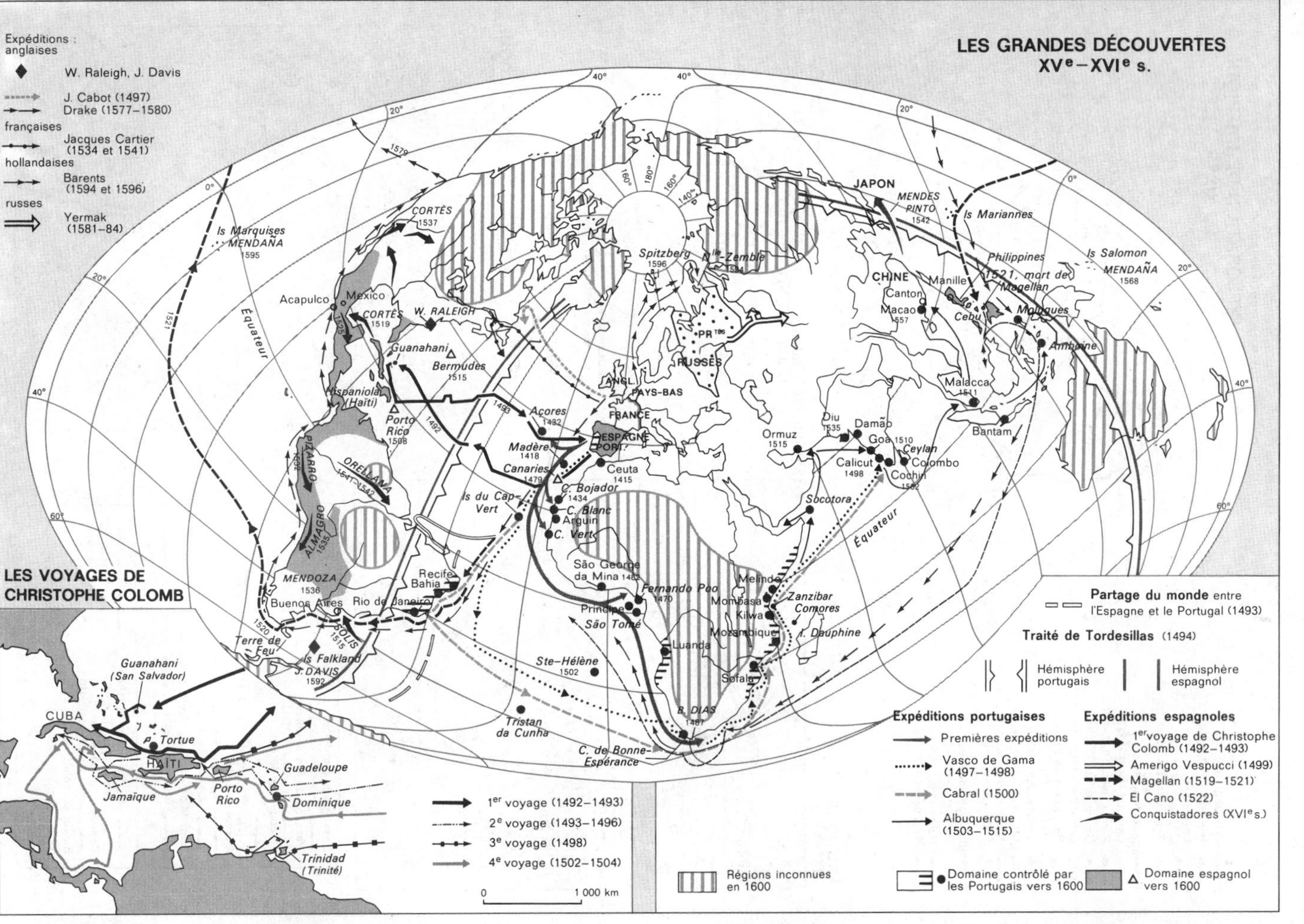

LES GRANDES DÉCOUVERTES XVᵉ–XVIᵉ s.
Expéditions : anglaises
W. Raleigh, J. Davis
J. Cabot (1497)
Drake (1577–1580)
françaises
Jacques Cartier (1534 et 1541)
hollandaises
Barents (1594 et 1596)
russes
Yermak (1581–84)
Partage du monde entre l'Espagne et le Portugal (1493)
Traité de Tordesillas (1494)
Hémisphère portugais
Hémisphère espagnol
Expéditions portugaises
Premières expéditions
Vasco de Gama (1497–1498)
Cabral (1500)
Albuquerque (1503–1515)
Expéditions espagnoles
1ᵉʳ voyage de Christophe Colomb (1492–1493)
Amerigo Vespucci (1499)
Magellan (1519–1521)
El Cano (1522)
Conquistadores (XVIᵉ s.)
Régions inconnues en 1600
Domaine contrôlé par les Portugais vers 1600
Domaine espagnol vers 1600
JAPON
MENDES PINTO 1542
Is Mariannes
Philippines
1521, mort de Magellan
Is Salomon MENDAÑA 1568
CHINE
Manille
Canton
Macao 1557
Cebu
Moluques
Amboine
Malacca 1511
Bantam
Diu 1535
Damão
Goa 1510
Ceylan
Colombo
Calicut 1498
Cochin 1502
Ormuz 1515
Socotora
Équateur
Melinde
Mombasa
Kilwa
Zanzibar
Comores
I. Dauphine
Mozambique
Sofala
B. DIAS 1487
C. de Bonne-Espérance
Luanda
Fernando Poo 1470
Principe
São Tomé
São George da Mina 1482
Ste-Hélène 1502
Tristan da Cunha
Spitzberg 1596
Nˡˡᵉ-Zemble 1594
PR
RUSSES
ANGL.
PAYS-BAS
FRANCE
ESPAGNE
PORT.
Ceuta 1415
Açores 1432
Madère 1418
Canaries 1479
C. Bojador 1434
C. Blanc
Arguin
C. Vert
Is du Cap-Vert
Recife
Bahia
Rio de Janeiro
Buenos Aires
MENDOZA 1536
ALMAGRO 1535
PIZARRO 1532
ORELLANA 1541–1542
Is Falkland
J. DAVIS 1592
SOLIS 1515
Terre de Feu
1520
Acapulco
Mexico
CORTÈS 1519
CORTÈS 1537
1525
W. RALEIGH
Guanahani
Bermudes 1515
Hispaniola (Haïti)
Porto Rico 1508
1492
1493
Is Marquises MENDAÑA 1595
1521
1579
Équateur
LES VOYAGES DE CHRISTOPHE COLOMB
Guanahani (San Salvador)
CUBA
Tortue
HAÏTI
Jamaïque
Porto Rico
Guadeloupe
Dominique
Trinidad (Trinité)
1ᵉʳ voyage (1492–1493)
2ᵉ voyage (1493–1496)
3ᵉ voyage (1498)
4ᵉ voyage (1502–1504)
0 1 000 km

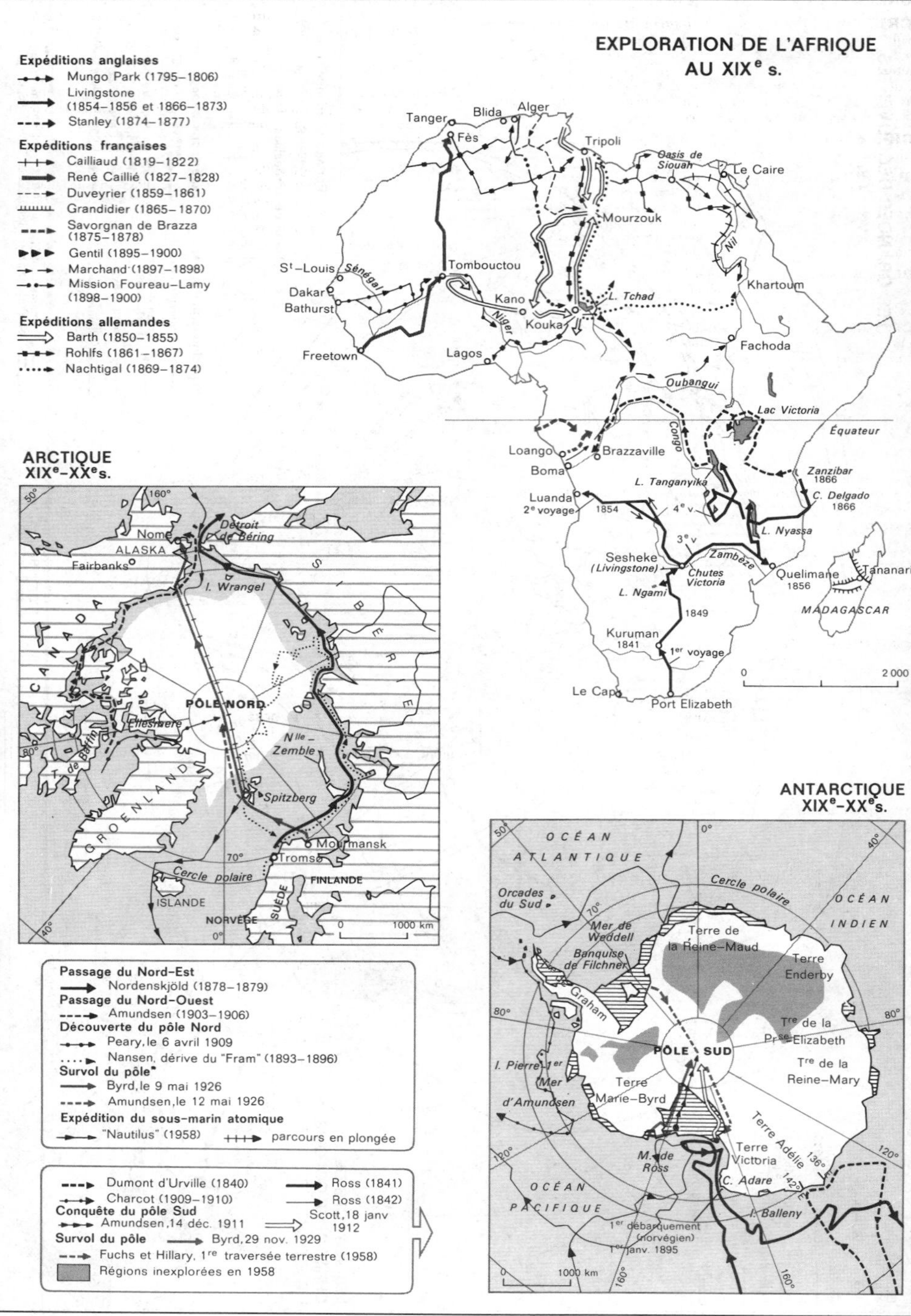

EXPLORATION DE L'AFRIQUE AU XIXe s.
Expéditions anglaises
Mungo Park (1795–1806)
Livingstone (1854–1856 et 1866–1873)
Stanley (1874–1877)
Expéditions françaises
Cailliaud (1819–1822)
René Caillié (1827–1828)
Duveyrier (1859–1861)
Grandidier (1865–1870)
Savorgnan de Brazza (1875–1878)
Gentil (1895–1900)
Marchand (1897–1898)
Mission Foureau–Lamy (1898–1900)
Expéditions allemandes
Barth (1850–1855)
Rohlfs (1861–1867)
Nachtigal (1869–1874)
Tanger
Blida
Alger
Fès
Tripoli
Oasis de Siouah
Le Caire
Mourzouk
Nil
St-Louis
Sénégal
Tombouctou
Dakar
Bathurst
Kano
L. Tchad
Khartoum
Kouka
Niger
Freetown
Lagos
Fachoda
Oubangui
Lac Victoria
Équateur
Congo
Loango
Brazzaville
Boma
Zanzibar 1866
L. Tanganyika
Luanda 2e voyage
1854
4e v
C. Delgado 1866
L. Nyassa
3e v
Sesheke (Livingstone)
Zambèze
Chutes Victoria
Quelimane 1856
Tananarive
L. Ngami
MADAGASCAR
1849
Kuruman 1841
1er voyage
0
2 000 km
Le Cap
Port Elizabeth
ARCTIQUE XIXe–XXe s.
160°
50°
Nome
Détroit de Béring
ALASKA
Fairbanks
I. Wrangel
SIBÉRIE
CANADA
PÔLE NORD
Ellesmere
Nlle-Zemble
T. de Baffin
80°
GROENLAND
Spitzberg
Mourmansk
70°
Tromsø
Cercle polaire
FINLANDE
ISLANDE
SUÈDE
NORVÈGE
40°
0°
0
1000 km
Passage du Nord-Est
Nordenskjöld (1878–1879)
Passage du Nord-Ouest
Amundsen (1903–1906)
Découverte du pôle Nord
Peary, le 6 avril 1909
Nansen, dérive du "Fram" (1893–1896)
Survol du pôle
Byrd, le 9 mai 1926
Amundsen, le 12 mai 1926
Expédition du sous-marin atomique
"Nautilus" (1958)
parcours en plongée
Dumont d'Urville (1840)
Charcot (1909–1910)
Ross (1841)
Ross (1842)
Conquête du pôle Sud
Amundsen, 14 déc. 1911
Scott, 18 janv 1912
Survol du pôle
Byrd, 29 nov. 1929
Fuchs et Hillary, 1re traversée terrestre (1958)
Régions inexplorées en 1958
ANTARCTIQUE XIXe–XXe s.
50°
0°
40°
OCÉAN ATLANTIQUE
Cercle polaire
Orcades du Sud
OCÉAN INDIEN
70°
Mer de Weddell
Terre de la Reine-Maud
Banquise de Filchner
Terre Enderby
Graham
80°
80°
Tre de la Prse-Elizabeth
PÔLE SUD
I. Pierre 1er
Tre de la Reine-Mary
Mer d'Amundsen
Terre Marie-Byrd
Terre Adélie
136°
120°
120°
M. de Ross
Terre Victoria
142°
C. Adare
OCÉAN PACIFIQUE
I. Balleny
1er débarquement (norvégien) 1er janv. 1895
0
1000 km
160°
160°

DECRESCENDO adv. ⟶ CRESCENDO.

DÉCRET [dekrɛ] n. m. (lat. *decretum*). Décision émanant du pouvoir exécutif : *Le conseil des ministres a adopté plusieurs décrets.* ◆ **décret-loi** n. m. Décret gouvernemental possédant le caractère d'une loi. (Il a été remplacé en 1958 par l'ORDONNANCE.) Pl. des *décrets-lois.* ◆ **décréter** v. t. **1.** Décider par autorité légale : *L'état de siège a été décrété par le gouvernement.* — **2.** Décider de sa propre autorité : *Il a décrété que rien ne l'arrêterait.*

DÉCRIER [dekrije] v. t. *(dé-,* et *crier). Décrier qq'un, qqch.*, en dire du mal (syn. DÉNIGRER, DÉPRÉCIER).

1. DÉCRIRE [dekrir] v. t. (du lat. *describere,* dessiner). [Conj. **71.**] Représenter par un développement détaillé oral ou écrit : *Décrire ses sentiments* (syn. DÉPEINDRE). ◆ **descriptif, ive** adj. Se dit de ce qui décrit : *Littérature descriptive.* ◆ **description** n. f. Action de décrire; développement qui décrit. ◆ **indescriptible** adj. Qu'on ne peut décrire : *Un chahut indescriptible.*

2. DÉCRIRE [dekrir] v. t. (même étym.). [Conj. **71.**] Suivre dans son mouvement un certain tracé : *La pointe du compas décrit un cercle* (syn. TRACER).

DÉCROCHER [dekrɔʃe] v. t. (de *dé-,* et *croc*). **1.** Détacher ce qui était accroché : *Décrocher un tableau.* — **2.** Fam. *Décrocher un prix, une récompense,* etc., l'obtenir. ◆ v. i. *Mil.* Rompre le contact avec un ennemi qui vous poursuit : *Une habile manœuvre a permis au général de décrocher à temps.* ◆ **décrochage** n. m. **1.** Action de décrocher (sens 1 du v. t.) : *Le décrochage des rideaux.* (En ce sens, on dit aussi DÉCROCHEMENT.) — **2.** Action de décrocher (v. i.) : *Une opération de décrochage.* ◆ **décrochement** n. m. **1.** Partie en retrait d'une ligne, d'une surface, d'un mur, d'une maison, etc. — **2.** *Géol.* Cassure le long de laquelle le terrain a été déplacé horizontalement d'un côté par rapport à l'autre. ◆ **décrochez-moi-ça** n. m. inv. *Fam.* Boutique de fripier. ◆ **indécrochable** adj. Qu'on ne peut décrocher. (⟶ ACCROCHER.)

DÉCROISER v. t. ⟶ CROISER 1.

DÉCROISSANCE n. f., **DÉCROISSANT, E** adj., **DÉCROÎTRE** v. i. ⟶ CROÎTRE.

DECROLY (Ovide), médecin et psychologue belge (1871-1932). Promoteur d'une pédagogie fondée sur les «intérêts» des enfants, qui deviennent objets d'études.

DÉCROTTER v. t., **DÉCROTTOIR** n. m. ⟶ CROTTÉ.

DÉCRUE n. f. ⟶ CRUE.

DÉCRYPTER [dekripte] v. t. (du gr. *kruptos,* caché). Déchiffrer un texte rédigé en une écriture secrète dont on ne possède pas la clef. ◆ **décryptage** n. m. ◆ **décrypteur** n. m. Personne qui décrypte.

DÉÇU, E adj. ⟶ DÉCEVOIR.

DÉCUBITUS [dekybitys] n. m. (du lat. *cubitus,* couché). Station couchée, attitude de repos de l'homme ou d'un animal, assurant l'équilibre avec le minimum de dépense musculaire.

DÉCULOTTER v. t. ⟶ CULOTTE.

DÉCUPLE [dekypl] adj. (lat. *decuplus;* de *decem,* dix). Qui est dix fois aussi grand : *Cent est le décuple de dix.* ◆ n. m. Quantité dix fois aussi grande : *Rembourser au décuple.* ◆ **décupler** v. t. **1.** Multiplier par dix. — **2.** Augmenter de façon très notable : *La fureur décuplait ses forces.* ◆ v. i. Devenir dix fois aussi grand. ◆ **décuplement** n. m.

DÉCURIE [dekyri] n. f. (lat. *decuria;* de *decem,* dix). À Rome, division de la centurie groupant dix soldats. ◆ **décurion** n. m. Chef d'une décurie.

DÉCURRENT, E [dekyrɑ̃, -ɑ̃t] adj. (du lat. *decurrere,* descendre en courant). *Bot.* Se dit d'une feuille ou d'un pétiole qui se prolonge sur la tige, d'une lamelle de champignon qui se prolonge sur le pied.

DÉDAIN [dedɛ̃] n. m. (de *dé-,* et *daigner*). Mépris hautain qu'on manifeste à quelqu'un en se montrant distant à son égard : *Il le toisa avec dédain.* ◆ **dédaigner** v. t. *Dédaigner qq'un, qqch.*, éprouver ou manifester du dédain à leur égard : *Dédaigner les sots* (syn. ↑MÉPRISER). ◆ **dédaigneux, euse** adj. Se dit d'une personne qui manifeste son dédain, ou de l'air de cette personne : *Une moue dédaigneuse.* ◆ **dédaigneusement** adv. Avec dédain.

DÉDALE, architecte légendaire de Crète et d'Attique, auquel les Grecs attribuaient toutes les inventions de l'art et de l'industrie primitifs. Sur ordre de Minos, il construisit le Labyrinthe* dans lequel fut emprisonné le Minotaure.

DÉDALE [dedal] n. m. (de *Dédale*). **1.** Ensemble compliqué de rues, de chemins, etc., où l'on risque de s'égarer : *Le dédale des ruelles.* — **2.** Ensemble embrouillé où l'esprit se perd : *Le dédale des lois* (syn. ENCHEVÊTREMENT).

DEDANS [dədɑ̃], **DEHORS** [dəɔr] adv. et n. m. *(de,* et *dans; de,* et *hors).* Indiquent une situation à l'intérieur ou à l'extérieur d'une chose ou d'une personne. ⟶ tableau ci-dessous.

dedans adv.	**dehors** adv.
Situation à l'intérieur de quelque chose ou de quelqu'un : *Il fait froid ce matin, mais dedans nous sommes bien chauffés. J'ai ouvert la boîte et je n'ai rien trouvé dedans.* Avec un pronom personnel comme complément : *Entrer* (ou *rentrer*) *dedans* (prép. *dans* + nom de chose ou de personne) : *Une voiture venant de la droite m'est entrée, rentrée dedans* (langue fam.) [syn. (langue soignée) HEURTER]. Avec un nom de personne comme complément : *Je me suis fichu* (pop. *foutu*) *dedans* (= je me suis trompé).	Situation à l'extérieur de quelque chose ou de quelqu'un : *Il voyait dehors les passants frileusement emmitouflés dans leurs manteaux. Tu n'as pas rangé tes affaires dans l'armoire : tu les as laissées dehors.* Avec un nom de personne comme complément : *Le directeur m'a flanqué dehors* (langue pop.) [syn. CONGÉDIER, METTRE À LA PORTE, RENVOYER].
LOC. ADV. ET PRÉP.	LOC. ADV. ET PRÉP.
Au-dedans, au-dedans de, à l'intérieur : *Il y a cinq places au-dedans* (= dans [l'autocar]). *Au-dedans de lui-même, il regrette ses paroles* (= dans son for intérieur). **En dedans, en dedans de,** à l'intérieur : *Avoir les yeux en dedans* (= enfoncés). *Le coffre de la voiture est grand, la roue de secours est en dedans. Plier le doigt en dedans de la main. En dedans de lui-même, il réprouve cet acte.* **De dedans,** de l'intérieur : *De dedans, on ne peut rien voir.* **Là-dedans,** dans ce lieu : *On n'y voit rien là-dedans;* dans cette affaire : *Je ne comprends rien là-dedans.*	**Au-dehors, au-dehors de,** à l'extérieur : *Au-dehors il est aimable, mais au fond c'est un homme dur. Il a placé tout son argent au-dehors de son pays* (= à l'étranger). **En dehors, en dehors de,** à l'extérieur : *Ne vous penchez pas en dehors* (= au-dehors). *Ne mettez pas la tête en dehors de la portière;* à l'exception de : *En dehors de ce que vous avez lu, il y a encore plusieurs articles sur la question. Vous avez tout dit, il n'y a rien en dehors* (= en plus). *Cela s'est passé en dehors de moi* (= sans ma participation). *C'est en dehors de mes compétences.* **De dehors,** de l'extérieur : *J'entends sa voix, il appelle de dehors* (ou *du dehors*).
N. M. l'intérieur	N. M. l'extérieur
Le dedans de la voiture a été entièrement refait. Ses partisans, ses ennemis du dedans et du dehors (= de son pays et de l'étranger).	*Le dehors de cette boîte est très joliment orné. Il a des dehors aimables, gracieux, rugueux* (langue littér.) [syn. UN ABORD, UN EXTÉRIEUR]. *Sous des dehors trompeurs, on distingue la malignité de son esprit* (syn. APPARENCE).

1. DÉDICACE [dedikas] n. f. (lat. *dedicatio*). **1.** Consécration d'un édifice destiné au culte. — **2.** Fête annuelle en mémoire de cette consécration. ◆ **dédier** v. t. Consacrer au culte : *Dédier un autel à la Vierge.*

2. DÉDICACE [dedikas] n. f. (même étym.). Formule inscrite par un auteur en tête d'un livre, en hommage à la personne à qui il dédie ou offre ce livre. ◆ **dédicacer** v. t. *Dédicacer un livre à qq'un,* y inscrire une dédicace à la main.

DÉDICATOIRE adj. ⟶ DÉDIER 2.

1. DÉDIER v. t. ⟶ DÉDICACE 1.

2. DÉDIER [dedje] v. t. (lat. *dedicare,* consacrer). *Dédier un livre, une œuvre à qq'un,* faire figurer en tête de l'ouvrage le nom de cette personne pour lui rendre un hommage en l'associant au mérite de l'auteur. ◆ **dédicatoire** adj. Se dit d'une inscription qui indique à qui une œuvre est dédiée : *Épître dédicatoire.*

DÉDIRE (SE) [sədedir] v. pr. *(dé-,* et *dire).* [Conj. **72.**] (Sujet nom de personne.) Revenir sur sa promesse : *Le témoin s'est dédit* (syn. SE RÉTRACTER). ◆ **dédit** [dedi] n. m. Somme à payer en cas de non-accomplissement d'un contrat ou de rétractation d'un engagement pris.

DÉDOMMAGEMENT n. m., **DÉDOMMAGER** v. t. ⟶ DOMMAGE.

DÉDORÉ, E adj. ⟶ DORER.

DÉDOUANEMENT n. m., **DÉDOUANER** v. t. ⟶ DOUANE.

DÉDOUBLEMENT n. m., **DÉDOUBLER** v. t. ⟶ DOUBLE.

1. DÉDUIRE [dedɥir] v. t. (lat. *deducere,* faire descendre). [Conj. **70.**] Retrancher une somme d'un total à payer : *Déduire ses frais* (syn. RETIRER, SOUSTRAIRE). ◆ **déductible** adj. Qui peut être déduit. ◆ **déduction** n. f. : *Faire la déduction des sommes déjà payées.*

2. DÉDUIRE [dedɥir] v. t. (même étym.). [Conj. **70.**] Tirer comme conséquence logique : *On peut déduire de ses paroles qu'il se ralliera à notre avis* (syn. CONCLURE). ◆ **déductif, ive** adj. Qui raisonne, progresse par déduction : *Un esprit déductif.* ◆ **déduction** n. f. Opération de l'esprit consistant à passer logiquement d'une étape d'un raisonnement à l'étape suivante : *C'est par un enchaînement de déductions qu'ils en sont venus à ces conclusions.*

DÉESSE n. f. ⟶ DIEU.

DE FACTO [defakto] loc. adv. (mots lat.). De fait (se dit, dans la langue jurid., de ce dont on reconnaît l'existence sans le légitimer) : *Gouvernement reconnu de facto* (contr. DE JURE).

DÉFAILLIR [defajir] v. i. *(dé-,* et *faillir).* [Conj. **30.**] **1.** (sujet nom de personne) Perdre soudain ses forces physiques ou morales : *Défaillir de joie* (syn. S'ÉVANOUIR). *Se sentir défaillir* (syn. FAIBLIR). — **2.** *Ses forces, sa mémoire commencent à défaillir,* à lui manquer. ◆ **défaillance** n. f. Perte soudaine des forces physiques ou morales : *Après une brève défaillance, il s'est vite ressaisi* (syn. FAIBLESSE). *Une défaillance de mémoire* (syn. ABSENCE). ◆ **défaillant, e** adj. Qui a une défaillance : *Un malade défaillant. Voix défaillante d'émotion.* ◆ adj. et n. Se dit d'une personne qui ne se rend pas à une convocation : *Un témoin défaillant.*

1. DÉFAIRE [defɛr] v. t. *(dé-,* et *faire).* [Conj. **76.**] **1.** *Défaire qqch.,* remettre dans l'état primitif ce qui a été fait, en réalisant à l'inverse les opérations précédentes, en détruisant, en démolissant : *Défaire un ouvrage* (syn. DÉMONTER). — **2.** Faire cesser l'ordre d'une chose arrangée : *Défaire sa coiffure* (syn. DÉRANGER). — **3.** *Défaire qq'un d'une personne* ou *d'une chose,* l'en débarrasser : *Défaire d'un importun.* ◆ **se défaire** v. pr. **1.** Être détruit, démoli, dérangé : *Un nœud qui se défait.* — **2.** *Se défaire de qq'un, de qqch.,* s'en séparer : *Se défaire d'un employé* (syn. CONGÉDIER, LICENCIER), *d'une voiture* (syn. CÉDER, VENDRE), *d'une manie* (syn. PERDRE).

2. DÉFAIRE [defɛr] v. t. (même étym.). [Conj. **76.**] *Défaire une armée,* la battre complètement. ◆ **défait, e** adj. : *Une armée défaite* (syn. VAINCU). ‖ *Visage défait, mine défaite,* visage aux traits tirés par la fatigue, bouleversé par l'émotion (syn. ↑DÉCOMPOSÉ). ◆ **défaite** n. f. Bataille perdue : *La défaite d'une armée. Une défaite électorale* (contr. VICTOIRE). ◆ **défaitisme** n. m. État d'esprit de ceux qui s'attendent à être vaincus, qui se montrent très pessimistes quant au succès d'une entreprise. ◆ **défaitiste** adj. et n. Qui manque de confiance en soi, qui estime une défaite inévitable.

DÉFALQUER [defalke] v. t. (it. *defalcare,* trancher avec la faux). *Défalquer qqch.,* le retrancher d'une somme ou d'une quantité : *Défalquer les acomptes du montant d'une facture* (syn. DÉDUIRE). ◆ **défalcation** n. f. : *La défalcation des frais.*

DÉFAUFILAGE n. m., **DÉFAUFILER** v. t. ⟶ FAUFILER 1.

DÉFAUSSER [defose] v. t. (de *dé-,* et *fausse [carte]*). *Défausser une carte,* ou *se défausser,* v. pr., se débarrasser, en la jouant, d'une carte qu'on juge inutile dans son jeu.

1. DÉFAUT [defo] n. m. (de *défaillir*). **1.** Manque ou insuffisance de ce qui est nécessaire : *Un défaut d'organisation* (syn. ABSENCE). *Un défaut de vitamines* (syn. CARENCE; contr. EXCÈS). *Un défaut de main-d'œuvre* (syn. PÉNURIE). — **2.** *Faire défaut,* manquer : *Les forces m'ont fait défaut.* — **3.** *Juger, condamner qq'un par défaut,* alors qu'il n'a pas répondu à la convocation pa[r]-devant le tribunal. — LOC. PRÉP. *À défaut de,* en l'absence de, faute de; et adverb. : *Je cherche un appartement ou, à défaut, u[n] studio* (syn. À LA RIGUEUR, DU MOINS).

2. DÉFAUT [defo] n. m. (même étym.). **1.** Imperfection matérielle : *Un défaut de prononciation.* — **2.** Imperfection morale : *L[a] vanité est un défaut* (syn. VICE; contr. QUALITÉ). — **3.** Manquement aux règles de l'art, aux exigences du goût : *Les défauts d'un film.* — **4.** *Être, se mettre en défaut,* ne pas respecter les prescriptions réglementaires (contr. EN RÈGLE).

DÉFAVEUR n. f., **DÉFAVORABLE** adj., **DÉFAVORABLEMENT** adv., **DÉFAVORISER** v. t. ⟶ FAVEUR 1.

DÉFÉCATION [defekasjɔ̃] n. f. (du lat. *defaecare,* purifier). Expulsion par le rectum et l'anus des déchets provenant de l[a] digestion et non utilisés par l'organisme.

DÉFECTIF, IVE [defɛktif, -iv] adj. (du lat. *deficere,* manquer). *Gramm.* Se dit d'un verbe dont certaines formes de conjugaison (modes, temps, personnes) sont inusitées, comme *absoudre, gésir.*

DÉFECTION [defɛksjɔ̃] n. f. (lat. *defectio*). **1.** Action d'abandonner une cause, un parti, etc. : *La défection des alliés* (syn. ABANDON, DÉSERTION). — **2.** Fait de ne pas se trouver où l'on éta[it] attendu : *Faire défection.*

DÉFECTUEUX, EUSE [defɛktɥø, -øz] adj. (du lat. *defectus,* manque). Se dit des choses qui présentent des imperfections, des défauts : *Un produit défectueux.* ◆ **défectuosité** n. f. Ce par quo[i] une chose est défectueuse : *Les défectuosités d'un ouvrage* (syn. DÉFAUT, IMPERFECTION).

1. DÉFENDRE [defɑ̃dr] v. t. (lat. *defendere*). [Conj. **50.**] *Défendre qq'un, qqch.,* lui apporter son soutien, sa protection : *L'avocat défend son client* (contr. ATTAQUER). *Défendre ses amis contre les calomnies* (syn. SOUTENIR). *Vêtements qui défendent d[u] froid* (syn. PROTÉGER). ◆ **se défendre** v. pr. **1.** Résister à une agression, à une attaque : *Il s'est défendu à coups de fourche.* — **2.** *Fam.* Résister à l'adversité, aux effets de l'âge : *Il se défen[d] bien pour son âge.* — **3.** Se tirer d'affaire : *Il ne se défend pas mal* (syn. RÉUSSIR). — **4.** *Ne pas pouvoir se défendre de,* ne pas pouvoir se retenir de : *Il ne put se défendre de rire* (syn. S'EMPÊCHER). ‖ *[À] son corps défendant,* à contrecœur, poussé par la nécessité de s[e] défendre (syn. MALGRÉ LUI). ◆ **défendable** adj. Qui peut être défendu. ◆ **indéfendable** adj. : *Recourir à des méthodes indéfendables* (syn. INJUSTIFIABLE). ◆ **défense** n. f. **1.** Action de défendre ou de se défendre : *Les armées qui assurent la défense d[u] territoire* (syn. PROTECTION). *Une défense héroïque* (syn. RÉSISTANCE). *Être en état de légitime défense* (= être obligé de commettre un acte illégal pour se protéger). ‖ *Défense nationale,* ensemble des moyens et des mesures de tous ordres qu'un pay[s] peut mettre en œuvre pour assurer l'intégrité du territoire nationa[l] et la sécurité de sa population. — **2.** Possibilité de se défendre : *Un pauvre homme sans défense.* — **3.** Dans un procès, l'accusé e[t] ses avocats : *La parole est à la défense.* ◆ n. f. pl. Ensemble d[e] dispositif militaire destiné à protéger un lieu : *Les défenses d'un[e] ville.* ◆ **défenseur** n. m. Celui qui assure la défense, la protection de : *Il a pris un célèbre avocat comme défenseur.* ◆ **défensif, ive** adj. Qui vise à défendre : *Guerre défensive* (contr. OFFENSIF). ◆ **défensive** n. f. *Être sur la défensive,* être prêt à se défendre contre toute attaque. ◆ **autodéfense** n. f. Défense assurée pa[r] ses seuls moyens ou par ceux dont on peut disposer dans le lie[u] même où l'on se trouve.

2. DÉFENDRE [defɑ̃dr] v. t. (même étym.). [Conj. **50.**] *Défendre à qq'un qqch.* ou *de* (et l'infin.), ne pas lui permettre de l[e] faire : *Porter une arme défendue* (syn. INTERDIRE, PROHIBER; contr. AUTORISER). ◆ **défendu, e** adj. Qui fait l'objet d'une interdiction. ◆ **défense** n. f. : *Défense d'entrer* (syn. INTERDICTION; contr. PERMISSION).

DÉFENESTRATION [defənɛstrasjɔ̃] n. f. (du lat. *fenestra,* fenêtre). **1.** Action de jeter une personne par la fenêtre. — **2.** *Défenestration de Prague,* attentat perpétré le 23 mai 1618 par des nobles protestants de Bohême, pour s'opposer à la politique de restauration catholique inspirée par Ferdinand II de Habsbourg (Ils précipitèrent par les fenêtres du palais royal deux lieutenants gouverneurs. L'événement fut le signal de la guerre de Trente Ans.) ◆ **défenestrer** v. t. Jeter, pousser une personne par la fenêtre.

1. DÉFENSE n. f. ⟶ DÉFENDRE 1 et 2.

2. DÉFENSE [defɑ̃s] n. f. (lat. *defensa*). *Zool.* Dent allongée et saillante, comme les incisives des éléphants, les canines du sanglier.

Défense *(quartier de la)*, quartier de la région parisienne, à l'O. de Paris, sur les communes de Nanterre, Puteaux et Courbevoie.

La construction du quartier de la Défense, commencée en 1958, représente la plus grande opération d'urbanisme entreprise en France au XXe s. Les réalisations les plus importantes, aujourd'hui terminées, intéressent le secteur compris entre la Seine et le C. N. I. T. (Centre national des industries et des techniques, reconverti en 1989 en Centre des nouvelles industries et technologies). Ce secteur est avant tout un « quartier d'affaires » : 650 entreprises sont installées à la Défense, dont la moitié des vingt premières sociétés françaises. Plus de 100 000 personnes travaillent dans des tours qui abritent des milliers de bureaux. Les premières tours, variées dans leur architecture, ont cependant à peu près toutes la même hauteur (une trentaine d'étages). À partir de 1970, on en a édifié de nouvelles, bien plus élevées (jusqu'à 180 m). L'ensemble a été parachevé par la construction (1983-1989) de la « Grande Arche » (cube ouvert de 110 m de haut, conçu par l'architecte danois Otto Spreckelsen), inscrite dans l'axe historique du Louvre, de la Concorde et de l'Étoile.

Le problème des transports joue un rôle primordial dans l'édification du nouveau quartier : celui-ci est en effet situé sur un secteur de grand trafic automobile. Aussi a-t-on décidé de faire passer tous les véhicules qui ne s'arrêtent pas à la Défense (= trafic de transit) par une autoroute profondément enterrée. Actuellement, un « anneau autoroutier » dit « boulevard circulaire » entoure en surface le quartier des tours. La circulation des piétons se fait, en surface, sur une « dalle » couverte de jardins.

La ligne du R. E. R. (Réseau express régional) qui va à grande vitesse vers Saint-Germain-en-Laye et Cergy d'une part, vers le centre de Paris et la vallée de la Marne d'autre part, assure l'essentiel du transport des employés travaillant dans les bureaux.

Défense et illustration de la langue française, ouvrage de Joachim du Bellay (1549). C'est le manifeste de l'école de Ronsard. L'auteur condamne la poésie héritée du Moyen Âge et recommande l'imitation des Anciens, l'enrichissement de la langue par des emprunts au grec, au latin, aux dialectes, au langage des métiers. Il célèbre la mission du poète, guide inspiré.

Défense nationale *(gouvernement de la)*, gouvernement de la France qui succéda au second Empire (4 septembre 1870-février 1871).

Après la défaite de Sedan et la déchéance de Napoléon III, la république fut proclamée et un « gouvernement de la Défense nationale » se constitua. Présidé par Trochu, il comprenait en particulier Gambetta, ministre de l'Intérieur, et Jules Favre, ministre des Affaires étrangères. Il s'agissait essentiellement de poursuivre la guerre et de maintenir l'unité entre Paris assiégé (à partir du 1er septembre) et la province.

Le gouvernement affirma son refus de céder une partie du territoire français à l'Allemagne et soutint énergiquement la défense de la capitale. Mais la capitulation de Metz (27 octobre), puis celle de Paris, complètement privé de ravitaillement (22 janvier), l'obligèrent à demander l'armistice (28 janvier). Le 13 février le gouvernement remit ses pouvoirs à une Assemblée nationale élue le 8 février 1871.

DÉFENSEUR n. m., **DÉFENSIF, IVE** adj. et n. f. ⟶ DÉFENDRE 1.

1. DÉFÉRENT, E [deferɑ̃, -ɑ̃t] adj. (du lat. *deferre*, porter de haut en bas). Se dit d'une personne (ou de son attitude) qui manifeste une considération respectueuse : *Un salut déférent* (syn. ↓POLI, RESPECTUEUX). ◆ **déférence** n. f. : *Témoigner de la déférence à une personne pour son âge.*

2. DÉFÉRENT, E [deferɑ̃, -ɑ̃t] adj. (même étym.). *Anat.* Qui porte au-dehors : *Le canal déférent.*

1. DÉFÉRER [defere] v. t. (lat. *deferre*, porter de haut en bas). *Dr.* Faire comparaître un accusé devant la juridiction compétente : *Déférer un criminel à telle cour d'assises* (syn. TRADUIRE).

2. DÉFÉRER [defere] v. t. (même étym.). *Déférer à l'avis, au désir de qq'un*, s'y ranger, y céder par égard pour cette personne (langue soignée).

DÉFERLER [defɛrle] v. i. (*dé-*, et *ferler*, plier une voile). **1.** *Les vagues déferlent*, elles se brisent avec violence. — **2.** *La foule déferle*, elle se précipite en masse. ◆ **déferlant, e** adj. *Houle, vague déferlante*, houle, vague soumise au déferlement. ◆ **déferlement** n. m. Action de déferler, de se répandre brutalement : *Le déferlement de la foule.* ‖ *Le déferlement de la houle*, écroulement de la partie supérieure de la houle sous l'effet du vent ou de la faible profondeur des fonds en bordure du rivage.

DÉFERRER v. t. ⟶ FER 2.

DEFFAND (Marie DE VICHY-CHAMROND, *marquise* DU), femme de lettres française (1697-1780). Son salon de la rue Saint-Dominique à Paris fut fréquenté par d'Alembert, Montesquieu, Fontenelle, Marivaux, Turgot, Condorcet. Ses *Lettres* font d'elle l'héritière de Mme de Sévigné.

DÉFI [defi] n. m. (de *dé-*, et *fier*). **1.** Proclamation par laquelle on provoque quelqu'un ou on le déclare incapable de faire quelque chose : *Relever un défi* (= accepter la lutte, l'épreuve). — **2.** *Mettre qq'un au défi de* (et l'infin.), parier avec lui qu'il n'est pas capable de. ◆ **défier** v. t. **1.** *Défier qq'un*, lui lancer un défi (syn. ↑PROVOQUER). — **2.** *Défier la mort, l'adversité*, etc., ne pas la craindre (syn. AFFRONTER, BRAVER).

DÉFIANCE n. f., **DÉFIANT, E** adj. ⟶ DÉFIER 2.

DÉFIBRAGE n. m., **DÉFIBRER** v. t. ⟶ FIBRE 2.

DÉFICELER v. t. ⟶ FICELLE 1.

DÉFICIENCE [defisjɑ̃s] n. f. (du lat. *deficere*, manquer). Insuffisance physique ou intellectuelle : *Déficience musculaire* (syn. FAIBLESSE). *Déficience de mémoire* (syn. DÉFAILLANCE). ◆ **déficient, e** adj. Qui présente une déficience : *Rééduquer des enfants déficients* (syn. ↑DÉBILE). *Une intelligence déficiente* (syn. ↓FAIBLE).

DÉFICIT [defisit] n. m. (mot lat.). Ce qui manque aux recettes pour équilibrer les dépenses, les frais : *Un budget en déficit* (contr. BÉNÉFICE, EXCÉDENT). ◆ **déficitaire** adj. En déficit, qui se solde par un déficit (contr. EXCÉDENTAIRE).

1. DÉFIER v. t. ⟶ DÉFI.

2. DÉFIER (SE) [sədefje] v. pr. (lat. *diffidere*). *Se défier de qq'un, de qqch.*, avoir peu de confiance en cette personne, en cette chose; être en garde contre (syn. SE MÉFIER). ◆ **défiance** n. f. Crainte d'être trompé : *Un regard plein de défiance* (syn. SUSPICION). ◆ **défiant, e** adj. : *Un caractère défiant* (syn. MÉFIANT).

DÉFIGURER v. t. ⟶ FIGURE 1 et 2.

1. DÉFILÉ [defile] n. m. (de *défiler*). Passage étroit entre des hauteurs, des parois : *Le défilé des Thermopyles.*

2. DÉFILÉ n. m. ⟶ DÉFILER 1.

1. DÉFILER [defile] v. i. *(dé-*, et *filer)*. **1.** (sujet nom de personne) Marcher en colonne, par files : *Les soldats défilent à la revue du 14-Juillet.* — **2.** (sujet nom de personne ou de chose) Se succéder régulièrement, d'une manière continue : *Les jours défilent.* ◆ **défilé** n. m. Action de personnes ou de choses qui défilent : *Le défilé des troupes.*

2. DÉFILER [defile] v. t. *(dé-*, et *fil)*. **1.** Défaire ce qui est enfilé : *Défiler un collier* (contr. ENFILER). — **2.** *Défiler son chapelet*, le faire glisser entre ses doigts en récitant sa prière.

3. DÉFILER (SE) [sədefile] v. pr. (de *défiler* 2). *Fam.* Partir discrètement, se soustraire à une requête, à un devoir (syn. SE DÉROBER, S'ESQUIVER).

DÉFINIR [definir] v. t. (lat. *definire*). **1.** *Définir qqch.*, l'indiquer avec précision : *Définir une politique* (syn. DÉTERMINER, FIXER). — **2.** *Définir un mot*, en donner une définition, en préciser la signification. — **3.** *Définir qq'un*, analyser exactement son caractère. ◆ **défini, e** adj. **1.** Précis, déterminé : *Une époque bien définie.* — **2.** *Article défini*, nom donné aux articles *le, la, les, du, au, aux, des*, parce qu'ils s'emploient devant un nom désignant un objet individuellement déterminé. — **3.** *Passé défini*, nom donné parfois au passé simple. ◆ **indéfini, e** adj. **1.** Qu'on ne peut pas définir, délimiter exactement (syn. INDÉTERMINÉ). — **2.** *Article indéfini*, nom donné aux articles *un, une, des*, parce qu'ils s'emploient devant un nom désignant un objet indéterminé. ‖ *Adjectifs, pronoms indéfinis*, nom sous lequel on range une série d'adj. qui se placent avant le nom (ex. : *quelque, chaque, tous*, etc.) et de pronoms (ex. : *rien, chacun, nul*, etc.), parce qu'ils déterminent ou représentent le nom d'une manière vague, générale. ‖ *Passé indéfini*, nom donné parfois au passé composé. ◆ **indéfiniment** adv. Pendant un temps ou sur un espace qui semble illimité. ◆ **définissable** adj. Qui peut être défini. ◆ **indéfinissable** adj. : *Un malaise indéfinissable* (syn. CONFUS, VAGUE). ◆ **définition** n. f. **1.** Explication du sens d'un mot par l'énonciation de la nature et des qualités essentielles de l'être ou de la chose que ce mot désigne : *Un carré a par définition quatre côtés égaux.* — **2.** En télévision, nombre de lignes subdivisant une image à transmettre.

DÉFINITIF, IVE [definitif, -iv] adj. (lat. *definitivus*). Se dit de ce qui fixe dans un état qu'il n'y a plus lieu de modifier : *Un refus définitif* (syn. IRRÉVOCABLE). *Un jugement définitif* (= qui n'est pas susceptible d'appel). — LOC. ADV. *En définitive*, marque une conclusion : *En définitive, où voulez-vous en venir?* (syn. FINALEMENT, TOUT BIEN CONSIDÉRÉ). ◆ **définitivement** adv. (syn. IRRÉVOCABLEMENT, POUR TOUJOURS).

DÉFINITION n. f. ⟶ DÉFINIR.

DÉFINITIVEMENT adv. ⟶ DÉFINITIF.

DÉFLAGRATION [deflagrasjɔ̃] n. f. (lat. *deflagratio*). Violente explosion : *La déflagration a brisé toutes les vitres.*

1. DÉFLATION [deflasjɔ̃] n. f. (de *dé-*, et [*in*]*flation*). Réduction systématique du volume de la monnaie circulant dans un pays, en vue d'enrayer la hausse ou de provoquer la baisse des prix (contr. INFLATION). ◆ **déflationniste** adj. Qui est relatif à la déflation ou qui est propre à y conduire : *Des mesures déflationnistes* (contr. INFLATIONNISTE).

2. DÉFLATION [deflasjɔ̃] n. f. (même étym.). *Géogr.* Dans les régions désertiques, enlèvement de matériaux meubles par le vent. (La déflation conduit à un tri, le vent ne pouvant soulever que les éléments fins [sable], les plus grossiers demeurant en place.)

DÉFLECTEUR [deflɛktœr] n. m. (du lat. *deflectere*, fléchir). **1.** Volet qui change la direction d'un courant gazeux. — **2.** Dans une automobile, petite vitre latérale orientable, permettant de régler l'aération.

DÉFLEURIR v. t. et i. ⟶ FLEUR 1.

DÉFLORER [deflɔre] v. t. (lat. *deflorare*, flétrir). **1.** *Déflorer une jeune fille*, lui faire perdre sa virginité. — **2.** *Déflorer un sujet*, lui enlever sa fraîcheur, sa nouveauté (en le traitant mal ou d'une façon incomplète).

DÉFLUENT [deflyɑ̃] n. m. (de *dé-*, et [*con*]*fluent*). *Géogr.* Bras formé par la division des eaux d'un cours d'eau, à la tête d'un delta par exemple.

DÉFLUVIATION [deflyvjasjɔ̃] n. f. (de *dé-*, et lat. *fluvius*, cours d'eau). Changement total du lit d'un cours d'eau.

DEFOE ou **DE FOE** (Daniel), écrivain anglais (v. 1660-1731). Voyageur, commerçant en mercerie, armateur, il écrivit des pamphlets mais ne devint célèbre qu'avec son roman : *la Vie et les aventures de Robinson* Crusoé* (1719).

DÉFONCER [defɔ̃se] v. t. (*dé-*, et *foncer*). **1.** *Défoncer un tonneau, une caisse*, etc., en faire sauter le fond. — **2.** *Défoncer qqch.*, le briser en enfonçant. — **3.** *Défoncer le sol, un terrain*, le labourer profondément. ◆ **défonçage** ou **défoncement** n. m. Action de défoncer. (⟶ ENFONCER.)

DÉFORMER [defɔrme] v. t. (lat. *deformare*). **1.** *Déformer qqch.*, en altérer la forme : *Visage déformé par une grimace.* — **2.** *Déformer qqch.* (mot abstrait), ne pas le reproduire fidèlement : *Déformer la vérité* (syn. DÉNATURER, TRAVESTIR). ◆ **déformable** adj. ◆ **déformation** n. f. : *Une déformation de la colonne vertébrale.* ‖ *Déformation professionnelle*, habitude particulière, appréciation fausse ou partiale de certains faits, provoquées par la pratique de telle ou telle profession.

DÉFOULER (SE) [sədefule] v. pr. (de *dé-*, et *fouler*, opprimer). *Fam.* Donner libre cours à ses impulsions : *Il se défoule en parlant enfin à cœur ouvert.* ◆ **défoulement** n. m. (contr. REFOULEMENT).

DÉFRAÎCHIR v. t. ⟶ FRAIS 4.

1. DÉFRAYER v. t. ⟶ FRAIS 5.

2. DÉFRAYER [defreje] v. t. (de *dé-*, et l'anc. fr. *fraier*, faire les frais) [sujet nom de personne, de comportement]. *Défrayer la chronique*, faire beaucoup parler de soi.

DÉFRICHEMENT n. m., **DÉFRICHER** v. t., **DÉFRICHEUR, EUSE** n. ⟶ FRICHE.

DÉFRIPER v. t. ⟶ FRIPER.

DÉFRISER v. t. ⟶ FRISER 1.

DÉFROISSER v. t., **SE DÉFROISSER** v. pr. ⟶ FROISSER 1.

DÉFRONCER v. t. ⟶ FRONCER 1 et 2.

DÉFROQUE [defrɔk] n. f. (de *défroquer*). *Péjor.* **1.** Vêtement usagé, abandonné par quelqu'un. — **2.** Vêtement démodé ou ridicule.

DÉFROQUÉ, E adj. et n., **DÉFROQUER (SE)** v. pr. ⟶ FROC.

DÉFUNT, E [defœ̃, -œ̃t] adj. et n. (lat. *defunctus*). Qui est mort : *Prières pour les défunts. Un espoir défunt* (litt.).

DÉGAGER [degaʒe] v. t. (*dé-*, et *gager*). **1.** *Dégager qq'un, qqch.*, le libérer de ce qui l'entrave, de ce qui l'emprisonne : *Dégager un blessé des décombres* (syn. ↓RETIRER). — **2.** *Dégager un lieu*, le débarrasser de ce qui l'encombre. — **3.** *Dégager une somme d'argent*, la rendre disponible pour un usage : *Dégager des crédits.* — **4.** (sujet nom désignant un vêtement) *Dégager la taille, le cou*, donner de l'aisance aux mouvements. — **5.** (sujet nom de chose) *Dégager une odeur, de la fumée*, etc., la produire, la laisser émaner : *Des fleurs qui dégagent un parfum capiteux* (syn. EXHALER). — **6.** *Dégager sa parole*, se libérer d'une promesse. ‖ *Dégager une idée*, l'extraire d'un ensemble, d'un ouvrage pour la mettre en valeur : *Dégager l'idée maîtresse d'une théorie.* ‖ *Dégager la balle*, l'envoyer aussi loin que possible, au football, au rugby, etc. ◆ **se dégager** v. pr. : *Se dégager d'une obligation. Le ciel se dégage* (=les nuages se dissipent). ◆ **dégagé, e** adj. *Allure dégagée, ton dégagé*, qui a de l'aisance, du naturel. ◆ **dégagement** n. m. **1.** Action de dégager ou de se dégager : *Le dégagement d'une rue. Un dégagement de fumée.* — **2.** Espace libre : *Ménager un dégagement dans la cour.* — **3.** Passage qui facilite les communications entre les pièces d'une maison : *Un appartement qui a de larges dégagements.* — **4.** Action d'envoyer le ballon loin de son camp, au football, au rugby, etc. — **5.** *Dégagement des cadres* (de l'armée, d'une administration), réduction de leurs effectifs par licenciement du personnel en excédent.

DÉGAINE [degɛn] n. f. (de *dégainer*). *Fam* et *péjor.* Manière de marcher, de se tenir : *Il a une drôle de dégaine* (syn. ALLURE).

DÉGAINER [degene] v. t. (de *dé-*, et *gaine*). *Dégainer une épée, un poignard*, etc., les tirer du fourreau ou de la gaine.

DÉGANTER (SE) v. pr. ⟶ GANT.

DÉGARNIR v. t. ⟶ GARNIR.

DEGAS (Edgar), peintre, graveur et sculpteur français (1834-1917). Dessinateur remarquable, il se fit l'observateur réaliste des gens simples *(la Repasseuse)*, des chevaux *(Course de gentlemen)* et surtout du corps féminin et des danseuses *(la Classe de danse)*; il sut, en simplifiant les formes, rendre admirablement le mouvement. À la fin de sa vie, sa vue baissant, il n'utilisa plus la peinture à l'huile mais le pastel, et s'adonna à la sculpture.

DÉGASOLINER [degazɔline] v. t. (de *dé-*, et *gasoline*). Traiter un gaz naturel pour en séparer les hydrocarbures liquides. ◆ **dégasolinage** n. m.

DE GASPERI (Alcide), homme politique italien (1881-1954). Secrétaire du parti démocrate-chrétien à la Libération (1944), il fut président du Conseil de 1945 à 1953.

DÉGÂT [degɑ] n. m. (de l'anc. fr. *dégaster*, dévaster). Dommage dû à une cause violente (syn. ↑DESTRUCTION).

DÉGAUCHIR v. t., **DÉGAUCHISSEMENT** n. m. ⟶ GAUCHE 3.

DÉGAZAGE n. m. ⟶ GAZ.

DÉGEL n. m., **DÉGELER** v. t. et impers. ⟶ GELER.

DÉGÉNÉRER [deʒenere] v. i. (lat. *degenerare*). **1.** (sujet nom d'animal, de plante) Perdre les qualités de sa race, de son espèce (syn. S'ABÂTARDIR). — **2.** (sujet nom de personne) Perdre de son mérite, de sa valeur. — **3.** *Dégénérer en*, se transformer en (une chose plus mauvaise) : *Un banquet qui dégénère en orgie.* ◆ **dégénéré, e** n. Personne qui manifeste des signes de dégénérescence (syn. TARÉ). ◆ **dégénérescence** n. f. **1.** Affaiblissement grave des qualités physiques ou mentales. — **2.** *Biol.* Altération de la cellule vivante, qui peut atteindre soit son cytoplasme, soit son noyau et qui, dans ce dernier cas, entraîne fatalement la mort de la cellule.

DÉGERMER v. t. → GERME.

DÉGINGANDÉ, E [deʒɛ̃gɑ̃de] adj. et n. (altér. de *déhingandé*, disloqué). Se dit d'une personne dont les mouvements sont plus ou moins désordonnés, qui est comme disloquée.

DÉGIVRAGE n. m., **DÉGIVRER** v. t., **DÉGIVREUR** n. m. ⟶ GIVRE.

DÉGLACER v. t., **DÉGLACIATION** n. f. ⟶ GLACE 1.

DÉGLINGUER [deglɛ̃ge] v. t. (altér. de *déclinquer*). *Fam.* Disloquer, désarticuler.

DÉGLUER v. t. → GLU.

DÉGLUTIR [deglytir] v. t. (bas lat. *deglutire*) [sujet nom d'être animé]. Avaler un aliment. ◆ **déglutition** n. f. Opération par laquelle les aliments passent de la bouche dans l'estomac.

— ENCYCL. Au cours de la *déglutition*, les aliments, broyés et humectés de salive, sont rassemblés en une pâte molle *(bol alimentaire)* sur le dos de la langue, puis repoussés par celle-ci vers le gosier. Durant la traversée du pharynx, l'occlusion des fosses nasales et des voies respiratoires est assurée par des soupapes, le *voile du palais* et l'*épiglotte*, ce qui évite le reflux ou les fausses routes des aliments. Parvenu à l'entrée de l'œsophage, le bol alimentaire provoque, par sa présence, des contractions « péristaltiques » de cet organe, qui conduisent les aliments de proche en proche jusqu'à l'estomac.

DÉGOMMER [degɔme] v. t. (*dé-*, et *gommer*). Fam. *Dégommer qq'un*, lui retirer son emploi, le destituer (syn. LIMOGER).

DÉGONFLAGE n. m., **DÉGONFLÉ, E** n., **DÉGONFLEMENT** n. m., **DÉGONFLER** v. t. ⟶ GONFLER.

DÉGORGER [degɔrʒe] v. i. (de *dé-*, et *gorge*). **1.** (sujet nom désignant un conduit) Se répandre, se déverser : *Un égout qui dégorge dans la mer.* — **2.** (sujet nom de tissu, d'étoffe) Abandonner au lavage certaines impuretés ou une partie de sa teinture. — **3.** *Faire dégorger un poisson*, le faire tremper dans de l'eau froide pour le débarrasser de son goût de vase, de marée. (⟶ ENGORGER.)

DÉGOULINER [deguline] v. i. (de *dé-*, et *goule*, gueule) [sujet nom désignant un liquide]. *Fam.* Couler lentement en traînée visqueuse ou goutte à goutte le long d'un objet : *L'huile qui dégouline d'un bidon.* ◆ **dégoulinade** n. f. *Fam.* Trace laissée par un corps liquide ou visqueux qui s'est écoulé.

DÉGOUPILLER v. t. ⟶ GOUPILLE.

DÉGOURDIR [degurdir] v. t. (de *dé-*, et *gourd*). **1.** Tirer un membre de l'engourdissement : *La chaleur du feu nous a dégourdi les doigts.* — **2.** *Dégourdir un liquide*, le faire tiédir. — **3.** *Dégourdir qq'un*, lui faire acquérir de l'aisance, de l'aplomb : *Le service militaire l'a dégourdi* (syn. DÉNIAISER). ◆ **se dégourdir** v. pr. Faire mouvoir une partie de son corps pour le tirer de l'engourdissement : *Se dégourdir les jambes.* ◆ **dégourdi, e** adj. et n. *Fam.* Qui sait habilement se tirer d'affaire : *Les plus dégourdis s'étaient faufilés au premier rang* (syn. ASTUCIEUX, MALIN). [⟶ ENGOURDIR.]

DÉGOÛT [degu] n. m. (*dé-*, et *goût*). **1.** Manque d'appétit, répugnance pour certains aliments : *Avoir du dégoût pour le vin.* — **2.** Sentiment qui vous détourne vivement d'une personne ou d'une chose : *On ne ressent que du dégoût pour un être aussi vil. Le dégoût de l'étude.* ◆ **dégoûter** v. t. **1.** Ôter le goût, l'envie d'un aliment à quelqu'un : *La vue de ce plat nous a dégoûtés.* — **2.** *Dégoûter qq'un*, lui inspirer du dégoût, de l'aversion pour des raisons morales : *Son hypocrisie me dégoûte* (syn. RÉPUGNER, RÉVOLTER). — **3.** *Dégoûter qq'un de qqch.*, le décourager, l'en détourner : *Ce film me dégoûte du cinéma.* — **4.** Fam. *Il n'est pas dégoûté!*, il n'est pas difficile. ◆ **se dégoûter** v. pr. [**de**]. Prendre en dégoût, se détourner de. ◆ **dégoûtant, e** adj. et n. : *Un plat dégoûtant* (syn. ÉCŒURANT; contr. APPÉTISSANT). *C'est dégoûtant de se voir préférer un arriviste* (syn. DÉMORALISANT, ↑RÉVOLTANT). *Un dégoûtant personnage* (= qui provoque une répulsion pour des raisons morales).

DÉGOUTTANT, E adj., **DÉGOUTTER** v. i. ⟶ GOUTTE 1.

DE GRAAF (Reinier), médecin et physiologiste hollandais (1641-1673). Il découvrit les follicules ovariens auxquels il donna son nom, et fut un des premiers à étudier le suc pancréatique et son rôle dans la digestion.

DÉGRADANT, E adj. ⟶ DÉGRADER 2.

DÉGRADATION n. f. ⟶ DÉGRADER 1, 2 et 3.

DÉGRADÉ, E [degrade] adj. (de l'it. *grado*, degré). Se dit d'une couleur, d'une lumière qui s'atténue progressivement : *Le bleu dégradé du ciel à l'horizon.* ◆ n. m. Effet d'affaiblissement progressif d'une couleur ou d'une lumière. — LOC. ADV. *En dégradé*, se dit de cheveux dont la coupe va en diminuant progressivement.

1. DÉGRADER [degrade] v. t. (bas lat. *degradare*, priver de son rang) [sujet nom de personne]. *Dégrader qq'un*, le destituer de son grade : *Un officier dégradé.* ◆ **dégradation** n. f.

2. DÉGRADER [degrade] v. t. (même étym.). *Dégrader qq'un*, l'avilir, l'amener à un état de déchéance : *La débauche dégrade l'homme.* ◆ **se dégrader** v. pr. : *Vous vous dégraderiez en agissant ainsi.* ◆ **dégradant, e** adj. : *Un rôle dégradant* (syn. AVILISSANT). ◆ **dégradation** n. f.

3. DÉGRADER [degrade] v. t. (même étym.) [sujet nom de personne ou de chose]. *Dégrader qqch.*, y causer un dégât, une détérioration : *La pluie a dégradé le mur* (syn. ↓ABÎMER, DÉTÉRIORER). ◆ **dégradation** n. f.

DÉGRAFER v. t. ⟶ AGRAFE.

DÉGRAISSANT n. m. ⟶ GRAISSE 2.

DÉGRAISSER v. t. ⟶ GRAISSE 1 et 2.

1. DEGRÉ [dəgre] n. m. (du lat. *gradus*, pas, marche). *Degrés d'un escalier*, ses marches.

2. DEGRÉ [dəgre] n. m. (même étym.). **1.** Chacun des postes, des emplois successifs par où l'on passe dans une hiérarchie (syn. ÉCHELON, GRADE). — **2.** Situation atteinte, point où une personne ou une chose est parvenue progressivement : *Il était arrivé à un haut degré de science. Deux exercices du même degré de facilité* (syn. NIVEAU). — **3.** Division administrative dans l'enseignement : *Enseignement du premier degré* (= élémentaire), *du second degré* (= secondaire). — **4.** *Degré de parenté*, proximité plus ou moins grande dans la parenté : *Père et fils sont parents au premier degré.* — LOC. ADV. *Par degrés*, progressivement, peu à peu.

3. DEGRÉ [dəgre] n. m. (même étym.). **1.** Chacune des divisions graduées du thermomètre : *La température s'est élevée de cinq degrés.* ‖ *Degré Celsius*, unité de mesure de température (symb. : °C), égale à la 100e partie de l'écart entre la température de fusion de la glace et la température d'ébullition de l'eau à la pression atmosphérique. ‖ *Degré Fahrenheit*, unité de température (symb. : °F), égale à la 180e partie de l'écart entre la température de fusion de la glace et la température d'ébullition de l'eau à la pression atmosphérique. — **2.** Unité de mesure de concentration d'une solution : *De l'alcool à 90 degrés (90°).* — **3.** *Math.* Unité de mesure des angles géométriques et des arcs de cercle, telle que l'angle géométrique plat et un demi-cercle aient une mesure de 180 degrés, qu'on note 180°. ‖ *Degré d'un monôme, d'un polynôme, d'une équation* ou *d'une inéquation* ⟶ ENCYCL. — **4.** *Degrés de longitude, de latitude*, degrés permettant de situer un point sur un méridien et sur un parallèle. — **5.** *Mus.* Chacun des sons de la gamme : *La tonique, son qui commence la gamme, est le premier degré.* — **6.** Gramm. *Degrés de signification*, nom donné au système formé par le positif, le comparatif et le superlatif. — **7.** Intensité relative d'un état moral ou physique : *À quel degré d'ivresse il est parvenu!* — **8.** Degré d'une brûlure : *La brûlure du premier degré est la plus légère, celle du troisième degré la plus grave.*

— ENCYCL. Le *degré d'un monôme* ax^n (*a* élément de ℝ: *n* élément de ℕ) est l'entier naturel *n*, appelé *exposant du monôme*. (*Ex.* : 3 est le degré de $6x^3$; 1 est le degré de $-\frac{1}{3}x$.)

Le *degré d'un polynôme* est le plus grand degré des monômes qui le composent. (*Ex.* : 5 est le degré de $4x^5-8x^2+3$.)

Le *degré d'une équation* ou *d'une inéquation* est le plus grand exposant affecté à l'inconnue. (*Ex.* : $3x^2-\frac{1}{2}x-7=0$ est une équation du second degré; $2x-9>x+\frac{2}{3}$ est une inéquation du premier degré.)

DÉGRESSIF, IVE [degresif, -iv] adj. (du lat. *degredi*, descendre). Qui va en diminuant, qui diminue au-delà d'une certaine quantité : *Tarif dégressif.*

DÉGRÈVEMENT n. m., **DÉGREVER** v. t. ⟶ GREVER.

DÉGRINGOLER [degrɛ̃gɔle] v. i. (*dé-*, et l'anc. fr. *gringole*, colline) [ordinairement auxil. *être*]. **1.** (sujet nom de personne ou de chose) *Fam.* Être précipité de haut en bas, ou tomber de façon désordonnée et soudaine : *Dégringoler d'une échelle. Les pierres dégringolent.* — **2.** (sujet nom de personne ou de chose) *Fam.* Aller à la faillite : *Une affaire qui dégringole.* ◆ v. t. (auxil. *avoir*). Descendre précipitamment : *Il a dégringolé l'escalier.* ◆ **dégringolade** n. f. Fam. : *La dégringolade des actions à la Bourse* (syn. ↓BAISSE, CHUTE).

DÉGRISEMENT n. m., **DÉGRISER** v. t. ⟶ GRIS 2.

DÉGROSSIR [degrosir] v. t. (de *dé-*, et *gros*). **1.** *Dégrossir une matière*, la tailler sommairement, de façon à l'amener à une ébauche de la forme définitive : *Le sculpteur dégrossit un bloc de marbre.* — **2.** *Dégrossir un travail, un problème*, etc., commencer à le débrouiller. — **3.** *Dégrossir qq'un*, commencer à l'éduquer, lui faire acquérir des manières plus raffinées : *C'est un paysan mal dégrossi.* ◆ **dégrossissage** n. m.

DÉGROUPEMENT n. m., **DÉGROUPER** v. t. ⟶ GROUPE.

DÉGUENILLÉ, E adj. ⟶ GUENILLE.

DÉGUERPIR [degɛrpir] v. i. (*dé-*, et l'anc. fr. *guerpir*, abandonner). Quitter rapidement un lieu par force ou par crainte (syn. fam. FILER, SE SAUVER).

DÉGUISER [degize] v. t. (de *dé-*, et *guise*, manière d'être). **1.** *Déguiser qq'un*, l'habiller d'une façon qui change complètement son aspect : *Déguiser un enfant* (syn. TRAVESTIR). — **2.** *Déguiser ses actes, ses intentions*, etc., leur donner une apparence trompeuse : *Déguiser sa voix* (syn. CONTREFAIRE). *Déguiser la vérité* (syn. FALSIFIER, FARDER). ◆ **se déguiser** v. pr. Revêtir un habit qui travestit : *Se déguiser en clochard.* ◆ **déguisement** n. m. **1.** Vêtements, apparence d'une personne déguisée (syn. TRAVESTI). — **2.** Manière dont une action, une intention est déguisée : *Parler sans déguisement* (= sans dissimulation, avec franchise).

DÉGUSTER [degyste] v. t. (lat. *degustare*). **1.** Goûter une boisson, un aliment pour en apprécier la qualité : *Déguster des vins.* — **2.** Manger ou boire en savourant : *Déguster son vin.* ◆ **dégustateur, trice** n. Personne chargée d'apprécier la qualité des boissons ou de tout aliment dont la saveur est délicate. ◆ **dégustation** n. f.

DÉHANCHÉ, E adj., **DÉHANCHEMENT** n. m., **DÉHANCHER (SE)** v. pr. ⟶ HANCHE.

DÉHISCENCE [deisɑ̃s] n. f. (du lat. *dehiscere*, s'ouvrir). *Bot.* Dans le règne végétal, ouverture brusque d'un organe clos, mettant en liberté les spores, les grains de pollen ou les graines mûres. (La déhiscence est très souvent l'effet de la sécheresse atmosphérique. Les fruits charnus ne sont jamais déhiscents.)

DEHORS adv. → DEDANS.

DÉIFIER [deifje] v. t. (du lat. *deus*, dieu, et *facere*, faire). Élever à la hauteur d'un dieu, à l'égal d'un dieu. ◆ **déification** n. f.

DÉISME [deism] n. m. (du lat. *deus*, dieu). Croyance à l'existence d'un dieu, mais sans admettre une révélation (= Vérité révélée par Dieu). ◆ **déiste** adj. et n. Qui professe le déisme.

DÉJÀ [deʒa] adv. (de *dès*, et l'anc. fr. *jà*, tout de suite). **1.** Dès maintenant; dès ce moment-là (indique ce qui est révolu, accompli) : *Il était déjà parti quand je suis arrivé.* — **2.** Rappelle un ou plusieurs faits précédents : *Il a déjà échoué deux fois à cet examen.* — **3.** Indique un certain degré non négligeable : *Dix mille francs, c'est déjà une somme.* (*Déjà* ne peut pas s'employer avec le passé simple.)

DÉJANIRE. *Myth. gr.* Héroïne guerrière, épouse d'Héraclès dont elle causa la mort, après qu'il l'eut abandonnée, en lui donnant une tunique empoisonnée que lui avait réalisée Nessos.

1. DÉJECTION [deʒɛksjɔ̃] n. f. (du lat. *dejicere*, évacuer) [surtout au plur.]. Excrément.

2. DÉJECTION [deʒɛksjɔ̃] n. f. (même étym.). **1.** (au plur.) Matières rejetées par un volcan en éruption. — **2.** *Cône de déjection* → CÔNE 2.

DÉJETÉ, E [deʒte] adj. (*dé-*, et *jeter*). **1.** Dévié de sa position normale : *Un mur déjeté.* — **2.** Se dit d'une personne courbée, tordue : *Un pauvre bougre tout déjeté.* — **3.** Géol. *Pli déjeté*, pli dont le plan axial est incliné par rapport à la verticale et forme avec celle-ci un angle de 45° maximum.

DÉJEUNER [deʒœne] v. i. (bas lat. *disjunare*, rompre le jeûne). Prendre le repas du matin ou de midi. ◆ n. m. **1.** Repas du matin. (On précise parfois PETIT DÉJEUNER.) — **2.** Repas de midi. — **3.** Les mets eux-mêmes : *Un déjeuner froid.*

DÉJOUER [deʒwe] v. t. (*dé-*, et *jouer*). *Déjouer qqch.*, l'empêcher de se réaliser, y faire échec : *Déjouer les manœuvres d'un adversaire.*

DÉJUGER (SE) [sədeʒyʒe] v. pr. (*dé-*, et *juger*) [sujet nom de personne]. Revenir sur son jugement, sur son opinion; changer sa décision : *Après une affirmation aussi solennelle, il ne peut se déjuger.*

DE JURE [deʒyre] loc. adv. (mots lat. signif. *selon le droit*). Par référence au droit : *Gouvernement reconnu de jure* (contr. DE FACTO).

DEKKAN → DECCAN.

DELÀ [dəla] adv., **DEÇÀ** [dəsa] adv. (*de*, et *là*; *de*, et *çà*). Indiquent l'éloignement en avant ou en arrière relativement à une situation déterminée; ils ne s'emploient qu'avec une préposition, pour former des locutions adverbiales ou prépositives, parfois un nom. → tableau ci-dessous.

DÉLABRER [delɑbre] v. t. (prov. *deslabra*, déchirer). **1.** *Délabrer un édifice*, le faire tomber en ruine : *Une masure délabrée.* — **2.** *Délabrer qqch.*, l'endommager gravement : *Vous allez vous délabrer la santé* (syn. RUINER). ◆ ***se délabrer*** v. pr. : *Une propriété qui se délabre.* ◆ **délabrement** n. m. : *Le délabrement d'une maison* (syn. RUINE), *de la santé* (syn. DÉGRADATION).

DÉLACER v. t. → LACER.

DELACROIX (Eugène), peintre français (1798-1863). Puissamment novateur, considéré par l'opinion générale comme le chef de l'école romantique, et en tant que tel opposé à Ingres et aux peintres classiques. Delacroix fut très discuté de son vivant.

- *1824. Il envoie au Salon les « Scènes des massacres de Scio » dont la violence fait scandale.*
- *1832. Le séjour qu'il fait en Afrique du Nord est décisif : il y découvre une lumière plus chaude, des couleurs plus vives (« les Femmes d'Alger »).*

Son œuvre est abondante et ses sujets très variés : mythologiques, historiques *(la Mort de Sardanapale)*, animaliers *(la Chasse aux lions)*. Il a créé le goût pour les sujets inspirés des pays arabes.

Non seulement peintre, mais remarquable dessinateur, lithographe, aquarelliste, Delacroix s'est adonné également à la peinture murale (bibliothèque du Sénat, plafond de la galerie d'Apollon au Louvre, chapelle des Saints-Anges [église Saint-Sulpice] à Paris).

DÉLAI [delɛ] n. m. (de l'anc. fr. *deslaier*, différer). **1.** Temps accordé pour faire quelque chose : *Votre réponse devra nous parvenir dans le délai de dix jours.* — **2.** Temps supplémentaire accordé pour faire quelque chose : *Demander un délai* (syn. SURSIS). *Il faut partir sans délai* (= tout de suite).

DÉLAISSER [delɛse] v. t. (*dé-*, et *laisser*). *Délaisser qq'un, qqch.*, le laisser de côté, l'abandonner : *Délaisser son travail* (syn. NÉGLIGER). *Délaisser ses amis* (syn. fam. LAISSER TOMBER). ◆ **délaissement** n. m. (syn. ↑ABANDON).

DELALANDE (Michel Richard), compositeur français (1657-1726). Organiste et claveciniste, il fut nommé en 1683 surintendant de la chapelle du roi. Il est l'auteur de très nombreux motets, de ballets et de musique symphonique *(Symphonies pour les soupers du roi)*.

DELAMARE-DEBOUTTEVILLE (Édouard), industriel et inventeur français (1856-1901). Il réalisa la première voiture automobile qui, actionnée par un moteur à explosion, ait roulé sur une route (1883).

DÉLASSEMENT n. m., **DÉLASSER** v. t. → LAS 1.

DÉLATION [delaʃjɔ̃] n. f. (lat. *delatio*). Dénonciation intéressée et méprisable. ◆ **délateur, trice** n. (syn. fam. MOUCHARD).

delà	deçà
Au-delà loc. adv. Indique l'éloignement par rapport à une situation ou à un endroit : *Vous voyez la poste, la boulangerie est un peu au-delà* (syn. PLUS LOIN). *Je lui ai donné tout ce qu'il désirait et même au-delà* (syn. DAVANTAGE, PLUS).	**En deçà** loc. adv. En arrière par rapport à un lieu ou à une situation donnés : *Ne franchissez pas la rivière, restez en deçà.*
Au-delà de loc. prép. Indique un lieu, une action éloignés d'une limite précisée par le complément : *Allez au-delà du pont* (= passez le pont). *Il est allé au-delà des mots. Le succès a été au-delà de mes espérances* (= a dépassé). *Il nous est arrivé une histoire extraordinaire, au-delà de tout ce qu'on peut imaginer;* et avec une autre prép. : *Revenir d'au-delà des mers.*	**En deçà de** loc. prép. En restant en arrière par rapport à une situation ou à un lieu fixés par le complément : *L'armée resta en deçà du Rhin. Son travail est très en deçà de ses possibilités. Soyez plus hardi, ne restez pas en deçà de ce que vous pensez.*
L'au-delà n. m. Dans les conceptions religieuses, la vie future, le monde dont l'existence se place après la mort : *Poser le problème de l'au-delà.*	
Par-delà loc. prép. Indique une situation ou un lieu éloignés d'un point donné dont ils sont séparés par un obstacle : *Par-delà l'Atlantique, on comprend souvent mal la manière de vivre d'ici. Par-delà les apparences, on découvre un esprit très original.*	
De-ci de-là loc. adv. → LÀ.	

DELAUNAY (Robert), peintre français (1885-1941). Il fit partie du mouvement cubiste, mais bientôt s'en détacha et fut un des initiateurs, en France, de l'art abstrait*.

DÉLAVER [delave] v. t. *(dé-*, et *laver)*. Décolorer par l'action de l'eau : *Un tissu tout délavé* (= que les lavages ont décoloré). ◆ **délavé, e** adj. D'une couleur fade, pâle, ou qui a déteint : *Une robe d'un bleu délavé.*

DELAWARE (la), fl. des États-Unis, qui arrose Philadelphie et rejoint la *baie de la Delaware;* 406 km.

DELAWARE (le), État de l'est des États-Unis, sur l'Atlantique; 5 328 km^2; 565 000 hab. Capit. *Dover.*

DÉLAYER [deleje] v. t. (lat. *deliquare*, clarifier). **1.** Diluer dans un liquide : *Délayer du chocolat en poudre dans du lait.* — **2.** *Délayer une idée,* l'exprimer trop longuement. ◆ **délayage** n. m. **1.** *Le délayage de la peinture.* — **2.** *Faire du délayage,* exprimer trop longuement et de façon superflue sa pensée.

DELCASSÉ (Théophile), homme politique français (1852-1923). Radical, il fut ministre des Affaires étrangères (1898-1905) et s'efforça de mettre fin à l'isolement diplomatique de la France. Pour cela, il resserra l'alliance franco-russe (1900), rapprocha la France de l'Italie (1900-1902) et surtout réalisa l'Entente cordiale avec l'Angleterre (1904), liquidant les différends coloniaux apparus entre les deux puissances.

DÉLECTER (SE) [sədelɛkte] v. pr. (lat. *delectare*, charmer) [sujet nom d'être animé]. *Se délecter de* ou *à qqch., à* (et l'infin.), y prendre un plaisir très grand : *Se délecter à la lecture d'un livre.* ◆ v. t. *Délecter qq'un,* le remplir d'un plaisir délicat (langue soignée) : *Il délectait l'assistance de ses histoires humoristiques.* ◆ **délectable** adj. (langue soignée) : *Un vin délectable* (syn. DÉLICIEUX). ◆ **délectation** n. f. Plaisir raffiné (langue soignée) : *Jouir avec délectation d'un spectacle.*

DÉLÉGUER [delege] v. t. (lat. *delegare*). **1.** *Déléguer qq'un,* l'envoyer comme représentant d'une collectivité, avec pouvoir d'agir, de juger. — **2.** *Déléguer ses pouvoirs, son autorité à qq'un,* les lui transmettre. ◆ **délégation** n. f. **1.** Groupe de personnes chargées de représenter une collectivité : *Une délégation du personnel.* — **2.** *Délégation de pouvoirs, d'autorité,* action par laquelle une personne, détenant un pouvoir, délègue une autre personne pour agir à sa place. ◆ **délégué, e** n. et adj. : *Les délégués ouvriers* (syn. REPRÉSENTANT). ‖ *Délégués du personnel,* représentants élus du personnel auprès des patrons d'une entreprise en vue de veiller à l'application des dispositions du Code du travail.

DÉLESTER [delɛste] v. t. *(dé-*, et *lester)*. **1.** Décharger de son lest un ballon, un bateau. — **2.** Empêcher momentanément l'accès des automobiles sur une voie routière pour y résorber les encombrements. — **3.** Supprimer momentanément la fourniture de courant électrique dans un secteur du réseau. — **4.** *Fam. Délester qq'un de son argent,* le lui dérober. ◆ **délestage** n. m. Action de délester (sens 1, 2 et 3 du v.).

DÉLÉTÈRE [deletɛr] adj. (gr. *dêlêtêrios*, nuisible). **1.** Se dit le plus souvent d'un gaz nuisible à la santé : *Des émanations délétères.* — **2.** Se dit parfois d'idées dangereuses moralement : *Une propagande délétère.*

DELFT, v. des Pays-Bas, près de La Haye; 87 000 hab. Delft est une ville pittoresque, sillonnée de canaux et riche en édifices historiques (maisons du XVIe s., beffroi gothique). Les *faïences de Delft* sont très réputées.

DELHI, v. du nord de l'Inde, sur la Jamna; 5 714 000 hab. Carrefour de routes entre les régions frontières du Nord-Ouest, la plaine Indo-Gangétique, le golfe de Cambaye et Bombay, la ville est constituée par la vieille cité, surpeuplée, bordée au N. par des quartiers industriels, et, au S., par **New Delhi,** capit. de l'Inde, inaugurée en 1931 (324 300 hab.).

DÉLIBÉRANT, E adj., **DÉLIBÉRATIF, IVE** adj. et n. m., **DÉLIBÉRATION** n. f. ⟶ DÉLIBÉRER.

1. DÉLIBÉRÉ n. m. ⟶ DÉLIBÉRER.

2. DÉLIBÉRÉ, E [delibere] adj. (de *délibérer*). **1.** Se dit de ce qui est nettement résolu, qui ne comporte aucune indécision : *Un refus délibéré* (syn. ARRÊTÉ, FERME). — **2.** *De propos délibéré,* en connaissance de cause et intentionnellement. ◆ **délibérément** adv. Sans hésitation, après avoir réfléchi; avec résolution.

DÉLIBÉRER [delibere] v. i. (lat. *deliberare*). **1.** Examiner oralement à plusieurs les différents aspects d'une question, en vue de prendre une décision : *Le jury délibère* (syn. DISCUTER). — **2.** Considérer en soi-même les divers aspects d'une question : *Je ne délibérai pas plus longtemps* (syn. HÉSITER, S'INTERROGER). ◆ **délibérant, e** adj. : *Une assemblée délibérante.* ◆ **délibératif, ive** adj. *Avoir voix délibérative,* avoir le droit de participer à un débat, par oppos. à *voix consultative.* ◆ adj. et n. m. *Gramm.* Se dit d'une forme verbale ou d'une construction exprimant l'indécision du sujet qui s'interroge. (Ex. : *Comment faire?*) ◆ **délibération** n. f. **1.** Examen et discussion orale d'une affaire; résolution prise après discussion : *Par délibération du jury.* — **2.** *Se décider après mûre délibération* (syn. RÉFLEXION). ◆ **délibéré** n. m. En justice, délibération des juges d'un tribunal au sujet de la sentence à rendre.

DÉLICAT, E [delika, -at] adj. (lat. *delicatus*) [après ou parfois avant le nom]. **1.** Se dit d'une chose qui est d'une grande finesse : *Un délicat parfum de rose* (syn. SUBTIL). *Un mets délicat* (syn. RAFFINÉ). — **2.** Se dit d'une chose que sa finesse rend fragile, qui demande des ménagements : *Un tissu délicat. Une santé délicate.* — **3.** Se dit d'une chose qui présente des difficultés, qui embarrasse : *Hésiter à aborder un point délicat* (syn. ÉPINEUX). — **4.** Se dit d'une personne qui a des sentiments nobles et des manières distinguées, discrètes; se dit aussi des sentiments ou des actes d'une telle personne : *Un geste délicat* (syn. COURTOIS, PRÉVENANT). ◆ n. m. : *Faire le délicat* (syn. DIFFICILE). ◆ **délicatement** adv. ◆ **délicatesse** n. f. : *La délicatesse des traits du visage* (syn. FINESSE). *Manquer de délicatesse* (syn. TACT).

DÉLICE [delis] n. m. (lat. *delicium*). **1.** Plaisir vif et délicat : *Cette musique le remplissait de délice* (syn. RAVISSEMENT). — **2.** Ce qui produit ce plaisir : *Cette poire est un vrai délice.* ◆ n. f. pl. Vifs plaisirs : *Jouir de toutes les délices de la rêverie* (syn. CHARME, ENCHANTEMENT). ◆ **délicieux, euse** adj. **1.** Se dit de ce qui cause un plaisir intense : *Un gâteau délicieux* (syn. EXQUIS, SAVOUREUX). *Un parfum délicieux* (syn. SUAVE). *Une histoire délicieuse* (syn. CHARMANT, RAVISSANT). — **2.** Se dit d'une personne dont la compagnie est très agréable : *Une femme délicieuse.* ◆ **délicieusement** adv.

DÉLICTUEUX, EUSE adj. ⟶ DÉLIT.

1. DÉLIÉ [delje] n. m. (lat. *delicatus*, avec influence de *délier*). Partie plus fine du tracé d'une lettre, par oppos. au PLEIN : *Les pleins et les déliés d'une écriture.*

2. DÉLIÉ, E [delje] adj. (même étym.). **1.** *Esprit délié,* intelligence vive et subtile. — **2.** *Avoir la langue bien déliée,* parler avec abondance et facilité.

DÉLIER v. t. ⟶ LIER 1 et 3.

DELILLE *(abbé* Jacques), poète français (1738-1813). Un goût sincère de la vie rustique anime ses poèmes descriptifs *(l'Homme des champs,* 1800); il eut l'ambition, déjà romantique, de saisir entre le monde et l'homme « la correspondance éternelle que la nature a établie entre eux ».

DÉLIMITATION n. f., **DÉLIMITER** v. t. ⟶ LIMITE.

DÉLINQUANT, E [delɛ̃kɑ̃, -ɑ̃t] adj. et n. (du lat. *delinquere*, être en faute). Personne qui a commis un délit : *Punir un délinquant.* ◆ **délinquance** n. f. Ensemble des crimes et des délits considérés sur le plan social : *La délinquance juvénile.*

DÉLIQUESCENT, E [delikɛsɑ̃, -ɑ̃t] adj. (du lat. *deliquescere*, se fondre). **1.** Se dit d'une substance qui a la propriété d'absorber l'humidité de l'air et de s'y dissoudre en devenant liquide. — **2.** Se dit d'une chose qui se décompose ou d'une personne très affaiblie, diminuée intellectuellement : *Société déliquescente* (syn. DÉCADENT). *Esprit déliquescent.* ◆ **déliquescence** n. f. Sens 1 et 2 de l'adj.

DÉLIRE [delir] n. m. (lat. *delirium*). **1.** Égarement maladif et momentané d'un esprit qui se représente des choses extravagantes, sans rapport avec la réalité : *Une forte fièvre qui s'accompagne de délire.* — **2.** *Méd.* Trouble mental dans lequel l'individu est soumis à des croyances fausses mais inébranlables qui gouvernent toutes ses pensées et aussi toutes ses actions. — **3.** Exaltation, enthousiasme extrême : *Une foule en délire.* ◆ **délirant, e** adj. Se dit d'une joie, d'un enthousiasme, etc., qui se manifestent avec une grande force ou d'une manière désordonnée (syn. FRÉNÉTIQUE). ◆ **délirer** v. i. **1.** Avoir le délire : *Malade qui délire.* — **2.** *Fam.* Parler ou agir de façon déraisonnable : *« Vous croyez qu'il va accepter? — Vous délirez. »* — **3.** *Délirer de joie,* être dans un état d'exaltation (syn. DÉBORDER, EXULTER).

DELIRIUM TREMENS [delirjɔmtremɛ̃s] n. m. (mots lat. signif. *délire tremblant*). *Méd.* Délire brutal qui est une complication grave de l'alcoolisme et s'accompagne d'agitation, de fièvre, de sueurs et d'un tremblement intense des membres.

DÉLIT [deli] n. m. (lat. *delictum*, faute). **1.** *Dr.* Violation de la loi passible de peines correctionnelles (par oppos. à CONTRAVENTION et à CRIME). ‖ *Corps du délit,* l'élément qui constitue le délit. — **2.** *Prendre qq'un en flagrant délit,* le surprendre au moment même où il commet une faute (syn. SUR LE FAIT; fam. LA MAIN DANS LE SAC). ◆ **délictueux, euse** adj. Se dit d'une action qui constitue un délit.

DÉLITER (SE) [sədelite] v. pr. (de *dé-*, et *lit*). **1.** *Géol.* En parlant d'une roche, se fragmenter peu à peu par enlèvement de pellicules successives ou de petits fragments. — **2.** *Phys.* Se désagréger sous l'action de l'eau ou de l'humidité de l'air : *La chaux vive se délite.*

1. DÉLIVRER [delivre] v. t. (bas lat. *deliberare*). **1.** *Délivrer qq'un*, le mettre en liberté : *Délivrer des prisonniers* (syn. LIBÉRER). — **2.** *Délivrer qq'un de qqch.*, le débarrasser d'une contrainte, d'une inquiétude, etc. : *Me voilà délivré d'un gros souci* (syn. SOULAGER). ◆ **délivrance** n. f.

2. DÉLIVRER [delivre] v. t. (même étym.) [sujet nom de personne]. *Délivrer à qq'un des papiers, un certificat*, etc., les lui remettre : *Délivrer une ordonnance.* ◆ **délivrance** n. f.

DELLA ROBBIA (Luca), sculpteur florentin (1400-1482), auteur de médaillons et de panneaux de terre cuite émaillée. On lui doit aussi la *cantoria* (= tribune destinée aux choristes) de la cathédrale de Florence.

DELLE, ch.-l. de cant. du Territoire de Belfort, à la frontière suisse, à 18 km à l'E. de Montbéliard; 8200 hab. *(Dellois).* Métallurgie.

DELLES, ancienn. **Dellys**, comm. d'Algérie, sur la côte de la Grande Kabylie; 21600 hab. Centre touristique.

DELLUC (Louis), journaliste et cinéaste français (1890-1924). Il est considéré comme le fondateur de la critique cinématographique.

DÉLOGER [delɔʒe] v. t. *(dé-*, et *loger). Déloger un être animé*, le chasser d'un lieu, d'une position : *Déloger l'ennemi.* ◆ v. i. (sujet nom d'être animé). *Fam.* Quitter vivement un lieu : *Il va nous falloir déloger* (syn. fam. DÉCAMPER).

DELORME ou **DE L'ORME** (Philibert), architecte français (v. 1510-1570). Architecte du roi Henri II, il travailla aussi pour Catherine de Médicis. Il construisit le château d'Anet et les Tuileries, dirigea les travaux de Fontainebleau, travailla aux châteaux de Villers-Cotterêts et de Saint-Germain. Il fut le véritable initiateur de l'architecture classique française.

DÉLOS, île grecque de la mer Égée, la plus petite des Cyclades. Au VIIe s. av. J.-C., elle devint un centre religieux (grand sanctuaire d'Apollon). Importantes ruines antiques *(lions de Délos).*

Délos tomba progressivement sous l'influence d'Athènes, qui en fit le centre de la première ligue maritime (477 av. J.-C.).

DÉLOYAL, E, AUX adj., **DÉLOYALEMENT** adv., **DÉLOYAUTÉ** n. f. ⟶ LOYAL.

DELPHES, v. de l'anc. Grèce, en Phocide, sur le versant sud-ouest du mont Parnasse. Dans ce site grandiose furent construits de nombreux monuments dont le célèbre temple d'Apollon où ce dieu était censé rendre des oracles par la bouche de la pythie. Delphes fut le siège d'une « amphictyonie » (confédération religieuse) réunissant presque tous les peuples de la Grèce classique. Son prestige fut immense du VIIe au IVe s. av. J.-C.

Les fouilles entreprises par l'École française d'Athènes en 1860 ont mis au jour les ruines des temples d'Apollon et d'Athéna, des trésors, le théâtre, le stade (où se déroulaient les jeux Pythiques), et d'innombrables œuvres d'art comme l'*Aurige*.

DELPHINIUM [dɛlfinjɔm] n. m. (du lat. *delphinus*, dauphin). Renonculacée herbacée, cultivée comme plante d'ornement (syn. PIED-D'ALOUETTE).

DELTA [dɛlta] n. m. (mot gr. désignant la quatrième lettre de l'alphabet). Espace compris entre les bras d'un fleuve qui se divise près de son embouchure : *Le delta du Nil.*
— ENCYCL. Le *delta* d'un fleuve est formé par l'accumulation d'alluvions, apportées par ce fleuve, à son débouché dans une mer peu profonde et peu agitée, ou dans un lac. De forme grossièrement triangulaire, il apparaît lorsque les courants sont insuffisants pour évacuer tous les débris. (*Ex. :* la Camargue est le delta du Rhône.)

Delta *(plan)*, nom donné par les Néerlandais aux grands travaux réalisés entre 1958 et 1986 dans la région des bouches du Rhin, de la Meuse et de l'Escaut. Entrepris dans le but de faciliter la lutte contre les inondations en reliant par des digues les îles de la Hollande-Méridionale et de la Zélande, ils ont permis l'assèchement de 15000 ha.

DELTAPLANE [dɛltaplan] n. m. Type de planeur ultraléger, servant au vol libre.

DELTOÏDE [dɛltɔid] adj. et n. m. (gr. *deltoeidês*, en forme de delta). *Anat.* Muscle de l'épaule, de forme triangulaire, élévateur du bras.

DÉLUGE [delyʒ] n. m. (lat. *diluvium*, inondation). **1.** Pluie torrentielle. — **2.** Débordement universel des eaux raconté par la Bible. (Prend une majusc. en ce sens.) — **3.** Fam. *Remonter au Déluge*, faire un récit en reprenant de très loin le fil des événements. — **4.** *Fam.* Grande abondance : *Un déluge de paroles* (syn. FLOT).

DÉLURÉ, E [delyre] adj. (de *déleurrer*, détromper). Se dit d'une personne qui a l'esprit vif et des manières dégourdies : *Un gamin déluré* (syn. ESPIÈGLE, MALIN).

DELVAUX (Paul), peintre belge (né en 1897). Un des principaux représentants du surréalisme. Son dessin classique est au service de compositions étranges où, dans des décors d'architecture, se promènent des personnages nus ou habillés. Il s'en dégage une poésie mystérieuse et prenante.

DÉMAGOGIE [demagɔʒi] n. f. (du gr. *dêmos*, peuple, et *agein*, conduire). Attitude d'une personne ou d'un groupe qui cherche à gagner la faveur de l'opinion publique en la flattant : *Promettre une baisse générale des impôts serait de la démagogie.* ◆ **démagogique** adj. ◆ **démagogue** n. m.

DÉMAILLER (SE) v. pr. ⟶ MAILLE 1.

DÉMAILLOTER v. t. ⟶ MAILLOT.

DEMAIN [dəmɛ̃] adv. (lat. *de mane*, à partir du matin). **1.** Le jour qui suit immédiatement celui où l'on est. (Pour désigner un jour qui suit un autre jour que celui où l'on est, on dit le LENDEMAIN. [⟶ TEMPS *(expression du)*.] — **2.** *À demain*, formule par laquelle on prend congé jusqu'au lendemain. ‖ Fam. *Ce n'est pas demain la veille*, cela n'est pas près de se produire. ◆ **après-demain** adv. Le second jour après aujourd'hui : *Nous sommes dimanche : je reviendrai après-demain mardi.* (On dit le SURLENDEMAIN pour désigner le deuxième jour après un autre jour que celui où l'on est et fam. APRÈS-APRÈS-DEMAIN.)

DÉMANCHER v. t., **SE DÉMANCHER** v. pr. ⟶ MANCHE 4.

DEMANDER [dəmɑ̃de] v. t. (lat. *demandare*, confier). **1.** (sujet nom de personne ou plus rarement nom d'animal) *Demander une chose à qq'un*, lui faire connaître ce qu'on souhaite obtenir, exprimer le désir ou la volonté de : *Demander une autorisation* (syn. SOLLICITER). *Je lui demande d'être exact au rendez-vous* (syn. PRIER). *Je demande que chacun participe à ce travail* (syn. DÉSIRER, VOULOIR). — **2.** (sujet nom de chose ou nom d'être animé) Avoir besoin de : *Ce travail demande du temps* (syn. NÉCESSITER). *Cela demande une explication* (syn. APPELER, REQUÉRIR). — **3.** *Ne demander qu'à* (et l'infin.), être tout disposé à. ‖ *Ne pas demander mieux (que de*, et l'infin.), consentir volontiers (à). ◆ ***se demander*** v. pr. (sujet nom de personne). Être dans l'incertitude à propos de quelque chose : *Je me demande pourquoi il m'a dit cela.* ◆ **demande** n. f. **1.** Action de demander; écrit qui l'exprime : *Des demandes d'emploi* (contr. OFFRE). — **2.** Chose qu'on désire obtenir : *On lui a accordé sa demande.* — **3.** Somme des produits ou des services que les consommateurs sont disposés à acquérir en un temps et à un prix donnés : *Cet article est l'objet d'une forte demande. La loi de l'offre et de la demande.* ◆ **demandeur, euse** n. **1.** Personne qui demande. — **2.** Personne qui engage une action en justice.

DÉMANGER [demɑ̃ʒe] v. t. et t. ind. *(dé-*, et *manger)*. **1.** *Démanger qq'un* (plus rarement *à qq'un*), lui causer une démangeaison : *La peau le* (ou *lui*) *démange.* — **2.** Fam. *La langue me démange*, j'ai envie de parler. ◆ **démangeaison** n. f. **1.** Picotement de la peau qui donne envie de se gratter. — **2.** *Fam.* Grande envie de faire quelque chose.

DÉMANTELER [demɑ̃tle] v. t. (*dé-*, et l'anc. fr. *manteler*, abriter). [Conj. **5.**] **1.** *Démanteler une place forte, des remparts*, le démolir. — **2.** *Démanteler une organisation, un plan*, les désorganiser : *La police a démantelé un gang.* ◆ **démantèlement** n. m.

DÉMANTIBULER [demɑ̃tibyle] v. t. (altér. de *mandibule*). *Fam.* Démolir un assemblage : *De vieux meubles démantibulés* (syn. DISLOQUER; fam. DÉGLINGUER). ◆ ***se démantibuler*** v. pr. Fonctionner mal (syn. SE DÉTÉRIORER).

DÉMAQUILLANT n. m., **DÉMAQUILLER** v. t. ⟶ MAQUILLER.

DÉMARCATION [demarkasjɔ̃] n. f. (de l'esp. *demarcar*, marquer les limites). **1.** Limite qui sépare deux régions, deux zones (on dit souvent LIGNE DE DÉMARCATION) : *En 1940, la ligne de démarcation entre la zone française occupée par les Allemands et la zone non occupée passait par Moulins.* — **2.** Ce qui sépare, ce qui distingue des choses abstraites : *La démarcation des pouvoirs.*

1. DÉMARCHE [demarʃ] n. f. (de l'anc. fr. *demarcher*, fouler aux pieds). **1.** Manière dont une personne marche (syn. ALLURE). — **2.** Manière de conduire un raisonnement, méthode : *Une démarche intellectuelle.*

2. DÉMARCHE [demarʃ] n. f. (même étym.). Tentative faite auprès de quelqu'un pour obtenir quelque chose. ◆ **démarchage** n. m. Mode de vente consistant à solliciter les clients à domicile (syn. fam. PORTE-À-PORTE). ◆ **démarcheur, euse** n. Personne dont la profession consiste dans le démarcharge.

DÉMARIER [demarje] v. t. *(dé-,* et *marier).* Arracher dans un semis certains plants pour assurer le développement des autres : *Démarier des betteraves.*

1. DÉMARQUER v. t. ⟶ MARQUER.

2. DÉMARQUER [demarke] v. t. *(dé-,* et *marquer). Démarquer une œuvre littéraire,* la copier en en modifiant les détails, de façon à masquer l'emprunt (syn. PLAGIER). ◆ **démarquage** n. m. : *Une œuvre qui n'est qu'un démarquage* (syn. PLAGIAT).

DÉMARRER [demare] v. i. *(dé-,* et *[a]marrer).* **1.** Commencer à rouler (en parlant d'un véhicule), à tourner (en parlant d'un moteur). — **2.** Commencer à fonctionner (en parlant d'une affaire, d'une entreprise, etc.). ◆ **démarrage** n. m. (syn. MISE EN ROUTE). ◆ **démarreur** n. m. Dispositif servant à mettre en marche un moteur à explosion. (Sur les automobiles, il est constitué par un petit moteur électrique.)

DÉMASCLER [demaskle] v. t. (du prov. *desmascla,* émasculer). Enlever le liège d'un chêne-liège. ◆ **démasclage** n. m.

DÉMASQUER v. t. ⟶ MASQUE.

DÉMÂTER v. t. ⟶ MÂT.

DEMĀVEND, volcan de la chaîne de l'Elbourz, point culminant de l'Iran; 5 604 m.

DÈME [dɛm] n. m. (gr. *dêmos,* peuple). Nom des cantons, bourgs ou subdivisions administratives de l'anc. Attique (territoire d'Athènes).

1. DÉMÊLER [demele] v. t. *(dé-,* et *mêler).* **1.** *Démêler qqch.,* séparer et mettre en ordre ce qui est emmêlé : *Démêler un écheveau de laine* (syn. DÉBROUILLER). — **2.** *Démêler qqch.* (mot abstrait), distinguer les éléments d'une chose compliquée : *Démêler le vrai du faux* (syn. DISCERNER). ◆ **démêlage** ou **démêlement** n. m. : *Le démêlage des cheveux. Le démêlement d'une énigme.* ◆ **démêloir** n. m. Peigne à dents écartées.

2. DÉMÊLER [demele] v. t. (même étym.). *Démêler une affaire,* la discuter, en débattre afin de la résoudre. ◆ **démêlé** n. m. Difficulté née d'une opposition d'idées, d'intérêts : *Ils ont eu des démêlés* (syn. DISCUSSION, QUERELLE). *Des démêlés avec la justice* (syn. ENNUI).

DÉMEMBRER [demɑ̃bre] v. t. (de *dé-,* et *membre).* Partager en détachant les parties constitutives : *Démembrer une phrase en propositions* (syn. DIVISER). *Démembrer un domaine* (contr. REMEMBRER). ◆ **démembrement** n. m. : *Le démembrement d'une propriété* (contr. REMEMBREMENT). *Le démembrement de l'empire de Charlemagne* (syn. DIVISION, PARTAGE).

DÉMÉNAGER [demenaʒe] v. t. (de *dé-,* et *ménage).* **1.** *Déménager des meubles,* les transporter d'une pièce, d'une maison dans une autre. — **2.** *Déménager une pièce, une maison,* la vider du mobilier ou des objets qu'elle contient. ◆ v. i. Quitter son logement pour un autre en y transportant ses meubles (contr. EMMÉNAGER). ◆ **déménagement** n. m. : *Une entreprise de déménagement.* ◆ **déménageur** n. m. Celui dont la profession est d'effectuer des déménagements pour autrui.

DÉMENCE [demɑ̃s] n. f. (lat. *dementia,* folie). *Méd.* Trouble mental grave, caractérisé par une détérioration des fonctions intellectuelles. ◆ **dément, e** adj. et n. Atteint de démence (syn. FOU). ◆ **démentiel, elle** [demɑ̃sjɛl] adj. Qui présente les caractères de la démence.

DÉMENER (SE) [sədemne] v. pr. *(dé-,* et *mener).* **1.** (sujet nom d'être animé) S'agiter vivement : *Un écureuil qui se démène dans sa cage.* — **2.** (sujet nom de personne) Se donner beaucoup de peine : *Se démener pour faire adopter un projet.*

DÉMENT, E adj. et n., **DÉMENTIEL, ELLE** adj. ⟶ DÉMENCE.

DÉMENTIR [demɑ̃tir] v. t. *(dé-,* et *mentir).* **1.** *Démentir qq'un,* le contredire en affirmant qu'il a dit des choses fausses. — **2.** *Démentir une nouvelle,* déclarer nettement qu'elle est inexacte. — **3.** (sujet nom de chose) *Démentir qqch.,* ne pas y être conforme : *Les résultats ont démenti tous les pronostics.* ◆ **se démentir** v. pr. (sujet nom de chose). Cesser de se manifester, ne pas être durable (dans des constructions négatives) : *Son amitié pour moi ne s'est jamais démentie.* ◆ **démenti** n. m. **1.** Déclaration qui affirme l'inexactitude d'une nouvelle : *Publier un démenti.* — **2.** Ce qui fait apparaître l'inexactitude, le mensonge : *Infliger un démenti.*

DÉMÉRITE n. m., **DÉMÉRITER** v. i. ⟶ MÉRITER.

DÉMESURE n. f., **DÉMESURÉ, E** adj., **DÉMESURÉMENT** adv. ⟶ MESURE 2.

DÉMÉTER. *Myth. gr.* Divinité de la terre cultivée, déesse du Blé. Les Romains l'assimilèrent à *Cérès.*

DÉMÉTRIOS, nom de trois rois de Syrie (IIe et Ier s. av. J.-C.).

1. DÉMETTRE [demɛtr] v. t. *(dé-,* et *mettre).* [Conj. **57.**] *Démettre un membre, un os,* le déplacer de sa position naturelle par une action violente : *Sa chute lui a démis une épaule* (syn. DÉBOÎTER). ◆ ***se démettre*** v. pr. : *Il s'est démis le poignet.*

2. DÉMETTRE (SE) [sədemɛtr] v. pr. (lat. *dimittere,* renvoyer). [Conj. **57.**] (Sujet nom de personne.) *Se démettre d'une charge, d'un emploi,* abandonner les fonctions qu'on remplissait. ◆ **démission** [demisjɔ̃] n. f. **1.** Action de se démettre de ses fonctions; acte par lequel on déclare sa décision de cesser de les exercer : *Une lettre de démission.* — **2.** Attitude de quelqu'un qui ne remplit par sa mission : *La démission de l'autorité paternelle.* ◆ **démissionnaire** adj. et n. Se dit d'une personne ou d'un groupe de personnes qui viennent de donner leur démission. ◆ **démissionner** v. i. Donner sa démission.

DÉMEUBLER v. t. ⟶ MEUBLE 1.

DEMEURANT (AU) [odəmœrɑ̃] loc. adv. (de *demeurer).* Une fois examiné le pour et le contre (langue soignée) : *Au demeurant, il n'est pas sot* (syn. AU RESTE, EN SOMME, SOMME TOUTE, TOUT BIEN CONSIDÉRÉ ou PESÉ).

1. DEMEURE n. f. ⟶ DEMEURER.

2. DEMEURE [dəmœr] n. f. (du lat. *demorari,* tarder). **1.** *Mettre qq'un en demeure de faire qqch.,* le lui ordonner avec force, le lui enjoindre. ‖ *Mise en demeure,* sommation faite à quelqu'un. — **2.** *Il n'y a pas péril en la demeure,* on peut attendre sans danger.

DEMEURÉ, E [dəmœre] adj. et n. (de *demeurer).* Se dit d'une personne attardée mentalement.

DEMEURER [dəmœre] v. i. (lat. *demorari,* rester). **1.** (sujet nom de personne ou de chose) Être de façon continue dans un lieu ou dans un état : *Il est demeuré un moment perplexe* (syn. RESTER). *Il demeure peu de chose de tout cela* (syn. SUBSISTER). — **2.** (sujet nom de personne) Avoir son domicile : *Où demeurez-vous?* (syn. HABITER, LOGER). — **3.** *En demeurer là,* ne pas continuer (sujet nom de personne); ne pas avoir de conséquence (sujet nom de chose). ◆ **demeure** n. f. **1.** Lieu où l'on habite (syn. HABITATION, MAISON). — **2.** *Conduire un mort à sa dernière demeure,* suivre son convoi funèbre (littér.). ‖ *Être quelque part à demeure,* y être installé de façon durable.

1. DEMI- [dəmi] élément, issu du bas lat. *dimedius,* préfixé à un mot au moyen d'un trait d'union, pour indiquer la moitié *(demi-litre),* le degré inférieur *(demi-dieu),* la faible intensité *(demi-jour),* quelque chose d'incomplet *(demi-succès).* [Rem. *Demi-* est invariable : *Les demi-journées. Une demi-heure.*]

2. DEMI, E [dəmi] adj. (même étym.). Qui est la moitié d'un tout. — Loc. ADJ. *Et demi,* indique qu'il faut ajouter la moitié d'une unité : *Un an et demi* (=18 mois). *Deux heures et demie* (=150 minutes). [Rem. *Demi,* placé après le nom, en prend le genre mais reste au sing. : *Deux heures et demie. Trois jours et demi.*]

3. DEMI (À) [adəmi] loc. adv. (même étym.). Indique un degré moyen, un état plus ou moins incomplet : *La bouteille est à demi pleine* (syn. À MOITIÉ). *Faire les choses à demi* (syn. IMPARFAITEMENT).

4. DEMI [dəmi] n. m. (même étym.). **1.** Moitié d'une unité : *Deux demis valent un entier.* — **2.** Grand verre de bière (il équivalait, à l'origine, à un demi-litre) : *Boire un demi au comptoir.* — **3.** Dans les sports d'équipe, joueur placé entre les arrières et les avants. ‖ *Demi de mêlée,* au rugby, joueur chargé de lancer le ballon dans la mêlée, et de le passer au demi d'ouverture. ‖ *Demi d'ouverture,* joueur chargé de lancer l'offensive.

DEMI-BRIGADE n. f. ⟶ BRIGADE. / **DEMI-CERCLE** n. m. ⟶ CERCLE. / **DEMI-DEUIL** n. m. ⟶ DEUIL. / **DEMI-DIEU** n. m. ⟶ DIEU. / **DEMI-DROITE** n. f. ⟶ DROITE 1.

DEMIE [dəmi] n. f. (de *demi* 2). Moitié d'une heure : *Horloge qui sonne les heures et les demies.*

DEMI-ESPACE [dəmiɛspas] n. m. *(demi-,* et *espace). Math.* P étant un plan, on appelle *demi-espace de bord* P l'ensemble des

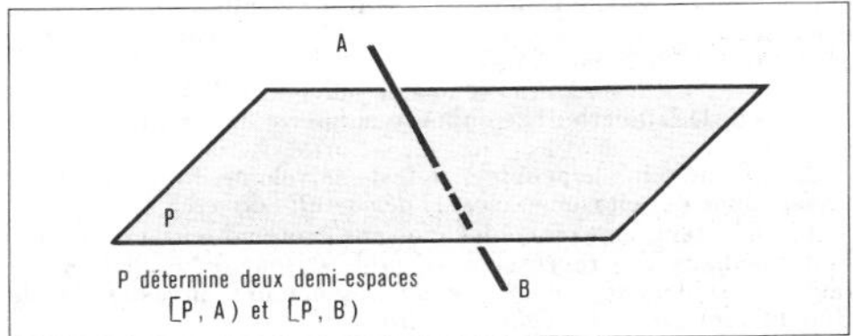

points de l'espace situés d'un même côté par rapport à P ou appartenant à P. (Tout plan P détermine deux demi-espaces de bord P. Si A est un point n'appartenant pas à P, on note [P, A) le demi-espace de bord P contenant A.)

DEMI-FINALE n. f. ⟶ FIN 1. / **DEMI-FOND** n. m. ⟶ FOND 2. / **DEMI-FRÈRE** n. m. ⟶ FRÈRE. / **DEMI-GROS** n. m. inv. ⟶ GROS 2. / **DEMI-HEURE** n. f. ⟶ HEURE. / **DEMI-JOUR** n. m. inv. ⟶ JOUR 2. / **DEMI-JOURNÉE** n. f. ⟶ JOUR 1.

DÉMILITARISATION n. f., **DÉMILITARISER** v. t. → MILITAIRE.

DE MILLE (Cecil Blount), metteur en scène de cinéma américain (1881-1959). Il se spécialisa dans les films à grande mise en scène : *Forfaiture* (1915), *les Dix Commandements* (1923), *Sous le plus grand chapiteau du monde* (1952).

DEMI-LONGUEUR n. f. ⟶ LONG.

DEMI-LUNE [dəmilyn] n. f. *(demi-*, et *lune).* **1.** Ouvrage de fortification, destiné à couvrir la courtine et les bastions qui l'encadrent. — **2.** Carrefour en forme de demi-cercle où aboutissent plusieurs chemins. ‖ Pl. des *demi-lunes.*

DEMI-MAL n. m. ⟶ MAL 1. / **DEMI-MESURE** n. f. ⟶ MESURE 3. / **DEMI-MONDAINE** n. f., **DEMI-MONDE** n. m. ⟶ MONDE 2. / **DEMI-MOT (À)** loc. adv. ⟶ MOT.

DÉMINAGE n. m., **DÉMINER** v. t., **DÉMINEUR** n. m. ⟶ MINE 4.

DÉMINÉRALISATION n. f. ⟶ MINÉRAL.

DEMI-PENSION n. f., **DEMI-PENSIONNAIRE** n. et adj. → PENSION 1. / **DEMI-PLACE** n. f. → PLACE 1. / **DEMI-PLAN** n. m. → PLAN 1. / **DEMI-SAISON** n. f. → SAISON.

DEMI-SANG [dəmisɑ̃] n. m. inv. *(demi-*, et *sang).* Race de chevaux provenant du croisement d'un pur-sang anglais avec des juments françaises.

DEMI-SEL [dəmisɛl] adj. inv. *(demi-*, et *sel).* Se dit d'un aliment qu'on vend légèrement salé : *Du beurre demi-sel.* ◆ n. m. inv. Fromage frais légèrement salé.

DEMI-SŒUR n. f. ⟶ SŒUR.

DEMI-SOLDE [dəmisɔld] n. m. inv. *(demi-*, et *solde).* Officier du premier Empire, mis en non-activité par la Restauration avec des ressources réduites de moitié.

DEMI-SOMMEIL n. m. ⟶ SOMMEIL.

DÉMISSION n. f., **DÉMISSIONNAIRE** adj. et n., **DÉMISSIONNER** v. i. ⟶ DÉMETTRE 2.

DEMI-TEINTE n. f. ⟶ TEINTE. / **DEMI-TON** n. m. ⟶ TON 2. / **DEMI-TOUR** n. m. ⟶ TOURNER 1.

DÉMIURGE [demjyrʒ] n. m. (gr. *dêmiourgos*, celui qui crée). Nom du dieu créateur de l'univers, chez les platoniciens.

DÉMOBILISATION n. f., **DÉMOBILISER** v. t. ⟶ MOBILISER.

DÉMOCRATIE [demɔkrasi] n. f. (du gr. *dêmos*, peuple, et *kratos*, autorité). Forme de gouvernement dans laquelle l'autorité émane du peuple : *Dans une démocratie tous les citoyens naissent libres et égaux en droits.* ‖ *Démocratie chrétienne*, mouvement tendant à concilier les impératifs de la foi et de la morale chrétienne et les principes démocratiques. ‖ *Démocratie populaire*, nom donné au lendemain de la Seconde Guerre mondiale aux États de l'Europe centrale et orientale où commençaient à s'édifier des régimes inspirés de celui de l'U. R. S. S. ◆ **démocrate** n. et adj. **1.** Partisan de la démocratie; défenseur des idées démocratiques. — **2.** Membre de l'un des deux grands partis politiques aux États-Unis. ◆ **démocrate-chrétien, enne** adj. et n. : *Le parti démocrate-chrétien en Italie, en Allemagne de l'Ouest.* ◆ **démocratique** adj. Se dit de ce qui est conforme à la démocratie. ◆ **démocratiquement** adv. ◆ **démocratiser** v. t. Rendre plus démocratique : *Démocratiser la culture* (= la rendre accessible à de plus grandes couches populaires). ◆ **démocratisation** n. f. : *La démocratisation de l'enseignement.* ◆ **antidémocratique** adj. Qui est contraire à la démocratie.

— ENCYCL. La *démocratie* est fondée sur l'égalité des citoyens et le respect de la liberté; elle suppose la liberté de s'exprimer et de s'informer.

Dans l'Antiquité, le peuple manifeste sa volonté directement par l'Assemblée des citoyens : c'est la *démocratie directe.*

Actuellement, en France, les citoyens exercent leur autorité par l'intermédiaire des représentants qu'ils élisent (conseillers généraux, conseillers régionaux, députés, sénateurs, président de la République) : c'est le *régime représentatif.*

Le *régime démocratique* s'oppose à une façon de gouverner où tous les pouvoirs appartiennent à des groupes restreints *(aristocratie)* ou à un seul homme *(monarchie, dictature).*

DÉMOCRITE, philosophe grec (v. 460 - v. 370 av. J.-C.). Matérialiste, il prêchait la recherche du bonheur par la modération dans les désirs.

DÉMODÉ, E adj., **DÉMODER (SE)** v. pr. ⟶ MODE 3.

DÉMOGRAPHIE [demɔgrafi] n. f. (du gr. *dêmos*, peuple, et *graphein*, écrire). Science qui étudie les populations humaines d'un point de vue quantitatif : *Le recensement* (= dénombrement) *de la population d'un pays est un document de base pour la démographie.* ◆ **démographique** adj.

1. DEMOISELLE [dəmwazɛl] n. f. (bas lat. *dominicella*). **1.** Personne du sexe féminin et qui n'est pas mariée : *Elle est restée demoiselle* (syn. fam. VIEILLE FILLE). — **2.** *Demoiselle d'honneur*, jeune fille qui accompagne une mariée.

2. DEMOISELLE [dəmwazɛl] n. f. (de *demoiselle* 1). **1.** *Zool.* Nom usuel de la LIBELLULE BLEUE. — **2.** *Géogr.* Syn. de CHEMINÉE DES FÉES.

DÉMOLIR [demɔlir] v. t. (lat. *demoliri*). **1.** *Démolir une chose* (objet concret), mettre en pièces ce qui est assemblé : *Démolir d'anciennes maisons* (syn. ABATTRE, RASER; contr. BÂTIR, CONSTRUIRE). *Démolir un jouet* (syn. fam. DÉTRAQUER). — **2.** *Démolir qqch.* (mot abstrait), détruire ce qui a été formé : *Ce contretemps démolit mes projets* (syn. ANÉANTIR, RUINER). — **3.** Fam. *Démolir qq'un*, ruiner sa réputation ou le démoraliser : *Démolir un concurrent.* ◆ **démolisseur** n. m. Celui qui démolit. ◆ **démolition** n. f. Action de démolir une construction : *Entreprise de démolition.* ◆ n. f. pl. Matériaux provenant de bâtiments démolis.

DÉMON [demɔ̃] n. m. (gr. *daimôn*, esprit). **1.** Dans la religion chrétienne, puissance du mal : *Être possédé du démon. Le démon* (= le diable, Satan). — **2.** Personne malfaisante ou insupportable : *Cet enfant est un petit démon* (syn. DIABLE). — **3.** *Le démon de la gourmandise*, etc., la force irrésistible qui vous porte à ce défaut. ◆ **démoniaque** adj. Digne d'un démon : *Rire démoniaque* (syn. DIABOLIQUE, SATANIQUE). ◆ n. Personne qui agit avec une méchanceté perverse.

DÉMONÉTISÉ, E adj. ⟶ MONNAIE.

DÉMONIAQUE adj. et n. ⟶ DÉMON.

DÉMONSTRATEUR, TRICE n. ⟶ DÉMONTRER.

1. DÉMONSTRATIF, IVE adj. et n. m. ⟶ CE, CLASSE 4 et DÉMONTRER.

2. DÉMONSTRATIF, IVE [demɔ̃stratif, -iv] adj. (lat. *demonstrativus*). Se dit d'une personne qui manifeste ses sentiments : *Quoiqu'il ne fût guère démonstratif, il ne pouvait cacher sa joie* (syn. EXPANSIF, ↑EXUBÉRANT, OUVERT). ◆ **démonstration** n. f. **1.** Manifestation visant à impressionner quelqu'un : *Une démonstration de force.* — **2.** Manifestation d'un sentiment : *Des démonstrations d'amitié.*

DÉMONSTRATION n. f. ⟶ DÉMONSTRATIF 2 et DÉMONTRER.

DÉMONTABLE adj., **DÉMONTAGE** n. m. → MONTER 3.

DÉMONTÉ, E [demɔ̃te] adj. (de *démonter*). *Mer démontée*, mer très agitée par suite du mauvais temps.

1. DÉMONTER v. t. ⟶ MONTER 3.

2. DÉMONTER [demɔ̃te] v. t. *(dé-*, et *monter). Démonter qq'un*, le jeter dans l'embarras, lui causer de la confusion (syn. DÉCONCERTER, TROUBLER). ◆ ***se démonter*** v. pr. Se troubler.

DÉMONTRER [demɔ̃tre] v. t. (lat. *demonstrare*) [sujet nom de personne ou de chose]. *Démontrer qqch.*, établir une affirmation par un raisonnement, un fait par des preuves : *Je lui ai démontré qu'il avait tort* (syn. PROUVER). ◆ **démontrable** adj. Que l'on peut démontrer. ◆ **démonstratif, ive** adj. Se dit de ce qui démontre : *Un argument démonstratif* (syn. PROBANT). ◆ **démonstration** n. f. **1.** Raisonnement par lequel on établit la vérité d'une proposition : *Une démonstration qui manque de rigueur.* — **2.** *Math.* Suite de relations par laquelle on passe, dans une théorie mathématique, des axiomes ou de théorèmes déjà établis à un théorème donné. — **3.** Action de montrer à la clientèle le fonctionnement d'un appareil. ◆ **démonstrateur, trice** n. Personne qui présente un article à la clientèle, en en expliquant le mode d'emploi.

DÉMORALISANT, E adj., **DÉMORALISATEUR, TRICE** adj., **DÉMORALISATION** n. f., **DÉMORALISER** v. t. ⟶ MORAL 2.

DÉMORDRE [demɔrdr] v. t. ind. **[de]** *(dé-*, et *mordre).* [Conj. **52.**] (Sujet nom de personne.) *Ne pas démordre d'une opinion, d'un jugement*, etc., ne pas vouloir y renoncer.

DÉMOSTHÈNE, homme politique et orateur athénien (384-322 av. J.-C.). Il utilisa son remarquable talent oratoire contre Philippe II de Macédoine, qui voulait dominer la Grèce. Patriote et défenseur de l'indépendance des cités grecques face à l'impérialisme macédonien, il assuma la direction des affaires et obtint l'alliance de Thèbes.

• *338 av. J.-C. À Chéronée, les confédérés athéniens et thébains sont écrasés par Philippe de Macédoine, qui devient le nouveau maître de la Grèce.*

Démosthène prononça alors contre lui des discours violents : les *Philippiques* et les *Olynthiennes.*

Il n'admit pas davantage la soumission de la Grèce par Alexandre, et, après la mort de celui-ci, il encouragea les Grecs révoltés contre Antipatros. Devant l'échec de l'insurrection, il s'empoisonna.

DÉMOULER v. t. ⟶ MOULE 1.

DÉMOUSTIQUER v. t. ⟶ MOUSTIQUE.

DÉMULTIPLICATION n. f., **DÉMULTIPLIER** v. t. ⟶ MULTIPLE 1.

DÉMUNIR v. t., **SE DÉMUNIR** v. pr. ⟶ MUNIR.

DÉMUSELER v. t. ⟶ MUSEAU.

DÉMYSTIFICATION n. f., **DÉMYSTIFIER** v. t. ⟶ MYSTIFIER.

DÉMYTHIFIER v. t. ⟶ MYTHE.

DENAIN, ch.-l. de cant. du Nord, à 11 km au S.-O. de Valenciennes, sur l'Escaut; 21 900 hab. *(Denaisiens).* Port sur l'Escaut. Constructions mécaniques.

DÉNASALISATION n. f., **DÉNASALISER** v. t. ⟶ NASAL.

DÉNATALITÉ n. f. ⟶ NATAL.

DÉNATIONALISATION n. f., **DÉNATIONALISER** v. t. ⟶ NATION.

DÉNATURÉ, E adj., **DÉNATURER** v. t. ⟶ NATURE 1.

DENDRITE [dɑ̃drit] n. f. (du gr. *dendron,* arbre). **1.** *Géol.* Dessins noirs dont la forme évoque des branches ramifiées, à la surface de certaines roches (ces dessins sont généralement constitués par l'oxyde de manganèse, déposé par les eaux d'infiltration). — **2.** *Biol.* Prolongement du cytoplasme d'une cellule nerveuse (ou *neurone*), affectant la forme des branches d'un arbre.

DÉNÉGATION [denegasjɔ̃] n. f. (bas lat. *denegatio*). Action de nier : *Des gestes de dénégation.*

DÉNEIGEMENT n. m., **DÉNEIGER** v. i. ⟶ NEIGE.

DENFERT-ROCHEREAU (Pierre), officier français (1823-1878). Gouverneur de Belfort en 1870, il résista à tous les assauts allemands, et la ville, grâce à cette défense, demeura française en 1871.

DÉNI [deni] n. m. (de *dénier*). *Déni de justice,* refus fait par un juge de rendre la justice. (⟶ DÉNIER.)

DÉNIAISER v. t. ⟶ NIAIS.

DÉNICHER [deniʃe] v. t. *(dé-,* et *nicher).* **1.** *Dénicher des oiseaux,* les prendre au nid. — **2.** Fam. *Dénicher qqch., qq'un,* réussir à le trouver dans sa cachette (syn. DÉCOUVRIR).

DÉNICOTINISÉ, E adj. ⟶ NICOTINE.

DENIER [dənje] n. m. (lat. *denarius,* pièce de monnaie romaine valant 10 as). **1.** Anc. monnaie française de bronze, qui valait le douzième du sou. — **2.** *Denier du culte* ou *denier de l'Église,* offrande des catholiques pour l'entretien du clergé. ‖ *Les deniers publics,* les revenus de l'État. ‖ *Payer, acheter qqch. de ses deniers,* avec son argent personnel.

DÉNIER [denje] v. t. (lat. *denegare*). **1.** Refuser de reconnaître : *Dénier toute responsabilité.* — **2.** *Dénier qqch. à qq'un,* lui refuser d'une manière absolue un droit, un pouvoir, etc. ◆ **indéniable** adj. Qu'on ne peut dénier (syn. CERTAIN, ÉVIDENT, INCONTESTABLE). [⟶ DÉNI.]

DÉNIGRER [denigre] v. t. (lat. *denigrare,* noircir). *Dénigrer qq'un, ses actes, son œuvre,* attaquer sa réputation, en parler avec malveillance (syn. CRITIQUER, DÉCRIER). ◆ **dénigrant, e** adj. : *Des paroles dénigrantes.* ◆ **dénigrement** n. m. : *Un esprit de dénigrement systématique.* ◆ **dénigreur, euse** adj. et n.

DENIKINE (Anton Ivanovitch). général russe (1872-1947). Il prit parti contre les bolcheviks en 1917 et, avec l'appui des Alliés, dirigea en 1918 et 1919 la campagne d'Ukraine.

DENIS ou **DENYS** *(saint),* premier évêque de Paris au IIIe s. De nombreuses légendes entourent son souvenir. L'une d'elles représente le saint décapité tenant sa tête entre ses mains. Sur le lieu probable de son martyre fut élevée la basilique Saint-Denis.

DENIS (Maurice), peintre français (1870-1943). Influencé par les primitifs florentins puis par Cézanne, il se créa un style personnel; il utilisa des couleurs claires et mit son art au service de sa foi en créant les Ateliers d'art sacré. Outre ses œuvres religieuses, il a peint aussi de nombreuses scènes d'intimité.

DÉNITRIFICATION n. f. ⟶ NITRATE.

DÉNIVELÉE n. f., **DÉNIVELER** v. t., **DÉNIVELLATION** n. f., **DÉNIVELLEMENT** n. m. ⟶ NIVEAU.

DÉNOMBRER [denɔ̃bre] v. t. (lat. *denumerare*). Faire le compte exact : *Dénombrer les bêtes d'un troupeau* (syn. COMPTER). *Dénombrer ses succès* (syn. ÉNUMÉRER). ◆ **dénombrable** adj. Qui peut être dénombré. ◆ **dénombrement** n. m. Action de dénombrer les éléments dont se compose un ensemble, résultat de cette action. [⟶ NOMBRE.]

DÉNOMINATEUR [denɔminatœr] n. m. (lat. *denominator,* celui qui désigne). *Math.* Celui des deux termes d'une fraction qui indique en combien de parties égales l'unité est supposée divisée : *Le dénominateur d'une fraction* $\frac{a}{b}$ *est le nombre* b. ‖ *Dénominateur commun,* dénominateur qui est le même pour plusieurs fractions (on ne peut effectuer l'addition de deux fractions que si elles ont le même dénominateur; *ex. :* $\frac{2}{7}+\frac{4}{7}=\frac{6}{7}$); trait caractéristique commun à plusieurs choses ou à plusieurs personnes.

DÉNOMINATIF, IVE [denɔminatif, -iv] adj. et n. m. (lat. *denominativus*). *Gramm.* Se dit de toute forme dérivée d'un nom : *Le verbe « auditionner », de « audition », est un verbe dénominatif ou un dénominatif* (par oppos. à DÉVERBAL).

DÉNOMMER [denɔme] v. t. (lat. *denominare*). *Dénommer qq'un* ou *qqch.,* les affecter d'un nom : *Savez-vous comment on dénomme cette plante?* (syn. APPELER, NOMMER). ◆ **dénommé, e** n. Celui qui est appelé (et un nom propre) : *Un dénommé Antoine* (syn. UN CERTAIN, nuance de familiarité ou péjor.). ◆ **dénomination** n. f. Désignation d'une personne ou d'une chose par un nom qui en indique l'état, les propriétés (syn. APPELLATION).

DÉNONCER [denɔ̃se] v. t. (lat. *denuntiare,* faire savoir). **1.** *Dénoncer qq'un,* le désigner comme coupable à une autorité : *Dénoncer ses complices* (syn. fam. DONNER, VENDRE). *Ses paroles imprudentes l'ont dénoncé* (syn. TRAHIR). — **2.** *Dénoncer un abus, un scandale,* etc., le dévoiler publiquement en ameutant l'opinion (syn. STIGMATISER). — **3.** *Dénoncer un traité, un accord,* annoncer qu'on cesse de s'y conformer. ◆ **dénonciateur, trice** n. et adj. Qui dénonce à l'autorité, à la justice. ◆ **dénonciation** n. f.

DÉNOTER [denɔte] v. t. (lat. *denotare*) [sujet nom de chose]. *Dénoter un sentiment, une intention,* en être l'indice (syn. INDIQUER, MARQUER, TÉMOIGNER DE).

DÉNOUEMENT n. m., **DÉNOUER** v. t. ⟶ NŒUD 1.

DÉNOYAUTER v. t. ⟶ NOYAU 1.

DENRÉE [dɑ̃re] n. f. (de l'anc. fr. *denerée,* la valeur d'un denier). Marchandise comestible : *Une denrée périssable* (= sujette à se gâter rapidement).

DENSE [dɑ̃s] adj. (lat. *densus*). **1.** Se dit d'une matière faite d'éléments serrés : *Un brouillard dense* (syn. ÉPAIS). — **2.** Se dit d'un groupe de personnes ou d'une masse d'objets serrés sur un espace limité : *Une foule dense* (syn. COMPACT). — **3.** Se dit d'une matière lourde par rapport à son volume : *L'eau est plus dense que l'air.* — **4.** *Style, pensée dense,* d'une grande concision. ◆ **densément** adv. Géogr. *Densément peuplé,* se dit de régions, de pays dont la population atteint une forte densité. ◆ **densité** n. f. **1.** Qualité de ce qui est dense. — **2.** Rapport de la masse d'un certain volume d'un corps à celle du même volume d'eau (ou d'air pour les gaz) : *La densité du fer est 7,88.* ⟶ ENCYCL. — **3.** Électr. *Densité de courant,* quotient de l'intensité du courant circulant dans un conducteur par la surface de sa section. — **4.** *Densité de population,* nombre moyen d'habitants au kilomètre carré.

— ENCYCL. Il ne faut pas confondre la *densité d'un corps,* qui est une grandeur sans dimension, avec sa *masse spécifique* ou *volumique* qui est égale à la masse de l'unité de volume de ce corps, et dont l'évaluation exige le choix d'une unité.

DENT [dɑ̃] n. f. (lat. *dens, dentis*). **1.** *Anat.* Organe dur implanté dans la mâchoire, formé essentiellement d'ivoire recouvert d'émail, et permettant de mastiquer les aliments. ‖ *Dents de lait,* dents de la première dentition. ‖ *Dents de sagesse,* les quatre dernières molaires de l'homme, qui, normalement, poussent à partir de dix-huit ans. ⟶ ENCYCL. ‖ *Faire ses dents,* se dit d'un enfant quand ses premières dents poussent. — **2.** Découpure saillante : *Les dents d'une scie, d'un engrenage.* — **3.** Sommet montagneux limité par des versants abrupts : *La dent d'Oche.* — **4.** Fam. *Avoir* *une dent contre qq'un*, lui en vouloir. ‖ Fam. *Avoir la dent dure*, être cinglant, méchant dans ses critiques ou ses reparties. ‖ Fam. *Avoir les dents longues*, être très ambitieux. ‖ Fam. *Ne pas desserrer les dents*, ne pas dire un mot. ‖ *Être sur les dents*, être dans un état d'attente fébrile. ‖ Fam. *Manger, croquer à belles dents*, de bon appétit. ‖ *Parler entre ses dents*, parler de façon peu distincte, sans presque ouvrir la bouche. ◆ **dentaire** adj. Qui se rapporte aux dents, à la manière de les soigner : *Soins dentaires. Études dentaires.* ◆ **dental, e** adj. et n. f. Se dit d'une consonne qu'on articule en appliquant la langue contre les dents du haut : *Les dentales du français sont « d », « t » et « n ».* ◆ **denté, e** adj. *Roue dentée*, roue d'engrenage, munie d'entailles en forme de dents. ◆ **dentier** n. m. Appareil formé de dents artificielles et servant à remplacer les dents naturelles. ◆ **dentifrice** adj. et n. m. Se dit d'un produit destiné au nettoyage et à l'entretien des dents. ◆ **dentiste** n. Spécialiste des soins dentaires. ◆ **dentisterie** n. f. Partie de la chirurgie dentaire qui concerne les soins donnés aux dents. ◆ **dentition** n. f. **1.** Formation et sortie naturelle des dents. ⟶ ENCYCL. — **2.** *Fam.* Ensemble des dents : *Avoir une belle dentition.* ◆ **denture** n. f. **1.** Syn. de DENTITION (sens 2). — **2.** Ensemble des dents plus partic. chez les animaux. (La denture est dite *complète* quand elle comprend des incisives, des canines, des molaires; la denture *incomplète* ne comprend pas de canines.) — **3.** Ensemble des dents d'un engrenage, d'une scie, etc. ◆ **édenté, e** adj. Qui a perdu ses dents.

— ENCYCL. ***dent.*** Elle est faite d'ivoire, recouverte d'émail sur la partie visible (la *couronne*) et de cément sur la *racine*, elle-même enchâssée dans l'os maxillaire. Au centre de l'ivoire se trouve la *pulpe dentaire* qui contient les vaisseaux et les nerfs donnant la vie à la dent.

La dent peut être le siège d'une *carie*, sorte de ramollissement de la dent, de *pulpite*, inflammation de la pulpe, d'abcès.

dentition. Chez l'homme il y a deux *dentitions* successives :

les *dents de lait*, qui sortent de six mois à deux ans et qui comprennent sur chaque demi-maxillaire 2 incisives, 1 canine et 2 molaires de lait;

les *dents définitives*, qui sortent de six à vingt et un ans et qui comprennent sur chaque demi-maxillaire 2 incisives, 1 canine, 2 prémolaires (remplaçant les 2 molaires de lait) et 3 molaires (apparaissant vers six ans, onze ans et vingt et un ans).

DENTELÉ, E [dɑ̃tle] adj. (de *dent*). Garni d'échancrures, découpé en forme de dents : *Une côte dentelée* (syn. DÉCOUPÉ). ◆ **dentelure** n. f. Découpure en forme de dent faite au bord d'une chose : *Les dentelures d'un timbre-poste.*

DENTELLE [dɑ̃tɛl] n. f. (de *dent*). Tissu à jours formant des motifs décoratifs : *Des rideaux en dentelle.* ◆ **dentellière** n. f. Femme qui fait de la dentelle.

DENTIER n. m., **DENTIFRICE** adj. et n. m., **DENTISTE** n., **DENTISTERIE** n. f., **DENTITION** n. f., **DENTURE** n. f. ⟶ DENT.

DÉNUCLÉARISÉ, E adj. ⟶ NUCLÉAIRE 1.

DÉNUDER v. t. ⟶ NU.

DÉNUÉ, E [denɥe] adj. (du lat. *denudare*). Qui manque de : *Un roman dénué d'intérêt* (syn. DÉPOURVU). ◆ **dénuement** [denymɑ̃] n. m. Situation de quelqu'un qui manque du nécessaire : *Vivre dans un complet dénuement* (syn. GÊNE, INDIGENCE, MISÈRE).

DÉNUTRITION [denytrisjɔ̃] n. f. *(dé-*, et *nutrition).* État d'un organisme vivant dont l'alimentation ou l'assimilation est déficitaire.

DENVER, v. des États-Unis, capit. du Colorado, au pied des montagnes Rocheuses; 514 700 hab. Grand centre commercial et industriel (sidérurgie, métallurgie du cadmium, raffinerie de pétrole, etc.).

DENYS l'Ancien (v. 430-367 av. J.-C.), tyran de Syracuse. D'origine obscure, mais très ambitieux, il devint stratège unique (= chef de l'armée) en 405. Tout en conservant des apparences d'institutions démocratiques, il détint le pouvoir absolu. Il chassa les Carthaginois de Sicile, occupa les villes grecques voisines et fonda des comptoirs en Italie. Protecteur des lettres et des arts, il attira Platon à sa cour. C'est sur son ordre que furent creusées les fameuses *Latomies.* Il mourut assassiné.

DÉODORANT adj. et n. m. ⟶ ODEUR.

DÉONTOLOGIE [deɔ̃tɔlɔʒi] n. f. (du gr. *deon, deontos*, devoir, et *logos*, science). Étude des devoirs particuliers à une situation sociale déterminée, à une profession. ‖ *Déontologie médicale*, ensemble des règles qui régissent la conduite du médecin à l'égard de ses malades, de ses confrères ou de la société.

DÉPANNAGE n. m., **DÉPANNER** v. t., **DÉPANNEUR, EUSE** n. ⟶ PANNE 1.

DÉPAQUETAGE n. m., **DÉPAQUETER** v. t. ⟶ PAQUET.

DÉPAREILLER [depareje] v. t. (de *dé-*, et *pareil*). *Dépareiller un ensemble, une collection*, etc., les rendre incomplets par la disparition d'un des objets qui les composaient. ◆ **dépareillé, e** adj. Se dit parfois des objets qui forment une série incomplète ou disparate : *Des serviettes dépareillées.*

DÉPARER v. t. ⟶ PARER 1.

DÉPARIER v. t. ⟶ PAIRE.

1. DÉPART [depar] n. m. (de *départir*, s'en aller). Action de partir; moment où l'on part : *Le départ de la course* (contr. ARRIVÉE). *Je les ai trouvés sur le départ* (= prêts à partir). *L'affaire a pris un mauvais départ* (= elle a mal commencé). *Au départ* (= au début, au commencement).

2. DÉPART [depar] n. m. (de *départir*, partager). *Faire le départ*, établir une distinction : *Faire le départ entre le nécessaire et le superflu.*

DÉPARTAGER [departaʒe] v. t. *(dé-*, et *partager). Départager deux personnes, deux groupes*, faire cesser l'égalité entre eux quand ils ont des avis opposés ou des mérites égaux : *Départager deux concurrents « ex aequo ».*

1. DÉPARTEMENT [departəmɑ̃] n. m. (de *départir*). Circonscription administrative locale de la France, dirigée par un préfet et par un conseil général. ⟶ ENCYCL. ◆ **départemental, e, aux** adj. Qui concerne le département. ◆ **interdépartemental, e, aux** adj. Qui concerne plusieurs départements : *Une compétition sportive interdépartementale.* ◆ **départementaliser** v. t. Donner le statut de département à un territoire d'outre-mer. ◆ **départementalisation** n. f. : *La départementalisation des Antilles françaises.*

— ENCYCL. En 1789, l'Assemblée constituante adopte un découpage de la France en *départements*, fondé principalement sur les frontières des provinces : certaines provinces étendues sont divisées, d'autres, très petites, se trouvent réunies pour former un seul département. Le nombre des départements a varié au cours de l'histoire. La France en compte aujourd'hui 96 (avec la Corse), plus 4 départements d'outre-mer (Guadeloupe, Martinique, Réunion, Guyane).

Depuis la réforme administrative qui a été mise en route en 1981, le département est dirigé par le président du conseil* général et par le conseil général. Il est représenté auprès du gouvernement par le préfet. Ces mesures importantes de décentralisation ont accru très notablement les compétences du conseil général et l'indépendance du département vis-à-vis de l'État.

Circonscription politique, le département sert de cadre aux découpages électoraux.

→ cartes pages suivantes.

2. DÉPARTEMENT [departəmɑ̃] n. m. (même étym.). Branche spécialisée d'une administration ou d'une entreprise : *Le département de l'informatique.*

1. DÉPARTIR [departir] v. t. (*dé-*, et *partir*, partager). Donner en partage (langue soignée) : *Les fonctions qui lui ont été départies* (syn. ATTRIBUER).

2. DÉPARTIR (SE) [sədepartir] v. pr. (même étym.). *Se départir de son calme, de son projet*, etc., le quitter, l'abandonner, y renoncer.

DÉPASSER [depase] v. t. *(dé-*, et *passer).* **1.** *Dépasser qqch., qq'un*, aller plus loin que lui, le laisser derrière soi : *Dépasser un véhicule* (syn. DOUBLER). — **2.** *Dépasser une chose*, avoir des dimensions, une surface, une durée, une importance supérieures à elle : *Un toit qui dépasse une maison* (syn. DÉBORDER). *Un congé qui ne peut pas dépasser deux jours* (syn. EXCÉDER). — **3.** *Dépasser un pouvoir, un droit*, etc., en franchir les limites normales (syn. OUTREPASSER). — **4.** *Dépasser qq'un*, le laisser perplexe, le déconcerter : *Une telle insouciance me dépasse.* — **5.** *Dépasser les bornes*, franchir les limites de la bienséance (syn. EXAGÉRER). ‖ *Être dépassé par les événements*, ne pas être en mesure de réagir comme il convient (syn. NE PAS ÊTRE À LA HAUTEUR). ◆ v. i. Être trop long, plus long : *Le jupon dépasse sous la robe.* ◆ **dépassement** n. m. : *Le Code de la route réglemente les dépassements de véhicules. Un dépassement de crédits. Un continuel dépassement de soi-même* (= des progrès continuels).

DÉPASSIONNER v. t. ⟶ PASSION.

DÉPAVER v. t. ⟶ PAVÉ.

DÉPAYSER [depeize] v. t. (de *dé-*, et *pays*). *Dépayser qq'un*, le mettre dans une situation qui lui donne un sentiment d'étrangeté : *Un roman qui dépayse le lecteur.* ◆ **dépaysé, e** adj. Se dit d'une personne ou d'un animal se trouvant dans un milieu inconnu qui lui paraît étrange : *Avoir l'air dépaysé* (syn. ÉGARÉ, PERDU). ◆ **dépaysement** n. m.

DÉPECER [depəse] v. t. (de *dé-*, et *pièce*). **1.** *Dépecer un ani-*

mal, le couper en morceaux, le mettre en pièces. — **2.** *Dépecer qqch.*, le diviser en parcelles nombreuses : *Un domaine dépecé* (syn. DÉMEMBRER, MORCELER). ◆ **dépeçage** n. m.

DÉPÊCHE [depɛʃ] n. f. (de *dépêcher*). **1.** Lettre concernant les affaires publiques : *Une dépêche diplomatique.* — **2.** Communication rapide, transmise le plus souvent par le télégraphe (syn. TÉLÉGRAMME).

1. DÉPÊCHER [depeʃe] v. t. (de *dé-*, et [*em*]*pêcher*). *Dépêcher qq'un auprès d'une personne*, l'y envoyer vivement.

2. DÉPÊCHER (SE) [sədepeʃe] v. pr. (de *dépêcher* 1). Agir avec hâte (syn. SE HÂTER).

DÉPEIGNER v. t. ⟶ PEIGNE 1.

DÉPEINDRE [depɛ̃dr] v. t. (du lat. *depingere*). [Conj. **55.**] Représenter en détail par la parole ou par l'écriture : *Dépeindre un personnage* (syn. DÉCRIRE).

DÉPENAILLÉ, E [depənaje] adj. (*dé-*, et anc. fr. *penaille*, hardes). Se dit d'une personne qui est vêtue de lambeaux, ou dont la mise est en désordre et très négligée : *Un mendiant dépenaillé* (syn. DÉGUENILLÉ, LOQUETEUX). *Une tenue dépenaillée* (syn. DÉBRAILLÉ).

DÉPENDANCE n. f., **DÉPENDANT, E** adj. ⟶ DÉPENDRE 2.

1. DÉPENDRE v. t. ⟶ PENDRE.

2. DÉPENDRE [depɑ̃dr] v. t. ind. (lat. *dependere*). [Conj. **50.**] **1.** (sujet nom de personne) *Dépendre de qq'un*, être sous son autorité, à sa merci : *Dépendre de ses parents* (syn. RELEVER DE). — **2.** (sujet nom de chose) *Dépendre de qqch., de qq'un*, être de son ressort, de sa juridiction : *Territoires qui dépendent de la France.* — **3.** (sujet nom de chose) *Dépendre de qq'un, de qqch.*, ne pouvoir se réaliser sans son action : *Sa venue dépend de vous.* — **4.** *Cela (ça) dépend*, c'est variable selon les circonstances. ◆ **dépendance** n. f. **1.** Situation d'une personne qui dépend d'autrui (syn. ASSUJETTISSEMENT, SUBORDINATION; contr. INDÉPENDANCE). — **2.** Relation d'une chose à ce qui la conditionne : *La dépendance entre la végétation et le climat.* — **3.** Territoire rattaché administrativement à un État ou à une division administrative plus importante : *Les îles Loyauté sont une dépendance de la Nouvelle-Calédonie.* ◆ n. f. pl. Bâtiment, terrain qui se rattache à un bâtiment ou à un domaine plus important. ◆ **dépendant, e** adj. Se dit surtout d'une personne ou d'une collectivité qui est sous une autorité. ◆ **interdépendance** n. f. : *L'interdépendance des problèmes politiques et économiques* (= dépendance mutuelle). ◆ **interdépendant, e** adj.

1. DÉPENS [depɑ̃] n. m. pl. (lat. *dispensum*, dépense). *Dr.* Frais occasionnés par un procès : *Être condamné aux dépens.*

2. DÉPENS DE (AUX) [odepɑ̃də] loc. prép. (de *dépens* 1). En causant des frais, du tort, du dommage : *Vivre aux dépens de ses hôtes* (syn. AUX FRAIS DE; fam. AUX CROCHETS DE). *Aux dépens de ses loisirs* (syn. AU DÉTRIMENT DE). *Ils ont ri à mes dépens* (= ils se sont moqués de moi).

DÉPENSE [depɑ̃s] n. f. (lat. *dispensa*). **1.** Emploi qu'on fait de son argent pour payer; montant de la somme à payer (syn. FRAIS). — **2.** Usage qu'on fait d'une chose : *Une dépense de forces.* ◆ **dépenser** v. t. **1.** *Dépenser (de l'argent)*, l'employer pour un achat. — **2.** *Dépenser qqch.*, l'employer dans une intention précise : *Dépenser ses forces pour mener à bien un travail.* ◆ **se dépenser** v. pr. (sujet nom de personne). Ne pas ménager ses efforts : *Vous avez beau vous dépenser, vous n'arriverez à rien* (syn. SE DÉMENER). ◆ **dépensier, ère** adj. et n. Se dit d'une personne qui aime la dépense, qui dépense plus qu'il n'est nécessaire (syn. PRODIGUE; fam. GASPILLEUR; contr. ÉCONOME).

DÉPERDITION [depɛrdisjɔ̃] n. f. (du lat. *deperdere*, perdre complètement). Diminution, perte sans profit : *La mauvaise isolation entraîne une grande déperdition de chaleur.*

DÉPÉRIR [deperir] v. i. (lat. *deperire*). **1.** (sujet nom d'être vivant) Perdre progressivement de sa vitalité : *Une plante qui dépérit.* — **2.** (sujet nom de chose) Perdre de sa force, de son importance : *Une affaire qui dépérit.* ◆ **dépérissement** n. m. (syn. BAISSE, DÉCLIN).

DÉPERSONNALISATION n. f., **DÉPERSONNALISER** v. t. ⟶ PERSONNE 1.

DÉPÊTRER [depetre] v. t. (*dé-*, et [*em*]*pêtrer*). *Dépêtrer un être animé*, le dégager de ce qui empêchait ses mouvements (contr. EMPÊTRER). ◆ **se dépêtrer** v. pr. Se dégager d'une situation fâcheuse ou embarrassante, se libérer d'une personne importune.

DÉPEUPLEMENT n. m., **DÉPEUPLER** v. t. ⟶ PEUPLE 3.

DÉPHASÉ, E [defaze] adj. (de *dé-*, et *phase*). *Fam.* Se dit d'une personne qui a perdu le contact avec la réalité, la situation présente, qui est désorientée; d'une chose en retard, décalée dans le temps par rapport à autre chose. ◆ **déphasage** n. m.

DÉPIAUTER [depjote] v. t. (de *dé-*, et *piau*, peau). Fam. *Dépiauter un animal*, lui enlever la peau. ◆ **dépiautage** n. m.

DÉPILATOIRE [depilatwar] adj. et n. m. (du lat. *pilus*, poil). Se dit d'un produit dont l'application entraîne la chute des poils.

DÉPIQUAGE n. m., **DÉPIQUER** v. t. ⟶ PIQUER 1.

DÉPISTER [depiste] v. t. (de *dé-*, et *piste*). **1.** Découvrir le gibier en suivant sa piste : *Dépister un lièvre.* — **2.** Découvrir la trace de quelqu'un : *Dépister un voleur.* — **3.** Découvrir, par une recherche systématique, des cas de maladie : *Dépister la tuberculose.* — **4.** (sujet nom désignant un animal, une personne) Déjouer les poursuites. ◆ **dépistage** n. m. Sens 1, 2 et 3 du v.

1. DÉPIT [depi] n. m. (lat. *despectus*, mépris). Contrariété, blessure d'amour-propre causée par une déception. ◆ **dépiter** v. t. *Dépiter qq'un*, lui causer du dépit (surtout au passif) : *Être dépité de n'avoir rien obtenu* (syn. CONTRARIÉ, DÉÇU, VEXÉ).

2. DÉPIT DE (EN) [ɑ̃depidə] loc. prép. (de *dépit* 1). **1.** Indique ce qui pourrait s'opposer à un fait (syn. MALGRÉ). — **2.** *En dépit du bon sens*, sans aucun soin, très mal.

Dépit amoureux *(le)*, comédie en 5 actes et en vers de Molière (1658).

1. DÉPLACER [deplase] v. t. (de *dé-*, et *place*). **1.** *Déplacer une chose, une personne*, la mettre à une autre place (syn. POUSSER). — **2.** *Déplacer un fonctionnaire*, l'affecter d'office à un autre poste. — **3.** *Déplacer le problème, la question*, les faire porter sur un autre point au lieu de les résoudre. ◆ **se déplacer** v. pr. (sujet nom de personne ou de chose). Aller en un autre lieu (syn. CIRCULER, VOYAGER). ◆ **déplacé, e** adj. **1.** Se dit de ce qui ne convient pas aux circonstances : *Une conversation déplacée* (syn. INCONVENANT, MALSÉANT). — **2.** *Personne déplacée*, personne contrainte de vivre en exil pour des motifs politiques. ◆ **déplacement** n. m. Action de déplacer, de se déplacer; résultat de cette action : *Le déplacement d'un tableau. Il emmène son chien dans tous ses déplacements* (syn. VOYAGE).

2. DÉPLACER [deplase] v. t. (même étym.) [sujet nom désignant un navire]. Avoir tel déplacement. ◆ **déplacement** n. m. Volume d'eau dont un navire tient la place quand il flotte, et dont le poids est rigoureusement égal au poids total du bâtiment : *Le déplacement s'exprime, en France, en tonnes métriques de 1 000 kg.*

DÉPLAIRE v. t. ind., **DÉPLAISANT, E** adj. ⟶ PLAIRE 1.

DÉPLAISIR [deplɛzir] n. m. (de *plaisir*). Sentiment causé par ce qui déplaît (syn. CONTRARIÉTÉ).

DÉPLANTER v. t. ⟶ PLANTER.

DÉPLÂTRAGE n. m., **DÉPLÂTRER** v. t. ⟶ PLÂTRE.

DÉPLIAGE n. m., **DÉPLIANT** n. m., **DÉPLIER** v. t. ⟶ PLIER 1.

DÉPLISSAGE n. m., **DÉPLISSER** v. t. ⟶ PLISSER.

DÉPLOIEMENT n. m. ⟶ DÉPLOYER.

DÉPLOMBER v. t. ⟶ PLOMB.

DÉPLORER [deplɔre] v. t. (lat. *deplorare*) [sujet nom de personne]. *Déplorer une chose*, exprimer de vifs regrets à son propos : *Je déplore que cette lettre se soit égarée* (syn. REGRETTER). ◆ **déplorable** adj. **1.** Se dit de ce qui attriste, de ce qui cause des regrets : *Des scènes déplorables* (syn. AFFLIGEANT, NAVRANT). — **2.** Se dit de ce qui provoque du désagrément, de la réprobation : *Un contretemps déplorable* (syn. REGRETTABLE). *Une conduite déplorable* (syn. BLÂMABLE). ◆ **déplorablement** adv.

DÉPLOYER [deplwaje] v. t. (*dé-*, et *ployer*). **1.** *Déployer une chose*, l'étendre largement : *Il déploie son journal sur la table* (syn. DÉPLIER, ÉTALER, OUVRIR). — **2.** (sujet nom de personne) *Déployer de l'activité, du zèle*, etc., en manifester beaucoup. — **3.** *Déployer sa force*, en faire étalage, ou l'employer largement. ‖ *Rire à gorge déployée*, sans retenue, de bon cœur. ◆ **déploiement** n. m. : *Un déploiement de faste* (syn. ÉTALAGE).

DÉPLUMÉ, E adj., **DÉPLUMER (SE)** v. pr. ⟶ PLUME 1.

DÉPOÉTISER v. t. ⟶ POÉSIE.

DÉPOITRAILLÉ, E adj. ⟶ POITRAIL.

DÉPOLI, E adj., **DÉPOLIR** v. t. ⟶ POLIR.

DÉPOLITISATION n. f., **DÉPOLITISER** v. t. ⟶ POLITIQUE.

DÉPONENT, E [depɔnɑ̃, -ɑ̃t] adj. (lat. *deponens*). Se dit d'un verbe, d'une conjugaison du latin dont la forme correspond à celle du passif et dont le sens est actif.

DÉPOPULATION n. f. ⟶ PEUPLE 3.

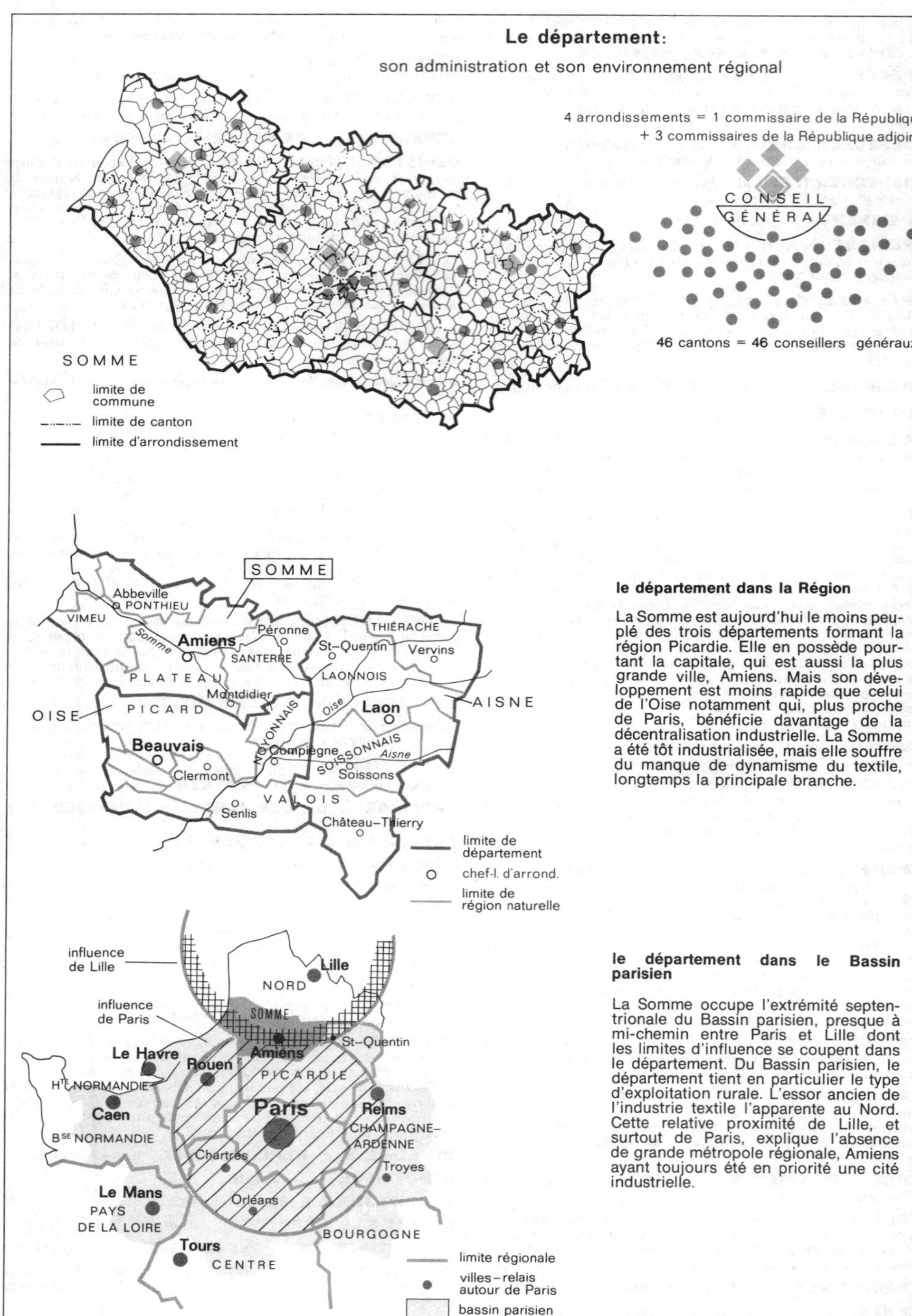

le département dans la Région

La Somme est aujourd'hui le moins peuplé des trois départements formant la région Picardie. Elle en possède pourtant la capitale, qui est aussi la plus grande ville, Amiens. Mais son développement est moins rapide que celui de l'Oise notamment qui, plus proche de Paris, bénéficie davantage de la décentralisation industrielle. La Somme a été tôt industrialisée, mais elle souffre du manque de dynamisme du textile, longtemps la principale branche.

le département dans le Bassin parisien

La Somme occupe l'extrémité septentrionale du Bassin parisien, presque à mi-chemin entre Paris et Lille dont les limites d'influence se coupent dans le département. Du Bassin parisien, le département tient en particulier le type d'exploitation rurale. L'essor ancien de l'industrie textile l'apparente au Nord. Cette relative proximité de Lille, et surtout de Paris, explique l'absence de grande métropole régionale, Amiens ayant toujours été en priorité une cité industrielle.

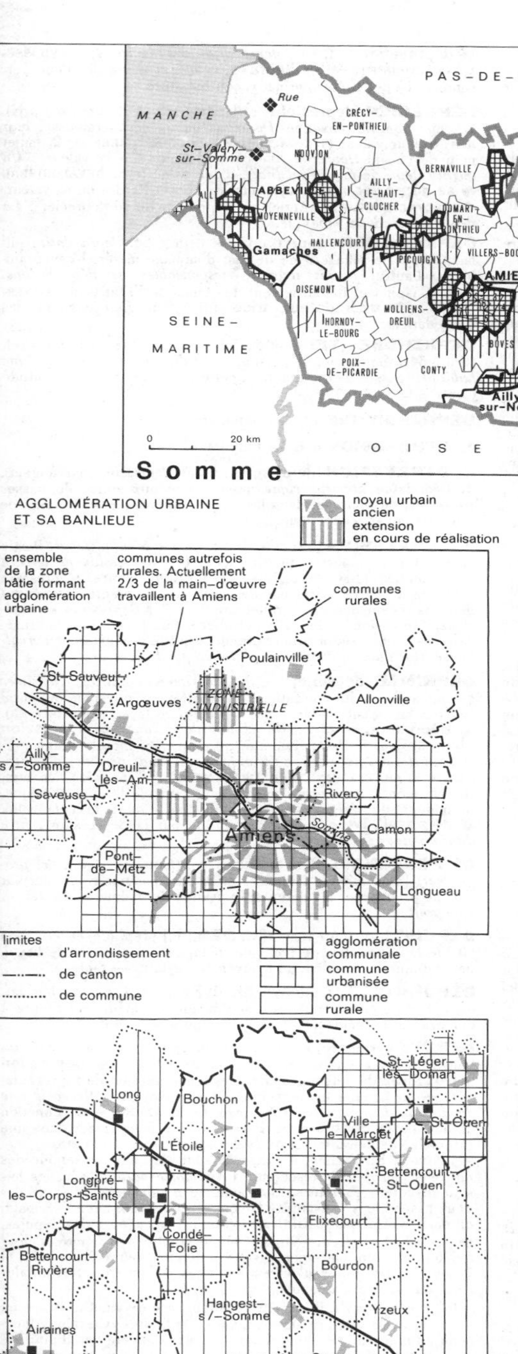

La répartition des zones rurales ou urbaines a subi, depuis le début du siècle, des modifications qui se sont accentuées à un rythme très vif depuis les années 50. À la grande ville (ici Amiens) avec sa banlieue industrielle, ou au gros bourg rassemblant les fonctions administratives, commerciales et industrielles, se sont ajoutées des zones diffuses où le rural et l'urbain ne sont plus aussi caractérisés. Pour mieux différencier ces dernières, il a fallu tenir compte de l'augmentation de la densité du peuplement, de la densité des zones bâties et des changements dans l'activité professionnelle des habitants. Il est donc maintenant nécessaire d'introduire dans notre description géographique les classifications proposées par l'Institut national de la statistique. Ceci aidera à mieux comprendre le genre de vie des habitants des communes de notre département. Trois zones principales sont distinguées :

a) celle de l'agglomération urbaine traditionnelle, à laquelle on a adjoint les communes voisines dont la densité de population permet de les rattacher au centre urbain. En dehors de ces centres, il existe des agglomérations dont la zone bâtie contiguë (deux communes ensemble) abrite plus de 2 000 habitants;

b) celle des communes qui sont en cours d'industrialisation ou d'urbanisation. Dans celles-ci plus des 2/3 des habitants ne tirent plus leur revenu de l'agriculture, et la densité de la zone bâtie contiguë dépasse le seuil cité plus haut. Les habitants travaillent dans les usines situées dans la commune ou vont travailler à l'extérieur. Les logements n'ont donc plus l'obligation d'être adaptés au travail agricole, les immeubles et les pavillons apparaissent. C'est le début de l'urbanisation;

c) celle des communes rurales dans lesquelles les zones bâties sont plus dispersées, le peuplement moins dense et les activités en grande partie consacrées à l'agriculture.

Ont été ajoutées sur la carte les communes dans lesquelles l'agglomération principale (zone bâtie) comprend plus de 2 000 habitants et que l'on appelle villes isolées.

1. DÉPORTER [depɔrte] v. t. (lat. *deportare*). *Déporter qq'un*, l'emmener de force hors de sa résidence pour des raisons politiques (souvent au passif) : *Il a été déporté dans un camp de concentration.* ◆ **déportation** n. f. Internement dans un camp de concentration : *Ceux qui sont morts en déportation.* ◆ **déporté, e** n. Personne qui a été internée dans un camp de concentration.

2. DÉPORTER [depɔrte] v. t. (même étym.) [sujet nom de chose]. *Déporter qqch., qq'un*, le déplacer, le faire dévier de sa trajectoire : *Le choc a déporté la voiture.* ◆ **déportement** n. m. **1.** *Le déportement d'un véhicule.* — **2.** Écarts de conduite (au plur. et littér.).

DÉPOSER [depoze] v. t. *(dé-*, et *poser)*. **1.** *Déposer qqch.*, mettre sur le sol, sur un support, ce qu'on tenait, ce qu'on portait : *Déposer un fardeau* (syn. POSER). — **2.** *Déposer une chose, une personne*, la laisser quelque part : *On a déposé un paquet pour vous* (syn. REMETTRE). — **3.** *Déposer une chose*, ôter ce qui était installé : *Déposer des tentures* (syn. DÉMONTER). — **4.** *Déposer de l'argent, des valeurs*, etc., les laisser en dépôt. ‖ *Déposer les armes*, renoncer à continuer le combat. ‖ *Déposer son bilan*, en parlant d'un commerçant, se déclarer en faillite. ‖ *Déposer un souverain, un chef*, le priver de ses pouvoirs (syn. DESTITUER). ◆ v. i. **1.** (sujet nom de personne) Faire une déclaration comme témoin devant un juge ou un enquêteur. — **2.** (sujet nom désignant un liquide) Laisser sur les parois du récipient des particules formant un dépôt. ◆ **déposant, e** n. Personne qui fait un dépôt d'argent dans une banque, etc. ◆ **dépose** n. f. Action de déposer ce qui était installé, monté : *La dépose d'une serrure.* ◆ **déposé, e** adj. Se dit d'un modèle, d'un objet fabriqué soumis à la formalité du dépôt pour le protéger des contrefaçons : *Ce briquet est un modèle déposé.* ◆ **dépositaire** n. **1.** Personne à qui on a confié une chose en dépôt. — **2.** Commerçant chargé de vendre des marchandises au nom et pour le compte d'un propriétaire. — **3.** Personne qui a reçu une confidence, qui a été investie d'une mission. ◆ **déposition** n. f. **1.** Action de déposer un souverain. — **2.** Action de déposer en justice (sens 1 du v. i.). ◆ **dépôt** n. m. **1.** Action de déposer un objet, de l'argent, une signature, etc. — **2.** Chose déposée, confiée : *Restituer un dépôt.* — **3.** Particules qui étaient en suspens dans un liquide et qui se sont agglomérées au repos : *Un dépôt de tartre.* — **4.** Lieu où certaines choses sont déposées, garées : *Un dépôt d'ordures, d'autobus.* — **5.** Partie d'une unité militaire restant en garnison quand cette unité est déplacée : *Le dépôt d'un régiment.* — **6.** *Dépôt légal*, remise d'exemplaires d'un ouvrage entre les mains d'agents de l'État, imposée aux éditeurs, ainsi qu'aux producteurs d'œuvres cinématographiques, phonographiques et photographiques. — **7.** *Dépôt de la Préfecture de police* (ou, simplem. *le dépôt*), lieu de détention provisoire où l'on amène les personnes arrêtées à Paris. ‖ *Mandat de dépôt*, ordre du juge d'instruction pour faire incarcérer une personne arrêtée.

DÉPOSSÉDER v t., **DÉPOSSESSION** n. f. ⟶ POSSÉDER.

DÉPÔT n. m. ⟶ DÉPOSER.

DÉPOTAGE n. m., **DÉPOTER** v. t. → POT 1.

DÉPOTOIR [depɔtwar] n. m. (de *pot*). Endroit où l'on jette, où l'on rassemble ce qu'on met au rebut.

DÉPOUILLER [depuje] v. t. (lat. *despoliare*). **1.** *Dépouiller un animal, un arbre*, lui ôter la peau ou l'écorce. — **2.** *Dépouiller qq'un, qqch.*, lui ôter ses vêtements, ses biens, ses ornements : *Des voleurs l'ont dépouillé* (syn. DÉVALISER). *Un style dépouillé* (= très simple). — **3.** (sujet nom de personne) *Dépouiller qqch.* (terme abstrait), s'en défaire, y renoncer : *Dépouiller tout amour-propre.* — **4.** *Dépouiller un livre, un document*, etc., les examiner minutieusement. — **5.** *Dépouiller un scrutin*, décompter les votes. ◆ **dépouille** n. f. **1.** Peau retirée d'un animal. — **2.** *Dépouille mortelle*, ou simpl. *dépouille*, corps d'une personne morte. ◆ n. f. pl. Ce qu'on prend à un ennemi vaincu, ou ce dont on s'enrichit aux dépens de quelqu'un (syn. BUTIN). ◆ **dépouillement** n. m. **1.** Action de dépouiller : *Le dépouillement du scrutin.* — **2.** Absence d'ornements, extrême sobriété : *Le dépouillement du style.*

1. DÉPOURVU, E adj. → POURVOIR 1.

2. DÉPOURVU (AU) [odepurvy] loc. adv. *(dé-*, et *pourvu)*. *Prendre qq'un au dépourvu*, le mettre dans l'embarras à un moment où il n'est pas préparé à répondre : *Votre question me prend au dépourvu* (syn. À L'IMPROVISTE, DE COURT).

DÉPOUSSIÉRAGE n. m., **DÉPOUSSIÉRER** v. t. ⟶ POUSSIÈRE.

DÉPRAVER [deprave] v. t. (lat. *depravare*). **1.** *Dépraver qq'un*, l'amener à désirer le mal, à s'y complaire (surtout au passif) : *Un enfant dépravé par de mauvaises fréquentations* (syn. CORROMPRE, PERVERTIR). — **2.** *Dépraver le goût, le jugement*, etc., l'altérer gravement, le corrompre. ◆ **dépravateur, trice** adj. et n. : *Un spectacle dépravateur* (syn. CORRUPTEUR; contr. ÉDIFIANT). ◆ **dépravation** n. f. : *La dépravation des mœurs* (syn. AVILISSEMENT, CORRUPTION). ◆ **dépravé, e** adj. et n. Se dit d'une personne qui a des goûts anormaux, contre nature.

DÉPRÉCIER [depresje] v. t. (lat. *depretiare;* de *pretium*, prix). **1.** (sujet nom de personne) *Déprécier qq'un, qqch.*, rabaisser leur mérite, leur valeur (syn. MINIMISER, SOUS-ESTIMER). — **2.** (sujet nom de chose) *Déprécier une chose*, lui ôter de la valeur : *Un terrain déprécié par le voisinage d'une usine* (syn. DÉVALORISER). ◆ ***se déprécier*** v. pr. (sujet nom de chose). Perdre de sa valeur. ◆ **dépréciation** n. f. Action de déprécier, de se déprécier : *La dépréciation de la monnaie.*

DÉPRÉDATION [depredasjɔ̃] n. f. (bas lat. *depraedatio*, pillage). Acte de pillage avec dégâts; dommage matériel causé aux biens d'autrui : *Des touristes responsables de déprédations.* — **2.** Gaspillage, détournement des biens de l'État (syn. MALVERSATION). ◆ **déprédateur, trice** adj. et n. Qui commet des déprédations.

DÉPRENDRE (SE) [sədeprɑ̃dr] v. pr. *(dé-*, et *prendre)*. [Conj. **54.**] (Sujet nom de personne.) *Se déprendre de qq'un, d'une habitude*, cesser d'être attaché à cette personne, à cette habitude (contr. S'ÉPRENDRE).

DÉPRESSIF, IVE adj. ⟶ DÉPRIMER.

1. DÉPRESSION n. f. ⟶ DÉPRIMER.

2. DÉPRESSION [depresjɔ̃] n. f. (lat. *depressio*, abaissement). **1.** *Dépression atmosphérique*, nom donné aux zones de basses pressions, ou *cyclones*, dans les pays tempérés. — **2.** Période de ralentissement économique.

3. DÉPRESSION [depresjɔ̃] n. f. (même étym.). *Géogr.* Partie en creux par rapport à une surface : *Une dépression de terrain* (syn. CREUX, ENFONCEMENT). ‖ *Dépression fermée*, dépression entourée de toutes parts par des versants, fréquente notamment dans les régions calcaires (relief karstique*). ‖ *Dépression périphérique*, dépression évidée, à la périphérie d'un massif ancien arasé, dans les roches sédimentaires tendres qui le recouvraient : *Avallon se situe dans la dépression périphérique du Morvan.*

DÉPRIMER [deprime] v. t. (lat. *deprimere*, enfoncer). *Déprimer qq'un*, causer en lui une fatigue, un abattement physique ou moral (surtout au passif) : *Son échec l'a déprimé* (syn. DÉMORALISER). ◆ **déprimant, e** adj. : *Un climat déprimant.* ◆ **dépression** [depresjɔ̃] n. f. Perte d'énergie physique ou morale d'une personne : *Il a des périodes de dépression suivies de périodes d'exaltation* (syn. ABATTEMENT, DÉCOURAGEMENT). ‖ *Dépression nerveuse*, trouble mental caractérisé par un sentiment de fatigue physique, un manque d'intérêt et d'entrain, de l'anxiété ou de la mélancolie. ◆ **dépressif, ive** adj. Qui est marqué par la dépression : *Être dans un état dépressif.*

DE PROFUNDIS [deprɔfɔ̃dis] n. m. (mots lat. signif. *des profondeurs* [*de l'abîme*]). Premiers mots d'un psaume récité surtout comme prière pour les défunts; le psaume lui-même : *Chanter un « de profundis ».*

DEPUIS [dəpɥi] prép. ou adv., **DÈS** [dɛ] prép. *(de*, et *puis;* bas lat. *de ex)*. Indiquent le point de départ, le moment ou le lieu à partir duquel une action, un mouvement se fait. ⟶ tableau.

DÉPURATIF, IVE [depyratif, -iv] adj. et n. m. (du bas lat. *depurare;* de *purus*, pur). Se dit d'un produit médicinal propre à débarrasser l'organisme d'éléments impurs (syn. PURGE).

DÉPUTER [depyte] v. t. (lat. *deputare*, assigner). *Députer qq'un*, l'envoyer comme représentant (syn. DÉLÉGUER). ◆ **députation** n. f. **1.** Envoi de personnes chargées d'une mission de représentation. — **2.** Groupe de personnes ainsi envoyées : *Recevoir une députation de plénipotentiaires* (syn. DÉLÉGATION). — **3.** Fonction de député. ◆ **député** n. m. Personne élue pour siéger dans une assemblée délibérante : *Députés de la majorité.* ⟶ ENCYCL.

— ENCYCL. En France, les *députés* sont élus par l'ensemble des citoyens pour les représenter à l'*Assemblée nationale* où les lois sont discutées et votées. L'Assemblée nationale étant l'une des deux assemblées législatives (= qui font les lois), avec le Sénat*, on parle d'*élections législatives* lorsqu'il s'agit d'élire des députés. Depuis les élections du 16 mars 1986, le nombre des députés s'élève à 570 pour les départements (soit un député pour 108 000 hab.) et 7 pour les territoires d'outre-mer et les collectivités territoriales (soit, au total, 577 députés).

Pour être *éligible*, il faut être électeur, âgé de vingt-trois ans au moins et avoir satisfait aux obligations militaires. Certaines fonctions administratives empêchent, momentanément ou définitivement, de se présenter aux élections législatives, ainsi que certaines condamnations pénales. Les députés sont élus pour cinq ans. Il est interdit d'être candidat dans plusieurs circonscriptions.

Le député est élu au *suffrage universel direct*, c'est-à-dire directement par tous les citoyens inscrits sur la liste électorale.

Le scrutin est *uninominal* (= un seul nom), par opposition au :rutin de liste (= où l'électeur est appelé à voter pour une liste ıtière). L'électeur élit, en même temps que le député, un *ıppléant* pour le remplacer éventuellement. Le scrutin est *ıajoritaire à deux tours :* le candidat qui a réuni le plus grand ombre de voix est élu au premier tour de scrutin s'il a obtenu la ajorité absolue; sinon, au deuxième tour, la majorité relative ıffit.

Les élections du 16 mars 1986 se sont déroulées selon un mode e scrutin différent : scrutin *de liste départementale* à la représen-ıtion *proportionnelle (un seul tour* de scrutin).

E QUINCEY (Thomas), écrivain anglais (1785-1859), auteur des *onfessions d'un mangeur d'opium* (1821).

ER n. inv. → DERNIER.

ÉRACINÉ, E adj. et n., **DÉRACINEMENT** n. m., **DÉRA-INER** v. t. → RACINE. / **DÉRAIDIR** v. t. → RAIDE.

. **DÉRAILLER** [deraje] v. i. (de *dé-*, et *rail*) [sujet nom dési-ıant un train]. Quitter les rails. ◆ **déraillement** n. m. Accident ırvenant sur une voie ferrée quand un train quitte les rails.

:. **DÉRAILLER** [deraje] v. i. (de *dérailler* 1) [sujet nom de ersonne]. *Fam.* Parler ou agir de façon déraisonnable ou anor-ıale (syn. DÉRAISONNER, DIVAGUER).

DÉRAILLEUR [derajœr] n. m. (de *dérailler*). Dispositif monté sur une bicyclette pour permettre un changement de vitesse en faisant passer la chaîne sur un pignon différent.

DERAIN (André), peintre, dessinateur et graveur français (1880-1954). Il fut avec Vlaminck l'initiateur du fauvisme* (1905). Plus tard, sous l'influence de Cézanne, il revint à une peinture plus classique.

DÉRAISON n. f., **DÉRAISONNABLE** adj., **DÉRAISON-NER** v. i. → RAISON 1.

DÉRANGER [derɑ̃ʒe] v. t. *(dé-*, et *ranger).* **1.** *Déranger qqch.*, déplacer ce qui était rangé : *Qui a dérangé mes fiches?* (= a mis en désordre). — **2.** *Déranger qqch.*, en troubler le fonctionnement, le déroulement normal : *Déranger un appareil distributeur* (syn. DÉRÉGLER; fam. DÉTRAQUER). *Cet incident dérange mes projets* (syn. CONTRECARRER, PERTURBER). — **3.** *Déranger une personne, un animal*, interrompre son repos ou son occupation : *Ne le dérangez pas, il sommeille.* ◆ **se déranger** v. pr. Quitter sa place, ses occupations (syn. SE DÉPLACER). ◆ **dérangement** n. m. : *Causer du dérangement* (syn. DÉSORDRE; fam. PAGAILLE). *Une ligne téléphonique en dérangement* (= qui fonctionne mal). *Un dérangement intestinal* (= la diarrhée).

DÉRAPER [derape] v. i. (du prov. *rapar*, saisir) [sujet nom désignant un véhicule ou un être animé]. En raison d'une adhé-

SENS	**depuis** (verbe au présent, à l'imparfait, au passé composé, au plus-que-parfait)	**dès** (verbe au présent, au passé, au futur)
1. Date, moment. *Depuis* indique le point de départ à partir duquel une chose dure, et insiste sur cette durée; il peut être adverbe en ce sens. *Dès* indique et souligne le point de départ à partir duquel une chose a commencé.	*Il pleut depuis le 15 mars.* *Depuis le début il est hostile à nos projets.* *Je l'attends depuis midi : il est parti à huit heures et n'est pas rentré depuis* (adv.). *Depuis le XIX*[e] *siècle, la vie urbaine a été profondément modifiée.* *Depuis le jour où nous nous sommes rencontrés, il est survenu bien des événements.* *Depuis cet accident, il reste infirme. Il a été blessé et depuis il ne se sert plus de sa main.*	*Il s'est mis à pleuvoir dès le 15 mars.* *Dès le début il s'est montré hostile au projet.* *Il est venu me trouver dès son retour.* *Dès la fin du XIX*[e] *siècle, l'électricité avait transformé les conditions de vie.* *Dès le jour où il a appris ce malheur, il a changé d'attitude à mon égard.* *Dès son enfance, il manifestait une grande intelligence.*
2. Durée.	*Il est absent depuis un mois. Je le connais depuis vingt ans. Depuis combien de temps est-il absent?*	
3. Lieu. *Depuis* indique le lieu à partir duquel un événement se produit et dure. *Dès* indique l'endroit à partir duquel un événement a commencé, s'est produit.	*Nous avons eu du soleil depuis* (= de) *Lyon jusqu'à Valence.* *Depuis Orléans, nous avons eu des arrêts continuels.* *Il me fit signe depuis la grille* (= de la grille). *Depuis* (= de) *ma chambre, je puis tout entendre.* *On nous transmet depuis* (= de) *Londres la nouvelle d'une catastrophe aérienne.*	*Dès Valence, le temps est devenu très beau.* *Dès la sortie de Paris, la route a été encombrée.* *Je l'ai reconnu dès l'entrée.* *Je l'aperçus dès le perron.*
4. Rang, ordre, quantité. *Depuis* indique le point de départ en envisageant le plus souvent le point d'arrivée *(jusqu'à)*. *Dès* est rare dans cet emploi.	*Depuis le premier* (= du premier) *jusqu'au dernier, tous étaient d'accord.* *On vend ici des articles depuis cent francs* (syn. À PARTIR DE). *On peut utiliser cette balance depuis cinq grammes jusqu'à dix kilogrammes* (syn. À PARTIR DE, DE).	*Dès le deuxième échelon, le salaire est suffisant* (syn. À PARTIR DE).
5. Suivi de *lors :* *a)* valeur temporelle	*Il est parti le 3 juin; depuis lors, je n'ai plus eu de ses nouvelles.*	*Il avait été vexé; dès lors, il se tint sur la réserve* (= à partir de cette époque).
b) valeur logique		*On ne peut retenir ce grief contre lui, dès lors toute l'accusation tombe* (syn. DE CE FAIT, PAR CONSÉQUENT).
6. Suivi de *que :* *a)* valeur temporelle	*Depuis que je le connais, je n'ai cessé de l'estimer.* *Depuis le temps que je vous connais, je devine votre réaction. Depuis le temps que nous étions à la Faculté!* (indique qu'il s'est passé un très long temps entre l'action de la principale et celle de la subordonnée ou que la durée de l'état de fait existant est très longue).	*Dès qu'il sera arrivé, vous m'avertirez.*
b) valeur logique		*Dès lors qu'il avoue sa faute, elle lui sera pardonnée* (= en conséquence du fait que).

rence insuffisante, glisser en s'écartant de sa voie normale : *Une voiture qui dérape dans un virage* (syn. GLISSER). ◆ **dérapage** n. m. ◆ **antidérapant, e** adj. : *Des pneus antidérapants* (= qui empêchent de déraper).

DÉRATÉ, E [derate] n. (de *dé-*, et *rate*). Fam. *Courir comme un dératé*, très vite (comme un chien à qui l'on a enlevé la rate).

DÉRATISATION n. f., **DÉRATISER** v. t. → RAT 1.

DERBY [dɛrbi] n. m. (mot angl.; du n. de lord *Derby*). Rencontre sportive entre deux équipes voisines. ‖ Pl. des *derbys*.

DERBY, v. du centre de l'Angleterre; 219400 hab. Constructions aéronautiques. Industries textiles et chimiques.

DERECHEF [dərəʃɛf] adv. (de *de*, *re-*, et *chef*, bout). De nouveau.

DÉRÈGLEMENT n. m., **DÉRÉGLER** v. t. → RÈGLE 2.

DÉRÉLICTION [dereliksjɔ̃] n. f. (lat. *derelictio*, abandon). État d'une personne qui a le sentiment d'être abandonnée à sa solitude morale (littér.).

DÉRIDER [deride] v. t. *(dé-*, et *rider). Dérider qq'un*, provoquer son sourire, le rendre moins grave : *Cette anecdote réussit à le dérider* (syn. ÉGAYER).

DÉRISION [derizjɔ̃] n. f. (bas lat. *derisio*). **1.** Moquerie railleuse : *Il l'appelait par dérision « mon cher maître ». Tourner en dérision des choses respectables* (= en ridicule). — **2.** *C'est une dérision*, c'est ridicule, c'est se moquer du monde. ◆ **dérisoire** adj. **1.** Se dit de ce qui porte à rire par son caractère peu raisonnable : *Des arguments dérisoires* (syn. RIDICULE). — **2.** Se dit de ce qui est insignifiant, très faible : *Des résultats dérisoires* (syn. INSIGNIFIANT). ◆ **dérisoirement** adv. (syn. RIDICULEMENT).

DÉRIVATIF [derivatif] n. m. (bas lat. *derivativus*, qui dérive). Occupation qui détourne l'esprit vers d'autres pensées : *Le travail est un dérivatif à son chagrin.*

1. DÉRIVER [derive] v. t. (lat. *derivare;* de *rivus*, ruisseau). *Dériver un cours d'eau*, détourner son cours. ◆ **dérivation** n. f. Action de dériver un cours d'eau; voie par où passe un courant dérivé.

2. DÉRIVER [derive] v. t. ind. (même étym.). **1.** *Dériver de qqch.*, en provenir : *Tout dérive de là* (syn. ÊTRE ISSU, VENIR DE). — **2.** (sujet nom désignant un mot) Être issu d'un autre mot par dérivation : *« Marchandise » dérive de « marchand ».* ◆ **dérivation** n. f. Formation d'un mot par adjonction d'un suffixe à un autre mot ou à un radical : *« Abricotier » a été formé sur « abricot » par dérivation.* ◆ **dérivé, e** adj. et n. m. Se dit d'un mot, d'une expression qui dérive d'un autre mot ou d'une autre expression : *Le mot « simple » a comme dérivés « simplet », « simplement », « simplicité », « simplifier », « simplification ».*

3. DÉRIVER [derive] v. i. (croisement entre l'angl. *to drive*, pousser, et *rive*). **1.** (sujet nom désignant un bateau, un corps flottant, un avion) Être déporté par le courant ou par le vent : *Dériver au fil de l'eau.* — **2.** (sujet nom de personne) S'écarter du sujet qu'on commente. ◆ **dérive** n. f. **1.** Déviation d'un bateau ou d'un avion sous l'effet d'un courant ou du vent. — **2.** Géogr. *Dérive des continents* → ENCYCL. — **3.** *Être, aller à la dérive*, se dit d'une personne qui se laisse aller, ou d'une entreprise qui n'est plus dirigée. — **4.** Plaque mobile située dans l'axe d'un voilier et qui, abaissée, sert à s'opposer au déplacement latéral du bateau sous l'action du vent. ◆ **dériveur** n. m. Petit voilier utilisant une dérive.
— ENCYCL. La *dérive des continents* est la théorie selon laquelle les continents terrestres, primitivement soudés en une seule masse, se sont peu à peu écartés les uns des autres, jusqu'à prendre leur position actuelle. Cette théorie, due à l'Allemand Wegener, explique notamment l'apparent « emboîtement » de l'Amérique du Sud dans l'Afrique. (→ PLAQUE 3.)

DERME [dɛrm] n. m. (gr. *derma*, peau). Couche profonde de la peau, située sous l'épiderme. ◆ **dermatologie** n. f. Partie de la médecine qui s'occupe des maladies de la peau. ◆ **dermatologue** n. ◆ **dermatose** n. f. Nom général de toutes les affections de la peau : *L'eczéma est une dermatose.* ◆ **intradermique** adj. Dans l'épaisseur du derme : *Injection intradermique.* ◆ **intradermoréaction** n. f. Injection intradermique d'une substance pour laquelle on veut étudier la sensibilité de l'organisme : *L'intradermo-réaction à la tuberculine.*

DERNIER, ÈRE [dɛrnje, -ɛr] adj. et n. (bas lat. *deretranus*). **1.** Qui vient après tous les autres selon l'ordre chronologique, le rang, le mérite; après quoi il n'y a plus rien : *Le dernier étage* (= l'étage le plus élevé). *Une dernière recommandation* (syn. ULTIME). ‖ *Avoir le dernier mot*, conserver l'avantage final dans une discussion. ‖ *En dernière analyse*, tout bien examiné. ‖ *Mettre la dernière main à un travail*, le mener à son achèvement, y faire les retouches finales. — **2.** *Ce dernier*, celui-ci (désignant la per sonne ou la chose la plus récemment nommée) : *Il est venu ave son frère et son cousin; ce dernier paraissait fatigué.* — **3.** *E dernier, en dernier lieu*, après tout le reste, tous les autres; pou terminer. — **4.** *Le dernier des*, le plus méprisable, le plus stupid des. ‖ Fam. *Le dernier des derniers*, la personne la plus abjecte ‖ *Le dernier à pouvoir, le dernier qui* (suivi du subj.), celui qui es moins qualifié que tout autre, qui mérite le moins : *C'est le dernie sur qui on puisse compter.* — **5.** Qui est le plus récent : *La dernièr mode.* ‖ *Le dernier cri*, ce qu'il y a de plus récent, de plus perfec tionné dans le genre. — **6.** Extrême : *Une question de la dernièr importance* (= de la plus grande importance). *Être réduit à l dernière extrémité* (= être dans la situation la plus critique). ◆ **de** n. inv. Pop. *La der des der*, la toute dernière partie d'un jeu, l dernière fois de toutes; la dernière guerre. ◆ **dernièrement** adv Il y a peu de temps (syn. RÉCEMMENT). ◆ **avant-dernier, ère** adj et n. Qui vient juste avant le dernier : *De nombreux mots latin étaient accentués sur l'avant-dernière syllabe* (syn. PÉNULTIÈME [On dit aussi, fam., *avant-avant-dernier* pour désigner celui aprè lequel il n'y en a plus que deux.] ◆ **dernier-né, dernière-née** r Le dernier enfant d'une famille; la chose la plus récente.

1. DÉROBER [derɔbe] v. t. (*dé-*, et anc. fr. *rober*, voler) [suje nom de personne]. *Dérober qqch.*, s'emparer furtivement de ce qu appartient à autrui (langue soignée) : *Dérober de l'argent* (syr SUBTILISER, VOLER). *Dérober un secret.*

2. DÉROBER [derɔbe] v. t. (même étym.). **1.** Soustraire habile ment quelqu'un ou quelque chose pour le préserver de ce qui l menace : *Dérober un coupable aux poursuites judiciaire* — **2.** Cacher, dissimuler : *Les arbres dérobent la maison à la vue* ◆ ***se dérober*** v. pr. (sujet nom de personne). Faire défection : *S dérober à son devoir* (syn. SE SOUSTRAIRE). *Chercher à se dérobe* (syn. S'ESQUIVER). ◆ **dérobade** n. f. Action de se dérober, att tude de quelqu'un qui se soustrait à ses obligations : *Ce silence es une dérobade.* ◆ **dérobé, e** adj. Se dit de ce qui est caché secret : *Une porte dérobée.* ◆ **dérobée (à la)** loc. adv. En cachett et rapidement, pour que personne ne s'en aperçoive (syn. fam. E DOUCE, EN TAPINOIS [langue soignée], FURTIVEMENT, SUBREPTICE MENT; contr. OUVERTEMENT).

DÉROCHER v. i. → ROCHE.

1. DÉROGER [derɔʒe] v. t. ind. (lat. *derogare*). *Déroger à qqch* s'écarter de ce qui est fixé par une loi, une convention : *Déroger l'usage établi.* ◆ **dérogation** n. f. : *Une dérogation au règlemen* (syn. ENTORSE, EXCEPTION).

2. DÉROGER [derɔʒe] v. i. (même étym.). Manquer à s dignité, s'abaisser : *Il croirait déroger en faisant ce métier* (syr DÉCHOIR).

1. DÉROUILLER v. t. → ROUILLE.

2. DÉROUILLER (SE) [səderuje] v. pr. (de *dé-*, et *rouille* Fam. *Se dérouiller les jambes*, les dégourdir en prenant de l'exe cice.

DÉROULÈDE (Paul), écrivain et homme politique frança (1846-1914). Auteur, entre autres, des *Chants du soldat* (1872), fut le président de la Ligue des patriotes et devint le porte-parol des idées nationalistes et « revanchardes ».

DÉROULER [derule] v. t. *(dé-*, et *rouler).* **1.** Étendre ce qui éta enroulé : *Dérouler un ruban.* — **2.** Étaler sous le regard, révéle peu à peu à l'esprit : *Dérouler ses fastes, ses souvenirs.* ◆ ***s dérouler*** v. pr. (sujet nom désignant une suite d'éléments, d choses). Se présenter successivement aux yeux et à l'esprit, o s'enchaîner sans interruption : *Les souvenirs se déroulent dans s tête. Le drame qui s'est déroulé dans cette maison.* ◆ **déroulement** n. m. : *Le déroulement des faits* (syn. ENCHAÎNEMEN SUITE). *Le déroulement d'une maladie* (syn. COURS).

DÉROUTANT, E adj. → DÉROUTER 1.

DÉROUTE [derut] n. f. (de l'anc. fr. *route*, troupe). **1.** Fui désordonnée d'une troupe vaincue : *Une retraite qui tourne déroute* (syn. DÉBÂCLE). — **2.** Grave échec, situation catastr phique : *Une déroute électorale* (syn. DÉSASTRE).

1. DÉROUTER [derute] v. t. (de *dé-*, et *route*, voie). *Déroute qq'un*, le jeter dans une extrême perplexité (surtout au passif) : *est dérouté par les nouvelles méthodes* (syn. DÉCONTENANCE DÉSORIENTER). ◆ **déroutant, e** adj. Qui déroute, déconcerte.

2. DÉROUTER [derute] v. t. (même étym.). *Dérouter un navir un avion, un train*, lui assigner en cours de route un itinérair différent de celui qui était prévu. ◆ **déroutement** n. m.

DERRICK [derik] n. m. (mot angl.). Charpente métallique e forme de pylône, supportant l'appareil de forage d'un puits d pétrole.

1. DERRIÈRE adv. et prép. → DEVANT 1.

2. DERRIÈRE [dɛrjɛr] n. m. (bas lat. *de retro*). **1.** Partie postérieure d'une chose : *Le derrière de la maison* (= la partie de la maison opposée à la façade). — **2.** Partie inférieure et postérieure du corps de l'homme et des animaux : *S'asseoir sur le derrière* (syn. ARRIÈRE-TRAIN, POSTÉRIEUR). — LOC. ADJ. *De derrière.* **1.** Qui est dans la partie opposée à la partie antérieure : *Les roues de derrière d'une voiture* (= les roues arrière). — **2.** Qui est dans la partie opposée à la tête d'un animal : *Les pattes de derrière* (syn. POSTÉRIEUR).

DERVICHE [dɛrviʃ] n. m. (persan *darwīch*, pauvre). Religieux musulman.

DES art. indéf. et contracté → LE.

DÉS- préf. → DÉ-.

DÈS prép. → DEPUIS.

DÉSABONNEMENT n. m., **DÉSABONNER (SE)** v. pr. → ABONNEMENT.

DÉSABUSER v. t. → ABUSER 2.

DÉSACCORD n. m. → ACCORD 1.

DÉSACCORDER (SE) v. pr. → ACCORD 2.

DÉSACCOUTUMER (SE) v. pr. → ACCOUTUMER.

DÉSACRALISATION n f., **DÉSACRALISER** v. t. → SACRÉ 1.

DÉSAFFECTATION n. f., **DÉSAFFECTER** v. t. → AFFECTER 1.

DÉSAFFECTION n. f., **DÉSAFFECTIONNER (SE)** v. pr. → AFFECTION 1.

DÉSAGRÉABLE adj., **DÉSAGRÉABLEMENT** adv. → AGRÉABLE.

DÉSAGRÉGATION n. f., **DÉSAGRÉGER** v. t. → AGRÉGER.

DÉSAGRÉMENT n. m. → AGRÉMENT 1.

DESAIX (Louis Charles Antoine DES AIX, dit), général français (1768-1800). Il suivit Bonaparte en Orient et conquit la Haute-Égypte. Son arrivée à Marengo décida de la victoire, mais il fut tué à la fin des combats.

DÉSALTÉRER v. t. ou i. → ALTÉRER 1.

DÉSAMORÇAGE n. m., **DÉSAMORCER** v. t. → AMORCE 3.

DÉSAPPARIER v. t. → PAIRE.

DÉSAPPOINTER [dezapwɛ̃te] v. t. (de l'angl. *to disappoint*, décevoir). *Désappointer qq'un*, lui causer une déception en trompant son attente (surtout au passif) : *Cet échec l'a désappointé* (syn. DÉCEVOIR, DÉCONCERTER). ◆ **désappointement** n. m. : *Cacher son désappointement* (syn. DÉCEPTION, DÉPIT).

DÉSAPPRENDRE v. t. → APPRENDRE.

DÉSAPPROBATEUR, TRICE n. et adj., **DÉSAPPROBATION** n. f., **DÉSAPPROUVER** v. t. → APPROUVER.

DÉSAPPROVISIONNER v. t. → PROVISION.

DÉSARÇONNER v. t. → ARÇON.

DÉSARGENTÉ, E adj. → ARGENT 2.

DÉSARGENTER v. t. → ARGENT 1.

DÉSARMANT, E adj. → ARME.

DÉSARMEMENT n. f., **DÉSARMER** v. t. → ARME et ARMER 2.

DÉSARROI [dezarwa] n. m. (de l'anc. fr. *desarroyer*, mettre en désordre). État d'une personne ou d'un groupe de personnes profondément troublées, ne sachant que faire.

DÉSARTICULATION n. f., **DÉSARTICULER** v. t., **SE DÉSARTICULER** v. pr. → ARTICULER 2 et 3.

DÉSASSORTIMENT n. m. → ASSORTIR 2.

DÉSASSORTIR v. t. → ASSORTIR 1 et 2.

DÉSASTRE [dezastr] n. m. (it. *disastro*). **1.** Grand malheur, événement qui cause des dommages graves et étendus; ruine qui en résulte : *Les désastres entraînés par l'inondation* (syn. CALAMITÉ). *Le désastre de Sedan* (syn. DÉFAITE, DÉROUTE). — **2.** Fam. *C'est un désastre*, c'est d'un effet déplorable. ◆ **désastreux, euse** adj. : *Une récolte désastreuse* (syn. ↑CATASTROPHIQUE).

DÉSATOMISÉ, E adj. → ATOME.

DÉSAVANTAGE n. m., **DÉSAVANTAGER** v. t., **DÉSAVANTAGEUX, EUSE** adj. → AVANTAGE 1 et 2.

DÉSAVOUER [dezavwe] v. t. (*dés-*, et *avouer*). **1.** *Désavouer qqch.*, refuser de le reconnaître comme sien (syn. RENIER). — **2.** *Désavouer qq'un, les propos* ou *les actes de qq'un*, déclarer qu'on est en désaccord avec lui, qu'on se désolidarise de lui. ◆ **désaveu** n. m. Acte par lequel on désavoue quelque chose ou quelqu'un : *Sa déclaration constitue un désaveu de son action passée* (syn. RENIEMENT). *Ses aveux ont été suivis de désaveux* (syn. DÉMENTI, RÉTRACTATION).

DÉSAXÉ, E adj. et n. → AXE 2.

DÉSAXER v. t. → AXE 1 et 2.

DESCARTES (René), philosophe, mathématicien et physicien français (1596-1650).

Engagé comme militaire, il parcourt toute l'Europe, puis s'installe en Hollande.

La diversité des opinions, doctrines et mœurs rencontrées le confirme dans sa décision de principe : « Ne recevoir aucune chose pour vraie que je ne la connusse évidemment être telle. »

- *1637. Le « Discours de la méthode » énumère les principes de la logique cartésienne.*

Le doute méthodique, principe fondamental de Descartes, l'amène à faire table rase de toute connaissance non fondée ; seule subsiste la certitude de la pensée qui doute, dont il déduit l'existence même de celui qui pense : « Cogito, ergo sum » (= Je pense, donc je suis).

- *1641. « Méditations métaphysiques ».*

De l'existence de celui qui pense, Descartes déduit celle de Dieu (« preuve ontologique ») et du monde extérieur.

- *1649. Il compose les « Passions de l'âme », ouvrage de morale, où il exprime la croyance en l'universalité de la raison humaine.*

C'est ce « bon sens » qui, selon Descartes, distingue l'homme des animaux, lesquels, parce qu'ils sont dépourvus de conscience et de jugement, n'ont que des réactions mécaniques. La science moderne a longtemps entretenu cette théorie des « animaux-machines ».

- *1650. Il meurt à Stockholm, où il s'était rendu à la demande de la reine Christine.*

On lui doit la création de la géométrie analytique qui fait la synthèse des connaissances de l'époque en géométrie, en algèbre et en arithmétique : les nombres sont remplacés par des points, les équations par des courbes, etc.

DESCELLEMENT n. m., **DESCELLER** v. t. → SCELLER 2.

1. DESCENDRE [desɑ̃dr] v. i. (lat. *descendere*). [Conj. **50**; auxil. *être*.] **1.** (sujet nom d'être animé ou de chose) Aller de haut en bas, se porter à un niveau inférieur : *Torrent qui descend du glacier. Descendre à la cave. La mer descend* (contr. MONTER). *Le thermomètre, le baromètre descend* (= il indique une température, une pression atmosphérique moins élevée) [syn. BAISSER]. *Descendre d'un ton* (= en musique, passer de l'aigu au grave). — **2.** (sujet nom de chose) S'étendre vers le bas, être en pente : *Un puits qui descend à quarante mètres. La route descend vers la plaine.* — **3.** (sujet nom de personne) Quitter un endroit, se diriger vers un lieu, mettre pied à terre : *Descendre en ville. Descendre dans le Midi. Descendre de voiture.* — **4.** *Descendre à l'hôtel, dans une auberge, chez des amis*, s'y arrêter au cours d'un voyage, y prendre pension. — **5.** (sujet nom de personne) S'abaisser à faire une chose indigne de son rang : *Descendre jusqu'à la pire grossièreté.* ◆ v. t. (auxil. *avoir*). **1.** *Descendre une chose*, la porter plus bas, la mettre à un niveau inférieur : *Descendre un tableau* (syn. BAISSER; contr. HAUSSER, LEVER). — **2.** (sujet nom de personne ou de chose) Suivre de haut en bas, vers l'aval, vers le bas : *Barque qui descend la rivière* (contr. REMONTER). — **3.** Fam. *Descendre qq'un*, le tuer avec une arme à feu. — **4.** Fam. *Descendre un avion*, l'abattre. ◆ **descendant, e** adj. Se dit surtout des choses qui descendent, qui vont vers le bas : *Gamme descendante* (= qui va du ton le plus aigu au plus grave). *Marée descendante* (= reflux, par oppos. à *marée montante*). ◆ **descente** n. f. **1.** Action de descendre, spécialem. au sens 1 du v. i. et aux sens 1 et 2 du v. t. : *On l'a acclamé à sa descente de bateau* (contr. MONTÉE). *Faire la descente d'une rivière en canoë* (contr. REMONTÉE). — **2.** *Sports.* Épreuve de ski où la dénivellation est forte, et qui ne comporte pas de portes à franchir. — **3.** Irruption en vue d'un contrôle, d'une rafle, etc. : *Une descente de police.* — **4.** Partie descendante : *Au bas de la descente.* — **5.** *Descente de lit*, tapis sur le sol, le long d'un lit. ◆ **redescendre** v. i. et t. Descendre de nouveau ; retourner au point d'où l'on était monté, d'où l'on avait monté quelque chose (contr. REMONTER).

2. DESCENDRE [desɑ̃dr] v. i. (même étym.). [Conj. **50.**] *Descendre d'un ancêtre, d'une famille*, etc., en être issu, en tirer son origine (syn. REMONTER À). ◆ **descendant, e** n. Personne qui descend d'une autre : *Les descendants de Noé* (contr. ASCENDANT). ◆ **descendance** n. f. **1.** Le fait, pour une personne, d'être issue de telle ou telle autre, de telle ou telle condition : *Être de descen-*

dance noble (syn. ORIGINE). — **2.** Ensemble des descendants : *La descendance d'un patriarche* (syn. POSTÉRITÉ).

DESCHANEL (Paul), homme politique français (1855-1922). Président de la République (18 février - 21 septembre 1920), il dut se démettre pour raison de santé.

DESCRIPTIF, IVE adj., **DESCRIPTION** n. f. → DÉCRIRE 1.

DÉSÉCHOUER v. t. → ÉCHOUER 2.

DÉSEMBOURGEOISER v. t. → BOURGEOISIE.

DÉSEMBUAGE n. m. → BUÉE.

DÉSEMPARÉ, E [dezɑ̃pare] adj. (de *désemparer*). **1.** Se dit d'une personne qui ne sait plus comment s'y prendre pour se tirer d'affaire (syn. PERDU). — **2.** Se dit d'un bateau ou d'un avion qui n'est plus en état de se diriger, à la suite d'une avarie.

DÉSEMPARER (SANS) [sɑ̃dezɑ̃pare] loc. adv. (*dés-*, et *emparer*, fortifier). Sans interruption, avec persévérance : *Travailler sans désemparer* (syn. SANS S'ARRÊTER).

DÉSEMPLIR v. i. → EMPLIR.

DÉSENCADRER v. t. → CADRE 1.

DÉSENCHANTEMENT n. m., **DÉSENCHANTER** v. t. → ENCHANTER.

DÉSENCLAVEMENT n. m., **DÉSENCLAVER** v. t. → ENCLAVE.

DÉSENCOMBRER v. t. → ENCOMBRER.

DÉSENFILER v. t. → ENFILER. / **DÉSENFLER** v. i. → ENFLER.

DÉSENGAGEMENT n. m., **DÉSENGAGER** v. t. → ENGAGER 2.

DÉSENGORGER v. t. → ENGORGER.

DÉSENIVRER v. t. → IVRE. / **DÉSENNUYER** v. t. → ENNUYER.

DÉSENSABLER v. t. → SABLE.

DÉSENSIBILISATION n. f., **DÉSENSIBILISER** v. t. → SENSIBLE 2.

DÉSÉQUILIBRE n. m., **DÉSÉQUILIBRÉ, E** adj. et n., **DÉSÉQUILIBRER** v. t. → ÉQUILIBRE.

DÉSERT [dezɛr] n. m. (lat. *desertum*). **1.** Région où la densité de population est très faible et la végétation très pauvre. → ENCYCL. — **2.** *Parler, prêcher dans le désert,* parler sans être entendu. ◆ **désert, e** adj. Se dit d'un lieu inhabité ou peu fréquenté : *Une île déserte. Des couloirs déserts.* ◆ **désertification** n. f. Transformation d'une région en désert. ◆ **désertique** adj. Qui a les caractères du désert.

— ENCYCL. Le *désert* occupe une grande partie de la surface du globe : il s'étend sur la moitié de l'Afrique boréale (Sahara), une partie de l'Afrique australe (Kalahari), l'Arabie, la majeure partie de la Chine occidentale et même de la Sibérie, le centre de l'Australie, le Canada septentrional ainsi que l'Antarctique.

La sécheresse est généralement admise comme caractéristique du désert, ce qui exclut d'une telle classification l'Amazonie. Deux types de régions demeurent alors différenciées essentiellement par la température : les *déserts froids*, qui sont en fait les plus inhabités (l'Antarctique*), et les *déserts chauds*, c'est-à-dire les déserts de la zone tropicale ou subtropicale (auxquels le nom de *désert* est souvent exclusivement réservé).

Les *déserts chauds* sont caractérisés d'abord par des précipitations irrégulières et très réduites (inférieures à 100 mm par an), et par de fortes amplitudes diurnes (= écarts entre les températures extrêmes dans une journée) : la nuit, le gel est fréquent au Sahara.

L'absence d'eau explique la maigreur de la végétation, limitée à quelques essences adaptées à la sécheresse, et à des plantes temporaires dans les lits des cours d'eau. Ceux-ci, le plus souvent à sec, se perdent dans les sables et arrivent rarement jusqu'à la mer. En raison de l'absence de tapis végétal, l'érosion dans les déserts est caractérisée par le rôle du vent : il trie les grains de sable (laissant subsister de vastes étendues pierreuses ou *regs*), les transporte et les accumule sous forme de dunes *(ergs)*.

La vie dans les déserts est très limitée : seules les oasis, où l'irrigation permet des cultures intensives, sont des foyers de peuplement. Le reste est parcouru par les troupeaux des nomades.

DÉSERTER [dezɛrte] v. t. (de *désert*). **1.** *Déserter un lieu*, l'abandonner définitivement : *Les jeunes désertent ces villages.* — **2.** *Déserter une organisation*, s'en séparer, la quitter (syn. fam. LÂCHER). ◆ v. i. *Mil.* Se dit d'un soldat qui abandonne irrégulièrement son unité. ◆ **déserteur** n. m. et adj. Celui qui a déserté : *Un soldat porté déserteur.* ◆ **désertion** n. f. Action de déserter.

DÉSERTIFICATION n. f., **DÉSERTIQUE** adj. → DÉSERT.

DÉSESCALADE n. f. → ESCALADE 2.

DÉSESPÉRER [dezɛspere] v. t. (*dés-*, et *espérer*). *Désespére qq'un*, le jeter dans l'abattement en venant à bout de son courage de sa persévérance : *Sa paresse désespère ses parents* (syn. DÉCOU RAGER, NAVRER). ◆ v. i. (sujet nom de personne). **1.** Perdre cou rage, cesser d'espérer : *Il n'avait jamais désespéré.* — **2.** *Désespé rer de qqch., de faire qqch., de qq'un,* ne plus en espérer l réalisation, la fin, etc., n'avoir plus confiance en lui : *Je commen çais à désespérer de le revoir.* ◆ **se désespérer** v. pr. (sujet nor de personne). Perdre l'espoir, être rongé d'inquiétude, de souci *Ne vous désespérez pas.* ◆ **désespérance** n. f. État d'une per sonne qui a perdu l'espérance (littér.). ◆ **désespérant, e** ad **1.** Se dit d'une personne ou d'une chose qui cause du désespoir, d l'abattement : *Cet enfant est désespérant* (syn. ↓DÉCOURAGEANT — **2.** Qui décourage toute tentative d'imitation : *Une œuvre d'un perfection désespérante.* ◆ **désespéré, e** adj. **1.** Dont on déses père : *Un cas désespéré.* — **2.** Se dit de ce qui est fait avec u acharnement extrême : *Déployer une énergie désespérée* (syı ACHARNÉ). ◆ adj. et n. Se dit de quelqu'un qui s'abandonne a désespoir : *Repêcher le corps d'un désespéré.* ◆ **désespérémen** adv. **1.** D'une façon qui porte au désespoir : *Il se sentait désespére ment seul.* — **2.** Avec acharnement : *Lutter désespérémen* ◆ **désespoir** n. m. **1.** Abattement total de quelqu'un qui a cess d'espérer : *Accès de désespoir.* — **2.** (sujet nom de personne ou d chose) *Faire, être le désespoir de qq'un,* le jeter dans le décourage ment, l'affliger profondément. ‖ *En désespoir de cause,* après avoi épuisé tous les autres moyens. ‖ *Énergie du désespoir,* résolutio extrême qu'inspire une situation désespérée.

DÉSHABILLAGE n. m., **DÉSHABILLÉ** n. m., **DÉSHABIL LER** v. t. → HABILLER.

DÉSHABITUER v. t., **SE DÉSHABITUER** v. pr. → HAB TUDE.

DÉSHERBAGE n. m., **DÉSHERBANT** n. m., **DÉSHER BER** v. t. → HERBE.

DÉSHÉRENCE [dezerɑ̃s] n. f. (*dés-*, et l'anc. fr. *heir*, héritier À l'époque féodale, droit pour le seigneur de recueillir les succe sions de ceux qui mouraient sans héritiers.

DÉSHÉRITÉ, E adj. et n., **DÉSHÉRITER** v. t. → HÉRITER.

DÉSHONNÊTE adj. → HONNÊTE.

DÉSHONNEUR n. m., **DÉSHONORANT, E** adj., **DÉSHO NORER** v. t. → HONNEUR.

DÉSHUMANISER v. t. → HUMAIN 2.

DÉSHYDRATATION n. f., **DÉSHYDRATER** v. t. → HYDR TER.

DESIDERATA [deziderata] n. m. pl. (mot lat. signif. *chos désirées*). Ce qu'on désire, souhaite (terme admin.) : *Faire part ses desiderata* (syn. DÉSIRS, SOUHAITS, VŒUX).

DESIGN [dizajn] n. m. (mot angl. signif. *plan*). Discipline arti tique ayant pour but d'harmoniser et de rationaliser l'environn ment humain, depuis la conception des objets usuels (meubles) industriels jusqu'à l'urbanisme et à l'aménagement des site ◆ **designer** [dizajnœr] n. m. Spécialiste du design.

DÉSIGNER [deziɲe] v. t. (lat. *designare*). **1.** *Désigner qqch qq'un*, le montrer, attirer l'attention sur lui : *Il me désigna ur chaise en m'invitant à m'asseoir* (syn. INDIQUER). *Son derni roman l'a désigné à l'attention du jury* (syn. SIGNALER). — **2.** *Dé gner qq'un*, le choisir pour exercer des fonctions, l'investir d'u rôle : *On l'a désigné pour diriger cette mission* (syn. APPELE ÉLIRE). *Le tribunal a désigné deux experts* (syn. COMMETTRE, NOM MER). *Vous êtes tout désigné pour faire ce travail* (syn. QUALIFIER — **3.** (sujet nom de chose) *Désigner qqch.*, permettre de l'identifie de le signifier : *Dans « le Roman de la rose », la rose désigne femme aimée* (syn. INDIQUER, SYMBOLISER). ◆ **désignation** n. f. *Qu'est-ce qu'on entend sous cette désignation?* (syn. APPELLATION *Désignation de directeur* (syn. NOMINATION).

DÉSILLUSION n. f., **DÉSILLUSIONNER** v. t. → ILLUSION

DÉSINCARNÉ, E adj. → INCARNER.

DÉSINENCE [dezinɑ̃s] n. f. (du lat. *desinere*, finir). *Gram* Partie variable de la fin d'un mot qui constitue un élément de s conjugaison (verbe), de sa déclinaison ou de sa flexion (substanti et qui s'oppose au radical : *La marque « s » est la désinence d pluriel en français écrit.* (→ FLEXION 2.)

DÉSINFECTANT n. m., **DÉSINFECTER** v. t., **DÉSINFEC TION** n. f. → INFECTER 2.

DÉSINTÉGRER [dezɛ̃tegre] v. t. (*dés-*, et *intégrer*). Défai l'intégrité d'un tout : *Les rivalités ont désintégré l'équipe* (sy DÉSAGRÉGER). *Désintégrer l'atome.* ◆ **se désintégrer** v. p Perdre sa cohésion, son unité, etc. : *Le groupe d'amis s'est peu*

peu désintégré (syn. SE DISLOQUER, SE DISPERSER). ◆ **désintégration** n. f. **1.** Action de désintégrer ou de se désintégrer. — **2.** Transformation du noyau d'un atome radio-actif, qui donne naissance à un rayonnement tout en laissant un nouveau noyau différent du premier.

DÉSINTÉRESSÉ, E adj., **DÉSINTÉRESSEMENT** n. m., **DÉSINTÉRESSER** v. t. ⟶ INTÉRÊT 1.

DÉSINTÉRESSER (SE) v. pr., **DÉSINTÉRÊT** n. m. ⟶ INTÉRÊT 2.

DÉSINTOXICATION n. f., **DÉSINTOXIQUER** v. t. ⟶ TOXIQUE.

DÉSINVOLTE [desɛ̃vɔlt] adj. (esp. *desenvuelto*, dégagé dans ses manières). Se dit d'une personne qui a des manières trop libres, ou du comportement de cette personne : *Une allure désinvolte* (syn. ↑SANS-GÊNE; contr. DÉFÉRENT, RÉSERVÉ). *Une réplique désinvolte* (syn. INSOLENT). ◆ **désinvolture** n. f. : *Agir avec désinvolture* (syn. EFFRONTERIE, INSOLENCE, ↑SANS-GÊNE).

DÉSIR n. m., **DÉSIRABLE** adj. ⟶ DÉSIRER.

DÉSIRADE (La), île des Antilles françaises, dépendance de la Guadeloupe, à 10 km à l'E. de la Grande-Terre; 20 km²; 1 600 hab.

DÉSIRER [dezire] v. t. (lat. *desiderare*). **1.** *Désirer qqch., désirer faire* (infin. sans prép.), souhaiter la possession ou la réalisation de quelque chose : *Désirer la fortune, le succès* (syn. VOULOIR). — **2.** (sujet nom de personne) Fam. *Se faire désirer*, faire attendre sa présence, son arrivée. — **3.** *Laisser à désirer*, se dit de ce qui est défectueux, médiocre : *La conduite de cet élève laisse à désirer.* ◆ **désir** n. m. **1.** Action de désirer; sentiment de celui qui désire : *Le désir d'être agréable.* — **2.** Chose désirée : *Tous ses désirs se réalisent.* ◆ **désirable** adj. : *Réunir les qualités désirables* (syn. REQUIS, SOUHAITABLE, VOULU). ◆ **désireux, euse** adj. [**de**]. Se dit d'une personne qui désire quelque chose.

DÉSISTER (SE) [sədeziste] v. pr. (lat. *desistere*) [sujet nom de personne]. Retirer sa candidature avant des élections : *Se désister en faveur d'un autre candidat.* ◆ **désistement** n. m.

DESMAN [dɛsmɑ̃] n. m. (mot suédois signif. *rat musqué*). Mammifère long de 15 cm, vivant près des cours d'eau dans les Pyrénées et en Russie, se nourrissant surtout d'œufs de poissons. (Ordre des insectivores.)

DES MOINES, v. du centre des États-Unis, capit. de l'Iowa, sur la *rivière Des Moines* (658 km), affl. du Mississippi (r. dr.); 200 600 hab.

DESMOULINS (Camille), journaliste et homme politique français (1760-1794). Il prit une part active à la journée révolutionnaire du 10 août 1792, qui entraîna la chute de la monarchie. Élu à la Convention, il siégea parmi les Montagnards et publia le journal *le Vieux Cordelier*. Il fut condamné à mort avec les partisans de Danton et exécuté.

DESNOS (Robert), écrivain français (1900-1945). Poète du groupe surréaliste, il lui arrivait de composer des poèmes en état d'hypnose. En 1930, il se sépara des surréalistes pour exprimer ses sentiments personnels, où dominent l'amour des hommes et l'espérance. Il est mort en déportation.

DÉSOBÉIR v. t. ind., **DÉSOBÉISSANCE** n. f., **DÉSOBÉISSANT, E** adj. ⟶ OBÉIR.

DÉSOBLIGEANCE n. f., **DÉSOBLIGEANT, E** adj., **DÉSOBLIGER** v. t. ⟶ OBLIGER 2.

DÉSOBSTRUER v. t. ⟶ OBSTRUER.

DÉSODORISANT adj. et n. m., **DÉSODORISER** v. t. ⟶ ODEUR.

DÉSŒUVRÉ, E [dezœvre] adj. et n. (de *dés-*, et *œuvre*). Se dit d'une personne qui n'a rien à faire, qui ne sait pas s'occuper : *Une foule de désœuvrés* (syn. OISIF). ◆ **désœuvrement** n. m. : *Le désœuvrement lui pèse* (syn. INACTION, OISIVETÉ).

DÉSOLER [dezɔle] v. t. (lat. *desolare*, laisser seul). **1.** *Désoler qq'un*, lui causer du chagrin : *Sa paresse me désole* (syn. AFFLIGER, NAVRER). — **2.** *Être désolé de qqch., de faire qqch.*, le regretter vivement : *Je suis désolé de vous contredire* (syn. ÊTRE NAVRÉ). — **3.** *Région désolée*, région aride, désertique. ◆ ***se désoler*** v. pr. Éprouver du chagrin, s'affliger. ◆ **désolant, e** adj. : *Une nouvelle désolante* (syn. AFFLIGEANT). ◆ **désolation** n. f. : *Être plongé dans la désolation* (syn. AFFLICTION). *La désolation du paysage* (syn. ARIDITÉ, SAUVAGERIE).

DÉSOLIDARISER v. t., **SE DÉSOLIDARISER** v. pr. ⟶ SOLIDAIRE.

DÉSOPERCULER v. t. ⟶ OPERCULE.

DÉSOPILANT, E [dezɔpilɑ̃, -ɑ̃t] adj. (de l'anc. fr. *opiler*, obstruer). Se dit d'une personne ou d'une chose qui fait beaucoup rire : *Une histoire désopilante* (syn. ↓COMIQUE).

DÉSORDONNÉ, E adj., **DÉSORDRE** n. m. ⟶ ORDRE 1.

DÉSORGANISATION n. f., **DÉSORGANISER** v. t. ⟶ ORGANISER.

DÉSORIENTATION n. f., **DÉSORIENTER** v. t. ⟶ ORIENTER.

DÉSORMAIS [dezɔrmɛ] adv. (*dés-*, *or*, maintenant, et *mais*, plus). À partir de maintenant (syn. DORÉNAVANT).

DÉSOSSEMENT n. m., **DÉSOSSER** v. t. ⟶ OS.

DESPIAU (Charles), sculpteur français (1874-1946). Il travailla avec Rodin. Il a laissé des milliers de dessins, près de deux cents bustes et portraits. Son style est d'une grande pureté, mais son dépouillement n'empêche pas une vie intense et une extrême délicatesse.

DESPORTES (Philippe), poète français (1546-1606). Poète de cour, préféré à Ronsard par Henri III, il publia des sonnets amoureux, des *Élégies*, des *Bergeries*, des *Chansons*. Mais sa poésie, mondaine et facile, fut sévèrement critiquée par Malherbe.

DESPOTE [dɛspɔt] n. m. (gr. *despotês*, maître). **1.** Souverain absolu, qui exerce l'autorité avec rigueur : *Un cruel despote* (syn. TYRAN). — **2.** Personne qui entend imposer à son entourage une autorité absolue : *L'aïeul qui régnait en despote sur la famille.* ◆ **despotique** adj. : *Gouvernement despotique* (syn. TOTALITAIRE). *Domination despotique* (syn. TYRANNIQUE). ◆ **despotiquement** adv. ◆ **despotisme** n. m. **1.** Pouvoir absolu et arbitraire; autorité tyrannique. — **2.** *Despotisme éclairé*, nom donné au XVIIIe s. au gouvernement autoritaire d'un État dont le souverain entendait concilier l'absolutisme avec les théories politiques et les idées de progrès des philosophes français.

DESPRÉAUX ⟶ BOILEAU.

DES PRÉS (Josquin), compositeur français (v. 1440-v. 1521/1524). Il est l'auteur de nombreuses messes, motets et chansons profanes qui font de lui le premier des polyphonistes français.

DESQUAMATION n. f., **DESQUAMER (SE)** v. pr. → SQUAME.

DESQUELS, ELLES pron. rel. et interr. → LEQUEL.

DESSAISIR v. t. ⟶ SAISIR 2.

DESSAISIR (SE) v. pr., **DESSAISISSEMENT** n. m. ⟶ SAISIR 1.

DESSALAGE ou **DESSALEMENT** n. m. → SEL 1.

DESSALER v. t. → SEL 1 et 2.

DESSALINES (Jean-Jacques), empereur d'Haïti, né en Guinée (av. 1758-1806). Esclave noir, il dirigea une révolte en 1791 puis, après la capture de Toussaint* Louverture, se rendit maître de l'île et se fit proclamer empereur en 1804. Il fut assassiné.

DESSAU, v. d'Allemagne (Saxe-Anhalt), au S.-O. de Berlin; 101 200 hab. Métallurgie.

DESSÉCHANT, E adj., **DESSÈCHEMENT** n. m., **DESSÉCHER** v. t. ⟶ SEC 1 et 2.

DESSEIN [desɛ̃] n. m. (de l'anc. fr. *desseigner*, dessiner). Ce qu'on se propose de réaliser (langue soignée) : *Former de grands desseins* (syn. PLAN, PROJET). *Partir dans le dessein de* (syn. INTENTION). — LOC. ADV. *À dessein*, dans une intention précise (syn. EXPRÈS).

DESSELLER v. t. ⟶ SELLE 1.

DESSERRAGE n. m., **DESSERRER** v. t. ⟶ SERRER 1.

DESSERT [desɛr] n. m. (de *dé-*, et *servir*). Fruits, pâtisseries, etc., qu'on mange à la fin d'un repas; moment où on sert ce mets.

1. DESSERTE n. f. ⟶ DESSERVIR 2.

2. DESSERTE [desɛrt] n. f. (de *dé-*, et *servir*). Petite table sur laquelle on dépose les plats qu'on ôte de la table.

DESSERVANT n. m. ⟶ DESSERVIR 2.

1. DESSERVIR v. t. ⟶ SERVIR 2 et 3.

2. DESSERVIR [desɛrvir] v. t. (lat. *deservire*, servir avec zèle). [Conj. **20.**] **1.** *Desservir un lieu déterminé*, y assurer un service régulier de transport : *L'île est desservie par deux bateaux chaque jour.* — **2.** *Desservir une église*, y assurer le service régulier du culte : *Un prêtre qui dessert trois paroisses.* ◆ **desserte** n. f. **1.** Fait d'assurer les transports d'une localité : *L'autocar assure la* *desserte de la plage.* — **2.** Service assuré par un prêtre. ◆ **desservant** n. m. Prêtre ou pasteur qui dessert un lieu de culte.

DESSICCATION n. f. ⟶ SEC 1.

DESSILLER [desije] v. t. (de l'anc. fr. *ciller*, coudre les paupières). *Dessiller les yeux à qq'un*, l'amener à se rendre compte de ce dont il n'avait pas conscience.

DESSIN [desɛ̃] n. m. (du lat. *designare*, dessiner). **1.** Représentation sur une surface (à l'aide d'un crayon, d'une plume, d'un pinceau, etc.) de la forme et non de la couleur des objets. — **2.** Art de dessiner : *Apprendre le dessin.* — **3.** Contour, ensemble des lignes : *Un visage d'un dessin très régulier.* — **4.** Cinéma. *Dessin animé* ⟶ ANIMER. — **5.** *Arts du dessin*, l'architecture, la sculpture, la peinture, la gravure, le dessin. ‖ *Dessin industriel*, dessin destiné à représenter des machines, des pièces de mécanique, etc. ‖ *Dessin linéaire*, dessin technique pour la représentation des ornements ou des objets qui appartiennent à l'industrie. ‖ *Dessin à main levée*, dessin d'édifices, de machines, etc., exécuté sans règle ni compas, et traité avec une grande liberté. ◆ **dessiner** v. t. **1.** (sujet nom de personne) *Dessiner qqch., qq'un*, le représenter par le dessin. — **2.** (sujet nom de chose) *Dessiner une chose*, apparaître de cette façon : *La route dessine une courbe* (syn. TRACER). — **3.** *Dessiner qqch.*, en faire ressortir les contours : *Un vêtement qui dessine bien la taille* (syn. SOULIGNER). ◆ ***se dessiner*** v. pr. (sujet nom de chose). **1.** Laisser apparaître son tracé : *Les collines se dessinent à l'horizon* (syn. SE DÉTACHER). — **2.** Prendre bonne tournure, commencer à se manifester : *Les projets se dessinent* (syn. S'ESQUISSER). ◆ **dessinateur, trice** n. Personne qui dessine, qui est spécialiste du dessin : *Un dessinateur industriel.*

DESSOUDER v. t. ⟶ SOUDER.

DESSOULER v. t. et i. ⟶ SOÛL.

1. DESSOUS [dəsu], **DESSUS** [dəsy] adv. (*de*, et *sous; de*, et *sus*, sur). Indiquent une situation inférieure ou supérieure relative à une autre. ⟶ tableau ci-dessous.

2. DESSOUS [dəsu] n. m. (*de*, et *sous*). **1.** Partie ou fac[e] inférieure d'une chose : *Le dessous du pied.* ‖ *Avoir le dessous*, avoir le désavantage, être inférieur dans une lutte, une compét[i]tion. — **2.** L'étage immédiatement inférieur : *Les voisins du des[s]ous.* ‖ Fam. *Le trente-sixième dessous*, le point le plus bas, l[a] situation la plus désespérée. ◆ n. m. pl. **1.** Sous-vêtements fém[i]nins. — **2.** Côté secret d'une affaire : *Les dessous de la politique.* ◆ **dessous-de-plat** n. m. inv. Support sur lequel on pose le[s] plats pour protéger la nappe.

1. DESSUS adv. ⟶ DESSOUS 1.

2. DESSUS [dəsy] n. m. (*de*, et *sus*, sur). **1.** Partie ou fac[e] supérieure d'une chose : *Le dessus de la main.* ‖ *Avoir le dessus*, gagner, vaincre. ‖ *Prendre le dessus*, réussir à avoir l'avantage. *Reprendre le dessus*, reprendre des forces, se rétablir ou surmonte[r] sa défaillance, son découragement. ‖ *Le dessus du panier*, ce qu'il a de mieux. — **2.** L'étage immédiatement supérieur : *Les gens d[u] dessus.* ◆ **dessus-de-lit** n. m. inv. (syn. COUVRE-LIT).

DÉSTALINISATION [destalinizasjɔ̃] n. f. (de *Staline*). Ensemble des mesures prises par les successeurs de Staline visant à supprimer les aspects les plus autoritaires du régime établi par ce dernier en U. R. S. S.

DESTIN [dɛstɛ̃] n. m. (de *destiner*). **1.** Puissance surnaturelle qu[i] fixerait le cours des événements : *Les arrêts du destin sont inexo[]rables.* — **2.** Ensemble des événements (le plus souvent malheu[]reux ou tragiques) qui constituent la vie d'un homme et qui peu[]vent ou non être modifiés par lui : *C'est le destin qui les a séparé[s]* (syn. FATALITÉ). *Être maître de son destin.* — **3.** Avenir, so[rt] réservé à quelque chose ou à quelqu'un : *Le destin d'un roma[n]* (syn. FORTUNE). *Une bohémienne lui a prédit son destin* (syn. AVENIR). ◆ **destinée** n. f. **1.** Volonté souveraine qui règl[e] d'avance tout ce qui doit être : *Accuser la destinée* (syn. DESTIN). — **2.** Ensemble des événements composant la vie d'un être, consi[]dérés comme déterminés d'une façon irrévocable et indépendant[s] de sa volonté : *La destinée du peuple juif.* — **3.** Condition, carrièr[e]

dessous adv.	**dessus** adv.
En un point ou en un rang inférieur.	En un point ou en un rang supérieur.
La clôture était trop haute, j'ai réussi à passer dessous. Regardez cette pierre, il y a sans doute une vipère dessous.	*Il a marché dessus sans le voir. Le banc est sale, ne laisse pas tes affaires traîner dessus. Tu peux mettre la lettre à la poste, le timbre est dessus.* *Mettre la main dessus*, saisir, prendre, attraper : *La police a mis la main dessus.* *Bras dessus bras dessous*, le bras de l'un sur le bras de l'autre : *Ils sont arrivés bras dessus bras dessous.*
LOC ADV. ET PRÉP.	LOC. ADV. ET PRÉP.
Au-dessous, au-dessous de : *Allons jusqu'à l'arbre et mettons-nous à l'abri au-dessous. Le village est au-dessous de la montagne. Température tombée au-dessous de 0°* (syn. INFÉRIEURE À). *Interdit aux enfants au-dessous de seize ans* (syn. DE MOINS DE). *Il est au-dessous de tout* (= incapable, nul).	**Au-dessus, au-dessus de :** *Ma valise est solide, mettez la vôtre au-dessus. Poser une lampe au-dessus du bureau. Température qui monte au-dessus de 30°. Les enfants au-dessus de sept ans payent place entière. Il est au-dessus de toute critique* (= il les méprise).
Ci-dessous : *Vous trouverez ci-dessous le bilan provisoire de cette vente* (= plus bas dans cette lettre).	**Ci-dessus :** *Vous avez lu ci-dessus les raisons de mon refus* (= plus haut dans cette lettre).
De dessous : *L'appartement de dessous est libre. J'ai sorti beaucoup de poussière de dessous l'armoire.*	**De dessus :** *Enlève tes papiers de dessus la table* (syn. fam. DE SUR). *Ne pas lever les yeux de dessus son livre* (syn. fam. DE SUR). *Les voisins de dessus.*
En dessous : *Regarder en dessous* (syn. SOURNOISEMENT; contr. DROIT DANS LES YEUX). *Agir en dessous* (syn. HYPOCRITEMENT). *Rire en dessous* (contr. FRANCHEMENT).	**En dessus :** *Dans cette bibliothèque, les auteurs latins sont en dessous, les auteurs grecs en dessus* (plus usuel *au-dessus*).
Là-dessous : *Je suis sûr qu'il s'est caché là-dessous. Il y a là-dessous quelque chose de suspect.*	**Là-dessus :** *Prenez cette feuille et écrivez là-dessus le motif de votre visite. Là-dessus, il se tut* (syn. SUR CES ENTREFAITES). *Je n'ai rien à dire là-dessus* (syn. À CE SUJET). *Vous ne pouvez compter là-dessus* (= sur cela).
Par-dessous : *Il le prit par-dessous les bras et le souleva de terre.*	**Par-dessus :** *Lire le journal par-dessus les épaules de quelqu'un. Il fait froid, mettez un chandail par-dessus votre chemise. Cette erreur est légère, vous pouvez passer par-dessus* (= ne pas vous y attarder). *Et par-dessus tout, ne lui parlez pas de cela* (syn. SURTOUT).

heureuse ou malheureuse réservée par le sort à quelqu'un ou à quelque chose : *Ce livre a eu une curieuse destinée* (syn. SORT). — **4.** La vie en général, l'existence : *Leurs destinées se sont rencontrées* (syn. VIE). *Unir sa destinée à celle d'un autre* (= l'épouser).

DESTINATAIRE n., **DESTINATION** n. f. ⟶ DESTINER.

DESTINÉE n. f. ⟶ DESTIN.

DESTINER [dɛstine] v. t. (lat. *destinare*). **1.** *Destiner qq'un à un emploi*, l'orienter par avance vers cet emploi : *Il destine son fils au commerce.* — **2.** *Destiner qqch. à qq'un* ou *à qqch.*, en prévoir l'attribution à cette personne, l'affectation à cette chose : *Je lui destine ma maison* (syn. RÉSERVER). *Destiner un terrain à la culture du blé.* ◆ **se destiner** v. pr. (sujet nom de personne). *Se destiner à un emploi, se destiner à faire*, prévoir qu'on le remplira, se préparer à faire. ◆ **destinataire** n. Personne à qui est adressé un envoi (contr. EXPÉDITEUR). ◆ **destination** n. f. **1.** Emploi prévu pour une chose : *La destination d'un édifice* (syn. AFFECTATION). — **2.** Point vers lequel on s'achemine ou on achemine un objet : *Porter un paquet à destination.*

DESTITUER [dɛstitɥe] v. t. (lat. *destituere*). *Destituer qq'un*, lui retirer ses fonctions, le priver de ses attributions (syn. CASSER, RÉVOQUER). ◆ **destitution** n. f. (syn. RÉVOCATION).

DESTRIER [dɛstrije] n. m. (de l'anc. fr. *destre*, main droite, parce que ce cheval était mené de la main droite par l'écuyer). Au Moyen Âge, cheval de bataille (par oppos. au PALEFROI, cheval de parade).

DESTROYER [dɛstrwaje] ou [dɛstrɔjœr] n. m. (mot angl. signif. *destructeur*). Croiseur léger, rapide, destiné surtout à des missions d'escorte. (On tend à remplacer ce mot par celui de CONTRE-TORPILLEUR.)

DESTRUCTEUR, TRICE adj. et n., **DESTRUCTIBLE** adj., **DESTRUCTION** n. f. ⟶ DÉTRUIRE.

DÉSUET, ÈTE [desɥɛ, -ɛt] adj. (du lat. *desuescere*, se déshabituer de). Se dit de ce qui n'est plus ou presque plus en usage : *Le baisemain est une coutume désuète* (syn. ABANDONNÉ, DÉMODÉ, PÉRIMÉ, SURANNÉ). ◆ **désuétude** [desɥetyd] n. f. : *Un mot tombé en désuétude* (= sorti de l'usage).

DÉSUNION n. f., **DÉSUNIR** v. t. ⟶ UNIR.

DESVRES, ch.-l. de cant. du Pas-de-Calais, à 19 km au S.-E. de Boulogne-sur-Mer; 5600 hab. Céramique.

DÉTACHABLE adj. ⟶ DÉTACHER 2.

DÉTACHAGE n. m., **DÉTACHANT, E** adj. et n. m. ⟶ TACHE 1.

1. DÉTACHER v. t. ⟶ TACHE 1.

2. DÉTACHER [detaʃe] v. t. (*dé-*, et l'anc. fr. *estache*, pieu). **1.** *Détacher un objet, un être animé*, leur ôter le lien, l'attache qui les retenait : *Détacher la remorque du tracteur* (syn. DÉCROCHER). — **2.** *Détacher qqch.*, séparer ce qui était réuni en un tout par un lien : *Détacher un bouquet* (syn. DÉLIER). *Détacher son manteau* (syn. DÉBOUTONNER, DÉGRAFER). — **3.** *Détacher une chose*, dégager l'un de l'autre deux morceaux de lien ou deux liens : *Détacher ses lacets de chaussures* (syn. DÉLIER, DÉNOUER). — **4.** *Détacher une chose* (d'une autre), séparer un objet de ce à quoi il adhérait : *Détacher les feuillets d'un carnet.* — **5.** *Détacher une œuvre*, la mettre à part, en faire ressortir un passage, un fragment (syn. EXTRAIRE, ISOLER). — **6.** *Détacher qqch.*, le rendre distinct, le mettre en relief, en valeur : *Parler en détachant ses mots.* — **7.** *Détacher qq'un*, l'envoyer en mission : *Un fonctionnaire détaché* (syn. DÉLÉGUER). — **8.** *Détacher qq'un de qq'un, de qqch.*, relâcher les liens moraux qui l'unissaient à cette personne ou à cette chose : *Son égoïsme détache de lui tous ses amis* (syn. ÉLOIGNER). — **9.** *Détacher les yeux, le regard, la vue*, cesser de regarder un spectacle qui attire : *Il avait peine à détacher ses yeux de ce tableau* (contr. ATTACHER). ◆ **se détacher** v. pr. : *Le nœud se détache* (syn. SE DÉFAIRE). *Un toit rouge se détache dans la verdure* (syn. ↓APPARAÎTRE). *Se détacher de voisins peu délicats* (syn. SE SÉPARER). ◆ **détachable** adj. Conçu de façon à pouvoir être détaché (surtout au sens 4 du v. t.) : *Cahier à feuilles détachables* (syn. AMOVIBLE, MOBILE). ◆ **détaché, e** adj. Qui montre du détachement : *Un air, un ton, un regard détaché* (syn. FROID, INDIFFÉRENT). ◆ **détachement** n. m. **1.** État d'une personne détachée d'un être vivant ou d'une chose (sens 8 du v. t.) : *Détachement des biens matériels.* — **2.** Air d'indifférence : *Répondre avec détachement.* — **3.** Position d'un fonctionnaire détaché (sens 7 du v. t.) : *Être en détachement à l'étranger.* — **4.** Élément d'une troupe envoyée pour une mission déterminée : *Un détachement partira en reconnaissance.*

1. DÉTAILLER [detaje] v. t. (*dé-*, et *tailler*). *Détailler un ensemble d'objets, un objet*, le vendre par éléments : *Détailler les verres d'un service.* ◆ **détail** [detaj] n. m. Action de détailler, vente par petites quantités : *Un commerce de détail* (par oppos. à DEMI-GROS, GROS). ◆ **détaillant, e** adj. et n. Qui vend au détail : *Un épicier détaillant* (par oppos. à GROSSISTE).

2. DÉTAILLER [detaje] v. t. (même étym.). *Détailler qqch.*, passer en revue les éléments d'un ensemble, les énumérer, les faire ressortir : *Des explications détaillées* (syn. CIRCONSTANCIÉ). ◆ **détail** n. m. **1.** Énumération complète et minutieuse : *Expliquer en détail* (syn. PAR LE MENU). ‖ *Revue de détail*, inspection qui porte sur tout le matériel détenu par un soldat. — **2.** Élément d'un ensemble, particularité, circonstance d'un événement : *Les détails d'un tableau.*

DÉTALER [detale] v. i. (de *dé-*, et *étaler*) [sujet nom d'être animé]. *Fam.* Se sauver à toute allure, partir très vite : *Le voleur détala* (syn. fam. DÉCAMPER, FILER).

DÉTARTRAGE n. m., **DÉTARTRANT, E** adj. et n. m., **DÉTARTRER** v. t. ⟶ TARTRE.

DÉTAXATION n. f., **DÉTAXE** n. f., **DÉTAXER** v. t. ⟶ TAXER 1.

DÉTECTER [detɛkte] v. t. (angl. *to detect*, déceler). Découvrir un phénomène, un objet caché : *Un appareil à détecter les mines.* ◆ **détecteur, trice** adj. Qui permet de détecter. ◆ n. m. Nom de divers appareils servant à détecter des gaz, des mines explosives, des ondes radio-électriques, des corps radio-actifs, etc. ◆ **détection** n. f. Action de détecter.

— ENCYCL. Les procédés de *détection*, variables suivant l'objet à détecter et le milieu qui l'entoure, font souvent appel à des techniques très modernes.

Dans l'atmosphère, la détection des avions, missiles, etc. se fait au moyen de radars, utilisant des ondes électromagnétiques; sous l'eau, on emploie des sondeurs à ultrasons. Les êtres vivants et les moteurs thermiques peuvent être repérés par le rayonnement infrarouge qu'ils émettent. Les compteurs de Geiger détectent les rayonnements émis par les corps radio-actifs, et les détecteurs électromagnétiques permettent de repérer les objets en fer.

DÉTECTIVE [detɛktiv] n. m. (mot angl.). Spécialiste chargé d'une enquête policière : *C'est un détective privé qui a découvert le meurtrier.*

DÉTEINDRE v. t. et i. ⟶ TEINDRE.

DÉTELER v. t. et i. ⟶ ATTELER 1 et 2.

DÉTENDRE [detɑ̃dr] v. t. (*dé-*, et *tendre*). [Conj. **50.**] **1.** *Détendre qqch.*, relâcher ce qui est tendu : *Détendre un arc.* — **2.** *Détendre qqch., qq'un*, faire disparaître la tension, l'anxiété, la fatigue : *Une plaisanterie qui détend l'atmosphère* (syn. ↑ÉGAYER). *Ces quelques jours à la campagne l'ont détendu* (syn. REPOSER). ◆ **se détendre** v. pr. Cesser d'être tendu : *Une raquette qui s'est détendue. Leurs rapports se sont détendus* (= ils sont en meilleurs termes). ◆ **détendeur** n. m. Appareil servant à diminuer la pression d'un gaz comprimé. ◆ **détendu, e** adj. : *Un visage détendu* (syn. APAISÉ, CALME; contr. ↑ANXIEUX). ◆ **détente** n. f. **1.** Action de détendre, de relâcher ce qui était tendu : *La détente du ressort.* — **2.** Diminution brusque de la pression d'un gaz par augmentation de son volume. — **3.** Diminution de la tension d'esprit, de la fatigue : *Prendre quelques jours de détente* (syn. DÉLASSEMENT, REPOS). — **4.** Diminution de la tension entre États, amélioration des relations internationales. — **5.** Pièce du mécanisme d'une arme à feu qui commande le départ du coup : *Avoir le doigt sur la détente.* — **6.** Fam. *Être dur à la détente*, n'accorder quelque chose qu'après s'être fait longuement prier, ne comprendre que difficilement.

1. DÉTENIR [detnir] v. t. (lat. *detinere*). [Conj. **22.**] (Sujet nom de personne.) *Détenir qqch.*, le garder en sa possession : *Détenir la clef de l'énigme* (syn. ↓AVOIR). ◆ **détenteur, trice** n. et adj. : *Le détenteur d'un record* (syn. TITULAIRE). *Le détenteur d'un secret* (syn. POSSESSEUR). ◆ **détention** n. f. : *Détention d'armes prohibées.*

2. DÉTENIR [detnir] v. t. (même étym.). [Conj. **22.**] *Détenir qq'un*, le garder prisonnier (souvent au passif) : *Il était détenu dans une forteresse.* ◆ **détention** n. f. Action de garder quelqu'un en prison; état d'une personne détenue. ‖ *Détention criminelle*, peine privative de liberté, subie en France dans une maison centrale pourvue d'un quartier spécial. (Sa durée varie de cinq ans à perpétuité.) ‖ *Détention préventive*, détention d'un inculpé qui risque, s'il reste en liberté, de s'enfuir pour échapper à la justice ou de détruire des preuves de sa culpabilité. ◆ **détenu, e** n. et adj. : *Un détenu s'est évadé* (syn. PRISONNIER). ◆ **codétenu, e** n. Personne détenue avec une ou plusieurs autres dans un même lieu.

DÉTENTE n. f. ⟶ DÉTENDRE.

DÉTENTEUR, TRICE adj. et n. ⟶ DÉTENIR 1.

DÉTENTION n. f. ⟶ DÉTENIR 1 et 2.

DÉTENU, E adj. et n. ⟶ DÉTENIR 2.

DÉTERGENT, E [detɛrʒɑ̃, -ɑ̃t] adj. et n. m. (du lat. *detergere*, nettoyer). Se dit d'une substance qui a la propriété de nettoyer les impuretés : *Mêler à l'eau un détergent* (syn. DÉTERSIF).

DÉTÉRIORER [deterjɔre] v. t. (du lat. *deterior*, plus mauvais). **1.** *Détériorer un objet*, le mettre en mauvais état : *Du matériel détérioré* (syn. ABÎMER, ENDOMMAGER; fam. ESQUINTER). — **2.** *Détériorer qqch.* (mot abstrait), en détruire l'équilibre, le caractère heureux, bénéfique : *Cette jalousie a détérioré leurs relations.* ◆ **se détériorer** v. pr. Subir un dommage : *La situation s'est détériorée* (syn. SE GÂTER; contr. S'AMÉLIORER). ◆ **détérioration** n. f.

1. DÉTERMINER [detɛrmine] v. t. (lat. *determinare*). **1.** *Déterminer qqch.*, le définir exactement, l'indiquer avec précision : *Déterminer les causes d'un accident* (syn. ÉTABLIR). *Déterminer la conduite à tenir* (syn. ARRÊTER, FIXER, RÉGLER). — **2.** *Gramm.* En parlant d'un élément de la phrase, s'associer à un autre pour le caractériser ou pour en préciser la valeur ou le sens : *Les articles déterminent le nom. Un verbe déterminé par un complément.* ◆ **déterminable** adj. : *Une durée déterminable.* ◆ **déterminant** n. m. *Gramm.* Mot qui, placé devant le substantif, lui sert de marque de genre, de nombre, tout en apportant une précision supplémentaire (articles, adjectifs possessifs, démonstratifs, numéraux, indéfinis, interrogatifs et exclamatifs) : *L'adjectif possessif dans « mon livre » est un déterminant qui indique le genre et le nombre et exprime une référence personnelle.* (⟶ CLASSE 4.) ◆ **déterminatif, ive** adj. **1.** *Gramm.* Se dit d'un mot qui détermine le sens d'un autre en le précisant (*le, la, les, mon, ce,* etc.) : *On distingue parfois les adjectifs déterminatifs (démonstratifs, possessifs, interrogatifs, indéfinis) et les adjectifs qualificatifs.* — **2.** *Complément déterminatif*, complément du nom. ‖ *Proposition relative déterminative*, celle qui précise et restreint le sens de l'antécédent par l'addition d'une propriété nécessaire au sens (*ex.* : Prends le livre *qui est sur mon bureau).* ◆ **détermination** n. f. : *La détermination de la latitude d'un lieu* (syn. DÉFINITION). *Un nom employé sans détermination* (= sans mot déterminant). ◆ **indétermination** n. f. Caractère de ce qui n'est pas défini ou connu avec précision (syn. IMPRÉCISION). ◆ **déterminé, e** adj. Se dit de ce qui est nettement fixé, distinct : *Une heure déterminée* (syn. PRÉCIS). ◆ **indéterminé, e** adj. Qui n'est pas déterminé, précisé, fixé : *Une date indéterminée.*

2. DÉTERMINER [detɛrmine] v. t. (même étym.). **1.** *Déterminer qq'un à qqch., à faire qqch.*, l'y porter, l'amener à cette action : *Cette considération l'a déterminé à intervenir* (syn. DÉCIDER, POUSSER). — **2.** (sujet nom de chose) Avoir comme conséquence, être la cause de : *Un incident qui détermine un retard important* (syn. CAUSER, PROVOQUER). ◆ ***se déterminer*** v. pr. [**à**] (sujet nom de personne). Prendre parti, se décider. ◆ **déterminant, e** adj. : *Un argument déterminant* (syn. DÉCISIF, PÉREMPTOIRE). ◆ **déterminé, e** adj. Se dit d'une personne ferme dans sa résolution : *C'est un homme déterminé* (syn. DÉCIDÉ, RÉSOLU). ◆ **détermination** n. f. : *Agir avec détermination* (syn. DÉCISION, RÉSOLUTION). ◆ **indétermination** n. f. État d'une personne qui n'a pas encore pris de décision, qui hésite (syn. INDÉCISION). ◆ **autodétermination** n. f. Libre disposition de soi-même, et, en partic., droit d'un peuple à décider librement du régime politique, social et économique qui correspond à ses intérêts légitimes. ◆ **déterminisme** n. m. Système philosophique qui exprime tous les phénomènes par une relation de cause à effet, les mêmes causes produisant toujours les mêmes effets dans les mêmes circonstances. ◆ **déterministe** adj. et n.

DÉTERRÉ, E n., **DÉTERRER** v. t. ⟶ TERRE 4.

DÉTERSIF, IVE [detɛrzif, -iv] adj. et n. m. (du lat. *detergere*, nettoyer). Qui nettoie, décrasse : *Produits détersifs* (syn. DÉTERGENT).

DÉTESTER [detɛste] v. t. (lat. *detestari*, maudire) [sujet nom de personne]. Avoir une aversion très vive pour : *Détester un plat, une région, des gens* (syn. AVOIR EN HORREUR, ↑EXÉCRER). ◆ **détestable** adj. Que l'on doit réprouver; très mauvais, très désagréable (moins fort que le verbe) : *La calomnie est détestable* (syn. EXÉCRABLE). *Un temps détestable* (syn. AFFREUX). ◆ **détestablement** adv.

DÉTONER [detɔne] v. i. (lat. *detonare*). Exploser avec un bruit violent. ◆ **détonant, e** adj. Qui produit une détonation. ‖ *Mélange détonant*, mélange de deux gaz dont l'inflammation entraîne une réaction explosive : *L'hydrogène forme avec l'air un mélange détonant.* ◆ **détonateur** n. m. Dispositif qui provoque l'explosion d'un engin. ◆ **détonation** n. f. Bruit violent d'une explosion ou comparable à celui d'une explosion.

DÉTONNER v. i. ⟶ TON 2 et 3.

DÉTORDRE v. t. ⟶ TORDRE 1.

DÉTORTILLER v. t. ⟶ TORTILLER.

DÉTOUR [detur] n. m. (de *détourner*). **1.** Trajet sinueux, tout parcours autre que la voie directe : *La route fait un détour par ce village.* — **2.** Moyen détourné, voie indirecte : *Pas tant de détours, au fait!* (syn. FAUX-FUYANT). *Sans détour* (= en toute franchise). — **3.** *Au détour du chemin*, après un tournant; au hasard de la promenade.

DÉTOURNER [deturne] v. t. (*dé-*, et *tourner*). **1.** *Détourner qqch.* (d'une personne, d'une chose), le faire changer de direction, l'écarter de sa trajectoire : *Détourner un ruisseau* (syn. DÉVIER). *Détourner un avion.* — **2.** *Détourner la tête, les yeux, le regard*, regarder dans une autre direction (par mépris, par discrétion, par curiosité, etc.). — **3.** *Détourner qq'un de qqch.* ou *de qq'un*, lui inspirer moins d'attachement pour cette chose ou pour cette personne : *On l'a détourné de ce projet* (syn. DISSUADER). *Il a essayé de détourner de moi mes amis* (syn. DÉTACHER). — **4.** *Détourner de l'argent, des marchandises*, etc., se les approprier frauduleusement. ◆ **détourné, e** adj. Qui ne va pas directement au but : *Des chemins détournés. Voies détournées* (= moyens d'agir indirects). ◆ **détournement** n. m. **1.** Appropriation frauduleuse du bien dont on est seulement dépositaire : *Détournement de fonds.* — **2.** *Détournement d'avion*, action d'obliger, sous la menace, l'équipage d'un avion de ligne à détourner l'appareil de sa destination initialement prévue, pour une autre. — **3.** *Détournement de mineur*, infraction consistant à séduire un mineur, une mineure.

DÉTRACTEUR, TRICE [detraktœr, -tris] adj. et n. (du lat. *detrahere*, abaisser). Qui dénigre quelqu'un, qui cherche à rabaisser le mérite d'une personne, la valeur d'une chose (syn. ↓CRITIQUE).

DÉTRAQUER [detrake] v. t. (*dé-*, et l'anc. fr. *trac*, trace). **1.** *Détraquer qqch.*, en déranger le fonctionnement, le cours, le mécanisme : *Détraquer la pendule.* — **2.** Fam. *Détraquer qq'un*, troubler sa digestion, nuire à son état général : *Le mélange des vins m'a détraqué* (syn. INDISPOSER). ◆ **détraqué, e** adj. et n. *Fam.* Se dit d'une personne dont les facultés mentales sont altérées (syn DÉSÉQUILIBRÉ). ◆ **détraquement** n. m.

1. DÉTREMPE n. f. ⟶ TREMPER 2.

2. DÉTREMPE [detrɑ̃p] n. f. (de *détremper*). **1.** Procédé de peinture à l'aide de couleurs délayées dans de l'eau additionnée de colle liquide. — **2.** Ouvrage exécuté avec cette peinture. (Les artistes l'employèrent pour les tableaux de dimensions réduites jusqu'au XVe s.; le procédé fut alors détrôné par la peinture à l'huile.)

1. DÉTREMPER v. t. ⟶ TREMPER 2.

2. DÉTREMPER [detrɑ̃pe] v. t. (bas lat. *distemperare*, délayer). *Détremper une chose*, l'amollir en l'imprégnant d'un liquide : *Sol détrempé par la pluie.*

DÉTRESSE [detrɛs] n. f. (bas lat. *districtia*, étroitesse). **1.** État d'âme d'une personne qui se sent abandonnée dans le malheur : *Une âme en détresse* (syn. ↓DÉSARROI). — **2.** Situation critique : *Secourir une famille dans la détresse* (syn. ↓MALHEUR). *Navire entreprise en détresse* (= qui risque de sombrer, de faire faillite) [syn. ↑EN PERDITION].

DÉTRIMENT DE (AU) [odetrimɑ̃də] loc. prép. (lat. *detrimentum*). En faisant tort à : *Abaisser les prix au détriment de la qualité* (syn. AU PRÉJUDICE DE). *L'erreur est-elle à votre avantage ou à votre détriment?* (syn. DÉSAVANTAGE).

DÉTRITIQUE [detritik] adj. (de *détritus*). *Géol.* Se dit de toute formation sédimentaire résultant de la désagrégation mécanique de roches préexistantes : *Terrains détritiques.*

DÉTRITUS [detritys] n. m. (mot lat. signif. *usé*). Résidu bon à jeter (épluchures, restes de repas, déchets de fabrication, etc.) [syn. ORDURE].

DÉTROIT [detrwa] n. m. (lat. *districtus*, serré). Bras de mer resserré entre les terres et faisant communiquer deux étendues marines : *Le détroit de Gibraltar.*

DETROIT, port du nord des États-Unis (Michigan), sur la *rivière de Detroit* (r. dr.), qui unit les lacs Saint-Clair et Érié ; 1 203 000 hab. Detroit est, avec ses villes-satellites, un grand centre mondial de l'automobile (Ford et General Motors).

DÉTROITS (les), passages entre la mer Noire et la Méditerranée (Bosphore et Dardanelles).

DÉTROMPER v. t. ⟶ TROMPER.

DÉTRÔNER v. t. ⟶ TRÔNE.

DÉTROUSSER [detruse] v. t. (*dé-*, et *trousser*). *Détrousser un* *voyageur, un promeneur*, etc., lui voler son argent, ses bagages en l'attaquant (syn. usuel DÉVALISER). ◆ **détrousseur** n. m.

DÉTRUIRE [detrɥir] v. t. (bas lat. *destrugere*). [Conj. **70.**] **1.** *Détruire un être animé*, le faire périr : *Un produit qui détruit les limaces* (syn. EXTERMINER). — **2.** *Détruire un objet*, le jeter bas, le mettre en ruine : *Détruire une ville* (syn. RAVAGER). *Détruire un pont* (syn. DÉMOLIR). — **3.** *Détruire qqch.* (mot abstrait), le faire cesser, y mettre fin : *Un incident qui détruit tous nos projets* (syn. RUINER). ◆ **destructeur, trice** adj. et n. : *Folie destructrice.* ◆ **destructible** adj. Qui peut être détruit (surtout dans une phrase négative ou restrictive) : *Une œuvre difficilement destructible.* ◆ **indestructible** adj. Qui ne peut être détruit. ◆ **destruction** n. f. : *La destruction d'un immeuble par l'incendie. La destruction des animaux nuisibles.* ◆ **autodestruction** n. f. Destruction de sa propre personne; ruine d'un organisme par lui-même.

DETTE [dɛt] n. f. (lat. *debita*). **1.** Somme d'argent qu'on doit à quelqu'un, à un organisme, etc. : *Contracter* (ou *faire des dettes*). *Être perdu de dettes* (= avoir beaucoup de dettes). ‖ *Dette de l'État* ou *dette publique* ⟶ ENCYCL. — **2.** Devoir qui résulte d'une obligation morale contractée envers quelqu'un : *Une dette de reconnaissance.* ◆ **endetter** v. t. Charger de dettes : *Cette acquisition l'a lourdement endetté.* ◆ **s'endetter** v. pr. Être chargé de dettes. ◆ **endettement** n. m.

— ENCYCL. La *dette de l'État*, ou *dette publique*, ou encore simplement la *dette*, est l'ensemble des sommes d'argent que l'État a empruntées à des particuliers (les emprunts sont souscrits à un taux proposé par l'État qui s'engage, en retour, à rendre de différentes façons les sommes dues). L'État peut également devoir de l'argent à des banques étrangères *(dette commerciale)* ou avoir accepté des avances d'argent d'un gouvernement étranger *(dette politique)*.

Différents systèmes de remboursement peuvent être retenus : la dette amortissable, remboursable dans des conditions ou à une date déterminées à l'avance; la *dette flottante* (ou prêt à court terme), remboursable au plus tard quelques années après l'emprunt; la *dette perpétuelle* peut n'être jamais remboursée, à condition que les intérêts soient régulièrement versés au prêteur (il s'agit alors d'une sorte de rente); la *dette à long terme* et la *dette viagère* sont remboursées après un temps très long (vingt, vingt-cinq ans et plus) ou ne sont jamais remboursées, mais assurent également aux prêteurs une sorte de rente leur vie durant.

Il arrive que la dette publique soit trop importante et provoque un déséquilibre dans le budget national; elle influe alors sur la valeur de la monnaie et entraîne une hausse exagérée des prix (inflation).

DEUIL [dœj] n. m. (bas lat. *dolus*, douleur). **1.** État d'une personne dont un proche parent est mort récemment : *Adresser des condoléances à un ami à l'occasion de son deuil.* — **2.** Vêtements, généralement noirs, qu'on porte dans ces circonstances : *Porter le deuil.* — **3.** Période pendant laquelle on porte ces vêtements. — **4.** *Faire son deuil de qqch.*, se résigner à en être privé. ◆ **demi-deuil** n. m. Vêtements sombres, ou noir et blanc, que l'on porte après la période du deuil. ◆ **endeuiller** v. t. Marquer d'affliction par la mort d'une ou plusieurs personnes (surtout au passif) : *La course a été endeuillée par un grave accident.*

DEUIL-LA-BARRE, comm. du Val-d'Oise, à 11 km au N. de Paris; 16400 hab.

DEÛLE (la), riv. du nord de la France (Flandre), affl. de la Lys (r. dr.); 68 km.

DEUS EX MACHINA [deysɛksmakina] n. m. (mots lat. signif. *un dieu* [*descendu*] *au moyen d'une machine*). **1.** Expression désignant l'intervention, dans une pièce de théâtre, d'un dieu, d'un être surnaturel. — **2.** Intervention inattendue venant opportunément dénouer une action dramatique.

DEUTÉRIUM [døterjɔm] n. m. (du gr. *deuteros*, deuxième). Isotope lourd de l'hydrogène, de masse atomique 2 (symb. : D), constituant de l'eau lourde.

Deutéronome, cinquième livre du Pentateuque (Bible). C'est la « seconde loi », c'est-à-dire une sorte de nouvelle édition des préceptes de Moïse, enrichie par l'apport des prophètes.

DEUTSCHE MARK [dɔjtʃmark] n. m. inv. (mot all.) Unité monétaire allemande, divisée en 100 pfennige (symb. : DM).

DEUX [dø] (on fait la liaison avec le nom ou l'adj. suivant, si ce mot commence par une voyelle ou un *h* muet : *deux ans* [døzɑ̃], *deux hommes* [døzɔm]; devant *ou*, la liaison est facultative) adj. num. cardin. et n. m. (lat. *duos*). **1.** ⟶ NUMÉRATION. — **2.** Sert aussi à indiquer un petit nombre (avec *minute, seconde, pas*) : *Il habite à deux pas d'ici* (= très près d'ici). — **3.** Fam. *En moins de deux*, très rapidement. ◆ **deuxième** adj. num. ordin. et n. ◆ **deuxièmement** adv. ⟶ NUMÉRATION. ◆ **deux-mâts** n. m. inv. Voilier à deux mâts. ◆ **deux-pièces** n. m. inv. Costume de bain composé d'un slip et d'un soutien-gorge; vêtement composé de deux parties. ◆ **deux-points** n. m. inv. *Gramm.* Signe de ponctuation figuré par deux points superposés (:), que l'on place ordinairement à la fin d'une proposition pour annoncer une citation, un discours, une explication, une conséquence. ◆ **deux-quatre** n. m. inv. *Mus.* Mesure à deux temps, qui a la blanche pour unité de mesure (2/4). ◆ **deux-roues** n. m. inv. *Fam.* Véhicule à deux roues (bicyclette, motocyclette, scooter, etc.). ◆ **deux-seize** n. m. inv. *Mus.* Mesure à deux temps, qui a la croche pour unité de mesure (2/16). ◆ **deux-temps** n. m. inv. **1.** *Mus.* Mesure écrite comme une mesure à quatre temps, mais qui se bat à deux et s'indique par ₵. $\frac{2}{2}$ ou 2. — **2.** Moteur à deux temps.

DEUX-ALPES, centre de sports d'hiver de l'Isère, en bordure de l'Oisans, formé des stations de l'Alpe de Venosc et de l'Alpe de Mont-de-Lans.

DEUXIÈME adj. num. ordin. et n., **DEUXIÈMEMENT** adv., **DEUX-MÂTS** n. m. inv. ⟶ DEUX.

Deux-Mers *(canal des)*, canal projeté à diverses époques, entre l'Atlantique et la Méditerranée à travers le sud-ouest de la France, et qui aurait été accessible aux navires de mer.

DEUX-PIÈCES n. m. inv., **DEUX-POINTS** n. m. inv. ⟶ DEUX.

DEUX-PONTS, en all. **Zweibrücken,** v. d'Allemagne (Rhénanie-Palatinat); 33 900 hab.

DEUX-QUATRE n. m. inv. ⟶ DEUX.

Deux-Roses *(guerre des)*, guerre civile qui ébranla l'Angleterre juste après la guerre de Cent Ans, de 1450 à 1485. Elle mettait aux prises les maisons d'York (dont les armoiries portaient une rose blanche) et de Lancastre (rose rouge). Elle se termina par la défaite de Richard III (d'York) à la bataille de Bosworth devant Henri VII Tudor, dernier héritier des Lancastres.

DEUX-ROUES n. m. inv., **DEUX-SEIZE** n. m. inv. ⟶ DEUX.

DEUX-SÈVRES ⟶ SÈVRES (DEUX-).

DEUX-SICILES *(royaume des)*, anc. royaume de l'Italie méridionale, qui comprenait la Sicile et l'Italie du Sud.

- *1442. Alphonse V d'Aragon, roi de Sicile, forme le royaume des Deux-Siciles.*

Il unit au royaume de Sicile le royaume angevin de Naples, baptisé lui-même Sicile et qui appartenait jusque-là à René d'Anjou.
Cette union prend fin en 1458.

- *1816. Le royaume des Deux-Siciles est reconstitué au profit des Bourbons.*
- *1848. Ferdinand II doit faire face au mouvement révolutionnaire libéral.*
- *1860. Garibaldi libère la Sicile, puis Naples (septembre).*

Un plébiscite rattache Naples et la Sicile à la nouvelle Italie unifiée (octobre).

- *1861. Le nouveau royaume d'Italie est proclamé officiellement.*

DEUX-TEMPS n. m. inv. ⟶ DEUX.

DÉVALER [devale] v. t. et i. (de *val*) [sujet nom de personne ou de chose]. Descendre rapidement : *Dévaler l'escalier* (syn. fam. DÉGRINGOLER).

DE VALERA (Eamon), homme politique irlandais (1882-1975). Très tôt partisan de l'autonomie de l'Irlande à l'égard de la Grande-Bretagne, il fut un des chefs de l'insurrection nationaliste de Pâques 1916. Après la création de l'État libre d'Irlande du Sud (ou Eire), De Valera dirigea l'État. Il fut président du Conseil exécutif et ministre des Affaires étrangères de 1932 à 1937. Il fit voter la Constitution de 1937 et fut Premier ministre de 1937 à 1948, puis de 1951 à 1954 et de 1957 à 1959. Il fut président de la république d'Irlande de 1959 à 1973.

DÉVALISER [devalize] v. t. (de *dé-*, et *valise*) [sujet nom de personne]. **1.** *Dévaliser qq'un*, le dépouiller des biens qu'il a sur lui ou avec lui : *Des malfaiteurs l'ont dévalisé* (syn. plus rare DÉTROUSSER). — **2.** *Dévaliser une maison*, etc., emporter la totalité ou une grande partie de ce qui s'y trouve (syn. CAMBRIOLER, PILLER). — **3.** *Dévaliser un magasin*, y faire des achats importants et de toute nature.

DÉVALORISATION n. f., **DÉVALORISER** v. t., **SE DÉVALORISER** v. pr. → VALEUR 1.

DÉVALUER [devalɥe] v. t. (de *dé-*, et [*é*]*valuer*). **1.** *Dévaluer une monnaie*, la déprécier en modifiant légalement le taux de change : *Le gouvernement avait décidé de dévaluer le franc.* — **2.** Syn. de DÉVALORISER. ◆ **dévaluation** n. f. **1.** Opération financière qui consiste à diminuer la valeur de la monnaie d'un État par rapport aux monnaies étrangères. — **2.** Syn. de DÉVALORISATION.

DEVANCER [dəvɑ̃se] v. t. (de *devant*). *Devancer qq'un, qqch.*, agir avant lui, passer devant lui (dans l'ordre du temps ou du mérite); précéder l'accomplissement de quelque chose : *Devancer une objection* (syn. PRÉVENIR). *Devancer le peloton* (syn. PRÉCÉDER). *Devancer ses rivaux* (syn. SURCLASSER). *Militaire qui a devancé l'appel* (= qui s'est engagé avant la date d'appel de sa classe). ◆ **devancement** n. m. ◆ **devancier, ère** n. Personne qui en a précédé une autre dans une fonction, un domaine particulier, etc. (syn. PRÉDÉCESSEUR).

1. DEVANT [dəvɑ̃], **DERRIÈRE** [dɛrjɛr] adv. et prép. *(de, et avant; de, et arrière)*. Indiquent une situation en face ou dans le dos de quelqu'un ou de quelque chose. ⟶ tableau ci-dessous.

devant prép. et adv.	**derrière** prép. et adv.
Indique une situation, un lieu en face d'une personne ou d'une chose, ou le rang qui précède. *Je marche devant lui* (= avant lui). *Il marche devant* (syn. EN TÊTE). *Il est placé devant toi* (= il est un rang avant toi). *Il a loué deux places devant* (= situées en avant du théâtre). *Il court devant pour le prévenir. Il y a une pâtisserie devant l'église. Vous êtes passés devant. Regarde devant toi* (= en face de toi, en avant). *Allez devant, je vous rejoindrai. Il attendait devant la station de métro. Gilet qui se boutonne devant.* *L'avenir est devant nous. Il va droit devant lui* (= sans craindre les obstacles). *S'en aller les pieds devant* (= mourir). *Faites tout devant lui* (= en sa présence). *Passer devant un tribunal* (= être jugé). *Nous sommes tous égaux devant la loi* (syn. AUX YEUX DE). *Que suis-je devant lui?* (syn. EN COMPARAISON DE).	Indique une situation, un lieu qui se trouve dans le dos d'une personne ou d'une chose, ou le rang qui suit. *Je marche derrière lui* (= après lui). *Il marche derrière* (syn. EN QUEUE). *Il est placé derrière toi* (= il est un rang après toi). *Il a loué deux places derrière* (= au fond). *Il court derrière pour la rattraper. Il y a un garage derrière les maisons. Vous êtes passés derrière. Regarde par le rétroviseur ce qui arrive derrière toi* (syn. EN ARRIÈRE DE). *Faites passer la consigne derrière. Il attendait derrière le porche. Il est derrière* (= il suit). *Corsage qui s'agrafe derrière.* *Fuir sans regarder derrière soi* (= à toutes jambes). *Avoir tout le monde derrière soi* (= avec soi, c'est-à-dire avoir l'accord de tous). *Avoir une idée derrière la tête* (= une arrière-pensée). *Regarder derrière les apparences* (= au-delà des apparences). *Ne faites rien derrière lui* (= sans qu'il le sache).
LOC. ADV. ET PRÉP.	LOC. ADV. ET PRÉP.
Au-devant, au-devant de, vers la face de, en direction de : *Restez ici, je vais aller au-devant. Il l'aperçut sur le quai et alla au-devant de lui. Il va au-devant des obstacles* (= il les affronte). *Tu vas au-devant du danger* (= tu t'y exposes). *Aller au-devant des désirs, des souhaits, des volontés de qq'un* (= les prévenir, les remplir avant qu'il ne les exprime).	
De devant : *Retirez-vous de devant la porte.*	**De derrière :** *Retirez de derrière le buffet le journal qui y est tombé.*
Par-devant (adv. et prép.) : *Si tu passes par-devant, tu raccourcis ton chemin. Faire un testament par-devant notaire* (= en sa présence).	**Par-derrière :** *Il l'a attaqué par-derrière. Passer par-derrière la maison pour ne pas être vu* (syn. usuel DERRIÈRE).
Ci-devant, qui, dans cet article, dans cet ouvrage, dans cette situation présente, se trouve placé avant; a désigné pendant la Révolution, comme substantif, un ancien noble.	

2. DEVANT [dəvɑ̃] n. m. (de *de*, et *avant*). **1.** Partie antérieure d'une chose : *Le devant de la maison a été refait* (= la façade). — **2.** *Prendre le devant, les devants*, agir avant quelqu'un pour l'empêcher d'agir (syn. DEVANCER). — LOC. ADJ. *De devant.* **1.** Qui est situé à la partie antérieure d'une chose : *Les roues de devant d'une voiture* (= les roues avant). — **2.** Qui est situé du côté de la tête d'un animal : *Les pattes de devant* (syn. ANTÉRIEUR).

DEVANTURE [dəvɑ̃tyr] n. f. (de *devant*). Partie d'un magasin ou d'une boutique où les articles sont exposés à la vue des passants, soit derrière une vitre, soit à l'extérieur (syn. ÉTALAGE, VITRINE).

DÉVASTER [devaste] v. t. (lat. *devastare*) [sujet nom d'être animé ou de chose]. *Dévaster qqch., un groupe d'animaux*, leur causer de très grands dégâts : *Un cyclone a dévasté l'île* (syn. RAVAGER). *Une épidémie qui dévaste les troupeaux* (syn. DÉCIMER). ◆ **dévastateur, trice** adj. et n. ◆ **dévastation** n. f. : *Les dévastations de l'incendie, du typhus, des sauterelles* (syn. RAVAGE).

DÉVEINE n. f. ⟶ VEINE 5.

1. DÉVELOPPER [devlɔpe] v. t. (de *dé-*, et [*en*]*velopper*). **1.** *Développer qqch.* (terme concret), ôter ce qui enveloppe : *Développer un paquet* (syn. DÉBALLER). — **2.** *Développer un objet*, étendre ce qui était plié ou roulé : *Développer une carte* (syn. DÉPLIER, DÉPLOYER). — **3.** *Développer un film*, faire apparaître, au moyen de procédés chimiques, les images fixées sur la pellicule. ◆ **développement** n. m. **1.** *Le développement d'un colis* (syn. DÉBALLAGE), *d'une banderole* (syn. DÉPLOIEMENT). — **2.** En photographie, action de développer une pellicule sensible. (La surface sensible est plongée d'abord dans un « révélateur ». Lorsque l'image est apparue, la surface sensible est portée dans un bain « fixateur ».) — **3.** Distance que parcourt une bicyclette chaque fois que le pédalier fait un tour complet.

2. DÉVELOPPER [devlɔpe] v. t. (même étym.). **1.** *Développer qqch.* (mot abstrait), le rendre plus important, plus fort : *Développer des échanges économiques* (syn. ACCROÎTRE, AUGMENTER). — **2.** *Développer un récit, un projet*, etc., l'exposer en détail (syn. DÉTAILLER). ◆ ***se développer*** v. pr. **1.** (sujet nom de chose) Devenir plus important : *Une mode qui s'est vite développée* (syn. S'ÉTENDRE, SE PROPAGER). — **2.** (sujet nom de personne) Prendre de l'extension, se transformer : *Cet enfant s'est beaucoup développé* (syn. CROÎTRE, GRANDIR). ◆ **développement** n. m. **1.** *Le développement de la production* (syn. ACCROISSEMENT, AUGMENTATION). *Une industrie en plein développement* (syn. ESSOR, EXPANSION). ‖ *Pays en voie de développement*, syn. de PAYS SOUS-DÉVELOPPÉS. — **2.** *Un long développement* (syn. EXPOSÉ). — **3.** *Biol.* Ensemble des phénomènes qui conduisent de l'œuf fécondé (zygote) à l'adulte. ⟶ ENCYCL. — **4.** *Mus.* Partie centrale d'une forme sonate ou d'une fugue, qui fait suite à l'exposition, et dans laquelle le ou les thèmes sont transformés. ◆ **sous-développé, e** adj. Dont le développement industriel, agricole, etc., est inférieur ou insuffisant : *Pays sous-développé* (ou *en voie de développement*). ◆ **sous-développement** n. m. ⟶ ENCYCL.

— ENCYCL. ***développement de l'homme.*** Il se fait en plusieurs étapes : à l'origine une seule cellule, l'*œuf*, va être fécondée. À partir de ce moment débute la *segmentation :* la cellule initiale se multiplie. Après quelque temps, les cellules vont se grouper pour former les tissus : c'est la *différenciation*, au cours de laquelle les cellules des différents tissus se spécialisent de plus en plus et constituent un *embryon*.

Aux environs du troisième mois débute la formation des organes : c'est l'*organogenèse*, qui est à peu près terminée à la naissance, après neuf mois de vie dans l'organisme maternel; le *fœtus* est alors expulsé.

Dès lors commence la *croissance* : l'organisme augmente en taille et en poids, et les derniers organes se forment; le squelette n'est définitivement élaboré qu'à l'âge adulte.

Les mécanismes qui règlent ces différents stades sont très complexes, et souvent inconnus en ce qui concerne les tout premiers stades.

sous-développement. Il se caractérise dans un État ou une région par une insuffisance de la production globale des biens, principalement de la production industrielle. Il se marque par la faiblesse du revenu individuel moyen et une grande inégalité dans la distribution des revenus : une très petite minorité accapare la plus grande partie des richesses de la nation et domine la vie politique. Dans la plupart des cas, les effets de la croissance de la production sont annulés par une augmentation trop rapide de la population, liée au maintien d'une natalité très forte.

Le domaine du sous-développement est vaste. Il concerne presque tous les pays tropicaux d'Afrique, d'Asie, d'Amérique latine, c'est-à-dire à peu près les deux tiers de l'humanité. À l'intérieur de ce domaine, quelques îlots de « croissance économique » apparaissent (région de São Paulo, au Brésil, Gabon et Côte-d'Ivoire en Afrique, quelques secteurs périphériques de l'Inde, etc.), mais ils sont bien insuffisants pour permettre le développement généralisé des pays auxquels ils appartiennent. Le sous-développement ne peut être jugulé que par le contrôle des naissances, une réforme agraire, et une accentuation de l'aide des pays développés (celle-ci peut se traduire notamment par une régularisation des cours des matières premières agricoles et industrielles, qui sont les principales exportations du monde sous-développé).

1. DEVENIR [dəvnir] v. i. (lat. *devenire*). [Conj. **22.**] Passer dans tel ou tel état, acquérir telle ou telle qualité (introduit un attribut du sujet et constitue la forme progressive du verbe français [en train d'être]) : *Les têtards sont devenus grenouilles. Il devient vieux* (syn. SE FAIRE). *Que devient-il?* (= quelle est sa situation actuelle?).

2. DEVENIR [dəvnir] n. m. (de *devenir* 1). Mouvement progressif par lequel les choses se transforment (syn. ÉVOLUTION).

DÉVERBAL, E, AUX adj. et n. m. ⟶ VERBE 1.

DÉVERGONDER (SE) [sədevɛrgɔ̃de] v. pr. (du lat. *verecundia*, pudeur) [sujet nom de personne]. Adopter une conduite relâchée, licencieuse. ◆ **dévergondé, e** adj. et n. : *Mener une vie dévergondée* (syn. LICENCIEUX). *De jeunes dévergondés.* ◆ **dévergondage** n. m. Conduite relâchée.

DÉVERNIR v. t. ⟶ VERNIS.

DÉVERROUILLAGE n. m., **DÉVERROUILLER** v. t. ⟶ VERROU 1.

DEVERS (PAR-) [pardəvɛr] loc. prép. *(par, de,* et *vers). Pardevers soi*, en sa possession : *Garder ses réflexions par-devers soi* (= ne pas les exprimer).

DÉVERS [devɛr] n. m. (du lat. *devertere*, détourner). **1.** Relèvement du bord extérieur d'une route dans les virages pour éviter le dérapage. — **2.** *Ch. de f.* Excès de hauteur du rail extérieur sur le rail intérieur dans une courbe.

DÉVERSER [devɛrse] v. t. *(dé-,* et *verser)* [sujet nom de chose ou de personne]. Verser, répandre en abondance : *Déverser de l'eau. Déverser sa rancune.* ◆ ***se déverser*** v. pr. ◆ **déversement** n. m. : *Le déversement du trop-plein d'un étang.* ◆ **déversoir** n. m. Vanne par où s'écoule l'excédent d'eau d'un réservoir, d'un étang, etc.

DÉVÊTIR v. t. ⟶ VÊTIR.

DÉVIATION n. f., **DÉVIATIONNISME** n. m., **DÉVIATIONNISTE** adj. et n. ⟶ DÉVIER.

DÉVIDER [devide] v. t. *(dé-,* et *vider).* Défaire ce qui était enroulé : *Dévider une pelote de laine* (syn. DÉROULER). *Dévider le fil d'une bobine* (syn. DÉBOBINER). ◆ **dévidoir** n. m. Appareil permettant de dérouler rapidement du fil, un tuyau, etc.

DÉVIER [devje] v. t. (lat. *deviare*, sortir du chemin). *Dévier qqch.*, en modifier le trajet, la direction : *Dévier la circulation* (syn. DÉTOURNER). ◆ v. i. **1.** (sujet nom de chose) S'écarter de sa direction : *La balle a dévié.* — **2.** (sujet nom de personne) S'écarter de son projet, de son orientation : *Il poursuit son but sans dévier.* ◆ **déviation** n. f. **1.** Action de dévier; état qui en résulte : *La déviation de la lumière. Une déviation de la colonne vertébrale.* — **2.** Itinéraire établi pour détourner la circulation d'une agglomération, d'une route en voie de réfection, etc. : *Emprunter une déviation.* ◆ **déviationnisme** n. m. Attitude d'une personne ou d'un groupe qui s'écarte de la doctrine de son parti politique. ◆ **déviationniste** adj. et n.

DÉVILLE-LÈS-ROUEN, comm. de la Seine-Maritime, dans les faubourgs nord-ouest de Rouen; 11 100 hab. Métallurgie lourde. Industries textiles.

DEVINER [dəvine] v. t. (lat. *divinare*) [sujet nom de personne]. *Deviner qqch.*, le trouver par supposition, par intuition : *Deviner l'avenir* (syn. PRÉDIRE, PRÉVOIR). *Je devine qu'il va se passer quelque chose* (syn. PRESSENTIR). *Deviner un secret* (syn. DÉCOUVRIR). ◆ **devin, devineresse** n. Personne qui prétend découvrir l'avenir (syn. VOYANT). ◆ **devinette** n. f. Question, le plus souvent plaisante, dont on demande à quelqu'un, par jeu, de deviner la réponse. (*Ex.* : « Qu'est-ce qu'on lance en l'air blanc et qui retombe jaune? — Un œuf. ») ◆ **divinateur, trice** adj. Qui a la faculté de deviner. ◆ **divination** n. f. Art ou action de deviner, surtout l'avenir : *La pythie de Delphes pratiquait la divination* (= prédisait l'avenir). ◆ **divinatoire** adj. Se dit de l'art des devins, ou de ce qui s'y rapporte.

De viris illustribus urbis Romae, par Lhomond (v. 1775), ouvrage d'enseignement, en latin, qui contient un abrégé de l'histoire romaine.

DEVIS [dəvi] n. m. (de *deviser*). Évaluation détaillée, faite par un entrepreneur, du coût des travaux à exécuter : *Établir un devis.*

DÉVISAGER [devizaʒe] v. t. (de *dé-*, et *visage*). *Dévisager qq'un*, le regarder de façon très insistante, avec une curiosité non dissimulée.

1. DEVISE [dəviz] n. f. (de *deviser*). Formule qu'on se donne comme règle de conduite ou qui suggère un idéal : *La devise du drapeau français est « Honneur et Patrie ».*

2. DEVISE [dəviz] n. f. (même étym.). Monnaie étrangère : *Le tourisme provoque un afflux de devises dans ce pays.*

DEVISER [dəvize] v. i. ou t. ind. (du lat. *dividere*). *Deviser de qqch.*, s'entretenir familièrement d'une question (langue soignée) [syn. BAVARDER, CONVERSER].

DÉVISSAGE n. m., **DÉVISSER** v. t. et i. ⟶ VIS.

DE VISU [dəvizy] loc. adv. (mots lat. signif. *d'après ce qu'on a vu*). Après avoir vu, en témoin oculaire : *Parler d'un accident « de visu ».*

DÉVITALISATION n. f., **DÉVITALISER** v. t. ⟶ VITAL.

DÉVOILER v. t. ⟶ VOILE 1 et 2.

1. DEVOIR [dəvwar] v. t. (lat. *debere*). [Conj. **35.**] **1.** (sujet nom de personne) *Devoir qqch.*, être tenu, légalement ou moralement, de le payer, de le restituer, de le fournir, de le manifester : *Devoir de l'argent. Il vous doit le respect. Nous devons assistance aux malheureux.* — **2.** Être redevable de, avoir reçu : *Je lui dois la vie sauve.* (⟶ DETTE.)

2. DEVOIR [dəvwar] v. t. (même étym.). [Conj. **35.**] (Suivi de l'infin. sans prép., joue le rôle d'auxil. de mode ou de temps.) **1.** Indique la nécessité : *Tout doit finir.* — **2.** Indique la possibilité, la supposit on : *Il a dû avoir une panne.* — **3.** Indique l'intention : *Il doit passer vous voir demain.* — **4.** Indique le futur (notamment à l'infin., après *sembler, paraître*) : *Le temps semble devoir s'améliorer bientôt.*

1. DEVOIR [dəvwar] n. m. (de *devoir* 1). **1.** Ce à quoi on est obligé légalement ou moralement : *Accomplir son devoir* (syn. ↓TÂCHE). *S'acquitter de ses devoirs religieux* (syn. OBLIGATIONS). — **2.** *Derniers devoirs*, honneurs funèbres. ‖ *Rendre ses devoirs à qq'un*, lui adresser des marques de civilité, le saluer avec déférence.

2. DEVOIR [dəvwar] n. m. (même étym.). Tâche, ordinairement écrite, prescrite par un maître à des élèves : *Un devoir d'anglais.*

1. DÉVOLU, E (ÊTRE) [ɛtrədevɔly] v. passif (lat. *devolutus*) [sujet nom de chose]. Être échu à quelqu'un, lui revenir : *Les droits qui nous sont dévolus* (syn. ÊTRE ATTRIBUÉ). ◆ **dévolutif, ive** adj. Qui fait qu'une chose passe d'une personne à une autre. ◆ **dévolution** n. f. *Dr.* **1.** Attribution à certaines personnes de biens confisqués à d'autres : *Dévolution des biens de presse.* — **2.** Attribution d'une succession ou d'une tutelle.

2. DÉVOLU [devɔly] n. m. (de *dévolu* 1). *Jeter son dévolu sur qqch., sur qq'un*, projeter de s'emparer de cette chose, fixer son choix sur cette personne.

DÉVOLUTIF, IVE adj., **DÉVOLUTION** n. f. ⟶ DÉVOLU 1.

Dévolution *(guerre de)*, guerre entreprise par Louis XIV (1667-1668) qui, après la mort de Philippe IV d'Espagne, réclamait les Pays-Bas au nom de sa femme Marie-Thérèse (née du premier mariage de Philippe IV). Turenne fit campagne en Flandre, Condé conquit la Franche-Comté.

• *1668. Face à une triple alliance anglo-hollando-suédoise,*

Louis XIV dut signer le traité d'Aix-la-Chapelle qui ne donnait à la France que la Flandre méridionale.

DÉVOLUY, région des Alpes françaises du Sud (Hautes-Alpes), au S.-O. de la vallée du Drac, formée par une dépression dominée par de puissants escarpements calcaires (Obiou, 2 793 m).

DEVON ou **DEVONSHIRE,** comté de la Grande-Bretagne, s'étendant sur une partie de la péninsule du sud-ouest de l'Angleterre, entre la Manche et le canal de Bristol; 920 500 hab. Ch.-l. *Exeter.*

DÉVONIEN, ENNE [devɔnjɛ̃, -ɛn] adj. et n. m. (de *Devon,* comté d'Angleterre). Se dit de la période du milieu de l'ère primaire, comprise entre le Silurien et le Carbonifère.

DÉVORER [devɔre] v. t. (lat. *devorare*). **1.** (sujet nom désignant des bêtes féroces) Manger en déchirant sa proie : *Le loup a dévoré l'agneau.* — **2.** (sujet nom de personne) *Dévorer qqch.*, le manger avidement (employé aussi intransitiv.) : *Dévorer son dîner* (syn. ENGLOUTIR). *Comme ces enfants dévorent!* — **3.** *Dévorer un livre, un journal,* le lire avidement. — **4.** (sujet nom de chose ou de personne) *Dévorer qqch.*, le consumer, l'absorber par grandes quantités : *Le feu a dévoré des hectares de forêt* (syn. ↓DÉTRUIRE, RAVAGER). — **5.** (sujet nom de chose) Tourmenter vivement (souvent littér.) : *Les soucis le dévorent* (syn. RONGER). — **6.** *Dévorer un affront, une injure,* les cacher aux yeux de tous. ◆ **dévorant, e** adj. ◆ **dévoreur, euse** n. : *Un dévoreur de livres* (= un lecteur insatiable).

DÉVOT, E [devo, -ɔt] adj. et n. (lat. *devotus,* dévoué). Se dit souvent, avec une nuance péjor., d'une personne très attachée aux pratiques religieuses : *Un vieillard dévot* (syn. PIEUX, non péjor.). *Des chansons qui scandalisent les dévotes* (syn. péjor. ↑BIGOT). ◆ adj. Se dit d'actes ou de pensées inspirés par la dévotion : *Des pratiques dévotes.* ◆ **dévotement** adv. Avec dévotion (sans nuance péjor.). ◆ **dévotion** n. f. (sans nuance péjor.). **1.** Zèle dans la pratique religieuse : *Être plein de dévotion* (syn. PIÉTÉ). — **2.** Pratique religieuse : *La dévotion à la Sainte-Vierge* (syn. CULTE). — **3.** *Être à la dévotion de qq'un,* lui être totalement dévoué.

DÉVOUER (SE) [sədevwe] v. pr. *(dé-,* et *vouer)* [sujet nom de personne]. **1.** (sans compl.) Faire abnégation de soi-même : *Elle s'est dévouée pour le soigner* (syn. SE SACRIFIER). — **2.** *Se dévouer à qq'un, à qqch.*, leur donner largement son activité, ses soins : *Se dévouer à la science* (syn. SE CONSACRER). ◆ **dévoué, e** adj. Se dit de quelqu'un qui manifeste un grand attachement : *Un ami dévoué* (syn. FIDÈLE). ◆ **dévouement** [devumɑ̃] n. m. Attitude d'une personne qui se dévoue, qui est dévouée : *Un dévouement héroïque* (syn. ABNÉGATION). *Les soldats dont le dévouement a sauvé la patrie* (syn. SACRIFICE).

DÉVOYÉ, E [devwaje] adj. et n. (de *dé-,* et *voie*). Se dit d'une personne sans moralité qui s'abandonne au vice (syn. CHENAPAN, VAURIEN; fam. FRIPOUILLE).

DE VRIES (Hugo), botaniste hollandais (1848-1935), auteur d'une théorie sur la croissance des plantes et sur leur descendance *(mutations).* [⟶ ÉVOLUTION.]

DEWAR (*sir* James), physicien anglais (1842-1923). Le premier, il liquéfia l'hydrogène et inventa les vases isolants à double paroi de verre argenté sous vide.

DEXTÉRITÉ [dɛksterite] n. f. (lat. *dexteritas*). **1.** Aisance à exécuter quelque chose, en partic. avec les mains : *La dextérité d'un prestidigitateur* (syn. ↓ADRESSE, HABILETÉ). — **2.** Habileté dans la manière de mener quelque chose : *Les négociations furent conduites avec dextérité* (contr. MALADRESSE).

DEXTRE [dɛkstr] adj. (lat. *dexter,* qui est à droite). Se dit du sens d'enroulement (le plus fréquent) des coquilles de gastéropodes, dans le même sens que le mouvement des aiguilles d'une montre (= de gauche à droite). [Les gastéropodes à enroulement *senestre* sont très rares.]

DEY [dɛ] n. m. (turc *day,* oncle maternel). Titre donné à un officier de janissaires dans les régences barbaresques, et notamment chef du gouvernement d'Alger jusqu'à la conquête par les Français, en 1830.

DHEUNE (la), riv. de Bourgogne, affl. de la Saône (r. dr.); 65 km. Sa vallée est empruntée par le canal du Centre.

DI- [di], élément tiré du gr. *di-,* deux fois, et qui entre, comme préfixe, dans la composition de mots savants.

DIA! [dja] interj. (onomat.). Cri des charretiers pour faire aller leurs chevaux à gauche (par oppos. à HUE!, qui les fait aller à droite).

DIABÈTE [djabɛt] n. m. (gr. *diabêtês*). Nom donné à un certain nombre de maladies se manifestant par une abondante élimination d'urines. ◆ **diabétique** adj. et n. Se dit d'une personne atteinte de diabète : *Les diabétiques doivent suivre un régime alimentaire.* ◆ **diabétologue** n. m. Médecin spécialiste du diabète.

— ENCYCL. Le *diabète sucré,* ou simplement *diabète,* est dû à un trouble de l'utilisation des sucres apportés par l'alimentation ou produits par notre organisme; ce trouble résulte d'un mauvais fonctionnement du pancréas qui ne sécrète pas assez d'insuline.

On distingue deux variétés de *diabète sucré :* le *diabète gras* et le *diabète maigre.*

Le *diabète gras* s'observe chez l'homme de cinquante ans, souvent obèse. Il se manifeste par une augmentation du taux du sucre dans le sang et son apparition dans les urines. Il se soigne par un régime approprié.

Le *diabète maigre* s'observe chez l'adolescent et l'homme jeune et se reconnaît à la présence supplémentaire d'acétone dans les urines. Il s'accompagne d'une perte de poids qui contraste avec l'augmentation de l'appétit. Ce type de diabète se guérit par un traitement à l'*insuline,* produit sécrété normalement par le pancréas, et qui, ici, fait défaut.

Le *diabète sucré* favorise de nombreuses autres maladies, comme la tuberculose. Il provoque par ailleurs des lésions graves des yeux, du cœur et des vaisseaux, des reins et des nerfs.

D'autres maladies caractérisées par une soif intense et l'augmentation de l'émission d'urines portent le nom de diabète : le *diabète rénal,* dû à une atteinte des reins, qui laissent s'éliminer anormalement l'eau et le sucre, malgré un taux de sucre dans le sang normal, ce qui le différencie du diabète vrai; le *diabète insipide* (perte d'eau seule dans les urines, par atteinte d'une glande endocrine importante : l'hypophyse).

1. DIABLE [djabl] n. m. (gr. *diabolos*). **1.** Esprit du mal, selon le dogme chrétien : *Une mauvaise action inspirée par le diable* (syn. DÉMON). — **2.** Enfant très turbulent, tapageur ou simplement espiègle (aussi adj. en ce sens) : *Il est très diable.* — **3.** Fam. *Bon diable,* garçon simple et sympathique. ‖ Fam. *Grand diable,* homme de grande taille (syn. GRAND GAILLARD). ‖ Fam. *Pauvre diable,* homme pitoyable (syn. PAUVRE BOUGRE). ‖ Fam. *Ce diable de,* se dit d'une personne ou d'une chose contre laquelle on maugrée, ou qui cause quelque surprise. ‖ Fam. *Du diable, de tous les diables,* renforce l'idée du nom précédent : *J'ai une faim de tous les diables.* ‖ Fam. *En diable,* renforce l'idée de l'adj. précédent : *Il est paresseux en diable.* ‖ Fam. *Avoir le diable au corps,* être emporté par ses passions; commettre toutes sortes de méfaits. ‖ Fam. *Tirer le diable par la queue,* vivre sans cesse dans la gêne, avoir peine à joindre les deux bouts. ‖ Fam. *Envoyer qq'un, qqch. au diable, à tous les diables,* se débarrasser de cette personne, ne plus se soucier de cette chose (syn. ENVOYER PROMENER); et elliptiq. : *Au diable la prudence!* (= ne songeons plus à la prudence). ‖ *Habiter, être au diable,* habiter très loin. ◆ **diablerie** n. f. Espièglerie, malice. ◆ **diablesse** n. f. *Fam.* Jeune fille vive et turbulente. ◆ **diablotin** n. m. **1.** Petit diable : *Le diable entouré de diablotins.* — **2.** Enfant espiègle, éveillé. ◆ **diabolique** adj. Qui est comme inspiré par le diable, pervers, d'une méchanceté calculée : *Une machination, une ruse diabolique.* ◆ **diaboliquement** adv.

2. DIABLE! [djabl], **QUE DIABLE!** interj. (de *diable* 1). **1.** Marquent la surprise ou soulignent une remarque de bon sens : *Diable! voilà qui change tout! Il aurait pu me prévenir, que diable!* — **2.** *Diable* s'emploie après certains mots interrogatifs *(qui, que, quoi, où, quand, pourquoi, comment, combien)* pour marquer une nuance de surprise, de perplexité, de mauvaise humeur : *Pourquoi diable n'est-il pas venu?* (syn. DIANTRE). ◆ **diablement** adv. *Fam.* Très, beaucoup.

3. DIABLE [djabl] n. m. (même étym.). Petit chariot à bras, à deux roues, dont on se sert dans les entrepôts pour déplacer les caisses, les colis.

Diable boiteux *(le),* roman satirique de Lesage (1707).

DIABLE *(île du),* îlot de l'archipel des îles du Salut, près de la côte de la Guyane française. Alfred Dreyfus y fut détenu de 1895 à 1899.

DIABLEMENT adv. ⟶ DIABLE 2.

DIABLERETS (les), massif des Alpes suisses, aux confins des cantons de Vaud, de Berne et du Valais; 3 222 m.

DIABLERIE n. f., **DIABLESSE** n. f., **DIABLOTIN** n. m., **DIABOLIQUE** adj., **DIABOLIQUEMENT** adv. ⟶ DIABLE 1.

Diaboliques *(les),* recueil de nouvelles de Barbey d'Aurevilly (1874).

DIABOLO [djabɔlo] n. m. (de *diable*). Jouet consistant en une sorte de bobine formée de deux cônes opposés par les sommets, qu'on lance en l'air et qu'on attrape par le moyen d'une ficelle plus ou moins tendue entre deux baguettes.

DIACHRONIE [djakrɔni] n. f. (du gr. *dia,* à travers, et *khronos,* temps). Caractère des faits de langue étudiés dans leur évolution dans le temps (contr. SYNCHRONIE). ◆ **diachronique** adj.

DIACLASE [djaklaz] n. f. (gr. *diaklasis*, cassure). *Géol.* Fissure intéressant surtout les roches sédimentaires (calcaire, grès) et cristallines (granite). [Elle y facilite la pénétration de l'eau.]

DIACRE [djakr] n. m. (gr. *diakonos*, serviteur). Chez les catholiques, celui (clerc ou laïc) qui a reçu le diaconat et qui peut suppléer le prêtre dans l'administration de la communion et du baptême; chez les protestants, laïc particulièrement chargé de visiter et d'assister les malades. ◆ **diaconat** [djakɔna] n. m. Le dernier ordre que reçoit un clerc catholique avant son ordination sacerdotale (prêtrise). ◆ **diaconesse** n. f. Chez les protestants, dame de charité. ◆ **archidiacre** [arʃidjakr] n. m. Vicaire général chargé par l'évêque de l'administration d'une partie du diocèse. ◆ **archidiaconat** n. m. Dignité d'archidiacre. ◆ **sous-diacre** n. m. Clerc qui a reçu le sous-diaconat. ◆ **sous-diaconat** n. m. Ordre qui précède le diaconat et qui oblige le clerc à garder le célibat.

DIACRITIQUE [djakritik] adj. (du gr. *diakrinein*, distinguer). *Signes diacritiques*, signes joints aux caractères de l'alphabet pour leur donner une valeur spéciale.

DIADÈME [djadɛm] n. m. (gr. *diadêma*). Serre-tête généralement orné de pierreries et servant de parure aux femmes dans certaines circonstances solennelles. (Le *diadème* était un bandeau royal.)

Diafoirus, père et fils, personnages du *Malade imaginaire*, comédie de Molière, tous deux médecins ignorants et prétentieux.

DIAGHILEV (Serge DE), mécène et directeur de troupe russe (1872-1929), fondateur des Ballets russes. Il réalisa : *l'Oiseau de feu, Petrouchka, le Sacre du printemps...*

DIAGNOSTIC [djagnɔstik] n. m. (du gr. *diagnôstikos*, apte à reconnaître). Identification d'une maladie d'après ses symptômes : *Émettre un diagnostic.* ◆ **diagnostiquer** v. t. *Diagnostiquer une maladie*, l'identifier : *Le médecin a diagnostiqué une pneumonie.*

DIAGONALE [djagɔnal] n. f. (du gr. *diagônios*, ligne reliant deux angles). **1.** *Math.* Segment de droite qui joint deux sommets non consécutifs d'un polygone, ou deux sommets d'un polyèdre n'appartenant pas à une même face : *Les diagonales d'un parallélogramme se coupent en leur milieu.* — **2.** *En diagonale*, obliquement. ◆ **diagonalement** adv. Selon une diagonale.

DIAGRAMME [djagram] n. m. (gr. *diagramma*, dessin). **1.** Tracé géométrique sommaire d'un ensemble, avec la disposition relative de ses diverses parties : *Diagramme d'une fleur* (syn. SCHÉMA). — **2.** Tracé destiné à représenter les variations d'un phénomène : *Diagramme de la natalité* (syn. COURBE, GRAPHIQUE). — **3.** Math. *Diagramme de Venn, ou de Carroll*, représentation graphique d'opérations, telles que *réunion, intersection*, effectuées sur des ensembles. (→ INCLUSION et PARTIE 1.)

DIALECTE [djalɛkt] n. m. (gr. *dialektos*). Forme particulière qu'a prise une langue dans une région d'étendue variable : *Le dialecte picard.* ◆ **dialectal, e, aux** adj. Relatif à un dialecte. ◆ **dialectologie** n. f. Étude scientifique des dialectes.

DIALECTIQUE [djalɛktik] adj. (gr. *dialektikê*, art de discuter). **1.** Qui concerne l'art de raisonner, de discuter : *Procédés dialectiques.* — **2.** *Matérialisme dialectique* ⟶ MARXISME. ◆ n. f. **1.** Art de la discussion. — **2.** Mouvement de la pensée qui progresse vers une synthèse (= union des contradictoires) en s'efforçant continuellement de résoudre les oppositions entre chaque thèse (affirmation) et son antithèse (négation). ◆ **dialecticien, enne** n. ◆ **dialectiquement** adv. : *Pensée qui chemine dialectiquement.*

DIALECTOLOGIE n. f. ⟶ DIALECTE.

DIALOGUE [djalɔg] n. m. (gr. *dialogos*). **1.** Conversation entre deux personnes ou deux groupes sur un sujet défini : *Se séparer au bout d'une heure de dialogue* (syn. DISCUSSION, ENTRETIEN). — **2.** Discussion visant à trouver un terrain d'accord : *Le dialogue se poursuit entre les deux camps adverses* (= les pourparlers ne sont pas rompus). *Chercher à renouer le dialogue* (= à rétablir des relations et des échanges de vues). — **3.** Ensemble de paroles échangées entre les acteurs d'une pièce de théâtre ou d'un film. ◆ **dialoguer** v. i. (sujet nom de personne). Soutenir un dialogue avec quelqu'un. ◆ **dialoguiste** n. Auteur des dialogues d'un film.

Dialogues, titre sous lequel on englobe l'ensemble de l'œuvre de Platon.

DIALOGUISTE n. ⟶ DIALOGUE.

DIALYPÉTALE [djalipetal] adj. (du gr. *dialuein*, séparer, et *pétale*). Se dit d'une fleur à pétales séparés (contr. GAMOPÉTALE).

DIAMAGNÉTIQUE [djamaɲetik] adj. (du gr. *dia*, à travers, et *magnétique*). *Phys.* Se dit d'un corps qui a la propriété d'être repoussé par un aimant.

DIAMANT [djamɑ̃] n. m. (gr. *adamas, -antos*). **1.** Pierre précieuse très limpide, constituée par du carbone pur cristallisé : *Une broche sertie de diamants* (syn. BRILLANT). — **2.** Outil de miroitier et de vitrier pour couper le verre (constitué à l'origine d'un éclat de diamant). ◆ **diamantaire** n. m. Celui qui travaille ou qui vend des diamants. ◆ **diamantifère** adj. Qui contient du diamant.

— ENCYCL. Le *diamant* est le plus dur des minéraux naturels. On trouve dans la nature : le *diamant incolore*, considéré comme la plus belle des pierres précieuses; le *bort*, à faces courbes, qui sert à polir le précédent, et le *carbonado*, de couleur noire, employé pour le forage des roches dures. Le diamant se taille à facettes pour augmenter son éclat.

En dehors de son emploi en joaillerie, le diamant entre dans la fabrication de meules destinées à l'affûtage des outils ou à la rectification des métaux traités et dans celle d'outils de forage. La poudre de diamant est l'abrasif le plus dur, et elle est utilisée pour le polissage. Les principaux pays producteurs sont :

Afrique du Sud	8 500 milliers de carats
Botswana	5 100 milliers de carats
U. R. S. S.	11 000 milliers de carats
Zaïre	10 000 milliers de carats
Namibie	1 600 milliers de carats

DIAMÈTRE [djamɛtr] n. m. (du gr. *dia*, à travers, et *metron*, mesure). **1.** *Math.* Segment de droite joignant deux points d'un cercle et contenant le centre; la longueur de ce segment : *Le diamètre est le double du rayon. Le diamètre d'un tronc d'arbre.* — **2.** *Diamètre apparent*, angle sous lequel un observateur aperçoit un objet. ◆ **diamétralement** adv. *Diamétralement opposé*, qui est en opposition totale (syn. TOTALEMENT).

DIANE [djan] n. f. (du lat. *dies*, jour). Batterie de tambour ou sonnerie de clairon pour réveiller les soldats ou les marins : *Sonner la diane.*

DIANE. *Myth. lat.* Fille de Jupiter et de Latone. Déesse de la Lune et de la Chasse, elle était la sœur d'Apollon. On la représente fréquemment en chasseresse, suivie d'un cortège de nymphes. (Les Romains l'assimilèrent à *Artémis.*)

DIANE DE POITIERS, favorite d'Henri II (1499-1566). Elle soutint le parti catholique, le connétable de Montmorency et les Guises. À la mort d'Henri II, elle se retira au château d'Anet, qui avait été construit pour elle. Elle a laissé une réputation de grande beauté. Elle contribua à l'embellissement du château de Chenonceaux.

DIANE DE VALOIS ou **DIANE DE FRANCE,** princesse française (1538-1619), fille légitimée d'Henri II. Elle joua un rôle politique important pendant les guerres de Religion.

DIANTRE! [djɑ̃tr] interj. (altér. de *diable*). **1.** Juron exprimant l'étonnement ou servant de renforcement à un interrogatif (littér.) : *Comment diantre pensez-vous réussir?* (syn. plus usuel DIABLE). — **2.** Peut avoir la valeur d'un adj., au sens d'EXTRAORDINAIRE, BIZARRE, dans l'express. *un diantre de* (syn. UN DIABLE DE).

DIAPASON [djapazɔ̃] n. m. (gr. *dia pasôn khordôn*, à travers toutes les cordes). **1.** *Mus.* Petit instrument d'acier, qu'on fait vibrer pour obtenir le *la.* — **2.** Étendue des sons qu'une voix ou qu'un instrument peut parcourir, du plus grave au plus aigu. — **3.** Fam. *Être, se mettre au diapason*, avoir, adopter le ton ou les manières qui conviennent à la circonstance.

DIAPAUSE [djapoz] n. f. (du gr. *dia*, à travers, et *pause*). *Zool.* Arrêt dans le développement ou dans l'activité des insectes.

DIAPÉDÈSE [djapedɛz] n. f. (du gr. *diapêdân*, jaillir à travers). *Biol.* Propriété des leucocytes (globules blancs) de quitter les capillaires sanguins en se glissant entre deux cellules de la paroi.

DIAPHANE [djafan] adj. (gr. *diaphanês*, transparent). **1.** Se dit d'un corps qui se laisse traverser par les rayons lumineux, sans pour autant être transparent : *Le verre dépoli est diaphane* (syn. TRANSLUCIDE). — **2.** Se dit d'une peau, d'un teint très clairs.

1. DIAPHRAGME [djafragm] n. m. (gr. *diaphragma*, cloison). *Anat.* Muscle large et mince, en forme de voûte, qui sépare la poitrine de l'abdomen, et dont la contraction provoque l'augmentation de volume de la cage thoracique et, par suite, l'inspiration. (Le diaphragme intervient dans le rire, le hoquet, la toux, l'éternuement.)

2. DIAPHRAGME [djafragm] n. m. (même étym.). Dispositif permettant de régler l'ouverture d'un objectif d'appareil photographique selon la quantité de lumière qu'on veut admettre. ◆ **diaphragmer** v. t. et i. Réduire l'ouverture d'un objectif au moyen du diaphragme.

DIAPHYSE [djafiz] n. f. (gr. *diaphusis*, fente). *Anat.* Partie moyenne d'un os long (par oppos. aux extrémités, ou ÉPIPHYSES).

DIAPOSITIVE [djapozitiv] n. f. (du gr. *dia*, à travers, et *positif*). Dans la photographie en couleurs, image positive sur support transparent, destinée à être projetée sur un écran.

DIAPRER [djapre] v. t. (altér. du lat. *jaspis*, jaspe). Parer de couleurs variées (littér.) : *Les fleurs qui diaprent les prés.* ◆ **diapré, e** adj. : *Des vitraux diaprés.* ◆ **diaprure** n. f. Variété de couleurs.

DIARRHÉE [djare] n. f. (gr. *diarrhoia*). *Méd.* État des selles plus liquides et plus fréquentes qu'à l'ordinaire (syn. fam. COLIQUE).

DIAS (Bartolomeu), navigateur portugais (v. 1450-1500). Le premier, il passa de l'Atlantique à l'océan Indien (1487) et, au retour, découvrit le « cap des Tempêtes » qui sera renommé « cap de Bonne-Espérance » par le roi de Portugal.

Diaspora, ensemble des communautés juives établies hors de Palestine, surtout à partir de l'exil (VIe s. av. J.-C.).

DIASTASE [djastaz] n. f. (gr. *diastasis*, séparation). *Biol.* Substance organique soluble, produite par un organisme vivant, et accélérant une réaction (syn. ENZYME).

DIASTOLE [djastɔl] n. f. (gr. *diastolê*, dilatation). Période de repos du muscle cardiaque faisant suite aux contractions des oreillettes *(systole auriculaire)* et des ventricules *(systole ventriculaire).*

DIATOMÉES [djatɔme] n. f. pl. (du gr. *diatomos*, coupé en deux). Groupe d'algues microscopiques unicellulaires, abondantes dans les eaux douces et marines, caractérisées par leur pigment brun et par leur carapace siliceuse bivalve. (Les carapaces des diatomées mortes, accumulées au fond de l'eau, constituent le *tripoli*.)

DIATONIQUE [djatɔnik] adj. (du gr. *dia*, à travers, et *tonos*, ton). **1.** *Mus.* Se dit de la gamme naturelle, composée de cinq tons et de deux demi-tons (par oppos. à CHROMATIQUE). — **2.** Se dit également des demi-tons formés par deux notes de noms différents *(mi-fa, si-do).*

DIATRIBE [djatrib] n. f. (gr. *diatribê*, discussion). Critique violente (écrit ou discours) : *Rédiger une diatribe* (syn. PAMPHLET).

DÍAZ de Solís (Juan), navigateur espagnol, mort en 1516. En 1516, il découvrit l'embouchure du río de La Plata.

DÍAZ (Porfirio), homme politique mexicain (1828-1915). Président de la République de 1876 à 1880 et de 1884 à 1911, il glissa vers un autoritarisme absolu, mais permit au Mexique de poser les bases d'une économie moderne en créant de nombreuses voies ferrées et en favorisant le commerce extérieur. Une rébellion le contraignit à s'exiler (1911).

DIBAY ou **DUBAYY,** principauté de l'État des émirats arabes unis; 3 900 km²; 207 000 hab. V. pr. *Dibay*. Pétrole.

DICHOTOMIE [dikɔtɔmi] n. f. (gr. *dikhotomia*, division en deux parties). **1.** *Bot.* Mode de division de certaines tiges en parties bifurquées. — **2.** Partage illicite d'honoraires entre un médecin et son confrère appelé en consultation. ◆ **dichotomique** adj. Qui se divise et se subdivise en deux.

DICKENS (Charles), romancier anglais (1812-1870). À douze ans, il est ouvrier dans une fabrique de cirage, puis clerc de notaire.

- *1837. Publication des « Aventures de M. Pickwick », roman tout de suite très populaire.*

De sa jeunesse malheureuse, il tire la matière de récits à la fois sensibles et humoristiques : *Olivier Twist* (1838), *Nicolas Nickleby* (1839), *David Copperfield* (1849).

Ses déceptions sur le plan social s'exprimeront dans les *Contes de Noël* (1843) et sur le plan sentimental dans *les Grandes Espérances* (1861). Son œuvre se caractérise par son don de faire vivre les personnages et sa sympathie pour ceux qui souffrent.

DICOTYLÉDONES [dikɔtiledɔn] n. f. pl. (du gr. *di-*, deux, et *kotulêdôn*, lobe). Classe de plantes à graines (angiospermes) comprenant les espèces dont la plantule présente deux cotylédons.
— ENCYCL. Beaucoup plus variées que les monocotylédones, les *dicotylédones* comprennent notamment tous les arbres à feuilles caduques (sauf les palmiers), la plupart des arbres fruitiers (famille des rosacées), les labiacées (menthe), les légumineuses (haricot), les composées (marguerites), les cactus, les crucifères (chou), etc.

DICTATEUR [diktatœr] n. m. (lat. *dictator*). **1.** Dans la Rome antique, sous la République, magistrat qui était investi de l'autorité suprême dans les moments difficiles. — **2.** Celui qui exerce à lui seul tous les pouvoirs politiques, qui commande en maître absolu. ◆ **dictatorial, e, aux** adj. : *Régime dictatorial.* ◆ **dictature** n. f. **1.** À Rome, dignité, autorité du dictateur. —→ ENCYCL. — **2.** Régime politique où tous les pouvoirs sont réunis entre les mains d'une seule personne ou d'un groupe restreint. —→ ENCYCL. — **3.** *Dictature du prolétariat*, pour les marxistes, période où le prolétariat, victorieux dans la lutte des classes, doit exercer une autorité totale pour édifier le socialisme.
— ENCYCL. *À Rome*, la *dictature* était confiée, dans les circonstances exceptionnelles et pour six mois, à un magistrat choisi par les consuls sur proposition du sénat. Détenteur de la totalité des pouvoirs exécutifs, le dictateur gouvernait seul. (Les dictatures de Sulla et de César ne furent pas des magistratures constitutionnelles, mais des tyrannies établies par la force des armes.)

Dans l'histoire moderne, l'exploitation systématique des rancœurs nationalistes et des difficultés économiques et sociales est à la base des dictatures de l'entre-deux-guerres, et principalement du fascisme* italien (1922-1943). La crise économique de 1929 a rendu le terrain encore plus favorable à l'éclosion de nouvelles dictatures, dont la plus extrême est, sans conteste, représentée par le régime hitlérien (1933-1945). [—→ NATIONAL-SOCIALISME.] Des régimes analogues s'instaurèrent notamment en Espagne avec l'établissement de la dictature du général Franco après la guerre civile de 1936-1939. La Seconde Guerre mondiale devait provoquer l'effondrement de certaines dictatures, dont celles de Mussolini et de Hitler. Mais de nombreux régimes dictatoriaux se sont constitués après 1945, notamment dans les pays du tiers monde, en Amérique latine (Argentine [jusqu'en 1983], Chili [jusqu'en 1990], Haïti [jusqu'en 1986], Paraguay [jusqu'en 1989]), en Asie (Philippines [jusqu'en 1986]) et en Afrique.

1. DICTER [dikte] v. t. (lat. *dictare*) [sujet nom de personne ou de chose]. Inspirer ou imposer la conduite à tenir : *La situation nous dicte la prudence* (syn. COMMANDER). *Dicter ses conditions.*

2. DICTER [dikte] v. t. (même étym.) [sujet nom de personne]. Prononcer des mots que quelqu'un écrit au fur et à mesure : *Dicter une lettre.* ◆ **dictée** n. f. **1.** Action de dicter : *Écrire sous la dictée.* — **2.** Exercice scolaire visant à l'acquisition de l'orthographe et consistant à dicter un texte aux élèves.

DICTION [diksjɔ̃] n. f. (lat. *dictio*, parole). Manière de parler d'articuler les mots, et en partic. art de bien dire un texte.

DICTIONNAIRE [diksjɔnɛr] n. m. (bas lat. *dictionarium*). Recueil des mots d'une langue, rangés dans un ordre en général alphabétique et suivis de leur définition : *Dictionnaire bilingue* (= qui traduit les mots d'une langue dans une autre). *Dictionnaire encyclopédique* (= qui contient des noms propres et des noms communs, avec des développements historiques, scientifiques, etc., après les définitions). *Dictionnaire de langue* (= qui donne les sens, les conditions d'emploi des mots et qui ne contient pas de noms propres).

DICTON [diktɔ̃] n. m. (lat. *dictum*, mot). Sentence proverbiale traduisant souvent une observation populaire. (*Ex.* : « Quand il pleut à la Saint-Médard, il pleut quarante jours plus tard. »)

DIDACTIQUE [didaktik] adj. (gr. *didaktikos*, propre à instruire). Se dit de ce qui exprime un enseignement : *Un exposé didactique* (syn. PÉDAGOGIQUE). ◆ **didactiquement** adv.

DIDEROT (Denis), écrivain et philosophe français (1713-1784).

- *1749. Il publie la « Lettre sur les aveugles ». Les tendances matérialistes de cet essai lui valent trois mois de prison.*

Libéré, il va consacrer l'essentiel de son activité à la direction de l'*Encyclopédie*. L'ouvrage est terminé en 1772.

- *1773. Diderot se rend en Russie pour remercier Catherine II, qui lui a acheté sa bibliothèque en lui en laissant l'usage.*

Il définit les règles d'un genre dramatique nouveau, le drame bourgeois (*Paradoxe sur le comédien*, publié en 1830; *le Fils naturel*, 1757; *le Père de famille*, 1758).

Ses romans furent publiés après sa mort : *la Religieuse*, *Jacques le Fataliste* (1796), *le Neveu de Rameau* (1821). Ses *Salons* (1759-1781) font de lui le fondateur de la critique d'art. Enfin, la partie la plus intéressante de son abondante correspondance est constituée par les *Lettres à Sophie Volland*.

D'une curiosité universelle, penseur, causeur brillant, écrivain, critique, Diderot est un des représentants les plus caractéristiques de l'esprit philosophique du XVIIIe s.

DIDON ou **ELISSA,** personnage de la mythologie, sœur de Pygmalion, fondatrice de Carthage. C'est là, selon *l'Énéide* de Virgile, qu'Énée se fit aimer d'elle, puis l'abandonna sur l'ordre des dieux.

DIDOT, famille de libraires et d'imprimeurs parisiens.

DIE, ch.-l. d'arrond. de la Drôme, à 65 km au S.-E. de Valence, sur la Drôme (r. dr.); 4 000 hab. *(Diois).* Vins blancs mousseux *(clairette de Die).*

DIÈDRE [djɛdr] n. m. (de *di-*, et gr. *hedra*, siège). *Math.* Partie de l'espace déterminée par deux demi-plans de même bord.
— ENCYCL. Soit dans l'espace deux demi-plans* [D, A) et [D, B) de même bord et distincts. En notant P le plan contenant le demi-plan [D, A) et Q le plan contenant le demi-plan [D, B), on appelle *dièdre saillant* (A, D, B) l'intersection du demi*-espace borné par P et

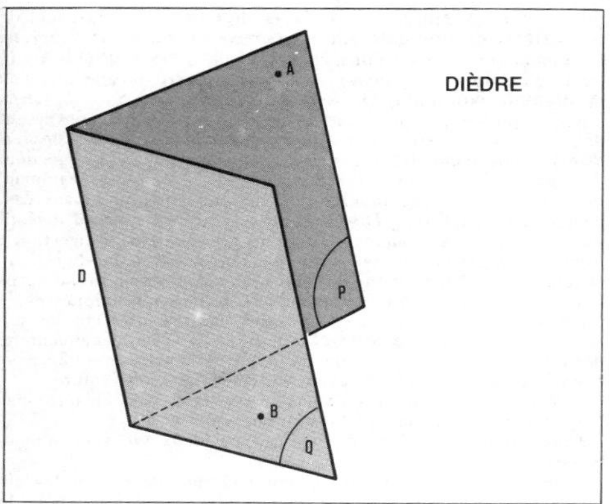

contenant B et du demi-espace borné par Q et contenant A :
(A, D, B) = [P, B) ∩ [Q, A).
La droite D est l'*arête* du dièdre. Les demi-plans [D, A) et [D, B) en sont les *faces*.

DIÉGO-SUAREZ, auj. **Antseranana,** v. du nord de Madagascar, sur la grande baie du même nom; 42 600 hab. Port militaire.

DIÊN BIÊN PHU, plaine du Viêt-nam septentrional, dans le haut Tonkin.

• *7 mai 1954. Les troupes françaises qui s'y étaient retranchées capitulent devant les forces révolutionnaires.*

Cette défaite entraîna la conclusion des accords de Genève qui mirent fin à la guerre d'Indochine*.

DIENCÉPHALE [diɑ̃sefal] n. m. *(di-*, et *encéphale). Anat.* Partie du cerveau située sous ses hémisphères, en avant des pédoncules cérébraux.

DIÈNE [djɛn] n. m. *(di-*, et suff. *-ène). Chim.* Hydrocarbure renfermant deux liaisons éthyléniques.

DIEPPE, ch.-l. d'arrond. de la Seine-Maritime, port sur la Manche; 36 500 hab. *(Dieppois).* Station balnéaire. Port de pêche, de commerce et de voyageurs.

DIÈSE [djɛz] n. m. (gr. *diesis*, intervalle). *Mus.* Altération qui hausse d'un demi-ton la note qu'elle précède. ◆ adj. *« Fa » dièse, « do » dièse*, etc., *fa, do*, etc., haussés d'un demi-ton.

DIESEL (Rudolf), ingénieur allemand (1858-1913), inventeur du moteur à combustion interne (1897), auquel son nom est resté attaché.

DIESEL [djezɛl] n. m. (de *Diesel*). *Diesel* ou *moteur Diesel*, moteur à combustion interne, consommant des huiles lourdes : *Les camions sont souvent équipés de diesels.* ◆ **diésélisation** n. f. Remplacement progressif des locomotives à vapeur par des locomotives à moteur Diesel.
— ENCYCL. Un *diesel* peut fonctionner suivant un cycle à deux ou à quatre temps et présente une analogie presque complète avec un moteur à essence. Il s'en distingue par l'absence de carburateur et de système d'allumage proprement dit. Au lieu d'un mélange d'air carburé, les cylindres aspirent et compriment de l'air pur, auquel, à la fin du temps de compression, est mélangé le combustible injecté sous une forte pression. Le gros intérêt du diesel est de présenter un rendement très élevé en employant des carburants lourds sensiblement moins chers que l'essence.

1. DIÈTE [djɛt] n. f. (bas lat. *dieta*, jour assigné). Assemblée politique où l'on discute des intérêts des divers pays qui y sont représentés. (La plus importante des diètes était la diète germanique, qui disparut avec le Saint Empire au début du XIXe s.)

2. DIÈTE [djɛt] n. f. (gr. *diaita*, genre de vie). *Méd.* Suppression de la totalité ou d'une partie des aliments dans une intention thérapeutique : *Un malade à la diète.* ◆ **diététique** adj. : *Régime diététique.*

1. DIÉTÉTIQUE [djetetik] n. f. (gr. *diaitêtikê*). Partie de la médecine qui cherche à déterminer quelle est la meilleure alimentation pour l'homme en fonction de son âge, son activité, son état de santé, etc., et qui recommande la façon dont seront préparés les aliments, afin de conserver au maximum leurs qualités nutritionnelles. ◆ **diététicien, enne** n. Spécialiste de la diététique.

2. DIÉTÉTIQUE adj. → DIÈTE 2.

DIETRICH (Maria Magdalena VON LOSCH, dite **Marlène**), actrice de cinéma allemande, naturalisée américaine (née en 1902). Elle fut révélée par le metteur en scène Josef von Sternberg dans *l'Ange bleu* (1930).

DIEU [djø] n. m. (lat. *deus*). **1.** Être suprême, créateur de l'univers, selon les religions monothéistes, et partic. le christianisme (s'écrit alors avec une majusc.) : *On adore Dieu.* — **2.** Être supérieur à l'homme, dont les attributions dans l'univers sont variables selon les diverses religions : *Les dieux de l'Olympe* (syn. DIVINITÉ). ‖ *Les douze grands dieux*, les douze divinités principales du panthéon gréco-romain (Jupiter, Junon, Vesta, Minerve, Cérès, Diane, Vénus, Mars, Mercure, Neptune, Vulcain, Apollon). ‖ *Être dans les secrets des dieux*, avoir reçu des confidences de personnages importants; connaître des secrets d'État. — **3.** Personne ou chose à laquelle on voue une sorte de culte, un attachement passionné, une vénération profonde, etc. : *Ce chanteur est son dieu* (syn. IDOLE). — **4.** *Dieu! grand Dieu!*, exclamations marquant la surprise. ‖ *Le bon Dieu*, nom qu'on donne couramment à Dieu. ‖ *Grâce à Dieu, Dieu merci, Dieu soit loué*, expriment le soulagement, la satisfaction (syn. HEUREUSEMENT). ‖ *À la grâce de Dieu*, exprime la résignation, avec l'espoir de réussite (syn. ADVIENNE QUE POURRA). ‖ *Plaise (plût) à Dieu que*, exprime le souhait ou le regret. ‖ *Dieu sait* (suivi d'une proposition conjonctive ou interrogative), renforce une affirmation ou exprime l'incertitude : *Dieu sait que je n'y suis pour rien. Il a vendu sa maison, Dieu sait pourquoi* (syn. ALLEZ DONC SAVOIR). ‖ Fam. *Jurer ses grands dieux*, faire de grandes protestations. ◆ **déesse** [deɛs] n. f. Divinité féminine : *Vénus était déesse de l'Amour.* ◆ **demi-dieu** n. m. **1.** Dans la mythologie, être né d'un dieu et d'une mortelle, ou d'un mortel et d'une déesse : *Hercule était un demi-dieu.* — **2.** Homme que ses qualités exceptionnelles semblent placer au-dessus de la condition humaine, qui jouit d'un prestige immense : *Des athlètes que la foule honorait comme des demi-dieux* (syn. IDOLE). ◆ **divin, e** [divɛ̃, -in] adj. **1.** Qui est de Dieu, qui est relatif à Dieu : *La volonté divine. Le culte divin.* — **2.** Se dit, par exagération, d'une personne ou d'une chose douée des plus grandes qualités : *La divine créature* (syn. ADORABLE, MERVEILLEUX). *Cet acteur est divin dans son rôle* (syn. ADMIRABLE, EXCELLENT). — **3.** *Pouvoir, autorité de droit divin*, que l'on considérait comme attribués par Dieu au souverain. ◆ **divinement** adv. Merveilleusement, admirablement. ◆ **diviniser** v. t. **1.** Mettre au rang des dieux, revêtir d'un caractère divin : *Diviniser les astres.* — **2.** Vouer une sorte de culte à : *Diviniser la force* (syn. MAGNIFIER). ◆ **divinisation** n. f. ◆ **divinité** n. f. **1.** Nature divine : *La divinité de Jésus-Christ.* — **2.** Être auquel on attribue une nature divine : *Les divinités de l'Olympe* (syn. DÉESSE, DIEU).

DIEULOUARD, ch.-l. de cant. de Meurthe-et-Moselle, sur la Moselle, à 7 km au S. de Pont-à-Mousson; 5 200 hab. *(Déicustodiens).* Mine de fer. Aciérie.

DIEUZE, ch.-l. de cant. de la Moselle, à 20 km à l'E. de Château-Salins, sur la Seille; 4 800 hab. Salines. Chimie.

DIFFAMER [difame] v. t. (du lat. *fama*, renommée). *Diffamer qq'un*, dire ou écrire des choses qui portent atteinte à sa réputation : *Diffamer un adversaire* (syn. CALOMNIER). ◆ **diffamant, e** adj. : *Des propos diffamants.* ◆ **diffamateur, trice** adj. et n. ◆ **diffamation** n. f. : *Je n'ai prêté aucune attention à ces diffamations* (syn. CALOMNIE, ↓MÉDISANCE). *Un procès en diffamation.* ◆ **diffamatoire** adj. Se dit des propos ou des écrits de nature à diffamer quelqu'un.

DIFFERDANGE, v. du grand-duché de Luxembourg; 18 000 hab. Minerai de fer. Sidérurgie.

DIFFÉRÉ n. m. → DIFFÉRER 1.

DIFFÉREMMENT adv., **DIFFÉRENCE** n. f., **DIFFÉRENCIATION** n. f., **DIFFÉRENCIER** v. t. → DIFFÉRER 2.

DIFFÉREND [diferɑ̃] n. m. (de *différent*). Opposition, sur un point précis, des points de vue de deux personnes ou de deux groupes : *Rechercher une solution aux différends entre États* (syn. CONFLIT). *Régler un différend* (syn. DÉSACCORD, QUERELLE).

DIFFÉRENT, E adj., **DIFFÉRENTIEL, ELLE** adj. et n. m. → DIFFÉRER 2.

1. DIFFÉRER [difere] v. t. (lat. *differre*, retarder). *Différer qqch.*, en remettre à plus tard la réalisation : *Différer son départ* (syn. RECULER, REPORTER, RETARDER). ◆ **différé** n. m. *En différé*, se dit d'une émission radiophonique ou télévisée diffusée un certain temps après son enregistrement (contr. EN DIRECT).

2. DIFFÉRER [difere] v. i. (lat. *differe*, être différent). **1.** (sujet nom de chose ou de personne) Ne pas être semblable : *Deux styles qui diffèrent profondément* (contr. SE RESSEMBLER). — **2.** (sujet nom de personne) Avoir deux opinions opposées : *Lui et moi, nous différons sur cette question* (syn. DIVERGER). ◆ **différence** n. f.

1. Ce qui distingue, ce qui sépare des êtres ou des choses qui diffèrent : *Une différence de prix entre deux articles* (syn. ÉCART). *On observe entre eux des différences de caractère* (contr. ANALOGIE, RESSEMBLANCE, SIMILITUDE). — **2.** *Math.* Résultat d'une soustraction : *2 est la différence de 5 et de 3 car 2 = 5 − 3.* ‖ *Différence symétrique de deux parties d'un ensemble* → PARTIE 1. — LOC. PRÉP. *À la différence de,* contrairement à : *C'est un garçon travailleur, à la différence de son frère* (= son frère, au contraire, ne l'est pas). ◆ **différencier** v. t. *Différencier des choses, des personnes,* les distinguer en faisant ressortir leurs différences. ◆ **indifférencié, e** adj. Qui n'est pas distingué d'un autre de même espèce. ◆ **différenciation** n. f. : *La différenciation entre ces deux timbres est malaisée* (syn. DISTINCTION). ◆ **différent, e** adj. **1.** Se dit d'êtres animés ou de choses qui ne sont pas semblables : *Des opinions différentes* (contr. IDENTIQUE, SEMBLABLE). — **2.** Au plur. exprime surtout la diversité (ordinairement avant le nom) : *Il apporte le même soin à ses différents travaux* (syn. DIVERS, VARIÉ [toujours placé après le nom]). — **3.** (sans art. ni adj. déterminatif) Indique la diversité dans la pluralité (toujours avant le nom avec cette valeur) : *Il a refusé pour différentes raisons* (syn. DIVERS, PLUSIEURS). ◆ **différemment** adv. D'une manière différente (syn. AUTREMENT). ◆ **différentiel, elle** adj. **1.** Qui crée une différence. — **2.** *Érosion différentielle,* érosion qui met en relief les roches dures et qui creuse les roches tendres. ‖ *Indemnité différentielle,* indemnité qui compense une diminution de revenus. ‖ *Tarif différentiel,* tarif qui varie en fonction inverse du poids et de la distance, en matière de transport. ◆ **différentiel** n. m. Dans un véhicule automobile, mécanisme de transmission de l'effort moteur aux roues motrices qui leur permet de tourner à des vitesses différentes l'une de l'autre dans les virages (la roue extérieure tourne plus vite que la roue intérieure).

DIFFICILE [difisil] adj. (lat. *difficilis*). **1.** Se dit de ce qui ne peut être obtenu, compris, résolu qu'avec des efforts, de ce qui cause du souci : *Le problème est assez difficile* (syn. ARDU, COMPLIQUÉ; contr. FACILE). *Un auteur difficile* (syn. OBSCUR). *Passer des moments difficiles* (syn. DOULOUREUX, PÉNIBLE). — **2.** Se dit d'un lieu, d'une route peu accessibles, peu praticables : *Un sommet d'accès difficile* (syn. MALAISÉ). — **3.** Se dit d'une personne qu'on a peine à contenter ou qui est peu agréable en société : *Vous êtes bien difficile* (syn. EXIGEANT). *Un caractère difficile* (syn. OMBRAGEUX). ◆ **difficilement** adv. : *Gagner difficilement sa vie* (syn. PÉNIBLEMENT; contr. FACILEMENT). *S'exprimer difficilement* (syn. MALAISÉMENT). ◆ **difficulté** n. f. **1.** Caractère de ce qui est difficile : *La difficulté d'un problème. Cela ne fait aucune difficulté* (= cela sera facile). — **2.** Chose difficile, qui embarrasse : *Triompher de toutes les difficultés* (syn. EMPÊCHEMENT, OBSTACLE). *Être en difficulté* (= être dans une situation difficile). — **3.** *Faire des difficultés,* ne pas accepter facilement quelque chose. ◆ **difficultueux, euse** adj. Se dit de ce qui comporte des difficultés : *Un problème difficultueux.*

DIFFLUENCE [diflyɑ̃s] n. f. (du lat. *diffluere,* s'écouler en sens divers). *Géogr.* Division d'un cours d'eau, d'un glacier en plusieurs bras qui ne se rejoignent pas : *À la tête d'un delta se produit une diffluence.*

DIFFORME [difɔrm] adj. (lat. *deformis*). Se dit d'un être animé ou d'un végétal qui n'a pas une forme et des proportions normales : *Un bossu dont le corps difforme attirait les regards* (syn. CONTREFAIT). *Un arbre difforme.* ◆ **difformité** n. f. Anomalie dans la forme et les proportions.

DIFFRACTION [difraksjɔ̃] n. f. (du lat. *diffractus,* brisé). Phénomène dû aux déviations que subissent les rayons lumineux, les rayons X, les ondes hertziennes, etc., en rasant les bords d'un corps opaque : *La diffraction des rayons lumineux provoque des franges dans le contour des ombres.*

DIFFUS, E [dify, -yz] adj. (lat. *diffusus*). **1.** Se dit de ce qui est répandu en tous sens : *Une lumière diffuse.* — **2.** Se dit de ce qui manque de netteté, de concentration : *Une rêverie diffuse.* — **3.** Se dit d'un style sans vigueur, trop abondant en mots (syn. PROLIXE, VERBEUX). ◆ **diffusément** adv. (syn. CONFUSÉMENT, VAGUEMENT).

DIFFUSER [difyze] v. t. (de *diffus*). **1.** *Diffuser la lumière,* la répandre : *La lampe diffuse une lumière blafarde.* — **2.** *Diffuser un bruit, une nouvelle,* etc., les répandre dans diverses directions (syn. PROPAGER). ◆ **diffuseur** n. m. **1.** Appareil qui diffuse le son d'un poste de radio (syn. HAUT-PARLEUR). — **2.** Appareil qui diffuse une lumière (globe opalescent, etc.). ◆ **diffusion** n. f. Action de répandre, de propager.

DIGÉRER [diʒere] v. t. et i. (lat. *digerere,* distribuer). **1.** (sujet nom d'être vivant ou nom des organes de la digestion) Assimiler les aliments absorbés : *Le boa dort en digérant sa proie.* — **2.** (sujet nom de personne) *Fam.* Assimiler par la lecture : *Il m'a fallu digérer ces six gros livres.* — **3.** (sujet nom de personne) *Fam.* Accepter définitivement : *Je ne peux pas digérer sa désinvolture* (syn. SOUFFRIR, SUPPORTER). ◆ **digeste** adj. Syn. usuel de DIGESTIBLE. ◆ **indigeste** adj. : *La crème Chantilly est indigeste. Un roman indigeste* (= d'une lecture pénible). ◆ **digestible** adj. Se dit d'un aliment qui peut être aisément digéré (langue soignée). ◆ **digestif, ive** adj. **1.** Qui sert à la digestion. ‖ *Sucs digestifs,* liquides que les glandes annexes de l'appareil digestif déversent dans le tube digestif et qui facilitent la digestion. ‖ *Appareil digestif,* ensemble des organes qui concourent à la digestion. (L'*appareil digestif* comporte le tube digestif [œsophage, estomac, intestin] et les organes annexes [glandes salivaires, foie, pancréas, glandes intestinales].) ‖ *Tube digestif,* partie de l'appareil digestif parcourue par les aliments. — **2.** Qui est relatif à la digestion : *Fonctions digestives* (= celles qui se rapportent à la digestion). ◆ adj. et n. m. Se dit d'une liqueur, d'un alcool qu'on prend après le repas. ◆ **digestion** n. f. Ensemble d'actions mécaniques et de réactions chimiques par lesquelles les organes digèrent les aliments. → ENCYCL. ◆ **indigestion** n. f. **1.** Trouble momentané des fonctions digestives, partic. de celles de l'estomac. — **2.** *Avoir une indigestion de qqch.,* en avoir trop, jusqu'à en être saturé.

— ENCYCL. La *digestion* a pour rôle de rendre assimilables par l'organisme les aliments qui lui sont apportés.

Chez l'*homme,* la digestion met en jeu deux types de phénomènes :

des *phénomènes mécaniques* qui ont pour but de diviser les aliments composés en aliments plus simples et de fractionner la masse des aliments (*mastication* dans la bouche, *brassage* des aliments par les mouvements de l'estomac et de l'intestin);

des *phénomènes chimiques* qui ont pour but de diviser les aliments simples en petites molécules, à l'aide de substances chimiques *(enzymes)* rencontrées dans les différents *sucs digestifs :* la salive, le suc gastrique, le suc pancréatique.

La digestion de l'homme se fait en plusieurs étapes, tout au long du tube digestif.

Les aliments sont d'abord mastiqués dans la bouche, imprégnés de salive et groupés en un *bol alimentaire.*

Dans l'estomac, les aliments broyés et imprégnés de salive sont brassés et subissent l'action des différentes enzymes contenues dans le suc gastrique. À l'issue de cet étape, l'estomac contient un liquide formé des aliments brassés et attaqués par les enzymes : c'est le *chyme gastrique,* qui va être évacué progressivement dans le duodénum et l'intestin grêle. Dans le duodénum, l'arrivée du chyme gastrique déclenche l'écoulement de la bile et du suc pancréatique, et la sécrétion de suc intestinal. À ce stade, les sucres sont réduits en glucose directement assimilable.

La bile et ses composants vont, pour leur part, disperser les lipides en très petites gouttelettes. Le résultat final de ces transformations est le *chyle intestinal,* liquide blanc et opalescent, contenant des substances suffisamment « traitées » pour passer dans le sang des capillaires intestinaux, à travers la paroi intestinale, ou dans la lymphe des canaux chylifères.

L'intestin est tapissé de replis nombreux (les *villosités intestinales*) qui ont pour but d'agrandir la surface d'absorption intestinale. Toutes les substances simples du chyle intestinal vont donc être distribuées aux cellules, leur fournissant à la fois énergie (sucres) et matières premières pour former des constituants nouveaux (acides aminés).

→ illustration page ci-contre.

DIGITAL, E, AUX [diʒital, -to] adj. (du lat. *digitus,* doigt). **1.** Relatif aux doigts. — **2.** *Empreinte digitale,* trace caractéristique laissée par la face interne du doigt.

DIGITALE [diʒital] n. f. (du lat. *digitus,* doigt). Plante herbacée aux fleurs en forme de doigt de gant. (Elle contient un produit toxique, la *digitaline,* utilisée en médecine pour ralentir le rythme du cœur et renforcer ses pulsations.)

DIGITIGRADE [diʒitigrad] adj. et n. m. (du lat. *digitus,* doigt, et *gradi,* marcher). Se dit des animaux qui marchent en prenant appui sur toute la longueur des doigts, mais non sur le métacarpe ou le métatarse, qui est plus ou moins redressé : *Les carnassiers, les rongeurs, les oiseaux sont digitigrades* (par oppos. à ONGULIGRADE, PLANTIGRADE).

DIGNE [diɲ] adj. (lat. *dignus*). **1.** Se dit d'une personne (ou de son comportement) qui a de la retenue, de la gravité, qui inspire le respect : *Avoir un air digne* (syn. IMPOSANT, ↑MAJESTUEUX); et ironiq. : *Son digne père était scandalisé.* — **2.** *Digne de qqch., de faire qqch.,* se dit d'un être animé ou d'une chose qui le mérite par ses qualités ou ses défauts : *Un criminel digne de l'échafaud. Un film digne d'éloges.* — **3.** *Digne de qq'un, de qqch.,* se dit d'un être animé ou d'une chose qui n'a pas démérité par rapport à lui, qui est d'une qualité en rapport avec lui : *Un fils digne de son père* (syn. À LA HAUTEUR DE). ◆ **indigne** adj. **1.** Se dit d'une personne ou d'un acte qui inspire le mépris, la révolte, ou simplement l'irritation : *Une conduite indigne* (syn. HONTEUX, SCANDALEUX). — **2.** *Indigne de qqch.,* se dit d'une personne ou d'une chose qui n'en est pas digne, qui ne le mérite pas : *Une faute indigne de pardon. Il s'est montré indigne de la faveur qu'on lui a faite.*

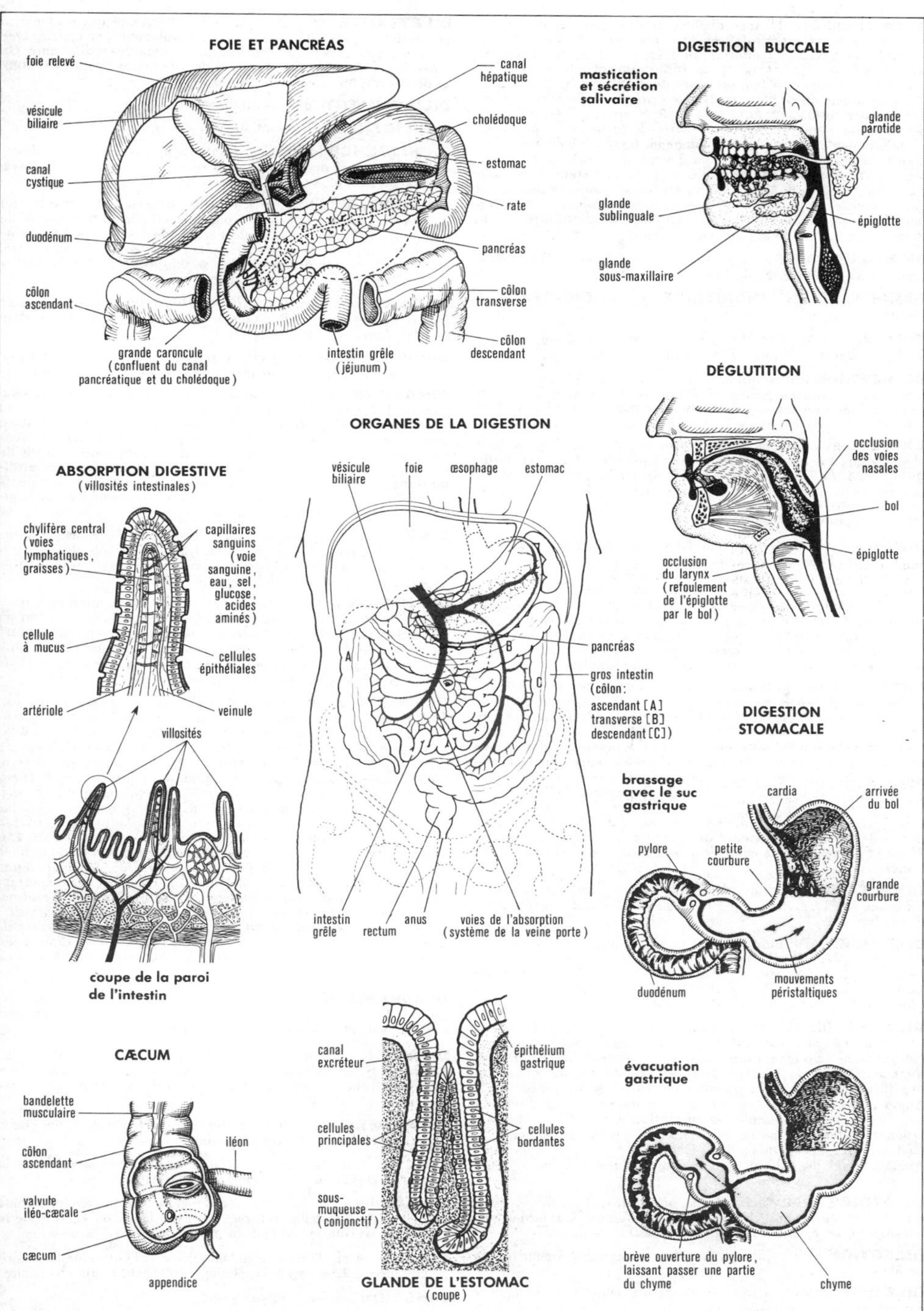
FOIE ET PANCRÉAS
foie relevé
vésicule biliaire
canal cystique
duodénum
côlon ascendant
grande caroncule (confluent du canal pancréatique et du cholédoque)
intestin grêle (jéjunum)
canal hépatique
cholédoque
estomac
rate
pancréas
côlon transverse
côlon descendant
DIGESTION BUCCALE
mastication et sécrétion salivaire
glande parotide
glande sublinguale
épiglotte
glande sous-maxillaire
DÉGLUTITION
occlusion des voies nasales
bol
épiglotte
occlusion du larynx (refoulement de l'épiglotte par le bol)
ORGANES DE LA DIGESTION
vésicule biliaire
foie
œsophage
estomac
pancréas
gros intestin (côlon: ascendant [A] transverse [B] descendant [C])
intestin grêle
rectum
anus
voies de l'absorption (système de la veine porte)
ABSORPTION DIGESTIVE (villosités intestinales)
chylifère central (voies lymphatiques, graisses)
capillaires sanguins (voie sanguine, eau, sel, glucose, acides aminés)
cellule à mucus
cellules épithéliales
artériole
veinule
villosités
coupe de la paroi de l'intestin
DIGESTION STOMACALE
brassage avec le suc gastrique
cardia
arrivée du bol
pylore
petite courbure
grande courbure
duodénum
mouvements péristaltiques
évacuation gastrique
brève ouverture du pylore, laissant passer une partie du chyme
chyme
CÆCUM
bandelette musculaire
côlon ascendant
iléon
valvule iléo-cæcale
cæcum
appendice
GLANDE DE L'ESTOMAC (coupe)
canal excréteur
épithélium gastrique
cellules principales
cellules bordantes
sous-muqueuse (conjonctif)

◆ **dignement** adv. **1.** Avec dignité, d'une façon qui inspire un certain respect : *Contenir dignement sa douleur* (syn. NOBLEMENT). — **2.** D'une manière conforme au mérite : *Il a été dignement récompensé* (syn. JUSTEMENT). ◆ **indignement** adv. Sens 1 de INDIGNE : *Se conduire indignement.* ◆ **dignité** n. f. **1.** Attitude d'une personne digne (au sens 1) : *Ce geste de colère manquait de dignité* (syn. NOBLESSE, RETENUE). — **2.** Respect qui est dû à une personne ou à une chose : *La dignité de la personne humaine.* — **3.** Fonction éminente, distinction honorifique : *Il a été élevé à la dignité de grand-croix de la Légion d'honneur. Il méprise les dignités* (syn. HONNEURS). ◆ **indignité** n. f. **1.** Caractère d'une personne ou d'un acte indigne : *L'indignité de ses propos scandalisait l'assistance.* — **2.** *Indignité nationale*, peine comportant la privation de certains droits civils ou civiques. ◆ **dignitaire** n. m. Personnage revêtu d'une fonction éminente.

DIGNE-LES-BAINS, ch.-l. du dép. des Alpes-de-Haute-Provence, à 39 km au S.-E. de Sisteron; 16 400 hab. *(Dignois).*

DIGNEMENT adv., **DIGNITAIRE** n. m., **DIGNITÉ** n. f. ⟶ DIGNE.

DIGOIN, ch.-l. de cant. de Saône-et-Loire, sur la Loire, à 12 km à l'O. de Paray-le-Monial; 11 400 hab.

DIGRESSION [digrɛsjɔ̃] n. f. (du lat. *digredi*, s'éloigner). Développement étranger au sujet général d'un discours, d'un compte rendu, d'une conversation : *Faire une digression* (syn. PARENTHÈSE).

DIGUE [dig] n. f. (néerl. *dijc*). Construction destinée à faire obstacle aux vagues de la mer ou aux eaux d'un fleuve. ◆ **endiguer** v. t. **1.** *Endiguer un cours d'eau, un torrent*, etc., le contenir par une digue, par un ouvrage en maçonnerie. — **2.** *Endiguer qqch.* (nom abstrait), modérer sa force, le contenir : *Chercher à endiguer les revendications sociales.*

DIJON, ch.-l. du dép. de la Côte-d'Or et de la Région Bourgogne, sur l'Ouche; 145 600 hab. *(Dijonnais).*

La ville occupe une situation remarquable de carrefour entre le Bassin parisien, la Lorraine et l'Alsace ainsi que la région lyonnaise. La voie ferrée a fait ressortir cet avantage. L'importance du commerce a permis le développement d'une industrie où dominent la métallurgie de transformation et les industries alimentaires (pain d'épice, moutarde). Dijon est encore un centre universitaire actif et son agglomération s'est accrue à un rythme rapide.

HISTOIRE. Dijon fut la capitale de la Bourgogne et connut une période de splendeur aux XIVe et XVe s. avec les ducs de Bourgogne Jean sans Peur, Philippe le Bon et Charles le Téméraire, qui y sont nés. (⟶ BOURGOGNE.)

Dijon garde de son passé de nombreux monuments, des églises romanes, gothiques et Renaissance, de nombreuses vieilles maisons. La ville possède en outre le splendide palais de justice des XVe et XVIe s. et le palais des ducs de Bourgogne (XIVe-XVIIIe s.), qui renferme l'hôtel de ville et l'un des plus riches musées des beaux-arts de France (tombeaux des ducs de Bourgogne). Aux portes de Dijon, la chartreuse de Champmol conserve le *Puits de Moïse* et la façade de la chapelle des ducs de Bourgogne par Claus Sluter.

DIKTAT [diktat] n. m. (mot all. signif. *ce qui est ordonné*). Exigence absolue, imposée par le plus fort, sans autre justification que la force.

DILAPIDER [dilapide] v. t. (lat. *dilapidare*). **1.** *Dilapider de l'argent*, le dépenser à tort et à travers (syn. fam. GASPILLER). — **2.** *Dilapider des biens*, les détourner à son profit. ◆ **dilapidation** n. f. : *La dilapidation d'une fortune* (syn. DISSIPATION). *Dilapidation des deniers publics* (syn. CONCUSSION).

DILATER [dilate] v. t. (lat. *dilatare;* de *latus*, large). **1.** *Dilater un métal, un gaz, un liquide*, etc., augmenter son volume par l'élévation de sa température : *La chaleur dilate le mercure dans le thermomètre* (contr. CONTRACTER). — **2.** *Dilater un tuyau, la pupille de l'œil*, etc., en agrandir l'ouverture. ◆ ***se dilater*** v. pr. Augmenter de volume : *Les rails se dilatent au soleil.* ◆ **dilatable** adj. : *Les gaz sont dilatables.* ◆ **dilatation** n. f. **1.** *Phys.* Augmentation de la longueur ou du volume d'un corps sous l'action de la chaleur, sans changement dans la nature du corps. — **2.** *Méd.* Augmentation du calibre d'un conduit naturel : *Dilatation des bronches.*

DILATOIRE [dilatwar] adj. (lat. *dilatorius;* de *differre*, différer). Se dit de ce qui vise à gagner du temps, à retarder une décision : *Une réponse dilatoire* (syn. ÉVASIF).

DILECTION [dilɛksjɔ̃] n. f. (lat. *dilectio*, amour). Amour tendre et pieux.

DILEMME [dilɛm] n. m. (gr. *dilêmma*). Obligation de choisir entre deux partis contradictoires possibles et présentant tous deux des inconvénients : *Un cruel dilemme* (syn. ALTERNATIVE).

DILETTANTE [dilɛtɑ̃t] n. (mot it.). Personne qui s'adonne à une activité, qui s'intéresse à un art simplement par plaisir, avec une certaine fantaisie : *Il s'était initié au chinois en dilettante. On a besoin ici de travailleurs et non de dilettantes* (syn. AMATEUR). ◆ **dilettantisme** n. m. (syn. AMATEURISME).

DILIGEMMENT adv. ⟶ DILIGENT.

1. DILIGENCE n. f. ⟶ DILIGENT.

2. DILIGENCE [diliʒɑ̃s] n. f. (abrév. de *carrosse de diligence*). Voiture tirée par des chevaux, qui servait au transport des voyageurs (elle était plus rapide que le coche, d'où son nom).

DILIGENT, E [diliʒɑ̃, -ɑ̃t] adj. (lat. *diligens*, attentif). Se dit d'une personne qui agit avec rapidité et efficacité, qui montre de l'empressement; se dit aussi de l'action de cette personne : *Une secrétaire diligente* (syn. ACTIF, ZÉLÉ). *Des soins diligents* (syn. EMPRESSÉ). ◆ **diligemment** adv. ◆ **diligence** n. f. : *Travailler avec diligence* (syn. EMPRESSEMENT, ZÈLE).

DILUER [dilɥe] v. t. (lat. *diluere*). *Diluer un liquide*, le rendre moins concentré par addition d'eau ou d'un autre liquide : *Le sirop se dilue dans l'eau.* ◆ **dilution** n. f.

DILUVIEN, ENNE [dilyvjɛ̃, -ɛn] adj. (du lat. *diluvium*, déluge). Qui évoque le déluge : *Pluie diluvienne* (= pluie très abondante).

DIMANCHE [dimɑ̃ʃ] n. m. (lat. *dies dominicus*, jour du Seigneur). **1.** Septième et dernier jour de la semaine, consacré au repos et à la célébration du culte. (⟶ SEMAINE.) — **2.** *Habits, costume du dimanche*, vêtements plus propres ou neufs, réservés pour le dimanche (jour de repos). ‖ Fam. *Du dimanche*, se dit de personnes qui agissent en amateurs, sans expérience. ◆ **endimanché,** adj. Se dit de quelqu'un qui a des vêtements neufs (ou qu'il a peu portés) et qui se montre emprunté. ◆ **dominical, e, aux** adj. Relatif au dimanche.

DÎME [dim] n. f. (lat. *decima* [*pars*], dixième [partie]). Sous l'Ancien Régime, dixième partie ou fraction variable des récoltes versée par les paysans à l'Église ou aux seigneurs. (Cet impôt très impopulaire fut supprimé à la Révolution.)

DIMENSION [dimɑ̃sjɔ̃] n. f. (lat. *dimensio*). **1.** Étendue mesurable d'un corps dans tel ou tel sens (longueur, largeur, hauteur ou profondeur) : *Prendre les dimensions d'un meuble* (syn. MESURE). ‖ *La quatrième dimension*, le temps, dans la théorie de la relativité. — **2.** Importance de quelque chose (terme abstrait) : *Une erreur de cette dimension coûte cher* (syn. TAILLE).

DIMINUER [diminɥe] v. t. (lat. *diminuere;* de *minus*, moins). **1.** *Diminuer qqch.*, le rendre moins grand, moins important : *Diminuer la longueur* (syn. RACCOURCIR; contr. ALLONGER, AUGMENTER). *Diminuer le volume* (syn. COMPRIMER, RÉDUIRE). *Cela ne diminue pas son mérite* (syn. AMOINDRIR). *Diminuer la vitesse* (syn. RALENTIR). — **2.** *Diminuer qq'un*, l'abaisser, l'humilier. — **3.** *Diminuer un salarié*, réduire son salaire, ses appointements. ◆ v. i. Devenir moins grand, moins important, moins nombreux, moins coûteux : *Les jours diminuent* (syn. RACCOURCIR). *La pression diminue* (syn. BAISSER). *Ses forces diminuent* (syn. DÉCLINER, FAIBLIR). ◆ **diminué, e** adj. Se dit d'une personne dont les aptitudes, les facultés mentales ont baissé à la suite d'un accident, d'une maladie. ◆ **diminutif** n. m. Mot dérivé d'un autre et comportant une nuance de petitesse, d'atténuation, d'affection. (Ex. : *maisonnette* [maison], *lionceau* [lion], *pâlot* [pâle], *mordiller* [mordre], etc.) ◆ **diminution** n. f. : *Une diminution des heures de travail* (syn. RÉDUCTION; contr. AUGMENTATION). *Une diminution du nombre des accidents* (syn. BAISSE). *Obtenir une diminution de prix* (syn. RABAIS).

DIMORPHISME [dimɔrfism] n. m. (de *di-*, et gr. *morphê*, forme). Biol. *Dimorphisme sexuel*, différence évidente d'aspect entre le mâle et la femelle de la même espèce.

DINAN, ch.-l. d'arrond. des Côtes-d'Armor, sur la Rance, à 34 km au S. de Saint-Malo; 14 200 hab. *(Dinannais).* Anc. place forte du duché de Bretagne, la ville garde des remparts et un château (XIVe-XVe s.).

DINANDERIE [dinɑ̃dri] n. f. (de *Dinant*). Objet de laiton coulé, qui était ouvré surtout à Dinant (Belgique).

DINANT, v. de Belgique (prov. de Namur), dans la vallée de la Meuse, à 28 km au S. de Namur; 12 300 hab.

DINAR [dinar] n. m. (mot ar.; du gr. *dênarion*, denier). Unité monétaire de l'Algérie, de l'Iraq, de la Jordanie, du Koweït, de la Libye, de la Tunisie, du sud du Yémen et de la Yougoslavie.

DINARD, ch.-l. de cant. d'Ille-et-Vilaine, à l'entrée de l'estuaire de la Rance, à 22 km au N. de Dinan; 10 000 hab. Station balnéaire.

DINARIQUES ⟶ ALPES DINARIQUES.

DINDE [dɛ̃d] n. f. (de *poule d'Inde*). **1.** Femelle du dindon.

— **2.** *Fam.* Femme sotte. ◆ **dindon** [dɛ̃dɔ̃] n. m. **1.** Oiseau gallinacé originaire de l'Amérique du Nord, introduit et domestiqué en Europe depuis le XVIe s. (Le terme *dindon* désigne plus spécialement le mâle, qui peut peser jusqu'à 19 kg; il porte sur la tête des verrues et des caroncules [= petites masses de chair] colorées; il peut « faire la roue », c'est-à-dire dresser les plumes de sa queue.) — **2.** *Fam.* Homme sot, qui se laisse facilement berner. — **3.** *Être le dindon de la farce,* être la victime d'une mauvaise plaisanterie, d'une tromperie. ◆ **dindonneau** n. m. Petit dindon.

DÎNER [dine] v. i. (bas lat. *disjunare,* rompre le jeûne). Prendre le repas du soir. ◆ n. m. Repas du soir. ◆ **dînette** n. f. **1.** Petit repas que les enfants font par jeu. — **2.** Service de table servant de jouet aux enfants. ◆ **dîneur, euse** n. Personne qui prend part à un dîner.

DINGHY [dingi] n. m. (mot angl.). Canot pneumatique de sauvetage pour l'équipage des avions.

DINGO [dɛ̃go] n. m. (mot angl.). Chien sauvage d'Australie, qui vit en troupes et n'aboie pas.

DINOSAURIENS [dinɔsɔrjɛ̃] ou **DINOSAURES** [-zɔr] n. m. pl. (du gr. *deinos,* terrible, et *saura,* reptile). Ordre de reptiles terrestres de l'époque secondaire, qui comprenait des animaux très variés de taille (1 à 30 m) et de forme (quadrupèdes ou bipèdes), ayant en commun leur bassin rappelant celui des oiseaux, leur tête relativement très petite, et souvent un cou et une queue allongés contrastant avec un tronc massif.

DIOCÈSE [djɔsɛz] n. m. (gr. *dioikêsis,* administration). **1.** Circonscription territoriale religieuse administrée par un évêque ou un archevêque. — **2.** Circonscription administrative de l'Empire romain qui groupait plusieurs provinces. ◆ **diocésain, e** adj. ◆ **diocésain** n. m. Qui habite sur le territoire d'un diocèse (sens 1).

DIOCLÉTIEN (v. 245-313), empereur romain de 284 à 305. D'origine dalmate et issu d'un milieu modeste, il devient consul sous Aurélien.

- *284. Dioclétien est proclamé empereur par ses soldats.*

Rapidement, il s'associe Maximien comme césar puis comme auguste. Il lui confie l'Occident et garde l'Orient.

- *293. Dioclétien établit le système de la « tétrarchie » pour mieux défendre l'Empire contre les Barbares.*

Aux deux augustes sont adjoints deux césars (Galère et Constance Chlore), qui doivent leur succéder.

Une réforme administrative, militaire, judiciaire et monétaire est entreprise; les provinces sont divisées et regroupées en 12 diocèses.

- *303. Une violente persécution contre les chrétiens commence, en vue de restaurer le culte impérial traditionnel. Elle va durer jusqu'en 313.*
- *305. Dioclétien abdique, suivi par Maximien.*

Il assistera ensuite à l'échec du système qu'il avait instauré.

DIODE [djɔd] n. f. (de *di-,* et gr. *hodos,* route). *Électr.* Tube à deux électrodes (cathode et anode) utilisé comme redresseur de courant.

DIOGÈNE le Cynique, philosophe grec (413-327 av. J.-C.). Il méprisait les richesses et les conventions sociales, et avait pour logis habituel un tonneau.

DIOÏQUE [diɔik] adj. (de *di-,* et gr. *oikos,* maison). Se dit des plantes qui ont les fleurs mâles et les fleurs femelles sur des pieds séparés. (Ex. : *chanvre, houblon, dattier.*)

DIOIS, massif des Préalpes (Drôme), au S. du Vercors, traversé par la Drôme; 2 045 m. Formé par des crêtes calcaires encadrant de petits bassins, c'est un pays pauvre, en voie de dépeuplement.

DIONYSIAQUE [djɔnizjak] adj. (de *Dionysos*). Relatif à Dionysos. ◆ **dionysies** n. f. pl. Fêtes en l'honneur de Dionysos, dans la Grèce ancienne.

DIONYSOS. *Myth. gr.* Fils de Zeus et de Sémélé. Il était le dieu du Vin et de l'Ivresse, mais aussi le dieu de la Végétation et de la Génération. On le représentait habituellement suivi d'un cortège de satyres*, de bacchantes*, etc. Les Romains l'assimilèrent à *Bacchus.*

DIOPHANTE, mathématicien grec de l'école d'Alexandrie (v. 325-v. 410). Il a laissé des travaux importants sur les équations algébriques. L'influence de ses écrits sur les mathématiques de la Renaissance fut considérable.

DIOPTRE [djɔptr] n. m. (du gr. *dia,* à travers, et *optesthai,* voir). Surface optique séparant deux milieux transparents inégalement réfringents.

DIOPTRIE [djɔptri] n. f. (de *dioptrique*). Unité de vergence des lentilles (symb. : δ), équivalant à la vergence d'une lentille de 1 m de distance focale.

DIOPTRIQUE [djɔptrik] n. f. (gr. *dioptrikê,* art de mesurer les distances). Partie de la physique qui s'occupe de la réfraction de la lumière.

DIORAMA [djɔrama] n. m. (du gr. *dia,* à travers, et [*pan*]*orama*). Tableau panoramique sur toile, sans bords visibles, présenté dans une salle obscure afin de donner l'illusion, grâce à des jeux de lumière, du réel en mouvement. (Le premier diorama fut installé à Paris en 1822 par Daguerre et Bouton.)

DIORITE [djɔrit] n. f. (du gr. *diorizein,* distinguer). Roche éruptive grenue, formée de cristaux blancs (feldspath) et sombres.

DIOXYDE [diɔksid] n. m. *(di-,* et *oxyde).* Syn. de BIOXYDE.

DIPHASÉ, E [difaze] adj. (de *di-,* et *phase*). *Électr.* Se dit de deux courants alternatifs de même fréquence et de même amplitude, déphasés l'un par rapport à l'autre d'un quart de période.

DIPHTÉRIE [difteri] n. f. (gr. *diphthera,* membrane). Maladie due à une bactérie sécrétant une toxine qui se diffuse dans l'organisme et qui, en se fixant sur le système nerveux, détermine les signes de l'intoxication. → ENCYCL. ◆ **diphtérique** adj. : *Angine diphtérique.* ◆ n. Atteint de diphtérie. ◆ **antidiphtérique** adj. : *Sérum antidiphtérique* (= apte à combattre la diphtérie).
— ENCYCL. Autref. fréquente, la *diphtérie* est une maladie *contagieuse* atteignant surtout les jeunes enfants.

Elle se manifeste par une angine caractérisée par la présence de « fausses membranes » blanches collées à la muqueuse de la gorge. L'administration du *sérum antidiphtérique* constitue la base du traitement de cette angine. La localisation de la maladie au larynx porte le nom de *croup* et est plus grave.

La *vaccination,* obligatoire en France dans la deuxième année, par l'*anatoxine antidiphtérique* confère souvent une immunité définitive et a presque fait disparaître cette maladie.

DIPHTONGUE [diftɔ̃g] n. f. (gr. *diphtongos,* double son). Voyelle qui, dans sa prononciation, comporte une variation de timbre sentie comme formant deux sons distincts, successifs : *Le français ancien connaissait des diphtongues disparues en français moderne.* ◆ **diphtonguer** v. t. *Diphtonguer une voyelle,* dans une syllabe, modifier le timbre d'une voyelle de telle manière qu'il se forme une diphtongue. ◆ **diphtongaison** n. f. : *La diphtongaison de* [ẹ] *latin en* [ei], *puis les modifications de la diphtongue expliquent les mots « moi », « toile », etc.*

DIPLODOCUS [diplɔdɔkys] n. m. (du gr. *diplous,* double, et *dokos,* poutre). Genre de reptiles dinosauriens longs de 25 m, qui ont vécu en Amérique au Crétacé. (La tête était petite, le cou et la queue très longs, le corps massif. On croit que l'animal vivait dans les marécages, dont il broutait les herbes.)

DIPLOMATIE [diplɔmasi] n. f. (du lat. *diplomaticus*). **1.** Science et art de représenter les intérêts d'un pays auprès d'autres pays, dans le système des relations internationales. — **2.** Carrière de ceux qui s'y consacrent. — **3.** Habileté dans les relations avec autrui : *User de diplomatie* (syn. DOIGTÉ, TACT). ◆ **diplomate** n. m. Celui qui est chargé d'une mission diplomatique, qui pratique la diplomatie (ambassadeur, ministre plénipotentiaire, etc.). ◆ adj. Qui agit habilement (sens 3 de DIPLOMATIE). ◆ **diplomatique** adj. **1.** *Rompre des relations diplomatiques.* ‖ *Corps diplomatique* ⟶ CORPS 3. — **2.** Fam. *Maladie diplomatique,* prétexte allégué pour se soustraire à une obligation professionnelle, pour éviter de paraître en public. ◆ **diplomatiquement** adv. (syn. AVEC TACT, HABILEMENT).

1. DIPLOMATIQUE [diplɔmatik] n. f. (lat. *diplomaticus,* relatif aux documents officiels). Science auxiliaire de l'histoire, qui a pour objet l'étude des actes écrits du Moyen Âge réglant les rapports juridiques entre les personnes.

2. DIPLOMATIQUE adj. ⟶ DIPLOMATIE.

DIPLOMATIQUEMENT adv. ⟶ DIPLOMATIE.

DIPLÔME [diplom] n. m. (gr. *diplôma,* objet plié en deux). Titre délivré par un jury, une autorité, pour faire foi des aptitudes ou des mérites de quelqu'un : *Un diplôme d'ingénieur.* ◆ **diplômé, e** adj. et n. Se dit d'une personne titulaire d'un diplôme : *Une infirmière diplômée.*

DIPNEUSTES [dipnøst] n. m. pl. (de *di-,* et gr. *pneuein,* respirer). Sous-classe de poissons osseux ayant deux systèmes respiratoires, branchies et poumons, ce qui leur permet de supporter l'assèchement saisonnier des cours d'eau tropicaux où ils vivent.

DIPÔLE [dipol] n. m. *(di-,* et *pôle).* Assemblage de circuits électriques ne communiquant avec l'extérieur que par deux bornes.

DIPTÈRES [diptɛr] n. m. pl. (de *di-,* et gr. *pteron,* aile). Ordre d'insectes, comprenant environ 100 000 espèces *(mouches, mous-*

tiques), aux ailes antérieures membraneuses seules propres au vol (les ailes postérieures sont transformées en balanciers, indispensables à l'équilibre) et aux pièces buccales piqueuses ou suceuses.

DIPTYQUE [diptik] n. m. (gr. *diptukha*, tablettes pliées en deux). **1.** Petit tableau pliant sur deux panneaux de bois. — **2.** Ce qui est composé de deux parties (en parlant en partic. d'une œuvre littéraire).

DIRAC (Paul), physicien anglais (1902-1984). Il avait prévu, dès 1930, l'existence d'un électron positif.

DIRE [dir] v. t. (lat. *dicere*). [Conj. **72.**] **1.** *Dire qqch., dire que* (et l'indic.), exprimer par la parole ou par l'écriture : *Pouvez-vous dire la raison de votre geste?* (syn. DONNER, INDIQUER). *Dire des poèmes* (syn. RÉCITER). *Dites-moi toute l'affaire* (syn. EXPLIQUER, RACONTER). *Je n'ai rien à dire à cela* (syn. OBJECTER, RÉPLIQUER, RÉPONDRE). *Il m'a dit dans sa lettre qu'il était malade* (syn. ANNONCER, FAIRE SAVOIR). — **2.** *Dire que* (et le subj.), *dire de* (et l'infin.), expriment un ordre, une invitation, un conseil : *Dites-lui qu'il vienne me voir.* — **3.** (sujet nom de chose) Indiquer par des marques extérieures : *Une pendule qui dit l'heure exacte. Son attitude dit bien ce qu'elle veut dire* (syn. EXPRIMER, SIGNIFIER). — **4.** *À vrai dire, à dire vrai*, pour dire la vérité. ‖ *À l'heure dite*, à l'heure fixée. ‖ *Pour tout dire*, en résumé. ‖ *Dit-on*, s'emploie en proposition incise pour rapporter une rumeur, une opinion générale : *Ce château est, dit-on, un des plus anciens de la région* (syn. PARAÎT-IL). ‖ *On dirait (que), on aurait dit (que)*, expriment une apparence, une ressemblance, un fait dont on n'est pas certain : *On dirait qu'il va pleuvoir.* ‖ *Dire que...!*, introduit une remarque nuancée d'étonnement, de lassitude, de dépit, etc. ‖ *Que dis-je?*, introduit un correctif renforçant ce qui vient d'être dit : *Il n'est pas resté une journée : que dis-je? pas même une heure.* ‖ *C'est tout dire, c'est dire si...*, voilà qui dispense de tout commentaire, on voit à quel point... ‖ *Pour ainsi dire, autant dire*, expriment une approximation : *Il n'y a pour ainsi dire* (ou *autant dire*) *plus rien à faire* (syn. PRESQUE). *C'est devenu pour ainsi dire introuvable* (syn. QUASI). ‖ *Il n'y a pas à dire*, c'est indiscutable, il faut se rendre à l'évidence. ‖ *Qu'est-ce à dire?, est-ce à dire que...?*, interrogations exprimant une nuance de surprise ou de mécontentement. ‖ Fam. *Cela ne me dit rien*, je n'en ai pas envie, cela ne me rappelle rien. ‖ *Avoir son mot à dire*, tenir à exprimer son opinion, avoir une remarque importante à faire. ‖ *Vouloir dire*, signifier : *Que veut dire ce mot?* ‖ *Ne pas se le faire dire deux fois*, accepter sans hésitation. ‖ *Je ne vous le fais pas dire*, vous le constatez de vous-même. ‖ *Cela va sans dire*, c'est tout naturel. ‖ *Si le cœur vous en dit*, si vous en avez envie. ◆ **dire** n. m. **1.** Ce que quelqu'un déclare (uniquement au plur.) : *On ne peut pas se fier aux dires de cet inconnu* (syn. ALLÉGATION, PAROLE, PROPOS). — **2.** *Au dire de*, d'après les propos de, selon l'opinion de. ◆ **diseur, euse** n. : *Un diseur de bons mots. Une diseuse de bonne aventure.* ◆ **qu'en-dira-t-on** n. m. inv. Propos tenus sur le compte d'autrui : *Il ne se soucie pas des qu'en-dira-t-on.* ◆ **dit, e** adj. **1.** Convenu : *C'est une chose dite.* — **2.** Surnommé : *Jean, dit le Bon.* ◆ n. m. **1.** Maxime : *Les dits mémorables de Socrate.* — **2.** Au Moyen Âge, petit poème sur un sujet familier : *Le dit du Bon Vin.*

DIRECT, E [dirɛkt] adj. (lat. *directus*). **1.** Se dit de ce qui est sans détour, de ce qui va droit au but : *La question est directe* (syn. FRANC, SANS AMBAGES). — **2.** Se dit de ce qui est sans intermédiaire : *Vous avez un train direct pour cette destination* (= qui ne s'arrête à aucune station intermédiaire) [contr. OMNIBUS]. — **3.** Gramm. *Complément direct*, complément introduit sans l'intermédiaire d'une préposition, que ce complément soit un complément d'objet direct (*j'ouvre la porte*) ou un complément circonstanciel (*il est resté huit jours).* ‖ *Complément d'objet direct*, complément qui énonce la personne ou la chose sur laquelle s'exerce directement l'action marquée par le verbe : *Dans « il ouvre la porte », « porte » est complément d'objet direct de « il ouvre ».* — **4.** *Tir direct*, tir pour lequel le pointage de l'arme sur l'objectif se fait à vue. — **5.** *Discours, style direct* ⟶ DISCOURS 2. ‖ *Impôt direct* ⟶ IMPOSER 4. ◆ n. m. **1.** En boxe, coup porté à l'adversaire en allongeant brusquement le bras (contr. CROCHET). — **2.** *Émission, retransmission en direct*, transmise par la radio, la télévision, au moment même où elle est enregistrée (contr. EN DIFFÉRÉ). ◆ **directement** adv. : *Un chemin qui va directement à la gare* (= sans détour). *Adressez-vous directement à lui* (= sans intermédiaire). *Complément construit directement* (= sans préposition). ◆ **indirect, e** adj. **1.** Se dit de ce qui ne conduit pas au but directement : *Un chemin indirect, une attaque indirecte* (syn. DÉTOURNÉ). — **2.** *Complément d'objet indirect*, celui qui est rattaché au verbe par l'intermédiaire d'une préposition et qui indique l'objet sur lequel s'exerce indirectement l'action marquée par le verbe. ‖ *Proposition subordonnée interrogative indirecte*, proposition introduite par un verbe comme *dire, savoir, penser*, etc. (ex. : *Il ne savait pas pourquoi il était venu*). — **3.** *Tir indirect*, tir dans lequel l'objectif est invisible de l'emplacement de la pièce. — **4.** *Discours, style indirect* ⟶ DISCOURS 2. ‖ *Impôt indirect* ⟶ IMPOSER 4. ◆ **indirectement** adv.

DIRECTEUR, TRICE [dirɛktœr, -tris] n. (lat. *director*). **1.** Personne qui dirige, qui administre : *Un directeur d'école.* — **2.** Dans une administration, fonctionnaire qui occupe le poste le plus élevé dans la hiérarchie : *Le directeur du Trésor.* — **3.** Chacun des cinq membres du Directoire, en France, de 1795 à 1799 (en ce sens, prend une majusc.). — **4.** *Directeur de conscience*, ecclésiastique choisi par une personne pour diriger sa vie spirituelle. ◆ adj. Qui dirige, conduit : *Principe directeur. Roue directrice.* ◆ **direction** n. f. **1.** Action de diriger (aux différents sens de ce verbe) : *Assurer la direction d'une embarcation* (syn. PILOTAGE). *On l'a chargé de la direction de l'usine.* — **2.** Bureau du directeur; ensemble des services administratifs dirigeant la marche d'une entreprise. — **3.** Côté vers lequel se produit un mouvement, vers lequel est orientée une chose : *Suivez toujours la même direction* (syn. SENS). *Le nord est indiqué par la direction de l'aiguille aimantée* (syn. ORIENTATION). ‖ Math. *Direction d'un plan* ⟶ PLAN 1. — **4.** Mécanisme permettant de diriger un véhicule : *Sous le choc, la direction du camion a été faussée.* ⟶ ENCYCL. ◆ **directive** n. f. Recommandation ou ordre faisant partie d'un ensemble qui règle la marche à suivre (le plus souvent au plur.) : *Se conformer aux directives reçues* (syn. ORDRE). ◆ **directorial, e, aux** adj. Se dit de ce qui concerne un directeur. ◆ **directoire** n. m. Organisme comprenant un nombre restreint de membres exerçant une autorité, notamment politique. ◆ **sous-directeur, trice** n. Personne qui dirige en second.

— ENCYCL. Une *direction* comprend un *volant*, qui, par l'intermédiaire d'un *arbre*, ou *colonne de direction*, commande, dans un *boîtier*, un engrenage dont le rôle est d'assurer la démultiplication des mouvements imprimés par le conducteur. Ces mouvements sont transmis aux roues par des *leviers* et *barres de timonerie*. Les systèmes de direction les plus utilisés sont la *direction à vis et secteur*, et la *direction à crémaillère*. Une direction doit être stable, c'est-à-dire revenir automatiquement, après un virage, à la position de marche en ligne droite sans s'en écarter. Elle doit également être irréversible, c'est-à-dire absorber les chocs subis par les roues, sans provoquer de réaction au volant.

DIRECTION n. f., **DIRECTIVE** n. f., **DIRECTOIRE** n. m. ⟶ DIRECTEUR.

Directoire, gouvernement de la France qui succède à la Convention le 26 octobre 1795 et prend fin par le coup d'État du 18 brumaire an VIII (9 novembre 1799). Il comprend cinq Directeurs et deux chambres, le Conseil des Anciens et le Conseil des Cinq-Cents. À l'intérieur, le Directoire hérite d'une situation financière très mauvaise. Les assignats sont supprimés. L'usage de la monnaie métallique est rétabli.

- *1796. La conspiration des Égaux dirigée par Babeuf est réprimée.*

À l'extérieur, la France demeure en guerre contre l'Angleterre et l'Autriche. Le Directoire entreprend deux campagnes contre l'Autriche. La campagne d'Italie, conduite par Bonaparte, s'achève victorieusement par la paix de Campoformio (18 octobre 1797).

- *18 fructidor an V (4 septembre 1797). Un coup d'État militaire élimine la nouvelle majorité royaliste des Conseils.*

À l'intérieur, le gouvernement prend des mesures à l'encontre de l'opposition contre-révolutionnaire et catholique.

- *22 floréal an VI (11 mai 1798). Un coup d'État élimine les Jacobins des Conseils.*

Les deux tiers de la dette de l'État sont annulés. La loi sur la conscription rend le service militaire obligatoire.

- *Mai 1798. À l'extérieur, contre l'Angleterre, le Directoire entreprend la campagne d'Égypte dirigée par Bonaparte.*

Il poursuit la politique de propagande révolutionnaire et crée dans les régions conquises des républiques sœurs de la France.

- ***1799. Les puissances européennes forment contre la France la deuxième coalition. Les défaites rendent le régime impopulaire.***
- *18 brumaire an VIII (9 novembre 1799). Un complot renverse le Directoire au profit de Bonaparte.*

Directoire *(style)*, style faisant la transition entre le style Louis XVI et le style Empire. Il est marqué par une réaction de pureté antique contre les excès du style « rocaille ».

DIRECTORIAL, E, AUX adj. ⟶ DIRECTEUR.

1. DIRECTRICE adj. et n. f. ⟶ DIRECTEUR.

2. DIRECTRICE [dirɛktris] n. f. (de *directeur*). Math. *Directrice d'une surface cylindrique*, courbe plane sur laquelle s'appuie la droite (appelée *génératrice*) qui engendre la surface cylindrique en se déplaçant parallèlement à une direction fixe. ‖ *Directrice d'une surface conique*, courbe plane sur laquelle s'appuie la génératrice qui engendre la surface conique en se déplaçant, tout en passant par un point fixe (appelé *sommet*).

DIRIGEABLE [diriʒabl] n. m. (de *diriger*). Aéronef plus léger que l'air, muni d'hélices propulsives et d'un système de direction.

— ENCYCL. Un *dirigeable* comporte une enveloppe remplie de gaz (hydrogène ou hélium) et soutenant une nacelle, des organes de propulsion (moteurs et hélices), de direction et de stabilisation (gouvernails et empennages). Pour diminuer la résistance à l'avancement, l'enveloppe a la forme d'un fuseau. Les dirigeables rigides, dont le type fut représenté notamment par les *zeppelins*, ont une carcasse rigide en alliage léger dans laquelle se trouvent des ballonnets remplis de gaz.

DIRIGER [diriʒe] v. t. (lat. *dirigere*). **1.** *Diriger qqch., qq'un*, en guider la marche, la progression, les faire aller de tel ou tel côté : *Une voiture difficile à diriger sur le verglas* (syn. CONDUIRE). *Diriger un bateau* (syn. PILOTER). *Diriger des troupes vers la frontière* (syn. ACHEMINER, ENVOYER). — **2.** *Diriger qq'un, qqch.*, lui donner telle ou telle orientation : *Diriger ses jumelles vers la mer* (syn. BRAQUER, POINTER). *Diriger ses yeux, sa pensée vers qq'un* (syn. TOURNER). — **3.** *Diriger qq'un, qqch.*, exercer une autorité sur lui, régler le cours de quelque chose : *Diriger un pays* (syn. GOUVERNER). *Diriger un débat* (syn. MENER). *Une entreprise dirigée avec sagesse* (syn. ADMINISTRER, GÉRER). ◆ ***se diriger*** v. pr. **1.** (sujet nom d'être animé ou de véhicule) Aller, avancer : *L'avion se dirige vers le sud.* — **2.** (sujet nom d'être animé) Trouver son chemin : *Avoir peine à se diriger dans l'obscurité.* ◆ **dirigeant, e** adj. et n. : *Les classes dirigeantes. Les dirigeants d'un syndicat.* ◆ **dirigé, e** adj. Dont le fonctionnement n'est pas entièrement libre, mais est orienté selon une direction ou un plan donnés : *Économie dirigée. Activités dirigées.* ◆ **dirigisme** n. m. Système dans lequel le gouvernement exerce un pouvoir d'orientation et de décision dans le domaine économique (productions, achats, ventes), tout en conservant les cadres du capitalisme (à la différence du socialisme) [contr. LIBÉRALISME]. ◆ **dirigiste** adj. et n.

DIRIMANT, E [dirimɑ̃, -ɑ̃t] adj. (du lat. *dirimere*, annuler). *Dr.* Qui annule ou fait obstacle : *Empêchement dirimant au mariage.*

DISCERNER [disɛrne] v. t. (lat. *discernere*, distinguer) [sujet nom de personne]. *Discerner qqch., qq'un*, le reconnaître plus ou moins distinctement en faisant un effort de la vue ou du jugement : *Mal discerner les couleurs* (syn. DISTINGUER). *Discerner les mobiles d'un acte* (syn. DEVINER, SOUPÇONNER). ◆ **discernable** adj. : *Une différence de ton peu discernable.* ◆ **indiscernable** adj. ◆ **discernement** n. m. **1.** Faculté de juger sainement : *Agir sans discernement* (syn. CLAIRVOYANCE, JUGEMENT, PERSPICACITÉ). — **2.** Opération de l'esprit par laquelle on discerne : *Le discernement du bien et du mal.*

DISCIPLE [disipl] n. (lat. *discipulus*, élève). **1.** *Les disciples de Jésus-Christ*, les douze Apôtres, et plus généralement ceux qui le suivaient. — **2.** Personne qui reçoit un enseignement, qui suit la doctrine d'un maître ou se met sous le patronage de quelqu'un.

1. DISCIPLINE [disiplin] n. f. (lat. *disciplina*). **1.** Ensemble des règlements qui régissent certains corps, certaines assemblées en vue d'y assurer le bon ordre : *Un collège qui a une discipline sévère. La discipline militaire.* — **2.** Soumission à une règle, acceptation de certaines contraintes : *Se plier à la discipline.* ◆ **indiscipline** n. f. Attitude de quelqu'un qui ne se soumet pas à une discipline. ◆ **disciplinaire** adj. Fait en vertu de la discipline : *Des sanctions disciplinaires* (= celles qui sont appliquées à la suite de manquements à la discipline). ◆ **disciplinairement** adv. ◆ **discipliner** v. t. *Discipliner qq'un, qqch.*, le soumettre à une discipline, le plier à une règle : *Discipliner une armée. L'éducation discipline les instincts.* ◆ **disciplinable** adj. Docile, capable d'être discipliné. ◆ **indisciplinable** adj. ◆ **discipliné, e** adj. Se dit d'une personne ou d'une chose soumise à une discipline, agissant selon des principes bien réglés : *Une classe très disciplinée.* ◆ **indiscipliné, e** adj.

2. DISCIPLINE [disiplin] n. f. (même étym.). Matière d'enseignement : *Les disciplines littéraires, scientifiques* (syn. ÉTUDES). *Exceller dans une discipline* (syn. MATIÈRE).

DISCOBOLE [diskɔbɔl] n. m. (gr. *diskobolos*). Chez les Grecs, athlète qui lançait le disque ou le palet.

Discobole *(le)*, statue antique de Myron.

DISCOGRAPHIE n. f. → DISQUE 2.

DISCONTINU, E [diskɔ̃tiny] adj. (lat. *discontinuus*). Se dit de quelque chose qui présente des interruptions : *Travail discontinu* (syn. INTERMITTENT). ◆ **discontinuité** n. f. (syn. INTERMITTENCE). ◆ **discontinuer** v. i. *Sans discontinuer*, sans un moment d'interruption (syn. SANS RELÂCHE). [→ CONTINU.]

DISCONVENIR v. t. ind. → CONVENIR 1.

1. DISCORDANCE n. f. → CONCORDER.

2. DISCORDANCE [diskɔrdɑ̃s] n. f. (du lat. *discordare*, ne pas s'accorder). *Géol.* Disposition d'une série de couches reposant sur des couches plus anciennes qui ne leur sont pas parallèles. (La discordance indique une phase de plissement ou d'érosion entre les deux phases de sédimentation.)

DISCORDANT, E adj. → CONCORDER.

DISCORDE n. f. → CONCORDE.

DISCOTHÈQUE n. f. → DISQUE 2.

DISCOUNT [diskaunt] n. m. (mot angl.). Formule de vente pratiquée généralement dans les grandes surfaces et caractérisée par des prix de détail sensiblement moins élevés que dans les secteurs commerciaux traditionnels.

1. DISCOURS [diskur] n. m. (du lat. *discursus*, action de courir çà et là). **1.** Développement oral sur un sujet déterminé, fait devant un auditoire : *L'avocat a prononcé un discours habile* (syn. PLAIDOIRIE). *Un discours politique* (syn. HARANGUE). *Un petit discours* (syn. ALLOCUTION). — **2.** Paroles échangées, conversation, explications (nuance péjor.) : *Perdre son temps en discours* (syn. BAVARDAGE; fam. PARLOTE). ◆ **discourir** v. i. (Conj. **29.**) Parler longuement sur un sujet (généralement péjor.) : *Marchons sans tant discourir* (syn. BAVARDER). *Il discourait devant un cercle d'admirateurs* (syn. PÉRORER). ◆ **discoureur, euse** n. *Péjor.* Personne qui aime à faire de longs discours.

2. DISCOURS [diskur] n. m. (de *discours* 1). Gramm. **1.** *Parties du discours*, les neuf catégories grammaticales dans lesquelles on range les mots : noms, verbes, adjectifs, pronoms, articles, adverbes, prépositions, conjonctions, interjections. (→ CLASSE 4.) — **2.** *Discours direct*, mode d'expression consistant à rapporter textuellement les paroles de quelqu'un (à la première personne et entre guillemets), par oppos. au *discours indirect*, qui les rapporte en transposant éventuellement la personne des verbes, des pronoms, les modes et les temps des verbes, et en recourant à un système de subordination grammaticale (syn. STYLE DIRECT, STYLE INDIRECT). [Ex. : *Il m'a dit : « Je vous montrerai ma maison »* (discours direct). *Il m'a dit qu'il me montrerait sa maison* (discours indirect).]

Discours de la méthode pour bien conduire sa raison et chercher la vérité dans les sciences, ouvrage fondamental de Descartes. (→ DESCARTES.)

Discours sur l'origine et les fondements de l'inégalité parmi les hommes, ouvrage de J.-J. Rousseau (1755).

DISCOURTOIS, E adj., **DISCOURTOISIE** n. f. → COURTOIS.

DISCRÉDIT n. m., **DISCRÉDITER** v. t. → CRÉDIT 1.

DISCRET, ÈTE [diskrɛ, -ɛt] adj. (lat. *discretus*, capable de discerner). **1.** Se dit d'une personne qui parle ou agit avec retenue, qui veille à ne pas gêner les autres; se dit aussi de l'action de cette personne : *Un homme discret* (syn. POLI, RÉSERVÉ). — **2.** Se dit d'une personne qui sait garder un secret : *Un confident discret.* — **3.** Se dit de ce qui n'attire pas trop l'attention (souvent avant le nom en ce sens) : *Une toilette discrète.* ◆ **discrètement** adv. ◆ **discrétion** n. f. : *Une allusion qui manque de discrétion* (syn. RÉSERVE, RETENUE). *S'habiller avec discrétion* (syn. ↑DÉCENCE). *Je compte sur votre discrétion* (syn. SILENCE). ◆ **indiscret, ète** adj. **1.** Se dit de quelqu'un qui manque de retenue, qui cherche à savoir avec une curiosité choquante ce qu'on ne tient pas à dévoiler; se dit aussi du comportement de cette personne : *Vous êtes très indiscret dans vos questions.* — **2.** Se dit de quelqu'un ou de quelque chose qui révèle ce qui aurait dû rester secret : *Une parole indiscrète.* ◆ **indiscrètement** adv. ◆ **indiscrétion** n. f. : *C'est une indiscrétion de lire le courrier qui ne vous est pas adressé.*

1. DISCRÉTION n. f. → DISCRET.

2. DISCRÉTION [diskresjɔ̃] n. f. (lat. *discretio*, discernement). *À discrétion*, autant qu'on le désire : *Le pain est servi à discrétion* (syn. À VOLONTÉ). ‖ *À la discrétion de qq'un*, à sa volonté : *Laisser tout pouvoir de décision à la discrétion de quelqu'un.* ◆ **discrétionnaire** adj. Dr. *Pouvoir discrétionnaire*, faculté laissée à un juge de prendre certaines mesures en dehors de toute règle de droit établie à l'avance ; pouvoir de décision laissé à la discrétion de quelqu'un.

DISCRIMINER [diskrimine] v. t. (lat. *discriminare*). *Discriminer des choses*, faire une distinction, un choix entre elles : *Apprendre à discriminer les méthodes les plus efficaces* (syn. usuels DISTINGUER, RECONNAÎTRE). ◆ **discrimination** n. f. **1.** *Faire la discrimination entre le vrai et le faux* (syn. DISTINCTION). — **2.** *Discrimination raciale*, séparation organisée des races à l'intérieur d'une même communauté et visant à donner à l'une d'entre elles un statut inférieur (syn. APARTHEID, RACISME, SÉGRÉGATION). ◆ **discriminatoire** adj.

DISCULPER [diskylpe] v. t. (du lat. *culpa*, faute) [sujet nom de personne ou de chose]. *Disculper une personne*, montrer qu'elle n'est pas coupable. ◆ ***se disculper*** v. pr. : *Pour se disculper, il allègue l'ordre reçu* (syn. S'INNOCENTER). ◆ **disculpation** n. f.

DISCURSIF, IVE [diskyrsif, -iv] adj. (du lat. *discursus*, discours). **1.** Qui repose sur le raisonnement : *La pensée discursive s'oppose à la pensée intuitive.* — **2.** Qui procède par digression, sans continuité : *Un récit discursif.*

DISCUTER [diskyte] v. t. et i. (lat. *discutere*, fendre en frappant). **1.** *Discuter qqch., discuter de qqch.*, échanger des idées, des arguments opposés, sur un sujet défini : *Discuter d'un problème. Il a fallu discuter avec le portier pour se faire admettre* (syn. PARLEMENTER). *Discuter un prix* (syn. DÉBATTRE). — **2.** *Discuter qqch.*, ne pas l'accepter, le mettre en question : *Une opinion très discutée* (syn. CONTESTER). *Cessez de discuter et obéissez* (syn. ERGOTER; fam. PINAILLER). ◆ v. i. *Fam.* S'entretenir avec d'autres en échangeant des idées : *J'ai rencontré un ami et nous avons discuté un moment* (syn. BAVARDER). ◆ ***se discuter*** v. pr. : *Cela peut se discuter* (= il y a des arguments pour et contre). ◆ **discussion** n. f. **1.** Débat contradictoire, examen critique : *La discussion d'un projet de loi.* — **2.** Échange de propos vifs : *Ils ont eu ensemble une violente discussion* (syn. ALTERCATION, QUERELLE). — **3.** *Fam.* Conversation, bavardage : *Dans la discussion, il m'a demandé de tes nouvelles.* ◆ **discutable** adj. Se dit de ce qui prête à discussion, de ce qui n'est pas d'une valeur incontestable : *Un point de vue discutable* (syn. CONTESTABLE). *Un film d'un intérêt discutable* (syn. INCERTAIN). ◆ **indiscutable** adj. : *Une preuve indiscutable* (syn. CERTAIN, ÉVIDENT, INCONTESTABLE, IRRÉFUTABLE). ◆ **indiscutablement** adv. (syn. ASSURÉMENT, INCONTESTABLEMENT). ◆ **indiscuté, e** adj. Qui n'offre pas matière à discussion (syn. CERTAIN, INCONTESTÉ). ◆ **discutailler** v. t. et i. *Fam.* et *péjor.* Discuter longuement sur de petites choses. ◆ **discuteur, euse** n. *Péjor.* Personne qui a le goût de la discussion, qui n'accepte pas sans discuter (syn. ERGOTEUR; fam. PINAILLEUR).

DISERT, E [dizɛr, -ɛrt] adj. (lat. *disertus*, habile à parler). Se dit d'une personne qui parle avec facilité : *Un conteur disert.*

DISETTE [dizɛt] n. f. (orig. incert.). Manque de choses nécessaires, et partic. de vivres : *La sécheresse entraîne une disette de légumes* (syn. PÉNURIE).

DISEUR, EUSE n. ⟶ DIRE.

DISGRÂCE [disgrɑs] n. f. (it. *disgrazia*, malheur). État d'une personne qui a perdu la faveur, les bonnes grâces dont elle jouissait : *Tomber en disgrâce* (syn. ↓DÉFAVEUR). ◆ **disgracier** v. t. *Disgracier qq'un*, ne plus lui accorder ses bonnes grâces (surtout au passif). ◆ **disgracié, e** adj. Peu favorisé dans l'ordre des qualités physiques : *Un être disgracié* (syn. DIFFORME, LAID).

DISGRACIEUX, EUSE adj. ⟶ GRÂCE 4.

DISJOINDRE v. t. ⟶ JOINDRE.

DISJOINT, E [disʒwɛ̃, -ɛ̃t] adj. (de *disjoindre*). Math. *Ensembles disjoints*, ensembles dont l'intersection est vide, c'est-à-dire qui n'ont aucun élément commun : *L'ensemble des nombres pairs et l'ensemble des nombres impairs sont disjoints.*

DISJONCTEUR [disʒɔ̃ktœr] n. m. (de *disjoindre*). *Électr.* Interrupteur automatique de courant, fonctionnant lors d'une variation anormale de l'intensité ou de la tension.

DISJONCTION n. f. ⟶ JOINDRE.

DISLOQUER [dislɔke] v. t. (bas lat. *dislocare*, déboîter). **1.** *Disloquer qqch.*, en séparer les éléments qui le forment : *Disloquer un rassemblement* (syn. DISPERSER). — **2.** Démettre, déboîter les os d'un membre, une articulation. ◆ ***se disloquer*** v. pr. Perdre sa forme, sa cohésion : *La caisse s'est disloquée en tombant* (syn. fam. DÉGLINGUER). *Un cortège qui se disloque* (syn. SE DÉSAGRÉGER). ◆ **dislocation** n. f. : *La dislocation d'un empire* (syn. DÉMEMBREMENT). *La dislocation d'un cortège* (syn. DISPERSION).

DISNEY (Walter Elias, dit **Walt**), cinéaste américain (1901-1966). Il créa de nombreux dessins animés, inspirés souvent de contes populaires; citons, à partir de 1928, les séries de *Mickey Mouse*, *Blanche-Neige et les sept nains* (1937), *Pinocchio* (1939), *Fantasia* (1940), *Alice au pays des merveilles* (1951), *la Belle au bois dormant* (1958), *les 101 Dalmatiens* (1960), *Merlin l'enchanteur* (1964). On lui doit aussi des documentaires sur les animaux.

DISPARAÎTRE [disparɛtr] v. i. (*dis-*, préf. à valeur négative, et *paraître*). [Conj. **64**; auxil. *avoir*, ou plus rarement *être*.] **1.** (sujet nom de chose) Cesser d'être visible, de se manifester : *Le soleil disparaît derrière un nuage* (contr. APPARAÎTRE). — **2.** (sujet nom de chose) Être pris, volé : *Il s'aperçut que son portefeuille avait disparu.* — **3.** (sujet nom de personne) Partir d'une façon imprévue : *Il a disparu de chez lui* (syn. SE SAUVER). — **4.** (sujet nom de personne) Mourir. — **5.** (sujet nom de chose) Cesser d'être : *Le navire a disparu.* ◆ **disparu, e** adj. et n. Se dit d'une personne morte, ou considérée comme telle faute d'indice de son existence. ◆ **disparition** n. f. Action de disparaître : *La disparition de la couleur* (syn. EFFACEMENT). *La disparition du brouillard* (syn. DISSIPATION). *La disparition des prisonniers* (syn. FUITE). *La disparition d'un ami* (syn. MORT).

DISPARATE [disparat] adj. (lat. *disparatus*, inégal). Se dit de ce qui manque d'harmonie, d'unité : *Mobilier disparate* (syn. HÉTÉROCLITE). ◆ n. f. Manque de conformité, d'unité, d'harmonie : *On relève de nombreuses disparates dans cette œuvre.*

DISPARITÉ n. f. ⟶ PARITÉ.

DISPARITION n. f., **DISPARU, E** adj. et n. ⟶ DISPARAÎTRE.

DISPATCHING [dispatʃiɲ] n. m. (mot angl. signif. *répartition*). Organisme central qui a pour tâche d'assurer, à partir d'un bureau unique, la régulation du trafic sur une section de ligne de chemin de fer, la répartition de l'énergie électrique dans les secteurs d'utilisation, la diffusion aux avions en vol de toutes instructions sur les routes favorables à la poursuite de leur vol, etc. (L'Administration préconise le mot DISTRIBUTION n. f.)

DISPENDIEUX, EUSE [dispɑ̃djø, -øz] adj. (du lat. *dispendium*, dépense). Se dit de ce qui occasionne des dépenses importantes (syn. COÛTEUX). ◆ **dispendieusement** adv. : *Vivre dispendieusement* (contr. CHICHEMENT, ÉCONOMIQUEMENT).

DISPENSAIRE [dispɑ̃sɛr] n. m. (de l'angl. *to dispense*, distribuer). Établissement de soins médicaux, de dépistage et de petite chirurgie dont les services sont gratuits ou peu coûteux.

1. DISPENSER [dispɑ̃se] v. t. (lat. *dispensare*, distribuer). **1.** *Dispenser qq'un de qqch.*, le décharger de l'obligation de s'y soumettre, de l'accomplir : *Un soldat dispensé d'exercice.* — **2.** *Je vous dispense de vos réflexions, de faire des commentaires*, je vous prie de vous taire. ◆ ***se dispenser*** v. pr. [***de***]. Ne pas se soumettre à une obligation; éviter, se passer de. ◆ **dispense** n. f. Autorisation exceptionnelle, accordée à quelqu'un qu'on exempte de la loi générale : *Une dispense d'âge pour un examen.* ◆ **indispensable** adj. Se dit de ce dont on ne peut pas se dispenser, se passer : *Réclamer des crédits indispensables* (syn. NÉCESSAIRE). ◆ n. m. Ce qui est de première nécessité : *Nous n'avons emporté que l'indispensable.*

2. DISPENSER [dispɑ̃se] v. t. (même étym.). *Dispenser à qq'un ses soins, son dévouement, des paroles d'encouragement*, etc., les lui distribuer, les lui accorder largement. ◆ **dispensateur, trice** adj. et n.

DISPERSER [dispɛrse] v. t. (du lat. *dispergere*, répandre). **1.** *Disperser des choses, des personnes*, les mettre de divers côtés, les envoyer çà et là : *Disperser des papiers* (syn. ÉPARPILLER). *Disperser une collection* (syn. DISTRIBUER, RÉPARTIR). *Disperser un attroupement* (syn. DISLOQUER). — **2.** *Disperser ses efforts, son attention*, les appliquer confusément à divers objets (contr. CONCENTRER). ◆ ***se disperser*** v. pr. : *La foule se disperse* (contr. SE RASSEMBLER). *Vous vous dispersez trop!* (contr. SE CONCENTRER). ◆ **dispersion** n. f. **1.** *La dispersion des habitants dans une région* (contr. CONCENTRATION). — **2.** *La dispersion du tir d'une arme automatique*, phénomène qui fait qu'en tirant plusieurs fois des projectiles identiques, avec la même arme, on obtient des trajectoires qui ne se confondent pas. — **3.** Phys. *Dispersion de la lumière*, décomposition d'un faisceau de lumière blanche en radiations de diverses couleurs.

DISPONIBLE [dispɔnibl] adj. (du lat. *disponere*, disposer). **1.** Se dit d'une chose dont on peut disposer, qu'on peut utiliser : *Des places disponibles* (syn. LIBRE, VACANT). — **2.** Se dit d'une personne qui, libérée de toute autre occupation, peut s'adonner à une tâche : *Si vous êtes disponible demain, nous irons visiter ce site* (syn. LIBRE). ◆ **disponibilité** n. f. **1.** État d'une chose ou d'une personne disponible. — **2.** Position spéciale d'un fonctionnaire ou d'un militaire qui est momentanément déchargé de ses fonctions. ◆ n. f. pl. Capitaux disponibles : *Le devis excède mes disponibilités.* ◆ **indisponible** adj. ◆ **indisponibilité** n. f. **1.** État de ce qui n'est pas disponible. — **2.** État d'un fonctionnaire ou d'un militaire qui quitte provisoirement ses fonctions.

DISPOS, E [dispo, -oz] adj. (it. *disposto*). Se dit d'une personne en bonne santé et qui éprouve un certain bien-être physique (surtout au masc.) : *Se réveiller tout dispos* (syn. GAILLARD). *Se sentir frais et dispos* (contr. FATIGUÉ, LAS).

DISPOSER [dispoze] v. t. (du lat. *disponere*). **1.** *Disposer qqch., qq'un*, le mettre d'une certaine façon, dans un certain ordre : *Disposer des meubles dans un appartement* (syn. ARRANGER, INSTALLER, PLACER). *Chef qui dispose ses troupes sur le terrain* (syn. RÉPARTIR). — **2.** *Disposer qq'un à* (et un nom ou un infin.), le préparer, l'engager à : *Essayez donc de le disposer à signer ce contrat.* ◆ v. t. ind. *Disposer de qq'un, de qqch.*, user des services de cette personne ou prendre des décisions à son sujet, avoir l'usage de cette chose : *Disposez de moi comme vous voudrez. Il dispose d'une grosse somme.* ◆ v. i. *Vous pouvez disposer*, vous êtes libre de partir, on n'a pas besoin pour l'instant de vos services. ◆ ***se disposer*** v. pr. *Se disposer à* (et l'infin.), se préparer à (faire), avoir l'intention de (faire). ◆ **disposé, e** adj. *Être bien, mal disposé à l'égard de qq'un*, avoir de bons, de mauvais sentiments à son égard. ◆ **dispositif** n. m. **1.** Ensemble de pièces constituant un mécanisme, un appareil : *Un dispositif d'alarme.* — **2.** Ensemble de mesures constituant une organisation, un plan : *Dispositif de combat.* ◆ **disposition** n. f. **1.** Action ou manière de disposer : *Changer la disposition des livres dans une bibliothèque* (syn. ARRANGEMENT, ORDRE). — **2.** Possibilité de disposer de quelque chose ou de quelqu'un : *Mettre une somme à la disposition de qq'un* (syn. USAGE). *Je me tiens à votre entière disposition* (= vous pouvez user de mes services). — **3.** Point fixé par une loi, un règlement, un accord : *Une disposition particulière d'un contrat* (syn. CLAUSE, STIPULATION). — **4.** Manière d'être physique ou morale; façon d'envisager quelque chose; sentiments envers quelqu'un : *Il a l'air furieux; tu devrais attendre qu'il soit dans de meilleures dispositions.* — **5.** (au plur.) Aptitudes d'une personne : *Avoir des dispositions pour la peinture* (syn. FACILITÉ). — **6.** *Prendre des dispositions,* se préparer, s'organiser, prévoir ce qui est nécessaire (syn. PRENDRE DES MESURES).

DISPROPORTION n. f., **DISPROPORTIONNÉ, E** adj. → PROPORTION.

1. DISPUTER [dispyte] v. t. (lat. *disputare,* discuter). **1.** *Disputer qqch. à qq'un,* ne pas vouloir le lui accorder, le réclamer pour soi : *Je ne vous dispute pas le mérite de votre découverte* (syn. CONTESTER). — **2.** *Disputer un match,* lutter pour être vainqueur.

2. DISPUTER [dispyte] v. t. (même étym.). Fam. *Disputer qq'un,* le gronder, le réprimander. ◆ ***se disputer*** v. pr. (sujet nom d'être animé). Avoir une altercation (syn. ↓SE CHAMAILLER, SE QUERELLER). ◆ **dispute** n. f. Discussion vive, violente opposition : *Leur dispute est née d'un malentendu* (syn. ALTERCATION, QUERELLE).

DISQUAIRE n. → DISQUE 2.

DISQUALIFIER [diskalifje] v. t. (de l'angl. *to disqualify*). *Disqualifier un concurrent,* l'exclure d'une compétition pour infraction au règlement. ◆ **disqualification** n. f. (→ QUALIFIER.)

1. DISQUE [disk] n. m. (lat. *discus*). **1.** Sorte de palet cerclé de fer que lancent les athlètes (il pèse 2 kg pour les hommes, 1 kg pour les femmes; son diamètre est au moins égal à 18 cm). — **2.** Objet plat, de forme circulaire : *Le disque d'une horloge.* — **3.** Surface visible d'un astre : *Le disque de la lune.* — **4.** *Ch. de f.* Plaque circulaire mobile, indiquant, par sa position ou par sa couleur, si une voie ferroviaire est libre. — **5.** Plaque circulaire qu'un automobiliste place contre son pare-brise pour signaler l'heure à laquelle il a mis sa voiture en stationnement et l'heure limite à laquelle ce stationnement devra cesser. — **6.** *Math.* Surface plane limitée par un cercle. (Le disque est fermé si le cercle lui-même appartient au disque; il est ouvert si le cercle n'appartient pas au disque.) — **7.** *Disque d'embrayage,* pièce maîtresse d'un embrayage*, réalisée en tôles minces, serrées entre les plateaux. ‖ *Frein à disque* → FREIN, *encycl.* — **8.** Anat. *Disque intervertébral,* cartilage élastique, en forme de lentille biconvexe, qui sépare deux vertèbres.

2. DISQUE [disk] n. m. (même étym.). Plaque circulaire, pour l'enregistrement et la reproduction de sons, d'images (disque vidéo), de données informatiques (disque magnétique). ◆ **discographie** n. f. Ensemble des disques parus sur un sujet précis, se rapportant à un certain domaine. ◆ **disquaire** n. Marchand de disques. ◆ **discothèque** n. f. **1.** Collection de disques; meuble destiné à la contenir. — **2.** Établissement où l'on peut écouter des disques et danser. ◆ **disquette** n. f. En informatique, support magnétique d'informations ayant l'aspect d'un disque de petit format. ◆ **tourne-disque** n. m. Appareil permettant la lecture de sons enregistrés sur un disque. ‖ Pl. des *tourne disques.*

DISRAELI (Benjamin), lord BEACONSFIELD, homme politique anglais (1804-1881). Député au Parlement en 1837, un des chefs du parti conservateur à partir de 1846, il avait pour idéal politique une monarchie traditionaliste protégeant les classes populaires par des lois sociales. Son grand rival politique fut le libéral Gladstone. En 1867, Disraeli fit adopter une loi élargissant le corps électoral. Il fut Premier ministre en 1868, puis de 1874 à 1880. À l'intérieur, il fit voter des lois sociales. À l'extérieur, il pratiqua une politique de prestige : en 1876, il fit proclamer la reine Victoria « impératrice des Indes »; il infligea un sévère échec à l'expansion russe dont il contrecarra les projets au congrès de Berlin (1878).

DISSECTION n. f. → DISSÉQUER.

DISSEMBLABLE adj., **DISSEMBLANCE** n. f. → SEMBLABLE.

DISSÉMINER [disemine] v. t. (lat. *disseminare*). *Disséminer des choses, des personnes,* les répandre çà et là sur un espace étendu : *Une association dont les membres sont disséminés* (syn. DISPERSER). *Des graines disséminées par le vent* (syn. ÉPARPILLER, RÉPANDRE). ◆ **dissémination** n. f. **1.** Dispersion sur un grand espace (syn. ÉPARPILLEMENT). — **2.** Dispersion naturelle des semences (graines, spores, pollen) à l'époque de la maturité.

DISSENSION [disɑ̃sjɔ̃] n. f. (lat. *dissensio*). Vive opposition d'idées, de sentiments, qui se traduit par des actes hostiles : *Un parti politique agité par de profondes dissensions* (syn. DISCORDE, DIVISION, QUERELLE).

DISSENTIMENT [disɑ̃timɑ̃] n. m. (du lat. *dissentire,* être en désaccord). Opposition d'avis, de sentiments (syn. CONFLIT, DÉSACCORD).

DISSÉQUER [diseke] v. t. (lat. *dissecare,* couper en deux). **1.** *Disséquer un cadavre, une souris,* etc., les découper en vue de les étudier. — **2.** *Disséquer une œuvre, un discours,* etc., en faire une analyse minutieuse. ◆ **dissection** n. f. : *La dissection d'un cadavre.*

DISSERTER [disɛrte] v. i. (lat. *dissertare*) [sujet nom de personne]. Faire un exposé oral ou écrit, parler longuement sur un sujet : *Disserter sur une pensée de Pascal* (syn. TRAITER DE). *Disserter de la situation politique* (syn. DISCOURIR). ◆ **dissertation** n. f. Exercice scolaire consistant à développer méthodiquement ses idées sur une question, en discutant éventuellement certaines thèses.

DISSIDENCE [disidɑ̃s] n. f. (lat. *dissidentia,* désaccord). **1.** Action ou état d'une personne ou d'un groupe qui cesse de se soumettre à une autorité établie, qui se sépare d'une communauté : *Une partie de l'armée est entrée en dissidence* (syn. RÉBELLION). *La dissidence d'un territoire d'outre-mer* (syn. ↑RÉVOLTE, SÉCESSION). *Des dissidences étaient apparues dans le mouvement syndical* (syn. SCISSION). — **2.** Groupe de dissidents. ◆ **dissident, e** adj. et n. (syn. REBELLE).

DISSIMILATION [disimilasjɔ̃] n. f. (de *dis-,* préf. à valeur négative, et [*as*]*similation*). *Linguist.* Modification, par différenciation, d'un phonème par un phonème voisin : *Le latin « peregrinum » est devenu « pèlerin » par dissimilation des deux « r »* (par oppos. à ASSIMILATION).

DISSIMILITUDE n. f. → SIMILITUDE.

DISSIMULER [disimyle] v. t. (lat. *dissimulare*). *Dissimuler un objet, un être animé, un sentiment,* le cacher adroitement, éviter de le laisser paraître : *Dissimuler ses difficultés* (syn. CACHER). *Dissimuler son envie de rire* (syn. REFOULER, RETENIR). *Il est très habile à dissimuler* (syn. FEINDRE). ◆ ***se dissimuler*** v. pr. **1.** (sujet nom de personne) *Se dissimuler une chose,* ne pas vouloir voir cette chose telle qu'elle est, se faire des illusions à son sujet. — **2.** Se cacher : *Se dissimuler derrière une tenture. Son égoïsme se dissimule derrière des affirmations généreuses.* ◆ **dissimulateur, trice** adj. et n. *Péjor.* Se dit de quelqu'un qui a l'habitude de dissimuler ses sentiments ou ses pensées. ◆ **dissimulation** n. f. : *Un visage où se lit la dissimulation* (syn. FOURBERIE, ↑HYPOCRISIE). ◆ **dissimulé, e** adj. *Péjor.* Se dit d'une personne (ou de son comportement) qui dissimule ses sentiments (syn. FAUX, ↑HYPOCRITE, SOURNOIS; contr. FRANC).

DISSIPATEUR, TRICE adj. et n. → DISSIPER 1.

DISSIPATION n. f. → DISSIPER 1 et 2.

1. DISSIPER [disipe] v. t. (lat. *dissipare*). **1.** *Dissiper le brouillard, la fumée, dissiper les craintes, une illusion,* etc., les faire disparaître en dispersant, en éclaircissant, etc. : *Le soleil dissipe les nuages* (syn. CHASSER, DISPERSER). — **2.** *Dissiper sa fortune, son patrimoine,* etc., les dépenser inconsidérément, les perdre (syn. fam. GASPILLER). ◆ ***se dissiper*** v. pr. : *Notre inquiétude se dissipa* (syn. DISPARAÎTRE, S'ÉVANOUIR). ◆ **dissipateur, trice** adj. et n. Se dit d'une personne qui dissipe son bien (syn. GASPILLEUR). ◆ **dissipation** n. f.

2. DISSIPER [disipe] v. t. (même étym.). *Dissiper qq'un,* le porter à l'indiscipline, à l'inattention : *Un élève qui dissipe ses voisins.* ◆ ***se dissiper*** v. pr. ou ***être dissipé*** v. passif (sujet nom désignant un enfant, généralement un élève). Être agité, turbulent, inattentif. ◆ **dissipation** n. f. (syn. INDISCIPLINE).

DISSOCIER [disɔsje] v. t. (lat. *dissociare,* désunir). *Dissocier un groupe de personnes ou de choses,* le séparer en éléments distincts : *Dissocier deux questions* (syn. DISJOINDRE, DISTINGUER). *Dissocier une équipe* (syn. DÉSORGANISER). ◆ **dissociation** n. f. Séparation d'éléments qui étaient unis : *Dissociation de deux problèmes.* ◆ **dissociable** adj. ◆ **indissociable** adj. Qui ne peut être dissocié.

DISSOLU, E [disɔly] adj. (lat. *dissolutus*). Se dit d'une personne dont la conduite est très relâchée, ou de cette conduite elle-même : *Des mœurs dissolues* (syn. CORROMPU).

DISSOLUTION n. f., **DISSOLVANT, E** adj. et n. m. → DISSOUDRE.

DISSONANCE [disɔnɑ̃s] n. f. (bas lat. *dissonantia*). Rencontre peu harmonieuse de plusieurs sons (contr. CONSONANCE). ◆ **dissonant, e** adj. Qui manque d'harmonie : *Notes dissonantes.*

DISSOUDRE [disudr] v. t. (du lat. *dissolvere*). [Conj. **60.**] **1.** Phys. *Dissoudre une chose* (terme concret), amener un corps solide ou gazeux à former un mélange homogène, ou *solution*, avec un liquide : *Dissoudre du sel dans de l'eau.* — **2.** *Dissoudre un mariage, une société, un parti politique*, etc., déclarer qu'ils ont légalement cessé d'exister. ◆ ***se dissoudre*** v. pr. : *Le sel se dissout dans l'eau* (syn. fam. FONDRE). ◆ **dissolution** n. f. **1.** *Phys.* Absorption d'un gaz ou d'un solide par un liquide qui en donne une solution : *La dissolution du sel dans l'eau.* — **2.** Procédure au moyen de laquelle le gouvernement met fin, avant son terme légal, aux pouvoirs d'une assemblée délibérante, ce qui provoque de nouvelles élections. — **3.** Solution visqueuse de caoutchouc servant à coller des pièces sur le caoutchouc. ◆ **dissolvant, e** adj. **1.** Qui a la propriété physique de dissoudre : *Une substance dissolvante.* — **2.** Se dit de ce qui affaiblit physiquement ou corrompt moralement : *Climat dissolvant* (syn. AMOLLISSANT). *Lectures dissolvantes* (syn. MALSAIN, NOCIF). ◆ **dissolvant** n. m. Liquide utilisé pour dissoudre le vernis à ongles. ◆ **indissoluble** adj. *Amitié indissoluble*, que rien ne peut faire cesser (syn. INDÉFECTIBLE, INDESTRUCTIBLE). ◆ **indissolublement** adv. ◆ **indissolubilité** n. f. : *L'indissolubilité du mariage religieux.*

DISSUADER [disɥade] v. t. (lat. *dissuadere*). *Dissuader qq'un de qqch.*, l'amener à y renoncer : *Dissuadez-le d'entreprendre ce travail (syn.* DÉTOURNER; contr. PERSUADER). ◆ **dissuasion** n. f. **1.** *Un argument qui a une grande puissance de dissuasion* (contr. PERSUASION). — **2.** *Force de dissuasion* ⟶ FORT 1.

DISSYLLABE n. m., **DISSYLLABIQUE** adj. ⟶ SYLLABE.

DISSYMÉTRIE n. f., **DISSYMÉTRIQUE** adj. ⟶ SYMÉTRIE.

DISTANCE [distɑ̃s] n. f. (lat. *distantia*, éloignement). **1.** Intervalle qui sépare deux points dans l'espace, ou (plus rarement) deux moments dans le temps : *La distance de Paris à Lyon est de 470 km* (syn. ÉCART). *Un avion qui peut couvrir de longues distances sans escale* (syn. PARCOURS, TRAJET). *À distance, tout paraît plus facile* (= de loin, dans l'espace ou dans le temps). — **2.** Différence de niveau social, de degré de civilisation, d'importance : *Il y a une grande distance entre ces tribus et nous* (syn. ÉCART). *Savoir garder ses distances* (= ne pas devenir trop familier). — **3.** *Math.* Application qui, à deux points A et B d'une droite euclidienne ou d'un plan euclidien, associe un nombre positif, appelé *distance* de A à B, et noté $d(A, B)$ ou AB. ⟶ ENCYCL. ◆ **distancer** v. t. *Distancer qq'un, un véhicule*, etc., le laisser derrière soi : *Un coureur qui distance les autres concurrents* (syn. DÉPASSER). *Se laisser distancer* (syn. DEVANCER). ◆ **distant, e** adj. **1.** Se dit d'un lieu qui est à une certaine distance d'un autre ou d'un événement éloigné d'un autre : *Deux villes distantes de 100 km* (syn. ÉLOIGNÉ). *Des faits distants* (syn. ANCIEN, RECULÉ). — **2.** Se dit d'une personne (ou de son comportement) qui garde beaucoup de froideur dans ses manières, qui ne se lie pas facilement : *Un air distant* (syn. FIER, HAUTAIN).

— ENCYCL. La *distance* a les propriétés suivantes, quels que soient les points A, B, C :

$d(A, B) = 0 \iff A = B$

$d(A, B) = d(B, A)$

$d(A, C) \leq d(A, B) + d(B, C)$ [inégalité triangulaire].

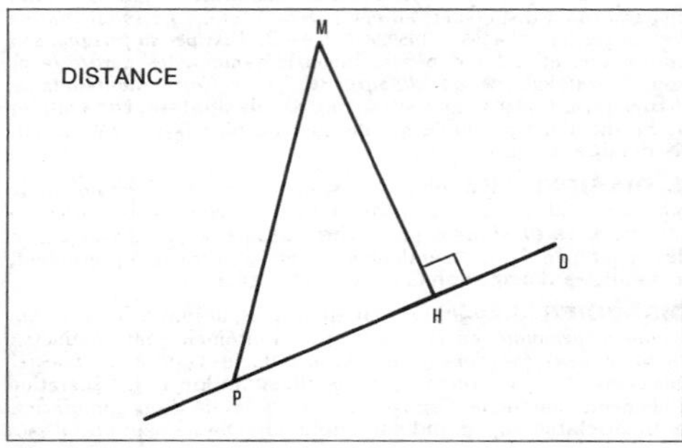

La *distance d'un point M à une droite D* est la distance de M à sa projection orthogonale H sur D, $d(M, D) = MH$. (La distance de M à la droite D est la plus petite distance de M à un point quelconque de D, car : $MP^2 = MH^2 + HP^2$ [théorème de Pythagore]; donc $MH \leq MP$ pour tout point P de D.)

DISTENDRE v. t., **DISTENSION** n. f. → TENDRE 1 v. t.

DISTILLER [distile] v. t. (lat. *distillare*, tomber goutte à goutte). **1.** *Distiller un corps*, extraire les produits les plus volatils d'un corps composé (alcool, essence, gaz, etc.) en les vaporisant, puis en condensant par refroidissement les vapeurs et en les recueillant goutte à goutte : *Distiller du vin, des betteraves, du pétrole.* — **2.** *Distiller un suc, un liquide*, etc., le sécréter goutte à goutte, le produire laborieusement : *L'abeille distille son miel* (littér.). — **3.** *Distiller l'ennui, la tristesse*, causer un ennui, une tristesse insurmontable. ◆ **distillateur** n. m. Personne qui distille; fabricant d'eau-de-vie. ◆ **distillation** n. f. : *La distillation du vin donne l'alcool.* ◆ **distillerie** n. f. Établissement où l'on distille.

DISTINCT, E adj., **DISTINCTEMENT** adv., **DISTINCTIF, IVE** adj., **DISTINCTION** n. f., **DISTINGUÉ, E** adj. ⟶ DISTINGUER.

DISTINGUER [distɛ̃ge] v. t. (lat. *distinguere*, séparer). **1.** (sujet nom d'être animé) *Distinguer qq'un, qqch.*, le percevoir nettement, par les sens ou par l'esprit : *Distinguer une maison à l'horizon* (syn. APERCEVOIR, RECONNAÎTRE). — **2.** (sujet nom de personne) *Distinguer des êtres animés, des choses*, percevoir la différence qui les sépare : *Distinguer le blé de l'orge* (ou *d'avec l'orge*) [syn. DIFFÉRENCIER]. — **3.** (sujet nom de personne) *Distinguer qq'un*, remarquer spécialement ses mérites, l'honorer d'une marque de faveur particulière. — **4.** (sujet nom de chose) Rendre reconnaissable, marquer d'un caractère particulier : *Un détail qui distingue un faux billet.* ◆ v. i. : *Il faut distinguer entre ces arguments* (= faire un choix). ◆ ***se distinguer*** v. pr. **1.** (sujet nom de personne ou de chose) Apparaître différent, distinct : *Il se distingue des autres* (syn. DIFFÉRER). — **2.** (sujet nom de personne) Se faire remarquer, se rendre célèbre : *Une cuisinière qui s'est distinguée* (syn. SE SURPASSER). ◆ **distinct, e** [distɛ̃, -tɛ̃kt] adj. **1.** Qui se laisse percevoir nettement : *Des traces distinctes* (syn. NET). — **2.** Qui ne se confond pas avec autre chose : *C'est une autre question, distincte de la précédente* (syn. DIFFÉRENT, SÉPARÉ). ◆ **distinctement** adv. : *Articuler les mots distinctement* (syn. CLAIREMENT). *Apercevoir distinctement* (syn. NETTEMENT). ◆ **indistinct, e** adj. Se dit de ce qui manque de netteté : *Souvenir indistinct* (syn. CONFUS, OBSCUR, VAGUE). *Couleur indistincte* (syn. INDÉCIS). ◆ **indistinctement** adv. **1.** Sans netteté (syn. CONFUSÉMENT, VAGUEMENT). — **2.** Sans aucun choix, en bloc, aussi bien d'une façon que d'une autre (syn. INDIFFÉREMMENT). ◆ **distinctif, ive** adj. Se dit de ce qui permet de distinguer : *Signe distinctif* (syn. CARACTÉRISTIQUE, SPÉCIFIQUE). ◆ **distinction** n. f. **1.** Action de distinguer, de séparer : *La distinction des pouvoirs* (syn. SÉPARATION). *Sans distinction* (= indistinctement). — **2.** Marque d'honneur accordée à une personne : *Recevoir une distinction.* — **3.** Manières élégantes dans l'attitude ou le langage : *Une femme d'une grande distinction* (syn. ↓ÉLÉGANCE). ◆ **distingué, e** adj. **1.** Se dit d'une personne qui a de la distinction (au sens 3) ou de ce qui concerne cette personne : *Un jeune homme très distingué* (syn. BIEN ÉLEVÉ, ÉLÉGANT). — **2.** Se dit d'une personne que ses mérites signalent à l'attention : *Un écrivain très distingué* (syn. CÉLÈBRE, CONNU). ◆ **distinguo** [distɛ̃go] n. m. *Fam.* Distinction, nuance subtile : *On a parfois peine à saisir ses distinguos.*

DISTINGUO n. m. ⟶ DISTINGUER.

DISTIQUE [distik] n. m. (du gr. *dis*, deux fois, et *stikhos*, vers). Groupe de deux vers formant un sens complet.

DISTORSION [distɔrsjɔ̃] n. f. (lat. *distorsio*). **1.** Torsion convulsive de certaines parties du corps : *Distorsion de la bouche.* — **2.** Défaut d'un objectif photographique qui fournit une image non semblable à l'objet. — **3.** Défaut d'un appareil récepteur de radio qui donne un son non conforme au son émis. — **4.** Écart produisant un manque d'harmonie : *La distorsion entre la campagne et la ville* (syn. DÉCALAGE, DÉSÉQUILIBRE).

1. DISTRAIRE [distrɛr] v. t. (lat. *distrahere*, séparer). [Conj. **79.**] **1.** *Distraire qq'un*, détourner son esprit de ce qui l'occupe, le rendre inattentif : *Il rédige son article, n'allez pas le distraire.* — **2.** *Distraire qq'un*, lui procurer une occupation agréable, évitant l'ennui : *Distraire les touristes* (syn. DIVERTIR). ◆ ***se distraire*** v. pr. (sujet nom de personne). Occuper agréablement ses loisirs : *Se distraire en lisant.* ◆ **distraction** n. f. **1.** Action de distraire ou de se distraire : *Un spectacle qui donne de la distraction* (syn. AMUSEMENT). — **2.** Ce qui distrait : *La lecture est sa principale distraction* (syn. DIVERTISSEMENT, PASSE-TEMPS). — **3.** Défaut d'attention : *Se tromper par distraction* (syn. ÉTOURDERIE, INATTENTION). ◆ **distrait, e** adj. Se dit d'une personne insuffisamment attentive à ce qu'elle fait : *Il est distrait* (syn. ÉTOURDI). *Jeter un regard distrait* (syn. SUPERFICIEL). ◆ **distraitement** adv. : *Répondre distraitement.* ◆ **distrayant, e** adj. Propre à distraire (au sens 2) : *Un livre distrayant* (syn. DIVERTISSANT, RÉCRÉATIF).

2. DISTRAIRE [distrɛr] v. t. (même étym.). [Conj. **79.**] *Distraire une somme, quelques minutes de son temps*, etc., les retrancher d'un tout pour un emploi particulier.

DISTRIBUER [distribɥe] v. t. (lat. *distribuere*). **1.** *Distribuer des choses* ou *des parties d'une chose*, les donner à plusieurs personnes : *Distribuer des copies aux candidats.* — **2.** *Distribuer des choses,* les répartir selon un certain ordre : *Un professeur qui distribue son enseignement* (syn. DISPENSER). — **3.** Fournir en divers lieux : *Un réseau électrique qui distribue le courant.* ◆ **distribué, e** adj. *Appartement bien distribué,* dont les diverses pièces sont heureusement réparties. ◆ **distributeur, trice** n. **1.** Personne qui distribue : *Des distributeurs de tracts.* — **2.** Personne dont le métier consiste à lancer publicitairement un film et à en placer, dans un circuit de salles de spectacle, le plus grand nombre possible de copies. ◆ n. m. Appareil qui distribue diverses choses, quand on y introduit des pièces de monnaie. ◆ **distributif, ive** adj. **1.** *Gramm.* Se dit de formes (noms de nombres, d'adj., de pron. indéf.) qui indiquent une idée de répartition : *Le pronom « chacun » a une valeur distributive.* — **2.** *Math.* → ENCYCL. ◆ **distributivité** n. f. Sens 1 et 2 de l'adj. ◆ **distribution** n. f. **1.** *La distribution des prix* (syn. REMISE). — **2.** Répartition des rôles entre acteurs. — **3.** Organisme de diffusion des films dans les salles de spectacle. — **4.** En matière commerciale, ensemble des opérations à réaliser pour amener les produits de consommation du producteur au consommateur. — **5.** *Mécan.* Ensemble des organes mécaniques qui règlent l'admission et l'échappement du fluide moteur. → ENCYCL. — **6.** Syn. de DISPATCHING. ◆ **redistribuer** v. t. Distribuer de nouveau : *Redistribuer les cartes.* ◆ **redistribution** n. f. Nouvelle répartition : *La redistribution des revenus.*

— ENCYCL. ***distributivité.*** Soit E un ensemble muni de deux lois de composition interne, notées $*$ et $\square$; on dit que la loi $*$ est *distributive* par rapport à la loi $\square$ (ou est *distributive* sur la loi $\square$, ou *distribue* la loi $\square$) si, pour tout triplet d'éléments (a, b, c) de E on a :

$$a * (b \square c) = (a * b) \square (a * c) \text{ et}$$
$$(b \square c) * a = (b * a) \square (c * a).$$

La multiplication est distributive par rapport à l'addition dans l'ensemble $\mathbb{R}$ des nombres réels car

$$a \times (b + c) = (a \times b) + (a \times c).$$

L'intersection et la réunion sont distributives l'une sur l'autre dans l'ensemble $\mathcal{P}(E)$ des parties* d'un ensemble E, car, si A, B, C sont des parties de l'ensemble E :

$$A \cap (B \cup C) = (A \cap B) \cup (A \cap C)$$
$$A \cup (B \cap C) = (A \cup B) \cap (A \cup C).$$

distribution en mécanique. Dans une machine à vapeur, la *distribution* règle les phases successives de l'action de la vapeur dans le cylindre de la machine. Les obturateurs du passage de la vapeur peuvent être à glissement (tiroirs) ou à soulèvement (soupapes). Dans les moteurs à explosion, c'est généralement la *distribution par soupapes* qui est adoptée. Dans les moteurs à deux temps, c'est le piston lui-même qui assure la distribution.

DISTRICT [distrikt] n. m. (bas lat. *districtus,* territoire). **1.** Étendue d'une juridiction : *Un juge ne peut juger hors de son district.* — **2.** Subdivision du département établie en 1790, qui correspondait à peu près aux arrondissements actuels et qui disparut en 1795. — **3.** Subdivision territoriale, d'étendue variable selon les États où elle est adoptée (Allemagne, Autriche, Suède, etc.). — **4.** *District urbain,* groupement administratif de communes ayant des intérêts économiques communs et qui forment une même agglomération.

DIT, E adj. et n. m. → DIRE.

DITHYRAMBE [ditirɑ̃b] n. m. (gr. *dithurambos*). **1.** Dans la Grèce antique, chant religieux en l'honneur de Dionysos. — **2.** Louanges enthousiastes et souvent excessives : *L'éloge qu'il en fit fut un vrai dithyrambe.* ◆ **dithyrambique** adj. : *Éloges dithyrambiques* (syn. OUTRÉ).

DIURÉTIQUE [djyretik] adj. et n. m. (du gr. *diourein,* rendre par les urines). Se dit d'un médicament, d'une substance qui a la propriété d'accroître, de faciliter la sécrétion urinaire : *Le thé est diurétique.*

DIURNE [djyrn] adj. (lat. *diurnus;* de *dies,* jour). **1.** Se dit de ce qui se fait le jour : *Travaux diurnes* (contr. NOCTURNE). — **2.** Se dit des animaux et des plantes qui ne se montrent ou ne s'épanouissent qu'au grand jour : *Rapaces diurnes.*

DIVA [diva] n. f. (mot it. signif. *déesse*). Nom donné à une cantatrice de grand talent, célèbre.

DIVAGUER [divage] v. i. (bas lat. *divagari,* errer). Prononcer des paroles déraisonnables, ne plus contrôler ce qu'on dit : *Le malade s'est mis à divaguer* (syn. DÉLIRER, ↓DÉRAISONNER). ◆ **divagation** n. f. Suite de paroles incohérentes; esprit qui erre au gré de sa rêverie (surtout au plur.) : *Se perdre en des divagations sans fin* (syn. CHIMÈRE).

DIVAN [divɑ̃] n. m. (mot persan). Canapé sans bras ni dossier.

DIVERGER [divɛrʒe] v. i. (lat. *divergere,* incliner) [sujet nom désignant des voies, des rayons, des lignes, des idées, etc.]. Se séparer en diverses directions : *Deux philosophes dont la pensée diverge* (syn. S'OPPOSER; contr. CONVERGER). ◆ **divergent, e** adj. **1.** Se dit de ce qui diverge : *Suivre des voies divergentes. Opinions divergentes* (contr. CONVERGENT). — **2.** Se dit d'une lentille qui fait diverger des rayons lumineux primitivement parallèles. ◆ **divergence** n. f. **1.** Situation de deux lignes, de deux rayons qui vont en s'écartant. — **2.** *Divergence de goûts* (syn. OPPOSITION).

DIVERS, E [divɛr, -vɛrs] adj. (lat. *diversus*). **1.** Qui présente des caractères différents (surtout au plur.) : *Des fleurs de couleurs très diverses* (syn. DIFFÉRENT, VARIÉ). *Des questions d'un intérêt divers* (syn. INÉGAL). — **2.** (au plur., devant le nom, sans art., comme adj. indéf.) *En divers endroits* (syn. PLUSIEURS). ◆ **diversement** adv. : *Une phrase diversement interprétée* (= de différentes façons). *Un écrivain diversement estimé* (= de façon inégale, variable selon les personnes). ◆ **diversité** n. f. : *La diversité des goûts* (syn. PLURALITÉ). ◆ **diversifier** v. t. Rendre divers, mettre de la variété dans : *Un peintre qui aime diversifier ses sujets* (syn. VARIER). ◆ **diversification** n. f.

DIVERSION [divɛrsjɔ̃] n. f. (du lat. *divertere,* détourner). Action qui détourne l'attention : *Faire une attaque de diversion. Cette promenade sera une diversion* (syn. DÉRIVATIF).

DIVERSITÉ n. f. → DIVERS.

DIVERTICULE [divɛrtikyl] n. m. (bas lat. *diverticulum,* endroit écarté). *Méd.* Cavité anormale, terminée en cul-de-sac.

DIVERTIR [divɛrtir] v. t. (lat. *divertere,* détourner). *Divertir qq'un,* égayer son esprit, le détourner de l'ennui ou des soucis (syn. AMUSER, DÉLASSER, DÉRIDER). ◆ ***se divertir*** v. pr. : *Pour se divertir, il faisait des farces à ses voisins.* ◆ **divertissant, e** adj. (syn. AMUSANT, DRÔLE, PLAISANT; fam. RIGOLO). ◆ **divertissement** n. m. **1.** *Son divertissement favori est la lecture* (syn. DISTRACTION, PASSE-TEMPS). *Une fête qui offre de nombreux divertissements* (syn. ATTRACTION, JEU). — **2.** Aux XVIIe et XVIIIe s., sorte d'intermède de danses et de chants, intercalé dans les comédies-ballets, les opéras. — **3.** *Mus.* Composition en forme de suite : *Les divertissements de Mozart.*

DIVES (la), fl. côtier de Normandie; 100 km. Née dans le Perche, elle traverse le pays d'Auge et finit en aval de *Dives-sur-Mer.*

DIVES-SUR-MER, comm. du Calvados, à l'embouchure de la Dives, à l'E. de Cabourg; 5 700 hab. *(Divais).*

1. DIVIDENDE n. m. → DIVISER.

2. DIVIDENDE [dividɑ̃d] n. m. (bas lat. *dividendus,* qui doit être divisé). Somme d'argent versée régulièrement à un particulier qui a acheté des actions dans une entreprise, et qui représente la portion d'intérêt ou de bénéfice qui revient à chaque actionnaire, en contrepartie des capitaux apportés par lui : *Le montant des dividendes varie en fonction de l'importance des bénéfices.*

DIVIN, E adj. → DIEU.

Divine Comédie *(la),* poème de Dante (v. 1307-v. 1321).

DIVINATEUR, TRICE adj., **DIVINATION** n. f., **DIVINATOIRE** adj. → DEVINER.

DIVINEMENT adv., **DIVINISATION** n. f., **DIVINISER** v. t., **DIVINITÉ** n. f. → DIEU.

DIVISER [divize] v. t. (lat. *dividere*). **1.** *Diviser des choses, un groupe,* les séparer en plusieurs parties : *Diviser un gâteau en huit* (syn. PARTAGER). *On a divisé le groupe en deux équipes* (syn. FRACTIONNER, RÉPARTIR). — **2.** *Diviser des personnes,* être une occasion de désaccord entre elles : *Une famille divisée par des intérêts opposés* (syn. DÉSUNIR). ◆ ***se diviser*** v. pr. : *Un roman qui se divise en quatre parties* (syn. SE COMPOSER DE, COMPRENDRE). ◆ **diviseur** n. m. *Math.* Nombre qui divise. (Dans $4 : 7 = \frac{4}{7}$, 7 est le *diviseur.)* → ENCYCL. ◆ **codiviseur** n. m. Diviseur commun : *8 est un codiviseur de 16 et de 24.* ◆ **dividende** n. m. *Math.* Nombre à diviser, dans une division. (Dans $18 : 5 = \frac{18}{5}$, 18 est le *dividende,* 5 le *diviseur,* $\frac{18}{5}$ le *quotient.)* ◆ **divisible** adj. Se dit d'un nombre qui peut être divisé exactement par un autre : *Vingt-sept est divisible par neuf.* ◆ **divisibilité** n. f. Qualité de ce qui est divisible. ◆ **indivisible** adj. Se dit de ce qui est étroitement uni, qu'on ne peut pas séparer : *Alliance indivisible* (syn. INDISSOLUBLE). ◆ **indivisiblement** adv. (syn. INDISSOLUBLEMENT). ◆ **indivisibilité** n. f. (syn. INDISSOLUBILITÉ). ◆ **division** n. f. **1.** *Math.* → ENCYCL. — **2.** Action de diviser ou de se diviser; état de ce qui est divisé : *La division de la recette entre les participants* (syn. PARTAGE). *La division des tâches* (syn. RÉPARTITION). *Des cellules qui se reproduisent par division* (syn. SEGMENTATION). *Des divisions au sein d'une équipe* (syn. DÉSACCORD, DISSENSION). — **3.** Marque sur une échelle ou sur un cadran gradué (syn. GRADUATION).

— ENCYCL. ***diviseur.*** Un diviseur d'un nombre entier n est un nombre entier d tel qu'il existe un nombre entier n' tel que $n = d \times n'$. *(Ex. :* {1, 2, 3, 4, 6, 8, 12, 24} est l'ensemble des diviseurs de 24.)

Un *diviseur commun* à deux nombres entiers naturels *a* et *b* (appelé aussi *codiviseur* de *a* et *b*) est un nombre qui divise simultanément *a* et *b*. (*Ex.* : {1, 2, 4} est l'ensemble des diviseurs communs à 8 et à 20.)

Le *plus grand commun diviseur* de deux nombres entiers (en abrégé : p.g.c.d.) est le plus grand de leurs diviseurs communs.

division. C'est une *loi de composition interne* (ou opération) sur certains ensembles de nombres (symbolisée par le signe :), qui à deux nombres *a* et *b* associe le nombre *c*, noté *a* : *b*, tel que $a = b \times c$; *a* s'appelle le *dividende*, *b* le *diviseur*, *c* le *quotient*.

$$(Ex. : 4 : \frac{7}{2} = \frac{8}{7} \text{ car } \frac{7}{2} \times \frac{8}{7} = 4.)$$

La division n'est définie que sur l'ensemble $\mathbb{Q}$ des nombres rationnels ou l'ensemble $\mathbb{R}$ des nombres réels.

La division n'est pas une opération commutative.

$$(Ex. : 4 : 2 = 2 \text{ et } 2 : 4 = \frac{1}{2}.)$$

La *division euclidienne* dans l'ensemble $\mathbb{Z}$ des entiers relatifs est une opération dans $\mathbb{Z}$ qui, à deux nombres non nuls *a* et *b*, associe le couple unique de nombres (*q*, *r*) appelés respectivement *quotient* et *reste*, tel que l'on ait

$$a = b \times q + r$$
$$0 \leqslant r < b$$

(*q* est le plus grand nombre entier tel que $b \times q$ soit inférieur à *a*). [*Ex.* : $127 = 17 \times 7 + 8$ (7 est le quotient de la division euclidienne de 127 par 17; 8 en est le reste; on a bien $0 \leqslant 8 < 17$).]

1. DIVISION n. f. ⟶ DIVISER.

2. DIVISION [divizjɔ̃] n. f. (lat. *divisio*). **1.** Dans l'armée, grande unité réunissant sous les ordres d'un général des unités appartenant à des armes et des services différents : *Division d'infanterie, blindée, aéroportée.* ‖ *Division militaire*, circonscription territoriale militaire commandée par un général de division et correspondant à la région économique. — **2.** Dans une administration, groupement de plusieurs services. — **3.** En sports, ensemble d'équipes ou de concurrents classés par catégories de valeur. ◆ **divisionnaire** adj. **1.** Se dit d'une troupe d'une certaine arme faisant partie d'une division, par oppos. aux éléments qui ne constituent pas de division : *L'artillerie divisionnaire.* — **2.** Se dit de quelqu'un qui dirige une division ou qui est chargé d'un service ou d'un commandement important : *Général divisionnaire* (ou *divisionnaire*). *Commissaire, inspecteur divisionnaire.*

DIVONNE-LES-BAINS, comm. de l'Ain, à 8 km au N.-E. de Gex, près de la frontière suisse; 4800 hab. Station thermale.

DIVORCE [divɔrs] n. m. (lat. *divortium*, séparation). **1.** Jugement prononçant la rupture légale d'un mariage : *Être en instance de divorce* (= en train de divorcer). — **2.** Opposition grave, divergence : *Le divorce entre la théorie et la pratique.* ◆ **divorcer** v. i. *Divorcer avec* ou *d'avec qq'un* (ou sans compl.), se séparer de son conjoint par le divorce. ◆ **divorcé, e** adj. et n. Se dit de personnes dont le mariage a été rompu par le divorce.

DIVULGUER [divylge] v. t. (lat. *divulgare*). Rendre public ce qui devait rester secret : *La presse a divulgué les noms des suspects* (syn. ÉBRUITER, PUBLIER, RÉVÉLER). ◆ **se divulguer** v. pr. : *La nouvelle s'est rapidement divulguée.* ◆ **divulgation** n. f.

DIX ([dis] devant une pause; [di] devant une consonne; [diz] devant une voyelle ou un *h* muet : *Dix à la fois* [disalafwa]. *Dix jours* [diʒur]. *Dix ans* [dizɑ̃]) adj. num. cardin. et n. (lat. *decem*). **1.** ⟶ NUMÉRATION. — **2.** Désigne aussi un grand nombre : *Répéter dix fois la même chose.* ◆ **dixième** [dizjɛm] adj. num. ordin. et n. ◆ **dixièmement** adv. ◆ **dix-huit** [dizɥit] adj. num. cardin. et n. ◆ **dix-huitième** [dizɥitjɛm] adj. num. ordin. et n. ◆ **dix-huitièmement** adv. ◆ **dix-neuf** [diznœf] adj. num. cardin. et n. ◆ **dix-neuvième** [diznœvjɛm] adj. num. ordin. et n. ◆ **dix-neuvièmement** adv. ◆ **dix-sept** [dissɛt] adj. num. cardin. et n. ◆ **dix-septième** [dissɛtjɛm] adj. num. ordin. et n. ◆ **dix-septièmement** adv. (⟶ NUMÉRATION.) ◆ **dizain** [dizɛ̃] n. m. Strophe de dix vers. ◆ **dizaine** [dizɛn] n. f. **1.** Groupe de dix unités : *Dix dizaines forment une centaine.* — **2.** *Dizaine de chapelet*, série de dix grains d'un chapelet. — **3.** Nombre de dix environ : *Un travail qui demande une dizaine de jours.*

DIXENCE (la), riv. de Suisse (Valais), affl. de la Borgne (r. g.); 17 km. Grand aménagement hydro-électrique.

DIX-HUIT adj. num. cardin. et n., **DIXIÈME** adj. num. ordin. et n. ⟶ DIX et NUMÉRATION.

dix mille *(retraite des)*, retraite effectuée par les mercenaires grecs de Cyrus le Jeune après la mort de leur chef (401 av. J.-C.); elle a été décrite par Xénophon* dans *l'Anabase*.

DIX-NEUF adj. num. cardin. et n., **DIX-SEPT** adj. num. cardin. et n., **DIZAIN** n. m., **DIZAINE** n. f. ⟶ DIX et NUMÉRATION.

DJAKARTA ou **JAKARTA,** ancienn. **Batavia,** capit. de l'Indonésie, sur la côte nord de l'île de Java; 6503000 hab.

DJEBEL [dʒebɛl] n. m. (mot ar. signif. *montagne*). Montagne ou région montagneuse d'Afrique du Nord, surtout de l'Algérie.

DJEDDA, v. d'Arabie Saoudite, sur la mer Rouge; 1500000 hab. Port et aéroport des villes saintes de La Mecque et de Médine.

DJELLĀBA [dʒɛlaba] n. f. (mot ar.). Blouse tombant jusqu'aux pieds, avec capuchon et manches assez larges. (Ce vêtement, en laine, en coton ou en drap, est porté en Algérie et au Maroc.)

DJEM (El-), v. de Tunisie, au S. de Sousse; 6800 hab. Vestiges de la ville romaine de Thysdrus.

DJEMILA, localité de l'Algérie orientale. Importantes ruines de la ville romaine de Cuicul.

DJENNÉ, v. du Mali, sur le Bani; 6500 hab. Anc. capit. de l'Empire songhaï.

DJERBA, île de Tunisie, dans le golfe de Gabès, reliée à la côte par une route; 61800 hab. Artisanat. Tourisme.

DJÉRID (*chott* **el-**), dépression du Sud tunisien couverte d'étendues boueuses et salées.

DJIBOUTI, capit. de la république de Djibouti, sur la côte nord-est de l'Afrique, à l'entrée de la mer Rouge; 290000 hab. Port au débouché du chemin de fer d'Addis-Abeba. — La république de Djibouti a 23000 km² et 480000 hab. (21 au km²). Indépendante en 1977, elle correspond au territoire qui porta successivement le nom de Côte française des Somalis, puis de Territoire français des Afars et des Issas. C'est une région en grande partie volcanique, bordée par une plaine côtière. Il y règne un climat désertique (180 mm de pluie par an à Djibouti), empêchant toute activité agricole, mis à part un peu d'élevage nomade. Près de la moitié de la population est concentrée à Djibouti, terminus de la ligne de chemin de fer et grand port de transit.

DJIDJELLI, auj. **Jijel,** port de l'Algérie orientale; 33500 hab. Ancien comptoir punique et romain.

DJINN [dʒin] n. m. (mot ar. signif. *démon*). Dans les croyances musulmanes, esprit bienfaisant ou malfaisant, susceptible d'apparaître sous diverses formes.

DJURDJURA, DJURJURA ou **JURJURA,** chaîne montagneuse d'Algérie, dominant le massif de Grande Kabylie; 2308 m.

DNIEPR (le), fl. de l'ouest de l'U. R. S. S., qui draine une partie de la Biélorussie, de la Russie et de l'Ukraine; 1950 km. Il prend sa source au S. du plateau du Valdaï, passe à Smolensk, à Kiev, et se jette dans la mer Noire. Grands barrages hydro-électriques.

DNIEPROPETROVSK, ancienn. **Iekaterinoslav,** v. de l'U. R. S. S. (Ukraine), sur le Dniepr (r. dr.); 863000 hab. Sidérurgie et métallurgie. Constructions mécaniques, automobiles.

DNIESTR (le), fl. de l'U. R. S. S. (Ukraine et Moldavie); 1411 km. Né dans les Carpates, il rejoint la mer Noire.

DO [do] n. m. inv. (mot it.). *Mus.* Nom de la première note de la gamme.

DOBERMAN [dɔbɛrman] n. m. (mot all.). Chien de garde à poil ras de deux teintes (noir et feu ou brun et feu).

DOBROUDJA, région d'Europe orientale, partagée entre la Bulgarie et la Roumanie : c'est un grand plateau steppique au S., un massif ancien aplani au N. Son peuplement est très mêlé.

DOCILE [dɔsil] adj. (lat. *docilis;* de *docere*, enseigner). Se dit d'une personne ou d'un animal qui obéit volontiers : *Un élève docile* (syn. FACILE, OBÉISSANT, SOUMIS). *Un cheval docile* (syn. MANIABLE). ◆ **docilement** adv. (syn. FIDÈLEMENT). ◆ **docilité** n. f. : *Un enfant d'une docilité exemplaire* (syn. OBÉISSANCE). ◆ **indocile** adj. (syn. DIFFICILE, REBELLE, RÉFRACTAIRE). ◆ **indocilité** n. f.

DOCIMOLOGIE [dɔsimɔlɔʒi] n. f. (du gr. *dokimê*, épreuve, et *logos*, science). Étude scientifique tendant à améliorer les méthodes des examens scolaires ou professionnels. (Le but de la docimologie est de substituer aux méthodes de *sélection*, que constituent les examens traditionnels, des méthodes d'*orientation*, susceptibles de définir la spécialité où peut s'épanouir l'intelligence de chacun.)

DOCK [dɔk] n. m. (mot angl.). **1.** Bassin entouré de quais pour le déchargement des navires. — **2.** Ensemble des magasins construits sur les quais pour recevoir les marchandises transportées par des navires. — **3.** *Dock flottant*, bassin mobile et flottant, permettant de caréner les navires. ◆ **docker** [dɔkɛr] n. m. Ouvrier employé au chargement et au déchargement des navires.

DOCTE [dɔkt] adj. (lat. *doctus*, savant). Se dit d'une personne savante, ou, péjor., pédante. ◆ **doctement** adv.

1. DOCTEUR [dɔktœr] n. m. (lat. *doctor*). Personne qui, pourvue du doctorat, exerce la médecine (syn. MÉDECIN). ◆ **doctoresse** n. f. Femme docteur en médecine. (On lui substitue souvent le masc.)

2. DOCTEUR [dɔktœr] n. m. (même étym.). **1.** Personne qui a obtenu l'un des plus hauts grades de l'enseignement supérieur : *Docteur ès lettres.* — **2.** *Docteur de l'Église,* écrivain ecclésiastique d'une très grande autorité. ‖ *Docteur de la Loi,* celui qui enseignait la loi judaïque. ◆ **doctoral, e, aux** adj. *Ton doctoral, allure doctorale,* qui affecte, avec une certaine solennité, les manières d'un savant (nuance plus ou moins péjor.) [syn. PÉDANT]. ◆ **doctorat** n. m. L'un des plus hauts grades conféré par une université, après la soutenance d'une thèse.

DOCTRINE [dɔktrin] n. f. (lat. *doctrina,* enseignement). Ensemble des croyances ou des opinions qui constituent le fondement d'une religion, d'une philosophie, d'un système politique : *La doctrine chrétienne* (syn. DOGME). *La doctrine d'un parti politique.* ◆ **doctrinaire** adj. *Péjor.* Se dit d'une personne ou d'une chose qui se réfère trop étroitement à une doctrine (syn. SECTAIRE). ◆ n. m. Personne qui participe à l'élaboration et à la propagation d'une doctrine : *Les doctrinaires du parti* (syn. THÉORICIEN). ◆ **doctrinaires** n. m. pl. Sous la Restauration, partisans des théories politiques libérales du « juste milieu », défendues par Royer-Collard et Guizot (par oppos. à la souveraineté du peuple et au droit divin). ◆ **doctrinal, e, aux** adj. Se dit de ce qui est relatif à une doctrine. ◆ **doctrinalement** adv. ◆ **endoctriner** v. t. *Endoctriner qq'un,* le gagner ou s'efforcer de le gagner à ses opinions (syn. CATÉCHISER, PRÊCHER). ◆ **endoctrinement** n. m. : *L'endoctrinement de la jeunesse.*

DOCUMENT [dɔkymɑ̃] n. m. (lat. *documentum,* ce qui sert à instruire). Écrit ou objet servant de témoignage ou de preuve, constituant un élément d'information : *Des documents historiques.* ◆ **documentaire** adj. Se dit de ce qui a le caractère d'un document : *Un récit de voyage d'un intérêt documentaire.* ◆ n. m. et adj. Film établi d'après des documents pris dans la réalité : *Avant le grand film, on a passé un documentaire.* ◆ **documentaliste** n. Personne chargée spécialement de rassembler, de classer et de conserver des documents dans une administration ou une entreprise et de les tenir à la disposition des intéressés. ◆ **documentation** n. f. **1.** Action d'établir et de rassembler des documents susceptibles d'étayer une thèse, de fournir une information sur une question. — **2.** Ensemble de documents relatifs à une question. ◆ **documenter** v. t. **1.** *Documenter qq'un,* lui fournir des documents. — **2.** *Documenter un ouvrage,* l'appuyer sur des documents (surtout au part. passé) : *Un récit très documenté.* ◆ ***se documenter*** v. pr. ◆ **documenté, e** adj. Qui a des renseignements, qui est fondé sur des documents sûrs. ◆ **porte-documents** n. m. inv. Serviette très plate, en cuir ou en plastique, formée d'une seule poche et qui s'ouvre sur les trois quarts de son pourtour.

DODÉCAÈDRE [dɔdekaɛdr] n. m. (du gr. *dôdeka,* douze, et *hedra,* face). *Géom.* Polyèdre ayant douze faces. ‖ *Dodécaèdre régulier,* polyèdre régulier ayant douze faces, celles-ci étant des pentagones réguliers. (⟶ POLYÈDRE.)

DODÉCAGONE [dɔdekagɔn] n. m. (du gr. *dôdeka,* douze, et *gônia,* angle). *Géom.* Polygone ayant douze côtés. (⟶ POLYGONE.)

DODÉCANÈSE (littér. *les douze îles*), archipel grec du sud-est de la mer Égée, formant les Sporades du Sud. Les îles principales sont : Kôs, Rhodes, Karpathos.

DODÉCAPHONISME [dɔdekafɔnism] n. m. (du gr. *dôdeka,* douze, et *phônê,* voix). Système musical atonal fondé sur l'emploi exclusif des douze sons de la gamme chromatique. (On dit aussi *musique sérielle.*) ◆ **dodécaphonique** adj.
— ENCYCL. Le créateur du *dodécaphonisme* est l'Allemand Arnold Schönberg (vers 1923). Ses premiers disciples furent : Alban Berg, Anton Webern; ses partisans : Pierre Boulez, Igor' Stravinski (dans ses dernières œuvres).

Ce système, dont tous les éléments sonores sont dérivés d'un chiffre, tend à remplacer les règles anciennes de l'harmonie. Il se fonde sur la succession des douze demi-tons d'une octave, employés par série et présentés dans un ordre quelconque : dans des mouvements ascendants, descendants, rétrogrades ou contraires.

DODÉCASYLLABE [dɔdekasilab] n. m. (du gr. *dôdeka,* douze, et *sullabê,* syllabe). Vers qui compte douze syllabes.

DODELINER [dɔdline] v. i. (onomat.). *Dodeliner de la tête,* balancer la tête doucement.

DODGSON (Charles), dit **Lewis Carroll**, mathématicien et écrivain anglais (1832-1898). Tout en enseignant les mathématiques à Oxford et en publiant des ouvrages scientifiques, il a composé des récits qui mêlent l'humour à l'inspiration fantastique : *Alice au pays des merveilles* (1865), *À travers le miroir* (1871).

DODO [dodo] n. m. (onomat.). *Langage enfantin.* **1.** Lit : *Aller au dodo.* — **2.** Somme : *Faire dodo* (= dormir).

DODOMA, future capitale de la Tanzanie.

DODU, E [dɔdy] adj. (onomat.). Se dit de quelqu'un ou d'un animal (ou de leur physique) qui est assez gras, bien en chair : *Un enfant dodu* (syn. GRASSOUILLET). *Des joues dodues* (syn. REBONDI).

DOGE [dɔʒ] n. m. (de l'it. *duce,* chef). Chef élu des anc. républiques de Gênes et de Venise.

Doges *(palais des),* à Venise. Bâti en 814, reconstruit à plusieurs reprises (aux XIVe et XVe s.), il constitue une remarquable réussite architecturale et contient de nombreuses richesses artistiques.

DOGME [dɔgm] n. m. (gr. *dogma*). **1.** Point fondamental d'une doctrine qu'il n'est pas permis de mettre en doute : *Le dogme de l'infaillibilité pontificale.* — **2.** Ensemble de ces points fondamentaux : *Enseigner le dogme* (syn. DOCTRINE). ◆ **dogmatique** adj. **1.** Se dit de ce qui se rapporte à un dogme : *Des études dogmatiques.* — **2.** Se dit d'une personne (ou de son attitude) qui affirme d'une manière tranchante : *Un ton dogmatique* (syn. DOCTORAL, PÉREMPTOIRE). ◆ **dogmatiquement** adv. ◆ **dogmatiser** v. i. *Péjor.* Émettre des affirmations tranchantes. ◆ **dogmatisme** n. m. Attitude de quelqu'un qui affirme d'une manière catégorique ou qui admet sans discussion certaines idées considérées comme valables une fois pour toutes.

DOGONS, peuple vivant au Mali. Leur art religieux est austère et dépouillé. Leurs masques, conçus comme des évocations d'animaux, sont caractérisés par une stylisation de type géométrique.

DOGUE [dɔg] n. m. (de l'angl. *dog,* chien). Chien de garde trapu, à museau plat, à fortes mâchoires et à lèvres pendantes.

DOIGT [dwa] n. m. (lat. *digitus*). **1.** Chacun des éléments articulés libres qui terminent les mains et les pieds de l'homme et de certains animaux (vertébrés tétrapodes) : *Les doigts de pied s'appellent aussi « orteils ».* ⟶ ENCYCL. — **2.** Mesure approximative de l'épaisseur d'un doigt : *Verser un doigt de vin.* — **3.** *À deux doigts de,* très près de. ‖ *Ne pas lever le petit doigt,* rester passif. ‖ *Mettre le doigt sur,* deviner juste, mettre en évidence. ‖ Fam. *Se mettre le doigt dans l'œil,* se tromper complètement. ‖ *Obéir, marcher, filer au doigt et à l'œil,* obéir au moindre signe, très fidèlement. ‖ *Toucher du doigt,* faire apparaître avec précision. ‖ *Être comme les doigts de la main,* être très liés d'amitié. ◆ **doigté** [dwate] n. m. **1.** Manière de placer les doigts pour jouer d'un instrument de musique. — **2.** Habileté, délicatesse dans le comportement (syn. SAVOIR-FAIRE, TACT). ◆ **doigtier** [dwatje] n. m. Fourreau de protection pour un doigt. (⟶ DIGITAL.)
— ENCYCL. La main de l'homme comporte cinq *doigts,* dont l'un formé de deux phallanges, le *pouce,* et quatre formés de trois phalanges, l'*index,* le *médius* (ou *majeur*), l'*annulaire* et l'*auriculaire.*

Le nombre des *doigts* des mammifères à sabots (ongulés) tend à se réduire, mais leur force tend à croître et leur position à devenir verticale, les deux cas extrêmes étant le cheval (un seul doigt) et la vache (deux doigts égaux), tous deux onguligrades, c'est-à-dire ne prenant appui que sur le sabot pendant la course.

DOIRE, en it. **Dora,** nom de deux rivières piémontaises, issues des Alpes, affl. du Pô (r. g.). La *Doire Baltée* (160 km) baigne Aoste, la *Doire Ripaire* (125 km) rejoint le Pô à Turin.

DOL-DE-BRETAGNE, ch.-l. de cant. d'Ille-et-Vilaine, à 29 km au S.-E. de Saint-Malo; 5 000 hab. *(Dolois).* Anc. cathédrale du XIIIe s. — Le *marais de Dol* forme la partie colmatée de la baie du Mont-Saint-Michel.

DOLE, ch.-l. d'arrond. du Jura, sur le Doubs, à 48 km au S.-E. de Dijon; 30 000 hab. *(Dolois).* Musée Pasteur dans la maison natale du savant. Capit. de la Franche-Comté jusqu'à son rattachement à la France en 1678.

DOLÉANCES [doleɑ̃s] n. f. pl. (du lat. *dolere,* souffrir). Plaintes, réclamations : *Je n'ai pas le temps d'écouter ses doléances* (syn. LAMENTATIONS; péjor. JÉRÉMIADES). ‖ *Cahier de doléances* ⟶ CAHIER.

DOLENT, E [dɔlɑ̃, -ɑ̃t] adj. (du lat. *dolere,* souffrir). *Péjor.* Se dit d'une personne (ou de son comportement) qui se plaint de ses maux d'un ton languissant : *Voix dolente* (syn. PLAINTIF).

DOLET (Étienne), imprimeur et humaniste français (1509-1546). Ami de Rabelais et de Marot, il se place au premier rang des humanistes avec ses *Commentaires de la langue latine* (1536-1538). Condamné pour avoir traduit un dialogue attribué à Platon et où l'on trouve une négation de l'immortalité de l'âme, il fut pendu et brûlé à Paris, place Maubert.

DOLICHOCÉPHALE [dɔlikɔsefal] adj. et n. (du gr. *dolikhos,* long, et *kephalê,* tête). Se dit d'un homme dont la longueur du crâne l'emporte sur la largeur (par oppos. à BRACHYCÉPHALE).

DOLINE [dɔlin] n. f. (du slave *dolina*, vallée). *Géogr.* Petite cuvette circulaire à fond plat, propre aux reliefs karstiques*. (Les dolines résultent de la dissolution du calcaire en surface ou d'affaissements au-dessus des cavités souterraines.)

DOLLAR [dɔlar] n. m. (mot anglo-amér.). Unité monétaire principale de divers pays, notamment des États-Unis (symb. : $) et du Canada (symb. : $ CAN), divisée en 100 cents.

DOLLERN (la), riv. d'Alsace, affl. de l'Ill. (r. g.); 42 km. Née au pied du ballon d'Alsace, elle atteint l'Ill en aval de Mulhouse.

DOLLFUSS (Engelbert), homme politique autrichien (1892-1934). Il devint chancelier en 1932. Catholique et patriote, il interdit le parti national-socialiste en Autriche (1933), mais s'opposa de même à la social-démocratie. Il fut assassiné par les nazis en 1934.

DOLMAN [dɔlmɑ̃] n. m. (turc *dolama*). Veste militaire ajustée à la taille et garnie de brandebourgs.

DOLMEN [dɔlmɛn] n. m. (breton *dol*, table, et *men*, pierre). Monument mégalithique formé d'une grande pierre plate posée horizontalement sur d'autres pierres dressées verticalement : *Les dolmens sont nombreux en France.*
— ENCYCL. Parfois enfouis dans des tumulus*, les *dolmens* sont des sépultures collectives. En France, ils sont nombreux dans le Massif central et surtout en Bretagne, où l'on en compte un millier : l'un des plus célèbres est la Table des marchands, à Locmariaquer.

DOLOMIE [dɔlɔmi] n. f. (du n. du géologue *Dolomieu*). Roche sédimentaire carbonatée dans laquelle l'érosion forme des reliefs (évoquant les ruines de constructions gigantesques), caractéristiques des *Dolomites*. ◆ **dolomite** n. f. Carbonate naturel double de calcium et de magnésium, constituant essentiel de la *dolomie*.

DOLOMITES ou **ALPES DOLOMITIQUES,** massif italien des Alpes orientales; 3 342 m. L'érosion a creusé dans la *dolomie* qui les constitue des formes très escarpées, immenses marches d'escalier. Le massif est très fréquenté par les alpinistes attirés par le nombre et la difficulté des escalades.

DOM [dɔ̃] n. m. (du lat. *dominus*, maître). **1.** Titre donné à certains religieux (bénédictins, chartreux). — **2.** Titre d'honneur donné aux nobles, au Portugal.

1. DOMAINE [dɔmɛn] n. m. (lat. *dominium*). **1.** Propriété foncière d'une certaine étendue : *Il est régisseur d'un domaine d'une centaine d'hectares* (syn. TERRES). — **2.** Ensemble des biens qui appartiennent à une personne, à une catégorie sociale : *Domaine public* ou *domaine de l'État* (ou absolum. *le Domaine*), les biens de l'Etat ou des collectivités locales, qui servent à la société tout entière ou à la collectivité, et qui ne peuvent, de ce fait, être cédés ni acquis. ⟶ ENCYCL. ‖ *Tomber dans le domaine public,* se dit d'une œuvre littéraire ou artistique qui, au bout d'un certain temps, peut être librement reproduite et vendue sans droits d'auteur. ‖ *Domaine royal* ⟶ ENCYCL. — **3.** Champ d'activité d'une personne; secteur embrassé par un art, une technique, etc. : *L'histoire du Moyen Âge, c'est son domaine* (syn. MATIÈRE, SPÉCIALITÉ). *Cette question n'est pas de mon domaine* (syn. ATTRIBUTION, COMPÉTENCE). ◆ **domanial, e, aux** adj. Se dit des biens qui constituent le domaine de l'État : *Une forêt domaniale.*
— ENCYCL. Le *Domaine royal*, ou *domaine de la Couronne*, se composait des possessions personnelles des rois de France de la dynastie capétienne; il ne cessa de s'étendre jusqu'à se confondre avec le royaume tout entier lorsque les derniers grands fiefs féodaux passèrent à la Couronne, par mariage ou héritage, aux XVe et XVIe s. (Bretagne, Navarre, etc.). Les grands « rassembleurs » furent Louis VI, Philippe Auguste et Louis XI.

Avec la Révolution, l'Assemblée constituante décrète que les biens du domaine du roi appartiennent à la nation et lui donne le nom de *domaine national.*

Actuellement, le *domaine de l'État* se divise en :
domaine public (= les biens qui ne peuvent pas devenir propriété de particuliers comme les rivages, les cours d'eau, les routes, les places, les ports, les voies ferrées, les ouvrages de guerre [portes, murailles]);
domaine privé (= les biens qui ne sont pas destinés à un service public, comme les bois d'une commune, un musée départemental...).

L'administration du domaine public revient à la direction ou à l'administration générale de l'enregistrement et des domaines, qui fait partie des attributions du ministre des Finances.

2. DOMAINE [dɔmɛn] n. m. (même étym.). Math. *Domaine,* ou *domaine de définition, d'une fonction* f *définie dans un ensemble E et à valeurs dans un ensemble F,* partie D formée des éléments de E qui admettent une image dans F par f. [À toute fonction $f : E \to F$, on associe une application* $f' : D \to F$, telle que, pour tout élément x de D, $f'(x) = f(x)$. On note usuellement par la même lettre f une fonction et l'application qui lui est associée, bien qu'elles soient des relations différentes, puisqu'elles n'ont pas même ensemble de départ.]

DOMANIAL, E, AUX adj. ⟶ DOMAINE 1.

DOMBASLE-SUR-MEURTHE, comm. de Meurthe-et-Moselle, à 15,5 km au S.-E. de Nancy; 10 000 hab. *(Dombaslois).* Mines de sel. Fabrique de soude.

DOMBES (la), région de France (Ain), au N.-E. de Lyon, entre le Jura et le Beaujolais. C'est un plateau sableux et caillouteux, tapissé d'argiles morainiques apportées par les anciens glaciers. La Dombes possède de très nombreux étangs. Pisciculture.

1. DÔME [dom] n. m. (it. *duomo*). Nom donné, en Italie, à certaines églises cathédrales : *Le dôme de Milan.*

2. DÔME [dom] n. m. (gr. *dôma*, maison). **1.** Couverture de forme arrondie surmontant certains monuments : *Le dôme des Invalides à Paris.* — **2.** *Dôme de verdure, de feuillage,* etc., voûte formée par des branchages.

DÔME *(monts)* ou **CHAÎNE DES PUYS,** groupe de volcans éteints d'Auvergne, culminant au *puy de Dôme* (1 465 m).

1. DOMESTIQUE [dɔmɛstik] n. (lat. *domesticus*, de la maison). Personne qui est professionnellement au service d'une famille, d'une maison : *Le repas fut servi par des domestiques en livrée* (syn. GARÇON, VALET). ◆ adj. : *Le personnel domestique.* ◆ **domesticité** n. f. **1.** État des domestiques. — **2.** Ensemble des domestiques d'une maison : *Avoir une nombreuse domesticité* (syn. PERSONNEL).

2. DOMESTIQUE [dɔmɛstik] adj. (même étym.). **1.** Se dit de ce qui concerne la vie privée, le train de maison, le ménage : *Les travaux domestiques* (syn. MÉNAGER). — **2.** *Animal domestique,* animal qui vit auprès de l'homme et qui lui obéit : *Le chien est un animal domestique* (contr. SAUVAGE). ◆ **domestiquer** v. t. **1.** *Domestiquer un animal,* le faire passer de l'état sauvage à l'état domestique (syn. APPRIVOISER). — **2.** *Domestiquer le vent, les marées,* etc., les rendre utilisables par l'homme. ◆ **domestication** n. f.

DOMICILE [dɔmisil] n. m. (lat. *domicilium*). Lieu où quelqu'un habite ordinairement : *Il a déménagé et je ne connais pas son nouveau domicile* (syn. DEMEURE, MAISON, RÉSIDENCE). ‖ *Élire domicile,* se fixer dans un endroit. ◆ **domicile (à)** loc. adv. À la demeure même de la personne : *Colis livrable à domicile* (= chez soi). ◆ **domiciliaire** adj. *Visite domiciliaire,* celle qui est faite par décision de justice au domicile de quelqu'un pour y faire des recherches. ◆ **domiciliation** n. f. Indication du domicile choisi pour le paiement d'un chèque, d'une traite (banque ou bureau de chèques postaux). ◆ **domicilier** v. t. *Se faire domicilier à tel endroit,* faire reconnaître cet endroit comme son domicile légal. ‖ *Être domicilié,* avoir son domicile à tel endroit.

DOMINER [dɔmine] v. t. (lat. *dominari*). **1.** (sujet nom de personne ou de peuple) Être maître de, être supérieur à : *Napoléon voulait dominer l'Europe* (syn. SOUMETTRE). *Un candidat qui domine ses concurrents* (syn. SURCLASSER, SURPASSER). *Sachons dominer nos instincts* (syn. MAÎTRISER); ou intransitiv. : *L'équipe qui a dominé.* — **2.** (sujet nom de chose) S'imposer avec plus de force, être plus important; et intransitiv. : *Un tableau où les verts dominent* (syn. PRÉDOMINER). — **3.** Être situé au-dessus de : *Falaise qui domine la mer* (syn. SURPLOMBER). ◆ **dominant, e** adj. **1.** Se dit des choses qui ont le plus d'importance sous le rapport du nombre, de l'étendue, de l'influence : *Il a joué un rôle dominant dans cette affaire* (syn. DÉTERMINANT, ESSENTIEL). *Une raison dominante* (syn. PRINCIPAL). — **2.** *Biol.* Se dit d'un caractère héréditaire ou d'un gène qui se manifeste toujours chez un hybride* (par oppos. à RÉCESSIF). ◆ n. f. **1.** Élément particulièrement remarquable, trait marquant : *Des photographies en couleurs à dominante bleue.* — **2.** *Mus.* Son le plus important de la gamme, après la tonique; dans les gammes majeures et mineures, le cinquième degré : *Dans la gamme de « do », la dominante est « sol ».* ◆ **dominateur, trice** adj. Se dit d'une personne qui est portée à dominer, ou du comportement de cette personne : *Se montrer dominateur* (syn. AUTORITAIRE). ◆ **domination** n. f. : *Exercer sa domination* (syn. AUTORITÉ, EMPIRE). *Subir la domination de ses passions* (syn. JOUG [langue littér.], TYRANNIE).

1. DOMINICAIN, E [dɔminikɛ̃, -ɛn] n. Religieux, religieuse de l'ordre de Saint-Dominique.
— ENCYCL. Cet ordre mendiant fut fondé à Toulouse en 1215 par saint Dominique, essentiellement pour lutter contre l'hérésie cathare, qui provoqua la « guerre des albigeois ». Les *dominicains* ou *frères prêcheurs* sont aujourd'hui voués essentiellement à l'étude et suivent la règle de saint Augustin. Les *dominicaines* sont des moniales cloîtrées du tiers ordre régulier de Saint-Dominique. Elles sont groupées en congrégations.

2. DOMINICAIN, E [dɔminikɛ̃, -ɛn] adj. et n. De la république Dominicaine.

DOMINICAINE *(république)*, État d'Amérique, occupant la partie orientale de l'île d'Haïti.
→ carte HAÏTI page 655.

SUPERFICIE 48 400 km² (France : 550 000 km²).
POPULATION 6 200 000 hab. *(Dominicains);* 128 hab. au km² (France : 103); taux de natalité, 40 p. 1 000; taux de mortalité, 6 p. 1 000.
CAPITALE Saint-Domingue (1 318 000 hab.).
LANGUE OFFICIELLE espagnol.
ÉCONOMIE consommation d'énergie par hab., 450 kg d'équivalent charbon; 1 automobile pour 110 hab.

GÉOGRAPHIE

À l'O., le pays est constitué d'une série de blocs montagneux soulevés (3 175 m dans la Cordillère centrale), séparés par des fossés; à l'E. s'étend une région de plaines et de collines. Le climat, tropical, est localement nuancé par la disposition du relief.

	TEMPÉRATURES MOYENNES janv.	juil.	PLUIES
Saint-Domingue	24,1 °C	27 °C	1 459 mm

La population, en accroissement rapide, est composée surtout de métis mais comprend un sixième de Blancs. L'*agriculture* est la principale ressource, tournée vers l'exportation (canne à sucre, riz, café, cacao); les cultures vivrières restent insuffisantes.

canne à sucre	1 300 000 t	café	50 000 t
riz	500 000 t	cacao	45 000 t

Le sous-sol fournit du nickel et de la bauxite (500 000 t), mais celle-ci est exportée brute et l'*industrie* est très secondaire.

HISTOIRE

- *1844. Ancienne possession espagnole, la partie orientale de l'île d'Haïti* devient la république Dominicaine.*

De 1861 à 1865, la république Dominicaine se place volontairement sous la domination espagnole, mais les troubles intérieurs et les difficultés financières amènent les États-Unis à contrôler la république, puis à l'occuper (1916-1934).

- *1930. Rafael Trujillo établit un régime dictatorial.*

Après l'assassinat de Trujillo (1961), le chef du parti révolutionnaire, Juan Bosch, est élu président (1962), mais il est déposé l'année suivante.

- *1965. L'intervention des États-Unis empêche le retour au pouvoir des partisans de Juan Bosch.*

Avec Joaquín Balaguer, les conservateurs sont au pouvoir à partir de 1966.

- *1978. Antonio Guzmán, leader du parti révolutionnaire, est élu à la présidence de la République.*
- *1982. Jorge Blanco accède à la présidence de la République.*
- *1986. J. Balaguer retrouve la présidence de la République. (Il est réélu en 1990.)*

DOMINICAL, E, AUX adj. → DIMANCHE.

DOMINION [dɔminjɔ̃] n. m. (mot angl.). Nom donné avant Élisabeth II aux États indépendants membres du Commonwealth*. (Actuellement, ce terme est remplacé par l'express. « membre » ou « État du Commonwealth ».)

DOMINIQUE (la), île des Petites Antilles, devenue indépendante, en 1978, dans le cadre du Commonwealth. 751 km²; 80 000 hab. Capit. *Roseau.* L'île fut ravagée par un cyclone en 1979.

DOMINIQUE *(saint)*, fondateur de l'ordre des Dominicains (v. 1170-1221).

1. DOMINO [dɔmino] n. m. (mot lat.). **1.** (au plur.) Jeu de société consistant à assembler selon des règles des petits rectangles (au nombre de vingt-huit). — **2.** (au sing.) Chacune de ces pièces, dont le dessous est noir et dont le dessus, blanc, est divisé en deux parties, portant de zéro à six points noirs.

2. DOMINO [dɔmino] n. m. (même étym.). Vêtement flottant avec capuchon, porté dans les bals masqués : *Un domino noir.*

DOMITIEN (51-96), empereur romain de 81 à 96. Fils de Vespasien, frère et successeur de Titus. Il releva Rome des ruines provoquées par de grands incendies et réforma l'administration romaine. Il protégea la frontière danubienne par un *limes* (= frontière) fortifié. Son autoritarisme croissant provoqua son assassinat.

DOMMAGE [dɔmaʒ] n. m. (de l'anc. fr. *dam*). **1.** Préjudice porté à quelqu'un, dégât causé à quelque chose : *Quiconque cause un dommage à autrui doit le réparer. Les intempéries ont causé des dommages aux récoltes* (syn. ↑RAVAGE). — **2.** *C'est dommage,* exprime le regret (syn. FÂCHEUX, REGRETTABLE). — **3.** *Dommages et intérêts,* ou *dommages-intérêts,* indemnité fixée par un tribunal, destinée à réparer un préjudice matériel ou moral causé à quelqu'un. ◆ **dommageable** adj. Se dit de ce qui cause un dommage (syn. PRÉJUDICIABLE). ◆ **endommager** v. t. *Endommager une chose,* lui causer un dommage : *La voiture a été endommagée dans la collision* (syn. ABÎMER). *Le mauvais temps a endommagé les récoltes* (syn. GÂTER, ↑RAVAGER). ◆ **dédommager** v. t. *Dédommager qq'un de qqch.,* compenser ou réparer les dommages qu'il a subis ou la peine qu'il s'est donnée (souvent au passif) : *Dédommager d'une perte* (syn. INDEMNISER). *Le succès le dédommage de ses efforts* (syn. PAYER, RÉCOMPENSER). ◆ **dédommagement** n. m. (syn. REMBOURSEMENT).

DOMODOSSOLA, v. de l'Italie du Nord, à la sortie du tunnel du Simplon; 16 700 hab.

DOMONT, ch.-l. de cant. du Val-d'Oise, à 4 km au N. de Montmorency; 11 200 hab.

DOMPTER [dɔ̃pte] ou [dɔ̃te] v. t. (lat. *domitare*). **1.** *Dompter un être animé,* le soumettre par la force : *Dompter des chevaux* (syn. DRESSER). — **2.** *Dompter des sentiments,* les contraindre à la mesure : *Dompter ses passions* (syn. DISCIPLINER, DOMINER, MAÎTRISER). ◆ **domptage** n. m. : *Le domptage d'un lion* (syn. DRESSAGE). ◆ **dompteur, euse** [dɔ̃ptœr, -øz] ou [dɔ̃tœr, -øz] n. Personne qui dompte des animaux sauvages : *Un dompteur de lions.* ◆ **indomptable** adj. Qu'on ne peut pas dompter, maîtriser : *Un animal indomptable. Une énergie indomptable* (syn. FAROUCHE). ◆ **indompté, e** adj. : *Courage indompté.*

DOMRÉMY-LA-PUCELLE, comm. des Vosges, à 10 km de Neufchâteau, sur la Meuse; 205 hab. Patrie de Jeanne d'Arc.

D. O. M.-T. O. M., abrév. de départements* et territoires* d'outre-mer.

1. DON n. m. → DONNER.

2. DON [dɔ̃] n. m. (du lat. *dominus,* seigneur). Titre d'honneur donné d'abord aux nobles en Espagne, puis étendu à tout le monde. (Ne s'emploie que devant les prénoms : *don Juan.* Le mot portugais correspondant est DOM.) ◆ **doña** [dɔɲa] n. f. Titre d'honneur donné d'abord aux princesses ou aux femmes nobles d'Espagne, puis étendu à tout le monde. (Le mot s'emploie seulement devant les prénoms.)

DON (le), fl. de l'U. R. S. S., né près de Toula; 1 967 km. Son cours le rapproche d'abord de la Volga, à laquelle il est relié par un canal. Le fleuve rejoint ensuite la mer d'Azov.

DOÑA n. f. → DON 2.

DONATELLO, sculpteur florentin (1386-1466). Il exécuta des œuvres toutes de finesse et de charme, comme son *David* (Florence) ou les statues réalistes de *Judith* et de *Saint Jean-Baptiste.* À Padoue, il sculpta la statue équestre du condottiere *Gattamelata,* première œuvre monumentale de l'époque. Novateur puissant, il a ouvert de nombreux chemins aux sculpteurs et aux peintres, sur qui il exerça une profonde influence.

DONATEUR, TRICE n., **DONATION** n. f. → DONNER.

DONATISME [dɔnatism] n. m. (de *Donat,* évêque de Carthage). Schisme qui divisa les Églises africaines du IVᵉ au VIᵉ s. et qui fut combattu par saint Augustin. S'opposant à l'enseignement officiel romain concernant la validité des sacrements, il apparut également comme une réaction nationale et sociale contre Rome.

DONBASS, bassin houiller de l'U. R. S. S. (Ukraine et Russie), traversé par la vallée du Donets. C'est l'une des plus importantes régions industrielles de l'U. R. S. S. Le charbon alimente une grande sidérurgie traitant les minerais de fer de Krivoï-Rog et de Koursk. Les centres principaux sont Donetsk, Makeïevka, Gorlovka, Vorochilovgrad, Chakhty.

DONC ([dɔ̃k], sauf après les mots interrogatifs et les verbes à l'impér., où on prononce parfois [dɔ̃]) conj. (lat. *dumque*). **1.** Sert à exprimer que la phrase ou la proposition introduite est la conséquence ou la conclusion de ce qui précède, ou à marquer une simple transition (peut se placer en tête de phrase, ou après le verbe ou le pronom) : *Il était ici il y a un instant; il n'est donc pas loin. Pour en revenir donc à ce qui vous intéresse...* — **2.** Sert à renforcer une affirmation, une interrogation, un ordre, ou une intonation marquant la surprise ou le doute : *Qui donc a pu téléphoner? Allons donc!* (= vous exagérez). *Dites donc!* (interpellation pouvant exprimer le reproche ou la menace).

DONCASTER, v. de Grande-Bretagne, dans le Yorkshire; 86 400 hab. Mines de houille. Constructions mécaniques.

DONETS (le) ou **DONETZ,** riv. de l'U. R. S. S., affl. du Don (r. dr.); 1016 km. Il borde le bassin houiller du Donbass.

DONETSK, ancienn. **Stalino,** v. de l'U. R. S. S. (Ukraine), dans le Donbass; 879 000 hab. Important centre métallurgique.

DONGES, comm. de la Loire-Atlantique, à 17 km à l'E. de Saint-Nazaire, sur l'estuaire de la Loire (r. dr.); 7 000 hab. *(Dongeois).* Raffinage du pétrole.

DÖNITZ (Karl), amiral allemand (1891-1980). Il dirigea la guerre sous-marine jusqu'en 1942 et remplaça l'amiral Raeder en 1943 à la tête de l'ensemble de la marine de guerre. Successeur de Hitler en 1945, il accepta la capitulation du Reich* en mai et fut condamné à dix ans de prison par le tribunal de Nuremberg. Il fut libéré en 1956.

DONIZETTI (Gaetano), compositeur italien (1797-1848), auteur de très nombreux opéras dont *Lucie de Lammermoor* (1835), *la Fille du régiment* (1840), *la Favorite* (1840), *Don Pasquale* (1843).

DONJON [dɔ̃ʒɔ̃] n. m. (bas lat. *dominio*, tour du seigneur). Grosse tour, généralement située au milieu d'un château fort dont elle constituait le réduit défensif.

Don Juan, personnage légendaire, dont les aventures amoureuses ont inspiré de très nombreuses œuvres dramatiques, parmi lesquelles : *Don* (ou *Dom*) *Juan ou le Festin de pierre*, comédie de Molière en 5 actes et en prose (1665); *Don Juan ou le Débauché puni* (1787), drame de Mozart, sur un livret de Lorenzo Da Ponte.

DON JUAN [dɔ̃ʒɥɑ̃] n. m. (n. propre devenu n. commun). Homme qui recherche les succès auprès des femmes (syn. SÉDUCTEUR). ◆ **donjuanesque** adj. Qui rappelle le caractère de Don Juan : *Prouesses donjuanesques.*

DONNER [dɔne] v. t. (lat. *donare*). **1.** (sujet nom de personne) *Donner une chose, un être animé à qq'un*, les lui attribuer, les lui remettre soit définitivement, en lui en reconnaissant la propriété, soit temporairement : *Donner des bonbons* (syn. DISTRIBUER). *Donner une récompense* (syn. ATTRIBUER, DÉCERNER). *Donner son bras* (syn. OFFRIR). *Donner sa fille en mariage* (syn. ACCORDER). *Le voleur a donné ses complices à la police* (syn. fam. LIVRER); et intransitiv. : *Son plaisir, c'est de donner.* — **2.** (sujet nom de chose ou de personne) *Donner qqch.*, le produire (avec ou sans compl. d'attribution) : *Les haricots n'ont guère donné cette année* (syn. RAPPORTER). *Un cinéma qui donne un bon film* (syn. JOUER, PASSER). *Les deux opérations donnent le même total* (syn. ABOUTIR À). — **3.** (sujet nom de personne) *Donner qqch.* (renseignement) *à qq'un*, le lui communiquer, l'en informer : *Donner l'heure* (syn. DIRE, INDIQUER). *Donner l'ordre de partir* (syn. INTIMER, SIGNIFIER); (sujet nom de chose) *Une pendule qui donne l'heure.* — **4.** *Donner qqch. à qq'un, à qqch.*, exercer sur eux une action en modifiant leur état, leur aspect : *Donner des coups, des caresses à qq'un* (= le frapper, le caresser). *Cette pensée me donne du courage* (syn. INSPIRER). *Donner du souci* (syn. CAUSER). *Donner du plaisir* (syn. PROCURER). — **5.** Sert à former des loc. à valeur factitive (= le sujet est la cause de l'action, sans agir lui-même), en oppos. avec AVOIR, qui indique l'état : *Donner envie, donner faim, donner confiance, donner conscience, donner raison*, etc. (Ex. : *Ce plat me donne faim* [par oppos. à *j'ai faim*].) — **6.** *Donner tel ou tel âge à qq'un*, estimer, d'après les apparences, qu'il doit avoir cet âge. ‖ *Donner sa parole*, promettre fermement, s'engager. ‖ *Il m'est donné de* (et l'infin.), j'ai la possibilité, le loisir de : *Il n'est pas donné à tout le monde de faire un tel voyage.* ‖ *Donner à, donner lieu de* (et l'infin.), fournir l'occasion de : *Tout nous donne à penser qu'il le savait* (syn. PORTER À). ‖ *Donner lieu à* (et un nom), être une occasion, une source de : *Ce discours a donné lieu à des commentaires* (syn. PROVOQUER). ‖ *Donner prise à qqch.*, y être vulnérable, s'y exposer. ‖ *Donner qqch.* ou *qq'un pour* (et un nom ou un adj. attribut), le présenter, le faire considérer comme : *Je ne vous donne pas cette information pour certaine.* ◆ v. i. **1.** Exercer son action, sa force : *La radio donne à plein.* — **2.** *Donner de la tête dans, contre qqch.*, le heurter. ‖ Fam. *Donner dans le panneau*, se laisser tromper. ‖ *Chambre, fenêtre qui donne sur*, d'où l'on voit, d'où l'on accède à. ‖ *Ne pas savoir où donner de la tête*, être débordé d'occupations. ◆ ***se donner*** v. pr. *Se donner du bon temps, s'en donner à cœur joie*, s'amuser beaucoup. ◆ **don** [dɔ̃] n. m. **1.** Action de donner : *Faire don de ses biens.* — **2.** Chose donnée : *Recueillir des dons* (syn. OFFRANDE). *Un gagnant comblé de dons* (syn. CADEAU, PRÉSENT). — **3.** Qualité naturelle : *Cultiver ses dons littéraires. Une musique qui a le don d'apaiser le cœur.* — **4.** *Don de soi*, dévouement total, renoncement à ses goûts personnels (syn. ABNÉGATION). ◆ **donateur, trice** n. Personne qui fait un don, une donation. ◆ **donation** n. f. Contrat par lequel une personne lègue un bien à une autre ou à une association. ◆ **donnant, e** adj. Se dit d'une personne qui donne facilement (contr. REGARDANT). — LOC. ADV. *Donnant, donnant*, indique que rien n'est accordé sans contrepartie. ◆ **donne** n. f. Distribution des cartes au jeu. ◆ **maldonne** n. f. **1.** Mauvaise distribution des cartes. — **2.** Fam. *Il y a maldonne*, ce n'était pas prévu ainsi; il y a un malentendu, il faut revenir au point de départ. ◆ **donné, e** adj. **1.** Nettement précisé, défini : *Un temps donné* (syn. DÉTERMINÉ). — **2.** *À un moment donné*, à un certain moment, soudain. — LOC. PRÉP. *Étant donné*, exprime la cause (*donné* est inv. lorsqu'il est placé avant le nom) : *Étant donné les circonstances* (syn. ATTENDU, EN RAISON DE, VU). — LOC. CONJ. *Étant donné que* (et l'indic.), exprime la cause : *Étant donné qu'il désapprouvait cette décision, il a démissionné* (syn. ATTENDU QUE, COMME, PUISQUE, VU QUE). ◆ n. f. Élément fondamental servant de base à un raisonnement, une discussion, un bilan : *Lire la donnée d'un problème* (syn. ÉNONCÉ). *Il manque certaines données* (syn. INFORMATION, PRÉCISION, RENSEIGNEMENT). ◆ **donneur, euse** n. Celui, celle qui donne. ‖ *Donneur, donneuse de sang*, personne qui donne son sang pour une transfusion. ‖ *Donneur universel*, sujet dont le sang peut être transfusé à tout individu sans risque d'accident. (Il appartient au groupe sanguin O.) ◆ **redonner** v. t. Donner de nouveau.

DONON, sommet gréseux des Vosges septentrionales (1 008 m), dominant le *col du Donon* (739 m).

Don Quichotte de la Manche *(l'Ingénieux Hidalgo)*, roman en deux parties (1605-1615), de Cervantès. Un vieux gentilhomme campagnard (Don Quichotte) passe son temps à lire des romans de chevalerie et finit par s'identifier aux héros de ses légendes favorites. Revêtu de vieilles armes et monté sur son vieux cheval Rossinante, il décide de mener la vie de ses héros et part à l'aventure, accompagné de son fidèle serviteur Sancho Pança, dont le bon sens s'efforce de remédier aux désastres nés de la folle imagination de son maître.

Entreprenant des actions qu'il sait vouées à l'échec, Don Quichotte ne peut s'empêcher d'accorder aux êtres et aux choses une confiance qui résiste aux moqueries et aux coups. Premier héros de roman moderne, il prend conscience de l'absurdité de la condition humaine et l'assume.

DONT pron. rel. ⟶ QUI.

DONZELLE [dɔ̃zɛl] n. f. (anc. prov. *donzela*). *Fam.* Jeune fille ou femme de mœurs légères ou d'humeur capricieuse.

DONZÈRE, comm. de la Drôme, à 13 km au S. de Montélimar, près du Rhône; 4 300 hab. — Le canal de dérivation du Rhône, dit *de Donzère-Mondragon*, alimente une importante centrale hydro-électrique à Bollène.

Doon de Mayence *(geste de)*, un des trois grands cycles épiques du Moyen Âge.

DOPER [dɔpe] v. t. (angl. *to dope*). *Doper une personne, un animal*, lui faire prendre un excitant avant une épreuve sportive, un examen, etc. ◆ ***se doper*** v. pr. ◆ **dopage** ou **doping** n. m. Action de doper, de se doper : *La loi du 1er juin 1965 interdit le doping dans les épreuves sportives.*

DOPPLER (Christian), physicien autrichien (1803-1853). Il découvrit, en 1842, la variation de hauteur du son perçu lorsque la source sonore se déplace par rapport à l'observateur. (C'est ainsi que le son du sifflet d'une locomotive paraît plus aigu quand celle-ci s'approche de l'observateur, plus grave quand elle s'en éloigne.)

DORADE n. f. ⟶ DAURADE.

DORAT (Jean), poète et humaniste français (1508-1588). Maître de Ronsard et de Du Bellay, auteur de poésies latines, il fit partie de la Pléiade.

D'ORBAY (François), architecte français (1634-1697). On lui attribue une grande part dans la réalisation des principaux monuments de son époque (collège des Quatre-Nations [auj. palais de l'Institut], Colonnade du Louvre, à Paris).

DORDOGNE (la), riv. du sud-ouest de la France (Massif central et bassin d'Aquitaine), affl. de la Garonne (r. dr.); 490 km. Née au pied du Sancy, elle s'écoule vers l'O., reçoit successivement la Cère, la Vézère et l'Isle, passe à Bergerac et à Libourne, avant de rejoindre la Garonne au bec d'Ambès. Elle compte de nombreux aménagements hydro-électriques sur son cours supérieur (Bort-les-Orgues, Marèges, L'Aigle, Chastang).

DORDOGNE (24), dép. du bassin d'Aquitaine, en bordure du Massif central (Région Aquitaine); 9 060 km^2; 377 400 hab. (41 au km^2) [France : 103]. Ch.-l. *Périgueux.*

ADMINISTRATION. 4 arrond. (*Bergerac*, 97 200 hab.; *Nontron*, 45 600 hab.; *Périgueux*, 167 600 hab.; *Sarlat-la-Canéda*, 66 900 hab.). / 50 cant. / 555 comm.

Ce vaste département s'étend dans la partie nord du Bassin aquitain et déborde, au N.-E., sur les premières hauteurs du Limousin. Il correspond essentiellement au Périgord, pays de plateaux peu peuplés, découpés par quelques grandes vallées (Dordogne et Isle en particulier) où sont les principales localités.

L'*agriculture*, qui emploie encore environ le quart de la population active (plus du double de la moyenne nationale), est surtout développée dans les vallées : élevage bovin, cultures variées (céréales, tabac, vigne, légumes, fruits).

L'*industrie* occupe moins du tiers de la population active : valorisant les produits de l'agriculture (alimentation, manufacture de tabac), elle est représentée aussi par quelques usines métallurgiques (Bergerac, Périgueux). Cette faiblesse de l'industrie est l'une des causes de la persistance de l'émigration.

DORDRECHT, port des Pays-Bas (Hollande-Méridionale): 101 700 hab. Chantiers navals. Dordrecht fut au XIVe s. une place commerciale importante.

DORE *(monts)* ⟶ MONT-DORE *(massif du).*

DORÉ, E adj. et n. m. ⟶ DORER.

DORÉ (Gustave), dessinateur français (1832-1883). Il a illustré avec un sens très personnel du fantastique plus de cent vingt ouvrages, parmi lesquels des œuvres de Rabelais, Balzac, Dante, Cervantès.

DORÉNAVANT [dɔrenavɑ̃] adv. (de l'anc. fr. *de, or, en* et *avant*, à partir de maintenant en avant). À partir de ce moment (syn. À L'AVENIR, DÉSORMAIS, MAINTENANT).

DORER [dɔre] v. t. (lat. *deaurare;* de *aurum*, or). **1.** Recouvrir d'or ou d'un produit ayant l'aspect de l'or : *Faire dorer un cadre.* — **2.** Marquer d'une teinte jaune foncé ou brune : *Le soleil lui a doré la peau;* et intransitiv. : *Un poulet qui commence à dorer au four.* — **3.** Fam. *Dorer la pilule à qq'un*, atténuer, par des paroles aimables, l'effet d'une chose désagréable. ◆ **doré, e** adj. Se dit de ce qui a la couleur de l'or, ou d'une teinte rappelant cette couleur : *Des cheveux dorés.* ◆ n. m. : *Un cadre qui a perdu son doré* (syn. DORURE). ◆ **doreur, euse** n. Spécialiste qui pratique la dorure. ◆ **dorure** n. f. **1.** Art d'appliquer sur des objets de l'or en feuille ou en poudre. — **2.** Revêtement doré : *La dorure des lambris.* ◆ **dédoré, e** adj. Auquel on a enlevé la dorure.

DORGELÈS (Roland), écrivain français (1885-1973). Il publia des récits sur son expérience de la guerre : *les Croix de bois* (1919), *Tout est à vendre* (1956), *À bas l'argent* (1965).

DORIA, famille noble de Gênes, qui dirigea la faction gibeline (partisane de l'empereur germanique) de la ville pendant tout le Moyen Âge. Elle fournit de nombreux marins, entre autres ANDREA DORIA (1466-1560) qui fut au service de François Ier, puis de Charles Quint.

DORIDE, contrée du centre de la Grèce anc.

DORIEN, ENNE [dɔrjɛ̃, -ɛn] adj. et n. Relatif aux Doriens, à la Doride. ◆ n. m. Un des quatre principaux dialectes de la langue grecque ancienne. ◆ **dorique** adj. Propre aux Doriens. ‖ *Ordre dorique*, ordre le plus simple de l'architecture grecque anc., caractérisé par des colonnes cannelées, sans base, à chapiteau dépourvu d'astragale (= sorte de moulure).

DORIENS, peuple indo-européen qui envahit la Grèce au XIIe s. av. J.-C., détruisant la civilisation achéenne. Les Doriens occupèrent toute la Grèce et les îles, refoulant leurs adversaires en Attique, puis sur les côtes d'Asie Mineure où ils les suivirent, donnant leur nom à la partie méridionale du littoral anatolien : la *Doride.* Argos et Sparte furent les premiers États doriens organisés. L'invasion dorienne renouvela la civilisation de la Grèce : emploi du fer, incinération des morts (au lieu de l'inhumation), formes géométriques dans la décoration des céramiques.

DORIQUE adj. ⟶ DORIEN.

DORLOTER [dɔrlɔte] v. t. (de l'anc. fr. *dorelot*, boucle de cheveux). *Dorloter qq'un*, l'entourer de petits soins (syn. CHOYER). ◆ ***se dorloter*** v. pr. Rechercher son confort, se faire une vie douillette.

1. DORMANT, E adj. ⟶ DORMIR.

2. DORMANT [dɔrmɑ̃] n. m. (de *dormir*). *Constr.* Assemblage de menuiserie et de serrurerie fixé à demeure dans les feuillures d'une baie, et auquel sont attachés les battants d'une croisée ou les vantaux d'une porte.

DORMIR [dɔrmir] v. i. (lat. *dormire*). [Conj. **18.**] **1.** (sujet nom d'être animé) Reposer dans le sommeil : *Il a dormi toute la nuit*

LOCALITÉS PRINCIPALES	NOMBRE D'HAB.
Périgueux	35 400
Bergerac	27 700
Sarlat-la-Canéda	10 600
Coulounieix-Chamiers	8 600
Terrasson-La Villedieu	6 300
Trélissac	6 300
Montpon-Ménestérol	5 700
Boulazac	5 300
Saint-Astier	4 700
Ribérac	4 300

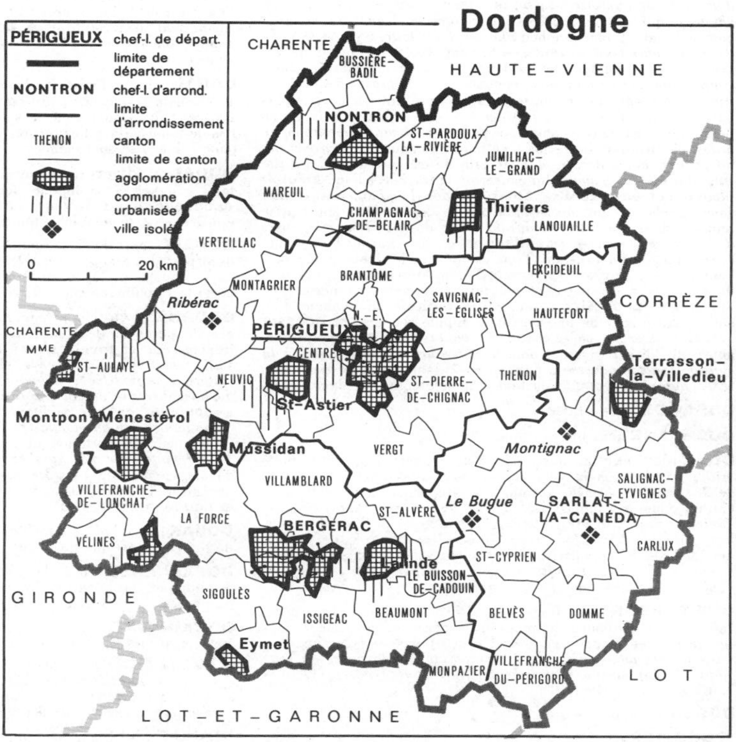

(contr. VEILLER). — **2.** (sujet nom de chose) Rester immobile ou improductif : *Laisser dormir une affaire.* — **3.** *Dormir comme un loir, comme une marmotte, comme une souche,* très profondément. ‖ *Dormir sur ses deux oreilles,* se reposer dans une sécurité totale. ‖ *Ne dormir que d'un œil,* se tenir sur ses gardes. ‖ *Dormir de son dernier sommeil,* être mort (langue soignée). ‖ *Histoire à dormir debout,* qui manque totalement de vraisemblance, de bon sens. ◆ **dormant, e** adj. *Eau dormante,* qui reste immobile (syn. CALME, STAGNANT, TRANQUILLE; contr. EAU COURANTE). ◆ **dormeur, euse** n. ◆ **dormitif, ive** adj. *Fam.* Qui endort : *Discours dormitif* (syn. SOPORIFIQUE). ◆ **dortoir** n. m. **1.** Salle commune où sont les lits, dans un internat, une communauté, etc. — **2.** Chez les oiseaux, lieu de rassemblement de certaines espèces (hirondelles, pinsons, étourneaux) pour dormir en communauté.

DORSAL, E, AUX [dɔrsal, -so] adj. (du lat. *dorsum,* dos). Qui est sur le dos, se place sur le dos, etc. : *Nageoire dorsale.*

DORSALE [dɔrsal] n. f. (de *dorsal*). **1.** *Géogr.* Ligne de hauteurs : *Dorsale guinéenne.* — **2.** *Océanogr.* Élévation rapide du fond des océans séparant deux bassins. — **3.** *Météorol.* Ligne continue de hautes pressions : *Dorsale barométrique.*

DORTMUND, v. d'Allemagne (Rhénanie-du-Nord-Westphalie), dans la région de la Ruhr; 580 000 hab. Grand port fluvial. Importantes mines de houille. Centre administratif et industriel (sidérurgie, produits chimiques, etc.).

DORTOIR n. m. ⟶ DORMIR.

DORURE n. f. ⟶ DORER.

DORYPHORE [dɔrifɔr] n. m. (gr. *doruphoros,* porteur de lance). Insecte coléoptère à élytres ornés de dix lignes noires et mesurant 1 cm de long. (Originaire d'Amérique, le doryphore s'est répandu en Europe où il cause de graves dommages, surtout aux pommes de terre.)

DOS [do] n. m. (lat. *dorsum*). **1.** Chez l'homme, partie postérieure du tronc, comprise entre la dernière vertèbre cervicale et la première vertèbre lombaire. — **2.** Partie supérieure (postérieure en cas de station debout) du corps d'un animal, en position de déplacement, opposée à la face ventrale (thorax ou abdomen), et située depuis le cou jusqu'à l'anus ou à la queue : *Le dos d'un cheval, d'un poisson, d'un oiseau, d'un insecte, d'un ver.* — **3.** Partie d'un vêtement qui couvre le dos. — **4.** Face opposée à celle qui apparaît comme l'endroit, face bombée : *Le dos d'une lettre* (syn. VERSO). *Le dos de la main* (syn. REVERS). — **5.** Fam. *Avoir bon dos,* supporter sans mauvaise humeur les railleries, et, avec un nom de chose comme sujet, être un prétexte commode : *Sa migraine a bon dos.* ‖ *Avoir le dos tourné,* être tourné de façon à présenter le dos; ne plus surveiller attentivement. ‖ *Tourner le dos à qq'un, à qqch.,* s'en détourner, aller dans le sens opposé. ‖ Fam. *Avoir, se mettre qq'un à dos,* l'indisposer contre soi, s'en faire un ennemi. ‖ *Renvoyer des adversaires dos à dos,* ne donner gain de cause à aucun. ‖ *Faire froid dans le dos à qq'un,* lui causer de la frayeur. ‖ Fam. *En avoir plein le dos,* être excédé. ‖ *Être sur le dos de qq'un,* le surveiller sans relâche. ‖ Fam. *Avoir qq'un sur le dos,* en être sans cesse importuné. — LOC. PRÉP. *À dos de,* sur le dos de : *Des colis portés à dos de chameau.* ◆ **dos-d'âne** n. m. inv. Partie d'une route comportant la fin brusque d'une montée et le début d'une descente; bosse du terrain. ◆ **dossard** n. m. Morceau de tissu cousu dans le dos d'un sportif et portant un numéro qui permet de l'identifier. ◆ **dossier** n. m. Partie verticale ou inclinée d'un siège, contre laquelle une personne appuie son dos. ◆ **adosser** v. t. **1.** *Adosser une chose contre, à une autre,* la placer contre une autre qui lui sert d'appui ou d'abri : *Adosser une armoire à la cloison. Maison adossée à l'église.* — **2.** (sujet nom de personne) [*Être*] *adossé à, contre,* avoir le dos appuyé contre quelque chose.

DOSAGE n. m. ⟶ DOSE.

DOS-D'ÂNE n. m. inv. ⟶ DOS.

DOSE [doz] n. f. (gr. *dosis,* action de donner). **1.** Quantité prescrite d'un médicament : *Ne pas dépasser la dose de vingt gouttes.* — **2.** Quantité normale à employer; proportion d'une substance entrant dans un composé : *Mettre la dose de sucre dans la pâte. Avoir une dose d'urée trop élevée* (syn. TAUX). — **3.** Fam. *Avoir une forte dose de paresse,* être très paresseux. ◆ **doser** v. t. Déterminer la dose, la proportion de : *Un remède soigneusement dosé. Doser ses efforts.* ◆ **dosage** n. m. : *Le dosage d'une liqueur. Un habile dosage d'humour et d'attendrissement.*

DOS PASSOS (John Roderigo), écrivain américain (1896-1970). Utilisant les méthodes du reportage américain, intercalant dans ses récits des poèmes en prose, des articles de journaux, des refrains à la mode, il décrit le comportement de héros en lutte contre un capitalisme « sauvage » : *Manhattan Transfer* (1925) et la trilogie *U. S. A.* (1930-1936).

DOSSARD n. m. ⟶ DOS.

1. DOSSIER n. m. ⟶ DOS.

2. DOSSIER [dosje] n. m. (de *dos*). Ensemble de documents concernant quelqu'un ou quelque chose : *Examiner un dossier.*

DOSTOÏEVSKI (Fiodor Mikhaïlovitch), romancier russe (1821-1881).

- *1846. Attiré par la littérature, seul et pauvre, il publie un roman bien accueilli par le public : « les Pauvres Gens ».*

L'échec des récits qu'il fait paraître ensuite le pousse à se lancer dans la politique libérale. Arrêté, emprisonné, condamné à mort, il est gracié quelques instants avant son exécution (1849). Il est déporté quatre ans en Sibérie et en restera très marqué.

Le récit de ses épreuves lui rend la célébrité.

- *1861. « Souvenirs de la maison des morts ».*
- *1866. « Humiliés et Offensés », « Crime et Châtiment », « le Joueur ».*

Criblé de dettes, il doit fuir la Russie : il mène une vie errante, souffre de crises d'épilepsie, perd sa fille. C'est dans ces souffrances mêmes qu'il trouve son inspiration : *l'Idiot* (1868), *l'Éternel Mari* (1870).

- *1871. « Les Possédés » lui valent un tel succès qu'il peut rentrer en Russie.*
- *1879-1880. Il rédige « les Frères Karamazov », roman qu'il considère comme son chef-d'œuvre.*

Quand il meurt, à soixante ans, sa gloire éclipse celle de Tourgueniev et de Tolstoï eux-mêmes.

L'œuvre de Dostoïevski est dominée par l'idée que ce qui fait la grandeur de l'homme, c'est son oscillation entre le bien et le mal. À la fois capable des plus grands crimes et de la plus extrême abnégation, ses héros doivent leur grandeur à leur libre choix entre l'amour et la haine.

DOT [dɔt] n. f. (lat. *dos, dotis,* don). Argent ou biens qu'une femme apporte en se mariant. ◆ **dotal, e, aux** adj. : *Les revenus dotaux.* ◆ **doter** v. t. Donner une dot à : *Doter sa fille.*

DOTATION n. f. ⟶ DOTER 2.

1. DOTER v. t. ⟶ DOT.

2. DOTER [dɔte] v. t. (lat. *dotare*). *Doter qq'un* ou *qqch. de qqch.,* l'en pourvoir, le lui assurer : *Un appareil doté des derniers perfectionnements* (syn. MUNIR). ◆ **dotation** n. f. Ce qui est attribué comme fonds, comme biens d'équipement à une personne ou à une collectivité.

DOUAI, ch.-l. d'arrond. du dép. du Nord, sur la Scarpe; 44 500 hab. *(Douaisiens).* Au cœur d'une agglomération d'environ 200 000 hab., Douai a été le siège des Houillères du Nord et du Pas-de-Calais, dont l'extraction a cessé. De nouvelles industries (automobiles) se sont établies.

DOUAIRE [dwɛr] n. m. (du lat. *dos, dotis,* dot). Biens que le mari assignait à sa femme pour en jouir si elle lui survivait. ◆ **douairière** n. f. **1.** Veuve de grande famille, qui jouissait d'un douaire. — **2.** *Péjor.* Vieille femme.

DOUALA, port du Cameroun, sur le Wouri; 1 030 000 hab. Point de départ des grandes voies de communication vers l'intérieur du pays, Douala est le principal débouché du Cameroun, du Tchad et de la République centrafricaine.

DOUANE [dwan] n. f. (anc. it. *doana*). **1.** Administration chargée de percevoir les taxes impayées sur les marchandises qui franchissent les frontières, soit à l'entrée (importation), soit à la sortie (exportation) d'un pays; siège de cette administration : *La voiture a été fouillée à la douane.* — **2.** Taxes perçues : *Droits de douane. Payer la douane.* ◆ **douanier** n. m. Agent de la douane. ◆ **douanier, ère** adj. Se dit de ce qui concerne la douane : *Tarifs douaniers.* ‖ *Union douanière,* conventions commerciales entre États, pour l'importation et l'exportation. ◆ **dédouaner** v. t. **1.** *Dédouaner une marchandise,* la faire sortir des entrepôts de la douane en acquittant les droits. — **2.** *Dédouaner qq'un,* le relever du discrédit dans lequel il était tombé (syn. BLANCHIR). ◆ **dédouanement** n. m.

DOUAR [dwar] n. m. (ar. *dwār,* cercle de tentes). Agglomération de tentes en Afrique du Nord.

DOUARNENEZ, ch.-l. de cant. du Finistère, à 22 km au N.-O. de Quimper, sur la *baie de Douarnenez;* 17 800 hab. Important port de pêche. Conserveries. Thalassothérapie. Musée du bateau.

DOUAUMONT, comm. du dép. de la Meuse, à 9 km au N.-E. de Verdun, sur les Hauts de Meuse.

- *1916. Le fort de Douaumont est le théâtre de sanglants combats lors de la bataille de Verdun.*
- *1932. Inauguration d'un ossuaire qui contient les restes, non identifiés, d'environ 300 000 soldats français.*

DOUBLE [dubl] adj. (lat. *duplus*). **1.** Qui est multiplié par deux, en quantité ou en nombre; qui est répété (peut se placer avant le nom) : *Un double mètre* (= un instrument de mesure de 2 m). *Le mot « canne » contient une consonne double.* — **2.** Qui a deux aspects opposés : *Phrase à double sens* (= qu'on peut interpréter de deux façons). *Un agent double est un agent secret qui sert simultanément deux puissances adverses.* ‖ *Jouer un double jeu*, agir avec hypocrisie. — **3.** *Faire double emploi*, être rendu inutile par l'existence d'un autre objet semblable. ‖ Fam. *Mettre les bouchées doubles*, manger très vite; agir beaucoup plus vite. ◆ n. m. **1.** Quantité égale à deux fois une autre : *Dix-huit est le double de neuf.* — **2.** Copie d'un document : *Garder le double.* — **3.** Autre échantillon d'une pièce qui figure déjà dans une collection. — **4.** *En double*, en deux exemplaires. ◆ adj. : *À la fin du banquet, il commençait à voir double.* ◆ **doublement** adv. De deux façons, pour deux raisons, à un degré double. ◆ n. m. Action de porter au double. ◆ **doubler** v. t. **1.** *Doubler qqch.*, le porter au double : *Il a doublé son capital.* — **2.** *Doubler un acteur*, jouer le rôle à sa place. — **3.** *Doubler un film*, enregistrer des paroles traduisant celles des acteurs dans une autre langue. — **4.** *Doubler un vêtement*, le garnir d'une doublure. — **5.** *Doubler un véhicule, un cap*, etc., les dépasser : *Il a réussi à doubler ce cap difficile* (= à triompher de cette difficulté). — **6.** *Doubler le pas*, marcher plus vite. ◆ v. i. Devenir double : *Ses impôts ont doublé cette année.* ◆ **doublé, e** adj. *Doublé de*, se dit d'une personne ou d'une chose pour en indiquer un autre aspect : *C'est une malhonnêteté doublée d'une sottise* (= qui est aussi). ◆ n. m. **1.** Action d'un chasseur qui, de deux coups de fusil successifs, abat deux pièces de gibier. — **2.** Série de deux victoires, de deux réussites qui se succèdent en peu de temps. ◆ **doublage** n. m. **1.** Action de garnir d'une doublure. — **2.** Action de doubler un film. ◆ **doublet** n. m. Mot qui a la même étymologie qu'un autre, mais qui, ayant subi un développement phonétique différent, présente une forme et un sens généralement différents : *« Hôtel » est un doublet de « hôpital »; tous deux viennent du latin « hospitalis, e », le premier est de formation populaire, le second de formation savante.* ◆ **doublure** n. m. **1.** Étoffe légère dont on garnit l'intérieur d'un vêtement, le revers d'une tenture, etc. — **2.** Acteur qui en remplace un autre. ◆ **dédoubler** v. t. **1.** *Dédoubler une classe*, en faire deux en partageant une classe dont l'effectif est trop élevé. — **2.** *Dédoubler un train*, en faire partir deux au lieu d'un, en raison de l'affluence des voyageurs. ◆ ***se dédoubler*** v. pr. Perdre l'unité de sa personnalité en se comportant comme deux êtres différents. ◆ **dédoublement** n. m. : *Le dédoublement d'un train. Le dédoublement de la personnalité.* ◆ **redoubler** v. t. **1.** Rendre double : *Redoubler une syllabe* (syn. RÉPÉTER). — **2.** Accroître beaucoup : *Redoubler ses efforts.* — **3.** *Redoubler une classe*, ou *redoubler*, rester deux ans de suite dans la même classe. ◆ v. t. ind. *Redoubler de qqch.* (indiquant la manière d'agir), apporter, montrer beaucoup plus de : *Redoubler d'amabilité.* ◆ v. i. Prendre une intensité plus grande : *Le froid ne cesse pas, on dirait même qu'il redouble* (syn. S'INTENSIFIER). ◆ **redoublant, e** adj. et n. Élève qui redouble une classe. ◆ **redoublé, e** adj. *Frapper à coups redoublés*, avec violence. ◆ **redoublement** n. m. **1.** Action de redoubler : *Redoublement de cris, d'ennui* (syn. ACCROISSEMENT, AUGMENTATION). — **2.** Répétition d'une syllabe ou même d'un mot pour former un autre mot ayant une valeur expressive (ex. : *bébête, dada, chien-chien*).

Double Inconstance *(la)*, comédie de Marivaux (1723).

DOUBLÉ, E adj. et n. m. ⟶ DOUBLE.

DOUBLEMENT adv. et n. m., **DOUBLER** v. t. et i., **DOUBLET** n. m., **DOUBLURE** n. f. ⟶ DOUBLE.

DOUBS (le), riv. de France et de Suisse, affl. de la Saône (r. g.); 430 km. Né dans le Jura français, le Doubs traverse les lacs de Saint-Point et des Brenets ou de Chaillexon (d'où il sort par le *saut du Doubs*) et passe à Besançon.

DOUBS (25), dép. de l'est de la France, à la frontière de la Suisse (Région Franche-Comté); 5 234 km^2; 477 200 hab. (91 au km^2) [France : 103]. Ch.-l. *Besançon*.

ADMINISTRATION. 3 arrond. (*Besançon*, 220 600 hab.; *Montbéliard*, 196 100 hab.; *Pontarlier*, 60 400 hab.). / 35 cant. / 592 comm.

Le département s'étend à l'E. sur la partie nord du Jura plissé, et est formé de plateaux et de collines au centre et à l'O. L'altitude, qui dépasse parfois 1 000 m dans l'Est, s'accompagne de précipitations élevées et d'hivers assez rudes.

Ces conditions naturelles relativement défavorables ne se sont toutefois pas opposées à l'établissement d'une *population* nombreuse, qui a connu un essor, freiné aujourd'hui; elle se concentre essentiellement dans l'ouest du département, autour des deux grandes agglomérations de Besançon et Montbéliard, qui regroupent plus de la moitié des habitants du Doubs.

LOCALITÉS PRINCIPALES	NOMBRE D'HAB.
Besançon	119 700
Montbéliard	33 400
Pontarlier	18 800
Audincourt	17 600
Valentigney	14 400
Béthoncourt	9 800
Grand-Charmont	7 100
Morteau	6 700
Mandeure	6 100
Sochaux	5 300

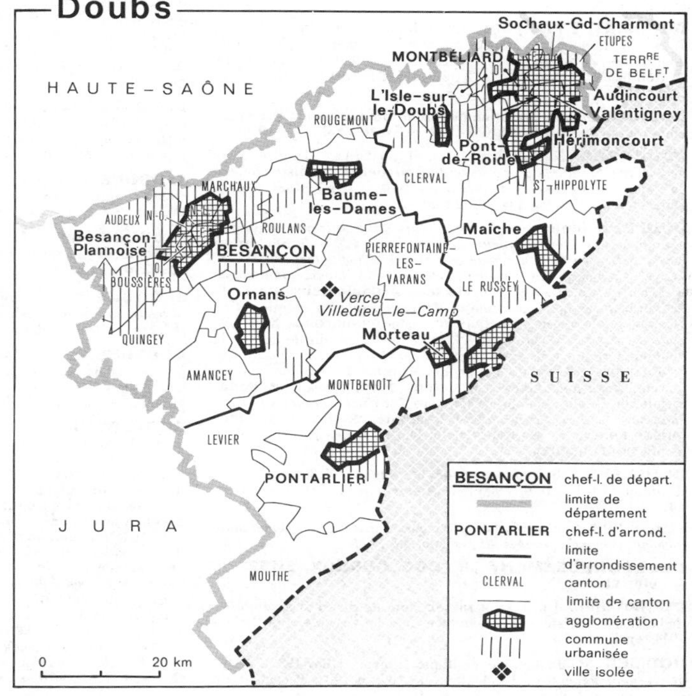

L'*industrie* emploie la majeure partie de la population active. La métallurgie (construction automobile surtout) domine dans le Nord (Sochaux, en particulier); l'horlogerie est une spécialité traditionnelle de Besançon. Les autres secteurs d'activité sont relativement peu développés.

L'*agriculture* est caractérisée par la polyculture dans l'Ouest, l'exploitation de la forêt et surtout l'élevage bovin dans la montagne. Elle occupe moins du douzième de la population active.

DOUCEÂTRE adj., **DOUCEMENT** adv., **DOUCEREUX, EUSE** adj., **DOUCETTEMENT** adv., **DOUCEUR** n. f. → DOUX.

DOUCHANBE, ancienn. **Stalinabad,** v. de l'U. R. S. S., capit. de la république fédérée du Tadjikistan; 374 000 hab.

DOUCHE [duʃ] n. f. (it. *doccia*). **1.** Jet d'eau dirigé sur le corps par hygiène : *Prendre une douche.* — **2.** *Fam.* Averse qu'on reçoit. — **3.** *Fam.* Ce qui met brusquement fin à un état d'exaltation, à l'espoir, etc. (syn. DÉCEPTION). — **4.** *Douche écossaise,* alternance de bonnes et de mauvaises nouvelles, d'espoir et de désespoir, etc. (La *douche écossaise* est une douche d'abord chaude, puis froide.) ◆ **doucher** v. t. *Doucher qq'un,* lui donner une douche; le décevoir brusquement (fam.).

DOUÉ, E adj. → DOUER.

DOUÉ-LA-FONTAINE, ch.-l. de cant. de Maine-et-Loire, à 17 km au S.-O. de Saumur; 6 900 hab.

DOUELLE [dwɛl] n. f. (de l'anc. fr. *doue,* douve). Pièce de bois rectangulaire qui sert à former le corps d'une futaille.

DOUER [dwe] v. t. (lat. *dotare*). *Douer qq'un,* le pourvoir, le doter, en général d'une qualité (seulement au part. passé et aux formes composées, ordinairement à la 3e pers.) : *La nature l'a doué d'un grand talent musical.* ◆ **doué, e** adj. Qui a des aptitudes, des dons naturels dans tel ou tel domaine : *Un élève doué en anglais.*

DOUGGA, village de Tunisie septentrionale, près de Téboursouk. Nombreux vestiges d'une importante cité romaine : théâtre, capitole, temples, arcs monumentaux, cirque.

DOUILLE [duj] n. f. (frq. *dulja*). **1.** Étui métallique ou cartonné, contenant la charge de poudre d'une balle de fusil ou d'une cartouche. — **2.** Pièce dans laquelle se fixe le culot d'une lampe électrique.

DOUILLET, ETTE [dujɛ, -ɛt] adj. (lat. *ductilis,* malléable). **1.** Se dit d'une personne qui craint exagérément la plus légère douleur. — **2.** Se dit de ce qui est doux, moelleux, confortable. ◆ **douillettement** adv. Sens 2 de DOUILLET : *Être douillettement couché.*

DOUKAS, famille byzantine qui a fourni à l'Empire d'Orient les empereurs CONSTANTIN X (1059-1067) et MICHEL VII (1071-1078).

DOUKHOBORS [dukɔbɔr] n. m. pl. (mot russe signif. *lutteurs de l'esprit*). Membres d'une secte d'inspiration anabaptiste* fondée en Ukraine dans la seconde moitié du XVIIIe s. (Un certain nombre émigrèrent au Canada à la fin du XIXe s.)

DOULEUR [dulœr] n. f. (lat. *dolor*). **1.** Souffrance physique pénible à supporter : *Douleurs de tête* (syn. MAL). — **2.** Souffrance morale : *Il a eu la douleur de voir mourir son fils* (syn. CHAGRIN, PEINE). *Un poème qui exprime la douleur de l'homme abandonné* (syn. DÉTRESSE, MISÈRE, SOUFFRANCE). ◆ **douloureux, euse** adj. **1.** Se dit de ce qui cause une douleur physique ou morale : *Une blessure douloureuse* (syn. CUISANT; contr. INDOLORE). *Spectacle douloureux* (syn. AFFLIGEANT, PÉNIBLE). — **2.** Se dit de ce que la douleur a rendu très sensible : *Son genou est douloureux* (syn. ENDOLORI). — **3.** Se dit de ce qui exprime la douleur, surtout morale : *Regard douloureux.* ◆ **douloureusement** adv. ◆ **endolori, e** adj. Rendu douloureux (au sens 2) : *Pieds endoloris par des chaussures neuves. Cœur endolori* (syn. littér. MEURTRI). ◆ **endolorissement** n. m. ◆ **indolore** adj. Qui ne cause pas de douleur (contr. DOULOUREUX).

DOULLENS, ch.-l. de cant. de la Somme, à 30 km au N. d'Amiens, sur l'Authie; 7 900 hab. *(Doullennais).* Filatures (jute et coton).

• *Mars 1918. Une conférence franco-anglaise crée le commandement unique des armées alliées, confié à Foch.*

DOULOUREUSEMENT adv., **DOULOUREUX, EUSE** adj. → DOULEUR.

DOUMA [duma] n. f. (mot russe). Nom de diverses assemblées de la Russie tsariste. (Les assemblées législatives russes de 1905 à 1917 reprirent ce nom.)

DOUMER (Paul), homme politique français (1857-1932). Il fut gouverneur général de l'Indochine de 1896 à 1902. Président du Sénat à partir de 1927, il fut élu président de la République en mai 1931. Il fut assassiné un an plus tard par un Russe blanc, Gorgulov.

DOUMERGUE (Gaston), homme politique français (1863-1937). Président du Sénat à partir de 1923, il fut président de la République (1924-1931).

DOURBIE (la), riv. du Massif central, dans les Grands Causses, affl. du Tarn (r. g.); 80 km.

DOURDAN, ch.-l. de cant. de l'Essonne, sur l'Orge, à 17 km au N.-O. d'Étampes; 8 100 hab.

DOURO (le), en esp. **Duero,** fl. d'Espagne et du Portugal, né en Vieille-Castille, qui rejoint l'Atlantique peu en aval de Porto; 850 km. De grands barrages construits sur son cours moyen alimentent des centrales hydro-électriques et l'irrigation.

1. DOUTER [dute] v. t. ind. et i. (lat. *dubitare*). **1.** *Douter de qqch., de qq'un,* ne pas avoir confiance, ne pas croire fermement en eux : *Douteriez-vous de cette personne?* (syn. SE DÉFIER) — **2.** *Douter que* (et le subj.) : *Nous ne doutons pas qu'il ait raison* (ou *qu'il n'ait raison*) [= nous en sommes persuadés]. — **3.** *À n'en pas douter,* assurément. ‖ *Ne douter de rien,* avoir une confiance en soi excessive, avoir de l'audace. ◆ **doute** n. m. **1.** État de quelqu'un qui hésite à prendre parti, à porter un jugement, qui ne sait que croire : *Après plusieurs jours de doute, il a opté pour cette solution* (syn. HÉSITATION, INDÉCISION). *Ne me laissez pas dans le doute* (syn. INCERTITUDE). — **2.** Manque de confiance dans la sincérité de quelqu'un, la qualité, la réalisation de quelque chose (surtout au plur. en ce sens) : *J'avais des doutes à son sujet* (syn. MÉFIANCE, SOUPÇON). — **3.** *Sans doute* (quand cette express. est en tête de proposition, le pron. sujet peut être inversé), probablement : *Il viendra sans doute demain;* certes, je vous l'accorde : *Vous êtes sans doute* (ou *sans doute êtes-vous*) *très savant, pourtant vous ignorez ce détail.* ‖ *Sans aucun doute, sans nul doute,* assurément, certainement. ‖ *Hors de doute,* certain, incontestable. ‖ *Mettre qqch. en doute,* en contester la vérité. ‖ *Cela ne fait aucun doute,* c'est certain. ‖ *Nul doute que* (et le subj. et en général *ne*), il est certain que : *Nul doute que cela ne soit exact.* ◆ **douteux, euse** adj. **1.** Se dit de ce sur quoi on peut hésiter, de ce qui n'est pas nettement déterminé : *Un résultat douteux* (syn. CONTESTABLE; contr. NET). *Une phrase de sens douteux* (syn. AMBIGU, ÉQUIVOQUE). — **2.** *Péjor.* Qui manque de netteté, de propreté; qui met en défiance : *Du linge douteux* (syn. ↑SALE). *Il a des mœurs douteuses* (syn. LOUCHE). ◆ **dubitatif, ive** adj. Qui marque le doute, l'incertitude. ◆ **dubitativement** adv. ◆ **indubitable** adj. Se dit d'une chose dont on ne peut pas douter : *Des preuves indubitables* (syn. INCONTESTABLE). *Il est indubitable que vous avez raison* (syn. CERTAIN, ÉVIDENT). ◆ **indubitablement** adv. Sans aucun doute.

2. DOUTER (SE) [sədute] v. pr. (même étym.). *Se douter de qqch., se douter que* (et l'indic.), en avoir le soupçon, le pressentiment, le juger probable : *Je me doutais bien qu'il ne se passerait rien* (syn. S'ATTENDRE À, DEVINER, PENSER, SOUPÇONNER).

1. DOUVE [duv] n. f. (gr. *dokhê,* réservoir). Large fossé rempli d'eau, entourant extérieurement un mur d'enceinte : *Les douves du château.*

2. DOUVE [duv] n. f. (même étym.). Chacune des pièces de bois longitudinales et de forme courbe qui constituent le corps d'une futaille (barrique, tonneau).

3. DOUVE [duv] n. f. (bas lat. *dolva,* ver). Ver long de 3 cm parasite du foie de plusieurs mammifères (homme, mouton, bœuf). [Classe des trématodes.]

DOUVRES, en angl. **Dover,** v. de Grande-Bretagne (Kent), sur le pas de Calais, au pied de grandes falaises de craie; 35 200 hab. Grand port de voyageurs vers le continent. Le tunnel sous la Manche va aboutir près de Douvres.

DOUX, DOUCE [du, dus] adj. (lat. *dulcis*) [avant ou après le nom]. **1.** Se dit de ce qui produit une sensation agréable au toucher, au goût, à l'odorat, à la vue, à l'ouïe : *Une douce caresse* (syn. DÉLICAT). *Une peau douce* (contr. RÊCHE, RUDE). *Des amandes douces* (contr. AMER). *Le doux parfum des violettes* (syn. ↑SUAVE). *Une lumière douce* (contr. CRU, VIOLENT). — **2.** Se dit de ce qui est trop peu assaisonné : *Potage doux* (syn. FADE). — **3.** Se dit de ce qui cause un sentiment de bien-être, de contentement : *Évoquer des souvenirs bien doux.* — **4.** Se dit de ce qui est uni, de ce qui ne demande pas d'effort, de ce qui n'est pas brusque, saccadé : *Une route en pente douce* (contr. ABRUPT, RAIDE). *Un démarrage très doux* (contr. BRUTAL). — **5.** Se dit d'un être animé (et de son comportement) qui a un caractère facile : *Une jeune fille très douce* (contr. EMPORTÉ, VIOLENT). *Il a des gestes doux* (contr. BRUSQUE, BRUTAL). *Il est doux comme un mouton* (syn. PACIFIQUE, PAISIBLE). — **6.** *Eau douce,* eau qui n'est pas salée, par oppos. à l'eau de mer. ◆ adv. Fam. *Filer doux,* obéir sans résistance. ‖ *Tout doux!,* il ne faut pas exagérer, s'emporter. — LOC. ADV. Fam. *En douce*, sans se faire remarquer, en cachette. ◆ **doucement** adv. **1.** Correspond à la plupart des sens de DOUX : *La route descend doucement* (syn. LÉGÈREMENT). — **2.** Avec lenteur, de manière discrète : *Le travail avance tout doucement* (syn. LENTEMENT). — **3.** *La santé, les affaires vont tout doucement*, d'une manière médiocrement satisfaisante. ◆ **douceâtre** [dusɑtr] adj. *Péjor.* D'une saveur trop douce, peu agréable : *Un vin douceâtre* (syn. PLAT). ◆ **doucereux, euse** adj. *Péjor.* Se dit d'une personne dont les manières ont une douceur affectée : *Un sourire, un ton doucereux* (syn. MIELLEUX). ◆ **doucettement** adv. *Fam.* Sans se presser, sans se fatiguer. ◆ **douceur** n. f. Qualité de ce qui est doux : *Tout s'est passé en douceur* (= sans éclats). ◆ n. f. pl. Choses qui causent du bien-être; friandises : *Goûter les douceurs de l'oisiveté. Apporter des douceurs à un vieillard* (syn. GÂTERIES). ◆ **adoucir** [adusir] v. t. (sujet nom de personne ou de chose). *Adoucir qqch., qq'un*, en atténuer la dureté, l'aigreur, la brutalité : *Adoucir la condamnation d'un accusé* (syn. DIMINUER; contr. AGGRAVER). *Peut-être cette lettre adoucira-t-elle votre chagrin* (syn. ALLÉGER, ATTÉNUER). *Adoucir la dureté d'une critique* (syn. CORRIGER, TEMPÉRER). ◆ ***s'adoucir*** v. pr. Être plus doux : *Le temps s'est adouci* (syn. SE RADOUCIR; contr. SE REFROIDIR). *Son caractère s'est adouci avec les années* (contr. S'AIGRIR, SE DURCIR). ◆ **adoucissant, e** adj. et n. m. Qui adoucit, qui calme la douleur ou l'irritation. ◆ **adoucissement** n. m. (sens t. et pr. du v.) : *Un adoucissement du régime pénitentiaire* (syn. HUMANISATION). *Un adoucissement de la température* (syn. RADOUCISSEMENT; contr. REFROIDISSEMENT). *Apportez quelques adoucissements à vos reproches* (syn. ATTÉNUATION). ◆ **adoucisseur** n. m. Appareil servant à adoucir l'eau. ◆ **radoucir** v. t. Rendre plus doux. ◆ ***se radoucir*** v. pr. **1.** (sujet nom de personne) Devenir plus traitable, plus conciliant (syn. SE CALMER, EN RABATTRE). — **2.** (sujet nom désignant le temps) Devenir plus doux : *Le temps se radoucit.* ◆ **radoucissement** n. m. : *Le radoucissement de la température, du caractère.*

DOUZE [duz] adj. num. cardin. et n. (lat. *duodecim*). [⟶ NUMÉRATION.] ◆ **douzième** [duzjɛm] adj. num. ordin. et n. ⟶ NUMÉRATION. ◆ **douzièmement** adv. ◆ **douzaine** [duzɛn] n. f. **1.** Ensemble de douze objets, personnes, etc., de même nature : *Une douzaine d'œufs.* — **2.** Nombre de douze environ : *Un enfant d'une douzaine d'années.* — **3.** Fam. *À la douzaine*, abondamment, communément (se dit de choses de peu de valeur) [syn. fam. À LA PELLE, EN PAGAILLE]. ◆ **douze-huit** n. m. inv. *Mus.* Mesure à quatre temps, qui se compose de douze croches, soit trois par temps, et se marque à la clef par la fraction 12/8.

DOVJENKO (Aleksandr Petrovitch), metteur en scène de cinéma soviétique (1894-1956), auteur de *la Terre* (1930).

DOWNS, collines crayeuses d'Angleterre, dans le sud du bassin de Londres, qui entourent la dépression du Weald. On distingue les *North Downs* des *South Downs*.

1. DOYEN, ENNE [dwajɛ̃, -ɛn] n. (lat. *decanus*, chef de dix hommes). **1.** Personne qui est la plus âgée, ou la plus ancienne, dans un corps, une compagnie. — **2.** Titre donné à celui qui était chargé de la direction et de l'administration d'une faculté. (Cette fonction n'existe plus depuis 1968.)

2. DOYEN [dwajɛ̃] n. m. (de *doyen* 1). Curé chargé de l'administration d'un doyenné. ◆ **doyenné** [dwajene] n. m. Circonscription ecclésiastique groupant plusieurs paroisses.

DOYLE (*sir* Arthur CONAN), écrivain anglais (1859-1930), auteur de romans policiers, qui racontent les aventures du détective Sherlock Holmes.

DRAA ou **DRA** *(oued)*, fl. de l'Afrique du Nord-Ouest, né dans le Haut Atlas; 1 000 km env. Il alimente en eau toute une série d'oasis.

DRAC (le), torrent des Alpes du Nord, affl. de l'Isère (r. g.), près de Grenoble; 150 km. Importantes usines hydro-électriques.

DRACHME [drakm] n. f. (gr. *drakhmê*). Monnaie de la Grèce antique et unité monétaire de la Grèce moderne.

DRACON, législateur athénien (VIIe s. av. J.-C.). En un temps où les luttes de clans sévissaient dans l'Attique, Dracon fut chargé de rédiger un code de lois, alors que jusque-là la justice était « coutumière ». La sévérité du code de Dracon est restée légendaire (d'où l'adj. *draconien*) : elle permit à l'État de soustraire l'individu à l'emprise du *gênos* (= clan familial).

DRACONIEN, ENNE [drakɔnjɛ̃, -ɛn] adj. (de *Dracon*). Se dit de ce qui est d'une rigueur, d'une sévérité excessive : *Un règlement draconien.*

DRAGAGE n. m. ⟶ DRAGUE.

DRAGÉE [draʒe] n. f. (gr. *tragêmata*, friandises). **1.** Amande recouverte de sucre durci. — **2.** Fam. *Tenir la dragée haute à qq'un*, lui faire payer cher ce qu'il désire.

DRAGEON [draʒɔ̃] n. m. (frq. *draibjô*, pousse). *Bot.* Rejeton qui naît de la racine des arbres.

1. DRAGON [dragɔ̃] n. m. (lat. *draco*). **1.** Animal légendaire, représenté généralement sous un aspect effrayant, avec des griffes de lion, des ailes et une queue de serpent. — **2.** *Fam.* Personne autoritaire à l'excès.

2. DRAGON [dragɔ̃] n. m. (même étym.). Soldat de cavalerie qui combattait autref. indifféremment à pied ou à cheval.

DRAGONNADES [dragɔnad] n. f. pl. (de *dragon*). Persécutions organisées par Louvois (1681-1685) et qu'exécutèrent les *dragons* royaux contre les protestants dans l'Aunis, le Poitou, le Béarn, la Guyenne, le Languedoc, et surtout dans les Cévennes, avant et après la révocation de l'édit de Nantes.

DRAGONNE [dragɔn] n. f. (de *dragon*). Courroie reliant le poignet à la garde d'un sabre ou d'une épée.

DRAGUE [drag] n. f. (de l'angl. *drag*, crochet). **1.** Appareil servant à retirer, du fond de l'eau, du sable ou du gravier. — **2.** Dispositif permettant de détruire ou de relever des mines explosives sous-marines. ◆ **draguer** v. t. **1.** *Draguer une rivière, une baie*, etc., en extraire le sable, etc., en retirer les mines immergées. ◆ **dragage** n. m. : *Le dragage d'un chenal.* ◆ **dragueur** n. m. *Dragueur de mines*, petit bateau de guerre spécialisé dans le dragage des mines.

1. DRAGUER [drage] v. t. et i. (de *drague*) [sujet nom désignant un garçon, une fille]. *Fam.* Chercher à aborder quelqu'un, en espérant obtenir de lui quelque aventure. ◆ **dragueur, euse** n. Celui, celle qui drague.

2. DRAGUER v. t. ⟶ DRAGUE.

DRAGUEUR n. m. ⟶ DRAGUE et DRAGUER 1.

DRAGUIGNAN, ch.-l. d'arrond. du Var, à 30 km au N.-O. de Fréjus; 28 200 hab. *(Dracénois).* Centre administratif, militaire et commercial.

DRAILLE [draj] n. f. (franco-prov. *drayo*). Piste suivie par les moutons transhumants, en partic. en Languedoc.

DRAIN [drɛ̃] n. m. (mot angl. signif. *rigole*). **1.** *Agric.* Conduit souterrain pour l'épuisement et l'écoulement des eaux d'un terrain trop humide. — **2.** *Méd.* Tube placé dans certaines plaies pour écouler le pus, les humeurs. ◆ **drainer** v. t. **1.** *Drainer un sol*, le débarrasser de son excès d'humidité au moyen de conduits *(drains)*. — **2.** Appliquer un drain à une plaie pour évacuer le pus. — **3.** *Drainer qqch.*, l'attirer à soi, de divers côtés : *Drainer des capitaux.* ◆ **drainage** n. m. Action de drainer.

DRAISIENNE [drɛzjɛn] n. f. (du n. du baron *Drais von Sauerbronn*, qui l'inventa). Sorte de bicyclette sans pédales, mue par la poussée alternative des pieds sur le sol, munie d'une direction à pivot : *La draisienne fut très en vogue au début de la Restauration.*

DRAISINE [drɛzin] n. f. (de *draisienne*). Wagonnet à moteur, employé sur les voies ferrées pour le transport du personnel chargé de l'entretien.

DRAKE (*sir* Francis), marin anglais (v. 1540-1596). Il lutta avec succès contre les Espagnols et participa à la victoire sur l'Invincible Armada (1588).

DRAKENSBERG, massif montagneux d'Afrique du Sud, s'étendant du Transvaal jusqu'au S. de la province du Cap; 3 482 m.

DRAKKAR [drakar] n. m. (mot scand.). Bateau scandinave des premiers siècles de l'ère chrétienne, qu'utilisèrent les Vikings dans leurs expéditions.

DRAME [dram] n. m. (gr. *drama*, action). **1.** Événement ou suite d'événements ayant un caractère violent ou simplement grave, et concernant la vie des personnes, leurs conditions d'existence : *La rupture du barrage fut un drame terrible* (syn. CATASTROPHE, TRAGÉDIE). — **2.** Pièce de théâtre représentant une action violente ou douloureuse, et de ton moins élevé que la tragédie. ‖ *Drame bourgeois*, genre théâtral, créé par Diderot, où l'on veut donner un tableau fidèle de la réalité, des mœurs contemporaines et bourgeoises. ‖ *Drame lyrique*, opéra, drame qui s'exprime par le chant et la musique. ‖ *Drame romantique*, pièce de théâtre où le comique se mêle au tragique. — **3.** Fam. *En faire tout un drame*, attribuer à un événement une gravité excessive. ‖ *Tourner au drame*, se dit d'un événement qui prend soudain un caractère grave. ◆ **dramatique** adj. **1.** Se dit de ce qui émeut vivement, de ce qui comporte un grave danger : *Un épisode dramatique de la vie d'un explorateur* (syn. TRAGIQUE). *Une situation dramatique* (syn. ANGOISSANT, CRITIQUE). — **2.** Qui appartient au genre théâtral; qui est destiné à la représentation sur une scène : *L'art dramatique.* — **3.** Qui s'occupe de théâtre : *Auteur dramatique.* ◆ n. f. Émission de théâtre à la télévision. ◆ **dramatiquement** adv. ◆ **dramatiser** v. t. *Dramatiser un événement*, lui donner les proportions d'un drame, en exagérer la gravité. ◆ **dramaturge** n. m. Auteur de drames (au sens 2). ◆ **dramaturgie** n. f. Art de composer des pièces de théâtre.

DRANCE ou **DRANSE** (la), riv. de Suisse, un des plus grands affl. du Rhône supérieur; 45 km.

DRANCY, ch.-l. de cant. de la Seine-Saint-Denis, au N.-E. de Paris; 60 200 hab.

• *1941-1944. Un camp y est installé par les Allemands. Les détenus, juifs pour la plupart, sont transférés de là en convoi vers les camps d'extermination allemands.*

DRAP [dra] n. m. (bas lat. *drappus*). **1.** Étoffe résistante, de laine pure ou mélangée d'un autre textile : *Les pièces de drap dont on fait les capotes militaires.* — **2.** Pièce de toile dont on garnit un lit : *Une paire de draps.* ‖ *Drap mortuaire,* pièce de drap ou de velours noir dont on recouvre un cercueil. — **3.** Fam. *Être dans de beaux draps,* être dans une situation fâcheuse. ◆ **drapé** n. m. Manière dont les plis d'un tissu sont disposés en vue d'un effet esthétique. ◆ **draper** v. t. **1.** *Draper un objet,* le couvrir, le décorer d'une draperie. — **2.** *Draper un tissu,* le disposer en plis harmonieux : *Draper une tenture.* ◆ ***se draper*** v. pr. **1.** S'envelopper amplement : *Se draper dans une cape.* — **2.** *Se draper dans sa dignité, dans son honnêteté,* etc., s'en prévaloir fièrement. ◆ **draperie** n. f. **1.** Tissu tendu dont les plis sont disposés dans une intention décorative. — **2.** Ensemble des tissus de laine. — **3.** Industrie du drap. ◆ **drapier, ère** n. et adj. Fabricant ou marchand de drap.

DRAPEAU [drapo] n. m. (de *drap*). **1.** Pièce d'étoffe adaptée à un manche, un mât, et portant généralement les couleurs et les emblèmes d'une nation, d'une unité militaire, d'une organisation, etc. ⟶ ENCYCL. — **2.** *Drapeau blanc,* drapeau qui indique que l'on demande à parlementer, voire à capituler. ‖ *Drapeau noir,* emblème des anarchistes. ‖ *Drapeau rouge,* emblème de l'insurrection révolutionnaire et, depuis 1918, emblème de l'Union soviétique. — **3.** *Être sous les drapeaux,* être en activité dans l'armée, faire son service militaire. ◆ **porte-drapeau** n. m. inv. **1.** Celui qui porte le drapeau d'un régiment, d'une association. — **2.** *Être le porte-drapeau d'une doctrine, d'un mouvement,* etc., en être le chef reconnu, le personnage le plus représentatif.
— ENCYCL. Les trois couleurs bleu, blanc, rouge du drapeau français furent adoptées en 1789, mais elles étaient disposées différemment suivant les régiments. Napoléon imposa l'uniformité, puis la disposition actuelle en trois bandes verticales, ainsi que la devise « Honneur et Patrie » sur les drapeaux des régiments. En 1816, le drapeau national devint blanc à fleurs de lis; il redevint tricolore en 1830 et le resta après 1848 grâce à l'intervention de Lamartine contre les partisans d'un drapeau national entièrement rouge.

→ illustrations en couleurs sur la couverture du dictionnaire.

DRAPER v. t., **DRAPERIE** n. f., **DRAPIER, ÈRE** n. et adj. ⟶ DRAP.

DRAVE (la), riv. d'Autriche et de Yougoslavie, affl. du Danube (r. dr.); 707 km. Née en Italie, dans les Alpes Carniques, elle draine la Carinthie, la Slovénie et la Croatie.

DRAVEIL, ch.-l. de cant. de l'Essonne, sur la Seine (r. dr.), à 15 km au S.-E. de Paris; 26 800 hab.

DRAVIDIENS, ensemble de peuples comprenant de nombreux représentants depuis l'Inde jusqu'à la Birmanie.

DREADNOUGHT [drɛdnɔt] n. m. (mot angl. signif. *intrépide*). Nom d'un cuirassé anglais lancé en 1906 et imité ensuite par de nombreux pays.

DRENTHE, prov. du nord-est des Pays-Bas; 2 650 km^2; 393 800 hab. Ch.-l. *Assen.* Gisements de pétrole et de gaz naturel.

DRESDE, en all. **Dresden,** v. d'Allemagne, capit. de la Saxe, sur l'Elbe; 520 000 hab. Capitale des Électeurs et des rois de Saxe, la ville fut modernisée et développée au XVIIIe s. Presque entièrement détruite en 1945 par les bombardements, elle fut reconstruite et est aujourd'hui un important centre industriel (métallurgie, chimie, constructions électriques, optique). Elle possède un des plus riches musées d'Europe, la Gemäldegalerie.

1. DRESSER [drese] v. t. (du lat. *directus,* droit). **1.** *Dresser qqch.,* le mettre debout, le mettre dans une position verticale ou voisine de la verticale : *Dresser une échelle contre un mur. Dresser la tente* (syn. MONTER). *Dresser un monument, une statue* (syn. ÉRIGER). *Dresser la tête* (syn. LEVER). — **2.** *Dresser qqch.,* l'établir, le mettre par écrit : *Dresser un bilan, une liste, un plan, un constat, un procès-verbal.* — **3.** *Dresser la table, le couvert,* disposer les couverts pour un repas (syn. METTRE). — **4.** *Dresser un piège,* le préparer (syn. TENDRE). — **5.** *Dresser une personne contre une autre,* la mettre en opposition avec elle, l'exciter contre elle. — **6.** *Faire dresser les cheveux sur la tête de qq'un,* lui causer de la frayeur, lui inspirer une grande horreur. ‖ *Dresser l'oreille,* devenir soudain attentif à ce qui se dit. ◆ ***se dresser*** v. pr. **1.** (sujet nom de personne ou de chose) Se mettre debout, se tenir droit : *Un ours qui se dresse sur ses pattes de derrière. Le château fort se dresse au sommet d'une colline.* — **2.** (sujet nom d'être animé) Manifester son opposition, son hostilité : *Se dresser contre un abus* (syn. S'ÉLEVER, S'INSURGER). ◆ **dressage** n. m. : *Le dressage de la tente.* ◆ **dressement** n. m. Sens 2 du v. t. : *Le dressement d'une liste.* ◆ **dressoir** n. m. Buffet sur lequel on disposait les plats avant de les présenter sur la table.

2. DRESSER [drese] v. t. (même étym.). **1.** *Dresser un animal,* lui faire prendre certaines habitudes : *Dresser un chien pour la chasse.* — **2.** Fam. *Dresser qq'un,* lui imposer un régime sévère, le plier à une discipline stricte. ◆ **dressage** n. m. : *Le dressage des chevaux.* ◆ **dressé, e** adj. **1.** Se dit d'un animal qui n'est plus sauvage, qui est discipliné. — **2.** Fam. *Il est bien dressé,* se dit de quelqu'un qui fait exactement tout ce qu'il doit faire, ou qui obéit très exactement. ◆ **dresseur, euse** n.

DREUX, ch.-l. d'arrond. d'Eure-et-Loir, à 35 km au N. de Chartres; 33 800 hab. *(Drouais).*

DREYER (Carl), metteur en scène de cinéma danois (1889-1968). Il est l'auteur de : *la Passion de Jeanne d'Arc,* 1928; *Dies irae* (« Jour de colère »), 1943; *Ordet,* 1955; *Gertrud,* 1964.

DREYFUS (Alfred), officier français (1859-1935). Israélite, capitaine à l'état-major général de l'armée, il fut à l'origine d'un scandale politique qui divisa profondément l'opinion française entre 1894 et 1906. L'« affaire Dreyfus » opposa la droite nationaliste et antisémite (« antidreyfusards ») à la gauche républicaine et laïque (« dreyfusards »).

Condamné à tort pour espionnage en 1894, le capitaine Alfred Dreyfus est déporté en Guyane. En 1897, il apparaît que le vrai coupable est l'officier Esterházy : mais celui-ci, traduit devant le conseil de guerre, est finalement acquitté (1898).

Dès lors, dreyfusards et antidreyfusards s'opposent violemment. La gauche, et en particulier la Ligue des droits de l'homme demande la révision du procès. Zola publie contre l'état-major un article intitulé *J'accuse,* pour lequel il est condamné. La droite s'oppose à la révision qui porterait atteinte au prestige de l'armée. En 1898, le gouvernement décide de faire réviser le procès : Dreyfus est de nouveau condamné par le conseil de guerre, mais avec circonstances atténuantes (1899).

En 1906, la Cour de cassation annule ce jugement et réhabilite Dreyfus.

DRIBBLER [drible] v. i. (de l'angl. *to dribble*). Dans divers sports d'équipe, conduire le ballon (avec le pied au football, au rugby; avec la main au basket-ball) par petits coups successifs, en évitant les adversaires. ◆ v. t. *Dribbler un adversaire,* le dépasser en poussant ainsi le ballon. ◆ **dribble** n. m. Action de dribbler. ◆ **dribbleur** n. m. Joueur habile à dribbler.

DRILLE [drij] n. m. (anc. fr. *drille,* chiffon). *Joyeux drille,* homme joyeux, plein d'entrain (syn. BON VIVANT, JOYEUX LURON).

DRISSE [dris] n. f. (it. *drizza*). Cordage qui sert à hisser une voile.

DRIVE [drajv] n. m. (de l'angl. *to drive*). Au tennis, coup qui renvoie la balle avec force en lui faisant raser le filet.

DROGUE [drɔg] n. f. (orig. incert.). **1.** Substance qui, prise volontairement, conduit à la toxicomanie* (syn. STUPÉFIANT). ⟶ ENCYCL. — **2.** *Péjor.* Médicament médiocre ou qui n'inspire pas confiance. ◆ **drogué, e** n. Personne qui est intoxiquée par la consommation répétée de drogue. ◆ **droguer (se)** v. pr. S'intoxiquer par la drogue.
— ENCYCL. Les *drogues* proviennent de produits naturels (canabis, marihuana, haschisch, opium, etc.) ou de produits de synthèse (morphine, héroïne, cocaïne, LSD, etc.). La consommation répétée de drogue conduit à un état d'intoxication (toxicomanie) périodique ou chronique, dangereux pour l'individu : cette intoxication est caractérisée par le besoin psychique et physique insurmontable (état de « manque ») de se droguer, et par une tendance à augmenter sans cesse les doses pour obtenir les mêmes sensations (phénomène d'accoutumance).

Recherchée pour la sensation d'euphorie qu'elle procure initialement, la drogue finit par produire les effets inverses : grande anxiété, malaises physiques (ralentissement du rythme cardiaque, difficultés respiratoires). Elle entraîne une déchéance progressive mentale (troubles graves de la personnalité, souvent irréversibles) et physique (état général très faible, qui rend l'organisme plus sensible aux maladies).

Les moyens mis en œuvre pour lutter contre la drogue se situent sur plusieurs plans : campagnes d'information, poursuite des trafiquants, traitement (cure de désintoxication) et réinsertion sociale des drogués.

DROGUERIE [drɔgri] n. f. (de *drogue*). Commerce de produits de toilette, d'hygiène, d'entretien, etc.; boutique où se tient ce commerce. ◆ **droguiste** n. Personne qui tient une droguerie (syn. MARCHAND DE COULEURS).

1. DROIT, E [drwa, drwat] adj. (lat. *directus*). **1.** Se dit d'une ligne sans déviation, sans courbure : *La ligne droite est le plus court chemin d'un point à un autre* (contr. COURBE, TORDU). *Une politique qui mène en droite ligne à la catastrophe financière* (syn. DIRECTEMENT). ‖ *Coup droit*, en escrime, coup porté sans dégagement; au tennis, attaque de la balle du côté où le joueur tient sa raquette et avec le bras allongé. — **2.** *Math.* Se dit d'un secteur* angulaire saillant $\widehat{xOy}$, si les demi-droites Ox et Oy sont perpendi-

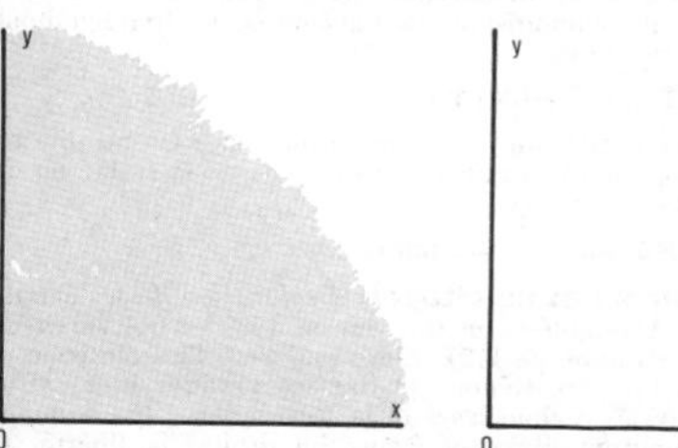
secteur angulaire saillant droit

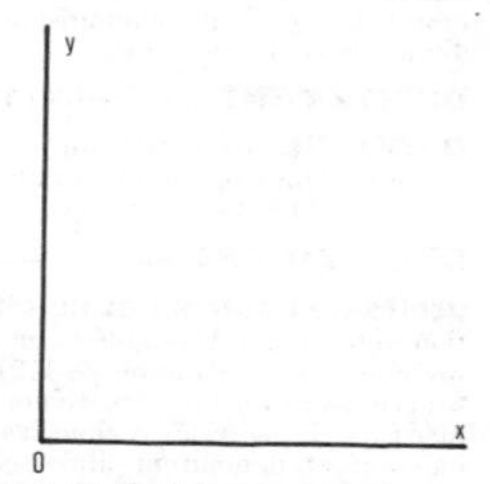
couple (Ox, Oy) de demi-droites représentant un angle géométrique droit

culaires. ‖ Se dit d'un angle* géométrique si, un couple de demi-droites Ox et Oy le représentant, Ox et Oy sont perpendiculaires. — **3.** Qui est vertical, debout : *Des peupliers droits* (contr. INCLINÉ, PENCHÉ). ‖ *Droit comme un I*, se dit d'une personne qui se tient droite et raide. — **4.** Qui est dans une position de symétrie, qui est bien stable : *Avoir son chapeau bien droit sur sa tête* (contr. DE BIAIS, DE TRAVERS; fam. DE GUINGOIS). — **5.** Se dit d'une personne (ou de son comportement) qui agit honnêtement, selon sa conscience : *Un garçon très droit* (syn. FRANC, HONNÊTE, LOYAL, SINCÈRE). *Rester dans le droit chemin* (= vivre honnêtement). ◆ adv. **1.** Selon une ligne droite : *Avancer droit devant soi.* — **2.** Sans intermédiaire, sans interruption : *Une affaire qui va droit à la faillite.* ◆ **droite** n. f. *Math.* → ENCYCL. ‖ *Droite dans un plan* → PLAN 1. ◆ **demi-droite** n. f. *Math.* → ENCYCL. ◆ **droitement** adv. Sens 5 de l'adj. (syn. FRANCHEMENT, HONNÊTEMENT, LOYALEMENT). ◆ **droiture** n. f. Sens 5 de l'adj. (syn. FRANCHISE, HONNÊTETÉ, LOYAUTÉ).

— ENCYCL. ***droite.*** La notion usuelle de *droite* dans le langage courant utilise des notions « intuitives » :

tout élément d'une droite « physique » est un point (« physique »);

la « distance » qui sépare deux points de cette droite est plus ou moins grande;

il existe deux sens de « parcours » sur une droite physique.

On définit des notions précises en mathématiques, qui sont un modèle abstrait de cette notion physique.

■ *Droite euclidienne.* Une droite euclidienne D est un ensemble E (dont les éléments sont appelés des *points*), muni d'une famille $\mathcal{F}$ de bijections de E sur l'ensemble $\mathbb{R}$ des nombres réels, telle que :

quelle que soit la bijection f de la famille $\mathcal{F}$ et la constante réelle a, les applications g et g' définies, pour tout point M, par $g(M)=f(M)+a$ et $g'(M)=-f(M)+a$, sont aussi des bijections de la famille $\mathcal{F}$;

réciproquement, si f_1 et f_2 sont deux bijections de la famille $\mathcal{F}$, il existe un nombre réel a tel que pour tout point M,

$$\text{ou bien } f_2(M)=f_1(M)+a$$
$$\text{ou bien } f_2(M)=-f_1(M)+a.$$

Chaque bijection f de $\mathcal{F}$ est une *graduation* de la droite euclidienne. Le nombre $f(M)$ est l'*abscisse* du point M pour la graduation f considérée.

A et B étant deux points de la droite euclidienne D, le nombre $|f(B)-f(A)|$ ne dépend pas, d'après la définition, du choix de la graduation f. On l'appelle *distance* des deux points A et B, que l'on note $d(A, B)$ ou AB. Quels que soient les points A, B ou C d'une droite euclidienne D :

$$d(A, B)=0 \Longleftrightarrow A=B$$
$$d(A, B)=d(B, A)$$
$$d(A, C) \leqslant d(A, B)+d(B, C).$$

Si f est une graduation particulière, on définit l'ensemble $\mathcal{F}_1$ des graduations g qui sont de même « sens » que f [telles que $g(M)=f(M)+a$, $a \in \mathbb{R}$], et l'ensemble $\mathcal{F}_2$ des graduations g' qui sont de « sens » contraire à celui de f [telles que $g'(M)=-f(M)+a$, $a \in \mathbb{R}$].

A une droite euclidienne D sont associés deux axes* A_1 et A_2, ayant même ensemble de points que D et tels que : A_1 est défini par la famille de graduations $\mathcal{F}_1$; A_2 est défini par la famille de graduations $\mathcal{F}_2$. Chaque axe correspond à un des sens de la droite euclidienne.

On peut illustrer la notion de *droite euclidienne* par un ruban-mètre de couturière, gradué en centimètres : ses deux faces sont graduées dans des sens opposés; elles sont un exemple de morceaux des deux axes d'une même droite euclidienne.

■ *Droite affine.* Une droite affine D′ est un ensemble E (dont les éléments sont appelés des *points*) muni d'une famille $\mathcal{F}$ de bijections de E sur $\mathbb{R}$ (ces bijections sont appelées *graduations* de la droite affine) telles que :

quels que soient la graduation f de la famille $\mathcal{F}$ et le couple (a, b) de nombres réels (a non nul), l'application g définie, quel que soit le point M, par $g(M)=af(M)+b$, est aussi une graduation de la famille $\mathcal{F}$;

réciproquement, si f_1 et f_2 sont deux graduations de la famille $\mathcal{F}$, il existe un couple (a, b) de nombres réels tel que, pour tout point M, $f_1(M)=af_2(M)+b$.

Le nombre $f(M)$ est l'*abscisse* du point M pour la graduation f considérée.

■ *Liaison entre droite euclidienne et droite affine.*

A une droite euclidienne D, on associe une droite affine D′ unique, de même ensemble de points que D, et dont la famille de graduations est l'ensemble de toutes les bijections g qui s'écrivent $g(M)=af(M)+b$, f étant une graduation quelconque définissant D.

A une droite affine D′, on associe une infinité de droites euclidiennes, de même ensemble de points que D′, la famille de gradua-

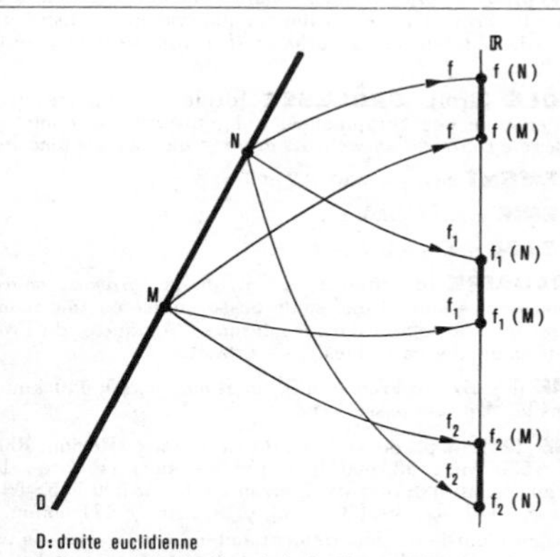

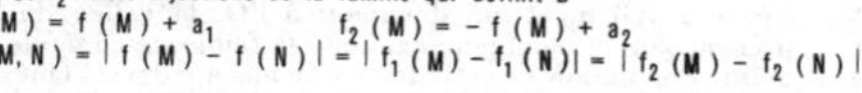
D: droite euclidienne

f, f_1 et f_2 : trois bijections de la famille qui définit D

$f_1(M)=f(M)+a_1$ $f_2(M)=-f(M)+a_2$

$d(M, N)=|f(M)-f(N)|=|f_1(M)-f_1(N)|=|f_2(M)-f_2(N)|$

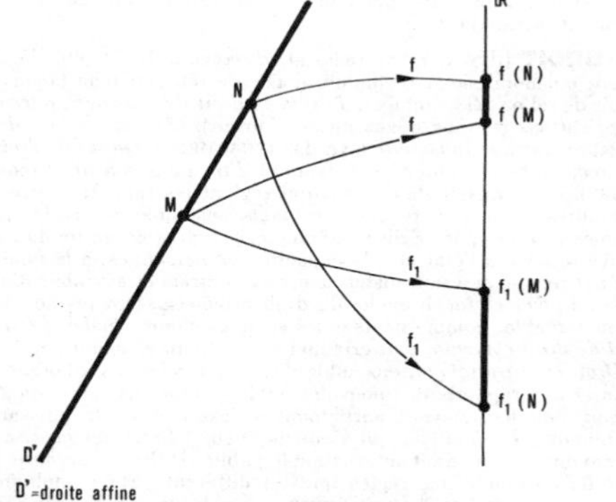

D′ = droite affine

f et f_1 sont deux bijections de la famille qui définit D′

$f_1(M)=af(M)+b$ $(a \neq 0)$

$|f(M)-f(N)|$ est différent, en général, de $|f_1(M)-f_1(N)|$

tions de chacune d'entre elles étant une partie de la famille de graduations définissant D'.

■ *Repère.* Soit G une droite euclidienne ou une droite affine, et soit f l'une de ses graduations. On appelle *repère* de G correspondant à f le couple (O, I) de points définis par

$$\begin{cases} f(O)=0 \\ f(I)=1. \end{cases}$$

Pour tout point M, le nombre $f(M)$ est l'*abscisse* de M dans le repère (O, I). O, point d'abscisse nulle, est l'*origine* du repère.

Si G est une droite affine, tout couple de points distincts est un repère de cette droite.

Si G est une droite euclidienne, et (O, I) un repère, alors $d(O, I)=1$. Réciproquement, tout couple (O, I) de points tel que $d(O, I)=1$ est un repère de la droite euclidienne. Un tel repère est dit *normé*.

Exemples : le temps, ensemble des instants, est un exemple de *droite affine.* La date d'un instant (c'est-à-dire son abscisse) est connue quand on a choisi une unité de temps (l'année, la minute, etc.), un sens (vers le passé, vers l'avenir), un instant origine (naissance de Jésus-Christ, fondation de Rome, etc.). Si on a fixé l'unité (l'année, par ex.), le temps est un exemple de *droite euclidienne :* la date d'un instant (son abscisse) est connue quand on a choisi un sens et un instant origine. La distance de deux instants est déterminée (en années), quels que soient le sens et l'instant origine choisis. Au temps, considéré comme droite affine, on associe donc une infinité de droites euclidiennes, selon l'unité choisie : l'année, la minute, la seconde, le siècle, le millénaire, etc. Si on a fixé l'unité (l'année, par ex.) et le sens (vers l'avenir, par ex.), le temps est un exemple d'*axe* (c'est-à-dire de droite euclidienne orientée) : la date d'un instant sera connue quand on aura fixé un instant d'origine.

demi-droite. Une droite D *(affine* ou *euclidienne)* étant munie d'une relation d'ordre (par le choix, par ex., d'un repère) et A étant

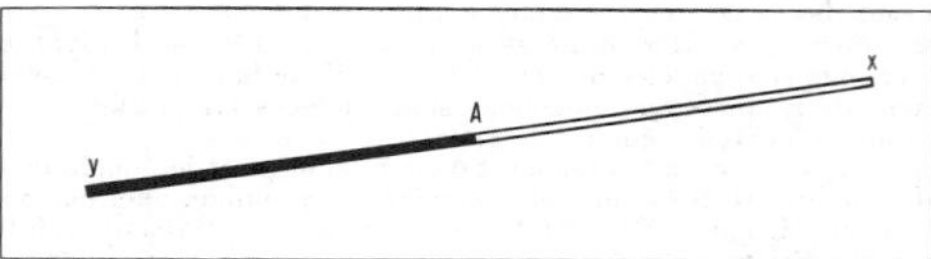

un point de cette droite, on appelle *demi-droite d'origine A* l'ensemble de tous les points de D qui sont d'un même côté par rapport à A.

Tout point A de D détermine deux *demi-droites*, A*x* et A*y*.

Une demi-droite est *ouverte* si son origine A est exclue de la demi-droite.

Une demi-droite est *fermée* si son origine A appartient à la demi-droite.

2. DROIT, E [drwa, drwat] adj. (même étym.). Se dit de ce qui, par rapport au corps humain, est situé du côté opposé au cœur (contr. GAUCHE) : *La rive droite d'une rivière* (= celle qu'on a à sa droite quand on se dirige vers l'aval). ◆ **droite** n. f. Côté droit (contr. GAUCHE). — LOC. ADV. *À droite*, du côté droit. ‖ *À droite et à gauche, de droite et de gauche*, de divers côtés, ici et là : *Recueillir des informations à droite et à gauche.* ◆ **droitier, ère** adj. et n. Se dit d'une personne qui se sert surtout de sa main droite (contr. GAUCHER).

3. DROIT [drwa] n. m. (bas lat. *directum*). **1.** Faculté, légalement ou moralement reconnue, d'agir de telle ou telle façon, de jouir de tel ou tel avantage : *Je suis en droit de vous demander des explications* (= vous devez me les fournir). *On peut à bon droit compter sur une indemnité* (syn. LÉGITIMEMENT). *On a fait droit à sa requête* (= il a obtenu satisfaction). *Être dans son droit* (contr. TORT). — **2.** Ensemble des lois qui règlent les rapports entre les membres d'une société. ‖ *Droit canon*, ensemble des règles juridiques édictées par l'Église catholique. ‖ *Droit civil*, partie du droit privé relative à l'état et à la capacité des personnes, à la famille, au patrimoine et à sa transmission, aux contrats et aux obligations. ‖ *Droit commercial*, branche du droit privé régissant les actes de commerce, les commerçants et les sociétés commerciales. ‖ *Criminel de droit commun*, tout criminel autre qu'un criminel politique. ‖ *Droit constitutionnel*, ensemble des règles relatives à l'organisation et aux rapports des pouvoirs publics entre eux, ainsi qu'à la façon dont les citoyens participent à l'exercice de la puissance publique. ‖ *Droit divin*, qui vient de Dieu. ‖ *Droit des gens*, anc. dénomination du droit international public. ‖ *Droit international public*, ensemble des règles que les différents États appliquent dans leurs rapports. ‖ *Droit privé*, ensemble des règles qui régissent les rapports respectifs des individus entre eux. ‖ *Droit public*, ensembles des règles relatives à la constitution d'un État, aux rapports de l'État, des administrations avec les individus. — **3.** *À qui de droit*, à la personne compétente.

4. DROIT [drwa] n. m. (même étym.). Somme d'argent de montant défini, qui doit être versée à quelqu'un ou à un organisme : *Droits de douane. Payer ses droits d'inscription. Les droits d'auteur sont la somme que l'éditeur verse à l'auteur d'un livre.*

1. DROITE n. f. → DROIT 1 et 2.

2. DROITE [drwat] n. f. (de *droit* 2). Ensemble de ceux qui, dans l'opinion publique, au Parlement, etc., soutiennent des idées conservatrices (par oppos. à la GAUCHE); *Être de droite, être à droite* (syn. CONSERVATEUR, ↑RÉACTIONNAIRE). ‖ *L'extrême droite*, ceux qui, exaltant l'idée de patrie, préconisent la substitution d'un régime autoritaire à la démocratie parlementaire. (L'extrême droite prône l'anticommunisme et s'accompagne fréquemment d'une idéologie raciste.)

DROITEMENT adv. → DROIT 1.

DROIT-FIL [drwafil] adj. et n. m. *(droit,* et *fil).* Se dit, en couture, d'un tissu que l'on utilise dans le sens de la trame ou de la chaîne. ‖ Pl. des *droits-fils.*

DROITIER, ÈRE adj. et n. → DROIT 2.

droits de l'homme et du citoyen *(Déclaration des)*, déclaration votée par l'Assemblée constituante en 1789 et qui servit de préface à la Constitution de 1791. Elle s'oppose à l'absolutisme et à l'arbitraire de l'Ancien Régime et fixe les grandes idées affirmées par le nouveau régime issu de la Révolution : les hommes naissent et demeurent libres et égaux en droits; la liberté, la propriété, la sûreté et la résistance à l'oppression sont les droits naturels de l'homme; le pouvoir appartient à la nation tout entière, la loi exprime la volonté générale de la nation. Cette déclaration a servi de base au droit français.

droits de l'homme *(Déclaration internationale des)*, document voté le 10 décembre 1948 par l'Assemblée générale des Nations unies en vue de proclamer les droits fondamentaux de l'humanité.

droits de l'homme *(Ligue des)*, ligue fondée en 1898, à l'occasion de l'affaire Dreyfus, pour défendre les libertés humaines menacées par les décisions arbitraires prises par le pouvoir politique ou par le pouvoir judiciaire.

DROITURE n. f. → DROIT 1.

1. DRÔLE [drol] adj. (néerl. *drol*, lutin). Se dit d'une personne ou d'une chose qui fait rire : *Raconter des histoires drôles* (syn. AMUSANT, SPIRITUEL; fam. RIGOLO; pop. ↑MARRANT). ◆ **drolatique** adj. Plaisant, amusant : *Des incidents drolatiques.* ◆ **drôlerie** n. f. : *La drôlerie d'une réponse, d'une situation, d'un personnage. Raconter des drôleries* (= des histoires drôles).

2. DRÔLE [drol] adj. (même étym.). Se dit d'une personne ou d'une chose qui intrigue, qui paraît bizarre (quand il est placé avant le nom, il lui est toujours rattaché par *de*) : *C'est une drôle de manière d'aborder les gens* (syn. CURIEUX, ÉTRANGE, SINGULIER). *Cela m'a paru drôle* (syn. ÉTONNANT, SURPRENANT). ◆ adv. Fam. *Cela me fait drôle*, cela me cause une impression bizarre. ◆ **drôlement** adv. : *Le film se termine drôlement* (syn. BIZARREMENT).

3. DRÔLE [drol] adj. (même étym.). Très fam. *Un drôle de*, exprime l'importance, la force de quelque chose, de quelqu'un : *Il a fait des drôles de progrès!* (syn. FAMEUX, REMARQUABLE). ◆ **drôlement** adv. *Très fam.* Sert à donner une valeur intensive à des adjectifs, des adverbes, des verbes : *Il a drôlement changé* (syn. BEAUCOUP).

4. DRÔLE [drol], **DRÔLESSE** [drolɛs] n. (même étym.). *Péjor.* Personne peu scrupuleuse, qui n'inspire pas confiance : *Vous avez été victime d'un mauvais drôle* (= un mauvais plaisant).

DRÔLEMENT adv. → DRÔLE 2 et 3.

DRÔLERIE n. f. → DRÔLE 1.

DRÔLESSE n. f. → DRÔLE 4.

DROMADAIRE [drɔmadɛr] n. m. (du gr. *dromas*, coureur). Ruminant domestique, à une seule bosse, utilisé comme monture ou comme bête de somme dans les déserts d'Afrique et du Proche-Orient. (Famille des camélidés.) [→ CHAMEAU.]

DRÔME (la), riv. de France, affl. du Rhône (r. g.); 110 km. Elle naît dans les Alpes et passe à Die.

DRÔME (26), dép. du sud-est de la France (Région Rhône-Alpes); 6 530 km²; 389 800 hab. (60 au km²) [France: 103]. Ch.-l. *Valence.* ADMINISTRATION. 3 arrond. (*Die*, 33 600 hab.; *Nyons*, 54 300 hab.; *Valence*, 301 900 hab.). / 36 cant. / 371 comm.

La majeure partie du département s'étend sur les massifs préalpins *(Vercors, Diois, Baronnies)*, où l'altitude est rarement inférieure à 700 m et qui dominent à l'O. la vallée du Rhône. La présence de la montagne explique la faiblesse générale du peuplement. Population et activités se localisent dans l'Ouest, dans les vallées où se sont établies les principales villes.

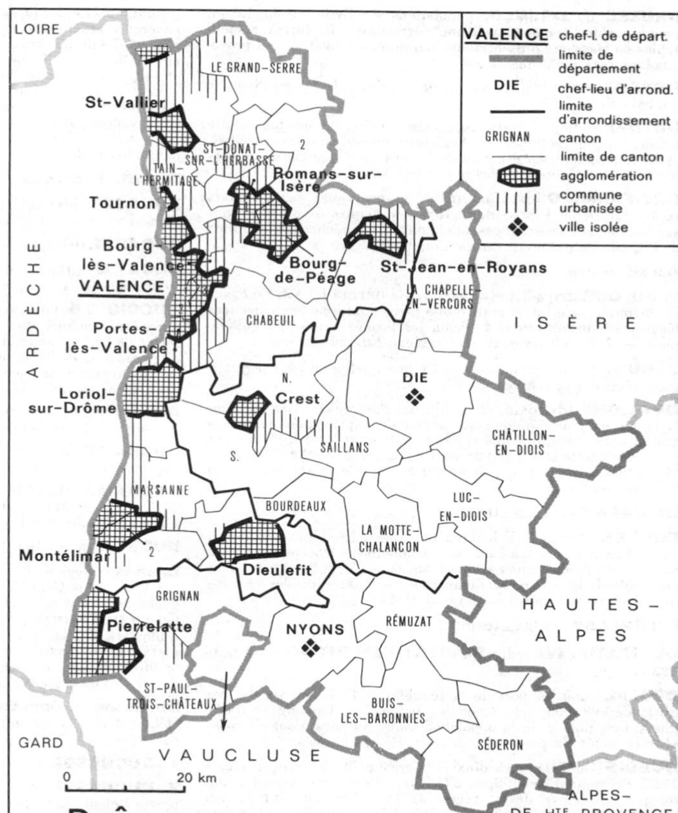

Drôme

LOCALITÉS PRINCIPALES	NOMBRE D'HAB.
Valence	68 200
Romans-sur-Isère	33 900
Montélimar	30 200
Bourg-lès-Valence	16 500
Pierrelatte	11 700
Bourg-de-Péage	8 700
Crest	7 800
Portes-lès-Valence	7 400
Livron-sur-Drôme	7 400
Nyons	6 300

L'*agriculture* emploie plus du dixième de la population active; élevage est la ressource essentielle de la partie orientale; les ultures (fruits, légumes, vigne) dominent dans l'Ouest.

L'*industrie* occupe environ les deux cinquièmes de la main-'œuvre; elle est surtout représentée à Valence (constructions nécaniques et chimie), à Romans (travail du cuir), à Pierrelatte ndustrie nucléaire).

Le département a connu un rapide essor démographique lié au ynamisme de Valence et plus généralement de la vallée du Rhône. Mais le déséquilibre entre la vallée du Rhône et la monagne s'accentue.

RONNE (la), riv. de France (Périgord), affl. de l'Isle (r. g.); 90 km.

ROP-GOAL [drɔpgol] ou **DROP** n. m. (mot angl.). Au rugby, oup de pied en demi-volée, envoyant le ballon par-dessus la barre u but adverse et rapportant trois points à l'équipe. ‖ Pl. des *drop-oals.*

ROSERA [drɔzera] n. m. (gr. *drosera*, humide de rosée). 'lante herbacée des tourbières d'Europe, dont les petites feuilles, talées en rosette, portent des tentacules capables d'engluer et de igérer les menus insectes qui s'y posent. (Nom usuel ROSSOLIS.)

ROSOPHILE [drɔzɔfil] n. f. (du gr. *drosos*, rosée, et *philos*, ui aime). Insecte long de 2 mm, appelé aussi MOUCHE DU INAIGRE, utilisé dans de nombreuses expériences de génétique. Ordre des diptères.)

ROSSER [drɔse] v. t. (néerl. *drossen*, entraîner). *Mar.* En arlant de l'action du vent ou d'un courant sur un bateau, entraîer dans une direction différente de la route à suivre.

DROUET (Juliette), actrice française (1806-1883), maîtresse de Victor Hugo.

DRU, E [dry] adj. (gaul. *druto*). Se dit de ce qui est serré, épais : *Une barbe drue. Des cheveux drus.* ◆ adv. : *Les balles tombent dru. L'herbe pousse dru.*

DRU *(aiguille du)*, montagne du massif du Mont-Blanc, dans le groupe de l'aiguille Verte; 3 754 m au Grand Dru.

DRUGSTORE [drœgstɔr] n. m. (mot amér. signif. *pharmacie*). Magasin à entrée libre, où l'on peut boire, manger, voir des films et acheter toutes sortes de produits.

DRUIDE [drɥid] n. m. (lat. *druida*). Prêtre celte. ◆ **druidisme** n. m. Institution religieuse des Celtes dirigée par les druides.
— ENCYCL. Les *druides* constituaient une classe très respectée : leur réputation de grande sagesse leur permit d'obtenir des attributions judiciaires, ce qui leur conféra une influence politique et sociale comparable à leur autorité religieuse. À leur doctrine religieuse et philosophique (croyance à l'immortalité de l'âme, à la métempsycose*) s'ajoutaient des superstitions (vertus mystérieuses du gui). De nos jours, on compte encore quelques druides dans les pays celtes (Bretagne, Irlande, pays de Galles).

DRUMLIN [drœmlin] n. m. (mot irland.). *Géogr.* Colline allongée sur le fond d'anciens lits glaciaires.

DRUMONT (Édouard), polémiste et homme politique français (1844-1917). Fondateur du journal *la Libre Parole*, il mena une violente polémique antisémite et nationaliste, et combattit les « dreyfusards ».

DRUPE [dryp] n. f. (lat. *drupa*, olive mûre). Fruit charnu à noyau (cerise, abricot, etc.).

DRUZES ou **DRUSES,** populations de Syrie et du Liban, membre d'une secte ismaélienne* extrémiste. Ils furent responsables du massacre des chrétiens maronites en 1860, ce qui provoqua l'intervention de la France.

DRYADE [drijad] n. f. (du gr. *drus*, arbre). *Myth. gr.* Nymphe qui habitait les forêts.

DRYDEN (John), écrivain anglais (1631-1700). Il contribua à faire renaître le goût du théâtre en Angleterre en écrivant des tragédies, et fut le principal représentant de l'esprit classique dans son pays (traductions et imitations des poètes latins).

DRY-FARMING [drajfarmiŋ] n. m. (mots angl. signif. *culture sèche*). Ensemble de procédés agricoles appliqués dans des régions semi-arides et consistant essentiellement à empêcher l'évaporation de l'eau du sol par un travail continuel de la terre.

DU art. contracté → LE.

1. DÛ, DUE [dy] adj. (de *devoir*). **1.** → DEVOIR 1. — **2.** *En bonne et due forme*, se dit d'un acte, d'une pièce conforme aux exigences légales. ◆ **dûment** adv. **1.** Selon les formes voulues, régulièrement. — **2.** *Fam.* Convenablement, bien : *Être dûment averti.*

2. DÛ [dy] n. m. (même étym.). Ce que quelqu'un peut légitimement réclamer : *Réclamer son dû.*

DUALISME [dyalism] n. m. (du lat. *duo*, deux). Tout système religieux ou philosophique qui admet deux principes, comme la matière et l'esprit, le corps et l'âme, le bien et le mal, et que l'on suppose en lutte éternelle l'un contre l'autre. ◆ **dualiste** adj. et n. ◆ **dualité** n. f. Caractère de ce qui est double en soi, qui a deux natures, deux aspects.

DU BARRY → BARRY (DU).

DUBČEK (Alexander), homme politique tchécoslovaque, né en 1921. Premier secrétaire du parti communiste tchécoslovaque au moment de l'intervention militaire soviétique (1968), il est évincé en 1969. Il joue à nouveau un rôle politique après les changements intervenus dans son pays en 1989.

DU BELLAY → BELLAY (DU).

DUBITATIF, IVE adj., **DUBITATIVEMENT** adv. → DOUTER 1.

DUBLIN, capit. et port de la république d'Irlande, sur la mer d'Irlande; 983 000 hab. (avec les banlieues). La ville regroupe plus du cinquième de la population totale du pays, dont elle possède la moitié du potentiel industriel. Riches musées.

DUBOIS (Guillaume), cardinal et homme politique français (1656-1723). Précepteur de Philippe d'Orléans, il entra au Conseil d'État lorsque son élève devint régent (1715). Secrétaire d'État aux Affaires étrangères à partir de 1718, il fit la guerre à l'Espagne (1719-1720). Il fut Premier ministre en 1722.

DU BOIS (William Edward Burghard), sociologue et homme politique américain (1868-1963). L'un des fondateurs du panafricanisme*, il fut l'initiateur du premier congrès panafricain (1919).

DUBROVNIK, ancienn. **Raguse,** v. de Yougoslavie, en Croatie, sur la côte dalmate; 23 000 hab. Située sur un rocher, entourée d'une belle enceinte, la ville est un grand centre touristique.

DUBUFFET (Jean), peintre français (1901-1985). Théoricien de l'« art brut », il s'inspire de graffiti et du dessin enfantin pour exécuter des tableaux, en se servant parfois de matières inhabituelles (goudron, sable, charbon, etc.).

1. DUC [dyk] n. m. (du lat. *dux*, chef). **1.** *Autref.* Titre porté par le souverain d'un duché. — **2.** Titre de noblesse le plus élevé, après celui de prince, dans quelques États, et en France sous l'Ancien Régime. ◆ **ducal, e, aux** adj. Se dit de ce qui appartenait à un duc : *Palais ducal.* ◆ **duché** n. m. Territoire appartenant autref. à un duc : *Le duché de Lorraine.* ◆ **duchesse** n. f. **1.** Femme d'un duc, ou femme qui possédait un duché. — **2.** *Fam.* Femme qui se donne de grands airs. ◆ **archiduc** [arʃidyk] n. m. Titre que prenaient les princes de la maison d'Autriche. ◆ **archiduché** n. m. Nom parfois donné au domaine d'un archiduc. ◆ **archiduchesse** n. f. **1.** Épouse d'un archiduc. — **2.** Titre donné aux filles et aux sœurs des empereurs d'Autriche : *Napoléon Ier épousa l'archiduchesse Marie-Louise.* ◆ **grand-duc** [grɑ̃dyk] n. m. **1.** Titre de quelques princes souverains. — **2.** Prince de la famille impériale de Russie. ‖ Pl. des *grands-ducs.* ◆ **grand-duché** n. m. Pays gouverné par un grand-duc, une grande-duchesse : *Le grand-duché de Luxembourg.* ◆ **grande-duchesse** n. f. **1.** Épouse d'un grand-duc ou souveraine d'un grand-duché. — **2.** Titre des princesses de la famille impériale russe. ‖ Pl. des *grandes-duchesses.*

2. DUC [dyk] n. m. (de *duc* 1). Nom donné à trois espèces de hiboux. (Rapaces nocturnes de l'ordre des strigiformes.)

— ENCYCL. Le *grand duc* est le plus gros hibou européen : so envergure atteint 1,80 m. Il habite les régions méridionales d'Eu rope et d'Asie (en France, les massifs montagneux du Sud). Il s nourrit de lièvres, lapins, grives, perdrix, corvidés. Les pesticide et les persécutions de l'homme sont les causes de sa raréfaction.
Le *moyen duc* habite surtout les forêts de conifères, dans le régions tempérées de l'hémisphère Nord. Il se nourrit de rongeur (campagnols, rats, mulots).
Le *petit duc*, le plus petit des hiboux (de la taille d'un merle habite le sud de l'Europe. Il se nourrit surtout d'insectes.

DUCAL, E, AUX adj. → DUC 1.

DUCASSE [dykas] n. f. (de *dédicace*). Fête patronale, e Flandre et en Artois.

DUCASSE (Isidore) → LAUTRÉAMONT.

DUCAT [dyka] n. m. (it. *ducato*). Anc. monnaie d'or introduite Venise au XIIIe s.

DUCCIO di Buoninsegna, peintre italien (v. 1260-v. 1318). Il illustré la tendance de l'art italien du Moyen Âge à respecter le règles de l'art byzantin et peint, sur des fonds d'or, le monde sacr du paradis ou de la vie du Christ. Son chef-d'œuvre est la *Maest* de la cathédrale de Sienne, où il s'ouvre aux tendances occiden tales. Il exerça une grande influence sur les peintres siennois.

DUCE [dutʃe] n. m. (mot it. signif. *chef*). Titre pris par Muss lini, chef du gouvernement italien de 1922 à 1945.

DUCHAMP (Marcel), peintre français (1887-1968). Il joua un rôl important dans le mouvement dada et le surréalisme.

DUCHAMP-VILLON (Raymond), sculpteur français (187 1918), frère de Marcel Duchamp. D'abord influencé par Rodin, s'orienta ensuite vers le cubisme.

DUCHÉ n. m. → DUC 1.

Duchés *(guerre des)*, conflit qui a opposé, en 1864, le Danemar aux États de la Confédération germanique pour la possession de duchés de Slesvig, de Holstein et de Lauenburg. Bismarck, ave l'appui de l'Autriche, fit envahir le Slesvig par ses troupes. L Danemark demanda la paix. En 1865, la convention de Gaste partagea l'administration des duchés entre la Prusse et l'Autrich le différend qui éclata à ce sujet entre ces deux puissances fut un des causes de la guerre austro-prussienne de 1866.

Duchesne ou **Duchêne** *(le Père)*, journal politique rédigé pa Hébert durant la Révolution, caractérisé par la violence du ton des idées.

1. DUCHESSE n. f. → DUC 1.

2. DUCHESSE [dyʃɛs] n. f. (de *duc*). Variété de poire d'au tomne à chair fondante et parfumée.

DUCOS (Roger), Conventionnel (1747-1816), membre du Dire toire et consul après le 18-Brumaire.

DUCTILE [dyktil] adj. (lat. *ductilis*, malléable). Qui peut êtr tiré, étiré, allongé sans se rompre. ◆ **ductilité** n. f. Propriété, pou un métal ou un alliage, de se laisser étirer facilement.

DUDELANGE, v. du sud du Luxembourg; 14 600 hab. Miner de fer. Sidérurgie.

DUÈGNE [dɥɛɲ] n. f. (esp. *dueña*). **1.** Gouvernante ou femm âgée, chargée, en Espagne, de veiller sur une jeune personn — **2.** *Péjor.* Vieille femme, revêche, gênante.

1. DUEL [dɥɛl] n. m. (lat. *duellum*). **1.** Combat par les arme entre deux hommes, dont l'un se juge offensé par l'autre. ‖ *Du judiciaire*, au Moyen Âge, combat entre l'accusateur et l'accus admis comme preuve juridique. — **2.** Vive compétition entre deu personnes : *Un duel d'éloquence.* — **3.** Conflit, bataille entre deu puissances, deux armées : *Duel d'artillerie.* ◆ **duelliste** n. m Celui qui se bat en duel.

2. DUEL [dɥɛl] n. m. (du lat. *duo*, deux). *Gramm.* Dans certain langues (arabe, grec, hébreu), catégorie du nombre qui s'emploi dans les déclinaisons et les conjugaisons pour indiquer deux pe sonnes ou deux choses.

DUETTISTE n. → DUO.

DUFAY (Guillaume), compositeur français (v. 1398-v. 1474). Il insufflé un élan nouveau à tous les genres musicaux pratiqué alors (motets, chansons, messes).

DUFFEL-COAT ou **DUFFLE-COAT** [dœfœlkot] n. m. (m angl.). Manteau trois quarts, imperméabilisé, avec capuchon, tissu molletonné.

DUFY (Raoul), peintre, graveur et décorateur français (1877-1953 Influencé successivement par l'impressionnisme, le fauvisme et cubisme, il trouve vers 1922 un style personnel et original. S peinture, gracieuse et désinvolte, allie un dessin dépouillé et raffiné à des coloris clairs et frais, suggérant une atmosphère de légèreté et de joie. Dessinateur, aquarelliste, il a composé également des cartons de tapisserie, des décors de théâtre et de grands ensembles décoratifs *(la Fée Électricité)*.

DUGONG [dygɔ̃] n. m. (mot angl.). Mammifère marin herbivore, long de 3 m, à corps massif, vivant sur le littoral de l'océan Indien. (Ordre des siréniens.)

DUGUAY-TROUIN (René), corsaire français (1673-1736). Il s'illustra pendant les guerres de Louis XIV contre les navires anglais et hollandais.

DU GUESCLIN ⟶ GUESCLIN (DU).

DUHAMEL (Georges), écrivain français (1884-1966). Il n'a cessé d'observer le monde avec une compassion attendrie, enveloppant ses créations d'une atmosphère chaleureuse et poétique. On lui doit des souvenirs de médecin militaire, pendant la Première Guerre mondiale (*Civilisation*, 1918), de longues suites romanesques (*Vie et aventures de Salavin*, 1920-1932; *Chronique des Pasquier*, 1933-1945) et des essais (*les Plaisirs et les jeux*, 1922; *Scènes de la vie future*, 1930).

DUISBURG, v. d'Allemagne (Rhénanie-du-Nord-Westphalie), sur le Rhin, au confluent de la Ruhr; 523 000 hab. C'est le principal débouché de la région industrielle de la Ruhr, un des premiers ports fluviaux européens.

DUKAS (Paul), compositeur de musique français (1865-1935). Il est l'auteur de *l'Apprenti sorcier* (1897) et de l'opéra *Ariane et Barbe-Bleue* (1907).

Dulcinée, personnage du *Don Quichotte* de Cervantès, paysanne dont le héros fait la « dame de ses pensées » et qu'il pare de toutes les perfections.

DULLES (John Foster), homme politique américain (1888-1959). Secrétaire d'État aux Affaires étrangères à partir de 1953, il pratiqua une politique d'anticommunisme systématique.

DULLIN (Charles), acteur et directeur de théâtre français (1885-1949). Collaborateur de Copeau, il fonda le théâtre de l'Atelier (1922). Il a renouvelé l'interprétation dramatique des répertoires classique (*l'Avare*, de Molière) et moderne.

DULUTH, port des États-Unis (Minnesota), sur la côte ouest du lac Supérieur, à proximité des gisements de minerai de fer; 106 900 hab. Exportation de minerais.

DUMAS (Jean-Baptiste), chimiste français (1800-1884), auteur d'importants travaux d'analyse chimique.

DUMAS (Alexandre), écrivain français (1802-1870). Aidé par plusieurs collaborateurs (principalement Auguste Maquet), il écrivit près de trois cents ouvrages, drames et romans, et fut le plus populaire des écrivains de l'époque romantique. Parmi ses drames romantiques, citons : *Henri III et sa Cour* (1829), *Antony* (1831), *la Tour de Nesle* (1832). Ses principaux romans historiques sont : *les Trois Mousquetaires* (1844), *Vingt Ans après* (1845), *le Vicomte de Bragelonne* (1850), *le Comte de Monte-Cristo* (1845), *la Dame de Monsoreau* (1846), *les Quarante-Cinq* (1848).

DUMAS (Alexandre), dit **Dumas fils,** écrivain français (1824-1895), fils naturel d'Alexandre Dumas. En 1848, il publia *la Dame aux camélias*, roman qui fut porté à la scène en 1852.

DÛMENT adv. ⟶ DÛ 1.

DUMONT D'URVILLE (Jules Sébastien César), navigateur français (1790-1842). Il effectua un voyage autour du monde (1822 à 1825), explorant les côtes de la Nouvelle-Guinée et de la Nouvelle-Zélande. Capitaine de frégate, il partit, sur *l'Astrolabe*, à la recherche des vestiges de l'expédition de La Pérouse, qu'il retrouva à Vanikoro. De 1837 à 1840, il découvrit plusieurs terres dans l'Antarctique, dont la terre Adélie.

DUMOURIEZ (Charles François DU PÉRIER, dit), général français (1739-1823). Commandant en chef de l'armée du Nord, il vainquit les Prussiens à Valmy*, les Autrichiens à Jemmapes*. Relevé de ses fonctions après sa défaite à Neerwinden (18 mars 1793), il passa dans les rangs autrichiens.

DUMPING [dœmpiŋ] n. m. (mot angl.). Pratique commerciale qui consiste à vendre des produits moins cher à l'étranger que sur le marché national, parfois même à un prix inférieur au prix de revient. (Le dumping a pour but de gagner un client ou de supprimer un concurrent en assurant des prix plus compétitifs que ceux des industries du pays concerné.)

DUNANT (Henri), philanthrope suisse (1828-1910). Il fit adopter la première convention de Genève (1864), d'où naquit la Croix-Rouge.

DUNCAN Ier (m. en 1040), roi d'Écosse de 1034 à 1040; il fut assassiné par Macbeth.

DUNCAN (Isadora), danseuse américaine (1878-1927). Elle fonda des écoles de danse en Europe et en Amérique. Ses recherches et ses improvisations en opposition avec les formes classiques du ballet influencèrent la danse moderne.

DUNDEE, port de Grande-Bretagne, en Écosse, sur l'estuaire du Tay; 182 100 hab.

DUNE [dyn] n. f. (anc. néerl. *dunen*). Monticule sablonneux, édifié par le vent, sur les littoraux et dans les déserts.
— ENCYCL. Les *dunes* se forment sur le littoral grâce au sable des plages (cas de la dune du Pilat, dans la Gironde), ou dans les déserts lorsque l'absence de végétation n'entrave pas l'action du vent (dunes du Sahara). Sous l'effet du vent, les dunes se déplacent, et il est souvent nécessaire de les fixer par de la végétation (oyats, pins) pour les empêcher d'envahir des zones habitées.

DUNEDIN, port de la Nouvelle-Zélande, sur la côte sud-est de l'île du Sud; 111 100 hab.

Dunes *(bataille des)*, bataille remportée par Turenne sur les Espagnols et sur Condé près de Dunkerque (1658).

DUNETTE [dynɛt] n. f. (de *dune*). Construction située sur le pont arrière d'un navire, et qui s'étend en largeur d'un bord à l'autre : *Dans les bâtiments à voiles, les officiers étaient installés sous la dunette.*

DUNGENESS *(cap)*, pointe du sud-est de l'Angleterre (Kent), sur le pas de Calais.

DUNKERQUE, ch.-l. d'arrond. du dép. du Nord, sur la mer du Nord; 73 600 hab. *(Dunkerquois)*. La ville est le centre d'une agglomération d'env. 150 000 hab. en rapide expansion. Cette progression est liée au développement industriel de Dunkerque, dominé aujourd'hui par la sidérurgie et d'autres activités lourdes (raffineries de pétrole, centrale thermique). Le trafic du port dépasse 27 millions de t, ce qui le classe au troisième rang en France.

• *20 mai-4 juin 1940. Dunkerque est l'enjeu d'une bataille au cours de laquelle 230 000 Anglais et 110 000 Français s'embarquent pour l'Angleterre.*

DUNLOP (John Boyd), inventeur écossais (1840-1921). Il réalisa le premier pneumatique en imaginant la chambre à air faite d'un tube en caoutchouc, qu'il gonfla avec une pompe et qu'il enferma dans une enveloppe en toile (1888).

DUNOYER DE SEGONZAC (André), peintre et graveur français (1884-1974). Il a peint des paysages d'Île-de-France et de Provence; on lui doit aussi de nombreuses aquarelles et gravures.

DUNS SCOT (John), philosophe et théologien écossais (v. 1266-1308).

DUO [dɥo] n. m. (mot it. signif. *deux*). **1.** *Mus.* Pièce vocale ou instrumentale exécutée par deux chanteurs ou par deux musiciens : *Un duo pour violoncelles.* — **2.** *Math.* Ensemble ayant deux éléments (syn. PAIRE). — **3.** *Fam.* Paroles échangées ou prononcées simultanément par deux personnes : *Un duo d'admiration.* ◆ **duettiste** n. Personne qui exécute un duo musical avec un autre.

DUODÉCIMAL, E, AUX [dɥodesimal, -mo] adj. (lat. *duodecimus*, douzième). Se dit d'un système de numération par douze.

DUODÉNUM [dɥodenɔm] n. m. (du lat. *duodenum [digitorum]*, de douze [doigts]). Première portion de l'intestin grêle, qui succède à l'estomac. ◆ **duodénal, e, aux** adj. Relatif au duodénum.
— ENCYCL. Le *duodénum* débute par une partie renflée qui fait suite au pylore gastrique : le *bulbe duodénal;* il s'enroule ensuite autour de la tête du pancréas.

Il reçoit dans sa partie verticale, au niveau de l'« ampoule de Vater », les canaux excréteurs de la bile (canal cholédoque) et du pancréas exocrine (canal de Wirsung).

L'une des plus fréquentes maladies du duodénum est l'*ulcère du bulbe duodénal*.

DUPARC (Henri **Fouques-**), musicien français (1848-1933). Son recueil de treize mélodies est une des grandes œuvres de l'art vocal français.

DUPE [dyp] n. f. (anc. fr. *dupe*, huppe). Personne qu'on trompe en abusant de sa confiance naïve : *Il a été la dupe d'un escroc* (syn. VICTIME). ◆ adj. : *Je ne suis pas dupe* (= je ne m'y laisse pas prendre). ◆ **duper** v. t. *Duper qq'un*, le prendre pour dupe, abuser de sa confiance (syn. BERNER, ↑ESCROQUER; fam. ROULER). ◆ **duperie** n. f. Action de duper (syn. ↑ESCROQUERIE, TROMPERIE). ◆ **dupeur, euse** n. Personne qui en trompe une autre : *Les dupeurs et les dupés.*

Dupes *(journée des)* [11 novembre 1630], ainsi nommée parce que les ennemis de Richelieu — notamment Marie de Médicis et Anne d'Autriche — crurent en sa disgrâce auprès du roi, alors que le cardinal conservait sa faveur.

DUPLEIX (Joseph-François), administrateur colonial français (1696-1763). Gouverneur général de la Compagnie des Indes à partir de 1742, il sut, malgré la concurrence anglaise, imposer la prépondérance de la France dans le commerce oriental. Il prit Madras aux Anglais en 1746 et obligea ces derniers à lever le siège de Pondichéry (1748). Il établit l'influence française au S. du Deccan, mais sa politique jugée trop coûteuse ne fut pas soutenue par la Compagnie et il dut rentrer en France en 1754. La guerre de Sept Ans ruina les établissements français en Inde.

DUPLEX [dyplɛks] n. m. (mot lat. signif. *double*). **1.** Transmission simultanée, dans les deux sens, d'une émission téléphonique ou télégraphique. — **2.** Logement constitué de deux étages réunis par un escalier intérieur.

DUPLICATA [dyplikata] n. m. inv. (mot lat.). Double, copie exacte d'une facture, d'une lettre, d'un certificat, etc. ◆ **duplicateur** n. m. Machine permettant de reproduire rapidement un document à de nombreux exemplaires.

DUPLICITÉ [dyplisite] n. f. (bas lat. *duplicitas*, état de ce qui est double). Caractère d'une personne dont les pensées et les sentiments ne sont pas en accord avec le comportement (syn. FAUSSETÉ, FOURBERIE, HYPOCRISIE).

DU PONT DE NEMOURS (Éleuthère Irénée), chimiste français (1771-1834), collaborateur de Lavoisier. Il fonda aux États-Unis une poudrerie. — Son petit-fils PIERRE SAMUEL (1870-1954) organisa aux États-Unis l'actuel complexe industriel *Du Pont de Nemours*, la première société de produits chimiques du monde.

DUPUYTREN (Guillaume), chirurgien français (1777-1835). Il fut chirurgien de Louis XVIII, puis de Charles X. Il inventa des procédés techniques et pratiqua des interventions nouvelles qui ont fait faire de grands progrès à la science.

DUQUEL pron. rel. et interr. ⟶ LEQUEL.

DUQUESNE (Abraham, *marquis*), marin français (1610-1688). Lieutenant général des armées de mer (1667), il remporta, en 1676, sur l'amiral Ruyter, les batailles de Stromboli, d'Augusta et de Syracuse. Calviniste convaincu, il refusa le bâton de maréchal plutôt que d'abjurer. Seul de tous les protestants français, il ne fut pas proscrit lors de la révocation de l'édit de Nantes.

DUR, E [dyr] adj. (lat. *durus*) [après ou avant le nom, surtout aux sens 2 et 4]. **1.** Se dit de ce qui a une consistance ferme, résistante : *De la viande dure* (contr. TENDRE). *Cire dure* (contr. MOU). *Un siège dur* (contr. MOELLEUX). — **2.** Se dit de ce qui demande un effort physique ou intellectuel : *Un dur travail* (syn. PÉNIBLE, RUDE; contr. FACILE). *Ce problème est trop dur pour moi* (syn. DIFFICILE, FORT). — **3.** Se dit de ce qui est pénible, désagréable aux sens : *Voix dure* (syn. ÂPRE). *Climat dur* (syn. RIGOUREUX). — **4.** Se dit de ce qui impose une contrainte, de ce qui affecte péniblement : *Une loi dure* (syn. RIGOUREUX, SÉVÈRE; contr. DOUX). *Il m'est dur d'accepter cela* (syn. ↑CRUEL, PÉNIBLE). — **5.** Se dit d'une personne qui supporte fermement la fatigue, la douleur : *Un homme dur à la peine, dur à l'ouvrage* (syn. ENDURANT, ÉNERGIQUE, RÉSISTANT). — **6.** Se dit d'une personne qui ne se laisse pas émouvoir, attendrir, qui est sans bonté : *Un cœur dur* (syn. ↑IMPITOYABLE, INSENSIBLE). — **7.** Fam. *Coup dur* ⟶ COUP. ‖ Fam. *Être dur à la détente* ⟶ DÉTENDRE. ‖ Fam. *Être dur à cuire*, être très endurant, très résistant. ‖ Fam. *Avoir la tête dure*, avoir l'esprit peu ouvert; être très têtu. ‖ Fam. *Avoir la vie dure*, résister à la maladie et, en parlant des choses, résister longuement en dépit de forces contraires. ‖ *Avoir l'oreille dure, être dur d'oreille*, entendre mal. ◆ **dur** n. m. **1.** *Fam.* Homme résistant à la souffrance, au découragement. — **2.** *Pop.* Homme sans scrupule prêt à la bagarre. — **3.** *En dur*, en matériau dur. ◆ adv. Avec une grande force ou une grande intensité (fam. en ce dernier sens) : *Il cogne dur* (syn. FORT, ↑VIOLEMMENT). *Il travaille dur* (syn. ÉNERGIQUEMENT). *Le vent souffle dur* (syn. usuel FORT; contr. FAIBLEMENT). ◆ **dure** n. f. Fam. *En dire de dures à qq'un*, lui parler durement, le réprimander sévèrement. ‖ Fam. *En faire voir de dures à qq'un*, le malmener. — LOC. ADV. *À la dure*, sans douceur d'une manière sévère et austère, mais sans brutalité : *Être élevé à la dure* (contr. fam. DANS DU COTON). ◆ **durement** adv. : *Heurter durement un meuble* (syn. BRUTALEMENT, RUDEMENT, VIOLEMMENT). *Ressentir durement la mort d'un ami* (syn. DOULOUREUSEMENT, PÉNIBLEMENT). *Travailler durement* (syn. DUR). ◆ **dureté** n. f. État de ce qui est dur (aux différents sens, sauf au sens 5) : *La dureté de l'acier, de la route, de la voix, de la loi, d'un chef, du cœur.* ◆ **durcir** v. t. *Durcir qqch.*, le rendre dur. ◆ v. i. ou **se durcir** v. pr. Devenir dur (dans tous les sens de l'adj.). ◆ **durcissement** n. m. : *Le durcissement du pain. Le durcissement de l'opposition.* ◆ **endurcir** v. t. *Endurcir qq'un* (personne physique ou morale), le rendre dur (aux sens 5 et 6) : *Un long entraînement l'avait endurci à la fatigue. Endurcir ses muscles.* ◆ **s'endurcir** v. pr. : *S'endurcir à la douleur des autres* (= devenir insensible). ◆ **endurcissement** n. m. : *Endurcissement à la douleur* (syn. INSENSIBILITÉ).

DURABLE adj., **DURABLEMENT** adv. ⟶ DURER.

DURALUMIN [dyralymɛ̃] n. m. (nom déposé, de *Düren* où on le fabriqua d'abord). Alliage léger d'aluminium à haute résistance mécanique.

DURANCE (la), fl. des Alpes françaises du Sud; 280 km. Née au mont Genèvre, la Durance passe à Briançon, Embrun et Sisteron. En aval d'Embrun, son cours, grâce au barrage de Serre-Ponçon, est intégralement équipé pour la production d'hydro-électricité et l'irrigation. Elle est jalonnée par plus d'une dizaine de centrales (dont Serre-Ponçon et Oraison sont les plus importantes); ses eaux rejoignent en grande partie l'étang de Berre.

Durandal → DURENDAL.

DURANGO, v. du Mexique, au pied de la sierra Madre occidentale; 150 500 hab.

DURANT [dyrɑ̃] prép. (de *durer*), **PENDANT** [pɑ̃dɑ̃] prép. (de *prendre*). Indiquent la simultanéité (= pendant la durée de) → tableau ci-dessous.

DURAS (Marguerite), femme de lettres française, née en 1914. Marquée par sa jeunesse en Indochine (*Un barrage contre le Pacifique*, 1950; *l'Amant*, 1984), elle peint dans ses romans (*le Square*, 1955), ses nouvelles (*Des journées entières dans les arbres*, 1965) et son théâtre (*l'Amante anglaise*, 1967) des personnages qui tentent d'échapper à la solitude par le rêve, le crime, le dialogue. Elle a participé à l'adaptation cinématographique de plusieurs de ses romans (*Moderato cantabile*, 1958) et réalisé elle-même plusieurs films (*India Song*, 1975).

DURATIF, IVE adj. et n. m. ⟶ DURER.

DURAZZO ⟶ DURRËS.

durant	**pendant**
Indique la simultanéité continue (surtout en langue écrite) : *Il y eut, durant trois jours, de grandes festivités.*	Indique la simultanéité continue ou partielle (langue usuelle) : *Nous avons eu congé pendant trois jours. Pendant l'hiver, il a achevé la rédaction de son roman* (syn. AU COURS DE). *Pendant longtemps, nous l'avons cru perdu* (= longtemps).
Peut être placé, comme mot invariable, après le nom, pour insister sur la continuité (limité à quelques expressions) : *Toute sa vie durant, il a été un fort honnête homme. Ils avaient discuté des heures durant.*	S'emploie rarement comme adverbe, ordinairement coordonné à *avant* ou *après* : *Avant son passage au ministère et pendant, il a montré des qualités d'organisateur. voir ni pendant ni après.*
	pendant que loc. conj. *a*) Avec l'imparfait, le présent ou le futur de l'indicatif : *Pendant que je regardais à la fenêtre, une voiture qui voulait se ranger provoqua un embouteillage* (syn. CEPENDANT QUE, langue recherchée; TANDIS QUE, langue soignée). *b*) Avec une valeur d'opposition : *Pendant que des pays vivent dans l'abondance, des nations sous-développées meurent de faim* (syn. ALORS QUE). *c*) Avec une valeur causale (= puisque) : *Pendant que j'y pense, n'oubliez pas notre réunion de vendredi.*

DURBAN, port de l'Afrique du Sud (Natal); 874 000 hab.

DURCIR v. t. et i., **DURCISSEMENT** n. m., **DURE** n. f., **DUREMENT** adv. ⟶ DUR.

DURÉE n. f. ⟶ DURER.

DURE-MÈRE [dyrmɛr] n. f. (du lat. *durus*, dur, et *mater*, mère). *Anat.* La plus externe des trois méninges, fibreuse et très résistante. (Les autres méninges sont la *pie-mère* et l'*arachnoïde*.)

Durendal ou **Durandal,** nom que porte l'épée de Roland dans les chansons de geste.

DURER [dyre] v. i. (lat. *durare*). **1.** Persister dans un état, exister sans discontinuité : *Si cette sécheresse dure, les récoltes seront maigres* (syn. CONTINUER). *Cette mode ne durera pas* (syn. TENIR). — **2.** *Faire durer*, prolonger, tirer en longueur. ‖ *Le temps me dure, l'inaction me dure*, etc., je trouve le temps long, je perds patience. ◆ **durable** adj. Se dit de ce qui est de nature à durer longtemps : *Une transformation durable.* ◆ **durablement** adv. : *S'installer durablement* (= pour une durée assez longue). ◆ **duratif, ive** adj. et n. m. *Gramm.* Se dit d'une forme verbale envisageant une action dans son développement et sa durée (*être en train de*, et l'infin.). ◆ **durée** n. f. Action de durer; espace de temps que dure une chose.

DÜRER (Albrecht), peintre et graveur allemand (1471-1528). Humaniste, il découvrit en Italie l'art de la Renaissance, qu'il réussit à allier aux traditions gothiques germaniques, dont il était imprégné. Prodigieux dessinateur et graveur, il composa des suites gravées sur bois *(Apocalypse, Vie de la Vierge)* et des estampes *(la Mélancolie, Saint Jérôme, le Chevalier, la Mort et le Diable)*. Son œuvre variée a exercé une grande influence en Europe.

DURETÉ n. f. ⟶ DUR.

DURHAM, v. d'Angleterre, ch.-l. du comté du même nom; 25 800 hab. Cathédrale (XIe-XIIIe s.). Race bovine réputée.

DURILLON [dyrijɔ̃] n. m. (de *dur*). Durcissement de la couche cornée de la peau des pieds ou des mains (syn. CALLOSITÉ).

DURKHEIM (Émile), sociologue français (1858-1917). Il est le fondateur d'une sociologie fondée sur des méthodes rigoureuses et scientifiques. Considérant les faits sociaux comme des choses, et prenant pour thème le suicide, il a été le premier à faire une étude de sociologie concrète (parce que fondée sur des statistiques) et en même temps générale (parce qu'il montre que le suicide, qui apparaît comme un acte individuel, est, en réalité, lié aux structures sociales dont on ne peut l'isoler).

DÜRRENMATT (Friedrich), écrivain suisse d'expression allemande (1921-1990). Auteur de romans (*le Juge et son bourreau*, 1952; *le Soupçon*, 1953; *la Panne*, 1956; *Justice*, 1985), il propose dans son théâtre un «modèle imaginaire» du monde, où l'homme tente d'échapper au grotesque et au tragique de sa condition (*la Visite de la vieille dame*, 1956).

DURRËS, autref. **Durazzo,** port d'Albanie, sur l'Adriatique; 53 200 hab.

DURUY (Victor), historien français (1811-1894). Ministre de l'Instruction publique sous Napoléon III, il organisa l'enseignement destiné aux jeunes filles.

DÜSSELDORF, v. d'Allemagne, capit. de la Rhénanie-du-Nord-Westphalie, sur le Rhin; 566 000 hab. La ville a connu un remarquable développement, lié à celui de la Ruhr, dont elle est la métropole commerciale bien qu'elle soit située hors du bassin houiller.

DUVALIER (François), homme d'État haïtien (1909-1971). Président de la République depuis 1957, il se fit nommer président à vie en 1964 et établit un régime dictatorial. À sa mort, son fils Jean-Claude (né en 1951) lui succède. En 1986, ce dernier est contraint d'abandonner le pouvoir.

DU VERGIER (ou **DU VERGER**) **DE HAURANNE** (Jean), dit **Saint-Cyran,** théologien français (1581-1643). Ami de Jansénius, il exerça une forte influence sur les religieuses de Port-Royal. Emprisonné sur l'ordre de Richelieu en 1638, il ne fut libéré qu'à la mort du cardinal (1642). Il a favorisé l'essor du jansénisme.

DUVET [dyvɛ] n. m. (de l'anc. fr. *dum*, plume). **1.** Ensemble de petites plumes couvrant le corps des oiseaux et permettant de réduire la déperdition de chaleur. (Il est très abondant chez les oiseaux aquatiques [eider, oie].) — **2.** Sac de couchage fourré de ce duvet. — **3.** Poils doux et fins sur le visage des jeunes gens, sur certains fruits, etc. : *Le duvet d'une pêche.* ◆ **duveter (se)** v. pr. (Conj. **8.**) Se couvrir de duvet. ◆ **duveteux, euse** adj. Qui a du duvet; qui a l'apparence du duvet : *Un fruit duveteux. Un tissu duveteux.*

DVOŘÁK (Antonín), compositeur tchèque (1841-1904), un des grands compositeurs de l'école nationale tchèque de musique. Directeur du conservatoire de New York, puis de Prague, il composa des œuvres très variées (symphonies, concertos, opéras...), fortement imprégnées du folklore slave : *Danses slaves, Symphonie du Nouveau Monde, Roussalka.*

DYKE [dik] n. m. (mot angl.). *Géogr.* Filon de roches éruptives, injecté dans des roches plus tendres (souvent des cônes volcaniques) et qui, dégagé par l'érosion, se dresse en formant une muraille escarpée.

1. DYNAMIQUE [dinamik] adj. (gr. *dunamikos*, puissant). **1.** Se dit de ce qui est relatif à la force, au mouvement, à l'action : *Une conception dynamique de la condition humaine* (contr. STATIQUE). — **2.** Se dit d'une personne qui agit avec entrain, avec énergie (syn. ACTIF). ◆ **dynamiquement** adv. ◆ **dynamisme** n. m. **1.** Caractère dynamique; force qui pousse à l'action : *Le dynamisme d'une théorie.* — **2.** Caractère d'une personne dynamique (syn. ACTIVITÉ, ÉNERGIE).

2. DYNAMIQUE [dinamik] n. f. (même étym.). **1.** Partie de la mécanique qui étudie les phénomènes naturels qui règlent les mouvements des corps dans l'espace. — **2.** *Dynamique des fluides*, partie de la mécanique qui étudie l'équilibre et le mouvement des fluides (gaz, liquides), et leur interaction avec les corps solides. — **3.** *Dynamique de groupe*, ensemble des procédés de psychologie sociale appliquée qui ont pour but de mieux connaître le fonctionnement et le comportement d'un groupe humain lorsqu'il agit.

DYNAMITE [dinamit] n. f. (du gr. *dunamis*, force). Explosif à base de nitroglycérine : *Faire sauter des roches à la dynamite.* ◆ **dynamiter** v. t. Faire sauter à la dynamite.

DYNAMO [dinamo] n. f. (abrév. de *machine dynamo-électrique*). Machine qui transforme l'énergie mécanique en énergie électrique, sous forme de courant continu : *La dynamo d'une automobile recharge les accus.*

DYNAMOMÈTRE [dinamɔmɛtr] n. m. (du gr. *dunamis*, force, et *metron*, mesure). Instrument qui sert à la mesure des forces.

DYNASTE [dinast] n. m. (gr. *dunastês*). Très grand insecte coléoptère du Brésil, de la taille d'une souris. (Le mâle présente deux énormes cornes dirigées vers l'avant, l'une prolongeant le front et l'autre le menton.)

DYNASTIE [dinasti] n. f. (gr. *dunasteia*). **1.** Suite de souverains issus d'une même lignée : *La dynastie des Bourbons.* — **2.** Suite d'hommes célèbres d'une même famille.

DYNE [din] n. f. (du gr. *dunamis*, force). Unité de force (symb. : dyn), dans le système C.G.S., équivalant à la force qui, agissant sur une masse de 1 gramme, lui imprime une accélération de 1 centimètre par seconde. Elle ne compte plus parmi les unités de mesure légales françaises.

DYSENTERIE [disɑ̃tri] n. f. (du gr. *dus-*, mauvais, et *entera*, intestin). Diarrhées douloureuses ou sanglantes, provoquées par des maladies infectieuses à localisations intestinales.

— ENCYCL. Parmi les dysenteries, la *dysenterie amibienne* est le plus souvent sanguinolente et s'observe dans les pays chauds; les *dysenteries bacillaires* se contractent par voie digestive. Les antibiotiques constituent un traitement efficace de ces maladies.

DYSLEXIE [dislɛksi] n. f. (du gr. *dus-*, mauvais, et *lexis*, mot). *Méd.* Difficulté dans l'acquisition normale de la lecture. (La dyslexie se caractérise, chez l'enfant, par des hésitations, des inversions de syllabes, des mots substitués [difficulté d'apprendre à lire]. Elle nécessite une rééducation spécialisée pour éviter des troubles du caractère qui peuvent apparaître si elle n'est pas corrigée suffisamment tôt. La dyslexie s'observe souvent chez les gauchers.) ◆ **dyslexique** adj. et n. Qui est atteint de dyslexie.

DYSORTHOGRAPHIE n. f. → ORTHOGRAPHE.

DYSPEPSIE [dispɛpsi] n. f. (du gr. *dus-*, mauvais, et *peptein*, cuire). Digestion difficile.

DYSPNÉE [dispne] n. f. (du gr. *dus-*, mauvais, et *pnein*, respirer). Difficulté à respirer, quels qu'en soient la cause et le type.

DYTIQUE [ditik] n. m. (gr. *dutikos*, plongeur). Insecte coléoptère carnivore, à corps ovale et à pattes postérieures nageuses, vivant dans les eaux douces.

DZERJINSK, v. de l'U. R. S. S., près de Nijni Novgorod; 274 000 hab.

DZERJINSKI (Felix Edmoundovitch), homme politique soviétique (1877-1926). Il fut l'un des organisateurs de la révolution d'octobre 1917 et mit en place la police politique du nouveau régime.

DZOUNGARIE ou **DJOUNGARIE,** nom donné autref. au nord du Sin-kiang (Chine occidentale), entre les monts T'ien-chan et l'Altaï. — La *porte de Dzoungarie* désigne la passe de l'Ili, entre le Sin-kiang et l'U. R. S. S. C'est à travers ce pays que déferlèrent les invasions turques, du IVe au Xe s.

E n. m. **1.** Cinquième lettre de l'alphabet et la deuxième des voyelles. → introduction de l'ouvrage. — **2.** E., indique l'est, — **3.** *Mus.* Nom de la note *mi*, en anglais et en allemand.

ÉAQUE. *Myth. gr.* L'un des trois juges des Enfers avec Minos et Rhadamante.

EAST LONDON, port de l'Afrique du Sud (prov. du Cap); 125 200 hab.

EAU [o] n. f. (lat. *aqua*). **1.** Liquide incolore, inodore, sans saveur à l'état pur, le plus commun dans la nature : *De l'eau de pluie.* → ENCYCL. — **2.** Liquide obtenu par distillation ou par infusion, et servant à divers usages : *Eau de Cologne, eau de rose, eau de fleur d'oranger.* — **3.** Tout liquide comme la sueur, la salive, les larmes, etc. : *Être en eau.* — **4.** Suc de certains fruits. — **5.** *Eau de Javel* → JAVEL. ‖ *Eau lourde,* composé d'oxygène et de deutérium (D_2O), de densité 1,1, analogue à l'eau, et qui est utilisé comme ralentisseur de neutrons dans certains réacteurs nucléaires. ‖ *Eau minérale,* eau chargée de sels minéraux. ‖ *Eau oxygénée,* solution de formule H_2O_2, employée pour le blanchiment et en pharmacie. ‖ *Eau régale,* mélange d'acide nitrique et d'acide chlorhydrique, pouvant dissoudre l'or et le platine. ‖ *Eau thermale,* eau de source qui jaillit à une température élevée. — **6.** *Apporter de l'eau au moulin de qq'un,* fournir un argument qui renforce sa thèse. ‖ *C'est un coup d'épée dans l'eau,* c'est une tentative inutile, une action totalement inefficace. ‖ *C'est une goutte d'eau dans la mer,* c'est un apport insignifiant en comparaison des besoins. ‖ *Être comme un poisson dans l'eau,* être parfaitement à son aise. ‖ *Faire venir l'eau à la bouche,* être très appétissant. ‖ *Mettre de l'eau dans son vin,* modérer son emportement, réduire ses exigences. ‖ *Se noyer dans un verre d'eau,* se laisser arrêter par des obstacles insignifiants. ‖ *Se ressembler comme deux gouttes d'eau,* être tout à fait semblables. ‖ *Tomber à l'eau,* ne pas aboutir, être abandonné. ◆ n. f. pl. **1.** Eaux jaillissantes, fournies par des sources naturelles (geysers) ou des fontaines artificielles : *Les grandes eaux de Versailles.* — **2.** Eaux thermales ou minérales : *Une ville d'eaux.* — **3.** *Basses eaux, hautes eaux,* niveau le plus bas, le plus haut des eaux d'un fleuve, à une période de l'année qui varie selon le régime des fleuves. ‖ *Eaux et Forêts,* administration chargée de tout ce qui concerne les cours d'eau, les étangs et les forêts de l'État. ‖ *Les eaux territoriales,* ou simplem. *les eaux* (d'un pays), la zone de mer bordant ses côtes et qui est soumise à la juridiction de ce pays (en matière de pêche, de police, de contrôle douanier).
— ENCYCL. L'*eau* est un corps composé résultant de la combinaison de deux volumes d'hydrogène et d'un volume d'oxygène (sa formule est H_2O). Elle bout à la température de 100 °C, sous la pression de 1 atmosphère, et se solidifie à 0 °C. C'est un très bon solvant. Elle existe dans l'atmosphère à l'état de vapeur. Un cm^3 d'eau à 4 °C pèse sensiblement 1 g. Les eaux naturelles contiennent en solution des gaz et des sels, et en suspension des poussières et quelquefois des microbes pathogènes. les eaux suspectes doivent être filtrées ou stérilisées. → illustration ci-contre.
■ *Physiologie.* L'eau est, en poids, le constituant le plus abondant de l'organisme : 80 p. 100 du corps chez le nouveau-né. L'homme adulte absorbe de 1 500 à 2 500 g d'eau, dont 1 000 g environ dans les aliments et le reste en boissons.

EAUBONNE, ch.-l. de cant. du Val-d'Oise, à 15 km au N. de Paris, au S. de la forêt de Montmorency; 22 200 hab.

EAU-DE-VIE [odvi] n. f. (lat. *aqua vitae*). Liqueur alcoolisée, extraite par distillation du vin, du marc, du cidre, du grain, etc. ‖ Pl. des *eaux-de-vie.*

EAU-FORTE [ofɔrt] n. f. (de *eau,* et *fort*). Estampe obtenue au moyen d'une plaque gravée à l'acide. ‖ Pl. des *eaux-fortes.*

EAUZE, ch.-l. de cant. du Gers, à 29 km au S.-O. de Condom; 4 300 hab. *(Élusates).* Vestiges gallo-romains.

ÉBAHIR [ebair] v. t. (du lat. *ex-*, préf. à valeur intensive, et anc. fr. *baer,* bayer). *Ébahir qq'un,* le jeter dans une très grande surprise, souvent nuancée d'admiration. ◆ **ébahi, e** adj. : *Elle est tout ébahie de ce changement* (syn. ÉBERLUÉ, ↑SIDÉRÉ, STUPÉFAIT). ◆ **ébahissement** n. m. : *Son ébahissement se lisait sur son visage* (syn. ↑STUPÉFACTION, ↓SURPRISE).

ÉBARBER v. t. → BARBE 1.

ÉBATTRE (S') [sebatr] v. pr. (lat. *ex-*, préf. à valeur intensive, et *battre*). [Conj. **56.**] Se détendre en se donnant du mouvement : *Les enfants s'ébattent dans le pré.* ◆ **ébats** n. m. pl. Mouvements folâtres, détente joyeuse.

ÉBAUBI, E [ebobi] adj. (de l'anc. fr. *abaubir,* étonner). *Fam.* Se dit de quelqu'un qui est très étonné, qui reste bouche bée de surprise (syn. ÉBAHI, ÉBERLUÉ, SIDÉRÉ, ↑STUPÉFAIT).

ÉBAUCHE [eboʃ] n. f. (du lat. *ex-*, préf. à valeur intensive, et anc. fr. *bauch,* poutre). **1.** Œuvre dont la réalisation n'est que commencée dans les grandes lignes, la forme générale : *Ébauche d'un projet* (syn. ESQUISSE). — **2.** Commencement d'une action : *L'ébauche d'un sourire* (syn. AMORCE). ◆ **ébaucher** v. t. *Ébaucher qqch.*, en faire l'ébauche : *Ébaucher le plan d'un ensemble immobilier* (syn. PROJETER). *Ébaucher une théorie* (syn. ESQUISSER). ◆ **s'ébaucher** v. pr. Prendre forme : *L'œuvre s'ébauche lentement.*

ÉBÈNE [ebɛn] n. f. (gr. *ebenos*). **1.** Bois noir, dur et pesant de l'ébénier. ‖ *Des cheveux d'ébène,* d'un noir éclatant. — **2.** *Bois d'ébène,* nom donné autref. aux esclaves noirs par les négriers. ◆ **ébénier** n. m. Arbre de l'Afrique équatoriale qui fournit le bois d'ébène.

ÉBÉNISTE [ebenist] n. m. (de *ébène*). **1.** Menuisier qui travaille les bois de placage pour meubles de luxe. — **2.** Ouvrier qui fabrique ou répare toutes sortes de meubles. ◆ **ébénisterie** n. f. Métier, travail de l'ébéniste.

ÉBERLUÉ, E [ebɛrlɥe] adj. (du lat. *ex-*, préf. à valeur intensive, et *berlue*). Se dit d'une personne tellement étonnée d'une chose qu'elle parvient mal à la comprendre, à y croire (syn. ÉBAHI; fam. ÉBAUBI, ↑ÉPOUSTOUFLÉ).

EBERT (Friedrich), homme politique allemand (1871-1925). Président du parti socialiste en 1913, chancelier du gouvernement provisoire en 1918, il lutta contre les mouvements révolutionnaires (janvier 1919). L'Assemblée de Weimar le nomma président de l'État allemand (février 1919).

ÉBLOUIR [ebluir] v. t. (bas lat. *exblaudire*). **1.** (sujet nom désignant une source lumineuse) Troubler la vue par une clarté trop vive : *Être ébloui par les phares d'une voiture* (syn. AVEUGLER). — **2.** (sujet nom de personne ou de chose) Susciter l'admiration par sa beauté : *Une jeune fille dont la grâce éblouit* (syn. ↑FASCINER, SÉDUIRE). — **3.** (sujet nom de personne) *Péjor.* Chercher à séduire par un certain brillant tout extérieur : *Il croit m'éblouir par ses promesses* (syn. fam. ÉPATER). ◆ **éblouissant, e** adj. : *Soleil éblouissant* (syn. AVEUGLANT). *Une fête éblouissante* (syn. MERVEILLEUX). ◆ **éblouissement** n. m. **1.** Trouble momentané de la vue, causé par une lumière trop vive. — **2.** Sensation d'aveuglement, de vertige due à un malaise : *Avoir des éblouissements.* — **3.** Vive admiration.

ÉBONITE [ebɔnit] n. f. (de l'angl. *ebony,* ébène). Caoutchouc durci, utilisé comme isolant.

ÉBORGNER v. t. → BORGNE 1.

ÉBOUÉ (Félix), administrateur français, de race noire, né à Cayenne (1884-1944). Gouverneur du Tchad en 1938, il rallia ce territoire à la France libre de De Gaulle (1940), et fut nommé gouverneur de l'A.-E. F. en 1940.

ÉBOUEUR n. m. → BOUE.

ÉBOUILLANTER v. t. → BOUILLIR 1.

ÉBOULER (S') [sebule] v. pr. (de l'anc. fr. *esboeler,* éventrer) [sujet nom de chose]. Se détacher de la masse et tomber : *La falaise s'est éboulée* (syn. S'ÉCROULER, S'EFFONDRER); et transitiv. (rare) : *Ébouler de la terre* (= provoquer un éboulement). ◆ **éboulement** n. m. Chute de matériaux qui s'éboulent. ◆ **éboulis** [ebuli] n. m. Matériaux éboulés : *Un éboulis de rochers.*

ÉBOURIFFER [eburife] v. t. (du lat. *ex-*, préf. à valeur intensive, et *bourre*). **1.** *Ébouriffer les cheveux,* les mettre en désordre.

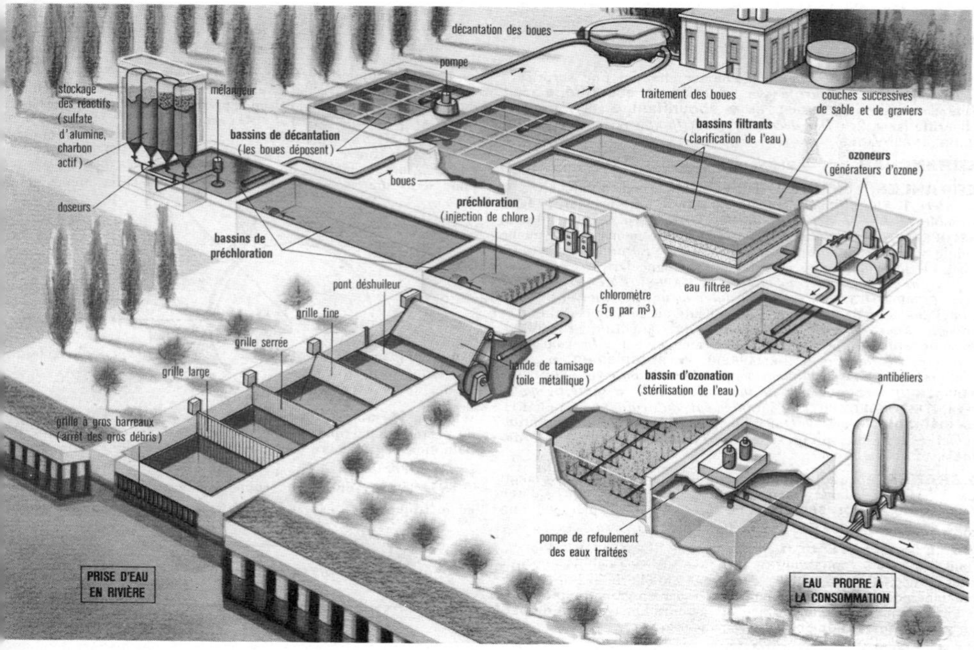

:i-dessus : ÉPURATION DE L'EAU DESTINÉE À LA CONSOM-
/ATION. Après dégrillage, déshuilage et tamisage, pour rete-
ir les corps solides en suspension, l'eau, additionnée de
hlore gazeux, de sulfate d'alumine et de charbon actif, est
nvoyée dans des bassins de décantation où les boues se
éposent avant d'être ultérieurement traitées. Puis l'eau est
larifiée dans des bassins filtrants, à travers des couches
uccessives de sable et de graviers. Épurée, elle est ensuite
oumise à une stérilisation par l'ozone, puis refoulée dans les
analisations d'alimentation.

Ci-dessous : TRAITEMENT DES EAUX USÉES. Après dégrillage et dessablement, les eaux d'égout passent dans un décanteur primaire pour séparer de l'effluent les matières en suspension. Les boues obtenues sont soumises à une fermentation anaérobie, ou digestion, au cours de laquelle des micro-organismes désagrègent les molécules organiques complexes. Fluides et inodores, les boues digérées sont, après séchage, utilisées comme engrais agricoles. Débarrassé de ses boues, l'effluent est désintégré biologiquement par fermentation aérobie dans des bassins d'aération, puis, après décantation, rejeté en rivière.

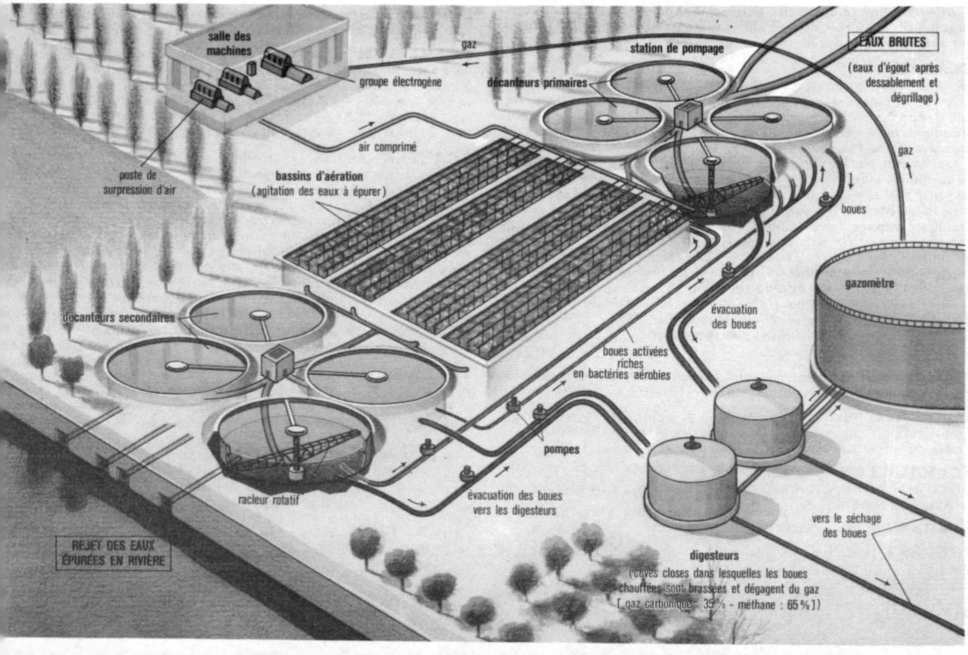

— **2.** Fam. *Ébouriffer qq'un*, provoquer chez lui une surprise : *Cette nouvelle m'a ébouriffé* (syn. ÉTONNER). ◆ **ébouriffé, e** adj. : *Tête ébouriffée* (syn. ↑HIRSUTE). ◆ **ébouriffant, e** adj. *Fam.* Qui ébouriffe (sens 2) : *Des aventures ébouriffantes* (syn. EXTRAORDINAIRE, INCROYABLE).

ÉBRANCHER v. t. → BRANCHE.

ÉBRANLER [ebrɑ̃le] v. t. (lat. *ex-*, préf. à valeur intensive, et *branler*). **1.** *Ébranler qqch.* (nom concret), le faire osciller, le faire trembler : *L'explosion ébranla les vitres* (syn. FAIRE VIBRER, SECOUER). — **2.** *Ébranler une chose*, la rendre moins stable, moins solide : *Le choc a ébranlé le poteau.* — **3.** *Ébranler qqch.* (nom abstrait), le rendre moins assuré, le faire chanceler : *Cet argument a fini par ébranler sa conviction* (syn. SAPER). *Ébranler sa santé* (syn. COMPROMETTRE). — **4.** *Ébranler qq'un*, modifier sa conviction, l'amener à douter de ce qu'il considérait comme certain : *Ces raisons l'ont ébranlé* (syn. ÉMOUVOIR, FLÉCHIR, TOUCHER). ◆ **s'ébranler** v. pr. Se mettre en mouvement : *Le convoi de véhicules s'ébranle* (syn. DÉMARRER). ◆ **ébranlement** n. m. : *L'ébranlement causé à l'immeuble par l'explosion* (syn. SECOUSSE, VIBRATION). *L'ébranlement de la confiance, de la santé de qq'un* (syn. ↑EFFONDREMENT). *L'ébranlement du train* (syn. DÉPART). ◆ **inébranlable** adj. **1.** Qui ne peut être ébranlé : *Roc inébranlable.* — **2.** Ferme, qui ne se laisse pas abattre : *Courage inébranlable.*

ÉBRASER [ebraze] v. t. (de *embraser*). Élargir progressivement, de dehors en dedans, l'épaisseur de la baie d'une porte, d'une fenêtre, etc. ◆ **ébrasement** n. m. Biais donné à l'épaisseur d'un mur, à l'endroit d'une baie (syn. ÉBRASURE).

ÈBRE (l'), en esp. **Ebro,** fl. du nord-est de l'Espagne; 930 km. Né dans les monts Cantabriques, le fleuve arrose Logróñó et Saragosse, reçoit l'Aragón et le Sègre, puis entaille la chaîne côtière catalane pour rejoindre la Méditerranée par un grand delta. Grâce à l'irrigation, la moyenne vallée est aujourd'hui couverte de vergers, de cultures maraîchères et fourragères.

ÉBRÉCHER v. t., **ÉBRÉCHURE** n. f. → BRÈCHE 1.

ÉBRIÉTÉ [ebrijete] n. f. (du lat. *ebrius*, ivre). État d'une personne ivre (syn. usuel IVRESSE).

ÉBROUER (S') [sebrue] v. pr. (de l'anc. fr. *brou*, bouillon). **1.** (sujet nom d'animal, de personne) S'agiter vivement, se secouer, en général pour se débarrasser de l'eau dont on est trempé, etc. — **2.** *Cheval qui s'ébroue*, qui souffle bruyamment.

ÉBRUITER v. t., **S'ÉBRUITER** v. pr. → BRUIT 2.

ÉBULLITION [ebylisjɔ̃] n. f. (du lat. *ebullire*, bouillonner). **1.** Mouvement, état d'un liquide qui bout. — **2.** Fam. *En ébullition*, en pleine agitation : *Toute la ville est en ébullition* (syn. EFFERVESCENCE).

— ENCYCL. Sous une pression donnée, un liquide pur entre en *ébullition* à une température déterminée, qui reste constante pendant toute la durée de l'ébullition. La *température d'ébullition normale* correspond à la pression de 76 cm de mercure.

ÉCAILLE [ekaj] n. f. (du germ. *skalja*, coquille). **1.** Chacune des plaques dures, cornées, recouvrant en totalité ou en partie le corps de certains poissons, reptiles, mammifères (pangolin), ou les pattes des oiseaux. — **2.** Très petite plaquette brillante enfoncée dans le tégument de l'aile du papillon. — **3.** *Bot.* Feuille rudimentaire protégeant les bourgeons d'hiver; feuille charnue et gonflée de réserves entourant le bulbe de l'oignon, du lis, etc. — **4.** Parcelle en forme de plaque qui se détache d'une surface : *Des écailles de peinture sèche.* — **5.** Chacune des deux parties solides d'un coquillage : *Des écailles d'huître* (syn. COQUILLE). — **6.** Matière constituant la carapace de certaines tortues et servant à la fabrication de certains objets : *Un peigne en écaille.* ◆ **écailler** v. t. **1.** *Écailler un poisson*, lui ôter ses écailles. — **2.** *Écailler des huîtres*, ouvrir leur coquille. ◆ **s'écailler** v. pr. Se détacher en plaques minces (syn. S'EFFRITER). ◆ **écaillage** n. m. **1.** Action d'enlever les écailles. — **2.** Action d'ouvrir les huîtres. — **3.** Défaut des vernis, des glaçures, etc., qui s'écaillent. ◆ **écailler, ère** n. Personne qui ouvre ou qui vend des huîtres. ◆ **écaillure** n. f. Partie écaillée d'une surface.

ÉCALE [ekal] n. f. (du frq. *skala*, coquille). Enveloppe coriace de quelques fruits (noix, noisettes, amandes).

ÉCARLATE [ekarlat] adj. (persan *saqirlāt*, étoffe précieuse). Couleur d'un rouge vif : *Un visage écarlate* (syn. CRAMOISI). ◆ n. f. Étoffe de couleur écarlate : *Un manteau d'écarlate.*

ÉCARQUILLER [ekarkije] v. t. (du lat. *ex-*, préf. à valeur intensive, et *quart*). *Écarquiller les yeux*, les ouvrir très largement. ◆ **écarquillement** n. m.

1. ÉCART n. m. → ÉCARTER.

2. ÉCART [ekar] n. m. (de *écarter*). Math. *Écart angulaire*, nombre mesurant un angle géométrique.

— ENCYCL. Supposons fixée une unité de mesure des arcs de cercle. (→ MESURE 1.) Soit ω un angle géométrique dont le couple de demi-droites (Ox, Oy) est un représentant; soit (C) un cercle de centre O qui coupe Ox en P et Oy en Q.

Si Ox et Oy n'ont pas même support, soit γ l'arc d'extrémités P et Q qui se trouve dans le demi-plan de bord PQ ne contenant pas O. Alors, la mesure de γ est celle de tout arc qui lui correspond dans une isométrie; la mesure de γ est la même si on

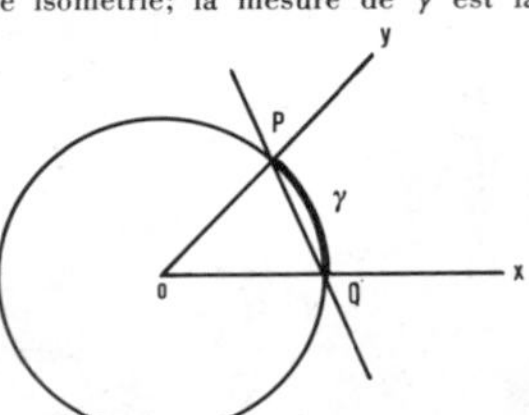

remplace le cercle (C) par un cercle de rayon différent. La mesure de γ ne dépend que de l'angle géométrique ω considéré. Par définition, ce nombre est l'*écart angulaire* de l'angle géométrique ω. On le note E (ω) ou E $(\widehat{xOy})$.

Si Ox et Oy ont même support, l'écart angulaire de l'angle géométrique $\widehat{xOy}$ est : égal à 0 si $\widehat{xOy}$ est l'angle géométrique nul; égal à la mesure d'un demi-cercle si $\widehat{xOy}$ est l'angle géométrique plat.

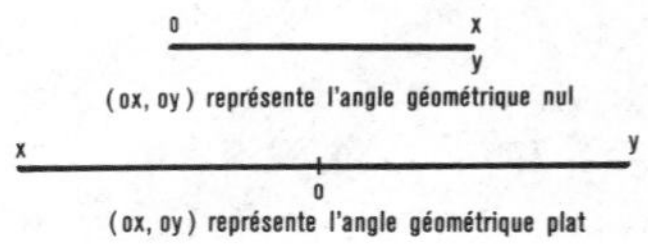

Deux angles géométriques sont :
complémentaires, si la somme de leurs écarts angulaires est l'écart angulaire de l'angle géométrique droit (soit $\frac{\pi}{2}$ si l'unité de mesure est le radian, unité légale, ou 90 si l'unité de mesure est le degré);
supplémentaires, si la somme de leurs écarts angulaires est l'écart angulaire de l'angle géométrique plat (soit π si l'unité de mesure est le radian, 180 si c'est le degré).

1. ÉCARTÉ, E adj. → ÉCARTER.

2. ÉCARTÉ [ekarte] n. m. (de *écarter*). Jeu de cartes qui se joue normalement à deux et où l'on écarte les cartes.

ÉCARTELER [ekartəle] v. t. (de l'anc. fr. *esquarterer*, partager en quatre parties). [Conj. **5.**] **1.** *Écarteler un condamné*, lier ses quatre membres à des chevaux qui les déchiraient en tirant chacun de son côté. — **2.** *Écarteler qq'un*, le tirer, le solliciter en de sens opposés : *Être écartelé entre des désirs contraires* (syn. PARTAGER, ↓TIRAILLER). ◆ **écartèlement** n. m. Action d'écarteler.

ÉCARTER [ekarte] v. t. (bas lat. *exquartare*, partager en quatre). **1.** *Écarter des personnes, des choses, des parties d'un tout* les mettre à une certaine distance l'une de l'autre : *Écarter les jambes.* — **2.** *Écarter qq'un, qqch.*, le mettre ou le tenir à distance de soi ou d'un point : *Écarter les curieux* (syn. REPOUSSER). *Ce trajet vous écarterait de votre destination* (syn. ÉLOIGNER). — **3.** *Écarter qqch.* (terme abstrait), *qq'un*, le rejeter, ne pas en tenir compte : *Écarter une question* (syn. ÉLIMINER). *Un candidat écarté de la compétition* (syn. ÉVINCER). ◆ **s'écarter** v. pr. **1.** Se mettre à une certaine distance ; *Les deux bateaux s'écartèrent l'un de l'autre* (syn. S'ÉLOIGNER). — **2.** (sujet nom de personne) Quitter son chemin ou sa place, se retirer, se porter ailleurs : *Il s'écarte par discrétion pour les laisser seuls* (syn. SE DÉTOURNER). ◆ **écart** [ekar] n. m. **1.** Distance qui sépare, dans l'espace, dans le temps, des choses ou des personnes; différence de prix, de quantité, etc. *Prévoir un écart de dix jours entre l'écrit et l'oral* (syn. INTERVALLE). *Un écart de prix* (syn. DIFFÉRENCE). — **2.** Action de se détourner soudain de son chemin, de sa ligne de conduite : *En apercevant l'obstacle, le cheval fit un écart à droite. Un écart de régime. Des écarts de jeunesse* (syn. INCARTADE). — **3.** *Géogr.* Petite agglomération éloignée du centre dont elle dépend administrativement. — **4.** *Grand écart*, mouvement au cours duquel les jambes qui ont deux directions opposées (devant et derrière, droite et gauche) par rapport au buste, touchent le sol sur toute leur longueur. — LOC. ADV. et PRÉP. *À l'écart (de)*, à distance du point considéré : *Se tenir à l'écart de la vie politique* (syn. EN DEHORS DE). ◆ **écarté, e** adj. : *Avoir les bras écartés. Un hameau écarté* (syn. ÉLOIGNÉ, ISOLÉ). ◆ **écartement** n. m. Action d'écarter ou de s'écarter; distance qui sépare deux choses : *L'écartement des jambes. L'écartement des rails.*

ECBALLIUM [ɛkbaljɔm] n. m. (du gr. *ekballein*, projeter). Plante du sud de la France, à fleurs jaunes et à fruits verts qui, à maturité, s'ouvrent avec bruit et projettent au loin leurs graines. (Famille des cucurbitacées.)

ECBATANE, v. de l'Antiquité (auj. HAMADHĀN, en Iran), capit. des Mèdes (VIIe-VIe s. av. J.-C.), puis des Parthes et des Sassanides. Vestiges antiques.

ECCHYMOSE [ekimoz] n. f. (du gr. *ekkhein*, s'écouler). À la suite d'un coup, épanchement de sang dans l'épaisseur de la peau, dont la couleur passe du rouge au bleu, puis au jaune, par altération de l'hémoglobine (syn. fam. BLEU).

ECCLÉSIA [eklezja] n. f. (mot gr.). Assemblée du peuple dans une cité grecque antique, et plus partic. à Athènes, où l'ecclésia se réunit d'abord sur l'agora puis sur la colline de la Pnyx. (Elle détenait en principe tous les pouvoirs [législatif, délibératif, judiciaire] et nommait les magistrats.)

ECCLÉSIAL, E, AUX, [eklezjal, -zjo] adj. (du gr. *ekklêsia*, assemblée). Qui concerne l'Église, en tant que communauté de tous les fidèles chrétiens.

ECCLÉSIASTIQUE [eklezjastik] adj. (du gr. *ekklêsia*, église). Relatif à l'Église ou au clergé : *Les autorités ecclésiastiques.* ◆ n. m. Prêtre, membre du clergé.

ECCLÉSIOLOGIE [eklezjɔlɔʒi] n. f. (du gr. *ekklêsia*, église, et *logos*, science). Théorie de l'Église; partie de la théologie ayant rapport à l'Église.

ÉCERVELÉ, E adj. et n. ⟶ CERVELLE.

ÉCHAFAUD [eʃafo] n. m. (de l'anc. fr. *chaafaut*, estrade). **1.** Plate-forme destinée à l'exécution des condamnés à mort. — **2.** Peine de mort (dans quelques express.) : *Un coupable qui risque l'échafaud* (syn. EXÉCUTION, PEINE CAPITALE).

ÉCHAFAUDER [eʃafode] v. t. (de *échafaud*). **1.** *Échafauder des objets*, les disposer les uns sur les autres en hauteur. — **2.** (sujet nom de personne) *Échafauder des plans, des projets*, etc., les combiner, les préparer non sans difficulté. ◆ v. i. Dresser un échafaudage pour travailler à un bâtiment. ◆ **échafaudage** n. m. **1.** Construction provisoire en bois ou en métal, permettant de bâtir ou de réparer des maisons, des monuments. — **2.** Assemblage, entassement d'objets concrets ou accumulation de choses abstraites : *Un échafaudage de livres* (syn. AMAS, TAS). *L'échafaudage d'un système philosophique.*

ÉCHALAS [eʃala] n. m. (du gr. *kharax*, pieu). **1.** Perche servant à soutenir un cep de vigne. — **2.** *Fam.* Personne grande et maigre.

ÉCHALOTE [eʃalɔt] n. f. (lat. *ascalonia* [*cepa*], [oignon] d'Ascalon). Plante potagère voisine de l'oignon et utilisée comme condiment. (Famille des liliacées.)

ÉCHANCRER [eʃɑ̃kre] v. t. (du lat. *ex-*, préf. à valeur intensive, et *chancre*). *Échancrer un objet*, en tailler le bord en demi-cercle ou en V : *Échancrer le col d'une robe. Une robe échancrée* (= dont l'encolure est échancrée). ◆ **échancrure** n. f. Partie échancrée, creusée au bord : *L'échancrure d'un corsage. Les échancrures d'une côte* (syn. ↑BAIE, GOLFE). *Les échancrures d'une feuille de papier* (syn. DÉCOUPURE).

ÉCHANGER [eʃɑ̃ʒe] v. t. (lat. *ex-*, préf. à valeur intensive, et *changer*). *Échanger une chose*, la donner ou l'adresser à quelqu'un de qui on en reçoit une autre en contrepartie : *Échanger des billes contre un stylo* (syn. TROQUER). *Nous avons échangé nos points de vue* (= exposé l'un à l'autre nos opinions). ◆ **échange** n. m. Opération par laquelle on échange : *Des échanges de lettres. Un échange de politesses.* — LOC. ADV. *En échange*, en compensation, en contrepartie (syn. EN REVANCHE). — LOC. PRÉP. *En échange de*, à la place de. ◆ **échangeable** adj. : *Un article acheté dans ce magasin n'est pas échangeable* (= on ne peut pas l'échanger contre un autre dans le même magasin). ◆ **échangeur** n. m. **1.** Appareil dans lequel deux fluides échangent de la chaleur. — **2.** Dispositif de raccordement entre une autoroute et une ou plusieurs routes ordinaires ou autres autoroutes.

ÉCHANSON [eʃɑ̃sɔ̃] n. m. (frq. *skankjo*). Officier qui était chargé de servir à boire à la table d'un roi ou d'un grand personnage.

ÉCHANTILLON [eʃɑ̃tijɔ̃] n. m. (de l'anc. fr. *eschandillon*, étalon de poids et mesures). **1.** Petite quantité, morceau détaché d'un tout qui permet de se faire une idée exacte de ce tout, d'en apprécier la qualité : *Un échantillon de tissus. Donner un échantillon de son talent musical* (syn. APERCU). — **2.** Fraction représentative d'une population, qui sert de base à une enquête par sondage. ◆ **échantillonner** v. t. **1.** Prélever des échantillons. — **2.** Choisir les personnes qui seront interrogées au cours d'une enquête par sondage. ◆ **échantillonnage** n. m. **1.** Action d'échantillonner; collection d'échantillons (sens 1 du n.). — **2.** Manière de choisir les échantillons qui serviront à un sondage.

ÉCHAPPER [eʃape] v. t. ind. et i. (bas lat. *excappare*, sortir de la chape où on est retenu). **1.** (sujet nom d'être animé) *Échapper à qq'un*, se soustraire à lui, quitter par la ruse ou par la force quelqu'un qui voulait vous retenir : *Le prisonnier a échappé à ses gardiens.* — **2.** (sujet nom d'être animé ou de chose) *Échapper à une chose*, ne pas en être atteint, ne pas être concerné par elle : *Échapper à un danger* (syn. ÉVITER). *Un raisonnement qui échappe à toute critique* (syn. ÊTRE EXEMPT DE). — **3.** (sujet nom de chose) *Échapper à qq'un*, ne pas être remarqué, compris par lui : *La faute a échappé au correcteur. Ce détail m'a échappé;* ne pas revenir à sa mémoire : *Son nom m'échappe.* — **4.** *Échapper des mains*, tomber, cesser d'être tenu. ‖ *Mot, parole qui échappe à qq'un*, qu'il prononce par mégarde. ‖ *L'échapper belle*, éviter de peu un danger. ◆ ***s'échapper*** v. pr. **1.** (sujet nom d'être animé) S'enfuir, se sauver : *Le prisonnier s'est échappé* (syn. S'ÉVADER). — **2.** (sujet nom de chose) Sortir brusquement, se répandre hors de : *Le lait s'échappe de la casserole* (syn. DÉBORDER). ◆ **échappatoire** n. f. Moyen adroit pour se tirer d'une difficulté (syn. DÉROBADE, FAUX-FUYANT). ◆ **échappé, e** n. Personne qui s'est échappée : *Un échappé de prison.* ◆ n. f. **1.** Action de distancer des concurrents : *L'échappée d'un coureur.* — **2.** Espace laissé libre à la vue ou au passage par un obstacle : *Une échappée sur la mer* (syn. VUE). — **3.** Court voyage pour lequel on se libère d'une contrainte : *Faire une échappée à la campagne* (syn. PROMENADE). — **4.** Court instant, bref intervalle : *Il a des échappées de génie.* ‖ *Par échappées*, par intervalles. ◆ **échappement** n. m. **1.** Système d'évacuation des gaz brûlés dans un moteur : *Le tuyau d'échappement d'une voiture. Échappement libre* (= absence de silencieux dans un moteur). — **2.** Mécanisme d'horlogerie qui régularise le mouvement d'une pendule ou d'une montre.

ÉCHARDE [eʃard] n. f. (frq. *skarda*, éclat). Petit fragment de bois ou d'un autre corps qui a pénétré dans la chair.

ÉCHARPE [eʃarp] n. f. (frq. *skirpja*, sacoche). **1.** Bande d'étoffe (en laine, soie, etc.) qu'on porte sur les épaules ou autour du cou. — **2.** Large bande de tissu portée obliquement, d'une épaule à la hanche opposée, ou à la ceinture, en certaines circonstances solennelles : *Le maire ceint de son écharpe.* — **3.** *Avoir un bras en écharpe*, avoir un bras blessé, retenu par une pièce de tissu passée autour du cou. ‖ *Prendre en écharpe*, heurter, accrocher quelque chose de biais.

ÉCHARPER [eʃarpe] v. t. (de l'anc. fr. *escharpir*, déchiqueter). *Écharper qq'un*, le blesser grièvement : *La foule voulait écharper l'assassin* (syn. ↑LYNCHER).

1. ÉCHASSE [eʃas] n. f. (du frq. *skakan*, courir vite). Oiseau échassier, long de 35 cm, à plumage noir et blanc et à longues pattes roses, qui niche près des rivages d'eau douce d'Europe et migre en Afrique tropicale.

2. ÉCHASSE [eʃas] n. f. (de *échasse* 1). Long bâton muni d'un support pour le pied et permettant de marcher à une certaine hauteur au-dessus du sol.

ÉCHASSIERS [eʃasje] n. m. pl. (de *échasse*). Ordre d'oiseaux caractérisés par la longueur de leurs pattes et de leur cou, vivant toujours à proximité des étendues d'eau (marais et rivages marins) où ils trouvent leur nourriture. (Cet ordre réunit des oiseaux aussi différents que les cigognes, ibis, hérons, grues, outardes, pluviers, bécasseaux, chevaliers, etc.)

ÉCHAUDER [eʃode] v. t. (bas lat. *excaldare*, mettre dans l'eau chaude). **1.** Laver ou asperger à l'eau bouillante; brûler avec un liquide chaud : *Échauder la théière avant de faire le thé.* — **2.** Fam. *Échauder qq'un*, lui faire subir une mésaventure qui lui servira de leçon. — **3.** *Chat échaudé craint l'eau froide*, le souvenir d'une mésaventure fait redoubler de prudence.

ÉCHAUFFER [eʃofe] v. t. (bas lat. *excalefare*). **1.** *Échauffer un être vivant*, en développer la chaleur naturelle (souvent au passif) : *Être échauffé par une course rapide.* — **2.** *Échauffer qqch.*, provoquer lentement l'élévation de sa température : *Le soleil échauffe la terre.* — **3.** *Échauffer qq'un, son esprit, son comportement*, lui causer de l'excitation : *Des esprits échauffés* (syn. ↓ANIMER, ↑ENFLAMMER). — **4.** Fam. *Échauffer la bile, les oreilles à qq'un*, le mettre en colère. ◆ ***s'échauffer*** v. pr. Devenir plus chaud, plus animé : *Un sportif qui s'échauffe avant la compétition. La discussion commence à s'échauffer* (= le ton monte). ◆ **échauffement** n. m. : *L'échauffement de l'air dans une salle. L'échauffement du public.*

ÉCHAUFFOURÉE [eʃofure] n. f. (du lat. *ex-*, préf. à valeur intensive, et anc. fr. *chaufourrer*, chauffer). Bagarre de courte durée, assez importante et confuse.

ÉCHAUGUETTE [eʃogɛt] n. f. (frq. *skarwahta*, guet). Guérite de guet placée en encorbellement sur une muraille fortifiée, une tour, etc.

ÈCHE n. f. → ESCHE.

ÉCHÉANCE [eʃeɑ̃s] n. f. (de *échoir*). **1.** Époque où on peut exiger de quelqu'un qu'il exécute un engagement; date d'expiration d'un délai. — **2.** Ce que l'on aura à payer à cette date : *Faire face à une lourde échéance.* — **3.** *Des projets à brève, à longue échéance,* qui se réaliseront dans un temps bref, éloigné.

ÉCHÉANT (LE CAS) [ləkaeʃeɑ̃] loc. adv. (de *échoir*). Si l'occasion se présente (syn. ÉVENTUELLEMENT).

1. ÉCHEC [eʃɛk] n. m. (de *échecs* 2). **1.** Manque de réussite : *L'attaque ennemie s'est soldée par un échec* (syn. ↑DÉFAITE). *L'échec des négociations* (syn. FAILLITE, FIASCO, INSUCCÈS). — **2.** *Mettre, tenir qq'un en échec,* le mettre hors d'état d'agir. ‖ *Faire échec à qq'un,* empêcher son action de réussir.

2. ÉCHECS [eʃɛk] n. m. pl. (du persan *châh mât,* le roi est mort). **1.** Jeu dans lequel deux joueurs font manœuvrer l'une contre l'autre deux séries de seize pièces, sur un plateau divisé en soixante-quatre cases alternativement blanches et noires. → ENCYCL. — **2.** (au sing.) Situation du roi ou de la reine quand ces pièces se trouvent sur une case battue par une pièce de l'adversaire. (On dit *échec et mat* quand il est impossible de sortir le roi de cette situation en un coup, ce qui constitue la perte de la partie.) ◆ **échiquier** n. m. **1.** Plateau carré divisé en cases, sur lequel on joue aux échecs. — **2.** Domaine où il y a une compétition qui demande des manœuvres habiles : *L'échiquier diplomatique.* — **3.** *En échiquier,* se dit d'objets disposés en carrés égaux et contigus.
— ENCYCL. Connu des habitants de l'Inde vers l'an 500, le *jeu d'échecs* fit son apparition en Europe au IXe s. Chaque camp dispose des pièces suivantes : un roi, une dame, deux fous, deux cavaliers, deux tours et huit pions. L'objet du jeu n'est pas tellement de « prendre » des pièces de l'adversaire, mais de mettre son roi « échec et mat ».

1. ÉCHELLE [eʃɛl] n. f. (lat. *scala*). **1.** Appareil simple, composé de deux montants parallèles reliés par des barreaux transversaux régulièrement espacés, et servant à monter ou à descendre. ‖ *Échelle de corde,* échelle dont les montants et les traverses sont en corde. ‖ *Échelle de coupée,* escalier en bois qui, placé le long du bord, se hisse et se rabat sur le pont d'un bateau quand il prend la mer. ‖ *Faire la courte échelle à qq'un,* l'aider à monter en lui fournissant comme appui ses mains, ses épaules. — **2.** Suite de degrés, ensemble de niveaux différents se succédant progressivement : *S'élever dans l'échelle sociale. Une échelle de valeurs* (syn. HIÉRARCHIE). — **3.** *Mus.* Succession des sons de la gamme : *Échelle diatonique.* — **4.** Série de divisions sur un instrument de mesure : *Échelle thermométrique.* — **5.** Rapport entre la représentation d'une longueur sur une carte géographique ou un plan, un croquis, et la longueur réelle : *Sur une carte au 1/200 000, 1 cm représente 200 000 cm, soit 2 km.* — **6.** Moyen de comparaison ou d'évaluation; ordre de grandeur : *Un problème à l'échelle nationale.* ‖ *À l'échelle de,* dans une proportion raisonnable avec (syn. PROPORTIONNÉ À). ‖ *Sur une grande, une vaste échelle,* dans de grandes proportions, de façon importante. — **7.** *Échelle mobile,* système qui fait varier le montant d'un paiement (salaire, vente, loyer, etc.) en fonction des prix. ◆ **échelon** n. m. **1.** Chaque barreau d'une échelle. — **2.** Chacun des degrés d'une série, d'une hiérarchie, d'une carrière administrative. ‖ *À l'échelon de,* au niveau de. ◆ **échelonner** v. tr. *Échelonner des personnes, des choses,* les espacer plus ou moins régulièrement, dans l'espace ou dans le temps. ◆ ***s'échelonner*** v. pr. : *Un ouvrage dont la publication s'échelonne sur cinq années.*

2. ÉCHELLES [eʃɛl] n. f. pl. (de *échelle* 1). Comptoirs commerciaux établis du XVIe au XXe s. par les nations chrétiennes en pays d'Islām : en Méditerranée orientale *(Échelles du Levant)* ou en Afrique du Nord *(Échelles de Barbarie).*

ÉCHELON n. m., **ÉCHELONNER** v. t. → ÉCHELLE 1.

ÉCHENILLAGE n. m., **ÉCHENILLER** v. t. → CHENILLE 1.

ÉCHEVEAU [eʃvo] n. m. (lat. *scabellum,* petit banc). **1.** Assemblage de fils de laine, de soie, de coton, etc., repliés en plusieurs tours. — **2.** *Démêler, débrouiller l'écheveau d'un récit, d'une intrigue,* etc., élucider ce qui est embrouillé, complexe.

ÉCHEVELÉ, E adj. → CHEVEU.

ÉCHEVIN [eʃəvɛ̃] n. m. (frq. *skapin,* juge). **1.** Sous l'Ancien Régime, magistrat municipal chargé des affaires courantes, de la fonction judiciaire et de la gestion des deniers publics. — **2.** Magistrat adjoint au bourgmestre, en Belgique et aux Pays-Bas.

ÉCHIDNÉ [ekidne] n. m. (gr. *ekhidna,* vipère). Mammifère ovipare d'Australie et de Nouvelle-Guinée, fouisseur et insectivore, recouvert de piquants, et dont le museau est prolongé par un bec corné. (Ordre des monotrèmes.)

ÉCHINE [eʃin] n. f. (frq. *skina*). **1.** Colonne vertébrale, dos d'une personne ou d'un animal. — **2.** *Avoir l'échine souple,* se plier facilement aux volontés d'autrui.

ÉCHINER (S') [seʃine] v. pr. (de *échine*) [sujet nom de personne]. *Fam.* Se fatiguer beaucoup (syn. S'ÉPUISER, S'ÉREINTER).

ÉCHINOCOQUE [ekinɔkɔk] n. m. et adj. (du gr. *ekhinos,* hérisson, et *kokkos,* grain). Espèce de ténia vivant dans l'intestin des carnassiers à l'état adulte, et dont la larve se développe dans le foie de plusieurs mammifères (parfois de l'homme), provoquant l'*échinococcose* (maladie parasitaire).

ÉCHINODERMES [ekinɔdɛrm] n. m. pl. (du gr. *ekhinos,* hérisson, et *derma,* peau). Embranchement d'animaux invertébrés marins, dont l'*oursin* et l'*étoile de mer* sont les types.
— ENCYCL. Ce vaste groupe est très différent de tout le reste du monde animal et d'origine très ancienne. Les *échinodermes* sont des êtres très complexes, munis d'un tube digestif, d'un appareil circulatoire, d'un système nerveux, souvent d'un squelette externe (test* des oursins), d'une peau très différenciée et parfois épineuse (d'où le nom de l'embranchement), enfin de petites ventouses érectiles, les podia, servant à la locomotion. Les sexes sont séparés. L'habitat des échinodermes est exclusivement marin.
On distingue la classe des oursins, des étoiles de mer (ou astéries), des ophiures, des holothuries et des crinoïdes.

1. ÉCHIQUIER n. m. → ÉCHECS 2.

2. ÉCHIQUIER [eʃikje] n. m. (de l'anc. fr. *eschekier,* trésor royal). *Chancelier de l'Échiquier,* ministre des Finances, en Grande-Bretagne.

ÉCHIROLLES, ch.-l. de cant. de l'Isère, à 6 km au S. de Grenoble; 37 500 hab.

1. ÉCHO [eko] n. m. (gr. *êkhô,* son). **1.** Répétition d'un son, due à la réflexion des ondes sonores par un obstacle : *L'écho lui renvoya son appel.* — **2.** Onde électromagnétique émise par un radar, qui revient à l'appareil après avoir été réfléchie par un obstacle. — **3.** Réponse à une sollicitation, une suggestion : *Une demande qui n'a trouvé aucun écho.* — **4.** Propos recueillis par quelqu'un : *Avez-vous eu des échos de la réunion?* (syn. INFORMATION, NOUVELLE). — **5.** Ce qui reproduit, ce qui traduit : *On trouve dans ce roman l'écho des angoisses de l'époque.* — **6.** *À tous les échos,* très ouvertement, en s'adressant à un large public. ‖ *Se faire l'écho d'une rumeur, d'une nouvelle,* etc., la répandre autour de soi, la propager.

2. ÉCHO [eko] n. m. (de *écho* 1). Anecdote, petite nouvelle annoncée par un journal. ◆ **échotier** [ekɔtje] n. m. Rédacteur des échos d'un journal.

ÉCHOIR [eʃwar] v. t. ind. (lat. *excidere,* tomber de). [Conj. **49.**] (Sujet nom de chose.) *Échoir à qq'un,* lui être attribué par le sort, par le hasard, par un événement fortuit : *Il lui est échu une maison en héritage.* ◆ v. i. (sujet nom de chose). Arriver à une date où est prévu un paiement ; *Le terme échoit le 15 janvier.*

ÉCHOLOCATION [ekɔlɔkasjɔ̃] n. f. (de *écho,* et lat. *locus,* lieu). Procédé de repérage utilisé par les chauves-souris dans l'obscurité complète pour évaluer la distance des obstacles. (Il consiste à émettre constamment des cris ultrasonores [= qui ne peuvent être perçus par l'oreille humaine] et à interpréter le temps que l'écho met à les renvoyer.)

ÉCHOPPE [eʃɔp] n. f. (anc. néerl. *schoppe*). Petite boutique en planches.

ÉCHOTIER n. m. → ÉCHO 2.

1. ÉCHOUER [eʃwe] v. i. (orig. inc.). **1.** (sujet nom de personne) Ne pas atteindre le but qu'on se proposait : *Il a échoué dans son projet.* — **2.** (sujet nom de chose) Ne pas réussir : *Un plan qui échoue.* — **3.** (sujet nom de personne ou de chose) *Échouer à tel ou tel endroit,* aboutir finalement à cet endroit, s'y arrêter par lassitude.

2. ÉCHOUER [eʃwe] v. i. ou **S'ÉCHOUER** [seʃwe] v. pr. (orig. inc.) [sujet nom désignant un bateau]. Rester immobilisé parce qu'il a heurté la côte ou touché le fond. ◆ v. t. *Échouer un bateau,* le conduire volontairement à la côte ou sur les bas-fonds, où il restera à sec. ◆ **échouage** ou **échouement** n. m. **1.** Situation d'un bateau échoué (par suite d'une cause accidentelle). — **2.** Action d'échouer volontairement un bateau, c'est-à-dire le mettre à sec. ◆ **déséchouer** v. t. Remettre à flot un navire échoué.

ÉCIJA, v. de l'Espagne méridionale; 49 800 hab. Monastère. Important palais mauresque du XIVe s.

ÉCIMER [esime] v. t. (du lat. *ex-,* préf. à valeur priv., et *cime*). Couper la cime d'un arbre, d'un végétal pour le forcer à croître en épaisseur et non plus en hauteur (syn. ÉCRÊTER, ÉTÊTER). ◆ **écimage** n. m.

ECKMÜHL, village d'Allemagne (Bavière), au S. de Ratisbonne.
• *22 avril 1809. Napoléon y bat les Autrichiens.*

ÉCLABOUSSER [eklabuse] v. t. (de l'anc. fr. *esclabouter*). **1.** *Éclabousser qq'un, qqch.*, faire rejaillir un liquide sur eux en les salissant : *La voiture qui roulait dans le caniveau m'a éclaboussé.* — **2.** *Éclabousser qq'un*, le compromettre : *Le scandale l'a éclaboussé.* — **3.** En imposer à quelqu'un par un étalage outré de son luxe ou de ses avantages : *Chercher à éclabousser ses voisins.* ◆ **éclaboussement** n. m. Action d'éclabousser. ◆ **éclaboussure** n. f. **1.** Liquide qui rejaillit en tachant. — **2.** *Fam.* Contrecoup d'un événement fâcheux qui entache la réputation de quelqu'un : *Les éclaboussures d'un scandale.*

1. ÉCLAIR [eklɛr] n. m. (de *éclairer*). **1.** Vive lumière provoquée, au cours d'un orage, par une décharge électrique dans l'atmosphère : *Un éclair suivi d'un coup de tonnerre.* — **2.** Lumière vive et instantanée : *Les éclairs des photographes* (syn. FLASH). — **3.** *Un éclair d'intelligence, de bon sens*, etc., un bref instant où l'on comprend clairement. — **4.** *Ses yeux lancent des éclairs*, brillent d'un grand éclat, dû à la colère, à l'indignation. ‖ *Rapide comme l'éclair*, extrêmement rapide. ◆ adj. inv. Très rapide : *Un voyage éclair. Guerre éclair.*

2. ÉCLAIR [eklɛr] n. m. (de *éclair* 1). Gâteau à la crème de forme allongée, glacé par-dessus.

ÉCLAIRAGE n. m., **ÉCLAIRANT, E** adj. ⟶ ÉCLAIRER 1 et 2.

ÉCLAIRAGISTE n. m. ⟶ ÉCLAIRER 1.

1. ÉCLAIRCIR [eklɛrsir] v. t. (de l'anc. fr. *esclarcir*, briller). **1.** *Éclaircir une chose*, la rendre plus claire, moins sombre : *Mêler du blanc à la peinture pour éclaircir la teinte.* — **2.** *Éclaircir une sauce, un potage*, etc., y ajouter de l'eau, les rendre plus liquides (syn. ALLONGER). — **3.** *Éclaircir sa voix*, la rendre plus nette, moins enrouée. — **4.** *Éclaircir des plants, un bois*, etc., les rendre moins serrés, moins touffus. ◆ ***s'éclaircir*** v. pr. (sujet nom de chose). Devenir clair : *Le ciel s'éclaircit.* ◆ **éclaircie** n. f. Partie claire dans un ciel nuageux; durée pendant laquelle le ciel est momentanément clair.

2. ÉCLAIRCIR [eklɛrsir] v. t. (même étym.). *Éclaircir une question, un mystère, sa pensée*, etc., les rendre plus intelligibles. ◆ ***s'éclaircir*** v. pr. Devenir compréhensible : *Ses idées s'éclaircissent.* ◆ **éclaircissement** n. m. Paroles, écrits par lesquels on explique (syn. EXPLICATION).

ÉCLAIRÉ, E adj. ⟶ ÉCLAIRER 2.

ÉCLAIREMENT n. m. ⟶ ÉCLAIRER 1.

1. ÉCLAIRER [eklɛre] v. t. (de *ex-*, préf. à valeur intensive, et lat. *clarus*, clair). **1.** *Éclairer un objet, qq'un*, répandre de la lumière dessus : *Les phares éclairent la route. Son visage était éclairé par la lampe;* et intransitiv. : *Une lampe qui éclaire mal.* — **2.** *Éclairer qq'un*, lui fournir une lumière qui lui permette d'y voir : *Il fait nuit, je vais vous éclairer.* ◆ ***s'éclairer*** v. pr. **1.** (sujet nom concret) Devenir lumineux, recevoir de la lumière : *La rue s'éclaire dès la tombée de la nuit.* — **2.** Se donner de la lumière pour voir : *S'éclairer à la bougie.* ◆ **éclairage** n. m. **1.** Action ou manière d'éclairer; dispositif qui éclaire : *Une panne d'éclairage* (syn. LUMIÈRE). — **2.** Quantité de lumière reçue : *L'éclairage de cette pièce est insuffisant.* ◆ **éclairagiste** n. m. Technicien spécialisé dans la réalisation d'éclairages rationnels. ◆ **éclairant, e** adj. : *Une fusée éclairante.* ◆ **éclairement** n. m. Quantité de lumière reçue par un corps et exprimée en unités de mesure.

2. ÉCLAIRER [eklɛre] v. t. (même étym.). **1.** *Éclairer qqch.* (mot abstrait), le rendre compréhensible : *Éclairer un problème.* — **2.** *Éclairer qq'un*, lui fournir des renseignements, le mettre en état de comprendre : *Éclairez-moi sur ce détail* (syn. INFORMER, RENSEIGNER). ◆ ***s'éclairer*** v. pr. **1.** (sujet nom abstrait) Devenir compréhensible : *La question s'est éclairée.* — **2.** *Visage, front qui s'éclaire*, qui se déride, se détend. ◆ **éclairé, e** adj. Se dit d'une personne qui a des connaissances et du discernement : *Un livre qui s'adresse à des lecteurs éclairés* (syn. CULTIVÉ, INITIÉ). ◆ **éclairant, e** adj. : *Une explication éclairante* (= qui élucide). ◆ **éclairage** n. m. Manière particulière d'envisager quelque chose : *Sous cet éclairage, la tragédie paraît toute nouvelle* (syn. ANGLE, JOUR).

1. ÉCLAIREUR [eklɛrœr] n. m. (de *éclairer*). Soldat ou membre d'une troupe envoyé en avant pour effectuer une reconnaissance et faciliter la progression des autres.

2. ÉCLAIREUR, EUSE [eklɛrœr, -øz] n. (même étym.). Jeune membre d'une organisation scoute.

1. ÉCLATER [eklate] v. i. (frq. *slaitan*, fendre). **1.** (sujet nom de chose) Se briser soudain, sous l'effet d'une pression : *Un pneu qui éclate* (syn. EXPLOSER). — **2.** *Groupe, parti*, etc., *qui éclate*, qui se fractionne, se disperse en plusieurs tendances. ◆ **éclat** n. m. Fragment détaché d'un objet qui a éclaté : *Un éclat de bombe, de verre.* ◆ **éclaté** n. m. Représentation graphique d'un objet (moteur, avion, etc.) ou d'un corps permettant d'en montrer, en perspective, les différents éléments. ◆ **éclatement** n. m. : *L'éclatement d'un pneu* (syn. CREVAISON). *L'éclatement d'un parti.*

2. ÉCLATER [eklate] v. i. (même étym.). **1.** (sujet nom de chose) Produire un bruit subit et violent : *L'orage éclate.* — **2.** (sujet nom de chose) Se manifester avec force, avec intensité, avec évidence : *Le scandale a éclaté par sa faute.* — **3.** (sujet nom de personne) Ne plus pouvoir contenir ses sentiments, en partic. sa colère : *Éclater en reproches, en invectives* (syn. FULMINER, SE RÉPANDRE). — **4.** *Éclater de rire*, être soudain pris d'un accès de rire bruyant. ◆ **éclat** [ekla] n. m. **1.** Bruit soudain et violent : *Un éclat de voix. Éclats de rire.* — **2.** Intensité d'une lumière : *L'éclat du soleil.* — **3.** Qualité de ce qui s'impose à l'admiration, à l'attention : *L'éclat d'une cérémonie* (syn. FASTE, MAGNIFICENCE). *Une action d'éclat* (= un exploit). — **4.** *Faire un éclat*, se signaler à l'attention par un acte qui heurte les habitudes, qui scandalise. ◆ **éclatant, e** adj. : *Des cris éclatants* (syn. PERÇANT). *Une couleur éclatante* (syn. VIF). *Un succès éclatant* (syn. TOTAL). *Une vérité éclatante* (syn. AVEUGLANT, ÉVIDENT).

ÉCLECTISME [eklɛktism] n. m. (du gr. *eklektikos*, qui choisit). **1.** Méthode de ceux qui choisissent dans les divers systèmes philosophiques, scientifiques, etc., ce qui leur paraît le meilleur pour en former un ensemble harmonieux. — **2.** Disposition d'esprit d'une personne qui témoigne d'opinions ou de goûts très variés. ◆ **éclectique** adj. et n. Se dit d'une personne dont l'esprit est ouvert à tous les genres de culture, à toutes les opinions, qui prend de divers côtés ce qui lui convient.

ÉCLIPSE [eklips] n. f. (gr. *ekleipsis*). **1.** *Éclipse de Soleil*, disparition du Soleil dans la journée, en raison de l'interposition de la Lune entre lui et la Terre. — **2.** *Éclipse de Lune*, disparition de la Lune dans l'ombre de la Terre. — **3.** *Éclipse d'une personne célèbre, de la gloire*, etc., période pendant laquelle cette personne disparaît de la vie publique, la gloire cesse, etc. ‖ *Subir une éclipse*, voir cesser sa renommée, sa gloire. ◆ **éclipser** v. t. **1.** *La Lune éclipse le Soleil*, en intercepte la lumière. — **2.** *Éclipser qq'un, qqch.*, attirer tellement l'attention sur soi que cette personne ou cette chose n'est plus remarquée : *Éclipser ses rivaux* (syn. SURPASSER). ◆ ***s'éclipser*** v. pr. **1.** Subir une éclipse, en parlant du Soleil, de la Lune. — **2.** *Fam.* Disparaître, partir furtivement.

ÉCLIPTIQUE [ekliptik] n. m. (de *éclipse*). *Astron.* Grand cercle de la sphère céleste décrit en un an par le Soleil dans son mouvement propre apparent, ou par la Terre dans son mouvement réel de révolution autour du Soleil.

ÉCLISSE [eklis] n. f. (du frq. *slizzan*, fendre). **1.** Éclat de bois en forme de coin. — **2.** Élément de bois ou de carton qui permet de maintenir en position fixe les os d'un membre fracturé. — **3.** Plaque d'acier qui unit les rails de chemin de fer.

ÉCLOPÉ, E [eklɔpe] adj. et n. (de l'anc. fr. *cloper*, boiter). *Fam.* Se dit d'une personne ou d'un animal qui a une blessure légère, une entorse, etc., lui ôtant le libre exercice de ses membres.

ÉCLORE [eklɔr] v. i. (bas lat. *exclaudere*). [Conj. **81.**] **1.** (sujet nom désignant l'œuf) Se briser pour laisser sortir le poussin ou l'oiseau nouveau-né. (On dit aussi que *les poussins éclosent*, sortent de l'œuf.) — **2.** (sujet nom désignant une fleur, un bourgeon) S'épanouir, s'ouvrir. — **3.** (sujet nom abstrait) Commencer à se manifester dans sa plénitude : *Cette époque a vu éclore de grands talents.* ◆ **éclosion** n. f. : *L'éclosion des poussins, d'une fleur. L'éclosion d'une idée* (syn. NAISSANCE).

ÉCLUSE [eklyz] n. f. (bas lat. *exclusa*, [eau] séparée du courant). Dispositif muni d'un système de portes et de vannes pour retenir ou lâcher les eaux d'une rivière, d'un canal, et permettre ainsi aux bateaux de franchir une dénivellation. ◆ **éclusier, ère** n. Personne préposée à la manœuvre d'une écluse.

ÉCLUSE (L'), en néerl. **Sluis,** petite ville des Pays-Bas (Zélande).

• *1340. En face de cette ville, la flotte anglaise d'Édouard III infligea une grave défaite à la flotte française de Philippe VI. Ce fut le prélude de la guerre de Cent Ans.*

ÉCLUSIER, ÈRE n. ⟶ ÉCLUSE.

ÉCOBUER [ekɔbɥe] v. t. (du poitevin *gobuis*, terre pelée). Pratiquer l'écobuage. ◆ **écobuage** n. m. Procédé archaïque de culture, consistant à peler la terre en enlevant les mottes avec les herbes et les racines, à brûler le tout, puis à fertiliser le sol avec les cendres.

ÉCŒURER [ekœre] v. t. (du lat. *ex-*, préf. à valeur négative, et *cœur*). *Écœurer qq'un*, lui causer du dégoût, de la nausée : *Cette crème l'écœure;* lui inspirer du dépit, du découragement : *Cela vous écœure de voir un paresseux aussi bien traité.* ◆ **écœurant, e** adj. : *Une odeur écœurante* (syn. INFECT, NAUSÉABOND). *Sa con-*

duite est écœurante (syn. DÉGOÛTANT, RÉPUGNANT). ◆ **écœurement** n. m. Sentiment de dégoût ou de découragement.

ÉCOLE [ekɔl] n. f. (lat. *schola*). **1.** Établissement où se donne un enseignement collectif : *Les enfants vont à l'école.* ‖ *École laïque,* école primaire publique dirigée par un instituteur; l'enseignement public, par oppos. à l'enseignement confessionnel (= où l'on enseigne les éléments d'une religion). ‖ *École libre,* établissement d'enseignement qui ne relève pas de l'enseignement public. (Les écoles libres sont le plus souvent, en France, des écoles confessionnelles.) ‖ *Grandes écoles,* terme général pour désigner les établissements spécialisés d'enseignement supérieur. — **2.** Ensemble des élèves et du personnel de cet établissement : *Toute l'école est réunie dans la cour.* — **3.** Travail fait dans cet établissement, enseignement qui y est donné : *L'école recommence dans deux semaines* (syn. CLASSE). [⟶ SCOLAIRE, SCOLARITÉ.] — **4.** Ensemble des partisans d'une même doctrine, des disciples d'un penseur, d'un artiste, etc. : *L'école impressionniste, wagnérienne.* — **5.** *À l'école de,* sous la direction de, en tirant profit de l'expérience en matière de. ‖ *Être à bonne école,* être auprès de quelqu'un qui vous initie très bien. ‖ *Faire école,* rallier des adeptes ou des imitateurs, propager ses idées. ‖ *Haute école,* exécution des différents mouvements, ou airs, que l'on obtient d'un cheval exceptionnellement bien dressé. ◆ **écolier, ère** n. **1.** Enfant qui fréquente l'école. — **2.** *Prendre le chemin des écoliers,* le plus long (celui que prennent les écoliers peu pressés d'aller en classe).

École des femmes *(l'),* comédie en cinq actes et en vers de Molière (1662).

École des maris *(l'),* comédie en trois actes et en vers de Molière (1661).

École militaire, monument élevé à Paris, à l'extrémité du Champ-de-Mars, par l'architecte Gabriel, pour recevoir une école de cadets (1760). Elle abrite aujourd'hui l'Institut des hautes études de défense nationale et les écoles supérieures de guerre.

ÉCOLIER, ÈRE n. ⟶ ÉCOLE.

ÉCOLOGIE [ekɔlɔʒi] n. f. (du gr. *oikos,* maison, et *logos,* science). Étude scientifique des relations entre les êtres vivants et le milieu naturel où ils vivent. ◆ **écologique** adj. Relatif à l'écologie. ◆ **écologiste** n. **1.** Spécialiste d'écologie. — **2.** Défenseur de l'environnement, de la nature.

— ENCYCL. L'*écologie* étudie les conditions créées par le milieu (température, humidité, salinité, éclairement, oxygénation, etc.), l'action du milieu sur les êtres qui y vivent, la façon dont ces êtres s'y adaptent pour y survivre, et en quoi l'action de ces êtres modifie ce milieu lui-même.

ÉCONDUIRE [ekɔ̃dɥir] v. t. (de l'anc. fr. *escondire,* refuser). [Conj. **70.**] *Éconduire qq'un,* ne pas le recevoir, ne pas faire droit à sa requête (syn. CONGÉDIER).

ÉCONOMAT n. m., **ÉCONOMÉTRIE** n. f. ⟶ ÉCONOMIE 2.

ÉCONOME adj. et n. ⟶ ÉCONOMIE 1 et 2.

1. ÉCONOMIE [ekɔnɔmi] n. f. (gr. *oikonomia*). **1.** Qualité qui consiste à réduire les dépenses, à ne dépenser que judicieusement (= être d'une juste modération dans ses dépenses); attitude d'une personne qui agit ainsi : *Son esprit d'économie est proche de l'avarice* (syn. ÉPARGNE; contr. PRODIGALITÉ). — **2.** Ce qui n'est pas dépensé, ce dont on évite les frais : *Une économie de papier, de temps* (syn. GAIN; contr. GASPILLAGE, PERTE). *Des économies de bouts de chandelle* (= épargne qui porte sur des choses de peu de valeur). ◆ n. f. pl. Argent mis de côté en vue de dépenses à venir. ◆ **économe** adj. Se dit d'une personne qui ne dépense que judicieusement, qui donne avec mesure : *Une maîtresse de maison économe* (contr. DÉPENSIER, PRODIGUE). ◆ **économique** adj. Se dit de ce qui permet des économies : *Un moyen de transport économique* (syn. AVANTAGEUX, BON MARCHÉ; contr. COÛTEUX, DISPENDIEUX, ONÉREUX). ◆ **économiquement** adv. : *Se nourrir économiquement* (syn. À BON MARCHÉ, AVANTAGEUSEMENT; contr. COÛTEUSEMENT). ◆ **économiser** v. t. Faire l'économie de : *Économiser des sommes importantes* (contr. DILAPIDER, GASPILLER). *Économiser une démarche* (syn. ÉPARGNER). *Économiser ses gestes* (syn. MÉNAGER; contr. PRODIGUER).

2. ÉCONOMIE [ekɔnɔmi] n. f. (même étym.). **1.** Ensemble des activités d'une collectivité humaine relatives à la production et à la consommation des richesses : *La production pétrolière est un facteur essentiel de l'économie de cet État.* ‖ *Économie dirigée, libérale, concertée* ⟶ ENCYCL. ‖ *Économie politique,* science qui étudie les mécanismes réglant la production, la répartition et la consommation des richesses. — **2.** *Société d'économie mixte,* société industrielle ou commerciale dont le capital est apporté à la fois par des collectivités publiques et par des particuliers ou des sociétés privées. — **3.** Ordre qui préside à la distribution des parties d'un ensemble : *Une scène qui joue un rôle important dans l'économie d'une pièce de théâtre.* ◆ **économe** n. Personne chargée des dépenses d'un établissement hospitalier ou scolaire, d'une communauté. ◆ **économat** n. m. Charge ou bureaux d'un économe. ◆ **économétrie** n. f. Technique de recherche économique qui fait appel à l'analyse mathématique. ◆ **économique** adj. Sens 1 de ÉCONOMIE : *Un pays qui a des difficultés économiques.* ◆ **économiquement** adv. **1.** *Un bilan politiquement et économiquement satisfaisant.* — **2.** *Économiquement faibles,* se dit des personnes qui ne disposent pas de ressources suffisantes pour subsister, sans être pourtant totalement indigentes. ◆ **économiste** n. Personne qui s'occupe d'économie politique.

— ENCYCL. Dans l'*économie libérale,* l'équilibre entre la production et la consommation s'établit de lui-même (sans intervention de l'État), par la « loi de l'offre et de la demande » : en théorie, une production accrue dans un secteur particulier (chaussures, ustensiles d'aluminium, par ex.) fait baisser les prix; les producteurs fabriquent ces objets en moins grand nombre et les prix se rétablissent puisque la demande devient plus importante que l'offre. Mais les crises économiques, celle de 1929 notamment, ont démontré la nécessité d'étudier d'une façon plus scientifique les problèmes concernant l'équilibre économique.

Dans l'*économie dirigée,* c'est l'État qui prend les mesures nécessaires à un bon équilibre économique en orientant, en dirigeant, en contrôlant les divers secteurs de l'activité économique du pays. Il organise la production en encourageant certains secteurs, pour l'ajuster aux besoins de la consommation.

L'*économie concertée* est un système intermédiaire entre l'économie libérale et l'économie dirigée.

ÉCONOMIQUE adj., **ÉCONOMIQUEMENT** adv. ⟶ ÉCONOMIE 1 et 2.

ÉCONOMISER v. t. ⟶ ÉCONOMIE 1.

ÉCONOMISTE n. ⟶ ÉCONOMIE 2.

1. ÉCOPER [ekɔpe] v. t. (du frq. *skôpa,* écope). *Écoper l'eau d'une embarcation,* la vider au moyen d'une pelle en bois appelée *écope,* ou de tout autre récipient.

2. ÉCOPER [ekɔpe] v. t. et t. ind. (de *écoper* 1). Fam. *Écoper qqch., de qqch.,* le recevoir, se voir infliger un dommage : *Il a écopé de cent francs d'amende.* ◆ v. i. *Fam.* Être puni, recevoir une sanction.

ÉCORCE [ekɔrs] n. f. (du lat. *scortum,* peau). **1.** Partie externe du tronc des arbres, entourant le bois. — **2.** Enveloppe de certains fruits : *Écorce d'orange, de citron* (syn. PEAU). — **3.** Anat. *Écorce cérébrale,* couche superficielle du cerveau et du cervelet, formée de substance grise (syn. CORTEX). — **4.** *Écorce terrestre,* zone superficielle de la Terre, d'une épaisseur moyenne de 35 km. ◆ **écorcer** v. t. Dépouiller de son écorce : *Écorcer une orange* (syn. PELER).

ÉCORCHER [ekɔrʃe] v. t. (du lat. *cortex, corticis,* peau). **1.** *Écorcher un animal,* le dépouiller de sa peau : *Écorcher un lapin.* — **2.** *Écorcher qq'un, une partie de qq'un,* déchirer sa peau : *Sa chute lui a écorché le genou* (syn. ↓ÉGRATIGNER, ÉRAFLER). — **3.** Fam. *Écorcher les oreilles,* produire des sons très désagréables. — **4.** Fam. *Écorcher une langue,* la parler avec des fautes. ‖ *Écorcher un nom,* le prononcer mal, le dénaturer (syn. fam. ESTROPIER). ◆ **s'écorcher** v. pr. : *Il s'est écorché les doigts en grimpant au rocher* (syn. ↓S'ÉGRATIGNER). ◆ **écorché** n. m. **1.** Homme ou animal représenté complètement dépouillé de sa peau. (L'écorché est un exercice de dessin qui fait ressortir les muscles, les veines, les articulations. Les écorchés de Ligier Richier, Houdon, et le cheval écorché de Géricault sont célèbres.) — **2.** *Technol.* Dessin d'une machine, d'une installation dont sont omises les parties extérieures cachant des organes intérieurs importants. ◆ **écorchure** n. f. Déchirure superficielle de la peau (syn. ↓ÉGRATIGNURE).

ÉCORNER [ekɔrne] v. t. (de *corne*). **1.** *Écorner une chose,* la déchirer, en user ou briser les angles : *De vieux livres écornés.* — **2.** Fam. *Écorner une somme,* en dépenser une partie, l'entamer.

ÉCORNIFLER [ekɔrnifle] v. t. (de *écorner,* et l'anc. fr. *nifler,* renifler). Recueillir, rafler de-ci de-là (mot rare et vieilli). ◆ **écornifleur, euse** n. (syn. PARASITE).

ÉCOSSAIS, E [ekɔsɛ, -sɛz] adj. et n. **1.** De l'Écosse. — **2.** Se dit d'un tissu rayé à carreaux de diverses couleurs : *Une jupe écossaise.* ◆ n. m. La langue écossaise, ou gaélique d'Écosse.

ÉCOSSE, en angl. **Scotland,** partie septentrionale de la Grande-Bretagne*; 77 180 km²; 5 227 700 hab. (67 au km²). Capit. *Édimbourg.*

GÉOGRAPHIE

Le *relief* de l'Écosse est constitué par une série de massifs transversaux, les *Highlands du Nord,* les *Grampians* et les *Highlands du Sud,* séparés par des dépressions, le *Glen More* et les *Lowlands.* Ces massifs anciens, relevés à l'époque tertiaire, ont été façonnés au Quaternaire par les glaciers qui y ont laissé des dépressions occupées par de nombreux lacs. Le climat océanique est frais en raison de la latitude élevée.

Les massifs montagneux, humides et froids, sont le domaine du mouton, tandis que l'essentiel de la vie économique se concentre dans les Lowlands : ici, les terres, plus riches, permettent la culture de céréales et l'élevage bovin. Des ressources en fer, et surtout en charbon, ont permis à l'industrie de se développer, notamment autour de Glasgow et dans l'estuaire de la Clyde. Le textile, industrie traditionnelle, est maintenant en déclin. L'Écosse souffre de son isolement par rapport au reste du pays, mais a bénéficié de l'extraction pétrolière en mer du Nord.

HISTOIRE

Peuplée à l'origine par les Pictes, qui résistent longtemps aux Romains, l'Écosse ne subit que faiblement l'influence romaine.

Aux Ve et VIe s. les Pictes sont refoulés par des peuples originaires d'Irlande, les Scots (qui donnent leur nom au pays), et par les Angles.

Puis l'Écosse, christianisée par les moines irlandais, subit les invasions scandinaves. Elle lutte ensuite contre la domination anglaise.

- *1296. Édouard Ier d'Angleterre annexe l'Écosse.*
- *1297. William Wallace dirige un soulèvement populaire.*
- *1314. Robert Ier Bruce anéantit l'armée anglaise à Bannockburn.*
- *1328. Le traité de Northampton reconnaît l'indépendance de l'Écosse.*
- *1371. La dynastie des Stuarts est fondée par Robert II.*

L'anarchie intérieure et des conflits religieux affaiblissent le royaume.

Au XVIe s. John Knox, disciple de Calvin, introduit la religion réformée qui fait de nombreux adeptes dans l'aristocratie et s'implante officiellement en Écosse. La noblesse s'oppose de plus en plus à la royauté, restée catholique, et finit par triompher.

- *1567. La reine Marie Stuart est contrainte d'abdiquer en faveur de son fils, Jacques VI.*
- *1603. À la mort d'Élisabeth Ire, Jacques VI devient roi d'Angleterre sous le nom de Jacques Ier.*

Cependant, l'union des couronnes n'entraîne pas immédiatement l'union des royaumes et l'opposition nationale écossaise persiste.

- *1707. L'acte d'Union des royaumes d'Angleterre et d'Écosse donne naissance à la Grande-Bretagne*.*

ÉCOSSE (Nouvelle-) ⟶ NOUVELLE-ÉCOSSE.

ÉCOSSER v. t. ⟶ COSSE 1.

ÉCOT [eko] n. m. (frq. *skot*, contribution). Part que chaque convive doit payer lors d'un repas commun (syn. QUOTE-PART).

ÉCOUEN, ch.-l. de cant. du Val-d'Oise, à 13 km au N. de Paris; 4386 hab. Château de la Renaissance, attribué à J. Bullant et auquel J. Goujon travailla; il abrite aujourd'hui le musée de la Renaissance.

1. ÉCOULER [ekule] v. t. (de *couler*). **1.** *Écouler une marchandise*, s'en défaire en la vendant, en la distribuant. — **2.** *Écouler de faux billets*, les mettre en circulation. ◆ **écoulement** n. m. : *L'écoulement d'un produit. L'écoulement de faux billets.*

2. ÉCOULER (S') [sekule] v. pr. (même étym.) [sujet nom de chose ou de personne]. Se retirer en coulant; disparaître progressivement : *L'eau de pluie s'écoule par cette rigole* (syn. S'ÉVACUER). *Deux jours se sont écoulés depuis cet incident* (syn. PASSER). ◆ **écoulement** n. m. : *L'écoulement des eaux de pluie* (syn. ÉVACUATION). *L'écoulement du temps.*

ÉCOUMÈNE ou **ŒKOUMÈNE** [ekumɛn] n. m. (gr. *oikoumenê*, terre habitée). Partie habitable de la surface terrestre : *Les océans et le continent antarctique n'appartiennent pas à l'écoumène.*

ÉCOURTER v. t. ⟶ COURT 1.

1. ÉCOUTE n. f. ⟶ ÉCOUTER.

2. ÉCOUTE [ekut] n. f. (frq. *skôta*, cordage). Cordage attaché aux coins inférieurs d'une voile, pour la fixer et régler son orientation.

ÉCOUTER [ekute] v. t. (lat. *auscultare*). **1.** (sujet nom de personne) *Écouter qq'un, qqch.*, prêter l'oreille pour les entendre : *Écouter de la musique.* — **2.** *Écouter qq'un*, tenir compte de ses paroles, de sa volonté ou de ses désirs : *Écouter les conseils d'un ami* (syn. OBÉIR À). — **3.** *N'écouter que soi-même*, ne suivre les airs, les conseils de personne. ◆ ***s'écouter*** v. pr. **1.** *Fam.* Attacher une importance excessive à ses petits malaises; suivre sa propre impulsion : *Si je m'écoutais, je n'irais pas à cette réunion.* — **2.** *S'écouter parler*, parler avec affectation, se complaire dans ses paroles. ◆ **écoute** n. f. **1.** Action d'écouter une communication téléphonique ou une émission radiophonique. — **2.** *Être aux écoutes*, rester attentif pour saisir toute information intéressante. ◆ **écouteur** n. m. Élément d'un récepteur téléphonique ou radiophonique qu'on applique à son oreille. (⟶ AUDITION.)

ÉCOUTILLE [ekutij] n. f. (esp. *escotilla*). Ouverture rectangulaire pratiquée dans le pont d'un navire, pour accéder aux entreponts et aux cales.

ÉCOUVES *(forêt domaniale d')*, forêt de Normandie, au N. d'Alençon, où est situé le *signal d'Écouves* (417 m), l'un des sommets du Massif armoricain.

ÉCOUVILLON [ekuvijɔ̃] n. m. (de l'anc. fr. *escouve*, balai). **1.** Brosse longue et étroite, montée sur un manche, qui sert à nettoyer les bouteilles, les pots, etc. — **2.** Brosse cylindrique à manche, pour nettoyer le canon d'une arme à feu.

ÉCRABOUILLER [ekrabuje] v. t. (de *écraser*, et l'anc. fr. *esbouillier*, éventrer). *Fam.* Écraser, mettre en marmelade ou réduire en bouillie. ◆ **écrabouillage** ou **écrabouillement** n. m.

ÉCRAN [ekrɑ̃] n. m. (anc. néerl. *scherm*, paravent). **1.** Dispositif, objet qui arrête les rayons lumineux, la chaleur, le son, qui empêche de voir ou qui protège : *Un écran de verdure. Utiliser un écran jaune en photographie* (syn. FILTRE). — **2.** Tableau ou pièce de tissu servant à projeter des vues : *Les images apparaissent sur l'écran.* — **3.** *L'écran*, le cinéma : *Les vedettes de l'écran.* — **4.** *Le petit écran*, la télévision. — **5.** *Faire écran*, empêcher de voir, de comprendre.

ÉCRASER [ekraze] v. t. (du lat. *ex-*, préf. à valeur intensive, et anc. angl. *crasen*, broyer). **1.** *Écraser qqch., un être vivant*, le déformer ou l'aplatir par pression ou par choc : *Écraser des pommes* (syn. BROYER). *Le camion a écrasé un chien.* — **2.** *Écraser qq'un, qqch.* (terme abstrait), l'accabler, peser lourdement sur lui, lui faire tort par sa masse : *Écraser d'impôts. Des détails qui écrasent l'essentiel.* — **3.** *Écraser la résistance ennemie, la rébellion*, etc., les vaincre complètement. — **4.** Fam. *Écraser un adversaire*, l'emporter sur lui, le surclasser dans une compétition, une discussion. ◆ ***s'écraser*** v. pr. **1.** Se briser en tombant d'une grande hauteur ou en heurtant un obstacle : *Un avion qui s'écrase au sol. Une auto qui s'écrase contre un arbre.* — **2.** (sujet nom de personne) *Fam.* Se porter en foule, se presser en un lieu. ◆ **écrasant, e** adj. : *Travail écrasant* (syn. ACCABLANT). *Une écrasante supériorité* (syn. ÉNORME). ◆ **écrasement** n. m. : *L'écrasement de la hiérarchie* (= la réduction des écarts entre les rémunérations les plus fortes et les rémunérations les plus faibles). ◆ **écraseur, euse** n. et adj. Qui écrase.

ÉCRÉMAGE n. m., **ÉCRÉMER** v. t., **ÉCRÉMEUSE** n. f. ⟶ CRÈME.

ÉCRÊTER v. t. ⟶ CRÊTE 2.

ÉCREVISSE [ekrəvis] n. f. (frq. *krebitja*). Crustacé d'eau douce, à abdomen long, de l'ordre des décapodes. (L'écrevisse creuse de profonds terriers et n'en sort que la nuit pour chercher sa nourriture. On la pêche à l'aide d'une balance, filet rond amorcé avec de la viande ou du poisson.) [Embranchement des arthropodes.]

ÉCRIER (S') [sekrije] v. pr. (lat. *ex-*, préf. à valeur intensive, et *crier*). Dire en criant : *Il s'écria : « Victoire! »*

ÉCRIN [ekrɛ̃] n. m. (lat. *scrinium*). Boîte ou coffret destinés à ranger des bijoux ou de l'argenterie.

ÉCRINS *(barre des)*, montagne des Alpes françaises (Dauphiné), point culminant du massif du Pelvoux (4102 m). Parc national.

ÉCRIRE [ekrir] v. t. et i. (lat. *scribere*). [Conj. **71.**] **1.** Exprimer les sons de la parole ou de la pensée au moyen d'un système convenu de signes graphiques : *Écrire l'adresse à l'encre* (syn. RÉDIGER). *Ce nom est mal écrit* (syn. ORTHOGRAPHIER); et intransitiv. : *Un enfant qui apprend à écrire.* ‖ *Machine à écrire*, appareil permettant d'écrire avec des caractères actionnés à l'aide d'un clavier et qui s'impriment sur le papier au moyen d'un dispositif encreur. — **2.** Exposer, déclarer dans un ouvrage imprimé : *On a écrit bien des inepties sur cette question* (syn. DIRE). — **3.** Faire savoir par lettre, adresser une lettre : *Il m'a écrit qu'il était malade.* — **4.** (sans compl. d'objet) Composer un ouvrage, un article littéraire ou scientifique; faire métier d'écrivain : *Il écrit dans de nombreuses revues.* ◆ **écrit, e** adj. Se dit de ce qui est fixé par le destin, qui est irrévocable : *Il a raté son examen : c'était écrit!* (syn. FATAL, INÉVITABLE). ◆ n. m. **1.** Papier écrit portant témoignage; convention signée : *On n'a pas pu produire un seul écrit contre l'accusé.* — **2.** Ouvrage littéraire ou scientifique : *Les écrits de Cicéron.* — **3.** Ensemble des épreuves d'un examen ou d'un concours qui ont lieu par écrit (contr. ORAL). — **4.** *Par écrit*, sur le papier : *S'adresser à qq'un par écrit* (contr. PAR ORAL, VERBALEMENT). ◆ **écriteau** n. m. Inscription portée sur un panneau, une pancarte, et donnant un avis. ◆ **écritoire** n. f. Petit nécessaire utilisé autref. et contenant ce qu'il fallait pour écrire. ◆ **écriture** n. f. **1.** Art de représenter durablement la parole par un système convenu de signes pouvant être perçus par la vue : *L'histoire de l'écriture.* ⟶ ENCYCL. — **2.** Manière particulière d'écrire, ensemble de signes graphiques exprimant un énoncé. ‖

Écriture droite, écriture dans laquelle les lettres sont perpendiculaires à la ligne au lieu d'être penchées vers la droite, comme dans le type appelé *écriture anglaise*. ‖ *Écriture phonétique*, celle qui représente les sons de la voix au moyen de caractères conventionnels. ‖ *Écriture script*, écriture simplifiée, composée de lettres dépouillées de tout ornement et réduites à des traits et à des cercles. — **3.** Manière dont un écrivain exprime sa pensée : *Un roman d'une écriture recherchée* (syn. STYLE). — **4.** *L'Écriture, l'Écriture sainte, les Écritures, les saintes Écritures*, la Bible. ◆ n. f. pl. Ensemble des livres ou des registres comptables d'un commerçant, d'un industriel : *Un employé aux écritures* (= chargé des opérations comptables les plus simples). ◆ **écrivailler** v. i. ou t. *Fam.* Écrire des œuvres, des articles de qualité médiocre. ◆ **écrivailleur, euse** n. *Fam.* Écrivain médiocre. ◆ **écrivain** n. m. Personne qui compose des ouvrages littéraires : *Corneille, Molière Mme de Sévigné sont de célèbres écrivains* (syn. AUTEUR, HOMME, FEMME DE LETTRES). ◆ **écrivassier, ère** adj. et n. *Fam.* Qui écrit facilement ou médiocrement. ◆ **récrire** ou **réécrire** v. t. Rédiger de nouveau, pour donner une nouvelle version : *Récrire une pièce* (syn. RECOMPOSER). ◆ v. t. ind. Répondre par lettre.
— ENCYCL. ***histoire de l'écriture.*** Les hommes communiquèrent d'abord entre eux par des dessins de caractère magique, puis des *idéogrammes* (= signes qui exprimaient des idées et non des sons). Les *hiéroglyphes* égyptiens notaient une idée ou un son. Puis chaque signe n'a plus représenté qu'une syllabe (par ex. en écriture *cunéiforme*). L'étape suivante fut celle de l'écriture *consonantique* (où seules sont notées les consonnes) comme dans l'écriture phénicienne. Enfin apparut l'écriture *alphabétique*, avec voyelles et consonnes, comme en grec, en étrusque, en latin, etc.

1. ÉCROU [ekru] n. m. (du lat. *scrofa*, truie). Pièce percée d'un trou cylindrique fileté et se vissant sur un boulon. ◆ **contre-écrou** n. m. Écrou serré sur un autre pour éviter le desserrage de celui-ci. ‖ Pl. des *contre-écrous*.

2. ÉCROU [ekru] n. m. (frq. *skrôda*, morceau coupé). Acte par lequel le directeur d'une prison prend possession d'un prisonnier. ‖ *Levée d'écrou*, mise en liberté d'un prisonnier. ◆ **écrouer** v. t. *Écrouer qq'un*, le mettre en prison.

ÉCROUELLES [ekruɛl] n. f. pl. (du lat. *scrofulae*). *Méd.* Inflammation et abcès d'origine tuberculeuse atteignant surtout les ganglions lymphatiques du cou. (Après leur sacre, les rois de France et d'Angleterre passaient pour disposer du pouvoir de les guérir par attouchement.)

ÉCROUER v. t. → ÉCROU 2.

ÉCROUIR [ekruir] v. t. (du lat. *ex-*, préf. à valeur négative, et *crudus*, cru). Battre un métal à froid pour le rendre plus dense et plus élastique.

ÉCROULER (S') [sekrule] v. pr. (lat. *ex-*, préf. à valeur intensive, et *crouler*). **1.** (sujet nom concret) Tomber lourdement en se brisant, tomber en ruine : *Un vieux mur qui s'écroule* (syn. S'ÉBOULER, S'EFFONDRER). — **2.** (sujet nom abstrait) Perdre toute valeur; être anéanti : *Ses projets se sont écroulés* (syn. S'EFFONDRER). — **3.** (sujet nom d'être animé) S'affaisser soudain, se laisser brusquement tomber au sol : *L'homme, grièvement blessé d'une balle, s'écroula.* ◆ **écroulement** n. m. : *L'écroulement d'un pont, d'une théorie.*

ÉCRU, E [ekry] adj. (lat. *ex-*, préf. à valeur intensive, et *cru*). Qui est à l'état naturel, qui n'a subi aucune préparation. ‖ *Fil écru*, fil qui n'a pas été lavé. ‖ *Soie écrue*, soie qui n'a pas été mise à l'eau bouillante. ‖ *Toile écrue*, toile qui n'a pas été blanchie.

ECTOPARASITE [ektoparazit] adj. et n. (du gr. *ektos*, au-dehors, et *parasite*). *Zool.* Se dit d'un parasite externe (puce, punaise des lits).

ECTOPLASME [ektoplasm] n. m. (du gr. *ektos*, au-dehors, et *plasma*, ouvrage façonné). Zone superficielle hyaline du cytoplasme de certains protozoaires.

1. ÉCU [eky] n. m. (lat. *scutum*, bouclier). **1.** Bouclier de forme triangulaire ou quadrangulaire que portaient les hommes d'armes au Moyen Âge. — **2.** Corps d'un blason, en forme de bouclier, où sont représentées les armoiries.

2. ÉCU [eky] n. m. (même étym.). Ancienne monnaie d'argent valant trois livres. ◆ n. m. pl. Argent, richesse : *Cacher ses écus.*

3. ÉCU [eky] n. m. (de *European Currency Unit*). Monnaie de compte de la Communauté économique européenne.

ÉCUBIER [ekybje] n. m. (esp. *escoben*). Chacune des ouvertures pratiquées à l'avant d'un navire pour le passage des chaînes d'ancre.

ÉCUEIL [ekœj] n. m. (lat. *scopulus*). **1.** Rocher ou banc de sable à fleur d'eau. — **2.** Obstacle, difficulté qui met en péril : *L'écueil de cette méthode, c'est sa lenteur* (syn. INCONVÉNIENT). *Un romancier qui a su éviter tous les écueils d'un sujet* (syn. DANGER).

ÉCUELLE [ekɥɛl] n. f. (lat. *scutella*). Petit récipient rond et creux servant à contenir de la nourriture; contenu de ce récipient.

ÉCULÉ, E [ekyle] adj. (de *cul*). **1.** Se dit d'une chaussure dont le talon est déformé, usé. — **2.** *Fam.* Se dit d'une histoire banale à force d'être connue (syn. RESSASSÉ, USÉ).

ÉCULLY, comm. du Rhône, à 6 km à l'O. de Lyon; 18400 hab. École d'horticulture.

ÉCUME [ekym] n. f. (bas lat. *scuma*). **1.** Mousse blanchâtre qui se forme à la surface d'un liquide agité ou chauffé : *La mer, en se retirant, laisse de l'écume sur la plage. Quand la confiture est faite, on retire l'écume.* — **2.** Bave mousseuse de certains animaux et parfois de l'homme. — **3.** Partie vile et méprisable d'une population : *L'écume de la société.* — **4.** *Écume de mer*, substance naturelle blanchâtre et poreuse, dont on fait des pipes. ◆ **écumer** v. t. **1.** *Écumer un liquide*, en ôter l'écume qui se forme à la surface. — **2.** *Écumer une région, une ville*, etc., exercer une rafle, un brigandage sur elles. ‖ *Écumer les mers*, exercer la piraterie. ◆ v. i. **1.** Se couvrir d'écume : *La mer écume.* — **2.** (sujet nom de personne) Être au comble de la fureur, de l'exaspération : *Il écumait d'être ainsi réduit à l'impuissance.* ◆ **écumage** n. m. Action d'écumer (au sens 1 du v. t.). ◆ **écumant, e** adj. Se dit de ce qui écume (aux sens du v. i.) : *Les vagues écumantes.* ◆ **écumeur** n. m. *Écumeur de mer*, pirate. ◆ **écumeux, euse** adj. Couvert d'écume : *Flots écumeux.* ◆ **écumoire** n. f. Large cuiller, généralement ronde, percée de trous, pour écumer un liquide.

ÉCUREUIL [ekyrœj] n. m. (du lat. *sciurus*). Mammifère rongeur arboricole, long de 25 cm sans la queue, à pelage roux et à queue touffue, se nourrissant surtout de graines et de fruits secs. (Famille des sciuridés.)

ÉCURIE [ekyri] n. f. (de *écuyer*). **1.** Bâtiment destiné à loger des chevaux, des ânes, des mulets. — **2.** Ensemble des chevaux de course appartenant à un même propriétaire. — **3.** Ensemble des coureurs qui représentent une même marque dans une course automobile ou cycliste.

ÉCUSSON [ekysɔ̃] n. m. (de *écu*). **1.** Emblème ou motif décoratif rappelant plus ou moins la forme d'un bouclier allongé, avec la partie supérieure horizontale et la partie inférieure en pointe, et portant des armoiries, une devise, etc. — **2.** Morceau de drap cousu à un vêtement militaire et indiquant l'arme, le numéro du corps de troupe. — **3.** Partie visible dorsalement du deuxième anneau du thorax des insectes de plusieurs familles. — **4.** *Greffe en écusson*, manière de greffer les arbres ou les arbustes consistant à introduire sous l'écorce un morceau d'écorce contenant un bouton.

1. ÉCUYER [ekɥije] n. m. (lat. *scutarius*, qui porte l'écu). **1.** Au Moyen Âge, gentilhomme qui accompagnait un chevalier et portait son écu. — **2.** Titre des jeunes nobles non encore armés chevaliers.

2. ÉCUYER [ekɥije] n. m. (même étym.). **1.** Sous l'Ancien Régime, officier qui était chargé de s'occuper des chevaux du roi ou d'un grand seigneur. — **2.** Instructeur d'équitation militaire. — **3.** Personne qui fait des exercices d'équitation dans un cirque. ◆ **écuyère** n. f. **1.** Femme qui monte à cheval. — **2.** Femme qui fait des exercices d'équitation dans un cirque.

ECZÉMA [egzema] n. m. (gr. *ekzema*, éruption cutanée). Maladie de la peau causant des démangeaisons et des rougeurs. ◆ **eczémateux, euse** n. Se dit d'une personne atteinte d'eczéma. ◆ adj. Relatif à l'eczéma.

ÉDAM [edam] n. m. (du n. d'une ville des Pays-Bas). Fromage de Hollande de forme sphérique, souvent recouvert de paraffine teintée de rouge.

EDDINGTON (*sir* Arthur Stanley), astronome et physicien anglais (1882-1944). Il a déterminé la masse des étoiles, leurs températures centrales et leurs constitutions internes.

ÉDÉA, v. du Cameroun méridional sur la Sanaga (r. dr.); 15000 hab. Grande centrale hydro-électrique. Métallurgie de l'aluminium.

EDELWEISS [edɛlvɛs] n. m. (de l'all. *edel*, noble, et *weiss*, blanc). Plante de montagne recouverte d'un duvet blanc, croissant en altitude (au-dessus de 1 000 m). [Famille des composées.]

ÉDEN [edɛn] n. m. (mot hébr. signif. *délices*). Lieu de délices. (*Éden* est le nom du paradis terrestre dans l'Ancien Testament.)

EDEN (*sir* Anthony), comte D'AVON, homme politique britannique (1897-1977). Successeur de W. Churchill comme Premier ministre et chef du parti conservateur en 1955, il démissionna à la suite de la crise de Suez (1957).

ÉDENTÉ, E adj. → DENT.

ÉDENTÉS [edɑ̃te] n. m. pl. (de *dent*). Ordre de mammifères, formé surtout de fossiles du Quaternaire d'Amérique du Sud, mais comportant quelques espèces actuelles sans dents ou n'ayant qu'une sorte de dents, telles que le *tatou*, le *pangolin*, le *fourmilier* et le *paresseux*.

ÉDESSE, ville caravanière de la Mésopotamie septentrionale. Ce fut la capitale d'une principauté chrétienne fondée par Baudouin de Boulogne, frère de Godefroi de Bouillon, et conquise par les Turcs en 1144. (Auj. URFA.)

E. D. F., sigle de *Électricité de France.*

ÉDICTER [edikte] v. t. (du lat. *edictum*, édit). Prescrire d'une manière absolue (syn. DÉCRÉTER).

ÉDICULE [edikyl] n. m. (lat. *aedicula*, petite maison). Petit édifice dressé sur la voie publique (vespasienne, kiosque, etc.).

1. ÉDIFIER [edifje] v. t. (lat. *aedificare*). **1.** *Édifier un monument, un immeuble*, etc., l'élever, le bâtir, le construire. — **2.** *Édifier une théorie, un plan*, etc., les concevoir et les réaliser (syn. ÉCHAFAUDER). ◆ **édification** n. f. : *L'édification d'une cathédrale, d'un système philosophique.* ◆ **édifice** n. m. **1.** Bâtiment important. — **2.** Vaste ensemble organisé : *L'édifice des lois.*

2. ÉDIFIER [edifje] v. t. (même étym.). **1.** *Édifier qq'un*, lui ôter toute illusion, le renseigner exactement sur des faits répréhensibles (surtout au passif) : *Ses paroles cyniques m'ont édifié* (syn. ↓ÉCLAIRER). — **2.** *Édifier qq'un (par sa piété, sa dévotion)*, l'inciter à la vertu, à la piété, par son propre exemple. ◆ **édifiant, e** adj. Sens 1 et 2 du v. ◆ **édification** n. f. : *Sa vie exemplaire était un sujet d'édification pour ses voisins* (syn. INSTRUCTION).

ÉDILE [edil] n. m. (lat. *aedilis*). **1.** Dans la Rome antique, magistrat romain chargé de l'inspection des édifices publics, de la surveillance des jeux publics, de la direction des fêtes, des approvisionnements et de la police. — **2.** *Auj.* Maire ou conseiller municipal.

ÉDIMBOURG, en angl. **Edinburgh,** v. de Grande-Bretagne, capit. de l'Écosse; 453 400 hab. Située à proximité de l'estuaire du Forth, Edimbourg abrite des industries variées, mais c'est avant tout un centre commercial, intellectuel (université) et artistique (festival annuel de musique et de danse).

EDISON (Thomas Alva), inventeur américain (1847-1931). Il fonde, en 1876, une usine où il va réaliser un grand nombre d'inventions, dont les plus célèbres sont celles du phonographe (1877) et de la lampe électrique à incandescence (v. 1878). En 1883, il découvre l'émission d'électrons par les métaux incandescents.

ÉDIT [edi] n. m. (lat. *edictum*). Dans la France de l'Ancien Régime, acte législatif émanant du roi et relatif à un objet particulier ou applicable à une seule partie du royaume : *L'édit de Nantes fut promulgué par Henri IV en 1598.* (Le terme *ordonnance* était réservé aux lois générales et applicables à tout le royaume.) [⟶ ÉDICTER.]

ÉDITER [edite] v. t. (du lat. *edere*, faire sortir). **1.** *Éditer l'œuvre d'un écrivain, d'un artiste*, la publier et la mettre en vente : *Une maison qui édite des romans* (syn. PUBLIER). — **2.** *Éditer le texte d'un auteur*, le vérifier et le préparer en vue de sa publication, en l'accompagnant éventuellement de notes et de commentaires. ◆ **éditeur, trice** n. et adj. Personne ou société qui édite. ◆ **édition** n. f. **1.** Publication d'un ouvrage littéraire, scientifique, artistique : *L'édition d'un manuscrit.* ‖ *Édition critique*, édition où le texte d'un auteur ayant été bien établi est, de plus, éclairé par un commentaire. — **2.** Chaque tirage d'une œuvre, d'un journal : *Ce roman en est à sa quatrième édition.* — **3.** Texte d'une œuvre correspondant à tel ou tel tirage : *Ce passage ne figure pas dans l'édition de 1580 des « Essais » de Montaigne.* — **4.** Industrie et commerce du livre en général : *Une maison d'édition.* ◆ **coéditeur, trice** n. et adj. Personne ou société qui s'associe avec une autre pour éditer une œuvre. ◆ **coédition** n. f. ◆ **rééditer** v. t. *Rééditer une œuvre, un auteur*, en donner une nouvelle édition. ◆ **réédition** n. f. **1.** Nouvelle édition d'une œuvre. — **2.** Répétition d'un fait, d'une situation : *Une émeute qui apparaît comme une réédition des troubles précédents.*

ÉDITORIAL, AUX [editɔrjal, -rjo] n. m. (du lat. *editor*, éditeur). Article de fond d'un journal, reflétant plus spécialement les vues de la direction du journal. ◆ **éditorialiste** n. Personne qui écrit l'éditorial, engageant la responsabilité de la direction.

EDJELÉ, centre pétrolier du Sahara algérien, près de la frontière libyenne. Pipeline aboutissant à La Skhira, en Tunisie.

EDMONTON, v. du Canada, capit. de l'Alberta; 495 700 hab. Grand centre pétrolier et industriel.

ÉDOUARD *(lac)*, anciennement **lac Albert-Édouard,** lac d'Afrique orientale (Ouganda et Zaïre); 2 150 km^2.

ÉDOUARD le Confesseur *(saint)* [av. 1000-1066], roi des Anglo-Saxons (1042-1066). Il restaura la dynastie anglo-saxonne.

ÉDOUARD ou **EDWARD,** nom de huit rois d'Angleterre.

ÉDOUARD Ier (1239-1307), fils d'Henri III. Roi en 1272, il soumet les Gallois, fait reconnaître sa suzeraineté par les Écossais et établit une importante législation.

ÉDOUARD II (1284-1327), fils d'Édouard Ier, roi en 1307. Sous son règne, l'Écosse retrouve son indépendance (1314). Après de longues luttes contre l'aristocratie britannique, Édouard II est déposé puis assassiné à l'instigation de sa femme, Isabelle, fille de Philippe le Bel.

ÉDOUARD III (1312-1377), fils d'Édouard II. Roi en 1327, il reconquiert l'Écosse et entreprend la guerre de Cent* Ans contre la France. Vainqueur à L'Ecluse et à Crécy, il prend Calais et impose la paix de Brétigny. Ces guerres incessantes exaltent le sentiment national anglais et amènent le Parlement, qui permet au roi de lever les impôts nécessaires, à jouer un rôle politique de plus en plus important. Sous ce règne, la propriété paysanne se développe et les progrès de l'économie entraînent ceux de la bourgeoisie.

ÉDOUARD IV (1442-1483), fils de Richard d'York. Roi en 1461, il est le chef du parti de la Rose blanche contre la maison de Lancastre, dont il finit par triompher. (⟶ DEUX-ROSES [*guerre des*].) En 1475, il signe avec Louis XI le traité de Picquigny qui termine la guerre de Cent Ans.

ÉDOUARD V (1470-1483), fils d'Édouard IV. Roi en 1483, il est assassiné avec son frère Richard dans la tour de Londres sur l'ordre de leur oncle, le duc de Gloucester.

ÉDOUARD VI (1537-1553), fils d'Henri VIII et de Jeanne Seymour. Roi en 1547, il favorise la propagation de la Réforme.

ÉDOUARD VII (1841-1910), fils de la reine Victoria, roi en 1901. Habile diplomate, il permet la conclusion de l'Entente cordiale (1904).

ÉDOUARD VIII (1894-1972), fils de George V. Il devient roi en 1936, mais, désireux d'épouser une Américaine divorcée, Mrs. Simpson, il doit abdiquer et reçoit le titre de duc de Windsor.

ÉDOUARD, prince de Galles, dit **le Prince Noir** (1330-1376), fils d'Édouard III. Il battit les Français à Poitiers (1356) et à Nájera (1367).

ÉDREDON [edrədɔ̃] n. m. (danois et norvég. *eder*, eider, et *duun*, duvet). Couvre-pied garni de duvet.

ÉDUCATEUR, TRICE adj. et n., **ÉDUCATIF, IVE** adj., **ÉDUCATION** n. f. ⟶ ÉDUQUER.

Éducation nationale ⟶ ÉDUQUER.

Éducation sentimentale *(l')*, roman de Gustave Flaubert (1869).

ÉDUENS, peuple de la Gaule. Leur principale ville était Autun. C'est sur leur demande que César entra en Gaule; mais ils se rallièrent ensuite à Vercingétorix.

ÉDULCORER [edylkɔre] v. t. (du lat. *dulcor*, saveur douce). **1.** *Édulcorer une boisson, un médicament*, etc., y ajouter du sucre pour les rendre moins amers. — **2.** *Édulcorer un texte, une doctrine*, etc., en atténuer les termes, en retrancher les points les plus hardis (syn. ↑AFFADIR).

ÉDUQUER [edyke] v. t. (lat. *educare*). **1.** *Éduquer qq'un*, lui faire acquérir des principes, des habitudes, lui former l'esprit : *Éduquer les enfants* (syn. ÉLEVER, FORMER, INSTRUIRE). — **2.** *Éduquer une faculté*, la former systématiquement : *Éduquer la volonté par une vie rude.* — **3.** *Personne bien, mal éduquée*, qui a reçu une bonne, une mauvaise éducation. ◆ **inéducable** adj. : *Un enfant aussi longtemps livré à lui-même est inéducable.* ◆ **éducateur, trice** adj. Qui réalise l'éducation : *L'influence éducatrice de l'école.* ◆ n. Personne qui se consacre à l'éducation des enfants (syn. PÉDAGOGUE). ◆ **éducatif, ive** adj. Se dit de ce qui est propre à éduquer : *Un spectacle éducatif* (syn. INSTRUCTIF). ◆ **éducation** n. f. **1.** Action ou manière d'éduquer : *Une revue consacrée aux problèmes d'éducation* (syn. PÉDAGOGIE). *L'éducation musicale, religieuse* (syn. FORMATION). ‖ *Institution d'éducation surveillée*, institution assurant la rééducation des mineurs qui lui sont confiés par les tribunaux. — **2.** *Éducation physique*, partie de l'éducation qui concerne le corps; ensemble des moyens qui concourent au développement harmonieux du corps humain, qui accroissent sa force, sa résistance, son agilité en maintenant et en améliorant sa santé. — **3.** Connaissance des bons usages d'une société : *Un homme grossier, sans éducation* (syn. SAVOIR-VIVRE). — **4.** Ensemble des acquisitions morales, intellectuelles, culturelles d'une personne ou d'un groupe : *Son éducation en matière commerciale est très sommaire.* — **5.** *Éducation nationale*, ensemble des services de l'enseignement public. ⟶ ENCYCL. ◆ **rééduquer** v. t. **1.** *Rééduquer qq'un*, lui donner une éducation différente. — **2.** *Rééduquer un malade, un convalescent*, le soumettre à une série d'exercices destinés à lui permettre de reprendre l'usage d'un membre paralysé ou ankylosé, d'une faculté altérée par la maladie. ◆ **rééducation** n. f. : *La rééducation de l'enfance délinquante.*

— ENCYCL. Le *ministère de l'Éducation nationale* fut créé en 1824 sous le nom de *ministère de l'Instruction publique.* Il prit son nom actuel en 1932, ce changement de dénomination correspondant à un élargissement de ses attributions : auj. l'Éducation nationale organise et gère tous les secteurs de l'enseignement public, contrôle l'enseignement libre, mais encore dirige des organismes qui complètent la formation physique, culturelle et professionnelle des jeunes.

La France est divisée en 28 *académies* (26 en métropole et 2 outre-mer); chaque académie est administrée par un *recteur*, qui représente le ministre.

EEKLO, v. de Belgique, en Flandre-Orientale, à 20 km au N.-O. de Gand; 19 200 hab.

EFFACER [efase] v. t. (du lat. *ex-*, préf. à valeur priv., et *face*). **1.** *Effacer une tache, une inscription*, etc., la faire disparaître, en partic. par frottement, par lavage, par usure : *Effacer un trait de crayon* (syn. GOMMER); et sans compl. : *Cette gomme efface bien.* — **2.** *Effacer un souvenir, une mauvaise impression, un affront*, etc., les chasser, les faire disparaître. — **3.** *Effacer qq'un*, l'empêcher de briller : *Elle efface par son esprit toutes les autres femmes* (syn. ÉCLIPSER). ◆ ***s'effacer*** v. pr. **1.** (sujet nom de chose) Devenir indistinct : *Une inscription qui s'efface.* — **2.** (sujet nom de personne) Se tenir à l'écart; ne pas se mettre en valeur : *S'effacer pour laisser passer qq'un.* ◆ **effaçable** adj. : *Un dessin à la craie facilement effaçable.* ◆ **ineffaçable** adj. : *Un souvenir ineffaçable* (syn. ÉTERNEL, VIVACE). ◆ **effacé, e** adj. Se dit d'une personne qui vit modestement, qui ne se fait pas remarquer : *Mener une vie effacée* (syn. HUMBLE, OBSCUR). ◆ **effacement** n. m. : *L'effacement d'un souvenir. Un candidat élu grâce à l'effacement d'un rival* (syn. RETRAIT). *Il a passé sa vie dans l'effacement* (syn. DISCRÉTION).

EFFARER [efare] v. t. (lat. *efferare*, rendre farouche). *Effarer une personne, un animal*, lui causer une surprise, une frayeur qui lui donne un air hagard : *Une nouvelle qui effare les auditeurs* (syn. STUPÉFIER). *Il contemplait le désastre d'un air effaré* (= stupéfait, ahuri, affolé). ◆ **effarant, e** adj. : *Un cynisme effarant* (syn. EFFRAYANT). *Un homme d'une bêtise effarante* (syn. INCROYABLE). ◆ **effarement** n. m. : *Les prisonniers voyaient avec effarement les flammes de l'incendie gagner leur bâtiment.*

EFFAROUCHER [efaruʃe] v. t. (du lat. *ex-*, préf. à valeur intensive, et *farouche*). *Effaroucher une personne, un animal*, les remplir de crainte, de défiance, les porter à fuir : *Effaroucher un candidat* (syn. EFFRAYER, INTIMIDER). ◆ **effarouché, e** adj. : *Des regards effarouchés* (syn. ↓INQUIET). ◆ **effarouchement** n. m.

1. EFFECTIF, IVE [efɛktif, -iv] adj. (lat. *effectivus*, actif). Se dit de ce qui existe réellement, de ce qui se traduit en actes : *Travail effectif* (syn. POSITIF, RÉEL). *L'armistice est devenu effectif depuis ce matin* (= est entré en vigueur).

2. EFFECTIF [efɛktif] n. m. (de *effectif* 1). Nombre de personnes constituant un groupe bien déterminé : *L'effectif du lycée a doublé depuis vingt ans.*

EFFECTIVEMENT [efɛktivmɑ̃] adv. (de *effectif* 1). **1.** Selon ce que l'on peut constater dans la réalité, conformément à ce qui existe : *Non, ceci n'est pas un conte, c'est effectivement arrivé* (syn. RÉELLEMENT, VÉRITABLEMENT). — **2.** Sert de confirmation à un énoncé précédent ou de renforcement à une affirmation (syn. C'EST EXACT, EN EFFET).

EFFECTUER [efɛktɥe] v. t. (lat. *effectuare*). *Effectuer qqch.*, procéder à sa réalisation : *L'armée a effectué un repli stratégique* (syn. OPÉRER). *Effectuer une addition* (syn. EXÉCUTER, FAIRE). ◆ ***s'effectuer*** v. pr. S'accomplir : *La rentrée s'effectue dans l'ordre* (syn. SE RÉALISER).

EFFÉMINER [efemine] v. t. (du lat. *femina*, femme). Péjor. *Efféminer qq'un*, le rendre faible et délicat comme une femme, ou semblable à une femme. ◆ **efféminé, e** adj. et n. : *Un garçon efféminé* (contr. VIRIL).

EFFÉRENT, E [eferɑ̃, -ɑ̃t] adj. (lat. *efferens*, qui porte dehors). Anat. *Nerfs efférents*, nerfs qui vont des centres nerveux vers la périphérie. ‖ *Vaisseaux efférents*, vaisseaux qui sortent d'un organe, par oppos. à *vaisseaux afférents*, ceux qui y arrivent.

EFFERVESCENT, E [efɛrvesɑ̃, -ɑ̃t] adj. (du lat. *effervescere*, bouillonner). **1.** Se dit d'un liquide qui bouillonne ou qui pétille : *Une boisson effervescente.* — **2.** Se dit de personnes qui réagissent vivement, avec passion : *Une foule effervescente* (syn. AGITÉ, BOUILLONNANT). ◆ **effervescence** n. f. **1.** *Chauffer de l'eau jusqu'à effervescence.* — **2.** *Une grande effervescence régnait dans la ville* (syn. AGITATION; contr. CALME).

1. EFFET [efɛ] n. m. (lat. *effectus*, exécution). **1.** Ce qui est produit, entraîné par l'action d'une chose : *Ce remède a produit un effet salutaire* (syn. RÉSULTAT). *Le phénomène des marées est un effet de l'attraction exercée par la Lune et le Soleil* (syn. CONSÉQUENCE; contr. CAUSE). — **2.** Impression produite sur quelqu'un (surtout avec le verbe *faire*) : *Il me fait l'effet d'un garçon sérieux* (= il me semble). *Un assemblage de couleurs du plus heureux effet* (= qui est très agréable à la vue). *Un effet d'optique* (syn. ILLUSION). — **3.** Procédé visant à attirer l'attention, à provoquer une surprise : *Tirer des effets comiques d'une situation.* — **4.** Parole, geste, attitude qui vise à produire une impression sur autrui : *Faire des effets de voix.* — **5.** *Sports.* Rotation imprimée à une bille, une boule, une balle ou un ballon en vue d'obtenir des trajectoires ou des rebonds volontairement anormaux. — **6.** *Effets de commerce*, nom de tout titre transmissible par voie d'endossement (= en signant au verso) et constatant l'obligation de payer une somme d'argent à une époque donnée : *La lettre de change, ou traite, le billet à ordre, le chèque sont des effets de commerce.* ‖ *Effets publics*, titres ou valeurs émis par l'État. — **7.** *À cet effet*, dans cette intention, en vue de ce résultat. ‖ *Sous l'effet de*, sous l'influence de : *Un malade qui est sous l'effet d'un calmant.* ‖ *En* effet* ⟶ ce mot.

2. EFFETS [efɛ] n. m. pl. (de *effet* 1). Pièces de l'habillement : *Effets militaires* (syn. VÊTEMENTS).

EFFEUILLER v. t. ⟶ FEUILLE 1.

EFFICACE [efikas] adj. (lat. *efficax*, agissant). **1.** Se dit d'une chose qui produit l'effet attendu : *Un remède efficace* (syn. ACTIF). — **2.** Se dit d'une personne dont les actes, les paroles atteignent leur but : *Un employé efficace* (syn. CAPABLE, COMPÉTENT). — **3.** *Intensité efficace d'un courant alternatif*, intensité du courant continu qui produit, dans un même conducteur et pendant le même temps, le même dégagement de chaleur que le courant alternatif. ◆ **efficacement** adv. : *Employer efficacement une nouvelle méthode* (= avoir un résultat satisfaisant). *Il est intervenu efficacement auprès de la direction* (= avec succès, utilement). ◆ **efficacité** n. f. Qualité de ce qui produit l'effet qu'on en attend : *L'efficacité d'un remède* (syn. ACTION). ◆ **inefficace** adj. : *Un secrétaire inefficace.* ◆ **inefficacité** n. f. Manque d'efficacité : *L'inefficacité d'un remède.*

EFFICIENT, E [efisjɑ̃, -ɑ̃t] adj. (lat. *efficiens*, qui produit). **1.** Se dit, dans la langue philos. ou dans un style un peu recherché, de ce qui produit réellement un effet : *La cause efficiente de ce phénomène.* — **2.** Se dit, en style soigné, d'une personne dont l'action aboutit à des résultats (syn. EFFICACE). ◆ **efficience** n. f. (syn. usuel EFFICACITÉ).

EFFIGIE [efiʒi] n. f. (lat. *effigies*, portrait). **1.** Représentation, notamment sur une médaille ou une pièce de monnaie, du visage d'une personne : *Une pièce à l'effigie d'un souverain.* — **2.** *Brûler qq'un en effigie*, brûler publiquement son image ou un mannequin le représentant, en signe de la haine qu'on lui porte.

EFFILÉ, E [efile] adj. (de *effiler*). Se dit de ce qui va en s'amenuisant : *Des doigts effilés* (syn. ALLONGÉ, MINCE; contr. ÉPAIS). ◆ **effilement** n. m.

EFFILER [efile] v. t. (du lat. *ex-*, préf. à valeur priv., et *fil*). **1.** *Effiler un tissu*, en défaire les fils un à un, de façon à faire des franges au bord. — **2.** *Effiler les cheveux de qq'un*, les raccourcir inégalement, en dégradé. ◆ **effilocher** v. t. Réduire en charpie un tissu, disperser en fils qui s'étirent, en morceaux : *Effilocher le bout d'une corde. Le vent effiloche les nuages.* ◆ ***s'effilocher*** v. pr. : *Le drapeau s'est effiloché.* ◆ **effilochage** n. m. ◆ **effilochure** n. f. Partie effilochée d'une chose.

EFFLANQUÉ, E [eflɑ̃ke] adj. (du lat. *ex-*, préf. à valeur négative, et *flanc*). *Péjor.* Se dit d'un être vivant maigre et long : *Un pauvre diable tout efflanqué* (syn. DÉCHARNÉ). *Un cheval efflanqué* (= dont les flancs sont décharnés).

EFFLEURER [eflœre] v. t. (du lat. *ex-*, préf. à valeur priv., et *fleur*). **1.** *Effleurer une chose*, la toucher légèrement, en raser la surface : *Elle effleura du doigt le vase de cristal* (syn. CARESSER). — **2.** *Effleurer qq'un, une partie de son corps*, l'entamer superficiellement, l'égratigner : *Un éclat d'obus lui avait effleuré la jambe* (syn. ÉGRATIGNER). — **3.** (sujet nom abstrait) *Effleurer qq'un, son esprit*, se présenter à l'esprit sans y laisser d'impression profonde : *La crainte d'un insuccès ne l'avait même pas effleuré.* — **4.** *Effleurer un sujet*, le traiter superficiellement. ◆ **effleurement** n. m. : *Il sentit sur son visage l'effleurement d'un brin d'herbe.*

EFFLORESCENCE [eflɔrɛsɑ̃s] n. f. (du lat. *efflorescere*, fleurir). Oxyde métallique qui se forme à la surface de certains minéraux.

EFFLUVE [eflyv] n. m. (lat. *effluvium*, écoulement). Émanation plus ou moins odorante qui se dégage du corps des êtres animés et des végétaux : *Les effluves embaumés du jardin.*

EFFONDRER (S') [sefɔ̃dre] v. pr. (lat. *ex-*, préf. à valeur négative, et *fundus*, fond). **1.** (sujet nom concret) Crouler, céder sous un poids excessif : *Le pont s'est effondré au passage du camion* (syn. S'ÉCROULER). — **2.** (sujet nom abstrait) Être anéanti, perdre tout fondement : *Ses arguments se sont effondrés.* — **3.** *Les prix, le marché, les cours s'effondrent*, ils subissent une baisse importante et très brusque. — **4.** (sujet nom d'être animé) Tomber à terre, mort ou blessé (syn. S'ÉCROULER). — **5.** (sujet nom de personne) éder à un abattement moral, cesser de résister : *Un accusé qui effondre et passe aux aveux.* ◆ **effondré, e** adj. Se dit d'une ersonne complètement abattue moralement (syn. ANÉANTI, PROSTRÉ). ◆ **effondrement** n. m. : *L'effondrement d'un toit* yn. ÉCROULEMENT). *L'effondrement des cours de la Bourse* (syn. CHUTE).

FFORCER (S') [sefɔrse] v. pr. (lat. *ex-*, préf. à valeur intenve, et *forcer*). *S'efforcer de* (et l'infin.), employer ses forces à, ire son possible pour : *S'efforcer de rester calme* (syn. ESSAYER, ÂCHER).

FFORT [efɔr] n. m. (de *s'efforcer*). **1.** Application de forces hysiques, intellectuelles ou morales à un but : *Une lecture qui emande un effort de réflexion. Il n'a même pas pu faire l'effort de 'écrire* (= il n'a pas eu ce courage). *Un concurrent qui a gagné ns effort* (= facilement). ‖ *Faire un effort*, consentir à un sacrice, prendre la peine de : *Faites un effort pour venir me voir.* - **2.** Douleur vive produite par une tension trop forte des uscles : *Se donner un effort.*

FFRACTION [efraksjɔ̃] n. f. (du lat. *effringere*, rompre). ction de briser une clôture, de forcer une serrure pour commettre n méfait : *Le vol avec effraction est juridiquement qualifié de ime.* (→ FRACTURER.)

FFRAIE [efrɛ] n. f. (de *orfraie*). Espèce de chouette, à plumage uve clair tacheté de gris, à grosse tête, aux grands yeux entourés une collerette de plumes blanches.

FFRANGÉ, E [efrɑ̃ʒe] adj. (du lat. *ex-*, préf. à valeur intensive, *frange*). Effiloché au bord : *Une veste tout effrangée.*

FFRAYER [efreje] v. t. (du lat. *ex-*, préf. à valeur priv., et frq. *idu*, paix). [Conj. **4.**] **1.** *Effrayer une personne, un animal*, lui auser de la frayeur (syn. APEURER, EFFAROUCHER). — **2.** *Effrayer q'un*, lui causer un grand souci, le rebuter, le décourager (souvent u passif) : *Être effrayé par la longueur de la tâche à entreprendre* ontr. ENHARDIR). ◆ **s'effrayer** v. pr. Éprouver de la frayeur, de peur : *Il s'effraie d'un rien.* ◆ **effrayant, e** adj. **1.** Qui cause ne grande peur : *Un cri effrayant* (syn. TERRIFIANT). — **2.** *Fam.* ui accable, qui produit un saisissement : *Un prix effrayant* (syn. FARANT). [→ EFFROI.]

FFRÉNÉ, E [efrene] adj. (lat. *effrenatus*, déchaîné). Se dit de qui s'exerce sans retenue, avec violence : *Un orgueil effréné* yn. IMMENSE, ↓IMMODÉRÉ). *Course effrénée* (syn. FOU).

FFRITER [efrite] v. t. (de l'anc. fr. *effruiter*). *Effriter une hose*, la désagréger, la réduire en fines particules : *Effriter un scuit entre ses doigts.* ◆ **s'effriter** v. pr. **1.** *Une roche qui s'effrite cilement.* — **2.** Se dissocier : *L'opposition parlementaire s'est fritée.* ◆ **effritement** n. m. **1.** *L'effritement d'une ardoise.* - **2.** *L'effritement d'un parti, d'une majorité*, etc., son affaiblissement progressif, sa désagrégation.

FFROI [efrwa] n. m. (de *effrayer*). Grande frayeur : *Être rempli effroi.* ◆ **effroyable** adj. (peut se placer avant le nom). **1.** Se dit ce qui cause de l'effroi, qui impressionne vivement : *Un froyable massacre* (syn. AFFREUX, ÉPOUVANTABLE, HORRIBLE). - **2.** Qui est très mauvais : *Une nourriture effroyable.* ◆ **effroyablement** adv. : *Des victimes effroyablement mutilés* (syn. AFFREUSEMENT, HORRIBLEMENT).

FFRONTÉ, E [efrɔ̃te] adj. (du lat. *ex-*, préf. à valeur priv., et *ont*). Se dit d'une personne (ou de son comportement) qui se nduit envers les autres avec une hardiesse excessive, qui ne rde aucune retenue : *Il est bien effronté de nous dire cela* (syn. IPUDENT). *Une réponse effrontée* (syn. INSOLENT, OUTRECUIANT). ◆ **effrontément** adv. : *Mentir effrontément. Regarder q'un effrontément* (syn. IMPUDEMMENT, INSOLEMMENT). ◆ **effronterie** n. f. : *Il a eu l'effronterie de nier l'évidence* (syn. UDACE, IMPUDENCE). *Répondre avec effronterie* (syn. INSOLENCE).

FFROYABLE adj., **EFFROYABLEMENT** adv. → EFFROI.

FFUSION [efyzjɔ̃] n. f. (lat. *effusio*, épanchement). **1.** Manifestion de tendresse, d'affection (le plus souvent au plur.) : *Après les emières effusions, la mère et la fille, enfin réunies, commencèrent se raconter leurs aventures* (syn. ÉPANCHEMENT). — **2.** *Effusion sang*, action de verser le sang, de blesser ou de tuer.

GAILLER (S') [segaje] v. pr. (de l'anc. fr. *esgailler*, répartir) ujet nom de personne]. Se disperser en tous sens, en général our se dissimuler (syn. S'ÉPARPILLER).

GAL, E, AUX [egal, egɔ] adj. (lat. *aequalis*). **1.** Se dit de ce ui ne présente aucune différence de quantité, de dimension, de leur : *Deux récipients de capacité égale* (syn. IDENTIQUE). *La se de ce triangle est égale à sa hauteur. Il traitait tous ses voisins ec une égale cordialité* (syn. MÊME). — **2.** Se dit de ce qui ne ésente pas de brusques différences dans son cours : *Marcher un pas égal* (syn. RÉGULIER, UNIFORME). *Un homme d'un caracre égal* (syn. CALME). — **3.** Se dit de ce qui ne présente pas de bosses ou de creux : *Un terrain égal* (syn. UNI). — **4.** Se dit de ce qui s'applique à tout le monde dans les mêmes conditions, de ce qui offre les mêmes chances à tous : *Une justice égale* (syn. IMPARTIAL). ◆ adj. et n. **1.** Se dit de personnes qui ont les mêmes droits, la même condition : *Des citoyens égaux devant la loi.* — **2.** *Sans égal*, supérieur à tout ou à tous : *Une habileté sans égale* (syn. INCOMPARABLE, UNIQUE). ‖ *À l'égal de*, au même degré que. ‖ *D'égal à égal*, sans marquer aucune différence de rang social, de dignité (syn. SUR UN PIED D'ÉGALITÉ). ‖ *Cela m'est égal, lui est égal*, etc., cela me, le, etc. laisse indifférent. ‖ *N'avoir d'égal que*, ne pouvoir être comparé qu'à : *Un courage qui n'a d'égal* (ou *d'égale*) *que sa prudence.* ‖ *Rester égal à soi-même*, ne pas perdre de ses qualités. ◆ **également** adv. **1.** De façon égale : *Craindre également la chaleur et le froid.* — **2.** Aussi, de même, en outre : *Il faut lire ce livre et celui-là également.* ◆ **égaler** v. t. *Égaler qq'un, qqch.*, atteindre au même niveau, à la même importance que cette personne ou cette chose : *Un record jamais égalé. Dix divisé par deux égale cinq.* ◆ **égalable** adj. : *Un exploit très difficilement égalable.* ◆ **égaliser** v. t. Rendre égal : *Égaliser les chances* (syn. ÉQUILIBRER). *Égaliser le sol* (syn. NIVELER). ◆ v. i. *Joueur, équipe qui égalise*, qui réussit à obtenir le même nombre de points que l'adversaire dans une compétition sportive. ◆ **égalisateur, trice** adj. ◆ **égalisation** n. f. : *L'égalisation du terrain, des conditions sociales* (syn. NIVELLEMENT). *Équipe qui obtient l'égalisation.* ◆ **égalité** n. f. **1.** Qualité de choses ou de personnes égales : *L'égalité des côtés d'un carré. L'égalité du sol. Égalité d'humeur. Les deux concurrents sont à égalité* (= ils ont le même nombre de points). — **2.** *Math.* Se dit de deux termes qui, s'ils représentent le même objet mathématique, sont réunis par le signe = (égal). → ENCYCL. — **3.** Principe selon lequel tous les citoyens peuvent invoquer les mêmes droits : *Égalité politique, civile.* ◆ **égalitaire** adj. Se dit de ce qui vise à l'égalité politique, civile, sociale : *Une doctrine égalitaire.* ◆ **égalitarisme** n. m. Théorie qui affirme l'égalité des droits entre les hommes. ◆ **inégal, e, aux** adj. S'oppose aux différents sens de ÉGAL, mais n'est généralement pas suivi d'un compl. : *Un sol inégal. Un pouls inégal. Deux nombres inégaux. Des romans d'un intérêt inégal* (syn. VARIABLE). ◆ **inégalable** adj. Qui ne peut pas être égalé : *Un vin d'une qualité inégalable.* ◆ **inégalé, e** adj. Qui n'a pas été égalé : *Record inégalé.* ◆ **inégalement** adv. : *Des plantes qui poussent inégalement. Des films inégalement intéressants* (syn. DIVERSEMENT). ◆ **inégalité** n. f. : *L'inégalité des deux montants. L'inégalité de la surface. Une inégalité de fortune, d'humeur, de chances.*

— ENCYCL. Deux termes sont *égaux* s'ils représentent le même objet mathématique : on note l'*égalité* par le signe =; si deux termes ne sont pas égaux, on utilise le signe ≠. (*Ex. :* 5×7 et 35 représentent le même objet, le nombre trente-cinq; on note $5 \times 7 = 35$; par contre $4 \times 6 \neq 32$.)

Plus généralement, deux ensembles sont égaux si tout élément de l'un est élément de l'autre. (*Ex. :* si E est l'ensemble dont les éléments sont les entiers 1, 3, 5 et si F est l'ensemble des nombres impairs inférieurs à 6, on a $E = F = \{1, 3, 5\}$.)

On démontre que tous les ensembles n'ayant aucun élément sont égaux entre eux : c'est le même ensemble, noté ∅ et appelé *ensemble vide.*

L'égalité définie sur un ensemble E est une relation* d'équivalence. En effet, si a, b, c sont trois éléments quelconques de E, on a :

$a = a$ (réflexivité);
si $a = b$, alors $b = a$ (symétrie);
si $a = b$ et $b = c$, alors $a = c$ (transitivité).

En géométrie, l'expression « deux figures sont égales » est à proscrire : une figure étant un ensemble de points, deux figures formées de points différents ne peuvent être égales, d'après la définition générale de l'égalité de deux ensembles. On parle donc de « figures isométriques ». (→ ISOMÉTRIE.)

1. ÉGARD [egar] n. m. (de l'anc. fr. *esgarder*, considérer) [ne s'emploie que dans les loc. verbales, adverbiales ou prépositives]. *À l'égard de*, relativement à, en ce qui concerne : *Un commerçant aimable à l'égard de ses clients* (syn. AVEC, ENVERS). *On a fait une exception à son égard* (= en sa faveur). *Prendre des sanctions à l'égard des coupables* (syn. À L'ENCONTRE DE). ‖ *Avoir égard à qqch.*, en tenir compte. ‖ *À tous égards, à certains égards, à aucun égard, à cet égard*, à tous points de vue, à certains points de vue, sous aucun rapport, sous ce rapport. ‖ *Par égard, sans égard pour*, en tenant, en ne tenant pas compte. ‖ *Eu égard à*, compte tenu de, en considération de.

2. ÉGARDS [egar] n. m. pl. (même étym.). Marques de considération témoignées à quelqu'un (syn. DÉFÉRENCE).

ÉGARER [egare] v. t. (du lat. *ex-*, préf. à valeur priv., et frq. *warôn*, conserver). **1.** *Égarer qq'un*, le mettre hors de son chemin, de telle sorte qu'il ne sait plus de quel côté se diriger : *Une indication inexacte égare le touriste.* — **2.** *Égarer qq'un*, le porter à une erreur de jugement, lui faire perdre le contrôle de ses actes : *Un faux témoignage qui égare les enquêteurs* (syn. DÉROUTER). *La colère vous égare.* — **3.** *Égarer un objet*, ne plus pouvoir le retrouver momentanément (syn. ↑PERDRE). ◆ ***s'égarer*** v. pr. **1.** (sujet nom d'être animé) Ne plus reconnaître le bon chemin, faire fausse route : *S'égarer dans la forêt* (syn. SE PERDRE). — **2.** (sujet nom de personne) S'écarter du bon sens, de la vérité, du centre d'intérêt. — **3.** (sujet nom de chose) Être momentanément perdu : *Plusieurs livres se sont égarés* (syn. ↑SE PERDRE). ◆ **égarement** n. m. : *L'égarement d'un document* (syn. ↑PERTE). *Dans son égarement, il ne songeait même pas à tirer le signal d'alarme* (syn. AFFOLEMENT).

ÉGAYER [egeje] v. t. (du lat. *ex-*, préf. à valeur intensive, et *gai*). **1.** (sujet nom de personne ou de chose) *Égayer qq'un*, le porter à la gaieté : *Le conférencier égaya l'auditoire par des anecdotes* (syn. AMUSER, DIVERTIR). — **2.** (sujet nom de chose) *Égayer une maison, un récit*, etc., les agrémenter de détails qui leur donnent un aspect plus gai. ◆ ***s'égayer*** v. pr. (sujet nom de personne). Se donner du plaisir, notamment par la moquerie : *S'égayer aux dépens d'un invité* (syn. S'AMUSER, SE DIVERTIR).

ÉGÉE. *Myth. gr.* Roi légendaire d'Athènes, père de Thésée. Son fils étant parti en Crète combattre le Minotaure, Égée vit revenir les bateaux avec des voiles noires, signe de deuil : croyant, à tort, son fils mort, il se noya dans la mer qui reçut son nom.

ÉGÉE *(mer)*, ancienn. **mer de l'Archipel** ou **Archipel,** mer comprise entre la Grèce, la Crète et l'Asie Mineure. Elle comprend les archipels des Sporades et des Cyclades.

ÉGÉENS, ensemble de peuples de la Méditerranée orientale (îles et côtes de la mer Égée), dont la civilisation, née en Crète, s'est épanouie à Troie (Ilion), dans les Cyclades et le Péloponnèse (v. 2600-v. 1200 av. J.-C.). Ils furent peu à peu submergés par des populations venues du N. : Achéens, Éoliens, Ioniens, puis Doriens. Marins et paysans ingénieux et patients, excellents artisans, les Égéens ont transmis à la civilisation grecque un riche héritage culturel, dont témoignent les poèmes homériques*.

ÉGÉRIE [eʒeri] n. f. (de *Égérie*, n. pr.). Femme qui conseille secrètement quelqu'un.

ÉGIDE [eʒid] n. f. (lat. *aegis, -idis*, bouclier). *Sous l'égide de qq'un, qqch.*, sous la protection de.

ÉGINE, petite île grecque de la mer Égée, au centre du *golfe d'Égine*; 85 km²; 10 000 hab. Elle acquit à partir du VIIe s. av. J.-C. une grande importance commerciale et fut la première cité grecque à battre monnaie. Mais Athènes prit ombrage de sa prospérité et la colonisa au Ve s.

ÉGLANTIER [eglɑ̃tje] n. m. (bas lat. *aquilentum*, riche en épines). Rosier sauvage des haies et des buissons, dont sont issus les rosiers cultivés. (Famille des rosacées.) ◆ **églantine** n. f. Fleur de l'églantier.

ÉGLEFIN [egləfɛ̃] n. m. (anc. néerl. *schelvisch*). Petite morue de la mer du Nord, longue de 1 m, qui, fumée, fournit le haddock. (Famille des gadidés.) [On écrit aussi AIGLEFIN.]

ÉGLETONS, ch.-l. de cant. de la Corrèze, à 32 km au N.-E. de Tulle; 5 900 hab.

1. ÉGLISE [egliz] n. f. (gr. *ekklêsia*, assemblée) [s'écrit avec une majusc.]. **1.** *Église catholique* (ou *romaine*), corps vivant de Jésus-Christ formé par l'ensemble des baptisés : *L'Église est une assemblée dont le Christ (représenté visiblement par le pape) est la tête et les baptisés les membres.* — **2.** *Églises orientales*, ensemble des Églises chrétiennes d'Orient. — **3.** *Églises protestantes*, ensemble des Églises et des communautés chrétiennes issues de la Réforme du XVIe s.

2. ÉGLISE [egliz] n. f. (même étym.) [s'écrit avec une minusc.]. Édifice destiné au rassemblement des fidèles pour l'exercice du culte catholique (pour les autres religions, on emploie généralement le mot TEMPLE). [→ ECCLÉSIASTIQUE.]

ÉGLOGUE [eglɔg] n. f. (gr. *eklogê*, choix). Petit poème pastoral : *Les églogues de Virgile.*

EGMONT (Lamoral, *comte* D'), gentilhomme du Hainaut (1522-1568). Capitaine général des Flandres, il fut condamné et exécuté à la suite d'une révolte des Pays-Bas contre Philippe II.

ÉGOCENTRISME [egɔsɑ̃trism] n. m. (du lat. *ego*, moi, et *centrum*, centre). Tendance d'une personne à se considérer comme le centre de l'univers, à tout rapporter à elle-même. ◆ **égocentrique** adj. : *Un réflexe égocentrique.*

ÉGOÏNE [egɔin] n. f. (du lat. *scobina*, lime). Scie à main, composée d'une lame munie d'une poignée à une extrémité.

ÉGOÏSME [egɔism] n. m. (du lat. *ego*, moi). Attachement excessif qu'une personne porte à elle-même, à ses intérêts, aux dépens de ceux des autres (contr. ALTRUISME, GÉNÉROSITÉ). ◆ **égoïste** adj. et n. Se dit d'une personne qui ne considère que ses intérêts, ou du comportement de cette personne (contr. DÉSINTÉRESSÉ). ◆ **égoïstement** adv. : *Vivre égoïstement.*

ÉGORGER [egɔrʒe] v. t. (du lat. *ex-*, préf. à valeur priv., e *gorge*). **1.** *Égorger une personne, un animal*, les tuer en leur cou pant la gorge. — **2.** Fam. *Hôtelier qui égorge ses clients*, qui leu fait payer un prix excessif (syn. ÉCORCHER). ◆ **égorgemen** n. m. : *L'égorgement d'un mouton.* ◆ **entr'égorger (s')** v. pr S'égorger mutuellement, s'entre-tuer.

ÉGOSILLER (S') [segɔzije] v. pr. (du lat. *ex-*, préf. à valeu priv., et *gosier*) [sujet nom de personne]. Crier fort et longtemps.

ÉGOUT [egu] n. m. (de *égoutter*). Canalisation souterraine desti née à l'évacuation des eaux sales : *Une bouche d'égout est un ouverture pratiquée dans la bordure d'un trottoir pour évacuer dan l'égout les eaux de la rue.* ◆ **égoutier** [egutje] n. m. Ouvrie chargé du nettoyage et de l'entretien des égouts.

ÉGOUTTER [egute] v. t. (du lat. *ex-*, préf. à valeur priv., e *goutte*). *Égoutter un corps*, le débarrasser d'un liquide qu'on laiss écouler goutte à goutte : *Étendre du linge pour l'égoutter.* ◆ v. ou ***s'égoutter*** v. pr. **1.** Perdre goutte à goutte un liquide qu imprègne : *Le linge s'égoutte* ou *égoutte.* — **2.** S'écouler goutte goutte : *L'eau de pluie s'égoutte du manteau.* ◆ **égouttage** o **égouttement** n. m. ◆ **égouttoir** n. m. Ustensile permettant d faire égoutter quelque chose, en partic. la vaisselle.

ÉGRAPPER [egrape] v. t. (du lat. *ex-*, préf. à valeur priv., e *grappe*). Détacher de la grappe les grains de certains fruits (gro seilles, raisin).

ÉGRATIGNER [egratiɲe] v. t. (de l'anc. fr. *esgratiner*). **1.** *Égra tigner qq'un*, lui déchirer superficiellement la peau. — **2.** *Égrati gner une chose*, en rayer la surface : *La carrosserie a été égratigné* (syn. ÉRAFLER). — **3.** Fam. *Égratigner qq'un*, diriger contre lui de traits de critique légère, de raillerie. ◆ **égratignure** n. f. Déchi rure superficielle : *S'en tirer sans une égratignure* (syn. ÉCOR CHURE).

ÉGRENER [egrəne] v. t. (du lat. *ex-*, préf. à valeur priv., e *grain*). **1.** *Égrener des épis, des grappes*, etc., ou *du blé, du rai sin*, etc., séparer les grains des épis, des grappes. — **2.** *Égrener u chapelet*, en faire passer les grains entre ses doigts en récitant le formules de prières. — **3.** *Pendule qui égrène les heures, les douz coups de midi*, qui marque successivement ces heures, qui sonn ces douze coups. ◆ ***s'égrener*** v. pr. **1.** (sujet nom désignant de grains, des fruits) Se détacher de l'épi ou de la grappe. — **2.** (suje nom de personnes) Se détacher à distance les uns des autres : *Le passants s'égrenaient le long de l'avenue.* ◆ **égrènement** n. m.

ÉGRILLARD, E [egrijar, -ard] adj. (du norm. *égriller*, glisser) Se dit d'une personne (ou de son comportement) qui se complai dans les propos licencieux, les plaisanteries grivoises (syn. POLIS SON).

ÉGRISÉE [egrize] n. f. (du néerl. *gruizen*, écraser). Poudre d diamant servant à polir les pierres précieuses.

ÉGUEULÉ, E [egœle] adj. (du lat. *ex-*, préf. à valeur négative, e *gueule*). Géogr. *Cratère égueulé*, cratère dont la couronne a ét entamée par une violente éruption volcanique.

ÉGUZON-CHANTÔME, ch.-l. de cant. de l'Indre, au-dessu des gorges de la Creuse, à 20 km au S.-S.-E. d'Argenton-sur Creuse; 1 500 hab. Centrale hydro-électrique.

ÉGYPTE, officiellement **République arabe d'Égypt (R. A. E.),** État de l'Afrique du N.-E. ouvert sur la Méditerranée.

SUPERFICIE 1 million de km², dont 35 600 non désertiques (France : 550 000 km²).

POPULATION 54,8 millions d'hab. *(Égyptiens)*; 1 500 hab. au km² dans les régions non désertiques (France : 103); accroissement annuel de population, 2,2 p. 100.

CAPITALE Le Caire (agglomération 13 millions d'hab.).

VILLES PRINCIPALES Alexandrie (2 720 000 hab.), Port-Saïd (320 000 hab.).

LANGUE OFFICIELLE arabe.

ÉCONOMIE consommation d'énergie par hab., 500 kg d'équivalent charbon; 1 automobile pour 120 hab.

MONNAIE livre égyptienne.

GÉOGRAPHIE

L'Égypte est un pays en grande partie désertique : le désert libye à l'O. et le désert arabique à l'E. sont séparés par la vallée du Nil seule région fertile grâce à l'eau apportée par le fleuve.

	TEMPÉRATURES MOYENNES janv.	juil.	PLUIES
Le Caire	13,8 °C	28,6 °C	42 mm

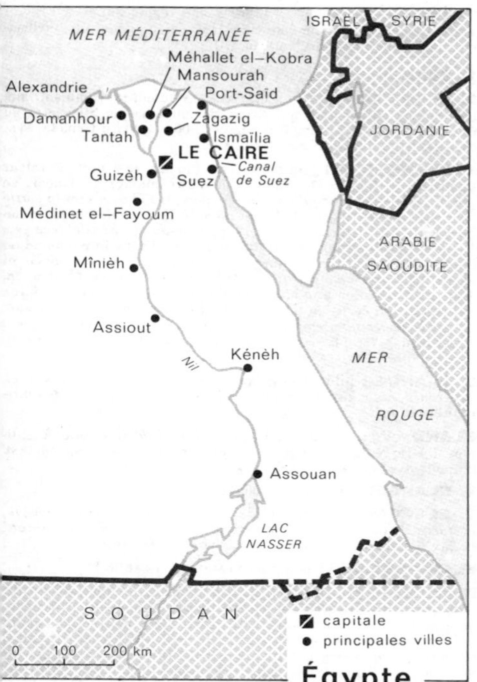

Toute la vie économique se concentre donc dans la vallée du Nil, où la densité de population est énorme. L'*agriculture*, autrefois rythmée par les crues du fleuve, est maintenant facilitée par les nombreux barrages (dont celui d'Assouan) qui régularisent le régime et permettent une irrigation constante. Aux cultures traditionnelles de céréales se sont ajoutées des cultures commerciales : canne à sucre, coton, pour l'exportation.

blé	2 millions de t	sucre	800 000 t
maïs	3,5 millions de t	coton	400 000 t
riz	2,5 millions de t		

L'*industrie* se développe, notamment le textile et la chimie. La production d'hydro-électricité et de pétrole permet d'espérer de nouveaux progrès.

électricité 20 milliards de kWh; pétrole 40 millions de t.

Mais le niveau de vie reste très bas, surtout pour les paysans qui sont souvent obligés d'émigrer vers les villes, déjà très peuplées.

L'Égypte doit importer des produits manufacturés (surtout des États-Unis et de l'Allemagne occidentale) et exporte les produits de son agriculture (coton) et surtout du pétrole. Le principal port est Alexandrie.

HISTOIRE

L'Égypte apparaît très tôt dans l'histoire des civilisations. Au IVe millénaire, elle est divisée entre deux royaumes : *Basse-Égypte* au N., *Haute-Égypte* au S.

■ L'ÉGYPTE DES PHARAONS.

Elle voit se succéder trois empires distincts et de nombreuses dynasties.

• *3200-2280 av. J.-C. Ancien Empire.*

L'Égypte, alors unifiée, a pour capitale Memphis. C'est pendant cette période que les rois de la IVe dynastie (Chéops, Chéphren et Mykérinos) font construire les pyramides de Guizèh.

Sous les pharaons, fils de Rê (le dieu du Soleil), l'Égypte connaît une grande prospérité, favorable au développement de l'art.

• *2050-1580 av. J.-C. Moyen Empire.*

Après une période intermédiaire (2280-2250), il est fondé par la première dynastie thébaine (XIe dynastie) qui étend la domination égyptienne jusqu'à la Nubie et en direction de la Syrie.

La XIIe dynastie favorise le culte d'Amon. Vers 1700 av. J.-C., les Hyksos, venus de Palestine, envahissent le pays; mais ils sont définitivement repoussés au XVIe s. av. J.-C.

• *1580-v. 1100 av. J.-C. Nouvel Empire.*

Sous la XVIIIe dynastie (1580-1320 av. J.-C.), l'Égypte connaît un nouvel apogée. Thoutmès Ier et Thoutmès III font la conquête du haut Nil et de la Syrie. Aménophis IV (1372-1354 av. J.-C.) abandonne le culte d'Amon pour celui d'Aton. Ramsès II (XIXe dynastie) repousse les invasions hittites.

Après cette période brillante (v. 1100 av. J.-C.), l'Égypte s'affaiblit. Elle est conquise par les Perses, en 525 av. J.-C.

→ illustrations ANTIQUITÉ ÉGYPTIENNE p. 71.

■ LES PÉRIODES HELLÉNISTIQUE, ROMAINE, BYZANTINE ET MUSULMANE.

• *332 av. J.-C. Le pays est conquis par Alexandre le Grand.*

Il est ensuite gouverné par les Lagides. La civilisation égyptienne subit alors l'influence grecque; Alexandrie devient un centre intellectuel florissant.

• *30 av. J.-C. L'Égypte est annexée par Rome.*

Elle approvisionne le monde romain en blé, et s'ouvre rapidement au christianisme, qui est solidement implanté au IIIe s. apr. J.-C.

• *395 apr. J.-C. À la mort de Théodose, l'Égypte fait partie de l'Empire byzantin* d'Orient.*

• *640. L'Égypte est conquise par les Arabes.*

Sous le gouvernement des Fāṭimides, qui fondent Le Caire, elle se convertit rapidement à l'islām.

Après la victoire de Saladin sur les Fāṭimides (1171), l'Égypte subit la domination turque.

• *1250. Les mamelouks prennent le pouvoir.*

• *1517. Selim réunit l'Égypte à l'Empire ottoman.*

■ L'ÉPOQUE MODERNE.

Elle commence avec l'expédition française d'Égypte, menée par Bonaparte (1798-1801). L'Égypte se rend progressivement indépendante de la puissance ottomane.

• *1805. Méhémet Ali, chef des troupes albanaises, se fait reconnaître comme pacha.*

• *1867. Ismā'īl se fait accorder par le sultan le titre de khédive.*

• *1869. Le canal de Suez est inauguré.*

Les Anglais en deviennent les principaux actionnaires et le khédive doit accepter la tutelle franco-anglaise.

• *1882. La réaction nationale, dirigée par le colonel Arabi (ou 'Urābī) est écrasée par la Grande-Bretagne qui installe sa domination sur le pays.*

• *1914. Le protectorat britannique remplace la suzeraineté des Ottomans. Il est supprimé en 1922.*

• *1936. L'indépendance totale de l'Égypte est confirmée.*

• *1948-1949. Guerre contre Israël : échec égyptien.*

• *1953. Le général Néguib proclame la république après avoir renversé le roi Farouk.*

• *1954. Le colonel Nasser remplace Néguib comme président de la République. La Grande-Bretagne évacue la zone du canal.*

• *1956. La nationalisation du canal de Suez provoque l'intervention militaire israélienne puis franco-anglaise, à laquelle l'O. N. U. met fin.*

• *1958. L'Égypte forme avec la Syrie et le Yémen la République arabe unie. Cette union prend fin en 1961.*

• *1967. Un nouveau conflit avec Israël entraîne la fermeture du canal de Suez.*

Les Israéliens occupent le Sinaï.

• *1970. Sadate succède à Nasser, mort brutalement.*

• *1971. L'Égypte, la Syrie et la Libye s'unissent en une fédération, l'Union des républiques arabes.*

• *1973. Une nouvelle guerre oppose l'Égypte et les pays arabes à Israël : l'Égypte récupère le contrôle du canal de Suez.*

• *1975. Réouverture du canal à la navigation.*

• *1977. Sadate se rend à Jérusalem afin d'entamer des pourparlers de paix avec les Israéliens.*

• *26 mars 1979. Signature d'un traité de paix israélo-égyptien qui prévoit l'évacuation progressive du Sinaï par les Israéliens ainsi que l'autonomie de la Cisjordanie et de la zone de Gaza.*

• *6 octobre 1981. Assassinat du président Sadate, auquel succède Hosni Moubarak.*

• *25 avril 1982. Restitution du Sinaï à l'Égypte.*

• *1986. Moubarak, tout en accentuant l'islamisation des institutions, engage la lutte contre les extrémistes musulmans.*

En 1987-88, la plupart des États arabes renouent avec l'Égypte des relations diplomatiques rompues à la suite du traité de paix avec Israël.

• *1989. L'Égypte est réintégrée au sein de la Ligue arabe.*

• *1991. Lors de la guerre du Golfe*, l'Égypte participe à la force multinationale qui s'oppose à l'Iraq pour la libération du Koweït.*

ÉGYPTIEN, ENNE [eʒipsjɛ̃, -ɛn] adj. et n. De l'Égypte. ◆ n. m. Langue de l'anc. Égypte. ◆ **égyptologie** n. f. Étude de l'Égypte anc. ◆ **égyptologue** n.

EH! [e] ou [ɛ] interj. **1.** Sert à interpeller, à attirer l'attention : *Eh! attendez un peu.* — **2.** Renforcé par *bien (eh bien!)*, marque la surprise ou sollicite une explication, etc. : *Vous m'avez fait venir, eh bien? Eh bien! allons-y!*

ÉHONTÉ, E adj. → HONTE.

EHRENBOURG (Ilia Grigorievitch), écrivain soviétique (1891-1967). Ses romans traitent des problèmes politiques et sociaux de l'Europe et de la Russie (*le Dégel*, 1954).

EIDER [edɛr] n. m. (islandais *aedar*). Oiseau palmipède voisin des canards, long de 60 cm, nichant sur les côtes scandinaves, et dont le duvet est recherché pour garnir les édredons.

EIFFEL (Gustave), ingénieur français (1832-1923). L'un des plus grands spécialistes de la construction métallique, il édifia de nombreux ouvrages d'art, notamment le viaduc de Garabit (1882) et, à Paris, la tour qui porte son nom, érigée à l'occasion de l'Exposition universelle (1889).

EIJKMAN (Christiaan), physiologiste hollandais (1858-1930). Il fit des travaux sur le béribéri, qui conduisirent à la découverte des vitamines.

EINDHOVEN, v. des Pays-Bas, dans le Brabant-Septentrional; 189 200 hab. Matériel de radio et de télévision (usines Philips).

EINSTEIN (Albert), physicien allemand (1879-1955), naturalisé américain en 1940. En 1905, il jeta les bases de sa théorie de la relativité du temps et de l'espace, qui bouleversa les données de la physique moderne. Il dut quitter l'Allemagne en 1933 et s'installa aux États-Unis. Il mena d'ardentes campagnes en faveur de la paix dans le monde. (Prix Nobel de physique, 1921.)

EIRE, nom gaélique de l'IRLANDE, employé auj. en même temps que celui de république d'Irlande*.

EISENACH, v. d'Allemagne (Thuringe), au N. de la forêt de Thuringe; 50 800 hab.

EISENHOWER (Dwight David), général et homme politique américain (1890-1969). Il est nommé en 1943 commandant en chef des armées chargées de la libération de l'Europe occidentale et reçoit la capitulation de l'Allemagne à Reims le 7 mai 1945. En 1950, il est nommé commandant suprême des forces du Pacte atlantique. Républicain, il fut président des États-Unis (1953-1961).

EISENSTEIN (Sergueï Mikhaïlovitch), cinéaste soviétique (1898-1948). Il est l'auteur de films dont l'importance demeure capitale dans l'histoire du cinéma : *le Cuirassé «Potemkine»* (1925), *Octobre* (1927), *la Ligne générale* (1929). Les théories d'Eisenstein sur le montage* et sur les rapports du son et de l'image ont profondément marqué les cinéastes du monde entier.

ÉJACULER [eʒakyle] v. i. (lat. *ejaculari*, projeter). Émettre le sperme. ◆ **éjaculation** n. f.

ÉJECTER [eʒɛkte] v. t. (lat. *ejectare*). **1.** *Éjecter un objet*, le projeter au-dehors : *La mitrailleuse éjecte les douilles vides au cours du tir.* **2.** Fam. *Éjecter qq'un*, se débarrasser de lui, le renvoyer (syn. EXPULSER). ◆ **éjectable** adj. *Siège éjectable*, dans un avion, siège doté d'un dispositif qui, en cas d'accident en vol, projette à l'extérieur le pilote muni de son parachute. ◆ **éjection** n. f. **1.** Action de jeter dehors. — **2.** Évacuation, rejet : *L'éjection des urines.*

ÉLABORER [elabɔre] v. t. (lat. *elaborare*, travailler avec soin). **1.** En parlant des glandes, former, à partir des substances organiques, le produit de leur sécrétion : *Le foie élabore la bile.* — **2.** *Élaborer des aliments*, les rendre assimilables, en parlant des organes de la digestion. — **3.** (sujet nom de personne) *Élaborer un plan, une doctrine*, etc., les préparer, les composer au prix d'un long travail (syn. COMBINER, MÛRIR). ◆ ***s'élaborer*** v. pr. : *Le projet s'élabore peu à peu* (syn. SE FORMER). ◆ **élaboration** n. f.

ELÆIS ou **ELEIS** [eleis] n. m. (du gr. *elaiêeis*, huileux). Palmier d'Afrique noire et de l'Asie du Sud-Est dont le fruit fournit l'huile de palme.

ÉLAGABAL ou **HÉLIOGABALE** (204-222), empereur romain de 218 à 222. Prêtre du Soleil à Émèse, il voulut introduire à Rome le culte de son dieu syrien. Il multiplia les extravagances et fut massacré par les prétoriens lorsqu'il voulut se débarrasser de son cousin et associé Sévère Alexandre.

ÉLAGUER [elage] v. t. (du lat. *ex-*, préf. à valeur intensive, et l'anc. nordique *laga*, arranger). **1.** *Élaguer un arbre*, en retrancher les branches superflues (syn. ÉMONDER, TAILLER). — **2.** *Élaguer une phrase, un récit*, etc., en supprimer ce qui les charge inutilement, les rendre concis. ◆ **élagage** n. m. ◆ **élagueur** n. m. Celui qui élague les arbres.

ÉLAM, nom donné par la Bible à une région située à l'E. du Tigre. La ville principale était Suse. La région connut une civilisation particulièrement brillante au XIIIe s. av. J.-C.

1. ÉLAN n. m. → ÉLANCER 1.

2. ÉLAN [elɑ̃] n. m. (anc. all. *elend*). Mammifère ruminant, aux bois aplatis en éventail, qui vit en Scandinavie, en Sibérie et au Canada. (Long de 2,80 m, il pèse env. 1 000 kg.) [Au Canada, syn. ORIGNAL.] (Famille des cervidés.)

1. ÉLANCER (S') [selɑ̃se] v. pr. (du lat. *ex-*, préf. à valeur intensive, et *lancer*). **1.** (sujet nom d'être animé) Se lancer, se porter vivement : *Dès qu'il vit les flammes, il s'élança vers la sortie* (syn. SE PRÉCIPITER). — **2.** (sujet nom désignant une chose immobile) Être dressé verticalement : *La flèche du clocher s'élance vers le ciel* (syn. POINTER). ◆ **élancé, e** adj. Se dit d'une personne ou d'une forme allongée et fine : *Une taille élancée* (= mince et élégante). *Une colonne élancée* (= haute et fine). ◆ **élan** n. m. **1.** Mouvement d'un être animé ou d'une chose qui s'élance; force qui pousse un corps en mouvement : *Prendre son élan pour sauter un fossé. La voiture, emportée par son élan, n'a pas pu s'arrêter à temps* (syn. VITESSE). — **2.** Brusque mouvement intérieur : *Un élan de franchise* (syn. ACCÈS).

2. ÉLANCER [elɑ̃se] v. t. (même étym.). *Blessure, abcès*, etc., *qui élance*, qui cause des douleurs vives et intermittentes. ◆ **élancement** n. m.

ÉLAND [elɑ̃] n. m. (anc. all. *elend*). *Éland du Cap*, grande antilope d'Afrique du Sud et de l'Est, aux cornes tordues (syn. OREAS). [Famille des bovidés.]

1. ÉLARGIR v. t. et i. → LARGE 1.

2. ÉLARGIR [elarʒir] v. t. (du lat. *ex-*, préf. à valeur intensive, et *large*). *Élargir un prisonnier*, le libérer. ◆ **élargissement** n. m. : *L'élargissement des détenus* (syn. LIBÉRATION).

ÉLARGISSEMENT n. m. → ÉLARGIR 2 et LARGE 1.

ÉLASTIQUE [elastik] adj. (du gr. *elastos*, ductile). **1.** Se dit d'un corps qui a la propriété de reprendre totalement ou partiellement sa forme ou son volume après avoir été comprimé, distendu, déformé : *Le caoutchouc est élastique.* — **2.** *Règlement élastique*, qui n'est pas très exigeant, qu'on peut interpréter assez librement. ◆ n. m. Petit lien en caoutchouc : *Des fiches retenues ensemble par un élastique.* ◆ **élasticité** n. f. : *L'élasticité de la peau. L'élasticité d'une lame d'acier. L'élasticité d'un acrobate* (syn. SOUPLESSE). ◆ **élastomère** n. m. Matière qui, à la température ambiante, peut être étirée à au moins deux fois sa longueur et revenir à sa dimension originale dès que cesse la traction : *Le caoutchouc est un élastomère.*

ELATH ou **EILAT,** port d'Israël, au fond du golfe d''Aqaba; 12 800 hab. Pipeline vers Haifa.

ELBE (l'), en tchèque **Labe**, fl. d'Europe centrale; 1 100 km. Né en Bohême, dont il draine la partie centrale, le fleuve s'écoule vers le N.-O., quitte la Tchécoslovaquie pour arroser l'Allemagne, passant à Dresde, puis à Magdeburg et rejoignant la mer du Nord par un long estuaire, à la tête duquel est établi Hambourg. Son régime est de type pluvio-nival (crues de printemps, basses eaux d'été).

ELBE *(île d')*, île italienne de la Méditerranée, à l'E. de la Corse; 29 000 hab. Ch.-l. *Portoferraio.*

• *1814-1815. L'île constitue le domaine concédé à Napoléon Ier après son abdication.*

ELBEUF, ch.-l. de cant. de la Seine-Maritime, à 18 km au S. de Rouen, sur la Seine; 17 400 hab. *(Elbeuviens).* Églises des XVIe et XVIIe s. L'industrie textile, très ancienne, y est primordiale : tissage et teinture des draps, confection, etc.

ELBLĄG, v. du nord de la Pologne; 90 800 hab.

ELBOURZ, massif du nord de l'Iran; 5 670 m au Demāvend.

ELBROUS ou **ELBROUZ,** le plus haut sommet du Caucase (U. R. S. S.); 5 642 m.

ELCHE, v. du sud de l'Espagne (prov. d'Alicante); 123 700 hab. En 1897, on y a trouvé un buste antique de jeune femme (la *Dame d'Elche*), dont l'origine est très controversée.

ELCHINGEN, village de Bavière, au N. du Danube.

• *14 oct. 1805. Victoire de Ney sur les Autrichiens.*

ELDORADO *(le Doré)*, pays fabuleux que les conquistadores espagnols de l'Amérique plaçaient entre l'Amazone et l'Orénoque et qui aurait regorgé d'or.

ÉLECTEUR, TRICE n., **ÉLECTIF, IVE** adj., **ÉLECTION** n. f., **ÉLECTIVEMENT** adv., **ÉLECTIVITÉ** n. f., **ÉLECTORAL, E, AUX** adj., **ÉLECTORALISME** n. m., **ÉLECTORALISTE** adj., **ÉLECTORAT** n. m. → ÉLIRE.

ÉLECTR(O)- [elɛktr(o)], élément tiré du gr. *êlektron*, ambre jaune, et qui, entrant comme préfixe dans la composition de nombreux mots, indique la présence d'électricité dans l'objet désigné.

ÉLECTRE. *Myth. gr.* Fille d'Agamemnon et de Clytemnestre : elle poussa son frère Oreste à tuer leur mère et son amant Égisthe, assassins de leur père. Sa vengeance inspira plusieurs écrivains dont Sophocle, Euripide, Giraudoux.

ÉLECTRICITÉ [elɛktrisite] n. f. (du gr. *êlektron*, ambre jaune). **1.** Une des formes de l'énergie, utilisée à des fins mécaniques ou pour l'éclairage, le chauffage, certains soins médicaux, etc. : *Toute la production d'électricité de cette région provient des barrages. Installer l'électricité dans un appartement* (= poser un réseau de fils métalliques destinés à distribuer le courant électrique). *Couper l'électricité* (syn. COURANT). ⟶ ENCYCL. ‖ *Électricité nucléaire*, électricité produite à partir de la récupération d'une partie de l'énergie libérée par la fission* du noyau de certains atomes. ⟶ ENCYCL. — **2.** Fam. *Il y a de l'électricité dans l'air*, les esprits sont échauffés, on peut craindre un éclat. ◆ **électricien, enne** n. et adj. Spécialiste des questions d'électricité, des installations électriques. ◆ **électrifier** v. t. Doter d'une installation électrique; faire fonctionner à l'électricité : *Électrifier une ligne de chemin de fer.* ◆ **électrification** n. f. ◆ **électrique** adj. Se dit de ce qui est relatif à l'électricité, de ce qui fonctionne à l'électricité : *Le court-circuit est dû à un fil électrique mal isolé. Lumière électrique. Moteur électrique.* ◆ **électriquement** adv. *Fonctionner, marcher électriquement*, au moyen de l'électricité. ◆ **électriser** v. t. **1.** Développer sur un corps des charges électriques. — **2.** *Électriser qq'un*, provoquer en lui une vive exaltation, l'exciter. ◆ **hydro-électricité** n. f. Énergie électrique obtenue par l'utilisation de la houille blanche. ⟶ ENCYCL. ◆ **hydro-électrique** adj.

— ENCYCL. Lorsqu'on frotte deux corps l'un contre l'autre, il y a formation de deux espèces d'*électricités*, l'une *positive*, l'autre *négative;* chacune d'elles se manifeste sur l'un des corps frottés, en particulier par des forces d'attraction ou de répulsion. Ce phénomène est dû au fait que les atomes sont formés d'un noyau central, électrisé positivement, entouré d'électrons, corpuscules chargés négativement. Ces charges, de signes contraires, se compensent pour les corps électriquement neutres; mais on peut produire (par frottement) un excès d'électrons, déterminant une charge négative, ou un manque d'électrons, déterminant une charge positive.

L'électricité ainsi développée par frottement, immobile sur les corps, est dite *électricité statique*. Les charges électriques en mouvement dans les conducteurs, sous forme de courant électrique, constituent l'*électricité dynamique*.

L'électricité est une forme d'énergie d'un emploi très commode, en raison de l'aisance avec laquelle elle peut être transportée; il est, d'autre part, facile de la transformer en une autre sorte d'énergie : *mécanique* dans les moteurs, *thermique* dans les résistances de chauffage, *lumineuse* dans l'éclairage électrique, *chimique* dans l'électrolyse.

■ *Géographie de l'électricité.* Depuis la période qui a précédé la Seconde Guerre mondiale, la production mondiale d'électricité a plus que décuplé. Aujourd'hui le rythme de progression est cependant ralenti. La majeure partie de cette production est d'origine *thermique*, le complément étant assuré essentiellement par l'apport *hydraulique* (hydro-électricité). La production d'électricité d'origine *nucléaire* joue un rôle notable dans les pays les plus développés, prépondérant en France.

États-Unis	2 400	milliards de kWh
U. R. S. S.	1 500	milliards de kWh
Japon	580	milliards de kWh
Allemagne	570	milliards de kWh
Canada	425	milliards de kWh
Chine	380	milliards de kWh
France	305	milliards de kWh
Grande-Bretagne	280	milliards de kWh

Électricité de France (E. D. F.), établissement public français créé en 1946 à la suite de la nationalisation de la production, du transport et de la distribution de l'électricité.

électricité *(École supérieure d')* **[E. S. E.]**, établissement d'enseignement supérieur privé, créé à Malakoff en 1894, et associé à l'université de Paris-Sud. Son siège est à Gif-sur-Yvette. Il a pour but la formation d'ingénieurs électriciens, radio-électriciens et électroniciens.

électricité et de mécanique industrielles *(École d')* ou **École Violet**, établissement privé d'enseignement technique, fondé à Paris en 1902 et ayant pour but la formation de cadres supérieurs et moyens de l'industrie : ingénieurs électriciens-mécaniciens et techniciens des industries électromécaniques.

ÉLECTRIFICATION n. f., **ÉLECTRIFIER** v. t., **ÉLECTRIQUE** adj., **ÉLECTRIQUEMENT** adv., **ÉLECTRISER** v. t. ⟶ ÉLECTRICITÉ.

ÉLECTRO-AIMANT [elɛktrɔɛmɑ̃] n. m. *(électro-*, et *aimant).* Appareil destiné à produire un champ magnétique grâce à des bobines à noyau de fer parcourues par un courant électrique. ‖ Pl. des *électro-aimants*.

ÉLECTROCARDIOGRAMME [elɛktrɔkardjɔgram] n. m. *(électro-*, et *cardiogramme).* Enregistrement graphique des courants électriques produits par les contractions du cœur. (Le tracé obtenu donne des renseignements de valeur essentielle pour les maladies cardiaques.)

ÉLECTROCHIMIE [elɛktrɔʃimi] n. f. *(électro-*, et *chimie).* Technique des applications de l'énergie électrique aux opérations de la chimie industrielle.

ÉLECTROCHOC [elɛktrɔʃɔk] n. m. *(électro-*, et *choc).* Technique de traitement de certaines maladies mentales par application d'un courant électrique sur l'encéphale, pendant une très courte durée.

ÉLECTROCINÉTIQUE [elɛktrɔsinetik] n. f. *(électro-*, et *cinétique).* Étude des courants électriques.

ÉLECTROCUTER [elɛktrɔkyte] v. t. (angl. *to electrocute*). Tuer par l'action d'une décharge électrique. ◆ **électrocution** n. f. Mort produite par passage d'un courant électrique dans l'organisme. (Aux États-Unis, dans certains États, on exécute les condamnés à mort par électrocution sur la chaise électrique.)

ÉLECTRODE [elɛktrɔd] n. f. (mot angl.; de *électr-*, et gr. *hodos*, chemin). **1.** Dans un voltamètre ou un tube à gaz raréfié, extrémité de chacun des conducteurs fixés aux pôles d'un générateur électrique. (Celle qui communique avec le pôle positif est l'*anode*, l'autre la *cathode*.) — **2.** Chacun des deux conducteurs plongeant dans un bain électrolytique.

ÉLECTRODIAGNOSTIC [elɛktrɔdjagnɔstik] n. m. *(électro-*, et *diagnostic). Méd.* Diagnostic des maladies des nerfs et des muscles, établi après examen des réactions de l'appareil neuro-musculaire aux excitations de certains courants électriques.

ÉLECTRODYNAMIQUE [elɛktrɔdinamik] n. f. (de *électro-*, et gr. *dunamis*, force). Partie de la physique qui étudie les actions d'un courant électrique sur un autre par l'intermédiaire du champ magnétique produit.

ÉLECTRO-ENCÉPHALOGRAMME [elɛktrɔɑ̃sefalɔgram] n. m. (de *électro-*, *encéphale*, et gr. *gramma*, inscription). Tracé obtenu par l'enregistrement graphique — au moyen d'électrodes placées à la surface du cuir chevelu — des différences de potentiel existant entre divers points de l'écorce cérébrale : *Le tracé plat de l'électro-encéphalogramme traduit la mort du cerveau.* ‖ Pl. des *électro-encéphalogrammes*.

ÉLECTRO-ÉROSION [elɛktrɔerozjɔ̃] n. f. *(électro-*, et *érosion).* Procédé d'usinage de pièces métalliques de très grande dureté par une succession très rapide de décharges électriques de courte durée.

ÉLECTROGÈNE [elɛktrɔʒɛn] adj. (de *électro-*, et gr. *gennân*, engendrer). Qui fabrique de l'électricité. ‖ *Groupe électrogène*, ensemble formé par un moteur à vapeur ou un moteur à explosion et par une dynamo, qui transforme en courant le travail du moteur.

ÉLECTROLYSE [elɛktrɔliz] n. f. (de *électro-*, et gr. *luein*, dissoudre). Décomposition chimique de certaines substances en fusion ou en solution par le passage d'un courant électrique : *On prépare l'aluminium par électrolyse de l'alumine.* ◆ **électrolyseur** n. m. Appareil destiné à faire une électrolyse. ◆ **électrolyte** n. m. Corps qui peut être décomposé par passage du courant électrique. ◆ **électrolytique** adj.

— ENCYCL. Les corps pouvant subir l'*électrolyse*, ou *électrolytes*, sont les sels, les acides et les bases, en solution dans l'eau ou fondus. La molécule de l'électrolyte, composée d'ions, est séparée en deux tronçons : le *cation*, qui apparaît à la cathode, est un métal ou de l'hydrogène; l'*anion*, qui apparaît à l'anode, est formé du reste de la molécule. La masse d'électrolyte décomposée est proportionnelle à la quantité d'électricité qui l'a traversée.

ÉLECTROMAGNÉTISME [elɛktrɔmaɲetism] n. m. *(électro*, et *magnétisme).* Partie de l'électricité qui étudie les propriétés magnétiques des courants électriques et leurs applications. ◆ **électromagnétique** adj.

ÉLECTROMÉNAGER [elɛktrɔmenaʒe] adj. m. *(électro-*, et *ménager).* Se dit d'appareils électriques à usage domestique (fer à repasser, aspirateur, réfrigérateur, etc.).

ÉLECTROMÉTALLURGIE [elɛktrɔmetalyrʒi] n. f. *(électro-*, et *métallurgie).* **1.** Utilisation des propriétés thermiques et électrolytiques de l'électricité pour la production et l'affinage des produits métallurgiques. — **2.** Ensemble des traitements thermiques des métaux, dans lesquels on utilise les phénomènes de chauffage électrique.

ÉLECTROMÈTRE [elɛktrɔmɛtr] n. m. (de *électro-*, et gr. *metron*, mesure). Instrument qui sert à mesurer les différences de potentiel électrique.

ÉLECTROMOTEUR, TRICE [elɛktrɔmɔtœr, -tris] adj. *(électro-*, et *moteur).* Qui développe de l'électricité sous l'influence d'une action chimique ou mécanique. ‖ *Force électromotrice*, caractéristique essentielle d'un générateur électrique qui détermine l'énergie électrique qu'il peut fournir.

ÉLECTRON [elɛktrɔ̃] n. m. (mot angl.). Corpuscule très petit chargé d'électricité négative, l'un des éléments constitutifs des atomes* : *Le courant électrique est dû, le plus souvent, à un déplacement d'électrons.* ◆ **électronique** adj. Qui concerne les électrons : *Microscope électronique.* ‖ *Musique électronique*, musique élaborée à partir de sons créés par des vibrations d'origine électrique, et reproduite par des amplificateurs. ◆ n. f. **1.** Partie de la physique qui étudie les phénomènes où sont mis en jeu des électrons à l'état libre. — **2.** Technique fondée sur l'emploi des dispositifs comportant l'utilisation d'électrons à l'état libre, notamment des tubes électroniques et des transistors. → ENCYCL. ◆ **électronicien, enne** n. Physicien, physicienne en électronique.

— ENCYCL. L'*électronique* a pénétré tous les domaines de l'activité humaine. Partout où il s'agit de mesurer, de contrôler, de régler ou de commander, les appareils électroniques s'acquittent parfaitement de ces diverses tâches. L'électronique a rendu possible la création d'instruments scientifiques, comme le microscope électronique. Elle est aussi au service de la sécurité pour la navigation sur mer et dans l'air. La radio, la télévision et l'enregistrement sonore en constituent des applications importantes et très développées. L'industrie fait appel à ses techniques pour automatiser, commander, contrôler et, éventuellement, réaliser certaines opérations de production. Enfin, les machines à calculer et les ordinateurs électroniques jouent un rôle immense dans le monde actuel.

ÉLECTRONVOLT [elɛktrɔ̃vɔlt] n. m. *(électron*, et *volt).* Unité d'énergie utilisée en physique (symb. : eV), équivalant à l'énergie acquise par un électron accéléré sous une différence de potentiel de 1 volt.

ÉLECTROPHONE [elɛktrɔfɔn] n. m. (de *électro-*, et gr. *phônê*, son). Appareil reproduisant les sons enregistrés sur un disque. (Il se compose d'un tourne-disque et d'un amplificateur muni d'un haut-parleur.)

ÉLECTROPOSITIF, IVE [elɛktrɔpɔzitif, -iv] adj. *(électro-*, et *positif). Chim.* Se dit d'un élément ou d'un radical qui, dans une électrolyse, se porte à la cathode : *Les métaux, l'hydrogène sont électropositifs.*

ÉLECTROSCOPE [elɛktrɔskɔp] n. m. (de *électro-*, et gr. *skopein*, regarder). Instrument permettant de déceler l'électricité dont un corps est chargé et d'en déterminer le signe.

ÉLECTROSTATIQUE [elɛktrɔstatik] n. f. *(électro-*, et *statique).* Partie de la physique qui étudie les phénomènes d'équilibre de l'électricité sur les corps électrisés.

ÉLECTROTECHNIQUE [elɛktrɔtɛknik] n. f. *(électro-*, et *technique).* Étude des applications techniques de l'électricité.

ÉLECTROTHÉRAPIE [elɛktrɔterapi] n. f. (de *électro-*, et gr. *therapeia*, soin). Traitement des maladies par l'électricité.

ÉLÉGANT, E [elegɑ̃, -ɑ̃t] adj. et n. (lat. *elegans, -antis*, distingué). Se dit d'une personne qui a de la grâce, de l'aisance dans ses manières, dans son habillement : *Porter une robe très élégante* (syn. SEYANT; fam. CHIC). ◆ adj. **1.** Se dit d'une manière d'agir qui séduit par sa simplicité ingénieuse, sa netteté, sa courtoisie : *C'est une façon élégante de se débarrasser de lui* (syn. HABILE). *Il est reparti sans prévenir personne; le procédé est peu élégant* (syn. CORRECT, COURTOIS; contr. INÉLÉGANT). — **2.** Se dit d'une chose dont la forme, l'aspect sont gracieux, qui est fine, bien proportionnée : *Une reliure élégante.* ◆ **élégamment** adv. : *S'habiller élégamment* (syn. ↓BIEN). *Il n'a pas agi très élégamment avec moi* (syn. CORRECTEMENT, COURTOISEMENT). ◆ **élégance** n. f. *L'élégance d'une personne* (syn. DISTINCTION). *L'élégance d'un geste* (syn. GRÂCE). *L'élégance du style* (syn. AISANCE). *Il a eu l'élégance de ne pas paraître remarquer mon erreur* (syn. COURTOISIE, DÉLICATESSE, POLITESSE). ◆ **inélégant, e** adj. Se dit surtout d'une façon de faire qui manque de courtoisie, qui est contraire aux bienséances : *Ce rappel à l'ordre est inélégant* (syn. DISCOURTOIS). ◆ **inélégance** n. f.

ÉLÉGIE [eleʒi] n. f. (du gr. *elegos*, chant de deuil). **1.** Petit poème lyrique, généralement mélancolique ou triste : *Les élégies de Chénier.* — **2.** *Mus.* Composition instrumentale, de caractère triste : *Élégies de Fauré.* ◆ **élégiaque** adj.

ELEIS n. m. ⟶ ELÆIS.

ELEKTROSTAL', v. de l'U. R. S. S. (Russie), à l'E. de Moscou; 123 100 hab. Métallurgie et constructions mécaniques.

ÉLÉMENT [elemɑ̃] n. m. (lat. *elementum*). **1.** Chaque obje chaque chose concourant avec d'autres à la formation d'u ensemble : *Les éléments d'un mélange* (syn. COMPOSANT). *L'e quête n'a apporté aucun élément nouveau au dossier* (syn. DONNÉE — **2.** *Chim.* Corps simple considéré comme indécomposable : *L classification des éléments par Mendeleïev* (⟶ CHIMIE); princip commun aux diverses variétés d'un corps simple : *L'oxygène O_2 l'ozone O_3 sont formés du même élément oxygène.* — **3.** Mat *Élément d'un ensemble*, chacun des composants de cet ensembl (⟶ ENSEMBLE 3.) ‖ *Élément neutre*, pour une loi* de compositio interne, notée ✱, sur un ensemble E, élément *e* de E tel que, pou tout élément *x* de E, $x * e = e * x = x$. ⟶ ENCYCL. — **4.** Personn appartenant à un groupe : *Il est le meilleur élément de sa class* — **5.** Milieu dans lequel vit un être, dans lequel il exerce so activité : *Les animaux qui vivent dans l'élément liquide* (= l'eau *Ne pas se sentir dans son élément* (= être gêné par des habitude qui ne sont pas les siennes). ◆ n. m. pl. **1.** Notions de base *Connaître quelques éléments de droit international* (syn. RUD MENTS). — **2.** *Les quatre éléments*, l'air, le feu, la terre et l'eau, le quatre seuls « éléments » admis par les Anciens, et que l'o appelle encore ainsi en poésie et dans le langage usuel lorsqu'o veut désigner les conditions de saison, de climat, de températur d'atmosphère : *L'élément liquide.* — **3.** L'ensemble des force naturelles : *Un navire qui lutte contre les éléments* (syn. TEMPÊTE ◆ **élémentaire** adj. **1.** Se dit de ce qui est extrêmement simpl facile à comprendre : *Avoir des notions élémentaires de chim* (= des rudiments). ‖ *Cours élémentaires* ⟶ COURS 4. — **2.** Se d de ce qui est essentiel, de ce qui sert de base à un ensemble : *I manque de la plus élémentaire politesse* (syn. PRIMORDIAL). — **3.** S dit de ce qui concerne les éléments constituant un ensemble *Décomposer un corps en particules élémentaires.*

— ENCYCL. *Exemples d'éléments neutres :* 0 est élément neutre pou l'addition dans l'ensemble $\mathbb{N}$ des entiers naturels; 1 est élémen neutre pour la multiplication dans l'ensemble $\mathbb{Z}$ des entiers rela tifs; ∅ (ensemble vide) est élément neutre pour l'opération réunio dans l'ensemble $\mathscr{P}$ (E) des parties d'un ensemble E. (⟶ PARTIE 1.

ÉLÉONORE D'AQUITAINE ⟶ ALIÉNOR D'AQUITAINE.

ÉLÉPHANT [elefɑ̃] n. m. (gr. *elephas, -antos*). **1.** Mammifèr caractérisé par sa grande taille, son nez développé en trompe e ses incisives supérieures développées en défenses. (Ordre de ongulés.) ⟶ ENCYCL. — **2.** *Éléphant de mer*, phoque à trompe de îles Kerguelen. ◆ **éléphanteau** n. m. Jeune éléphant. ◆ **éléphantesque** adj. *Fam.* Énorme.

— ENCYCL. L'*éléphant d'Afrique* peut atteindre 3,70 m de hauteur peser 7 t et vivre cent vingt ans; ses oreilles sont immenses, s trompe se termine par une pince. L'*éléphant d'Asie* ne dépasse pa 3 m et un poids de 4 t.

Les deux espèces vivent dans la forêt et la savane et se nourris sent uniquement d'herbes et de feuilles. Les éléphants von l'amble (= se déplacent en levant en même temps les deux jambe du même côté).

ÉLÉPHANTIASIS [elefɑ̃tjazis] n. m. (du gr. *elephas, -antos*, éléphant). Maladie parasitaire de l'homme, qui rend la peau rugueuse comme celle de l'éléphant et qui produit un gonflemen monstrueux des tissus.

ÉLEUSIS, v. de Grèce, en Attique, sur le *golfe d'Éleusis*, au N.-O. d'Athènes; 12 700 hab.

L'initiation aux « mystères » (= rites religieux magiques) devin le culte essentiel d'Éleusis et exerça une grande influence sur la vie spirituelle de la Grèce antique, puis du monde romain. De fouilles ont mis au jour le temple où l'on célébrait les mystères.

ÉLEVAGE n. m. ⟶ ÉLEVER 3.

ÉLÉVATEUR, TRICE adj. et n. m., **ÉLÉVATION** n. f. → ÉLEVER 1.

ÉLÈVE [elɛv] n. (de *élever*). **1.** Celui, celle qui reçoit les leçons d'un maître, qui fréquente un établissement d'enseignement. — **2.** Celui, celle qui a été formé par l'exemple, par les conseils de quelqu'un : *Platon, l'élève de Socrate* (syn. DISCIPLE). — **3.** Candidat à une fonction ou à un grade : *Élève officier* (= militaire qui suit des cours pour devenir officier).

ÉLEVÉ, E adj. ⟶ ÉLEVER 1 et 2.

1. ÉLEVER [elve] v. t. (lat. *ex-*, préf. à valeur intensive, et *lever*). [Conj. **9.**] **1.** *Élever une chose, une personne*, les porter plus haut, les mettre à un niveau, à un rang supérieur : *Élever le niveau de vie de la population* (syn. HAUSSER). *Élever le prix des denrées* (syn. AUGMENTER; contr. DIMINUER). *On l'a élevé à la dignité de commandeur de la Légion d'honneur* (syn. PROMOUVOIR). — **2.** *Élever une maison, un monument*, etc., les construire, les dresser. — **3.** *Élever une critique, une contestation, une protestation*, etc., les formuler, les opposer. ‖ *Élever le ton*, parler sur un ton menaçant. ‖ *Élever la voix*, prendre la parole, parler avec assurance. ◆ ***s'élever*** v. pr. **1.** (sujet nom de personne ou de chose) Se porter à un niveau plus élevé, prendre ou avoir de la hauteur, de l'importance : *Un oiseau qui s'élève dans le ciel* (syn. MONTER). *La facture s'élève à mille francs* (syn. SE MONTER). — **2.** (sujet nom désignant la voix, des cris, une plainte, etc.) Être poussé par quelqu'un. — **3.** (sujet nom de personne) *S'élever contre qqch., contre qq'un*, s'opposer vigoureusement à cette chose, à cette personne (syn. SE DRESSER CONTRE, PROTESTER). ◆ **élevé, e** adj. **1.** Se dit d'une chose qui atteint une hauteur considérable, une grande importance : *Arbre élevé. L'armée a subi des pertes élevées.* — **2.** Se dit d'une œuvre, de l'attitude d'une personne qui a de la grandeur morale, de la noblesse de sentiments : *Des livres d'une inspiration élevée.* ◆ **élévateur, trice** adj. : *Un appareil élévateur de grain.* ◆ n. m. Appareil destiné à élever des charges ou des matériaux à un niveau supérieur. ◆ **élévation** n. f. **1.** *L'élévation du barrage a demandé deux ans* (syn. CONSTRUCTION). *Une élévation de la température, du niveau des prix* (syn. HAUSSE; contr. BAISSE). *Élévation de voix* (syn. ÉCLAT, HAUSSEMENT). — **2.** À la messe, geste du prêtre qui élève l'hostie et le calice; moment où le prêtre accomplit ce geste, aussitôt après les paroles de consécration.

2. ÉLEVER [elve] v. t. (même étym.). [Conj. **9.**] **1.** *Élever des enfants*, assurer leur développement physique, intellectuel, moral (syn. ÉDUQUER, FORMER). — **2.** (sujet nom de personne) *Être élevé*, atteindre l'âge adulte : *Tous ses enfants sont élevés à présent.* ◆ **élevé, e** adj. *Bien élevé, mal élevé*, se dit d'une personne (ou de son comportement) qui a une bonne, une mauvaise éducation (syn. CORRECT, POLI; contr. IMPOLI, INCORRECT).

3. ÉLEVER [elve] v. t. (même étym.). [Conj. **9.**] *Élever des animaux*, assurer leur développement physique, les faire prospérer : *Une région où on élève beaucoup de moutons.* ◆ **élevage** n. m. Production et entretien des animaux domestiques : *Un fermier qui fait l'élevage des poulets.* ‖ *Élevage extensif*, élevage qui se pratique sur d'immenses étendues avec peu de main-d'œuvre. ‖ *Élevage intensif*, élevage caractérisé par la grande densité de bétail. ◆ **éleveur, euse** n. Personne qui pratique l'élevage.

ELFE [ɛlf] n. m. (angl. *elf*). Dans la mythologie scandinave, génie symbolisant les forces de l'air, du feu, de la terre.

ÉLIDE, pays de la Grèce anc., sur la côte ouest du Péloponnèse. V. pr. *Olympie*.

ÉLIDER [elide] v. t. (lat. *elidere*, expulser). **1.** *Élider un mot*, supprimer sa voyelle finale dans la prononciation ou l'écriture, ou dans les deux à la fois, devant la voyelle initiale du mot suivant ou devant un *h* muet : *On élide le « e » de « me » dans la phrase « il m'aperçoit ».* — **2.** *Article élidé*, l'article défini *l'* (*le* ou *la*). ◆ **élision** n. f. Phénomène par lequel une voyelle finale s'élide : *L'élision du « i » de « si » dans « s'il venait ».*

ÉLIE, prophète juif (IXe s. av. J.-C.).

ÉLIGIBILITÉ n. f., **ÉLIGIBLE** adj. ⟶ ÉLIRE.

ÉLIMÉ, E [elime] adj. (du lat. *ex-*, préf. à valeur intensive, et *limé*). Se dit d'un tissu usé, aminci par le frottement : *Vêtements élimés* (syn. RÂPÉ).

ÉLIMINER [elimine] v. t. (lat. *eliminare*, faire sortir). *Éliminer qq'un, qqch.*, l'écarter, l'ôter d'un groupe, d'un organisme : *Éliminer une hypothèse* (syn. LAISSER DE CÔTÉ, REJETER). *Éliminer un candidat* (syn. REFUSER; fam. RÉCALER). *Éliminer des substances toxiques* (syn. ÉVACUER). ◆ **éliminateur, trice** n. ◆ **élimination** n. f. : *L'élimination d'un candidat. Les organes d'élimination.* ◆ **éliminatoire** adj. Se dit de ce qui aboutit à éliminer : *Une épreuve éliminatoire.* ◆ n. f. Épreuve sportive préalable visant à éliminer les candidats les moins bons.

ÉLINGUE [elɛ̃g] n. f. (frq. *slinga*). Câble servant à accrocher un objet pour l'élever au moyen d'une grue, d'un pont roulant, d'un palan. ◆ **élinguer** v. t. Entourer un objet avec une élingue.

ELIOT (Mary Ann EVANS, dite **George**), romancière anglaise (1819-1880). Ses récits peignent avec réalisme la vie rurale et provinciale anglaise.

ELIOT (Thomas Stearns), écrivain anglais d'origine américaine (1888-1965), auteur d'essais, de poèmes et de pièces de théâtre, dont une tragédie lyrique : *Meurtre dans la cathédrale* (1935).

ÉLIRE [elir] v. t. (lat. *eligere*). [Conj. **73.**] **1.** *Élire un président, un député, un conseiller municipal*, etc., le nommer, le désigner par voie de suffrage. — **2.** *Élire domicile quelque part*, y choisir sa résidence. ◆ **élu, e** n. **1.** Personne désignée par élection. — **2.** Dans la langue religieuse, celui, celle que Dieu appelle à la béatitude éternelle (s'emploie surtout au plur.). — **3.** *L'élu de son cœur*, celui qu'elle aime (littér. ou ironiq.). ◆ **électeur, trice** n. **1.** Personne qui est admise à participer à une élection. — **2.** Prince ou évêque appelé à participer à l'élection de l'Empereur dans le Saint Empire romain germanique (prend une majusc.) : *L'Électeur de Saxe.* ‖ *Grand Électeur*, titre de Frédéric-Guillaume, Électeur de Brandebourg. ◆ **électif, ive** adj. **1.** Se dit d'une personne nommée à une fonction par voie d'élection. — **2.** Se dit d'une fonction attribuée à quelqu'un par élection. — **3.** *Affinités électives*, lien existant entre deux personnes que l'accord profond des caractères, des goûts pousse l'une vers l'autre. ◆ **électivement** adv. : *Un doyen désigné électivement.* ◆ **électivité** n. f. Qualité d'une personne ou d'une chose désignée par élection : *L'électivité d'un magistrat.* ◆ **élection** n. f. **1.** Nomination par voie de suffrage d'une personne à telle ou telle fonction : *L'élection du responsable s'est faite à main levée* (syn. DÉSIGNATION, NOMINATION). — **2.** Nomination, par les électeurs, de la personne qu'ils veulent choisir pour les diriger, les représenter : *Les élections en France.* ⟶ ENCYCL. ‖ *Pays d'élections*, subdivisions inférieures des finances extraordinaires dans l'anc. France (par oppos. aux *pays d'états*). — LOC. ADJ. *D'élection*, qui est l'objet d'une préférence : *Terre d'élection.* ◆ **électoral, e, aux** adj. Qui a rapport aux élections : *Réunion électorale.* ‖ *Liste électorale* ⟶ ENCYCL. ◆ **électoralisme** n. m. Intervention de considérations purement électorales dans la politique d'un parti. ◆ **électoraliste** adj. Qui s'inspire de considérations purement électorales : *Préoccupations électoralistes* (= qui n'ont en vue que la tactique pour aboutir à un succès aux élections). ◆ **électorat** n. m. **1.** Droit d'être électeur. — **2.** Ensemble des électeurs d'un pays, d'un parti. — **3.** Dignité des princes ou évêques électeurs chargés de nommer l'Empereur, dans le Saint Empire romain germanique; pays soumis à la juridiction d'un Électeur : *L'électorat de Saxe.* ◆ **éligible** adj. Se dit d'une personne qui est dans les conditions légales requises pour être élue. ◆ **inéligible** adj. Qui n'a pas les qualités requises pour être élu à une fonction publique. ◆ **rééligible** adj. : *Selon les statuts, le président sortant n'est pas rééligible.* ◆ **éligibilité** n. f. : *Un candidat qui satisfait à toutes les conditions d'éligibilité.* ◆ **inéligibilité** n. f. ◆ **réélire** v. t. : *Depuis vingt ans, il est régulièrement réélu maire de sa commune.* ◆ **réélection** n. f. : *La réélection du candidat sortant est assurée.* ◆ **rééligibilité** n. f.

— ENCYCL. *Pour être électeur*, il faut : être français ou de nationalité française depuis plus de cinq ans; avoir dix-huit ans; jouir de ses droits civils et politiques (= n'avoir pas subi certaines condamnations); être inscrit sur la *liste électorale* de son domicile.

Pour pouvoir être élu (= éligible), il faut : être français; avoir au moins vingt et un ans pour appartenir au conseil* municipal et au conseil* général, vingt-trois ans pour l'Assemblée* nationale et trente-cinq ans pour le Sénat*; figurer sur la liste électorale; jouir de ses droits civils et politiques.

La *liste électorale* réunit les noms de tous les électeurs d'une commune. Elle est remise à jour chaque année (les demandes d'inscription sont faites du 1er sept. au 31 déc.). La participation à la vie et à l'administration de sa localité dépend de cette inscription et constitue la première démarche civique.

■ *Les modes de scrutin.* Lorsque tous les électeurs participent eux-mêmes à une élection, on dit qu'elle se fait au *suffrage universel direct*. On désigne ainsi les conseillers municipaux (⟶ COMMUNE), les conseillers généraux (⟶ CANTON), les conseillers régionaux (⟶ RÉGION), les députés de l'Assemblée nationale et le président de la République. Ce sont des élections « à un seul degré ».

Les sénateurs sont désignés au *suffrage indirect*, c'est-à-dire par le vote de représentants élus eux-mêmes par les citoyens (= élections « à plusieurs degrés »).

Le *scrutin de liste* permet de désigner plusieurs candidats inscrits sur le même bulletin (aux élections municipales, aux élections législatives et régionales en 1986), par opposition au *scrutin uninominal* où chaque bulletin ne porte qu'un seul nom (élections des conseillers généraux, des députés de l'Assemblée nationale, du président de la République).

■ *L'élection.* Il y a élection à la *majorité simple* (ou *relative*) lorsque est proclamé élu le candidat (ou la liste de candidats) qui a obtenu le plus de voix : c'est le *scrutin majoritaire à un tour.* Lorsque aucun candidat (ou liste de candidats) n'a obtenu au premier tour la *majorité absolue*, c'est-à-dire si aucun n'a réuni la moitié des suffrages exprimés plus un, il faut procéder, le dimanche suivant (ou en quinze), à un deuxième tour de scrutin où la majorité relative suffit (= simplement le plus grand nombre de voix) [*scrutin majoritaire à deux tours*]. Il y a élection à la *proportionnelle* lorsque le nombre des sièges attribués est fonction des voix recueillies par une liste (ainsi pour les élections législatives et régionales en 1986).

■ *Le déroulement des élections.* Elles se font un dimanche dans le bureau de vote indiqué sur la carte d'électeur. En cas de ballottage*, on recommence le dimanche suivant (ou en quinze). L'électeur doit aller voter muni de sa carte d'électeur, et pouvoir justifier de son identité. Dans certaines circonstances (maladie notamment) le vote par procuration est possible.

Le *dépouillement* consiste à totaliser le nombre de voix apportées à chaque candidat (ou à chaque liste); il est public.

Le conseil municipal d'une commune est élu au cours des *élections municipales* ou communales; pour le conseil général d'un département, il s'agit des *élections cantonales* (un conseiller général par canton); pour le conseil régional d'une Région, il s'agit des *élections régionales;* la désignation des députés de l'Assemblée nationale se fait par les *élections législatives.*

ÉLISABETH *(sainte)*, parente de la Vierge, femme de Zacharie et mère de Jean-Baptiste.

ÉLISABETH Ire (1533-1603), reine d'Angleterre et d'Irlande, fille d'Henri VIII et d'Anne Boleyn.

• *1558. Élisabeth succède à Marie Tudor, sa demi-sœur.*

Habile et autoritaire, elle affermit avec l'aide de William Cecil, secrétaire d'État, un pouvoir qu'elle exerce d'une façon quasi absolue, tout en respectant les traditions. Dès le début de son règne, elle rétablit définitivement l'anglicanisme en Angleterre.

• *1559. Par l'acte de Suprématie et l'acte d'Uniformité, la reine devient le chef suprême de l'Église.*
• *1563. La promulgation des Trente-Neuf Articles fixe la doctrine de l'Église anglicane.*

La politique religieuse d'Élisabeth oriente sa politique européenne vers le clan protestant.

• *1568. Après être intervenue en Écosse en faveur de la noblesse calviniste, elle obtient la déposition de la reine Marie Stuart qui contestait sa légitimité, et la fait emprisonner.*
• *1584. La première colonie anglaise, la Virginie, est fondée.*
• *1587. Marie Stuart est exécutée.*

La même année est déclarée la guerre entre l'Espagne catholique de Philippe II et l'Angleterre.

• *1588. Les Anglais détruisent l'Invincible Armada espagnole.*

Sous le règne d'Élisabeth, l'Angleterre devient une grande puissance, les finances sont restaurées, l'essor du commerce colonial et les progrès de la bourgeoisie sont favorisés. Les premières bases de l'Empire britannique sont jetées. La reine, intelligente et cultivée, favorise les lettres et les arts (William Shakespeare).

ÉLISABETH II, née en 1926, reine de Grande-Bretagne depuis 1952, fille et successeur de George VI. Elle épousa en 1947 Philippe, duc d'Édimbourg.

ÉLISABETH (1741-1762), impératrice de Russie, née en 1709, fille de Pierre le Grand et de Catherine Ire. Elle poursuivit la politique de réformes entreprise par Pierre le Grand et encouragea l'activité intellectuelle et artistique. Sa politique extérieure fut marquée par l'alliance avec l'Autriche, puis avec la France contre la Prusse et la Suède.

ÉLISABETH D'AUTRICHE (1554-1592), reine de France, fille de l'empereur Maximilien II. Elle épousa Charles IX en 1570.

ÉLISABETH FARNÈSE (1692-1766), reine d'Espagne, fille du duc de Parme, Édouard II. Elle épousa (1714) Philippe V d'Espagne, sur qui elle prit un grand ascendant.

ÉLISABETH DE FRANCE (1602-1644), reine d'Espagne, fille d'Henri IV et de Marie de Médicis. Elle épousa le futur Philippe IV et fut la mère de Marie-Thérèse, femme de Louis XIV.

ÉLISABÉTHAIN, E [elizabɛtɛ̃, -ɛn] adj. Relatif à Élisabeth Ire d'Angleterre, à son temps : *Théâtre, style élisabéthain.*

ÉLISABETHVILLE ⟶ LUBUMBASHI.

ÉLISÉE, prophète juif (IXe s. av. J.-C.).

ÉLISION n. f. ⟶ ÉLIDER.

ÉLITE [elit] n. f. (de *élire*). **1.** Petit groupe considéré comme ce qu'il y a de meilleur dans un ensemble de personnes : *Cette pièce ne peut être appréciée que d'une élite de gens cultivés* (contr. MASSE). — **2.** *D'élite,* se dit d'une personne qu'on peut classer parmi les meilleurs : *Un sujet d'élite.*

ÉLIXIR [eliksir] n. m. (ar. *al iksîr*). Médicament ou liqueur d'un degré élevé d'alcool auquel on accordait parfois des propriétés magiques.

ELIZABETH, port des États-Unis (New Jersey), au S.-O. de New York; 107 700 hab.

ELLE pron. pers. ⟶ IL.

ELLICE → TUVALU *(îles).*

ELLINGTON (Edward KENNEDY, dit **Duke**), pianiste, compositeur et chef d'orchestre de jazz noir américain (1899-1974).

1. ELLIPSE [elips] n. f. (lat. *ellipsis,* suppression d'un mot). *Gramm.* Fait de syntaxe consistant à ne pas exprimer un ou plusieurs éléments de la phrase qui pourraient l'être : *Dans la phrase « je fais mon travail et lui le sien », il y a une ellipse du verbe « fait ».* ◆ **elliptique** adj. **1.** Se dit d'une expression, d'une phrase qui contient une ellipse : *Une proposition subordonnée elliptique.* — **2.** Se dit d'une phrase dont une partie du sens doit être devinée : *Des allusions très elliptiques.* ◆ **elliptiquement** adv.

2. ELLIPSE [elips] n. f. (gr. *elleipsis,* manque). *Math.* Courbe plane fermée, dont chaque point est tel que la somme de ses distances à deux points fixes, appelés *foyers,* est constante : *Un cercle aplati en ellipse.* ◆ **elliptique** adj. : *Un cadre de forme elliptique* (syn. OVALE). ◆ **ellipsoïdal, e, aux** adj. Se dit d'une courbe ou d'une surface qui s'approche d'une ellipse.

ELNE, ch.-l. de cant. des Pyrénées-Orientales, à 14 km au S.-E. de Perpignan ; 6 000 hab. *(Illibériens).* Anc. cathédrale des XIe-XVe s. Le cloître (XIIe-XIVe s.) constitue l'un des plus beaux ensembles de sculpture romane du Roussillon.

ÉLOCUTION [elɔkysjɔ̃] n. f. (lat. *elocutio*). Manière de s'exprimer oralement, d'articuler les mots (syn. DICTION).

ÉLODÉE ou **HÉLODÉE** [elɔde] n. f. (gr. *helôdês,* des marécages). Petite plante d'eau douce originaire du Canada, utilisée pour l'expérimentation en physiologie végétale.

ÉLOGE [elɔʒ] n. m. (lat. *elogium*). Paroles ou écrit qui vantent les mérites, les qualités de quelqu'un ou de quelque chose (syn. ↑DITHYRAMBE, LOUANGE). || *Éloge funèbre,* discours prononcé au cours de la cérémonie des funérailles et louant les vertus du défunt. ◆ **élogieux, euse** adj. Se dit d'une personne qui décerne des éloges, ou de ses paroles, de ses appréciations : *Un discours élogieux* (syn. FLATTEUR; contr. DÉFAVORABLE). ◆ **élogieusement** adv. : *Il a parlé de toi fort élogieusement.*

ÉLOI *(saint),* évêque de Noyon (v. 588-660). Orfèvre, il devint trésorier de Dagobert. On lui attribue de nombreuses œuvres d'art (châsse-reliquaire de Saint-Martin de Tours).

ÉLOIGNER [elwaɲe] v. t. (du lat. *ex-,* préf. à valeur intensive, et *loin*). *Éloigner qqch., qq'un,* le mettre plus loin dans l'espace ou dans le temps : *Ce détour nous éloigne de notre but* (syn. ÉCARTER; contr. RAPPROCHER). *Éloigner les importuns* (syn. REPOUSSER). *Éloigner de quelqu'un les soupçons* (syn. DÉTOURNER). *Éloigner une échéance* (syn. REPORTER, RETARDER). *Éloigner ses visites* (syn. ESPACER). ◆ ***s'éloigner*** v. pr. Accroître la distance, le désaccord entre soi et une chose ou une personne : *Il s'éloigna pendant quelque temps de sa famille* (= il la quitta). *Un orateur qui s'éloigne de son sujet* (syn. S'ÉCARTER). ◆ **éloigné, e** adj. **1.** Se dit de ce qui est loin dans l'espace ou dans le temps : *Une province éloignée* (syn. RECULÉ). *Un avenir éloigné* (syn. LOINTAIN; contr. PROCHE). — **2.** *Parent éloigné,* qui a des liens de parenté lâches ou indirects (contr. PROCHE PARENT). — **3.** *Être éloigné de,* avoir une position intellectuelle ou morale très différente de, ne pas être porté à : *Je suis très éloigné de cette conception.* ◆ **éloignement** n. m. *L'éloignement faisait paraître la maison minuscule* (syn. DISTANCE). *Dans cet éloignement de tous, sa solitude lui pesait* (syn. OUBLI).

ÉLONGATION [elɔ̃gasjɔ̃] n. f. (du lat. *ex-,* préf. à valeur intensive, et *long*). *Méd.* Augmentation accidentelle et douloureuse de la longueur d'un muscle ou d'un nerf.

ÉLOQUENT, E [elɔkɑ̃, -ɑ̃t] adj. (du lat. *eloqui,* énoncer). **1.** Se dit de quelqu'un (ou de son comportement) qui a l'art de convaincre par la parole : *Un plaidoyer éloquent* (syn. PERSUASIF). — **2.** Se dit de ce qui est expressif, significatif : *La comparaison des résultats est éloquente* (syn. PARLANT). ◆ **éloquence** n. f. **1.** Talent d'une personne éloquente. — **2.** Caractère expressif de quelque chose. ◆ **éloquemment** [elɔkamɑ̃] adv.

EL PASO, v. du sud des États-Unis (Texas), à la frontière du Mexique, sur le río Grande del Norte (r. g.); 322 300 hab.

ELSENEUR, en danois **Helsingør,** port du Danemark, sur le Sund; 52 800 hab. Château de Kronborg, où Shakespeare situa l'action de sa tragédie *Hamlet.*

ELTSINE (Boris Nikolaïevitch), homme d'État russe, né en 1931. Déjà président du Soviet suprême de Russie (1990), il est élu à la présidence de la république de Russie en 1991 et s'oppose aux putschistes qui, en août, tentent de renverser Gorbatchev. Il participe à la dissolution de l'U. R. S. S. (déc. 1991) et essaie de donner à la Russie le rôle international jusque-là dévolu à l'Union soviétique.

ÉLU, E n. ⟶ ÉLIRE.

ELUARD (Eugène GRINDEL, dit **Paul**), poète français (1895-1952). Il participe au mouvement dada*, puis est, avec André Breton, un membre actif du groupe surréaliste*.

Il aborde les thèmes de l'amour, de la révolte et du rêve avec un accent pathétique dans *Capitale de la douleur* (1926), *les Yeux fertiles* (1936), *Donner à voir* (1939).

Rompant avec les surréalistes en 1938, il adhère au parti communiste et devient, sous l'occupation allemande, l'un des grands poètes de la Résistance (*Poésie et Vérité,* 1942, où figure le fameux poème *Liberté; Au rendez-vous allemand,* 1944). La guerre finie, il continue à exprimer ses convictions sociales et politiques (*Poésie ininterrompue,* 1946), avant de revenir à un lyrisme plus traditionnel (*Derniers Poèmes d'amour,* publiés en 1963).

ÉLUCIDER [elyside] v. t. (du lat. *lucidus,* clair). *Élucider une question, une difficulté,* etc., en débrouiller la complexité, la tirer au clair. ◆ **élucidation** n. f. : *Une découverte qui a permis l'élucidation du mystère* (syn. EXPLICATION).

ÉLUCUBRATION [elykybrasjɔ̃] n. f. (du lat. *elucubrare*, travailler avec soin à). Résultat de recherches laborieuses et souvent dépourvues de bon sens : *Sa théorie n'est qu'une élucubration* (syn. DIVAGATION, EXTRAVAGANCE).

ÉLUDER [elyde] v. t. (lat. *eludere*, se jouer de). *Éluder une difficulté, un problème*, etc., agir adroitement de façon à ne pas avoir à les résoudre (contr. AFFRONTER). ◆ **élusif, ive** adj. Qui élude, qui détourne habilement : *Une réponse élusive.*

ÉLUVION [elyvjɔ̃] n. f. ou **ÉLUVIUM** [elyvjɔm] n. m. (du lat. *luere*, laver). Ensemble de fragments de roche désagrégée restés sur place, ou ayant subi un très faible transport, par oppos. aux ALLUVIONS, qui ont été transportées sur de grandes distances. ◆ **éluvial, e, aux** adj.

ÉLYSÉE [elize] n. m. (gr. *êlusion*). Pour les Grecs, lieu de délices où séjournaient, après la mort, les âmes des héros et des hommes vertueux. (S'écrit avec une majusc.) ◆ **élyséen, enne** adj. Relatif à l'Élysée.

Élysée *(palais de l')*, résidence construite à Paris en 1718. La IIe République en fit la demeure du président de la République.

ÉLYTRE [elitr] n. m. (gr. *elutron*, étui). Aile antérieure, imprégnée de chitine*, de certains insectes (coléoptères, orthoptères), protégeant au repos l'aile postérieure membraneuse, propre au vol.

ELZÉVIR, ELZEVIER ou **ELSEVIER,** famille d'imprimeurs et de libraires hollandais établis à Leyde, à La Haye et à Copenhague au XVIe et au XVIIe s.

ÉMACIÉ, E [emasje] adj. (du lat. *emaciare*, rendre maigre). *Visage émacié, personne émaciée*, visage, personne très maigre.

ÉMAIL [emaj] n. m. (frq. *smalt*). **1.** Vernis rendu très dur et inaltérable par l'action de la chaleur, et dont on recouvre certaines matières : *Une baignoire en fonte revêtue d'émail blanc.* — **2.** Substance dure et blanche, riche en sels, qui, chez l'homme et divers animaux, recouvre la couronne des dents. — **3.** Nom des couleurs du blason. (On distingue dans les émaux les métaux, les couleurs et les fourrures.) ◆ **émaux** n. m. pl. Bibelots, objets d'art recouverts d'émail. ◆ **émailler** v. t. **1.** Revêtir d'émail : *Un vase en terre cuite émaillée.* — **2.** Parsemer (un écrit, un discours) : *Émailler un texte de citations.* ◆ **émaillage** n. m.

ÉMANATION n. f. → ÉMANER.

ÉMANCIPER [emɑ̃sipe] v. t. (lat. *emancipare*). **1.** Dr. *Émanciper un mineur*, le libérer de l'autorité de son père ou de son tuteur, le mettre en état d'effectuer certains actes juridiques. — **2.** *Émanciper qq'un, un peuple*, l'affranchir d'une autorité, l'amener à l'indépendance. ◆ ***s'émanciper*** v. pr. (sujet nom de personne). S'affranchir des contraintes sociales ou morales, acquérir une vie indépendante. ◆ **émancipé, e** adj. **1.** Qui a été légalement affranchi d'une tutelle : *Un mineur émancipé.* — **2.** *Fam.* Qui a trop de liberté dans ses manières, qui manque de retenue : *Un garçon qui a l'air bien émancipé* (syn. DÉSINVOLTE). ◆ **émancipateur, trice** adj. : *Mouvement émancipateur.* ◆ **émancipation** n. f. **1.** Acte par lequel un mineur est libéré de l'autorité de son père ou de son tuteur, devenant ainsi responsable de ses actes et pouvant gérer ses biens : *L'émancipation est aujourd'hui possible à partir de seize ans.* — **2.** *L'émancipation de la femme* (= la conquête de son autonomie sur le plan juridique, social, politique, etc.).

ÉMANER [emane] v. i. (lat. *emanare*, couler de). **1.** (sujet nom désignant l'odeur, la lumière) *Émaner d'un corps*, s'en dégager, s'en exhaler. — **2.** (sujet nom de chose) Provenir, tirer son origine de : *En démocratie, le pouvoir émane du peuple* (syn. PROCÉDER, VENIR). ◆ **émanation** n. f. : *Sentir des émanations de gaz* (syn. ODEUR). *Une politique qui apparaît comme l'émanation de la volonté populaire* (syn. MANIFESTATION).

ÉMARGER [emarʒe] v. t. et i. (de *marge*). **1.** Apposer sa signature ou son parafe en marge d'un écrit pour attester qu'on en a eu connaissance : *Émarger un document.* — **2.** *Émarger à un budget*, toucher un traitement correspondant à une fonction dans une administration, une entreprise.

ÉMASCULER [emaskyle] v. t. (du lat. *ex-*, préf. à valeur priv., et *masculus*, mâle). **1.** *Émasculer un animal, un homme*, le priver des organes du sexe masculin (syn. usuel CASTRER, CHÂTRER). — **2.** *Émasculer une œuvre, un projet*, etc., supprimer ce qui lui donnait de la force, de la vigueur. ◆ **émasculation** n. f.

ÉMAUX n. m. pl. → ÉMAIL.

EMBA, fl. de l'U. R. S. S. (Kazakhstan), tributaire de la mer Caspienne; 600 km. — Le *bassin de l'Emba* est le nom d'une région pétrolifère située au N. de la mer Caspienne.

EMBÂCLE [ɑ̃bɑkl] n. m. (de l'anc. fr. *embâcler*, embarrasser). Amoncellement de glaçons dans un cours d'eau, pouvant former des barrages de glace et provoquer de graves inondations.

1. EMBALLER [ɑ̃bale] v. t. (de *en-*, et *balle*). *Emballer un objet*, le mettre dans une caisse, un carton, l'entourer de papier, de tissu, etc., pour le vendre, le transporter, le ranger : *Emballer des livres* (contr. DÉBALLER). *Emballer des vêtements* (syn. EMPAQUETER). ◆ **emballage** n. m. **1.** Action d'emballer : *L'emballage de la marchandise* (contr. DÉBALLAGE). — **2.** Tout ce qui sert à emballer (papier, carton, caisse, fibre, etc.) : *Brûler les emballages.* ‖ *Emballage perdu*, emballage conçu pour ne servir commercialement qu'une seule fois. ◆ **emballeur, euse** n. ◆ **remballer** v. t. *Remballer des marchandises*, les remettre dans des caisses, dans des emballages. ◆ **remballage** n. m. : *Le remballage des légumes.*

2. EMBALLER [ɑ̃bale] v. t. (même étym.). **1.** *Emballer un moteur*, le faire tourner trop vite. — **2.** (sujet nom de chose) Fam. *Emballer qq'un*, le remplir d'enthousiasme (souvent au passif) : *Je ne suis pas emballé par ce projet* (syn. ENTHOUSIASMER). ◆ ***s'emballer*** v. pr. **1.** (sujet nom désignant un cheval, un moteur) Partir à une allure excessive. — **2.** (sujet nom de personne) Céder à un emportement soudain ou à un enthousiasme excessif. ◆ **emballement** n. m. : *Un homme sujet à des emballements soudains* (syn. ENTHOUSIASME).

EMBARCADÈRE n. m. → EMBARQUER.

EMBARCATION [ɑ̃barkasjɔ̃] n. f. (esp. *embarcación*). Terme collectif désignant tous les petits bateaux.

EMBARDÉE [ɑ̃barde] n. f. (du prov. *embardá*, embourber). Écart brusque fait par un véhicule : *La voiture a fait une embardée pour éviter un cycliste.*

EMBARGO [ɑ̃bargo] n. m. (mot esp. signif. *séquestre*). **1.** Défense faite momentanément à un ou plusieurs navires de quitter un port. — **2.** Mesure tendant à empêcher la libre circulation, l'exportation d'un objet, d'une marchandise : *Gouvernement qui met l'embargo sur certains produits agricoles.*

EMBARQUER [ɑ̃barke] v. t. (de *en-*, et *barque*). **1.** *Embarquer qq'un, qqch.*, le faire monter, le prendre à bord d'un bateau ou d'un véhicule quelconque (contr. DÉBARQUER). — **2.** Fam. *Embarquer du matériel, un objet*, l'emporter avec soi. — **3.** Fam. *Embarquer qq'un dans une affaire*, l'y engager. — **4.** *Affaire bien, mal embarquée*, qui commence bien, mal. ◆ v. i. **1.** (sujet nom de personne) Monter à bord d'un bateau. — **2.** (sujet nom de bateau) Recevoir par-dessus le bord de fortes lames. ◆ ***s'embarquer*** v. pr. **1.** (sujet nom de personne) Monter à bord d'un bateau, d'un véhicule. — **2.** Fam. *S'embarquer dans une affaire*, s'y engager, l'entreprendre. ◆ **embarcadère** n. m. Lieu d'embarquement. ◆ **rembarquer** v. t. Embarquer avec idée de retour au point de départ : *Rembarquer des troupes, du matériel.* ◆ v. i. ou ***se rembarquer*** v. pr. Remonter à bord d'un bateau, d'un véhicule. ◆ **embarquement** n. m. : *Les dockers chargés de l'embarquement des caisses. Embarquement des passagers dans l'avion.* ◆ **rembarquement** n. m. : *Le rembarquement des troupes, des marchandises.*

EMBARRASSER [ɑ̃barase] v. t. (esp. *embarazar*). **1.** *Embarrasser un lieu*, y mettre des obstacles qui gênent la circulation : *Des colis qui embarrassent le couloir* (syn. ENCOMBRER, OBSTRUER). — **2.** *Embarrasser qq'un*, gêner ses mouvements : *Mon manteau m'embarrasse pour grimper;* le mettre dans un état d'hésitation, d'incertitude, lui créer des difficultés : *Une question qui embarrasse le candidat* (syn. DÉCONCERTER, TROUBLER). ◆ ***s'embarrasser*** v. pr. **1.** *S'embarrasser de paquets*, etc., en prendre et en être encombré. — **2.** *Ne pas s'embarrasser de qqch.*, ne pas s'en soucier, ne pas s'en inquiéter. ◆ **embarras** [ɑ̃bara] n. m. **1.** Obstacle constitué par une accumulation de choses : *Embarras de voitures* (syn. ENCOMBREMENT). — **2.** Situation d'une personne qui a du souci, qui est perplexe : *Une question qui plonge dans l'embarras* (syn. GÊNE). *Avoir des embarras d'argent* (syn. DIFFICULTÉ). — **3.** Obstacle qui s'oppose à l'action de quelqu'un : *Ses adversaires lui ont créé toutes sortes d'embarras* (syn. ENNUI). — **4.** Méd. *Embarras gastrique*, ensemble des troubles gastro-intestinaux consécutifs à un excès de nourriture ou à l'absorption d'aliments indigestes. — **5.** Fam. *Faire des embarras*, se donner des airs importants. ‖ *N'avoir que l'embarras du choix*, avoir abondamment de quoi choisir. ◆ **embarrassant, e** adj. : *Des bagages embarrassants* (syn. ENCOMBRANT). *Avoir à résoudre un problème embarrassant* (syn. DÉLICAT, DIFFICILE, ÉPINEUX). ◆ **embarrassé, e** adj. : *Une pièce embarrassée de meubles. Il a répondu d'un air embarrassé* (syn. GÊNÉ).

EMBARRER [ɑ̃bare] v. i. (de *en-*, et *barre*). Placer un levier sous un fardeau, afin de le soulever.

EMBASE [ɑ̃baz] n. f. (de *en-*, et *base*). **1.** Partie d'un ouvrage de menuiserie sur laquelle repose une autre pièce. — **2.** Partie d'une lame de couteau, la plus proche du manche, et qui présente un renflement.

EMBASTILLER v. t. → BASTILLE.

EMBAUCHER [ɑ̃boʃe] v. t. (de *en-*, et [*dé*]*baucher*). **1.** *Embaucher qq'un*, l'engager comme salarié, surtout en vue d'un travail matériel : *Une usine qui embauche des ouvriers.* — **2.** *Embaucher qq'un*, l'entraîner avec soi dans une entreprise : *Embaucher des amis pour organiser une fête* (syn. RECRUTER). ◆ ***s'embaucher*** v. pr. (sujet nom de personne). S'inscrire, s'enrôler en vue d'un travail dans une entreprise. ◆ **embauchage** n. m. ou **embauche** n. f. Action d'embaucher (sens 1) : *Des chômeurs qui se présentent au bureau d'embauche.*

EMBAUCHOIR [ɑ̃boʃwar] n. m. (de *emboucher*). Forme de bois ou de plastique, munie d'un ressort, que l'on introduit dans une chaussure pour la tendre.

EMBAUMEMENT n. m. → BAUME.

1. EMBAUMER v. t. → BAUME.

2. EMBAUMER [ɑ̃bome] v. t. (de *en-*, et *baume*). *Embaumer un lieu, un objet*, le remplir d'une odeur agréable : *Les fleurs embaumaient le jardin* (syn. PARFUMER). ◆ v. i. Répandre une odeur agréable : *Ce bouquet de rose embaume* (syn. SENTIR BON).

EMBAUMEUR n. m. → BAUME.

EMBELLIR v. t. et i., **EMBELLISSEMENT** n. m. → BEAU.

EMBERLIFICOTER [ɑ̃bɛrlifikɔte] v. t. (de l'anc. fr. *embirelicoquier*) [sujet nom de personne]. Fam. *Emberlificoter qq'un*, le séduire, le tromper par de belles paroles (syn. fam. EMBOBINER, ENTORTILLER). ◆ ***s'emberlificoter*** v. pr. (sujet nom de personne). *Fam.* S'embrouiller. ◆ **emberlificoteur, euse** adj. et n.

EMBÊTER [ɑ̃bɛte] v. t. (de *en-*, et *bête*). Fam. *Embêter qq'un*, lui causer de l'ennui, de la contrariété, du souci : *Il m'embête avec ses histoires de chasse* (syn. ENNUYER; fam. ASSOMMER). *Un élève qui embête ses voisins* (syn. AGACER, TAQUINER). ◆ ***s'embêter*** v. pr. (sujet nom de personne). Éprouver de l'ennui. ◆ **embêtant, e** adj. : *Un film embêtant* (syn. ENNUYEUX). *Un incident embêtant pour vous* (syn. ↓CONTRARIANT). ◆ **embêtement** n. m. *Fam.* Ce qui embête (syn. DÉSAGRÉMENT, ENNUI, SOUCI, TRACAS).

EMBIELLAGE n. m., **EMBIELLER** v. t. → BIELLE.

EMBIEZ *(île des)*, île des côtes de Provence (Var), au S. de Sanary. Centre touristique.

EMBLAVER [ɑ̃blave] v. t. (de *en-*, et l'anc. fr. *blef*, blé). *Emblaver un champ, une région*, y faire croître du blé. ◆ **emblavure** n. f. Terre ensemencée de blé (ou d'une autre plante).

EMBLÉE (D') [dɑ̃ble] loc adv. (du lat. *involare*, voler à). Du premier coup, sans rencontrer de difficulté ou d'obstacle : *Adopter d'emblée un projet* (syn. AUSSITÔT, DÈS L'ABORD, TOUT DE SUITE).

EMBLÈME [ɑ̃blɛm] n. m. (gr. *emblêma*). **1.** Figure symbolique, souvent accompagnée d'une devise : *La Ville de Paris a pour emblème un bateau surmontant une phrase latine qui signifie : « Il flotte, et ne sombre pas. »* — **2.** Objet ou être animé symbolisant une notion abstraite : *Le drapeau est l'emblème de la patrie.* ◆ **emblématique** adj. Qui présente, qui constitue un emblème.

EMBOBINER v. t. → BOBINE.

EMBOÎTER [ɑ̃bwate] v. t. (de *en-*, et *boîte*). **1.** Assembler deux objets en les faisant entrer l'un dans l'autre : *Emboîter les pièces d'un jeu de construction.* — **2.** *Emboîter le pas à qq'un*, marcher derrière lui en le suivant de près; s'engager dans la même action que lui. ◆ ***s'emboîter*** v. pr. : *Des éléments de tuyau qui s'emboîtent.* ◆ **emboîtement** n. m. État de ce qui s'emboîte ou de ce qui est emboîté.

EMBOLIE [ɑ̃bɔli] n. f. (gr. *embolê*, attaque). *Méd.* Obstruction d'un vaisseau sanguin par un caillot ou un corps étranger véhiculé par le sang : *Embolie pulmonaire. Embolie cérébrale.*

EMBONPOINT [ɑ̃bɔ̃pwɛ̃] n. m. (de la loc. *en bon point*, en bonne condition). État d'une personne un peu grosse : *Elle a pris de l'embonpoint* (= elle est devenue grasse, replète).

EMBOUCHE [ɑ̃buʃ] n. f. (de *emboucher*, mettre à l'engrais). **1.** Prairie où les bestiaux (surtout les bovins) s'engraissent (syn. PRÉ D'EMBOUCHE). — **2.** Élevage de bovins pour la viande.

EMBOUCHÉ, E [ɑ̃buʃe] adj. (de *en-*, et *bouché*). Fam. *Mal embouché*, se dit d'une personne grossière dans ses paroles ou dans ses actes.

EMBOUCHER [ɑ̃buʃe] v. t. (de *en-*, et *bouche*). **1.** *Emboucher un instrument à vent*, le porter à sa bouche pour en jouer. — **2.** *Emboucher un cheval*, lui mettre le mors qui convient à sa bouche. ◆ **embouchure** n. f. **1.** Partie d'un instrument à vent qu'on porte à la bouche pour produire le son. — **2.** Partie du mors qui se trouve dans la bouche du cheval.

1. EMBOUCHURE n. f. → EMBOUCHER.

2. EMBOUCHURE [ɑ̃buʃyr] n. f. (de *emboucher*). Partie terminale d'un cours d'eau qui se jette dans la mer ou dans un lac. (Il y a deux sortes d'embouchures : les *deltas* [se formant dans les mer à faible marée] et les *estuaires* [sur les océans ou les mer « ouvertes »].)

3. EMBOUCHURE [ɑ̃buʃyr] n. m. (même étym.). Orifice d'un récipient : *Un vase à étroite embouchure.*

EMBOURBER v. t., **S'EMBOURBER** v. pr. → BOURBE.

EMBOURGEOISEMENT n. m., **EMBOURGEOISER** v. t. **S'EMBOURGEOISER** v. pr. → BOURGEOISIE.

EMBOUT [ɑ̃bu] n. m. (de *en-*, et *bout*). **1.** Garniture de métal ou d'une matière quelconque que l'on met au bout d'une canne, d'un parapluie. — **2.** Tube permettant l'adaptation de deux orifices de calibre différent : *L'embout d'une seringue.*

1. EMBOUTEILLER v. t. → BOUTEILLE.

2. EMBOUTEILLER [ɑ̃butɛje] v. t. (de *en-*, et *bouteille*). *Embouteiller une rue, un passage*, etc., y gêner la circulation par l'accumulation de véhicules ou de personnes : *Les voitures qui embouteillent le boulevard* (syn. BOUCHER, OBSTRUER). ◆ **embouteillage** n. m. Affluence de véhicules ou de personnes qui encombrent : *J'ai été pris dans un embouteillage* (syn. ENCOMBREMENT).

EMBOUTIR [ɑ̃butir] v. t. (de *en-*, et *bout*). **1.** *Emboutir du métal*, lui donner une forme creuse, par pression dans un moule appelé *matrice.* — **2.** Fam. *Emboutir une voiture, une devanture*, etc., la déformer ou la défoncer par un choc accidentel. ◆ **emboutissage** n. m. Sens 1 du v. t. : *L'atelier où se fait l'emboutissage des carrosseries.*

EMBRANCHEMENT [ɑ̃brɑ̃ʃmɑ̃] n. m. (de *en-*, et *branche*). **1.** Division du tronc d'un arbre en plusieurs branches. — **2.** Endroit où un chemin se divise en plusieurs directions : *Un poteau indicateur à l'embranchement de deux routes* (syn. CARREFOUR, CROISEMENT). — **3.** Subdivision d'une voie ferrée en voies secondaires. — **4.** Une des grandes divisions du monde vivant, végétal ou animal : *L'embranchement des vertébrés.* ◆ **embrancher (s')** v. pr. **1.** Former un embranchement (sens 2 du subst.). — **2.** Se rattacher à un segment d'un réseau (sens 3 du subst.).

EMBRASER [ɑ̃braze] v. t. (de *en-*, et *braise*). **1.** *Embraser qq'un*, le saisir d'un sentiment ardent (littér.) [syn. TRANSPORTER]. — **2.** *Le soleil embrase le ciel*, il y répand une lumière qui rappelle celle d'un foyer ardent. ◆ ***s'embraser*** v. pr. Prendre feu, s'exalter : *Un cœur qui s'embrase facilement* (syn. S'ENFLAMMER). *Le ciel s'embrase au soleil couchant.* ◆ **embrasement** n. m. **1.** Action de s'embraser. — **2.** Grand incendie.

EMBRASSADE n. f. → EMBRASSER.

EMBRASSE [ɑ̃bras] n. f. (de *embrasser*). Cordon ou bande qui sert à retenir un rideau.

EMBRASSÉES [ɑ̃brase] adj. f. pl. (de *embrasser*). *Rimes embrassées*, se dit des rimes masculines et féminines disposées selon le schéma ABBA (deux rimes féminines séparées par deux rimes masculines, ou inversement) :

Reviens visage à mon visage A
Mets droit tes grands yeux dans mes yeux B
Rends-moi les nuages des cieux B
Rends-moi la vue et tes mirages (Aragon). A

EMBRASSER [ɑ̃brase] v. t. (de *en-*, et *bras*). **1.** (sujet nom de personne) Donner des baisers. — **2.** (sujet nom de personne) *Embrasser une carrière, un métier*, s'y engager, en faire choix. — **3.** *Embrasser du regard*, voir dans son ensemble, d'un seul coup d'œil. — **4.** (sujet nom de chose) Contenir, renfermer dans son étendue : *Un roman qui embrasse une période d'une cinquantaine d'années* (syn. COUVRIR, ENGLOBER). ◆ ***s'embrasser*** v. pr. Se donner des baisers. ◆ **embrassade** n. f. Action de s'embrasser de façon voyante, bruyamment : *Après les embrassades, on se mit à bavarder.* ◆ **embrassement** n. m. Action de s'embrasser longuement, avec tendresse (littér.).

EMBRASURE [ɑ̃brazyr] n. f. (de *embraser*). **1.** Ouverture pratiquée dans un mur, et qui encadre la fenêtre ou la porte. — **2.** Espace compris entre les montants d'une fenêtre ou d'une porte : *Je l'aperçois dans l'embrasure.*

EMBRAYER [ɑ̃breje] v. i. et t. (de *en-*, et *braie*, traverse de bois mobile du moulin à vent). **1.** Établir la communication entre un moteur et les organes qu'il doit faire mouvoir : *Le conducteur embraya et la voiture démarra* (contr. DÉBRAYER). — **2.** Fam. *Embrayer une affaire, un travail*, les mettre en train, les faire démarrer. ◆ **embrayage** n. m. **1.** Action d'embrayer (contr. DÉBRAYAGE). — **2.** Mécanisme permettant de rendre le moteur solidaire des roues d'un véhicule, des organes d'une machine : *Une voiture pourvue d'un embrayage automatique.*

EMBRIGADER v. t., **S'EMBRIGADER** v. pr. ⟶ BRIGADE.

EMBRINGUER [ɑ̃brɛ̃ge] v. t. (de *en-*, et *bringue*). Fam. *Embringuer qq'un*, le faire entrer dans un groupe, le faire participer à une entreprise commune : *Il l'a embringué dans une affaire louche* (syn. ENTRAÎNER).

EMBROCHER [ɑ̃brɔʃe] v. t. (de *en-*, et *broche*). **1.** Enfiler une viande sur une broche pour la faire cuire : *Embrocher un poulet.* — **2.** Fam. *Embrocher qq'un*, le transpercer avec un instrument pointu. ◆ **embrochement** n. m.

EMBROUILLER [ɑ̃bruje] v. t. (de *en-*, et *brouiller*). **1.** *Embrouiller des choses*, les mettre en désordre : *Des fils électriques tout embrouillés* (syn. ENCHEVÊTRER). *N'embrouillez pas davantage la question* (syn. COMPLIQUER; contr. DÉBROUILLER). — **2.** *Embrouiller qq'un*, lui faire perdre le fil de ses idées. ◆ ***s'embrouiller*** v. pr. (sujet nom de personne). Perdre le fil de ses idées, tomber dans la confusion : *S'embrouiller dans un récit* (syn. S'EMPÊTRER). ◆ **embrouillement** ou (plus rare) **embrouillage** n. m. : *L'embrouillement d'une situation* (syn. CONFUSION). ◆ **embrouillamini** n. m. *Fam.* Grande confusion, désordre.

EMBROUSSAILLÉ, E [ɑ̃brusaje] adj. (de *en-*, et *broussaille*). Se dit de ce qui est couvert de broussailles, ou de ce qui forme comme des broussailles : *Un fossé tout embroussaillé. Des cheveux embroussaillés* (syn. HIRSUTE).

EMBRUMER v. t. ⟶ BRUME.

EMBRUN, ch.-l. de cant. des Hautes-Alpes, à 38 km à l'E. de Gap; 5 800 hab. *(Embrunais).* Anc. cathédrale romane du XIIe s. Station touristique.

EMBRUNS [ɑ̃brɛ̃] n. m. pl. (du prov. *embrumá*, bruiner). Pluie fine soulevée par le vent au-dessus des vagues.

EMBRYON [ɑ̃brijɔ̃] n. m. (gr. *embruon*). **1.** Organisme en voie de développement, depuis l'œuf fécondé jusqu'à la réalisation d'une forme capable de vie autonome et active (larve, poussin, etc.). [Chez l'homme, on appelle FŒTUS l'embryon de plus de trois mois.] — **2.** Ce qui est en cours d'élaboration, mais reste encore à l'état rudimentaire : *Une idée qui contient l'embryon d'une nouvelle théorie* (syn. GERME). ◆ **embryonnaire** adj. **1.** De l'embryon : *La vie embryonnaire.* — **2.** En germe, à l'état rudimentaire : *L'entreprise en est encore au stade embryonnaire.* ◆ **embryogenèse** n. f. Série de formes successives par lesquelles passe un organisme depuis l'œuf fécondé jusqu'à l'éclosion ou à la naissance. ◆ **embryologie** n. f. Partie de la biologie qui étudie les transformations successives de l'œuf.

EMBÛCHES [ɑ̃byʃ] n. f. pl. (de l'anc. fr. *embuschier*, mettre en embuscade). Obstacles capables de faire échouer quelqu'un : *Un problème plein d'embûches* (syn. PIÈGE; fam. TRAQUENARD).

EMBUER [ɑ̃bɥe] v. t. (de *en-*, et *buée*). **1.** Couvrir de buée : *Vitre embuée.* — **2.** *Yeux embués de larmes*, yeux d'une personne prête à pleurer.

EMBUSCADE [ɑ̃byskad] n. f. (it. *imboscata*). Dispositif établi par des gens qui guettent le passage de quelqu'un pour l'attaquer par surprise : *Tomber dans une embuscade* (syn. GUET-APENS, PIÈGE; fam. TRAQUENARD). ◆ **embusquer** v. t. Mettre en embuscade : *Un chef de section qui embusque cinq de ses hommes derrière un talus.* ◆ ***s'embusquer*** v. pr. **1.** Se cacher pour guetter quelqu'un avec des intentions hostiles. — **2.** *Fam.* et *péjor.* Se faire affecter pendant la guerre à un poste à l'abri du danger. ◆ **embusqué** n. m. Soldat ayant obtenu un poste éloigné de la ligne de feu.

EMDEN, v. d'Allemagne (Basse-Saxe), près de l'estuaire de l'Ems; 53 000 hab.

ÉMÉCHÉ, E [emeʃe] adj. (de *mèche*). *Fam.* Se dit d'une personne qui est dans un état proche de l'ivresse.

ÉMERAUDE [emrod] n. f. (gr. *smaragdos*). Pierre précieuse, silicate d'aluminium et de béryllium, de couleur verte. ◆ adj. inv. Qui est d'une couleur rappelant celle de cette pierre : *Du tissu vert émeraude.*

ÉMERGER [emɛrʒe] v. i. (lat. *emergere*, sortir de). [Conj. **2.**] **1.** Apparaître, faire saillie au-dessus de la surface d'un liquide : *Des rochers qui émergent au large.* — **2.** (sujet nom de personne, d'une œuvre, etc.) Dépasser le niveau moyen des autres, retenir l'attention : *Quelques copies de candidats émergent dans le lot* (syn. PERCER). ◆ **émergement** n. m. Action d'émerger, de s'élever au-dessus du niveau des eaux : *L'émergement d'un îlot volcanique.* ◆ **émergence** n. f. Sortie d'un liquide, d'un fluide : *Émergence d'une source.* ◆ **émergent, e** adj. **1.** Qui apparaît à l'extérieur. — **2.** *Phys.* Qui sort d'un milieu après l'avoir traversé : *Rayons émergents.* ◆ **émersion** n. f. **1.** Mouvement d'un corps sortant d'un fluide dans lequel il était plongé. — **2.** Réapparition d'un astre plongé dans l'ombre lors d'une éclipse.

ÉMERI [emri] n. m. (gr. *smuris*). **1.** Poudre abrasive très fine, utilisée notamment pour obtenir des bouchons s'adaptant hermétiquement à des flacons de verre, ou qui, adhérant à la surface d'un papier, d'une toile, permet de polir le bois, le fer, etc. — **2.** Fam. *Bouché à l'emeri*, se dit d'une personne qui a l'esprit très fermé, qui ne comprend rien.

1. ÉMERILLON [emrijɔ̃] n. m. (de l'anc. fr. *esmeril*, petit faucon). Petit faucon des pays du Nord, à plumage gris ardoisé, brun clair, autref. employé en fauconnerie.

2. ÉMERILLON [emrijɔ̃] n. m. (même étym.). Crochet ou boucle rivés par une petite tige dans un anneau, de manière à pouvoir y tourner librement.

ÉMÉRITE [emerit] adj. (lat. *emeritus*, soldat qui a fait son temps). Se dit d'une personne qui a une grande compétence, qui se distingue par ses qualités : *Un physicien émérite* (syn. ↑ÉMINENT, REMARQUABLE).

ÉMERSION n. f. ⟶ ÉMERGER.

EMERSON (Ralph Waldo), philosophe américain (1803-1882). Il est l'auteur d'un livre célèbre sur *les Hommes représentatifs de l'humanité* (1850), où il étudie les grands hommes qui lui paraissent avoir incarné les divers aspects de la personnalité humaine.

ÉMERVEILLER [emɛrveje] v. t. (du lat. *ex-*, préf. à valeur intensive, et *merveille*). *Émerveiller qq'un*, le remplir d'admiration (souvent au passif) : *Des touristes émerveillés par la beauté du paysage* (syn. ÉBLOUIR). ◆ ***s'émerveiller*** v. pr. Éprouver une vive admiration. ◆ **émerveillement** n. m. : *Contempler avec émerveillement un tableau* (syn. ADMIRATION).

ÉMETTRE [emɛtr] v. t. (du lat. *emittere*, envoyer dehors). [Conj. **57.**] **1.** Produire, faire sortir de soi, mettre en circulation : *Émettre un son. Un phare qui émet une lumière vive* (syn. RÉPANDRE). *Émettre un avis* (syn. EXPRIMER). *Émettre une hypothèse* (syn. FORMULER). *Émettre un emprunt* (syn. LANCER). — **2.** *Émettre un message*, le diffuser par radio. — **3.** (sans compl.) Faire des émissions (sens 3) : *Un poste qui émet sur ondes courtes.* ◆ **émetteur, trice** adj. : *Poste émetteur. Station émettrice* (= qui diffuse par radio des messages, des programmes, etc.). ◆ n. m. : *La nouvelle a été annoncée par un émetteur clandestin.* ◆ **émissif, ive** adj. *Phys.* Qui a la propriété d'émettre une radiation, en partic. de la lumière. ◆ **émission** n. f. **1.** Action d'émettre : *L'émission de fausses nouvelles. L'émission d'un emprunt.* — **2.** Production d'un son articulé : *Une voyelle se prononce d'une seule émission de voix.* — **3.** Programme émis par la radio ou par la télévision : *Une émission de variétés.*

ÉMEU [emø] n. m. (mot d'Océanie). Oiseau d'Australie haut de 2 m, au plumage gris, incapable de voler. (Sous-classe des ratites.)

ÉMEUTE [emøt] n. f. (de *émouvoir*). Soulèvement populaire : *La manifestation a failli tourner à l'émeute.* ◆ **émeutier, ère** n. Personne qui participe à une émeute ou qui la suscite.

ÉMIETTEMENT n. m., **ÉMIETTER** v. t. ⟶ MIETTE.

1. ÉMIGRER [emigre] v. i. (lat. *emigrare*, sortir de). **1.** Quitter son pays pour se fixer dans un autre : *De nombreux citoyens ont émigré à l'étranger* (syn. S'EXPATRIER; contr. IMMIGRER). — **2.** Quitter la France provisoirement en parlant des nobles qui ont fui à l'étranger lors de la Révolution. ◆ **émigrant, e** adj. et n. Personne qui quitte son pays pour aller se fixer dans un autre. ◆ **émigration** n. f. **1.** Action d'émigrer. — **2.** Exil volontaire des nobles pendant la Révolution française. ⟶ ENCYCL. ◆ **émigré, e** adj. et n. **1.** Personne qui a volontairement quitté sa patrie. — **2.** Noble qui avait quitté la France pendant la Révolution.
— ENCYCL. L'*émigration* de la haute noblesse commence dès le lendemain de la prise de la Bastille (1789). L'agitation paysanne de l'été 1789, l'abolition des titres nobiliaires par l'Assemblée, la Constitution civile du clergé (1791) poussent de nombreux nobles à l'imiter.

- *1792. Les biens des émigrés sont confisqués et déclarés « biens nationaux ».*

De l'étranger, de Coblence notamment, ils cherchent à organiser la « contre-révolution » et, sous les ordres du prince de Condé, constituent une armée qui participe à toutes les campagnes de la coalition étrangère contre la France jusqu'en 1795.

- *1802. Bonaparte accorde une amnistie à la plupart des émigrés.*
- *1814. À la Restauration, les derniers émigrés rentrent en France avec le comte de Provence.*

2. ÉMIGRER [emigre] v. i. (même étym.). Changer régulièrement de climat, de contrée, en parlant des oiseaux. ◆ **émigration** n. f. Déplacement saisonnier des oiseaux d'une contrée dans une autre.

Émile ou De l'éducation, roman pédagogique de J.-J. Rousseau (1762).

ÉMILIE, région d'Italie, au S. du Pô, sur l'Adriatique. Elle forme avec la *Romagne* une région administrative de 3 846 800 hab., comprenant les prov. de *Bologne, Ferrare, Forli, Modène, Parme, Plaisance, Ravenne, Reggio nell'Emilia.*

ÉMINCER [emɛ̃se] v. t. (du lat. *ex-*, préf. à valeur intensive, et *mince*). [Conj. **1.**] Couper en tranches minces : *Émincer du lard, des oignons.* ◆ **émincé** n. m. Tranche de viande coupée très mince : *Un émincé de gigot.*

ÉMINEMMENT adv. ⟶ ÉMINENT.

1. ÉMINENCE [eminɑ̃s] n. f. (lat. *eminentia*, hauteur). Élévation de terrain (syn. BUTTE, COLLINE, HAUTEUR).

2. ÉMINENCE [eminɑ̃s] n. f. **1.** Titre qu'on donne à un cardinal : *Son Éminence le cardinal X...* (Abrév. : S. Ém.) — **2.** *Éminence grise*, conseiller intime qui reste dans l'ombre. (Ce surnom avait été donné au père Joseph, conseiller de Richelieu.)

ÉMINENT, E [eminɑ̃, -ɑ̃t] adj. (du lat. *eminere*, s'élever au-dessus) [avant ou après le nom]. **1.** Se dit d'une personne que ses qualités mettent nettement au-dessus du niveau moyen : *Un écrivain éminent* (syn. ILLUSTRE). — **2.** *À un degré éminent*, à un très haut degré. ◆ **éminemment** [eminamɑ̃] adv. À un très haut degré : *Il est éminemment souhaitable qu'il réussisse.*

EMINESCU (Mihai), écrivain roumain (1850-1889), le plus grand poète lyrique roumain (*Poésies*, 1881).

ÉMIR [emir] n. m. (ar. *amīr*, celui qui ordonne). **1.** Ancien titre des descendants de Mahomet. — **2.** Grand officier ou gouverneur de l'Empire turc; prince arabe. ◆ **émirat** n. m. **1.** Dignité ou fonction d'émir. — **2.** État gouverné par un émir.

ÉMIRATS ARABES UNIS *(fédération des)*, État regroupant plusieurs principautés d'Arabie, constitué en 1971, correspondant à l'anc. Côte des Pirates, ou Trucial States, sur le golfe Persique; 83 600 km^2; 1 300 000 hab. Capit. *Abū Ẓabī*. Pétrole.

ÉMIRNE → IMÉRINA.

1. ÉMISSAIRE adj., *bouc émissaire* ⟶ BOUC 1.

2. ÉMISSAIRE [emisɛr] n. m. (lat. *emissarius*, agent). Personne chargée d'une mission secrète : *Les rebelles avaient envoyé deux émissaires pour discuter l'armistice.*

3. ÉMISSAIRE [emisɛr] n. m. (lat. *emissarium*, déversoir). Canal ou cours d'eau permettant l'évacuation du trop-plein d'un lac ou d'un bassin : *Le Rhône est l'émissaire du lac Léman.*

ÉMISSIF, IVE adj., **ÉMISSION** n. f. ⟶ ÉMETTRE.

EMMAGASINAGE n. m., **EMMAGASINER** v. t. ⟶ MAGASIN.

EMMAILLOTER v. t. ⟶ MAILLOT.

EMMANCHEMENT n. m., **EMMANCHER** v. t., **S'EMMANCHER** v. pr. ⟶ MANCHE 4.

EMMANCHURE [ɑ̃mɑ̃ʃyr] n. f. (de *en-*, et *manche*). Ouverture pratiquée dans un vêtement pour y adapter une manche ou pour passer le bras.

EMMANUEL-PHILIBERT Tête de Fer (1528-1580), duc de Savoie à partir de 1553. Il s'attacha à Charles Quint et gagna en 1557 la bataille de Saint-Quentin sur les Français.

EMMAÜS, bourg de Palestine, au nord de Jérusalem. D'après l'Évangile, le Christ y apparut à deux pèlerins, après sa résurrection.

EMMÊLER [ɑ̃mele] v. t. (de *en-*, et *mêler*). Mêler ensemble, mettre en désordre : *Emmêler ses cheveux. Emmêler une affaire* (syn. EMBROUILLER; contr. DÉMÊLER). ◆ **emmêlement** n. m.

EMMEN, v. du nord-est des Pays-Bas; 81 700 hab.

EMMÉNAGER [ɑ̃menaʒe] v. i. (de *en-*, et *ménage*). S'installer avec ses meubles dans un nouveau logement (contr. DÉMÉNAGER). ◆ **emménagement** n. m. (contr. DÉMÉNAGEMENT).

EMMENER [ɑ̃mne] v. t. (de *en-*, et *mener*). *Emmener un être animé*, le mener avec soi d'un lieu dans un autre. ◆ **remmener** v. t. *Remmener un être animé*, le mener avec soi au lieu d'où on l'a amené.

EMMENTHAL ou **EMMENTAL** [emɛntal] ou [emɑ̃tal] n. m. (de *Emmenthal*, vallée suisse). Fromage de grande dimension, à pâte cuite pressée, à croûte lavée, primitivement fabriqué dans l'Emmenthal (Suisse).

EMMÉTROPE [ɑ̃metrɔp] adj. et n. (du gr. *en*, dans, *metron*, mesure, et *ôps*, œil). Se dit d'un œil dont la vision est normale.

EMMIELLÉ, E adj. → MIEL.

EMMITOUFLER [ɑ̃mitufle] v. t. (de *en-*, et *mitoufle*, mitaine). Envelopper, couvrir de vêtements chauds. ◆ ***s'emmitoufler*** v. pr. : *Par ce froid, il s'est emmitouflé dans un manteau de fourrure.*

EMMURER v. t. ⟶ MUR.

ÉMOI [emwa] n. m. (de l'anc. fr. *esmaier*, troubler). **1.** Trouble ressenti par une personne : *La vue de la jeune fille le remplit d'un doux émoi* (syn. ÉMOTION). — **2.** *En émoi*, se dit d'une personne ou d'un groupe de personnes en proie à une vive agitation : *Le quartier est en émoi* (syn. EFFERVESCENCE).

ÉMOLLIENT, E [emɔljɑ̃, -ɑ̃t] adj. et n. m. (du lat. *emollire*, rendre mou). Se dit d'un médicament qui adoucit, qui relâche les tissus.

ÉMOLUMENTS [emɔlymɑ̃] n. m. pl. (du lat. *emolumentum*, gain). Argent qu'on gagne dans un emploi (syn. APPOINTEMENTS, GAIN, SALAIRE, TRAITEMENT).

ÉMONDER [emɔ̃de] v. t. (lat. *ex-*, préf. à valeur intensive, et *monder*, nettoyer). **1.** *Émonder un arbre*, en couper les branches inutiles (syn. ÉLAGUER, TAILLER). — **2.** *Émonder un texte*, le débarrasser de détails superflus. ◆ **émondage** ou **émondement** n. m. Suppression des branches superflues d'un arbre. ◆ **émondes** n. f. pl. Branches coupées par l'émondeur. ◆ **émondeur, euse** n. Personne qui émonde. ◆ **émondoir** n. m. Outil tranchant utilisé pour l'émondage des arbres.

ÉMOTIF, IVE adj., **ÉMOTION** n. f., **ÉMOTIONNEL, ELLE** adj., **ÉMOTIONNER** v. t., **ÉMOTIVITÉ** n. f. ⟶ ÉMOUVOIR.

ÉMOTTER v. t. ⟶ MOTTE.

ÉMOUCHET [emuʃɛ] n. m. (de l'anc. fr. *mouschet*, mâle de l'épervier). Nom commun du faucon crécerelle*, petit rapace diurne.

ÉMOUDRE [emudr] v. t. (du lat. *emolere*, moudre entièrement). [Conj. **58.**] Aiguiser : *Émoudre des couteaux.*

ÉMOULU, E [emuly] adj. (du lat. *emolere*, moudre). *Frais émoulu*, se dit de quelqu'un qui est nouvellement sorti d'une école, qui a récemment acquis un titre, etc.

ÉMOUSSER [emuse] v. t. (du lat. *ex-*, préf. à valeur intensive, et *mousse*, émoussé). **1.** *Émousser une pointe, le tranchant d'une lame*, etc., les rendre moins coupants, moins aigus. — **2.** *Émousser un sentiment, un souvenir*, le rendre moins vif. ◆ **s'émousser** v. pr. Devenir moins aigu, moins vif : *Un rasoir s'émousse. Un désir s'émousse avec le temps* (syn. S'AFFAIBLIR, S'ATTÉNUER).

ÉMOUSTILLER [emustije] v. t. (du lat. *ex-*, préf. à valeur intensive, et *mousse*, écume). Fam. *Émoustiller qq'un*, le porter à la gaieté, le mettre en belle humeur : *Le champagne émoustille.* ◆ **émoustillant, e** adj. : *Des historiettes émoustillantes.*

ÉMOUVOIR [emuvwar] v. t. (lat. *emovere*, remuer). [Conj. **36.**] *Émouvoir qq'un*, agir sur sa sensibilité, causer du trouble dans son âme (souvent au passif) : *Être ému par le spectacle de la misère* (syn. IMPRESSIONNER, REMUER, TOUCHER). ◆ ***s'émouvoir*** v. pr. : *Il apprit sans s'émouvoir que le tribunal l'avait condamné à mort* (syn. SE TROUBLER). ◆ **émouvant, e** adj. : *Scènes émouvantes d'un film.* ◆ **ému, e** adj. Se dit d'une personne qui éprouve une émotion, ou d'un comportement qui manifeste de l'émotion : *Répondre d'une voix émue.* ◆ **émotif, ive** adj. **1.** Se dit d'une personne sujette par tempérament aux émotions : *Très émotive, elle rougit et se trouble pour un rien.* — **2.** Se dit de ce qui a rapport à l'émotion : *Un choc émotif.* ◆ **émotivité** n. f. Sens 1 de ÉMOTIF : *Son bégaiement passager est un trait d'émotivité.* ◆ **émotion** [emosjɔ̃] n. f. Trouble subit, agitation passagère causés par la surprise, la peur, la joie, etc. : *Évoquer avec émotion des souvenirs d'enfance* (syn. ATTENDRISSEMENT). ◆ **émotionnel, elle** adj. Se dit de ce qui concerne l'émotion, de ce qui est inspiré par l'émotion : *Une réaction purement émotionnelle* (syn. AFFECTIF, PASSIONNEL). ◆ **émotionner** v. t. Fam. *Émotionner qq'un*, lui causer de l'émotion.

EMPAILLER v. t., **EMPAILLEUR, EUSE** n. ⟶ PAILLE 1.

EMPALER v. t., **S'EMPALER** v. pr. ⟶ PAL.

EMPAN [ɑ̃pɑ̃] n. m. (frq. *spanna*). Anc. mesure de longueur qui correspondait à la distance comprise entre l'extrémité du pouce et celle du petit doigt très écartés (22 à 24 cm).

EMPANACHÉ, E adj. ⟶ PANACHE.

EMPAQUETAGE n. m., **EMPAQUETER** v. t. ⟶ PAQUET.

EMPARER (S') [sɑ̃pare] v. pr. [**de**] (anc. prov. *emparar*, fortifier). **1.** *S'emparer de qqch., de qq'un*, le prendre par la force ou d'un mouvement vif : *L'ennemi s'est emparé de la ville* (syn. CONQUÉRIR). *Le gardien de but s'empare du ballon* (syn. SE SAISIR DE). *Il s'est emparé du premier prétexte venu* (syn. fam. SAUTER

SUR). — **2.** (sujet nom de sentiment, d'idée, etc.) *S'emparer de qq'un*, en prendre possession : *La colère s'empare de lui.*

EMPÂTER [ɑ̃pɑte] v. t. (de *en-*, et *pâte*). **1.** Rendre plus gros, alourdir : *L'âge empâte les traits du visage* (syn. ÉPAISSIR). — **2.** *Aliment, boisson qui empâte la bouche*, qui la rend pâteuse. ◆ **s'empâter** v. pr. Devenir gras : *Il ne prend pas assez d'exercice, il commence à s'empâter.* ◆ **empâtement** n. m. : *L'empâtement d'un visage. L'empâtement de la bouche.*

EMPATTEMENT [ɑ̃patmɑ̃] n. m. (de *en-*, et *patte*). **1.** Distance entre les roues arrière et les roues avant d'une voiture, mesurée d'un essieu ou d'un pivot à l'autre. — **2.** Épaississement terminal des jambages d'un caractère d'imprimerie.

EMPÊCHER [ɑ̃peʃe] v. t. (bas lat. *impedicare*, prendre au piège). **1.** *Empêcher une chose, empêcher que* (et le subj.), y faire obstacle de manière qu'elle n'ait pas lieu : *Il a tout fait pour empêcher ce mariage* (syn. DÉFENDRE; contr. PERMETTRE). *Rien ne peut empêcher le progrès de la maladie* (syn. ARRÊTER). — **2.** *Empêcher qq'un de faire qqch.*, ne pas lui permettre de faire cette chose : *Le règlement l'empêche d'être candidat* (syn. INTERDIRE; contr. AUTORISER). — **3.** *N'empêche que, il n'empêche que, cela n'empêche pas que* (et l'indic.), expriment l'opposition, la concession (syn. POURTANT). ◆ **s'empêcher** v. pr. *S'empêcher de* (et l'infin.), se retenir de : *Il n'a pas pu s'empêcher de répliquer.* ◆ **empêché, e** adj. Se dit d'une personne qui est retenue par un empêchement : *Le directeur, empêché, n'a pas assisté à la réunion.* ◆ **empêchement** n. m. Ce qui s'oppose à la réalisation de quelque chose, ce qui fait qu'une chose n'est pas possible : *Je ne vois aucun empêchement à ce projet* (syn. OBSTACLE). ◆ **empêcheur, euse** n. Fam. *Empêcheur de danser en rond*, celui qui trouble la joie, qui gêne (syn. TROUBLE-FÊTE).

EMPÉDOCLE, philosophe grec (mort v. 490 av. J.-C.). Il est célèbre pour sa théorie des quatre éléments (l'eau, l'air, la terre, le feu), adoptée jusqu'à l'époque de la chimie moderne.

EMPEIGNE [ɑ̃pɛɲ] n. f. (de *en-*, et anc. fr. *peigne*, métacarpe). Le dessus de la chaussure, du cou-de-pied à la pointe.

1. EMPENNAGE [ɑ̃pɛnaʒ] n. m. (de *en-*, et *penne*). Garniture de plumes placée sur une flèche pour la maintenir dans sa direction. ◆ **empenné, e** [ɑ̃pɛne] adj. Se dit d'une flèche pourvue de morceaux de plumes.

2. EMPENNAGE [ɑ̃pɛnaʒ] n. m. (même étym.). **1.** Ensemble des surfaces, fixes ou mobiles, placées à l'arrière des ailes et de la queue d'un avion pour assurer sa stabilité en vol. — **2.** Ensemble des ailettes qui assurent à une bombe une chute stable, en maintenant la pointe tournée vers le sol.

EMPEREUR [ɑ̃prœr] n. m. (lat. *imperator*). **1.** À Rome, chef souverain d'un empire, détenteur du pouvoir suprême. — **2.** *L'Empereur*, le chef du Saint Empire romain germanique (de 962 à 1806); Napoléon Ier. — **3.** Titre que portèrent plusieurs souverains européens : *L'empereur de Russie* (syn. TSAR). *L'empereur d'Allemagne* (syn. KAISER). — **4.** Chef suprême de certains États : *L'empereur du Japon. L'empereur d'Éthiopie. L'empereur d'Iran.* (*Rem.* Le féminin est IMPÉRATRICE.)

EMPESER [ɑ̃pəze] v. t. (de l'anc. fr. *empoise*, empois). *Empeser du linge*, l'imprégner d'eau mêlée d'empois et destinée à le rendre raide. ◆ **empesage** n. m. : *L'empesage du linge.* ◆ **empesé, e** adj. **1.** Se dit du linge raidi par un apprêt. — **2.** Fam. *Air empesé, style empesé*, etc., qui manque de naturel, qui est affecté. ◆ **empois** [ɑ̃pwa] n. m. Solution d'amidon dans l'eau, servant à donner au linge une certaine raideur.

EMPESTER [ɑ̃pɛste] v. t. (de *en-*, et *peste*). Infecter d'une mauvaise odeur : *Un marécage qui empeste le voisinage* (syn. EMPUANTIR).

EMPÊTRER (S') [sɑ̃petre] v. pr. (bas lat. *impastoriare*, mettre une entrave). Se mettre dans une situation d'où l'on ne peut se tirer qu'à grand-peine : *Il s'est empêtré dans ses explications* (syn. S'EMBROUILLER).

EMPHASE [ɑ̃fɑz] n. f. (gr. *emphasis*). Exagération pompeuse dans le ton, le choix des mots : *Il racontait avec emphase ses exploits* (syn. GRANDILOQUENCE; contr. SIMPLICITÉ). ◆ **emphatique** adj. : *Un discours emphatique* (syn. POMPEUX, SOLENNEL). ◆ **emphatiquement** adv.

EMPHYSÈME [ɑ̃fizɛm] n. m. (gr. *emphusêma*, gonflement). *Méd.* Gonflement du tissu sous-cutané par introduction d'air, à la suite d'un accident des voies respiratoires. ‖ *Emphysème pulmonaire*, dilatation excessive et permanente des alvéoles pulmonaires. ◆ **emphysémateux, euse** adj. et n.

EMPIÈCEMENT [ɑ̃pjɛsmɑ̃] n. m. (de *en-*, et *pièce*). Pièce de tissu rapportée dans le haut d'une chemise, d'un corsage, etc.

EMPIERREMENT n. m., **EMPIERRER** v. t. ⟶ PIERRE.

EMPIÉTER [ɑ̃pjete] v. i. (de *en-*, et *pied*). Usurper une partie de la place ou des droits d'autrui, s'étendre sur le domaine de : *Le terrain de mon voisin empiète sur le mien* (syn. MORDRE). ◆ **empiétement** n. m. : *Il proteste contre cet empiétement sur ses prérogatives* (syn. USURPATION).

EMPIFFRER (S') [sɑ̃pifre] v. pr. (de *en-*, et l'anc. fr. *piffre*, gros individu). *Très fam.* Manger gloutonnement (syn. SE GAVER).

EMPILAGE ou **EMPILEMENT** n. m., **EMPILER** v. t. ⟶ PILE 3.

1. EMPIRE [ɑ̃pir] n. m. (lat. *imperium*). Pouvoir, forte influence exercés sur quelqu'un : *Sous l'empire de la colère* (syn. DOMINATION, EMPRISE). ‖ *Avoir de l'empire sur soi-même*, savoir rester maître de soi.

2. EMPIRE [ɑ̃pir] n. m. (même étym.). **1.** État gouverné par un empereur; ensemble de pays gouvernés par une même autorité : *L'empire de Charlemagne. Les empires coloniaux.* — **2.** *Pour un empire*, même en échange des plus grands avantages : *Je ne céderais pas ma place pour un empire* (syn. POUR RIEN AU MONDE). ◆ adj. inv. *Style Empire, mobilier Empire*, se dit du style, du mobilier à la mode sous Napoléon Ier.

Empire *(premier)*, gouvernement de la France, de 1804 à 1814.

- *18 mai 1804. Le sénatus-consulte (décret du Sénat) du 28 floréal an XII, ratifié par un plébiscite, confie le gouvernement de la République au Premier consul, Napoléon Bonaparte, avec le titre d'empereur des Français.*

La dignité impériale est déclarée héréditaire.

- *2 déc. 1804. Napoléon est sacré empereur par le pape Pie VII à Notre-Dame de Paris.*

L'Empire apparaît comme un compromis entre l'Ancien Régime et les conquêtes révolutionnaires (morales, politiques et territoriales) qui sont consolidées.

Sur le plan intérieur, le régime impérial est marqué par le retour des traditions monarchiques, avec la création de grands dignitaires et de grands officiers d'Empire. L'Empereur, qui légifère par décrets et sénatus-consultes, complète l'œuvre du Consulat.

- *1807. Il crée la Cour des comptes.*
- *1808. Il organise la noblesse d'Empire et crée l'Université impériale.*

La France connaît une période de prospérité. D'importants travaux sont entrepris à Paris (canal Saint-Martin, temple de la Gloire [la Madeleine], colonne Vendôme) et en province (routes et canaux).

L'Empereur protège les lettres, les arts et les sciences.

Cependant, la politique extérieure éclipse les mérites de la politique intérieure. Elle est dominée par les ambitions de Napoléon qui l'entraînent toujours plus loin dans les conquêtes et dressent finalement contre lui la plupart des pays européens. (⟶ COALITION, *encycl.*)

- *1805. La défaite maritime de Trafalgar exclut la France des mers.*

Mais, la même année, la bataille d'Austerlitz contre l'Autriche et la Russie marque le début d'une série de victoires sur le continent.

- *1806. Victoire de Iéna, sur la Prusse.*
- *1807. Victoire de Friedland, sur la Russie.*

La France applique le Blocus* continental, mesure économique destinée à fermer le continent aux Anglais, et s'allie à la Russie (Tilsit).

- *1809. Victoire de Wagram sur les Autrichiens.*

Le régime est alors à son apogée : le grand empire des 130 départements s'étend du Danemark aux États pontificaux; l'Empereur a installé ses proches sur les trônes vassaux de Hollande, d'Espagne, de Westphalie et de Naples.

- *1810. Le mariage de Napoléon avec Marie-Louise d'Autriche, suivi de la naissance du roi de Rome (1811), semble assurer l'avenir de l'Empire.*

Mais à partir de cette date, les Français sont tenus en échec en Espagne par les troupes anglaises de Wellington.

La Russie rompt son alliance avec la France.

- *1812. La campagne de Russie anéantit l'armée.*
- *1813. Battu à Leipzig, Napoléon perd l'Allemagne.*
- *1814. La France est envahie par les coalisés.*

L'Empereur doit abdiquer le 6 avril.

- *1815. La défaite de Waterloo fait des Cent*-Jours (20 mars-22 juin) une tentative sans lendemain.*

Empire *(second)*, gouvernement de la France de 1852 à 1870.

Après avoir mis fin à la IIe République par le coup d'État du 2 décembre 1851, Louis Napoléon Bonaparte fait rétablir à son profit, par plébiscite, la dignité impériale (7 novembre 1852).

L'EMPIRE BRITANNIQUE

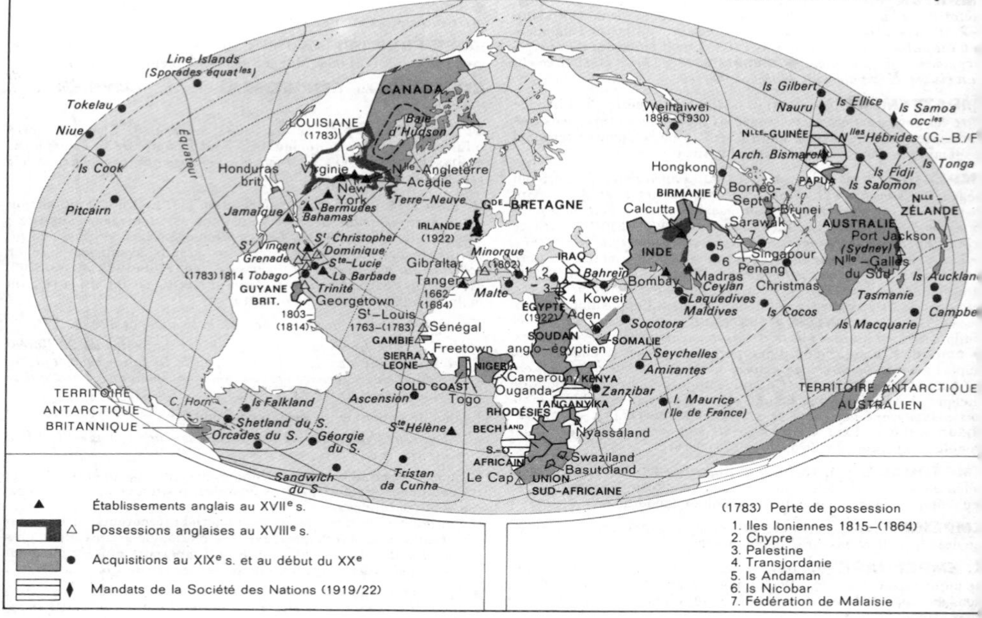

Line Islands (Sporades équat^les)
Tokelau
Niue
Is Cook
Pitcairn
Équateur
CANADA
Baie d'Hudson
LOUISIANE (1783)
Honduras brit.
Virginie
New York
Nlle-Angleterre
Acadie
Terre-Neuve
Bermudes
Bahamas
Jamaïque
St Christopher
St Vincent
Dominique
Grenade
Ste-Lucie
(1783)1814 Tobago
La Barbade
GUYANE BRIT.
Trinité
Georgetown
1803–(1814)
St-Louis 1763–(1783)
Sénégal
GAMBIE
SIERRA LEONE
Freetown
GOLD COAST
Togo
NIGERIA
Cameroun
Ouganda
KENYA
Zanzibar
TANGANYIKA
RHODÉSIES
BECHUANALAND
Nyassaland
S.-O. AFRICAIN
Swaziland
Basutoland
Le Cap
UNION SUD-AFRICAINE
Ascension
Ste-Hélène
Tristan da Cunha
Gde-BRETAGNE
IRLANDE (1922)
Minorque (1802)
Gibraltar
Tanger 1662–(1684)
Malte
ÉGYPTE (1922)
SOUDAN anglo-égyptien
SOMALIE
Aden
IRAQ
Bahreïn
Koweït
Socotora
Seychelles
Amirantes
I. Maurice (Ile de France)
INDE
Bombay
Madras
Ceylan
Calcutta
BIRMANIE
Laquedives
Maldives
Weihaiwei 1898–(1930)
Hongkong
Bornéo-Sept.
Brunei
Sarawak
Singapour
Penang
Christmas
Is Cocos
NLLE-GUINÉE
PAPUA
Arch. Bismarck
Is Gilbert
Nauru
Is Ellice
Is Samoa occ^les
Nlles-Hébrides (G.-B./F
Is Fidji
Is Tonga
Is Salomon
AUSTRALIE
Port Jackson (Sydney)
Nlle-Galles du Sud
Tasmanie
Is Macquarie
NLLE-ZÉLANDE
Is Auckland
Campbe
TERRITOIRE ANTARCTIQUE AUSTRALIEN
TERRITOIRE ANTARCTIQUE BRITANNIQUE
C. Horn
Is Falkland
Shetland du S.
Orcades du S.
Géorgie du S.
Sandwich du S.

▲ Établissements anglais au XVIIe s.
△ Possessions anglaises au XVIIIe s.
● Acquisitions au XIXe s. et au début du XXe
♦ Mandats de la Société des Nations (1919/22)

(1783) Perte de possession
1. Iles Ioniennes 1815–(1864)
2. Chypre
3. Palestine
4. Transjordanie
5. Is Andaman
6. Is Nicobar
7. Fédération de Malaisie

L'EMPIRE ESPAGNOL

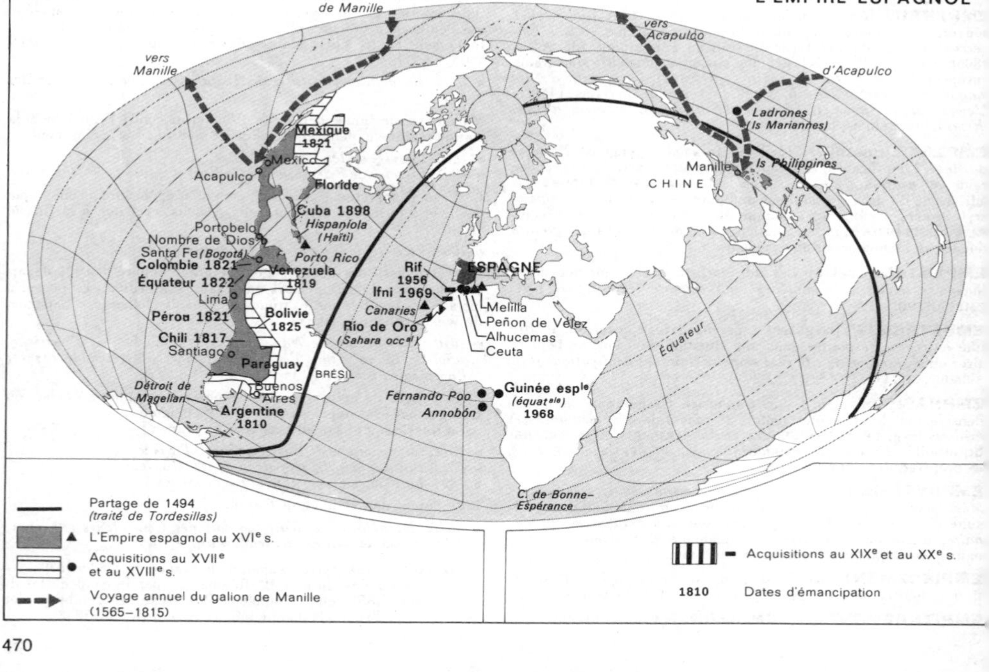

de Manille
vers Manille
vers Acapulco
d'Acapulco
Mexique 1821
Mexico
Acapulco
Floride
Cuba 1898
Hispaniola (Haïti)
Porto Rico
Portobelo
Nombre de Dios
Santa Fe (Bogotá)
Colombie 1821
Venezuela 1819
Équateur 1822
Lima
Pérou 1821
Bolivie 1825
Chili 1817
Santiago
Paraguay
BRÉSIL
Détroit de Magellan
Buenos Aires
Argentine 1810
ESPAGNE
Rif 1956
Ifni 1969
Canaries
Rio de Oro (Sahara occ^al)
Melilla
Peñon de Velez
Alhucemas
Ceuta
Fernando Poo
Annobón
Guinée esp^le (équat^ale) 1968
C. de Bonne-Espérance
Équateur
Ladrones (Is Mariannes)
Manille
Is Philippines
CHINE

Partage de 1494 (traité de Tordesillas)
▲ L'Empire espagnol au XVIe s.
● Acquisitions au XVIIe et au XVIIIe s.
Voyage annuel du galion de Manille (1565–1815)
Acquisitions au XIXe et au XXe s.
1810 Dates d'émancipation

- *2 déc. 1852. Louis Napoléon est proclamé empereur sous le nom de Napoléon III.*

■ L'EMPIRE AUTORITAIRE (1852-1860).

Durant cette période, le gouvernement supprime certaines libertés élémentaires, le suffrage universel est limité, la presse et les fonctionnaires sont étroitement surveillés. Soutenu par la bourgeoisie possédante, les masses rurales et l'armée, le régime ne rencontre alors que peu d'opposition. De plus, la situation monétaire et économique est favorable. À cette époque les communications se modernisent rapidement, en particulier les chemins de fer, et Paris est transformé par les travaux d'Haussmann.

À l'extérieur, le régime cherche à affirmer le prestige de la France sur plusieurs fronts.

- *1856. Le congrès de Paris, qui met fin à la guerre de Crimée, donne à la France une place prépondérante en Europe, dans les Balkans et au Proche-Orient.*
- *1852-1857. La France s'installe en Algérie dont elle commence la mise en valeur, tandis que des expéditions au Sénégal et en Cochinchine jettent les bases d'un empire colonial.*
- *1858. L'attentat manqué d'Orsini fournit le prétexte d'une répression contre les républicains.*
- *1859-1860. Après les victoires obtenues contre les Autrichiens en Italie (Magenta et Solferino) et consacrées par le traité de Turin, un plébiscite réunit Nice et la Savoie à la France.*

Cependant, cette politique italienne éloigne de Napoléon III les catholiques, tandis que le traité de commerce avec l'Angleterre (1860), abaissant les droits de douane, mécontente la bourgeoisie d'affaires, ainsi que les ouvriers qui craignent le chômage. Pour obtenir de nouveaux appuis, l'empereur est alors contraint de faire des concessions.

■ L'EMPIRE LIBÉRAL (1860-1870).

Les réformes politiques donnent un rôle accru au corps législatif et favorisent le réveil de la vie politique.

- *1864. Les ouvriers, regroupés dans une internationale républicaine et anticléricale, obtiennent des concessions (suppression du délit de coalition, reconnaissance du droit de grève).*
- *1867. Les difficultés économiques et les échecs de la politique extérieure (expédition du Mexique, 1862-1867; tension franco-allemande, 1866-1867) inquiètent l'opinion.*

À partir de 1869, l'opposition tire parti des réformes qui rendent aux Français la plupart de leurs libertés politiques (droit d'interpellation, 1867; liberté de réunion et assouplissement du régime de la presse, 1868; initiative des lois, 1869). Elle triomphe aux élections : Émile Ollivier, chef du Tiers Parti, est chargé de former un gouvernement libéral.

- *1870. Le sénatus-consulte du 20 avril crée un régime semi-parlementaire, qui semble consolidé par le plébiscite du 8 mai.*

Mais les événements extérieurs révèlent la faiblesse profonde du régime. Six semaines après la déclaration de guerre à la Prusse, la capitulation de Sedan (2 septembre) entraîne la chute de l'Empire et la formation d'un gouvernement de la Défense* nationale.

Empire britannique, ensemble des territoires placés sous la souveraineté de la couronne britannique, jusqu'en 1931.

- *1497. Cabot découvre Terre-Neuve.*
- *1584. Les Anglais s'installent en Virginie.*

D'importantes colonies de peuplement s'établissent en Amérique du Nord.

- *1600. Fondation de la Compagnie des Indes orientales pour le commerce avec l'océan Indien et l'Inde.*

Les Anglais occupent ensuite les Bermudes (1609), la Jamaïque (1655), les Carolines (1663).

- *1664. La Nouvelle-Amsterdam est prise aux Hollandais et devient New York.*

Un véritable empire est créé et méthodiquement exploité en vue du profit commercial.

- *1713. Traité d'Utrecht : l'Angleterre reçoit de la France Terre-Neuve, la baie d'Hudson et l'Acadie; de l'Espagne, Gibraltar et Minorque.*
- *1763. Le traité de Paris donne à l'Angleterre le Canada, les territoires de la rive gauche du Mississippi, le Sénégal, les îles Grenade et Saint-Vincent dans les Antilles.*
- *1783. Par les traités de Versailles, l'Angleterre doit reconnaître l'indépendance des colonies américaines (États-Unis) et rendre à leur alliée, la France, les comptoirs du Sénégal et de l'Inde.*

Les Anglais s'installent à Penang, en Malaisie (1786), puis en Australie (Nouvelle-Galles du Sud, 1788).

- *1814-1815. Les traités de Paris donnent à l'Angleterre Malte, l'île de l'Ascension, Le Cap, Sainte-Lucie, l'île de Francc (île Maurice), les Seychelles, Ceylan et la Malaisie.*

Les Anglais occupent Singapour (1819), la Gold Coast (1821), les Falkland (1833), la Nouvelle-Zélande (1840), Hongkong (1841).

- *1876. La reine Victoria devient impératrice des Indes.*

L'Angleterre fait l'acquisition de Chypre (1878), s'installe au Nigeria (1879) et instaure un protectorat de fait en Égypte (1882). Elle occupe les Rhodésies (1888), le Kenya et Zanzibar (1890). Le Soudan est définitivement pacifié et conquis (1898).

- *1899-1902. La guerre des Boers entraîne la conquête du reste de l'Afrique du Sud.*
- *1919-1922. De nombreux mandats sont attribués à l'Angleterre par les traités de paix : Cameroun, Tanganyika et Togo; Palestine, Transjordanie et Iraq.*
- *1931. Le Commonwealth est défini comme une association d'États autonomes et égaux.*

Après la Seconde Guerre mondiale commence la décolonisation et de nombreux pays accèdent à l'indépendance.

Empire colonial espagnol, ensemble des pays et territoires colonisés par l'Espagne.

- *1479. Les Canaries conquises dès 1402 sont réunies à la Couronne.*

Les Espagnols s'installent en Afrique du Nord.

- *1492. Colomb découvre Hispaniola (Haïti).*
- *1494. Le traité de Tordesillas consacre le partage des terres nouvelles entre l'Espagne et le Portugal.*

Il ouvre la voie à la pénétration espagnole en Amérique centrale et méridionale.

- *1503. Création, à Séville, de la Casa de Contratación, organisme chargé de l'administration des territoires d'outre-mer.*
- *1511. Les premiers Noirs d'Afrique sont transportés sur le nouveau continent.*
- *1521. Cortés arrive à Mexico.*
- *1522-1525. L'Amérique centrale est conquise.*
- *1532. Victoire de Pizarro sur les Incas du Pérou.*
- *1546. Les Espagnols s'installent au Venezuela.*
- *1581. Conquête du Nouveau-Mexique.*

L'Amérique est soumise à une puissante administration politique et religieuse sur le modèle de l'Espagne. L'empire est exploité au profit de la métropole. Au XVIIIe s., des révoltes se produisent, nationales (créoles du Paraguay, Pérou et Mexique) et sociales (Indiens et métis du Venezuela).

- *1778. Installation en Guinée (Fernando Póo).*

Au XIXe s., l'empire espagnol américain se désagrège; les États d'Amérique centrale et méridionale conquièrent leur indépendance (Argentine, 1810; Chili, 1817; Venezuela, 1819; Pérou, Colombie, Mexique, 1821; Équateur, 1822).

- *1898. À la suite de la guerre hispano-américaine, l'Espagne perd Cuba, Porto Rico et les Philippines.*

À partir de la fin du XIXe s., les Espagnols développent une véritable politique coloniale en Afrique : occupation du territoire d'Ifni, cédé par le Maroc en 1878, du Rio de Oro (1884-1886).

- *1912. Un protectorat est institué sur le Rif.*

Mais l'Espagne doit abandonner la plupart de ses possessions.

- *1956-1958. Fin du protectorat sur le Maroc.*
- *1968. Indépendance de la Guinée espagnole.*
- *1975. Abandon du Sahara espagnol.*

Empire colonial français, ensemble des pays d'outre-mer acquis et gouvernés par la France.

- *1534-1542. Jacques Cartier, envoyé par François Ier, effectue trois voyages en Amérique. Il remonte le Saint-Laurent, future grande voie de pénétration française en Amérique.*
- *1608. La fondation de Québec par Champlain jette les bases de la Nouvelle-France.*
- *1626. Premier établissement à Saint-Domingue (Haïti).*

Colbert donne une impulsion décisive aux entreprises lointaines; les colonies sont réservées exclusivement au trafic métropolitain : elles donnent leurs matières premières à la métropole et absorbent ses produits fabriqués.

Les Français occupent la Guadeloupe et la Martinique (1635) et s'établissent à Madagascar (Fort-Dauphin, 1643).

- *1664. Colbert crée la Compagnies des Indes occidentales (exploitation des domaines africain et américain) et la Compagnie des Indes orientales (exploitation du domaine de l'océan Indien).*

La France s'implante en Inde (Surat, 1668) et sur les côtes du Sénégal (1674).

- *1682. Cavelier de La Salle fonde la Louisiane.*

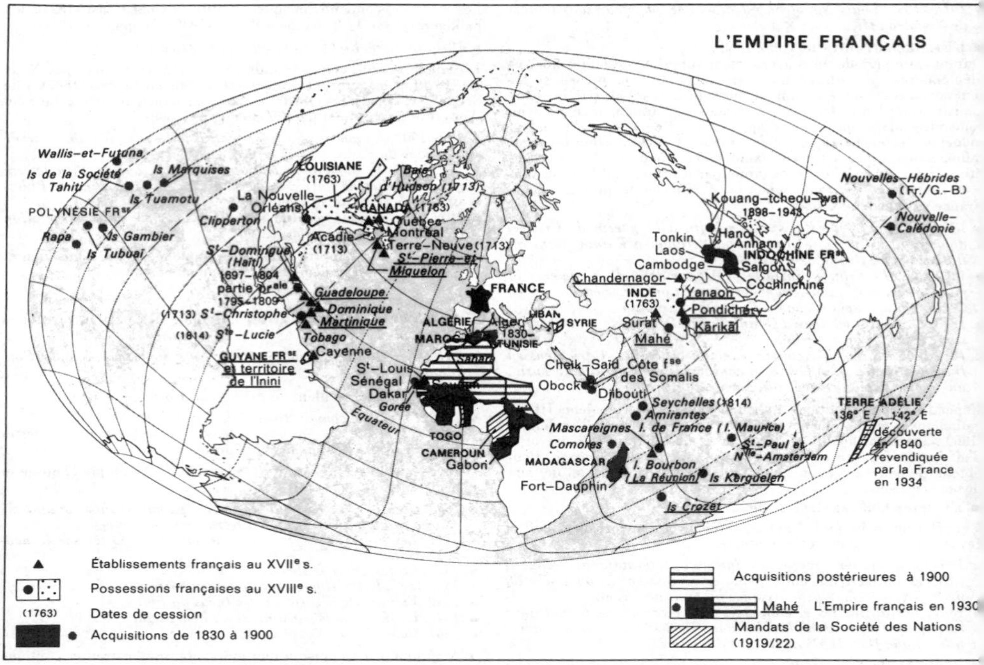

L'EMPIRE FRANÇAIS

Wallis-et-Futuna
Is de la Société
Tahiti
Is Marquises
Is Tuamotu
POLYNÉSIE FR^SE
Rapa
Is Gambier
Is Tubuaï
Clipperton
LOUISIANE (1763)
La Nouvelle-Orléans
Baie d'Hudson (1713)
CANADA (1763)
Québec
Montréal
Acadie (1713)
Terre-Neuve (1713)
St-Pierre-et-Miquelon
St-Domingue (Haïti) 1697–1804 partie or^ale 1795–1809
Guadeloupe
(1713) St-Christophe
Dominique
Martinique
(1814) Ste-Lucie
Tobago
Cayenne
GUYANE FR^SE et territoire de l'Inini
St-Louis
Sénégal
Dakar
Gorée
Équateur
FRANCE
ALGÉRIE
Alger 1830
MAROC
TUNISIE
Sahara
LIBAN
SYRIE
TOGO
CAMEROUN
Gabon
Kouang-tcheou-wan 1898–1943
Hanoï
Tonkin
Laos
Annam
Cambodge
INDOCHINE FR^SE
Saïgon
Cochinchine
Chandernagor
INDE (1763)
Yanaon
Pondichéry
Surat
Kārikāl
Mahé
Cheik-Saïd
Côte f^se des Somalis
Obock
Djibouti
Seychelles (1814)
Amirantes
Mascareignes
I. de France (I. Maurice)
Comores
MADAGASCAR
I. Bourbon
La Réunion
Fort-Dauphin
St-Paul et N^lle-Amsterdam
Is Kerguelen
Is Crozet
Nouvelles-Hébrides (Fr./G.-B.)
Nouvelle-Calédonie
TERRE ADÉLIE
136° E
142° E
découverte en 1840 revendiquée par la France en 1934

▲ Établissements français au XVIIe s.
● Possessions françaises au XVIIIe s.
(1763) Dates de cession
● Acquisitions de 1830 à 1900
Acquisitions postérieures à 1900
Mahé L'Empire français en 1930
Mandats de la Société des Nations (1919/22)

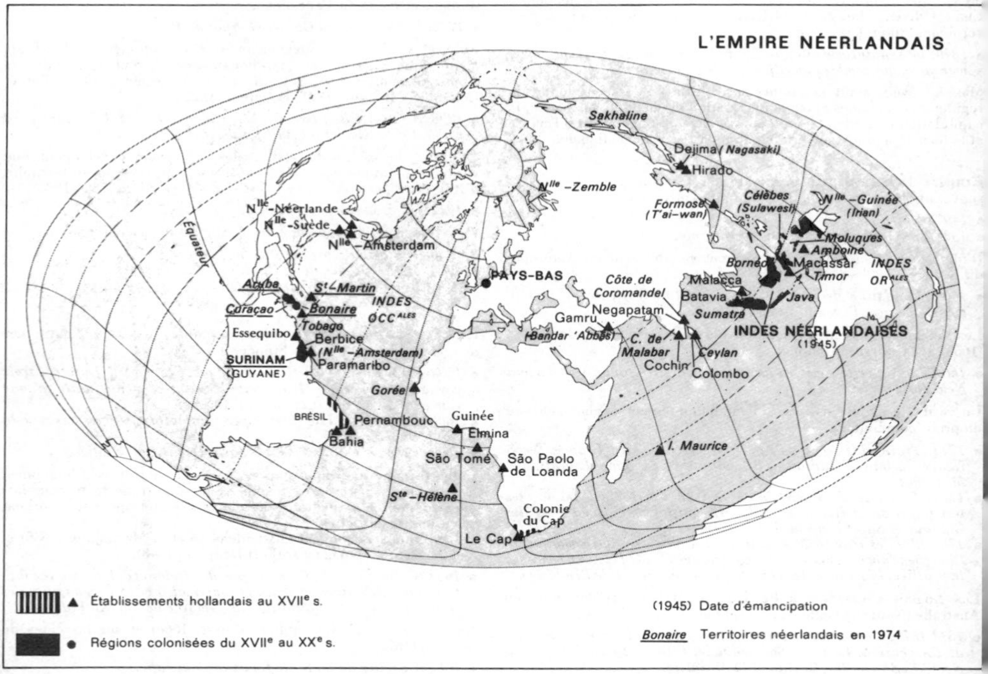

L'EMPIRE NÉERLANDAIS

Sakhaline
Dejima (Nagasaki)
Hirado
N^lle-Zemble
N^lle-Néerlande
N^lle-Suède
N^lle-Amsterdam
Équateur
PAYS-BAS
Aruba
St-Martin
Curaçao
Bonaire
INDES OCC^ALES
Tobago
Essequibo
Berbice
(N^lle-Amsterdam)
SURINAM (GUYANE)
Paramaribo
Gorée
BRÉSIL
Pernambouc
Bahia
Guinée
Elmina
São Tomé
São Paolo de Loanda
Ste-Hélène
Colonie du Cap
Le Cap
Formose (T'ai-wan)
Célèbes (Sulawesi)
N^lle-Guinée (Irian)
Moluques
Amboine
Bornéo
Macassar
Timor
INDES OR^ALES
Malacca
Batavia
Java
Sumatra
Côte de Coromandel
Negapatam
Gamru (Bandar 'Abbās)
C. de Malabar
Cochin
Ceylan
Colombo
INDES NÉERLANDAISES (1945)
I. Maurice

▲ Établissements hollandais au XVIIe s.
● Régions colonisées du XVIIe au XXe s.
(1945) Date d'émancipation
Bonaire Territoires néerlandais en 1974

1713. Par le traité d'Utrecht la France doit abandonner à l'Angleterre l'Acadie, Terre-Neuve, la baie d'Hudson.

lle s'établit à l'île de France (île Maurice) [1715] et fonde La ouvelle-Orléans (1718).

1763. Au traité de Paris, la France cède à l'Angleterre le Canada, le Sénégal, plusieurs Antilles et renonce à toute domination dans l'Inde, où elle ne conserve que cinq comptoirs.

ous l'Empire, le premier domaine colonial français disparaît.

1830. L'expédition d'Alger ouvre la voie à l'impérialisme français contemporain.

a France établit son autorité sur Tahiti (1842-1847) et annexe la ouvelle-Calédonie (1853). Faidherbe ouvre le Sénégal au comnerce et entreprend la pénétration vers le Soudan (1854-1865).

1857. Fondation de Dakar.

es bases de la future Indochine française sont jetées : installation Saigon (1859), occupation de la Cochinchine (1862-1867), établissement du protectorat sur le Cambodge (1863).

1859. Constitution des Établissements français de la Côte-de-l'Or et du Gabon.

'est la grande époque de l'impérialisme français : Brazza pose les ases du Congo français (1875-1882); la France établit des protecrats sur la Tunisie (1881), le Tonkin et Madagascar (1885).

1895. Organisation de l'Afrique-Occidentale française.
1910. Organisation de l'Afrique-Équatoriale française.

a France établit un protectorat sur le Maroc (1912). Par le sysème des mandats, elle obtient le contrôle de la Syrie, du Liban, du ameroun et du Togo.

Mais l'empire est ébranlé par la crise mondiale, puis par la econde Guerre mondiale. C'est le début de la décolonisation, qui oit les États obtenir ou proclamer leur indépendance : Syrie 941), Viêt-nam (1945).

Malgré les tentatives de réorganisation de l'empire (création, en 946, de l'Union française, remplacée, en 1958, par la Communauté), l'évolution se poursuit.

1954. La France reconnaît l'indépendance de l'Indochine, après plusieurs années de guerre.

a même année éclate l'insurrection algérienne.

Le Maroc et la Tunisie accèdent à l'indépendance (1956) ainsi ue les États de l'Afrique-Occidentale et de l'Afrique-Équatoriale 960).

1962. L'indépendance de l'Algérie marque la fin de l'histoire coloniale française.

mpire colonial néerlandais, ensemble des pays et des terrioires colonisés par les Hollandais.

1602. Création de la Compagnie des Indes orientales qui se constitue un domaine essentiellement au détriment des Espagnols et des Portugais.

ès lors, les Hollandais jettent les bases d'un commerce asiatique orissant : ils s'installent aux Moluques (1605) et établissent des omptoirs en Inde, au Japon, en Malaisie (entre 1602 et 1609).

1619. Fondation du comptoir de Batavia (auj. Jakarta) en Indonésie.
1621. La Compagnie des Indes occidentales est créée.
1623. Les Hollandais s'installent le long de l'Hudson (Nouvelle-Hollande) et fondent La Nouvelle-Amsterdam (futur New York).
1624. Ouverture d'un comptoir sur la côte ouest de T'ai-wan (Formose).

n Amérique, un Brésil hollandais éphémère se constitue après la onquête du Brésil portugais septentrional (1630-1654).

1634. La Compagnie des Indes occidentales enlève plusieurs possessions à l'Espagne (Aruba, Curaçao, Bonaire, Tobago, etc.).
1641. Le comptoir de Malacca est pris aux Portugais.
1648. La fondation du Cap permet une étape avantageuse sur la route des Indes.
1658. Conquête de Ceylan.
1667. Acquisition de points d'attache en Nouvelle-Guinée.

la suite du traité de Breda (1667), les Hollandais abandonnent la ouvelle-Hollande en échange de la Guyane (Surinam).

1675-1780. À partir du comptoir de Batavia, les Hollandais étendent leur hégémonie en Indonésie, en exploitant les rivalités existant entre les puissances locales.
1674. La première Compagnie des Indes occidentales est dissoute. L'activité de la seconde Compagnie qui la remplace se limite à l'Afrique et aux Antilles (traite des Noirs).

'administration des Indes orientales repose sur l'organisation ommerciale de la Compagnie pour laquelle le souci commercial limine toute préoccupation de peuplement. Au contraire, dans les Antilles, se forme une société coloniale dans le cadre d'une économie de plantations tropicales.

- *1780-1784. La guerre anglo-néerlandaise porte un coup fatal à la seconde Compagnie des Indes occidentales qui disparaît en 1791. L'État néerlandais prend en charge l'administration en Guinée, en Guyane et aux Antilles.*

Pendant les guerres de la Révolution et de l'Empire, les Anglais prennent prétexte de la mainmise française sur les Pays-Bas (1795) pour occuper l'Empire néerlandais.

- *1798. Suppression de la Compagnie des Indes orientales.*
- *1815. Au congrès de Vienne, les Pays-Bas recouvrent toutes leurs colonies, sauf Le Cap, Ceylan et la Guyane britannique.*
- *1825. Soulèvement de Java et Sumatra.*

Dans les Indes néerlandaises, le système en vigueur est le *cultursstelsel* ou « cultures forcées » dans des plantations d'État (par ex., le tabac à Java et Sumatra). Ce système est condamné par les libéraux pour des raisons économiques et humanitaires.

- *1870. Une loi agraire supprime le travail forcé des indigènes et ouvre l'Indonésie à l'initiative capitaliste et privée.*

La colonisation de l'Indonésie s'achève vers 1910. Dès cette époque, un mouvement nationaliste apparaît.

- *1945. À la fin de l'occupation japonaise, les nationalistes indonésiens proclament l'indépendance puis la République indonésienne, que les Hollandais cherchent à maintenir dans le cadre d'une fédération.*
- *1954. Sukarno dénonce l'union hollando-indonésienne. Le Surinam et les Antilles néerlandaises deviennent autonomes.*

En 1963, l'O. N. U. confie l'administration de l'Irian (Nouvelle-Guinée) à l'Indonésie.

Empire colonial portugais, ensemble des pays et des territoires colonisés par le Portugal.

La prise de Ceuta (1415) constitue le point de départ d'un empire à la fois territorial, avec l'Atlantique et le Maroc, et commercial avec les postes de troc sur la côte africaine.

- *1418. Découverte de Madère.*

Entre 1432 et 1457, les Portugais s'établissent aux Açores.

- *1434. Le cap Bojador est doublé : les routes du Sud sont ouvertes.*

Avec l'occupation des îles du Cap-Vert (1456), les Portugais entrent en contact direct avec les zones de l'or et des esclaves et cherchent dès lors à renforcer leur position sur la côte africaine.

- *1482. La forteresse de São Jorge da Mina est créée sur la côte de Guinée; installation sur les côtes de l'Angola.*

Le traité de Tordesillas (1494) consacre le partage des terres nouvelles entre l'Espagne et le Portugal : il assure en principe aux Portugais le monopole des conquêtes à venir dans l'océan Indien ainsi que la possession du Brésil.

- *1498. Vasco de Gama ouvre la route des Indes. Il atteint Calicut, et Goa qui deviendra par la suite la plaque tournante de l'empire et le siège du vice-roi.*
- *1499. La Casa da Índia et la Casa da Guiné e Mina sont créées, l'une pour le contrôle du commerce dans l'océan Indien, l'autre pour l'exploitation de l'or africain.*
- *1500. Cabral reconnaît le Brésil. Il conclut un traité de commerce avec le prince de Cochin (Inde).*

Entre 1505 et 1524, les Portugais s'installent à Ceylan (1505), Malacca (1511), Ormuz (1515).

- *1549. Nomination du premier gouverneur du Brésil.*

Dans ce pays pratiquement vide d'hommes à l'arrivée des Portugais, des esclaves africains seront amenés en masse.

À la mort de Jean III (1557), l'Empire portugais est à son apogée, mais pour l'exploiter, nulle politique d'ensemble n'est appliquée.

- *1580. Le Portugal passe sous la domination espagnole. Dès cette date, l'Empire colonial portugais entre dans sa phase de régression.*
- *1622. Ormuz est prise par les Anglais.*
- *1641. Les Hollandais prennent Malacca.*
- *1647. Mascate est prise par les Anglais.*
- *1658. Les Hollandais prennent Ceylan.*

Si le Portugal est encore au milieu du XVIIe s. une importante puissance coloniale, il le doit aux solides racines qu'il a dans ses colonies de peuplement (Madère, Açores, îles du Cap-Vert et Brésil).

- *1822. Le Brésil accède à l'indépendance.*
- *1859. Perte de Flores.*
- *1884-1885. Au congrès de Berlin, l'Europe partage les zones d'influence en Afrique sans se soucier du Portugal.*
- *1955. L'Angola devient «province portugaise d'outre-mer».*

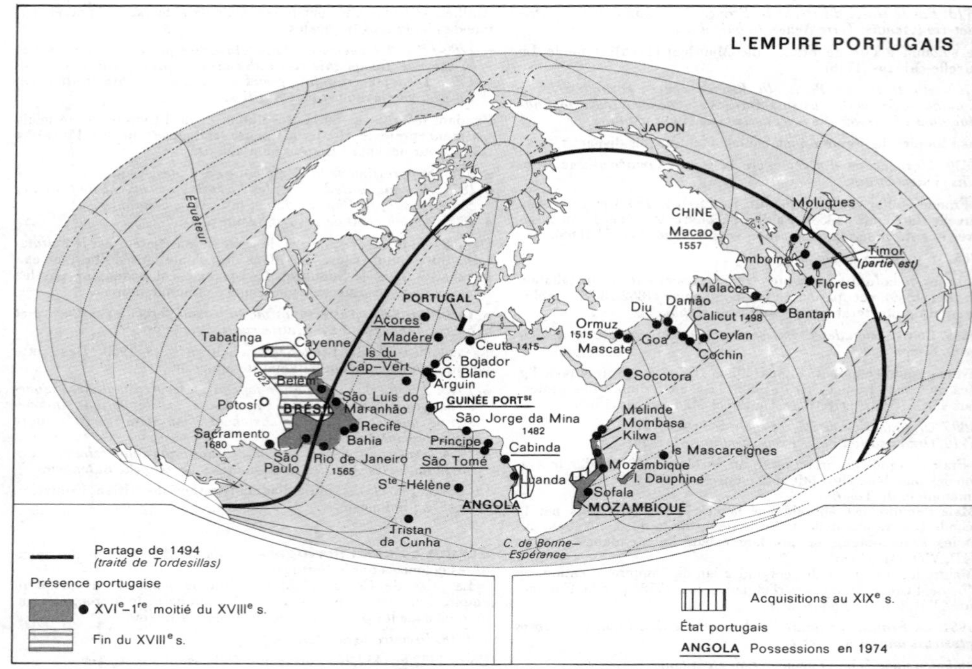

• *1961. Le même statut est attribué à la Guinée et au Mozambique.*
• *1962. Un mouvement nationaliste se manifeste en Angola tandis que Goa, Damão et Diu sont incorporés à l'Union indienne.*
• *1975. Indépendance des diverses possessions d'Afrique.*

EMPIRE ROMAIN → ROME.

EMPIRE ROMAIN GERMANIQUE *(Saint)* → SAINT* EMPIRE ROMAIN GERMANIQUE.

EMPIRE ROMAIN D'ORIENT ou **EMPIRE BYZANTIN** → BYZANTIN *(Empire)*.

EMPIRER v. i. et t. → PIRE.

EMPIRIQUE [ɑ̃pirik] adj. (gr. *empeirikos*). Se dit de ce qui se fonde uniquement sur l'expérience, sur l'observation des faits et non sur une théorie : *Un remède empirique.* ◆ **empiriquement** adv. ◆ **empirisme** n. m. Méthode fondée uniquement sur l'expérience : *L'empirisme des vieilles méthodes de culture fait place à des procédés plus scientifiques.* ◆ **empiriste** n.

EMPLACEMENT [ɑ̃plasmɑ̃] n. m. (de *en-*, et *placer*). Place occupée par une chose : *On a construit un immeuble sur l'emplacement de l'ancien théâtre.*

EMPLÂTRE [ɑ̃plɑtr] n. m. (gr. *emplastron*). Pommade de consistance élastique, se ramollissant à la chaleur, et qui, enduite sur une bande de toile ou de matière plastique, adhère aux parties du corps sur lesquelles on l'applique.

EMPLETTE [ɑ̃plɛt] n. f. (de l'anc. fr. *emploite*, besogne). **1.** Achat d'une chose : *Faire l'emplette d'un appareil photographique* (syn. ACQUISITION). — **2.** Chose achetée : *Montrer ses emplettes* (syn. ACHAT).

EMPLIR [ɑ̃plir] v. t. (lat. *implere*). Rendre plein (langue soignée) : *Emplir une bouteille à la fontaine* (syn. plus fréquent REMPLIR). *Une nouvelle qui emplit de joie* (syn. COMBLER). ◆ **emplissage** n. m. **1.** Action d'emplir. — **2.** Manière dont on remplit un récipient : *Un emplissage maladroit.* ◆ **désemplir** [dezɑ̃plir] v. i. *Ne pas désemplir*, être toujours plein.

emploi *(Agence nationale pour l')* **[A. N. P. E.]**, établissement public chargé de donner des renseignements aux personnes qui recherchent un emploi, d'orienter les demandes de la part des employeurs.

EMPLOYER [ɑ̃plwaje] v. t. (lat. *implicare*, engager dans) [Conj. **3.**] **1.** *Employer qqch.*, en faire usage : *Ce mot n'est plu employé* (syn. UTILISÉ). *Il a employé tout l'après-midi à faire de achats* (syn. CONSACRER). *Employer la force pour maintenir l'ordr* (syn. RECOURIR À). *Employer un levier pour soulever un bloc d pierre* (syn. SE SERVIR DE, USER DE, UTILISER). — **2.** *Employe qq'un*, le faire travailler pour son compte : *Cette usine emploie plu de deux mille ouvriers.* ◆ **s'employer** v. pr. **1.** (sujet nom d chose) Être en usage : *Un verbe défectif est un verbe qui n s'emploie pas à certaines formes.* — **2.** (sujet nom de personn *S'employer à qqch.* (plus rarement *pour, en faveur de*), y consacre son activité, ses efforts : *S'employer à la recherche d'une solutio* (syn. S'APPLIQUER). ◆ **emploi** n. m. **1.** Action ou manière d'em ployer une chose : *Quel emploi peut-on faire de ce tissu?* (sy USAGE). *Respecter le mode d'emploi d'un produit. Mon emploi d temps ne me laisse guère de loisir* (= la distribution de mes occupa tions dans la journée, la semaine). *Quand un mot fait doubl emploi avec un autre dans une phrase, on dit qu'il y a pléonasm* (= fait une répétition inutile). — **2.** Occupation confiée à un personne, tâche à laquelle elle est affectée : *Pour cet emploi, faut une personne expérimentée* (syn. FONCTION, POSTE). *Cherche un emploi* (syn. PLACE, SITUATION). ‖ *Demande d'emploi*, proposi tion faite d'effectuer un certain travail salarié pour le compte d'u employeur. ‖ *Offre d'emploi*, proposition faite par un employeur e vue de trouver un salarié capable d'effectuer un certain travail ◆ **employable** adj. : *Une matière difficilement employabl* ◆ **employé, e** n. **1.** Personne qui occupe un emploi salarié — **2.** Personne qui travaille dans un bureau, un magasin ‖ *Employé de maison*, domestique. ◆ **employeur, euse** n. Per sonne qui occupe du personnel salarié. ◆ **plein-emploi** n. m Emploi total de la main-d'œuvre disponible dans un pays. ◆ **sous emploi** n. m. Emploi d'une partie seulement de la main-d'œuvr disponible. ◆ **inemployé, e** adj. : *Main-d'œuvre inemployée.*

EMPOCHER [ɑ̃pɔʃe] v. t. (de *en-*, et *poche*). Mettre dans s poche, ou simplement percevoir, toucher : *Empocher de l'argent.*

EMPOIGNER [ɑ̃pwaɲe] v. t. (de *en-*, et *poing*). **1.** *Empoigne qqch.*, le saisir vivement avec la main et le tenir fermement *Empoigner la pioche.* — **2.** (sujet nom de personne) Fam. *Empoi gner qq'un*, le retenir, se saisir de lui : *Empoigner un malfaiteur* — **3.** (sujet nom de chose) *Empoigner qq'un*, l'émouvoir fortement ◆ **s'empoigner** v. pr. En venir aux mains, se chamailler : *Deu* *ıdversaires prêts à s'empoigner* (syn. SE COLLETER). ◆ **empoiɡnade** n. f. *Fam.* Querelle, bagarre. ◆ **empoigne** n. f. Fam. *Foire l'empoigne,* lieu, circonstance où chacun cherche à obtenir le plus ›ossible.

EMPOIS n. m. ⟶ EMPESER.

EMPOISONNANT, E adj., **EMPOISONNEMENT** n. m., **EMPOISONNER** v. t., **EMPOISONNEUR, EUSE** n. ⟶ POISON.

EMPORTÉ, E adj., **EMPORTEMENT** n. m. ⟶ EMPORTER 2.

EMPORTE-PIÈCE [ɑ̃pɔrtəpjɛs] n. m. *(emporte* et *pièce).* Insrument en acier dur permettant de découper d'un seul coup une ›ièce dans une plaque, une feuille. — LOC. ADV. ou ADJ. *À l'emporte-pièce,* simple et sans nuance : *Avoir un caractère à l'emporte-pièce* (syn. TOUT D'UNE PIÈCE). ‖ *Mot, phrase, style à l'emporte-pièce,* qui exprime les choses d'une manière tranchée, ncisive.

1. EMPORTER [ɑ̃pɔrte] v. t. (de *en-,* et *porter).* **1.** *Emporter qqch.,* le prendre avec soi, le porter ailleurs : *Emporter des provisions.* — **2.** *Emporter qqch.* (terme abstrait), le garder pour soi, le conserver pour soi à jamais : *Emporter son secret dans la tombe.* ‖ Fam. *Il ne l'emportera pas en paradis,* je saurai me venger. — **3.** *Emporter qqch., qq'un,* l'enlever avec effort, violence ou rapidité : *Le courant emporte la barque* (syn. EMMENER, ENTRAÎNER). *La toiture a été emportée par la tempête* (syn. ARRACHER). ‖ Fam. *Emporter le morceau,* réussir, avoir gain de cause. ‖ *Être emporté par la maladie* (= en mourir). — **4.** *L'emporter,* être victorieux, avoir le dessus : *Il l'a emporté dans la discussion.* *L'emporter sur qq'un, sur qqch.,* avoir l'avantage, prévaloir sur cette personne ou cette chose : *La déception a fini par l'emporter sur la colère.*

2. EMPORTER [ɑ̃pɔrte] v. t. (même étym.). *Emporter qq'un,* le porter à une action excessive, à un haut degré : *Un orateur qui se laisse emporter par son éloquence.* ◆ **s'emporter** v. pr. Se mettre en colère. ◆ **emporté, e** adj. Se dit d'une personne de tempérament violent, qui se laisse aller à des accès de colère : *Un caractère emporté* (syn. FOUGUEUX, IMPÉTUEUX, IRRITABLE). ◆ **emportement** n. m. Mouvement violent excité par la passion, et, en partic., accès de colère : *Il discute avec emportement* (syn. FOUGUE, PASSION).

EMPOTÉ, E [ɑ̃pɔte] adj. et n. (de *en-,* et l'anc. fr. *pote,* gauche). *Fam.* Se dit d'une personne qui manque d'adresse, d'initiative (syn. ↓GAUCHE; contr. DÉBROUILLARD, DÉGOURDI).

EMPOURPRER v. t., **S'EMPOURPRER** v. pr. ⟶ POURPRE 2.

EMPOUSSIÉRER v. t., **S'EMPOUSSIÉRER** v. pr. ⟶ POUSSIÈRE.

EMPREINDRE (S') [sɑ̃prɛ̃dr] v. pr. (lat. *imprimere*). [Conj. **55.**] Porter la marque de quelque chose : *Son visage commençait à s'empreindre de tristesse.* ◆ **empreint, e** part. adj. : *Une voix empreinte de douceur.* ◆ **empreinte** [ɑ̃prɛ̃t] n. f. **1.** Trace laissée par une pression, un contact : *Des empreintes de pas sur le sol.* ‖ *Empreintes digitales,* marques laissées par les sillons de la peau des doigts sur un objet. — **2.** Signe visible de quelque chose : *On peut lire sur son visage l'empreinte de la douleur.* — **3.** Marque personnelle d'un artiste, reconnaissable dans ses œuvres.

EMPRESSER (S') [sɑ̃prese] v. pr. (de *en-,* et *presser).* **1.** (sujet nom de personne) Se hâter, agir vivement : *S'empresser de partir* (syn. SE DÉPÊCHER). — **2.** *S'empresser auprès, autour de qq'un,* se montrer prévenant à son égard, lui témoigner son dévouement, son amour. ◆ **empressé, e** adj. Se dit de ce qui manifeste de l'attention, de l'empressement : *Des admirateurs empressés* (syn. ↑CHALEUREUX). *Des soins empressés* (syn. DÉVOUÉS). ◆ **empressement** n. m. : *Il montre peu d'empressement pour le sport* (syn. ZÈLE).

EMPRISE [ɑ̃priz] n. f. (de l'anc. fr. *emprendre,* entreprendre). Domination morale, intellectuelle exercée sur quelqu'un : *Il a beaucoup d'emprise sur les autres* (syn. AUTORITÉ, INFLUENCE). *Être sous l'emprise de la colère* (syn. EMPIRE).

EMPRISONNEMENT n. m., **EMPRISONNER** v. t. ⟶ PRISON.

EMPRUNT n. m. ⟶ EMPRUNTER.

EMPRUNTÉ, E [ɑ̃prœ̃te] adj. (de *emprunter*). Se dit d'une personne ou d'un comportement qui manque d'aisance, de naturel : *Air emprunté* (syn. EMBARRASSÉ, GAUCHE).

EMPRUNTER [ɑ̃prœ̃te] v. t. (bas lat. *impromutare*). **1.** (sujet nom de personne) *Emprunter qqch.,* se le faire prêter : *Emprunter cent francs à un ami.* — **2.** (sujet nom de personne ou de chose) Recevoir, prendre de quelqu'un, de quelque chose : *Le français a emprunté de nombreux mots à l'anglais* (syn. TIRER). *Emprunter une citation à Pascal* (syn. DEVOIR). — **3.** *Emprunter une route, une voie,* la suivre. ◆ **emprunt** n. m. **1.** Action d'emprunter quelque chose, en partic. de l'argent : *Recourir à un emprunt pour faire construire sa maison.* — **2.** Acte par lequel une société ou une collectivité publique (commune, département ou État) demande que de l'argent lui soit prêté pour pouvoir faire face à des dépenses exceptionnelles, moyennant certains avantages (intérêts, par ex.) : *Lancer, émettre un emprunt.* ‖ *Emprunt à lot,* emprunt dont le titre peut être assorti, par tirage au sort, d'un lot en espèces ou en nature (des bons pour effectuer certains trajets sur les chemins de fer, par ex.). ‖ *Emprunt national,* système d'emprunt qui consiste en ce que l'État s'adresse directement aux prêteurs, au lieu de faire négocier l'emprunt par des banquiers. — **3.** Ce qui est emprunté : *Un emprunt remboursable en dix ans. Le mot « dandy » est un emprunt à l'anglais.* — **4.** *D'emprunt,* se dit de ce qui provient d'un emprunt : *Utiliser un matériel d'emprunt.* ‖ *Nom d'emprunt,* nom adopté dans telle ou telle circonstance (syn. PSEUDONYME). ◆ **emprunteur, euse** n. et adj. : *Les obligations de l'emprunteur envers le prêteur.*

EMPUANTIR v. t., **EMPUANTISSEMENT** n. m. ⟶ PUER.

EMPYRÉE [ɑ̃pire] n. m. (gr. *empurios,* en feu). **1.** *Myth.* Partie la plus élevée du ciel, habitée par les dieux. — **2.** Le ciel, dans le langage poétique.

EMS, fl. d'Allemagne (Rhénanie-Palatinat), longeant la frontière des Pays-Bas, tributaire de la mer du Nord; 371 km.

EMS ou **BAD EMS,** v. d'Allemagne, près de Coblence; 7 000 hab. Station thermale.

- *13 juil. 1870. Une dépêche est adressée à Bismarck au sujet de la candidature Hohenzollern au trône d'Espagne.*

Tronquée par Bismarck, afin de la rendre injurieuse à l'égard de la France, et communiquée aux journaux, elle décide de la déclaration de guerre de la France à l'Allemagne.

ÉMU, E adj. ⟶ ÉMOUVOIR.

ÉMULE [emyl] n. (lat. *aemulus,* rival). Personne qui cherche à en égaler ou surpasser une autre, à montrer des qualités ou des défauts égaux ou supérieurs aux siens : *Il est le digne émule de son maître.* ◆ **émulation** n. f. Sentiment qui pousse à égaler ou à surpasser quelqu'un, surtout dans une bonne intention : *Il y a entre eux, plutôt qu'une rivalité, une saine émulation* (syn. COMPÉTITION, CONCURRENCE).

ÉMULSION [emylsjɔ̃] n. f. (du lat. *emulgere,* extraire). **1.** Particules très fines d'un liquide en suspension dans un autre liquide : *Une émulsion d'huile dans de l'eau.* — **2.** *Émulsion photographique,* préparation sensible à la lumière, qui couvre les films et les plaques photographiques. ◆ **émulsionner** v. t. Faire une émulsion.

1. EN prép. ⟶ DANS.

2. EN [ɑ̃], **Y** [i] adv. de lieu et pron. pers. (lat. *inde,* de là; lat. *hic,* ici). Reprennent un mot ou une expression qui se trouve en général dans une autre position. (Se placent avant le verbe, sauf si celui-ci est à l'impératif.)
→ tableau page suivante et IL.

---

3. EN- (**EM-** devant *p, b, m*), élément tiré du lat. *in,* dans, et entrant comme préfixe dans la composition de nombreux mots (en partic. des verbes), pour indiquer soit la position dans quelque chose *(encaisser),* soit le factitif (= le sujet fait faire l'action) *[enlaidir].*

E. N. A., abrév. de *École nationale d'administration*.*

ÉNAMOURÉ, E ou **ENAMOURÉ, E** adj. ⟶ AMOUR.

EN-AVANT [ɑ̃navɑ̃] n. m. inv. *(en,* et *avant).* Au rugby, faute commise par un joueur qui envoie le ballon, de la main ou du bras, vers les buts adverses.

ENCABLURE [ɑ̃kablyr] n. f. (de *en-,* et *câble*). Mesure de longueur (environ 200 m) utilisée dans la marine pour les petites distances.

1. ENCADREMENT n. m. ⟶ CADRE 1, 2 et 3.

2. ENCADREMENT [ɑ̃kadrəmɑ̃] n. m. (de *encadrer*). *Encadrement du crédit,* limitation par les pouvoirs publics des crédits que les banques sont autorisées à accorder aux entreprises, dans le but de lutter contre l'inflation.

ENCADRER v. t. ⟶ CADRE 1, 2 et 3.

ENCADREUR n. m. ⟶ CADRE 1.

1. ENCAISSER v. t. ⟶ CAISSE 1.

2. ENCAISSER [ɑ̃kese] v. t. (de *en-,* et *caisse*). **1.** *Encaisser de l'argent,* le recevoir, le toucher en paiement d'une marchandise,

en	y
1. Adverbe de lieu indiquant l'endroit d'où l'on vient (= de ce lieu) : *« Avez-vous été chez lui? — J'en reviens. »*	1. Adverbe de lieu indiquant l'endroit où l'on va (= en ce lieu) : *« Connaissez-vous la Provence? — J'y suis allé cet été. »*
2. Pronom pers. de la 3ᵉ pers. (placé avant le verbe), remplace un nom de chose complément qui serait précédé de la préposition *de* (= de lui, d'elle[s], d'eux) : *Vous avez bien fait de me prévenir, je lui en parlerai dès que je le verrai* (= de cela). *J'ai réussi et j'en suis fier* (compl. de l'adj.) [= de cela]. *Avez-vous envoyé des lettres? Je n'en ai pas reçu* (objet direct) [= des lettres]. *Il prit une pierre et l'en frappa* (compl. de moyen). *Vous m'avez rendu service et je m'en souviendrai* (objet indirect) [= de cela].	2. Pronom pers. de la 3ᵉ pers. (placé avant le verbe), remplace un nom de chose complément qui serait précédé de la préposition *à* (= à lui, à elle[s], à eux) : *« Tu n'as pas oublié d'acheter les pinces? — J'y pense* (= à elles). *» Réveillez-moi à six heures : surtout, pensez-y* (= à cela).
3. Pronom pers. de la 3ᵉ pers. (placé avant le verbe), peut remplacer, dans les mêmes conditions, un nom de personne, mais plus rarement : *Cet élève est excellent; j'en suis très content* (plus souvent *je suis content de lui*).	3. Pronom pers. (placé avant le verbe), peut remplacer, dans les mêmes conditions, un nom de personne, mais plus rarement : *L'avez-vous pris comme collaborateur? Je ne m'y fierais pas* (plus souvent *à lui*).
4. Pronom pers., peut annoncer un complément dans la même phrase, avec une valeur de renforcement (langue fam.): *On s'en souviendra, de ce voyage!*	4
5. Particule formant avec le verbe une locution verbale indissociable : *Il m'en a coûté beaucoup. Il en est quitte pour la peur. Il en va de même pour les autres problèmes. Ils en sont venus aux mains. Je ne m'en suis pas remis. Ne pas en croire ses oreilles. Il en est réduit à la dernière extrémité. S'en aller*, etc.	5. Particule formant avec le verbe une locution verbale indissociable : *Il s'y connaît, il s'y entend* (= il est expert en la question). *Il s'y fera* (= il s'adaptera à la situation).

d'un service. — **2.** Fam. *Encaisser des coups, des injures*, etc., les subir sans être ébranlé, sans sourciller. — **3.** Fam. *Encaisser qq'un*, le supporter. ◆ **encaissable** adj. : *Une somme immédiatement encaissable.* ◆ **encaisse** n. f. Argent ou valeurs qu'on a en caisse. ‖ *Encaisse métallique*, valeurs en or ou en argent. ◆ **encaissement** n. m. : *Action de toucher de l'argent, des valeurs.* ◆ **encaisseur** n. m. Employé chargé de recevoir des sommes dues.

3. ENCAISSER (S') [sɑ̃kese] v. pr. (même étym.). Se resserrer entre de hautes parois : *La route s'encaisse au fond de la vallée.* ◆ **encaissé, e** adj. Se dit de ce qui est resserré entre des montagnes ou des parois escarpées : *Une route encaissée.* ◆ **encaissement** n. m. : *L'encaissement d'une vallée.*

ENCAN (À L') [alɑ̃kɑ̃] loc. adv. (lat. *in quantum*, pour combien?). Aux enchères : *Des meubles vendus à l'encan.*

ENCANAILLER (S') v. pr. —→ CANAILLE.

ENCAPUCHONNÉ, E adj. —→ CAPUCHON.

ENCART [ɑ̃kar] n. m. (de *en-*, et *carte*). Feuille volante, carte insérée dans un cahier, une revue, un livre : *Un encart publicitaire.* ◆ **encarter** v. t. : *Encarter un prospectus dans une revue.* ◆ **encartage** n. m.

EN-CAS ou **ENCAS** [ɑ̃ka] n. m. (de [*objet préparé*] *en cas* [*de besoin*]). **1.** Objet préparé pour être utilisé en cas de besoin. — **2.** Repas léger, préparé par précaution (syn. CASSE-CROÛTE).

ENCASERNER v. t. —→ CASERNE.

ENCASTRER [ɑ̃kastre] v. t. (it. *incastrare*). Ajuster très exactement dans un creux, un intervalle : *Encastrer un mécanisme dans son boîtier* (syn. ENCHÂSSER). ◆ ***s'encastrer*** v. pr. S'insérer dans. ◆ **encastrement** n. m. **1.** Action d'encastrer. — **2.** Entaille dans une pièce, destinée à recevoir une autre pièce.

ENCAUSTIQUE [ɑ̃kostik] n. f. (du gr. *egkaiein*, peindre à la cire fondue). Produit d'entretien à base de cire et d'essence destiné à l'entretien des parquets, des meubles, etc. ◆ **encaustiquer** v. t. Enduire d'encaustique : *Encaustiquer un buffet.* ◆ **encaustiquage** n. m.

1. ENCEINTE [ɑ̃sɛ̃t] n. f. (du lat. *incingere*, entourer complètement). **1.** Ce qui entoure, ce qui forme une protection : *Une ville dotée d'une enceinte fortifiée* (syn. MURAILLE). — **2.** Espace clos : *L'enceinte du tribunal* (syn. SALLE). — **3.** *Enceinte acoustique*, ensemble de plusieurs haut-parleurs, complémentaires d'une chaîne de haute fidélité.

2. ENCEINTE [ɑ̃sɛ̃t] adj. f. (bas lat. *incincta*). Se dit d'une femme en état de grossesse.

ENCENS [ɑ̃sɑ̃] n. m. (du lat. *incendere*, brûler). **1.** Substan résineuse qui dégage, par combustion, un parfum caractéristiqu — **2.** Hommages, marques de déférence (littér.) : *Il se lais gagner par l'encens de la flatterie.* ◆ **encenser** v. t. **1.** Honorer agitant l'encensoir : *Le prêtre encense l'autel.* — **2.** Flatter, louer l'excès : *On a encensé ses mérites.* ◆ **encensement** n. m. Acti d'encenser. ◆ **encenseur, euse** n. Personne qui flatte exagér ment. ◆ **encensoir** n. m. Petit récipient suspendu à des chaîne dans lequel on brûle de l'encens. ‖ *Coup d'encensoir*, flatter excessive.

ENCÉPHALE [ɑ̃sefal] n. m. (gr. *egkephalos*, ce qui est dans tête). *Anat.* Ensemble des centres nerveux (cerveau, cervele bulbe rachidien) contenus dans la boîte crânienne des vertébré ◆ **encéphalique** adj. Relatif à l'encéphale. ◆ **encéphalite** n. *Méd.* Affection inflammatoire non suppurée de l'encéphal ◆ **encéphalographie** n. f. Radiographie de l'encéphale.

ENCERCLEMENT n. m., **ENCERCLER** v. t. —→ CERCLE 1.

ENCHAÎNEMENT n. m. —→ CHAÎNE 2.

ENCHAÎNER v. t. —→ CHAÎNE 1 et 2.

ENCHANTER [ɑ̃ʃɑ̃te] v. t. (lat. *incantare*, ensorceler). **1.** Exe cer, sur quelqu'un ou sur quelque chose, une action surnaturell par un pouvoir magique (syn. ENSORCELER, ENVOÛTER — **2.** *Enchanter qq'un*, le remplir d'un vif plaisir (souvent a passif) : *Un spectacle qui enchante les yeux* (syn. CHARMER). *No sommes revenus enchantés de notre séjour* (syn. ↑ENTHOUSIASM RAVI). ◆ **enchantement** n. m. **1.** Action de soumettre à un po voir magique, d'exercer un sortilège. — **2.** État d'âme d'une pe sonne enchantée (sens 2 du v.) : *Cette musique lui causait u enchantement inexprimable* (syn. ÉMERVEILLEMENT, RAVISS MENT). — **3.** Ce qui enchante : *Ce spectacle est un véritab enchantement* (syn. MERVEILLE). — **4.** *Par enchantement, comm par enchantement*, d'une manière merveilleuse, comme surnat relle. ◆ **enchanteur, eresse** adj. et n. : *Merlin l'enchanteur. U paysage enchanteur* (syn. RAVISSANT). ◆ **désenchanter** v. *Désenchanter qq'un*, le faire passer d'une illusion à la constatatio d'une réalité peu réjouissante (surtout au passif) : *Il est revenu bie désenchanté de son voyage* (syn. DÉCEVOIR, DÉSILLUSIONNER ◆ **désenchantement** n. m. : *Il a connu bien des désenchant ments dans sa vie* (syn. DÉBOIRES, DÉCEPTION, DÉSILLUSION).

ENCHÂSSER [ɑ̃ʃase] v. t. (de *en-*, et *châsse*). *Enchâsser u objet dans un autre*, le fixer dans un support, dans un creux (sy ENCASTRER) : *Enchâsser un diamant* (syn. SERTIR). ◆ **enchâsse ment** n. m.

ENCHÈRE [ɑ̃ʃɛr] n. f. (de *en-*, et *cher*, coûteux). Offre d'ach supérieure à celles qui ont été faites précédemment, lors d'ur vente publique : *Sur une dernière enchère de cinquante francs, le meuble a été adjugé à sept cents francs. Acheter un livre à une vente aux enchères* (= vente publique au plus offrant, faite par un commissaire-priseur, un notaire, etc.). ◆ **enchérir** v. i. **1.** *Enchérir sur qq'un, sur une offre,* faire une offre d'achat supérieure. — **2.** *Enchérir sur qqch.*, aller au-delà, le dépasser (littér.) : *Une description qui enchérit sur la réalité* (syn. RENCHÉRIR). ◆ **enchérisseur, euse** n. Personne qui met une enchère pour l'achat d'un objet.

ENCHÉRIR v. i. ⟶ CHER 2 et ENCHÈRE.

ENCHÉRISSEMENT n. m. ⟶ CHER 2.

ENCHÉRISSEUR, EUSE n. ⟶ ENCHÈRE.

ENCHEVÊTRER [ɑ̃ʃəvetre] v. t. (de *en-*, et *chevêtre*, licou). *Enchevêtrer des choses*, les emmêler de façon inextricable : *Un pêcheur qui enchevêtre sa ligne dans celle du voisin* (syn. EMBROUILLER). *Une intrigue enchevêtrée* (syn. COMPLIQUER). ◆ **s'enchevêtrer** v. pr. S'emmêler : *Des fils qui s'enchevêtrent. Il s'est enchevêtré dans ses explications* (syn. S'EMBARRASSER, S'EMPÊTRER). ◆ **enchevêtrement** n. m. : *Un enchevêtrement de fils de fer. On a peine à démêler l'enchevêtrement de sa pensée* (syn. CONFUSION, DÉSORDRE).

ENCLAVE [ɑ̃klav] n. f. (du bas lat. *inclavare*, fermer avec une clé). Portion de propriété ou de territoire entièrement entourée par une autre propriété ou par le territoire d'un autre pays. ◆ **enclaver** v. t. **1.** *Enclaver un terrain*, entourer de tous côtés un terrain appartenant à autrui. — **2.** *Enclaver une chose*, la placer entre deux ou plusieurs autres : *Enclaver un pronom complément entre le sujet et le verbe* (syn. INSÉRER). ◆ **enclavement** n. m. ◆ **désenclaver** v. t. **1.** Supprimer une enclave. — **2.** Rompre l'isolement d'une région sur le plan économique. ◆ **désenclavement** n. m. : *L'ouverture des routes a permis le désenclavement de nombreuses communes alpines au XIXe s.*

ENCLENCHER [ɑ̃klɑ̃ʃe] v. t. (de *en-*, et *clenche*). **1.** *Enclencher un objet*, le rendre solidaire d'une autre pièce d'un mécanisme, au moyen d'un dispositif spécialement conçu à cet effet : *Enclencher un aiguillage.* — **2.** *L'affaire est enclenchée*, l'affaire est engagée. ◆ **s'enclencher** v. pr. : *Une roue qui s'enclenche sur un levier par un cliquet.* ◆ **enclenchement** n. m. **1.** Action d'enclencher, de s'enclencher. — **2.** Dispositif permettant de rendre solidaires les pièces d'un mécanisme. (⟶ DÉCLENCHER.)

ENCLIN, E [ɑ̃klɛ̃, -in] adj. (du lat. *inclinare*, incliner). *Enclin à qqch., à faire qqch.*, se dit d'une personne qui y est naturellement portée : *Un élève trop enclin à s'amuser pendant la classe* (syn. SUJET À).

ENCLISE [ɑ̃kliz] n. f. (gr. *egklisis*, inclinaison). Phénomène grammatical qui consiste dans la fusion plus ou moins complète d'une particule *(enclitique)* avec le mot qui précède, et sur lequel elle semble prendre appui. (*Ex. :* la particule latine *-que* [« et »] s'attache à la fin d'un mot pour le coordonner au précédent; ainsi *Dei hominesque*, « les dieux et les hommes ».) ◆ **enclitique** adj. et n. m. ou f. Mot ou particule dépourvus de ton, qui s'unissent au terme précédent de façon à n'en former qu'un pour la prononciation : *En latin « que » dans « meque », en français « je » dans « sais-je » et « ce » dans « est-ce » sont des enclitiques.*

ENCLORE [ɑ̃klɔr] v. t. (du lat. *includere*, fermer). [Conj. **81.**] **1.** *Enclore un terrain*, l'entourer d'une clôture : *Enclore un pré* (syn. CLÔTURER). — **2.** Constituer la clôture : *Mur qui enclôt un jardin.* ◆ **enclos** [ɑ̃klo] n. m. **1.** Terrain fermé par une clôture. — **2.** La clôture elle-même : *Réparer l'enclos.* ◆ **enclosure** n. f. Technique employée par les grands propriétaires anglais au XVIIIe s., et qui consistait à entourer de clôtures leurs terres, transformant en bocage l'ancien *openfield* (= « champ ouvert »).

ENCLUME [ɑ̃klym] n. f. (lat. *incus, -udis*). **1.** Bloc de fer aciéré sur lequel on forge les métaux. — **2.** *Être entre l'enclume et le marteau*, être entre deux personnes, entre deux intérêts qui s'opposent, avec le risque de subir des dommages de l'un ou de l'autre.

ENCOCHE [ɑ̃kɔʃ] n. f. *(en-*, et *coche)*. Petite entaille servant de marque, de cran, etc. (⟶ COCHE 3.)

ENCOIGNURE [ɑ̃kɔɲyr] n. f. (de *en-*, et *coin*). Angle intérieur formé par deux murs, par un mur et une porte, etc. : *Se dissimuler dans une encoignure* (syn. COIN).

ENCOLLAGE n. m., **ENCOLLER** v. t. ⟶ COLLE 1.

ENCOLURE [ɑ̃kɔlyr] n. f. (de *en-*, et *col*, cou). **1.** Partie du corps du cheval qui va de la tête aux épaules et au poitrail. — **2.** Aspect que présente le cou d'un homme : *Il a une forte encolure.* — **3.** Mesure du tour de cou, pointure du col. — **4.** Partie d'un vêtement destinée à recevoir le col; forme d'un décolleté : *Une encolure en pointe.*

ENCOMBRANT, E adj. ⟶ ENCOMBRER.

ENCOMBRE (SANS) [sɑ̃zɑ̃kɔ̃br] loc. adv. (de *encombrer*). Sans rencontrer d'obstacle (syn. SANS INCIDENT).

ENCOMBRER [ɑ̃kɔ̃bre] v. t. (de *en-*, et l'anc. fr. *combre*, barrage de rivière). **1.** (sujet nom de chose ou de personne) *Encombrer un lieu*, y causer un embarras, un obstacle, par accumulation : *Des valises qui encombrent le couloir* (syn. OBSTRUER). — **2.** *Encombrer qq'un, qqch.*, les occuper à l'excès : *Il encombre sa mémoire de détails inutiles* (syn. SURCHARGER). ◆ **s'encombrer** v. pr. *S'encombrer de qq'un, de qqch.*, le prendre ou le garder avec soi et en être gêné : *Il n'a pas voulu s'encombrer de ses enfants pour ce voyage.* ◆ **encombrant, e** adj. : *Des paquets encombrants* (syn. EMBARRASSANT). *La présence encombrante d'un voisin* (syn. GÊNANT). ◆ **encombrement** n. m. **1.** *L'encombrement du bureau nous a obligés à passer dans le salon.* — **2.** Affluence de voitures en un lieu déterminé, y causant un ralentissement de la circulation : *Être pris dans un encombrement.* — **3.** Dimensions d'un objet, place qu'il occupe : *Se renseigner sur l'encombrement d'un appareil de chauffage.* ◆ **désencombrer** v. t. : *Désencombrer un grenier de caisses* (syn. DÉBARRASSER).

ENCONTRE DE (À L') [alɑ̃kɔ̃trədə] loc. prép. (lat. *incontra*). En opposition avec : *Il a agi à l'encontre de nos conseils* (syn. CONTRAIREMENT À).

ENCORBELLEMENT [ɑ̃kɔrbɛlmɑ̃] n. m. (de *en-*, et *corbel*, corbeau [terme d'archit.]). Construction en porte à faux, de telle sorte qu'une partie d'un étage soit en surplomb par rapport à la base de la construction.

ENCORDER (S') v. pr. ⟶ CORDE 1.

ENCORE [ɑ̃kɔr] adv. (bas lat. *hinc ad horam*, de là à cette heure). **1.** Indique qu'au moment précis où l'on parle, ou à l'époque où se passe l'action, celle-ci dure ou durait encore; à cette heure-ci, jusqu'à cet instant : *Nous sommes encore en hiver. Il ne faisait pas encore nuit. Ne te désole pas; il ne part pas encore.* — **2.** *Il a encore perdu au jeu* (syn. DE NOUVEAU). — **3.** Indique un renforcement devant un comparatif : *Il fait encore plus froid;* ou un renforcement après *mais*, pour demander des explications : *« Que penses-tu de lui? — Il est très sympathique. — Mais encore? »* — **4.** Indique une restriction, une opposition à ce qui a été affirmé : *Tout ceci est terrible; encore ne sait-on pas tout* (syn. ET CEPENDANT); en ce sens, il peut accompagner *si : Si encore j'avais eu le temps* (syn. SI SEULEMENT). — LOC. CONJ. *Encore que* (et le subj.), indique la concession ou l'opposition (littér.) : *Encore que le froid fût très vif, il sortait de très bonne heure* (syn. BIEN QUE, QUOIQUE).

ENCORNER v. t. ⟶ CORNE 1.

ENCORNET [ɑ̃kɔrnɛ] n. m. (de *en-*, et *cornet*). Nom usuel des CALMARS* comestibles de nos côtes, employés comme appâts dans la pêche à la morue.

ENCOURAGEANT, E adj., **ENCOURAGEMENT** n. m., **ENCOURAGER** v. t. ⟶ COURAGE.

ENCOURIR [ɑ̃kurir] v. t. (lat. *incurrere*). [Conj. **29.**] **1.** Attirer sur soi : *Encourir des reproches, la haine de qq'un.* — **2.** S'exposer à : *L'accusé encourt la peine de mort* (syn. MÉRITER).

ENCRAGE n. m. ⟶ ENCRE.

ENCRASSEMENT n. m., **ENCRASSER** v. t., **S'ENCRASSER** v. pr. ⟶ CRASSE 1.

ENCRE [ɑ̃kr] n. f. (lat. *encaustum*). **1.** Liquide coloré, servant à écrire, à imprimer. ‖ *Encre de Chine*, composition à base de noir de fumée, d'un noir brillant, employée dans les dessins au lavis et au trait. ‖ *Encre sympathique*, encre incolore sur le papier, mais que la chaleur ou certains produits chimiques rendent visible. — **2.** Liquide fortement colorant, produit chez certains mollusques céphalopodes (seiche) par une glande, la poche du noir, et qui leur permet de dissimuler leur fuite. — **3.** *Faire couler beaucoup d'encre*, provoquer beaucoup de commentaires. ‖ Fam. *Se faire un sang d'encre*, se faire beaucoup de souci. ◆ **encrer** v. t. Charger d'encre : *Encrer un tampon.* ◆ **encrage** n. m. : *L'encrage d'un rouleau d'imprimerie.* ◆ **encreur** adj. m. : *Rouleau encreur.* ◆ **encrier** n. m. Récipient qui contient de l'encre.

ENCROÛTER v. t., **S'ENCROÛTER** v. pr. ⟶ CROÛTE.

ENCYCLIQUE [ɑ̃siklik] n. f. (gr. *egkuklios*, circulaire). Lettre adressée par le pape aux catholiques du monde entier ou au clergé d'une nation : *Les encycliques sont souvent désignées par les premiers mots de leur texte latin : «Pacem in terris» (1963) [Jean XXIII], «Humanae vitae» (1968) [Paul VI], «Laborem exercens» (1981) [Jean Paul II].*

ENCYCLOPÉDIE [ɑ̃siklɔpedi] n. f. (gr. *egkuklios paideia*, instruction embrassant le cercle du savoir). **1.** Ouvrage qui expose les principes et les résultats de toutes les sciences ou d'une branche des connaissances humaines, d'une technique : *Encyclopédie de* *l'aviation.* — **2.** Partie d'un article de dictionnaire qui développe une définition, fournit des renseignements détaillés et des explications. ◆ **encyclopédique** adj. : *Des connaissances encyclopédiques* (= très étendues et dans de nombreux domaines). *Dictionnaire encyclopédique* (= qui contient des développements scientifiques, techniques). ◆ **encyclopédiste** n. m. **1.** Auteur d'une encyclopédie. — **2.** Nom donné aux auteurs de l'*Encyclopédie* du XVIIIe s. : *Diderot et d'Alembert sont les encyclopédistes les plus célèbres.*

Encyclopédie ou Dictionnaire raisonné des sciences, des arts et des métiers (1751-1772). Ouvrage rédigé sous la direction de Diderot. La publication des 35 volumes (dont 11 de planches) réunit 150 collaborateurs parmi lesquels : Voltaire, Montesquieu, Rousseau, Helvétius, Condillac, d'Holbach, Quesnay et Turgot. D'Alembert en rédigea le *Discours préliminaire.* La grande nouveauté de cet énorme ouvrage était d'accorder une place importante aux progrès de la science, de l'économie et de la pensée dans tous les domaines, et d'illustrer le texte par des planches très détaillées. Tout au long de cette immense rédaction, confiée à de nombreux spécialistes, l'autorité et la tradition étaient condamnées au nom du progrès. Cette attitude révolutionnaire exerça une influence profonde et durable sur les classes intellectuelles en France et à l'étranger.

ENCYCLOPÉDIQUE adj., **ENCYCLOPÉDISTE** n. m. ⟶ ENCYCLOPÉDIE.

ENDÉMIE [ɑ̃demi] n. f. (du gr. *endêmon nosêma,* maladie fixée dans un pays). Maladie particulière à une région et qui tient aux conditions alimentaires des populations *(endémie dyscrasique),* ou maladie infectieuse qui règne dans une région de façon permanente *(endémie infectieuse).* ⟶ ENCYCL. ◆ **endémique** adj. **1.** *Le choléra était endémique dans l'Inde.* — **2.** Se dit de quelque chose qui sévit de façon constante : *Chômage endémique* (contr. MOMENTANÉ).

— ENCYCL. Les *endémies infectieuses* comme le *choléra* ou la *peste* en Inde, la *maladie du sommeil* en Afrique, le *paludisme* dans les pays marécageux sont dues à la présence permanente d'un certain microbe dans une région. Les *endémies dyscrasiques* sont dues à l'insuffisance de certains aliments nécessaires à l'organisme, telle l'endémie de *goitre* dans les régions sans iode (parce que trop éloignées de la mer), ou de *béribéri* dans les régions où l'alimentation n'apporte pas de vitamines B.

ENDETTEMENT n. m., **ENDETTER** v. t., **S'ENDETTER** v. pr. ⟶ DETTE.

ENDEUILLER v. t. ⟶ DEUIL.

ENDIABLÉ, E [ɑ̃djable] adj. (de *en-,* et *diable*). **1.** Se dit d'une personne très remuante, fatigante : *Un enfant endiablé* (syn. INFERNAL). — **2.** Se dit d'un mouvement très vif, impétueux : *Une allure endiablée* (syn. EFFRÉNÉ).

ENDIGUER v. t. ⟶ DIGUE.

ENDIMANCHÉ, E adj. ⟶ DIMANCHE.

ENDIVE [ɑ̃div] n. f. (lat. *intibum*). Espèce cultivée de chicorée, blanchie dans l'obscurité et que l'on consomme comme légume d'hiver, crue ou cuite.

ENDO- [ɑ̃do], élément tiré du gr. *endon,* au-dedans, et qui entre comme préfixe dans la formation de mots savants.

ENDOCARDE [ɑ̃dokard] n. m. (de *endo-,* et gr. *kardia,* cœur). *Anat.* Membrane tapissant intérieurement les cavités du cœur. ◆ **endocardite** n. f. *Méd.* Inflammation de l'endocarde, aiguë ou chronique, d'origine microbienne, et qui constitue une grave maladie du cœur.

ENDOCARPE [ɑ̃dokarp] n. m. (de *endo-,* et gr. *karpos,* fruit). *Bot.* Partie la plus interne du fruit : *Dans la prune, la cerise, l'endocarpe forme le noyau autour de la graine.*

ENDOCRINE [ɑ̃dokrin] adj. (de *endo-,* et gr. *krinein,* sécréter). *Anat.* Se dit d'une glande qui déverse dans le sang son produit de sécrétion : *L'hypophyse, la thyroïde, les glandes reproductrices, le pancréas, le foie sont des glandes endocrines.* ◆ **endocrinien, enne** adj. Relatif aux glandes endocrines : *Système endocrinien.* ⟶ ENCYCL. ◆ **endocrinologie** n. f. Partie de la biologie et de la médecine qui étudie le développement, les fonctions et les maladies des glandes endocrines.

— ENCYCL. Le *système endocrinien* (= l'ensemble des glandes endocrines) se compose d'un organe central de commande et de glandes produisant chacune une ou plusieurs hormones.

L'organe central de commande est la partie antérieure de l'*hypophyse* (ou *antéhypophyse*) qui, en produisant différentes substances (ou stimulines), règle l'ensemble du système endocrinien.

Parmi les glandes produisant chacune une ou plusieurs hormones, certaines obéissent à l'antéhypophyse : ce sont la *thyroïde* qui sécrète les hormones thyroïdiennes réglant la croissance; l*e* *corticosurrénales* dont les hormones règlent la sortie et l*e* échanges d'eau et de substances dissoutes dans le sang et l reins; les *glandes génitales* (ovaires chez la femme, testicules ch l'homme) qui règlent toute la vie sexuelle et génitale. D'autr glandes ne dépendent pas de l'antéhypophyse : ce sont la *posth pophyse* (ou partie postérieure de l'hypophyse) qui élabore u hormone qui retient l'eau dans l'organisme en freinant l'émissi d'urine par les reins; les *parathyroïdes* qui règlent le devenir calcium dans l'organisme; le *pancréas endocrine* qui règle le mét bolisme du sucre par l'insuline; la *médullosurrénale* qui sécrè l'adrénaline.

■ *Les maladies des glandes endocrines.* Elles peuvent être dues un excès de sécrétion des glandes (= les glandes fonctionnent tro [*gigantisme, hyperthyroïdie**] ou au contraire à une insuffisan (= les glandes ne fonctionnent pas assez) [*nanisme, hypothyroïdie diabète insipide*].

ENDOCTRINEMENT n. m., **ENDOCTRINER** v. t. ⟶ DO TRINE.

ENDOGÈNE [ɑ̃dɔʒɛn] adj. (de *endo-,* et gr. *genos,* origine *Roche endogène,* roche dont la matière provient, en totalité ou e partie, de l'écorce terrestre : *Le granit et le basalte sont des roche endogènes.*

ENDOLORI, E adj., **ENDOLORISSEMENT** n. m. ⟶ DOU LEUR.

ENDOMMAGER v. t. ⟶ DOMMAGE.

ENDOPARASITE [ɑ̃dɔparazit] adj. et n. m. *(endo-,* et *para site). Biol.* Se dit d'un parasite qui vit à l'intérieur du corps de so hôte, comme le ténia, l'ascaris.

ENDORÉIQUE [ɑ̃dɔreik] adj. (de *endo-,* et gr. *rhein,* couler Se dit des régions dont les eaux, bien que coulant en permanence ne gagnent pas la mer (contr. EXORÉIQUE). [Les régions endoréique forment 11 p. 100 de la surface des continents.] ◆ **endoréism** n. m.

— ENCYCL. L'*endoréisme* est une conséquence du relief (cuvette fermées), du climat (forte évaporation), des sols (perméabilité fortes infiltrations). Le centre de l'Eurasie est le principal domain de l'endoréisme, avec les réseaux de la Volga, de l'Oural, d l'Amou-Daria, du Syr-Daria et du Tarim.

ENDORMIR [ɑ̃dɔrmir] v. t. *(en-,* et *dormir).* **1.** *Endormir un êtr animé,* le faire dormir, provoquer son sommeil : *Endormir u enfant en le berçant* (contr. ÉVEILLER, RÉVEILLER). — **2.** Provoque un sommeil artificiel : *Endormir un blessé pour l'opérer* — **3.** *Endormir qq'un,* l'ennuyer du fait de la monotonie, d manque d'intérêt de quelque chose : *Ce film endort le public* (syn ↑ASSOMMER). — **4.** Fam. *Endormir qq'un,* le bercer d'illusions *Endormir les mécontents par des promesses* (syn. ↑TROMPER) ◆ **s'endormir** v. pr. **1.** (sujet nom d'être animé) Céder au som meil : *S'endormir sitôt couché.* — **2.** (sujet nom de personne Ralentir son activité, manquer l'attention : *Ton travail n'avance pas : tu t'endors!* ◆ **endormant, e** adj. : *Un livre, un cours endormant* (syn. ENNUYEUX). ◆ **endormeur, euse** n. Sens 4 du v. t. : *Ne vous fiez pas à lui, c'est un endormeur.* ◆ **endormi, e** adj. et n. Sens 2 du v. pr. : *Un esprit endormi* (syn. LENT, LOURD).

ENDOS n. m. ⟶ ENDOSSER 2.

ENDOSCOPE [ɑ̃dɔskɔp] n. m. (de *endo-,* et gr. *skopein,* exami ner). Appareil destiné à éclairer et à rendre visible l'intérieur d'une cavité du corps humain pour en faciliter l'examen médical ◆ **endoscopie** n. f. Examen d'une cavité interne du corps, avec un endoscope. ◆ **endoscopique** adj.

1. ENDOSSER [ɑ̃dose] v. t. (de *en-,* et *dos*). **1.** *Endosser une veste, un uniforme,* s'en revêtir, les mettre sur soi. — **2.** *Endosser qqch.,* en prendre la responsabilité : *J'endosse les conséquences de son erreur* (syn. ASSUMER, SE CHARGER DE).

2. ENDOSSER [ɑ̃dose] v. t. (même étym.). *Endosser un chèque, un effet de commerce,* porter au dos de cette pièce une mention signée donnant l'ordre d'effectuer le paiement à une autre personne. ◆ **endossement** ou **endos** n. m. Action d'endosser, mention signée.

1. ENDROIT [ɑ̃drwa] n. m. (de *en-,* et *droit,* adv.). **1.** Place, lieu déterminés : *C'est un endroit idéal pour dresser la tente* (syn. EMPLACEMENT). *Habiter dans un endroit calme* (syn. LOCALITÉ, QUARTIER). *À quel endroit avez-vous mal?* — **2.** Passage d'un ouvrage, d'une œuvre : *Le public éclate de rire aux endroits comiques.*

2. ENDROIT [ɑ̃drwa] n. m. (même étym.). Le beau côté d'une étoffe, la face, le sens d'un objet qui se présente normalement à la vue : *Une feuille écrite seulement sur l'endroit* (syn. RECTO; contr. VERSO). — LOC ADV. *À l'endroit,* du bon côté, du côté normal (contr. À L'ENVERS).

3. ENDROIT DE (À L') [alɑ̃drwadə] loc prép. (même étym.). Envers, à l'égard de (langue soignée).

ENDUIRE [ɑ̃dɥir] v. t. (lat. *inducere*, appliquer sur). [Conj. **70.**] *Enduire une surface, un objet,* les recouvrir d'une couche liquide ou pâteuse : *Enduire de graisse l'axe d'un moteur.* ◆ **enduit** n. m. Revêtement appliqué sur une surface.

ENDURABLE adj., **ENDURANCE** n. f., **ENDURANT, E** adj. → ENDURER.

ENDURCIR v. t., **ENDURCISSEMENT** n. m. → DUR.

ENDURER [ɑ̃dyre] v. t. (lat. *indurare*) [sujet nom d'être animé]. *Endurer qqch., qq'un,* supporter avec fermeté ce qui est pénible : *Les soldats qui ont enduré la fatigue, la faim, le froid. Je ne peux plus endurer son bavardage* (syn. SOUFFRIR, TOLÉRER). ◆ **endurable** adj. : *Une douleur difficilement endurable.* ◆ **endurance** n. f. : *L'endurance physique.* ◆ **endurant, e** adj. : *Il faut être endurant pour vivre sous un pareil climat* (syn. RÉSISTANT).

ENDURO [ɑ̃dyro] n. m. (de *endurance*). Compétition de motocyclisme, épreuve d'endurance et de régularité en terrain varié.

ENDYMION [ɑ̃dimjɔ̃] n. m. (de *Endymion*, n. mythologique). Plante à bulbe, dont les fleurs bleues s'épanouissent dans les bois au printemps. (Famille des liliacées.) [Nom usuel JACINTHE DES BOIS.]

ENÉE. *Myth. gr.* Prince troyen, fils d'Anchise et de la déesse Aphrodite, il combattit les Grecs à la guerre de Troie. Après la prise de la ville, il échappa au massacre et s'enfuit en emmenant son père Anchise sur ses épaules. Après un long voyage, il aborda l'Italie où il épousa Lavinia, fille du roi du Latium dont il eut un fils, Ascagne. Selon la légende, Rome aurait été fondée par ses descendants. L'écrivain latin Virgile a consacré à Énée un poème épique en 12 chants : *l'Énéide* (29-19 av. J.-C.).

EN EFFET [ɑ̃nefɛ] loc. adv. *(en,* et *effet).* Joue le rôle d'une conj. de coordination en introduisant une explication ou une preuve à l'appui de l'énoncé précédent, ou pour confirmer ce qui a été dit : *Cet orchestre me plaît beaucoup; en effet, il interprète Mozart d'une manière admirable* (syn. CAR, en tête de phrase). *Il ne pourra aller dimanche au théâtre; il est, en effet, fortement enrhumé* (syn. PARCE QUE, introduisant une proposition subordonnée de cause). *« Étiez-vous à votre bureau lundi? — En effet, j'y étais »* (syn. ASSURÉMENT, EFFECTIVEMENT).

1. ÉNERGIE [enɛrʒi] n. f. (gr. *energeia*, force en action). *Phys.* Faculté que possède un système de corps de fournir du travail mécanique ou son équivalent. ‖ *Énergie cinétique,* énergie que possède un corps en vertu de sa vitesse. ‖ *Énergie potentielle,* énergie que possède un corps en raison de sa position. ‖ *Sources d'énergie,* le charbon et le lignite, l'hydroélectricité, le pétrole et le gaz naturel, celles qui sont fournies par les marées et par l'atome. → ENCYCL. ◆ **énergétique** adj. : *Les ressources énergétiques d'un pays* (= ses ressources en énergie).

— ENCYCL. La production de l'*énergie* est un bon indice de développement économique d'un pays, car elle est à la base de presque toutes ses activités industrielles. L'énergie fournie par le pétrole a récemment dépassé celle provenant du charbon. La part du gaz naturel s'accroît, alors que celle de l'hydro-électricité est stagnante; la production d'électricité d'origine nucléaire est encore faible à l'échelle mondiale. La production d'énergie est calculée en convertissant en équivalent calorifique du charbon (1 tec = 1 tonne d'équivalent charbon) ou du pétrole (1 tep = 1 tonne d'équivalent pétrole; 1 tep = 1,5 tec) les diverses sources ou formes d'énergie :

Monde	8 050 millions de tep
U. R. S. S.	1 800 millions de tep
États-Unis	1 750 millions de tep
Chine	620 millions de tep
Canada	560 millions de tep
Grande-Bretagne	260 millions de tep
Arabie Saoudite	230 millions de tep
Allemagne	185 millions de tep
Venezuela	100 millions de tep
France	98 millions de tep

■ *Consommation d'énergie.* Elle est calculée en t d'« équivalent pétrole » par habitant et fait apparaître des différences énormes entre les États. On compte ainsi environ 10 tep par habitant aux États-Unis et au Canada, plus de 3 tep dans la plus grande partie des États d'Europe. En revanche, on compte moins de 0,5 tep dans la plupart des États de l'Amérique centrale et de l'Afrique ainsi qu'en Extrême-Orient, à l'exclusion du Japon.

■ *Sources d'énergie* → illustration en couleurs pp. 480-481.

2. ÉNERGIE [enɛrʒi] n. f. (de *énergie* 1). Force physique ou morale manifestée par un être animé : *Il frappait sur l'enclume avec énergie* (syn. VIGUEUR). *Il a supporté cette épreuve avec beaucoup d'énergie* (syn. COURAGE, FERMETÉ). ◆ **énergique** adj. Se dit d'une personne (ou de son comportement) qui manifeste de l'énergie : *Une résistance énergique* (syn. VIGOUREUX). *Élever une énergique protestation* (syn. VIF). *Un remède énergique* (syn. ACTIF). ◆ **énergiquement** adv. : *Lutter énergiquement* (syn. VIGOUREUSEMENT, VIVEMENT).

ÉNERGUMÈNE [enɛrgymɛn] n. m. (gr. *energoumenos*). Individu exalté, excessif ou bizarre dans son comportement.

ÉNERVANT, E adj., **ÉNERVÉ, E** adj., **ÉNERVEMENT** n. m., **ÉNERVER** v. t. → NERF.

ENESCO ou **ENESCU** (George), compositeur, chef d'orchestre et violoniste roumain (1881-1955). Il fut un des plus grands virtuoses de son temps. Il est l'auteur de symphonies, d'un opéra (*Œdipe*, 1932), de deux rhapsodies roumaines (1901 et 1902).

ENFANT [ɑ̃fɑ̃] n. (lat. *infans*, qui ne parle pas). **1.** Garçon ou fille, de moins de treize ou quatorze ans, n'ayant pas encore atteint l'adolescence : *Un enfant d'une douzaine d'années.* — **2.** *Fam.* Personne adulte qui a conservé des côtés puérils, naïfs : *Vous êtes des enfants si vous croyez tout ce qu'il vous promet.* ‖ *Bon enfant,* d'un caractère facile, accommodant. ‖ *Faire l'enfant,* s'amuser à des enfantillages. — **3.** Fils ou fille, même adulte : *Un vieillard entouré de ses enfants et de ses petits-enfants.* ‖ *Enfant adoptif,* qu'on a pris légalement pour enfant, par l'effet de l'adoption. ‖ *Enfant de la balle* → BALLE 2. ‖ *Enfant de chœur* → CHŒUR 2. ‖ *Enfant Jésus, Enfant Dieu, Enfant Roi,* Jésus-Christ encore enfant. ‖ *Enfant naturel,* enfant né de parents non mariés. ‖ *Enfant de troupe,* fils de militaire qui était autref. élevé aux frais de l'État. — **4.** Qui est originaire de; qui appartient à la population de : *Pascal est un des plus célèbres enfants de Clermont-Ferrand.* ◆ **enfance** n. f. **1.** Période de la vie humaine qui va de la naissance à l'adolescence. — **2.** Les enfants considérés collectivement : *L'enfance délinquante.* — **3.** Commencement, origine : *Une littérature qui était encore dans son enfance.* — **4.** *C'est l'enfance de l'art,* c'est extrêmement simple à faire. ‖ *Retomber en enfance,* avoir des facultés mentales affaiblies par l'âge (syn fam. DEVENIR GÂTEUX). ◆ **enfanter** v. t. et i. **1.** (sujet nom de femme) Mettre au monde un enfant (surtout littér.) [syn. ACCOUCHER]. — **2.** (sujet nom de personne) Produire, créer (littér.) : *Un écrivain qui a enfanté une œuvre importante.* ◆ **enfantement** n. m. : *Les douleurs de l'enfantementt* (syn. usuel ACCOUCHEMENT). *L'enfantement d'un poème* (littér.) [syn. ÉLABORATION]. ◆ **enfantillage** n. m. En parlant d'un adulte, acte, parole qui, par son manque de sérieux, conviendrait à un enfant (souvent au plur.). ◆ **enfantin, e** adj. **1.** Se dit de ce qui se rapporte aux enfants : *Des amusements enfantins.* — **2.** Se dit de ce qui est très simple à comprendre, à faire, à résoudre : *Un problème enfantin.*

Enfant prodigue *(l')*, personnage d'une parabole de l'Évangile. Un jeune homme quitte sa famille pour mener une vie de désordre et tombe dans la misère. À son retour, il est accueilli à bras ouverts par son père, qui fait tuer le veau gras en son honneur.

Enfant et les sortilèges *(l')*, fantaisie lyrique, musique de Ravel, livret de Colette (1915).

Enfants terribles *(les)*, roman de J. Cocteau (1929).

ENFANTEMENT n. m., **ENFANTER** v. t. et i., **ENFANTILLAGE** n. m., **ENFANTIN, E** adj. → ENFANT.

ENFARINÉ, E adj. → FARINE.

ENFER [ɑ̃fɛr] n. m. (lat. *infernus*, d'en bas). **1.** Selon la religion catholique, malheur inimaginable de ceux qui ont refusé l'amour de Dieu sur la terre (pour toujours ils souffriront parce qu'ils seront loin de Lui). — **2.** Lieu, situation où l'on éprouve des tourments continuels, où l'existence est insupportable : *Sa vie est un enfer.* — **3.** *D'enfer,* d'une grande violence, excessif : *Mener un train d'enfer* (= aller à très grande vitesse). ◆ **Enfers (les)** n. m. pl. Le lieu où les âmes séjournent après la mort, selon diverses croyances anciennes.

ENFERMER [ɑ̃fɛrme] v. t. *(en-,* et *fermer).* **1.** *Enfermer des êtres vivants,* les mettre dans un local, dans un endroit d'où ils ne peuvent sortir : *Enfermer un prisonnier dans un cachot.* — **2.** *Enfermer des choses,* les mettre en lieu sûr, en un endroit fermé : *Enfermer des papiers dans un tiroir.* — **3.** *Enfermer un concurrent,* dans une course, le serrer contre la corde, de manière à l'empêcher de se dégager. ◆ **s'enfermer** v. pr. **1.** *S'enfermer chez soi,* s'isoler en fermant sa porte aux autres. — **2.** *S'enfermer dans son silence, dans sa résolution,* s'y tenir fermement.

ENFERRER (S') [sɑ̃fere] v. pr. (de *en-*, et *fer*). **1.** (sujet nom de personne) S'embrouiller de plus en plus, au point de ne plus pouvoir se tirer d'une situation fâcheuse. — **2.** Dans un combat à l'épée, recevoir une blessure en se jetant soi-même contre l'arme de son adversaire. ◆ **enferrer** v. t. (rare) : *Des questions insidieuses qui enferrent le candidat* (= qui achèvent de le perdre, de le décontenancer).

ENFIÈVREMENT n. m., **ENFIÉVRER** v. t. ⟶ FIÈVRE.

ENFILER [ɑ̃file] v. t. (de *en-*, et *fil*). **1.** *Enfiler une aiguille*, y passer le fil. — **2.** *Enfiler des perles, des anneaux*, etc., les passer autour d'un fil, d'une tringle, etc. — **3.** *Enfiler une tige dans un trou, son bras dans une crevasse*, etc., l'y engager, l'y faire pénétrer. — **4.** *Enfiler un vêtement*, le passer sur ses bras, ses jambes, son corps (syn. METTRE). — **5.** *Enfiler une rue, une porte, un couloir*, etc., s'y engager (syn. PRENDRE). ◆ ***s'enfiler*** v. pr. S'engager dans un lieu : *Il est passé rapidement et s'est enfilé dans l'escalier.* ◆ **enfilade** n. f. Suite de choses disposées en file, mises bout à bout : *Chambres en enfilade.* ◆ **enfilage** n. m. Sens 1 et 2 du v. t. : *L'enfilage des perles d'un collier.* ◆ **enfileur, euse** n. ◆ **désenfiler** v. t. *Désenfiler qqch.*, retirer le fil qui y est introduit.

ENFIN [ɑ̃fɛ̃] adv. (de *en*, prép., et *fin*, n. f.). **1.** Indique qu'un événement se produit le dernier d'une série, ou après avoir été longtemps attendu, ou que l'on présente le dernier terme d'une énumération : *Enfin, tu as compris! Il y avait là Pierre, Jacques et enfin Bernard.* — **2.** Indique une conclusion récapitulative : *Enfin, tout s'est bien passé* (syn. BREF). — **3.** Indique un correctif apporté à une affirmation : *C'est un mensonge, enfin une vérité incomplète* (syn. DU MOINS). — **4.** Introduit un terme qui correspond à une phrase concessive, formulée ou implicite : *Cela me paraît difficile; enfin, vous pouvez toujours essayer* (syn. NÉANMOINS, QUOI QU'IL EN SOIT, TOUTEFOIS). — **5.** Marque la résignation : *Enfin, que voulez-vous, c'était inévitable!*

ENFLAMMER v. t., **S'ENFLAMMER** v. pr. → FLAMME 1 et 2.

ENFLER [ɑ̃fle] v. i. (lat. *inflare*). Devenir plus gros (se dit surtout d'une partie du corps, sous l'effet d'un coup, d'une inflammation, etc.) : *Sa cheville foulée a enflé.* ◆ v. t. **1.** Provoquer l'enflure d'une partie du corps : *La fatigue lui a enflé les jambes.* — **2.** *Enfler qqch.*, le rendre plus volumineux, plus important, plus arrondi : *Les pluies enflent les rivières* (syn. GROSSIR). *Le vent enfle les voiles* (syn. GONFLER). — **3.** *Être enflé de qqch.*, en être fier, rempli : *Être enflé d'orgueil.* ◆ **enflure** n. f. **1.** État d'une partie du corps tuméfiée par un mal : *Enflure des jambes.* — **2.** Amplification, exagération : *L'enflure du style.* ◆ **désenfler** v. i. Devenir moins enflé.

ENFONCER [ɑ̃fɔ̃se] v. t. (de *en-*, et *fond*). **1.** *Enfoncer qqch.*, le faire pénétrer en profondeur, le faire aller vers le fond : *Enfoncer un clou* (syn. PLANTER). *Enfoncer son chapeau sur sa tête* (syn. METTRE). — **2.** *Enfoncer qqch.*, le faire céder par une poussée, un choc : *Enfoncer une porte* (syn. DÉFONCER, FORCER). — **3.** *Enfoncer une armée ennemie*, opérer une percée dans ses lignes, la vaincre. — **4.** Fam. *Enfoncer un adversaire*, le surpasser complètement, remporter un avantage décisif sur lui. ‖ Fam. *Enfoncer une porte ouverte*, se donner beaucoup de peine pour démontrer une chose évidente. ◆ v. i. ou ***s'enfoncer*** v. pr. ou ***être enfoncé*** v. passif. **1.** Pénétrer en profondeur, aller vers le fond : *Les pieds enfoncent dans la boue. Un bateau qui s'enfonce dans l'eau* (syn. COULER, S'IMMERGER). — **2.** Céder sous la pression : *Le sol enfonce sous les pas.* ◆ v. pr. **1.** S'engager profondément : *S'enfoncer dans la forêt.* — **2.** En venir à une situation pire : *Il s'enfonce sans cesse davantage par de nouvelles dettes.* ◆ **enfoncement** n. m. Action d'enfoncer, d'être enfoncé.

ENFOUIR [ɑ̃fwir] v. t. (lat. *infodere*). *Enfouir qqch.*, le cacher dans le sol ou dans un lieu secret, ou sous un amas d'objets : *Enfouir un trésor* (syn. ENTERRER). *Des statues enfouies depuis des millénaires. Victimes enfouies sous les décombres* (syn. ENSEVELIR). ◆ ***s'enfouir*** v. pr. : *S'enfouir sous les draps* (syn. SE BLOTTIR). ◆ **enfouissement** n. m.

ENFOURCHER [ɑ̃furʃe] v. t. (de *en-*, et *fourche*). **1.** *Enfourcher un cheval, une bicyclette*, etc., monter dessus à califourchon. — **2.** *Enfourcher une idée, une opinion*, l'adopter et s'y attacher avec passion.

ENFOURNAGE ou **ENFOURNEMENT** n. m., **ENFOURNER** v. t. ⟶ FOUR 1.

ENFREINDRE [ɑ̃frɛ̃dr] v. t. (lat. *infringere*, briser). [Conj. **55.**] *Enfreindre un règlement, une loi, un traité*, etc., ne pas en respecter les dispositions, les stipulations (syn. CONTREVENIR À, TRANSGRESSER, VIOLER). ◆ **infraction** [ɛ̃fraksjɔ̃] n. f. Violation d'un engagement, d'un règlement, d'une loi (langue admin., jurid.) : *Une infraction aux règles de stationnement en vigueur* (= une contravention).

ENFUIR (S') v. pr. ⟶ FUIR 1.

ENFUMER v. t. ⟶ FUMER 1.

ENGADINE, haute vallée de l'Inn, en Suisse, dans les Grisons. Elle doit à sa situation au cœur des Alpes un climat relativement sec et très ensoleillé favorisant le tourisme.

ENGAGÉ n. m. ⟶ ENGAGER 1.

ENGAGÉ, E adj., **ENGAGEANT, E** adj. ⟶ ENGAGER 2.

ENGAGEMENT n. m. ⟶ ENGAGER 1, 2 et 3.

1. ENGAGER [ɑ̃gaʒe] v. t. (de *en-*, et *gage*). **1.** *Engager s[es] bijoux, sa montre*, etc., les mettre en gage pour obtenir un prê[t]. — **2.** Lier par une promesse ferme, une convention, une oblig[a]tion : *Engager sa parole. Cela ne vous engage à rien.* — **3.** *Engage[r] du personnel*, le prendre à son service, lui fournir du travail (sy[n.] EMBAUCHER, RECRUTER). ◆ ***s'engager*** v. pr. **1.** (sujet nom d[e] personne) Faire une promesse ferme, se lier verbalement ou pa[r] contrat : *Il s'est engagé à rembourser la somme en deux an[s].* — **2.** (sujet nom de personne) Contracter un engagement volontair[e] dans l'armée : *Il s'est engagé dans la marine.* ◆ **engagé** n. m. Militaire qui est entré dans l'armée en contractant un engageme[nt] (par oppos. à l'APPELÉ, qui accomplit son temps légal de servic[e] militaire). ◆ **engagement** n. m. Action d'engager ou de s'eng[a]ger : *Tenir ses engagements* (syn. PROMESSE). *L'engagement d[u] personnel* (syn. EMBAUCHE). ◆ **rengager** v. i. ou **se rengage[r]** v. pr. Contracter un nouvel engagement dans l'armée (syn. REMP[I]LER [arg. mil.]). ◆ **rengagement** n. m. : *Contracter un rengage[]ment.*

2. ENGAGER [ɑ̃gaʒe] v. t. (même étym.). **1.** *Engager qqch* (objet), le faire pénétrer dans quelque chose qui retient : *Engage[r] le pied dans l'étrier.* — **2.** Faire pénétrer dans un lieu : *Engager s[a] voiture dans une rue.* — **3.** Faire participer à une action, fai[re] entrer dans quelque chose : *Engager des troupes dans une bataill[e]. Engager des capitaux* (syn. INVESTIR). — **4.** *Engager qqch.* (m[ot] abstrait), le commencer, le mettre en train : *Engager des négocia[]tions* (syn. AMORCER, ENTAMER). — **5.** *Engager qq'un à qqch., faire qqch.*, l'y pousser, le lui conseiller vivement : *Je vous engag[e] à la plus grande prudence* (syn. EXHORTER, PRESSER DE). ◆ ***s'en[]gager*** v. pr. **1.** (sujet nom de personne) S'avancer, entrer dans u[n] lieu, dans une situation : *S'engager dans des pourparler[s].* — **2.** *Écrivain, artiste qui s'engage*, qui prend nettement positio[n] en matière politique, qui traduit ses opinions dans son œuvr[e]. — **3.** (sujet nom de chose) Se loger, pénétrer : *Le train s'engag[e] dans le tunnel.* — **4.** Commencer : *Le débat s'engage ma[l].* ◆ **engagé, e** adj. *Écrivain engagé, littérature engagée*, qui pren[d] position sur les problèmes politiques et sociaux de son époque. ◆ **engagement** n. m. **1.** Action d'engager ou de s'engager : *L'engagement de gros capitaux* (syn. INVESTISSEMENT). *L'engage[]ment du train dans le tunnel. L'engagement des négociations. Un[e] conférence sur le thème de l'engagement en littérature.* — **2.** Com[]bat localisé et de courte durée : *Deux militaires tués dans u[n] engagement.* ◆ **engageant, e** adj. Qui donne envie d'entrer e[n] relation, qui retient après avoir attiré : *Avoir un sourire engagean[t]* (syn. SYMPATHIQUE; contr. ANTIPATHIQUE). ◆ **non engagé, [e]** adj. État, personne qui a une attitude de non-engagement : *Le[s] pays non engagés dans la guerre.* ◆ **non-engagé, e** n. ◆ **non[-]engagement** n. m. Attitude d'un État, d'une personne qui rest[e] libre à l'égard de toute position politique. ◆ **désengager** v. [t.] Faire cesser l'engagement. ◆ **désengagement** n. m.

3. ENGAGER [ɑ̃gaʒe] v. i. (même étym.). *Sports.* Donner l[e] coup d'envoi dans un match ou un jeu d'équipe. ◆ **engagemen[t]** n. m. (syn. COUP D'ENVOI).

ENGAINANT, E [ɑ̃genɑ̃, -ɑ̃t] adj. (de *en-*, et *gaine*). *Bot.* Se di[t] d'une feuille dont la base, ou *gaine*, entoure la tige : *Les feuille[s] des graminées sont engainantes.*

ENGEANCE [ɑ̃ʒɑ̃s] n. f. (du lat. *indicare*, indiquer). Catégori[e] de personnes jugées méprisables.

ENGELS (Friedrich), théoricien socialiste allemand (1820-1895). Dès 1845, il publie une étude sur *la Situation des classes labo[]rieuses en Angleterre.* Puis collaborateur de Karl Marx avec leque[l] il écrit notamment le *Manifeste du parti communiste* (1848), [il] prend une part active à l'élaboration du marxisme*. En 1870, il s[e] retire à Londres pour se consacrer à ses écrits (*Anti-Dühring*, 1878). Après la mort de Karl Marx (1883), il assure la publicatio[n] du *Capital*.

ENGELURE [ɑ̃ʒlyr] n. f. (de *en-*, et *geler*). *Méd.* Rougeur o[u] tuméfaction douloureuse de certaines extrémités du corps (doigts, orteils, oreilles), causées par le froid.

ENGENDRER [ɑ̃ʒɑ̃dre] v. t. (lat. *ingenerare*). **1.** (sujet nom d'être vivant mâle) Procréer, reproduire par génération : *Selon l[a] Bible, Abraham engendra Isaac.* — **2.** (sujet nom de chose) Être l'origine de : *La guerre engendre bien des maux* (syn. ENTRAÎNER). — **3.** *Il n'engendre pas la mélancolie*, il est d'un caractère gai. — **4.** *Math.* Produire par un mouvement dans l'espace : *Un demi[-]cercle tournant autour de son diamètre engendre une sphère.* ◆ **engendrement** n. m. Action d'engendrer (sens 1 et 2 du v.).

ENGHIEN (Louis Antoine Henri DE BOURBON-CONDÉ, *duc* D') ⟶ CONDÉ *(maison de).*

ENGHIEN-LES-BAINS, ch.-l. de cant. du Val-d'Oise, sur l[e]

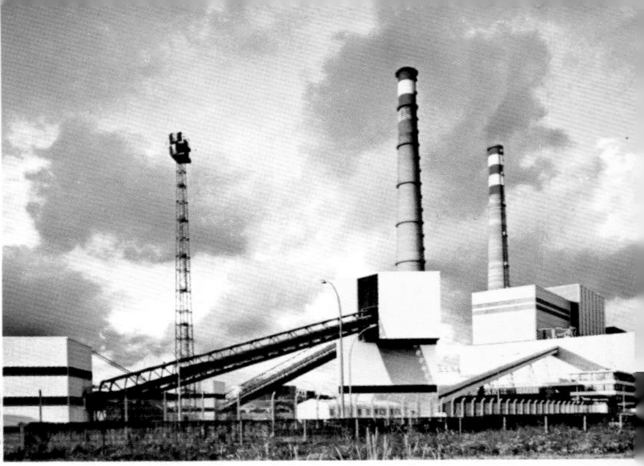

Centrale thermique du Havre (S. M.)

S.O.D.E.L.

Schéma de la centrale thermique de Porcheville B

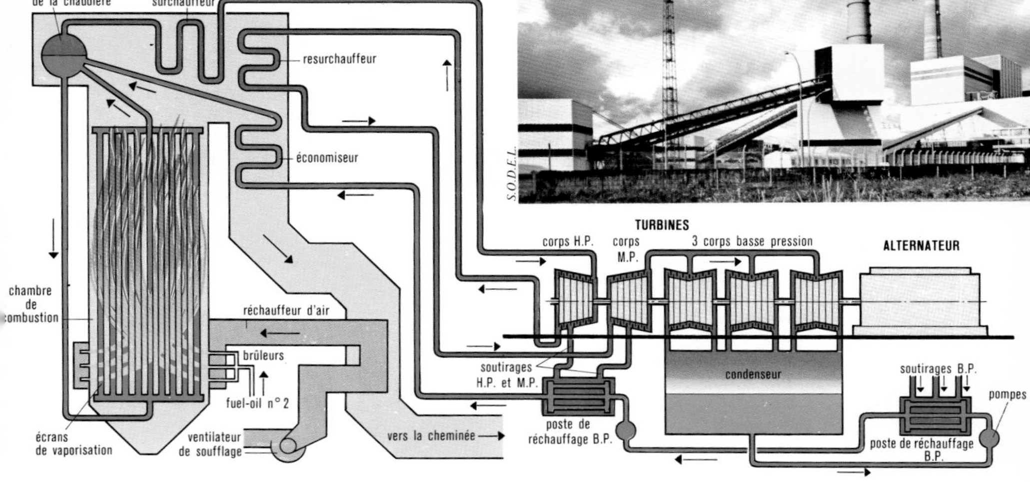

CHAUDIÈRE
réservoir de la chaudière
surchauffeur
resurchauffeur
économiseur
chambre de combustion
réchauffeur d'air
brûleurs
fuel-oil n° 2
écrans de vaporisation
ventilateur de soufflage
vers la cheminée
TURBINES
corps H.P.
corps M.P.
3 corps basse pression
ALTERNATEUR
soutirages H.P. et M.P.
condenseur
soutirages B.P.
pompes
poste de réchauffage B.P.
poste de réchauffage B.P.

Les écrans de vaporisation qui constituent les parois intérieures de la chaudière (260 km de tubes) sont chauffés par 36 brûleurs qui transforment par heure 1 810 tonnes d'eau en vapeur à 567 °C sous 163 bars. La consommation horaire de chacun de ces brûleurs est de 3,5 tonnes de fuel-oil. La chaudière, dont le poids est de 10 300 tonnes, est entièrement suspendue à la charpente du bâtiment. La vapeur fournie par le générateur se détend, en passant au travers de 5 turbines couplées à un alternateur de 600 MW, puis se transforme en eau dans un condenseur. L'eau réchauffée par son passage dans des échangeurs sera réadmise dans la chaudière.

RÉACTEUR
barres de contrôle
pressuriseur
échangeur
cœur
cuve
pompe primaire
TURBINE
ALTERNATEUR
condenseur
pompe
eau de la rivière

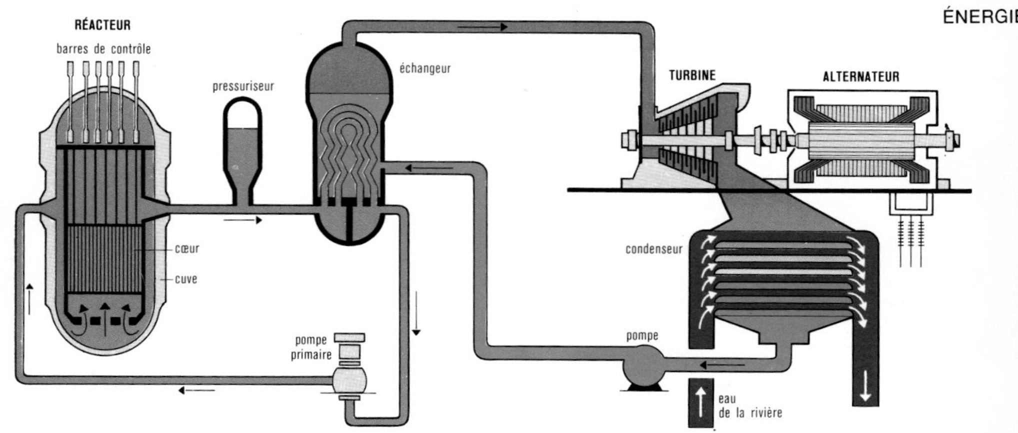

Schéma de principe d'une centrale nucléaire avec un réacteur à uranium enrichi et eau sous pression

Si la centrale nucléaire fonctionne comme une centrale thermique (le générateur de vapeur est, ici, un échangeur), l'eau se transforme en vapeur par le passage, au travers d'un faisceau de tubes, d'un fluide caloriporteur à haute température provenant de la fission de noyaux d'uranium dans le cœur du réacteur. Ce fluide caloriporteur peut être du sodium, du gaz carbonique ou, comme ici, de l'eau sous pression utilisée en circuit fermé.

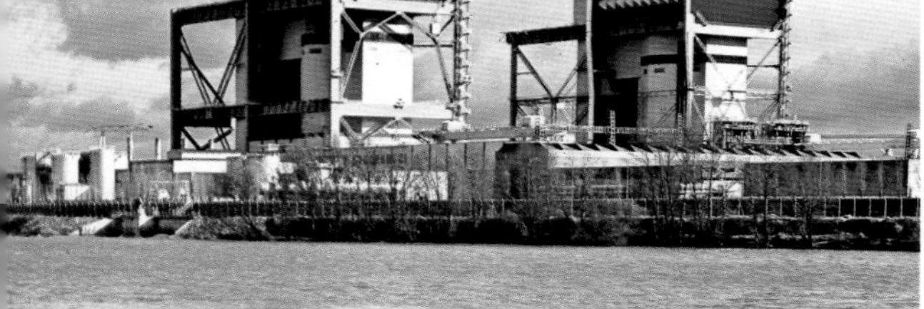

Centrale nucléaire de Saint-Laurent-des-Eaux (L.-et-C.)

CENTRALES HYDRAULIQUES AU FIL DE L'EAU

Usine de Rhinau (B.-R.)

usine de Gerstheim (B.-R.)
coupe dans l'axe d'un groupe "bulbe"

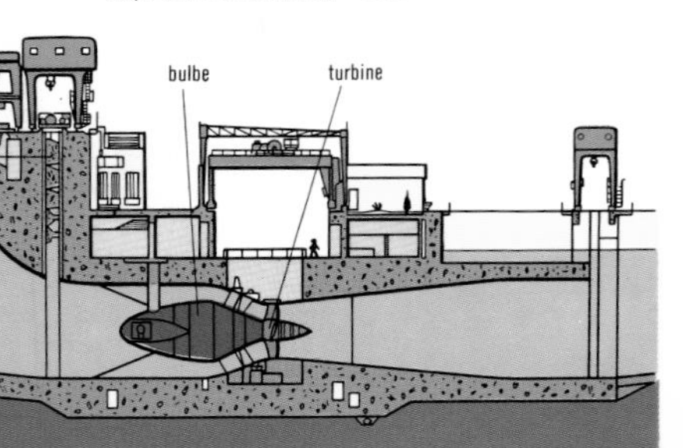

L'alternateur qui est à l'intérieur du bulbe est entraîné par une turbine Kaplan horizontale. Ce type de bulbe équipe l'usine de la Rance.

usine de Marckolsheim (B.-R.)

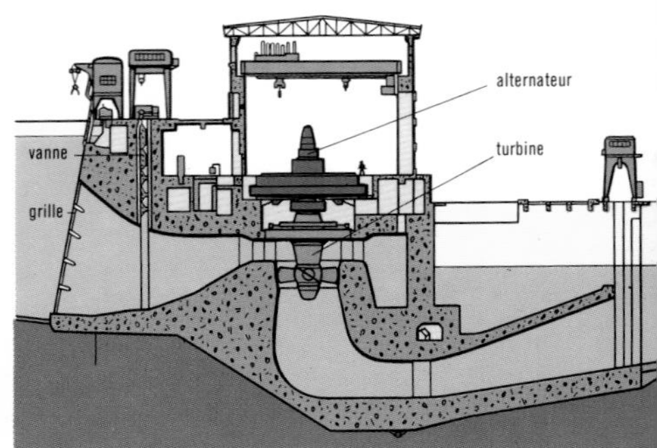

coupe dans l'axe d'un groupe alternateur et turbine Kaplan verticaux

CENTRALE HYDRAULIQUE DE LAC

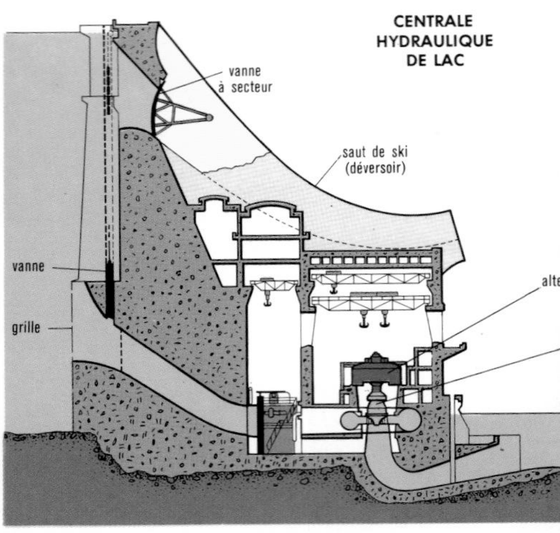

coupe dans l'axe d'un groupe alternateur et turbine Francis verticaux

Barrage et centrale de Chastang (sur la Dordogne, Corrèze)

lac d'Enghien, à 8,5 km au N. de Paris; 9 700 hab. Sources thermales.

ENGIN [ɑ̃ʒɛ̃] n. m. (lat. *ingenium*, intelligence). **1.** Appareil, instrument, machine destinés à un usage défini : *Un pêcheur muni de tous ses engins.* — **2.** Matériel de guerre en général, et plus partic. matériel d'artillerie : *Engin blindé.* — **3.** Projectile autopropulsé ou téléguidé : *Suivant leurs points de départ et d'arrivée, on distingue les engins sol-sol, sol-air, mer-air, etc.* (⟶ MISSILE.) — **4.** *Péjor.* Objet plus ou moins bizarre : *Quel drôle d'engin!*

ENGINEERING [ɛndʒiniriŋ] n. m. (mot angl. signif. *art de l'ingénieur*). Ensemble des plans et des études faits par différents spécialistes qui déterminent les conditions les meilleures (techniques, financières, sociales) pour la réalisation d'un projet industriel. (L'Administration préconise INGÉNIERIE n. f.)

ENGLOBER [ɑ̃glɔbe] v. t. (de *en-*, et *globe*). Réunir en un tout, contenir : *Un jugement qui englobe toute l'œuvre d'un auteur* (syn. COMPRENDRE).

ENGLOUTIR [ɑ̃glutir] v. t. (lat. *ingluttire*). **1.** (sujet nom de personne) Avaler gloutonnement (syn. DÉVORER, INGURGITER). — **2.** (sujet nom de chose) Faire disparaître dans un abîme : *La tempête a englouti le navire.* — **3.** *Engloutir une fortune*, la dissiper complètement (syn. DILAPIDER). ◆ ***s'engloutir*** v. pr. Disparaître : *Le bateau s'est englouti.* ◆ **engloutissement** n. m.

ENGLUEMENT n. m., **ENGLUER** v. t. ⟶ GLU.

ENGONCER [ɑ̃gɔ̃se] v. t. (de *en-*, et *gons*, gond) [sujet nom désignant un vêtement]. *Engoncer qq'un*, l'enserrer, lui tasser le cou dans les épaules : *Ce gros pardessus l'engonce.*

ENGORGER [ɑ̃gɔrʒe] v. t. (de *en-*, et *gorge*). *Engorger un passage, un conduit*, l'obstruer par accumulation de matière, de débris (syn. BOUCHER). ◆ ***s'engorger*** v. pr. Se boucher : *Une canalisation qui s'engorge facilement.* ◆ **engorgement** n. m. ◆ **désengorger** v. t. : *Désengorger un tuyau obstrué. Une déviation qui désengorge la rue principale* (syn. DÉGAGER, DÉSENCOMBRER).

ENGOUER (S') [sɑ̃gwe] v. pr. ou **ÊTRE ENGOUÉ** [ɛtrɑ̃gwe] v. passif (de *en-*, et du rad. qu'on retrouve dans *joue*). *S'engouer (être engoué) pour, de qq'un, qqch.*, se prendre (ou être pris) soudain d'un goût immodéré pour eux : *Les lecteurs sont engoués de ce roman.* ◆ **engouement** n. m. : *L'engouement pour cet acteur a été de courte durée* (syn. ENTHOUSIASME).

ENGOUFFRER [ɑ̃gufre] v. t. (de *en-*, et *gouffre*). **1.** Jeter en grande quantité dans un trou : *Les chauffeurs engouffrent des tonnes de charbon dans le foyer.* — **2.** Faire disparaître en dépensant, en consommant : *Il a engouffré sa fortune dans de mauvaises affaires* (syn. ENGLOUTIR). *Engouffrer des gâteaux* (syn. DÉVORER). ◆ ***s'engouffrer*** v. pr. **1.** (sujet nom de chose) Se précipiter avec violence : *Le vent s'engouffre dans les ruelles.* — **2.** (sujet nom de personne) Entrer rapidement, en hâte : *S'engouffrer dans un taxi.*

ENGOULEVENT [ɑ̃gulvɑ̃] n. m. (de *engouler*, avaler, et *vent*). Oiseau insectivore nocturne, long de 30 cm, caractérisé par de grands yeux, une bouche démesurée, de longues ailes et une longue queue. (Famille des caprimulidés.)

ENGOURDIR [ɑ̃gurdir] v. t. (de *gourd*). *Engourdir qq'un, les membres, les facultés intellectuelles de qq'un*, les rendre insensibles, en ralentir le mouvement, l'activité : *Le froid lui engourdit les mains* (syn. PARALYSER). *La routine engourdit l'esprit.* ◆ ***s'engourdir*** v. pr. Devenir insensible, sans mouvement, sans activité. ◆ **engourdissement** n. m. : *Des alpinistes qui réagissent contre l'engourdissement. Cette lecture monotone me plonge dans un léger engourdissement* (syn. TORPEUR).

ENGRAIS [ɑ̃grɛ] n. m. (de *engraisser*). **1.** Débris d'origine animale ou végétale, ou produit chimique, qu'on mêle à la terre pour la fertiliser. — **2.** *À l'engrais*, se dit d'un animal que l'on engraisse : *Un porc à l'engrais.*

ENGRAISSAGE ou **ENGRAISSEMENT** n. m., **ENGRAISSER** v. t. et i. ⟶ GRAISSE 1.

ENGRANGER v. t. ⟶ GRANGE.

ENGRENAGE [ɑ̃grənaʒ] n. m. (de *en-*, et *grain*). **1.** *Mécan.* Dispositif de roues dentées ou de vis hélicoïdales, de crémaillères se commandant les unes les autres. ⟶ ENCYCL. — **2.** Enchaînement de circonstances se compliquant mutuellement : *Être pris dans un engrenage.* ◆ **engrener** v. t. Faire entrer les dents d'une roue dans les intervalles qui séparent les dents d'une autre roue ou d'une crémaillère, la gorge d'une vis, de façon qu'elle lui communique son mouvement : *Engrener un pignon dans une roue.* ◆ ***s'engrener*** v. pr.

— ENCYCL. Un *engrenage* transmet le mouvement d'un arbre qui tourne à un autre. Il sert aussi à transmettre des mouvements dont les rapports de vitesse varient suivant des données déterminées à l'avance. Le problème de la réalisation des engrenages revient à trouver des profils de dents pénétrant l'un dans l'autre sans choc ni coincement et pouvant rouler sans glisser l'un sur l'autre. On distingue différentes catégories d'engrenages, suivant que les arbres entraînant et entraîné sont parallèles, concourants ou non situés dans un même plan.

ENGUEULER [ɑ̃gœle] v. t. (de *en-*, et *gueule*). *Pop.* Réprimander énergiquement (syn. ↓ATTRAPER). ◆ ***s'engueuler*** v. pr. *Pop.* S'accabler réciproquement d'injures (syn. S'INVECTIVER). ◆ **engueulade** n. f. *Pop.* Vive réprimande, querelle.

ENGUIRLANDÉ, E adj. ⟶ GUIRLANDE.

ENHARDIR v. t., **S'ENHARDIR** v. pr. ⟶ HARDI.

ENHARMONIE [ɑ̃narmɔni] n. f. (du gr. *enarmonios*, harmonieux). *Mus.* Rapport existant entre deux notes de même son et de noms différents, comme *do* dièse et *ré* bémol. (Sur les instruments à clavier comme le piano, ces deux sons sont produits par la même touche.) ◆ **enharmonique** adj.

ENHARNACHER v. t. ⟶ HARNAIS.

ÉNIÈME adj. et n. ⟶ ENNIÈME.

ÉNIGME [enigm] n. f. (lat. *aenigma*). **1.** Jeu d'esprit consistant à faire deviner quelque chose au moyen d'une définition ou d'une description ambiguë. — **2.** Chose ou personne difficile à comprendre, mystérieuse : *La provenance de ses moyens d'existence est une énigme pour tout le monde* (syn. MYSTÈRE). *Cet homme est une énigme* (syn. PROBLÈME). ◆ **énigmatique** adj. Qui a le caractère d'une énigme, qui est difficile à comprendre : *Une question énigmatique* (syn. AMBIGU). *C'est un personnage énigmatique* (syn. IMPÉNÉTRABLE, MYSTÉRIEUX). ◆ **énigmatiquement** adv.

ENIVRANT, E adj., **ENIVREMENT** n. m., **ENIVRER** v. t. ⟶ IVRE.

1. ENJAMBER [ɑ̃ʒɑ̃be] v. t. (de *en-*, et *jambe*). **1.** *Enjamber un espace, un obstacle*, le franchir en passant une jambe ou les deux jambes par-dessus : *Un ruisseau facile à enjamber.* — **2.** *Pont, viaduc, etc., qui enjambe une rivière, une vallée*, qui la franchit. ◆ **enjambée** n. f. **1.** Action d'enjamber. — **2.** Action de faire de grands pas : *Il s'avance à grandes enjambées.*

2. ENJAMBER [ɑ̃ʒɑ̃be] v. i. (même étym.). *Vers qui enjambe sur le suivant*, qui forme avec lui un enjambement. ◆ **enjambement** n. m. Report au vers suivant d'un ou de plusieurs mots étroitement unis par le sens à ceux du vers précédent, de telle sorte que la voix ne peut marquer une pause à la rime. (Ex. : *Je répondrai, Madame, avec la liberté / D'un soldat qui sait mal farder la vérité* [Racine].)

ENJEU [ɑ̃ʒø] n. m. (*en-*, et *jeu*). **1.** Somme que l'on risque dans un jeu, un pari, et qui doit revenir au gagnant. — **2.** Ce qu'on risque de gagner ou de perdre dans une entreprise : *L'enjeu de cette guerre, c'était notre indépendance.*

ENJOINDRE [ɑ̃ʒwɛ̃dr] v. t. (lat. *injungere*). [Conj. **55.**] *Enjoindre qqch. à qq'un*, le lui ordonner expressément : *Je lui enjoint de se conformer à vos directives* (syn. COMMANDER, SOMMER). ◆ **injonction** n. f. Ordre formel d'obéir sur-le-champ, souvent accompagné de menaces de sanctions (syn. SOMMATION).

ENJÔLER [ɑ̃ʒole] v. t. (de *en-*, et *geôle*). *Enjôler qq'un*, le séduire par de belles paroles, des flatteries. ◆ **enjôlement** n. m. : *Il a réussi à le décider, à force d'enjôlement.* ◆ **enjôleur, euse** adj. et n. : *Des mots enjôleurs.*

ENJOLIVER [ɑ̃ʒɔlive] v. t. (de *en-*, et l'anc. fr. *jolive*, jolie). Rendre plus joli : *Les moulures qui enjolivent le plafond* (syn. DÉCORER, EMBELLIR). *Enjoliver un récit* (= l'enrichir par des détails plus ou moins exacts). ◆ **enjolivement** n. m. Ornement qui rend une chose plus jolie. ◆ **enjoliveur** n. m. Garniture servant d'ornement à une automobile : *Les enjoliveurs de roue s'appellent des « chapeaux de roue ».* ◆ **enjolivure** n. f. Petit enjolivement : *Les enjolivures du style* (syn. FIORITURE).

ENJOUÉ, E [ɑ̃ʒwe] adj. (de *en-*, et *jeu*). Se dit d'une personne (ou de son comportement) qui manifeste de la bonne humeur, qui est souriante : *Il souriait d'un air enjoué* (syn. JOVIAL). ◆ **enjouement** [ɑ̃ʒumɑ̃] n. m. : *Un ton plein d'enjouement* (syn. GAIETÉ; contr. TRISTESSE).

ENKYSTÉ, E adj., **ENKYSTEMENT** n. m., **ENKYSTER (S')** v. pr. ⟶ KYSTE.

ENLACER [ɑ̃lase] v. t. (de *en-*, et *lacer*). **1.** *Enlacer qq'un*, le serrer contre soi en l'entourant de ses bras : *Des amoureux enlacés* (= qui s'étreignent). — **2.** *Enlacer qqch.*, l'enserrer avec un lien : *Le cordon qui enlace ces livres* (syn. LIER). ◆ ***s'enlacer*** v. pr. Se prendre mutuellement dans les bras. ◆ **enlacement** n. m. : *De tendres enlacements* (syn. EMBRASSEMENT, ÉTREINTE).

ENLAIDIR v. t. et i., **ENLAIDISSEMENT** n. m. ⟶ LAID.

ENLEVÉ, E adj., **ENLÈVEMENT** n. m. → ENLEVER.

Enlèvement au sérail *(l')*, opéra-comique en 3 actes, musique de Mozart (1782).

ENLEVER [ɑ̃lve] v. t. *(en,* et *lever).* **1.** *Enlever un objet,* le retirer de sa place pour le mettre ailleurs : *Enlever une fleur d'un vase* (syn. ÔTER). *Marchandises à enlever* (syn. EMPORTER). — **2.** Faire disparaître une chose de l'endroit où elle était, en séparant, en supprimant ou en déplaçant : *Enlever une tache. Vous m'enlevez un poids de la conscience* (syn. SOULAGER DE). *Enlever une phrase d'un discours* (syn. SUPPRIMER). *Enlever un vêtement* (= le retirer de sur soi, s'en défaire). — **3.** *Enlever qq'un,* le soustraire à sa famille, à ses tuteurs, par rapt ou par mariage. — **4.** *Enlever une position, une tranchée,* etc., les prendre d'assaut, s'en rendre maître par la force (syn. CONQUÉRIR, EMPORTER, PRENDRE). ‖ *Enlever la victoire, tous les suffrages,* etc., *enlever une affaire,* les obtenir sans contestation, emporter la décision. ‖ *Enlever un morceau de musique,* l'exécuter brillamment. ‖ *Maladie qui enlève qq'un,* qui entraîne sa mort (syn. EMPORTER). ◆ **enlevé, e** adj. Se dit d'une œuvre d'art exécutée avec facilité, avec brio : *Morceau enlevé.* ◆ **enlèvement** n. m. Surtout aux sens 1 et 3 du v. : *L'enlèvement des ordures. L'enlèvement d'un enfant* (syn. RAPT).

ENLISER (S') [sɑ̃lize] v. pr. (de *en-,* et norm. *lise,* sable mouvant). **1.** S'enfoncer dans le sable, la vase, etc. : *Voiture qui s'enlise.* — **2.** Être de plus en plus embarrassé dans une situation inextricable : *L'enquête policière s'enlise* (syn. STAGNER). *S'enliser dans la routine* (syn. SOMBRER). ◆ v. t. **1.** Enfoncer dans la boue, dans le sable : *Il a enlisé sa voiture.* — **2.** Embarrasser de telle manière que l'on ne peut plus avancer : *Une longue procédure qui enlise un procès.* ◆ **enlisement** n. m. : *Des sables mouvants où l'on risque l'enlisement. Une crise économique qui provoque l'enlisement de certaines entreprises* (syn. MARASME).

1. ENLUMINER [ɑ̃lymine] v. t. (du lat. *illuminare*). *Enluminer un livre, un texte,* les orner de dessins délicats aux couleurs vives : *Les artistes qui ont enluminé ces manuscrits du XIV*[e] *s.* ◆ **enlumineur** n. m. Artiste qui fait des enluminures. ◆ **enluminure** n. f. **1.** Art d'enluminer. — **2.** Au Moyen Âge, ornementation ou illustration en couleurs d'un manuscrit (syn. MINIATURE).

2. ENLUMINER [ɑ̃lymine] v. t. (même étym.). *Enluminer le visage,* le colorer vivement, le rendre rouge (souvent au part. passé).

ENNÉAGONE [eneagɔn] n. m. (du gr. *ennea,* neuf, et *gônia,* angle). *Géom.* Polygone ayant neuf côtés.

ENNEIGÉ (ÊTRE) v. passif, **ENNEIGEMENT** n. m. → NEIGE.

ENNEMI, E [ɛnmi] n. et adj. (lat. *inimicus*). **1.** Personne qui veut du mal à quelqu'un, qui cherche à lui nuire (contr. AMI) : *L'ennemi public numéro un* (= l'homme jugé le plus dangereux pour l'ordre social). — **2.** (suivi d'un compl. avec *de*) Personne qui éprouve de l'aversion pour telle ou telle chose : *Être ennemi de la politique gouvernementale* (contr. ADEPTE, PARTISAN). — **3.** Se dit d'une chose qui s'oppose à une autre (surtout littér.) : *L'eau est l'ennemie du feu.* — **4.** En temps de guerre, celui ou ceux que l'on combat : *L'ennemi a déclenché une offensive* (sens collectif) [syn. ADVERSAIRE]. ‖ *Passer à l'ennemi,* déserter; trahir son parti.

ENNIÈME, ÉNIÈME ou **N**[ième] [ɛnjɛm] adj. et n. (de *n* [lettre qui désigne en math. un nombre indéterminé], et suff. *-ième*). *Fam.* Indique un rang indéterminé, mais très élevé, dans un ordre ou une série : *Je vous le répète pour la ennième fois.*

ENNOBLIR v. t., **ENNOBLISSEMENT** n. m. → NOBLE.

ENNOYAGE [ɑ̃nwajaʒ] n. m. (de *en-,* et *noyer*). *Géogr.* Enfouissement progressif de formes de relief lorsque les eaux courantes ne parviennent pas à évacuer les matériaux provenant de leur propre dégradation. ‖ *Côte d'ennoyage,* littoral résultant d'une remontée du niveau de la mer (rias* de Bretagne, fjords* de Norvège), généralement à la suite de la fusion des grands glaciers quaternaires.

ENNS, riv. des Alpes autrichiennes, affl. du Danube (r. dr.); 225 km.

ENNUYER [ɑ̃nɥije] v. t. (lat. *in odio esse,* être un objet de haine). **1.** *Ennuyer qq'un,* lui causer de la contrariété, du souci : *Tout irait bien, sans ce détail qui m'ennuie* (syn. SOUCIER, TRACASSER). *Si cela vous ennuie, ne le faites pas* (syn. DÉPLAIRE). — **2.** *Ennuyer qq'un,* lui causer de la lassitude, ne pas susciter chez lui d'intérêt : *Ce livre m'a ennuyé.* ◆ **s'ennuyer** v. pr. **1.** (sans compl.) Éprouver de la lassitude par désœuvrement, par manque d'intérêt : *S'ennuyer un jour de pluie.* — **2.** *S'ennuyer de qq'un, de qqch.,* éprouver du regret de leur absence. ◆ **ennui** n. m. **1.** Lassitude morale de celui qui s'ennuie : *Prendre un livre pour tromper son ennui.* — **2.** Ce qui est regrettable, fâcheux : *L'ennui, c'est que ce projet est irréalisable.* — **3.** Chose, événement qui contrarie le cours normal de l'existence, qui cause du désagrément : *Avoir un ennui de santé* (= une maladie). *Vous n'êtes pas a. bout de vos ennuis avec cette affaire* (syn. SOUCI, TRACAS). ◆ **ennuyeux, euse** adj. Se dit d'une personne ou d'une chose qu. ennuie (aux divers sens du v.) : *Voisin ennuyeux* (syn. DÉSAGRÉABLE). *Spectacle ennuyeux* (syn. fam. ASSOMMANT). ◆ **désennuyer** [dezɑ̃nɥije] v. t. *Désennuyer qq'un,* dissiper son ennui. ◆ **se désennuyer** v. pr. : *Ils se désennuyaient en faisant de longues parties de cartes* (syn. SE DISTRAIRE).

ÉNOCH ou **HÉNOCH,** patriarche biblique, père de Mathusalem.

ÉNONCER [enɔ̃se] v. t. (lat. *enuntiare*). Exprimer en une formule nette : *Une vérité énoncée en termes simples. Il énonça sa requête* (syn. EXPOSER, FORMULER). ◆ **s'énoncer** v. pr. : *Cette idée pourrait s'énoncer plus clairement* (syn. S'EXPRIMER). ◆ **énoncé** n. m. **1.** Phrase dans laquelle une pensée est énoncée. — **2.** Texte exact qui exprime un jugement, qui formule un problème, qui pose une question, etc. : *Se reporter à l'énoncé de la lo* (syn. TERMES). — **3.** Ensemble des conditions auxquelles doivent satisfaire les inconnues d'un problème : *L'énoncé d'un théorème.* ◆ **énonciatif, ive** adj. *Proposition énonciative,* par oppos. à *interrogative, exclamative,* celle qui contient l'expression d'un jugement sans interrogation ni exclamation. ◆ **énonciation** n. f. : *Un texte qui se borne à l'énonciation d'un fait* (syn. ÉNONCÉ).

ENORGUEILLIR v. t., **S'ENORGUEILLIR** v. pr. → ORGUEIL.

ÉNORME [enɔrm] adj. (lat. *enormis,* qui sort des proportions). Se dit d'une personne ou d'une chose qui impressionne par se. proportions, son importance : *Un rocher énorme* (syn. GIGANTESQUE). *D'énormes difficultés* (syn. IMMENSE). *Un succès énorme* (syn. EXTRAORDINAIRE). *Une fortune énorme* (syn. COLOSSAL). ◆ **énormément** adv. Sert de superl. à BEAUCOUP : *Il pleut énormément.* ◆ **énormité** n. f. **1.** Caractère de ce qui est énorme *L'énormité de la tâche* (syn. IMMENSITÉ). — **2.** Parole ou action extravagante qui heurte le bon sens : *En entendant cette énormité il éclata de rire.*

ENQUÉRIR (S') [sɑ̃kerir] v. pr. (bas lat. *inquaerere,* chercher) [Conj. **21.**] *S'enquérir de qqch., de qq'un,* se mettre en quête de renseignements sur cette chose, sur cette personne : *Vous êtes vous enquis des formalités exigées pour ce voyage* (syn. S'INFORMER, SE RENSEIGNER).

ENQUÊTE [ɑ̃kɛt] n. f. (bas lat. *inquaesita*). **1.** Étude d'une question faite en réunissant des témoignages, des expériences *L'enquête d'un journal sur les opinions de ses lecteurs.* ‖ *Enquête par sondages,* procédé qui consiste à poser des questions à des personnes appartenant à un échantillon représentatif d'une population plus large afin de connaître l'opinion de cette population sur un problème particulier. — **2.** Recherches ordonnées par une autorité administrative pour connaître la vérité ou s'informer de ce qu'elle ignore : *Le commissaire de police chargé de l'enquête sur ce vol.* ◆ **enquêter** v. i. Procéder à une enquête. ◆ **enquêteur, euse** n. et adj. : *Un détail qui avait échappé à la perspicacité des enquêteurs.* ◆ **contre-enquête** n. f. Enquête destinée à contrôler les résultats d'une enquête précédente. ‖ Pl. des *contre-enquêtes.*

ENQUIQUINER [ɑ̃kikine] v. t. (de *en-,* et l'onomat. *kik-*). *Fam.* Ennuyer, importuner : *Il nous enquiquine avec ses histoires* (syn. AGACER). ◆ **enquiquinant, e** adj. Fam. : *Un voisin enquiquinant* ◆ **enquiquineur, euse** adj. et n. *Fam.*

ENRACINEMENT n. m., **ENRACINER** v. t. → RACINE.

ENRAGÉ, E adj. et n. → RAGE 1 et 2.

ENRAGEANT, E adj., **ENRAGER** v. i. → RAGE 2.

ENRAYER [ɑ̃reje] v. t. (de *en-,* et *rai,* rayon d'une roue). **1.** Entraver le mouvement des roues d'une voiture ou de tout autre mécanisme. — **2.** *Enrayer une maladie, la hausse des prix,* etc., en arrêter le cours, le mouvement, la progression (syn. JUGULER STOPPER). ◆ **s'enrayer** v. pr. (sujet nom d'une arme à feu). Cesser de fonctionner soudain, accidentellement. ◆ **enraiement** ou **enrayement** n. m. : *L'enraiement d'une épidémie.* ◆ **enrayage** n. m. Action de s'enrayer : *L'enrayage d'une mitrailleuse.*

ENRÉGIMENTER v. t. → RÉGIMENT.

1. ENREGISTRER [ɑ̃rəʒistre] v. t. (de *en-,* et *registre*) **1.** Transcrire ou inscrire sur un registre, pour authentifier, rendre officiel : *Le bureau chargé d'enregistrer les réclamations des usagers. Ce mot n'est pas enregistré dans tous les dictionnaires* (syn RÉPERTORIER). — **2.** Noter par écrit ou dans sa mémoire : *J'ai enregistré dans ses déclarations un détail intéressant* (syn. RETENIR). — **3.** Constater d'une manière objective : *On a enregistré quelques chutes de neige* (syn. OBSERVER). — **4.** *Enregistrer des bagages,* les faire peser et étiqueter au départ d'un train, d'un avion, etc., et se faire délivrer un récépissé. ◆ **enregistrable** adj. : *Un acte notarié enregistrable. Un fait politique enregistrable* (syn. NOTABLE). ◆ **enregistrement** n. m. Action d'enregistrer.

bureau où l'on enregistre : *Un employé de l'Enregistrement* (= de l'administration chargée de l'inscription d'actes, de transactions, etc., sur les registres officiels) [prend une majusc. en ce sens]. *L'enregistrement des bagages.* ◆ **enregistreur, euse** adj. et n. : *Un thermomètre enregistreur inscrit la courbe de température. Une caisse enregistreuse totalise les paiements.*

2. ENREGISTRER [ɑ̃rəʒistre] v. t. (même étym.). **1.** *Enregistrer un discours, une chanson*, etc., les fixer sur un support matériel (disque, bande magnétique, film) pour les diffuser ultérieurement ou les reproduire industriellement. — **2.** *Enregistrer un disque* (sujet nom désignant un artiste, un orchestre), interpréter pour un enregistrement. ◆ **enregistrement** n. m. Disque ou bande magnétique où sont enregistrés des sons, un discours, une chanson, etc. : *Un enregistrement de la cinquième symphonie de Beethoven.*

ENRHUMER v. t., **S'ENRHUMER** v. pr. ⟶ RHUME.

ENRICHI, E adj. et n., **ENRICHIR** v. t., **ENRICHISSANT, E** adj., **ENRICHISSEMENT** n. m. ⟶ RICHE.

ENROBER [ɑ̃rɔbe] v. t. (de *en-*, et *robe*). **1.** *Enrober un objet, une matière*, les revêtir d'une couche qui les protège, qui les cache ou qui en dissimule la saveur : *Les dragées sont des amandes enrobées de sucre.* — **2.** *Enrober un reproche, une demande*, les accompagner de termes de sympathie, de déférence, etc., pour éviter de blesser ou d'indisposer la personne à qui on s'adresse (syn. VOILER). ◆ **enrobage** ou **enrobement** n. m.

ENRÔLER [ɑ̃role] v. t. (de *en-*, et *rôle*). **1.** *Enrôler des soldats*, les inscrire sur les rôles (= registres) de l'armée. — **2.** *Enrôler qq'un*, le faire entrer dans un groupe, l'inscrire dans un parti : *On l'a enrôlé dans l'équipe de football.* ◆ **s'enrôler** v. pr. (sujet nom de personne). Se faire inscrire ou admettre dans un groupe : *Il s'est enrôlé dans le corps expéditionnaire* (syn. S'ENGAGER). ◆ **enrôlé, e** adj. et n. : *Faire l'appel des enrôlés.* ◆ **enrôlement** n. m. : *L'enrôlement des volontaires* (syn. ENGAGEMENT).

ENROUER [ɑ̃rwe] v. t. (de *en-*, et l'anc. fr. *roi*, rauque). *Enrouer qq'un*, lui rendre la voix sourde, voilée (surtout au passif) : *Appeler d'une voix enrouée.* ◆ **s'enrouer** v. pr. Être pris d'enrouement. ◆ **enrouement** [ɑ̃rumɑ̃] n. m. Altération de la voix, qui devient moins claire.

ENROULER [ɑ̃rule] v. t. (doublet de *enrôler*). *Enrouler une chose*, la rouler sur elle-même ou autour d'une autre : *Enrouler du fil sur une bobine* (contr. DÉROULER). ◆ **s'enrouler** v. pr. : *Il s'enroula dans ses couvertures.* ◆ **enroulement** n. m. : *L'enroulement d'un ruban.* ◆ **enrouleur, euse** adj. : *Cylindre enrouleur.*

ENRUBANNER v. t. ⟶ RUBAN.

ENSABLEMENT n. m., **ENSABLER** v. t. ⟶ SABLE.

ENSACHAGE n. m., **ENSACHER** v. t. ⟶ SAC 1.

ENSANGLANTER v. t. ⟶ SANG.

ENSCHEDE, v. des Pays-Bas, près de la frontière allemande; 238 000 hab.

ENSEIGNANT, E adj. et n. ⟶ ENSEIGNER.

1. ENSEIGNE [ɑ̃sɛɲ] n. f. (lat. *insignia*, marques distinctives). **1.** Indication, généralement accompagnée d'une figure, d'un emblème, etc., qu'on place sur la façade d'une maison de commerce pour attirer l'attention du public : *Une grande paire de lunettes qui sert d'enseigne à un opticien.* — **2.** *Être logé à la même enseigne*, être dans le même cas. ‖ *À telle(s) enseigne(s) que*, si bien que, à tel point que; la preuve en est que.

2. ENSEIGNE [ɑ̃sɛɲ] n. m. (même étym.). **1.** Autref., officier qui portait l'enseigne, le drapeau d'une compagnie. — **2.** *Enseigne de vaisseau de 2e, de 1re classe*, grades des officiers de la marine de guerre correspondant respectivement à ceux de sous-lieutenant et de lieutenant dans les armées de terre et de l'air. (⟶ GRADE 2.)

ENSEIGNER [ɑ̃sɛɲe] v. t. (bas lat. *insignare*, indiquer). *Enseigner qqch. à qq'un*, lui en faire acquérir la connaissance ou la pratique : *Enseigner les mathématiques à des élèves* (syn. APPRENDRE). *Il enseigne à la Sorbonne* (= donne des cours). *L'expérience nous enseigne que les gens les plus bruyants ne sont pas toujours les plus efficaces* (syn. MONTRER, PROUVER). *On a longtemps enseigné que la nature avait horreur du vide* (syn. PROFESSER). ◆ **enseignant, e** adj. : *Le corps enseignant* (= l'ensemble des professeurs, des instituteurs, etc.). ◆ n. Membre du corps enseignant : *Les revendications des enseignants.* ◆ **enseignement** n. m. **1.** Action d'enseigner; ce qui est enseigné. ⟶ ENCYCL. ‖ *Enseignement programmé* ⟶ PROGRAMME 4. — **2.** Profession qui consiste à enseigner; ensemble des membres de cette profession : *L'enseignement privé (ou libre) comprend les établissements qui ne sont pas directement sous le contrôle de l'État, par opposition à l'enseignement public.* — **3.** Leçon donnée par les faits, par l'expérience : *On peut tirer les enseignements de cet échec.*

— ENCYCL. En France, la scolarité est obligatoire jusqu'à seize ans. L'*enseignement* peut être dispensé par l'Éducation nationale ou par des établissements privés ou des écoles libres. On distingue l'*enseignement du premier degré*, l'*enseignement du second degré* et l'*enseignement supérieur*.

■ *L'enseignement du premier degré* (= cycle préscolaire). La préparation à la vie scolaire est un enseignement facultatif, donné dans les écoles maternelles ou les classes enfantines des écoles primaires, aux enfants de deux à six ans, pour leur enseigner ce qu'est la vie en collectivité.

L'enseignement primaire élémentaire. Il est donné aux enfants de six à onze ans dans les écoles primaires et se répartit en cours *préparatoire*, cours *élémentaire*, cours *moyen*. (⟶ COURS 4.) À la fin du cours moyen 2e année, si ses résultats ont été satisfaisants, l'élève accède de droit au collège, en classe de sixième, sauf proposition contraire du maître (les parents pouvant, dans ce cas, refuser cette décision et recourir à l'arbitrage d'une commission départementale d'appel). Au terme des études primaires, l'élève peut se présenter au certificat d'études primaires (C. E. P.).

■ *L'enseignement du second degré.* Il comprend un premier cycle et un second cycle.

Le *premier cycle* (onze à quinze ans) concerne les classes de sixième et cinquième *(cycle d'observation)*, ainsi que celles de quatrième et troisième *(cycle d'orientation);* il est donné dans les collèges.

L'élève de sixième reçoit un enseignement général de base réparti en huit matières, dont une langue vivante obligatoire. À la fin de la troisième se passe un examen, le brevet.

À l'issue de la cinquième, l'élève peut aussi passer dans l'enseignement préprofessionnel (*classe préprofessionnelle de niveau* [C. P. P. N.] ou *classe préparatoire à l'apprentissage* [C. P. A.]) ou entrer dans un lycée professionnel (L. P.) pour y préparer en trois ans un certificat d'aptitude professionnelle (C. A. P.).

Le *second cycle* (quinze à dix-huit ans) comporte un enseignement long et un enseignement court.

L'*enseignement long* est donné dans les lycées d'enseignement général et technologique. Au niveau de la seconde, dite *de détermination*, les élèves suivent un tronc commun de disciplines (français, histoire, géographie, instruction civique, langue vivante, mathématiques, sciences physiques, sciences naturelles et éducation physique), doublé d'un enseignement optionnel obligatoire, lui-même éventuellement enrichi d'un (ou deux) enseignement(s) optionnel(s) complémentaire(s). Suivant la voie choisie, cet enseignement conduit, au terme de la première et de la terminale, à une des séries du baccalauréat d'enseignement général ou du baccalauréat technologique (⟶ BACCALAURÉAT) ou à un brevet de technicien.

L'*enseignement court* est donné dans les lycées professionnels (L. P.) où les élèves issus de la troisième peuvent préparer soit un brevet d'études professionnelles (B. E. P.) en deux ans, soit un certificat d'aptitude professionnelle (C. A. P.), soit un baccalauréat professionnel. Ces diplômes permettent l'entrée directe dans la vie active.

■ *L'enseignement supérieur.* Après l'obtention du baccalauréat, l'enseignement supérieur est dispensé dans les anciennes facultés appelées « unités de formation et de recherche » (U. F. R.) [lettres, sciences, médecine, pharmacie, sciences économiques, droit]; dans les instituts universitaires de technologie (I. U. T.); dans les grandes écoles et les écoles d'ingénieurs.

ENSELLEMENT [ɑ̃sɛlmɑ̃] n. m. (de *en-*, et *selle*). *Géogr.* Abaissement de l'axe d'un anticlinal*.

1. ENSEMBLE [ɑ̃sɑ̃bl] adv. (lat. *insimul*, en même temps). **1.** L'un avec l'autre, les uns avec les autres : *Nous avons réfléchi tous ensemble à cette question* (syn. CONJOINTEMENT). — **2.** Au même moment, en même temps : *Ces deux arbres ont fleuri ensemble* (syn. SIMULTANÉMENT). — **3.** *Être bien, mal ensemble*, être en bons, en mauvais termes. ‖ *Aller ensemble*, s'harmoniser.

2. ENSEMBLE [ɑ̃sɑ̃bl] n. m. (même étym.). **1.** Assemblage, groupe d'éléments formant un tout ou ayant les mêmes caractéristiques : *L'ensemble du personnel est concerné par cette décision* (syn. TOTALITÉ). — **2.** Unité, harmonie entre des éléments divers : *Un roman qui manque d'ensemble.* — **3.** *Faire de la musique d'ensemble*, prendre part à l'exécution d'une œuvre à plusieurs voix ou instruments. — **4.** Meubles, éléments de décoration, etc., disposés de façon harmonieuse : *Un ensemble mobilier.* — **5.** Costume féminin composé de pièces d'habillement destinées à être portées ensemble. — **6.** *Grand ensemble*, groupe d'habitations neuves qui constitue une véritable agglomération sur les confins d'une grande ville. — **7.** *Vue d'ensemble*, vue générale. ‖ *Dans l'ensemble*, d'une manière générale, en négligeant certains détails (syn. EN GROS, GROSSO MODO). ◆ **ensemblier** n. m. **1.** Artiste qui combine des ensembles mobiliers. — **2.** Au cinéma, à la télévision, adjoint du chef décorateur, chargé de l'ameublement du plateau.

3. ENSEMBLE [ɑ̃sɑ̃bl] n. m. (même étym.). *Math.* Notion* première, donc non définissable à partir d'autres notions mathématiques, qui généralise la notion de « collection » ou de rassemblement d'objets, appelés *éléments* de l'ensemble. (*Ex. :* ensemble des élèves d'une classe; ensemble des joueurs d'une équipe de basket; ensemble des avions d'une escadrille de chasse.) ‖ *Ensemble fini*, ensemble qui a un nombre fini d'éléments. ‖ *Ensemble infini*, ensemble qui n'est pas un ensemble fini. ‖ *Ensemble vide*, ensemble qui ne contient aucun élément. (Il est unique et on le note ø.) ‖ *Ensemble ordonné*, ensemble sur lequel on a défini une relation* d'ordre. ‖ *Ensemble-quotient associé à une relation d'équivalence sur un ensemble E*, ensemble des classes d'équivalence définies dans E par la relation*. ‖ *Ensemble de départ, d'arrivée, de définition d'une fonction* → FONCTION 1. ‖ *Théorie des ensembles* → ENCYCL.

— ENCYCL. Si E et F sont deux *ensembles*, deux situations peuvent se produire :
ou bien E est un élément de l'ensemble F et on note $E \in F$ (ce qui se lit « E appartient à F »);
ou bien E n'est pas un élément de F et on note $E \notin F$ (« E n'appartient pas à F »). [*Ex. :* si E est l'ensemble des villes d'Europe, T la ville de Tokyo, et P Paris, on a : $P \in E$, $T \notin E$.]

Un ensemble peut être défini « en extension » (ou « par énumération ») si on dresse la liste de tous ses éléments. Il peut être défini « en compréhension » (ou « par description ») si on définit ses éléments par une propriété caractéristique. (*Ex. :* Le même ensemble S pourra être défini en extension S = { lundi, mardi, mercredi, jeudi, vendredi, samedi, dimanche }; en compréhension S = ensemble des jours de la semaine.)

Notation et diagramme : si, par exemple, un ensemble E a quatre éléments a, b, c, d, on note $E = \{ a, b, c, d \}$; on matérialise cette situation par un diagramme qui indique que a, b, c et d sont les seuls éléments de E; tout autre élément e n'est pas dans E.

■ *Théorie des ensembles.* La notion d'ensemble, considérée jusqu'à la fin du XIXe s. comme « intuitive », a été créée par Cantor (à partir de 1872) et par Zermelo au début du XXe s. On appelle quelquefois *ensembles naïfs* les ensembles considérés comme notion intuitive (de même que la notion d'élément et la relation d'appartenance). Ce sont ces ensembles « naïfs » qui sont considérés dans l'enseignement secondaire. La théorie des ensembles, difficile, n'est abordée que dans l'enseignement supérieur.
→ illustration en couleurs PARTIE pp. 1024-1025.

ENSEMBLIER n. m. → ENSEMBLE 2.

ENSEMENCEMENT n. m., **ENSEMENCER** v. t. → SEMER 1.

ENSERRER [ɑ̃sere] v. t. (*en-*, et *serrer*). **1.** *Enserrer qqch., qq'un*, l'entourer en le serrant étroitement : *Il la tenait enserrée dans ses bras.* — **2.** Enfermer, contenir dans des limites étroites : *Une petite cour enserrée entre des immeubles.*

ENSÉRUNE *(montagne d')*, plateau du bas Languedoc, entre l'Orb et l'Aude. Site archéologique où l'on peut observer des vestiges d'habitations s'échelonnant du VIe au Ier s. av. J.-C.

ENSEVELIR [ɑ̃səvlir] v. t. (*en-*, et l'anc. fr. *sevelir*, mettre dans un tombeau). **1.** *Ensevelir un mort*, le mettre dans un linceul, ou le mettre au tombeau (syn. plus usuel ENTERRER). — **2.** *Ensevelir qq'un, une chose*, les recouvrir d'une masse de terre, de matériaux, etc. : *Des personnes ensevelies sous des décombres* (syn. ENFOUIR). — **3.** *Ensevelir qqch.* (mot abstrait), le tenir caché, secret : *Un incident enseveli dans un profond oubli.* ◆ ***s'ensevelir*** v. pr. *S'ensevelir dans la solitude*, s'isoler complètement. ◆ **ensevelissement** n. m. : *L'ensevelissement des cadavres. Un village menacé d'ensevelissement par un glissement de terrain.*

ENSILAGE n. m., **ENSILER** v. t. → SILO.

ENSOLEILLEMENT n. m., **ENSOLEILLER** v. t. → SOLEIL 1.

ENSOMMEILLÉ, E adj. → SOMMEIL.

ENSOR (James), peintre et graveur belge (1860-1949). Il a traité des scènes intimistes avec une virulence tragique ou des compositions imaginaires et satiriques empreintes d'une étonnante puissance visionnaire *(l'Entrée du Christ à Bruxelles)*. Il est l'un des précurseurs de l'expressionnisme et du surréalisme.

ENSORCELER [ɑ̃sɔrsəle] v. t. (de *en-*, et *sorcier*). [Conj. **6.**] *Ensorceler qq'un*, exercer sur lui une influence magique par un sortilège : *Les paysans prétendaient que le bonhomme avait ensorcelé son voisin* (syn. JETER UN SORT SUR); exercer sur lui un charme irrésistible : *Il était ensorcelé par la beauté de cette femme.* ◆ **ensorcelant, e** adj. Qui attire et retient par une sorte de charme maléfique (littér.) : *Une beauté ensorcelante* (syn. FASCINANT). ◆ **ensorceleur, euse** adj. et n. : *Un regard ensorceleur* (syn. CHARMEUR, ↓SÉDUCTEUR). ◆ **ensorcellement** n. m. : *Il ne résistait pas à l'ensorcellement de ce pays étrange* (syn. ↓ATTRAIT, CHARME).

ENSUITE [ɑ̃sɥit] adv. (*en*, prép., et *suite*). Indique une succession d'actions dans le temps ou dans l'espace : *Travaillez, ensuite vous vous amuserez* (syn. ULTÉRIEUREMENT; contr. D'ABORD). *On entrait d'abord dans le salon, ensuite venait la chambre, puis la salle de bains* (syn. APRÈS).

ENSUIVRE (S') [sɑ̃sɥivr] v. pr. (du lat. *inde*, de là, et *suivre*) [Conj. **62;** usité seulement à l'infin. et à la 3e pers. du sing. et du plur.; aux formes composées, le préfixe *en-* est séparable.] **1.** Survenir comme conséquence, résulter logiquement : *La phrase était ambigüe, une longue discussion s'ensuivit;* souvent employé impersonnellem. : *La saison a été très mauvaise; il s'en est suivi une hausse des prix des produits alimentaires* (syn. DÉCOULER). — **2.** Venir ensuite (sans idée de lien logique) : *Les jours qui s'ensuivirent furent des jours d'espoir* (syn. usuel SUIVRE).

ENTABLEMENT [ɑ̃tabləmɑ̃] n. m. (de *en-*, et *table*). *Archit.* Partie supérieure, en saillie, d'un édifice reposant sur des colonnes, et qui comprend l'architrave, la frise et la corniche.

ENTABLURE [ɑ̃tablyr] n. f. (de *en-*, et *table*). Point de rotation des deux lames d'une paire de ciseaux.

ENTACHER v. t. → TACHE 1.

ENTAILLE [ɑ̃taj] n. f. (de *en-*, et *tailler*). **1.** Coupure profonde faite dans une pièce de bois, une pierre, etc., et y enlevant une partie de la matière : *Une baguette marquée d'entailles* (syn. ENCOCHE). — **2.** Blessure faite avec un instrument tranchant. ◆ **entailler** v. t. : *Entailler un rondin à coups de hache.* ◆ ***s'entailler*** v. pr. Se faire une entaille à : *Il s'est entaillé le doigt.*

ENTAMER [ɑ̃tame] v. t. (lat. *intaminare*, souiller). **1.** *Entamer qqch.*, en prélever un premier morceau, ou prélever une partie d'un tout, en retranchant, en coupant : *Entamer un pain. Reboucher une bouteille de vin entamée* (syn. COMMENCER). — **2.** Atteindre l'intégrité de quelque chose par une coupure, une blessure : *Un éclat de verre qui entame la peau* (syn. ENTAILLER). — **3.** Mettre la main à quelque chose, l'entreprendre : *Entamer un travail.* — **4.** *Entamer la réputation, l'honneur de qq'un*, y porter atteinte. ‖ *Entamer la résolution, la conviction de qq'un*, la rendre moins ferme (syn. ÉBRANLER). ◆ **entame** n. f. Premier morceau coupé de quelque chose qui se mange : *L'entame du rôti.*

ENTARTRAGE n. m., **ENTARTRER** v. t. → TARTRE.

ENTASSER [ɑ̃tase] v. t. (de *en-*, et *tas*). **1.** *Entasser des choses*, les mettre en tas : *Entasser des livres sur son bureau* (syn. EMPILER). *Entasser des provisions dans le grenier* (syn. ACCUMULER, AMONCELER). — **2.** *Entasser des personnes, des animaux*, les rassembler dans un endroit trop étroit. ◆ ***s'entasser*** v. pr. Se réunir en grand nombre dans un lieu trop étroit. ◆ **entassement** n. m. *Des entassements de fruits* (syn. AMONCELLEMENT, TAS). *L'entassement dans le métro aux heures de pointe.*

ENTENDEMENT n. m., **ENTENDEUR** n. m. → ENTENDRE.

1. ENTENDRE [ɑ̃tɑ̃dr] v. t. (lat. *intendere*, tendre vers) [Conj. **50.**] *Entendre qq'un, un animal, qqch.*, percevoir par l'ouïe le bruit qu'ils font : *On entend les oiseaux chanter;* sans compl. : *Il n'entend pas.*

2. ENTENDRE [ɑ̃tɑ̃dr] v. t. (même étymologie). [Conj. **50.**] **1.** *Entendre qq'un, les paroles* ou *les écrits de qq'un*, les comprendre, en saisir le sens (langue soignée) : *Si j'entends bien votre lettre, vous n'acceptez pas ma proposition* (syn. INTERPRÉTER). — **2.** *Entendre qqch., entendre que* (et l'indic.), concevoir cette chose de telle ou telle façon, vouloir dire : *Qu'entendez-vous par les mots « en toute liberté » ?* — **3.** *Entendre* (et un infin.), *entendre que* (et le subj.), avoir l'intention bien arrêtée de, vouloir que : *J'entends être obéi;* et avec un pron. compl. d'objet : *Faites comme vous l'entendrez* (= comme vous voudrez, à votre idée). — **4.** *Entendre la plaisanterie*, ne pas se fâcher des plaisanteries des autres (= ne pas être susceptible). ‖ *Entendre raison*, suivre un conseil raisonnable, ne pas persévérer dans une action déraisonnable. ‖ *Ne rien entendre à qqch.*, ne rien y connaître. ◆ ***s'entendre*** v. pr. **1.** (avec plusieurs noms de personnes comme sujets, ou un sujet plur. ou de sens collectif, ou avec un compl. introduit par *avec*) Avoir les mêmes idées, les mêmes goûts, se mettre d'accord : *Il ne s'entend pas avec ses voisins* (syn. SYMPATHISER). *Ils s'entendent à demi-mot* (syn. SE COMPRENDRE). *Des groupes politiques qui s'entendent sur un programme commun* (syn. S'ACCORDER). — **2.** *S'entendre à* (et l'infin. ou un nom), être habile à, compétent en : *S'entendre à la musique moderne;* et sous la forme *s'y entendre* : *S'y entendre en poésie* (syn. S'Y CONNAÎTRE). — **3.** (sujet nom de chose) Se comprendre : *Nos prix s'entendent tous frais compris.* — **4.** *Je m'entends* (soulignant une mise au point), qu'on ne se méprenne pas sur le sens de mes paroles. ‖ *Entendons-nous*, qu'il n'y ait aucun malentendu sur ce point. ‖ *Cela s'entend*, ou, elliptiq., *s'entend*, c'est bien naturel, cela va de soi (syn. BIEN ENTENDU, BIEN SÛR, ÉVIDEMMENT). ◆ **entendu, e** adj. **1.** Se dit de ce qui est convenu, décidé : *C'est une affaire entendue* (syn. RÉGLÉ); et elliptiq. : *Entendu! Je vous ferai connaître le résultat.* — **2.** (avec une valeur ncessive) *C'est entendu, c'est une affaire entendue*, je vous l'ac-rde, il est vrai : *Il y a des risques, c'est entendu, mais l'enjeu est ntant.* — **3.** Se dit d'une personne (ou de son comportement) qui de la compétence, qui s'y connaît : *Il a écouté cela d'un air très tendu* (syn. AU COURANT; péjor. SUFFISANT). — **4.** *Bien entendu*, , très fam., *comme de bien entendu*, naturellement, cela va de soi yn. BIEN SÛR, ÉVIDEMMENT). ◆ **entendement** n. m. Faculté de mprendre (sens 1 et 2 du v. t.) : *L'entendement humain* (syn. TELLIGENCE). *Cela dépasse l'entendement* (= c'est incompréhen-ble). ◆ **entendeur** n. m. *À bon entendeur salut!*, que celui qui mprend en fasse son profit; on aura avantage à tenir compte de t avertissement. ◆ **entente** n. f. **1.** État de personnes qui entendent (sens 1 du v. pr.), qui s'accordent : *Des discussions oublaient la bonne entente du ménage* (syn. HARMONIE). **2.** Convention entre des sociétés, des groupes, des nations : onclure des ententes commerciales* (syn. ACCORD). — **3.** *Phrase à uble entente*, qu'on peut interpréter de deux façons. ◆ **mésen-nte** n. f. Manque d'entente (sens 1 du v. pr.).

NTÉNÉBRÉ, E adj. ⟶ TÉNÈBRES.

NTENTE n. f. ⟶ ENTENDRE.

ntente cordiale, nom donné au rapprochement intervenu à rtir de 1904 entre la France et la Grande-Bretagne, qui permit à France de sortir de son isolement diplomatique. Elle fut complé-e par l'ensemble d'alliances connues sous le nom de Triple-ntente.

NTER [ɑ̃te] v. t. (du lat. *impotus*, greffe). **1.** *Bot.* Greffer. **2.** *Technol.* Assembler par une entaille deux pièces de bois bout bout.

NTÉRINER [ɑ̃terine] v. t. (de l'anc. fr. *enterin*, entier). *Entéri-er une décision, un jugement, un usage*, etc., leur donner un ractère définitif en les approuvant (le plus souvent jurid.) [syn. ONFIRMER, RATIFIER].

NTÉRITE [ɑ̃terit] n. f. (du gr. *enteron*, intestin). *Méd.* Inflam-ation de l'intestin grêle, se traduisant par des douleurs abdomi-ales et de la diarrhée.

NTERREMENT n. m. ⟶ ENTERRER.

nterrement à Ornans *(l')*, composition peinte par Gustave ourbet (1851), qui contribua à le désigner comme le chef de école réaliste.

NTERRER [ɑ̃tere] v. t. (de *en-*, et *terre*). **1.** *Enterrer un mort*, le ettre en terre (syn. ENSEVELIR, INHUMER). — **2.** *Enterrer qq'un, qch.*, les enfouir sous terre : *L'assassin avait enterré son arme* yn. ENSEVELIR). — **3.** *Enterrer un projet*, renoncer définitivement sa réalisation (syn. CLASSER). ‖ *Enterrer un scandale*, éviter qu'il 'éclate trop publiquement (syn. ÉTOUFFER). ◆ ***s'enterrer*** v. pr. *'am.* Se confiner dans un lieu perdu : *Il est allé s'enterrer dans ne bourgade de province.* ◆ **enterrement** n. m. **1.** Action de ettre un mort en terre; ensemble des cérémonies correspon-antes : *L'enterrement aura lieu dans sa ville natale* (syn. INHUMA-ION). *L'enterrement d'un homme célèbre* (syn. FUNÉRAILLES). — **2.** Fam. *Air, tête d'enterrement*, air triste, visage sombre.

ENTÊTANT, E adj. ⟶ ENTÊTER 1.

EN-TÊTE [ɑ̃tɛt] n. m. (de *en-*, prép., et *tête*). Texte imprimé ou ravé à la partie supérieure de papiers de correspondance, de rospectus, etc. : *L'adresse, le numéro de téléphone figurent aux n-têtes des factures.*

1. ENTÊTER [ɑ̃tete] v. t. (de *en-*, et *tête*) [sujet nom désignant ne odeur, une vapeur]. Causer une sorte d'étourdissement, de al de tête : *Ce parfum est trop capiteux, il m'entête.* ◆ **entê-ant, e** adj. : *Une odeur entêtante.*

2. ENTÊTER (S') [sɑ̃tete] v. pr. (même étym.) [sujet nom de ersonne]. S'obstiner avec une grande ténacité : *Il s'entêtait à ouloir trouver ce que d'autres avaient renoncé à chercher* (syn. 'ACHARNER). ◆ **entêté, e** adj. et n. : *Un enfant entêté* (syn. BUTÉ, TÊTU). *Une volonté entêtée de réussir* (syn. OBSTINÉ, OPI-NIÂTRE). ◆ **entêtement** n. m. : *Il a manqué plusieurs affaires par on entêtement à ne rien céder* (syn. OBSTINATION).

ENTHOUSIASME [ɑ̃tuzjasm] n. m. (gr. *enthousiasmos*, trans-port divin). **1.** Admiration passionnée, manifestée en général avec rdeur : *Applaudir un orateur avec enthousiasme* (syn. ARDEUR, EU). — **2.** Excitation joyeuse, exaltation dans l'action : *La nou-elle de la victoire déchaîna l'enthousiasme de la foule* (syn. ↑FRÉ-NÉSIE). ◆ **enthousiasmer** v. t. *Enthousiasmer qq'un, un audi-oire*, etc., lui inspirer de l'enthousiasme. ◆ ***s'enthousiasmer*** v. pr. (sujet nom de personne). Se prendre d'enthousiasme : *Ils se sont enthousiasmés pour ce projet* (syn. SE PASSIONNER). ◆ **enthousiasmant, e** adj. : *Une proposition peu enthousias-mante.* ◆ **enthousiaste** adj. et n. Se dit d'une personne (ou de son comportement) qui manifeste son enthousiasme.

ENTICHER (S') [sɑ̃tiʃe] v. pr. ou **ÊTRE ENTICHÉ** [ɛtrɑ̃tiʃe] v. passif (de l'anc. fr. *entechié*, pourvu de telle qualité, de tel défaut). *S'enticher de qq'un, de qqch.*, se prendre d'un attachement passager, excessif, pour cette personne ou pour cette chose : *Il s'est entiché de cet acteur* (syn. S'ENGOUER). ◆ **entiche-ment** n. m. (syn. ENGOUEMENT).

1. ENTIER, ÈRE [ɑ̃tje, -ɛr] adj. (lat. *integrum*, intact). **1.** Se dit de quelque chose dont rien n'a été retranché : *Un gâteau entier* (syn. INTACT). — **2.** Se dit de quelque chose qui est considéré dans toute son étendue, dans sa totalité : *Éditer l'œuvre entière d'un poète* (syn. INTÉGRAL). *Il est resté absent une semaine entière* (syn. COMPLET); souvent renforcé par l'adv. inv. *tout : La maison tout entière.* — **3.** Se dit de quelque chose qui est dans sa plénitude, sans altération ou restriction (parfois avant le nom) : *Soyez assuré de mon entier dévouement* (syn. ABSOLU, SANS RÉSERVE). *Ma con-fiance en lui reste entière* (syn. TOTAL). — **4.** Math. *Nombre entier naturel* ou *nombre entier relatif* ⟶ NOMBRE. ◆ n. m. *Dans son entier*, dans sa totalité, son intégralité. ‖ *En entier*, sans rien laisser, complètement (syn. TOTALEMENT). ◆ **entièrement** adv. : *Un devoir entièrement copié sur le voisin* (syn. INTÉGRALEMENT, TOTALEMENT). *Il est entièrement responsable de cette situation* (syn. COMPLÈTEMENT, PLEINEMENT).

2. ENTIER, ÈRE [ɑ̃tje, -ɛr] adj. (même étym.). Se dit de quel-qu'un qui ne connaît guère les nuances, qui est inébranlable dans sa volonté : *Un caractère entier* (syn. D'UNE SEULE PIÈCE).

ENTITÉ [ɑ̃tite] n. f. (du lat. *ens, entis*, ce qui est). Chose considé-rée comme un être ayant son individualité : *La patrie, l'État, la société sont des entités.*

ENTOILAGE n. m., **ENTOILER** v. t. ⟶ TOILE.

ENTOMOLOGIE [ɑ̃tɔmɔlɔʒi] n. f. (du gr. *entomon*, insecte, et *logos*, science). Partie de la zoologie qui étudie les insectes. ◆ **entomologique** adj. ◆ **entomologiste** n.

ENTOMOPHILE [ɑ̃tɔmɔfil] adj. (du gr. *entomon*, insecte, et *philos*, ami). Se dit des plantes dont la pollinisation (= transport du pollen) est assurée par les insectes. (Il s'agit le plus souvent de plantes herbacées [*colza, luzerne, tournesol*] ou d'arbres fruitiers qui sécrètent un nectar, ce qui conduit les insectes, notamment les abeilles, à les visiter.)

1. ENTONNER [ɑ̃tɔne] v. t. (de *en-*, et *ton*). **1.** *Entonner un chant, un air*, etc., commencer à le chanter. — **2.** *Entonner l'éloge, les louanges de qq'un*, commencer à le louer.

2. ENTONNER [ɑ̃tɔne] v. t. (de *en-*, et *tonne*, tonneau). Verser un liquide dans un tonneau.

ENTONNOIR [ɑ̃tɔnwar] n. m. (de *entonner* 2). **1.** Ustensile, le plus souvent conique, servant à transvaser un liquide. — **2.** Cavité faite dans le sol, généralement par l'éclatement d'un obus ou d'une bombe. — **3.** *Géogr.* Dépression fermée, de petites dimensions, de forme conique, creusée par l'érosion des eaux. (Les entonnoirs, forme de relief karstique*, sont fréquents dans les roches très solubles comme le sel, le gypse.) — **4.** Chez les mollusques cépha-lopodes, organe en forme de cône qui fait communiquer la cavité palléale (= cavité située dans le manteau et qui contient les organes respiratoires) avec l'extérieur : *L'entonnoir intervient dans la locomotion.*

ENTORSE [ɑ̃tɔrs] n. f. (de l'anc. fr. *entors*, tordu). **1.** Distorsion brutale, avec élongation ou rupture, des ligaments d'une articula-tion : *Une entorse à la cheville* (syn. FOULURE). [⟶ ARTICULER 3.] — **2.** Fam. *Faire une entorse à la vérité, à la loi, à ses habi-tudes*, etc., ne pas s'y conformer pour une fois : *Faire une entorse au règlement* (syn. INFRACTION).

ENTORTILLER [ɑ̃tɔrtije] v. t. (de l'anc. fr. *entordre*, tortiller). **1.** *Entortiller un objet*, l'envelopper dans quelque chose que l'on tortille pour serrer ou pour fermer : *Des bonbons entortillés dans du papier.* — **2.** *Entortiller un lien, un papier*, etc., le tourner plusieurs fois autour d'un objet, en envelopper cet objet : *Entortil-ler un mouchoir autour de son doigt.* — **3.** Fam. *Entortiller qq'un*, l'amener à ce qu'on désire par des paroles flatteuses. ◆ ***s'entor-tiller*** v. pr. **1.** S'enrouler plusieurs fois autour de quelque chose, ou enrouler quelque chose autour de soi, s'en envelopper : *La mouche s'entortille dans une toile d'araignée* (syn. S'EMPÊTRER, SE PRENDRE DANS). — **2.** Fam. *Personne qui s'entortille dans ses phrases*, qui s'embrouille. ◆ **entortillement** n. m.

ENTOUR (À L') [alɑ̃tur] loc. adv. (de *entourer*). Dans les envi-rons : *Il n'y a personne à l'entour.*

1. ENTOURER [ɑ̃ture] v. t. (de *en-*, et *tour*, ligne courbe). **1.** (sujet nom de personne) *Entourer qq'un* ou *qqch.*, disposer quelque chose qui en fait le tour : *Il faudrait entourer ce jardin* (syn. CLORE, CLÔTURER). *Entourer de rouge un mot du texte* (syn. CERNER). — **2.** (sujet nom de chose) *Entourer qq'un* ou *qqch.*, être placé autour d'eux : *La clôture qui entoure le pré* (syn. ENCLORE). *Une division entourée de tous côtés par les ennemis* (syn. CERNER,

ENCERCLER). ◆ **entourage** n. m. Ce qui entoure : *Un petit coin de terre protégé par un entourage de planches.*

2. ENTOURER [ɑ̃ture] v. t. (même étym.). **1.** *Entourer qq'un,* être auprès de lui, lui apporter du réconfort, lui témoigner de la sympathie, de la considération : *Tous ses amis l'ont entouré dans son malheur.* — **2.** *Entourer qq'un de soins, de prévenances,* etc., lui prodiguer des soins, etc. ◆ **s'entourer** v. pr. (sujet nom de personne). *S'entourer de précautions, de mystère,* etc., prendre de nombreuses précautions, agir secrètement. ◆ **entourage** n. m. Les personnes qui vivent habituellement auprès de quelqu'un.

ENTOURLOUPETTE [ɑ̃turlupɛt] n. f. (de *en-*, et *tour*). Fam. *Faire une entourloupette à qq'un,* lui jouer un mauvais tour.

ENTOURNURE [ɑ̃turnyr] n. f. (de l'anc. fr. *entourner,* être autour). *Être gêné aux entournures,* être gêné aux épaules dans un vêtement trop juste; fam., être dans une situation gênante, avoir des ressources trop limitées pour faire certaines dépenses.

ENTR(E)- [ɑ̃tr], élément tiré du lat. *inter,* entre, parmi, au milieu de, qui sert de préfixe à de nombreux mots composés et indique une idée de réciprocité (lorsqu'il s'ajoute au radical des verbes pronominaux : *s'entredéchirer*) ou l'idée que l'action n'est faite qu'à demi (lorsqu'il s'ajoute au radical de certains verbes transitifs : *entrebâiller*). [*Rem.* L'orthographe des mots composés avec *entr(e)-* n'est pas fixée; tantôt l'*e* final est élidé, et *entr(e)-* est séparé par une apostrophe du reste du mot quand celui-ci commence par une voyelle (ex. : *entr'apercevoir*), ou par un trait d'union quand le second terme commence par une consonne (ex. : *entre-deux*); mais on peut également n'employer ni apostrophe *(entrouvrir)* ni trait d'union *(entrejambe)*; seul *entr(e)-* devant un *h* aspiré exige un trait d'union (ex. : *s'entre-heurter*).]

ENTRACTE [ɑ̃trakt] n. m. *(entr-,* et *acte).* **1.** Intervalle de temps entre les parties d'un spectacle. — **2.** Période de répit : *Cette accalmie n'est qu'un entracte dans le conflit* (syn. PAUSE).

ENTRAIDE n. f., **ENTRAIDER (S')** v. pr. ⟶ AIDER.

ENTRAILLES [ɑ̃traj] n. f. pl. (lat. *interanea,* intestins). **1.** Ensemble des intestins et des viscères contenus dans l'abdomen et la cage thoracique : *Des fauves qui se disputent les entrailles de leur proie.* — **2.** Estomac ou ventre, considéré comme le siège de la faim (littér.). — **3.** Ventre maternel (littér.) : *Jésus, le fruit de vos entrailles, est béni.* — **4.** Siège des émotions, des sentiments : *Un drame qui vous prend aux entrailles* (syn. CŒUR, VENTRE). — **5.** *Les entrailles de la terre,* les profondeurs du sol; la terre considérée dans sa fécondité.

ENTRAIN [ɑ̃trɛ̃] n. m. (de *être en train,* être en action). Vivacité joyeuse; bonne humeur entraînante : *Travailler avec entrain* (syn. ARDEUR). *Une fête qui manque d'entrain* (syn. ANIMATION).

ENTRAÎNANT, E adj. ⟶ ENTRAÎNER 2.

ENTRAÎNEMENT n. m. ⟶ ENTRAÎNER 1, 2 et 3.

1. ENTRAÎNER [ɑ̃trene] v. t. *(en-,* et *traîner).* **1.** (sujet nom de chose ou de personne) *Entraîner qqch., qq'un,* le tirer après soi, l'emporter avec soi : *L'alpiniste a failli entraîner dans sa chute ses compagnons de cordée.* — **2.** (sujet nom de chose) *Entraîner qqch.,* transmettre le mouvement à une autre pièce d'un mécanisme : *Une poulie entraînée par une courroie.* ◆ **entraînement** n. m. : *La chaîne qui assure l'entraînement du mécanisme.*

2. ENTRAÎNER [ɑ̃trene] v. t. (même étym.). **1.** (sujet nom de personne) *Entraîner qq'un,* l'emmener à l'écart : *Il m'a entraînée dans un coin pour me faire ses confidences* (syn. AMENER). — **2.** *Entraîner qq'un,* l'amener par une influence morale à agir plus ou moins contre son gré, à s'engager dans une action : *Entraîner un ami dans une manifestation.* — **3.** (sujet nom désignant une musique, un air) Exercer un effet stimulant sur le public. — **4.** *Entraîner qqch.,* l'avoir pour conséquence : *Ce choix entraîne des renoncements pénibles* (syn. IMPLIQUER). — **5.** *Entraîner qq'un à des dépenses,* etc., être pour lui une cause de dépenses : *Cela ne vous entraînera pas à de gros frais.* ◆ **entraînant, e** adj. : *Une musique entraînante.* ◆ **entraînement** n. m. : *Dans l'entraînement de la discussion* (syn. ↑CHALEUR). ◆ **entraîneur** n. m. Celui qui a de l'allant, qui communique aux autres son ardeur (on dit souvent ENTRAÎNEUR D'HOMMES). ◆ **entraîneuse** n. f. Jeune femme employée dans un établissement de nuit pour engager les clients à danser et à consommer.

3. ENTRAÎNER [ɑ̃trene] v. t. (même étym.). *Entraîner qq'un, un animal,* lui faire acquérir l'habitude, la pratique de quelque chose : *Entraîner un nageur. Entraîner un cheval.* ◆ **s'entraîner** v. pr. Conserver la pratique de quelque chose par un exercice quotidien : *S'entraîner à la marche à pied.* ◆ **entraînement** n. m. : *Un sportif qui s'impose un entraînement quotidien.* ◆ **entraîneur** n. m. **1.** Celui qui entraîne méthodiquement un sportif, un cheval de course, etc. — **2.** Pilote de la motocyclette derrière laquelle un coureur cycliste s'abrite du vent.

ENTRAÎNEUR, EUSE n. ⟶ ENTRAÎNER 2 et 3.

ENTRANT, E adj. et n. ⟶ ENTRER.

ENTR'APERCEVOIR v. t. ⟶ APERCEVOIR.

ENTRAVER [ɑ̃trave] v. t. (de *en-*, et l'anc. fr. *trev,* poutre). **1.** *Entraver un animal,* lui mettre une entrave. — **2.** *Entraver qq'un, l'action de qq'un,* lui causer de la gêne dans ses mouvements, mettre obstacle à son action : *Une jupe qui entrave la marche.* — **3.** *Entraver qqch.,* l'embarrasser dans son mouvement, sa progression : *Une voiture en double file entravait la circulation* (syn. FREINER, GÊNER). ◆ **entrave** n. f. **1.** Lien qu'on fixe aux pieds d'un animal pour gêner sa marche et l'empêcher de s'enfuir. — **2.** Ce qui gêne, qui embarrasse : *Une barrière douanière qui constitue une entrave au commerce* (syn. OBSTACLE).

1. ENTRE [ɑ̃tr], **PARMI** [parmi] prép. (lat. *inter; par,* et *mi*). Indiquent une place dans un ensemble, une position définie par deux limites. → tableau ci-dessous.

---

2. ENTRE- préf. ⟶ ENTR-.

ENTREBÂILLER [ɑ̃trəbaje] v. t. *(entre-,* et *bâiller).* Ouvrir légèrement (une fenêtre, une porte, etc.). ◆ **entrebâillement** n. m. Ouverture étroite laissée par une chose entrebâillée : *La fumée s'échappait par l'entrebâillement de la fenêtre.*

ENTRECHAT [ɑ̃trəʃa] n. m. (it. *[capriola] intrecciata,* [saut] entrelacé). Saut vertical au cours duquel le danseur fait passer ses pointes baissées l'une devant l'autre, une ou plusieurs fois.

entre

1. Indique un intervalle défini par plusieurs points formant une limite :
a) en parlant de choses :
Mettez cette phrase entre guillemets. Il hésite entre ces deux possibilités;
b) en parlant d'êtres animés :
Il s'est assis entre la maîtresse de maison et une invitée qu'il ne connaissait pas;
c) dans des expressions :
Entre deux, à moitié. ‖ *Entre les deux,* moyennement. ‖ *Être entre ciel et terre,* haut en l'air. ‖ *Parler entre ses dents,* murmurer. ‖ *Nager entre deux eaux,* ménager deux partis. ‖ *Prendre entre deux feux,* attaquer de deux côtés à la fois. ‖ *Lire entre les lignes,* aller au-delà du texte pour en saisir le sens profond.

2. Indique un intervalle de temps défini par plusieurs points formant une limite :
Téléphonez-moi entre midi et deux heures. Entre les deux guerres, il se produisit une crise économique désastreuse.

3. Indique un ensemble dont fait partie un être ou une chose que l'on distingue :
a) avec des noms de choses :
Entre plusieurs solutions possibles, choisissez la plus simple;
b) avec des noms de personnes :
Quelques-uns d'entre eux ont souri à ce bon mot.

Entre autres, entre autres choses, d'une manière plus particulière : *Sur cette question, il y a, entre autres, un livre remarquable d'un savant italien.*

4. Indique un espace délimité par deux ensembles, et qui sert de cadre à l'action considérée :
L'allée menait droit au château, entre deux rangées de chênes. Les invités défilèrent entre deux rangées de valets. Nous pourrons discuter librement toi et moi; nous serons entre nous (= en tête à tête).

5. Indique une relation ou un rapport de réciprocité entre deux ou plusieurs groupes d'êtres vivants :
L'égalité entre les hommes. Il y a entre eux une vieille querelle. Entre nous, il est inutile de faire des manières.

6. Indique une comparaison entre des êtres ou des choses (souvent sous la forme *entre... et*) :
Entre lui et son frère, il y a de nombreux points communs.

ENTRECHOQUEMENT n. m., **ENTRECHOQUER** v. t. → CHOC 1.

ENTRECOLONNEMENT [ɑ̃trəkɔlɔnmɑ̃] n. m. (de *entre-*, et *colonne*). *Archit.* Intervalle entre deux colonnes. (On dit aussi ENTRECOLONNE.)

ENTRECÔTE [ɑ̃trəkot] n. f. *(entre-*, et *côte)*. Tranche de viande prélevée dans la région des côtes.

ENTRECOUPER [ɑ̃trəkupe] v. t. *(entre-*, et *couper)*. Interrompre par des intervalles : *Un récit entrecoupé de sanglots.* ◆ ***s'entrecouper*** v. pr. *Lignes, dessins*, etc., *qui s'entrecoupent*, qui se coupent mutuellement.

ENTRECROISEMENT n. m., **ENTRECROISER** v. t. → CROISER 1.

ENTRE-DÉCHIRER (S') v. pr. → DÉCHIRER.

ENTRE-DEUX [ɑ̃trədø] n. m. inv. *(entre*, prép., et *deux)*. **1.** État intermédiaire entre deux systèmes : *Il ne suffit pas de prévoir le début et la fin, il faut remplir l'entre-deux.* — **2.** Bande de broderie, de tulle destinée à être cousue des deux côtés. — **3.** Au basket-ball, jet du ballon par l'arbitre entre deux joueurs, pour la reprise du jeu.

ENTRE-DEUX-GUERRES n. m. ou f. inv. → GUERRE.

ENTRE-DEUX-MERS, région viticole du Bordelais, entre la Garonne et la Dordogne.

ENTRÉE n. f. → ENTRER.

ENTREFAITES (SUR CES) [syrsezɑ̃trəfɛt] loc. adv. (de *entre-*, et *faire*). Au moment où un événement se produisait, il arriva inopinément que... (dans un récit au passé) [syn. À CE MOMENT-LÀ, ALORS, LÀ-DESSUS, SUR CE].

ENTREFER [ɑ̃trəfɛr] n. m. *(entre-*, et *fer)*. Partie d'un circuit magnétique où le flux d'induction ne circule pas dans le fer.

ENTREFILET [ɑ̃trəfilɛ] n. m. *(entre-*, et *filet)*. Petit article de journal de quelques lignes, ordinairement précédé et suivi d'un trait *(filet)* de séparation.

ENTREGENT [ɑ̃trəʒɑ̃] n. m. *(entre-*, et *gent)* [sujet nom de personne]. *Avoir de l'entregent*, avoir de l'aisance, de l'habileté dans la manière de se conduire.

ENTR'ÉGORGER (S') v. pr. → ÉGORGER.

ENTREJAMBE n. m. → JAMBE.

ENTRELACER [ɑ̃trəlase] v. t. *(entre-*, et *lacer)*. Enlacer l'un dans l'autre : *Entrelacer des fils* (syn. ENTRECROISER, TRESSER). ◆ ***s'entrelacer*** v. pr. : *Un motif décoratif fait de rameaux qui s'entrelacent* (syn. S'ENCHEVÊTRER). ◆ **entrelacement** n. m. : *Un entrelacement de rubans.* ◆ **entrelacs** [ɑ̃trəlɑ] n. m. Ornement composé de motifs entrelacés formant une suite continue.

ENTRELARDER [ɑ̃trəlarde] v. t. *(entre-*, et *larder)*. **1.** *Entrelarder de la viande*, la piquer de bandes de lard avant la cuisson. — **2.** Fam. *Entrelarder un discours de citations*, etc., y glisser des citations, etc. (syn. ENTREMÊLER, PARSEMER). ◆ **entrelardé, e** adj. Se dit d'une viande qui contient des parties grasses.

ENTREMÊLER [ɑ̃trəmele] v. t. *(entre-*, et *mêler)*. *Entremêler des choses*, les mêler alors qu'elles diffèrent plus ou moins entre elles : *Entremêler dans un récit des épisodes comiques et des scènes pathétiques* (syn. MÉLANGER). *Paroles entremêlées de sanglots* (syn. ENTRECOUPER). ◆ ***s'entremêler*** v. pr. : *Des ronces qui s'entremêlent aux arbustes de la haie.* ◆ **entremêlement** n. m.

ENTREMETS [ɑ̃trəmɛ] n. m. *(entre-*, et *mets)*. Plat sucré qu'on sert après le fromage et avant les fruits.

ENTREMETTRE (S') [sɑ̃trəmɛtr] v. pr. *(entre-*, et *mettre)*. [Conj. **57.**] Intervenir activement pour mettre en relation plusieurs personnes, pour les concilier, pour faciliter la conclusion d'une affaire : *Un de leurs amis communs a tenté de s'entremettre dans leur querelle* (syn. S'INTERPOSER). ◆ **entremise** n. f. : *L'entremise de ce négociateur a permis d'aboutir à un accord* (syn. BONS OFFICES, MÉDIATION). — LOC. PRÉP. *Par l'entremise de*, grâce à l'intervention, à l'action de (syn. PAR L'INTERMÉDIAIRE DE). ◆ **entremetteur, euse** n. Personne qui sert d'intermédiaire, de médiateur. ◆ n. f. *Péjor.* Femme qui sert d'intermédiaire dans un intrigue galante.

ENTREMONT, vallée de la Suisse (Valais), au pied du Gran Saint-Bernard.

ENTREMONT *(plateau d')*, site archéologique, situé au l d'Aix-en-Provence. Là s'éleva la capitale des Salyens (IIIe s 123 av. J.-C.).

ENTRE-NŒUD n. m. → NŒUD 2.

ENTREPONT [ɑ̃trəpɔ̃] n. m. *(entre-*, et *pont)*. Espace compris entre les deux ponts d'un bateau.

ENTREPOSER [ɑ̃trəpoze] v. t. *(entre-*, et *poser)*. Déposer momentanément dans un lieu : *Entreposer des marchandises.* ◆ **entreposage** n. m. Action d'entreposer. ◆ **entrepôt** n. m. Lieu, bâtiment où l'on entrepose des marchandises.

ENTREPRENANT, E [ɑ̃trəprənɑ̃, -ɑ̃t] adj. (de *entreprendre*). **1.** Se dit d'une personne qui est pleine d'allant, qui fait preuve d'initiative pour entreprendre hardiment : *Un homme entreprenant* (syn. ACTIF). — **2.** Se dit d'un homme hardi auprès des femmes : *Elle est importunée par un voisin trop entreprenant* (syn. GALANT).

ENTREPRENDRE [ɑ̃trəprɑ̃dr] v. t. *(entre-*, et *prendre)*. [Conj. **54.**] **1.** (sujet nom de personne) *Entreprendre qqch.*, commencer à l'exécuter : *Entreprendre la lecture d'un roman* (syn. ENTAMER). *Entreprendre de se justifier* (syn. TENTER). — **2.** Fam. *Entreprendre qq'un*, l'importuner par ses propos, le harceler de questions, ou s'entretenir avec lui d'un sujet pour tenter de savoir ce qu'il pense ou tâcher de le persuader. ◆ **entreprise** n. f. **1.** Ce que l'on entreprend : *Cette ascension est une entreprise périlleuse* (syn. OPÉRATION). *Ce n'est pas une petite entreprise!* (syn. AFFAIRE, CHOSE). *Échouer dans son entreprise* (syn. TENTATIVE). — **2.** Action par laquelle on cherche à porter atteinte à quelque chose, on s'en prend à quelqu'un : *Ces propositions de lois sont des entreprises contre le droit de grève* (syn. ATTEINTE À).

ENTREPRENEUR n. m. → ENTREPRISE 2.

1. ENTREPRISE n. f. → ENTREPRENDRE.

2. ENTREPRISE [ɑ̃trəpriz] n. f. (de *entreprendre*). **1.** Affaire commerciale ou industrielle : *Une entreprise d'alimentation* (syn. FIRME, MAISON). *Une entreprise de pompes funèbres.* ‖ *Comité d'en-*

---

parmi
(toujours avec un nom pluriel ou un collectif)

1.

2.

---

3. Indique un ensemble dont fait partie une chose ou un être que l'on distingue soit pour l'isoler, soit pour l'englober :
a) avec des noms de choses :
Parmi toutes les solutions possibles, il a choisi la plus simple (= de toutes les solutions). *Ranger le mot « loyal » parmi les adjectifs;*
b) avec des noms de personnes :
Il n'est qu'un employé parmi d'autres.

---

4. Indique un ensemble qui sert de cadre à l'action considérée :
Il s'avance parmi les blés mûrs (syn. AU MILIEU DE). *Venez vous asseoir parmi nous* (syn. À CÔTÉ DE). *Aller à l'aventure parmi les rues obscures* (syn. DANS).

---

5. Indique un groupe de personnes de qui relève telle ou telle chose abstraite :
On trouve rarement l'égalité parmi les hommes (syn. CHEZ). *Parmi les savants, son nom est respecté.*

6.

treprise, organisme présidé par le chef d'entreprise et dont les membres sont élus par le personnel. — **2.** Affaire spécialisée dans le bâtiment ou les travaux publics. — **3.** Action d'effectuer un travail ou d'assurer certaines fournitures dans des conditions déterminées de temps et de paiement : *Avoir l'entreprise d'une construction.* || *Contrat d'entreprise*, contrat par lequel une personne s'engage à exécuter un ouvrage. ◆ **entrepreneur** n. m. **1.** Personne qui dirige pour son compte une entreprise industrielle ou commerciale : *Un entrepreneur de transports.* — **2.** *Un entrepreneur*, un entrepreneur de travaux publics, constructeur de bâtiments. — **3.** Personne qui prend en charge l'exécution de certains travaux (notamment de construction) [sens 3 du v.].

ENTRER [ɑ̃tre] v. i. (lat. *intrare*) [auxil. *être*]. **1.** (sujet nom de personne ou de chose) Aller de l'extérieur à l'intérieur d'un lieu : *Le visiteur entra dans le salon* (syn. PÉNÉTRER). *Le bateau entre dans le port* (syn. S'ENGAGER). — **2.** (sujet nom de personne) S'engager dans une profession, un état; commencer à faire partie d'un groupe, d'un corps, etc. : *Il est entré à l'École polytechnique* (= il a été reçu au concours d'entrée). *Elle est entrée au couvent* (= elle s'est faite religieuse). — **3.** *Entrer dans les détails, dans une discussion, dans le vif du sujet*, etc., commencer à examiner ces détails, entamer cette discussion, aborder le point essentiel, etc. — **4.** *Entrer dans l'hiver, dans une période de prospérité*, etc., être au début de cette période. — **5.** (sujet nom de personne) *Entrer dans les idées, les vues, les sentiments, les intérêts de qq'un*, adhérer à ses idées, partager ses sentiments, prendre à cœur ses intérêts (syn. ÉPOUSER). — **6.** (sujet nom de personne) *Entrer en* (et un nom indiquant un état, une action), passer dans cet état, entreprendre cette action : *Entrer en colère. Les troupes sont entrées en action.* — **7.** (sujet nom de chose) *Entrer dans qqch.*, en être un élément composant, faire partie d'un ensemble, y avoir un rôle : *Ce travail entre dans vos attributions.* ◆ v. t. (auxiliaire *avoir*). Faire pénétrer : *Entrer des marchandises en fraude* (syn. INTRODUIRE). [*Rem.* Dans la plupart de ses emplois, *entrer* est souvent remplacé par RENTRER dans la langue courante. Il a pour contraire le plus habituel SORTIR.] ◆ **entrant, e** adj. et n. : *Pointer les députés entrants au lendemain d'une élection* (= les nouveaux élus). ◆ **entrée** n. f. **1.** Action d'entrer : *Il a fait une entrée bruyante* (contr. SORTIE). *L'entrée du bateau dans le port* (syn. ARRIVÉE). *Une entrée en fonctions* (syn. DÉBUT). — **2.** Faculté d'entrer : *Refuser à qq'un l'entrée d'une salle* (syn. ACCÈS). — **3.** Accès à un spectacle; somme payée pour entrer : *Payer une entrée au cinéma.* — **4.** Lieu par où l'on entre, voie d'accès; première pièce de passage dans un appartement : *L'entrée de l'immeuble est sur le boulevard.* — **5.** Moment où une période commence : *L'entrée de l'hiver.* — **6.** *Mus.* Pièce instrumentale qui sert d'introduction à une suite; premier morceau d'un ballet. — **7.** Mot imprimé en caractères gras qui, dans un dictionnaire, fait l'objet d'un article. — **8.** Plat servi avant le plat de viande et après le potage ou les hors-d'œuvre. — LOC. ADV. *D'entrée de jeu*, dès le début. ◆ n. f. pl. *Avoir ses entrées chez qq'un, dans un lieu*, avoir le privilège d'y être reçu.

ENTRESOL [ɑ̃trəsɔl] n. m. (esp. *entresuelo*). Étage situé entre le rez-de-chaussée et le premier étage de certains immeubles.

ENTRE-TEMPS [ɑ̃trətɑ̃] adv. (de l'anc. fr. *entretant*). Dans l'intervalle, pendant ce temps-là.

1. ENTRETENIR [ɑ̃trətnir] v. t. (*entre-*, et *tenir*). [Conj. **22.**] **1.** *Entretenir qqch.*, le maintenir dans le même état, le faire durer : *Entretenir un feu en y mettant de grosses bûches* (syn. ALIMENTER). *Les petits cadeaux entretiennent l'amitié. Entretenir des relations avec qq'un* (= avoir des relations suivies). — **2.** *Entretenir une chose*, faire le nécessaire pour la conserver en bon état : *Un parc très bien entretenu.* — **3.** *Entretenir qq'un*, subvenir à ses besoins : *Entretenir décemment ses enfants* (syn. ÉLEVER, NOURRIR). ◆ **entretien** n. m. **1.** Action de tenir quelque chose en bon état; dépense occasionnée par cette action : *Le jardinier chargé de l'entretien des allées. Les frais d'entretien.* — **2.** Ce qui est nécessaire pour subvenir aux besoins matériels (habillement, nourriture, logement, etc.) d'une ou de plusieurs personnes.

2. ENTRETENIR [ɑ̃trətnir] v. t. (même étym.). [Conj. **22.**] *Entretenir qq'un de qqch.*, avoir avec lui une conversation sur ce sujet, lui faire un exposé sur cette question : *Il m'a longuement entretenu de ses intentions.* ◆ ***s'entretenir*** v. pr. Échanger des propos familiers sur tel ou tel sujet : *S'entretenir par téléphone* (syn. BAVARDER, CAUSER, CONVERSER). ◆ **entretien** n. m. Conversation suivie : *Nous avons eu un entretien fructueux sur cette affaire* (syn. ÉCHANGE DE VUES, ENTREVUE).

ENTRETOISE [ɑ̃trətwaz] n. f. (de *entre-*, et *toise*, ce qui est tendu). *Technol.* Pièce de bois ou de métal servant à en relier deux autres et à les maintenir dans une position invariable.

ENTRE-TUER (S') v. pr. → TUER 1.

ENTREVOIR [ɑ̃trəvwar] v. t. (*entre-*, et *voir*). [Conj. **41.**] **1.** Voir indistinctement, en raison des mauvaises conditions de visibilité ou de la rapidité du mouvement : *Entrevoir dans la pénombre les arbres du parc* (syn. DEVINER). *Entrevoir l'église du village en le traversant en voiture* (syn. APERCEVOIR). — **2.** *Entrevoir qq'un*, n'avoir qu'un bref entretien avec lui, le voir rapidement. — **3.** *Entrevoir la solution, la vérité, un changement*, etc., en avoir une idée encore imprécise (syn. PRESSENTIR, SOUPÇONNER). ◆ **entrevue** n. f. Rencontre concertée avec quelqu'un, en vue de traiter d'une affaire : *Les délégués syndicaux ont eu une entrevue avec le ministre* (syn. ENTRETIEN). *Je peux vous ménager une entrevue avec lui* (syn. RENDEZ-VOUS).

ENTROUVRIR v. t. → OUVRIR.

ENTURBANNÉ, E adj. → TURBAN.

ÉNUCLÉATION [enykleasjɔ̃] n. f. (du lat. *enucleare*, enlever le noyau). **1.** Acte chirurgical par lequel on enlève un organe, une tumeur, et spécialement le globe de l'œil. — **2.** Extraction de l'amande ou du noyau d'un fruit.

ÉNUMÉRER [enymere] v. t. (lat. *enumerare*). *Énumérer des choses* (faisant partie d'un tout), les énoncer successivement, les passer en revue : *Énumérer les stations d'une ligne de métro* (syn. CITER). ◆ **énumératif, ive** adj. : *Une liste énumérative.* ◆ **énumération** n. f. : *Il nous a fait une énumération détaillée de ses démarches* (syn. INVENTAIRE). *L'énumération des personnalités présentes* (syn. LISTE).

ÉNURÉSIE [enyrezi] n. f. (du gr. *en*, dans, et *ourein*, uriner). *Méd.* Émission involontaire et inconsciente d'urine.

ENVAHIR [ɑ̃vair] v. t. (lat. *invadere*). **1.** (sujet nom d'être animé) *Envahir un lieu*, s'y répandre par la force : *Les armées de Louis XIV envahirent les Pays-Bas* (syn. CONQUÉRIR); l'occuper complètement : *La foule envahit les gradins du stade* (syn. ↓SE RÉPANDRE). — **2.** (sujet nom de chose) *Envahir un lieu*, le remplir entièrement : *Les orties ont envahi tout le fond du jardin.* — **3.** (sujet nom désignant un sentiment, une idée, etc.) *Envahir qq'un, envahir les esprits*, etc., s'emparer de cette personne, des esprits : *Le doute l'envahit* (syn. GAGNER, SAISIR). ◆ **envahissant, e** adj. **1.** Qui se répand dans un lieu, dans les cœurs ou les esprits : *Des herbes envahissantes. Des soucis envahissants.* — **2.** *Fam.* Se dit d'une personne qui s'impose sans discrétion. ◆ **envahissement** n. m. : *L'envahissement de la Gaule par les Romains* (syn. INVASION). *L'envahissement d'un port par le sable.* ◆ **envahisseur** n. m Personne qui envahit militairement : *Un peuple qui résiste aux envahisseurs.*

ENVALIRA *(col* ou *port d')*, col des Pyrénées orientales, en Andorre; 2 407 m.

ENVASEMENT n. m., **ENVASER (S')** v. pr. → VASE 2.

ENVELOPPER [ɑ̃vlɔpe] v. t. (*en-*, et l'anc. fr. *voloper*). **1.** (sujet nom de personne) Entourer d'un tissu, d'un papier, d'une feuille, d'une matière quelconque : *Envelopper un paquet* (syn. EMBALLER). — **2.** (sujet nom désignant la matière qui entoure) Servir d'enveloppe, de protection, de cadre, etc. : *La toile qui enveloppe le paquet. Le brouillard nous enveloppe de tous côtés.* — **3.** *Envelopper une troupe ennemie*, se déployer autour de cette troupe (syn. CERNER, ENCERCLER). — **4.** *Envelopper ses paroles, sa pensée*, leur ôter ce qu'elles pourraient avoir de trop incisif, les rendre plus imprécises (syn. DÉGUISER, ENROBER). — **5.** *Envelopper qq'un, qqch. du regard*, le contempler, le regarder avec affection (littér.). ◆ ***s'envelopper*** v. pr. S'enrouler : *S'envelopper dans des couvertures.* ◆ **enveloppant, e** adj. : *Un manteau très enveloppant. Un mouvement enveloppant* (= une manœuvre qui vise à envelopper l'adversaire). ◆ **enveloppe** n. f. **1.** Ce qui enveloppe : *L'enveloppe des petits pois s'appelle la « cosse ».* — **2.** Pochette de papier destinée à recevoir une lettre, une carte : *L'adresse est sur l'enveloppe.* ◆ **enveloppement** n. m. **1.** Action d'envelopper : *L'enveloppement d'un paquet* (syn. EMBALLAGE). — **2.** Linges, compresses dont on enveloppe une partie malade du corps.

ENVENIMER [ɑ̃vənime] v. t. (de *en-*, et *venin*). **1.** *Envenimer une plaie, un mal*, y provoquer de l'infection (syn. INFECTER). — **2.** *Envenimer une discussion, des relations*, etc., y mettre de l'animosité, les rendre plus virulentes. ◆ ***s'envenimer*** v. pr. : *Une écorchure qui s'est envenimée. Leurs rapports se sont envenimés* (syn. SE DÉTÉRIORER, SE GÂTER). ◆ **envenimement** n. m.

1. ENVERGURE n. f. → VERGUE.

2. ENVERGURE [ɑ̃vɛrgyr] n. f. (de *en-*, et *vergue*). Distance entre les extrémités des ailes déployées d'un oiseau ou des ailes d'un avion.

3. ENVERGURE [ɑ̃vɛrgyr] n. f. (de *envergure* 2). **1.** Ampleur de l'intelligence, ouverture d'esprit d'une personne. — **2.** Importance d'une action, ampleur d'un projet, etc. : *Il a commencé modestement, mais son commerce a pris de l'envergure* (= s'est développé).

1. ENVERS [ɑ̃vɛr] prép. (*en-*, prép., et *vers*). Indique l'objet l'un sentiment, d'une disposition, d'un devoir : *Il est loyal envers ses amis* (syn. À L'ÉGARD DE). — LOC. ADV. *Envers et contre tout* (ou *ous*), en dépit de tous les obstacles.

2. ENVERS [ɑ̃vɛr] n. m. (de l'anc. fr. *envers*, à la renverse, sur e dos). **1.** Côté opposé à l'endroit : *L'envers de ce tissu est moins brillant que l'endroit. Le questionnaire se poursuit sur l'envers de a feuille* (syn. DOS, REVERS, VERSO; contr. RECTO). — **2.** L'aspect opposé, le contraire d'une chose : *C'est l'envers de la vérité.* — **3.** L'aspect généralement caché d'une chose : *Connaître l'envers des événements.* ‖ *L'envers du décor,* les détails peu connus l'une situation dont on montre l'aspect le plus attrayant. — LOC. ADV. *À l'envers,* dans un sens opposé au sens normal : *Il a mis son chandail à l'envers* (= l'envers à l'extérieur). ‖ Fam. *Être, aller, marcher,* etc., *à l'envers,* être en désordre, aller en dépit du bon sens : *Il fait tout à l'envers* (syn. À CONTRESENS). ‖ *Avoir l'esprit, la tête à l'envers,* avoir le jugement faussé, ne plus savoir exactement ce qu'on fait.

ENVI (À L') [alɑ̃vi] loc. adv. (de l'anc. fr. *envi*, défi). Avec émulation (littér.), à qui mieux mieux.

1. ENVIE [ɑ̃vi] n. f. (lat. *invidia*). Convoitise accompagnée de dépit ou de haine, éprouvée à la vue du bonheur de quelqu'un : *Sa domination a suscité l'envie de ses nombreux concurrents* (syn. JALOUSIE). ◆ **envieux, euse** n. **1.** Personne qui éprouve du dépit du bonheur d'autrui. — **2.** *Faire des envieux,* obtenir un avantage, un privilège qui suscite soit le dépit, soit la convoitise (sans malveillance) de certains : *Il a fait bien des envieux le jour où il a reçu cet héritage.* ◆ adj. Qui dénote un sentiment d'envie : *Des regards envieux* (= de convoitise). ◆ **envier** v. t. **1.** *Envier qq'un, envier le sort, le calme,* etc., *de qq'un,* souhaiter d'avoir ou regretter de ne pas avoir un bien dont il jouit : *Je n'envie pas son existence désœuvrée* (syn. JALOUSER). — **2.** *N'avoir rien à envier à qq'un,* jouir d'avantages au moins égaux aux siens, être dans une situation comparable à la sienne. ◆ **enviable** adj. Digne d'être envié : *Un sort peu enviable* (syn. ATTIRANT, SOUHAITABLE).

2. ENVIE [ɑ̃vi] n. f. (même étym.). **1.** Désir d'avoir ou de faire quelque chose : *Je n'ai pas envie de sortir ce soir. Il meurt d'envie de...* (= il a un désir impatient de). *Avez-vous envie que...?* (= souhaitez-vous). — **2.** Besoin physique : *Avoir envie de dormir.*

3. ENVIE [ɑ̃vi] n. f. (même étym.). *Méd.* Tache sur la peau que portent certains enfants en naissant.

4. ENVIE [ɑ̃vi] n. f. (même étym.). Petite pellicule de peau qui se soulève parfois au bord des ongles.

ENVIRON [ɑ̃virɔ̃] adv. (*en-*, et l'anc. fr. *viron*, tour). Indique une approximation : *Il y a environ cent personnes ici* (syn. À PEU PRÈS).

ENVIRONNER [ɑ̃virɔne] v. t. (de *environ*). Être situé ou se disposer plus ou moins circulairement autour : *Les remparts qui environnaient la ville* (syn. ENCERCLER, ENTOURER). *Nous étions environnés de périls* (= exposés à toutes sortes de périls). ◆ **s'environner** v. pr. Réunir autour de soi. ◆ **environnant, e** adj. : *Le village et la campagne environnante* (syn. AVOISINANT). *Milieu environnant* (= milieu, entourage habituel d'une personne). ◆ **environnement** n. m. Ensemble des éléments naturels (nature, air, etc.) ou artificiels (architecture, décoration, etc.) qui conditionnent la vie de l'homme et constituent son cadre de vie, son milieu.

ENVIRONS [ɑ̃virɔ̃] n. m. pl. (de *environ*). Lieux avoisinants, voisinage : *Acheter une maison dans les environs de Paris* (syn. PROXIMITÉ). *Visiter les environs d'une ville* (syn. ALENTOURS). — LOC. PRÉP. *Aux environs de,* indique une proximité de lieu, de temps, de quantité : *Il habite aux environs de Tours* (syn. AUX ABORDS DE, DU CÔTÉ DE). *Aux environs de midi* (syn. VERS).

ENVISAGER [ɑ̃vizaʒe] v. t. (de *en-*, et *visage*). **1.** *Envisager qqch.* (terme abstrait), l'examiner sous tel ou tel aspect, le prendre en considération, en tenir compte : *Avez-vous envisagé toutes les conséquences d'un échec éventuel?* (syn. CONSIDÉRER). — **2.** *Envisager qqch., de faire qqch.,* en former le projet : *Envisager de faire la médecine* (syn. PENSER, SONGER À).

ENVOI n. m. ⟶ ENVOYER.

ENVOLER (S') [sɑ̃vɔle] v. pr. (*en*, pron. adv. de lieu, et *voler*). **1.** Partir en volant, être emporté en l'air. — **2.** Décoller : *Un avion qui s'envole vers l'Amérique.* — **3.** *Le temps s'envole* (littér.), il s'écoule sans retour. ‖ *Les illusions s'envolent,* elles disparaissent à jamais. ◆ **envol** n. m. : *Les corbeaux quittent le champ d'un envol lourd. L'envol d'un avion* (syn. DÉCOLLAGE). *Une pensée qui prend son envol* (syn. ESSOR). ◆ **envolée** n. f. Élan oratoire, poétique; mouvement de l'âme vers un idéal élevé : *Une envolée lyrique.*

ENVOÛTER [ɑ̃vute] v. t. (de *en-*, et l'anc. fr. *vout*, visage). *Envoûter qq'un,* exercer sur lui un attrait irrésistible, qui anéantit sa volonté : *Cette femme l'a envoûté* (syn. ENSORCELER). *Un paysage qui vous envoûte* (syn. ENCHANTER, FASCINER). ◆ **envoûtant, e** adj. : *Regard envoûtant. Musique envoûtante.* ◆ **envoûtement** n. m. : *Il ressentait l'envoûtement de cette chaude nuit orientale* (syn. ENSORCELLEMENT, FASCINATION). [*L'envoûtement* est une pratique magique qui consiste à faire, sur une figurine de cire ou un animal symbolisant une personne, des blessures dont la personne elle-même est censée ressentir l'effet.]

ENVOYER [ɑ̃vwaje] v. t. (lat. *inviare*, marcher sur). [Conj. **11.**] **1.** *Envoyer une personne, un animal,* les faire partir vers telle ou telle destination : *Envoyer un enfant à l'école.* — **2.** *Envoyer une lettre, un paquet, un cadeau,* etc., les faire porter à quelqu'un par un service, les faire parvenir : *Envoyer la facture au client* (syn. EXPÉDIER). — **3.** *Envoyer un ballon, des pierres,* etc., les projeter vivement (syn. JETER, LANCER). — **4.** *Envoyer les couleurs,* dans la marine, puis dans l'armée, hisser le pavillon national pour lui rendre les honneurs. — **5.** *Envoyer qq'un à terre,* le jeter au sol. ‖ *Ne pas envoyer dire qqch.,* le dire à quelqu'un bien en face, sans aucun ménagement. ◆ **envoi** n. m. **1.** Action d'envoyer : *L'envoi d'une mission diplomatique dans un pays. L'envoi d'une lettre par la poste. Coup d'envoi* (= dans plusieurs sports, coup marquant le début d'une partie). — **2.** Ce qu'on envoie (au sens 2 du v. t.) : *Un envoi recommandé* (syn. COLIS, PAQUET). — **3.** Vers placé à la fin d'une ballade, pour en faire hommage à quelqu'un. ◆ **envoyé, e** n. : *Un envoyé extraordinaire* (syn. AMBASSADEUR). *Envoyé spécial* (= journaliste chargé de recueillir sur place des informations concernant un événement précis). ◆ **envoyeur, euse** n. Personne qui envoie un colis, une lettre, etc. : *L'adresse du destinataire étant incomplète, ce paquet a fait retour à l'envoyeur* (syn. EXPÉDITEUR).

ENZYME [ɑzim] n. f. ou m. (du gr. *en*, dans, et *zumê*, levain). *Chim.* Substance organique soluble, provoquant ou accélérant une réaction (syn. DIASTASE). ◆ **enzymatique** adj. Relatif aux enzymes.

— ENCYCL. Les *enzymes* sont produites en très petites quantités par les organismes vivants. Elles agissent comme des catalyseurs et à très faible concentration. Chaque enzyme est spécifique d'une réaction particulière (enzymes de la digestion, de la respiration).

ÉOCÈNE [eɔsɛn] adj. et n. m. (du gr. *êôs*, aurore, et *kainos*, récent). Se dit de la première période de l'ère tertiaire, de — 65 à — 45 millions d'années env., caractérisée par la diversification des mammifères.

ÉOGÈNE [eɔʒɛn] adj. et n. m. (du gr. *êôs*, aurore, et *gennân*, engendrer). Se dit du début de l'ère tertiaire (Éocène et Oligocène) [syn. NUMMULITIQUE].

ÉOLE. *Myth. gr.* et *rom.* Dieu des Vents.

ÉOLIE ou **ÉOLIDE,** anc. contrée de l'Asie Mineure, entre la Troade et l'Ionie. ◆ **éolien, enne** adj. et n. De l'Éolie.

1. ÉOLIEN, ENNE [eɔljɛ̃, -ɛn] adj. (de *Éole*, dieu des Vents). Se dit de ce qui est mû ou provoqué par le vent : *Moteur éolien.* ‖ *Érosion éolienne,* érosion due au vent, dans les déserts. ⟶ ENCYCL. ‖ *Harpe éolienne,* instrument à cordes vibrant au vent. ◆ n. f. Machine composée d'une roue à pales, montée sur un support et qui tourne sous l'action du vent en entraînant un mécanisme.

— ENCYCL. L'*érosion éolienne* est due à l'action du vent en tant qu'agent de transport et d'accumulation. Elle est de deux types : *déflation,* ou balayage des surfaces opérant un tri des matériaux et corrosion des roches grâce à la force des grains de sable transportés; *accumulation,* conduisant à la formation de dunes. L'érosion éolienne est particulièrement intense dans les déserts où le sol n'est pas protégé par de la végétation.

2. ÉOLIEN, ENNE adj. et n. ⟶ ÉOLIE.

ÉOLIENNES ou **LIPARI** *(îles)*, archipel italien de la mer Tyrrhénienne, au N. de la Sicile, comprenant sept îles volcaniques dont Lipari, Vulcano et Stromboli.

ÉOSINE [eɔzin] n. f. (du gr. *êôs*, aurore). Substance colorante rouge utilisée dans la fabrication des encres et des fards.

ÉPAGNEUL, E [epaɲœl] n. (esp. *español*). Chien d'arrêt à long poil et à oreilles pendantes.

ÉPAIS, AISSE [epɛ, -ɛs] adj. (du lat. *spissus*) [avant ou plus souvent après le nom]. **1.** Se dit d'un corps considéré dans la dimension qui n'est ni la longueur ni la largeur : *Une planche épaisse de deux centimètres. C'est un livre épais* (contr. PLAT). *Une épaisse couche de neige* (contr. MINCE). — **2.** Se dit de ce qui est consistant, compact, peu fluide : *La foule est épaisse* (syn. DENSE). *Une sauce épaisse* (contr. CLAIR). — **3.** Se dit de ce qui manque de pénétration : *Esprit épais* (syn. LOURD, OBTUS; contr. DÉLIÉ, FIN). ◆ **épaisseur** n. f. **1.** Dimension d'une face à la face opposée d'un corps : *Un mur de trente centimètres d'épaisseur.* — **2.** Qualité de ce qui est épais : *L'épaisseur du brouillard* (syn. DENSITÉ). *L'épaisseur de la nuit* (syn. OBSCURITÉ, OPACITÉ). ◆ **épaissir** v. t. Rendre plus épais : *Ajouter de la farine pour épaissir la sauce.* ◆ v. i. ou **s'épaissir** v. pr. Devenir plus épais (surtout aux sens 2 et 3 de l'adj.) : *Passé la trentaine, il a commencé à épaissir* (syn. ENGRAISSER, GROSSIR). *Le brouillard s'épaissit.* ◆ **épaississement** n. m. : *L'épaississement d'un sirop.*

ÉPAMINONDAS, général et homme d'État béotien (418-362 av. J.-C.). Il consacra l'hégémonie de Thèbes en écrasant les Spartiates à Leuctres (371) et à Mantinée où il fut tué.

1. ÉPANCHER [epɑ̃ʃe] v. t. (du lat. *expandere*). *Épancher ses peines, ses inquiétudes dans le sein de qq'un*, les lui confier librement pour soulager son cœur (littér.). ‖ *Épancher son cœur*, confier avec sincérité ses sentiments. ◆ ***s'épancher*** v. pr. Parler sans retenue, en toute confiance (syn. DÉCHARGER SON CŒUR). ◆ **épanchement** n. m. Confidences d'une personne qui a le cœur gros.

2. ÉPANCHER (S') [sepɑ̃ʃe] v. pr. (même étym.) [sujet nom d'un liquide organique]. *Méd.* Se répandre dans une cavité qui n'est pas destinée à le recevoir : *Le sang s'est épanché dans l'estomac.* ◆ **épanchement** n. m. Accumulation d'un liquide du corps humain hors des cavités qui le contiennent : *Un épanchement de synovie.*

ÉPANDRE [epɑ̃dr] v. t. (lat. *expandere*). [Conj. **50.**] *Épandre un engrais, du fumier*, etc., l'étendre sur le sol en le dispersant. ◆ ***s'épandre*** v. pr. Syn. littér. de SE RÉPANDRE. ◆ **épandage** n. m. **1.** *L'épandage du fumier.* — **2.** *Champs d'épandage*, terrains destinés à l'épuration des eaux d'égout par filtration dans le sol. ‖ *Zone* ou *nappe d'épandage*, région déprimée dans un terrain désertique, et où s'accumulent les débris de l'érosion que les cours d'eau ne peuvent emporter.

ÉPANOUIR [epanwir] v. t. (de l'anc. fr. *espanir*, s'ouvrir). **1.** (sujet nom désignant le temps, le soleil, etc.) *Épanouir une fleur*, provoquer son éclosion, la faire s'ouvrir largement. — **2.** (sujet nom de chose abstraite) *Épanouir le visage*, lui donner une expression de bonheur, de bien-être. ◆ ***s'épanouir*** v. pr. **1.** (sujet nom désignant une fleur) S'ouvrir largement. — **2.** (sujet nom désignant le visage) Prendre un air radieux. — **3.** (sujet nom de personne) Arriver à un développement (affectif, intellectuel) harmonieux : *Cet enfant ne peut pas s'épanouir dans le milieu où il vit.* ◆ **épanouissement** n. m. Sens 1, 2 et 3 du v. pr.

ÉPAR [epar] n. m. (germ. *sparra*, poutre). Barre servant à fermer une porte.

ÉPARGNANT, E n. ⟶ ÉPARGNER 3.

ÉPARGNE n. f. ⟶ ÉPARGNER 1 et 3.

1. ÉPARGNER [eparɲe] v. t. (germ. *sparanjan*). **1.** *Épargner du temps, de la peine*, etc., éviter de les consacrer inutilement à un travail : *Épargner ses forces* (syn. MÉNAGER). — **2.** *Épargner qqch. à qq'un*, l'en dispenser, faire en sorte qu'il n'y soit pas astreint : *Épargnez-moi ce pénible récit* (syn. FAIRE GRÂCE DE). *On a préféré lui épargner la honte de cet aveu* (syn. ÉVITER). ◆ **épargne** n. f. : *Une épargne de temps* (syn. ÉCONOMIE, GAIN).

2. ÉPARGNER [eparɲe] v. t. (même étym.). **1.** *Épargner qq'un*, le traiter avec ménagement : *Épargner les vaincus* (= leur laisser la vie sauve). — **2.** *Épargner qqch.*, ne pas l'endommager, ne pas le détruire : *Les maisons épargnées par l'incendie.*

3. ÉPARGNER [eparɲe] v. t. (même étym.). *Épargner de l'argent*, le mettre en réserve, éviter de le dépenser : *Un vieillard qui a épargné toute sa vie* (syn. ÉCONOMISER, METTRE DE CÔTÉ). ◆ **épargnant, e** n. Personne qui a mis de l'argent de côté : *Le gouvernement a pris des mesures en faveur des petits épargnants* (= de ceux qui ont pu faire de modestes économies). ◆ **épargne** n. f. **1.** Action d'épargner. — **2.** Partie des revenus qui n'est pas dépensée, mais mise en réserve : *Les économistes calculent le volume de l'épargne nationale* (= des sommes épargnées par les particuliers ou les entreprises dans un pays). ‖ *Caisse d'épargne*, établissement financier où les particuliers déposent de l'argent pour lequel il perçoivent un intérêt chaque année. ⟶ ENCYCL.
— ENCYCL. On distingue deux catégories de *caisses d'épargne :*
les *caisses d'épargne et de prévoyance*, dont l'enseigne est un écureuil (animal prévoyant), qui sont des organismes privés;
la *Caisse nationale d'épargne*, qui dépend des bureaux de poste et est une caisse publique.

Ces deux services sont l'un et l'autre garantis par l'État : lors du premier versement, la Caisse d'épargne remet au particulier un *livret* à son nom, où chaque somme déposée est ensuite inscrite. En cas de besoin, il peut retirer gratuitement de l'argent, dont le retrait est alors noté sur son livret. Chaque année, les caisses versent aux épargnants un intérêt. De nombreuses caisses d'épargne étant implantées, même dans les petites localités, elles constituent un service pratique en l'absence de banques* sur place.

Tous les fonds recueillis par les caisses d'épargne sont gérés par la Caisse des dépôts et consignations (caisse d'État) qui les place principalement dans des entreprises ou sociétés nationalisées.

ÉPARPILLER [eparpije] v. t. (du bas lat. *disparpaliare*). **1.** Répandre, disperser de tous côtés : *Éparpiller des papiers* (syn. DISSÉMINER). — **2.** *Éparpiller ses forces, son attention*, les partager entre des activités trop diverses et trop nombreuses. ◆ ***s'éparpiller*** v. pr. : *À l'arrivée de la police les manifestants s'éparpillèrent dans les rues* (syn. SE DISPERSER, S'ÉGAILLER). ◆ **éparpillement** n. m. : *Une action concertée vaudrait mieux que cet éparpillement* (syn. DISPERSION).

ÉPARS, E [epar, -ars] adj. (de l'anc. fr. *espardre*, répandre). Se dit de ce qui est dispersé, en désordre : *Les débris épars d'un avion* (syn. ÉPARPILLÉ). *N'avoir que des renseignements épars* (syn. SPORADIQUE).

ÉPATANT, E adj., **ÉPATE** n. f. ⟶ ÉPATER.

ÉPATÉ, E [epate] adj. (de *épater*). *Nez épaté*, nez largement aplati. ◆ **épatement** n. m. : *L'épatement du nez.*

ÉPATER [epate] v. t. (du lat. *ex-*, préf. à valeur priv., et *patte*). Fam. *Épater qq'un*, le remplir d'une surprise plus ou moins admirative : *Il cherche à épater ses voisins avec sa nouvelle voiture* (syn. ÉTONNER). ◆ **épatant, e** adj. *Fam.* Se dit de ce qui provoque un étonnement admiratif, par sa beauté, son originalité, ou d'une personne qui suscite l'admiration par son courage, son ardeur, sa générosité, etc. ◆ **épate** n. f. Fam. *Faire de l'épate*, chercher à épater son entourage.

ÉPAULARD [epolar] n. m. (de *épaule*). Mammifère cétacé de l'Atlantique nord, voisin du marsouin, au dos noir et au ventre tacheté de blanc, mesurant de 5 à 9 m de long selon l'espèce (syn. ORQUE). [Très vorace, l'épaulard s'attaque même aux baleines, dont il déchire les lèvres.]

ÉPAULE [epol] n. f. (lat. *spathula*, omoplate). **1.** Partie du corps humain par laquelle le bras s'attache au tronc : *Hausser les épaules en signe de dédain.* ⟶ ENCYCL. — **2.** Partie du corps de certains animaux par laquelle la patte de devant s'attache au tronc : *Une épaule de mouton* (la partie correspondante, pour la patte de derrière, est le GIGOT). — **3.** Fam. *Avoir la tête sur les épaules*, être sensé. ‖ Fam. *Donner un coup d'épaule à qq'un, prêter l'épaule à qq'un*, l'aider, lui prêter momentanément son concours (syn. DONNER UN COUP DE MAIN). ◆ **épaulé** n. m. Pour un haltérophile, mouvement qui consiste à amener la barre, en un seul temps, à hauteur des épaules. ◆ **épauler** v. t. **1.** *Épauler qq'un*, lui prêter son aide. — **2.** *Épauler un fusil*, porter la crosse à son épaule pour tirer. ◆ **épaulette** n. f. Patte garnie de franges que certains militaires portent sur chaque épaule et qui servit souvent à désigner leur grade : *Les épaulettes ornent toujours la grande tenue de Saint-Cyr, de la Légion étrangère et de la Gendarmerie;* symbole du grade d'officier : *Accéder à l'épaulette.* ◆ **épaulière** n. f. Partie de l'armure couvrant l'épaule.
— ENCYCL. L'*épaule* est l'articulation située entre le membre supérieur et la ceinture scapulaire (en pratique, entre l'humérus et l'omoplate). Cette articulation est la plus mobile de toutes.

ÉPAULEMENT [epolmɑ̃] n. m. (de *épauler*). **1.** Mur de soutènement; terrassement protégeant des coups de feu. — **2.** Dans une vallée glaciaire, replat qui, à une certaine hauteur des versants succède aux parois abruptes de la partie inférieure et adoucit ains la pente du versant.

ÉPAULER v. t., **ÉPAULETTE** n. f., **ÉPAULIÈRE** n. f ⟶ ÉPAULE.

ÉPAVE [epav] n. f. (du lat. *expavidus*, épouvanté). **1.** Objet échoué après un naufrage : *Une épave de navire à demi ensablée* — **2.** Objet abandonné : *Rassembler les épaves au bureau des objets trouvés.* — **3.** Personne complètement désemparée, réduite à la misère à la suite de graves revers : *Depuis sa ruine, il n'est plus qu'une épave* (syn. LOQUE).

ÉPEAUTRE [epotr] n. m. (bas lat. *spelta*). Variété de blé, à grains adhérents à la balle : *L'épeautre est cultivé dans les régions montagneuses pauvres.*

ÉPÉE [epe] n. f. (lat. *spatha*). **1.** Arme formée d'une longue lame droite, en acier, emmanchée dans une poignée munie d'une garde et que l'on porte dans un fourreau suspendu au côté. — **2.** L'état militaire : *Noblesse d'épée.* — **3.** *À la pointe de l'épée*, au prix de grands efforts (littér.). ‖ *Passer des personnes au fil de l'épée*, les massacrer, les égorger après une victoire. ‖ *C'est un coup d'épée dans l'eau*, c'est une tentative inutile, un effort voué à l'échec ◆ **épéiste** n. m. Escrimeur à l'épée.

ÉPEIRE [epɛr] n. f. (orig. obscure). Grosse araignée à abdomen diversement coloré, qui construit de grandes toiles verticales et régulières dans les jardins, les bois.

ÉPEIROGÉNIQUE adj. ⟶ ÉPIROGÉNIQUE.

ÉPÉISTE n. m. ⟶ ÉPÉE.

ÉPELER [eple] v. t. (frq. *spellôn*, expliquer). [Conj. **6.**] *Épeler un* *mot*, le décomposer et en nommer les lettres une à une. ◆ **épellation** n. f. Action d'épeler.

ÉPENDYME [epɑ̃dim] n. m. (du gr. *epi*, sur, et *enduma*, vêtement). *Anat.* Membrane mince qui tapisse les ventricules cérébraux et le canal central de la moelle épinière.

ÉPERDU, E [epɛrdy] adj. (de l'anc. fr. *esperdre*, troubler). **1.** Se dit d'une personne qui éprouve très vivement un sentiment : *Une veuve éperdue de douleur* (syn. FOU). *Être éperdu de reconnaissance* (syn. CONFONDU). — **2.** Se dit aussi d'un sentiment vivement ressenti : *Un amour éperdu.* ◆ **éperdument** adv. : *Il est éperdument amoureux, inquiet* (syn. FOLLEMENT). *S'en moquer éperdument* (fam.) [= rester totalement indifférent].

ÉPERLAN [epɛrlɑ̃] n. m. (néerl. *spierlinc*). Poisson marin voisin du saumon, à chair délicate, qui pond au printemps dans les embouchures des fleuves.

ÉPERNAY, ch.-l. d'arrond. de la Marne, en Champagne, sur la Marne, à 139 km au N.-E. de Paris; 28 900 hab. *(Sparnaciens).* Grand centre du commerce du champagne.

1. ÉPERON [eprɔ̃] n. m. (du frq. *sporo*). Tige de métal qui s'adapte au talon du cavalier et qui est munie, à son extrémité, d'un petit disque mobile dentelé *(molette)* que le cavalier utilise pour piquer son cheval et activer son allure. ◆ **éperonner** v. t. **1.** *Éperonner un cheval*, l'exciter à coups d'éperon dans les flancs. — **2.** *Éperonner qq'un*, le pousser à agir, le stimuler : *Il est éperonné par l'ambition* (syn. AIGUILLONNER).

2. ÉPERON [eprɔ̃] n. m. (même étym.). **1.** Partie saillante, avancée, d'un contrefort montagneux, d'un coteau ou d'un littoral : *Un château fort bâti sur un éperon rocheux.* — **2.** Partie saillante d'une fortification, d'une maçonnerie.

3. ÉPERON [eprɔ̃] n. m. (même étym.). Partie saillante, en avant de la proue de certains navires d'autrefois. ◆ **éperonner** v. t. *Éperonner un navire*, l'aborder avec l'éperon.

1. ÉPERVIER [epɛrvje] n. m. (frq. *sparwāri*). Oiseau rapace diurne, commun dans les bois, où il chasse les petits oiseaux : *L'épervier était autrefois très employé pour la chasse.*

2. ÉPERVIER [epɛrvje] n. m. (même étym.). Filet de pêche de forme conique, garni de plomb, qu'on lance à la main.

ÉPHÈBE [efɛb] n. m. (gr. *ephêbos*, adolescent). Jeune homme d'une beauté sans défaut (se dit avec une nuance d'ironie). [Les *éphèbes*, dans l'Antiquité grecque, étaient les adolescents de dix-huit à vingt ans.]

ÉPHÉMÈRE [efemɛr] adj. (gr. *ephêmeros*, qui ne dure qu'un jour). **1.** Se dit de ce qui ne vit qu'un jour : *Des insectes éphémères.* — **2.** Se dit de ce qui a une durée très courte : *Un succès éphémère* (syn. PASSAGER, PROVISOIRE). ◆ n. m. Insecte qui, incapable de s'alimenter à l'état adulte, ne vit qu'un ou deux jours, alors que la larve peut vivre deux à trois ans dans les ruisseaux et les mares. (Les éphémères adultes se reconnaissent à leurs trois longs filaments prolongeant l'abdomen.) [Ordre des éphéméroptères.]

ÉPHÉMÉRIDE [efemerid] n. f. (gr. *ephêmeris, -idos*, registre quotidien). **1.** Livre ou notice contenant les événements qui se sont produits le même jour, à des époques différentes. — **2.** Calendrier dont on retire chaque jour un feuillet. — **3.** Dans une publication périodique, notes sur les événements du jour qui se sont produits pendant l'année en cours et les années précédentes.

ÉPHÈSE, anc. v. d'Ionie, sur la côte de la mer Égée. Ce fut un grand centre financier, commercial et religieux; son temple d'Artémis était considéré comme l'une des Sept Merveilles* du monde. La prédication de saint Paul, au Ier s. apr. J.-C., fit d'Éphèse l'un des premiers foyers du christianisme.

• *431. Le concile d'Éphèse condamne l'hérésie nestorienne.*

ÉPHORE [efɔr] n. m. (gr. *ephoros*). *Antiq. gr.* Nom donné aux cinq magistrats élus chaque année par l'assemblée du peuple à Sparte. (Gardiens de la tradition et de la discipline, les éphores surveillaient tout, contrôlaient l'activité des rois et administraient la cité.)

ÉPI [epi] n. m. (lat. *spicum*). **1.** Partie terminale de la tige du blé, et en général de toutes les graminées, portant les graines groupées autour de l'axe : *Des épis de blé.* — **2.** Mèche de cheveux de direction contraire à celle des autres. ◆ **épiage** n, m. **1.** Développement de l'épi dans la tige des graminées. — **2.** Époque de cette apparition. ◆ **épillet** n. m. Chacun des épis secondaires dont la réunion forme l'épi de la tige des graminées.

ÉPICARPE [epikarp] n. m. (du gr. *epi*, sur, et *karpos*, fruit). *Bot.* Pellicule qui recouvre le fruit, appelée couramment la PEAU du fruit.

ÉPICE [epis] n. f. (lat. *species*). **1.** Substance aromatique, d'origine végétale, utilisée pour assaisonner des mets : *Le poivre, la cannelle, la noix de muscade sont des épices.* ⟶ ENCYCL. — **2.** *Pain d'épice* ⟶ PAIN. ◆ **épicer** v. t. **1.** Assaisonner avec des épices. — **2.** *Récit épicé*, qui contient des traits égrillards, grivois.

— ENCYCL. Dans l'Antiquité, au Moyen Âge et jusqu'au XVIIIe s., la consommation d'*épices* était très importante. Jusqu'au XVIe s., les épices venaient de l'Orient. Parmi les plus importantes citons le *poivre*, la *cannelle*, le *gingembre*, originaires de l'Inde, le *safran*, produit en Asie centrale. La demande européenne donnait lieu à un commerce très actif de l'Extrême-Orient à la Méditerranée par l'Asie occidentale et l'Arabie (« route des épices »). Byzance, puis Venise détinrent le monopole de ce commerce. La recherche des épices fut l'une des causes déterminantes des grandes découvertes. À partir du XVIe s., de nouvelles épices arrivèrent d'Amérique (la vanille du Mexique) et leur commerce se fit par les ports de l'Atlantique.

ÉPICÉA [episea] n. m. (du lat. *pix, picis*, résine). Grand conifère qui se distingue du sapin par ses aiguilles plus fines, uniformément vertes sur les quatre faces, ses cônes pendants et tombant entiers sur le sol à maturité. (Il est utilisé dans les reboisements.)

ÉPICÈNE [episɛn] adj. et n. (gr. *epikoinos*). *Gramm.* Se dit de noms qui sont communs aux deux sexes, tels que *enfant, aigle, souris : Le nom « enfant » est épicène car il peut être féminin dans « une enfant est heureuse » et masculin dans « un enfant est heureux ». « La souris » désigne aussi bien le mâle que la femelle.*

ÉPICENTRE [episɑ̃tr] n. m. (du gr. *epi*, sur, et *centre*). Point de l'écorce terrestre où un tremblement de terre a été le plus intense.

ÉPICER v. t. ⟶ ÉPICE.

ÉPICERIE [episri] n. f. (de *épice*). **1.** Ensemble des produits comestibles et ménagers vendus par certains commerçants; commerce de ces produits. — **2.** Magasin où l'on vend ces produits. ◆ **épicier, ère** n.

ÉPICTÈTE, philosophe stoïcien du Ier s. Sa morale est de parvenir à la sérénité complète de l'esprit.

ÉPICURE, philosophe grec (v. 341-270 av. J.-C.). Sa morale a pour objet le bonheur de l'homme; mais, loin de le faire consister dans les jouissances grossières des sens, Épicure le place dans la culture de l'esprit et la pratique de la vertu.

ÉPICURIEN, ENNE [epikyrjɛ̃, -ɛn] adj. et n. (d'*Épicure*). **1.** Se dit de la philosophie d'Épicure et de ceux qui la soutenaient. — **2.** Se dit de personnes qui professent une morale facile, qui recherchent en tout leur plaisir, qui aiment la vie agréable (syn. BON VIVANT, SENSUEL, VOLUPTUEUX; contr. STOÏCIEN). ◆ **épicurisme** n. m. Doctrine d'Épicure et des épicuriens.

ÉPIDAURE, v. d'Argolide, sur la mer Égée. Dès le VIe s. av. J.-C. le temple d'Asclépios, dieu de la Médecine, attira à Épidaure des foules de malades qui venaient consulter les oracles et prier. Il subsiste à Épidaure d'importantes ruines, notamment celles du théâtre (IVe s. av. J.-C.), un des plus importants et des mieux conservés; on y donne chaque année des représentations.

ÉPIDÉMIE [epidemi] n. f. (gr. *epidêmia*, séjour dans un pays). **1.** Maladie infectieuse qui atteint en même temps un grand nombre d'individus d'une même région et se propage par contagion : *Épidémie de grippe.* — **2.** Ce qui atteint, ce qui concerne un grand nombre de personnes : *Une épidémie de suicides.* ◆ **épidémique** adj. : *Maladie épidémique. Un besoin épidémique de liberté* (syn. COMMUNICATIF). ◆ **épidémiologie** n. f. Étude des épidémies.

— ENCYCL. L'*épidémie* est un phénomène périodique ou épisodique de caractère brutal et souvent bref, différent de l'endémie*, qui est un phénomène constant.

Des *épidémies de grippe* font, tous les ans, le tour du globe; elles sont parfois dangereuses : ainsi, la « grippe espagnole » et la « grippe de Hongkong » firent de nombreuses victimes.

ÉPIDERME [epidɛrm] n. m. (du gr. *epi*, sur, et *derma*, peau). **1.** Chez l'homme et les animaux vertébrés, couche externe qui recouvre le *derme.* (L'ensemble constitue la *peau.*) [⟶ PEAU.] — **2.** *Bot.* Couche mince du tissu qui sert d'enveloppe aux feuilles, aux tiges et aux racines jeunes. — **3.** *Avoir l'épiderme sensible*, être susceptible. ◆ **épidermique** adj. : *Les tissus épidermiques. Une réaction épidermique* (= qui n'affecte pas profondément la personne) [syn. SUPERFICIEL].

ÉPIER [epje] v. t. (frq. *spehôn*). **1.** *Épier qq'un, ses allées et venues*, surveiller attentivement et en cachette ses faits et gestes. — **2.** *Épier une occasion, un indice, les bruits*, etc., en guetter l'apparition ou les observer attentivement.

ÉPIERRER v. t. ⟶ PIERRE.

ÉPIEU [epjø] n. m. (frq. *speot*). Long bâton ferré, avec lequel on chassait autrefois le gros gibier.

ÉPIGASTRE [epigastr] n. m. (du gr. *epi*, sur, et *gastêr*, ventre). *Anat.* Partie supérieure de l'abdomen, comprise entre l'ombilic et le sternum. (L'épigastre, encore appelé CREUX DE L'ESTOMAC, forme normalement une légère dépression.) ◆ **épigastrique** adj.

ÉPIGÉNIE [epiʒeni] n. f. (du gr. *epi*, sur, et *genos*, origine). Phénomène par lequel une rivière établit son cours dans une structure géologique différente de celle sur laquelle elle s'est préalablement établie.

ÉPIGLOTTE [epiglɔt] n. f. (du gr. *epi*, sur, et *glôtta*, langue). *Anat.* Languette cartilagineuse qui ferme la glotte pendant la déglutition.

ÉPIGONE [epigɔn] n. m. (gr. *epigonos*, né après). Celui qui, dans un mouvement, une école philosophique, littéraire ou artistique, appartient à la génération suivante; successeur.

ÉPIGRAMME [epigram] n. f. (du gr. *epi*, sur, et *graphein*, écrire). **1.** Petite pièce de vers, généralement satirique, qui se termine par un trait (= mot, expression piquante) : *Les épigrammes de Marot.* — **2.** Mot jeté dans la conversation ou dans un écrit, et qui exprime une critique vive, une raillerie mordante.

ÉPIGRAPHE [epigraf] n. f. (gr. *epigraphê*). Inscription placée sur un édifice pour indiquer sa date de construction, l'intention des constructeurs, etc., ou pensée placée en tête d'un livre pour en résumer l'esprit : *Mettre en épigraphe une phrase de Pascal.*

ÉPIGRAPHIE [epigrafi] n. f. (de *épigraphe*). Science qui a pour objet l'étude des inscriptions anciennes.

ÉPILATION n. f., **ÉPILATOIRE** adj. ⟶ ÉPILER.

ÉPILEPSIE [epilɛpsi] n. f. (gr. *epilêpsia*, attaque). Maladie caractérisée par des crises convulsives généralisées ou localisées avec ou sans perte de connaissance, résultant de la brusque décharge d'un centre nerveux cérébral. ◆ **épileptique** adj. et n. Se dit d'une personne ou d'un animal sujets à l'épilepsie.

ÉPILER [epile] v. t. (du lat. *pilus*, poil). Arracher ou faire tomber les poils : *Une pince à épiler.* ◆ **épilation** n. f. ◆ **épilatoire** adj. Se dit d'un produit qui sert à épiler : *Une pâte épilatoire.* (On dit aussi DÉPILATOIRE.)

ÉPILLET n. m. ⟶ ÉPI.

ÉPILOGUE [epilɔg] n. m. (gr. *epilogos*, fin). **1.** Partie qui conclut un ouvrage littéraire. — **2.** Ce qui termine une aventure, une histoire : *L'épilogue d'une affaire judiciaire* (syn. DÉNOUEMENT).

ÉPILOGUER [epilɔge] v. t. ind. (de *épilogue*). *Épiloguer (sur qqch.)*, faire des commentaires sur un fait, un événement : *Rien ne sert d'épiloguer, maintenant que le mal est fait.*

ÉPINAL, ch.-l. du dép. des Vosges, sur la Moselle; 41 000 hab. *(Spinaliens).* Épinal doit sa célébrité à son imagerie populaire qui se répandit dans toute la France au début du XIXe s. Industries textiles (filature et tissage du coton; impression de tissus).

ÉPINARD [epinar] n. m. (de l'ar. *isbinākh*). Plante potagère à feuilles comestibles (le plur. peut désigner la plante cuite).

ÉPINAY-SUR-ORGE, comm. de l'Essonne, à 17 km au S. de Paris; 8 800 hab. *(Spinoléens).* Hôpital psychiatrique.

ÉPINAY-SUR-SEINE, ch.-l. de cant. de la Seine-Saint-Denis, à 8 km au N. de Paris; 50 300 hab.

ÉPINE [epin] n. f. (lat. *spina*). **1.** Excroissance dure et pointue qui naît sur certains végétaux ou certains animaux : *Les épines du rosier* (syn. PIQUANT). *Les épines d'un oursin.* — **2.** Arbrisseau épineux : *Une haie d'épines.* — **3.** Anat. *Épine dorsale*, arête de la colonne vertébrale. — **4.** *Tirer, enlever une épine du pied à qq'un*, le soulager d'un grand souci, lui permettre de sortir d'une grave difficulté. ◆ **épineux, euse** adj. **1.** Se dit de ce qui porte des épines. — **2.** *Question épineuse, problème épineux*, etc., question, problème, etc., pleins de difficultés (syn. DÉLICAT). ◆ n. m. Arbre ou plante munis de nombreuses épines. ◆ **épinière** adj. f. Qui appartient à l'épine dorsale : *Moelle épinière.*

ÉPINETTE [epinɛt] n. f. (it. *spinetta*). Instrument à clavier et à cordes pincées, de même nature que le clavecin : *L'épinette fut très en faveur en France aux XVIe et XVIIe s.*

ÉPINEUX, EUSE adj. et n. m. ⟶ ÉPINE.

ÉPINGLE [epɛ̃gl] n. f. (bas lat. *spingula*). **1.** Petite tige métallique, pointue à une extrémité et terminée à l'autre par une tête : *Deux feuilles de papier attachées par une épingle.* ‖ *Coup d'épingle*, petite blessure d'amour-propre faite intentionnellement, critique légère. ‖ *Chercher une épingle dans une botte* (ou *une meule*) *de foin*, chercher quelque chose avec des chances à peu près nulles de le trouver. ‖ *Être tiré à quatre épingles*, être extrêmement soigné dans sa toilette. ‖ *Monter qqch. en épingle*, en faire parade, le faire valoir exagérément. ‖ *Tirer son épingle du jeu*, s[e] tirer habilement d'une situation délicate. — **2.** Bijou constitué pa[r] une tige de métal pointue et une tête ornée : *Une épingle d[e] cravate.* — **3.** *Épingle de nourrice, épingle de sûreté, épingl[e] double*, petite tige recourbée et formant ressort, dont la pointe s[e] loge dans une petite pièce placée à l'autre extrémité. — **4.** *Épingl[e] à cheveux*, épingle recourbée à deux branches, pour fixer le[s] cheveux. ‖ *Virage en épingle à cheveux*, virage très serré d'un[e] route qui repart en sens inverse. ◆ **épingler** v. t. **1.** Fixer ave[c] une épingle ou des épingles. — **2.** Fam. *Épingler qq'un*, l'arrêter[,] le prendre sur le fait (syn. PINCER). ◆ **épinglage** n. m. Actio[n] d'épingler (sens 1).

ÉPINIÈRE adj. f. ⟶ ÉPINE.

ÉPINOCHE [epinɔʃ] n. f. (de *épine*). Petit poisson de mer o[u] d'eau douce, portant des épines sur le dos. (L'épinoche d'ea[u] douce atteint 8 cm de long, et le mâle construit sur le fond un ni[d] où il surveille les œufs déposés par la femelle.)

ÉPIPHANIE [epifani] n. f. (gr. *epiphania*, manifestation [d[e] Dieu]). Fête de l'Église célébrée le premier dimanche de janvier, e[t] rappelant la venue des Mages (= sortes d'astrologues d'Orient) à Bethléem pour rendre hommage à Jésus-Christ. (On dit aussi FÊTE DES ROIS ou JOUR DES ROIS.)

ÉPIPHÉNOMÈNE [epifenɔmɛn] n. m. (du gr. *epi*, sur, e[t] *phénomène*). Phénomène qui vient s'ajouter à un autre.

ÉPIPHYSE [epifiz] n. f. (du gr. *epi*, sur, et *phusis*, croissance)[.] Extrémité d'un os long, contenant de la moelle rouge. (La partie médiane de l'os est la *diaphyse*.)

ÉPIPHYTE [epifit] adj. et n. f. (du gr. *epi*, sur, et *phuton*[,] plante). Se dit d'une plante qui vit fixée exclusivement sur une autre plante, mais qui n'échange aucune substance avec son hôte. — ENCYCL. Ce sont surtout les arbres de la forêt équatoriale qui, à la fourche des branches notamment, servent de point d'appui à de nombreuses espèces d'*épiphytes* comme les fougères, orchidées, etc., qui ne sauraient vivre au sol, faute de lumière. On ne considère pas comme épiphytes les lianes, qui puisent leur nourriture dans le sol, ni les mousses, les algues et les lichens, qui couvrent les troncs des arbres.

ÉPIQUE adj. ⟶ ÉPOPÉE.

ÉPIRE, contrée de la Grèce, au S.-O. de la Macédoine, célèbre dans l'Antiquité par son oracle de Zeus établi à Dodone. Ses rois prétendaient descendre de Pyrrhos, fils d'Achille. L'Épire fut islamisée au XVe s., puis annexée à la Grèce.

ÉPIROGÉNIQUE [epirɔʒenik] ou **ÉPEIROGÉNIQUE** [epɛjrɔʒenik] adj. (du gr. *epeiros*, continent, et *gennân*, produire). *Mouvement épirogénique*, soulèvement ou affaissement d'ensemble d'un grand compartiment de l'écorce terrestre.

ÉPISCOPAL, E, AUX [episkɔpal, -po] adj. (du lat. *episcopus*, évêque). **1.** Se dit de ce qui appartient, se rapporte à un évêque : *Bénédiction épiscopale* (= donnée par un évêque). — **2.** *Église épiscopale*, Église anglicane. ◆ **épiscopat** n. m. **1.** Dignité d'évêque. — **2.** Ensemble des évêques. — **3.** Durée pendant laquelle un évêque exerce ses fonctions.

ÉPISCOPE [episkɔp] n. m. (du gr. *epi*, sur, et *skopein*, observer). Appareil optique utilisé pour la projection, par réflexion, d'images sur un support opaque.

ÉPISODE [epizɔd] n. m. (gr. *epeisodion*, digression). **1.** Partie d'un récit ayant son unité propre, mais s'intégrant dans l'ensemble de l'œuvre : *Le combat d'Achille et d'Hector est un épisode célèbre de « l'Iliade ». Un roman à épisodes* (= fait d'une succession d'événements). — **2.** Événement accessoire, se rattachant plus ou moins à un ensemble : *Un épisode dramatique du voyage d'un explorateur* (syn. CIRCONSTANCE). ◆ **épisodique** adj. **1.** Se dit de ce qui n'est pas nécessaire ou essentiel à une action, qui a un caractère secondaire. — **2.** Se dit de faits qui ne se produisent que de temps à autre : *Il fait quelques séjours épisodiques dans la région* (syn. INTERMITTENT). ◆ **épisodiquement** adv.

ÉPISSER [epise] v. t. (néerl. *splissen*, entrelacer). *Épisser deux bouts de cordage, deux câbles électriques*, les assembler en entrelaçant les fils qui les composent. ◆ **épissure** n. f. Assemblage fait en épissant.

ÉPISTÉMOLOGIE [epistemɔlɔʒi] n. f. (du gr. *epistêmê*, science, et *logos*, étude). Étude, d'un point de vue philosophique, de la science, ses méthodes, ses principes et sa valeur pour l'esprit humain. (⟶ PHILOSOPHIE.) ◆ **épistémologique** adj.

ÉPISTOLAIRE [epistɔlɛr] adj. (du lat. *epistola*, lettre). Qui concerne les lettres, la correspondance. ◆ **épistolier, ère** n. Personne qui écrit de nombreuses lettres ayant un caractère littéraire : *Mme de Sévigné est une épistolière célèbre.*

ÉPISTYLE [epistil] n. m. (du gr. *epi*, sur, et *stulos*, colonne).

Dans l'architecture grecque, partie de l'entablement qui repose directement sur les colonnes (syn. ARCHITRAVE).

ÉPITAPHE [epitaf] n. f. (gr. *epitaphios*, funèbre). Inscription gravée sur un tombeau.

ÉPITHALAME [epitalam] n. m. (du gr. *epi*, sur, et *thalamos*, chambre à coucher). Poème composé à l'occasion d'un mariage, en l'honneur des nouveaux époux.

ÉPITHÉLIUM [epiteljɔm] n. m. (du gr. *epi*, sur, et *thêlê*, mamelon). Tissu formé d'une ou de plusieurs couches de cellules collées les unes aux autres, et qui recouvre toutes les surfaces externes *(épiderme)* et internes *(muqueuses)* du corps. ◆ **épithélial, e, aux** adj. Qui a rapport, qui appartient à l'épithélium. ◆ **épithélioma** n. m. Tumeur cancéreuse d'origine épithéliale.

ÉPITHÈTE [epitɛt] n. f. (du gr. *epithetos*, ajouté). Mot ou expression employés pour qualifier quelqu'un ou quelque chose : *Il n'est jamais à court d'épithètes injurieuses.* ◆ n. f. et adj. *Gramm.* Adj. qualificatif se rapportant directement à un nom, sans l'intermédiaire d'un verbe d'état (par oppos. à ATTRIBUT) et sans pause (par oppos. à APPOSITION ou ADJECTIF EN POSITION DÉTACHÉE). [*Ex.* : la *grande* maison, un livre *ancien*.] (→ FONCTION 1.)

ÉPITOGE [epitɔʒ] n. f. (du gr. *epi*, sur, et lat. *toga*, toge). Bande d'étoffe que les avocats, les magistrats, les professeurs en robe portent sur l'épaule gauche.

ÉPITOMÉ [epitɔme] n. m. (gr. *epitomê*). Abrégé d'un ouvrage, surtout d'un livre d'histoire.

ÉPÎTRE [epitr] n. f. (lat. *epistola*). **1.** Lettre en vers sur un sujet moral ou philosophique : *Une épître de Boileau.* — **2.** *Fam.* et *ironiq.* Lettre en prose, généralement assez longue. ‖ *Épître dédicatoire*, lettre placée en tête d'un ouvrage pour le dédier à quelqu'un. — **3.** Chacune des lettres adressées par un des Apôtres (Paul, Jean, Pierre, Jacques, Jude) à une des premières communautés chrétiennes et réunies dans le Nouveau Testament.

Épîtres, d'Horace, écrites de 30 à 8 av. J.-C. Elles sont au nombre de vingt-trois et traitent de la morale et du goût.

Épîtres, de Boileau, composées de 1669 à 1695. Inspirées des *Épîtres* d'Horace, elles prennent le ton de l'épopée (IVe épître, *Au roi* [1672]) ou traitent de morale ou de critique littéraire.

ÉPIZOOTIE [epizɔɔti] n. f. (du gr. *epi*, sur, et *zôon*, animal). Maladie infectieuse et contagieuse qui atteint un grand nombre d'animaux dans une même région. ◆ **épizootique** adj.

ÉPLORÉ, E [eplɔre] adj. (de l'anc. fr. *plor*, pleur). Se dit d'une personne (ou de son comportement) tout en pleurs, accablée de chagrin : *Une veuve éplorée.*

ÉPLUCHER [eplyʃe] v. t. (du lat. *ex-*, préf. à valeur intensive, et anc. fr. *peluchier*, nettoyer). **1.** *Éplucher des légumes, des fruits, des crustacés*, etc., les préparer pour les manger, en ôtant les parties non comestibles ou moins bonnes au goût : *Éplucher une orange. Éplucher des noix, des crevettes.* — **2.** *Éplucher un texte*, le lire attentivement en vue d'en corriger les fautes ou d'y découvrir un détail qu'on cherche : *Les correcteurs épluchent soigneusement les épreuves* (syn. PASSER AU CRIBLE). ◆ **épluchage** n. m. : *L'épluchage des pommes de terre. Un texte soumis à un épluchage minutieux.* ◆ **éplucheur, euse** n. ◆ **épluchure** n. f. Partie enlevée des fruits, des légumes, etc., en les épluchant.

ÉPODE [epɔd] n. f. (gr. *epôdos*, vers plus court que celui qui le précède). **1.** Troisième partie d'une ode qui vient après la strophe et l'antistrophe. — **2.** Poème satirique écrit en distiques (vers inégaux qui se suivent deux à deux) : *Les épodes d'Horace.*

ÉPOINTER [epwɛ̃te] v. t. (du lat. *ex-*, préf. à valeur priv., et *pointe*). *Épointer un instrument, un outil*, etc., en casser ou en effiler la pointe. ◆ **épointage** ou **épointement** n. m.

ÉPONGE [epɔ̃ʒ] n. f. (lat. *spongia*). **1.** Substance cornée, légère et poreuse, constituant le squelette de certains spongiaires* des mers chaudes, et employée à différents usages domestiques à cause de sa propriété à retenir les liquides. — **2.** *Éponge artificielle*, imitation des éponges animales, fabriquée en caoutchouc, en plastique ou en Nylon. ‖ *Éponge métallique*, éponge faite d'un réseau de fils métalliques pour nettoyer plats et casseroles. — **3.** Sports. *Jeter l'éponge*, en parlant du manager, lancer sur le ring une serviette-éponge pour arrêter le combat de boxe. — **4.** *Passer l'éponge (sur un incident, une faute*, etc.), les oublier volontairement, les pardonner. ◆ **éponger** v. t. **1.** *Éponger un liquide*, l'étancher avec une éponge ou avec quelque chose qui absorbe les liquides. — **2.** *Éponger une circulation monétaire exagérée*, l'absorber, la résorber au moyen de taxes et d'emprunts. ◆ **s'éponger** v. pr. Se sécher : *S'éponger le front avec un mouchoir.* ◆ **épongeage** n. m.

ÉPONYME [epɔnim] adj. (gr. *epônumos*, qui donne son nom à). *Antiq. gr.* Se disait d'un personnage qui donnait ou empruntait son nom à quelque chose : *Athéna, déesse éponyme d'Athènes.* ‖ *Magistrat éponyme*, à Athènes, celui des neuf archontes qui donnait son nom à l'année.

ÉPOPÉE [epɔpe] n. f. (gr. *epopoiia*). **1.** Long récit en vers ou en prose qui raconte les exploits d'un héros, souvent légendaire, en donnant un caractère merveilleux (= surnaturel) à ses actions : *« La Chanson de Roland » est une épopée.* — **2.** Suite d'actions réelles, étonnantes par leur caractère extraordinaire : *L'épopée napoléonienne.* ◆ **épique** [epik] adj. **1.** Propre à l'épopée : *Héros épique.* — **2.** *Fam.* Se dit de ce qui est mémorable, extraordinaire : *Une aventure épique.*

ÉPOQUE [epɔk] n. f. (gr. *epokhê*, arrêt). **1.** Moment déterminé de l'histoire, marqué par un événement important, par un certain état de choses : *L'époque de la Révolution française* (syn. PÉRIODE). *Un meuble d'époque est un meuble datant réellement de l'époque à laquelle correspond son style.* — **2.** Moment déterminé de la vie d'un individu ou d'une société, du cours du temps : *C'est l'époque des labours* (syn. SAISON, TEMPS). *On appelle « la Belle Époque » celle des premières années du XXe s.* — **3.** *Faire époque*, laisser un souvenir durable, être mémorable (syn. FAIRE DATE).

ÉPOUILLAGE n. m., **ÉPOUILLER** v. t. → POU.

ÉPOUMONER (S') [sepumɔne] v. pr. (du lat. *ex-*, préf. à valeur priv., et *poumon*). Se fatiguer à force de parler, de crier.

ÉPOUSAILLES n. f. pl. → ÉPOUX.

1. ÉPOUSER v. t. → ÉPOUX.

2. ÉPOUSER [epuze] v. t. (lat. *sponsare*). **1.** (sujet nom de chose) *Épouser une forme, un creux*, etc., s'y adapter exactement. — **2.** (sujet nom de personne) *Épouser les intérêts, les idées de qq'un*, s'y rallier, s'y attacher vivement.

ÉPOUSSETAGE n. m., **ÉPOUSSETER** v. t. → POUSSIÈRE.

ÉPOUSTOUFLER [epustufle] v. t. (de l'anc. fr. *soi espousser*, perdre haleine). Fam. *Époustoufler qq'un*, le surprendre par quelque chose d'insolite, d'inattendu (syn. SIDÉRER, STUPÉFIER). ◆ **époustouflant, e** adj. : *Une remarque époustouflante* (syn. STUPÉFIANT).

ÉPOUVANTE [epuvɑ̃t] n. f. (du lat. *expavere*, craindre). Grande peur capable d'égarer l'esprit, d'empêcher d'agir : *Être saisi d'épouvante* (syn. EFFROI, HORREUR, TERREUR). *Un film d'épouvante* (= qui donne aux spectateurs des émotions violentes). ◆ **épouvanter** v. t. **1.** Remplir d'épouvante (syn. HORRIFIER, TERRORISER). — **2.** Causer une vive impression qui retient d'agir : *Les frais de ce séjour m'épouvantent* (syn. EFFRAYER). ◆ **s'épouvanter** v. pr. Être saisi de frayeur. ◆ **épouvantable** adj. (avant ou après le nom). **1.** Se dit de ce qui cause de l'horreur, de la répulsion : *Un accident épouvantable* (syn. EFFROYABLE, HORRIBLE). — **2.** Se dit de ce qui est très mauvais, très contrariant : *Il fait un temps épouvantable* (syn. AFFREUX). ◆ **épouvantablement** adv. : *Il est épouvantablement laid* (syn. EFFROYABLEMENT, TERRIBLEMENT). ◆ **épouvantail** n. m. **1.** Mannequin recouvert de haillons, placé dans les champs ou les jardins pour effrayer les oiseaux. — **2.** Ce qui effraie sans raison : *Se faire un épouvantail d'une entrevue avec un supérieur.*

ÉPOUX, ÉPOUSE [epu, epuz] n. (du lat. *sponsus*, fiancé). Personne unie à une autre par le mariage (terme admin. ou noble) [syn. usuels MARI, FEMME]. ◆ **épouser** v. t. Prendre pour mari, pour femme (syn. SE MARIER AVEC). ◆ **s'épouser** v. pr. : *Ils se sont épousés l'année dernière.* ◆ **épousailles** n. f. pl. Célébration du mariage (vieilli).

ÉPRENDRE (S') [seprɑ̃dr] v. pr. (lat. *ex-*, préf. à valeur intensive, et *prendre*). [Conj. **54.**] *S'éprendre de qqch., de qq'un*, éprouver soudain un vif sentiment, se prendre de passion pour eux. ◆ **épris, e** adj. : *Un peuple épris de liberté* (syn. PASSIONNÉ). *Elle est éprise de ce jeune homme* (syn. AMOUREUX).

ÉPREUVE n. f. → ÉPROUVER.

ÉPRIS, E adj. → ÉPRENDRE (S').

ÉPROUVER [epruve] v. t. (lat. *ex-*, préf. à valeur intensive, et *prouver*). **1.** *Éprouver une personne, une chose*, la soumettre à des expériences, des essais, pour en apprécier les qualités ou la valeur : *Éprouver l'honnêteté de qq'un* (= la mettre à l'épreuve). *On éprouve un pont en plaçant dessus une forte charge.* — **2.** *Éprouver qq'un*, le faire souffrir : *Ce malheur l'a durement éprouvé.* — **3.** Constater par l'expérience : *Il a éprouvé bien des difficultés avant de réussir* (syn. SE HEURTER À, RENCONTRER). — **4.** *Éprouver un sentiment*, le ressentir : *Éprouver de la joie.* ◆ **éprouvant, e** adj. Se dit de ce qui est pénible à supporter, à exécuter : *Une chaleur éprouvante. Un travail éprouvant.* ◆ **éprouvé, e** adj. **1.** Se dit d'une personne ou d'une chose en qui on a toute confiance : *Utiliser un matériel éprouvé* (syn. SÛR). — **2.** *Un homme éprouvé*, qui a beaucoup souffert. ◆ **épreuve** n. f. **1.** Ce qu'on impose à quelqu'un pour connaître sa valeur, sa capacité : *Un examen qui comporte des épreuves écrites et des épreuves orales* (syn. COMPOSITION, INTERROGATION). — **2.** Compétition sportive : *Des épreuves d'athlétisme.* — **3.** Expérimentation de la résistance d'une chose, du fonctionnement d'un appareil : *Procéder à l'épreuve d'un moteur* (syn. ESSAI). — **4.** Malheur, adversité qui frappe quelqu'un. — **5.** Texte imprimé tel qu'il sort de la composition : *Corriger les épreuves d'un ouvrage.* — **6.** En photographie, image obtenue par tirage d'après un cliché. — **7.** *À toute épreuve,* capable de résister à tout : *Un courage à toute épreuve.* ‖ *Mettre à l'épreuve,* essayer la résistance, éprouver les qualités de quelqu'un. ◆ **contre-épreuve** n. f. Épreuve servant à en vérifier une autre. ‖ Pl. des *contre-épreuves.*

ÉPROUVETTE [epruvɛt] n. f. (de *épreuve*). Tube de verre fermé à une extrémité et destiné à diverses expériences de chimie ou de physique : *Une éprouvette graduée.*

EPSILON [ɛpsilɔn] n. m. (gr. *e psilon,* « e » pur). Cinquième lettre (ε) de l'alphabet grec*, correspondant à l'*e* bref.

EPSOM, v. du sud de l'Angleterre (Surrey); 71 200 hab. Station thermale. Célèbre course de chevaux (le *Derby*).

EPTE, riv. de Normandie, affl. de la Seine (r. dr.); 100 km.

ÉPUCER v. t. → PUCE.

1. ÉPUISER [epɥize] v. t. (du lat. *ex-,* préf. à valeur priv., et *puits*). **1.** Vider entièrement de son contenu, de ses réserves : *La citerne est épuisée* (= à sec, tarie). — **2.** *Épuiser un sol,* le rendre stérile en voulant le faire trop produire. — **3.** Utiliser en totalité : *Épuiser les vivres* (syn. ↓CONSOMMER). — **4.** *Épuiser un sujet, une matière,* les traiter à fond sans rien omettre. ◆ ***s'épuiser*** v. pr. Devenir vide, perdre son contenu. ◆ **épuisement** n. m. : *L'épuisement d'un stock de marchandises.* ◆ **inépuisable** adj. : *Une source inépuisable* (syn. INTARISSABLE). ◆ **inépuisablement** adv.

2. ÉPUISER [epɥize] v. t. (même étym.). *Épuiser qq'un, les forces de qq'un,* le jeter dans un affaiblissement extrême : *Cette longue marche m'a épuisé* (syn. ANÉANTIR, ÉREINTER, EXTÉNUER); lui causer une grande lassitude morale : *Cet enfant m'épuise avec ses questions* (syn. EXCÉDER, USER). ◆ ***s'épuiser*** v. pr. ◆ **épuisant, e** adj. : *Un travail épuisant* (syn. ACCABLANT, ÉREINTANT, EXTÉNUANT). ◆ **épuisement** n. m. : *Être dans un état d'épuisement complet* (syn. ABATTEMENT, ANÉANTISSEMENT). ◆ **inépuisable** adj. : *Une patience inépuisable* (syn. INLASSABLE).

ÉPUISETTE [epɥizɛt] n. f. (de *épuiser*). Petit filet de pêche, monté sur une armature métallique et muni d'un manche.

ÉPURATEUR n. m., **ÉPURATION** n. f., **ÉPURATOIRE** adj. → ÉPURER.

ÉPURE [epyr] n. f. (de *épurer*). **1.** Dessin à une échelle définie, représentant la projection sur un ou plusieurs plans d'un corps à trois dimensions. — **2.** Dessin achevé (par oppos. à CROQUIS).

ÉPURER [epyre] v. t. (du lat. *ex-,* préf. à valeur intensive, et *pur*). **1.** *Épurer un liquide, un corps,* les rendre plus purs. — **2.** *Épurer le goût, les mœurs, la langue,* etc., en bannir ce qui paraît malséant, déplacé, y mettre plus de raffinement. — **3.** *Épurer une administration, le personnel d'un ministère,* etc., destituer ou blâmer les personnes qui, à la faveur de certains événements politiques, ont eu une conduite jugée indigne. ◆ ***s'épurer*** v. pr. Devenir pur. ◆ **épurateur** n. m. Appareil servant à éliminer les impuretés : *Un épurateur d'eau.* ◆ **épuration** n. f. : *L'épuration d'une huile. L'épuration des mœurs. Après la Seconde Guerre mondiale, des comités d'épuration examinèrent le cas de personnes accusées d'avoir collaboré avec l'ennemi.* ◆ **épuratoire** adj. Qui sert à l'épuration : *Filtre épuratoire.*

1. ÉQUARRIR [ekarir] v. t. (de l'anc. fr. *escarrer,* tailler en carré). *Équarrir un bloc de pierre, un tronc d'arbre,* etc., les tailler assez grossièrement, de façon à leur donner une forme proche de celle d'un cube, d'un parallélépipède.

2. ÉQUARRIR [ekarir] v. t. (même étym.). *Équarrir un animal de boucherie,* le dépecer en retirant la peau, la graisse, les os, etc. ◆ **équarrissage** n. m. : *L'équarrissage d'un bœuf.* ◆ **équarrisseur** n. m. Boucher spécialisé dans le dépeçage des animaux.

3. ÉQUARRIR [ekarir] v. t. (même étym.). *Mécan.* Agrandir un trou en se servant de l'équarrissoir. ◆ **équarrissoir** n. m. Poinçon utilisé en menuiserie pour élargir les trous.

ÉQUATEUR [ekwatœr] n. m. (du lat. *aequare,* rendre égal). Grand cercle imaginaire tracé autour de la Terre à égale distance des deux pôles; région terrestre qui avoisine cette ligne. ◆ **équatorial, e, aux** adj. **1.** Relatif à l'équateur : *Cercle équatorial.* — **2.** Relatif aux régions voisines de l'équateur : *Végétation équatoriale.* ‖ *Climat équatorial,* type de climat observé de part et d'autre de l'équateur, caractérisé par des pluies abondantes (plus de 1 500 mm) se produisant presque toute l'année et par des températures constamment élevées (25-28 °C en moyenne) : *Le climat équatorial s'étend en Amazonie, sur les rives du golfe de Guinée et en Indonésie.* ‖ *Courants équatoriaux,* courants marins des basses latitudes dans l'Atlantique et le Pacifique, dirigés d'E. en O. (On distingue deux courants de part et d'autre de l'équateur, séparés par un contre-courant dirigé vers l'E.)

ÉQUATEUR, en esp. **Ecuador,** république du nord-ouest de l'Amérique du Sud. → cartes AMÉRIQUE pp. 48-49.

SUPERFICIE 271 000 km² (France : 550 000 km²).

POPULATION 10,5 millions d'hab. *(Équatoriens);* 39 hab. au km² (France : 103); taux de natalité, 31,3 p. 1 000; taux de mortalité, 7,8 p. 1 000.

CAPITALE Quito (807 600 hab.).

VILLE PRINCIPALE Guayaquil (1 050 000 hab.).

LANGUE espagnol.

ÉCONOMIE consommation d'énergie par hab., 315 kg d'équivalent charbon; 1 automobile pour 222 hab.

MONNAIE sucre.

GÉOGRAPHIE

Le pays s'étend sur trois grandes unités naturelles : à l'E., une partie du *bassin amazonien* couvert par la forêt dense; au centre, les *Andes,* où des volcans dépassant 5 000 m dominent des hauts plateaux entrecoupés de bassins intérieurs; à l'O., la *plaine côtière* qui s'élargit du S. vers le N. Le climat, dans l'ensemble équatorial, est plus frais et moins humide dans les Andes.

	TEMPÉRATURES MOYENNES janv.	juil.	PLUIES
Quito	14,8 °C	13,7 °C	1 245 mm

La population, constituée de métis et d'Indiens pour 80 p. 100, se concentre surtout sur les hauts plateaux. Elle vit encore principalement de l'*agriculture :* cultures vivrières et élevage de moutons et de lamas dans les Andes, grandes plantations fournissant des produits pour l'exportation (bananes, café, cacao) sur la côte.

bananes 3 millions de t; café 78 000 t; cacao 85 000 t.

La production de pétrole (14 Mt par an) va favoriser le développement d'une *industrie,* encore presque inexistante. Les échanges se font surtout avec les États-Unis, par le port de Guayaquil.

HISTOIRE

- *Fin du XVᵉ s. La région est conquise par les Incas du Pérou.*
- *1532. L'espagnol Pizarro conquiert l'Empire inca.*

L'Équateur devient une colonie de l'Espagne, administrée à partir du Pérou.

- *1822. Le pays se libère de la domination espagnole.*
- *1830. Création de la république d'Équateur.*

Devenu le premier exportateur mondial de cacao, le pays est profondément bouleversé par la crise de 1929, à laquelle s'ajoute la maladie qui frappe les plantations de cacao.

- *1941-1942. Une guerre oppose l'Équateur au Pérou à propos des territoires du Sud-Est : l'Équateur perd des territoires s'étendant sur 200 000 km².*

ÉQUATION [ekwasjɔ̃] n. f. (lat. *aequatio,* égalité). **1.** *Math.* Égalité qui n'est vérifiée que pour des valeurs convenables d'une ou de plusieurs quantités figurées par des lettres (x, y, z...) dites *inconnues.* → ENCYCL. — **2.** *Équation personnelle,* déformation que toute personne fait subir aux faits qu'elle perçoit en fonction des idées, des préjugés qui lui sont propres.

— ENCYCL. Si f et g sont deux fonctions définies sur $\mathbb{R}$ et à valeurs dans $\mathbb{R}$, la relation (1) $f(x)=g(x)$ s'appelle *équation* dont x est l'*inconnue.* Tout nombre réel a pour lequel $f(a)=g(a)$ est une *solution* de l'équation (1). *Résoudre l'équation (1),* c'est chercher l'ensemble S de toutes ses solutions.

Exemples : $3x+2=5x+4$ a pour solution unique -1, $S=\{-1\}$; $x^2+2x+4=0$ n'a pas de solution, $S=\varnothing$ (ensemble vide); $(x+a)^2=x^2+2ax+a^2$ est vérifiée pour tout nombre réel, $S=\mathbb{R}$ (une telle équation porte le nom d'*identité*).

Si $f(x)$ et $g(x)$ sont des polynômes, le *degré* de l'équation $f(x)=g(x)$ est le plus grand exposant auquel est élevée l'inconnue.

■ *Équation du premier degré à deux inconnues* x et y. C'est une relation du type (2) $ax+by=c$ (a, b, c étant des nombres réels).

Une *solution* de l'équation est un couple (α, β) de nombres réels vérifiant $a\alpha+b\beta=c$. *Résoudre l'équation (2),* c'est trouver toutes ses solutions.

■ *Système de deux équations de premier degré à deux inconnues.* C'est l'ensemble formé par deux équations du type précédent.

Si (3) est un tel système (a, b, c, a', b', c' étant des nombres réels)

$$(3)\begin{cases} ax+by=c \\ a'x+b'y=c', \end{cases}$$

une *solution* du système est un couple (α, β) de nombres réels, solution simultanée des deux équations du système. Résoudre un tel système, c'est trouver toutes ses solutions.

Exemples : le système

$$\begin{cases} 3x+4y=-6 \\ 2x-y\ \ =7 \end{cases}$$

a pour unique solution $(x, y)=(2, -3)$; et le système

$$\begin{cases} x-3y=5 \\ -2x+6y=-10 \end{cases}$$

a pour ensemble de solutions

$$S=\left\{\left(a, \frac{a-5}{3}\right), a\in \mathbb{R}\right\}.$$

ÉQUATORIAL, E, AUX adj. ⟶ ÉQUATEUR.

ÉQUERRE [ekɛr] n. f. (du bas lat. *exquadrare*, rendre carré). **1.** Instrument formé de deux pièces ajustées à angle droit et servant soit à vérifier des angles dièdres droits, soit à tracer des angles plans droits. — **2.** Triangle de métal, de bois ou de matière plastique dont un des angles est droit, et qui sert à tracer sur le papier des perpendiculaires, des angles droits et des parallèles. ‖ *Équerre d'arpenteur*, instrument servant au levé des plans et au tracé des alignements sur le terrain. ‖ *Fausse équerre*, équerre à branches mobiles. — **3.** Pièce métallique, en T ou en L, destinée à maintenir des assemblages à angles droits : *On met souvent des équerres aux angles des vantaux de fenêtre.* — **4.** *D'équerre*, se dit de ce qui est à angle droit.

1. ÉQUESTRE [ekɛstr] adj. (du lat. *equus*, cheval). **1.** Se dit de ce qui est relatif à l'équitation : *Des exercices équestres.* — **2.** *Statue équestre*, celle qui représente un personnage à cheval.

2. ÉQUESTRE [ekɛstr] adj. (même étym.). Se dit de ce qui est relatif aux chevaliers de l'anc. Rome : *Ordre équestre* (= classe privilégiée des chevaliers romains).

ÉQUEUTER v. t. ⟶ QUEUE 1.

ÉQUI- [eki] ou [ekɥi], élément tiré du lat. *aequus*, égal, et qui entre dans la composition de mots savants, où il exprime une idée d'égalité.

ÉQUIANGLE [ekɥiɑ̃gl] adj. *(équi-*, et *angle). Géom.* Dont les angles sont égaux : *Un triangle équiangle est aussi équilatéral.*

ÉQUIDÉS [ekɥide] ou [ekide] n. m. pl. (du lat. *equus*, cheval). Famille de mammifères ongulés, strictement herbivores, caractérisés par le développement d'un seul doigt complet à chaque patte, muni d'un sabot, tels que le *cheval*, l'*âne* et le *zèbre*.

ÉQUIDISTANT, E [ekɥidistɑ̃, -ɑ̃t] adj. (de *équi-*, et lat. *distare*, être éloigné). *Math.* Qui est situé à distance égale de points déterminés : *Tous les points d'un cercle sont équidistants du centre.* ◆ **équidistance** n. f.

ÉQUILATÉRAL, E, AUX [ekɥilateral, -ro] adj. (de *équi-*, et lat. *latus, -eris*, côté). *Géom.* Se dit d'une figure dont les côtés ont des longueurs égales : *Un triangle équilatéral.*

ÉQUILIBRE [ekilibr] n. m. (de *équi-*, et lat. *libra*, balance). **1.** État de repos résultant de l'action de forces qui s'annulent : *La pesée est juste quand les deux plateaux de la balance restent en équilibre. Un vase en équilibre instable* (= qui risque de tomber). — **2.** Position verticale stable du corps humain : *Il s'est trop penché et il a perdu son équilibre* (syn. APLOMB, ASSIETTE). — **3.** *Équilibre chimique*, état d'un système de corps qui n'est le siège d'aucune réaction chimique et à l'intérieur duquel l'affinité chimique est nulle. — **4.** Juste combinaison de forces opposées, disposition harmonieuse, bien réglée : *Une période d'équilibre politique* (syn. STABILITÉ). *L'équilibre des masses architecturales d'un château.* ‖ *Équilibre budgétaire*, concordance des recettes avec les dépenses prévues au même budget. — **5.** Bon fonctionnement de l'organisme, pondération dans le comportement : *Un homme dont on peut admirer le bel équilibre physique et intellectuel* (syn. SANTÉ). ◆ **équilibrer** v. t. Mettre en équilibre : *Équilibrer les plateaux d'une balance. Des arcs-boutants qui équilibrent la poussée latérale des voûtes* (syn. COMPENSER, NEUTRALISER). *Équilibrer un budget.* ◆ **s'équilibrer** v. pr. : *Les avantages et les inconvénients de cette méthode s'équilibrent à peu près* (= sont équivalents). ◆ **équilibré, e** adj. Se dit d'une personne dont les diverses facultés sont dans un rapport harmonieux : *Un esprit équilibré* (syn. PONDÉRÉ, SAIN, SENSÉ). ◆ **équilibrage** n. m. : *L'équilibrage des roues d'une voiture.* ◆ **équilibration** n. f. Fonction par laquelle les organismes vivants résistent aux forces de pesanteur, tant au repos que pendant leurs déplacements : *Le principal centre nerveux de l'équilibration est le cervelet.* ◆ **équilibriste** n. Artiste qui fait des tours d'adresse en maintenant des objets en équilibre, ou qui fait des exercices acrobatiques en se tenant en équilibre sur un câble. ◆ **déséquilibre** n. m. : *Un léger déséquilibre fait pencher le bateau d'un côté. Déséquilibre mental.* ◆ **déséquilibrer** v. t. *Déséquilibrer qqch., qq'un*, lui faire perdre l'équilibre. ◆ **déséquilibré, e** adj. et n. Se dit d'une personne qui a perdu son équilibre mental (syn. ↑FOU).

ÉQUILLE [ekij] n. f. (mot norm.). Poisson long et mince, à dos vert ou bleu sombre, s'enfouissant avec agilité dans les sables de la Manche et de l'Atlantique (syn. LANÇON).

ÉQUINOXE [ekinɔks] n. m. (de *équi-*, et lat. *nox*, nuit). Période de l'année où le jour et la nuit ont la même durée : *Il y a deux équinoxes dans l'année, le 21 ou le 22 mars (équinoxe de printemps) et le 22 ou le 23 septembre (équinoxe d'automne).*

ÉQUIPAGE [ekipaʒ] n. m. (de *équiper*). **1.** Personnel nécessaire à la manœuvre et au service d'un navire ou d'un avion. ‖ *Corps des équipages de la flotte*, ensemble du personnel non officier de la marine de guerre. — **2.** Ensemble des gens qui accompagnent quelqu'un et des ornements qui donnent du faste à son déplacement : *La reine arriva en somptueux équipage* (syn. ESCORTE).

ÉQUIPE [ekip] n. f. (de *équiper*). **1.** Groupe de personnes travaillant ensemble : *On appelle « esprit d'équipe » l'esprit de solidarité qui unit les membres d'un même groupe.* — **2.** Groupe de joueurs ou d'athlètes associés en nombre déterminé, en vue de disputer des compétitions sportives, des championnats. ◆ **équipier, ère** n. Personne qui fait partie d'une équipe sportive. ◆ **coéquipier, ère** n. Personne qui fait partie avec d'autres d'une même équipe.

ÉQUIPÉE [ekipe] n. f. (de *équiper*). Aventure dans laquelle on se lance à la légère.

ÉQUIPER [ekipe] v. t. (germ. *skipa*, aménager). **1.** *Équiper un navire, un appareil*, etc., le pourvoir de ce qui est nécessaire à son utilisation. — **2.** *Équiper qq'un*, le munir de ce qui lui sera utile : *Équiper un enfant pour le ski.* ◆ **s'équiper** v. pr. : *Il s'est équipé pour la plongée sous-marine. Ce pays commence à s'équiper en industrie légère.* ◆ **équipement** n. m. **1.** Action d'équiper, de doter du matériel, des installations nécessaires : *L'équipement d'une voiture en pneus neufs. L'équipement industriel d'une région.* — **2.** Ce matériel lui-même : *Un équipement de camping.* ◆ **sous-équipement** n. m. État d'une région insuffisamment équipée sur le plan économique. ◆ **sous-équipé, e** adj. Dont l'équipement industriel est insuffisant.

ÉQUIPIER, ÈRE n. ⟶ ÉQUIPE.

ÉQUIPOLLENT, E [ekipɔlɑ̃, -ɑ̃t] adj. (lat. *aequipollens*, équivalent). *Math.* Se dit de deux bipoints (A, B) et (A', B') si, et seulement si, le quadruplet (A, B, B', A') est un parallélogramme*. (*Propriété :* si (A, B) et (A', B') sont équipollents, alors (A, A') et (B, B') le sont.) ◆ **équipollence** n. f. *Équipollence sur une droite affine*, ou *sur un plan affine*, relation* d'équivalence dans l'ensemble des bipoints du plan ou de la droite. (Chaque classe d'équivalence, c'est-à-dire chaque ensemble de tous les bipoints équipollents entre eux, s'appelle un *vecteur**.)

ÉQUIPOTENT [ekɥipɔtɑ̃] adj. m. (de *équi-*, et lat. *potens*, qui peut). *Math.* Un ensemble E est *équipotent* à un ensemble F s'il existe une bijection de E sur F. (Si E et F sont équipotents, alors ils ont le même cardinal*; en particulier si E et F sont finis, ils ont le même nombre d'éléments.) ◆ **équipotence** n. f.

ÉQUITABLE adj., **ÉQUITABLEMENT** adv. ⟶ ÉQUITÉ.

ÉQUITATION [ekitasjɔ̃] n. f. (du lat. *equitare*, aller à cheval). Art de monter à cheval englobant, outre l'art du *dressage* (ou *équitation académique*), les *courses*, le *concours complet* et le *concours de sauts d'obstacles* (ou *jumping*).

ÉQUITÉ [ekite] n. f. (lat. *aequitas, -atis*, égalité). Qualité qui consiste à attribuer à chacun ce à quoi il a droit naturellement (différente de la notion de justice, qui se réfère à une législation) [syn. DROITURE, IMPARTIALITÉ]. ◆ **équitable** adj. **1.** Se dit d'une personne qui agit selon l'équité : *Un juge équitable* (syn. IMPARTIAL; contr. INIQUE). — **2.** Se dit de ce qui est conforme à l'équité : *Une décision équitable* (contr. PARTIAL). ◆ **équitablement** adv. : *Un gouvernement qui tente de répartir plus équitablement les impôts.* ◆ **inéquitable** adj. Qui n'est pas conforme à l'équité.

ÉQUIVALOIR [ekivalwar] v. t. ind. (de *équi-*, et lat. *valere*, avoir de la valeur). [Conj. **40.**] *Équivaloir à qqch.*, avoir une valeur, une importance égale, un effet semblable : *Le mille marin équivaut à 1 852 m* (syn. VALOIR). *Votre silence équivaudrait à un aveu de culpabilité* (syn. REVENIR). ◆ **équivalent, e** adj. **1.** Se dit de ce qui a la même valeur : *Quantités équivalentes* (syn. ÉGAL). — **2.** Math. *Propositions logiquement équivalentes*, se dit de deux propositions P et Q si elles sont simultanément vraies et simultanément fausses. (On note alors P $\Longleftrightarrow$ Q.) [*Ex.* : si ABC est un triangle, (ABC est équilatéral) $\Longleftrightarrow$ (les longueurs des trois côtés de ABC sont égales).] ◆ n. m. **1.** *Employer un équivalent pour éviter de répéter le mot* (syn. SYNONYME). — **2.** *Équivalent mécanique de la chaleur*, rapport constant, égal à 4,185 5 joules par calorie, qui existe entre un travail fourni et la quantité de chaleur correspondante. ◆ **équivalence** n. f. **1.** *Un décret reconnaît l'équivalence entre cet examen et le baccalauréat* (syn. ÉGALITÉ). — **2.** Math. *Relation d'équivalence* → RELATION 2.

ÉQUIVOQUE [ekivɔk] adj. (lat. *aequivocus*, à double sens). **1.** Se dit de ce qu'on peut interpréter diversement : *Une expression équivoque* (syn. AMBIGU). *Son attitude a été équivoque* (contr. CLAIR, NET). — **2.** Se dit d'une personne ou d'une chose suspecte, qui suscite la méfiance : *Il a des fréquentations équivoques* (syn. DOUTEUX, LOUCHE). ◆ n. f. Situation, expression qui manque de netteté, qui laisse dans l'incertitude : *Ce texte ne doit comporter aucune équivoque* (syn. AMBIGUÏTÉ, OBSCURITÉ). *Il faut dissiper cette équivoque* (syn. DOUTE, MALENTENDU).

ÉRABLE [erabl] n. m. (du lat. *acerabulus*). Arbre des forêts tempérées, à fruits secs munis d'une aile et dispersés par le vent. (Il peut atteindre 40 m de haut. Au Canada, on extrait un sucre très estimé de l'*érable à sucre*.)

ÉRAFLER [erafle] v. t. (lat. *ex-*, préf. à valeur intensive, et *rafler*). Entamer superficiellement, écorcher légèrement une surface : *Érafler la peinture d'une carrosserie* (syn. RAYER). *Une ronce lui avait éraflé la main* (syn. ÉGRATIGNER). ◆ **éraflement** n. m. ◆ **éraflure** n. f. Écorchure superficielle.

1. ÉRAILLER [eraje] v. t. (du lat. *rotare*, rouler). Relâcher les fils d'un tissu. ◆ **éraillure** n. f. Partie éraillée d'un tissu.

2. ÉRAILLER [eraje] v. t. (même étym.). *Érailler la voix*, la rendre rauque (souvent au part. passé).

ÉRASME, humaniste hollandais (v. 1469-1536). Son œuvre la plus célèbre est *l'Éloge de la folie* (1511). Pour lui, l'idéal résidait dans un humanisme chrétien et dans la tolérance. Ses idées exercèrent une très grande influence sur l'Europe de la Renaissance.

ERCKMANN-CHATRIAN, nom sous lequel deux écrivains français ont publié leurs œuvres : Émile **Erckmann** (1822-1899), et Alexandre **Chatrian** (1826-1890). Ils ont écrit ensemble un grand nombre de contes, de romans et d'œuvres dramatiques, dont *l'Ami Fritz* (1864), qui ont pour cadre l'Alsace.

ERDRE, riv. de France, affl. de la Loire (r. dr.); 105 km.

ÈRE [ɛr] n. f. (bas lat. *aera*, nombre). **1.** Point de départ d'une chronologie donnée : *L'ère chrétienne correspond à l'année de la naissance du Christ.* — **2.** Époque d'assez longue durée pendant laquelle s'établit un nouvel ordre de choses, s'accomplit un progrès décisif de la civilisation : *Le XXe s. inaugure l'ère des voyages interplanétaires* (syn. PÉRIODE). — **3.** *Ère géologique*, chacune des grandes divisions de l'histoire de la Terre : *Nous sommes au début de l'ère quaternaire.* → tableau.

NOM	DURÉE APPROXIMATIVE
Quaternaire	2 millions d'années
Tertiaire	60 millions d'années
Secondaire	150 millions d'années
Primaire	300 millions d'années
Précambrien	4 000 millions d'années

EREBUS, seul volcan en activité de l'Antarctique, dans l'île de Ross; 4 023 m.

Érechthéion, temple élevé sur l'Acropole d'Athènes, de 421 à 406 av. J.-C., dédié à Érechthée (héros athénien), à Athéna et à Poséidon. Il possède le portique des Caryatides.

1. ÉRECTION [erɛksjɔ̃] n. f. (lat. *erectio*). En physiologie, changement de consistance et de volume de certains organes, provoqué par un afflux de sang. ◆ **érectile** adj. Se dit d'un organe susceptible de se dresser, de prendre l'état d'érection.

2. ÉRECTION n. f. → ÉRIGER.

ÉREINTER [erɛ̃te] v. t. (du lat. *ex-*, préf. à valeur priv., et *rein*). **1.** Fam. *Éreinter qq'un*, le briser de fatigue (souvent au passif) : *Ce travail pénible l'a éreinté* (syn. ÉPUISER). — **2.** Fam. *Éreinter qq'un, éreinter une œuvre*, les critiquer violemment, avec malveillance (syn. DÉMOLIR, DÉNIGRER). ◆ **s'éreinter** v. pr. Se donner beaucoup de mal, se fatiguer beaucoup. ◆ **éreinté, e** adj. : *Il est revenu de son voyage complètement éreinté* (syn. FOURBU, HARASSÉ). ◆ **éreintant, e** adj. *Fam.* Sens 1 du v. t. : *Un travail éreintant.* ◆ **éreintement** n. m. *Fam.* Sens 1 et 2 du v. t. et sens du v. pr. : *Il travaille jusqu'à l'éreintement* (syn. ÉPUISEMENT).

ÉRÉMITIQUE adj. → ERMITE.

ÉRÉSIPÈLE n. m. → ÉRYSIPÈLE.

EREVAN ou **ERIVAN',** v. d'U. R. S. S., capit. de la république d'Arménie; 1 050 000 hab. La ville est située au centre d'une région de riches cultures (coton, vignobles). Usines de vinification.

ERFURT, v. d'Allemagne, capit. de la Thuringe; 215 000 hab.

● *27 sept.-14 oct. 1808. Entrevue d'Erfurt.*

Afin de resserrer l'alliance franco-russe, Napoléon Ier rencontre le tsar Alexandre Ier et accepte qu'il occupe les provinces turques de Moldavie et de Valachie; en retour, le tsar promettait de faire la guerre à l'Autriche au cas où celle-ci attaquerait la France.

1. ERG [ɛrg] n. m. (mot ar.). Au Sahara, vaste région couverte de dunes.

2. ERG [ɛrg] n. m. (du gr. *ergon*, travail). Unité de travail du système C. G. S., correspondant au travail effectué par une force de 1 dyne dont le point d'application se déplace de 1 cm dans la direction de la force : *Le joule vaut 10^7 ergs.* Il ne compte plus parmi les unités de mesure légales françaises.

ERGONOMIE [ɛrgɔnɔmi] n. m. (du gr. *ergon*, travail, et *nomos* loi). Science qui étudie l'adaptation du travail et des machines aux possibilités de l'homme.

1. ERGOT [ɛrgo] n. m. (orig. inc.). **1.** Pointe cornée située derrière le pied de certains animaux : *Un ergot de coq. Un ergot de chien.* — **2.** Petite saillie sur certaines pièces mécaniques — **3.** Fam. *Se dresser sur ses ergots*, se dresser fièrement, se montrer menaçant.

2. ERGOT [ɛrgo] n. m. (orig. inc.). *Bot.* Maladie cryptogamique (= causée par un champignon parasite) des céréales, en partic. du seigle.

ERGOTER [ɛrgɔte] v. i. (du lat. *ergo*, donc) [sujet nom de personne]. Discuter avec ténacité sur des points de détail, contester mal à propos (syn. CHICANER; fam. PINAILLER). ◆ **ergotage** n. m. Manie d'ergoter, de chicaner. ◆ **ergoteur, euse** adj. et n.

ERGOTHÉRAPIE [ɛrgoterapi] n. f. (du gr. *ergon*, travail, et *therapeia*, soin, cure). Thérapeutique par l'activité physique, manuelle, spécialement utilisée dans les affections mentales comme moyen de réadaptation sociale.

ERIC → ERIK.

ÉRICACÉES [erikase] n. f. pl. (du lat. *erice*, bruyère). Famille de plantes dicotylédones gamopétales, comprenant les *bruyères*, la *myrtille*, les *rhododendrons* et les *azalées*.

ERIE, port des États-Unis (Pennsylvanie), sur la rive sud du *lac Érié*; 138 800 hab.

ÉRIÉ *(lac)*, l'un des cinq grands lacs entre le Canada et les États-Unis. Il communique avec le lac Huron par la rivière Saint-Clair et avec le lac Ontario par le Niagara; 25 800 km². Long de 400 km, large de 100 km, ce lac est une très importante voie de communication.

ÉRIGÈNE (Jean SCOT) → SCOT ÉRIGÈNE (Jean).

ÉRIGER [eriʒe] v. t. (lat. *erigere*, dresser). **1.** *Ériger une statue, un monument*, etc., les dresser à la verticale en les faisant tenir sur leur base (syn. ÉLEVER). — **2.** Construire dans une intention solennelle : *Les Grecs ont érigé un temple à Athéna.* — **3.** Créer, instituer : *Ériger un tribunal.* — **4.** *Ériger en*, élever au rang, au rôle de : *Ériger son opinion en règle générale* (syn. TRANSFORMER). ◆ **s'ériger** v. pr. (sujet nom de personne). *S'ériger en*, se donner le rôle de : *De quel droit s'érige-t-il en juge de nos actes?* (syn. SE POSER EN). ◆ **érection** n. f. : *Le conseil municipal a décidé l'érection d'un monument commémoratif.*

ERIK le Rouge, chef norvégien (v. 940 - v. 1010). Il découvrit le Groenland (v. 982) et y dirigea une première colonisation.

ERIK ou **ERIC,** nom de quatorze rois de Suède et de neuf rois de Danemark.

ÉRIN, nom poétique de l'IRLANDE.

ÉRINYES (les). *Myth. gr.* Filles de la Nuit et de Cronos, les trois Érinyes (Tisiphone, Alecto, Mégère) vivaient dans le Tartare (partie des Enfers) et avaient pour mission de punir les crimes des humains. Pour écarter leurs maléfices, on les appela par antiphrase (= le contraire de ce que l'on pense) les *Euménides* (= les « Bienveillantes »). Les Romains les identifièrent avec les *Furies*.

ERLANGEN, v. d'Allemagne, en Bavière, sur la Regnitz; 84 100 hab. Université.

ERMENONVILLE, comm. de l'Oise, à 13 km au S.-E. de Senlis; 778 hab. Jean-Jacques Rousseau y mourut après y avoir passé les derniers mois de sa vie. — Aux environs, le *désert d'Ermenonville* est composé de sable ou de collines couvertes de bruyères et de pins. — La *forêt d'Ermenonville* a 2 969 ha.

ERMITAGE n. m. ⟶ ERMITE.

ERMITAGE ou **HERMITAGE** (l'), coteau de la Drôme (comm. de *Tain-l'Hermitage*), sur le Rhône (r. g.). Vins estimés.

Ermitage *(musée de l'),* à Saint-Pétersbourg, l'un des plus importants musées du monde.

ERMITE [ɛrmit] n. m. (gr. *erêmitês*, désert). **1.** Solitaire qui se livre à la prière et mène une vie d'austérité dans un lieu désert. — **2.** Personne qui vit retirée, qui évite de fréquenter le monde. ◆ **érémitique** adj. : *La vie érémitique fut pratiquée dès les premiers temps du christianisme.* ◆ **ermitage** n. m. **1.** Habitation d'un ermite. — **2.** Maison de campagne isolée.

ERMONT, ch.-l. de cant. du Val-d'Oise, à 14 km au N.-O. de Paris; 24 400 hab.

ERNST (Max), peintre français d'origine allemande (1891-1976). Cofondateur du mouvement dada*, il fut un des chefs de file du surréalisme. Ses paysages imaginaires nous font entrer dans un univers féerique d'où l'inquiétude n'est pas exclue. Il pratique également une sculpture très stylisée.

ÉRODER v. t. ⟶ ÉROSION.

ÉROGÈNE [erɔʒɛn] adj. (du gr. *erôs*, désir, et *gennân*, produire). Se dit des parties du corps susceptibles de procurer un plaisir sensuel : *Zone érogène.*

ÉROS ou **ERÔS,** dieu grec de l'Amour, nommé par les Romains *Cupidon.*

ÉROSION [erozjɔ̃] n. f. (lat. *erosio*). **1.** *Géol.* Usure produite sur le relief du sol par diverses causes naturelles : *Érosion éolienne* (= produite par le vent). *Érosion fluviale* (= produite par les fleuves). *Érosion glaciaire* (= produite par les glaciers). *Érosion littorale* (= qui s'exerce sur les côtes). ‖ *Érosion régressive*, érosion qui se produit à la suite d'un abaissement du niveau de base, et qui se propage d'aval en amont. ‖ *Érosion du sol*, enlèvement accéléré du sol sous l'effet de divers facteurs, souvent d'origine humaine (déboisement). ‖ *Surface d'érosion*, élément d'une région peu accidentée résultant d'un long travail d'érosion. — **2.** *Érosion monétaire*, détérioration lente et continue du pouvoir d'achat présentée par une monnaie. ◆ **érosif, ive** adj. Qui produit l'érosion : *L'action érosive de la mer.* ◆ **éroder** v. t. User par frottement.

ÉROSTRATE, habitant d'Éphèse qui, voulant se rendre immortel par un exploit mémorable, incendia le temple d'Artémis, une des Sept Merveilles* du monde (IVᵉ s. av. J.-C.).

ÉROTIQUE [erɔtik] adj. (du gr. *erôs*, amour). **1.** Se dit de ce qui se rapporte à l'amour sensuel, à la sexualité. — **2.** *Poésie érotique*, poésie consacrée à l'amour. ◆ **érotisme** n. m. **1.** Goût marqué pour tout ce qui est sexuel. — **2.** Caractère érotique : *L'érotisme d'un roman.*

ERPÉTOLOGIE ou **HERPÉTOLOGIE** [ɛrpetɔlɔʒi] n. f. (du gr. *herpeton*, reptile, et *logos*, science). Partie de l'histoire naturelle qui traite des reptiles.

ERRANCE n. f., **ERRANT, E** adj. ⟶ ERRER.

ERRATA [ɛrata] n. m. inv. (mot lat.). Liste des fautes qui se sont glissées dans l'impression d'un ouvrage. (On emploie ERRATUM quand il n'y a qu'une faute commise.)

ERRATIQUE [ɛratik] adj. (du lat. *errare*, errer). Géol. *Bloc erratique*, rocher apporté dans une région par un ancien glacier.

ERRE [ɛr] n. f. (de l'anc. fr. *errer*, aller). Vitesse conservée par un navire, moteur arrêté ou voiles amenées.

ERREMENTS [ɛrmɑ̃] n. m. pl. (de l'anc. fr. *errer*, aller). **1.** Manière d'agir habituelle : *Les errements de l'Administration* (sens vieilli). — **2.** *Péjor.* Manière d'agir blâmable : *Persévérer dans ses errements* (syn. AGISSEMENTS).

ERRER [ɛre] v. i. (lat. *errare*, marcher à l'aventure) [sujet nom de personne ou de chose]. Aller çà et là, à l'aventure : *Errer dans les rues. Des nuages erraient dans le ciel.* ‖ *Laisser errer son imagination*, s'abandonner à la rêverie. ◆ **errant, e** adj. : *Chiens errants* (syn. ABANDONNÉ). *Regard errant* (syn. VAGUE). ‖ *Chevalier errant*, chevalier qui allait de pays en pays pour chercher des aventures, redresser les torts, etc. ‖ *Le Juif errant*, personnage qui, selon la légende, aurait été condamné à marcher sans s'arrêter jusqu'à la fin du monde pour avoir injurié le Christ portant sa croix. ◆ **errance** n. f. (littér.).

ERREUR [ɛrœr] n. f. (lat. *error*). **1.** Action de se tromper; faute commise en se trompant : *Le candidat a commis une erreur en situant Poitiers sur la Loire* (syn. BÉVUE, MÉPRISE). *Rectifier, relever une erreur* (syn. ↓INEXACTITUDE). *Par suite d'une erreur matérielle, ce paragraphe a été omis* (= une inadvertance). *Sauf erreur* (= si je ne me trompe). — **2.** État de quelqu'un qui se trompe : *Vous êtes dans l'erreur la plus complète* (= votre opinion est totalement fausse). *Induire en erreur* (= tromper). — **3.** Action faite mal à propos, inconsidérée, regrettable : *Ce serait une erreur d'orienter cet élève vers des études littéraires* (syn. ↑ABERRATION). *Erreur de jeunesse* (syn. ÉGAREMENT). — **4.** *Erreur judiciaire*, condamnation prononcée à tort contre un innocent (par suite d'une erreur portant sur une circonstance matérielle), et qui peut donner lieu à une procédure de révision. — **5.** Math. *Erreur absolue*, différence entre un nombre et une de ses valeurs approchées, entre le résultat de la mesure d'une grandeur et la valeur exacte (souvent inconnue) de cette grandeur. ⟶ ENCYCL. — LOC. ADV. *Par erreur*, en se trompant, par ignorance ou par étourderie : *Nous avons pris par erreur une mauvaise route* (syn. PAR MÉGARDE). ◆ **erroné, e** adj. Qui comporte une erreur : *La lettre a été expédiée à une adresse erronée* (syn. FAUX; contr. EXACT). *Un calcul erroné* (syn. INEXACT; contr. JUSTE).

— ENCYCL. Si x est une valeur* approchée d'un nombre réel a, on appelle *erreur absolue* la valeur absolue de la différence $|x - a|$.

Exemple : 3,141 est une valeur approchée (par défaut) du nombre π. Lorsqu'on remplace π par 3,141, l'erreur commise est inférieure à 0,001. On remarque que l'erreur d'une mesure, ou d'un calcul, est inconnue puisqu'on ne connaît pas le nombre réel cherché.

ERS [ɛr] n. m. (mot prov.). Genre de légumineuses, voisines des vesces, et dont le type est la *lentille.*

ERSATZ [ɛrzats] n. m. (mot all.). **1.** Produit de moindre qualité destiné à en remplacer un autre devenu rare : *Ersatz de café* (syn. SUCCÉDANÉ). — **2.** *Péjor.* Ce qui remplace quelque chose, mais qui est de qualité ou de valeur inférieure, ce à quoi on a recours faute de mieux.

ERSE [ɛrs] n. f. (de *herse*). Gros anneau de cordage.

ERSTEIN, ch.-l. de cant. du Bas-Rhin, sur l'Ill, à 22,5 km au S. de Strasbourg; 8 200 hab. Constructions mécaniques.

ÉRUCTER [erykte] v. i. (lat. *eructare*). Rejeter avec bruit par la bouche les gaz contenus dans l'estomac (langue méd. surtout) [syn. pop. ROTER]. ◆ v. t. *Éructer des injures, des menaces*, etc., les proférer avec violence (littér.) [syn. usuels VOCIFÉRER, VOMIR]. ◆ **éructation** n. f.

ÉRUDIT, E [erydi, -it] adj. et n. (lat. *eruditus*, instruit). Se dit d'une personne qui manifeste des connaissances approfondies dans une matière, ou d'une œuvre qui témoigne de ces connaissances : *Il est très érudit en histoire ancienne* (syn. ↓SAVANT). *Discussion entre érudits* (syn. SPÉCIALISTE). ◆ **érudition** n. f. : *Son érudition en droit romain est complétée par une large culture générale* (syn. SAVOIR, SCIENCE).

ÉRUPTION [erypsjɔ̃] n. f. (lat. *eruptio*). **1.** *Éruption volcanique*, émission, par un volcan, de matières diverses (lave, scories, gaz, etc.) : *L'éruption de la montagne Pelée, à la Martinique, en 1902, fit 34 000 morts. Volcan qui entre en éruption.* — **2.** *Méd.* Apparition de boutons, de taches, de rougeurs sur la peau : *La rougeole est caractérisée par une éruption de taches rouges.* — **3.** Poussée rapide, apparition d'une chose qui se développe : *L'éruption des bourgeons.* ‖ *Éruption des dents*, sortie des dents hors de l'alvéole. ◆ **éruptif, ive** adj. **1.** *Roche éruptive*, roche d'origine interne. (Les roches éruptives se divisent en deux types : les *roches éruptives de massif* [ou roches plutoniques] comme le granite; les *roches éruptives d'épanchement* [ou roches volcaniques] comme le basalte.) — **2.** *Méd.* Qui a lieu par éruption, ou qui s'accompagne d'éruption.

ÉRYSIPÈLE [erizipɛl] ou **ÉRÉSIPÈLE** [-re-] n. m. (gr. *erusipelas*). *Méd.* Maladie infectieuse, due à un streptocoque* et caractérisée par une inflammation de la peau, atteignant surtout le derme et siégeant fréquemment sur le visage.

ÉRYTHÈME [eritɛm] n. m. (gr. *eruthêma*, rougeur). *Méd.* Congestion de la peau, donnant lieu à une rougeur.

ÉRYTHRÉE *(mer)*, nom donné dans l'Antiquité à la mer Rouge, à l'océan Indien et au golfe Persique.

ÉRYTHRÉE, région de l'Afrique orientale, sur la mer Rouge; 124 300 km²; 1 600 000 hab. Ch.-l. *Asmara.*

- *1890. La région devient une colonie italienne.*
- *1940-1941. Les Anglais occupent l'Érythrée.*
- *1952. Elle constitue un État fédéré avec l'Éthiopie.*
- *1962. L'Érythrée est incorporée à l'Éthiopie.*

Depuis, le pays est le théâtre de luttes pour l'indépendance.

ERZGEBIRGE, en fr. **monts Métallifères,** massif montagneux des confins de l'Allemagne et de la Tchécoslovaquie (Bohême); 1 244 m.

ERZURUM ou **ERZEROUM,** v. de la Turquie orientale; 134 700 hab.

ÈS [ɛs] prép. (contraction de *en les*). Entre dans quelques express. de la langue universitaire (devant un nom plur.) : *Docteur ès sciences* (syn. EN). *Une licence ès lettres* (syn. DE); ou jurid. : *Agir ès qualités* (= agir en tant que personne ayant les fonctions indiquées, et non à titre privé).

ÉSAÜ, fils d'Isaac et de Rébecca, frère aîné de Jacob, à qui il vendit son droit d'aînesse pour un plat de lentilles.

ESBROUFE [ɛsbruf] n. f. (du prov. *esbroufa*, s'ébrouer). Fam. *Faire de l'esbroufe*, chercher à en imposer, en prenant un air important (syn. JETER DE LA POUDRE AUX YEUX; fam. BLUFFER). — LOC. ADV. *À l'esbroufe*, rapidement et grâce à une vantardise qui en impose : *Enlever une affaire à l'esbroufe.* ‖ *Vol à l'esbroufe*, vol qui se pratique en bousculant la personne qu'on veut dévaliser. ◆ **esbroufer** v. t. Fam. *Esbroufer qq'un*, chercher à l'impressionner en prenant des airs importants, en affectant une grande assurance (syn. fam. EN JETER PLEIN LA VUE). ◆ **esbroufeur, euse** n.

ESCABEAU [ɛskabo] n. m. (lat. *scabellum*). **1.** Siège de bois, sans bras ni dossier. — **2.** Petite échelle, généralement pliante.

ESCADRE [ɛskadr] n. f. (it. *squadra*, équerre). **1.** Groupe important de navires de guerre, sous la conduite d'un vice-amiral ou d'un amiral. — **2.** Groupe important d'avions de combat, comprenant deux ou trois escadrons. ◆ **escadrille** n. f. **1.** Petit groupe de navires légers. — **2.** Unité élémentaire de l'aviation militaire, composée de plusieurs patrouilles (chasse) ou de plusieurs sections (bombardement). ◆ **escadron** n. m. Unité de l'aviation militaire, comportant plusieurs escadrilles.

1. ESCADRON [ɛskadrɔ̃] n. m. (it. *squadrone*). **1.** Unité administrative d'un régiment de cavalerie ou de l'armée blindée et de la gendarmerie mobile, analogue à la compagnie d'infanterie : *Un escadron de chars.* — **2.** *Chef d'escadron*, officier supérieur commandant un groupe d'artillerie ou un groupement d'unités du train ou de la gendarmerie. ‖ *Chef d'escadrons*, officier supérieur commandant un groupe d'escadrons de la cavalerie ou de l'arme blindée. (→ GRADE 2.)

2. ESCADRON n. m. → ESCADRE.

1. ESCALADE [ɛskalad] n. f. (it. *scalata*). Action de franchir un obstacle ou de s'élever jusqu'à un point élevé en s'aidant avec les pieds et les mains : *Faire l'escalade d'un piton rocheux* (syn. ↑ASCENSION). ◆ **escalader** v. t. : *Escalader un mur* (= passer par-dessus). *Escalader une montagne* (= en faire l'ascension par les méthodes de l'alpinisme).

2. ESCALADE [ɛskalad] n. f. (même étym.). **1.** Augmentation progressive des moyens militaires mis en œuvre par des adversaires dans un conflit armé : *L'escalade militaire au Viêt-nam.* — **2.** Augmentation progressive en général : *L'escalade de la violence.* ◆ **désescalade** n. f. Relâchement progressif des moyens mis en œuvre lors de l'escalade (sens 1 surtout).

ESCALE [ɛskal] n. f. (it. *scala*). **1.** Lieu de relâche et de ravitaillement pour un navire ou un avion. — **2.** Temps d'arrêt d'un navire ou d'un avion sur un point de son parcours.

ESCALIER [ɛskalje] n. m. (lat. *scalaria*). Série de marches échelonnées, permettant de monter ou de descendre : *Escalier en spirale, en colimaçon* (= dont les marches sont disposées en hélice autour d'un axe). *Un escalier mécanique* (= un ensemble de marches articulées, se déplaçant vers le haut ou vers le bas). *Escalier de service* (= destiné aux domestiques, aux livreurs).

ESCALOPE [ɛskalɔp] n. f. (anc. fr. *eschalope*, coquille de noix). Tranche mince de viande, principalement de veau.

ESCAMOTER [ɛskamɔte] v. t. (du lat. *squama*, écaille). **1.** *Escamoter une chose*, la faire disparaître par une manœuvre habile : *Escamoter un foulard.* — **2.** Faire disparaître subtilement, s'emparer par fraude : *Escamoter un portefeuille* (syn. DÉROBER, SUBTILISER; fam. CHAPARDER). — **3.** Éviter de faire ce qui est difficile : *L'orateur a habilement escamoté les difficultés de son programme* (syn. ÉVITER, LAISSER DANS L'OMBRE). ◆ **escamotable** adj. : *Un train d'atterrissage escamotable.* ◆ **escamotage** n. m. ◆ **escamoteur, euse** n.

ESCAMPETTE [ɛskɑ̃pɛt] n. f. (de l'anc. fr. *escampe*, fuite). Fam. *Prendre la poudre d'escampette*, déguerpir, partir sans demander son reste.

ESCANDORGUE (l'), étroit plateau basaltique de l'extrémité sud du Massif central; 866 m.

ESCAPADE [ɛskapad] n. f. (it. *scappata*). Action de s'échapper d'un lieu, de se soustraire à ses obligations, pour se donner un moment de liberté (syn. ↑FUGUE).

ESCARBILLE [ɛskarbij] n. f. (du néerl. *schrabben*, gratter). Fragment de charbon ou de bois en combustion qui s'échappe d'un foyer.

ESCARBOUCLE [ɛskarbukl] n. f. (du lat. *carbunculus*, peti charbon). Pierre précieuse qui a beaucoup d'éclat et qui est d'u rouge foncé.

ESCARCELLE [ɛskarsɛl] n. f. (it. *scarsella*). **1.** Au Moyen Âge bourse portée à la ceinture. — **2.** *Auj.* Argent, ressources dont o dispose.

ESCARGOT [ɛskargo] n. m. (du prov. *escaragol*). **1.** Mollusqu gastropode terrestre, commun dans les jardins et les campagnes et qui porte sur son dos une coquille en spirale (syn. COLIMAÇON) — **2.** *Il marche comme un escargot* (= très lentement). ◆ **escargotière** n. f. **1.** Lieu où l'on élève des escargots. — **2.** Plat spéciale ment conçu pour cuire les escargots.

— ENCYCL. L'*escargot* passe l'hiver rétracté dans sa coquille, don il ferme l'orifice en y tendant des lames de bave durcie. En été, o le voit ramper sur son pied muqueux, pointant devant lui ses deu paires de tentacules (les plus longs portent les yeux), broutant le feuilles. Il peut parcourir ainsi plus de 100 m à l'heure. Hermaphrodite (= à la fois mâle et femelle), l'escargot porte un orifice d ponte sur le côté droit de la tête. Il pond ses œufs dans u minuscule terrier.

ESCARMOUCHE [ɛskarmuʃ] n. f. (de l'it. *scaramuccia*) **1.** Combat local, livré par surprise, entre les éléments avancés d deux armées (syn. ACCROCHAGE). — **2.** Vif échange de propo entre deux adversaires.

ESCARPE [ɛskarp] n. m. (de l'it. *scarpa*). Talus intérieur d fossé d'un ouvrage fortifié.

ESCARPÉ, E [ɛskarpe] adj. (de *escarpe*). Se dit d'un lieu, d'u rocher, d'un chemin, etc., qui présente une pente rapide, qui es d'accès difficile (syn. ABRUPT). ◆ **escarpement** n. m. : *L'escarpement des falaises.* ‖ *Escarpement de faille*, talus dû à une faille* présentant souvent un tracé rectiligne et une pente raide.

ESCARPIN [ɛskarpɛ̃] n. m. (de l'it. *scarpa*, chaussure). Soulie découvert, à semelle très mince.

ESCARPOLETTE [ɛskarpɔlɛt] n. f. (orig. incert.). Siège sus pendu à des cordes et sur lequel on se balance (syn. plus usue BALANÇOIRE).

ESCARRE [ɛskar] n. f. (gr. *eskhara*). *Méd.* Croûte noirâtre qu se forme sur la peau, les plaies, etc., du fait de la nécrose* des tissus.

ESCAUDAIN, comm. du Nord, à 4 km à l'O. de Denain; 9 800 hab. Houillères.

ESCAUT, en néerl. **Schelde,** fl. de l'Europe occidentale, tributaire de la mer du Nord; 430 km. Né en France, l'Escaut arrose successivement Cambrai et Valenciennes en France, Gand et Anvers en Belgique. À Anvers commence son long estuaire, dont la partie en aval *(Escaut occidental)* appartient aux Pays-Bas. Fleuve de plaine canalisé, l'Escaut est une artère navigable, surtout importante après Gand.

ESCHATOLOGIE [ɛskatɔlɔʒi] n. f. (du gr. *eskhatos*, dernier, et *logos*, discours). Ensemble des doctrines concernant le sort de l'homme après sa mort. ◆ **eschatologique** adj.

ESCHE [ɛʃ] n. f. (lat. *esca*, appât). Appât que les pêcheurs accrochent à l'hameçon. (*Rem.* On écrit aussi ÈCHE.)

ESCHINE, orateur athénien (v. 390-314 av. J.-C.). D'abord ennemi de Philippe de Macédoine, il se rallia à lui et devint ainsi le rival de Démosthène. Il fut condamné à l'exil en 330.

ESCH-SUR-ALZETTE ou **ESCH-ALZETTE,** ch.-l. de cant. du Luxembourg; 27 600 hab. Minerai de fer. Sidérurgie.

ESCHYLE, poète tragique grec (v. 525-v. 456 av. J.-C.), véritable créateur de la tragédie grecque. Des nombreux drames (près de 90) qu'il écrivit, il nous en reste sept : *les Suppliantes* (v. 490), *les Perses* (472), *les Sept contre Thèbes* (467), *Prométhée enchaîné* et les trois pièces qui constituent la trilogie de *l'Orestie (Agamemnon, les Choéphores, les Euménides).* L'action de ces pièces, où alternent le dialogue et les parties lyriques (chœurs), montre l'homme aux prises avec la fatalité et la colère des dieux.

ESCIENT [ɛsjɑ̃] n. m. (de l'anc. fr. *mien escient*, à mon avis). *À bon escient*, avec discernement, avec la conviction d'agir à propos (contr. À LA LÉGÈRE).

ESCLAFFER (S') [sɛsklafe] v. pr. (du prov. *esclafá*, éclater). Partir d'un éclat de rire.

ESCLANDRE [ɛsklɑ̃dr] n. m. (doublet de *scandale*). Tumulte qui fait scandale ou qui est causé par un fait scandaleux (syn. ↑SCANDALE).

ESCLAVE [ɛsklav] n. et adj. (du lat. *slavus*, slave). **1.** Personne qui n'est pas de condition libre, qui appartient à un maître : *À Rome, le maître avait le droit de vie et de mort sur ses esclaves.*

– 2. *Être esclave de qq'un*, être entièrement soumis aux volontés, ux caprices de cette personne, n'avoir pas un instant de liberté : *Ine mère de famille qui est esclave de ses enfants.* — **3.** *Être sclave de qqch.*, être sans cesse guidé, dans ses actes, par la onsidération dominante de cette chose : *Être esclave de l'argent. l est esclave de son devoir* (= rien ne saurait l'en détourner). ◆ **esclavage** n. m. **1.** État, condition d'esclave : *Une peuplade éduite en esclavage par les conquérants* (syn. SERVITUDE). ⟶ ENCYCL. — **2.** État de ceux qui sont soumis à une chose qui aisse peu de liberté : *Il a accepté des fonctions qui sont un éritable esclavage* (syn. SUJÉTION). ◆ **esclavagisme** n. m. Organisation sociale qui admet l'existence d'une classe d'esclaves : *Les hilosophes du XVIIIe s. luttèrent contre l'esclavagisme.* ◆ **esclavagiste** n. et adj. Partisan de l'esclavage.

– ENCYCL. L'*esclavage* était une base essentielle de l'économie ntique : cette institution permettait aux citoyens libres de se onsacrer au gouvernement de l'État et à la création littéraire et rtistique. Les esclaves étaient des « objets animés » pour les nciens, susceptibles d'être achetés, vendus et utilisés au gré de eur maître. Mais on ne les traitait pas partout de la même façon : Athènes, où ils étaient très nombreux, leur condition était relativement douce, sauf pour ceux qui travaillaient dans les mines; les sclaves scythes étaient archers (= agents de police); à Sparte, les *ilotes* étaient méprisés et maltraités (de graves révoltes, les guerres serviles » y eurent lieu, comme plus tard dans l'Empire omain).

Au Moyen Âge, guerres et invasions permirent la multiplication es marchés d'esclaves (Candie, Alger, etc.). La découverte du Nouveau Monde et la disparition rapide des populations amérindiennes dans certaines régions amenèrent le développement de la *raite des nègres* : plusieurs millions d'esclaves noirs passèrent insi d'Afrique en Amérique.

Les excès de l'esclavagisme provoquèrent à la fin du XVIIIe s. ne réaction abolitionniste. Après une vaine tentative d'abolition ous la Convention (1794), la suppression de l'esclavage fut réalisée en deux étapes : interdiction de la traite par l'Angleterre (1807) t la France (1815); émancipation des esclaves (Angleterre, 1833; rance, 1848). Les autres pays suivirent la même voie, et les États-Unis libérèrent leurs esclaves en 1865, après la guerre de Sécession.

ESCLAVE *(Grand Lac de l')*, lac du nord-ouest du Canada; 7 800 km².

ESCLAVES *(côte des)*, nom donné autref. aux côtes du Togo, du Bénin et du Nigeria occidental.

ESCOGRIFFE [ɛskɔgrif] n. m. (orig. obscure). *Fam.* Homme rand et mal bâti.

ESCOMPTE [ɛskɔ̃t] n. m. (it. *sconto*, décompte). **1.** Opération e crédit à court terme, consistant à avancer au porteur d'un effet e commerce le montant de celui-ci, avant l'échéance, moyennant n intérêt appelé lui-même *escompte.* — **2.** Prime payée à un ébiteur qui acquitte sa dette avant l'échéance : *Faire un escompte e 2 p. 100.* ◆ **escompter** v. t. Payer ou acheter un effet de ommerce avant l'échéance, moyennant escompte.

– ENCYCL. Lorsqu'un client demande des délais pour payer un chat, le fournisseur lui fait signer un effet de commerce ou une raite, payable à une date fixée; si ce dernier a besoin d'argent uparavant, il peut se présenter à la banque et en demander *escompte.*

Le banquier lui remet la somme inscrite sur l'effet de commerce t le conserve; à partir de ce moment, c'est le banquier qui devient e prêteur du fournisseur, moyennant un intérêt fixé par la Banque* de France (= *taux d'escompte*).

En fait, l'escompte est une sorte de prêt qui porte sur une courte ériode (= à court terme) : il est pratiqué très couramment.

. **ESCOMPTER** v. t. ⟶ ESCOMPTE.

. **ESCOMPTER** [ɛskɔ̃te] v. t. (it. *scontare*, décompter). *scompter qqch., que* (et l'indic.), l'envisager avec espoir : *On peut scompter que tout se déroulera bien* (syn. ESPÉRER).

ESCOPETTE [ɛskɔpɛt] n. f. (it. *schioppetto*). Arme à feu portative à bouche évasée (XVe-XVIIIe s.).

Escorial (el), en fr. l'**Escurial,** palais et monastère d'Espagne en Nouvelle-Castille. Il fut élevé par Philippe II en l'honneur de saint Laurent, de 1563 à 1584, sur un plan en forme de gril (allusion au martyre du saint). Il abrite le Panthéon des rois, des peintures et es sculptures célèbres.

ESCORTE [ɛskɔrt] n. f. (de l'it. *scorta*, action de guider). . Troupe armée ou formation navale qui accompagne pour protéger ou pour garder : *Le convoi était entouré de navires d'escorte. ous bonne escorte* (syn. GARDE). — **2.** Suite de personnes qui ccompagnent. ‖ *Faire escorte à qq'un*, l'accompagner. — **3.** *Une scorte de*, une suite, un enchaînement de. ◆ **escorter** v. t. ccompagner pour protéger, surveiller ou faire honneur : *Escorter un souverain.* ◆ **escorteur** n. m. Petit navire de guerre spécialement équipé pour la protection des communications maritimes.

ESCOUADE [ɛskwad] n. f. (variante de *escadre*). **1.** Groupe de soldats commandés par un caporal. — **2.** Petit groupe de personnes : *Des escouades de touristes parcourent les rues.*

ESCRIME [ɛskrim] n. f. (de l'it. *scrima*). Sport pratiqué à l'aide d'une épée, d'un sabre ou d'un fleuret, et qui consiste à toucher l'adversaire sur n'importe quelle partie du corps pour l'épée, la moitié supérieure pour le sabre, la partie délimitée par la cuirasse métallique pour le fleuret. ◆ **escrimeur, euse** n. Personne qui pratique l'escrime.

ESCRIMER (S') [sɛskrime] v. pr. (de *escrime*). *S'escrimer sur qqch., à faire qqch.*, faire de grands efforts en vue d'un résultat malaisé à obtenir : *Il s'escrime à faire des vers* (syn. S'ÉVERTUER).

ESCRIMEUR, EUSE n. ⟶ ESCRIME.

ESCROC [ɛskro] n. m. (it. *scrocco*, écornifleur). Individu qui agit frauduleusement, qui trompe la confiance des gens (syn. AIGREFIN, VOLEUR). ◆ **escroquer** [ɛskrɔke] v. t. **1.** *Escroquer de l'argent*, le soutirer à quelqu'un par tromperie. — **2.** *Escroquer qq'un*, le voler en abusant de sa bonne foi. ◆ **escroquerie** n. f. : *Ses escroqueries l'ont conduit en prison. Une escroquerie intellectuelle* (syn. TROMPERIE).

ESCUDO [ɛskudo] n. m. (mot esp.). Unité monétaire principale du Portugal.

ESCULAPE, dieu romain de la Médecine ⟶ ASCLÉPIOS.

Escurial (l') ⟶ ESCORIAL (el).

ESDRAS ou **EZRA,** grand prêtre juif, codificateur du judaïsme (Ve s. av. J.-C.).

ESKIMOS ⟶ ESQUIMAUX.

ESKIŞEHIR, v. de Turquie, à l'O. d'Ankara; 216 350 hab.

ESNAULT-PELTERIE (Robert), ingénieur français (1881-1957). Au début du siècle, il mit sur pied la théorie de la navigation interplanétaire au moyen de la fusée à réaction et il prévoyait déjà l'utilisation de l'énergie nucléaire pour propulser les astronefs.

ÉSOPE, fabuliste grec (VIIe-VIe s. av. J.-C.). Esclave bègue et bossu, il fut affranchi. Étant venu consulter l'oracle de Delphes, il fut condamné, pour sacrilège, à être précipité du haut de la roche Hyampée. On lui attribue des *Fables.*

ÉSOTÉRIQUE [ezɔterik] adj. (gr. *esôterikos*, réservé aux adeptes). Se dit de connaissances ou d'œuvres qui ne sont accessibles qu'à des initiés : *Poésie ésotérique* (syn. HERMÉTIQUE). ◆ **ésotérisme** n. m. : *L'ésotérisme d'un poème* (syn. HERMÉTISME).

ESPACE [ɛspas] n. m. (lat. *spatium*). **1.** Étendue indéfinie qui contient tous les objets (⟶ SPATIAL) : *Les oiseaux qui volent dans l'espace* (syn. CIEL). *La géométrie dans l'espace* (= à trois dimensions) *s'oppose à la géométrie plane* (= à deux dimensions). — **2.** Étendue de l'univers hors de l'atmosphère terrestre : *Lancer une fusée dans l'espace.* — **3.** Étendue en surface : *Ces plantations couvrent un espace important* (syn. SUPERFICIE). [⟶ SPACIEUX.] ‖ *Espaces verts*, surfaces réservées aux parcs et jardins dans une agglomération. ‖ *Espace vital*, territoire revendiqué par un pays pour satisfaire à son expansion démographique ou économique. — **4.** Distance entre deux points, deux objets : *Laisser un espace entre chaque mot* (syn. ÉCARTEMENT, INTERVALLE). — **5.** Durée qui sépare deux moments : *Un court espace de temps* (syn. INTERVALLE, LAPS). ◆ **espacer** v. t. Séparer par un intervalle, dans l'espace ou dans le temps : *Espacer des arbres. Espacer ses visites.* ◆ **s'espacer** v. pr. : *Ses lettres s'espacent* (syn. SE RARÉFIER). ◆ **espacement** n. m. Action d'espacer ou de s'espacer, ou distance entre des choses, des êtres.

ESPADON [ɛspadɔ̃] n. m. (it. *spadone*, grande épée). Poisson des mers chaudes et tempérées, atteignant 4 m de long, et dont la mâchoire supérieure est allongée comme une lame d'épée (syn. POISSON-ÉPÉE).

ESPADRILLE [ɛspadrij] n. f. (du pyrénéen *espardillo*). Chaussure de toile, le plus souvent à semelle de corde.

ESPAGNE, en esp. **España,** État du sud-ouest de l'Europe, séparé de la France par les Pyrénées, et formant avec le Portugal la péninsule Ibérique.

GÉOGRAPHIE

■ GÉOGRAPHIE PHYSIQUE.

La partie centrale de l'Espagne est constituée par la *Meseta*, plateau correspondant à un massif ancien raboté, encore accidenté par quelques chaînes (sierras de *Guadarrama* et de *Gredos*). Les plaines de l'*Èbre* au N. et du *Guadalquivir* au S. séparent ce plateau de deux chaînes de type alpin : les *Pyrénées* (3 404 m au pic d'Aneto) et la *cordillère Bétique* (3 481 m dans la sierra Nevada). D'étroites plaines littorales jalonnent la côte méditerranéenne.

Au N.-O., l'Espagne est sous l'influence de l'océan Atlantique et le climat océanique a permis la croissance de belles forêts de feuillus. Le reste du pays est soumis au climat méditerranéen. Mais, s'il est doux près des côtes, de fortes nuances continentales au centre engendrent des hivers rigoureux. La longue sécheresse d'été ne laisse pousser que la steppe ou des forêts méditerranéennes (chênes verts).

	TEMPÉRATURES MOYENNES janv.	juil.	PLUIES
Málaga	12 °C	28 °C	560 mm
Madrid	4 °C	24 °C	415 mm
Barcelone	9 °C	23 °C	565 mm
La Corogne	10 °C	19 °C	770 mm

■ **GÉOGRAPHIE HUMAINE ET ÉCONOMIQUE.**

La population, de densité moyenne, est inégalement répartie : elle se concentre surtout dans les plaines, à la périphérie du pays.

Les conditions naturelles des plateaux du centre sont peu favorables à l'*agriculture*. On y pratique des cultures sèches de céréales et l'élevage des moutons, parfois associés à la vigne et l'olivier. Au N.-O., l'humidité du climat permet le développement de l'élevage bovin. Mais les plaines sont les régions les plus riches, grâce à l'irrigation : elles fournissent des fruits (agrumes), des légumes, du riz, du coton.

blé	6 millions de t	oranges	2,5 millions de t
huile d'olive	700 000 t	ovins	17 millions de têtes
vin	35 millions d'hl	pêche	1,3 million de t

L'*industrie* a fait de récents progrès. Elle s'appuie sur les gisements de fer et de charbon du Nord-Ouest, les métaux non ferreux du Sud-Ouest et le développement de l'hydro-électricité. Mais elle souffre encore du manque de ressources énergétiques. La sidérurgie est installée dans les provinces basques, tandis que la Catalogne est le foyer de l'industrie textile, autour de Barcelone, qui est la métropole économique du pays. Les industries différenciées se développent grâce à l'implantation de sociétés étrangères, surtout américaines. Mais ces activités sont surtout localisées dans deux régions (Nord-Ouest, Catalogne) et un peu autour de Madrid, tandis que les autres villes restent des centres administratifs et des marchés ruraux. Le niveau de vie de l'ensemble du pays est donc encore assez bas.

charbon	15 millions de t
fer	4 millions de t
électricité	120 milliards de kWh
acier	13 millions de t
construction automobile	1 150 000 unités
laine (filés)	36 000 t
coton (filés)	90 000 t

Le *tourisme* amène chaque année de nombreux étrangers sur la côte méditerranéenne et dans les villes de l'intérieur, constituant un complément de ressources.

HISTOIRE

Aux temps préhistoriques, l'Espagne connut des civilisations paléolithiques (grottes d'Altamira), puis néolithiques (dolmens). Dès la fin du IIe millénaire, Grecs et Phéniciens établirent des comptoirs sur les côtes. Les Ibères, premiers habitants du pays, fusionnèrent au VIe s. av. J.-C. avec les envahisseurs celtes pour donner les Celtibères.

Au IIIe s. av. J.-C., Carthage établit sa prépondérance sur le sud et l'est de la péninsule. Les guerres puniques font passer l'Espagne dans l'orbite de Rome. Mais la conquête du pays par les Romains ne devient effective que sous Auguste (Ier s. av. J.-C.). Pour résister aux premières invasions barbares (Alains, Suèves et Vandales), Rome fait appel aux Wisigoths (Ve s. apr. J.-C.).

• *476. L'Espagne devient un État wisigothique.*

Catholique à partir de 587, cet État se maintient jusqu'à l'invasion arabe.

• *711. Les conquérants arabes envahissent l'Espagne par le détroit de Gibraltar. Ils occupent rapidement la péninsule.*

Dès la fin du VIIIe s., les émirs omeyyades de Cordoue se proclament indépendants.

• *1031. L'Espagne est émiettée en royaumes indépendants.*

Les royaumes chrétiens qui se sont formés dans la moitié nord du pays (Castille, León, Navarre, Aragon) entament la Reconquête.

• *1085. Alphonse VI, roi de León et de Castille, prend Tolède.*

• *1212. Les Arabes sont vaincus à Las Navas de Tolosa.*

Au milieu du XIIIe s., les musulmans, refoulés dans le Sud, sont réduits au royaume de Grenade, tandis que l'Aragon chrétien fonde un Empire méditerranéen.

SUPERFICIE 505 000 km² (France : 550 000 km²).

POPULATION 40 millions d'hab. *(Espagnols);* 79 hab. au km² (France : 103); taux de natalité, 18 p. 1 000; taux de mortalité, 9 p. 1 000.

CAPITALE Madrid (3 146 100 hab.).

VILLES PRINCIPALES Barcelone (1 745 100 hab.); Séville (653 000 hab.); Valence (751 000 hab.); Saragosse (590 000 hab.); Bilbao (410 500 hab.); Málaga (502 000 hab.).

LANGUE OFFICIELLE espagnol.

ÉCONOMIE population active : secteur primaire 18 p. 100, secondaire 33 p. 100, tertiaire 49 p. 100; produit national brut par hab., 4 137 dollars (France : 9 484); consommation d'énergie par hab., 2 600 kg d'équivalent charbon; 1 automobile pour 5 hab.

MONNAIE peseta.

• *1469. Le mariage de Ferdinand d'Aragon et d'Isabelle de Castill[e] prépare la réunion des deux royaumes.*

• *1492. Les « Rois Catholiques » s'emparent de Grenade, achevan[t] la Reconquête.*

La même année, Christophe Colomb découvre l'Amérique, que le[s] Espagnols vont conquérir.

• *1519. Charles Ier d'Espagne (1516-1556) devient l'empereu[r] Charles* Quint.*

Il incorpore à ses domaines d'Espagne et d'Amérique les territoires autrichiens des Habsbourg : c'est l'apogée de la monarchi[e] espagnole qui connaît alors sa plus grande extension.

• *1556. Philippe II, fils de Charles Quint, lui succède.*

Il ne garde que l'Espagne et ses colonies, mais hérite du Portuga[l] (1580).

Au cours de la guerre contre l'Angleterre, l'Invincible Armad[a] est détruite. Le règne de Philippe II, qui s'achève en 1598, voi[t] naître le siècle d'or des arts et des lettres espagnols.

Mais le XVII[e] s. est pour l'Espagne une période de décadenc[e] due à la faiblesse démographique, à l'inflation, à l'unité artificiell[e] du pays, à l'incapacité des trois derniers rois Habsbourg et aussi l'opposition des autres puissances européennes (Angleterre, Pr[o]vinces-Unies et France).

• *1700. À l'extinction de la maison de Habsbourg, le duc d'Anjou petit-fils de Louis XIV, devient roi d'Espagne sous le nom d[e] Philippe V.*

• *1759-1788. Charles III règne en « despote éclairé » et s'efforce d[e] redresser le pays.*

• *1808. Charles IV est forcé d'abdiquer par Napoléon Ier qui donn[e] la couronne d'Espagne à son frère Joseph Bonaparte.*

Une émeute sanglante *(Dos de Mayo)* suivie d'une répression *(Tre[s] de Mayo)* marque le début de la guerre d'indépendance.

• *1813. L'effondrement de l'Empire napoléonien permet la restauration des Bourbons.*

• *1820. Une révolution oblige Ferdinand VII à accepter une constitution.*

• *1823. Une expédition française rétablit la monarchie absolue.*

• *1824. La domination espagnole sur les territoires américain[s] continentaux prend fin. L'empire espagnol est pratiquemen[t] anéanti.*

Le XIXe s. espagnol est fertile en guerres civiles et en révolutions le retour des Bourbons suit toujours la proclamation d'éphémère[s] républiques.

• *1898. L'Espagne perd Cuba et les Philippines.*

Elle est dès lors confrontée à une grave crise économique e[t] sociale, tandis que se réveillent les régionalismes (basque et catalan surtout). Le roi Alphonse XIII perd tout pouvoir réel.

• *1923. Le général Primo de Rivera établit une dictature.*

• *1931. Après la victoire républicaine aux élections, Alphonse XI[II] quitte l'Espagne. La république est proclamée.*

• *1936. De nouvelles élections consacrent la victoire du Fron[t] populaire.*

Les « nationalistes », avec le général Franco, déclenchent alo[rs] une insurrection militaire. C'est le début de la guerre civile (193[6-]1939). Les nationalistes, aidés par l'Allemagne hitlérienne et l'It[a]lie fasciste, anéantissent finalement les républicains qui ne so[nt] appuyés que par les brigades internationales.

• *1939. Franco devient le chef suprême (« caudillo ») de l'Espagne*

Il organise un État autoritaire, qui, sans s'engager dans la Second[e] Guerre mondiale, est toutefois favorable aux puissances de l'Axe.

• *1947. Une loi de succession réaffirme le principe de la mona[r]chie.*

FRANCE
MER MÉDITERRANÉE
OCÉAN ATLANTIQUE
PORTUGAL
MAROC
GIBRALTAR (G.-B.)
BALÉARES
limite de communautés autonomes
limite de province
chef-lieu de province
capitale
autre grande ville
0
100
200 km
GALICE
ASTURIES
RÉGION CANTABRIQUE
PAYS BASQUE
NAVARRE
LA RIOJA
ARAGÓN
CATALOGNE
CASTILLE-LEÓN
MADRID
CASTILLE-LA MANCHE
VALENCE
MURCIE
ESTRÉMADURE
ANDALOUSIE
La Corogne
LA COROGNE
Lugo
LUGO
Pontevedra
PONTEVEDRA
Orense
ORENSE
Oviedo
Gijón
León
LEÓN
Santander
Bilbao
BISCAYE
St-Sébastien
GUIPÚZCOA
Vitoria
ALAVA
Pampelune
Logroño
Burgos
BURGOS
Palencia
PALENCIA
Valladolid
VALLADOLID
Zamora
ZAMORA
Salamanque
SALAMANQUE
Ávila
ÁVILA
Ségovie
SÉGOVIE
Soria
SORIA
Guadalajara
GUADALAJARA
Saragosse
SARAGOSSE
Huesca
HUESCA
Teruel
TERUEL
Lérida
LÉRIDA
Gérone
GÉRONE
Barcelone
BARCELONE
Tarragone
TARRAGONE
Castellón de la Plana
CASTELLÓN
Valence
VALENCE
Palma de Majorque
Alicante
ALICANTE
Albacete
ALBACETE
Cuenca
CUENCA
Tolède
TOLÈDE
Ciudad Real
CIUDAD REAL
Murcie
Carthagène
Cáceres
CÁCERES
Badajoz
BADAJOZ
Huelva
HUELVA
Séville
SÉVILLE
Cadix
CADIX
Cordoue
CORDOUE
Jaén
JAÉN
Grenade
GRENADE
Málaga
MÁLAGA
Almería
ALMERÍA

À partir de 1953, l'Espagne retrouve une place importante sur la scène internationale grâce à sa position stratégique (bases américaines), à son entrée à l'O. N. U. (1955), ainsi qu'à son développement touristique, à partir de 1960.

- *1969. Le prince don Juan Carlos est officiellement désigné comme successeur du général Franco.*
- *1970. Une grave crise marque le réveil du nationalisme basque. 1973. L. Carrero Blanco, chef du gouvernement, est assassiné.*
- *1975. Mort de Franco. Avènement de Juan Carlos au trône.*
- *1977. La démocratie est sanctionnée par l'élection de deux assemblées au suffrage universel.*
- *1978. Une nouvelle Constitution démocratique est approuvée par référendum.*

Cette Constitution instaure un système semi-fédéral d'administration régionale : 17 communautés autonomes sont mises en place progressivement jusqu'en 1983 (Pays basque et Catalogne dès 1979).

- *1982. Le socialiste Felipe González devient Premier ministre (reconduit après les élections législatives de 1986 et 1989).*
- *1986. Entrée de l'Espagne dans la C. E. E.*

ESPAGNOL, E [ɛspaɲɔl] adj. et n. De l'Espagne. ◆ n. m. Langue romane parlée en Espagne et dans de nombreux pays d'Amérique latine.

— ENCYCL. *L'enseignement de l'espagnol en France dans l'ensemble des établissements publics du second degré (1984-1985) :*

en première langue (dont 39 877 dans le 1er cycle)	69 000	(1,7 p. 100 des élèves étudiant une première langue)
en deuxième langue (dont 420 084 dans le 1er cycle)	666 688	(42,3 p. 100 des élèves étudiant une deuxième langue)
en troisième langue (2e cycle)	36 541	(39,7 p. 100 des élèves étudiant une troisième langue)

Très peu enseigné en première langue, l'espagnol est surtout étudié comme deuxième langue, où il vient en première position, devant l'allemand, et comme troisième langue.

ESPAGNOLETTE [ɛspaɲɔlɛt] n. f. (de *espagnol*). Tige verticale en métal, à poignée tournante, servant à fermer les fenêtres.

ESPALIER [ɛspalje] n. m. (de l'it. *spalliera*, pièce de soutien). Rangée d'arbres fruitiers plantés contre un mur (pour les protéger du vent et favoriser leur exposition à la chaleur).

ESPALION, ch.-l. de cant. de l'Aveyron, à 32 km au N.-E. de Rodez, sur le Lot; 4 800 hab. Site touristique.

ESPAR [ɛspar] n. m. (de l'anc. fr. *esparre*, grosse pièce de bois). *Mar.* Longue pièce de sapin destinée à remplacer éventuellement un mât, une vergue, etc. ‖ *Les espars d'un navire*, l'ensemble des pièces constituant la mâture.

1. ESPÈCE [ɛspɛs] n. f. (lat. *species*, apparence). **1.** Ensemble d'êtres animés ou de végétaux qui se distinguent des autres du même genre par des caractères communs : *Parmi les canards, on distingue des espèces sauvages et des espèces domestiques* (syn. VARIÉTÉ). *L'espèce humaine* (= l'homme). — **2.** Catégorie d'êtres ou de choses (souvent péjor. et comme compl. du nom) : *Il s'est acoquiné avec des paresseux de son espèce* (syn. ACABIT). *Un menteur de la plus belle espèce* (= un fieffé menteur). *Des outils de toute espèce* (syn. SORTE). — **3.** *Une espèce de*, indique une ressemblance, une assimilation : *Il habite une espèce de château* (syn. UNE SORTE DE, UN GENRE DE). ‖ Péjor. *Espèce de*, appliqué à une personne, exprime le mépris ou introduit un terme d'injure. — **4.** *Cas d'espèce*, cas particulier, qui ne relève pas de la règle générale. ‖ *En espèce*, en la circonstance, en l'occurrence.

2. ESPÈCES [ɛspɛs] n. f. pl. (même étym.). Argent, monnaie, surtout dans la loc. *en espèces : Être payé par chèque ou en espèces.*

3. ESPÈCES [ɛspɛs] n. f. pl. (même étym.). **1.** Dans la théologie catholique, apparences du pain et du vin après la consécration. — **2.** *Les saintes espèces*, le pain et le vin consacrés.

ESPÉRANCE n. f. ⟶ ESPÉRER.

ESPÉRANTO [ɛsperɑ̃to] n. m. (de l'esp. *esperar*, espérer). Langue internationale, créée en 1887 par Lazare Zamenhof. ◆ **espérantiste** adj. et n.

ESPÉRER [ɛspere] v. t. ou i. (lat. *sperare*). **1.** *Espérer qqch., que* (et l'indic. ou le subj. quand la principale est négative ou interrogative), ou *espérer* suivi de l'infin., l'attendre avec une confiance plus ou moins ferme : *N'espérez pas que je change d'avis* (syn. ESCOMPTER). *J'espère bien arriver à le convaincre* (syn. COMPTER). — **2.** *Espérer que* (et l'indic. présent ou passé), ou *espérer* suivi de l'infin., souhaiter, aimer à croire : *J'espère que je ne vous ai pas trop ennuyé avec ces détails.* — **3.** *Espérer en qq'un, en qqch.*, mettre sa confiance en cette personne, en cette chose : *Espérer en Dieu.* ◆ **espérance** n. f. **1.** Attente confiante, sentiment de la personne qui espère (langue soignée) : *Si je n'avais pas l'espérance de réussir, je ne continuerais pas* (syn. usuel ESPOIR). — **2.** Personne ou chose qui est l'objet de ce sentiment : *Vous êtes notre seule espérance.* — **3.** *Espérance de vie*, durée moyenne de la vie dans un groupe humain déterminé. — **4.** *Avoir des espérances*, compter sur des avantages (héritage) susceptibles d'améliorer ses conditions de vie. ◆ **espoir** n. m. **1.** Fait d'espérer : *Nous avons bon espoir d'aboutir à un accord. Dans l'espoir d'une réponse favorable, je vous prie d'agréer*, etc. (syn. ATTENTE); s'emploie parfois au plur. : *Cette nouvelle a ruiné tous nos espoirs.* — **2.** Personne ou chose qui est l'objet de ce sentiment : *Il est un des espoirs du cyclisme français* (= un de ceux qui doivent faire une brillante carrière). ◆ **inespéré, e** adj. Qu'on n'espérait plus : *Une victoire inespérée* (syn. ↓INATTENDU). [⟶ DÉSESPÉRER.]

ESPÉROU (l') ou **LESPÉROU,** massif cristallin des Cévennes (Gard), au S. de l'Aigoual; 1 422 m.

ESPIÈGLE [ɛspjɛgl] adj. et n. (du n. de Till *Uilenspiegel*). Se dit de quelqu'un (ou de son comportement) qui est vif, éveillé, malicieux sans méchanceté : *Enfant espiègle* (syn. COQUIN). *Un regard espiègle* (syn. MALIN). ◆ **espièglerie** n. f. : *Des yeux pétillants d'espièglerie* (syn. MALICE).

ESPINGOLE [ɛspɛ̃gɔl] n. f. (de l'anc. fr. *espringuer*, sauter). Gros fusil court, à canon évasé (XVIe s.).

ESPINOUSE *(monts de l')*, hauts plateaux du sud du Massif central; 1 126 m.

ESPION, ONNE [ɛspjɔ̃, -ɔn] n. et adj. (de l'it. *spiare*, épier). **1.** Personne qui cherche à surprendre les secrets d'un pays étranger au profit d'un autre pays (syn. AGENT SECRET). — **2.** Personne qui guette les actions de quelqu'un pour essayer de surprendre ses secrets. ◆ **espionner** v. t. : *Espionner l'ennemi. Espionner toutes les allées et venues de qq'un* (syn. ÉPIER, GUETTER). ◆ **espionnage** n. m. : *Établir un réseau d'espionnage* (syn. ↓SURVEILLANCE). ‖ *Espionnage industriel*, dans l'industrie, ensemble de moyens employés pour essayer de connaître les secrets de fabrication d'un concurrent. ◆ **espionnite** n. f. *Fam.* Manie de ceux qui croient voir partout des espions. ◆ **contre-espionnage** n. m. Activité qui consiste à dépister les espions de pays étrangers sur le territoire national; service de sécurité chargé de cette activité.

ESPLANADE [ɛsplanad] n. f. (de l'it. *spianare*, aplanir). Terrain plat, uni et découvert, en avant d'une fortification ou d'un édifice : *L'esplanade des Invalides.*

ESPOIR n. m. ⟶ ESPÉRER.

Espoir *(l')*, roman d'André Malraux (1937). Il a pour sujet la guerre civile d'Espagne.

ESPOO ou **ESBO,** v. de la Finlande méridionale; 101 600 hab.

1. ESPRIT [ɛspri] n. m. (lat. *spiritus*, souffle). **1.** Souffle créateur de Dieu; inspiration qui vient de Dieu : *L'Esprit souffle où il veut.* ‖ *Saint-Esprit* ou *Esprit-Saint*, Dieu comme troisième personne de la Trinité. — **2.** Principe immatériel, incorporel, par oppos. au corps : *La chair et l'esprit.* — **3.** Être incorporel : *Dieu est un pur esprit. L'esprit du mal* (= le démon). — **4.** Être imaginaire, comme les revenants, les fantômes, etc. (le plus souvent au plur.) : *Croyez-vous aux esprits?* — **5.** Degré de l'intensité du souffle dans la prononciation des voyelles initiales en grec, noté par un signe qui se place sur la première lettre des mots commençant par une voyelle ou par un ρ, ou sur la deuxième voyelle des mots commençant par une diphtongue. (On distingue l'*esprit doux* [ʼ], qui ne se prononce pas, et l'*esprit rude* [ʽ], qui a la valeur d'une aspiration.)

2. ESPRIT [ɛspri] n. m. (même étym.). **1.** Personne considérée sur le plan de son activité intellectuelle, ou cette activité elle-même : *Un esprit avisé* (syn. PERSONNE). *Les grands esprits se rencontrent* (= les personnes intelligentes). *Cette idée m'a traversé l'esprit* (= la pensée). *Il a l'esprit vif* (syn. INTELLIGENCE). *Il a l'esprit large, étroit* (syn. JUGEMENT). ‖ *Esprit fort*, homme qui agit ou raisonne sans tenir compte des idées communément admises. ‖ *Bel esprit*, personne qui cherche avec affectation à se montrer intelligente ou spirituelle. ‖ *Pur esprit*, personne qui n'a pas le sens des réalités quotidiennes. ‖ *Vue de l'esprit*, idée qui ne repose pas sur quelque chose de réel. — **2.** Manière de penser, de se comporter, intention définie d'une personne ou d'un groupe de personnes, aptitude de l'intelligence : *Avoir l'esprit d'entreprise* (= être entreprenant). *Je partirai sans esprit de retour* (= sans penser à revenir). *L'esprit de géométrie* (= le raisonnement déductif) *s'associe parfois à l'esprit de finesse* (= l'intuition). *L'esprit de compétition* (= l'émulation). *L'esprit d'équipe* (= le sentiment de solidarité). *Il travaille sans esprit de suite* (= sans penser à la continuation). ‖ *Avoir mauvais esprit*, avoir tendance à juger autrui avec malveillance ou à se rebeller contre l'autorité. ‖ *L'état d'esprit que j'ai rencontré chez mes interlocuteurs m'a déçu* (= attitude). ‖ *Présence d'esprit* aptitude à agir ou à parler avec à-propos, exactement comme l'exige la situation; comme compl. d'un adj. : *Un simple d'esprit est une personne dont les capacités intellectuelles sont très faibles.* — **3.** Ce qui est le caractère essentiel, la force principale de quelque chose : *L'esprit d'une époque* (syn. SENS, SIGNIFICATION). *L'esprit ou sens profond d'une loi s'oppose parfois à ce qui est écrit, à la lettre.* — **4.** Humour, ironie : *Cessez de faire de l'esprit, il s'agit de choses sérieuses* (= plaisanter, badiner). ‖ *Un mot, un trait d'esprit*, pensée fine, ingénieuse, brillante.

esprit des lois *(De l')*, ouvrage principal de Montesquieu (1748). L'auteur démontre que les lois des différents pays sont déterminées par des conditions politiques, des nécessités physiques, comme le climat, et influencées par des causes sociales et morales, comme la religion. D'après lui, la démocratie repose sur la vertu, la monarchie sur l'honneur, le despotisme sur la crainte.

ESQUIF [ɛskif] n. m. (it. *schifo*). Embarcation légère (littér.).

ESQUILIN *(mont)*, une des sept collines de Rome (58 m), sur la rive gauche du Tibre.

ESQUILLE [ɛskij] n. f. (du lat. *schidia*, copeau). Petit fragment d'un os fracturé.

ESQUIMAU, AUDE [ɛskimo, -od] adj. et n. Relatif au peuple des Esquimaux. ◆ n. m. Langue parlée par les Esquimaux.

ESQUIMAUX ou **ESKIMOS,** population habitant les terres arctiques de l'Amérique et du Groenland. Petits et trapus, les Esquimaux ne dépassent guère en moyenne 1,60 m de hauteur. Leur type physique (peau jaune, cheveux noirs, pommettes saillantes, yeux bridés) les rattache aux Mongols. On compte environ 50 000 Esquimaux, dont 23 000 au Groenland, 9 500 dans le nord du Canada, 16 000 en Alaska.

ESQUINTER [ɛskɛ̃te] v. t. (du prov. *esquinta*, déchirer). **1.** Fam. *Esquinter qq'un*, le fatiguer beaucoup (syn. ÉREINTER). — **2.** Fam. *Esquinter qqch.*, l'abîmer, le détériorer (syn. ENDOMMAGER). — **3.** *Esquinter une pièce, un livre*, les critiquer violemment (syn. DÉNIGRER). ◆ ***s'esquinter*** v. pr. ◆ **esquintant, e** adj. Fam. Sens 1 du v. : *Un travail esquintant.*

ESQUISSE [ɛskis] n. f. (it. *schizzo*). **1.** Premier tracé d'un dessin, indiquant seulement les grandes lignes : *Des esquisses de Raphaël.* — **2.** Indications générales sur une question : *Il nous a donné une esquisse de ses projets* (syn. APERÇU). — **3.** Ce qui n'est qu'ébauché : *L'esquisse d'un sourire* (syn. ÉBAUCHE). ◆ **esquisser** v. t. **1.** *Esquisser qqch.*, en faire une esquisse : *Peintre qui esquisse un tableau.* — **2.** *Esquisser un geste, un mouvement*, commencer à le faire. ◆ ***s'esquisser*** v. pr. : *La solution commence à s'esquisser* (syn. SE DESSINER).

ESQUIVER [ɛskive] v. t. (it. *schivare*) [sujet nom de personne]. Éviter habilement : *Un boxeur qui esquive les coups de son adversaire* (syn. ÉCHAPPER À). *Vous esquivez la difficulté* (syn. SE DÉROBER À). ◆ ***s'esquiver*** v. pr. Se retirer, partir furtivement (syn. fam. SE SAUVER). ◆ **esquive** n. f. Action d'esquiver, par un déplacement du corps, un coup, l'attaque d'un adversaire, etc.

1. ESSAI n. m. ⟶ ESSAYER.

2. ESSAI [esɛ] n. m. (lat. *exagium*, pesée). Au rugby, au jeu à XIII, action qui consiste à aller déposer le ballon derrière la ligne du but adverse (4 points au rugby à quinze et à treize). ‖ *Essai transformé*, à la suite d'un essai, coup de pied vers les poteaux de but adverses pour faire passer le ballon entre eux et au-dessus de la barre transversale (2 points supplémentaires).

3. ESSAI [esɛ] n. m. (même étym.). Livre, long article qui traite très librement d'une question, sans prétendre épuiser le sujet : *Les « Essais » de Montaigne.* ◆ **essayiste** n. m. Auteur d'essais : *Il est un essayiste plus qu'un romancier.*

Essais, ouvrage de Michel de Montaigne (1580-1588).

ESSAIM [esɛ̃] n. m. (lat. *examen*). **1.** Groupe d'abeilles, comportant une reine et plusieurs dizaines de milliers d'ouvrières, qui, à la belle saison, abandonne une ruche surpeuplée en vue de fonder une nouvelle ruche. — **2.** Groupe nombreux de personnes pleines d'animation. ◆ **essaimer** v. i. **1.** Quitter la ruche pour former une colonie nouvelle (en parlant des jeunes abeilles). — **2.** Émigrer, quitter son pays, sa famille, etc., pour former de nouveaux groupes : *Les Irlandais ont beaucoup essaimé en Amérique du Nord.* ◆ **essaimage** n. m. Action d'essaimer (sens 1 et 2 du v. t.).

ESSAOUIRA, anciennm. **Mogador,** port du Maroc, sur l'Atlantique; 30 100 hab. Anc. place forte.

ESSARTER [esarte] v. t. (du lat. *ex-*, préf. à valeur intensive, et *sarire*, sarcler). Arracher et brûler les broussailles d'un terrain, afin de le cultiver. ◆ **essartage** ou **essartement** n. m.

ESSAYER [eseje] v. t. (bas lat. *exagiare*, peser). [Conj. **4.**] **1.** *Essayer une chose*, l'utiliser pour en éprouver les qualités, en contrôler le fonctionnement : *Essayer une voiture* (syn. EXPÉRIMENTER). *Essayer un costume* (= le passer sur soi pour voir s'il est bien à la mesure). — **2.** *Essayer de* (et l'infin.), faire des efforts, des tentatives en vue de : *J'essaierai de vous satisfaire* (syn. S'EFFORCER, TÂCHER). ◆ ***s'essayer*** v. pr. *S'essayer à, dans* (et un nom), *s'essayer à* (et l'infin.), faire l'essai de ses capacités dans un domaine (langue soutenue) : *S'essayer à la peinture.* ◆ **essai** [esɛ] n. m. **1.** Opération qui consiste à utiliser une chose pour en éprouver les qualités : *L'essai de l'appareil a donné entière satisfaction* (syn. EXPÉRIMENTATION). ‖ *Essai en vol*, vérification en vol de l'ensemble des qualités d'un nouvel avion. ‖ *Pilote d'essai* → PILOTE. — **2.** *Chim.* Analyse rapide d'un produit. ‖ *Tube à essai*, petite éprouvette servant à faire des expériences sur de faibles quantités de produits. — **3.** Tentative pour réussir dans quelque chose : *Au deuxième essai, le champion a réussi à battre son record de saut en hauteur* (syn. TENTATIVE). *Prendre un collaborateur à l'essai* (= sans engagement définitif tant qu'il n'a pas fait ses preuves). *Pour un coup d'essai, c'est un coup de maître* (= un début). ◆ **essayage** n. m. Se dit surtout de vêtements : *L'essayage d'une robe.* ◆ **essayeur, euse** n. Personne chargée d'essayer les vêtements aux clients d'un tailleur, aux clientes d'une couturière.

ESSAYISTE n. m. ⟶ ESSAI 3.

ESSE [ɛs] n. f. (du n. de la lettre *S*). Crochet en forme de S.

ESSEN, v. d'Allemagne (Rhénanie-du-Nord-Westphalie), dans la Ruhr; 642 000 hab. Grand centre houiller et métallurgique, Essen est le siège des usines Krupp.

1. ESSENCE [esɑ̃s] n. f. (lat. *essentia*). Liquide volatil, très inflammable, provenant de la distillation des pétroles bruts et employé comme carburant, comme solvant ou pour divers usages industriels.

2. ESSENCE [esɑ̃s] n. f. (même étym.). Liquide aromatique obtenu par distillation : *Essence de roses.*

3. ESSENCE [esɑ̃s] n. f. (même étym.). Syn. de ESPÈCE, en parlant d'arbres forestiers : *Cette forêt possède des essences variées.*

4. ESSENCE [esɑ̃s] n. f. (même étym.). Nature propre à une chose, à un être, ce qui les constitue fondamentalement (surtout philos.) : *Cette phrase contient toute l'essence de sa pensée* (syn. FOND). ‖ *Par essence*, par sa nature même, par définition.

esséniens, secte religieuse juive (IIe s. av. J.-C.-Ier s. apr. J.-C.). Des écrits concernant l'organisation et l'enseignement des esséniens ainsi que des copies de la plupart des livres de l'Ancien Testament ont été découverts, à partir de 1947, à Khirbat Qumrān, près de la mer Morte : ce sont les « manuscrits de la mer Morte ». Ils avaient été cachés là par cette secte et sont antérieurs à l'année 70.

ESSENINE ou **IESSENINE** (Sergheï Aleksandrovitch), poète russe (1895-1925). Il chanta la vie du paysan russe (*Transfiguration*, 1919; *l'Accordéon*, 1920). Mais après avoir salué avec enthousiasme la révolution d'Octobre, il ne put s'adapter aux réalités nouvelles et finit par se pendre.

ESSENTIEL, ELLE [esɑ̃sjɛl] adj. (du lat. *essentia*, essence). Se dit d'une chose indispensable ou simplement très importante : *Ce chapitre contient l'idée essentielle de l'ouvrage* (syn. FONDAMENTAL). *Voici les points essentiels sur lesquels porte le différend* (syn. PRINCIPAL; contr. ACCESSOIRE, SECONDAIRE). ◆ n. m. Ce qu'il y a de plus important : *L'essentiel est de garder son sang-froid.* ◆ **essentiellement** adv. : *Le programme de cet examen est essentiellement à base de mathématiques* (syn. PRINCIPALEMENT). *Je tiens essentiellement à dissiper toute équivoque* (syn. ABSOLUMENT, À TOUT PRIX).

ESSEULÉ, E [esœle] adj. (de *seul*). Se dit d'une personne abandonnée, solitaire (littér.).

ESSEX, comté du sud de l'Angleterre; 1 410 900 hab. Ch.-l. *Chelmsford.*

ESSIEU [esjø] n. m. (du lat. *axis*, axe). Axe recevant une roue à chaque extrémité et supportant un véhicule.

ESSLING, comm. d'Autriche, dans la banlieue de Vienne, sur un bras du Danube.

• *20-22 mai 1809. Victoire des Français sur les Autrichiens.*

ESSLINGEN, v. d'Allemagne (Bade-Wurtemberg), sur le Neckar; 93 000 hab.

ESSONNE, riv. du Bassin parisien, affl. de la Seine (r. g.), qu'elle rejoint à Corbeil-Essonnes; 90 km.

ESSONNE (91), dép. de la Région Île-de-France, créé en 1964, correspondant à la partie sud-est de l'anc. dép. de Seine-et-Oise; 1 804 km²; 988 000 hab. (548 au km²) [France : 103]. Ch.-l. *Évry.*

LOCALITÉS PRINCIPALES	NOMBRE D'HAB.
Massy	40 400
Corbeil-Essonnes	38 100
Savigny-sur-Orge	32 500
Sainte-Geneviève-des-Bois	30 500
Viry-Châtillon	30 300
Palaiseau	29 400
Athis-Mons	29 000
Les Ulis	28 200
Draveil	26 800
Grigny	26 200

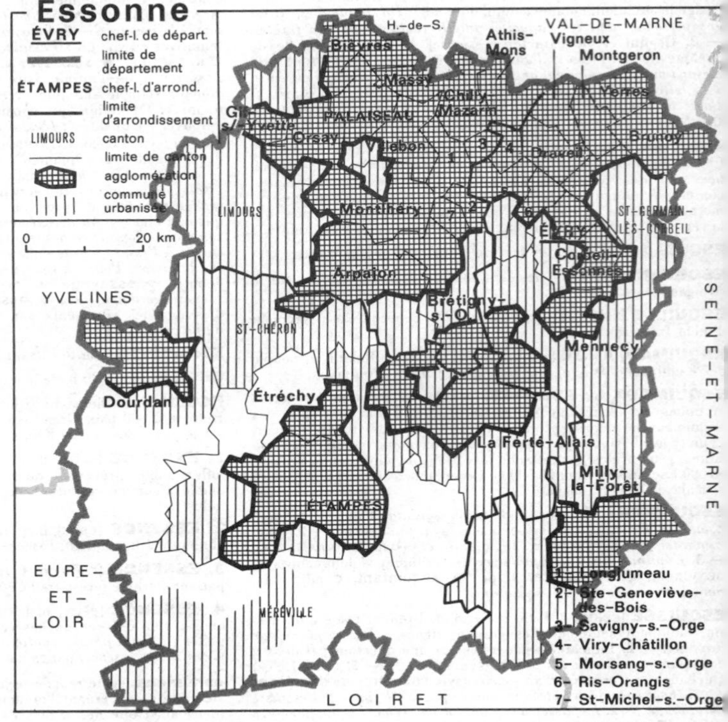

ADMINISTRATION. 3 arrond. (*Étampes,* 99 300 hab.; *Évry,* 423 600 hab.; *Palaiseau,* 465 100 hab.). / 41 cant. / 196 comm.

Situé au S. de Paris, le département est formé principalement de bas plateaux (*Hurepoix* au centre, extrémité nord de la *Beauce* au S.) et de plaines dans l'Est.

L'*agriculture* n'occupe plus que 2 p. 100 de la population active. Pourtant la production, localisée surtout dans le Sud, n'est pas négligeable (céréales, fruits et légumes).

L'*industrie* occupe plus du tiers de la population active; elle est implantée surtout dans le Nord, en particulier dans la vallée de la Seine. La métallurgie de transformation, les constructions électriques dominent.

La prépondérance du *secteur tertiaire* (= bureaux, commerce) est due à la proximité de Paris et à une certaine décentralisation des services (commerce, enseignement).

Le département a connu récemment un taux d'accroissement très élevé en raison du développement, autour de Paris, de cités surtout résidentielles (Massy, Longjumeau, Évry, etc.).

ESSOR [esɔr] n. m. (de *essorer,* au sens anc. de *s'envoler*). **1.** Développement d'une entreprise, d'un secteur de l'économie, etc. : *Le tourisme connaît un nouvel essor dans cette région* (syn. ÉLAN). — **2.** *Prendre son essor,* s'envoler, en parlant d'un oiseau (littér.); se développer. — **3.** *Laisser l'essor à son imagination, à ses pensées,* etc., leur laisser libre cours (littér.).

ESSORER [esɔre] v. t. (bas lat. *exaurare,* exposer à l'air). *Essorer du linge,* le presser ou le tordre pour en faire sortir l'eau ou tout autre liquide qui l'imprègne. ◆ **essorage** n. m. ◆ **essoreuse** n. f. Machine à essorer.

ESSOUFFLER [esufle] v. t. (du lat. *ex-,* préf. à valeur priv., et *souffle*). *Essouffler une personne, un animal,* les mettre hors d'haleine, à bout de souffle. ◆ ***s'essouffler*** v. pr. ou ***être essoufflé*** v. passif. **1.** (sujet nom d'être animé) Perdre, avoir perdu le souffle par un effort excessif : *Un nageur qui s'essouffle. Il est arrivé essoufflé en haut de la côte* (syn. HALETANT). — **2.** (sujet de nom de chose) Avoir du mal à fonctionner aussi bien que précédemment : *Une revue qui s'essouffle.* ◆ **essoufflement** n. m. **1.** État de celui qui est essoufflé. — **2.** *Méd.* Respiration difficile (syn. DYSPNÉE).

ESSUIE-GLACE n. m., **ESSUIE-MAINS** n. m. inv. **ESSUIE-MEUBLES** n. m. inv., **ESSUIE-VERRES** n. m. inv., **ESSUYAGE** n. m. ⟶ ESSUYER 1.

1. ESSUYER [esɥije] v. t. (bas lat. *exsucare,* extraire le suc) [Conj. **3.**] **1.** Débarrasser d'un liquide, de la poussière, etc., en frottant : *Essuyer la vaisselle.* — **2.** *Essuyer les larmes de qq'un,* le consoler. ‖ Fam. *Essuyer les plâtres,* être le premier à occuper une pièce, une habitation nouvellement construite; subir les inconvénients d'une chose encore imparfaite. ◆ **essuyage** n. m. : *L'essuyage des verres.* ◆ **essuie-glace** n. m. Dispositif essuyant le pare-brise d'une voiture par temps de pluie ou de neige : *Les deux essuie-glaces de la voiture.* ◆ **essuie-mains, essuie-meubles essuie-verres** n. m. inv. Torchon spécialement affecté à l'essuyage des mains, des meubles, des verres à boire.

2. ESSUYER [esɥije] v. t. (de *essuyer* 1) [sujet nom de personne]. Avoir à supporter quelque chose de pénible, de dangereux (langue soignée) : *Essuyer des coups, une tempête, un refus, un échec* (syn. ENDURER, SUBIR).

EST [ɛst] n. m. (de l'angl. *east*). **1.** Un des quatre points cardinaux situé du côté où le soleil se lève (syn. littér. LEVANT, ORIENT). — **2.** (avec une majusc.) *L'Est,* l'ensemble des départements de l'est de la France. — **3.** *L'Est,* l'ensemble des pays de l'est de l'Europe, et spécialem., de 1945-1949 à 1989-90, l'ensemble des républiques socialistes, par oppos. aux pays capitalistes de l'Ouest : *Les pays de l'Est.* ◆ adj. inv. : *La côte est de la Corse* (syn. ORIENTAL).

Est *(canal de l'),* canal qui réunit la Meuse et le Rhône par la Moselle et la Saône.

ESTACADE [ɛstakad] n. f. (it. *steccata*). Digue faite avec de grands pieux, pour fermer un passage, protéger des travaux, etc.

ESTAFETTE [ɛstafɛt] n. f. (it. *staffetta,* petit étrier). Cavalier chargé de transmettre des messages. (On dit habituellement, auj. AGENT DE TRANSMISSION.)

ESTAFILADE [ɛstafilad] n. f. (it. *staffilata,* coup de fouet). Entaille faite avec un instrument tranchant, surtout au visage.

ESTAIRES, comm. du Nord, à 14 km au S.-O. d'Armentières; 5 700 hab.

ESTAMINET [ɛstaminɛ] n. m. (du wallon *staminê*). Débit de boissons, petit café de village (syn. fam. usuel BISTROT).

ESTAMPAGE n. m. → ESTAMPER 1.

ESTAMPE [ɛstɑ̃p] n. f. (it. *stampa*). Image imprimée à l'aide d'une planche de bois ou de métal préalablement gravée.

1. ESTAMPER [ɛstɑ̃pe] v. t. (du frq. *stampôn*, broyer). *Mécan.* Former par estampage. ◆ **estampage** n. m. Façonnage, par déformation à froid, d'un morceau de métal à l'aide de matrices, afin de lui donner une forme et des dimensions déterminées très proches de celles de la pièce finie.
— ENCYCL. L'*estampage* de pièces métalliques est exécuté avec une petite presse mécanique ou un pilon. Il diffère de l'*emboutissage*, qui produit des pièces d'une épaisseur à peu près uniforme : l'estampage crée des reliefs. Il diffère aussi du *matriçage*, qui est exécuté à chaud. L'estampage permet d'obtenir en séries importantes des pièces semblables et entraîne une grosse économie de matière et de temps d'usinage.

2. ESTAMPER [ɛstɑ̃pe] v. t. (de *estamper* 1). Fam. *Estamper qq'un*, lui faire payer quelque chose trop cher (syn. ↑ESCROQUER; fam. ROULER). ◆ **estampeur, euse** adj. et n. *Fam.* Escroc.

ESTAMPILLE [ɛstɑ̃pij] n. f. (de l'esp. *estampilla*). Marque, cachet appliqués sur un objet pour en garantir l'authenticité, pour attester l'acquittement d'un droit. ◆ **estampiller** v. t. : *Estampiller un produit manufacturé.*

ESTANCIA [ɛstɑ̃sja] n. f. (mot esp.). Dans les pays d'Amérique du Sud, grande ferme, établissement d'élevage.

ESTAQUE (l'), hautes collines calcaires fermant au S. l'étang de Berre.

EST-CE QUE [ɛskə], **SI** [si] adv. interr. *(est, ce,* et *que;* lat. *si).*

INTERROGATION DIRECTE **est-ce que**	INTERROGATION INDIRECTE **si**
Est-ce que vous aimez l'accordéon? Est-ce que tu es capable de traduire ces quelques lignes de russe? Est-ce que tu dois passer les prendre en voiture?	*Je ne sais s'il aime l'accordéon. Il demande si tu es capable de traduire ces quelques lignes de russe. Ils ignoraient si l'on devait passer les prendre en voiture.*

Marquent l'interrogation, l'un dans les phrases interrogatives directes, l'autre dans les propositions interrogatives indirectes.
→ tableau ci-dessus.

ESTE, v. du nord-est de l'Italie, en Vénétie; 15 700 hab. Riche musée archéologique.

ESTE *(maison d')*, famille princière italienne qui régna notamment sur les duchés de Ferrare, de Modène et de Reggio.

Este *(villa d')*, villa de la Renaissance à Tivoli, près de Rome.

1. ESTER [ɛste] v. i. (lat. *stare*, se tenir debout). *Dr.* Se présenter devant un tribunal, soit comme demandeur, soit comme défendeur : *Ester en justice.*

2. ESTER [ɛstɛr] n. m. (de l'all. *Essigäther*, éther acétique). Composé chimique résultant de l'action d'un acide organique sur un alcool avec élimination d'eau. ◆ **estérifier** v. t. Convertir en ester : *Estérifier un alcool.*

ESTEREL, massif cristallin de Provence, entre Saint-Raphaël et la région de Cannes; 616 m au mont Vinaigre. Il est constitué de pittoresques escarpements de porphyres rouges.

ESTÉRIFIER v. t. → ESTER 2.

ESTHER, d'après la Bible, fille juive d'une grande beauté, qui épousa le roi de Perse Assuérus.

Esther, tragédie en trois actes et en vers, avec chœurs, de Jean Racine, représentée pour la première fois, en 1689, par les demoiselles de Saint-Cyr.

ESTHÉTIQUE [ɛstetik] adj. (du gr. *aisthêtikos*, qui a la faculté de sentir). **1.** Se dit de ce qui se rapporte au sentiment du beau : *Avoir le sens esthétique.* — **2.** Se dit de ce qui est agréable à voir : *Ce tas de gravats devant la maison n'a rien d'esthétique* (syn. DÉCORATIF). — **3.** *Chirurgie esthétique*, celle qui vise à accroître la beauté du corps, à corriger les traits du visage. ◆ n. f. **1.** Science qui traite du beau en général et du sentiment qu'il fait naître en nous. — **2.** Ensemble de principes, de règles selon lesquels on juge de la beauté : *Une statue conforme à l'esthétique moderne.* ◆ **esthétiquement** adv. : *Des fleurs esthétiquement disposées dans un vase* (syn. ARTISTIQUEMENT). ◆ **esthète** n. **1.** Personne qui aime le beau et le considère comme une valeur essentielle. — **2.** *Péjor.* Personne qui fait du beau la valeur suprême. ◆ **esthéticien, enne** n. **1.** Spécialiste d'esthétique. — **2.** Spécialiste des soins de beauté du visage et du corps. ◆ **inesthétique** adj. : *Une attitude, un visage inesthétique* (syn. ↑LAID).

ESTIENNE, famille d'imprimeurs et de libraires français. ROBERT Ier (1503-1559) fut un humaniste et un imprimeur remarquable. Il composa un *Dictionnaire latin-français* (1539), complété par un *Dictionnaire français-latin* (1549) qui fournit pour la première fois un tableau complet du vocabulaire français.

ESTIENNE D'ORVES (Honoré D'), officier de marine français (1901-1941). Pionnier de la Résistance, il fut fusillé par les Allemands au mont Valérien.

ESTIMABLE adj. → ESTIME 2.

ESTIMATIF, IVE adj., **ESTIMATION** n. f. → ESTIMER 2.

1. ESTIME (À L') loc. adv. → ESTIMER 2.

2. ESTIME [ɛstim] n. f. (du lat. *aestimare*, apprécier). Bonne opinion qu'on a de quelqu'un ou de l'œuvre de quelqu'un : *Il a l'estime de tous* (syn. CONSIDÉRATION, ↑RESPECT). *J'ai la plus grande estime pour cet ouvrage* (= je fais le plus grand cas de). *Monter, baisser dans l'estime de qq'un* (= jouir d'une plus grande, d'une moins grande considération). *Cette pièce a obtenu un succès d'estime* (= succès limité à la critique et qui n'atteint pas le grand public). ◆ **estimer** v. t. *Estimer qq'un*, l'avoir en estime (syn. ↑RESPECTER). ◆ **estimable** adj. Qui mérite l'estime. ◆ **mésestimer** v. t. *Mésestimer qq'un (ses actes, son œuvre)*, ne pas lui reconnaître son vrai mérite, en faire trop peu de cas (langue soignée) : *Il souffrait de se sentir mésestimé de ses contemporains* (syn. MÉCONNAÎTRE).

1. ESTIMER v. t. → ESTIME 2.

2. ESTIMER [ɛstime] v. t. (lat. *aestimare*, apprécier). *Estimer un objet*, en déterminer la valeur : *Faire estimer un bijou* (syn. EXPERTISER). ◆ **estimatif, ive** adj. Qui constitue une estimation : *L'entrepreneur a fourni un devis estimatif des travaux.* ◆ **estimation** n. f. Détermination exacte ou approximative de la valeur d'une chose, de son importance : *L'estimation d'un tableau. D'après mon estimation, le parcours peut s'effectuer environ en deux heures* (syn. ÉVALUATION). ◆ **estime (à l')** loc. adv. Selon une évaluation approximative, faite sans calculs précis; au jugé. ◆ **inestimable** adj. : *Une valeur inestimable. Son aide est inestimable.* ◆ **sous-estimer** v. t. *Sous-estimer qq'un, qqch.*, l'estimer au-dessous de sa valeur (syn. MINIMISER). ◆ **sous-estimation** n. f. ◆ **surestimer** v. t. *Surestimer qq'un, qqch.*, l'estimer au-dessus de sa valeur, de son importance : *Vous avez surestimé vos forces, il vaut mieux renoncer.* ◆ **surestimation** n. f.

3. ESTIMER [ɛstime] v. t. (même étym.). **1.** *Estimer que* (et l'indic. ou le subj. en proposition interrogative ou négative), exprime un jugement, une opinion : *J'estime que sa décision est imprudente* (syn. TROUVER). *Si vous estimez que vous pouvez le faire, allez-y* (syn. JUGER). — **2.** (suivi d'un infin.) *J'estime avoir acquis le droit de parler.* — **3.** *Estimer* (avec un attribut du compl. d'objet), considérer, trouver : *Il estime indispensable de rétablir la vérité.* ◆ ***s'estimer*** v. pr. (avec un adj. attribut). Se considérer comme : *Je m'estime satisfait du résultat.*

ESTIVAGE [ɛstivaʒ] n. m. (du lat. *aestivare*, passer l'été). Migration des troupeaux qui, en été, montent des pâturages des vallées vers ceux de la montagne.

ESTIVAL, E, AUX adj., **ESTIVANT, E** n. → ÉTÉ.

ESTOC [ɛstɔk] n. m. (de l'anc. fr. *estochier*, frapper). **1.** Anc. épée longue et étroite. — **2.** *Frapper d'estoc et de taille*, donner de grands coups d'épée (littér.) [= de la pointe et du tranchant].

ESTOCADE [ɛstɔkad] n. f. (it. *stoccata*). **1.** Coup donné avec la pointe de l'épée. — **2.** Coup d'épée porté par le matador pour tuer le taureau. — **3.** Attaque soudaine et violente : *Les estocades de l'ennemi, d'un contradicteur.*

ESTOMAC [ɛstɔma] n. m. (lat. *stomachus*). **1.** *Anat.* Partie du tube digestif formant une poche, où les aliments, venant de l'œsophage, sont brassés avant de passer dans l'intestin. → ENCYCL. — **2.** Partie extérieure du corps qui correspond à l'estomac : *Envoyer un coup de poing à l'estomac.* — **3.** Fam. *Avoir l'estomac dans les talons,* être très affamé. ◆ **stomacal, e, aux** adj. : *Des douleurs stomacales* (= de l'estomac).

— ENCYCL. ***estomac chez l'homme.*** Il est situé dans la région épigastrique* entre le foie à droite, la rate à gauche, le diaphragme en haut, le gros intestin en bas et le pancréas en arrière. Il se divise en deux parties : l'une, grande et verticale, l'autre, petite et horizontale qui se poursuit par le passage pylorique* et le duodénum.

L'estomac a pour fonction de *brasser les aliments* par des mouvements « péristaltiques ». De plus, ses glandes muqueuses sécrètent de l'acide chlorhydrique et des enzymes : la *pepsine,* qui dégrade les protéines en peptones, et la *présure,* qui caille le lait.

Les maladies de l'estomac sont essentiellement les *gastrites,* d'origines diverses, se traduisant par des brûlures d'estomac (on les rencontre souvent chez les buveurs d'alcool); les *tumeurs bénignes,* ou plus souvent *malignes* (cancers de l'homme âgé); l'*ulcère**, maladie du sujet jeune, qui creuse la paroi de l'estomac, et qui se traduit par une douleur survenant après les repas.

estomac chez les animaux. *Chez les ruminants,* l'*estomac* est formé de quatre poches : l'herbe non mâchée s'accumule dans la *panse,* passe dans le *bonnet* avant de remonter dans la bouche pour y être triturée; puis elle traverse le *feuillet* et est digérée dans la *caillette.*

Chez les oiseaux, l'estomac se divise en un *jabot* où s'accumulent les aliments, un *ventricule succenturié* sécrétant les sucs digestifs, et un *gésier* musculeux où s'accomplit la digestion.

ESTOMAQUER [ɛstɔmake] v. t. (lat. *stomachari,* s'irriter). Fam. *Estomaquer qq'un,* lui causer une vive surprise, en général désagréable, au point de lui couper le souffle (surtout au passif) : *Je suis estomaqué par son impudence* (syn. SUFFOQUÉ).

ESTOMPER [ɛstɔ̃pe] v. t. (du néerl. *stomp,* bout de chandelle). *Estomper un dessin, un paysage, une silhouette,* etc., en atténuer les traits, en adoucir les contours (contr. ACCUSER). ◆ ***s'estomper*** v. pr. : *Des souvenirs qui se sont estompés* (syn. S'EFFACER). ◆ **estompe** n. f. Papier roulé en petit cylindre aux extrémités pointues, pour estomper des dessins. ◆ **estompage** n. m.

ESTONIE, en estonien *Eesti,* État d'Europe, sur la Baltique; 45 100 km²; 1 600 000 hab. Capit. *Tallinn.*

GÉOGRAPHIE

Pays au relief peu accidenté, modelé par les glaciers, l'Estonie est en grande partie couverte de forêts et de prairies. L'agriculture est basée sur la production du seigle et de la pomme de terre, et sur l'élevage de gros bétail. L'exploitation de schistes bitumineux alimente l'industrie chimique, et une métallurgie de transformation est implantée surtout à Tallinn, qui est un grand centre industriel.

HISTOIRE

D'origine finno-ougrienne, les Estoniens s'unissent contre les envahisseurs vikings (IXe s.), russes (XIe-XIIIe s.), puis sont écrasés en 1217 par les Danois et les chevaliers Porte-Glaive. Soumise aux chevaliers Teutoniques de 1346 à 1561, occupée par les Suédois au XVIIe s., l'Estonie est intégrée dans l'Empire russe en 1721. Reconnue indépendante en 1920, elle est annexée par l'U. R. S. S. en 1940. Elle retrouve son indépendance en 1991.

ESTONIEN, ENNE [ɛstɔnjɛ̃, -ɛn] ou **ESTE** [ɛst] adj. et n. De l'Estonie. ◆ n. m. Langue parlée en Estonie.

ESTRADE [ɛstrad] n. f. (du lat. *stratum,* ce qui est étendu). Plancher surélevé par rapport au sol, au plancher d'une pièce.

ESTRAGON [ɛstragɔ̃] n. m. (de l'ar. *tarkhūn*). Plante potagère aromatique. (Famille des composées.)

ESTRAMAÇON [ɛstramasɔ̃] n. m. (de l'it. *stramazzare,* renverser violemment). Anc. épée large et à deux tranchants (XVIe et XVIIe s.).

ESTRAN [ɛstrɑ̃] n. m. (de l'angl. *strand,* rivage). Zone du littoral soumise au déferlement des vagues. (Elle est particulièrement large lorsque la pente du rivage est faible et lorsque les marées sont importantes : 15 à 20 km dans la baie du Mont-Saint-Michel.)

ESTRAPADE [ɛstrapad] n. f. (de l'it. *strappare,* arracher). Torture ou supplice qui consistait à hisser le coupable en haut d'un mât et à le laisser tomber brusquement, un câble le retenant à quelque distance du sol.

ESTRÉES (*famille* D'), famille française. Elle compta parmi ses membres GABRIELLE (1573-1599), favorite d'Henri IV qui eut d'elle deux fils, César et Alexandre de Vendôme.

ESTRÉMADURE, en esp. **Extremadura,** région du sud-ouest de l'Espagne, formée des deux provinces de Badajoz et de Cáceres. C'est une région essentiellement agricole (céréales et élevage du mouton). Dans les vallées, le développement de l'irrigation permet les cultures fruitières.

ESTRÉMADURE, en portug. **Estremadura,** anc. prov. du Portugal, s'étendant entre l'Atlantique et la vallée du Tage inférieur (Ribatejo).

ESTROPIER [ɛstrɔpje] v. t. (it. *stroppiare*). **1.** *Estropier qq'un, un animal,* le blesser au point de le priver de l'usage normal d'un ou de plusieurs membres (surtout au passif). — **2.** *Estropier un mot, une phrase, un texte,* les déformer dans leur prononciation ou leur orthographe. ◆ **estropié, e** adj. et n. : *Un estropié qui se déplace avec des béquilles* (syn. ↓ÉCLOPÉ).

ESTUAIRE [ɛstɥɛr] n. m. (du lat. *aestus,* marée). Bras de mer entrant dans les terres à l'embouchure d'un fleuve ou d'une rivière, où les eaux marines arrivant par le flux d'une marée se mêlent aux eaux douces provenant du continent : *L'estuaire de la Seine.* (Les estuaires constituent des sites portuaires précieux utilisés en Europe occidentale, à partir du Moyen Âge surtout. L'augmentation considérable des tonnages des navires a parfois nécessité la création d'avant-ports* [Saint-Nazaire, jouant ce rôle pour Nantes]. Mais, en Europe, les ports d'estuaire [Rotterdam, Londres, Anvers, Hambourg, etc.] effectuent encore la plus grande partie du commerce maritime.)

ESTUDIANTIN, E adj. → ÉTUDE 1.

ESTURGEON [ɛstyrʒɔ̃] n. m. (frq. *sturjo*). Grand poisson osseux dont la peau est recouverte de plaques, vivant en mer et dans les estuaires des grands fleuves qu'il remonte pour frayer (= se reproduire). [Chaque femelle, qui atteint 6 m de long et 200 kg, pond dans les grands cours d'eau 3 à 4 millions d'œufs, que l'on consomme sous le nom de *caviar;* les jeunes passent un ou deux ans dans les estuaires, avant d'achever leur croissance en mer.]

ET [e], **NI** [ni], **OU** [u] conj. de coordination (lat. *et;* lat. *nec;* lat. *aut*). Indiquent une liaison entre deux ou plusieurs membres d'un énoncé. → tableau ci-contre.

ÊTA [ɛta] n. m. (mot gr.). Septième lettre (η) de l'alphabet grec*, notant un *ê* long.

ÉTABLE [etabl] n. f. (lat. *stabulum*). Bâtiment destiné aux bestiaux (surtout les bovins). [Pour les chevaux, on emploie ÉCURIE.]

ÉTABLI [etabli] n. m. (de *établir*). Table de travail des menuisiers, des serruriers, etc.

ÉTABLIR [etablir] v. t. (du lat. *stabilis,* stable). **1.** *Établir qqch.* (terme concret), le mettre dans un lieu, une position : *Le commandement allié avait établi son quartier général sur une hauteur* (syn. FIXER, INSTALLER). — **2.** *Établir qqch.,* le mettre en état, en usage : *Établir la liste des candidats* (syn. DRESSER). *Le comité a établi le programme des cérémonies* (syn. METTRE SUR PIED, ORGANISER). — **3.** *Établir un fait,* en démontrer la réalité : *Il est maintenant établi que ce tableau est un faux* (syn. PROUVER). — **4.** *Établir qq'un,* le pourvoir d'un emploi, d'une situation sociale : *Établir son neveu à la tête d'une entreprise* (syn. PLACER). ◆ ***s'établir*** v. pr. S'installer; prendre place; fixer son domicile : *Le cirque s'est établi sur la place du village. Cette coutume s'est établie depuis peu. Un menuisier qui s'établit à son compte* (= qui cesse de travailler dans une entreprise et gère lui-même son affaire). ◆ **établissement** n. m. : *L'établissement d'une usine dans une agglomération. L'établissement d'un devis. L'établissement de la vérité.* ◆ n. m. pl. Colonies, comptoirs à l'étranger : *Les Établissements français dans l'Inde.* ◆ **préétabli, e** adj. Établi d'avance : *Les plans préétablis doivent être révisés.*

1. ÉTABLISSEMENT n. m. → ÉTABLIR.

2. ÉTABLISSEMENT [etablismɑ̃] n. m. (de *établir*). Entreprise commerciale ou industrielle, institution scolaire, etc. : *Le siège social de cet établissement de transports est en province* (syn. MAISON). *Le bulletin trimestriel d'un élève porte la signature du chef d'établissement.* ‖ *Établissement d'utilité publique,* organisme privé ayant un but d'intérêt général. ◆ n. m. pl. Nom sous lequel on désigne généralement une entreprise, une usine, une maison de commerce d'une certaine importance. (Abrév. : Éts.)

1. ÉTAGE [etaʒ] n. m. (du lat. *stare,* se tenir debout). Chacun des intervalles compris entre deux planchers successifs d'un immeuble et occupé par un ou plusieurs appartements : *Il habite au cinquième étage.*

2. ÉTAGE [etaʒ] n. m. (même étym.). **1.** Chacun des niveaux superposés d'un objet (meuble, fusée, etc.) : *Une fusée à trois étages.* — **2.** Subdivision d'une période géologique, correspondant à un ensemble de terrains de même âge. ◆ **étager** v. t. *Étager des choses,* les disposer par étages, les mettre à des niveaux différents (syn. ÉCHELONNER). ◆ ***s'étager*** v. pr. : *Des maisons qui s'étagent au flanc de la colline.* ◆ **étagement** n. m. : *L'étagement des couches géologiques. L'étagement des prix.* ◆ **étagère** n. f.

1. Meuble formé de tablettes superposées. — **2.** Tablette fixée horizontalement sur un mur : *Un vase posé sur une étagère.*

3. ÉTAGE [etaʒ] n. m. (même étym.). *De bas étage,* de condition humble : *Gens de bas étage;* de qualité médiocre : *Une plaisanterie de bas étage.*

ÉTAGEMENT n. m., **ÉTAGER** v. t., **ÉTAGÈRE** n. f. → ÉTAGE 2.

1. ÉTAI [etɛ] n. m. (anc. angl. *staeg*). *Mar.* Câble métallique pour soutenir un mât.

2. ÉTAI [etɛ] n. m. (frq. *staka,* soutien). Grosse pièce de bois servant à soutenir provisoirement un plancher, un mur, etc. ◆ **étayer** v. t. **1.** Soutenir par des étais : *Étayer un mur.* — **2.** *Étayer une conviction, un raisonnement,* etc., les renforcer, les soutenir par des arguments. ◆ **s'étayer** v. pr. : *Cette thèse s'étaie sur les recherches les plus récentes* (syn. S'APPUYER). ◆ **étayage** ou **étaiement** n. m. **1.** Action d'étayer. — **2.** Combinaison d'étais pour soutenir une construction ou pour s'opposer à l'éboulement d'une tranchée.

ÉTAIN [etɛ̃] n. m. (du lat. *stagnum,* plomb argentifère). **1.** Métal blanc, relativement léger et très malléable. → ENCYCL. — **2.** Objet fait avec ce métal et ayant une valeur décorative. ◆ **étamer** v. t. Recouvrir d'une couche d'étain. ◆ **étamage** n. m.

	et	**ni**	**ou**
LIAISON	Indique une addition, qui peut avoir valeur d'ajout, de comparaison ou d'opposition.	Indique une addition ou une alternative, de caractère négatif (accompagné de *ne*). Le plus souvent, aujourd'hui, *ni* est répété.	Indique une alternative qui a valeur de distinction, allant jusqu'à l'exclusion ou à l'indifférence.
1. Entre deux termes (substantifs, adjectifs, verbes, adverbes) d'un groupe de mots.	*Un concerto pour piano et orchestre. Un ami fidèle et loyal. Il ne peut et ne doit pas agir ainsi. Répondre brièvement et vivement.* Avec un numéral : *Vingt et un, soixante et onze. Il est midi et quart* (ou *midi un quart*). *À huit heures et demie, nous partirons.*	*Il ne veut ni ne peut refuser. Il ne croit ni à Dieu ni à diable. Il n'est ni plus paresseux ni plus sot que d'autres. Il n'est ni peureux ni téméraire.* *Ni* peut être employé sans *ne,* avec *sans : Sans queue ni tête* (= incohérent). *Sans rime ni raison;* ou dans les réponses : *« Êtes-vous libre? — Ni aujourd'hui ni demain. »*	*Il m'est indifférent de parler maintenant ou plus tard. Qui de lui ou de toi se chargera de cette commission? Tôt ou tard, vous accepterez. Qu'il préfère Nice ou Biarritz, peu importe. Fondés ou non, ces reproches m'ont blessé. Quel sport préfères-tu, du football ou du rugby?* Avec un numéral : *Il y avait dans cette salle vingt ou trente personnes* (= de vingt à trente).
2. Entre deux groupes de mots.	*La ville a construit un stade et une piscine couverte. Veuillez nous faire parvenir la réponse et joindre le reçu.*	*Ni la mort de son père ni la ruine de ses affaires n'ont pu l'abattre. Je ne les envie ni les uns ni les autres. Il ne connaît ni toi ni ton père.*	*Tu passes ton temps à bavarder avec les autres ou à rêvasser tout seul. De près ou de loin, on admire toujours cette église.*
3. Entre deux propositions, le plus souvent de même nature.	*Il entendit un bruit insolite qui venait de l'arrière de la voiture et qui ressemblait à un battement. C'est un livre original et qui vous plaira certainement. Il ne sait si son mal de tête cessera bientôt et s'il nous rejoindra.*	*N'espérez pas que je vous félicite ni que je vous récompense pour un pareil travail! Il n'admet ni qu'on le calomnie, ni même qu'on l'attaque d'une manière ou d'une autre.*	*Je lui ai demandé s'il resterait une semaine ou s'il serait absent un mois. Que vous alliez à gauche ou que vous alliez tout droit, vous vous retrouverez sur la grande place.*
4. Entre deux énoncés complets.	*Il faisait très froid et les routes étaient verglacées. Les livres étaient chers et je ne pouvais en acheter beaucoup.* Dans la langue écrite, on peut se servir de *et... et* dans une énumération : *Il prit sa défense et il énuméra toutes ses qualités et il l'excusa de sa méprise involontaire.*	*Ni le compromis ne me paraît justifié, ni l'acceptation pure et simple ne me paraît nécessaire.* Dans cet emploi, *ni* est toujours répété en tête de phrase.	*Viens-tu au théâtre avec nous, ou préfères-tu aller seul au cinéma?* Le plus souvent, en ce cas, on pose l'alternative *ou... ou (bien) : Ou nous allons nous promener ou nous restons, mais décide-toi. Ou vous acceptez, ou bien je m'en vais faire cette proposition à un autre.*
REMARQUES	*Et* en tête de l'énoncé est un renforcement emphatique* (souvent employé devant un pronom personnel tonique) : *Et moi, vous ne me demandez pas mon avis? Et soudain la porte s'ouvrit. Et voilà, nous sommes arrivés.*	*Ni* est souvent remplacé, dans la langue contemporaine, par *ou* ou par *et : Les conseils ou* (= et) *les reproches n'ont rien pu sur lui* (= *ni* les conseils *ni* les reproches n'ont rien pu). *Ni* peut être renforcé : *ni même.*	*Ou* peut être renforcé : *ou bien, ou plutôt, ou même, ou pour mieux dire.*
ACCORD	Quand deux sujets singuliers sont réunis par *et,* le verbe est au pluriel : *La flûte et la clarinette sont des instruments difficiles.* Lorsqu'il y a un pronom, le verbe se met à la personne de celui-ci : *Lui et moi nous nous servirons de la barque.*	Quand deux sujets singuliers sont réunis par *ni,* le verbe est au singulier quand l'attribut ne peut se rapporter aux deux sujets à la fois et au pluriel dans les autres cas : *Ni ce monsieur ni cet autre n'est le père de cet enfant. Ni lui ni elle ne le savent.* Lorsqu'il y a un pronom, le verbe se met au pluriel et à la personne de celui-ci : *Ni ton père ni toi vous ne le connaissez.*	Après deux noms au singulier unis par *ou,* le verbe se met au singulier ou au pluriel, selon que l'un des termes exclut l'autre ou que *ou* a un sens voisin de *et : La douceur ou la violence en viendra à bout* (= l'une ou l'autre). *Un crayon ou un stylo sont également bons* (= l'un comme l'autre). Lorsqu'il y a un pronom, le verbe se met au pluriel et à la personne de celui-ci : *Ton frère, toi ou moi, nous pourrions aller le chercher.*

◆ **étameur** n. m. Ouvrier qui étame. ◆ **rétamer** v. t. Étamer de nouveau un ustensile de ménage : *Rétamer une casserole.*
— ENCYCL. L'*étain* (Sn), de densité 7,2, est peu tenace et très fusible; il fond à 232 °C. Il est inaltérable à l'air et sert de métal de protection pour le cuivre et le fer (fer-blanc). Allié au cuivre, il fournit le bronze; allié au plomb, il sert à fabriquer des récipients et de la soudure très fusible.

ÉTAL [etal] n. m. (frq. *stall*, position). **1.** Table sur laquelle des denrées sont exposées sur les marchés. — **2.** Table sur laquelle un boucher débite la viande. ‖ Pl. des *étals* ou des *étaux.*

ÉTALAGE n. m., **ÉTALAGISTE** n. ⟶ ÉTALER 2.

ÉTALE [etal] adj. (de *étaler*). *La mer est étale*, son niveau reste stationnaire (à marée haute ou à marée basse). ‖ *Le fleuve, la rivière est étale*, la crue a cessé et le niveau de l'eau est stationnaire. ◆ n. m. Moment où la mer ne change pas de niveau.

ÉTALEMENT n. m. ⟶ ÉTALER 3.

1. ÉTALER [etale] v. t. (de *étal*). **1.** *Étaler une chose*, la disposer à plat en éparpillant, en déployant : *Étaler des papiers sur le bureau. On a étalé le tapis dans le salon* (syn. DÉROULER, ÉTENDRE). *Étaler ses cartes* (= les montrer en les mettant sur le tapis). — **2.** *Étaler un liquide, de la peinture*, l'appliquer en couche. ◆ **s'étaler** v. pr. : *L'encre s'est étalée sur la table* (syn. SE RÉPANDRE). *Il a glissé sur le verglas et s'est étalé de tout son long* (fam.) [= il est tombé par terre].

2. ÉTALER [etale] v. t. (même étym.). **1.** *Étaler des marchandises*, les exposer pour la vente. — **2.** *Étaler ses richesses, ses connaissances*, etc., en faire parade, les montrer avec ostentation. ‖ *Étaler ses projets*, ne pas les cacher. ‖ *Étaler le mal au grand jour*, le faire apparaître très visiblement. ◆ **s'étaler** v. pr. : *Sa vanité s'étale au grand jour* (syn. S'AFFICHER). ◆ **étalage** n. m. : *Un marchand de jouets qui refait son étalage* (= qui change la disposition des marchandises à la devanture). *Un étalage de luxe* (syn. DÉPLOIEMENT, OSTENTATION). *Faire étalage de ses mérites.* ◆ **étalagiste** n. Décorateur spécialisé dans la présentation des étalages.

3. ÉTALER [etale] v. t. (même étym.). *Étaler des paiements, le déroulement des opérations, les dates des rendez-vous*, etc., les répartir sur une période plus longue qu'il n'était prévu (syn. ÉCHELONNER). ◆ **s'étaler** v. pr. : *Cette année, les vacances du personnel s'étalent sur trois mois* (syn. S'ÉCHELONNER, SE RÉPARTIR). ◆ **étalement** n. m. : *Des facilités de crédit qui permettent un étalement des paiements* (syn. ÉCHELONNEMENT). ‖ *Étalement des horaires*, aménagement des horaires de travail en vue de supprimer les « pointes » quotidiennes en matière de transports et de consommation de gaz et d'électricité. ‖ *Étalement des vacances*, aménagement des congés et des vacances scolaires en vue de les échelonner sur une période assez longue ou de les organiser par roulement.

1. ÉTALON [etalɔ̃] n. m. (frq. *stallo*, cheval gardé à l'écurie). Cheval destiné à la reproduction.

2. ÉTALON [etalɔ̃] n. m. (frq. *stalo*, modèle). Modèle légal de mesure, servant à définir une unité : *Le mètre a été défini par référence à l'étalon de platine déposé au pavillon de Sèvres. Les systèmes monétaires sont basés sur l'étalon or.* ◆ **étalonner** v. t. *Étalonner un appareil, un instrument*, etc., procéder à sa graduation, au calcul de ses performances, à sa vérification par référence à un étalon. ◆ **étalonnage** ou **étalonnement** n. m.

ÉTAMAGE n. m. ⟶ ÉTAIN.

ÉTAMBOT [etɑ̃bo] n. m. (anc. scand. *stafnbord*). *Mar.* Pièce d'un navire destinée à supporter le gouvernail.

ÉTAMER v. t., **ÉTAMEUR** n. m. ⟶ ÉTAIN.

1. ÉTAMINE [etamin] n. f. (du lat. *stamineus*, garni de fil). Tissu de coton tissé très lâche, qu'on emploie pour confectionner des rideaux, pour passer un liquide au tamis, etc.

2. ÉTAMINE [etamin] n. f. (lat. *stamina*). *Bot.* Chacune des petites tiges qui, dans une fleur, portent le pollen et sont disposées autour du pistil. (L'étamine est l'organe sexuel mâle des végétaux à fleurs. Elle comprend une partie grêle, le *filet*, supportant une partie renflée, l'*anthère*, qui renferme le pollen.)

ÉTAMPES, ch.-l. d'arrond. de l'Essonne, à 17 km au S.-E. de Dourdan; 19 500 hab. *(Étampois).*

ÉTANCHE [etɑ̃ʃ] adj. (de l'anc. fr. *estanchier*, retenir). Se dit de ce qui ne laisse pas un liquide s'écouler ou pénétrer : *Des chaussures étanches* (syn. IMPERMÉABLE). *Montre étanche.* ◆ **étanchéité** n. f. : *Le goudronnage assure l'étanchéité de la barque.*

ÉTANCHER [etɑ̃ʃe] v. t. (bas lat. *stanticare*, arrêter). **1.** *Étancher un liquide*, en arrêter l'écoulement : *Étancher le sang.* — **2.** *Étancher sa soif*, se désaltérer en buvant. ◆ **étanchement** n. m.

ÉTANÇON [etɑ̃sɔ̃] n. m. (de l'anc. fr. *estance*, action de se ten[ir] debout). Grosse pièce de bois au moyen de laquelle on soutie[nt] provisoirement un mur ou une masse de terre qui risque de s'ébo[u]ler. ◆ **étançonner** v. t. : *On a étançonné le mur* (syn. usu[el] ÉTAYER). ◆ **étançonnement** n. m.

ÉTANG [etɑ̃] n. m. (de l'anc. fr. *estanchier*, arrêter l'écoulemen[t] de l'eau). Étendue isolée d'eau stagnante, généralement douce.
— ENCYCL. Les *étangs* sont moins profonds et moins grands qu[e] les lacs. Ils résultent le plus souvent de l'imperméabilité du sol. I[ls] reçoivent des pluies l'essentiel de leurs eaux et ne sont alimenté[s] par aucun cours d'eau. La principale utilité des étangs réside dan[s] l'élevage des poissons. Dans les étangs où l'on pratique une pisc[i]culture rationnelle (Dombes), les étangs sont vidés périodiquemen[t] et rendus pour quelques années à la culture.

ÉTAPE [etap] n. f. (anc. néerl. *stapel*, entrepôt). **1.** Distanc[e] parcourue en une journée, ou d'une seule traite. — **2.** Lieu où l'o[n] s'arrête pour prendre du repos, pour passer la nuit : *Arriver [à] l'étape.* — **3.** Période dans le cours d'un événement; moment qu[i] en marque le terme : *La réforme s'est faite en plusieurs étape[s]* (syn. TEMPS). *Les étapes successives d'une maladie* (syn. PHASE). — **4.** *Brûler les étapes*, accélérer le mouvement, ne pas marque[r] les arrêts normaux.

ÉTAPLES, ch.-l. de cant. du Pas-de-Calais, à l'embouchure d[e] la Canche, à 5 km à l'E. du Touquet; 11 300 hab. Port de pêche.

● *1492. Traité entre Charles VIII et Henri VII d'Angleterre.*

1. ÉTAT [eta] n. m. (lat. *status*). **1.** Manière d'être d'une chose [à] un moment donné : *Une voiture en bon état. Un appareil en éta[t], hors d'état* (= qui fonctionne, qui ne fonctionne pas). *Remettre e[n] état un appareil* (= le réparer). ‖ *En tout état de cause*, quelle qu[e] soit la supposition à laquelle on s'arrête (syn. QUOI QU'IL EN SOIT). ‖ *État de choses*, ensemble de circonstances particulières; situatio[n] à un moment donné. ‖ *État de guerre*, situation d'une nation qui es[t] en guerre avec une autre. ‖ *État de siège*, circonstance exception[n]nelle, née de la guerre ou d'une insurrection à main armée, et qu[i] entraîne une extension des pouvoirs de police. — **2.** Conditio[n] physique ou morale d'une personne : *Son état de santé s'est amé[lioré].* ‖ *État d'âme*, réaction de la sensibilité dans telle situatio[n] particulière. ‖ *État d'esprit*, disposition d'esprit à un momen[t] donné. ‖ *État de nature*, état supposé des hommes avant tout[e] civilisation. — **3.** Ensemble de caractères communs aux corp[s] physiques ou chimiques se trouvant dans certaines conditions bie[n] définies : *L'état solide, liquide, gazeux.* — **4.** *Être en état de*, êtr[e] capable de : *Je ne suis pas en état de juger de cette question* (syn. [À] MÊME, EN MESURE). ‖ *Être hors d'état de*, être incapable de. ‖ Fam. *Être, se mettre dans tous ses états*, être très agité, vivement ému. ‖ Fam. *Être dans un bel état*, être sale, déchiré, blessé, etc., à l[a] suite d'une bagarre, d'un accident, etc. — **5.** Gramm. *Verbes d'éta[t]* (par oppos. à *verbes d'action*), ceux qui expriment une manièr[e] d'être du sujet (personne ou chose), comme *être, sembler, deve[nir]*, etc.

2. ÉTAT [eta] n. m. (même étym.). **1.** Liste énumérative d[e] choses ou de personnes : *État des dépenses* (syn. INVENTAIRE). *Ce[t] employé ne figure plus sur nos états* (= il n'appartient plus à no[s] services) [syn. CONTRÔLE]. — **2.** *Faire état de*, mettre en avant [:] *Faire état de ses qualités* (syn. FAIRE VALOIR).

3. ÉTAT [eta] n. m. (même étym.). **1.** Condition de vie, situatio[n] professionnelle d'une personne : *L'état ecclésiastique. Il a un trai[n] de vie en rapport avec son état* (syn. PROFESSION). — **2.** *État civil*[,] condition d'une personne sous le rapport de sa naissance, des liens de famille, de parenté, de son mariage, de son décès, etc. : *Les registres de l'état civil sont tenus dans les mairies.* — **3.** Sous l'Ancien Régime, chacun des trois ordres ou « états » du corps social : *L'état de la noblesse, l'état du clergé, le tiers état* (= troi[sième] ordre ou bourgeoisie). [⟶ ÉTATS GÉNÉRAUX.] ‖ *Pays d'états*, dans la France de l'Ancien Régime, subdivision administrative dans laquelle la répartition et la levée des impôts extraordinaires étaient confiées aux états provinciaux, par oppos. aux *pays d'élec[tions]**, où ces fonctions revenaient à des officiers royaux, appelés *élus.* (⟶ ÉTATS PROVINCIAUX.)

4. ÉTAT [eta] n. m. (même étym.) [avec une majusc.]. **1.** Natio[n] organisée, administrée par un gouvernement : *La conférence de[s] chefs des États africains* (syn. PAYS). *En France, le président de l[a] République est le chef de l'État.* — **2.** Le gouvernement, les pou[voirs] publics : *Les fonctionnaires sont au service de l'État.* — **3.** *Affaire d'État*, affaire de la plus haute importance. ‖ *Cou[p] d'État*, acte qui viole la constitution établie : *Un groupe de mili[taires] s'est emparé du pouvoir par un coup d'État.* ‖ *Homme d'État*, celui qui exerce un rôle important dans la politique d'un pays. ‖ *Raison d'État*, considération de l'intérêt public portant un gou[vernement] à commettre une injustice. ‖ *Religion d'État*, religio[n] protégée par un gouvernement, à l'exclusion de toute autre. ‖ *Secret d'État*, secret important auquel ne sont initiées que cer[taines] personnes qui participent au gouvernement. ‖ *Secrétair[e]* *d'État*, personnalité qui dirige un département ministériel, sans avoir le titre de ministre. ◆ **étatique** adj. Se dit de ce qui a rapport à la gestion exercée par l'État. ◆ **étatiser** v. t. Faire administrer par l'État. ◆ **étatisation** n. f. : *L'étatisation se distingue de la nationalisation par le fait que l'État exerce une gestion plus directe dans la première que dans la seconde.* ◆ **étatisme** n. m. Système politique dans lequel l'État intervient directement dans le domaine économique. ◆ **étatiste** adj. et n.

ÉTAT FRANÇAIS, régime politique de la France de juillet 1940 à août 1944. Après la défaite de juin 1940, le maréchal Pétain reçut pleins pouvoirs de la majorité du Parlement afin de donner une nouvelle constitution à la nation. Il s'attribua en fait la totalité du pouvoir exécutif et législatif. Son gouvernement siégeait à Vichy, d'où le nom de *gouvernement de Vichy* qui lui est donné fréquemment. La devise du régime était : « Travail, Famille, Patrie ». Il prit des mesures d'exception contre les opposants et collabora avec l'Allemagne qui occupait les deux tiers de la France. Il prit fin à la libération de la France par les troupes alliées.

ÉTATS DE L'ÉGLISE ou **ÉTATS PONTIFICAUX,** noms officiels de la partie centrale de l'Italie tant qu'elle fut sous la domination des papes (756-1870). Ceux-ci, qui réclamaient la possession de territoires en vertu d'une prétendue « donation de Constantin », avaient obtenu le « Patrimoine de Saint-Pierre en Tuscie », constitué de domaines donnés à l'Église romaine par les empereurs chrétiens et les fidèles. Ce noyau primitif fut constamment agrandi, grâce aux Francs, au VIIIe s., puis, au cours des XVe, XVIe et XVIIe s. Mais, déplorablement administrés, les États pontificaux furent entamés à partir de 1860 au profit du Piémont qui réalisait l'unité italienne.

- *1870. Les États de l'Église sont annexés au royaume d'Italie.*

Cependant, le pape Pie IX ne reconnaît pas le fait accompli.

- *1929. Les accords du Latran mettent fin au différend entre le gouvernement italien et le pape en créant dans un faubourg de Rome le petit État du Vatican, dernier vestige de la puissance temporelle du Saint-Siège.*

ÉTATS GÉNÉRAUX, assemblées de l'Ancien Régime où siégeaient les représentants issus de chaque province et appartenant aux trois ordres (ou « états ») de la société : *noblesse, clergé* et *tiers état* (= troisième ordre, ou bourgeoisie). Leur rôle était purement consultatif et ils n'étaient réunis par le roi que dans les cas importants. Celui-ci demandait aux états généraux conseil, aide et impôts, mais pouvait les congédier quand il voulait. Les états avaient le *droit de remontrance :* chaque ordre dressait un *cahier* de doléances.*

Dès le Moyen Âge, où ils sont réunis notamment en 1356-1357 et en 1484, les états généraux apparaissent comme une force d'opposition face à l'absolutisme royal, qu'ils cherchent à limiter en s'affirmant gardiens de la tradition et seuls détenteurs du droit de consentir l'impôt. Les rois évitant, pour cette raison, de les convoquer, ils eurent peu souvent l'occasion de se réunir.

À partir du règne d'Henri IV, qui voit le renforcement de l'autorité monarchique, ils deviennent un rouage administratif plus ou moins contrôlé par le roi, et destiné à lever les impôts ou à régler les questions religieuses.

- *Mai 1789. Les états généraux se réunissent pour la dernière fois.*

Convoqués pour résoudre les difficultés financières de la monarchie, ils sont préparés par les cahiers de doléances que rédige chaque ordre. Leurs revendications sont modérées : fin du despotisme ministériel, établissement d'une constitution garante des droits individuels et de la nation, égalité fiscale; le tiers réclame la suppression des privilèges.

Le 9 juillet, après le ralliement du clergé et de la noblesse à la proposition du tiers d'une délibération commune des trois ordres, les états généraux sont proclamés Assemblée* constituante.

ÉTATS PROVINCIAUX, assemblées des délégués des trois ordres d'une province, sous l'Ancien Régime. Les réunions des états provinciaux se faisaient sur ordre du roi. Leur attribution essentielle était de voter l'impôt dit *don gratuit.* Elles disparurent peu à peu au XVIIe et au XVIIIe s., à mesure que se renforçait l'absolutisme royal. Les provinces où elles subsistaient encore à la veille de la Révolution formaient les *pays d'états :* il s'agissait de provinces rattachées tardivement au domaine royal (Bourgogne, Bretagne, Provence, Dauphiné, Artois, Hainaut, Cambrésis, Flandre) ou isolées du reste du royaume (Béarn, Bigorre, Foix, Labour, Soule).

ÉTATIQUE adj., **ÉTATISATION** n. f., **ÉTATISER** v. t., **ÉTATISME** n. m., **ÉTATISTE** adj. et n. ⟶ ÉTAT 4.

ÉTAT-MAJOR [etamaʒɔr] n. m. *(état,* et *major).* **1.** Groupe d'officiers chargés de conseiller, d'assister un chef militaire dans l'exercice de son commandement. — **2.** Ensemble des collaborateurs les plus proches d'un chef, des personnes les plus influentes d'un groupe : *Les états-majors des partis politiques se concertent.*

ÉTATS-UNIS D'AMÉRIQUE, en angl. **United States of America** (en abrégé **U. S. A.**), république fédérale d'Amérique du Nord, limitée par le Canada et le Mexique. Elle groupe 50 États, y compris l'Alaska et les îles Hawaii, auxquels s'ajoutent le district fédéral de Columbia et les territoires extérieurs : État associé de Porto Rico, îles Vierges américaines, Samoa américaines et Guam.

SUPERFICIE 9 364 000 km² (France : 550 000 km²).

POPULATION 249,6 millions d'hab. *(Américains);* 27 hab. au km² (France : 103); taux de natalité, 15,3 p. 1 000; taux de mortalité, 8,8 p. 1 000.

CAPITALE Washington (637 500 hab., agglomération 3 060 000 hab.).

PRINCIPALES AGGLOMÉRATIONS New York (9 120 000 hab.); Los Angeles (7 477 000 hab.); Chicago (7 103 000 hab.); Philadelphie (4 718 000 hab.); Detroit (4 353 000 hab.); San Francisco (3 250 000 hab.); Boston (2 899 100 hab.); Saint Louis (2 410 200 hab.); Pittsburgh (2 264 000 hab.); Cleveland (2 065 000 hab.).

LANGUE anglais.

ÉCONOMIE produit national brut par hab., 13 969 dollars (France : 9 484); consommation d'énergie par hab., 10 200 kg d'équivalent charbon; 1 automobile pour 2 hab.

MONNAIE dollar.

GÉOGRAPHIE

■ **GÉOGRAPHIE PHYSIQUE.**

Le pays s'étend sur trois grandes unités de relief : à l'E., le massif ancien des *Appalaches,* rajeuni par l'érosion; au centre, les *Grandes Plaines* formant un vaste couloir drainé par le Mississippi vers le golfe du Mexique; à l'O., le système des *Rocheuses,* où deux séries de chaînes (Rocheuses proprement dites à l'E., Chaîne côtière, chaîne des Cascades, sierra Nevada le long de la côte Pacifique) encadrent les hauts plateaux de l'Oregon, du Grand Bassin et du Colorado.

En raison de la barrière qu'opposent les Rocheuses aux vents d'ouest, le climat est fortement marqué par la continentalité, devenant même aride localement (déserts de l'Arizona). Seules lui échappent la côte du golfe du Mexique, au climat subtropical humide, et la côte pacifique, océanique au N., méditerranéenne au S.

	TEMPÉRATURES MOYENNES janv.	juil.	PLUIES
climat continental (Chicago)	— 3,3 °C	23,9 °C	843 mm
climat océanique (Seattle)	5,4 °C	18,5 °C	866 mm
climat méditerranéen (Los Angeles)	13 °C	22,5 °C	373 mm
climat subtropical (New Orleans)	12,9 °C	27,8 °C	1 607 mm

■ **GÉOGRAPHIE HUMAINE ET ÉCONOMIQUE.**

La *population* est très variée, et très inégalement répartie. Les indigènes, les Indiens, ne représentent que 0,25 p. 100 des habitants. Cantonnés pour la plupart dans des réserves, ils participent peu à la vie économique. L'essentiel du peuplement a été fourni par l'émigration. Quarante millions d'Européens, poussés par les événements politiques ou la misère, sont arrivés en un peu plus d'un siècle, par vagues successives (Britanniques puis Scandinaves et Allemands, puis Slaves et Méditerranéens). Les Noirs, qui représentent 10 p. 100 de la population, descendent des esclaves amenés d'Afrique aux XVIIe et XVIIIe s. pour travailler dans les plantations du Sud. En raison de préjugés raciaux, ils ne sont pas intégrés au reste de la population : ils ont obtenu l'égalité des droits, mais la discrimination subsiste dans les faits et constitue l'un des problèmes cruciaux du pays. Quelques Asiatiques sont implantés sur la côte ouest. Un mouvement récent d'immigration s'est opéré à l'échelle du continent (Mexicains, Porto-Ricains...). En raison de la limitation actuelle de l'immigration, la population ne s'accroît plus guère que par l'excédent des naissances sur les décès. Les grands foyers de peuplement sont le Nord-Est et la façade pacifique, pour des raisons historiques et naturelles, mais la population est très mobile.

Le développement des *voies de communication* a joué un rôle capital dans la mise en valeur du pays et notamment dans la « conquête de l'Ouest » (chemin de fer). Actuellement, la capacité de transport est considérable. Le pays possède le tiers du réseau mondial de voies ferrées, la moitié du parc automobile, de grandes voies navigables (Mississippi, Grands Lacs et Saint-Laurent), et le trafic aérien intérieur égale le trafic ferroviaire pour les voyageurs.

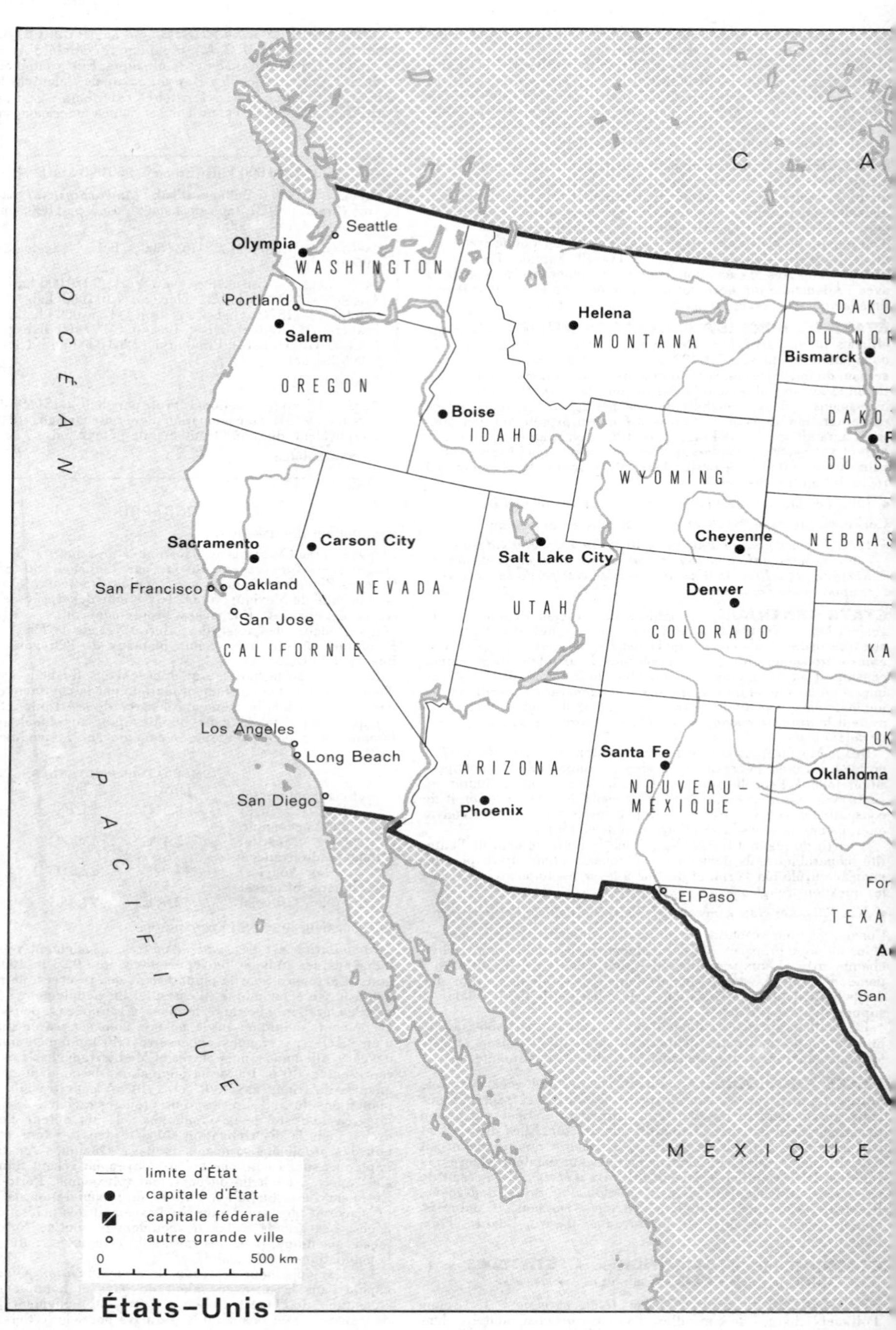
C A
OCÉAN
PACIFIQUE
Seattle
Olympia
WASHINGTON
Portland
Salem
OREGON
Helena
MONTANA
DAKO
DU NOR
Bismarck
DAKO
DU S
Boise
IDAHO
WYOMING
Cheyenne
NEBRAS
Sacramento
Carson City
Salt Lake City
San Francisco
Oakland
NEVADA
Denver
San Jose
UTAH
COLORADO
CALIFORNIE
KA
OK
Los Angeles
Long Beach
Santa Fe
ARIZONA
Oklahoma
NOUVEAU-MEXIQUE
San Diego
Phoenix
For
El Paso
TEXA
San
MEXIQUE
limite d'État
capitale d'État
capitale fédérale
autre grande ville
0
500 km

États-Unis

A D A
lac Supérieur
MICHIGAN
lac Huron
lac Michigan
lac Ontario
lac Erié
St-Laurent
Mississippi
MAINE
Augusta
Montpelier
Concord
Boston
Albany
NEW YORK
Providence
Hartford
Buffalo
Newark
New York
Trenton
Philadelphie
Dover
Baltimore
Annapolis
WASHINGTON
PENNSYLVANIE
Harrisburg
Pittsburgh
St-Paul
WISCONSIN
Madison
Milwaukee
Lansing
Detroit
Toledo
Cleveland
OHIO
Colombus
Chicago
INDIANA
Indianapolis
ILLINOIS
Springfield
Cincinnati
St Louis
Louisville
Frankfort
VIRGINIE OCCIDLE
Charleston
Richmond
Norfolk
VIRGINIE
KENTUCKY
MISSOURI
Raleigh
CAROLINE DU NORD
Nashville-Davidson
TENNESSEE
Memphis
ARKANSAS
Rock
Columbia
CAROLINE DU SUD
Birmingham
Atlanta
GÉORGIE
ALABAMA
MISSISSIPPI
Montgomery
Jackson
LOUISIANE
Baton Rouge
Jacksonville
Tallahassee
FLORIDE
La Nouvelle-Orléans
Miami
OCÉAN
ATLANTIQUE
GOLFE DU MEXIQUE
CUBA
1. NEW HAMPSHIRE
2. VERMONT
3. MASSACHUSETTS
4. RHODE ISLAND
5. CONNECTICUT
6. NEW JERSEY
7. MARYLAND
8. DELAWARE

ÉTATS-UNIS D'AMÉRIQUE

L'*agriculture*, qui n'occupe que 6 p. 100 de la population, fournit d'énormes quantités de produits grâce à l'étendue des surfaces cultivables, à la mécanisation très poussée et à l'utilisation massive des engrais. Le climat explique les différentes zones de production : polyculture et élevage bovin dans le Nord-Est, à proximité des grands foyers urbains; grande culture de céréales et élevage porcin dans le Centre; coton dans le Sud; cultures méditerranéennes en Californie (arbres fruitiers, vigne) et tropicales sur la côte du golfe du Mexique (agrumes, canne à sucre, riz).

blé	70 millions de t	(3e producteur mondial)
maïs	170 millions de t	(1er producteur mondial)
coton	2 900 000 t	(2e producteur mondial)
canne à sucre	2 500 000 t	
agrumes	10 millions de t	(2e producteur mondial)
vin	16 270 000 hl	
tabac	800 000 t	(2e producteur mondial)
bovins	110 millions de têtes	(4e rang mondial)
porcins	55 millions de têtes	
ovins	11 500 000 têtes	
lait	60 millions de t.	

Mais l'*industrie*, la plus puissante du monde, est de loin le secteur le plus important de l'économie. Elle est basée sur des richesses naturelles abondantes et variées : des sources d'énergie (charbon des Appalaches, pétrole et gaz naturel [côte du golfe du Mexique, Texas et Louisiane, Centre, Californie], hydro-électricité des Appalaches [Tennessee] et des Rocheuses, centrales nucléaires utilisant de l'uranium enrichi), des minerais (fer près du lac Supérieur, cuivre des Rocheuses, zinc, plomb, soufre, bauxite, phosphates, métaux précieux).

charbon	750 millions de t	(1er producteur mondial)
pétrole	485 millions de t	(2e producteur mondial)
gaz naturel	490 milliards de m^3	(2e producteur mondial)
électricité	2 400 milliards de kWh	(1er producteur mondial)
fer	40 millions de t	(5e producteur mondial)
cuivre	1 100 000 t	(2e producteur mondial)
plomb	330 000 t	(3e producteur mondial)
or	60 000 kg	(5e producteur mondial)

L'industrie est localisée surtout dans trois grandes régions : le Nord-Est, le golfe du Mexique et la côte pacifique. La sidérurgie est implantée surtout à proximité des Grands Lacs (Pittsburgh). Elle alimente des industries de transformation variées : constructions automobiles (Detroit), navales, aéronautiques. La chimie (pétrochimie) est installée sur la côte du golfe du Mexique et dans le Nord-Est, le textile en Nouvelle-Angleterre et dans les États cotonniers du Sud.

acier	80 millions de t	(3e producteur mondial)
automobiles	8 millions d'unités	(1er producteur mondial)
caoutchouc synthétique	2 100 000 t	(1er producteur mondial)
coton (filés)	1 million de t	(4e producteur mondial)

L'industrie est aux mains d'énormes sociétés (trusts) qui contrôlent en partie le marché mondial, à l'exception des pays socialistes. Les 5 premières entreprises américaines sont :

General Motors	automobiles
Standard Oil (Exxon)	pétrole
Ford	automobiles
General Electric	électricité, électronique
Mobil Oil	pétrole

Première puissance économique mondiale, les États-Unis ont le niveau de vie le plus élevé du monde. Des problèmes se posent cependant. La saturation du marché intérieur ou la fermeture des marchés extérieurs provoquent périodiquement des crises de surproduction. Elles se traduisent par le chômage dans le pays, et mettent de nombreux pays étrangers en difficulté en raison de l'emprise économique directe ou indirecte que les États-Unis exercent sur eux.

HISTOIRE

■ LA PÉRIODE COLONIALE.

À partir du XVIe s., le territoire des États-Unis occupé par des « Indiens » semi-nomades est exploré par des navigateurs français, espagnols, puis anglais.

Dès le début du XVIIe s., les Anglais y émigrent en masse, fuyant les bouleversements politiques et religieux de leur pays. Quelques Allemands et Hollandais s'ajoutent à leur nombre. Ces immigrants s'installent sur la côte est du territoire.

- *1607-1733. Création de treize colonies anglaises.*

Ces colonies économiquement différentes (polyculture, élevage et petites manufactures au N., riches plantations de coton et de tabac avec une main-d'œuvre d'esclaves noirs au S.) s'unissent pour faire face, d'une part, aux Indiens qui résistent à l'occupation de leur sol et, d'autre part, aux Français pour la possession des terres vides.

- *1763. Le traité de Paris écarte la menace française et ouvre l'ouest du territoire américain aux colons anglais.*

Cependant le désir de l'Angleterre de renforcer la soumission économique et politique des colonies à la métropole entraîne plusieurs incidents violents.

- *1774. Le premier Congrès continental américain se réunit à Philadelphie. Il proclame le désir des colonies de s'administrer elles-mêmes.*

■ LA RUPTURE AVEC L'ANGLETERRE ET LA FONDATION DES ÉTATS-UNIS.

- *1775-1783. Cette attitude de résistance des colonies face à l'Angleterre aboutit à la guerre d'Indépendance dont les buts sont précisés dans la déclaration d'Indépendance (4 juillet 1776).*

Les colonies sont commandées par Washington. À partir de 1778, elles obtiennent le soutien officiel de la France.

- *1783. Par les traités de Versailles, l'Angleterre reconnaît l'indépendance des États-Unis.*
- *1787. Les délégués des États, réunis à Philadelphie, adoptent une Constitution fédérale qui est encore en vigueur.*

■ L'UNION DES ÉTATS DE 1787 À 1865.

Pendant cette période, l'expansion vers l'O. continue et de nombreux États sont créés à mesure que s'accroît le peuplement. Les États-Unis achètent la Louisiane à la France (1803) et la Floride aux Espagnols (1819).

- *1812-1814. Après un nouveau conflit avec l'Angleterre, le traité de Gand confirme l'indépendance américaine.*
- *1823. L'énoncé de la « doctrine de Monroe » affirme le principe de la neutralité américaine et de l'opposition à toute intervention européenne sur l'ensemble du continent américain.*
- *1846-1848. Guerre contre le Mexique.*

L'Union s'accroît du Texas, du Nouveau-Mexique et de la Californie.

Mais l'opposition grandissante entre le Nord et le Sud trouble de plus en plus l'équilibre politique de l'Union : la divergence économique entre le Sud, agricole et libre-échangiste, et le Nord, industriel et protectionniste, débouche sur une divergence sociale à propos de l'esclavage dont le Nord souhaite l'abolition tandis qu'il est à la base de l'activité économique du Sud.

■ LA SÉCESSION DU SUD ET LA RECONSTRUCTION.

- *1861. L'élection d'Abraham Lincoln, résolument antiesclavagiste, provoque la sécession du Sud (= il se sépare de l'Union).*
- *1861-1865. La guerre de Sécession se termine par la victoire des nordistes.*

Cinq jours après l'armistice, Lincoln est assassiné par un sudiste.

- *1865-1871. Par trois amendements successifs, la Constitution fédérale abolit l'esclavage, impose la reconnaissance de la citoyenneté aux Noirs et interdit toute discrimination raciale.*

En 1871, tous les États ont réintégré l'Union après avoir ratifié ces amendements.

- *1873. Les États-Unis, très affaiblis par la guerre, doivent faire face à une grave crise économique.*

■ L'ESSOR AMÉRICAIN (1874-1919).

Le rapide développement des chemins de fer joue un rôle capital dans la construction de l'unité nationale et dans la progression vers l'O.

- *1890. Le territoire américain est occupé de l'Atlantique au Pacifique.*

En outre, les États-Unis ont acheté l'Alaska à la Russie en 1867.

Une forte immigration, venue de tous les pays d'Europe, favorise le redressement de l'économie; la mécanisation et la monoculture sur de très grandes surfaces permettent l'essor de la production agricole et industrielle.

Les républicains, le plus souvent au pouvoir durant cette période, maintiennent un strict protectionnisme* douanier et s'opposent aux monopoles des trusts; mais leur politique rencontre l'opposition des fermiers de l'Ouest, démocrates, cependant que les premières organisations syndicales apparaissent.

À partir de 1895, les États-Unis manifestent leur volonté d'expansion en Amérique latine : annexion de Porto Rico, des Philippines et de l'île de Guam à la suite d'une guerre avec l'Espagne; implantation à Cuba (1901) et à Saint-Domingue (1905), acquisition de la zone du canal de Panamá (1903).

- *1917. Les États-Unis déclarent la guerre à l'Allemagne et fournissent dès lors une aide considérable aux Alliés.*

■ L'ENTRE-DEUX-GUERRES (1919-1941).

En faisant des États-Unis les fournisseurs des Alliés, la guerre a provoqué un développement rapide de la production industrielle et agricole et gonflé considérablement le stock d'or américain. Le

Europe

Féroé
Is Shetland
NORVÈGE
Oslo
SUÈDE
Stockholm
FINLANDE
Helsinki
Tallin
ESTONIE
Riga
LETTONIE
LITUANIE
Vilnious
Minsk
BIÉLORUSSIE
RUSSIE
Moscou
KAZAKHSTAN
ÉCOSSE
IRLANDE DU NORD
ROYAUME-UNI
DE GRANDE-BRETAGNE
ET D'IRLANDE DU NORD
IRLANDE
Dublin
PAYS DE GALLES
ANGLETERRE
Londres
DANEMARK
Copenhague
Amsterdam
PAYS-BAS
Berlin
ALLEMAGNE
Varsovie
POLOGNE
Kiev
UKRAINE
Bruxelles
BELGIQUE
LUX.
Paris
Prague
TCHÉCOSLOVAQUIE
FRANCE
Berne
SUISSE
LIECHTENSTEIN
Vaduz
Vienne
AUTRICHE
Budapest
HONGRIE
Kichinev
MOLDAVIE
ROUMANIE
Bucarest
GÉORGIE
Tbilissi
AZERBAÏDJAN
Bakou
ARMÉNIE
Erevan
Lisbonne
PORTUGAL
Madrid
ESPAGNE
ANDORRE
MONACO
ITALIE
SAINT-MARIN
Belgrade
YOUGOSLAVIE
BULGARIE
Sofia
TURQUIE
Corse
Rome
Tirana
ALBANIE
Baléares
Sardaigne
GIBRALTAR (G.-B.)
GRÈCE
Athènes
Sicile
MALTE
La Valette
Crète
Rhodes
0
500 km

Europe
échelle
des altitudes
0
100
200
500
1 500
3 000 m
0
500 km
Islande
C. Reykjanes
C. Langanes
2468
Hvannadalshnukur
Cercle Polaire Arctique
Féroé
Is Shetland
Hébrides
Highlands
Irlande
Angleterre
Chaîne Pennine
Slea Head
Mizen Head
OCÉAN
ATLANTIQUE
Land's End
MANCHE
Pas de Calais
Flandres
Is de la Frise
MER
DU NORD
Skagerrak
Kattegat
Jylland
SCANDINAVIE
Chaîne Scandinave
Jotunheim
Kebnekaise
2123
Laponie
Cap Nord
MER
DE BARENTS
Presqu'île
de Kola
MER BLANCHE
GOLFE DE BOTNIE
G. DE FINLANDE
Salpausselkä
LAC
LADOGA
LAC
ONEGA
VÄNERN
VÄTTERN
MER
BALTIQUE
Gotland
Öland
Scanie
Dvina Septentrle
Petchora
1894
Oural
Kama
Viatka
Volga
Hauteurs
du Valdaï
Dvina
Niémen
Plateau
de Moyenne-
Russie
Hauteurs de la Volga
Oural
Dépression
de la Caspienne
MER CASPIENNE
Don
Volga
Pripet
Dniepr
Plateau
de Podolie
Elbe
Weser
Oder
Vistule
Erzgebirge
Sudètes
BOHÊME
Böhmerwald
Beskides
Tatras
Carpates
Alföld
Alpes de Transylvanie
Valachie
Danube
Balkan
Rhodope
MER
D'AZOV
Crimée
MER NOIRE
Elbrous
5633
Caucase
ASIE
M. DE
MARMARA
MER
ÉGÉE
Eubée
Pinde
Îles
Ioniennes
Pte du Raz
Massif
Armoricain
Loire
Seine
Bassin
Parisien
Ardennes
Morvan
Vosges
Forêt
Noire
Rhin
Plateau
de Bavière
Danube
Jura
Alpes
Mont Blanc
4807
Plaine
du Pô
Pô
Karst
Chaîne
Dinarique
MER ADRIATIQUE
Détr. d'Otrante
G. DE
TARENTE
Apennins
MER
TYRRHÉNIENNE
Etna 3295
Sicile
Dt de Messine
Massif
Central
Cévennes
Rhône
GOLFE
DE GASCOGNE
Bassin
Aquitain
Garonne
Pyrénées
P. d'Aneto
3404
GOLFE
DU LION
GOLFE
DE GÊNES
Corse
Sardaigne
Cap
Finisterre
Cord. Cantabrique
Plateau
de Vieille-
Castille
Douro
Èbre
Tage
Guadiana
Plateau
de Nouvelle-
Castille
Guadalquivir
Andalousie
Cord. Bétique
3478
Cap
St-Vincent
Détr. de Gibraltar
Baléares
Minorque
Majorque
Ibiza
MER
MÉDIT
30°
20°
10°
0°
10°
30°
40°
50°
60°
50°
40°

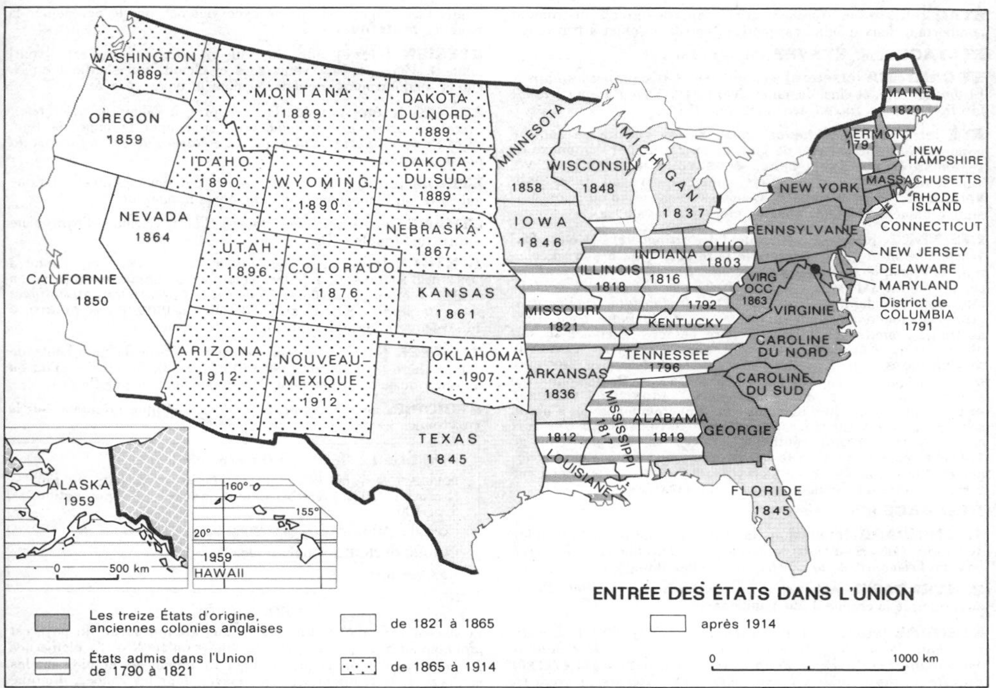

niveau de vie s'accroît alors fortement, tandis que le gouvernement républicain poursuit sa politique protectionniste, met un frein à l'immigration et instaure la prohibition (1919).

• *1929-1933. Grave crise économique.*

Elle est due à la surproduction et se répercute dans tous les États industriels du monde. De nombreuses faillites bancaires et industrielles entraînent un chômage catastrophique.

• *1933. L'opinion se détourne des républicains. Le démocrate F. D. Roosevelt est élu à la présidence.*

• *1933-1935. Roosevelt met en application une nouvelle politique économique, ou « New Deal », qui assure la reprise des affaires et la résorption du chômage.*

En politique extérieure, il pratique une politique de retrait en Amérique latine et soutient les démocraties européennes par la vente (1937) puis le prêt (1941) de matériel de guerre.

• *7 déc. 1941. L'attaque japonaise contre la base américaine de Pearl Harbor provoque l'entrée en guerre des États-Unis.*

■ LES ÉTATS-UNIS DEPUIS 1941.

• *1941-1945. Intervention militaire directe dans la guerre.*

Dès 1943, Roosevelt multiplie les conférences pour organiser le monde de « l'après-guerre » et établir les fondements de l'Organisation des Nations unies (O. N. U.).

Après la victoire, les États-Unis doivent faire face à des difficultés intérieures dues au retour à une économie de temps de paix et à la démobilisation.

• *1947-1950. Début de la « guerre froide » avec l'U. R. S. S.*

La politique du président démocrate Truman, « contenir » la poussée du communisme, entraîne l'organisation d'un plan d'aide économique à l'Europe (plan Marshall, 1947) et à la Chine de Chang Kaï-chek, ainsi que la création de l'O. T. A. N.* (Organisation du traité de l'Atlantique Nord, 1949).

• *1950-1953. Les États-Unis s'engagent dans la guerre de Corée, pour tenter d'y empêcher l'établissement du communisme. En 1953, ils doivent cependant se résoudre au partage de la Corée (de même qu'en 1954 ils devront se résoudre à celui du Viêt-nam).*

En même temps, ils renforcent leur politique d'alliance en Asie (pacte avec le Japon, 1951; création de l'O. T. A. S. E.*, 1955).

• *1956. La politique d'hostilité ouverte avec le monde communiste fait place à la « coexistence pacifique ».*

• *1960-1963. L'administration démocrate du président Kennedy lutte contre la misère et la ségrégation raciale et inaugure une politique d'intervention armée au Viêt-nam.*

Après une période au cours de laquelle les crises se sont multipliées (Cuba, Berlin), les relations des États-Unis avec l'U. R. S. S. s'améliorent (accords de Moscou, 1963).

Depuis 1963, sous la présidence de L. Johnson (qui succède à Kennedy, assassiné), de R. Nixon (qui démissionne en 1974), puis de Gerald Ford, les États-Unis doivent faire face, à l'intérieur, à de multiples difficultés dues en particulier au problème noir (qui n'est pas résolu malgré la loi de 1964 affirmant l'égalité civique entre Noirs et Blancs), à des problèmes économiques et sociaux.

Après une période de renforcement de la guerre en Indochine (bombardements systématiques sur le Viêt-nam du Nord, intensification des actions au Viêt-nam du Sud), la politique extérieure est marquée par le désengagement des États-Unis au Viêt-nam (1973) et la défaite de leurs alliés du Viêt-nam du Sud (1975).

• *Nov. 1976. Élection du démocrate Jimmy Carter.*

• *Mars 1979. Signature d'un traité de paix israélo-égyptien grâce à la médiation de Carter dans le conflit du Proche-Orient.*

• *Nov. 1980. Élection du républicain Ronald Reagan, ce qui amène un durcissement des relations avec l'U. R. S. S.*

• *Nov. 1984. La reprise économique contribue à la réélection triomphale de Reagan.*

• *Nov. 1985. La rencontre de Reagan et de Gorbatchev à Genève marque l'amorce d'une détente des relations avec l'U. R. S. S.*

• *1987. La popularité du président Reagan est entamée par le scandale de l'« Irangate » (vente secrète d'armes à l'Iran) et par les difficultés économiques et financières nées du déficit américain. Reagan et Gorbatchev signent (déc.) un accord sur l'élimination des missiles de moyenne portée en Europe.*

• *Nov. 1988. Élection du républicain George Bush.*

Prolongeant la ligne politique de son prédécesseur, G. Bush mène parallèlement une politique d'ouverture avec l'U. R. S. S. et de fermeté (intervention au Panamá, 1989).

• *1991. Les États-Unis conduisent la force multinationale qui intervient contre l'Iraq et libère le Koweït.* (→ GOLFE *[guerre du]*.)

C'est également sous leur égide qu'est organisée la conférence sur la paix au Proche-Orient.

ÉTAU [eto] n. m. (prononciation pop. de *estoc*). Instrument comportant deux mâchoires, pouvant serrer un objet à travailler.

ÉTAYAGE n. m., **ÉTAYER** v. t. → ÉTAI 2.

ET CAETERA [etsetera] loc. adv. (loc. lat. signif. *et les autres*). Et tout le reste, et ainsi de suite (s'écrit ETC.) : *Tout un matériel de jardinage, bêche, râteau, sécateur, etc.*

ÉTÉ [ete] n. m. (lat. *aestas, -atis*). Saison chaude de l'année, comprise entre le solstice de juin (21 ou 22 juin) et l'équinoxe de septembre (22 ou 23 septembre). ◆ **estival, e, aux** [ɛstival, -vo] adj. Se dit de ce qui a lieu en été, qui se rapporte à l'été. ◆ **estivant, e** n. Personne venue passer ses vacances d'été dans une station balnéaire, à la campagne, etc. (syn. VACANCIER).

ÉTEINDRE [etɛ̃dr] v. t. (du lat. *extinguere*). [Conj. **55.**] **1.** *Éteindre qqch.* (mot concret), le faire cesser de brûler, d'éclairer : *Les pompiers ont éteint l'incendie. Éteindre les phares d'une voiture* (contr. ALLUMER). — **2.** *Éteindre une chambre, un couloir,* interrompre l'éclairage de ce lieu. ‖ *Éteindre la radio, la télévision,* arrêter le fonctionnement du poste. — **3.** *Éteindre qqch.* (mot abstrait), y mettre un terme, le faire cesser : *Éteindre sa soif* (littér.) [syn. ÉTANCHER]. *Éteindre une dette* (syn. ANNULER). ◆ **s'éteindre** v. pr. **1.** *Le feu s'éteint faute de bois* (syn. MOURIR). *Un amour qui s'est éteint* (syn. DISPARAÎTRE). — **2.** Personne qui s'éteint, qui meurt doucement (syn. AGONISER, EXPIRER). ◆ **éteint, e** adj. Se dit d'une chose ou d'une personne qui a perdu son éclat, sa vivacité : *Un regard éteint* (syn. TERNE). *Une voix éteinte* (syn. NEUTRE; contr. ÉCLATANT). ◆ **éteignoir** n. m. **1.** Objet généralement en forme de cône, servant à éteindre des cierges, des bougies. (→ EXTINCTEUR.) — **2.** *Fam.* Personne triste, austère, d'humeur chagrine (syn. RABAT-JOIE).

ÉTENDAGE n. m. → ÉTENDRE.

1. ÉTENDARD [etɑ̃dar] n. m. (frq. *standhard*, inébranlable). **1.** Drapeau des régiments de cavalerie et d'artillerie. — **2.** *Lever, brandir l'étendard de la révolte,* se révolter (littér.).

2. ÉTENDARD [etɑ̃dar] n. m. (de *étendard* 1). *Bot.* Pétale supérieur de la corolle d'une papilionacée.

ÉTENDRE [etɑ̃dr] v. t. (lat. *extendere*). [Conj. **50.**] **1.** *Étendre une chose,* la développer en longueur, en largeur : *Il étendit la carte routière sur le capot de la voiture* (syn. DÉPLOYER, ÉTALER). *Étendre un tapis sur le sol* (syn. DÉROULER). *Étendre sa propriété* (syn. AGRANDIR). [→ EXTENSION.] — **2.** *Étendre qq'un sur le sol, sur un lit,* l'y mettre de tout son long. — **3.** *Étendre un liquide, un enduit,* etc., l'appliquer sur une surface : *Étendre du beurre sur du pain.* — **4.** *Étendre qqch.*, le développer en durée, en ampleur : *Étendre son pouvoir* (syn. ACCROÎTRE). — **5.** *Étendre un mélange, une sauce,* etc., en diminuer la concentration, en général par addition d'eau : *Il boit du vin étendu d'un peu d'eau* (syn. ADDITIONNER, COUPER). ◆ **s'étendre** v. pr. : *S'étendre sur son lit* (syn. S'ALLONGER). *La plaine s'étend jusqu'à l'horizon* (syn. S'ÉTALER). *Mes connaissances ne s'étendent pas jusque-là* (syn. ALLER). *L'épidémie s'est rapidement étendue* (syn. SE PROPAGER). ◆ **étendage** n. m. : *Une corde pour l'étendage du linge.* ◆ **étendoir** n. m. : *Un étendoir est un fil ou une corde pour étendre le linge.* ◆ **étendu, e** adj. : *Une plaine peu étendue. Il a des connaissances très étendues* (syn. AMPLE, VASTE). ◆ n. f. **1.** Dimension en superficie : *De vastes étendues désertiques* (syn. ESPACE, SURFACE). *Cette ferme est le double de l'autre en étendue* (syn. SUPERFICIE). — **2.** Temps que dure une chose : *L'étendue de la vie* (syn. DURÉE). — **3.** Importance, ampleur : *Évaluer l'étendue des dégâts* (syn. PROPORTION).

ÉTERNEL, ELLE [etɛrnɛl] adj. (lat. *aeternalis*). **1.** (après le nom) Qui n'a ni commencement ni fin, qui est hors du temps (langue relig. et philos.) : *La croyance en un Dieu éternel.* ‖ *La Ville éternelle,* Rome, que les catholiques considèrent comme le siège immuable du chef de l'Église. — **2.** (après le nom) qui n'a pas de fin : *Cette situation ne sera pas éternelle* (= elle cessera). *On appelle « zone des neiges éternelles » la partie des montagnes constamment enneigée.* — **3.** (avant ou plus souvent après le nom) Qui durera aussi longtemps que la vie : *Une reconnaissance éternelle* (syn. PERPÉTUEL). — **4.** (avant le nom) Se dit de ce qui lasse par sa longueur, sa répétition : *D'éternelles discussions* (syn. INTERMINABLE). — **5.** (avant le nom) Se dit de ce qui est habituel à quelqu'un, continuellement associé à quelque chose : *Son éternelle cigarette à la bouche.* ◆ **éternellement** adv. : *C'est un pays où il pleut éternellement* (syn. CONTINUELLEMENT, TOUJOURS). ◆ **éterniser** v. t. Faire durer longtemps, faire traîner en longueur. ◆ ***s'éterniser*** v. pr. **1.** (sujet nom de chose) Durer interminablement. — **2.** (sujet nom de personne) Rester très longtemps en un lieu. ◆ **éternité** n. f. **1.** Durée qui n'a ni commencement ni fin, ou qui n'a pas de fin : *L'éternité de Dieu.* — **2.** Temps qui paraît très long : *Il y a une éternité que je ne l'avais vu.* — **3.** *De toute éternité,* depuis toujours, depuis un temps immémorial.

ÉTERNUEMENT [etɛrnymɑ̃] n. m. (du lat. *sternuere*, éternuer). Mouvement subit et convulsif des muscles expirateurs, par lequel l'air inspiré est chassé avec violence par le nez et par la bouche. ◆ **éternuer** v. i.

ÉTÉSIEN [etezjɛ̃] adj. m. (du gr. *etêsios* [*anemos*], [vent] annuel). *Vents étésiens,* vents secs et chauds qui soufflent du N. sur la Méditerranée orientale, et dont le type est le *fœhn.*

ÉTÊTER [etete] v. t. (du lat. *ex-*, préf. à valeur priv., et *tête*). *Étêter un arbre, une épingle,* etc., en couper la cime, la tête. ◆ **étêtage** ou **étêtement** n. m. : *L'étêtage d'un arbre favorise la pousse des basses branches.*

ÉTEULE [etœl] n. f. (du lat. *stipula*, tige des céréales). Chaume qui reste sur place dans le champ, après la moisson.

ÉTHANE [etan] n. m. (de *éth[er]*). *Chim.* Carbure d'hydrogène saturé, de formule C_2H_6.

1. ÉTHER [etɛr] n. m. (gr. *aithêr*, air). *Chim.* Nom donné à l'OXYDE D'ÉTHYLE, liquide très volatil et inflammable, employé en médecine et en pharmacie : *L'éther a des propriétés antiseptiques et anesthésiantes.* (On dit aussi ÉTHER SULFURIQUE.) ◆ **éthéré, e** adj. *Odeur éthérée,* qui rappelle celle de l'éther.

2. ÉTHER [etɛr] n. m. (même étym.). Partie la plus haute de l'atmosphère (syn. ESPACE). ◆ **éthéré, e** adj. Se dit de qq'un ou de qqch qui est extrêmement léger, impalpable, pur (littér.).

ÉTHIOPIE, anc. **Abyssinie,** État de l'Afrique orientale, sur la mer Rouge. → cartes AFRIQUE pp. 48-49.

SUPERFICIE 1 220 000 km² (France : 550 000 km²).
POPULATION 49 800 000 hab. *(Éthiopiens);* 41 hab. au km² (France : 103); accroissement annuel de population, 2 p. 100.
CAPITALE Addis-Abeba (1 242 000 hab.).
LANGUE OFFICIELLE amharique.
MONNAIE birr.

GÉOGRAPHIE

Le massif montagneux qui couvre une grande partie du pays est prolongé au S.-E. par un plateau, tandis qu'au N.-E. la plaine des *Danakil* s'ouvre sur la mer Rouge. Le climat est humide sur les montagnes; la température, très élevée dans les vallées, diminue avec l'altitude. Mais le reste du pays est très sec, et la plaine des Danakil est une des régions les plus chaudes du monde.

	TEMPÉRATURES MOYENNES janv.	juil.	PLUIES
Addis-Abeba	15,9 °C	14,9 °C	1 223 mm
Massaoua	25,5 °C	34,5 °C	181 mm

La population, variée, est composée d'Abyssins (chrétiens coptes), de Gallas (musulmans) et de Noirs (animistes).

De grands troupeaux nomades (ovins et chameaux) parcourent les régions sèches, tandis que dans les montagnes les cultures s'étagent en fonction de la température. Au-dessous de 1 800 m, la forêt tropicale cède parfois la place à des plantations de coton et de tabac. La zone la plus riche se situe de 1 800 à 2 500 m : c'est là que vit la majeure partie de la population; on y pratique des cultures de millet, de maïs, de fruits et de légumes, de café. Au-dessus de 2 500 m, l'élevage bovin prédomine.

maïs	1 million de t	ovins	23 065 000 têtes
café	180 000 t	bovins	25 963 000 têtes

Les richesses du sous-sol ne sont guère exploitées et l'industrie est inexistante. L'Éthiopie doit importer des produits manufacturés et exporte du café et les produits de son élevage. Le commerce extérieur se fait surtout par le port de Djibouti.

HISTOIRE

Un puissant royaume éthiopien avec Akṣoum pour capitale est créé au début de l'ère chrétienne. Les Éthiopiens font le commerce de l'or, de l'ivoire, de l'encens entre l'Afrique et la Syrie.

Au IVe s., l'Éthiopie est évangélisée et rattachée à l'Église copte*.

Après l'expansion de l'islām, elle est un pays chrétien encerclé par le monde musulman.

Avec l'ouverture du canal de Suez (1869), l'Éthiopie est convoitée par les puissances européennes. Elle veut en profiter pour se moderniser et s'appuie d'abord sur l'Angleterre, puis sur l'Italie.

- *1889. L'Éthiopie signe avec l'Italie le traité d'Ucciali, reconnaissant à celle-ci la possession de l'Érythrée.*

Mais elle repousse ensuite les prétentions italiennes au protectorat.

- *1896. Les Éthiopiens battent les Italiens à Adoua.*

Par le traité d'Addis-Abeba, l'Italie reconnaît l'indépendance de l'Éthiopie.

- *1906. L'Éthiopie est partagée en trois zones d'influence économique, anglaise, française et italienne.*
- *1930. Hailé Sélassié Ier devient empereur d'Éthiopie. Il donne à son pays une constitution de type occidental.*
- *1935-1936. Guerre contre l'Italie. Vaincue, l'Éthiopie constitue, avec l'Érythrée et la Somalie, l'Afrique-Orientale italienne.*
- *1941. L'Éthiopie retrouve son indépendance.*
- *1962. L'Érythrée est réintégrée à l'Éthiopie qui accède ainsi à la mer Rouge. Naissance d'un mouvement séparatiste.*
- *1963. Addis-Abeba, siège de l'Organisation de l'unité africaine.*
- *1974. L'armée dépose Hailé Sélassié.*

Le nouveau régime, dirigé (à partir de 1977) par le colonel Hailé Mariam Mengistu et soutenu par l'U. R. S. S. et Cuba, est engagé dans un conflit frontalier (région de l'Ogaden) avec la Somalie.

À partir de 1984, le pays doit faire face à une famine meurtrière.

- *1987. Une nouvelle Constitution fait de l'Éthiopie une république populaire et démocratique, à parti unique (créé en 1984).*
- *1988. Fin du conflit avec la Somalie.*

Mais le régime, confronté à la montée de la guerre civile, est encore affaibli par la défection de ses appuis traditionnels (retrait des troupes cubaines et désengagement progressif de l'U. R. S. S.).

- *1991. Le colonel Mengistu est chassé du pouvoir.*

ÉTHIQUE [etik] adj. (du gr. *êthos*, manière d'être). Qui concerne la morale : *Un choix guidé par des considérations éthiques* (syn. MORAL). ◆ n. f. Science de la morale; ensemble des idées de quelqu'un sur la morale.

ETHMOÏDE [ɛtmoid] adj. et n. m. (du gr. *êthmos*, crible, et *eidos*, forme). Se dit de l'os impair et médian de la tête, qui forme la partie supérieure du squelette du nez et dont la lame criblée, située à la base du crâne, est traversée par les nerfs olfactifs.

ETHNIE [ɛtni] n. f. (du gr. *ethnos*, peuple). Groupement naturel d'individus ayant même langue et même culture. ◆ **ethnique** adj. Relatif à une ethnie, conditionné par le mode de vie d'un groupe social. ◆ **ethnographie** n. f. Étude descriptive des ethnies. ◆ **ethnographique** adj. ◆ **ethnographe** n. ◆ **ethnologie** n. f. Science qui a pour objet l'étude des caractères d'un peuple, d'un groupe humain, en vue de dégager les lois générales de structure et d'évolution des sociétés humaines. ◆ **ethnologique** adj. ◆ **ethnologue** n. Spécialiste d'ethnologie.

ETHNOMUSICOLOGIE [ɛtnɔmyzikɔlɔʒi] n. f. (du gr. *ethnos*, peuple, et *musicologie*). Science qui a pour objet l'étude des musiques du monde entier.

ÉTHYLÈNE [etilɛn] n. m. (de *éthyle*, éther de bois). *Chim.* Carbure d'hydrogène non saturé, gazeux et incolore (C_2H_4), légèrement odorant, que l'on obtient en déshydratant l'alcool par l'acide sulfurique. (Produit industriel très important, il sert en particulier à la fabrication de l'alcool et de matières plastiques.)

ÉTHYLIQUE [etilik] adj. (de *éthyle*, éther de bois). Se dit des dérivés de l'*éthane* : *Alcool éthylique* (c'est l'alcool ordinaire). ◆ **éthylisme** n. m. Intoxication chronique provoquée par l'absorption d'alcool éthylique (syn. ALCOOLISME).

ÉTIAGE [etjaʒ] n. m. (du lat. *aestuarium*, estuaire). Débit le plus faible d'un cours d'eau (en été ou pendant une période sèche).

ÉTIENNE *(saint)*, premier martyr du christianisme, lapidé à Jérusalem.

ÉTIENNE, nom de neuf papes (entre 254 et 1058).

ÉTIENNE Ier *(saint)* [v. 970-1038], roi de Hongrie (1000-1038). Il succéda à son père Géza, duc des Magyars, et reçut, en l'an 1000, du pape Sylvestre II, la couronne royale. Il fut le véritable fondateur de l'État hongrois.

ÉTINCELER [etɛ̃sle] v. i. (de *étincelle*). [Conj. **6.**] **1.** (sujet nom de chose) Briller d'un vif éclat, lancer des feux : *Les diamants étincellent* (syn. CHATOYER, SCINTILLER). *Des yeux qui étincellent d'intelligence* (syn. PÉTILLER). — **2.** (sujet nom désignant un ouvrage, une conversation, une personne) *Étinceler d'esprit*, abonder en traits d'esprit. ◆ **étincelant, e** adj. : *Des couleurs étincelantes* (syn. ↓VIF). *Un esprit étincelant* (syn. ↑FULGURANT). ◆ **étincellement** n. m. : *L'étincellement des pierreries.*

ÉTINCELLE [etɛ̃sɛl] n. f. (du lat. *scintilla*). **1.** Parcelle incandescente projetée par un corps enflammé ou jaillissant du choc ou du frottement de certains corps : *L'étincelle d'un briquet est produite par le frottement de la molette sur une pierre spéciale.* ‖ *Étincelle électrique*, phénomène lumineux et crépitant, produit par le brusque rapprochement de deux corps d'électricité contraire. — **2.** *Une étincelle d'intelligence, de génie*, une manifestation fugitive de cette faculté (syn. ÉCLAIR, ↓LUEUR).

ÉTINCELLEMENT n. m. ⟶ ÉTINCELER.

ÉTIOLER (S') [setjɔle] v. pr. (d'*éteule*). **1.** (sujet nom de personne ou de plante) Devenir chétif, malingre, pâle, faute de soins, de nourriture, etc. — **2.** (sujet nom désignant une personne, l'intelligence). Perdre de sa vivacité, de sa force. ◆ **étioler** v. t. En parlant d'une plante, la rendre grêle et jaune ou incolore, en la privant de la lumière du jour. ◆ **étiolement** n. m. **1.** Jaunissement des plantes vertes, dû à un manque de luminosité amenant la disparition des pigments de la chlorophylle. — **2.** Affaiblissement, appauvrissement : *L'étiolement de l'esprit.*

ÉTIOLOGIE [etjɔlɔʒi] n. f. (du gr. *aitia*, cause, et *logos*, science). Partie de la médecine qui recherche et étudie les causes des maladies.

ÉTIQUE [etik] adj. (gr. *hektikos*, continu). Se dit d'un être animé qui est d'une maigreur extrême, d'une plante rabougrie : *Vaches étiques* (syn. ↑SQUELETTIQUE).

1. ÉTIQUETTE [etikɛt] n. f. (de l'anc. fr. *estiquier*, attacher). **1.** Petit écriteau indiquant la destination ou le contenu d'un paquet, le prix, la nature d'un article, etc. : *Coller une étiquette sur un livre.* — **2.** *Fam.* Appartenance à tel ou tel parti, telle ou telle catégorie. ◆ **étiqueter** [etikte] v. t. (Conj. **8.**) : *Un employé chargé d'étiqueter les sachets dans une droguerie. On l'a étiqueté comme socialiste* (syn. CLASSER). ◆ **étiquetage** n. m.

2. ÉTIQUETTE [etikɛt] n. f. (de *étiquette* 1). Cérémonial observé dans une cour, dans une réception (syn. PROTOCOLE).

ÉTIRER [etire] v. t. (lat. *ex-*, préf. à valeur intensive, et *tirer*) [sujet nom de personne ou de chose]. *Étirer du métal, du cuir*, etc., l'allonger ou l'étendre par traction. ◆ v. t. ou ***s'étirer*** v. pr. (sujet nom d'être animé). Allonger ses membres, étendre ses muscles pour se délasser : *Étirer ses jambes, ses bras.* ◆ **étirage** n. m. Sens 1 du v. (En métallurgie, l'opération de l'étirage consiste à faire passer, à froid, une barre ou un tube à travers une filière pour lui donner une plus grande longueur et une section plus petite.) ◆ **étirement** n. m. Sens 2 du v.

ETNA, massif volcanique de Sicile, au N.-E. de l'île; 3345 m. L'Etna est en activité constante avec des phases très actives.

1. ÉTOFFE [etɔf] n. f. (du frq. *stopfôn*, rembourrer). Terme désignant toutes sortes de tissus d'habillement ou d'ameublement.

2. ÉTOFFE [etɔf] n. f. (de *étoffe* 1). **1.** Matière, sujet d'une œuvre littéraire, d'un discours, etc. : *Un film qui manque d'étoffe.* — **2.** *Avoir de l'étoffe, avoir l'étoffe d'un chef*, etc., avoir des qualités, des aptitudes à telle fonction. ◆ **étoffer** v. t. *Étoffer un récit, un développement*, etc., lui donner de l'ampleur, l'enrichir. ◆ **étoffé, e** adj. Qui est abondant, consistant, riche : *Un devoir bien étoffé. Une voix étoffée* (syn. SONORE).

1. ÉTOILE [etwal] n. f. (lat. *stella*). **1.** Astre doué d'un éclat propre, observable sous la forme d'un point lumineux : *Les étoiles émettent de la lumière, alors que les planètes réfléchissent celle du Soleil. L'étoile Polaire indique le nord.* ⟶ ENCYCL. ‖ *Étoile filante*, phénomène lumineux provoqué par le déplacement rapide d'un corpuscule solide porté à l'incandescence par son frottement dans les couches supérieures de l'atmosphère. ‖ *Coucher à la belle étoile* (= en plein air). — **2.** Astre considéré par rapport à l'influence qu'il est censé exercer sur la destinée de quelqu'un : *Être né sous une bonne, sous une mauvaise étoile* (= avoir une destinée heureuse, malheureuse). — **3.** Objet, ornement qui a la forme (5 branches) ou l'éclat d'une étoile; décoration. — **4.** Personne qui brille par son talent : *Une danseuse étoile.* ◆ **étoiler** v. t. **1.** Parsemer, comme les étoiles dans le ciel (littér.) : *Des fleurs qui étoilent les prés* (syn. CONSTELLER, ÉMAILLER). — **2.** Fêler en forme d'étoile : *Le choc a étoilé la vitre.* ◆ ***s'étoiler*** v. pr. *Le ciel s'étoile*, les étoiles y apparaissent. ◆ **étoilé, e 1.** *Un ciel étoilé.* — **2.** *La bannière étoilée*, le drapeau des États-Unis d'Amérique. — ENCYCL. Les *étoiles* perceptibles à l'œil nu ou avec un instrument d'optique de moyenne puissance appartiennent, comme le Soleil, à un univers bien délimité, la Galaxie*, qui, du fait de sa forme de disque aplati, apparaît comme une traînée lumineuse résoluble en des millions d'étoiles, la Voie* lactée. Des instruments d'optique plus puissants nous permettent d'apercevoir d'autres galaxies.

2. ÉTOILE [etwal] n. f. (de *étoile* 1). *Étoile de mer* ou *astérie*, animal marin en forme d'étoile à cinq branches. (⟶ ASTÉRIE.)

Étoile *(place de l')*, anc. nom de la **place Charles-de-Gaulle**, à Paris, au carrefour de douze avenues rayonnant autour de l'Arc* de triomphe.

ÉTOILÉ, E adj., **ÉTOILER** v. t. ⟶ ÉTOILE 1.

ÉTOLE [etɔl] n. f. (lat. *stola*). **1.** Ornement sacerdotal consistant en une bande d'étoffe que portent l'évêque, le prêtre et le diacre. — **2.** Large bande de fourrure couvrant les épaules.

ÉTOLIE, région de l'anc. Grèce, au N.-O. du golfe de Corinthe. Les *Étoliens* furent les adversaires des Macédoniens.

ETON, v. de Grande-Bretagne, au N.-O. de Londres; 3 900 hab. Le *collège d'Eton*, fondé en 1440 par Henri VI, est le plus important établissement d'enseignement de Grande-Bretagne.

ÉTONNER [etɔne] v. t. (bas lat. *extonare*, frapper de stupeur). *Étonner qq'un*, le surprendre par quelque chose d'inattendu, d'extraordinaire : *Je suis étonné des progrès de cet élève* (syn. ÉBAHIR, ↑STUPÉFIER). ◆ ***s'étonner*** v. pr. *S'étonner de qqch., que* (et le subj.), *de* (et l'infin.), *si* (et l'indic.), en être surpris : *Je m'étonne qu'il n'ait pas répondu.* ◆ **étonnant, e** adj. : *Un étonnant succès* (syn. INATTENDU, SURPRENANT). *C'est une femme étonnante* (syn. EXTRAORDINAIRE). ◆ **étonnamment** adv. ◆ **étonnement** n. m. : *À mon grand étonnement* (syn. ↑STUPÉFACTION, SURPRISE).

ÉTOUFFER [etufe] v. t. (orig. obscure). **1.** *Étouffer une personne, un animal*, gêner ou arrêter leur respiration, au point parfois de les faire mourir d'asphyxie : *La chaleur de cette pièce nous étouffe* (syn. OPPRESSER). *Le malfaiteur avait presque étouffé sa victime* (syn. ÉTRANGLER). — **2.** *Étouffer le feu*, en arrêter la combustion en le chargeant de cendre, de terre, d'un excès de combustible. — **3.** *Étouffer un bruit*, l'atténuer, le rendre plus sourd : *Un tapis qui étouffe les pas* (syn. AMORTIR, ASSOURDIR). — **4.** *Étouffer un sentiment, une opinion, une révolte, un scandale*, etc., les réprimer, les empêcher de se manifester. ◆ v. i. (sujet nom de personne). Être gêné pour respirer : *On étouffe ici, ouvrez les fenêtres!* (syn. SUFFOQUER). ◆ ***s'étouffer*** v. pr. Perdre la respiration. ◆ **étouffant, e** adj. : *Une chaleur étouffante. Un plat étouffant.* ◆ **étouffement** n. m. : *Mourir par étouffement* (syn. ASPHYXIE). *L'étouffement d'un scandale.* ◆ **étouffoir** n. m. Lieu où l'on manque d'air : *Cette salle est un étouffoir.*

ÉTOUPE [etup] n. f. (gr. *stuppê*). Partie la plus grossière de la filasse de chanvre ou de lin.

ÉTOUPILLE [etupij] n. f. (de *étoupe*). Composition destinée à mettre le feu à une charge de poudre, employée autref. pour les bouches à feu et auj. pour les mines.

ÉTOURDI, E [eturdi] adj. et n. (de *étourdir*). Se dit d'une personne (ou de son attitude) qui agit sans réfléchir suffisamment, ou qui oublie fréquemment ce qu'elle devrait faire : *Quel étourdi! Il a encore oublié ses clefs* (syn. ÉCERVELÉ). ◆ **étourdiment** adv. : *Un élève qui répond trop étourdiment* (syn. INCONSIDÉRÉMENT). ◆ **étourderie** n. f. : *Il a agi par étourderie* (syn. DISTRACTION, IRRÉFLEXION).

ÉTOURDIR [eturdir] v. t. (bas lat. *exturdire*, avoir le cerveau troublé). *Étourdir qq'un*, lui troubler l'esprit, lui faire plus ou moins perdre conscience : *Ce choc sur la tête l'a étourdi* (syn. ASSOMMER); lui causer une sorte de griserie : *Être étourdi par les éloges* (syn. GRISER); lui fatiguer l'esprit, l'importuner : *Tout ce brouhaha m'étourdit* (syn. ABASOURDIR). ◆ ***s'étourdir*** v. pr. Perdre la conscience claire de ses actes, de son état d'esprit : *Il s'étourdit dans les boîtes de nuit pour oublier son chagrin* (syn. ↓SE DISTRAIRE). ◆ **étourdissant, e** adj. **1.** *Un vacarme étourdissant* (syn. ASSOURDISSANT). — **2.** Qui cause de l'admiration : *Un succès étourdissant* (syn. EXTRAORDINAIRE). ◆ **étourdissement** n. m. : *En se relevant il eut un étourdissement* (syn. VERTIGE).

1. ÉTOURNEAU [eturno] n. m. (du lat. *sturnus*). Passereau à plumage sombre tacheté de blanc, insectivore et frugivore (syn. SANSONNET).

2. ÉTOURNEAU [eturno] n. m. (même étym.). Enfant ou adolescent étourdi.

ÉTRANGE [etrɑ̃ʒ] adj. (lat. *extraneus*, du dehors). Se dit de quelque chose ou de quelqu'un qui retient l'attention, qui met en éveil par son caractère inhabituel, par quelque détail particulier : *Il m'a regardé d'un air étrange* (syn. BIZARRE, INSOLITE). *C'est une étrange coïncidence* (syn. CURIEUX, ÉTONNANT). ◆ **étrangement** adv. : *Un touriste étrangement habillé* (syn. BIZARREMENT, CURIEUSEMENT). *Un raisonnement étrangement compliqué* (syn. ÉTONNAMMENT, SINGULIÈREMENT). ◆ **étrangeté** n. f. : *N'avez-vous pas été frappé par l'étrangeté de sa conduite?* (syn. BIZARRERIE).

1. ÉTRANGER, ÈRE [etrɑ̃ʒe, -ɛr] adj. et n. (de *étrange*). Qui n'appartient pas à la nation, au groupe social, à la famille auxquels on se réfère : *Le ministère des Affaires étrangères s'occupe des relations avec les autres États. Apprendre les langues étrangères.* ◆ n. m. (avec l'art. déf.). Tout pays autre que celui dont on est citoyen : *Il a beaucoup voyagé à l'étranger.*

2. ÉTRANGER, ÈRE [etrɑ̃ʒe, -ɛr] adj. (même étym.). **1.** Qui n'est pas connu : *Il y avait des visages étrangers dans l'assistance* (contr. FAMILIER). — **2.** Méd. *Corps étranger* ⟶ CORPS 2. — **3.** *Étranger à*, qui est sans rapport, qui n'a pas de relations avec : *Une dissertation étrangère au sujet* (syn. EXTÉRIEUR). *Il a fait allusion à des notions qui me sont étrangères* (syn. INCONNU).

Étranger *(l')*, roman d'A. Camus (1942).

ÉTRANGETÉ n. f. ⟶ ÉTRANGE.

ÉTRANGLER [etrɑ̃gle] v. t. (lat. *strangulare*). **1.** *Étrangler une personne, un animal*, lui serrer le cou au point de gêner sa respiration ou même de le faire mourir d'asphyxie. — **2.** *Étrangler la taille, étrangler un tuyau*, etc., les comprimer, les resserrer fortement. — **3.** *Étrangler la presse, les libertés*, etc., les empêcher de s'exprimer librement (syn. MUSELER). ◆ ***s'étrangler*** v. pr. (sujet nom d'être animé). Perdre momentanément la respiration : *S'étrangler en avalant trop vite* (syn. S'ÉTOUFFER). ◆ **étranglé, e** adj. Resserré, rétréci. ‖ Méd. *Hernie étranglée*, hernie que l'on ne peut faire rentrer et qui nécessite une intervention chirurgicale d'urgence. ‖ *Voix étranglée*, voix qui a de la peine à émettre des sons. ◆ **étranglement** n. m. **1.** *Mourir par étranglement* (syn. STRANGULATION). *L'étranglement de sa voix trahissait son émotion.* — **2.** *L'étranglement d'une canalisation, d'une rue*, la partie resserrée. — **3.** *Goulet* ou *goulot d'étranglement*, partie de l'activité économique (une industrie par ex.) d'un pays dont l'insuffisance est une entrave pour l'ensemble du développement économique de ce pays. ◆ **étrangleur, euse** n. : *La police est sur la piste de l'étrangleur.*

ÉTRAVE [etrav] n. f. (anc. scand. *stafn*). Partie avant de la quille d'un navire : *L'étrave du bateau fendait les flots.*

1. ÊTRE [ɛtr] n. m. (infin. pris comme substantif). **1.** Ce qui possède l'existence, la vie : *Les êtres vivants. Les êtres humains* (= les hommes et les femmes). *Un être animé* (= un homme, un animal). — **2.** Personne, individu : *Perdre un être cher.* — **3.** La nature intime d'une personne, tout ce qui constitue sa sensibilité : *Il est bouleversé au plus profond de son être.* — **4.** *L'Être suprême*, Dieu.

2. ÊTRE [ɛtr] v. i., **AVOIR** [avwar] v. t. (lat. *esse;* lat. *habere*). Verbes ayant un statut particulier. ⟶ tableau ci-contre.

Être et le néant *(l')*, ouvrage philosophique de J.-P. Sartre (1943).

ÉTREINDRE [etrɛ̃dr] v. t. (lat. *stringere*, serrer). [Conj. **55.**] **1.** *Étreindre qq'un, qqch.*, le serrer fortement en l'entourant de ses bras (langue soignée). — **2.** *Émotion, sentiment qui étreint qq'un*, qui s'empare de lui avec force (syn. SAISIR). ◆ ***s'étreindre*** v. pr. : *Le père et le fils s'étreignirent* (= se serrèrent dans les bras l'un de l'autre). ◆ **étreinte** n. f. : *S'arracher à l'étreinte des siens* (syn. EMBRASSEMENT). *L'étreinte de l'angoisse.*

1. ÉTRENNE [etrɛn] n. f. (lat. *strena*, cadeau). *Avoir l'étrenne de qqch.*, en user, en jouir pour la première fois. ◆ **étrenner** v. t. Utiliser le premier ou pour la première fois : *Il a étrenné son nouveau complet pour cette cérémonie.*

2. ÉTRENNES [etrɛn] n. f. pl. (même étym.). Cadeau, gratification qu'on donne à certaines personnes en début d'année.

ÊTRES [ɛtr] n. m. pl. (lat. *extera*, ce qui est à l'extérieur). Disposition des diverses parties d'une habitation. (On écrivait autref. AÎTRES.)

ÉTRETAT, comm. de la Seine-Maritime, sur la côte de la Manche, à 17 km au S.-O. de Fécamp; 1 500 hab. Station balnéaire. Les falaises y forment des arches et une « aiguille » de 70 m.

ÉTRIER [etrije] n. m. (frq. *streup*). **1.** Anneau de métal suspendu par une courroie *(étrivière)* à la selle d'un cheval et dans lequel le cavalier passe le pied pour se maintenir : *Un cavalier vide les étriers quand il est désarçonné.* — **2.** Appareil à crochets que certains ouvriers (couvreurs, électriciens, etc.) se fixent aux jambes pour grimper le long d'un poteau ou d'un arbre. — **3.** Petite échelle de corde que l'alpiniste accroche à un piton afin de se hisser dans les passages difficiles. — **4.** *Anat.* Petit os de l'oreille moyenne, d'une forme analogue à celle d'un étrier. — **5.** *Avoir le pied à l'étrier*, être prêt à partir, être en bonne voie pour réussir.

1. ÉTRILLE [etrij] n. f. (du lat. *strigilis*). *Zool.* Crabe comestible, aux pattes postérieures aplaties : *L'étrille vit sous les rochers littoraux.*

2. ÉTRILLE [etrij] n. f. (même étym.). Instrument formé de petites lames dentelées, et servant à nettoyer et à lisser le poil des animaux, surtout des chevaux. ◆ **étriller** v. t. **1.** *Étriller un cheval, un bœuf*, etc., le frotter avec une étrille. — **2.** Fam. *Étriller qq'un*, le battre, le malmener, le réprimander.

ÉTRIPER [etripe] v. t. (du lat. *ex-*, préf. à valeur priv., et *tripe*). *Étriper un lièvre, un poulet*, etc., en ôter les tripes (syn. plus usuel VIDER).

ÉTRIQUÉ, E [etrike] adj. (de l'anc. néerl. *strijken*, s'étendre). **1.** Se dit de ce qui manque d'ampleur, notamment d'un vêtement : *Un complet étriqué* (syn. ÉTROIT). — **2.** Se dit d'une personne qui fait preuve de mesquinerie : *Un esprit étriqué* (syn. ÉTROIT; contr. LARGE, OUVERT).

être

1. Verbe copule*.

a) Sert à lier un **sujet** (nom, pronom, infinitif) à un **substantif,** un **adjectif** ou un **pronom,** devenant **attribut :**
Pierre est un garçon sérieux. Georges est malade. Il est celui que l'on attendait. Il est bien de sa personne.

b) Sert à lier le **sujet** à un **complément** précédé d'une **préposition** (*être de, pour, avec, sans,* etc.); en ce cas, il est l'équivalent de *être* suivi d'un qualificatif ou d'un verbe :
Il est de Franche-Comté (= il est originaire de). *Il est sans ressources* (= privé de ressources). *Elle est sans cesse après lui* (= elle l'importune, le querelle). *Je suis toujours pour toi, avec toi* (= ton partisan). *Il est contre toi* (= ton adversaire). *Nous sommes contre* (= opposés). *Il est à son travail* (= il travaille).

c) Constitue, avec un sens identique, une phrase inverse de celle qui est construite avec le verbe *avoir* (le sujet de *être* devenant complément de *avoir*) :
Ce livre est à moi (= j'ai ce livre). *Cette maison est la sienne* (= elle lui appartient).

2. Verbe auxiliaire de temps *(a, b, c)* et de mode *(d).*

a) Sert à conjuguer les temps composés actifs de verbes intransitifs très usuels :
Il est venu. Nous sommes descendus. Tu es tombé.

b) Sert à conjuguer les temps composés des verbes pronominaux :
Il s'est promené. Nous nous étions amusés. Vous vous en seriez aperçus.

c) Sert à former les temps simples et les temps composés des verbes passifs (second auxiliaire) :
La porte est ouverte. Il avait été déçu par sa réponse.

d) *Être à* + infinitif (inverse de *avoir à*), indique une éventualité jugée nécessaire (= devoir) :
Ce dossier est à compléter. Tout est à refaire.
Être toujours à + infinitif (sujet nom de personne), équivaut au verbe simple : *Il est toujours à le taquiner* (= il le taquine toujours).

3. Locutions verbales.

a) *C'est* (formule d'introduction, de présentation ou d'explication); avec un nom ou un infinitif : *C'est ma femme qui m'a prévenu la première;* avec un pronom suivi d'une proposition relative ou conjonctive : *C'est lui qui t'a envoyé à ce magasin. C'est pour vous que j'écris;* dans l'interrogation : *Est-ce moi qui vous ai dit de faire cela?;* au pluriel : *Ce sont (c'est) eux les coupables.*
C'est que (+ indic.), *ce n'est pas que* (+ subj.), introduisent une proposition causale : *« Il n'est pas venu? — C'est qu'il est malade. » Ce n'est pas qu'il soit paresseux, mais il est lent.*

b) Formule interrogative inverse de *il est* (impersonnel) :
Sera-ce facile de conduire cette voiture?

c) *Il est* (dans la langue écrite) : *Il est des gens qui disent* (= il y a des gens qui).

4. Le sens plein.

Exprime l'existence d'une personne, la réalité ou la vérité d'une chose (surtout à l'infin.) :
Je pense, donc je suis.

avoir

1. Verbe équivalant au verbe copule*.

a) Sert à lier le **sujet** avec un substantif non précédé de l'article, et constitue une locution verbale indiquant une situation, une attitude, un état d'esprit (souvent équivalente de *être* suivi d'un adjectif) : *Nous avions eu soif* (= nous avions été assoiffés). *J'ai faim* (= je suis affamé). *Il a eu peur d'avoir un accident. Tu as mal à la tête. Avez-vous eu froid?*

b) Sert à lier le **sujet** avec un **substantif** précédé d'un **déterminant** ou suivi d'un **complément,** et constitue une phrase indiquant une situation, une attitude, un état d'esprit (équivalente souvent d'un *verbe*) :
Ils avaient eu une âpre discussion (= ils avaient discuté âprement). *Il a beaucoup d'esprit* (= il est spirituel).
Il n'a pas de patience (= il est impatient). *Il a de la fortune* (= il est riche).

c) Constitue, avec un sens identique, une phrase inverse de celle qui est construite avec le verbe *être* (le sujet de *avoir* devenant attribut avec *être*) :
Il a pour ami un de mes voisins (= un de mes voisins est son ami). *Vous n'aurez pas toujours ma compagnie* (= je ne serai pas toujours votre compagnon). *Il a les cheveux blancs* (= ses cheveux sont blancs).

2. Verbe auxiliaire de temps *(a, b, c)* et de mode *(d).*

a) Sert à conjuguer les temps composés actifs des verbes transitifs et d'un petit nombre de verbes intransitifs :
Il a fini. Il avait ouvert. J'ai couru.

b) Sert à conjuguer les temps surcomposés des verbes actifs (double auxiliaire) :
Quand il a eu fini son travail, il est sorti.

c) Sert à former les temps composés des verbes passifs (premier auxiliaire) :
Le stationnement a été interdit dans certaines rues.

d) *Avoir à* + infinitif (inverse de *être à*), indique une obligation (= devoir) :
J'ai encore à régler quelques détails. Tu n'as qu'à répéter (ordre atténué ou ironique).
Il n'y a qu'à + infinitif : *Il n'y a qu'à commander pour être servi* (= il faut seulement).

3. Locutions verbales.

a) *Il y a* (formule d'introduction et de présentation) : *Il y a des fruits cet automne. Il y a eu un accident au carrefour.*

b) *Il y en a,* reprend un substantif déjà exprimé : *Il y en a qui disent* (= il y a des gens qui disent). *Quand il n'y en a plus, il y en a encore* (= c'est inépuisable).

4. Les sens pleins.

a) Indique la possession :
Il a une maison au bord de la mer (syn. ÊTRE PROPRIÉTAIRE DE, POSSÉDER). *J'ai un appartement de trois pièces.*

b) *Avoir qq'un,* le duper, le tromper (langue fam.) :
Je ne m'y attendais pas, il m'a bien eu (syn. fam. POSSÉDER); triompher de lui : *Finalement, on les a eus.*

ÉTRIVIÈRE [etrivjɛr] n. f. (de l'anc. fr. *estrif,* étrier). Courroie par laquelle un étrier est suspendu à la selle.

ÉTROIT, E [etrwa, -wat] adj. (lat. *strictus*). **1.** (avant ou après le nom) Se dit de ce qui a peu de largeur : *Un couloir étroit* (syn. RESSERRÉ). — **2.** Se dit de ce qui manque d'envergure, de largeur de vues : *Un esprit étroit* (syn. BORNÉ). — **3.** Se dit de ce qui lie fortement : *J'ai gardé avec lui des relations étroites* (syn. ASSIDU, SERRÉ). *Vivre dans une étroite soumission à qq'un* (syn. TOTAL). *Assurer une étroite coordination entre deux services* (syn. RIGOUREUX). — LOC. ADV. *À l'étroit,* dans un espace trop resserré, dans des conditions qui ne permettent pas d'être à l'aise (contr. AU LARGE). ◆ **étroitement** adv. : *Il est logé étroitement* (contr. LARGEMENT, SPACIEUSEMENT). *Une famille étroitement unie* (syn. INTIMEMENT). *Surveiller étroitement les allées et venues de qq'un* (syn. DE TRÈS PRÈS). ◆ **étroitesse** n. f. : *L'étroitesse d'une rue* (syn. EXIGUÏTÉ). *Il fait preuve d'étroitesse d'esprit* (syn. MESQUINERIE).

ÉTRURIE, anc. région de l'Italie, correspondant approximativement à l'actuelle Toscane. ◆ **étrusque** adj. et n. D'Étrurie : *Vase étrusque. Un Étrusque.* ◆ n. m. Langue parlée par les Étrusques.

ÉTRUSQUES, peuple apparu en Toscane au VIIIe s. av. J.-C. Les Étrusques ont une origine obscure : peut-être ce peuple est-il issu à la fois des Villanoviens autochtones et des Tyrrhéniens (immigrants venus par mer d'Asie Mineure). Leur langue est encore intraduisible. Les Étrusques fondèrent de riches et puissantes cités (Tarquinia, Véies, Pérouse, etc.), groupées en fédérations.

Maîtres de Rome dès le VIIe s. av. J.-C., ils étendent leur domination jusqu'à la Campanie et à la plaine du Pô : la puissance étrusque atteint son apogée au VIe s. À partir de 550 env., des rois étrusques règnent sur Rome : Tarquin l'Ancien, Servius Tullius et Tarquin le Superbe.

- *509. Rome se soulève contre les Étrusques, dont la puissance s'amenuise peu à peu au Ve s.*
- *474. Les Étrusques sont battus par la flotte grecque à Cumes.*
- *423. Les Samnites prennent Capoue.*
- *V. 390. Les Celtes envahissent la plaine du Pô.*

Après de longues luttes (guerre contre Porsenna, roi de Clusium; siège de Véies), Rome finit par soumettre les Étrusques au IIIe s.

Mais l'influence de leur civilisation persiste dans le culte et les mœurs de Rome et de l'Italie centrale. La religion étrusque est fondée sur la crainte et la superstition : le culte des morts exige de somptueux tombeaux et des cérémonies macabres (combats de gladiateurs sur les tombes); les haruspices lisent l'avenir dans les entrailles des victimes sacrifiées. Les *arts* sont portés à un haut degré de perfection : céramique, orfèvrerie et surtout peinture (portraits).

1. ÉTUDE [etyd] n. f. (lat. *studium,* zèle). **1.** Travail de l'esprit qui s'applique à comprendre ou à connaître : *Un enfant qui n'aime pas l'étude.* (→ STUDIEUX.) — **2.** Ouvrage dans lequel s'exprime le résultat de recherches : *Il a publié une étude sur le vocabulaire politique.* — **3.** Travaux qui préparent l'exécution d'un projet (plans, croquis, rapports, etc.) : *Procéder à des études de marché avant le lancement d'un produit. Ce projet est à l'étude* (= on en examine les possibilités, les avantages et les inconvénients, etc.). — **4.** *Mus.* Morceau instrumental ou vocal composé pour vaincre une difficulté technique : *Les études pour piano de Chopin et de Debussy.* — **5.** Salle d'un établissement scolaire dans laquelle les élèves font leurs devoirs, apprennent leurs leçons, etc., mais où l'on ne donne pas de cours; temps que les élèves passent dans cette salle. ◆ n. f. pl. Ensemble des cours dispensés dans un établissement scolaire, universitaire : *Il fait ses études de médecine.* ◆ **étudier** v. t. et i. Faire l'étude de, se consacrer aux études : *Étudier une leçon d'histoire* (syn. APPRENDRE). *Les députés ont étudié le projet de loi. Il a étudié dans une université anglaise.* ◆ **s'étudier** v. pr. **1.** S'observer soi-même soigneusement : *Cette actrice s'étudie trop, elle manque de naturel.* — **2.** *S'étudier à* (et l'infin.), mettre toute son application à : *Il s'étudie à satisfaire tout le monde* (syn. S'APPLIQUER À). ◆ **étudié, e** adj. Se dit de quelqu'un (ou de son comportement) qui manque de naturel : *Une nonchalance étudiée* (syn. CALCULÉ, FEINT). ◆ **étudiant, e** n. Celui ou celle qui suit les cours d'une université ou d'un établissement d'enseignement supérieur. ◆ adj. Relatif aux étudiants : *Les syndicats étudiants.* ◆ **estudiantin, e** adj. Relatif aux étudiants.

2. ÉTUDE [etyd] n. f. (même étym.). **1.** Charge d'officier ministériel : *Une étude de notaire, d'avoué.* — **2.** Bureau où il travaille avec son personnel.

ÉTUI [etɥi] n. m. (de l'anc. fr. *estoier,* renfermer). **1.** Boîte le plus souvent allongée et ayant à peu près la forme de l'objet qu'elle est destinée à contenir : *Un étui à lunettes.* — **2.** *Étui de cartouche,* cylindre en laiton qui contient la charge et auquel est fixé le projectile (syn. DOUILLE).

ÉTUVE [etyv] n. f. (du gr. *tuphos,* vapeur). **1.** Chambre dont on élève la température pour faire transpirer. — **2.** Appareil clos dans lequel on entretient une température élevée pour désinfecter ou stériliser, ou une température constante pour la culture des microbes. — **3.** *Fam.* Pièce très chaude : *Cette salle est une étuve.* ◆ **étuvée** n. f. *À l'étuvée,* syn. de À L'ÉTOUFFÉE : *Des petits pois cuits à l'étuvée.*

ÉTYMOLOGIE [etimɔlɔʒi] n. f. (du gr. *etumos,* vrai, et *logos,* science). **1.** Science qui a pour objet l'origine des mots. — **2.** Origine d'un mot : *Un nom dont l'étymologie est contestée.* ◆ **étymologique** adj. : *Dictionnaire étymologique.* ◆ **étymologiquement** adv. : *« Vertu » signifie étymologiquement « force ».*

EU, ch.-l. de cant. de la Seine-Maritime, sur la Bresle, à 4 km à l'E. du Tréport; 8 600 hab. *(Eudois).* Château des XVIe et XVIIe s. Forêt.

EUBÉE, ancienn. **Nègrepont,** île grecque de la mer Égée; 165 800 hab. *(Eubéens).*

EUCALYPTUS [økaliptys] n. m. (du gr. *eu,* bien, et *kaluptos,* couvert). Très grand arbre originaire d'Australie, qui pousse surtout dans les régions chaudes, et dont les feuilles sont très odorantes quand on les froisse. (Famille des myrtacées.)

EUCHARISTIE [økaristi] n. f. (gr. *eukharistia,* action de grâce). Sacrement dans lequel, selon la foi catholique, Jésus-Christ est réellement présent sous les apparences du pain et du vin. ◆ **eucharistique** adj. : *Procession, congrès eucharistique* (= en l'honneur de Jésus-Christ présent dans l'eucharistie).

EUCLIDE, mathématicien grec du IIIe s. av. J.-C. Son œuvre essentielle, les *Éléments,* est un ouvrage d'une importance capitale dans la mesure où toutes les connaissances de l'époque en mathématiques y sont rassemblées. L'auteur tente d'y introduire la rigueur dans les démonstrations et l'on trouve dans ce livre un certain nombre d'axiomes* qu'Euclide reconnaissait indispensables au développement de la géométrie, mais qu'il ne pouvait démontrer. Euclide fit si vite autorité qu'il fallut plus de vingt siècles avant que des mathématiciens osent choisir un système d'axiomes différent de celui qu'il avait posé (ce sont les géométries « non euclidiennes » de Riemann et de Lobatchevski), ou arrivent à montrer que son système était insuffisant pour élaborer la géométrie classique (David Hilbert).

Le *postulat d'Euclide* est, dans sa présentation actuelle, le troisième « axiome d'incidence ». (→ PLAN* AFFINE.) Il s'énonce ainsi : « Si un point n'appartient pas à une droite, il existe une et une seule parallèle à cette droite qui contient le point. » C'est en modifiant cet axiome qu'on a obtenu des géométries dites « non euclidiennes ».

EUCLIDIEN, ENNE [øklidjɛ̃, -ɛn] adj. Relatif à Euclide et à sa méthode. ‖ *Droite euclidienne* → DROITE 1. ‖ *Plan euclidien* → PLAN 1.

— ENCYCL. En géométrie, les *notions euclidiennes* sont celles qui font intervenir la notion de *distance,* c'est-à-dire d'une application qui, à deux points A et B de l'ensemble considéré (droite ou plan), associe un nombre positif noté $d(A, B)$ appelé *distance des points A et B,* qui vérifie les propriétés suivantes, quels que soient les points A, B et C :

$$d(A, B) = 0 \Longleftrightarrow A = B$$
$$d(A, B) = d(B, A)$$
$$d(A, C) \leqslant d(A, B) + d(B, C).$$

On distingue les *notions euclidiennes* qui font appel à la notion de distance (angle, orthogonalité, cercle, isométrie) des *notions affines* qui ne lui font pas appel (droite, parallélisme, repère, milieu d'un bipoint, vecteur).

EUDES ou **EUDE** (v. 860-898), comte de Paris, fils de Robert le Fort.

- *885-886. Il défend Paris contre les Normands.*
- *888. Eudes est élu roi de France après la déposition de Charles le Gros.*

À partir de 893, il combat Charles le Simple, puis partage la couronne avec lui et le reconnaît comme successeur.

EUDIOMÈTRE [ødjɔmɛtr] n. m. (du gr. *eudia,* beau temps, et *metron,* mesure). *Phys.* Tube de verre gradué dans lequel on provoque la combustion d'un corps gazeux au moyen d'une étincelle, en vue d'en déterminer la composition chimique.

EUDOXE de Cnide (v. 406-v. 355 av. J.-C.), mathématicien et astronome grec. Il donna à l'année la valeur de 365 jours 1/4, et démontra les formules donnant le volume du cône et celui de la pyramide.

EUGÈNE DE SAVOIE-CARIGNAN, connu sous le nom de **Prince Eugène** (1663-1736), général des armées impériales, fils du comte de Soissons et d'Olympe Mancini. Il combattit les Turcs, fut victorieux à Audenarde et à Malplaquet, mais vaincu à Denain par Villars.

EUGÉNIE (Eugénia María DE MONTIJO DE GUZMÁN, *comtesse* DE TEBA) [1826-1920], épouse de Napoléon III, impératrice des Français de 1853 à 1870. Catholique convaincue, elle appuya le parti ultramontain (= favorable au pape) et poussa Napoléon III à déclarer la guerre à la Prusse.

Eugénie Grandet, roman de Balzac (1833).

EUGÉNISME [øʒenism] n. m. (du gr. *eu*, bien, et *genos*, race). Science ayant pour objet les conditions d'amélioration physique de l'espèce humaine.

EUH! interj. → HEU!

EULALIE *(sainte)*, vierge martyrisée en Espagne vers 304. Son martyre a fait l'objet de la *Cantilène* ou *Séquence de sainte Eulalie* (v. 800), le plus ancien poème français en langue d'oïl.

EULER (Leonhard), mathématicien suisse (1707-1783). Son œuvre, d'une ampleur considérable, concerne toutes les branches de la science mathématique de l'époque. Son *Traité complet de mécanique* (1736) fut le premier grand ouvrage où l'analyse ait été appliquée à la science du mouvement. Ses grands traités d'analyse, *Introduction à l'analyse des infiniment petits* (1748), *Institutions du calcul différentiel* (1755) et *Institutions du calcul intégral* (1768-1770), restèrent longtemps classiques.

EUMÉNIDES *(les Bienveillantes)*, nom sous lequel les Grecs désignaient par antiphrase (= le contraire de ce que l'on pense) les *Érinyes** (= les *Furies*).

Euménides *(les)*, tragédie d'Eschyle (458 av. J.-C.).

EUNUQUE [ønyk] n. m. (gr. *eunoukhos*, qui garde le lit). Homme castré : *Les sultans faisaient garder leur sérail par des eunuques.*

EUPATORIA, auj. **Ievpatoria,** port de l'U. R. S. S., en Ukraine, sur la côte ouest de la Crimée; 57 000 hab.

EUPATRIDES. *Antiq. gr.* Membres de la classe noble en Attique. Ils formaient une oligarchie maîtresse du pouvoir politique et militaire aux VIIIe et VIIe s. av. J.-C. La Constitution de Solon leur fit perdre la plupart de leurs privilèges, mais leur patrimoine foncier et les sacerdoces qui leur étaient réservés leur permirent de conserver une grande influence.

EUPEN, comm. de la Belgique orientale; 14 800 hab. Elle fut allemande jusqu'en 1919 et de 1940 à 1945.

EUPHÉMISME [øfemism] n. m. (gr. *euphêmismos*, emploi d'un mot favorable). Adoucissement d'un mot ou d'une expression qui pourraient choquer par leur brutalité, leur vigueur : *« Il n'est pas génial » est un euphémisme pour « il n'est guère intelligent ».* ◆ **euphémique** adj.

EUPHONIE [øfɔni] n. f. (du gr. *eu*, bien, et *phônê*, son). Suite harmonieuse de sons dans les syllabes d'un mot, dans les mots d'une phrase (contr. CACOPHONIE). ◆ **euphonique** adj. : *Le « t » de « viendra-t-il », appelé « euphonique » du fait qu'il évite un hiatus, s'explique en fait par l'analogie avec les « t » conservés dans « vient », « dort », « voit », etc.*

EUPHORBE [øfɔrb] n. f. (de *Euphorbus*, n. pr.). Plante très commune, dont l'appareil végétal renferme un latex blanc riche en amidon. ◆ **euphorbiacées** n. f. pl. Famille de plantes dicotylédones comprenant l'*euphorbe*, la *mercuriale*, l'*hévéa*, le *ricin*, le *coton*.

EUPHORIE [øfɔri] n. f. (du gr. *eu*, bien, et *pherein*, porter). Sentiment de bien-être physique et moral : *Une légère ivresse peut produire une euphorie passagère.* ◆ **euphorique** adj. : *État euphorique.* ◆ **euphorisant, e** adj. et n. m. Qui provoque de l'euphorie : *Médicament euphorisant.*

EUPHRATE, fl. de l'Asie occidentale, qui descend des montagnes d'Arménie, traverse le désert syrien avant de pénétrer en Iraq; 2 780 km. Il se réunit au Tigre pour former le Chaṭṭ al-'Arab, qui rejoint le golfe Persique.

EURAFRIQUE, ensemble géographique formé par l'Europe et l'Afrique.

EURASIE, ensemble continental formé par l'Europe et par l'Asie. ◆ **eurasien, enne** n. et adj. Qui est né d'un Européen et d'une Asiatique ou d'une Européenne et d'un Asiatique.

Euratom → COMMUNAUTÉ* EUROPÉENNE DE L'ÉNERGIE ATOMIQUE.

EURE, riv. du Bassin parisien, née dans le Perche, affl. de la Seine (r. g.); 225 km. Elle arrose Chartres.

EURE (27), dép. formé d'une partie de la Normandie (Région Haute-Normandie); 6 040 km²; 462 300 hab. (77 au km²) [France : 103]. Ch.-l. *Évreux.*
ADMINISTRATION, 3 arrond. (*Les Andelys*, 105 500 hab.; *Bernay*, 122 700 hab.; *Évreux*, 234 200 hab.). / 42 cant. / 676 comm.

Le département correspond essentiellement à la partie sud-est de la Normandie. Il est formé de plaines et de bas plateaux calcaires, parfois recouverts de limons.

L'*agriculture* emploie plus du dixième de la population active. Elle est tournée vers l'élevage bovin dans l'Ouest *(Lieuvin* et *Roumois)* et vers la grande culture céréalière et betteravière dans les plaines de l'Est *(plaines du Neubourg* et de *Saint-André)*.

L'*industrie* est développée : elle occupe environ 45 p. 100 de la population active. Elle est représentée par le traitement des produits de l'agriculture, et surtout le textile et la métallurgie de

LOCALITÉS PRINCIPALES	NOMBRE D'HAB.
Évreux	48 700
Vernon	23 500
Louviers	19 400
Bernay	11 000
Pont-Audemer	10 200
Gisors	8 900
Les Andelys	8 200
Verneuil-sur-Avre	6 900
Gaillon	5 900
Brionne	5 000

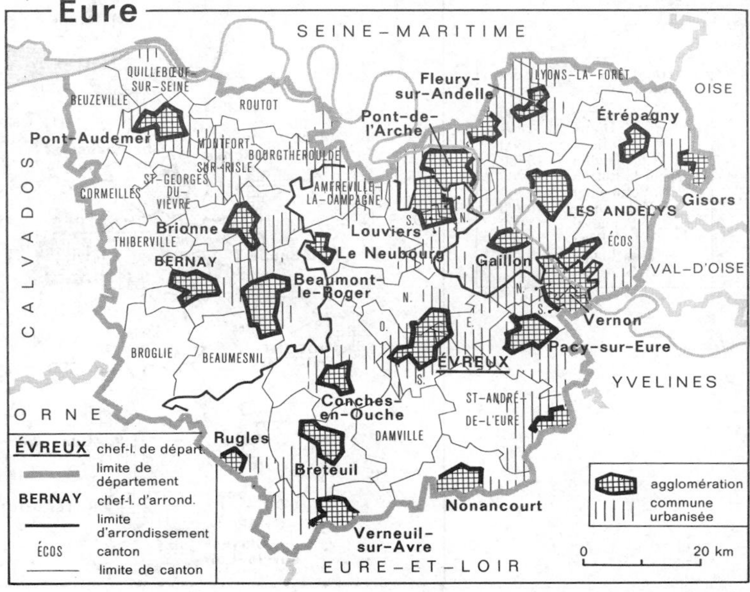

transformation localisés dans la vallée de la Seine et à Évreux.

La *population* du département (desservi par l'autoroute de Normandie), s'est nettement accrue récemment, surtout dans les villes. Un exode rural ancien se poursuit dans les cantons de l'Ouest.

EURE-ET-LOIR (28), dép. formé de parties de l'Orléanais, de la Normandie et de l'Île-de-France (Région Centre); 5 880 km²; 362 800 hab. (61 au km²) [France: 103]. Ch.-l. *Chartres*.
ADMINISTRATION. 4. arrond. (*Chartres*. 165 100 hab.; *Châteaudun*, 57 500 hab.; *Dreux*, 104 300 hab.; *Nogent-le-Rotrou*, 35 900 hab.). / 29 cant. / 402 comm.

Le département s'étend en majeure partie sur la *Beauce* et l'altitude y est inférieure à 200 m. Elle ne se relève que dans l'Ouest, où le département englobe une partie des collines du Perche.

L'*agriculture* emploie plus du dixième de la population active. C'est une proportion relativement faible compte tenu de sa grande importance. Mais la grande taille des exploitations et la mécanisation généralisée réduisent les besoins de main-d'œuvre.

L'*industrie* occupe un peu plus des deux cinquièmes de la population active et s'est développée récemment, en particulier grâce à l'essor des constructions mécaniques et électriques à Chartres et Dreux.

Le département a connu récemment un essor démographique assez net, dû à l'importance croissante de ces deux villes. Mais de nombreux cantons ruraux continuent à se dépeupler.

EURIPIDE, poète tragique grec (480-406 av. J.-C.). Marqué par les troubles de la guerre du Péloponnèse, profondément pessimiste, il exprime dans son théâtre son goût du pathétique et de l'horreur (*Alceste*, 438; *Médée*, 431; *Hippolyte*, 428; *Andromaque*, v. 426; *les Suppliantes*, 422; *les Troyennes*, 415; *Électre*, 413; *Oreste*, 408; *les Bacchantes* et *Iphigénie en Aulide*, représentées en 405). Il apporta de nombreuses innovations dans la conception de la tragédie : importance des analyses psychologiques, préoccupations scientifiques et philosophiques, souci de la mise en scène. Son théâtre fut une source d'inspiration essentielle pour les écrivains classiques français (Racine).

EUROPE, une des cinq parties du monde, prolongement occidental de l'Asie, dont elle est séparée par la chaîne du Caucase au S., la mer Caspienne, l'Oural à l'E.
→ cartes en couleurs pp. 512-513.

SUPERFICIE 10 millions de km² (Asie: 44 millions de km²; Amérique: 42 millions de km²; Afrique: 30 millions de km²).

POPULATION 700 millions d'hab. L'Europe est le plus petit continent, mais le plus densément peuplé. La densité est de 70 hab. au km² (Asie: 71,5; Afrique: 22; Amérique: 17).

Europe *(Conseil de l')*, organisme de coopération intereuropéenne, créé en 1949 par dix États d'Europe occidentale, auxquels se sont joints par la suite d'autres pays. Il compte aujourd'hui 26 États membres, soit la totalité de l'Europe occidentale à l'exception de l'Andorre, de Monaco et du Vatican, ainsi que la Hongrie, la Tchécoslovaquie et la Pologne. Il est composé d'une *Assemblée consultative* (chargée de donner son avis), constituée de représentants désignés par les Parlements nationaux, d'un *Comité des ministres* comprenant un ministre par État membre, d'un secrétariat et de la *Cour européenne des droits de l'homme*.

EUROPÉEN, ENNE [øʀɔpeɛ̃, -ɛn] adj. et n. D'Europe. — LOC. ADV. *À l'européenne*, à la mode de l'Europe. ◆ **européaniser** v. t. Façonner aux mœurs européennes. ◆ **européanisation** n. f.

EUROPÉENNES *(Communautés)* → COMMUNAUTÉ.

EUROPOORT, avant-port de Rotterdam (Pays-Bas). Raffinage du pétrole et pétrochimie.

Eurovision *(Union européenne de radiodiffusion et de télévision)*, organisme chargé de coordonner entre les pays d'Europe occidentale tous les échanges d'émissions radiodiffusées et télévisées.

EURYDICE. *Myth. gr.* Femme d'Orphée. Elle fut tuée par un serpent. Orphée obtint d'aller la chercher aux Enfers, à condition de quitter les Enfers devant elle, sans se retourner. Il oublia la convention et perdit définitivement Eurydice.

EUSÈBE DE CÉSARÉE, écrivain et prélat grec (v. 265-340). Évêque de Césarée de Palestine, il se montra tolérant dans la lutte menée contre les ariens. Il fut le véritable fondateur de l'histoire ecclésiastique.

EUSTATISME [østatism] n. m. (du gr. *eu*, bon, et *stasis*, niveau). *Géol.* Variation du niveau général des océans au cours des

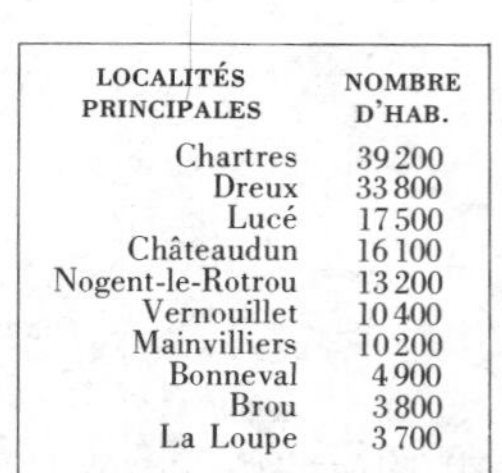

LOCALITÉS PRINCIPALES	NOMBRE D'HAB.
Chartres	39 200
Dreux	33 800
Lucé	17 500
Châteaudun	16 100
Nogent-le-Rotrou	13 200
Vernouillet	10 400
Mainvilliers	10 200
Bonneval	4 900
Brou	3 800
La Loupe	3 700

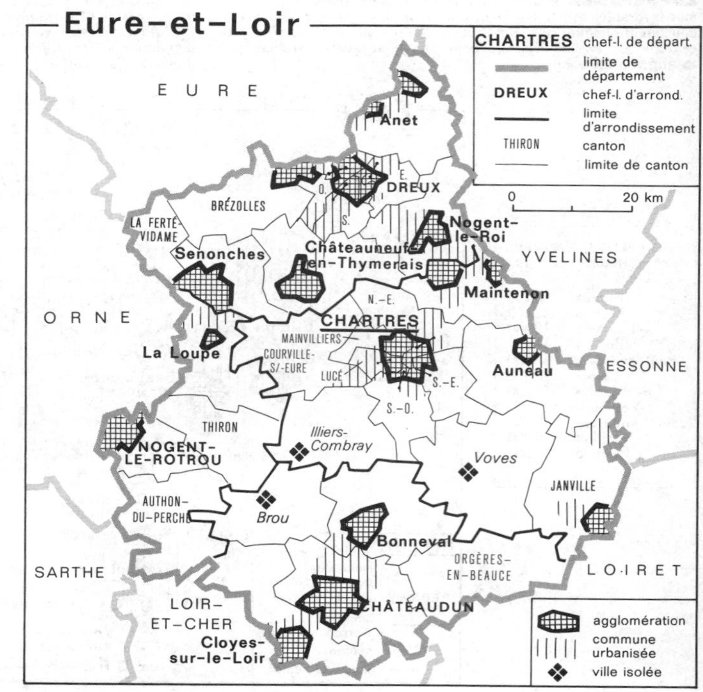

emps géologiques. ◆ **eustatique** adj. *Mouvement eustatique*, hangement du niveau des océans. (Certains de ces mouvements nt été provoqués par la formation, au Quaternaire, dans les égions polaires, d'immenses accumulations de glaces [inlandis*].)

EUTHANASIE [øtanazi] n. f. (du gr. *eu*, bien, et *thanatos*, nort). Fait de procurer (avec ou sans leur assentiment) une mort ans souffrance à des malades frappés d'une maladie incurable ou orturés par des douleurs physiques en face desquelles la médeine est impuissante. ◆ **euthanasique** adj.

EUX pron. pers. ⟶ IL.

E. V., abrév. de *en ville* sur les adresses de lettres non affranhies, remises directement chez le destinataire, sans passer par es P.T.T.

ÉVACUER [evakɥe] v. t. (lat. *evacuare*, vider). **1.** *Évacuer qqch.*, expulser de l'organisme : *Le corps évacue les toxines par la sueur, l'urine.* — **2.** *Évacuer un liquide*, le rejeter à l'extérieur : *Évacuer l'eau d'une citerne.* — **3.** *Évacuer qq'un, qqch.*, le faire sortir, l'ôter d'un lieu ou d'un pays : *Évacuer un blessé.* — **4.** *Évacuer un lieu*, cesser de l'occuper militairement, le quitter en masse : *Les troupes évacuèrent la ville* (syn. ABANDONNER). ◆ **évacuateur, trice** adj. : *Un conduit évacuateur.* ◆ **évacuation** n. f. : *L'évacuation des eaux d'égout. La police procéda à l'évacuation de la salle. L'évacuation du pus d'un furoncle.* ◆ **évacué, e** n. Personne évacuée d'une zone de combat, d'un hôpital, etc.

ÉVADER (S') [sevade] v. pr. (lat. *evadere*, sortir de). **1.** (sujet nom de personne) S'enfuir furtivement d'un lieu où l'on était enfermé : *Les prisonniers se sont évadés* (syn. S'ÉCHAPPER, SE SAUVER). — **2.** Se soustraire aux soucis, aux contraintes de la vie professionnelle, etc. : *Cette soirée au théâtre lui a permis de s'évader de ses soucis.* ◆ **évasion** n. f. : *Évasion d'une prison* (syn. FUITE). *Une lecture qui procure quelques heures d'évasion.*

ÉVALUER [evalɥe] v. t. (du lat. *ex-*, préf. à valeur intensive, et anc. fr. *value*, valeur). *Évaluer qqch.*, en déterminer plus ou moins approximativement la valeur, l'importance : *J'évalue à trois hectares la surface de ce champ* (syn. ESTIMER). ◆ **évaluable** adj. : *Une foule difficilement évaluable.* ◆ **évaluation** n. f. : *L'évaluation du montant des réparations* (syn. ESTIMATION). ◆ **réévaluer** v. t. Procéder à une nouvelle estimation de la valeur. ◆ **réévaluation** n. f. : *Réévaluation de la monnaie.* ◆ **sous-évaluer** v. t. Évaluer au-dessous de sa valeur. ◆ **sous-évaluation** n. f. ◆ **surévaluer** v. t. Évaluer au-dessus de sa valeur. ◆ **surévaluation** n. f. (⟶ aussi DÉVALUER.)

ÉVANESCENT, E [evanɛsɑ̃, -ɑ̃t] adj. (du lat. *evanescere*, s'évanouir). Qui disparaît, qui diminue peu à peu (littér.) : *Des souvenirs évanescents* (syn. FUGACE). ◆ **évanescence** n. f. (littér.) : *L'évanescence d'un rêve.*

ÉVANGILE [evɑ̃ʒil] n. m. (gr. *euaggelion*, bonne nouvelle). **1.** Enseignement de Jésus-Christ : *Prêcher l'évangile.* — **2.** Chacun des textes anciens qui rapportent la vie de Jésus-Christ et son enseignement; livre qui contient ces récits (prend une majusc. en ce sens) : *Les quatre Évangiles reconnus par l'Église catholique sont ceux de saint Matthieu, saint Marc, saint Luc et saint Jean.* — **3.** Code, texte auquel on se réfère comme à une règle absolue et immuable : *Ce petit livre était devenu son évangile politique.* — **4.** *Parole d'évangile*, se dit de tout propos d'une vérité indiscutable. ◆ **évangélique** adj. Relatif, conforme à l'Évangile : *La morale évangélique.* ◆ **évangéliser** v. t. Prêcher l'Évangile : *Jésus-Christ envoya ses apôtres évangéliser le monde.* ◆ **évangélisateur, trice** adj. et n. : *La mission évangélisatrice de l'Église.* ◆ **évangélisation** n. f. Action de prêcher l'Évangile. ◆ **évangélisme** n. m. Caractère conforme à l'Évangile. ◆ **évangéliste** n. m. Auteur de l'un des quatre Évangiles reconnus par l'Église : *Saint Jean l'Évangéliste.*

ÉVANOUIR (S') [sevanwir] v. pr. (du lat. *evanescere*). **1.** (sujet nom de personne) Perdre connaissance, tomber en syncope : *Elle s'évanouit à la vue du sang.* — **2.** (sujet nom de chose) Disparaître sans laisser de trace : *Mes dernières illusions se sont évanouies* (syn. SE DISSIPER, S'ENVOLER). ◆ **évanoui, e** adj. : *Ranimer une personne évanouie. Regretter son bonheur évanoui.* ◆ **évanouissement** n. m. : *Il a eu un évanouissement* (= il a perdu connaissance). *Cet incident marquait l'évanouissement de ses rêves* (syn. DISPARITION, FIN).

1. ÉVANOUISSEMENT n. m. → ÉVANOUIR (S').

2. ÉVANOUISSEMENT [evanwismɑ̃] n. m. (traduction de l'angl. *fading*). Syn. préconisé par l'Administration de FADING.

ÉVAPORATION n. f. ⟶ ÉVAPORER (S').

ÉVAPORÉ, E [evapɔre] adj. et n. (de *évaporer*). *Fam.* Se dit d'une personne étourdie, légère (syn. ÉCERVELÉ, TÊTE EN L'AIR).

ÉVAPORER (S') [sevapɔre] v. pr. (lat. *evaporare*). **1.** (sujet nom désignant un liquide) Se transformer en vapeur, disparaître sans laisser de trace : *Le parfum s'évapore facilement. Le brouillard s'est évaporé.* — **2.** (sujet nom de chose abstraite) Cesser, se dissiper : *Ses bonnes résolutions se sont évaporées.* ◆ **évaporation** n. f. Transformation lente d'un liquide en vapeur par sa surface, qui se produit à toute température : *On obtient du sel par évaporation de l'eau de mer.*

ÉVASER [evaze] v. t. (du lat. *vas, vasis*, vase). Élargir à l'ouverture, à l'orifice : *Évaser un tuyau* (contr. RÉTRÉCIR). ◆ **évasé, e** adj. Large, bien ouvert. ◆ **évasement** n. m. État de ce qui est évasé : *L'évasement d'un entonnoir.*

ÉVASIF, IVE [evazif, -iv] adj. (de *évasion*). Se dit de propos, de gestes qui ne sont pas catégoriques, qui restent vagues et éludent une question : *Réponse évasive* (syn. VAGUE). ◆ **évasivement** adv. : *Répondre évasivement* (= ne dire ni oui ni non, ne pas donner de précisions).

ÉVASION n. f. ⟶ ÉVADER (S').

ÉVASIVEMENT adv. ⟶ ÉVASIF.

ÉVAUX-LES-BAINS, ch.-l. de cant. de la Creuse, à 25 km au S.-O. de Montluçon; 1 800 hab. *(Évahonniens).* Sources thermales.

ÈVE, nom de la première femme et mère de tout le genre humain, selon la Bible. Épouse d'Adam, elle céda au serpent, qui l'incitait à cueillir le fruit défendu; elle entraîna son époux dans la faute et fut, avec lui, chassée du paradis terrestre. Elle eut trois fils : Caïn, Abel et Seth, et plusieurs filles.

ÉVÊCHÉ n. m. ⟶ ÉVÊQUE.

ÉVEILLER [eveje] v. t. (bas lat. *exvigilare*). **1.** *Éveiller une personne, un animal*, les tirer du sommeil (syn. plus usuel RÉVEILLER). — **2.** *Éveiller l'attention, la curiosité, l'intérêt, la sympathie, la méfiance*, etc., faire naître ces sentiments, susciter ces réactions. ◆ ***s'éveiller*** v. pr. **1.** (sujet nom de personne) Sortir du sommeil (syn. SE RÉVEILLER). — **2.** (sujet nom de chose, de sentiment) Manifester de l'activité, apparaître, s'épanouir : *La nature s'éveille au printemps. Mes soupçons ont commencé à s'éveiller ce jour-là.* ◆ **éveil** n. m. **1.** Action de se manifester, d'apparaître : *L'éveil de la sensibilité.* — **2.** Action de sortir de sa torpeur : *L'éveil d'un peuple qui conquiert son indépendance.* — **3.** *En éveil*, attentif, sur ses gardes. ‖ *Donner l'éveil*, attirer l'attention, porter à la vigilance : *Ce détail a donné l'éveil aux enquêteurs.* ◆ **éveillé, e** adj. Se dit des personnes (ou de leurs facultés) qui sont vives, alertes : *Un garçon à la mine éveillée* (syn. ↑ESPIÈGLE). *Un esprit éveillé* (syn. OUVERT, VIF).

ÉVÉNEMENT [evenmɑ̃] n. m. (du lat. *evenire*, venir hors de). **1.** Fait qui se produit : *Le journal télévisé relate les principaux événements de la journée* (syn. INCIDENT, PÉRIPÉTIE). — **2.** Fait d'une importance toute particulière : *Ce discours est l'événement politique de la semaine.* ◆ n. m. pl. La situation générale, dans ce qu'elle a d'exceptionnel (guerre, troubles politiques ou sociaux, etc.) : *En raison des événements, l'état d'urgence a été décrété.* ◆ **événementiel, elle** adj. *Histoire événementielle*, celle qui s'en tient au récit des événements, sans en rechercher les causes, la portée.

ÉVENT [evɑ̃] n. m. (de *éventer*). *Zool.* Narine simple ou double des mammifères cétacés, par laquelle ils rejettent l'eau.

1. ÉVENTAIL [evɑ̃taj] n. m. (de *éventer*). **1.** Petit écran portatif de papier ou de tissu qui se replie sur lui-même et sert à agiter l'air autour du visage. — **2.** *En éventail*, se dit de ce qui se déploie en rayonnant à partir d'un point : *Les feuilles de marronnier sont en éventail.* ‖ Pl. des *éventails*.

2. ÉVENTAIL [evɑ̃taj] n. m. (de *éventail* 1). Ensemble de choses diverses ou divergentes appartenant à la même catégorie : *L'éventail des prix, des salaires* (syn. GAMME).

ÉVENTAIRE [evɑ̃tɛr] n. m. (orig. obscure). **1.** Plateau que certains marchands ambulants portent devant eux pour présenter leur marchandise. — **2.** Étalage de marchandises à l'extérieur d'une boutique.

1. ÉVENTER [evɑ̃te] v. t. (du lat. *ex-*, préf. à valeur intensive, et *ventus*, vent). *Éventer qq'un*, agiter l'air autour de lui pour lui donner une sensation de fraîcheur. ◆ ***s'éventer*** v. pr. : *S'éventer avec un journal.*

2. ÉVENTER [evɑ̃te] v. t. (même étym.). *Éventer un secret, un complot*, etc., le découvrir, y mettre obstacle. ◆ **éventé, e** adj. : *Un secret éventé* (syn. DIVULGUÉ).

3. ÉVENTER (S') [sevɑ̃te] v. pr. (même étym.). S'altérer, s'affadir ou aigrir à l'air : *La bouteille est restée trop longtemps débouchée et le vin s'est éventé.* ◆ **éventé, e** adj. : *Un parfum éventé.*

ÉVENTRER [evɑ̃tre] v. t. (du lat. *ex-*, préf. à valeur négative, et *ventre*). **1.** *Éventrer une personne, un animal,* lui ouvrir le ventre. — **2.** *Éventrer une chose,* y faire une déchirure, une brèche : *Éventrer un sac de blé en le laissant tomber* (syn. CREVER). ◆ **éventration** n. f. *Méd.* Rupture de la paroi musculaire de l'abdomen, qui laisse les viscères en contact direct avec la peau.

ÉVENTUEL, ELLE [evɑ̃tɥɛl] adj. (du lat. *eventus,* événement) [ordinairement avant le nom]. Qui dépend des circonstances, qui est seulement du domaine du possible : *Les bénéfices éventuels* (syn. POSSIBLE). ◆ **éventuellement** adv. : *Vous pouvez éventuellement vous servir de ma voiture* (syn. LE CAS ÉCHÉANT, S'IL Y A LIEU). ◆ **éventualité** n. f. : *L'éventualité d'un recours aux armes* (syn. HYPOTHÈSE, POSSIBILITÉ). *Toutes les éventualités ont été examinées* (= tout ce qui peut se produire).

ÉVÊQUE [evɛk] n. m. (lat. *episcopus*). Dignitaire de l'Église, chargé d'administrer un diocèse. —→ ENCYCL. ◆ **évêché** n. m. **1.** Territoire soumis à l'administration d'un évêque. — **2.** Résidence de l'évêque. ◆ **archevêque** [arʃəvɛk] n. m. Évêque qui préside une province ecclésiastique comprenant plusieurs diocèses et dont le siège porte le titre d'*archevêché* (n. m.). A côté des 17 provinces ecclésiastiques existent en France, depuis 1961, des régions apostoliques, présidées par un évêque élu. Les 95 diocèses de France sont regroupés en 9 régions apostoliques.

— ENCYCL. La nomination des *évêques* catholiques varie selon les pays, mais c'est toujours le pape qui intervient en dernier ressort. Les évêques participent de plus en plus au gouvernement de l'Église, aux définitions du dogme. Ils se réunissent en conciles œcuméniques, présidés par le pape. Les ornements distinctifs de l'évêque sont la crosse, l'anneau, la croix pectorale, la mitre.

EVEREST *(mont),* point culminant du globe (8 848 m), dans l'Himalaya. Son sommet a été atteint en 1953 par le Néo-Zélandais E. Hillary et le Sherpa N. Tensing.

ÉVERTUER (S') [sevɛrtɥe] v. pr. (du lat. *ex-,* préf. à valeur intensive, et *vertu*) [sujet nom de personne]. *S'évertuer à* (et l'infin.), faire des efforts pour : *Il s'est vainement évertué à me convaincre* (syn. S'EFFORCER DE).

ÉVIAN-LES-BAINS, ch.-l. de cant. de la Haute-Savoie, à 9 km à l'E. de Thonon-les-Bains, sur le lac Léman; 6 200 hab. *(Évianais).* Importante station thermale et climatique.

- *Mars 1962. Les accords d'Évian, signés entre les représentants du gouvernement français et ceux du gouvernement provisoire de la République algérienne, mirent fin à la guerre d'Algérie.*

ÉVICTION n. f. —→ ÉVINCER.

ÉVIDAGE ou **ÉVIDEMENT** n. m. —→ ÉVIDER.

ÉVIDEMMENT adv. —→ ÉVIDENT.

1. ÉVIDENCE n. f. —→ ÉVIDENT.

2. ÉVIDENCE [evidɑ̃s] n. f. (lat. *evidentia*). *En évidence,* d'une façon apparente, bien en vue : *Il aime bien se mettre en évidence* (= se faire remarquer). *Il a mis en évidence les difficultés de l'affaire* (= il les a soulignées).

ÉVIDENT, E [evidɑ̃, -ɑ̃t] adj. (lat. *evidens,* apparent). Qui s'impose à l'esprit par un caractère de certitude facile à saisir : *La raison de son départ est évidente* (syn. CLAIR, MANIFESTE; contr. DOUTEUX). *Cet élève a fait des progrès évidents* (syn. INCONTESTABLE, INDISCUTABLE). ◆ **évidence** n. f. : *Il faut se rendre à l'évidence, la caisse est vide* (= reconnaître cette vérité indubitable). — LOC. ADV. *De toute évidence,* assurément, évidemment. ◆ **évidemment** adv. **1.** *L'unité est évidemment supérieure à la moitié* (syn. INCONTESTABLEMENT). — **2.** Renforce une affirmation (souvent placé en tête d'une phrase) : *Évidemment, j'aurais préféré être dispensé de ce travail* (syn. BIEN SÛR).

ÉVIDER [evide] v. t. (lat. *ex-,* préf. à valeur intensive, et *vider*). Creuser, percer intérieurement; échancrer : *Évider un bloc de pierre pour en faire une auge. Évider un col.* ◆ **évidage** ou **évidement** n. m. Action d'évider.

ÉVIER [evje] n. m. (du lat. *aquarius,* pour l'eau). Petit bassin de grès, de porcelaine, de métal, dans lequel on lave la vaisselle.

ÉVINCER [evɛ̃se] v. t. (lat. *evincere,* vaincre). *Évincer qq'un,* le mettre à l'écart, lui empêcher l'accès à certaines fonctions : *Évincer un concurrent* (syn. ÉLIMINER). ◆ **éviction** n. f. ou **évincement** n. m. : *Il a imposé son autorité par l'éviction de ses rivaux.* ‖ *Éviction scolaire,* durée légale pendant laquelle un enfant atteint de maladie contagieuse ne peut retourner à l'école.

ÉVITER [evite] v. t. (lat. *evitare*). **1.** *Éviter qq'un, qqch., que* (et le subj.), faire en sorte de passer à côté de quelqu'un ou de quelque chose, de ne pas subir quelque chose : *Éviter un obstacle. Vous ne pouvez pas éviter cet inconvénient* (syn. ÉCHAPPER À). — **2.** *Éviter qqch., de* (et l'infin.), s'abstenir, faire en sorte de ne pas faire : *Évitez de me déranger.* — **3.** *Éviter qqch. à qq'un,* faire en sorte qu'il n'en subisse pas les inconvénients : *J'ai fait le travail à sa place, cela lui a évité un dérangement* (syn. ÉPARGNER). ◆ **évitable** adj. Qui peut être évité. ◆ **inévitable** adj. : *Un accident inévitable* (syn. FATAL). *Un effet inévitable* (syn. FORCÉ, NÉCESSAIRE). *Son inévitable cigare à la bouche* (syn. INSÉPARABLE). ◆ n. m. : *Se résigner à l'inévitable.* ◆ **évitement** n. m. Ch. de f. *Voie d'évitement,* voie ferrée greffée sur une voie principale, pour permettre le garage, le croisement ou le dépassement des trains.

ÉVOCATEUR, TRICE adj., **ÉVOCATION** n. f. —→ ÉVOQUER.

1. ÉVOLUER [evɔlɥe] v. i. (du lat. *volvere,* rouler) [sujet nom de personne ou de chose]. Passer progressivement à un autre état : *La situation militaire évolue favorablement pour les alliés* (syn. CHANGER). *La maladie n'a pas évolué depuis deux jours* (syn. SE MODIFIER). ◆ **évolué, e** adj. Se dit des êtres vivants ou de leurs institutions ayant atteint un certain degré de développement : *Un peuple très évolué* (contr. SOUS-DÉVELOPPÉ). *Un esprit évolué* (contr. ARRIÉRÉ). ◆ **évolutif, ive** adj. Se dit de ce qui se transforme : *Une maladie à forme évolutive* (= qui s'aggrave). ◆ **évolution** n. f. : *Une maladie à évolution lente* (syn. PROGRESSION). *Une civilisation en pleine évolution* (syn. DÉVELOPPEMENT, PROGRÈS). *L'évolution du goût* (syn. CHANGEMENT, MODIFICATION). ‖ *Évolution biologique,* histoire des changements qui ont affecté la matière vivante depuis son apparition sur la terre, il y a un à deux milliards d'années. —→ ENCYCL. ◆ **évolutionnisme** n. m. Ensemble des théories visant à expliquer le mécanisme de l'évolution des êtres vivants. ◆ **évolutionniste** adj. et n.

— ENCYCL. ***évolution.*** Selon la conception *évolutionniste,* les êtres vivants résultent d'une série de modifications progressives à partir d'éléments aussi simples que possible. Ce passage des êtres les plus rudimentaires aux êtres les plus complexes implique le *changement,* mais aussi la *continuité* du monde vivant, et la dérivation des formes animales et végétales les unes des autres par filiation. Cette hypothèse est acceptée par la quasi-totalité des biologistes actuels.

Depuis les premiers fossiles observés, on a pu mettre en évidence des lois de l'évolution : les divers types végétaux et animaux se succèdent dans le temps, selon un ordre rigoureux (les plus simples précèdent les plus complexes). C'est ainsi que parmi les vertébrés, les agnathes sont suivis par les poissons, qui précèdent les reptiles, auxquels succèdent les oiseaux, les mammifères et l'homme.

Toutefois le mécanisme de l'évolution demeure très imprécis. Plusieurs théories ont tenté de l'expliquer. Le *lamarckisme* repose sur deux principes : le besoin crée l'organe nécessaire (par ex. la girafe est obligée de brouter les feuilles des arbres et s'efforce de les atteindre; ses jambes de devant sont donc devenues plus longues que celles de derrière et le cou s'est extrêmement allongé); les caractères acquis, sous l'action des conditions du milieu, se transmettent de génération en génération. Ils seraient donc héréditaires. Le *darwinisme* s'appuie sur l'idée de la sélection naturelle et de la survivance du plus apte (tout être est en concurrence avec ses semblables pour survivre sur un territoire donné, ainsi la girafe, de par sa taille, pouvait brouter sur les branches les plus hautes et a pu survivre, léguant à ses descendants les caractères de sa grande taille). Selon le *mutationnisme,* formulé au XIXe s. par Hugo De Vries, une même « mutation » (modification brusque dans la constitution d'un être vivant, qui est à l'origine d'une nouvelle espèce) apparaît chez de nombreux individus de la même espèce qui n'ont aucune parenté. Cette mutation est transmissible, et les caractères acquis ne sont pas héréditaires.

2. ÉVOLUER [evɔlɥe] v. i. (même étym.) [sujet nom de personne ou d'appareil]. Exécuter des mouvements en des sens divers, aller et venir : *Des avions qui évoluent dans le ciel.* ◆ **évolution** n. f. (surtout au plur.) : *Les évolutions d'un avion* (syn. MANŒUVRES).

ÉVOQUER [evɔke] v. t. (lat. *evocare,* appeler à soi). **1.** (sujet nom de personne) Présenter à l'esprit, en paroles ou par écrit : *Un conférencier qui évoque ses souvenirs de voyage* (syn. RAPPELER). *Évoquer un problème* (syn. CITER, MENTIONNER). — **2.** (sujet nom de chose) Faire songer, par son aspect, à telle ou telle chose; avoir quelque ressemblance, quelque lien avec : *Les dessins du papier peint évoquent des scènes rustiques* (syn. REPRÉSENTER). *Un rocher qui évoque vaguement une tête humaine* (syn. RAPPELER, SUGGÉRER). ◆ **évocateur, trice** adj. : *Un roman au titre évocateur* (syn. SUGGESTIF). ◆ **évocation** n. f. : *Il s'attendrissait à l'évocation de ces années heureuses* (syn. SOUVENIR). *L'exposé a été consacré à l'évocation des besoins* (syn. RAPPEL).

ÉVREUX, ch.-l. du dép. de l'Eure, à 106 km à l'O. de Paris; 48 700 hab. *(Ébroïciens).* La cathédrale Notre-Dame (XIIe-XVe s.) est décorée par de beaux vitraux du XIVe s. Caoutchouc. Textiles. Produits pharmaceutiques.

ÉVRY, ancienn. **Évry-Petit-Bourg,** ch.-l. du dép. de l'Essonne, à 5 km au N. de Corbeil-Essonnes, sur la Seine; 29 600 hab. Ville nouvelle.

EX-, préf. tiré du lat. *ex,* hors de, qui, placé devant un nom auquel on le relie par un trait d'union, marque ce qu'a cessé d'être quelqu'un ou quelque chose : *Un ex-directeur. Une femme divorcée qui rencontre son ex-mari.*

EX ABRUPTO [ɛksabrypto] loc. adv. (du lat. *ex,* hors de, et *abruptus,* abrupt). Brusquement, sans préambule (langue soignée) : *Il est entré « ex abrupto » dans le vif du sujet.*

EXACERBER [egzasɛrbe] v. t. (lat. *exacerbare*). *Exacerber un sentiment, une sensation,* les porter à un haut degré d'irritation : *L'ironie de son interlocuteur exacerbait son dépit.* ◆ ***s'exacerber*** v. pr. (sujet nom de sentiment). Devenir plus aigu : *Une haine qui s'exacerbe.*

EXACT, E [egzakt ou egza, -akt] adj. (lat. *exactus,* précis). **1.** Se dit de ce qui est rigoureusement conforme à la réalité, à la logique, à un modèle : *Une pendule qui donne l'heure exacte* (syn. PRÉCIS). *Le candidat a donné la réponse exacte* (syn. JUSTE). *Une imitation très exacte de l'original* (syn. FIDÈLE). ‖ *Sciences exactes,* les mathématiques et les sciences à base de mathématiques. — **2.** Se dit d'une personne qui respecte l'horaire, qui arrive à l'heure : *Il est toujours exact à ses rendez-vous* (syn. PONCTUEL). ◆ **exactement** adv. : *Il est exactement six heures. Il respecte exactement ses engagements* (syn. RIGOUREUSEMENT, SCRUPULEUSEMENT). ◆ **exactitude** n. f. : *L'exactitude de ses prévisions a été confirmée par les faits* (syn. JUSTESSE). *La réussite dépendra de l'exactitude des calculs* (syn. PRÉCISION, RIGUEUR). *Un employé d'une exactitude absolue* (syn. PONCTUALITÉ, RÉGULARITÉ). ◆ **inexact, e** adj. : *Des renseignements inexacts* (syn. ↑FAUX). *Il est inexact au rendez-vous.* ◆ **inexactement** adv. : *Rapporter inexactement les paroles de qq'un.* ◆ **inexactitude** n. f. : *Les inexactitudes d'un témoignage. L'inexactitude est une impolitesse* (= le fait de ne pas être à l'heure).

EXACTION [egzaksjɔ̃] n. f. (du lat. *exigere,* faire payer). **1.** Action de celui qui exige de quelqu'un plus que celui-ci ne doit : *Le peuple gémissait souvent des exactions des collecteurs d'impôts.* — **2.** Abus de pouvoir, acte de violence commis envers une population opprimée.

EXACTITUDE n. f. ⟶ EXACT.

EX AEQUO [egzeko] loc. adv., loc. adj. et n. inv. (mots lat. signif. *à égalité*). Se dit de deux concurrents à égalité dans un examen, une compétition sportive, etc. : *Départager les « ex aequo ».*

EXAGÉRER [egzaʒere] v. t. (lat. *exaggerare,* amplifier) [sujet nom de personne]. *Exagérer qqch.,* le déformer en le rendant ou en le faisant paraître plus grand, plus important : *Exagérer les faits* (syn. GROSSIR; contr. MINIMISER). ◆ v. i. (sujet nom de personne). Aller au-delà de ce qui est juste, convenable, bienséant : *Il exagère, il a pris la plus grosse part!* (syn. ABUSER). ◆ **exagéré, e** adj. : *Un commerçant qui fait un bénéfice exagéré* (syn. ABUSIF, EXCESSIF). *Un récit exagéré* (= qui déforme, amplifie la réalité). ◆ **exagérément** adv. : *Un homme exagérément soupçonneux* (syn. TROP). ◆ **exagération** n. f. : *Les exagérations d'un récit* (syn. EXCÈS). *Une exagération de langage* (syn. ABUS, OUTRANCE).

1. EXALTER [egzalte] v. t. (lat. *exaltare,* élever). *Exalter qqch., qq'un,* en faire de grands éloges, en célébrer hautement les mérites, les qualités : *Exalter les vertus des combattants morts pour la patrie* (syn. GLORIFIER, LOUER). ◆ **exaltation** n. f. (littér.) : *L'exaltation de ses vertus.*

2. EXALTER [egzalte] v. t. (même étym.) [sujet nom de chose]. *Exalter qq'un,* lui inspirer de l'enthousiasme, lui élever l'âme : *Les grandes aventures exaltent la jeunesse* (syn. ENTHOUSIASMER, PASSIONNER). ◆ ***s'exalter*** v. pr. S'enthousiasmer. ◆ **exaltant, e** adj. : *Une lecture exaltante* (syn. ENTHOUSIASMANT, PASSIONNANT). ◆ **exalté, e** adj. et n. Pris d'un enthousiasme extrême (nuance souvent péjor.) : *Calmer les esprits exaltés* (syn. EXCITÉ, SURCHAUFFÉ). ◆ **exaltation** n. f. : *Son exaltation ne cesse de croître* (syn. EMBALLEMENT). *Parler avec exaltation* (syn. EXCITATION).

EXAMEN [egzamɛ̃] n. m. (mot lat.). **1.** Observation attentive : *Procéder à l'examen des empreintes digitales* (syn. ÉTUDE). *Subir un examen médical.* — **2.** Épreuve ou ensemble d'épreuves qu'on fait subir à un candidat pour constater ses capacités, ses connaissances : *Passer un examen.* — **3.** *Libre examen,* principe qui consiste à admettre que tout homme peut, en conscience, ne croire que ce qu'il juge vrai, sans être tenu d'accepter, surtout en religion, les décisions d'aucune autorité. ◆ **examiner** v. t. et i. Soumettre à un examen (dans les deux sens) : *Examiner la disposition des lieux* (syn. ÉTUDIER). *Le médecin a examiné le malade* (syn. AUSCULTER). *Le jury qui examine les candidats* (= leur fait passer un examen). ◆ **examinateur, trice** n. Personne chargée d'interroger les candidats aux épreuves orales d'un examen ou d'un concours.

EXANTHÈME [egzɑ̃tɛm] n. m. (gr. *exanthêma,* efflorescence). *Méd.* Éruption cutanée accompagnant certaines maladies infectieuses (rougeole, érysipèle, typhus).

EXARCHAT [egzarka] n. m. (du gr. *exarkhos,* celui qui est à la tête de). Dans l'Empire byzantin, gouvernement militaire où commandait un exarque. (Il y avait deux exarchats, celui de Ravenne [Italie] et celui de Carthage [Afrique].) ◆ **exarque** n. m.

EXASPÉRER [egzaspere] v. t. (lat. *exasperare,* rendre rude). **1.** *Exaspérer qq'un,* l'irriter vivement : *Sa lenteur m'exaspère* (syn. ↓AGACER, ↓ÉNERVER). — **2.** *Exaspérer une douleur, un sentiment,* etc., les rendre plus intenses, plus aigus (syn. ↑EXACERBER). ◆ **exaspérant, e** adj. ◆ **exaspération** n. f. : *Cette réplique le mit au comble de l'exaspération* (syn. COLÈRE, ↓IRRITATION). *Une exaspération de la douleur* (syn. ↑EXARCERBATION).

EXAUCER [egzose] v. t. (lat. *exaltare*). *Exaucer qq'un, exaucer une prière, un vœu,* etc., satisfaire cette personne dans sa demande, accueillir favorablement cette prière, etc. : *Tous mes désirs sont exaucés, puisque vous êtes sains et saufs* (syn. COMBLER). ◆ **exaucement** n. m. : *L'exaucement d'un vœu.*

EX CATHEDRA [ɛkskatedra] loc. adj. et adv. (mots lat. signif. *du haut de la chaire*). **1.** En vertu de l'autorité dont on est revêtu (se dit surtout du pape parlant comme chef de l'Église). — **2.** *Un cours « ex cathedra »,* qui est fait sur le ton grave, solennel de celui qui pontifie.

EXCAVATION [ɛkskavasjɔ̃] n. f. (du lat. *excavare,* creuser). Trou creusé dans le sol. ◆ **excavateur** n. m. ou **excavatrice** n. f. Appareil destiné à creuser le sol. ◆ **excaver** v. t. Creuser le sol.

1. EXCÉDER [eksede] v. t. (lat. *excedere,* s'en aller). **1.** (sujet nom de chose) Dépasser en importance, en quantité : *Les avantages excèdent les inconvénients* (syn. L'EMPORTER SUR). — **2.** (sujet nom de chose) Être trop important par rapport aux possibilités : *Ce sont des dépenses qui excéderaient mes moyens.* — **3.** (sujet nom de personne) Aller au-delà de certaines limites : *Il a excédé ses forces* (syn. OUTREPASSER). ◆ **excédent** n. m. Quantité qui dépasse la limite, la mesure normale : *Payer une taxe pour un excédent de bagages* (syn. SUPPLÉMENT). ◆ **excédentaire** adj. : *Une récolte excédentaire de blé.*

2. EXCÉDER [eksede] v. t. (même étym.). *Excéder qq'un,* lui imposer une fatigue extrême, l'importuner grandement : *Il m'excède, avec ses récriminations perpétuelles* (syn. EXASPÉRER). ◆ **excédant, e** adj. : *Un enfant excédant* (syn. EXASPÉRANT).

EXCELLEMMENT adv. ⟶ EXCELLER.

1. EXCELLENCE n. f. ⟶ EXCELLER.

2. EXCELLENCE [ekselɑ̃s] n. f. (lat. *excellentia*). Titre donné aux ambassadeurs, aux ministres, aux évêques, etc.

EXCELLER [eksele] v. i. (lat. *excellere,* surpasser) [sujet nom de personne]. Être supérieur dans un genre, l'emporter sur les autres : *Cet élève excelle en mathématiques* (syn SE DISTINGUER). *Il excelle à conter des histoires drôles.* ◆ **excellent, e** adj. Se dit d'une personne ou d'une chose qui se distingue par ses mérites, sa qualité (sert de superl. à BON) : *Ces fruits sont excellents* (syn. SAVOUREUX, SUCCULENT). ◆ **excellemment** adv. : *Il dessine excellemment* (syn. ADMIRABLEMENT). ◆ **excellence** n. f. : *Un convive qui apprécie l'excellence des vins.* ‖ *Prix d'excellence,* ⟶ PRIX 2. — LOC. ADV. *Par excellence,* plus que tout autre, tout particulièrement.

EXCENTRICITÉ n. f. ⟶ EXCENTRIQUE 3.

1. EXCENTRIQUE [eksɑ̃trik] adj. (du lat. *ex,* hors de, et *centre*). **1.** *Math.* Se dit d'un cercle qui, renfermé dans un autre, n'a pas le même centre que ce dernier. — **2.** *Quartier excentrique,* situé loin du centre d'une ville.

2. EXCENTRIQUE [eksɑ̃trik] n. m. (même tym.). *Mécan.* Mécanisme destiné à transformer un mouvement circulaire uniforme en un mouvement rectiligne alternatif. (L'axe de rotation de la pièce motrice n'occupe pas le centre du mécanisme.)

3. EXCENTRIQUE [eksɑ̃trik] adj. et n. (même étym.). Se dit d'une personne (ou de son comportement) dont la singularité attire vivement l'attention : *C'est un excentrique, qui fait tout autrement que tout le monde* (syn. EXTRAVAGANT, ORIGINAL). *Une tenue excentrique.* ◆ **excentricité** n. f. (syn. EXTRAVAGANCE). ◆ **excentriquement** adv. : *S'habiller excentriquement.*

EXCEPTÉ [eksepte] prép. (de *excepter*). Indique ce qu'on met à part, ce qu'on ne comprend pas dans un ensemble : *Il avait tout prévu, excepté ce cas* (syn. À L'EXCEPTION DE, HORMIS [langue littér.], SAUF). *Excepté ses voisins de palier, il ne connaît personne dans l'immeuble* (syn. À PART, EN DEHORS DE). [Rem. *Excepté* placé après un nom ou un pron. est adj. et s'accorde : *Eux exceptés, personne n'a entendu parler de cela.*] — LOC. CONJ. *Excepté que*, si ce n'est que, sauf que.

EXCEPTER [eksepte] v. t. (lat. *exceptare*, retirer). *Excepter qqch., qq'un*, le mettre à part, ne pas en tenir compte : *Il faut excepter de ce total les frais de déplacement* (syn. RETRANCHER). ◆ **exception** n. f. **1.** Action d'excepter (surtout dans des express.) : *Faire une exception pour qq'un, pour qqch.*, accepter, tolérer qu'une personne échappe aux obligations valables pour les autres, qu'une chose ne soit pas soumise à la règle générale. ‖ *D'exception*, qui est en dehors du droit commun : *Loi, mesure, tribunal d'exception.* ‖ *Par exception*, contrairement à l'usage habituel. — **2.** Ce qui est en dehors de la règle habituelle, qui apparaît comme unique en son genre : *La plupart des règles de grammaire admettent des exceptions.* — **3.** *Faire exception*, sortir de la règle, de la loi générale, se distinguer des autres. — LOC. PRÉP. *À l'exception de*, sauf, excepté. ◆ **exceptionnel, elle** adj. **1.** Se dit de ce qui constitue une exception : *Une autorisation exceptionnelle* (syn. EXTRAORDINAIRE; contr. COURANT, NORMAL). — **2.** Se dit d'une personne ou d'une chose qui se distingue spécialement par son mérite, ses qualités : *César fut un chef exceptionnel* (syn. ÉMINENT, HORS DE PAIR). ◆ **exceptionnellement** adv. : *Je vous recevrai exceptionnellement demain* (syn. PAR EXCEPTION). *Un garçon exceptionnellement doué* (syn. ↓REMARQUABLEMENT).

EXCÈS [eksɛ] n. m. (lat. *excessus*). **1.** Ce qui dépasse la quantité normale, la mesure : *Excès de vitesse* (syn. DÉPASSEMENT). *Excès de poids* (syn. EXCÉDENT). *Excès de zèle. Cet acte constitue un excès de pouvoir* (syn. ABUS). — **2.** *Faire un excès*, manger ou boire plus qu'il ne faudrait. — LOC. ADV. *À l'excès*, extrêmement, exagérément. ◆ n. m. pl. Actes de violence, de démesure, de débauche. ◆ **excessif, ive** adj. **1.** Se dit d'une chose ou d'une personne qui dépasse la mesure : *Des prix excessifs* (syn. ABUSIF, EXAGÉRÉ). *Vous êtes excessif dans vos jugements* (contr. MODÉRÉ, NUANCÉ). — **2.** Placé avant le nom il peut servir de superl. à GRAND : *Il nous a reçus avec une excessive bonté* (syn. EXTRÊME). ◆ **excessivement** adv. **1.** Avec excès : *Une voiture qui consomme excessivement* (syn. EXAGÉRÉMENT, TROP). — **2.** À un très haut degré : *Un enfant excessivement sage* (syn. EXTRÊMEMENT, TRÈS).

EXCIPER [eksipe] v. t. ind. (lat. *excipere*, prendre). Dr. *Exciper de qqch.*, en faire état, s'y référer : *Pour sa défense, il a excipé d'un précédent. Exciper de sa bonne foi.*

EXCIPIENT [eksipjɑ̃] n. m. (du lat. *excipere*, recevoir). Substance à laquelle on incorpore un médicament.

EXCISER [eksize] v. t. (du lat. *excidere*). Enlever avec un instrument tranchant : *Exciser une tumeur.* ◆ **excision** n. f. : *L'excision d'un kyste.*

EXCITER [eksite] v. t. (lat. *excitare*, faire sortir). **1.** *Exciter une personne, un animal, les nerfs de qq'un*, les mettre dans un état d'irritation, de tension, leur donner de la vivacité, de l'énergie : *L'orateur excitait la foule* (syn. SOULEVER; contr. APAISER, CALMER). *Exciter un chien pour le faire aboyer* (syn. AGACER, TAQUINER). *Excité par l'alcool, il ne tenait plus en place.* — **2.** *Exciter un sentiment, une sensation*, les faire naître ou les développer : *La vue de sa richesse avait excité la jalousie de ses voisins* (syn. PROVOQUER, SUSCITER). *Des répliques qui excitent le rire* (syn. DÉCLENCHER). *Des hors-d'œuvre qui excitent l'appétit* (syn. STIMULER). ◆ **s'exciter** v. pr. Perdre le contrôle de soi-même, s'énerver. ◆ **excitable** adj. : *Un tempérament nerveux, facilement excitable.* ◆ **excitabilité** n. f. Faculté qu'ont les corps vivants de réagir et de se modifier sous l'action d'une cause stimulante : *L'excitabilité des tissus musculaires sous l'action d'un courant électrique.* ◆ **excitant, e** adj. Qui excite le système nerveux, stimule l'organisme : *L'action excitante de l'alcool.* ◆ n. m. : *Le café est un excitant* (syn. STIMULANT, TONIQUE; contr. CALMANT). ◆ **excitation** n. f. **1.** Action de pousser quelqu'un à faire quelque chose : *Une excitation à la lutte* (syn. ENCOURAGEMENT). — **2.** État d'agitation : *Son excitation se lisait sur son visage* (syn. EXALTATION; contr. CALME, SÉRÉNITÉ). — **3.** Action exercée sur un organe par le système nerveux : *L'excitation du nerf moteur d'une patte de grenouille met celle-ci en mouvement.* ◆ **excitatrice** n. f. Dynamo qui envoie du courant dans l'inducteur d'un alternateur. ◆ **surexciter** v. t. *Surexciter qq'un*, l'exciter à un degré extrême (souvent au passif) : *Calmer des esprits surexcités.* ◆ **surexcitable** adj. ◆ **surexcitation** n. f.

EXCLAMER (S') [seksklame] v. pr. (lat. *exclamare*) [sujet nom de personne]. Pousser un cri ou des cris, ou prononcer d'une voix forte des paroles exprimant la surprise, la joie, la douleur, etc. : *Ouf! s'exclama-t-il, c'est fini!* (syn. S'ÉCRIER). ◆ **exclamatif, ive** adj. : *Dans « comme il a changé! », « comme » est un adverbe exclamatif* (= qui marque l'exclamation). ◆ **exclamation** n. f. **1.** *Une exclamation de surprise* (syn. CRI). — **2.** *Point d'exclamation* ⟶ PONCTUATION.

EXCLURE [eksklyr] v. t. (lat. *excludere*). [Conj. **68.**] **1.** (sujet nom de personne) *Exclure qq'un*, le mettre dehors, ne pas l'admettre : *Plusieurs perturbateurs ont été exclus de la salle* (syn. EXPULSER). — **2.** *Exclure qqch.*, ne pas le compter dans un ensemble, le laisser de côté : *On ne peut pas exclure l'hypothèse d'un suicide* (syn. ÉCARTER, ÉLIMINER; contr. INCLURE). — **3.** (sujet nom de chose) *Exclure qqch.*, être incompatible avec lui : *Son refus exclut pour le moment toute possibilité d'accord* (syn. EMPÊCHER). ◆ **exclusif, ive** adj. **1.** Se dit de ce qui appartient uniquement à quelqu'un : *Le droit de grâce est un privilège exclusif du président de la République.* — **2.** Se dit d'une personne (ou de ses actes) qui s'attache étroitement à quelque chose en laissant de côté tout le reste : *C'est un homme très exclusif dans ses goûts* (syn. ABSOLU, INTRANSIGEANT). ◆ **exclusif** n. m. *Hist.* Nom donné au régime commercial autref. en vigueur dans les possessions françaises d'outre-mer. (Des compagnies privilégiées avaient reçu le droit exclusif de commercer avec ces territoires.) ◆ **exclusivement** adv. : *Il se consacre exclusivement à l'histoire* (syn. UNIQUEMENT). *Du mois de mai au mois d'août exclusivement* (= le mois d'août non compris) [contr. INCLUSIVEMENT]. ◆ **exclusive** n. f. Disposition prise à l'égard d'un parti, d'un membre d'un parti, etc., pour les tenir systématiquement à l'écart. ◆ **exclusivisme** n. m. Caractère d'une personne exclusive (sens 2) : *Il a fait appel à tous, sans aucun exclusivisme.* ◆ **exclusion** n. f. **1.** *L'exclusion d'un élève* (syn. MISE À LA PORTE, RENVOI). — **2.** *À l'exclusion de*, en excluant (syn. EXCEPTÉ, SAUF). ◆ **exclusivité** n. f. Droit exclusif de vendre une marchandise, de projeter un film, de publier un article.

EXCOMMUNIER [ekskɔmynje] v. t. (lat. *excommunicare*). *Excommunier qq'un*, le rejeter hors de la communauté de l'Église. ◆ **excommunication** n. f. : *Jan Hus fut frappé d'excommunication par le concile de Constance* (= fut excommunié).

EXCRÉMENT [ekskremɑ̃] n. m. (lat. *excrementum*). Matière évacuée naturellement du corps de l'homme ou des animaux (matières fécales, urine).

EXCRÉTION [ekskresjɔ̃] n. f. (du lat. *excernere*, rendre par évacuation). Rejet par l'organisme des déchets encombrants ou toxiques, et, plus partic., de ceux qui sont véhiculés par le sang. (Les organes de l'excrétion sont les poumons [air expiré], les reins [urine], le foie [bile], les glandes de la sueur. Une très grande quantité de sang les traverse chaque jour pour s'y purifier.) ◆ **excréteur, trice** adj. Qui sert à l'excrétion : *Organes excréteurs.*

EXCROISSANCE [ekskrwasɑ̃s] n. f. (du lat. *excrescere*, se développer). Tumeur externe qui se forme sur le corps de l'homme, d'un animal *(verrue, polype, loupe)*, ou sur les végétaux.

EXCURSION [ekskyrsjɔ̃] n. f. (lat. *excursio*). Voyage d'agrément ou d'étude fait dans une région. ◆ **excursionner** v. i. Faire une excursion. ◆ **excursionniste** n.

EXCUSER [ekskyze] v. t. (lat. *excusare*). **1.** *Excuser une personne, un acte*, ne pas tenir rigueur à cette personne, être indulgent pour cet acte : *Je vous excuse d'avoir oublié de me prévenir* (syn. PARDONNER). — **2.** *Excusez-moi*, formule de politesse destinée à atténuer l'effet désagréable d'une action, d'une parole. ◆ **s'excuser** v. pr. Alléguer des raisons pour se justifier : *Je m'excuse de mon retard.* ◆ **excusable** adj. : *Vous êtes excusable de n'avoir pas pensé à cela* (syn. PARDONNABLE). ◆ **inexcusable** adj. : *Une faute professionnelle inexcusable* (syn. IMPARDONNABLE). ◆ **excuse** n. f. **1.** Raison alléguée pour disculper ou pour se disculper; circonstance qui disculpe : *Pour toute excuse, il a prétendu qu'il ne l'avait pas fait exprès* (syn. DÉFENSE). — **2.** Motif servant de justification; écrit signé des parents, du tuteur, etc., qu'un élève présente en vue d'une dispense ou pour justifier une absence : *Avoir une bonne excuse* (syn. PRÉTEXTE). *Apporter un mot d'excuse.* ◆ n. f. pl. Paroles ou écrits exprimant le regret qu'on a d'avoir offensé ou contrarié quelqu'un : *Faire des excuses.*

EXÉCRABLE [eksekrabl] adj. (lat. *ex[s]ecrabilis*). Sert de superl. à MAUVAIS : *Un crime exécrable* (syn. ODIEUX). *Il est d'une humeur exécrable* (syn. DÉTESTABLE; contr. EXQUIS). ◆ **exécrablement** adv.

EXÉCRER [eksekre] v. t. (lat. *ex[s]ecrari*, maudire). *Exécrer qq'un, qqch.*, avoir une profonde aversion pour cette personne ou pour cette chose (langue soignée) : *C'est un homme que j'exècre* (syn. DÉTESTER). ◆ **exécration** n. f. : *Il avait une véritable exécration pour ce genre de musique* (syn. ↓AVERSION).

1. EXÉCUTER [egzekyte] v. t. (du lat. *exsequi*, poursuivre). **1.** *Exécuter une mission, un projet, un ordre, une promesse*, etc., les accomplir, les réaliser. — **2.** *Exécuter la loi*, la faire appliquer. ◆ **exécutable** adj. : *Un plan difficilement exécutable* (syn. RÉALISABLE). ◆ **inexécutable** adj. : *Ces ordres sont inexécutables.* ◆ **exécuteur, trice** n. *Exécuteur testamentaire*, personne à qui l'auteur d'un testament a confié le soin de veiller à l'exécution de celui-ci. ◆ **exécutif, ive** adj. : *Le pouvoir exécutif est chargé d'assurer l'application des lois établies par le pouvoir législatif.* ◆ n. m. : *Un empiétement de l'exécutif sur le législatif* (= du pouvoir exécutif). ◆ **exécution** n. f. : *Mettre un plan à exécution. L'exécution de la loi* (syn. APPLICATION). ◆ **non-exécution** n. f. : *La non-exécution d'un décret.* ◆ **exécutoire** adj. Qui doit légalement être exécuté : *Un décret immédiatement exécutoire.*

2. EXÉCUTER [egzekyte] v. t. (même étym.). *Exécuter un travail,* le mener à bien : *Exécuter des travaux* (syn. EFFECTUER). *Cette statue a été exécutée en marbre de Carrare* (syn. RÉALISER). ◆ **exécutable** adj. : *Ce travail est exécutable en une semaine.* ◆ **exécution** n. f. : *Un bijou ciselé d'une remarquable finesse d'exécution.* ◆ **non-exécution** n. f. : *La non-exécution de ce travail dans les délais prévus entraînera la résiliation du contrat.*

3. EXÉCUTER [egzekyte] v. t. (même étym.). *Exécuter un morceau de musique,* le jouer. ◆ **exécutable** adj. : *Assurez-vous que ce concerto est exécutable par des amateurs.* ◆ **inexécutable** adj. Qu'on ne peut exécuter. ◆ **exécutant, e** n. Personne qui joue un morceau de musique : *Un orchestre de soixante exécutants* (syn. MUSICIEN). ◆ **exécution** n. f. : *Ce concerto est beau, mais son exécution est médiocre* (syn. INTERPRÉTATION).

4. EXÉCUTER [egzekyte] v. t. (même étym.). *Exécuter qq'un,* mettre à mort : *Le condamné a été exécuté ce matin* (syn. TUER). ◆ **exécuteur** n. m. : *L'exécuteur des hautes œuvres* (= le bourreau) [mot admin. vieilli]. ◆ **exécution** n. f. : *Une exécution capitale* (= mise à mort d'un condamné).

5. EXÉCUTER (S') [segzekyte] v. pr. (même étym.) [sujet nom de personne]. Se résoudre à agir, passer à l'action : *La somme à payer était lourde, pourtant il dut s'exécuter.*

EXÉGÈSE [egzeʒɛz] n. f. (gr. *exêgêsis*). Interprétation grammaticale, historique, juridique, etc., des textes, surtout en parlant de la Bible. ◆ **exégète** n. m. : *Un passage de Platon qui a déconcerté les exégètes* (syn. COMMENTATEUR). ◆ **exégétique** adj. : *Une note exégétique* (= qui explique).

1. EXEMPLAIRE [egzɑ̃plɛr] n. m. (du lat. *exemplar,* copie). Un des objets reproduits en série selon un même type (se dit surtout de livres, de journaux, de gravures, etc.) : *Ouvrage vendu à plus de vingt mille exemplaires.*

2. EXEMPLAIRE adj. ⟶ EXEMPLE.

EXEMPLE [egzɑ̃pl] n. m. (lat. *exemplum*). **1.** Personne, acte, objet pouvant servir de modèle : *Ce garçon est l'exemple du bon élève* (syn. MODÈLE, TYPE). *À l'exemple de son frère aîné, il veut faire sa médecine* (= en l'imitant, en suivant ses traces). *Cette église est un bel exemple du style roman* (syn. SPÉCIMEN). — **2.** Ce qui peut servir de leçon, d'avertissement : *Le tribunal a prononcé une condamnation sévère pour l'exemple* (= pour éviter, par un châtiment sévère, le retour de tels actes). — **3.** Fait antérieur du même genre que celui dont il s'agit : *C'est un fait sans exemple dans les annales judiciaires* (syn. PRÉCÉDENT). — **4.** Fait, chose ou être qui illustre, qui justifie une affirmation : *Je pourrais vous citer de nombreux exemples de son avarice.* — **5.** Phrase ou mot, empruntés ou non à un auteur, qui éclairent une règle, une définition : *Les exemples de ce dictionnaire sont en italique.* — **6.** *Par exemple,* pour confirmer ou illustrer ce que je dis par un exemple; fam. et interjectiv., exprime la surprise, le mécontentement : *Ah çà! par exemple!* (syn. ALORS). ◆ **exemplaire** adj. **1.** Se dit d'une personne, d'un comportement qu'on peut citer en exemple (sens 1) : *C'est un employé exemplaire* (syn. MODÈLE). *Sa conduite a été exemplaire* (syn. IRRÉPROCHABLE, PARFAIT). — **2.** *Punition exemplaire,* destinée à frapper les esprits par sa rigueur (sens 2 de EXEMPLE). ◆ **exemplairement** adv. : *Les coupables ont été châtiés exemplairement.* ◆ **exemplarité** n. f. Qualité de ce qui est exemplaire : *L'exemplarité d'une punition.*

EXEMPT, E [egzɑ̃, -ɑ̃t] adj. (lat. *exemptus,* affranchi). **1.** Se dit d'une personne, d'une chose qui n'est pas assujettie à quelque obligation : *Un soldat exempt de corvée* (syn. DISPENSÉ). — **2.** Se dit d'une personne ou d'une chose qui est préservée de : *On n'est jamais exempt d'un accident* (syn. À L'ABRI). ◆ **exempter** v. t. : *Exempter d'une taxe* (syn. AFFRANCHIR). *Un jeune homme exempté du service militaire* (syn. DISPENSER). ◆ **exempté** n. m. : *Une loi qui concerne les exemptés de service* (= ceux qui sont dispensés du service militaire). ◆ **exemption** [egzɑ̃psjɔ̃] n. f. : *Un produit qui bénéficie d'une exemption de taxes* (syn. DISPENSE, EXONÉRATION).

1. EXERCER [egzɛrse] v. t. (lat. *exercere,* ne pas laisser en repos) [sujet nom d'être animé]. *Exercer qq'un, un animal, une faculté,* les soumettre à un entraînement méthodique, les habituer : *Le professeur exerce ses élèves à la conversation en anglais* (syn. ENTRAÎNER). *Exercer un chien à rapporter le gibier* (syn. DRESSER). *Exercer la mémoire* (syn. FORMER). ◆ **s'exercer** v. pr. (sujet nom de personne). Se soumettre à un entraînement : *S'exercer à de longues marches.* ◆ **exercé, e** adj. : *Une fausse note qui n'échappe pas à une oreille exercée.* ◆ **exercice** n. m. **1.** Action de s'exercer : *L'exercice de la mémoire.* — **2.** Travail destiné à exercer quelqu'un : *Faire un exercice de mathématiques* (syn. DEVOIR). *Les soldats partent à l'exercice* (= à une séance d'entraînement). *Il faut vous donner de l'exercice* (= vous dépenser physiquement). ◆ **inexercé, e** adj. : *Une oreille inexercée.*

2. EXERCER [egzɛrse] v. t. (même étym.). **1.** Mettre en usage, pratiquer : *La police exerce un contrôle discret sur ses activités.* — **2.** *Exercer un droit,* le faire valoir, en user. — **3.** *Exercer (une profession),* la pratiquer : *Exercer la médecine.* — **4.** (sujet nom de chose) Mettre à l'épreuve : *Une énigme qui exerce la sagacité des inspecteurs.* — **5.** *Exercer une action, une influence,* etc., *sur qq'un* ou *sur qqch.,* agir, influer sur cette personne ou sur cette chose : *Le climat exerce une action déterminante sur la végétation.* ◆ **s'exercer** v. pr. (sujet nom de chose). Se manifester, agir : *Son habileté a eu l'occasion de s'exercer dans cette affaire.* ◆ **exercice** n. m. Action d'exercer (sens 2 et 3 du v. t.) : *L'exercice du pouvoir l'a rendu autoritaire* (syn. PRATIQUE). *Vous ne pouvez pas fumer dans l'exercice de vos fonctions. Un directeur en exercice* (= en activité, en fonctions).

1. EXERCICE n. m. ⟶ EXERCER 1 et 2.

2. EXERCICE [egzɛrsis] n. m. (lat. *exercitum*). Période comprise entre deux inventaires dans une entreprise commerciale, ou entre deux budgets dans une administration : *Une partie des bénéfices de l'exercice précédent a été affectée au fonds de réserve.*

EXÉRÈSE [egzerɛz] n. f. (gr. *exairêsis,* enlèvement). *Chir.* Opération par laquelle on retranche du corps humain ce qui lui est étranger ou nuisible (tumeur, calcul, organe malade).

EXERGUE [egzɛrg] n. m. (du gr. *ex,* hors de, et *ergon,* œuvre). **1.** Inscription mise en bas d'une médaille, en tête d'un ouvrage : *Ce chapitre porte en exergue deux vers de Virgile.* — **2.** *Mettre en exergue une idée, une phrase,* etc., les mettre en évidence, afin de faciliter l'explication qui suit.

EXETER, port de Grande-Bretagne, dans le sud-ouest de l'Angleterre, ch.-l. du Devon; 95 600 hab. Cathédrale (XIIe-XIVe s.).

EXFOLIATION [eksfɔljasjɔ̃] n. f. (du lat. *exfoliare,* effeuiller). **1.** *Bot.* Chute de l'écorce d'un arbre par minces couches. — **2.** *Méd.* Séparation des parties mortes de la peau qui se détachent par petites lames (syn. DESQUAMATION). ◆ **exfolier** v. t. Enlever par lames minces la couche superficielle de quelque chose : *Exfolier une ardoise.*

EXHALER [egzale] v. t. (lat. *exhalare*). **1.** *Exhaler une odeur,* la répandre autour de soi : *Des fleurs qui exhalent un parfum délicat.* — **2.** *Exhaler sa mauvaise humeur, des regrets, des plaintes,* etc., les exprimer, les manifester. ◆ **s'exhaler** v. pr. Se répandre : *Une odeur de moisi s'exhale de la pièce* (syn. ÉMANER). ◆ **exhalaison** n. f. : *Être incommodé par des exhalaisons sulfureuses* (syn. ODEUR).

EXHAUSSEMENT n. m., **EXHAUSSER** v. t. ⟶ HAUT.

EXHAUSTIF, IVE [egzostif, -iv] adj. (de l'angl. *to exhaust,* épuiser). Se dit d'une étude, d'un relevé, etc., ou d'une personne qui épuise à fond un sujet : *Cette énumération ne prétend pas être exhaustive* (syn. COMPLET). ◆ **exhaustivement** adv. : *Étudier exhaustivement une question* (= à fond).

EXHIBER [egzibe] v. t. (lat. *exhibere*). **1.** *Exhiber qqch. à qq'un,* lui mettre sous les yeux (une pièce officielle, un document) : *Il exhiba sa carte d'identité et la tendit au commissaire de police.* — **2.** Montrer avec ostentation : *Exhiber ses décorations.* ◆ **s'exhiber** v. pr. *Péjor.* Se montrer en public avec ostentation, en vue de scandaliser : *Comment ose-t-il s'exhiber dans cette tenue?* ◆ **exhibition** n. f. : *L'exhibition des pièces à conviction confondit l'accusé. Un cirque qui fait une exhibition de chiens savants* (syn. non péjor. PRÉSENTATION). *Faire exhibition de sa richesse* (syn. ÉTALAGE). ◆ **exhibitionnisme** n. m. **1.** Tendance de certains malades mentaux à se montrer entièrement nu. — **2.** Étalage sans pudeur des sentiments les plus intimes. ◆ **exhibitionniste** n.

EXHORTER [egzɔrte] v. t. (lat. *exhortari*). *Exhorter qq'un à qqch., à* (et l'infin.), tenter de l'y amener, par des prières, des encouragements : *Exhorter un ami à la patience* (syn. INCITER, INVITER). ◆ **exhortation** n. f. : *Une exhortation à la prudence* (syn. INCITATION, INVITATION).

EXHUMER [egzyme] v. t. (du lat. *ex,* hors de, et *humus,* terre). **1.** *Exhumer qqch.,* le retirer de la terre, où il était enseveli : *Exhumer des statues antiques.* — **2.** Tirer de l'oubli : *Exhumer une vieille loi.* ◆ **exhumation** n. f. : *L'exhumation d'un cadavre. L'exhumation de documents inconnus.* (⟶ INHUMER.)

EXIGER [egziʒe] v. t. (lat. *exigere,* pousser dehors). **1.** (sujet nom de personne) *Exiger qqch. de qq'un,* le lui réclamer impérativement, le lui imposer par une volonté formelle : *Exiger le paiement d'une dette* (syn. ↓DEMANDER). *J'exige que vous vous taisiez* (syn. ORDONNER). — **2.** (sujet nom de chose) Avoir absolument besoin de : *Sa santé exige des soins constants* (syn. DEMANDER, NÉCESSITER, REQUÉRIR). ◆ **exigeant, e** adj. : *Un chef très exigeant* (syn. STRICT). *Il a une profession très exigeante* (syn. ABSORBANT, DUR).

◆ **exigence** n. f. **1.** Ce qui est commandé, réclamé : *Satisfaire aux exigences de la clientèle.* — **2.** Caractère d'une personne exigeante : *Il est d'une exigence tatillonne.* — **3.** Ce qui est imposé par une règle, une discipline : *Les exigences d'une profession* (syn. CONTRAINTE, OBLIGATION). ◆ **exigible** adj. Se dit de ce qui peut être légalement exigé. ◆ **exigibilité** n. f. : *L'exigibilité d'un paiement.*

EXIGU, Ë [egzigy] adj. (lat. *exiguus*, petit). Se dit de ce qui est trop petit, qui ne laisse pas assez d'aisance : *Un appartement exigu* (syn. ÉTROIT). *Des ressources exiguës* (syn. INSUFFISANT). ◆ **exiguïté** [egzigɥite] n. f. : *L'exiguïté d'une pièce* (syn. ÉTROITESSE).

EXIL [egzil] n. m. (lat. *exilium*). **1.** Situation d'une personne expulsée ou obligée de vivre hors de sa patrie avec interdiction d'y revenir; lieu où cette personne réside à l'étranger : *Victor Hugo a écrit « les Châtiments » en exil.* — **2.** Séjour hors de sa région, de sa ville d'origine, en un lieu où l'on se sent comme étranger. ◆ **exiler** v. t. Bannir de sa patrie : *Exiler un condamné politique* (syn. EXPULSER, PROSCRIRE). ◆ ***s'exiler*** v. pr. Quitter volontairement sa patrie (syn. S'EXPATRIER). ◆ **exilé, e** n. Qui a été condamné à l'exil ou qui vit en exil.

EXISTER [egziste] v. i. (lat. *exsistere*, sortir de). **1.** (sujet nom de personne ou de chose) Avoir la vie, être actuellement : *Depuis qu'il existe, cet enfant n'a connu que la misère* (= depuis qu'il est né). *L'année dernière, cette maison n'existait pas* (= elle n'était pas construite). — **2.** S'emploie souvent impersonnellem., avec la valeur de *il y a*, en insistant sur l'individualité, la personnalité d'un être ou d'une chose : *On s'est longtemps demandé s'il existait des hommes sur la Lune. Il n'existe pas d'autre solution à votre problème.* — **3.** (sujet nom de chose) Avoir de l'importance, compter (surtout à la forme négative) : *Rien n'existe à ses yeux que le bonheur de ses enfants.* ◆ **existant, e** adj. : *Il faut tenir compte des faits existants* (= de la réalité). *Les règlements existants* (syn. EN VIGUEUR). ◆ **inexistant, e** adj. : *Les progrès sont pratiquement inexistants* (syn. NUL). ◆ **existence** n. f. **1.** Le fait d'exister : *Des sondages effectués ici ont établi l'existence d'une nappe de pétrole* (syn. PRÉSENCE). — **2.** Vie, manière de vivre : *Mener une existence modeste. Ses moyens d'existence sont modiques* (= ses ressources). ◆ **inexistence** n. f. Caractère de ce qui est sans valeur, sans importance. ◆ **existentiel, elle** adj. Se dit de ce qui est relatif à l'existence : *Les réalités existentielles* (= de la vie). ◆ **existentialisme** n. m. Mouvement littéraire et philosophique, représenté principalement en France par Jean-Paul Sartre, d'après lequel l'homme, doté d'abord simplement de l'existence, se crée et se choisit lui-même en agissant. ◆ **existentialiste** adj. et n. : *J.-P. Sartre a été, en France, le plus connu des existentialistes.* ◆ **coexister** v. i. Exister en même temps; vivre côte à côte en se tolérant mutuellement : *Plusieurs tendances coexistent au sein de ce syndicat.* ◆ **coexistence** n. f. : *La coexistence de plusieurs magasins dans le même quartier offre un plus grand choix à l'acheteur.* ‖ *Coexistence pacifique*, principe qui permet à deux États ou à deux blocs d'États d'entretenir des relations pacifiques, malgré leurs systèmes politiques et économiques totalement opposés. ◆ **préexister** v. i. Exister avant : *Une instabilité maladive préexistait à sa dépression.* ◆ **préexistant, e** adj.

EX-LIBRIS [ɛkslibris] n. m. inv. (mots lat. signif. *qui fait partie des livres de*). Vignette que les bibliophiles (= ceux qui aiment les livres) collent au revers des reliures de leurs livres, et qui porte leur nom ou leur devise.

EXOCET [egzɔsɛ] n. m. (du gr. *exô*, au-dehors, et *koitê*, gîte). Poisson des mers chaudes, appelé usuellement POISSON VOLANT parce que ses nageoires pectorales, très développées, lui permettent de sauter hors de l'eau et de planer sur 200 ou 300 m de distance. (Sa vitesse atteint parfois 50 km/h.)

EXOCRINE [egzɔkrin] adj. (du gr. *exô*, au-dehors, et *krinein*, sécréter). Qui a rapport à la sécrétion des produits éliminés directement au niveau des téguments ou des muqueuses : *Sécrétion exocrine du pancréas* (par oppos. à sa *sécrétion endocrine*, l'insuline, qui se déverse dans le sang).

EXODE [egzɔd] n. m. (gr. *exodos*, sortie). **1.** Sortie des Hébreux d'Égypte sous la conduite de Moïse en direction de la Terre promise. (En ce sens, prend une majusc.) — **2.** Départ en grand nombre : *L'exode des citadins en été.* ‖ *Exode rural*, migration définitive des habitants des campagnes vers les villes.

EXOGÈNE [egzɔʒɛn] adj. (du gr. *exô*, au-dehors, et *genos*, origine). Qui se forme à l'extérieur (contr. ENDOGÈNE). ‖ *Roche exogène*, syn. de ROCHE SÉDIMENTAIRE.

EXONÉRER [egzɔnere] v. t. (lat. *exonerare*, décharger). *Exonérer qq'un, qqch. d'une charge financière, d'une taxe*, l'en dispenser en totalité ou en partie : *Un étudiant exonéré des droits d'inscription à la faculté* (syn. EXEMPTER). ◆ **exonération** n. f. : *Obtenir une exonération d'impôts* (syn. DÉGRÈVEMENT).

EXOPHTALMIE [egzɔftalmi] n. f. (du gr. *ex*, hors de, et *ophtalmos*, œil). Saillie de l'œil hors de son orbite. ◆ **exophtalmique** adj. Qui se rapporte à l'exophtalmie ou qui la provoque : *Goitre exophtalmique.*

EXORBITANT, E [egzɔrbitɑ̃, -ɑ̃t] adj. (du lat. *exorbitare*, s'écarter). Se dit de ce qui scandalise par son caractère excessif : *Prix exorbitant* (syn. EXAGÉRÉ).

EXORBITÉ, E [egzɔrbite] adj. (du préf. *ex-*, hors de, et *orbite*). *Yeux exorbités*, yeux qui semblent sortir de leur orbite.

EXORCISER [egzɔrsize] v. t. (gr. *exorkizein*, faire prêter serment). **1.** *Exorciser une personne, une chose*, chasser les démons qui les habitent par des prières. — **2.** *Exorciser un mal*, le chasser, s'en protéger (syn. CONJURER). ◆ **exorcisme** n. m. Cérémonie, parole, acte pour exorciser. ◆ **exorciste** n. m. Celui qui exorcise.

EXORDE [egzɔrd] n. m. (lat. *exordium*). Entrée en matière d'un discours : *En guise d'exorde, l'orateur rappela les résultats déjà obtenus* (syn. INTRODUCTION, PRÉAMBULE; contr. CONCLUSION).

EXORÉIQUE [egzɔreik] adj. (du gr. *exô*, au-dehors, et *rhein*, couler). Qui est propre aux régions dont les eaux courantes gagnent la mer (par oppos. à ENDORÉIQUE). ◆ **exoréisme** n. m. Caractère des régions dont les eaux courantes gagnent la mer (72 p. 100 de la surface des continents).

EXOSPHÈRE [egzɔsfɛr] n. f. (du gr. *exô*, au-dehors, et [*atmo*]*sphère*). Couche de l'atmosphère qui s'étend au-dessus de 1 000 km env.

EXOTIQUE [egzɔtik] adj. (gr. *exôtikos*, du dehors). Se dit de ce qui appartient à un pays étranger et lointain, de ce qui en provient et se distingue par un caractère original : *Plante exotique.* ◆ **exotisme** n. m. **1.** Ensemble des caractères qui différencient ce qui est étranger de ce qui appartient à la civilisation occidentale : *Un roman plein d'exotisme.* — **2.** Goût pour ce qui est exotique.

EXPANSÉ, E adj., **EXPANSIBLE** adj. → EXPANSION 1.

EXPANSIF, IVE [egspɑ̃sif, -iv] adj. (de *expansion*). Se dit d'une personne qui aime à faire part aux autres de ses sentiments (syn. COMMUNICATIF, DÉMONSTRATIF). ◆ **expansivité** n. f. : *Son expansivité le rend peu propre à garder un secret* (contr. DISCRÉTION).

1. EXPANSION [egspɑ̃sjɔ̃] n. f. (du lat. *expandere*, déployer). **1.** Le fait, pour un corps, de se développer en volume ou en surface; dilatation. — **2.** Augmentation du volume d'un gaz, accompagnée d'une diminution de pression. ◆ **expansé, e** adj. Qui a subi une expansion. ‖ *Matériau expansé*, résine synthétique sous forme spongieuse, appelée aussi *matériau alvéolaire*, et qui est utilisée pour les isolations thermiques ou acoustiques ainsi que pour le moulage des meubles. ◆ **expansible** adj. Capable d'expansion.

2. EXPANSION [egspɑ̃sjɔ̃] n. f. (même étym.). Mouvement de ce qui se répand, se développe : *Une industrie en pleine expansion* (syn. ESSOR). *L'expansion économique est un facteur de prospérité pour un pays* (= le développement de la production) [contr. RÉGRESSION]. ◆ **expansionnisme** n. m. Système politique qui préconise l'expansion d'un pays au-delà de ses limites. ◆ **expansionniste** adj. : *Une économie expansionniste.*

EXPANSIVITÉ n. f. → EXPANSIF.

EXPATRIATION n. f., **EXPATRIER** v. t. → PATRIE.

EXPECTATIVE [egspɛktativ] n. f. (du lat. *exspectare*, attendre). Attitude d'une personne qui attend prudemment avant d'agir, ou dont l'attente est fondée sur des promesses, des probabilités.

EXPECTORER [egspɛktɔre] v. t. et i. (lat. *expectorare*, chasser de sa poitrine) [sujet nom de personne]. Rejeter par la bouche des substances provenant des voies respiratoires inférieures (trachée, bronches, poumons) : *Expectorer des glaires* (syn. CRACHER). ◆ **expectoration** n. f. Crachat provenant des bronches. (L'expectoration est un signe fréquent dans les maladies des poumons et des bronches.)

EXPÉDIENT [ekspedjɑ̃] n. m. (du lat. *expedire*, dégager). Moyen propre à se tirer momentanément d'embarras, sans résoudre vraiment la difficulté (souvent péjor.) : *L'appel à des non-spécialistes n'est qu'un expédient. Vivre d'expédients* (= être obligé pour vivre de se procurer de l'argent par toutes sortes de moyens).

EXPÉDIER [ekspedje] v. t. (lat. *expedire*, dégager). **1.** *Expédier un objet*, le faire partir pour une destination : *Expédier des colis* (syn. ENVOYER). — **2.** Fam. *Expédier qq'un*, se débarrasser de lui : *Expédier un importun.* — **3.** Péjor. *Expédier une tâche*, l'accomplir vivement, s'en débarrasser au plus vite : *Un élève qui expédie son devoir en dix minutes* (syn. BÂCLER). — **4.** *Expédier les affaires courantes*, les gérer en attendant d'être remplacé dans ses fonctions (sans idée de hâte) : *Les ministres démissionnaires expédient les affaires courantes.* ◆ **expéditeur, trice** n. et adj. : *Le nom de* l'expéditeur figure au dos de l'enveloppe (contr. DESTINATAIRE). ◆ **expéditif, ive** adj. Se dit d'une personne qui expédie vivement la besogne, ou de ce qui permet de l'expédier : *Une solution expéditive* (syn. PROMPT). ◆ **expéditivement** adv. : *L'affaire a été réglée expéditivement.* ◆ **expédition** n. f. **1.** Action d'expédier : *L'expédition d'un paquet* (syn. ENVOI). — **2.** Chose expédiée : *J'ai bien reçu votre dernière expédition* (syn. ENVOI). — **3.** Opération militaire comportant un envoi de troupes vers un pays éloigné : *L'expédition de Bonaparte en Égypte.* — **4.** Voyage scientifique ou touristique : *Une expédition polaire. Une expédition de trois jours dans les gorges du Tarn* (syn. ÉQUIPÉE, RANDONNÉE). ◆ **expéditionnaire** adj. *Corps expéditionnaire*, troupes envoyées en expédition militaire. ◆ n. m. **1.** Employé d'administration chargé de recopier des comptes, des écritures, etc. — **2.** Personne ou organisme spécialisé dans l'expédition de marchandises.

1. EXPÉRIENCE [eksperjɑ̃s] n. f. (lat. *experientia*). Épreuve visant à étudier un phénomène : *Une expérience de chimie.* ◆ **expérimenter** v. t. Soumettre à des expériences : *Expérimenter un remède, un appareil.* ◆ **expérimental, e, aux** adj. Se dit de ce qui est fondé sur l'expérience scientifique, de ce qui sert à expérimenter : *Une méthode expérimentale. Un laboratoire expérimental.* ‖ *Sciences expérimentales*, celles qui ont recours à l'expérimentation (par oppos. aux *sciences* dites *d'observation*). ◆ **expérimentalement** adv. : *L'efficacité de ce produit a été démontrée expérimentalement.* ◆ **expérimentateur, trice** n. : *La réussite de l'expérience dépend de l'habileté de l'expérimentateur.* ◆ **expérimentation** n. f. : *Vérifier une hypothèse par l'expérimentation.*

2. EXPÉRIENCE [eksperjɑ̃s] n. f. (même étym.). Connaissance des choses ou des personnes acquise par la pratique : *Je sais par expérience que les nuits sont fraîches dans cette région. Une vérité d'expérience* (= imposée par les faits). ◆ **expérimenté, e** adj. Se dit d'une personne qui a de l'expérience : *Le bateau était conduit par un pilote expérimenté.* ◆ **inexpérience** n. f. : *Son inexpérience des affaires a failli causer la ruine de la société* (syn. IGNORANCE). ◆ **inexpérimenté, e** adj. : *Un conducteur inexpérimenté* (syn. NOVICE).

EXPÉRIMENTAL, E, AUX adj., **EXPÉRIMENTALEMENT** adv., **EXPÉRIMENTATEUR, TRICE** n., **EXPÉRIMENTATION** n. f. ⟶ EXPÉRIENCE 1.

EXPÉRIMENTÉ, E adj. ⟶ EXPÉRIENCE 2.

EXPÉRIMENTER v. t. ⟶ EXPÉRIENCE 1.

EXPERT, E [ekspɛr, -ɛrt] adj. (lat. *expertus*, qui a fait ses preuves). Se dit de quelqu'un qui connaît très bien une chose par la pratique : *Voilà ce qu'il prétend; quant à moi, je ne suis pas expert en la matière* (= je ne m'y connais pas). *Main experte* (syn. ADROIT, HABILE). ◆ n. m. Spécialiste chargé d'apprécier, de vérifier : *La compagnie d'assurances a envoyé un expert pour estimer les dégâts.* ◆ **expert-comptable** n. m. Personne dont la profession consiste à organiser et vérifier la comptabilité d'une entreprise, contrôler sa gestion financière. ‖ Pl. des *experts-comptables.* ◆ **inexpert, e** adj. : *Être inexpert en musique* (= ne pas s'y connaître). ◆ **expertement** adv. : *Un travail expertement exécuté* (syn. ADROITEMENT, HABILEMENT). ◆ **expertise** n. f. Constatation ou estimation effectuée par un spécialiste : *Le rapport d'expertise est formel: la victime a été empoisonnée.* ◆ **expertiser** v. t. Soumettre à une expertise. ◆ **contre-expertise** n. f. Expertise ayant pour objet d'en contrôler une autre. ‖ Pl. des *contre-expertises.*

EXPIER [ekspje] v. t. (lat. *expiare*). *Expier un crime, une faute, ses péchés*, etc., subir un châtiment, une peine qui en constituent une réparation morale, une contrepartie : *Un assassin qui expie son crime par la prison perpétuelle* (syn. PAYER). ◆ **expiable** adj. : *Une faute difficilement expiable.* ◆ **inexpiable** adj. : *Des crimes de guerre inexpiables* (= qui ne pourront être expiés). ◆ **expiation** n. f. : *Il se consacre aux œuvres charitables, en expiation de ses fautes passées* (syn. RÉPARATION). ◆ **expiatoire** adj. Se dit de ce qui sert à expier une faute (langue relig.).

1. EXPIRER [ekspire] v. t. et i. (lat. *exspirare*, rendre par le souffle). Rejeter l'air contenu dans les poumons (contr. ASPIRER, INSPIRER). ◆ **expiration** n. f. Action de chasser hors de la poitrine l'air inspiré dans les poumons. (L'expiration est un mouvement respiratoire qui alterne avec l'inspiration et qui a pour effet le rejet de l'air vicié, pauvre en oxygène, riche en gaz carbonique et en vapeur d'eau.)

2. EXPIRER [ekspire] v. i. (même étym.). **1.** (sujet nom d'être animé) Mourir (langue soignée) : *Il a expiré entouré des siens* (syn. RENDRE LE DERNIER SOUPIR). — **2.** (sujet nom de chose) S'affaiblir jusqu'à disparaître ou cesser d'exister. — **3.** *Traité, bail*, etc., *qui expire*, qui arrive à son terme : *Il nous a accordé un délai qui expire après-demain.* ◆ **expirant, e** adj. : *Une voix expirante* (syn. MOURANT). *Une industrie expirante.* ◆ **expiration** n. f. Fin d'un délai, terme convenu : *L'expiration d'un bail.*

EXPLÉTIF, IVE [ekspletif, -iv] adj. (lat. *expletivus*). Se dit d'un mot ou d'une express. qui n'est pas nécessaire au sens de la phrase, ou qui n'est pas exigé par les règles de la syntaxe, mais dont l'emploi est commandé par l'usage : *« Ne » est explétif dans « Partons avant qu'il ne pleuve ».* ‖ *Pronom explétif*, pron. qui n'a pas de fonction définie dans la phrase, mais qui sert seulement à marquer la participation, l'intérêt du sujet à l'action : *« Me » est un pronom explétif dans « Vous allez me prendre la porte ».*

EXPLICABLE adj., **EXPLICATIF, IVE** adj., **EXPLICATION** n. f. ⟶ EXPLIQUER.

EXPLICITE [eksplisit] adj. (lat. *explicitus*). Se dit de ce qui est formulé, rédigé d'une façon nette et précise, de manière à ne laisser aucun doute dans l'esprit : *Une clause explicite* (syn. EXPRÈS; contr. IMPLICITE). *Texte explicite* (syn. CLAIR). ◆ **explicitement** adv. : *Le contrat stipule explicitement que le travail devra être achevé à cette date* (syn. EN TOUTES LETTRES; contr. IMPLICITEMENT). ◆ **expliciter** v. t. : *Expliciter sa pensée* (= la formuler plus clairement).

EXPLIQUER [eksplike] v. t. (lat. *explicare*, déployer). **1.** (sujet nom de personne) Faire comprendre par un développement parlé ou écrit, ou par des gestes : *Le professeur explique un problème au tableau. Ce qu'on ne peut pas expliquer demeure mystérieux* (syn. ÉCLAIRCIR). ‖ *Expliquer un texte*, le traduire, le commenter. — **2.** (sujet nom de personne) Faire connaître en détail : *Il m'a expliqué ses projets* (syn. EXPOSER). *Expliquez votre pensée* (syn. DÉVELOPPER). — **3.** (sujet nom de chose) Être une justification, apparaître comme une cause de : *La difficulté des travaux explique le coût de l'opération.* ◆ **s'expliquer** v. pr. **1.** (sujet nom de personne) Faire comprendre ou faire connaître sa pensée, ses raisons : *Il s'est expliqué sur ses intentions.* — **2.** (sujet nom de personne) Avoir une discussion, faire une mise au point : *Il s'est longuement expliqué avec son adversaire.* — **3.** *S'expliquer qqch.*, en comprendre la raison, le bien-fondé : *Je ne m'explique pas son retard.* — **4.** (sujet nom de chose) Devenir intelligible, se laisser comprendre : *Un phénomène qui s'explique facilement. Vos craintes ne s'expliquent pas* (= elles sont injustifiées). ◆ **explicable** adj. Qu'on peut expliquer : *Il en a éprouvé un dépit bien explicable* (syn. COMPRÉHENSIBLE). ◆ **inexplicable** adj. : *La disparition de cet objet est inexplicable* (syn. INCOMPRÉHENSIBLE). ◆ **explicatif, ive** adj. Qui a pour rôle d'expliquer : *Une notice explicative est jointe à l'appareil.* ◆ **explication** n. f. : *L'explication d'un phénomène. Une explication de texte* (syn. COMMENTAIRE). *J'ai eu une explication franche avec lui* (syn. DISCUSSION).

1. EXPLOIT [eksplwa] n. m. (anc. fr. *espleit*, exécution). Action d'éclat, action mémorable : *Un vieux soldat qui raconte ses exploits* (syn. littér. HAUT FAIT). *Un exploit sportif* (syn. PERFORMANCE).

2. EXPLOIT [eksplwa] n. m. (même étym.). *Dr.* Acte de procédure qui requiert l'intervention d'un huissier, et prend une appellation particulière selon le but qu'il vise *(citation, constat, procès-verbal, sommation).*

1. EXPLOITER [eksplwate] v. t. (du lat. *explicare*, accomplir). **1.** *Exploiter une ferme, une entreprise*, etc., les faire valoir, en tirer profit. — **2.** *Exploiter un avantage, la situation, ses dons*, etc., en user à propos, en tirer parti. ◆ **exploitable** adj. : *Un gisement de pétrole facilement exploitable.* ◆ **inexploitable** adj. Qui n'est pas susceptible d'être exploité. ◆ **exploitabilité** n. f. : *Avoir des doutes sur l'exploitabilité d'une mine.* ◆ **exploitant** n. m. et adj. Personne qui met en valeur un terrain de culture ou tout autre bien productif. ◆ **exploitation** n. f. **1.** Action d'exploiter : *Il se consacre à l'exploitation de ses vignes.* — **2.** Affaire qu'on exploite : *Être à la tête d'une exploitation agricole.*

2. EXPLOITER [eksplwate] v. t. (de *exploiter* 1). *Exploiter qq'un, ses actions*, tirer un profit abusif de sa bonne volonté, de sa faiblesse : *Exploiter la crédulité publique.* ◆ **exploité, e** adj. et n. : *Les éternels exploités.* ◆ **exploitation** n. f. Action d'abuser à son profit : *L'esclavage était une exploitation de l'homme par l'homme.* ◆ **exploiteur, euse** n. Personne qui tire du travail d'autrui des profits illégitimes.

EXPLORER [eksplɔre] v. t. (lat. *explorare*). **1.** *Explorer un lieu*, le parcourir en l'étudiant attentivement : *Explorer une région désertique.* — **2.** *Explorer une question, les possibilités d'un accord*, etc., les examiner, en étudier les aspects. ◆ **explorable** adj. : *Une région difficilement explorable.* ◆ **explorateur, trice** n. Personne qui fait un voyage de découverte. ◆ **exploration** n. f. : *L'exploration de l'Afrique centrale par Stanley. Au retour de son exploration, il a donné une conférence* (syn. EXPÉDITION). ◆ **inexplorable** adj. Qui ne peut être exploré : *Les profondeurs inexplorables de la Terre.* ◆ **inexploré, e** adj. Que l'on n'a pas encore exploré : *Région encore inexplorée du globe.*

EXPLOSER [eksploze] v. i. (du lat. *explodere*, pousser hors). **1.** (sujet nom de chose) Éclater violemment : *La charge de dynamite a explosé.* — **2.** (sujet nom de sentiment) Se manifester soudain très bruyamment : *Sa colère explosa* (syn. ↓ÉCLATER). — **3.** (sujet nom de personne) Ne plus pouvoir se contenir :

Exploser en reproches. ◆ **explosif, ive** adj. Se dit de ce qui peut exploser : *Un mélange explosif. Il a un tempérament explosif. La situation est explosive* (= un conflit grave est à craindre). ◆ n. m. Substance capable d'exploser : *La nitroglycérine est un puissant explosif.* ◆ **explosion** n. f. : *Une explosion s'est produite à la suite d'une fuite de gaz. Une explosion de colère* (syn. ÉCLAT).

EXPORTER [ekspɔrte] v. t. (lat. *exportare*). Transporter et vendre à l'étranger (un produit national, des marchandises, etc.) : *La France exporte des vins dans de nombreux pays* (contr. IMPORTER). ◆ **exportable** adj. : *Des denrées difficilement exportables.* ◆ **exportateur, trice** n. et adj. : *Les pays exportateurs de céréales* (contr. IMPORTATEUR). ◆ **exportation** n. f. **1.** Action d'exporter : *Cultiver des primeurs pour l'exportation* (contr. IMPORTATION). — **2.** Marchandise exportée : *Le volume des exportations est supérieur à celui des importations.*

1. EXPOSANT, E n. ⟶ EXPOSER 1.

2. EXPOSANT [ekspozɑ̃] n. m. (de *exposer*). *Math.* Nombre, ou lettre, indiquant la puissance à laquelle est élevée une quantité. (On l'écrit au-dessus et à droite de cette quantité. Dans $4^3 = 4 \times 4 \times 4$, 3 est l'exposant; dans $a^n = \underbrace{a \times a \times ... \times a}_{n \text{ fois}}$, n est l'exposant.

EXPOSÉ n. m. ⟶ EXPOSER 2.

1. EXPOSER [ekspoze] v. t. (du lat. *exponere*). **1.** *Exposer qqch.*, le présenter aux yeux du public dans un étalage ou dans une exposition : *Exposer des marchandises* (syn. ÉTALER). *Un artiste qui expose pour la première fois.* — **2.** *Exposer une chose à qqch.*, la présenter à l'action de quelque chose, la tourner vers quelque chose : *Exposer du linge au soleil. Une maison exposée à l'est* (= dont la façade est orientée vers l'est). ◆ **exposant, e** n. Personne ou firme qui présente des œuvres, des produits dans une exposition publique. ◆ **exposition** n. f. **1.** Action d'exposer : *L'exposition des livres dans la vitrine. L'exposition du corps au soleil peut être dangereuse.* — **2.** Manifestation organisée en vue de la présentation au public d'œuvres d'art ou de choses diverses : *Une exposition de sculptures.* — **3.** Manière dont une chose est orientée (notamment une maison) : *L'exposition d'une maison au midi* (syn. ORIENTATION).

2. EXPOSER [ekspoze] v. t. (même étym.). *Exposer une question, un problème, un fait*, etc., les présenter avec les développements et les explications nécessaires : *L'orateur a exposé son programme politique* (syn. DÉCRIRE, EXPLIQUER). ◆ **exposé** n. m. Développement explicatif : *Faire un exposé oral de la situation financière. L'étude du marché de l'automobile a fait l'objet d'un exposé* (syn. RAPPORT).

3. EXPOSER [ekspoze] v. t. (même étym.). *Exposer qq'un, qqch. (à qqch.)*, le mettre en péril, lui faire courir un risque (souvent au part. passé) : *Exposer sa vie pour sauver qq'un* (syn. RISQUER). ◆ ***s'exposer*** v. pr. Courir un risque : *S'exposer au danger, aux critiques* (syn. AFFRONTER).

EXPOSITION n. f. ⟶ EXPOSER 1.

1. EXPRÈS, ESSE [eksprɛ, -ɛs, mais on tend à prononcer eksprɛs au masc.] adj. (lat. *expressus*, exprimé clairement). *Ordre exprès, défense expresse*, etc., qui sont nettement exprimés (syn. ABSOLU, FORMEL). ◆ **expressément** adv. : *La plus grande prudence est expressément recommandée aux automobilistes* (= avec insistance).

2. EXPRÈS [ekspɾɛs] adj. inv. et n. m. (même étym.). *Lettre exprès, colis exprès*, lettre ou colis remis rapidement au destinataire.

3. EXPRÈS [ekspɾɛ] adv. (même étym.). **1.** Avec intention : *C'est exprès que j'ai évité d'employer ce mot* (syn. À DESSEIN, INTENTIONNELLEMENT). *Il ne l'a pas fait exprès* (= c'est involontaire). — **2.** *Un fait exprès*, une coïncidence plus ou moins fâcheuse.

1. EXPRESS [ekspɾɛs] n. m. et adj. inv. (mot angl.). Train rapide, qui ne s'arrête que rarement sur son parcours. ◆ adj. inv. Qui assure un service, une liaison rapide : *Prendre la voie express rive droite à Paris. Le réseau express régional.*

2. EXPRESS [ekspɾɛs] n. m. et adj. inv. (it. *espresso*). Café concentré, obtenu par le passage de la vapeur sous pression à travers de la poudre de café.

1. EXPRIMER [eksprime] v. t. (lat. *exprimere*, faire sortir). *Exprimer le jus d'un fruit*, etc., l'extraire par pression.

2. EXPRIMER [eksprime] v. t. (même étym.) [sujet nom de personne ou de chose]. Manifester par le langage, les actes, les traits du visage, etc. : *Sa physionomie exprimait son inquiétude. Choisir les mots qui expriment le mieux une pensée* (syn. TRADUIRE). ◆ ***s'exprimer*** v. pr. (sujet nom de personne). Formuler sa pensée, se faire comprendre : *Il s'exprime avec élégance* (syn. PARLER). ◆ **exprimable** adj. : *Un sentiment difficilement exprimable. Des résultats exprimables en chiffres.* ◆ **inexprimable** adj. Qu'il est impossible ou très difficile d'exprimer : *Une joie inexprimable* (syn. INDESCRIPTIBLE, INDICIBLE). ◆ **expressif, ive** adj. **1.** Se dit de ce qui exprime bien la pensée, le sentiment : *Un mot, un geste expressif* (syn. ÉLOQUENT). — **2.** Qui a beaucoup d'expression, de vivacité : *Une physionomie expressive.* ◆ **inexpressif, ive** adj. Qui manque d'expression : *Un regard inexpressif* (syn. TERNE, VAGUE). ◆ **expressivement** adv. De façon expressive : *Regarder qq'un expressivement.* ◆ **expressivité** n. f. : *L'expressivité d'un regard.* ◆ **expression** n. f. **1.** Manifestation de la pensée, du sentiment, du talent, etc. : *L'expression poétique. Cette symphonie est la plus belle expression du génie du compositeur.* ‖ *Liberté d'expression*, droit pour tout citoyen d'exprimer librement ses opinions. — **2.** Mot, groupe de mots qui exprime une pensée ou un sentiment : *Une expression imagée* (syn. LOCUTION). — **3.** Ensemble des signes qui expriment un sentiment sur un visage : *Il regardait sa maison détruite avec une expression de désespoir.* — **4.** *Réduire à sa plus simple expression*, ramener à très peu de chose, à un très petit volume, ou même supprimer totalement. ◆ **expressionnisme** n. m. Tendance artistique et littéraire née vers 1910 en Allemagne, et qui, par réaction contre l'impressionnisme*, vise non plus à reproduire l'impression faite par le monde extérieur, mais à imposer fortement à la représentation de ce monde la sensibilité propre de l'artiste. ⟶ ENCYCL. ◆ **expressionniste** adj. et n. : *Les peintres expressionnistes.*

— ENCYCL. En *peinture*, l'*expressionnisme*, latent dans tout l'art de l'Europe centrale en général, en Allemagne en particulier (Dürer), mais aussi en Flandre (Bruegel) et en Espagne (Goya), eut des précurseurs à la fin du XIXe s. (Munch, Van Gogh, Gauguin, Ensor), avant de s'affirmer comme mouvement au début du XXe s., en Allemagne surtout.

Pour les peintres expressionnistes, la signification l'emporte sur l'apparence : ils ne représentent pas l'objet considéré dans sa réalité, mais l'image qu'ils s'en font, qu'ils estiment plus capable de transmettre sa véritable nature. Il s'agit pour eux de s'exprimer librement en refusant les règles admises traditionnellement en peinture, ce qui explique l'aspect souvent volontairement étrange de leurs œuvres (dessins aux formes plus accidentées, couleurs plus contrastées, plus intenses).

Les principaux représentants de l'expressionnisme sont les Allemands Kirchner, Heckel, Nolde, les Belges Permeke, De Smet, le Français Rouault...

⟶ illustrations en couleurs pp. 528-529.

Au *cinéma*, l'expressionnisme a trouvé un moyen idéal de se manifester. Les libertés prises avec la perspective, la déformation volontaire des objets, l'usage très particulier des jeux d'ombres et de lumière, l'utilisation des truquages, les mimiques saccadées et le maquillage outrancier des acteurs, les thèmes très souvent inspirés par le fantastique, voire l'horreur, distinguent ce style qui se veut avant tout un continuel dépassement du réel. Les films les plus caractéristiques sont *le Cabinet du docteur Caligari* de Robert Wiene (1919), *Nosferatu le vampire* de Murnau (1922), *Metropolis* de Fritz Lang (1925).

EXPROPRIER [eksprɔprije] v. t. (de *ex-*, préf. à valeur priv., et lat. *proprium*, propriété). *Exproprier qq'un*, lui retirer par des moyens légaux la propriété d'un bien moyennant une indemnité : *Pour tracer l'autoroute, il a fallu exproprier de nombreux propriétaires de pavillons.* ◆ **expropriation** n. f.

EXPULSER [ekspylse] v. t. (lat. *expulsare*). **1.** *Expulser qq'un*, le chasser par la force ou par une décision de l'autorité : *Expulser un élève du lycée* (syn. EXCLURE, METTRE À LA PORTE, RENVOYER). — **2.** *Expulser qqch.*, le rejeter : *Les déchets sont expulsés de l'organisme dans les excréments* (syn. ÉVACUER). ◆ **expulsion** n. f.

EXPURGER [ekspyrʒe] v. t. (lat. *expurgare*, nettoyer). *Expurger un livre, un texte*, etc., en supprimer les passages jugés contraires à la morale, aux convenances.

EXQUIS, E [ekski, -iz] adj. (lat. *exquisitus*). **1.** Se dit de ce qui produit une impression très agréable et raffinée sur les sens, principalement sur le goût : *Un dessert exquis* (syn. DÉLICIEUX, EXCELLENT). *Une harmonie exquise de couleurs* (syn. DÉLICAT). — **2.** Se dit de ce qui cause un plaisir raffiné d'ordre intellectuel : *Un poème exquis.* — **3.** Se dit d'une personne (ou de son comportement) pleine de délicatesse : *C'est un homme exquis, plein d'attentions* (syn. CHARMANT; contr. DÉSAGRÉABLE).

EXSANGUE [eksɑ̃g] adj. (lat. *exsanguis*). Se dit d'une personne (ou d'une partie de son corps) qui a perdu beaucoup de sang : *La pâleur de son visage exsangue* (syn. BLÊME, LIVIDE).

EXSANGUINO-TRANSFUSION [eksɑ̃ginotrɑ̃sfyzjɔ̃] n. f. (du lat. *ex*, hors de, *sanguinem*, sang, et *transfusion*). *Méd.* Succession de saignées et de transfusions de sang sain, permettant de changer complètement le sang dans certaines maladies ou lorsqu'il y a incompatibilité de groupe sanguin du nouveau-né avec la mère. ‖ Pl. des *exsanguino-transfusions*.

Lauros-Giraudon

Matthias Grünewald, *Crucifixion* (début du XVIe s.). Musée d'Unterlinden, Colmar.

Vaering

Edvard Munch, *le Cri* (1893). Munch Museet, Oslo (Norvège).

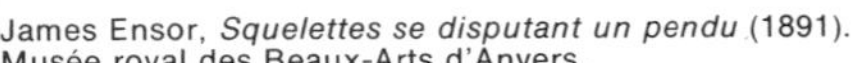

James Ensor, *Squelettes se disputant un pendu* (1891). Musée royal des Beaux-Arts d'Anvers.

Lauros-Giraudon

Giraudon

Claude Monet,
Impression, soleil levant (1872).
Musée Marmottan, Paris.

Giraudon

Auguste Renoir,
le Moulin de la Galette (1876).
Musée d'Orsay, Paris.

Giraudon

Camille Pissarro,
Avenue de l'Opéra (1872).
Musée des Beaux-Arts, Reims.

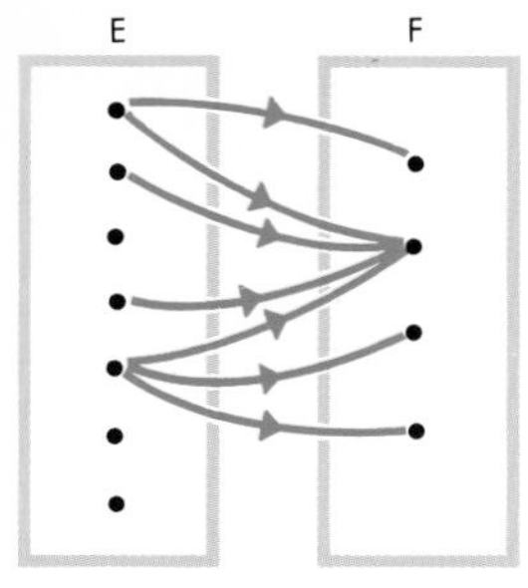

relation binaire
à un élément de E, on peut associer plusieurs éléments de F, ou un seul, ou aucun

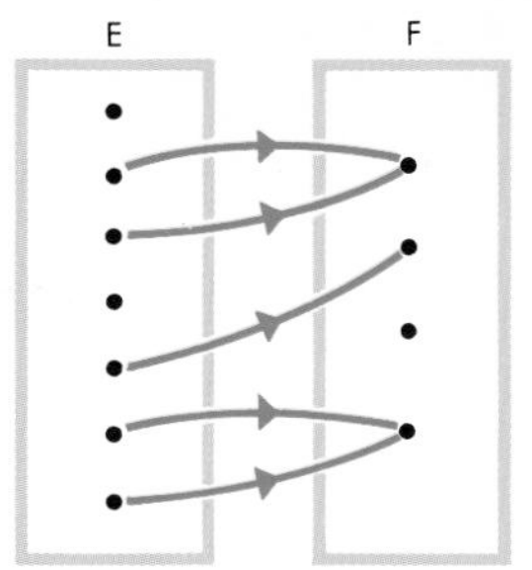

fonction
à tout élément de E, on associe **au plus** un élément de F (c'est-à-dire 0 ou 1)

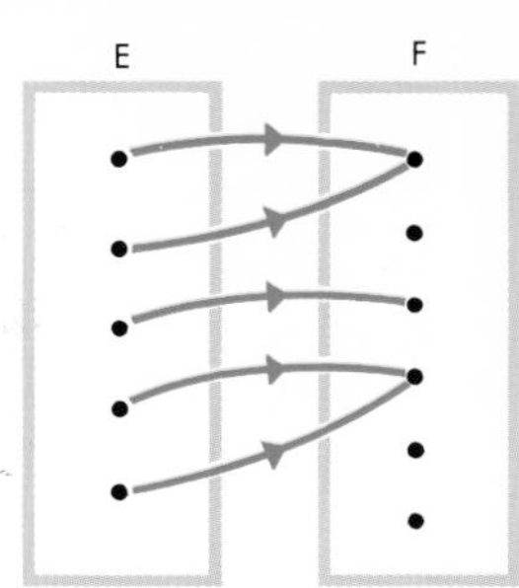

application
à tout élément de E, on associe un élément de F et un seul

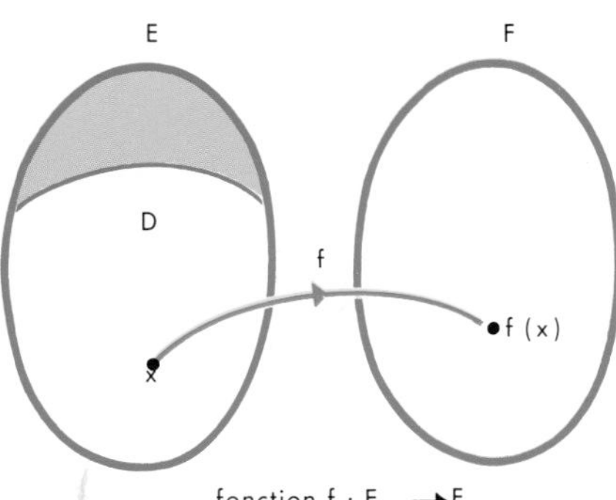

fonction f : E ⟶ F

D
F
f'
x
f (x)

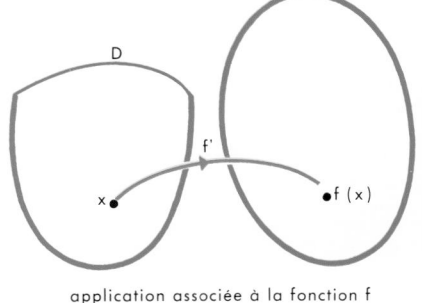

application associée à la fonction f

exemple d'une telle situation :

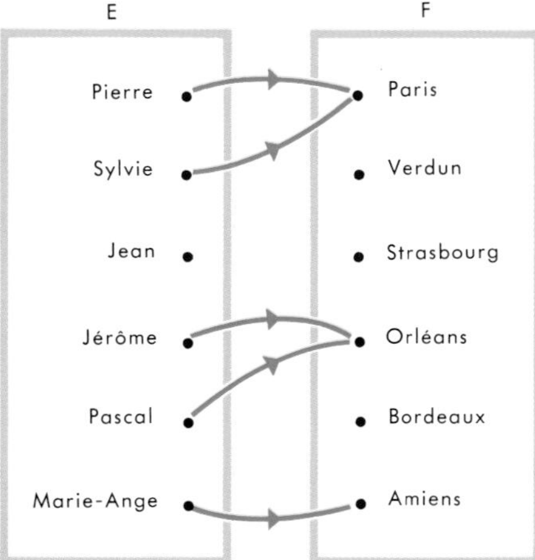

relation "être né à", fonction qui n'est pas une application : Jean n'est pas né dans une des villes proposées

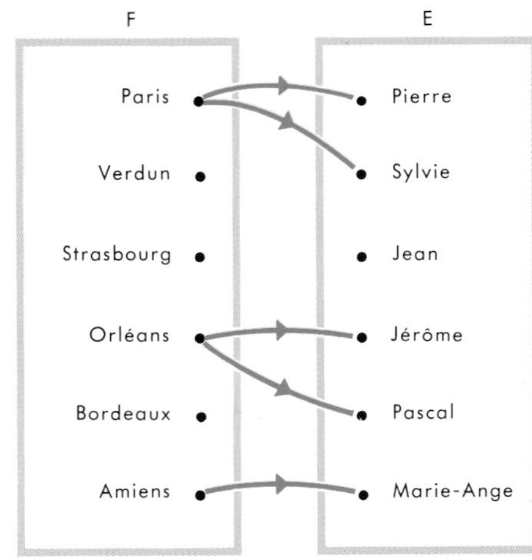

la relation "être la ville dans laquelle est né" n'est pas une fonction : à Paris, on associe deux éléments de E, Pierre et Sylvie, qui sont tous deux nés à Paris

fonction constante

$f = R \longrightarrow R$

$x \longmapsto f(x) = \frac{3}{2}$

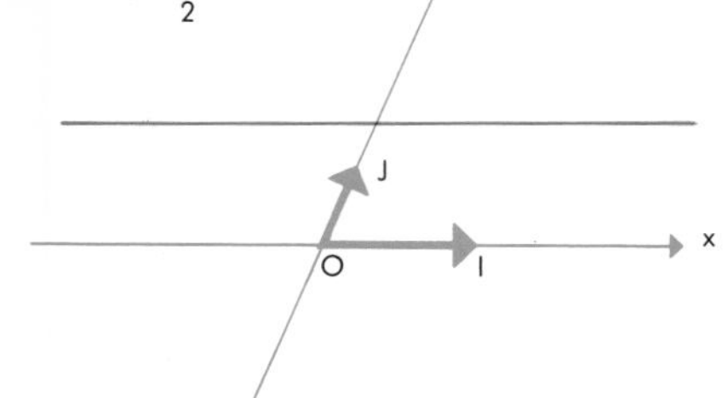

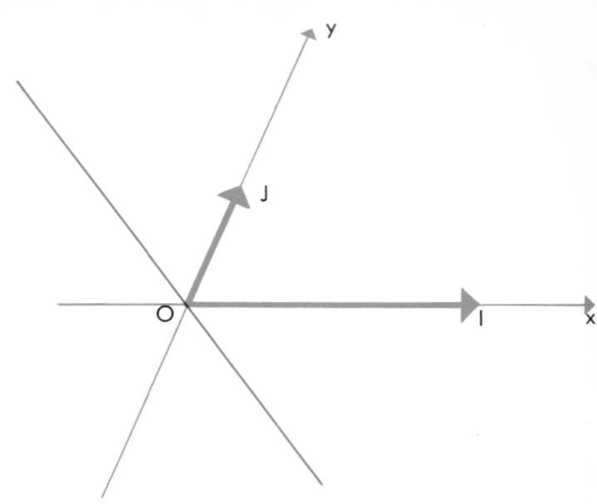

fonction linéaire

$f = R \longrightarrow R$

$x \longmapsto f(x) = -2x$

fonction affine

$f = R \longrightarrow R$

$x \longmapsto f(x) = -x - 1$

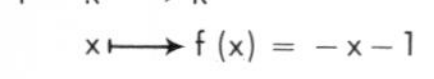

fonction en escalier

(constante par morceaux)

$f(x) = -2$ si $x \leqslant -1$

$f(x) = \frac{1}{2}$ si $-1 < x < 2$

$f(x) = 3$ si $x \geqslant 2$

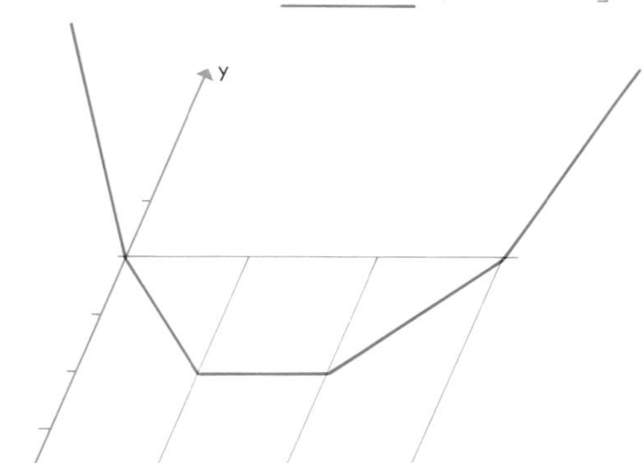

fonction affine par morceaux

$f(x) = |x| + |x-1| + |x-2| + |x-3|$

EXSUDER [eksyde] v. i. (du lat. *ex*, hors de, et *sudare*, suer). Sortir comme la sueur : *Le sang exsude parfois par les pores.* ◆ v. t. Laisser suinter à travers ses parois : *Arbre qui exsude de la résine.* ◆ **exsudat** n. m. **1.** Liquide suintant à la surface de la peau, des muqueuses. — **2.** Liquide suintant d'un végétal.

EXTASE [ekstaz] n. f. (gr. *ekstasis*, égarement de l'esprit). **1.** Dans la langue relig., état d'une personne qui se trouve comme transportée hors du monde extérieur par l'intensité de sa communion intime avec Dieu. — **2.** Vive admiration, plaisir extrême causé par une personne ou par une chose : *Être en extase devant un paysage* (syn. CONTEMPLATION, RAVISSEMENT). ◆ **extasié, e** adj. : *Contempler un cadeau d'un air extasié* (syn. ENCHANTÉ, RAVI). ◆ **extasier (s')** v. pr. (sujet nom de personne). Exprimer son admiration, son ravissement : *S'extasier sur l'interprétation d'une symphonie.* ◆ **extatique** adj. Se dit de ce qui tient de l'extase, ou qui exprime l'extase (sens 1 surtout).

EXTENSION [ekstɑ̃sjɔ̃] n. f. (du lat. *extendere*, étendre). **1.** Action d'étendre (surtout au sens 1 du v. t.), de s'étendre : *L'extension du français dans le monde* (syn. DÉVELOPPEMENT). *Le directeur a obtenu une extension de ses pouvoirs* (syn. ACCROISSEMENT). ‖ *Extension de sens*, pour un mot, le fait de s'appliquer, par analogie, à d'autres objets : *C'est par extension qu'on dit « les dents » d'un peigne.* — **2.** Limites jusqu'où s'étend quelque chose, importance, étendue : *Son commerce a pris de l'extension.* — **3.** Math. *Ensemble défini en extension* ⟶ ENSEMBLE 3. ◆ **extensif, ive** adj. **1.** Gramm. *Sens extensif*, sens qu'un mot a pris par extension. — **2.** *Culture extensive*, celle qu'on fait sur de grandes surfaces avec un rendement faible (par oppos. à *culture intensive*). ◆ **extenseur** adj. m. Qui sert à étendre : *Les muscles extenseurs du bras* (contr. MUSCLE FLÉCHISSEUR). ◆ n. m. Appareil de gymnastique servant à développer les muscles. ◆ **extensible** adj. Se dit de ce qui peut être étendu, allongé : *Le caoutchouc est extensible.* ◆ **extensibilité** n. f. ◆ **inextensible** adj. Qui ne peut être allongé.

EXTÉNUER [ekstenɥe] v. t. (lat. *extenuare*, rendre mince). *Exténuer qq'un, les forces de qq'un*, l'affaiblir extrêmement : *Cette longue marche l'a exténué* (syn. ÉPUISER, ÉREINTER). ◆ **exténuant, e** adj. : *Un travail exténuant.* ◆ **exténuation** n. f. : *Poursuivre son effort jusqu'à complète exténuation.*

EXTÉRIEUR, E [eksterjœr] adj. (lat. *exterior*, plus en dehors). **1.** Se dit, généralement par oppos. à INTÉRIEUR, de ce qui est au-dehors : *Un escalier extérieur. On appelle « boulevards extérieurs » ceux qui sont à la périphérie d'une ville. Le commerce extérieur* (= avec les pays étrangers). *La politique extérieure est celle qui concerne les relations entre États.* — **2.** Se dit de ce qui apparaît, de ce qui est visible, par oppos. à ce qui est caché : *Les signes extérieurs de richesse. Sa gaieté est tout extérieure* (syn. APPARENT, DE FAÇADE). — **3.** Se dit de ce qui existe en dehors de l'individu : *Résister aux sollicitations extérieures.* ◆ n. m. **1.** Ce qui est en dehors ou à la surface : *À l'extérieur de la maison* (contr. INTÉRIEUR). *L'extérieur de ce fruit est rouge, l'intérieur est blanc.* — **2.** Les pays étrangers : *Le commerce avec l'extérieur.* — **3.** Partie d'un film tournée dehors et non en studio (souvent au plur.). — **4.** Aspect général d'une personne : *Il a un extérieur négligé* (syn. ALLURE). *Sous un extérieur rude, il cache un cœur d'or* (syn. AIR, DEHORS, MANIÈRES). ◆ **extérieurement** adv. : *La maison a été endommagée extérieurement. Un homme extérieurement respectable* (= à en juger par les apparences). ◆ **extérioriser** v. t. Manifester par son comportement : *C'est un homme très expansif, qui extériorise tous ses sentiments.* ◆ **extériorisation** n. f. : *L'extériorisation d'un sentiment.*

EXTERMINER [ekstɛrmine] v. t. (lat. *exterminare*, chasser). *Exterminer des êtres animés*, les faire périr, les anéantir en totalité ou en très grand nombre : *Une peuplade exterminée par les envahisseurs* (syn. DÉTRUIRE). ◆ **exterminateur, trice** adj. et n. : *Des représailles exterminatrices.* ◆ **extermination** n. f. : *Un camp d'extermination* (= dans lequel de nombreuses personnes périrent, au cours de la Seconde Guerre mondiale).

1. EXTERNE [ekstɛrn] adj. (lat. *externus*). Se dit, par oppos. à INTERNE, de ce qui est situé vers le dehors, de ce qui vient du dehors : *La face externe d'un couvercle* (syn. EXTÉRIEUR). *Un médicament à usage externe ne doit pas être absorbé.*

2. EXTERNE [ekstɛrn] n. (même étym.). Élève qui suit les cours d'un établissement sans y coucher ni y prendre le repas de midi, par oppos. aux INTERNES et aux DEMI-PENSIONNAIRES. ◆ **externat** n. m. **1.** Régime des externes. — **2.** Établissement d'enseignement qui ne reçoit que des externes (par oppos. à INTERNAT).

3. EXTERNE [ekstɛrn] n. (même étym.). Étudiant en médecine, qualifié pour assister les internes dans un service d'hôpital. (Depuis 1968, ce terme est remplacé par celui d'ÉTUDIANT HOSPITALIER.) ◆ **externat** n. m. Fonction d'externe dans un service hospitalier.

EXTERRITORIALITÉ n. f. ⟶ TERRITOIRE.

EXTINCTION [ekstɛ̃ksjɔ̃] n. f. (du lat. *extinguere*, éteindre). **1.** Action d'éteindre ce qui était allumé; le fait de s'éteindre : *L'extinction d'un incendie.* — **2.** *L'extinction des feux*, sonnerie du soir marquant l'heure à laquelle la lumière doit être éteinte (pour les militaires, colonies de vacances, etc.). — **3.** *Extinction de voix*, affaiblissement passager des cordes vocales, qui empêche de parler avec un timbre normal. — **4.** Action de mettre fin à quelque chose : *L'extinction d'une dette. L'extinction d'un race* (syn. DISPARITION). ◆ **extincteur** adj. m. Se dit de ce qui éteint (au sens 1) : *Un produit extincteur.* ◆ n. m. Appareil destiné à éteindre les incendies.

EXTIRPER [ekstirpe] v. t. (du lat. *ex*, hors de, et *stirps*, racine). **1.** *Extirper une plante*, l'arracher du sol avec ses racines. — **2.** *Extirper une tumeur*, l'enlever complètement. — **3.** *Extirper un renseignement à qq'un*, etc., obtenir difficilement de lui ce renseignement, etc. (syn. ARRACHER). — **4.** *Extirper une erreur, un préjugé*, etc., les faire cesser, en débarrasser les esprits (syn. DÉRACINER). ◆ **extirpable** adj. : *Une erreur difficilement extirpable.* ◆ **extirpation** n. f.

EXTORQUER [ekstɔrke] v. t. (lat. *extorquere*, arracher). *Extorquer qqch. à qq'un*, l'obtenir de lui par la violence, la menace, par un abus de confiance : *Extorquer de l'argent* (syn. SOUTIRER). ◆ **extorsion** n. f. : *Il a été inculpé d'extorsion de fonds.*

---

1. EXTRA- [ekstra], élément tiré du lat. *extra*, en dehors, en outre, et qui est utilisé comme préfixe (directement rattaché au radical ou relié à lui par un trait d'union) pour exprimer l'extériorité : *Une nébuleuse extragalactique* (= située hors de la Voie lactée). *Une commission extra-parlementaire* (= recrutée hors du Parlement); ou pour donner une valeur superl. à un adj. : *Des haricots extra-fins* (= très fins).

---

2. EXTRA [ekstra] n. m. inv. (de *extraordinaire*). **1.** Ce qui est en dehors des habitudes, ce qui sort de l'ordinaire; repas particulièrement soigné : *Il avait fait un extra pour accueillir ses invités.* — **2.** Service occasionnel, fait en dehors des heures normales de travail : *Faire des extra le samedi.* — **3.** Personne qui fait ce service : *Engager un extra.*

3. EXTRA [ekstra] adj. inv. (même étym.). *Fam.* Se dit de ce qui est de qualité supérieure : *Fruits extra.*

EXTRACTION n. f. ⟶ EXTRAIRE.

EXTRADITION [ekstradisjɔ̃] n. f. (du lat. *ex*, hors de, et *traditio*, action de livrer). Action de remettre un criminel au gouvernement étranger dont il dépend et qui le réclame. ◆ **extrader** v. t. Livrer par extradition.

EXTRA-FORT [ekstrafɔr] n. m. (*extra-*, et *fort*). Ruban très solide servant à border les ourlets. ‖ Pl. des *extra-forts*.

EXTRAGALACTIQUE adj. ⟶ EXTRA- 1.

EXTRAIRE [ekstrɛr] v. t. (lat. *extrahere*). [Conj. **79.**] **1.** Tirer d'un ensemble, d'un corps : *Extraire une dent* (syn. ARRACHER). *Une carrière d'où on extrait du marbre. Ces vers sont extraits d'un poème* (syn. DÉTACHER). — **2.** Math. *Extraire la racine carrée, la racine cubique d'un nombre*, en calculer la racine carrée, la racine cubique. ◆ **extraction** n. f. **1.** Action d'extraire : *L'extraction d'une dent. L'extraction du sable de rivière.* — **2.** Origine d'une personne, son ascendance (littér.) : *Un gentilhomme était un homme d'extraction noble.* — **3.** *Math.* Opération qui a pour objet de trouver la racine d'un nombre : *Extraction d'une racine carrée.* ◆ **extrait** n. m. **1.** Passage tiré d'un livre, d'un discours, d'un document, etc. : *Un extrait de naissance est une copie officielle de l'acte de naissance d'une personne.* — **2.** Substance extraite d'un corps par des procédés chimiques : *Un flacon d'extrait de lavande.*

EXTRAJUDICIAIRE adj. ⟶ JUDICIAIRE. / **EXTRA-LÉGAL, E, AUX** adj. ⟶ LÉGAL. / **EXTRALUCIDE** adj. ⟶ LUCIDE.

EXTRA-MUROS [ekstramyros] loc. adv. (mots lat. signif. *hors des murs*). En dehors de l'enceinte d'une ville.

EXTRAORDINAIRE adj., **EXTRAORDINAIREMENT** adv. ⟶ ORDINAIRE 1 et 2.

EXTRA-PARLEMENTAIRE adj. ⟶ EXTRA- 1.

EXTRAPOLER [ekstrapɔle] v. i. (de *extra-*, et *interpoler*). Passer à une conclusion générale à partir de données fragmentaires, incomplètes. ◆ **extrapolation** n. f.

EXTRAVAGANT, E [ekstravagɑ̃, -ɑ̃t] adj. (de *extra-*, et lat. *vagari*, errer). **1.** Se dit de quelqu'un, de quelque chose qui s'écarte du sens commun, qui est déraisonnable (syn. ABSURDE, INCROYABLE; fam. LOUFOQUE). — **2.** Se dit de ce qui dépasse exagérément la mesure : *Des prétentions extravagantes* (syn. ABU-

SIF, EXCESSIF). ◆ n. Sens 1 de l'adj. ◆ **extravagance** n. f. : *On peut craindre quelque nouvelle extravagance de sa part* (syn. EXCENTRICITÉ).

1. EXTRÊME [ekstrɛm] adj. (lat. *extremus*) [avant ou après un nom]. Qui est tout à fait au bout, au terme : *S'avancer jusqu'à l'extrême bord de la falaise.* ◆ **extrémité** n. f. La partie qui termine : *L'extrémité d'une corde* (syn. BOUT). *Le malade est à la dernière extrémité* (= il est mourant). ◆ n. f. pl. Les pieds et les mains (surtout dans la langue méd.).

2. EXTRÊME [ekstrɛm] adj. (même étym.). **1.** (souvent avant le nom) Qui est au degré le plus intense, au point le plus élevé (sert de superl. à GRAND) : *Un bonheur extrême* (syn. SUPRÊME). — **2.** (après le nom) Se dit d'une personne ou d'une chose qui dépasse les limites normales : *Il est partisan des solutions extrêmes* (syn. RADICAL). *Soutenir des opinions extrêmes* (syn. ↓AVANCÉ; contr. MODÉRÉ). ◆ n. m. **1.** *Les extrêmes*, les personnes ou les choses qui s'opposent radicalement. — **2.** *D'un extrême à l'autre*, d'un excès à l'excès opposé. ‖ *À l'extrême*, à la dernière limite, au dernier point : *Je ne veux pas pousser cette querelle à l'extrême.* ◆ **extrêmement** adv. Sert de superl. à BEAUCOUP, TRÈS, FORT : *Cet incident me contrarie extrêmement* (syn. INFINIMENT). *Il est extrêmement riche* (syn. IMMENSÉMENT). ◆ **extrémisme** n. m. Tendance à recourir à des moyens extrêmes (sens 2 de l'adj.). ◆ **extrémiste** adj. et n. : *Un extrémiste prêt à jouer le tout pour le tout.* ◆ **extrémité** n. f. **1.** Situation critique : *Dans cette extrémité, il était prêt à consentir à tout.* — **2.** Acte de violence, geste de désespoir : *On craint qu'il ne se porte à quelque extrémité.*

EXTRÊMEMENT adv. ⟶ EXTRÊME 2.

EXTRÊME-ONCTION [ekstrɛmɔ̃ksjɔ̃] n. f. (*extrême*, et *onction*). Sacrement de l'Église catholique administré à un malade en danger de mort par des onctions (= applications) d'huile sainte sur diverses parties du corps. (Auj. on dit SACREMENT DES MALADES.)

EXTRÊME-ORIENT, ensemble des pays de l'Asie orientale (Chine, Japon, les deux Corées, États de l'Indochine et de l'Insulinde, extrémité de l'U. R. S. S.).

EXTRÉMISME n. m., **EXTRÉMISTE** adj. et n. ⟶ EXTRÊME 2.

EXTRÉMITÉ n. f. ⟶ EXTRÊME 1 et 2.

EXTRINSÈQUE [ekstrɛ̃sɛk] adj. (lat. *extrinsecus*, du dehors). Se dit, par oppos. à INTRINSÈQUE, de ce qui vient du dehors, de ce qui ne dépend pas fondamentalement de quelque chose : *Les causes extrinsèques d'une maladie.* ◆ **extrinsèquement** adv.

EXTRUSION [ekstryzjɔ̃] n. f. (du lat. *extrudere*, pousser dehors). *Géol.* Mise en place de matières volcaniques, sans écoulement ni projection, sous forme d'aiguilles poussées vers l'extérieur.

EXUBÉRANT, E [egzyberɑ̃, -ɑ̃t] adj. (du lat. *exuberare*, regorger). **1.** Se dit d'une personne (ou de son comportement) qui manifeste ses sentiments par des démonstrations excessives : *Homme exubérant* (syn. DÉMONSTRATIF, EXPANSIF; contr. CALME, DISCRET). — **2.** Se dit d'une chose caractérisée par un développement excessif : *Végétation exubérante* (syn. LUXURIANT, SURABONDANT). ◆ **exubérance** n. f. Sens 1 et 2 de l'adj.

EXULTER [egzylte] v. i. (lat. *exsultare*, sauter) [sujet nom de personne]. Éprouver une joie très vive. ◆ **exultation** n. f. : *Il est au comble de l'exultation* (syn. BONHEUR, ↓JOIE).

1. EXUTOIRE [egzytwar] n. m. (du lat. *exuere*, enlever). Moyen de se débarrasser d'une difficulté, de ce qui gêne : *Un exutoire à sa colère* (syn. DÉRIVATIF).

2. EXUTOIRE [egzytwar] n. m. (même étym.). *Géogr.* Cours d'eau évacuant les eaux d'un lac ou d'un étang.

EX-VOTO [ɛksvɔto] n. m. inv. (lat. *ex voto*, en conséquence d'un vœu). Tableau, inscription, objet qu'on place dans les chapelles à la suite d'un vœu ou en remerciement d'une grâce obtenue.

EYLAU, v. de l'anc. Prusse-Orientale, auj. en U. R. S. S. (Russie), au S.-E. de Königsberg.

- *8 fév. 1807. Après de violents combats, Napoléon contraint l'armée russe de Bennigsen à la retraite. Mais la bataille, très meurtrière, n'est pas décisive.*

EYZIES-DE-TAYAC-SIREUIL (Les), comm. de la Dordogne, à 21 km au N.-O. de Sarlat-la-Canéda, sur la Vézère; 858 hab. Musée national de préhistoire. Aux environs des Eyzies ont été effectuées, à partir de 1862, de très importantes découvertes préhistoriques concernant le paléolithique supérieur.

ÈZE, comm. des Alpes-Maritimes, à 13 km à l'E. de Nice, sur la Côte d'Azur; 2 100 hab. Le vieux village d'Èze est perché sur un rocher. En contrebas, *Èze-sur-Mer* est une station balnéaire.

EZÉCHIEL, l'un des quatre grands prophètes juifs (v. 627-v. 570 av. J.-C.).

F n. m. **1.** Sixième lettre de l'alphabet et la quatrième des consonnes. ⟶ introduction de l'ouvrage. — **2.** F, symbole du franc. — **3.** *Mus.* Nom de la note *fa* en anglais et en allemand. — **4.** °F, symbole de degré Fahrenheit.

FA [fa] n. m. inv. (première syllabe du quatrième vers [*fa*muli uorum] de l'hymne latin de saint Jean-Baptiste). Note de musique, quatrième degré de la gamme de *do : Clé de « fa ». « Fa » dièse.*

Fabiens, membres d'une association socialiste anglaise, la *Fabian Society.*

FABIUS (Laurent), homme politique français (né en 1946), Premier ministre de 1984 à 1986, président de l'Assemblée nationale de 1988 à 1992 et premier secrétaire du parti socialiste depuis 1992.

FABIUS MAXIMUS VERRUCOSUS (Quintus), dit **Cunctator** *(le Temporisateur)* [v. 275-203 av. J.-C.], homme politique romain, dictateur en 217. Après l'écrasement des Romains au lac Trasimène en 217, il poursuivit l'armée d'Hannibal à travers l'Italie et adopta une tactique de prudence. Mais désireux d'en finir avec les Carthaginois, les Romains nommèrent Minucius, son égal, qui fut battu à Cannes (216).

1. FABLE [fabl] n. f. (lat. *fabula*). Petit récit, écrit généralement en vers, d'où l'on tire une moralité : *Des fables de La Fontaine* (syn. APOLOGUE). ⟶ ENCYCL. ◆ **fablier** n. m. Recueil de fables. ◆ **fabliau** n. m. Conte en vers du Moyen Âge, de caractère populaire et le plus souvent satirique. ◆ **fabuliste** n. m. Auteur qui compose des fables.
— ENCYCL. Avant d'être un genre littéraire, la *fable* appartient à la tradition orale de tous les peuples : un recueil indien du VIIIe s. nourrira l'inspiration de La Fontaine. En Grèce, Ésope passe pour le créateur du genre. Chez les Latins, Phèdre prolonge la tradition grecque, qui connaîtra dans la France médiévale une extraordinaire faveur à travers les *bestiaires.* Les humanistes de la Renaissance adaptèrent Phèdre et Ésope en prose ou en vers latins, mais les meilleures fables se trouvent chez des conteurs comme Rabelais. C'est cette veine que La Fontaine porte à la perfection.

2. FABLE [fabl] n. f. (de *fable* 1). **1.** Récit mensonger (langue soignée) : *Vous nous racontez des fables* (syn. HISTOIRE; contr. VÉRITÉ). — **2.** Sujet des conversations et de la risée publiques : *Il est devenu la fable du quartier.* ◆ **fabulation** n. f. Action de présenter comme réels, dans un récit plus ou moins cohérent, des faits purement imaginaires : *Cet enfant a le goût de la fabulation.* ◆ **fabulateur, trice** adj. et n. Qui invente des histoires et fait croire qu'elles sont vraies. ◆ **fabuleux, euse** adj. **1.** Du domaine de l'imagination (littér.) : *Un animal fabuleux* (syn. CHIMÉRIQUE, LÉGENDAIRE). — **2.** Qui dépasse l'imagination : *Une fortune fabuleuse* (syn. FANTASTIQUE). ◆ **fabuleusement** adv. Au sens 2 de l'adj. : *Être fabuleusement riche* (syn. FORMIDABLEMENT). ◆ **fabuler** v. i. Faire un récit imaginaire; exagérer.

Fables, de La Fontaine (parues de 1668 à 1694). Sans presque jamais inventer le sujet de ses fables, imitées de Phèdre, d'Ésope ou d'autres fabulistes, La Fontaine a surpassé tous ses prédécesseurs.
La composition souvent dramatique du récit, l'habile diversité du ton, l'adroite utilisation des rythmes font de chaque fable un chef-d'œuvre. Quant à la morale qui s'en dégage, elle conseille surtout d'être habile et prudent dans un monde où les puissants ne songent qu'à exploiter les faibles.

FABLIAU n. m., **FABLIER** n. m. ⟶ FABLE 1.

FABRE (Jean Henri), entomologiste français (1823-1915), auteur de *Souvenirs entomologiques* (1879-1886).

FABRE D'ÉGLANTINE (Philippe FABRE, dit), acteur, poète dramatique et homme politique français (1750-1794). Il se fit une réputation grâce à ses chansons *(Il pleut, il pleut, bergère!)* et à ses comédies inspirées de l'actualité. Ami de Danton et de Camille Desmoulins, membre du club des Cordeliers, il fit partie de la Commune du 10-Août. Député à la Convention, il donna leurs noms aux mois du calendrier républicain, mais accusé de corruption il fut guillotiné avec les partisans de Danton.

FABRIQUER [fabrike] v. t. (lat. *fabricare*). **1.** *Fabriquer un objet,* le façonner à partir d'une matière première : *Fabriquer des outils. Fabriquer des verres en grande série* (syn. PRODUIRE). — **2.** *Fabriquer qqch.* (mot abstrait), l'inventer : *Fabriquer un alibi* (syn. FORGER). — **3.** (en proposition interrogative) *Fam.* Faire, avoir telle ou telle occupation : *Qu'est-ce que tu fabriques?* ◆ **fabrique** n. f. Entreprise industrielle où des matières premières sont transformées en objets finis (*usine* s'est substitué à *fabrique* dans la plupart des emplois) : *Fabrique de bas* (syn. USINE). *Fabrique de porcelaine* (syn. MANUFACTURE). *Exiger la marque de fabrique* (= portant le nom du fabricant). ◆ **fabricant** n. m. **1.** Propriétaire d'une entreprise où l'on fabrique des objets ou des produits manufacturés. — **2.** Personne qui fabrique des objets ou des produits manufacturés : *Cet objet sort de chez le fabricant* (syn. ARTISAN). ◆ **fabrication** n. f. Confection d'objets ou de produits en usine : *Un défaut de fabrication* (syn. CONFECTION). *Voulez-vous goûter un plat de ma fabrication?* (= de ma façon). ◆ **préfabriqué, e** adj. Se dit d'éléments d'un ensemble fabriqués en usine et destinés à être assemblés ultérieurement sur le lieu de construction : *Des maisons préfabriquées.* ◆ **préfabrication** n. f.

FABULATEUR, TRICE adj. et n., **FABULATION** n. f., **FABULER** v. i., **FABULEUSEMENT** adv., **FABULEUX, EUSE** adj. ⟶ FABLE 2.

FABULISTE n. m. ⟶ FABLE 1.

FAÇADE [fasad] n. f. (it. *facciata*). **1.** Partie antérieure d'un bâtiment, où se trouve l'entrée principale. — **2.** *De façade,* qui revêt une apparence trompeuse : *Un luxe de façade* (syn. SIMULÉ).

1. FACE [fas] n. f. (lat. *facies,* forme extérieure). **1.** Partie antérieure de la tête : *Avoir une face large* (syn. VISAGE). *Un singe qui a une face humaine* (syn. FIGURE). ‖ *Se voiler la face,* se couvrir le visage en signe de honte ou de deuil. — **2.** *Face contre terre,* prosterné de tout son long. ‖ *Faire face,* se présenter devant quelqu'un pour s'opposer à lui; accepter des risques, des responsabilités, les assumer : *Faire face à un ennemi* (syn. FAIRE FRONT). *Faire face à ses obligations.* ‖ *Jeter qqch. à la face de qq'un,* le lui dire nettement, sans détour. ‖ *Perdre la face,* subir une grave atteinte à son honneur, à son prestige. ‖ *Sauver la face,* garder les apparences de la dignité après un échec (syn. FAIRE BONNE FIGURE, SAUVER LES APPARENCES). — LOC. ADV. *De face,* du côté où la face, le devant se présente directement au regard : *Photographie prise de face* (par oppos. à DE PROFIL et DE DOS). *Prendre au théâtre une loge de face* (contr. DE CÔTÉ). ‖ *En face,* par rapport à la personne, devant elle, directement vis-à-vis d'elle : *Regarder qq'un en face* (= dans les yeux) [contr. DE BIAIS, EN DESSOUS]. *Voir les choses en face* (= examiner la réalité telle qu'elle est); par rapport à l'interlocuteur, ouvertement : *Je lui ai dit en face ce que je pense de lui.* ‖ *Face à face,* l'un en face de l'autre : *Les deux hommes sont face à face* (= en vis-à-vis). — LOC. PRÉP. *À la face de qqch.* ou *de qq'un,* en sa présence, en agissant ouvertement. ‖ *En face de qq'un, qqch.,* vis-à-vis, en présence de cette personne, de cette chose : *Il s'est assis en face de moi. Mettre deux personnes en face l'une de l'autre* (= les mettre en présence). ‖ *En face de cela,* à l'opposé de cela, en contraste avec cela. ◆ **facial, e, aux** adj. Qui appartient à la face d'un être vivant : *Paralysie faciale.* ‖ *Angle facial,* angle dont le sommet se trouve à la pointe des incisives supérieures et dont les côtés passent l'un par le point le plus saillant du front, l'autre par le conduit auditif. ◆ **faciès** n. m. *Péjor.* Aspect général de quelqu'un : *Avoir un faciès repoussant.* ◆ **face-à-face** n. m. inv. Débat télévisé au cours duquel deux personnalités confrontent leur point de vue sur un sujet.

2. FACE [fas] n. f. (même étym.). **1.** Côté principal d'un objet ou d'une chose, et qui, ordinairement, se présente en premier aux regards. — **2.** *Face d'une pièce de monnaie,* côté qui porte l'image personnifiant l'autorité au nom de laquelle la pièce est émise (par oppos. à PILE). — **3.** Un des côtés d'un objet, d'un bâtiment : *Les faces latérales d'une construction.* — **4.** Math. *Faces d'un polyèdre,* polygones plans formant la surface du polyèdre : *Les faces d'un cube sont des carrés.* — **5.** Aspect sous lequel se présente une chose : *Examiner une situation sous toutes ses faces* (syn. ANGLE, CÔTÉ, COUTURE). — **6.** *Changer de face,* modifier son aspect :

Certains quartiers de Paris ont bien changé de face (syn. ASPECT, PHYSIONOMIE). ◆ **facette** n. f. **1.** Petite surface plane : *Les facettes d'un diamant.* — **2.** *À facettes,* se dit de quelqu'un qui a plusieurs aspects. — **3.** Zool. *Yeux à facettes,* yeux composés de certains arthropodes, formés d'un très grand nombre d'yeux simples accolés.

FACE-À-MAIN [fasamɛ̃] n. m. *(face, à,* et *main).* Binocle à manche, que l'on tient à la main. ‖ Pl. des *faces-à-main.*

FACÉTIEUX, EUSE [fasesjø, øz] adj. (du lat. *facetia,* plaisanterie). **1.** Se dit de quelqu'un (ou de son comportement) qui aime à faire des plaisanteries, des farces. — **2.** Se dit d'une chose qui se présente comme une plaisanterie, qui fait rire : *Un livre facétieux* (syn. COCASSE). ◆ **facétie** [fasesi] n. f. : *Faire des facéties* (syn. BLAGUE, TOUR).

FACETTE n. f. → FACE 2.

FÂCHER (SE) [səfɑʃe] v. pr. (du lat. *fastidire,* avoir du dégoût) [sujet nom de personne]. Se mettre en colère : *Se fâcher contre qq'un* (syn. S'EMPORTER). *Se fâcher avec qq'un* (syn. SE BROUILLER). ◆ **fâcher** v. t. *Fâcher qq'un,* le mettre en colère (syn. CONTRARIER, ↓MÉCONTENTER). ◆ **fâché, e** adj. **1.** En colère : *Avoir l'air fâché* (syn. ↓MÉCONTENT). — **2.** Contrarié : *Être fâché d'un contretemps* (syn. ENNUYÉ). *Je ne serais pas fâché de vous voir travailler* (= il me serait agréable de). ◆ **fâcheux, euse** adj. (avant ou après le nom). Se dit de ce qui comporte un inconvénient : *Un fâcheux contretemps* (syn. INOPPORTUN, MALENCONTREUX). *Tomber dans une fâcheuse situation* (syn. DÉPLAISANT, REGRETTABLE). ◆ adj. et n. Se dit d'une personne qui dérange, qui survient mal à propos (littér.) [syn. GÊNEUR]. ◆ **fâcheusement** adv. : *Visage fâcheusement laid* (syn. DÉSAGRÉABLEMENT).

Fâcheux *(les),* comédie-ballet de Molière (1661).

FACHODA, auj. **Kodok,** v. du Soudan, sur le Nil, près du Bahr el-Ghazal. La ville fut occupée le 10 juillet 1898 par le capitaine français Marchand, qui tentait de réaliser la liaison Dakar-Djibouti. Mais l'Anglais Kitchener, qui venait de conquérir toute la région du Nil, y arriva peu après. Le ministre français des Affaires étrangères, Delcassé, céda à un ultimatum britannique et donna l'ordre à Marchand d'évacuer Fachoda (novembre 1898). Un accord colonial (21 mars 1899) consacra la perte pour la France de la totalité du bassin du Nil.

FACIAL, E, AUX adj. → FACE 1.

1. FACIÈS n. m. → FACE 1.

2. FACIÈS [fasjɛs] n. m. (lat. *facies*). *Géol.* Ensemble des caractères d'une roche en ce qui concerne sa nature et les conditions de sa formation, sans tenir compte de son âge. (*Ex.* : pour les roches sédimentaires, on oppose les faciès continental, littoral, marin et lacustre suivant que la roche s'est formée hors de l'eau, sur un rivage, dans la mer ou dans un lac.)

1. FACILE [fasil] adj. (lat. *facilis*). **1.** Se dit de ce qui se fait sans effort, de ce qui s'obtient sans difficulté : *Un travail facile* (syn. AISÉ, SIMPLE; contr. DIFFICILE, DUR). *Une voie facile d'accès* (= où il est commode d'accéder). ‖ *Avoir la vie facile,* avoir d'abondantes ressources d'argent. — **2.** *Péjor.* Se dit d'une chose sans profondeur, sans recherche : *Une pièce de théâtre aux effets faciles* (contr. RECHERCHÉ, SUBTIL). — **3.** *Facile à* (et l'infin.), se dit d'une chose aisée à faire : *Une voiture facile à conduire.* ◆ **facilement** adv. **1.** Avec facilité : *Un livre facilement lu* (= sans difficulté, aisément, rapidement). — **2.** Pour peu de chose : *Il se vexe facilement.* ◆ **facilité** n. f. **1.** Qualité de ce qui se fait sans peine : *La facilité d'une version anglaise* (syn. SIMPLICITÉ). — **2.** *Solution de facilité,* solution choisie uniquement pour l'économie d'effort qu'elle représente. ◆ n. f. pl. Moyens commodes d'obtenir une chose, commodités accordées à quelqu'un pour faire quelque chose : *Des facilités de transport. Avoir toutes facilités pour passer la frontière* (syn. LATITUDE, LIBERTÉ). *Obtenir des facilités de paiement* (= délais pour payer). ◆ **faciliter** v. t. *Faciliter qqch.,* le rendre facile : *Faciliter le travail de qq'un.*

2. FACILE [fasil] adj. (même étym.). **1.** Se dit du caractère, du comportement d'une personne qui est accommodante ou complaisante : *Avoir un caractère facile* (syn. SOUPLE; contr. ACARIÂTRE, DIFFICILE). — **2.** Se dit d'une femme dont on obtient aisément les faveurs (syn. ↑LÉGER). — **3.** Se dit d'un enfant qu'on nourrit, élève facilement. — **4.** *Facile à* (et l'infin.), se dit d'une personne qui se prête aisément à une action : *Un auteur très facile à lire. Il est facile à vivre* (= il est aisé de vivre avec lui). ◆ **facilement** adv. ◆ **facilité** n. f. **1.** Aptitude, disposition d'une personne à faire quelque chose sans peine : *S'exprimer avec facilité* (syn. AISANCE; contr. DIFFICULTÉ). — **2.** Qualité d'une personne accommodante, complaisante : *La facilité de son caractère plaisait à tous* (syn. AFFABILITÉ, ÉGALITÉ). — **3.** *Facilité à* (et l'infin.), disposition naturelle à : *Avoir une certaine facilité à se mettre en colère* (syn. PROPENSION, TENDANCE).

1. FAÇON n. f. → FAÇONNER.

2. FAÇON [fasɔ̃] n. f. (lat. *factio, -onis,* manière de faire). **1.** Manière d'être ou d'agir d'une personne ou d'une chose : *Avoir une bizarre façon de s'habiller.* — **2.** *Façon de parler,* tournure particulière d'une langue, manière de s'exprimer particulière à quelqu'un. ‖ *Façon de penser,* opinion d'une personne : *Je vais lui dire ma façon de penser.* — LOC. ADV. *De ... façon, de façon ...* (avec un adj.) : *De quelle façon allez-vous en Afrique?* (syn. PAR QUEL MOYEN). *Je vais vous montrer de quelle façon il faut s'y prendre* (syn. COMMENT, DE QUELLE MANIÈRE). *D'une façon générale* (syn. EN GÉNÉRAL). ‖ *De toute façon, de toutes les façons,* quoi qu'il arrive, quoi qu'il en soit (syn. EN TOUT CAS, EN TOUT ÉTAT DE CAUSE). — LOC. PRÉP. *De façon à* (et l'infin.), de manière à (indique la conséquence, le but). ‖ *À la façon de,* indique une ressemblance dans l'action, l'état (littér.). — LOC. CONJ. *De façon que, de telle façon que* (et l'indic. ou le subj.), de telle sorte que (littér.). ‖ *De façon à ce que* (et le subj.), indique le but.

3. FAÇON [fasɔ̃] n. f. (de *façon* 2). **1.** Comportement, manière de faire d'un individu : *Ses façons me déplaisent* (syn. MANIÈRES). — **2.** *Faire des façons,* manifester une politesse excessive : *Ne faites pas de façons et venez dîner à la maison.* — LOC. ADV. et ADJ. *Sans façon(s),* sans se faire prier, simplement. ‖ *Un homme sans façon(s)* [= simple]; s'emploie dans les phrases de politesse : *Non merci, sans façon* (syn. SINCÈREMENT).

FACONDE [fakɔ̃d] n. f. (lat. *facundia,* éloquence). Grande facilité à parler, abondance de paroles : *La faconde d'un Méridional* (syn. LOQUACITÉ, VERVE).

FAÇONNER [fasɔne] v. t. (de *façon*). **1.** *Façonner un matériau,* le travailler pour lui donner une forme particulière : *Façonner un bloc de marbre.* — **2.** *Façonner un objet,* le fabriquer : *Façonner une clé* (syn. FAIRE). — **3.** *Façonner qq'un,* le former par l'éducation, l'expérience (littér.) : *Il a été façonné par la vie* (syn. MODELER). ◆ **façon** n. f. **1.** Travail d'un artisan, d'un artiste : *Il a fourni le tissu et payé la façon.* — **2.** Forme d'un vêtement : *Elle aime la façon de cette robe* (syn. COUPE, FORME). — LOC. ADV. *À façon,* se dit d'un travail artisanal pour lequel la matière première est fournie par le client : *Faire faire un sac de voyage à façon.* ◆ **façonnement** ou **façonnage** n. m. : *Le façonnement des esprits. Le façonnage des bois abattus.* ◆ **façonnier, ère** n. Personne qui travaille à façon. ◆ **malfaçon** n. f. Défaut, défectuosité dans un ouvrage mal fabriqué.

FAC-SIMILÉ [faksimile] n. m. (mots lat. signif. *fais une chose semblable*). Reproduction, copie d'une écriture ou d'un dessin, d'un tableau, etc. : *Ils n'ont pas les originaux, mais ils ont des fac-similés.*

1. FACTEUR [faktœr] n. m. (lat. *factor,* celui qui fait). Employé de la poste chargé de distribuer le courrier à domicile (syn. admin. PRÉPOSÉ). [Le fém. est FACTRICE.]

2. FACTEUR [faktœr] n. m. (même étym.). *Facteur de pianos, d'orgues,* fabricant de pianos, d'orgues.

3. FACTEUR [faktœr] n. m. (même étym.). **1.** Élément entrant dans une composition ou concourant à un certain résultat : *La chance est un facteur de succès.* — **2.** *Facteur Rhésus,* substance contenue dans le sang du macaque et de certains hommes (85 p. 100 des Européens), et qui est responsable de certains accidents lors de transfusions sanguines et de grossesses.

4. FACTEUR [faktœr] n. m. (même étym.). *Math.* Chacun des termes d'une opération (plus spécialement d'un produit). [*Ex.* : dans $x^2 - 1 = (x - 1)(x + 1)$, $x - 1$ et $x + 1$ sont les deux facteurs du produit.]

FACTICE [faktis] adj. (lat. *facticius*). Se dit de ce qui n'a pas une origine ou une apparence naturelle : *Un diamant factice* (syn. ARTIFICIEL; contr. NATUREL). *Un apitoiement factice* (syn. FEINT, ↑FORCÉ; contr. SINCÈRE).

1. FACTION [faksjɔ̃] n. f. (lat. *factio*). Groupe dont les membres mènent, à l'intérieur d'un groupe plus important, une action vigoureuse contre le pouvoir établi ou contre ceux qui ne partagent pas leurs idées. ◆ **factieux, euse** n. et adj. Se dit de personnes (ou de leurs actions, de leurs pensées) qui exercent ou préparent contre le pouvoir établi une action violente : *Lutter contre les factieux* (syn. INSURGÉ, REBELLE). *Des paroles factieuses* (syn. SÉDITIEUX).

2. FACTION [faksjɔ̃] n. f. (même étym.). Service de surveillance ou de garde dont est chargée une personne : *Un militaire en faction.* ◆ **factionnaire** n. m. Syn. littér. de SENTINELLE.

FACTITIF, IVE [faktitif, -iv] adj. et n. m. (du lat. *facere,* faire). *Gramm.* Se dit d'une forme verbale qui indique que le sujet fait faire l'action et ne la fait pas lui-même : *Dans « faire construire », « faire » est factitif.*

FACTOTUM [faktɔtɔm] n. m. (lat. *fac totum,* fais tout). Personne chargée de toutes les besognes secondaires : *Le concierge sert de factotum, il remplace les carreaux cassés, répare les serrures, etc.* || Pl. des *factotums.*

1. FACTURE [faktyr] n. f. (lat. *factura*, façon). Manière dont une chose est faite, exécutée : *La facture d'un sonnet.*

2. FACTURE [faktyr] n. f. (de *facteur*). Relevé détaillé envoyé par un commerçant ou un industriel à un client, concernant le prix d'achat que ce dernier doit régler. → ENCYCL. ◆ **facturer** v. t. Établir la facture d'une marchandise vendue. ◆ **facturation** n. f. ◆ **facturier, ère** n. Employé chargé d'établir les factures.
— ENCYCL. La *facture* doit comporter le nom et l'adresse du vendeur ou de la société, ses références commerciales (inscription au registre de commerce), ainsi que le nom et l'adresse de l'acheteur, la date, les conditions de vente, puis le détail précis des marchandises, de leur prix, les frais de transport, d'emballage, les conditions de transport, etc. On dit : *établir une facture, régler une facture, vendre au prix de facture, acquitter une facture* (la mention « pour acquit » avec date et signature est écrite par le vendeur pour attester de son règlement en espèces).

FACULTATIF, IVE [fakyltatif, -iv] adj. (du lat. *facultas*, possibilité). Se dit d'une chose qu'on a la liberté de faire ou de ne pas faire : *Cours facultatif* (contr. OBLIGATOIRE). ◆ **facultativement** adv. : *Le candidat traitera facultativement la question hors programme.* ◆ **faculté** n. f. Possibilité, permission (littér.) : *Il m'a laissé la faculté de choisir.*

1. FACULTÉ n. f. → FACULTATIF.

2. FACULTÉ [fakylte] n. f. (lat. *facultas*, capacité). **1.** Possibilité physique ou morale que possède un être vivant de faire ou d'éprouver quelque chose : *La faculté de marcher, de sentir* (syn. APTITUDE, CAPACITÉ). — **2.** (au plur.) Aptitude, disposition naturelle d'un individu dans le domaine intellectuel : *Avoir de brillantes facultés* (syn. DISPOSITIONS, DONS, MOYENS).

3. FACULTÉ [fakylte] n. f. (même étym.). **1.** Établissement d'enseignement supérieur, public ou privé : *La faculté des lettres.* (En 1968, le terme de *faculté* est remplacé par celui d'U. E. R. [= unité d'enseignement et de recherche] et, en 1985, par celui d'U. F. R. [= unité de formation et de recherche].) — **2.** *La Faculté*, la faculté de médecine, l'ensemble des médecins.

FADA [fada] n. m. (mot prov.). *Fam.* Se dit, principalem. dans le Midi, d'une personne un peu folle.

FADAISE [fadɛz] n. f. (anc. prov. *fadeza*). Chose insignifiante et sotte, plaisanterie stupide (ordinairement au plur.) : *Dire des fadaises* (syn. INEPTIE, NIAISERIE).

FADE [fad] adj. (bas lat. *fatidus*). **1.** Qui manque de saveur, d'éclat : *Un mets fade* (contr. RELEVÉ). *Une couleur fade* (contr. VIOLENT). — **2.** Se dit d'une chose ou d'une personne sans caractère, insignifiante : *Un compliment fade* (syn. BANAL, PLAT). ◆ **fadasse** [fadas] adj. *Fam.* D'une fadeur déplaisante : *Des cheveux d'un blond fadasse.* ◆ **fadeur** n. f. : *La fadeur d'un plat, la fadeur d'un compliment.* ◆ n. f. pl. Propos vides et stupides, plaisanteries d'une galanterie banale. ◆ **affadir** [afadir] v. t. *Affadir un mets, un style, une couleur*, etc., en affaiblir la saveur, le piquant, la vigueur, etc. ◆ ***s'affadir*** v. pr. Perdre de sa saveur; devenir insipide, ennuyeux : *Une sauce qui s'est affadie. Ces critiques se sont affadies avec le temps* (contr. S'AIGRIR).

FADING [fadiŋ] n. m. (mot angl.). Diminution temporaire de l'intensité des signaux radio-électriques. (L'Administration préconise le terme ÉVANOUISSEMENT.)

FAENZA, v. d'Italie, en Émilie; 54 700 hab. L'industrie de la « faïence », à laquelle la ville a donné son nom, remonte au XIIe s.

FAGOT [fago] n. m. (bas lat. *facus*). **1.** Faisceau de menu bois, de branches à brûler : *Mettre deux fagots dans la cheminée.* — **2.** *De derrière les fagots*, se dit de quelque chose de très bon, qui est mis en réserve depuis longtemps pour le moment opportun. || *Sentir le fagot*, se dit d'une personne ou d'une chose qui est en opposition avec les opinions couramment admises, qui frise l'hérésie (parce qu'autref. on brûlait les hérétiques).

FAGOTER [fagɔte] v. t. (de *fagot*). Fam. et péjor. *Fagoter qq'un*, l'habiller sans élégance, de façon ridicule (souvent au part. passé) : *Être bien, mal fagoté* (syn. ACCOUTRER, AFFUBLER).

FAHRENHEIT (Daniel Gabriel), physicien allemand (1686-1736). Il construisit des aréomètres et des thermomètres à alcool et à mercure, pour lesquels il imagina la graduation qui porte son nom. (→ DEGRÉ 3.)

1. FAIBLE [fɛbl] adj. et n. (lat. *flebilis*, digne d'être pleuré). **1.** (avant ou après le nom) Se dit d'une personne qui manque de vigueur physique, ou dont la santé n'est pas bonne : *Être de faible constitution* (syn. DÉLICAT, FRAGILE; contr. FORT). — **2.** (généralement après le nom) Se dit d'une personne (ou de son esprit) qui manque de capacités intellectuelles, de savoir : *Un élève faible en dessin.* || *Faible d'esprit*, intellectuellement déficient. — **3.** (après ou avant le nom) Se dit d'une personne qui manque de volonté, d'énergie morale, de fermeté dans le caractère : *Un homme faible* (syn. APATHIQUE, INDÉCIS; contr. ÉNERGIQUE, FORT, VOLONTAIRE). *Un père faible avec ses enfants* (= qui leur cède tout). ◆ n. (surtout au plur. ou au sing. collectif). Personne sans défense, physiquement, économiquement, etc. : *S'attaquer aux faibles.* ◆ **faiblard, e** adj. et n. *Fam.* et *péjor.* Assez faible : *Cet élève est plutôt faiblard.* ◆ **faiblement** adv. : *Protester faiblement* (syn. MOLLEMENT; contr. ÉNERGIQUEMENT). ◆ **faiblesse** n. f. **1.** Manque de vigueur physique chez une personne : *Faiblesse de constitution.* — **2.** Déficience intellectuelle : *Faiblesse d'un élève en classe.* — **3.** Manque d'énergie morale : *Faiblesse de caractère* (contr. FERMETÉ). *Faire preuve de faiblesse en face d'un danger* (syn. ↑LÂCHETÉ). — **4.** *Être pris de faiblesse*, s'évanouir (littér.). ◆ **faiblir** v. i. (sujet nom de personne). Devenir faible : *Le malade faiblit* (syn. S'AFFAIBLIR, BAISSER). *Il faiblit dans l'adversité* (syn. CÉDER, LÂCHER). *Son courage faiblit* (syn. FLÉCHIR). ◆ **affaiblir** v. t. *Affaiblir qq'un*, diminuer progressivement son activité, son énergie (souvent au passif) : *La maladie l'a affaibli* (syn. ABATTRE). ◆ ***s'affaiblir*** v. pr. Devenir faible. ◆ **affaiblissement** n. m. : *L'affaiblissement des forces* (syn. ALTÉRATION).

2. FAIBLE [fɛbl] adj. (même étym.). **1.** (avant ou après le nom) Se dit de ce qui manque de résistance pour supporter un grand poids, une forte pression, etc. : *Une poutre trop faible* (syn. FRAGILE; contr. ROBUSTE, SOLIDE). — **2.** (après le nom) Se dit de certaines choses qui manquent de force physique, de vigueur, de puissance, de valeur : *Avoir les jambes faibles* (= se sentir vaciller sur ses jambes) [syn. COTONNEUX; contr. SOLIDE]. *Vue faible* (= qui ne voit pas loin). *Gouvernement faible* (= sans autorité). *Choisir pour s'exprimer un terme faible* (= en dessous de la réalité). *Un devoir faible* (= qui est mauvais) [contr. BON]. — **3.** (en général avant le nom) Se dit de quelque chose qui est inférieur à la normale par sa force, sa quantité : *Une faible lumière* (contr. FORT, INTENSE). *Un faible bruit* (syn. ↑IMPERCEPTIBLE; contr. INTENSE). *N'avoir qu'une faible idée de qqch.* (= n'en avoir qu'une idée vague, imprécise) [syn. PETIT]. *N'avoir qu'un faible espoir* (= n'avoir que peu de raisons d'espérer). — **4.** (en général avant le nom) Se dit d'une chose mesurable peu importante : *Une faible poussée de fièvre* (syn. LÉGER; contr. FORT). *Un faible rendement* (contr. ÉLEVÉ). *Ne tirer qu'un faible avantage de qqch.* (syn. MAIGRE; contr. CONSIDÉRABLE). *Il y a de faibles chances pour que...* (= il y a peu de chances que...). — **5.** *Point faible de qqch., de qq'un*, partie d'une chose, aspect de quelqu'un qui est de moindre valeur que le reste, qu'on peut critiquer. ◆ n. m. (au sing. seulement). **1.** Ce qu'il y a de moins solide, de plus critiquable dans quelque chose ou chez quelqu'un : *Le faible chez lui, c'est la mémoire.* — **2.** Penchant pour une personne ou pour une chose : *Éprouver un faible pour une femme* (syn. ATTIRANCE, INCLINATION). *Avoir un faible pour le tabac* (syn. GOÛT, PRÉDILECTION). ◆ **faiblement** adv. : *Éclairer faiblement* (syn. PEU; contr. VIVEMENT). *Être faiblement attiré par la peinture* (syn. MODÉRÉMENT; contr. FORTEMENT). ◆ **faiblard, e** adj. *Fam.* Se dit d'une chose assez faible : *Un éclairage faiblard.* ◆ **faiblesse** n. f. : *La faiblesse d'une lumière* (syn. INSUFFISANCE; contr. FORCE, INTENSITÉ). *La faiblesse d'un son* (syn. TÉNUITÉ; contr. INTENSITÉ). ◆ **faiblir** v. i. Devenir faible : *La branche sur laquelle il s'appuyait faiblissait lentement* (syn. S'AFFAISSER, CÉDER). *Le bruit faiblissait en s'éloignant* (syn. S'ATTÉNUER). ◆ **affaiblir** v. t. *Affaiblir qqch.*, en diminuer peu à peu l'intensité, la force : *Les crises politiques affaiblissent l'autorité de l'État* (syn. DIMINUER; contr. ACCROÎTRE). ◆ **affaiblissement** n. m. : *L'affaiblissement de l'autorité* (syn. DÉCLIN).

FAIDHERBE (Louis), général français (1818-1889). Il est le fondateur de la colonie française du Sénégal qu'il gouverna de 1854 à 1865, et le véritable créateur de la ville et du port de Dakar. En 1870, Gambetta lui donna le commandement de l'armée du Nord engagée contre les Allemands. Vainqueur à Bapaume, il fut battu à Saint-Quentin, mais sa vigoureuse résistance épargna l'occupation aux départements du Nord et du Pas-de-Calais.

FAÏENCE [fajɑ̃s] n. f. (de *Faenza*, v. d'Italie). Poterie de terre, vernissée ou émaillée : *De la vaisselle de faïence.* → ENCYCL. ◆ **faïencerie** n. f. **1.** Ensemble d'ustensiles faits en faïence. — **2.** Fabrique, commerce des objets de faïence. ◆ **faïencier, ère** n.
— ENCYCL. La pâte à poterie est constituée de kaolin (= argile blanche), de quartz et de calcaire. La fabrication de la *faïence* comprend : le façonnage des pièces par tournage de la pâte plastique ou par coulage de la pâte liquide; la cuisson des pièces crues et non émaillées, ce qui donne le « biscuit » de faïence; l'émaillage; la décoration de l'émail cru; la cuisson du biscuit émaillé et décoré. L'emploi de la faïence s'est généralisé pour le service de table, comme revêtement (carreaux), comme matériau sanitaire.

FAIGNANT, E adj. et n., **FAIGNANTER** v. i., **FAIGNANTISE** n. f. → FAINÉANT.

1. FAILLE [faj] n. f. (de *faillir*). Point faible, manque de cohérence dans un raisonnement : *Il y a une faille dans votre exposé* (syn. DÉFAUT).

2. FAILLE [faj] n. f. (même étym.). *Géol.* Cassure des couches géologiques à la surface de la Terre, accompagnée d'un déplacement relatif des blocs séparés.
— ENCYCL. La *faille* est dite *verticale* quand le plan de faille (plan selon lequel s'est effectuée la cassure) est vertical; elle est dite *oblique* quand le plan de faille est incliné. Dans ce dernier cas, la faille est *conforme* quand le plan est incliné dans le même sens que les couches; elle est *contraire*, s'il est incliné dans le sens inverse.
La valeur de la dénivellation entre les deux blocs s'appelle ▷ le *rejet*.
Le travail de l'érosion peut aboutir au *nivellement* des failles, et parfois même à une *inversion* du relief si le bloc soulevé était constitué de roches tendres qui ont pu être facilement déblayées.

FAILLI, E adj. et n. ⟶ FAILLITE.

FAILLIBLE [fajibl] adj. (de *faillir*). Se dit d'une personne (ou de son comportement) qui peut se tromper, qui peut faire une faute : *Le juge ne sait pas tout, il est faillible* (contr. OMNISCIENT). ◆ **faillibilité** n. f. : *La faillibilité humaine* (contr. INFAILLIBILITÉ). ◆ **infaillible** adj. **1.** Se dit de quelqu'un qui ne peut se tromper : *Nul n'est infaillible.* — **2.** Se dit de quelque chose qui ne peut manquer de produire le résultat attendu : *Un remède infaillible* (syn. EFFICACE). ◆ **infailliblement** adv. : *Si vous continuez vos imprudences, l'accident arrivera infailliblement* (syn. INÉVITABLEMENT, SÛREMENT). ◆ **infaillibilité** n. f. **1.** Impossibilité de se tromper. — **2.** *Infaillibilité pontificale*, dogme catholique selon lequel le pape ne peut se tromper en matière de doctrine.

1. FAILLIR [fajir] v. t. ind. (du lat. *fallere*, faire défaut, manquer). [Conj. **30.**] (Sujet nom de personne.) *Faillir à qqch.*, ne pas faire ce qu'on doit faire, ce qu'on s'est engagé à faire : *Faillir à ses engagements*, etc.

2. FAILLIR [fajir] v. auxil. (même étym.). [Conj. **30.**] (Sujet nom de personne ou de chose.) Suivi de l'infin. Avoir été sur le point de faire quelque chose, s'y être trouvé exposé : *Elle faillit acheter ce sac. J'ai failli tomber.*

FAILLITE [fajit] n. f. (it. *fallita*). **1.** Sanction qui frappait les commerçants et dirigeants d'entreprise en état de cessation de paiements (remplacée en 1967 par le RÈGLEMENT JUDICIAIRE ou la LIQUIDATION DES BIENS et en 1985 [applicable en 1986] par la LIQUIDATION JUDICIAIRE). — **2.** Échec d'une entreprise : *La faillite d'une doctrine, d'un parti* (syn. RUINE). ◆ **failli, e** adj. et n. Se dit d'une personne qui a fait faillite.

FAIM [fɛ̃] n. f. (lat. *fames*). **1.** Vif besoin de manger, dû notamment aux contractions de l'estomac vide : *Manger à sa faim* (= manger autant qu'on en éprouve le besoin). — **2.** Désir ardent de quelque chose : *Avoir faim de richesses.* — **3.** Situation de disette, de famine dans un pays ou une région : *Une campagne contre la faim.* ⟶ ENCYCL. — **4.** *Rester sur sa faim*, manger insuffisamment, ne pas manger du tout; demeurer insatisfait. ◆ **famine** [famin] n. f. **1.** Manque presque total de produits alimentaires dans un pays. — **2.** *Salaire de famine*, salaire trop bas. ‖ *Crier famine*, se plaindre de son dénuement (littér.). ◆ **affamer** [afame] v. t. *Affamer qq'un*, le faire souffrir de la faim (souvent au passif) : *Il est revenu affamé de son excursion en montagne.* ◆ **affameur** n. m. *Péjor.* Personne qui, en accaparant les produits alimentaires, crée une situation de disette.
— ENCYCL. Il n'est pas exagéré de dire que la *faim* règne dans le monde entier. Mais en Europe, aux États-Unis, au Canada, en Argentine, en Australie, en Nouvelle-Zélande elle reste le fait d'une minorité, tandis que dans le reste du monde (pays dits « sous-développés ») elle atteint la population dans sa majorité, principalement dans la zone intertropicale.

FAINÉANT, E [feneɑ̃, -ɑ̃t], ou plus fam. **FAIGNANT, E** ou **FEIGNANT, E** [feɲɑ̃, -ɑ̃t] adj. et n. (de l'anc. fr. *feindre*, paresser). Se dit d'une personne peu travailleuse : *Un élève fainéant* (syn. PARESSEUX). ◆ **fainéanter**, ou plus fam. **faignanter** ou **feignanter** v. i. Ne rien faire. ◆ **fainéantise**, ou plus fam. **faignantise** ou **feignantise** n. f. : *Ses mauvais résultats sont dus à sa fainéantise* (syn. PARESSE).

fainéants *(rois)*, nom donné aux derniers rois mérovingiens qui, à partir de Thierry III, laissèrent l'autorité au maire du palais.

FAIRBANKS, v. de l'Alaska; 14 800 hab. Fondée en 1902 par les chercheurs d'or, la ville est le terminus du chemin de fer et de la route de l'Alaska.

1. FAIRE [fɛr] v. t. (lat. *facere*). [Conj. **76.**]

I. Sujet nom d'être animé. A. [Compl. nom désignant un objet matériel.] **1.** Constituer de toutes pièces, être l'auteur de : *Faire une maison* (syn. BÂTIR, CONSTRUIRE). *Faire un livre* (syn. ÉCRIRE ou ÉDITER). *Faire un gâteau* (syn. CONFECTIONNER). *L'artiste qui a fait ce tableau* (syn. EXÉCUTER). *Dieu, selon la Genèse, a fait le monde en six jours* (syn. CRÉER). — **2.** Préparer, mettre en état : *La femme de ménage a fait le bureau* (syn. NETTOYER). *Faire un lit* (= mettre en ordre draps et couvertures). *Faire ses chaussures* (syn. FROTTER; fam. ASTIQUER).
B. [Compl. nom désignant un être animé.] **1.** Doter de l'existence, de la vie, mettre au monde : *Dieu a fait l'homme à son*

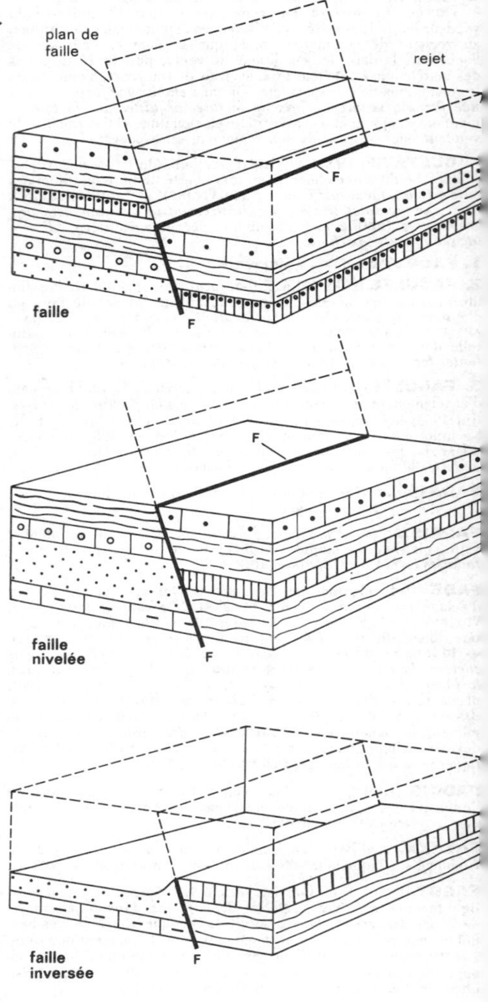

image (syn. CRÉER). *La chatte a fait ses petits* (syn. METTRE BAS). — **2.** *Faire une personne, un animal à qqch.*, l'y adapter, l'y accoutumer (s'emploie surtout au part. passé) : *Au bout d'un mois d'entraînement, il était fait à la fatigue* (= il la supportait bien). *Être fait aux subtilités du métier* (= y être rompu). — **3.** *Je vous fais juge de*, je vous laisse le soin d'apprécier.
C. [Compl. nom désignant un rôle tenu par une personne.] **1.** Jouer le rôle de, exercer les fonctions de : *Dans cette pièce, il faisait le père* (syn. JOUER). *Il fera un brillant avocat* (syn. DEVENIR, ÊTRE). — **2.** (avec un art. déf., le compl. étant souvent un adj. substantivé) Imiter un genre, prendre intentionnellement une cer-

taine apparence : *Faire le malade* (syn. CONTREFAIRE). ‖ Fam. *Faire l'idiot*, faire semblant de ne pas comprendre. ‖ *Faire l'enfant*, se montrer capricieux. ‖ Fam. *Faire le mort*, ne pas répondre, ne pas bouger.

D. [Compl. nom généralement abstrait et désignant une action, un état.] **1.** Accomplir un acte, être engagé dans une voie : *Faire une faute* (syn. COMMETTRE). *Faire un discours* (syn. PRONONCER). *Faire des embarras* (= être exagérément poli, donner trop d'importance à des détails). ‖ *Faire des études*, étudier. ‖ (avec un adj. poss. soulignant le rapport, la convenance de la chose à la personne) *Faire son devoir* (syn. ACCOMPLIR, S'ACQUITTER DE). *Faire son chemin* (= réussir dans la vie). — **2.** (avec un art. partitif) Pratiquer quelque chose, s'adonner à un sport, avoir une certaine attitude : *Faire de la politique* (= avoir des activités politiques). *Faire du tennis.* ‖ Fam. *Faire de la vitesse*, aller vite, généralement en automobile. — **3.** Fam. *Faire du pied, du coude, du genou, de l'œil à qq'un*, lui faire des signes de connivence avec le pied, le genou, etc., lui adresser des clins d'œil. — **4.** (avec un art. déf.) Exécuter certains exercices physiques, certains mouvements de gymnastique, etc. : *Faire la planche* (= se laisser flotter sans faire de mouvements). *Faire le pont* (= plier son corps sous forme de pont). — **5.** (avec un art. déf., dans diverses express. de caractère locutionnel) Avoir tel ou tel comportement : *Faire la paix avec qq'un. Faire l'impossible pour aider un ami.* ‖ *Faire la loi*, dominer arbitrairement. ‖ *Faire le guet*, guetter. — **6.** (avec un art. partitif ou un art. indéf. devant un compl. désignant une maladie, un état psychologique) Être atteint par cette maladie, être dans cet état : *Faire de la fièvre* (syn. AVOIR). *Faire des complexes* (fam.) [= être timide]. *Faire une dépression nerveuse.*

E. [Compl. nom désignant un pays, un lieu, avec en général l'art. déf.] Parcourir, visiter, fréquenter : *Faire l'Italie pendant les vacances. Faire les grands magasins.*

F. [Compl. nom désignant une marchandise, une production.] *Fam.* Pratiquer le commerce de, produire : *Un cultivateur qui fait du blé* (syn. CULTIVER).

G. [Compl. pron. interr. ou pron. indéf.] Avoir telle ou telle occupation, agir de telle ou telle façon : *Qu'est-ce qu'ils font, pour qu'on les attende aussi longtemps?* (syn. fam. FABRIQUER). *Que faites-vous?* (= quelle est votre occupation actuelle, votre métier). ‖ *Faire qqch. pour qq'un*, lui être utile. ‖ *Faire tout pour qq'un*, lui être très dévoué. ‖ *Il n'y a plus rien à faire*, c'est trop tard, c'est irrémédiable. ‖ *N'en rien faire*, ne pas accomplir une tâche proposée (littér.) : *S'il vous dit de partir, surtout n'en faites rien!*

H. [Sans compl. direct.] **1.** (dans des propositions incises) Dire, répondre : *Sans doute, fit-il, vous avez raison.* — **2.** *Faites donc, je vous prie*, formule de politesse pour inviter quelqu'un à faire quelque chose. ‖ Fam. *Savoir y faire*, être rusé, habile.

I. [Avec un adv. ou une loc. adv. de manière.] Agir, s'y prendre : *Je croyais bien faire en parlant devant. Un garnement qui ne pense qu'à mal faire* (= à nuire).

II. Sujet nom d'être animé ou nom de chose. A. [Compl. nom désignant l'état, la qualité de quelqu'un.] Susciter, porter à être (surtout dans les loc. proverbiales) : *L'habit ne fait pas le moine. Les bons comptes font les bons amis.*

B. [Compl. nom de personne ou nom de chose.] **1.** *Faire qqch. de qq'un, de qqch.*, le transformer en, le faire devenir : *Le mariage a fait de lui un autre homme.* ‖ *Faire qq'un son héritier, faire qq'un président*, etc., l'instituer dans cet état, dans ces fonctions : *Le peuple le fit roi* (syn. NOMMER). — **2.** (dans des phrases interrogatives) *Fam.* Laisser quelque part : *Qu'as-tu fait de tes lunettes?* (= où les as-tu perdues?). — **3.** (avec un compl. ou un adv. indiquant une mesure) Avoir comme mesure : *Mon frère fait quatre-vingt-cinq kilos* (syn. PESER). *Une planche qui fait cinq centimètres d'épaisseur* (syn. MESURER).

C. [Suivi d'un adj. ou d'un nom sans art. ayant valeur d'attribut.] Avoir l'air, paraître, donner l'impression de : *Faire vieux. Il fait très vieille France.* (*Rem.* Avec un sujet nom de chose, l'adj. reste invariable : *Votre cravate fait sérieux.*)

D. [Suivi d'un adv.] **1.** (adv. indiquant la comparaison) Être plus, moins, aussi efficace : *Deux ouvriers font plus qu'un seul pour ce travail.* — **2.** (adv. de manière) Fam. *Faire bien*, être joli, plaisant, avoir un bel aspect : *Vous faites très bien sur cette photo.* ‖ *Faire bien de* (et l'infin.), avoir raison de faire telle chose; souvent employé au conditionnel : *Vous feriez bien de travailler* (= je vous conseille de travailler). ‖ Fam. *Ça fait bien de* (et l'infin.), il est à la mode, il est bien considéré, etc., de faire telle ou telle chose. ‖ *Faire bien les choses*, ne pas regarder à la dépense. ‖ *Pour bien faire, il faudrait*, pour que la situation soit bonne, pour agir au mieux. ‖ *Faire mieux de* (et l'infin.), agir mieux en faisant telle ou telle chose : *Vous feriez mieux de vous taire.* ‖ *Faire pour le mieux*, agir suivant la meilleure solution.

E. [Suivi d'une conj. de subordination.] *Faire que* (et l'indic.), avoir pour résultat que : *Sa maladie a fait qu'il n'a pas pu travailler.* ‖ *Faire que* (et le subj.), exercer sa volonté, sa puissance pour que : *Mon Dieu, faites qu'il ne pleuve pas!* (souhait). ‖ *Faire en sorte que* (et le subj.), prendre des dispositions pour obtenir ce résultat que.

III. Sujet nom de chose. 1. Avoir telle ou telle forme, présenter tel ou tel aspect, remplir telle ou telle fonction : *Votre robe fait des plis* (syn. FORMER). *Ces fruits font un excellent déjeuner* (syn. CONSTITUER). — **2.** Produire un effet : *Ce médicament lui a fait beaucoup de bien.* — **3.** Être égal à, donner comme résultat : *Deux et deux font quatre. « Cheval » fait « chevaux » au pluriel.* — **4.** Durer : *Son costume lui a fait trois ans.*

IV. Emplois impers. 1. (avec un adj. ou un nom ordinairement sans art.) Indique les conditions météorologiques ou le moment de la journée : *Il fait chaud. Il fait jour* (= le jour s'est levé). — **2.** *Il fait bon* (et un infin.), il est agréable, profitable de : *Il ne fait pas bon s'aventurer seul dans ces forêts* (= c'est dangereux). — **3.** *Qu'est-ce que cela (ça) fait?* ‖ *Cela (ça) ne fait rien*, cela n'a pas d'importance. — **4.** *Cela (ça) fait* (suivi d'une indication de temps), marque le temps écoulé depuis une certaine date : *Ça fait bien quinze jours que je ne l'ai vu* (syn. IL Y A).

V. Loc. diverses. 1. De très nombreuses loc. verb. sont constituées par *faire* et un compl. sans art. : *Faire fortune. Faire peau neuve*, etc.; il leur correspond souvent un verbe simple : *Faire tort* (= nuire). *Faire peur* (= effrayer). *Faire part de* (= annoncer). [*Rem.* Nombre de ces loc. sont définies au nom complément.] — **2.** *Avoir fort à faire*, être très occupé. ‖ *Ce faisant*, en agissant ainsi. ‖ *N'avoir que faire de qqch., de qq'un*, ne pas s'en soucier. ‖ *C'en est fait*, tout est fini (littér.). ‖ *C'est bien fait*, tu l'as, il l'a, etc., bien mérité. ‖ *Faire son âge*, ne paraître ni plus jeune ni plus vieux qu'on est. ‖ *Faire une drôle de tête*, avoir l'air surpris, décontenancé.

2. FAIRE [fɛr] v. t. (même étym.). [Conj. **76.**] (Employé comme semi-auxil., suivi d'un infin.) **1.** Être la cause de quelque chose, susciter l'action (forme des loc.) : *Un remède qui fait dormir. Faire pousser des fleurs dans un pot.* — **2.** Donner un ordre pour que telle action se produise, inviter à : *Faire lire un livre* (= le donner à lire). *Faire lire des élèves* (= inciter des élèves à lire). *Faire faire qqch.* (= charger quelqu'un de réaliser quelque chose). — **3.** Représenter quelqu'un, lui attribuer quelque chose (littér.) : *Ne me faites pas dire ce que je n'ai jamais dit* (= ne m'attribuez pas de telles paroles). — **4.** *Ne faire que*, n'avoir pas d'autre activité (que celle qui est exprimée par le verbe) : *Il ne fait que bavarder en classe* (= il bavarde tout le temps). *Il ne fera que passer* (= il restera peu de temps). — **5.** *Ne faire que de*, venir à peine de faire quelque chose : *Il ne fait que d'arriver* (= il vient à peine d'arriver).

3. FAIRE [fɛr] v. t. et i. (même étym.). [Conj. **76.**] Se substitue à un verbe quelconque déjà énoncé et dans une proposition comparative : *Il court moins bien que je ne faisais à son âge* (= que je ne courais).

4. FAIRE (SE) [səfɛr] v. pr. (même étym.). [Conj. **76.**] **1.** (sujet nom de personne) Se former, se transformer, soit par une action volontaire, soit par une évolution naturelle : *Cet homme s'est fait tout seul. Cette jeune fille se fait* (= elle se développe, ses traits s'harmonisent). — **2.** *Se faire à qqch., à qq'un*, s'y habituer, s'y adapter : *Se faire à la discipline* (syn. SE PLIER). *Se faire à l'idée d'une séparation* (syn. SE RÉSIGNER). *Son œil se fit à l'obscurité de la pièce* (syn. S'ACCOMMODER). — **3.** *Denrée qui se fait*, qui arrive au degré voulu de maturité, de qualité : *Un fromage qui se fait.* — **4.** (sujet nom de chose) Être réalisé, construit, fabriqué, etc. : *C'est dans cet atelier que se font les dernières opérations du montage* (= sont faites). — **5.** Être à la mode, être usuel : *Cette année, c'est la robe courte qui se fait.* ‖ *Cela se fait*, cela est recommandable, bienséant, moral. — **6.** *Se faire* (suivi d'un compl. d'objet), se procurer, se ménager : *Se faire des relations. Se faire des ennemis* (syn. S'ATTIRER). ‖ *Se faire mille francs par mois*, les gagner. ‖ *Se faire la barbe, les ongles*, etc., se raser, se couper ou se soigner les ongles, etc. ‖ *Se faire une idée de qqch.*, en avoir une connaissance générale, sans entrer dans les détails. ‖ *Se faire des illusions*, être loin de la réalité. ‖ *Se faire une raison*, se résigner. ‖ *Se faire un devoir de qqch.*, l'accomplir par obligation, sans goût. ‖ *Se faire du souci*, et, fam., *se faire de la bile, du mauvais sang*, etc., avoir des préoccupations. ‖ Fam. *S'en faire*, se faire du souci, se tourmenter. ‖ Fam. *Ne pas s'en faire*, être insouciant, être sans gêne. — **7.** Forme souvent une loc. ayant une valeur proche du passif : *Il s'est fait renverser par une voiture* (= il a été renversé). — **8.** *Se faire* (suivi d'un attribut [adj. ou nom sans art.]), devenir : *Se faire vieux. Il s'est fait moine.* — **9.** *Il se fait* (avec un adv. ou un nom), commencer à être : *Il se fait tard* (= l'heure commence à être tardive); [avec un nom] : *Il se fit un grand silence* (syn. SE PRODUIRE).

FAIRE-PART [fɛrpar] n. m. inv. (*faire*, et *part*). Lettre, avis, généralement imprimés, annonçant une naissance, un mariage, une mort.

FAIR PLAY [fɛrplɛ] adj. inv. (loc. angl. signif. *procédé loyal*). Se dit d'une personne qui accepte loyalement les conditions d'un combat, qui ne cherche pas à duper son adversaire. ◆ n. m. Comportement loyal : *Le fair play n'est pas son fort.* (L'Administration préconise FRANC-JEU.)

FAISABLE [fəsabl] adj. (de *faire*). Se dit de ce qui peut être fait : *Un travail faisable* (syn. RÉALISABLE). ◆ **infaisable** adj.

FAISAN [fəzɑ̃] n. m. (gr. *phasianos*, oiseau du Phase). Oiseau gallinacé au plumage de couleurs vives, surtout chez le mâle, possédant une longue queue, et qui constitue un gibier recherché. ◆ **faisane** n. et adj. f. Femelle du FAISAN : *Poule faisane.* ◆ **faisanderie** n. f. Lieu où l'on élève les faisans.

FAISANDÉ, E [fəsɑ̃de] adj. (de *faisan*). Se dit d'une viande (principalem. du gibier) à laquelle on a donné un goût particulier, en lui faisant subir un début de décomposition : *Du perdreau faisandé.*

FAISANDERIE n. f., **FAISANE** n. et adj. f. ⟶ FAISAN.

FAISANS *(île des)* ou **DE LA CONFÉRENCE,** îlot situé au milieu de la Bidassoa, mi-français et mi-espagnol.

- *1659. Là fut signé le traité des Pyrénées et négocié le mariage de Louis XIV avec l'infante Marie-Thérèse.*

FAISCEAU [feso] n. m. (du lat. *fascis*, fagot). **1.** Réunion de plusieurs choses liées entre elles dans le sens de la longueur : *Faisceau de branches.* — **2.** *Former les faisceaux*, se dit des soldats qui rassemblent leurs fusils en les appuyant les uns contre les autres. — **3.** *Antiq. rom.* Assemblage de verges liées par une courroie de cuir rouge et que les licteurs portaient devant certains magistrats romains. — **4.** *Bot.* Groupe de tubes conducteurs de la sève (faisceaux du bois, faisceaux libériens). — **5.** *Anat.* Groupe de fibres nerveuses dans l'axe cérébro-spinal. — **6.** Flux de particules électriques, de rayons lumineux, etc., se propageant dans la même direction : *Faisceau lumineux, électronique.* — **7.** En parlant de choses abstraites, ensemble cohérent d'éléments qui concourent à un même résultat : *Un faisceau de preuves.*

FAISEUR, EUSE [fəzœr, -øz] n. (de *faire*). **1.** (avec un compl. du nom) Se dit d'une personne qui se livre habituellement à tel ou tel genre d'activité, d'occupation : *Un faiseur de bons mots. Un faiseur d'intrigues.* — **2.** *Péjor.* Homme peu scrupuleux. — **3.** Personne qui cherche à se faire valoir.

1. FAIT, E [fɛ, fɛt] adj. (de *faire*). **1.** Se dit d'une personne qui est arrivée à son plein développement physique : *Un homme fait* (syn. MÛR). — **2.** Se dit d'une chose qui est arrivée à un certain point de maturation : *Fromage fait.* — **3.** *Tout fait, toute faite*, se dit de ce qui est préparé d'avance : *Un costume tout fait* (par oppos. à SUR MESURE). ‖ *Idée toute faite*, idée sans originalité (syn. LIEU COMMUN). — **4.** *Fait pour*, en parlant d'une chose, qui est destinée à; en parlant d'une personne, qui semble apte à : *Il est fait pour ce métier.*

2. FAIT, E [fɛ, fɛt] adj. (même étym.). *Fam.* Se dit d'une personne qui est faite prisonnière : *Rends-toi, tu es fait* (syn. PRIS).

3. FAIT [fɛt] ou [fɛ] n. m. (lat. *factum*). **1.** Chose, événement qui se produit : *Les physiciens ont observé un fait curieux* (syn. PHÉNOMÈNE). — **2.** Ce dont la réalité est incontestable : *On aura beau discuter, le fait est là.* — **3.** *Le fait de* (et l'infin.), *le fait que* (et l'indic. ou le subj.), l'action, l'état, la situation consistant à (ou en ce que) : *Le fait qu'on n'ait rien vu ne prouve pas qu'il n'y ait rien.* — **4.** *C'est un fait*, c'est une évidence qu'on ne peut nier; il est vrai. ‖ *Les faits et gestes de qq'un*, tous ses actes. ‖ *Faits divers*, incidents intéressant une personne ou un groupe restreint de personnes (accidents, suicides, menus scandales, etc.). ‖ *Haut fait*, exploit mémorable. ‖ *Fait d'armes*, exploit militaire, ou, fam., action importante, méritoire. ‖ *Être au fait, mettre qq'un au fait de qqch.*, en être informé, en informer quelqu'un de façon précise. ‖ *Ce n'est pas son fait*, il n'a pas l'habitude d'agir ainsi. ‖ *Être sûr de son fait*, être sûr de ce qu'on avance. ‖ *Dire son fait à qq'un*, lui dire sans détour le mal qu'on pense de lui. ‖ *Prendre qq'un sur le fait*, le surprendre pendant qu'il commet un acte répréhensible. — **5.** Entre dans un grand nombre de loc. adv., prép. et adj. : *Au fait!* (= assez de détours, venez-en à l'essentiel). ‖ *Au fait*, introduit une remarque incidente : *Au fait, puisque j'y pense* (syn. À PROPOS). ‖ *De fait*, se dit d'une chose matérielle qu'on se borne à constater : *Une erreur de fait* (contr. DE PRINCIPE). *Gouvernement de fait* (contr. DE DROIT). ‖ *Voies de fait*, actes de violence. ‖ *Du fait de*, à cause de, par l'action de. ‖ *De ce fait*, pour cette raison, par là même. ‖ *En fait*, introduit une idée qui s'oppose à ce qui précède. ‖ *En fait de*, pour ce qui est de, en matière de : *En fait de nourriture, il n'est pas exigeant;* en guise de : *En fait d'hôtel, il n'y avait qu'une modeste auberge.*

1. FAÎTE [fɛt] n. m. (lat. *fastigium*). **1.** Partie supérieure de la charpente d'un édifice : *Le faîte d'un toit.* — **2.** Partie la plus élevée d'une chose : *Le faîte d'une montagne.* — **3.** *Ligne de faîte*, ligne formée par les crêtes d'une montagne, par les deux parties d'un toit. ◆ **faîtage** n. m. Arête supérieure d'une charpente, assurant le repos et l'appui immédiat des chevrons qui supportent la couverture. ◆ **faîtière** n. f. Tuile courbe dont on recouvre l'arête supérieure d'un toit. (On dit aussi TUILE FAÎTIÈRE.)

2. FAÎTE [fɛt] n. m. (de *faîte* 1). Le degré le plus élevé (littér.) : *Il est parvenu au faîte de la gloire* (syn. SOMMET).

FAIT-TOUT [fetu] n. m. inv. (de *faire*, et *tout*). Récipient en métal, avec anses et couvercle, servant à faire cuire les aliments.

FAIX [fɛ] n. m. (lat. *fascis*). Charge pénible à supporter, fardeau.

FAKIR [fakir] n. m. (ar. *faqīr*, pauvre). **1.** Nom donné dans l'Inde aux mendiants de toutes sectes qui se livrent à des exercices ascétiques. — **2.** Personne qui exécute en public des exercices exigeant une grande maîtrise du corps : *Un fakir couché sur une planche à clous.*

FALAISE [falɛz] n. f. (du frq. *falisa*, rocher). **1.** Talus, ligne de hauteur : *La falaise d'Île-de-France.* — **2.** Sur les côtes, escarpement aménagé par l'érosion marine : *Les falaises du pays de Caux.* ‖ *Falaise morte*, dans une région côtière, falaise autref. façonnée par l'érosion marine.

FALAISE, ch.-l. de cant. du Calvados, à 23 km au N.-O. d'Argentan; 8 800 hab. *(Falaisiens).* Marché agricole où se tenait autref. une des plus grandes foires de France.

FALBALAS [falbala] n. m. pl. (prov. *farbella*, dentelle). Ornements excessifs; grande toilette.

FALCONET (Étienne), sculpteur français (1716-1791). Directeur de l'atelier de sculpture de la manufacture de Sèvres, il est l'auteur de nombreux petits groupes d'un art aimable et raffiné. Appelé à Saint-Pétersbourg par Catherine II, il sculpta la statue équestre de *Pierre le Grand* (Leningrad), qui demeure son chef-d'œuvre.

FALCONIDÉS [falkonide] n. m. pl. (du lat. *falco*, faucon). Famille d'oiseaux rapaces diurnes comprenant les *aigles*, les *milans*, les *faucons*, les *éperviers*, etc.

FALKLAND, ancienn. **Malouines,** en esp. **Malvinas,** îles de l'Atlantique, au S. de l'Argentine, occupées par l'Angleterre et revendiquées par l'Argentine; 2 100 hab. Pêche de la baleine.

- *8 déc. 1914. L'escadre anglaise de l'amiral Sturdee y bat l'escadre allemande de l'amiral von Spee.*
- *Avril-juin 1982. L'Argentine occupe l'archipel mais ses forces doivent capituler devant celles envoyées par la Grande-Bretagne.*

FALLA (Manuel DE), compositeur espagnol (1876-1946). Il vécut pendant quelques années à Paris, où il fut l'ami de Debussy et de Ravel. Après la guerre civile, il quitta l'Espagne pour l'Argentine où il mourut. Il est l'auteur de nombreuses œuvres instrumentales ou dramatiques, dont *la Vie brève* et *le Retable de maître Pierre* (opéras), *l'Amour sorcier* et *le Tricorne* (ballets), *Nuits dans les jardins d'Espagne* (pour piano et orchestre), *Hommage à Debussy* (pour guitare). Son style est sobre et dépouillé, et ses œuvres ont une couleur et une vitalité peu communes.

FALLACIEUX, EUSE [fallasjø, -øz] adj. (du lat. *fallax*, trompeur). **1.** Se dit d'une chose qui est faite pour induire en erreur (langue soignée) : *Raisonnement fallacieux* (syn. CAPTIEUX, SPÉCIEUX). *Espoirs fallacieux* (syn. TROMPEUR). — **2.** Se dit du comportement trompeur de quelqu'un : *Sous des dehors fallacieux* (syn. HYPOCRITE; contr. SINCÈRE). ◆ **fallacieusement** adv.

FALLIÈRES (Armand), homme d'État français (1841-1931). Membre de la Gauche républicaine, il fut président de la République de 1906 à 1913.

1. FALLOIR [falwɑr] v. impers. (du lat. *fallere*, manquer). [Conj. **48.**] **1.** *Il faut qqch.* ou *qq'un*, une personne ou une chose manque, elle est nécessaire : *Il faut un ouvrier pour ce travail.* — **2.** *Il me faut, il te faut*, etc., *qqch.*, j'ai, tu as, etc., besoin de telle chose : *Il leur faut du repos;* j'ai, tu as, etc., grande envie de quelque chose : *Il lui faut ce collier.* — **3.** *Falloir* (suivi d'un infin., ou du subj. avec *que*), être l'objet d'une nécessité ou d'une obligation : *Quand la pluie tombe, il faut prendre son parapluie* (= il est nécessaire de). *Il faut que tu partes* (= tu dois partir). *Il faut toujours qu'elle se trouve des excuses* (= elle éprouve toujours le besoin de). ‖ Avec le pron. *le* représentant une proposition : *Je démissionnerai, s'il le faut* (= si c'est nécessaire). — **4.** *Il faut que* (et le subj.), peut exprimer la supposition : *Il n'est pas venu? Il faut qu'il soit bien malade* (= il doit être). — **5.** Fam. *Faut-il que...!*, renforce une exclamation : *Faut-il qu'il soit bête pour n'avoir rien compris!* — LOC. ADJ. *Comme il faut* ⟶ COMME.

2. FALLOIR (S'EN) [sɑ̃falwɑr] v. pr. impers. (même étym.). [Conj. **48.**] **1.** *S'en falloir de qqch.*, être en moins : *La collecte n'a pas réuni la somme prévue, il s'en faut de cent francs. Il s'en faut de peu, de beaucoup* (= il en manque peu, beaucoup). — **2.** *Peu s'en faut que* (et le subj.), indique un événement, une éventualité bien près de se réaliser : *Peu s'en est fallu que les deux voitures ne se tamponnent!* (= elles ont failli se tamponner). — LOC. ADV. *Il s'en faut, tant s'en faut*, bien au contraire, loin de là : *Il n'est pas bête, tant s'en faut* (= il est loin d'être bête).

'ALLOUX (Frédéric, *comte* DE), homme politique français (1811-886). Catholique libéral, il se vit confier par Louis Napoléon le ninistère de l'Instruction publique (décembre 1848-octobre 1849). l est l'auteur d'un projet de loi voté le 15 mars 1850 et qui tablissait le principe de la liberté dans l'enseignement primaire et econdaire, donnant certains avantages de fait à l'enseignement onfessionnel.

. FALOT [falo] n. m. (it. *falo*). Lanterne portative.

:. FALOT, E [falo, -lɔt] adj. (de l'angl. *fellow*, compagnon). Se it d'une personne un peu terne, effacée : *Un personnage falot* syn. INSIGNIFIANT).

'ALSIFIER [falsifje] v. t. (du lat. *falsus*, faux). *Falsifier qqch.*, altérer volontairement, le dénaturer, le modifier en vue de trom-er : *Falsifier un vin* (syn. FRELATER). *Falsifier une signature* =l'imiter frauduleusement). ◆ **falsificateur, trice** adj. et n. ◆ **falsification** n. f. : *Falsification d'une pièce d'identité.*

'ALUCHE [falyʃ] n. f. (orig. obscure). Autref., béret des étu-iants.

'ALUN [falœ̃] n. m. (mot prov.). Dépôt calcaire riche en débris e coquilles fossiles, utilisé comme engrais.

'AMAGOUSTE, port de la côte orientale de Chypre, anc. capit. e l'île; 42 500 hab. Nombreux monuments médiévaux, dont la athédrale. Ce fut la capitale des Lusignan avant d'être disputée ntre Génois et Vénitiens.

1571. Les Turcs l'assiègent durant onze mois avant de s'en emparer.

'AMÉ, E (MAL) adj. ⟶ MALFAMÉ.

'AMECK, ch.-l. de cant. de la Moselle, à 4 km au S.-E. 'Hayange; 14 900 hab.

'AMÉLIQUE [famelik] adj. (lat. *famelicus*, affamé). Se dit 'une personne ou d'une bête qui souffre continuellement de la aim, qui est amaigrie par le manque de nourriture (littér.).

'AMEUX, EUSE [famø, -øz] adj. (lat. *famosus*, connu). . (avant le nom) Se dit d'une personne ou d'une chose dont on a éjà parlé, en bien ou en mal : *Je n'ai pu trouver ce fameux village 'ont on m'avait parlé.* — **2.** (attribut, ou épithète généralement lacé avant le nom) *Fam.* Remarquable, extraordinaire (parfois oniq.) : *Il est fameux, votre apéritif.* — **3.** (placé après le nom) Se it de quelqu'un ou de quelque chose qui a une grande réputation : *'ne bataille fameuse* (syn. CÉLÈBRE, ILLUSTRE). *Une région ameuse pour ses fromages* (syn. RÉPUTÉ). ◆ **fameusement** adv. *'am.* Sens 2 de l'adj. : *Votre repas était fameusement bon* (syn. XTRÊMEMENT, TRÈS).

'AMILIAL, E, AUX adj. ⟶ FAMILLE.

'AMILIALE [familjal] n. f. (de *famille*). Voiture de tourisme arrossée de manière à pouvoir transporter plus de personnes que es modèles ordinaires.

'AMILIARISER (SE) v. pr. ⟶ FAMILIER 3.

'AMILIARITÉ n. f. ⟶ FAMILIER 2 et 3.

.. FAMILIER, ÈRE [familje, -ɛr] adj. (lat. *familiaris*). Se dit e choses qu'on est habitué à voir autour de soi, ou qui sont abituelles à quelqu'un : *Il entendit une voix familière à côté de lui* =qui lui était connue). *Son visage m'est familier* (syn. CONNU; ontr. ÉTRANGER). ◆ n. m. Celui qui vit dans la fréquentation abituelle de quelqu'un ou de quelque chose, dans l'intimité de uelqu'un : *C'est un familier de la maison* (syn. HABITUÉ).

2. FAMILIER, ÈRE [familje, -ɛr] adj. (même étym.). **1.** Se dit e quelqu'un dont les manières manquent de réserve, ou même ui se montre indiscret ou impoli avec les autres : *Avoir des nanières très familières* (syn. CAVALIER, LIBRE). — **2.** Se dit de ce ui est simple et amical : *Un entretien familier.* — **3.** Se dit d'un not ou d'une construction caractéristique de la langue de la con-ersation : *Les mots familiers sont précédés dans le dictionnaire de a mention « fam. ».* ◆ **familièrement** adv. : *S'entretenir familiè-ement avec qq'un.* ◆ **familiarité** n. f. Comportement simple et mical : *Traiter qq'un avec une familiarité déplacée* (syn. ↑DÉSIN-OLTURE, LIBERTÉ). ◆ n. f. pl. Façons indiscrètes ou inconve-antes : *Des familiarités de langage* (syn. ↑GROSSIÈRETÉS).

3. FAMILIER, ÈRE [familje, -ɛr] adj. (même étym.). Se dit de hoses dont on a acquis la pratique, que l'on suit bien : *Cette angue lui est devenue familière.* ◆ **familiariser (se)** v. pr. *Se amiliariser avec une chose*, se rendre cette chose connue en la ratiquant régulièrement : *Se familiariser avec le bruit de la rue* syn. S'ACCOUTUMER À). ◆ **familiarité** n. f. : *Il a acquis une ertaine familiarité avec le russe* (syn. HABITUDE, PRATIQUE).

'AMILIÈREMENT adv. ⟶ FAMILIER 2.

'AMILLE [famij] n. f. (lat. *familia*, ensemble des esclaves de la maison). **1.** Ensemble des individus, vivants ou morts, qui sont liés par un lien de parenté : *Bijoux de famille. Famille proche, éloignée* (=les personnes dont le degré de parenté avec quelqu'un est proche, éloigné). ‖ *Avoir un air de famille*, se dit de personnes qui se ressemblent. ‖ *Conseil de famille* ⟶ CONSEIL 2. ‖ *Fils de famille*, descendant d'ancêtres riches. — **2.** Ensemble constitué par le père, la mère et leurs enfants : *Le chef de famille* (=le père, ou le plus âgé des hommes de la famille, auquel incombent la responsabilité et l'entretien des enfants mineurs). *Un soutien de famille* (=personne qui subvient aux besoins de la famille). *La sainte Famille* (=Joseph, la Vierge et l'Enfant Jésus dans la Bible). — **3.** Ensemble d'êtres vivants ou objets ayant ensemble des caractères communs : *La grande famille des gens du cirque.* ‖ *Famille de mots*, groupe de mots issus d'une racine commune. — **4.** Dans les sciences naturelles, chacune des divisions d'un ordre d'êtres vivants : *Les familles d'animaux ont une terminaison en -idés, les familles de végétaux en -acées.* ◆ **familial, e, aux** adj. Se dit de choses qui appartiennent ou se rapportent à la famille : *Maison familiale.*

Famille *(pacte de)*, traité conclu par Choiseul en 1761 entre les Bourbons de France, d'Espagne, de Parme et de Naples, pour résister à la puissance navale anglaise.

FAMINE n. f. ⟶ FAIM.

FAN [fan] n. (de l'angl. *fanatic*). *Fam.* Admirateur enthousiaste d'une vedette : *Les fans d'un chanteur.*

FANA adj. et n. ⟶ FANATIQUE.

FANAGE n. m. ⟶ FANER 1.

FANAL, AUX [fanal, -no] n. m. (it. *fanale*). **1.** Petit phare, signal allumé la nuit sur les côtes et à l'entrée des ports. — **2.** Lanterne employée sur les bateaux, pour certains éclairages de bord ou pour la signalisation de nuit.

FANATIQUE [fanatik] adj. et n. (lat. *fanaticus*, inspiré). Se dit de quelqu'un (ou de son comportement) qui est emporté par un zèle excessif, une passion démesurée à l'égard de quelque chose ou de quelqu'un : *Un fanatique du jazz* (syn. PASSIONNÉ). ◆ **fanatisme** n. m. Zèle passionné : *Fanatisme religieux, politique.* ◆ **fanatiser** v. t. Exciter par une doctrine, une idée, au point de rendre capable d'une violence aveugle et brutale : *Fanatiser les foules.* ◆ **fana** adj. et n. *Fam.* Se dit d'une personne passionnée pour quelque chose : *Il est fana de jazz.*

FANDANGO [fɑ̃dɑ̃go] n. m. (mot esp.). Danse espagnole à trois temps, assez vive, accompagnée par la guitare et les castagnettes et entremêlée de chants.

FANE [fan] n. f. (de *faner*). Feuille de certaines plantes herbacées : *Enlever les fanes des carottes.*

1. FANER [fane] v. t. (de l'anc. fr. *fener*, couper le foin). Retourner plusieurs fois l'herbe fauchée d'un pré, pour la faire sécher. ◆ **fanage** n. m. Action de faner. (Il consiste à étaler l'herbe pour la soumettre à la chaleur solaire, à la retourner, puis à la mettre en tas dès qu'elle a perdu la plus grande partie de son eau.) ◆ **faneur, euse** n. ◆ **faneuse** n. f. Machine qui sert pour le fanage.

2. FANER (SE) [səfane] v. pr. (de *faner* 1) [sujet nom de plante, de chose ou de personne]. Perdre sa fraîcheur : *Les fleurs se sont fanées dans le vase.* ◆ **fané, e** adj. : *Tapisserie fanée* (syn. DÉFRAÎCHI, PASSÉ). *Teint fané* (contr. ÉCLATANT).

Fanfan la Tulipe, héros légendaire d'une chanson populaire, type du soldat français qui aime les femmes et le vin autant que la gloire, et qui est toujours prêt à défendre les causes qu'il trouve justes.

FANFARE [fɑ̃far] n. f. (onomat.). **1.** Orchestre composé d'instruments de cuivre. — **2.** Musique militaire à base d'instruments de cuivre.

FANFARON, ONNE [fɑ̃farɔ̃, -ɔn] n. et adj. (esp. *fanfarron*). Se dit d'une personne (ou de son attitude) qui vante son courage, ses exploits, ses mérites, etc. : *Faire le fanfaron* (syn. CRÂNEUR, VANTARD). ◆ **fanfaronnade** n. f. : *Ses menaces ne sont que des fanfaronnades* (syn. FORFANTERIE, VANTARDISE). ◆ **fanfaronner** v. i. Faire le fanfaron.

FANFRELUCHE [fɑ̃frəlyʃ] n. f. (de l'anc. fr. *fanfelue*, bagatelle). Ornement de la toilette féminine (ruban, broderie, dentelle, etc.).

FANGE [fɑ̃ʒ] n. f. (germ. *fanga*). **1.** Boue presque liquide, qui salit (littér.). — **2.** *Se vautrer dans la fange*, se complaire dans une vie ignominieuse ou immonde. ‖ *Couvrir qq'un de fange*, l'injurier bassement. ◆ **fangeux, euse** adj. (littér.) : *Une eau fangeuse.*

FANGIO (Juan Manuel), pilote argentin de courses d'automobiles (né en 1911). Il fut cinq fois champion du monde des conducteurs.

FANION [fanjɔ̃] n. m. (de *fanon*). Petit drapeau employé à divers usages, et notamment comme insigne particulier d'une unité militaire.

1. FANON [fanɔ̃] n. m. (frq. *fano*, morceau d'étoffe). Lame de corne atteignant 2 m de long, effilochée sur son bord interne et fixée à la mâchoire supérieure de la baleine qui en possède plusieurs centaines : *Les fanons retiennent le plancton.*

2. FANON [fanɔ̃] n. m. (même étym.). Repli de peau qui pend sous le cou de certains mammifères : *Le fanon d'un bœuf.*

FANTAISIE [fɑ̃tezi] n. f. (gr. *phantasia*, apparition). **1.** Qualité d'une personne (ou de ses actions) qui invente librement, sans contrainte, ou qui agit de manière imprévisible : *Donner libre cours, se laisser aller à sa fantaisie* (= créer, agir de manière originale). *Un livre plein de fantaisie* (= où l'auteur fait preuve d'une imagination plaisante). *Il n'a aucune fantaisie* (= il manque d'originalité, sa vie est trop régulière). — **2.** Goût particulier à quelqu'un : *Agir selon sa fantaisie* (= comme on veut, à sa guise). — **3.** Goût passager, capricieux pour quelque chose : *Son père lui passe toutes ses fantaisies* (syn. CAPRICE, LUBIE). — **4.** Pièce de musique instrumentale, de forme très libre. — LOC. ADV. *De fantaisie*, se dit d'une chose où l'imagination joue le premier rôle : *Une œuvre de fantaisie;* se dit d'une chose inventée de toutes pièces : *Il a pris un nom de fantaisie;* se dit de certains objets qui ne sont pas faits suivant les règles habituelles : *Un uniforme de fantaisie.* ◆ **fantaisiste** adj. et n. **1.** Se dit d'une personne qui n'agit qu'à sa guise, sans accepter de règle : *Un étudiant fantaisiste, qui assiste à quelques cours* (syn. DILETTANTE). — **2.** Se dit d'une personne à qui on ne peut se fier, ou d'une chose qui manque complètement de sérieux : *Un médecin fantaisiste* (syn. CHARLATAN). *Une étymologie fantaisiste* (syn. INVENTÉ). ◆ n. m. Artiste de cabaret qui chante ou raconte des histoires.

FANTASIA [fɑ̃tazja] n. f. (orig. obscure). Divertissement équestre exécuté dans les fêtes arabes par des cavaliers. ‖ Pl. des *fantasias.*

FANTASMAGORIQUE [fɑ̃tasmagɔrik] adj. (du gr. *phantasma*, fantôme, et *allégorie*). Se dit d'une chose qui semble surnaturelle et dont les effets surprennent extrêmement : *Un décor fantasmagorique* (syn. EXTRAORDINAIRE, FANTASTIQUE). ◆ **fantasmagorie** n. f. Effets troublants, visions fantastiques, produits artificiellement sur une scène ou décrits dans un livre.

FANTASME [fɑ̃tasm] n. m. (gr. *phantasma*, fantôme). Image qui fait partie d'un rêve ou d'une hallucination. (On écrit parfois PHANTASME.)

FANTASQUE [fɑ̃task] adj. (abrév. et altér. de *fantastique*). Se dit d'une personne sujette à des caprices, ou d'une chose bizarre, imprévue.

FANTASSIN [fɑ̃tasɛ̃] n. m. (it. *fantaccino*). Militaire de l'infanterie.

FANTASTIQUE [fɑ̃tastik] adj. (gr. *phantastikos*, qui concerne l'imagination). **1.** Se dit d'êtres ou d'objets créés par l'imagination, et qui sont bizarres : *La licorne est un animal fantastique. La lune donnait aux objets un aspect fantastique* (syn. EXTRAORDINAIRE, FÉERIQUE, SURNATUREL). ‖ *Contes fantastiques*, contes où l'on introduit des fantômes, des êtres irréels. — **2.** *Fam.* Se dit d'une chose inhabituelle par sa taille, sa beauté, son prix, etc. : *Un luxe fantastique* (syn. EXTRAVAGANT, INCROYABLE). ◆ n. m. Ce qui n'existe que dans l'imagination; le genre fantastique. ⟶ ENCYCL.
— ENCYCL. Le *fantastique* se distingue du merveilleux* des contes de fées, des romans du Moyen Âge (où l'enchantement, la magie sont de règle) en ce qu'il apparaît, dans un monde soumis à la technique, comme l'intrusion de l'imaginaire, du mystère, de l'horreur dans toutes les fissures de la pensée scientifique. La littérature (Edgar Poe, Hoffmann, Nodier, etc.), le cinéma (Fritz Lang, Hitchcock, Polanski, etc.) ont illustré ce genre où le lecteur ou le spectateur se trouve confronté à des êtres (la Mort, le démon, les fantômes, les vampires [Dracula], les monstres [Frankenstein]) ou des phénomènes sortant de l'ordinaire, généralement maléfiques, mais insérés dans le cadre de la vie réelle. Le fantastique naît de cette inquiétude et de cette dissociation qui heurte la raison : ces êtres ou ces phénomènes insolites existent-ils réellement ou seulement dans l'imagination? Aujourd'hui, les romans d'anticipation scientifique (ou science*-fiction) sont une forme de fantastique.

FANTIN-LATOUR (Henri), peintre et lithographe français (1836-1904). Il rénova le portrait collectif.

FANTOCHE [fɑ̃tɔʃ] adj. et n. m. (it. *fantoccio*, marionnette). Personne sans caractère, qui se laisse diriger par d'autres (syn. MARIONNETTE, PANTIN). ◆ adj. Se dit de ce qui ne mérite pas d'être pris au sérieux : *Un gouvernement fantoche.*

FANTÔME [fɑ̃tom] n. m. (du gr. *phantasma*). Image d'une personne morte ou absente que l'on croit voir par hallucination : *Croire aux fantômes* (syn. REVENANT, SPECTRE). ◆ adj. **1.** Se dit de choses qui n'existent pas, mais qui pourraient exister, ou dont on la sensation illusoire qu'elles existent : *Les amputés ont le senti ment d'un membre fantôme.* — **2.** Se dit de choses qui n'existen qu'en apparence : *Un ministère fantôme.* ◆ **fantomatique** adj. *Un éclairage fantomatique* (= qui crée un climat de mystère, d surnaturel).

FAON [fɑ̃] n. m. (du lat. *feto*, petit d'animal). Petit des animau du genre cerf.

FARAD [farad] n. m. (de *Faraday*). *Phys.* Unité de capacit (symb. : F) utilisée pour les condensateurs électriques. ◆ **microfarad** n. m. Millionième du farad (symb. : μF).

FARADAY (Michael), physicien et chimiste anglais (1791-1867) Il mit en évidence l'induction* électromagnétique (1831), énonç les lois de l'électrolyse (1833), étudia l'électrostatique, et liquéfi de nombreux gaz.

FARAMINEUX, EUSE [faraminø, -øz] adj. (de [*bête*] *faramine*, n. d'un animal fabuleux de l'ouest et du centre de la France) *Fam.* Se dit de choses étonnantes, extraordinaires : *Prix faramineux* (syn. ASTRONOMIQUE, FANTASTIQUE).

FARANDOLE [farɑ̃dɔl] n. f. (prov. *farandoulo*). Danse proven çale dans laquelle les danseurs se tiennent par la main, sur un longue file.

FARAUD, E [faro, -od] adj. et n. (esp. *faraute*). *Fam.* Se di d'une personne prétentieuse, ou qui se vante d'exploits : *Faire l faraud* (= faire l'avantageux).

1. FARCE [fars] n. f. (du lat. *farcire*, remplir). Viandes hachée et épicées, ou hachis d'herbes cuites, qu'on met à l'intérieur d'un volaille, d'un poisson, d'un légume. ◆ **farcir** v. t. **1.** Garnir d farce une volaille, un poisson. — **2.** Remplir excessivemen quelque chose : *Farcir un texte de citations* (syn. BOURRER, TRUFFER). ◆ **farci, e** adj. Se dit d'un mets préparé avec une farce *Tomates farcies.*

2. FARCE [fars] n. f. (de *farce* 1). **1.** Petite pièce de théâtr dont les effets comiques sont grossis et simplifiés : *Molière a écr quelques farces.* — **2.** *Être le dindon de la farce*, être complètemen dupé.

3. FARCE [fars] n. f. (de *farce* 2). Bon tour qu'on joue à que qu'on pour se divertir : *Faire une farce* (syn. BLAGUE, NICHE ◆ **farceur, euse** n. et adj. **1.** Personne qui aime à jouer de tours : *C'est un farceur qui vous a caché votre livre* (syn. MAUVAI PLAISANT). — **2.** Personne qui raconte des histoires drôles o qu'on ne prend jamais au sérieux; se dit aussi de son comporte ment (syn. BLAGUEUR, PLAISANTIN).

FARD [far] n. m. (du frq. *farwidhon*, teindre). Composition d différentes couleurs, qu'on applique sur la peau pour en rehausse l'éclat ou en masquer les défauts : *Les acteurs mettent du far* ◆ **farder** v. t. **1.** *Farder qq'un*, lui mettre du fard : *Farder le visag d'un acteur.* — **2.** *Farder la vérité*, cacher ce qui peut déplair (syn. littér. DÉGUISER, TRAVESTIR). ◆ **se farder** v. pr. : *Elle s farde discrètement* (syn. SE MAQUILLER).

FARDEAU [fardo] n. m. (ar. *farda*). **1.** Chose qui pèse lourd ment et qu'il faut transporter : *Porter un fardeau sur ses épaule* — **2.** Chose difficile ou pénible à supporter : *Le fardeau des impô* (syn. CHARGE, POIDS).

FARDER v. t., **SE FARDER** v. pr. ⟶ FARD.

FARÉBERSVILLER, comm. de la Moselle, à 10 km au S. d Forbach; 7 100 hab.

FARFADET [farfadɛ] n. m. (mot prov.). Petit personnage imag naire des contes populaires, plus taquin que méchant (syn. LUTIN)

FARFELU, E [farfəly] adj. et n. (orig. incert.). Se dit d'un personne (ou de son comportement) à l'esprit bizarre : *Des idée farfelues* (syn. FANTASQUE, LOUFOQUE).

FARFOUILLER [farfuje] v. i. (de *fouiller*). *Fam.* et *péjo* Fouiller maladroitement, en mettant tout sens dessus dessous ◆ **farfouillage** n. m.

FARIBOLE [faribɔl] n. f. (mot dial.). *Fam.* Propos sans valeu qu'on ne saurait prendre au sérieux (syn. fam. BALIVERNE).

FARINE [farin] n. f. (lat. *farina*). Poudre que l'on obtient e écrasant le grain des céréales, notamment du blé, et de quelque autres espèces végétales. ◆ **farineux, euse** adj. Se dit de ce taines choses qui ont l'aspect, le goût de la farine : *Une sauc farineuse.* ◆ n. m. pl. Plante alimentaire pouvant fournir un farine : *Les haricots sont des farineux.* ◆ **enfariné, e** adj. Couver de farine : *Un meunier tout enfariné.*

FARMAN (Henri), aviateur français (1874-1958). En 1908 il réus sit en avion le premier vol de ville à ville entre Bouy et Reims.

créa l'une des premières compagnies de navigation aérienne ouvertes aux passagers (1919).

FARNBOROUGH, v. de Grande-Bretagne (Hampshire), au S.-O. de Londres; 31 400 hab. Exposition aéronautique annuelle. Dans l'église, tombeaux de Napoléon III, de l'impératrice Eugénie et du prince impérial.

FARNÈSE, grande famille romaine, qui compta notamment parmi ses membres le pape Paul III et ALEXANDRE* FARNÈSE.

FARNIENTE [farnjɛ̃t] ou [farnjɛnte] n. m. (mots it. signif. *ne rien faire*). *Fam.* Douce oisiveté.

FAROUCHE [faruʃ] adj. (du lat. *forasticus*, de dehors). **1.** Se dit d'un animal qui fuit quand on l'approche. — **2.** Se dit d'une personne qui fuit les contacts sociaux, ou dont l'abord est difficile : *Un enfant farouche* (syn. SAUVAGE). — **3.** Se dit de sentiments violents, d'attitudes ou de comportements qui expriment la violence, l'hostilité, l'orgueil, etc. : *Une haine farouche* (syn. SAUVAGE). *Une volonté farouche* (syn. TENACE). — **4.** (après le nom) Se dit de régions d'aspect sauvage (littér.) : *Une contrée farouche.*

FAROUK (1920-1965), roi d'Égypte (1936-1952). Il fut détrôné par un coup d'État militaire.

FART [fart] n. m. (mot scand.). Corps gras dont on enduit les semelles de ski pour les rendre plus glissantes. ◆ **farter** v. t. : *Farter ses skis.*

FAR WEST *(Ouest lointain)*, nom donné par les Américains, surtout dans la seconde moitié du XIXe s., aux plaines qui s'étendent à l'O. du Mississippi. Au XVIIIe s., le Far West représentait pour les colons britanniques d'Amérique du Nord l'ensemble des territoires situés seulement à l'O. des Appalaches. Sa conquête débuta, dès la fin du XVIIIe s., avec la transformation en États des deux territoires du Kentucky (1792) et du Tennessee (1796). Au fur et à mesure que la conquête progressait, le Far West reculait vers l'O., au-delà de la ligne mouvante du front pionnier, c'est-à-dire de la « frontière ». À la fin du XIXe s., sa conquête était achevée.

On appelle *films de Far West* les œuvres cinématographiques de mouvement et d'action ayant pour cadre les grandes étendues désertiques de l'Ouest américain et relatant les aventures des pionniers dans leur pénétration vers l'océan Pacifique.

FASCICULE [fasikyl] n. m. (lat. *fasciculus*, petit paquet). Cahier ou groupe de cahiers d'un ouvrage publié par fragments.

FASCICULÉ, E [fasikyle] adj. (du lat. *fasciculus*). Bot. *Racines fasciculées*, ensemble des racines *(graminées)* formant un faisceau très étalé où l'on ne peut distinguer l'axe principal, ou pivot.

FASCINANT, E adj., **FASCINATION** n. f. ⟶ FASCINER.

FASCINE [fasin] n. f. (lat. *fascina*, fagot). Fagot de branchages liés, employé pour empêcher l'érosion des rives d'un cours d'eau ou l'éboulement des terres d'une tranchée, d'une excavation, etc.

FASCINER [fasine] v. t. (du lat. *fascinum*, charme). **1.** Attirer irrésistiblement les regards, l'attention par la beauté, un charme étrange (littér.) [souvent au passif] : *Il est fasciné par le spectacle* (syn. CAPTIVER). *Il fascinait l'auditoire par sa personnalité* (syn. ÉBLOUIR). — **2.** Priver de réaction défensive : *Serpent qui fascine sa proie* (syn. HYPNOTISER). ◆ **fascinant, e** adj. Se dit des yeux, d'une personne, d'un souvenir qui exercent un charme puissant : *Avoir un regard fascinant* (syn. ENSORCELANT, ENVOÛTANT). ◆ **fascination** n. f. (surtout avec exercer) : *Exercer sur l'auditoire une fascination extraordinaire* (syn. ENVOÛTEMENT).

FASCISME [faʃism] ou [fasism] n. m. (it. *fascismo*). **1.** Régime établi en Italie, par Mussolini, de 1922 à 1945, fondé sur la dictature d'un parti unique, l'exaltation patriotique et le corporatisme. ⟶ ENCYCL. — **2.** Doctrine visant à substituer un régime autoritaire et nationaliste à un régime démocratique. ⟶ ENCYCL. ◆ **fasciste** n. et adj. ◆ **fascisant, e** adj. et n. Se dit d'une personne ou d'une chose qui tend au fascisme ou qui le prépare.

— ENCYCL. Benito Mussolini* créa l'organisation des Faisceaux en 1919 et lui donna d'abord un programme républicain, démocratique et socialiste. Mais bientôt le *fascisme* évolua en bénéficiant de l'appui des banquiers, des industriels et des grands propriétaires, et d'une partie de la petite bourgeoisie. Avec ses troupes de choc, les Chemises noires, Mussolini se mit à pratiquer une politique terroriste et organisa des « expéditions punitives » contre la gauche.

Les fascistes parvinrent au pouvoir à l'issue de la marche sur Rome (31 octobre 1922). Le Duce (= « le Guide », surnom de Mussolini) imposa une dictature absolue à partir de 1925. Ce régime totalitaire s'appuyait sur un parti unique et fut l'ennemi déterminé du communisme. Sa politique économique visait à l'autarcie (= se suffire à lui-même pour un État). À l'intérieur, il entreprit la mise en valeur (ou « bonification ») des marais Pontins et la réalisation de grands travaux publics (création des premières autoroutes du monde, embellissement de Rome). En politique étrangère, le fascisme, considérant l'Italie comme l'héritière de l'Empire romain, rechercha l'expansion outre-mer (en Libye, en Éthiopie). Au début de la Seconde Guerre mondiale, le Duce intervint aux côtés de Hitler; mais la guerre accrut l'impopularité du régime, et la défaite de l'Allemagne entraîna définitivement sa chute.

Hitler et la plupart des dictateurs d'entre les deux guerres mondiales se sont inspirés de l'idéologie sommaire du fascisme (exaltation de la violence, divinisation du chef, etc.). Le terme, qui désignait d'abord uniquement un régime politique bien défini en Italie, a été étendu à toutes les tendances politiques et idéologiques où l'on retrouve les traits dominants du fascisme (= racisme, totalitarisme, impérialisme*, recours à la terreur et à la suppression des libertés démocratiques, mépris de la personne humaine...).

1. FASTE [fast] n. m. (lat. *fastus*, orgueil). Déploiement de magnificence, de luxe : *Le faste d'une cérémonie* (syn. APPARAT, LUXE, POMPE). ◆ **fastueux, euse** [fastɥø, -øz] adj. Se dit d'une chose qui accuse un caractère de luxe, plus rarement d'une personne qui vit dans le faste : *Un dîner très fastueux* (syn. SOMPTUEUX; contr. MODESTE).

2. FASTE [fast] adj. (lat. *fastus;* de *fas*, ce qui est permis). **1.** *Antiq. rom.* Jours où il était permis de rendre la justice et de se livrer à certains actes publics ou privés : *Les jours fastes et les jours néfastes.* — **2.** Auj. *Jour faste*, jour où la chance favorise quelqu'un (contr. NÉFASTE).

FASTIDIEUX, EUSE [fastidjø, -øz] adj. (lat. *fastidiosus*, dégoûté). Se dit de ce qui inspire l'ennui, le dégoût : *Une lecture fastidieuse* (syn. ENNUYEUX, INSIPIDE). *Travail fastidieux* (syn. MONOTONE).

FASTUEUX, EUSE adj. ⟶ FASTE 1.

FAT [fa(t)] adj. et n. m. (mot prov. signif. *sot*). Qui est vaniteux et satisfait de lui-même (littér.) [syn. POSEUR, VANITEUX; contr. MODESTE, RÉSERVÉ]. ◆ **fatuité** n. f. : *Être plein de fatuité* (syn. PRÉTENTION, VANITÉ). *Un air de fatuité* (syn. CONTENTEMENT DE SOI, INFATUATION [littér.]). ◆ **infatuer (s')** [sɛ̃fatɥe] v. pr. ou **être infatué** v. passif. *S'infatuer de soi-même, de ses mérites*, en avoir une opinion très avantageuse : *Il est très infatué de sa petite personne* (syn. ÊTRE FIER). ◆ **infatuation** n. f. (littér.) : *Une insupportable infatuation* (syn. PRÉTENTION, SUFFISANCE, VANITÉ).

1. FATAL, E, ALS [fatal] adj. (lat. *fatalis*, fixé par le destin). Se dit d'une chose qui est comme fixée d'avance, qu'on ne peut éviter, qui doit immanquablement arriver : *Au point où ils en étaient arrivés, la guerre entre eux était fatale* (syn. INÉVITABLE; contr. ALÉATOIRE). ◆ **fatalement** adv. Nécessairement, suivant une logique sans faille : *Cela devait fatalement arriver* (syn. FORCÉMENT, INÉVITABLEMENT, OBLIGATOIREMENT). ◆ **fatalisme** n. m. Doctrine selon laquelle les événements de la vie humaine sont irrévocablement fixés à l'avance par une cause surnaturelle. ◆ **fataliste** adj. et n. ◆ **fatalité** n. f. Puissance obscure qui, selon certaines doctrines, règle d'avance et d'une façon irrévocable le cours des événements.

2. FATAL, E, ALS [fatal] adj. (même étym.). **1.** Se dit d'une chose qui est une cause de malheur pour quelqu'un, qui entraîne sa ruine, sa mort : *Porter à qq'un un coup fatal* (syn. MORTEL). *Une erreur fatale* (= qui a des conséquences très graves). *Maladie qui a une issue fatale* (= qui aboutit à la mort). — **2.** *Fatal à* ou *pour qq'un* ou *pour qqch.*, se dit d'une chose qui a des conséquences désagréables, pénibles, etc., pour cette personne ou pour cette chose : *Des excès fatals à la santé* (syn. NUISIBLE). — **3.** *Femme fatale*, femme qui semble envoyée par le destin pour perdre ceux qui en sont épris. ◆ **fatalisme** n. m. Attitude de quelqu'un qui accepte ou est prêt à accepter tous les malheurs sans réagir (syn. PASSIVITÉ, RÉSIGNATION). ◆ **fataliste** adj. et n. (syn. ↓RÉSIGNÉ). ◆ **fatalité** n. f. Suite de coïncidences inexplicables, cause de malheurs continuels : *Il est poursuivi par la fatalité* (syn. DESTIN, ↓MALHEUR).

FATIDIQUE [fatidik] adj. (du lat. *fatum*, destin). Dont l'arrivée est prévue et inéluctable : *Le jour fatidique, le candidat se présenta à l'examen* (syn. FATAL).

FATIGUE [fatig] n. f. (du lat. *fatigare*). **1.** Chez un être vivant, diminution des forces de l'organisme, provoquée par un excès de travail et se traduisant par une sensation de malaise : *Être mort de fatigue* (= être complètement épuisé). *La fatigue intellectuelle* (syn. ↑SURMENAGE). *Épargner à qq'un une fatigue* (= un travail pénible, une cause de fatigue). — **2.** *Fatigue d'un matériau*, déformation d'un matériau qui a été soumis à des efforts répétés ou alternés. ◆ **infatigable** adj. (avant ou plus souvent après le nom). Se dit d'un être animé (ou de son comportement) qui n'éprouve ou ne paraît pas éprouver la fatigue à la suite d'un travail, d'un effort prolongé : *C'est un marcheur infatigable* (syn. RÉSISTANT, ROBUSTE). *Une patience infatigable* (syn. INLASSABLE). ◆ **infatigablement** adv. ◆ **fatiguer** v. t. **1.** *Fatiguer qq'un, un animal*, lui faire éprouver une fatigue physique ou intellectuelle : *Cette marche l'a fatigué* (syn. ÉPUISER, ↑EXTÉNUER). — **2.** *Fatiguer qq'un*, l'ennuyer, l'importuner : *Il la fatiguait de ses questions* (syn. ÉNERVER, ↑EXASPÉRER). — **3.** *Fatiguer une chose*, l'affaiblir en la soumettant à des efforts trop grands, à un trop long usage : *Fatiguer une terre, un champ* (= l'exploiter excessivement, au point de diminuer sa fertilité et son rendement). ◆ v. i. **1.** (sujet nom de personne) Donner des signes de fatigue. — **2.** (sujet nom de chose) Supporter un effort important : *Le moteur fatigue à la montée* (syn. PEINER). ◆ ***se fatiguer*** v. pr. **1.** Éprouver ou se donner de la fatigue : *Il n'aime pas se fatiguer* (syn. SE REMUER, TRAVAILLER). — **2.** *Se fatiguer de qqch., de qq'un*, en avoir assez, en être importuné : *Une mode dont on se fatigue vite* (syn. SE LASSER). ◆ **fatigant, e** adj. : *Une marche fatigante* (syn. ÉPUISANT, ↑EXTÉNUANT, ↑HARASSANT). *Une personne fatigante par ses bavardages.* (*Rem.* Ne pas confondre l'adj. avec le part. prés. de *fatiguer*, FATIGUANT.) ◆ **fatigué, e** adj. **1.** Qui laisse voir la fatigue : *Visage fatigué.* — **2.** Fam. *Vêtements fatigués*, défraîchis, usés.

FATIMA, v. du Portugal, en Estrémadure. En 1917 trois jeunes bergers déclarèrent avoir été les témoins de six apparitions de la Vierge et de phénomènes surnaturels : la ville est devenue un lieu de pèlerinage très fréquenté.

FĀṬIMA, fille du prophète Mahomet et de Khadīdja (m. en 633). Elle épousa 'Alī, cousin du Prophète.

FĀṬIMIDES, dynastie musulmane qui régna en Afrique du Nord au Xᵉ s., puis en Égypte de 969 à 1171.

- *920. Le fondateur de la dynastie, descendant d''Alī et de Fāṭima, se fait proclamer calife à Kairouan.*

Sous ses successeurs, le domaine fāṭimide s'étend au Maroc.

- *969. Le calife conquiert l'Égypte, qui devient le centre de l'empire.*
- *973. Le calife s'installe au Caire, nouvelle capitale fondée par les Fāṭimides.*

Sa domination s'étend alors sur l'Afrique du Nord, l'Égypte, la Palestine, la Syrie. L'empire fāṭimide se disloque rapidement sous l'influence, notamment, des Turcs Seldjoukides et des croisés.

- *1171. La dynastie des Fāṭimides est remplacée par celle des Ayyūbides dont le fondateur est Saladin*.*

Les Fāṭimides, grands constructeurs, ont laissé leur nom à l'une des plus brillantes périodes de l'art musulman.

FATRAS [fatra] n. m. (du lat. *farsura*, action de bourrer). *Péjor.* Se dit d'un amas confus de choses, d'idées : *Un fatras de papiers* (syn. ENTASSEMENT, MONCEAU).

FATUITÉ n. f. ⟶ FAT.

FAUBOURG [fobur] n. m. (de l'anc. fr. *fors*, et *bourg*, ce qui est en dehors du bourg). **1.** Partie d'une ville située à la périphérie, et souvent moins élégante que la ville proprement dite. — **2.** Nom conservé par certains quartiers, à Paris notamment : *Le faubourg Saint-Honoré.* ◆ **faubourien, enne** adj. Péjor. : *Accent faubourien, allure faubourienne* (= de caractère populaire très marqué).

FAUCARD [fokar] n. m. (de *faucher*). Faux à long manche, pour couper les herbes des rivières et des étangs. ◆ **faucardage** ou **faucardement** n. m. Action de faucarder. ◆ **faucarder** v. t. Couper avec le faucard.

FAUCHAGE n. m. ⟶ FAUCHER 1.

FAUCHÉ, E [foʃe] adj. et n. (de *faucher*). *Fam.* Se dit d'une personne qui n'a plus d'argent.

1. FAUCHER [foʃe] v. t. (du lat. *falx, falcis*, faux). **1.** Couper avec une faux, une faucheuse : *Faucher l'herbe, les blés.* — **2.** Abattre, jeter bas : *La grêle a fauché les blés* (syn. COUCHER). *Un tir en rafale qui fauche les assaillants.* ◆ **faucheur, euse** n. Personne qui fauche (sens 1). ◆ **faucheuse** n. f. Machine qui sert à faucher. ◆ **fauchage** n. m.

2. FAUCHER [foʃe] v. t. (de *faucher* 1). *Fam.* S'emparer de quelque chose appartenant à autrui.

FAUCHEUX [foʃø] n. m. (forme dial. de *faucheur*). Arthropode voisin des araignées, à longues pattes fragiles, très commun dans les champs et les bois.

FAUCIGNY, région des Préalpes françaises du Nord, entre le Chablais et les Bornes, drainée par l'Arve et le Giffre.

FAUCILLE [fosij] n. f. (lat. *falcicula*). Instrument pour couper les herbes, formé d'une lame d'acier courbée en demi-cercle et montée sur un manche.

FAUCILLE *(col de la)*, col du Jura, au N. de Gex; 1 323 m. Station de sports d'hiver.

FAUCON [fokɔ̃] n. m. (lat. *falco*). Oiseau rapace diurne dont certaines espèces, à ailes longues et pointues, à queue allongée, sont remarquables par leur vol plongeant, d'une rapidité extrême, qui leur permet de capturer leurs proies. (Les faucons étaien autref. élevés et dressés pour la chasse.) ◆ **fauconnerie** n. f. Ar de dresser les oiseaux de proie destinés à la chasse. ◆ **fauconnier** n. m. Celui qui dresse les oiseaux de proie pour la chasse.

1. FAUFILER [fofile] v. t. (de l'anc. fr. *fourfiler*, mettre du fil à l'extérieur). Coudre provisoirement à grands points un tissu, avant de coudre définitivement. ◆ **faufil** n. m. Fil passé en faufilant (syn. BÂTI). ◆ **défaufiler** v. t. Enlever les fils d'un vêtement faufilé : *Défaufiler un ourlet.* ◆ **défaufilage** n. m.

2. FAUFILER (SE) [səfofile] v. pr. (de *faufiler* 1). Se glisser adroitement quelque part : *Se faufiler dans une réunion* (syn S'IMMISCER, S'INTRODUIRE).

FAULKNER (William FALKNER, dit **William**), écrivain américain (1897-1962). Issu d'une vieille famille du Sud, il eut une enfance imprégnée des souvenirs de la guerre de Sécession. Il s'efforce dans ses romans, d'analyser l'angoisse du siècle, exprimant dans ses récits son pessimisme fondamental, que souligne son goût du macabre et de l'horrible, et qui fait de la fatalité le personnage essentiel de son univers tragique (*le Bruit et la fureur*, 1929 *Sanctuaire*, 1931; *Requiem pour une nonne*, 1951).

FAULQUEMONT, ch.-l. de cant. de la Moselle, à 13 km au S.-O. de Saint-Avold; 5 900 hab.

1. FAUNE [fon] n. m. (lat. *faunus*). Nom donné à des divinités champêtres chez les Latins. (Créés à l'image de Pan, les faunes avaient un corps velu, de longues oreilles, des cornes et des pieds de chèvre.)

2. FAUNE [fon] n. f. (même étym.). **1.** Ensemble des animaux vivant dans une région donnée : *La faune alpestre* (= les animaux des Alpes). — **2.** *Péjor.* Personnes qu'on rencontre dans tel ou tel milieu : *La faune de Saint-Germain-des-Prés, à Paris.*

FAURE (Félix), homme politique français (1841-1899). Candidat de la droite et des modérés à la présidence de la République, il fut élu en 1895. Sa présidence fut marquée par le renforcement de l'alliance franco-russe, la conquête de Madagascar, l'incident de Fachoda et l'affaire Dreyfus.

FAURE (Élie), historien d'art français (1873-1937). On lui doit une *Histoire de l'art* (1909-1921), qui n'étudie plus l'œuvre d'art en soi mais la replace dans le courant des civilisations qui l'ont vue naître.

FAURÉ (Gabriel), compositeur français (1845-1924), l'un des plus grands maîtres de la mélodie française et de la musique de chambre. Il donne à sa musique un charme pénétrant, une élégance souveraine, et utilise des harmonies subtiles. On lui doit de nombreuses pièces pour piano, un *Requiem* (1888). *Prométhée* (1900), l'opéra *Pénélope* (1913). Il fut directeur du Conservatoire.

FAUSSAIRE n. m. ⟶ FAUX 2.

FAUSSEMENT adv. ⟶ FAUX 3, 4 et 5.

1. FAUSSER v. t. ⟶ FAUX 4.

2. FAUSSER [fose] v. t. (lat. *falsare*). *Fausser un objet*, le déformer de telle sorte qu'il ne revienne pas à son état naturel *Fausser une clé* (syn. TORDRE).

FAUSSET [fosɛ] n. m. (de *faux*). *Voix de fausset*, voix d'homme très aiguë.

FAUSSETÉ n. f. ⟶ FAUX 2, 3, 4 et 5.

Faust, héros de nombreuses œuvres littéraires, qui ont à leur tour inspiré des musiciens et des peintres. Dans la première version du thème, le magicien Faust vend son âme au démon Méphistophélès en échange des biens terrestres. Goethe s'inspira de cette légende dans la plus importante de ses œuvres. Du drame de Goethe (achevé en 1832) ont été tirés plusieurs opéras, notamment *la Damnation de Faust*, de Berlioz, *Faust*, opéra de Michel Carré et Jules Barbier, musique de Gounod (1859), et une *Faust Symphonie* en trois parties, de Liszt (1854).

1. FAUTE [fot] n. f. (bas lat. *fallita*, manque). **1.** Manquement à une règle morale, mauvaise action : *Se repentir de ses fautes* (syn PÉCHÉ). *Un enfant pris en faute.* — **2.** Manquement à une règle professionnelle, à un règlement : *Une faute de conduite.* ◆ **faute** v. i. ◆ **fautif, ive** adj. : *Pénaliser un conducteur fautif* (= en faute)

2. FAUTE [fot] n. f. (même étym.). **1.** Manquement aux règle d'une science, d'un art, d'une technique : *Une faute d'orthographe Une faute de frappe* (= erreur commise par une personne qui tap un texte à la machine). — **2.** Responsabilité d'une personne dan un acte coupable, un manquement à une règle, etc. : *Par sa faute nous sommes arrivés en retard* (= c'est lui qui est responsable — **3.** *C'est sa faute* (ou *de sa faute*), il est cause, par sa conduite que : *C'est sa faute s'il est tombé.* ‖ *Faute de goût*, choix, jugement comportement contraires au bon goût. ◆ **fautif, ive** adj. et n. **1.** S dit d'une personne qui est coupable : *C'est lui le fautif dans cett* *histoire* (syn. RESPONSABLE). — **2.** Se dit d'une chose qui contient un grand nombre d'erreurs : *Liste fautive.*

3. FAUTE [fot] n. f. (même étym.). *Faire faute*, manquer (syn. FAIRE DÉFAUT). — LOC. PRÉP. *Faute de*, à cause du manque de quelque chose ou de quelqu'un : *Faute d'argent, il a renoncé à ce voyage.* — LOC. ADV. *Sans faute*, à coup sûr.

FAUTER v. i. → FAUTE 1.

FAUTEUIL [fotœj] n. m. (frq. *faldistôl*). **1.** Siège à bras et à dossier. — **2.** Place d'académicien : *Briguer un fauteuil à l'Académie.*

FAUTEUR [fotœr] n. m. (lat. *fautor*, qui favorise). *Un fauteur de troubles*, celui qui provoque des troubles.

FAUTIF, IVE adj. et n. → FAUTE 1 et 2.

1. FAUVE [fov] n. m. (germ. *falwa*). Animal sauvage de grande taille, comme le lion, le tigre (se dit généralement des félins). ◆ adj. *Bêtes fauves*, bêtes sauvages, féroces. ◆ **fauverie** n. f. Endroit d'une ménagerie où se trouvent les fauves.

2. FAUVE [fov] adj. inv. (même étym.). Se dit d'une couleur qui tire sur le roux. ◆ n. m. Couleur fauve.

3. FAUVE adj. et n. → FAUVISME.

FAUVETTE [fovɛt] n. f. (de *fauve*). Oiseau passereau au plumage fauve, au chant agréable, qui se nourrit d'insectes, et qui vit dans les buissons.

FAUVISME [fovism] n. m. (de *fauve* 1). Mouvement pictural français du début du XXe s. → ENCYCL. ◆ **fauve** adj. et n. Se dit des peintres qui appartinrent au fauvisme.
— ENCYCL. Le terme *fauvisme* provient d'une boutade : dans une salle du Salon d'automne de 1905, les tableaux regroupés de Vlaminck, Matisse, Derain, très colorés, contrastaient avec une petite sculpture du milieu de la salle; un critique d'art, s'adressant à Matisse, s'écria : « Donatello dans la cage aux fauves! » Cette exclamation fit que la salle devint la « cage » et ses occupants les « fauves ».

Les principaux animateurs de ce mouvement furent Maurice de Vlaminck et Henri Matisse. Il faut y ajouter les noms de Derain, Dufy, Braque, Marquet et Van Dongen.

Le fauvisme se caractérise par la simplification des formes et des perspectives (il ne s'agit pas de copier la nature, mais d'exprimer les sensations et émotions qu'elle fait naître chez le peintre) et l'emploi de couleurs pures et vives, telles qu'elles sortent du tube, avec une préférence pour le jaune acide et le rouge.

1. FAUX [fo] n. f. (lat. *falx, falcis*). Grande lame d'acier recourbée, fixée à un manche et dont on se sert pour faucher.

2. FAUX, FAUSSE [fo, fos] adj. (lat. *falsus*) [ordinairement avant le nom]. **1.** Se dit d'une chose qui n'est pas réellement ce qu'elle paraît être, qui n'est qu'une imitation : *Fausse monnaie* (= monnaie qui n'est pas produite par un organisme officiel) [syn. CONTREFAIT]. *De fausses perles* (syn. ARTIFICIEL; contr. AUTHENTIQUE, VÉRITABLE). — **2.** *Faire une fausse sortie*, se dit d'un acteur, ou généralement d'une personne, qui fait mine de sortir, mais finalement reste. — **3.** Se dit de ce qui désigne une partie du corps humain, sans que celle-ci lui appartienne naturellement : *Faux nez* (syn. POSTICHE; contr. NATUREL). — **4.** Se dit d'un sentiment qui n'est pas réellement éprouvé : *Fausse naïveté* (syn. FEINT, SIMULÉ; contr. SINCÈRE, VRAI). — **5.** Se dit d'une personne qui n'a pas vraiment la qualité exprimée par le nom : *Un faux prophète. Un faux ami* (syn. PRÉTENDU; contr. VÉRITABLE). ◆ n. m. **1.** Altération ou imitation d'un acte juridique, d'une pièce, d'une signature : *En signant à sa place, il a fait un faux.* — **2.** Œuvre qui n'est qu'une copie frauduleuse d'une œuvre d'art connue : *Ce tableau est un faux.* — **3.** *S'inscrire en faux contre une déclaration, une interprétation*, etc., en contester vigoureusement la vérité, l'exactitude. ◆ **faussaire** n. m. Personne qui fabrique un faux (sens 1 et 2 du n. m.) : *Un faussaire qui faisait des billets de banque.* ◆ **fausseté** n. f. (sens 4 de l'adj.) : *La fausseté d'un sentiment.*

3. FAUX, FAUSSE [fo, fos] adj. (même étym.) [placé souvent avant le nom]. Se dit de quelque chose qui est contraire à la vérité ou qui n'est pas justifié par les faits : *Avoir une idée fausse sur une question* (syn. ERRONÉ; contr. EXACT, JUSTE). *Une fausse nouvelle* (syn. INEXACT, MENSONGER; contr. AUTHENTIQUE). *Une fausse promesse* (syn. FALLACIEUX). *Un faux témoignage* (contr. VÉRIDIQUE). *Une fausse alerte* (= une alerte qui n'avait pas de raison d'être). *Un faux problème* (= un problème qui ne devrait pas se poser, qui n'existe pas si on examine bien les faits). — LOC. ADV. *À faux*, contrairement à la justice, à la vérité : *Accuser à faux qq'un* (= l'accuser à tort, porter contre lui des accusations injustifiées). ‖ *Porter à faux* → PORTER 2. ◆ **faussement** adv. : *Être accusé faussement. Croire faussement qqch.* ◆ **fausseté** n. f. : *La fausseté d'une idée, d'une nouvelle.*

4. FAUX, FAUSSE [fo, fos] adj. (même étym.). **1.** (avant ou après le nom) Se dit de ce qui n'est pas tel qu'il devrait être, qui est contraire à la norme : *Faux mouvement* (= mouvement inhabituel et parfois douloureux du corps). *Une voix fausse* (= voix qui manque de justesse) [contr. JUSTE]. *Piano faux* (= piano désaccordé) [contr. JUSTE]. *Un vers faux* (= un vers qui n'a pas le compte voulu de syllabes). ‖ *Fausse couche* → COUCHES. ‖ *Fausse note* → NOTE 4. ‖ *Faux pas* → PAS 1. ‖ *Faux pli* → PLIER 1. — **2.** (placé après le nom) Se dit de ce qui est contraire à la logique, à l'exactitude (nom abstrait) : *Une addition fausse* (contr. EXACT, JUSTE). *Raisonnement faux* (syn. ABSURDE, ILLOGIQUE; contr. CORRECT, JUSTE). ◆ adv. : *Chanter faux. Raisonner faux* (contr. JUSTE). ◆ n. m. : *Distinguer le vrai du faux.* ◆ **faussement** adv. : *Raisonner faussement.* ◆ **fausser** v. t. **1.** *Fausser qqch.*, en déformer la vérité, en altérer la logique : *Fausser un résultat* (syn. ALTÉRER, DÉNATURER). — **2.** *Fausser l'esprit de qq'un*, lui inculquer des façons de penser absurdes, illogiques. ◆ **fausseté** n. f. : *Fausseté d'une note. La fausseté d'un raisonnement.*

5. FAUX, FAUSSE [fo, fos] adj. (même étym.) [le plus souvent après le nom]. Se dit d'une personne (ou de son attitude) qui trompe, qui dissimule facilement ses sentiments, ses idées, etc. : *Un homme faux* (syn. HYPOCRITE, MENTEUR; contr. SINCÈRE). *Un regard faux* (syn. FOURBE; contr. FRANC, OUVERT). ‖ *Faux jeton* → JETON. ◆ **faussement** adv. : *Avoir un air faussement candide.* ◆ **fausseté** n. f. : *Accuser qq'un de fausseté* (syn. DUPLICITÉ, HYPOCRISIE; contr. FRANCHISE, LOYAUTÉ, SINCÉRITÉ).

FAUX-FUYANT [fofɥijɑ̃] n. m. (de l'anc. fr. *fors fuyant*, qui fuit dehors). Moyen détourné par lequel on évite de s'engager, de se décider : *Prendre des faux-fuyants* (syn. ÉCHAPPATOIRE, SUBTERFUGE).

FAUX-MONNAYEUR n. m. → MONNAIE.

Faux-Monnayeurs *(les)*, roman d'André Gide (1926).

FAUX-SEMBLANT [fosɑ̃blɑ̃] n. m. *(faux* et *semblant).* Ruse, prétexte, mensonge (littér.) : *User de faux-semblants.*

FAUX-SENS n. m. → SENS 3.

1. FAVEUR [favœr] n. f. (lat. *favor*). **1.** Bienfait, décision qui avantage quelqu'un : *Faire une faveur à qq'un par rapport à d'autres* (= lui donner un avantage, une préférence qui lui profite). *Un régime de faveur* (= un traitement réservé spécialement à quelqu'un pour l'avantager). — **2.** (suivi d'un compl. du nom) Pouvoir acquis d'une personne auprès d'une autre, du public : *Cet artiste a la faveur du grand public* (syn. CONSIDÉRATION, CRÉDIT). *Avoir la faveur d'un ministre, d'un roi*, etc. (= être protégé par lui). — LOC. PRÉP. *En faveur de (qq'un)*, au profit, au bénéfice de quelqu'un : *Voter en faveur d'un candidat* (contr. CONTRE). ‖ *À la faveur de (qqch.)*, en profitant de quelque chose (littér.) : *Les évadés gagnèrent la frontière à la faveur de la nuit* (syn. GRÂCE À). ◆ n. f. pl. Marques d'amour données par une femme à un homme qui la courtise (littér.) : *Accorder ses faveurs.* ◆ **défaveur** n. f. Perte de la faveur ou de l'estime dont une personne jouissait auprès d'une autre : *Ressentir durement la défaveur du public.* ◆ **favorable** adj. **1.** Se dit d'une personne (ou de ses sentiments) qui est animée de dispositions bienveillantes à l'égard de quelqu'un ou de quelque chose : *Un regard favorable* (syn. ↑ENCOURAGEANT). — **2.** Se dit d'une chose qui est à l'avantage de quelqu'un ou qui lui est utile : *Se montrer sous un jour favorable* (= par son bon côté). *Le moment est favorable* (syn. OPPORTUN, PROPICE). ◆ **favorablement** adv. : *Son discours a été favorablement accueilli.* ◆ **défavorable** adj. : *Le temps est défavorable. Il s'est montré défavorable au projet.* ◆ **défavorablement** adv. ◆ **favori, ite** adj. et n. Se dit d'une personne ou d'une chose préférée de quelqu'un : *Livre favori.* ◆ n. m. Se dit, dans une épreuve sportive, du concurrent qui semble avoir le plus de chance de gagner : *Le favori de la course a finalement perdu.* ◆ **favorite** n. f. Maîtresse préférée d'un souverain : *Louis XIV et ses favorites.* ◆ **favoriser** v. t. **1.** *Favoriser qq'un*, le traiter de façon à l'avantager : *Favoriser un débutant* (contr. DÉFAVORISER). — **2.** *Favoriser une passion, un sentiment, une activité*, l'encourager (littér.) : *Favoriser la fraude* (syn. AIDER). ◆ **défavoriser** v. t. : *Défavoriser un candidat.* ◆ **favoritisme** n. m. Tendance à accorder des faveurs excessives ou trop nombreuses aux mêmes personnes.

2. FAVEUR [favœr] n. f. (de *faveur* 1). Petit ruban étroit.

FAVORABLE adj., **FAVORABLEMENT** adv., **FAVORI, ITE** adj. et n. → FAVEUR 1.

FAVORIS [favɔri] n. m. pl. (de l'it. *favorire*, favoriser). Touffe de barbe qu'on laisse pousser de chaque côté du visage.

FAVORISER v. t., **FAVORITISME** n. m. → FAVEUR 1.

FAVRE (Jules), avocat et homme politique français (1809-1880). Député républicain à partir de 1857, il demanda, dans la nuit du 3 au 4 septembre 1870, la déchéance de Napoléon III, puis dirigea l'Assemblée sur l'Hôtel de Ville. Ministre des Affaires étrangères du gouvernement de la Défense nationale, il s'opposa aux exigences de Bismarck, mais dut accepter la capitulation de Paris et l'armistice (28 janvier 1871). Il négocia la paix de Francfort (10 mai 1871).

FAYOLLE (Émile), maréchal de France (1852-1928). En 1918, à la tête d'un groupe d'armées, il participa à l'offensive finale des Alliés.

FAYOT [fajo] n. m. (du prov. *faiol*, haricot). *Pop.* Haricot sec.

FAYOUM (le), région d'Égypte, à l'O. de la vallée du Nil. Les pharaons y construisirent de nombreux monuments. Mais on y a aussi découvert les restes de villes gréco-romaines. Dans les tombes furent trouvés des portraits funéraires peints par des artistes grecs, synthèse de l'art de l'Orient et de l'art romain.

FAYṢĀL ou **FAÏÇAL,** nom de deux rois d'Iraq : FAYṢĀL Ier, né en 1883, roi de 1921 à sa mort (1933); FAYṢĀL II, son petit-fils, né en 1935, roi en 1939, assassiné en 1958.

FAYṢĀL Ier IBN 'ABD AL-'AZIZ (entre 1905 et 1907-1975), roi d'Arabie Saoudite de 1964 à 1975. Il meurt assassiné.

FAZENDA [fazɛnda] n. f. (mot portug.). Au Brésil, grande propriété de culture ou d'élevage.

F. B. I., sigle de *Federal Bureau of Investigation*, service des États-Unis chargé de la police fédérale.

f. c. é. m., abrév. de *force contre-électromotrice.*

FÉAL, E, AUX [feal, -o] adj. et n. (de l'anc. fr. *fei*, foi). Fidèle à la foi jurée, loyal.

FÉBRIFUGE adj. et n. m., **FÉBRILE** adj., **FÉBRILEMENT** adv., **FÉBRILITÉ** n. f. ⟶ FIÈVRE.

FÉCALE [fekal] adj. f. (du lat. *faex, faecis*, résidu). *Matières fécales*, excréments humains (terme méd.) [syn. FÈCES].

FÉCAMP, ch.-l. de cant. de la Seine-Maritime, à 42 km au N.-E. du Havre, sur la côte de la Manche; 21 700 hab. *(Fécampois).* Port de pêche.

FÈCES n. f. pl. ⟶ FÉCALE.

1. FÉCOND, E [fekɔ̃, -ɔ̃d] adj. (lat. *fecundus*). Se dit d'un être animé capable de se reproduire (contr. STÉRILE). ◆ **féconder** v. t. Rendre un être vivant femelle en mesure de reproduire l'espèce en lui apportant l'élément mâle qui lui est nécessaire. ◆ **fécondation** n. f. Union de deux cellules sexuelles, mâle et femelle. ⟶ ENCYCL. ◆ **autofécondation** n. f. Phénomène qui s'observe chez les végétaux lorsque les étamines d'une fleur fécondent le pistil de la même fleur. ◆ **fécondité** n. f. Aptitude d'un être vivant à reproduire des organismes vivants.

— ENCYCL. La *fécondation* est l'union de deux cellules sexuelles, ou *gamètes* mâle et femelle, qui donnent naissance à une cellule nouvelle : l'*œuf*. Chacune de ces cellules contient un nombre *n* de *chromosomes**: par l'union des deux gamètes, l'œuf contient alors deux fois ce nombre *n* de chromosomes, reconstituant ainsi la cellule d'un nouvel organisme. Le principe de la fécondation est le même dans tout le monde vivant, animal ou végétal. Mais il y a des variations importantes selon les espèces.

Dans l'espèce humaine, la fécondation n'est possible que pendant quelques jours chaque mois, au moment où le gamète femelle, appelé aussi *ovule**, arrivé à maturation, est expulsé hors des glandes sexuelles de la femme (les *ovaires**). Il arrive alors dans les *trompes utérines;* si cet ovule est alors fécondé par un gamète mâle *(spermatozoïde*)*, l'œuf ainsi formé va s'implanter dans l'utérus : c'est le stade de la *nidation**.

2. FÉCOND, E [fekɔ̃, -ɔ̃d] adj. (même étym.). Se dit de ce qui produit beaucoup : *Une terre féconde* (syn. FERTILE; contr. ARIDE). *Un auteur fécond* (= qui produit beaucoup). *Crise féconde en rebondissements* (syn. PLEIN DE, RICHE EN). ◆ **fécondité** n. f. : *La fécondité d'un écrivain. La fécondité de la terre* (syn. FERTILITÉ; contr. ARIDITÉ, STÉRILITÉ).

FÉCULE [fekyl] n. f. (lat. *faecula*, tartre). Substance de réserve, du groupe des glucides, abondante dans certains tubercules (pomme de terre, manioc, igname). ◆ **féculent** n. m. Légume qui contient de la fécule : *La pomme de terre est un féculent.* ◆ **féculerie** n. f. Industrie d'extraction de la fécule; usine où l'on procède à cette extraction.

1. FÉDÉRATION [federasjɔ̃] n. f. (lat. *foederatio*, alliance). Groupement d'États — succédant souvent à une confédération — qui constitue une unité internationale distincte, superposée aux États membres (c'est au gouvernement fédéral qu'appartient notamment la souveraineté externe [= la conduite des affaires étrangères]) : *Les États-Unis de l'Amérique du Nord sont une fédération.* ◆ **fédéral, e, aux** adj. **1.** Qui constitue une fédération : *Un État fédéral* (syn. ancien FÉDÉRATIF). — **2.** Qui appartient à une fédération : *Les troupes fédérales. La politique fédérale.* ◆ **fédéraux** n. m. pl. Nom donné par les États du Nord, partisans de l'Union fédérale, à leurs soldats, pendant la guerre américaine de Sécession* (1861-1865) [appelés aussi NORDISTES, par oppos. aux SUDISTES ou CONFÉDÉRÉS des États du Sud]. (⟶ CONFÉDÉRATION.) ◆ **fédéralisme** n. m. Système politique dans lequel plusieurs États indépendants abandonnent chacun une part de leur souveraineté au profit d'une autorité supérieure. ◆ **fédéraliste** adj. et n. ◆ **fédérer** v. t. Former en fédération. ◆ **fédéré, e** adj. Qui appartient à une fédération : *États fédérés.*

2. FÉDÉRATION [federasjɔ̃] n. f. (même étym.). Pendant la Révolution française, association constituée pour lutter contre les « ennemis de la Liberté ». ⟶ ENCYCL. ◆ **fédéré** n. m. Soldat insurgé de la Commune de Paris, en 1871. ‖ *Mur des Fédérés*, mur du cimetière du Père-Lachaise, à Paris, contre lequel furent fusillés les derniers insurgés de la Commune de 1871.

— ENCYCL. Dès la fin de 1789, des *fédérations* se constituèrent spontanément dans une volonté commune de défense révolutionnaire parmi les gardes nationaux. Puis les réunions devinrent des cérémonies grandioses à la gloire de la Révolution. L'Assemblée constituante décida, le 14 juillet 1790, de célébrer une fête civique de la Fédération sur le Champ-de-Mars, réunissant les délégués de toutes les gardes nationales de France. Talleyrand y célébra la messe sur l'autel de la Patrie, et Lafayette, au nom de tous les fédérés, puis le roi prêtèrent serment de fidélité à la nation et à la Constitution.

3. FÉDÉRATION [federasjɔ̃] n. f. (même étym.). Association professionnelle, corporative ou sportive : *Fédération française de football.*

FEDINE (Konstantine Aleksandrovitch), écrivain soviétique (1892-1977). Il peint dans ses romans les transformations sociales nées de la révolution (*les Cités et les années*, 1924; *les Frères*, 1928; *Un été extraordinaire*, 1948; *le Bûcher*, 1960).

FÉDOR, nom de trois tsars de Russie (XVIe-XVIIe s.).

FÉE [fe] n. f. (lat. *Fata*, déesse de la Destinée). **1.** Être féminin imaginaire, doué de pouvoirs surnaturels : *La fée Carabosse.* ‖ *Conte de fées*, histoire merveilleuse. — **2.** *Des doigts de fée*, très habiles. ◆ **féerie** [feri] n. f. Spectacle d'une merveilleuse beauté, ou qui fait intervenir le merveilleux*. ◆ **féerique** adj. : *Spectacle féerique* (syn. MERVEILLEUX).

FEHLING (Hermann), chimiste allemand (1811-1885). Il a découvert le réactif *(liqueur de Fehling)* qui permet de caractériser et de doser les aldéhydes, notamment le glucose.

FEIGNANT, E adj. et n., **FEIGNANTER** v. i., **FEIGNANTISE** n. f. ⟶ FAINÉANT.

FEIGNIES, comm. du Nord, à 5 km à l'O. de Maubeuge; 6 900 hab. Forges et aciéries.

FEINDRE [fɛ̃dr] v. t. (lat. *fingere*). [Conj. **55.**] **1.** Donner pour réels un sentiment, une qualité qu'on n'a pas : *Feindre la joie.* — **2.** *Feindre de*, faire semblant de. — **3.** Cacher, dissimuler (souvent intr.) : *Inutile de feindre.* ◆ **feint, e** adj. : *Une douleur feinte.*

FEINTE [fɛ̃t] n. f. (de *feindre*). **1.** Acte destiné à tromper : *Ce prétendu départ n'était qu'une feinte.* — **2.** Manœuvre pour tromper l'adversaire, dans un jeu d'équipe ou en sport : *Faire une feinte.* ◆ **feinter** v. i. *Sports.* Simuler une passe. ◆ v. t. *Fam.* Tromper.

FELD-MARÉCHAL [fɛldmareʃal] n. m. (all. *Feldmarschall*, maréchal de campagne). Grade le plus élevé de la hiérarchie militaire en Allemagne, en Angleterre, etc. ‖ Pl. des *feld-maréchaux.*

FELDSPATH [fɛldspat] n. m. (mot all.). Nom donné à plusieurs minéraux de couleur claire, fréquents dans les roches éruptives et métamorphiques : *Le feldspath est l'un des constituants du granite.* ◆ **feldspathoïde** n. m. Nom donné à plusieurs minéraux présentant des analogies avec les feldspaths, mais moins riches en silice. (On les rencontre surtout dans les laves.)

FÊLER [fele] v. t. (de l'anc. fr. *faeler*, fendre). *Fêler qqch.*, le fendre légèrement, par choc ou par pression, sans le casser, le plus souvent accidentellement. ◆ **fêlure** n. f. Fente laissée dans un objet à la suite d'un choc. ◆ **fêlé, e** adj. **1.** *Un vase fêlé.* — **2.** Fam. *Avoir le cerveau fêlé*, être un peu fou.

FÉLIBRE [felibr] n. m. (mot prov.). Poète ou prosateur de langue d'oc. ◆ **félibrige** n. m. École littéraire fondée en 1854 par un groupe d'écrivains, dont Mistral, pour restituer à la langue d'oc* son rang de langue littéraire.

FÉLICITATIONS n. f. pl. ⟶ FÉLICITER.

FÉLICITÉ [felisite] n. f. (lat. *felicitas*). Bonheur suprême (littér.) [syn. BÉATITUDE, EXTASE].

FÉLICITER [felisite] v. t. (lat. *felicitare*, rendre heureux). *Féliciter qq'un*, l'assurer qu'on prend part à sa joie : *Féliciter un ami à* *occasion de son mariage* (syn. COMPLIMENTER); lui manifester de admiration pour sa conduite : *Il l'a félicité pour son courage* (syn. ONGRATULER). ◆ ***se féliciter*** v. pr. *Se féliciter de qqch.*, en être eureux rétrospectivement : *Je me félicite de n'avoir pas suivi son onseil* (syn. SE RÉJOUIR). ◆ **félicitations** n. f. pl. Compliments.

'ÉLIDÉS [felide] n. m. pl. (du lat. *felis*, chat). Famille de mam- iifères carnivores, comprenant des digitigrades à griffes rétrac- les, à canines développées en crocs et à molaires coupantes : *Le hat, le tigre, la panthère, le lion sont des félidés.* (Ordre des arnassiers.)

'ÉLIN, E [felɛ̃, -in] adj. (du lat. *felis*, chat). **1.** Qui appartient au enre des chats : *La race féline.* — **2.** Qui tient du chat : *Souplesse éline.*

'ELLAH [fɛlla] n. m. (ar. *fellāḥ*). Paysan égyptien ou d'autres ays arabes.

ELLINI (Federico), cinéaste italien (né en 1920), auteur de : *la trada* (1954), *la Dolce Vita* (1959), *Huit et demi* (1962), *Roma* 1972), *Amarcord* (1973), *Casanova* (1976), *la Cité des femmes* 1980), *Et vogue le navire* (1983), *Ginger et Fred* (1985), *Intervista* 1987), *La Voce della luna* (1990).

'ÉLON, ONNE [felɔ̃, -ɔn] adj. et n. (frq. *fillo*, équarrisseur). éloyal envers un ami, un supérieur. ◆ **félonie** n. f. Traîtrise; en artic., au Moyen Âge, déloyauté, offense ou trahison d'un vassal nvers son seigneur.

'ÊLURE n. f. ⟶ FÊLER.

. é. m., abrév. de *force électromotrice**.

. FEMELLE [fəmɛl] n. et adj. f. (lat. *femella*). Animal du sexe éminin, propre à la fécondation : *La femelle et ses petits* (contr. IÂLE). ‖ *Gamète femelle*, la plus volumineuse des deux cellules eproductrices qui s'unissent dans la fécondation.

:. FEMELLE [fəmɛl] adj. f. (même étym.). Se dit d'une pièce n creux, qui peut en recevoir une autre : *Prise femelle* (contr. IÂLE).

. FÉMININ, E [feminɛ̃, -in] adj. (lat. *femininus*). **1.** Propre à la emme : *Le sexe féminin* (contr. MASCULIN). — **2.** Qui rappelle, voque une femme : *Il a une allure féminine* (syn. EFFÉMINÉ). ◆ n. m. *L'éternel féminin*, les traits dominants du caractère des emmes, considérés comme permanents à travers les âges. ◆ **féminité** n. f. Grâce, douceur féminines. ◆ **féminiser (se)** . pr. Prendre des caractères féminins. ◆ **féminisme** n. m. Doc- rine, mouvement d'opinion qui a pour objet de donner à la femme es mêmes droits qu'à l'homme dans la société. ◆ **féministe** adj. t n. Partisan du féminisme.

:. FÉMININ, E [feminɛ̃, -in] adj. et n. m. (même étym.). *ramm.* Se dit d'un des deux genres du substantif (et de ses éterminants ou qualificatifs), qui porte en général une marque distinctive, soit intérieure (présence de *-e* à la désinence), soit extérieure (article *la*). [Ce genre correspond au sexe féminin (êtres animés), ou à une répartition qui peut être fonction de la terminai- son (la plupart des mots en *-ée* sont féminins : *idée*), du suffixe (les mots en *-tion* et *-ite* sont souvent féminins) ou de la classe séman- tique (les sciences sont en général du féminin : *l'histoire, la grammaire, les mathématiques*).] → tableau ci-dessous et p. 544. ‖ *Rime féminine*, rime que termine une syllabe muette.

FÉMINISER (SE) v. pr., **FÉMINISME** n. m., **FÉMINISTE** adj. et n., **FÉMINITÉ** n. f. ⟶ FÉMININ 1.

1. FEMME [fam] n. f. (lat. *femina*). **1.** Personne du sexe féminin (par oppos. à HOMME). ⟶ ENCYCL. — **2.** (avec un adj.) *Bonne femme* ⟶ BONHOMME. — **3.** (avec un compl. du nom) *Femme au foyer*, femme sans profession rémunérée, qui s'occupe du ménage de sa maison, du soin de ses enfants, etc. ‖ *Femme d'intérieur*, femme qui s'occupe avec compétence de son ménage. ‖ *Femme de lettres*, femme qui écrit des livres, qui s'occupe de littérature, de critique, etc. ‖ *Femme de ménage*, personne qui fait le ménage dans une maison. ‖ *Femme du monde*, femme distinguée, qui aime les réceptions. ◆ **femmelette** [famlɛt] n. f. **1.** Femme faible et craintive. — **2.** Homme mou et sans courage.

— ENCYCL. De nos jours, la *condition de la femme* est déterminée par des changements d'ordre social, politique, juridique.

■ *L'emploi.* Les femmes qui exercent une profession (plus de 9 millions aujourd'hui en France) représentent 35 p. 100 de la population active totale (l'un des taux les plus élevés parmi les pays industrialisés d'Europe). Ce sont les femmes célibataires ou seules (veuves ou divorcées) qui tiennent la plus grande place, mais le nombre de femmes mariées augmente. On constate, d'autre part, que le pourcentage de femmes qui travaillent est d'autant plus élevé que leur niveau d'instruction et de formation profes- sionnelle est meilleur.

Surtout présente, au début du siècle, dans l'agriculture, le textile et l'habillement, la main-d'œuvre féminine a été durement touchée par la crise de ces secteurs. Aujourd'hui, elle s'est essentiellement redéployée dans les activités tertiaires, en forte progression. De plus en plus de femmes ont accès à des métiers autrefois réservés aux hommes (médecins, ingénieurs, magistrats, etc.). Les femmes sont également très nombreuses dans le corps enseignant. Il reste néanmoins vrai que les femmes occupent encore souvent les postes les plus répétitifs et les plus pénibles dans l'industrie et dans les services. Par ailleurs, les femmes sont — avec les jeunes — tou- chées en priorité par le chômage.

L'absence de discrimination sur le plan professionnel entre les hommes et les femmes a été consacrée par le préambule de la Constitution de 1946, repris en 1958. Malgré la réaffirmation de ce principe dans les lois de 1972, 1975 et 1983, des inéga- lités demeurent dans les faits. À compétence égale, les femmes touchent un salaire moins élevé que celui des hommes et, globa-

LE FÉMININ

Dans la *langue parlée*, le féminin des substantifs, des adjectifs et des participes est ainsi formé :

1. Les mots terminés par une voyelle dans la langue parlée et écrite ont un féminin identique au masculin dans la langue parlée, l'*e* muet écrit ne se prononçant pas.	*un ami / une amie* [ami] / [ami]; *vu / vue* [vy] / [vy]; *aimé / aimée* [eme] / [eme]; *aigu / aiguë* [egy] / [egy]
2. Le féminin peut s'opposer au masculin par la présence d'une consonne finale, avec ou sans variation de la voyelle.	*mort / morte* [mɔr] / [mɔrt]; *épais / épaisse* [epɛ] / [epɛs]; *secret / secrète* [səkrɛ] / [səkrɛt]; *long / longue* [lɔ̃] / [lɔ̃g]; *favori / favorite* [favori] / [favorit]; *faux / fausse* [fo] / [fos]; *fermier / fermière* [fɛrmje] / [fɛrmjɛr]
3. Le féminin des mots se terminant par une voyelle nasale se fait par voyelle + consonne nasale.	*baron / baronne* [barɔ̃] / [barɔn]; *lion / lionne* [ljɔ̃] / [ljɔn]; *cousin / cousine* [kuzɛ̃] / [kuzin]; *ancien / ancienne* [ɑ̃sjɛ̃] / [ɑ̃sjɛn]; *paysan / paysanne* [peizɑ̃] / [peizan]; *bénin / bénigne* [benɛ̃] / [beniɲ]
4. Les mots en [œr] et [ø] ont le plus souvent un féminin en [øz]. Quelques mots en [tœr] ont un féminin en [tris]; quelques autres en [œr] ont un féminin en [ərɛs].	*menteur / menteuse* [mɑ̃tœr] / [mɑ̃tøz]; *vendeur / vendeuse* [vɑ̃dœr] / [vɑ̃døz]; *peureux / peureuse* [pørø] / [pørøz]; *acteur / actrice* [aktœr] / [aktris]; *vengeur / vengeresse* [vɑ̃ʒœr] / [vɑ̃ʒrɛs]
5. Les féminins des mots terminés par [o] et [u], écrits *-eau* et *-ou* (sauf *flou* et *hindou*), sont en [ɛl] et [ɔl].	*nouveau / nouvelle* [nuvo] / [nuvɛl]; *jumeau / jumelle* [ʒymo] / [ʒymɛl]; *mou / molle* [mu] / [mɔl]; *fou / folle* [fu] / [fɔl]
6. Les mots terminés en [f] ont un féminin en [v].	*bref / brève* [brɛf] / [brɛv]; *vif / vive* [vif] / [viv]
7. De très rares mots ont un féminin en [ɛs].	*prince / princesse* [prɛ̃s] / [prɛ̃sɛs]

▷

LE FÉMININ

Dans la *langue écrite*, les règles de la formation du féminin sont les suivantes (pour les substantifs qui connaissent l'opposition masculin/féminin, pour les adjectifs et pour les participes) :

1. En règle générale, un *e* est ajouté au masculin : ainsi les mots en *-ain*, en *-in*, en *-at*, en *-an* (sauf rares exceptions), en *-al*, en *-ais*, en *-ois*, etc., de même que les adjectifs en *-eur* suivants : *antérieur, extérieur, inférieur, majeur, meilleur, mineur, postérieur.*	*un élu / une élue; un candidat / une candidate; grand / grande; hardi / hardie; un cousin / une cousine; un châtelain / une châtelaine; partisan / partisane; français / française; obéissant / obéissante; mis / mise; écrit / écrite; idiot / idiote; direct / directe; meilleur / meilleure; fini / finie; égal / égale; Anglais / Anglaise; Gaulois / Gauloise*
2. Les mots déjà terminés par un *e* gardent la même forme au féminin.	*large, jaune, rouge, artiste*
3. Les mots terminés par *-er* ont un féminin en *-ère.*	*fermier / fermière; léger / légère; dernier / dernière; boulanger / boulangère*
4. Les mots terminés en *-et*, en *-el*, en *-il*, en *-ul*, en *-on*, en *-ien*, en *-s* doublent la consonne finale, ainsi que *paysan, Jean, chat* et les adjectifs en *-ot : boulot, maigriot, pâlot, sot, vieillot.* Les adjectifs *inquiet, complet, incomplet, secret, discret, indiscret, replet* ont un féminin en *-ète.*	*muet / muette; Gabriel / Gabrielle; cruel / cruelle; pareil / pareille; nul / nulle; baron / baronne; lion / lionne; bon / bonne; gardien / gardienne; ancien / ancienne; épais / épaisse; gros / grosse; las / lasse; bas / basse; chat / chatte; pâlot / pâlotte; sot / sotte; inquiet / inquiète; secret / secrète*
5. Les mots en *-eau* et *-ou* (sauf *flou* et *hindou*) ont leur féminin en *-elle* et *-olle.*	*jumeau / jumelle; nouveau / nouvelle; beau / belle; mou / molle; fou / folle* (mais *flou / floue; hindou / hindoue*)
6. Les mots terminés en *-oux*, en *-eur*, en *-eux* ont leur pluriel en *-se* (sauf *roux*). Quelques mots en *-teur* ont un féminin en *-trice;* quelques mots en *-eur*, un féminin en *-eresse;* quelques mots ont un féminin en *-esse.*	*jaloux / jalouse; trompeur / trompeuse; vendeur / vendeuse; chanteur / chanteuse* (mais *roux / rousse*); *acteur / actrice; évocateur / évocatrice; vengeur / vengeresse; pécheur / pécheresse; prince / princesse; traître / traîtresse*
7. Les mots terminés en *-f* ont leur féminin en *-ve.*	*bref / brève; vif / vive; veuf / veuve*
8. Certains substantifs ont un féminin qui est en réalité un autre nom. Certains mots présentent un féminin différent, avec des lettres supplémentaires.	*père / mère; frère / sœur; oncle / tante; lièvre / hase; bouc / chèvre; jars / oie; bénin / bénigne; long / longue; favori / favorite; turc / turque; tiers / tierce; coi / coite; frais / fraîche; faux / fausse; aigu / aiguë*

lement, éprouvent plus de difficultés pour accéder à des postes de responsabilité.

Enfin, les femmes doivent souvent cumuler leur métier et les tâches ménagères ou familiales : ce fait est un obstacle majeur à la poursuite de leur formation professionnelle.

■ *La promotion politique.* En 1945, les femmes acquirent le droit de vote en France et purent pour la première fois être élues dans des assemblées politiques. Cette promotion politique venait très en retard par rapport à de nombreux autres pays (Angleterre, 1918; 12 États des États-Unis, avant la Première Guerre mondiale; U. R. S. S., après la Première Guerre mondiale). Les femmes, bien que majoritaires dans le pays, ne sont élues qu'en petit nombre. Mais l'importance qu'elles ont prises dans la vie politique et sociale du pays se traduit par le fait que le public féminin, autrefois ignoré, est devenu un public privilégié pour la presse, la radio, la télévision.

■ *La promotion sociale et juridique.* Depuis qu'elle vote et accède en principe aux mêmes carrières que les hommes, la femme célibataire a acquis les mêmes droits juridiques que l'homme. Le problème de la promotion juridique ne se pose plus que pour la femme mariée. Or, les structures familiales se sont modifiées : responsable dans son travail, la femme tend dans la famille à abandonner sa position traditionnelle de subordination. Très souvent, la gestion du budget et la direction des études des enfants lui incombent.

En 1970, cet état de fait a été reconnu. Le principe de l'autorité paternelle a été remplacé par celui de l'autorité parentale, c'est-à-dire du père et de la mère. Désormais, ils assurent ensemble la direction morale et matérielle de la famille et choisissent d'un commun accord sa résidence. La loi de 1965 a réformé les régimes matrimoniaux mais c'est la loi de 1985 qui a établi l'égalité des époux dans l'administration des biens de la communauté et des enfants mineurs.

Depuis 1981, le gouvernement comporte une administration (au statut variable : ministère, secrétariat d'État, délégation) chargée spécialement de promouvoir les mesures destinées à faire respecter les droits des femmes dans la société.

2. FEMME [fam] n. f. (même étym.). **1.** Se dit d'une personne du sexe féminin qui est ou a été mariée (par oppos. à MARI) [syn. ÉPOUSE]. — **2.** (sujet nom désignant un homme) *Prendre femme*, se marier.

Femmes savantes *(les)*, comédie de Molière (1672).

FÉMUR [femyr] n. m. (lat. *femur*, cuisse). *Anat.* Os formant à lui seul le squelette de la cuisse. (La tête du fémur s'articule avec l'os iliaque. L'extrémité inférieure de l'os s'articule avec la rotule et le tibia.) ◆ **fémoral, e, aux** adj. Qui est dans la région du fémur : *Artère fémorale.*

FENAISON [fənɛzɔ̃] n. f. (de l'anc. fr. *fener*, couper le foin). Récolte des foins.

FENDRE [fɑ̃dr] v. t. (lat. *findere*). [Conj. **50.**] **1.** *Fendre qqch.*, le couper, le diviser, généralement dans le sens de la longueur : *Fendre du bois* (syn. TAILLER). — **2.** *Fendre le sol*, y faire une crevasse : *La sécheresse a fendu le sol* (syn. CREVASSER, FENDILLER). — **3.** *Fendre la foule*, se frayer brutalement un chemin à travers. ‖ *Cela lui fend le cœur de*, il a beaucoup de chagrin à (faire quelque chose). ◆ **se fendre** v. pr. **1.** Se couvrir de fentes, s'entrouvrir : *La terre se fendit* (syn. SE CREVASSER, S'ENTROUVRIR, SE LÉZARDER). — **2.** En escrime, porter vivement une jambe en avant, pour attaquer. ◆ **fendiller (se)** v. pr. Se couvrir de petites fentes (syn. SE CRAQUELER). ◆ **fendillé, e** adj. Couvert de craquelures : *Un vernis tout fendillé.* ◆ **fente** n. f. Ouverture étroite et longue, souvent causée par une rupture : *L'eau passe par la fente* (syn. CRAQUELURE, FISSURE).

FÉNELON (François DE SALIGNAC DE **La Mothe-**), prélat et écrivain français (1651-1715).

- *1675. Il est ordonné prêtre.*
- *1687. Il écrit le « Traité de l'éducation des filles ».*
- *1689. Il est nommé précepteur du duc de Bourgogne, fils du Grand Dauphin et petit-fils de Louis XIV.*

Il compose pour son élève des *Fables* en prose, les *Dialogues des morts* (1700) et *les Aventures de Télémaque*, livre plein de critiques indirectes contre la politique de Louis XIV et dont la publication (1699) lui vaut la disgrâce.

- *1695. Nommé archevêque de Cambrai, Fénelon défend le quiétisme* dans son « Explication des maximes des saints », publiée en 1697.*

Ce dernier ouvrage est condamné par le pape. Fénelon s'exile alors dans son diocèse où il achève sa vie.

- *1714. Il écrit la « Lettre sur les occupations de l'Académie française », où il prend parti pour les Anciens contre les Modernes.*

FENÊTRE [fənɛtr] n. f. (lat. *fenestra*). **1.** Ouverture pratiquée dans un mur d'un édifice, pour laisser passer de la lumière, de l'air : *Regarder par la fenêtre.* — **2.** Châssis, généralement en bois et muni de vitres, monté sur cette ouverture : *Ouvrir la fenêtre. Fenêtre à guillotine*, fenêtre à un ou plusieurs châssis superposés ouvrant par translation verticale dans leur plan. — **3.** Fam. *Jeter l'argent par les fenêtres,* dépenser sans compter. ◆ **porte-fenêtre** n. f. Ouverture dans une maison qui descend jusqu'au niveau du plancher et sert à la fois de fenêtre et de porte : *Les portes-fenêtres donnaient sur le parc.*

FENIL [fənil] n. m. (du lat. *fenum,* foin). Lieu où l'on garde le foin quand il est rentré.

FENNEC [fenɛk] n. m. (mot ar.). Petit renard des déserts africains, aux longues oreilles, au museau pointu, à la queue fourrée, qui vit dans des terriers et en sort la nuit pour capturer de petites proies. (Famille des canidés.)

FENNOSCANDIE, nom donné à l'ensemble formé par le massif ancien de Finlande, de Suède et de Norvège.

FENOUIL [fənuj] n. m. (lat. *feniculum,* petit foin). Plante potagère aromatique, à saveur d'anis, dont on consomme la base des pétioles charnues. (Famille des ombellifères.)

FENTE n. f. ⟶ FENDRE.

FÉODAL, E, AUX [feodal, -do] adj. (bas lat. *feodalis*). Qui concerne les fiefs, la féodalité : *L'époque féodale.* ◆ **féodalité** n. f. Ensemble des lois et des coutumes qui régirent l'ordre politique et social, au Moyen Âge; type de société qui en résulte.

— ENCYCL. La *féodalité* régit l'ordre politique et social du IXe au XIIIe s., en France et dans les États nés des partages de l'Empire carolingien, ainsi que dans les pays ayant subi l'influence de ces États (Angleterre, royaume chrétien d'Espagne, États latins d'Orient). Pour compenser l'effritement de l'autorité publique sous le coup des invasions normandes au IXe s., des hommes libres, dits *vassaux,* se placent sous la protection d'un guerrier puissant, dit *seigneur.* En échange de la « fidélité », de l'obéissance et du service militaire qu'ils fournissent, les vassaux reçoivent aide et soutien de leur seigneur, à qui ils « prêtent hommage ». En outre, ils ont le plus souvent la concession d'un bien dit *fief.*

En France, au XIe s., le fief devient héréditaire. Au XIIe s., le vassal peut en disposer librement. Avec la restauration de la puissance publique à partir de Philippe le Bel, la féodalité cesse d'être le fondement de la société. Cependant, certaines institutions féodales subsistent jusqu'à la fin de l'Ancien Régime.

1. FER [fɛr] n. m. (lat. *ferrum*) [au sing.]. **1.** Métal (symb. : Fe) tenace et malléable, employé dans l'industrie sous forme d'alliages, d'aciers et de fontes. — **2.** *Fer doux,* fer contenant très peu de carbone, utilisé pour former les noyaux de circuits magnétiques. ‖ *Fer forgé,* fer travaillé sur l'enclume : *Balcon en fer forgé.* ‖ *Fer galvanisé,* fer ou acier doux recouvert de zinc. ‖ *Paille de fer,* amas compact de copeaux de fer, servant à nettoyer les parquets. — **3.** *Âge du fer,* période de la préhistoire caractérisée par une utilisation courante du fer : *L'âge du fer en Europe occidentale occupe le Ier millénaire av. J.-C.* ◆ **ferré, e** adj. Garni de fer : *Une canne à bout ferré.* ◆ **ferreux, euse** adj. **1.** Qui contient du fer : *Les minerais ferreux.* — **2.** Se dit de l'oxyde de fer FeO et des sels de cet oxyde. ◆ **ferrique** adj. Se dit de l'oxyde Fe_2O_3 et des sels de cet oxyde. ◆ **ferro-alliage** n. m. Alliage contenant du fer. ◆ **ferrugineux, euse** adj. Qui contient du fer ou un composé du fer : *Eau ferrugineuse.*

— ENCYCL. Le *fer,* solide blanc-gris, a une densité de 7,8 et fond à 1 535 °C. Il se travaille facilement à froid et surtout à chaud. C'est le métal usuel par excellence et on le trouve sous forme d'oxydes, de sulfures ou de carbonates. Traité dans des hauts fourneaux, le minerai donne de la *fonte,* que l'on transforme ensuite en fer ou en acier en éliminant l'excès de carbone. L'*acier* est du fer contenant encore un peu de carbone. Le fer s'oxyde facilement à l'air humide en formant de la rouille, qui est un oxyde hydraté; mais on évite ce défaut en le recouvrant d'une couche de corps gras, de peinture ou de métal inoxydable.

La *production mondiale de fer* a fortement augmenté depuis la fin de la Seconde Guerre mondiale. Elle a progressé chez les traditionnels producteurs (U. R. S. S., États-Unis, Suède notamment), mais elle s'est considérablement développée dans les pays où elle était relativement modeste (Australie, Brésil, Canada, Inde) ou même presque absente avant 1960 (Mauritanie et Liberia). L'Afrique est ainsi devenue un fournisseur de l'Europe occidentale, concurrençant souvent la production de celle-ci. Les principaux pays producteurs sont :

U. R. S. S.	135 millions de t	Canada	25 millions de t
Australie	60 millions de t	Liberia	11 millions de t
Brésil	60 millions de t	Suède	11 millions de t
Chine	60 millions de t	Venezuela	8 millions de t
États-Unis	35 millions de t	France	5 millions de t
Inde	26 millions de t	Monde	490 millions de t

2. FER [fɛr] n. m. (même étym.). **1.** Objet, instrument en fer ou en un autre métal; barre de fer : *Placer un fer sous une poutre pour la soutenir.* — **2.** La destination est souvent indiquée par un compl. : *Fer à friser (les cheveux), fer à repasser, fer à souder,* etc. ‖ *Fer à cheval,* demi-cercle de fer dont on garnit la corne des pieds des chevaux. ‖ *Fer de lance,* morceau de fer placé au bout de la hampe d'une lance; troupes d'élite engagées dans un combat : *Cette division était le fer de lance de l'armée.* — **3.** *En fer à cheval,* se dit de ce qui a la forme d'un objet arrondi aux extrémités rentrées : *Disposer des tables en fer à cheval.* ‖ *Croiser le fer avec qq'un,* se battre à l'épée contre lui; se disputer ou discuter avec lui (littér.). ‖ Fam. *Les quatre fers en l'air,* renversé sur le dos. ◆ n. m. pl. *Mettre qq'un aux fers,* le faire enchaîner. ◆ **ferrage** n. m. **1.** Action de garnir un objet avec du fer : *Le ferrage d'une roue.* — **2.** Action de ferrer un cheval. ◆ **ferraillage** n. m. Ensemble des fers d'une construction en béton armé. ◆ **ferrailler** v. i. Se battre au sabre ou à l'épée. ◆ **ferrailleur** n. m. Ouvrier sachant réaliser les éléments de ferraillage et assurer leur mise en place. ◆ **ferrer** v. t. *Ferrer un animal,* lui fixer des fers sous les pieds. ◆ **ferrure** n. f. **1.** Garniture de fer fixée sur une porte, un coffre, etc., pour les consolider. — **2.** Action de ferrer un animal. ◆ **déferrer** v. t. Enlever le fer à un animal.

3. FER (DE) [dəfɛr] loc. adj. inv. (même étym.). **1.** Solide, robuste : *Avoir une santé de fer* (= être toujours en bonne santé). — **2.** Inflexible, impitoyable : *Une discipline de fer* (= sans défaillance). *C'est un homme de fer* (syn. DUR, INTRANSIGEANT). *Une main de fer dans un gant de velours* (= une autorité rigoureuse sous une apparence douce).

FER-BLANC [fɛrblɑ̃] n. m. (*fer,* et *blanc*). Fer recouvert d'une mince couche d'étain : *Les boîtes de conserve sont d'ordinaire en fer-blanc.* ◆ **ferblantier** n. m. Industriel qui fabrique ou commerçant qui vend des objets en fer-blanc. ◆ **ferblanterie** n. f.

FERDINAND Ier DE HABSBOURG (1503-1564), roi de Bohême et de Hongrie (1526), roi des Romains (1531) et empereur germanique (1558-1564). Frère de Charles Quint, il fut le chef de la branche cadette des Habsbourg et le fondateur de la monarchie autrichienne.

• *1555. Il négocie la paix d'Augsbourg.*

FERDINAND II DE HABSBOURG (1578-1637), roi de Bohême (1617) et de Hongrie (1618), empereur germanique (1619-1637), petit-fils du précédent. Sa haine du protestantisme l'engagea dans la guerre de Trente Ans.

FERDINAND III DE HABSBOURG (1608-1657), fils du précédent, roi de Hongrie (1625) et de Bohême (1627), roi des Romains (1636), empereur germanique (1637).

• *1648. Il doit signer les traités de Westphalie.*

FERDINAND Ier (1793-1875), roi de Bohême et de Hongrie (1830-1848), empereur d'Autriche (1835-1848).

FERDINAND Ier le Grand (v. 1017-1065), roi de Castille (1035-1065), de León (1037), de Navarre (1054). Il lutta contre les émirs de Tolède et de Séville. — FERDINAND III *(saint)* [1199-1252], roi de Castille (1217) et de León (1230). Il lutta contre les Maures. — FERDINAND VII (1784-1833), fils de Charles IV. Roi d'Espagne en 1808, il est contraint d'abdiquer la même année, par Napoléon. Restauré en 1814, il rétablit l'absolutisme. Sous son règne, les colonies américaines se rendent indépendantes.

FERDINAND Ier le Juste (v. 1380-1416), roi d'Aragon et de Sicile (1412-1416). — FERDINAND II *le Catholique* (1452-1516), roi d'Aragon (1479-1516), roi de Sicile (1468-1516), roi de Castille (1474-1504), puis roi de Naples (1504). Son mariage avec Isabelle de Castille prépara l'unité espagnole. Il expulsa les Maures de ses États et donna son appui à l'Inquisition*.

FERDINAND Ier ou FERRANTE (v. 1431-1494), roi de Sicile péninsulaire (1458-1494). Il lutta contre les ambitions de la maison d'Anjou, contre les nobles siciliens et contre les Turcs.

FERDINAND Ier DE BOURBON (1751-1825), roi de Sicile en 1759 sous le nom de FERDINAND III, de Sicile péninsulaire en 1759, sous le nom de FERDINAND IV. Dépouillé du royaume de Naples en 1806, il n'y est rétabli qu'en 1815.

• *1816. Il réunit ses deux États en un « royaume des Deux-Siciles » et prend le nom de Ferdinand Ier.*

FERDINAND Ier et FERDINAND II, grands-ducs de Toscane. (⟶ MÉDICIS.) — FERDINAND III (1769-1824), grand-duc de Toscane, chassé par les Français en 1799, rétabli en 1814.

FERDINAND DE PORTUGAL, dit **Ferrand** (v. 1186-1233), comte de Flandre et de Hainaut (1211-1233), fils de Sanche Ier de Portugal, époux de Jeanne de Flandre. Il prêta hommage au roi d'Angleterre et s'allia à Otton IV pour résister à Philippe Auguste. Il fut fait prisonnier à Bouvines.

FERDINAND Ier (1865-1927), roi de Roumanie (1914).

• *1916. Il s'allie avec les puissances de l'Entente.*

FERDINAND (1861-1948), prince de Saxe-Cobourg-Gotha, prince, puis roi de Bulgarie (1887-1918). Il s'allia aux Empires centraux et dut abdiquer en 1918.

FÈRE-CHAMPENOISE, ch.-l. de cant. de la Marne, à 20 km à l'E. de Sézanne; 2600 hab.

- *1814. Défaite des Français par les Alliés au cours de la campagne de France.*
- *9 sept. 1914. Combat victorieux des Français sur la garde prussienne, pendant la bataille de la Marne.*

FERGHANA (le), région de l'Asie moyenne soviétique, dans le bassin du Syr-Daria, encadrée de hautes montagnes.

FÉRIÉ, E [ferje] adj. (lat. *feriatus*, qui est en fête). *Jour férié*, jour pendant lequel la cessation du travail est prescrite par la religion ou par la loi (contr. OUVRABLE).
— ENCYCL. Les *jours fériés* reconnus par la loi sont au nombre de onze; ce sont : le jour de l'An, le lundi de Pâques, le 1er mai (fête du Travail), le 8 mai (fête de la Victoire [1945]), l'Ascension, le lundi de la Pentecôte, le 14 juillet, l'Assomption, la Toussaint, le 11 novembre (armistice de 1918) et Noël.

FÉRIR [ferir] v. t. (lat. *ferire*, frapper). *Sans coup férir*, sans user de violence, sans combattre.

FERMAGE n. m. → FERME 2.

FERMAT (Pierre DE), mathématicien français (1601-1665). Il posa, avant Descartes, les bases de la géométrie analytique, créa avec Pascal le calcul des probabilités, eut la première idée du calcul différentiel et créa la théorie des nombres, ce qui fait de lui un brillant pionnier de l'arithmétique moderne.

1. FERME [fɛrm] n. f. (de *fermer*). **1.** Maison d'habitation située sur une exploitation agricole. — **2.** Ensemble des terrains et des locaux appartenant à une même exploitation agricole : *Les produits de la ferme. Valet de ferme, fille de ferme* (= salariés employés par le fermier). ‖ *Ferme modèle* ou *ferme-école*, exploitation agricole dans laquelle on forme de jeunes agriculteurs. ◆ **fermette** n. f. Petite ferme. ◆ **fermier, ère** n. **1.** Personne qui loue une ferme et l'exploite. — **2.** Propriétaire d'une ferme, qui l'habite et l'exploite.

2. FERME [fɛrm] n. f. (même étym.). Contrat par lequel un propriétaire abandonne à quelqu'un *(fermier)*, moyennant une rente ou un loyer, l'exploitation d'un bien rural : *Prendre une propriété à ferme.* (On dit aussi *bail à ferme.*) ◆ **fermage** n. m. Redevance versée au propriétaire en vertu de ce contrat. ◆ **affermage** n. m. Action de donner ou de prendre à ferme un bien rural moyennant une redevance fixe. ◆ **affermer** v. t. Donner ou prendre un bien rural à bail.

3. FERME [fɛrm] n. f. (même étym.). Dans la France de l'Ancien Régime, perception de divers impôts, confiée à des compagnies ou à des individus : *La ferme du sel.* ◆ **fermier** n. m. *Fermier général*, bénéficiaire d'une ferme : *Les fermiers généraux conservaient pour eux-mêmes environ le cinquième des impôts qu'ils percevaient.*
— ENCYCL. Le système de la *ferme* se perpétua en France jusqu'en 1789. Les fermiers généraux, auxquels était confié le recouvrement des impôts, versaient en échange une somme forfaitaire au roi, inférieure à celle qu'ils percevaient réellement, la différence constituant leur bénéfice.

La monarchie, malgré les avantages consentis aux fermiers, qui réduisaient sensiblement la part de l'impôt revenant à l'État, trouvait à ce système des mérites considérables : rentrées plus rapides des impôts, réduction au minimum du personnel administratif. Cependant l'impopularité des quarante fermiers généraux était grande en raison de leur fortune acquise aux dépens du royaume. Des économistes critiquèrent le principe même de la ferme; Turgot envisagea sa suppression, qui fut réclamée par les cahiers de doléances de 1789 et réalisée par l'Assemblée constituante.

4. FERME [fɛrm] n. f. (même étym.). Assemblage de pièces de bois qui portent le faîte d'un comble.

5. FERME [fɛrm] adj. (lat. *firmus*, solide) [ordinairement après le nom]. **1.** Se dit de ce qui oppose une certaine résistance : *Marcher sur un sol ferme* (contr. MOU). *La terre ferme* (= le continent, par oppos. à l'*eau*). *De la viande ferme* (syn. ↑CORIACE, DUR). — **2.** Se dit d'une personne (ou de son attitude, de son activité) qui ne tremble pas, qui n'hésite pas : *Marcher d'un pas ferme* (syn. DÉCIDÉ). *Écrire d'une main ferme* (syn. ASSURÉ). *Parler d'une voix ferme* (= avec assurance). *Attendre qq'un de pied ferme* (= avec résolution, avec courage). — **3.** Se dit de quelqu'un qui fait preuve d'énergie morale, qui ne faiblit pas : *Un homme ferme* (= qui ne se laisse pas influencer) [syn. AUTORITAIRE, ÉNERGIQUE; contr. FAIBLE, MOU]. — **4.** (avant ou après le nom) Se dit de l'attitude de quelqu'un qui ne fléchit pas : *Avoir la ferme intention, la volonté ferme de ne pas céder* (= être absolument décidé à). ◆ adv. *Discuter ferme*, discuter avec passion. ‖ *Travailler ferme*, travailler beaucoup, énergiquement. ‖ *Tenir ferme contre qq'un*, lui résister vigoureusement. ◆ **fermement** adv. : *Tenir fermement à ses opinions. Être fermement décidé.* ◆ **fermeté** n. f. : *Montrer de la fermeté* (syn. ASSURANCE, DÉTERMINATION, RÉSOLUTION). ◆ **affermir** [afɛrmir] v. t. *Affermir qqch.* (surtout nom abstrait), en assurer la stabilité, le rendre ferme, stable : *Affermir le pouvoir* (syn. CONSOLIDER; contr. AFFAIBLIR). *Les difficultés ont affermi sa résolution* (syn. CONFIRMER; contr. ÉBRANLER). ◆ **s'affermir** v. pr. Être stable, durable : *Sa santé s'est affermie* (syn. SE FORTIFIER). *Son autorité s'affermit de jour en jour* (syn. SE RENFORCER). ◆ **affermissement** n. m. : *L'affermissement du pouvoir* (contr. AFFAIBLISSEMENT). ◆ **raffermir** v. t. **1.** Rendre plus ferme : *Les massages raffermissent les muscles* (syn. DURCIR). — **2.** Remettre dans une situation plus stable : *Le succès a raffermi sa popularité* (syn. ↓AFFERMIR, CONSOLIDER, RENFORCER). ◆ **se raffermir** v. pr. Devenir plus ferme, plus solide, plus stable : *Sa santé s'est raffermie* (syn. FORTIFIER). ◆ **raffermissement** n. m. : *Le raffermissement des chairs* (contr. RAMOLLISSEMENT). *Le raffermissement de l'autorité d'un gouvernement.*

6. FERME [fɛrm] adj. (même étym.). *Achat, vente fermes*, qui ont un caractère définitif (par oppos. à SOUS CONDITION). ◆ adv. *Acheter, vendre ferme*, vendre de manière définitive.

FERMÉ, E adj. → FERMER.

FERMEMENT adv. → FERME 5.

FERMENTER [fɛrmɑ̃te] v. i. (lat. *fermentare*). **1.** Être soumis à une fermentation : *La bière mousse en fermentant.* — **2.** Être dans un état d'agitation latent (littér.) : *Les esprits fermentent.* ◆ **fermentation** n. f. **1.** Dégradation de certaines substances organiques, souvent accompagnée de dégagements gazeux, par l'action de ferments *(enzymes)* sécrétés par des micro-organismes. → ENCYCL. — **2.** *La fermentation des esprits* (syn. BOUILLONNEMENT, EFFERVESCENCE). ◆ **ferment** n. m. **1.** Agent provoquant la fermentation : *Mettre du ferment dans du lait pour faire du yaourt.* — **2.** *Un ferment de discorde, de haine*, ce qui provoque la discorde, la haine (littér.).
— ENCYCL. Certaines *fermentations* peuvent se faire sans utiliser l'oxygène et sont dites *anaérobies*, comme celle du lait *(fermentation lactique)*, de l'alcool *(fermentation alcoolique)*. D'autres fermentations exigent de l'oxygène *(fermentation acétique*, qui transforme le vin en vinaigre) et sont dites *aérobies*.

Les fermentations sont l'œuvre de bactéries, de champignons inférieurs (levures), mais aussi d'organes végétaux, ou encore des muscles humains et animaux pendant une phase déterminée de leur contraction.

FERMER [fɛrme] v. t. (lat. *firmare*, rendre ferme). **1.** *Fermer une porte, une barrière*, etc., les appliquer sur l'ouverture où elles sont montées, de façon à ôter la possibilité de passer : *Fermer les volets* (contr. OUVRIR). *Fermer un robinet* (= en faire cesser le débit). — **2.** *Fermer un passage, une voie*, etc., en empêcher ou en interdire l'accès (syn. BARRER). — **3.** *Fermer un local, un lieu, un contenant*, en isoler l'intérieur en rabattant la porte, le couvercle, etc. : *Un magasin fermé le lundi. Fermer une boîte. Fermer une lettre* (syn. CACHETER, CLORE). — **4.** *Fermer les yeux sur qqch.*, affecter de ne pas le remarquer, le tolérer par indulgence. — **5.** *Fermer un circuit électrique*, faire en sorte qu'il soit continu et que le courant y passe (contr. COUPER). — **6.** *Fermer un appareil*, en arrêter le fonctionnement : *Fermer la radio* (syn. ÉTEINDRE). *Fermer l'eau au compteur* (syn. COUPER). — **7.** *Fermer la parenthèse*, placer le second signe d'une parenthèse [)]; cesser une digression pour revenir à l'essentiel. — **8.** *Fermer la marche*, être parmi les derniers dans un groupe en marche. ◆ v. i. (sujet nom désignant un établissement). Cesser d'être en activité pour un congé normal : *Les banques ferment le samedi.* ◆ **se fermer** v. pr. : *Ses yeux se ferment. Sa blessure s'est fermée très vite. Les frontières se sont fermées aux produits étrangers. La porte ne se ferme pas à clef.* ◆ **fermé, e** adj. **1.** *Cercle fermé, société fermée*, où il est difficile de se faire admettre (syn. SNOB; fam. SÉLECT). — **2.** *Être fermé à qqch.*, se dit de quelqu'un (ou de son comportement) qui est inaccessible à cela : *Un garçon fermé aux mathématiques.* — **3.** *Visage fermé*, impénétrable, hostile. ◆ **fermeture** n. f. **1.** Action de fermer : *La fermeture annuelle des théâtres* (syn. CLÔTURE). — **2.** Dispositif permettant de fermer : *Fermeture à glissière.* ◆ **fermoir** n. m. Agrafe qui tient fermé un livre, un collier. ◆ **refermer** v. t. : *Referme la porte.*

FERMETÉ n. f. → FERME 5.

FERMETTE n. f. → FERME 1.

FERMETURE n. f. → FERMER.

FERMI (Enrico), physicien italien (1901-1954). Il préconisa l'emploi des neutrons pour la désintégration des atomes et réalisa la première fission* de l'uranium. Passé aux États-Unis en 1939, il réalisa en 1942 la première pile atomique.

FERMIER, ÈRE n. → FERME 1 et 3.

FERMOIR n. m. → FERMER.

FERNANDO POO, auj. **Bioco,** île volcanique de la Guinée équatoriale; 62600 hab. Ch.-l. *Malabo* (ancienn. *Santa Isabel*).

FERNEY-VOLTAIRE, ch.-l. de cant. de l'Ain, à 10 km au S.-E.

de Gex, sur la frontière suisse, près de Genève; 6400 hab. Ferney doit sa célébrité à Voltaire qui y résida de 1758 à 1778.

FÉROCE [ferɔs] adj. (lat. *ferox, -ocis*, fougueux). **1.** Se dit d'un animal (ou de son comportement) très cruel : *Un tigre féroce* (syn. SAUVAGE). — **2.** Se dit de quelqu'un qui ne manifeste aucune pitié, aucun sentiment de compassion dans ses actes : *Un examinateur féroce* (syn. IMPITOYABLE). *Une raillerie féroce* (syn. CRUEL). ◆ **férocement** adv. : *Critiquer férocement un adversaire.* ◆ **férocité** n. f. : *La férocité du tigre. La férocité d'une répression* (syn. BARBARIE, SAUVAGERIE).

FÉROÉ *(îles)*, ou **FAEROE,** archipel danois de l'Atlantique nord; 37100 hab. Capit. *Thorshavn*, dans l'île de *Strømø*. Il est formé de dix-huit îles volcaniques bordées de hautes falaises. L'archipel est une grande base de pêche (hareng). Colonisées par les Norvégiens au IXe s., les îles sont ensuite rattachées au Danemark, avant d'obtenir leur autonomie (1948).

FERRAGE n. m., **FERRAILLAGE** n. m. ⟶ FER 2.

FERRAILLE [ferɑj] n. f. (de *fer*). Débris d'objets métalliques hors d'usage. ‖ *Bon à mettre à la ferraille*, bon à mettre au rebut. ◆ **ferrailleur** n. m. Commerçant en ferraille.

FERRAILLER v. i. ⟶ FER 2.

FERRAILLEUR n. m. ⟶ FER 2 et FERRAILLE.

FERRARE, v. d'Italie, en Émilie, sur le Pô inférieur; 154100 hab. La ville garde une belle cathédrale romane et gothique, avec une façade de marbre, de nombreux palais et le château d'Este.

1. FERRÉ, E adj. ⟶ FER 1.

2. FERRÉ, E [fere] adj. (de *fer*). *Voie ferrée*, voie de chemin de fer.

1. FERRER v. t. ⟶ FER 2.

2. FERRER [fere] v. t. (de *fer*). *Ferrer un poisson*, donner une secousse à la ligne pour accrocher l'hameçon dans la bouche du poisson.

FERREUX, EUSE adj. ⟶ FER 1.

FERRIÉ (Gustave), général et savant français (1868-1932). Il dota la France d'une télégraphie sans fil puissante et perfectionnée.

FERRIQUE adj., **FERRO-ALLIAGE** n. m. ⟶ FER 1.

FERROL (Le), en esp. **El Ferrol del Caudillo,** v. du nord-ouest de l'Espagne, en Galice; 80200 hab. Port militaire.

FERROMAGNÉTISME [fɛromaɲetism] n. m. (du lat. *ferrum*, fer, et *magnétisme*). Propriété de certaines substances (fer, cobalt, nickel) qui peuvent prendre une forte aimantation. ◆ **ferromagnétique** adj. Se dit des substances douées de ferromagnétisme.

FERRONICKEL [fɛronikɛl] n. m. (du lat. *ferrum*, fer, et *nickel*). Alliage de fer et de nickel, utilisé pour ses propriétés particulières de dilatation, de magnétisme et de résistance à la corrosion.

FERRONNERIE [fɛrɔnri] n. f. (de *fer*). Travail artistique du fer, de la fonte; ouvrages ainsi réalisés : *Une enseigne de boutique en ferronnerie.* ◆ **ferronnier** n. m.

FERROVIAIRE [ferɔvjɛr] adj. (de l'it. *ferrovia*, chemin de fer). Relatif aux transports par chemin de fer : *Réseau ferroviaire* (= ensemble des voies de chemin de fer d'un pays). *Tarif ferroviaire* (= prix du kilomètre en chemin de fer).

FERRUGINEUX, EUSE adj. ⟶ FER 1.

FERRURE n. f. ⟶ FER 2.

FERRY (Jules), homme politique français (1832-1893). Avocat libéral, opposé au second Empire, il fut élu député républicain de Paris en 1869, et devint maire de Paris en novembre 1870. Presque constamment au pouvoir de 1879 à 1885, soit comme ministre de l'Instruction publique et des Beaux-Arts, soit comme président du Conseil ou ministre des Affaires étrangères, il assura l'affermissement du régime républicain, le développement de l'enseignement et l'expansion coloniale.

Il fit voter les trois lois consacrant les libertés de réunion, de la presse (1881) et des syndicats (1884), rendit l'école primaire gratuite, laïque et obligatoire, et étendit aux filles le bénéfice de l'enseignement secondaire d'État.

Il encouragea l'expansion coloniale française en Tunisie, au Congo et au Tonkin. Mais l'extension du conflit à la Chine, en l'obligeant à multiplier les demandes de crédits, déclencha contre lui une violente opposition, menée par Clemenceau. J. Ferry dut démissionner (30 mars 1885).

FERRY-BOAT [feribot] n. m. (mot angl. signif. *bac*). Navire spécialement aménagé pour le transport des trains ou des voitures avec leur chargement et leurs passagers. ‖ Pl. des *ferry-boats*. (L'Administration préconise NAVIRE TRANSBORDEUR ou TRANSBORDEUR.)

FERTÉ-BERNARD (La), ch.-l. de cant. de la Sarthe, sur l'Huisne, à 21 km au S.-O. de Nogent-le-Rotrou; 10100 hab.

FERTÉ-MACÉ (La), ch.-l. de cant. de l'Orne, à 26 km au S.-E. de Flers; 7700 hab. Toiles. Chaussures.

FERTÉ-SOUS-JOUARRE (La), ch.-l. de cant. de Seine-et-Marne, à 20 km à l'E. de Meaux, sur la Marne; 7000 hab.

1. FERTILE [fɛrtil] adj. (lat. *fertilis*). Qui produit beaucoup : *Sol fertile. Esprit fertile* (syn. FÉCOND, PRODUCTIF, RICHE; contr. ARIDE, PAUVRE, STÉRILE). ◆ **fertilité** n. f. Qualité d'une terre qui produit beaucoup; aptitude à créer en parlant de l'esprit. ◆ **fertiliser** v. t. : *Les engrais fertilisent la terre* (syn. ENRICHIR). ◆ **fertilisation** n. f. : *La fertilisation d'un désert* (syn. MISE EN VALEUR). ◆ **infertile** adj. Qui n'est pas fertile.

2. FERTILE [fɛrtil] adj. (même étym.). *Fertile en* (et un nom de chose plur.), qui abonde en : *Année fertile en événements* (syn. FÉCOND, RICHE).

FÉRU, E [fery] adj. (de *férir*). *Être féru de qqch.*, l'aimer passionnément (langue soignée).

FÉRULE [feryl] n. f. (lat. *ferula*, baguette). **1.** Palette de bois ou de cuir avec laquelle on frappait jadis les écoliers. — **2.** *Être sous la férule de qq'un*, être sous sa dépendance étroite (littér.).

FERVENT, E [fɛrvɑ̃, -ɑ̃t] adj. (du lat. *fervere*, bouillir). Se dit de quelqu'un (ou de son comportement) dont les sentiments sont d'une grande intensité : *Un disciple fervent* (syn. ARDENT, ENTHOUSIASTE). *Un amour fervent* (syn. PASSIONNÉ). ◆ **ferveur** n. f. : *Prier avec ferveur* (syn. DÉVOTION, ZÈLE).

FÈS ou **FEZ,** v. du Maroc, ch.-l. de province, sur l'oued Fès; 325300 hab. Centre religieux et universitaire. Nombreux monuments (mosquée Qarawiyyīn, mosquée des Andalous...).

FESSE [fɛs] n. f. (lat. *fissum*, fente). *Anat.* Chacune des deux parties charnues situées au bas du dos. ◆ **fessée** n. f. Correction sur les fesses. ◆ **fesser** v. t. Corriger d'une fessée. ◆ **fessier, ère** adj. Relatif aux fesses : *Muscles fessiers.*

FESSENHEIM, comm. du Haut-Rhin, à 21,5 km au N.-E. de Mulhouse; 2000 hab. Centrale hydro-électrique sur le grand canal d'Alsace. Centrale nucléaire.

FESSER v. t., **FESSIER, ÈRE** adj. ⟶ FESSE.

FESTIN [fɛstɛ̃] n. m. (it. *festino*). Repas abondant (syn. BANQUET). ◆ **festoyer** v. i. Faire un festin.

FESTIVAL [fɛstival] n. m. (mot angl. signif. *jour de fête*). **1.** Série de représentations artistiques consacrées à un genre donné : *Ce film a été primé au festival de Cannes.* — **2.** Ensemble très admiré dans une réunion : *Un festival de jolies robes.*

FESTIVITÉS [fɛstivite] n. f. pl. (du lat. *festivitas*). Ensemble de manifestations, de réjouissances officielles (syn. FÊTE).

FESTON [fɛstɔ̃] n. m. (it. *festone*, ornement de fête). **1.** Guirlande de feuillage, de fleurs ou de fruits, dont on parait, aux jours de fêtes, les façades des maisons. — **2.** Point bouclé de broderie, dont le dessin forme des dents arrondies. ◆ **festonner** v. t. Garnir de festons.

FESTOYER v. i. ⟶ FESTIN.

FÊTE [fɛt] n. f. (lat. *festum*). **1.** Solennité publique, accompagnée de réjouissances, destinée à marquer ou à commémorer un fait important : *La fête de Noël. La fête des mères.* ‖ *Fête mobile*, fête chrétienne qui ne tombe pas tous les ans à la même date. — **2.** Ensemble de manifestations joyeuses au sein d'un groupe fermé, destinées à célébrer ou à commémorer un événement : *Une fête de famille. Célébrer la fête de qq'un* (= marquer par une cérémonie familiale le jour du saint dont il porte le nom). — **3.** Réjouissance en général : *Jour de fête.* ‖ *Salle des fêtes*, local, généralement communal, réservé aux fêtes. — **4.** *Faire fête à qq'un*, l'accueillir avec chaleur. ‖ *Se faire une fête de*, se réjouir beaucoup à l'idée de. ◆ **fêtard** n. m. Personne habituée à une vie de plaisirs. ◆ **fêter** v. t. **1.** Célébrer la fête de; célébrer un événement. — **2.** *Fêter qq'un*, l'accueillir avec de grandes démonstrations de joie : *Fêter le vainqueur.* ◆ **Fête-Dieu** n. f. Fête du saint sacrement, fixée au jeudi qui suit l'octave de la Pentecôte.

FÉTICHE [fetiʃ] n. m. (portug. *feitiço*, sortilège). Objet auquel certains attribuent le pouvoir d'apporter la chance, le bonheur, etc., à celui qui le possède (syn. AMULETTE, PORTE-BONHEUR). ◆ **fétichisme** n. m. **1.** Croyances, pratiques des peuplades qui rendent un culte à des fétiches. — **2.** Attachement, respect exagéré à l'égard de quelqu'un, de quelque chose (syn. CULTE, VÉNÉRATION). ◆ **fétichiste** n. et adj.

FÉTIDE [fetid] adj. (lat. *foetidus*). **1.** Qui a une odeur répugnante, impossible à supporter : *Respirer un air fétide* (syn. EMPESTÉ, EMPUANTI). — **2.** Se dit de l'odeur elle-même : *L'odeur fétide des marais* (syn. ÉCŒURANT).

FÉTU [fety] n. m. (lat. *festuca*). Brin de paille.

1. FEU [fø] n. m. (lat. *focus*, foyer). **1.** Dégagement simultané de chaleur et de lumière produit par la combustion d'un corps (bois, charbon, etc.); matières en combustion : *Le feu a détruit la grange* (syn. INCENDIE). *Mettre une casserole sur le feu* (= en faire chauffer le contenu). *Donner du feu à qq'un* (= lui donner de quoi allumer sa cigarette, sa pipe). — **2.** *Feu de Bengale*, pièce d'artifice donnant une flamme colorée. ‖ *Feu de camp*, réjouissances organisées par une troupe de campeurs, de scouts, le soir, autour d'un feu de bois. ‖ *Feu d'enfer*, feu très vif. ‖ *Feu de joie*, feu allumé en signe de réjouissance. — **3.** *Il n'y a pas de fumée sans feu*, si l'on en parle c'est qu'il y a une raison. ‖ *Ne pas faire long feu*, ne pas durer longtemps (syn. NE PAS TRAÎNER). ‖ *Faire mourir qq'un à petit feu*, le tourmenter longtemps, le laisser intentionnellement dans une cruelle incertitude. ‖ *Jouer avec le feu*, courir au-devant du risque, agir d'une manière dangereuse. ‖ *Mettre le feu aux poudres*, provoquer une catastrophe, ou la colère de quelqu'un. ‖ *N'y voir que du feu*, ne rien y voir, ne rien y comprendre. ◆ **contre-feu** n. m. Incendie volontairement allumé pour détruire une bande de végétation et créer un vide où viendra mourir le feu principal. ‖ Pl. des *contre-feux*.

2. FEU [fø] n. m. (même étym.). **1.** Ardeur des sentiments : *Parler avec feu* (syn. ENTHOUSIASME, FOUGUE, PASSION). — **2.** *Feu de paille*, ardeur très passagère, activité sans lendemain. ‖ *Avoir le feu sacré*, témoigner d'un zèle très vif. ‖ *Être tout feu, tout flamme*, montrer un grand enthousiasme (syn. S'EMBALLER).

3. FEU [fø] n. m. (même étym.). **1.** Sensation de chaleur, de brûlure, due à un agent physique ou à une émotion : *Le feu lui monta au visage* (= il devint tout rouge). — **2.** *Le feu du rasoir*, irritation de la peau après le rasage. ‖ *Feu de dents*, rougeur sur la joue d'un enfant qui perce ses dents. — LOC. ADJ. *En feu*, irrité sous l'effet d'une cause physique : *Un plat trop épicé qui met la bouche en feu. Avoir les joues en feu* (= avoir les joues brûlantes).

4. FEU [fø] n. m. (même étym.). **1.** Décharge d'une ou de plusieurs armes, entraînée par la combustion instantanée d'une matière explosive. — **2.** *Coup de feu*, décharge d'un revolver, d'un fusil. ‖ *Être pris entre deux feux*, se trouver attaqué de deux côtés à la fois; recevoir en même temps les critiques de gens d'opinions contraires. ‖ *Ouvrir le feu*, commencer à tirer. ‖ *Feu continu, feu roulant*, série ininterrompue de décharges d'armes à feu. ‖ *Feux croisés*, tirs de projectiles venant de divers côtés sur un seul objectif. ‖ *Feu nourri*, tir rapide et abondant.

5. FEU [fø] n. m. (même étym.). **1.** Signal lumineux conventionnel, servant à prévenir d'une intention, à avertir d'un danger, à autoriser le passage : *Le feu vert indique aux piétons qu'ils ne peuvent pas traverser.* ‖ *Feu de position*, point lumineux d'un avion, d'un bateau, servant à signaler sa présence; dispositif d'éclairage dont tout véhicule routier doit être muni à l'avant gauche et à l'avant droit. ‖ *Feux de croisement*, dispositif d'éclairage qu'un automobiliste doit allumer en substitution aux feux de route lorsqu'il croise un autre véhicule. ‖ *Feux de route*, dispositif lumineux dont doit être muni tout véhicule routier pour éclairer sa route sur une distance minimale de 100 m. — **2.** *Donner le feu vert (à qq'un)*, lui donner l'autorisation de faire quelque chose. — **3.** (au plur.) Éclairage d'une caserne, d'un camp militaire : *L'extinction des feux.* — **4.** Lumière dans un théâtre : *Les feux de la rampe* (= l'ensemble de l'éclairage placé sur le devant d'une scène de théâtre). ‖ *Être sous le feu des projecteurs*, être dans le champ des projecteurs, ou être le point de mire de l'actualité.

6. FEU [fø] n. m. (même étym.). **1.** Maison familiale (vieilli) : *Un hameau de dix feux.* — **2.** *Être sans feu ni lieu*, être sans domicile.

7. FEU [fø] adj. inv. (du lat. *fatum*, destin) [avant le nom et l'article]. Mort (littér. ou plaisant) : *Feu ma tante m'a laissé sa fortune* (= ma défunte tante).

FEUERBACH (Ludwig), philosophe allemand (1804-1872). Il se détacha de l'idéalisme hégélien pour une philosophie plus réaliste.

FEUILLADE (Louis), cinéaste français (1874-1925), auteur de films d' « épouvante » à épisodes : *Fantomas, les Vampires, Judex.*

FEUILLAGE n. m., **FEUILLAISON** n. f. ⟶ FEUILLE 1.

Feuillants *(club des)*, groupement politique qui, à partir de juillet 1791, rassembla les éléments modérés, royalistes constitutionnels, avec La Fayette et Barnave. Les réunions se faisaient dans un ancien couvent de l'ordre des Feuillants. Jusqu'au 20 août 1792, les Feuillants formèrent la droite de l'Assemblée, avant d'être éliminés par les Girondins.

1. FEUILLE [fœj] n. f. (lat. *folium*). **1.** *Bot.* Organe propre aux végétaux et formé d'une lame plus ou moins aplatie (ou *limbe*), insérée sur la tige ou sur un rameau. ⟶ ENCYCL. — **2.** *Trembler comme une feuille*, être sous l'effet d'une violente émotion ou en proie à la peur. ‖ *Feuille de vigne*, feuille peinte ou sculptée cachant le sexe des nus représentés en tableau ou sculptés. ◆ **feuillage** n. m. **1.** Ensemble des feuilles d'un arbre. — **2.** Branchages coupés, couverts de feuilles : *Se faire un lit de feuillage.* ◆ **feuillaison** n. f. Renouvellement annuel des feuilles. ◆ **feuillées** n. f. pl. Latrines installées par des troupes en campagne. ◆ **feuille-morte** adj. inv. D'une couleur tirant sur le jaune-brun. ◆ **feuillu, e** adj. Qui a beaucoup de feuilles. ◆ **effeuiller** v. t. Dépouiller de ses feuilles ou de ses pétales : *Le vent effeuille les arbres. Effeuiller une marguerite.* ◆ ***s'effeuiller*** v. pr. : *La rose s'est effeuillée sur le sol.* ◆ **foliation** n. f. **1.** Disposition des feuilles sur la tige. — **2.** Moment où les bourgeons commencent à développer leurs feuilles. ◆ **foliacé, e** adj. Qui est de la nature des feuilles ou qui en a l'apparence. ◆ **folié, e** adj. Garni de feuilles. ◆ **foliole** n. f. Chaque division du limbe d'une feuille composée, comme celle du haricot, du marronnier d'Inde, etc.
— ENCYCL. Des *feuilles* d'un type primitif existent chez les mousses. Les gymnospermes actuelles ont des feuilles réduites à des *aiguilles* (pin, sapin). Parmi les angiospermes, les unes *(monocotylédones)* ont des feuilles allongées, verticales, à nervures parallèles, aux deux faces identiques (iris, graminacées, « herbes » du gazon), les autres *(dicotylédones)* ont des feuilles horizontales, dont la partie principale est un *limbe* simple ou composé, rattaché par un *pétiole* à une *gaine* fixée à l'axe. Les nervures sont ramifiées; le contour du limbe présente tous les degrés de découpure possibles, et il peut y avoir plusieurs limbes, associés de part et d'autre de la nervure principale (feuille *composée pennée* du robinier) ou fixés en un seul point (feuille *composée palmée* du marronnier). La fonction principale des feuilles est la photosynthèse chlorophyllienne qui permet à la plante, à partir du carbone atmosphérique, d'élaborer la sève nutritive. C'est également par les feuilles que se fait le renouvellement de l'eau (transpiration).

2. FEUILLE [fœj] n. f. (même étym.). **1.** Morceau de papier, de forme rectangulaire, sur lequel on peut écrire, peindre ou imprimer. — **2.** *Bonnes feuilles*, tirage définitif d'un texte imprimé. ‖ *Feuille d'impôt*, document adressé à un contribuable, indiquant le montant et la date du versement qu'il doit effectuer aux contributions directes. ‖ *Feuille locale*, journal destiné au public d'une ville ou d'une petite région. ◆ **feuillet** n. m. **1.** Partie d'une feuille de papier pliée plusieurs fois sur elle-même. — **2.** Page d'un livre, d'un cahier. ◆ **feuilleter** v. t. (Conj. **8.**) *Feuilleter un livre*, en tourner rapidement les pages, les parcourir sommairement. ◆ **feuilleton** n. m. **1.** Article qui paraît régulièrement dans un journal, concernant une rubrique particulière (syn. CHRONIQUE). — **2.** Partie d'une œuvre romanesque paraissant par fragments dans un journal, lue ou diffusée à la radio ou à la télévision. ◆ **feuilletoniste** n. m. Auteur de romans-feuilletons.

3. FEUILLE [fœj] n. f. (même étym.). Plaque mince de bois, de métal, de minerai, de carton, etc. ◆ **feuilleté, e** adj. *Pâte feuilletée*, ou *feuilleté* n. m., pâte préparée pour qu'elle forme des feuilles à la cuisson.

Feuilles d'automne *(les)*, recueil de poésies de Victor Hugo (1831).

FEUILLÉES n. f. pl., **FEUILLE-MORTE** adj. inv. ⟶ FEUILLE 1.

1. FEUILLET n. m. ⟶ FEUILLE 2.

2. FEUILLET [fœjɛ] n. m. (de *feuille*). Troisième poche de l'estomac des ruminants.

FEUILLETÉ, E adj. ⟶ FEUILLE 3.

FEUILLETER v. t., **FEUILLETON** n. m., **FEUILLETONISTE** n. m. ⟶ FEUILLE 2.

FEUILLU, E adj. ⟶ FEUILLE 1.

FEUILLURE [fœjyr] n. f. (du lat. *fodere*, creuser). Rainure ou entaille pratiquée dans un panneau ou un bâti pour y loger une autre pièce.

FEULER [føle] v. i. (onomat.) [sujet nom désignant le tigre, le chat]. Gronder. ◆ **feulement** n. m.

FEURS, ch.-l. de cant. de la Loire, sur la Loire, à 38 km au N. de Saint-Étienne; 8 100 hab. *(Foréziens).* Vestiges gallo-romains. Industries métallurgiques.

FEUTRE [føtr] n. m. (frq. *filtir*). **1.** Étoffe de laine ou de poils foulés ou agglutinés. — **2.** Chapeau en feutre. — **3.** Crayon ou stylo contenant un réservoir formé de feutre imprégné d'encre et relié à une pointe de feutre ou de Nylon. ◆ **feutrer** v. t. Garnir de feutre. ◆ v. i. et ***se feutrer*** v. pr. Prendre l'aspect du feutre. ◆ **feutré, e** adj. **1.** Qui a l'aspect du feutre. — **2.** Dont le bruit est étouffé : *Un bruit feutré* (syn. AMORTI, OUATÉ). *Vivre dans une atmosphère feutrée* (= sans contact avec l'extérieur). ◆ **feutrage** n. m. **1.** Action de transformer en feutre une matière textile, de garnir de feutre. — **2.** Altération d'un tissu de laine qui prend l'aspect du feutre. ◆ **feutrine** n. f. Feutre léger, mais très serré et fortement foulé.

FÉVAL (Paul), écrivain français (1817-1887), auteur de mélodrames et de romans d'aventures (*le Bossu*, 1858).

FÈVE [fɛv] n. f. (lat. *faba*). **1.** Plante voisine du haricot, dont la graine est comestible. (Famille des papilionacées.) — **2.** Graine de cette plante.

FÉVRIER [fevrije] n. m. (lat. *februarius*). Deuxième mois de l'année. (⟶ MOIS.)

février 1934 *(le 6)*, journée d'émeute qui opposa à Paris des éléments de droite à la police, à la suite de l'affaire Stavisky*. À l'appel de plusieurs organisations, des manifestants se regroupèrent place de la Concorde. La police dut faire feu pour défendre la Chambre des députés.

FEYDEAU (Georges), écrivain français (1862-1921). Usant de tous les procédés qui font naître le rire, mais sachant puiser dans la vie quotidienne les traits d'un comique « de situation », il triompha dans le vaudeville (*Un fil à la patte*, 1894; *le Dindon*, 1896; *la Dame de chez Maxim*, 1899).

FEYZIN, comm. de l'Isère, près du Rhône, à 6,5 km au S. de Lyon; 7 800 hab. *(Feyzinois).* Raffinerie de pétrole. Pétrochimie.

FEZ ⟶ FÈS.

FEZ [fɛz] n. m. (du n. de *Fez*). Calotte en laine, en forme de tronc de cône, qui fut longtemps la coiffure des Turcs.

FEZZAN, région désertique du sud-ouest de la Libye, parsemée d'oasis (palmeraies). V. pr. *Sebha*.

• *1941-1942. Les Français de Leclerc, venu du Tchad à travers le Sahara, occupent la région.*

F. F. I., sigle de *Forces* françaises de l'intérieur.*

F. F. L., sigle de *Forces* françaises libres.*

FI ! [fi] interj. (onomat.). **1.** Exprime le dégoût, le dédain, le mépris. — **2.** *Faire fi de qqch.*, ne pas en tenir compte, le mépriser.

FIABILITÉ [fjabilite] n. f. (de [*se*] *fier*). Probabilité pour qu'un dispositif fonctionne sans défaillance dans des conditions déterminées et pour une période de temps définie. ◆ **fiable** [fjabl] adj. Se dit de ce qui présente la qualité de fiabilité.

FIACRE [fjakr] n. m. (du n. de saint *Fiacre*, dont l'effigie ornait l'enseigne d'un bureau de voitures de louage situé rue Saint-Antoine à Paris). Voiture tirée par des chevaux.

FIANCÉ, E [fijɑ̃se] n. (de l'anc. fr. *fiance*, engagement). Se dit d'une personne qui a promis le mariage à une autre, et qui en a reçu la même promesse. ◆ **fiancer (se)** v. pr. S'engager à épouser quelqu'un. ◆ **fiançailles** n. f. pl. **1.** Promesse solennelle de mariage : *Une bague de fiançailles.* — **2.** Temps qui sépare la promesse de mariage du mariage lui-même.

FIASCO [fjasko] n. m. (de l'it. *far fiasco*, échouer). **1.** *Fam.* Échec dans une tentative, une entreprise, etc. — **2.** Fam. *Faire fiasco*, échouer totalement.

1. FIBRE [fibr] n. f. (lat. *fibra*). Filament ou cellule allongée, constituant certains tissus animaux et végétaux. (Chez les animaux, il existe plusieurs sortes de fibres : les *fibres conjonctives*, les *fibres musculaires* et les *fibres nerveuses*.) ◆ **fibreux, euse** adj. Qui contient des fibres : *Une viande fibreuse.*

2. FIBRE [fibr] n. f. (même étym.). Élément de forme allongée constitutif de certaines matières; morceau fin et allongé, obtenu mécaniquement à partir de certains matériaux : *Fibres textiles. Fibre de bois* (= filament de bois, servant en particulier à l'emballage d'objets fragiles). *Fibre de verre* (= mince filament de verre employé comme isolant). ◆ **fibranne** n. f. Textile artificiel dont les fibres sont courtes et associées par torsion : *Un tapis en laine et fibranne.* ◆ **défibrer** v. t. Ôter les fibres : *On défibre la canne à sucre pour faciliter la sortie du jus.* ◆ **défibrage** n. m. **1.** Action de défibrer. — **2.** Opération qui a pour objet d'obtenir de longs et minces copeaux (fibres ou laine de bois), destinés à l'emballage ou à la fabrication des panneaux de fibre de bois.

3. FIBRE [fibr] n. f. (même étym.). La sensibilité de l'homme dans ce qu'elle a de plus caché ou de plus personnel : *Faire vibrer la fibre patriotique* (syn. CORDE). *Avoir la fibre paternelle* (= se montrer un excellent père).

FIBRINE [fibrin] n. f. (de *fibre*). Substance qui apparaît dans le sang au cours de la coagulation, et qui constitue les filaments du caillot. (La formation du caillot contenant des globules rouges emprisonnés dans le réseau de fibrine est une défense naturelle contre l'hémorragie.) ◆ **fibrinogène** n. m. Substance protidique normalement dissoute dans le plasma sanguin, et qui se transforme en fibrine lors de la coagulation.

FIBROCIMENT [fibrosimɑ̃] n. m. (nom déposé; de *fibre*, et *ciment*). *Constr.* Matériau formé d'amiante et de ciment.

FIBROME [fibrom] n. m. (de *fibre*). *Méd.* Tumeur bénigne constituée à partir de certaines cellules du tissu conjonctif.

FIBULE [fibyl] n. f. (lat. *fibula*). Dans l'Antiquité, épingle ou fermoir de métal qui servait à agrafer les vêtements.

1. FICELLE [fisɛl] n. f. (du lat. *funiculus*). **1.** Corde mince, servant à lier des objets entre eux, un emballage, etc. — **2.** Fam. *Tirer les ficelles*, diriger une affaire, commander des personnes sans se montrer ou sans être connu (syn. MENER LE JEU). ‖ Fam. *Connaître les ficelles*, connaître quelque chose par expérience (syn. fam. ASTUCES, TRUCS). ◆ **ficelage** n. m. Action de ficeler. ◆ **ficeler** v. t. (Conj. **6.**) Attacher avec de la ficelle. ◆ **ficelé, e** adj. *Fam.* et *péjor.* Habillé : *Il est drôlement ficelé* (syn. FAGOTÉ). ◆ **déficeler** v. t. : *Déficeler un paquet.* ◆ **reficeler** v. t.

2. FICELLE [fisɛl] n. f. (de *ficelle* 1). Pain de fantaisie très mince.

1. FICHE [fiʃ] n. f. (de *ficher*). Petit morceau de carton rectangulaire, sur lequel on note un renseignement et qu'on classe dans un ordre déterminé : *Consulter les fiches d'une bibliothèque.* ◆ **ficher** v. t. **1.** *Ficher un renseignement*, l'inscrire sur une fiche. — **2.** *Ficher qq'un*, établir une fiche de renseignements sur son compte. ◆ **fichier** n. m. **1.** Meuble où l'on classe les fiches. — **2.** En informatique, collection organisée d'informations de même nature, pouvant être utilisées dans un même traitement.

2. FICHE [fiʃ] n. f. (même étym.). Pièce métallique s'adaptant à une autre et utilisée en électricité pour établir un contact : *Une fiche mâle, femelle* (syn. PRISE).

1. FICHER [fiʃe] v. t. (lat. *figere*, enfoncer). Enfoncer un objet par la pointe (syn. PLANTER).

2. FICHER [fiʃe] ou plus souvent **FICHE** [fiʃ] v. t. (même étym.) [part. passé *fichu*]. **1.** *Fam.* Lancer, jeter, donner avec force : *On l'a fichu à la porte de l'école* (syn. METTRE). *Fichez-moi la paix* (= laissez-moi tranquille). *Ficher une gifle.* — **2.** (avec un pron. compl.) *Fam.* Faire : *Il n'a rien fichu de la journée.* — **3.** Fam. *Ficher par terre*, faire ou laisser tomber. ◆ **se ficher** (ou **fiche**) v. pr. *Fam.* Se mettre : *Il s'est fichu en colère.*

3. FICHER (SE) [səfiʃe] ou plus souvent **SE FICHE** [səfiʃ] v. pr. (même étym.). **1.** Fam. *Se ficher* (ou *fiche*) *de qq'un*, se moquer de lui, le tourner en dérision. — **2.** Fam. *Se ficher* (ou *fiche*) *de qq'un, de qqch.*, se désintéresser de lui, n'y prêter aucune attention. ◆ **contreficher (se)** v. pr. Syn. de SE FICHER (sens 2).

4. FICHER v. t. ⟶ FICHE 1.

FICHIER n. m. ⟶ FICHE 1.

FICHTE (Johann Gottlieb), philosophe allemand (1762-1814). Son *Discours à la nation allemande* (1807) constitue un manifeste du nationalisme allemand face aux entreprises de Napoléon. Dans sa pensée philosophique, qui est une réflexion sur la liberté, Fichte cherche à réaliser l'unité de la théorie et de la pratique.

1. FICHU, E [fiʃy] adj. (de *ficher*). **1.** *Fam.* Se dit d'une personne ou d'une chose qui est perdue, détruite : *Il est bien malade, il est fichu* (syn. CONDAMNÉ). *Sa voiture est fichue.* — **2.** (avant le nom) *Fam.* Se dit de ce qui est insupportable, pénible, désagréable : *Il a un fichu caractère* (syn. MAUVAIS). — **3.** *Être fichu de* (et l'infin.), être capable de, en mesure de. — **4.** Fam. *Mal fichu*, se dit d'une personne en mauvaise santé, fatiguée : *Se sentir mal fichu* (syn. SOUFFRANT); se dit d'une chose mal faite, mal disposée : *C'est du travail mal fichu.* ‖ Fam. *Bien fichu*, se dit de quelqu'un ou de quelque chose qui est bien fait.

2. FICHU [fiʃy] n. m. (même étym.). Pointe d'étoffe dont les femmes s'entourent les épaules et le cou, ou se couvrent la tête.

FICIN (Marsile), humaniste italien (1433-1499), traducteur des œuvres de Platon.

FICTIF, IVE [fiktif, -iv] adj. (du lat. *fingere*, feindre). **1.** Qui est produit par l'imagination, inexistant : *Un personnage fictif* (syn. IMAGINAIRE). — **2.** Qui n'existe qu'en vertu d'un accord entre des personnes : *La valeur fictive du papier-monnaie* (syn. CONVENTIONNEL). ◆ **fictivement** adv. Par un effort de l'imagination, de l'esprit (littér.). ◆ **fiction** n. f. **1.** Œuvre ou genre littéraire créés par l'imagination pure, sans souci de vraisemblance. — **2.** Imagination (littér.) : *Il vit dans la fiction* (= dans un monde imaginaire).

1. FIDÈLE [fidɛl] adj. (lat. *fidelis*) [ordinairement après le nom]. **1.** Se dit de quelqu'un qui remplit ses engagements : *Être fidèle à sa parole* (contr. TRAÎTRE). *Être fidèle à sa patrie, à sa famille* (= remplir ses devoirs à leur égard). — **2.** Se dit d'un être animé qui manifeste un attachement constant : *Un ami fidèle* (contr. INCONSTANT, INFIDÈLE). — **3.** Se dit d'une personne dont le comportement, les opinions n'ont pas varié par rapport à quelque chose : *Il est fidèle à son tempérament* (= semblable à lui-même).

— **4.** *Historien, narrateur fidèle,* qui rapporte les faits sans les dénaturer, sans en omettre aucun. ◆ n. m. **1.** Personne qui pratique régulièrement une religion : *L'église était pleine de fidèles.* — **2.** *Un fidèle de,* quelqu'un qui montre du zèle, de l'assiduité pour : *C'est un fidèle des concerts du samedi.* ◆ **fidèlement** adv. Avec constance, avec exactitude. ◆ **fidélité** n. f. : *Fidélité d'un homme à ses amis, à sa femme.* ◆ **infidèle** adj. : *Infidèle à ses promesses. Récit infidèle.* ◆ n. Personne qui ne professe pas la religion considérée comme vraie. ◆ **infidélité** n. f. : *L'infidélité d'un mari.*

2. FIDÈLE [fidɛl] adj. (même étym.) [après le nom]. **1.** Se dit de ce qui est conforme à un modèle, à un original, etc. : *Copie fidèle* (contr. FAUX, INEXACT). — **2.** *Récit, compte rendu,* etc., *fidèle,* qui suit scrupuleusement la vérité (contr. FALSIFIÉ, MENSONGER). — **3.** *Mémoire fidèle,* qui retient bien ce qu'elle a enregistré (contr. INFIDÈLE). — **4.** Se dit d'un instrument de mesure qui donne des indications concordant entre elles pour une même épreuve répétée plusieurs fois (contr. DÉRÉGLÉ, FAUX). ◆ **fidèlement** adv. ◆ **fidélité** n. f. **1.** *Fidélité d'une reproduction, d'un récit, d'une mémoire* (syn. EXACTITUDE). — **2.** Qualité d'un instrument de mesure qui donne des indications identiques lorsqu'il est placé dans les mêmes conditions d'utilisation. — **3.** Qualité d'un électrophone, d'un magnétophone, d'un poste de radio qui reproduit sans altération le son : *Chaîne haute fidélité.* ◆ **infidèle** adj. : *Une mémoire, un compte rendu infidèle* (syn. INEXACT). ◆ **infidélité** n. f. : *L'infidélité d'une description.*

FIDJI ou **FIJI** *(îles),* archipel de la Mélanésie formant un État indépendant depuis 1970 (exclu du Commonwealth après la proclamation, en 1987, de la République); 18 300 km²; 800 000 hab. Capit. *Suva* (sur Viti Levu).

L'archipel comprend 320 îles, montagneuses, qui jouissent d'un climat tropical surtout humide sur les versants au vent. Les deux îles principales, Viti Levu (10 500 km²) et Vanua Levu (5 530 km²), représentent 87 p. 100 de la superficie et groupent la presque totalité de la population. Celle-ci pratique une agriculture vivrière, et la culture de la canne à sucre pour l'exportation. On exploite également des mines d'or. Les îles Fidji sont devenues une importante escale maritime et aérienne.

FIDUCIAIRE [fidysjɛr] adj. (du lat. *fiducia,* confiance). Se dit des valeurs fictives, fondées sur la confiance accordée à celui qui les émet : *Le billet de banque est une monnaie fiduciaire.*

FIEF [fjɛf] n. m. (frq. *fěhu,* bétail). **1.** Domaine qu'un vassal tenait de son suzerain, auquel, en échange, il prêtait foi et hommage et devait certains services et redevances. (⟶ FÉODAL.) — **2.** Domaine où l'on est maître, que l'on cherche à garder pour soi : *Fief électoral. La littérature, c'est son fief* (syn. SPÉCIALITÉ).

FIEFFÉ, E [fjɛfe] adj. (de *fief*) [ordinairement avant le nom]. *Péjor.* Se dit de quelqu'un qui a atteint le degré le plus haut d'un défaut ou d'un vice : *Un fieffé coquin* (syn. FAMEUX).

1. FIEL [fjɛl] n. m. (lat. *fel*). Bile (chez les animaux).

2. FIEL [fjɛl] n. m. (même étym.). Amertume, animosité à l'égard de quelqu'un ou de quelque chose (littér.) : *Un discours plein de fiel.* ◆ **fielleux, euse** adj. : *Des propos fielleux* (syn. ACRIMONIEUX; contr. BIENVEILLANT).

FIELDING (Henry), écrivain anglais (1707-1754). Auteur de théâtre satirique (*Tom Pouce,* 1730) et d'un des grands récits réalistes modernes : *Histoire de Tom Jones, enfant trouvé* (1749).

FIELLEUX, EUSE adj. ⟶ FIEL 2.

FIENTE [fjɑ̃t] n. f. (bas lat. *femita*). Excréments de certains animaux : *Fiente de volaille.* ◆ **fienter** v. i.

FIER, FIÈRE [fjɛr] adj. (lat. *ferus,* sauvage). **1.** (après le nom) Se dit de quelqu'un qui affecte une attitude hautaine et méprisante : *Sa fortune l'a rendu fier* (syn. DÉDAIGNEUX, SUFFISANT). — **2.** (après le nom) Qui a le sentiment de sa dignité, de son honneur : *Avoir l'âme fière* (syn. NOBLE). — **3.** (avant ou après le nom) Qui a un port majestueux, une belle prestance : *Le pas noble et fier d'un pur-sang* (syn. ALTIER). — **4.** *Avoir fière allure,* se montrer sous son plus bel aspect (syn. NOBLE). ‖ *Être fier de qq'un, de qqch.,* en tirer orgueil ou satisfaction : *Il n'y a pas de quoi être fier* (= il n'y a pas lieu de se vanter, il vaut mieux se taire). ‖ Fam. *Fier comme Artaban,* très fier, plein d'orgueil. ◆ n. *Faire le fier, la fière,* être prétentieux, suffisant. ◆ **fièrement** adv. **1.** *Refuser fièrement un secours* (syn. CRÂNEMENT). — **2.** Fam. *Être fièrement content,* être très content. ◆ **fierté** n. f. **1.** *Il y a une belle fierté dans sa réponse* (syn. ARROGANCE, HAUTEUR; contr. VEULERIE). *La fierté de son allure* (contr. VULGARITÉ). *Il montre trop de fierté avec ses amis* (contr. SIMPLICITÉ). — **2.** *Tirer fierté de qqch.,* en être fier. ◆ **fier-à-bras** [fjɛrabra] n. m. Celui qui affiche une bravoure ou des hautes qualités qu'il n'a pas (littér.). ◆ **fiérot, e** adj. *Fam.* Se dit d'une personne qui fait la fière et qui est un peu ridicule.

FIER (SE) [səfje] v. pr. (du lat. *fidus,* fidèle). *Se fier à une personne, à une chose,* mettre sa confiance en elle : *Je me fie à vous pour régler cette affaire* (syn. COMPTER SUR, S'EN REMETTRE).

FIER (le), riv. des Préalpes du Nord, née dans le massif des Aravis, affl. du Rhône (r. g.); 66 km.

FIER-À-BRAS n. m., **FIÈREMENT** adv., **FIÉROT, E** adj., **FIERTÉ** n. f. ⟶ FIER.

FIESCHI (Giuseppe) [1790-1836]. Il attenta à la vie de Louis-Philippe en faisant éclater une « machine infernale » sur son passage, le 28 juillet 1835.

FIESOLE, comm. d'Italie au-dessus de Florence; 12 500 hab. Anc. centre de civilisation étrusque. Couvent de San Domenico où Fra Angelico décora de nombreuses cellules.

FIÈVRE [fjɛvr] n. f. (lat. *febris*). **1.** État maladif, caractérisé principalement par une élévation anormale de la température du corps (au-delà de 37 °C) : *Avoir de la fièvre.* ‖ Fam. *Fièvre de cheval,* fièvre violente. — **2.** Nom donné à des affections accompagnées de fièvre. ‖ *Fièvre aphteuse* ⟶ APHTE. ‖ *Fièvre jaune,* maladie tropicale, due à un virus filtrant et transmise par divers moustiques, accompagnée d'une coloration jaune de la peau. ‖ *Fièvre de Malte* ou *fièvre ondulante* (syn. BRUCELLOSE). — **3.** État de tension ou d'agitation d'un individu, d'un groupe de personnes : *Dans la fièvre du départ* (syn. AGITATION). *Parler avec fièvre* (syn. FOUGUE, PASSION). ◆ **fiévreux, euse** adj. **1.** Se dit d'un être vivant (ou d'une partie de son corps) qui a de la fièvre : *Se sentir fiévreux.* — **2.** Se dit d'un endroit, d'un temps, d'un climat, etc., qui donne de la fièvre. — **3.** Se dit d'une action intense ou désordonnée : *Une activité fiévreuse* (syn. AGITÉ, PASSIONNÉ). ◆ **fiévreusement** adv. : *Préparer fiévreusement un départ* (syn. FÉBRILEMENT). ◆ **enfiévrer** v. t. **1.** Mettre en état de fièvre : *Cet effort a enfiévré le malade.* — **2.** Jeter dans l'exaltation, enflammer, surexciter : *Une agitation enfiévrée.* ◆ **enfièvrement** n. m. ◆ **fébrifuge** adj. et n. m. Se dit d'un médicament qui diminue ou supprime la fièvre. ◆ **fébrile** adj. **1.** Qui a de la fièvre. — **2.** Qui manifeste une agitation excessive et nerveuse : *Un homme fébrile* (syn. NERVEUX). — **3.** Conduite, attitude qui est le signe d'une nervosité excessive : *Faire preuve d'une impatience fébrile* (syn. FIÉVREUX). ◆ **fébrilement** adv. : *S'agiter fébrilement.* ◆ **fébrilité** n. f. Excitation analogue à celle que donne la fièvre.

FIFRE [fifr] n. m. (anc. all. *Pfifer*). Petite flûte en bois, au son aigu.

Figaro, personnage créé par Beaumarchais dans *le Barbier de Séville* (1775) et repris dans *le Mariage de Figaro* (1784).

FIGÉ, E adj. ⟶ FIGER.

FIGEAC, ch.-l. d'arrond. du Lot, sur le Célé, à 28 km au N.-O. de Decazeville; 10 500 hab. Construction aéronautique.

FIGER [fiʒe] v. t. (du bas lat. *feticum,* foie). **1.** *Figer un liquide,* le transformer en une masse compacte, le solidifier : *Le froid a figé l'huile.* — **2.** (sujet nom de chose) *Figer qq'un,* lui causer un grand saisissement, le laisser stupéfait : *L'épouvante le figea sur place* (syn. PÉTRIFIER). ◆ v. i. ou **se figer** v. pr. **1.** (sujet nom désignant un liquide) Se solidifier, s'épaissir sous l'action du froid. — **2.** (sujet nom de personne) S'immobiliser dans une attitude fixe, raide : *La sentinelle s'était figée au garde-à-vous.* — **3.** *Son sang se fige,* il est saisi de frayeur (littér.). ‖ *Sourire qui se fige,* qui devient inexpressif, qui ne correspond plus à un sentiment réel. ◆ **figé, e** adj. : *Sourire figé* (syn. CONTRAINT). *Attitude figée* (syn. IMMOBILE, RAIDE). ‖ *Expression figée,* qui a cessé d'évoluer.

FIGNOLER [fiɲɔle] v. t. (de *fin*). Fam. *Fignoler un travail,* apporter un soin minutieux à sa finition, en soigner tous les détails. ◆ **fignolage** n. m.

FIGUE [fig] n. f. (du lat. *ficus*). Fruit du figuier constitué d'un réceptacle charnu portant intérieurement les graines. ‖ *Figue de Barbarie,* fruit charnu et sucré de l'*opuntia.* — LOC. ADJ. Fam. *Mi-figue, mi-raisin,* se dit d'une chose qui n'est ni tout à fait agréable, bonne, plaisante, etc., ni tout à fait le contraire (syn. AMBIGU, MÉLANGÉ, MITIGÉ). ◆ **figuier** n. m. Arbre des pays chauds, dont le fruit est comestible. (Famille des moracées.)

FIGUIG (le), oasis saharienne du Maroc, près de la frontière algérienne; 13 200 hab.

FIGURANT, E [figyrɑ̃, -ɑ̃t] n. (de *figurer*). **1.** Acteur, actrice qui, au théâtre, au cinéma, a un rôle accessoire, généralement muet. — **2.** Personne qui, dans une affaire, ne joue pas un rôle actif, se bornant à être présente (syn. COMPARSE). ◆ **figuration** n. f. **1.** Métier, rôle de figurant. — **2.** L'ensemble des figurants.

FIGURATIF, IVE adj. ⟶ FIGURE 2.

FIGURATION n. f. ⟶ FIGURANT et FIGURE 2.

1. FIGURE [figyr] n. f. (lat. *figura*). **1.** Partie antérieure de la tête : *Avoir la figure rouge* (syn. VISAGE). — **2.** Expression particulière à une personne, apparence qu'elle revêt aux yeux d'autrui : *Il a une bonne figure* (= il a l'air sympathique) [syn. TÊTE]. — **3.** (généralement précédé d'un adj.) Personnalité marquante : *Les grandes figures du passé* (syn. PERSONNAGE). — **4.** *Faire bonne figure*, se montrer digne de ce qu'on attend de vous (syn. CONTENANCE). ‖ *Faire triste figure, faire piètre figure*, avoir l'air triste, sombre, préoccupé (syn. FAIRE GRISE MINE); ne pas se montrer compétent, à la hauteur. ‖ *Faire figure de*, avoir l'apparence, l'aspect de (quelque chose ou quelqu'un). ◆ **défigurer** v. t. *Défigurer qq'un*, rendre sa figure, son visage méconnaissable.

2. FIGURE [figyr] n. f. (même étym.). **1.** Représentation matérielle ou intellectuelle de quelqu'un ou de quelque chose : *L'explication est accompagnée d'une figure* (syn. DESSIN, SCHÉMA). — **2.** Carte à jouer sur laquelle il y a un personnage. — **3.** *Figure géométrique*, représentation par le dessin d'une abstraction géométrique. — **4.** Enchaînement de pas constituant une des différentes parties d'une danse. — **5.** Exercice de patinage, de ski, de carrousel équestre, de plongeon, qui est au programme de certaines compétitions. — **6.** *Figure musicale*, signe conventionnel employé dans l'écriture musicale pour indiquer la durée des sons (ronde, blanche, noire, croche) et des silences (pause, demi-pause, soupir, demi-soupir). — **7.** *Figure de style*, procédé littéraire par lequel l'idée exprimée reçoit une forme particulière, propre à attirer l'attention ou considérée comme élégante : *L'antithèse est une figure de style.* — **8.** *Chose, affaire qui prend figure*, qui commence à se réaliser, à prendre belle apparence (syn. PRENDRE FORME, PRENDRE TOURNURE). ◆ **figuratif, ive** adj. Se dit d'une chose qui est la représentation d'une autre chose : *Plan figuratif.* ◆ adj. et n. m. Se dit d'un artiste, d'une œuvre d'art (peinture, sculpture) qui se rattachent à une école dont le principe fondamental est de représenter des êtres ou des objets qui existent dans la nature : *Peinture figurative. Art figuratif* (contr. ABSTRAIT, NON FIGURATIF). ◆ **figuration** n. f. Action de représenter quelque chose sous une forme visible. ◆ **figurer** v. t. *Figurer qq'un, qqch.*, les représenter matériellement, soit fidèlement, soit schématiquement, ou encore par un signe conventionnel : *L'artiste a voulu figurer la Vierge* (syn. PEINDRE). *Sur la carte, les villes sont figurées par un point rouge* (syn. SYMBOLISER). *Le décor figure l'intérieur d'une taverne* (syn. REPRÉSENTER). ◆ **se figurer** v. pr. **1.** Se représenter (quelque chose ou quelqu'un) par l'imagination : *Il se figure qu'il va réussir* (syn. CROIRE, IMAGINER). — **2.** Fam. *Figurez-vous que*, introduit une remarque inattendue ou importante. ◆ **figuré, e** adj. *Prononciation figurée*, qui est représentée par des signes conventionnels. ‖ *Sens figuré*, signification d'un mot ou d'une expression qui sont passés d'une application concrète, matérielle, au domaine des idées ou des sentiments : *Dans l'expression « un noir chagrin », « noir » a un sens figuré* (contr. SENS PROPRE). ‖ *Langage figuré*, façon de s'exprimer dans laquelle on utilise des images. ◆ **défigurer** v. t. *Défigurer une œuvre, la pensée de qq'un*, la déformer au point de la rendre méconnaissable, de la dénaturer.

FIGURÉ, E adj. ⟶ FIGURE 2.

1. FIGURER v. t. ⟶ FIGURE 2.

2. FIGURER [figyre] v. i. (lat. *figurare*, former). Apparaître dans un ensemble d'objets ou de personnes : *Cela ne figure pas sur ma liste* (syn. ÊTRE MENTIONNÉ). *Figurer au nombre des élus* (syn. ÊTRE).

FIGURINE [figyrin] n. f. (it. *figurina*). Statuette de petite dimension, en terre cuite, en bronze, etc.

FIJI *(îles)* ⟶ FIDJI *(îles)*.

1. FIL [fil] n. m. (lat. *filum*). **1.** Brin long et mince constitué par une matière textile tordue sur elle-même, comme le chanvre, le lin, ou par une matière synthétique : *Fil de Nylon.* — **2.** Soie sécrétée par les araignées et qui leur sert à construire leur toile. ‖ *Fil de la Vierge*, longue soie émise en l'air par une jeune araignée afin de donner prise au vent, qui emporte ainsi l'animal, parfois jusqu'à 200 km du point de départ. — **3.** *Fil à coudre*, fil employé pour la confection ou la réparation des vêtements. ‖ *Fil à plomb*, ficelle ou petit câble muni d'une masse métallique à une extrémité, et qui sert à indiquer la verticale. — **4.** *Fil d'Ariane*, ce qui sert à guider, à diriger (par allus. au fil que donna Ariane à Thésée pour se diriger dans le Labyrinthe), d'où fil conducteur. ‖ Fam. *Avoir un fil à la patte*, n'être pas libre de ses déplacements, de ses activités. ‖ *Ne tenir qu'à un fil*, être très compromis, n'exister plus que de manière précaire. ◆ **filiforme** adj. Fin, mince, allongé comme un fil. (⟶ EFFILÉ.)

2. FIL [fil] n. m. (même étym.). **1.** Métal étiré, de section cylindrique déterminée, généralement de très faible diamètre, et de longueur variable : *Fil de cuivre. Fil de fer.* ‖ Fam. *Ne pas avoir inventé le fil à couper le beurre*, n'être pas bien malin. — **2.** *Fil électrique* ou *fil*, fil d'un métal bon conducteur, et entouré d'une gaine isolante. ‖ *Fil téléphonique*, fil d'un circuit de téléphone. ‖ *Fil télégraphique*, fil dans lequel passent les courants télégraphiques. ◆ **filière** n. f. Pièce d'acier trouée, pour étirer le métal et le transformer en un fil de section donnée.

3. FIL [fil] n. m. (de *fil* 2). *Coup de fil*, coup de téléphone. ‖ *Avoir qq'un au bout du fil*, l'avoir comme interlocuteur au téléphone.

4. FIL [fil] n. m. (lat. *filum*). **1.** Sens dans lequel s'écoule quelque chose : *Aller au fil de l'eau.* ‖ *Centrale au fil de l'eau*, se dit d'une centrale hydro-électrique ne comportant pas de barrage et dont le canal d'amenée, à faible pente, ne comporte aucune réserve d'eau. ‖ *Au fil de*, tout le long de (littér.) : *Au fil des jours.* — **2.** Enchaînement logique d'un ensemble d'éléments successifs : *Suivre le fil de ses pensées* (= ne plus être attentif à ce qui se passe autour de soi, rêver). *Perdre le fil* (= ne plus savoir ce qu'on disait, après une interruption). ◆ **filet** [filɛ] n. m. Écoulement fin et continu : *Un filet de sang. Un filet de voix* (= une voix ténue et affaiblie).

5. FIL [fil] n. m. (même étym.). **1.** Partie tranchante d'une lame : *Le fil d'un couteau* (syn. TRANCHANT). — **2.** *Passer au fil de l'épée*, tuer en passant l'épée à travers le corps (littér.). ◆ **affiler** v. t. **1.** Rendre tranchant : *Affiler un couteau* (syn. AFFÛTER, AIGUISER). — **2.** Fam. *Avoir la langue bien affilée*, être très bavard ou indiscret (syn. AVOIR LA LANGUE BIEN PENDUE). ◆ **affilage** n. m. : *L'affilage d'un rasoir.*

FIL-À-FIL [filafil] n. m. inv. *(fil, à,* et *fil).* Tissu de laine ou de coton, où l'effet chiné est obtenu par l'alternance d'un fil clair et d'un fil foncé.

FILAGE n. m. ⟶ FILER 1.

FILAIRE [filɛr] n. f. (de *fil*). Ver parasite des régions chaudes, long et mince comme un fil, vivant sous la peau de divers vertébrés et provoquant des *filarioses*. (Embranchement des vers ronds.) ◆ **filariose** n. f. Maladie causée par une filaire.

1. FILAMENT [filamɑ̃] n. m. (lat. *filamentum*). Élément organique, animal ou végétal, de forme fine et allongée : *Des filaments nerveux. Les filaments d'une écorce.* ◆ **filamenteux, euse** adj. : *Matière filamenteuse.*

2. FILAMENT [filamɑ̃] n. m. (même étym.). Fil conducteur porté à l'incandescence dans une ampoule électrique : *Le choc a cassé le filament de la lampe.*

FILANDREUX, EUSE [filɑ̃drø, -øz] adj. (du lat. *filanda*, ce qui est à filer). **1.** Se dit d'un aliment rempli de fibres longues et difficiles à broyer. — **2.** Fam. *Discours filandreux*, qui abonde en mots ou en détails inutiles, peu clairs (syn. CONFUS, EMBARRASSÉ).

FILANT, E adj. ⟶ FILER 2 et 4.

FILARETE (Antonio AVERLINO, dit **le**), architecte, sculpteur et fondeur italien (1400-v. 1469). Il fit à Rome la porte de bronze de Saint-Pierre.

FILARIOSE n. f. ⟶ FILAIRE.

FILASSE [filas] n. f. (du lat. *filum*, fil). Amas de filaments de chanvre ou de lin bruts (syn. ÉTOUPE). ◆ adj. inv. *Des cheveux filasse*, d'un blond pâle, presque blanc.

FILATEUR n. m. ⟶ FILER 1.

FILATURE n. f. ⟶ FILER 1 et 3.

FILE [fil] n. f. (de *filer*). **1.** Suite de personnes ou de choses placées les unes derrière les autres (syn. COLONNE, RANGÉE). — **2.** *Prendre la file*, se mettre à la suite, dans une file. ‖ *Chef de file*, personne qui est en tête d'une file; personne qui dirige une organisation. ‖ *Marcher en* (ou *à la*) *file indienne*, marcher l'un derrière l'autre, en file, de façon très rapprochée. — LOC. ADV. *À la file*, l'un derrière l'autre : *Se suivre à la file* (syn. À LA QUEUE LEU LEU); sans interruption, l'un après l'autre : *Boire trois verres à la file* (syn. COUP SUR COUP).

FILÉ, E adj. ⟶ FILER 2.

1. FILER [file] v. t. (lat. *filare*). **1.** Transformer un textile en fil : *Filer de la laine. Métier à filer.* — **2.** En parlant des insectes, sécréter des fils : *Le ver à soie file son cocon. L'araignée file sa toile.* — **3.** Fam. *Filer un mauvais coton*, en parlant d'une personne, être atteint d'une maladie grave, ou être dans une situation critique. ◆ **filage** n. m. Transformation des fibres textiles en fils. ◆ **filateur** n. m. Exploitant d'une filature. ◆ **filature** n. f. Établissement industriel où l'on file les matières textiles. ◆ **fileur, euse** n. Personne qui file. ◆ **filière** n. f. Orifice à travers lequel est produite la soie, chez les araignées et les larves d'insectes.

2. FILER [file] v. t. (même étym.). *Filer un câble, une amarre*, etc., les dérouler lentement et de façon égale, après les avoir attachés. ◆ v. i. (sujet nom désignant un liquide, une masse). Prendre une forme rétrécie et allongée; couler sous forme onctueuse ou visqueuse : *Un sirop qui file. Faire fondre et filer du gruyère.* ◆ **filant, e** adj. Qui prend une forme allongée, sans se diviser en gouttes : *Un liquide filant.* ◆ **filé, e** adj. Qui a reçu une forme étirée, allongée : *Du verre filé.*

3. FILER [file] v. t. (même étym.). *Filer qq'un*, le suivre secrètement pour le surveiller. ◆ **filature** n. f. Poursuite discrète de quelqu'un.

4. FILER [file] v. i. (même étym.). **1.** Aller, partir très vite : *Ce cheval file bon train* (= galope vite). — **2.** *Fam.* Partir d'un endroit en toute hâte (syn. fam. DÉGUERPIR). — **3.** *Filer à l'anglaise*, s'échapper (syn. PRENDRE LA POUDRE D'ESCAMPETTE). ‖ *L'argent lui file entre les doigts*, il dépense tout ce qu'il a. ‖ Fam. *Filer doux*, se montrer docile; céder par crainte. ◆ v. t. (sujet nom désignant un navire). Se déplacer à telle vitesse : *Ce bateau file trente nœuds.* ◆ **filant, e** adj. *Étoile filante* ⟶ ÉTOILE 1.

1. FILET n. m. ⟶ FIL 4.

2. FILET [filɛ] n. m. (de *fil*). **1.** Réseau de ficelle ou de cordelette servant dans les sports (volley-ball, tennis, Ping-Pong, etc.) ou dans les jeux du cirque : *Envoyer la balle dans le filet.* — **2.** *Filet à bagages*, ou simplem. *filet*, réseau de ficelle ou de métal, tendu horizontalement au-dessus des places dans un train, un car, etc. ‖ *Filet de pêche*, réseau de forme variable, en corde souple, pour la capture des poissons, des crustacés, etc. — **3.** *Filet à provisions*, sac de cordelette employé par les ménagères pour porter les provisions. — **4.** *Filet à cheveux*, fine résille que les femmes utilisent pour retenir leurs cheveux. — **5.** *Attirer qq'un dans ses filets*, chercher à le séduire, à le tromper, etc. (littér.) [syn. RETS].

3. FILET [filɛ] n. m. (même étym.). **1.** Morceau de viande de boucherie découpé le long de l'épine dorsale. — **2.** Morceau d'un seul tenant de la chair d'un poisson. — **3.** *Faux filet*, morceau de bœuf situé le long de l'échine.

4. FILET [filɛ] n. m. (même étym.). *Technol.* Rainure d'une vis. ◆ **fileter** v. t. (Conj. **8.**) Creuser une rainure en forme d'hélice sur une pièce métallique cylindrique : *Fileter un axe. Vis à bout fileté.* ◆ **filetage** n. m. **1.** Action de fileter. — **2.** Filets d'une vis.

5. FILET [filɛ] n. m. (même étym.). *Bot.* Filament grêle qui supporte l'anthère des étamines.

FILETAGE n. m., **FILETER** v. t. ⟶ FILET 4.

FILEUR, EUSE n. ⟶ FILER 1.

FILIAL, E, AUX [filjal, -jo] adj. (du lat. *filius*, fils). Propre à un enfant (à l'égard de ses parents) : *Piété filiale.* ◆ **filialement** adv. À la manière d'un fils ou d'une fille.

FILIALE [filjal] n. f. (de *filial*). Entreprise créée et contrôlée par une société mère.

FILIALEMENT adv. ⟶ FILIAL.

FILIATION [filjasjɔ̃] n. f. (du lat. *filius*, fils). **1.** Lien de parenté qui unit en ligne directe des générations entre elles. — **2.** Enchaînement logique entre des choses : *Étudier la filiation des mots* (= comment les mots se transforment au cours du temps).

1. FILIÈRE [filjɛr] n. f. (de *fil*). **1.** Succession de degrés à gravir, d'étapes à franchir, de formalités à accomplir, etc., qui se suivent dans un ordre immuable. — **2.** *Suivre la filière*, passer par tous les grades ordinaires d'une carrière.

2. FILIÈRE n. f. ⟶ FIL 2 et FILER 1.

FILIFORME adj. ⟶ FIL 1.

FILIGRANE [filigran] n. m. (it. *filigrana*). Dessin qui apparaît en transparence dans certains papiers : *Le filigrane d'un billet de banque.* ◆ **filigrané, e** adj. Se dit d'un papier qui porte un filigrane. — LOC. ADJ. et ADV. *En filigrane*, se dit de ce dont on devine la présence (syn. À L'ARRIÈRE-PLAN, ENTRE LES LIGNES).

FILIN [filɛ̃] n. m. (de *fil*). *Mar.* Cordage.

1. FILLE n. f. ⟶ FILS.

2. FILLE [fij] n. f. (lat. *filia*). **1.** Personne du sexe féminin considérée en elle-même (par oppos. à GARÇON) : *École de filles.* — **2.** *Fille de ferme*, personne salariée travaillant dans une exploitation agricole. ‖ *Fille de salle*, personne salariée, chargée des travaux de ménage et de nettoyage dans un hôpital ou une clinique. — **3.** Femme de mauvaise conduite. — **4.** *Fille aînée de l'Église*, nom donné par les papes à la France. ◆ **fillette** n. f. Petite fille, considérée jusqu'à l'adolescence.

3. FILLE [fij] n. f. (même étym.). Personne du sexe féminin qui n'est pas mariée (syn. CÉLIBATAIRE). ‖ *Vieille fille*, personne qui a atteint ou dépassé l'âge mûr sans se marier (au masc. VIEUX GARÇON). ‖ *Fille mère*, femme qui a eu un enfant sans être mariée (syn. jurid. MÈRE CÉLIBATAIRE).

1. FILLETTE n. f. ⟶ FILLE 2.

2. FILLETTE [fijɛt] n. f. (altér. de *feuillette*; de *feuiller*, faire une entaille). Petite bouteille servant surtout pour les vins d'Anjou et contenant environ un tiers de litre.

FILLEUL, E [fijœl] n. (lat. *filiolus*, fils en bas âge). Personne dont on est le parrain ou la marraine.

1. FILM [film] n. m. (mot angl. signif. *pellicule*). Bande pelliculaire traitée chimiquement, employée en photographie et en cinématographie (syn. PELLICULE).

2. FILM [film] n. m. (même étym.). Œuvre cinématographique : *Un film muet.* ◆ **filmer** v. t. Enregistrer un spectacle, une scène, etc., pour en faire un film de cinéma. ◆ **filmage** n. m. : *Le filmage d'une scène* (syn. TOURNAGE). ◆ **filmographie** n. f. Liste des films d'un cinéaste ou de ceux interprétés par un acteur. ◆ **filmologie** n. f. Étude scientifique des œuvres de cinéma.

3. FILM [film] n. m. (même étym.). Dans le langage des journalistes, déroulement continu : *Suivre le film des événements.*

1. FILON [filɔ̃] n. m. (it. *filone*). *Minér.* Fissure plus ou moins ouverte de l'écorce terrestre qui a été remplie par divers minéraux. (Les filons peuvent atteindre plusieurs kilomètres de long. Ils contiennent souvent des minéraux utiles : on exploite des filons aurifères, cuprifères, etc. Il y subsiste parfois des cavités, tapissées de beaux cristaux, les *géodes*.)

2. FILON [filɔ̃] n. m. (de *filon* 1). *Fam.* Situation qui permet de s'enrichir facilement, d'arriver à ce qu'on veut : *Trouver le filon.*

FILOU [filu] n. m. (forme dial. de *fileur*). **1.** Voleur adroit et rusé. — **2.** *Fam.* Enfant espiègle, coquin : *Petit filou.* ◆ adj. : *Il est très filou.* ◆ **filouter** v. t. Voler avec adresse (syn. SUBTILISER). ◆ **filouterie** n. f. ou plus rarement **filoutage** n. m. (syn. ESCROQUERIE, VOL).

FILS [fis] n. m., **FILLE** [fij] n. f. (lat. *filius; filia*). **1.** Personne du sexe masculin ou du sexe féminin considérée par rapport à ses parents. — **2.** *Fils, fille de la maison*, fils, fille du maître et de la maîtresse de maison. ‖ *Fils de famille*, enfant d'une famille aisée. ‖ *Fils naturel (fille naturelle)*, fils (fille) né(e) hors du mariage. ‖ *Fils spirituel (fille spirituelle)*, celui (celle) qui est le dépositaire de la pensée d'un autre et continue son œuvre (syn. CONTINUATEUR, DISCIPLE). ‖ *Fils de ses œuvres*, se dit d'une personne qui ne doit sa situation qu'à elle-même.

FILTRAGE n. m. ⟶ FILTRE et FILTRER 2.

FILTRE [filtr] n. m. (frq. *filtir*). **1.** Corps poreux ou appareil à travers lequel on fait passer un liquide ou un gaz pour le débarrasser des particules solides qui s'y trouvent en suspension, ou pour l'extraire des matières auxquelles il se trouve mélangé : *Mettre un filtre à une citerne pour obtenir de l'eau potable.* ‖ *Café filtre*, ou simplem. *filtre*, café qu'on passe directement dans la tasse au moyen d'un filtre individuel. — **2.** Écran coloré placé devant un objectif photographique pour intercepter certains rayons du spectre lumineux. — **3.** Dispositif électrique qui ne laisse passer que des courants de fréquences données. ◆ **filtrer** v. t. *Filtrer un liquide, un gaz*, le soumettre au passage dans un filtre. ◆ v. i. **1.** (sujet nom désignant un liquide, un gaz) Passer lentement à travers une matière perméable. — **2.** (sujet nom désignant la lumière, le jour) Traverser un corps, se glisser par un interstice. — **3.** (sujet nom abstrait) Passer en dépit des obstacles, des précautions : *La nouvelle de sa mort a filtré jusqu'à nous* (= est arrivée jusqu'à nous). ◆ **filtrant, e** adj. **1.** *Verres filtrants* (= qui ne laissent passer que certains rayons lumineux). — **2.** *Virus filtrant*, germe qui traverse les filtres les plus fins et n'est visible qu'au microscope électronique. ◆ **filtration** n. f. ou **filtrage** n. m. Passage d'un liquide à travers un corps perméable. (⟶ INFILTRER [S'].)

1. FILTRER v. t. et i. ⟶ FILTRE.

2. FILTRER [filtre] v. t. (de *filtre*). *Filtrer des personnes, des nouvelles*, en contrôler sévèrement le passage, la diffusion. ◆ **filtrage** n. m. Contrôle minutieux effectué dans un groupe d'individus.

1. FIN [fɛ̃] n. f. (lat. *finis*). **1.** Arrêt d'une chose qui se déroule dans le temps, moment où elle cesse d'exister ou de se produire : *La fin de l'année* (syn. BOUT). *La fin d'une session* (syn. CLÔTURE). *La fin du jour* (syn. DÉCLIN). *La fin d'un mandat* (syn. EXPIRATION). *La fin de ses malheurs* (syn. CESSATION). *La fin d'un roman* (syn. CONCLUSION, DÉNOUEMENT). — **2.** Mort : *La fin prématurée d'un savant* (syn. DÉCÈS). — **3.** *Approcher de la fin*, se terminer, être sur le point de s'achever (sujet nom de chose); n'être pas éloigné du moment de mourir (sujet nom désignant un être vivant). ‖ Fam. *C'est la fin de tout!*, c'est pire que tout, c'est désastreux. ‖ Fam. *Être en fin de course*, être épuisé après avoir fourni un grand effort, ou après une vie de labeur. ‖ (sujet nom de personne) *Faire une fin*, se marier. ‖ *Mener une chose à bonne fin*, la terminer de façon satisfaisante. ‖ *Mettre fin à*, faire cesser quelque chose. ‖ *Mettre fin à ses jours*, se donner la mort. ‖ *Prendre fin*, se terminer, s'achever. ‖ (sujet nom de chose) *Tirer à sa fin*, être sur le point de se terminer (syn. S'ACHEVER). — LOC. ADV. *À la fin*, en définitive, pour conclure; marque l'impatience : *Allons, dépêche-toi! Vas-tu venir, à la fin?* ‖ *Sans fin*, sans cesse, continuellement. — LOC. PRÉP. *À la fin de (qqch.)*, au moment où cette chose se termine : *À la fin de la Révolution.* ‖ *En fin de*, dans la dernière partie de : *En* *fin de journée.* ‖ *En fin de compte*, en dernier lieu et pour conclure (syn. AU BOUT DU COMPTE). ◆ prép. *Fin mai, fin juillet*, etc., à la fin du mois de mai, de juillet, etc. ◆ **final, e, als** adj. **1.** Se dit de quelque chose qui termine une série, un ensemble, une continuité : *Les accords finals de « la Marseillaise ».* — **2.** *Victoire finale*, victoire qui intervient au bout d'une longue lutte. ‖ *Point final*, dernier point, signe de ponctuation ultime placé au bout d'une phrase écrite ou d'un ensemble de phrases. ‖ *Mettre un point final à qqch.*, le terminer définitivement, de façon qu'on n'ait plus à y revenir. ◆ **finale** n. f. **1.** Syllabe ou voyelle qui termine un mot. — **2.** Dernière épreuve, dans une série ordonnée de compétitions sportives. ◆ **demi-finale** n. f. Épreuve sportive qui précède la finale. ‖ Pl. des *demi-finales*. ◆ **finale** ou **final** n. m. Dernier mouvement d'un morceau de musique (symphonie ou sonate). ◆ **finalement** adv. En fin de compte, pour terminer, pour en finir. ◆ **finaliste** n. et adj. Se dit d'un sportif ou d'une équipe sportive qualifiés pour une finale.

2. FIN [fɛ̃] n. f. (même étym.). **1.** Objectif qu'on se propose en accomplissant une tâche, ou vers lequel tend le déroulement d'une action : *Parvenir à ses fins* (syn. BUT). — **2.** *À cette fin*, pour atteindre cet objectif. ‖ *À seule fin de*, syn. de AFIN DE, dans la langue admin. ◆ **final, e, als** adj. **1.** *Cause finale*, raison d'être d'une chose, but en vue duquel elle est faite. — **2.** Gramm. *Proposition finale*, proposition qui indique une idée de but ou d'intention et qui est introduite par une conjonction telle que *pour que, afin que*. ◆ **finalité** n. f. Caractère d'un fait, d'un enchaînement d'événements où l'on voit un but, une évolution orientée : *Croire à la finalité en histoire.* ◆ **finalisme** n. m. Doctrine philosophique fondée sur l'idée de finalité. ◆ **finaliste** n. et adj.

3. FIN [fɛ̃] n. f. (même étym.). *Fin de non-recevoir*, refus catégorique opposé à une demande.

4. FIN, E [fɛ̃, fin] adj. (même étym.). **1.** Se dit d'une chose d'une extrême petitesse, ou d'un ensemble de choses dont chaque élément est petit : *Écriture fine* (syn. ↑MICROSCOPIQUE). *Petits pois extra-fins. Sel fin* (contr. GROS). — **2.** Se dit d'une chose dont l'apparence étroite, effilée est considérée comme belle : *Un visage fin* (contr. PLEIN, ROND). *Une taille fine* (contr. ÉPAIS). — **3.** Se dit d'une chose de forme très aplatie, de faible épaisseur : *Verre fin* (contr. ÉPAIS). *Tissu fin* (contr. GROS). ◆ **finesse** n. f. **1.** *La finesse d'un point de dentelle* (syn. DÉLICATESSE). *Finesse de la taille. Finesse des traits. Finesse d'un tissu.* — **2.** *Finesse d'exécution*, exécution poussée jusque dans les petits détails. ◆ **finement** adv. : *Bijou finement travaillé.*

5. FIN, E [fɛ̃, fin] adj. (même étym.). **1.** Se dit d'une chose délicate, pure, de la qualité la meilleure, ou qui est considérée comme l'indice d'une vie raffinée : *Or fin* (= or pur). *Vins fins* (= vins choisis pour leur goût raffiné). ‖ *Fines herbes*, herbes d'un arôme délicat, utilisées comme assaisonnement en cuisine. — **2.** *Fine fleur*, partie soigneusement triée d'un ensemble de personnes : *La fine fleur de la société.* ◆ **fine** n. f. Eau-de-vie de qualité supérieure. ◆ **surfin, e** adj. Extrêmement fin, d'une qualité supérieure.

6. FIN, E [fɛ̃, fin] adj. (même étym.). **1.** (après le nom) Se dit d'une chose dont l'extrémité est très pointue ou effilée : *Une plume fine* (= dont la pointe est aiguë) [contr. GROS]. *Une pointe fine* (contr. ÉMOUSSÉ). — **2.** (après le nom) Se dit d'un organe des sens qui peut percevoir des sensations très légères : *Les chiens ont l'odorat très fin* (syn. DÉLIÉ, SUBTIL). *Avoir l'ouïe* (ou *l'oreille*) *fine* (contr. DUR). — **3.** Se dit d'une personne (de son esprit, de son comportement) qui fait preuve de pénétration, qui a le sens des nuances : *Esprit fin* (syn. PÉNÉTRANT, SUBTIL; contr. GROSSIER). *Observation fine* (= observation d'une chose juste et qui échappe aux autres). *Raillerie fine* (contr. GROSSIER, LOURD). — **4.** (avant le nom) Fam. *Fin limier*, habile policier. ‖ *Fine mouche*, femme subtile et rusée. ◆ n. m. *Jouer au plus fin*, chercher à l'emporter sur un adversaire en se montrant plus rusé que lui. ‖ Fam. *Le fin du fin*, ce qu'il y a de plus subtil, de plus délicat. ◆ **finement** adv. : *Une phrase finement tournée* (= de manière spirituelle, astucieuse). ◆ **finesse** n. f. **1.** *La finesse de l'oreille* (syn. SENSIBILITÉ). *La finesse d'une intelligence* (syn. ACUITÉ, PÉNÉTRATION). *La finesse d'une observation* (syn. JUSTESSE). *Rechercher des finesses* (syn. SUBTILITÉ). — **2.** *Connaître les finesses d'une chose*, la connaître dans ses aspects les plus subtils. ‖ *Entendre finesse à qqch.*, y voir une intention hostile (littér.) [syn. VOIR MALICE].

7. FIN [fɛ̃] adj. m. (même étym.) [placé devant certains noms, a une valeur superl.]. *Fin connaisseur*, celui qui connaît très bien quelque chose. ‖ *Le fin fond de qqch.*, la partie la plus reculée. ‖ *Le fin mot de qqch.*, ce qui l'explique complètement, ou ce qui en est la cause profonde. ◆ adv. (devant certains adj.). Complètement, entièrement : *Ils sont fin prêts. Elle est fin prête.*

FINAL, E, ALS adj. et n., **FINALISTE** adj. et n. ⟶ FIN 1 et 2.

FINALEMENT adv. ⟶ FIN 1.

FINALISME n. m., **FINALITÉ** n. f. ⟶ FIN 2.

FINANCE [finɑ̃s] n. f. (de l'anc. fr. *finer*, payer). **1.** Argent : *Obtenir qqch. moyennant finance* (= en versant de l'argent). — **2.** Profession d'une personne qui manie, qui capitalise, qui investit, etc., de l'argent : *Entrer dans la finance.* — **3.** Ensemble des personnes qui consacrent leur activité aux affaires d'argent : *Le monde de la finance.* ◆ n. f. pl. **1.** Argent dont dispose une personne, un groupe : *L'état de mes finances ne me permet pas cet achat.* — **2.** Ensemble des activités concernant les mouvements d'argent de l'État : *L'administration des Finances.* ‖ *Finances locales*, finances des communes et des départements. — **3.** *Loi de finances*, loi par laquelle le Parlement autorise le gouvernement à engager les dépenses et à recouvrer les recettes. ◆ **financer** v. t. *Financer qqch., qq'un*, verser de l'argent pour entretenir, développer, etc. : *Financer un journal.* ◆ **financement** n. m. Versement d'argent : *Financement d'une entreprise par l'État.* ◆ **autofinancement** n. m. Financement des investissements d'une entreprise par prélèvements sur les profits qu'elle réalise. ◆ **financier, ère** adj. Relatif à l'argent qu'on gagne, qu'on place, aux fonds qu'on gère, etc. : *Avoir des embarras financiers* (syn. PÉCUNIAIRE). *Équilibre financier* (syn. BUDGÉTAIRE). ◆ n. m. **1.** Personne qui s'occupe de finance, qui réalise des opérations importantes de banque et de Bourse. — **2.** Spécialiste en matière de finance. ◆ **financièrement** adv. Du point de vue financier.

FINASSER [finase] v. i. (de *finesse*). *Fam.* User de finesses, de subtilités, de subterfuges pour éviter quelque chose (syn. BIAISER, TERGIVERSER). ◆ **finasserie** n. f. *Fam.* Finesse mêlée de ruse.

FINAUD, E [fino, -od] adj. et n. (de *fin* 6). Se dit d'une personne rusée sous des dehors simples et honnêtes : *Un paysan finaud* (syn. MATOIS, RETORS). ◆ **finauderie** n. f.

FINE n. f. ⟶ FIN 5.

FINEMENT adv., **FINESSE** n. f. ⟶ FIN 4 et 6.

FINGAL *(grotte de)*, grotte marine de l'Écosse, dans l'île de Staffa. Haute de 20 m, elle forme une nef soutenue par des parois basaltiques. Elle inspira à Mendelssohn une célèbre ouverture.

1. FINI, E adj. et n. m. ⟶ FINIR 1 et 3.

2. FINI, E [fini] adj. (de *finir*). Qui a des bornes, qui est limité (littér.) : *L'homme est un être fini.* ◆ n. m. Ce qui est limité (littér.) [contr. INFINI].

1. FINIR [finir] v. t. (lat. *finire*). *Finir un ouvrage, un travail*, etc., le mener à son terme, l'achever : *Élève qui finit son devoir* (syn. TERMINER). ◆ **fini, e** adj. **1.** Se dit de ce qui est achevé ou porté à sa perfection : *Mon travail est fini* (syn. TERMINÉ). *Cette robe est mal finie* (syn. fam. ↑FIGNOLÉ). — **2.** (après certains noms) Se dit d'une personne arrivée au dernier degré de quelque chose : *Un menteur fini* (syn. ACHEVÉ, FIEFFÉ). ◆ n. m. Qualité d'une chose qui a été poussée au dernier degré de perfection : *Ce dessin manque de fini* (syn. POLI). *Le fini d'un ouvrage* (syn. PERFECTION). ◆ **finissage** n. m. Opération par laquelle on termine un ouvrage, un travail manuel. ◆ **finition** n. f. **1.** Action de terminer avec soin un ouvrage. — **2.** Opération qui termine l'exécution d'un travail de confection, de construction, de mécanique, etc. : *La finition d'une robe.* ◆ **finisseur, euse** n. **1.** Personne qui effectue la dernière opération d'un travail. — **2.** Concurrent qui, dans une course, manifeste des qualités spéciales en fin de parcours.

2. FINIR [finir] v. t. (même étym.). **1.** Terminer une période de temps, épuiser totalement une chose consommable : *Finir son service militaire. Finir son assiette* (= vider son contenu). *Finissez!* (= terminez!). — **2.** *Finir de* (et l'infin.), cesser de faire quelque chose.

3. FINIR [finir] v. i. (même étym.). **1.** Arriver à son terme, être au dernier moment de quelque chose : *Les vacances finissent* (syn. SE TERMINER). *Il est grand temps que ça finisse!* (syn. S'ARRÊTER, CESSER). *Finir oublié de tous* (syn. MOURIR). — **2.** *Finir en qqch.*, se terminer sous la forme de : *Cette planche finit en pointe.* ‖ *Finir bien*, avoir un dénouement heureux (contr. FINIR MAL). ‖ *Mal finir* ou *finir mal*, mal se terminer (sujet nom de chose); tomber dans la débauche, devenir malhonnête (sujet nom de personne) [syn. TOURNER MAL]. — **3.** Fam. *Finir en beauté*, se terminer de façon réussie (sujet nom de chose); arriver au bout d'une épreuve physique en triomphant des obstacles, des concurrents, etc. (sujet nom de personne). — **4.** *Finir par* (et un nom), être marqué ou accompagné vers sa fin par : *Le bal a fini par une farandole;* (et l'infin.) arriver à un résultat : *Il finira bien par comprendre* (syn. ARRIVER À). — **5.** *En finir*, parvenir à une solution (se dit généralement d'une chose désagréable) : *En finir avec un travail.* ‖ *En finir avec qq'un*, cesser de s'occuper de lui, se débarrasser de lui. ◆ **fini, e** adj. Se dit d'une personne, ou parfois d'une chose, arrivée au bout de ses possibilités.

FINISH [finiʃ] n. m. (mot angl.). **1.** Effort maximal fourni par un athlète au cours de la dernière partie d'une compétition.

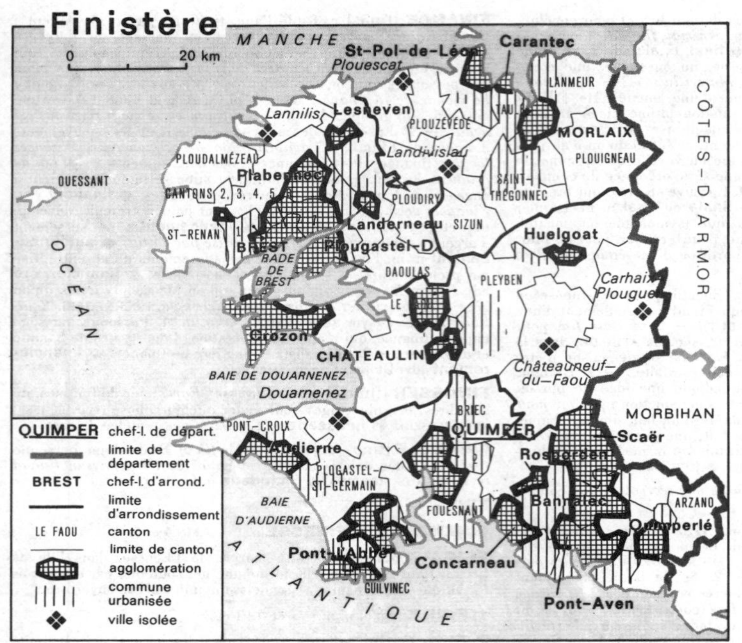

LOCALITÉS PRINCIPALES	NOMBRE D'HAB.
Brest	160 400
Quimper	60 200
Morlaix	19 500
Concarneau	18 200
Douarnenez	17 800
Landerneau	15 500
Quimperlé	11 700
Guipavas	10 500
Saint-Pol-de-Léon	8 000
Pont-l'Abbé	7 700

— **2.** *Match au finish*, match qui cesse quand l'un des adversaires est hors de combat.

FINISSAGE n. m., **FINISSEUR, EUSE** n. → FINIR 1.

FINISTÈRE (29), dép. de l'ouest de la France (Région Bretagne); 6 733 km²; 828 400 hab. (122 au km²) [France : 103]. Ch.-l. *Quimper*.

ADMINISTRATION. 4 arrond. (*Brest*, 332 700 hab.; *Châteaulin*, 86 500 hab.; *Morlaix*, 124 400 hab.; *Quimper*, 284 700 hab.) / 52 cant. / 283 comm.

Constituant l'extrémité occidentale de la Bretagne, le département comprend des lignes de hauteurs *(monts d'Arrée, montagne Noire)* et des dépressions *(bassin de Châteaulin)*. La façade littorale est précédée vers l'intérieur de bas plateaux (*Léon* au N., sur la Manche, *Cornouaille* au S., sur l'Atlantique).

Dans ce département très peuplé, l'*agriculture* emploie environ 20 p. 100 de la population active (plus du double de la moyenne française). À côté des secteurs où se pratique la polyculture*, de petites régions se spécialisent dans la production des primeurs (Léon).

L'*industrie* occupe moins du tiers de la population active. Elle est représentée surtout par la mise en valeur des produits de l'agriculture et de la pêche (conserveries), par la métallurgie de transformation et les constructions électriques. Elle est localisée principalement dans les deux agglomérations majeures du département, Brest et Quimper.

La *pêche* est très active sur le littoral occidental et méridional (Camaret, Douarnenez, Audierne, Concarneau) et le tourisme important sur l'ensemble de la côte.

FINISTERRE *(cap)*, promontoire d'Espagne formant l'extrémité nord-occidentale de la péninsule Ibérique.

FINITION n. f. → FINIR 1.

FINLANDE, en finland. **Suomi,** république d'Europe du Nord, sur la Baltique.

GÉOGRAPHIE

■ **GÉOGRAPHIE PHYSIQUE.**

Le pays s'étend sur un massif précambrien pénéplané, modelé au Quaternaire par les glaciers qui y ont abandonné des dépôts morainiques et formé de nombreux lacs. Le climat, froid, aux longs hivers enneigés, est surtout rude au N. où ne pousse que la toundra, tandis que le Sud porte de très belles forêts de conifères.

	TEMPÉRATURES MOYENNES janv.	juil.	PLUIES
Inari	— 12 °C	12 °C	433 mm
Turku	— 5 °C	18 °C	591 mm

■ **GÉOGRAPHIE HUMAINE ET ÉCONOMIQUE.**

La *population*, de densité faible, habite surtout le sud du pays où sont situées les plus importantes agglomérations.

L'*agriculture* est surtout pratiquée dans le Sud. Elle repose sur les céréales et surtout sur l'élevage bovin et porcin. Des rennes sont également élevés dans le Nord.

La *pêche* dans la Baltique constitue une importante source de revenus (harengs, saumon).

avoine	1 300 000 t	lait	3 millions de t
blé	500 000 t	porcins	1 500 000 têtes
bovins	1 800 000 têtes	pêche	140 000 t

Mais une bonne partie de l'économie est fondée sur l'*exploitation de la forêt* qui couvre 64 p. 100 du territoire. Le bois sert de matière première à de nombreuses activités : fabrication de pâte à papier, cellulose, contre-plaqué.

Malgré le manque de ressources minières (excepté le cuivre),

SUPERFICIE 338 000 km² (France : 550 000 km²).

POPULATION 5 000 000 d'hab. *(Finlandais* ou *Finnois);* 15 hab. au km² (France : 103); taux de natalité, 13,3 p. 1 000; taux de mortalité, 9.6 p. 1 000.

CAPITALE Helsinki (484 000 hab.).

VILLES PRINCIPALES Tampere (167 000 hab.); Turku (163 500 hab.).

LANGUE finnois et suédois.

ÉCONOMIE population active : secteur primaire 12 p. 100, secondaire 35 p. 100, tertiaire 53 p. 100; produit national brut par hab., 10 155 dollars (France : 9 484); consommation d'énergie par hab., 4 800 kg d'équivalent charbon; 1 automobile pour 4 hab.

MONNAIE markka.

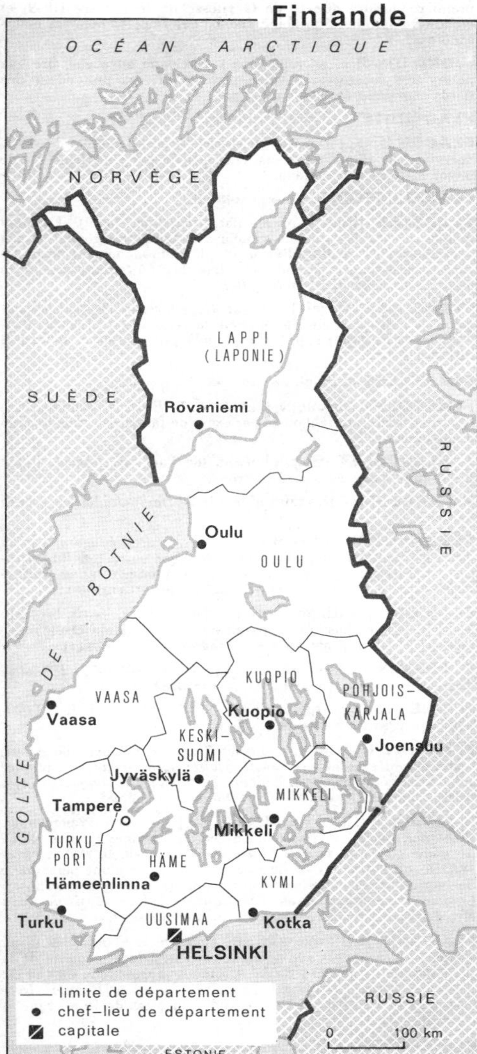

l'*industrie* s'est considérablement développée depuis la guerre. Elle utilise l'abondante production d'hydro-électricité dans la métallurgie, le textile et les industries chimiques.

électricité	45 milliards de kWh	cuivre	80 000 t
acier	2 600 000 t	coton (filés)	10 000 t
papier	4 millions de t		

Cependant la gamme d'industrie est loin d'être suffisante et le pays, en plus de produits agricoles et de matières premières, doit importer des automobiles, des machines, etc. Il exporte surtout les produits de son industrie du bois. Ayant un niveau de vie élevé, mais exportant plus du quart de sa production, la Finlande est dépendante des échanges avec les autres pays.

HISTOIRE

Les Lapons, premiers habitants du pays à l'époque glaciaire, sont refoulés vers le N. au VIIIe s., par les Finnois.

Au XIIe s., les Suédois mènent de pair la conquête et la christianisation du pays. Ils se heurtent rapidement aux marchands russes.

- *1353. Les Suédois érigent la Finlande en duché.*

Au XVIe s., le pays est gagné au luthéranisme.

- *1550. Fondation d'Helsinki par Gustave Vasa.*

À partir de cette date, la Finlande sert de champ de bataille aux armées russes et suédoises, qui se disputent sa possession.

- *1710. Pierre le Grand envahit la Finlande.*
- *1721. La paix de Nystad donne la Carélie à la Russie.*
- *1809. Le tsar Alexandre Ier annexe la Finlande.*

Il en fait un grand-duché, auquel il laisse une large autonomie.

Le XIXe s. voit se développer le nationalisme finnois.

- *1917. La révolution russe rend sa liberté à la Finlande qui se proclame indépendante.*
- *1920. Au traité de Tartou, grâce à l'action du maréchal Mannerheim, la nouvelle république est reconnue par les Soviétiques.*
- *1939. Le pays est de nouveau envahi par les Soviétiques.*

Au traité de Moscou (mars 1940), la Finlande doit céder la Carélie et une partie de la Laponie.

Les Finlandais s'allient à l'Allemagne nazie contre l'ennemi commun, l'U. R. S. S., et sont contraints à la capitulation (septembre 1944). La Finlande doit céder des territoires à l'U. R. S. S. (traité de Paris, 1947), mais reste libre.

Les rapports finno-russes s'améliorent constamment par la suite.

- *1950. La Finlande signe un pacte commercial avec l'U. R. S. S.*

Elle est admise à l'O. N. U. (1955) et fait partie du Conseil nordique (1956).

- *1956-1981. Présidence d'Urho Kekkonen.*
- *1982. Mauno Koivisto lui succède. (Il est réélu en 1988.)*

FINLANDE *(golfe de)*, golfe formé par la Baltique, entre la Finlande, l'Estonie et l'U. R. S. S. (R. S. F. S. de Russie), sur lequel sont établis Helsinki et Saint-Pétersbourg.

FINNMARK, région de la Norvège septentrionale, formée de plateaux, au littoral découpé par de larges fjords.

FINNOIS, E [finwa, -az] adj. et n. (bas lat. *finnicus*). Se dit d'un peuple qui habite l'extrémité nord-ouest de la Russie d'Europe et surtout la Finlande. ◆ n. m. Langue parlée surtout en Finlande.

FIOLE [fjɔl] n. f. (gr. *phialê*, vase). Petite bouteille à col étroit.

FIONIE, en danois **Fyn**, île de l'archipel danois, séparée du Jylland par le Petit-Belt et de l'île de Sjaelland par le Grand-Belt; 439 700 hab. Ch.-l. *Odense.*

FIORITURE [fjɔrityr] n. f. (de l'it. *fiorire*, fleurir). **1.** Ornement ajouté à la ligne mélodique dans un morceau de musique. — **2.** Ornements petits, compliqués ou en nombre excessif : *Un dessin plein de fioritures.*

FIRDŪSĪ, poète persan (v. 930-v. 1020). Il mit une trentaine d'années à écrire un poème de plus de 60 000 vers, le *Livre des rois (Chāh-nāmè)*, qui compte parmi les plus grandes épopées de la littérature universelle. Cette épopée retrace les légendes et l'histoire liées à la Perse depuis l'origine des temps jusqu'à la conquête arabe au VIIe s. de notre ère.

FIRMAMENT [firmamɑ̃] n. m. (lat. *firmamentum*). Voûte céleste et azurée, qui s'étend au-dessus de nos têtes (littér.).

FIRME [firm] n. f. (de l'it. *firma*, convention). Entreprise industrielle ou commerciale.

FIRMINY, ch.-l. de cant. de la Loire, à 12 km au S.-O. de Saint-Étienne; 24 400 hab. Sidérurgie et métallurgie.

FISC [fisk] n. m. (lat. *fiscus*, panier). Ensemble des administrations publiques chargées de percevoir les impôts. ◆ **fiscal, e, aux** adj. **1.** Se dit d'une personne employée par l'administration des impôts : *Agent fiscal.* — **2.** Se dit d'une chose relative aux impôts : *Réforme fiscale.* ◆ **fiscalité** n. f. **1.** Système d'après lequel sont perçus les impôts. — **2.** Ensemble des charges de l'impôt : *Une fiscalité excessive.*

FISHER (Irving), mathématicien et économiste américain (1867-1947). Sa formule de la *théorie quantitative de la monnaie* établit une relation entre la quantité de monnaie en circulation, sa vitesse de circulation et le niveau des prix.

FISSION [fisjɔ̃] n. f. (lat. *fissio*, action de fendre). Processus au cours duquel le noyau d'un atome lourd (uranium, plutonium, etc.), soumis à un bombardement de neutrons, se divise en deux ou plusieurs noyaux légers, en libérant une énorme quantité d'énergie. ◆ **fissile** adj. Se dit d'un élément chimique susceptible de subir une fission : *Des matières fissiles.*

FISSURE [fisyr] n. f. (lat. *fissura*). **1.** Fente généralement légère : *Fissure d'un vase* (syn. CRAQUELURE). — **2.** Point faible qui compromet la solidité d'une argumentation, la cohésion d'un groupe, etc. : *Il y a une fissure dans ce raisonnement* (syn. FAILLE, LACUNE). ◆ **fissurer** v. t. Former des fissures. ◆ ***se fissurer*** v. pr. Se couvrir de petites fentes : *Le sol se fissure* (syn. SE CRAQUELER). ◆ **fissuré, e** adj. : *Un mur fissuré* (syn. LÉZARDÉ). ◆ **fissuration** n. f. : *Une fissuration due au gel.*

FISTON [fistɔ̃] n. m. (de *fils*). Appellation familière d'un jeune garçon par son père.

FISTULE [fistyl] n. f. (lat. *fistula*). *Méd.* Canal d'origine congénitale ou pathologique, qui fait communiquer anormalement un organe avec l'extérieur ou avec un autre organe.

FITZGERALD (Francis Scott), écrivain américain (1896-1940). Il a été le chroniqueur d'une époque (les « années folles » de l'entre-deux-guerres) dont sa vie est le reflet. Issu d'une famille pauvre, déçu par une guerre qu'il n'avait pas faite et une paix qui ne donnait pas de sens à la victoire, fasciné par l'argent, Fitzgerald épousa une riche héritière, Zelda, avec qui il chercha dans le luxe et le gaspillage, l'alcool, la frénésie du jazz l'oubli de lui-même (*De l'autre côté du paradis,* 1920; *les Heureux et les damnés,* 1922; *Contes de l'âge du jazz,* 1922; *Gatsby le Magnifique,* 1925; *Tendre est la nuit,* 1934).

FIUME, nom italien de la ville yougoslave de RIJEKA.

FIXAGE n. m., **FIXATEUR** n. m., **FIXATIF** n. m. ⟶ FIXER 3.

FIXATION n. f., **FIXEMENT** adv. ⟶ FIXER 1.

FIXE adj. et n. m. ⟶ FIXER 1 et 2.

FIXÉ, E adj. ⟶ FIXER 2.

1. FIXER [fikse] v. t. (du lat. *fixus,* fiché). **1.** (sujet nom de personne) *Fixer qqch.,* l'établir à une place ou à une date de manière stable, durable : *Fixer un tableau au mur* (syn. ACCROCHER). *Fixer les yeux, son esprit, son attention sur qqch.* (= porter ses yeux, son esprit, son attention de manière durable ou concentrée sur cette chose). *Fixer qqch., qq'un* (= le regarder fixement). *Fixer son choix sur une chose* (= la choisir après réflexion). *Fixer un rendez-vous* (syn. DONNER). *Fixer une date* (syn. DÉTERMINER, PRÉCISER). — **2.** (sujet nom de personne ou de chose) *Fixer qqch.,* l'établir dans un état durable, l'empêcher d'évoluer, en préciser le caractère, les limites : *Fixer les attributions de qq'un* (syn. DÉLIMITER). *Le gouvernement avait fixé le montant des importations* (syn. RÉGLEMENTER). ◆ ***se fixer*** v. pr. **1.** (sujet nom de chose) Cesser de se déplacer, de bouger : *Son regard se fixa sur moi* (syn. S'ARRÊTER). *Son attention a de la peine à se fixer* (syn. SE CONCENTRER). — **2.** (sujet nom de personne) S'établir d'une manière permanente : *Aller se fixer dans le Midi.* ◆ **fixe** adj. **1.** Se dit d'une chose qui ne bouge pas d'un endroit ou qui est arrêtée dans une position déterminée : *Un point fixe* (contr. MOBILE). ‖ *Barre fixe* ⟶ BARRE 1. — **2.** *Idée fixe* ⟶ IDÉE. ‖ *Regard fixe,* regard dirigé dans le vague, les yeux grands ouverts et immobiles. — **3.** Se dit d'une chose qui a été déterminée, réglée à l'avance de façon précise et définitive : *Avoir un domicile fixe* (syn. PERMANENT; contr. TEMPORAIRE). *Un camp fixe* (contr. VOLANT). *Avoir des heures fixes* (syn. RÉGULIER). ◆ **fixement** adv. *Regarder fixement qqch.* ou *qq'un* (syn. ↓EN FACE, ↑INTENSÉMENT). ◆ **fixe** n. m. Appointements réguliers. ◆ **fixation** n. f. Action par laquelle une chose est fixée ou définitivement réglée : *Fixation d'un clou. Fixation des taxes.* ‖ *Abcès de fixation,* abcès artificiel qui a pour effet de localiser les germes infectieux en un point déterminé du corps. ◆ **fixisme** n. m. Théorie biologique selon laquelle les espèces vivantes n'ont subi aucune évolution depuis leur création. ◆ **fixiste** adj. et n. ◆ **fixité** n. f. État d'une chose parfaitement immobile, définitivement invariable : *Fixité d'un regard* (contr. MOBILITÉ). *La théorie de la fixité des espèces.*

2. FIXER [fikse] v. t. (même étym.). **1.** *Fixer qq'un,* le renseigner de manière précise et définitive. — **2.** *Fixer qq'un sur qqch.,* l'informer de quelque chose de particulier, qui l'intéresse ou le concerne particulièrement. ◆ **fixe** adj. *Ne rien savoir de fixe,* ne pas avoir un renseignement auquel on puisse se fier (syn. CERTAIN, DÉFINITIF, SÛR). ◆ **fixé, e** adj. **1.** *Être fixé sur qq'un,* savoir à quoi s'en tenir sur son compte. — **2.** *N'être pas fixé,* ne pas savoir exactement ce qu'on veut.

3. FIXER [fikse] v. t. (même étym.). *Fixer une image photographique, un dessin,* les rendre inaltérables par un traitement spécial. ◆ **fixage** n. m. Opération par laquelle une image photographique est rendue inaltérable à la lumière. ◆ **fixateur** n. m. **1.** Substance utilisée pour le fixage d'une photographie. — **2.** Vaporisateur qui sert à fixer un dessin sur le papier. — **3.** Produit cosmétique qui sert à maintenir les cheveux dans leurs plis. ◆ **fixatif** n. m. Préparation liquide incolore, qui permet de fixer un dessin.

FIXISME n. m., **FIXISTE** adj. et n., **FIXITÉ** n. f. ⟶ FIXER 1.

FIZEAU (Hippolyte), physicien français (1819-1896). Il effectua la première mesure directe de la vitesse de la lumière (1849) et étendit à l'optique le principe énoncé par Doppler pour les ondes sonores.

FJORD [fjɔrd] n. m. (mot norv.). Ancienne auge glaciaire aux parois très escarpées, envahie par la mer. (La profondeur des fjords peut dépasser 1 000 m.)

FLACCIDITÉ n. f. ⟶ FLASQUE 1.

FLACON [flakɔ̃] n. m. (du lat. *flasco*). Petite bouteille de verre, de cristal ou d'une autre matière, fermée avec un bouchon de même matière; son contenu.

FLAGELLATION n. f. ⟶ FLAGELLER.

FLAGELLE [flaʒɛl] n. m. (lat. *flagellum,* fouet). Filament mobile servant d'organe locomoteur à certains protozoaires et aux spermatozoïdes. ◆ **flagellés** n. m. pl. Embranchement de protozoaires se déplaçant à l'aide d'un flagelle : *Le trypanosome de la maladie du sommeil est un flagellé.*

FLAGELLER [flaʒɛle] v. t. (lat. *flagellare,* fouetter). *Flageller qq'un,* le battre à coups de fouet ou de verge (littér.) [syn. FOUETTER]. ◆ ***se flageller*** v. pr. : *Il se flagelle par pénitence.* ◆ **flagellation** n. f.

FLAGELLÉS n. m. pl. ⟶ FLAGELLE.

FLAGEOLER [flaʒɔle] v. i. (de l'anc. fr. *flageolet,* jambe grêle). Avoir les jambes tremblantes, par excès de fatigue ou sous le coup d'une émotion.

1. FLAGEOLET [flaʒɔlɛ] n. m. (de l'anc. fr. *flageol,* flûte). Petite flûte à bec, en bois, à six trous.

2. FLAGEOLET [flaʒɔlɛ] n. m. (de l'it. *fagiuolo,* haricot). Petit haricot.

FLAGORNER [flagɔrne] v. t. (orig. obscure). *Flagorner qq'un* (littér.), le flatter continuellement et de façon outrée. ◆ **flagornerie** n. f. (littér.) : *Aimer la flagornerie* (syn. fam. LÈCHE). ◆ **flagorneur, euse** n. (littér.) : *Un vil flagorneur* (syn. FLATTEUR).

FLAGRANT, E [flagrɑ̃, -ɑ̃t] adj. (lat. *flagrans, -antis,* brûlant). **1.** Se dit d'une chose qui apparaît de façon évidente et incontestable : *Une erreur flagrante.* — **2.** *Flagrant délit* ⟶ DÉLIT.

FLAHERTY (Robert), cinéaste américain (1884-1951). Il réalisa de remarquables documentaires. (⟶ CINÉMA.)

FLAINE, station de sports d'hiver de la Haute-Savoie (alt. 1 620-2 700 m), près de Samoëns.

1. FLAIRER [flɛre] v. t. (du lat. *fragrare,* exhaler une odeur) [sujet nom désignant un animal]. *Flairer qqch., qq'un,* y appliquer son odorat pour en déceler l'odeur : *Le chien flaire son maître* (syn. HUMER, RENIFLER). ◆ **flair** n. m. Odorat d'un animal.

2. FLAIRER [flɛre] v. t. (de *flairer* 1) [sujet nom de personne]. Discerner une chose invisible ou secrète, deviner l'action d'une personne ou d'une chos : *Flairer un piège* (syn. DEVINER, PRESSENTIR, SOUPÇONNER). ◆ **flair** n. m. **1.** Aptitude d'une personne à deviner intuitivement, à pressentir instinctivement quelque chose : *Ce détective manque vraiment de flair.* — **2.** Fam. *Avoir du flair,* être doué pour deviner, pressentir quelque chose.

FLAMAND, E [flamɑ̃, -ɑ̃d] adj. et n. De la Flandre. ◆ n. m. Ensemble des parlers sud-néerlandais usités dans la partie de la Belgique située au nord de la « frontière linguistique » (= au N. d'une ligne Visé [frontière hollandaise]-Mouscron [frontière française]) et dans une partie des régions françaises de Dunkerque et d'Hazebrouck.

FLAMANT [flamɑ̃] n. m. (prov. *flamenc*). Oiseau de grande taille, au plumage rose, écarlate et noir, caractérisé par de hautes pattes palmées, un long cou souple et un gros bec.

1. FLAMBAGE n. m. ⟶ FLAMBER.

2. FLAMBAGE [flɑ̃baʒ] n. m. (de *flamber*). *Technol.* Déformation latérale des pièces mécaniques travaillant à la compression.

FLAMBANT [flɑ̃bɑ̃] adj. m. (de *flamber*). *Flambant neuf,* absolument neuf.

FLAMBÉ, E adj. ⟶ FLAMBER.

FLAMBEAU [flɑ̃bo] n. m. (du lat. *flammula,* petite flamme). **1.** Torche qu'on porte à la main dans certaines circonstances : *Une course aux flambeaux.* — **2.** *Se passer, se transmettre le flambeau,* continuer la tradition de quelque chose (littér.).

1. FLAMBÉE n. f. ⟶ FLAMBER.

2. FLAMBÉE [flɑ̃be] n. f. (de *flamber*). **1.** Mouvement brusque et violent d'une passion : *Une flambée de colère.* — **2.** *Ne faire qu'une flambée,* ne pas durer longtemps (syn. NE PAS FAIRE LONG FEU, N'ÊTRE QU'UN FEU DE PAILLE).

FLAMBER [flɑ̃be] v. t. (du lat. *flammare*). Passer rapidement et légèrement quelque chose à la flamme : *Flamber un poulet.* ◆ v. i. Brûler vite, se consumer avec production de flammes et de lumière : *La grange a flambé en un instant.* ◆ **flambé, e** adj. Se dit d'un mets arrosé d'alcool qu'on enflamme : *Crêpe flambée.* ◆ **flambage** n. m. ◆ **flambée** n. f. Feu clair qu'on allume pour se réchauffer.

FLAMBERGE [flɑ̃bɛrʒ] n. f. (du n. de l'épée de Renaud de Montauban). *Mettre flamberge au vent,* tirer l'épée pour se battre; manifester un esprit combatif.

FLAMBOIEMENT n. m. ⟶ FLAMBOYER.

1. FLAMBOYANT, E adj. ⟶ FLAMBOYER.

2. FLAMBOYANT, E [flɑ̃bwajɑ̃, -ɑ̃t] adj. (de *flamboyer*). *Archit.* Se dit de la troisième et dernière période de l'art gothique (XVe-XVIe s.), caractérisée par des lignes ondoyantes imitant les flammes : *L'architecture flamboyante.*

FLAMBOYER [flɑ̃bwaje] v. i. (du lat. *flammula*, petite flamme) [sujet nom de chose]. Jeter de grands éclats lumineux, soit en brûlant, soit en réfléchissant la lumière : *On voyait flamboyer l'incendie* (syn. ROUGEOYER). *Des cristaux qui flamboient sous les lustres* (syn. ÉTINCELER). ◆ **flamboyant, e** adj. Se dit de ce qui projette un vif éclat : *Des yeux flamboyants.* ◆ **flamboiement** n. m. Vif éclat d'un objet qui brûle ou qui reflète la lumière.

FLAMENCO [flamɛnko] n. m. et adj. (mot esp.). Se dit de la musique, de la danse et du chant populaires andalous. (D'origine arabe, le flamenco est une musique frénétique accompagnée d'un chant guttural [= émis par le gosier] qui exprime, avec une grande intensité, le chagrin, l'angoisse, l'amour. Dans *l'Amour sorcier,* Manuel de Falla s'inspire du flamenco.)

FLAMINE [flamin] n. m. (lat. *flamen, flaminis*). Chez les Romains, prêtre attaché au culte d'un dieu particulier.

FLAMINGANT, E [flamɛ̃gɑ̃, -ɑ̃t] adj. (de *flameng*, forme anc. de *flamand*). Qui appartient au domaine des dialectes flamands : *La Flandre flamingante.* ◆ adj. et n. Se dit des partisans du mouvement flamand en Belgique : *Les flamingants sont opposés à l'extension de la culture et de la langue française en Flandre.* ◆ **flamingantisme** n. m. Doctrine et attitude des flamingants.

FLAMINIUS NEPOS (Caius), général romain (m. en 217 av. J.-C.), consul en 223. Il fut battu et tué par Hannibal à la bataille de Trasimène. Il fit construire le *cirque Flaminius* et commencer la *via Flaminia*, qui allait de Rome à Ariminum (Rimini).

FLAMMARION (Camille), astronome français (1842-1925). Fondateur de la Société astronomique de France (1887), il écrivit d'excellents ouvrages de vulgarisation.

1. FLAMME [flam] n. f. (lat. *flamma*). Gaz incandescent, généralement lumineux, qui se dégage d'une matière en combustion : *La flamme d'une bougie.* ◆ **flammé, e** adj. Se dit de ce qui présente des taches, des dessins en forme de flammes : *Une poterie en grès flammé.* ◆ **flammèche** n. f. Parcelle de matière enflammée qui s'échappe d'un foyer. ◆ **enflammer** v. t. Mettre en flammes, faire brûler : *Enflammer de la paille.* ◆ ***s'enflammer*** v. pr. Prendre feu. ◆ **inflammable** adj. Qui prend feu (s'enflamme) facilement, qui brûle rapidement : *L'essence est un liquide inflammable.* ◆ **ininflammable** adj. : *Une matière ininflammable* (= qui ne peut s'enflammer).

2. FLAMME [flam] n. f. (même étym.). Vive ardeur, enthousiasme, passion : *Parler avec flamme* (syn. FEU; contr. CALME). ◆ **enflammer** v. t. **1.** *Enflammer la peau, l'organisme,* y causer une irritation, un échauffement. (⟶ INFLAMMATION.) — **2.** *Enflammer qq'un, le cœur de qq'un,* l'emplir d'ardeur, de passion : *Un discours qui enflamme le cœur des assistants* (syn. EXCITER). ◆ ***s'enflammer*** v. pr. Être gagné par l'irritation, la passion : *S'enflammer de colère.*

3. FLAMME [flam] n. f. (même étym.). Petite banderole de forme triangulaire, qui est hissée au haut des mâts d'un navire de guerre.

1. FLAN [flɑ̃] n. m. (frq. *flado*). Tarte garnie d'une crème consistante faite avec des œufs.

2. FLAN [flɑ̃] n. m. (même étym.). En imprimerie, sorte de carton mou qu'on applique sur les caractères mobiles pour en prendre l'empreinte.

FLANC [flɑ̃] n. m. (frq. *hlanka*, côté). **1.** Partie latérale du corps, chez l'animal et chez l'homme, depuis les côtes jusqu'aux hanches : *Le cheval se coucha sur le flanc* (syn. CÔTÉ). — **2.** Partie latérale d'une chose : *Le flanc d'un navire* (= paroi latérale de la coque). *Le flanc abrupt d'une montagne.* — **3.** (sujet nom de personne) Fam. *Être sur le flanc,* être à bout de fatigue (syn. BRISÉ, EXTÉNUÉ); être malade. ‖ *Prêter le flanc à la critique,* s'y exposer par sa conduite (littér.). ‖ Fam. *Tirer au flanc,* rechercher toutes les occasions pour éviter une corvée. ◆ **flanc-garde** n. f. Élément de sûreté qu'une troupe détache sur ses flancs pour se renseigner et se couvrir. ‖ Pl. des *flancs-gardes.*

FLANCHER [flɑ̃ʃe] v. i. (frq. *hlankjan*, plier). **1.** (sujet nom de personne) *Fam.* Ne pas persévérer dans une intention, un effort. — **2.** (sujet nom de chose) *Fam.* Cesser de fonctionner, de résister : *Le cœur a flanché* (syn. CÉDER).

FLANDRE (la), région partagée entre la France et la Belgique, entre les hauteurs de l'Artois au S. et les bouches de l'Escaut au N.

GÉOGRAPHIE. La Flandre est une plaine où l'on distingue une partie basse en bordure du littoral, la *Flandre maritime,* large d'une quinzaine de kilomètres, bordée localement par des dunes, et, lui succédant vers l'E., une étendue dont l'altitude s'élève progressivement vers le S.-E., où elle dépasse parfois 100 m, la *Flandre intérieure.*

Très tôt mise en valeur, la Flandre est une région densément peuplée : l'agriculture, intensive (cultures céréalières et industrielles [betterave, lin, houblon]), a cependant moins de poids que l'industrie, où la métallurgie et la chimie ont partiellement et localement relayé l'industrie ancienne du textile. Le littoral est jalonné de ports (Calais et surtout Dunkerque en France), de stations balnéaires (Ostende en Belgique), mais les villes les plus importantes sont dans l'intérieur : Lille, capitale de la Flandre française, dont l'agglomération englobe les satellites de Roubaix et Tourcoing; Gand, capitale de la Flandre belge, principale agglomération de la Belgique occidentale.

HISTOIRE. La Flandre fit partie de la province romaine de Belgique, avant d'être envahie par les Francs, au Ve s. Elle fut christianisée aux VIe et VIIe s.

- *879. Charles le Chauve constitue la région en marche au profit de son gendre Baudoin Bras-de-Fer, premier comte de Flandre.*

Le puissant comté relève de la suzeraineté française, mais ses intérêts l'orientent économiquement vers l'Angleterre.

- *1191. L'Artois est cédé à la couronne de France.*

Le XIIIe s. voit se développer le mouvement communal en Flandre.

Au XIVe s., les Flamands luttent contre les rois de France (notamment pendant la guerre de Cent Ans) pour des raisons économiques.

- *1384. La Flandre est intégrée aux domaines du duc de Bourgogne Philippe le Hardi.*
- *1477. À la mort de Charles le Téméraire, elle passe aux Habsbourg.*

Au XVIIe s., Louis XIV annexe de nombreuses villes flamandes.

- *1713. Au traité d'Utrecht, le reste de la Flandre passe à l'Autriche.*

Envahie plusieurs fois par les Français au début de la Révolution, la Flandre forme deux départements français en 1794.

- *1815. La France ne garde de la Flandre que les conquêtes de Louis XIV.*

Le reste fait partie du royaume des Pays-Bas, puis, après 1830, du royaume de Belgique.

Au cours des deux guerres mondiales, la Flandre est le théâtre d'importantes batailles (surtout en 1914 et 1940).

FLANDRIN [flɑ̃drɛ̃] n. m. (de *Flandre*). *Grand flandrin,* grand garçon, un peu mou et gauche dans son comportement.

FLANELLE [flanɛl] n. f. (angl. *flannel*). Tissu léger en laine ou en coton.

FLÂNER [flɑne] v. i. (anc. scand. *flana*). **1.** Se promener sans but, pour se distraire : *Flâner le long des quais* (syn. BAGUENAUDER, ERRER). — **2.** Paresser, perdre son temps. ◆ **flânerie** n. f. Action de flâner. ◆ **flâneur, euse** n. et adj. (syn. BADAUD, PROMENEUR).

1. FLANQUER [flɑ̃ke] v. t. (de *flanc*). **1.** (sujet nom de chose) *Flanquer qqch.*, y être accolé, lui servir de renfort : *Les deux tours qui flanquent le château.* — **2.** (sujet nom de personne) *Être flanqué de qq'un,* en être accompagné sans cesse.

2. FLANQUER [flɑ̃ke] v. t. (même étym.). **1.** Fam. *Flanquer qqch.*, l'appliquer violemment : *Flanquer une paire de gifles.* — **2.** Fam. *Flanquer qq'un par terre, à la porte,* etc., le jeter par terre, le faire sortir brutalement d'un local ou le congédier, etc.

FLAPI, E [flapi] adj. (du prov. *flapir*, flétrir). *Fam.* Se dit d'une personne extrêmement fatiguée, épuisée.

FLAQUE [flak] n. f. (de l'anc. fr. *flache*, mou). Petite mare, eau stagnant sur le sol.

1. FLASH [flaʃ] n. m. (mot angl.). **1.** Éclair très bref et très intense, nécessaire à une prise de vue quand l'éclairage est insuffisant. — **2.** Dispositif dont on équipe un appareil photographique pour prendre des photos au flash. (Au plur., on écrit souvent *flashes*, mais on prononce ordinairement [flaʃ], comme au sing.)

2. FLASH [flaʃ] n. m. (même étym.). Information importante transmise en priorité; information radiophonique très brève. (Même remarque, au sujet du plur., que pour FLASH 1.)

FLASH-BACK [flaʃbak] n. m. inv. (mot angl.). Plan ou séquence cinématographique retraçant une action passée par rapport à la situation présente. (L'Administration préconise le terme RETOUR EN ARRIÈRE.)

1. FLASQUE [flask] adj. (de l'anc. fr. *flache*, mou). Se dit d'une chose ou d'une personne molle, sans vigueur ou sans résistance : *Des chairs flasques* (contr. FERME). ◆ **flaccidité** n. f. État de ce qui est flasque.

2. FLASQUE [flask] n. m. (du néerl. *vlacke*, plat). **1.** Plaque métallique bordant les côtés d'une pièce de machine. — **2.** Garniture en métal de roues d'automobile.

3. FLASQUE [flask] n. f. (germ. *flaska*, bouteille). Flacon plat.

1. FLATTER [flate] v. t. (du frq. *flat*, plat de la main). **1.** (sujet nom de personne) *Flatter qq'un, les goûts de qq'un*, chercher à lui plaire, dans une intention intéressée, par des louanges excessives, des attentions : *Il ne cesse de flatter le directeur* (syn. COURTISER, ENCENSER). — **2.** (sujet nom de chose) *Flatter qq'un*, le faire paraître plus beau qu'il n'est en réalité : *Ce portrait la flatte* (syn. AVANTAGER, EMBELLIR). — **3.** (sujet nom de chose) Affecter agréablement les sens : *Ce vin flatte le palais.* — **4.** *Être flatté de qqch.*, en éprouver un contentement profond, être touché par. ◆ **se flatter** v. pr. *Se flatter de qqch.*, prétendre pouvoir le faire (littér.) : *Il se flatte d'être habile.* ◆ **flatterie** n. f. : *Être sensible à la flatterie* (syn. ADULATION, FLAGORNERIE). ◆ **flatteur, euse** adj. et n. : *Un vil flatteur* (syn. COURTISAN). *Dresser un bilan flatteur de la situation* (syn. OPTIMISTE). *Son miroir lui renvoyait une image flatteuse* (syn. AVANTAGEUX).

2. FLATTER [flate] v. t. (même étym.). *Flatter un animal*, le caresser avec le plat de la main.

FLATULENCE [flatylɑ̃s] n. f. (du lat. *flatus*, vent). *Méd.* Accumulation de gaz dans l'estomac ou l'intestin.

FLAUBERT (Gustave), écrivain français (1821-1880). Il distinguait lui-même deux groupes de récits dans son œuvre romanesque : les romans « philosophiques » (*la Tentation de saint Antoine*, 1848-1874; *Bouvard et Pécuchet*, 1881) et les romans « purs et simples » (*Madame Bovary*, 1856; *Salammbô*, 1862; *l'Éducation sentimentale*, 1869; *Trois Contes*, 1877). Fondés sur l'expérience personnelle de l'auteur et sur un incessant travail de documentation et de style, ces romans décrivent tous une société en plein changement. Ses héros incarnent son propre désespoir, fait d'horreur de la bêtise et de sympathie humaine déçue.

FLAVIENS, nom donné à deux dynasties qui ont gouverné l'Empire romain.

La première dynastie flavienne compte trois empereurs : VESPASIEN (69-79), et ses fils TITUS (79-81) et DOMITIEN (81-96). Ils défendirent l'Empire contre les Germains, réprimèrent les soulèvements des Juifs (prise de Jérusalem en 70) et reconquirent la Bretagne. Sous leur règne fut édifié l'amphithéâtre Flavien (le Colisée).

La deuxième dynastie flavienne fut fondée par CONSTANCE* CHLORE (auguste en 305). Elle culmina avec son fils CONSTANTIN* *le Grand* (306-337). Le dernier représentant en fut CONSTANCE II (337-361).

FLAVIUS JOSÈPHE, historien juif, né à Jérusalem (37-apr. 100). Il vint à Rome, où il défendit la cause des Juifs déportés par le procureur Félix (64). Revenu en Judée (66), il y organisa une révolte, mais il échappa à la répression grâce à Vespasien.

1. FLÉAU [fleo] n. m. (lat. *flagellum*, fouet). Grand malheur, calamité publique; chose ou être qui accable : *Le fléau de la guerre* (syn. CATACLYSME).

2. FLÉAU [fleo] n. m. (même étym.). **1.** Instrument qui sert à battre le blé, formé d'un manche et d'un battoir en bois reliés par des courroies. — **2.** *Fléau d'armes*, arme offensive (XIe-XVIe s.), destinée à rompre les cuirasses des chevaliers, et formée d'une masse reliée à un manche par une chaîne.

3. FLÉAU [fleo] n. m. (même étym.). *Fléau d'une balance*, tige métallique horizontale, aux extrémités de laquelle sont placés les deux plateaux.

1. FLÈCHE [flɛʃ] n. f. (frq. *fliukka*). **1.** Projectile consistant en une tige de bois, munie à une extrémité d'une pointe généralement métallique, et à l'autre d'un empennage permettant de guider la trajectoire : *Tirer des flèches de son carquois. Décocher une flèche.* — **2.** Représentation schématique d'une flèche, utilisée en général pour indiquer une direction, pour attirer l'attention sur un détail, etc. : *La flèche sur le panneau indique le sens obligatoire.* — **3.** *Partir comme une flèche*, partir très rapidement. ‖ *Faire flèche de tout bois*, utiliser toutes ses ressources, recourir à tous les moyens possibles. — **4.** *Monter en flèche*, s'élever très rapidement, en ligne droite : *Avion qui monte en flèche;* subir une hausse ou une évolution rapide : *Prix qui montent en flèche.* ◆ **flécher** v. t. *Flécher un parcours, une route*, etc., indiquer par des flèches le trajet à suivre, marquer de flèches. ◆ **fléchage** n. m. : *Le fléchage d'un itinéraire.* ◆ **fléchette** n. f. Petite flèche.

2. FLÈCHE [flɛʃ] n. f. (de *flèche* 1). **1.** Extrémité longue et effilée du clocher d'une église, du toit d'un bâtiment. — **2.** Géogr. *Flèche littorale*, syn. de CORDON* LITTORAL. — **3.** Inclinaison donnée au bord d'attaque d'une aile d'avion pour faciliter sa pénétration dans l'air.

3. FLÈCHE [flɛʃ] n. f. (même étym.). **1.** Hauteur d'un arc, d'une voûte, obtenue en mesurant la perpendiculaire élevée du milieu de la corde au milieu de l'arc. — **2.** *Mécan.* Quantité dont se déplace la ligne médiane d'une pièce soumise à un effort transversal.

FLÈCHE (La), ch.-l. d'arrond. de la Sarthe, sur le Loir, à 42 km au S.-O. du Mans; 16400 hab.

• *1808. Fondation du Prytanée militaire (collège d'enseignement secondaire réservé aux fils de militaires ou de fonctionnaires).*

FLÉCHER v. t., **FLÉCHETTE** n. f. → FLÈCHE 1.

1. FLÉCHIR [fleʃir] v. t. (du lat. *flectere*). *Fléchir une chose*, la faire plier, lui donner une forme courbe : *Fléchissez le corps en avant!* (syn. COURBER, PLOYER). ◆ v. i. (sujet nom concret). Plier, céder, s'incurver : *Sous la charge, la planche fléchissait.* ◆ **fléchissement** n. m. Position prise par un objet qui a subi une torsion, qui s'est plié, qui s'est infléchi : *Le fléchissement d'une barre* (syn. TORSION). *Le fléchissement des genoux.* ◆ **fléchisseur** n. et adj. m. *Anat.* Se dit de tout muscle dont la contraction fait fléchir certaine partie du corps. (Un *muscle fléchisseur* est opposé à un *muscle extenseur :* si l'un est contracté, l'autre est décontracté; ce sont des muscles « antagonistes » [*ex. :* biceps et triceps].) ◆ **flexion** n. f. Mouvement par lequel une chose est fléchie : *La flexion du bras.*

2. FLÉCHIR [fleʃir] v. t. (même étym.). **1.** *Fléchir qq'un*, le faire céder, l'amener à des concessions : *Il a réussi à fléchir son père* (= à le gagner à sa cause). — **2.** *Fléchir la colère, la rigueur, la fureur de qq'un*, les apaiser (syn. CALMER, DÉSARMER). ◆ v. i. **1.** (sujet nom abstrait) Perdre de son énergie, de sa force : *Sa détermination fléchit devant le danger* (syn. CÉDER, FAIBLIR, PLIER). — **2.** (sujet nom de personne) Cesser de résister, se laisser convaincre : *Il a fléchi devant les supplications de ses enfants.* ◆ **fléchissement** n. m. : *Le fléchissement de son courage.*

FLEGME [flɛgm] n. m. (gr. *phlegma*, humeur). Tempérament, comportement calme, peu émotif d'une personne : *Un flegme imperturbable* (contr. AGITATION, EXALTATION). ◆ **flegmatique** adj. : *Un garçon flegmatique* (syn. CALME, POSÉ, TRANQUILLE; contr. EMPORTÉ, VIOLENT). ◆ **flegmatiquement** adv.

FLEGMON n. m. → PHLEGMON.

FLEMING (*sir* John Ambrose), ingénieur britannique (1849-1945), l'un des pionniers de la radiotélégraphie; il imagina la « valve à oscillations », appelée par la suite *diode* ou *valve de Fleming* (1904), qui permit la détection facile des ondes radio-électriques et qui est à l'origine de toutes les lampes utilisées dans les radiocommunications.

FLEMING (*sir* Alexander), médecin anglais (1881-1955). Sa découverte de la pénicilline* a permis les recherches sur les antibiotiques.

FLEMME [flɛm] n. f. (it. *flemma*). *Fam.* Paresse, inertie. ◆ **flemmard, e** adj. et n. *Fam.* Personne paresseuse (contr. ACTIF). ◆ **flemmardise** n. f. *Fam.* Paresse.

FLERS, ch.-l. de cant. de l'Orne, à 45 km à l'O. d'Argentan; 19400 hab. Textiles. Caoutchouc.

FLESSINGUE, en néerl. **Vlissingen,** port des Pays-Bas (Zélande); 41800 hab. Constructions navales. Aluminium.

FLÉTAN [fletɑ̃] n. m. (néerl. *vlete*). Poisson osseux des mers froides, atteignant 2 à 3 m, et pesant jusqu'à 250 kg : *Le foie du flétan renferme une huile riche en vitamines.*

1. FLÉTRIR [fletrir] v. t. (du lat. *flaccidus*, flasque). *Flétrir une chose*, lui ôter son éclat, lui faire perdre sa fraîcheur, sa jeunesse : *Le vent flétrit les fleurs. L'âge a flétri son visage.* ◆ **se flétrir** v. pr. Perdre sa fraîcheur : *Des roses qui se sont flétries* (syn. SE FÂNER). *Un teint qui se flétrit* (syn. SE TERNIR). ◆ **flétri, e** adj. : *Fleur flétrie. Visage flétri* (syn. RIDÉ). ◆ **flétrissure** n. f. Altération de la fraîcheur.

2. FLÉTRIR [fletrir] v. t. (de *flétrir* 1). *Flétrir qq'un* (ou *ses actes*), dénoncer sa conduite dans ce qu'elle a de répréhensible (syn. BLÂMER, CONDAMNER). ◆ **flétrissure** n. f. Grave atteinte à l'honneur, à la réputation.

1. FLEUR [flœr] n. f. (lat. *flos, floris*). **1.** Partie d'une plante servant à la reproduction, formant un ensemble de couleurs vives et brillantes, et parfois d'odeur agréable; plante à fleurs : *Les cerisiers sont en fleur* (= leurs fleurs sont épanouies). ⟶ ENCYCL. — **2.** Partie la plus délicate, la plus fine de quelque chose : *La fleur de l'âge* (= la période de la vie où l'on est au sommet de sa beauté, de son esprit, etc.). — **3.** *Être fleur bleue*, en parlant d'une personne, être sentimentale et romanesque. ‖ Fam. *Comme une fleur*, facilement, sans aucune difficulté. ‖ *Couvrir qq'un de fleurs*, le combler de compliments, d'éloges, etc. ‖ Fam. *Faire une fleur à qq'un*, lui procurer un avantage sans demander de contrepartie. ◆ **fleurir** v. i. **1.** (sujet nom de plante) Se couvrir de fleurs; s'épanouir : *Ces roses fleurissent au début de l'été.* — **2.** (sujet nom de chose) Être prospère, être dans tout son éclat, jouir d'une grande notoriété (dans cet emploi, l'imp. est *il florissait* et le part. présent *florissant*) : *Sous Louis XIV, les arts florissaient en France.* ◆ v. t. *Fleurir qqch., qq'un*, l'orner de fleurs : *À la Toussaint, on fleurit les tombes.* ◆ **se fleurir** v. pr. Se munir de fleurs : *Fleurissez-vous, mesdames!* ◆ **fleuri, e** adj. **1.** Garni de fleurs : *Un sentier fleuri* (= bordé de fleurs). *La prairie est fleurie* (= couverte de fleurs). — **2.** *Teint fleuri* (= teint rougeaud). *Un style fleuri* (= qui offre des métaphores gracieuses). ◆ **défleurir** v. t. Faire tomber les fleurs d'une tige. ◆ v. i. (sujet nom désignant une plante ou un arbre). Perdre ses fleurs. ◆ **fleuriste** n. Personne qui vend des fleurs. ◆ **floraison** n. f. **1.** Épanouissement des fleurs d'une plante : *Les rosiers ont plusieurs floraisons.* — **2.** Naissance, apparition simultanée d'un grand nombre de personnes ou de choses remarquables : *Une floraison d'œuvres d'art.* ◆ **floral, e, aux** adj. : *Exposition florale.* ◆ **floralies** n. f. pl. Exposition publique de fleurs. (⟶ DÉFLORER.)

— ENCYCL. La *fleur* est l'organe reproducteur caractéristique des plantes supérieures, ou phanérogames. Elle est dite *complète* quand elle est composée d'un calice formé de sépales, d'une corolle de pétales, des étamines qui renferment le pollen et d'un pistil (ovules). La fleur est dite *incomplète* quand une ou plusieurs de ces parties manquent; sans calice, elle est dite *asépale;* sans corolle, elle est *apétale.* Une *fleur mâle* est celle qui comprend des étamines et non un pistil. Une *fleur femelle* comprend un pistil, mais pas d'étamines. La fleur est dite *régulière* quand les pièces de chaque ensemble sont semblables et régulièrement disposées autour de l'axe. → dessins ci-dessous.

2. FLEUR DE (À) [aflœrdə] loc. prép. (même étym.). À peu près au même niveau (que cette chose) : *À fleur d'eau.* ‖ *Avoir les nerfs à fleur de peau*, être très irritable. (⟶ AFFLEURER.)

FLEURANCE, ch.-l. de cant. du Gers, à 24 km au N. d'Auch; 6 100 hab. Constructions mécaniques.

FLEURDELISÉ, E [flœrdəlize] adj. (de *fleur de lis*). Orné de fleurs de lis : *Un étendard fleurdelisé.*

FLEURER [flœre] v. t. et i. (de *fleur*). Exhaler une odeur (littér.) : *Cela fleure bon* (syn. EMBAUMER, SENTIR).

FLEURET [flœrɛ] n. m. (de l'it. *fioretto*, petite fleur). **1.** Épée à lame très fine, de section carrée, dont le bout est moucheté, pour la pratique de l'escrime. — **2.** Outil utilisé dans les perforatrices par percussion, ou marteaux pneumatiques.

FLEURETTE [flœrɛt] n. f. (de *fleur*). *Conter fleurette*, tenir des propos galants à une femme (littér.).

FLEURI, E adj., **FLEURIR** v. t. et i., **FLEURISTE** n. ⟶ FLEUR 1.

FLEURON [flœrɔ̃] n. m. (de *fleur*). **1.** Ornement en forme de fleur. — **2.** *Le plus beau fleuron de qqch.*, la chose la meilleure, la plus remarquable d'un ensemble (littér.).

Fleurs du mal *(les)*, recueil poétique de Ch. Baudelaire (1857).

FLEURUS, comm. de Belgique, dans le Hainaut, à 12 km au N.-E. de Charleroi; 23 200 hab.

- *26 juin 1794. Jourdan y remporte une victoire sur les Anglo-Hollandais, qui lui permet d'entrer en Belgique.*

FLEURY (André Hercule DE), cardinal français (1653-1743). Précepteur de Louis XV (1714), il devint ministre d'État en 1726 et, devenu cardinal, il demeura très puissant jusqu'à sa mort. Son ministère fut marqué par une reprise économique, mais il ne put mettre fin aux querelles religieuses suscitées par le jansénisme. Il fut contraint, malgré son attachement à une politique de paix, de participer à la guerre de la Succession de Pologne et à celle de la Succession d'Autriche (1740-1748).

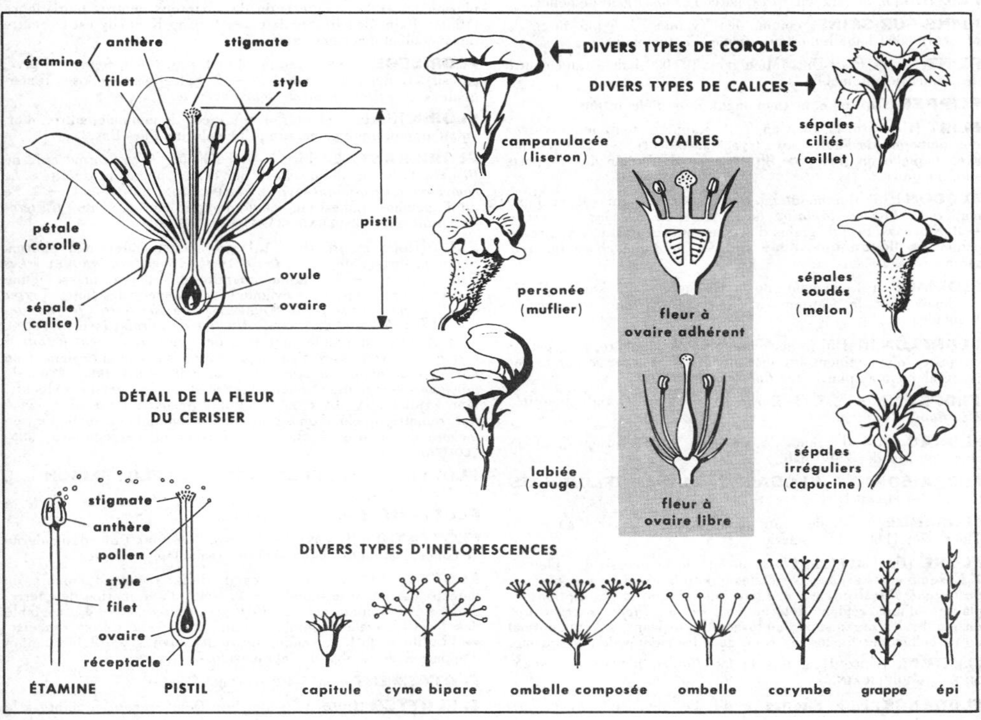

FLEURY-LES-AUBRAIS, ch.-l. de cant. du Loiret, dans la banlieue nord d'Orléans; 19 800 hab. Nœud ferroviaire.

FLEUVE [flœv] n. m. (lat. *fluvius*). **1.** Cours d'eau important, formé par la réunion de rivières et finissant dans la mer : *La Loire est le plus long fleuve de France.* (Les fleuves se différencient essentiellement des rivières par la complexité de leur régime, due à la diversité des affluents qui les constituent.) — **2.** Masse qui coule : *Un fleuve de boue.* ◆ **fluvial, e, aux** adj. : *Les eaux fluviales.* ◆ **fluviatile** adj. Relatif aux cours d'eau : *L'érosion des eaux fluviatiles.* ◆ **fluvio-glaciaire** adj. Se dit des dépôts dus à l'action des cours d'eau alimentés surtout par la fonte des glaciers.

1. FLEXIBLE [flɛksibl] adj. (lat. *flexibilis*). Se dit d'une chose qui peut se courber facilement : *Roseau flexible* (contr. RAIDE, RIGIDE). ◆ **flexibilité** n. f. : *La flexibilité d'une branche* (syn. SOUPLESSE).

2. FLEXIBLE [flɛksibl] adj. (même étym.). Se dit d'une personne qu'on peut fléchir, qui s'adapte aux circonstances : *Un caractère flexible* (syn. MALLÉABLE, SOUPLE; contr. INTRAITABLE). ◆ **inflexible** adj. Se dit de quelqu'un (ou de son comportement) que rien ne peut émouvoir, fléchir; qui résiste à la pitié, à la persuasion : *Un juge inflexible* (syn. DUR, IMPLACABLE; contr. CLÉMENT). *Être d'une sévérité inflexible* (syn. INTRANSIGEANT, RIGOUREUX). ◆ **inflexiblement** adv.

1. FLEXION n. f. ⟶ FLÉCHIR 1.

2. FLEXION [flɛksjɔ̃] n. f. (lat. *flexio*). *Gramm.* Ensemble des modifications que subit un mot dans sa terminaison (désinence), selon le rôle qu'il joue dans la phrase. ◆ **flexionnel, elle** adj. Qui exprime les rapports grammaticaux par des flexions : *L'allemand est une langue flexionnelle.*

FLEXURE [flɛksyr] n. f. (du lat. *flexus*, courbé). *Géol.* Déformation de faible amplitude des couches géologiques, sans rupture de la continuité : *Les flexures sont fréquentes dans les bassins sédimentaires.*

FLIBUSTIER [flibystje] n. m. (du néerl. *vrijbuiter*, pirate). **1.** Aux XVIIe et XVIIIe s., pirate de la mer des Antilles. — **2.** Se dit d'une personne qui vit d'escroqueries (syn. FILOU). ◆ **flibuste** n. f. Aux XVIIe et XVIIIe s., association de pirates luttant contre les Espagnols dans leurs colonies des Antilles.

FLIC [flik] n. m. (arg. all. *Flick*, garçon). *Pop.* Agent de police.

FLINS-SUR-SEINE, comm. des Yvelines, à 6 km au S. de Meulan; 1 800 hab. Importante usine d'automobiles.

FLINT, v. des États-Unis (Michigan); 197 000 hab. Grand centre de l'industrie automobile.

FLIPPER [flipœr] n. m. (mot angl.). Billard électrique.

FLIRT [flœrt] n. m. (mot angl.). **1.** Rapports sentimentaux avec une personne de l'autre sexe (syn. AMOURETTE). — **2.** Personne avec laquelle on flirte. ◆ **flirter** v. i. Entretenir des rapports sentimentaux.

FLOCON [flɔkɔ̃] n. m. (du lat. *floccus*). **1.** Petit amas léger d'une matière : *Flocon de laine* (syn. TOUFFE). *Flocons de neige.* — **2.** *Flocons d'avoine*, grains d'avoine écrasés, destinés à faire du potage. ◆ **floconneux, euse** adj. Se dit d'une chose qui ressemble à des flocons.

FLOIRAC, ch.-l. de cant. de la Gironde, à 5,5 km à l'E. de Bordeaux, sur la Garonne (r. dr.); 14 500 hab. *(Floiracais).* Vignobles.

FLONFLON [flɔ̃flɔ̃] n. m. (onomat.). Air populaire, joué par un orchestre où dominent les instruments à vent et à percussion (généralement au plur.) : *Les flonflons de la fête.*

FLOPÉE [flɔpe] n. f. (de *floper*, battre). *Fam.* Grande quantité : *Une flopée d'enfants.*

FLORAC, ch.-l. d'arrond. de la Lozère, sur le Tarnon, à 40 km au S. de Mende; 2 100 hab.

FLORAISON n. f., **FLORAL, E, AUX** adj., **FLORALIES** n. f. pl. ⟶ FLEUR 1.

FLORANGE, ch.-l. de cant. de la Moselle, à 5 km au S. de Thionville; 11 800 hab. Aciérie.

FLORE [flɔr] n. f. (de *Flora*, n. lat. de la déesse des Fleurs). **1.** Ensemble des espèces végétales qui croissent dans une région : *La flore de l'Australie.* — **2.** Livre qui contient la description des plantes d'une région déterminée. — **3.** *Flore microbienne*, ensemble des organismes microscopiques vivant, à l'état normal ou pathologique, sur les tissus ou dans les cavités de l'organisme.

FLORÉAL [flɔreal] n. m. (du lat. *florem*, fleur). ⟶ CALENDRIER* RÉPUBLICAIN.

FLORENCE, en it. **Firenze,** v. d'Italie, anc. capit. de la Toscane, sur l'Arno; 457 800 hab. *(Florentins).* Constructions mécaniques.

HISTOIRE. Florence conserve de nombreux vestiges de l'époque romaine. Mais le plan actuel du noyau urbain remonte au Moyen Âge. Dès la fin du XIIIe s., Florence était l'une des villes les plus prospères d'Italie par son industrie, son commerce et son activité bancaire.

- *1406. La conquête de Pise lui permet de devenir une puissance maritime.*

Parmi les grandes familles d'hommes d'affaires qui dominèrent la ville du XIVe au XVIIe s., la plus puissante fut celle des Médicis qui fournit des chefs à la ville, des papes, et deux reines à la France (Catherine et Marie).

- *1469-1492. Sous le principat de Laurent le Magnifique qui s'entoure d'une cour de poètes, de musiciens, d'artistes, la Renaissance italienne est à son apogée.*
- *1569. Florence devient capitale du grand-duché de Toscane.*
- *1865-1870. Elle est capitale (éphémère) du royaume d'Italie, Rome appartenant encore à la papauté.*
- *1966. Une crue de l'Arno ravage la ville.*

Florence est justement célèbre par ses monuments (ponte Vecchio, palais Pitti et Riccardi, cathédrale Santa Maria del Fiore [le Dôme], église Santa Croce, couvent San Marco, musées, bibliothèques) et par son école de peinture et de sculpture *(école florentine).*

FLORES, île de l'Indonésie, entre la *mer de Flores* et la mer de Savu.

FLORÈS [flɔrɛs] n. m. (du prov. *faire flori*, être dans un état de prospérité). *Faire florès*, avoir du succès; être à la mode (littér.).

FLORIAN (Jean-Pierre CLARIS DE), écrivain français (1755-1794). Il est l'auteur de *Fables* (1792), qui révèlent l'influence moraliste de Rousseau.

FLORIDE, État du sud-est des États-Unis, s'étendant sur une partie de la plaine côtière du golfe du Mexique et sur la péninsule de Floride; 151 940 km^2; 9 740 000 hab. (64 hab. au km^2). Capit. *Tallahassee.* V. pr. : *Miami, Tampa, Jacksonville.*

Région souvent marécageuse, au climat tropical, la Floride possède une riche agriculture fondée sur la production de fruits et légumes au N., agrumes au centre, riz au S. On y exploite des phosphates. Elle compte enfin de nombreux centres touristiques (Miami, Palm Beach). Sur la côte est, Cap Kennedy est le centre de lancement des fusées américaines.

FLORILÈGE [flɔrilɛʒ] n. m. (du lat. *flos, floris*, fleur, et *legere*, choisir). **1.** Recueil de poésies. — **2.** Sélection de choses remarquables : *Un florilège de musique ancienne.*

FLORIN [flɔrɛ̃] n. m. (it. *florino*). Pièce de monnaie, autref. d'or, auj. d'argent, unité monétaire principale aux Pays-Bas.

FLORISSANT, E [flɔrisɑ̃, -ɑ̃t] adj. (de *florir*, forme anc. de *fleurir*). **1.** Se dit d'une chose qui est en pleine prospérité : *Le commerce est florissant* (syn. EN EXPANSION, PROSPÈRE). — **2.** Se dit d'une chose qui est l'indice d'un parfait état de santé : *Un teint florissant* (syn. RESPLENDISSANT). [⟶ FLEUR.]

FLOT [flo] n. m. (frq. *flot-*). **1.** Dépression et soulèvement alternatifs de la surface de l'eau : *Les flots de la mer* (syn. VAGUE). ‖ *Les flots*, la mer. — **2.** Grande quantité de choses, masse d'une matière, dont l'apparence évoque le mouvement des flots : *Verser des flots de larmes* (syn. TORRENTS). *Laisser sortir le flot des employés* (syn. FOULE, MASSE). *Un flot de paroles* (syn. AFFLUX). — **3.** *À flots*, en grande quantité : *Les capitaux coulent à flots.* ‖ *Être à flot*, avoir assez d'eau pour flotter (sujet nom désignant un navire) [par oppos. à *être à sec, en cale sèche*]; fam., avoir de nouveau assez d'argent pour vivre (sujet nom de personne) [contr. fam. ÊTRE À FOND DE CALE, À SEC]. ‖ *Remettre qqch.* ou *qq'un à flot*, remettre quelque chose en état de fonctionner, quelqu'un en mesure de se tirer d'affaire, en versant de l'argent (syn. RENFLOUER).

FLOTTABLE adj., **FLOTTAGE** n. m., **FLOTTAISON** n. f. ⟶ FLOTTER 1.

FLOTTANT, E adj. ⟶ FLOTTER 2.

FLOTTATION [flɔtasjɔ̃] n. f. (angl. *flotation*). Procédé moderne de concentration des minerais fins préalablement broyés.

FLOTTE [flɔt] n. f. (anc. scand. *floti*). **1.** Grand nombre de bateaux naviguant ensemble. — **2.** Unité d'une marine de guerre, d'une aviation militaire : *La VIIe flotte américaine.* — **3.** Ensemble des forces navales militaires d'un pays : *La flotte française.* ◆ **flottille** n. f. **1.** Ensemble de petits navires. — **2.** Formation d'appareils de combat de l'aéronavale.

FLOTTEMENT n. m. ⟶ FLOTTER 2.

1. FLOTTER [flɔte] v. i. (de *flot*). Demeurer en équilibre à la urface d'un liquide : *Le bouchon flotte sur l'eau.* ◆ **flottable** adj. . Se dit d'une chose qui peut flotter. — **2.** Se dit d'un cours d'eau ur lequel on peut faire du flottage : *Rivière flottable.* ◆ **flottage** . m. Technique de transport du bois consistant à le faire descendre un cours d'eau. ◆ **flottaison** n. f. *Ligne de flottaison,* ndroit où la surface de l'eau atteint la coque d'un navire. ◆ **flotteur** n. m. Dispositif permettant à un corps de densité supérieure à elle de l'eau de se maintenir à la surface ou entre deux eaux : *Les otteurs d'un pédalo. Le flotteur d'une ligne de pêche* (syn. BOUCHON).

2. FLOTTER [flɔte] v. i. (même étym.). Ne pas être fixé à un ndroit, être en suspension, être indécis : *Faire flotter un drapeau* syn. ONDULER). *Un vague sourire flottait sur ses lèvres* (syn. RRER). *Il laissait flotter son imagination* (syn. VAGABONDER). ◆ **flottant, e** adj. **1.** Se dit d'un vêtement ample, qui ne serre pas elui qui le porte. — **2.** Se dit de ce qui n'est pas nettement fixé, ui varie : *Un esprit flottant* (syn. INDÉCIS). *Le cours flottant du ollar.* — **3.** *Dette flottante,* portion de la dette publique que les rêteurs peuvent se faire rembourser à vue (= en présentant leur tre) ou à court terme. ◆ **flottement** n. m. **1.** Manque de netteté ans une chose, de précision dans les actions d'une personne : *Il produisit un certain flottement dans l'assemblée* (syn. EMBARAS, INCERTITUDE). — **2.** Caractère d'une monnaie dont le cours arie constamment.

LOTTEUR n. m. → FLOTTER 1.

LOTTILLE n. f. → FLOTTE.

LOU, E [flu] adj. (lat. *flavus,* jaune). Se dit d'une chose dont le ontour n'apparaît pas nettement, qui est vague, mal déterminée : *n dessin flou* (syn. FONDU; contr. PRÉCIS). *Une idée floue* (syn. AGUE; contr. CLAIR). ◆ n. m. : *Le flou d'une pensée.*

LOUER [flue] v. t. (du lat. *fraudare*). Tromper, duper, berner ttér. et fam.) : *Toute sa vie, il s'est laissé flouer.*

LOURENS (Pierre), physiologiste français (1794-1867). Il eut le remier l'idée des localisations cérébrales, découvrit la fonction du ervelet dans l'équilibre et la coordination des mouvements, et ontra le rôle du périoste* dans la formation des os.

LUCTUATIONS [flyktyasjɔ̃] n. f. pl. (du lat. *fluctuare,* flotter). Variations successives qui interviennent dans tel ou tel omaine d'activité : *Suivre les fluctuations de la Bourse. Les fluctuations de l'opinion* (syn. CHANGEMENT). ◆ **fluctuant, e** adj. : *Un omme fluctuant dans ses opinions* (syn. INCERTAIN, INDÉCIS). *Des rix fluctuants* (syn. MOUVANT).

LUET, ETTE [flyɛ, -ɛt] adj. (de *flou*). **1.** Se dit des doigts, des mbes, de la taille d'une personne mince, allongée et d'apparence élicate : *Des doigts fluets* (syn. GRÊLE). — **2.** *Voix fluette,* qui anque de force (syn. LÉGER, TÉNU).

. FLUIDE [flɥid] adj. (lat. *fluidus,* qui coule). Se dit d'une hose qui coule, s'écoule aisément : *Une encre fluide* (contr. PAIS). *Une circulation routière fluide* (= qui s'écoule bien, sans mbouteillages). ◆ **fluidité** n. f. : *La fluidité d'un liquide. La uidité du trafic automobile.*

. FLUIDE [flɥid] n. m. (même étym.). *Phys.* Corps dont les olécules ont peu d'adhérence et peuvent glisser librement les nes sur les autres (liquides) ou se déplacer indépendamment les nes des autres (gaz).

. FLUIDE [flɥid] n. m. (même étym.). **1.** Cause invisible de ertains phénomènes, qui transmettrait d'une certaine source un ourant ressenti par les êtres auxquels il est destiné : *Fluide erveux* (syn. INFLUX). *Fluide électrique* (syn. COURANT). — **2.** *Avoir u fluide,* être doué pour agir à distance par télépathie*, pour écouvrir des objets cachés, etc.

LUOR [flyɔr] n. m. (lat. *fluor,* écoulement). *Chim.* Corps simple azeux (F), de couleur jaune-vert, qui fournit des réactions énerques.

LUORESCENCE [flyɔrɛsɑ̃s] n. f. (de *fluor*). Propriété qu'ont ertains corps d'émettre de la lumière lorsqu'ils reçoivent un ayonnement, qui peut être invisible (rayons X, rayons ultraviots). ◆ **fluorescent, e** adj. : *Lampe fluorescente.* ◆ **fluorescéine** f. Matière colorante jaune, à fluorescence verte, dont l'intensité été mise à profit pour l'étude des tracés des rivières souterines.

LUORHYDRIQUE [flyɔridrik] adj. m. (de *fluor,* et *dr[ogène]*). *Acide fluorhydrique,* acide (HF) formé par la combiaison du fluor et de l'hydrogène.

LUORURE [flyɔryr] n. m. (de *fluor*). **1.** Composé du fluor. **2.** Sel de l'acide fluorhydrique.

LUOTOURNAGE [flyɔturnaʒ] n. m. (du lat. *fluor,* écoulement, et *tournage*). *Technol.* Procédé de mise en forme de pièces euses de révolution, de fortes épaisseurs, par déformation plastique à l'état solide, sous l'action de molettes qui viennent appliquer la matière sur une « forme mère » animée d'un mouvement de rotation autour de son axe.

1. FLÛTE [flyt] n. f. (onomat.). Instrument de musique à vent et à embouchure, formé d'un tube creux et percé de trous. ◆ **flûté, e** adj. Qui a le son de la flûte, ou qui évoque la flûte : *Une voix flûtée.* ◆ **flûtiste** n. Personne qui joue de la flûte.
— ENCYCL. Il existe plusieurs sortes de flûtes :
la *flûte traversière* ou *grande flûte* est pourvue de trous et de clés; pour en jouer on la place en travers, devant la bouche; elle est utilisée dans l'orchestre symphonique;
la *flûte piccolo* ou *petite flûte,* de dimension inférieure, est également traversière; elle a un son plus aigu, plus perçant, et est également utilisée dans l'orchestre symphonique;
la *flûte à bec,* appelée aussi *flûte douce* ou *flûte droite* (à cause de sa position), a un son doux et poétique qui est produit par un sifflet;
la *flûte de Pan* est composée de roseaux d'inégale grandeur.

2. FLÛTE [flyt] n. f. (de *flûte* 1). **1.** Pain de forme allongée. — **2.** Verre haut, mince et étroit.

3. FLÛTE [flyt] n. f. (néerl. *fluit,* vaisseau). Autref., navire de guerre utilisé pour le transport du matériel.

FLUVIAL, E, AUX adj., **FLUVIATILE** adj., **FLUVIO-GLACIAIRE** adj. → FLEUVE.

1. FLUX [fly] n. m. (lat. *fluxus,* écoulement). **1.** *Méd.* Écoulement continu d'un liquide organique : *Un flux de sang.* — **2.** Grande abondance, flot : *Un flux de paroles.*

2. FLUX [fly] n. m. (même étym.). Marée montante : *Le flux et le reflux de la mer.*

3. FLUX [fly] n. m. (même étym.). **1.** Phys. *Flux lumineux,* quantité de lumière transportée par un faisceau lumineux. — **2.** *Flux magnétique à travers une surface,* produit du champ magnétique à cette surface par la superficie de cette dernière.

FLUXION [flyksjɔ̃] n. f. (lat. *fluxio,* écoulement). **1.** *Méd.* Gonflement douloureux par suite d'un afflux de liquide dans certaines parties du corps : *Fluxion à la joue.* — **2.** *Fluxion de poitrine,* atteinte simultanée du poumon, de la plèvre et de la paroi thoracique.

FLYSCH [fliʃ] n. m. (mot all.). *Géol.* Roche sédimentaire détritique présentant une succession de bancs calcaires, schisteux et gréseux, dont le dépôt est lié à la formation d'une chaîne de montagnes : *Le flysch est abondant dans les Alpes.*

FOC [fɔk] n. m. (néerl. *fok*). Petite voile triangulaire placée à l'avant d'un bateau.

FOCAL, E, AUX adj. → FOYER 1.

FOCH (Ferdinand), maréchal de France, de Grande-Bretagne et de Pologne (1851-1929). Chef d'état-major général en 1917, il est nommé généralissime des armées alliées en mars 1918 et les conduit à la victoire.

FŒHN ou **FÖHN** [føn] n. m. (mot all.). Vent du sud, chaud et sec, qui souffle avec violence dans les vallées du versant nord des Alpes. Le fœhn, fréquent au printemps et en automne, provoque souvent des avalanches, car il fait monter brusquement la température.

FŒTUS [fetys] n. m. (mot lat.). Étape dans le développement de l'être humain, s'étendant du troisième mois après la fécondation à la fin de la vie intra-utérine (= dans le ventre de la mère).
— ENCYCL. L'embryon* de plus de 3 mois s'appelle *fœtus.* Il vit en « apesanteur » dans le liquide amniotique qui le protège et où il se meut facilement : ses mouvements sont habituellement perçus par la mère au cours du quatrième mois, et le médecin peut entendre avec un stéthoscope les bruits de son cœur.
Le fœtus est relié par le cordon ombilical au placenta*, à travers lequel s'effectuent tous les échanges en oxygène et en substances nutritives entre la mère et l'enfant; mais le sang maternel ne se mélange jamais au sang du fœtus. Arrivé au terme de sa croissance, vers le neuvième mois, le fœtus est expulsé hors de l'utérus maternel : c'est l'accouchement.

FOGGIA, v. de l'Italie méridionale, dans les Pouilles; 149 000 hab. Palais de Frédéric II de Hohenstaufen (XIIIe s.).

FÖHN n. m. → FŒHN.

1. FOI [fwa] n. f. (lat. *fides,* confiance). **1.** Croyance et adhésion personnelle à la vérité d'une religion, son dieu, ses dogmes : *Avoir la foi.* — **2.** *Article de foi,* dogme qu'un catholique ne peut pas refuser de croire. ‖ *Profession de foi,* renouvellement des promesses du baptême qu'un enfant catholique fait ordinairement vers douze ans; déclaration publique que quelqu'un fait de ses opinions. ‖ *N'avoir ni foi ni loi,* n'avoir ni religion ni morale. ‖ *Il n'y a que la foi qui sauve,* se dit ironiq. de ceux qui font une confiance aveugle à quelque chose ou à quelqu'un.

2. FOI [fwa] n. f. (même étym.). **1.** Engagement qu'on prend d'être fidèle à une promesse (littér.) : *Sous la foi du serment* (= en appuyant ses déclarations d'un serment) [syn. SCEAU]. ‖ *En foi de quoi,* formule juridique précédant la signature d'un certificat, et qui signifie « en se fiant à ce qui vient d'être lu ou dit ». — **2.** Confiance qu'on accorde à quelque chose ou à quelqu'un : *Il a mis toute sa foi dans cette expérience.* ‖ *Avoir foi, mettre sa foi en qq'un, en la bonté, en la clairvoyance,* etc., *de qq'un,* lui faire confiance absolument. ‖ *Ajouter foi à qqch.,* le tenir pour assuré, pour vrai. ‖ *Digne de foi,* se dit d'une personne en la sincérité de qui on peut avoir coonfiance, ou des propos de cette personne. ‖ *Sur la foi de qqch., de qq'un,* en vertu de la confiance accordée à cette chose, à cette personne. — **3.** *Bonne foi,* qualité d'une personne qui agit avec l'intention d'être honnête, consciencieuse, respectueuse des lois, etc. : *Agir de bonne foi* (= avec droiture, avec loyauté). ‖ *Mauvaise foi,* malhonnêteté de quelqu'un qui affirme des choses qu'il sait fausses, ou qui feint l'ignorance, etc. — **4.** *Ma foi!,* formule banale employée pour appuyer une affirmation, une négation.

FOIE [fwa] n. m. (lat. *ficatum,* foie d'oie engraissée avec des figues). **1.** *Anat.* Organe contenu dans l'abdomen, annexé au tube digestif, qui sécrète la bile et qui remplit plusieurs fonctions organiques. ⟶ ENCYCL. — **2.** *Foie gras,* foie d'oie ou de canard engraissés.

— ENCYCL. Le *foie* est situé dans le flanc droit, entre le diaphragme, en haut, et le gros intestin, en bas. Il est recouvert par les dernières côtes droites. C'est un organe très volumineux (près de 1,5 kg), le plus gros chez l'homme (il emplit à lui seul la presque totalité de l'abdomen du nouveau-né).

À sa face inférieure se trouvent la *vésicule biliaire* et un sillon ou *hile du foie,* où arrivent la veine porte et l'artère hépatique (d'où part le canal hépatique). Tout le sang veineux revenant du tube digestif par les veines mésentériques est collecté dans la veine porte et passe obligatoirement par le foie avant de gagner la veine cave inférieure et le cœur droit. L'artère hépatique apporte au foie du sang artériel nourricier.

Le foie est composé d'un grand nombre de petits lobes séparés entre eux par des espaces où passent les canaux biliaires, les branches terminales de la veine porte et les ramifications de l'artère hépatique.

▪ *Fonctions du foie.* Le foie produit la *bile,* qui a été mise en réserve dans la vésicule biliaire et qui passe dans l'intestin par le canal cholédoque au moment des repas.

Le foie met en réserve le *glycogène,* produit qu'il fabrique à partir des sucres fournis par l'alimentation; il redistribue ce produit à l'organisme lors des besoins en énergie (= travail, effort, jeûne...).

Le foie a un rôle de détoxiquant (= élimination des substances toxiques) : il fabrique l'*urée* à partir des déchets de l'organisme qui empoisonneraient le sang; l'urée passe dans le sang et est éliminée par les reins.

Le foie fixe le *fer* utilisé pour la fabrication de l'hémoglobine des globules* rouges.

Il joue un rôle dans l'utilisation des lipides* : il fabrique le *cholestérol* et l'élimine.

Enfin, le foie contribue à la coagulation sanguine en fabriquant divers facteurs nécessaires à celle-ci (la *prothrombine* surtout).

Le foie est donc un organe important, essentiel à la vie; toutes ses maladies seront responsables de graves troubles de l'état général.

▪ *Les maladies du foie.* Elles sont très fréquentes et trois types dominent : les *hépatites**, les *cirrhoses** et les *cancers* du foie.

FOIN [fwɛ̃] n. m. (lat. *fenum*). **1.** Fourrage fauché et séché pour servir de nourriture aux animaux : *Une meule de foin.* — **2.** Poils qui garnissent le fond de l'artichaut.

1. FOIRE [fwar] n. f. (lat. *feria*). **1.** Grand marché ou exposition commerciale, se tenant à des époques fixes dans un même lieu. ⟶ ENCYCL. ‖ *Champ de foire,* emplacement où se tient une foire. — **2.** Fam. *S'entendre comme larrons en foire,* être d'accord pour faire un mauvais coup, une farce, etc. ◆ **foirail** n. m. Champ de foire.

— ENCYCL. Les *foires* connurent un grand essor dans l'Europe médiévale et plus particulièrement dans la France des XIIe et XIIIe s. Les plus célèbres furent les foires de Champagne*. La proximité de la Méditerranée, qui, jusqu'à la découverte de l'Amérique, demeura l'axe du grand commerce maritime, explique leur développement en Languedoc : foires de Nîmes, de Pézenas et de Beaucaire. Dans la région parisienne, la dynastie capétienne favorisa la création de nombreuses foires. Celle du Lendit, près de Saint-Denis, la plus ancienne, avait été fondée par Dagobert. D'autres foires importantes se tenaient en Normandie, à Lyon, etc.

2. FOIRE [fwar] n. f. (même étym.). *Fam.* **1.** Partie de plaisir : *Faire la foire.* — **2.** *Quelle foire!,* quelle confusion!

FOIS [fwa] n. f. (lat. *vices,* tours) [joint à un nom de nombre]. **1.** Indique la répétition d'un fait : *Il est venu me voir trois fois.* ‖ *Une fois pour toutes, une bonne fois,* de manière définitive, sa[ns] qu'il y ait lieu de revenir là-dessus. — **2.** Indique l'importance pl[us] ou moins grande d'une chose en comparaison d'autres : *Il est deu[x] fois plus grand que vous.* — **3.** Indique la répétition ou la multipl[i]cation d'une quantité qu'on ajoute à une autre : *Trois fois cin[q] quinze.* — LOC. ADV. *Une fois,* à une certaine époque, général[e]ment légendaire : *Il était une fois.* ‖ *Une fois,* suivi d'un pa[rt.] passé, d'un adj., d'une loc. circonstancielle, souligne l'accompli : *Une fois couché, il se mit à lire.* ‖ *À la fois,* en même temps : *Fai[re] deux choses à la fois* (syn. SIMULTANÉMENT). *Il est à la fois sévè[re] et juste* (syn. AUSSI... QUE). — LOC. CONJ. *Une fois que,* à partir d[u] moment où, dès que.

FOISON [fwazɔ̃] n. f. (lat. *fusio,* action de répandre). Gran[de] abondance (littér.) : *Un commentaire illustré par une foison [de] citations* (syn. FOULE, PROFUSION). — LOC. ADV. *À foison,* e[n] grande quantité : *Il y avait là des livres à foison* (syn. EN MASSE). ◆ **foisonner** v. i. **1.** Exister en abondance, se trouver en gran[de] quantité quelque part : *Les lapins foisonnaient en Australie* (sy[n.] ABONDER, PULLULER). — **2.** (sujet nom de personne ou de chos[e]) Fam. *Foisonner de, foisonner en,* être abondamment fourni e[n] quelque chose (syn. REGORGER DE). ◆ **foisonnant, e** adj. : *For[êt] foisonnante de gibier* (syn. ABONDANT EN). *Poète foisonnant [de] trouvailles* (syn. RICHE EN; contr. PAUVRE EN). ◆ **foisonneme[nt]** n. m. (syn. PULLULEMENT).

FOIX, ch.-l. du dép. de l'Ariège, au confluent de l'Ariège et [de] l'Arget, à 82 km au S. de Toulouse; 10 200 hab. *(Foixiens, Fuxie[ns] ou Fuxéens).* Anc. capit. du *comté de Foix,* dominée par u[n] château restauré au XIXe s.

FOL adj. et n. m. ⟶ FOU 1.

FOLÂTRE [fɔlɑtr] adj. (de *fol*). **1.** Se dit d'une personne dont [le] caractère est enjoué et qui aime s'amuser : *Un enfant folâtre* (sy[n.] ESPIÈGLE). — **2.** Se dit de ce qui manifeste un caractère enjoué[,] plaisant : *Une humeur folâtre* (syn. GUILLERET). *Jeux folâtres* (sy[n.] BADIN). ◆ **folâtrer** v. i. S'amuser sans souci : *Des enfants fol[â]traient dans la prairie.* ◆ **folâtrerie** n. f. Action de folâtrer, éba[ts] folâtres (contr. PONDÉRATION, SÉRIEUX).

FOLIACÉ, E adj., **FOLIATION** n. f. ⟶ FEUILLE 1.

FOLICHON, ONNE [fɔliʃɔ̃, -ɔn] adj. (de *fol*). *Fam.* Se d[it] d'une personne ou d'une chose qui est divertissante, agréab[le] (ordinairement en proposition négative) : *Avec lui, la vie n'est p[as] folichonne* (syn. DRÔLE).

FOLIE n. f. ⟶ FOU 1.

FOLIÉ, E adj. ⟶ FEUILLE 1.

FOLIO [fɔljo] n. m. (du lat. *folium,* feuille). **1.** Feuillet d'un liv[re] ou d'un registre numéroté sur le recto et le verso. — **2.** Le numé[ro] de chaque page d'un livre, de chaque feuillet d'un manuscri[t.] ◆ **foliotation** n. f. Numération des feuillets d'un manuscri[t,] d'un registre. (⟶ aussi IN-FOLIO.)

FOLIOLE n. f. ⟶ FEUILLE 1.

FOLIOTATION n. f. ⟶ FOLIO.

FOLKESTONE, v. du sud de l'Angleterre (Kent), sur le pas [de] Calais; 44 100 hab. Port de voyageurs vers la France. Stati[on] balnéaire.

FOLKLORE [fɔlklɔr] n. m. (mot angl. signif. *science du peupl[e]*). Ensemble des traditions, des usages, des croyances, des légend[es] qui appartiennent à un peuple, à une région, et qui lui sont li[és] étroitement. ◆ **folklorique** adj. : *Danses folkloriques.*

FOLLE adj. et n. f. ⟶ FOU 1, 2 et 3.

FOLLE-AVOINE n. f. ⟶ FOU 2.

FOLLEMENT adv. ⟶ FOU 3.

1. FOLLET, ETTE adj. et n. ⟶ FOU 1 et 2.

2. FOLLET [fɔlɛ] adj. m. (de *fol*). **1.** *Feu follet,* flamme légè[re] produite par la combustion spontanée du méthane ou d'autres g[az] inflammables, se dégageant à la surface des marais ou de lie[ux] dans lesquels se décomposent des matières animales. — **2.** *Ê[tre] comme un feu follet,* être un personnage brillant et inconsista[nt] sur lequel on ne peut pas compter.

1. FOLLICULE [fɔlikyl] n. m. (lat. *folliculus,* petit sac). Fru[it] sec s'ouvrant par une seule fente.

2. FOLLICULE [fɔlikyl] n. m. (même étym.). *Anat.* Nom [de] divers petits organes en forme de sac : *Follicule pileux.* ‖ *Follicu[le] ovarien* ou *de De Graaf,* petite cavité qui se forme à la surface [de] l'ovaire et qui contient l'ovule, entouré de folliculine. ◆ **follicul[ine]** n. f. Hormone sécrétée par l'ovaire.

FOMENTER [fɔmɑ̃te] v. t. (du lat. *fomentum,* calmant). *Fome[n]ter une querelle, une agitation, des troubles,* etc., les susciter,

·éparer secrètement les conditions. ◆ **fomentateur, trice** n. : *n fomentateur de troubles* (syn. AGITATEUR). ◆ **fomentation** f. : *La fomentation des querelles* (syn. EXCITATION).

ONCÉ, E [fɔ̃se] adj. (de l'anc. fr. *fons*, fond). Se dit d'une uleur sombre : *Un teint de peau foncé* (syn. BISTRE). *Un ton ncé* (syn. SOMBRE; contr. CLAIR). ◆ **foncer** v. t. Rendre de uleur plus foncée (contr. ÉCLAIRCIR). ◆ v. i. Devenir plus foncé.

FONCER [fɔ̃se] v. t. (de *fond*). Creuser en descendant : *ncer un puits.*

FONCER [fɔ̃se] v. i. (de *fondre* [*sur*]). **1.** *Fam.* Aller très vite. **2.** *Foncer sur qq'un, sur qqch.*, se précipiter sur eux pour les taquer : *Les soldats fonçaient sur l'ennemi* (syn. SE RUER SUR).

FONCER v. t. et i. ⟶ FONCÉ.

FONCIER, ÈRE adj. ⟶ FONDS.

FONCIER, ÈRE [fɔ̃sje, -ɛr] adj. (de l'anc. fr. *fons*, fonds). Se t de ce qui forme le fond même d'une chose, le caractère de elqu'un : *La différence foncière entre deux choses* (syn. CAPITAL, INCIPAL). *Les qualités foncières d'une personne* (syn. FONDAMEN-L). ◆ **foncièrement** adv. Extrêmement, très : *Il est foncière-ent honnête* (syn. FONDAMENTALEMENT).

FONCTION [fɔ̃ksjɔ̃] n. f. (lat. *functio*, accomplissement). Utilité, rôle d'un élément dans un ensemble : *La fonction du lant est de commander la direction du véhicule.* ‖ *Être fonction*, dans la langue usuelle, se dit d'une chose dont la nature, le e, etc., dépendent d'une autre chose. ‖ *Faire fonction de*, jouer rôle de, remplacer quelque chose : *Une pièce de monnaie peut re fonction de tournevis* (syn. FAIRE OFFICE DE). — **2.** *Chim.* Rôle partenant à un groupe de corps; ensemble de propriétés caracté-ant ce groupe : *Fonction acide. Fonction base.* — **3.** *Math.* s particulier de relation. ⟶ ENCYCL. — **4.** Biol. *Fonctions de trition*, ensemble des opérations constituées par les activités du rps, telles que la digestion, l'absorption, la circulation, la respira-n et l'excrétion. ‖ *Fonctions de reproduction*, opérations effec-ées par les organes de reproduction. — **5.** Gramm. *Fonction de jet, de complément*, etc., relation existant, à l'intérieur d'une oposition ou d'une phrase, entre un mot ou un groupe de mots et reste de la proposition ou de la phrase, et en partic. entre un ot quelconque et le verbe. → tableau page 564. — Loc. PRÉP. *En nction de*, par rapport à quelque chose ou à quelqu'un : *Régler e longue-vue en fonction de la distance.* ◆ **fonctionnel, elle** j. **1.** Se dit d'une chose qui répond à une fonction particulière : *chitecture fonctionnelle* (= adaptée à la fonction à laquelle on la stine). — **2.** Se dit d'une chose qui concerne une fonction rticulière de l'organisme : *Troubles fonctionnels* (= troubles dans fonctionnement d'un organe vivant). ◆ **fonctionnalisme** n. m. ctrine selon laquelle, en architecture et dans les arts du mobi-r, la beauté de la forme est le résultat de l'utilité même du timent, du meuble, de l'objet.

ENCYCL. Une *fonction f* définie dans un ensemble E et à valeurs ns un ensemble F est une relation* binaire de E vers F telle qu'à t élément x de E on associe *au plus* un élément y de F s'appelle la *variable*, y l'*image* de x par la fonction *f*). On note

$$f : E \longrightarrow F$$
$$x \longmapsto y = f(x).$$

Si à tout élément x de E on associe réellement un élément de F, fonction porte le nom d'*application**.

E est l'*ensemble de départ* de la fonction, F son *ensemble d'arri-*. L'ensemble D des éléments de E qui ont une image dans F par st le *domaine de définition* (ou l'*ensemble de définition*) de la ction *f*.

À toute fonction $f : E \to F$ de domaine de définition D, on socie une application $f' : D \to F$ qui, à tout élément x de D, socie $f'(x) = f(x)$ de F. (f et f' sont distinctes au sens des ations, puisqu'elles n'ont pas même ensemble de départ; l'une une application, l'autre pas; c'est pourquoi il vaut mieux noter plication associée à une fonction par une lettre différente.)

Exemple de fonction : soit E l'ensemble formé par les élèves ne classe et F l'ensemble des villes de France. La relation aire « être né à » de E vers F est une fonction car chaque élève peut être né que dans au plus une ville de France (ou dans une pour ceux nés à l'étranger). L'ensemble de définition de te fonction est formé par les élèves nés en France. (La relation aire « est la ville dans laquelle est né » de F vers E n'est pas fonction, car on peut alors associer plusieurs élèves à une me ville [tous ceux qui sont nés dans cette ville].)

Cas particulier de fonctions. Si f est une fonction de $\mathbb{R}$ dans $\mathbb{R}$, st :

fonction linéaire, si f est définie par $f(x) = ax$ ($a \in \mathbb{R}$);

fonction affine, si f est définie par $f(x) = ax + b$ ($a \in \mathbb{R}$, $\in \mathbb{R}$);

fonction constante, si f est définie par $f(x) = a$ ($a \in \mathbb{R}$);

fonction polynôme, si $f(x)$ est un polynôme;

fonction rationnelle, si $f(x)$ est le quotient de deux polynômes;

une *fonction en escalier* (ou *constante par intervalles*), s'il existe un nombre fini d'intervalles (bornés ou non) sur chacun desquels f est une fonction constante;

une *fonction affine par intervalles*, s'il existe un nombre fini d'intervalles (bornés ou non) sur chacun desquels f est une fonction affine.

Un repère étant donné dans le plan, la *représentation graphique* d'une fonction de $\mathbb{R}$ dans $\mathbb{R}$ est l'ensemble des points dont les coordonnées sont $(x, f(x))$.

→ illustration en couleurs pp. 528-529.

2. FONCTION [fɔ̃ksjɔ̃] n. f. (même étym.). **1.** Profession, métier : *Une fonction très bien rémunérée* (syn. EMPLOI). *Le titulaire d'une fonction* (syn. POSTE). — **2.** (souvent au plur.) Travail professionnel : *Entrer en fonctions* (= s'installer dans un poste). *Être en fonctions* (syn. ACTIVITÉ). — **3.** *Fonction publique*, ensemble des agents assurant le fonctionnement des affaires publiques et dont le statut est fixé par l'État. ◆ **fonctionnaire** n. Agent d'une administration publique dépendant juridiquement de l'État. ◆ **fonctionnariser** v. t. Transformer une entreprise en service public, une personne en employé de l'État. ◆ **fonctionnarisation** n. f. ◆ **fonctionnarisme** n. m. Tendance à la multiplication des fonctionnaires et à l'augmentation des tâches qui leur sont confiées.

FONCTIONNAIRE n. ⟶ FONCTION 2.

FONCTIONNALISME n. m. ⟶ FONCTION 1.

FONCTIONNARISATION n. f., **FONCTIONNARISER** v. t., **FONCTIONNARISME** n. m. ⟶ FONCTION 2.

FONCTIONNEL, ELLE adj. ⟶ FONCTION 1.

FONCTIONNER [fɔ̃ksjɔne] v. i. (de *fonction*) [sujet nom désignant un appareil, un organe]. Être en état de marche, remplir ses fonctions : *Ce moteur fonctionne bien.* ◆ **fonctionnement** n. m. : *Le fonctionnement d'une administration, le bon fonctionnement d'un moteur.*

1. FOND [fɔ̃] n. m. (lat. *fundus*). **1.** Partie la plus basse, la plus profonde de quelque chose : *Le fond d'un puits.* ‖ *Lame de fond* → LAME 1. ‖ *Mineur de fond*, celui qui travaille au niveau le plus bas de la mine. ‖ *Fond de culotte*, la partie située au siège. ‖ *Regarder qq'un au fond des yeux*, le regarder droit dans les yeux pour dissiper toute équivoque. — **2.** Ce qui reste dans la partie la plus profonde d'un récipient : *Boire un fond de bouteille.* ‖ Fam. *Fond de tiroir*, ultimes ressources dont on dispose. — **3.** Partie la plus éloignée de l'entrée, la plus reculée d'un lieu; partie la plus secrète d'une chose ou d'une personne : *Il y avait un piano au fond de la pièce. Remercier du fond du cœur* (= très sincèrement). *Confier le fond de sa pensée.* ‖ *Aller au fond des choses*, ne pas s'en tenir à une étude superficielle, analyser les éléments fondamentaux d'une situation. — **4.** Ce qui constitue la base, l'élément dominant : *Dans ce tableau, les fleurs se détachent sur un fond sombre. Le fond de l'air est frais* (= sans les rayons du soleil, nous n'aurions pas chaud). ‖ *Fond sonore*, ensemble de bruits, de sons, de musique qui accompagnent un spectacle. ‖ *Fond de teint*, crème destinée à donner au visage un teint uniforme, et sur laquelle on applique le fard. — **5.** *Le fond d'un exposé, d'un roman*, etc., les idées, la matière, par oppos. à la FORME, au STYLE. ‖ *Article de fond*, dans un journal ou une revue, grand article qui donne un point de vue sur un problème, ou qui contient un grand nombre d'informations et d'idées sur un sujet important. ‖ *Le fond d'un procès*, l'élément réellement important de ce procès : *Juger sur le fond.* — Loc. ADV. *Au fond, dans le fond*, si on considère la vérité profonde des choses : *Au fond, vous ne vous connaissez pas très bien* (syn. EN FIN DE COMPTE, EN RÉALITÉ). ‖ *À fond*, complètement : *Serrer à fond un écrou.* ‖ Fam. *À fond de train*, à toute vitesse, sans perdre un instant. ‖ *De fond en comble*, entièrement.

2. FOND [fɔ̃] n. m. (même étym.). Sports. *Course de fond*, course à pied sur une distance au moins égale à 5 000 m; en natation, course de 1 500 m. ◆ **demi-fond** n. m. **1.** Course à pied sur une distance comprise entre 800 et 3 000 m. — **2.** Course cycliste derrière moto.

FONDAMENTAL, E, AUX [fɔ̃damɑ̃tal, -to] adj. (du lat. *fundamentum*, fondement). **1.** Se dit d'une chose qui a un caractère déterminant, essentiel par rapport aux autres : *L'idée fondamentale d'un système* (syn. DE BASE). *L'absurdité fondamentale d'un raisonnement* (syn. RADICAL). — **2.** *Note fondamentale*, note de musique qui sert de base à un accord : *Dans l'accord de « do » (« do-mi-sol »), le « do » est la note fondamentale.* — **3.** *Recherche fondamentale*, travail scientifique dont l'objet est la théorie, les principes de la connaissance qui doivent servir de base à des applications pratiques. ◆ **fondamentalement** adv. : *Une notion fondamentalement fausse* (syn. RADICALEMENT). *Conceptions fondamentalement opposées* (syn. DIAMÉTRALEMENT). ◆ **fondamentaliste** n. Spécialiste de la recherche fondamentale (en médecine surtout).

fonctions grammaticales

FONCTION	NATURE DU MOT	EXEMPLES	DÉFINITION
sujet	nom pronom infinitif	*Les* ARBRES *perdent leurs feuilles en automne.* ELLE *n'est pas venue.* QUI *vous l'a dit?* PROMETTRE *est facile,* TENIR *est difficile.*	Le sujet désigne la personne ou l'objet qui fait l'action ou qui est dans l'état qu'indique le verbe.
attribut (du sujet ou du complément)	nom adjectif pronom infinitif	*Il semblait un* HOMME *heureux. Il a été élu* DÉPUTÉ. *Il était* MALHEUREUX. *Il le voyait* DÉSESPÉRÉ. *Il était* CELUI *que je cherchais.* QUE *deviens-tu? Votre devoir est de* TRAVAILLER.	L'attribut indique la qualité reconnue au sujet ou à l'objet par l'intermédiaire du verbe.
complément d'objet direct ou **indirect**	nom pronom infinitif	*Je répare ma* BICYCLETTE. *Il a échappé à son* ADVERSAIRE. *Je* LE *crois sur parole.* À QUI *doit-on obéir? Je m'*EN *souviendrai. Il a renoncé à* POURSUIVRE *son agresseur. Il aurait aimé vous* SECONDER.	Le complément d'objet indique la personne ou la chose sur laquelle se fait l'action exprimée par le verbe, sans préposition (objet direct) ou par l'intermédiaire d'une préposition (objet indirect).
épithète	adjectif	*L'appartement avait une cuisine* BASSE *et* SOMBRE.	L'épithète indique la qualité d'un substantif (ou d'un pronom), après lequel elle est ordinairement placée, sans être séparée de lui par une pause (virgule).
apposition	nom adjectif	*Racine, l'*AUTEUR *de « Bérénice ». Vous, les* ÉLÈVES *de cette classe.* INTELLIGENT, *Georges savait faire face à la situation.*	L'apposition indique la qualité d'un substantif, avec lequel elle forme un groupe nominal.
apostrophe	nom	ANDRÉ, *viens à table.*	L'apostrophe désigne la personne que l'on interpelle.
complément du nom	nom pronom infinitif	*Les doigts de la* MAIN. *Il raconta l'accident* DONT *il avait été le témoin. Il fut retenu par la crainte de la* BLESSER.	Le complément du nom, normalement introduit par une préposition, joue après celui-ci le rôle d'un déterminant.
complément de l'adjectif ou **de l'adverbe**	nom pronom infinitif	*Il est loyal envers ses* AMIS. *Contrairement à son* HABITUDE. *Je vous donne un travail* DONT *vous me semblez capable. C'est un ouvrage fort délicat à* FAIRE.	Le complément de l'adjectif ou de l'adverbe, introduit par une préposition, joue après celui-ci le rôle d'un déterminant.
complément d'objet secondaire ou **complément d'attribution**	nom pronom	*Il donne un livre à son* AMI. *Il impose son autorité à sa* FAMILLE. *Il* NOUS *raconte de belles histoires.* À QUI *fit-il part de la triste nouvelle?*	Le complément d'objet secondaire, introduit surtout par la préposition *à*, se trouve après un verbe ayant déjà un complément d'objet direct et exprime l'action du verbe.
complément d'agent	nom pronom	*Il fut heurté par un* PASSANT. *Il est compris de* TOUS.	Le complément d'agent exprime, après un verbe passif, par qui l'action est faite.
complément circonstanciel	nom pronom infinitif	*Entrez dans le* BUREAU (lieu). *Il est sorti à* CINQ HEURES (temps). *Il travaille avec* ARDEUR (manière). *Le coupon mesure* DIX MÈTRES (mesure). *Il est parti en vacances avec son* FRÈRE (accompagnement). *Il est mort d'un* CANCER (cause). *Il est venu sans* LUI (privation). *Avec* QUOI *a-t-il écrit?* (instrument). *Il travaille pour* TOI (but). *Il ne sait que faire pour le* SATISFAIRE (but).	Le complément circonstanciel indique dans quelle circonstance s'accomplit l'action marquée par le verbe (lieu, temps, manière, mesure, accompagnement, privation, cause, but, prix, moyen, etc.).
détermination	article, possessif, démonstratif, indéfini, relatif, interrogatif ou exclamatif, numéral	*Servez-nous* LE *thé. Il a vendu* SA *maison.* CETTE *histoire est invraisemblable. Je reviendrai un* AUTRE *jour. Ils ont entendu* LES *témoins,* LESQUELS *témoins ont confirmé... De* QUELLE *province êtes-vous?* QUELLE *peur j'ai eue! Prenez la* TROISIÈME *rue à gauche.*	Les déterminants précisent le substantif qu'ils accompagnent (art. défini, adj. possessif démonstratif, etc.).
relation	conjonction préposition	*Mon neveu* ET *ma nièce sont partis en vacances.* QUAND *il sera là, dites-le-moi. Aucun* DE *ses amis n'est venu. Il a été blessé* À *la tête.*	Les conjonctions établissent un rapport entre des mots ou des propositions de même fonction (conj. de coordination), ou relient une proposition à une autre (conj. de subordination). Les prépositions établissent un rapport de dépendance entre deux mots.
modification	adverbe	*Il répondit* TRÈS POLIMENT. *Il est* FORT *discret. Il agit* BIEN. *Il a bu* TROP *de vin.*	L'adverbe modifie le sens d'un adjectif, d'un verbe, d'un adverbe ou d'un nom.

'ONDANT, E adj. et n. m. ⟶ FONDRE 1.

ONDATEUR, TRICE adj. et n. ⟶ FONDER.

. FONDATION n. f. ⟶ FONDER.

:. FONDATION [fɔ̃dasjɔ̃] n. f. (lat. *fundatio*). **1.** Tranchée que on creuse avant la construction d'une maison et destinée à rece- oir la maçonnerie qui soutiendra l'édifice. — **2.** Ensemble des avaux destinés à asseoir les fondements d'un édifice. ◆ **fonde- ient** n. m. Ensemble des travaux de maçonnerie qui arrivent ısqu'à fleur de terre et qui servent de base à un édifice.

'ONDÉ, E adj. et n. m. ⟶ FONDER.

ONDEMENT n. m. ⟶ FONDATION 2 et FONDER.

'ONDER [fɔ̃de] v. t. (lat. *fundare*). **1.** *Fonder une entreprise, un ystème, un État*, etc., être à l'origine de sa création, en poser les rincipes, les statuts, les bases, etc. : *César a fondé l'Empire ›main* (syn. CRÉER). *Fonder la démocratie* (syn. INSTITUER). - **2.** *Fonder qqch. sur*, lui assigner comme appui, l'établir sur : *onder une démonstration sur une expérience* (syn. BASER SUR, TAYER PAR). *Fonder de grands espoirs sur son fils* (syn. PLACER N). ◆ **fondé, e** adj. **1.** *Une opinion mal fondée* (= qui ne repose ıs sur de bonnes raisons). *Accusation fondée* (= qui est justifiée ar de solides arguments). — **2.** *Être fondé à* (et un infin.), se dit une personne qui a des raisons valables pour, qui se sent autori- ée à (syn. ÊTRE EN DROIT DE). ◆ **fondé** n. m. *Fondé de pouvoir*, ersonne qui est chargée d'agir au nom d'une autre ou au nom une société. ◆ **fondateur, trice** adj. et n. Personne qui fonde uelque chose ou qui crée un établissement destiné à se perpétuer près sa mort. ◆ **fondation** n. f. **1.** Action de fonder : *La fonda- on de Rome, d'un hôpital* (syn. CRÉATION). — **2.** Création, par ›ie de donation ou de legs, d'un établissement d'intérêt général; ablissement ainsi fondé : *La Fondation Thiers.* ◆ **fondement** . m. (le plus souvent au plur.). **1.** Élément essentiel sur lequel appuie tout le reste : *Les fondements d'une théorie* (syn. BASES, RINCIPES). — **2.** *Jeter les fondements de qqch.*, poser les éléments ır lesquels s'appuiera ce qui suit (syn. JETER LES BASES, POSER ES PRINCIPES). ‖ *Bruit sans fondement*, rumeur qui ne repose sur en de vrai.

. FONDRE [fɔ̃dr] v. t. (lat. *fundere*, verser). [Conj. **51.**] *Fondre une matière*, l'amener à l'état liquide, généralement par ıction de la chaleur : *Fondre du métal.* — **2.** *Fondre un corps ›lide*, le dissoudre dans un liquide : *Fondre du sucre dans l'eau.* - **3.** *Fondre la glace*, faire cesser la gêne régnant entre plusieurs ersonnes. ◆ v. i. **1.** Passer de l'état solide à l'état liquide : *La ace fond à 0 °C.* — **2.** Disparaître : *L'argent lui fond dans les ains* (= il dépense beaucoup). — **3.** Se dissoudre dans un quide : *Cette friandise fond dans la bouche.* — **4.** *Fam.* Maigrir. - **5.** *Faire fondre*, dissoudre : *Faire fondre un morceau de sucre ıns un verre d'eau;* faire disparaître : *Ce geste d'amitié fit fondre n ressentiment.* — **6.** *Fondre en larmes*, se mettre à pleurer ›ondamment (syn. ÉCLATER EN SANGLOTS). ◆ **fondant, e** adj. Se t d'un fruit juteux, d'un mets qui fond rapidement dans la ›uche. ◆ **fondant** n. m. Matière qui, ajoutée au minerai, forme ec la gangue des combinaisons fusibles se séparant du métal. › **fondu, e** adj. Se dit d'un corps amené de l'état solide à l'état quide : *De la neige fondue.* ◆ **fonderie** n. f. Usine où on fond et on coule les métaux. ◆ **fondeur** n. m. Ouvrier qui surveille ou fectue les opérations de fusion et de coulée dans une fonderie. › **fonte** n. f. **1.** Opération par laquelle une matière est fondue et ansformée en ustensile, en instrument, etc. : *Fonte de l'acier. ›nte des monnaies. Fonte d'une cloche.* — **2.** *Fonte des neiges*, ›oque de l'année où les neiges fondent. ◆ **fusion** [fyzjɔ̃] n. f. ıssage d'un corps de l'état solide à l'état liquide : *Un métal en sion. Point de fusion* (= température au-dessus de laquelle un ›rps passe de l'état solide à l'état liquide).

. FONDRE [fɔ̃dr] v. t. (même étym.). [Conj. **51.**] *Fondre plu- eurs choses*, les combiner, les joindre de façon qu'elles ne for- ent plus qu'un tout indistinct : *Fondre deux sociétés pour n'en rmer plus qu'une* (syn. AMALGAMER, RÉUNIR). *Fondre des couleurs* yn. MÊLER). ◆ **fondu, e** adj. Se dit de couleurs obtenues en ıssant graduellement d'un ton à l'autre; se dit d'un contour peu :t : *Des contours fondus* (syn. FLOU, VAPOREUX). ◆ **fondu** n. m. ·océdé cinématographique par lequel on fait apparaître ou dispa- ître progressivement une image. ‖ *Fondu enchaîné*, apparition en ndu d'une image avec disparition de la précédente. ◆ **fusion** f. Union résultant de l'interpénétration de plusieurs choses stinctes : *La fusion de deux partis* (syn. RÉUNION). *Fusion de ux sociétés* (syn. REGROUPEMENT). ◆ **fusionner** v. i. : *Les deux ndicats ont fini par fusionner* (syn. SE RÉUNIR). ◆ v. t. Réunir r fusion : *Fusionner deux entreprises.* ◆ **fusionnement** n. m.

FONDRE [fɔ̃dr] v. i. (même étym.). [Conj. **51.**] *Fondre sur 'un, sur un animal, sur une chose*, tomber vivement, descendre à ve allure sur cet être ou sur cette chose : *L'épervier fondit sur sa oie* (syn. S'ABATTRE, SE PRÉCIPITER).

FONDRIÈRE [fɔ̃drijɛr] n. f. (du lat. *fundus*, fond). **1.** Crevasse, dépression dans le sol. — **2.** Terrain marécageux.

FONDS [fɔ̃] n. m. (de l'anc. fr. *fons*, fond). **1.** Établissement commercial ou industriel, avec ce qui en dépend (marchandises, ustensiles, clientèle et bail) : *Acheter un fonds de commerce.* — **2.** Ce qui constitue un capital, une richesse de base (dans des expressions figées) : *Il a un grand fonds d'honnêteté* (= l'honnêteté est sa qualité principale). *Il a un fonds de santé robuste* (= il ne tombe jamais très gravement malade). — **3.** Fam. *Prêter à fonds perdu*, prêter de l'argent à quelqu'un qui ne le rendra pas. ◆ n. m. pl. **1.** Argent disponible pour tel ou tel usage : *Manquer de fonds pour construire un immeuble* (syn. CAPITAUX). *Fonds de l'État* (= capital des sommes empruntées par l'État). — **2.** *Fonds publics*, valeurs mobilières émises par l'État. ‖ *Fonds secrets*, sommes dont la disposition appartient totalement à certains fonctionnaires. ◆ **foncier, ère** adj. **1.** Se dit d'un bien immobilier constitué par un fonds de terre, ou du revenu qu'il procure : *Propriété foncière. Revenu foncier.* — **2.** *Propriétaire foncier*, personne qui possède des terres.

Fonds monétaire international (F. M. I.), organisme international créé en 1944 et qui a pour but d'assurer la stabilité des changes et de développer sur le plan monétaire et commercial la coopération internationale.

FONDU, E adj. et n. m. ⟶ FONDRE 1 et 2.

FONDUE [fɔ̃dy] n. f. (de *fondre*). Plat originaire de Suisse, composé de fromage fondu dans du vin blanc. ‖ *Fondue bourguignonne*, plat composé de menus morceaux de viande que l'on fait cuire dans de l'huile bouillante au moment d'être consommés.

FONGICIDE [fɔ̃ʒisid] adj. et n. m. (du lat. *fungus*, champignon, et *caedere*, tuer). Se dit d'une substance propre à détruire les champignons parasites.

FONTAINE [fɔ̃tɛn] n. f. (du lat. *fontanus*, de source). **1.** Source d'eau vive jaillissant du sol naturellement ou artificiellement, et se déversant généralement dans un bassin : *Aller chercher de l'eau à la fontaine.* — **2.** Construction de pierre élevée à côté d'une source ou d'une arrivée d'eau. — **3.** Récipient de grès ou de métal dans lequel on conserve l'eau.

FONTAINE, ch.-l. de cant. de l'Isère, près du Drac; 22 900 hab.

FONTAINE (Pierre François Léonard), architecte français (1762-1853). Il érigea l'arc de triomphe du Carrousel en 1806-1808.

FONTAINEBLEAU, ch.-l. d'arrond. de Seine-et-Marne, à 64 km au S.-E. de Paris; 18 800 hab. *(Bellifontains).* La ville est située en bordure d'une forêt domaniale qui s'étend sur 17 000 ha.

- *1685. Louis XIV signe à Fontainebleau la révocation de l'édit de Nantes.*
- *1812-1814. Napoléon Ier y maintient Pie VII en captivité.*
- *11 avril 1814. Napoléon y abdique pour la première fois.*
- *1949-1965. Fontainebleau est le siège du quartier général des forces armées de l'O.T.A.N.*

BEAUX-ARTS. François Ier fut le véritable créateur du château de Fontainebleau (1527), dont les architectes furent notamment Philibert Delorme et le Primatice. Grâce à l'influence des artistes italiens que François Ier avait fait venir (le Rosso, le Primatice, Nicolo dell' Abate), naquit alors la première école de Fontainebleau dont le style est caractérisé par des figures longues et étirées, par des effets décoratifs. Les principaux représentants français de cette école, dont l'influence s'étendit sur la France entière ainsi qu'en Angleterre et aux Pays-Bas, furent Jean Goujon, Antoine Caron et Jean Cousin père et fils.

Henri II continua les travaux du château, et surtout Henri IV, dont l'apport est aussi grand que celui de François Ier. De récentes restaurations ont permis de rendre à la riche décoration intérieure de stucs et de fresques son aspect primitif. Un musée consacré à Napoléon y a été inauguré en 1986.

FONTANELLE [fɔ̃tanɛl] n. f. (de *fontaine*). *Anat.* Nom des espaces situés entre les os de la boîte crânienne avant son entière ossification : *La grande fontanelle se ferme à l'âge d'un an.*

FONT-DE-GAUME, site de la comm. des Eyzies-de-Tayac-Sireuil (Dordogne), à 22 km à l'O. de Sarlat-la-Canéda. Grotte à peintures et gravures préhistoriques de la période magdalénienne.

1. FONTE n. f. ⟶ FONDRE 1.

2. FONTE [fɔ̃t] n. f. (bas lat. *fundita*). Alliage de fer et de carbone qui est élaboré à l'état liquide directement à partir du minerai de fer.

— ENCYCL. La *fonte* est un alliage de fer et de carbone (de 2,5 à 5 p. 100) qui contient également du silicium (jusqu'à 4 p. 100), du manganèse (de 0,5 à 1,5 p. 100) et des impuretés (soufre et phosphore).

L'élaboration de la fonte, qui se pratique depuis le XVe s., se fait dans un haut fourneau. Au sortir du creuset, elle est tantôt coulée en lingots (gueuses) destinés à la refonte dans d'autres usines, tantôt maintenue à l'état liquide dans des mélangeurs pour être transformée en acier.

La fonte, sous ses formes différentes obtenues suivant la composition chimique et le mode d'élaboration, a un champ d'application très étendu : fonte blanche utilisée pour la fabrication de l'acier; fonte de moulage servant à la fabrication des pièces massives; fonte mécanique; fonte austénique ou territique utilisée dans l'industrie du pétrole et dans l'industrie chimique; fonte réfractaire réservée aux pièces de fours et de chaudières.

3. FONTE [fɔ̃t] n. f. (it. *fonda*, poche). Poche de cuir que l'on attachait de chaque côté à l'arçon d'une selle pour y mettre un pistolet.

FONTENAY, écart de la comm. de Marmagne (Côte-d'Or), à 6 km au N.-E. de Montbard. Abbaye cistercienne, fondée en 1119 par saint Bernard.

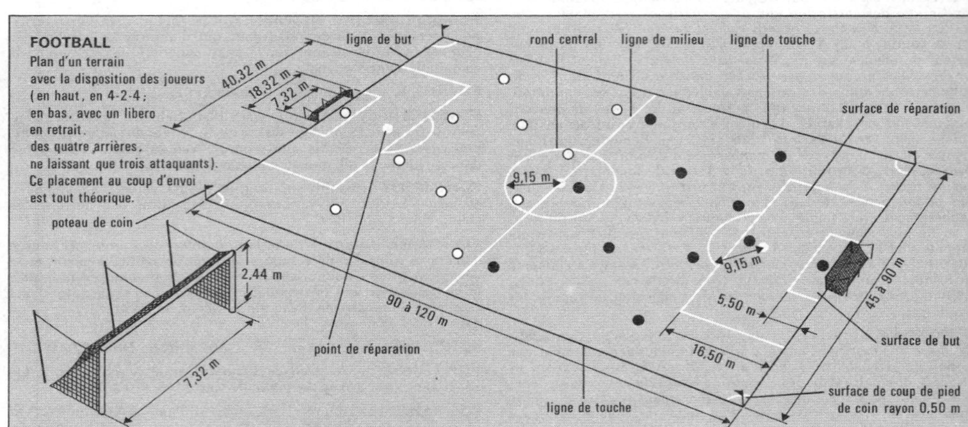

FONTENAY-AUX-ROSES, ch.-l. de cant. des Hauts-de-Seine, dans la banlieue sud de Paris; 24 100 hab. *(Fontenaisiens).* École normale supérieure.

FONTENAY-LE-COMTE, ch.-l. d'arrond. de la Vendée, sur la Vendée, à 31 km au N.-O. de Niort; 16 800 hab. *(Fontenaisiens).*

FONTENAY-SOUS-BOIS, ch.-l. de cant. du Val-de-Marne, à 4 km à l'E. de Paris; 53 000 hab.

FONTENELLE (Bernard LE BOVIER DE), écrivain français (1657-1757). Formé par son oncle Thomas Corneille, il employa sa prose claire et simple à l'exposé des aspects nouveaux de la science et de la pensée (*Entretiens sur la pluralité des mondes*, 1686). Dans sa *Digression sur les Anciens et les Modernes* (1688), il soutint la thèse du progrès continu contre les partisans des Anciens. Sa longévité exceptionnelle lui permit d'assister à l'expansion du mouvement philosophique que ses œuvres avaient amorcé depuis trois quarts de siècle.

FONTENOY, localité de Belgique, dans le Hainaut, à 10 km au S.-E. de Tournai.

- *11 mai 1745. La bataille de Fontenoy fut une victoire française remportée par le maréchal Maurice de Saxe sur les troupes anglo-hollandaises, en présence de Louis XV.*

Cette victoire assura la conquête des places du sud et de l'ouest de la Belgique.

FONTEVRAULT-L'ABBAYE, comm. de Maine-et-Loire, à 16 km au S.-E. de Saumur.

- *1101. Fondation d'une abbaye « double » (hommes et femmes) qui devint le centre d'une congrégation bénédictine.*
- *1792. Suppression de l'ordre.*
- *1804-1963. Une maison de détention occupe les bâtiments.*

Les restes de l'abbaye constituent l'un des plus vastes ensembles monastiques de France; au centre se situe l'église du XIIe s., à coupoles, contenant les tombeaux des Plantagenêts. Plusieurs cloîtres et bâtiments qui l'entourent sont restaurés. Les cuisines forment une salle octogone, à chaque pan de laquelle correspo une cheminée.

FONT-ROMEU-ODEILLO-VIA, comm. des Pyrénées-Orie tales, à 17,5 km au N.-E. de Puigcerdá; 3 130 hab. Importa centre touristique et station de sports d'hiver à 1 800 m d'al au-dessus de la Cerdagne. Four solaire.

FONTS [fɔ̃] n. m. pl. (du lat. *fons, fontis*, source). *Fonts bapt maux*, grand bassin qui contient l'eau du baptême, dans une églis

FONTVIEILLE, comm. des Bouches-du-Rhône, à 9,5 km N.-E. d'Arles; 3 400 hab. Aux environs, moulin d'A. Daudet.

FOOTBALL [futbol] ou *fam.* **FOOT** [fut] n. m. (mot an signif. *balle au pied*). Sport qui oppose deux équipes de on joueurs et qui consiste à envoyer un ballon sphérique dans le b adverse, sans l'intervention des mains. ◆ **footballeur** n. m.
— ENCYCL. Le *football* est né officiellement en 1863, en Angl terre. Son essor fut rapide. Dirigé par un arbitre, le match du quatre-vingt-dix minutes réparties en deux mi-temps de quarant cinq minutes. Seul le gardien de but peut toucher le ballon av les mains. Les fautes sont sanctionnées par des *coups fran* (exceptionnellement par un *penalty* pour faute grave). L'envoi ballon hors des limites du champ de jeu est sanctionné, selon l cas, par une *touche*, un *corner* ou simplement un dégagement a « six mètres ». L'équipe victorieuse est celle qui a réalisé le pl de buts; en cas d'égalité, il y a match nul.

Depuis 1930 est disputé, tous les quatre ans, un championnat monde, ou Coupe du monde, ouvert à toutes les équipes nati nales. En 1955 a été créée la Coupe d'Europe des clubs, q oppose chaque année les clubs champions de leur pays.

FOR INTÉRIEUR [fɔrɛ̃terjœr] n. m. (lat. *forum*, tribunal, *intérieur*). *En mon, ton, son*, etc., *for intérieur*, au plus profond ma, ta, sa, etc., conscience.

FORAGE n. m. → FORER.

FORAIN, E [fɔrɛ̃, -ɛn] adj. et n. (bas lat. *foranus*, étrange **1.** *Marchand forain*, ou simplem. *forain*, marchand qui, n'aya pas de domicile fixe, se transporte habituellement dans les villes les villages pour pratiquer son commerce ou son industrie sur l marchés, les foires ou dans les fêtes. — **2.** Acteur de foire (sy BATELEUR). — **3.** *Fête foraine*, fête organisée par des forains.

FORAIN (Jean-Louis), dessinateur (1852-1931). Observateur cru de la vie et des mœurs de son temps, il a publié des dessins da de nombreux journaux.

FORAMINIFÈRES [fɔraminifɛr] n. m. pl. (du lat. *forame* trou, et *ferre*, porter). Sous-classe de protozoaires marins caracté sés par un test (= carapace) calcaire percé de multiples tro *(foramens) : Les foraminifères se déplacent à l'aide de pseuc podes.* (Il existe de nombreuses formes fossiles et actuelles.)

FORBACH, ch.-l. d'arrond. de la Moselle, près de la frontière la Sarre; 27 300 hab. *(Forbachois).* Constructions mécaniques.

FORBAN [fɔrbɑ̃] n. m. (de l'anc. fr. *forbannir*, bannir à l'étra ger). **1.** Pirate qui se livrait à des expéditions armées sur mer po

·n propre compte. — **2.** Individu sans scrupule, qui ne respecte ıcun droit.

ORÇAGE n. m. ⟶ FORCER.

ORCALQUIER, ch.-l. d'arrond. des Alpes-de-Haute-Pro-·nce, à 48 km au S.-O. de Digne; 3 800 hab.

ORÇAT [fɔrsa] n. m. (it. *forzato*). **1.** Criminel condamné aux avaux forcés. — **2.** *Mener une vie de forçat, travailler comme un rçat,* travailler jusqu'à l'épuisement des forces physiques (syn. ALÉRIEN). ◆ **forcé, e** adj. *Travaux forcés,* peine afflictive et famante, qui punit les criminels de droit commun.

. **FORCE** n. f. ⟶ FORT 1 et 2.

. **FORCE** [fɔrs] n. f. (lat. *fortia*). **1.** *Phys.* Toute cause capable ː modifier l'état de repos ou de mouvement d'un corps. → ENCYCL. ‖ *Unité de force* ⟶ DYNE, KILOGRAMME-FORCE, NEW-ON. ‖ *Force centrifuge, force centripète* ⟶ CENTRE 1. ‖ *Force inertie,* résistance qu'oppose un corps à toute cause pouvant le ettre en mouvement. — **2.** Courant électrique, et plus partic. ·urant électrique triphasé. ‖ *Force électromotrice* ⟶ ÉLECTROMO-EUR.

- ENCYCL. Une *force* est caractérisée par son *point d'application,* ·int où elle agit, sa *direction* ou droite suivant laquelle elle a ndance à déplacer le point sur lequel elle agit, son *sens* et sa *randeur* ou *intensité* qui est sa mesure. On la représente par un ·cteur géométrique.

ORCÉ, E adj. ⟶ FORÇAT et FORCER.

ORCEMENT n. m., **FORCÉMENT** adv. ⟶ FORCER.

ORCENÉ, E [fɔrsəne] adj. et n. (de l'anc. fr. *forsener,* être ·rs de sens). **1.** Se dit d'une personne qui n'a plus le contrôle de i et dont le comportement est dangereux. — **2.** Qui est l'indice ·une violente ardeur, d'une activité déréglée : *Travail forcené* yn. ACHARNÉ). *Un partisan forcené* (syn. FANATIQUE, PASSIONNÉ).

ORCEPS [fɔrsɛps] n. m. (mot lat. signif. *tenailles*). Instrument ː chirurgie en forme de pinces, servant à pratiquer l'extraction du ·tus en cas d'accouchement difficile (syn. FERS).

ORCER [fɔrse] v. t. (bas lat. *fortiare*). **1.** *Forcer une chose,* ercer sur elle un effort qui la fait céder, qui la déforme, qui en odifie le cours : *Forcer une serrure* (syn. CROCHETER, FRACTU-R). *Forcer une porte* (= l'enfoncer, l'ouvrir en la brisant pour ·uvoir entrer). *Forcer la porte de qq'un* (= se faire admettre chez i contre sa volonté). *Forcer la main à qq'un* (= le faire agir algré lui). — **2.** *Forcer une chose,* la pousser au-delà de ses nites normales, de son régime : *Il forçait l'allure pour tâcher de ttraper le retard. Forcer la dose* (= doser quelque chose au-delà ː ce qui convient ou est prescrit). *Forcer sa nature* (= chercher à anifester des sentiments, à adopter un comportement qui ne sont s naturels). *Forcer la note* (= établir une note de frais plus élevée ıe ce qui a été réellement dépensé; exagérer l'expression d'un ntiment). *Forcer le sens d'un mot, d'un texte,* etc. (= lui faire dire vantage que ce qu'il dit). — **3.** *Forcer l'attention, la conviction, respect, l'admiration,* etc., les susciter, amener les gens à éprou-r irrésistiblement ces sentiments : *Forcer l'estime d'un adver-ire* (syn. EMPORTER). *Forcer le consentement de qq'un* (= l'obtenir rès de nombreux efforts). — **4.** *Forcer qq'un, qqch.,* les con-aindre, leur imposer une action : *Forcer un enfant à travailler* ·n. OBLIGER). — **5.** *Forcer un cerf* (= le poursuivre jusqu'à épuise-ent). ◆ v. i. Fournir un effort particulier : *Il peut faire le trajet deux heures, sans forcer.* ◆ **se forcer** v. pr. (sujet nom de rsonne). S'imposer une obligation plus ou moins pénible : *J'ai dû ː forcer pour achever la lecture de ce roman.* ◆ **forcé, e** adj. Se dit de ce qui est imposé : *Un bain forcé* (syn. INVOLONTAIRE). *atterrissage forcé* (= sous l'effet d'une nécessité). — **2.** Se dit ın sentiment que l'on feint d'éprouver ou dont on exagère les anifestations : *Sourire forcé* (syn. AFFECTÉ, CONTRAINT; contr. TUREL). — **3.** Fam. *C'est forcé (que),* cela est nécessaire, dans rdre des choses. ‖ *Travaux forcés* ⟶ FORÇAT. ◆ **forcément** v. De manière obligatoire, nécessaire : *Les débuts sont forcément nibles* (syn. FATALEMENT, INÉVITABLEMENT). ◆ **forçage** n. m. *rçage d'une plante,* l'ensemble des procédés visant à en hâter la ·usse. ◆ **forcement** n. m. Surtout au sens 1 de FORCER : *Le cement d'une serrure.*

·rces françaises de l'intérieur (F. F. I.), nom donné en 44 à l'ensemble des unités combattantes de la Résistance, qi ·nèrent en France même la lutte contre l'occupant allemand. En ırs 1944, elles furent placées sous le commandement du général ·nig et elles prirent une part importante dans la libération du ritoire.

·rces françaises libres (F.F.L.), formations militaires orga-·ées par de Gaulle après l'armistice de 1940 pour continuer la te contre l'Allemagne aux côtés des Alliés. Après s'être distin-ées notamment en Libye (Bir Hakeim*, 1942), elles constituèrent noyaux de la 1re division française libre et de la 2e division blindée de Leclerc*. Elles comprenaient également des forces navales et aériennes, en particulier le groupe de chasse Norman-die-Niémen, qui représenta l'aviation française sur le front ger-mano-soviétique de 1942 à 1945.

FORCING [fɔrsiŋ] n. m. (mot angl.). **1.** Accélération d'un rythme, d'une cadence, dans un exercice sportif. — **2.** Déploie-ment d'énergie en vue de tenir tête à quelqu'un.

FORCIR [fɔrsir] v. i. (de *fort*). *Fam.* Prendre de l'embonpoint, grossir.

FORCLOS, E [fɔrklo, -oz] adj. (de l'anc. fr. *forsclore,* exclure). *Être forclos,* se dit d'une personne qui est privée du bénéfice d'un droit pour ne pas l'avoir exercé dans les délais prescrits. ◆ **forclu-sion** n. f. Déchéance d'un droit que l'on n'a pas fait valoir dans les délais fixés.

FORD (Henry), pionnier de l'industrie automobile américaine (1863-1947). Il créa, en 1903, la Ford Motor Company, dont il fit une puissante entreprise. Ford a lancé la construction en série et imaginé la standardisation des principales pièces composant un ensemble.

FORD (John), cinéaste américain (1895-1973). On lui doit notam-ment *les Raisins de la colère* (1940) et de nombreux westerns : *la Chevauchée fantastique* (1939), *les Cheyennes* (1964).

Foreign Office, ministère britannique des Affaires étrangères.

FORER [fɔre] v. t. (lat. *forare*). Percer un trou dans une matière dure, à l'aide d'un instrument mécanique : *Forer un puits.* ◆ **forage** n. m. **1.** Action de percer un trou à l'aide d'un foret. — **2.** Ensemble des techniques permettant de creuser un puits jusqu'à des profondeurs parfois très grandes. ⟶ ENCYCL. ◆ **foreuse** n. f. Appareil léger, monté sur camion, destiné au forage de puits à faible profondeur. ◆ **foret** n. m. Outil employé pour percer un trou dans le métal, le bois, les matières plastiques, la pierre, etc.

— ENCYCL. Pour atteindre de grandes profondeurs, en particulier pour la recherche du pétrole, on utilise le *forage rotary,* qui permet de descendre à plusieurs milliers de mètres. A la partie supérieure de la *tour de forage,* ou *derrick,* se trouve le *moufle fixe,* qui est relié au *moufle mobile* par un câble qui s'enroule sur un treuil. Le mouvement de rotation du *trépan* au fond du puits est assuré par les *tiges de forage* vissées les unes aux autres jusqu'à la surface du sol. Pour évacuer les déblais de terrain découpés par le trépan au fur et à mesure de son avancement, on injecte dans le puits une *boue* faite d'un mélange d'eau, d'argile et de certains produits chimiques. En remontant par l'espace situé entre les tiges et les parois du puits, cette boue entraîne les déblais. On appelle *carotte* l'échantillon de terrain que les géologues prélèvent pour examen au fond du puits. → illustration en couleurs PÉTROLE pp. 1056-1057.

FORESTIER, ÈRE adj. ⟶ FORÊT.

FORET n. m. ⟶ FORER.

FORÊT [fɔrɛ] n. f. (bas lat. *forestis*). Grande étendue de terrain plantée d'arbres. ⟶ ENCYCL. ‖ *Forêt vierge,* forêt des régions équatoriales qui n'a jamais été exploitée par l'homme, ni défrichée. ◆ **forêt-galerie** n. f. Forêt dense qui forme de longues bandes de part et d'autre des cours d'eau des savanes tropicales : *La forêt-galerie abrite souvent des glossines, ou mouches tsé-tsé.* ‖ Pl. des *forêts-galeries.* ◆ **forestier, ère** adj. Se dit d'une chose qui con-cerne la forêt : *Région forestière* (= couverte par les forêts). *Che-min forestier* (= qui traverse une forêt). *Maison forestière* (= située dans une forêt).

— ENCYCL. La *forêt* constitue le terme de l'évolution spontanée de la végétation, dans les régions humides du globe et en particulier : dans la zone tropicale humide; dans la zone tempérée froide; dans les montagnes, à une altitude qui dépend de la latitude de la région; le long des fleuves des régions de savanes (forêts-galeries).

La forêt tropicale humide est composée de nombreuses essences très mélangées, où dominent les feuillus à feuilles persistantes; les arbres hébergent des plantes épiphytes (= qui se fixent sur eux mais qui ne sont pas « parasites ») et sont entourés par des lianes.

Les grands ensembles forestiers dans les zones tempérée et froide sont constitués d'essences variées de feuillus à feuilles caduques (chêne, hêtre, frêne, bouleau, charme, érable, etc.) et de résineux (pin, épicéa, mélèze, sapin, etc.).

FORÊT-NOIRE, en all. **Schwarzwald,** massif montagneux de l'Allemagne, en face des Vosges, dont il fut séparé par des failles (fossé d'effondrement rhénan); 1 493 m au Feldberg.

FOREUSE n. f. ⟶ FORER.

FOREZ, région du Massif central (Loire et Puy-de-Dôme), entre les vallées de la Dore et de la Loire. Il se compose des *monts du Forez* (1 640 m à Pierre-sur-Haute) à l'O., et, à l'E., de la *plaine du Forez,* drainée par la Loire, entre les monts du Forez et les monts du Lyonnais.

1. FORFAIT [fɔrfɛ] n. m. (de l'anc. fr. *forfaire*, agir en dehors du devoir). Crime abominable. ◆ **forfaiture** n. f. Crime commis par un fonctionnaire dans l'exercice de ses fonctions; trahison.

2. FORFAIT [fɔrfɛ] n. m. (de *fur*, taux, et *fait*). Convention fixant à l'avance un prix de manière invariable, notamment pour l'exécution de certains travaux, la fourniture de certaines marchandises, de certains services, etc. : *Travail à forfait.* ◆ **forfaitaire** adj. Se dit d'un prix dont le montant a été fixé à forfait.

3. FORFAIT [fɔrfɛ] n. m. (mot angl. signif. *amende*). **1.** Somme que le propriétaire d'un cheval doit verser à l'organisateur des courses s'il ne fait pas courir son cheval. — **2.** *Déclarer forfait*, annoncer qu'on ne participera pas à une compétition sportive; et, fam., renoncer à quelque chose.

FORFANTERIE [fɔrfɑ̃tri] n. f. (de l'anc. fr. *forfant*, coquin). Vantardise impudente (littér.) : *Un homme plein de forfanterie et de vanité* (syn. FANFARONNADE).

FORFICULE [fɔrfikyl] n. f. (lat. *forficula*, petite pince). Insecte appelé usuellement PERCE-OREILLE à cause de deux appendices en forme de pinces qui prolongent son abdomen.

FORGER [fɔrʒe] v. t. (lat. *fabricare*). **1.** Travailler un métal à chaud, au marteau, pour lui donner une forme bien définie; fabriquer un objet : *Forger une barre de fer.* — **2.** *Forger des prétextes, des mensonges*, les inventer, les imaginer. ‖ *Se forger un idéal*, se proposer un idéal. ‖ *Forger un caractère*, le former par des épreuves. ◆ **forgé, e** adj. **1.** *Fer forgé.* — **2.** *Forgé de toutes pièces*, se dit d'une chose qui a été complètement inventée. ◆ **forgeage** n. m. Façonnage (généralement à chaud) d'un métal ou d'un alliage par déformation plastique, soit par choc à l'aide d'un marteau, soit par pression à l'aide d'une presse, afin de lui donner une forme et des dimensions données ou améliorer ses propriétés. ◆ **forgeron** n. m. Ouvrier qui sait forger du métal. ◆ **forge** n. f. **1.** Dans les campagnes, atelier où travaille le forgeron. — **2.** Établissement industriel où l'on transforme la fonte en acier et où l'on martèle ce métal à chaud pour lui donner différentes formes. — **3.** Fourneau à soufflerie pour le travail à chaud des métaux.

FORLI, v. d'Italie (Émilie), au S. de Ravenne; 105 000 hab.

FORMALISER (SE) v. pr., **FORMALISME** n. m., **FORMALISTE** adj. et n., **FORMALITÉ** n. f. ⟶ FORME 2.

FORMARIAGE [fɔrmarjaʒ] n. m. (de l'anc. fr. *se formarier*, se marier en dehors de sa condition). Dans le système féodal, mariage d'un serf hors de la seigneurie, ou avec une personne d'une autre condition que la sienne, ce qui rendait obligatoire l'autorisation du seigneur.

FORMAT [fɔrma] n. m. (de *forme*). **1.** Dimensions d'un livre, en hauteur et en largeur, déterminées par le nombre de pages que contient la forme d'imprimerie : *Format in-douze.* ⟶ ENCYCL. — **2.** Ensemble de dimensions en général : *Une valise d'un format pratique.* ‖ Photogr. *Petit format*, terme désignant les formats égaux ou inférieurs à 24 × 36 mm.
— ENCYCL. Chaque feuille de papier est imprimée des deux côtés et représente en pages de livre le double du nombre indiqué par le *format : in-plano*, deux pages; *in-folio*, quatre pages; *in-quarto*, huit pages; *in-octavo*, seize pages; *in-seize*, trente-deux pages. Pour le même texte, un *livre in-quarto* (ou *un in-quarto*) est plus grand, mais contient moins de pages, qu'un *livre in-octavo* (ou *un in-octavo*).

FORMATEUR, TRICE adj. ⟶ FORMER 2.

FORMATION n. f. ⟶ FORMER 1 et 2.

1. FORME [fɔrm] n. f. (lat. *forma*). **1.** Contour extérieur de quelque chose ou de quelqu'un, apparence visible extérieure d'un objet, aspect particulier pris par quelqu'un ou par quelque chose : *La forme d'un relief* (syn. CONFIGURATION). *La forme du visage* (syn. CONTOUR). *Donner à quelque chose une forme caractéristique* (syn. APPARENCE, ASPECT, FIGURE). — **2.** Caractéristiques d'une chose abstraite : *La forme d'un gouvernement* (syn. CONSTITUTION, STRUCTURE). *Les formes de l'activité humaine* (syn. ASPECT, TYPE). *Les formes de l'art* (syn. MANIFESTATION). — **3.** *Sous la forme de qqch.* ou *de qq'un*, en prenant ou en donnant l'apparence de quelque chose ou de quelqu'un. ‖ *Prendre forme*, commencer à ressembler à quelque chose de connu. ◆ n. f. pl. Contours du corps féminin. ◆ **informe** adj. Sans forme : *Masse informe. Un projet informe* (= sans plan, incomplet). ◆ **multiforme** adj. Qui a ou prend plusieurs formes.

2. FORME [fɔrm] n. f. (même étym.). **1.** Manière dont est exécutée une chose (notamment un acte juridique), par oppos. à la MATIÈRE, au SUJET : *Un jugement déclaré nul pour vice de forme. Ils ont passé un contrat en bonne et due forme* (= selon les prescriptions légales). ‖ *Pour la forme*, pour respecter les conventions, les règles, les usages. — **2.** Manière d'exprimer la pensée, d'utiliser les moyens d'expression dans une œuvre littéraire; le style, par oppos. au FOND, c'est-à-dire au sujet traité : *Ce poète est plu attaché à la forme qu'au fond* (syn. EXPRESSION, STYLE). *La form de cette œuvre est classique* (syn. FACTURE). — **3.** Modèle déte miné selon lequel est composée une œuvre littéraire, artistique *Un poème à forme fixe.* — **4.** Genre musical : *On distingue de formes de danse (ronde, menuet, etc.), des formes instrumentale (suite, concerto, symphonie, etc.), des formes vocales et dramatique (cantate, opéra, etc.), des formes religieuses (messe, requiem, orat rio).* ◆ n. f. pl. *Les formes*, l'ensemble des conventions sociale des règles auxquelles obéit un homme bien élevé, une personne d monde, etc. (syn. BIENSÉANCE, SAVOIR-VIVRE, USAGE). ‖ *Dans le formes*, conformément aux règles d'une classe bien élevée (= selo l'étiquette). ◆ **formel, elle** adj. **1.** Se dit d'une chose qui concern principalement ou uniquement l'apparence, la forme (par oppo au CONTENU) : *Politesse formelle* (= qui respecte les formes, ma est tout extérieure). — **2.** Se dit d'un art, d'un créateur qui cultiv surtout la forme (l'expression, le style par oppos. au FOND) : *Beau formelle d'un poème.* ◆ **formellement** adv. : *Deux énoncés ser blables formellement, mais de sens tout différent.* ◆ **formal ser (se)** v. pr. Être blessé, choqué par un manquement au formes, aux règles établies (syn. S'OFFUSQUER). ◆ **formalism** n. m. **1.** Respect scrupuleux des formes juridiques, des règl ments; attachement excessif aux usages reçus, à l'étiquette : *l formalisme administratif.* — **2.** Tendance d'un art, d'un artiste préférer la forme au sujet, ou à s'exprimer par des abstraction — **3.** Système de pensée qui ramène tout à la forme. ◆ **formalist** adj. et n. **1.** *L'organisateur de la cérémonie s'est montré très form liste pour répartir les places des invités suivant leur rang et leu titres* (syn. POINTILLEUX, PROTOCOLAIRE). — **2.** Se dit de ce q donne une grande importance aux formes, aux règles, au cô extérieur des actions : *Une société formaliste* (syn. RIGORISTE). *Un religion formaliste* (syn. RITUALISTE). ◆ **formalité** n. f. **1.** Opér tion prescrite dans l'accomplissement de certains actes civils, jud ciaires, etc. : *Les formalités administratives.* — **2.** Acte jugé sa importance : *Considérer cela comme une pure formalité.* ◆ **info mel, elle** adj. et n. m. Se dit de certains peintres du XXe s. et leurs œuvres, qui cherchent à exprimer des états de sensibilité p les couleurs, sans recourir à la représentation formelle du réel.

3. FORME [fɔrm] n. f. (même étym.). *Fam.* Condition physiq ou intellectuelle d'une personne : *Être en forme.*

1. FORMEL, ELLE adj. ⟶ FORME 2.

2. FORMEL, ELLE [fɔrmɛl] adj. (lat. *formalis*). Se dit d'u chose qui est formulée avec précision, sans ambiguïté : *Preu formelle* (syn. INCONTESTABLE, INDUBITABLE). *Recevoir l'ordre fo mel de partir* (syn. CATÉGORIQUE). ◆ **formellement** adv. : *Étab formellement une preuve* (syn. INCONTESTABLEMENT). *Interdire fo mellement* (syn. RIGOUREUSEMENT).

FORMELLEMENT adv. ⟶ FORME 2 et FORMEL 2.

1. FORMER [fɔrme] v. t. (lat. *formare*). **1.** (sujet nom de pe sonne) *Former une chose*, lui donner une forme particulière : *Fo mer ses lettres.* — **2.** (sujet nom de personne) Créer, constituer qui n'existait pas : *Le Premier ministre a formé son gouverneme Former un projet* (syn. CONCEVOIR). *Former un numéro de té phone sur le cadran* (syn. COMPOSER). — **3.** (sujet ordinaireme nom de chose) Être disposé de telle ou telle façon, prendre forme de : *La Seine forme une boucle à cet endroit.* — **4.** (sujet no de chose ou de personne) *Former qqch.*, en être la matière, constituer : *Le riz forme la base de leur alimentation. Les gens q forment l'élite de cette société.* ‖ *Former un tout*, ne composer av quelqu'un ou quelque chose qu'une seule chose indistincte. ◆ **former** v. pr. **1.** *Se former en*, prendre une certaine forme, u certaine disposition : *La troupe se forma en file indienne* (syn. METTRE). — **2.** Apparaître, se réaliser, s'organiser : *Une croûte forme à la surface du liquide.* ◆ **formation** n. f. **1.** Process entraînant l'apparition de quelque chose qui n'existait pas an rieurement : *Formation d'une entreprise* (syn. FONDATION). *Form tion d'un projet* (syn. ÉLABORATION). *Formation du monde* (sy CRÉATION). — **2.** Élément militaire organisé en vue d'une missio *Envoyer une formation aérienne bombarder un objectif.* — **3.** Mili social, groupement de personnes : *Les formations politiques* (sy PARTI). *Formation de jazz* (syn. ORCHESTRE). — **4.** Ensemble d'o jets ayant une forme commune, un aspect semblable qui les dist gue du reste : *Des formations de cristaux.* — **5.** *Formation vé tale*, association de végétaux présentant, malgré les différenc des espèces, des caractères analogues. (On distingue les *form tions ouvertes* [qui ne recouvrent pas entièrement le sol] et *formations fermées* [où la végétation, dense, cache le so — **6.** *Formation géologique*, ensemble de terrains formés d'u certaine manière ou à une certaine époque, et présentant c caractères communs. ‖ *Formation primaire*, groupement végé dont l'origine et la croissance sont totalement indépendantes l'action de l'homme. ‖ *Formation secondaire*, groupement végé qui remplace une formation primaire après sa destruction l'homme. (⟶ DÉFORMER.)

2. FORMER [fɔrme] v. t. (même étym.). *Former qq'un,* lui donner un enseignement particulier, lui permettant d'acquérir certains réflexes, développer en lui certaines aptitudes, etc. : *Un exercice qui forme la main* (syn. ENTRAÎNER). *Cette aventure lui formera le caractère* (syn. FAÇONNER, FAIRE). ◆ **se former** v. pr. Se développer, s'instruire : *Cet enfant est jeune, il a le temps de se former.* ◆ **formateur, trice** adj. Se dit d'une chose qui développe les facultés intellectuelles de quelqu'un ou qui contribue à faire naître en lui certaines aptitudes : *Un exercice formateur* (syn. ÉDUCATIF). ◆ **formation** n. f. **1.** Acquisition de connaissances spécialisées chez un être humain; éducation intellectuelle et morale, instruction : *Une formation de littéraire* (syn. CULTURE). *Formation du caractère* (syn. ÉDUCATION). ‖ *Formation professionnelle,* période d'apprentissage d'un jeune travailleur, avant son activité professionnelle; formation permanente de ceux qui, occupant un emploi (ou l'ayant perdu), doivent mettre à jour leurs connaissances, ou en acquérir de nouvelles. — **2.** Développement des organes, qui s'opère à la puberté. ◆ **malformation** n. f. Vice de conformation apparu dès la naissance.

FORMIDABLE [fɔrmidabl] adj. (lat. *formidabilis,* redoutable). **1.** D'une grandeur, d'une force énorme, qui cause un sentiment de respect, de peur : *La formidable stature du gorille* (syn. GIGANTESQUE). — **2.** *Fam.* Remarquable, extraordinaire : *C'est un type formidable!* ◆ **formidablement** adv.

FORMIQUE [fɔrmik] adj. (du lat. *formica,* fourmi). Chim. *Acide formique,* acide qui existe dans les orties, le corps des fourmis, etc. *Aldéhyde formique* ou *formaldéhyde,* gaz d'odeur irritante obtenu par oxydation incomplète de l'alcool méthylique.

FORMOL [fɔrmɔl] n. m. (du lat. *formica,* fourmi). Nom usuel de la solution aqueuse d'aldéhyde formique, liquide volatile d'odeur forte qui constitue un puissant antiseptique utilisé en pharmacie.

FORMOSE, nom donné par les Occidentaux à l'île chinoise de T'AI-WAN, île du Pacifique, au large des côtes de la Chine dont elle est séparée par le détroit de Formose; 36 000 km²; 20 millions d'hab. (555 au km²). Capit. *T'ai-pei* (5 millions d'hab.).

GÉOGRAPHIE

Constituée de montagnes élevées à l'E., de collines et de plaines à l'O., l'île jouit d'un climat de mousson chaud et humide.

La population, très dense, et en rapide accroissement, pratique une culture intensive dans les plaines. L'irrigation permet souvent deux récoltes de riz. Canne à sucre, thé, bananes sont surtout destinés à l'exportation.

riz 2 500 000 t; sucre 750 000 t; bananes 200 000 t.

Le sous-sol recèle un peu de charbon et du gaz naturel. L'industrie s'est récemment développée grâce à des capitaux étrangers (américains surtout) et à l'abondance d'une main-d'œuvre à bon marché : textiles, électronique et produits chimiques.

HISTOIRE

L'île fut longtemps disputée entre les Chinois et les Japonais.

1683. Conquise par les empereurs mandchous, elle devient chinoise.

Au XIXe s., elle s'ouvre à l'influence des Européens.

1894. Les Japonais font la conquête de Formose.
1945. Elle est restituée à la Chine.
1949. Après la victoire de la Chine populaire, l'île devient le refuge de la Chine nationaliste.

Elle est dirigée par Chang Kaï-chek, président de la République de 1950 à sa mort (1975). L'île est placée à partir de 1954 dans la zone de protection américaine.

1971. L'admission de la Chine populaire à l'O. N. U. entraîne l'exclusion de Formose.
1975. Tsiang King-kouo succède à son père.

Depuis, Formose refuse l'« intégration pacifique » que lui propose la Chine.

1979. Les États-Unis reconnaissent officiellement la Chine populaire et mettent fin à leurs relations diplomatiques avec Formose.
1988. Mort de Tsiang King-kouo. Le vice-président Lee Teng-hui lui succède à la tête de l'État et du Kouo-min-tang.

FORMULABLE adj., **FORMULAIRE** n. m., **FORMULATION** n. f. → FORMULE 1.

1. FORMULE [fɔrmyl] n. f. (lat. *formula*). **1.** Modèle d'après lequel des actes juridiques, des papiers administratifs doivent être rédigés : *Une formule de testament, de demande de carte d'identité.* — **2.** Expression d'une idée au moyen de mots particuliers, choisis intentionnellement ou ayant une certaine valeur : *Il a trouvé une formule heureuse.* — **3.** *Formule de politesse,* expression consacrée par l'usage, que la politesse impose dans certaines circonstances. ◆ **formulation** n. f. Expression, généralement écrite, d'une chose : *La formulation d'une idée.* ◆ **formuler** v. t. Exprimer de façon précise : *Formuler ses désirs, ses craintes* (syn. EXPLICITER, EXPOSER). *Formuler une plainte.* ◆ **formulable** adj. Qui peut être formulé. ◆ **formulaire** n. m. *Remplir un formulaire,* répondre à une série de questions, d'ordre administratif, qui figurent sur un imprimé. ◆ **informulé, e** adj. Qui n'est pas formulé.

2. FORMULE [fɔrmyl] n. f. (même étym.). Expression concise, généralement symbolique, exprimant une relation mathématique ou logique, la composition d'un corps au point de vue physique, chimique, biologique, ou la méthode qu'il faut suivre pour trouver la solution type à un problème : *Une formule algébrique. La formule chimique de l'eau est H_2O. Formule leucocytaire du sang* (= le taux des différentes catégories de leucocytes contenus dans le sang). *Formule dentaire* (= indication schématique du nombre et de l'emplacement des dents).

3. FORMULE [fɔrmyl] n. f. (même étym.). Manière de concevoir, d'organiser, de présenter quelque chose : *Une formule économique de vacances. Un spectacle d'une formule inédite.*

4. FORMULE [fɔrmyl] n. f. (même étym.). Catégorie de voitures possédant des puissances voisines : *Formule 1.*

FORMULER v. t. → FORMULE 1.

FORNIQUER [fɔrnike] v. i. (lat. *fornicari*). Avoir des relations charnelles avec quelqu'un en dehors du mariage. ◆ **fornication** n. f. Péché de la chair, dans la religion catholique.

FORNOUE, comm. d'Italie, en Émilie, sur le Taro; 6 400 hab.

• *6 juil. 1495. Victoire de Charles VIII sur l'armée des confédérés de la Sainte Ligue.*

FORSYTHIA [fɔrsisja] n. m. (de *Forsyth,* arboriculteur anglais). Arbrisseau dont les fleurs jaunes apparaissent au début du printemps, avant les feuilles. (Famille des oléacées.)

1. FORT, E [fɔr, fɔrt] adj. (lat. *fortis*) [placé en général après le nom]. **1.** Se dit d'une personne (ou de son comportement) capable de fournir un effort physique grâce à une constitution saine et robuste : *Un garçon grand et fort* (syn. ROBUSTE, VIGOUREUX; contr. DÉBILE, FRÊLE). — **2.** Se dit d'une personne corpulente (ou d'une partie de son corps) : *Elle est forte des hanches* (contr. MINCE). — **3.** Qui a de grandes capacités intellectuelles, des connaissances étendues, ou la pratique de certaines choses : *Cet élève est très fort* (syn. CAPABLE, DOUÉ; contr. FAIBLE). *Il est fort aux échecs.* — **4.** (placé avant ou après le nom) Capable de résister aux épreuves morales, aux souffrances physiques ou aux pressions extérieures d'autrui : *Demeurer fort dans l'adversité* (contr. FAIBLE). ‖ *Forte tête,* personne rebelle à l'obéissance, qui n'en fait qu'à sa tête. ‖ *Un esprit fort,* une personne incrédule en matière de religion (littér.). — **5.** Se dit d'une personne ou d'un groupement de personnes qui a une grande influence : *Un régime fort* (= un régime politique qui a beaucoup d'autorité). *Un gouvernement fort* (syn. PUISSANT; contr. FAIBLE). ‖ *Avoir affaire à forte partie,* être aux prises avec des gens nombreux et puissants, ou avec de grandes difficultés. — **6.** *Être fort de qqch.,* en tirer sa force, son assurance : *Être fort de son bon droit.* — **7.** *Se faire fort de qqch.,* se déclarer, se croire capable de le faire (*fort* reste invariable) : *Elle se fait fort de passer l'agrégation.* ◆ n. : *Dans un combat, les forts écrasent les faibles.* ‖ *Fort des Halles,* employé qui transporte les marchandises lourdes. ◆ **force** n. f. **1.** Possibilité, pour une personne ou un être vivant, de faire un effort physique ou intellectuel important, de résister à une épreuve : *Cet homme a beaucoup de force* (contr. FAIBLESSE). *Deux élèves de la même force en mathématiques* (syn. NIVEAU). *Avoir beaucoup de force de caractère* (syn. FERMETÉ). *Faire un exercice en force* (= en y déployant toutes ses réserves, en se raidissant dans l'effort) [contr. EN SOUPLESSE]. — **2.** *Être de force à faire qqch.,* être capable de le réussir, de le mener à bien. ‖ *Travailleur de force,* se dit d'une personne dont le travail est exclusivement musculaire. ‖ *Cas de force majeure,* circonstance dans laquelle on est absolument contraint de faire certaines choses, quelque répréhensibles qu'elles soient. — **3.** Effectifs, matériel permettant une action : *Force publique, forces de police* (= ensemble des agents de police, des gendarmes et des troupes dont dispose un gouvernement pour faire respecter l'ordre public). ‖ *Force de dissuasion* ou *force de frappe,* ensemble des moyens militaires modernes, et spécialement les armes atomiques, dont dispose un pays pour riposter sans délai, en cas d'agression ennemie, ou dissuader tout adversaire d'une attaque éventuelle. — **4.** (comme compl. de nom) *Épreuve de force,* affrontement inévitable entre antagonistes après l'échec de négociations. ‖ *Tour de force,* exercice, tâche particulièrement difficile à exécuter. ◆ n. f. pl. **1.** Capacités physiques, plus rarement intellectuelles : *Courir, sauter, travailler,* etc., *de toutes ses forces* (= avoir recours à toute son énergie physique pour courir, sauter, etc.). *Refaire ses forces* (= se reposer, se restaurer, en vue de récupérer sa vigueur physique, son courage). *Travail, tâche au-dessus des forces de qq'un* (= que cette personne ne peut accomplir, faute de moyens physiques, intellectuels). — **2.** Moyens matériels : *Les forces d'un pays* (= l'ensemble de son matériel de guerre et de son personnel militaire) [syn. POTENTIEL MILITAIRE]. *Les forces vives d'un pays* (= ce qui, dans un pays, produit la richesse économique). — LOC. ADV. *À force*, par des efforts répétés, à la longue. ‖ *À toute force*, malgré toutes les résistances, tous les obstacles (syn. ABSOLUMENT, DE TOUTE NÉCESSITÉ). ‖ *Vouloir à toute force qqch.* (= l'exiger, l'imposer contre la volonté de tout le monde, en dépit de tous les obstacles) [syn. À TOUT PRIX]. ‖ *De force*, en faisant un effort particulier pour vaincre une résistance : *Faire entrer de force un objet dans une caisse. De gré ou de force, on lui enlèvera son masque* (= qu'il le veuille ou non). ‖ *En force*, en groupe nombreux et puissant. ‖ *Par force*, par nécessité, faute de pouvoir faire autrement. — LOC. PRÉP. *À force de*, par le fait répété de : *Il a réussi à force de travail*. (→ A FORTIORI.)

2. FORT, E [fɔr, fɔrt] adj. (même étym.) [se rapportant à un nom de chose]. **1.** Se dit de ce qui résiste, de ce qui est solide : *Un carton fort* (syn. DUR; contr. MOU). *Tissu fort* (syn. RÉSISTANT, ROBUSTE). — **2.** Se dit de ce qui se manifeste avec intensité, de ce qui produit une impression marquée sur les sens, sur l'esprit : *Une forte lumière* (syn. INTENSE, VIF; contr. FAIBLE). *Une forte explosion* (syn. VIOLENT). *Une liqueur forte* (contr. DOUX). *De la moutarde forte* (syn. PIQUANT). ‖ Fam. *Ça, c'est trop fort*, c'est exagéré, c'est surprenant. ‖ *Temps fort*, en musique, celui qui est ordinairement plus marqué dans une mesure. — **3.** (placé en général avant le nom) Se dit d'une chose mesurable importante en quantité : *Une forte fièvre* (contr. FAIBLE). *Une forte quantité de neige est tombée* (syn. ÉLEVÉ, GRAND, IMPORTANT). *Une forte somme d'argent* (syn. GROS). *Une forte pente* (= une pente faisant un angle relativement grand avec le plan horizontal). *Un détachement militaire fort de 300 hommes* (= qui compte 300 soldats). *Payer au prix fort* (= au prix le plus élevé, sans réduction). ◆ **fortement** adv. **1.** Avec force : *Frapper fortement* (syn. VIGOUREUSEMENT). *Des détails fortement marqués* (syn. NETTEMENT). *Désirer fortement* (syn. INTENSÉMENT). — **2.** Avec intensité, fréquemment : *Il est fortement question de sa démission* (syn. BEAUCOUP, FORT; contr. PEU). ◆ **force** n. f. **1.** Qualité de ce qui est fort, de ce qui est apte, par son intensité, à produire un important effet physique ou moral : *Force d'un coup de poing* (syn. VIGUEUR, VIOLENCE). *Force du vent* (= intensité avec laquelle il souffle) [syn. VITESSE]. *Force d'une liqueur* (= sa teneur en alcool). *Force d'un café* (= sa concentration). *Force d'une lumière* (syn. INTENSITÉ). *Force d'un mot, d'un terme, d'une expression* (= degré avec lequel ils expriment une idée). — **2.** *La force des choses*, sorte de fatalité à laquelle on finit par se résigner.

3. FORT [fɔr] adv. (même étym.). **1.** En usant de sa force physique, avec un gros effort, ou avec une grande intensité : *Serrer très fort* (syn. VIGOUREUSEMENT; contr. DOUCEMENT). *Respirez fort* (syn. FORTEMENT). *Le vent souffle fort* (syn. ↑VIOLEMMENT; contr. FAIBLEMENT). — **2.** *De plus en plus fort!*, express. d'étonnement ou d'admiration devant un exploit qui surpasse le précédent. ‖ Fam. *Y aller fort*, exagérer. — **3.** Devant un adj. ou un adv., sert à exprimer, surtout dans la langue écrite, une grande intensité (superl. absolu) [la langue usuelle emploie plutôt TRÈS, TOUT À FAIT, EXTRÊMEMENT, BIEN] : *C'est fort aimable à vous de vous être dérangé. Il sait fort bien que ceci est impossible.* — **4.** Dans un emploi limité appartenant surtout à la langue écrite, après un verbe, il marque une grande quantité ou une grande intensité : *Je doute fort qu'il soit à l'heure* (syn. usuel BEAUCOUP). *Ils ont eu fort à faire pour le calmer* (= ils ont eu du mal à).

4. FORT [fɔr] n. m. (même étym.) [utilisé dans quelques express.]. *Le fort de qq'un*, le domaine dans lequel il excelle : *Les mathématiques ne sont pas mon fort.* ‖ *Au fort de qqch., au plus fort de qqch.*, au milieu : *Au fort de l'été* (= en plein été). *Au plus fort de la discussion* (= au moment où la discussion est la plus vive).

5. FORT [fɔr] n. m. (même étym.). Ouvrage de fortification que l'on construisait autref. dans un but surtout défensif : *Le fort de Verdun.* ◆ **forteresse** n. f. **1.** Lieu fortifié, organisé pour la défense d'une ville, d'une région. — **2.** Lieu fortifié, servant de prison d'État. — **3.** *Forteresse volante*, nom donné en 1942 aux bombardiers lourds américains B-17, qui donnèrent naissance aux *superforteresses* B-29 (1944). ◆ **fortin** n. m. Petit fort. (→ FORTIFIER 2.)

FORT (Paul), poète français (1872-1960), auteur des *Ballades françaises*, qui commencèrent à paraître en 1897.

FORTALEZA, port du Brésil, capit. de l'État de Ceará; 872 700 hab.

FORT-DE-FRANCE, ch.-l. de la Martinique, sur la côte nord de la *baie de Fort-de-France;* 100 700 hab.

FORTE [fɔrte] adv. et n. m. inv. (mot it.). *Mus.* Indication de nuance demandant une exécution plus intense. ◆ **fortissimo** adv. et n. m. inv. Indication demandant une exécution aussi forte que possible.

FORTEMENT adv. → FORT 2.

FORTERESSE n. f. → FORT 5.

FORTH (le), fl. d'Écosse; 106 km. Il se jette dans la mer du Nord par un grand estuaire *(Firth of Forth)* que franchit un pont routier suspendu (2 400 m).

1. FORTIFIER [fɔrtifje] v. t. (du lat. *fortis*, fort, et *facere*, faire). *Fortifier qq'un, qqch.*, les rendre plus forts : *L'exercice fortifie le corps* (syn. DÉVELOPPER). *Des conseils qui fortifient un homme désespéré* (syn. RÉCONFORTER). *Fortifier son prestige* (syn. RENFORCER). ◆ **fortifiant, e** adj. et n. m. Substance, remède qui augmente les forces de quelqu'un : *Prendre un fortifiant* (syn. REMONTANT).

2. FORTIFIER [fɔrtifje] v. t. (même étym.). *Fortifier une ville, un retranchement*, etc., les protéger par des ouvrages de défense militaire. ◆ **fortification** n. f. Ouvrage de défense militaire : *Les anciennes fortifications de Paris. Fortification naturelle* (= élément naturel favorisant la défense).

FORTIN n. m. → FORT 5.

FORTIORI (A) loc. adv. → A FORTIORI.

FORTISSIMO adv. et n. m. inv. → FORTE.

FORT-LAMY → N'DJAMENA.

FORTUIT, E [fɔrtɥi, -ɥit] adj. (lat. *fortuitus*). Se dit d'une chose qui se produit par hasard : *Un événement fortuit* (syn. IMPRÉVU, INATTENDU; contr. ATTENDU, PRÉVISIBLE). *Une rencontre fortuite* (syn. ACCIDENTEL). ◆ **fortuitement** adv. : *J'ai appris fortuitement cette nouvelle* (syn. INCIDEMMENT, PAR HASARD).

1. FORTUNE [fɔrtyn] n. f. (lat. *fortuna*, sort). **1.** Ensemble des richesses appartenant à un individu, à une collectivité : *Sa fortune n'est pas très grande* (syn. CAPITAL). — **2.** *Faire fortune*, devenir riche, obtenir une belle situation. ‖ *Revers de fortune*, événement à l'occasion duquel on perd beaucoup d'argent. ◆ **fortuné, e** adj. Se dit d'une personne qui a de la fortune.

2. FORTUNE [fɔrtyn] n. f. (même étym.). **1.** Ce qui est censé fixer aux êtres humains leur sort (littér.) : *Être favorisé par la fortune* (syn. DESTIN, HASARD). — **2.** Sort réservé à quelque chose : *Les fortunes de cette œuvre ont été fort diverses* (= son succès a varié suivant les époques). — **3.** *Bonne, mauvaise fortune*, chance, malchance (littér.). ‖ *À la fortune du pot*, se dit d'une invitation impromptu à un repas (syn. À LA BONNE FRANQUETTE). — LOC. ADV. *De fortune*, se dit d'une chose improvisée, réalisée rapidement et au dernier moment pour parer au plus pressé : *Installation de fortune.* ‖ *Moyens de fortune*, ceux dont on dispose dans l'immédiat (syn. MOYENS DU BORD). ◆ **infortune** n. f. Malheur inattendu : *Son infortune fait peine à voir. Conter ses infortunes.* ◆ **infortuné, e** adj. et n. Qui est dans l'infortune (syn. MALHEUREUX).

FORT WAYNE, v. des États-Unis (Indiana); 161 800 hab.

FORT WORTH, v. des États-Unis (Texas); 393 500 hab.

FORUM [fɔrɔm] n. m. (mot lat.). **1.** (avec une majusc.) Place de Rome, située entre le Capitole et le Palatin, où le peuple s'assemblait pour discuter des affaires publiques. → ENCYCL. — **2.** Toute place publique, dans l'Antiquité romaine.

— ENCYCL. Le *Forum* romain occupe la vallée située entre le Capitole, l'Esquilin et le Palatin. Son aspect définitif remonte à la fin de la République (basiliques Aemilia et Julia, tabularium de Sulla), mais des remaniements importants eurent lieu par la suite. La basilique de Constantin fut une des dernières constructions édifiées (IVe s. apr. J.-C.).

Le Forum romain était un *centre religieux :* différents cultes étaient représentés, en particulier celui de Vesta*, le plus ancien et le plus important. Le Forum était également un *centre commercial* avec ses boutiques qui bordaient les basiliques, tandis que les portiques situés le long de la Via sacra servaient de lieu de réunion. Enfin, c'était un *centre politique et de la vie publique* avec le Comitium (où se tinrent les comices curiates jusqu'en 14 av. J.-C.), les Rostres (tribunes où les orateurs prononçaient leurs harangues), le tabularium (qui recueillait les lois et les traités de l'État), l'aerarium (qui renfermait le trésor public), etc. De plus nombreux étaient les monuments commémoratifs ou honorifiques qui se dressaient sur le Forum.

D'autres forums dits *impériaux* forment un ensemble plus au N. Tous comprenaient une place à portique, ouverte par des arcs et renfermant des temples et autres monuments honorifiques.

FOS *(golfe de)*, golfe de la côte de Provence, entre l'embouchure du Grand Rhône et la côte de l'Estaque.

La zone comprise entre le delta du Rhône, l'étang de Berre et la mer fait l'objet d'un vaste aménagement portuaire et industriel.

D'importants éléments favorables à l'implantation d'un complexe sidérurgique côtier ont guidé le choix de cette région : port en eau profonde; immenses espaces libres se prêtant à l'implantation d'industries lourdes; moyens considérables d'alimentation en eau et en énergie avec le Rhône; main-d'œuvre abondante fournie par les grandes agglomérations proches (Marseille, Aix, Arles).

Le complexe industriel de Fos comprend : un port en eau profonde permettant l'accès direct aux gros navires (500 000 t); une zone industrielle (7 500 ha) où se développent la sidérurgie, la transformation des métaux, l'électrométallurgie, la chimie lourde (engrais), des cimenteries, une centrale électrique.

1. FOSSE [fos] n. f. (lat. *fossa*). **1.** Cavité creusée dans le sol, d'origine artificielle ou naturelle : *Fosse à purin.* ‖ *Fosse aux lions, fosse aux ours*, trou creusé et aménagé, dans lequel on tient en captivité des lions, des ours. ‖ *Descendre dans la fosse aux lions*, s'exposer à un grand danger (littér.). — **2.** Dépression allongée du fond des océans. (La plupart des grandes fosses sont situées en bordure des océans, près de guirlandes insulaires [fosses des Antilles, de Java, des Philippines, des Kouriles, etc.]. La plus profonde, à l'E. de Mindanao [Philippines], atteint 11 200 m.) — **3.** Partie d'un théâtre située en contrebas, entre l'orchestre et la scène, et dans laquelle prennent place les musiciens : *Fosse d'orchestre.* — **4.** Cavité anatomique : *Fosses nasales. Fosse iliaque.*

2. FOSSE [fos] n. f. (même étym.). **1.** Trou creusé pour y placer un cercueil. — **2.** *Fosse commune*, endroit d'un cimetière où sont ensevelis ceux dont les familles n'ont pas de concession de terrain. ◆ **fossoyeur** n. m. **1.** Personne qui a pour métier de creuser les tombes. — **2.** *Fossoyeur de qqch.*, personne dont l'activité tend à hâter la fin de quelque chose : *Les fossoyeurs d'un régime politique.*

FOSSÉ [fose] n. m. (bas lat. *fossatum*). **1.** Fosse creusée en long pour permettre l'écoulement des eaux ou, jadis, pour défendre une place forte. — **2.** Géogr. *Fossé d'effondrement*, compartiment de l'écorce terrestre affaissé entre deux failles ou deux systèmes de failles : *La vallée du Rhin, entre Vosges et Forêt-Noire, les grands lacs de l'Afrique orientale (lacs Tanganyika, Nyassa) correspondent à des fossés d'effondrement* (syn. FOSSÉ TECTONIQUE, GRABEN). — **3.** Divergence de vues, désaccord entre deux personnes ou groupes de personnes : *Le fossé s'élargit entre les partis.*

FOSSETTE [fosɛt] n. f. (de *fosse*). Petite cavité que quelques personnes ont naturellement au menton ou qui se forme sur la joue quand elles rient.

FOSSILE [fosil] adj. et n. m. (lat. *fossilis*, qu'on tire de la terre). **1.** Se dit de débris, d'empreintes de plantes et d'animaux ensevelis dans les couches terrestres antérieures à la période géologique actuelle et qui s'y sont conservés. ⟶ ENCYCL. — **2.** *Fam.* Se dit d'une personne dont les habitudes de vie se sont démodées, ou dont les idées sont dépassées. ◆ **fossilifère** adj. Qui renferme des fossiles : *Calcaire très fossilifère.* ◆ **fossilisation** n. f. **1.** Passage d'un corps organisé à l'état de fossile. — **2.** Enfouissement d'un relief, d'une vallée sous des alluvions ou des sédiments. ◆ **fossiliser (se)** v. pr. Devenir fossile.

— ENCYCL. On distingue trois grands types de *fossiles* :

les *parties d'êtres vivants inaltérées* (ossements, dents, coquilles, etc.), assez minéralisées pour avoir résisté à la décomposition;

les *empreintes en creux*, ou *moules*, formées par une vase consolidée autour de l'espace qu'occupait un cadavre animal ou végétal actuellement disparu (fougères de la houille, nombreux animaux);

les *empreintes en relief*, ou *moulages*, résultant du remplissage tardif du moule ci-dessus par un nouveau sédiment.

On appelle *fossiles caractéristiques* les espèces qui ne se rencontrent qu'à un seul étage géologique et permettent d'identifier celui-ci (c'est le cas de nombreux coquillages d'ammonites).

On appelle *fossiles de faciès* les espèces qui se rencontrent à divers âges, mais toujours dans les mêmes sites : estuaires, grandes profondeurs, récifs, etc. L'étude des fossiles appartient à la *paléontologie.*

FOSSOYEUR n. m. ⟶ FOSSE 2.

FOS-SUR-MER, comm. des Bouches-du-Rhône, à 11 km à l'O. de Martigues; 9 400 hab. Raffinerie de pétrole.

1. FOU, FOL, FOLLE [fu, fɔl] adj. et n. (lat. *follis*, ballon) [l'adj. masc. *fol* ne s'emploie que devant un nom commençant par une voyelle]. **1.** Se dit d'une personne qui est atteinte de troubles mentaux, qui a perdu la raison : *Un fou furieux.* — **2.** Se dit d'une chose qui dénote un dérangement d'esprit ou un comportement qui sort de l'ordinaire : *Un regard fou* (syn. ÉGARÉ, HAGARD). *Une tentative folle* (syn. ABSURDE, INSENSÉ). *Une pensée folle* (syn. DÉRAISONNABLE). *Une terreur folle* (syn. INVINCIBLE). — **3.** Qui est d'une gaieté excessive, d'une vivacité exagérée : *Rire comme un fou. Courir comme un fou.* — **4.** Qui semble hors de soi sous l'influence d'un sentiment violent : *Fou de bonheur, de chagrin* (syn. BOULEVERSÉ, ÉPERDU). — **5.** *Histoire de fou*, aventure incompréhensible et fantastique. ‖ *Être fou de* (et un nom), être passionnément épris de. ‖ Fam. *Plus on est de fous, plus on rit*, plus on est nombreux à faire les fous, mieux on se divertit. ◆ **folie** n. f. **1.** Dérèglement mental : *Folie furieuse* (syn. DÉMENCE). *Folie des grandeurs* (syn. MÉGALOMANIE). — **2.** Se dit d'un acte déraisonnable, passionné, excessif, coûteux, divertissant, etc. — **3.** Passion excessive pour quelque chose, désir passionné de l'avoir, etc. : *Il a la folie des vieux livres.* — **4.** *Faire des folies pour qqch.* ou *pour qq'un*, faire des dépenses excessives. ◆ **follet, ette** adj. et n. Se dit d'une personne qui se montre un peu folle, extravagante.

2. FOU, FOLLE [fu, fɔl] adj. (même étym.) [toujours placé après le nom]. Se dit de choses dont le mécanisme est déréglé, de plantes dont le développement n'est pas contrôlé, etc. : *La course folle d'un véhicule* (= dont on a perdu le contrôle). ‖ *Herbes folles*, herbes qui croissent en abondance et au hasard. ‖ *Mèches folles* (= qui s'échappent de la chevelure). ◆ **folle-avoine** n. f. Graminacée inutilisable qui envahit les prés au détriment des espèces fourragères. ‖ Pl. des *folles-avoines.* ◆ **follet, ette** adj. *Poils follets*, poils qui commencent à pousser au menton des adolescents.

3. FOU, FOLLE [fu, fɔl] adj. (même étym.) [toujours placé après le nom]. A une valeur superl. : *Il y avait un monde fou à cette réunion* (= il y avait énormément de monde). *J'ai mis un temps fou à finir ce livre* (syn. CONSIDÉRABLE). ◆ **follement** adv. **1.** Énormément, entièrement : *Cette soirée a été follement drôle.* — **2.** *Désirer follement qqch.*, le désirer au plus haut point.

4. FOU [fu] n. m. (même étym.). **1.** Bouffon appartenant à la cour de certains rois, chargé de distraire le souverain. — **2.** Pièce du jeu d'échecs, qui se déplace en diagonale.

5. FOU [fu] n. m. (même étym.). *Fou de Bassan*, nom d'un oiseau palmipède marin, ainsi appelé en raison de son comportement.

FOUACE [fwas] n. f. (lat. *focacius* [*panis*], [pain] cuit sous la cendre). Sorte de galette épaisse, cuite au four ou sous la cendre.

FOUAGE [fwaʒ] n. m. (de *fou*, forme anc. de *feu*). Redevance qui, sous l'Ancien Régime, était payée par maison ou par *feu* (= foyer, lieu d'habitation d'une famille).

FOUCADE [fukad] n. f. (de *fougue*). Élan, emportement capricieux et passager (vieilli).

FOUCAULD (Charles Eugène, *vicomte* DE, puis le *P.* DE), explorateur et religieux français (1858-1916). Après une vie mondaine, et un passage dans l'armée, où il combattit les insurgés algériens de 1881, il accomplit au Maroc un voyage d'exploration (1883-1884). Converti (1886), il se fit trappiste, puis s'établit dans le Hoggar (1905) où il mena une vie d'ermite au milieu des Touaregs. Il fut assassiné par des rebelles.

FOUCAULT (Léon), physicien français (1819-1868). Après avoir déterminé la vitesse de la lumière (1850), il découvrit les courants induits dans les masses métalliques, auxquels on a donné son nom *(courants de Foucault)*. En 1851, dans une expérience effectuée au Panthéon, il démontra, grâce au pendule, le mouvement de rotation de la Terre. L'année suivante, il inventa le gyroscope.

FOUCHÉ (Joseph), duc d'OTRANTE, homme politique français (1759-1820). Député montagnard à la Convention (1792), il réprima sévèrement les émeutes lyonnaises de 1793. Menacé par Robespierre, il participa à sa chute au 9-Thermidor. Ministre de la Police générale du Consulat, il mit sur pied un réseau d'agents et d'indicateurs. Écarté du pouvoir en 1802, il retrouva son poste en 1804, en contribuant à la découverte du complot de Cadoudal*. Mais ses intrigues avec Talleyrand et son hostilité au mariage de Napoléon et de Marie-Louise le firent disgracier à nouveau en 1810. Cependant, il retrouva encore le ministère de la Police pendant les Cent-Jours et le conserva à la Restauration jusqu'en 1816.

FOU-CHOUEN, v. de la Chine du Nord-Est, à l'E. de Moukden; 1 000 000 hab. Industries chimiques.

1. FOUDRE [fudr] n. f. (lat. *fulgur, -uris*, éclair). **1.** Décharge électrique aérienne accompagnée d'une vive lueur (éclair) et d'une violente détonation (tonnerre). — **2.** *Coup de foudre*, amour subit et irrésistible. ◆ **foudroyer** v. t. Frapper d'une décharge électrique, en parlant de la foudre (souvent au passif).

2. FOUDRE [fudr] n. m. (même étym.). **1.** Symbole décoratif militaire, en forme de ligne brisée, avec une flèche. — **2.** *Foudre de guerre, foudre d'éloquence*, grand homme de guerre, grand orateur (littér.).

1. FOUDROYER v. t. ⟶ FOUDRE 1.

2. FOUDROYER [fudrwaje] v. t. (de *foudre* 1). **1.** *Foudroyer une personne, un animal*, les tuer net, en particulier d'un coup de feu (littér.). — **2.** Anéantir la résistance physique ou morale de quelqu'un : *Être foudroyé par un malheur subit.* ‖ *Foudroyer qq'un du regard*, le regarder intensément, pour lui marquer un sentiment particulier d'hostilité, sa désapprobation, etc. ◆ **foudroyant, e** adj. **1.** Se dit de ce qui frappe par sa soudaineté, sa violence : *Un succès foudroyant* (syn. FULGURANT). — **2.** Se dit d'une chose qui donne brutalement, soudainement la mort : *Un poison foudroyant.*

— **3.** *Regard foudroyant*, regard chargé d'une vive désapprobation et même menaçant.

FOUESNANT, ch.-l. de cant. du Finistère, à 16 km au S.-E. de Quimper; 5400 hab.

FOUET [fwɛ] n. m. (du lat. *fagus*, hêtre). **1.** Instrument formé d'une corde ou d'une lanière de cuir attachée à un manche, et dont on se sert pour conduire ou dresser les animaux : *Le fouet du dompteur.* ‖ *Donner le fouet*, infliger une correction avec un fouet. — **2.** Ustensile servant à battre les œufs, les crèmes. — **3.** *Coup de fouet*, stimulation dont l'action est immédiate : *Cette tasse de café fut pour lui un coup de fouet.* ‖ *De plein fouet*, perpendiculairement à la ligne de l'obstacle : *Un tir de plein fouet* (contr. DE BIAIS, DE CÔTÉ). ◆ **fouetter** v. t. **1.** Frapper à coups de fouet : *Fouetter un cheval.* — **2.** *Fouetter une crème*, etc., la battre vivement, la remuer énergiquement. — **3.** Frapper violemment (littér.) : *La pluie fouettait les vitres* (syn. CINGLER). — **4.** Fam. *Il n'y a pas de quoi fouetter un chat*, ce n'est pas une faute grave. ◆ **fouetté, e** adj. : *Une crème fouettée.* ◆ **fouettard** adj. m. *Père fouettard*, personnage légendaire, muni d'un fouet, et dont on menace parfois les enfants.

FOUGÈRE [fuʒɛr] n. f. (du lat. *filix, -icis*). Plante que l'on trouve souvent dans les bois et les landes et dont les feuilles sont en général très découpées. (Embranchement des ptéridophytes.)
— ENCYCL. Les *fougères* constituent une classe de végétaux vivaces, ayant une tige, des feuilles, des racines et des vaisseaux conducteurs de sève, mais dépourvus de fleurs (cryptogames vasculaires). La reproduction des fougères est caractérisée par la succession de deux organismes : la fougère proprement dite issue d'un œuf et productrice de spores, et le prothalle issu d'une spore et producteur d'un œuf.

FOUGÈRES, ch.-l. d'arrond. d'Ille-et-Vilaine, à 47 km au N.-E. de Rennes; 25100 hab. *(Fougerais).* Anc. place forte défendant la Normandie. Château (XIIe-XIIIe s.). Nombreuses fabriques de chaussures. Confection.

FOUGUE [fug] n. f. (it. *foga*, impétuosité). Ardeur impétueuse, mouvement passionné qui anime quelqu'un ou quelque chose : *Il agit avec fougue* (syn. FEU, IMPÉTUOSITÉ). *Il parle avec la fougue de la jeunesse* (syn. PÉTULANCE, VÉHÉMENCE). ◆ **fougueux, euse** adj. : *Un tempérament fougueux* (syn. ARDENT, VIF; contr. CALME, FLEGMATIQUE, POSÉ). ◆ **fougueusement** adv. : *Il s'élança fougueusement* (syn. IMPÉTUEUSEMENT).

1. FOUILLER [fuje] v. t. (bas lat. *fodiculare*). **1.** *Fouiller un local, un lieu, une chose*, l'explorer minutieusement : *La police fouillait tout le quartier* (syn. INSPECTER, PERQUISITIONNER). — **2.** *Fouiller qq'un*, visiter ses poches, ses vêtements. ◆ v. i. Se livrer à des recherches : *Fouiller dans ses poches* (= y plonger la main pour en extraire ce qu'on cherche). *Fouiller dans ses souvenirs.* ◆ **fouille** n. f. Opération par laquelle on recherche quelque chose dans un endroit : *La fouille des bagages.* ◆ **fouilleur, euse** n. et adj. Celui, celle qui fouille.

2. FOUILLER [fuje] v. t. et i. (même étym.). **1.** Creuser dans certains terrains, suivant une méthode, pour mettre au jour des vestiges de civilisations antérieures : *Les archéologues ont fouillé toute la partie qui entoure le temple romain.* — **2.** (sujet nom d'animal) *Fouiller le sol, la terre*, etc., creuser pour y chercher sa nourriture. ◆ **fouille** n. f. Activité d'une personne qui creuse ou qui dirige les travaux de creusement du sol dans un but archéologique; ces travaux eux-mêmes (surtout au plur.) : *Les fouilles de Pompéi.*

FOUILLIS [fuji] n. m. (de *fouiller*). Accumulation de choses en désordre (syn. FATRAS).

FOUINE [fwin] n. f. (bas lat. *fagina* [*mustella*], [belette] des hêtres). Petit mammifère carnivore, vivant souvent à proximité des habitations et causant des ravages dans les poulaillers et clapiers. (Famille des mustélidés.)

FOUINER [fwine] v. i. (de *fouine*). *Fam.* Fourrer son nez partout, rechercher vivement, par curiosité (syn. FURETER). ◆ **fouineur, euse** adj. et n. *Fam.* Se dit d'une personne très curieuse.

FOUISSEUR, EUSE [fwisœr, -øz] n. et adj. (du lat. *fodere*, creuser). Se dit d'un animal qui creuse la terre, comme la taupe, le blaireau, le lapin, certains oiseaux, certains insectes. ◆ **fouissage** n. m. Activité animale consistant à creuser le sol en vue de s'y abriter.

FOUJITA (Tsuguharu FUJITA, baptisé **Léonard**), peintre français d'origine japonaise (1886-1968). Par la minutie du dessin, ses peintures s'apparentent à l'extrême-Orient, tandis que, par la perspective et la couleur, elles relèvent de la tradition occidentale.

FOUJI-SAN ou **FOUJI-YAMA** ⟶ FUJI-YAMA.

FOU-KIEN, prov. maritime de la Chine méridionale, en face de Formose; 123100 km²; 17000000 hab. Capit. *Fou-tcheou.*

FOULAGE n. m. ⟶ FOULER 1.

FOULANTE [fulɑ̃t] adj. f. (de *fouler*). *Pompe foulante*, pompe qui élève l'eau au moyen de la pression qu'elle exerce sur le liquide, par oppos. aux *pompes aspirantes.*

FOULARD [fular] n. m. (du prov. *foulat*, sorte de drap). Carré de soie ou de tissu léger, porté autour du cou ou sur la tête.

FOULBÉS ⟶ PEULS.

FOULE [ful] n. f. (de *fouler*). **1.** Multitude de personnes rassemblées indistinctement et sans ordre dans un endroit : *Il y avai foule dans le métro* (syn. AFFLUENCE). *La foule écoutait l'orateu* (syn. ASSISTANCE, PUBLIC). — **2.** Masse humaine en général : *Fui la foule* (syn. MULTITUDE). *Les jugements des foules* (syn. MASSE PEUPLE; contr. ÉLITE). — **3.** (avec un compl. du nom) Nombre très élevé de personnes ou de choses : *Une foule d'amis* (syn. MASSE). *Une foule d'idées* (syn. fam. TAS). — LOC. ADV. *En foule*, en grand nombre.

FOULÉE [fule] n. f. (de *fouler*). **1.** Trace qu'une bête laisse de son pied. — **2.** *Sports.* Distance couverte par un coureur entre deux appuis des pieds au sol. ‖ *Être dans la foulée de qq'un*, le suivre de tout près.

1. FOULER [fule] v. t. (bas lat. *fullare*, fouler une étoffe). **1.** *Fouler qqch.*, le presser, l'écraser avec un instrument, avec u rouleau, avec les mains, avec les pieds : *Fouler du drap. Fouler l raisin.* — **2.** Marcher sur (littér.) : *Fouler le sol de sa patrie* — **3.** *Fouler aux pieds*, traiter avec un grand mépris (syn. BAFOUER). ◆ **foulage** n. m. **1.** Action d'écraser le raisin, avant l fermentation ou le pressurage. — **2.** Opération par laquelle o exerce une forte pression sur un matériau en vue de le transformer : *Foulage du papier. Foulage des peaux. Foulage des tissus* ◆ **fouloir** n. m. **1.** Appareil servant à fouler la vendange. — **2.** Instrument qui sert à fouler les peaux, les draps. ◆ **foulon** n. m. *Terre à foulon*, argile qui absorbe l'huile et les graisses.

2. FOULER [fule] v. t. (même étym.). *Fouler une partie du corps, un membre*, lui causer une foulure ou une entorse. ◆ **se fouler** v. pr. : *Il s'est foulé la cheville.* ◆ **foulure** n. f. Étiremen accidentel des ligaments articulaires, accompagné d'un gonflemen douloureux (syn. ↑ENTORSE).

3. FOULER (SE) [səfule] v. pr. (même étym.). *Pop.* Faire u gros effort, se donner du mal (le plus souvent dans une express négative).

FOULOIR n. m., **FOULON** n. m. ⟶ FOULER 1.

FOULQUE [fulk] n. f. (lat. *fulica*). Oiseau échassier à plumag sombre, voisin de la poule d'eau, vivant dans les roseaux des lac et étangs. (Famille des rallidés.)

FOULURE n. f. ⟶ FOULER 2.

FOUQUET (Jean), peintre et miniaturiste français (v. 1420-entr 1477 et 1481). Il fut le protégé d'Agnès Sorel, la favorite d Charles VII : il la peignit sous les traits de la Vierge dans u diptyque célèbre. Il travailla également pour Charles VII e Louis XI, et exécuta des portraits (Charles VII, Guillaume Juvéna des Ursins) et de nombreuses miniatures où il évoque la vie d cour ou la vie bourgeoise de la Touraine au XVe s. Dessinateur hor pair, pratiquant un réalisme très pur, il a su mêler l'héritage d Moyen Âge et les acquisitions de la Renaissance italienne.

FOUQUET ou **FOUCQUET** (Nicolas), vicomte DE VAUX homme politique français (1615-1680). Surintendant des Finance en 1653, il amassa une immense fortune et fit construire le châtea de Vaux-le-Vicomte. Mécène, il y réunit des artistes et de hommes de lettres comme Molière et La Fontaine. Directeur de l Compagnie des îles d'Amérique, il donna une impulsion décisiv au commerce extérieur de la France.

- *17 août 1661. La fête somptueuse qu'il donne à Louis XIV à Vau exaspère le roi qui, poussé par Colbert, fait arrêter Fouquet.*
- *20 déc. 1664. Accusé de malversations, il est condamné au ban nissement et à la confiscation de ses biens.*

Enfermé dans la forteresse de Pignerol, il y mourra.

FOUQUIÈRES-LÈS-LENS, comm. du Pas-de-Calais, à 4 km l'E. de Lens; 7600 hab.

FOUQUIER-TINVILLE (Antoine Quentin), homme politiqu français (1746-1795). Accusateur public du Tribunal révolutionnaire en mars 1793, il s'acquitta avec un zèle impitoyable de se fonctions. Décrété d'accusation à son tour, après le 9-Thermidor, fut condamné à mort et exécuté.

1. FOUR [fur] n. m. (lat. *furnus*). **1.** Partie d'une cuisinière o d'un poêle enveloppée par l'élément chauffant, où l'on peut mettr des aliments pour les faire cuire. — **2.** Ouvrage de maçonneri rond et voûté, qui sert à la cuisson de diverses substances : *Four* *pain du boulanger.* — **3.** Appareil dans lequel on chauffe une matière en vue de lui faire subir des transformations physiques ou chimiques : *Le four Martin est utilisé pour l'affinage de la fonte.* — **4.** *Four électrique,* four très employé en métallurgie, dans lequel la chaleur est fournie par l'arc électrique ou par une résistance que parcourt un courant intense. ‖ *Four crématoire* ⟶ CRÉMATION. ‖ *Four solaire,* miroir concave de grand diamètre, qui concentre les rayons solaires en son foyer, y produisant une température très élevée. ◆ **enfourner** [ɑ̃furne] v. t. **1.** Mettre dans un four ce qui est destiné à la cuisson. — **2.** *Fam.* Absorber de la nourriture rapidement et gloutonnement : *Il a enfourné à lui seul trois parts de dessert* (syn. AVALER, ENGLOUTIR). ◆ **enfournage** ou **enfournement** n. m. Action de mettre dans un four ce qui doit y cuire.

2. FOUR [fur] n. m. (même étym.). *Fam.* Échec d'un spectacle (syn. FIASCO) : *Sa pièce a fait un four* (= a échoué).

FOUR (PETIT) [pətifur] n. m. *(petit,* et *four).* Petit gâteau glacé ou salé.

FOURBE [furb] adj. et n. (de *fourbir,* voler). Se dit de quelqu'un qui trompe autrui avec une ruse perfide (langue soignée) [syn. HYPOCRITE, SOURNOIS]. ◆ **fourberie** n. f. : *Agir avec fourberie* (syn. DUPLICITÉ, FAUSSETÉ).

Fourberies de Scapin *(les),* comédie de Molière (1671).

FOURBI [furbi] n. m. (de *fourbir*). *Fam.* Ensemble de choses, d'ustensiles variés : *Il est parti camper avec tout son fourbi* (syn. ATTIRAIL; fam. BARDA).

FOURBIR [furbir] v. t. (germ. *furbjan,* nettoyer). **1.** *Fourbir un objet,* le nettoyer avec soin pour le rendre brillant. — **2.** *Fourbir ses armes,* s'apprêter à affronter un risque, à subir une épreuve (littér.).

FOURBU, E [furby] adj. (de l'anc. fr. *se forboire,* se fatiguer en buvant à l'excès). Se dit d'une personne ou d'un animal qui sont rompus de fatigue (syn. ÉPUISÉ, EXTÉNUÉ, HARASSÉ).

FOURCHAMBAULT, comm. de la Nièvre, à 7 km au N.-O. de Nevers, sur la Loire; 5 900 hab. Constructions mécaniques.

1. FOURCHE [furʃ] n. f. (lat. *furca*). Instrument à long manche, terminé par de longues dents, et servant à manier la paille, le fourrage.

2. FOURCHE [furʃ] n. f. (même étym.). **1.** Division d'une route, d'une voie de chemin de fer, d'un tronc ou d'une branche d'arbre, etc., en deux directions divergentes, mais non opposées : *La fourche d'un chemin* (syn. BIFURCATION, EMBRANCHEMENT). — **2.** Partie du cadre qui soutient la roue avant et le guidon d'une bicyclette ou d'une motocyclette. ◆ **fourchu, e** adj. Se dit d'un objet qui se divise en deux comme une fourche : *Pied fourchu d'un ruminant.* ◆ **fourcher** v. i. **1.** Se séparer en deux ou plusieurs branches. — **2.** Fam. *Sa langue a fourché,* il a dit un mot pour un autre.

FOURCHES CAUDINES, défilé de l'Italie anc., à la frontière de la Campanie, où une armée romaine, battue par les Samnites en 321 av. J.-C., fut contrainte de passer sous le joug (= humiliation infligée par les vainqueurs); d'où l'express. *passer sous les Fourches Caudines,* subir une humiliation.

1. FOURCHETTE [furʃɛt] n. f. (de *fourche*). **1.** Ustensile de table faisant partie du couvert et servant à piquer la nourriture. — **2.** *Avoir un joli coup de fourchette,* avoir un bel appétit.

2. FOURCHETTE [furʃɛt] n. f. (de *fourchette* 1). *Statist.* Écart entre deux chiffres, à l'intérieur duquel on fait une appréciation.

FOURCHU, E adj. ⟶ FOURCHE 2.

FOUREAU (Fernand), explorateur français (1850-1914). Il explora le Sahara (1888-1896) et dirigea avec le commandant Lamy l'expédition d'Ouargla à Zinder (1898-1900).

1. FOURGON [furgɔ̃] n. m. (bas lat. *furiconem,* instrument servant à fouiller). Barre métallique servant à attiser un foyer, à remuer la braise dans le four. ◆ **fourgonner** v. i. **1.** Remuer avec le fourgon la braise d'un four, le feu d'un foyer. — **2.** *Fam.* Fouiller de façon désordonnée.

2. FOURGON [furgɔ̃] n. m. (de *fourgon* 1). **1.** Voiture longue et couverte, servant au transport de marchandises, d'objets. — **2.** *Fourgon mortuaire,* voiture transportant le cercueil, dans un enterrement. — **3.** Wagon couvert, incorporé dans un train de voyageurs, pour le transport des bagages. ◆ **fourgonnette** n. f. Petite voiture commerciale à carrosserie tôlée, s'ouvrant par l'arrière et n'ayant généralement que deux places.

FOURIER (*baron* Joseph), mathématicien français (1768-1830). Ses travaux le conduisirent à la découverte des séries trigonométriques, dites *séries de Fourier,* d'une importance capitale en mathématiques et en physique.

FOURIER (Charles), économiste et philosophe français (1772-1837). Dans son système, le *fouriérisme,* il imagine de créer une nouvelle société dont l'organisme de base serait le « phalanstère », vaste exploitation communautaire, à la fois rurale et industrielle, qui regrouperait un certain nombre d'hommes et de femmes de façon à procurer à chacun le bien-être par un travail librement consenti et varié, et par conséquent attrayant. La lutte sociale serait résolue, car à l'intérieur d'un phalanstère, à la fois société coopérative de production et de consommation, les revenus seraient répartis entre le capital, le travail et le « talent » : chaque sociétaire cumulerait le bénéfice de ces trois éléments.

1. FOURMI [furmi] n. f. (lat. *formica*). **1.** Insecte vivant en société dans une habitation commune, la *fourmilière,* où coopèrent les individus neutres *(ouvrières)* et les individus reproducteurs *(reines).* [Ordre des hyménoptères.] ◆ **fourmilière** n. f. Nid de fourmis. (C'est souvent un dôme de brindilles recouvrant un réseau de chambres et de galeries souterraines fortement étagées.) — ENCYCL. On distingue, dans une société, une minorité d'individus sexués ailés (ce sont les femelles, ou *reines,* et les mâles) et une majorité d'individus sans ailes et stériles (ce sont les *ouvrières*) qui assurent tous les travaux de la *fourmilière :* construction, défense, alimentation, élevage des jeunes. Il existe environ 6 500 espèces de *fourmis,* réparties à peu près sous toutes les latitudes.

2. FOURMI [furmi] n. f. (de *fourmi* 1). *Avoir, sentir des fourmis dans les jambes,* etc., éprouver une sensation de picotement dans les membres, à la suite d'une longue immobilité, ou dans certaines maladies (syn. AVOIR DES FOURMILLEMENTS). ◆ **fourmiller** v. i. (sujet nom désignant un membre). Causer une sensation de picotement. ◆ **fourmillement** n. m.

FOURMIES, comm. du Nord, à 34 km au S. de Maubeuge; 15 600 hab. *(Fourmisiens).* Filature de la laine.

- *1er mai 1891. Lors d'une manifestation de grévistes, la troupe tire sur les ouvriers, faisant neuf morts et une soixantaine de blessés.*

FOURMILIER [furmilje] n. m. (de *fourmi*). Nom donné à plusieurs mammifères édentés qui capturent les insectes avec leur langue visqueuse, tels le *tamanoir* d'Amérique du Sud, l'*oryctérope* d'Afrique tropicale.

FOURMILIÈRE n. f. ⟶ FOURMI 1.

FOURMI-LION ou **FOURMILION** [furmiljɔ̃] n. m. *(fourmi,* et *lion).* Insecte dont la larve creuse dans le sable un piège en entonnoir où elle capture les fourmis. ‖ Pl. des *fourmis-lions.* (Ordre des névroptères.)

FOURMILLEMENT n. m. ⟶ FOURMI 2 et FOURMILLER 2.

1. FOURMILLER v. i. ⟶ FOURMI 2.

2. FOURMILLER [furmije] v. i. (de *fourmi*). **1.** (sujet nom d'être animé) S'agiter vivement, se remuer en grand nombre quelque part : *Un fromage où les vers fourmillent* (syn. GROUILLER). — **2.** (sujet nom de chose) Être en abondance : *Les fautes fourmillent dans ce devoir* (syn. PULLULER). — **3.** (sujet nom de chose) *Fourmiller de qqch.,* en être abondamment pourvu : *Les boulevards fourmillaient de promeneurs* (syn. ÊTRE PEUPLÉ DE, ÊTRE PLEIN DE). ◆ **fourmillement** n. m. **1.** Agitation en tous sens : *Le fourmillement de la rue, véritable ruche humaine.* — **2.** Grande abondance de choses : *Un fourmillement d'idées* (syn. FOISONNEMENT).

FOURNAISE [furnɛz] n. f. (du lat. *fornax, -acis,* four). **1.** Feu violent. — **2.** Lieu extrêmement chaud.

FOURNEAU [furno] n. m. (de l'anc. fr. *forn,* four). **1.** Appareil destiné à la cuisson des aliments. — **2.** Sorte de four dans lequel on soumet à l'action de la chaleur diverses substances que l'on veut fondre ou calciner. — **3.** *Haut fourneau,* construction spécialement établie pour effectuer la fusion et la réduction des minerais de fer, en vue d'élaborer la fonte. ⟶ ENCYCL.
— ENCYCL. Le *haut fourneau* se présente sous la forme de deux troncs de cône, à axe vertical, réunis à leur grande base par une partie cylindrique. Il comprend : le *gueulard,* par lequel on charge le minerai, le coke métallurgique et le « fondant »; la *cuve,* dans laquelle s'effectue la réduction du minerai; le *ventre,* partie la plus large de l'appareil, où se poursuit la réduction du minerai; l'*étalage,* où s'achève cette réduction; l'*ouvrage,* partie cylindrique qui reçoit l'air sous pression amené par des *tuyères;* le *creuset,* partie basse de l'appareil, qui recueille la fonte liquide et le « laitier » (= sous-produit essentiellement formé de silicates).

FOURNÉE [furne] n. f. (de l'anc. fr. *forn,* four). **1.** Quantité de pain que l'on fait cuire à la fois dans un four. — **2.** *Fam.* Ensemble de personnes nommées aux mêmes fonctions, aux mêmes dignités ou à qui on réserve le même sort : *Des fournées de touristes.*

FOURNEYRON (Benoît), ingénieur français (1802-1867). Il inventa la turbine hydraulique (1827), qui permettra l'utilisation de l'énergie fournie par les eaux courantes (houille blanche).

FOURNI, E adj. ⟶ FOURNIR.

FOURNIL [furni] n. m. (de l'anc. fr. *forn*, four). Pièce d'une boulangerie où se trouve le four à pain.

FOURNIR [furnir] v. t. (du germ. *frumjan*, produire). **1.** *Fournir qqch. à qq'un, fournir qq'un de qqch.*, le lui procurer, le mettre à sa disposition : *Fournir des renseignements à la police* (syn. APPORTER). *Fournir un exemple à la postérité* (syn. OFFRIR). *Fournir un alibi* (syn. ALLÉGUER). *Les réfugiés ont été fournis de vêtements* (syn. POURVOIR). — **2.** *Fournir un effort, un travail*, le faire : *Fournir un gros effort* (syn. ACCOMPLIR). — **3.** *Fournir un magasin, un restaurant*, etc., *en* (ou *de*), les approvisionner en cette chose. ◆ v. t. ind. *Fournir à*, contribuer totalement ou en partie à une charge : *Sa famille fournit à son entretien* (syn. PARTICIPER, SUBVENIR). ◆ **se fournir** v. pr. Faire son ravitaillement, se procurer le nécessaire. ◆ **fourni, e** adj. **1.** Se dit d'une chose ou d'une personne équipée matériellement : *Un magasin bien fourni* (syn. APPROVISIONNÉ). — **2.** Se dit d'une chevelure abondante, d'une barbe épaisse. ◆ **fourniment** n. m. Ensemble des objets d'équipement d'un soldat. ◆ **fournisseur** n. m. Personne, établissement qui fournit habituellement une marchandise (syn. COMMERÇANT, DÉTAILLANT). ◆ **fourniture** n. f. **1.** Action de fournir; provision fournie ou à fournir : *La fourniture du charbon est faite à domicile* (syn. LIVRAISON). — **2.** Équipement particulier : *Les fournitures scolaires.*

FOURRAGE [furaʒ] n. m. (frq. *fodar*). Herbe pour la nourriture et l'entretien des bestiaux. ◆ **fourragère** adj. f. *Plantes fourragères*, propres à être employées comme fourrage.

FOURRAGER [furaʒe] v. i. (de *fourrage*). *Fam.* Chercher en mettant du désordre : *Fourrager dans un tiroir* (syn. FOUILLER).

1. FOURRAGÈRE adj. f. ⟶ FOURRAGE.

2. FOURRAGÈRE [furaʒɛr] n. f. (orig. obscure). Cordelière aux couleurs de la Légion d'honneur, de la médaille militaire ou des croix de guerre, portée sur l'épaule gauche et devenue, depuis 1916, l'insigne collectif attribué aux unités militaires plusieurs fois citées à l'ordre de l'armée.

1. FOURRÉ [fure] n. m. (de *fourrer*). Endroit touffu où poussent des arbustes, des broussailles, etc.

2. FOURRÉ, E [fure] adj. (même étym.). *Coup fourré*, en escrime, coup porté et reçu en même temps par chacun des deux adversaires; moyen inhabituel utilisé contre un adversaire qui ne s'y attend pas (fam.).

3. FOURRÉ, E adj. ⟶ FOURRER 1.

FOURREAU [furo] n. m. (germ. *fodr*, doublure). **1.** Gaine, étui allongé servant d'enveloppe à un objet. — **2.** *Robe fourreau*, vêtement féminin qui moule le corps.

1. FOURRER [fure] v. t. (de l'anc. fr. *fuerre*, fourreau). *Fourrer un vêtement*, en garnir l'intérieur de fourrure. ◆ **fourré, e** adj. **1.** *Une veste fourrée.* — **2.** Se dit d'un mets dont on garnit l'intérieur : *Gâteau fourré aux amandes.* ◆ **fourreur** n. m. Personne qui confectionne ou qui vend des vêtements de fourrure. ◆ **fourrure** n. f. **1.** Peau d'animal, garnie de poils fins et serrés, qui, après une préparation particulière, peut servir de vêtement, de garniture ou d'accessoire; cette peau préparée : *Manteau de fourrure.* — **2.** Vêtement fait de cette peau : *Mettre sa fourrure.*

2. FOURRER [fure] v. t. (même étym.). Fam. *Fourrer qqch.* ou *qq'un*, le faire entrer quelque part avec peu de soin ou avec peu d'à-propos, etc. : *Fourrer ses mains dans ses poches* (syn. METTRE). *Fourrer un ami dans une sale histoire* (syn. fam. FLANQUER). ◆ **se fourrer** v. pr. **1.** Fam. *Se fourrer dans la tête*, se mettre dans l'idée de. — **2.** (sujet nom de chose ou de personne) Se placer, se glisser quelque part : *Je ne sais pas où cet enfant a encore été se fourrer.* — **3.** Fam. *Ne plus savoir où se fourrer*, être rempli de confusion ou de honte. ◆ **fourre-tout** n. m. inv. **1.** *Fam.* Endroit où l'on rencontre pêle-mêle les objets les plus divers. — **2.** Sac de voyage souple.

FOURREUR n. m. ⟶ FOURRER 1.

FOURRIER [furje] n. m. (de l'anc. fr. *fuerre*, fourrage). **1.** Sous-officier qui était chargé de distribuer les vivres ou de pourvoir au logement des troupes en déplacement. — **2.** Fam. *Être le fourrier de qq'un* ou *de qqch.*, préparer l'arrivée de quelqu'un ou de quelque chose; faciliter les entreprises de quelqu'un (généralement dans un sens défavorable).

FOURRIÈRE [furjɛr] n. f. (de l'anc. fr. *fuerre*, fourrage). **1.** Lieu où sont déposés les animaux errants : *Les chiens trouvés sont emmenés à la fourrière.* — **2.** Lieu où sont conduits par la police les véhicules stationnés de façon irrégulière.

FOURRURE n. f. ⟶ FOURRER 1.

Fourvière *(Notre-Dame de)*, basilique édifiée de 1871 à 1894 sur une colline de Lyon. Elle occupe l'emplacement de l'ancien forum de Trajan.

FOURVOYER (SE) [səfurvwaje] v. pr. (de *fors*, hors de, et *voie*). **1.** *Se fourvoyer dans un lieu*, se tromper de chemin; aller où l'on n'a que faire : *Se fourvoyer dans une impasse* (syn. S'ÉGARER). — **2.** (sans compl.) Se tromper complètement, commettre une erreur de jugement : *En choisissant cette solution, il s'est fourvoyé* (syn. FAIRE FAUSSE ROUTE). [L'emploi transitif, au sens de « induire en erreur », « égarer », est rare.]

FOUTA-DJALON, massif montagneux de Guinée; 1 515 m.

FOU-TCHEOU, port de Chine, capit. du Fou-kien; 616 000 hab.

FOX-TERRIER [fɔkstɛrje] n. m. (mot angl. signif. *chien pour chasser le renard*). Race de chiens terriers, d'origine anglaise. ‖ Pl. des *fox-terriers*.

FOX-TROT [fɔkstrɔt] n. m. inv. (mot angl. signif. *trot du renard*). Danse à deux temps, d'origine anglo-saxonne.

1. FOYER [fwaje] n. m. (bas lat. *focarium*). **1.** Espace aménagé dans une pièce d'une maison pour y faire du feu (littér.) : *La cendre du foyer.* — **2.** Partie d'un appareil de chauffage dans laquelle brûle le combustible : *Le foyer d'un poêle.* — **3.** Point central d'où provient quelque chose : *Le foyer d'un incendie* (syn. CENTRE). *Athènes a été le foyer d'une brillante civilisation. Foyer d'une épidémie.* — **4.** Point où convergent des rayons émis par une même source de lumière ou de chaleur lorsque ces rayons traversent une lentille ou frappent un miroir, c'est-à-dire après réfraction ou réflexion : *Foyer d'une lentille. Foyer d'un miroir.* ◆ **focal, e, aux** adj. Qui concerne le foyer des miroirs ou des lentilles. ‖ *Distance focale*, distance du foyer principal à la surface réfléchissante ou réfringente.

2. FOYER [fwaje] n. m. (même étym.). **1.** Lieu d'habitation d'une famille : *Le foyer conjugal* (syn. DOMICILE). — **2.** Famille : *Fonder un foyer* (= se marier). ‖ *Femme au foyer*, épouse qui tient sa maison et qui n'est pas salariée. — **3.** Local servant aux réunions (dans quelques express.) : *Foyer des artistes* (= salle commune où se réunissent les acteurs d'un théâtre). — **4.** Local où certaines personnes se réunissent ou habitent : *Un foyer de jeunes filles.* ◆ n. m. pl. Pays natal, demeure familiale : *Rentrer dans ses foyers.*

FRA ANGELICO ⟶ ANGELICO *(Fra)*.

FRAC [frak] n. m. (de l'angl. *frock*). Habit noir de cérémonie, serré à la taille et à basques étroites.

FRACAS [fraka] n. m. (it. *fracasso*). Bruit violent : *Le fracas d'un bombardement* (syn. VACARME). *Vivre loin du fracas de la ville* (syn. TUMULTE). *Renvoyer avec perte et fracas* (= brutalement). ◆ **fracasser** v. t. *Fracasser qqch.*, le briser avec violence : *Il lui fracassa la mâchoire d'un coup de poing* (syn. CASSER). ◆ **se fracasser** v. pr. : *Le vase s'est fracassé en tombant* (= il s'est cassé en mille morceaux). ◆ **fracassant, e** adj. Se dit d'une chose qui fait un grand bruit : *Un coup de tonnerre fracassant* (syn. ASSOURDISSANT). *Un succès fracassant* (syn. ÉCLATANT).

1. FRACTION [fraksjɔ̃] n. f. (du lat. *frangere*, briser). *Math.* Couple de nombres entiers, représentant un nombre rationnel. ⟶ ENCYCL. ‖ *Fraction décimale* ⟶ ENCYCL.

— ENCYCL. Une *fraction* est un couple de deux nombres entiers x et y, noté $\frac{x}{y}$, et représentant le nombre rationnel z tel que $z = \frac{x}{y}$ si et seulement si $x = y \times z$ (x s'appelle le *numérateur*, et y le *dénominateur* de la fraction; le dénominateur d'une fraction n'est jamais nul). [*Rem.* Plusieurs fractions peuvent représenter le même nombre; *ex.* : $3 = \frac{6}{2} = \frac{-27}{-9}$.]

Une *fraction décimale* est une fraction dont le dénominateur est une puissance de 10, par exemple : $\frac{472}{10^2} = \frac{472}{100} = 4{,}72$. (*Rem.* Une fraction décimale représente un nombre décimal relatif.)

2. FRACTION [fraksjɔ̃] n. f. (même étym.). **1.** Action de rompre, de briser : *La fraction du pain.* — **2.** Partie d'un tout : *Une fraction de l'Assemblée. Hésiter une fraction de seconde.* ◆ **fractionner** v. t. Réduire en parties. ◆ **se fractionner** v. pr. : *Le groupe se fractionna en plusieurs éléments.* ◆ **fractionnement** n. m. : *Le fractionnement d'une propriété* (syn. DÉMEMBREMENT, DIVISION). ◆ **fractionnel, elle** adj. Se dit de ce qui tend à la désunion d'un parti : *Une activité fractionnelle.* ◆ **fractionnisme** n. m. Attitude de quelqu'un qui tend à faire disparaître l'unité d'un parti politique (syn. SCISSIONNISME). ◆ **fractionniste** adj. et n.

FRACTURE [fraktyr] n. f. (lat. *fractura*). **1.** Rupture d'un os par choc, pression ou torsion : *Une fracture du poignet.* ⟶ ENCYCL. — **2.** Rupture brutale de quelque chose : *La fracture d'une serrure.* ◆ **fracturer** v. t. **1.** *Fracturer un os*, le briser; surtout à la forme

ron. : *Elle s'est fracturé le poignet* (syn. CASSER). — **2.** *Fracturer une porte, une serrure*, etc., l'ouvrir par la force, en la cassant.
— ENCYCL. On distingue deux types de *fractures :*
es *fractures fermées*, s'il n'y a pas de plaie à l'endroit de la racture et donc pas de risque d'infection;
es *fractures ouvertes* s'il y a une plaie du fait du choc lui-même ou u fait de la saillie d'un fragment d'os brisé (esquille osseuse); ces ractures sont graves, car elles comportent un grand risque d'infecion.

Chez l'enfant, les fractures sont moins fréquentes et moins raves que chez l'adulte; ce sont souvent des fractures dites *en ois vert*, car l'os n'est pas brisé totalement, mais simplement claté. Par ailleurs, elles se consolident vite, sans risque de défornation osseuse par la suite.

Parfois, les fractures surviennent sans cause apparente : pas de hoc ou choc minime; ce sont des *fractures pathologiques* dues à ne maladie osseuse (tumeur ou décalcification).

Traitement des fractures. Les fragments osseux sont remis en lace (*réduction* de la fracture) soit par un plâtre, qui maintient out le membre atteint, soit par un traitement chirurgical et la mise n place de dispositifs d'immobilisation (vis, plaques vissées, lous, etc.).

'RAGILE [fraʒil] adj. (lat. *fragilis*). **1.** Se dit d'une chose qui se asse facilement : *Une porcelaine fragile.* — **2.** Se dit de ce qui est al assuré, qui est sujet à disparaître, à s'effondrer : *Des sentiments fragiles* (syn. INCERTAIN, INSTABLE). *Une théorie fragile* (syn. AL FONDÉ). — **3.** Se dit d'une personne dont la santé est précaire, u d'un organe sujet à la maladie : *Un enfant fragile* (syn. CHÉTIF, ÉLICAT; contr. ROBUSTE, VIGOUREUX). *Avoir l'estomac fragile.* ◆ **fragilité** n. f. : *La fragilité du verre. La fragilité d'un sentiment* syn. INCONSTANCE). *La fragilité d'une théorie* (syn. INCONSISANCE).

'RAGMENT [fragmɑ̃] n. m. (lat. *fragmentum*). **1.** Morceau 'une chose matérielle qui a été cassée ou déchirée : *Les fragments 'une vitre* (syn. DÉBRIS, ÉCLAT). *Un fragment de roche.* — **2.** Moreau d'une œuvre littéraire, d'un ouvrage ancien dont une grande artie est perdue : *Nous ne connaissons que des fragments des agédies d'Accius* (syn. BRIBE). — **3.** Morceau isolé d'un livre, d'un iscours : *Il me récita un fragment du « Discours de la méthode »* syn. EXTRAIT). ◆ **fragmenter** v. t. (surtout au passif) : *Fragmenr un roman en épisodes* (syn. DIVISER). *Fragmenter un État* (syn. ÉMEMBRER, MORCELER). ◆ **fragmentaire** adj. : *Des connaisınces fragmentaires* (syn. PARTIEL; contr. COMPLET). ◆ **fragmenation** n. f. (surtout terme scientif.) : *La fragmentation des roches ous l'effet du gel.*

RAGONARD (Jean Honoré), peintre français (1732-1806). Doué 'une fougue, d'une facilité et d'une virtuosité éblouissantes, il ésume dans son œuvre tout le XVIIIe s. Il peignit beaucoup de cènes galantes, mais aussi des portraits, des paysages et des cènes familières *(la Leçon de musique).*

RAI n. m. ⟶ FRAYER 3.

RAÎCHE n. f., **FRAÎCHIR** v. i. ⟶ FRAIS 1.

RAÎCHEMENT adv. ⟶ FRAIS 1 et 2.

'RAÎCHEUR n. f. ⟶ FRAIS 1, 3 et 4.

. FRAIS, FRAÎCHE [frɛ, frɛʃ] adj. (germ. *frisk*). **1.** Se dit 'une chose qui produit une impression de froid léger : *Un vent ais. Une boisson fraîche.* — **2.** Qui produit une sensation gréable, analogue à la fraîcheur : *Un parfum frais. Des couleurs aîches.* — **3.** Qui manifeste de la réserve, de la froideur : *Receoir un accueil frais.* ◆ **frais** adv. *Il fait frais*, on éprouve une ensation de fraîcheur. ‖ *Boire frais*, boire une boisson préalableent refroidie. ◆ n. m. **1.** Atmosphère légèrement froide ou umide : *On sent le frais* (syn. FRAÎCHEUR). *Mettre au frais un liment* (= le mettre dans un endroit naturellement frais). - **2.** *Prendre le frais*, se promener dans un lieu où il fait frais. **fraîche** n. f. *À la fraîche*, au moment du jour où il fait frais. **fraîchement** adv. *Fam.* Sans aucun enthousiasme, avec froieur : *Être reçu fraîchement.* ◆ **fraîcheur** n. f. : *La fraîcheur du ir, de l'eau, d'un coloris, d'un accueil.* ◆ **fraîchir** v. i. (sujet nom ésignant l'atmosphère, la température, etc.). Devenir plus frais : *temps fraîchit.* (⟶ RAFRAÎCHIR.)

. FRAIS, FRAÎCHE [frɛ, frɛʃ] adj. (même étym.). **1.** Se dit ce qui est nouveau, de ce qui vient de se produire : *Traces aîches du passage d'un animal. Une nouvelle fraîche* (syn. ÉCENT). — **2.** Se dit de ce qui n'est pas encore sec : *Attention, einture fraîche!* — **3.** *De fraîche date*, se dit d'un événement tout cent. ◆ adv. Nouvellement : *Être frais émoulu de l'université;* en et emploi, la forme fém. *fraîche* est usitée dans quelques xpress. : *Une fleur fraîche éclose. Des oranges fraîches arrivées Espagne.* — LOC. ADV. *De frais*, depuis peu : *Être rasé de frais.* **fraîchement** adv. Depuis peu de temps, très récemment : *Terre aîchement labourée.*

3. FRAIS, FRAÎCHE [frɛ, frɛʃ] adj. (même étym.). **1.** Se dit d'une denrée alimentaire qui n'a pas encore subi d'altération : *Du beurre frais* (contr. RANCE). *De la viande fraîche* (contr. AVARIÉ). — **2.** Se dit d'une denrée alimentaire que l'on consomme directement, sans séchage ni conservation : *Manger des légumes frais* (contr. SEC). *Des sardines fraîches* (contr. EN CONSERVE). ◆ **fraîcheur** n. f. : *La fraîcheur d'un poisson.*

4. FRAIS, FRAÎCHE [frɛ, frɛʃ] adj. (même étym.) [parfois avant le nom]. **1.** Se dit d'une personne (ou de son corps) ou d'une plante qui est en bonne santé, qui a conservé de l'éclat, qui n'est pas fatiguée ou défraîchie, etc. : *Cet homme est encore très frais pour son âge* (syn. VERT). *Avoir le teint frais et reposé* (contr. FLÉTRI). *Fleurs fraîches* (contr. FANÉ). *Des troupes fraîches* (= qui viennent d'effectuer un temps de repos). — **2.** Se dit de sentiments, d'une sensibilité, d'un souvenir, etc., que l'âge n'a pas ternis, qui sont purs (littér.) : *Il a conservé l'âme fraîche de sa jeunesse* (syn. CANDIDE, PUR). *Souvenir très frais* (syn. PRÉSENT, VIVANT). — **3.** *Fam.* Se dit de quelqu'un qui est dans une situation fâcheuse : *Eh bien, te voilà frais!* (syn. fam. DANS DE BEAUX DRAPS). ◆ **fraîcheur** n. f. : *La fraîcheur du teint* (syn. ÉCLAT). *La fraîcheur d'un souvenir* (syn. VIVACITÉ). *La fraîcheur d'un sentiment* (syn. CANDEUR, PURETÉ). ◆ **défraîchir** v. t. Altérer la fraîcheur : *Une robe défraîchie.*

5. FRAIS [frɛ] n. m. pl. (du lat. *frangere*, briser). **1.** Dépenses occasionnées par quelque chose : *Il voyage à grands frais* (= en dépensant beaucoup d'argent). ‖ *Frais généraux*, dépenses d'une entreprise qui n'entrent pas dans les frais de fabrication d'un produit. ‖ *Faux frais*, dépenses supplémentaires qu'on ne prévoyait pas. — **2.** *En être pour ses frais*, ne tirer aucun profit de ses dépenses; s'être donné de la peine pour rien. ‖ *Faire des frais*, se donner du mal pour plaire à quelqu'un. ‖ Fam. *Faire les frais de qqch.*, en supporter les conséquences pénibles. ‖ *Faire les frais de la conversation*, en être l'objet. ‖ Fam. *Se mettre en frais*, se donner plus de peine que d'habitude. — LOC. ADV. *À peu de frais*, en dépensant peu; en se donnant peu de mal. ◆ **défrayer** v. t. *Défrayer qq'un*, prendre en charge ses dépenses.

FRAISAGE n. m. ⟶ FRAISE 3.

1. FRAISE [frɛz] n. f. (du lat. *fraga, -orum*. fraises). Fruit du fraisier. ◆ **fraisier** n. m. Plante basse se propageant par stolons (= tiges rampantes) et dont les fruits sont constitués par des akènes* nombreux, portés par un gros réceptacle charnu et sucré. (Famille des rosacées.)

2. FRAISE [frɛz] n. f. (de l'anc. fr. *fraiser*, dépouiller de son enveloppe). **1.** Collerette en lingerie tuyautée, portée par les hommes et par les femmes au XVIe et au XVIIe s. — **2.** Chair rouge et plissée qui pend sous le bec du dindon.

3. FRAISE [frɛz] n. f. (de *fraise* 2). **1.** Outil rotatif de coupe, qui est composé de plusieurs arêtes tranchantes, régulièrement disposées autour d'un axe. — **2.** Instrument servant à évider les dents cariées. — **3.** Outil utilisé pour faire un forage. ◆ **fraisage** n. m. Action de fraiser. ⟶ ENCYCL. ◆ **fraiser** v. t. Usiner une pièce métallique par enlèvement des copeaux à l'aide d'une fraise. ◆ **fraiseur** n. m. Ouvrier exécutant des pièces sur une fraiseuse. ◆ **fraiseuse** n. f. Machine-outil servant pour le fraisage. ◆ **fraisure** n. f. Évasement pratiqué à l'orifice d'un trou.
— ENCYCL. Le *fraisage* est un des procédés fondamentaux de la fabrication mécanique. Il s'effectue par déplacement, sous une fraise tournant à vitesse convenable, de la pièce à usiner, qui est fixée sur la table. De multiples opérations, depuis le dressage d'une surface plane jusqu'au taillage d'engrenages, peuvent être exécutées.

FRAISER v. t., **FRAISEUR, EUSE** n., **FRAISURE** n. f. ⟶ FRAISE 3.

FRAISIER n. m. ⟶ FRAISE 1.

FRAMBOISE [frɑ̃bwaz] n. f. (frq. *brambasi*). Fruit, blanc ou rouge, du framboisier, composé de petites drupes distinctes. ◆ **framboisier** n. m. Arbrisseau voisin de la ronce, dont le fruit est comestible. (Famille des rosacées.)

1. FRANC [frɑ̃] n. m. (de *Francorum rex*, roi des Francs, devise qui figurait sur les pièces). Nom des unités monétaires utilisées en France, Belgique, Suisse, Luxembourg et dans plusieurs pays d'expression française.
— ENCYCL. Le *franc* est créé au XIVe s. pour payer la rançon de Jean le Bon, alors prisonnier des Anglais. Monnaie d'or, il est frappé ensuite par d'autres souverains. Un franc d'argent apparaît à partir de 1575.

La Convention nationale déclare le franc unité monétaire légale, correspondant à une pièce de 5 g d'argent. La frappe de l'or est rétablie le 17 germinal an XI (7 avril 1803), et, par la suite, des pièces d'argent et d'or de différentes valeurs sont mises en circulation.

Le franc a subi depuis de nombreuses dévaluations; cette dépréciation de la valeur du franc s'est accentuée pendant et après la Seconde Guerre mondiale.

Une nouvelle unité monétaire est mise en circulation en 1960 sous le nom de *nouveau franc*, puis de *franc*, à partir de 1963. Le nouveau franc vaut 100 francs anciens et correspond alors à 0,1802 g d'or fin.

2. FRANC, FRANCHE [frɑ̃, frɑ̃ʃ] adj. (frq. *frank*, qui appartient à la race franque, d'où libre). **1.** Libre de toute contrainte (dans quelques loc. et express.) : *Avoir les coudées franches* (= avoir toute liberté d'agir). ‖ *Corps franc* ⟶ CORPS 3. ‖ *Coup franc* ⟶ COUP. — **2.** Qui n'est pas soumis à certaines charges (impôts, taxes, etc.). ‖ *Boutique franche*, dans un aéroport, boutique où les marchandises sont exemptes de taxes. ‖ *Port franc, zone franche*, port ou région frontière où les marchandises étrangères pénètrent librement, sans formalités ni droits à payer. ‖ *Franc de port*, se dit d'un colis, d'un envoi, etc., pour lequel les frais de port sont payés au départ par l'expéditeur. ◆ **franchise** n. f. *Charte de franchise*, au Moyen Âge, charte accordant des libertés et des privilèges aux serfs et aux marchands d'une ville ou d'une bourgade, afin de les attirer ou de les retenir sur une seigneurie. ‖ *Franchise douanière*, exonération des droits de douane pour certaines marchandises. ‖ *Franchise postale*, droit à l'acheminement gratuit de la correspondance.

3. FRANC, FRANCHE [frɑ̃, frɑ̃ʃ] adj. (de *franc* 2) [ordinairement après le nom]. **1.** Se dit d'une personne (ou de son comportement) qui ne cherche pas à dissimuler sa pensée, qui agit sans détour : *Un homme franc* (syn. SINCÈRE; contr. FOURBE, HYPOCRITE). *Un visage franc* (syn. OUVERT). *Un regard franc* (syn. DIRECT, NET). — **2.** (avant un nom de personne) Exprime un degré élevé dans un défaut (littér.) : *Une franche canaille* (syn. VÉRITABLE). — **3.** (après ou avant un nom de chose) Se dit d'une chose pure, sans mélange, nette : *Une couleur franche* (syn. NET; contr. FLOU). *Montrer une franche hostilité* (syn. DÉCLARÉ, OUVERT). — **4.** *Jouer franc jeu*, agir avec loyauté, sans chercher à tromper l'adversaire, et, comme n. m., syn. de FAIR PLAY. ◆ adv. *Parler franc*, parler sans détour, ouvertement. ◆ **franchement** adv. **1.** De manière directe, sans détour, sans ambiguïté : *Parler franchement* (syn. À CŒUR OUVERT, SINCÈREMENT). *Je vous avouerai franchement que je n'y comprends rien* (syn. CARRÉMENT, TOUT BONNEMENT). — **2.** (avant un adj. a une valeur superl.) : *Un repas franchement mauvais* (syn. NETTEMENT). ◆ **franchise** n. f. : *La franchise d'un enfant* (syn. DROITURE, LOYAUTÉ). *La franchise d'un regard* (syn. NETTETÉ, SINCÉRITÉ).

4. FRANC, FRANQUE [frɑ̃, frɑ̃k] adj. (bas lat. *Francus*, Franc). Qui appartient aux Francs.

FRANÇAIS, E [frɑ̃sɛ, -ɛz] adj. (de *France*). Se dit de ce qui est relatif à la France. ◆ n. Personne qui habite en France ou qui est originaire de France : *Les Gaulois étaient les ancêtres des Français.* ◆ n. m. Langue romane parlée en France et dans certains pays étrangers dits « francophones ». ⟶ ENCYCL. ◆ **franciser** v. t. Donner le caractère français à quelque chose : *Franciser une prononciation, un mot.* ◆ **francisation** n. f. : *La francisation d'un mot.* ◆ **franco-**, élément préfixé à un adj. de nationalité et signifiant *français : Les accords franco-russes.* ◆ **francophile** adj. et n. Se dit d'un ami de la France, ou de ce qui manifeste cette amitié. ◆ **francophilie** n. f. Amitié à l'égard de la France. ◆ **francophobe** adj. et n. Se dit de quelqu'un qui est hostile à la France, ou de ce qui témoigne de cette attitude. ◆ **francophobie** n. f. ◆ **francophone** adj. et n. **1.** Se dit de personnes qui parlent le français. — **2.** Se dit de pays où le français est la langue officielle : *Une conférence de chefs d'État d'Afrique francophone.* ◆ **francophonie** n. f. Ensemble des pays et régions où l'on parle le français.

— ENCYCL. On distingue quatre périodes dans l'histoire de la langue française. L'*ancien français* correspond à la période allant du IXe au XIVe s.; les plus anciens témoignages écrits en sont les *Sermons de Strasbourg* (842) et la *Séquence de sainte Eulalie* (881). Cette période se caractérise par la prépondérance d'un dialecte de langue d'oïl*, le *francien**, qui donnera notre français actuel. Le *moyen français* (XVe, XVIe s.) se caractérise par la disparition des cas*. Pendant la période du *français classique* (XVIIe s.) les grammairiens codifient la langue. On appelle *français moderne* le français utilisé du XVIIIe s. à nos jours.

Le français n'est pas seulement la langue de la France, il est parlé également en Belgique et en Suisse, où il est langue nationale, dans la vallée d'Aoste en Italie, dans les provinces du Québec et du Nouveau-Brunswick, au Canada. Langue officielle de nombreuses républiques africaines, il est employé également au Maroc, en Algérie et en Tunisie. Enfin, il est la langue de la République de Djibouti, de l'île Maurice, de la Nouvelle-Calédonie, de Vanuatu, de la Polynésie et des Antilles françaises, de la Réunion et d'Haïti.

FRANC-BORD [frɑ̃bɔr] n. m. (*franc*, et *bord*). Mar. *Hauteur de franc-bord*, hauteur du pont d'un navire au-dessus de la flottaison. ‖ Pl. des *francs-bords*.

FRANC-BOURGEOIS [frɑ̃burʒwa] n. m. (de *franc* 2, et *bour geois*). Au Moyen Âge, celui qui, dépendant d'un seigneur, d'ur ecclésiastique ou du roi, était exempt des charges municipales. ‖ Pl. des *francs-bourgeois*.

FRANC-COMTOIS, E [frɑ̃kɔ̃twa, -az] adj. et n. De la Franche-Comté.

FRANCE, État de l'Europe occidentale, limité au N.-O. par la Manche, le pas de Calais et la mer du Nord, au N.-E. par la Belgique, le Luxembourg et l'Allemagne, à l'E. par la Suisse, au S.-E. par l'Italie, au S. par la Méditerranée et l'Espagne, à l'O. pa l'Atlantique.

SUPERFICIE 550 000 km².

POPULATION 56 600 000 hab. *(Français);* 103 hab. au km²; taux de natalité, 14 p. 1 000; taux de mortalité, 10,1 p. 1 000.

CAPITALE Paris (2 176 000 hab.).

VILLES PRINCIPALES Marseille (878 000 hab.); Lyon (418 000 hab.); Toulouse (354 000 hab.); Nice (338 000 hab.); Strasbourg (252 000 hab.); Nantes (247 000 hab.); Bordeaux (211 000 hab.); Saint-Étienne (206 000 hab.); Montpellier (201 000 hab.); Le Havre (200 400 hab.); Rennes (200 300 hab.); Reims (182 000 hab.); Toulon (181 000 hab.); Lille (174 000 hab.); Grenoble (159 000 hab.); Clermont-Ferrand (151 000 hab.); Le Mans (150 000 hab.); Dijon (145 000 hab.); Rouen (105 000 hab.).

LANGUE OFFICIELLE français.

ÉCONOMIE population active : secteur primaire 8 p. 100, secondaire 33 p. 100, tertiaire 59 p. 100; produit national brut par hab., 9 484 dollars; consommation d'énergie par hab., 4 900 kg d'équivalent charbon; 1 automobile pour 3 hab.

MONNAIE franc.

GÉOGRAPHIE

■ GÉOGRAPHIE PHYSIQUE.

Plus vaste État d'Europe (U. R. S. S. exclue), la France est dan l'ensemble un pays de basse altitude, puisque les deux tiers de so territoire se situent au-dessous de 250 m. Plaines et plateau dominent nettement au N.-O. d'une diagonale Bayonne-Strasbourg C'est le domaine des vastes cuvettes sédimentaires *(Bassin pari sien, Bassin aquitain)*, des montagnes anciennes fortement éro dées *(Massif armoricain, Ardennes, Limousin)*. Au S.-E. se juxtapo sent montagnes élevées (*Alpes*, surtout) séparées ou entaillées pa des vallées, importants couloirs de circulation (Rhône, Isère).

La France est tout entière située dans la zone tempérée et s position à l'O. du continent explique la prépondérance du clima océanique. À l'intérieur d'un ensemble caractérisé par la relativ modération de l'amplitude thermique et la régularité des précipita tions, seule la région méditerranéenne s'individualise, caractérisé par la chaleur et surtout la sécheresse de l'été.

	TEMPÉRATURES MOYENNES janv.	juil.	PLUIES
Brest	6,1 °C	15,7 °C	1 130 mm
Paris	3,5 °C	19,5 °C	620 mm
Strasbourg	0,6 °C	20,8 °C	607 mm
Marseille	5,7 °C	23 °C	546 mm

→ cartes en couleurs pp. 576-577.

■ GÉOGRAPHIE HUMAINE ET ÉCONOMIQUE.

La France est relativement peu peuplée, moins densément notam ment que ses principaux partenaires du Marché commun. L population s'accroît d'environ 230 000 personnes par an. Près de trois quarts des habitants demeurent dans les villes, près d sixième dans la seule agglomération parisienne dont la prépond rance est écrasante.

L'*agriculture* demeure importante; elle est fondée sur l'élevag (bovins surtout) et les céréales (blé et aussi maïs) avec quelque spécialisations (vigne, fruits). La *pêche* anime notamment Bou logne-sur-Mer et la côte sud de la Bretagne.

blé	30 millions de t	bovins	24 millions de tê
maïs	10 millions de t	ovins	12 millions de tê
pomme de terre	6 millions de t	pêche	800 000 t

L'*industrie* a une production variée. La base énergétique est fou nie par le raffinage du pétrole (basse Seine, étang de Berre) e l'électricité (surtout nucléaire). L'extraction du charbon a reculé celle du gaz naturel est insuffisante. La sidérurgie, implantée d

FRANCE
départements
VAL - D'OISE
Pontoise
95
HAUTS-DE-SEINE
92
Bobigny
93
SEINE-ST-DENIS
Nanterre
P.
75
Créteil
VAL-DE-MARNE
94
Évry
ESSONNE
91
78
PAS-DE-CALAIS
62
Arras
Lille
NORD
59
SOMME
Amiens
80
SEINE-MARITIME
76
Rouen
Beauvais
OISE
60
AISNE
02
Laon
Charleville-Mézières
ARDENNES
08
MANCHE
St-Lô
50
14
Caen
CALVADOS
EURE
Évreux
27
V. D'O.
78
YV.
Paris
SEINE
91
ESS.
SEINE-ET-MARNE
Melun
77
MARNE
Châlons-sur-Marne
51
MEUSE
55
Bar-le-Duc
MEURTHE-ET-MOSELLE
54
Nancy
Metz
MOSELLE
57
BAS-RHIN
Strasbourg
67
22
St-Brieuc
CÔTES-D'ARMOR
29
ORNE
Alençon
61
35
ILLE-ET-VILAINE
Rennes
53
MAYENNE
Laval
EURE-ET-LOIR
28
Chartres
AUBE
Troyes
10
HAUTE-MARNE
52
Chaumont
88
Épinal
VOSGES
Colmar
68
HAUT-RHIN
MORBIHAN
56
Vannes
SARTHE
72
Le Mans
Orléans
LOIRET
45
YONNE
89
Auxerre
HAUTE-SAÔNE
70
Vesoul
Belfort
90
TERRITOIRE DE BELFORT
LOIRE-ATLANTIQUE
44
Nantes
MAINE-ET-LOIRE
49
Angers
LOIR-ET-CHER
Blois
41
Tours
INDRE-ET-LOIRE
37
CHER
Bourges
18
CÔTE-D'OR
21
Dijon
Besançon
DOUBS
25
58
NIÈVRE
Nevers
85
VENDÉE
La Roche-sur-Yon
DEUX-SÈVRES
79
Niort
86
Poitiers
VIENNE
36
Châteauroux
INDRE
SAÔNE-ET-LOIRE
71
Mâcon
39
JURA
Lons-le-Saunier
03
Moulins
ALLIER
La Rochelle
17
CHARENTE-MARITIME
CHARENTE
Angoulême
16
87
Guéret
23
CREUSE
HAUTE-VIENNE
Limoges
69
RHÔNE
Lyon
01
Bourg-en-Bresse
AIN
HAUTE-SAVOIE
74
Annecy
PUY-DE-DÔME
Clermont-Ferrand
63
LOIRE
42
St-Étienne
Chambéry
SAVOIE
73
19
CORRÈZE
Tulle
Périgueux
DORDOGNE
24
38
ISÈRE
Grenoble
33
Bordeaux
GIRONDE
CANTAL
Aurillac
15
HAUTE-LOIRE
Le Puy
43
07
Privas
ARDÈCHE
Valence
26
DRÔME
HAUTES-ALPES
05
Gap
46
LOT
Cahors
LOT-ET-GARONNE
47
Agen
Mende
48
LOZÈRE
12
Rodez
AVEYRON
04
ALPES-DE-HAUTE-PROVENCE
Digne
ALPES-MARITIMES
06
Nice
40
LANDES
Mont-de-Marsan
82
TARN-ET-GARONNE
Montauban
81
Albi
TARN
30
GARD
Nîmes
VAUCLUSE
Avignon
84
13
BOUCHES-DU-RHÔNE
Marseille
VAR
83
Toulon
HAUTE-CORSE
Bastia
2B
2A
CORSE-DU-SUD
GERS
Auch
32
HAUTE-GARONNE
Toulouse
31
Montpellier
HÉRAULT
34
64
PYRÉNÉES-ATLANTIQUES
Pau
Tarbes
HAUTES-PYRÉNÉES
65
Carcassonne
AUDE
11
09
Foix
ARIÈGE
PYRÉNÉES-ORIENTALES
66
Perpignan
0
100
200 km
Chef-lieu de département

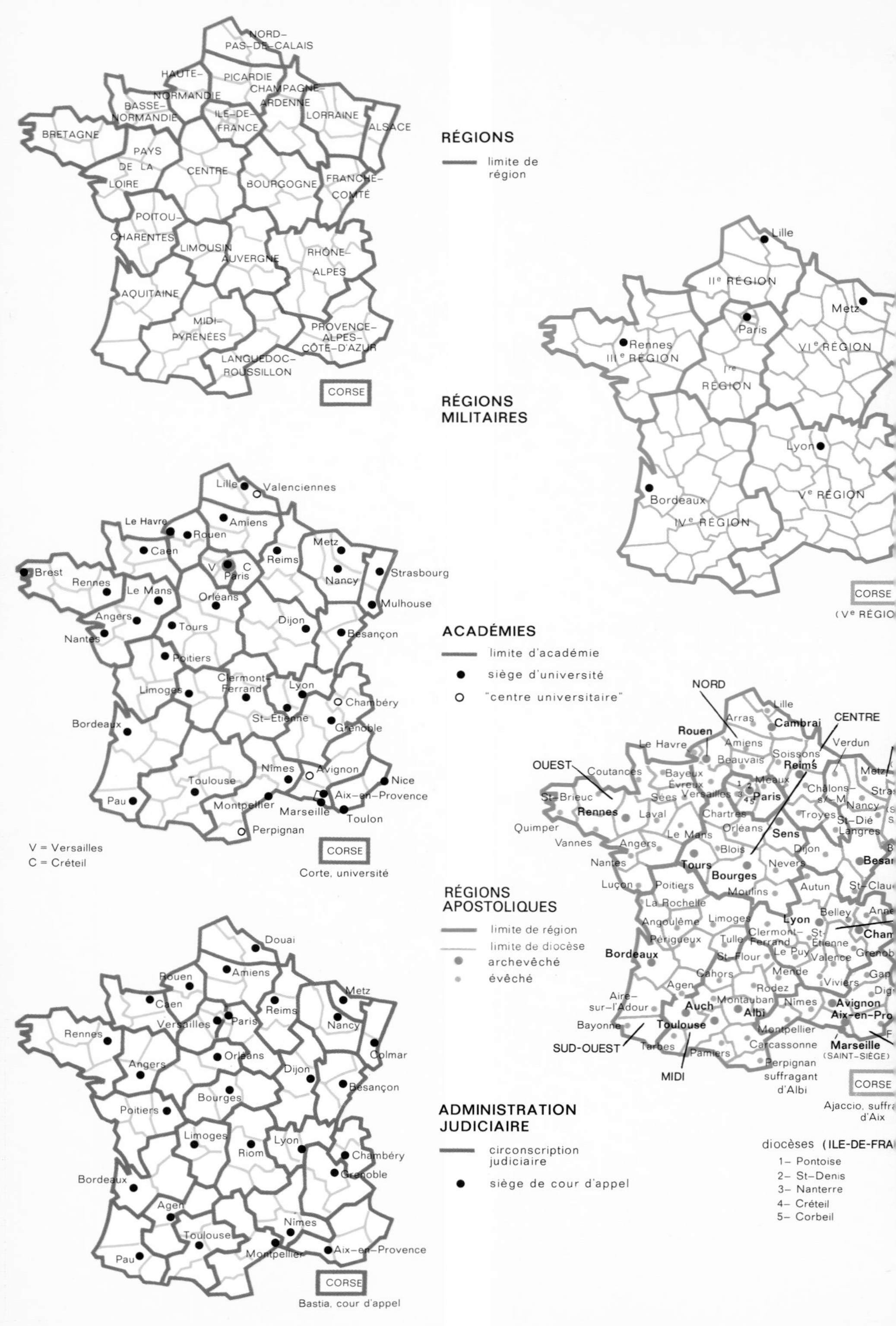

NORD–PAS-DE-CALAIS
HAUTE-NORMANDIE
PICARDIE
CHAMPAGNE-ARDENNE
BASSE-NORMANDIE
ILE-DE-FRANCE
LORRAINE
ALSACE
BRETAGNE
PAYS DE LA LOIRE
CENTRE
BOURGOGNE
FRANCHE-COMTÉ
POITOU-CHARENTES
LIMOUSIN
AUVERGNE
RHÔNE-ALPES
AQUITAINE
MIDI-PYRÉNÉES
PROVENCE-ALPES-CÔTE-D'AZUR
LANGUEDOC-ROUSSILLON
CORSE
RÉGIONS
limite de région
RÉGIONS MILITAIRES
Lille
IIe RÉGION
Metz
Paris
Rennes
IIIe RÉGION
VIe RÉGION
Ire RÉGION
Lyon
Bordeaux
Ve RÉGION
IVe RÉGION
CORSE
(Ve RÉGIO
ACADÉMIES
limite d'académie
siège d'université
"centre universitaire"
Lille
Valenciennes
Le Havre
Amiens
Rouen
Caen
Metz
Reims
Brest
V
C
Paris
Strasbourg
Rennes
Le Mans
Nancy
Orléans
Mulhouse
Angers
Tours
Nantes
Dijon
Besançon
Poitiers
Clermont-Ferrand
Limoges
Lyon
Chambéry
St-Étienne
Bordeaux
Grenoble
Nîmes
Avignon
Nice
Toulouse
Aix-en-Provence
Pau
Montpellier
Marseille
Toulon
Perpignan
V = Versailles
C = Créteil
CORSE
Corte, université
RÉGIONS APOSTOLIQUES
limite de région
limite de diocèse
archevêché
évêché
NORD
Lille
CENTRE
Arras
Cambrai
Rouen
Amiens
Verdun
Le Havre
Soissons
OUEST
Beauvais
Reims
Coutances
Bayeux
Meaux
Évreux
Sées
Versailles
Paris
Châlons-s/-M
St-Brieuc
Rennes
Laval
Nancy
Chartres
Troyes
St-Dié
Quimper
Orléans
Langres
Le Mans
Sens
Vannes
Angers
Blois
Dijon
Nantes
Tours
Nevers
Bourges
Luçon
Poitiers
Moulins
Autun
La Rochelle
Lyon
Belley
Angoulême
Limoges
Clermont-Ferrand
St-Étienne
Périgueux
Tulle
Bordeaux
Le Puy
Valence
St-Flour
Cahors
Mende
Viviers
Agen
Rodez
Aire-sur-l'Adour
Auch
Montauban
Nîmes
Avignon
Albi
Aix-en-Pro
Bayonne
Toulouse
Montpellier
SUD-OUEST
Tarbes
Carcassonne
Marseille
(SAINT-SIÈGE)
Pamiers
Perpignan suffragant d'Albi
MIDI
CORSE
Ajaccio, suffr d'Aix
diocèses (ILE-DE-FRA
1– Pontoise
2– St-Denis
3– Nanterre
4– Créteil
5– Corbeil
ADMINISTRATION JUDICIAIRE
circonscription judiciaire
siège de cour d'appel
Douai
Amiens
Rouen
Caen
Metz
Reims
Versailles
Paris
Nancy
Rennes
Colmar
Orléans
Angers
Dijon
Besançon
Bourges
Poitiers
Limoges
Riom
Lyon
Chambéry
Grenoble
Bordeaux
Agen
Nîmes
Toulouse
Montpellier
Aix-en-Provence
Pau
CORSE
Bastia, cour d'appel

FRANCE
aménagement

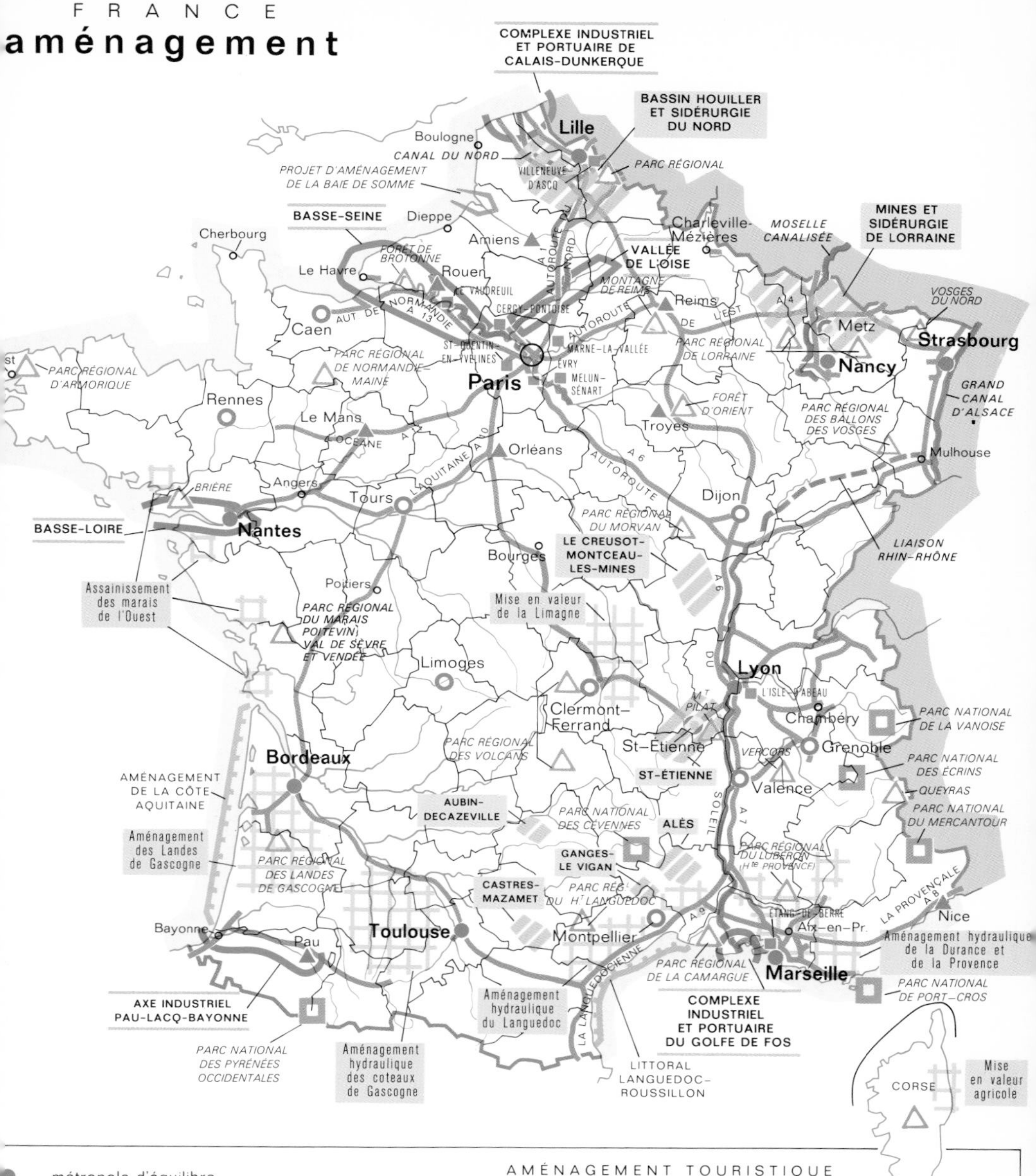

COMPLEXE INDUSTRIEL ET PORTUAIRE DE CALAIS-DUNKERQUE

BASSIN HOUILLER ET SIDÉRURGIE DU NORD

Lille

Boulogne

CANAL DU NORD

VILLENEUVE-D'ASCQ

PARC RÉGIONAL

PROJET D'AMÉNAGEMENT DE LA BAIE DE SOMME

BASSE-SEINE

Dieppe

Cherbourg

Amiens

AUTOROUTE DU NORD A 1

Charleville-Mézières

MOSELLE CANALISÉE

MINES ET SIDÉRURGIE DE LORRAINE

FORÊT DE BROTONNE

Le Havre

Rouen

LE VAUDREUIL

VALLÉE DE L'OISE

MONTAGNE DE REIMS

Reims

AUT. DE NORMANDIE A 13

CERGY-PONTOISE

AUTOROUTE DE L'EST A 4

VOSGES DU NORD

Caen

Metz

Strasbourg

ST-QUENTIN-EN-YVELINES

MARNE-LA-VALLÉE

PARC RÉGIONAL DE LORRAINE

Nancy

PARC RÉGIONAL D'ARMORIQUE

PARC RÉGIONAL DE NORMANDIE-MAINE

Paris

EVRY

MELUN-SÉNART

GRAND CANAL D'ALSACE

FORÊT D'ORIENT

Rennes

Le Mans

Troyes

PARC RÉGIONAL DES BALLONS DES VOSGES

OCÉANE A 11

L'AQUITAINE A 10

Orléans

AUTOROUTE A 6

Mulhouse

BRIÈRE

Angers

Tours

Dijon

BASSE-LOIRE

Nantes

PARC RÉGIONAL DU MORVAN

LIAISON RHIN-RHÔNE

Bourges

LE CREUSOT-MONTCEAU-LES-MINES

Assainissement des marais de l'Ouest

Poitiers

Mise en valeur de la Limagne

PARC RÉGIONAL DU MARAIS POITEVIN, VAL DE SÈVRE ET VENDÉE

Limoges

Lyon

DU

L'ISLE-D'ABEAU

Mt PILAT

Chambéry

PARC NATIONAL DE LA VANOISE

Clermont-Ferrand

St-Étienne

VERCORS

Grenoble

PARC RÉGIONAL DES VOLCANS

PARC NATIONAL DES ÉCRINS

ST-ÉTIENNE

Bordeaux

Valence

QUEYRAS

AMÉNAGEMENT DE LA CÔTE AQUITAINE

AUBIN-DECAZEVILLE

SOLEIL A 7

PARC NATIONAL DU MERCANTOUR

PARC NATIONAL DES CÉVENNES

ALÈS

Aménagement des Landes de Gascogne

GANGES-LE VIGAN

PARC RÉGIONAL DU LUBERON (Hte PROVENCE)

PARC RÉGIONAL DES LANDES DE GASCOGNE

CASTRES-MAZAMET

PARC RÉGL DU Ht LANGUEDOC

LA PROVENÇALE A 8

ÉTANG-DE-BERRE

Nice

Bayonne

Pau

Toulouse

A 9

Montpellier

Aix-en-Pr.

Aménagement hydraulique de la Durance et de la Provence

PARC RÉGIONAL DE LA CAMARGUE

Marseille

LA LANGUEDOCIENNE

PARC NATIONAL DE PORT-CROS

AXE INDUSTRIEL PAU-LACQ-BAYONNE

Aménagement hydraulique du Languedoc

COMPLEXE INDUSTRIEL ET PORTUAIRE DU GOLFE DE FOS

PARC NATIONAL DES PYRÉNÉES OCCIDENTALES

Aménagement hydraulique des coteaux de Gascogne

LITTORAL LANGUEDOC-ROUSSILLON

CORSE

Mise en valeur agricole

métropole d'équilibre

centre régional

ville-relais

ville nouvelle

INDUSTRIALISATION

zone en cours d'industrialisation

région industrielle en cours de reconversion

AMÉNAGEMENT AGRICOLE

travaux de bonification et mise en valeur agricole

AMÉNAGEMENT TOURISTIQUE

parc national } existant ou en cours de réalisation

parc régional } existant ou en cours de réalisation

vaste projet d'aménagement touristique avec implantation de sites nouveaux

TRANSPORTS

réseau autoroutier en service ou en cours de réalisation

voie navigable à grand gabarit

voie navigable en projet

0 100 200 300 km

ANJOU Les anciennes provinces en 1789

● Capitales de provinces

Acquisitions territoriales depuis 1789

Territoires perdus au second traité de Paris en 1815

Frontières actuelles

Limites des départements actuels

0 300 km

plus en plus sur l'eau, alimente une métallurgie de transformation très diversifiée, dont émerge la construction automobile. La chimie est essentiellement liée au pétrole, cependant que les textiles traditionnels déclinent.

houille	15 millions de t
électricité totale	325 } milliards de kWh
hydro-électricité	70
électricité nucléaire	215
pétrole raffiné	80 millions de t
gaz naturel	6,5 milliards de m^3
bauxite	1,5 million de t
fer	4 800 000 t
potasse	1 900 000 t
soufre	1 600 000 t
acier	19 millions de t
automobiles	3 millions d'unités
constructions navales	200 000 t
avions	650 unités
ciment	23 millions de t
coton (filés)	200 000 t
laine (filés)	100 000 t
textiles chimiques	205 000 t
plastiques	2 500 000 t
flotte	8 900 000 t

Dans le *secteur tertiaire*, le rôle des transports est important. La part de la route augmente avec la construction de grandes voies modernes, celle du rail a progressé avec l'électrification et la diésélisation. Les échanges sont actifs avec les pays voisins, dans le cadre du Marché commun. Ils sont souvent déficitaires. La croissance économique s'est ralentie depuis 1974, et le chômage est aujourd'hui très important. Mais le niveau de vie moyen reste élevé, bien que subsistent d'importantes inégalités sociales et disparités régionales.

HISTOIRE

- ***58-51 av. J.-C. La Gaule* est conquise par les légions romaines de Jules César.***

Le pays est christianisé dès la fin du Ier s. La Gaule subit les invasions barbares à partir du Ve s.

■ LES MÉROVINGIENS (v. 481-751).

- ***V. 481-508. Clovis*, roi des Francs* Saliens (v. 481-511), conquiert la Gaule, et fonde le royaume franc.***

Le partage de ses États entre ses fils après sa mort donne naissance à trois royaumes rivaux (Austrasie, Neustrie, Bourgogne).

L'aristocratie (notamment les maires du palais) profite de cette rivalité pour s'affermir aux dépens du pouvoir royal : les rois mérovingiens* sont réduits au rôle de « rois fainéants ».

- *732. Charles* Martel, maire du palais des trois royaumes, arrête à Poitiers l'invasion musulmane.*

■ LES CAROLINGIENS (751-987).

- *751. Pépin* le Bref, fils de Charles Martel, est couronné roi des Francs et fonde la dynastie des Carolingiens*.*
- *800. Charlemagne*, fils de Pépin le Bref, est couronné empereur d'Occident et règne sur un vaste empire.*
- *843. Au traité de Verdun, l'empire de Charlemagne est partagé entre ses trois petits-fils.*

Charles* II le Chauve reçoit la Francie occidentale (partie de l'empire située à l'O. de l'Escaut, de la Meuse et du Rhône) qui va devenir la France.

Le pays traverse alors une période troublée (invasions normandes*) pendant laquelle naît le régime féodal*.

■ LES CAPÉTIENS (987-1328).

- *987. Hugues Capet monte sur le trône de France.*

Les Capétiens* agrandissent peu à peu le domaine royal et luttent contre les rois d'Angleterre, ducs de Normandie.

- *1214. À Bouvines, Philippe* II Auguste bat l'empereur germanique.*

Tandis que les Capétiens affermissent leur autorité, le monde féodal se désagrège peu à peu.

Le renouveau commercial permet le développement du mouvement communal*.

■ LA FIN DU MOYEN ÂGE (1328-1483).

- *1328. Philippe* VI fonde la dynastie des Valois*.*
- *1337-1453. La guerre de Cent* Ans oppose Français et Anglais.*
- *1461-1483. Louis* XI brise la puissance des grands vassaux (Charles le Téméraire) et acquiert la Bourgogne et l'Anjou.*

■ LA RENAISSANCE (1483-1594).

- *1494. Les guerres d'Italie, engagées par Charles* VIII (1483-1498), se poursuivent sous Louis* XII (1498-1515) et sous François Ier (1515-1547).*

La lutte menée par François Ier contre Charles Quint ne prend fin que sous Henri II (1547-1559).

Sous les Valois, l'autorité royale s'étend et s'enracine par le perfectionnement des organes du gouvernement.

- *1562-1593. Les guerres de Religion divisent la France sous les règnes des derniers Valois (François II, Charles IX, Henri III).*
- *1572. Massacre de la Saint-Barthélemy.*

■ HENRI IV ET LOUIS XIII (1594-1661).

- *1594. Le protestant Henri de Navarre succède à Henri III après s'être converti au catholicisme.*

Sacré roi sous le nom d'Henri* IV, il fonde la dynastie des Bourbons.

- *1598. Par l'édit de Nantes, Henri IV rétablit la paix religieuse.*
- *1610-1643. Sous le règne de Louis* XIII, Richelieu*, adversaire des féodaux et des protestants, fonde l'absolutisme.*
- *1635-1659. La guerre de Trente* Ans oppose la France à l'Espagne.*
- *1648-1652. Les troubles de la Fronde* menacent l'autorité royale.*

■ LE SIÈCLE DE LOUIS* XIV (1661-1715).

- *1661. À partir de la mort de Mazarin*, Louis* XIV (roi de 1643 à 1715) gouverne la France en maître absolu.*

Son règne est une époque de gloire militaire, littéraire et artistique.

Les institutions sont renforcées dans le sens de la centralisation.

Mais les guerres trop fréquentes (la dernière s'achève au traité d'Utrecht, en 1713) compromettent la situation de la France et de la royauté.

- *1685. Révocation de l'édit de Nantes.*

■ LE SIÈCLE DES LUMIÈRES (1715-1789).

- *1715-1774. Dès le règne de Louis* XV, marqué par des échecs en politique extérieure (guerre de Sept* Ans, perte de l'Inde et du Canada), la nécessité de réformes se fait sentir.*

Le mouvement philosophique du XVIIIe s. contribue à saper les idées absolutistes; la bourgeoisie, enrichie par l'expansion économique générale, n'accepte plus d'être écartée de la conduite du pays par l'aristocratie.

■ LA RÉVOLUTION ET L'EMPIRE (1789-1814).

- ***1789. La Révolution* est l'aboutissement de la crise financière, politique et sociale, née au début du règne de Louis XVI (1774-1792).***

Elle brise l'absolutisme royal, établit l'égalité civile (nuit du 4 août) et abolit la féodalité.

- ***1791-1792. Sous la Législative* a lieu une tentative de monarchie constitutionnelle, qui échoue et entraîne la chute de la royauté (10 août 1792).***
- *1792-1795. La Convention* sauve la France de l'invasion étrangère.*
- *1795-1799. Le Directoire* succède à la Convention.*
- *1799. Le coup d'État du 18 brumaire an VIII renverse le Directoire et installe le Consulat*.*

Bonaparte, Premier consul, affermit les conquêtes de la Révolution : le Code civil (1804) sanctionne les réformes sociales de 1789.

- *1804. La Constitution de l'an XII établit le premier Empire*.*

Bonaparte est nommé empereur des Français sous le nom de Napoléon Ier.

■ LA RESTAURATION ET LE SECOND EMPIRE.

- *1814. Avec le règne de Louis* XVIII (1814-1824) puis celui de Charles* X (1824-1830), les Bourbons sont restaurés sur le trône de France.*

Après la chute de Charles X (1830), le règne de Louis-Philippe (1830-1848) marque l'avènement au pouvoir de la bourgeoisie qui détient la suprématie politique et économique.

- *1848. Les journées de février fondent la IIe République* et établissent le suffrage universel.*

La révolte ouvrière de juin rejette la république vers le conservatisme et le pouvoir personnel, qui s'installe avec le prince-président Louis Napoléon* Bonaparte (coup d'État du 2 décembre 1851).

- *1852. Napoléon III fonde le second Empire*.*

■ DE LA IIIe RÉPUBLIQUE À NOS JOURS.

- *1870. Après les échecs militaires de l'Empire pendant la désastreuse guerre franco-allemande, la IIIe République* est proclamée.*
- *1871. L'insurrection de la Commune* (18 mars) se termine par un échec (28 mai).*
- *1914-1918. Première Guerre* mondiale.*

Les Constitutions en France depuis 1848

DATE DE LA CONSTITUTION	POUVOIR GOUVERNEMENTAL	POUVOIR LÉGISLATIF
1848 **La IIe République**	Un *président de la République* élu au suffrage universel direct (4 ans).	Une *Assemblée législative* élue pour 4 ans au suffrage universel direct.
1852 **Constitution du 14 janvier et second Empire**	Un *président de la République,* élu pour 10 ans au suffrage universel direct, a l'initiative des lois et les promulgue. Il devient *empereur* héréditaire en déc. 1852.	Un *Conseil d'État* (fonctionnaires) élabore les lois; un *Corps législatif* (suffrage universel direct) les discute et les vote; le *Sénat* (nommé par le président) vérifie leur constitutionnalité.
1875 **Lois constitutionnelles de La IIIe république**	Un *président de la République* (irresponsable), élu (7 ans) par le Congrès, choisit des ministres responsables devant les Chambres.	Un *sénat,* élu (9 ans) au suffrage restreint et indirect, une *Chambre des députés,* élue (4 ans) au suffrage universel direct, ont des droits égaux (sauf en matière budgétaire).
L'État français **Loi du 10 juillet 1940**	Un *chef de l'État* disposant des pouvoirs gouvernemental, législatif et constituant. En 1942, un chef du gouvernement est investi du pouvoir gouvernemental et exerce le pouvoir législatif concurremment avec le chef de l'État.	Un *Conseil national,* purement consultatif, est désigné, mais ne fonctionne pas.
Gouvernement provisoire de la république **Loi du 2 novembre 1945**	Un *chef de gouvernement* (en même temps *chef de l'État*), élu par l'Assemblée constituante et responsable devant elle.	Une *Assemblée constituante,* élue au suffrage universel direct (les femmes votent). Un référendum abroge les lois constitutionnelles de 1875. Un premier projet de Constitution est refusé au référendum (avr. 1946). Un second projet est adopté (oct. 1946).
1946 **La IVe République**	Un *chef de l'État,* élu pour 7 ans par le Congrès, désigne le chef du gouvernement (investi par l'Assemblée nationale, devant laquelle il est responsable).	Une *Assemblée nationale,* élue (5 ans) au suffrage universel direct, et un *Conseil de la République,* élu (9 ans) au suffrage restreint et indirect. L'Assemblée nationale peut adopter une loi rejetée par le Conseil de la République. Elle peut être dissoute sous certaines conditions.
1958 **La Ve République**	Un *président de la République,* élu (7 ans), partage le pouvoir gouvernemental avec un *Premier ministre* qu'il désigne.	Un *Sénat,* élu (9 ans) au suffrage restreint et indirect, et une *Assemblée nationale,* élue (5 ans) au suffrage universel direct. Les lois relatives à l'organisation des pouvoirs publics peuvent être adoptées par référendum.

- *1932. La France, à son tour, est touchée par la crise économique mondiale de 1929.*
- *1936. Le triomphe du Front* populaire fait faire un grand progrès à la législation sociale (accords Matignon).*
- *1939. La France est contrainte de déclarer la guerre à l'Allemagne qui a envahi la Pologne.*

C'est le début de la Seconde Guerre* mondiale.

- *1944. Le 6 juin, les Alliés débarquent en Normandie et libèrent Paris le 25 août.*

La IVe République* s'installe (1944-1958).

- *1946-1954. Guerre d'Indochine*.*
- *1954-1962. Guerre d'Algérie*.*

Après une grave crise gouvernementale, une nouvelle constitution (1958), renforçant l'autorité du chef de l'État, donne naissance à la Ve République*, dont le général de Gaulle* est élu président.

- *1969. G. Pompidou est élu président de la République.*
- *1974. Après la mort, en cours de mandat, de Pompidou, de nouvelles élections portent à la présidence de la République V. Giscard d'Estaing.*
- *1981. Élection de Mitterrand à la présidence de la République.*

Le nouveau régime entreprend des réformes fondamentales (régionalisation, fiscalité, nationalisations de grands groupes industriels, droit du travail, abolition de la peine de mort, etc.).

- *1983. Un plan de rigueur économique vise à réduire l'inflation et le déficit commercial.*
- *Mars 1986. Victoire de l'opposition aux élections législatives et régionales. F. Mitterrand nomme J. Chirac Premier ministre. (C'est le premier gouvernement de «cohabitation» du régime.)*

Une politique d'inspiration libérale est engagée (privatisation de banques et de grands groupes industriels, des médias).

- *1988. F. Mitterrand est réélu à la présidence de la République et nomme un gouvernement socialiste.*

France *(campagnes de)*, en 1814, opérations menées par Napoléon dans le nord et l'est de la France contre les armées de la 6e coalition (Prusse, Autriche, Angleterre, Russie, Suède). Malgré des victoires françaises initiales (à Brienne, Champaubert, Montmirail, Vauchamps et Montereau), elles se terminent par un échec qui entraîne l'abdication de l'Empereur.

En 1940, opérations militaires menées par Gamelin, puis Weygand, qui opposèrent, du 10 mai au 25 juin, les armées alliées (française, britannique, belge et hollandaise) aux forces allemandes. La rapidité de l'action allemande provoqua l'effondrement des lignes alliées et l'invasion de la majeure partie de la France, sanctionnée par l'armistice de Rethondes le 22 juin.

FRANCE *(île de)*, anc. nom de l'île MAURICE*.

FRANCE (Anatole François THIBAULT, dit **Anatole**), écrivain français (1844-1924). Auteur de romans historiques et de mœurs, il mêle, dans un style élégant et classique, l'ironie et le scepticisme à la sensibilité et à la pitié, se rattachant ainsi à la tradition voltairienne. Préoccupé aussi de problèmes politiques et sociaux, il évolua vers le socialisme. Parmi ses principaux ouvrages, citons : *le Crime de Sylvestre Bonnard* (1881), *la Rôtisserie de la reine Pédauque* (1893), *le Lys rouge* (1894), *Les dieux ont soif* (1912).

FRANCFORT-SUR-LE-MAIN, en all. **Frankfurt am Main,** v. d'Allemagne (Hesse), sur le Main; 610 200 hab. Centre commercial (foire du livre), financier (Bourse) et intellectuel (université). Aéroport.

- *10 mai 1871. Le traité de paix franco-prussien met fin à la guerre de 1870-1871.*

FRANCFORT-SUR-L'ODER, en all. **Frankfurt (Oder),** v. d'Allemagne (Brandebourg), sur l'Oder (r. g.); 63 500 hab.

FRANCHE adj. f. ⟶ FRANC 2 et 3.

FRANCHE-COMTÉ, Région de l'est de la France qui regroupe les départements du Doubs, du Jura, de la Haute-Saône et le Territoire de Belfort; 16 202 km^2; 952 100 hab. *(Francs-Comtois).* Ch.-l. *Besançon.*

GÉOGRAPHIE. La Région s'étend sur des secteurs très inégalement peuplés. Aux fortes densités de la porte de Bourgogne (de Belfort à Montbéliard) s'opposent les étendues beaucoup moins densément peuplées de la montagne jurassienne et des plaines de la Saône supérieure. L'ensemble a une densité moyenne de l'ordre de 59 hab. au km^2, c'est-à-dire inférieure d'un tiers à la moyenne nationale. Trois agglomérations dominent, regroupant près du tiers de la population régionale : Besançon, Montbéliard et Belfort. Les autres chefs-lieux de département, Lons-le-Saunier et Vesoul, sont des centres d'importance médiocre.

L'*agriculture* emploie environ le cinquième de la population active. Elle est orientée de plus en plus vers l'élevage, qui est dominant dans la montagne et progresse dans la vallée de la Saône.

L'*industrie* tient une grande place, occupant un peu plus de la moitié de la population active. Cette prépondérance est liée au développement de l'industrie automobile (Sochaux) et de la métallurgie de transformation.

HISTOIRE. En 843, la région est englobée dans la Lotharingie au traité de Verdun.

- *879. Elle est annexée au royaume d'Arles.*
- *V. 1034-1127. Devenue le comté de Bourgogne, elle fait partie du Saint Empire.*

La Franche-Comté est par la suite réunie à deux reprises au duché de Bourgogne*, puis disputée entre l'Empire et la France.

- *1558. À la fin du règne de Charles Quint, elle passe à l'Espagne.*
- *1678. Le traité de Nimègue donne la Franche-Comté à la France.*

FRANCHEMENT adv. ⟶ FRANC 3.

FRANCHET D'ESPEREY (Louis), maréchal de France (1856-1942). En 1918, commandant les armées alliées d'Orient, il déclenche l'offensive de Macédoine, qui obligea la Bulgarie à signer l'armistice.

FRANCHIR [frɑ̃ʃir] v. t. (de *franc*). **1.** *Franchir un obstacle*, le passer par un moyen quelconque : *Le cheval franchit la haie* (= saute par-dessus). — **2.** *Franchir une limite*, aller au-delà : *Franchir une porte* (syn. PASSER). *Franchir les mers* (= les traverser). ◆ **franchissable** adj. Se dit d'une chose qui peut être franchie : *Une rivière franchissable à pied* (contr. INFRANCHISSABLE). *Un obstacle franchissable* (syn. SURMONTABLE). ◆ **franchissement** n. m. : *Le franchissement d'une rivière.* ◆ **infranchissable** adj. : *Un obstacle infranchissable.*

FRANCHISE n. f. ⟶ FRANC 2 et 3.

FRANCHISSABLE adj., **FRANCHISSEMENT** n. m. ⟶ FRANCHIR.

Franciade *(la)*, poème épique de Ronsard (1572).

FRANCIEN [frɑ̃sjɛ̃] n. m. (de *France*). Nom donné au parler roman d'Île-de-France, distingué des autres dialectes (champenois, picard, etc.) de la langue d'oïl*.

FRANCIQUE [frɑ̃sik] n. m. (du lat. *Francus*, Franc). Parler germanique des Francs installés en Gaule.

FRANCISATION n. f. ⟶ FRANÇAIS.

FRANCISCAIN, E [frɑ̃siskɛ̃, -ɛn] n. (du lat. *Franciscus*, François). Religieux, religieuse de l'ordre de Saint-François-d'Assise.
— ENCYCL. Ordre religieux mendiant, l'ordre des *Franciscains* fut fondé en 1209 par saint François d'Assise, en vue de donner au monde l'exemple de la pauvreté évangélique. Les franciscains doivent observer une pauvreté absolue, vivre d'aumônes et prêcher l'Évangile. Vêtus d'une robe grise, ceints à la taille d'une corde munie de nœuds, ils portent un manteau de même étoffe que leur robe et ne sont chaussés que de sandales.

L'ordre des *Franciscaines* ou *Clarisses* fut fondé en 1212 par sainte Claire.

FRANCISER v. t. ⟶ FRANÇAIS.

FRANCISQUE [frɑ̃sisk] n. f. (bas lat. *francisca*). Hache de guerre chez les Francs.

FRANCK (César), compositeur et organiste français d'origine belge (1822-1890). Il contribua, grâce à sa science musicale très profonde et à l'influence qu'il exerça sur ses élèves (Duparc, Chausson, d'Indy, etc.), au renouveau de la musique française au XIXe s. On lui doit *les Béatitudes* (oratorios, 1869-1879), *Prélude, choral et fugue* (pour piano, 1884), *Trois Chorals* (pour orgue, 1890), *Variations symphoniques* (pour piano et orchestre, 1885), une symphonie en *ré* mineur (1886-1888) et de la musique de chambre (*Sonate* pour violon et piano, 1886).

FRANC-MAÇON [frɑ̃masɔ̃] n. m. (de l'angl. *freemason*, maçon libre). Membre de la franc-maçonnerie. ‖ Pl. des *francs-maçons.* ◆ **franc-maçonnerie** n. f. Société secrète répandue dans divers pays et dont les membres sont liés entre eux par certaines obligations et certains rites.
— ENCYCL. La *franc-maçonnerie*, née en Angleterre vers la fin du XVIIe s., a été introduite en France vers 1720. Association en partie secrète, elle recommande à ses adeptes une très grande solidarité, et se divise en groupes appelés *loges.*

D'inspiration religieuse à l'origine, la franc-maçonnerie fut, en France, progressivement gagnée au cours du XIXe s. par les idées républicaines et rationalistes. Son attitude antireligieuse explique les condamnations portées contre elle par l'Église catholique.

1. FRANCO- ⟶ FRANÇAIS.

2. FRANCO [frɑ̃ko] adv. (de l'it. *franco porto*, port franc). Se dit d'un envoi sans frais pour le destinataire (syn. FRANC DE PORT).

FRANCO-ALLEMANDE *(guerre)*, conflit qui, en 1870-1871, opposa la Prusse et l'ensemble des États allemands à la France.

Recherchée par Bismarck pour réaliser l'unité allemande, la

guerre est provoquée par la dépêche d'Ems : la fausse version que Bismarck en donne à la presse est injurieuse pour la France et l'oblige moralement à déclarer la guerre à la Prusse (19 juillet 1870).

Devant l'armée prussienne très bien réorganisée et dirigée par un état-major très compétent, l'armée française, mal préparée et mal commandée, est tout de suite contrainte à la retraite : du 4 au 12 août, elle perd la bataille des frontières et doit abandonner l'Alsace et une grande partie de la Lorraine.

• *2 sept. 1870. L'empereur capitule à Sedan.*

Ce désastre entraîne la chute de l'Empire et la proclamation de la république (4 septembre).

Le gouvernement de la Défense* nationale de Gambetta tente en vain d'éviter la prise de Paris, puis organise la résistance en province.

• *28 janv. 1871. Malgré certains succès (défense héroïque de Belfort par Denfert-Rochereau) le gouvernement doit signer l'armistice.*
• *10 mai 1871. Au traité de Francfort, la France perd l'Alsace (moins Belfort) et une partie de la Lorraine.*

La guerre permet à l'Allemagne de réaliser son unité : pour la première fois, la totalité des États allemands se groupe autour de la Prusse contre la France, et le 18 janvier 1871 le roi de Prusse est proclamé empereur d'Allemagne à Versailles. En France, la défaite provoque l'insurrection de la Commune* de Paris (18 mars 1871).

FRANCO BAHAMONDE (Francisco), général et homme d'État espagnol (1892-1975). En 1934, il réprime la grève des mineurs des Asturies. Chef d'état-major de l'armée en 1935, il est exilé lors de l'avènement de la gauche unie en un Front populaire en 1936. Il prend la direction du mouvement nationaliste opposé au gouvernement républicain et donne le signal d'une insurrection qui entraîne l'Espagne dans la guerre civile. (→ ESPAGNE.) La victoire de ses armées, soutenues par l'Allemagne de Hitler et l'Italie fasciste, lui permet d'entrer dans Madrid en octobre 1939. Il instaure un gouvernement dictatorial dont il est le chef suprême (« caudillo »). Pendant la Seconde Guerre mondiale, Franco proclame la nonbelligérance de l'Espagne (1941). Il envoie cependant une division combattre en U. R. S. S., aux côtés des Allemands. En 1947, il rétablit le principe de la monarchie dont il est nommé protecteur-régent à vie. En 1953, il se rapproche des États-Unis, ce qui permet à l'Espagne de devenir membre de l'O. N. U. (1955). En 1969, il désigne pour lui succéder, avec le titre de roi, don Juan Carlos de Bourbon.

FRANÇOIS D'ASSISE *(saint)*, fondateur de l'ordre monastique des Franciscains* (v. 1181-1226). Fils d'un riche marchand drapier d'Assise, il mena une jeunesse chevaleresque et aventureuse jusqu'à ce que, touché par la grâce, il abandonnât tout pour se vouer au service de Dieu (1205-1206). D'abord ermite, il s'entoura ensuite de disciples décidés à vivre, comme lui, dans la pauvreté. Son goût pour la pauvreté, sa douceur, sa bonté avec les animaux, le miracle des stigmates (= marques semblables à celles de Jésus crucifié) qu'il reçut sont les principaux traits qui ont inspiré ses biographes (*Fioretti*, livre de la fin du XIVe s. qui retrace sa vie) et un grand nombre d'œuvres d'art (dont les fresques de Giotto à Assise).

FRANÇOIS DE SALES *(saint)* [1567-1622], évêque de Genève, auteur de l'*Introduction à la vie dévote* (1609). Il fonda avec sainte Jeanne de Chantal l'ordre contemplatif de la Visitation (1610).

FRANÇOIS XAVIER *(saint)* [1506-1552], jésuite espagnol, un des premiers fondateurs, avec saint Ignace de Loyola, de la Compagnie de Jésus. Il évangélisa l'Asie orientale et le Japon.

FRANÇOIS Ier (1494-1547), roi de France de 1515 à 1547, fils de Charles d'Angoulême, comte d'Orléans, et de Louise de Savoie.

• *1515. Il succède à Louis XII, dont il a épousé la fille, Claude de France.*

Dès son avènement il reprend la politique italienne de ses prédécesseurs; il remporte sur les Suisses la victoire de Marignan.

• *1516. Le traité de Noyon, signé avec le roi d'Espagne (le futur Charles Quint), assure à la France le Milanais.*

Candidat à l'Empire à la mort de Maximilien d'Autriche, François Ier est le rival malheureux de Charles Quint.

• *1520. Pendant l'entrevue du Camp du Drap d'or avec Henri VIII, il s'efforce en vain d'obtenir l'alliance anglaise pour lutter contre les dangereuses ambitions de Charles Quint.*

Dès lors, il se consacre entièrement à la lutte contre la maison d'Autriche.

• *1524. La trahison du connétable de Bourbon permet à Charles Quint de reprendre le Milanais.*
• *1525. Décidé à reconquérir le Milanais, François Ier est battu et fait prisonnier devant Pavie.*

Il doit signer le traité de Madrid (1526) par lequel il abandonne le Milanais et la Bourgogne.

Allié du pape Clément VII, il reprend la guerre dès 1527.

• *1529. Au traité de Cambrai, François Ier doit renoncer à ses prétentions italiennes.*

En échange il voit reconnaître sa souveraineté sur la Bourgogne et épouse Éléonore d'Autriche, sœur de Charles Quint.

Mais le danger reste grave pour la France, et le roi s'allie contre l'Empereur aux princes protestants allemands (traité de Saalfeld, 1531) et aux Turcs de Soliman le Magnifique.

• *1536. La guerre reprend, confuse et coupée de trêves.*

Elle est marquée par l'invasion de la Provence par les Impériaux, et par la victoire française de Cérisoles (1544).

• *1544. Paix de Crépy.*

François Ier abandonne la Savoie et renonce à ses prétentions sur la Flandre et l'Artois. Charles Quint cède définitivement la Bourgogne.

Sur le plan intérieur, le roi réalise une œuvre importante : par l'ordonnance de Villers-Cotterêt il substitue le français au latin dans les jugements et les actes notariés; il favorise le développement économique, encourage les lettres et les arts, soutenant le mouvement de la Renaissance française et fondant le Collège de France et l'Imprimerie nationale; enfin, il pose les fondements de la monarchie absolue.

FRANÇOIS II (1544-1560), fils aîné d'Henri II et de Catherine de Médicis, roi de France de 1559 à 1560. Époux de Marie Ire Stuart, reine d'Écosse et nièce des Guises, il subit l'influence de ces derniers, les laissant persécuter les protestants et réprimer cruellement la conjuration d'Amboise (1560).

FRANÇOIS Ier DE HABSBOURG-LORRAINE (1708-1765), empereur germanique (1745-1765), duc de Lorraine (1729-1736), grand-duc de Toscane (1737-1765), duc de Parme et de Plaisance (1738-1748). Il épousa Marie-Thérèse d'Autriche (1736). — FRANÇOIS II (1768-1835), dernier empereur du Saint Empire romain germanique (1792-1806), puis empereur héréditaire d'Autriche (sous le nom de François Ier, 1804-1835). Il lutta contre la Révolution française et contre Napoléon Ier.

FRANÇOIS Ier (1777-1830), roi des Deux-Siciles (1825-1830), fils de Ferdinand Ier. — FRANÇOIS II (1836-1894), roi des Deux-Siciles (1859-1860), fils de Ferdinand II. Son armée fut vaincue par les soldats de Garibaldi (expédition de Sicile, 1860).

FRANÇOIS-FERDINAND DE HABSBOURG, archiduc d'Autriche (1863-1914). Neveu de l'empereur François-Joseph, il devint son héritier présomptif en 1896. Son assassinat à Sarajevo (28 juin 1914) par un étudiant serbe donna le signal de la Première Guerre mondiale.

FRANÇOIS-JOSEPH Ier (1830-1916), empereur d'Autriche (1848-1916) et roi de Hongrie (1867-1916). Il accéda au pouvoir après l'abdication de son oncle, l'empereur Ferdinand* Ier. Conseillé par Schwarzenberg, il institua dans l'empire un régime autoritaire, appuyé sur l'armée et une administration fortement centralisée, et rétablit la prépondérance autrichienne aux dépens des minorités nationales. Mais sa défaite à Solferino en 1859 devant les Français qui combattaient en faveur de l'unité italienne, et la perte de la Lombardie qui s'ensuivit l'engagèrent à modifier sa politique générale. À l'intérieur il esquissa une politique libérale mais hésita entre une organisation fédéraliste ou unitaire de l'empire. La guerre contre la Prusse et la défaite de Sadowa (1866) le rapprochèrent des Hongrois et aboutirent à l'établissement d'un régime « dualiste » : en 1867, il reconnut la division de l'empire en deux États et devint roi de Hongrie.

En Autriche, il établit un régime parlementaire. En politique intérieure, il dut tenir compte de l'opposition des nationalistes tchèques et de l'Église. En Hongrie, il soutint les Magyars* contre les Serbes et les Croates. Il s'allia à l'Allemagne (1879) et à l'Italie (Triplice, 1882), puis annexa la Bosnie-Herzégovine (1908). L'assassinat de son neveu François-Ferdinand l'amena à déclarer la guerre à la Serbie (1914). Il mourut avant la dislocation de l'empire austro-hongrois.

FRANÇOIS-JOSEPH *(archipel)*, archipel soviétique de l'Arctique, à l'E. du Svalbard; 20 000 km².

FRANCONIE, en all. **Franken**, région historique d'Allemagne, englobée auj. dans la Bavière, et s'étendant de part et d'autre de la vallée du Main.

• *840. Constitution du duché de Franconie.*

FRANCOPHILE adj. et n., **FRANCOPHILIE** n. f., **FRANCOPHOBE** adj. et n., **FRANCOPHOBIE** n. f., **FRANCOPHONE** adj. et n., **FRANCOPHONIE** n. f. → FRANÇAIS.

FRANC-PARLER [frɑ̃parle] n. m. *(franc,* et *parler)*. Absence de contrainte ou de réserve dans la façon de s'exprimer : *Avoir son franc-parler.*

FRANCS, peuple germanique qui donna son nom à la Gaule romaine après l'avoir conquise au Ve et au VIe s.

Implantés sur le Rhin inférieur (près de Cologne), ils apparaissent dans l'histoire au IIIe s. apr. J.-C., époque à laquelle ils effectuent de nombreux raids de pillage en Gaule. Dès la fin du IIIe s., ils s'infiltrent individuellement dans l'Empire romain, en tant qu'auxiliaires des armées romaines.

L'ensemble des tribus franques, divisées en deux groupes essentiels, Saliens et Ripuaires (ou Francs du Rhin), reconnaît peu à peu, au Ve s., la prépondérance des chefs saliens (⟶ MÉROVINGIENS) qui vont s'implanter en Gaule romaine.

Au Ve s., les Ripuaires occupent l'actuelle Rhénanie; les Saliens, sous la direction de Clodion, s'établissent à Cambrai et en Gaule du Nord jusqu'à la Somme. Sans heurts avec les Romains, ils poursuivent pacifiquement leur pénétration jusqu'à la Loire et se fondent rapidement dans la population gallo-romaine.

Vers 508, Clovis* devient l'unique souverain des Francs Saliens.

FRANC-TIREUR [frɑ̃tirœr] n. m. *(franc,* et *tireur).* **1.** Celui qui mène une action indépendante, sans se soucier des lois ou des usages d'un groupe : *Agir en franc-tireur.* — **2.** Combattant qui ne fait pas partie d'une armée régulière. ‖ *Francs-Tireurs et Partisans (F. T. P.),* pendant la Seconde Guerre mondiale, formations de combat d'orientation communiste, qui jouèrent un rôle important dans la Résistance.

1. FRANGE [frɑ̃ʒ] n. f. (lat. *fimbria*). Bande placée au bord d'une étoffe, garnie de fils retombants et servant à orner des vêtements ou des tentures, des meubles.

2. FRANGE [frɑ̃ʒ] n. f. (même étym.). **1.** Se dit d'une zone située au bord de certaines choses : *Les franges d'interférence* (= bandes alternativement brillantes et obscures, résultant de l'interférence de deux radiations lumineuses). — **2.** Se dit de personnes situées en marge d'un ensemble : *Cette majorité comporte une frange d'indécis.*

3. FRANGE [frɑ̃ʒ] n. f. (même étym.). Cheveux retombant sur le front.

FRANGIPANE [frɑ̃ʒipan] n. f. (du n. de *Frangipani*). Crème épaisse, parfumée aux amandes, dont on garnit certaines tartes et certaines pièces de pâtisserie.

FRANK (Anne), jeune fille allemande (1929-1945). Juive, elle émigra aux Pays-Bas et fut contrainte, à partir de 1942, de se cacher avec sa famille pour échapper aux nazis. Elle tint, jusqu'à son arrestation en 1944, le journal de sa vie d'angoisse. Elle mourut en déportation.

FRANKLIN (Benjamin), philosophe, physicien et homme d'État américain (1706-1790). Il fut envoyé en France pour négocier une alliance (1778) et signa le traité de paix avec l'Angleterre (1783). Il est l'inventeur du paratonnerre et énonça le principe de conservation de l'électricité.

FRANKLIN (*sir* John), explorateur anglais (1786-1847). À partir de 1818, il explora les côtes nord de l'Amérique. Chargé de rechercher le passage du Nord-Ouest dans l'Arctique, il périt au cours de l'expédition.

FRANQUE adj. f. ⟶ FRANC 4.

FRANQUETTE (À LA BONNE) [alabɔnfrɑ̃kɛt] loc. adv. et adj. (de *franc* 3). *Fam.* Sans embarras, sans cérémonie (syn. EN TOUTE SIMPLICITÉ).

FRANQUISME [frɑ̃kism] n. m. (du n. de *Franco*). Système de gouvernement autoritaire instauré en Espagne par le général Franco*. ◆ **franquiste** adj. et n. Relatif au franquisme; partisan de ce régime.

FRAPIÉ (Léon), écrivain français (1863-1949), auteur de *la Maternelle* (1904), roman dans lequel il décrit les enfants dans une école d'un quartier pauvre.

FRAPPANT, E adj. ⟶ FRAPPER 1.

FRAPPE n. f. ⟶ FRAPPER 2 et 3.

FRAPPÉ, E [frape] adj. (de *frapper*). Se dit d'un vin, d'une liqueur qu'on a fait refroidir dans de la glace : *Du champagne frappé.*

1. FRAPPER [frape] v. t. et i. (de l'onomat. *frap-*, marquant un choc violent et rapide). **1.** *Frapper une chose, un être animé,* lui donner un coup ou des coups : *On applaudit en frappant dans ses mains* (syn. fam. TAPER). *Frapper à la porte* (= donner des coups, généralement assez légers, en vue de se faire ouvrir). ‖ *Frapper à toutes les portes,* s'adresser à tous ceux qui pourraient vous aider, tenter tout ce qui est possible. ‖ *Frapper un grand coup,* prendre une décision énergique. — **2.** *Lumière, bruit,* etc., *qui frappe un objet,* qui le rencontre comme obstacle, comme écran. ‖ *Frapper les yeux, le regard, la vue, l'oreille,* s'imposer soudain avec force à la vue ou à l'ouïe. — **3.** *Frapper qq'un, l'esprit de qq'un,* faire une vive impression sur lui, attirer son attention : *J'ai été frappé de leur ressemblance* (= je l'ai constatée avec étonnement). — **4.** (sujet nom désignant généralement une mesure administrative, une sanction, un événement fâcheux) Atteindre, concerner : *Une taxe spéciale frappe les articles de luxe.* ◆ **se frapper** v. pr. **1.** Se donner un coup : *Se frapper la poitrine en signe de repentir* (syn. SE BATTRE). — **2.** *Fam.* S'émouvoir outre mesure : *Un malade qui a tendance à se frapper* (syn. S'INQUIÉTER, SE TOURMENTER, SE TRACASSER). ◆ **frappant, e** adj. Se dit de quelque chose qui produit une vive impression : *La ressemblance entre ces deux frères est frappante* (syn. SAISISSANT). ◆ **frappeur** adj. m. *Esprit frappeur,* esprit qui se manifesterait par des coups sur les meubles quand on l'invoque.

2. FRAPPER [frape] v. t. (même étym.). *Frapper une médaille, une monnaie,* y produire une empreinte. ◆ **frappe** n. f. Opération par laquelle on produit une empreinte sur une pièce de métal.

3. FRAPPER [frape] v. t. et i. (même étym.). Toucher vivement de la main, du doigt : *Dactylo qui frappe sur les touches* (syn. TAPER). ◆ **frappe** n. f. Action, manière de taper à la machine : *Faute de frappe.*

FRAPPEUR adj. m. ⟶ FRAPPER 1.

FRASCATI, v. d'Italie, dans le Latium, sur le versant nord des monts Albains; 15 800 hab. Vins réputés.

FRASQUE [frask] n. f. (it. *frasche,* balivernes). Écart de conduite : *Frasques de jeunesse* (syn. FREDAINE).

FRATERNEL, ELLE [fratɛrnɛl] adj. (du lat. *frater,* frère). **1.** Se dit de relations affectueuses existant entre frères ou entre frères et sœurs. — **2.** Se dit de relations entre des personnes qui se considèrent comme très liées : *Adresser un salut fraternel* (syn. AMICAL). ◆ **fraternellement** adv. : *Vivre fraternellement avec qq'un* (= en bonne entente avec lui). ◆ **fraternité** n. f. Lien de solidarité et d'amitié qui existe entre des hommes; sentiment d'appartenir à une même communauté. ◆ **fraterniser** v. i. Cesser de se traiter en ennemis, se rapprocher, se réconcilier. ◆ **fraternisation** n. f.

FRATRICIDE [fratrisid] adj. et n. (du lat. *frater,* frère, et *caedere,* tuer). **1.** Se dit de quelqu'un qui tue son frère, sa sœur. — **2.** Se dit de ce qui constitue un crime envers ceux qu'on aurait dû considérer comme frères : *Une lutte fratricide.*

FRAUDE [frod] n. f. (lat. *fraus, fraudis*). Acte malhonnête par lequel on cherche à tromper d'autres personnes, en enfreignant un règlement ou en transgressant la loi : *Fraude fiscale* (= celle qui concerne les impôts). ◆ **frauder** v. i. et t. Commettre une fraude. ◆ **fraudeur, euse** n. et adj. Qui se rend coupable de fraude. ◆ **frauduleux, euse** adj. Entaché de fraude : *Trafic frauduleux.* ◆ **frauduleusement** adv. : *Vendre frauduleusement des marchandises.*

1. FRAYER [freje] v. t. (lat. *fricare,* frotter). *Frayer une voie, un passage,* etc., tracer un chemin, permettre un accès. ◆ **se frayer** v. pr. : *Se frayer un passage dans la foule.*

2. FRAYER [freje] v. i. (même étym.) [sujet nom de personne]. *Frayer avec qq'un,* le fréquenter, avoir avec lui des relations d'amitié.

3. FRAYER [freje] v. i. (même étym.) [sujet nom désignant les poissons]. En parlant de la femelle, déposer ses œufs; et, en parlant du mâle, féconder les œufs : *La perche ne fraye qu'à l'âge de trois ans.* ◆ **frai** n. m. Époque, acte et résultat de la reproduction chez les poissons. ◆ **frayère** n. f. Lieu où les poissons fraient.

FRAYEUR [frejœr] n. f. (lat. *fragor,* bruit). Peur violente, causée par le sentiment d'un danger imminent : *Trembler de frayeur* (syn. EFFROI, ÉPOUVANTE, TERREUR).

FREDAINE [frədɛn] n. f. (de l'anc. fr. *fredain,* mauvais). Écart de conduite sans gravité : *Il a fait des fredaines toute sa vie.*

FRÉDÉGONDE, femme de Chilpéric Ier (v. 545-597). Elle fit étrangler Galswinthe, deuxième femme de Chilpéric Ier, roi de Neustrie, et la remplaça. D'autres crimes marquèrent la rivalité de Frédégonde et de Brunehaut, sœur de Galswinthe. Frédégonde gouverna la Neustrie au nom de son jeune fils Clotaire II.

FRÉDÉRIC Ier Barberousse (1122-1190), empereur romain germanique (1152-1190). Il voulut d'abord restaurer l'autorité impériale en Allemagne, puis s'efforça de rétablir les droits de l'Empire en Italie. Ses nombreuses expéditions s'y confondirent avec la lutte contre la papauté dont il voulait limiter le pouvoir au domaine spirituel.

- *1158. Il soumet Milan et la Lombardie.*
- *1162. Il fait raser Milan pour châtier la révolte de la ville.*

Mais les villes d'Italie du Nord unies au sein de la Ligue lombarde (1167) s'allièrent contre lui au pape Alexandre III.

• *1176. L'Empereur est battu par l'infanterie lombarde à Legnano; cependant il arrive à détacher le pape de la Ligue lombarde au traité d'Agnari.*
• *1177. Par la paix de Venise, une trêve de dix ans est conclue avec la Ligue lombarde. Frédéric doit renoncer à son projet de restaurer l'autorité impériale en Italie.*

Dès lors il s'occupa plus particulièrement des affaires allemandes, puis en 1189 prit la tête de la troisième croisade, mais se noya en Cilicie.

FRÉDÉRIC II (1194-1250), roi de Sicile (1197-1250) et empereur germanique (1220-1250). Très cultivé, attiré par la science musulmane, il fut une des personnalités les plus originales de son temps.

• *1226. Il entre en conflit avec la Ligue lombarde lorsqu'il essaye de rétablir l'autorité de l'Empire sur les villes d'Italie du Nord.*

Bien qu'excommunié par le pape Grégoire IX, il partit en 1228 pour la croisade, qu'il mena plus en diplomate qu'en guerrier en négociant la cession de Jérusalem dont il se fit proclamer roi.

• *1237. Malgré sa victoire de Cortenuova sur les Lombards de nouveau révoltés, il ne peut empêcher l'alliance des villes et de la papauté.*
• *1245. Sous la protection de Saint Louis, Innocent IV réunit à Lyon un concile qui dépose l'Empereur.*

À la mort de Frédéric II, malgré ses efforts pour renforcer et réorganiser le pouvoir royal, l'Allemagne et l'Italie étaient abandonnées à l'anarchie. Cependant, l'Empereur avait réussi à faire de la Sicile l'État le plus moderne de son temps.

FRÉDÉRIC III DE STYRIE (1415-1493), roi de Germanie à partir de 1440, empereur germanique (1452-1493). Il perdit la Bohême et la Hongrie.

FRÉDÉRIC Ier (1657-1713), Électeur de Brandebourg, roi de Prusse (1701-1713). Il soutint l'empereur Léopold Ier dans sa lutte contre Louis XIV et obtint en échange le titre de « roi de Prusse » (1700).

FRÉDÉRIC II le Grand ou **l'Unique** (1712-1786), roi de Prusse (1740-1786), fils de Frédéric-Guillaume Ier. Habile homme de guerre et diplomate, grand administrateur, il fonda la grandeur de la Prusse.

• *1740. Il envahit la riche Silésie.*
• *1745. Après une deuxième guerre de Silésie, celle-ci reste acquise à la Prusse par le traité de Dresde.*

Malgré les brillantes victoires de Frédéric à Rossbach et à Leuthen (1757), la guerre de Sept* Ans (1756-1763), où il fut l'allié des Anglais contre les Français, les Russes et les Autrichiens, mena à l'invasion du Brandebourg (1759).

• *1762. La mort de la tsarine Élisabeth lui permet de bénéficier du retrait des Russes.*
• *1763. Par le traité d'Hubertsbourg, qui met fin à la guerre, il conserve la Silésie.*
• *1772. Le premier partage de la Pologne lui rapporte la Prusse polonaise.*
• *1785. Pendant la guerre de la Succession de Bavière, il constitue la Ligue des princes contre l'Autriche.*

En même temps, à l'intérieur, il favorisa le développement économique, notamment l'industrie et le commerce intérieur par la suppression des péages. Il introduisit dans les finances le système de la régie et du monopole et accrut l'effectif de l'armée. Protecteur des arts et des lettres, il attira en Prusse Voltaire et de nombreux savants français. Ses théories du pouvoir politique lui valurent l'appellation de « despote éclairé ».

FRÉDÉRIC, nom de neuf rois de Danemark, parmi lesquels : FRÉDÉRIC III (1609-1670), roi de Danemark et de Norvège (1648-1670), qui fit proclamer la monarchie héréditaire; FRÉDÉRIC VI, roi de Danemark et de Norvège de 1808 à 1814, puis du Danemark seul de 1814 (congrès de Vienne) à 1839; FRÉDÉRIC VII, roi de Danemark de 1848 à 1863, dont la succession ouvrit la question et la guerre des Duchés (1864); FRÉDÉRIC IX, roi du Danemark de 1947 à 1972.

FRÉDÉRIC-AUGUSTE Ier le Juste (1750-1827), Électeur (1753), puis premier roi de Saxe (1806-1827). Fidèle allié de la France sous la Révolution et l'Empire, il dut contre son gré adhérer à la quatrième coalition contre l'Empire. Il fit la paix sitôt après Iéna. Napoléon érigea alors son électorat en royaume et créa pour lui le grand-duché de Varsovie (1807).

FRÉDÉRIC-CHARLES, prince prussien (1828-1885), neveu de l'empereur Guillaume Ier. Général brillant, il participa à la victoire de Sadowa (1866) et aux batailles de France (1870).

FRÉDÉRIC-GUILLAUME (1620-1688), Électeur de Brandebourg (1640-1688) et duc de Prusse (1657-1688), dit *le Grand Électeur.* Il hérita de son père, Georges-Guillaume, un pays dévasté par la guerre de Trente Ans. Après avoir accru ses États aux traités de Westphalie (1648), il en unifia l'administration, institua un gouvernement centralisé et créa des impôts permanents. Il mit sur pied une armée supérieure à toutes celles que possédaient les princes allemands. Pour stimuler la vie économique et repeupler les campagnes il entreprit des travaux d'assèchement et de bonification des terres, et accueillit en particulier 20000 protestants français après la révocation de l'édit de Nantes.

• *1657. Il reçoit du roi de Pologne le titre de « duc souverain » de Prusse.*
• *1675. Malgré une victoire sur les Suédois à Fehrbellin, il ne peut acquérir la Poméranie occidentale.*

À sa mort, il avait cependant accru considérablement l'étendue et la puissance de ses États.

FRÉDÉRIC-GUILLAUME Ier (1688-1740), roi de Prusse (1713-1740), dit *le Roi-Sergent,* fils et successeur de Frédéric Ier.

• *1723. Il unifie l'administration de son royaume et met fin aux dépenses exagérées de son père en instituant un Directoire supérieur des finances, de la guerre et des domaines.*

Il encouragea le peuplement de la partie nord-est de la Prusse orientale, créa de multiples fabriques et améliora le rendement des terres. Il dota la Prusse d'une armée régulière à laquelle il imposa une discipline stricte.

• *1720. Victorieux de la Suède, il acquiert par le traité de Stockholm la Poméranie suédoise et Stettin.*

FRÉDÉRIC-GUILLAUME II (1744-1797), roi de Prusse (1786-1797), neveu et successeur de Frédéric II le Grand. Il prit part aux campagnes de 1792 et 1793 contre la France révolutionnaire.

• *1795. À la paix de Bâle, il doit céder à la France la rive gauche du Rhin.*

Il contribua aux derniers partages de la Pologne, et à l'intérieur restreignit la liberté de penser par l'édit de Religion (1788) et le renforcement de la censure.

FRÉDÉRIC-GUILLAUME III (1770-1840), roi de Prusse (1797-1840), fils et successeur de Frédéric-Guillaume II. Il maintint tout d'abord sa neutralité à l'égard de la France, puis en 1806 entra en guerre contre Napoléon. Battu à Iéna puis à Auerstedt, il vit ses domaines démembrés au traité de Tilsit (1807); il ne les recouvra qu'au traité de Vienne (1815).

FRÉDÉRIC-GUILLAUME IV (1795-1861), roi de Prusse (1840-1861). Il fut contraint en 1848 d'accorder une constitution à la Prusse. Atteint d'aliénation mentale, il céda la régence à son frère Guillaume de Prusse (1857).

FRÉDÉRIC-GUILLAUME, appelé **le Kronprinz** (1882-1951), prince de Prusse, fils de Guillaume II. Partisan du pangermanisme* militariste, il dirigea l'armée allemande pendant la Première Guerre mondiale. Il abdiqua en même temps que son père.

FREDERICTON, v. du Canada, capit. du Nouveau-Brunswick; 22500 hab.

FREDONNER [frədɔne] v. t. et i. (du lat. *fritinnire,* gazouiller). Chantonner à mi-voix, sans ouvrir la bouche : *Fredonner un air.* ◆ **fredonnement** n. m.

FREE JAZZ n. m. → JAZZ.

FREETOWN, capit. de la Sierra Leone ; 316000 hab. Le port, favorisé par le site, est une grande base navale. La ville fut fondée en 1788 pour y établir des esclaves libérés et ramenés d'Amérique.

FREEZER [frizœr] n. m. (mot amér.). Compartiment d'un réfrigérateur dans lequel on met à congeler de l'eau ou certains aliments.

1. FRÉGATE [fregat] n. f. (it. *fregata*). **1.** Autref., bâtiment à voiles de la marine de guerre, à trois mâts. — **2.** Auj., bâtiment d'escorte anti-sous-marin, d'un tonnage supérieur à celui de la corvette. ‖ *Capitaine de frégate,* grade des officiers de la marine nationale correspondant à celui de lieutenant-colonel dans l'armée.

2. FRÉGATE [fregat] n. f. (même étym.). Oiseau à pattes palmées des mers tropicales, à plumage sombre, à bec crochu, à queue fourchue. (Son vol puissant et rapide l'a fait surnommer AIGLE DES MERS.)

FRÉHEL *(cap),* cap de Bretagne (Côtes-d'Armor), à l'E. de la baie de Saint-Brieuc.

FREIN [frɛ̃] n. m. (lat. *frenum*). **1.** Dispositif permettant de ralentir ou d'arrêter un mécanisme, un véhicule en mouvement. → ENCYCL. ‖ *Frein moteur,* action du moteur d'une voiture, qui agit comme frein lorsqu'on ôte le pied de l'accélérateur. — **2.** *Mettre un frein à qqch.,* chercher à l'arrêter, à empêcher sa manifestation ou son développement (littér.) : *Il a mis un frein à ses passions.* ‖ *Ronger son frein,* se dit du cheval qui mâchonne son frein en attendant avec une sorte d'impatience; faire effort pour contenir son impatience, son irritation (sujet nom de personne). ◆ **freiner** [frene] v. i. Faire agir le frein d'un véhicule pour le faire ralentir. ◆ v. t. **1.** *Freiner qq'un,* lui faire obstacle, le modérer. — **2.** *Freiner un mouvement, un sentiment,* etc., en ralentir le cours, en tempérer l'ardeur : *Il a dû freiner ses ambitions.* ◆ **freinage** n. m. **1.** Action des freins sur un véhicule. — **2.** Résultat d'un coup de frein : *Des traces de freinage.*

— ENCYCL. Les *freins* les plus simples sont les *freins à patin* ou à *sabot,* composés d'une pièce de bois ou de métal que l'on serre contre la roue (anciennes voitures hippomobiles). Les *freins à tambour* (automobiles et motocyclettes) se composent d'un plateau fixe supportant des sabots ou des mâchoires articulés de façon à pouvoir s'appliquer à l'intérieur d'un tambour solidaire de la roue. Les *freins à disque,* constitués par un disque parallèle à la roue, sur lequel s'exercent les forces de serrage, sont plus puissants.

FREINET (Célestin), éducateur français (1896-1966). Instituteur, il a mis au point une pédagogie fondée sur les méthodes actives. (→ PÉDAGOGIE.)

FRÉJUS, ch.-l. de cant. du Var, près de la mer, à 3 km à l'O. de Saint-Raphaël; 32 700 hab. La ville fut un port de guerre important de l'Antiquité. Elle garde les ruines d'un théâtre et d'un amphithéâtre romains, ainsi que des vestiges d'un aqueduc et de fortifications.

FRÉJUS *(col de),* col des Alpes, à la frontière franco-italienne, entre la vallée de Maurienne et celle de Bardonnèche; 2 542 m. Tunnel ferroviaire et tunnel routier.

1. FRELATÉ, E adj. → FRELATER.

2. FRELATÉ, E [frəlate] adj. (de *frelater*). Se dit d'une chose impure, où la morale n'est pas respectée, etc. : *Il fréquente une société frelatée* (syn. CORROMPU).

FRELATER [frəlate] v. t. (du néerl. *verlaten,* transvaser). *Frelater un produit,* le falsifier en y mêlant une ou des substances étrangères : *Frelater du vin.* ◆ **frelaté, e** adj. : *Alcool frelaté.*

FRÊLE [frɛl] adj. (lat. *fragilis*) [avant ou après le nom]. Se dit d'une personne ou d'une chose qui semble fragile, qui manque de vitalité : *Une frêle jeune fille* (syn. FIN, FLUET, MINCE). *De frêles espérances* (syn. FRAGILE; contr. SOLIDE).

FRELON [frəlɔ̃] n. m. (frq. *hurslo*). Insecte hyménoptère de grande taille, ressemblant à la guêpe : *La piqûre du frelon est particulièrement douloureuse.*

FRELUQUET [frəlykɛ] n. m. (de l'anc. fr. *freluque,* mèche de cheveux). *Fam.* Se dit d'un homme de petite taille, de peu d'importance; frivole (syn. GODELUREAU, GRINGALET).

FRÉMIR [fremir] v. i. (lat. *fremere*) [sujet nom d'être animé ou de chose]. Être agité par un léger tremblement, sous l'effet d'un agent physique, d'une émotion : *L'eau frémit avant de bouillir. Frémir de peur, d'impatience* (syn. TREMBLER). ◆ **frémissant, e** adj. **1.** Se dit d'un être vivant agité d'un tremblement : *Se sentir frémissant de fièvre* (syn. FRISSONNANT). *Être frémissant de crainte, d'espoir,* etc. (= craindre, espérer, etc., avec une grande tension nerveuse). — **2.** Se dit de quelque chose qui fait entendre un bruit continu, fait de battements, de vibrations, etc. : *Une salle frémissante d'enthousiasme* (syn. VIBRANT). — **3.** Se dit d'un sentiment particulièrement vif : *Avoir une sensibilité frémissante* (syn. À FLEUR DE PEAU). ◆ **frémissement** n. m. : *Le frémissement des ailes d'un insecte* (syn. BRUISSEMENT). *Le frémissement de l'eau* (syn. TREMBLEMENT). *Un frémissement de rage.*

FRÊNE [frɛn] n. m. (lat. *fraxinus*). Arbre forestier à feuilles composées pennées (= disposées de part et d'autre du pétiole), à fruits (ou *samares*) pourvus d'une aile membraneuse. (Son bois dur et élastique, de couleur blanc-jaune, fut autrefois souvent utilisé pour le charronnage, la carrosserie, la tonnellerie, etc.)

FRÉNÉSIE [frenezi] n. f. (bas lat. *phrenesia,* délire frénétique). Degré extrême atteint par une action, par un sentiment; état d'exaltation violent : *Aimer avec frénésie* (syn. ↓ARDEUR). *Jouer aux courses avec frénésie* (syn. ↓PASSION). *La frénésie de ses sentiments* (syn. DÉBORDEMENT, DÉCHAÎNEMENT, FUREUR). ◆ **frénétique** adj. **1.** Se dit d'une passion poussée au point extrême (syn. EXALTÉ, PASSIONNÉ): *Un patriotisme frénétique* (syn. DÉCHAÎNÉ). — **2.** Se dit d'un bruit violent ou très rythmé, dans lequel se reflète un mouvement violent de passion : *Des applaudissements frénétiques* (syn. À TOUT ROMPRE). *Rythme frénétique* (syn. ENDIABLÉ). ◆ **frénétiquement** adv. : *Applaudir frénétiquement.*

FRÉQUENT, E [frekɑ̃, -ɑ̃t] adj. (lat. *frequens, -entis*). Se dit de ce qui apparaît souvent, de ce qui se répète : *Un phénomène fréquent* (syn. CONTINUEL, RÉITÉRÉ; contr. RARE, SPORADIQUE). *Un symptôme fréquent dans une maladie* (syn. COURANT, HABITUEL). *Un usage fréquent* (syn. RÉPANDU). ◆ **fréquemment** adv. : *Il est fréquemment fatigué* (syn. CONSTAMMENT, SOUVENT; contr. PARFOIS, RAREMENT). ◆ **fréquence** n. f. **1.** Caractère d'une chose qui se répète très souvent : *Elle était excédée par la fréquence de ses visites* (syn. MULTIPLICITÉ, NOMBRE). — **2.** Répétition plus ou moins importante d'un phénomène : *Étudier la fréquence des adjectifs dans un texte.* — **3.** Nombre de vibrations par seconde, dans un phénomène périodique (l'unité est le hertz; symb. : Hz). → ENCYCL. ‖ *Modulation de fréquence* → MODULATION.

— ENCYCL. La *fréquence* des sons perçus par l'oreille est comprise entre 16 et 20 000 Hz (la fréquence du *la* du diapason est fixée, en France, à 435 Hz).

En France, la fréquence du courant alternatif industriel est normalisée à 50 Hz, elle l'est à 60 Hz dans les pays anglo-saxons. Les courants de *basse fréquence* (30 à 300 kHz) sont utilisés pour les télécommunications par sons et ultrasons; ceux de *moyenne fréquence* (455 kHz) concernent la radiodiffusion; les *hautes fréquences* (H. F. de 3 à 30 MHz) intéressent les télécommunications; les *très hautes* (V. H. F. de 30 à 300 MHz) et les *ultra-hautes* (U. H. F. de 300 à 3 000 MHz) *fréquences* sont utilisées en télévision.

FRÉQUENTER [frekɑ̃te] v. t. (lat. *frequentare*). **1.** *Fréquenter un lieu,* y aller habituellement. — **2.** *Fréquenter qq'un,* avoir avec lui des relations suivies, le voir souvent : *Il ne fréquente guère ses collègues* (syn. FRAYER AVEC); avoir des relations sentimentales avec lui : *Il fréquente une jeune fille.* ◆ **fréquenté, e** adj. **1.** Se dit d'un endroit où il y a habituellement du monde : *Une rue très fréquentée* (syn. PASSANT). — **2.** *Bien, mal fréquenté,* se dit d'un endroit où vont habituellement des gens dont on a bonne, mauvaise opinion. ◆ **fréquentable** adj. ◆ **fréquentation** n. f. : *La fréquentation des cinémas. Il a de bonnes fréquentations* (syn. CONNAISSANCE, RELATION).

FRÈRE [frɛr] n. m. (lat. *frater*). **1.** Personne du sexe masculin née du même père et de la même mère que quelqu'un, ou de l'un des deux seulement : *Ressembler à qq'un comme un frère* (= lui ressembler beaucoup). *Vivre comme des frères* (syn. FRATERNELLEMENT). — **2.** Se dit de personnes ayant ensemble des liens particuliers : *Frères d'armes* (= compagnons de combat, camarades unis pour une même cause). *Frères ennemis* (= hommes d'un même parti qui ne s'accordent pas, mais ne peuvent se séparer). — **3.** Titre que l'on donne aux membres de certains ordres religieux. ◆ n. m. et adj. Se dit d'une personne (ou d'une chose) qui a des rapports particuliers avec une autre personne (ou une autre chose) : *Tous les hommes sont frères* (syn. SOLIDAIRE). *Les partis frères* (= partis politiques de même idéal). ◆ **frérot** n. m. *Fam.* Petit frère. ◆ **demi-frère** n. m. Frère né du même père ou de la même mère seulement. ‖ Pl. des *demi-frères.* (→ FRATERNEL.)

Frères Karamazov *(les),* roman de Dostoïevski (1879-1880).

FRÉRON (Élie), publiciste et critique français (1718-1776). Ennemi de Voltaire et des philosophes, il fonda *l'Année littéraire.*

FRÉROT n. m. → FRÈRE.

FRESCOBALDI (Girolamo), compositeur italien (1583-1643). Il est l'auteur de très nombreuses œuvres vocales et instrumentales, dont un célèbre recueil de pièces d'orgue : *Fiori musicali* (1635).

FRESNEL (Augustin), physicien français (1788-1827). Inventeur des *miroirs de Fresnel* et d'autres dispositifs produisant des interférences lumineuses, il en a donné la théorie, ainsi que celle de la diffraction. On lui doit aussi les lentilles pour phares (1821).

FRESNES, ch.-l. de cant. du Val-de-Marne, à 7 km au S. de Paris; 25 900 hab. Prison.

FRESNO, v. des États-Unis, dans la Grande Vallée de Californie, au S.-E. de San Francisco; 133 000 hab.

FRESQUE [frɛsk] n. f. (de l'it. *[dipingere a] fresco,* [peindre] sur un enduit frais). **1.** Peinture exécutée avec des couleurs minérales trempées dans de l'eau de chaux, sur une muraille fraîchement enduite. — **2.** *Littér.* Tableau descriptif d'une époque, d'une société : *Balzac a peint, dans une vaste fresque, tous les types humains et sociaux de l'époque de Louis-Philippe.* ◆ **fresquiste** n. Peintre de fresques.

FRET [frɛt] n. m. (anc. néerl. *vrecht,* cargaison). Prix d'un transport de marchandises par air, par mer ou par route. ◆ **fréter** v. t. **1.** *Fréter un véhicule,* le louer. — **2.** *Fréter un navire,* le prendre à fret ou le donner en location. ◆ **affréter** v. t. *Affréter un navire, un avion, un car,* le prendre en location pour un voyage et un temps indéterminés. ◆ **affrètement** n. m. : *Contrat d'affrètement* (= de location). ◆ **affréteur** n. m. : *L'affréteur prend en location l'avion.*

FRÉTILLER [fretije] v. i. (de l'anc. fr. *freter,* frotter). **1.** (sujet nom d'être animé) Se remuer, s'agiter par des mouvements vifs et courts : *Le chien frétille de la queue.* — **2.** (sujet nom de personne) S'agiter sous l'effet d'un sentiment : *Il frétille de joie* (syn. SE TRÉMOUSSER). ◆ **frétillant, e** adj.

1. FRETIN [frətɛ̃] n. m. (de l'anc. fr. *fret,* menus débris). Petits poissons que l'on rejette habituellement à l'eau.

2. FRETIN [frətɛ̃] n. m. (de *fretin* 1). *Menu fretin*, objets sans valeur; personnes dont on fait peu de cas.

FREUD (Sigmund), neurologiste et psychiatre autrichien (1856-1939), fondateur de la psychanalyse.

- *1885. Il fait un séjour en France où, auprès de Charcot, il étudie l'hystérie.*
- *1886. Il s'établit comme médecin à Vienne.*
- *1895-1897. Il travaille avec Breuer.*

Avec lui il traite certaines maladies d'origine psychique, en particulier les hystéries*, en interrogeant sur leur passé mental des patientes mises en état de sommeil hypnotique.
Il découvre ainsi que ces maladies prennent leur source dans des événements émotionnels appartenant à ce passé et qui ont été rejetés dans l'inconscient*. Freud tient dès lors la base de sa théorie de la psychanalyse*. Abandonnant peu à peu la méthode hypnotique, procédé trop incertain, il adopte la technique qui consiste à laisser parler le patient par associations d'idées afin de ramener à la conscience des sentiments obscurs ou refoulés.
Freud a développé sa doctrine dans de nombreux ouvrages : *Études sur l'hystérie* avec Breuer (1895), *la Science des rêves* (1900) où il présente le rêve comme la manifestation inconsciente d'un désir profond refoulé, *Trois Essais sur la théorie de la sexualité* (1905), *Introduction à la psychanalyse* (1916) où il expose sa théorie générale. (→ PSYCHANALYSE.)

FREUX [frø] n. m. (frq. *hrôk*, corneille). Variété de corbeau au plumage noir, caractérisé par la base du bec dénudée et blanchâtre. (Famille des corvidés.)

FREYMING-MERLEBACH, ch.-l. de cant. de la Moselle, dans le bassin houiller, à 9 km au S.-O. de Forbach; 16 200 hab.

FREYSSINET (Eugène), ingénieur français (1879-1962). Spécialiste de la construction des ponts en béton armé, il perfectionna la technique de la « précontrainte » du béton.

FRIA, localité de Guinée, près du Konkouré. Importante usine d'alumine.

FRIABLE [frijabl] adj. (lat. *friabilis*). Se dit d'une chose susceptible d'être facilement réduite en poussière, en poudre : *Roche friable* (syn. TENDRE). ◆ **friabilité** n. f. : *La friabilité d'une roche.*

FRIAND, E [frijɑ̃, -ɑ̃d] adj. (de *friant*, anc. part. prés. de *frire*). *Friand de qqch.*, se dit d'une personne ou d'un animal qui recherche avidement cette chose : *L'ours est friand de miel* (syn. AMATEUR DE). *Être friand de compliments* (syn. ↑AVIDE). ◆ n. m. Pâté fait d'un feuilleté garni d'un hachis. ◆ **friandise** n. f. Chose délicate à manger; bonbons, sucreries.

FRIBOURG, v. de Suisse, ch.-l. du cant. de ce nom, dans un méandre de la Sarine; 42 400 hab.

FRIBOURG-EN-BRISGAU, en all. **Freiburg im Breisgau,** v. d'Allemagne (Bade-Wurtemberg), au pied de la Forêt-Noire; 178 000 hab. Université. Cathédrale.

FRIC [frik] n. m. (de *fricot*, bombance). *Pop.* Argent.

FRICANDEAU [frikɑ̃do] n. m. (de *frire*, et *casser*). Tranche de veau piquée de menus morceaux de lard.

FRICASSÉE [frikase] n. f. (de *frire*, et *casser*). Ragoût de viande coupée en morceaux.

FRICATIF, IVE [frikatif, -iv] adj. et n. f. (du lat. *fricare*, frotter). Se dit des consonnes dont la prononciation se caractérise par un frottement de l'air expiré contre les lèvres et les dents *(f, v, s, z, ch, j)*.

FRICHE [friʃ] n. f. (anc. néerl. *versch*, frais). Étendue de terrain non cultivée. — LOC. ADV. et ADJ. *En friche*, se dit d'une chose dont on ne s'est pas occupé depuis longtemps, dont les possibilités ou les richesses n'ont pas été développées (syn. INCULTE). ◆ **défricher** v. t. **1.** *Défricher un terrain*, le rendre propre à la culture, alors qu'il était en friche. — **2.** *Défricher une question, une étude*, en aborder les points essentiels, sans les traiter à fond (syn. DÉGROSSIR). ◆ **défrichement** n. m. : *Le défrichement d'une lande. Défrichement d'un sujet.* ◆ **défricheur, euse** n. ◆ **indéfrichable** adj. Qui ne peut être défriché.

1. FRICOTER [frikɔte] v. t. (de *fricot*, bombance). *Fam.* Accommoder en ragoût, cuisiner : *Fricoter un lapin.* ◆ **fricot** n. m. *Fam.* Mets, plat cuisiné.

2. FRICOTER [frikɔte] v. t. et i. (même étym.). *Fam.* Manigancer une affaire louche (syn. TRAMER).

1. FRICTION [friksjɔ̃] n. f. (du lat. *fricare*, frotter). **1.** Frottement vigoureux que l'on fait subir à une partie de son corps. — **2.** Nettoyage du cuir chevelu avec une lotion : *Une friction à l'eau de Cologne.* ◆ **frictionner** v. t. ◆ **se frictionner** v. pr. : *Se frictionner les jambes* (syn. SE FROTTER, SE MASSER).

2. FRICTION [friksjɔ̃] n. f. (même étym.). Résistance que présentent deux surfaces en contact à un mouvement relatif de l'une par rapport à l'autre : *Les phénomènes de friction sont surtout utilisés dans les embrayages.*

3. FRICTION [friksjɔ̃] n. f. (même étym.). **1.** Désaccord entre personnes : *Tout était devenu cause de friction entre les époux* (syn. ACCROCHAGE, HEURT, QUERELLE). — **2.** *Point de friction*, sujet sur lequel l'entente est impossible, d'où naît la querelle (syn. POINT LITIGIEUX).

FRIEDLAND, auj. **Pravdinsk,** v. de Prusse (auj. en U. R. S. S., région de Kaliningrad).

- *14 juin 1807. Victoire de Napoléon sur les Russes.*

FRIEDRICHSHAFEN, v. d'Allemagne (Bade-Wurtemberg), sur le lac de Constance; 51 000 hab. Anc. base d'essais des dirigeables Zeppelin.

FRIESZ (Othon), peintre français (1879-1949). Un des initiateurs du fauvisme, il pratiqua ensuite un art caractérisé par la sobriété des couleurs et la maîtrise du dessin.

FRIGIDAIRE [friʒidɛr] n. m. (du lat. *frigidarium*, glaciaire). Nom déposé d'une marque de réfrigérateur.

FRIGIDE [friʒid] adj. (lat. *frigidus*, froid). Se dit d'une femme incapable d'éprouver du plaisir sexuel. ◆ **frigidité** n. f.

FRIGO n. m. → FRIGORIFIER.

FRIGORIFIER [frigɔrifje] v. t. (du lat. *frigus, -oris*, froid, et *facere*, faire). **1.** *Frigorifier un produit*, le soumettre au froid pour le conserver. — **2.** Fam. *Frigorifier qq'un*, lui faire éprouver une forte gêne, l'intimider. ◆ **frigorifié, e** adj. **1.** Se dit d'une chose conservée par le froid : *Viande frigorifiée.* (Les viandes frigorifiées sont soit simplement réfrigérées de 0 à + 4 °C, soit congelées, jusqu'à — 20 °C, et se présentent sous forme de blocs durs, qu'il faut dégeler lentement avant de les livrer à la consommation.) — **2.** Se dit d'une personne qui éprouve une invincible sensation de froid : *Être frigorifié* (syn. GELÉ, GLACÉ). — **3.** Se dit d'une personne qui se sent très intimidée. ◆ **frigorifique** adj. Se dit d'une substance qui produit le froid, ou d'un objet dans lequel règne un froid artificiel : *Armoire frigorifique* (syn. RÉFRIGÉRATEUR). ◆ n. m. Appareil frigorifique. ◆ **frigo** n. m. *Fam.* Réfrigérateur.

FRILEUX, EUSE [frilø, -øz] adj. (du lat. *frigus, -oris*, froid). Se dit d'un être animé sensible au froid. ◆ **frileusement** adv. : *Il ramena frileusement la couverture sur lui.*

FRIMAIRE [frimɛr] n. m. (de *frimas*). → CALENDRIER* RÉPUBLICAIN.

FRIMAS [frimɑ] n. m. (du frq. *hrîm*, givre). Brouillard froid et épais, qui se glace en tombant (littér.).

FRIME [frim] n. f. (de l'anc. fr. *frume*, mine). Fam. *C'est de la frime*, se dit d'une chose mensongère, faite pour duper (contr. C'EST DU SÉRIEUX). ‖ Fam. *Pour la frime*, en apparence seulement.

FRIMOUSSE [frimus] n. f. (de *frime*). *Fam.* Figure d'un enfant ou d'une jeune fille : *Une jolie frimousse* (syn. MINOIS).

FRINGALE [frɛ̃gal] n. f. (de *faim-valle*, grande faim). **1.** *Fam.* Faim subite et pressante. — **2.** Fam. *Une fringale de qqch.*, un désir ardent de cette chose : *Une fringale de lecture* (syn. ENVIE).

FRINGANT, E [frɛ̃gɑ̃, -ɑ̃t] adj. (de *fringuer*, faire l'élégant). **1.** Se dit d'une personne d'allure vive, de mise élégante et de belle humeur (littér.) : *Un vieillard encore fringant pour son âge* (syn. ALERTE, GUILLERET, SÉMILLANT). — **2.** *Cheval fringant*, cheval plein de vigueur, qui gambade et s'agite.

FRINGILLIDÉS [frɛ̃ʒilide] n. m. pl. (du lat. *fringilla*, pinson). Famille d'oiseaux passereaux comprenant le *passereau*, le *chardonneret*, le *bouvreuil*, le *moineau*, le *serin*.

FRIOUL, pays de l'anc. Vénétie, soumis en grande partie à l'Autriche jusqu'en 1919, puis devenu italien. V. pr. *Udine.* Avec la Vénétie Julienne, il forme depuis 1963 une région autonome, comprenant les provinces de Gorizia, Trieste, Udine et Pordenone (créée en 1968); 1 213 500 hab.

FRIPER [fripe] v. t. (de l'anc. fr. *freper*). *Friper un tissu*, le chiffonner, le froisser. ◆ **fripé, e** adj. Se dit d'une étoffe couverte de plis : *Une robe fripée* (syn. FROISSÉ). ◆ **défriper** v. t. Remettre en état ce qui était fripé.

FRIPIER, ÈRE [fripje, -ɛr] n. (de l'anc. fr. *frepe*, chiffon). Personne qui revend d'occasion des vêtements, du linge, etc. ◆ **friperie** n. f. Vieux habits; commerce qu'on en fait.

FRIPON, ONNE [fripɔ̃, -ɔn] n. et adj. (de *friper*). **1.** Qui trompe adroitement; fourbe, voleur (sens vieilli). — **2.** Enfant ou jeune fille à la mine rieuse et éveillée : *Fripon d'enfant* (syn. COQUIN,

ESPIÈGLE, MALICIEUX). ◆ adj. Qui dénote de la malice : *Un regard fripon.* ◆ **friponnerie** n. f. : *Rire de la friponnerie d'un enfant* (syn. ESPIÈGLERIE, MALICE).

FRIPOUILLE [fripuj] n. f. (de *friper*). Personne sans scrupule, d'une grande malhonnêteté (syn. CANAILLE, CRAPULE).

FRIRE [frir] v. t. (lat. *frigere*, rôtir). [Conj. **83.**] Faire cuire dans une poêle ou dans une bassine, avec un corps gras bouillant : *Frire des poissons dans l'huile.* ◆ v. i. Subir la cuisson dans un corps gras. ◆ **frit, e** adj. Se dit d'un aliment cuit dans la friture : *Poisson frit.* ◆ **frite** n. f. Pomme de terre frite. ◆ **friterie** n. f. Établissement ambulant, dans lequel on fait et vend des frites. ◆ **friteuse** n. f. Appareil permettant de faire cuire un aliment dans un bain de friture. ◆ **friture** n. f. **1.** Huile ou graisse fondue et bouillante dans laquelle cuisent les aliments à frire. — **2.** Poisson frit : *Une friture de goujons.*

FRISANT, E adj. ⟶ FRISER 2.

FRISCH (Max), écrivain suisse de langue allemande (1911-1991). Son œuvre (romans et pièces de théâtre) est une constante, amère et cinglante critique de toute forme de traditionalisme (= habitudes et idées toutes faites), autosatisfaction et bonne conscience (*Biedermann et les incendiaires,* 1958).

FRISE [friz] n. f. (bas lat. *frisium*, broderie, frange). Décoration de forme allongée, en relief, dans une pièce, une salle, etc. : *Frise d'un balcon, d'un escalier* (= sorte de panneau long et étroit, qui est placé à hauteur d'appui). *Frise de théâtre* (= rideau étroit, fixé au cintre, qui traverse toute la longueur de la scène et vient en décorer les deux côtés).

FRISE, en néerl. **Friesland,** province du nord des Pays-Bas; 547 200 hab. Ch.-l. *Leeuwarden.* Région plate aux sols médiocres, la Frise est constituée en majeure partie de polders ceinturés de digues et sillonnés de canaux. Les prairies naturelles alimentent vaches laitières et chevaux, tandis que du sous-sol on extrait tourbe et pétrole.

1. FRISER [frize] v. t. (orig. incert.). **1.** *Friser des cheveux*, les mettre en boucles. — **2.** *Friser qq'un*, faire boucler ses cheveux. ◆ v. i. **1.** *Cheveux, poils qui frisent*, qui forment des boucles. — **2.** *Personne, animal qui frise*, dont les cheveux, les poils forment des boucles. ◆ **frisé, e** adj. **1.** *Cheveux frisés*, qui forment des boucles. — **2.** Se dit d'une personne dont les cheveux frisent : *Enfant tout frisé.* — **3.** Se dit d'un animal dont les poils frisent : *Un toutou frisé.* — **4.** Se dit de certaines plantes dont les feuilles sont crêpées : *Chicorée frisée.* ◆ **frisette** n. f. Petite boucle de cheveux frisés. ◆ **frisotter** v. t. Friser légèrement. ◆ v. i. Friser à petites boucles : *Ses cheveux frisottaient autour de son col.* ◆ **frisure** n. f. Façon de friser; cheveux frisés. ◆ **défriser** v. t. Défaire la frisure de : *La pluie avait défrisé sa coiffure.* ◆ **indéfrisable** n. f. Ondulation durable donnée aux cheveux par un coiffeur.

2. FRISER [frize] v. t. (de *friser* 1). **1.** Passer près de quelque chose en le touchant à peine : *Une balle qui frise le filet.* — **2.** Être tout près de : *Friser la mort* (syn. FRÔLER). — **3.** *Friser (la quarantaine)*, avoir bientôt (quarante ans). ◆ **frisant, e** adj. Se dit de la lumière du jour qui frappe de biais un obstacle (syn. RASANT).

FRISQUET, ETTE [friskɛ, -ɛt] adj. (flamand *frisch*). *Fam.* Légèrement froid, en parlant du temps, de l'atmosphère.

FRISSON [frisɔ̃] n. m. (bas lat. *frictionem*). Petit tremblement involontaire, dû à une cause physique ou morale : *Frisson de fièvre. Un frisson de peur* (syn. FRÉMISSEMENT). *Cette brusque vision lui donna un frisson* (syn. ↑HAUT-LE-CORPS, ↑SURSAUT). *Cette lecture donne le frisson* (= impressionne profondément, effraie). ◆ **frissonner** v. i. **1.** Être agité de frissons : *Des roseaux qui frissonnent sous le vent.* — **2.** Être saisi d'une émotion qui produit un léger tremblement : *Il frissonne de crainte.* ◆ **frissonnement** n. m. : *Entendre le frissonnement des feuilles* (syn. BRUISSEMENT). *Frissonnement de crainte* (syn. ↓FRISSON).

FRISURE n. f. ⟶ FRISER 1.

FRIT, E adj., **FRITE** n. f., **FRITERIE** n. f., **FRITEUSE** n. f. ⟶ FRIRE.

FRITTAGE [fritaʒ] n. m. (de *frire*). Traitement par compression, à froid ou à chaud, de produits en poudre, pour leur donner une cohésion et une rigidité suffisantes.

1. FRITURE n. f. ⟶ FRIRE.

2. FRITURE [frityr] n. f. (du lat. *frigere*, frire). *Fam.* Bruit parasite dans un appareil de radio, un téléphone, etc.

FRIVOLE [frivɔl] adj. (lat. *frivolus*, de peu de prix). **1.** Se dit d'une chose sans importance, légère ou uniquement divertissante : *Une lecture frivole* (syn. FUTILE, LÉGER; contr. GRAVE, SÉRIEUX). — **2.** Se dit d'une personne (ou de son comportement) qui a du goût pour les choses superficielles, futiles : *Un jeune homme frivole* (syn. INSOUCIANT, LÉGER; contr. SÉRIEUX). ◆ **frivolité** n. f. : *La frivolité d'une lecture. La frivolité de cet homme dépasse les bornes* (contr. PONDÉRATION).

FROBERGER (Johann Jakob), compositeur et organiste allemand (1616-1667). Auteur de pièces pour orgues et pour clavecin.

FROC [frɔk] n. m. (frq. *hrokk*, habit). **1.** Partie de l'habit des moines qui couvre la tête et tombe sur les épaules. — **2.** *Jeter le froc aux orties*, renoncer à la vie religieuse. ◆ **défroquer (se)** v. pr. Quitter l'état ecclésiastique ou monastique. ◆ **défroqué, e** adj. et n. Qui a abandonné l'état ecclésiastique ou monastique.

FRŒSCHWILLER, comm. du Bas-Rhin, à 17 km au N. d'Haguenau.

• *6 août 1870. Mac-Mahon est battu par le prince royal de Prusse.*

La défaite de Frœschwiller, marquée pourtant par la célèbre charge des cuirassiers de Reichshoffen, entraîna la perte de l'Alsace.

1. FROID, E [frwa, -ad] adj. (lat. *frigidus*). **1.** Se dit d'un objet, d'une matière qui est à basse température, ou à une température qui paraît plus basse que celle du corps humain : *Eau froide.* — **2.** Se dit d'un local, d'un milieu, d'une région où la température ambiante est basse : *Une maison froide. Climat froid.* — **3.** Qui n'est plus chaud, qui s'est refroidi : *La soupe est froide. De la viande froide* (= viande cuite et refroidie). *Un moteur froid démarre difficilement* (= qui ne s'est pas encore échauffé en tournant). — **4.** *Animaux à sang froid*, dont la température n'est pas constante et varie avec celle du milieu. — **5.** *Sueur froide*, sudation provoquée par une forte émotion, et dont la sensation est glaciale. — LOC. ADV. *À froid*, se dit de certaines techniques qui ne font pas intervenir le chauffage du matériau, de la machine, etc. : *Laminer à froid* (contr. À CHAUD). ‖ *Démarrage à froid*, démarrage d'une voiture quand le moteur est froid. ‖ *Opérer à froid*, faire une opération chirurgicale quand l'inflammation a disparu; agir quand les passions sont calmées. ◆ n. m. **1.** État d'un objet, et spécialement de l'atmosphère ambiante, caractérisé par une température basse, ou plus basse que celle du corps humain : *Froid rigoureux.* — **2.** Ensemble des techniques de la réfrigération. ⟶ ENCYCL. — **3.** *Avoir froid*, éprouver une sensation de froid générale dans le corps. ‖ *Ne pas avoir froid aux yeux*, avoir de la hardiesse, du courage, ou être effronté. ‖ *Cela donne froid dans le dos*, cela procure une sensation physique de peur. ‖ *Prendre froid*, avoir un refroidissement, une indisposition provoquée par le froid. ◆ **froidure** n. f. Froid de l'hiver (littér.). [⟶ REFROIDIR.]

— ENCYCL. La production du *froid artificiel* est obtenue aisément à une température voisine de 0 °C à l'aide de glace. Les températures plus basses sont atteintes grâce aux mélanges réfrigérants et par l'évaporation d'un produit liquide. L'industrie du froid a une grande importance pour la conservation des denrées agricoles et alimentaires, ainsi que pour celle des produits pharmaceutiques. Elle permet de congeler le sol pour certains travaux publics en évitant des éboulements. En médecine, enfin, elle permet de réaliser l'hibernation* artificielle.

2. FROID, E [frwa, -ad] adj. (même étym.). **1.** Se dit d'une personne (ou de son comportement) qui donne une impression d'indifférence, d'impassibilité ou d'insensibilité : *Les menaces le laissent froid* (syn. IMPERTURBABLE, INDIFFÉRENT; contr. IMPRESSIONNABLE). *Avoir un abord froid* (syn. DISTANT, GLACIAL; contr. CHALEUREUX, SYMPATHIQUE). *Une colère froide* (= qui n'explose pas, qui se contient). — **2.** *Battre froid à qq'un*, lui manifester ostensiblement de la réserve, de la froideur. ‖ *Guerre froide* ⟶ GUERRE. ◆ n. m. **1.** Absence de sympathie, relâchement dans les liens d'amitié (emploi restreint) : *Il y a un froid entre eux deux.* — **2.** *Être en froid avec qq'un*, ne plus avoir avec lui de relations amicales (syn. ÊTRE EN MAUVAIS TERMES AVEC). ‖ *Jeter un froid*, se dit d'un acte, d'une parole qui fait naître un malaise, un sentiment de gêne. ◆ **froidement** adv. **1.** Sans empressement, sans manifester d'enthousiasme : *Accueillir froidement qq'un* (syn. AVEC INDIFFÉRENCE, FRAÎCHEMENT; contr. CHALEUREUSEMENT). — **2.** En gardant la tête lucide : *Écouter froidement* (syn. CALMEMENT; contr. PASSIONNÉMENT). — **3.** Sans aucun scrupule : *Il a tiré froidement sur lui.* ◆ **froideur** n. f. Absence de sensibilité, indifférence ostensible, etc. : *La froideur de son tempérament* (syn. FLEGME; contr. ARDEUR, CHALEUR). *Accueil plein de froideur* (syn. RÉSERVE; contr. CHALEUR, SYMPATHIE). [⟶ REFROIDIR.]

FROIDEMENT adv., **FROIDEUR** n. f. ⟶ FROID 2.

FROIDURE n. f. ⟶ FROID 1.

FROISSART (Jean), chroniqueur français (1333 ou 1337-apr. 1400). Il vécut dans l'atmosphère des cours d'Angleterre, de France et de Bourgogne, et voyagea à travers toute l'Europe. Ses *Chroniques* offrent une peinture vivante du monde féodal.

1. FROISSER [frwase] v. t. (bas lat. *frustiare*, briser). **1.** *Froisser qqch.*, lui faire prendre de faux plis, le chiffonner. — **2.** *Froisser un muscle, le poignet*, etc., *à qq'un*, lui causer une meurtrissure, une entorse. ◆ ***se froisser*** v. pr. : *Ce tissu se froisse facilement.* ◆ **froissement** n. m. : *Froissement d'une étoffe, d'un muscle.* ◆ **défroisser** v. t. Remettre en état ce qui était froissé. ◆ ***se défroisser*** v. pr. : *Le rideau s'est un peu défroissé.* ◆ **infroissable** adj. Qui ne peut se froisser, se chiffonner : *Un tissu infroissable.*

2. FROISSER [frwase] v. t. (même étym.). *Froisser qq'un,* le blesser moralement, l'offenser en lui manquant de respect (syn. HEURTER, OFFUSQUER). ◆ ***se froisser*** v. pr. : *Il s'est froissé de cette remarque* (syn. ↓SE PIQUER). ◆ **froissement** n. m. : *Un froissement d'amour-propre* (= vexation).

FRÔLER [frole] v. t. (formé sur les consonnes *f, r, l,* qui évoquent un bourdonnement). **1.** Toucher légèrement en passant : *La balle a frôlé le filet* (syn. EFFLEURER). — **2.** Passer très près de quelque chose ou de quelqu'un, sans le toucher : *Frôler les murs* (syn. RASER). — **3.** *Frôler la mort, le ridicule,* y être grandement exposé (syn. FRISER). ◆ ***se frôler*** v. pr. : *Les deux voitures se sont frôlées.* ◆ **frôlement** n. m.

1. FROMAGE [frɔmaʒ] n. m. (bas lat. *formaticus*). **1.** Aliment obtenu par la fermentation du caillé, après coagulation du lait. ‖ *Fromage blanc,* fromage qui se fabrique avec le lait entier présuré, et se consomme frais. — **2.** Fam. *Entre la poire et le fromage,* à la fin du repas, lorsque la gaieté et la liberté sont plus grandes. ◆ **fromager, ère** adj. : *La production fromagère.* ◆ n. Personne qui fabrique le fromage. ◆ **fromagerie** n. f. Endroit où l'on fait, où l'on garde, où l'on vend du fromage.

2. FROMAGE [frɔmaʒ] n. m. (même étym.). *Fromage de tête,* masse gélatineuse obtenue par moulage et refroidissement de certains morceaux de tête de porc salés, additionnés de gelée.

1. FROMAGER, ÈRE adj. et n. → FROMAGE 1.

2. FROMAGER [frɔmaʒe] n. m. (de *fromage*). Très grand arbre d'Afrique, à bois tendre et blanc, dont les fruits fournissent un kapok. (Famille des malvacées.)

FROMAGERIE n. f. → FROMAGE 1.

FROMENT [frɔmɑ̃] n. m. (lat. *frumentum*). Syn. de BLÉ (techn. ou littér.) : *La farine de froment.*

FROMENT (Nicolas), peintre français (v. 1435-1484). À Avignon, au service du roi René, il exécuta le triptyque du *Buisson ardent.*

FROMENTIN (Eugène), peintre et écrivain français (1820-1876). Il voyagea en Algérie et en Égypte, peignant des paysages et des scènes observés sur le vif, dans un style minutieux. Il publia aussi des récits colorés de ses voyages sahariens et ressuscita le monde mélancolique de sa jeunesse dans son unique roman, *Dominique* (1863), un des chefs-d'œuvre du récit psychologique.

FROMENTINE *(goulet de),* passage compris entre Noirmoutier et la côte; 700 m de large. Il est auj. franchi par un pont.

FRONCE n. f. → FRONCER 1.

FRONCEMENT n. m. → FRONCER 2.

1. FRONCER [frɔ̃se] v. t. (du frq. *hrunkja,* ride). *Froncer un tissu,* y faire des plis, des fronces. ◆ **fronce** n. f. Petite ondulation de l'étoffe, obtenue par le resserrement d'un fil coulissé. ◆ **défroncer** v. t. : *Défroncer une jupe* (= en défaire les fronces).

2. FRONCER [frɔ̃se] v. t. (de *froncer* 1). *Froncer les sourcils,* se rider le front verticalement, en rapprochant légèrement les sourcils. ‖ *Froncer le nez,* le rider en le contractant. ◆ **froncement** n. m. : *Un froncement de sourcils.* ◆ **défroncer** v. t.

FRONDAISON [frɔ̃dɛzɔ̃] n. f. (du lat. *frons, -ondis,* feuillage). **1.** Époque où paraît le feuillage (littér.). — **2.** Feuillage (littér.).

1. FRONDE n. f. → FRONDER.

2. FRONDE [frɔ̃d] n. f. (lat. *funda*). **1.** Arme de jet, constituée par une pièce souple centrale attachée à deux lanières, que l'on faisait tournoyer pour lancer un projectile. — **2.** Lance-pierres, fait d'élastiques montés sur une petite fourche.

Fronde (la), révolte qui unit le parlement, le peuple de Paris et les princes contre Mazarin pendant la minorité de Louis XIV, de 1648 à 1652, et qui s'étendit de Paris aux provinces.

Réaction contre l'absolutisme royal, à un moment où le gouvernement se trouvait affaibli, elle eut pour cause immédiate l'impopularité de Mazarin et ses exigences financières, et se déroula en deux phases. La *Fronde parlementaire* (1648-1649) fut déclenchée par la résistance des cours souveraines (= parlements) contre la toute-puissance du pouvoir royal (Déclaration des vingt-sept articles). L'arrestation, par Mazarin, de plusieurs magistrats (dont Broussel) provoqua la révolte des Parisiens (journée des Barricades), suivie du départ de la Cour pour Saint-Germain. La révolte, brisée par Condé, s'acheva par la paix de Rueil, puis reprit avec la *Fronde des princes.* Ceux-ci, qui avaient d'abord soutenu la monarchie, profitèrent de cette période de troubles pour tenter d'étendre leurs pouvoirs. Avec l'appui secret de l'Espagne, Condé et Gondi engagèrent une véritable campagne contre les troupes royales (batailles de Bléneau, du faubourg Saint-Antoine). Mais la bourgeoisie leur retira son appui et leur tentative échoua. Le roi put rentrer à Paris en octobre 1652.

Véritable guerre civile, la Fronde laissa le pays dans une grande misère et contribua finalement à renforcer le pouvoir royal.

FRONDER [frɔ̃de] v. t. (de *fronde* 2). Critiquer, railler une personne ou une chose généralement entourée de respect : *Fronder les usages établis* (syn. DÉFIER). ◆ **frondeur, euse** adj. et n. Se dit d'une personne ou d'un comportement caractérisés par le goût de la critique, de la raillerie : *Un esprit frondeur* (syn. MOQUEUR). ◆ **fronde** n. f. *Esprit de fronde, vent de fronde,* état d'esprit, courant d'idées qui tend à critiquer quelque chose ou quelqu'un, à s'en désolidariser, etc., mais sans rompre avec lui.

FRONSAC, ch.-l. de cant. de la Gironde, à 2,5 km à l'O. de Libourne, sur la Dordogne; 1 200 hab. Vins réputés.

1. FRONT [frɔ̃] n. m. (lat. *frons, frontis*). **1.** Région antérieure du crâne, allant de la naissance des cheveux jusqu'aux sourcils : *Avoir le front brûlant de fièvre.* — **2.** *Avoir le front de faire qqch.* avoir l'impudence, l'insolence de faire cette chose. ◆ **frontal, e, aux** adj. Qui a rapport au front. ‖ *Os frontal,* os impair médian et symétrique, situé à la partie antérieure du front.

2. FRONT [frɔ̃] n. m. (même étym.). **1.** Ligne des positions occupées, face à l'ennemi, par les forces militaires d'un pays en guerre (par oppos. à l'ARRIÈRE). — **2.** La zone des combats tout entière : *Aller au front.* — **3.** Face antérieure de certaines choses : *Le front d'un bâtiment. Front de mer* (= bande de terrain qui fait face à la mer). ‖ *Faire front à qqch., à qq'un,* se présenter de face par rapport à lui : *Il tourna sa chaise et fit front à son voisin* (syn. FAIRE FACE); résister ouvertement et courageusement : *Faire front à ses ennemis* (syn. RÉSISTER, TENIR BON). — **4.** *Météorol.* Surface de discontinuité entre des masses d'air différentes par leur température et par leur degré d'humidité. — **5.** *Front pionnier,* nom donné, dans les pays où la mise en valeur n'est que partielle, à la zone qui sépare les régions non encore défrichées des régions anciennement exploitées. ‖ *Front de taille,* dans une mine, surface où l'on abat le charbon, le minerai. — **6.** Avec certains qualificatifs, se dit de la coalition de partis politiques sur un programme minimal commun : *Le front socialo-communiste.* ‖ *Faire, offrir un front commun contre qqch.* ou *contre qq'un,* unir ses forces contre un adversaire commun. — LOC. ADV. *De front,* du côté face, par devant : *Les deux voitures se sont heurtées de front;* ouvertement et résolument : *Attaquer qq'un de front;* carrément, sans biaiser : *Aborder de front un problème;* se dit de choses ou de personnes qui sont placées sur une même ligne, sur un même plan : *Rouler de front;* simultanément : *Mener de front plusieurs tâches.*

Front de libération nationale ou **F. L. N.,** mouvement nationaliste algérien, constitué en 1954. Élément le plus actif de l'insurrection algérienne pendant la guerre d'Algérie (1954-1962), il est resté pendant longtemps la principale formation politique de l'Algérie indépendante. Mais, après avoir perdu dans la Constitution de 1989 le statut de parti unique, il voit son autorité s'effriter, notamment face à la montée des mouvements intégristes islamiques, et doit abandonner le pouvoir en 1992.

Front national de libération du Viêt-nam du Sud ou **F. N. L.,** organisme créé en 1960 au Viêt-nam du Sud pour combattre le gouvernement de Saigon et lutter contre l'intervention américaine au Viêt-nam.

Front populaire, nom donné à la coalition des partis de gauche qui détint le pouvoir en France de 1936 à 1938. Les manifestations de la droite, le 6 février 1934, facilitèrent le regroupement des partis de gauche (communistes, socialistes, radicaux) en vue de la lutte contre le fascisme. Lors des élections législatives de mai 1936, la gauche, unie sur le slogan : « Le pain, la paix, la liberté », remporta une large victoire. Un ministère à direction socialiste, présidé par Léon Blum, fut alors constitué. Les radicaux y participèrent et il reçut le soutien des communistes.

Dans une atmosphère d'agitation populaire et de grève générale, le gouvernement réalisa d'importantes réformes sociales connues sous le nom d'*accords Matignon* (7-8 juin 1936) : augmentation des salaires, institution de la semaine de 40 heures, des congés payés, instauration de délégations ouvrières auprès de la direction des entreprises.

Mais l'union de la gauche, menacée par l'opposition croissante du patronat, ne dura pas longtemps. Les troubles sociaux persistèrent en France, tandis que les communistes exprimaient leur désaccord avec le gouvernement à propos de la guerre d'Espagne. Pour résoudre les difficultés financières croissantes, Léon Blum demanda les pleins pouvoirs. Le Sénat s'y opposa et le cabinet socialiste démissionna (22 juin 1937). L'accession au pouvoir de Daladier (avril 1938) mit fin à l'esprit du Front populaire.

FRONTAL, E, AUX adj. → FRONT 1.

FRONTALIER, ÈRE adj. et n. ⟶ FRONTIÈRE.

FRONTENAC (Louis DE BUADE, *comte* DE PALLUAU et DE), gouverneur français (1620-1698). Il fut gouverneur général du Canada de 1672 à 1682.

FRONTIÈRE [frɔ̃tjɛr] n. f. (de *front*). **1.** Limite séparant deux États, deux divisions administratives, deux régions caractérisées par des phénomènes physiques ou humains différents : *La frontière entre la France et l'Allemagne. Frontière linguistique* (= ligne théorique, séparant, dans un seul pays, une seule région, deux groupes humains de langues différentes). — **2.** Ce qui marque une limite entre des choses, un terme : *Les frontières de la vie et de la mort* (syn. BORNES). ◆ adj. *Poste frontière, place frontière*, poste, place situés à la frontière entre deux pays. ‖ *Gardes frontières*, douaniers qui ont une organisation militaire. ◆ **frontalier, ère** adj. et n. Se dit de personnes ou de choses situées à la frontière entre deux pays ou près de celle-ci.

FRONTIGNAN, ch.-l. de cant. de l'Hérault, au N. de l'*étang de Frontignan*, à 7 km au N.-E. de Sète; 15 000 hab. *(Frontignanais)*. Vins muscats. Industrie chimique.

FRONTISPICE [frɔ̃tispis] n. m. (bas lat. *frontispicium*). Titre d'un livre imprimé, placé à la première page, et ornements qui l'entourent.

1. FRONTON [frɔ̃tɔ̃] n. m. (it. *frontone*). Ornement de l'architecture classique, placé au-dessus de la porte principale d'un édifice.

2. FRONTON [frɔ̃tɔ̃] n. m. (même étym.). Mur contre lequel on lance la balle, à la pelote basque.

FROTTER [frɔte] v. t. (bas lat. *frictare*). **1.** Passer, en appuyant, un corps sur un autre : *Frotter un tableau avec un chiffon. Frotter une allumette* (= sur le frottoir, pour l'allumer). — **2.** Nettoyer par friction : *Frotter les cuivres* (syn. fam. ASTIQUER, BRIQUER). — **3.** Fam. *Frotter les oreilles à qq'un*, le corriger, ou lui faire une réprimande. ◆ v. i. Produire un frottement : *Une roue qui frotte contre le garde-boue.* ◆ **se frotter** v. pr. **1.** *Se frotter à qq'un*, s'attaquer, en le défiant, à un adversaire plus fort. — **2.** *Se frotter à la bonne société, aux artistes*, etc., les fréquenter (littér.). ◆ **frottement** n. m. Action de deux corps en contact dont l'un est en mouvement par rapport à l'autre. ◆ **frotteur** n. m. Personne qui frotte les parquets. ◆ **frottoir** n. m. Objet, ustensile sur lequel on frotte ou avec lequel on frotte : *Frottoir à allumettes.*

FROTTIS [frɔti] n. m. (de *frotter*). **1.** Couche mince de couleur posée au pinceau et laissant apparaître en transparence le grain de la toile. — **2.** Préparation en couche mince de sang, de pus, etc., en vue de leur examen au microscope.

FROTTOIR n. m. ⟶ FROTTER.

FROUARD, comm. de Meurthe-et-Moselle, à 9 km au N. de Nancy, au confluent de la Meurthe et de la Moselle; 7 600 hab. Métallurgie.

FROUFROU ou **FROU-FROU** [frufru] n. m. (onomat.). Bruit léger que produit le froissement des étoffes. ◆ **froufrouter** v. i. Produire un bruit léger.

FROUNZE, auj. **Bichpek,** v. de l'U. R. S. S., en Asie centrale, capit. du Kirghizistan; 430 600 hab.

FROUSSE [frus] n. f. (orig. obscure). *Fam.* Peur extrême (syn. CRAINTE, FRAYEUR). ◆ **froussard, e** adj. et n. (syn. CRAINTIF, PEUREUX, POLTRON; contr. COURAGEUX).

FRUCTIDOR [fryktidɔr] n. m. (du lat. *fructus*, fruit). ⟶ CALENDRIER* RÉPUBLICAIN.

fructidor an V *(coup d'État du 18)* [4 septembre 1797], coup de force des anciens Directeurs républicains contre la nouvelle majorité des conseils du Directoire, modérée et même plus ou moins royaliste, issue des élections d'avril 1797. Ils firent appel à Augereau, qui arrêta les principaux députés majoritaires.

FRUCTIFICATION n. f. ⟶ FRUIT 1.

FRUCTIFIER v. i. ⟶ FRUIT 1 et 2.

FRUCTUEUSEMENT adv., **FRUCTUEUX, EUSE** adj. ⟶ FRUIT 2.

FRUGAL, E, AUX [frygal, -go] adj. (lat. *frugalis*). **1.** Se dit d'une nourriture peu recherchée et peu abondante : *Repas frugal* (syn. MAIGRE; contr. ABONDANT, COPIEUX). — **2.** Se dit d'une personne qui se nourrit de peu ou simplement. ◆ **frugalité** n. f. : *La frugalité d'un repas. La frugalité d'un moine.*

FRUGIVORE adj. et n. ⟶ FRUIT 1.

1. FRUIT [frɥi] n. m. (lat. *fructus*). **1.** Organe reproducteur propre aux plantes à fleurs (phanérogames), contenant les graines produites par le développement des ovules. (Le fruit résulte du

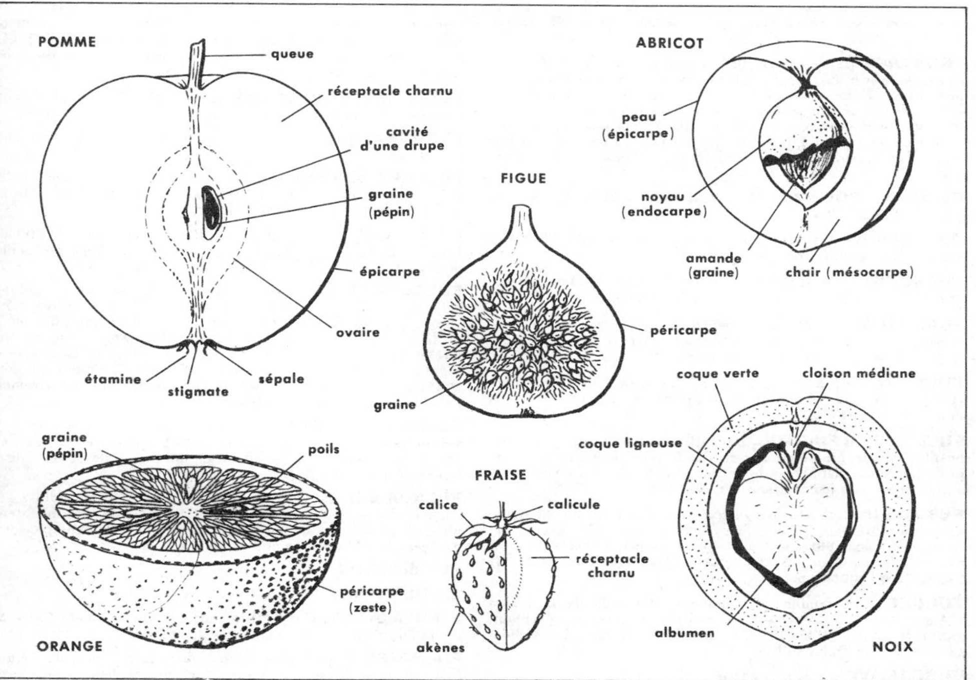

développement de l'ovaire de la fleur. On distingue les *fruits secs* [gousse, capsule, akène, silique, samare] et les *fruits charnus* [drupe, baie].) — **2.** Produit comestible des végétaux, consommé comme dessert : *Des légumes et des fruits.* ‖ *Fruit confit,* fruit cuit légèrement dans un sirop de sucre, puis séché lentement. ‖ *Fruit sec,* fruit naturellement dépourvu de pulpe, comme la noix; fruit desséché pour être consommé en l'état, comme les raisins secs, les figues sèches, etc.; fam., personne qui a déçu toutes les espérances qu'on fondait sur elle. — **3.** *Fruit défendu,* fruit qu'Adam et Ève mangèrent malgré la défense de Dieu; et, fam., chose dont il n'est pas permis d'user : *Tout fruit défendu offre le plus grand attrait.* ◆ **fruité, e** adj. Se dit de quelque chose qui a un goût de fruit frais : *Vin fruité.* ◆ **fruiterie** n. f. Boutique où l'on vend des fruits. ◆ **fruitier, ère** adj. Qui produit des fruits : *Les arbres fruitiers.* ◆ n. Personne qui vend des fruits : *Boutique de fruitier.* ◆ **fruitier** n. m. Local où l'on conserve les fruits au frais. ◆ **fructifier** v. i. Produire des fruits. ◆ **fructification** n. f. Formation des fruits chez une plante; époque de cette formation. ◆ **frugivore** adj. et n. Se dit d'un animal qui se nourrit de fruits.

2. FRUIT [frɥi] n. m. (de *fruit* 1). Profit, avantage retiré de quelque chose : *Une découverte qui est le fruit de plusieurs années de recherches* (syn. RÉSULTAT). *Le fruit de l'expérience* (syn. BÉNÉFICE). *Cet enseignement a porté ses fruits* (= a été efficace). ◆ n. m. pl. Biens matériels, aliments, etc., qu'on retire d'une activité, qu'on extrait de quelque chose : *Les fruits de la chasse, de la pêche* (= les animaux, les poissons, les crustacés, etc., qui sont pris à la chasse ou à la pêche). *Fruits de mer* (= nom donné à divers mollusques et crustacés comestibles). ◆ **fructifier** v. i. (sujet nom de chose). Avoir des résultats heureux, profitables : *L'idée qu'il avait lancée avait fructifié* (syn. SE DÉVELOPPER). *Faire fructifier de l'argent* (syn. RAPPORTER). ◆ **fructueux, euse** adj. Se dit d'une chose qui rapporte un grand avantage : *Une tentative fructueuse* (syn. AVANTAGEUX, FÉCOND, PROFITABLE). ◆ **fructueusement** adv. Avec profit : *Collaborer fructueusement avec un associé.* ◆ **infructueux, euse** adj. : *Efforts infructueux* (syn. VAIN). ◆ **infructueusement** adv.

FRUITÉ, E adj., **FRUITERIE** n. f., **FRUITIER, ÈRE** adj. et n. ⟶ FRUIT 1.

FRUSQUES [frysk] n. f. pl. (de *frusquin,* habit). *Fam.* Vêtements.

FRUSTE [fryst] adj. (it. *frusto,* usé). **1.** Se dit d'une personne dont l'apparence, le comportement manquent de finesse, de politesse : *Un paysan fruste* (syn. ↑RUSTRE). — **2.** Se dit de certains objets dont la surface est rugueuse au contact : *Un marbre encore fruste.*

FRUSTRER [frystre] v. t. (lat. *frustrari,* tromper). **1.** *Frustrer qq'un,* le priver de quelque chose auquel il peut légitimement prétendre : *Frustrer un héritier de sa part* (syn. DÉPOSSÉDER). — **2.** *Frustrer un espoir, une espérance,* les décevoir (syn. TROMPER). ◆ **frustration** n. f. État de l'individu dont une tendance ou un besoin fondamental n'ont pu être satisfaits : *Éprouver un sentiment de frustration* (syn. DÉCEPTION, DÉSAPPOINTEMENT, MANQUE).

FU'ĀD Ier ou **FOUAD I**er (1868-1936), sultan (1917-1922), puis roi d'Égypte (1922-1936).

FUCHSIA [fyksja] n. m. (du n. du botaniste *Fuchs*). Arbrisseau aux fleurs rouges décoratives.

FUCHSINE [fyksin] n. f. (de l'all. *Fuchs,* renard). Matière colorante rouge, utilisée en cytologie et en bactériologie.

FUCUS [fykys] n. m. (du gr. *phûkos,* algue). Algue brune, dont plusieurs espèces de nos rivages constituent une part importante du varech récolté et utilisé comme engrais.

FUÉGIEN, ENNE [fɥeʒjɛ̃, -ɛn] adj. et n. De la Terre de Feu. (Les Fuégiens ont été pratiquement exterminés à la fin du XIXe s. et au début du XXe s.)

FUEL [fjul] ou **FUEL-OIL** [fjulɔjl] n. m. (mot angl.). **1.** Combustible liquide, brun ou noir, peu volatil, plus ou moins visqueux, provenant de la distillation du pétrole brut. — **2.** *Fuel domestique,* gasoil utilisé pour le chauffage (syn. MAZOUT).

FUGACE [fygas] adj. (lat. *fugax, -acis,* qui fuit). Se dit d'une chose qui dure peu, qui échappe facilement ou rapidement : *Une lueur fugace* (syn. BREF, RAPIDE; contr. CONTINU, PERSISTANT). *Un souvenir fugace* (syn. FUGITIF, PÉRISSABLE; contr. PERMANENT, TENACE). ◆ **fugacité** n. f.

FUGGER (les), famille de banquiers allemands de la région d'Augsbourg (XIVe, XVe et XVIe s.). Son plus éminent représentant, JAKOB II *le Riche* (1459-1525), soutint financièrement la candidature de Charles Quint à l'Empire.

FUGITIF, IVE adj. et n. ⟶ FUIR 1.

1. FUGUE [fyg] n. f. (it. *fuga,* fuite). Type de composition musicale. ⟶ ENCYCL. ◆ **fugué, e** adj. : *Passage fugué.*
— ENCYCL. La *fugue* est soumise à des règles d'écriture très nombreuses et très complexes. Elle est construite sur un thème principal appelé *sujet.* Ce dernier sert à toute la construction du morceau. La fugue peut être écrite à deux, trois ou quatre voix. Celles-ci entrent d'abord chacune à leur tour en « chantant » le sujet, qui subit ensuite des transformations et des développements savants, avant d'être réexposé en conclusion.

2. FUGUE [fyg] n. f. (même étym.). Disparition d'un individu de son milieu familial, de sa résidence habituelle : *Faire une fugue.* ◆ **fuguer** v. i. *Fam.* Faire une fugue. ◆ **fugueur, euse** adj. et n. Se dit d'une personne qui est sujette à faire des fugues.

FÜHRER [fyrər] n. m. (mot all. signif. *chef, conducteur*). Titre pris par Hitler à partir de 1934 (s'écrit avec une majusc.).

1. FUIR [fɥir] v. i. (bas lat. *fugire*). [Conj. **17.**] (Sujet nom d'être animé.) S'éloigner pour échapper à quelque chose ou à quelqu'un, pour l'éviter : *Fuir de son pays* (syn. S'ENFUIR). *Ce chien fuit quand on l'appelle* (syn. SE SAUVER). *Fuir devant ses responsabilités* (syn. RECULER). ◆ v. t. *Fuir qq'un, qqch.,* chercher à l'éviter, à s'y soustraire : *Il fuit sa présence* (syn. ÉVITER; contr. RECHERCHER). *Fuir ses responsabilités* (syn. ESQUIVER). ◆ **enfuir (s')** v. pr. Fuir au loin, s'en aller en hâte : *Un prisonnier qui s'enfuit* (syn. S'ÉCHAPPER, S'ÉVADER). *Les années de jeunesse se sont enfuies* (syn. DISPARAÎTRE). ◆ **fuite** n. f. **1.** Action de fuir (au sens du v. i.) : *Soldats en fuite.* — **2.** *Prendre la fuite,* s'enfuir. ‖ *Mettre en fuite,* faire fuir. ‖ *Délit de fuite,* délit dont se rend coupable l'auteur d'un accident qui, sachant qu'il en est cause, continue sa route. ◆ **fuyant, e** adj. **1.** Se dit de quelqu'un ou de quelque chose qui se dérobe à l'analyse, aux regards, etc. : *Un homme fuyant* (syn. INSAISISSABLE). *Un regard fuyant* (contr. FRANC). — **2.** Se dit de quelque chose qui paraît s'éloigner sous l'effet de la perspective : *Horizon fuyant.* — **3.** Se dit des traits du visage lorsqu'ils s'incurvent fortement vers l'arrière : *Un menton fuyant* (contr. CARRÉ). *Un front fuyant* (contr. DROIT). ◆ **fuyard** n. m. Personne qui prend la fuite par lâcheté. ◆ **fugitif, ive** adj. et n. Se dit de quelqu'un qui a pris la fuite : *Un soldat fugitif.* ◆ adj. Se dit d'une chose qui disparaît rapidement : *Une vision fugitive* (syn. ÉVANESCENT). *Un bonheur fugitif* (syn. ÉPHÉMÈRE, FUGACE; contr. DURABLE, STABLE).

2. FUIR [fɥir] v. i. (même étym.). [Conj. **17.**] **1.** *Liquide, gaz qui fuit,* qui s'échappe par une fêlure, un orifice mal bouché, etc. : *L'eau de ce vase fuit.* — **2.** *Récipient qui fuit,* qui laisse son contenu s'échapper : *Le robinet fuit.* ◆ **fuite** n. f. **1.** Écoulement, infiltration, dégagement accidentels d'un liquide ou d'un gaz. — **2.** Divulgation clandestine de renseignements ou de documents : *Il y a eu des fuites au baccalauréat.*

FUJI-YAMA, FOUJI-YAMA ou **FOUJI-SAN,** la plus haute montagne du Japon (3 776 m), constituée par un volcan éteint.

FUKUOKA, port du Japon, sur la côte nord de Kyū shū; 853 300 hab.

FULBERT de Chartres *(saint),* prélat français (v. 960-1028), évêque de Chartres (1006 ou 1007), où il entreprit de reconstruire la cathédrale et tint une école célèbre.

FULDA, v. d'Allemagne, dans la Hesse, sur la *Fulda;* 58 000 hab. Un disciple de saint Boniface y fonda en 744 une abbaye bénédictine qui fut célèbre durant tout le Moyen Âge.

FULGURANT, E [fylgyrɑ̃, -ɑ̃t] adj. (du lat. *fulgurare,* faire des éclairs). **1.** Qui se produit très rapidement : *Une vitesse fulgurante* (= très grande). *Réponse fulgurante* (= qui vient immédiatement du tac au tac) [contr. LENT]. *Douleur fulgurante* (= douleur très vive et très courte). — **2.** Se dit de ce qui jette une lueur vive et rapide : *Jeter un regard fulgurant* (= chargé d'intentions) [contr. ÉTEINT, MORNE]. — **3.** Se dit de choses qui frappent vivement l'esprit, l'imagination : *Une découverte fulgurante.*

FULIGINEUX, EUSE [fyliʒinø, -øz] adj. (lat. *fuliginosus,* couvert de suie). **1.** Se dit d'une chose qui a la couleur de la suie : *Un enduit fuligineux.* — **2.** Se dit de ce qui donne de la suie, de la fumée : *Une flamme fuligineuse.*

FULIGULE [fyligyl] n. m. (du lat. *fuligo,* suie; par allus. à la couleur du plumage de l'animal). Canard plongeur, migrateur nichant surtout dans le nord de l'Europe. (On distingue plusieurs espèces, dont le *morillon* et le *milouin.*)

FULMICOTON n. m. ⟶ COTON.

1. FULMINANT, E adj. ⟶ FULMINER.

2. FULMINANT, E [fylminɑ̃, -ɑ̃t] adj. (de *fulminer*). *Chim.* Se dit d'une substance qui produit une détonation.

FULMINER [fylmine] v. i. (lat. *fulminare,* lancer la foudre [sujet nom de personne]. Entrer dans une violente colère (syn

TEMPÊTER). ◆ **fulminant, e** adj. : *Personne fulminante de colère. Un regard fulminant.* ◆ **fulmination** n. f. : *Lancer des fulminations contre qq'un* (syn. ↑INJURE, MALÉDICTION).

FULTON (Robert), mécanicien américain (1765-1815). Le premier, il conçut l'idée du sous-marin à hélice (1798). On lui doit également la réalisation industrielle de la propulsion des navires par la vapeur (1807).

FUMAGE n. m. ⟶ FUMER 3.

FUMAGINE [fymaʒin] n. f. (du lat. *fumus*, fumée). Maladie cryptogamique des végétaux, caractérisée par un enduit noir à la surface des feuilles.

FUMANT, E adj. ⟶ FUMER 1.

FUMAY, ch.-l. de cant. du dép. des Ardennes, sur la Meuse, à 23 km au S. de Givet; 5 800 hab. *(Fumaciens).* Fonderies.

1. FUMÉ, E adj. ⟶ FUMER 3.

2. FUMÉ, E [fyme] adj. (de *fumer*). *Verres fumés*, verres colorés servant à protéger les yeux contre une lumière trop vive.

FUME-CIGARETTE n. m. inv. ⟶ FUMER 2.

FUMÉE n. f. ⟶ FUMER 1.

FUMEL, ch.-l. de cant. de Lot-et-Garonne, à 26 km au N.-E. de Villeneuve-sur-Lot, sur le Lot; 6 700 hab. Métallurgie.

1. FUMER [fyme] v. i. (lat. *fumare*). **1.** (sujet nom de chose) Émettre de la fumée : *Un volcan qui fume.* — **2.** (sujet nom de chose) Émettre une vapeur légère due à la condensation : *Une soupe bien chaude qui fume sur la table.* ◆ **fumant, e** adj. : *Des cendres fumantes. Une soupe fumante.* ◆ **fumée** n. f. **1.** Mélange de vapeur, de gaz et de particules solides extrêmement ténues qui se dégage d'un corps en combustion : *La fumée d'un volcan.* — **2.** (sujet nom de chose) *S'en aller en fumée, partir en fumée*, disparaître sans résultat ou profit (syn. S'ÉVANOUIR; contr. PRENDRE CORPS). ◆ **fumerolle** n. f. Émission gazeuse d'un volcan, pendant une période d'inactivité. ◆ **fumigène** adj. Se dit de produits qui font de la fumée : *Des grenades fumigènes.* ◆ **enfumer** v. t. **1.** *Enfumer un lieu*, le remplir de fumée. — **2.** Projeter de la fumée dans un terrier pour en faire sortir son occupant (renard), ou à l'intérieur d'une ruche pour rendre les abeilles inoffensives. ◆ **fumivore** adj. Qui fait disparaître la fumée : *Appareil fumivore.*

2. FUMER [fyme] v. i. et t. (même étym.) [sujet nom de personne]. Brûler du tabac et en aspirer la fumée : *Fumer la pipe.* ◆ **fumeur, euse** n. et adj. Personne qui fume, aime fumer. ◆ **fume-cigarette** n. m. inv. Petit tuyau de bois, d'ambre, etc., auquel on adapte une cigarette pour la fumer. ◆ **fumerie** n. f. *Fumerie d'opium*, lieu clandestin où des gens se droguent en fumant de l'opium. ◆ **fumoir** n. m. Pièce réservée aux fumeurs, dans certaines maisons.

3. FUMER [fyme] v. t. (même étym.). *Fumer de la viande, du poisson*, etc., les exposer à la fumée pour les faire sécher et en assurer la conservation. ◆ **fumage** n. m. : *Le fumage de la saucisse.* ◆ **fumé, e** adj. : *Jambon fumé.*

4. FUMER [fyme] v. t. (même étym.). *Fumer la terre, un champ*, etc., les enrichir avec du fumier. ◆ **fumier** n. m. Mélange de litière et de déjections des animaux, servant d'engrais. ◆ **fumure** n. f. Ensemble des fumiers et des engrais qu'on applique à une culture.

FUMERIE n. f. ⟶ FUMER 2.

FUMEROLLE n. f. ⟶ FUMER 1.

FUMET [fymɛ] n. m. (de *fumer*). Arôme des viandes, des vins : *Le fumet d'un bordeaux.*

FUMEUR, EUSE adj. et n. ⟶ FUMER 2.

FUMEUX, EUSE [fymø, -øz] adj. (du lat. *fumus*, fumée). Se dit de choses ou de personnes qui manquent de clarté, de netteté : *Idées fumeuses* (syn. CONFUS, NÉBULEUX; contr. CLAIR, EXPLICITE).

FUMIER n. m. ⟶ FUMER 4.

FUMIGATION [fymigasjɔ̃] n. f. (bas lat. *fumigatio*). **1.** Action d'exposer à la fumée ou à la vapeur certaines parties du corps : *Faire des fumigations contre le rhume.* — **2.** Action de répandre de la fumée ou de la vapeur contenant des substances aromatiques ou désinfectantes.

FUMIGÈNE adj. ⟶ FUMER 1.

1. FUMISTE [fymist] n. m. (de *fumer*). Personne dont le métier est d'entretenir les cheminées ou de fabriquer des appareils de chauffage. ◆ **fumisterie** n. f. Profession, magasin de fumiste.

2. FUMISTE [fymist] n. et adj. (de *fumiste* 1). *Fam.* Se dit de quelqu'un qui ne prend pas son travail au sérieux, sur qui on ne peut pas compter. ◆ **fumisterie** n. f. *Fam.* Chose qui manque de sérieux.

FUMIVORE adj. ⟶ FUMER 1.

FUMOIR n. m. ⟶ FUMER 2.

FUMURE n. f. ⟶ FUMER 4.

FUNAMBULE [fynɑ̃byl] n. (du lat. *funis*, corde, et *ambulare*, marcher). Équilibriste qui marche sur une corde.

FUNAMBULESQUE [fynɑ̃bylɛsk] adj. (de *funambule*). Se dit d'une chose bizarre (littér.) : *Un projet funambulesque* (syn. FANTAISISTE).

FUNCHAL, capit. de l'île portugaise de Madère; 43 300 hab. Port d'escale et centre touristique.

FUNDY *(baie de)*, golfe de l'Atlantique, entre la Nouvelle-Écosse, le Maine et le Nouveau-Brunswick.

FUNÈBRE [fynɛbr] adj. (lat. *funebris*). **1.** Se dit de ce qui évoque la mort, qui suscite un sentiment de profonde tristesse : *Tenir des propos funèbres* (syn. MACABRE). *Prendre un air funèbre* (syn. LUGUBRE; contr. ENJOUÉ, GAI). — **2.** Se dit de choses qui concernent les funérailles (dans quelques express.) : *Marche funèbre* (= marche que l'on joue aux obsèques). *Pompes* funèbres.*

FUNÉRAILLES [fyneraj] n. f. pl. (du lat. *funus, -eris*). Ensemble des cérémonies solennelles qui accompagnent l'enterrement d'une personne (syn. OBSÈQUES).

FUNÉRAIRE [fynerɛr] adj. (du lat. *funus, -eris*, funérailles). **1.** Se dit de ce qui est relatif à l'enterrement d'une personne : *Drap funéraire* (= drap dont on recouvre le cercueil). *Magasin funéraire* (= magasin où l'on vend certains objets nécessaires aux cérémonies d'enterrement). — **2.** Se dit d'une chose relative au tombeau, au lieu de sépulture : *Colonne funéraire* (= colonne qui surmonte certains tombeaux). — **3.** *Mobilier funéraire*, ensemble des objets trouvés dans les tombeaux datant de la préhistoire ou de la haute Antiquité.

FUNESTE [fynɛst] adj. (lat. *funestus*, funèbre) [avant ou plus souvent après le nom]. Qui apporte le malheur, la mort, ou qui conduit à une situation dangereuse, nuisible : *Un conseil funeste.*

FUNICULAIRE [fynikylɛr] n. m. (du lat. *funiculus*, petit câble). Chemin de fer à traction par câble ou à crémaillère, qui est utilisé pour la desserte des voies à forte pente.

FUR [fyr] n. m. (lat. *forum*, marché). S'emploie dans des loc. — LOC. ADV. *Au fur et à mesure*, dans le même temps et dans la même proportion. — LOC. CONJ. *Au fur et à mesure que* (et l'indic.) : *Au fur et à mesure qu'on lui donne de l'argent, il le dépense.* — LOC. PRÉP. *Au fur et à mesure de : Dépenser son argent au fur et à mesure de ses besoins.* (On dit aussi AU FUR À MESURE [*de, que*].)

FURAN ou **FURENS** (le), torrent du Massif central (Forez), affl. de la Loire (r. dr.); 40 km. Il arrose Saint-Étienne.

1. FURET [fyrɛ] n. m. (bas lat. *furittus*, petit voleur). Petit mammifère carnassier, représentant la forme albinos (= pelage blanc ou jaunâtre, yeux rouges) du putois. (Il est utilisé pour la capture du lapin de garenne.) [Famille des mustélidés.]

2. FURET [fyrɛ] n. m. (de *furet* 1). Jeu de société qui consiste à faire passer rapidement de main en main, et en le cachant, un anneau enfilé sur une corde, que l'un des joueurs doit découvrir.

FURETER [fyrte] v. i. (de *furet*). [Conj. **7.**] Fouiller partout avec soin pour découvrir des choses cachées ou secrètes : *Fureter de tous côtés* (syn. fam. FARFOUILLER). ◆ **fureteur, euse** n. et adj.

FURETIÈRE (Antoine), écrivain français (1619-1688). Il peignit avec réalisme les mœurs du Palais de justice et de la bourgeoisie parisienne dans son *Roman bourgeois* (1666). Il rédigea un *Dictionnaire universel*, qui parut en 1690.

1. FUREUR [fyrœr] n. f. (lat. *furor*, délire). Violente colère, à l'égard de quelqu'un ou de quelque chose : *Être pris de fureur contre qq'un* (= s'emporter contre lui). ◆ **furibond, e** adj. Superl. de FURIEUX : *Jeter des regards furibonds.* ◆ **furieux, euse** adj. Se dit d'une personne qui est en proie à une violente colère, ou d'une chose qui manifeste cette colère : *Il est furieux qu'on lui dise cela.*

2. FUREUR [fyrœr] n. f. (même étym.). **1.** Sentiment passionné et démesuré : *Sa passion allait jusqu'à la fureur* (syn. FOLIE). — **2.** *Fureur de qqch.*, passion violente pour cette chose : *La fureur du jeu* (syn. PASSION, RAGE). *La fureur de vivre* (= le goût violent des plaisirs de la vie). ◆ **furie** n. f. **1.** *Fam.* Femme déchaînée, qui ne se maîtrise pas. — **2.** Emportement violent d'une personne. — **3.** Agitation violente de quelque chose (littér.) : *Mer en furie.* ◆ **furieux, euse** adj. **1.** *Fou furieux*, personne dont l'emportement est voisin de la folie. — **2.** (parfois avant le nom) Se dit de ce qui a un caractère violent : *Un combat furieux* (syn. ENRAGÉ). *Une tempête furieuse* (syn. DÉCHAÎNÉ).

FURIBOND, E adj. → FUREUR 1.

FURIE n. f. → FUREUR 2.

FURIES (les). *Myth. rom.* Divinités infernales assimilées aux *Érinyes**.

FURIEUX, EUSE adj. → FUREUR 1 et 2.

FURNES, en néerl. **Veurne,** v. de Belgique, ch.-l. d'arrond. de la Flandre-Occidentale, à 21 km à l'E.-N.-E. de Dunkerque; 7 500 hab.

FURONCLE [fyrɔ̃kl] n. m. (lat. *furunculus*). *Méd.* Inflammation de la peau et du tissu cellulaire sous-cutané, ayant son origine dans un follicule pileux, et due à un microbe, le staphylocoque doré (syn. fam. CLOU). ◆ **furonculose** n. f. Maladie caractérisée par l'apparition d'un certain nombre de furoncles.

FÜRTH, v. d'Allemagne, en Bavière; 98 000 hab.

FURTIF, IVE [fyrtif, -iv] adj. (lat. *furtivus*, dérobé). Se dit d'une chose faite à la dérobée, de façon à échapper à l'attention : *Jeter des regards furtifs* (syn. DISCRET, RAPIDE). *Un sourire furtif* (syn. FUGACE). ◆ **furtivement** adv. : *S'en aller furtivement* (syn. DISCRÈTEMENT). *Regarder furtivement qq'un* (syn. À LA DÉROBÉE; contr. EN FACE, OUVERTEMENT).

1. FUSAIN [fyzɛ̃] n. m. (du lat. *fusus*, fuseau). Arbrisseau à feuilles luisantes.

2. FUSAIN [fyzɛ̃] n. m. (de *fusain* 1). **1.** Charbon de bois fait avec une espèce de fusain, et dont on se sert pour dessiner. — **2.** Dessin exécuté à l'aide de ce charbon.

FUSANT, E adj. et n. m. → FUSER.

FUSE, v. du Japon, dans le sud de Honshū; 271 700 hab.

1. FUSEAU [fyzo] n. m. (du lat. *fusus*). Petit instrument en bois, utilisé jadis pour filer la laine et employé auj. pour faire certaines dentelles.

2. FUSEAU [fyzo] n. m. (même étym.). *En fuseau*, de forme allongée et dont les extrémités sont fines : *Des arbres taillés en fuseau.* ◆ **fuselé, e** adj. Se dit d'objets qui ont la forme d'un fuseau : *Colonne fuselée.*

3. FUSEAU [fyzo] n. m. (même étym.). Pantalon de sport dont les jambes vont en se rétrécissant vers le bas et se terminent par un sous-pied.

4. FUSEAU [fyzo] n. m. (même étym.). *Fuseau horaire*, chacune des vingt-quatre portions entre lesquelles est divisée conventionnellement la surface de la Terre, et qui sont comprises entre deux demi-grands cercles tracés depuis les pôles.

1. FUSÉE [fyze] n. f. (du lat. *fusus*, fuseau). **1.** Pièce d'artifice se propulsant par réaction, grâce à la combustion de la poudre, et qui éclate en l'air : *Les fusées d'un feu d'artifice.* — **2.** *Fusée moteur*, ou *moteur-fusée*, élément moteur dont la propulsion est assurée par la poussée qui résulte de l'expulsion à grande vitesse des gaz produits par la combustion d'un combustible et d'un comburant. — **3.** *Fusée-détonateur*, dispositif fixé sur les projectiles explosifs et destiné à provoquer leur éclatement. — **4.** *Aéron.* Terme général désignant l'ensemble constitué par un moteur-fusée et l'engin qu'il propulse. ‖ *Fusée à étages*, fusée à grande portée, dont la propulsion est assurée successivement par plusieurs éléments moteurs, qui sont largués automatiquement en fin de combustion.

→ illustration ASTRONAUTIQUE pp. 112-113.

2. FUSÉE [fyze] n. f. (même étym.). **1.** Chacune des extrémités d'un essieu supportant une roue et ses roulements. — **2.** Pièce conique présentant une rainure dans laquelle s'enroule une chaîne reliée au ressort principal, dans certains appareils d'horlogerie.

FUSELAGE [fyzlaʒ] n. m. (de l'anc. fr. *fuisel*, fuseau). Corps d'un avion, sur lequel sont fixés les ailes, le train d'atterrissage, etc., et qui constitue la partie habitable de l'appareil.

FUSELÉ, E adj. → FUSEAU 2.

FUSER [fyze] v. i. (du lat. *fundere*, verser). **1.** En parlant de la poudre, se décomposer sans détoner. — **2.** *Cris, rires, exclamations*, etc., *qui fusent*, qui jaillissent vivement. ◆ **fusant, e** adj. Qui fuse : *Poudre fusante.* ◆ adj. et n. m. Se dit d'un obus qui éclate en l'air par l'action d'une fusée-détonateur.

FUSIBLE [fyzibl] adj. (bas lat. *fusibilis*, qui peut fondre). Se dit d'un métal qui fond facilement sous l'effet de la chaleur : *L'étain est l'un des métaux les plus fusibles.* ◆ n. m. Fil d'un alliage spécial ou de plomb, qu'on place dans un circuit électrique et qui fond si l'intensité de ce courant dépasse une certaine limite.

1. FUSIL [fyzi] n. m. (bas lat. *focilis* [*petra*], [pierre] à feu). **1.** Arme à feu portative, utilisée pour la chasse ou comme arme de guerre, et qui est constituée par un tube métallique *(canon)* de petit calibre, ajusté sur une monture en bois *(fût, crosse)* et assorti d'un dispositif de visée permettant le tir. ‖ *Fusil mitrailleur*, arme collective à tir automatique, dotée d'un dispositif qui permet également le tir coup par coup. ‖ *Fusil sous-marin*, arme utilisée par les chasseurs sous-marins, constituée d'une flèche reliée au fusil par un fil. — **2.** *C'est un excellent fusil*, un bon tireur. ‖ *Changer son fusil d'épaule*, changer sa façon de faire, changer d'opinion, de parti. ‖ Fam. *Coup de fusil*, prix exorbitant qu'un hôtelier ou un restaurateur fait payer à ses clients. ◆ **fusiller** v. t. *Fusiller qq'un*, le tuer à coups de fusil. ◆ **fusilier** n. m. Autref., soldat armé d'un fusil. ‖ *Fusilier marin*, marin des unités de l'armée de mer destiné à combattre à terre. ◆ **fusillade** n. f. Décharge simultanée de fusils.

2. FUSIL [fyzi] n. m. (même étym.). Instrument servant à aiguiser les couteaux, les faux.

FUSION n. f. → FONDRE 1 et 2.

FUSIONNEMENT n. m., **FUSIONNER** v. t. et i. → FONDRE 2.

FUSTANELLE [fystanɛl] n. f. (du lat. *fustaneum*, coton). Jupon masculin court, à plis, évasé, qui fait partie du costume national grec.

FUSTIGER [fystiʒe] v. t. (du lat. *fustis*, bâton). **1.** Battre à coups de bâton (littér.). — **2.** Critiquer vivement (littér.).

1. FÛT [fy] n. m. (lat. *fustis*, bâton). **1.** Portion de la tige d'un arbre qui ne porte pas de rameaux : *Débiter en planches un fût de chêne* (syn. TRONC). — **2.** *Fût de colonne*, partie d'une colonne comprise entre la base et le chapiteau. — **3.** *Fût d'une arme à feu*, bois sur lequel est monté le canon.

2. FÛT [fy] n. m. (même étym.). Tonneau dans lequel on met du vin, du cidre, de l'eau-de-vie. ◆ **futaille** n. f. Tonneau.

FUTAIE [fytɛ] n. f. (de *fût*). **1.** Forêt dont on exploite les arbres quand ils sont parvenus à une grande dimension. — **2.** *Haute futaie*, futaie qui est parvenue à toute sa hauteur.

FUTAILLE n. f. → FÛT 2.

FUTÉ, E [fyte] adj. et n. (du lat. *fugere*, fuir). Se dit d'une personne (ou de son comportement) intelligente et rusée : *Un homme futé* (syn. ASTUCIEUX, MALIN, RUSÉ).

FUTILE [fytil] adj. (lat. *futilis*, qui laisse échapper ce qu'il contient). **1.** Se dit de ce qui est sans importance, qui n'a pas de valeur ou d'intérêt : *Agir pour des raisons futiles* (syn. PUÉRIL; contr. SÉRIEUX). — **2.** Se dit d'une personne (ou de son comportement) qui s'occupe de choses frivoles, légères : *Un esprit futile* (syn. FRIVOLE, LÉGER; contr. SÉRIEUX). ◆ **futilité** n. f. : *La futilité d'un raisonnement* (syn. INANITÉ). *S'attacher à des futilités* (syn. BAGATELLE, RIEN).

FUTUNA *(île)*, île française de la Mélanésie. Avec Wallis, elle forme un territoire* d'outre-mer. En déc. 1986, elle est ravagée par un cyclone.

1. FUTUR, E [fytyr] adj. (lat. *futurus*, à venir). **1.** (placé après le nom) Se dit d'une chose qui va se produire, qui arrivera ultérieurement : *La réalisation future de vos désirs* (syn. ULTÉRIEUR). *La vie future* (= l'existence promise après la mort, selon certaines religions). — **2.** (placé avant le nom) Se dit de la position, de l'état, de l'appellation, etc., ultérieurs d'une personne : *Un futur champion.* ◆ n. *Fam.* Homme, femme qui va se marier : *Offrir des fleurs à sa future* (syn. FIANCÉE, PROMISE). *Les futurs* (= les futurs époux). ◆ n. m. Avenir dans ce qu'il a d'indéterminé : *L'attente du futur.* ◆ **futuriste** adj. Se dit de quelque chose qui évoque les caractères futurs de l'évolution des techniques : *Un décor futuriste.* ◆ **futurologie** n. f. Science qui s'efforce de prévoir l'évolution des choses dans tous les domaines (économie, techniques, société, etc.). ◆ **futurologue** n.

2. FUTUR [fytyr] n. m. (même étym.). *Gramm.* Système de formes verbales situant l'action dans l'avenir par rapport au moment présent ou à un moment considéré. ‖ *Futur simple*, forme verbale qui exprime en général la simple postériorité d'une action par rapport au moment où l'on parle. ‖ *Futur antérieur*, forme verbale qui exprime en général l'antériorité d'une action future par rapport à une autre action future. ‖ *Futur du passé, futur dans le passé*, nom donné au conditionnel présent employé au sens temporel. ‖ *Futur antérieur du passé*, nom donné au conditionnel du passé employé dans un sens temporel.

FUTURISME [fytyrism] n. m. (it. *futurismo*). Mouvement artistique et littéraire, né en Italie vers 1909, qui, en réaction contre la tradition, l'académisme, se proposait de renouveler complètement les principes et les caractères des différents arts. ◆ **futuriste** adj. et n. Qui appartient au futurisme.

FUYANT, E adj., **FUYARD** n. m. → FUIR 1.

G n. m. **1.** Septième lettre de l'alphabet et la cinquième des consonnes. (Le *g* se pronónce [ʒ] (consonne fricative sonore) devant *e, i, y;* il se prononce [g] (consonne gutturale sonore) devant *a, o, u.*) ⟶ introduction de l'ouvrage. — **2.** *Mus.* Nom de la note *sol*,en anglais et en allemand. — **3.** g, symbole du *gramme.*

GABARDINE [gabardin] n. f. (esp. *gabardina*). **1.** Étoffe de laine croisée. — **2.** Manteau imperméable fait de cette étoffe.

GABARE [gabar] n. f. (anc. prov. *gabarra*). Embarcation pour le transport des marchandises ou pour le chargement et le déchargement des navires.

GABARIT [gabari] n. m. (mot prov.). **1.** Toute dimension ou forme réglementée : *Un camion chargé conformément au gabarit.* — **2.** *Gabarit de chargement,* arceau sous lequel on fait passer les wagons chargés, pour s'assurer qu'ils peuvent passer sous un tunnel, un pont, ou croiser un train. — **3.** *Fam.* Dimensions physiques, corpulence ou stature de quelqu'un : *Une personne d'un gabarit respectable.*

GABBRO [gabro] n. m. (mot it.). Roche éruptive grenue, de couleur sombre, constituée essentiellement de feldspath et de pyroxène.

GABEGIE [gabʒi] n. f. (de l'anc. fr. *gaber*, tromper). Désordre provenant d'une gestion financière défectueuse ou malhonnête; gaspillage.

GABELLE [gabɛl] n. f. (de l'ar. *qabāla*, impôt). **1.** Impôt sur le sel, monopole de l'État sous l'Ancien Régime. (Il s'accompagnait de l'obligation pour chaque sujet du roi d'acheter tous les ans une certaine quantité de sel.) ⟶ ENCYCL. — **2.** Administration chargée de percevoir cet impôt. ◆ **gabelou** [gablu] n. m. **1.** Autref., employé de la gabelle. — **2.** *Péjor.* Auj., employé de la douane ou des contributions indirectes.
— ENCYCL. La *gabelle* fut instituée par Philippe VI. Elle permettait de contrôler tout le commerce du sel en ajoutant un droit élevé au prix de vente. La marchandise était stockée dans des greniers royaux. Au XVIe s., la gabelle s'était étendue du domaine royal à toute la France. Certaines provinces dites *franches* en étaient totalement exemptes (Boulonnais, Bretagne). La contrebande du sel, intense aux confins de la Bretagne, était punie des galères ou de la peine de mort. La gabelle fut abolie en 1790.

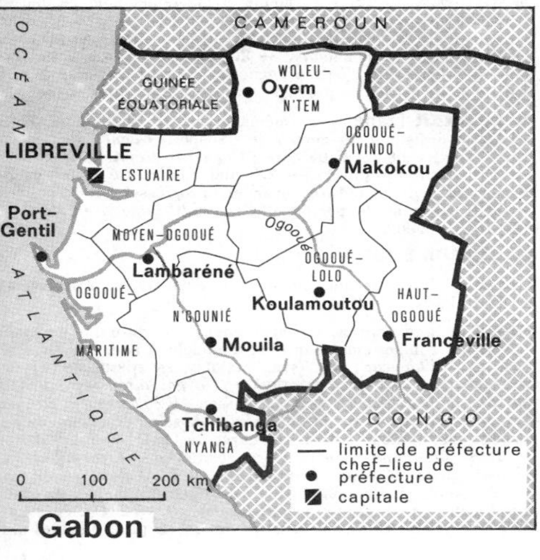

GABÈS, port de Tunisie, sur le *golfe de Gabès;* 32 300 hab. Pêcheries de thon.

GABIER [gabje] n. m. (du prov. *gabia*, cage). Matelot autref. préposé aux voiles et actuellement à tout ce qui concerne la manœuvre du navire.

GABION [gabjɔ̃] n. m. (it. *gabbione*, grand panier). Grand panier cylindrique sans fond, rempli de terre, et qui servait de protection dans la guerre de tranchées.

GABLE ou **GÂBLE** [gɑbl] n. m. (gaul. *gabulum*, potence). *Archit.* Mur léger, triangulaire, posé sur l'arc d'une baie et qui l'encadre : *Le gable du portail d'une cathédrale.*

GABON (le), estuaire de la côte d'Afrique, sur l'Atlantique, qui a donné son nom à la *république du Gabon.*

GABON, république de l'Afrique équatoriale.

SUPERFICIE 268 000 km² (France : 550 000 km²).
POPULATION 1 200 000 hab. *(Gabonais);* 4,5 hab. au km² (France : 103); accroissement annuel de population : 1,6 p. 100.
CAPITALE Libreville (260 000 hab.).
VILLE PRINCIPALE Port-Gentil (85 000 hab.).
LANGUE OFFICIELLE français.
ÉCONOMIE consommation d'énergie par hab., 1 700 kg d'équivalent charbon; 1 automobile pour 55 hab.

GÉOGRAPHIE

Ouvert sur l'Atlantique, le Gabon correspond au bassin de l'Ogooué, région couverte par la forêt dense en raison du climat équatorial.

	TEMPÉRATURES MOYENNES janv.	juil.	PLUIES
Libreville	27,1 °C	23,5 °C	2 682 mm

La population, noire, est très peu dense. Elle pratique quelques cultures vivrières, mais une ressource notable vient de l'exploitation de la forêt : acajou, ébène et okoumé pour la fabrication du contre-plaqué. En dehors des activités minières (fer, uranium, pétrole et manganèse), l'industrie est à peu près inexistante.

uranium 1 000 t; pétrole 8 600 000 t; manganèse 1 100 000 t.

Le Gabon exporte son bois et surtout ses minerais par le port de Port-Gentil, principalement vers la France.

HISTOIRE

- *1484. Le Portugais Diogo Cam découvre la côte du Gabon.*

Aux XVIIe-XVIIIe s., les Européens vont chercher au Gabon de nombreux esclaves noirs.

- *1839. Le premier établissement français est créé.*
- *1886. Savorgnan de Brazza crée la colonie française du Gabon.*
- *1910. La colonie est intégrée à l'A.-É. F.*
- *1960. Le Gabon devient une république indépendante.*
- *1967. Albert B. Bongo devient chef d'État.*

GABORIAU (Émile), romancier français (1832-1873), considéré comme le créateur du roman policier (*l'Affaire Lerouge*, 1866).

GABORONE, capit. du Botswana; 79 000 hab.

GABRIEL, archange qui annonça à la Vierge qu'elle serait mère du Sauveur (= Jésus-Christ).

GABRIEL, famille d'architectes français, dont le plus célèbre est JACQUES-ANGE (1698-1782), à qui l'on doit, à Paris l'École militaire et la place Louis-XV (auj. place de la Concorde), à Versailles le Petit Trianon (1762-1764), chefs-d'œuvre d'élégance et de sobriété classiques.

GABRIELI (Andrea) [v. 1510-1586], et son neveu GIOVANNI (1557-1612), organistes et compositeurs vénitiens de musique instrumentale *(Canzoni, Sonate)* et vocale (motets, madrigaux).

GÂCHAGE n. m. ⟶ GÂCHER 2.

1. GÂCHE n. f. ⟶ GÂCHER 2.

2. GÂCHE [gɑʃ] n. f. (frq. *gaspia*, boucle). Pièce métallique où s'engage le pêne d'une serrure, pour maintenir une porte fermée.

1. GÂCHER [gɑʃe] v. t. (frq. *waskôn*, laver). *Gâcher qqch.*, compromettre ou détruire la qualité ou l'existence d'une chose, le résultat d'une action par un emploi ou un procédé mauvais : *Gâcher son argent* (syn. GASPILLER). *Cela va lui gâcher son plaisir* (syn. GÂTER). ◆ **gâcheur, euse** n. Personne qui gâte ou gaspille, faute d'ordre, de soin. ◆ **gâchis** n. m. Résultat de la confusion, du désordre, de la mauvaise organisation : *Un gâchis politique.*

2. GÂCHER [gɑʃe] v. t. (même étym.). Délayer du mortier, du plâtre avec de l'eau, avant de maçonner. ◆ **gâchage** n. m. Action de gâcher. ◆ **gâche** n. f. Outil de maçon servant au gâchage. ◆ **gâcheur** n. m. : *Un gâcheur de plâtre.* ◆ **gâchis** n. m. Mortier fait de plâtre, de chaux, de sable et de ciment.

GÂCHETTE [gɑʃɛt] n. f. (de *gâche* 2). **1.** Pièce d'acier solidaire de la détente, et commandant la percussion d'une arme à feu. — **2.** Petite pièce d'une serrure qui se met sous le pêne pour lui servir d'arrêt à chaque tour de clef.

GÂCHEUR, EUSE n., **GÂCHIS** n. m. ⟶ GÂCHER 1 et 2.

GADE (Niels), compositeur et chef d'orchestre danois (1817-1890). Sa musique est inspirée du folklore de son pays. Il a écrit huit symphonies, des ballets, des œuvres pour piano, des cantates.

GADES ou **GADÈS,** v. de l'anc. Hispanie, auj. CADIX.

GADES n. m. pl. ⟶ GADIDÉS.

GADGET [gadʒɛt] n. m. (mot amér.). Nom donné à toutes sortes de petits objets nouveaux et ingénieux, plus amusants qu'utiles.

GADIDÉS [gadide] ou **GADES** [gad] n. m. pl. (du gr. *gados*, morue). Famille de poissons tous marins *(morue, églefin, merlan, colin)*, sauf la *lote* de rivière. (Ordre des anacanthiniens.)

GADOUE [gadu] n. f. (orig. inc.). **1.** Engrais constitué par les ordures ménagères. — **2.** *Fam.* Terre détrempée, boue : *Patauger dans la gadoue.*

GAÉLIQUE [gaelik] n. m. (de *Gaël*, habitant du nord de l'Écosse). L'un des grands groupes de la langue celtique, comprenant le *gaélique d'Écosse* et le *gaélique d'Irlande.*

GAÈTE, en it. **Gaeta,** port d'Italie, sur la Méditerranée; 22 600 hab. Raffinage du pétrole.

• *1861. La capitulation de la ville met fin au royaume des Deux-Siciles.*

1. GAFFE [gaf] n. f. (du prov. *gafar*, saisir). Perche munie d'un croc et d'une pointe métallique, servant dans la marine à accrocher, accoster, etc.

2. GAFFE [gaf] n. m. (même étym.). *Fam.* Parole ou action maladroite, malencontreuse. ◆ **gaffer** v. i. *Fam.* Faire une gaffe. ◆ **gaffeur, euse** adj. et n. *Fam.* Qui commet facilement des gaffes.

GAFSA, v. de la Tunisie méridionale; 32 400 hab. Oasis. Phosphates.

GAG [gag] n. m. (mot angl.). Effet comique jouant sur la surprise.

GAGARINE (Iouri Alekseïevitch), cosmonaute soviétique (1934-1968). Il est le premier homme à avoir effectué, le 12 avril 1961, un vol spatial de 1 h 48 mm, à bord du satellite artificiel *Vostok I.*

GAGE [gaʒ] n. m. (frq. *waddi*). **1.** Tout objet, tout bien que l'on donne à un créancier en garantie d'une dette : *Prêter sur gages.* — **2.** Dans certains jeux de société, ce qu'on dépose quand on se trompe, et qu'on ne peut reprendre qu'après une pénitence; cette pénitence. — **3.** Tout ce qui représente une garantie : *N'exiger d'autre gage qu'une promesse* (syn. CAUTION). — **4.** Preuve, témoignage : *Un gage d'amitié.* ◆ **gager** v. t. Garantir par un gage.

1. GAGER v. t. ⟶ GAGE.

2. GAGER [gaʒe] v. t. (de *gage*). *Gager que* (et l'indic.), émettre une opinion personnelle qui implique un pari (langue soignée) : *Je gage qu'il ne nous trouvera pas* (syn. usuel PARIER). ◆ **gageure** [gaʒyr] n. f. **1.** Action, opinion qui semble impossible ou incroyable : *C'est une gageure!* — **2.** Pari impossible : *Soutenir la gageure* (= persévérer dans une entreprise hasardée).

GAGES [gaʒ] n. m. pl. (du frq. *waddi*, gage). **1.** *Être aux gages de qq'un*, être payé par lui pour un travail; être à son service. ‖ *À gages*, payé pour remplir un rôle : *Tueur à gages.* — **2.** Salaire des gens de maison (vieilli) : *Les gages d'un valet de chambre.*

GAGEURE n. f. ⟶ GAGER 2.

GAGNANT, E adj. et n., **GAGNE-PAIN** n. m. inv., **GAGNE-PETIT** n. m. inv. ⟶ GAGNER 1.

1. GAGNER [gaɲe] v. t. (frq. *waidanjan*). **1.** (sujet nom de personne) *Gagner qqch.* (moyens de subsistance, récompense), l'acquérir par son travail : *Gagner de l'argent.* — **2.** Acquérir par le sort : *Gagner un lot;* avec un adv. : *Gagner gros.* — **3.** *Gagner qqch.* (maladie, événement fâcheux), l'acquérir involontairement : *Je n'y ai gagné que des coups* (syn. plus usuels ATTRAPER, PRENDRE). — **4.** *Gagner qqch.* (compétition, lutte), remporter la victoire : *Gagner une bataille, un match, une partie, un procès* (syn. REMPORTER; contr. PERDRE). *Avoir partie gagnée* (= être victorieux avant d'avoir commencé). — **5.** *Bien gagner*, obtenir à juste titre, mériter : *Il l'a bien gagné* (se dit souvent avec une valeur péjor.) [syn. fam. IL NE L'A PAS VOLÉ]. — **6.** *Gagner du temps*, différer une chose quand on n'est pas prêt; éviter de perdre du temps. ‖ *Gagner de la place*, l'économiser. ◆ v. i. **1.** (sujet nom d'être animé) Être vainqueur : *Gagner sur tous les tableaux* (= partout à la fois). *Gagner aux courses, à la loterie* (= remporter le lot gagnant); et, le sujet étant l'instrument de la victoire : *L'as de pique gagne.* — **2.** (sujet nom d'être animé ou de chose) *Y gagner, gagner à* (et un nom), *à ce que* (et le subj.), avoir du bénéfice, de l'avantage à quelque chose : *J'y gagne. Vous gagnerez à ce qu'on ne sache rien.* — **3.** *Gagner à* (et un infin.), *en* (et le part. présent), *en* (et un nom), s'améliorer, prendre de l'avantage : *Il gagne à être connu. Ce vin gagne en bouteille.* — **4.** *Gagner de* (et l'infin.), obtenir le résultat que : *Il a gagné à cette sortie d'attraper un bon rhume.* — **5.** *Gagner en* (et un nom abstrait), s'améliorer du point de vue de : *Son style a gagné en rigueur.* — **6.** *Gagner sur* (et un nom désignant un antagoniste), être plus fort que, l'emporter sur, être vainqueur de. ◆ **gagnant, e** adj. et n. Qui gagne (surtout au jeu, à la loterie) : *Numéro gagnant. Jouer gagnant* (= compter sur la victoire, ne jouer qu'à coup sûr). ◆ **gagne-pain** n. m. inv. Travail ou instrument de travail qui sert à gagner sa vie. ◆ **gagne-petit** n. m. inv. Personne dont le métier rapporte peu. ◆ **gagneur, euse** n. Celui qui gagne habituellement. ◆ **gain** n. m. **1.** Action de gagner. ‖ *Gain de cause*, avantage obtenu dans un procès, dans un débat quelconque : *Obtenir gain de cause.* — **2.** Profit, bénéfice : *Réaliser des gains considérables* (contr. PERTE). — **3.** (suivi d'un compl.) Avantage (en profit ou en économie) : *Un gain de temps, de place* (contr. PERTE). ◆ **ingagnable** adj. : *Un match ingagnable* (= perdu d'avance).

2. GAGNER [gaɲe] v. t. (même étym.). **1.** (sujet nom de personne) *Gagner qq'un, gagner la sympathie, l'affection de qq'un*, se rendre cette personne favorable, se concilier sa sympathie, etc. : *J'ai été gagné par son amabilité* (syn. CONQUÉRIR). — **2.** *Gagner des témoins, gagner ses gardiens*, les corrompre, les acheter pour se les concilier. — **3.** *Gagner qq'un* (dans une compétition), le vaincre : *Il me gagne aux échecs* (syn. BATTRE). — **4.** *Gagner qq'un de vitesse*, aller plus vite que lui et le devancer au but.

3. GAGNER [gaɲe] v. t. (même étym.) [sujet nom de chose]. **1.** *Gagner qq'un*, l'envahir progressivement : *Le sommeil le gagne. Le temps nous gagne* (= va plus vite que nous; nous ne pourrons accomplir notre tâche à temps). — **2.** *Gagner une chose*, l'atteindre dans sa progression : *Le feu gagne les maisons voisines.* ◆ v. i. (sujet nom de chose). Se propager, avancer : *L'incendie gagne.*

4. GAGNER [gaɲe] v. t. (même étym.). **1.** (sujet nom d'être animé ou désignant un moyen de transport) *Gagner un lieu*, se diriger vers ce lieu et l'atteindre : *Gagner la frontière. Gagner la porte* (= partir, s'esquiver). — **2.** (sujet nom d'être animé ou de chose) *Gagner du terrain*, avancer, progresser, se répandre. — **3.** (sujet nom de personne) *Gagner le large*, s'enfuir (syn. PRENDRE LE LARGE).

GAGNEUR, EUSE n. ⟶ GAGNER 1.

GAGNY, ch.-l. de cant. de la Seine-Saint-Denis, à 16 km au N.-E. de Paris; 34 900 hab.

GAI, E [gɛ] adj. (frq. *wāhi*, impétueux). **1.** Se dit d'une personne (ou de son comportement) qui est d'humeur à rire, à s'amuser : *Être gai, d'humeur gaie* (syn. ALLÈGRE, EN FORME, ENJOUÉ, EN TRAIN, JOVIAL, JOYEUX; contr. TRISTE). *Un gai luron* (syn. JOYEUX DRILLE); qui est sous l'effet de la boisson : *Il commence à être gai* (= un peu ivre). — **2.** Se dit de quelque chose ou de quelqu'un qui inspire une humeur gaie : *La soirée fut gaie* (contr. TRISTE). — **3.** Se dit d'une couleur claire et fraîche : *Être habillé de couleurs gaies. Le temps était gai.* — **4.** *C'est gai!*, se dit par antiphrase d'une situation plus ou moins catastrophique. ◆ **gaiement** adv. **1.** Avec gaieté : *Chanter gaiement.* — **2.** De bon cœur, avec entrain : *Se mettre gaiement au travail.* ◆ **gaieté** [gete] n. f.

1. Bonne humeur, humeur qui porte à rire ou s'amuser : *Montrer de la gaieté* (syn. ENTRAIN, JOVIALITÉ). — **2.** Caractère de ce qui manifeste de la bonne humeur ou de ce qui y dispose : *La gaieté de la conversation. La gaieté d'une couleur.* — **3.** *De gaieté de cœur* (en général à propos d'une action désagréable ou dangereuse), volontairement et avec plaisir : *On ne fait pas la guerre de gaieté de cœur.* ◆ n. f. pl. Les amusements, les côtés drôles propres à un groupe social, à une activité, à une région (souvent ironiq.) : *Les gaietés de la province.*

GAILLAC, ch.-l. de cant. du Tarn, à 22 km à l'O. d'Albi, sur le Tarn; 10900 hab. *(Gaillacois).* Vins blancs mousseux.

1. GAILLARD, E [gajar, -ard] adj. (du gaul. *galia*, force). **1.** Se dit d'une personne pleine de vigueur, d'entrain, de santé (ou de son comportement) : *Il est plus gaillard que jamais* (syn. FRAIS ET DISPOS, FRINGANT, VIF, VIGOUREUX). *Une allure gaillarde* (syn. DÉCIDÉ). — **2.** Qui enfreint la bienséance par une gaieté un peu libre : *Tenir des propos gaillards* (syn. CRU, ÉGRILLARD, GRAVELEUX, GRIVOIS, LÉGER, LESTE, LICENCIEUX). ◆ n. **1.** Homme plein de vigueur et d'entrain : *Un solide gaillard.* — **2.** *Fam.* Individu adroit, malin, peu scrupuleux : *Ah! je te tiens, mon gaillard!* (syn. BONHOMME; fam. LASCAR); se dit d'un enfant rusé et vigoureux : *C'est un gaillard qui promet.* ◆ **gaillarde** n. f. Femme pleine de santé, de gaieté, et d'une conduite fort libre. ◆ **gaillardement** adv. **1.** Avec entrain et bonne humeur : *Supporter gaillardement une épreuve.* — **2.** Avec décision et courage, sans hésiter : *Attaquer gaillardement une montée.* ◆ **gaillardise** n. f. **1.** Bonne humeur, gaieté un peu libre. — **2.** Action ou parole au contenu assez libre : *Une gaillardise osée* (syn. GAULOISERIE, GRIVOISERIE).

2. GAILLARD [gajar] n. m. (de [*château*] *gaillard*). *Mar.* Chacune des parties extrêmes du pont supérieur d'un navire, à l'avant et à l'arrière. (Actuellement, seul le *gaillard d'avant* a gardé son nom, et le *gaillard d'arrière* s'appelle *dunette.*)

GAILLARD, comm. de Haute-Savoie, à 1 km au S. d'Annemasse; 9000 hab. Produits pharmaceutiques.

1. GAILLARDE n. f. ⟶ GAILLARD 1.

2. GAILLARDE [gajard] n. f. (de *gaillard*). Danse de cour française, très en faveur au XVIe s. (D'un mouvement animé, elle faisait presque toujours suite à la pavane.)

GAILLARDEMENT adv., **GAILLARDISE** n. f. ⟶ GAILLARD 1.

GAILLON, ch.-l. de cant. de l'Eure, à 10 km au S.-O. des Andelys, sur la Seine; 5900 hab. Ruines d'un château (XVIe s.).

GAIN n. m. ⟶ GAGNER 1.

GAINE [gɛn] n. f. (du lat. *vagina*, fourreau). **1.** Étui d'un instrument aigu ou tranchant, ou d'une arme de petite dimension. — **2.** Sous-vêtement féminin en tissu élastique, destiné à maintenir le ventre. — **3.** *Anat.* Membrane qui entoure un organe, un muscle, un tendon : *Gaines fibreuses. Gaines synoviales.* — **4.** *Bot.* Base élargie par laquelle le pétiole d'une feuille s'insère sur la tige. — **5.** *Gaines d'aération, de ventilation*, conduits servant à l'aération des locaux souterrains d'un ouvrage fortifié. ◆ **gainer** v. t. Mouler comme une gaine.

GAINSBOROUGH (Thomas), peintre anglais (1727-1788). Admirateur de Van Dyck et de Watteau, coloriste raffiné, il est l'auteur de nombreux portraits des membres de la gentry* ou du monde du théâtre, empreints d'une grâce aristocratique *(Blue Boy).* S'inspirant très librement des Hollandais, il fonda l'école anglaise du paysage, qui influença les impressionnistes *(Paysage du Suffolk).*

GAIZE [gɛz] n. f. (mot des Ardennes). Roche sédimentaire siliceuse, compacte, contenant des débris microscopiques d'éponges. (Elle forme le massif de l'Argonne.)

GALA [gala] n. m. (de l'anc. fr. *gale*, réjouissance). **1.** Grande fête officielle : *Un gala à l'Opéra.* — **2.** *De gala*, qui est de mise dans les occasions solennelles ou les sorties officielles : *Habit, repas de gala.*

GALACTIQUE adj. ⟶ GALAXIE.

GALALITHE [galalit] n. f. (du gr. *gala*, lait, et *lithos*, pierre). Matière plastique préparée à partir de la caséine.

GALANT, E [galɑ̃, -ɑ̃t] adj. (de l'anc. fr. *galer*, s'amuser) [placé avant ou après le nom]. **1.** Se dit d'un homme empressé, prévenant avec les femmes. — **2.** Se dit de ce qui a trait aux relations sentimentales et amoureuses : *Des compliments galants.* ◆ n. m. *Ironiq.* Amoureux, soupirant : *Elle est entourée de tous ses galants.* ‖ *Le Vert Galant*, nom sous lequel on désigne parfois Henri IV. ◆ **galamment** [galamɑ̃] adv. **1.** Avec galanterie : *Céder galamment sa place à une femme.* — **2.** Avec adresse : *S'en tirer galamment.* ◆ **galanterie** n. f. Politesse empressée auprès des femmes.

GALANTINE [galɑ̃tin] n. f. (de l'anc. fr. *galatine*, gelée). Mets composé de viande hachée cuite dans une gelée.

GALÁPAGOS *(îles)*, archipel volcanique de l'océan Pacifique, dépendance de l'Équateur; 3600 hab. Réserve de faune (tortues géantes, iguanes, gastropodes arboricoles, etc.).

GALATÉE, divinité marine, aimée par le géant Polyphène, à qui elle préféra le berger Acis; le géant, les ayant surpris, écrasa son rival sous un rocher.

GALAŢI ou **GALATZI,** port de Roumanie, sur le Danube; 184000 hab.

GALATIE, anc. région d'Asie Mineure, entre la Phrygie et la Cappadoce. Le pays tire son nom des Gaulois (ou *Galates*), qui occupèrent la contrée au IIIe s. av. J.-C. Elle devint en 25 apr. J.-C. une province romaine. Saint Paul l'évangélisa et lui adressa l'*Épître aux Galates.*

GALAXIE [galaksi] n. f. (du gr. *gala, galaktos*, lait). **1.** Système stellaire affectant la forme d'un disque avec un bulbe central, qui contient une centaine de milliards d'étoiles, parmi lesquelles le Soleil, et qui, vu par la tranche, se traduit pour un observateur terrestre par une traînée brillante qui n'est qu'un fourmillement innombrable d'étoiles. (En ce sens, prend une majusc.) — **2.** Système stellaire analogue à celui auquel appartient le Soleil, et dont on connaît un très grand nombre de spécimens, situés jusqu'aux limites observables de l'Univers. (Dans ce cas, on écrit « galaxies » avec une minuscule pour les différencier de notre Galaxie.) ◆ **galactique** adj. Qui a rapport à la Galaxie.

— ENCYCL. La *Galaxie* présente la forme d'un disque aplati avec un bourrelet central. Les étoiles qui la composent sont environ deux cents milliards. On évalue le diamètre de la Galaxie à 100000 années de lumière (al), son épaisseur moyenne à 3000 al et celle du renflement central à 15000 al. On y observe des sortes de nodosités appelées *amas globulaires* et formées de dizaines de milliers d'étoiles.

Le nombre des galaxies extérieures à la nôtre et connues est de l'ordre de cinq cents millions, et ce nombre ne peut qu'augmenter en raison des progrès des moyens d'investigation mis en œuvre. Leurs distances s'évaluent en millions d'années de lumière. Leur forme est variable, mais le type spiralé est le plus fréquent. Les galaxies s'éloignent les unes des autres à des vitesses considérables : c'est le phénomène de l'*expansion de l'Univers*, en accord avec la théorie de relativité générale.

GALBA (Servius Sulpicius) [v. 5 av. J.-C.-69 apr. J.-C.], empereur romain (68-69). Successeur de Néron, il régna sept mois. Il fut assassiné par les prétoriens.

GALBE [galb] n. m. (it. *garbo*, belle forme). Contour gracieux du corps humain, d'un meuble, etc. : *Le galbe d'une jambe.* ◆ **galbé, e** adj. : *Un corps bien galbé* (= bien fait).

GALE [gal] n. f. (de *galle*, excroissance). **1.** Affection contagieuse de la peau, due à un parasite animal qui pénètre dans l'épiderme (le *sarcopte*), et qui se caractérise par des démangeaisons. — **2.** Fam. *Il est mauvais comme la gale*, il ne fait que dire du mal des autres. ◆ **galeux, euse** adj. Atteint de la gale : *Un chien galeux.* ‖ *Brebis galeuse*, personne méprisée et rejetée par un groupe social. ◆ n. m. Individu méprisable.

GALÉJADE [galeʒad] n. f. (prov. *galejada*, plaisanterie). Histoire exagérée ou invraisemblable, généralement destinée à tromper.

GALÈNE [galɛn] n. f. (lat. *galena*, minerai de plomb). Sulfure naturel de plomb (PbS).

GALÈRE [galɛr] n. f. (catalan *galera*). **1.** Anc. navire de guerre ou de commerce, long et de bas bord, allant à la voile et à la rame, employé surtout dans la Méditerranée. — **2.** Fam. *Vogue la galère!*, advienne que pourra. — **3.** Conditions de vie très pénibles : *Mener une vie de galère.* ◆ n. f. pl. Peine des criminels condamnés à ramer sur les galères de l'État; bagne. ◆ **galérien** n. m. **1.** Homme condamné aux galères. — **2.** *Vie de galérien*, vie extrêmement dure et pénible.

GALÈRE, empereur romain, m. en 311. D'origine illyrienne, il se distingua dans l'armée et devint le gendre de Dioclétien, qui, lors de la formation de la tétrarchie* (293), le nomma césar pour l'Illyrie, le Danube et l'Achaïe. À l'abdication de Dioclétien et de Maximien (305), il devint auguste pour l'Orient et l'Italie. Il fut l'instigateur de la persécution dite « de Dioclétien » contre les chrétiens.

1. GALERIE [galri] n. f. (it. *galleria*). **1.** Lieu de passage plus long que large, situé à l'extérieur (syn. BALCON, LOGGIA) ou à l'intérieur (syn. CORRIDOR, COULOIR) d'un bâtiment. — **2.** Passage souterrain : *Galerie de mine. Creuser une galerie* (syn. BOYAU, TUNNEL). *Des galeries de termites.* — **3.** Balcon sur le pourtour d'une salle de spectacle.

2. GALERIE [galri] n. f. (même étym.). **1.** Lieu disposé pour recevoir une collection d'objets, principalement d'objets d'art : *Les galeries du Louvre.* — **2.** Magasin ou salle d'exposition pour le commerce des tableaux et des objets d'art : *Visiter une galerie de peinture.* — **3.** Collection formant une suite de sujets : *Une galerie de médailles.* — **4.** *Galerie de portraits*, suite de portraits littéraires.

3. GALERIE [galri] n. f. (même étym.). *La galerie*, l'ensemble des personnes qui regardent des joueurs, des acteurs; l'assistance, le public qu'on prend à témoin : *Il veut épater, amuser la galerie.* ‖ *Pour la galerie*, pour faire illusion, pour se faire valoir aux yeux des autres.

4. GALERIE [galri] n. f. (même étym.). Porte-bagages qu'on fixe sur le toit d'une voiture.

GALÉRIEN n. m. → GALÈRE.

1. GALET [galɛ] n. m. (de l'anc. fr. *gal*, caillou). Caillou arrondi par le frottement, que l'on trouve sur le rivage de la mer et dans le lit des torrents.

2. GALET [galɛ] n. m. (même étym.). Petite roue, employée dans divers mécanismes, pour diminuer le frottement et permettre le roulement.

GALETAS [galta] n. m. (du n. de la tour *Galata* à Constantinople). Logement misérable (syn. RÉDUIT, TAUDIS).

GALETTE [galɛt] n. f. (de *galet*). Gâteau rond et plat, fait le plus souvent de pâte feuilletée.

GALEUX, EUSE adj. et n. m. → GALE.

GALIBIER *(col du)*, col des Hautes-Alpes à 2 645 m d'alt., emprunté par la route qui relie Briançon à la vallée de la Maurienne.

GALICE, en esp. **Galicia**, région du nord-ouest de l'Espagne, formée des provinces de La Corogne, Lugo, Orense et Pontevedra; 2 584 000 hab. Elle s'étend sur un ensemble de plateaux au climat doux et humide, qui dominent un littoral découpé par des rias. Importantes pêcheries. Conserveries.

• *1980. Accession de la Galice à l'autonomie.*

GALICIE, région de l'Europe centrale, au N. des Carpates, partagée entre la Pologne (v. pr. *Cracovie*) et l'Ukraine (v. pr. *Lvov*). Elle fut souvent démembrée au profit de la Russie et de la Pologne, puis de l'Autriche (1772) et de la Pologne (1919). De nombreux combats s'y déroulèrent pendant les deux guerres mondiales.

GALICIEN, ENNE [galisjɛ̃, -ɛn] adj. et n. De la Galice ou de la Galicie.

GALIEN (Claude), médecin grec (v. 131-v. 201). Sa doctrine régna sur la médecine jusqu'au XVIIe s. Il a fait d'importantes découvertes en anatomie.

GALIGAÏ (Eleonora DORI, dite) [v. 1576-1617], femme de Concini, favorite de Marie de Médicis. Elle partagea la disgrâce de son mari et fut décapitée comme sorcière.

GALILÉE, région de Palestine, entre la Méditerranée et le lac de Génésareth. Jésus y vécut et y prêcha.

GALILÉE (Galileo GALILEI, dit), physicien et astronome italien (1564-1642). Il fut l'un des fondateurs de la méthode expérimentale. Dès l'âge de dix-neuf ans, observant dans la cathédrale de Pise les oscillations d'une lampe et notant leur durée égale, il pensa appliquer le pendule à la mesure du temps. En 1602, Galilée établit, grâce à son plan incliné, les lois de la chute des corps. Il construisit l'un des premiers microscopes et réalisa en 1609 la lunette qui porte son nom, à l'aide de laquelle il observa les satellites de Jupiter, l'anneau de Saturne, etc. Rallié au système astronomique proposé par Copernic, mais que la cour de Rome dénonçait comme hérétique, il fut sommé de ne plus le professer. Galilée s'inclina devant l'Inquisition (1633), mais la tradition veut qu'après avoir renoncé à ses idées il ait dit à mi-voix : « Et pourtant, elle se meut. »

GALILÉEN, ENNE [galileɛ̃, -ɛ̃n] adj. et n. De Galilée. ◆ n. m. *Le Galiléen*, nom donné à Jésus-Christ, parce qu'il avait été élevé à Nazareth, en Galilée.

GALIMATIAS [galimatja] n. m. (orig. obscure). Discours confus, inintelligible (syn. CHARABIA).

GALION [galjɔ̃] n. m. (de l'anc. fr. *galie*, galère). Grand navire qui servait à transporter en Espagne les produits des mines d'argent et d'or du Pérou et du Mexique.

GALIPETTE [galipɛt] n. f. (orig. obscure). *Fam.* Culbute, cabriole.

GALLE [gal] n. f. (lat. *galla*). Excroissance de formes variées qui se produit chez les végétaux sous l'influence de certains parasites (insectes, champignons). ‖ *Noix de galle* (ou *galle du chêne*), excroissance des feuilles et des jeunes pousses du chêne. (C'est une réaction de défense contre la piqûre d'un hyménoptère, le *cynips*, qui a déposé ses œufs dans le tissu végétal.)

GALLÉ (Émile), artiste français (1846-1904). Il rénova les techniques du verre, de l'ébénisterie et de la marqueterie et contribua à l'élaboration du modern style.

GALLES *(pays de)*, en angl. **Wales**, région de l'ouest de la Grande-Bretagne; 2 749 300 hab. *(Gallois)*. Capit. *Cardiff.*

GÉOGRAPHIE. Massif ancien pénéplané, le pays de Galles est formé de plateaux accidentés par quelques pointements de roches dures (*Snowdon*, 1 085 m). Le climat océanique, frais et humide, explique la grande étendue de la lande.

En dehors des cultures maraîchères concentrées autour des villes du Sud, l'élevage constitue l'activité agricole essentielle. Mais l'économie du pays repose sur l'industrie. Le bassin houiller du pays de Galles a donné naissance à la sidérurgie qui alimente des industries métallurgiques variées, réparties dans les villes qui jalonnent le canal de Bristol : **Cardiff (278 200 hab.), Swansea (172 600 hab.), Newport (112 000 hab.) et Port Talbot (52 000 hab.).**

HISTOIRE. À peine touché par la civilisation romaine, le pays de Galles resta longtemps à l'écart de la civilisation anglo-saxonne et le celtisme s'y maintint. La féodalité normande se rendit difficilement maîtresse du sud du pays.

Au XIIIe s., sous Llewelyn ap Gruffydd (1246-1282), la puissance galloise fut à son apogée.

• *1277-1284. Le pays de Galles est conquis par Édouard Ier, au bout de sept années.*

Mais il n'est incorporé à l'Angleterre que sous le règne d'Henri VIII, par les statuts de 1536 et 1542.

GALLES *(prince de)*, titre que prend, en Angleterre, le fils aîné du roi, depuis 1301.

GALLICAN, E [galikɑ̃, -an] adj. (lat. *gallicanus*, gaulois). Se dit de l'Église de France et de ce qui la concerne : *L'Église gallicane.* ◆ n. Partisan du gallicanisme. ◆ **gallicanisme** n. m. Doctrine qui a pour objet la défense des libertés de l'Église catholique en France *(Église gallicane)* contre les prétentions de la papauté, qualifiées par oppos. d'*ultramontanisme*.

— ENCYCL. La doctrine du *gallicanisme*, formulée pour la première fois au XIVe s. par les légistes de Philippe IV le Bel, fut reprise et maintenue par ses successeurs, et resta vigoureuse jusqu'au XIXe s.

• ***1438. Par la pragmatique sanction de Bourges, Charles VII élargit l'autonomie de la royauté et de l'Église de France par rapport à la papauté.***

• *1516. Le concordat signé entre François Ier et Léon X constitue la charte de l'Église gallicane jusqu'en 1790.*

Il affirme l'autorité temporelle* du roi qui dispose des bénéfices* et nomme les évêques et les abbés, le pape ne leur accordant que l'investiture canonique.

• *1682. Louis XIV et Bossuet affirment la supériorité des conciles sur le pape et l'indépendance complète des souverains en matière temporelle.*

• *1790. Le gallicanisme inspire la Constitution civile du clergé.*

Au XIXe s., le clergé français, se tournant de plus en plus vers Rome, l'ultramontanisme* remplace peu à peu le gallicanisme, dont la faillite est consacrée par la proclamation de l'infaillibilité pontificale (1870) et la séparation de l'Église et de l'État (1905), qui assure à Rome le contrôle complet de l'Église en France.

GALLICISME [galisism] n. m. (du lat. *gallicus*, français). **1.** Tour ou emploi propre à la langue française : *« Il y a » est un gallicisme.* — **2.** Construction française intégrée dans une autre langue : *Un thème latin rempli de gallicismes.*

GALLIEN (v. 218-268), empereur romain (253-268), fils de Valérien. D'abord associé à son père, il demeura seul empereur en 260.

GALLIENI (Joseph) [1849-1916], maréchal de France. Après s'être distingué au Soudan et au Tonkin, il dirigea la pacification et la mise en valeur de Madagascar, dont il fut gouverneur général de 1896 à 1905.

• *1914. Gouverneur militaire de Paris, il participa activement à la victoire de la Marne.*

GALLIFORMES [galifɔrm] n. m. pl. (du lat. *gallus*, coq, et *forme*). Ordre d'assez grands oiseaux au vol médiocre, nichant sur le sol, omnivores, caractérisés par un bec recourbé, de très fortes pattes aux griffes droites, et qui sont surtout remarquables par la différence d'aspect des deux sexes (le mâle ayant un riche plumage et parfois des ergots et des ornements érectiles [crêtes, barbillons] à la tête). [Le terme de *galliformes* doit être préféré à celui de *gallinacés*.]

— ENCYCL. Parmi les familles de l'ordre des *galliformes*, on trouve celle des *phasianidés*, qui comprend le coq et la poule, le dindon, le faisan, la pintade et le paon, espèces dont l'élevage tient la première place dans l'aviculture; c'est aussi dans cette famille que l'on classe des gibiers de chasse traditionnels tels que la caille, la perdrix. Les *tétraonidés* comprennent des espèces plus nordiques : lagopède, tétras, gelinotte.

GALLINACÉ, E [galinase] adj. (lat. *gallinaceus*, de poule). Qui se rapporte ou ressemble à la poule et au coq. ◆ n. m. pl. Syn. de GALLIFORMES.

GALLIPOLI, v. de Turquie, en Europe, sur la rive est de la *péninsule de Gallipoli*, dominant les Dardanelles; 16 500 hab.

• *1915. Les Alliés en font leur objectif dans leur expédition des Dardanelles.*

GALLIUM [galјɔm] n. m. (de *Gallus*, trad. lat. de *Lecoq* qui le découvrit). Métal rare, analogue à l'aluminium.

GALLOIS, E [galwa, -waz] adj. et n. Du pays de Galles. ◆ n. m. Langue celte parlée surtout dans le pays de Galles.

GALLON [galɔ̃] n. m. (mot angl.). **1.** Anc. mesure de capacité française. — **2.** Mesure de capacité aux États-Unis (= 3,78 l) et en Grande-Bretagne (= 4,54 l).

GALLO-ROMAIN, E [gallorɔmɛ̃, -ɛn] adj. (du lat. *gallus*, gaulois, et *romain*). Relatif aux habitants de la Gaule*, depuis la conquête romaine jusqu'à l'installation des Francs.

GALLO-ROMAN [gallorɔmɑ̃] n. m. (du lat. *gallus*, gaulois, et *roman*). Langue romane parlée en Gaule.

GALLUP (George Horace), statisticien américain (1901-1984). Il créa en 1935 un important institut de sondage de l'opinion publique.

GALOCHE [galɔʃ] n. f. (de l'anc. fr. *gal*, caillou). Chaussure de cuir à semelle de bois. ‖ *Menton en galoche* ⟶ MENTON.

GALOIS (Évariste), mathématicien français (1811-1832). Esprit très brillant, en avance sur son temps, il ne parvint pas à faire comprendre ses idées par ses contemporains. La résolution de certaines équations algébriques lui fit pressentir la notion de groupe*. Il fut tué en duel.

GALON [galɔ̃] n. m. (orig. obscure). **1.** Ruban épais, qui sert à orner des vêtements, des rideaux. — **2.** Signe distinctif des grades militaires : *Des galons de lieutenant. Prendre du galon* (= monter en grade; obtenir une situation plus avantageuse). ◆ **galonner** v. t. Mettre un galon; orner de galons.

GALOP [galo] n. m. (du frq. *wala hlaupan*, bien courir). **1.** Allure la plus rapide du cheval. ‖ *Galop d'essai*, épreuve qui permet de connaître les possibilités d'un cheval, d'un homme ou d'une machine. — **2.** Danse à deux temps, au rythme rapide et sautillant, très appréciée vers les années 1900. ◆ **galoper** v. i. **1.** (sujet nom désignant le cheval) Aller au galop. — **2.** (sujet nom de personne) *Fam.* Aller avec précipitation. — **3.** (sujet nom de chose) Se mouvoir d'un mouvement très rapide : *Ses doigts galopent sur le clavier;* avoir une activité fiévreuse : *Son imagination galope.* ◆ **galopade** n. f. Course précipitée. ◆ **galopant, e** adj. Se dit d'une chose qui a une évolution rapide.

GALOPIN [galɔpɛ̃] n. m. (de *galoper*). Petit garçon effronté, polisson (syn. GARNEMENT).

GALOUBET [galubɛ] n. m. (mot prov.). Petite flûte champêtre aux sons aigus, en usage dans le midi de la France. (Utilisé dans la farandole il est généralement accompagné d'un tambourin. Les deux instruments sont joués par le même interprète.)

GALSWORTHY (John), écrivain anglais (1867-1933). Ses romans (*la Saga des Forsyte*, 1906-1921; *Une comédie moderne*, 1924-1928) sont une peinture critique de la société bourgeoise.

GALVANI (Luigi), physicien et médecin italien (1737-1798). Un de ses aides, ayant approché la pointe d'un scalpel des nerfs cruraux d'une grenouille fraîchement tuée, observa une contraction violente. Galvani reprit cette expérience sous diverses formes et attribua le phénomène à une forme d'électricité animale. Cette doctrine, combattue par Volta, donna naissance à une passionnante discussion et fut à l'origine de la pile électrique.

1. GALVANISER [galvanize] v. t. (de *Galvani*). **1.** Électriser au moyen d'une pile; imprimer des mouvements convulsifs à un cadavre par l'action d'une pile : *Galvaniser une grenouille.* — **2.** *Galvaniser qq'un, un groupe*, l'animer d'une énergie, d'un enthousiasme intenses, mais peu durables. ◆ **galvanisme** n. m. Action des courants électriques continus sur les organes vivants.

2. GALVANISER [galvanize] v. t. (même étym.). *Galvaniser du fer*, le recouvrir d'une couche de zinc pour le protéger de l'oxydation. ◆ **galvanisation** n. f. Action de galvaniser : *La galvanisation du fer le rend inoxydable.* (La galvanisation peut s'effectuer de deux façons différentes : à chaud, par immersion dans un bain de zinc fondu; à froid, par dépôt électrolytique.)

GALVANOMÈTRE [galvanɔmɛtr] n. m. (du n. de *Galvani*, et du gr. *metron*, mesure). Instrument qui sert à déceler ou à mesurer l'intensité des courants électriques faibles.

GALVANOPLASTIE [galvanɔplasti] n. f. (du n. de *Galvani*, et du gr. *plassein*, modeler). Procédé qui consiste à déposer, par électrolyse, une couche de métal sur le moule d'une empreinte dont on veut obtenir la reproduction en relief.

GALVAUDER [galvode] v. t. (orig. incert.). Fam. *Galvauder qqch.*, le compromettre, le déshonorer en en faisant un mauvais usage : *Galvauder son nom, son talent.*

GAMA (Vasco DE), navigateur portugais (v. 1469-1524). Il partit en 1497 pour tenter de trouver une route maritime vers l'Orient et les îles à épices. Il doubla sans encombre le cap de Bonne-Espérance le 22 novembre 1497 et suivit la côte orientale de l'Afrique. Du port de Melinda, il partit pour la côte de Malabār (Inde), qu'il toucha à Calicut (mai 1498). Il persuada le prince du pays de conclure un traité de commerce avec les Portugais. À son retour, le roi Manuel l'éleva à la dignité d'amiral des Indes.

En 1502, le roi l'envoya fonder des comptoirs portugais sur les côtes du Deccan, où il fit reconnaître la suzeraineté du Portugal. Il fut nommé vice-roi des Indes l'année de sa mort.

GAMAY ou **GAMET** [gamɛ] n. m. (du n. d'un village de Côte-d'Or). Cépage noir cultivé en Lorraine, dans le Beaujolais et dans le Centre, donnant des vins rouges fins (beaujolais) ou ordinaires.

GAMBA [gɑ̃mba ou gɑ̃ba] n. f. (mot esp.). Grosse crevette des eaux profondes de la Méditerranée et de l'Atlantique.

GAMBADE [gɑ̃bad] n. f. (du prov. *cambo*, jambe). Bond qui marque de la gaieté : *Faire des gambades dans l'herbe.* ◆ **gambader** v. i. **1.** Faire des gambades, s'ébattre. — **2.** Se laisser aller à sa fantaisie : *Son esprit gambade.*

GAMBETTA (Léon), homme politique français (1838-1882). Il s'imposa très tôt comme un des plus brillants orateurs du parti républicain. Élu député de Paris en 1869, il devint le chef de la minorité républicaine. Après l'annonce de la défaite de Sedan (2 septembre 1870) il se rendit à l'Hôtel de Ville où il fit proclamer la république. Ministre de l'Intérieur et de la Guerre dans le gouvernement de la Défense* nationale, il s'efforça d'organiser la résistance en province et refusa de signer le traité de paix avec l'Allemagne.

Réélu député à l'Assemblée nationale en 1871, il devint le chef de l'Union républicaine, parti situé à l'extrême gauche. Sous la présidence de Mac-Mahon (1873-1879), il joua, comme opposant, un rôle de premier plan dans la vie politique. Il fut président de la Chambre en 1879 et président du Conseil en 1881-1882.

GAMBIE (la), fl. de l'Afrique occidentale, tributaire de l'Atlantique; 1 130 km.

GAMBIE, État de l'Afrique occidentale, membre du Commonwealth, s'étendant de part et d'autre du cours inférieur de la *Gambie;* 11 300 km²; 800 000 hab. (71 au km²). Capit. *Banjul* (46 500 hab.). Langue : *anglais.* → cartes AFRIQUE pp. 32.33.

La culture de l'arachide est la principale ressource du pays.

• *1783. La Gambie devint possession anglaise.*
• *1965. Indépendance dans le cadre du Commonwealth.*
• *1970. Le pays adopte une constitution républicaine.*
• *1982-1989. Confédération avec le Sénégal.*

GAMBIER *(îles)*, archipel de la Polynésie française, au S.-E. des Tuamotu. Ch.-l. *Rikitea*, dans l'île Mangareva.

GAMBUSIE [gɑ̃byzi] n. f. (de l'esp. *gambusina*). Poisson originaire d'Amérique, long de 5 cm, et acclimaté dans de nombreux étangs et marais des régions tropicales et tempérées, où il détruit les larves de moustiques.

GAMELIN (Maurice), général français (1872-1958). Collaborateur de Joffre pendant la bataille de la Marne (1914), il commanda en chef les forces franco-anglaises au début de la Seconde Guerre mondiale.

GAMELLE [gamɛl] n. f. (it. *gamella*). Récipient métallique individuel, muni d'un couvercle, utilisé par les soldats, les travailleurs, les campeurs, etc., pour transporter leur repas.

GAMET n. m. ⟶ GAMAY.

GAMÈTE [gamɛt] n. m. (gr. *gametês*, époux). Cellule reproductrice, mâle ou femelle, des organismes animaux et végétaux : *Le gamète mâle s'appelle « spermatozoïde » chez l'homme et les animaux, « anthérozoïde » chez les végétaux; le gamète femelle, « ovule » et « oosphère ».* ◆ **gamétogenèse** n. f. Formation des gamètes.

— ENCYCL. Les *gamètes* dérivent de cellules sexuelles déjà différenciées chez l'embryon; chacune de ces *cellules souches* possède deux fois le nombre *n* chromosomes. Au cours de la formation des gamètes, ces cellules se divisent. La dernière division est très différente des autres : la cellule possédant 2*n* chromosomes va donner naissance à 4 cellules possédant chacune *n* chromosomes seulement : ce sont les *gamètes définitifs*, incapables de se diviser. Lors de la fécondation, deux gamètes de sexe différent s'unissent et forment une cellule fille possédant 2*n* chromosomes : c'est l'œuf, d'où va dériver par multiplication cellulaire le nouvel embryon.

GAMIN, E [gamɛ̃, -in] n. (orig. obscure). **1.** *Fam.* Enfant ou adolescent (syn. GOSSE). — **2.** Enfant, jeune adolescent des rues : *Gavroche est le type du gamin de Paris* (syn. TITI). ◆ adj. Qui a un caractère insouciant, espiègle, malicieux. ◆ **gaminerie** n. f. Comportement, action, parole digne d'un gamin (syn. ENFANTILLAGE).

GAMMA [gama] n. m. **1.** Troisième lettre de l'alphabet grec (γ), correspondant au *g*. — **2.** *Rayons gamma,* radiations émises par certains corps radio-actifs, analogues aux rayons X, mais beaucoup plus pénétrantes et de longueur d'onde plus petite.

GAMMAGLOBULINE [gamaglɔbylin] n. f. *(gamma,* et *globuline).* Globuline* du sérum sanguin qui possède des propriétés immunologiques.

GAMMARE [gamar] n. m. (gr. *kammaros,* écrevisse). Petit crustacé, long de 1 cm, commun dans les eaux douces. (Nom usuel CREVETTE D'EAU DOUCE.)

GAMME [gam] n. f. (de *gamma*). *Mus.* Série de sons conjoints, ascendants ou descendants, disposés à des intervalles convenus, suivant les modes auxquels cette série appartient : *Toutes les gammes prennent le ton et le nom de la note par laquelle elles commencent.* — **2.** *Faire des gammes,* faire des exercices en forme de gammes; s'initier à quelque chose par des exercices élémentaires continuels. — **3.** Série dont les éléments sont classés selon une gradation : *La gamme des couleurs. La gamme des vins.*

GAMMÉE [game] adj. f. (de *gamma*). *Croix gammée,* croix dont les quatre branches sont coudées à angle droit : *La croix gammée était l'emblème du parti national-socialiste allemand.*

GAMOPÉTALE [gamɔpetal] adj. (du gr. *gamos,* union, et *pétale*). Se dit d'une fleur à pétales soudés (par oppos. à DIALYPÉTALE). ◆ n. f. pl. Anc. groupe de plantes dicotylédones à fleurs à pétales soudés.

GAMOSÉPALE [gamɔsepal] adj. (du gr. *gamos,* union, et *sépale*). Se dit d'une fleur aux sépales plus ou moins soudés entre eux.

GANACHE [ganaʃ] n. f. (it. *ganascia,* mâchoire). *Fam.* Personne incapable et stupide.

GANCE (Abel), cinéaste français (1889-1981). Parmi ses principaux films, on peut citer : *J'accuse* (1919), *la Roue* (1922), *Napoléon* (1925-1926), œuvre destinée à être projetée sur triple écran.

GAND, en néerl. **Gent,** v. de Belgique, ch.-l. de la Flandre-Orientale, au confluent de l'Escaut et de la Lys, à 53 km au N.-O. de Bruxelles; 224 700 hab. *(Gantois).*

GÉOGRAPHIE. Capitale de la Flandre belge, centre administratif, intellectuel (université) et commercial, port actif, Gand est aussi un grand centre industriel (textiles [travail du coton principalement], constructions mécaniques, raffinage du pétrole et chimie, sidérurgie). La ville a conservé des maisons anciennes (maison de l'Étape) et de nombreux monuments du Moyen Âge.

HISTOIRE. Au XIIIe s., Gand était la première ville drapière d'Europe.

- *1336. Instauration d'un régime communal.*
- *XIVe-XVe s. Les Gantois luttent contre la maison de Bourgogne.*
- *1492. À la paix de Cadzand, Gand doit cependant accepter la domination de Maximilien.*
- *1576. Signature de la « pacification » préconisant l'expulsion des troupes espagnoles et la liberté religieuse.*
- *1584. Alexandre Farnèse rétablit le gouvernement espagnol et le culte catholique.*

Une période de décadence s'ouvre alors, aggravée par les guerres entre la France et l'Espagne au XVIIe s. La ville ne retrouve sa prospérité qu'avec la révolution industrielle au XIXe s.

GANDHI (Mohandas Karamchand), surnommé **le Mahātmā** *(la Grande Âme),* patriote et philosophe de l'Inde (1869-1948). Il dirigea le mouvement nationaliste indien jusqu'à l'accession de l'Inde à l'indépendance en 1947.

Ses principes de lutte étaient : « La pureté, la vérité, la non-violence. » À partir de 1919 il développa une campagne de boycott de l'administration anglaise et revendiqua l'indépendance nationale. En 1930 il prit l'initiative d'un mouvement de résistance ouverte à l'Angleterre et de désobéissance à ses lois. Son action parvint à atteindre les masses populaires. Emprisonné à plusieurs reprises par les Anglais, il effectua de sévères grèves de la faim pour attirer l'attention sur les problèmes sociaux indiens, et apparut très vite comme un héros national. En 1947, il participa aux négociations qui aboutirent à la proclamation de l'indépendance de l'Inde. Il fut assassiné par un brahmane fanatique.

GANDHI (Indira), fille de Nehru (1917-1984). Présidente du parti du Congrès (1964), elle fut Premier ministre de l'Inde de 1966 à 1977 et à partir de 1980. Elle fut assassinée par des sikhs. Son fils RAJIV (1944-1991) lui succéda à la tête du parti du Congrès et, de 1984 à 1989, à la tête du gouvernement. Il fut tué dans un attentat à la bombe.

GANDIN [gɑ̃dɛ̃] n. m. (de l'anc. boulevard de *Gand,* à Paris). Jeune homme qui a un soin excessif de son élégance (syn. DANDY).

GANDOURA [gɑ̃dura] n. m. (mot ar.). Tunique de laine ou de coton, sans manches, portée par les Arabes sous le burnous.

Ganelon, personnage de *la Chanson de Roland.* Il se venge de Roland en livrant au roi sarrasin l'arrière-garde de l'armée chrétienne.

GANG [gɑ̃g] n. m. (mot angl.). Bande organisée de malfaiteurs. ◆ **gangster** [gɑ̃gstɛr] n. m. Membre d'un gang (syn. BANDIT). ◆ **gangstérisme** n. m. **1.** Ensemble des crimes commis par des gangsters : *Le gangstérisme sévit.* — **2.** Comportement digne d'un gangster.

GANGE (le), fl. de l'Inde; 2 700 km. Issu de l'Himalaya méridional, le Gange arrose Bénarès et Patna avant de se diviser en deux bras qui se jettent en un vaste delta dans le golfe du Bengale. Grâce aux énormes masses d'alluvions qu'il transporte, son delta (où sont construites Calcutta et Dacca) progresse rapidement. Les eaux du fleuve, en crue l'été en raison de la fonte des neiges puis des pluies de la mousson, sont utilisées pour l'irrigation. Fleuve sacré, il attire de nombreux pèlerins qui viennent se baigner dans ses eaux, notamment à Bénarès.

GANGES, ch.-l. de cant. de l'Hérault, à 17 km au S.-E. du Vigan, sur l'Hérault; 2 300 hab. Bonneterie.

GANGÉTIQUE [gɑ̃ʒetik] adj. (de *Gange*). Relatif au Gange.

GANGLION [gɑ̃glijɔ̃] n. m. (mot gr. signif. *glande*). Renflement arrondi ou en fuseau qui se rencontre en certains points des vaisseaux lymphatiques *(ganglions lymphatiques)* et des nerfs *(ganglions nerveux).* ⟶ ENCYCL. ◆ **ganglionnaire** adj. Relatif aux ganglions.

— ENCYCL. Les *ganglions nerveux* sont nombreux et forment deux « chaînes ganglionnaires » de chaque côté de la moelle épinière : ce sont les *ganglions rachidiens,* où sont logés les corps des cellules nerveuses dont les prolongements (ou « axones ») forment les nerfs.

Les *ganglions lymphatiques* sont souvent groupés en amas situés sur les carrefours importants des canaux lymphatiques; dans les aisselles, à l'aine, etc. Ils jouent un rôle important de protection contre les maladies car ils constituent la dernière barrière de défense contre les infections microbiennes ou contre la dissémination des cellules anormales (comme celles issues d'une tumeur souvent cancéreuse).

Quand les ganglions sont atteints par la maladie, microbienne ou tumorale, ils gonflent et peuvent être palpés sous la peau par le médecin : il s'agit alors d'une « adénopathie ».

GANGRÈNE [gɑ̃grɛn] n. f. (gr. *gangraina,* pourriture). **1.** *Méd.* Infection locale des tissus qui aboutit à la nécrose* d'une région du corps : *Une jambe rongée par la gangrène.* — **2.** (compl. nom abstrait) Cause de corruption, de destruction progressive : *La jalousie est la gangrène du cœur.* ◆ **gangrener** v. t. *Gangrener qq'un, une société,* les corrompre par de mauvais exemples. ◆ **se gangrener** v. pr. Être atteint de gangrène. ◆ **gangreneux, euse** adj. Atteint de gangrène; qui a la nature de la gangrène.

GANGSTER n. m., **GANGSTÉRISME** n. m. ⟶ GANG.

GANGUE [gɑ̃g] n. f. (all. *Gang,* chemin). **1.** Matière sans valeur qui entoure un minerai, une pierre précieuse, dans son gisement naturel : *Débarrasser des cristaux de leur gangue.* — **2.** Ce qui enveloppe et dissimule ou dénature quelque chose d'estimable : *Dégager des idées de leur gangue.*

GANNAT, ch.-l. de cant. de l'Allier, à 19 km à l'O. de Vichy; 6 500 hab.

GANSE [gɑ̃s] n. f. (prov. *ganso*). Cordonnet de fil, de soie, d'or, etc., employé dans le costume, l'ameublement, etc.

GANT [gɑ̃] n. m. (frq. *want*). **1.** Partie de l'habillement qui couvre la main et chaque doigt séparément : *Une paire de gants.* — **2.** Objet de forme analogue, destiné à divers usages (les doigts ne sont pas séparés dans ce cas) : *Des gants de boxe. Un gant de* toilette. — **3.** *Souple comme un gant,* docile. || *Aller comme un gant,* convenir à la perfection. || *Se donner les gants de...,* s'attribuer le mérite de ce qu'on n'a pas. || *Mettre des gants, prendre des gants,* agir avec ménagement, délicatesse. || *Retourner qq'un comme un gant,* le faire complètement changer d'opinion. || *Jeter le gant à qq'un,* le défier, le provoquer. || *Relever le gant,* accepter un défi. ◆ **gantelet** [gɑ̃tlɛ] n. m. Gant couvert de lames de fer, qui faisait partie de l'armure (XIe-XVIe s.). ◆ **ganter** v. t. **1.** Recouvrir la main d'un gant. — **2.** (sujet nom désignant des gants) Aller, convenir. ◆ v. i. Avoir comme pointure de gant : *Ganter du 7.* ◆ **ganterie** n. f. Fabrication ou commerce des gants; usine qui les fait ou magasin qui les vend. ◆ **gantier, ère** n. Personne qui fabrique ou vend des gants. ◆ **déganter (se)** v. pr. Retirer ses gants.

GANYMÈDE. *Myth. gr.* Prince troyen. Zeus ayant pris la forme d'un aigle l'enleva et en fit l'échanson (= celui qui sert à boire) des dieux.

GAO, v. du Mali, sur le Niger (r. g.); 13 700 hab. Capit. de l'Empire songhaï en 1010.

GAP, ch.-l. des Hautes-Alpes, sur la Luye, affl. de la Durance; 32 100 hab. *(Gapençois).* Centre commercial et industriel actif.

Garabit *(viaduc de),* pont de chemin de fer métallique, construit de 1882 à 1884 par G. Eiffel, au-dessus de la vallée de la Truyère (Cantal). C'est le premier en date des grands ouvrages métalliques en France : 564 m de long et 122 m de haut.

GARAGE [garaʒ] n. m. (de *garer*). **1.** Lieu couvert, destiné à servir d'abri aux véhicules : *Un garage particulier.* — **2.** *Voie de garage,* voie secondaire, où l'on gare des wagons de chemin de fer. — **3.** Entreprise de réparations et d'entretien d'automobiles : *Conduire sa voiture au garage.* ◆ **garagiste** n. m. Exploitant ou employé d'un garage de réparations.

GARANCE [garɑ̃s] n. f. (du frq. *wratja*). Plante grimpante dont la racine fournit une substance colorante rouge. (Famille des rubiacées.) ◆ adj. inv. Rouge vif. || *Pantalon garance,* pantalon d'uniforme porté dans l'armée française par certains corps de 1835 à 1915.

GARANT, E [garɑ̃, -ɑ̃t] n. et adj. (du frq. *werjan,* garantir comme vrai). **1.** Personne qui répond de la dette d'une autre : *Se porter garant.* — **2.** État qui garantit le respect d'une situation politique : *Les pays garants d'un pacte.* — **3.** Personne qui prend la responsabilité de : *Je suis garant que...* (= j'assure, j'affirme que). — **4.** Personnage ou auteur dont le témoignage et l'autorité appuient une assertion : *Aristote est le garant de cette opinion.* — **5.** Se dit d'une chose qui sert de caution, qui garantit : *Votre amitié est mon meilleur garant.* ◆ **garantie** [garɑ̃ti] n. f. **1.** Engagement par lequel on répond de la qualité d'une chose : *Un bon de garantie.* — **2.** Ce qui est l'assurance, le gage de quelque chose d'autre : *Demander des garanties.* — **3.** Ce qui assure la protection des droits ou des personnes : *Les garanties constitutionnelles.* ◆ **garantir** v. t. **1.** *Garantir une chose,* en assurer sous sa responsabilité le maintien, l'exécution : *Garantir une créance. Garantir l'indépendance d'un pays.* — **2.** *Garantir qqch.,* le rendre sûr, le donner pour vrai : *Je vous garantis qu'il ne lui est rien arrivé* (syn. AFFIRMER, CERTIFIER). *Je vous garantis son soutien* (syn. ASSURER DE). — **3.** *Garantir qq'un, qqch. de qqch.,* le mettre à l'abri : *Le parapluie nous garantit de la pluie* (syn. PRÉSERVER).

GARBO (Greta GUSTAVSON, dite **Greta**), actrice de cinéma suédoise, naturalisée américaine (1905-1990). Sa beauté la fit surnommer LA DIVINE.

GARCE [gars] n. f. (fém. de *gars*). *Fam.* Fille ou femme dont on a à se plaindre, qui a été méchante ou désagréable.

GARCHES, ch.-l. de cant. des Hauts-de-Seine, à 6 km à l'O. de Paris; 18 400 hab. *(Garchois).* Établissement hospitalier.

GARCÍA LORCA (Federico), écrivain espagnol (1899-1936). En 1928, il publie un recueil de quinze « romances » (= poèmes), le *Romancero gitan,* dans lequel se retrouvent les diverses inspirations lyriques de l'Espagne. Directeur d'une troupe de théâtre, il écrit plusieurs pièces dont *Noces de sang* (1933) et *la Maison de Bernarda* (1936).

• *1936. Arrêté par la garde civile franquiste, il est fusillé.*

1. GARÇON [garsɔ̃] n. m. (du frq. *wrakjo*). **1.** Enfant du sexe masculin : *Les garçons sont plus turbulents que les filles.* — **2.** Jeune homme : *Un garçon de vingt ans.* || *Garçon d'honneur,* jeune homme chargé d'assister les époux pendant la cérémonie du mariage. — **3.** Homme jeune : *Un bon, un brave, un gentil garçon* (= un homme serviable, facile à vivre). *Un mauvais garçon* (= un homme tapageur, querelleur). — **4.** (avec un possessif) *Fam.* Fils : *J'ai envoyé mes garçons à la campagne.* ◆ **garçonne** n. f. Fille ou femme qui prend des allures de garçon. ◆ **garçonnet** n. m. *Fam.* Petit garçon. ◆ **garçonnière** adj. f. Se dit d'une jeune fille qui a des manières de garçon.

2. GARÇON [garsɔ̃] n. m. (même étym.). **1.** Homme célibataire : *Un vieux garçon* (= un homme âgé qui ne s'est jamais marié). — **2.** *Enterrer (dire adieu à) sa vie de garçon,* se marier. ◆ **garçonnière** n. f. Petit logement, convenant à un homme seul.

3. GARÇON [garsɔ̃] n. m. (même étym.). **1.** Jeune ouvrier travaillant chez un patron artisan : *Un garçon boulanger.* — **2.** Employé subalterne : *Un garçon de bureau.* — **3.** *Garçon de café,* ou simplem. *garçon,* employé chargé de servir la clientèle dans un restaurant, un café (au fém. SERVEUSE).

GARÇONNE n. f., **GARÇONNET** n. m. ⟶ GARÇON 1.

GARÇONNIÈRE adj. et n. f. ⟶ GARÇON 1 et 2.

GARD (le), riv. du bas Languedoc, affl. du Rhône (r. dr.); 133 km. Formé par la réunion du Gardon d'Alès et du Gardon d'Anduze, il conflue en amont de Beaucaire après être passé sous le *pont du Gard* (aqueduc romain qui mesure 273 m de long et 49 m de haut).

GARD (30), dép. formé d'une partie du Languedoc oriental (Région Languedoc-Roussillon); 5 853 km^2; 530 500 hab. (91 au km^2) [France : 103]. Ch.-l. *Nîmes.*

ADMINISTRATION. 3 arrond. (*Alès,* 134 200 hab.; *Nîmes,* 367 300 hab.; *Le Vigan,* 29 000 hab.). / 45 cant. / 353 comm.

→ carte et tableau page suivante.

Le Nord-Ouest appartient à la bordure sud-orientale du Massif central (*Cévennes,* où l'altitude dépasse parfois 1 000 m), à laquelle succèdent le plateau calcaire des *Garrigues,* puis une petite partie de la *plaine languedocienne* au S., la vallée du Rhône constituant la limite orientale.

L'agriculture emploie environ le huitième de la population active, proportion supérieure à la moyenne française. À la traditionnelle viticulture se sont associées les cultures fruitières et maraîchères développées grâce à l'irrigation.

L'industrie occupe un peu plus du tiers de cette population active : liée en partie à l'agriculture (vinification [= art de faire le vin], conserverie), elle est souvent peu dynamique (le bassin houiller d'Alès n'est plus exploité). Le département possède toutefois l'important centre nucléaire de Marcoule, tandis que s'est achevé l'aménagement du Rhône.

Au contraire, le *secteur tertiaire* est développé et emploie près de la moitié de la population active. Son importance n'est que partiellement liée à celle de l'urbanisation : Nîmes est l'unique grande ville (regroupant d'ailleurs plus du quart de la population départementale).

Récemment, le Gard a connu un rapide essor démographique, dû à l'essor de Nîmes et à l'arrivée des rapatriés d'Afrique du Nord, les deux autres arrondissements continuant à se dépeupler.

GARDANNE, ch.-l. de cant. des Bouches-du-Rhône, à 24 km au N. de Marseille; 15 400 hab. Lignite. Centrale thermique. Alumine.

1. GARDE n. f. ⟶ GARDER 1.

2. GARDE [gard] n. f. (de *garder*). **1.** Corps de troupes assigné à la protection d'une personne. || *Garde impériale,* ou *la Garde,* corps de troupes créé en 1804 par Napoléon Ier, et divisé en 1809 en *Vieille Garde* (= régiments qui formèrent la réserve) et *Jeune Garde* (= régiments d'élite créés pour la bataille). || *Garde nationale,* milice civique créée en 1789 pour la défense de l'ordre public et placée sous le commandement de La Fayette; elle participa aux combats du siège de Paris en 1870-1871, avant de disparaître définitivement. || *Garde républicaine,* corps de la gendarmerie nationale chargé des missions de sécurité et des services d'honneur au profit des hautes autorités de l'État. — **2.** Groupe d'hommes qui gardent un poste : *Relever la garde* (= changer les hommes de faction). — **3.** *Corps de garde,* groupe d'hommes désignés pour être de service au poste de garde d'une caserne, etc. || *Plaisanterie de corps de garde,* plaisanterie très grossière. — **4.** *La vieille garde,* les vieux partisans, les derniers amis fidèles d'une personnalité politique. ◆ **arrière-garde** n. f. **1.** Éléments qu'une troupe détache derrière elle afin de se protéger. — **2.** *Mener un combat d'arrière-garde,* défendre une cause que l'on sait perdue en raison du mouvement général des idées et des événements. || Pl. des *arrière-gardes.* ◆ **avant-garde** n. f. **1.** Unité militaire qu'on détache devant une troupe pour la protéger et la renseigner. — **2.** Ce qui est en tête du progrès ou en avance sur son temps : *L'avant-garde de la science* (syn. POINTE). *Les idées d'avant-garde* (syn. AVANCÉ ; contr. RÉACTIONNAIRE, RÉTROGRADE). || Pl. des *avant-gardes.*

3. GARDE [gard] n. f. (même étym.). **1.** *La garde d'une épée, d'une arme blanche,* le rebord entre la lame et la poignée, pour protéger la main. — **2.** *Les gardes d'un livre, les pages de garde,* les feuillets qui séparent la couverture de la première et de la dernière page d'un livre.

4. GARDE [gard] n. (même étym.). Personne chargée de la surveillance de quelqu'un : *La vigilance de ses gardes s'était relâchée* (syn. GARDIEN). *La garde a veillé toute la nuit* (syn. GARDE-MALADE). ◆ n. m. **1.** Homme qui a la charge d'assurer la surveillance d'un lieu. || *Garde champêtre,* agent communal nommé par le maire, préposé à la garde des récoltes et des propriétés rurales, à

LOCALITÉS PRINCIPALES	NOMBRE D'HAB.
Nîmes	129 900
Alès	44 300
Bagnols-sur-Cèze	17 800
Beaucaire	13 000
Saint-Gilles	10 800
Villeneuve-lès-Avignon	9 500
Vauvert	9 100
La Grand-Combe	8 500
Pont-Saint-Esprit	8 100
Uzès	7 800

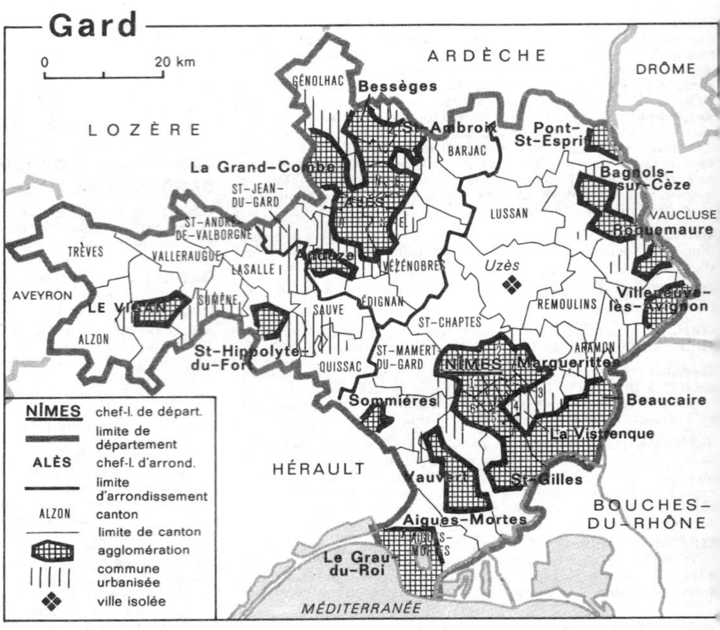

la recherche des délits ruraux et de chasse, et au maintien de la tranquillité publique. ‖ *Garde forestier*, agent chargé de surveiller les forêts domaniales et de constater les infractions aux réglementations dont l'application est confiée à l'Administration des eaux et forêts. ‖ *Garde maritime*, agent chargé de la surveillance des côtes et de l'exécution des règlements de police relatifs à la navigation et à la pêche. — **2.** *Garde des Sceaux*, dignitaire de l'Ancien Régime, chargé de la garde du sceau royal, en lieu et place du grand chancelier (auj. syn. de MINISTRE DE LA JUSTICE). — **3.** Soldat faisant partie de la garde d'un souverain : *Les gardes du roi.* — **4.** Soldat d'un des corps spéciaux appelés *gardes* (→ GARDE 2) : *Un garde républicain.* — **5.** *Garde du corps*, homme chargé de protéger une personnalité contre les attentats éventuels. ◆ **garde-barrière** n. Personne qui a la garde d'un passage à niveau. ‖ Pl. des *gardes-barrière(s)*. ◆ **garde-chasse** n. m. Celui qui veille à la conservation du gibier d'un domaine. ‖ Pl. des *gardes-chasse(s)*. ◆ **garde-chiourme** n. m. Surveillant dur et brutal. ‖ Pl. des *gardes-chiourme*. ◆ **garde-malade** n. Personne qui garde les malades et leur donne les soins élémentaires. ‖ Pl. des *gardes-malades*. ◆ **garde-pêche** n. m. Personne chargée de faire observer les règlements sur la pêche. ‖ Pl. des *gardes-pêche*. (*Rem.* Les noms composés de *garde* et d'un autre substantif sont sujets à contestation orthographique. S'il s'agit d'une chose, le mot *garde* est verbe et reste inv. : *Des garde-fous;* s'il s'agit d'une personne, le mot *garde* est nom et varie au plur. : *Des gardes-malades;* quant au nom compl. [le deuxième élément], il ne reste inv. au plur. que si le sens l'exige : *Des gardes-pêche.*)

GARDE (La), comm. du Var, à l'E. de Toulon; 18 800 hab.

GARDE *(lac de)*, le plus oriental des grands lacs italiens du Nord; 370 km². Le climat et la végétation méditerranéens de ses rives en font un lieu de villégiature très fréquenté.

GARDE-À-VOUS [gardavu] n. m. inv. (de *garde à vous!*). **1.** Position prise sur un commandement militaire prescrivant l'immobilité dans une attitude tendue, talons serrés, bras le long du corps : *Être, se mettre au garde-à-vous.* — **2.** Posture pleine de raideur qu'on prend par déférence, humilité, etc. : *Vivre sans cesse au garde-à-vous.*

GARDE-BARRIÈRE n. → GARDE 4.

GARDE-BOUE n. m. inv., **GARDE-CÔTE** n. m., **GARDE-FOU** n. m. → GARDER 1.

GARDE-CHASSE n. m., **GARDE-CHIOURME** n. m. → GARDE 4.

GARDE-FRANÇAISE [gardəfrɑ̃sɛz] n. m. (de *soldat aux gardes françaises*). Soldat du régiment des gardes françaises, créé en 1563 et chargé jusqu'en 1789 de la garde des palais royaux de Paris. ‖ Pl. des *gardes-françaises*.

GARDE-MALADE n. → GARDE 4.

GARDE-MANGER n. m. inv., **GARDE-MEUBLE** n. m. → GARDER 1.

GARDÉNIA [gardenja] n. m. (du n. du botaniste *Garden*). Plante ornementale à grandes fleurs odorantes, souvent blanches, originaire de Chine. (Famille des rubiacées.)

GARDEN-PARTY [gardɛnparti] n. f. (mot angl.). Fête, réception mondaine donnée dans un jardin. ‖ Pl. des *garden-parties*.

GARDE-PÊCHE n. m. → GARDE 4.

1. GARDER [garde] v. t. (frq. *wardôn*, veiller sur). **1.** *Garder qq'un, un animal*, les surveiller pour les protéger ou pour les empêcher de s'échapper : *Garder un enfant, un troupeau de chèvres, un prisonnier.* — **2.** *Garder qq'un*, le faire rester près de soi en l'occupant, en l'invitant : *Nous allons vous garder à dîner.* — **3.** (sujet nom de personne ou de chose) *Garder qq'un de* (et un nom ou un infin.), le protéger, le préserver de : *Cette veste de fourrure vous gardera du froid.* — **4.** *Garder une chose* (nom désignant généralement un lieu), en prendre soin, le surveiller, la défendre : *Le concierge garde l'immeuble.* ‖ *Chasse gardée*, chasse dont l'accès est interdit par le propriétaire. — **5.** (sujet nom de chose) *Garder un lieu*, être situé à l'entrée de ce lieu : *Un cyprès garde le cimetière.* ◆ **se garder** v. pr. **1.** Se tenir sur ses gardes : *Gardez-vous!* — **2.** *Se garder de* (et un nom de personne ou un nom abstrait), prendre garde à : *Gardez-vous des flatteurs!* (syn. SE DÉFIER, SE MÉFIER). — **3.** *Se garder de* (et un infin.), avoir soin de ne pas... : *Gardez-vous de mentir* (syn. ÉVITER). ◆ **garde** n. f. **1.** Action de surveiller quelque chose, afin de le conserver ou de le protéger : *La garde d'un trésor, des frontières. Un chien de garde* (= qui garde une maison). — **2.** Action de surveiller quelqu'un ou un animal, afin de le protéger, de le soigner : *Prendre un enfant, un malade, un troupeau sous sa garde.* — **3.** Action de surveiller quelqu'un pour l'empêcher de nuire : *Être sous la garde de la police.* — **4.** Action d'assurer un service de surveillance périodique et temporaire : *C'est son tour de garde. La pharmacie de garde. Monter la garde, être de garde* (à l'armée), être de faction dans un poste. — **5.** Action d'adopter une position de défense (en escrime, en boxe) : *En garde!* (= mettez-vous en garde); action d'adopter une attitude vigilante : *Mettre qq'un en garde. Une mise en garde* (= un avertissement). ‖ (au plur.) *Être (se mettre, se tenir) sur ses gardes*, dans une attitude vigilante, aux aguets. — **6.** *Prendre garde* (sans compl.), être vigilant, se préparer à un danger : *Prenez garde.*

(peut être une exhortation ou une menace). ‖ *Prendre garde à qq'un, à qqch.*, faire très attention à : *Sans y prendre garde* (= sans s'en rendre compte). ‖ *Prendre garde de* (et un infin.), faire tous ses efforts pour éviter de. ‖ *Prendre garde que* (avec *ne*, et le subj.), tâcher d'éviter que : *Prenez garde qu'on ne vous voie.* ‖ *Prendre garde que...* (ou, fam., *à ce que*) *ne ... pas* (et le subj.), même sens. — **7.** *N'avoir garde de* (et un infin.), mettre tout son soin à éviter de (littér.) : *Le voilà prévenu, il n'aura garde de venir se frotter à nous.* ◆ **garde-boue** n. m. inv. Bande de métal placée au-dessus d'une roue de bicyclette, de motocyclette, pour protéger des projections de boue. ◆ **garde-côte** n. m. Petit bateau chargé de la surveillance des côtes. ‖ Pl. des *garde-côtes.* ◆ **garde-fou** n. m. Balustrade ou parapet d'un pont, d'un quai, etc., pour empêcher de tomber. ‖ Pl. des *garde-fous.* ◆ **garde-manger** n. m. inv. Petite armoire garnie de toile métallique, ou placard, où l'on conserve les aliments. ◆ **garde-meuble** n. m. Lieu où l'on entrepose des meubles : *Des garde-meuble(s).* ◆ **garderie** n. f. Dans une école, une usine, etc., local où sont gardés les enfants en bas âge en dehors des heures de classe.

2. GARDER [garde] v. t. (même étym.). **1.** Conserver pour soi ou sur soi, ne pas se dessaisir de : *Garder copie d'un document. Garder son manteau.* — **2.** Mettre en réserve : *Garder le meilleur pour la fin* (syn. RÉSERVER). — **3.** (avec un adj. attribut du compl. d'objet) Maintenir dans le même état, dans la même position : *L'enfant garde les yeux levés vers la maîtresse.* ‖ *Garder la tête froide*, conserver son sang-froid. — **4.** *Garder un secret, garder qqch. pour soi*, n'en faire part à personne. — **5.** (avec un compl. d'objet abstrait désignant un état, un sentiment) Rester dans tel ou tel état, conserver tel ou tel sentiment : *Garder ses habitudes, son sérieux. Garder le silence* (syn. OBSERVER). ‖ *Toute(s) proportion(s) gardée(s)*, en tenant compte des différences qui existent entre les objets que l'on compare. — **6.** *Malade qui garde la chambre*, qui ne sort pas. — **7.** (sujet nom d'être animé ou de chose) Rester marqué par, ne pas perdre : *Il garde une cicatrice de sa blessure.* — **8.** (sujet nom de chose) Renfermer, tenir caché : *Le tombeau qui garde les cendres de l'Empereur.*

GARDERIE n. f. ⟶ GARDER 1.

GARDE-ROBE [gardərɔb] n. f. (*garde*, et *robe*). **1.** Ensemble des vêtements d'une personne. — **2.** Placard, armoire où l'on range les vêtements (syn. PENDERIE). ‖ Pl. des *garde-robes.*

GARDIAN [gardjɑ̃] n. m. (mot prov.). En Camargue, homme à cheval qui garde les troupeaux de taureaux, de chevaux.

GARDIEN, ENNE [gardjɛ̃, -ɛn] n. (de *garder*). **1.** Personne préposée à la garde de quelque chose ou de quelqu'un. ‖ *Gardien de but*, au football, joueur chargé de défendre le but. ‖ *Gardien de la paix*, agent de police. — **2.** (avec un compl. nom abstrait) Personne chargée de défendre : *Les gardiens de l'ordre public.* — **3.** (sujet nom abstrait) Moyen de défendre, de protéger : *La constitution est la gardienne des libertés* (syn. GARANT). ◆ adj. *Ange gardien*, qui protège (syn. PROTECTEUR). ◆ **gardiennage** n. m. Emploi, service du gardien.

1. GARDON [gardɔ̃] n. m. (de *Gardon*, n. géogr.). Nom donné, dans les Cévennes, à différents petits torrents aux crues violentes.

2. GARDON [gardɔ̃] n. m. (de *garder*). Poisson osseux des eaux douces tranquilles, long de 15 à 30 cm, à ventre argenté, à dos brun-vert et à nageoires rougeâtres. (Famille des cyprinidés.)

1. GARE [gar] n. f. (de *garer*). **1.** Ensemble des installations de chemin de fer destinées à l'embarquement et au débarquement des voyageurs, au transbordement des marchandises, en un point déterminé. — **2.** *Gare routière*, emplacement aménagé pour accueillir les véhicules routiers de gros tonnage. ‖ *Gare maritime*, gare aménagée sur les quais d'un port. ‖ *Gare de triage*, gare recevant des trains de différentes directions, et où l'on trie les wagons pour constituer des trains complets allant vers d'autres destinations.

2. GARE ! [gar] interj. (impér. de *garer*). Sert à prévenir quelqu'un d'un danger ou à le menacer (le plus souvent suivi de la prép. *à* et d'un nom, d'un pron. ou d'un infin.) [syn. ATTENTION!]. ‖ *Sans crier gare*, sans prévenir, sans avertissement (syn. À L'IMPROVISTE, SOUDAIN).

GARENNE [garɛn] n. f. (bas lat. *warenna*). **1.** Réserve seigneuriale de gibier et notamment, à la fin de l'Ancien Régime, bois où le seigneur entretenait des lapins. — **2.** Lieu boisé et sablonneux où vivent des lapins à l'état sauvage.

GARENNE-COLOMBES (La), ch.-l. de cant. des Hauts-de-Seine, à 4 km au N.-O. de Paris; 21 000 hab.

GARER [gare] v. t. (frq. *warôn*, avertir). **1.** *Garer un véhicule*, le rentrer dans un garage ou dans un endroit aménagé, ou le ranger à l'écart de la circulation : *Garer sa voiture au bord du trottoir.* — **2.** *Garer qqch.*, le mettre à l'abri, en lieu sûr : *Garer ses récoltes. Garer sa fortune.* ◆ **se garer** v. pr. **1.** *Fam.* Ranger sa voiture. — **2.** *Fam.* Se mettre à l'abri. — **3.** *Se garer de qqch.*, l'éviter : *Se garer des coups* (syn. SE PRÉSERVER).

Gargantua (*Vie inestimable du grand*), roman de Rabelais (1534). Fils du roi géant Grandgousier, ce jeune prince aux appétits énormes reçoit à Paris une éducation conforme à l'idéal des humanistes, puis il prend part à la campagne que doit soutenir Grandgousier contre l'agression de son voisin, l'ambitieux roi Picrochole; après la victoire, il récompense le meilleur de ses lieutenants, frère Jean des Entommeures, en lui faisant don de l'abbaye de Thélème, où la règle se résume par la formule : « Fais ce que tu voudras. »

GARGARISER (SE) [səgargarize] v. pr. (gr. *gargarizein*). **1.** Se rincer la bouche et l'arrière-bouche avec un liquide. — **2.** *Fam.* Se délecter de : *Se gargariser de son succès.* ◆ **gargarisme** n. m. Médicament liquide pour se gargariser.

GARGES-LÈS-GONESSE, ch.-l. de cant. du Val-d'Oise, à 9 km au N.-N.-E. de Paris; 40 200 hab.

GARGOTE [gargɔt] n. f. (de l'anc. fr. *gargueter*, faire du bruit avec la gorge). **1.** Petit restaurant bon marché, où l'on mange mal. — **2.** Tout endroit où la cuisine est mauvaise. ◆ **gargotier, ère** n. Personne qui tient une gargote ou qui fait de la mauvaise cuisine.

GARGOUILLE [garguj] n. f. (de *garg-*, onomat. qui évoque le bruit produit par le gosier quand on avale, et *goule*, gueule). **1.** Gouttière saillante en forme d'animal (démon, dragon...), dont la gueule éjecte les eaux de pluie à distance des murs. — **2.** Tuyau pour l'écoulement des eaux.

GARGOUILLEMENT [gargujmɑ̃] ou **GARGOUILLIS** [garguji] n. m. (de *gargouille*). **1.** Bruit que fait un liquide agité de remous dans une canalisation, un récipient. — **2.** Bruit que fait un liquide ou un gaz dans la gorge, l'estomac, les entrailles (syn. BORBORYGME). ◆ **gargouiller** v. i.

GARIBALDI (Giuseppe), patriote italien (1807-1882). Il voua sa vie à la cause de l'unité italienne. (⟶ ITALIE.)

- *1848. De retour d'exil, Garibaldi lève un corps de volontaires contre les Autrichiens en Lombardie.*
- *1849. Il est élu député à l'Assemblée constituante romaine, en janvier.*

Il lutte ensuite contre les Français venus secourir le pape.

- *1859. Il participe à la campagne d'Italie contre l'Autriche.*
- *1860. Rallié à l'idée de faire du Piémont le champion de l'unité italienne, il organise contre le royaume des Deux-Siciles l'« expédition des Mille », ou « des Chemises rouges ».*

Ses victoires en Sicile et à Naples permettent le rattachement du royaume au Piémont.

- ***1862. Résolu à faire de Rome la capitale de l'Italie, Garibaldi s'oppose alors au gouvernement de Victor-Emmanuel et subit un échec.***
- *1866. Il reprend la lutte contre les Autrichiens.*

La paix de Vienne donne la Vénétie à l'Italie.

- *1867. Il échoue devant les Français venus défendre la papauté.*
- *1870. Il offre ses services à la France contre les Allemands et contribue à délivrer Dijon.*
- *1875. Garibaldi est élu député de Rome.*

GARIGLIANO (le), fl. d'Italie, séparant le Latium de la Campanie; 38 km. Sur ses bords, Gonzalve de Cordoue battit les Français (1503), et Bayard en défendit seul un pont contre une avant-garde espagnole. Le corps expéditionnaire français du général Juin y perça en 1944 la ligne Gustav et ouvrit ainsi aux Alliés la route de Rome.

Garin de Monglane, héros de chansons de geste; son nom a été donné à un cycle d'épopées médiévales.

GARMISCH-PARTENKIRCHEN, station de sports d'hiver de l'Allemagne, dans les Alpes bavaroises; 28 000 hab.

GARNEAU (François-Xavier), historien canadien d'expression française (1809-1866), auteur d'une *Histoire du Canada* (1845-1848).

GARNEAU (Saint-Denys), écrivain canadien d'expression française (1912-1943). Il est l'auteur de poèmes qui expriment l'angoisse de la solitude et la fascination de la mort (*Regards et jeux dans l'espace*, 1937).

GARNEMENT [garnəmɑ̃] n. m. (de *garnir*). Enfant, jeune homme turbulent, insupportable (syn. GALOPIN).

GARNERIN (André), aéronaute français (1769-1823). Il effectua la première descente en parachute, en abandonnant d'une hauteur de 1 000 m un ballon à bord duquel il avait pris place (Paris, 1797).

1. GARNI, E adj. ⟶ GARNIR.

2. GARNI [garni] n. m. (de *garnir*). Maison, chambre qui se loue meublée (vieilli).

GARNIER (Charles), architecte français (1825-1898). Son chef-d'œuvre est l'Opéra de Paris (inauguré en 1875).

GARNIER (Marie Joseph François, dit **Francis**), marin français (1839-1873). Il explora, avec Doudart de Lagrée, le bassin du Mékong et le fleuve Rouge et prit Hanoi (1873). Il fut tué par les Pavillons-Noirs (= soldats irréguliers chinois qui combattaient les Français).

GARNIER (Robert), poète français (1544-1590), auteur de tragédies (*les Juives*, 1583).

GARNIER (Tony), architecte français (1869-1948). Son marché et ses abattoirs de Lyon sont, en France, un prototype de l'architecture industrielle.

GARNIR [garnir] v. t. (frq. *warnjan*, protéger). **1.** *Garnir une chose*, la pourvoir de ce qui lui est nécessaire : *Garnir une bibliothèque.* — **2.** *Garnir qqch. de*, munir d'éléments destinés à protéger, à renforcer : *Garnir de plaques d'acier* (syn. BLINDER). *Garnir de bois* (syn. BOISER). — **3.** Orner, enjoliver : *Garnir une table de fleurs. Garnir une étagère de bibelots.* — **4.** *Garnir un espace*, le remplir, le couvrir : *Les murs sont garnis de livres.* ◆ ***se garnir*** v. pr. Se remplir : *Le théâtre se garnit lentement* (syn. S'EMPLIR). ◆ **garni, e** adj. **1.** Qui est pourvu du nécessaire : *Un buffet bien garni.* — **2.** Se dit d'un plat de viande accompagné de légumes : *Entrecôte garnie.* ‖ *Choucroute garnie*, choucroute accompagnée de jambon et de saucisses. ◆ **garnissage** n. m. ◆ **garniture** n. f. **1.** Ce qui sert à garnir une chose, pour la renforcer, la compléter ou l'embellir : *Une garniture métallique. Une garniture de légumes. La garniture d'un chapeau.* — **2.** Assortiment d'objets : *Une garniture de boutons.* ‖ *Garniture de foyer*, la pelle, les pincettes, le tisonnier, etc. ‖ *Garniture de bureau*, ensemble des accessoires assortis qu'on utilise pour écrire sur un bureau (sous-main, encrier, etc.). — **3.** *Garniture d'embrayage, de frein*, matériau de friction qui assure l'embrayage, le freinage d'une voiture, d'une motocyclette, etc. ◆ **dégarnir** v. t. : *Dégarnir une vitrine* (syn. VIDER). *Sa tête se dégarnit* (= ses cheveux tombent). ◆ **regarnir** v. t. Garnir de nouveau.

GARNISON [garnizɔ̃] n. f. (de *garnir*). **1.** Ensemble des troupes stationnées dans une ville pour la défendre ou y séjourner. — **2.** Cette ville elle-même : *Changer de garnison.*

GARNISSAGE n. m., **GARNITURE** n. f. → GARNIR.

GARONNE (la), fl. du sud-ouest de la France, qui naît en Espagne dans la Maladetta, draine la plus grande partie du bassin d'Aquitaine, et se jette dans l'Atlantique par le grand estuaire de la Gironde; 650 km. La Garonne a un régime irrégulier de type général pluvio-nival, aux crues pouvant survenir en toute saison, sauf en juillet et août, et dont la brutalité est à mettre en rapport avec la pente rapide et l'origine montagnarde du fleuve et de ses principaux affluents. Peu utilisée pour l'irrigation ou la production d'hydro-électricité, et délaissée par la navigation, son rôle économique est médiocre (sauf en aval de Bordeaux).

Garonne *(canal latéral à la)*, canal longeant la Garonne, de Toulouse à Agen; 193 km.

GARONNE (Haute-) [31], dép. du sud de la France (Région Midi-Pyrénées); 6 309 km²; 824 500 hab. (131 au km²) [France : 103]. Ch.-l. *Toulouse.*

ADMINISTRATION. 3 arrond. (*Muret*, 113 500 hab.; *Saint-Gaudens*, 75 500 hab.; *Toulouse*, 635 400 hab.). / 50 cant. / 587 comm.

Le département s'étend sur deux régions bien différentes, d'extension inégale. Le Sud appartient à la *montagne pyrénéenne;* le Nord constitue l'extrémité sud du *bassin d'Aquitaine;* l'altitude s'abaisse rapidement vers le N. de la Comminges et le Toulousain (où elle devient inférieure à 200 m). Malgré la présence de la montagne, la densité d'occupation est élevée.

L'agriculture emploie moins du douzième de la population active. L'élevage est naturellement la ressource essentielle de la partie pyrénéenne, mais il se développe aussi dans les collines et plaines du Nord, qui demeurent le domaine de la polyculture (céréales, maïs, fruits et légumes, vigne).

L'industrie emploie à peine le tiers de la population active. En dehors de l'hydro-électricité pyrénéenne et du petit gisement de gaz naturel de Saint-Marcet (en voie d'épuisement), elle est surtout

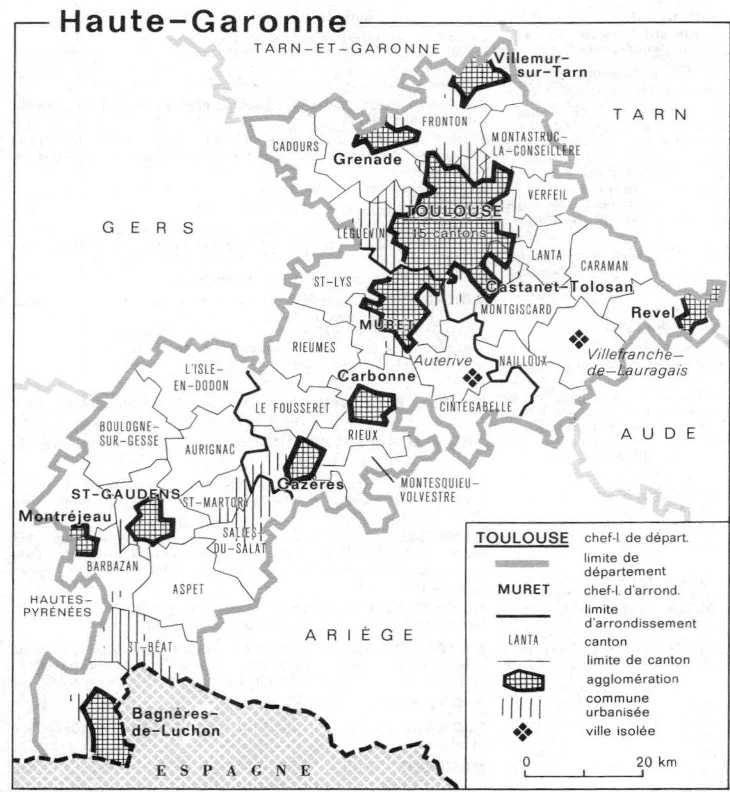

LOCALITÉS PRINCIPALES	NOMBRE D'HAB.
Toulouse	354 300
Colomiers	23 600
Muret	16 200
Blagnac	14 900
Saint-Gaudens	12 200
L'Union	10 500
Cugnaux	10 300
Balma	8 800
Revel	7 700
Portet-sur-Garonne	6 900

eprésentée dans l'agglomération de Toulouse qui, regroupant près es deux tiers de la population totale, domine le département.

La présence de Toulouse explique la forte densité moyenne et ı part prépondérante du *secteur tertiaire* (environ 60 p. 100 des ctifs) dans la vie économique.

C'est aussi la très forte croissance de l'agglomération toulou-aine qui alimente l'augmentation sensible de la population du épartement prise dans son ensemble, alors que de nombreux antons pyrénéens ont vu leur population décroître.

ıARRIGUE [garig] n. f. (prov. *garriga*). Dans les pays méditer-anéens, formation végétale, constituée de chênes verts mélangés des buissons et à des plantes herbacées aromatiques (thym, ıvande), qui apparaît sur sol calcaire après destruction de la forêt.

ıARRIGUES (les), plateaux arides du midi de la France, au pied es Cévennes. Élevage des moutons.

ıARROS (Roland), aviateur français (1888-1918). Pionnier de aviation dès 1911, il réussit, de Saint-Raphaël à Bizerte, la pre-ıière traversée de la Méditerranée (23 septembre 1913).

. GARROT [garo] n. m. (mot prov.). Partie saillante de l'enco-ıre d'un grand quadrupède (cheval, bœuf), au-dessus de l'épaule.

:. GARROT [garo] n. m. (du frq. *wrokkôn*, tordre avec force). ıien servant à comprimer un membre pour arrêter une hémorragie ırtérielle.

– ENCYCL. En présence d'un blessé qui saigne abondamment, ıl ıut essayer d'arrêter l'hémorragie artérielle (sang rouge, coulant ar saccades, en jets violents) par la pose d'un *garrot* qui doit orter l'heure à laquelle il a été placé et être, si possible, élastique :aoutchouc) et large.

Quel que soit le niveau de la blessure, le garrot doit être placé : *u-dessus du coude* (pour le membre supérieur), *au-dessus de genou* ›our le membre inférieur). Toute pose d'un garrot est un geste rave, qui prive le membre garrotté de tout apport sanguin et expose à la ***nécrose**** et à la ***gangrène* sèche***. Aussi, avant de le oser, il faudra toujours essayer d'arrêter l'hémorragie par des ıoyens moins dangereux : soit la compression de l'artère au-essus de la blessure, soit un pansement compressif sur la plaie, omme dans le cas d'une hémorragie veineuse. Le garrot ne doit tre enlevé que par un médecin, cette opération pouvant entraîner n choc grave chez le malade.

ıARROTTE [garot] n. f. (de *garrot*). Supplice par strangulation, sité en Espagne.

ıARROTTER [garɔte] v. t. (de *garrot*). **1.** *Garrotter qq'un*, le er étroitement et très fort : *Garrotter un prisonnier.* — **2.** *Garrot-ɜr qqch.* (nom abstrait), lier moralement, priver de toute liberté 'action : *Garrotter l'opposition* (syn. MUSELER).

ıARS [gɑ] n. m. (de *garçon*). **1.** *Fam.* Garçon, jeune homme. – **2.** Gaillard solide, courageux ou peu scrupuleux.

ıARTEMPE (la), riv. de la Marche limousine et du Poitou, affl. e la Creuse (r. g.); 190 km.

ıARY, v. des États-Unis (Indiana), sur le lac Michigan; 78 300 hab. Sidérurgie.

ıASCOGNE, anc. duché français, qui s'étendait entre les Pyré-ées, l'Atlantique et la Garonne (en aval de Toulouse). Capit. *uch.*

Occupée successivement par les Ibères, les Romains, les Wisi-oths, les Francs et les Vascons (Ibères non latinisés qui donnè-ent leur nom au pays), la Gascogne fut érigée en duché en 602, vant de subir au VIIIe s. l'invasion arabe.

732. La victoire de Poitiers rend le pays aux Francs.
1154. Passée au duché d'Aquitaine, la Gascogne devient anglaise, après le mariage d'Aliénor d'Aquitaine et d'Henri Plantagenêt.
1303. L'Angleterre cède à la France la partie orientale de la Gascogne.
1453. Comprise dans la Guyenne, la province redevient entière-ment française.

ıASCOGNE *(golfe de)*, partie de l'océan Atlantique comprise ntre les côtes du Bassin aquitain et les côtes d'Espagne.

ıASCON, ONNE [gaskɔ̃, -ɔn] adj. et n. (du lat. *Vasco, -onis*, /ascon). **1.** De la Gascogne. — **2.** *Une offre de Gascon*, une propo-ition qui n'est pas sérieuse. ◆ n. m. Dialecte de la langue d'oc ›arlé en Gascogne.

ıASOIL [gazwal] ou **GAZOLE** [gazɔl] n. m. (mot angl.). ıiquide combustible jaune clair, légèrement visqueux, extrait par istillation du pétrole brut. (Il est utilisé comme combustible [fuel-il domestique ou mazout] et comme carburant dans les moteurs Diesel.)

ıASPÉSIE, péninsule du Canada (Québec), entre le golfe du Saint-Laurent et la baie des Chaleurs.

GASPILLER [gaspije] v. t. (du prov. *gaspilha*). **1.** *Gaspiller l'argent*, le dépenser avec profusion, inutilement (syn. DILAPIDER). — **2.** *Gaspiller qqch.*, le mal employer : *Gaspiller son temps, sa santé, son talent* (syn. GÂCHER). ◆ **gaspillage** n. m. ◆ **gaspil-leur, euse** n. et adj.

GASSENDI (*abbé* Pierre GASSEND, dit), mathématicien et philo-sophe français (1592-1655), célèbre par ses attaques contre la phi-losophie d'Aristote. Il fut partisan d'une morale épicurienne qui eut une grande influence sur les libertins de la fin du XVIIe s.

GASTÉROPODES n. m. pl. ⟶ GASTROPODES.

GASTON III DE FOIX, dit **Phébus** (1331-1391), comte de Foix de 1343 à 1391. Il poursuivit la lutte contre la maison d'Armagnac. Fin lettré, il entretint à Orthez une cour fastueuse. En 1390, il légua ses domaines à la France.

GASTRALGIE [gastralʒi] n. f. (du gr. *gastêr*, estomac, et *algos*, douleur). *Méd.* Douleur à l'estomac.

GASTRIQUE [gastrik] adj. (du gr. *gastêr*, *-tros*, estomac). Qui a rapport à l'estomac. ‖ *Embarras gastrique* ⟶ EMBARRASSER. ‖ *Suc gastrique*, suc digestif acide sécrété par l'estomac et qui contribue à la digestion.

GASTRITE [gastrit] n. f. (du gr. *gastêr*, *-tros*, estomac). *Méd.* Inflammation de la muqueuse de l'estomac : *La gastrite est fré-quente chez les alcooliques.*

GASTRO-ENTÉRITE [gastroɑ̃terit] n. f. (du gr. *gastêr*, esto-mac, et *entérite*). *Méd.* Inflammation simultanée de la muqueuse de l'estomac et de celle des intestins. ‖ Pl. des *gastro-entérites*.

GASTRO-ENTÉROLOGIE [gastroɑ̃terɔlɔʒi] n. f. (du gr. *gas-têr*, ventre, *enteron*, intestin, et *logos*, science). Partie de la méde-cine qui étudie les maladies du tube digestif. ◆ **gastro-entérolo-gue** n. Spécialiste de gastro-entérologie.

GASTRONOMIE [gastrɔnɔmi] n. f. (du gr. *gastêr*, ventre, et *nomos*, usage). Art de bien manger, de bien cuisiner. ◆ **gastrono-mique** adj. : *Menu gastronomique* (= fin et abondant). *Relais gastronomique* (= restaurant, auberge où la cuisine est soignée et abondante). ◆ **gastronome** n. Personne qui connaît et pratique l'art de bien manger (syn. GOURMET).

GASTROPODES [gastrɔpɔd] ou **GASTÉROPODES** n. m. pl. (du gr. *gastêr*, ventre, et *pous*, *podos*, pied). Vaste classe de mollusques, caractérisés par un large pied musculeux ventral sur lequel ils rampent, une tête distincte munie de tentacules, et dont la coquille, lorsqu'elle existe, est formée d'une seule pièce calcaire enroulée en spirale.

— ENCYCL. On rencontre les *gastropodes* sur terre (escargot, limace) et dans l'eau douce (limnée, planorbe) : ils ont une respira-tion pulmonaire. Mais ils sont fréquents surtout dans la mer (ormeau, buccin, murex, etc.) : ils ont une respiration branchiale.

GÂTÉ, E adj. ⟶ GÂTER 1 et 2.

GÂTEAU [gɑto] n. m. (frq. *wastil*). **1.** Pâtisserie faite de farine, de beurre, d'œufs, de sucre, etc. : *Un gâteau aux amandes. Des gâteaux secs* (syn. BISCUIT). — **2.** Fam. *Partager le gâteau, avoir part au gâteau*, partager le profit d'une affaire (syn. BUTIN). — **3.** Ensemble des alvéoles en cire que construisent les abeilles et les guêpes pour y déposer leur miel, leurs œufs, et pour y abriter les larves.

1. GÂTER [gɑte] v. t. (lat. *vastare*, dévaster). **1.** *Gâter une chose*, la putréfier, la pourrir : *La chaleur gâte la viande* (syn. AVARIER). — **2.** *Gâter qqch.*, le compromettre, en dégrader l'aspect : *Cette maison gâte le paysage* (syn. DÉFIGURER, ENLAIDIR). — **3.** *Gâter qqch.*, en compromettre le résultat : *Gâter une affaire par sa maladresse* (syn. GÂCHER). — **4.** *Gâter qqch.* (nom abstrait), le corrompre, en altérer la nature, le diminuer : *Gâter le plaisir de qq'un. Ses lectures lui ont gâté l'esprit.* — **5.** *Cela ne gâte rien*, c'est un avantage qui vient par surcroît. ◆ **se gâter** v. pr. **1.** Se putréfier : *Les fruits se gâtent facilement.* — **2.** Se détériorer : *Le temps se gâte, il devient mauvais.* ‖ *Les choses se gâtent*, la situation prend une mauvaise tournure. ◆ **gâté, e** adj. Se dit de ce qui est en état de décomposition, pourri : *Viande gâtée* (syn. AVARIÉ). *Avoir une dent gâtée* (syn. CARIÉ).

2. GÂTER [gɑte] v. t. (même étym.). **1.** *Gâter qq'un*, le traiter avec trop d'indulgence, de complaisance : *Gâter un enfant.* — **2.** *Gâter qq'un*, le combler d'attentions, de cadeaux, etc. : *Vous m'avez gâté!* — **3.** (sujet nom de personne) *Être gâté*, avoir de la chance : *Quel beau temps, nous sommes gâtés!*; ironiq., jouer de malchance : *Encore la pluie, nous sommes gâtés!* ◆ **gâterie** n. f. (le plus souvent au plur.). **1.** Caresses, complaisances excessives : *Il n'a que des gâteries pour cet enfant.* — **2.** Petits présents, friandises : *Apporter des gâteries aux enfants.* ◆ **gâté, e** adj. *Enfant gâté*, enfant à qui l'on passe tous ses caprices et qui en devient insupportable.

GATESHEAD, v. de Grande-Bretagne, dans le nord de l'Angle-terre, sur la Tyne, en face de Newcastle; 101 600 hab.

GÂTEUX, EUSE [gɑtø, -øz] n. et adj. (de *gâter*). **1.** Se dit d'une personne dont l'intelligence s'affaiblit par l'âge ou par la maladie. — **2.** *Fam.* Se dit d'une personne qui manque de lucidité : *Il l'aime tellement qu'il en est gâteux.* ◆ **gâtisme** n. m. État d'une personne, d'un esprit qui semble retombé en enfance.

GÂTINAIS, région du Bassin parisien, de part et d'autre du Loing. On y distingue à l'E. le *Gâtinais français* et à l'O. le *Gâtinais orléanais.*

GÂTINE [gɑtin] n. f. (de l'anc. fr. *guast*, dévasté). **1.** Terre imperméable, marécageuse et stérile. — **2.** Terme géographique désignant un certain nombre de régions pauvres, en particulier la *gâtine tourangelle* et la *gâtine de Parthenay.*

GÂTISME n. m. ⟶ GÂTEUX.

1. GAUCHE [goʃ] adj. et n. (de l'anc. fr. *guenchir*, faire des détours). Se dit de la partie du corps située du côté du cœur (par oppos. à DROIT) : *La main gauche. La rive gauche d'une rivière* (= celle qu'on a à sa gauche, si on suit le cours de l'eau). *L'aile gauche du château* (= la partie qui est à gauche quand on regarde le château). ‖ Fam. *Se lever du pied gauche*, se lever de mauvaise humeur. — LOC. ADV. *À main gauche, à gauche*, du côté gauche. ‖ Fam. *Passer l'arme à gauche*, mourir. ‖ Fam. *Mettre de l'argent à gauche*, économiser, mettre de côté. ◆ n. f. Côté gauche d'une personne ou d'une chose (contr. DROIT) : *Asseyez-vous à ma gauche. Rouler sur la gauche de la chaussée.* ◆ **gaucher, ère** [goʃe, -ɛr] adj. et n. Qui se sert mieux de la main gauche que de la main droite (contr. DROITIER).

2. GAUCHE [goʃ] adj. (même étym.). Se dit d'une personne (ou de son comportement) qui est empruntée, embarrassée, maladroite et mal à l'aise : *Il a l'air un peu gauche.* ◆ **gauchement** adv. : *Saisir gauchement un objet.* ◆ **gaucherie** n. f. **1.** Allure embarrassée : *Avoir de la gaucherie dans les manières* (contr. AISANCE, GRÂCE). — **2.** Action maladroite : *Gaucherie commise par ignorance.*

3. GAUCHE [goʃ] adj. (même étym.). Se dit d'une chose qui est de travers, tordue : *Une planche, une règle gauche* (contr. DROIT). ◆ **gauchir** v. i. (sujet nom d'objet). Perdre sa forme : *Une règle qui gauchit.* ◆ v. t. **1.** *Gauchir qqch.* (nom concret), le déformer : *L'humidité a gauchi cette planche.* — **2.** *Gauchir une chose* (nom abstrait), lui donner, en la rapportant, une direction autre que celle qu'elle a en réalité : *Gauchir une idée, un fait* (syn. DÉFORMER, FAUSSER). ◆ ***se gauchir*** v. pr. Subir une déformation : *Cette planche s'est gauchie.* ◆ **gauchissement** n. m. ◆ **dégauchir** v. t. Redresser ce qui est gauchi (sens 1 du v. t.) : *Dégauchir une porte.* ◆ **dégauchissement** n. m.

4. GAUCHE [goʃ] n. f. (même étym.). Ensemble de ceux qui, dans l'opinion publique, au Parlement, etc., professent des idées progressistes (= partisans d'un changement, par oppos. aux CONSERVATEURS hostiles aux innovations) [⟶ DROITE 2] : *Être de gauche, être à gauche* (= professer les opinions de la gauche). ‖ *L'extrême gauche*, ceux qui soutiennent les idées politiques jugées les plus révolutionnaires. ◆ **gauchisant, e** adj. et n. Dont les sympathies politiques vont aux mouvements de gauche. ◆ **gauchisme** n. m. Attitude de ceux qui, à l'extrême gauche, préconisent des actions révolutionnaires immédiates et radicales. ◆ **gauchiste** adj. et n.

GAUCHEMENT adv., **GAUCHERIE** n. f. ⟶ GAUCHE 2.

GAUCHER, ÈRE adj. et n. ⟶ GAUCHE 1.

GAUCHIR v. t. et i., **GAUCHISSEMENT** n. m. ⟶ GAUCHE 3.

GAUCHISANT, E adj. et n., **GAUCHISME** n. m., **GAUCHISTE** adj. et n. ⟶ GAUCHE 4.

GAUCHO [goʃo] n. m. (mot esp.). Gardien de troupeaux, en Amérique du Sud (Argentine).

GAUDÍ (Antonio), architecte espagnol (1852-1926). Artiste visionnaire, hanté par les motifs végétaux qu'il incorpore à ses architectures, il est l'auteur à Barcelone de l'église de la Sagrada Familia, demeurée inachevée.

GAUDRIOLE [godrijɔl] n. f. (du lat. *gaudere*, se réjouir). *Fam.* Propos gai, plaisanterie libre (surtout au plur.) [syn. GAILLARDISE, GAULOISERIE].

GAUFRAGE n. m. ⟶ GAUFRER.

GAUFRE [gofr] n. f. (frq. *wafel*, rayon de miel). Pâtisserie légère, cuite dans un moule formé de deux plaques métalliques, appelé *gaufrier*, qui imprime des petites cavités rappelant les alvéoles des abeilles sur cette pâtisserie. ◆ **gaufrette** n. f. Petite gaufre sèche.

GAUFRER [gofre] v. t. (de *gaufre*). *Gaufrer du papier, un tissu*, etc., y imprimer en relief ou en creux des dessins (surtout au part. passé). ◆ **gaufrage** n. m. **1.** Action de gaufrer; son résultat. — **2.** Opération qui consiste à transformer un tissu plat et uni en un tissu présentant une surface régulièrement bosselée.

GAUFRETTE n. f., **GAUFRIER** n. m. ⟶ GAUFRE.

GAUGUIN (Paul), peintre français (1848-1903). Engagé dans marine, il est ensuite employé chez un agent de change (1871) commence à peindre; il expose avec les impressionnistes et co naît un certain succès.

En 1883, il renonce à son emploi et se consacre à la peinture. voyage alors en Bretagne (1886, à Pont-Aven), à la Martiniq (1887), rejoint Van Gogh à Arles, puis repart pour Tahiti (1891) les îles Marquises (1901), où il meurt. Ses nombreux voyag contribuèrent à le faire évoluer vers un style personnel, plus sy thétique et symbolique. Il réagit contre l'impressionnisme dont était parti, simplifiant les lignes, utilisant des teintes pures et viv en larges aplats.

Sa peinture, à laquelle il s'efforça de donner un sens spiritu sans rechercher la reproduction exacte de la nature, eut u influence déterminante sur une grande partie de l'art moderne. I son séjour à Pont-Aven datent *le Christ jaune* et *la Belle Angèl* Parmi les grandes œuvres de Tahiti, citons : *Femme à la fleu Poèmes barbares, D'où venons-nous, que sommes-nous, où allon nous?*

GAULE [gol] n. f. (frq. *walu*). **1.** Longue perche pour diriger d animaux ou abattre les fruits d'un arbre. — **2.** Canne à pêch ◆ **gauler** v. t. Battre les branches d'un arbre avec une gaule po en faire tomber les fruits : *Gauler un pommier.* ‖ *Gauler des noi des châtaignes*, les faire tomber avec une gaule. ◆ **gaulag** n. m. : *Le gaulage des noix.*

GAULE, nom donné, dans l'Antiquité, à deux régions d'Euro occidentale : la *Gaule Cisalpine*, correspondant à l'actuelle Ital du Nord (plaine du Pô), occupée pendant plusieurs siècles par d tribus gauloises; la *Gaule Transalpine*, correspondant à la Fran actuelle et aux régions de la rive gauche du Rhin.

Habitée par de nombreuses peuplades (Celtes ou Gauloi Ibères, Ligures, Armoricains), la Gaule Transalpine fut influenc dès le VIe s. av. J.-C. par deux courants de civilisation helléniq (Méditerranée et Alpes), les Grecs établissant dès cette époque d colonies sur le littoral méditerranéen.

La Gaule bénéficiait d'une forte organisation religieuse (asser blée annuelle des druides*), mais elle était divisée sur le pl politique, et affaiblie par des luttes entre cités rivales. Ces div sions facilitèrent la conquête romaine.

- *125 av. J.-C. Les Romains annexent le couloir rhodanien et Languedoc (= la « Provincia », devenue « Provence »).*
- *58-51 av. J.-C. César s'empare progressivement du reste de Gaule, malgré l'opposition de nombreux chefs, notamment Vercingétorix* (siège d'Alésia, en 52 av. J.-C.).*
- *27 av. J.-C. La Gaule est divisée en quatre provinces : Narbo naise, Aquitaine, Lyonnaise et Belgique.*

Sous l'Empire, elle jouit d'une réelle prospérité : les Romai protègent le pays contre les invasions germaniques et y dévelo pent les travaux publics; de grandes villes sont créées (Lyo Arles, Toulouse, Bordeaux, Orléans, Lutèce).

Très tôt, le pays est christianisé. L'octroi de la citoyenne romaine à tous les hommes libres (212 apr. J.-C.), l'adoption de langue latine et de la religion romaine, ainsi qu'une grande prosp rité économique facilitent la formation d'une civilisation gall romaine.

Au IIIe s., la Gaule est envahie par les Germains, puis, au Ve s par les Wisigoths, les Burgondes et les Francs. Ces derniers fo peu à peu la conquête du pays.

- *486. Le dernier petit État gallo-romain tombe sous les coups d Francs de Clovis, qui deviennent les maîtres de la Gaule et l donnent leur nom.*

GAULEITER [gawlajtər] n. m. (de l'all. *Gau*, district, et *Leite* chef). Chef d'un *Gau*, district de l'Allemagne nationale-socialiste.

GAULER v. t. ⟶ GAULE.

GAULLE (Charles DE), général et homme d'État français (189 1970). Ancien élève de Saint-Cyr, il se distingue au cours de Première Guerre mondiale.

- *1934. Dans son livre « Vers l'armée de métier », il préconise création d'une armée de spécialistes, accordant la première pla à l'arme blindée.*
- *1940. Commandant une division cuirassée à la fin de la ca pagne de France*, il prend, après l'armistice, la tête de résistance* française contre l'Allemagne (appel du 18 juin).*
- *1944-1946. De Gaulle est chef du Gouvernement provisoire Alger, puis à Paris.*

Il abandonne le pouvoir, pour marquer son hostilité au « jeu de partis ».

- *1947. Fondation du Rassemblement du peuple français.*
- *1953. De Gaulle se retire de la vie politique.*
- *1958. Il revient au pouvoir à la suite des événements d'Algérie.*

Il fait alors approuver par référendum une nouvelle constitution est élu président de la Ve République* en 1959.

Il accélère la décolonisation en accordant leur indépendance à ›resque tous les peuples de l'ancienne Union française.

1962. Sa politique algérienne, fondée sur l'autodétermination, aboutit aux accords d'Évian et à l'indépendance de l'Algérie.

1965. De Gaulle est réélu président de la République au suffrage universel.

l s'oriente vers une politique d'indépendance nationale (création 'une force de frappe, autonomie par rapport aux deux grandes ›uissances [et notamment relâchement des liens avec les États-Jnis], soutien au tiers monde).

1969. Après le référendum rejetant le projet de régionalisation et de réforme du Sénat qu'il avait proposé, il démissionne et se retire définitivement de la vie politique.*

:crivain au style sobre et précis, de Gaulle est l'auteur de *1émoires* et de *Mémoires d'espoir,* restés inachevés, importante ontribution à l'histoire de la Seconde Guerre mondiale.

ÄAULLISME [golism] n. m. (du n. de Charles de *Gaulle*).)octrine politique se réclamant du général de Gaulle. ◆ **gaulliste** dj. et n. Partisan et continuateur de la doctrine du général de ;aulle. ◆ **gaullien, enne** adj. Qui se rapporte à la personne, à la ›ensée du général de Gaulle.

I. GAULOIS, E [golwa, -waz] adj. et n. (de *Gaule*). **1.** De la ;aule : *Nos ancêtres les Gaulois.* — **2.** *Le coq gaulois,* emblème rançais symbolisant la fierté nationale. ◆ n. m. Langue celte ›arlée par les Gaulois.

2. GAULOIS, E [golwa, -waz] adj. et n. (de *gaulois* 1). Se dit 'e quelqu'un (de son comportement verbal) qui est d'une gaieté este et franche : *Une plaisanterie gauloise* (syn. GAILLARD, GRI-'OIS). ◆ **gauloisement** adv. ◆ **gauloiserie** n. f. : *Raconter des 'auloiseries* (syn. GAUDRIOLE).

ÄAUMONT (Léon), industriel français (1864-1946). L'un des pro-noteurs de l'industrie cinématographique, il réalisa la photogra-›hie animée avec son « chronophotographe » (1895). Il imagina galement les premiers procédés de cinéma parlant (1902) et de inéma en couleurs (1912).

ÄAUSS (Carl Friedrich), mathématicien et physicien allemand 1777-1855). Esprit ouvert, il s'intéressa à de nombreux domaines e la science : mathématiques (analyse, théorie des nombres), ›hysique (magnétisme, optique), astronomie. Il fut l'un des pre-niers à envisager une géométrie « non euclidienne », mais ne ›ublia pas ses réflexions.

ÄAUSSER (SE) [sǝgose] v. pr. (orig. obscure) [sujet nom de ›ersonne]. *Se gausser de qq'un,* se moquer de lui ouvertement litter.) [syn. RAILLER].

ÄAUTIER (Théophile), écrivain français (1811-1872). Lié à la eunesse romantique, il se fait remarquer au premier rang des)artisans de Hugo dans la bataille d'*Hernani* (1830). Puis il prend ›es distances à l'égard des romantiques, et développe sa théorie de « l'art pour l'art » dans la préface de son premier roman : *Made-noiselle de Maupin* (1835). Il y déclare que l'art doit être cultivé)our lui-même en dehors de toute préoccupation utilitaire : seule a beauté, dans la vie et dans l'art, est éternelle.

Ce culte de la beauté, cette perfection toujours à la recherche de 'expression et du rythme seront illustrés par un recueil de)oèmes : *Émaux et Camées* (1852). Auteur de récits historiques : *le Roman de la momie* (1858), *le Capitaine Fracasse* (1863), Gautier ›era surtout le maître de la nouvelle génération poétique qui s'af-irmera en 1866 dans le recueil collectif du *Parnasse contemporain.*

ÄAVAGE n. m. ⟶ GAVER.

ÄAVARNIE *(cirque de),* site des Pyrénées françaises, au S. du /illage de ce nom (Hautes-Pyrénées). C'est un amphithéâtre 'açonné par les glaciers, formé de gradins étagés, fermant la haute /allée du gave de Pau qui tombe par une cascade d'environ 420 m le haut.

ÄAVE [gav] n. m. (béarnais *gabe*). Nom donné, dans le Béarn et a Bigorre, aux torrents issus des Pyrénées centrales. Le *gave de Pau* (175 km), né dans le cirque de Gavarnie, rejoint l'Adour (r. g.) ›près avoir reçu les gaves de Barèges, de Cauterets, d'Argelès et l'Oloron. Le *gave d'Oloron* (120 km), formé par les gaves d'Aspe et l'Ossau, reçoit le *gave de Mauléon* (r. g.), avant de se jeter dans le ;ave de Pau (r. g.).

ÄAVER [gave] v. t. (de l'anc. fr. *gave,* gorge). **1.** *Gaver un inimal,* le faire manger beaucoup et par force : *Gaver des oies.* — **2.** *Gaver qq'un,* le faire manger beaucoup : *Gaver un enfant de 'riandises.* ◆ **se gaver** v. pr. **1.** *Se gaver d'un mets,* en manger rop. — **2.** Fam. *Se gaver de qqch.* (terme abstrait), en absorber en ;rande quantité : *Se gaver de romans policiers* (syn. S'ABREUVER, ;E REPAÎTRE). ◆ **gavage** n. m. : *Le gavage des oies.*

ÄAVIAL [gavjal] n. m. (d'une langue de l'Inde, *gharviyal*). Rep-ile crocodilien d'Inde et de Birmanie, à museau long et fin. (Le nâle atteint 10 m de long, la femelle 6 à 7 m.) ‖ Pl. des *gavials.*

GAVOTTE [gavɔt] n. f. (prov. *gavoto*). Danse française vive et légère, très en vogue aux XVIIe et XVIIIe s.

GAVROCHE [gavrɔʃ] n. m. (de *Gavroche,* n. d'un personnage des *Misérables* de V. Hugo). Gamin de Paris, spirituel, brave et généreux (syn. fam. TITI). ◆ adj. : *Un air gavroche.*

GAY (John), écrivain anglais (1685-1732), auteur de *l'Opéra du gueux* (1728), comédie sur les bas-fonds de Londres, transposée deux siècles plus tard par Brecht dans *l'Opéra de quat' sous.*

GAYĀ, v. du nord-est de l'Inde (Bihār); 179 800 hab. Grand lieu de pèlerinage.

GAY-LUSSAC (Louis Joseph), physicien français (1778-1850). Il énonça en 1802 les lois de la dilatation des gaz, puis, en 1805, la loi volumétrique des combinaisons chimiques gazeuses. On lui doit encore des procédés d'affinage des métaux précieux.

GAZ [gaz] n. m. (créé sur le gr. *khaos,* gouffre). **1.** Tout corps à l'état de fluide, expansible et compressible. — **2.** *Le gaz,* ou *gaz d'éclairage,* ou *gaz de ville,* gaz obtenu par distillation de la houille et utilisé principalement pour le chauffage. ‖ *Un employé du gaz* (= du service public du Gaz de France). ‖ *Gaz de cokerie,* gaz obtenu par la distillation de la houille dans des fours à coke. ‖ *Gaz liquéfié,* hydrocarbure léger, butane ou propane, utilisé à l'état liquide dans des récipients sous pression. ‖ *Gaz naturel,* gaz combustible que l'on trouve dans des gisements souterrains, seul ou associé au pétrole brut. ⟶ ENCYCL. ‖ *Gaz rares,* hélium, néon, argon, krypton, xénon. — **3.** Gaz asphyxiant : *Mettre un masque à gaz.* ‖ *Gaz de combat,* substances chimiques gazeuses, liquides ou solides, qui, en raison de leurs propriétés particulières, sont employées comme arme de guerre. ‖ *Gaz lacrymogènes,* gaz produisant une sécrétion de larmes chez la personne atteinte. ‖ *Chambre à gaz,* dans certains États des États-Unis, pièce où l'on exécute par asphyxie les condamnés à mort; dans les camps de concentration nazis, salle où l'on exterminait les déportés par des gaz toxiques. — **4.** Gaz utilisé dans les moteurs à explosion et fait de vapeurs d'essence et d'air : *Mettre (donner) les gaz* (= donner de la vitesse en appuyant sur l'accélérateur). — **5.** Mélange, dans le tube digestif, d'air dégluti et de produits volatils des fermentations : *Avoir des gaz.* ◆ **gazé, e** adj. et n. Qui a été intoxiqué par les gaz asphyxiants : *Les gazés de la Première Guerre mondiale.* ◆ **gazéifier** v. t. Faire passer un corps à l'état gazeux. ◆ **gazéification** n. f. Transformation complète, en gaz combustible, de produits liquides ou solides contenant du carbone. ◆ **gazeux, euse** adj. **1.** De la nature des gaz : *Un corps gazeux.* — **2.** *Eau gazeuse,* eau qui contient des gaz en dissolution. ◆ **gazier** n. m. Employé du gaz (au sens 2). ◆ **gazoduc** n. m. Canalisation à très longue distance de gaz naturel ou de gaz de cokerie. ◆ **gazogène** n. m. Appareil destiné à gazéifier un combustible solide ou liquide. (Des gazogènes employant le bois ou le charbon de bois peuvent être utilisés pour rationner les moteurs à explosion lorsque l'essence fait défaut.) ◆ **gazomètre** n. m. Réservoir pour emmagasiner le gaz de ville avant de le distribuer. ◆ **dégazage** n. m. Extraction des gaz contenus dans le pétrole brut.

— ENCYCL. La production mondiale de *gaz naturel* se développe rapidement depuis 1960 :

U. R. S. S.	643 milliards de m^3	Grande-Bretagne	40	milliards de m^3
États-Unis	464 milliards de m^3	France	6,3	milliards de m^3
Canada	78 milliards de m^3	Monde	1 670	milliards de m^3
Pays-Bas	75 milliards de m^3			

GAZA, territoire et v. de Palestine, occupés par Israël; 363 km^2; 600 000 hab. De nombreux camps de réfugiés originaires de Palestine sont installés dans la région.

GAZE [gaz] n. f. (de *Gaza*). **1.** Étoffe légère et transparente, de coton ou de soie. — **2.** Bande d'étoffe légère stérilisée, pour pansements : *Une compresse de gaze.*

GAZÉ, E adj. et n., **GAZÉIFICATION** n. f., **GAZÉIFIER** v. t. ⟶ GAZ.

GAZELLE [gazɛl] n. f. (ar. *gazēl*). Petit mammifère ruminant, voisin de l'antilope, à hautes pattes fines, à grands yeux, à cornes arquées en lyre (elles existent chez le mâle et la femelle), au pelage couleur de sable, qui vit dans les steppes d'Afrique et d'Asie. (Famille des bovidés.)

GAZETTE [gazɛt] n. f. (it. *gazzetta*). Titre donné à certains journaux.

GAZEUX, EUSE adj., **GAZIER** n. m., **GAZODUC** n. m., **GAZOGÈNE** n. m., **GAZOMÈTRE** n. m. ⟶ GAZ.

GAZOLE n. m. ⟶ GASOIL.

GAZON [gazɔ̃] n. m. (frq. *waso*). **1.** Herbe tondue ras. — **2.** Terrain couvert de cette herbe : *S'allonger sur le gazon* (syn. PELOUSE).

GAZOUILLER [gazuje] v. i. (onomat.). **1.** (sujet nom désignant de petits oiseaux) Faire entendre un chant doux et confus : *Une hirondelle gazouille.* — **2.** (sujet nom désignant l'eau) Produire un murmure : *Un ruisseau qui gazouille.* — **3.** (sujet nom désignant de petits enfants) Émettre des sons inarticulés, commencer seulement à parler : *L'enfant gazouille dans son berceau* (syn. BABILLER, JASER). ◆ **gazouillement** n. m. : *Le gazouillement des hirondelles* (syn. RAMAGE). *Le gazouillement d'une source* (syn. MURMURE). *Le gazouillement d'un enfant* (syn. BABIL). ◆ **gazouillis** n. m. Bruit léger de quelqu'un ou de quelque chose qui gazouille.

GDAŃSK, en all. **Dantzig** ou **Danzig,** port de Pologne, sur la mer Baltique; 464 600 hab. Chantiers navals.

• *1919. Dantzig est proclamée « ville libre ».*

Elle est une source de conflits permanents entre la Pologne et l'Allemagne.

• *1939. L'occupation du couloir de Dantzig par les Allemands déclenche la Seconde Guerre mondiale.*

Rattachée au IIIe Reich le 1er septembre 1939, Dantzig redevient polonaise en 1945 sous le nom de *Gdańsk*.

GDYNIA, port de Pologne; 209 400 hab. La ville fut construite après la constitution de Gdańsk en « ville libre ».

GEAI [ʒɛ] n. m. (bas lat. *gaius*). Oiseau passereau à plumage gris vineux, au haut de l'aile bleu rayé de noir et de blanc, à queue noire, commun dans les bois : *Le geai cajole.* (Famille des corvidés.)

GÉANT, E [ʒeɑ̃, -ɑ̃t] n. (du gr. *gigas*). **1.** Personne, animal ou être inanimé dont la taille est anormalement grande. — **2.** *À pas de géant*, très vite. — **3.** Personne qui surpasse ses semblables par des capacités exceptionnelles : *Homère, Eschyle sont des géants de la littérature* (syn. GÉNIE, SURHOMME, TITAN). ◆ adj. Très grand (avec un nom d'animal ou de chose, de personne) : *Un singe géant. Un arbre géant. Une agglomération géante* (syn. COLOSSAL, ÉNORME, GIGANTESQUE, IMMENSE).

GECKO [ʒɛko] n. m. (malais *gēkoq*). Lézard des régions chaudes, dont les pattes sont terminées par des organes adhésifs : *Les geckos sont surtout de mœurs nocturnes.*

GÉHENNE [ʒeɛn] n. f. (empr. à l'hébreu). Enfer, dans le langage biblique : *Le feu de la géhenne.*

GEIGER (Hans), physicien allemand (1882-1945). Inventeur du compteur de particules qui porte son nom (1913).

GEINDRE [ʒɛ̃dr] v. i. (lat. *gemere*). [Conj. **55.**] **1.** (sujet nom d'être animé) Se plaindre d'une voix faible et inarticulée : *Geindre de douleur* (syn. GÉMIR). — **2.** (sujet nom de personne) *Fam.* Se plaindre de tout sans grande raison (syn. PLEURNICHER). — **3.** (sujet nom de chose) Faire entendre un bruit qui rappelle une plainte (littér.) : *Ce vent fait geindre la girouette.* ◆ **geignard, e** [ʒɛɲar, -ard] adj. et n. *Fam.* Se dit de quelqu'un (ou de son comportement) qui se plaint sans cesse (syn. PLEURNICHEUR). ◆ **geignement** n. m. Plainte inarticulée (syn. GÉMISSEMENT).

GEISÉRIC ou **GENSÉRIC** (m. en 477), premier roi vandale d'Afrique (428-477). Il se tailla en Afrique du Nord un empire, que Constantinople dut reconnaître en 442. Maître de la mer, il fit un raid fructueux sur Rome (445) et occupa les îles de la Méditerranée occidentale.

GEISHA [gɛjʃa] n. f. (mot japon.). Chanteuse et danseuse japonaise qui, dans les maisons de thé, joue le rôle d'entraîneuse ou d'hôtesse.

1. GEL n. m. —→ GELER.

2. GEL [ʒɛl] n. m. (lat. *gelu*). Substance colloïdale, de consistance visqueuse, qui a tendance à gonfler en absorbant de l'eau.

GELA, v. d'Italie, sur la côte sud de la Sicile; 67 100 hab. Exploitation de pétrole dans la région.

GÉLATINE [ʒelatin] n. f. (it. *gelatina*). Substance plus ou moins molle et transparente, provenant de tissus animaux, et notamment des os. ◆ **gélatineux, euse** adj. Se dit de ce qui a l'apparence, la consistance de la gélatine.

GELÉ, E adj. —→ GELER.

1. GELÉE n. f. —→ GELER.

2. GELÉE [ʒəle] n. f. (bas lat. *gelata*). **1.** Suc de viande coagulé après refroidissement : *Du bœuf en gelée.* — **2.** Jus de fruits cuits au sucre, coagulé après refroidissement : *De la gelée de groseille.* — **3.** *Gelée royale*, chez les abeilles, nourriture sécrétée par le jabot des ouvrières et destinée à l'alimentation d'une larve choisie comme future reine.

GELER [ʒəle] v. t. (lat. *gelare*). [Conj. **5.**] **1.** Transformer en glace : *Le fleuve est gelé.* — **2.** Durcir par le froid : *Le froid gèle le sol.* — **3.** Blesser par l'action du froid : *Le froid lui a gelé les pieds.* — **4.** *Être gelé*, souffrir du froid (syn. ÊTRE TRANSI). ◆ v. i. **1.** Se transformer en glace : *Le lac a gelé.* — **2.** Avoir très froid : *On gèle ici.* ◆ v. impers. *Il gèle à pierre fendre*, à faire éclater les pierres, tant il fait froid. ◆ **gel** [ʒɛl] n. m. **1.** Temps où il gèle. — **2.** Congélation des eaux. ◆ **antigel** n. m. et adj. Produit qu'on incorpore à l'eau pour l'empêcher de geler : *Mettre de l'antigel dans un radiateur d'automobile.* ◆ **gelé, e** adj. **1.** (avec un nom abstrait) Sans réaction, très peu enthousiaste : *Le public est gelé* (syn. FROID, GLACÉ, GLACIAL). — **2.** *Crédits gelés*, bloqués, immobilisés. ◆ **gelée** n. f. Abaissement de la température au-dessous du zéro à la suite duquel l'eau se prend en glace : *Gelée blanche* (= rosée congelée avant le lever du soleil). ◆ **gélif, ive** adj. Se dit d'une pierre ou d'un matériau qui se fend sous l'effet du gel. ◆ **gélivation** n. f. *Géol.* Fragmentation d'une roche sous l'effet des alternances du gel et du dégel. ◆ **gelure** n. f. *Méd.* Résultat de l'action des basses températures sur les tissus vivants. (Les gelures provoquent des lésions analogues à celles des brûlures.) ◆ **dégeler** [deʒle] v. t. **1.** Faire fondre ce qui était gelé : *Dégeler de la glace pour boire.* — **2.** *Dégeler qq'un*, lui faire perdre sa froideur (syn. DÉRIDER). ‖ *Dégeler une réunion*, y mettre de l'animation. ‖ *Dégeler des crédits*, en permettre l'utilisation (syn. DÉBLOQUER). ◆ v. impers. *Il dégèle*, la glace, la neige fond. ◆ ***se dégeler*** v. pr. ◆ **dégel** [deʒɛl] n. m. **1.** Fonte des glaces et des neiges due à l'élévation de la température. — **2.** *Dégel des relations diplomatiques*, retour à de meilleures relations.

GELINOTTE [ʒəlinɔt] n. f. (de l'anc. fr. *geline*, poule). Oiseau gallinacé sauvage à plumage roux, vivant dans les forêts montagneuses d'Europe et d'Asie : *La gelinotte glousse.* (Famille des tétraonidés.)

GÉLIVATION n. f. —→ GELER.

GELLÉE (Claude) —→ LORRAIN *(le)*.

GÉLOSE [ʒeloz] n. f. (de *gélatine*). Syn. de AGAR-AGAR.

GELSENKIRCHEN, v. d'Allemagne (Rhénanie-du-Nord-Westphalie), dans la Ruhr, au N. d'Essen; 288 000 hab. Ancien grand centre charbonnier. Industrie métallurgique.

GELURE n. f. —→ GELER.

GÉMEAUX (les), constellation qui doit son nom à ses deux principales étoiles, très brillantes et très voisines, *Castor* et *Pollux*. — Troisième signe du zodiaque, correspondant à la période du 21 mai au 22 juin.

GÉMELLAIRE [ʒemellɛr] adj. (du lat. *gemellus*, jumeau). Qui se rapporte aux jumeaux. ‖ *Grossesse gémellaire*, celle où la mère porte deux enfants.

GÉMINÉ, E [ʒemine] adj. (lat. *geminatus*). Se dit de choses groupées par deux : *Colonnes géminées. Consonnes géminées* (syn. DOUBLE).

GÉMIR [ʒemir] v. i. (lat. *gemere*). **1.** (sujet nom de personne) Faire entendre des plaintes d'une voix inarticulée : *Un malade qui gémit* (syn. GEINDRE). — **2.** (sujet nom de chose ou d'animal) Faire entendre un bruit semblable à une plainte : *Le lit gémit. Le chien gémit.* — **3.** *Gémir sous (de, sur)*, souffrir, être malheureux à cause de : *Gémir sous le poids des années. Gémir de son sort.* ◆ **gémissant, e** adj. Qui gémit. ◆ **gémissement** n. m. **1.** Plainte inarticulée : *Pousser un gémissement de douleur.* — **2.** Son qui ressemble à une plainte : *Le gémissement du vent. Les gémissements du violon.*

GEMMAGE n. m. —→ GEMME 1.

GEMMATION [ʒɛmmasjɔ̃] n. f. (du lat. *gemmare*, bourgeonner). Syn. de GEMMIPARITÉ.

1. GEMME [ʒɛm] n. f. (lat. *gemma*). Suc résineux du pin. ◆ **gemmage** n. m. Ensemble des opérations ayant pour but la récolte de la résine, ou gemme, des pins.

2. GEMME [ʒɛm] n. f. (même étym.). Pierre précieuse colorée.

3. GEMME [ʒɛm] adj. (même étym.). *Sel gemme*, sel fossile à l'état de minerai.

GEMMIPARITÉ [ʒɛmmiparite] n. f. (de *gemme*, et lat. *parere*, enfanter). Reproduction de certains êtres vivants par bourgeon (syn. GEMMATION).

GEMMULE [ʒɛmyl] n. f. (lat. *gemmula*). *Bot.* Partie de la plantule comprenant un bourgeon protégé par deux feuilles dont la croissance, pendant la germination de la graine, fournira tige et feuilles.

GÉMONIES [ʒemɔni] n. f. pl. (lat. *gemoniae*). Escalier du mont Capitolin, où l'on exposait les corps des suppliciés. ‖ *Traîner, vouer qq'un aux gémonies*, le livrer au mépris public.

GÊNANT, E adj. —→ GÊNE.

GENCIVE [ʒɑ̃siv] n. f. (du lat. *gingiva*). *Anat.* Partie de la mâchoire recouvrant les os maxillaires dans lesquels sont implantées les dents. ◆ **gingivite** n. f. *Méd.* Inflammation des gencives.

GENDARME [ʒɑ̃darm] n. m. (de *gens d'armes*, soldats). **1.** Militaire appartenant à la gendarmerie. — **2.** *Avoir peur du gendarme*, n'être retenu de mal faire que par la crainte du châtiment. ‖ *Fair*

gendarme, faire régner la discipline en grondant. || *Un chapeau* *gendarme*, un bicorne en papier. ◆ **gendarmerie** n. f. **1.** Corps ilitaire chargé de veiller à la sécurité intérieure du territoire : *a gendarmerie mobile, la gendarmerie départementale.* - **2.** Caserne, bureaux administratifs des gendarmes.
- ENCYCL. Issue de la maréchaussée de l'Ancien Régime, la *ndarmerie* est chargée de très nombreuses missions (renseigne-ents, maintien de l'ordre, défense du territoire, police judiciaire, lice de la circulation, etc.). Placée sous l'autorité directe du inistre des Armées, elle comprend principalement : la *gendarme-e départementale*, la *garde républicaine de Paris*, la *gendarmerie obile.*

ENDARMER (SE) [sәʒɑ̃darme] v. pr. (de *gendarme*). **1.** Se ettre en colère pour peu de chose (syn. S'EMPORTER, S'IRRITER). - **2.** Protester, réagir vivement (syn. SE FÂCHER).

ENDARMERIE n. f. → GENDARME.

ENDRE [ʒɑ̃dr] n. m. (lat. *gener*). Mari de la fille, par rapport ıx parents de celle-ci. (→ PARENTÉ.)

ÈNE [ʒɛn] n. m. (du gr. *genos*, origine). *Biol.* Partie du chromo-me qui est responsable de la transmission des caractères hérédi-ires. ◆ **génétique** n. f. Science de l'hérédité fondée sur la éorie des gènes. ◆ adj. *Maladies génétiques*, maladies hérédi-ires transmises de génération en génération suivant des modali-s différentes et liées à des anomalies dans le nombre ou la forme s chromosomes. ◆ **généticien, enne** n. Spécialiste de géné-que.

ÊNE [ʒɛn] n. f. (de l'anc. fr. *gehir*, avouer). **1.** Malaise physique ffus, oppression : *Éprouver une gêne à respirer* (syn. DIFFICULTÉ). - **2.** Désagrément imposé : *Sa présence m'est devenue une gêne* yn. CHARGE, EMBARRAS, ENNUI). — **3.** Manque d'argent : *Être ans la gêne* (syn. BESOIN). — **4.** Embarras, malaise moral : *Éprou-r de la gêne devant qq'un* (syn. CONFUSION, TROUBLE). *Il y eut un oment de gêne* (syn. FROID). — **5.** Fam. *Être sans gêne*, prendre s aises sans se préoccuper des autres. ◆ **gêner** v. t. **1.** Causer ne gêne physique : *Ce costume est étroit, il me gêne* (syn. ENGON-ER). *Tout ce matériel me gêne* (syn. EMBARRASSER, ENCOMBRER). *st-ce que la fumée vous gêne?* (syn. DÉRANGER). — **2.** Constituer n obstacle, un désagrément pour : *Il me gêne dans mes projets* yn. EMBARRASSER). *Dites-moi si je vous gêne* (syn. IMPORTUNER). - **3.** Mettre à court d'argent : *À la fin du mois, il est toujours un eu gêné* (syn. À COURT). — **4.** Causer une impression d'embarras, ndre confus : *Son regard me gêne* (syn. INTIMIDER). *Se sentir êné* (syn. TROUBLER). ◆ **se gêner** v. pr. S'imposer une contrainte hysique ou morale : *Un homme avec qui l'on ne se gêne pas. Il ut savoir se gêner un peu si l'on veut mettre de l'argent de côté* yn. SE CONTRAINDRE). ◆ **gênant, e** adj. : *Cette armoire est énante* (syn. EMBARRASSANT, ENCOMBRANT). *Un regard gênant* yn. INDISCRET). ◆ **gêné, e** adj. : *Avoir un air (l'air) gêné* (syn. AL À L'AISE). ◆ **gêneur, euse** n. Personne gênante (syn. ÂCHEUX, IMPORTUN). ◆ **sans-gêne** n. inv. Personne qui agit ans tenir compte de la politesse, avec indiscrétion. ◆ n. m. inv. anière d'agir impolie.

ÉNÉALOGIE [ʒenealɔʒi] n. f. (du gr. *genos*, race, et *logos*, cience). **1.** Dénombrement des ancêtres : *Dresser la généalogie 'une famille.* — **2.** Science de la filiation des individus et des amilles. ◆ **généalogique** adj. *Arbre généalogique*, tableau qui onne la filiation des membres d'une même famille sous la forme 'un arbre. ◆ **généalogiste** n.

ÉNÉPI [ʒenepi] n. m. (mot savoyard). Plante des hautes mon-agnes, servant, dans les Alpes, à fabriquer une liqueur.

ÊNER v. t., **SE GÊNER** v. pr. → GÊNE.

. GÉNÉRAL, E, AUX [ʒeneral, -ro] adj. (lat. *generalis*). . Qui se rapporte, s'applique à un ensemble de choses ou d'êtres : *es caractères généraux* (contr. PARTICULIER). *Une vue générale* syn. D'ENSEMBLE). *Des idées générales* (= qui ont une large por-ée). — **2.** *Péjor.* Vague, sans précision : *Se perdre dans des onsidérations générales* (syn. ABSTRAIT). *N'avoir qu'une idée géné-ale de la question* (syn. SOMMAIRE, SUPERFICIEL; contr. PRÉCIS). — **3.** Qui concerne la plupart des hommes, des membres d'un roupe social; qui est le fait de la majorité ou de la totalité : *Dans 'intérêt général* (syn. COMMUN). *Une tendance générale* (syn. CONS-'ANT, COURANT). *L'indignation était générale* (syn. UNANIME). *Une mnistie générale* (syn. TOTAL). — **4.** En parlant de la santé, qui oncerne tout le corps humain : *État général satisfaisant.* — **5.** Qui intéresse l'ensemble d'une administration, d'un service ublic, d'un commandement : *Un inspecteur général. Le secrétaire énéral d'un parti.* — LOC. ADV. *En général*, le plus souvent : *En énéral, c'est ce qui se produit dans ce cas-là*; d'une manière énérale : *C'est en général ce qui arrive* (syn. COMMUNÉMENT); 'un point de vue général : *Parler en général.* ◆ **général** . m. sing. Ensemble des principes généraux (par oppos. aux CAS ARTICULIERS) : *Aller du particulier au général.* ◆ **générale** n. f.)ernière représentation théâtrale avant la première séance ublique, réservée à la presse et à des invités spéciaux (abrév. de *répétition générale*). ◆ **généralement** adv. En général. ◆ **géné-raliser** v. t. **1.** Rendre applicable à un ensemble de personnes ou de choses : *Généraliser une méthode. Généraliser sa pensée* (contr. LIMITER). — **2.** (sans compl.) Étendre à un ensemble ce que l'on sait d'un cas particulier : *Avoir tendance à généraliser* (contr. PARTICULARISER). ◆ **se généraliser** v. pr. S'étendre à l'ensemble d'un organisme : *L'infection a eu le temps de se généraliser* (contr. SE LOCALISER). ◆ **généralisation** n. f. : *Se laisser aller à des généralisations abusives. En cas de généralisation du conflit.* ◆ **généraliste** adj. et n. Se dit du médecin qui exerce la méde-cine générale (par oppos. à SPÉCIALISTE). ◆ **généralité** n. f. **1.** Caractère de ce qui est général. — **2.** *La généralité de*, le plus grand nombre de : *Dans la généralité des cas que nous avons étudiés* (syn. LA PLUPART). ◆ n. f. pl. Propos, discours général et peu précis, sans rapport direct avec le sujet (souvent péjor.).

2. GÉNÉRAL, AUX [ʒeneral, -ro] n. m. (de *capitaine général*). **1.** Chef militaire d'une armée, sans précision de grade : *Général en chef.* — **2.** Officier appartenant aux grades les plus élevés de la hiérarchie : *Général de brigade, de division, de corps d'armée, d'armée. Général d'infanterie, d'aviation.* (→ GRADE 2.) — **3.** Supérieur d'un ordre religieux : *Le général des Jésuites.* ◆ **générale** n. f. Femme d'un général. ◆ **généralissime** n. m. Général commandant en chef toutes les troupes d'un pays ou d'une coalition : *Foch fut, en 1918, le généralissime des armées alliées.*

GÉNÉRALE n. f. → GÉNÉRAL 1 et 2.

GÉNÉRALEMENT adv. → GÉNÉRAL 1.

Generalife, palais des rois maures, des XIVe et XVe s., près de l'Alhambra, à Grenade. Ses jardins sont ornés de terrasses, de grottes, de jets d'eau, de cyprès.

GÉNÉRALISATION n. f., **GÉNÉRALISER** v. t., **GÉNÉRA-LISTE** adj. et n., **GÉNÉRALITÉ** n. f. → GÉNÉRAL 1.

GÉNÉRALISSIME n. m. → GÉNÉRAL 2.

1. GÉNÉRATEUR, TRICE [ʒeneratœr, -tris] adj. (du lat. *generare*, engendrer, produire) [avec un nom abstrait]. Qui produit certains effets : *Un manque de discipline générateur de désordres.* ◆ **génératrice** n. f. Math. *Génératrice d'une surface cylindrique*, droite qui, en s'appuyant sur une courbe plane (= directrice), engendre la surface cylindrique en se déplaçant parallèlement à une direction fixe. || *Génératrice d'une surface conique*, droite qui, en s'appuyant sur une courbe plane (= directrice), engendre la surface conique en se déplaçant, tout en passant par un point fixe (= sommet).

2. GÉNÉRATEUR [ʒeneratœr] n. m. (même étym.). *Généra-teur électrique*, tout système capable de fournir de l'énergie élec-trique à un circuit. → ENCYCL. || *Générateur électrostatique*, appa-reil qui convertit le travail mécanique en énergie électrique par l'intermédiaire de forces électrostatiques s'exerçant à travers un milieu isolant (gaz, liquide, vide). || *Générateur isotonique*, dispositif permettant de produire de l'électricité en utilisant comme source d'énergie les rayonnements émis par des radio-éléments. ◆ **géné-ratrice** n. f. Terme réservé aux générateurs tournants, du type dynamo ou alternateur.
— ENCYCL. Les *générateurs* transforment en énergie électrique une certaine forme d'énergie (énergie chimique pour les piles, énergie mécanique pour les dynamos et les alternateurs). Ils sont caractérisés par leur force électromotrice et leur résistance.

1. GÉNÉRATION [ʒenerasjɔ̃] n. f. (du lat. *generare*, engen-drer). Fonction par laquelle les êtres organisés se reproduisent : *Les organes de la génération.* || *Génération spontanée*, théorie admise pendant l'Antiquité et le Moyen Âge pour certains ani-maux, et jusqu'à Pasteur pour les microbes, selon laquelle il exis-tait une formation spontanée d'êtres vivants à partir de matières minérales ou de substances organiques en décomposition.

2. GÉNÉRATION [ʒenerasjɔ̃] n. f. (même étym.). **1.** Chaque degré de descendance dans la filiation en ligne directe (= de père à fils) : *De père à petit-fils, il y a deux générations.* — **2.** Ensemble des individus qui ont à peu près le même âge en même temps : *C'est un homme de ma génération.*

GÉNÉRATRICE n. f. → GÉNÉRATEUR 1 et 2.

GÉNÉREUX, EUSE [ʒenerø, -øz] adj. et n. (lat. *generosus*, de bonne race). **1.** Se dit de quelqu'un (ou de son comportement) qui donne largement : *Se montrer généreux* (syn. LARGE, PRODIGUE). *Faire le généreux* (= donner avec ostentation). — **2.** Se dit de quelqu'un (ou de son comportement) qui est dévoué, désintéressé, et montre des sentiments nobles : *Un caractère généreux* (syn. LIBÉRAL, MAGNANIME). ◆ adj. **1.** Se dit de ce qui manifeste l'excel-lence de sa nature : *Un vin généreux* (syn. CORSÉ). *Une terre généreuse* (syn. FÉCOND, FERTILE). — **2.** Presque trop abondant : *Un repas généreux* (syn. COPIEUX). *Une poitrine généreuse* (syn. ↑PLANTUREUX). ◆ **générosité** n. f. **1.** Caractère de quelqu'un qui donne largement (ou de son action) [syn. LARGESSE, PRODIGALITÉ;

contr. AVARICE]. — 2. Disposition de quelqu'un à la bonté, à l'indulgence, même aux dépens de son intérêt personnel : *Faire preuve de générosité envers un ennemi vaincu* (syn. MAGNANIMITÉ). *Céder à un mouvement de générosité* (contr. MESQUINERIE, PETITESSE). ◆ n. f. pl. Dons généreux (syn. CADEAUX, LARGESSES).

1. GÉNÉRIQUE adj. ⟶ GENRE 1.

2. GÉNÉRIQUE [ʒenerik] n. m. (du lat. *genus, generis,* genre). Partie d'un film où sont indiqués les noms du producteur, du metteur en scène, des acteurs, etc.

GÉNÉROSITÉ n. f. ⟶ GÉNÉREUX.

GÊNES, en it. **Genova,** v. d'Italie, capit. de la Ligurie, sur la Méditerranée *(golfe de Gênes)*; 795000 hab. *(Génois).*

GÉOGRAPHIE. Resserrée entre l'Apennin ligure et la mer, Gênes est le premier port italien et le principal débouché de l'Italie du Nord. Ses activités sont nées de sa vocation maritime. Aux quartiers industriels de l'ouest où se sont développées des industries lourdes (aciérie du Cornigliano, raffineries de pétrole, chimie) s'opposent le vieux centre abritant de nombreux palais et les quartiers résidentiels qui s'étagent sur les pentes.

HISTOIRE. Bien située au centre de la Ligurie, Gênes devient indépendante vers 1100. Avec Pise, elle chasse les Arabes de la Méditerranée occidentale et, s'adonnant au commerce des produits d'Orient, devient une des grandes places maritimes de la Méditerranée.

- *1261. Le traité de Nymphée, signé avec les Byzantins, lui donne le monopole du commerce en mer Noire, dans les pays de la Caspienne et en Crimée.*
- *1284. Pise est vaincue à La Meloria : la Corse, l'île d'Elbe et la Sardaigne deviennent génoises.*

Gênes se crée alors un puissant empire maritime en Méditerranée, pratiquant les premières assurances maritimes et organisant les premières sociétés en commandite.

- ***1378-1381. Lors de la « guerre de Chioggia », elle est vaincue dans sa lutte contre Venise avec qui elle était entrée en rivalité économique et maritime.***

À la fin du XVe s., Gênes est devenue une grande place bancaire internationale, mais les luttes civiles continuelles et les ingérences étrangères l'affaiblissent considérablement.

- *1768. Gênes cède la Corse à la France.*
- *1797. Elle devient capitale de la république Ligurienne.*
- *1815. La ville est englobée dans le royaume de Piémont-Sardaigne.*

GÉNÉSARETH *(lac de),* nom donné par les Évangiles au lac de Tibériade.

GENÈSE [ʒenɛz] n. f. (lat. *genesis,* naissance). Ensemble des faits ou des éléments qui ont concouru à la formation de quelque chose : *La genèse d'un roman.*

Genèse, le premier livre de la Bible, comprenant le récit de la Création et l'histoire primitive jusqu'à la mort de Joseph et la naissance de Moïse.

GENÊT [ʒənɛ] n. m. (lat. *genesta*). Arbrisseau à fleurs jaunes des sols siliceux et secs. (Famille des papilionacées.)

GÉNÉTICIEN, ENNE n., **GÉNÉTIQUE** adj. et n. f. ⟶ GÈNE.

GENETTE [ʒənɛt] n. f. (ar. *djarnait*). Genre de petits mammifères carnassiers, au pelage fauve taché de noir, s'attaquant aux rongeurs, aux oiseaux, aux reptiles : *De mœurs nocturnes, les genettes vivent en Europe et en Afrique.* (Famille des viverridés.)

GÊNEUR, EUSE n. ⟶ GÊNE.

GENÈVE, v. de Suisse, ch.-l. de canton, à l'extrémité sud-ouest du lac Léman; 174000 hab. (318500 pour l'agglomération).

Née d'un passage sur le Rhône, Genève s'étend maintenant le long des berges du lac. L'horlogerie, activité traditionnelle, a été relayée par la mécanique de précision et les industries chimiques. Mais Genève est aussi une grande place commerciale et bancaire, et un centre administratif d'importance internationale (siège de la Croix-Rouge, de l'Organisation mondiale de la santé, etc.).

- *1416. Genève est érigée en duché au profit des comtes de Savoie.*

Alors que la France est ravagée par la guerre de Cent Ans, Genève devient un important centre bancaire.

- *1536. Fin de la tutelle savoisienne.*

Cette position indépendante, qui attira Calvin à Genève (1541), fait de cette ville la « Rome du protestantisme ».

- *1794. À l'exemple de la France, Genève se dote d'un gouvernement révolutionnaire.*
- *1798. Rattachement de la ville à la France.*
- *1814. Genève devient la capitale d'un canton suisse.*

GENÈVE *(lac de),* ou **PETIT LAC,** nom donné, à Genève, à l'extrémité sud-ouest du lac Léman.

Genève *(conférence de),* conférence qui aboutit à un accord de cessez-le-feu en Indochine et à la formation de deux États, le Nord Viêt-nam et le Sud-Viêt-nam (1954).

Genève *(conventions de),* conventions signées en 1949 par un grand nombre d'États et portant sur l'amélioration du sort des blessés des forces armées, sur le traitement des prisonniers de guerre et sur la protection des civils en temps de guerre. Une première convention de Genève avait été conclue en 1864 sur l'initiative de la Croix-Rouge.

GENEVIÈVE *(sainte),* patronne de Paris (v. 422-v. 502). Elle donna aux habitants de cette ville la promesse qu'Attila ne les molesterait pas, et assura le ravitaillement de la ville, qui fut en effet indemne.

GENEVOIS *(massif du)* ⟶ BORNES *(massif des).*

GENEVOIX (Maurice), écrivain français (1890-1980), auteur de souvenirs de guerre et de récits sur la nature et la vie rurale *Raboliot* (1925), *la Dernière Harde* (1938).

GENÉVRIER [ʒənevrije] n. m. (du lat. *juniperus*). Arbuste à feuilles épineuses et à baies violettes. (Les baies sont utilisées comme condiment et pour la fabrication d'une liqueur forte : le *genièvre.*) [Famille des cupressacées.]

GENGIS KHĀN ou **TCHINGGIS KHĀN** *(Roi océanique ou universel),* conquérant tatar (v. 1160-1227), fondateur du premier empire mongol.

- *V. 1206. Il est reconnu khān suprême de tous les Mongols.*

Il entreprend alors la conquête de la Chine (1215) et du Khārezm (1220-1221), envahit la Russie méridionale et l'Afghānistān. Il dote son empire d'institutions fondées sur une discipline sévère.

1. GÉNIE [ʒeni] n. m. (lat. *genius*). **1.** Faculté de créer, d'inventer, d'entreprendre, portée à un point que ne possède pas le commun des hommes : *Le génie de Shakespeare, de Molière.* — **2.** *Personne, œuvre de génie,* qui montre du génie : *Un peintre de génie. Une découverte de génie* (= géniale). *Une idée de génie* (= d'une astuce remarquable ou, ironiq., d'une inspiration malheureuse). — **3.** *Un génie,* une personne douée de génie à un point exceptionnel : *Un génie méconnu. Ce n'est pas un génie* (= c'est quelqu'un de très médiocre). — **4.** *Avoir le génie de qqch.,* avoir un talent et un goût naturel pour cette chose, poussés à un point remarquable : *Avoir le génie du commerce* (syn. DON, TALENT; syn. fam. BOSSE). ◆ **génial, e, aux** adj. : *Un savant génial. Une idée géniale* (syn. ASTUCIEUX, INGÉNIEUX). ◆ **génialement** adv. : *Un concerto génialement interprété* (syn. MAGISTRALEMENT).

2. GÉNIE [ʒeni] n. m. (même étym.). *Le génie d'un peuple, d'une langue,* etc., l'ensemble des caractères naturels qui en font l'originalité.

3. GÉNIE [ʒeni] n. m. (même étym.). **1.** Être surnaturel de certaines mythologies : *Un génie des airs, des bois* (syn. GNOME, LUTIN, SYLPHE). — **2.** Personne qui a une influence bonne ou mauvaise sur quelqu'un : *Bon génie. Mauvais génie.*

4. GÉNIE [ʒeni] n. m. (d'après *ingénieur*). **1.** *Génie militaire,* arme et service de l'armée de terre, à caractère technique, chargés des travaux de fortification et de l'aménagement des voies de communication : *Les sapeurs du génie.* — **2.** *Génie maritime,* corps des ingénieurs militaires chargés des constructions navales. | *Génie civil, génie rural,* art des constructions civiles, rurales (surtout d'intérêt général); ensemble des services qui en sont chargés.

Génie du christianisme, par Chateaubriand (1802). L'ouvrage, qui comprenait les deux petits romans d'*Atala* et de *René,* eut une influence capitale sur le mouvement romantique.

GENIÈVRE n. m. ⟶ GENÉVRIER.

GÉNISSE [ʒenis] n. f. (lat. *junix, junicis*). Jeune vache n'ayant pas encore eu de veau.

GÉNISSIAT, lieu-dit de la comm. d'Injoux-Génissiat (Ain), au S. de Bellegarde. Important barrage sur le Rhône. Centrale hydroélectrique alimentée par un lac de 12 millions de mètres cubes de capacité utile.

GÉNITAL, E, AUX [ʒenital, -to] adj. (lat. *genitalis,* qui engendre). Qui concerne la reproduction des animaux et de l'homme. ‖ *Appareil génital,* ensemble des organes assurant les fonctions de reproduction. ⟶ ENCYCL. ◆ **géniteur, trice** adj. et n. Personne qui engendre, père ou mère. ◆ n. m. Animal mâle destiné à la reproduction.

— ENCYCL. Dans l'espèce humaine, il existe deux sexes nettement différenciés et chaque individu adulte possède l'*appareil génital* caractéristique de l'un de ces sexes.

L'appareil génital mâle comporte des gonades (testicules), un appareil excréteur (canaux déférents, prostate, urètre), un organe externe (verge). L'appareil génital femelle comporte des gonades (ovaires), un appareil excréteur (trompes, utérus, vagin), des organes génitaux externes (vulve).

L'appareil génital mâle. La *gonade*, ou *glande sexuelle*, produit [le]s cellules reproductrices mâles, ou *spermatozoïdes*. Cette glande [s]exuelle produit également l'hormone sexuelle mâle, ou *testostérone*. Chez l'adulte, la gonade s'appelle *testicule;* chaque adulte [p]ossède deux testicules contenus dans une bourse formée par des [e]xpansions des constituants de la paroi abdominale.

L'appareil excréteur sert à évacuer les spermatozoïdes hors des [te]sticules, puis du corps. Dans le testicule, il est constitué de [p]etits canaux qui collectent les spermatozoïdes produits dans des [tu]bes. Il se poursuit par le *canal de l'épididyme*, puis le *canal [d]éférent* qui traverse la paroi abdominale par le *canal inguinal* et [vi]ent se jeter en dessous et en arrière de la vessie dans la *prostate* [e]t les *vésicules séminales* où est entreposé le *sperme*. De là, un [c]anal conduit le sperme jusqu'à l'*urètre*, canal joignant la vessie à [la] verge. L'urètre a ainsi une double fonction : urinaire et génitale.

L'organe externe, appelé *verge*, ou *pénis*, permet l'émission du [s]perme dans les voies génitales de la femme grâce à ses possibilités d'érection. Il se termine en avant par un renflement, le *gland*, à l'extrémité duquel s'ouvre le méat urinaire.

■ *L'appareil génital femelle.* Les deux *gonades*, ou *ovaires*, produisent les cellules reproductrices femelles, ou *ovules*, résultant de la maturation des *ovogonies*, cellules souches situées au cœur de l'ovaire. De plus, l'ovaire sécrète deux hormones sexuelles, la *folliculine* et la *progestérone*. Les ovaires sont situés de chaque côté de l'utérus.

L'*appareil excréteur* se compose : des *trompes utérines*, sortes de tubes qui conduisent l'ovule de l'ovaire à l'utérus; de l'*utérus*, où se développera l'embryon humain, et du *vagin*, sorte de cavité joignant le *col de l'utérus* à la vulve.

L'ensemble des *organes génitaux externes* est désigné sous le nom de *vulve*. Celle-ci est limitée de chaque côté par deux replis cutanés et muqueux : en dehors les *grandes lèvres*, en dedans les *petites lèvres* qui se rejoignent en avant pour former le capuchon du *clitoris*, petit organe érectile.

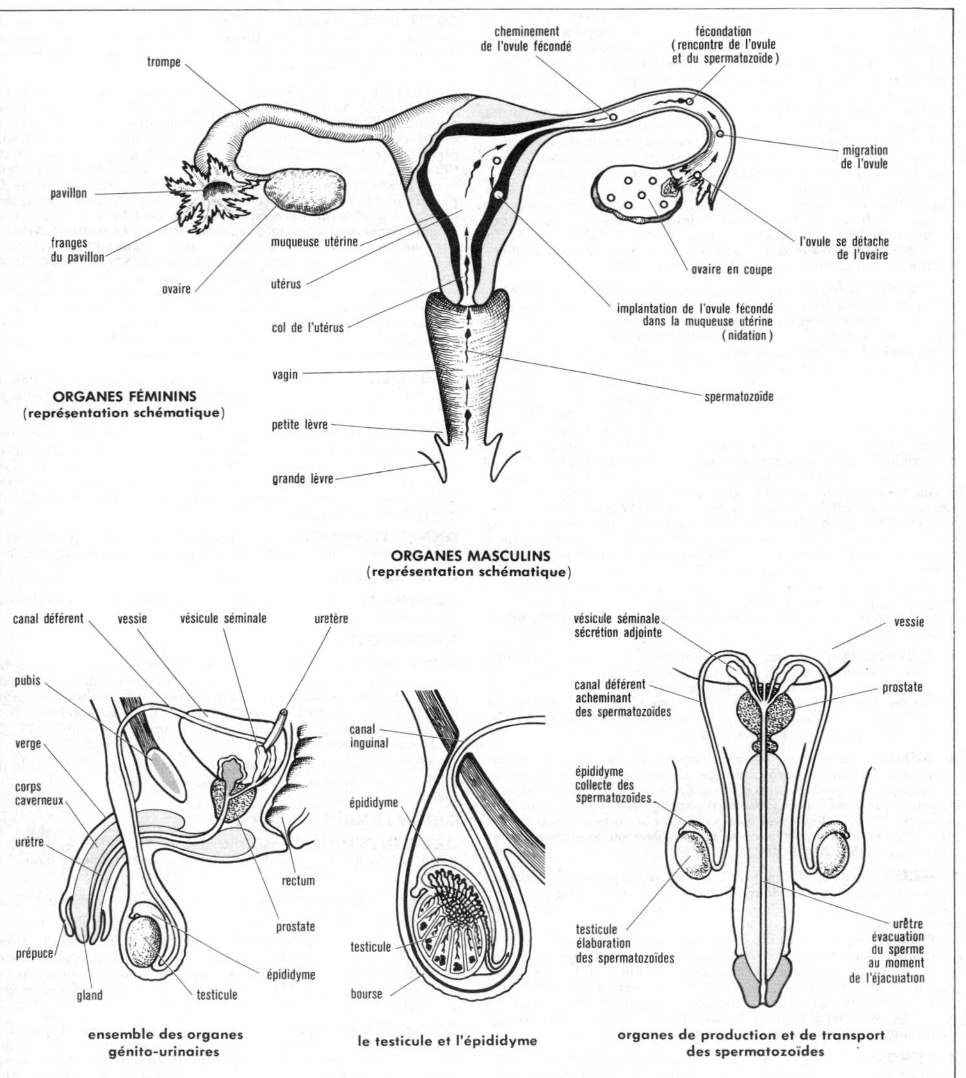

ORGANES FÉMININS (représentation schématique)

ORGANES MASCULINS (représentation schématique)

ensemble des organes génito-urinaires

le testicule et l'épididyme

organes de production et de transport des spermatozoïdes

GÉNITIF [ʒenitif] n. m. (du lat. *genitivus*, qui engendre). ⟶ CAS 2.

GENK, comm. de Belgique (Limbourg), à 13 km au N.-E. de Hasselt; 58 250 hab. Port fluvial. Automobiles.

GENNEVILLIERS, ch.-l. de cant. des Hauts-de-Seine, au N.-O. de Paris; 45 500 hab. Grand port sur la Seine.

GÉNOCIDE [ʒenɔsid] n. m. (du gr. *genos*, race, et lat. *caedere*, tuer). Destruction méthodique d'un groupe humain, par l'extermination de ses individus.

GÉNOISE [ʒenwaz] n. f. (de *Gênes*). Gâteau fait de farine, sucre, œufs et amandes.

GENOU, GENOUX [ʒənu] n. m. (lat. *geniculum*). **1.** Partie des membres inférieurs formée par l'articulation de la cuisse et de la jambe. — **2.** Fam. *Être sur les genoux*, être très fatigué. ‖ *Être, tomber aux genoux de qq'un, mettre le genou à terre devant qq'un*, lui montrer une soumission absolue, se prosterner en signe de reconnaissance, le supplier ardemment. — LOC. ADV. ou ADJ. *À genoux*, les genoux sur le sol : *Prier à genoux. Demander qqch. à genoux, à deux genoux* (= le demander en s'humiliant). ◆ **genouillère** n. f. **1.** Partie de l'armure qui protégeait le genou. — **2.** Enveloppe dont on entoure le genou pour le protéger ou pour le soutenir. — **3.** Pièce de cuir que l'on place aux genoux du cheval. ◆ **génuflexion** [ʒenyflɛksjɔ̃] n. f. Action de fléchir le genou ou les genoux en signe de respect, de soumission : *Faire une génuflexion devant l'autel.* ◆ n. f. pl. *Fam.* Manifestations exagérées de respect, de politesse : *Se confondre, se répandre en génuflexions* (syn. COURBETTES, FLATTERIES). ◆ **s'agenouiller** [saʒnuje] v. pr. (sujet nom de personne). **1.** Se mettre à genoux (souvent dans une attitude de respect, de prière ou d'adoration) : *S'agenouiller sur un prie-Dieu.* — **2.** S'humilier devant quelqu'un ou se soumettre aveuglément à quelque chose : *S'agenouiller devant la force.* ◆ **être agenouillé** v. passif. Être à genoux. ◆ **agenouillement** n. m. : *L'agenouillement des fidèles à l'église.*

1. GENRE [ʒɑ̃r] n. m. (lat. *genus, -eris*, origine, naissance). **1.** Ensemble des traits caractéristiques communs à un groupe de choses ou d'êtres animés : *Aimez-vous ce genre de spectacle? Des marchandises de tout genre* (syn. ESPÈCE, SORTE). — **2.** *Hist. nat.* Subdivision de la famille, se décomposant elle-même en espèces. — **3.** *Le genre humain*, tous les hommes en tant qu'êtres humains envisagés collectivement, sans tenir compte des différences de sexe, de civilisation, de race, etc. : *Le misanthrope est l'ennemi du genre humain* (syn. HOMME). ‖ *Genre de vie*, ensemble des manières, des comportements qui caractérisent un individu ou un groupe social : *Le genre de vie anglais.* — **4.** Avec un adj. ou un nom apposé : *Il a un genre déplaisant* (syn. MANIÈRES). *Il a le genre artiste* (syn. ALLURE). ‖ *Avoir bon genre*, avoir des manières distinguées. ‖ *Avoir mauvais genre, un drôle de genre*, de mauvaises manières. ‖ *Se donner un genre, faire du genre* (fam.), affecter une allure particulière. ‖ *Cet individu n'est pas mon genre, ce n'est pas mon genre*, il n'est pas de mon goût, ce n'est pas dans mes goûts. ◆ **générique** adj. **1.** Qui appartient au genre, à tout un genre : *Caractère générique.* — **2.** *Terme générique*, mot qui convient à toute une catégorie ou genre, et non à un individu en particulier (par oppos. à SPÉCIFIQUE) : *« Voie » est le terme générique désignant les chemins, routes, rues, etc.* (syn. COMMUN, GÉNÉRAL).

2. GENRE [ʒɑ̃r] n. m. (même étym.). **1.** *Littér.* Catégorie d'œuvres définies par des lois et des caractères communs : *Le genre romanesque.* — **2.** Ensemble des caractères qui font l'unité de ton en rapport avec le choix des sujets : *Le genre sérieux. Le genre comique. Tableau, peintre de genre* (= qui représente des scènes d'intérieur, des animaux ou des natures mortes).

3. GENRE [ʒɑ̃r] n. m. (même étym.). *Gramm.* Caractéristique grammaticale d'un substantif (de ses déterminants ou qualificatifs) par laquelle celui-ci se trouve placé dans la classe des masculins ou dans celle des féminins. (Cette répartition correspond à un sexe différencié [noms d'êtres animés] ou à un classement arbitraire, le plus souvent en rapport avec la terminaison ou le suffixe [noms d'êtres inanimés].) [⟶ FÉMININ 2.]

1. GENS [ʒɛ̃s] n. f. (mot lat. signif. *race, peuple*). À Rome, groupe composé de plusieurs familles descendant d'un ancêtre commun et portant le même nom : *La gens Cornelia.* ‖ Pl. des *gentes* [ʒɛ̃tɛs].

— ENCYCL. La *gens* avait son chef, son culte familial, sa sépulture commune, son nom *(gentilice)*; elle comprenait de plus les hommes placés sous sa protection, les « clients », rattachés à leur patron, le *pater* (= père), par un lien de confiance réciproque *(fides)*. Les *gentes* primitives formaient trois *tribus* divisées en dix *curies*; l'ensemble des *patres* formait la classe des *patriciens*, qui s'opposait à celle des *plébéiens* (— le bas peuple).

2. GENS [ʒɑ̃] n. m. et f. pl. (pl. de *gent*). **1.** Personnes en nombre indéterminé : *Il connaît beaucoup de gens.* ‖ Fam. *Un tas de gens*, beaucoup de personnes. — **2.** Avec un adj. épithète ou suivi de *de* avec un nom déterminatif ne désignant pas une profession (les ad[j.] qui suivent *gens* sont toujours au masculin; l'adj. qui précède *gen[s]* immédiatement se met au féminin et avec lui tous les adj. [e]t pronoms qui précèdent) : *Ce sont des gens gais. Des gens brave[s]* (= courageux). *De braves gens* (= des gens honnêtes et bons). *D[e] vieilles gens. Des gens du monde. Des gens du peuple.* ‖ Fam. *De[s] gens bien, des gens comme il faut*, se dit des gens dont les qualité[s] et le comportement sont appréciés. ‖ *Des jeunes gens*, filles e[t] garçons (syn. ADOLESCENTS). *Des jeunes gens* (pl. de JEUN[E] HOMME). — **3.** (sans compl.) Les hommes envisagés collective[-]ment : *Les bêtes et les gens.* ‖ *Fam.* Se dit d'une seule personne supposée connue, et parfois de soi-même à l'interlocuteur : *Vou[s] avez une manière de parler aux gens!* — **4.** *Gens de* (et un nom) désigne une profession : *Les gens d'Église* (= les ecclésiastiques les prêtres). *Les gens de mer* (= les marins). *Les gens de lettre[s]* (= les auteurs, les écrivains). *Les gens de maison* (syn. EMPLOYÉ[S]) — **5.** *Droit des gens*, droit des nations, droit public international.

GENSÉRIC ⟶ GEISÉRIC.

GENTIANE [ʒɑ̃sjan] n. f. (lat. *gentiana*). Plante herbacée de montagnes, à fleurs jaunes, bleues ou violettes suivant les espèces (On utilise la racine de la grande gentiane à fleurs jaunes pour se[s] qualités toniques et apéritives.)

1. GENTIL, ILLE [ʒɑ̃ti, -ij] adj. (lat. *gentilis*, de race) [avant o[u] après le nom]. **1.** Agréable à voir pour sa délicatesse, son charm[e] gracieux : *Cette petite est gentille* (syn. MIGNON, PLAISANT). *U[n] gentil visage* (syn. CHARMANT). — **2.** Aimable et complaisant *Merci de votre gentille lettre. Un gentil garçon* (contr. DÉSA[-]GRÉABLE). *Les enfants ont été très gentils* (syn. OBÉISSANT, SAGE contr. INSUPPORTABLE). — **3.** Se dit d'une œuvre dont on ne fai[t] pas grand cas (exprime un compliment mitigé) : *C'est gentil, mai[s] ça n'a rien d'extraordinaire.* — **4.** *Une gentille somme de...*, un[e] somme importante (syn. COQUET, RONDELET). ◆ **gentiment** adv. *Les enfants s'amusent gentiment* (syn. SAGEMENT). *Merci d[e] m'avoir si gentiment reçu* (syn. AIMABLEMENT). ◆ **gentillesse** [ʒɑ̃tijɛs] n. f. **1.** Grâce et douceur de l'aspect, des manières : *L[a] gentillesse d'un enfant.* — **2.** Complaisance attentive et aimable *Il a été avec moi d'une grande gentillesse* (syn. AMABILITÉ, COM[-]PLAISANCE). *Remercier qq'un de (pour) sa gentillesse* (syn. BIEN[-]VEILLANCE). — **3.** (au plur.) Action, geste aimable : *Combler qq'u[n] de gentillesses* (syn. ATTENTIONS, PRÉVENANCES).

2. GENTIL [ʒɑ̃ti] n. m. (lat. *gentiles*, païens). Nom que le[s] Hébreux donnaient aux étrangers, et les premiers chrétiens au[x] païens. ‖ *L'Apôtre des gentils*, saint Paul.

GENTILHOMME [ʒɑ̃tijɔm] n. m. (de *gentil*, noble, et *homme*) **1.** Autref., homme noble de naissance, à la différence de celui qu[i] était anobli. (Ce dernier n'était pas gentilhomme, mais ses enfant[s] l'étaient.) — **2.** Celui qui, sans être de race noble, a des sentiment[s] délicats, des manières nobles : *Agir en gentilhomme.* ‖ Pl. de[s] *gentilshommes* [ʒɑ̃tizɔm].

GENTILHOMMIÈRE [ʒɑ̃tijɔmjɛr] n. f. (de *gentilhomme*) Habitation assez importante à la campagne, de caractère ancien.

GENTILLESSE n. f. ⟶ GENTIL 1.

GENTILLY, comm. du Val-de-Marne, sur la Bièvre; 16 700 hab *(Gentilliens).*

GENTIMENT adv. ⟶ GENTIL 1.

GENTLEMAN [dʒɛntləman] n. m. (mot angl. signif. *gentil homme*). Homme distingué, d'une parfaite éducation. ‖ Pl. de[s] *gentlemen.* ◆ **gentleman's agreement** [dʒɛntləmans agri[-]mənt] n. m. Accord entre hommes d'État sur la base de l[a] confiance réciproque, sans rédaction d'un texte officiel. ‖ Pl. de[s] *gentlemen's agreements.*

GENTRY [dʒɛntri] n. f. (mot angl.). En Angleterre, ensemble de[s] nobles ayant droit à des armoiries, mais non titrés. (Les titre[s] forment la *nobility.*)

GÉNUFLEXION n. f. ⟶ GENOU.

GÉOCENTRIQUE [ʒeosɑ̃trik] adj. (du gr. *gê*, terre, et *centre*) *Astron.* Relatif au centre de la Terre pris comme point d'observa[-]tion.

GÉOCHIMIE [ʒeoʃimi] n. f. (du gr. *gê*, terre, et *chimie*). Étud[e] chimique de la Terre.

GÉODE [ʒeɔd] n. f. (gr. *geôdês*, semblable à la terre). **1.** *Minér.* Dans une roche, cavité tapissée de minéraux en cristaux ou con[-]crétionnés. — **2.** *Méd.* Toute cavité creusée anormalement dans u[n] tissu de l'organisme : *L'os peut être le siège de géodes dues à l[a] décalcification, à des tumeurs osseuses, etc.*

GÉODÉSIE [ʒeɔdezi] n. f. (du gr. *gê*, terre, et *daiein*, partager) Science qui a pour objet l'étude de la forme de la Terre et l[a] mesure de ses dimensions. ◆ **géodésique** adj. : *Les points géodé[-]siques sont des points matérialisés qui par leur position permetten[t] de définir géométriquement la forme extérieure de la Terre.*

— ENCYCL. Alors que les méthodes astronomiques permettent de mesurer directement la latitude et la longitude des points, indépendamment de la forme de la Terre, la *géodésie* calcule la distance réciproque des points et leur azimut*. Elle utilise quatre méthodes de calcul : la triangulation, le nivellement (mesure des altitudes), l'astronomie géodésique et la gravimétrie (= mesure de la pesanteur).

GEOFFROY SAINT-HILAIRE (Étienne), naturaliste français (1772-1844). Il a signalé les analogies entre les squelettes de tous les vertébrés, créé l'embryologie, et su retrouver, dans les formes bizarres des monstres, les parties constituantes des êtres normaux. Il créa la ménagerie du Jardin des Plantes, à Paris.

GÉOGRAPHIE [ʒeɔgrafi] n. f. (du gr. *gê*, terre, et *graphê*, description). **1.** Science qui a pour objet la description de la surface de la Terre, des groupes humains qui l'occupent et de sa mise en valeur. ‖ *Géographie économique*, partie de la géographie qui étudie les ressources du sol et du sous-sol, leur production, leur distribution et leur consommation. ‖ *Géographie humaine*, partie de la géographie qui a pour objet l'étude de tous les faits terrestres résultant de l'activité de l'homme. ‖ *Géographie physique*, partie de la géographie qui étudie l'aspect actuel de la surface du globe, des formes de relief (= géomorphologie), des climats, de l'hydrographie et la répartition des végétaux et des animaux. (Cette dernière partie de la géographie physique est la *biogéographie.*) — **2.** Ensemble des réalités physiques et humaines qui caractérisent un pays : *La géographie de la France.* ◆ **géographique** adj. : *Une carte géographique.* ◆ **géographiquement** adv. ◆ **géographe** n. Personne qui enseigne la géographie ou qui s'occupe de géographie.

GÉOÏDE [ʒeɔid] n. m. (du gr. *gê*, terre, et *eidos*, aspect). Niveau moyen des mers, prolongé (par la pensée) sous les continents.

GEÔLE [ʒol] n. f. (bas lat. *caveola*). Prison, cachot (littér.). ◆ **geôlier, ère** [ʒolje, -jɛr] n. Gardien, concierge d'une prison (littér.).

GÉOLOGIE [ʒeɔlɔʒi] n. f. (du gr. *gê*, terre, et *logos*, science). Science qui a pour objet la description des matériaux constituant le globe terrestre, l'étude des transformations actuelles et passées subies par la Terre, et l'étude des fossiles. ◆ **géologique** adj. Relatif à la géologie. ◆ **géologue** n. Spécialiste de la géologie.

GÉOMANCIE [ʒeɔmɑ̃si] n. f. (du gr. *gê*, terre, et *manteia*, divination). Divination qui s'opère en jetant de la terre, de la poussière sur une table, et en étudiant les figures ainsi formées.

1. GÉOMÈTRE n. m. ⟶ GÉOMÉTRIE.

2. GÉOMÈTRE [ʒeomɛtr] n. m. (gr. *geômetrês*, arpenteur). Technicien procédant à des opérations de levés de terrain. ‖ *Géomètre expert*, technicien qualifié qui mesure, calcule, délimite, représente et estime la propriété privée ainsi que sa contenance par des travaux topographiques et topométriques.

3. GÉOMÈTRE [ʒeomɛtr] n. m. (même étym.). Papillon vert, dont la chenille vit sur le noisetier, le saule et le hêtre. ◆ **géométridés** n. m. pl. Importante famille d'insectes lépidoptères, comprenant des papillons nocturnes ou crépusculaires, dont les chenilles, appelées *géomètres* ou *arpenteuses*, semblent mesurer le terrain en se déplaçant (leur corps étant arqué et tendu alternativement) [syn. PHALÈNES].

GÉOMÉTRIE [ʒeɔmetri] n. f. (du gr. *gê*, terre, et *metron*, mesure). Partie des mathématiques qui étudie l'espace et les formes (figures et corps) qu'on peut y imaginer : *Géométrie euclidienne. Esprit de géométrie* (= esprit mathématique, logique, méthodique). ◆ **géométrique** adj. **1.** *Une démonstration, une figure géométrique.* — **2.** Se dit de ce qui est caractérisé par des formes régulières et simples : *Une décoration géométrique.* ◆ **géométriquement** adv. ◆ **géomètre** n. m. Spécialiste de géométrie. — ENCYCL. Utilisée initialement pour résoudre des problèmes concrets (forme et aire des champs, mesure des angles, etc.), la *géométrie* s'est mise à étudier de plus en plus des situations abstraites qui permettent, à partir d'un certain nombre d'axiomes (= propositions arbitrairement considérées comme vraies), de bâtir une théorie. Ainsi, la géométrie du plan affine se construit à partir des axiomes d'incidence et de l'axiome de Thalès. (⟶ PLAN 1.)

GÉOMORPHOLOGIE [ʒeɔmɔrfɔlɔʒi] n. f. (du gr. *gê*, terre, et *morphologie*). Partie de la géographie qui a pour objet la description et l'explication du relief terrestre actuel, permises par l'étude de son évolution.

GÉOPHYSIQUE [ʒeɔfizik] n. f. (du gr. *gê*, terre, et *physique*). Étude de la structure d'ensemble du globe terrestre et des mouvements qui l'affectent (syn. PHYSIQUE DU GLOBE).

GÉOPOLITIQUE [ʒeɔpɔlitik] n. f. (du gr. *gê*, terre, et *politique*). Étude des rapports qui existent entre les États et leur politique, et les données naturelles, ces dernières déterminant les autres : *La géopolitique s'est développée surtout en Allemagne.*

GEORGE Ier (1660-1727), roi d'Angleterre de 1714 à 1727 et Électeur de Hanovre (1698-1727). Il fut le premier roi de la dynastie de Hanovre. — GEORGE II, son fils (1683-1760), roi à partir de 1727. Il gouverna en monarque « constitutionnel », marquant ainsi une étape importante vers le régime parlementaire. — GEORGE III, son petit-fils (1738-1820), roi à partir de 1760, perdit les colonies anglaises d'Amérique. Son Premier ministre, le Second Pitt, fut l'âme des coalitions contre la France et Napoléon. — GEORGE IV (1762-1830), régent de 1811 à 1820, roi de 1820 à 1830. — GEORGE V (1865-1936), roi de 1910 à 1936. — GEORGE VI (1895-1952), roi de 1936 à 1952.

George Dandin ou le Mari confondu, comédie de Molière (1668).

GEORGES Ier (1845-1913), roi de Grèce de 1863 à 1913, fils de Christian IX de Danemark. — GEORGES II (1890-1947), roi de Grèce de 1922 à 1924 et de 1935 à 1946, fils de Constantin Ier.

GEORGE TOWN, port de la Malaysia, dans l'île de Penang; 270 000 hab. Capit. de l'État de Penang.

GEORGETOWN, capit. de la Guyana (anc. Guyane britannique); 187 000 hab.

GÉORGIE, république fédérée de l'U. R. S. S., sur la bordure orientale de la mer Noire, à la frontière turque; 69 700 km²; 5 400 000 hab. *(Géorgiens)* [77 hab. au km²]. Capit. *Tbilissi* (1 140 000 hab.).

Les basses terres du Centre forment un sillon orienté O.-E. et encadré de hautes montagnes. Elles concentrent l'agriculture, orientée vers une riche production fruitière (agrumes, vergers, vigne). L'hydro-électricité est la principale source énergétique de l'industrie. Sidérurgie et transformation des produits agricoles, localisées dans les villes (Tbilissi, Koutaïssi), sont les activités majeures.

- *1783. Pour se dégager de l'emprise des Turcs, la Géorgie reconnaît la suzeraineté russe.*
- *1921. La Géorgie devient une république de l'U. R. S. S.*

GÉORGIE ou **GEORGIE,** État du sud-est des États-Unis, sur l'Atlantique; 152 488 km²; 5 464 000 hab. (36 au km²). Capit. *Atlanta.* Culture du coton.

GÉORGIE *(détroit de)*, bras de mer séparant l'île de Vancouver du littoral de la Colombie britannique.

GÉORGIE DU SUD, archipel britannique de l'Atlantique sud. Base de la pêche de la baleine.

Géorgiques *(les)*, poème de Virgile.

GÉOSYNCLINAL, AUX [ʒeɔsɛ̃klinal, -no] n. m. (du gr. *gê*, terre, *sun*, avec, et *klinê*, lit). *Géol.* Vaste fosse de l'écorce terrestre où s'entassent d'énormes masses de sédiments, en partie détritiques (flysch), qui s'enfoncent sous leur propre poids.

— ENCYCL. La longueur d'un *géosynclinal* est de l'ordre de plusieurs centaines de kilomètres, et sa largeur de plusieurs dizaines de kilomètres. Quant à l'épaisseur des sédiments entassés, elle est de quelques milliers de mètres. Sous l'action de poussées latérales, les sédiments des géosynclinaux peuvent subir des plissements (accompagnés généralement de charriages). Les Alpes sont une chaîne née sur l'emplacement d'un géosynclinal.

GÉOTHERMIE [ʒeɔtɛrmi] n. f. (du gr. *gê*, terre, et *thermos*, chaleur). Chaleur interne de la Terre. ◆ **géothermique** adj. *Degré géothermique*, distance qu'il faut parcourir vers le centre de la Terre pour que la température s'élève de 1 °C : *La moyenne du degré géothermique de l'écorce terrestre est de 38 m environ.*

GÉOTROPISME [ʒeɔtrɔpism] n. m. (du gr. *gê*, terre, et *tropos*, direction). Orientation de croissance des axes végétaux en fonction de la direction de la pesanteur. (La racine croît vers le bas et s'enfonce dans la *terre*, d'où le nom de *géotropisme.* Le sommet de la tige se relève et se dirige vers le haut.) ◆ **géotropique** adj.

GERA, v. d'Allemagne (Thuringe), sur l'Elster Blanche; 131 000 hab.

GÉRANCE n. f. ⟶ GÉRER.

GÉRANIUM [ʒeranjɔm] n. m. (mot lat.; du gr. *geranos*, grue). Plante sauvage très commune, dont le fruit rappelle un bec de grue (oiseau). [Le géranium cultivé, aux fleurs ornementales et parfumées, appartient au genre pélargonium.]

GÉRANT, E n. ⟶ GÉRER.

GÉRARD (François, *baron*), peintre français (1770-1837). Il fut l'élève de Louis David, Sa *Bataille d'Austerlitz* le rendit célèbre, mais il est surtout apprécié pour ses portraits.

GÉRARDMER, ch.-l. de cant. des Vosges, à 30 km au S. de Saint-Dié; 9 600 hab. *(Géromois).* Station climatique. Travail du bois. Fabrication de fromage dit *géromé.* — À l'O. se trouve le *lac de Gérardmer.*

GERBAULT (Alain), navigateur français (1893-1941). Seul sur un petit cotre, il effectua en 1923 la traversée de l'Atlantique et, de 1924 à 1929, acheva le tour du monde.

GERBE [ʒɛrb] n. f. (frq. *garba*). **1.** Botte de céréales coupées et liées : *Mettre le blé en gerbes.* — **2.** Botte de fleurs coupées avec de longues tiges : *Une gerbe de glaïeuls.* — **3.** Jet d'eau, ou faisceau, groupe de fusées qui jaillit en forme de gerbe : *Le feu d'artifice retombait en gerbes colorées.* ◆ **gerber** v. t. **1.** Mettre en gerbes. — **2.** Empiler des charges (gerbes, sacs, fûts, caisses, etc.) les unes sur les autres. ◆ **gerbeuse** n. f. Appareil de levage au moyen duquel on empile les futailles.

GERBIER-DE-JONC, mont du Vivarais, au pied duquel la Loire prend sa source; 1 551 m.

GERBOISE [ʒɛrbwaz] n. f. (ar. *yarbū'*). Petit mammifère rongeur remarquable par sa longue queue et ses pattes de derrière démesurément allongées. (Les gerboises se déplacent par bonds, surtout la nuit, et creusent leurs terriers dans les régions désertiques d'Europe, d'Asie, d'Amérique du Nord et d'Afrique.)

GERCER [ʒɛrse] v. t. (gr. *kharassein*, entailler) [sujet nom désignant le froid]. Faire de petites crevasses : *Un froid vif qui gerce les mains.* ◆ v. i., ou **être gercé** v. passif, ou **se gercer** v. pr. Se couvrir de petites crevasses : *Avoir les lèvres gercées* (syn. FENDILLER). ◆ **gercement** n. m. Se dit du sol : *Le gercement de la terre desséchée.* ◆ **gerçure** n. f. Petite crevasse : *Souffrir de gerçures aux lèvres. L'écorce d'un arbre couverte de gerçures* (syn. FISSURE).

GÉRER [ʒere] v. t. (lat. *gerere*). **1.** Administrer une affaire, des intérêts pour le compte d'un autre : *Gérer les biens d'un enfant mineur.* — **2.** Administrer ses affaires : *Gérer sa fortune.* ◆ **gérant, e** n. Personne qui gère une affaire commerciale comme mandataire d'une autre : *Le gérant de l'hôtel. Le gérant d'un journal* (= le directeur de la publication). ◆ **gérance** n. f. : *Mettre un fonds de commerce en gérance.* ‖ *Gérance libre* ou *gérance-location,* exploitation d'un fonds de commerce par une personne qui n'en est en fait que le locataire et qui verse une redevance au propriétaire. ◆ **gestion** [ʒɛstjɔ̃] n. f. **1.** Action de gérer des affaires (syn. ADMINISTRATION). — **2.** Ensemble des opérations comptables effectuées au cours d'une année. ◆ **gestionnaire** adj. Relatif à une gestion : *Compte gestionnaire.* ◆ n. Qui est chargé d'une gestion; gérant. ◆ **autogestion** n. f. Dans certains pays socialistes (Yougoslavie, Algérie, Pologne), gestion collective d'un domaine agricole ou d'une entreprise industrielle par les travailleurs. ◆ **cogestion** n. f. Gestion exercée en commun avec une ou plusieurs personnes.

GERFAUT [ʒɛrfo] n. m. (de l'anc. fr. *gir*, vautour, et *fauc*, faucon). Espèce de faucon, à plumage clair et quelquefois blanc, d'Europe septentrionale : *Le gerfaut était autrefois utilisé pour la chasse.*

GERGOVIE, v. de la Gaule, sur un plateau basaltique du pays des Arvernes (à 6 km au S. de l'actuel Clermont-Ferrand). Un siège y fut victorieusement soutenu par Vercingétorix contre César, en 52 av. J.-C.

GÉRIATRIE [ʒerjatri] n. f. (du gr. *gerôn*, vieillard, et *iatreia*, traitement). Partie de la médecine qui étudie les maladies des vieillards.

GÉRICAULT (Théodore), peintre français (1791-1824). Considéré comme le premier peintre romantique français, il est aussi l'initiateur du réalisme. L'audace de son dessin et de sa couleur, sa fougue, alliées à un souci de réalisme, un certain goût pour le morbide, font de lui un précurseur. Il a souvent peint des animaux, notamment des chevaux (*le Derby d'Epsom*, 1821). Il réalisa également une série de portraits de fous de la Salpêtrière. Mais son œuvre la plus étonnante reste *le Radeau de « la Méduse »* qui montre toute la variété des attitudes humaines devant une mort qui paraît imminente.

1. GERMAIN, E [ʒɛrmɛ̃, -ɛn] adj. (du lat. *germen*, qui est du même sang). *Cousins germains, cousines germaines,* cousins qui possèdent au moins un grand-père ou une grand-mère en commun. ‖ *Cousins issus de germains,* issus de cousins germains.

2. GERMAIN, E [ʒɛrmɛ̃, -ɛn] adj. et n. (lat. *Germanus*). De Germanie.

GERMAINS, peuples indo-européens issus d'une région située autour de la presqu'île du Jylland (Danemark). Les Germains étaient à l'origine un peuple de marins. Au IIIe s. av. J.-C., ils occupèrent l'Allemagne, refoulant les Celtes en Gaule. La poussée d'envahisseurs asiatiques, les Huns, amena les Wisigoths, puis d'autres Germains, à pénétrer dans l'Empire romain et à s'y installer (IVe-Ve s.). En même temps, les Angles et les Saxons envahissaient l'île de Bretagne (Ve s.). Des royaumes fondés par les Germains sur les ruines de l'Empire romain, le plus prospère fut celui des Francs, qui sous le règne de Clovis se rendit maître de la Gaule (Ve s.).

GERMANIE, contrée de l'Europe anc., limitée approximativement par la Baltique, la mer du Nord, le Rhin, le Danube et la Vistule, et habitée par les Germains.

GERMANIE *(royaume de)*, État formé en 843 d'une partie de l'Empire carolingien, et attribué à Louis le Germanique. L'expression cessa d'être employée à partir de 1024.

GERMANIQUE [ʒɛrmanik] adj. (lat. *Germanicus*, de Germanie). **1.** De la Germanie, de l'Allemagne. — **2.** Relatif à la civilisation allemande. ◆ n. m. Groupe de langues parlées par les tribus germaniques et dont sont issus l'anglais, l'allemand et les langues scandinaves. ◆ **germaniser** v. t. Imposer le caractère germanique, la domination allemande à : *Germaniser un pays.* ◆ **se germaniser** v. pr. Devenir allemand (de langue, de caractère, d'administration, etc.). ◆ **germanisation** n. f. ◆ **germanisme** n. m. Tournure propre à la langue allemande. ◆ **germano-,** élément signif. *allemand* (*germanophile, germanophobe,* etc.).

GERMANIUM [ʒɛrmanjɔm] n. m. (du lat. *Germania*, Germanie). *Chim.* Corps simple métallique (Ge), ressemblant au silicium. (Cristallisé à l'état d'extrême pureté, on l'utilise dans la fabrication des transistors*.)

GERMANO- ⟶ GERMANIQUE.

GERME [ʒɛrm] n. m. (lat. *germen, -minis*). **1.** Stade simple et primitif d'où dérive tout être vivant (œuf, jeune embryon, plantule, spore, etc.) : *Le germe d'un haricot.* — **2.** Jeune pousse d'un tubercule de pomme de terre. — **3.** Microbe (bactérie, virus) susceptible d'engendrer une maladie : *Être porteur de germes de la tuberculose.* — **4.** (avec un nom abstrait comme compl.) Élément qui est à l'origine de quelque chose : *Le premier livre contenait en germe toute son œuvre.* ◆ **germer** v. i. **1.** (sujet nom d'une plante) Avoir un germe qui commence à croître. — **2.** (sujet nom abstrait) Commencer à se développer : *Une idée germe dans votre esprit.* ◆ **germinatif, ive** adj. *Pouvoir germinatif d'une graine,* faculté qu'elle a de germer lorsqu'elle se trouve dans un milieu satisfaisant : *Le pouvoir germinatif varie avec l'âge de la graine.* ◆ **germination** n. f. **1.** Passage de la graine de la vie ralentie à la vie active, caractérisé par la croissance et la sortie de la plantule qui forme les organes nécessaires pour pouvoir mener une vie libre. — **2.** Premier développement de quelque chose : *La germination des idées* (syn. ÉCLOSION). ◆ **dégermer** v. t. Enlever le germe de : *Dégermer des pommes de terre.*

GERMEN [ʒɛrmɛn] n. f. (mot lat.). Lignée des éléments reproducteurs d'un être vivant.

GERMER v. i. ⟶ GERME.

GERMINAL [ʒɛrminal] n. m. (du lat. *germen, -minis*, germe) ⟶ CALENDRIER* RÉPUBLICAIN. ‖ *La journée du 12 germinal an III* soulèvement des faubourgs parisiens contre la Convention thermidorienne (1er avril 1795).

Germinal, roman d'Émile Zola (1885), treizième volume des *Rougon-Macquart**.

GERMINATIF, IVE adj., **GERMINATION** n. f. ⟶ GERME.

GERMISTON, v. de l'Afrique du Sud, dans le Transvaal; 139 500 hab. Mines d'or.

GERMON [ʒɛrmɔ̃] n. m. (orig. obscure). Espèce de thon pêché dans l'Atlantique en été, long de 60 cm à 1 m, appelé aussi THON BLANC.

GERNSBACK (Hugo), ingénieur américain (1884-1967). Pionnier de la radio et de la télévision, il fut le premier à énoncer le principe du radar (1911) et à décrire la triode à cristal, ancêtre du transistor. Il créa également l'expression *science-fiction.*

GÉRONDIF [ʒerɔ̃dif] n. m. (lat. *gerundivus*). **1.** En latin, forme verbale à valeur de substantif. — **2.** En français, forme en *-ant* du verbe, précédée de la préposition *en.* (⟶ PARTICIPE.)

GÉRONTE [ʒerɔ̃t] n. m. (du gr. *gerôn*, vieillard). À Sparte, chacun des trente membres du sénat, élus à vie par l'assemblée du peuple, et qui devaient être âgés de soixante ans au moins. ◆ **gerousia** n. f. Sénat de Sparte, composée de trente gérontes. (La gerousia préparait les projets de lois, formait une haute cour de justice et dirigeait la politique extérieure.)

GÉRONTOLOGIE [ʒerɔ̃tɔlɔʒi] n. f. (du gr. *gerôn*, vieillard, et *logos*, science). **1.** Étude du vieillissement de l'organisme. — **2.** Étude des problèmes que pose la vieillesse au point de vue social, économique, psychologique, etc. ◆ **gérontologue** n. Spécialiste de la gérontologie.

GEROUSIA n. f. ⟶ GÉRONTE.

GERS [ʒɛr] (le), riv. du Bassin aquitain, qui arrose Auch, affl. de la Garonne (r. g.); 178 km.

GERS (32), dép. du bassin d'Aquitaine (Région Midi-Pyrénées); 6 254 km²; 174 200 hab. (28 au km²) [France : 103]. Ch.-l. *Auch.* ADMINISTRATION. 3 arrond. (*Auch,* 70 900 hab.; *Condom,* 65 000 hab.; *Mirande,* 38 300 hab.). / 31 cant. / 462 comm.

À l'intérieur de la grande boucle de la Garonne, le département est constitué par un plateau mollassique, dont l'altitude modeste

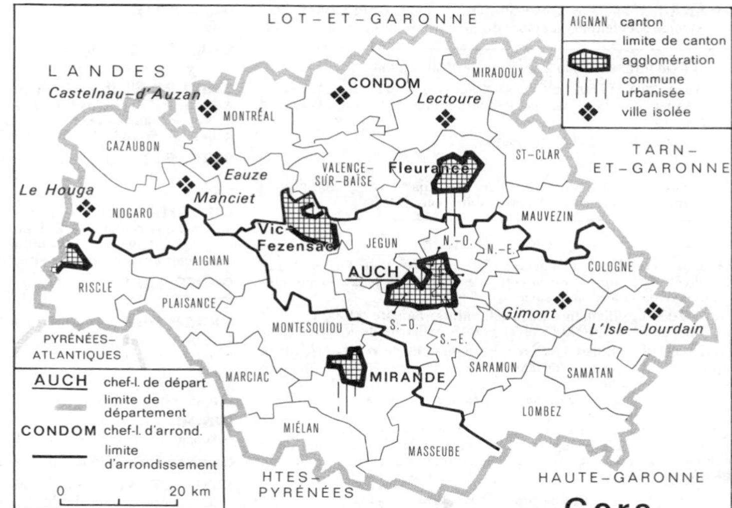

LOCALITÉS PRINCIPALES	NOMBRE D'HAB.
Auch	25 500
Condom	7 800
Fleurance	6 100
Lectoure	4 400
L'Isle-Jourdain	4 400
Eauze	4 300
Mirande	4 150
Vic-Fezensac	4 000
Gimont	2 900
Masseube	2 000
Mauvezin	1 700
Cazaubon	1 600

s'abaisse vers le N. (elle est inférieure à 200 m dans plus de la moitié du département). Ce plateau est entaillé par une suite de vallées (Baïse, Gers, Gimone et Save notamment) issues du plateau du Lannemezan et tributaires de la Garonne. Les précipitations dominent vers l'E., cependant que les températures hivernales demeurent assez modérées.

L'*agriculture* emploie encore le tiers de la population active (plus de trois fois la moyenne française). Elle est généralement assez médiocre et peu intensive. Toutefois, à côté d'une polyculture qui se maintient, émergent quelques productions, notamment celle de la vigne (matière première d'une eau-de-vie réputée, l'armagnac).

L'*industrie* est très peu représentée, employant moins du cinquième de la population active. Sa faiblesse et celle du *secteur tertiaire* (moins du tiers de la population active) sont à rapprocher de l'absence de grande ville. Cependant Auch (seule ville de plus de 10 000 hab.) a une population qui s'est accrue sensiblement, tandis que la quasi-totalité des cantons ruraux ont enregistré une émigration qui se prolongera certainement compte tenu de la prépondérance encore actuelle de l'agriculture.

GERSHWIN (George), compositeur américain (1898-1937). Excellent pianiste, il se fait connaître du public à vingt et un ans grâce à sa première comédie musicale. Il découvre les richesses du jazz et s'en inspire dans ses œuvres symphoniques : *Rhapsody in Blue* (1924), *Un Américain à Paris* (1928), *Porgy and Bess* (opéra, 1935).

GÉSIER [ʒezje] n. m. (lat. *gigerium*). Dernière poche de l'estomac des oiseaux, assurant le broyage des aliments grâce à son épaisse paroi musclée et aux petits cailloux qu'il contient souvent.

GÉSIR [ʒezir] v. i. (lat. *jacere*). [Conj. **32.**] **1.** (sujet nom de personne) Être couché, étendu : *Il gît sur son lit, sans bouger.* — **2.** (sujet nom abstrait) Être, se trouver, résider : *C'est là que gît la difficulté.* (⟶ CI-GÎT.)

GESSE [ʒɛs] n. f. (anc. prov. *geissa*). Plante herbacée grimpante dont certaines espèces sont cultivées comme plantes fourragères *(jarosse)* ou ornementales *(gesse odorante*, ou *pois de senteur).* [Famille des papilionacées.]

Gestapo [gɛstapo] n. f. (abrév. de *ge*[*heime*] *Sta*[*ats*]*po*[*lizei*]). Police politique du IIIe Reich, fondée par Goering en 1933. Réorganisée en 1936 par Himmler et Heydrich, elle fut divisée en deux branches : la *police d'ordre* en uniforme, couvrant les missions traditionnelles, et la *police de sécurité*, essentiellement politique et ayant autorité sur la première. La Gestapo utilisa systématiquement la délation, la torture, les exécutions sommaires et l'envoi dans les camps de concentration envers ceux qui étaient considérés comme des opposants au régime ou ceux qu'elle était chargée d'éliminer.

GESTATION [ʒɛstasjɔ̃] n. f. (du lat. *gestare*, porter). **1.** Chez les femelles de mammifères, temps nécessaire à la formation d'un embryon viable, compris entre la fécondation et la parturition. (Ce temps varie entre vingt et un jours chez la souris et six cent quarante jours chez l'éléphant.) — **2.** Chez la femme, syn. de GROSSESSE*. — **3.** Élaboration secrète qui précède la création proprement dite, la mise au jour d'une œuvre de l'esprit : *La gestation d'un roman.*

1. GESTE [ʒɛst] n. m. (lat. *gestus*). **1.** Mouvement du corps, surtout des bras, des mains ou de la tête, porteur ou non d'une intention de signification : *Faire des gestes en parlant* (syn. MOUVEMENT). *Faire un geste de refus* (syn. SIGNE). *Avoir le geste noble, élégant* (= avoir une attitude noble, une allure élégante). — **2.** Fam. *Faire un geste*, accomplir une action généreuse (syn. AVOIR UN BON MOUVEMENT). ‖ *Joindre le geste à la parole*, faire aussitôt ce qu'on vient de dire. ◆ **gestuel, elle** adj. : *Mimique gestuelle. Langage gestuel.* ◆ **gesticuler** [ʒɛstikyle] v. i. Faire beaucoup de gestes. ◆ **gesticulation** n. f.

2. GESTE [ʒɛst] n. f. (lat. *gesta*, exploits). Ensemble de poèmes épiques du Moyen Âge, relatant les exploits d'un même héros : *La geste d'Aymeri de Narbonne.* ‖ *Chanson de geste*, un des poèmes de cet ensemble. ◆ n. f. pl. *Les faits et gestes de qq'un*, le détail de ses actions, toute sa conduite.

GESTICULATION n. f., **GESTICULER** v. i. ⟶ GESTE 1.

GESTION n. f., **GESTIONNAIRE** adj. et n. ⟶ GÉRER.

GESTUEL, ELLE adj. ⟶ GESTE 1.

GETHSÉMANI *(Pressoir d'huile).* Jardin situé près de Jérusalem, au pied du mont des Oliviers. Jésus-Christ y pria et y fut arrêté avant sa Passion.

GETS (Les), comm. de la Haute-Savoie, à 7,5 km au S.-O. de Morzine; 1 000 hab. Station touristique.

GETTYSBURG, v. de l'est des États-Unis (Pennsylvanie), en bordure des Appalaches; 8 000 hab.

• *1er-3 juil. 1863. Victoire des nordistes sur les sudistes.*

GÉVAUDAN, anc. comté français, entre la Margeride et l'Aigoual (dép. de la Lozère). Dans ses forêts apparut vers 1765 la fameuse *bête du Gévaudan* (probablement un loup de très grande taille).

GEVREY-CHAMBERTIN, ch.-l. de cant. de la Côte-d'Or, à 13 km au S. de Dijon; 2 600 hab. Vins renommés *(chambertin).*

GEX, ch.-l. d'arrond. de l'Ain, au pied du Jura, sur le Journan, affl. du Rhône; 4 900 hab. *(Gessiens).* — Le *pays de Gex*, isolé du reste de la France, constitue une « zone franche », dont l'économie est liée à la Suisse.

GEYSER [ʒezɛr] n. m. (mot islandais signif. *jaillisseur*). Source d'eau chaude jaillissant par intermittence avec une quantité considérable de vapeur d'eau : *Les geysers sont nombreux dans les régions volcaniques.*

GHANA, vaste empire qui s'étendait entre le Sénégal et le Niger. Il eut son apogée au IXe-Xe s.

GHANA (le), ancienn. **Côte-de-l'Or,** en angl. **Gold Coast,** État de l'Afrique occidentale, membre du Commonwealth. → cartes p. 48.

SUPERFICIE 240 000 km² (France : 550 000 km²).
POPULATION 14 600 000 hab. *(Ghanéens);* 61 hab. au km² (France : 103); accroissement annuel de population, 3 p. 100.
CAPITALE Accra (1 420 000 hab.).
LANGUE anglais.
ÉCONOMIE consommation d'énergie par hab., 100 kg d'équivalent charbon; 1 automobile pour 150 hab.

GÉOGRAPHIE

Le pays s'étend sur un ensemble de plaines et de bas plateaux dont le climat, tropical sur la côte, s'assèche vers le N., expliquant le passage de la forêt à la savane.

or 9 000 kg; diamants 2 328 000 carats; bauxite 60 000 t; manganèse 110 000 t ; électricité 5 milliards de kWh.

En dehors de cultures vivrières de manioc et de riz, l'*agriculture* repose sur le cacao (200 000 t), dont le pays est un notable producteur mondial.

Le Ghana exporte également les richesses de son sous-sol : or, diamants, bauxite et manganèse.

Mais l'*industrie* est encore limitée à la transformation des produits agricoles. L'aménagement de barrages le long du cours de la Volta devrait favoriser son développement grâce à la production d'hydro-électricité.

	TEMPÉRATURES MOYENNES janv.	juil.	PLUIES
Accra	22,5 °C	29,9 °C	1 230 mm

HISTOIRE

- *1471. Premier établissement portugais sur la Côte-de-l'Or.*

Aux XVIIe et XVIIIe s., le commerce des esclaves y attire les Anglais et les Hollandais qui y créent des compagnies à monopole.

- *1871. La Côte-de-l'Or devient colonie anglaise.*
- *1901. Annexion du territoire des Achantis.*
- *1957. La colonie devient indépendante sous le nom de «Ghana».*
- *1960. Instauration de la République du Ghana, dont K. Nkrumah est président jusqu'en 1966.*

GHARDAÏA, oasis du Sahara algérien, au cœur du Mzab; 32 000 hab. Centre touristique.

GHARSA ou **RHARSA** *(chott)*, dépression marécageuse du Sud tunisien; 1 300 km².

GHĀTS ou **GHĀTES,** nom des hauteurs de l'Inde qui forment les rebords du plateau du Deccan : les *Ghāts occidentaux,* le long de la mer d'Oman, et les *Ghāts orientaux,* le long du golfe du Bengale.

GHERASSIMOV (Alexandre Mikhaïlovitch), peintre soviétique (1881-1963), le principal représentant du « réalisme socialiste » qui condamnait l'art occidental moderne.

GHETTO [gɛto] n. m. (mot it. signif. *quartier juif*). **1.** Quartier d'une ville où les Juifs étaient tenus de résider. — **2.** Lieu où une minorité est séparée du reste de la société : *À New York, Harlem est un ghetto noir.*

GHIBERTI (Lorenzo), architecte, sculpteur et peintre florentin (1378-1455). Il continua la tradition gothique et manifesta un souci de réalisme, notamment dans les paysages de ses bas-reliefs. Ses œuvres majeures sont les deux portes en bronze qu'il exécuta pour le baptistère de Florence.

GHILDE n. f. → GILDE.

GHIRLANDAIO (Domenico DI TOMMASO BIGORDI, dit), peintre italien (1449-1494). Manifestant un constant souci de réalisme dans ses compositions religieuses, il prêta aux personnages sacrés des visages de contemporains, exécutés avec précision. À Rome, il travailla à la décoration de la chapelle Sixtine.

GIACOMETTI (Alberto), sculpteur et peintre suisse (1901-1966). Fixé à Paris, il fit d'abord partie du groupe surréaliste. Puis il trouva sa voie personnelle, créant des sculptures en bronze, représentant des personnages extrêmement allongés et maigres.

GIAMBOLOGNA, sculpteur flamand (1524-1608). Il fit à Florence l'essentiel de sa carrière. Son chef-d'œuvre est le *Mercure volant* (1563).

GIBBON [ʒibɔ̃] n. m. (mot angl.). Singe anthropoïde d'Indo-Malaisie, haut de 1 m, grimpant avec agilité aux arbres grâce à ses très longs bras. (Son pelage est gris ou noir avec des parties blanches.)

GIBBOSITÉ [ʒibozite] n. f. (du lat. *gibbus*, bosse). *Méd.* Bosse dorsale.

GIBECIÈRE [ʒibsjɛr] n. f. (de *gibier*). Sacoche portée en bandoulière, à l'usage des chasseurs, des pêcheurs.

GIBELIN, E [ʒiblɛ̃, -in] n. (it. *ghibellino*). Nom donné, au Moyen Âge, en Italie, aux partisans des empereurs romains germaniques (par oppos. aux GUELFES, partisans des papes et de l'indépendance italienne). ◆ adj. : *La faction gibeline.*

GIBELOTTE [ʒiblɔt] n. f. (de l'anc. fr. *gibelet*, plat préparé avec de petits oiseaux). *Gibelotte de lapin*, fricassée de lapin au vin blanc.

GIBERNE [ʒibɛrn] n. f. (bas lat. *zaberna*). **1.** Anc. boîte à cartouches des soldats. — **2.** Fam. *Avoir son bâton de maréchal dans sa giberne*, avoir la possibilité de parvenir aux grades élevés, d'accéder aux plus hautes situations.

GIBET [ʒibɛ] n. m. (frq. *gibb*, bâton fourchu). Potence pour pendre les criminels.

GIBIER [ʒibje] n. m. (de l'anc. fr. *gibiez*, chasse aux oiseaux). **1.** Terme général désignant les animaux que l'on chasse pour les manger : *Du gibier à plume, à poil.* — **2.** La viande de l'animal chassé : *Du gibier faisandé.* — **3.** Fam. *Gibier de potence*, personne qui mérite d'être pendue. ◆ **giboyeux, euse** [ʒibwajø, -øz] adj. Qui abonde en gibier : *Un pays giboyeux.*

GIBOULÉE [ʒibule] n. f. (orig. inc.). Pluie soudaine et de courte durée, accompagnée souvent de chute de grêle.

GIBOYEUX, EUSE adj. → GIBIER.

GIBRALTAR, territoire britannique situé à l'extrémité méridionale de la péninsule Ibérique, sur le détroit du même nom; 6 km²; 30 000 hab. Cette place forte, installée sur un rocher calcaire de 425 m, occupe une position stratégique remarquable.

D'après la légende, le rocher de Gibraltar formait avec celui qui domine Ceuta sur la côte africaine les Colonnes d'Hercule.

- *1713. Le traité d'Utrecht donne Gibraltar à l'Angleterre.*

Mais depuis cette date l'Espagne en revendique la possession.

GIBRALTAR *(détroit de)*, bras de mer, large de 15 km env., profond de 350 m, séparant l'Europe de l'Afrique, et unissant la Méditerranée avec l'Atlantique.

GIBUS [ʒibys] n. m. (du n. de l'inventeur). Chapeau haut de forme, monté sur des ressorts qui permettent de l'aplatir.

GICLER [ʒikle] v. i. (orig. incert.). Jaillir en éclaboussant : *L'eau, le sang gicle.* ◆ **giclée** n. f. Jet de liquide qui gicle. ◆ **gicleur** n. m. Pièce du carburateur servant à limiter l'arrivée d'essence dans le moteur. ◆ **giclement** n. m.

GIDE (André), écrivain français (1869-1951). S'exprimant en un style classique dépouillé, il a, sous des formes diverses, abordé les problèmes moraux les plus graves et les plus délicats : s'efforçant d'écarter tout préjugé, tout conformisme, il a cherché à concilier la lucidité de l'intelligence et la vitalité des instincts. Ses principales œuvres sont : *les Nourritures terrestres* (1897), *l'Immoraliste* (1902), *la Porte étroite* (1909), *les Caves du Vatican* (1914), *les Faux-Monnayeurs* (1926). Son *Journal* et sa *Correspondance* nous renseignent sur les secrets d'une vie qui ne voulut rien dissimuler d'elle-même.

GIEN, ch.-l. de cant. du Loiret, sur la Loire, à 10 km au N.-O. de Briare; 16 800 hab. *(Giennois).* Célèbre faïencerie.

GIENS *(presqu'île de)*, presqu'île rocheuse de la côte de Provence (Var), à l'E. de Toulon, en face des îles d'Hyères.

GIFFARD (Henry), ingénieur français (1825-1882). Il construisit un type de dirigeable (1852).

GIFLE [ʒifl] n. f. (du frq. *kifel*, mâchoire). **1.** Coup donné sur la joue avec le plat ou le dos de la main. — **2.** Humiliation infligée à quelqu'un : *Cet échec a été une gifle pour lui.* ◆ **gifler** v. t. *Gifler qq'un*, lui donner une gifle (syn. SOUFFLETER); l'atteindre dans son amour propre, l'humilier.

GIF-SUR-YVETTE, ch.-l. de cant. de l'Essonne, dans la vallée de Chevreuse, à 26 km au S.-O. de Paris; 17 200 hab. Laboratoire de recherches de biologie végétale.

GIFU, v. du Japon, dans l'île de Honshū; 398 000 hab.

GIGANTESQUE [ʒigɑ̃tɛsk] adj. (it. *gigantesco*). **1.** Se dit d'un être animé, d'un objet extrêmement grand par rapport à l'homme : *Un animal gigantesque. Un arbre, une statue gigantesque* (contr. MINUSCULE). — **2.** Se dit d'une chose (nom abstrait) qui dépasse toute mesure : *Une entreprise gigantesque* (syn. ÉNORME). ◆ **gigantisme** n. m. **1.** Développement anormal du corps ou de certaines de ses parties : *Être atteint de gigantisme.* — **2.** Développement excessif d'un organisme quelconque : *Une entreprise atteinte de gigantisme.* (→ GÉANT.)

GIGOGNE [ʒigɔɲ] adj. (altér. de *cigogne*). *Meubles, fusées,* etc., *gigognes,* qui s'emboîtent les uns dans les autres.

GIGOLO [ʒigɔlo] n. m. (de *gigue,* jambe). *Fam.* Jeune homme entretenu par une femme plus âgée que lui.

1. GIGOT [ʒigo] n. m. (de l'anc. fr. *gigue,* sorte de violon). En boucherie, cuisse de mouton, d'agneau ou de chevreuil, coupée pour la table : *Le manche du gigot* (= le bout de l'os par où l'on peut tenir le gigot).

2. GIGOT [ʒigo] n. m. (de *gigot* 1). *Manches à gigot, manches gigot,* manches de robe, de corsage, dont la partie supérieure est bouffante.

GIGOTER [ʒigɔte] v. i. (de l'anc. fr. *giguer,* gambader). *Fam.* Agiter sans cesse ses jambes, ses bras, ou tout son corps.

GIGUE [ʒig] n. f. (angl. *jig*). **1.** *Mus.* Danse populaire qui date du XVIe s., au rythme vif, originaire de Grande-Bretagne. (Elle a été utilisée dans la suite instrumentale dont elle constitue le mouvement final.) — **2.** Fam. *Danser la gigue,* s'agiter.

GIJÓN, port du nord de l'Espagne, dans les Asturies, sur une petite presqu'île de l'Atlantique; 184 700 hab. Sidérurgie.

GILBERT *(îles),* anc. colonie britannique du Pacifique, qui a accédé à l'indépendance en 1979 sous le nom de *Kiribati**.

Gil Blas de Santillane *(Histoire de),* roman de Lesage, publié de 1715 à 1735.

GILDE, GHILDE ou **GUILDE** [gild] n. f. (anc. néerl. *ghilde*). **1.** Au Moyen Âge, association d'abord confraternelle, puis économique, groupant des marchands exerçant une profession commune. — **2.** Auj., association visant à procurer à ses adhérents de meilleures conditions commerciales.

GILET [ʒilɛ] n. m. (esp. *jileco*). **1.** Veste courte, sans manches, que les hommes portent par-dessus la chemise, sous le veston. — **2.** *Gilet de flanelle, de coton, de laine,* sous-vêtement chaud. — **3.** Syn. de CARDIGAN.

GILGAMESH, héros épique assyrien, roi d'Ourouk, dont la quête de l'immortalité est racontée dans un poème intitulé *Celui qui a tout vu.*

GILLE ou **GILLES** [ʒil] n. m. (de *Gilles le Niais,* n. d'un acteur). Personnage de la comédie bouffonne, type de niais. (C'est une sorte de Pierrot, au large costume blanc. Il a inspiré à Watteau l'un de ses chefs-d'œuvre.)

GILLESPIE (John Burks, dit **Dizzy**), célèbre trompettiste et chef d'orchestre de jazz américain, né en 1917.

GILSON (Étienne), philosophe français (1884-1978). Il a renouvelé l'étude de la philosophie médiévale et particulièrement du thomisme.

GIN [dʒin] n. m. (mot angl. signif. *genièvre*). Eau-de-vie de grain (orge, blé, avoine) fabriquée surtout dans les pays anglo-saxons, aromatisée avec des baies de genièvre ou d'autres substances.

GINGEMBRE [ʒɛ̃ʒɑ̃br] n. m. (lat. *zingiber*). Plante originaire d'Asie, à rhizome aromatique, utilisée comme condiment. (Famille des zingibéracées.)

GINGIVITE n. f. → GENCIVE.

GINKGO [ʒɛ̃ko] n. m. (mot chinois). Grand arbre de Chine et du Japon à feuilles en éventail, cultivé en Europe pour son aspect ornemental et considéré en Extrême-Orient comme un arbre sacré.

GIOBERTI (Vincenzo), philosophe et homme politique italien (1801-1852). Il devint l'un des chefs du *Risorgimento**.

GIOLITTI (Giovanni), homme politique italien (1842-1928), cinq fois président du Conseil (entre 1892 et 1921).

GIONO (Jean), écrivain français (1895-1970). Dans une longue série de romans et de pièces de théâtre, il a évoqué les aspects les plus sauvages et les plus humains à la fois de sa Provence natale : *Colline* (1929), *Regain* (1930), *Que ma joie demeure* (1935), *la Femme du boulanger* (1944).

GIORDANO (Luca), peintre baroque italien (1632-1705).

GIORGIONE (Giorgio DA CASTELFRANCO, dit), peintre italien (v. 1477-1510). Il s'attacha à l'étude de la lumière, et il se dégage de ses compositions une poésie mélancolique et voluptueuse *(la Tempête, les Trois Philosophes).*

GIORNO (A) [adʒjɔrno] loc. adv. et adj. (mot it.). Se dit d'un éclairage aussi brillant que la lumière du jour.

GIOTTO di Bondone, peintre, mosaïste et architecte italien (v. 1266-1337). Rompant avec le style byzantin, il s'affirma comme un novateur en donnant aux scènes vie et mouvement, et en caractérisant chacun des personnages dans un souci de réalisme et de vérité humaine. Cette recherche lui inspira des fresques importantes (*Vie de saint François* à Assise et Florence [Santa Croce]; *Scènes de la vie du Christ,* à Padoue) où il exprima la variété des sentiments humains.

GIOVANNI Pisano → PISANO.

GIRAFE [ʒiraf] n. f. (ar. *zarāfa*). Mammifère ruminant des savanes d'Afrique, de taille élevée, au cou long et rigide. ◆ **girafeau** ou **girafon** n. m. Petit de la girafe.
— ENCYCL. Les *girafes* ont un pelage fauve, rosé clair, blanc en dessous, marqué de larges taches brunes. Elles atteignent les feuilles des arbres à 6 m de haut, et ne peuvent brouter les plantes à terre qu'en écartant les pattes de devant. Elles vivent par troupes.

GIRANDOLE [ʒirɑ̃dɔl] n. f. (it. *girandola*). Candélabre à plusieurs branches.

GIRARD (Philippe DE), inventeur français (1775-1845). Il imagina la machine à filer le lin (1810) et installa une filature près de Varsovie.

GIRARDIN (Émile DE), publiciste et homme politique français (1806-1881). Il créa avec *la Presse* (1836) le premier journal accessible au grand public par la modicité de son prix et qui accueillait dans ses colonnes les annonces, la publicité et le roman-feuilleton.

GIRARDON (François), sculpteur français (1628-1715). Il dirigea l'équipe de sculpteurs qui, réunie par Le Brun, travailla au château de Versailles. Il est également l'auteur du *tombeau de Richelieu,* à la Sorbonne.

GIRATOIRE [ʒiratwar] adj. (du bas lat. *gyrare,* faire tourner). *Sens giratoire,* sens obligatoire dans lequel doivent tourner les véhicules autour d'un obstacle, d'un rond-point. ‖ *Mouvement giratoire,* mouvement circulaire (syn. ROTATIF).

GIRAUD (Henri), général français (1879-1949). Il commanda la VIIe armée en Belgique en 1940. Fait prisonnier, il s'évada, devint le chef des territoires français d'Afrique du Nord en 1942, puis s'effaça devant de Gaulle avec lequel il était coprésident du Comité français de libération nationale (1943).

GIRAUDOUX (Jean), écrivain et diplomate français (1882-1944). Ses romans (*Suzanne et le Pacifique,* 1921; *Siegfried et le Limousin,* 1922; *Bella,* 1926) et son théâtre (*Amphitryon 38,* 1929; *Intermezzo,* 1933; *La guerre de Troie n'aura pas lieu,* 1935; *Électre,* 1937; *Ondine,* 1939; *l'Apollon de Bellac,* 1942; *la Folle de Chaillot,* joué en 1945) unissent les grands thèmes classiques et les inquiétudes modernes (la paix et la guerre, la liberté et le destin, la vie et la mort, la fidélité, la pureté) dans un univers précieux, fait d'humour, de fantaisie et d'émotion.

GIRAVIATION [ʒiravjasjɔ̃] n. f. (du bas lat. *gyrare,* faire tourner, et *aviation*). Technique dont l'objet est l'étude ainsi que la réalisation des appareils à voilure tournante, c'est-à-dire essentiellement les hélicoptères et les appareils qui en dérivent.

GIRELLE [ʒirɛl] n. f. (prov. *girello*). Poisson de la Méditerranée, long de 20 cm, à couleurs vives.

GIROD (Paul), ingénieur français (1878-1951), l'un des créateurs de l'électrométallurgie.

GIROFLE [ʒirɔfl] n. m. (du lat. *caryophyllon,* giroflier). *Clou de girofle,* bouton desséché des fleurs du giroflier, utilisé en cuisine comme condiment. ◆ **giroflier** n. m. Arbre originaire d'Indonésie, qui fournit les clous de girofle. (Famille des myrtacées.)

GIROFLÉE [ʒirɔfle] n. f. (de l'anc. fr. *girofler,* parfumer de girofle). Plante vivace cultivée pour ses fleurs ornementales. (Famille des crucifères.)

GIROFLIER n. m. → GIROFLE.

GIROLLE [ʒirɔl] n. f. (de l'anc. fr. *girer,* tourner). Champignon comestible de la classe des basidiomycètes, à chapeau jaune d'or, commun dans les bois (syn. CHANTERELLE).

GIRON [ʒirɔ̃] n. m. (frq. *gêro,* pièce d'étoffe en pointe). **1.** Espace compris entre la ceinture et les genoux d'une personne assise. — **2.** *Rentrer dans le giron de,* revenir à un cercle, un parti que l'on avait quitté.

GIRONDE (la), nom donné à l'estuaire de la Garonne, après le confluent de celle-ci avec la Dordogne, au bec d'Ambès.

GIRONDE (33), dép. du Bassin aquitain (Région Aquitaine); 10 000 km²; 1 127 500 hab. (113 au km²) [France : 103]. Ch.-l. *Bordeaux.* → carte page suivante.
ADMINISTRATION. 5 arrond. (*Blaye,* 52 100 hab.; *Bordeaux,* 836 100 hab.; *Langon,* 75 700 hab.; *Lesparre-Médoc,* 40 600 hab.; *Libourne,* 123 100 hab.). / 63 cant. / 543 comm.
S'étendant largement dans la partie la plus déprimée du bassin d'Aquitaine, le département est formé de régions basses (extrémité nord de la *forêt landaise* au S., *Bordelais*). Les pluies y sont relativement abondantes et assez régulièrement réparties sur l'en-

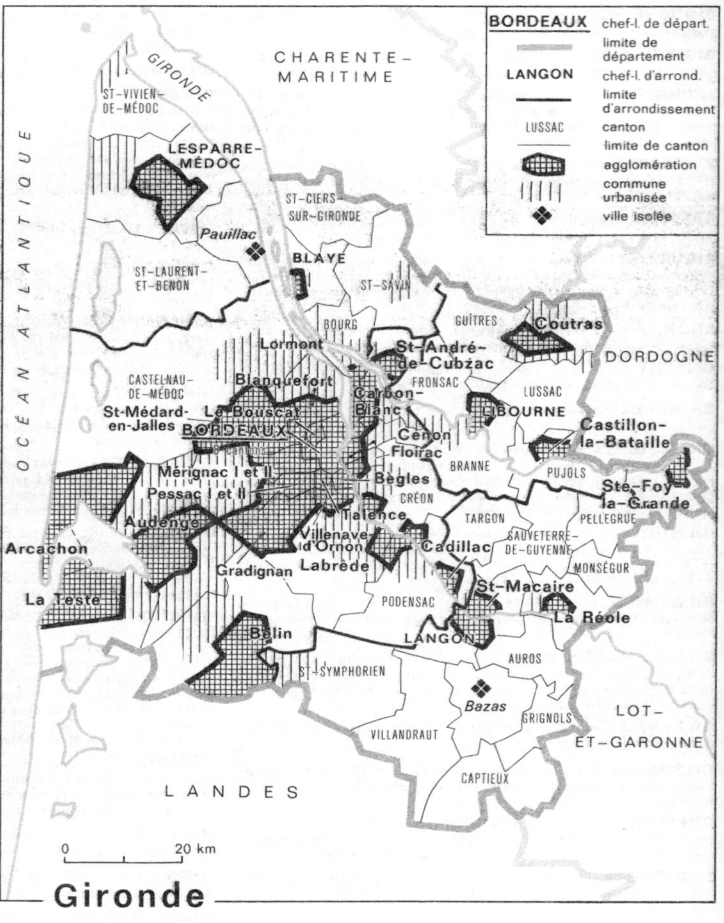

LOCALITÉS PRINCIPALES	NOMBRE D'HAB.
Bordeaux	211 200
Mérignac	52 800
Pessac	50 500
Talence	36 400
Cenon	23 900
Bègles	23 400
Libourne	23 300
Villenave-d'Ornon	21 200
Le Bouscat	20 900
La Teste	19 000

semble de l'année. La proximité de l'Océan égalise les températures, qui sont modérées.

L'*agriculture* emploie à peine 6 p. 100 de la population active (c'est-à-dire une proportion un peu inférieure à la moyenne française). Elle est dominée par la viticulture, répandue dans le Bordelais tout autour de l'estuaire de la Gironde (Médoc, Graves, Entre-deux-Mers, etc.).

L'*industrie* occupe le tiers de cette population active, ce qui est relativement peu. Elle est surtout représentée dans l'agglomération bordelaise, qui regroupe près des deux tiers de la population totale du département et dont la présence explique la forte densité ainsi que l'augmentation récente de la population (alors que dans le Sud notamment l'exode rural se poursuit).

Elle explique également l'importance du *secteur tertiaire*, qui emploie un peu plus de la moitié de la population active.

GIRONDIN, E [ʒirɔ̃dɛ̃, -in] adj. et n. **1.** De la Gironde. — **2.** Qui se rapporte au parti politique des Girondins.

Girondins, groupe politique pendant la Révolution française, appelés aussi BRISSOTINS, du nom de leur chef Brissot. (Leur nom de *Girondins* vient de ce que leurs plus brillants orateurs [Vergniaud, Guadet, Gensonné] étaient députés de la Gironde.) Républicains, partisans du suffrage universel, très attachés à la légalité et à la liberté économique, ils représentaient la bourgeoisie éclairée. Se défiant du peuple de Paris, ils s'appuyaient sur la province; leur politique devint de plus en plus modératrice, à mesure que la Révolution progressait.

- *1792. Siégeant à gauche à l'Assemblée législative, ils parviennent au pouvoir (ministère Dumouriez, mars-juin).*

Ils obtiennent de déclarer la guerre à l'Autriche (20 avril 1792), mais les opérations débutent mal et la tension monte entre le roi et l'Assemblée.

- *13 juin 1792. Le roi renvoie les ministres girondins.*
- *20 juin 1792. Une journée révolutionnaire éclate. Les insurgés réclament entre autres le rappel des ministres girondins.*

Mais dès lors les Girondins s'inquiètent du gouffre qui s'ouvre entre le roi et le peuple, et tentent un rapprochement avec Louis XVI. L'insurrection du 10 août*, qui institue la Commune de Paris et marque la chute de la royauté, se réalise sans eux et met un terme à leur pouvoir.

À la Convention, les Girondins siègent à droite. Rendus responsables des échecs militaires du printemps 1793, considérés par les Parisiens comme des bourgeois indifférents à la misère du peuple, ils sont de plus en plus impopulaires.

- *1793. Lors des journées du 31 mai et du 2 juin, les députés girondins et deux de leurs ministres sont arrêtés.*

Dans une soixantaine de départements, les Girondins organisent une agitation contre les arrestations. Mais presque tous les inculpés sont guillotinés.

GIROTTE *(lac de la)*, lac des Alpes (Haute-Savoie), dans le Beaufortin, à 1 720 m d'alt. Réservoir hydro-électrique.

GIROUETTE [ʒirwɛt] n. f. (de l'anc. fr. *girer,* tourner). **1.** Plaque mobile autour d'un axe qui indique la direction du vent. — **2.** *Fam.* Personne qui change souvent d'opinion.

GISANT [ʒizɑ̃] n. m. (de *gésir*). Statue d'un mort couché.

GISCARD D'ESTAING (Valéry), homme d'État français, né en 1926, ministre des Finances (1962-1966, 1969-1974). Élu président de la République en 1974, il est battu par F. Mitterrand en 1981. Il est président de l'Union pour la démocratie française (U. D. F.) depuis 1988.

GIVRE [ʒivr] n. m. (orig. prélatine). Minces cristaux de glace que forment par temps froid sur les arbres, les buissons, etc., la condensation et la congélation des gouttelettes d'eau en surfusion dans les brouillards ou les nuages. ◆ **givrer** v. t. **1.** Recouvrir de givre. — **2.** Saupoudrer d'une substance (verre pilé, sucre, etc.) blanche comme le givre. ◆ **givré, e** adj. : *Arbre givré, orange givrée.* ◆ **givrage** n. m. Formation de givre sur une surface. ◆ **dégivrer** v. t. Ôter (en l'enlevant ou en le faisant fondre) le givre qui s'est formé sur un pare-brise, une aile d'avion, dans un réfrigérateur. ◆ **dégivrage** n. m. ◆ **dégivreur** n. m. Dispositif installé pour dégivrer.

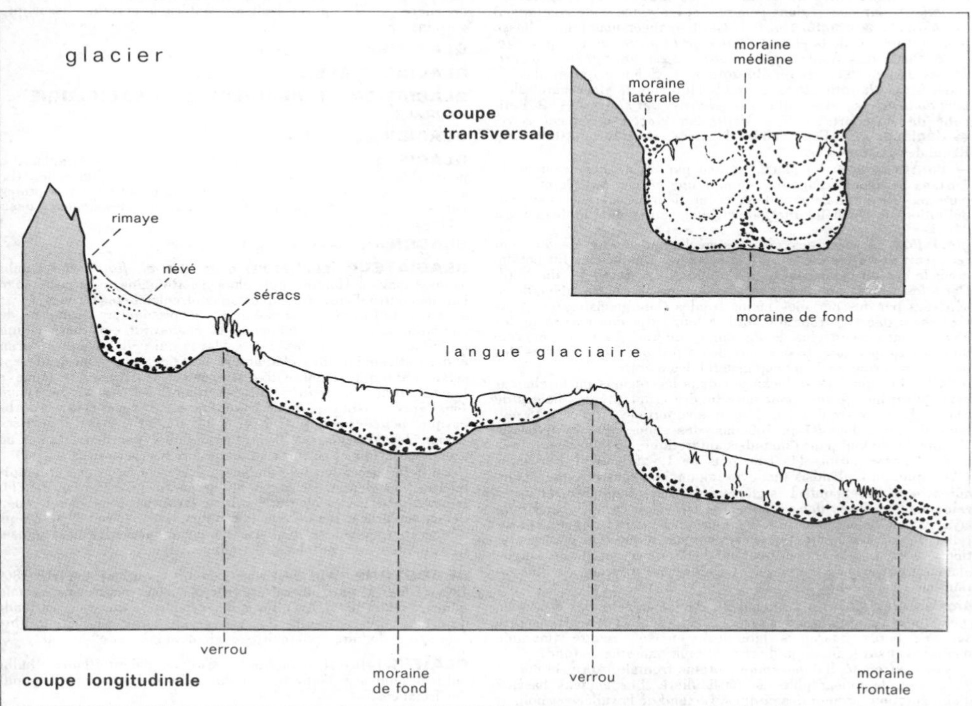

GISEMENT [ʒizmɑ̃] n. m. (de *gésir*). **1.** Disposition des couches d'une roche dans le sol. — **2.** Accumulation naturelle d'une substance minérale ou fossile : *Un gisement de houille.*

GISORS, ch.-l. de cant. de l'Eure, sur l'Epte, à 32 km au S.-O. de Beauvais; 8 900 hab. Ruines du château des XIe-XIIe s.

GÎT → CI-GÎT et GÉSIR.

GITAN, E [ʒitɑ̃, -an] (altér. de l'esp. *Egiptano,* Égyptien). Nom espagnol des bohémiens. ◆ adj. : *Un flamenco gitan.*

1. GÎTE [ʒit] n. m. (de *gésir*). **1.** Endroit où l'on peut trouver à se loger (littér.) : *Être à la recherche d'un gîte pour la nuit* (syn. ABRI). — **2.** Abri du lièvre. — **3.** Gisement de minéraux : *Les filons et les alluvions sont deux types de gîtes aurifères.* ◆ **gîter** [ʒite] v. i. : *Le fossé où gîte un lièvre* (= qui lui sert de gîte).

2. GÎTE [ʒit] n. m. (même étym.). *Gîte à la noix,* partie inférieure de la cuisse du bœuf, qui contient la noix.

3. GÎTE [ʒit] n. f. (même étym.). *Mar.* Inclinaison d'un navire sous l'influence du vent ou par suite d'une cause accidentelle : *Donner de la gîte* (syn. BANDE). ◆ **gîter** [ʒite] v. i. S'incliner sur un bord, en parlant d'un navire.

GIVET, ch.-l. de cant. des Ardennes, sur la Meuse, à 23 km au N.-E. de Fumay; 7 700 hab. *(Givetois).* Port fluvial.

GIVORS, ch.-l. de cant. du Rhône, à 22 km au S. de Lyon, au confluent du Gier et du Rhône; 20 500 hab. Métallurgie.

GLABRE [glabr] adj. (lat. *glaber*). **1.** *Anat.* Dépourvu de poils : *Un visage glabre* (syn. IMBERBE). — **2.** *Bot.* Se dit d'un végétal, ou de ses parties, sans duvet : *Tiges, feuilles glabres.*

GLAÇAGE n. m. → GLACER 2.

GLAÇANT, E adj. → GLACE 3.

1. GLACE [glas] n. f. (lat. *glacies*). Eau congelée par le froid : *Patiner sur la glace. Des cubes de glace.* ‖ *Glace de mer,* glace formée par la congélation de l'eau de mer lorsque cette dernière atteint des températures comprises entre — 0,5 et — 1,6 °C (pour une salinité de 30 p. 1 000). [Elle se forme lorsque la température de l'air tombe au-dessous de — 12 °C.] → ENCYCL. ◆ **glacé, e** adj. **1.** Se dit d'une chose qui est solidifiée, durcie par le froid : *La terre est glacée.* — **2.** Se dit de quelque chose qui est très froid : *Une maison glacée. Un vent glacé. Une boisson glacée.* — **3.** (avec un nom de personne ou de partie du corps) Qui ressent un grand froid : *Avoir les mains glacées, les pieds glacés* (= avoir très froid aux mains, aux pieds). ◆ **glacer** v. t. **1.** *Glacer qqch.* (constitué d'eau), le faire prendre en glace : *Le froid a glacé la rivière* (syn. plus usuel GELER). — **2.** *Glacer qq'un, une partie du corps,* lui causer une vive sensation de froid : *Ce vent vous glace* (syn. TRANSIR). ◆ v. impers. *Il glace,* il fait froid au point que l'eau se transforme en glace (syn. plus usuel IL GÈLE). ◆ ***se glacer*** v. pr. Prendre en glace : *L'eau du seau s'est glacée* (syn. plus usuel GELER). ◆ **glaciaire** adj. *Géogr.* Se dit de ce qui concerne les glaciers : *Calotte glaciaire.* ‖ *Érosion glaciaire,* travail d'usure, de transport et d'accumulation des matériaux effectué par un glacier.

⟶ ENCYCL. || *Périodes glaciaires*, périodes au cours desquelles les glaciers ont été très étendus (au Quaternaire, par ex.). || *Régime glaciaire*, régime d'un cours d'eau, caractérisé par de hautes eaux d'été (fusion des glaciers) et de basses eaux d'hiver (rétention nivale et glaciaire). ◆ **glacial, e, als** adj. **1.** D'un froid extrême et pénétrant : *Un vent glacial.* — **2.** Se dit des régions polaires : *L'océan Glacial.* ◆ **glaciation** n. f. **1.** Action de transformer en glace. — **2.** Période glaciaire. ⟶ ENCYCL. — **3.** Avancée des glaces de l'inlandsis (= les grands glaciers continentaux). ◆ **glacier** n. m. Accumulation de neige qui se transforme en névé*, puis en glace sous son propre poids et est animée de mouvements lents. (Il existe deux types de glaciers : les *glaciers de coupole*, ou *inlandsis**, dans les régions polaires, et les *glaciers de montagne.*) ⟶ ENCYCL. ◆ **glacière** n. f. **1.** Garde-manger maintenu à basse température par de la glace : *Mettre de la glace dans la glacière.* — **2.** Pièce très froide : *Cette chambre est une glacière* (contr. ÉTUVE, FOURNAISE). ◆ **glaciologie** n. f. Science qui étudie les glaciers. ◆ **glaçon** [glasɔ̃] n. m. **1.** Morceau de glace naturelle : *Lors du dégel, le fleuve transporte (charrie) des glaçons.* — **2.** Petit cube de glace artificielle : *Mettre un glaçon dans son verre.* ◆ **déglacer** v. t. Faire fondre la glace. ◆ **déglaciation** n. f. Recul des glaciers.

— ENCYCL. ***glace.*** La glace, formée par un enchevêtrement de cristaux hexagonaux, apparaît comme une masse incolore et transparente. Elle a une densité de 0,92, inférieure à celle de l'eau. Par définition de l'échelle thermométrique, son point de fusion est 0 °C.

glaciation. À certaines époques géologiques, des glaciers ont recouvert de vastes étendues à la surface du globe : ce fut notamment le cas du Quaternaire en Europe et en Amérique du Nord. Dans les Alpes, on distingue classiquement quatre glaciations, séparées par des périodes moins froides (interglaciaires), et trois seulement dans l'Europe du Nord. À leur extension maximale, les glaciers ont couvert plus de 40 millions de km². La masse énorme de glace formée lors de ces périodes a provoqué chaque fois des baisses importantes du niveau général des mers.

glacier. Les glaciers se localisent dans les régions où la chaleur estivale est insuffisante pour faire fondre la totalité des neiges de l'hiver. Ils recouvrent aujourd'hui une superficie estimée à 15 millions de km², dont 97 p. 100 dans les zones polaires (plus de 13 millions de km² pour l'inlandsis antarctique, où l'épaisseur de la glace dépasse parfois 4 000 m; plus de 1,5 million de km² dans l'Arctique, où l'inlandsis recouvre notamment plus des quatre cinquièmes du Groenland). Les glaciers de zones tempérées et tropicales sont localisés dans les régions très élevées : Alpes, Himalaya, Andes. Ils ont joué un rôle important dans le façonnement du relief. Le glacier de montagne est composé d'une zone d'alimentation, où se fait la transformation de la neige, et d'une langue glaciaire qui avance lentement, terminée par un front. ⟶ illustration page précédente.

érosion glaciaire. En avançant, le glacier arrache des débris de roche (pouvant atteindre des tailles considérables) et les transporte sur ses bords (moraines latérales), en son centre (moraine médiane) et sur le fond, qu'il érode et polit (moraine de fond).

À son extrémité, il dépose une moraine frontale. Après le départ du glacier, la topographie est particulière. Les anciens bassins d'alimentation forment des cirques. Le fond de la vallée est poli, et les moraines subsistent. Des lacs peuvent s'installer derrière des contre-pentes ou des moraines frontales. Le profil transversal des vallées a une forme en U, ou auge glaciaire.

2. GLACE [glas] n. f. (même étym.). Crème glacée : *Glace à la vanille.* ◆ **glacier** n. m. Fabricant ou marchand de glaces, de sorbets.

3. GLACE [glas] n. f. (même étym.). *Être de glace, avoir un cœur de glace*, être, se montrer insensible. || *Rompre, fendre la glace*, faire cesser toute gêne qui paralyse un entretien. ◆ **glacer** v. t. **1.** *Glacer qq'un*, l'intimider au plus haut point : *Son attitude, son expression, son air, son sourire me glace* (syn. PARALYSER). — **2.** *Glacer qq'un d'effroi, d'horreur*, le frapper d'effroi, d'une horreur profonde, qui cloue sur place (syn. PÉTRIFIER). ◆ **se glacer** v. pr. *Mon sang se glace*, je suis pris d'une émotion si forte que mon sang paraît se figer. ◆ **glaçant, e** adj. Se dit d'une chose (abstraite) qui décourage ou intimide par un caractère d'indifférence ou d'hostilité : *Des manières glaçantes* (syn. RÉFRIGÉRANT). ◆ **glacé, e** adj. Se dit d'un comportement qui a un caractère d'indifférence et d'hostilité mêlées : *Un air, un accueil glacé* (syn. ↓FROID). ◆ **glacial, e, als** adj. *Personne glaciale, air, abord, accueil, sourire, silence*, etc., *glacial*, qui intimide fortement par sa froideur, son indifférence. ◆ **glaçon** n. m. *Fam.* Personne très distante.

4. GLACE [glas] n. f. (même étym.). **1.** Plaque de verre transparente et épaisse : *La glace d'une vitrine.* — **2.** Vitre d'une voiture. — **3.** Plaque de verre rendue réfléchissante par une couche de tain : *Il y a une glace au-dessus de la cheminée* (syn. MIROIR).

GLACE *(mer de)*, glacier du massif du Mont-Blanc, au N.-E. de Chamonix, long de 14 km env.

GLACÉ, E adj. ⟶ GLACE 1 et 3 et GLACER 2.

1. GLACER v. t. et impers. ⟶ GLACE 1 et 3.

2. GLACER [glase] v. t. (de *glace*). **1.** *Glacer un gâteau, une crème*, les recouvrir d'une couche lisse de sucre de glace. — **2.** *Glacer un rôti*, l'arroser de jus de façon à le rendre brillant à la cuisson. — **3.** *Glacer un tissu, du papier*, etc., lui donner du lustrage, du poli, le rendre lisse et brillant. ◆ **glacé, e** adj. **1.** *Marrons glacés*, marrons confits dans du sucre. — **2.** Rendu lisse et brillant : *Col de chemise glacé. Du papier glacé.* ◆ **glaçage** n. m. **1.** Action de glacer. — **2.** Action de recouvrir de gelée une pièce cuite ou d'enrober un gâteau avec une couche de sirop de sucre. — **3.** Apprêt brillant conféré à certains tissus et à certains fils.

GLACIAIRE adj. ⟶ GLACE 1.

GLACIAL, E, ALS adj. ⟶ GLACE 1 et 3.

GLACIATION n. f., **GLACIÈRE** n. f., **GLACIOLOGIE** n. f. ⟶ GLACE 1.

GLACIER n. m. ⟶ GLACE 1 et 2.

GLACIS [glasi] n. m. (de *glacer*). Surface d'érosion aplanie en pente douce, généralement développée au pied d'un relief. (Les glacis sont caractéristiques des régions où le sol n'est pas protégé par une végétation continue, et notamment des régions désertiques.)

GLAÇON n. m. ⟶ GLACE 1 et 3.

GLADIATEUR [gladjatœr] n. m. (lat. *gladiator*, qui combat avec le glaive). Homme qui, chez les Romains, combattait dans l'arène contre d'autres hommes ou contre des bêtes féroces.

— ENCYCL. Les *gladiateurs* étaient des prisonniers de guerre, des condamnés, et même, bien que le métier fut considéré comme infamant, des volontaires. Les esclaves qui échappaient à l'arène étaient affranchis. Les gladiateurs portaient des noms différents selon leur équipement. On distinguait : les *Samnites* (épée et bouclier rond), les *rétiaires* (filet et trident), les *Gaulois* ou *myrmillons* (épée, casque et petit bouclier), les *Thraces* (sabre courbe, casque, bouclier rond); d'autres combattaient à cheval *(cavaliers)*, ou en char *(essédaires)*. Ils luttaient tantôt par deux, tantôt par groupes, parfois contre des animaux féroces *(bestiaires)*.

Un défilé précédait les combats qui avaient lieu dans un amphithéâtre. Les gladiateurs saluaient l'empereur *(Ave Caesar, morituri te salutant)*. Le combattant vaincu levait le bras gauche pour demander grâce, tandis que le vainqueur consultait la foule qui, d'un geste (pouce levé ou abaissé), pouvait l'accorder ou la refuser. Le vainqueur recevait des prix (palmes, argent).

GLADSTONE (William Ewart), homme politique anglais (1809-1898). Chef du parti libéral à partir de 1865, quatre fois Premier ministre (1868-1894), il s'efforça de résoudre la question d'Irlande, de promouvoir la réforme du système électoral, d'établir le libre-échange et de faire reconnaître légalement les trade*-unions.

GLAÏEUL [glajœl] n. m. (du lat. *gladius*, glaive). Plante à bulbe, cultivée pour ses fleurs ornementales disposées en épis. (Famille des iridacées.)

GLAIRE [glɛr] n. f. (du lat. *clarus*, clair). **1.** Sécrétion visqueuse et blanchâtre des muqueuses. — **2.** Blanc d'œuf cru. ◆ **glaireux, euse** adj. Qui est de la nature, qui a la consistance des glaires.

GLAISE [glɛz] n. f. (du gaul. *gliso*). Terre grasse et compacte, très argileuse et imperméable, dont on fait les tuiles et la poterie. ◆ adj. f. : *De la terre glaise.* ◆ **glaiseux, euse** adj. : *Un sol glaiseux.*

GLAIVE [glɛv] n. m. (lat. *gladius*). **1.** Épée à deux tranchants. — **2.** *Le glaive de la loi, le glaive de la justice*, la loi, la justice, représentées par l'attribut de leur force (langue soignée).

GLAND [glɑ̃] n. m. (lat. *glans, glandis*). **1.** Fruit (ou akène) du chêne, enchâssé dans une cupule. — **2.** Ornement de fil tressé, de verroterie, etc., en forme de gland : *Les glands d'un cordon.* — **3.** *Anat.* Extrémité de la verge. ◆ **glandée** n. f. Récolte des glands (sens 1).

GLANDE [glɑ̃d] n. f. (lat. *glandula*). Organe ayant pour fonction d'élaborer certaines substances et de les déverser soit à l'extérieur de l'organisme (*glandes exocrines* ou *à sécrétion externe* [comme les glandes sudoripares et salivaires]), soit dans le sang ou la lymphe (*glandes endocrines* ou *à sécrétion interne* [comme la thyroïde, l'hypophyse]). ◆ **glandulaire** adj. Qui se rapporte aux glandes : *Troubles glandulaires.*

GLANDÉE n. f. ⟶ GLAND.

GLANDULAIRE adj. ⟶ GLANDE.

GLANER [glane] v. t. et i. (bas lat. *glenare*). **1.** *Glaner du blé*, ramasser les épis qui restent dans un champ après la moisson. — **2.** *Glaner qqch.*, recueillir au hasard des connaissances fragmentaires qui peuvent être utiles : *Glaner des détails sur la vie de qq'un.* ◆ **glane** n. f. Poignée d'épis ramassés en glanant. ◆ **glaneur, euse** n. Personne qui glane. ◆ **glanure** n. f. Ce que l'on a glané.

GLANUM, ville gallo-romaine, qui était située près de Saint-Rémy-de-Provence. Des fouilles ont mis au jour d'importants vestiges (temples, thermes, théâtre, aqueduc).

GLANURE n. f. ⟶ GLANER.

GLAPIR [glapir] v. i. (du lat. *glattire,* japper) [sujet nom désignant certains animaux]. Pousser un cri aigu : *Le renard, le petit chien, la grue glapissent.* ◆ v. i. et t. (sujet nom de personne). Crier d'une voix très aiguë : *Un ivrogne glapit des injures.* ◆ **glapissant, e** adj. : *Une voix glapissante* (syn. AIGU, CRIARD). ◆ **glapissement** n. m. **1.** Cri du renard, du petit chien, de la grue. — **2.** Cri aigu.

GLARÉOLE [glareɔl] n. f. (du lat. *glarea,* gravier). Oiseau échassier des marais du midi de la France, à allure d'hirondelle de mer, à queue fourchue. (Nom usuel PERDRIX DE MER.)

GLARIS, v. de Suisse, ch.-l. du *canton de Glaris,* sur la Linth; 6 200 hab.

GLARIS *(Alpes de),* partie des Alpes, dans le *canton de Glaris* (Suisse); 3 623 m au Tödi.

GLAS [glɑ] n. m. (du lat. *classicum,* sonnerie de trompette). **1.** Tintement d'une cloche pour les obsèques d'une personne : *Les cloches de l'église sonnent le glas.* — **2.** *Sonner le glas de qqch.,* annoncer sa fin.

GLASGOW, v. de Grande-Bretagne, en Écosse, dans les Lowlands, sur la Clyde; 1 642 000 hab. La ville a connu un grand développement à partir du XVIIIe s., avec l'essor du commerce colonial. Son port a nécessité de très grands travaux dans la Clyde. La proximité d'un bassin houiller a favorisé le développement de l'industrie, et particulièrement celui des constructions navales.

GLATIR [glatir] v. i. (lat. *glattire,* japper) [sujet nom désignant un aigle]. Crier.

GLAUCOME [glokom] n. m. (lat. *glaucoma*). *Méd.* Maladie de l'œil, qui se traduit par un durcissement du globe oculaire et une diminution de la vision.

GLAUQUE [glok] adj. (gr. *glaukos*). De couleur bleu-vert : *Une mer glauque.*

GLÈBE [glɛb] n. f. (lat. *gleba*). **1.** La terre cultivée (littér.). — **2.** *Serfs de la glèbe,* serfs attachés autref. à la culture des terres et vendus avec elles.

GLEIZES (Albert), peintre français (1881-1953). Il participa aux premières manifestations cubistes puis en vint à l'art abstrait.

GLÉNAN *(îles),* groupe de neuf îlots de la côte sud du Finistère (comm. de Bénodet). Centre de yachting.

GLEN MORE, étroite dépression tectonique du nord de l'Écosse, occupée en grande partie par le loch Ness et le loch Lochy, et suivie par le canal Calédonien.

GLIÈRES *(plateau des),* partie du massif du Chablais (Haute-Savoie), à l'E. du Parmelan. En février 1944, un groupement de 500 maquisards se retrancha sur le plateau des Glières. Sa résistance, soutenue par des parachutages alliés, nécessita l'intervention de 20 000 hommes de la Wehrmacht, des S. S. et de la Milice de Vichy, appuyés par la Luftwaffe. Après dix jours de violents combats, du 17 au 26 mars 1944, les défenseurs furent décimés par l'ennemi, qui massacra les prisonniers et les blessés.

GLINKA (Mikhaïl Ivanovitch), compositeur russe (1804-1857). Ses opéras, *la Vie pour le tsar* et *Rouslan et Lioudmila* sont d'inspiration nationale. Aussi est-il considéré comme le père de la musique russe.

GLISSADE n. f. ⟶ GLISSER.

GLISSANDO [glisɑ̃do] n. m. (mot it.). *Mus.* Glissement rapide d'une note à une autre en laissant entendre tous les sons intermédiaires : *Les harpistes et les instrumentistes de jazz pratiquent souvent des glissandos.*

GLISSER [glise] v. i. (du frq. *glidan*). **1.** (sujet nom de personne ou de chose) Se déplacer, volontairement ou non, d'un mouvement continu sur une surface lisse : *Glisser sur la glace* (syn. PATINER). *Glisser sur la chaussée mouillée* (syn. DÉRAPER). *Les anneaux glissent sur la tringle* (syn. COULISSER). — **2.** Avancer, progresser en donnant l'impression de glisser : *La barque glisse sur le lac.* — **3.** (sujet nom désignant une lumière, une clarté) Passer, apparaître furtivement : *Un rayon de soleil glisse dans la chambre par les volets entrouverts* (syn. FILTRER, S'INFILTRER, PÉNÉTRER). — **4.** (sujet nom abstrait) *Glisser (sur qq'un),* ne pas faire d'impression sur lui : *Les reproches glissent sur lui.* — **5.** (sujet nom de personne) *Glisser sur qqch.,* ne pas insister : *Glissons là-dessus, voulez-vous?* — **6.** (sujet nom de personne ou de chose) *Glisser à, dans, vers,* indique le passage progressif à un autre état, un autre genre : *L'ensemble des électeurs a glissé vers la gauche.* — **7.** (sujet nom de chose) *Glisser des mains de qq'un,* lui échapper; (sujet nom de personne) *Glisser entre les doigts de qq'un,* lui échapper. ◆ v. t. **1.** *Glisser une chose* (objet matériel), la faire passer adroitement ou en cachette dans un endroit : *Glisser une lettre sous une porte.* — **2.** *Glisser une chose* (nom abstrait), la communiquer, l'adresser en cachette : *Glisser un mot à l'oreille de qq'un.* ◆ **se glisser** v. pr. **1.** (sujet nom d'être animé) Entrer, passer d'un mouvement adroit ou furtif : *Se glisser dans son lit (dans ses draps)* [syn. SE COULER]. *Se glisser le long d'un mur* (syn. SE FAUFILER). — **2.** (sujet nom abstrait) S'introduire insensiblement dans : *Il s'est glissé une erreur dans les calculs.* ◆ **glissade** n. f. Action de glisser (sens 1 du v. i.) : *Les enfants font des glissades.* ◆ **glissant, e** adj. **1.** Qui fait glisser : *La chaussée est glissante.* — **2.** Se dit d'un objet qui est si lisse qu'on ne peut le retenir ou qu'on ne peut s'y retenir : *Un savon glissant. Une pente glissante.* — **3.** *Terrain, sentier glissant, pente glissante,* affaire hasardeuse; circonstance délicate et difficile. ◆ **glisse** n. f. **1.** Qualité de skis qui, du fait de leur fabrication ou de leur fartage, glissent bien. — **2.** Vitesse obtenue par un skieur. ◆ **glissement** n. m. **1.** Action de glisser sur une surface; mouvement de ce qui glisse : *Le glissement de la barque sur le lac. Un glissement de terrain.* — **2.** Action de passer insensiblement d'un état à un autre : *Les dernières élections ont marqué un glissement à droite.* ◆ **glisseur** n. m. Dispositif permettant à certains types de véhicules de glisser sur un coussin d'air au-dessus d'une surface plane (rail, eau, etc.). ◆ **glissière** n. f. **1.** Pièce métallique, destinée à guider dans son mouvement, par l'intermédiaire d'une rainure, une autre pièce mobile : *Une fermeture à glissière.* — **2.** *Glissière de sécurité,* bande métallique située le long d'une chaussée et destinée à empêcher les voitures, dont le contrôle de la direction a été perdu, de sortir de la voie.

GLIWICE, en all. **Gleiwitz,** v. de la Pologne méridionale, en haute Silésie; 178 900 hab. Mines de charbon. Sidérurgie.

GLOBAL, E, AUX [glɔbal, -bo] adj. (de *globe*). **1.** Pris en bloc : *La somme globale* (syn. TOTAL). — **2.** *Méthode globale,* méthode d'apprentissage de la lecture qui fait reconnaître l'ensemble du mot (syllabes) avant d'en analyser ses éléments (lettres). ◆ **globalement** adv. En bloc.

GLOBE [glɔb] n. m. (lat. *globus*). **1.** *Le globe,* la Terre : *La surface du globe.* ‖ *Un globe (terrestre),* une sphère où est représentée la carte de la Terre (syn. MAPPEMONDE). — **2.** Sphère en verre pour couvrir et préserver quelque chose : *Une pendule sous globe.* — **3.** Corps de forme sphérique : *Le globe oculaire* (= l'œil).

GLOBE-TROTTER [glɔbtrɔtœr] n. m. (mot angl.). Voyageur qui parcourt le monde : *Des journalistes qui sont des globe-trotters.*

GLOBIGÉRINE [glɔbiʒerin] n. f. (du lat. *globus,* globe, et *gerere,* porter). Foraminifère des mers tempérées et chaudes, dont on retrouve les microscopiques coquilles spiralées dans les vases déposées entre 700 et 5 000 m de profondeur.

GLOBULE [glɔbyl] n. m. (lat. *globulus,* petite boule). Nom donné aux cellules du sang et de la lymphe : *Globules rouges* (ou hématies) et *globules blancs* (ou leucocytes). ⟶ ENCYCL. ◆ **globulaire** adj. *Numération globulaire,* dénombrement des globules rouges et blancs contenus dans 1 mm³ de sang.

— ENCYCL. Les *globules rouges,* ou *hématies,* sont au nombre de 4,5 millions par mm³ de sang. Ils ont la forme de petits disques; leur coloration est due à la présence d'*hémoglobine.* Ce sont les seules cellules de l'organisme dépourvues de noyau.

Les globules rouges servent au transport de l'oxygène des poumons vers les tissus, car l'hémoglobine, avide d'oxygène, en fixe en passant dans les capillaires pulmonaires. À la périphérie, les cellules vont capter cet oxygène indispensable à leur vie : le sang devient alors noir, car il perd son oxygène.

Les *maladies des globules rouges* retentissent sur tout l'organisme : la fatigue, la pâleur en sont des signes fréquents. Ces maladies sont surtout de deux types : les *anémies** et les *polyglobulies* (affections caractérisées par l'excès de globules rouges).

Les *globules blancs,* ou *leucocytes,* sont au nombre de 7 000 à 8 000 par mm³ de sang : ils sont peu nombreux donc, mais plus gros que les hématies. Ce sont des cellules avec un ou plusieurs noyaux : les mononucléaires ont un seul noyau, les polynucléaires en ont plusieurs. Ils assurent le rôle de défense de l'organisme contre les agents étrangers de toute nature :

les *polynucléaires,* très mobiles, attaquent tout microbe introduit dans le sang; ils l'entourent et le « phagocytent ». Parfois, les microbes, plus nombreux, tuent le polynucléaire : ces globules blancs morts forment le pus;

les *mononucléaires* ont les mêmes fonctions de défense mais les exercent de façon différente. Certains d'entre eux reconnaissent l'agent étranger (microbe ou toxine) après l'avoir rencontré une fois (même longtemps auparavant), lors d'une infection antérieure ou lors d'une vaccination; d'autres, informés par les premiers, vont élaborer des substances neutralisant les microbes ou les substances étrangères introduites dans l'organisme : ce sont les *anticorps**.

Les globules blancs jouent donc un rôle capital dans la lutte contre certaines maladies, surtout infectieuses; lorsque ces dernières se déclenchent, le nombre de leucocytes augmente : il y en a 20 000, 30 000 par mm³ au lieu de 8 000.

Les *maladies des globules blancs :* les *leucémies** touchent surtout les leucocytes, qui sont alors produits en excès et constitués de façon anormale.

GLOBULEUX, EUSE [glɔbylø, -øz] adj. (de *globule*). *Des yeux globuleux,* saillant hors de l'orbite.

GLOBULINE [glɔbylin] n. f. (de *globule*). Nom donné aux protéines à grosses molécules : *Certains anticorps* élaborés par les globules blancs pour combattre les substances étrangères sont des globulines.*

GLOIRE [glwar] n. f. (lat. *gloria*). **1.** *La gloire de qq'un,* sa renommée, répandue dans un public très vaste, par des mérites remarquables : *Être en pleine gloire* (syn. ↓CÉLÉBRITÉ). *Se couvrir de gloire* (syn. littér. LAURIERS). *Travailler pour la gloire* (= sans viser ou espérer un profit matériel). — **2.** *La gloire de qqch.,* son mérite : *S'attribuer la gloire de la réussite.* ‖ *Se faire gloire de qqch.,* s'en vanter, en tirer orgueil. — **3.** *Rendre gloire à,* rendre un hommage de respect mêlé d'admiration ou de dévotion : *Rendre gloire à Dieu. Rendre gloire à la justice* (syn. TÉMOIGNAGE). — **4.** Personne qui a une gloire incontestée : *C'est une des gloires du pays* (syn. CÉLÉBRITÉ). — **5.** *Christ en gloire,* représenté entouré d'une auréole qui entoure son corps. (→ NIMBE.) ‖ *Une gloire, des gloires,* représentation picturale d'un christ en gloire : *Les gloires des peintres de la Renaissance.* ◆ **glorieux, euse** adj. **1.** Se dit de ce qui donne de la gloire : *Un combat glorieux. Action (vie, existence, mort) glorieuse* (syn. CÉLÈBRE, ↓ILLUSTRE). — **2.** Se dit de quelqu'un qui s'est acquis de la gloire, surtout par des actions militaires : *Un héros glorieux.* — **3.** *Glorieux de qqch.,* qui en tire vanité : *Être glorieux de son rang* (syn. FIER). ‖ *Un air glorieux,* un air vaniteux (syn. SUFFISANT). ◆ **glorieusement** adv. ◆ **glorifier** v. t. *Glorifier qq'un, qqch.,* leur rendre gloire : *Glorifier ceux qui sont morts pour la patrie* (syn. CÉLÉBRER). *Glorifier un exploit* (syn. VANTER). *Glorifier Dieu* (syn. LOUER). ◆ **se glorifier** v. pr. *Se glorifier de,* tirer gloire de, se faire un mérite de (syn. S'ENORGUEILLIR). ◆ **glorification** n. f. : *La glorification d'un héros.* ◆ **gloriole** n. f. **1.** Vaine gloire tirée de petites choses. — **2.** *Par gloriole,* par une vanité mesquine (syn. OSTENTATION).

GLOMÉRULE [glɔmeryl] n. m. (du lat. *glomus, -eris,* boule). **1.** *Anat.* Petit amas de vaisseaux sanguins, ou de filets nerveux : *Les glomérules du rein.* — **2.** *Bot.* Type d'inflorescence où les fleurs, portées par des axes très courts, semblent insérées au même niveau : *Les glomérules du laurier blanc.*

GLORIA [glɔrja] n. m. (mot lat. signif. *gloire*). Prière de louange, dans l'Église catholique.

GLORIEUSEMENT adv. → GLOIRE.

GLORIEUSES *(îles),* archipel français de l'océan Indien, au N.-O. du cap d'Ambre, près de Madagascar.

GLORIEUSES *(les Trois)* → JUILLET 1830.

GLORIEUX, EUSE adj., **GLORIFICATION** n. f., **GLORIFIER** v. t., **GLORIOLE** n. f. → GLOIRE.

GLOSE [gloz] n. f. (gr. *glôssa,* langue). Explication d'un texte obscur par des mots plus intelligibles : *Mettre des gloses en marge d'un texte* (syn. NOTE). ◆ **gloser** v. i. *Gloser sur qq'un,* faire sur lui des commentaires malveillants (emploi restreint) [syn. CRITIQUER]. ◆ v. t. *Gloser un texte,* l'éclaircir par un commentaire, le traduire.

GLOSSAIRE [glɔsɛr] n. m. (lat. *glossarium*). Dictionnaire expliquant les mots anciens ou peu connus d'une langue, d'une œuvre littéraire : *Cette édition est suivie d'un glossaire* (syn. LEXIQUE).

GLOSSINE [glɔsin] n. f. (du gr. *glôssa,* langue). Mouche piqueuse d'Afrique noire qui transmet à l'homme le microbe de la maladie du sommeil. (Nom usuel MOUCHE TSÉ-TSÉ.) [Diptères.]

GLOTTE [glɔt] n. f. (gr. *glôtta,* langue). Partie du larynx comprise entre les deux cordes vocales inférieures, qui sert à l'émission de la voix. ◆ **glottique** adj. : *L'orifice glottique.*

GLOUCESTER, v. du sud de l'Angleterre; 90 100 hab. Port sur la Severn.

GLOUGLOU [gluglu] n. m. (onomat.). **1.** *Fam.* Bruit d'un liquide qui s'échappe d'une bouteille, d'un conduit. — **2.** Cri du dindon. ◆ **glouglouter** v. i. **1.** Faire entendre un glouglou. — **2.** Crier en parlant du dindon.

GLOUSSER [gluse] v. i. (lat. *glocire*). **1.** (sujet nom désignant la poule) Appeler ses petits. — **2.** (sujet nom de personne) *Fam.* Rire à petits cris. ◆ **gloussement** n. m. **1.** Cri de la poule qui glousse. — **2.** Chuchotement ou rire étouffé : *Des gloussements de jeunes filles.*

GLOUTON, ONNE [glutɔ̃, -ɔn] adj. et n. (du lat. *gluttus,* gosier). Se dit de quelqu'un (ou de son comportement) qui mange en se bourrant de nourriture avec avidité (syn. GOINFRE, GOULU, GOURMAND). ◆ **gloutonnement** adv. ◆ **gloutonnerie** n. f. : *Cette indigestion est une conséquence de sa gloutonnerie.*

GLU [gly] n. f. (bas lat. *glus, glutis,* colle). Colle végétale qui sert à prendre les oiseaux. ◆ **gluant, e** adj. Visqueux et collant. ◆ **engluer** v. t. **1.** Enduire de glu ou d'une manière gluante : *La confiture qui lui engluait les doigts* (syn. POISSER). — **2.** Prendre à la glu : *Engluer des oiseaux.* ◆ **engluement** n. m. ◆ **dégluer** v. t. Dépêtrer de ce qui colle comme de la glu : *Du sirop dont on a du mal à dégluer ses doigts.*

GLUCIDE [glysid] n. m. (du gr. *glukus,* de saveur douce, et *eidos,* aspect). Composant de la matière vivante, formé de carbone, d'hydrogène et d'oxygène.

— ENCYCL. Les *glucides* sont aussi appelés *sucres.* Quelques-uns sont très répandus dans l'organisme : le glucose, le maltose, le saccharose (ou sucre du commerce).

Les glucides sont la principale source d'énergie de l'organisme : ainsi la contraction des muscles se fait en brûlant des glucides. Mais ils participent aussi à la constitution de certains tissus de l'organisme. Tous les sucres apportés par l'alimentation sont dégradés en éléments simples, absorbés dans l'intestin. Dans le foie, ces sucres sont stockés sous forme de *glycogène,* sucre composé.

De nombreuses maladies ont pour origine l'utilisation des glucides : ainsi le *diabète**, dû au fait qu'il y a trop de glucides dans le sang et les urines, car le pancréas ne fonctionne pas; les *hypoglycémies* (= diminution du taux de glucides dans le sang).

GLUCK (Christoph Willibald), plus couramment appelé **le chevalier Gluck,** compositeur allemand (1714-1787). Gluck est le type même du musicien international : d'origine allemande, il exerce surtout son métier en Italie, en Autriche, puis en France où il joue un rôle prépondérant dans l'histoire de l'opéra français.

Gluck réforma l'opéra en imposant plus de simplicité, plus de vérité dans la mise en scène, dans les décors, dans les costumes et dans le chant. Son art annonce celui de Mozart, et même celui de Berlioz. De ses 107 opéras, son *Orphée* (1774) est encore joué en France avec beaucoup de succès.

GLUCOSE [glykoz] n. m. (du gr. *glukus,* de saveur douce). Sucre contenu dans certains fruits (raisin) et entrant dans la composition de presque tous les glucides. (Synthétisé par les plantes vertes au cours de l'assimilation chlorophyllienne, le glucose joue un rôle fondamental dans la nutrition de tous les êtres vivants.) ◆ **glucosurie** n. f. ou **glycosurie** n. f. *Méd.* Présence anormale de glucose (sucre) dans les urines, résultant d'un trouble de fonctionnement des glucides : *La glycosurie est le signe principal du diabète sucré.*

GLUME [glym] n. f. (lat. *gluma,* balle). *Bot.* Enveloppe membraneuse située à la base de chaque épillet des graminacées.

GLUTEN [glytɛn] n. m. (mot lat. signif. *colle*). Substance visqueuse qui reste quand on a ôté l'amidon de la farine de céréale. (Le gluten ne contient pas de glucides [= sucres] : il sert, de ce fait, à faire des biscottes ou du pain de gluten pour les diabétiques.)

GLYCÉMIE [glisemi] n. f. (du gr. *glukus,* doux, et *haima,* sang). Présence et taux du glucose dans le sang. ◆ **hyperglycémie** n. f. *Méd.* Augmentation du taux du glucose sanguin. ◆ **hypoglycémie** n. f. *Méd.* Diminution du taux du glucose sanguin.

— ENCYCL. La *glycémie* normale de l'être humain est de 1 g par litre. Lorsque le taux monte à 1,8 g, une partie du glucose passe dans l'urine *(glycosurie).* Un taux nettement excessif (2 g et plus par litre) est une *hyperglycémie,* un taux insuffisant (0,8 g et moins par litre), une *hypoglycémie.*

GLYCÉRINE [gliserin] n. f. (du gr. *glukeros,* de saveur douce). Liquide sirupeux, incolore, de saveur sucrée, extrait des corps gras par saponification* (syn. GLYCÉROL).

GLYCINE [glisin] n. f. (du gr. *glukus,* de saveur douce). Plante grimpante originaire de Chine et cultivée pour ses longues grappes de fleurs mauves très odorantes. (Famille des papilionacées.)

GLYCOGÈNE [glikɔʒɛn] n. m. (du gr. *glukus,* sucré, et *gennân,* produire). Glucide formé par la réunion de nombreuses molécules de glucose, emmagasiné dans le foie et dans les muscles. ◆ **glycogénique** adj. : *La fonction glycogénique du foie.*

— ENCYCL. C'est le foie qui joue un rôle de régulateur du *glycogène* en le mettant en réserve quand le glucose sanguin tend à augmenter (après les repas) ou au contraire en le remettant en circulation sous forme de glucose pendant les efforts et en cas d'alimentation insuffisante.

GLYCOL [glikɔl] n. m. (du gr. *glukus*, doux, et [*alco*]*ol*). Composé ayant deux fois la fonction alcool : *Les glycols sont utilisés comme antigels et comme solvants.*

GLYCOSURIE n. f. → GLUCOSE.

GLYPTIQUE [gliptik] n. f. (gr. *gluptikos*, relatif à la gravure). Art de graver sur pierres fines.

G. M. T., abrév. de l'express. anglaise *Greenwich mean time*, heure moyenne de Greenwich.

GNANGNAN [ɲɑ̃ɲɑ̃] adj. inv. (onomat.). *Fam.* Se dit d'une personne indolente, qui se plaint sans cesse.

GNEISS [gnɛs] n. m. (mot all.). Roche métamorphique cristallophyllienne, constituée de lits parallèles de minéraux clairs (quartz et feldspath) et de minéraux sombres (mica noir) : *Le gneiss est abondant dans le Massif central et dans le Massif armoricain.*

GNOCCHI [ɲɔki] n. m. pl. (mot it.). Plat d'origine italienne, composé de farine de semoule épaissie à l'œuf et détaillée en rondelles pour être gratinée.

GNOME [gnom] n. m. (gr. *gnomê*, esprit). **1.** Petit génie qui habite le sein de la terre et garde ses richesses. — **2.** Homme petit et difforme (syn. NAIN).

GNOMON [gnɔmɔ̃] n. m. (gr. *gnômôn*, indicateur). Cadran solaire.

GNOSTICISME [gnɔstisism] n. m. (du gr. *gnôstikoi*, ceux qui savent). Système de philosophie religieuse dont les adeptes prétendaient avoir une connaissance complète de Dieu et de toutes choses. ◆ **gnostique** adj. et n.

GNOU [gnu] n. m. (mot hottentot). Antilope africaine, dont la tête aux cornes recourbées rappelle celle du bœuf, et l'arrière-train celui du cheval, et qui vit en troupeaux dans la savane.

GO (TOUT DE) [tudgo] loc. adv. (de *gober*). *Fam.* Sans préparation, sans préliminaires.

GOA, v. de l'Inde, sur la côte de Malabār. — *Goa* a été un comptoir portugais jusqu'en 1961. Englobé jusqu'en 1987 dans le *territoire de Goa, Damān et Diu*, il en a été séparé pour former un État de l'Union indienne ; 3 693 km^2 ; 1 008 000 hab. Capit. *Panaji.*

GOAL [gol] n. m. (mot angl.). Gardien de but, au football, au polo, etc.

GOBELET [gɔblɛ] n. m. (de l'anc. fr. *gobel*). Récipient pour boire, de forme évasée, sans pied ni anse.

Gobelins *(manufacture des)*, manufacture française de tapisserie. En 1662, Colbert érigea l'atelier créé par Henri IV pour concurrencer les ateliers flamands en manufacture royale des meubles de la Couronne, sous la direction du peintre Charles Le Brun. Celui-ci donna les modèles de tout ce qui était fabriqué aux Gobelins et qui était généralement destiné à Versailles. Il y fut tissé des tentures célèbres (l'*Histoire d'Alexandre*, les *Saisons*). Au XVIIIe s., l'influence de la peinture sur les tapisseries devint prépondérante. On y exécuta des compositions de peintres comme J.-B. Oudry ou F. Boucher. Depuis le milieu du XXe s., sous l'influence de Lurçat, les Gobelins créent à nouveau des tapisseries originales.

GOBE-MOUCHES [gɔbmuʃ] n. m. inv. (de *gober*, et *mouche*). Oiseau passereau qui capture des insectes au vol.

GOBER [gɔbe] v. t. (d'un rad. gaul. *gobbo-*, bouche). **1.** *Gober un aliment*, l'avaler vivement sans mâcher : *Gober un œuf. Gober une huître.* — **2.** Fam. *Gober un propos*, le croire naïvement. ◆ **se gober** v. pr. *Fam.* et *péjor.* Avoir une très haute opinion de soi-même. ◆ **gobeur, euse** n. *Fam.* Personne qui croit naïvement tout ce qu'on lui dit.

GOBI, en chinois **Cha-mo** *(Désert de sable)*, vaste plateau désertique de l'Asie centrale, au S. de la république de Mongolie.

GOBINEAU (Joseph Arthur, *comte* DE), diplomate et écrivain français (1816-1882), auteur de l'*Essai sur l'inégalité des races humaines* (1853-1855) où il expose sa théorie d'une hiérarchie entre les races humaines (la race supérieure étant, selon lui, la race blonde, qui habite l'Angleterre, la Belgique et le nord de la France). Les théoriciens du racisme germanique s'emparèrent de sa doctrine pour justifier l'expansion territoriale allemande.

GODARD (Eugène), aéronaute français (1827-1890). Il fit plus de 2 500 ascensions et, pendant le siège de Paris (1870-1871), organisa la poste par ballons.

GODARD (Jean-Luc), cinéaste français, né en 1930. L'un des principaux représentants de la « nouvelle vague » française. Citons parmi ses films : *À bout de souffle* (1959), *Pierrot le Fou* (1965), *Made in USA* (1966), *la Chinoise* (1967), *Sauve qui peut la vie* (1979), *Prénom Carmen* (1984), *Je vous salue Marie* (1985), *Soigne ta droite* (1987), *Nouvelle Vague* (1990).

GODĀVARI (la), fl. de l'Inde, né dans les Ghāts occidentaux; 1 500 km. Elle traverse le Deccan et se jette dans le golfe du Bengale.

GODEFROI ou **GODEFROY IV DE BOULOGNE,** dit **Godefroi de Bouillon** (v. 1061-1100). Duc de Basse-Lorraine (1089-1095). Après avoir vendu son duché et ses biens, il partit pour la première croisade où il joua un rôle très important.

GODELUREAU [gɔdlyro] n. m. (de l'onomat. *god-*, cri d'appel, et l'anc. fr. *galureau*, galant). *Fam.* Jeune homme qui fait l'élégant, l'intéressant (syn. FRELUQUET).

GODER [gɔde] v. i. (de *godet*) [sujet nom de vêtement]. Faire des faux plis : *Une robe qui gode.*

1. GODET [gɔdɛ] n. m. (anc. néerl. *kodde*, cylindre de bois). **1.** Petit vase à boire sans pied ni anse. — **2.** Petit récipient servant à divers usages.

2. GODET [gɔdɛ] n. m. (même étym.). *Jupe à godets*, à gros plis souples et ronds qui tombent en s'évasant.

GODICHE [gɔdiʃ] adj. et n. f. (de *Godon*, forme pop. de *Claude*). *Fam.* Niais et maladroit.

1. GODILLE [gɔdij] n. f. (orig. obscure). En ski, suite de virages rapprochés et rythmés, le long de la ligne de pente.

2. GODILLE [gɔdij] n. f. (orig. obscure). Aviron qui, placé à l'arrière d'un canot, en permet la propulsion lorsqu'on lui imprime des mouvements hélicoïdaux. ◆ **godiller** v. i. Faire avancer une embarcation en se servant de la godille.

GODILLOT [gɔdijo] n. m. (du n. de *Godillot*, fournisseur de l'armée). **1.** *Fam.* Anc. chaussure militaire. — **2.** *Fam.* Gros soulier.

GODOY ÁLVAREZ DE FARIA (Manuel), homme d'État espagnol (1767-1851). Nommé Premier ministre en 1792, il reçut le titre de « prince de la paix » lorsqu'il eut signé le traité de Bâle (1795). Il fit participer l'Espagne à la guerre contre l'Angleterre aux côtés de la France. L'entrée des Français en Espagne provoqua sa chute (émeute d'Aranjuez, 1808).

God save the King [ou **the Queen**] *(Dieu sauve le roi* [ou *la reine*]*)*, hymne national britannique.

GODTHAAB, auj. **Nuuk,** capit. du Groenland, sur le détroit de Davis; 10 000 hab.

GOEBBELS (Joseph Paul), chef nazi (1897-1945). D'origine modeste, il dirigea la propagande du parti nazi à partir de 1928 et orchestra la répression antisémite en 1938. Chargé en 1944 de l'organisation de la « guerre totale », il fut désigné par Hitler comme son successeur. Il commanda la défense de Berlin en 1945, et se suicida lors des derniers combats.

GOÉLAND [gɔelɑ̃] n. m. (breton *gwelan*). Oiseau palmipède qui se nourrit de poissons et de détritus, remarquable par la longueur de ses ailes et l'aisance de son vol, à plumage dorsal gris, fréquent sur les rivages. (Les goélands proprement dits ont une longueur supérieure à 40 cm; plus petits, on les appelle ordinairement MOUETTES.) [Ordre des lariformes.]

GOÉLETTE [gɔelɛt] n. f. (de *goéland*). Petit bateau à deux mâts, à voiles auriques (= en forme de trapèze), aux formes élancées.

GOÉMON [gɔemɔ̃] n. m. (breton *gwemon*). Nom donné au varech, en Bretagne et en Normandie.

GOERING (Herman) → GÖRING.

GOETHE (Johann Wolfgang VON), écrivain allemand (1749-1832). Après avoir terminé des études de droit, il publie, en 1774, un drame, *Götz de Berlichingen* (qui le fit saluer par la jeunesse comme le Shakespeare allemand), et un roman par lettres, *les Souffrances du jeune Werther* (qu'il tire de l'épreuve d'un amour malheureux). Ces deux œuvres font de lui un des chefs de la jeune école du « Sturm und Drang ». Il commence également à composer une première série de ballades (*le Roi de Thulé*, 1774; *le Roi des aulnes*, 1778).

En 1775, le grand-duc de Weimar, Charles-Auguste, le choisit comme conseiller. C'est en même temps un tournant dans sa vie; s'éloignant de la fougue romantique, il évolue vers un néo-classicisme : il n'exalte plus l'homme et se révolte contre les dieux et les lois, mais voit en Dieu la réalisation la plus haute de l'idéal que l'homme puisse concevoir et vers lequel il puisse tendre (*Iphigénie*, 1779; *Egmont*, 1787).

- *1794. Il rencontre Schiller qui mènera avec lui la lutte pour le classicisme allemand.*
- *1796. Goethe publie les « Années d'apprentissage de Wilhelm Meister », roman éducatif.*

Libéré de toutes fonctions officielles, Schiller mort, il écrit deux romans (*les Affinités électives*, 1809; *Années de voyage de Wilhelm Meister*, 1821), un recueil de poèmes (*Divan occidental et oriental*, 1819) et achève son poème dramatique, *Faust*, ultime message livré aux hommes, qui résume l'essentiel de sa pensée et de sa vie.

1. GOGO [gogo] n. m. (de *Gogo*, n. d'un personnage de comédie, facile à duper). *Fam.* Personne crédule, facile à tromper (syn. NAÏF).

2. GOGO (À) [agogo] loc. adv. (de l'anc. fr. *gogue*, réjouissance). *Fam.* En abondance (syn. À DISCRÉTION).

GOGOL (Nikolaï Vassilievitch), écrivain russe (1809-1852). Auteur de nouvelles (*Tarass Boulba, le Journal d'un fou*), d'une satire virulente de la bureaucratie russe (*le Revizor*, 1836) et surtout d'un roman, *les Âmes mortes* (1842), où il apparaît comme le véritable créateur du roman russe moderne.

GOGUENARD, E [gɔgnar, -ard] adj. (de l'anc. fr. *gogue*, réjouissance). Se dit d'une personne (ou de son attitude) qui se moque ouvertement d'une autre : *Un ton, un sourire goguenard* (syn. NARQUOIS, RAILLEUR). ◆ **goguenardise** n. f. (syn. RAILLERIE).

GOGUETTE [gɔgɛt] n. f. (de l'anc. fr. *gogue*, joie). *Être, se mettre en goguette*, être de bonne humeur, gai, et un peu ivre.

GOINFRE [gwɛ̃fr] adj. et n. m. (orig. inc.). Qui mange beaucoup, avidement et salement (syn. GLOUTON, GOULU). ◆ **goinfrer (se)** v. pr. *Fam.* Manger avec avidité, se gaver de.

GOIS (le), route praticable à marée basse, entre Noirmoutier et le continent.

GOITRE [gwatr] n. m. (de l'anc. prov. *goitron*, gorge). *Méd.* Augmentation de volume de la glande thyroïde, produisant une grosseur à la partie basse du cou. ◆ **goitreux, euse** adj. De la nature du goitre. ◆ n. Personne qui a un goitre.

GOLBEY, comm. des Vosges, dans la banlieue nord d'Épinal; 8 900 hab. Industrie du coton.

GOLCONDE, forteresse et ville ruinée de l'Inde (Āndhra Pradesh), près de Hyderābād. C'est une ancienne capitale, célèbre par ses trésors légendaires, et ruinée en 1687.

GOLD COAST, nom angl. de l'anc. CÔTE-DE-L'OR, l'actuel GHANA.

GOLDEN GATE, détroit joignant la baie de San Francisco au Pacifique, franchi par un long pont suspendu (1 280 m de portée principale).

GOLDONI (Carlo), auteur comique italien (1707-1793). Il est le créateur de la comédie de mœurs italienne : à la *commedia dell'arte*, devenue conventionnelle et vulgaire, il substitua la peinture de personnages de la vie réelle (*la Locandiera*, 1753).

GOLDSMITH (Oliver), écrivain anglais (v. 1730-1774), auteur du *Vicaire de Wakefield* (1766), roman familial sentimental, et de pièces de théâtre (*Elle s'abaisse pour triompher*, 1773).

GOLÉA (El-), auj. **El-Menia,** oasis du Sahara algérien; 12 500 hab. Palmeraie. Centre commercial.

GOLF [gɔlf] n. m. (mot angl.). Sport qui se pratique sur un terrain très étendu, à l'aide d'une balle et de crosses (*clubs*). ‖ *Golf miniature*, jeu imitant le golf, dans lequel les parcours, de quelques mètres, sont jalonnés d'obstacles divers.
— ENCYCL. Le *golf* se joue sur un vaste terrain (*parcours, links*), coupé d'obstacles naturels ou artificiels, et sur lequel ont été établis 18 trous. La distance séparant ces trous varie de 100 à 500 m, le parcours total étant en moyenne de 7 km. Le jeu consiste à envoyer successivement la balle dans chacun des trous à l'aide des *clubs*, et cela avec le moins de coups possible.

GOLFE [gɔlf] n. m. (it. *golfo*). Partie de la mer qui avance dans les terres : *Le golfe de Gascogne.*

Golfe (*guerre du*), conflit qui, en 1990-91, opposa l'Iraq (qui avait envahi et annexé le Koweït en août 1990) à une coalition d'une trentaine de pays conduite par les États-Unis et mandatée par l'O. N. U. L'intervention de la force multinationale, déployée dans le golfe Persique et en Arabie saoudite, contre l'Iraq fut déclenchée le 17 janvier 1991 et aboutit à la libération du Koweït le 28 février.

GOLFE-JUAN, écart de la comm. de Vallauris, à 5 km à l'O. d'Antibes. Napoléon Ier y débarqua à son retour de l'île d'Elbe (1er mars 1815).

GOLGOTHA, colline située hors de l'enceinte de Jérusalem et qui servait aux exécutions capitales; elle fut appelée ensuite COLLINE DU CALVAIRE. Jésus-Christ y fut supplicié.

GOLIATH, géant philistin tué par David d'une pierre au front lancée avec une fronde.

GOLO (le), principal fl. de la Corse. Il coule dans les gorges de la Scala di Santa Regina et finit sur la côte est, au S. de Bastia; 75 km.

GOMBROWICZ (Witold), écrivain polonais (1904-1969). Ses romans (*Ferdydurke*, 1937; *Cosmos*, 1965), son théâtre (*le Mariage*, 1946) et son *Journal* mêlent le tragique et la dérision, et cherchent à saisir, à travers les comportements stéréotypés, les conventions sociales, l'authenticité et la véritable nature des êtres.

GOMEL, v. de l'U. R. S. S. (Biélorussie); 272 300 hab.

1. GOMME [gɔm] n. m. (gr. *kommi*). Substance visqueuse suintant de divers arbres, en partic. des acacias (*gomme arabique*). ‖ *Boule de gomme*, bonbon adoucissant à base de gomme. ◆ **gommé, e** adj. Recouvert d'une couche de gomme adhésive sèche, qui se dilue au contact d'un liquide : *Papier gommé.* ◆ **gommier** n. m. Nom donné à divers arbres (acacia, eucalyptus...) producteurs de gomme.

2. GOMME [gɔm] n. f. (de *gomme* 1). Petit bloc de caoutchouc, servant à effacer le crayon ou l'encre. ◆ **gommer** v. t. **1.** Effacer avec une gomme. — **2.** Atténuer, faire disparaître : *Essayer de gommer les défauts d'un acteur.*

GOMORRHE, anc. v. de Palestine, détruite avec Sodome par le feu du ciel.

GOMUŁKA (Władysław), homme politique polonais (1905-1982). Premier secrétaire du Comité central du parti ouvrier unifié (1956-1970), il abandonna ses fonctions à la suite d'une crise sociale.

GONADE [gɔnad] n. f. (du gr. *gonê*, action d'engendrer). *Biol.* Glande sexuelle qui produit les gamètes et sécrète des hormones.

GONCOURT (Edmond et Jules HUOT DE), écrivains français (Edmond [1822-1896]; Jules [1830-1870]), auteurs de romans (*Renée Mauperin*, 1864; *Germinie Lacerteux*, 1864; *Madame Gervaisais*, 1869) où ils s'attachent à peindre la vie dans ses états de crise, ressentant et analysant avec une acuité presque maladive les sensations et les émotions. Pour traduire ces impressions ils voulurent créer un vocabulaire (raffiné) et un style nouveaux. Cette façon de voir et d'exprimer la vie se retrouve dans leur *Journal*.
Edmond de Goncourt réunissait le dimanche quelques amis, avec lesquels il conçut l'idée de l'*Académie des Goncourt*. Cette société littéraire, constituée officiellement en 1902, est composée de dix hommes de lettres, chargés de décerner chaque année un prix littéraire.

GOND [gɔ̃] n. m. (gr. *gomphos*, cheville). **1.** Pièce métallique sur laquelle pivote un battant de porte ou de fenêtre : *La porte grince sur ses gonds.* — **2.** Fam. *Hors de ses gonds*, se dit de quelqu'un qui est hors de lui, furieux : *Sortir de ses gonds* (syn. EXPLOSER).

GONDAR, anc. capit. de l'Éthiopie, au N. du lac Tana; 36 600 hab.

GONDOLE [gɔ̃dɔl] n. f. (it. *gondola*). Barque vénitienne longue et plate, mue par un seul aviron placé à l'arrière. ◆ **gondolier** n. m. Batelier qui conduit une gondole.

GONDOLER [gɔ̃dɔle] v. i. ou **GONDOLER (SE)** [səgɔ̃dɔle] v. pr. (de *gondole*). Se bomber, se gonfler en se déformant : *Une planche qui gondole. La cloison s'est gondolée.*

GONDOLIER n. m. → GONDOLE.

GONDWANA, continent hypothétique qui aurait réuni jusqu'à la fin du Primaire l'Inde, l'Afrique, Madagascar, l'Australie, l'Amérique du Sud et l'Antarctique.

GONESSE, ch.-l. de cant. du Val-d'Oise, à 12 km au N.-N.-E. de Paris, près de l'aéroport du Bourget; 21 500 hab. (*Gonessiens*).

GONFALON [gɔ̃falɔ̃] ou **GONFANON** [gɔ̃fanɔ̃] n. m. (frq. *gundfano*). Au Moyen Âge, étendard de combat sous lequel se rangeaient les vassaux appelés par le suzerain. ◆ **gonfalonier** ou **gonfanonier** n. m. Porteur de gonfalon.

GONFLER [gɔ̃fle] v. t. (du lat. *conflare*). **1.** *Gonfler qqch.*, le faire augmenter de volume sous l'action de l'air, de l'eau ou d'autre chose : *Gonfler un ballon. L'orage a gonflé la rivière* (syn. GROSSIR). *Gonfler sa poitrine* (syn. BOMBER). — **2.** *Gonfler le cœur de qq'un*, en parlant d'un sentiment fort, envahir cette personne : *Son cœur est gonflé de joie* (syn. REMPLIR). — **3.** *Gonfler une estimation, un résultat*, etc., les exagérer à dessein (syn. GROSSIR). ◆ v. i. Augmenter de volume : *Pâte qui gonfle* (syn. LEVER). *Le bois gonfle par l'humidité. Son genou s'est mis à gonfler* (syn. ENFLER). ◆ **se gonfler** v. pr. **1.** (sujet nom de chose) Augmenter de volume. — **2.** (sujet nom de personne ou de son cœur) *Se gonfler (de)*, être envahi par (un sentiment) : *Il se gonfle d'orgueil;* et sans compl. : *Son cœur se gonfle* (= il devient triste) [syn. IL A LE CŒUR GROS]. ◆ **gonflage** n. m. Action de gonfler. ◆ **gonflement** n. m. État de ce qui est gonflé. ◆ **gonfleur** n. m. Appareil servant à gonfler. ◆ **dégonfler** v. t. *Dégonfler qqch.*, faire disparaître son gonflement, son enflure; évacuer l'air ou le gaz d'un objet gonflé : *Dégonfler un pneu.* ◆ **se dégonfler** v. pr. **1.** (sujet nom de chose) Perdre son gonflement, perdre l'air ou le gaz qui gonflait : *Le ballon s'est dégonflé.* — **2.** (sujet nom de personne) *Fam.* Perdre son assurance, son courage au moment d'agir (syn. FLANCHER). ◆ **dégonflé, e** n. *Fam.* Lâche, peureux. ◆ **dégonflage** ou **dégonflement** n. m. : *Le dégonflage des pneus.* ◆ **regonfler** v. t. : *Tiens, voilà la pompe, regonfle ton pneu.*

GONFREVILLE-L'ORCHER, ch.-l. de cant. de la Seine-Maritime (arrond. et à 10 km à l'E. du Havre); 10 200 hab. Principale raffinerie française de pétrole. Pétrochimie.

GONG [gɔ̃g] n. m. (mot malais). **1.** Instrument de musique à percussion, d'origine chinoise, fait d'un grand disque de métal bombé, aux bords retournés, que l'on fait vibrer à l'aide d'une mailloche (on obtient ainsi un son sourd et prolongé). — **2.** Instrument analogue qui sert à appeler. — **3.** Timbre annonçant le début et la fin de chaque reprise d'un match de boxe.

GÓNGORA Y ARGOTE (Luis DE), poète espagnol (1561-1627), créateur d'une poésie compliquée et savante *(gongorisme).*

GONGORISME [gɔ̃gɔrism] n. m. (de *Góngora*). Style précieux et recherché qui s'introduisit dans la littérature espagnole à la fin du XVIe s., et au XVIIe s. dans la littérature française, par l'imitation du style de Góngora.

GONIOMÈTRE [gɔnjɔmɛtr] n. m. (du gr. *gônia*, angle, et *metron*, mesure). Instrument pour mesurer les angles. ◆ **goniométrie** n. f. Méthode de navigation utilisant le goniomètre.

GONOCOQUE [gɔnɔkɔk] n. m. (du gr. *gonos*, procréation, et *kokkos*, graine). Microbe responsable d'affections contagieuses par voie essentiellement génitale, les *gonococcies*.

GONTCHAROV (Ivan Aleksandrovitch), écrivain russe (1812-1891), auteur d'un roman réaliste *Oblomov* (1859).

GONZAGUE, famille princière d'Italie, qui a régné sur Mantoue du XIVe au XVIIIe s. et sur le duché de Nevers.

GONZÁLEZ (Julio), sculpteur espagnol (1876-1942). Il a exécuté des œuvres en métal et en fer forgé.

GONZALVE DE CORDOUE, général espagnol (1453-1515). Il vainquit les Français à Cerignola et au Garigliano (1503), et conquit le royaume de Naples.

GOODYEAR (Charles), inventeur américain (1800-1860). Il a découvert la vulcanisation du caoutchouc.

GORAKHPUR, v. de l'Inde (Uttar Pradesh), au N. de Bénarès; 230 700 hab.

GORBATCHEV (Mikhaïl Sergueïevitch), homme d'État soviétique, né en 1931. Secrétaire général du parti communiste à partir de 1985 et chef de l'État à partir de 1988 (élu président de l'U. R. S. S. en 1990), il met en œuvre un vaste programme de réformes économiques et politiques et ne s'oppose pas à la chute des régimes communistes en Europe de l'Est. Après la tentative de putsch d'août 1991, il ne peut empêcher l'éclatement de l'U. R. S. S. et doit démissionner (déc.). [Prix Nobel de la paix, 1990.]

GORDES, ch.-l. de cant. du Vaucluse, à 17 km au N.-E. de Cavaillon; 1 600 hab. Château du XVIe s. Musée Vasarely.

GORDIEN [gɔrdjɛ̃] adj. m. (du gr. *Gordios*). *Nœud gordien*, difficulté inextricable. (⟶ GORDION.)

GORDION, v. de l'Antiquité, en Asie Mineure, capit. des rois de Phrygie. Sur son acropole s'élevait le temple de Zeus, où Alexandre le Grand trancha d'un coup d'épée le *nœud gordien* (334 av. J.-C.). Un oracle avait prédit que celui qui dénouerait ce nœud, très embrouillé, deviendrait le maître de l'Asie.

GORDON (Charles), appelé **Gordon pacha,** explorateur et officier anglais (1833-1885). Gouverneur du Soudan, il périt lors de la prise de Khartoum par le mahdī.

GORÉE, île côtière du Sénégal, fermant la rade de Dakar. L'île fut longtemps le principal comptoir de l'Afrique occidentale.

GORET [gɔrɛ] n. m. (de l'anc. fr. *gore*, truie). **1.** Jeune cochon. — **2.** *Fam.* Enfant malpropre.

1. GORGE [gɔrʒ] n. f. (du lat. *gurges*, gouffre). **1.** Gosier : *Avoir mal à la gorge.* ‖ *Faire des gorges chaudes de qq'un*, s'en moquer bruyamment et méchamment. ‖ *Rire à gorge déployée*, rire bruyamment. — **2.** Partie antérieure du cou : *Il lui saute à la gorge.* ‖ *Mettre à qq'un le couteau sur* ou *sous la gorge*, le forcer à faire quelque chose. ◆ **arrière-gorge** n. f. Partie postérieure de la gorge, située derrière les amygdales. ‖ Pl. des *arrière-gorges*. ◆ **gorger** v. t. **1.** *Gorger qq'un*, le nourrir avec excès : *Gorger un enfant de sucreries* (syn. BOURRER). — **2.** *Gorger qq'un* ou *qqch.*, les remplir jusqu'à saturation : *Des terres gorgées d'eau. Être gorgé de bonheur* (syn. COMBLER). ◆ **se gorger** v. pr. Se remplir jusqu'à saturation, se bourrer avec excès : *Se gorger de pâtisseries, d'air pur.* ◆ **gorgée** n. f. Ce qu'on peut avaler de liquide en une seule fois : *Avaler une gorgée de café. Boire à petites gorgées.* (⟶ DÉGORGER, ENGORGER.)

2. GORGE [gɔrʒ] n. f. (même étym.). Les seins de la femme (littér.) [syn. BUSTE, POITRINE]. (⟶ SOUTIEN-GORGE.)

3. GORGE [gɔrʒ] n. f. (même étym.) [surtout au plur.]. *Géogr.* Vallée étroite et encaissée : *Les gorges du Tarn* (syn. DÉFILÉ).

GORGE-DE-PIGEON [gɔrʒdəpiʒɔ̃] adj. inv. *(gorge, de* et *pigeon).* Se dit d'une couleur à reflets changeants.

GORGÉE n. f., **GORGER** v. t. ⟶ GORGE 1.

GORGONE [gɔrgɔn] n. f. (de *Gorgones*). Colonie de polypes disposés comme des fleurs sur un squelette en forme de petit arbre aux branches souples et cornées, très commune dans les mers peu profondes. (Embranchement des cœlentérés.)

GORGONES. *Myth. gr.* Monstres dont la tête était entourée de serpents et qui étaient trois sœurs : *Euryale, Sthéno* et *Méduse*. Cette dernière pouvait changer en pierre ceux qui la regardaient. Elle eut de Poséidon une génération de monstres, puis fut tuée par Persée.

GORGONZOLA [gɔrgɔ̃zɔla] n. m. Fromage italien originaire de Gorgonzola (Lombardie), qui ressemble au roquefort.

GORILLE [gɔrij] n. m. (gr. *gorillai*). Grand singe anthropoïde des forêts de l'Afrique équatoriale, frugivore (= qui se nourrit de fruits) et farouche. (Sa taille, qui atteint 2 m, et son poids [jusqu'à 250 kg] en font le plus grand et le plus fort de tous les singes.)

GÖRING ou **GOERING** (Hermann), maréchal et homme politique allemand (1893-1946), chef nazi. « As » de l'aviation allemande pendant la Première Guerre mondiale, il entre au parti nazi en 1922 et devient un des premiers collaborateurs de Hitler. Député en 1928, président du Reichstag en 1932, il est ministre de l'Air en 1933. Il réorganise la Luftwaffe (aviation militaire), dirige l'économie allemande et se voit désigné en 1939 comme successeur par Hitler qui le désavouera en 1945. Il est jugé et condamné à mort comme criminel de guerre à Nuremberg et se suicide.

Goriot ⟶ PÈRE GORIOT *(le).*

GORIZIA, v. du nord-est de l'Italie, sur l'Isonzo; 41 000 hab.

GORKI, auj. **Nijni Novgorod,** v. de l'U. R. S. S., au confluent de l'Oka et de la Volga; 1 319 000 hab. Jadis célèbre par ses foires, c'est auj. un grand centre industriel et un grand port fluvial.

GORKI (Alekseï Maksimovitch PECHKOV, dit **Maxime**), écrivain russe (1868-1936). Orphelin de bonne heure, il mena une vie errante qui l'incita à choisir le pseudonyme de Gorki, « l'Amer », et qui inspira les peintures réalistes de ses romans (*la Mère*, 1907), de son théâtre (*les Bas-Fonds*, 1902; *les Enfants du soleil*, 1905), qui décrivent la vie des pauvres, et de ses Mémoires (*Ma vie d'enfant*, 1913-1914; *En gagnant mon pain*, 1915-1916; *Mes universités*, 1923). Il fut le créateur de la littérature sociale soviétique.

GÖRLITZ, v. d'Allemagne (Saxe), sur la Neisse; 81 000 hab.

GORLOVKA, v. de l'U. R. S. S. (Ukraine), dans le Donbass; 335 000 hab. Centre houiller et sidérurgique.

GOSIER [gozje] n. m. (mot d'orig. gaul.). **1.** Partie intérieure du cou (pharynx, arrière-bouche), par où les aliments passent de la bouche dans l'œsophage : *Avoir une arête dans le gosier.* — **2.** Canal par où sort la voix, et qui sert à la respiration; organe de la voix : *Crier, chanter à plein gosier* (= à tue-tête).

GOSSE [gɔs] n. (orig. obscure). *Fam.* Enfant, garçon ou fille (syn. GAMIN; pop. MÔME).

GOSSEC (François Joseph GOSSÉ, dit), compositeur français (1734-1829). Un des créateurs de la symphonie et l'auteur de plusieurs hymnes révolutionnaires, il fut également l'un des fondateurs du Conservatoire national de Paris.

GÖTALAND, partie méridionale de la Suède.

GÖTEBORG, port de Suède, sur la Göta älv; 445 700 hab. Principal port commercial suédois.

GOTHA, v. d'Allemagne (Thuringe), dans le bassin de Thuringe; 58 000 hab. Ville universitaire. On y publiait l'*Almanach de Gotha*, annuaire du monde diplomatique et des familles princières.

1. GOTHIQUE [gɔtik] adj. (bas lat. *gothicus*, relatif aux Goths). Forme de l'art occidental entre le XIIe s. et la Renaissance. ‖ *Architecture gothique*, ogivale. ‖ *Cathédrale (église) gothique*, de style ogival. ◆ n. m. *Le gothique*, le style gothique : *Le gothique ancien. Le gothique flamboyant.*
— ENCYCL. Le *gothique* se définit mieux dans l'architecture que dans les autres domaines de l'art. Il est caractérisé par l'emploi de

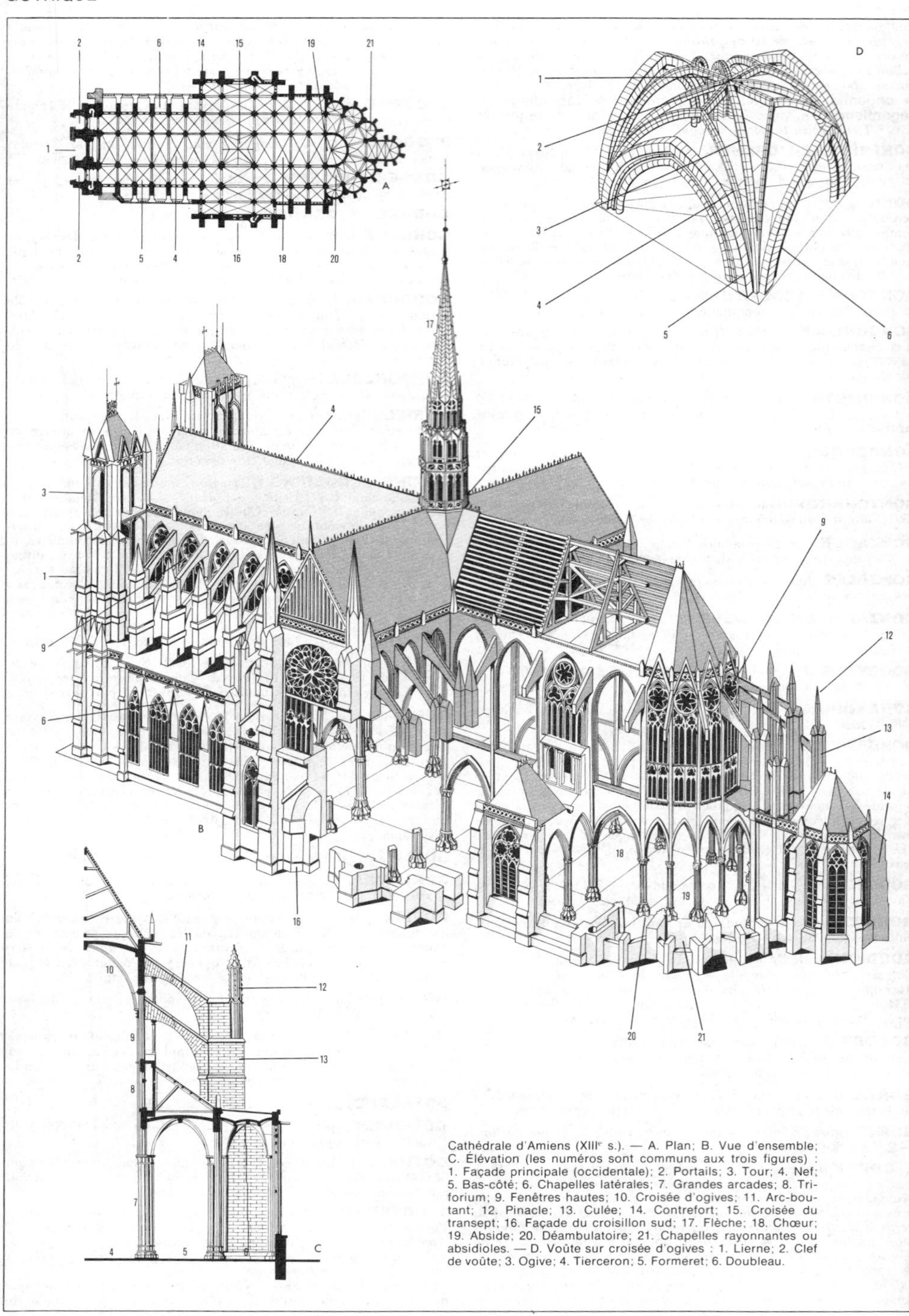

Cathédrale d'Amiens (XIIIe s.). — A. Plan; B. Vue d'ensemble; C. Élévation (les numéros sont communs aux trois figures) : 1. Façade principale (occidentale); 2. Portails; 3. Tour; 4. Nef; 5. Bas-côté; 6. Chapelles latérales; 7. Grandes arcades; 8. Triforium; 9. Fenêtres hautes; 10. Croisée d'ogives; 11. Arc-boutant; 12. Pinacle; 13. Culée; 14. Contrefort; 15. Croisée du transept; 16. Façade du croisillon sud; 17. Flèche; 18. Chœur; 19. Abside; 20. Déambulatoire; 21. Chapelles rayonnantes ou absidioles. — D. Voûte sur croisée d'ogives : 1. Lierne; 2. Clef de voûte; 3. Ogive; 4. Tierceron; 5. Formeret; 6. Doubleau.

l'arc brisé, de la voûte sur croisée d'ogives et de l'arc-boutant, ce qui permet d'alléger les murs et de les percer de vastes baies tandis que l'élévation des voûtes est portée au maximum.

L'abbatiale de Saint-Denis (construite v. 1140) est le premier édifice où s'est manifesté l'art gothique. Au cours de la seconde moitié du XIIe s. s'élèvent les cathédrales de Sens, Noyon, Paris.

Au XIIIe s., l'architecture se fait encore plus légère, et aux façades apparaissent des rosaces (vitraux circulaires). C'est alors que sont construites les cathédrales les mieux conçues (Chartres, Bourges, Beauvais, Amiens, l'abbaye du Mont-Saint-Michel), mais aussi des constructions plus modestes par la taille comme la Sainte-Chapelle de Paris où l'étage supérieur n'est plus qu'un espace unique ouvert de toutes parts à la lumière.

La sculpture, au début de l'époque gothique, est encore raide comme en témoignent les statues-colonnes du portail de Chartres (1145). Au XIIIe s., elle montre une souplesse de formes et une vie qui caractériseront désormais la sculpture gothique (portails de Reims, de Strasbourg).

Les événements du XIVe s. (notamment la guerre de Cent Ans) ralentissent l'évolution du gothique. En Allemagne et en Angleterre, l'art gothique se répand sous des formes particulières, mais l'Italie demeure récalcitrante à son influence.

Jusqu'au XVIe s., le *gothique flamboyant* règne ensuite en maître. Il doit son nom à certains éléments de la décoration qui ont l'apparence de flammes : le décor pur prend de plus en plus d'importance.

Cependant, dès la fin du XIVe s. et au XVe s. se développe une brillante architecture des châteaux et des demeures urbaines (hôtel Jacques-Cœur à Bourges, 1443-1451).

2. GOTHIQUE [gɔtik] adj. et n. f. (même étym.). Se dit d'une écriture utilisée du XIIe au XVIe s. en France, et beaucoup plus longtemps dans les pays de langue germanique, et dans laquelle les traits courbes des lettres romanes sont remplacés par des traits droits formant des angles les uns avec les autres.

GOTHS ou **GOTS,** peuple de la Germanie ancienne. Venus de Scandinavie, ils étaient installés sur les bords de la Vistule au Ier s. av. J.-C. et au N. de la mer Noire au IIIe s. apr. J.-C. Ils attaquèrent alors l'Empire romain, dévastant les Balkans et les côtes de l'Asie Mineure (269). Au IVe s., ils furent convertis à l'arianisme* par l'évêque Ulfilas. Après l'invasion des Huns (375), leur empire se dissocia, et les deux fractions des Wisigoths* et des Ostrogoths* suivirent des destinées différentes.

GOTLAND, île de Suède, dans la mer Baltique; 75 000 hab. Ch.-l. *Visby.*

GOTTFRIED de Strasbourg, poète courtois de langue allemande du début du XIIIe s., auteur d'un *Tristan.*

GÖTTINGEN, v. d'Allemagne (Basse-Saxe), au S.-O. du Harz, sur la Leine; 120 000 hab. Université.

GOTTWALD (Klement), homme d'État tchécoslovaque (1896-1953), secrétaire général du parti communiste et président de la République à partir de 1948.

GOTTWALDOV, auj. **Zlín**, v. de Tchécoslovaquie (Moravie); 65 300 hab. Grandes usines de chaussures.

GOUACHE [gwaʃ] n. f. (it. *guazzo*). **1.** Peinture à l'eau où les couleurs sont opaques : *Peindre à la gouache.* — **2.** Tableau peint selon cette technique : *Il a quelques jolies gouaches.*

GOUAILLER [gwaje] v. i. (d'un rad. *gab-*, gorge). *Fam.* Plaisanter, railler de façon vulgaire. ◆ **gouaille** n. f. Attitude moqueuse et insolente. ◆ **gouailleur, euse** adj. Fam. *Ton, sourire gouailleur*, moqueur et vulgaire.

GOUDA, v. des Pays-Bas (Hollande-Méridionale); 47 200 hab. Marché de fromages.

GOUDIMEL (Claude), compositeur français (v. 1505-1572). Partisan de la Réforme, il fut victime de la Saint-Barthélemy. À côté d'œuvres catholiques, messes et motets, et de chansons polyphoniques, il mit en musique tout le psautier protestant.

GOUDRON [gudrɔ̃] n. m. (ar. *qatrān*). Substance sombre et visqueuse, obtenue par distillation de la houille ou du bois. ‖ *Goudron minéral*, sorte de bitume utilisé pour le revêtement des chaussées. ◆ **goudronner** v. t. Recouvrir de goudron : *Goudronner une route.* ◆ **goudronnage** n. m. : *Le goudronnage de la route.* ◆ **goudronneuse** n. f. Machine à goudronner.

GOUFFRE [gufr] n. m. (gr. *kolpos*). **1.** Trou extrêmement profond et large : *Un gouffre béant* (syn. ABÎME). *Gouffre d'un terrain accidenté* (syn. PRÉCIPICE). *Gouffre sous-marin* (syn. FOSSE). — **2.** Immense tourbillon dans la mer : *Le gouffre du Maelström.* — **3.** Se dit de ce qui a la profondeur d'un gouffre, de ce qui est insondable : *Sombrer dans le gouffre de l'oubli. Ce procès est un gouffre* (= on y engloutit des sommes énormes). ‖ *Être au bord du gouffre*, être devant un danger grave et imminent (syn. PRÉCIPICE).

GOUGE [guʒ] n. f. (bas lat. *gubia*). Ciseau creusé en forme de canal, et servant à faire des entailles et des moulures.

GOUJAT [guʒa] n. m. (anc. gascon *gojat*, garçon). Personnage qui se conduit grossièrement, surtout envers une femme (syn. MUFLE). ◆ **goujaterie** n. f. Caractère du goujat; action d'un goujat (syn. GROSSIÈRETÉ, MUFLERIE).

1. GOUJON [guʒɔ̃] n. m. (lat. *gobio, -onis*). Petit poisson osseux, vivant en troupes dans les rivières sablonneuses : *Une friture de goujons.* (Famille des cyprinidés.)

2. GOUJON [guʒɔ̃] n. m. (de *gouge*). Cheville servant à assembler certaines pièces de construction ou de machines.

GOUJON (Jean), sculpteur et architecte français (né entre 1510 et 1514, mort entre 1564 et 1569). Sculpteur de bas-reliefs, influencé par l'Italie et par l'Antiquité, il collabora avec l'architecte Pierre Lescot, travailla au Louvre (tribune des caryatides), et érigea la fontaine des Innocents à Paris. Son style, très souple, est d'une grâce et d'une pureté remarquables.

GOULACHE ou **GOULASCH** [gulaʃ] n. m. (du hongr. *gulyás*). Plat hongrois qui consiste en une sorte de ragoût de bœuf préparé avec des oignons hachés, et assaisonné au paprika.

GOULAG n. m. (du russe *Gueneralnoïe Oupravlenie Laguere*, Direction générale des camps de travail). **1.** Camp de travail forcé en U. R. S. S. — **2.** Régime politique oppressif.

GOULE [gul] n. f. (ar. *gūl*). Démon femelle qui, selon les superstitions orientales, dévore les cadavres dans les cimetières.

GOULÉE [gule] n. f. (de l'anc. fr. *goule*, gueule). *Fam.* Grande gorgée : *Respirer une goulée d'air.*

GOULET [gulɛ] n. m. (de l'anc. fr. *goule*, gueule). **1.** Passage étroit faisant communiquer un port ou une rade fermée avec la haute mer : *Le goulet de Brest.* — **2.** Tout passage étroit. — **3.** *Goulet d'étranglement* ⟶ ÉTRANGLER.

GOULETTE (La), v. de Tunisie; 31 800 hab. Port de commerce et de pêche sur le canal qui va de Tunis à la mer.

GOULOT [gulo] n. m. (de l'anc. fr. *goule*, gueule). **1.** Col étroit d'un vase, d'une bouteille : *Boire au goulot.* — **2.** *Goulot d'étranglement* ⟶ ÉTRANGLER.

GOULU, E [guly] adj. et n. (de l'anc. fr. *goule*, gueule). Se dit de quelqu'un (ou de son comportement) qui mange avec avidité ou qui montre de l'avidité pour quelque chose : *Il est goulu* (syn. GLOUTON, GOINFRE). *Des regards goulus* (syn. AVIDE). ◆ **goulûment** adv.

GOUM [gum] n. m. (mot ar. signif. *troupe*). Formation militaire supplétive de l'armée française qui était recrutée parmi les autochtones d'Algérie et du Maroc.

GOUNOD (Charles), compositeur français (1818-1893). Organiste de grand talent, il se consacre à la musique profane à partir de 1850, après avoir été compositeur de musique d'église. Ses opéras (*Faust*, 1859; *Mireille*, 1864; *Roméo et Juliette*, 1867) connurent une célébrité mondiale. Mélodiste de tout premier plan, il illustre admirablement la musique française du XIXe s.

GOUPIL [gupi] n. m. (du lat. *vulpes*, renard). Anc. nom du RENARD.

GOUPILLE [gupij] n. f. (de *goupil*). Cheville ou broche métallique servant à assembler deux pièces percées chacune d'un trou. ◆ **goupiller** v. t. Fixer avec des goupilles. ◆ **dégoupiller** v. t. *Dégoupiller une grenade*, retirer la goupille de façon à libérer un levier (ou « cuiller ») qui provoque l'amorçage de l'explosif.

1. GOUPILLON [gupijɔ̃] n. m. (du frq. *wisp*, bouchon de paille). **1.** Instrument avec lequel on asperge d'eau bénite dans une cérémonie religieuse (syn. ASPERSOIR). — **2.** Fam. *Le sabre et le goupillon*, l'Armée et l'Église.

2. GOUPILLON [gupijɔ̃] n. m. (même étym.). Brosse cylindrique, à long manche, pour nettoyer les bouteilles.

GOURAUD (Henri), général français (1867-1946). Après s'être distingué au Soudan, où il captura Samory (1898), il fut adjoint de Lyautey au Maroc (1912). Commandant les forces françaises d'Orient (1915), puis la IVe armée en Champagne, il pacifia la Syrie, puis fut gouverneur militaire de Paris de 1923 à 1937.

GOURBI [gurbi] n. m. (mot ar.). *Fam.* Local mal tenu, habitation misérable (syn. CAHUTE, ↑TAUDIS).

GOURD, E [gur, gurd] adj. (lat. *gurdus*, lourdaud). *Avoir les doigts, les membres gourds*, engourdis par le froid.

1. GOURDE [gurd] n. f. (du lat. *cucurbita*, courge). Récipient protégé par une enveloppe et servant à transporter la boisson.

2. GOURDE [gurd] n. f. et adj. (même étym.). *Fam.* Se dit d'une personne dont la maladresse, la gaucherie révèle la bêtise, la stupidité.

GOURDIN [gurdɛ̃] n. m. (it. *cordino*). Gros bâton court.

GOURDON, ch.-l. d'arrond. du Lot, à 25 km au S.-E. de Sarlat; 5 100 hab. *(Gourdonnais).*

GOURETTE, station d'altitude et de sports d'hiver des Pyrénées-Atlantiques (comm. d'Eaux-Bonnes), près du col d'Aubisque, à 50 km au S. de Pau.

GOURGANDINE [gurgɑ̃din] n. f. (mot dial.). *Fam.* Femme de mauvaise vie.

GOURIN, ch.-l. de cant. du Morbihan, à 20 km au S. de Carhaix-Plouguer; 5 200 hab.

1. GOURMAND [gurmɑ̃] n. m. (abrév. de *branche gourmande*). *Bot.* Rameau inutile poussant au-dessous d'une greffe ou d'une branche à fruit.

2. GOURMAND, E [gurmɑ̃, -ɑ̃d] adj. et n. (orig. obscure). **1.** Se dit de quelqu'un qui aime manger de bonnes choses, et qui en mange beaucoup : *Il est gourmand de choses sucrées* (syn. FRIAND). — **2.** *Jeter des regards gourmands sur qqch., sur qq'un,* regarder avec un plaisir avide cette chose ou cette personne. (→ GOURMET.) ◆ **gourmandise** n. f. Défaut du gourmand. ◆ n. f. pl. Mets dont on est friand, sucreries (syn. FRIANDISES).

GOURMANDER [gurmɑ̃de] v. t. (de *gourmand*). Réprimander sévèrement (littér.) [syn. ↓GRONDER, TANCER].

GOURMANDISE n. f. → GOURMAND 2.

GOURME [gurm] n. f. (frq. *worm*, pus). **1.** Maladie de peau caractérisée par des croûtes. — **2.** Écoulement nasal qui survient surtout chez les poulains. — **3.** *Jeter sa gourme,* en parlant d'un jeune homme, faire ses débuts dans la vie (littér.).

GOURMÉ, E [gurme] adj. (de *gourme*). Se dit de quelqu'un (ou de son attitude) qui affecte un maintien grave (littér.) : *Air gourmé* (syn. GUINDÉ). *Être gourmé* (syn. PRÉTENTIEUX).

GOURMET [gurmɛ] n. m. (orig. obscure). Connaisseur raffiné en ce qui concerne la nourriture et le vin. (→ GOURMAND 2.)

GOURMETTE [gurmɛt] n. f. (de *gourme*, chaînette). **1.** Petite chaînette fixée de chaque côté du mors d'un cheval et passant sous la mâchoire inférieure. — **2.** Chaîne de montre, bracelet dont les mailles sont aplaties.

GOURNAY-EN-BRAY, ch.-l. de cant. de la Seine-Maritime, à 25 km au N. de Gisors; 6 500 hab. Marché agricole, fromages et beurres renommés.

GOUSSAINVILLE, ch.-l. de cant. du Val-d'Oise, à 2 km au N.-E. de Gonesse; 23 600 hab. *(Goussainvillois).*

GOUSSE [gus] n. f. (orig. inc.). **1.** Fruit sec, souvent allongé, à plusieurs graines et s'ouvrant par deux valves : *Gousse de pois.* — **2.** *Gousse d'ail,* tête ou partie de tête d'ail.

GOUSSET [gusɛ] n. m. (de *gousse*). Petite poche du gilet : *Glisser sa montre dans son gousset.*

GOÛT [gu] n. m. (lat. *gustus*). **I. Goût de quelqu'un. 1.** Sens qui permet de discerner les saveurs des aliments : *Les organes du goût.* → ENCYCL. — **2.** Appétit, désir de manger : *N'avoir aucun goût pour les sucreries.* — **3.** Penchant qui attire vers quelque chose ou vers quelqu'un : *Avoir du goût pour les mathématiques. Prendre goût à ce qu'on fait* (= se mettre à aimer ce qu'on fait). *Trouver qq'un à son goût* (syn. CONVENANCE). *N'avoir goût à rien* (= ne plus s'intéresser à rien). — **4.** Sens qui permet de discerner le beau du laid : *Avoir bon goût, mauvais goût. Avoir du goût* (= savoir ce qui est beau). *Manquer de goût. Être habillé avec goût* (syn. ÉLÉGANCE). — **5.** (avec l'adj. poss.) Manière personnelle d'apprécier : *Juger selon (d'après) son goût.* ◆ n. m. pl. L'ensemble des penchants, des préférences qui font la personnalité de chacun : *Nous avons des goûts communs. Avoir des goûts modestes.* ‖ *Des goûts et des couleurs, on ne discute pas,* chacun peut légitimement avoir ses préférences, voir les choses à sa manière. **II. Goût de quelque chose. 1.** Saveur d'un aliment : *Cette viande a bon goût. Un plat sans goût* (syn. INSIPIDE). — **2.** Sentiment causé par quelque chose : *La vie n'a plus de goût pour lui* (syn. INTÉRÊT). — **3.** Se dit des choses qui dénotent, révèlent tel ou tel goût (bon ou mauvais) : *Une plaisanterie d'un goût douteux. Un costume de bon goût.* — **4.** *Dans le goût* (suivi d'un adj. ou d'un compl. du nom), dans la manière, le style : *Des nouvelles dans le goût français du XVIII*[e] *s.* ‖ *Au goût du jour,* selon le genre à la mode. ◆ **arrière-goût** n. m. **1.** Goût qui revient dans la bouche après qu'on a avalé certaines boissons ou certains aliments, et qui est très différent de celui qu'on a d'abord eu : *Ce vin a un arrière-goût amer.* — **2.** Souvenir vague qui subsiste chez quelqu'un après un événement, une épreuve de sa vie : *Toute cette amitié disparue me laissait un arrière-goût d'amertume.* ‖ Pl. des *arrière-goûts.* ◆ **avant-goût** n. m. Première impression agréable ou désagréable, premier aperçu de ce que l'avenir peut apporter (employé surtout avec le verbe *donner*) : *Ces réalisations techniques donnent un avant-goût de ce que sera la vie future* (syn. PRÉFIGURATION). ‖ Pl. des *avant-goûts.* ◆ **gustatif, ive** [gystatif, -iv] adj. Relatif au goût (sens 1) : *Les sensations gustatives.*

— ENCYCL. L'homme perçoit quatre saveurs (amère, acide, sucrée ou salée), grâce à des organes du *goût,* nommés *papilles,* et situés sur la langue. Les sensations gustatives peuvent déclencher un réflexe de rejet (goût trop amer, trop acide ou trop salé), ou simplement procurer un plaisir ou un déplaisir qui dépendent largement des habitudes alimentaires du sujet et même de sa constitution.

1. GOÛTER [gute] v. t. (lat. *gustare*). **1.** *Goûter un aliment, une boisson,* en apprécier la saveur par le sens du goût : *Goûter une sauce* (syn. DÉGUSTER, SAVOURER). — **2.** *Goûter qqch.,* le trouver bon, jouir d'un état de choses : *Goûter un repos bien acquis. Goûter le silence d'un lieu* (syn. SAVOURER). — **3.** *Goûter qq'un, l'œuvre de qq'un,* en sentir la valeur et y prendre plaisir : *Goûter la poésie d'un tableau* (syn. APPRÉCIER). ◆ v. t. ind. **1.** *Goûter à un plat, à un vin,* etc., en prendre alors qu'on n'en a pas encore mangé ou bu : *Goûtez à cette sauce.* — **2.** *Goûter d'un mets,* en prendre une petite quantité. — **3.** *Goûter de qqch.,* en faire l'expérience : *Goûter de la province.*

2. GOÛTER [gute] v. i. (de *goûter* 1). Faire un léger repas dans l'après-midi. ◆ n. m. Léger repas que l'on prend dans l'après-midi.

1. GOUTTE [gut] n. f. (lat. *gutta*). **1.** Très petite quantité de liquide, qui se détache avec une forme sphérique : *Une goutte d'eau.* — **2.** Très petite quantité de boisson : *Boire une goutte de vin.* — LOC. ADV. *Goutte à goutte,* goutte après goutte; peu à peu. ‖ *Ne voir, n'entendre, ne comprendre goutte,* ne rien voir, entendre, comprendre (littér.). ◆ **gouttes** n. f. pl. Médicament liquide : *Des gouttes pour le nez.* ◆ **gouttelette** n. f. Petite goutte. ◆ **goutter** v. i. Laisser tomber des gouttes : *Le robinet goutte.* ◆ **dégoutter** v. i. (sujet nom désignant un liquide). Couler, tomber goutte à goutte : *La sueur lui dégouttait du front* (syn. ↑RUISSELER; fam. DÉGOULINER). ◆ **dégouttant, e** adj. : *Un imperméable dégouttant de pluie.*

2. GOUTTE [gut] n. f. (même étym.). *Méd.* Maladie caractérisée notamment par des douleurs articulaires. ◆ **goutteux, euse** adj. et n. Qui est atteint de la goutte. ◆ adj. Se dit de ce qui concerne la goutte : *Une affection goutteuse.*

GOUTTELETTE n. f., **GOUTTER** v. i. → GOUTTE 1.

GOUTTEUX, EUSE adj. et n. → GOUTTE 2.

GOUTTIÈRE [gutjɛr] n. f. (de *goutte* 1). **1.** Petit canal métallique placé à la base d'un toit pour recueillir l'eau de pluie. — **2.** *Chat de gouttière,* chat d'espèce commune. — **3.** Appareil destiné à immobiliser un membre malade ou fracturé.

GOUVERNABLE adj. → GOUVERNER.

GOUVERNAIL [guvɛrnaj] n. m. (lat. *gubernaculum*). **1.** Partie d'un bateau, d'un avion qui assure sa direction. — **2.** *Abandonner le gouvernail,* abandonner la direction des affaires (du gouvernement, d'une grande entreprise). ‖ *Être au gouvernail,* occuper un poste de direction. ‖ *Tenir le gouvernail,* diriger.

GOUVERNANT, E adj. → GOUVERNER.

GOUVERNANTE [guvɛrnɑ̃t] n. f. (de *gouverner*). Femme chargée de la garde et de l'éducation d'un ou de plusieurs enfants.

GOUVERNANTS n. m. pl. → GOUVERNER.

GOUVERNE [guvɛrn] n. f. (de *gouverner*). *Pour ma (ta, sa, notre, votre, leur) gouverne,* pour servir de règle de conduite (comme rappel à l'ordre, dans le style de la conversation) : *Sachez, pour votre gouverne, qu'il est interdit de fumer dans le bureau.*

1. GOUVERNEMENT [guvɛrnəmɑ̃] n. m. (de *gouverner*). Circonscription administrative de la France de l'Ancien Régime. (Les gouvernements ne couvraient pas tous les territoires, mais leur nombre ne cessa de s'accroître jusqu'à la fin de l'Ancien Régime.)

2. GOUVERNEMENT [guvɛrnəmɑ̃] n. m. (même étym.). **1.** Ensemble des membres d'un même ministère, en régime parlementaire : *Constituer (former) le gouvernement* (syn. CABINET). → ENCYCL. — **2.** Autorité politique qui gouverne un pays : *Le gouvernement français (anglais, russe, etc.).* — **3.** Constitution politique : *Gouvernement monarchique, républicain* (syn. RÉGIME, SYSTÈME). — **4.** Action d'exercer l'autorité politique : *La pratique, l'exercice du gouvernement.* ‖ *Acte de gouvernement,* acte accompli par une autorité administrative et qui n'est susceptible d'aucun recours devant les tribunaux, tant administratifs que judiciaires. — **5.** *Le gouvernement de soi-même,* la maîtrise de soi (littér.). ◆ **gouvernemental, e, aux** adj. **1.** Qui concerne le ministère : *La politique gouvernementale. L'équipe gouvernementale* (syn. MINISTÉRIEL). — **2.** Qui soutient le ministère : *Un journal gouvernemen-*

al. ◆ **antigouvernemental, e, aux** adj. : *Campagne de presse antigouvernementale* (= contre le gouvernement). — ENCYCL. Le *gouvernement* est formé par les ministres placés sous l'autorité du Premier ministre, lui-même choisi par le président de la République. Il représente le *pouvoir exécutif* du pays; à ce titre, il fait exécuter les lois votées par le Parlement* qui peut lui demander des comptes.

Gouvernement provisoire de la République française, nom pris à Alger, en 1944, par le Comité français de libération nationale, qui fonctionna ensuite en France jusqu'en 1946.

GOUVERNEMENTAL, E, AUX adj. ⟶ GOUVERNEMENT 2.

GOUVERNER [guvɛrne] v. t. (lat. *gubernare*). **1.** Exercer l'autorité politique sur : *Gouverner un pays, un État, un peuple, une nation* (syn. CONDUIRE). — **2.** (sans compl.) Avoir entre ses mains l'autorité : *Gouverner sagement* (syn. DIRIGER). *Gouverner en tyran. Ceux qui gouvernent* (syn. COMMANDER). — **3.** *Gouverner ses sentiments, son cœur, sa pensée*, etc., les dominer, les maîtriser (littér.). — **4.** (sujet nom de chose) *Gouverner qq'un*, exercer une influence puissante sur lui : *C'est la jalousie qui le gouverne. La raison gouverne les sens* (syn. MENER). — **5.** *Gouverner une barque, un navire, une péniche*, les diriger, diriger leurs manœuvres. ◆ ***se gouverner*** v. pr. Se conduire volontairement de telle ou telle manière. ◆ **gouvernable** adj. Qu'on peut gouverner. ◆ **ingouvernable** adj. ◆ **gouvernant, e** adj. Qui gouverne un pays : *La classe gouvernante.* ◆ **gouvernants** n. m. pl. *Les gouvernants*, les hommes qui possèdent le pouvoir politique. ◆ **gouvernés** n. m. pl. Personnes soumises à un gouvernement. ◆ **gouverneur** n. m. **1.** Autref., haut fonctionnaire qui était placé à la tête d'une colonie pour y diriger l'administration et y représenter la métropole. — **2.** *Gouverneur militaire*, général mis à la tête d'une place forte (Paris, Metz, Lyon, etc.). — **3.** *Gouverneur de la Banque de France*, directeur de la Banque de France.

GOYA Y LUCIENTES (Francisco DE), peintre espagnol (1746-1828). Devenu peintre officiel de la cour d'Espagne, il exécuta sans complaisance des portraits de Charles IV, de Marie-Louise, de la famille royale, qui sont presque des caricatures; mais il peignit aussi de belles figures de femmes (portrait de *la Duchesse d'Albe*), les Majas *(les Majas au balcon)*. Atteint de surdité en 1792, il se réfugia bientôt dans un art plus âpre, plus expressif et énergique : la guerre contre Napoléon lui inspira *les Désastres de la guerre* (gravures exécutées entre 1810 et 1814) et les tableaux sur les événements des 2 et 3 mai 1808 *(Tres de Mayo)* où il allie une imagination fantastique à un réalisme expressif et précis dans l'évocation des scènes.
Goya termina ses jours à Bordeaux, où l'absolutisme de Ferdinand VII l'avait poussé à s'expatrier. Sa peinture exerça une profonde influence, notamment sur Delacroix, Daumier et Manet.

GOYAVE [gɔjav] n. f. (esp. *guyaba*). Fruit sucré du *goyavier*, arbre cultivé en Amérique tropicale. (Famille des myrtacées.)

GOZZOLI (Benozzo DI LESE, dit), peintre florentin (1420-1497), élève de Fra Angelico. Son chef-d'œuvre est la décoration du palais Medici-Riccardi, à Florence *(le Cortège des Rois mages)*.

G. P. R. A., sigle de Gouvernement provisoire de la République algérienne.

Graal [grɑl] (le) ou le **Saint-Graal,** vase qui aurait servi à Jésus-Christ pour la Cène, et dans lequel Joseph d'Arimathie aurait recueilli le sang qui coula de son flanc percé par le centurion. Aux XIIe et XIIIe s., de nombreux romans de chevalerie racontent la « quête » (= recherche) du Graal par les chevaliers du roi Arthur.

GRABAT [graba] n. m. (gr. *krabbatos*). Mauvais lit, lit de malade : *Un infirme cloué sur son grabat.* ◆ **grabataire** adj. et n. Se dit d'un malade qui ne quitte pas le lit.

GRABUGE [grabyʒ] n. m. (orig. obscure). *Fam.* Bruit, querelle accompagnée de désordre (syn. BAGARRE, BATAILLE).

GRACCHUS ou **les Gracques,** nom de deux frères, tribuns et orateurs romains : TIBERIUS (162-133 av. J.-C.) et CAIUS (154-121 av. J.-C.). Ils essayèrent, par des lois agraires, de redistribuer les terres conquises sur l'ennemi que l'aristocratie romaine s'était attribuées en presque totalité. Ils périrent tous deux assassinés.

1. GRÂCE [grɑs] n. f. (lat. *gratia*). **1.** Faveur que l'on accorde sans y être obligé : *Demander, accorder une grâce. Vous me faites trop de grâce* (syn. HONNEUR). ‖ *Être en grâce, rentrer en grâce auprès de qq'un*, être en faveur auprès de lui, obtenir son pardon. ‖ *Donner à qq'un un délai (un jour, etc.) de grâce*, un délai supplémentaire par faveur spéciale. ‖ *Donner (porter) le coup de grâce à qq'un*, l'achever, lui porter un coup définitif, alors qu'il est en difficulté (financière, etc.). — **2.** Aide surnaturelle accordée par Dieu en vue du salut : *Demander la grâce de Dieu* (syn. BÉNÉDICTION, SECOURS). ‖ *À la grâce de Dieu*, comme il plaira à Dieu (en laissant les choses se faire toutes seules). ‖ *L'an de grâce...*, se dit des années de l'ère chrétienne. — LOC. ADV. *De grâce*, je vous en prie (littér.). ◆ n. f. pl. *Rechercher, gagner, se concilier, perdre les bonnes grâces de qq'un*, ses faveurs, sa bienveillance.

2. GRÂCE [grɑs] n. f. (même étym.). Action de reconnaître un bienfait reçu et de remercier celui à qui on le doit : *Rendre grâce* (ou *grâces*) *à qq'un* (= lui témoigner sa gratitude pour ce qu'on a reçu). *Rendre grâce à Dieu.* ‖ *Action de grâces*, manifestation de gratitude; prière adressée à Dieu en reconnaissance de ses bienfaits.

3. GRÂCE [grɑs] n. f. (même étym.). **1.** Pardon bénévole, remise d'une peine : *Le condamné à mort a été avisé que sa grâce lui avait été accordée par le président de la République.* — **2.** *Faire grâce à qq'un de qqch.*, l'en dispenser, le lui épargner : *Faites-moi grâce de vos observations* (= dispensez-vous de me les faire). — **3.** S'emploie souvent sans art., dans diverses loc. : *Le droit de grâce. Un recours en grâce* (syn. REQUÊTE, SUPPLIQUE). ‖ *Demander, crier grâce*, se déclarer vaincu, à bout de forces. ‖ *Grâce!*, interj. pour implorer le pardon, la pitié (littér.). ◆ **gracier** v. t. *Gracier un condamné*, lui remettre sa peine ou la commuer en une peine moins grave.

4. GRÂCE [grɑs] n. f. (même étym.). **1.** Beauté, charme dans l'attitude, les mouvements d'une personne, d'un animal, ou l'aspect d'une chose : *Avoir de la grâce* (syn. CHARME). *Des mouvements pleins de grâce* (syn. ÉLÉGANCE). — **2.** *Bonne, mauvaise grâce*, bonne, mauvaise volonté. ‖ *De bonne grâce*, spontanément, avec bonne volonté : *Faire qqch. (s'exécuter) de bonne grâce* (syn. VOLONTIERS). ‖ *Avoir mauvaise grâce à*, être mal placé pour. ◆ **gracieux, euse** adj. Qui a de la grâce, de l'agrément, du charme : *Un geste gracieux.* ◆ **gracieusement** adv. : *Elle marche gracieusement.* ◆ **gracieuseté** n. f. Manière aimable, pleine de bonne grâce à l'égard de quelqu'un : *Faire mille gracieusetés à qq'un* (syn. AMABILITÉS). ◆ **disgracieux, euse** adj. Qui manque de grâce, d'agrément : *Une démarche disgracieuse.*

5. GRÂCE [grɑs] n. f. (même étym.). LOC. PRÉP. *Grâce à qq'un* ou *qqch.*, exprime une valeur causale et implique un résultat heureux (opposée à PAR SUITE DE, A CAUSE DE, PAR LA FAUTE DE, DU FAIT DE) : *C'est grâce à vous que nous sommes là.* ‖ *Grâce à Dieu*, par bonheur.

GRÂCES (les), divinités qui personnifiaient ce qu'il y a de plus séduisant dans la beauté. Elles ont servi de thème à de nombreux artistes.

GRACIER v. t. ⟶ GRÂCE 3.

GRACIEUSEMENT adv., **GRACIEUSETÉ** n. f. ⟶ GRÂCE 4 et GRACIEUX 2.

1. GRACIEUX, EUSE adj. ⟶ GRÂCE 4.

2. GRACIEUX, EUSE [grasjø, -øz] adj. (lat. *gratiosus*). *À titre gracieux*, gratuitement, bénévolement. ‖ *Prêter à qq'un un concours gracieux*, gratuit, bénévole. ◆ **gracieusement** adv. Gratuitement. ◆ **gracieuseté** n. f. Gratification librement accordée : *Faire une gracieuseté à un employé.*

GRACILE [grasil] adj. (lat. *gracilis*, mince). Mince et élancé : *Un corps gracile* (contr. ÉPAIS, TRAPU). ◆ **gracilité** n. f. Minceur délicate.

GRACQUES (les) ⟶ GRACCHUS.

GRADATION [gradasjɔ̃] n. f. (du lat. *gradus*, degré). Progression par degrés successifs : *La gradation des efforts.*

1. GRADE [grad] n. m. (lat. *gradus*). Unité de mesure des angles géométriques et des arcs de cercle, telle que l'angle géométrique plat et un demi-cercle aient une mesure de 200 grades (qu'on note 200 gr).

2. GRADE [grad] n. m. (même étym.). **1.** Degré de la hiérarchie militaire : *Le grade de lieutenant. Avancer (monter) en grade.* ⟶ tableau page suivante. — **2.** Rang dans la hiérarchie universitaire : *Le grade de licencié.* — **3.** Fam. *En prendre pour son grade*, recevoir une sévère réprimande. ◆ **gradé** n. m. et adj. Militaire qui a un grade inférieur à celui d'officier.

GRADIENT [gradjɑ̃] n. m. (du lat. *gradus*, degré). Taux de variation d'une grandeur en fonction de la distance. (Dans le sens vertical, le *gradient de température* s'exprime en degrés Celsius [°C] par 100 m; dans le sens horizontal, le *gradient de pression* s'exprime en millibars par 100 km ou en degrés géographiques [111 km].)

GRADIN [gradɛ̃] n. m. (it. *gradino*). **1.** Chacun des bancs superposés d'un amphithéâtre. — **2.** *Gradin de confluence*, dénivellation résultant du retrait des glaciers entre une vallée affluente suspendue et la vallée principale.

1. GRADUATION n. f. ⟶ GRADUER.

2. GRADUATION [gradɥasjɔ̃] n. f. (de *graduer*). Math. *Gra-*

GRADES MILITAIRES EN FRANCE

	armée de terre / armée de l'air	marine nationale
OFFICIERS	général d'armée (aérienne)	amiral
	général de corps d'armée (de corps aérien)	vice-amiral d'escadre
	général de division (aérienne)	vice-amiral
	général de brigade (aérienne)	contre-amiral
	colonel	capitaine de vaisseau
	lieutenant-colonel	capitaine de frégate
	chef de bataillon (ou d'escadron)/commandant	capitaine de corvette
	capitaine	lieutenant de vaisseau
	lieutenant	enseigne de vaisseau de 1re classe
	sous-lieutenant	enseigne de vaisseau de 2e classe
	aspirant	aspirant
SOUS-OFFICIERS	major	major
	adjudant-chef	maître principal
	adjudant	premier maître
	sergent-chef (ou maréchal des logis-chef)	maître
	sergent (ou maréchal des logis)	second maître
HOMMES DU RANG (ou MARINS)	caporal-chef (ou brigadier-chef)	quartier-maître de 1re classe
	caporal (ou brigadier)	quartier-maître de 2e classe
	1re classe	matelot breveté

duation d'une droite affine, d'une droite euclidienne ou *d'un axe,* toute bijection de la droite ou de l'axe sur le corps ℝ des nombres réels, qui intervient dans sa définition. (→ AXE 1 et DROITE 1.)

GRADUER [gradɥe] v. t. (du lat. *gradus*, degré). **1.** Augmenter par degrés : *Graduer les difficultés d'un exercice.* — **2.** Diviser en degrés : *Graduer un thermomètre. Une règle graduée.* ◆ **graduation** n. f. Division par degrés. ◆ **graduel, elle** adj. Qui progresse par degrés : *Un réchauffement graduel.* ◆ **graduellement** adv.

GRAFFITI [grafiti] n. m. (mot it.). Inscription, dessin griffonné sur un mur. ‖ Pl. des *graffiti* ou des *graffitis.*

GRAHAM *(terre de)*, péninsule montagneuse de l'Antarctique, au S. de l'Amérique du Sud.

GRAILLON [grɑjɔ̃] n. m. (de *grailler*, griller). Mauvaise odeur de graisse brûlée.

1. GRAIN [grɛ̃] n. m. (lat. *granum*). **1.** Fruit ou semence d'une céréale : *Des grains de riz, de blé. Récolter (semer, vanner, cribler, rentrer, moudre) le grain* (ou *les grains*). — **2.** Petit fruit d'autres plantes : *Des grains de raisin. Des grains de café.* — **3.** *Grains d'un collier, d'un chapelet*, etc., perles, petites billes qui les composent. — **4.** Fragment infime de matière : *Un grain de métal (de sable, de poussière, de sel).* — **5.** Aspect plus ou moins marqué d'aspérités d'une surface : *Le grain d'un cuir, d'une pierre.* — **6.** *Grain de beauté*, petite tache brune sur la peau (syn. NÆVUS). — **7.** Fam. *Mettre son grain de sel*, se dit d'une personne qui se mêle d'une conversation qui ne la regarde pas. — **8.** *Un grain de* (et un nom abstrait), une petite quantité de... ◆ n. m. pl. Les céréales. (Le terme de *grains* s'applique principalement aux graines comestibles des céréales et de certaines légumineuses : haricot, pois, lentilles, etc.) ◆ **granule** ou **granulé** n. m. **1.** Petit grain. — **2.** Petite pilule pharmaceutique. ◆ **granulé, e** adj. Qui se présente sous forme de petits grains. ◆ **granulation** n. f. Agglomération en petits grains. ◆ **granuleux, euse** adj. Divisé en petits grains.

2. GRAIN [grɛ̃] n. m. (de *grain* 1). **1.** Averse soudaine et brève. — **2.** *Veiller au grain*, être sur ses gardes. ‖ *Voir venir le grain*, prévoir un danger.

GRAINE [grɛn] n. f. (lat. *grana*). **1.** Chez les phanérogames, organe enfermé dans le fruit (angiospermes) ou nu (gymnospermes), destiné à assurer la reproduction de l'espèce et comprenant un *tégument*, un ou deux *cotylédons* contenant des matières de réserve, et un *embryon* ou *plantule (radicule, tigelle, gemmule).* ‖ *Monter en graine*, produire sa semence, en parlant d'une plante. — **2.** Fam. *En prendre de la graine*, s'inspirer de quelqu'un ou de quelque chose comme d'un modèle. ‖ Péjor. *Mauvaise graine*, se dit d'enfants dont on ne pense rien de bon, d'adultes qui ont mal tourné. ‖ Péjor. *Graine de* (*voyou, assassin*, etc.), individu qui prend le chemin d'être un... ◆ **grainetier, ère** n. Commerçant en graines, oignons, bulbes, etc. ◆ **graineterie** n. f. Commerce, magasin de grainetier. ◆ **granivore** adj. et n. Se dit des animaux qui se nourrissent surtout de graines. (→ ÉGRENER.)

GRAISIVAUDAN → GRÉSIVAUDAN.

1. GRAISSE [grɛs] n. f. (du lat. *crassus*, épais). **1.** Substance lipidique onctueuse, répandue dans les tissus sous la peau des hommes, des animaux : *Une couche de graisse. Avoir de la graisse* (= avoir un excès de graisse) [syn. EMBONPOINT]. — **2.** Substanc onctueuse, animale ou végétale, employée en cuisine : *Fair fondre de la graisse de porc* (syn. LARD, PANNE). ◆ **dégraisse** v. t. *Dégraisser de la viande, du bouillon*, en retirer la graisse ◆ **engraisser** v. t. *Engraisser un animal, une personne*, les rendr plus gras. ◆ v. i. et ***s'engraisser*** v. pr. Devenir plus gras (syn GROSSIR). ◆ **engraissement** ou **engraissage** n. m. : *L'engraisse ment des volailles.*

2. GRAISSE [grɛs] n. f. (même étym.). Tout corps gras utilis comme lubrifiant ou pour protéger : *Des graisses minérales. Mettr de la graisse sur une machine. Une tache de graisse.* ◆ **graisse** v. t. **1.** Enduire de graisse pour entretenir en bon état : *Graisse une machine* (syn. LUBRIFIER). — **2.** Tacher de graisse : *Graisse son pull-over.* ◆ **graissage** n. m. Action de graisser un moteur, u mécanisme : *Faire faire le graissage et la vidange de sa voiture* → ENCYCL. ◆ **graisseur** n. m. Ouvrier ou dispositif qui effectu le graissage d'appareils mécaniques. ◆ **graisseux, euse** adj Taché de graisse : *Une blouse graisseuse.* ◆ **dégraisser** v. t *Dégraisser un tissu, des cheveux*, etc., en ôter les taches de graisse faire disparaître ce qui les graisse. ◆ **dégraissant** n. m. Subs tance qui a la propriété d'enlever les taches de graisse.

— ENCYCL. Le *graissage* consiste à interposer des corps onctueux dits *lubrifiants*, entre deux surfaces en frottement pour facilite leur glissement. C'est une question capitale dans les machine modernes, où vitesse et pression sont considérables. Lorsque la pression est élevée, la température du lubrifiant peut dépasse 100 °C, et les qualités de viscosité et d'onctuosité de celui-ci dimi nuent dangereusement; il est alors nécessaire de le refroidir. Dans un moteur d'automobile, un excès d'huile dans le carter permet au lubrifiant qui circule de se refroidir à chaque passage.

GRAMAT, ch.-l. de cant. du Lot, sur le *causse de Gramat,* 20 km au S.-O. de Saint-Céré; 3 800 hab.

GRAMINACÉES [graminase] ou **GRAMINÉES** [gramine n. f. pl. (du lat. *gramen, -inis*, herbe). Famille de plantes monocoty lédones caractérisées par une inflorescence en épi et un fruit e grain, qui comprend notamment les *céréales* de grande culture (*blé riz*, etc.), la *canne à sucre* et les *herbes fourragères* des pâturages.

— ENCYCL. Avec ses 313 genres groupant plus de 6 000 espèces, l famille des *graminacées* est l'une des plus vastes du monde végé tal. C'est aussi la plus utile, et de beaucoup, à l'alimentatio humaine. C'est elle qui fournit le blé, l'orge, le seigle, l'avoine, le maïs, le millet, le sorgho, les herbes des prairies et enfin la canne sucre.

Un pied de graminacée est une *touffe*, ou *sympode*, tige ram pante ramifiée portant des tiges dressées non ramifiées, le *chaumes.* Un chaume est une tige creuse qui se termine par un *épi* dont les éléments, ou *épillets*, portent chacun, sur un très cour pédoncule, une ou trois fleurs entourées de pièces coriace (glumes, glumelles et glumellules). Le fruit est un *caryopse*, o *grain*, presque réduit à une graine. Les glumes de divers ordre constituent la *balle*, et les enveloppes du grain le *son;* l'albume féculent fournit la farine.

GRAMMAIRE [gramɛr] n. f. (gr. *grammatikê*, art de lire e d'écrire). **1.** Science des règles du langage parlé ou écrit (la mor phologie et la syntaxe sont les deux parties principales de l

;rammaire); livre qui contient les règles d'une langue. ‖ *Les classes le grammaire* (= 6ᵉ, 5ᵉ, 4ᵉ des lycées et collèges). — **2.** Ensemble les règles particulières à une technique, à une science : *La grammaire du cinéma.* ◆ **grammairien, enne** n. Personne qui étudie ›u enseigne la grammaire, qui en connaît les règles. ◆ **grammatical, e, aux** adj. : *L'analyse grammaticale étudie la fonction des nots dans une proposition.*

;RAMME [gram] n. m. (lat. *gramma*, petits poids). ⟶ MESURE, *nités de mesure.* ‖ *Gramme-poids, gramme-force*, force avec aquelle une masse de 1 g est attirée par la Terre.

;RAMME (Zénobe), ingénieur électricien belge (1826-1901). nventeur de machines à courant alternatif, il construisit la prenière dynamo capable de produire industriellement la lumière lectrique (1871).

;RAMMONT (Jacques DELMAS DE), général et homme politique rançais (1796-1862), qui fit voter la loi protectrice des animaux 1850).

;RAMPIANS *(monts)*, massif d'Écosse, entre le Glen More et es plaines bordières de la mer du Nord; 1 343 m au Ben Nevis, oint culminant des îles Britanniques.

;RANADOS (Enrique), compositeur espagnol (1867-1916). Il a xalté son pays dans son œuvre. Ses *Danses espagnoles*, mais urtout les *Goyescas* (1909) marquent l'apogée de sa carrière.

;RAND, E [grɑ̃, -ɑ̃d] (devant un nom ou un adj. à initiale ocalique, on articule un [t] de liaison : *grand arbre* [grɑ̃tarbr]) dj. (lat. *grandis*). **I. Sans valeur spécialement intensive.** . (normalement, *grand* précède le nom, sauf cas d'obligation ;rammaticale ou effet de style) Se dit d'un être animé adulte qui st de taille élevée : *Un homme grand* (⟶ *un grand homme* en II,). *Une grande femme* (contr. PETIT). *Les grandes personnes* (= les dultes, par oppos. aux ENFANTS). — **2.** En parlant des enfants, idée de croissance en âge s'adjoint à celle de taille élevée (seul le ontexte détermine laquelle l'emporte) : *Vous avez de grands nfants déjà. Il est grand pour son âge* (= de taille élevée). *Tu es rand maintenant* (= tu n'es plus un petit enfant). *ètre assez grand pour* (= être capable de). — **3.** Se dit des parties u corps humain dont la taille dépasse la moyenne : *Avoir de rands yeux. De grands pieds.* ‖ *Ouvrir de grands yeux*, marquer on étonnement, sa curiosité. — **4.** Se dit de toute chose qui a des imensions très étendues : *Une grande ville* (syn. VASTE). *Un rand fleuve.* — **5.** Se dit de phénomènes de la nature ou d'actions umaines très abondants ou très intenses, très importants : *Il fait n grand froid* (syn. ↓VIF). *Les grandes marées. Les grandes eaux de 'ersailles. Les grandes chaleurs. Un grand bruit* (syn. INTENSE). *Le rand air* (= l'air vif du dehors). — **6.** Se dit d'une mesure de 'espace ou du temps qui atteint une importance considérable ou ui est difficilement appréciable : *Descendre à une grande profoneur. Parvenir à un grand âge. Sur une grande surface.* — **7.** (préédé d'un nombre et suivi d'un nom de mesure, généralement du emps) Qui dépasse en réalité la mesure indiquée ou semble la lépasser : *Attendre deux grandes heures* (syn. LONG). *Un grand uart d'heure* (syn. BON). **II. Avec valeur intensive** (= qui renorce la notion exprimée). **1.** (formant avec un verbe et un nom ans art. une loc. toute faite) Qui est considérable : *Avoir grand esoin de. Faire grand cas de. Cela vous fera le plus grand bien. Il 'y a pas grand monde;* à la forme masc. avec un nom fém. : *Avoir rand-faim, grand-soif, grand-peur.* — **2.** (formant une loc. adv. vec une prép. et un nom sans art.) Même sens : *Boire à grands raits. Au grand complet. A grande vitesse. Au grand jamais. De rand matin. À grand-peine. Au grand jour* (= à la lumière du oleil). — **3.** (formant avec un nom, précédé le plus souvent de 'art. déf., un mot composé à valeur de superl. absolu; se trouve urtout avec des noms désignant des phénomènes sociaux) Qui est : plus considérable, le principal : *Le Grand Siècle* (= le siècle de ,ouis XIV). *Les grandes puissances. Les grandes écoles (une grande cole). Le grand jour (c'est un grand jour)* [syn. IMPORTANT]. ‖ *Aener la grande vie*, mener une vie somptueuse. — **4.** Se dit de 'homme, du point de vue de sa qualité, de sa condition, de sa ituation, qui réalise cette qualité, cette condition, cette situation à n degré exceptionnel : *Un grand homme* (= un homme célèbre, ui a réalisé de grandes choses). *Un grand blessé* (syn. GRAVE). *Un rand seigneur, une grande dame* (= se disent des gens qui se onduisent comme tels). — **5.** Qui a le titre le plus haut : *Grand fficier de la Légion d'honneur.* ‖ Précédé de l'art. déf., se dit 'une dignité accordée à un seul homme : *Le grand prêtre.* — **6.** Se lit d'actions, d'œuvres, de qualités humaines qui sont particulièrenent remarquables : *Un grand cœur* (syn. GÉNÉREUX, MAGNAIME). *Un exploit de grande classe.* — **7.** (précédant un nom ropre) Qui dépasse tous les autres en mérite : *Le grand Molière. e Grand Condé.* ‖ (suivant le nom propre) Titre de gloire qui joue galement un rôle distinctif : *Louis le Grand. Pierre le Grand.* ◆ adv. **1.** *Grand ouvert*, tout à fait ouvert (*grand* est senti par ertains comme inv.) : *Les yeux grands ouverts* (moins souvent *rand ouverts*). *Les fenêtres grandes ouvertes* (ou *grand ouvertes*). — **2.** *Voir grand*, avoir de vastes ambitions; concevoir des projets grandioses. — LOC. ADV. *En grand*, sur une vaste échelle; loin de toute mesquinerie : *Faire quelque chose en grand. Voir les choses en grand.* ◆ n. m. **1.** *L'infiniment grand* (par oppos. à *l'infiniment petit*), l'univers à l'échelle de l'astronomie. — **2.** *Les Grands* ou *les grands*, les plus hauts personnages de la noblesse sous l'Ancien Régime. — **3.** *Grand d'Espagne*, titre réservé à la classe supérieure de la noblesse espagnole, et qui prit une valeur officielle à partir de Charles Quint. (Le titre n'a plus, de nos jours, qu'une signification honorifique.) ◆ **grand-chose** pron. indéf. *Ne ... pas grand-chose*, presque rien : *Cela ne vaut pas grand-chose* (= cela ne vaut pas cher). *Ce n'est pas grand-chose* (= c'est peu de chose). ◆ n. inv. Fam. *Un (une, des) pas grand-chose*, se dit d'une personne pour qui l'on éprouve du mépris. ◆ **grandement** adv. **1.** (modifiant un verbe) Vraiment, beaucoup : *Vous vous trompez grandement* (syn. DE BEAUCOUP). — **2.** (modifiant un adj. ou un adv.) Indique un degré atteint sans peine : *Vous en avez grandement assez comme ça* (syn. AMPLEMENT, LARGEMENT). ◆ **grandeur** n. f. **1.** Qualité d'une personne qui réunit en elle la puissance et la gloire : *La grandeur de Napoléon.* — **2.** Élévation morale, intellectuelle : *Grandeur d'âme* (syn. NOBLESSE). — **3.** (sans compl., ou avec un compl. nom abstrait) Puissance morale ou matérielle (selon le contexte) : *La grandeur d'une entreprise. La grandeur d'un sacrifice.* — **4.** (au plur.) *Péjor.* La gloire dans son aspect le plus pompeux, le plus vain : *Avoir la folie des grandeurs.* — **5.** Qualité d'un objet matériellement grand : *La grandeur d'une maison.* — **6.** *Ordre de grandeur*, dimension ou quantité approximative. — **7.** *Regarder qq'un du haut de sa grandeur*, le regarder de haut en bas, avec dédain, le toiser. — LOC. ADJ. *Grandeur nature*, qui représente quelque chose selon ses dimensions réelles. ◆ **grandiose** adj. Qui impressionne par sa grandeur physique ou morale : *Un spectacle grandiose* (syn. IMPOSANT; contr. MÉDIOCRE). ◆ **grandir** v. i. **1.** (sujet nom d'être animé ou de plante) Devenir plus grand : *Cet arbre a grandi* (syn. POUSSER). *Cet enfant a grandi* (syn. SE DÉVELOPPER). — **2.** (sujet nom désignant un phénomène physique ou moral) Devenir plus important : *Le bruit grandissait* (syn. AUGMENTER). *Le malaise (l'inquiétude) ne fait que grandir* (syn. S'ACCROÎTRE, CROÎTRE). — **3.** *Grandir en force, en beauté, en sagesse*, etc., devenir plus grand, plus beau, plus sage, etc. — **4.** *Sortir grandi de*, retirer un bénéfice moral de. ◆ v. t. **1.** (sujet nom de chose) Faire paraître plus grand : *Ces talons la grandissent.* — **2.** (sujet nom abstrait) Donner plus de prestige : *Le succès l'a grandi à ses propres yeux* (syn. ÉLEVER). ◆ ***se grandir*** v. pr. Se faire paraître plus grand qu'on n'est : *Se grandir en se haussant sur la pointe des pieds.* ◆ **grandissant, e** adj. Se dit d'un phénomène physique ou moral qui grandit sans cesse : *Un bruit grandissant. Une inquiétude grandissante* (syn. CROISSANT). ◆ **agrandir** v. t. *Agrandir qqch.*, le rendre plus grand (dans tous les sens de l'adj.) : *Agrandir un massif de fleurs* (contr. DIMINUER). *Agrandir la scène d'un théâtre par des décors en perspective* (= faire paraître plus grand). *Faire agrandir une photographie* (= lui donner un format plus grand que celui du négatif) [contr. RÉDUIRE]. ◆ ***s'agrandir*** v. pr. Devenir plus grand : *Un commerçant qui s'est agrandi* (= qui a développé son affaire, agrandi son magasin). ◆ **agrandissement** n. m. : *Les agrandissements successifs de l'Empire romain* (syn. ACCROISSEMENT; contr. AMOINDRISSEMENT). *Un agrandissement photographique.* ◆ **agrandisseur** n. m. Appareil utilisé pour tirer des épreuves photographiques agrandies d'un cliché.

GRAND BASSIN, région de l'ouest des États-Unis, entre la sierra Nevada à l'O. et les monts Wasatch à l'E. Nombreuses mines (cuivre, zinc, plomb, or, etc.).

GRANDCAMP-MAISY, comm. du Calvados, à 21 km au N.-E. de Carentan; 1 800 hab. Station balnéaire.

- *6 juin 1944. Les Américains débarquèrent un peu à l'E. (« Omaha Beach »).*

GRAND-CHOSE pron. indéf. et n. inv. ⟶ GRAND.

GRAND-COMBE (La), ch.-l. de cant. du Gard, à 14 km au N. d'Alès; 8 500 hab.

GRAND-COURONNE, ch.-l. de cant. de la Seine-Maritime, à 11,5 km au S. de Rouen; 9 500 hab. Engrais chimiques.

GRAND-COURONNÉ (le), plateaux boisés de Lorraine, dominant Nancy, sur la bordure de la forêt de Haye.

- *5-12 sept. 1914. Les Français réussissent à bloquer l'avance allemande et à sauver la ville de Nancy.*

GRAND-CROIX [grɑ̃krwa] n. f. inv. (de *grand*, et *croix*). Dignité la plus haute dans la plupart des ordres de chevalerie (Légion d'honneur). ◆ n. m. Personne qui en est revêtue. ‖ Pl. des *grands-croix.*

GRAND-DUC n. m., **GRAND-DUCHÉ** n. m. ⟶ DUC 1.

GRANDE *(rio)* ou **RÍO BRAVO,** fl. de l'Amérique du Nord, servant de frontière entre les États-Unis et le Mexique; 2 896 km.

GRANDE-BRETAGNE ET D'IRLANDE DU NORD

(Royaume-Uni de), État insulaire de l'Europe occidentale.

SUPERFICIE 229 900 km² (France : 550 000 km²).

POPULATION 57 300 000 hab. *(Britanniques)*; 250 hab. au km² (France : 103); accroissement annuel de population : aujourd'hui nul.

CAPITALE Londres (agglomération 7 379 000 hab.).

AGGLOMÉRATIONS ET VILLES PRINCIPALES Manchester (2 389 000 hab.); Birmingham (2 359 000 hab.); Leeds (1 736 000 hab.); Glasgow (1 642 000 hab.); Liverpool (1 226 000 hab.); Newcastle (788 000 hab.); Sheffield (519 700 hab.); Édimbourg (453 400 hab.).

DIVISIONS GÉOGRAPHIQUES

régions	*superficie*	*population*	*densité*
Angleterre	130 362 km²	46 425 300 hab.	356
pays de Galles	20 764 km²	2 749 300 hab.	132
Écosse	78 772 km²	5 227 700 hab.	67
Irlande du Nord	14 120 km²	1 531 000 hab.	108

LANGUE anglais.

ÉCONOMIE population active : secteur primaire 2,7 p. 100, secondaire 33,6 p. 100, tertiaire 63,7 p. 100; produit national brut par hab., 8 072 dollars (France 9 484); consommation d'énergie par hab., 3 700 kg d'équivalent charbon; 1 automobile pour 3 hab.

MONNAIE livre sterling.

GÉOGRAPHIE

■ **GÉOGRAPHIE PHYSIQUE.**

Le pays s'étend sur deux grands ensembles naturels. Le nord et l'ouest de l'île sont formés de massifs anciens peu élevés (1 343 m au Ben Nevis) car fortement érodés : les *Highlands* d'Écosse, la *chaîne Pennine*, le *pays de Galles* et la *Cornouailles*. Ces massifs aux sols pauvres sont coupés par des dépressions dues à des failles où s'est concentrée l'activité humaine *(Glen More, Lowlands, Midlands)*. Le Sud-Est correspond au *bassin de Londres*, bassin sédimentaire prolongeant le Bassin parisien, accidenté par des reliefs de côte *(Chiltern Hills, Cotswold Hills)*.

Le climat est de type océanique, doux et humide, avec une accentuation des pluies sur la façade ouest et un refroidissement vers le N.

	TEMPÉRATURES MOYENNES janv.	juil.	PLUIES
Londres	5 °C	18 °C	612 mm
Fort William (Écosse)	4 °C	14 °C	1 985 mm

■ **GÉOGRAPHIE HUMAINE ET ÉCONOMIQUE.**

La densité de *population* est l'une des plus fortes du monde. Aux XVIIIe et XIXe s., la Grande-Bretagne a connu un essor démographique très rapide, partiellement tempéré par une émigration massive aux États-Unis et dans les pays de l'actuel Commonwealth. Aujourd'hui, l'accroissement de population est nul. La répartition est très inégale : de vastes régions, comme l'Écosse, sont très peu peuplées. La Grande-Bretagne est le pays le plus urbanisé du monde : 85 p. 100 des habitants résident dans des villes et 6 conurbations dépassent le million.

L'*industrie* est très puissante et diversifiée. Le charbon est à l'origine de son développement. C'est son exploitation qui a permis, dès le milieu du XVIIIe s., la première révolution industrielle. Les principaux bassins sont le Yorkshire, le Northumberland-Durham, l'Écosse, le pays de Galles et les Midlands. Unique source d'énergie pendant longtemps, l'extraction du charbon recule. L'hydro-électricité est peu développée, mais l'apport d'origine nucléaire n'est plus négligeable. Surtout grâce à l'exploitation des gisements de la mer du Nord, la production du pétrole et du gaz naturel croît rapidement et donne désormais à la Grande-Bretagne une large autonomie énergétique tout en constituant une source de devises très appréciable sur le plan commercial.

Le rôle du charbon dans l'essor de l'industrie britannique explique sa localisation sur les bassins houillers. L'exploitation du fer des Midlands reste insuffisante et le pays doit en importer de grosses quantités. Cela a entraîné la création récente de centres sidérurgiques près des côtes, à l'arrivée des énormes minéraliers.

L'industrie textile, très ancienne, a subi une grave crise, notamment dans le secteur cotonnier, implanté autour de Manchester. La gamme des industries métallurgiques est variée; mais ces activités sont aujourd'hui pour la plupart en crise, particulièrement l'automobile et les constructions navales.

La chimie s'est développée rapidement sous l'impulsion de puissantes sociétés (Imperial Chemical Industries, I. C. I.).

Mais depuis la Seconde Guerre mondiale, la crise du charbon a affecté toutes les régions minières. Les Midlands, autour de Birmingham, ont su s'adapter. Mais les autres centres industriels (Glasgow, Newcastle, Cardiff, Liverpool, Manchester, Leeds...) voient leur activité décliner au profit de la région londonienne. Les activités nouvelles s'installent en effet autour de Londres, et le centre de gravité de l'Angleterre industrielle se déplace vers le S.-E. Pour éviter l'engorgement de la capitale, des villes nouvelles ont été créées dans un rayon de 50 km autour de Londres.

pétrole	126 millions de t
gaz naturel	40 milliards de m³
charbon	120 millions de t
électricité	282 milliards de kWh
acier	15 millions de t
automobiles	900 000 unités
laine (filés)	130 000 t
coton (filés)	90 000 t

L'*agriculture* représente un secteur mineur de l'économie. Les conditions naturelles sont peu favorables. Le blé et la betterave à sucre dans le Sud-Est et l'élevage (bovins et ovins) sont les principales productions. La *pêche* apporte un complément de ressources.

blé	12 millions de t	ovins	34 millions de têtes
betterave	9 millions de t	bovins	13 100 000 têtes

La production ne suffit pas aux besoins du pays et l'importation est nécessaire.

L'économie britannique a connu un profond déclin depuis 1945, malgré l'atout que représentent les hydrocarbures de la mer du Nord. Un certain redressement s'amorce toutefois aujourd'hui.

HISTOIRE

La Grande-Bretagne prend officiellement naissance en 1707 par l'acte d'Union des royaumes d'Angleterre et d'Écosse. (⟶ ÉCOSSE, GALLES [*pays de*], IRLANDE.)

- *1702-1714. Règne de la reine Anne, fille de Guillaume III. À sa mort, en vertu de l'acte d'Établissement de 1701, George Ier, Électeur de Hanovre, lui succède.*

Au XVIIIe s., l'expansion coloniale britannique se réalise au prix d'une âpre rivalité avec la France.

- *1763. Le traité de Paris, au terme de la guerre de Sept Ans, assure à la Grande-Bretagne la possession du Canada et de l'Inde et l'hégémonie maritime.*
- *1783. Après une guerre avec les colons américains, le traité de Versailles consacre l'indépendance des États-Unis.*

Après cette humiliation, toute l'œuvre du Premier ministre, le Second Pitt, est vouée à la reconstruction et à la réconciliation nationale, et dès 1793 il tourne toutes les forces du pays contre la France révolutionnaire et napoléonienne pour faire triompher son principe de l'équilibre européen.

- *1800. Pitt règle la question irlandaise en intégrant l'Irlande au Royaume-Uni (acte d'Union).*
- *1805. La victoire de Nelson à la bataille navale de Trafalgar donne aux Anglais la suprématie maritime et assure la sécurité de leur trafic avec l'Inde.*

Le Blocus continental déclenché par Napoléon gêne un moment le considérable essor industriel britannique et provoque une grave crise en 1810-1811, mais finalement échoue; au lendemain du congrès de Vienne et de la chute de Napoléon (1814-1815), la Grande-Bretagne apparaît comme la principale puissance mondiale.

Commencée dès le XVIIIe s., la révolution industrielle (charbon, machine à vapeur, métiers mécaniques, développement des moyens de communication) et l'essor du capitalisme donnent au Royaume-Uni une formidable avance sur tous les autres États. Mais dans les pays charbonniers (« pays noirs »), la classe ouvrière est vouée à un travail et à des conditions de vie inhumaines malgré l'existence de syndicats, les *trade-unions*.

Après une période d'étroit conservatisme jusqu'en 1822 (Wellington, Castlereagh), des réformes électorales (1832) qui augmentent l'influence des grandes villes industrielles, des réformes religieuses (émancipation des catholiques, 1829), l'abrogation de la loi contre les trade-unions (1825) et l'adoption du libre-échange introduisent le libéralisme dans tous les domaines.

- *1837-1901. Le règne de Victoria est caractérisé par une suprématie écrasante de l'économie et de la marine britanniques, tandis que les libéraux (Gladstone) et les conservateurs (Disraeli) alternent à la tête du gouvernement.*

L'impérialisme britannique met le Royaume-Uni à la tête d'immenses colonies où émigrent plusieurs millions de personnes. Certaines colonies reçoivent le statut de dominion (comme le Canada en 1867). La reine Victoria prend le titre d'« impératrice des Indes » en 1876. L'Égypte est occupée en 1882 et devient u

Grande-Bretagne
capitale
autre grande ville
limite de comté
0
150 km
WESTERN
ISLES
HIGHLAND
GRAMPIAN
ÉCOSSE
TAYSIDE
CENTRAL
LOTHIAN
Glasgow
Edimbourg
STRATHCLYDE
BORDERS
DUMFRIES
and
GALLOWAY
MER
DU
NORD
NORTHUMBERLAND
TYNE and
WEAR
Newcastle
upon Tyne
DERRY
ANTRIM
IRLANDE
DU NORD
TYRONE
Belfast
FERMANAGH
ARMAGH
DOWN
DURHAM
CLEVELAND
Teesside
CUMBRIA
ILE
DE MAN
ANGLETERRE
NORTH
YORKSHIRE
MER D'IRLANDE
LANCASHIRE
WEST
Leeds
YORKSHIRE
HUMBER-
SIDE
GRAND MANCHESTER
MERSEYSIDE
Manchester
SOUTH
YORKSHIRE
Liverpool
Sheffield
IRLANDE
PAYS
DE
GALLES
CHESHIRE
DERBY
LINCOLN
NOTTINGHAM
Nottingham
CLWYD
GWYNEDD
STAFFORD
NORFOLK
SHROPSHIRE
WEST
MIDLANDS
LEICESTER
Birmingham
CAMBRIDGE
POWYS
NORTHAMPTON
SUFFOLK
HEREFORD
and
WORCESTER
WARWICK
DYFED
BEDFORD
ESSEX
HERTFORD
GLOUCESTER
OXFORD
1
GWENT
GRAND
LONDRES
LONDRES
Cardiff
Bristol
AVON
WILT-
SHIRE
2
WEST GLAMORGAN
MID GLAMORGAN
SOUTH GLAMORGAN
SURREY
KENT
SOMERSET
HAMPSHIRE
Southampton
DEVON
DORSET
WEST
SUSSEX
EAST
SUSSEX
CORNWALL
I. de WIGHT
MANCHE
1. BUCKINGHAM 2. BERKSHIRE

protectorat en 1914. Les Britanniques visent la liaison Le Caire-Le Cap et se heurtent aux Français qui voudraient joindre le Tchad à Djibouti (1898, crise de Fachoda).

Au début du XXe s., l'accession au trône d'Édouard VII (1901-1910) permet un rapprochement avec la France.

- *1904. L'Entente cordiale (complétée par un compromis).*
- *1907. Un « compromis » avec la Russie aboutit à la « Triple-Entente » anglo-franco-russe à laquelle s'oppose bientôt la Triple-Alliance (Autriche-Hongrie, Allemagne, Italie).*

La fin de l' « ère victorienne » est marquée par un conflit constitutionnel, par une crise économique (fermeture des marchés américain, allemand et japonais) et par le rebondissement de la question d'Irlande : malgré les réformes qui essaient de mettre fin à leur effroyable situation économique et sociale, les Irlandais réclament l'autonomie *(Home Rule)*. Ils l'obtiendront en 1914.

- *1914. Le Royaume-Uni s'engage dans la Première Guerre mondiale.*

La période de l'entre-deux-guerres (1919-1939) est caractérisée par le déclin économique et le bouleversement social (le Royaume-Uni n'est plus la première puissance mondiale, la crise de 1929 l'ébranle et le chômage persiste bien après la reprise), la démocratisation totale du suffrage universel, le déclin du parti libéral et l'essor du parti travailliste.

- *1921. L'État libre d'Irlande, ou Eire, est constitué (capitale Dublin).*

Le Royaume-Uni comprend désormais la Grande-Bretagne (Angleterre, pays de Galles et Écosse) et l'Irlande du Nord, ou Ulster.

- *1931. L'Empire britannique devient une union librement consentie d'États autonomes égaux en droits : le Commonwealth.*
- *1936. George V meurt, son fils Édouard VIII ne règne que quelques mois et abdique. Son frère George VI lui succède (1936-1952).*
- *1939-1945. Pendant la Seconde Guerre mondiale, le Royaume-Uni résiste victorieusement, dirigé par Winston Churchill : la bataille d'Angleterre (bataille aérienne) est un échec pour les Allemands. Londres est cependant cruellement bombardé.*
- *1945. Churchill participe avec Staline et Roosevelt à la conférence de Yalta.*

Depuis 1945, le Royaume-Uni est membre fondateur de l'O. N. U. et adhère au pacte atlantique (O. T. A. N.). Il a cessé d'être une très grande puissance économique.

- *1952. Élisabeth II devient reine.*
- *1973. Le Royaume-Uni entre dans le Marché commun.*

La politique intérieure est dominée par l'alternance au pouvoir des travaillistes (Attlee de 1945 à 1951; Harold Wilson de 1964 à 1970, de 1974 à 1976; James Callaghan de 1976 à 1979) et des conservateurs (Churchill, Eden, Macmillan, Douglas, Home, Heath, Thatcher, Major). De 1979 à 1990, M. Thatcher développe une politique de libéralisme strict en rupture avec le passé. Quant à la politique extérieure, elle est caractérisée par la «stratégie des trois cercles» (recherche d'un équilibre entre les relations privilégiées avec le Commonwealth, une certaine dépendance vis-à-vis des États-Unis et le désir de s'intégrer à la Communauté économique européenne).

GRANDE-CHARTREUSE (la) → CHARTREUSE (*massif de la* **Grande-**).

GRANDE-DUCHESSE n. f. → DUC 1.

GRANDE-GRÈCE ou **GRÈCE D'OCCIDENT,** nom donné à l'Italie méridionale et à la Sicile, qui furent l'objet d'une colonisation grecque dès le VIIIe s. av. J.-C. Rome assura sa mainmise sur les cités grecques en prenant Tarente (272 av. J.-C.). Elle-même subit en retour l'influence hellénique. Les guerres puniques ruinèrent la plupart des cités de la Grande-Grèce.

GRANDE MADEMOISELLE (la) → MONTPENSIER (*duchesse* DE).

GRANDEMENT adv. → GRAND.

GRANDE-MOTTE (La), comm. de l'Hérault, sur la Méditerranée; 3 940 hab. Station balnéaire.

GRANDES-ROUSSES *(massif des),* partie des massifs centraux alpins entre l'Arc et la Romanche; 3 514 m.

GRANDE-TERRE, partie orientale de la Guadeloupe.

GRANDEUR n. f. → GRAND.

GRAND-GUIGNOL n. m., **GRAND-GUIGNOLESQUE** adj. → GUIGNOL.

GRANDILOQUENCE [grɑ̃dilɔkɑ̃s] n. f. (lat. *grandiloquus,* qui a un style pompeux). Utilisation abusive des grands mots, du style oratoire (syn. EMPHASE). ◆ **grandiloquent, e** adj. Qui s'exprime ou qui est exprimé avec grandiloquence : *Un discours grandiloquent* (syn. EMPHATIQUE, POMPEUX).

GRANDIOSE adj., **GRANDIR** v. i. et t., **GRANDISSANT, E** adj. → GRAND.

GRAND LAC SALÉ, en angl. **Great Salt Lake**, marécage salé de l'ouest des États-Unis; 4 690 km^2.

GRAND-LIEU *(lac de),* marais de la Loire-Atlantique, au S.-O. de Nantes.

GRAND-LIVRE [grɑ̃livr] n. m. (de *grand,* et *livre*). Registre dans lequel sont réunis tous les comptes ouverts dans la comptabilité d'une entreprise. ‖ Pl. des *grands-livres.*

Grand Meaulnes *(le),* roman d'Alain-Fournier (1913).

GRAND-MÈRE n. f. → GRAND-PÈRE.

GRAND-MESSE n. f. → MESSE.

GRAND-ONCLE n. m. → ONCLE.

GRAND-PARADIS *(massif du),* massif des Alpes italiennes; 4 061 m.

GRAND-PÈRE [grɑ̃pɛr], **GRAND-MÈRE** [grɑ̃mɛr] n. (de *grand,* et *père; grand* et *mère*). **1.** Père (ou mère) du père ou de la mère d'une personne : *Grands-pères maternel et paternel. Avoir ses deux grands-mères* (syn. AÏEUL[E]). — **2.** Vieillard quelconque. ◆ **grands-parents** n. m. pl. Le grand-père et la grand-mère, du côté paternel ou maternel, ou des deux côtés. (→ PARENTÉ.)

GRAND-QUEVILLY (Le), ch.-l. de cant. de la Seine-Maritime, dans la banlieue sud de Rouen, près de la Seine (r. g.); 31 800 hab.

GRAND RAPIDS, v. des États-Unis (Michigan); 177 300 hab. Minoteries. Fonderies.

GRAND-SAINT-BERNARD *(col du)* → SAINT-BERNARD (*col du* **Grand-**).

GRANDS LACS, nom des cinq grands lacs américains : Supérieur, Michigan, Huron, Érié, Ontario.

GRANDS-PARENTS n. m. pl. → GRAND-PÈRE.

GRAND-RUE n. f. → RUE.

GRAND-TANTE n. f. → TANTE.

GRANDVILLE (Jean Ignace Isidore GÉRARD, dit), dessinateur et caricaturiste français (1803-1847). D'une inspiration pleine de fantaisie, il représente les hommes comme des animaux ou des insectes, donne une forme humaine ou animale aux objets (*Fables de La Fontaine,* 1838; *Un autre monde,* 1844). Les surréalistes le comptent parmi leurs précurseurs.

GRAND-VOILE n. f. → VOILE 5.

GRANGE [grɑ̃ʒ] n. f. (du lat. *granum,* grain). Bâtiment rural, qui sert à abriter la paille, le foin, les récoltes. ◆ **engranger** v. t. Amasser dans une grange.

GRANGES, en all. **Grenchen**, comm. de Suisse (cant. de Soleure); 19 500 hab. Industrie horlogère.

GRANITE ou **GRANIT** [granit] n. m. (it. *granito,* à grains). Roche cristalline grenue, formée essentiellement de quartz, de feldspath et de mica. ◆ **granité, e** adj. Qui présente des grains comme le granite. ◆ **granitique** adj. De la nature du granite : *Sol granitique.*

— ENCYCL. Le *granite* est la roche plutonique la plus répandue à la surface du globe. Elle peut provenir soit de la cristallisation en profondeur d'un magma riche en silice, soit de la fusion partielle de roches sédimentaires portées à très grande profondeur. Dans les régions tempérées, le granite est une roche dure, qui résiste à l'érosion : les ballons des Vosges méridionales sont en granite. Dans les régions tropicales, il se désagrège facilement sous l'action des eaux d'infiltration. Il se transforme en sable, ou *arène,* facilement déblayé par l'érosion, et donne souvent des cuvettes dans la topographie. Les régions granitiques sont caractérisées par la fréquence des boules, noyaux de roche saine épargnés par la désagrégation qui se propage le long des fissures. Ces boules peuvent former des amas, ou chaos (*ex. :* les chaos de boules du Sidobre dans le sud du Massif central).

GRANIVORE adj. et n. → GRAINE.

GRAN SASSO D'ITALIA, point culminant de l'Apennin, dans le massif des Abruzzes (2 914 m au Corno Grande).

GRANT (Ulysses), général américain (1822-1885), chef des nordistes pendant la guerre de Sécession. Il vainquit les sudistes commandés par Lee et fut président des États-Unis de 1868 à 1876.

GRANULAT [granyla] n. m. (du lat. *granum,* grain). Ensemble des constituants inertes (sables, graviers, cailloux) des mortiers et bétons.

GRANULATION n. f., **GRANULE** ou **GRANULÉ** n. m., **GRANULÉ, E** adj., **GRANULEUX, EUSE** adj. ⟶ GRAIN 1.

GRANULITE [granylit] n. f. (du lat. *granum*, grain). **1.** Roche métamorphique constituée essentiellement de quartz et de feldspath et, accessoirement, de grenat et de pyroxène. — **2.** Granite à mica blanc ou à deux micas dont les cristaux de quartz sont bien formés.

GRANVELLE (Nicolas PERRENOT DE), ministre de Charles Quint (1486-1550). — ANTOINE, fils du précédent (1517-1586), cardinal, ministre de Charles Quint et de Philippe II. Il fut gouverneur des Pays-Bas.

GRANVILLE, ch.-l. de cant. de la Manche, à 26 km au N.-O. d'Avranches, sur la côte de la Manche; 15 200 hab. Station balnéaire.

GRAPE-FRUIT [grɛpfrut] n. m. inv. (de l'angl. *grape*, grappe, et *fruit*, fruit). Pamplemousse cultivé en Israël, en Floride et en Californie pour l'exportation (syn. POMELO).

GRAPHE [graf] n. m. (du gr. *graphein*, dessiner). Math. *Graphe d'une relation* binaire d'un ensemble E vers un ensemble F*, ensemble des couples (x, y) [x élément de E, y élément de F] vérifiant la relation (⟶ RELATION* BINAIRE) : *Le graphe est une partie du produit* cartésien* $E \times F$. ◆ **graphique** adj. *Représentation graphique d'une fonction* f *de* ℝ *dans* ℝ, ensemble des points du plan dont les coordonnées sont $(x, f(x))$ par rapport à un repère

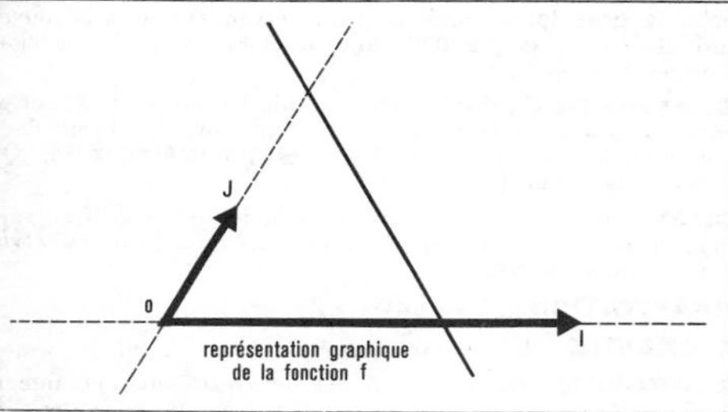

choisi dans le plan affine. (*Ex.* : représentation graphique de la fonction $f : \mathbb{R} \longrightarrow \mathbb{R}$
$x \longmapsto -3x + 2$.)

GRAPHIE n. f. ⟶ GRAPHIQUE 2.

1. GRAPHIQUE adj. ⟶ GRAPHE.

2. GRAPHIQUE [grafik] adj. (du gr. *graphein*, écrire). Qui représente par des signes ou des lignes : *L'écriture est la manière de transcrire les mots au moyen d'un système de signes graphiques, nommé « alphabet ». Les arts graphiques comportent l'ensemble des procédés d'impression utilisés à des fins artistiques, comme la gravure, la typographie et la photographie.* ◆ n. m. Courbe représentant les variations d'une grandeur. ◆ **graphie** n. f. Manière d'écrire un mot : *Écrire un nom propre sans fautes de graphie* (syn. usuel ORTHOGRAPHE). ◆ **graphisme** n. m. Manière de tracer un trait, de dessiner : *Le graphisme d'Albert Dürer.* ◆ **graphologie** n. f. Étude de l'écriture en fonction des indications qu'elle peut fournir sur la personnalité de son auteur. ◆ **graphologique** adj. : *Une expertise graphologique.* ◆ **graphologue** n. : *Soumettre une lettre à l'examen d'un graphologue.*

GRAPHITE [grafit] n. m. (du gr. *graphein*, écrire). Carbone naturel ou artificiel cristallisé, presque pur, gris-noir, tendre et friable (syn. PLOMBAGINE). [Le graphite est employé à la confection de creusets, d'électrodes, de balais de dynamos. Il figure dans les mines de crayon et dans certains lubrifiants. Il sert enfin de modérateur dans les réacteurs nucléaires.]

GRAPHOLOGIE n. f., **GRAPHOLOGIQUE** adj., **GRAPHOLOGUE** n. ⟶ GRAPHIQUE 2.

GRAPPE [grap] n. f. (germ. *krappa*, crochet). **1.** Groupe de fleurs ou de fruits poussant sur une tige commune : *Une grappe de raisins.* (Une grappe est une inflorescence dans laquelle les fleurs sont fixées par un pédoncule le long d'un axe principal, comme chez le groseillier, la vigne, le lilas.) — **2.** Assemblage d'objets imitant cette forme : *Les fourmis déposent leurs œufs en grappes.* — **3.** Groupe serré d'êtres animés : *Des grappes humaines.*

GRAPPILLER [grapije] v. t. ou i. (de *grappe*). **1.** *Grappiller qqch.*, recueillir de côté et d'autre des restes épars : *Grappiller des cerises. Grappiller des nouvelles* (syn. GLANER). — **2.** *Fam.* et *péjor.* Faire de menus gains : *Grappiller quelques sous.* ◆ **grappillage** n. m. ◆ **grappilleur, euse** adj. et n.

GRAPPIN [grapɛ̃] n. m. (de *grappe*). **1.** *Mar.* Petite ancre à plusieurs pattes recourbées. — **2.** *Mar.* Crochet d'abordage. — **3.** Accessoire d'appareil de levage (grue, etc.) permettant de saisir des objets ou des matériaux. — **4.** Fam. *Mettre le grappin sur qq'un, sur qqch.*, l'accaparer, s'en emparer.

1. GRAS, GRASSE [grɑ, grɑs] adj. (du lat. *crassus*, épais). **1.** Se dit de ce qui est formé de graisse ou de ce qui en contient : *Des matières grasses. Un bouillon gras* (contr. MAIGRE). ‖ *Corps gras* (ou *lipides*), substances d'origine organique, animale ou végétale, comprenant les huiles, beurres, graisses. (Les corps gras sont onctueux au toucher et insolubles dans l'eau. Dans la digestion, après émulsion par la bile, ils sont transformés en acides gras et en glycérine, matières assimilables au niveau de l'intestin grêle.) — **2.** Se dit d'un être animé qui a beaucoup de graisse : *Il est très gras* (syn. ↑OBÈSE). *Il a le visage gras* (syn. BOUFFI). — **3.** Se dit de ce qui est sali par de la graisse, enduit de graisse : *Jeter des papiers gras.* ◆ n. m. Partie grasse d'une viande (contr. MAIGRE). ◆ adv. *Faire gras*, manger de la viande (par oppos. à *faire maigre*, manger des poissons, des légumes, etc.). ◆ **grassouillet, ette** adj. *Fam.* Légèrement gras (syn. DODU, POTELÉ).

2. GRAS, GRASSE [grɑ, grɑs] adj. (même étym.). **1.** Se dit de ce qui est fait, enduit d'une substance épaisse et glissante au toucher : *Une boue grasse.* ‖ *Terre grasse*, terre argileuse, compacte et fertile. — **2.** Se dit de ce qui présente un aspect épais à la vue : *Un crayon gras* (= à la mine grasse). *Des plantes grasses* (= à feuilles épaisses et charnues) [syn. CACTÉES]. — **3.** Se dit de ce qui produit un son pâteux : *Une toux grasse* (= accompagnée d'expectorations abondantes) [contr. SEC]. — **4.** *Paroles grasses*, grossières et licencieuses (syn. GRAVELEUX, OBSCÈNE). — **5.** (avant le nom) Se dit de ce qui est abondant, copieux, fertile : *De gras pâturages. Distribuer de grasses récompenses.* — **6.** Fam. *Faire la grasse matinée*, se lever tard le matin.

GRAS-DOUBLE [grɑdubl] n. m. *(gras*, et *double)*. Membrane comestible de l'estomac du bœuf. ‖ Pl. des *gras-doubles*.

GRASS (Günter), écrivain allemand, né en 1927. Ses romans (*le Tambour*, 1959; *le Turbot*, 1977; *la Ratte*, 1986) et ses pièces de théâtre mêlent le fantastique et le réel dans la peinture satirique du monde contemporain.

GRASSE, ch.-l. d'arrond. des Alpes-Maritimes, à 17 km au N.-O. de Cannes; 38 400 hab. Station climatique. Cultures florales.

GRASSEMENT [grɑsmɑ̃] adv. (de *gras*). **1.** Péjor. *Vivre grassement*, dans le confort et le luxe (contr. CHICHEMENT). — **2.** *Payer grassement*, largement, avec excès.

GRASSEYER [graseje] v. i. (de [*parler*] *gras*). [Conj. **4**; l'*y* se conserve dans toute la conjugaison.] Prononcer les *r* du fond de la gorge, sans l'action de la langue (opposé à ROULER). ◆ **grasseyant, e** adj. : *Une voix grasseyante.* ◆ **grasseyement** n. m.

GRASSOUILLET, ETTE adj. ⟶ GRAS 1.

GRATIFIER [gratifje] v. t. (lat. *gratificari*, se rendre agréable). **1.** *Gratifier qq'un de qqch.*, lui accorder une faveur, une récompense : *Il a gratifié le garçon d'un bon pourboire* (syn. ACCORDER, ALLOUER). *Gratifier ses voisins d'un sourire* (contr. PRIVER). — **2.** *Ironiq.* Donner en rétribution quelque chose de désagréable : *Être gratifié d'une amende.* ◆ **gratification** n. f. Somme d'argent accordée à quelqu'un en plus d'une rémunération (syn. PRIME).

1. GRATIN [gratɛ̃] n. m. (de *gratter*). Plat saupoudré de chapelure et de fromage râpé, et passé au four : *Du chou-fleur au gratin. Un gratin au fromage.* ◆ **gratiné, e** adj. Cuit au gratin. ◆ **gratinée** n. f. Soupe à l'oignon dans laquelle on a mis des croûtons de pain saupoudrés de fromage râpé et que l'on fait gratiner au four.

2. GRATIN [gratɛ̃] n. m. (de *gratin* 1). *Fam.* La partie la plus distinguée d'une société : *Le gratin de la ville* (syn. ÉLITE).

GRATIS [gratis] adv. (mot lat.). *Fam.* Sans qu'il en coûte rien (syn. GRATUITEMENT).

GRATITUDE [gratityd] n. f. (du lat. *gratus*, reconnaissant). Sentiment d'affection et de reconnaissance que l'on ressent envers un bienfaiteur : *Témoigner sa gratitude* (syn. RECONNAISSANCE).

GRATTAGE n. m. ⟶ GRATTER 1.

GRATTE n. f. ⟶ GRATTER 2.

GRATTE-CIEL [gratsjɛl] n. m. inv. (traduction de l'angl. *skyscraper*). Immeuble ayant un très grand nombre d'étages (syn. TOUR).

GRATTEMENT n. m. ⟶ GRATTER 1.

GRATTE-PAPIER [gratpapje] n. m. inv. (de *gratter*, et *papier*). *Fam.* et *péjor.* Petit employé de bureau.

1. GRATTER [grate] v. t. (frq. *krattôn*). **1.** *Gratter qqch.*, en frotter la surface de manière à l'entamer légèrement, pour la nettoyer, la polir, etc. : *Gratter un plancher avec de la paille de fer* (syn. RACLER). — **2.** *Gratter une étiquette, une inscription, une croûte*, etc., les faire disparaître en frottant, en raclant : *Un mot a été gratté dans le texte* (syn. EFFACER). — **3.** Irriter : *Mon col de chemise me gratte.* ◆ v. i. *Gratter à la porte*, frapper discrètement à une porte pour avertir de sa présence. ‖ Fam. *Gratter du violon, de la guitare*, etc., en jouer mal. ◆ ***se gratter*** v. pr. Se frotter la peau avec les ongles, pour faire cesser une démangeaison. ◆ **grattage** n. m. : *Le grattage des vieilles affiches sur un mur.* ◆ **grattement** n. m. Bruit fait en grattant. ◆ **grattoir** n. m. Canif à large lame pour gratter le papier et en faire disparaître l'écriture ou les taches.

2. GRATTER [grate] v. t. et i. (même étym.). *Fam.* Faire un petit bénéfice : *Il gratte quelques billets sur chaque commande.* ◆ **gratte** n. f. *Fam.* Petit profit illégitime.

GRATTOIR n. m. ⟶ GRATTER 1.

GRATUIT, E [gratɥi, -ɥit] adj. (lat. *gratuitus*). **1.** Se dit d'une chose qu'on donne sans faire payer ou qu'on reçoit sans payer : *Entrée gratuite* (syn. LIBRE; contr. PAYANT). ‖ *À titre gratuit*, sans avoir rien à payer (syn. GRATUITEMENT; contr. À TITRE ONÉREUX). — **2.** Se dit d'une opinion ou d'une action sans fondement, sans justification : *Une affirmation gratuite* (syn. ARBITRAIRE). ‖ *Acte gratuit*, qui n'a aucun motif rationnel. ◆ **gratuitement** adv. : *Les prospectus sont distribués gratuitement* (syn. GRACIEUSEMENT, GRATIS). *Vous affirmez cela gratuitement.* ◆ **gratuité** n. f. : *La gratuité de l'enseignement. La gratuité d'une hypothèse.*

GRAU [gro] n. m. (du lat. *gradus*, degré). Chenal faisant communiquer un étang côtier avec la mer, ou estuaire d'un fleuve côtier dans le Languedoc.

GRAU-DU-ROI, comm. du Gard, à 6 km au S.-O. d'Aigues-Mortes, sur la Méditerranée; 4100 hab. Station balnéaire.

GRAULHET, ch.-l. de cant. du Tarn, à 26 km au S.-O. d'Albi; 13600 hab. *(Graulhetois).* Mégisserie.

GRAVATS [grava] n. m. pl. (de *grève* 1). Débris de plâtre, de pierres, etc., provenant d'une démolition (syn. PLÂTRAS).

1. GRAVE [grav] adj. (lat. *gravis*). **1.** Se dit d'une personne (ou de son comportement) qui manifeste un très grand sérieux : *Un air grave* (syn. COMPASSÉ, SOLENNEL). — **2.** Se dit de ce qui est d'une très grande importance : *S'absenter pour une raison grave* (syn. SÉRIEUX). *Un grave avertissement* (syn. SOLENNEL). *Les nouvelles sont graves* (syn. ALARMANT, INQUIÉTANT). — **3.** Se dit de ce qui peut avoir des conséquences sérieuses, tragiques, de ce qui peut être jugé sévèrement : *La situation est grave* (syn. CRITIQUE). *Une maladie grave* (contr. BÉNIN). ◆ **gravement** adv. : *Marcher gravement* (syn. DIGNEMENT). *J'ai été gravement malade* (syn. SÉRIEUSEMENT), *blessé* (syn. GRIÈVEMENT). ◆ **gravité** n. f. : *Perdre sa gravité* (syn. SÉRIEUX). *La gravité de la situation* (syn. DANGER). *Une blessure sans gravité* (= bénigne). ◆ **aggraver** [agrave] v. t. *Aggraver qqch.*, le rendre plus difficile à supporter, plus grave : *Vos excuses ne serviraient qu'à aggraver sa colère* (syn. ACCROÎTRE, RENFORCER). ◆ ***s'aggraver*** v. pr. Devenir plus grave : *L'état du malade s'est aggravé* (syn. EMPIRER). ◆ **aggravant, e** adj. : *Sa conduite antérieure a constitué une circonstance aggravante.* ◆ **aggravation** n. f. : *L'aggravation du conflit entre les deux nations* (syn. EXASPÉRATION). *On peut prévoir une aggravation du chômage* (syn. RECRUDESCENCE).

2. GRAVE [grav] adj. (même étym.). Se dit d'un son qui occupe le bas de l'échelle musicale par sa faible fréquence : *Une note grave* (contr. AIGU). *Une voix chaude et grave* (syn. BAS). ◆ n. m. Son bas dans l'échelle musicale.

3. GRAVE [grav] adj. (même étym.). *Accent grave* ⟶ ACCENT 1, *encycl.*

GRAVE (La), ch.-l. de cant. des Hautes-Alpes, à 28 km à l'E. de Bourg-d'Oisans; 453 hab. *(Graverots).* Station de sports d'hiver.

GRAVE *(pointe de)*, petit cap de la côte de l'Atlantique, à l'embouchure de la Gironde.

GRAVELEUX, EUSE [gravlø, -øz] adj. (de *gravelle*, gravier). **1.** Mêlé de gravier : *Terre graveleuse.* — **2.** *Fruits graveleux*, fruits dont la chair contient de petits corps durs. — **3.** Très libre, licencieux : *Des propos graveleux* (syn. CRU, ÉGRILLARD, GRIVOIS).

GRAVELINES, ch.-l. de cant. du Nord, à 19 km à l'O. de Dunkerque; 9100 hab. *(Gravelinois).* Centrale nucléaire.

• *1558. Victoire des Espagnols sur les Français.*

GRAVELOTTE, comm. de la Moselle, à 14 km à l'O. de Metz-Campagne; 507 hab.

• *16-18 août 1870. Bataille franco-allemande.*

GRAVEMENT adv. ⟶ GRAVE 1.

1. GRAVER [grave] v. t. (frq. *graban*, creuser). **1.** Tracer e creux une figure, des caractères sur le bois avec une gouge ou u canif, sur le marbre ou la pierre avec un ciseau : *Graver son nor sur un arbre.* — **2.** Tracer sur une planche de métal ou de boi avec un burin ou une pointe une œuvre (tableau, dessin, etc.), pou la reproduire en un certain nombre d'exemplaires par l'impres sion : *Graver un portrait.* ‖ *Faire graver des cartes de visite, de faire-part*, etc., les faire imprimer au moyen d'une plaque gravée — **3.** *Graver un disque*, enregistrer la musique, les paroles qu'il es destiné à pouvoir reproduire. ◆ **gravure** n. f. **1.** Art de graver : *L gravure sur bois, sur cuivre, à l'eau-forte.* — **2.** Reproduction d l'ouvrage du graveur : *Une gravure de Dürer.* — **3.** Toute reproduc tion d'un dessin, d'un tableau : *Mettre des gravures au mur* — **4.** Reproduction, enregistrement d'un disque. ◆ **graveur** n. m Artiste, ouvrier qui fait des gravures.

2. GRAVER [grave] v. t. (de *graver* 1). *Graver un souvenir, u nom*, etc., *dans sa mémoire, dans son esprit*, etc., les y enregistre durablement (syn. FIXER). ◆ ***être gravé*** v. passif ou ***se grave*** v. pr. Laisser une trace visible (sur un visage) [littér.] : *Les souc sont gravés sur son front* (syn. IMPRIMER).

GRAVES (les), région du Bordelais (Gironde), formée de te rasses caillouteuses sur la rive gauche de la Garonne. Vignoble

GRAVEUR n. m. ⟶ GRAVER 1.

GRAVIER [gravje] n. m. (de *grève* 1). **1.** Très petit caillo — **2.** Gros sable mêlé de très petits cailloux : *Le gravier d'un allée.* ◆ **gravillon** n. m. Gravier fin, servant surtout à la couve ture des routes. ◆ **gravillonnage** n. m. Épandage de gravillon sur une chaussée.

GRAVIMÉTRIE [gravimetri] n. f. (du lat. *gravis*, lourd, et g *metron*, mesure). Science qui étudie l'intensité du champ de pesanteur à la surface de la Terre. ◆ **gravimétrique** adj. Q concerne la gravimétrie.

GRAVIR [gravir] v. t. (frq. *krawjan*, s'aider de ses griffes) [suj nom de personne]. Monter avec effort : *Gravir péniblement le étages* (syn. GRIMPER).

GRAVITATION n. f. ⟶ GRAVITÉ 2.

1. GRAVITÉ n. f. ⟶ GRAVE 1.

2. GRAVITÉ [gravite] n. f. (lat. *gravitas, -atis*, pesanteur **1.** *Phys.* Attraction de la Terre qui s'exerce sur un corps : *I liquide descend dans le tube par gravité* (syn. PESANTEUR — **2.** *Centre de gravité*, point d'application de la résultante de actions de la pesanteur sur toutes les parties d'un corps. ◆ **grav ter** v. i. **1.** *Phys.* Tendre vers un point central, en vertu de gravitation. — **2.** (sujet nom désignant un astre) Tourner sur sc orbite autour d'un centre d'attraction : *La Terre gravite autour d Soleil.* — **3.** (sujet nom de personne) Évoluer autour des homme au pouvoir, afin d'en recueillir des bénéfices : *Les courtisans g gravitaient autour du roi.* ◆ **gravitation** n. f. *Phys.* Force en ver de laquelle tous les corps matériels s'attirent en raison directe c leur masse et en raison inverse du carré de leur distance : *L planètes tournent autour du Soleil sous l'effet de la gravitation.*

GRAVURE n. f. ⟶ GRAVER 1.

GRAY, ch.-l. de cant. de la Haute-Saône, sur la Saône, à 45 k au N.-O. de Besançon; 8300 hab. Électronique. Textiles (coton)

GRAZ, v. d'Autriche, capit. de la Styrie, sur la Mur; 248500 ha Centre industriel (métallurgie, produits chimiques, etc.).

GRÉ [gre] n. m. (lat. *gratum*, ce qui est agréable). **1.** *Au gré qq'un*, selon son goût : *Avez-vous trouvé la chambre à votre gr* (syn. CONVENANCE); selon sa volonté (avec un verbe d'action) : *en fait à son gré* (syn. À SA GUISE); selon ce qu'il estime préf rable : *Ce roman est trop long à mon gré* (syn. À MON AVIS). ‖ *À t gré, à votre gré* (dans un dialogue), comme tu voudras, comme vo voudrez : *« Je pars maintenant. — À ton (votre) gré »* (syn. À T [VOTRE] GUISE). — **2.** *Au gré de qqch.*, selon, en se laissant aller à *Vagabonder au gré de son imagination.* ‖ *Contre le gré de qq'u* contre sa volonté : *Il a obéi contre son gré* (= malgré lui, à contr cœur). ‖ *De bon gré, de son plein gré*, en acceptant volontie (littér.) [syn. DE BONNE GRÂCE]. ‖ *De gré ou de force*, même s'il fa recourir à la contrainte (syn. PAR TOUS LES MOYENS). ‖ *Bon gré m gré*, qu'on le veuille ou non, qu'on l'ait souhaité ou qu'on accep en maugréant. — **3.** *Savoir gré à qq'un de qqch.*, être reconnaissa à quelqu'un de quelque chose (littér.) : *Je vous sais gré de ce attention.* ‖ *Savoir mauvais gré (peu de gré) à qq'un de*, êt mécontent de ce que quelqu'un a dit ou fait (littér.).

GREATER WOLLONGONG ⟶ WOLLONGONG.

GRÉBAN (Arnoul), poète dramatique français (v. 1420-1471). est l'auteur d'un *Mystère* de la Passion* (v. 1450), qui constitue chef-d'œuvre du théâtre du XVe s.

IMPRIMERIE	APPELLATION (grec ancien)	IMPRIMERIE	APPELLATION (grec ancien)
Α α	*a* alpha	Ν ν	*n* nu
Β β	*b* bêta	Ξ ξ	*ks* ksi
Γ γ	*g* gamma	Ο ο	*o* omicron
Δ δ	*d* delta	Π π	*p* pi
Ε ϵ	*e* epsilon	Ρ ρ	*r* rô
Ζ ζ	*dz* dzéta	Σ σ, ς	*s* sigma
Η η	*e* êta	Τ τ	*t* tau
Θ θ	*t* aspiré : thêta	Υ υ	*u* upsilon
Ι ι	*i* iota	Φ φ	*p* aspiré : phi
Κ κ	*k* kappa	Χ χ	*k* aspiré : khi
Λ λ	*l* lambda	Ψ ψ	*ps* psi
Μ μ	*m* mu	Ω ω	*o* oméga

GRÈBE [grɛb] n. m. (mot savoyard). Oiseau aquatique palmipède, mesurant de 25 à 50 cm de long, excellent plongeur, mangeur de poissons. (Il bâtit un nid flottant parmi les roseaux.)

GREC, GRECQUE [grɛk] adj. et n. (lat. *graecus*). **1.** Propre à la Grèce, à son peuple ou à sa civilisation : *Le peuple grec* (syn. HELLÈNE). ‖ *Alphabet grec* → tableau. — **2.** *Église grecque*, Église orthodoxe d'Orient. — **3.** *Nez grec*, nez droit, formant une ligne continue avec celle du front. — **4.** *Croix grecque*, à quatre branches égales. ◆ n. (avec une majusc.). Habitant de la Grèce. ◆ n. m. Langue parlée en Grèce et appartenant à la famille des langues indo-européennes. (Constitué en langue commune à l'époque hellénistique [IIIe s. av. J.-C.], le grec devint la langue du monde chrétien d'Orient [*grec byzantin*], avant d'être la langue de la Grèce moderne sous les deux formes : parlée [*démotique*] et savante.) ◆ **grécité** n. f. Caractère de ce qui est grec. ◆ **gréco-latin, e** adj. Qui tient à la fois du grec et du latin : *La culture gréco-latine.* ◆ **gréco-romain, e** adj. **1.** Qui concerne l'art, la civilisation à la fois des Grecs et des Romains. ‖ *Période gréco-romaine*, période située entre 146 av. J.-C. et les invasions du Ve s. — **2.** *Lutte gréco-romaine*, variété de lutte n'admettant les prises qu'au-dessus de la ceinture.

GRÈCE, en gr. moderne **Ellás** ou **Hellas,** État de l'Europe méditerranéenne, à l'extrémité sud de la péninsule des Balkans.

GÉOGRAPHIE

Pays montagneux au relief compartimenté, la Grèce s'étend sur trois ensembles : la partie continentale (mont Olympe, 2 911 m), la partie péninsulaire (Péloponnèse) et les îles (îles Ioniennes, Cyclades, Sporades et Crète). Le climat, typiquement méditerranéen sur les côtes, a des hivers rudes dans les montagnes. Des forêts de chênes verts, la garrigue ou le maquis sont la végétation caractéristique.

	TEMPÉRATURES MOYENNES janv.	juil.	PLUIES
Athènes	9,1 °C	26,9 °C	396 mm

L'*agriculture* repose sur le blé, la vigne et l'olivier, associés à l'élevage ovin. Mais les montagnes ont tendance à se dépeupler au profit des plaines (Thessalie, Thrace, Macédoine, Attique), où l'irrigation a permis le développement de cultures nouvelles : coton, tabac, riz, agrumes. La production, en raison de la pauvreté des sols, reste insuffisante pour subvenir aux besoins de la population.

blé	2 500 000 t	tabac	140 000 t
vin	5 millions d'hl	riz	80 000 t
olives	1 400 000 t	ovins	8 millions de têtes
coton	150 000 t		

Grèce

L'EXPANSION GRECQUE
du VIIIe au VIe s. av. J.-C.
Colonies achéennes
Colonies doriennes
Colonies ioniennes
Comptoirs
Milet Cités mères
1 Samos
2 Andros
3 Érétrie
4 Mégare
C E L T E S
S C Y T H E S
I B È R E S
NUMIDES
ÉTRUSQUES
PONT-EUXIN
MER MÉDITERRANÉE
PHÉNICIE
ÉGYPTE
Tanaïs
Olbia
Chersonêsos
Trapézonte
Byzance
Chalcédoine
Agathê
Nikaia
Massalia
Alalia
Naples
Cumes
Tarente
Corcyre
Syracuse
Héméroscopion
Tartessos
Mainake
Chalcis
Corinthe
Sparte
Phocée
Clazomènes
Teôs
Milet
Paros
Thêra
Rhodes
Side
Soloi
Cyrène
Naukratis
500 km
LA GRÈCE AU Ve s. AV. J.-C.
THRACE
MACÉDOINE
ÉPIRE
THESSALIE
ÉTOLIE
ACHAÏE
PÉLOPONNÈSE
MER ÉGÉE
EMPIRE PERSE
IONIE
Byzance
Périnthe
Astakos
Kios
Cyzique
Abydos
Sigée
Maronéia
Amphipolis
THASOS
Samothrace
IMBROS
LEMNOS
Hellespont
Pella
Méthone
Pydna
Potidée
Akanthos
Mendê
Apollonie
Dodone
CORCYRE
Larissa
Phères
Pharsale
Ambracie
Anactorion
Thermopyles
LEUCADE
Histiée
EUBÉE
Skyros
LESBOS
Mytilène
Pergame
Magnésie du Sipyle
Sardes
Delphes
Chéronée
Chalcis
Érétrie
Thèbes
Oropos
Ithaque
CÉPHALONIE
Élis
Marathon
ATHÈNES
Karystos
CHIO
Colophon
Éphèse
Magnésie
SAMOS
ZAKYNTHOS
Corinthe
Salamine
Égine
Andros
Tenos
Olympie
Argos
Épidaure
Tégée
Trézène
Mykonos
Délos
Milet
Halicarnasse
Messène
Pylos
Méthone
SPARTE
Paros
Naxos
COS
Cnide
Milo
Thêra
RHODES
Cythère
KARPATHOS
Cydonia
Itanos
CRÈTE
Gortyne
0 100 200 km
ATHÈNES
L'"empire" athénien au Ve s. av. J.-C. avant la guerre du Péloponnèse
Colonies (clérouchies)
SPARTE
Sparte
Ligue du Péloponnèse
Cités de la Ligue
AIGALEÔS
Céphise
ATHÈNES
Acropole
Long Mur du N.
Long Mur du S.
Port du Pirée
Le Pirée
P. de Mounychia
Port de Zéa
Phalère
0 3 km
Athènes et Le Pirée

SUPERFICIE 132 000 km^2 (France : 550 000 km^2).

POPULATION 10 100 000 hab. *(Grecs* ou *Hellènes);* 77 hab. au km^2 (France : 103); taux de natalité, 16 p. 1 000; taux de mortalité, 8,3 p. 1 000.

CAPITALE Athènes (886 000 hab., agglomération 3 027 000 hab.).

VILLES PRINCIPALES Thessalonique (345 800 hab.); Patras (111 200 hab.).

LANGUE grec.

ÉCONOMIE population active : secteur primaire 30 p. 100, secondaire 28,6 p. 100, tertiaire 41,4 p. 100; produit national brut par hab., 3 534 dollars (France : 9 484); consommation d'énergie par hab., 2 000 kg d'équivalent charbon; 1 automobile pour 9 hab.

MONNAIE drachme.

L'*industrie* repose surtout sur les activités extractives : lignite, bauxite. Mais elle souffre du manque de sources d'énergie, malgré l'effort de développement de l'hydro-électricité. Quelques industries de transformation sont localisées à Thessalonique, et surtout à Athènes et au Pirée qui forment une agglomération groupant le quart de la population du pays.

lignite 33 millions de t électricité 23 milliards de kWh
bauxite 2,4 millions de t

La Grèce doit importer des produits alimentaires et des produits industriels, aussi sa balance commerciale est-elle en déficit. Mais les revenus appréciables sont apportés par la flotte marchande (35 millions de tjb) et surtout par le tourisme, les sites attirant chaque année plus de 4 millions d'étrangers. Cependant le niveau de vie du pays reste l'un des plus bas d'Europe.

HISTOIRE

I. La Grèce antique

■ LA PÉRIODE ACHÉENNE OU MYCÉNIENNE (XVe-XIIe S. AV. J.-C.).

Les Grecs (ou Hellènes), peuple indo-européen venu du nord par invasions successives, s'installent dans le pays au IIe millénaire. Vers 1450-1400 av. J.-C., ils dominent les populations primitives de la Grèce (Crétois et Égéens) et s'imprègnent de leur civilisation : ainsi naît la civilisation mycénienne développée par ces premiers Grecs (appelés aussi *Achéens*) au contact de la civilisation minoenne crétoise (⟶ CRÈTE), autour des villes qu'ils ont fondées (Mycènes, Argos, Tirynthe...). Groupés par familles, elles-mêmes groupées en tribus, ils établissent en Grèce une forme d'organisation sociale, le « clan » (ou *genos*).

■ LE MOYEN ÂGE HELLÉNIQUE (XIIe-VIIIe S. AV. J.-C.).

Au XIIe s., de nouveaux envahisseurs, les Doriens, détruisent les cités achéennes et chassent les anciens occupants de Grèce continentale; ceux-ci fondent de nouvelles cités sur les côtes de l'Asie Mineure. L'invasion dorienne marque le début d'une période obscure, qui est surtout connue par les poèmes homériques.

Avec les Doriens apparaissent l'utilisation du fer et la pratique de l'incinération des morts. Le *genos* commence à se désagréger et la Grèce se morcelle en cités *(poleis)*. Cette période voit aussi l'élaboration d'une religion commune et la naissance de l'écriture.

■ LA PÉRIODE ARCHAÏQUE (VIIIe-Ve S. AV. J.-C.).

Les institutions de la cité sont précisées, et l'activité intellectuelle et artistique prend son essor. L'aristocratie se substitue à la royauté à la tête de la cité.

À cette époque commence un vaste mouvement d'expansion et de colonisation. Des cités grecques sont fondées sur le pourtour de la Méditerranée et des mers voisines, du Pont-Euxin (= mer Noire) à l'Espagne.

Ce mouvement entraîne l'essor économique de la Grèce et des transformations sociales qui menacent le régime oligarchique (= dirigé par quelques personnes) de l'aristocratie. Ces crises favorisent l'installation de monarques absolus, les tyrans, ou suscitent l'œuvre de législateurs comme Dracon, Solon (à Athènes), aux dépens de la noblesse. Dans certains cas, elles entraînent l'évolution de la cité vers la démocratie (Athènes, réformes de Clisthène, 508-507).

■ LA PÉRIODE CLASSIQUE (V^e-IVe S. AV. J.-C.).

La Grèce ne forme jamais un grand État unifié, mais est constituée de centaines de cités; trois d'entre elles dominent la vie grecque : Athènes*, Sparte* et Thèbes*.

Ces cités rivales sont momentanément unies contre les Perses pendant les guerres médiques.

● *499. Les cités grecques d'Asie Mineure se révoltent contre les Perses.*

Les Grecs du continent viennent à leur secours et sont victorieux à Marathon (490), Salamine (480), Platées (479).

● *478-477. Athènes crée la confédération de Délos*, qui groupe autour d'elle les cités d'Asie Mineure.*

La Confédération se transforme rapidement en un « empire » dominé par Athènes, qui cherche à étendre son pouvoir politique sur toute la Grèce. Mais elle rencontre l'opposition de la ligue du Péloponnèse, dirigée par Sparte.

● *443-429. Périclès* fait d'Athènes un État puissant, qui devient le type de la cité démocratique antique.*

La civilisation grecque est alors à son apogée. Mais, malgré le rayonnement d'Athènes, l'union religieuse, spirituelle et économique de la Grèce est impossible.

● *431-404. La guerre du Péloponnèse oppose la Confédération athénienne à la confédération de Sparte (= ligue du Péloponnèse).*

Elle aboutit à la ruine d'Athènes. Sparte victorieuse établit son hégémonie sur la Grèce, jusqu'en 371.

● *371. La bataille de Leuctres met fin à la prépondérance de Sparte, vaincue par les Thébains.*

Thèbes à son tour essaie alors de dominer la Grèce.

● *362. Victorieuse à Mantinée, Thèbes doit cependant renoncer à ses prétentions sur le Péloponnèse.*

Toutes ces intrigues affaiblissent les cités qui, au IVe s., connaissent une crise grave, caractérisée par l'indifférence des citoyens devant la vie politique et la multiplication des conflits sociaux.

● *359-336. Philippe II de Macédoine impose peu à peu sa suprématie à la Grèce, malgré l'intervention de Démosthène*.*

● *336-323. Alexandre* le Grand, fils de Philippe II, achève la conquête de la Grèce.*

Après avoir renversé l'Empire perse, il modifie par ses conquêtes en Asie et en Afrique les dimensions du monde grec : désormais la Grèce n'est plus qu'une petite partie d'un grand empire.

■ LA GRÈCE HELLÉNISTIQUE (IVe-Ier S. AV. J.-C.).

● *323-301 av. J.-C. À la mort d'Alexandre (323), ses généraux se partagent son empire.*

La Grèce n'arrive pas à s'affranchir de la domination étrangère et entre dans une longue période d'effacement politique, pendant laquelle elle sombre peu à peu dans l'anarchie. Mais sa civilisation reste brillante et se répand dans tout l'Orient dont elle subit en retour l'influence enrichissante. Athènes reste un grand centre intellectuel.

Dès la fin du IIIe s., les Romains interviennent progressivement en Grèce et luttent contre les rois macédoniens.

● *148 av. J.-C. La Macédoine devient province romaine.*

■ LA GRÈCE ROMAINE (146 AV. J.-C.-395 APR. J.-C.).

● *146 av. J.-C. La Grèce est réunie à la province romaine de Macédoine.*

Après l'échec des entreprises de Mithridate, elle perd tout espoir de retrouver son indépendance.

Pendant les guerres civiles romaines le pays sert de champ de bataille, avant de devenir, sous Auguste, la province d'Achaïe. Le christianisme y pénètre dès le Ier s., mais la civilisation grecque survit à la conquête romaine et Rome bénéficie de son influence.

● *267. Athènes est prise par les Goths.*

II. La Grèce, de la période byzantine à l'époque contemporaine

● *395 apr. J.-C. À la mort de Théodose, la Grèce fait partie de l'Empire d'Orient.*

La langue grecque s'impose comme la langue officielle de l'Empire.

Du IVe au XIe s., le pays est dévasté par de multiples envahisseurs (et notamment les Arabes).

● *1054. Au moment du Grand Schisme, l'Église grecque suit Constantinople dans sa rupture avec Rome et devient orthodoxe.*

Avec les croisades (XIe-XIVe s.), les Latins (Français, Génois, Vénitiens) s'installent en Grèce.

La reconquête du pays par les Comnènes et les Paléologues est interrompue par l'arrivée des Turcs.

● *1354. Les Turcs Ottomans prennent Gallipoli.*

Au XIVe s., ils occupent la plus grande partie de la Grèce, imposant au pays une très lourde domination.

Du XVIe au XVIIIe s., les soulèvements se multiplient, mais l'indépendance n'est conquise qu'au XIXe s. de 1821 à 1832, après plusieurs années de guerres cruelles (siège de Missolonghi, 1826).

● *1827. L'intervention de la France, de l'Angleterre et de la Russie en faveur de la Grèce permet la défaite turque de Navarin.*

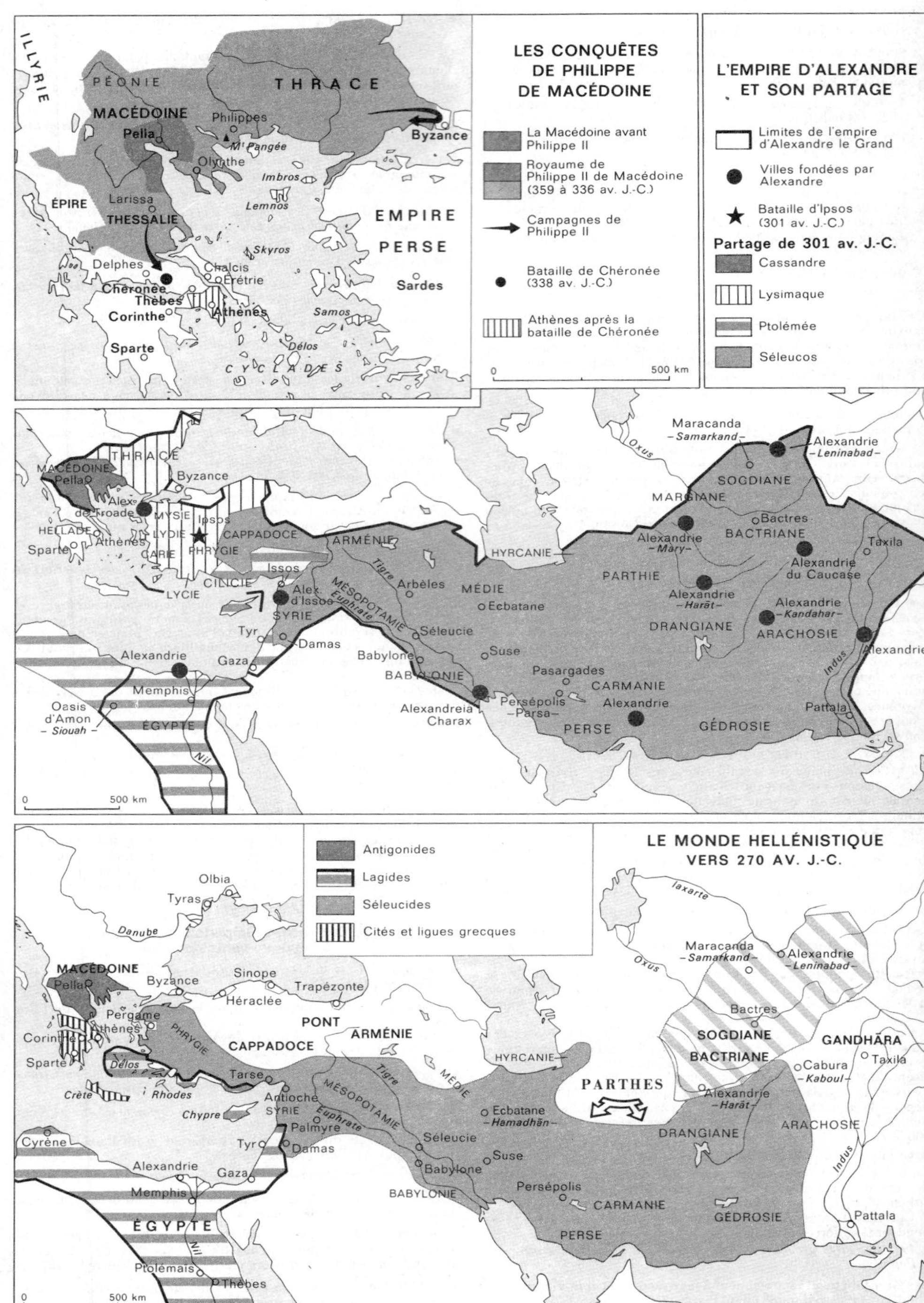

LES CONQUÊTES DE PHILIPPE DE MACÉDOINE
La Macédoine avant Philippe II
Royaume de Philippe II de Macédoine (359 à 336 av. J.-C.)
Campagnes de Philippe II
Bataille de Chéronée (338 av. J.-C.)
Athènes après la bataille de Chéronée
0 500 km
ILLYRIE
PÉONIE
THRACE
MACÉDOINE
Pella
Philippes
Mt Pangée
Olynthe
Byzance
Imbros
Lemnos
ÉPIRE
Larissa
THESSALIE
EMPIRE PERSE
Skyros
Delphes
Chalcis
Érétrie
Chéronée
Thèbes
Athènes
Corinthe
Sardes
Samos
Sparte
Délos
CYCLADES
L'EMPIRE D'ALEXANDRE ET SON PARTAGE
Limites de l'empire d'Alexandre le Grand
Villes fondées par Alexandre
Bataille d'Ipsos (301 av. J.-C.)
Partage de 301 av. J.-C.
Cassandre
Lysimaque
Ptolémée
Séleucos
Maracanda - Samarkand -
Alexandrie - Leninabad -
Oxus
SOGDIANE
MARGIANE
Bactres
Alexandrie - Mary -
BACTRIANE
Taxila
Alexandrie du Caucase
HYRCANIE
PARTHIE
Alexandrie - Harāt -
Alexandrie - Kandahar -
DRANGIANE
ARACHOSIE
Alexandrie
Indus
THRACE
MACÉDOINE
Pella
Byzance
Alex. de Troade
MYSIE
Ipsos
HELLADE
Athènes
LYDIE
CAPPADOCE
Sparte
CARIE
PHRYGIE
ARMÉNIE
Issos
LYCIE
CILICIE
Alex. d'Issos
SYRIE
Tigre
Arbèles
MÉDIE
MÉSOPOTAMIE
Euphrate
Ecbatane
Tyr
Damas
Séleucie
Alexandrie
Gaza
Babylone
Suse
BABYLONIE
Pasargades
Memphis
CARMANIE
Oasis d'Amon - Siouah -
Alexandreia Charax
Persépolis - Parsa -
Alexandrie
Pattala
ÉGYPTE
PERSE
GÉDROSIE
Nil
0 500 km
LE MONDE HELLÉNISTIQUE VERS 270 AV. J.-C.
Antigonides
Lagides
Séleucides
Cités et ligues grecques
Olbia
Tyras
Danube
Iaxarte
Maracanda - Samarkand -
Alexandrie - Leninabad -
Oxus
MACÉDOINE
Pella
Byzance
Sinope
Trapézonte
Héraclée
Bactres
Pergame
Athènes
PONT
ARMÉNIE
SOGDIANE
BACTRIANE
GANDHĀRA
Taxila
Corinthe
PHRYGIE
CAPPADOCE
HYRCANIE
Sparte
Délos
Tarse
MÉDIE
PARTHES
Cabura - Kaboul -
Crète
Rhodes
Antioche
Tigre
Alexandrie - Harāt -
Chypre
SYRIE
MÉSOPOTAMIE
Ecbatane - Hamadhān -
Palmyre
Euphrate
ARACHOSIE
Cyrène
Tyr
Séleucie
DRANGIANE
Damas
Suse
Indus
Alexandrie
Gaza
Babylone
BABYLONIE
Persépolis
Memphis
CARMANIE
GÉDROSIE
Pattala
ÉGYPTE
PERSE
Nil
Ptolémaïs
Thèbes
0 500 km

• *1832. L'indépendance grecque est reconnue par les Turcs.*
Otton de Bavière devient roi de Grèce.
• *1863. Otton Ier est remplacé par Georges de Danemark.*
• *1864. Une nouvelle Constitution établit le suffrage universel.*
La Grèce se préoccupe alors d'accroître son territoire : îles Ioniennes (1864), Thessalie et district d'Árta (1881).
• *1912-1923. La participation des Grecs aux deux guerres balkaniques leur vaut la Crète, une partie de la Macédoine et de l'Épire, la Chalcidique, les îles de la mer Égée.*
• *1917. Après l'abdication de Constantin Ier, la Grèce, dirigée par Venizélos, entre en guerre aux côtés des Alliés.*
Après la victoire, elle obtient la Thrace (1920), mais doit en céder la partie orientale à la Turquie en 1923.
• *1924. Abdication de Georges II. La république est proclamée.*
Mais l'instabilité politique amène la restauration de la monarchie.
• *1935. Georges II est rappelé et laisse Metaxás gouverner en dictateur.*
• *1940-1941. La Grèce est envahie par les Italiens puis par les Allemands.*
Les Grecs résistent héroïquement, jusqu'à la libération du pays par les Anglais (1944). De nombreux résistants (communistes en particulier) s'opposent alors aux Anglais et aux royalistes.
• *1947. Paul Ier succède à Georges II.*
Le traité de Paris donne à la Grèce les îles du Dodécanèse.
Puis la guerre civile ravage de nouveau le pays (1947-1949).
• *1952. Dirigée par un gouvernement de droite, la Grèce se rapproche du monde occidental (O. T. A. N.).*
• *1955. Début de la crise chypriote* (⟶ CHYPRE).
• *1963-1965. G. Papandhréou gouverne le pays. Il entre en conflit avec le nouveau roi Constantin II.*
• *1967. Un coup d'État, dirigé par le colonel Papadhópoulos, instaure un régime dictatorial et entraîne l'exil du roi.*
• *1973. Abolition de la monarchie et proclamation de la république (juin). Un second coup d'État renforce la dictature militaire et renverse Papadhópoulos (novembre).*
• *1974. Lors de la crise chypriote, les colonels abandonnent le pouvoir aux civils, qui rétablissent la démocratie : en novembre, le parti de C. Caramanlis (Démocratie nouvelle) obtient une nette majorité aux élections législatives.*
• *1981. Entrée de la Grèce dans la Communauté européenne. Victoire des socialistes (PASOK) aux élections législatives. A. Papandhréou devient Premier ministre.*
Une situation économique difficile et divers scandales financiers déstabilisent le gouvernement.
• *1989. Papandhréou démissionne.*
• *1990. La Démocratie nouvelle remporte les élections législatives.*

GRÉCITÉ n. f. ⟶ GREC.

GRECO (Domenikos THEOTOKOPULOS, dit **le**), peintre espagnol d'origine grecque (1540-1614).
Il passa quelques années à Venise, voyagea en Italie, subit l'influence de Bassano et du Tintoret, puis travailla avec le Titien, avant de s'installer définitivement à Tolède. Il peignit surtout des compositions religieuses, où il sut exprimer, mieux que les autres, le mysticisme espagnol. Son style est caractérisé par l'allongement des figures et l'étrangeté de l'éclairage. Avec un art très personnel, il réalisa une œuvre *(l'Enterrement du comte d'Orgaz, le Christ en croix)* qui le place parmi les plus grands peintres espagnols.

GRÉCO-LATIN, E adj., **GRÉCO-ROMAIN, E** adj. ⟶ GREC.

GRECQUE [grɛk] n. f. (de *grec*). *Archit.* Ornement composé d'une suite de lignes droites qui s'entrelacent, en restant toujours parallèles ou perpendiculaires entre elles.

GREDIN, E [grədɛ̃, -in] n. (de l'anc. néerl. *gredich*, avide). Individu malhonnête, coupable de graves méfaits (peu usité au fém.) [syn. CANAILLE, ↑CRAPULE, VAURIEN].

GRÉEMENT n. m. ⟶ GRÉER.

GREEN (Julien), écrivain américain d'expression française, né en 1900. Ses romans (*Adrienne Mesurat*, 1927; *Moïra*, 1950; *le Mauvais Lieu*, 1977; *les Pays lointains*, 1987; *les Étoiles du Sud*, 1989), son théâtre (*l'Automate*, 1985), son *Journal* expriment l'angoisse d'êtres partagés entre deux absolus, le désir de pureté et les réalités charnelles auxquelles ils se heurtent.

GREENE (Graham), écrivain anglais (1904-1991). Son théâtre et ses romans révèlent, à travers l'étude des caractères, ses convictions religieuses (*la Puissance et la Gloire*, 1940; *Voyage avec ma tante*, 1969; *le Dixième Homme*, 1985).

GREENWICH, v. de la banlieue est de Londres; 216400 hab. Ancien observatoire, dont le méridien a été pris pour méridien d'origine.

GRÉER [gree] v. t. (du scand. *greida*, équiper). *Gréer un voilier*, l'équiper de ses voiles, cordages et accessoires. ◆ **gréement** [gremɑ̃] n. m. Ensemble des éléments qui servent à la manœuvre des voiles d'un navire (syn. AGRÈS).

1. GREFFE [grɛf] n. m. (lat. *graphium*, poinçon). Endroit où sont déposées les minutes (= écrits originaux) des jugements et où se font les déclarations relatives à la procédure : *Être convoqué au greffe du Palais de justice.* ◆ **greffier** n. m. Fonctionnaire préposé au greffe.

2. GREFFE [grɛf] n. f. (même étym.). **1.** *Bot.* Pousse, branche, bourgeon d'une plante qu'on insère sur une autre plante, appelée *sujet;* cette opération elle-même. (Par la greffe, on reproduit, on multiplie les arbres ou arbrisseaux à fleurs ou à fruits : le *sujet* fournit la vigueur; le *greffon*, ou *scion*, apporte les caractères que l'on veut conserver.) — **2.** *Méd.* Opération chirurgicale qui consiste à transférer sur un individu *(receveur)* des parties de tissu ou d'organe prélevées sur lui-même ou sur un autre individu *(donneur)*. ⟶ ENCYCL. ◆ **autogreffe** n. f. *Méd.* Greffe sur un individu à partir d'un greffon prélevé sur lui-même. ◆ **hétérogreffe** n. f. Greffe dans laquelle le greffon est emprunté à une espèce différente (animal—homme). ◆ **homogreffe** n. f. Greffe dans laquelle le donneur et le receveur appartiennent à la même espèce, mais sont génétiquement différents ou identiques. ◆ **greffer** v. t. **1.** Faire une greffe : *Greffer un pommier. Greffer un rein.* — **2.** (surtout à la forme pron.) Introduire des éléments dans quelque chose, les ajouter à une situation : *Ces nouveaux problèmes se sont greffés sur ceux qui existaient déjà.* ◆ **greffage** n. m. *Bot.* Ensemble des opérations concernant la greffe des végétaux. ◆ **greffoir** n. m. *Bot.* Sorte de couteau dont le manche est pourvu d'une spatule et qui sert, lors d'une greffe, à séparer l'écorce du bois du sujet. ◆ **greffon** n. m. Pousse végétale ou fragment de tissu animal que l'on destine à être greffé sur un sujet.
— ENCYCL. On emploie le mot *greffe* pour les transpositions de tissus (peau, cartilage, etc.) et le mot *transplantation* pour des organes entiers (rein, poumon, cœur). Quel que soit le tissu ou l'organe greffé, les réactions de l'organisme sont les mêmes, et le grand problème qui se pose, surtout depuis les transplantations d'organes, est celui du « rejet ». Lorsque l'organe greffé a été prélevé sur un organisme étranger (donneur de la même espèce, mais génétiquement différent), il se produit une réaction immunologique* traduisant l'élaboration, par les cellules du donneur, d'anticorps (= substances défensives de l'organisme) dirigés contre les antigènes (= substances agressives) du receveur. Aussi, pour pallier cette difficulté, plusieurs solutions sont possibles :
soit ne greffer sur un organisme que des tissus appartenant à un organisme rigoureusement identique : autrement dit, chez l'homme, ne greffer que des organes prélevés sur un frère (ou sœur) jumeau du malade;
soit empêcher la formation d'anticorps par le receveur au moyen de certains médicaments dits « immunodépresseurs », c'est-à-dire qui diminuent l'action des substances défensives, et donc la réaction du rejet, sans pour autant l'enrayer.

GREFFAGE n. m., **GREFFER** v. t., **GREFFOIR** n. m., **GREFFON** n. m. ⟶ GREFFE 2.

GREFFIER n. m. ⟶ GREFFE 1.

GRÉGAIRE [gregɛr] adj. (du lat. *grex*, *gregis*, troupeau). **1.** Se dit des animaux qui vivent en troupes. — **2.** Propre à la foule : *Un comportement grégaire.* — **3.** *Instinct grégaire*, tendance qui pousse les animaux, les individus à s'agglomérer en foule ou à adopter un même comportement. ◆ **grégarisme** n. m. Tendance des animaux à vivre en groupes.

1. GRÈGE [grɛʒ] adj. f. (it. [*seta*] *greggia*, [soie] brute). *Soie grège*, soie écrue (telle qu'on l'a tirée du cocon) et dont on n'a pas fait disparaître l'enduit gommeux.

2. GRÈGE [grɛʒ] adj. (de *gr*[*is*], et [*b*]*eige*). Se dit d'une couleur qui tient du gris et du beige à la fois.

GRÉGOIRE de Nazianze *(saint)*, surnommé **le Théologien** (v. 330-v. 390), Père de l'Église grecque. Nommé évêque de Constantinople, il défendit le dogme catholique contre les ariens.

GRÉGOIRE de Tours *(saint)*, évêque et historien français (v. 538-v. 594). Évêque de Tours en 573, il fut l'un des principaux conseillers des rois mérovingiens et particulièrement de Childebert II d'Austrasie. Il a composé une *Histoire des Francs*.

GRÉGOIRE, nom porté par seize papes. GRÉGOIRE Ier *le Grand (saint)*, pape de 590 à 604. Il institua la liturgie et le *chant grégorien*. — GRÉGOIRE VII *(saint)*, élu en 1073. Il se montra d'une énergie indomptable dans sa lutte contre Henri IV, empereur d'Allemagne, lors de la querelle des Investitures, et l'obligea à venir s'humilier à Canossa. Il mourut en 1085. — GRÉGOIRE XIII, pape de 1572 à 1585. On lui doit la réforme du calendrier *(calendrier grégorien)* et l'*Université grégorienne.* — GRÉGOIRE XVI, pape de 1831 à 1846. Il condamna les idées de Lamennais.

GRÉGORIEN, ENNE [gregɔrjɛ̃, -ɛn] adj. (de *Gregorius*, Grégoire). *Calendrier grégorien* ⟶ CALENDRIER, *encycl.* ‖ *Chant grégorien* (ou *plain-chant*), chant rituel de l'Église chrétienne, dont la réorganisation est attribuée par la tradition au pape Grégoire Ier le Grand. (Ce plain-chant* forme encore la base du chant ecclésiastique catholique.)

1. GRÊLE [grɛl] n. f. (du frq. *grisilôn*). **1.** Pluie congelée qui tombe en grains. — **2.** *Une grêle de*, une grande quantité de choses qui tombent dru. ◆ **grêler** v. impers. *Il grêle*, il tombe de la grêle. ◆ **grêlon** [grɛlɔ̃] n. m. Grain d'eau congelée qui tombe pendant une averse de grêle.

2. GRÊLE [grɛl] adj. (lat. *gracilis*). **1.** Se dit d'une personne ou d'une chose longue et menue : *Des jambes grêles. Une silhouette grêle* (syn. ÉLANCÉ, FLUET, GRACILE, MINCE). — **2.** Se dit d'un son aigu et faible : *Une voix grêle.* — **3.** *Intestin grêle* ⟶ INTESTIN.

GRELOT [grəlo] n. m. (du germ. *grell*, aigu). Sonnette faite d'une boule métallique creuse, enfermant un morceau de métal qui la fait résonner quand elle est agitée.

GRELOTTER [grəlɔte] v. i. (de *grelot*). Trembler très fort : *Grelotter de froid, de peur, de fièvre.* ◆ **grelottant, e** adj. ◆ **grelottement** n. m.

1. GRENADE [grənad] n. f. (du lat. [*malum*] *granatum*, [pomme] à grains). Fruit du grenadier. ◆ **grenadier** n. m. Arbre cultivé dans les pays méditerranéens, à fleurs rouge vif, dont le fruit, la grenade, renferme des graines nombreuses, rouges ou rosées, d'une saveur aigrelette. (Famille des myrtacées.)

2. GRENADE [grənad] n. f. (de *grenade* 1). **1.** Projectile explosif léger qui peut être lancé à courte distance à la main ou à l'aide d'un fusil. ‖ *Grenade lacrymogène*, grenade produisant un effet lacrymogène (= qui détermine la sécrétion des larmes), et utilisée dans les opérations de maintien de l'ordre contre les manifestants. — **2.** *Grenade de képi, d'écusson*, ornement d'uniforme figurant une grenade allumée. ◆ **grenadier** n. m. **1.** Fantassin chargé de lancer des grenades. — **2.** Soldat de certains corps d'élite.

GRENADE, en esp. **Granada,** v. du sud de l'Espagne (Andalousie), au pied de la sierra Nevada; 217 000 hab. Université.

Le *royaume arabe de Grenade* fut fondé au XIe s. Après la prise de Cordoue (1236), il fut le seul État musulman en Espagne, jusqu'en 1492 (prise de Grenade par les Rois Catholiques). La ville conserve de beaux monuments mauresques (palais de l'Alhambra). La cathédrale renferme les tombeaux des Rois Catholiques.

GRENADE, une des Antilles, formant avec une partie des Grenadines un État indépendant membre du Commonwealth; 110 000 hab. Capit. *Saint George's.* En 1983, l'intervention militaire des États-Unis met fin à un régime révolutionnaire.

GRENADIER n. m. ⟶ GRENADE 1 et 2.

GRENADINE [grənadin] n. f. (de *grenade* 1). Boisson de couleur rouge à base de sirop de sucre additionné d'extraits végétaux (vanille, framboise).

GRENADINES, îlots des Antilles, dépendances de la Grenade et de Saint-Vincent et Grenadines.

GRENAT [grəna] n. m. (lat. *granatum*). Silicate naturel de différents métaux, fréquent dans les roches métamorphiques, et dont une variété rouge est recherchée comme pierre précieuse. ◆ adj. inv. D'une couleur rouge vineux plus ou moins vif.

GRENAY, comm. du Pas-de-Calais, à 8 km à l'O. de Lens; 5 900 hab.

GRENIER [grənje] n. m. (du lat. *granum*, grain). **1.** Le plus haut étage d'une maison, sous le toit, en général non destiné à l'habitation (syn. COMBLES). — **2.** À la campagne, partie d'un bâtiment située sous le toit et destinée à entreposer les grains ou le foin : *Un grenier à blé.* — **3.** Région dont la fertilité est utile à tout un pays : *La Beauce est le grenier de la France.* — **4.** *Grenier à sel* (hist.), lieu où était stocké le sel avant d'être vendu et taxé de la gabelle.

GRENOBLE, ch.-l. du dép. de l'Isère, au confluent de l'Isère et du Drac; 159 500 hab. *(Grenoblois).* La ville est le centre d'une agglomération deux fois plus peuplée, au développement rapide. Cet essor est largement lié à la progression d'industries nouvelles (constructions mécaniques et électriques), qui compense une certaine stagnation de branches anciennes (textile, alimentation, ganterie), et aussi au développement du secteur tertiaire. Grenoble est de loin la première ville de toute la chaîne des Alpes.

GRENOUILLAGE [grənujaʒ] n. m. (de *grenouille*). *Fam.* Ensemble d'intrigues, de combines peu honnêtes.

GRENOUILLE [grənuj] n. f. (bas lat. *ranucula*). Vertébré amphibien ou batracien des mares et des étangs, caractérisé par des pattes postérieures longues et palmées, une peau lisse enduite de mucus (verte ou rousse, et à température variable) : *La larve de la grenouille est le têtard. La grenouille coasse.* ◆ **grenouillère** n. f. Lieu marécageux rempli de grenouilles.

1. GRENU, E [grəny] adj. (du lat. *granum*, grain). **1.** Qui a beaucoup de grains : *Des épis grenus.* — **2.** Se dit d'une chose dont la surface est couverte de petites saillies arrondies en forme de grains : *Du cuir grenu.*

2. GRENU, E [grəny] adj. (même étym.). Se dit d'une catégorie de roches éruptives formées de cristaux visibles à l'œil nu, comme le granite, la diorite.

GRÈS [grɛ] n. m. (frq. *greot*, gravier). Roche sédimentaire formée de grains de sable réunis par un ciment siliceux ou calcaire, et utilisée pour la construction ou le pavage. ‖ *Grès cérame*, poterie à pâte opaque partiellement vitrifiée, donc imperméable. ◆ **gréseux, euse** adj. De la nature du grès.

GRÉSIL [grezil] n. m. (de l'anc. néerl. *grîselen*, grésiller). Grêle blanche, dure et menue.

GRÉSILLER [grezije] v. i. (de l'anc. fr. *grediller*, griller). Produire un crépitement rapide et assez faible : *L'huile grésille dans la poêle. Le téléphone grésille.* ◆ **grésillement** n. m.

GRÉSIVAUDAN ou **GRAISIVAUDAN,** nom donné à la large vallée de l'Isère, entre le confluent de l'Arc et Grenoble. Partie du sillon alpin, le Grésivaudan sépare les Préalpes des massifs centraux. C'est un pays d'agriculture riche (vigne, arbres fruitiers) et d'élevage (prairies).

GRESSIN [gresɛ̃] n. m. (it. *grissino*). Petit pain très friable, en forme de baguette.

GRETCHANINOV (Alexandre), compositeur russe (1864-1956). Élève de Rimski-Korsakov, il devint le continuateur du groupe des Cinq. Il utilisa dans ses œuvres le folklore national (symphonies, quatuors).

GRÉTRY (André Modeste), compositeur liégeois (1741-1813). Il a surtout écrit des opéras-comiques qui connurent un succès international (*Richard Cœur de Lion*, 1784).

GREUZE (Jean-Baptiste), peintre français (1725-1805). Il peignit des scènes familiales et sentimentales, sur des sujets moralisants *(la Malédiction paternelle, le Fils puni, la Cruche cassée)*, et des portraits *(le Graveur Wille).*

1. GRÈVE [grɛv] n. f. (bas lat. *grava*). Terrain plat, couvert de gravier et de sable, au bord de la mer ou le long d'un cours d'eau (syn. PLAGE, RIVAGE).

2. GRÈVE [grɛv] n. f. (de l'anc. *place de Grève*, à Paris). **1.** Arrêt collectif et concerté du travail ou de l'activité, décidé par un ensemble de salariés ou par les membres d'autres professions ou catégories sociales, en vue d'obtenir des augmentations ou des avantages : *Se mettre en grève.* ⟶ ENCYCL. ‖ *Grève perlée*, ralentissement du travail, qui ne va pas jusqu'à son interruption. ‖ *Grève sauvage*, grève déclenchée spontanément, sans le préavis en usage, par les travailleurs eux-mêmes et non par leurs organisations syndicales. ‖ *Grève surprise*, arrêt brusque du travail avant ou pendant les négociations. ‖ *Grève sur le tas*, arrêt du travail sur place, avec occupation des lieux. ‖ *Grève tournante*, qui se manifeste à tour de rôle dans différents services ou ateliers, sans cessation totale du travail. — **2.** *Grève de la faim*, refus de toute nourriture, en signe de protestation, pour attirer l'attention sur des revendications. ‖ *Grève du zèle*, manifestation de mécontentement, consistant à effectuer son travail avec une minutie excessive, ce qui ralentit considérablement l'activité générale. ◆ **gréviste** adj. et n. Personne qui participe à une grève.

— ENCYCL. La *grève* apparaît au XIIIe s.; dès cette époque, des ouvriers cessent le travail pour protester contre leurs conditions de vie. Malgré l'ordonnance de Villers-Cotterêts qui les interdit (1539), les grèves continuent d'être nombreuses, en particulier au XVIIIe s.

Par la loi Le Chapelier (1791) la grève devient un délit. Avec le développement de la grande industrie, on assiste cependant à la multiplication des grèves, notamment à Paris et à Lyon. La loi d'avril 1864 reconnaît enfin aux salariés le *droit de grève.* La formation du parti socialiste, le développement du syndicalisme* encouragent les grèves qui deviennent le principal moyen d'action des ouvriers face au patronat. La crise de 1929 et les deux guerres mondiales entraînent des déséquilibres économiques graves et sont suivies de grèves importantes (1920, 1936, 1947, 1953). Une loi de 1950 spécifie que, sauf en cas de « faute lourde du salarié », la grève ne rompt pas le contrat de travail.

Il arrive que les patrons répondent à une grève en décidant de fermer leur entreprise ou leur usine : c'est le *lock-out.*

Grève *(place de)*, place de Paris, devenue en 1806 celle de l'Hôtel-de-Ville. Les ouvriers sans travail y venaient chercher de l'embauche. Du règne de Charles VI à la Restauration, elle fut le lieu des exécutions capitales.

GREVER [grəve] v. t. (lat. *gravare*, alourdi). Accabler d'une charge financière excessive : *Être grevé d'impôts.* ‖ *Grever son budget*, s'imposer de lourdes dépenses. ◆ **dégrever** v. t. *Dégrever une personne, un produit*, les décharger, en tout ou partie, des impôts qui les frappent. ◆ **dégrèvement** n. m. : *Obtenir un dégrèvement* (= une diminution des charges fiscales).

Grévin *(musée)*, galerie de figures de cire, créée à Paris en 1882 par le dessinateur Alfred Grévin (1827-1892).

GRÉVISTE adj. et n. ⟶ GRÈVE 2.

GRÉVY (Jules), homme d'État français (1807-1891). Président de la République en 1879, il dut démissionner en 1887.

GRIBOUILLE [gribuj] n. m. (d'un n. pr.). Individu qui, par manque de clairvoyance, se jette dans le danger qu'il pensait éviter.

GRIBOUILLER [gribuje] v. i. et t. (de *Gribouille*). Écrire de manière illisible, ou faire des dessins, des peintures informes. ◆ **gribouillage** ou **gribouillis** n. m. Écriture illisible, ou dessin, peinture informe. ◆ **gribouilleur, euse** n.

GRIÈCHE adj. ⟶ PIE-GRIÈCHE.

GRIEF [grijɛf] n. m. (de *grever*). **1.** Motif de plainte que l'on estime avoir contre quelqu'un ou quelque chose : *Exposer, formuler ses griefs.* — **2.** *Faire grief de qqch. à qq'un*, le lui reprocher : *Je ne lui fais pas grief de cet oubli* (syn. TENIR RIGUEUR).

GRIEG (Edvard), compositeur norvégien (1843-1907). Son *Concerto pour piano* (1868), sa musique de scène pour *Peer Gynt* (1876), ses *Danses norvégiennes* (1881) connurent la célébrité.

GRIÈVEMENT [grijɛvmɑ̃] adv. (de l'anc. fr. *grief*, grave). *Grièvement blessé*, très gravement blessé (syn. SÉRIEUSEMENT).

1. GRIFFE [grif] n. f. (du germ. *grîpan*, saisir). **1.** Ongle de corne, pointu et courbe, porté par la dernière phalange des doigts de nombreux vertébrés : mammifères carnassiers et rongeurs, oiseaux, reptiles. — **2.** *Montrer, rentrer ses griffes*, se montrer menaçant, conciliant. ‖ *Lancer (donner) un coup de griffe*, dire une parole méchante. ‖ *Tomber sous la griffe (dans les griffes) de qq'un*, sous sa domination. ‖ *Arracher une personne des griffes de qq'un*, la mettre à l'abri, la soustraire à son pouvoir. ◆ **griffer** v. t. Marquer d'un coup de griffe : *Le chat l'a griffé* (syn. ÉGRATIGNER). ◆ **griffu, e** adj. Armé de griffes : *Des pattes griffues.* ◆ **griffure** n. f. Égratignure causée par une griffe ou par un ongle (syn. ÉCORCHURE, ÉRAFLURE).

2. GRIFFE [grif] n. f. (de *griffe* 1). **1.** Signature d'un fabricant, d'un fonctionnaire, etc., reproduite sur un tampon : *Apposer sa griffe au bas d'un document.* — **2.** Ruban cousu à l'intérieur d'un vêtement et qui porte le nom de celui qui l'a fait. — **3.** Signe caractéristique, marque personnelle dont un auteur empreint ses œuvres : *On reconnaît bien là sa griffe.*

GRIFFER v. t. ⟶ GRIFFE 1.

GRIFFITH (David Wark), cinéaste américain (1875-1948). De 1908 à 1914, il tourna ou supervisa près de 400 films muets, parmi lesquels *Naissance d'une nation* (1915), *Intolérance* (1916), *le Lys brisé* (1919), *À travers l'orage* (1920). Il inventa de nombreux procédés techniques (gros plans, travellings, panoramiques, etc.) et son influence fut décisive sur tous les grands cinéastes mondiaux.

GRIFFON [grifɔ̃] n. m. (lat. *gryphus*). **1.** Chien d'arrêt, à poil long et rude au toucher. — **2.** Animal fabuleux, doté du corps du lion, de la tête et des ailes de l'aigle, des oreilles du cheval et d'une crête de nageoires de poisson.

GRIFFONNER [grifɔne] v. t. et i. (de *griffe*). Écrire très mal et hâtivement; dessiner grossièrement. ◆ **griffonnage** n. m. : *Un griffonnage illisible.* ◆ **griffonneur, euse** n.

GRIFFU, E adj., **GRIFFURE** n. f. ⟶ GRIFFE 1.

GRIGNAN, ch.-l. de cant. de la Drôme, à 28 km au S.-E. de Montélimar; 1 100 hab. Château où mourut Mme de Sévigné.

Grignon *(École de)*, école d'agriculture, fondée en 1826 à Thiverval-Grignon. Elle a fusionné en 1971 avec l'Institut national agronomique pour former l'Institut national agronomique Paris-Grignon.

GRIGNOTER [griɲɔte] v. i. et t. (de l'anc. fr. *grigner*, grincer). **1.** Manger très peu; manger quelque chose en le rongeant petit à petit. — **2.** Fam. *Grignoter qq'un*, gagner peu à peu sur lui. ◆ **grignotement** n. m. Bruit caractéristique produit en grignotant.

GRIGNY, comm. du Rhône, sur le Rhône, dans la banlieue nord de Givors; 8 200 hab.

GRIGNY (Nicolas DE), compositeur et organiste français (1672-1703). Remarquable technicien, il est l'auteur d'un *Livre d'orgue.*

GRIGOU [grigu] n. m. (languedocien *grigou*, gredin). *Fam.* Personne d'une avarice sordide : *Un vieux grigou* (syn. LADRE).

GRI-GRI ou **GRIGRI** [grigri] n. m. (orig. inc.). Syn. de AMULETTE.

GRIL n. m., **GRILLADE** n. f. ⟶ GRILLER.

GRILLAGE n. m., **GRILLAGER** v. t. ⟶ GRILLE 1.

1. GRILLE [grij] n. f. (lat. *craticula*). **1.** Assemblage de barreaux fermant une ouverture ou constituant une clôture : *Les fenêtres sont protégées par des grilles. Sonner à la grille.* — **2.** *La grille d'un fourneau (d'un foyer)*, châssis métallique sur lequel repose le charbon dans un poêle. — **3.** Dans un tube électronique, électrode auxiliaire, en forme de grille. ◆ **grillage** n. m. Treillis métallique placé aux fenêtres ou aux portes, ou servant de clôture : *Le grillage d'un poulailler.* ◆ **grillager** v. t. Munir d'un grillage.

2. GRILLE [grij] n. f. (même étym.). **1.** Carton ajouré, qui permet la lecture d'un message en code : *Reconstituer une grille.* — **2.** *Grille des programmes de radio, de télévision*, plan d'ensemble des émissions. ‖ *Grille des salaires*, liste détaillée des catégories de postes et de leur rémunération dans une profession, une entreprise.

GRILLER [grije] v. t. (de *grille*). **1.** Faire rôtir en exposant à la flamme, à la braise, etc. : *Manger des sardines grillées. Du pain grillé. Griller du café* (syn. TORRÉFIER). — **2.** Soumettre à une température (chaud ou froid) excessive, qui dessèche et racornit : *La chaleur torride a grillé les fleurs. La gelée grille les bourgeons.* — **3.** Fam. *Griller une cigarette*, la fumer. ‖ Fam. *Griller une lampe, une résistance*, la mettre hors de service par un court-circuit. ‖ Fam. *Griller une étape*, ne pas y faire halte, pour arriver plus vite au but (syn. BRÛLER). ‖ *Être grillé*, être démasqué, être sur le point d'être pris (syn. fam. ÊTRE CUIT, FAIT). ◆ v. i. **1.** Être exposé à une chaleur trop forte : *On grille dans cette pièce.* — **2.** *Griller d'impatience* (ou simplem. *griller*) *de* (et l'infin.), avoir une extrême impatience de faire quelque chose (syn. BRÛLER). ◆ **gril** [gri] ou [gril] n. m. **1.** Ustensile de cuisine pour faire rôtir à feu vif de la viande, du poisson, etc. : *Faire cuire un bifteck sur le gril.* — **2.** Fam. *Être sur le gril*, être dans un état de vive impatience mêlée d'anxiété (syn. ÊTRE SUR DES CHARBONS ARDENTS). ◆ **grillade** n. f. Viande grillée. ◆ **grille-pain** n. m. inv. Appareil pour griller des tranches de pain. ◆ **grilloir** n. m. Appareil servant à faire rôtir.

GRILLON [grijɔ̃] n. m. (du lat. *grillus*). Insecte orthoptère, à pattes postérieures sauteuses, omnivore, dont une espèce, le *grillon des champs*, creuse un terrier, et une autre, le *grillon domestique*, fréquente les cuisines et les boulangeries. (Le mâle stridule en frottant ses élytres l'un contre l'autre.) [Syn. CRI-CRI.]

GRILLPARZER (Franz), poète dramatique autrichien (1791-1872), auteur de drames historiques et lyriques.

GRIMACE [grimas] n. f. (du frq. *grima*, masque). **1.** Contorsion du visage faite par jeu ou exprimant un sentiment de dégoût, de douleur, de dépit, etc. : *Rire des grimaces d'un clown. Faire une grimace de douleur.* — **2.** *Faire la grimace devant qqch.*, marquer par l'expression de son visage un sentiment de dégoût pour cette chose, ou de mécontentement. — **3.** (au plur.) Mines hypocrites, manières affectées : *Voilà bien des grimaces* (syn. FAÇONS, SIMAGRÉES). — **4.** *Fam.* Faux pli d'un vêtement, d'une tenture, etc. ◆ **grimaçant, e** adj. Qui grimace : *Un visage grimaçant.* ◆ **grimacer** v. i. **1.** Faire une grimace, des grimaces : *Grimacer de douleur.* — **2.** Faire un faux pli : *Cette manche tombe mal, elle grimace.* ◆ v. t. Faire quelque chose en affectant des sentiments qu'on n'éprouve pas (littér.) : *Grimacer un sourire.* ◆ **grimacier, ère** adj. et n. Qui fait des grimaces, des manières; qui fait le difficile.

GRIMAGE n. m. ⟶ GRIMER.

GRIMALDI, famille génoise qui a fourni jusqu'en 1733 les souverains de la principauté de Monaco.

GRIMALDI *(homme de)*, nom donné à une race d'hommes préhistoriques, dont les restes furent découverts dans les grottes de Grimaldi (Italie), près de Menton.

GRIMER [grime] v. t. (du germ. *grima*, masque). *Grimer un acteur*, le maquiller. ◆ ***se grimer*** v. pr. ◆ **grimage** n. m. Action de grimer, de se grimer.

GRIMM (Melchior, *baron* DE), écrivain allemand (1723-1807). Il vécut en France et écrivit, en français, sur la vie littéraire à Paris, des chroniques dont l'ensemble forme la *Correspondance littéraire.*

GRIMM *(les frères)*, JACOB (1785-1863) et WILHELM (1786-1859), philologues et écrivains allemands. Ils recueillirent de très nombreuses légendes populaires allemandes réunies sous le titre de *Contes d'enfants et du foyer* et *Légendes allemandes.* Ils entreprirent également la rédaction d'un *Dictionnaire allemand,* qui fut achevé par des équipes de spécialistes un siècle plus tard (1961).

GRIMOIRE [grimwar] n. m. (altér. de *grammaire*). **1.** Livre aux caractères mystérieux dont se servaient les sorciers et les magiciens. — **2.** Écrit inintelligible, obscur ou illisible.

GRIMPER [grɛ̃pe] v. i. (de *gripper*). **1.** (sujet nom de personne ou de chose) Monter en s'agrippant : *Grimper à l'échelle. Le lierre grimpe sur le mur.* — **2.** S'élever sur une pente très raide : *Une voiture qui grimpe jusqu'au col.* — **3.** (sujet nom de personne) Monter sur quelque chose : *Grimper sur une chaise.* — **4.** *Chemin, route qui grimpe,* qui suit une pente montante très raide. — **5.** Fam. *Les prix grimpent,* s'élèvent rapidement. ◆ v. t. Monter, avec un certain effort, en haut de quelque chose : *Grimper les escaliers quatre à quatre.* ◆ n. m. Exercice qui consiste à monter à la corde lisse ou à la corde à nœuds. ◆ **grimpant, e** adj. *Plantes grimpantes,* plantes qui montent le long d'un tronc d'arbre, d'un échalas, d'un mur, etc., soit par enroulement de la tige (liseron, haricot), soit par des organes fixateurs spécialisés (racines-crampons du lierre, vrilles du pois). ◆ **grimpée** n. f. Petite côte, assez raide. ◆ **grimpette** n. f. *Fam.* Courte montée en pente raide (syn. RAIDILLON). ◆ **grimpeur, euse** adj. Qui grimpe, qui aime à grimper. ◆ n. m. *Un grimpeur,* un cycliste doué pour la montée des côtes (par oppos. à *un descendeur*).

GRIMPEURS [grɛ̃pœr] n. m. pl. (de *grimper*). Ordre d'oiseaux dont la disposition des doigts (deux en avant et deux en arrière) permet de monter aux arbres, comme le *pic,* le *coucou,* le *perroquet.*

GRIMSBY, v. de Grande-Bretagne, sur l'estuaire de la Humber; 95 700 hab. Port de pêche. Constructions navales. Conserveries.

GRINCER [grɛ̃se] v. i. (de l'anc. fr. *grisser,* crisser). **1.** Produire, par frottement, un bruit plus ou moins strident : *Le sommier du lit grince.* — **2.** *Grincer des dents,* produire un crissement en se frottant les dents du bas contre celles du haut, nerveusement ou par agacement, douleur. ◆ **grinçant, e** adj. Qui produit un grincement : *Une porte grinçante.* ◆ **grincement** n. m. Le fait de grincer; bruit fait par la chose qui grince (sens 1 et 2 du v.).

GRINCHEUX, EUSE [grɛ̃ʃø, -øz] adj. et n. (forme picarde de *grinceur*). Se dit de quelqu'un (ou de son comportement) qui est sans cesse de mauvaise humeur (syn. ACARIÂTRE).

GRINDELWALD, comm. de Suisse (cant. de Berne); 3 200 hab. Station touristique au pied de l'Eiger.

GRINGALET [grɛ̃galɛ] n. m. et adj. (orig. incert.). *Fam.* Petit homme maigre et chétif.

GRIOT [grijo] n. m. (orig. inc.). En Afrique noire, sorte de poète et de musicien ambulant auquel on attribue souvent des pouvoirs surnaturels.

GRIOTTE [grijɔt] n. f. (de l'anc. prov. *agriota,* aigre). Variété de cerise aigre.

GRIPPAGE n. m. ⟶ GRIPPER.

GRIPPE [grip] n. f. (de *gripper*). **1.** Maladie contagieuse due à un virus. ⟶ ENCYCL. — **2.** *Prendre en grippe qq'un, qqch.,* éprouver envers cette personne ou cette chose une antipathie soudaine. ◆ **grippal, e, aux** adj. Sens 1 de grippe : *État grippal.* ◆ **grippé, e** adj. et n. Atteint de la grippe.

— ENCYCL. La *grippe* survient par épidémies en automne, en hiver. Les symptômes en sont : une fièvre élevée, souvent dite *en V* car elle diminue le deuxième jour pour augmenter à nouveau; des douleurs diverses de la tête, des jambes, de la région lombaire; une inflammation du nez et des sinus (nez qui coule, yeux larmoyants); des troubles intestinaux (diarrhées). Ces troubles durent généralement cinq à six jours, puis disparaissent.

Parfois, cependant, des complications sont à craindre chez les gens déjà fatigués ou malades et chez les vieillards : défaillance du cœur, infection complémentaire par d'autres germes (pneumonie, bronchite, etc.).

La fréquence des épidémies et le nombre de sujets touchés chaque année justifie le vaccin mis au point par l'Institut Pasteur, protection utile aux vieillards et aux sujets fragiles.

GRIPPER [gripe] v. i. (frq. *grîpan,* saisir). **1.** *Mécan.* S'échauffer et adhérer fortement par défaut de graissage, en parlant de pièces métalliques en mouvement : *Les rouages grippent.* — **2.** En parlant d'un mécanisme social, économique ou politique, fonctionner mal. ◆ v. t. Provoquer un arrêt dans un mécanisme par défaut de graissage : *Le moteur est grippé.* ◆ ***se gripper*** v. pr. ◆ **grippage** n. m. **1.** *Mécan.* Effet produit par le frottement de deux surfaces métalliques en contact qui, par suite d'un graissage insuffisant, adhèrent fortement. — **2.** Mauvais fonctionnement : *Le grippage du système économique* (syn. ↑BLOCAGE).

GRIPPE-SOU [gripsu] n. m. et adj. (du frq. *grîpan,* saisir, et *sou*). *Fam.* Avare, qui ne dédaigne pas les petits gains les plus dérisoires. ‖ Pl. des *grippe-sous.*

1. GRIS, E [gri, -iz] adj. (frq. *grîs*). **1.** D'une couleur intermédiaire entre le blanc et le noir : *Avoir des cheveux gris aux tempes. Le temps est gris* (syn. COUVERT). — **2.** Anat. *La matière* ou *la substance grise,* partie des organes nerveux, d'une couleur gris rosé, constituée par les noyaux des cellules nerveuses ou *neurones* (la substance blanche étant formée par les prolongements des cellules nerveuses, ou *axones*) : *La substance grise forme l'écorce du cerveau et du cervelet et la partie interne de la moelle épinière et du bulbe rachidien;* intelligence, réflexion (fam.) : *Faire travailler sa matière grise.* — **3.** *Une vie grise,* sans intérêt, sans distraction, monotone (syn. MORNE, TERNE). ‖ *Faire grise mine à qq'un,* lui réserver un accueil froid, lui témoigner une certaine hostilité. ◆ n. m. La couleur grise : *Peindre un meuble en gris foncé.* ◆ **grisaille** n. f. **1.** Jeu de tons gris sur gris, propre aux paysages d'hiver ou de brume : *Les grisailles de l'aube.* — **2.** Peinture en camaïeu gris, donnant un relief en trompe l'œil. — **3.** Atmosphère triste et monotone; caractère d'une vie terne et sans intérêt. ◆ **grisâtre** adj. **1.** Qui tire sur le gris : *Un ciel grisâtre.* — **2.** Se dit de ce qui est terne et triste : *Mener une existence grisâtre.* ◆ **grisé** n. m. Teinte grise donnée à un tableau, un plan, une carte. ◆ **grisonner** v. i. **1.** (sujet nom désignant les cheveux, les poils) Commencer à devenir gris. — **2.** (sujet nom de personne) Commencer à avoir des cheveux gris. ◆ **grisonnant, e** adj. ◆ **grisonnement** n. m.

2. GRIS, E [gri, -iz] adj. (de *gris* 1). *Fam.* Se dit d'une personne plus ou moins ivre : *Être un peu gris* (syn. fam. ÉMÉCHÉ). ◆ **griser** v. t. **1.** *Griser qq'un,* le mettre en état d'ivresse : *Le champagne le grise* (syn. ENIVRER). — **2.** *Griser qq'un,* le mettre dans un état d'excitation physique : *Il se laisse griser par la vitesse* (syn. ÉTOURDIR). — **3.** *Griser qq'un,* le transporter d'enthousiasme : *Son bonheur le grisait* (syn. TOURNER LA TÊTE À). ◆ ***se griser*** v. pr. Se mettre en état d'ivresse ou s'exalter : *Se griser d'air pur, de vitesse.* ◆ **grisant, e** adj. Se dit de ce qui a un pouvoir exaltant, surexcitant : *Un succès grisant.* ◆ **griserie** n. f. **1.** Excitation physique semblable à un début d'ivresse : *La griserie de la vitesse, du grand air.* — **2.** Exaltation morale, intellectuelle, qui fait perdre en partie la notion claire de la réalité : *Se laisser aller à la griserie du succès.* ◆ **dégriser** v. t. **1.** *L'air frais a commencé à le dégriser* (syn. fam. DESSOÛLER). — **2.** *Il se voyait déjà vainqueur : la réalité l'a dégrisé* (syn. DÉSILLUSIONNER). ◆ **dégrisement** n. m.

GRIS (José Victoriano GONZÁLEZ, dit **Juan**), peintre cubiste espagnol (1887-1927). Son style est caractérisé par la rigueur de la composition et l'austérité des couleurs.

GRISAILLE n. f., **GRISÂTRE** adj., **GRISÉ** n. m. ⟶ GRIS 1.

GRISANT, E adj., **GRISER** v. t., **GRISERIE** n. f. ⟶ GRIS 2.

GRIS-NEZ *(cap),* cap du Boulonnais (Pas-de-Calais), haut de 50 m. Phare.

GRISONNANT, E adj., **GRISONNEMENT** n. m., **GRISONNER** v. i. ⟶ GRIS 1.

GRISONS *(canton des),* en all. **Graubünden,** cant. montagneux de l'est de la Suisse, entre l'Autriche et l'Italie; 7 100 km²; 167 000 hab. Ch.-l. *Coire.* Grande région touristique (Saint-Moritz, Davos, etc.).

GRISOU [grizu] n. m. (mot wallon). **1.** Gaz inflammable, contenant surtout du méthane, qui se dégage des mines de houille et qui forme avec l'air un mélange détonant. — **2.** *Coup de grisou,* explosion de grisou.

GRIVE [griv] n. f. (de l'anc. fr. *griu,* grec). **1.** Oiseau passereau migrateur au plumage brun, tacheté sur la poitrine, qui se nourrit de raisin pendant les vendanges et que l'on chasse pour sa chair. — **2.** *Faute de grives, on mange des merles,* il faut se contenter de ce qu'on a.

GRIVÈLERIE [grivɛlri] n. f. (de *grive*). Délit qui consiste à consommer dans un café ou dans un restaurant en sachant qu'on n'a pas de quoi payer.

GRIVOIS, E [grivwa, -az] adj. (de l'anc. fr. *grief,* pénible). D'une gaieté assez libre : *Des propos grivois* (syn. GAULOIS, GRAVELEUX, LICENCIEUX). ◆ **grivoiserie** n. f. : *Dire des grivoiseries.*

GRIZZLI [grizli] n. m. (de l'angl. *grizzle,* gris). Grand ours gris d'Amérique du Nord.

GRODNO, v. de l'U. R. S. S., en Biélorussie; 132 500 hab.

GRŒNENDAEL [grɔ(n)ɛndal] n. m. (du n. d'une localité belge). Chien de berger belge, à poils longs et noirs.

GROENLAND, territoire danois de l'Arctique américain, la plus grande île du monde (2 500 km de long, 1 200 km de large au aximum); 2 186 000 km²; 50 000 hab. *(Groenlandais)* [0,02 hab. u km²]. Ch.-l. *Nuuk* (anc. *Godthaab*) [10 000 hab.].

GÉOGRAPHIE

ouvert en grande partie par une calotte glaciaire (inlandsis) d'environ 1 500 m d'épaisseur moyenne, le Groenland subit un climat ›laire très rude dont les hivers durent plus de six mois.

	TEMPÉRATURES MOYENNES janv.	juil.	annuelle	PLUIES
Angmagssalik	— 9 °C	7 °C	— 2 °C	828 mm

ur les côtes sud pousse une maigre végétation de bouleaux.

La population, composée en majorité d'Esquimaux, se concentre ır les côtes méridionales où elle vit de la chasse et de la pêche ont elle commercialise les produits.

Par sa situation, le Groenland joue le rôle de base aérienne sur ›s lignes transarctiques.

HISTOIRE.

982. L'île est découverte par l'Islandais Erik le Rouge.

1261. Elle passe sous la dépendance de la Norvège, mais un refroidissement climatique la fait disparaître du monde civilisé.

.edécouvert au XVIe s., le Groenland est colonisé au XVIIIe s. par Danemark.

1953. L'île devient une province danoise.

1979. L'autonomie interne est instaurée au Groenland.

e Groenland a été l'objet de nombreux voyages d'exploration et 'expéditions scientifiques.

1985. Le Groenland se retire de la C. E. E.

ROG [grɔg] n. m. (mot angl.). Boisson faite de rhum et d'eau haude sucrée.

ROGGY [grɔgi] adj. (mot angl. signif. *ivre*). **1.** Se dit d'un oxeur très éprouvé par les coups de l'adversaire, mais qui tient ncore debout. — **2.** *Fam.* Se dit d'une personne étourdie par un hoc physique ou moral.

ROGNARD [grɔɲar] n. m. (de *grogner*). Soldat de la Vieille arde de Napoléon.

ROGNER [grɔɲe] v. i. et t. (du lat. *grunnire*). **1.** Exprimer son ıécontentement en protestant sourdement, de manière indisncte : *Il grogne, mais il obéit* (syn. BOUGONNER, GROMMELER, ONCHONNER). — **2.** (sujet nom d'animal) Émettre un grondement : *e chien grogne d'un air menaçant.* ◆ **grogne** n. f. *Fam.* Mécon›ntement. ◆ **grognement** n. m. **1.** *Fam.* Murmure de méconten›ment. — **2.** Cri du cochon, du sanglier, de l'ours, etc. ◆ **grognon** adj. et n. Qui a l'habitude de grogner : *Un enfant grognon.* ›yn. BOUGON, MAUSSADE). [Le fém. GROGNONNE est rare.]

ROIN [grwɛ̃] n. m. (du lat. *grunnire*, gronder). **1.** Museau du orc, du sanglier. — **2.** *Fam.* Visage bestial et très laid.

ROIX *(île de)*, île de Bretagne (Morbihan), au large de Lorient; 700 hab. Pêcheries et conserveries.

ROMAIRE (Marcel), peintre et graveur français (1892-1971). Connu par ses peintures décoratives et par ses tapisseries, il eprésente, dans un style simple et puissant, des formes géomé›iques (*la Guerre*, 1925).

ROMMELER [grɔmle] v. i. et t. (de l'anc. néerl. *grommen*). Conj. **6.**] Émettre des paroles indistinctes entre ses dents : *Obéir n grommelant* (syn. BOUGONNER, GROGNER). *Grommeler des ıenaces* (syn. MARMONNER). ◆ **grommellement** n. m.

RONDER [grɔ̃de] v. i. (du lat. *grundire*, grogner). **1.** (sujet nom ésignant un animal, un élément naturel, etc.) Produire un bruit ourd et menaçant : *Le chien gronde. Le tonnerre gronde.* — **2.** (sujet nom abstrait) Être menaçant, imminent : *Le conflit ronde et est près d'éclater.* ◆ v. t. *Gronder qq'un*, lui faire des eproches sans gravité (s'applique surtout aux enfants) [syn. ÉPRIMANDER, TANCER]. ◆ **grondement** n. m. Bruit sourd et rolongé : *Un grondement de tonnerre. Les grondements menaçants 'u chien de garde.* ◆ **gronderie** n. f. Action de gronder quelqu'un ›yn. RÉPRIMANDE). ◆ **grondeur, euse** adj. Propre à celui qui ronde quelqu'un : *Un ton grondeur.*

RONDIN [grɔ̃dɛ̃] n. m. (de *gronder*, parce que ce poisson, uand il est pris, émet un grondement). Poisson marin osseux, à ıuseau proéminent. (Certaines variétés roses sont appelées ROU-ETS GRONDINS.)

RONINGUE, en néerl. **Groningen,** v. des Pays-Bas, ch.-l. de a province du même nom, au N.-E. de la Frise; 166 800 hab.

RONINGUE, province du nord-est des Pays-Bas; 532 600 hab. h.-l. *Groningue.* Province qui fut longtemps presque exclusiveıent rurale, elle a été valorisée par la découverte et l'exploitation e grands gisements de gaz naturel (Slochteren).

GROOM [grum] n. m. (mot angl.). Commis d'hôtel, de restaurant, de cercle, chargé de faire les courses.

GROPIUS (Walter), architecte allemand (1883-1969). Il fonda à Weimar, en 1919, le Bauhaus*, centre officiel d'architecture moderniste, et s'installa aux États-Unis en 1938. Il a joué un grand rôle dans la genèse de l'architecture moderne, par ses réalisations et par ses écrits théoriques.

1. GROS, GROSSE [gro, gros] adj. (bas lat. *grossus*). **1.** (avant le nom) Qui a des dimensions importantes, en volume, en épaisseur : *Un gros paquet* (syn. VOLUMINEUX). *Une grosse femme* (syn. CORPULENT; contr. MAIGRE). ‖ *Chat qui fait le gros dos*, qui relève son dos en bosse. ‖ *Faire les gros yeux*, regarder avec une expression menaçante. — **2.** (après le nom dans des tours figés) *Avoir les yeux gros de larmes*, les yeux gonflés de larmes. ‖ *Avoir le cœur gros*, avoir du chagrin. — **3.** Se dit de ce qui a des proportions particulièrement importantes : *Une grosse averse* (syn. ABONDANT). *Avoir un gros appétit* (syn. SOLIDE). *De gros soucis* (syn. GRAVE). *Une grosse mer* (= une mer houleuse). ‖ *Faire la grosse voix*, prendre un ton sévère, menaçant. — **4.** Se dit d'une personne très riche, importante (avec un nom désignant une catégorie sociale) : *Un gros banquier.* — **5.** Avec un nom désignant une qualité (qui peut être péjor.) : *Un gros mangeur* (syn. GRAND). — **6.** Se dit de ce qui n'a pas de finesse dans l'exécution, la qualité : *Du gros drap* (syn. ÉPAIS). *Un gros bon sens* (= sans finesse). *Un gros mot* (= un mot grossier). ‖ *Les gros travaux*, ceux qu'on fait en premier, dans une construction, ou les travaux les plus pénibles. ‖ *Le gros œuvre*, l'ensemble des murs d'un bâtiment. — **7.** *Gros de promesses, de conséquences*, etc., se dit de ce qui annonce certains résultats, qui paraît devoir entraîner des conséquences importantes, etc. ◆ n. **1.** *Fam.* Personne grosse : *Un bon gros.* — **2.** *Fam.* Personne riche, influente (souvent au plur.) : *Les petits payent pour les gros.* — **3.** *Le gros de qqch.*, la partie la plus importante de cette chose : *Le gros de l'armée. Le gros d'un travail* (syn. L'ESSENTIEL). — LOC. ADV. *En gros*, dans l'ensemble et de manière approximative, sans entrer dans le détail : *Voilà, en gros, ce que je voulais dire* (syn. GROSSO MODO). ◆ adv. *Écrire gros*, en gros caractères. ‖ *Gagner, jouer, parier*, etc., *gros*, des sommes importantes : *Cela va vous coûter gros* (syn. CHER). ‖ *En avoir gros sur le cœur*, avoir beaucoup de chagrin, de remords, etc. ◆ **grosseur** n. f. **1.** Volume, dimensions en général : *Un trou de la grosseur du poing* (syn. TAILLE). *Il est d'une grosseur maladive* (contr. MINCEUR). — **2.** *Méd.* Tumeur, enflure : *Avoir une grosseur.*

2. GROS [gro] n. m. (même étym.). Commerce portant sur de grosses quantités, à l'exclusion du détail : *Ce magasin ne fait que le gros et le demi-gros. Prix de gros.* ◆ **grossiste** n. Marchand de gros et de demi-gros (contr. DÉTAILLANT). ◆ **demi-gros** n. m. inv. Commerce intermédiaire entre le gros et la vente au détail.

GROS (Antoine, *baron*), peintre français (1771-1835). D'abord disciple de Louis David, il participa à la campagne d'Italie *(Bonaparte franchissant le pont d'Arcole)*, puis quitta l'armée et exécuta de grandes compositions historiques *(les Pestiférés de Jaffa, le Champ de bataille d'Eylau)*. Son style est un compromis entre le classicisme de David et certaines tendances du romantisme, dont il fut, par son utilisation de la couleur et du mouvement, un des précurseurs.

GROSEILLE [grozɛj] n. f. (du frq. *krusil*). Petit fruit rouge ou blanc qui vient par grappes sur le groseillier. ‖ *Groseille à maquereau*, variété de groseille, de couleur verte ou rougeâtre, plus grosse que les groseilles ordinaires, et ainsi appelée parce qu'on l'emploie verte dans une sauce accompagnant le maquereau. ◆ **groseillier** n. m. Arbrisseau cultivé pour son fruit, la groseille. (On en distingue trois espèces : le *groseillier à grappes* [à fruits rouges ou blancs], le *groseillier à fruits noirs*, ou *cassis*, et le *groseillier épineux*, ou *groseillier à maquereau*.) [Famille des saxifragacées.]

GROS-GRAIN [grogrɛ̃] n. m. *(gros*, et *grain)*. Ruban sans lisière caractérisé par des côtes verticales plus ou moins grosses. ‖ Pl. des *gros-grains.*

1. GROSSE adj. et n. f. → GROS 1.

2. GROSSE [gros] n. f. (de *gros*). Douze douzaines de certaines marchandises : *Une grosse de boutons.*

3. GROSSE [gros] n. f. (même étym.). Expédition d'un contrat, d'un jugement, en gros caractères : *Délivrer la grosse d'un acte notarié.*

GROSSESSE [grosɛs] n. f. (de *gros*). État d'une femme enceinte (= qui attend un enfant); durée de cet état (entre le moment de la fécondation et celui de l'accouchement).

— ENCYCL. La *grossesse* commence par la fixation de l'œuf fécondé (provenant de la fusion du spermatozoïde et de l'ovule) dans l'utérus. Ensuite, le développement de l'œuf, qu'on appelle *embryon* jusqu'au troisième mois, puis *fœtus*, entraîne des modifications de l'organisme de la femme : son utérus augmente progressivement de volume, jusqu'à remplir toute la partie antérieure de l'abdomen à neuf mois. A partir du quatrième mois, la femme peut percevoir les mouvements du fœtus, baignant dans le liquide amniotique, et le médecin peut écouter les battements de son cœur. Au bout du neuvième mois, la grossesse est « à terme », et c'est l'accouchement, c'est-à-dire l'expulsion du fœtus hors de l'utérus.

GROSSEUR n. f. ⟶ GROS 1.

GROSSGLOCKNER, point culminant de l'Autriche, dans les Hohe Tauern; 3 796 m.

GROSSIER, ÈRE [grosje, -ɛr] adj. (de *gros*) [parfois avant le nom]. **1.** Se dit de ce qui est d'une élaboration rudimentaire ou de mauvaise qualité : *Des aliments grossiers* (contr. DÉLICAT, RAFFINÉ). *Un tissu grossier* (contr. FIN). *Avoir une grossière idée de la question* (syn. SOMMAIRE). ‖ *Des traits grossiers,* sans finesse d'expression et sans grâce. — **2.** Se dit de ce qui dénote un manque d'intelligence, de finesse, de culture : *Une faute grossière.* — **3.** Se dit de quelqu'un (ou de son comportement) qui choque les bienséances, la pudeur : *Un homme grossier envers les femmes* (syn. DISCOURTOIS). *Dire des mots grossiers* (syn. CHOQUANT, CRU). *Un grossier personnage* (= un individu mal élevé; rustre). ◆ **grossièrement** adv. **1.** De façon rudimentaire : *Un dessin grossièrement esquissé* (syn. IMPARFAITEMENT). *Voilà grossièrement le sujet de la pièce* (syn. GROSSO MODO, SOMMAIREMENT). — **2.** De façon très forte : *Se tromper grossièrement* (syn. LOURDEMENT). — **3.** De manière brutale et inconvenante : *Répondre grossièrement.* ◆ **grossièreté** n. f. **1.** Caractère de ce qui est grossier : *La grossièreté de ses manières est choquante* (contr. DÉLICATESSE). — **2.** Action ou parole grossière : *On ne peut tolérer de telles grossièretés.*

GROSSIR [grosir] v. i. (de *gros*). Devenir ou paraître plus gros, plus important : *Vous avez grossi* (syn. ENGRAISSER, FORCIR; contr. MAIGRIR). *La foule grossit et s'amasse autour de l'accident* (syn. AUGMENTER). ◆ v. t. et i. Rendre ou faire paraître plus volumineux, plus important : *Un microscope qui grossit trois cents fois. Votre imagination a grossi le danger* (syn. EXAGÉRER). *Les journaux grossissent l'affaire* (syn. AMPLIFIER). ◆ **grossissant, e** adj. **1.** Qui devient de plus en plus nombreux, important : *Une foule grossissante remplissait la place.* — **2.** *Verre grossissant,* qui augmente les dimensions apparentes. ◆ **grossissement** n. m. Action de grossir, d'augmenter en volume ou de faire paraître plus gros.

GROSSISTE n. ⟶ GROS 2.

GROSSO MODO [grosomodo] loc. adv. (mots lat. signif. *d'une manière grosse*). Sans entrer dans le détail (syn. EN GROS, GROSSIÈREMENT).

GROTESQUE [grotɛsk] adj. (it. *grottesco*). **1.** D'un ridicule invraisemblable : *Une situation grotesque.* — **2.** Qui fait rire par son extravagance : *Un accoutrement grotesque* (syn. BURLESQUE). ◆ n. m. : *C'est d'un grotesque!*

GROTIUS (Hugo DE GROOT, dit), jurisconsulte et diplomate hollandais (1583-1645), auteur d'un code du droit international public.

GROTTE [grɔt] n. f. (du gr. *kruptê,* crypte). Petite caverne : *Une grotte naturelle, préhistorique. Les grottes sont essentiellement localisées dans les régions de relief karstique*.*

GROUCHY (Emmanuel, *marquis* DE), maréchal et pair de France (1766-1847). Commandant de la cavalerie de réserve de l'armée du Nord, il ne sut pas empêcher à Waterloo la liaison des Anglais et des Prussiens.

GROUILLER [gruje] v. i. (orig. obscure). **1.** (sujet nom désignant les éléments d'une masse confuse et dense) S'agiter : *Des asticots qui grouillent dans la viande avariée* (syn. FOURMILLER, PULLULER). — **2.** *Grouiller de* (personnes, choses), être plein d'une masse confuse et en mouvement : *La rue grouille de monde.* ◆ **grouillant, e** adj. : *Une foule grouillante* (syn. INNOMBRABLE). *Une rue grouillante de monde* (syn. FOURMILLANT). ◆ **grouillement** n. m. : *Le grouillement des vers, de la foule.*

GROUPE [grup] n. m. (it. *gruppo,* nœud). **1.** Ensemble de personnes réunies dans un endroit : *Des groupes animés discutent dans la rue.* — **2.** Ensemble de personnes qui partagent une même condition ou les mêmes opinions, la même activité : *Appartenir à un groupe politique.* ‖ *Groupe parlementaire,* formation permanente réunissant, au sein d'une assemblée politique délibérante, les élus d'une même tendance. ‖ *Groupe de combat,* unité élémentaire de combat de l'infanterie. — **3.** Ensemble d'objets rapprochés les uns des autres ou ayant des caractères communs : *Un groupe de maisons. Groupe de mots* (= mots formant une unité de sens dans la phrase). — **4.** *Math.* Ensemble muni d'une loi de composition interne caractérisée par l'associativité, l'existence d'un élément neutre, et telle que tout élément de l'ensemble possède pour cette loi un élément symétrique. ⟶ ENCYCL. — **5.** *Groupe sanguin,* ensemble d'individus entre lesquels le sang peut être transfusé sans agglutination des hématies. (⟶ SANG.) ◆ **grouper** v. t. Assembler en groupe : *Grouper tous les mécontents d'un part* ◆ **se grouper** v. pr. : *Se grouper autour d'un chef.* ◆ **groupag** n. m. Action de grouper des colis ayant une même destinatior ◆ **groupement** n. m. Réunion importante de personnes ou d choses : *Un groupement politique, syndical.* ◆ **groupuscule** n. n Nom donné péjorativement à certaines organisations politique extrémistes ou révolutionnaires. ◆ **dégrouper** v. t. Disperse répartir différemment des personnes ou des choses groupée ◆ **dégroupement** n. m. ◆ **regrouper** v. t. Rassembler ce qu était dispersé. ◆ **regroupement** n. m.

— ENCYCL. Un *groupe* est un ensemble E, muni d'une loi* d composition interne notée $*$ telle que :

$*$ soit associative;

E possède un élément neutre pour la loi $*$;

tout élément de E admet un symétrique dans E pour la loi $*$.

On note $(E, *)$ le groupe.

■ *Groupe commutatif ou abélien.* Un groupe est dit *commutatif* o *abélien* si la loi $*$ est commutative.

Exemples : $(\mathbb{Z},+)$, ensemble des entiers relatifs muni de la l d'addition, est un groupe commutatif; $(\mathbb{D},+)$, ensemble des déc maux relatifs muni de la loi d'addition, est un groupe commutati l'ensemble des puissances de 10, c'est-à-dire les nombres de l forme 10^n ($n \in \mathbb{Z}$), muni de la multiplication, est un groupe con mutatif; l'ensemble $E = \{a, b, c, d, e, f\}$ muni de la loi de compos tion définie par la table de composition ci-dessous est un group non commutatif

le groupe est non commutatif car, par exemple :

$e * f = b$

$f * e = c$

a est l'élément neutre du groupe

$*$	a	b	c	d	e	f
a	a	b	c	d	e	f
b	b	c	a	f	d	e
c	c	a	b	e	f	d
d	d	e	f	a	b	c
e	e	f	d	c	a	b
f	f	d	e	b	c	a

Contre-exemple : l'ensemble $\mathbb{N}$ des entiers naturels, muni d l'addition, n'est pas un groupe, car tous les éléments n'admetter pas de symétrique dans $\mathbb{N}$ (le symétrique de 3, -3, n'est pa dans $\mathbb{N}$).

■ *Groupe ordonné.* E étant un ensemble muni d'une loi de comp sition interne notée $*$ et d'une relation* d'ordre total notée $\leqslant$, l triplet $(E, *, \leqslant)$ est un groupe ordonné si :

$(E, *)$ est un groupe;

quels que soient les éléments a, b, c de E, $a \leqslant b$, alor $a+c \leqslant b+c$.

Exemple : $(\mathbb{Z},+,\leqslant)$, groupe commutatif ordonné des entier relatifs.

GROUSE [gruz] ou [graws] n. m. (mot écossais). Nom angla du petit coq de bruyère ou TÉTRAS.

GROZNYÏ, v. de l'U. R. S. S., sur le versant nord du Caucase 341 300 hab. Centre pétrolier.

GRUAU [gryo] n. m. (de l'anc. fr. *gru,* gruau). Farine fine et pur obtenue en faisant passer la partie du froment qui enveloppe l germe du grain de céréale dans un broyeur. ‖ *Pain de gruau,* pai fabriqué avec cette farine.

1. GRUE [gry] n. f. (lat. *grus*). **1.** Grand oiseau échassier, plumage gris cendré, à long cou et à longues pattes tendues e vol : *La grue cendrée. La grue couronnée est munie d'une aigrett La grue glapit, trompette, craque.* — **2.** *Faire le pied de gru* attendre longtemps, debout, au même endroit.

2. GRUE [gry] n. f. (de *grue* 1). **1.** Appareil de levage pou soulever et déplacer de lourdes charges. — **2.** *Grue hydrauliqu* appareil servant à alimenter en eau les locomotives à vapeu ◆ **grutier** n. m. Conducteur d'une grue.

GRUGER [gryʒe] v. t. (anc. néerl. *gruizen,* écraser). [Conj. 2 *Gruger qq'un,* le tromper en affaires, le voler (syn. DUPER; fan ROULER).

GRUME [grym] n. f. (bas lat. *gruma,* écorce). *Bois de grume, bo en grume,* bois coupé couvert de son écorce.

GRUMEAU [grymo] n. f. (lat. *grumulus*). Petite portion d matière coagulée, généralement gluante : *Une bouillie qui fait de grumeaux.* ◆ **grumeleux, euse** adj. **1.** Qui contient des gru meaux. — **2.** Qui présente des granulations dures à la surface ou l'intérieur : *Une peau grumeleuse.*

RÜNEWALD (Matthias), peintre allemand (v. 1470/1475-1528). on chef-d'œuvre est le retable d'Issenheim (v. 1513-1515, Col- ar), un des sommets de la peinture allemande.

RUPPETTO [grupɛto] n. m. (mot it.). *Mus.* Ornement consti- ié par 3 ou 4 notes brèves qui précèdent ou suivent la note rincipale. (On l'indique le plus souvent par le signe ~.) ‖ Pl. des *uppetti.*

RUTIER n. m. ⟶ GRUE 2.

RUYÈRE [gryjɛr] n. m. (de *Gruyère*). Fromage de lait de vache iit, à pâte dure percée de trous. (On en distingue deux variétés : *comté*, à ouvertures rondes, peu développées, de la grosseur 'une noisette, et l'*emmenthal*, plus gros, à ouvertures ovales, plus osses et plus nombreuses.)

RUYÈRE (la), pays de la Suisse (cant. de Fribourg), drainé par Sarine, aux environs du bourg de *Gruyères*. Fromages.

STAAD, station touristique de la Suisse (comm. de Gessenay, ant. de Berne).

UADALAJARA, v. du Mexique, capit. de l'État de Jalisco; 561 000 hab. Cathédrale (XVIe-XVIIe s.).

UADALCANAL, île volcanique de l'archipel des Salomon, en élanésie; 6 500 km²; 15 000 hab.

1942-1943. Américains et Japonais s'y opposent en des combats acharnés.

UADALQUIVIR (le), fl. d'Espagne, en Andalousie, arrosant ordoue et Séville, tributaire de l'Atlantique; 680 km.

UADALUPE HIDALGO, agglomération de la banlieue nord e Mexico. Sanctuaire élevé à Notre-Dame-de-Guadalupe et au uré Hidalgo, un des héros de l'indépendance mexicaine.

2 fév. 1848. Traité par lequel le Mexique donnait aux États-Unis les territoires du Texas, de la haute Californie et du Nouveau-Mexique.

UADARRAMA *(sierra de)*, chaîne de montagnes du centre de Espagne, séparant la Vieille-Castille de la Nouvelle-Castille; 405 m.

UADELOUPE (la), une des Petites Antilles françaises; 709 km²; 328 400 hab. *(Guadeloupéens)* [192 au km²]. Ch.-l. *asse-Terre* (16 000 hab.). V. pr. *Pointe-à-Pitre* (30 000 hab.).

ÉOGRAPHIE. La Guadeloupe est formée de deux îles séparées ar un étroit bras de mer, la rivière Salée. À l'E., *Grande-Terre* est n bas plateau; à l'O., *Basse-Terre*, beaucoup plus accidentée, tteint 1 484 m au volcan de la Soufrière. Les deux îles jouissent 'un climat tropical chaud et humide. Plusieurs îles dépendent de Guadeloupe : la Désirade, les Saintes, Marie-Galante, Saint- arthélemy, partie nord de Saint-Martin.

es ressources essentielles de ces îles sont fournies par l'agricul- ıre. Canne à sucre, rhum et bananes, destinés à l'exportation, ont les principales productions. L'industrie se limite à la transfor- ıation des produits agricoles. Le tourisme joue aujourd'hui un rôle important. Le commerce extérieur se fait par le port de Pointe-à-Pitre, la principale ville du pays.

sucre de canne 60 000 t; bananes 150 000 t.

HISTOIRE. L'île est découverte en 1493 par Christophe Colomb.

- *1635. Début de l'occupation française.*

La culture de la canne à sucre se développe rapidement.

Prise plusieurs fois par les Anglais, la Guadeloupe redevient définitivement française en 1816.

- *1848. Abolition de l'esclavage par Schœlcher.*
- *1946. La Guadeloupe devient un département d'outre-mer.*
- *1983. Création d'un conseil régional.*

Guadeloupe

chef-lieu
grande ville
autres villes

GRANDE-TERRE
Morne-à-l'Eau
Le Moule
LA DÉSIRADE
Pointe-à-Pitre
BASSE-TERRE
PETITE-TERRE
Capesterre
MARIE-GALANTE
BASSE-TERRE
Grand-Bourg
ILES DES SAINTES
OCÉAN ATLANTIQUE
MER DES ANTILLES
0 25 km

GUADIANA (le), fl. de la péninsule Ibérique, tributaire de l'Atlantique; 801 km. Il naît en Espagne sur le plateau de la Manche et gagne le Portugal.

GUAM, la plus méridionale des îles Mariannes (Micronésie); 541 km²; 104 000 hab. Base navale américaine, occupée par les Japonais de 1941 à 1944.

GUANABARA, baie des côtes du Brésil sur laquelle est établie Rio de Janeiro.

GUANO [gwano] n. m. (mot esp.). Engrais naturel riche en phosphate et en azote, provenant d'excréments d'oiseaux, de chauves-souris, et de cadavres, récupéré dans les colonies de ces animaux.

GUANTÁNAMO, port de l'est de Cuba; 165 200 hab. Exportation de sucre. Base navale concédée aux États-Unis.

GUARANIS, Indiens d'Amérique du Sud. Au Paraguay, ils constituent une partie importante de la population.

GUARDAFUI ou **GARDAFUI** *(cap)*, cap à l'entrée du golfe d'Aden, sur la côte de Somalie.

GUARDI (les), famille de peintres vénitiens, dont le plus célèbre, FRANCESCO (1712-1793), peignit des vues de Venise et de la lagune animées par les jeux changeants de la couleur et de la lumière.

GUATEMALA, république de l'Amérique centrale, au S.-E. du Mexique. → cartes AMÉRIQUE pp. 48-49.

SUPERFICIE 109 000 km² (France : 550 000 km²).

POPULATION 8,9 millions d'hab. *(Guatémaltèques);* 82 hab. au km² (France : 103); taux de natalité, 39 p. 1 000; taux de mortalité, 15 p. 1 000.

CAPITALE Guatemala Ciudad (1 300 000 hab.).

LANGUE espagnol.

ÉCONOMIE consommation d'énergie par hab., 225 kg d'équivalent charbon; 1 automobile pour 120 hab.

GÉOGRAPHIE

Un massif montagneux en partie volcanique sépare la plaine côtière du Pacifique, au S., des plateaux du Petén, au N. Le climat, tropical près du niveau de la mer, présente de nombreux autres types en raison de l'étagement en altitude. La population se concentre dans la région centrale où le climat est plus sain.

	TEMPÉRATURES MOYENNES janv.	juil.	PLUIES
Guatemala	17,6 °C	20,1 °C	1 047 mm

L'*agriculture* reste le secteur primordial de l'économie. Des plantations de cultures tropicales s'étagent sur les pentes (café, cacao, bananes, canne à sucre), tandis que l'exploitation des forêts du Petén (acajou) apporte un complément de ressources.

café 160 000 t; bananes 650 000 t; sucre 500 000 t.

Le pays exporte les produits de son agriculture et doit importer des produits fabriqués. Les échanges se font essentiellement avec les États-Unis.

HISTOIRE

- *1523-1524. Conquête du Guatemala par les Espagnols.*
- *1821. Le pays devient indépendant.*

Depuis lors, le Guatemala a subi de nombreuses dictatures. À l'heure actuelle le pays, fortement dominé économiquement par les États-Unis, reste agité par des troubles intérieurs graves.

GUAYAQUIL, principal port de l'Équateur, sur le Pacifique; 1 050 000 hab. Exportation de cacao et de café.

GUDERIAN (Heinz), général allemand (1888-1954). Créateur de l'armée blindée allemande, chef d'état-major de l'armée de terre en 1944-1945.

GUÉ [ge] n. m. (frq. *wad*, endroit peu profond). Endroit d'une rivière où l'on peut passer sans perdre pied. ◆ **guéable** adj. Qu'on peut passer à gué.

GUEBWILLER, ch.-l. d'arrond. du Haut-Rhin, à 23 km au N.-O. de Mulhouse; 11 100 hab. Filatures.

GUEBWILLER *(ballon de)*, ou **GRAND BALLON,** point culminant des Vosges (Haut-Rhin); 1 424 m.

GUELDRE, en néerl. **Gelderland,** province orientale des Pays-Bas; 1 601 000 hab. Ch.-l. *Arnhem.*

guelfes et **gibelins** *(factions des)*, partis politiques, formés au XIe s., qui s'opposèrent violemment en Italie, notamment à Florence, jusqu'à la fin du Moyen Âge. Les guelfes étaient partisans du pape, les gibelins soutenaient les empereurs germaniques.

GUÉMENÉ-PENFAO, ch.-l. de cant. de la Loire-Atlantique, à 20 km à l'E. de Redon; 4 600 hab.

GUÉMENÉ-SUR-SCORFF, ch.-l. de cant. du Morbihan, à 21 km à l'O. de Pontivy; 1 700 hab.

GUÉNANGE, comm. de la Moselle, à 8 km au S. de Thionville; 8 300 hab.

GUENILLE [gənij] n. f. (orig. inc.) [généralement au plur.]. Vêtements sales, déchirés : *Un mendiant en guenilles* (syn. HAILLONS, HARDES, LOQUES). ◆ **déguenillé, e** adj. Vêtu de guenilles (syn. LOQUETEUX).

GUENON [gənɔ̃] n. f. (orig. obscure). Femelle du singe.

GUÉPARD [gepar] n. m. (de l'it. *gattopardo*, chat-léopard). Mammifère carnassier d'Afrique et d'Asie, haut sur pattes, à ongles non rétractiles, dont la robe est tachetée de noir sur fond clair, pouvant être domestiqué. (Il est très rapide, et sa vitesse peut atteindre 100 km/h.)

GUÊPE [gɛp] n. f. (lat. *vespa*). **1.** Insecte social à abdomen annelé de jaune et de noir, construisant des nids annuels, ou guêpiers, en une sorte de carton, où se développent les larves. (Les ouvrières sont munies d'un aiguillon abdominal venimeux.) [Ordre des hyménoptères.] — **2.** *Taille de guêpe*, taille très fine. ◆ **guêpier** n. m. **1.** Nid de guêpes. — **2.** *Tomber, donner, se fourrer dans un guêpier*, tomber dans un piège, se mettre dans une situation difficile.

Guépéou ou **G. P. U.,** nom donné à la police politique soviétique de 1922 à 1934.

Guêpes *(les)*, comédie d'Aristophane (422 av. J.-C.).

GUÊPIER n. m. ⟶ GUÊPE.

GUER, ch.-l. de cant. du Morbihan, à 22 km à l'E. de Ploërmel; 7 100 hab.

GUÉRANDE, ch.-l. de cant. de la Loire-Atlantique, à 6 km au N. de La Baule-Escoublac; 9 500 hab. *(Guérandais).* Marais salants dans la région.

• *1365. Le traité de Guérande, signé entre Jean IV de Montfort et le roi de France Charles V, met fin à la guerre de la Succession de Bretagne, dite « guerre des Deux-Jeanne ».*

GUERCHIN (Giovanni Francesco BARBIERI, dit **le**), peintre italien (1591-1666). Il pratiqua avec virtuosité l'art du raccourci et celui du clair-obscur *(Résurrection de Lazare).*

GUÈRE [gɛr] adv. (frq. *waigaro*, beaucoup) [le plus souvent avec la négation *ne;* parfois sans *ne* dans la langue parlée]. **1.** Indique une quantité très minime, avec un adj. : *Il n'est guère raisonnable* (syn. PEU; contr. TRÈS); devant un comparatif : *Il ne va guère mieux* (syn. PAS BEAUCOUP; contr. BIEN); avec un verbe : *Je n'y vois guère;* sans la négation *ne*, dans les réponses : *« Vous aimez les endives? — Guère »* (contr. BEAUCOUP). — **2.** Indique un temps minime, une fréquence faible : *On peut attendre, il ne tardera guère* (syn. PAS BEAUCOUP). *Vous ne venez guère à la maison* (contr. FRÉQUEMMENT, SOUVENT); avec *ne... plus : Ce mot n'est plus guère employé.* — **3.** *Guère de*, suivi d'un nom, indique une faible quantité : *Je n'ai guère de courage.*

GUÉRET [gerɛ] n. m. (lat. *vervactum*, jachère). Terre labourée et non ensemencée.

GUÉRET, ch.-l. de la Creuse, à 42 km au N.-O. d'Aubusson; 16 600 hab. *(Guérétois).* Métallurgie.

GUÉRIDON [geridɔ̃] n. m. (d'un n. pr.). Petite table ronde, à pied central unique.

GUÉRILLA [gerija] n. f. (esp. *guerrilla*, petite guerre). Forme de guerre qui consiste à harceler sans cesse l'adversaire par des embuscades, des sabotages, etc., exécutés par de petits groupes de partisans, parfois même par des troupes régulières. ◆ **guérillero** n. m. Combattant de guérilla (syn. MAQUISARD, PARTISAN).

GUÉRIN (Camille), vétérinaire français (1872-1961). Il a mis au point avec Calmette le vaccin contre la tuberculose (B. C. G.).

GUÉRIR [gerir] v. t. (du frq. *warjan*, protéger) [sujet nom d'être animé ou inanimé]. **1.** *Guérir qq'un*, le délivrer d'une maladie, d'un mal, d'un défaut : *Ce médicament vous guérira* (syn. RÉTABLIR). *Pourra-t-on le guérir de sa timidité?* (syn. DÉBARRASSER). — **2.** *Guérir une maladie, un mal, un défaut*, les faire passer définitivement, y trouver un remède : *Le médecin m'a guéri d'un ulcère. Guérir sa timidité* (syn. CORRIGER). ◆ v. i. **1.** (sujet nom d'être animé) Être délivré d'une maladie ou d'un mal moral : *Si vous voulez guérir, il faut vous soigner.* — **2.** (sujet nom de maladie, de mal) Disparaître par le retour à la santé : *Sa plaie a guéri. Une passion qui ne guérira pas;* s'emploie parfois, en ce sens, à la forme pron. ◆ **guérison** n. f. : *Être en voie de guérison* (syn. RÉTABLISSEMENT). *La guérison d'un chagrin.* ◆ **guérissable** adj. Qui peut être guéri (syn. CURABLE). ◆ **inguérissable** adj. Syn. de INCURABLE. ◆ **guérisseur, euse** n. Personne qui prétend guérir les malades par des procédés magiques, dénués de toute base scientifique (imposition des mains, emploi de pendules, etc.), en dehors de l'exercice légal de la médecine.

GUÉRITE [gerit] n. f. (de l'anc. fr. *garir*, protéger). Abri d'une sentinelle.

GUERNESEY, en angl. **Guernsey,** île de l'archipel Anglo-Normand (Manche), à 45 km des côtes de France; 51 400 hab. *(Guernesiais)* [avec Aurigny et Serq]. Ch.-l. *Saint-Pierre (Saint Peter Port).*

L'île est administrée par un lieutenant-gouverneur et par une assemblée parlementaire. On y parle encore un patois normand, mais l'anglais est la langue officielle depuis 1946. Cultures maraîchères, fruitières et florales. Important centre de tourisme.

GUERNICA Y LUNO, v. d'Espagne (prov. de Biscaye); 7 800 hab. La ville fut détruite en 1937 par l'aviation allemande durant la guerre d'Espagne; elle est reconstruite auj. Ce terrible bombardement servit de thème à une grande composition peinte en noir et blanc par Picasso.

GUERRE [gɛr] n. f. (frq. *werra*). **1.** Lutte organisée et sanglante entre des États ou entre des partis (contr. PAIX). ‖ *Foudre de guerre* ⟶ FOUDRE 2. ‖ *Conseil de guerre*, réunion des chefs d'une armée pour discuter de la poursuite des opérations; tribunal militaire spécial. ‖ *Guerre civile*, lutte armée à l'intérieur d'un même pays entre deux ou plusieurs partis. ‖ *Guerre éclair*, nom donné par les dirigeants du IIIe Reich à la guerre telle qu'ils voulaient la mener, c'est-à-dire une guerre fondée sur la rapidité de l'action. ‖ *Guerre froide*, état des relations internationales caractérisé par une politique constante d'hostilité des clans adverses sans toutefois prendre la forme d'un conflit armé. (On désigna ainsi l'état des relations entre le bloc soviétique et le monde occidental.) ‖ *Guerre psychologique*, mise en œuvre systématique de mesures et de moyens divers destinés à influencer les populations ou les armées ennemies, pour amoindrir, paralyser ou briser leur volonté de combattre. ‖ *Guerres de Religion* ⟶ RELIGION. ‖ *Guerre sainte*, guerre menée au nom de motifs religieux. (⟶ CROISADE.) — **2.** Lutte quelconque : *Faire la guerre à qq'un* (= lui faire des reproches constants). ‖ *Faire la guerre à qqch.* (nom abstrait), chercher à le faire disparaître : *Faire la guerre aux abus.* — **3.** *De bonne guerre*, se dit d'un moyen employé légitimement (syn. LOYAL). ‖ *De guerre lasse*, en renonçant à la lutte par lassitude. ‖ Fam. *À la guerre comme à la guerre*, il faut se contenter de ce que l'on a, faire contre mauvaise fortune bon cœur. ‖ *Nom de guerre*, faux nom que l'on prend dans certaines circonstances afin de n'être pas connu. ◆ **guerrier, ère** adj. **1.** Qui a trait à la guerre (littér.) : *Des exploits guerriers.* — **2.** Se dit de quelqu'un (ou de son comportement) qui a du goût pour la guerre : *Un caractère guerrier* (syn. BELLIQUEUX; contr. PACIFIQUE). ◆ n. m. Celui qui fait la guerre par métier (se dit surtout littér. ou des soldats du passé). ◆ **guerroyer** v. i. Faire la guerre (littér.) : *Les seigneurs passaient leur temps à chasser ou à guerroyer* (syn. SE BATTRE, COMBATTRE). ◆ **après-guerre** n. m. ou f. Période qui suit une guerre : *La France a connu deux après-guerres depuis 1900, l'un après l'armistice de 1918, l'autre après la capitulation allemande de 1945.* ◆ **avant-guerre** n. m. ou f. Époque qui a précédé la Première Guerre mondiale ou la Seconde Guerre mondiale. (Employé surtout comme compl. sans art. : *L'Europe d'avant-guerre.*) ◆ **entre-deux-guerres** n. m. ou f. inv. Période située entre deux conflits (se dit surtout de la période 1918-1939).

Guerre folle (1485-1488), révolte des grands féodaux, dirigés par le duc d'Orléans, contre le gouvernement d'Anne et Pierre de Beaujeu (fille et gendre de Louis XI), régents du royaume pendant la minorité de Charles VIII. Elle se termina à la bataille de Saint-Aubin-du-Cormier.

GUERRE MONDIALE *(Première)*, conflit qui, de 1914 à 1918, opposa les empires centraux (Allemagne et Autriche-Hongrie), alliés à la Turquie et à la Bulgarie, aux puissances de la Triple-Entente (France, Grande-Bretagne, Russie), alliées à la Serbie, à la

Avance extrême des armées allemandes en sept. 1914
Trajet des armées allemandes après l'invasion de la Belgique
Offensives françaises de la bataille de la Marne
Front en 1917
Poches allemandes après les attaques du printemps 1918
Front le 11 novembre 1918
Ostende
Nieuport
Dixmude
Calais
Ypres
Cassel
Lille
Lens
Arras
Cambrai
Doullens
Abbeville
Amiens
Montdidier
Le Havre
Beauvais
Clermont
Noyon
St-Quentin
La Fère
Guise
Chemin des Dames
Charleroi
Maubeuge
BELGIQUE
ALLEMAGNE
LUXEMBOURG
Berry-au-Bac
Tahure
Souain
Reims
Château Thierry
Meaux
Coulommiers
Marais de St Gond
PARIS
Vitry-le-Fr.
Suippes
Vauquois
Douaumont
VERDUN
Metz
St Mihiel
ALSACE-LORRAINE
Nancy
Voie Sacrée
Seine
Marne
Oise
Aisne
Meuse
Moselle
Sambre
Escaut
Lys
0
100 km
Avance extrême des troupes russes vers l'Ouest
Front 1915 après les offensives allemandes
Fronts russes en 1916
Fronts anglais au Proche-Orient
Empires centraux et leurs alliés
Alliés et territoires contrôlés par eux
ARRÊT DE L'OFFENSIVE RUSSE 1914
JUTLAND 1916
Riga
1917
FRONT RUSSE 1914
Tannenberg
Berlin
Brest-Litovsk
ALLEMAGNE
FRONT RUSSE 1915
RUSSIE
OFFENSIVE BROUSSILOV 1916
Galicie
CAPORETTO 1917
AUTRICHE-HONGRIE
Vienne
Czernowitz
OCCUPATION DE LA SERBIE 1915
ITALIE
ROUMANIE
MER NOIRE
SERBIE
MONTENEGRO
BULGARIE
Rome
ALBANIE
Monastir
Salonique
Constantinople
OFFENSIVE RUSSE EN ARMÉNIE 1916
Erzeroum
EMPIRE OTTOMAN
GRÈCE
Mossoul
KUT EL-AMARA 1916
Alep
1918
Bagdad
Kut el-Amara
OFFENSIVE FRANCHET D'ESPEREY 1918
Damas
DÉBARQUEMENT ALLIÉ À SALONIQUE 1915
DÉBARQUEMENT ALLIÉ AUX DARDANELLES 1915
OFFENSIVE ALLENBY 1917
Jérusalem
ARABIE
RAID GERMANO-TURC SUR LE CANAL DE SUEZ
ÉGYPTE
0
400 km

Belgique et au Japon (1914), à l'Italie (1915), à la Roumanie, au Portugal et aux États-Unis (1916), à la Grèce et à plusieurs États sud-américains (1917).

Les origines de la guerre.

L'Europe est partagée entre deux blocs rivaux, la Triple-Alliance (Allemagne, Autriche-Hongrie, Italie) et la Triple-Entente, qui s'opposent sur des questions territoriales (rivalité germano-slave dans les Balkans), coloniales (expansion économique et navale de l'Allemagne) et politiques (prestige); ces pays se sont armés intensivement, en prévision d'un conflit possible.

- *28 juin 1914. L'assassinat de l'archiduc héritier d'Autriche François-Ferdinand par un Serbe est la cause immédiate de la guerre.*

Le 28 juillet l'Autriche-Hongrie déclare la guerre à la Serbie. Le système des alliances entraîne successivement les différents pays dans la guerre : l'Allemagne déclare la guerre à la Russie (1er août) et à la France (3 août); l'Angleterre à l'Allemagne (4 août); le Japon à l'Allemagne (23 août); les Alliés à la Turquie (3 novembre).

La guerre se déroule sur plusieurs fronts.

L'année 1914.

FRONT OUEST

- *Août. Les Allemands envahissent la Belgique et le nord de la France (retraite française).*
- *6-13 sept. La bataille de la Marne permet à Joffre de stopper l'invasion.*
- *Sept.-nov. Après la course à la mer des deux armées et la mêlée des Flandres, le front se stabilise de la mer du Nord à la Suisse.*

La guerre de mouvement se transforme en guerre d'usure (guerre des tranchées).

FRONT EST

- *26 août. Les offensives russes en Prusse-Orientale sont arrêtées à Tannenberg.*
- *3 sept. En Galicie, les Russes s'emparent de Lvov.*

Ils obligent les Austro-Hongrois à se replier sur les Carpates.

Le front se stabilise en novembre du Niémen aux Carpates (Memel, ouest de Varsovie, Görlitz).

AUTRES FRONTS

- *Sept.-déc. Échecs autrichiens en Serbie.*
- *Oct.-déc. Les Anglais débarquent en Mésopotamie.*

L'année 1915.

- *20 mai. L'Italie déclare la guerre à l'Autriche-Hongrie, après avoir dénoncé la Triple-Alliance.*
- *5 oct. La Bulgarie déclare la guerre aux Alliés.*

FRONT OUEST

La guerre d'usure dans les tranchées se poursuit.

- *Fév.-sept. Toutes les attaques françaises (en Champagne, en Artois) échouent.*
- *Avril. Les Allemands emploient des gaz pour la première fois.*

FRONT EST ET BALKANS

- *Fév.-mars. Échecs des Alliés aux Dardanelles.*
- *Avril-sept. Les offensives allemandes en Prusse-Orientale et en Pologne contraignent les Russes à se replier sur une ligne allant de Riga à la frontière roumaine.*
- *5 oct. Les Alliés débarquent à Salonique.*
- *Oct.-nov. Conquête de la Serbie par les Allemands et les Bulgares.*

AUTRES FRONTS

- *Juil. Offensives italiennes dans le Trentin et le Carso.*

Les Anglais occupent le Sud-Ouest africain allemand.

L'année 1916.

FRONT OUEST

- *21 fév.-déc. À la bataille de Verdun, l'armée française résiste victorieusement aux Allemands.*
- *Juil.-oct. Offensive alliée sur la Somme.*

FRONT EST

- *Juin-août. Les Russes de Broussilov sont victorieux en Galicie et en Bucovine.*
- *Oct.-déc. Les Allemands conquièrent la Roumanie.*

AUTRES FRONTS

- *Janv. Les Alliés occupent le Cameroun.*
- *Fév.-mars. Les Russes attaquent en Arménie.*
- *28 avril. Les Turcs battent les Anglais à Kūt al-ʿAmāra.*
- *31 mai. Bataille anglo-allemande du Jutland.*
- *Sept. Offensive des Alliés en Macédoine.*

L'année 1917.

- *Mars-nov. Révolution russe.*
- *2 avril. Les États-Unis entrent en guerre, à la suite de l'offensiv sous-marine allemande à outrance.*
- *Nov. En France, la crise politique et morale entraîne la forma tion du gouvernement Clemenceau.*

FRONT OUEST

- *16 avril. L'échec de l'offensive de Nivelle sur le Chemin de Dames provoque une très grave crise dans l'armée française.*

Pétain est nommé généralissime. Il organise avec succès le attaques françaises devant Verdun (août) et sur l'Ailette (octobre).

- *Juin-nov. Offensive anglaise dans les Flandres et à Cambrai.*

FRONT RUSSE

Les Allemands prennent Riga (3 septembre) et occupent la Buco vine (juillet-septembre).

- *15 déc. Armistice russo-allemand de Brest-Litovsk.*

AUTRES FRONTS

- *24 oct. Défaite italienne de Caporetto.*

Au Moyen-Orient, les Anglais prennent Bagdad (11 mars) et Jéru salem (9 décembre).

L'année 1918 : la victoire des Alliés.

Les Alliés réalisent l'unité du commandement en nommant Foc commandant en chef et reprennent l'initiative sur tous les fronts.

FRONT OUEST

- *21 mars-15 juil. Offensives allemandes en Picardie, sur la Marne en Champagne.*
- *18 juil.-sept. Les contre-offensives françaises en Champagne, e Picardie et de la Meuse à la mer obligent les Allemands à battr en retraite sur Gand, Cambrai et Sedan.*
- *11 nov. L'armistice est signé à Rethondes.*

BALKANS

- *15 sept. Franchet d'Esperey prend l'offensive en Macédoine.*

Il contraint la Bulgarie à demander l'armistice (29 septembre).

L'Autriche-Hongrie se disloque.

- *Oct. Hongrois, Tchèques et Yougoslaves proclament leur indépen dance.*
- *12 nov. L'Autriche proclame la république et son rattachement l'Allemagne.*

AUTRES FRONTS

- *Sept.-oct. Les Anglais prennent Beyrouth, Damas, Alep et obl gent les Turcs à signer l'armistice de Moudros (30 octobre).*
- *24 oct. Victoire italienne de Vittorio Veneto.*
- *3 nov. Les Italiens contraignent l'Autriche à signer l'armistice d Padoue.*
- *13 nov. Les Allemands déposent les armes en Afrique-Orientale.*

Les traités de paix.

- *28 juin 1919. Traité de Versailles avec l'Allemagne.*
- *10 sept. 1919. Traité de Saint-Germain-en-Laye avec l'Autriche.*
- *27 nov. 1919. Traité de Neuilly avec la Bulgarie.*
- *14 juin 1920. Traité de Trianon avec la Hongrie.*
- *10 août 1920. Traité de Sèvres avec la Turquie.*
- *12 nov. 1920. Traité italo-yougoslave de Rapallo.*

La Première Guerre mondiale a tué près de 9 millions d'homme et fait perdre à l'Europe sa primauté dans le monde au profit de États-Unis. La non-acceptation des traités de paix par plusieur pays est une des causes de la Seconde Guerre mondiale.

GUERRE MONDIALE *(Seconde)*, conflit qui, de 1939 à 1945 opposa les puissances démocratiques alliées (Pologne, Grande Bretagne et ses alliés du Commonwealth, France, Danemark, Nor vège, Pays-Bas, Belgique, Roumanie, Yougoslavie, Grèce, pu U. R. S. S., États-Unis, Chine, la plupart des pays d'Amériqu latine et Turquie) aux puissances totalitaires de l'Axe (Allemagne Italie, Japon, et leurs satellites, Hongrie, Bulgarie, etc.).

L'origine du conflit.

Elle réside essentiellement dans la volonté de Hitler d'affranchi l'Allemagne des conséquences des traités de paix de 1919-1920 e de réaliser ses plans de domination européenne.

- *1938. Hitler annexe l'Autriche (Anschluss) et une partie de la Tchécoslovaquie. La France et la Grande-Bretagne reconnaissen le fait accompli à Munich.*

Peu après, Hitler s'empare du reste de la Tchécoslovaquie (mar 1939) et signe avec l'U. R. S. S. un pacte de non-agression (23 aoû 1939).

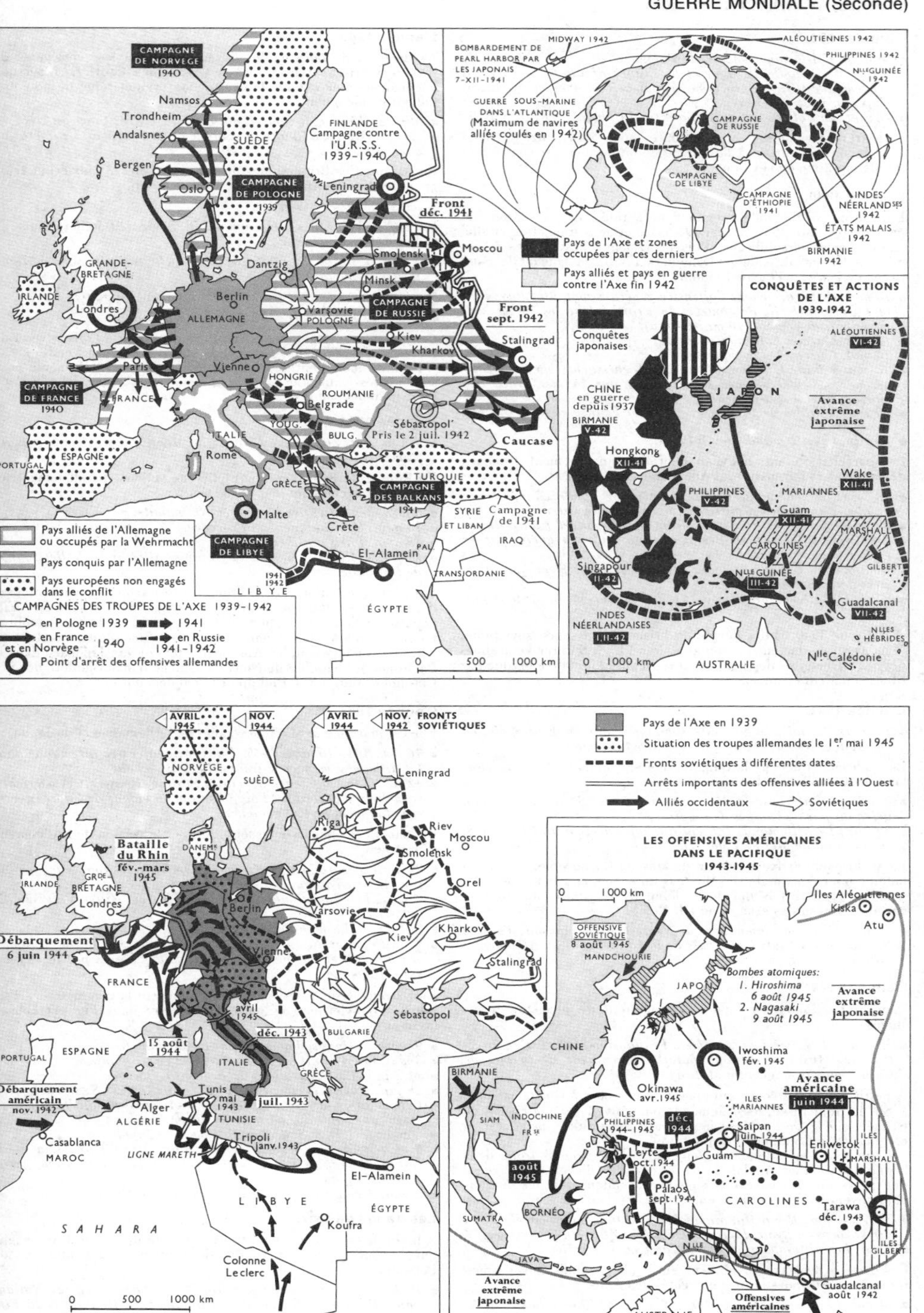
CAMPAGNE DE NORVÈGE 1940
Namsos
Trondheim
Andalsnes
Bergen
Oslo
SUÈDE
CAMPAGNE DE POLOGNE 1939
FINLANDE
Campagne contre l'U.R.S.S. 1939-1940
Leningrad
Front déc. 1941
Moscou
Smolensk
Minsk
Dantzig
GRANDE-BRETAGNE
IRLANDE
Londres
Berlin
ALLEMAGNE
Varsovie
POLOGNE
CAMPAGNE DE RUSSIE
Front sept. 1942
Stalingrad
Kiev
Kharkov
Vienne
HONGRIE
ROUMANIE
Belgrade
Paris
CAMPAGNE DE FRANCE 1940
FRANCE
YOUG.
BULG.
Sébastopol' Pris le 2 juil. 1942
Caucase
ITALIE
Rome
PORTUGAL
ESPAGNE
GRÈCE
TURQUIE
CAMPAGNE DES BALKANS 1941
Malte
Crète
SYRIE ET LIBAN
Campagne de 1941
IRAQ
CAMPAGNE DE LIBYE
PAL
El-Alamein
TRANSJORDANIE
LIBYE
ÉGYPTE
Pays alliés de l'Allemagne ou occupés par la Wehrmacht
Pays conquis par l'Allemagne
Pays européens non engagés dans le conflit
CAMPAGNES DES TROUPES DE L'AXE 1939-1942
en Pologne 1939
1941
en France et en Norvège 1940
en Russie 1941-1942
Point d'arrêt des offensives allemandes
0 500 1000 km
MIDWAY 1942
BOMBARDEMENT DE PEARL HARBOR PAR LES JAPONAIS 7-XII-1941
ALÉOUTIENNES 1942
PHILIPPINES 1942
Nlle GUINÉE 1942
GUERRE SOUS-MARINE DANS L'ATLANTIQUE (Maximum de navires alliés coulés en 1942)
CAMPAGNE DE RUSSIE
CAMPAGNE DE LIBYE
CAMPAGNE D'ÉTHIOPIE 1941
INDES NÉERLANDAISES 1942
ÉTATS MALAIS 1942
BIRMANIE 1942
Pays de l'Axe et zones occupées par ces derniers
Pays alliés et pays en guerre contre l'Axe fin 1942
CONQUÊTES ET ACTIONS DE L'AXE 1939-1942
Conquêtes japonaises
ALÉOUTIENNES VI-42
JAPON
Avance extrême japonaise
CHINE en guerre depuis 1937
BIRMANIE V-42
Hongkong XII-41
Wake XII-41
MARIANNES
PHILIPPINES V-42
Guam XII-41
MARSHALL
CAROLINES
GILBERT
Singapour II-42
Nlle GUINÉE III-42
Guadalcanal VII-42
INDES NÉERLANDAISES I, II-42
Nlles HÉBRIDES
Nlle Calédonie
0 1000 km
AUSTRALIE
AVRIL 1945
NOV. 1944
AVRIL 1944
NOV. 1942
FRONTS SOVIÉTIQUES
NORVÈGE
SUÈDE
Leningrad
Riga
Riev
Moscou
Smolensk
Orel
DANEMK
Bataille du Rhin fév.-mars 1945
IRLANDE
GRDE-BRETAGNE
Londres
Berlin
Varsovie
Kiev
Kharkov
Débarquement 6 juin 1944
Vienne
Stalingrad
FRANCE
avril 1945
Sébastopol
15 août 1944
déc. 1943
BULGARIE
PORTUGAL
ESPAGNE
ITALIE
GRÈCE
Débarquement américain nov. 1942
Tunis mai 1943
juil. 1943
Alger
ALGÉRIE
TUNISIE
Tripoli janv. 1943
Casablanca
MAROC
LIGNE MARETH
El-Alamein
LIBYE
ÉGYPTE
Koufra
SAHARA
Colonne Leclerc
0 500 1000 km
Pays de l'Axe en 1939
Situation des troupes allemandes le 1er mai 1945
Fronts soviétiques à différentes dates
Arrêts importants des offensives alliées à l'Ouest
Alliés occidentaux
Soviétiques
LES OFFENSIVES AMÉRICAINES DANS LE PACIFIQUE 1943-1945
0 1000 km
Iles Aléoutiennes
Kiska
Atu
OFFENSIVE SOVIÉTIQUE 8 août 1945
MANDCHOURIE
JAPON
Bombes atomiques:
1. Hiroshima 6 août 1945
2. Nagasaki 9 août 1945
Avance extrême japonaise
CHINE
Iwoshima fév. 1945
BIRMANIE
Okinawa avr. 1945
Avance américaine juin 1944
ILES MARIANNES
SIAM
INDOCHINE FR SE
ILES PHILIPPINES 1944-1945
déc. 1944
Saipan juin 1944
Leyte oct. 1944
Guam
Eniwetok
ILES MARSHALL
août 1945
Palaos sept. 1944
CAROLINES
Tarawa déc. 1943
SUMATRA
BORNÉO
ILES GILBERT
JAVA
Nlle GUINÉE
Avance extrême japonaise
Offensives américaines
Guadalcanal août 1942
AUSTRALIE

L'année 1939.

- *1er sept. L'Allemagne envahit la Pologne.*
- *3 sept. La Grande-Bretagne et la France déclarent la guerre à l'Allemagne (l'Italie proclame sa non-belligérance et les États-Unis leur neutralité).*
- *28 sept. La Pologne est partagée entre l'Allemagne et l'U. R. S. S.*

En Extrême-Orient, la guerre, qui dure depuis 1937, entre la Chine et le Japon se poursuit à l'avantage de ce dernier qui contrôle la façade maritime de la Chine.

L'année 1940.

En Europe occidentale, pendant la période de la « drôle de guerre » (octobre 1939-10 mai 1940), les armées françaises et allemandes sont immobilisées. Puis l'Allemagne bascule ses forces d'E. en O., envahissant le Danemark (avril), et lançant la campagne de Norvège (9 avril-10 juin).

- *10 mai. Hitler déclenche l'offensive générale contre les Pays-Bas, le Luxembourg, la Belgique et la France dont les forces sont mises hors de combat (10 mai-25 juin).*
- *15 mai. L'armée hollandaise capitule.*
- *28 mai. L'armée belge capitule.*
- *28 mai-4 juin. L'armée allemande (Wehrmacht) encercle Dunkerque : 340 000 hommes sont évacués par la mer grâce aux marines anglaise et française.*
- *10 juin. L'Italie déclare la guerre à la France et à la Grande-Bretagne.*
- *14 juin. Les Allemands sont à Paris.*

Le maréchal Pétain, nouveau chef du gouvernement français, demande alors l'armistice à l'Allemagne.

- *18 juin. Le général de Gaulle, parti pour Londres, appelle les Français à refuser l'armistice et à continuer la guerre.*
- *22 et 25 juin. Les armistices franco-allemand et franco-italien sont signés. La Grande-Bretagne reste seule en guerre face à l'Allemagne.*
- *Août-oct. La Grande-Bretagne résiste victorieusement aux offensives aériennes allemandes.*
- *27 sept. L'Allemagne, l'Italie et le Japon signent un pacte tripartite.*

À la fin de 1940, Hitler décide de briser la puissance soviétique. Mais avant de déclencher son attaque à l'E., le Führer veut éliminer ses adversaires des Balkans et reprendre l'initiative perdue par l'Italie en Méditerranée.

L'année 1941.

- *11 mars. La loi prêt-bail est promulguée par les États-Unis, en vue d'aider les nations en guerre contre l'Allemagne.*

La Wehrmacht occupe la Bulgarie (mars), s'empare de la Yougoslavie (6-18 avril) et de la Grèce (mai).

- *8 juin-14 juil. Les Anglais conquièrent la Syrie et le Liban défendus par les troupes de Pétain.*
- *22 juin. Les Allemands lancent une offensive contre l'U. R. S. S. sur un front de près de 4 500 km.*

La Wehrmacht arrive à 100 km de Moscou (17 novembre), mais la bataille pour la capitale se solde par un échec, et à la fin de 1941, pour la première fois depuis le début de la guerre, un front se consolide devant les armées du IIIe Reich.

- *7 déc. L'attaque japonaise sur Pearl Harbor provoque l'entrée en guerre des États-Unis, puis de la Chine, contre l'Allemagne, l'Italie et le Japon.*

L'année 1942.

Dans le Pacifique, les Japonais s'emparent de plusieurs bases alliées.

- *Mai-juin. Les Américains arrêtent l'expansion japonaise en direction de l'Australie dans la bataille aéronavale de la mer de Corail, puis triomphent à Midway.*

A partir d'août, ils contre-attaquent avec succès à Guadalcanal.

Sur le front russe, les Allemands poursuivent leur offensive en Crimée, sur le Don et dans le Caucase (mai-juillet), mais restent bloqués devant Stalingrad (septembre).

Cependant, en attendant l'ouverture d'un second front dans l'Atlantique, où les Anglais et les Américains doivent faire face à une puissante offensive des sous-marins allemands, les Anglais poursuivent leurs opérations en Afrique.

- *23 oct.-4 nov. Les Britanniques contre-attaquent Rommel et son Afrikakorps en Lybie. Ils triomphent à El-Alamein (23 octobre).*
- *8 nov. Les Alliés débarquent au Maroc et en Algérie.*

Les armées de l'Axe se replient en Tunisie, tandis que l'armée française d'Afrique se range aux côtés des Alliés.

- *11 nov. Les Allemands envahissent la « zone libre » du sud de la France.*

L'année 1943.

La décision de faire capituler sans condition les puissances d l'Axe est prise par les Alliés à Casablanca (janvier). L'aviatio anglo-américaine entame la destruction systématique du potenti industriel allemand.

- *Mai. En France, le Conseil national de la Résistance est créé.*
- *Juin. À Alger, de Gaulle instaure le Comité français de libératio nationale.*

En Afrique, les Britanniques prennent Tripoli (23 janvier) et rejo gnent les Franco-Américains en Tunisie (avril).

- *7 mai. Tunis est libérée.*

En Italie, les Alliés débarquent en Sicile (10 juillet), puis e Calabre (3 septembre).

- *3 sept. L'Italie capitule. La Wehrmacht se replie sur une lign fortifiée couvrant Rome.*

Sur le front russe, les Soviétiques reprennent l'initiative.

- *2 fév. Les Allemands capitulent à Stalingrad.*

Cette victoire permet aux Soviétiques de passer à l'offensive et d repousser les Allemands au-delà du Dniepr (février-novembre).

En Extrême-Orient, les Alliés créent un front en Birmanie pou soutenir les Chinois et lancent une contre-offensive dans le Pac fique (juin-décembre).

L'année 1944.

- *4 juin. Après la longue bataille de Monte Cassino (janvier-mai Rome est libérée.*

En France, la Résistance multiplie ses actions; parallèlement le Allemands accentuent leur répression.

- *6 juin. Les Alliés débarquent en Normandie.*
- *15 août. Ils débarquent en Provence.*
- *25 août. Paris est libéré.*
- *Déc. Les Alliés atteignent la frontière allemande de Belgique e de Hollande.*

Sur le front oriental, l'Armée rouge, après avoir dégagé Leningra (janvier), met hors de combat les alliés de l'Allemagne. Ell pénètre en Yougoslavie, libérée par les partisans de Tito (octobre tandis que les Anglais débarquent en Grèce (octobre-décembre).

En Extrême-Orient, les Américains livrent aux Japonais, dans l Pacifique, les batailles de Nouvelle-Guinée (janvier-juillet), des île Carolines, Mariannes, Philippines (mai-décembre).

L'année 1945.

Elle est marquée par l'effondrement de l'Allemagne et du Japon.

- *16 déc. 1944-16 janv. 1945. Une contre-offensive allemande dan les Ardennes menace le front allié, puis échoue.*
- *12 fév. À la conférence de Yalta, Staline, Roosevelt et Churchi se mettent d'accord sur l'organisation du monde de l'après-guerr et notamment de l'Allemagne.*

En mars, les Alliés franchissent le Rhin : l'invasion de l'Allemagn commence.

- *25 avril. Les troupes soviétiques et américaines font leur jonctio sur l'Elbe à Torgau.*
- *2 mai. Les Soviétiques prennent Berlin où Hitler s'est suicid (30 avril).*
- *7 et 8 mai. La Wehrmacht capitule.*
- *17 juil.-2 août. La conférence de Potsdam réunit Staline, Truma et Churchill en vue de régler les questions posées par la victoir sur l'Allemagne.*

En Extrême-Orient, les Américains achèvent la conquête des Ph lippines (janvier-mai) et portent la guerre dans l'île d'Okinaw (avril-juin).

- *9 mars. Mainmise japonaise sur l'Indochine française.*
- *3 mai. Les Anglais occupent Rangoon en Birmanie.*
- *Mai-juil. Les Australiens débarquent à Bornéo.*
- *26 juil. Par la déclaration de Potsdam, l'U. R. S. S. s'associe l'ultimatum adressé par les Anglo-Américains au Japon po exiger une capitulation sans condition.*
- *8 août. L'U. R. S. S. déclare la guerre au Japon.*
- *6 et 9 août. Les bombardements atomiques d'Hiroshima et d Nagasaki par les États-Unis entraînent la capitulation imm diate du Japon.*
- *2 sept. Signature officielle de l'acte de reddition du Japon.*

Les traités de paix.

À la fin de la guerre, aucun traité n'a réglé le sort de l'Allemagn qui demeure régie par les décisions prises à la conférence d Potsdam.

- *10 fév. 1947. Signature des traités de Paris entre les Natio unies, l'Italie, la Roumanie, la Bulgarie, la Hongrie et la Fi lande.*

• *8 sept. 1951. Les Nations unies (moins l'U.R.S.S.) règlent la situation du Japon au traité de San Francisco.*

Le bilan.

La Seconde Guerre mondiale a fait entre 40 et 52 millions de morts, dont 7 millions de déportés, en grande majorité des Juifs, dans les camps de concentration nazis (535000 pour la France, soit 205000 militaires et 330000 civils dont 182000 déportés).

guerre de Troie n'aura pas lieu *(La)*, pièce en 2 actes de J. Giraudoux (1935).

Guerre et paix, roman de Léon Tolstoï (1865-1869, édité en 1878).

GUERRIER, ÈRE adj. et n. m., **GUERROYER** v. i. → GUERRE.

GUESCLIN (Bertrand DU), chef de guerre français (1315 ou 1320-1380), attaché au service de Charles V.

• *1364. Il bat à Cocherel les troupes de Charles le Mauvais, roi de Navarre, puis il est fait prisonnier à la bataille d'Auray.*

Le roi de France paie sa rançon et le charge de débarrasser la France des Grandes Compagnies* : du Guesclin les conduit en Espagne, où les mercenaires sont engagés par Henri de Trastamare pour conquérir la Castille contre son frère Pierre le Cruel.

Revenu en France, il est nommé connétable en 1370. En pratiquant une guerre de harcèlement contre les Anglais, il réussit à les expulser de France. Il meurt en assiégeant Châteauneuf-de-Randon.

GUESDE (Jules BAZILE, dit **Jules**), homme politique français (1845-1922). En 1879, il introduit les thèses marxistes au sein du mouvement ouvrier français. Convaincu que la révolution est inévitable, il s'oppose à Jean Jaurès dans la mesure où ce dernier accepte la collaboration avec les partis bourgeois : la fondation du parti socialiste unifié (1905) marque la victoire du *guesdisme*. En 1914, Guesde accepte d'être ministre d'État.

GUET n. m. → GUETTER.

GUET-APENS [gɛtapɑ̃] n. m. (de *guet*, et l'anc. fr. *apenser*, préméditer). Piège préparé contre quelqu'un pour qu'il y tombe par surprise. ‖ Pl. des *guets-apens*.

GUÉTHARY, comm. des Pyrénées-Atlantiques, à 8,5 km au S. de Biarritz; 1000 hab. Station balnéaire.

GUÊTRE [gɛtr] n. f. (frq. *wrist*, cou-de-pied). Jambière de toile ou de cuir, qui couvre le bas de la jambe et le dessus du soulier.

GUETTER [gete] v. t. (du frq. *wahtôn*, veiller). **1.** (sujet nom d'être animé) *Guetter qq'un*, le surveiller en cachette, avec une intention hostile : *Le chat guette une souris* (syn. ÉPIER). — **2.** (sujet nom d'être animé) *Guetter qq'un*, attendre avec impatience une personne dont la venue est prévue ou espérée : *Guetter le facteur*. — **3.** (sujet nom abstrait) *Guetter qq'un*, faire peser sur lui une menace imminente : *La maladie le guette*. — **4.** (sujet nom de personne) *Guetter qqch.*, l'attendre avec impatience : *Guetter l'occasion* (syn. ÊTRE À L'AFFÛT). ◆ **guet** [gɛ] n. m. **1.** Action d'épier, d'observer : *Faire le guet*. — **2.** *Autref.* Troupe chargée de la police pendant la nuit dans une ville. ‖ *Le chevalier du guet*, le chef des archers du guet. ◆ **guetteur** n. m. Personne qui a une mission d'alerte et de surveillance.

GUEUGNON, ch.-l. de cant. de Saône-et-Loire, sur l'Arroux, à 16 km au N. de Digoin; 10700 hab. Métallurgie.

GUEULARD [gœlar] n. m. (de *gueule*). Ouverture supérieure d'un haut fourneau, par laquelle on verse le minerai, le fondant et le combustible.

GUEULE [gœl] n. f. (lat. *gula*, gosier). **1.** Bouche des animaux carnassiers, des poissons, de certains gros reptiles : *Le chien ouvre sa gueule*. ‖ *Se jeter dans la gueule du loup*, s'exposer imprudemment à un danger certain. — **2.** Ouverture béante de certains objets : *La gueule du canon*. — **3.** *Pop.* Bouche, visage d'une personne. ‖ *Gueules cassées*, appellation donnée depuis la Première Guerre mondiale aux grands blessés de la face. ◆ **gueuler** v. i. et t. *Pop.* Crier ou parler très fort : *Les voisins font gueuler leur radio* (syn. fam. BEUGLER).

GUEULE-DE-LOUP [gœldəlu] n. f. (de *gueule*, *de*, et *loup*). Nom usuel du MUFLIER, dont la fleur pourpre en tube se termine par deux lèvres rappelant un masque de théâtre grec ou un museau d'animal. ‖ Pl. des *gueules-de-loup*.

GUEULER v. i. et t. → GUEULE.

GUEULETON [gœltɔ̃] n. m. (de *gueule*). *Pop.* Repas copieux entre amis.

GUEUX, EUSE [gø, gøz] n. (de l'anc. néerl. *guit*, coquin). **1.** *Péjor.* Mendiant vagabond (littér.) [syn. CLOCHARD, MISÉREUX]. — **2.** Coquin, fripon.

GUEVARA (Ernesto, dit **Che**), homme politique argentin (1928-1967). Compagnon de Fidel Castro, il chercha à développer des foyers révolutionnaires en Amérique latine et trouva la mort en Bolivie.

1. GUI [gi] n. m. (lat. *viscum*). Plante à fleurs apétales, qui vit en parasite sur les branches de certains arbres (peuplier, pommier, très rarement chêne), et dont les baies blanches, dispersées par les oiseaux, contiennent une substance visqueuse.

2. GUI [gi] n. m. (du néerl. *giek*). *Mar.* Sorte de vergue qui s'appuie horizontalement contre le pied du mât d'artimon.

GUICHES [giʃ] n. f. pl. (du bas lat. *vitica*, vrille de la vigne). Mèches de cheveux en accroche-cœur.

GUICHET [giʃɛ] n. m. (de l'anc. scand. *vik*, cachette). **1.** Ouverture par laquelle le public communique avec les employés d'une administration : *Faire la queue au guichet*. — **2.** Petite porte pratiquée dans une grande, dans un mur : *Le guichet d'une prison*. — **3.** Ouverture par laquelle on peut faire passer des objets : *Passer son repas à un détenu par le guichet*. — **4.** *Les guichets du Louvre*, passages voûtés qui donnent de la cour du Louvre sur l'extérieur. ◆ **guichetier** n. m. Employé auquel s'adresse le public, au guichet.

1. GUIDE [gid] n. m. (anc. prov. *guida*). **1.** Celui qui conduit, qui montre le chemin (en montagne, dans un musée). — **2.** Personne qui dirige un pays, qui conseille dans la vie quotidienne, qui oriente le goût, etc. : *Un guide éclairé*. — **3.** Principe d'après lequel on se dirige : *N'avoir d'autre guide que l'amour de la vérité*. — **4.** Ouvrage qui contient des renseignements classés sur tel ou tel sujet : *Le guide touristique du Jura*. ◆ **guider** v. t. **1.** (sujet nom de personne ou d'animal) *Guider qq'un*, l'accompagner pour lui montrer le chemin : *Guider un touriste* (syn. CONDUIRE); lui indiquer une voie morale, intellectuelle : *Guider un enfant dans ses études* (syn. CONSEILLER). — **2.** (sujet nom de chose) *Guider qq'un*, l'aider à trouver son chemin : *Les poteaux indicateurs vous guideront* (syn. ORIENTER); le pousser, le mener, être le principe qui le fait agir : *Son bon sens le guide*. ◆ **se guider** v. pr. *Se guider sur*, se diriger d'après. ◆ **guidage** n. m. Action de diriger le mouvement d'un mobile au moyen d'un dispositif approprié. ◆ **autoguidé, e** adj. Se dit d'un mobile qui se dirige par ses propres moyens vers le but qui lui a été assigné : *Avion autoguidé*. ◆ **autoguidage** n. m. ◆ **téléguider** v. t. Diriger à distance l'évolution d'un mobile (avion, char, engin, etc.). ◆ **téléguidage** n. m. : *Le téléguidage d'une fusée*.

2. GUIDE [gid] n. m. (même étym.). Électron. *Guide d'ondes*, tube métallique de section variée permettant l'acheminement d'une onde électromagnétique de fréquence très élevée par réflexion sur les parois internes.

3. GUIDES [gid] n. f. pl. (même étym.). Lanières attachées au mors d'un cheval attelé et servant à le conduire (syn. RÊNES).

GUIDE (Guido RENI, dit **le**), peintre italien (1575-1642). Il fréquenta l'académie des Carrache et subit l'influence du Caravage. Cherchant à retrouver la beauté antique, il a peint de nombreuses compositions religieuses et mythologiques *(Histoire d'Hercule)*.

GUIDER v. t. → GUIDE 1.

Guides de France, une des associations du scoutisme français, réservée aux jeunes filles et d'inspiration catholique.

GUIDON [gidɔ̃] n. m. (it. *guidone*, étendard). **1.** Étendard des gens d'armes de Charles VII, puis des dragons (XVIIe s.). — **2.** Dans la marine militaire, pavillon servant souvent d'insigne de commandement. — **3.** Barre munie de poignées, commandant la direction dans les véhicules à deux roues.

1. GUIGNE [giɲ] n. f. (du frq. *wīhsila*, griotte). **1.** Petite cerise à longue queue. — **2.** Fam. *Se soucier de qq'un, de qqch. comme d'une guigne*, ne pas s'en soucier du tout.

2. GUIGNE [giɲ] n. f. ou **GUIGNON** [giɲɔ̃] n. m. (de *guigner*). *Fam.* Malchance qui s'attache à quelqu'un : *Avoir la guigne*.

GUIGNER [giɲe] v. t. (du frq. *wingjan*, faire signe). *Guigner qq'un, qqch.*, porter ses yeux dessus à la dérobée : *Il guigne mon jeu* (syn. LORGNER); le convoiter : *Guigner un héritage, un poste*.

GUIGNOL [giɲɔl] n. m. (de *Guignol*, n. pr.). **1.** Théâtre de marionnettes sans fil, animées par les doigts. — **2.** Personne ridicule, qui fait le clown : *Faire le guignol*. ◆ **grand-guignol** n. m. *C'est du grand-guignol*, c'est un affreux mélodrame, aux péripéties sanglantes. ◆ **grand-guignolesque** adj.

GUIGNON n. m. → GUIGNE 2.

GUILDE n. f. → GILDE.

GUILLAUME Ier le Conquérant ou **le Bâtard** (v. 1027-1087), duc de Normandie (1035-1087) et roi d'Angleterre (1066-1087). En

1066, il débarque en Angleterre, bat et tue le roi Harold à Hastings, et organise son nouveau royaume en constituant une noblesse militaire très fortement hiérarchisée. Pour mieux administrer le royaume, il fait rédiger le *Domesday Book* (« Livre du Jugement dernier »), cadastre où chaque propriété figure avec son revenu annuel.

GUILLAUME II le Roux (v. 1056-1100), fils du précédent, roi d'Angleterre de 1087 à 1100.

GUILLAUME III (1650-1702), fils posthume de Guillaume de Nassau et de Marie Stuart, stathouder (= gouverneur) des Provinces-Unies (1672-1702), roi d'Angleterre, d'Écosse et d'Irlande (1689-1702). Élu stathouder après la révolution de 1672, il anime la résistance contre la France, obtient l'évacuation des troupes françaises et l'alliance de l'Angleterre.

- *1677. Il épouse Marie, fille du futur Jacques II d'Angleterre.*

Champion de l'équilibre européen et du protestantisme menacés par Louis XIV, le stathouder s'occupe alors d'organiser une coalition européenne contre la France.

- *1688. Inquiet du rapprochement de l'Angleterre avec la France, il renverse son beau-père Jacques II.*
- *1689. Guillaume et Marie sont proclamés conjointement roi et reine d'Angleterre.*
- *1697. Louis XIV reconnaît l'autorité de Guillaume III à la paix de Ryswick.*

GUILLAUME IV (1765-1837), fils de George III, roi de Grande-Bretagne, d'Irlande et de Hanovre (1830-1837).

GUILLAUME Ier DE NASSAU, dit le Taciturne (1533-1584), stathouder de Hollande (1573-1584).

- *1573. Il organise le soulèvement des Provinces-Unies contre l'Espagne.*
- *1579. Il contribue à faire proclamer l'indépendance des Provinces-Unies.*

Les Espagnols le font assassiner.

GUILLAUME II DE NASSAU (1626-1650), stathouder de Hollande (1647-1650).

- *1648. Il signe avec l'Espagne la paix de Münster, qui reconnaît l'indépendance des Provinces-Unies.*

GUILLAUME III DE NASSAU ⟶ GUILLAUME III, ROI D'ANGLETERRE.

GUILLAUME Ier (1772-1843), roi des Pays-Bas et grand-duc de Luxembourg (1815-1840).

- *1815. Le congrès de Vienne le désigne comme roi des Pays-Bas.*
- *1830. La Belgique se soulève et proclame son indépendance.*
- *1840. Contraint d'accepter l'instauration d'un régime parlementaire, il préfère abdiquer en faveur de son fils Guillaume II.*

GUILLAUME Ier (1797-1888), roi de Prusse (1861-1888) et empereur d'Allemagne (1871-1888), fils de Frédéric-Guillaume III.

- *1858. Il est nommé régent pour suppléer son frère Frédéric-Guillaume IV atteint d'aliénation mentale.*

Il lui succède en 1861.

- *1862. Guillaume Ier choisit Bismarck pour Premier ministre.*

Il suit désormais la politique de Bismarck et travaille à la formation de l'unité allemande au profit de la Prusse.

- *1864-1865. Guillaume Ier s'allie à l'Autriche contre le Danemark (guerre des Duchés).*
- *1866. La Prusse écrase l'Autriche à Sadowa.*
- *1870-1871. Guerre franco*-allemande.*
- *1871. Après la victoire allemande, Guillaume Ier est nommé empereur à Versailles.*

GUILLAUME II (1859-1941), roi de Prusse et empereur d'Allemagne (1888-1918), petit-fils de Guillaume Ier.

- *1890. Il obtient la démission de Bismarck et inaugure une politique de réformes modérées.*

Il s'engage ensuite dans une politique d'expansion coloniale et assure à la Prusse des zones d'influence économique.

- *1905. Son intervention au Maroc crée une grave tension internationale.*
- *1914. Guillaume II déclare la guerre à la Russie et à la France. La défaite l'oblige à abdiquer et à s'exiler aux Pays-Bas.*

GUILLAUME de Lorris, poète français, mort apr. 1240, auteur de la première partie du *Roman de la Rose*, que devait continuer Jean de Meung.

GUILLAUME de Machaut ou **de Machault,** musicien et poète français (v. 1300-1377), un des créateurs de l'école polyphonique française (motets, *Messe Notre-Dame*). Il a fixé les règles musicales et littéraires du lai, du virelai, de la ballade et du rondeau.

Guillaume d'Orange, héros d'un groupe de chansons épiques, rattachées à la geste de Garin de Monglane.

GUILLAUME TELL, héros légendaire de l'indépendance suisse au XIVe s. Il fut condamné à traverser d'une flèche une pomme placée sur la tête de son fils, pour avoir refusé de saluer le chapeau de Gessler, bailli habsbourgeois.

Guillaume Tell, tragédie historique de Schiller (1804).

GUILLAUMET (Henri), aviateur français (1902-1940). Un des pionniers de la traversée de l'Atlantique sud, il effectua en 1938 la première traversée commerciale de l'Atlantique nord. Il disparut en Méditerranée.

GUILLEDOU [gijdu] n. m. (de l'anc. fr. *guiler*, attraper). Fam. *Courir le guilledou*, chercher des aventures galantes.

GUILLEMET [gijmɛ] n. m. (du n. de l'inventeur, *Guillaume*). Petit crochet double, qui se met au commencement («) et à la fin (») d'une citation, d'un discours direct, ou pour mettre en valeur un mot : *Ouvrir, fermer les guillemets.* (⟶ PONCTUATION.)

GUILLÉN (Nicolás), poète cubain (1902-1989). Sa poésie est nourrie de réminiscences africaines (*Motifs de son*, 1930; *Sóngor-o Cosongo*, 1931).

GUILLERET, ETTE [gijrɛ, -ɛt] adj. (de l'anc. fr. *guiler*, séduire). Se dit de quelqu'un (ou de son comportement) qui est vif et gai (syn. FRINGANT, RÉJOUI).

GUILLOCHIS [gijɔʃi] n. m. (orig. incert.). Ornement en léger relief, composé de lignes qui se croisent avec symétrie, décorant des meubles ou des pièces d'orfèvrerie.

GUILLOTINE [gijɔtin] n. f. (de *Guillotin*, qui proposa en 1789 le principe de la décollation par une machine). **1.** Instrument servant à décapiter (= couper la tête) les condamnés à mort : *La guillotine fonctionna pour la première fois en France le 25 avril 1792.* — **2.** La mort par la guillotine. — **3.** *Fenêtre à guillotine*, dont le châssis glisse entre deux rainures verticales. ◆ **guillotiner** v. t. Exécuter au moyen de la guillotine.

GUILVINEC, ch.-l. de cant. du Finistère, à 11 km au S.-O. de Pont-l'Abbé; 4 100 hab. *(Guilvinistes).* Port de pêche.

GUIMARD (Hector), architecte français (1867-1942). Il fut un des représentants les plus marquants du « modern style ». Il a dessiné les premières bouches de métro.

GUIMAUVE [gimov] n. f. (du gr. *hibiskos*, mauve, croisé avec *gui* 1, et de *mauve*). **1.** Plante des prés humides, à tige dressée, aux fleurs rosées. — **2.** Pâte aux œufs, molle et sucrée.

GUIMBARDE [gɛ̃bard] n. f. (prov. *guimbardo*, danse). **1.** Petit instrument de musique qu'on tient serré entre ses dents et dont on tire le son en faisant vibrer une languette d'acier avec la main. — **2.** *Fam.* Vieille voiture.

GUIMET (Émile), industriel et archéologue français (1836-1918). Il fonda à Lyon en 1879 le *musée Guimet* qui fut transféré à Paris en 1884 et qui est devenu en 1945 le département des arts asiatiques des Musées nationaux.

GUIMPE [gɛ̃p] n. f. (frq. *wimpil*). **1.** Pièce de toile qui encadre le visage des religieuses et retombe sur le cou et la poitrine. — **2.** Chemisette en tissu léger qui se porte avec des robes très décolletées.

GUINDÉ, E [gɛ̃de] adj. (de l'anc. scand. *vinda*, hausser). Se dit de quelqu'un (ou de son comportement) qui manque de naturel, qui affecte la raideur et la dignité : *Avoir un air guindé* (syn. COMPASSÉ, PINCÉ). ◆ **guinder (se)** v. pr. Affecter la raideur, la dignité (contr. SE LAISSER ALLER).

GUINÉE [gine] n. f. (angl. *guinea*). Ancienne monnaie de compte anglaise, valant 21 shillings.

GUINÉE, nom donné autref. à la partie de l'Afrique comprise entre le Sénégal et le Congo (Zaïre), et baignée par le golfe de Guinée (Atlantique).

GUINÉE, république de l'Afrique occidentale. → cartes AFRIQUE pp. 48-49.

SUPERFICIE 250 000 km² (France : 550 000 km²).

POPULATION 7 100 000 hab. *(Guinéens);* 28 hab. au km² (France : 103); accroissement annuel de population, 2,4 p. 100.

CAPITALE Conakry (763 000 hab.).

LANGUE français.

ÉCONOMIE consommation d'énergie par hab., 80 kg d'équivalent charbon; 1 automobile pour 200 hab.

GÉOGRAPHIE

Le massif du Fouta-Djalon (1 515 m au mont Loura) sépare la plaine côtière, au climat tropical très humide, des plateaux plus secs de l'Est. La forêt, qui couvre la partie occidentale du pays, se dégrade en savane vers l'E.

	TEMPÉRATURES MOYENNES janv.	juil.	PLUIES
Conakry	26,5 °C	25,5 °C	4 300 mm

Le pays a une économie essentiellement agricole. La plaine côtière produit du riz, des bananes, de l'huile de palme, tandis que dans la partie est prédominent mil et manioc. Le Fouta-Djalon est le domaine de l'élevage bovin.

riz 400 000 t; bananes 110 000 t; manioc 600 000 t.

Mais d'abondantes richesses minières sont exploitées : diamants, fer et bauxite. Une usine produit de l'alumine à Fria.

HISTOIRE

- *V. 1840. Établissement sur la côte guinéenne des premiers comptoirs français dits « des Rivières du Sud ».*
- *1880. Protectorat français sur le Fouta-Djalon.*

Il est progressivement étendu à toute la Guinée.

- *1895. La Guinée est intégrée à l'A.-O. F.*
- *1958. La Guinée devient une république indépendante sous la présidence de Sékou Touré.*
- *1984. Mort de Sékou Touré (mars). Coup d'État militaire. Le colonel Lansana Conté devient chef de l'État (avr.).*

GUINÉE (Nouvelle-) ⟶ NOUVELLE-GUINÉE.

GUINÉE ÉQUATORIALE, ancienn. **Guinée espagnole,** État de l'Afrique équatoriale, sur le golfe de Guinée; 28 000 km^2; 380 000 hab. (13,5 au km^2). Capit. *Malabo* (37 200 hab.).

Le pays comprend deux parties : l'une, insulaire, groupe les îles de Bioko (ancienn. Fernando Poo) et Annobón; l'autre, continentale, correspond au territoire du Mbini (ancienn. Río Muni). Son économie, agricole, repose sur les cultures vivrières (manioc) et les produits d'exportation (café, cacao). ⟶ cartes AFRIQUE pp. 48-49.

Ancien territoire espagnol, indépendant en 1968, le pays fut dirigé par le dictateur Macias Nguema.

- *1979. Le colonel T. O. Nguema Mbasogo s'empare du pouvoir.*

GUINÉE-BISSAU, ancienn. **Guinée portugaise,** État de la côte occidentale de l'Afrique, entre le Sénégal et la Guinée, devenu indépendant en 1974; 36 125 km^2; 1 000 000 d'hab. (28 au km^2). Capit. *Bissau.*

Le pays s'étend sur une basse plaine entrecoupée de larges estuaires, soumise à un climat tropical. La forêt qui borde les fleuves cède la place vers l'E. à la savane. Des cultures d'arachide et de palmier à huile, destinées à l'exportation, constituent la richesse essentielle de ce pays. ⟶ cartes AFRIQUE pp. 48-49.

GUINEGATTE, auj. **Enguinegatte,** comm. du Pas-de-Calais, à l'O.-S.-O. d'Aire-sur-la-Lys; 380 hab.

- *1479. Bataille entre les troupes de Louis XI et de Maximilien d'Autriche.*
- *1513. Les Français, commandés par le duc de Longueville et le maréchal de La Palice, y sont vaincus par les Anglais (on appela cette bataille la « journée des Éperons »).*

GUÎNES, ch.-l. de cant. du Pas-de-Calais, à 10 km au S. de Calais; 5 100 hab.

GUINGAMP, ch.-l. d'arrond. des Côtes-d'Armor, à 32 km à l'O. de Saint-Brieuc, sur le Trieux; 9 500 hab. *(Guingampais).* Basilique (XIVe-XVIe s.).

GUINGOIS (DE) [dəgɛ̃gwa] loc. adv. (de l'anc. fr. *guinguer,* sautiller). De travers (littér.).

GUINGUETTE [gɛ̃gɛt] n. f. (orig. obscure). Cabaret populaire situé hors d'une ville, dans la verdure.

GUIPAVAS, ch.-l. de cant. du Finistère, à 9 km au N.-E. de Brest; 10 500 hab.

GUIPURE [gipyr] n. f. (de l'anc. fr. *guiper,* se couvrir de soie). Dentelle de fil ou de soie à larges mailles.

GUIRLANDE [girlɑ̃d] n. f. (it. *ghirlanda*). Feuillage ou fleurs, réels, peints ou sculptés, disposés en cordons ou en couronnes : *Le lierre forme des guirlandes. Accrocher des guirlandes.* ◆ **enguirlandé, e** adj. Orné de guirlandes.

GUISE [giz] n. f. (frq. *wisa,* manière). *À ma (ta, sa, notre, votre, leur) guise,* selon ma manière propre d'agir, suivant mes propres vues : *Il n'en fait qu'à sa guise* (= il agit comme il lui plaît) [syn. À SA TÊTE]. — LOC. PRÉP. *En guise de,* pour remplacer quelque chose (syn. À LA PLACE DE, COMME).

GUISE, ch.-l. de cant. de l'Aisne, sur l'Oise, à 27 km au N.-E. de Saint-Quentin; 6 300 hab.

GUISE, famille noble française, célèbre au XVIe s. FRANÇOIS Ier, duc **de Guise** (1519-1563), reprit Calais aux Anglais (1558), dirigea les troupes catholiques au début des guerres de Religion et périt assassiné par un protestant. — CHARLES **de Guise** (1524-1574), cardinal de Lorraine, frère du précédent. — HENRI Ier *le Balafré,* duc **de Guise** (1550-1588), fils aîné de François, un des instigateurs de la Saint-Barthélemy, chef de la Ligue. Profitant de l'impopularité d'Henri III, il prétendit au trône de France. Vainqueur des protestants à Auneau (1587), il rentra triomphalement à Paris, mais fut, peu de temps après, assassiné à Blois sur l'ordre d'Henri III. — LOUIS II **de Guise** (1555-1588), cardinal de Lorraine, frère du précédent, assassiné à Blois.

GUITARE [gitar] n. f. (esp. *guitarra*). Instrument de musique à cordes pincées et à caisse plate. ◆ **guitariste** n. Personne qui joue de la guitare.

— ENCYCL. La *guitare* comprend aujourd'hui six cordes simples, accordées ainsi : *mi, la, ré, sol, si, mi.* La table supérieure est percée d'une ouverture ronde appelée *rosace.* Le manche est divisé en un certain nombre de cases, à l'aide de petits sillets (= morceaux d'ébène ou d'ivoire) qui indiquent la place des notes. On pince la guitare avec les doigts ou avec un plectre.

GUIZÈH ou **GISEH,** v. d'Égypte, sur le Nil (r. g.); 571 200 hab. Banlieue du Caire, sur la route qui mène aux Pyramides.

GUIZOT (François), historien et homme politique français (1787-1874). Il contribue à l'avènement de la monarchie de Juillet, et, pendant tout le règne de Louis-Philippe, il est le théoricien du parti de la résistance au « mouvement » et aux réformes. Ministre de l'Instruction publique (1832-1837), il fait admettre le principe de la liberté de l'enseignement primaire. Devenu chef du gouvernement en 1847, il prône la stabilité intérieure, favorable à la bourgeoisie en place, et des relations extérieures pacifiques, fondées sur l'alliance anglaise, puis sur un rapprochement avec l'Autriche de Metternich, adversaire comme lui du libéralisme. Sa politique conservatrice déclenche la révolution de 1848. On lui doit une *Histoire de la révolution d'Angleterre.*

GUJERĀT, ou **GOUDJERATE,** État de l'Inde, en bordure de la mer d'Oman ; 38 086 000 hab. Capit. *Gāndhīnagar.*

GUJRĀNWĀLA, v. du Pākistān ; 597 000 hab.

GULF STREAM *(Courant du golfe),* courant marin chaud de l'Atlantique nord.

Issu de la réunion du courant des Caraïbes et du courant de Floride, il remonte vers le N.-E. en s'étalant beaucoup jusqu'à Terre-Neuve. Devenu la *dérive nord-atlantique,* il se divise en de nombreuses branches et remonte jusqu'aux côtes de l'Europe occidentale dont il contribue à adoucir le climat par son action sur les mouvements de l'air. Sa richesse en plancton au contact avec les eaux froides de l'Atlantique en fait une zone poissonneuse, notamment au large de Terre-Neuve.

Gulliver *(les Voyages de Samuel),* roman de Jonathan Swift (1726). Le héros de ce récit voyage dans des pays imaginaires : à Lilliput, dont les habitants ont six pouces de haut, à Brobdingnag, peuplé de géants de soixante pieds, dans l'île volante de Laputa, habitée par des savants ridicules. À travers ces fictions, l'auteur fait une satire de la société anglaise de son temps.

GUSTATIF, IVE adj. ⟶ GOÛT.

GUSTAVE, nom porté en Suède par six rois, dont : GUSTAVE Ier VASA (1496-1560), qui délivra son pays du joug danois et régna de 1523 à 1560, favorisant la réforme luthérienne; GUSTAVE II ADOLPHE (1594-1632), roi de 1611 à 1632, qui s'illustra au cours de la guerre de Trente Ans et mourut sur le champ de bataille de Lützen; GUSTAVE III (1746-1792), roi de 1771 à 1792, qui fit la guerre à la Russie et prit des mesures libérales; GUSTAVE VI ADOLPHE (1882-1973), couronné en 1950.

GUTENBERG (Johannes GENSFLEISCH, dit), imprimeur allemand (1394/1399-1468). Il inventa, vers 1440, la typographie ou impression à l'aide de caractères mobiles, en bois d'abord, puis en métal fondu dans un moule ou *matrice,* invention qu'il perfectionna ensuite par l'application de la *presse.*

GUTTA-PERCHA [gytapɛrka] n. f. (du malais *getah,* gomme, et *percha,* arbre). Substance extraite du latex d'arbres de la famille des sapotacées, croissant dans l'archipel malais, et qui présente quelques analogies avec le caoutchouc.

GUTTURAL, E, AUX [gytyral, -ro] adj. (du lat. *guttur,* gosier). **1.** *Voix gutturale,* qui vient de la gorge (syn. RAUQUE). — **2.** *Consonne gutturale,* ou *gutturale* n. f., consonne dont l'articulation se fait en appliquant la langue contre le palais et dont le son semble provenir du gosier comme [g] et [k]. (On dit auj. PALATALE.)

GUYANA, ancienn. **Guyane britannique,** État de l'Amérique du Sud, sur l'Atlantique, membre du Commonwealth; 215 000 km²; 920 000 hab. (4,2 au km²). Capit. *Georgetown* (187 000 hab.). → cartes AMÉRIQUE pp. 48-49.

GÉOGRAPHIE

Le pays s'étend sur une partie du massif ancien des Guyanes qui se relève vers l'O. (2 835 m.). Le climat équatorial explique la grande extension de la forêt dense qui couvre les neuf dixièmes du territoire.

	TEMPÉRATURE MOYENNE	PLUIES
Georgetown	25 °C	2 230 mm

Canne à sucre et riz constituent les principales productions agricoles. Mais c'est sur l'exploitation des richesses du sous-sol que repose l'économie du pays : l'or et les diamants ont été supplantés par la bauxite dont le pays possède de riches gisements.

riz 300 000 t; sucre de canne 300 000 t; bauxite 2 millions de t.

HISTOIRE

Anglaise depuis 1803, la région acquit son indépendance en 1966. C'est une république depuis 1970.

GUYANE (la) ou **GUYANES** (les), région de l'Amérique du Sud, en bordure de l'Atlantique, entre l'Orénoque et l'Amazone, occupée en majeure partie par le *massif des Guyanes*. Elle est partagée entre le Venezuela, la Guyana, le Surinam, la France (Guyane française) et le Brésil.

GUYANE FRANÇAISE, dép. français d'outre-mer, situé en Amérique du Sud, entre le Surinam et le Brésil; 91 000 km²; 73 000 hab. (0,8 au km²). Ch.-l. *Cayenne* (34 000 hab.).

GÉOGRAPHIE. La plaine côtière, basse et marécageuse, est relayée vers le S. par le massif ancien des Guyanes au relief aplani. Le climat équatorial y est très humide et la forêt dense (mangrove sur la côte) couvre la presque totalité du pays.

	TEMPÉRATURE MOYENNE	PLUIES
Cayenne	25 °C	3 200 mm

La population, de densité très faible, se concentre dans la région côtière et surtout à Cayenne qui groupe la moitié des habitants du pays. La Guyane produit un peu de canne à sucre. Les immenses ressources forestières commencent seulement à être exploitées. Une base aérospatiale a été installée à Kourou : de là sont lancées les fusées spatiales européennes.

HISTOIRE. Cayenne fut fondée en 1637 par des Français. Mais toutes les tentatives d'établissement d'Européens faites au cours du XVIIIe s. échouèrent.

De 1794 à 1805, la Guyane servit de lieu de déportation politique (la « guillotine sèche »). Ce fut un bagne de 1852 à 1945. Elle est devenue un département français d'outre-mer en 1946. En 1983, dans le cadre de la loi sur la décentralisation, un conseil régional est créé.

GUYANE HOLLANDAISE ou **NÉERLANDAISE** → SURINAM.

GUYENNE, nom donné à la province d'Aquitaine quand elle fut possession anglaise, de 1258 à 1453. (→ AQUITAINE.)

GUYNEMER (Georges), aviateur français (1894-1917). Titulaire de très nombreuses victoires, il commandait la célèbre escadrille des Cigognes lorsqu'il fut abattu.

GUYS (Constantin), dessinateur et aquarelliste français (1802-1892). Surnommé par Baudelaire « le Peintre de la vie moderne », il a laissé de nombreux dessins illustrant le second Empire.

GWĀLIOR, v. de l'Inde (Madhya Pradesh); 379 000 hab. Nombreux palais et temples des XVe-XVIe s.

GYGÈS, roi de Lydie (v. 687-652 av. J.-C.). D'après la légende, il possédait un anneau magique grâce auquel il devenait invisible.

GYMKHANA [ʒimkana] n. m. (mot angl.). Ensemble d'épreuves en automobile, où les concurrents doivent suivre un parcours compliqué de chicanes, de barrières, etc.

GYMNASTIQUE [ʒimnastik] n. f. (du gr. *gumnastikos*, qui concerne les exercices du corps). **1.** Ensemble d'exercices physiques propres à assouplir et fortifier le corps. → ENCYCL. ‖ *Gymnastique corrective* → ENCYCL. — **2.** Ensemble d'exercices propres à assouplir certaines facultés intellectuelles : *Gymnastique de la mémoire.* ◆ **gymnase** [ʒimnaz] n. m. Salle ou bâtiment aménagé pour l'athlétisme et la gymnastique. ◆ **gymnaste** n. Amateur qui exécute des exercices de gymnastique. ◆ **gymnique** n. f. Science des exercices du corps propres aux athlètes. ◆ adj. Relatif à la gymnastique : *Des exercices gymniques.*

— ENCYCL. Sport olympique depuis 1896, la *gymnastique* connaît, outre des championnats nationaux annuels, des championnats mondiaux tous les quatre ans (au milieu de chaque olympiade). Les compétitions comportent deux séries d'exercices : libres et imposés aux barres parallèles, à la barre fixe, aux anneaux, au cheval de voltige, au cheval-arçons et au sol, pour les hommes; aux barres asymétriques, au cheval de voltige, à la poutre et au sol, pour les femmes. Les notes sont attribuées par un jury jugeant à la fois la difficulté, l'exécution et l'enchaînement des exercices.

La *gymnastique corrective* comprend essentiellement l'éducation de la fonction respiratoire, le redressement des déviations de la colonne vertébrale et la suppression des attitudes vicieuses qui en résultent (scolioses, cyphoses, lordoses), ainsi que le traitement de certaines anomalies musculaires ou tendineuses.

GYMNOSPERMES [ʒimnospɛrm] n. f. pl. (du gr. *gumnos*, nu, et *sperma*, semence). Plantes à fleurs de l'embranchement des phanérogames, caractérisées par des graines nues portées par des fruits en cônes. (Existant depuis l'ère primaire, les gymnospermes actuelles sont connues sous le nom de CONIFÈRES ou RÉSINEUX.)

GYMNOTE [ʒimnɔt] n. m. (du gr. *gumnos*, nu, et *nôtos*, dos). Poisson des eaux douces de l'Amérique du Sud, à aspect d'anguille, dont une espèce, atteignant 2,50 m de long, paralyse ses proies en produisant de puissantes décharges électriques.

GYNÉCÉE [ʒinese] n. m. (du gr. *gunê*, *gunaikos*, femme). Appartement des femmes, chez les Grecs de l'Antiquité.

GYNÉCOLOGIE [ʒinekɔlɔʒi] n. f. (du gr. *gunê*, *gunaikos*, femme, et *logos*, science). Partie de la médecine qui étudie l'organisme de la femme et les maladies qui lui sont propres. ◆ **gynécologique** adj. ◆ **gynécologue** n. Spécialiste en gynécologie.

GYPAÈTE [ʒipaɛt] n. m. (du gr. *gups*, vautour, et *aetos*, aigle). Très grand rapace diurne des hautes montagnes, qui se nourrit surtout de cadavres. (Famille des falconidés.)

GYPSE [ʒips] n. m. (gr. *gupsos*, plâtre). Roche sédimentaire saline, formée de sulfate de calcium hydraté, qui s'est déposée dans les lagunes : *Chauffé entre 150 et 200 °C, le gypse se déshydrate et se transforme en plâtre.* ◆ **gypseux, euse** adj. Qui est de la nature du gypse.

GYROPHARE [ʒirofar] n. m. (du gr. *gûros*, cercle, et *phare*). Phare rotatif équipant le toit de certains véhicules prioritaires (voitures de police, ambulances, etc.).

GYROSCOPE [ʒirɔskɔp] n. m. (du gr. *gûros*, cercle, et *skopein*, examiner). **1.** Appareil qui, animé d'un mouvement de rotation autour d'un de ses axes, peut être déplacé d'une manière quelconque sans que la direction de son axe de rotation soit modifiée. — **2.** Dispositif pour assurer la stabilité d'une torpille, d'un avion ou d'un sous-marin.

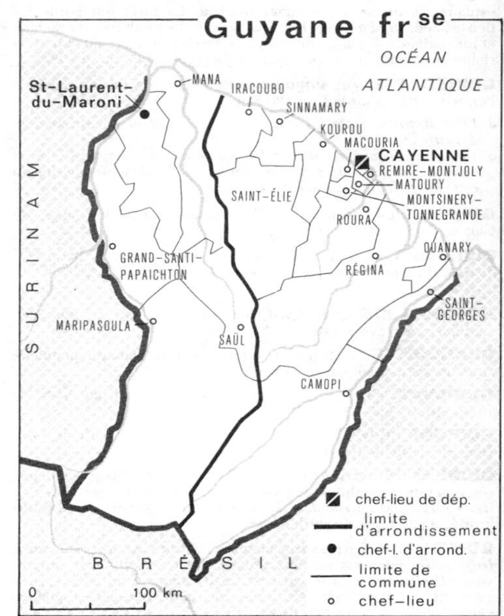

H n. m. **1.** Huitième lettre de l'alphabet et la sixième des consonnes. → introduction de l'ouvrage et ENCYCL. — **2.** *Chim.* H, symbole de l'*hydrogène.* — **3.** h, symbole de l'*heure* et de *hecto-*. — **4.** *L'heure H,* l'heure fixée pour l'attaque d'une armée, ou, plus communément, l'heure fixée pour une opération quelconque.
— ENCYCL. L'*h* initial peut être *muet* ou *aspiré*. Dans les deux cas, il ne représente aucun son. La différence n'apparaît qu'à l'intérieur d'un groupe de mots. Si l'*h* est muet, il y a élision ou liaison : *L'homme, les hommes.* Si l'*h* est aspiré (le mot est précédé d'un astérisque [*] dans l'ouvrage), il n'y a ni élision ni liaison : *Le *héros, les *héros.*

***HA!** [a] interj. (onomat.). **1.** Autre graphie de *ah!,* exprimant des sentiments plus forts. — **2.** Transcrit le rire : *Ha ! ha !*

HAAKON, nom de sept rois de Norvège, dont HAAKON VII (1872-1957), qui fut élu roi de Norvège après la séparation de la Suède et de la Norvège.

HAARLEM, v. des Pays-Bas, en Hollande-Septentrionale, à l'O. d'Amsterdam; 152 500 hab. Musée Frans-Hals. Constructions navales et mécaniques.

HABEAS CORPUS [abeaskɔrpys] n. m. (mots lat. signif. *que tu aies le corps*). Loi anglaise votée en 1679, sous Charles II, qui garantit la liberté individuelle et protège contre les arrestations arbitraires.

HABILE [abil] adj. (lat. *habilis,* bien adapté) [avant ou après le nom]. **1.** (sans compl.) Se dit d'une personne (ou de son comportement) qui agit avec adresse, avec ingéniosité ou avec ruse : *Un chirurgien habile* (syn. ADROIT, ÉMÉRITE; contr. MALHABILE). *Il est trop habile pour être honnête* (syn. RUSÉ; fam. ROUBLARD; contr. NAÏF). — **2.** *Être habile à qqch., à faire qqch.,* exceller à. ◆ **habilement** adv. : *Une figure habilement dessinée* (syn. ADROITEMENT). *Un discours habilement fait* (contr. MALADROITEMENT). ◆ **habileté** n. f. : *L'habileté manuelle* (syn. ADRESSE, DEXTÉRITÉ). *Mener une affaire avec habileté* (syn. DIPLOMATIE). ◆ n. f. pl. Manières d'agir adroites et opportunes. ◆ **inhabile** adj. Qui manque d'adresse, de diplomatie, d'aptitude. ◆ **inhabileté** n. f. : *Son inhabileté à éviter les heurts avec les autres.* ◆ **malhabile** [malabil] adj. Qui manque d'adresse : *Un geste malhabile* (syn. MALADROIT).

HABILITER [abilite] v. t. (lat. *habilitare,* rendre apte). Donner la capacité légale d'accomplir certaines actions (terme jurid.; souvent au passif) : *Le ministre fut habilité à signer le traité* (= eut qualité pour).

HABILLER [abije] v. t. (anc. fr. *abillier,* préparer une bille de bois, puis influence de *habit*). **1.** *Habiller qq'un,* lui mettre un vêtement; faire un vêtement pour quelqu'un; couvrir d'un vêtement de telle ou telle nature : *Habiller un enfant* (syn. VÊTIR). *Le tailleur m'a bien habillé. Habiller les soldats* (syn. ÉQUIPER); surtout au passif : *Un enfant habillé en Indien* (syn. DÉGUISER). — **2.** (sujet nom de vêtement) *Habiller bien,* convenir parfaitement. — **3.** *Habiller qqch.,* le couvrir d'une chose qui enveloppe, dissimule : *Habiller les fauteuils de housses* (syn. RECOUVRIR). ◆ ***s'habiller*** v. pr. **1.** Mettre ses vêtements; revêtir des habits de telle ou telle manière : *Aider un enfant à s'habiller* (syn. SE VÊTIR). *Faut-il s'habiller pour le dîner?* (= mettre une tenue de soirée). — **2.** Se faire confectionner des vêtements : *S'habiller sur mesure.* ◆ **habillage** [abijaʒ] n. m. Action de mettre une enveloppe protectrice, de recouvrir, d'arranger : *L'habillage d'un livre avec une couverture.* ◆ **habillé, e** adj. Se dit de ce qui donne de l'élégance (syn. CHIC). ◆ **habillement** n. m. **1.** Action de fournir des vêtements : *L'habillement des troupes.* — **2.** Costume dont on est vêtu (emploi restreint par VÊTEMENT et COSTUME) : *Les diverses pièces de l'habillement militaire.* ◆ **habilleuse** n. f. Celle qui aide les artistes à mettre leur costume de théâtre. ◆ **habit** [abi] n. m. **1.** Vêtement masculin de cérémonie, en drap noir, dont les basques pendent par-derrière. — **2.** Vêtement de religieux ou de religieuse. ‖ *Prendre l'habit,* entrer en religion. — **3.** (suivi d'un adj. ou d'un compl. du nom indiquant l'usage, l'origine, etc.) Vêtement qui couvre le corps : *Un habit de gala. L'habit ecclésiastique. L'habit vert* (= la tenue des académiciens). — **4.** (au plur.) Ensemble de vêtements : *Ôter ses habits* (syn. AFFAIRES). ‖ *L'habit ne fait pas le moine* (= il ne faut pas juger les gens sur leur aspect). ◆ **déshabiller** v. t. Ôter ses vêtements à quelqu'un : *Déshabiller un enfant* (syn. DÉVÊTIR). ◆ ***se déshabiller*** v. pr. Enlever ses vêtements. ◆ **déshabillé** n. m. Tenue légère que l'on porte chez soi. ‖ *En déshabillé,* incomplètement ou négligemment habillé. ◆ **déshabillage** n. m. ◆ **rhabiller** v. t. : *Rhabiller un enfant.* ◆ ***se rhabiller*** v. pr. Remettre ses vêtements.

HABITABILITÉ n. f., **HABITABLE** adj. → HABITER.

HABITACLE [abitakl] n. m. (bas lat. *habitaculum,* demeure). Partie d'un avion, d'un engin spatial, réservée à l'équipage.

HABITER [abite] v. t. ou i. (lat. *habitare*). **1.** Avoir sa demeure, sa résidence dans (le compl. indiquant le lieu où l'on réside peut être introduit directement ou par l'intermédiaire d'une prép.) : *J'habite Paris* ou *à Paris* (syn. DEMEURER, RÉSIDER, VIVRE). — **2.** (sujet nom désignant un sentiment) Être d'une manière permanente dans l'esprit, le cœur, etc. (littér.) : *L'enthousiasme habite son cœur.* ◆ **habité, e** adj. Occupé par des habitants, par des personnes qui y résident actuellement : *Des régions habitées* (syn. PEUPLÉ; contr. INHABITÉ). ◆ **inhabité, e** adj. : *Un village inhabité* (syn. DÉSERT). ◆ **habitabilité** n. f. Qualité de ce qui peut être habité : *Les conditions d'habitabilité d'une maison.* ◆ **habitable** adj. Où l'on peut habiter (sens 1) : *Une maison habitable.* ◆ **inhabitable** adj. ◆ **habitant, e** n. Personne qui vit ou réside ordinairement en un lieu : *Les habitants d'un pays* (= la population); se dit aussi des animaux (littér.) : *Les habitants de ces forêts.* ◆ **habitat** [abita] n. m. **1.** Mode particulier de peuplement; ensemble des conditions de logement (terme de géogr. et d'admin.) : *L'habitat rural, urbain. Amélioration de l'habitat.* → ENCYCL. — **2.** Territoire à l'intérieur duquel une espèce végétale ou animale rencontre des conditions de vie uniformes auxquelles elle s'est adaptée : *La jungle est l'habitat du tigre.* ◆ **habitation** n. f. **1.** Action de résider dans une maison d'une manière durable : *Améliorer les conditions d'habitation* (syn. HABITAT). — **2.** Lieu, maison où l'on demeure : *Changer d'habitation* (syn. DEMEURE, DOMICILE, RÉSIDENCE). *Des habitations à loyer modéré, ou H. L. M.* ◆ **cohabiter** v. i. Habiter ensemble; coexister. ◆ **cohabitation** n. f. **1.** Action de cohabiter. — **2.** Présence simultanée d'une majorité parlementaire et d'un chef de l'État de tendances politiques différentes.
— ENCYCL. En géographie, le terme d'*habitat* s'applique plus particulièrement à la répartition des maisons dans les campagnes. On distingue ainsi : l'*habitat groupé,* où les maisons se groupent en villages serrés autour de l'église et de la mairie; l'*habitat dispersé,* comme dans l'ouest de la France, où des fermes isolées se dispersent dans le bocage. Très souvent on observe des mélanges de ces deux types : de grandes fermes dispersées et un centre communal concentré, par exemple, ou une multitude de petits villages aux maisons bien groupées, mais ne formant que des hameaux.

HABITUDE [abityd] n. f. (lat. *habitudo,* manière d'être). **1.** Manière d'être, de voir, d'agir, de se comporter que l'on a acquise par des actes répétés et qui est devenue constante; aptitude acquise par l'expérience : *Se conformer aux habitudes du pays* (syn. COUTUME, TRADITION, USAGE). *C'est une question d'habitude* (syn. ACCOUTUMANCE). *Comme à son habitude, il protesta.* — **2.** *D'habitude,* en général, d'ordinaire : *D'habitude, il sort plus tôt de chez lui* (syn. HABITUELLEMENT, ORDINAIREMENT; contr. EXCEPTIONNELLEMENT). ‖ *Par habitude,* d'une manière machinale, sans réflexion (syn. MACHINALEMENT). ◆ **habituer** v. t. *Habituer qq'un à qqch.,* lui en faire prendre l'habitude (syn. APPRENDRE À) : *On l'a habitué à être poli;* souvent au passif : *J'ai été habitué à me lever tôt* (syn. FORMER). ◆ ***s'habituer*** v. pr. Prendre l'habitude de : *Il faut s'habituer à ses sautes d'humeur* (syn. S'ACCOUTUMER). *S'habituer à son nouveau travail* (syn. S'ADAPTER, SE FAIRE). ◆ **habitué, e** n. Personne qui fréquente un lieu d'une manière habituelle : *Les habitués d'un café* (= les clients habituels). *C'est un habitué de la maison* (syn. FAMILIER). ◆ **habituel, elle** adj. **1.** Devenu une habitude : *Une expression habituelle dans sa bouche* (syn. FAMILIER; contr. RARE). *Le cinéma est ma distraction habituelle* (contr. EXCEPTIONNEL, OCCASIONNEL). — **2.** Devenu très fréquent ou qui est normal : *La chaleur habituelle au mois d'août* (syn. COURANT). *Cette douceur est habituelle chez lui* (contr. ANORMAL). ◆ **habituellement** adv. D'ordinaire. ◆ **inhabituel, elle** adj. Contr. d'HABITUEL : *Le silence inhabituel de la maison* (syn. ANORMAL, INSOLITE). ◆ **déshabituer** v. t. Faire perdre l'habitude. ◆ ***se déshabituer*** v. pr. Perdre l'habitude. ◆ **réhabituer** v. t. Habituer de nouveau : *Réhabituer ses yeux à la lumière.* ◆ ***se réhabituer*** v. pr. Reprendre une habitude perdue : *Se réhabituer au travail.*

***HÂBLEUR, EUSE** [ɑblœr, -øz] adj. et n. (de l'esp. *hablar*, parler). Qui a l'habitude de se vanter, qui tient de longs discours sur des succès qu'il s'attribue (littér.). ◆ ***hablerie** n. f.

HABSBOURG, dynastie d'Europe centrale, qui régna sur l'Autriche de 1278 à 1918.

- *1153. Albert le Riche conquiert des territoires considérables en Suisse et en Alsace.*
- *1273. Rodolphe de Habsbourg parvient au trône du Saint Empire romain germanique.*
- *1278. Il acquiert l'Autriche, la Styrie et la Carniole.*

Au XVIe s., la puissance de la dynastie atteint sa plus grande extension avec Charles Quint qui réunit aux domaines des Habsbourg (Autriche et domaines autrichiens, Bohême, Hongrie, Pays-Bas, une partie de l'Italie) l'Espagne et les colonies espagnoles du Nouveau Monde.

- *1736. Le mariage de l'archiduchesse Marie-Thérèse, fille de l'empereur Charles VI, avec le duc François III de Lorraine, qui deviendra l'empereur François Ier, transforme la dynastie en maison de Habsbourg-Lorraine.*
- *1918. L'empereur Charles Ier renonce au trône après la défaite de l'Autriche-Hongrie.*

***HACHE** [aʃ] n. f. (frq. *hâppja*). Instrument tranchant muni d'un manche, qui sert à fendre, à couper. ‖ *Hache d'armes*, hache des gens de guerre au Moyen Âge. ◆ ***hachette** n. f. Petite hache.

HĀCHÉMITES, famille descendant de Hāchim, considéré comme l'ancêtre de Mahomet, et d'où est issue la dynastie arabe qui a régné sur l'Iraq (1920-1958) et règne sur la Jordanie.

***HACHER** [aʃe] v. t. (de *hache*). **1.** *Hacher qqch.* (objet), le couper en petits morceaux avec un instrument tranchant : *Hacher de la viande.* — **2.** Tailler, mettre en pièces : *La grêle a haché la récolte de maïs* (syn. DÉCHIQUETER). — **3.** *Hacher qqch.* (énoncé, discours, etc.), l'interrompre fréquemment, en briser la continuité : *La conversation était hachée d'éclats de rire* (syn. ENTRECOUPER). *Un style haché* (= heurté, saccadé, fait de petites phrases). ◆ ***hachis** n. m. Morceaux de viande, de volaille, de poisson coupés menu et utilisés surtout comme farce. ◆ ***hachoir** n. m. Couperet, ou appareil mécanique servant à hacher la viande, les légumes.

***HACHETTE** n. f. → *HACHE.

HACHETTE (Jeanne LAISNÉ, surnommée **Jeanne**), héroïne française, née v. 1456. Elle défendit en 1472, la hache au poing, avec ses concitoyens, la ville de Beauvais assiégée par Charles le Téméraire.

***HACHIS** n. m. → *HACHER.

***HACHICH** ou ***HASCHISCH** [aʃiʃ] n. m. (ar. *hachīch*, herbe). Substance excitante extraite du chanvre indien. (Fréquemment mâché ou fumé en Orient, cette drogue provoque des désordres mentaux très graves.)

***HACHOIR** n. m. → *HACHER.

***HACHURE** [aʃyr] n. f. (de *hacher*). Chacun des traits parallèles ou croisés qui servent à indiquer les ombres, les demi-teintes, les accidents de terrain sur une carte, etc. (surtout au plur.). ◆ ***hachurer** v. t. Couvrir, marquer de hachures.

HACIENDA [asjɛnda] n. f. (mot esp.). En Amérique du Sud, habitation accompagnée d'une exploitation rurale.

***HADDOCK** [adɔk] n. m. (mot angl.). Nom anglais de l'AIGLEFIN, poisson de la famille des morues, qui se mange fumé.

HADÈS. *Myth. gr.* Dieu des Enfers, assimilé au *Pluton* des Romains.

HADRAMAOUT, région de l'Arabie du Sud (Yémen), située le long du golfe d'Aden.

HADRIEN, en lat. **Publius Aelius Hadrianus**, empereur romain (76-138). Petit-neveu de Trajan, il lui succède en 117. De 121 à 134, il effectue de nombreux voyages pour surveiller l'administration de l'Empire, qu'il protège contre les Barbares au moyen de fortifications continues en Angleterre et en Germanie *(mur d'Hadrien)*.

Il fit du conseil du prince un organe de gouvernement, et unifia la législation par l'Édit perpétuel (131). Protecteur des lettres et des arts, il accumula dans sa *villa Hadriana* de nombreux souvenirs rapportés de ses voyages. Il fut enseveli dans un somptueux mausolée à Rome (l'actuel château Saint-Ange).

HAENDEL → HÄNDEL.

***HAFNIUM** [afnjɔm] n. m. (de *Hevesy*, n. du chimiste danois qui le découvrit). Métal (Hf), découvert dans les terres rares.

***HAGARD, E** [agar, -ard] adj. (anc. angl. *hagger*, sauvage). Se dit d'une personne qui est en proie à un trouble violent, manifesté par un air, un visage affolé : *Œil hagard* (syn. EFFARÉ, ÉGARÉ).

HAGEN, v. d'Allemagne dans la Ruhr; 200 900 hab. Industries métallurgiques et chimiques.

HAGIOGRAPHIE [aʒjɔgrafi] n. f. (du gr. *hagios*, sacré, et *graphein*, écrire). Branche de l'histoire religieuse qui étudie la vie des saints.

HAGONDANGE, comm. de la Moselle, dans la vallée de la Moselle, à 13 km au S. de Thionville; 9 100 hab. Centre sidérurgique.

HAGUE (la), cap du Cotentin (Manche), à l'extrémité nord-ouest de la presqu'île. Traitement des combustibles nucléaires irradiés.

HAGUENAU, ch.-l. d'arrond. du Bas-Rhin, à 28 km au N. de Strasbourg; 29 700 hab. Constructions mécaniques.

HAHN (Reynaldo), compositeur français (1875-1947), auteur de lieder et d'opéras-comiques *(Ciboulette)*.

HAHN (Otto), physicien allemand (1879-1968). Il formula, avec Strassmann, la théorie de la fission de l'uranium (1938).

HAHNEMANN (Samuel), médecin allemand (1755-1843). Il fonda la doctrine de l'homéopathie en 1789.

1. *HAIE [ɛ] n. f. (frq. *hagja*). **1.** Clôture faite d'arbustes, de buissons, de petits arbres, de branchages, qui sert à limiter un champ, à le protéger du vent, etc. — **2.** Obstacle naturel ou artificiel employé en sports : *Les courses de haies* (= courses où les chevaux ont à franchir des haies). *Une course de haies* (= celle où un athlète doit franchir un certain nombre de cadres de bois disposés sur un parcours de 110 ou de 400 m).

2. *HAIE [ɛ] n. f. (de *haie* 1). Rangée de personnes placées le long d'une rue, d'une voie, etc., sur le passage de quelqu'un : *Une haie d'agents de police* (syn. CORDON).

HAÏFA, HAIFA ou **HAIFFA,** v. de l'État d'Israël, au S. de la baie d'Acre, sur les flancs du mont Carmel; 218 700 hab. Grand port de commerce et centre industriel.

HAILÉ SÉLASSIÉ Ier, empereur d'Éthiopie de 1930 à 1974 (1892-1975). L'invasion de l'Éthiopie par les Italiens (octobre 1935) l'obligea à se réfugier en Angleterre. Il rétablit son pouvoir en 1941 et s'efforça de moderniser son pays. Il s'est fait l'un des champions du panafricanisme (= doctrine qui tend à développer la solidarité des peuples africains). Il a été déposé par l'armée.

HAILLICOURT, comm. du Pas-de-Calais, à 3 km à l'E. de Bruay-en-Artois; 5 400 hab.

***HAILLON** [ɑjɔ̃] n. m. (germ. *hadel*, lambeau). Vêtement en loques (surtout au plur.) [syn. GUENILLE].

HAI-NAN, île côtière et province de la Chine du Sud, fermant, vers l'E., le golfe du Tonkin.

HAINAUT, comté du Saint Empire romain germanique, fondé au IXe s. Il s'accrut au XIIe s. du comté de Namur, puis en 1300 des comtés de Hollande, de Zélande et de Frise.

- *1428. Le Hainaut est annexé aux États bourguignons dont il suit le sort.*
- *1659. Le traité des Pyrénées donne à la France la partie sud du Hainaut, qui devient le Hainaut français.*

Le reste du Hainaut forme depuis 1830 une province belge.

HAINAUT, province de la Belgique méridionale; 3 720 km²; 1 317 500 hab. Ch.-l. *Mons.*

Plateau crayeux souvent couvert de limon, le Hainaut est une riche région agricole, produisant blé, betterave à sucre, tabac, lin, etc. L'élevage de bovins et de chevaux est surtout développé dans l'Est.

Mais la présence de charbon a fait de la partie centrale de la province, axée sur les vallées de la Haine et de la Sambre, une région industrielle, le « pays noir », qui s'étend sur 50 km d'O. en E. Le charbon a donné naissance à une industrie lourde (sidérurgie, chimie et également verrerie) dans les bassins de Mons *(Borinage)* et de Charleroi. Ces activités sont actuellement en crise et des problèmes de reconversion se posent.

***HAINE** n. f., ***HAINEUX, EUSE** adj. → *HAÏR.

HAIPHONG, port du Viêt-nam septentrional, sur un bras du delta du fleuve Rouge ; 1 279 000 hab. Métallurgie.

HAÏR** [air] v. t. (frq. *hatjan*). [Conj. **13.**] **1.** *Haïr qq'un*, lui vouloir du mal, être animé contre lui de sentiments violemment hostiles : *Ils le haïssent, mais ils le craignent en même temps* (syn. DÉTESTER; contr. AIMER). — **2.** *Haïr une chose*, avoir un grand dégoût ou une forte répugnance pour elle : *Haïr l'hypocrisie* (syn. EXÉCRER). ◆ ***se *haïr v. pr. Avoir l'un pour l'autre de l'hostilité : *Les deux hommes se haïssent cordialement.* ◆ ***haïssable** adj. : *Un individu haïssable. Une bassesse haïssable* (syn. DÉTESTABLE). ◆ ***haine** [ɛn] n. f. Sentiment violent d'hostilité ou de répugnance : *Vouer une haine mortelle à un adversaire* (syn. ↓INIMITIÉ; contr. AFFECTION). *La haine de la médiocrité* (syn. AVERSION). *Exciter les haines entre les partis politiques* (syn. DISSENSION; contr. ENTENTE). ◆ ***haineux, euse** adj. Qui manifeste de la haine, de l'hostilité : *Des propos haineux* (contr. BIENVEILLANT).

HAÏTI, île de l'Atlantique, l'une des Grandes Antilles, à l'E. de Cuba, divisée en deux États indépendants : la *république Dominicaine** à l'E., la *république d'Haïti* à l'O.

HISTOIRE

- *1492. Christophe Colomb découvre l'île d'Haïti et la nomme « Hispaniola ».*

Elle est colonisée par les Espagnols.
Au XVIIe s., les Français commencent à s'établir à l'O.

- *1697. Au traité de Ryswick, la partie occidentale est cédée à la France.*
- *1791. Révolte des esclaves noirs dirigés par Toussaint Louverture.*
- *1795. L'Espagne cède à la France la partie orientale de l'île.*
- *1804. Un Noir, Dessalines, expulse les Français et proclame l'indépendance de la partie occidentale.*
- *1844. Scission définitive de l'île en deux États : la république d'Haïti à l'O., la république Dominicaine à l'E.*

HAÏTI *(république d')*, État occupant la partie occidentale de l'île d'Haïti; 27 750 km^2; 6 400 000 hab. *(Haïtiens)* [231 hab. au km^2]. Capit. *Port-au-Prince* (684 300 hab.).

GÉOGRAPHIE

Pays montagneux (2 680 m dans le massif de la Selle), entrecoupé de plaines d'effondrement, Haïti jouit d'un climat tropical.

	TEMPÉRATURES MOYENNES janv.	juil.	PLUIES
Port-au-Prince	24,7 °C	28 °C	1 346 mm

La population, composée en majorité de Noirs descendants des anciens esclaves de l'époque coloniale, a intensément mis en valeur les zones basses. Café, canne à sucre, coton, bananes sont les principales ressources agricoles.

café 30 000 t; sucre de canne 50 000 t; bananes 210 000 t.

Les ressources du sous-sol (bauxite) sont encore peu exploitées, et l'industrie se limite pratiquement à la transformation des produits agricoles. L'essentiel du commerce extérieur se fait avec les États-Unis par Port-au-Prince. Haïti reste l'un des pays les moins développés de l'Amérique.

HISTOIRE

Après la séparation de l'île en deux États distincts, le nouvel État d'Haïti connaît l'empire de Faustin Ier (1849-1853), puis une longue période d'instabilité.

- *1915-1934. Les États-Unis maintiennent la république sous leur protection économique, financière et militaire.*
- *1950-1956. Sous la présidence du colonel Magloire, la politique de coopération avec les États-Unis se poursuit.*
- *1957. François Duvalier, élu président, établit une dictature.*
- *1971. À la mort de Duvalier, son fils Jean-Claude lui succède.*
- *1986. Une grave crise politique intérieure contraint Jean-Claude Duvalier à abandonner le pouvoir. Le général Namphy prend la tête d'un Conseil national de gouvernement.*
- *1988. Leslie Manigat, leader du Rassemblement national des démocrates progressistes, est élu président de la République mais, peu après, les militaires reprennent le pouvoir.*
- *1990. Un gouvernement civil de transition est mis en place. Le père Jean-Bertrand Aristide est élu président de la République (déc.).*
- *1991. Il est renversé par un nouveau putsch.*

HAKODATE, v. du Japon, dans le sud de Hokkaidō; 320 000 hab. Port et centre industriel important.

***HALAGE** n. m. → *HALER.

***HÂLE** [ɑl] n. m. (du bas lat. *assulare*, griller). Brunissement de la peau par le soleil ou par l'air. ◆ ***hâler** v. t. Rendre le teint brun (surtout au passif) [syn. BRONZER, BRUNIR].

HALEINE [alɛn] n. f. (du lat. *anhelare*, souffler). **1.** Air qui sort des poumons : *Avoir l'haleine forte* ou *mauvaise haleine* (= sentir mauvais de la bouche). — **2.** Respiration, souffle (surtout dans des express. ou des loc.) : *Être hors d'haleine* (= très essoufflé). *Courir, rire à perdre haleine* (= jusqu'à l'essoufflement). *Reprendre haleine* (= reprendre une respiration régulière après un effort). — **3.** *Travail, ouvrage de longue haleine*, qui demande de la persévérance dans l'effort et beaucoup de temps. ‖ *Tenir qq'un en haleine*, retenir son attention; le maintenir dans l'incertitude.

***HALER** [ale] v. t. (germ. *halon*, amener). Tirer au moyen d'une corde : *Haler un canot le long d'une rivière.* ◆ ***halage** n. m. : *Le chemin de halage, le long d'un cours d'eau, permettait à des animaux ou à des machines de haler un bateau, une péniche.*

***HÂLER** v. t. → *HÂLE.

***HALETER** [alte] v. i. (du lat. *halare*, exhaler). [Conj. **7.**] Respirer avec gêne ou à un rythme précipité : *Haleter après une course* (= être hors d'haleine, essoufflé). ◆ ***haletant, e** adj. : *Respiration haletante* (syn. PRÉCIPITÉ). ◆ ***halètement** [alɛtmɑ̃] n. m. Respiration forte et saccadée; bruit qui en résulte.

***HALF-TRACK** [alftrak] n. m. (mot angl. signif. *demi-chemin*). Véhicule blindé, muni de chenilles à l'arrière, datant de la Seconde Guerre mondiale. ‖ Pl. des *half-tracks*.

HALICARNASSE, auj. **Bodrum**, anc. v. d'Asie Mineure, où régnèrent Mausole et Artémise. Ruines.

HALIFAX, v. de Grande-Bretagne, dans le Yorkshire; 96 000 hab.

HALIFAX, v. du Canada, capit. de la Nouvelle-Écosse, sur l'Atlantique; 86 800 hab. Port important. Métallurgie.

HALIOTIDE [aljɔtid] n. f. (du gr. *halios*, marin). Mollusque gastropode aplati, nacré intérieurement (syn. ORMEAU).

***HALL** [ol] n. m. (mot angl.). Grande salle où l'on a d'abord accès, dans les édifices publics ou les maisons particulières.

HALLALI [alali] n. m. (de l'anc. fr. *haler*, exciter les chiens). Cri ou fanfare qui annonce la prise prochaine de l'animal poursuivi par les chasseurs et donc sa mort.

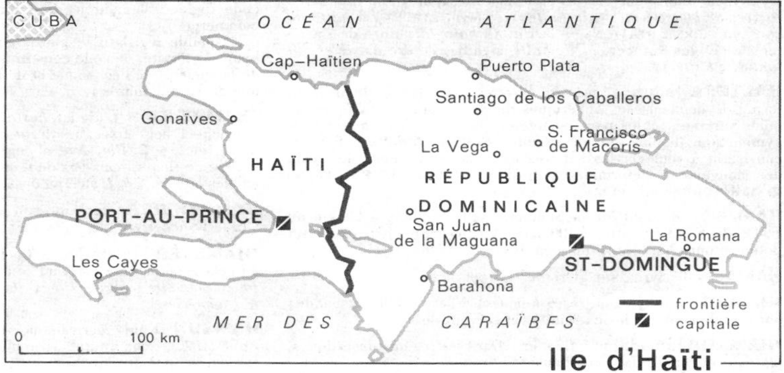

Ile d'Haïti

***HALLE** [al] n. f. (frq. *halla*). Grand bâtiment servant au commerce en gros d'une marchandise (indiquée comme compl. du nom) : *La halle aux vins.* ◆ n. f. pl. Bâtiment, place publique généralement couverte, où se tient le principal marché des denrées alimentaires d'une ville.

HALLE, v. d'Allemagne (Saxe-Anhalt), sur la Saale; 237 000 hab. Anc. ville membre de la Hanse*. Nombreux édifices religieux du Moyen Âge et du XVIe s.

***HALLEBARDE** [albard] n. f. (de l'all. *helmbarte*). **1.** Arme dont le fer, monté sur une longue hampe, est pointu d'un côté et tranchant de l'autre (XIVe-XVIIe s.). — **2.** *Il pleut des hallebardes,* il pleut très fort. ◆ ***hallebardier** n. m. Autref., fantassin armé d'une hallebarde.

Halles (les), quartier du Ier arrond. de Paris, où se concentraient les commerces alimentaires de gros. Cette activité commerciale a été transférée au S. de Paris (Rungis*) en 1969, et le quartier des Halles a fait l'objet d'une importante opération d'urbanisme.

HALLEY (Edmund), astronome anglais (1656-1742). Il observa en 1682 la comète à laquelle son nom est resté attaché et annonça son retour pour la fin de 1758 ou le début de 1759; il fut ainsi le premier à prédire le retour des comètes périodiques.

HALLSTATT ou **HALLSTADT,** bourg d'Autriche, dans le Salzkammergut. On y a découvert une nécropole contenant près de 1 000 sépultures préhistoriques, et la localité a donné son nom à la première période de l'âge du fer, de 800 à 500.

HALLUCINATION [alysinasjɔ̃] n. f. (lat. *hallucinatio*). Perception, sensation éprouvée par une personne alors que l'objet ou le phénomène n'est pas présent; interprétation erronée d'une sensation : *Être victime* (ou *le jouet*) *d'une hallucination.* ◆ **halluciné, e** adj. : *Un regard halluciné* (syn. HAGARD). ◆ n. Personne en proie à des hallucinations. ◆ **hallucinant, e** adj. **1.** Qui provoque des hallucinations : *Un spectacle hallucinant* (syn. OBSÉDANT). — **2.** Qui évoque avec une précision saisissante : *Une ressemblance hallucinante* (syn. ↓FRAPPANT). ◆ **hallucinogène** adj. et n. m. Se dit de substances qui créent artificiellement des hallucinations.

HALLUIN, comm. du Nord, à 9,5 km au N. de Tourcoing; 16 400 hab. Tissages.

HALMAHERA, GILOLO ou **JILOLO,** principale île des Moluques (Indonésie).

***HALO** [alo] n. m. (gr. *halôs*). **1.** Zone circulaire, blanche ou colorée, diffuse autour d'une source lumineuse : *Le halo des réverbères.* — **2.** *Un halo (de),* un rayonnement de : *Un halo de gloire.*

HALOGÈNE [alɔʒɛn] adj. et n. m. (du gr. *hals, halos,* sel, et *gennân,* engendrer). *Chim.* Se dit du chlore et des corps simples de sa famille (fluor, brome et iode).

HALOPHYTE [alɔfit] adj. et n. f. (du gr. *hals, halos,* sel, et *phuton,* plante). Se dit d'une plante vivant sur les sols salés.

HALS (Frans), peintre hollandais (v. 1580-1666). Spécialisé dans le portrait, il prête à ses modèles (bourgeois ou populaires) une vie intense *(Confrérie des archers de Saint-Adrien).* Ses dernières œuvres témoignent d'une verve et d'une spontanéité renouvelées *(les Régents de l'hospice des vieillards).*

HÄLSINGBORG, port du sud de la Suède, sur le Sund; 101 200 hab. Centre commercial.

***HALTE** [alt] n. f. (frq. *halt*). **1.** Moment d'arrêt, de repos pendant une marche ou un voyage (en parlant d'une personne). — **2.** Lieu établi pour l'arrêt d'une marche, d'un train, d'un car : *Arriver de bonne heure à la halte fixée* (syn. ÉTAPE). *La halte du car* (syn. ARRÊT, STATION). — **3.** *Halte!, halte-là!,* ordre de s'arrêter, de ne plus avancer. ‖ *Dire halte,* signifier l'ordre d'arrêter : *Il faut dire halte à la guerre.*

HALTÈRE [altɛr] n. m. (gr. *haltêres,* balanciers). Instrument formé de deux masses sphériques ou de disques métalliques de poids variable, réunis par une tige et servant à des exercices de gymnastique (le plus souvent au plur.). ◆ **haltérophilie** n. f. Sport consistant à soulever les haltères les plus lourds possible, selon des mouvements déterminés. (On dit aussi POIDS ET HALTÈRES.) ◆ **haltérophile** adj. et n.

HAM, ch.-l. de cant. de la Somme, sur la Somme, à 20 km au S.-O. de Saint-Quentin; 6 400 hab. Vestiges du château où fut détenu Louis Napoléon, qui s'en évada en 1846.

ḤAMĀ, v. de Syrie, sur l'Oronte; 176 600 hab.

***HAMAC** [amak] n. m. (esp. *hamaca*). Filet ou toile suspendus horizontalement par les extrémités et servant de lit.

***HAMADA** [amada] n. f. (mot ar.). Dans les régions désertiques, plateau couvert de dalles rocheuses.

HAMADHĀN, v. de l'Iran occidental, au S.-O. de Téhéran; 124 200 hab. C'est l'anc. *Ecbatane,* capitale des Mèdes (VIIe s. av. J.-C.). Important marché.

HAMAMATSU, v. du Japon, dans l'île de Honshū; 432 200 hab. Centre commercial.

HAMAMÉLIS [amamelis] n. m. (gr. *hamamêlis,* néflier). Arbuste des États-Unis, dont l'écorce et les feuilles, douées de propriétés vaso-constrictives, sont utilisées, en décoction, contre les varices.

HAMBOURG, en all. **Hamburg,** v. du nord de l'Allemagne; 1 571 000 hab. *(Hambourgeois)* pour le *Land* (État), qui s'étend sur 753 km². Situé sur l'estuaire de l'Elbe, Hambourg est le principal débouché maritime de l'Allemagne : son trafic avoisine 50 millions de t.

Sa fonction industrielle s'est développée en liaison avec ses activités maritimes, et a été stimulée par la création d'un port franc : constructions navales et aéronautiques, raffineries de pétrole, industries alimentaires, etc.

La ville fut la base de la Hanse*, et au XVIIe s. le principal port européen.

***HAMEAU** [amo] n. m. (frq. *haim,* petit village). Groupe de maisons rurales situées en dehors de l'agglomération principale d'une commune.

HAMEÇON [amsɔ̃] n. m. (du lat. *hamus,* crochet). **1.** Crochet de métal placé au bout d'une ligne de pêche, et sur lequel on fixe un appât pour prendre le poisson. — **2.** (sujet nom de personne) *Mordre à l'hameçon,* se laisser séduire par un attrait trompeur.

HAMILCAR ou **AMILCAR,** surnommé **Barca** *(la Foudre),* chef carthaginois (v. 290-229 av. J.-C.), père d'Hannibal. Lors de la première guerre punique, il combattit les Romains en Sicile. Il réprima la révolte des mercenaires (240-237) et conquit l'Espagne (237-229).

HAMILTON, v. du Canada, à l'extrémité ouest du lac Ontario; 498 500 hab. Grand centre industriel (métallurgie).

Hamlet, drame en 5 actes de William Shakespeare (v. 1600).

***ḤAMMĀM** [amam] n. m. (mot ar.). Bain public ou privé des pays musulmans.

HAMMERFEST, port de Norvège; 5 200 hab. C'est la ville la plus septentrionale d'Europe. Pêche. Conserverie.

HAMMOURABI, roi de Babylone (1792-1750 ou 1730-1685 av. J.-C.), fondateur de l'Empire babylonien. Son code constitue la plus ancienne collection de lois connue; il est gravé sur une stèle cylindrique, découverte en 1902 et conservée au Louvre.

Hammourabi *(code d'),* rédigé en akkadien. Ce n'est pas un code au sens moderne, mais seulement un recueil de décisions concernant un certain nombre de cas. Il nous fait connaître le statut juridique des différentes catégories qui composent la société : l'*homme libre,* le *subordonné* (homme libre déclassé ou esclave affranchi) et enfin l'*esclave.* En cas d'offense ou de blessure, les réparations et les sanctions sont différentes pour les membres de ces trois catégories. Pour un œil crevé, un bras brisé, une dent cassée, on applique au coupable la loi du talion si la victime est un homme libre, sinon une amende suffit; les maléfices, sortilèges, faux témoignages, vols au Trésor, atteintes à la propriété du Palais ou du Temple sont punis de mort, sauf si l'ordalie de l'eau (on jette l'accusé dans un cours d'eau) disculpe l'accusé (il ne se noie pas); le médecin est responsable envers le malade, l'architecte ou le constructeur envers le propriétaire. Le code règle également le droit familial, la gestion des terres, le commerce.

Ensemble législatif le plus étendu et le plus clair de toute la haute Antiquité, ce code constitue une source unique pour l'étude de la société, de l'économie et de la monarchie dans la Mésopotamie du IIe millénaire av. J.-C.

***HAMPE** [ɑ̃p] n. f. (du lat. *hasta,* lance). **1.** Long manche de bois sur lequel sont fixés un drapeau, une bannière, le fer d'une lance, etc. — **2.** *Bot.* Axe allongé, terminé par une fleur ou un groupe de fleurs, mais pas de feuilles. — **3.** Trait d'écriture vertical des lettres, *t, h, j,* etc., au-dessus ou au-dessous de la ligne.

HAMPSHIRE, comté du sud de l'Angleterre; 1 561 600 hab. Ch.-l. *Winchester.*

***HAMSTER** [amstɛr] n. m. (mot all.). Petit mammifère rongeur, au pelage jaune ocre clair, au ventre blanc : *Les hamsters sont nuisibles pour les cultures mais ils sont des animaux d'agrément très appréciés.*

HAMSUN (Knut), écrivain norvégien (1859-1952), auteur de *la Faim* (1890), roman autobiographique qui le rendit célèbre. Toute son œuvre (poèmes, romans) exalte l'amour de la nature et les joies que procure la vie aventureuse de celui qui s'est délivré de toutes les contraintes de la société.

HAN, dynastie chinoise (206 av. J.-C.-220 apr. J.-C.). [⟶ CHINE.]

HAN *(grottes de)*, grottes naturelles de Belgique (province de Namur), dues à la perte de la Lesse dans le calcaire.

***HANAP** [anap] n. m. (frq. *hnapp*). Grand vase à boire, utilisé au Moyen Âge.

***HANCHE** [ɑ̃ʃ] n. f. (germ. *hanka*). **1.** *Anat.* Articulation du membre inférieur avec le tronc et région du corps qui lui correspond. ⟶ ENCYCL. — **2.** Premier segment de la patte des insectes, entre la cuisse et le thorax. ◆ **déhancher (se)** v. pr. **1.** Faire porter le poids du tronc sur une seule jambe, ce qui met le bassin en position oblique. — **2.** Balancer les hanches avec mollesse ou souplesse : *Marcher en se déhanchant* (syn. SE DANDINER). ◆ **déhanché, e** adj. **1.** Qui n'est pas d'aplomb sur ses hanches : *Une position déhanchée est une cause de scoliose.* — **2.** Qui s'accompagne de déhanchement : *Une allure déhanchée.* ◆ **déhanchement** n. m. **1.** Position d'une personne dont les hanches sont à des hauteurs différentes. — **2.** Mouvement d'une personne qui balance les hanches.

— ENCYCL. L'articulation de la *hanche* se fait entre la tête du fémur, os de la cuisse, et une cavité formée par l'os iliaque, os du bassin. Cette articulation, très mobile, permet une grande variété de mouvements. Elle doit être également très solide car elle supporte, lors de la marche, une pression considérable (plusieurs fois le poids du corps pour chaque pas).

■ *Les maladies de la hanche.* Elles sont nombreuses.

Chez les gens âgés, l'*arthrose* de la hanche (ou *coxarthrose*) modifie les surfaces articulaires par production anormale d'os, et limite le jeu articulaire.

Chez le nouveau-né, la cavité articulaire de l'os iliaque peut être malformée, en particulier sa partie supérieure ou toit : c'est la *luxation congénitale de la hanche.*

Chez l'enfant plus âgé, l'adolescent, peuvent survenir des anomalies de la tête du fémur, de causes diverses, qui entraînent une boiterie et une douleur qui siège souvent au niveau du genou.

Autrefois, la tuberculose de la hanche *(coxalgie)* était fréquente. Aujourd'hui, l'on voit plus souvent des maladies infectieuses de la hanche.

***HANDBALL** [ɑ̃dbal] n. m. (all. *Hand*, main, et *Ball*, ballon). Sport d'équipe qui se joue avec un ballon rond et uniquement avec les mains. ◆ ***handballeur, euse** n. Joueur, joueuse de handball.

— ENCYCL. Pratiqué avec un ballon de 58 à 60 cm de circonférence, pesant 425 à 474 g, le *handball* se joue à onze ou à sept joueurs. Le handball à onze rappelle le football par les dimensions et la nature du terrain ainsi que par la disposition des joueurs. Le handball à sept (un gardien de but, deux arrières, un demi-centre, trois avants) se joue surtout en salle; il est aujourd'hui le plus répandu.

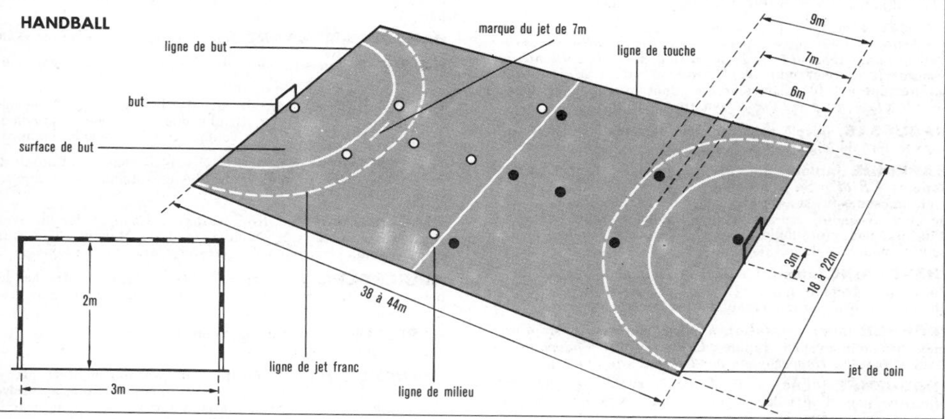

HÄNDEL ou **HAENDEL** (Georg Friedrich), compositeur d'origine allemande (1685-1759), naturalisé anglais en 1726. C'est à la cour d'Angleterre qu'il composa pratiquement toute son œuvre : de la musique dramatique (opéras), de la musique religieuse (oratorios, dont *le Messie*, cantates italiennes, alléluias...), de la musique symphonique (concertos), des suites d'orchestre (dont *Water Music*), de la musique de chambre (recueils pour clavecin). Sa musique est claire, vigoureuse, empreinte de noblesse.

***HANDICAP** [ɑ̃dikap] n. m. (mot angl.). **1.** *Sports.* Épreuve, course ou concours dans lesquels on avantage certains concurrents pour égaliser les chances. — **2.** Désavantage supporté par un concurrent. — **3.** Désavantage quelconque, qui met quelqu'un ou quelque chose en état d'infériorité. ◆ ***handicaper** v. t. **1.** *Handicaper un cheval.* — **2.** *Sa blessure au genou a handicapé le coureur* (syn. DÉSAVANTAGER). ◆ ***handicapé, e** adj. et n. Se dit d'une personne atteinte d'une infirmité (surtout physique).

***HANGAR** [ɑ̃gar] n. m. (frq. *haimgard*). Grand abri servant à divers usages.

HANG-TCHEOU, v. de Chine, capit. du Tchö-kiang; 784 000 hab.

HAN-K'EOU, v. de Chine (Hou-pei), sur le Yang-tseu, au confluent du Han-kiang; 1 million d'hab. Port à 1 000 km de la mer.

***HANNETON** [antɔ̃] n. m. (du frq. *hano*, coq). Insecte coléoptère noir dont la larve souterraine, ou *ver blanc*, se nourrit des racines des plantes et est nuisible. (Elle se transforme au bout de trois ans en un insecte adulte [= imago] se nourrissant du feuillage des arbres.)

HANNIBAL ou **ANNIBAL,** général et homme d'État carthaginois (247-183 av. J.-C.), fils d'Hamilcar Barca.

- *221 av. J.-C. Hannibal devient chef de l'armée carthaginoise d'Espagne à la mort d'Hasdrubal.*

Il pacifie l'Espagne.

- *219. Il attaque Sagonte, alliée de Rome, et déclenche ainsi la deuxième guerre punique (219-201 av. J.-C.).*
- *218. Il franchit les Pyrénées et les Alpes et bat les Romains au Tessin et à la Trébie.*

Vainqueur des Romains à Trasimène (217) et à Cannes (216), il ne peut surprendre Rome et s'attarde en Campanie, tandis que Rome reconstitue ses légions.

- *203. Hannibal est rappelé à Carthage.*
- *202. Il est vaincu par les Romains à la bataille de Zama.*

Ses tentatives de réorganisation de l'armée et du gouvernement entraînent finalement sa disgrâce. Il doit s'exiler à Tyr (v. 196), puis en Syrie, auprès d'Antiochos le Grand.

- *188. Antiochos ayant conclu la paix avec les Romains, Hannibal doit se réfugier en Bithynie.*

C'est là que, sur le point d'être livré aux Romains, il se suicide.

HANNON, navigateur carthaginois qui, vers 500 av. J.-C., longea les côtes atlantiques du continent africain, peut-être jusqu'au fond du golfe de Guinée.

HANOI, capit. du Viêt-nam, dans le delta du Tonkin; 2 571 000 hab.

Bâtie sur la rive droite du fleuve Rouge, Hanoi est un grand centre commercial et industriel (métallurgie, textile).
• *1873. Prise par F. Garnier, Hanoi est occupée par la France jusqu'en 1954.*
• *1966-1972. La ville subit les bombardements de l'aviation américaine.*

HANOVRE, en all. **Hannover,** anc. État allemand.
• *1692. Le duché de Hanovre devient électorat.*
• *1714. L'Électeur de Hanovre devient en même temps roi de Grande-Bretagne.*
L'État est ensuite rattaché au royaume de Westphalie (1807), puis à l'Empire français (1810).
• *1814. Le congrès de Vienne restaure le Hanovre et l'érige en royaume au profit de Georges III, roi de Grande-Bretagne.*
• *1866. Le royaume est annexé par la Prusse.*

HANOVRE, en all. **Hannover,** v. d'Allemagne, capit. de la Basse-Saxe, sur la Leine; 514 000 hab. Important centre commercial (foires internationales) et industriel (caoutchouc, constructions automobiles, électronique, chimie).

***HANSE** [ɑ̃s] n. f. (anc. all. *hansa,* troupe). **1.** Au Moyen Âge, association de marchands. — **2.** Ligue de marchands de l'Allemagne du Nord, transformée en association de villes au XIIIe s. (En ce sens prend une majusc.) ⟶ ENCYCL. ◆ ***hanséatique** adj. Relatif à la Hanse : *La Ligue hanséatique.*
— ENCYCL. Dès le XIIe s., le mot *hanse* désigne, en Angleterre, en Allemagne et dans la France du Nord des associations de marchands unis contre les risques du commerce. Le nom s'étend ensuite à des ligues de cité : la *Hanse teutonique* apparaît au XIIIe s. Elle s'assure peu à peu le monopole du commerce dans la mer Baltique.
En 1370, la paix de Stralsund avec le roi de Danemark consacre l'existence de la Hanse et élargit ses privilèges (liberté de navigation, exemption des droits de douane...). Sous la direction de Lübeck, la Hanse est alors une grande puissance : elle possède une flotte, une armée, un trésor et un gouvernement particuliers. Elle met en valeur les pays riverains de la Baltique et établit de nombreux comptoirs, qui s'étendent de Nantes à Novgorod (en particulier : Bergen, Londres, Bruges).
À partir de la fin du XVe s., la Hanse décline devant les progrès des divers États européens qui cherchent à se libérer de son emprise commerciale.

HANSI (Jean-Jacques WALTZ, dit), dessinateur français (1873-1951). Il publia des caricatures contre les Allemands.

***HANTER** [ɑ̃te] v. t. (anc. scand. *heimta,* retrouver). **1.** *Fantôme qui hante un lieu,* qui y apparaît. — **2.** *Vision, idée, souvenir qui hante qq'un,* qui occupe entièrement sa pensée : *Il est hanté par le remords* (syn. OBSÉDER). ◆ ***hanté, e** adj. : *Maison hantée.* ◆ ***hantise** n. f. Idée, souvenir, etc., dont on ne peut se débarrasser : *Il a la hantise de la mort* (syn. OBSESSION).

HAOUSSAS, peuple noir d'Afrique occidentale, vivant surtout dans le nord du Nigeria et au Niger.

HAPLOÏDE [aplɔid] adj. (du gr. *haploûs,* simple, et *eidos,* aspect). *Biol.* Se dit d'un noyau cellulaire possédant *n* chromosones (c'est-à-dire la moitié du nombre de chromosomes de l'œuf fécondé), comme celui des cellules reproductrices, ou d'un organisme (prothalle de fougère, mousse feuillée) formé de cellules pourvues de tels noyaux.

***HAPPENING** [apəniŋ] n. m. (mot angl.; de *to happen,* arriver). Forme de spectacle qui exige la participation du public et qui cherche à provoquer une création artistique spontanée.

***HAPPER** [ape] v. t. (néerl. *happen,* mordre). Saisir brusquement par un mouvement rapide : *Le chat bondit et happa la souris* (syn. ATTRAPER). *Happer qq'un par le bras* (syn. AGRIPPER).

***HAQUENÉE** [akne] n. f. (de l'anc. angl. *haquenei,* tiré de *Hackney,* nom d'un village dont les chevaux étaient renommés). Petit cheval qui était jadis une monture de dame ou de voyage.

***HARA-KIRI** [arakiri] n. m. (mot jap. signif. *ouverture du ventre*). Mode de suicide japonais, qui consiste à s'ouvrir le ventre. ‖ Pl. des *hara-kiris.*

***HARANGUE** [arɑ̃g] n. f. (it. *aringo,* place publique). **1.** Discours prononcé par un orateur devant une assemblée, devant la foule d'un meeting, etc. — **2.** Discours solennel, fait d'une suite de remontrances ennuyeuses : *Quand aura-t-il fini sa harangue?* ◆ ***haranguer** v. t. : *Haranguer la foule* (syn. S'ADRESSER À, PARLER À). ◆ ***harangueur, euse** n.

HARAR ou **HARRAR,** v. de l'Éthiopie, dans le nord du massif central; 42 800 hab.

HARARE, anc. **Salisbury,** cap. du Zimbabwe, à 1 470 m d'alt. 545 000 hab.

***HARAS** [ara] n. m. (orig. obscure). Lieu, établissement où des étalons et des juments sont réunis en vue de la reproduction et de l'amélioration de la race.

***HARASSER** [arase] v. t. (du germ. *hare,* cri pour exciter). Accabler d'une grande fatigue (souvent au passif) : *Rentrer harassé d'une journée de travail* (syn. EXTÉNUÉ; fam. ÉREINTÉ). ◆ ***harassant, e** adj. : *Une besogne harassante.*

HARĀT ou **HÉRAT,** v. d'Afghānistān, sur le Harī Rūd; 150 000 hab. Centre commercial et artisanal (lainages, tapis).

HARBIN, anciennement **Kharbin** et **Pin-kiang,** v. de la Chine du Nord-Est, capit. du Hei-long-kiang; 1 595 000 hab. Grand centre industriel.

***HARCELER** [arsəle] v. t. (de l'anc. fr. *herser*). [Conj. **5** ou **6.**] *Harceler qq'un,* le soumettre à des attaques incessantes, à des critiques ou des moqueries continuelles : *Harceler l'ennemi. On le harcela de questions* (syn. ASSAILLIR, PRESSER). *As-tu fini de harceler ta sœur?* (syn. AGACER, IMPORTUNER, TAQUINER). ◆ ***harcèlement** n. m. : *Une guerre de harcèlement.*

1. *HARDE [ard] n. f. (frq. *herda,* troupeau). Troupe de cerfs ou d'autres ruminants forestiers.

2. *HARDE [ard] n. f. (du frq. *hard,* filasse). **1.** Lien avec lequel on attache les chiens par couple. — **2.** Troupe de chiens ainsi attachés.

3. *HARDES [ard] n. f. pl. (de l'aragonais *farda,* habit). Ensemble de vêtements usagés (péjor. et littér.) [syn. NIPPES].

HARDI, E** [ardi] adj. (du frq. *hardjan,* rendre dur) [avant ou plus souvent après le nom]. **1.** Qui manifeste de l'audace et de la décision en face d'une difficulté, d'un obstacle : *Des alpinistes hardis* (syn. AUDACIEUX, COURAGEUX, DÉTERMINÉ; contr. LÂCHE). *Prendre sur un problème une position hardie* (syn. EN FLÈCHE; contr. EN RETRAIT, RÉSERVÉ). *Une pensée hardie* (syn. ORIGINAL). — **2.** Qui manifeste un mépris des convenances qui va jusqu'à l'insolence : *Vous êtes bien hardi de m'interrompre ainsi* (syn. EFFRONTÉ, IMPUDENT; contr. RÉSERVÉ, TIMIDE). *Le roman contient des passages un peu hardis* (syn. LESTE, OSÉ). ◆ ***hardiment** adv. : *S'exposer hardiment au danger* (syn. BRAVEMENT). *S'engager bien hardiment* (syn. À LA LÉGÈRE). ◆ ***hardiesse** n. f. : *La hardiesse d'un grimpeur* (syn. COURAGE, INTRÉPIDITÉ). *Il manque de hardiesse* (syn. AUDACE). *Quelle hardiesse d'aller dire cela!* (syn. IMPUDENCE). ◆ **enhardir** [ɑ̃ardir] v. t. Rendre hardi : *Le silence l'enhardit, il fit quelques pas dans la pièce* (syn. DONNER DE L'ASSURANCE; contr. INTIMIDER). ◆ ***s'enhardir v. pr. Devenir hardi.

HARDOUIN-MANSART (Jules HARDOUIN, dit) ⟶ MANSART.

HARDT (la), massif boisé de France et d'Allemagne, au N. des Vosges.

HARDY (Thomas), écrivain anglais (1840-1928). Ses poèmes et ses romans (*Jude l'Obscur,* 1896) évoquent les mœurs provinciales à travers la peinture d'êtres soumis à un implacable destin.

***HAREM** [arɛm] n. m. (ar. *ḥarām,* chose sacrée). Endroit de la maison réservé aux femmes, chez les musulmans; les femmes qui y demeurent.

***HARENG** [arɑ̃] n. m. (frq. *hâring*). Poisson au dos bleu-vert et au ventre argenté, très abondant dans la Manche et la mer du Nord. (Famille des clupéidés.) ‖ *Hareng saur,* hareng fumé.

***HARENGÈRE** [arɑ̃ʒɛr] n. f. (de *hareng*). **1.** Marchande de poisson. — **2.** *Fam.* Femme grossière dans son langage et ses manières.

HARFLEUR, comm. de la Seine-Maritime, à 7 km à l'E. du Havre; 9 700 hab.

***HARGNE** [arɲ] n. f. (du frq. *harmjan,* tourmenter). Mauvaise humeur qui se manifeste par une attitude méchante, agressive, et des paroles dures. ◆ ***hargneux, euse** adj. Qui manifeste de la hargne : *Un ton hargneux.* ◆ ***hargneusement** adv.

HARIANA ou **HARYANA,** État du nord-ouest de l'Inde, créé en 1966 ; 12 923 000 hab. Capit. *Chandigarh.*

1. *HARICOT [ariko] n. m. (orig. obscure). Plante annuelle originaire d'Amérique. (Plusieurs espèces sont cultivées pour leurs fleurs ornementales et surtout pour leurs fruits comestibles [*haricots verts*] et leurs graines [*flageolets, haricots secs*] riches en féculents.) [Famille des papilionacées.]

2. *HARICOT [ariko] n. m. (de l'anc. fr. *harigoter,* couper en morceaux). *Haricot de mouton,* ragoût fait de mouton, de navets, de pommes de terre et d'oignons (sans haricots).

***HARIDELLE** [aridɛl] n. f. (orig. incert.). Cheval, maigre et efflanqué.

***HARLE** [arl] n. m. (mot dial.). Oiseau palmipède piscivore, au ec long et étroit.

HARLEM, quartier de New York habité par la plus importante ommunauté noire des États-Unis.

***HARMATTAN** [armatɑ̃] n. m. (mot africain). Vent sec qui ouffle de l'E. ou du N.-E., au Sahara et en Afrique occidentale.

HARMONICA [armɔnika] n. m. (du lat. *harmonicus*, harmo-ieux). Petit instrument de musique populaire, dont le son est roduit par de petites lames que l'on met en vibration en soufflant t en aspirant.

HARMONIE [armɔni] n. f. (gr. *harmonia*, accord). **1.** Accord ou uccession de divers sons agréables à l'oreille : *L'harmonie d'une hrase* (syn. MÉLODIE). *L'harmonie imitative* (= dans une phrase, vocation par le son ou le rythme d'une sensation ou d'un bruit). — **2.** *Mus.* Science de la formation et de l'enchaînement des ccords : *Traité d'harmonie.* — **3.** Accord bien réglé entre les arties d'un tout : *L'harmonie des couleurs d'un tableau* (syn. QUILIBRE). — **4.** Accord de sentiments, d'idées entre des per-onnes; bonne entente : *Vivre en parfaite harmonie avec son entou-age* (syn. AMITIÉ, PAIX, UNION; contr. DISSENTIMENT, MÉSEN-ENTE). *Une harmonie de sentiments* (syn. COMMUNION, ONFORMITÉ). — **5.** Orchestre composé uniquement d'instruments vent. ◆ **harmonieux, euse** adj. **1.** Agréable à l'oreille : *Une oix harmonieuse* (syn. MÉLODIEUX; contr. DUR). — **2.** Dont l'ac-ord entre les diverses parties produit un effet agréable : *Une rchitecture harmonieuse* (syn. COHÉRENT, ÉQUILIBRÉ, PROPOR-IONNÉ). ◆ **harmonieusement** adv. ◆ **harmonique** adj. Relatif l'harmonie (au sens 2). ◆ adj. et n. m. *Son harmonique*, ou *armonique*, son musical dont la fréquence est un multiple entier u son fondamental. (Il se surajoute à ce son pour donner le imbre.) ◆ **harmoniser** v. t. Mettre en accord, en harmonie : *larmoniser l'action des ministères entre eux* (syn. COORDONNER). *larmoniser des couleurs* (syn. ÉQUILIBRER). *Harmoniser une chan-on* (= en composer la musique d'accompagnement). ◆ ***s'harmo-iser*** v. pr. Être en harmonie : *Sa tristesse s'harmonisait avec ce aysage d'automne* (syn. CORRESPONDRE). ◆ **harmonisation** n. f. ◆ **harmoniste** n. Musicien qui connaît et met en pratique les ègles de l'harmonie (sens 2).

ARMONIUM [armɔnjɔm] n. m. (de *harmonie*). Instrument de nusique à vent, dont le mécanisme est commandé par un clavier.

***HARNAIS** [arnɛ] n. m. (anc. scand. *hernest*). **1.** Ensemble des ièces composant l'équipement d'un cheval de trait ou de selle. — **2.** *Blanchi sous le harnais*, se dit d'un cheval, d'un homme qui a ieilli à la tâche. ◆ ***harnacher** [arnaʃe] v. t. **1.** *Harnacher un heval*, lui mettre le harnais. — **2.** *Être harnaché*, être habillé 'une manière ridicule, d'une tenue lourde, être muni d'objets ncombrants. ◆ ***harnachement** n. m. **1.** Équipement d'un che-al de selle. — **2.** Accoutrement pesant et encombrant. ◆ **enhar-acher** v. t. Syn. de HARNACHER (sens 2).

HARNES, ch.-l. de cant. du Pas-de-Calais, à 7 km à l'E. de ens; 14 000 hab. *(Harnésiens)*. Industries chimiques.

***HARO** [aro] n. m. (du germ. *hare*, cri pour exciter). *Crier haro ur qq'un*, soulever contre lui la colère d'autrui (littér.).

HAROLD II, roi des Anglo-Saxons en 1066. Considéré comme un surpateur, il fut tué à la bataille que lui livra Guillaume le Con-uérant près d'Hastings*.

Harpagon, personnage principal de *l'Avare*, comédie de Molière.

***HARPE** [arp] n. f. (germ. *harpa*). Grand instrument de musique riangulaire, à cordes inégales, que l'on pince des deux mains. ◆ ***harpiste** n. Personne qui joue de la harpe.

***HARPIE** [arpi] n. f. (lat. *Harpyia*). Femme très méchante, vio-ente et coléreuse. (Dans la myth. gr., les *Harpies* sont trois sœurs yant un visage de femme et un corps de vautour. Les légendes résentent ces monstres ailés comme des ravisseuses cruelles et apides.)

HARPISTE n. → *HARPE.

HARPON [arpɔ̃] n. m. (du germ. *harpa*, crochet). Instrument nuni de fers recourbés et acérés, dont on se sert pour la pêche des ros poissons et des baleines. ◆ ***harponner** v. t. **1.** Saisir ou ercer avec un harpon. — **2.** Fam. *Harponner qq'un*, l'arrêter au assage.

HARRISBURG, v. des États-Unis, capit. de la Pennsylvanie, sur a Susquehanna; 68 100 hab. Sidérurgie.

HARSÁNYI (Tibor), compositeur hongrois (1898-1954). On lui oit *l'Histoire du petit tailleur* et de la musique symphonique, au tyle très personnel (*Concertstück*, 1930).

HARTFORD, v. des États-Unis, capit. du Connecticut; 58 000 hab.

HARTH (la), partie forestière de la plaine d'Alsace, dans le Haut-Rhin.

HARTUNG (Hans), peintre français d'origine allemande (1904-1989), l'un des principaux représentants de l'art abstrait.

HĀRŪN AL-RACHĪD (766-809), calife de Bagdad (786-809). Il se rendit populaire par sa lutte contre les Byzantins et par ses pèlerinages. Il entretint des relations diplomatiques avec Charle-magne. Il est le héros de nombreux contes des *Mille et Une Nuits.*

HARUNOBU (Suzuki), graveur japonais (1725-1770). Il s'est atta-ché à représenter les aspects de la vie familière et passe pour être le créateur de l'estampe en plusieurs couleurs.

HARUSPICE [aryspis] n. m. (lat. *haruspex*). Chez les Romains, devin qui prédisait l'avenir par l'examen des entrailles des vic-times.

Harvard *(université)*, établissement d'enseignement américain, situé à Cambridge (Massachusetts).

HARVEY (William), médecin anglais (1578-1657). Il découvrit et démontra le mécanisme de la circulation sanguine.

HARYANA → HARIANA.

HARZ, massif cristallin d'Allemagne, entre la Leine et la Saale; 1 142 m au Brocken. Dans les légendes allemandes, le Brocken était le rendez-vous des sorcières venant y célébrer la *nuit de Walpurgis.*

HASĀ, province de l'Arabie Saoudite, sur le golfe Persique. Pétrole.

HASAN II ou **HASSAN II,** né en 1929, roi du Maroc depuis 1961.

HASARD** [azar] n. m. (ar. *az-zahr*, jeu de dés). **1.** Événement heureux ou fâcheux, dû à un ensemble de circonstances impré-vues : *Un hasard heureux* (syn. OCCASION). *Un hasard malheureux* (= une malchance). *Une rencontre de hasard* (= fortuite). *Les hasards de la guerre* (syn. PÉRIL, RISQUE). — **2.** Cause attribuée aux événements considérés comme inexplicables logiquement et soumis seulement à la loi des probabilités : *La part du hasard* (syn. CHANCE). — LOC. ADV. *Au hasard*, n'importe où, n'importe com-ment (syn. fam. AU PETIT BONHEUR). ‖ *À tout hasard*, en prévision d'un événement possible. ‖ *Par hasard*, d'une manière acciden-telle, fortuite. ‖ *Par le plus grand des hasards*, d'une manière extraordinaire. ◆ ***hasarder** v. t. **1.** Exposer à un risque, à un danger : *Hasarder sa réputation* (syn. COMMETTRE). *Hasarder sa vie* (syn. EXPOSER). *Hasarder sa fortune* (syn. JOUER, RISQUER). — **2.** Entreprendre quelque chose, avancer une opinion, une idée en risquant d'échouer ou de déplaire : *Hasarder une démarche* (syn. TENTER). *Hasarder une explication* (syn. RISQUER). ◆ **se *hasarder v. pr. **1.** Aller en un endroit dangereux (syn. S'AVENTU-RER). — **2.** *Se hasarder à* (et l'infin.), se décider à faire quelque chose en dépit du risque. ◆ ***hasardé, e** adj. : *Une hypothèse hasardée* (syn. OSÉ, TÉMÉRAIRE). *La demande était hasardée* (syn. HARDI, RISQUÉ). ◆ ***hasardeux, euse** adj. Qui comporte un risque : *Une affaire hasardeuse* (syn. ALÉATOIRE, DANGEREUX).

***HASCHISCH** n. m. → *HACHICH.

HASDRUBAL ou **ASDRUBAL,** nom porté par six généraux carthaginois (VIᵉ-IIᵉ s. av. J.-C.), dont : HASDRUBAL *Barca* (v. 245-207 av. J.-C.), frère d'Hannibal, qu'il suivit, puis remplaça en Espagne; il alla secourir son frère en Italie, mais fut battu et tué près du Métaure; HASDRUBAL, fils de Giscon (IIIᵉ-IIᵉ s. av. J.-C.), qui fut battu par Scipion en Afrique (203 av. J.-C.); HASDRUBAL (IIᵉ s. av. J.-C.), qui défendit Carthage assiégée (149-146).

***HASE** [az] n. f. (all. *Hase*, lièvre). Femelle du lièvre.

HAŠEK (Jaroslav), écrivain tchèque (1883-1923), auteur du roman satirique *Aventures du brave soldat Švejk au temps de la Grande Guerre* (1920-1923).

HASPARREN, ch.-l. de cant. des Pyrénées-Atlantiques, à 10 km à l'E. de Cambo-les-Bains; 5 600 hab.

HASSAN → HASAN.

HASSIDISME [asidism] n. m. (de l'hébr. *hasidim*, les pieux). Mouvement mystique juif né au milieu du XVIIIᵉ s. en Pologne.

HASSI-MESSAOUD, centre pétrolier du Sahara algérien, au S.-E. d'Ouargla. Point de départ de pipelines qui aboutissent à Bougie et Arziw.

HASSI-R'MEL, gisement de gaz naturel et de pétrole du Sahara algérien, au S. de Laghouat. Gazoducs vers Arziw, Oran et Alger.

HAST [ast] n. m. ou **HASTE** n. f. (lat. *hasta*). Anc. nom de la LANCE. ‖ *Arme d'hast*, toute arme fixée au bout d'un manche.

HASTINGS, v. de Grande-Bretagne (Sussex), sur la côte du pas de Calais; 66 700 hab.

• *14 oct. 1066. Bataille où fut tué le roi anglo-saxon Harold II. (Cette défaite permit à Guillaume le Conquérant de s'emparer de l'Angleterre.)*

HÂTE** [ɑt] n. f. (frq. *haist*). Grande rapidité mise à faire quelque chose, allant jusqu'à la précipitation : *Une hâte excessive* (syn. EMPRESSEMENT, PROMPTITUDE; contr. LENTEUR). *Quelle hâte de parler!* (syn. IMPATIENCE). *Répondre sans hâte* (= calmement). *Avoir hâte de sortir* (= être pressé). — LOC. ADV. *À la hâte*, avec une rapidité très grande ou excessive. ‖ *En hâte*, sans perdre de temps (syn. D'URGENCE). ◆ ***hâter** v. t. *Hâter qqch.*, le faire arriver plus tôt, le rendre plus rapide : *Hâter son départ* (syn. AVANCER, BRUSQUER; contr. AJOURNER, RETARDER). *Hâter le pas* (= marcher plus vite). *Hâter le mouvement* (syn. ACCÉLÉRER, PRESSER; contr. RALENTIR). ◆ ***se *hâter v. pr. **1.** Aller plus vite : *Hâtez-vous, le spectacle commence* (syn. SE DÉPÊCHER). — **2.** *Se hâter de* (et l'infin.), ne pas perdre de temps pour (syn. SE PRESSER). ◆ ***hâtif, ive** adj. **1.** *Fruits, légumes hâtifs*, qui arrivent à maturité avant les autres de même espèce (syn. PRÉCOCE). — **2.** Qui a été trop vite fait : *Un travail hâtif* (syn. PRÉCIPITÉ). ◆ ***hâtivement** adv.

HATTERAS *(cap)*, promontoire de la côte atlantique des États-Unis (Caroline du Nord).

***HAUBAN** [obɑ̃] n. m. (scand. *höfudbenda*). *Mar.* Nom collectif des cordages servant à maintenir les mâts par le travers ou par l'arrière.

***HAUBERT** [obɛr] n. m. (frq. *halsberg*). Chemise de maille des hommes d'armes, au Moyen Âge.

HAUBOURDIN, ch.-l. de cant. du Nord, dans la banlieue sud-ouest de Lille; 14 700 hab. *(Haubourdinois)*. Industries textiles.

HAUPTMANN (Gerhart), écrivain allemand (1862-1946). Puisant son inspiration dans la vie quotidienne du peuple et dans les légendes et les mythes les plus variés, il évolua, dans ses poèmes, ses romans, ses comédies et ses drames (*les Tisserands*, 1892), du naturalisme* au symbolisme*.

1. *HAUSSER [ose] v. t. (du lat. *altus*, haut). **1.** *Hausser la voix*, lui donner plus d'ampleur, plus d'intensité, pour imposer son avis, donner un ordre. — **2.** *Hausser les prix, les impôts*, etc., les augmenter. ◆ ***hausse** n. f. Augmentation de quantité, de valeur, de prix : *La hausse de la température* (syn. ÉLÉVATION; contr. BAISSE). *La hausse du coût de la vie* (syn. AUGMENTATION; contr. DIMINUTION).

2. *HAUSSER [ose] v. t. (même étym.). *Hausser les épaules*, les soulever en signe de mépris, d'indifférence. ◆ ***se *hausser*** v. pr. S'élever : *Se hausser sur la pointe des pieds* (= se dresser). ◆ ***haussement** n. m. *Haussement d'épaules*, mouvement marquant le mépris, l'indifférence.

HAUSSMANN (Georges Eugène, *baron*), administrateur et homme politique français (1809-1891). Préfet de la Seine de 1853 à 1870, Haussmann a attaché son nom à la plus importante transformation que Paris connut dans son histoire et qui a donné à la capitale sa physionomie actuelle. On éventra de vieux quartiers pour ouvrir de larges boulevards ou pour faire place à des parcs (Luxembourg, bois de Boulogne et Vincennes); de nombreux monuments (Opéra, Châtelet), des gares, des casernes furent construits; le sous-sol fut bouleversé par les travaux d'adduction d'eau et de gaz, et par le réseau d'égouts.

***HAUT, E** [o, ot] adj. (lat. *altus*). **1.** (avant ou moins souvent après le nom) Se dit de ce qui a une grande dimension dans le sens vertical, de ce qui est élevé, ou de ce qui a beaucoup d'intensité : *J'ai aperçu sa haute silhouette dans la rue* (syn. GRAND). *Les hautes branches d'un arbre* (syn. ÉLEVÉ). *Parler à voix haute* (syn. FORT; contr. BAS). *La haute mer* (= la pleine mer). *Des notes hautes* (= aiguës). *C'est du plus haut comique* (= très amusant). *Marcher la tête haute* (= n'avoir rien à se reprocher). — **2.** (après le nom) Se dit de ce qui a une certaine dimension dans le sens vertical (suivi d'un compl. indiquant cette dimension) : *Un mur haut de deux mètres*. — **3.** (avant le nom) Se dit de ce qui vient avant, de ce qui est reculé dans le temps, de ce qui est supérieur par sa position, sa situation géographique ou sociale, par sa qualité, sa quantité ou son prix : *Depuis la plus haute antiquité. La haute Égypte* (= la partie de l'Égypte la plus éloignée de la mer). *Acheter à haut prix* (syn. ÉLEVÉ). *Les hautes températures* (contr. BAS). — **4.** (avant le nom) Se dit de ce qui est jugé supérieur sur le plan social ou intellectuel, de ce qui possède de la noblesse, de la distinction, de la force : *La haute bourgeoisie. En haut lieu* (= parmi les personnes au pouvoir). *Je suis persuadé de la haute valeur de ses travaux* (syn. GRAND). — **5.** *Chambre haute*, la Chambre des lords en Angleterre. ‖ *Haute Cour (de justice)*, tribunal élu par l'Assemblée nationale, et devant qui peuvent être renvoyés le président de la République et les ministres, dans le cas de fautes lourdes dans l'exercice de leurs fonctions. ◆ adv. : *L'avion vole haut. Parler tout haut* (= à voix haute). *Des personnages haut placés* (= dans une haute situation). ‖ *Là-haut* ⟶ LÀ. ◆ n. m. **1.** *Le haut d'une chose*, sa partie la plus élevée : *Le haut d'une colline.* ‖ *Tenir le haut du pavé*, occuper une position sociale importante. — **2.** *De haut* (suivant un nom de nombre), dont la dimension verticale de la base au sommet est de tant : *Le mur a quatre mètres de haut* (= sa hauteur est de 4 m, il est haut de 4 m). — **3.** *Les hauts et les bas, de haut en bas, du haut en bas* ⟶ BAS 1. — LOC. ADV. *Le prendre de haut, considérer de haut*, avec dédain, mépris. ‖ *Tomber de haut*, être tout à fait surpris. ‖ *Venir de haut*, d'un supérieur très élevé dans la hiérarchie. ‖ *Voir, regarder les choses de haut*, d'une manière superficielle; avec dédain, arrogance. — LOC. ADV. *En haut*, sur un lieu élevé, à l'étage supérieur : *Il loge en haut et moi en bas.* — LOC. PRÉP. *En haut de, au haut de : Au haut de l'arbre* (= au sommet de). ‖ *Du haut de*, de l'endroit élevé, du sommet de. ‖ *Regarder qq'un du haut de sa grandeur*, le considérer avec mépris, ou indifférence. ◆ ***hautement** adv. **1.** À un haut degré : *Événement hautement improbable.* — **2.** D'une manière ouverte, déclarée : *Professer hautement ses opinions.* ◆ ***hauteur** n. f. **1.** *La hauteur d'une tour. Le saut en hauteur* (= au-dessus d'une barre placée transversalement). *Avion qui prend de la hauteur* (= qui s'élève), *qui perd de la hauteur* (= qui descend). *La hauteur de ses sentiments* (syn. NOBLESSE). *Parler avec hauteur* (syn. ARROGANCE, FIERTÉ). — **2.** Math. *Hauteur d'un triangle*, droite issue d'un sommet et perpendiculaire au côté opposé. (Les trois hauteurs d'un triangle sont concourantes; leur point de concours est l'orthocentre du triangle.) ‖ *Hauteur d'un astre*, angle de sa direction avec le plan horizontal. — **3.** Lieu élevé, naturel : *Monter sur une hauteur* (syn. COLLINE). — **4.** Fam. *Être à la hauteur*, avoir les plus grandes capacités. ‖ *Être à la hauteur de*, être capable d'un emploi, d'une fonction, d'une situation importante ou délicate; être au niveau de : *Le débat a été à la hauteur du sujet traité;* être sur la même ligne qu'une autre personne ou qu'un objet : *Arrivé à ma hauteur, il me salua.* ◆ **exhausser** [ɛgzose] v. t. Élever plus haut : *Exhausser une maison d'un étage.* ◆ **exhaussement** n. m. Élévation : *Exhaussement d'une chaussée.*

1. *HAUTAIN n. m. → *HAUTIN.

2. *HAUTAIN, E [otɛ̃, -ɛn] adj. (de *haut*). Qui montre un orgueil autoritaire à l'égard de ceux qui sont ses inférieurs ou qui sont considérés comme tels : *Un chef hautain et dur* (syn. MÉPRISANT). *Prendre un air hautain* (syn. CONDESCENDANT, DÉDAIGNEUX).

***HAUTBOIS** [obwa] n. m. *(haut, et bois)*. Instrument de musique à vent de la famille des bois, à anche double, au tuyau légèrement conique. ◆ ***hautboïste** n. Personne qui joue du hautbois. (On dit aussi HAUTBOIS.)

***HAUT-COMMISSAIRE** [okɔmisɛr] n. m. *(haut, et commissaire)*. Titre donné à un certain nombre de hauts fonctionnaires : *Le haut-commissaire à l'Énergie atomique.* ‖ Pl. des *hauts-commissaires.* ◆ ***haut-commissariat** n. m. Administration dépendant d'un haut-commissaire.

***HAUT-DE-CHAUSSES** ou ***HAUT-DE-CHAUSSE** [odʃos] n. m. *(haut, de, et chausse)*. Partie du vêtement masculin qui couvrait le corps de la ceinture aux genoux. (Il apparaît à la fin du XVᵉ s., évolue jusqu'à la fin du XVIIᵉ s. et sera remplacé par la culotte.) ‖ Pl. des *hauts-de-chausses* ou des *hauts-de-chausse.*

***HAUT-DE-FORME** [odfɔrm] n. m. *(haut, de, et forme)*. Chapeau de forme cylindrique, haut et à bords plus ou moins larges, que l'on met pour les cérémonies. ‖ Pl. des *hauts-de-forme.*

HAUTECOMBE, hameau de la Savoie, sur le lac du Bourget, 37 km au N. d'Aix-les-Bains. Abbaye cistercienne.

HAUTE-GARONNE ⟶ GARONNE **(Haute-).**

HAUTE-LOIRE ⟶ LOIRE **(Haute-).**

HAUTE-MARNE → MARNE **(Haute-).**

***HAUTEMENT** adv. ⟶ *HAUT.

HAUTES-ALPES ⟶ ALPES **(Hautes-).**

HAUTE-SAÔNE ⟶ SAÔNE **(Haute-).**

HAUTE-SAVOIE ⟶ SAVOIE **(Haute-).**

hautes études commerciales *(École des)*, ou **H. E. C.,** établissement privé d'enseignement supérieur technique, fondé en 1881 par la chambre de commerce de Paris. Elle s'est installée à Jouy-en-Josas (Yvelines). Les élèves y entrent par concours. C'est parmi eux notamment que se recrutent les cadres supérieurs commerciaux.

HAUTES-PYRÉNÉES ⟶ PYRÉNÉES **(Hautes-).**

***HAUTEUR** n. f. ⟶ *HAUT.

HAUTE-VIENNE ⟶ VIENNE **(Haute-).**

HAUTEVILLE-LOMPNES, ch.-l. de cant. de l'Ain, à 31 km au S. de Nantua; 4 900 hab. *(Hautevillois)*. Station climatique.

HAUTE-VOLTA *(république de)*, auj. **Burkina**, État de l'Afrique occidentale.
→ cartes AFRIQUE pp. 48-49.

SUPERFICIE 275 000 km² (France : 550 000 km²).
POPULATION 8 700 000 hab.; 32 au km² (France : 103).
CAPITALE Ouagadougou (250 000 hab.).
LANGUE OFFICIELLE français.

GÉOGRAPHIE

?ays sans débouché maritime, la Haute-Volta s'étend sur un plateau cristallin couvert d'une cuirasse latéritique, drainé par les Volta. Le climat, tropical, est relativement sec, ce qui explique la grande extension de la savane et de la steppe.

	TEMPÉRATURES MOYENNES janv.	juil.	PLUIES
Ouagadougou	24,4 °C	31,5 °C	884 mm

.a population, constituée en majorité par des Mossis, vit de l'agriculture (mil, sorgho, arachides) associée à l'élevage bovin. Mais les rendements sont faibles. Le développement de l'irrigation devrait permettre une amélioration.

mil	400 000 t	87 000 t
sorgho	700 000 t	2 900 000 têtes

Ouagadougou possède un aéroport moderne et est reliée au port d'Abidjan par une ligne de chemin de fer. Mais le niveau de vie du pays reste très bas, et les surfaces cultivables étant limitées, beaucoup d'habitants ont émigré vers le Ghana et la Côte-d'Ivoire pour travailler dans les mines ou les plantations.

HISTOIRE

- *1919. La future Haute-Volta est englobée dans l'Afrique-Occidentale française.*
- *1932-1947. La colonie de Haute-Volta disparaît momentanément. Elle est répartie entre le Soudan, la Côte-d'Ivoire et le Niger.*
- *1960. Elle acquiert sa complète indépendance sous la présidence de Yaméogo.*

Des coups d'État militaires portent au pouvoir Sangoulé Lamizana (1966), Sayé Zerbo (1980), Jean-Baptiste Ouedraogo (1982), puis Thomas Sankara (1983).

- *1984. La Haute-Volta devient le Burkina.*
- *1987. Thomas Sankara est renversé (et tué) lors d'un nouveau putsch, dirigé par le capitaine Blaise Compaoré.*

***HAUT-FOND** [ofɔ̃] n. m. *(haut, et fond)*. Élévation du fond de la mer ou d'un cours d'eau, rendant la navigation dangereuse.

***HAUTIN** ou ***HAUTAIN** [otɛ̃] n. m. (de *haut*). Vigne taillée de façon que les branches à fruits soient à une certaine distance du sol : *La culture des hautins est répandue en Italie.*

***HAUT-LE-CŒUR** [olkœr] n. m. inv. *(haut, le, et cœur)*. Dégoût violent, qui peut aller jusqu'à la nausée.

***HAUT-LE-CORPS** [olkɔr] n. m. inv. *(haut, le, et corps)*. Mouvement brusque du corps, indiquant une vive répulsion, une forte indignation ou un grand étonnement.

HAUTMONT, ch.-l. de cant. du Nord, sur la Sambre, à 5 km au S.-O. de Maubeuge; 18 500 hab. Sidérurgie.

***HAUT-PARLEUR** [oparlœr] n. m. (angl. *loud-speaker*). Appareil destiné à transformer les courants électriques d'un récepteur de radio, d'un électrophone, en ondes sonores. ‖ Pl. des *haut-parleurs.*

HAUT-RHIN ⟶ RHIN **(Haut-)**.

Hauts de Hurlevent *(les)*, roman d'Emily Brontë (1847).

HAUTS-DE-SEINE (92), dép. de la Région Île-de-France; 176 km²; 1 387 000 hab. (7 925 au km²) [France : 103]. Ch.-l. *Nanterre.*
ADMINISTRATION 3 arrond. (*Antony*, 372 300 hab.; *Nanterre*, 329 700 hab.; *Boulogne-Billancourt*, 285 100 hab.). / 45 cant. / 36 comm.
→ carte et tableau page suivante.

Le département dessine une demi-circonférence autour de la ville de Paris (à l'O. de celle-ci), de Saint-Denis au N. à la basse vallée de la Bièvre au S. Formé de coteaux, dominant la vallée de la Seine qui y dessine une large boucle, et de bas plateaux au S., il est presque entièrement urbanisé. Ainsi s'explique l'énorme densité de population.

Si l'*agriculture* est presque absente, l'*industrie* en revanche est importante, en particulier dans la vallée de la Seine au S. (Boulogne-Billancourt et Issy-les-Moulineaux), de Courbevoie à Gennevilliers (port fluvial principal de la région parisienne) et Colombes. La prépondérance du *secteur tertiaire* est liée à la proximité de Paris, au fait que le département constitue le secteur le plus résidentiel de la banlieue parisienne.

HAÜY (Valentin), pédagogue français (1745-1822). Il se consacra à l'instruction des aveugles et inventa les caractères en relief pour leur permettre la lecture. — Son frère aîné RENÉ JUST (1743-1822) fut le créateur de la cristallographie.

***HAVAGE** n. m. ⟶ *HAVER.

HAVANE (La), capit. de la république de Cuba, sur le golfe du Mexique; 1 925 000 hab. *(Havanais)*. Située au N. de l'île, La Havane est un grand port par lequel se font les deux tiers du commerce extérieur du pays. Des industries alimentaires (sucreries, conserveries) et des manufactures de tabac s'y sont développées. Ses larges promenades et ses monuments variés témoignent de l'époque coloniale.

***HAVANE** [avan] n. m. (de *La Havane*). Cigare fabriqué avec du tabac de la région de La Havane. ◆ n. m. et adj. inv. Couleur marron proche de celle du tabac : *Un drap havane.*

***HÂVE** [ɑv] adj. (frq. *haswa*). D'une pâleur et d'une maigreur maladives (se dit surtout du visage) [littér.] : *Un visage hâve et défait* (syn. BLAFARD, ÉMACIÉ, LIVIDE).

HAVEL (Václav), écrivain et homme politique tchécoslovaque (né en 1936). Opposant au régime communiste, plusieurs fois emprisonné, il est élu président de la République en 1989.

***HAVENEAU** [avno] n. m. (du scand. *hâfr*, engin de pêche, et du germ. *net*, filet). Filet pour pêcher la crevette.

***HAVER** [ave] v. t. (du lat. *excavare*, creuser). Découper par le havage. ◆ ***havage** n. m. Coupure pratiquée dans le front d'abattage d'une mine. ◆ ***haveuse** n. f. Machine qui exécute le havage.

Havers *(canaux de)*. *Anat.* Canaux nutritifs situés dans le tissu osseux compact, et autour desquels les cellules osseuses se disposent en lamelles concentriques.

***HAVEUSE** n. f. ⟶ *HAVER.

***HAVRE** [ɑvr] n. m. (néerl. *havene*). Refuge contre l'adversité (littér.) : *Un havre de paix.*

HAVRE (Le), ch.-l. d'arrond. de la Seine-Maritime, à l'embouchure de la Seine; 200 400 hab. La ville est le deuxième port français de marchandises, le noyau d'une agglomération de plus de 250 000 hab. Le trafic (proche de 60 millions de t) est dominé par les importations d'hydrocarbures alimentant le complexe de raffinage de la basse Seine et les unités de la région parisienne et Valenciennes. L'industrie, outre la production d'énergie (à proximité), est représentée par la métallurgie de transformation, les activités textiles, chimiques et alimentaires.

***HAVRESAC** [avrəsak] n. m. (all. *Habersack*, sac à avoine). Sac suspendu par des courroies derrière le dos, et contenant l'équipement d'un militaire.

HAWAII *(îles)*, ancienn. **Sandwich,** archipel de la Polynésie (dans l'océan Pacifique) formant depuis 1959 le cinquantième État des États-Unis; 16 700 km²; 965 000 hab. (57,7 au km²) [France : 100]. Capit. *Honolulu.*

L'archipel compte huit îles principales dont les plus importantes sont *Hawaii* (10 478 km² et 92 000 hab.) et *Oahu* (1 549 km² et 763 000 hab.) où se situe la capitale. Elles sont toutes d'origine volcanique et formées par l'empilement de coulées basaltiques (Mauna Kea, 4 208 m; Mauna Loa, 4 168 m). Le climat tropical y permet la culture de la canne à sucre, des ananas qui sont exportés le plus souvent sous forme de jus. Le tourisme apporte un complément de ressources.

HAWAIIEN, ENNE [awajɛ̃, -jɛn] adj. et n. **1.** Des îles Hawaii. — **2.** *Géol.* Se dit d'un type d'éruption volcanique caractérisé par l'émission continue de laves très fluides, les autres manifestations (projections, explosions) étant très rares. (Les volcans de ce type ont un cône surbaissé et de grandes coulées de laves basaltiques. Le Mauna Loa, aux îles Hawaii, les volcans islandais ont des éruptions de ce type.)

HAWKS (Howard), cinéaste américain (1896-1977). Auteur notamment de *Scarface* (1932), *Rio Bravo* (1958), *El Dorado* (1966).

HAWTHORNE (Nathaniel), romancier américain (1804-1864). Sa conception pessimiste de la nature humaine commande la psychologie de tous ses romans (*la Lettre écarlate*, 1850; *la Maison aux sept pignons*, 1851).

HAYANGE, ch.-l. de cant. de la Moselle, à 11 km à l'O. de Thionville, sur la Fensch; 18 000 hab. Sidérurgie.

HAYDN (Joseph), compositeur autrichien (1732-1809). Il occupe une place de choix dans l'histoire de la musique pour les qualités

Hauts-de-Seine

LOCALITÉS PRINCIPALES	NOMBRE D'HAB.
Boulogne-Billancourt	102 600
Nanterre	90 400
Colombes	78 800
Asnières-sur-Seine	71 200
Neuilly-sur-Seine	64 600
Rueil-Malmaison	64 500
Courbevoie	59 900
Antony	54 700
Levallois-Perret	53 800
Meudon	49 000
Clamart	48 700
Gennevilliers	45 500
Issy-les-Moulineaux	48 400
Clichy	48 000
Bagneux	40 400
Montrouge	40 400
Suresnes	38 300
Puteaux	35 600
Malakoff	34 200
Bois-Colombes	23 800

Les cantons portent les noms des agglomérations sauf quelques exceptions qui sont notées

qu'il apporte à l'élaboration des formes classiques : une science extrême de la construction et du développement; un sens de l'équilibre et de la clarté; une orchestration originale (mise en valeur des timbres instrumentaux); des thèmes simples et souvent d'allure populaire. Ses symphonies (au nombre de 104), ses quatuors (80) sont le reflet fidèle de la culture de son temps. Ses deux plus grands oratorios sont : *les Saisons* et *la Création*.

HAYE (La), en néerl. **Den Haag** ou **'s Gravenhage**, v. des Pays-Bas, à proximité de la mer du Nord; 715 000 hab. Résidence de la Cour, du corps diplomatique et des hauts fonctionnaires. La Haye est une ville au plan régulier, ornée de nombreux jardins. Autour de la ville ancienne, qui abrite de nombreux monuments et de très beaux musées (Mauritshuis), se développent des quartiers résidentiels modernes.

HAŸ-LES-ROSES (L'), ch.-l. d'arrond. du Val-de-Marne, à 4 km au S. de Paris; 29 600 hab.

***HAYON** [ɛjɔ̃] n. m. (de *haie*). **1.** Chacune des deux pièces de bois servant à fermer le devant et le derrière d'une charrette. — **2.** Partie arrière d'une camionnette ou d'un camion, pouvant s'abaisser.

HAZEBROUCK, ch.-l. de cant. du Nord, à 22 km à l'E. de Saint-Omer; 20 500 hab. Tissages.

***HÉ!** [e] interj. (onomat.). Autre graphie de *eh*!*, considérée comme plus expressive et notant une attaque de la phrase exclamative plus nette. ‖ *Hé* redoublé indique la malice, l'hésitation.

HEATH (Edward), homme politique anglais, né en 1916. Conse vateur, il a été Premier ministre de 1970 à 1974.

***HEAUME** [om] n. m. (frq. *helm*). Casque enveloppant la tête le visage que portaient les hommes d'armes au Moyen Âge.

HEBDOMADAIRE [ɛbdɔmadɛr] adj. (du gr. *hebdoma* semaine). Qui a lieu, qui se renouvelle chaque semaine : *Le trava hebdomadaire* (= fixé pour la semaine). ◆ adj. et n. m. Se dit d'ur publication qui paraît chaque semaine. ◆ **bihebdomadaire** ad Qui a lieu deux fois par semaine.

HÉBERGER [ebɛrʒe] v. t. (frq. *heribergôn*). *Héberger qq'un*, loger ou l'abriter provisoirement chez soi. ◆ **hébergement** n. m. *Centre d'hébergement* (syn. LOGEMENT).

HÉBERT (Jacques), homme politique français (1757-179 Rédacteur du *Père Duchesne*, il devint le chef de la faction ultr révolutionnaire et entra en lutte avec Robespierre, qui le fit arr ter. Il fut envoyé à l'échafaud avec ses partisans, dits *hébertistes*.

HÉBÉTER [ebete] v. t. (lat. *hebetare*). *Hébéter qq'un*, lui fai perdre toute intelligence, tout sentiment de la réalité, toute volon de réagir; le rendre stupide (surtout au passif et comme pa passé) : *Rester hébété devant un spectacle* (syn. AHURI, SIDÉR contr. ÉVEILLÉ). *Un ivrogne hébété par l'alcool* (syn. ABRUT ◆ **hébétement** n. m. ou **hébétude** n. f. (littér.) : *L'hébéteme d'un ivrogne*.

HÉBREU [ebrø] adj. m., **HÉBRAÏQUE** [ebraik] adj. f. (du g *Hebraîos*, Hébreu). Qui concerne le peuple juif (réservé à période ancienne). ◆ **hébreu** n. m. Langue sémitique parlée par les Juifs de l'Antiquité et remise en usage par l'État d'Israël, où elle est la langue officielle.

HÉBREUX, peuple de l'Orient ancien, issu d'Abraham, dont la Bible retrace l'histoire.

Sémites* nomades ou semi-nomades originaires de Mésopotamie, les Hébreux étaient répartis en tribus dirigées par des patriarches.

• *V. 1850 av. J.-C. Le patriarche Abraham s'établit dans le pays de Canaan, future Palestine.*

La position stratégique de ce territoire détermine les peuples voisins (Égyptiens, mais surtout Assyriens ou Babyloniens) à l'envahir de nombreuses fois.

Par la suite, certains Hébreux s'établissent en Égypte à la suite des Hyksos*. Après une époque de prospérité, ils sont asservis par les Égyptiens et quittent l'Égypte sous la conduite de Moïse : c'est l'*Exode* (XVe ou XIIIe s. av. J.-C.), période pendant laquelle les Hébreux mènent une vie nomade dans les déserts du Sinaï et du Neguev, tandis que s'élaborent les traditions nationales et religieuses et qu'est conclue l'alliance avec Yahvé (Dieu).

A la mort de Moïse, les Hébreux entreprennent la reconquête du pays de Canaan, la « Terre promise », sous la direction de Josué, premier des Juges; ses successeurs poursuivent l'occupation du territoire (1185-1035 av. J.-C.). Après le gouvernement des Juges une monarchie est fondée.

• *V. 1000. Dès la mort de Saül, le premier roi, le royaume est divisé en deux États, futurs royaumes d'Israël et de Juda.*

Jérusalem devient la capitale politique et religieuse.

• *V. 970-v. 931. Le règne de Salomon marque l'apogée de la puissance des Hébreux.*

Ils sont ensuite soumis par les Assyriens puis par les Babyloniens.

• *586-538 av. J.-C. La période de l'« Exil » (ou « Captivité de Babylone ») est marquée par plusieurs déportations.*

Sous la domination perse, elle est suivie d'un retour en Canaan.

Au IIe s. av. J.-C., sous les Séleucides, des persécutions violentes entraînent la révolte des Maccabées; celle-ci permet aux Hébreux de retrouver leur liberté religieuse et politique (v. 150 av. J.-C.). La nouvelle dynastie des grands prêtres asmonéens reconstitue un État puissant.

• *63 av. J.-C. La prise de Jérusalem par Pompée marque le début de la conquête romaine.*

Après deux révoltes importantes, dont celle de 133-135 apr. J.-C., dirigée par Bar-Kokhba, les Hébreux asservis et persécutés sont contraints à un nouvel exil. (→ JUIFS).

HÉBRIDES *(îles)*, archipel britannique, à l'O. de l'Écosse septentrionale, dont les principales îles sont *Lewis* et *Skye*. Formé d'environ 500 îles et îlots, l'archipel a un climat doux et humide. L'élevage des moutons pour la fabrication de tweed en a longtemps été la ressource presque exclusive, avec la pêche.

HÉBRIDES (Nouvelles-) → NOUVELLES-HÉBRIDES.

H. E. C., sigle de l'École des *hautes études commerciales*.

HÉCATOMBE [ekatɔ̃b] n. f. (gr. *hekatombê*). **1.** Sacrifice de cent bœufs que faisaient les Anciens. — **2.** Massacre d'un grand nombre de personnes, d'animaux (syn. CARNAGE, TUERIE). — **3.** Grand nombre de personnes tuées sur les routes, ou de refusés à un concours, à un examen.

HECTARE [ɛktar] n. m. (du gr. *hekaton*, cent, et *are*). Mesure de superficie (symb. : ha) égale à cent ares, ou à un hectomètre carré, ou à dix mille mètres carrés.

HECTIQUE [ɛktik] adj. (gr. *hektikos*, continu). *Fièvre hectique*, fièvre continue et de longue durée.

HECTO- préf. (du gr. *hekaton*, cent) qui, placé devant le nom d'une unité, la multiplie par cent.

HECTOGRAMME n. m., **HECTOLITRE** n. m., **HECTOMÈTRE** n. m., **HECTOPASCAL** n. m. → MESURE, *unités de mesure.*

HECTOR, héros troyen, fils de Priam et époux d'Andromaque. Il incendia la flotte grecque et tua Patrocle, ami d'Achille. Ce dernier provoqua Hector, le tua et promena son cadavre autour des murs de Troie.

HEDJAZ, région d'Arabie, le long de la mer Rouge; 400 000 km²; millions d'hab. Capit. *La Mecque*.

1916. Ancienne possession turque, le Hedjaz constitue un royaume indépendant.

1926. Il est rattaché, sous un roi commun, au Nadjd, avec lequel il forme l'Arabie Saoudite.

HÉDONISME [edɔnism] n. m. (du gr. *hêdonê*, plaisir). Doctrine morale qui fait du plaisir immédiat le but de la vie. ◆ **hédoniste** adj. et n.

HEGEL (Georg Wilhelm Friedrich), philosophe allemand (1770-1831). Sa philosophie s'identifie au sens de la vie humaine dans l'histoire, selon le principe de la dialectique* du concept — c'est-à-dire l'addition des diverses significations opposées de l'évolution d'une chose vivante. Cette philosophie est « idéaliste », car elle ne retient de la vie que ce qu'on peut en exprimer par idées. Hegel est l'auteur de : *Phénoménologie de l'esprit* (1806), *Science de la logique* (1812-1816), *Principes de la philosophie du droit* (1821).

HÉGÉLIANISME [egeljanism] n. m. (de *Hegel*). Ensemble des interprétations de la philosophie de Hegel : *On distingue aujourd'hui les interprétations idéalistes et les interprétations matérialistes* ou marxistes*-léninistes; seules les secondes rapportent les idées de Hegel à la réalité historique.*

HÉGÉMONIE [eʒemɔni] n. f. (gr. *hêgemonia*). Suprématie d'un État, d'une nation sur d'autres : *Une hégémonie politique et économique* (syn. DOMINATION). *L'hégémonie de la France en Europe au XVIIe s.* (syn. PRÉPONDÉRANCE).

HÉGIRE [eʒir] n. f. (ar. *hidjra*, fuite). Point de départ de la chronologie (= ordre des événements historiques) chez les musulmans, qui commence en 622 de l'ère chrétienne, date à laquelle Mahomet s'enfuit de La Mecque à Médine.

HEIDEGGER (Martin), philosophe allemand (1889-1976). Un des fondateurs de la philosophie existentialiste (*l'Être et le Temps*, 1927).

HEIDELBERG, v. d'Allemagne (Bade-Wurtemberg), sur le Neckar; 134 000 hab. Célèbre université.

HEILBRONN, v. d'Allemagne (Bade-Wurtemberg), sur le Neckar; 111 000 hab.

HEI-LONG-KIANG, province de la Chine du Nord-Est; 33 millions d'hab. Capit. *Harbin*.

***HEIN** [ɛ̃] interj. (onomat.). **1.** *Fam.* Marque l'interrogation pour faire répéter ce qui est mal compris ou indiquer l'étonnement, la surprise (syn. COMMENT? QUOI?). — **2.** *Fam.* Marque l'exclamation.

HEINE (Henri), poète allemand (1797-1856). Ses poésies (*Intermezzo*, 1823; *le Livre des chants*, 1827) et ses tableaux de voyage mêlent à l'inspiration romantique une ironie souvent douloureuse.

HEISENBERG (Werner), physicien allemand (1901-1976). Il est l'auteur de travaux sur l'atome et sur la mécanique quantique. (Prix Nobel, 1932.)

HEKLA, volcan actif du sud de l'Islande; 1 447 m.

HÉLAS! [elɑs] interj. (*hé!*, et l'anc. fr. *las*, malheureux). Exprime la douleur, le désespoir ou l'apitoiement, et parfois l'ennui, le déplaisir.

HELDER (Le), v. des Pays-Bas, avant-port d'Amsterdam; 61 300 hab.

HÉLÈNE, princesse grecque, célèbre par sa beauté, une des héroïnes de *l'Iliade*. Épouse de Ménélas, elle fut enlevée par le Troyen Pâris, ce qui détermina l'expédition des Grecs sur Troie.

***HÉLER** [ele] v. t. (de l'angl. *to hail*, saluer). Appeler de loin pour faire venir : *Héler un taxi.*

HELGOLAND, anciennn. **Héligoland,** île de l'Allemagne, dans la mer du Nord, au large des estuaires de l'Elbe et de la Weser. Elle fut cédée (1890) par les Anglais aux Allemands, qui en firent une puissante base navale démantelée après 1945.

HÉLIANTHE [eljɑ̃t] n. m. (du gr. *hêlios*, soleil, et *anthos*, fleur). Plante herbacée annuelle, originaire d'Amérique, cultivée surtout pour ses graines et possédant de grands capitules jaunes. (Noms usuels SOLEIL, TOURNESOL.) [Famille des composées.]

HÉLIANTHINE [eljɑ̃tin] n. f. (de *hélianthe*). Indicateur coloré, jaune en milieu basique, rose en milieu acide (syn. MÉTHYLORANGE).

HÉLIASTE n. m. → HÉLIÉE.

HÉLICE [elis] n. f. (gr. *helix*, spirale). **1.** Appareil formé de pales fixées sur un axe, et dont la rotation sert à la propulsion, à la traction, etc. — **2.** *Escalier en hélice*, qui a la forme d'une spirale autour d'un axe (syn. EN COLIMAÇON). ◆ **hélicoïdal, e, aux** adj. En forme d'hélice.

HÉLICON [elikɔ̃] n. m. (du gr. *helikos*, sinueux). Instrument de musique en cuivre, à vent et à embouchure, muni de pistons, que l'on utilise dans les fanfares en le portant sur l'épaule, car il est très lourd.

HÉLICOPTÈRE [elikɔptɛr] n. m. (du gr. *helix*, spirale, et *pteron*, aile). Appareil d'aviation qui se déplace grâce à des hélices horizontales.
— ENCYCL. Dès le XVe s., Léonard de Vinci eut l'idée de l'hélice aérienne « sustentatrice ». Les premiers *hélicoptères* furent expérimentés au début du XXe s. Sous l'impulsion de constructeurs américains, l'hélicoptère a connu, après la Seconde Guerre mondiale, un développement considérable, aussi bien sur le plan militaire que sur le plan civil. Bien que sa vitesse horizontale soit limitée, l'hélicoptère présente le grand intérêt de pouvoir atterrir et s'envoler verticalement. Il se soutient et évolue dans les airs grâce à la rotation d'un rotor, entraîné par un moteur ou par un dispositif à réaction, monté à l'extrémité des pales.
→ illustration en couleurs AÉRONAUTIQUE pp. 16-17.

HÉLIÉE [elje] n. f. (du gr. *hêlios*, soleil). Tribunal populaire d'Athènes qui siégeait en plein air au lever du soleil, et dont les membres (héliastes) étaient tirés au sort parmi les citoyens. ◆ **héliaste** n. m. Membre d'une héliée.

HÉLIGOLAND → HELGOLAND.

HÉLIOGABALE, nom grec de l'empereur romain ÉLAGABAL*.

HÉLIOGRAPHE [eljɔgraf] n. m. (du gr. *hêlios*, soleil, et *graphein*, écrire). Appareil servant à mesurer la quantité de chaleur émise par le soleil et le nombre d'heures d'ensoleillement.

HÉLIOGRAVURE [eljɔgravyr] n. f. (du gr. *hêlios*, soleil, et *gravure*). En imprimerie, ensemble des procédés permettant d'obtenir des formes (= planches constituant chaque page) gravées en creux, ainsi que l'impression elle-même avec ces formes.
→ illustration IMPRIMERIE p. 700.

HÉLIOPOLIS, nom antique de *Baalbek**.

HÉLIOPOLIS, v. de l'anc. Égypte, au S. du Delta. Elle possédait un grand temple de Rê, personnification du soleil.
• *1800. Victoire de Kléber sur l'armée turque.*

HÉLIOTHÉRAPIE [eljɔterapi] n. f. (du gr. *hêlios*, soleil, et *therapeuein*, soigner). Traitement médical par la lumière solaire, active par ses rayons ultraviolets. (On l'utilise contre le rachitisme, certaines tuberculoses osseuses et certaines maladies de la peau.)

HÉLIOTROPE [eljɔtrɔp] n. m. (gr. *hêliotropion*, qui se tourne vers le soleil). **1.** Plante dont on cultive certaines espèces à fleurs odorantes. (Famille des borraginacées.) — **2.** Nom donné aux plantes dont la fleur se tourne vers le soleil comme l'*hélianthe*.

HÉLIPORT [elipɔr] n. m. (de *héli[coptère]*, et *port*). Aéroport pour hélicoptères.

HÉLIPORTAGE [elipɔrtaʒ] n. m. (de *héli[coptère]*, et *porter*). Transport par hélicoptère d'unités militaires constituées directement engagées dans les combats. (L'héliportage a été utilisé à très grande échelle par les Américains au Viêt-nam.) ◆ **héliporté, e** adj. Porté par hélicoptère : *Troupes héliportées.*

HÉLIUM [eljɔm] n. m. (du gr. *hêlios*, soleil). Corps simple gazeux (He), très léger (densité 0,13), découvert dans l'atmosphère solaire, et qui existe en très petite quantité dans l'air.
— ENCYCL. L'*hélium*, premier des gaz rares, n'a aucune activité chimique. Il bout sous la pression atmosphérique à — 269 °C, et l'hélium liquide permet d'obtenir des températures voisines du zéro absolu. Très léger et ininflammable, il est utilisé pour le gonflement des aérostats.

HÉLIX [eliks] n. m. (gr. *helix*). **1.** *Anat.* Repli qui forme le tour du pavillon de l'oreille externe. — **2.** *Zool.* Nom scientifique de l'ESCARGOT.

HELLADE, en gr. **Hellas,** nom des provinces centrales de la Grèce anc., par oppos. au *Péloponnèse;* plus tard, nom donné à la Grèce entière.

HELLÉBORE [ɛlebɔr] n. m. (gr. *helleboros*). Plante vivace, à feuilles en éventail et dont les fleurs s'épanouissent en hiver (syn. ROSE DE NOËL). [Famille des renonculacées.]

HELLEMMES-LILLE, anc. comm. du Nord, dans la banlieue est de Lille; annexée à Lille en 1977.

HELLÈNE [ɛllɛn] adj. et n. (du gr. *Hellên*, Grec). Qui appartient à la Grèce ancienne, ou *Hellade;* habitant ou originaire de la Grèce ancienne. ◆ **hellénique** adj. Relatif à la Grèce ancienne. ◆ **hellénisme** n. m. **1.** Expression particulière à la langue grecque ancienne. — **2.** Civilisation de la Grèce ancienne. ◆ **helléniste** n. Spécialiste de cette langue et de cette civilisation. ◆ **hellénistique** adj. Se dit de la période historique allant, en Grèce, de la conquête d'Alexandre à la conquête romaine. ‖ *Monarchies hellénistiques*, monarchies issues du démembrement de l'empire d'Alexandre : Antigonides en Macédoine, Lagides en Égypte Séleucides en Asie, Attalides à Pergame.

HELLESPONT, anc. nom des DARDANELLES*.

HELMHOLTZ (Hermann VON), physicien et physiologiste alle mand (1821-1894). Il a énoncé le principe de conservation de l'énergie (1847), mesuré la vitesse de l'influx nerveux (1850), fai l'analyse et la synthèse des sons (1862), et émis l'hypothèse d'un structure granulaire de l'électricité (1881).

HELMINTHE [ɛlmɛ̃t] n. m. (gr. *helminthos*, ver). Nom des ver parasites en général. (Les helminthes, parasites, comprennent le *plathelminthes* [vers plats, tels les *ténias* et les *douves*] et le *némathelminthes* [vers ronds, tels les *oxyures*, les *ascarides, etc.*]

HÉLODÉE n. f. → ÉLODÉE.

HÉLOÏSE, épouse d'Abélard (1101-1164), nièce du chanoine Ful bert. Elle avait épousé secrètement son précepteur Abélard, su lequel Fulbert exerça une horrible vengeance. Elle entra alors a couvent et entretint avec Abélard une correspondance à la foi pieuse et passionnée.

Héloïse *(la Nouvelle)* → JULIE OU LA NOUVELLE HÉLOÏSE.

HÉLOUÂN, v. d'Égypte, près du Caire. Centre métallurgique.

HELSINGØR → ELSENEUR.

HELSINKI, en suéd. **Helsingfors,** capit. de la Finlande, sur l côte nord du golfe de Finlande; 484 000 hab. Principal port e centre industriel du pays. Siège des jeux Olympiques de 1952.

HELVÉTIE, partie orientale de la Gaule, comprenant à peu prè le territoire occupé auj. par la Suisse. ◆ **Helvètes,** peuplad gauloise qui occupait l'Helvétie au Ier s. av. J.-C.

HELVÉTIQUE [ɛlvetik] adj. (lat. *helveticus*, de l'Helvétie). Rela tif à la Suisse : *La Constitution helvétique.*

HELVÉTIUS (Claude Adrien), philosophe français (1715-1771 Matérialiste et athée, il collabora à l'*Encyclopédie**.

HEM, comm. du Nord, à 3 km au S. de Roubaix; 21 900 hab.

HÉMATÉMÈSE [ematemɛz] n. f. (du gr. *haima, -atos*, sang, e *emesis*, vomissement). *Méd.* Vomissement de sang noir, dû à un hémorragie du tube digestif dans sa partie supérieure (estoma duodénum) à la suite de maladies de l'estomac (ulcère), d'affe tions du foie (cirrhose).

HÉMATIE [emati] n. f. (du gr. *haima, -atos*, sang). Globul rouge du sang, coloré par l'hémoglobine. (Les hématies se former dans la moelle rouge des os; on en compte 4,5 millions dans 1 mm de sang.) [→ GLOBULE, *encycl.*]

HÉMATITE [ematit] n. f. (du gr. *haima, -atos*, sang). Oxyd ferrique Fe_2O_3 naturel, dont il existe deux variétés : l'*hémati rouge*, ou *oligiste*, et l'*hématite brune*, ou *limonite*, toutes deu minerais de fer recherchés.

HÉMATOLOGIE [ematɔlɔʒi] n. f. (du gr. *haima, -atos*, sang, e *logos*, science). Science qui étudie la composition chimique d sang et ses maladies. ‖ *Hématologie géographique*, étude des rela tions entre les caractères héréditaires, innés (hémoglobine enzymes, groupes) du sang, et les facteurs extérieurs d'environne ment (sol, air, climat, coutumes alimentaires, etc.) qui règlent l'éta du sang et ont pour conséquence une nouvelle définition des race humaines. Elle permet la prévention possible de nombreuses mala dies. ◆ **hématologiste** n. Spécialiste d'hématologie.

HÉMATOME [ematɔm] n. m. (du gr. *haima, -atos*, sang). *Mé* Épanchement de sang dans les tissus ou sous la peau, consécutif une rupture de vaisseaux sanguins.

HÉMATOSE [ematoz] n. f. (du gr. *haima, -atos*, sang). Transfo mation, dans l'appareil respiratoire, du sang veineux rouge sombr en sang artériel rouge vif, par perte de gaz carbonique et enrichis sement en oxygène.

HÉMATOZOAIRE [ematɔzɔɛr] n. m. (du gr. *haima, -ato* sang, et *zôon*, animal). Protozoaire parasite des globules rouges d sang, agent du paludisme (syn. PLASMODIUM).

HÉMICYCLE [emisikl] n. m. (gr. *hêmi*, à demi, et *kuklo* cercle). Espace semi-circulaire, où sont disposés des gradins pou des spectateurs ou les membres d'une assemblée.

HEMINGWAY (Ernest), romancier américain (1899-1961).
Toute sa vie, Hemingway a recherché le risque et l'aventure. s'engage comme ambulancier volontaire pendant la Premièr Guerre mondiale et il racontera son expérience dans *l'Adieu au armes* (1929). Après la guerre, il vit à Paris et y publie *Le soleil s lève aussi* (1926), récit des aventures d'un groupe d'intellectue américains en exil à Paris. Il assiste à la guerre civile en Espagn qui lui inspire *Pour qui sonne le glas* (1940).

Passionné de courses de taureaux (*Mort dans l'après-midi*, 1932) et de chasse aux grands fauves (*les Vertes Collines d'Afrique*, 1936; *les Neiges du Kilimandjaro*, 1953) dans lesquelles il voit une épreuve et un apprentissage du courage et de la mort, il évolue vers une glorification de la force morale de l'homme se mesurant au monde et aux êtres en un corps à corps solitaire (*le Vieil Homme et la mer*, 1952). Il est mort en se tirant une balle dans la tête.

HÉMIPLÉGIE [emipleʒi] n. f. (du gr. *hêmi*, à demi, et *plêgê*, coup). *Méd.* Paralysie d'une moitié du corps, la droite ou la gauche, due à une lésion du cerveau. ◆ **hémiplégique** adj. et n.

HÉMIPTÈRES [emiptɛr] ou **HÉMIPTÉROÏDES** [emipterɔid] n. m. pl. (du gr. *hêmi*, à demi, et *pteron*, aile). Ordre d'insectes caractérisés par leur appareil buccal en forme de trompe piqueuse et suceuse, leurs métamorphoses sans stade nymphal. (On distingue les *hémiptères homoptères*, aux deux paires d'ailes membraneuses [*cigales, pucerons, cochenilles*], et les *hémiptères hétéroptères*, dont l'aile antérieure a une partie chitineuse [*punaises des bois*]. Les hémiptères se nourrissent soit de sève végétale, soit de sang.)

HÉMISPHÈRE [emisfɛr] n. m. (gr. *hêmisphairion*, demi-boule). **1.** Moitié d'une sphère, et en particulier moitié du globe terrestre : *L'hémisphère Nord et l'hémisphère Sud.* — **2.** Moitié du cerveau : *Les hémisphères cérébraux.* ◆ **hémisphérique** adj. Qui a la forme d'un hémisphère.

HÉMISTICHE [emistiʃ] n. m. (du gr. *hêmi*, à demi, et *stikhos*, vers). Chacune des deux parties du vers alexandrin ou d'un vers quelconque coupé par la césure.

HÉMOCULTURE [emokyltyr] n. f. (du gr. *haima*, sang, et *culture*). Méthode de recherche des microbes qui peuvent se trouver dans le sang au cours de certaines maladies.

HÉMOGLOBINE [emɔglɔbin] n. f. (du gr. *haima*, sang, et *glob[uline]*). Pigment des globules rouges du sang, assurant le transport de l'oxygène et du gaz carbonique entre l'appareil respiratoire et les cellules de l'organisme. (Le sang humain en contient 14 g par l.)

— ENCYCL. L'*hémoglobine* est constituée par une grosse molécule protéique, la *globuline*, et une partie plus petite qui contient du fer, l'*hème*. C'est l'hémoglobine qui donne aux globules rouges du sang leur coloration. Le rôle de l'hémoglobine est très important : elle peut fixer différents corps gazeux, et en particulier l'oxygène et le gaz carbonique.

Dans les poumons, un fin réseau capillaire* met l'hémoglobine en contact avec l'oxygène de l'air entré dans les alvéoles pulmonaires lors de l'inspiration. L'hémoglobine capte et fixe cet oxygène (elle devient rouge, c'est l'*oxyhémoglobine*) pour le transporter au cœur gauche d'abord, puis vers les tissus et organes irrigués par la grande circulation. Dans les tissus et organes, un nouveau réseau capillaire ralentit le sang, et l'oxyhémoglobine est en contact avec des tissus pauvres en oxygène et riches en gaz carbonique. Elle perd de son oxygène, et le gaz carbonique vient prendre sa place : c'est la *carbohémoglobine*, et le sang devient « bleu ».

Le sang bleu (ou sang veineux) revient au cœur droit, qui le pousse vers les poumons. Là, ce sang veineux, riche en gaz carbonique, pauvre en oxygène, est de nouveau en contact avec l'air alvéolaire et un nouvel échange a lieu : le sang se charge en oxygène et cède son gaz carbonique.

L'hémoglobine sert donc à transporter l'oxygène des poumons vers les tissus, et le gaz carbonique en sens inverse.

HÉMOLYSE [emoliz] n. f. (du gr. *haima*, sang, et *lusis*, dissolution). Rupture des globules rouges du sang, libérant l'hémoglobine qui y était contenue.

HÉMON (Louis), écrivain français (1880-1913). Il séjourna au Canada, où il écrivit son roman *Maria Chapdelaine* (1916).

HÉMOPHILIE [emɔfili] n. f. (du gr. *haima*, sang, et *philein*, aimer). *Méd.* Maladie hémorragique, due à un trouble de la coagulation du sang. ◆ **hémophile** adj. et n.

— ENCYCL. L'*hémophilie* est une maladie héréditaire qui ne touche que les hommes, mais qui est transmise par les femmes.

Elle se manifeste par des hémorragies survenant à propos de chocs même minimes. Ces hémorragies peuvent être externes ou internes. Souvent, elles sont internes et affectent des articulations : les genoux, en particulier. Sur la peau, elles sont attestées par la présence d'hématomes et de taches rouges disséminées *(purpura)* sur tout le corps. Cette maladie est due à l'absence de protéines importantes dans les réactions de coagulation.

HÉMOPTYSIE [emoptizi] n. f. (du gr. *haima*, sang, et *ptuein*, cracher). Crachement de sang provenant des bronches ou des poumons.

HÉMORRAGIE [emɔraʒi] n. f. (du gr. *haima*, sang, et *rhagê*, rupture). **1.** *Méd.* Écoulement de sang hors des vaisseaux sanguins, à la suite d'une blessure ou d'une rupture de leur paroi : *Une hémorragie nasale* (= un saignement de nez). *Une hémorragie interne* (= un épanchement de sang). → ENCYCL. — **2.** Grave déperdition de ce qui est essentiel pour la vie ou la richesse d'un pays, d'un État, etc. : *L'hémorragie des capitaux* (= la sortie des capitaux).

— ENCYCL. *Les hémorragies sont dites externes* si le sang sort hors de l'organisme : s'il est rouge, s'il sort par saccades, le vaisseau blessé est une artère; s'il est sombre, s'il sort en jet plus lent et continu, c'est d'une plaie veineuse qu'il s'agit.

Les hémorragies sont dites internes si le sang se répand dans les tissus ou les cavités du corps. Le sujet ne s'en aperçoit pas. Il devient pâle, fatigué, son pouls s'accélère et devient faible. Sa tension artérielle baisse. Il n'urine plus.

Tout blessé, même s'il semble bien se porter dans les instants suivant l'accident, même s'il ne présente aucune blessure apparente, peut être atteint d'une hémorragie interne par lésion d'un organe (foie, rate ou reins).

En présence d'une hémorragie externe, il faut essayer d'arrêter le saignement : soit par la pose d'un garrot sur le membre qui saigne; soit par un pansement serré, dit « compressif », installé sur la plaie. Il faut appeler un médecin qui prendra la tension artérielle et jugera s'il est ou non nécessaire de pratiquer une perfusion de sang ou de plasma.

HÉMORROÏDE [emɔrɔid] n. f. (du gr. *haima*, sang, et *rhein*, couler). Varice des veines de l'anus et du rectum.

HÉMOSTASE [emɔstɑz] n. f. (du gr. *haima*, sang, et *stasis*, arrêt). Arrêt d'une hémorragie. ◆ **hémostatique** adj. et n. m. Se dit de tous les moyens propres à arrêter les hémorragies.

HENDAYE, ch.-l. de cant. des Pyrénées-Atlantiques, sur la Bidassoa; 11 100 hab. Station balnéaire.

HENDÉCAGONE [ɛ̃dekagɔn] n. m. (du gr. *hendeka*, onze, et *gônia*, angle). *Géom.* Polygone ayant onze côtés.

HENG-YANG, v. de Chine (Hou-nan); 300 000 hab.

HÉNIN-BEAUMONT, anciennׅ. **Hénin-Liétard,** ch.-l. de cant. du Pas-de-Calais, à 8 km à l'E. de Lens; 26 200 hab. Anc. centre houiller.

***HENNÉ** [ɛnne] n. m. (ar. *ḥanna*). Arbuste originaire d'Asie, dont les feuilles fournissent une teinture rouge pour les cheveux.

HENNEBONT, ch.-l. de cant. du Morbihan, à 10 km au N.-E. de Lorient, sur le Blavet; 13 100 hab. Important haras.

***HENNIN** [enɛ̃] n. m. (néerl. *henninck*, coq). Coiffure féminine du Moyen Âge, en forme de bonnet conique, très haut et rigide.

***HENNIR** [enir] v. i. (lat. *hinnire*) [sujet nom désignant le cheval]. Pousser le cri propre à son espèce. ◆ ***hennissement** n. m.

EMPEREURS GERMANIQUES

HENRI Ier l'Oiseleur (v. 876-936), roi de Germanie (919-936), fondateur de la dynastie saxonne. Il imposa son autorité à la Bavière et soumit la Lorraine. Il fut un grand bâtisseur de villes et un grand organisateur militaire.

HENRI II le Boiteux ou **le Saint** (973-1024), duc de Bavière en 995, empereur germanique (1002-1024). Il ne put empêcher l'indépendance de la Pologne.

HENRI III le Noir (1017-1056), empereur germanique (1039-1056). Il maintint l'Église dans sa dépendance, lutta contre les grands féodaux et affermit son pouvoir en Italie.

HENRI IV (v. 1050-1106), empereur germanique (1056-1105), fils et successeur d'Henri III. Il se heurta au pape Grégoire VII lors de la querelle des Investitures*. Excommunié et déposé par le pape, il dut s'humilier à Canossa (1077).

HENRI V (1081-1125), empereur germanique (1106-1125). Par le concordat de Worms (1122), il mit fin à la querelle des Investitures*.

HENRI VI le Sévère ou **le Cruel** (1165-1197), empereur germanique (1190-1197), fils de Frédéric Barberousse.

HENRI VII DE LUXEMBOURG (v. 1269-1313), empereur germanique (1308-1313).

ANGLETERRE

HENRI Ier Beauclerc (1068-1135), roi d'Angleterre (1100-1135). Quatrième fils de Guillaume Ier le Conquérant, il conquit la Normandie et le comté de Blois.

HENRI II (1133-1189), duc de Normandie (1150-1189), comte d'Anjou (1151), duc d'Aquitaine (1152), roi d'Angleterre (1154-

1189). Il redonna la paix à ce pays ravagé par les luttes entre dynasties, restaura l'autorité monarchique et posa les fondements d'une administration centrale. Sa politique religieuse se heurta à l'opposition de l'archevêque de Canterbury, Thomas Becket, qu'il fit assassiner (1170). Par ailleurs, par son mariage avec Aliénor d'Aquitaine, il réunit aux domaines anglais les vastes territoires du sud-ouest de la France.

HENRI III (1207-1272), roi d'Angleterre (1216-1272) et duc d'Aquitaine, fils aîné de Jean sans Terre. Battu par Saint Louis, il perdit la Saintonge, l'Auvergne et le Poitou (traité de Paris, 1259). Les barons révoltés lui imposèrent les *Provisions d'Oxford*, qui limitèrent l'absolutisme royal.

HENRI IV (1367-1413), roi d'Angleterre (1399-1413).

HENRI V (1387-1422), roi d'Angleterre (1413-1422). Il battit la France à Azincourt (1415) et acheva la conquête de la Normandie. Le traité de Troyes (1420) le désigna comme héritier du roi de France, Charles VI, dont il épousa la fille Catherine de France.

HENRI VI (1421-1471), roi d'Angleterre (1422-1461), fils d'Henri V et de Catherine de France, il fut proclamé roi de France à la mort de Charles VI. Il perdit la totalité des possessions anglaises en France, et, déconsidéré par ses échecs, vit ses droits à la couronne d'Angleterre contestés. Ainsi éclata la guerre des Deux* Roses. Henri VI fut détrôné par Édouard d'York (1461) et assassiné.

HENRI VII (1457-1509), roi d'Angleterre (1485-1509). Il fonda la dynastie des Tudors. Son mariage avec Élisabeth d'York mit fin à la guerre des Deux-Roses.

HENRI VIII (1491-1547), roi d'Angleterre (1509-1547). Il gagna la bataille de Guinegatte sur les Français (1513) et signa avec eux la paix (1514). Malgré l'entrevue du Camp du Drap d'or avec François Ier, Henri VIII soutint généralement Charles Quint contre la France.

- *1535. Après avoir enlevé au pape tout pouvoir religieux en Angleterre, il fait voter par le Parlement l'« acte de Suprématie » qui fait du roi le chef de l'Église d'Angleterre.*

En même temps, Henri VIII détruisit les derniers vestiges de l'indépendance féodale et rattacha le pays de Galles à l'Angleterre. Désireux d'assurer la suprématie de son pays en Europe, il fut le véritable fondateur de la puissance maritime anglaise.

Il épousa successivement six femmes et en fit périr deux sur l'échafaud.

CASTILLE ET LEÓN

HENRI Ier (1204-1217), roi de Castille (1214-1217).

HENRI II le Magnifique (1333-1379), roi de Castille et de León (1369-1379). Charles V de France et du Guesclin l'aidèrent à triompher de son frère et rival Pierre Ier le Cruel.

HENRI III le Maladif (1379-1406), roi de Castille et de León (1390-1406). Il conquit les Canaries.

HENRI IV (1425-1474), roi de Castille et de León (1454-1474), époux de Jeanne de Portugal.

FRANCE

HENRI Ier (1008-1060), roi de France (1031-1060), fils et successeur de Robert le Pieux. Il céda la Bourgogne à son frère Robert.

HENRI II (1519-1559), roi de France (1547-1559), fils de François Ier, il épousa Catherine de Médicis (1533). À la mort de son père, il entreprit de gouverner en s'appuyant sur ses conseillers, le connétable de Montmorency ou les Guises, qui cependant ne firent qu'exécuter fidèlement ses volontés. Il poursuivit la politique de François Ier en faisant progresser l'autorité royale en France et en luttant contre Charles Quint.

Il définit en particulier le rôle des secrétaires d'État (1547), qui sont à l'origine de l'institution ministérielle, futur instrument de l'absolutisme royal. En outre, il compléta la réforme de l'administration des Finances entreprise sous François Ier.

- *1550. Il reprend Boulogne aux Anglais.*
- *1552. En vertu du traité de Versailles, il occupe les Trois-Évêchés (Metz, Toul et Verdun).*
- *1556. Il signe avec Charles Quint la trêve de Vaucelles.*

Après l'abdication de Charles Quint, Philippe II reprit la lutte contre Henri II, fut vainqueur à Saint-Quentin (1557), mais ne put prendre Paris.

- *1558. Calais est repris aux Anglais.*
- *1559. La paix, rendue nécessaire par une grave crise financière, est signée au traité du Cateau-Cambrésis.*

La même année, le roi signa l'*édit d'Écouen*, pour lutter contre l'extension du protestantisme. Henri II mourut des suites de blessures reçues au cours d'un tournoi.

HENRI III (1551-1589), roi de France (1574-1589), fils de Henri II. Élu roi de Pologne en 1573, il rentra en France à la mort de son frère Charles IX (1574) auquel il succéda. Il trouva un royaume divisé entre les protestants d'Henri de Navarre et les catholiques d'Henri de Guise.

- *1576. Il signe avec les protestants la paix de Monsieur et l'édit de Beaulieu par lequel il leur accorde en particulier la liberté de culte dans tout le royaume sauf à Paris.*

Pour obtenir des subsides, qui ne furent d'ailleurs pas accordés, il réunit les états généraux de Blois (1576-1577) où, sous la pression des catholiques, il désavoua l'édit de Beaulieu. La lutte reprit entre les catholiques, qui avaient organisé la Ligue*, et les protestants.

- *1577. La paix de Bergerac et l'édit de Poitiers restreignent les libertés accordées aux protestants.*
- *1584. La mort du duc d'Alençon, frère du roi, fait de Henri de Navarre l'héritier légitime.*

La Ligue, dominée par les Guises, appuyée par le roi d'Espagne et le peuple de Paris, exigea la reprise de la guerre.

- *1587. La défaite de Coutras affaiblit le prestige du roi.*
- *1588. Henri III tente vainement d'empêcher Henri de Guise d'entrer à Paris où éclate la journée des Barricades, qui oblige le roi à fuir.*

Henri III convoqua alors les états généraux à Blois et fit assassiner Henri de Guise et son frère, le cardinal de Lorraine. Paris forma une commune insurrectionnelle. Le roi se réconcilia avec Henri de Navarre. Alors qu'il assiégeait la capitale, il fut assassiné par le moine Jacques Clément.

HENRI IV (1553-1610), roi de Navarre (1562-1610), et de France (1589-1610), fils d'Antoine de Bourbon et de Jeanne d'Albret, fondateur de la dynastie des Bourbons.

- *1572. Il épouse Marguerite de Valois, sœur du roi Charles IX.*

Peu après, il échappe au massacre de la Saint-Barthélemy*, mais doit se convertir au catholicisme et rester prisonnier à la cour de France. Il s'enfuit en 1573 et redevient aussitôt le chef du parti protestant.

- *1584. Il devient l'héritier légitime de la couronne de France.*

Mais les catholiques, représentés par la Ligue*, lui opposent le cardinal de Bourbon. Au cours de la lutte qui s'ouvre alors il bat les catholiques à Coutras (1587). Peu avant de mourir, Henri III le reconnaît comme son héritier. Henri IV doit alors conquérir son royaume.

- *1589 et 1590. Il bat les ligueurs à Arques et à Ivry.*
- *1593. Après avoir échoué deux fois devant Paris, il abjure le protestantisme.*
- *1594. Il se fait sacrer à Chartres et entre triomphalement dans Paris.*
- *1595. Les ligueurs sont battus à Fontaine-Française.*
- *1598. Philippe II se résout à traiter.*

La paix de Vervins confirme le traité du Cateau*-Cambrésis. La même année, l'édit de Nantes rétablit la paix dans le royaume.

- *1600. Son premier mariage ayant été annulé, il épouse Marie de Médicis.*

Il entreprend alors de restaurer l'autorité royale et de réorganiser la France. La remise en ordre des finances fut laissée aux soins de Sully qui fit appliquer d'autre part de nouvelles méthodes pour développer l'agriculture. Les progrès des industries de luxe furent encouragés. L'amélioration des routes et des canaux favorisa le commerce. L'expansion outre-mer fut amorcée par la fondation de Québec (1608).

- *1601. Il oblige le duc de Savoie à lui céder la Bresse, le Bugey et le Valromey.*

Allié aux protestants allemands, il s'apprêtait à déclarer la guerre à l'Empire et à l'Espagne lorsqu'il fut assassiné par Ravaillac.

PORTUGAL

HENRI DE BOURGOGNE, prince capétien, né à Dijon (v. 1057-1114), comte de Portugal (1097-1114). Il fut le fondateur de la monarchie portugaise.

HENRI le Navigateur, prince portugais (1394-1460), fils de Jean Ier de Portugal. Après avoir pris Ceuta (1417), il favorisa les voyages de découvertes entrepris par les Portugais au XVe s.

Henri, titre de quatre drames de Shakespeare (*Henri IV*, v. 1597 *Henri V*, 1598; *Henri VI*, 1590-1592; *Henri VIII*, v. 1612).

Henriade *(la)*, poème épique de Voltaire (1778).

HENRIETTE-ANNE DE FRANCE, princesse française (1727-1752), fille de Louis XV, connue sous le nom de MADAME HENRIETTE.

HENRIETTE-ANNE STUART, duchesse d'Orléans, dite **Henriette d'Angleterre** (1644-1670), fille de Charles Ier d'Angleterre, épouse de Philippe d'Orléans, frère de Louis XIV.

HENRIETTE-MARIE DE FRANCE, princesse française (1609-1669), fille d'Henri IV et de Marie de Médicis, épouse de Charles Ier d'Angleterre (1625).

HENRY (Pierre), compositeur français, né en 1927, créateur d'un nouveau langage d'expression sonore utilisant des appareils électroniques (*Symphonie pour un homme seul* [avec Pierre Schaeffer], 1950; *Messe pour le temps présent*, 1967).

HENZE (Hans Werner), compositeur allemand, né en 1926. Auteur de symphonies et d'opéras (*Boulevard Solitude*, 1951; *Élégie pour de jeunes amants*, 1961; *Natascha Ungcheuer*, 1971).

1. HÉPATIQUE [epatik] adj. (du gr. *hêpar, -atos*, foie). **1.** *Anat.* Relatif au foie : *Artère hépatique* (= artère nourricière du foie, issue de l'aorte). ‖ *Canal hépatique*, canal qui permet l'excrétion de la bile vers la vésicule biliaire. (Le canal hépatique s'unit au canal cystique pour former le canal cholédoque.) — **2.** Méd. *Colique hépatique* ⟶ ENCYCL. ‖ *Insuffisance hépatique*, affection caractérisée par une diminution d'activité des fonctions du foie. ◆ **sus-hépatique** adj. Qui est situé au-dessus du foie : *Veines sus-hépatiques* (= veines qui transportent le sang qui a traversé le foie et qui débouchent dans la veine cave inférieure). ◆ **hépatite** n. f. *Méd.* Maladie inflammatoire du foie, d'origine infectieuse ou toxique. ⟶ ENCYCL.

— ENCYCL. On appelle *colique hépatique* une crise douloureuse et violente qui peut durer plusieurs heures ou plusieurs jours (souvent trois). Elle siège dans l'hypocondre droit et souvent à l'épaule droite, s'accompagne de vomissements et parfois d'ictère (= coloration jaune de la peau), de température et de frissons : l'on parle alors de *cholécystite aiguë*, et il faut opérer d'urgence. Elle est le plus souvent due à la migration vers le canal cholédoque de *calculs** contenus dans la vésicule biliaire.

Dans le langage courant actuel, le terme d'*hépatite*, employé seul, est le plus souvent synonyme d'*hépatite virale* (= à virus). C'est la plus fréquente des maladies infectieuses du foie, en France du moins. Elle se manifeste par un début d'allure grippale, de la fatigue et, suivant les cas, d'un ictère (= coloration jaune des téguments et muqueuses). L'hépatite virale peut être transmise de deux façons : soit par *voie orale* (eau polluée, crustacés), c'est le virus « A »; soit par *voie veineuse* (transfusions de sang ou injections faites avec une seringue contaminée), c'est le virus « B ». (La cirrhose du foie est elle-même une hépatite chronique.)

D'autres hépatites peuvent être dues à différents germes ou bien à des produits toxiques (or, plomb et certains médicaments).

2. HÉPATIQUES [epatik] n. f. pl. (du lat. *hepaticus*, de la couleur du foie). Classe de plantes terrestres ressemblant aux mousses et aux algues, comprenant de nombreuses espèces rampantes ou incrustées sur les rochers, les arbres et le sol des régions chaudes et humides. (Embranchement des bryophytes.)

HEPHAÏSTOS, dieu grec du Feu et des Forges, dont les Latins firent *Vulcain*.

HEPTAÈDRE [ɛptaɛdr] n. m. (du gr. *hepta*, sept, et *edra*, face). *Géom.* Polyèdre ayant sept faces.

HEPTAGONE [ɛptagon] n. m. (du gr. *hepta*, sept, et *gônia*, angle). *Géom.* Polygone qui a sept côtés.

HÉRA, déesse grecque du Mariage, épouse de Zeus, identifiée par les Latins à *Junon*.

HÉRACLÈS, héros grec, personnification de la Force, fils de Zeus, identifié à *Hercule* par les Latins.

Pour expier le meurtre de son épouse Mégara, il dut exécuter les douze travaux imposés par le roi de Tirynthe *(travaux d'Hercule)*. Ainsi il : étouffa le lion de Némée; tua l'hydre de Lerne; prit vivant le sanglier d'Érymanthe; atteignit à la course la biche aux pieds d'airain, de Cérynie; tua à coups de flèches les oiseaux du lac Stymphale qui mangeaient la chair des naufragés; dompta le taureau du roi Minos; tua Diomède, roi de Thrace, qui nourrissait ses chevaux de la chair de ses prisonniers; vainquit les Amazones, guerrières de la région du Pont; nettoya les écuries du roi d'Élide, Augias, en y faisant passer le fleuve Alphée; combattit et tua le géant Géryon qui avait trois têtes; enleva les pommes d'or du jardin des Hespérides, qui donnaient l'immortalité; enfin, délivra Thésée des Enfers. Outre ces douze travaux, il accomplit une foule d'autres exploits. Dévoré par les souffrances provoquées par la tunique de Nessos*, Héraclès se brûla sur le mont Œta.

HÉRACLITE, philosophe grec (v. 540-v. 480 av. J.-C.). Selon lui, le feu est l'élément premier de la matière. À partir de cet élément apparaissent, par des séries de métamorphoses, l'eau, la terre, et toutes choses. À la fin des temps, tout retournera au feu et se consumera en un embrasement universel. Ainsi le monde est en perpétuel mouvement, tout change constamment, et chaque chose peut se convertir en son contraire (le froid devient chaud, le jour devient nuit, etc.). C'est par cette vue de l'univers qu'Héraclite a pu être considéré comme le père de la dialectique*.

HÉRACLIUS Ier (v. 575-641), empereur d'Orient (610-641). Son empire étant menacé de toutes parts, il acheta la retraite des Avars (619) et refoula les Perses sur l'Euphrate. En 627, il détruisit l'armée perse près de Ninive.

HÉRALDIQUE [eraldik] adj. (du bas lat. *heraldus*, héraut). Qui a rapport au blason, aux armoiries. ◆ n. f. Science du blason, c'est-à-dire des règles de composition des armoiries. ◆ **héraldiste** n. Spécialiste de l'héraldique.

HÉRAULT, fl. côtier du bas Languedoc; 160 km. Né dans le massif de l'Aigoual, il se jette dans la Méditerranée par le grau d'Agde. Son régime est marqué par des crues subites qui ont nécessité l'aménagement de son bassin.

HÉRAULT (34), dép. du sud de la France (Région Languedoc-

LOCALITÉS PRINCIPALES	NOMBRE D'HAB.
Montpellier	201 100
Béziers	78 500
Sète	40 500
Lunel	15 700
Frontignan	15 000
Agde	13 200
Castelnau-le-Lez	10 000
Mauguio	9 900
Lodève	8 600
Pézenas	7 800
Clermont-l'Hérault	5 900
Mèze	5 700

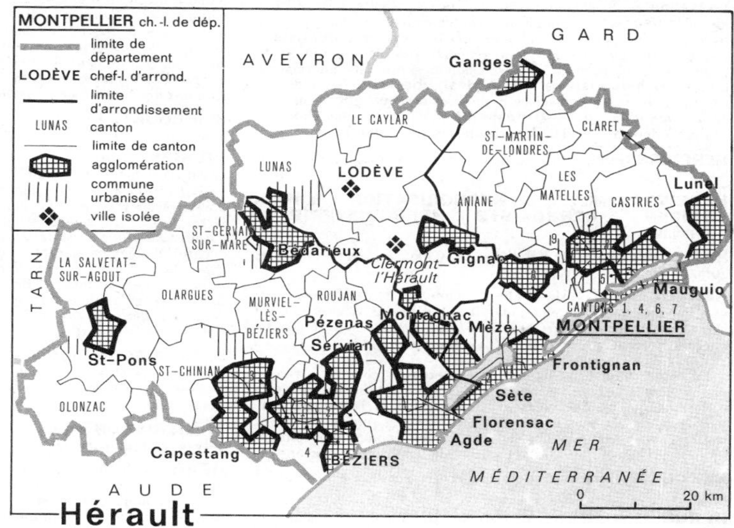

Hérault

Roussillon); 6 101 km²; 706 500 hab. (116 au km²) [France : 103]. Ch.-l. *Montpellier*.
ADMINISTRATION. 3 arrond. (*Béziers*, 229 900 hab. ; *Lodève*, 43 300 hab. ; *Montpellier*. 433 300 hab.) / 45 cant. / 343 comm.
Largement ouvert sur la Méditerranée, le département juxtapose des régions bien différentes. Au N.-O., il s'étend sur la bordure sud-orientale du Massif central (*Espinouse*, *Minervois*, etc.) où l'altitude dépasse fréquemment 500 m. À ce secteur succède l'aride plateau calcaire des *Garrigues*, puis la basse *plaine languedocienne* au littoral bordé d'étangs.

L'*agriculture* emploie pratiquement le huitième de la population active. Malgré les efforts de diversification (cultures légumières et fruitières) liés au développement de l'irrigation, elle reste dominée par la viticulture (vins courants surtout), qui occupe la majeure partie de la plaine du Languedoc.
L'*industrie* emploie moins de 30 p. 100 de cette population active. Elle est en rapport avec l'agriculture, mais quelques autres activités émergent (extraction de la bauxite, électronique). Elle est représentée surtout dans les grandes villes.

La présence de ces grandes villes montre l'importance du *secteur tertiaire* (qui emploie plus de la moitié de la population active) et la forte densité. Le dynamisme de Montpellier explique encore partiellement l'accroissement de la population départementale, qui compense l'exode rural.

***HÉRAUT** [ero] n. m. (frq. *heriwald*). *Héraut d'armes* ou *héraut*, au Moyen Âge, officier public dont la fonction était de signifier les déclarations de guerre, de porter les messages, etc.

HERBE [ɛrb] n. f. (lat. *herba*). **1.** Plante dont la tige molle et verte est plus ou moins haute et meurt chaque année (nom donné à de nombreuses plantes de ce type) : *Les mauvaises herbes* (= plantes sauvages dont la croissance rapide nuit aux plantes cultivées). *Les fines herbes* (= persil, civette, estragon, etc.). *Herbes médicinales* ou *officinales* (= herbes employées en pharmacie). — **2.** (au sing.) Réunion de plantes de ce type, formant une végétation peu élevée : *Se coucher sur l'herbe* (syn. GAZON). — **3.** *En herbe*, se dit d'une céréale (blé, orge, etc.) qui n'est pas encore mûre : *Des blés en herbe;* se dit d'un enfant, d'une personne jeune qui manifeste des aptitudes à une activité : *C'est un artiste en herbe* (syn. EN PUISSANCE). ‖ *Couper l'herbe sous le pied de qq'un*, le devancer en le frustrant d'un avantage qui pouvait lui revenir. ◆ **herbacé, e** adj. Qui a l'aspect, qui est de la nature de l'herbe. ‖ *Plantes herbacées*, plantes frêles, non ligneuses, qui meurent après la fructification. ◆ **herbage** n. m. Prairie naturelle qui sert au pâturage des bestiaux. ◆ **herbager** n. m. Éleveur qui engraisse les bestiaux destinés à la consommation. ◆ **herbeux, euse** adj. Où il y a de l'herbe. ◆ **herbicide** n. m. et adj. Produit chimique destiné à détruire les mauvaises herbes (syn. DÉSHERBANT). ◆ **herbier** n. m. **1.** Collection de plantes desséchées et pressées entre des feuilles de papier, utilisée pour les études botaniques. — **2.** Agglomération de plantes ou d'algues dans les étangs, les cours d'eau ou la mer. ◆ **herbivore** adj. et n. m. Se dit d'un animal qui se nourrit d'aliments végétaux, plus particulièrement d'herbes et de feuilles : *Les ruminants sont des herbivores.* ◆ **herborisation** n. f. Excursion en vue de la récolte des plantes. ◆ **herboriser** v. i. Recueillir des plantes pour les étudier, pour en faire un herbier, pour confectionner des remèdes. ◆ **herboriste** n. Commerçant qui vend des plantes médicinales, des produits d'hygiène, de la parfumerie (à l'exclusion des produits pharmaceutiques). ◆ **herboristerie** n. f. ◆ **désherber** v. t. *Désherber un lieu*, en enlever les mauvaises herbes. ◆ **désherbage** n. m. : *Le désherbage d'une allée.* ◆ **désherbant** n. m. Produit chimique destiné à détruire les mauvaises herbes (syn. HERBICIDE).

HERBIERS (Les), ch.-l. de cant. de la Vendée, à 25,5 km au S.-O. de Cholet; 12 500 hab.

HERBIVORE adj. et n. m., **HERBORISATION** n. f., **HERBORISER** v. i., **HERBORISTE** n., **HERBORISTERIE** n. f. ⟶ HERBE.

HERBLAY, comm. du Val-d'Oise, à 10 km au S.-E. de Pontoise; 20 000 hab.

HERCULANUM, v. de l'Italie ancienne, à l'E. de Naples.

À l'époque romaine, elle couvrait une douzaine d'ha et pouvait avoir une population de 5 000 à 6 000 hab., quand elle fut engloutie par un torrent de boue lors de l'éruption du Vésuve, en 79 apr. J.-C.

La nature humide et tourbeuse de certaines couches a remarquablement conservé les objets de la vie quotidienne, qui font d'Herculanum un des centres urbains les plus intéressants du monde ancien. Le plan en est octogonal; les rues sont pavées, avec trottoirs et portiques. On a dégagé des monuments publics (temples, théâtres, thermes), et surtout de nombreuses maisons.

HERCULE. *Antiq. rom.* Demi-dieu correspondant à l'*Héraclès** grec.

HERCULE [ɛrkyl] n. m. (de *Hercule*). Homme d'une très grande force physique (syn. COLOSSE) : *Un hercule forain* (= un lutteur de foire). ◆ **herculéen, enne** [ɛrkyleɛ̃, -ɛn] adj. : *Une force herculéenne* (syn. COLOSSAL).

HERCYNIEN, ENNE [ɛrsinjɛ̃, -ɛn] adj. (du lat. *Hercynia silva*, Forêt-Noire). *Plissement hercynien*, plissement de la fin de l'ère primaire (Carbonifère). [En France, il créa toute une série de reliefs qui, pénéplanés au début du Secondaire, ont été plus ou moins repris par les mouvements tectoniques tertiaires. Certains sont inclus dans les chaînes récentes (Alpes, Pyrénées). Les autres forment les « massifs anciens », aux hautes surfaces aplanies et aux vallées encaissées (Ardennes, Massif armoricain, Vosges, Massif central). Le plissement hercynien a affecté d'autres régions du monde : l'Amérique du Nord (Appalaches), l'U. R. S. S. (Oural), etc.]

***HERD-BOOK** [œrdbuk] n. m. (de l'angl. *herd*, troupeau, et *book*, livre). Livre généalogique des races bovines et de certaines races porcines. ‖ Pl. des *herd-books*.

1. *HÈRE [ɛr] n. m. (anc. fr. *haire*, malheureux). *Un pauvre hère*, un malheureux qui inspire de la pitié.

2. *HÈRE [ɛr] n. m. (néerl. *hert*, cerf). Jeune cerf ou jeune daim âgé de six mois à un an et n'ayant pas encore ses premiers bois.

HEREDIA (José María DE), poète français (1842-1905). Il a donné avec les sonnets des *Trophées* (1893) l'œuvre la plus caractéristique de l'esthétique parnassienne. (→ PARNASSE [*le*].)

HÉRÉDITÉ [eredite] n. f. (lat. *hereditas*). **1.** *Biol.* Transmission de certains caractères (normaux ou anormaux) des êtres vivants à leur descendance; ensemble des caractères ainsi transmis. ⟶ ENCYCL. — **2.** Caractères particuliers à un milieu géographique ou social et qui restent permanents à travers des générations : *Hérédité paysanne.* — **3.** Caractère d'une possession, d'une dignité transmise par voie de succession : *L'hérédité de la couronne.* ◆ **héréditaire** adj. Transmis par hérédité.
— ENCYCL. Les caractères transmis par *hérédité* peuvent être *généraux* ou *spécifiques*, et assurer la permanence des caractéristiques d'une espèce.

Ils peuvent être *raciaux* ou *familiaux* et assurer la transmission des traits propres à une race, une famille.

Tous sont véhiculés par les *gènes**, particules matérielles correspondant à un caractère donné; les gènes sont eux-mêmes groupés sur des *chromosomes*, sortes de bâtonnets organiques compris dans le noyau de chaque cellule, qui sont transmis de cellule mère à cellule fille lors de la division cellulaire.

Il peut arriver que lors de cette division cellulaire certains chromosomes soient endommagés de différentes façons : il en résulte un changement dans l'hérédité, qui sera perpétué dans les générations suivantes, et qui peut se révéler sous la forme d'une *maladie dite héréditaire*, ainsi l'hémophilie.

La science de l'hérédité est la *génétique**.

HÉRÉSIE [erezi] n. f. (gr. *hairesis*, choix). **1.** Opinion religieuse, philosophique ou politique contraire aux principes essentiels d'une religion ou d'une doctrine établie : *La condamnation d'une hérésie par l'Église.* — **2.** Opinion ou usage contraires aux manières de penser ou aux habitudes admises : *Servir du vin blanc avec une entrecôte est une hérésie* (syn. ↑SACRILÈGE). ◆ **hérétique** adj. et n. Qui soutient une hérésie : *Les hérétiques étaient condamnés par l'Église au supplice du feu.* ◆ adj. Entaché d'hérésie : *Des opinions hérétiques* (contr. ORTHODOXE).

HÉRICOURT, ch.-l. de cant. de la Haute-Saône, à 9 km au N. de Montbéliard; 10 100 hab. Centre industriel.

***HÉRISSER** [erise] v. t. (du lat. *ericius*, hérisson) [surtout au passif]. **1.** (sujet nom d'animal) Dresser ses poils, ses plumes, etc. — **2.** *Hérisser qq'un, une partie de son corps*, en faire dresser les poils, les cheveux (surtout au passif) : *Barbe hérissée* (syn. HIRSUTE). — **3.** Faire saillie sur une surface, sur un objet (surtout au passif) : *La planche est hérissée de clous.* — **4.** *Hérisser une chose*, la garnir d'objets menaçants, dangereux : *Fortin hérissé de mitrailleuses* (syn. ARMER). — **5.** *Hérisser qqch.*, le remplir de choses difficiles, désagréables : *Un concours hérissé de difficultés.* — **6.** *Hérisser qq'un*, le mettre en colère. ◆ **se *hérisser** v. pr. : *Ses cheveux se hérissent sur sa tête* (= se dresser). *Il se hérisse dès qu'il l'aperçoit* (= s'irriter).

1. *HÉRISSON [erisɔ̃] n. m. (lat. *ericius*). Mammifère qui se nourrit d'insectes, et dont le corps est couvert de piquants : *Le hérisson est utile, car il détruit des vers et larves nuisibles ainsi que des reptiles.*

2. *HÉRISSON [erisɔ̃] n. m. (de *hérisson* 1). Brosse métallique servant au ramonage des cheminées.

HÉRITER [erite] v. i. ou t. et t. ind. (lat. *hereditare*). **1.** *Hériter qqch. ou de qqch.*, recevoir un bien transmis par succession (la construction avec *de* est la plus fréquente) : *Il a hérité de la ferme de ses parents.* — **2.** Tenir quelque chose de quelqu'un, l'avoir reçu de ses parents : *Le fils a hérité de la nonchalance de sa mère.* ◆ **héritage** n. m. **1.** Bien transmis par voie de succession : *L'héritage de son oncle était très important.* — **2.** Ce qui est transmis par les parents, par la génération antérieure : *L'héritage culturel d'un pays.* ◆ **héritier, ère** n. **1.** Personne qui hérite : *L'héritier spirituel d'un savant* (syn. CONTINUATEUR, DISCIPLE). — **2.** *Fam.* Enfant : *Une riche héritière* (= jeune fille qui apporte en dot l'espoir d'une riche succession). ◆ **cohéritier, ère** n. Personne qui hérite avec une ou plusieurs autres. ◆ **déshériter** v. t. : *Déshériter qq'un* (= le priver d'une succession qu'il pouvait attendre). ◆ **déshérité, e** adj. et n. Privé de tout avantage naturel ou de biens matériels : *Une région déshéritée* (contr. RICHE). *Secourir les déshérités* (syn. PAUVRE).

HERMAPHRODISME [ɛrmafrɔdism] n. m. (du n. du fils d'*Hermès* et d'*Aphrodite*). État des êtres vivants qui présentent à la fois les organes reproducteurs (gamètes) des deux sexes. ◆ **hermaphrodite** adj. et n. Se dit d'un être humain, d'un animal, d'une plante où sont réunis les organes reproducteurs des deux sexes.

HERMÈS ou **HERMÊS,** dieu grec, assimilé à *Mercure* par les Latins. Messager des dieux, c'est le patron des voyageurs et de l'activité commerciale.

1. HERMÉTIQUE [ɛrmetik] adj. (de *Hermès*). *Fermeture hermétique*, qui ne laisse rien passer (syn. ÉTANCHE). ◆ **hermétiquement** adv. : *Une boîte hermétiquement close.*

2. HERMÉTIQUE [ɛrmetik] adj. (même étym.). Impossible ou difficile à comprendre : *Une poésie hermétique* (syn. ÉSOTÉRIQUE). *Un visage hermétique* (syn. IMPÉNÉTRABLE). ◆ **hermétiquement** adv. : *S'exprimer hermétiquement* (= d'une façon obscure). ◆ **hermétisme** n. m. : *L'hermétisme d'un poème* (syn. OBSCURITÉ).

HERMINE [ɛrmin] n. f. (lat. *Armenius mus*, rat d'Arménie). **1.** Petit mammifère carnivore dont le pelage, fauve l'été, devient blanc l'hiver, sauf l'extrémité de la queue, qui est toujours noire. (La fourrure d'hiver est recherchée.) [Famille des mustélidés.] — **2.** Bande de fourrure de cet animal, qui est fixée au costume de cérémonie des magistrats et des professeurs.

HERMINETTE [ɛrminɛt] n. f. (de *hermine*). Sorte de hache à tranchant recourbé, dont la lame est perpendiculaire à la direction du manche, et qui est utilisée à deux mains par le charpentier pour dresser les bois.

HERMON, massif montagneux appartenant à l'Anti-Liban, aux confins du Liban, de la Syrie et d'Israël; 2 814 m.

Hernani, drame de Victor Hugo, dont la première représentation au Théâtre-Français, le 25 février 1830, fut troublée par de violents affrontements entre les classiques et les romantiques *(bataille d'Hernani).*

HERNE, v. d'Allemagne (Rhénanie-du-Nord-Westphalie), dans la Ruhr; 173 000 hab.

***HERNIE** [ɛrni] n. f. (lat. *hernia*). *Méd.* Toute sortie d'un organe, en totalité ou non, hors de son emplacement habituel par un orifice naturel ou accidentel; tuméfaction formée par cet organe sous la peau. ‖ *Hernie étranglée*, hernie qu'on ne peut faire rentrer par des moyens externes. ◆ ***herniaire** adj. Relatif aux hernies : *Bandage herniaire.*

— ENCYCL. Les *hernies* peuvent affecter le *tube digestif :* ainsi les hernies de l'intestin ou de l'estomac à travers les orifices normaux de la cavité abdominale (*hernie inguinale, ombilicale, crurale*, suivant que l'intestin sort par les canaux inguinaux, ombilicaux, cruraux). Ces hernies se voient chez l'enfant. Elles peuvent *s'étrangler*, c'est-à-dire qu'on ne peut plus les faire rentrer dans leur cavité; la tuméfaction devient alors très douloureuse, dure. Tous ces signes imposent une intervention chirurgicale en urgence.

Les *disques intervertébraux* peuvent aussi être touchés : l'*hernie discale* siège dans la partie lombaire de la colonne vertébrale, partie la plus sollicitée lors d'efforts divers; elle atteint l'adulte et cause des douleurs lombaires et surtout sciatiques.

HÉRODE Ier le Grand (73-4 av. J.-C.), roi des Juifs (40-4 av. J.-C.). Il ordonna le massacre des enfants mâles à Bethléem *(massacre des saints Innocents).* — HÉRODE ANTIPAS, son fils, tétrarque de Galilée, régna de 4 av. J.-C. à 39 apr. J.-C. Il jugea Jésus-Christ et fit périr saint Jean-Baptiste.

HÉRODIADE ou **HÉRODIAS,** princesse juive (7 av. J.-C.-39 apr. J.-C.). Elle scandalisa les Juifs par son union incestueuse avec Hérode Antipas; elle obtint de ce dernier la tête de saint Jean-Baptiste.

HÉRODOTE, historien grec (v. 484-v. 420 av. J.-C.). Surnommé par Cicéron *le Père de l'histoire*, il décrit dans son œuvre principale, *Histoires*, l'opposition entre la civilisation grecque et le monde barbare (Égyptiens, Mèdes, Perses). Sa conception de l'histoire est influencée par son esprit profondément religieux qui l'entraîne à voir, dans chaque événement historique, l'intervention des dieux.

HÉROÏ-COMIQUE [erɔikɔmik] adj. (de *héroïque*, et *comique*). Se dit d'une œuvre littéraire dont l'intrigue, le déroulement sont faits d'incidents tragiques et comiques ou qui traite sur le ton épique un thème ridicule : *« Le Lutrin » de Boileau est un poème héroï-comique.*

1. HÉROÏNE n. f. → *HÉROS 1 et 2.

2. HÉROÏNE [erɔin] n. f. (all. *Heroin*). Drogue* dérivée de la morphine. ◆ **héroïnomane** n. Personne qui se drogue avec de l'héroïne.

HEROÏQUE adj., **HÉROÏQUEMENT** adv., **HÉROÏSME** n. m. → *HÉROS 1.

***HÉRON** [erɔ̃] n. m. (frq. *haigro*). Oiseau échassier au long cou, aux longues pattes et au bec allongé en pointe. (Le *héron* vole le cou replié entre les épaules, contrairement aux autres échassiers, qui volent avec le cou tendu. Il vit à proximité de l'eau où il pêche divers animaux aquatiques.) [Famille des ardéidés.] ◆ ***héronnière** n. f. **1.** Lieu où les hérons se réunissent pour nicher. — **2.** Endroit où l'on élève les hérons.

HÉRON l'Ancien ou **d'Alexandrie,** mathématicien et mécanicien grec du Ier s. apr. J.-C., né à Alexandrie. Posant en principe que la lumière suit toujours le chemin le plus court, il démontra la loi fondamentale de la réflexion.

***HÉRONNIÈRE** n. f. → *HÉRON.

1. *HÉROS [ero] n. m., **HÉROÏNE** [erɔin] n. f. (gr. *hêrôs*). **1.** (au masc. seulement) Nom donné par les Grecs aux grands hommes divinisés (syn. DEMI-DIEU). — **2.** (au masc.) Personnage légendaire à qui l'on attribue des qualités et des exploits (surtout guerriers) extraordinaires : *Les héros de l'Antiquité.* — **3.** Celui, celle qui s'est distingué par son très grand courage, par sa vertu exceptionnelle, par son dévouement, etc. : *Un héros de la dernière guerre. Mourir en héros.* ◆ **héroïsme** n. m. **1.** Grandeur d'âme exceptionnelle qui pousse au sacrifice de soi. — **2.** Caractère de ce qui est héroïque. ◆ **héroïque** adj. **1.** Qui s'est conduit en héros : *Un combattant héroïque.* — **2.** Se dit d'une chose digne d'un héros : *Résistance héroïque.* — **3.** Dont l'efficacité même est dangereuse : *Un remède héroïque.* — **4.** Fam. *Temps héroïques, époque héroïque*, époque où une technique en était encore à ses débuts : *Les temps héroïques de l'aviation, du cinéma.* ◆ **héroïquement** adv. : *Se conduire, souffrir héroïquement.*

2. *HÉROS [ero] n. m., **HÉROÏNE** [erɔin] n. f. (même étym.). Principal personnage d'une œuvre littéraire ou d'un film, d'un événement : *Ulysse est le héros de « l'Odyssée ». Le héros d'une aventure* (= celui qui en a été l'acteur principal). *Le héros de la fête* (= celui en l'honneur de qui la fête a été donnée). *Le héros du jour* (= celui qui joue le rôle principal dans l'événement le plus remarqué de la journée).

HÉROUVILLE-SAINT-CLAIR, ch.-l. de cant. du Calvados, à 3 km au N.-E. de Caen; 24 500 hab.

HERPÈS [ɛrpɛs] n. m. (gr. *herpês*, dartre). *Méd.* Éruption sur la peau de petites vésicules transparentes sur fond rouge.

HERPÉTOLOGIE n. f. → ERPÉTOLOGIE.

HERRERA (Francisco), dit **el Viejo** *(le Vieux)*, peintre espagnol (v. 1576-1656). Rompant avec la tradition, il peignit avec réalisme les tourments des martyrs, des visions apocalyptiques, les visages des Pères de l'Église ravagés par les mortifications. Il fut le premier maître de Vélasquez.

HERRIOT (Édouard), homme politique français (1872-1957). Maire de Lyon dès 1905, il présida le parti radical à partir de 1919. Il représenta le Rhône au Sénat (1912-1919), puis à la Chambre des députés (1919-1940) et eut de nombreuses responsabilités ministérielles sous la IIIe République. Après sa captivité en Allemagne (1944-1945), il reprit son activité à la Chambre et à la mairie de Lyon.

***HERSAGE** n. m. → *HERSE 2.

HERSCHEL (*sir* William), astronome anglais (1738-1822). Il découvrit la planète Uranus (1781) et peut être considéré comme le fondateur de l'astronomie moderne.

1. *HERSE [ɛrs] n. f. (du lat. *hirpex*). **1.** Grille armée de pointes, qu'on abaissait pour fermer l'accès d'une place forte. — **2.** Pièce de bois munie de pointes servant à barrer une route utilisée par la police.

2. *HERSE [ɛrs] n. f. (même étym.). Instrument agricole muni de dents de fer, avec lequel on égalise la surface d'un terrain labouré. ◆ ***herser** v. t. Passer la herse sur un sol. ◆ ***hersage** n. m. : *Le hersage permet de briser les mottes d'une terre labourée,* *de couvrir des semences, d'enfouir des engrais, de détruire les mauvaises herbes, etc.*

HERSERANGE, ch.-l. de cant. de Meurthe-et-Moselle, dans la banlieue nord-est de Longwy; 4 900 hab. Centrale thermique.

HERSTAL, ancienn. **Héristal,** comm. de Belgique, à 4 km au N.-E. de Liège; 29 800 hab. Manufacture d'armes. Métallurgie. Lieu de résidence préféré des premiers Carolingiens.

HERTZ (Heinrich), physicien allemand (1857-1894). Il a découvert en 1887 les ondes électromagnétiques, dites *ondes hertziennes*, et l'effet photo-électrique.

HERTZ [ɛrts] n. m. (de *Hertz*). *Phys.* Unité de fréquence (symb. : Hz) équivalant à la fréquence d'un phénomène périodique dont la période est 1 seconde.

HÉRULES, peuple germanique qui, conduit par Odoacre, s'empara de Rome en 476. Il fut battu par Théodoric en 489.

HERZÉGOVINE, région de Yougoslavie, faisant partie de la république de Bosnie*-Herzégovine.

• *1482. Les Turcs rattachent la région à la Bosnie.*

HERZEN (Aleksandr Ivanovitch), écrivain et révolutionnaire russe (1812-1870). Il publia en exil la revue politique et littéraire *la Cloche.*

HERZL (Theodor), écrivain juif hongrois (1860-1904), auteur de *l'État juif* (1896). Il élabora une politique juive nationale (sionisme) qui permettrait aux Juifs émigrés et persécutés de retrouver sur le sol ancestral (la Palestine) l'indépendance politique et la souveraineté nationale. Cette vision devint réalité quand, en 1948, l'État d'Israël fut proclamé à Jérusalem.

HERZOG (Maurice), alpiniste français, né en 1919. Il a réussi la première ascension de l'Annapūrnā en 1950, en compagnie de Lachenal.

HESBAYE (la), en néerl. **Haspengouw,** plaine de Belgique, au S.-E. de la Campine.

HÉSIODE, poète grec, né en Béotie vers le milieu du VIIIe s. av. J.-C. Ses poèmes *(la Théogonie, les Travaux et les jours)* reflètent la réalité sociale de la campagne grecque et proposent aux paysans un enseignement pratique.

HÉSITER [ezite] v. i. et t. ind. (lat. *haesitare*). **1.** (sujet nom d'être animé) Être dans l'incertitude sur ce que l'on va dire ou faire : *Prendre sans hésiter une décision* (syn. ATTENDRE, TERGIVERSER). *Hésiter sur le choix d'une carrière* (= être incertain, indécis). — **2.** Marquer un temps d'arrêt dans une action par embarras, manque de mémoire, trouble émotif, etc. : *L'élève hésitait en récitant sa leçon* (= ne trouvait pas ses mots). — **3.** *Hésiter à* (et l'infin.), avoir peur de, ne pas oser : *Hésiter à dire la vérité* (syn. CRAINDRE DE, REDOUTER DE). ◆ **hésitant, e** adj. et n. : *Un caractère hésitant* (syn. IRRÉSOLU). *Les pas hésitants d'un enfant* (contr. ASSURÉ). ◆ **hésitation** n. f. : *Il a accepté après bien des hésitations* (syn. ATERMOIEMENT, TERGIVERSATION). *Cette réponse lève mes hésitations* (syn. DOUTE, INCERTITUDE). *Marquer une hésitation avant de parler* (syn. ARRÊT).

HESPÉRIDES. *Myth. gr.* Nom de trois nymphes qui veillaient sur des pommes d'or donnant l'immortalité, dans un jardin que les Anciens localisaient aux extrémités du monde occidental.

HESS (Rudolf), homme politique allemand (1894-1987). Adjoint de Hitler depuis 1933, il s'enfuit en Écosse, en mai 1941, pour des raisons ignorées. Il y resta interné jusqu'à la fin du conflit. Déclaré irresponsable lors du procès de Nuremberg en raison de son état mental, il fut condamné à la prison à vie (1946) et interné dans la forteresse de Spandau (Berlin-Ouest), où il se suicida.

HESSE, en all. **Hessen,** État d'Allemagne; 21 100 km²; 5 535 000 hab. (262 au km²). Capit. *Wiesbaden* (250 100 hab.).

GÉOGRAPHIE. La Hesse s'étend sur la partie centrale de l'Allemagne hercynienne, constituée principalement de plateaux gréseux surmontés de reliefs volcaniques (Vogelsberg). La fortune de ses deux villes principales, Kassel au N. (214 200 hab.) et Francfort au S. (669 600 hab.), est ancienne, la région étant une vieille voie de passage entre la Rhénanie et l'Allemagne du Nord. Mais l'industrie s'y est développée, notamment à Francfort et le long de la vallée du Main (construction automobile, chimie). L'agriculture est un secteur mineur en raison de la pauvreté des sols, et l'exode rural est important.

HISTOIRE. La Hesse connut une histoire faite de partages et de réunifications successifs et fut divisée en trois États membres de la Confédération germanique : l'électorat de Hesse-Cassel, le landgraviat de Hesse-Hombourg et le grand-duché de Hesse-Darmstadt.

• *1868. Après leur annexion à la Prusse, Hesse-Cassel et Hesse-Hombourg forment, avec le duché de Nassau et la ville de Francfort-sur-le-Main, la province de Hesse-Nassau.*

• *1919. La Hesse devient une république membre du Reich.*

• *1949. Elle constitue un des États de la république fédérale d'Allemagne.*

HESSE (Hermann), poète et romancier allemand, naturalisé suisse (1877-1962), auteur de *Demian* (1919), du *Loup des steppes* (1927), du *Jeu des perles de verre* (1943). [Prix Nobel, 1946.]

HÉTÉR(O)-, élément tiré du gr. *heteros,* autre, et qui, en français, entre dans la composition de mots savants, au sens de « différent », « étranger » (contr. HOMO-).

HÉTÉROCLITE [eterɔklit] adj. (bas lat. *heteroclitus,* irrégulier). Qui est fait de pièces et de morceaux, qui présente un mélange d'éléments inattendus.

HÉTÉRODOXE [eterɔdɔks] adj. (de *hétéro-,* et gr. *doxa,* opinion). Qui ne se conforme pas à l'opinion habituellement reçue dans un milieu donné : *Des idées hétérodoxes* (syn. NON CONFORMISTE; contr. ORTHODOXE). ◆ **hétérodoxie** n. f. (contr. CONFORMISME).

HÉTÉRODYNE [eterɔdin] n. f. et adj. (de *hétéro-,* et gr. *dunamis,* force). Appareil permettant de produire des oscillations de haute fréquence, utilisé pour l'ajustage et la mise au point des récepteurs radiophoniques.

HÉTÉROGÈNE [eterɔʒɛn] adj. (de *hétéro-,* et gr. *genos,* origine). Se dit d'un tout qui est formé d'éléments dissemblables, disparates, souvent contraires : *Une classe hétérogène* (= dont les élèves sont de niveaux très différents) [contr. HOMOGÈNE]. *Population hétérogène* (syn. DISPARATE). *L'œuvre hétérogène d'un écrivain* (syn. COMPOSITE). ◆ **hétérogénéité** n. f.

HÉTÉROGREFFE n. f. ⟶ GREFFE 2.

HÉTÉROPTÈRES [eterɔptɛr] n. m. pl. (de *hétéro-,* et gr. *pteron,* aile). Sous-ordre d'insectes hémiptères, caractérisés par des ailes antérieures à demi transformées en élytres : *Les punaises des bois et les punaises aquatiques sont des hétéroptères.*

HÉTÉROTROPHIE [eterotrɔfi] n. f. (de *hétéro-,* et gr. *trophê,* nourriture). Mode d'alimentation des êtres vivants lorsqu'ils ne sont pas capables de fabriquer eux-mêmes leurs aliments à partir d'éléments simples tels que l'eau, les sels minéraux, le gaz carbonique (par oppos. à AUTOTROPHIE). ◆ **hétérotrophe** adj. Se dit d'un être vivant qui se nourrit de substances organiques, comme les animaux et la plupart des plantes dépourvues de pigment assimilateur.

— ENCYCL. Tous les animaux, tous les champignons et presque toutes les bactéries sont *hétérotrophes.* Ceux qui capturent des proies sont « prédateurs », d'autres sont « parasites », d'autres encore vivent en « saprophytes » aux dépens de la matière organique non vivante. Quelques-uns vivent en « symbiose » avec une plante verte. Seules, les plantes à chlorophylle sont *autotrophes* (= capables de fabriquer elles-mêmes leurs aliments).

HÉTÉROZYGOTE [eterɔzigɔt] n. m. *(hétéro-,* et *zygote). Biol.* Être porteur de gènes dissemblables sur chacun des chromosomes d'une même paire (par oppos. à HOMOZYGOTE).

HETMAN [ɛtmɑ̃] n. m. (mot slave). Chef élu des clans cosaques, à l'époque de leur indépendance.

***HÊTRE** [ɛtr] n. m. (frq. *haistr*). Arbre des forêts tempérées, à écorce lisse, à bois blanc, résistant et flexible, utilisé en menuiserie et dont les fruits sont les *faines.* (Famille des cupulifères.) ◆ ***hêtraie** n. f. Lieu planté de hêtres.

HETTANGE-GRANDE, comm. de la Moselle, à 6 km au N. de Thionville; 5 900 hab. Mine de fer.

***HEU !** ou **EUH !** [ø] interj. (onomat.). Marque en général le début hésitant d'un énoncé ou son interruption.

HEUR [œr] n. m. (lat. *augurium,* présage). *N'avoir pas l'heur de plaire à qq'un,* n'avoir pas la chance, le bonheur de lui plaire.

HEURE [œr] n. f. (lat. *hora*). **1.** Vingt-quatrième partie de la journée, unité de mesure du temps, de la durée : *Vingt-quatre heures* (= un jour), *quarante-huit heures* (= deux jours). ⟶ ENCYCL. ‖ *Quart d'heure* ⟶ QUART. — **2.** Chiffre indiquant une des divisions de la journée; moment déterminé du jour (les subdivisions suivent le mot *heure,* avec ou sans *et,* suivant les cas) : *Le car est à huit heures et demie. Il est parti à neuf heures un quart* (ou *et quart*). *Est-ce que tu as l'heure?* (= as-tu une montre pour me faire connaître l'heure?). *L'horloge n'est pas à l'heure* (= elle ne marque pas l'heure juste). *L'heure légale* (= déterminée par les règlements en usage). — **3.** Mesure de la distance évaluée d'après le temps passé à la parcourir : *Londres est à une heure de Paris par l'avion.* — **4.** Moment ou durée quelconque dans la journée ou dans la vie :

Je n'ai pas une heure à moi (= je suis surchargé d'occupations). *Ce livre vient à son heure* (= au moment favorable). *Il a cru sa dernière heure arrivée* (= le moment de sa mort). *Les nouvelles de dernière heure* (= celles qui sont arrivées juste avant l'édition du journal, l'émission de radio). *J'ai connu des heures de désespoir* (syn. PÉRIODE). *À ses heures, il est complaisant* (= quand cela lui convient). *À l'heure, à l'heure juste, juste à l'heure, à l'heure fixée* (= au moment déterminé). *Arriver à une heure indue* (= à un moment peu convenable de la journée). — **5.** Unité de travail et de salaire, correspondant en général à la vingt-quatrième partie du jour : *C'est l'heure de français* (syn. CLASSE, LEÇON). *Être payé à l'heure.* — LOC. ADV. *À l'heure qu'il est, pour l'heure, à l'heure actuelle, à cette heure,* en ce moment précis, à notre époque, dans la période présente. ‖ *À la bonne heure!,* voilà qui est bien. ‖ *De bonne heure,* très tôt le matin; au début de la vie (syn. TÔT). ‖ *D'une heure à l'autre,* en l'espace de quelques instants. ‖ *Sur l'heure,* à l'instant même (syn. SUR-LE-CHAMP). ‖ *Tout à l'heure,* dans très peu de temps (verbe au présent, au futur, au futur antérieur, etc.) : *Il va sortir tout à l'heure;* il y a très peu de temps (verbe au passé) : *Tout à l'heure, il est tombé un peu de grêle.* ‖ *À toute heure,* d'une manière continue, sans interruption. ◆ **demi-heure** n. f. Moitié d'une heure. ‖ Pl. des *demi-heures.* ◆ **horaire** [ɔrɛr] adj. Relatif aux heures : *Le salaire horaire* (= de l'heure de travail). ‖ *Fuseau horaire* → ENCYCL. ◆ n. m. Tableau des heures d'arrivée et de départ des trains, des avions, etc.; tableau et répartition des heures de travail; emploi du temps.

— ENCYCL. Les conditions de la vie moderne ont rendu nécessaire l'utilisation d'un mode de comptage du temps qui soit le même sur un territoire aussi étendu que possible; à cet effet, on a divisé la Terre en 24 fuseaux, dits *fuseaux horaires,* numérotés de 0 à 23 en allant vers l'E. Chaque pays est, d'après sa position géographique, rattaché à un ou plusieurs fuseaux. Le méridien origine, adopté internationalement, correspond à très peu de chose près au méridien de la lunette de l'ancien observatoire de Greenwich, près de Londres. Il est placé au centre du fuseau 0, qui s'étend ainsi de 7° 30′ de part et d'autre de lui. L'*heure de temps universel* (ou *heure T. U.*) est, à un instant donné, l'heure du méridien origine.

Les *heures* sont comptées actuellement de 0 à 24, chacune étant divisée en 60 minutes ou 3 600 secondes. L'habitude de diviser le jour en deux périodes de douze heures s'est conservée chez nous dans le langage courant, ainsi que dans les pays anglo-saxons. Chez ceux-ci, les heures sont toujours suivies de *a. m.,* abréviation de *ante meridiem* (= avant midi), ou *p. m.,* abréviation de *post meridiem* (= après midi) [3 p. m. = 15 heures].

L'heure, considérée comme unité de mesure angulaire, correspond à la vingt-quatrième partie de la circonférence, soit 15°.

HEUREUX, EUSE [œrø, -øz] adj. (de *heur*) [avant ou après le nom]. **1.** Se dit d'une personne qui jouit du bonheur, qui est favorisée par le sort; d'une chose qui exprime ce bonheur, qui en porte la marque : *Être heureux comme un roi. Être heureux au jeu* (syn. fam. VEINARD). *Il a un air heureux* (syn. ↑RADIEUX). — **2.** Se dit d'une chose qui procure un avantage, qui a des suites favorables : *Votre conseil s'est révélé très heureux* (syn. AVANTAGEUX, BON). *Il a eu la main heureuse* (= il a eu de la chance). *Il a une heureuse mémoire* (= excellente). — **3.** Qui manifeste une grande originalité, une parfaite justesse ou adaptation : *Une heureuse trouvaille de style.* — **4.** *Être heureux d'une chose,* en être satisfait, s'en réjouir : *Je suis heureux de vous revoir.* ◆ n. m. : *Faire un heureux, des heureux* (= procurer à quelqu'un un plaisir ou un avantage qu'il n'espérait pas). ◆ **heureusement** adv. **1.** D'une manière avantageuse, favorable : *Il est heureusement doué* (syn. AVANTAGEUSEMENT). *L'aventure finit heureusement* (syn. FAVORABLEMENT). — **2.** Par une chance extraordinaire : *Heureusement, le train arriva* (syn. PAR BONHEUR). — **3.** D'une manière originale : *Rime heureusement trouvée.*

HEURTER** [œrte] v. t. (du frq. *hurt,* bélier). **1.** *Heurter qqch., qq'un,* entrer rudement en contact avec eux : *Portez ces bouteilles sans les heurter* (syn. fam. COGNER). — **2.** *Heurter qq'un,* lui causer un choc moral, contrarier ses goûts, ses idées : *Ces paroles risquent de heurter certains* (syn. CHOQUER, OFFENSER, ↑SCANDALISER). — **3.** *Heurter qqch.* (nom abstrait), être en opposition totale avec lui : *Votre initiative va heurter de vieilles traditions* (syn. BOULEVERSER, BOUSCULER). — **4.** *Heurter de front qq'un, qqch.,* s'attaquer ouvertement à eux (syn. AFFRONTER). ◆ v. i. ou ***se heurter v. pr. *Heurter à,* donner des coups, généralement discrets, en vue de se faire ouvrir : *Heurter à la porte* (syn. FRAPPER); quand l'obstacle est désigné par un mot abstrait, on dit *se heurter à : Sa demande s'est heurtée à un refus catégorique.* ‖ *Heurter contre* ou *se heurter contre* ou *à,* rencontrer comme obstacle : *Il s'est heurté à un lampadaire, à un passant* (syn. BUTER). ◆ ***heurt** [œr] n. m. (langue soignée; souvent avec une négation) : *Déplacez sans heurt ce vase fragile* (syn. CHOC). *Amitié qui ne va pas sans heurts* (syn. FRICTION, FROISSEMENT). ◆ ***heurté, e** adj. : *Couleurs heurtées* (syn. CONTRASTÉ). *Style heurté* (= aux oppositions rudes). ◆ ***heurtoir** n. m. Marteau adapté à la porte d'une maison pour frapper.

HÉVÉA [evea] n. m. (d'une langue de l'Amazonie). Arbre originaire de l'Amérique du Sud, cultivé dans les régions tropicales pour son latex (= suc recueilli lorsqu'on incise son tronc) dont on tire le caoutchouc. (Famille des euphorbiacées.)

HEXAÈDRE [ɛgzaɛdr] n. m. et adj. (du gr. *hexa,* six, et *edra,* face). *Géom.* Polyèdre* ayant six faces. ‖ *Hexaèdre régulier,* hexaèdre dont les faces sont des triangles équilatéraux.

HEXAGONE [ɛgzagɔn] n. m. (du gr. *hexa,* six, et *gônia,* angle). **1.** *Géom.* Polygone* ayant six côtés : *La longueur d'un côté d'un hexagone régulier inscrit dans un cercle est égale au rayon de ce cercle.* — **2.** *L'Hexagone,* nom parfois donné à la France, en raison de sa forme qui peut être limitée par un hexagone régulier. ◆ **hexagonal, e, aux** adj.

HEXAMÈTRE [ɛgzamɛtr] adj. et n. m. (du gr. *hexa,* six, et *metron,* mesure). Se dit d'un vers, grec ou latin, qui a six pieds.

HEYWOOD (Thomas), auteur dramatique anglais (v. 1570-1641), un des maîtres du théâtre élisabéthain.

HIA-MEN ou **AMOY,** port de la Chine du Sud, en face de Formose; 260 000 hab.

HIATUS [jatys] n. m. (mot lat.). **1.** Rencontre de deux voyelles à l'intérieur d'un mot *(créa)* ou entre deux mots *(il dîna à Amiens).* — **2.** Manque de continuité, interruption entre deux faits, deux ensembles, qui auraient dû être continus ou joints : *Il y a un hiatus entre la génération des parents et la nôtre* (syn. DÉCALAGE, ↑FOSSÉ).

HIBERNER [ibɛrne] v. i. (lat. *hibernare,* passer l'hiver) [sujet nom désignant certains mammifères]. Passer l'hiver dans un état d'engourdissement : *Les chauve-souris, les hérissons, les loirs, les marmottes hibernent.* ◆ **hibernation** n. f. **1.** État léthargique, accompagné d'une forte baisse de la température du corps, dans lequel de nombreux mammifères passent l'hiver. (L'hibernation s'accompagne d'un jeûne total et d'un ralentissement de la respiration.) — **2.** *Hibernation artificielle,* procédé médical provoquant le refroidissement d'un malade (aux environs de 30 °C) et utilisé dans le traitement de brûlures graves ou pour faciliter certaines opérations chirurgicales.

HIBISCUS [ibiskys] n. m. (gr. *hibiskos,* guimauve). Arbre tropical à belles fleurs. (Famille des malvacées.)

***HIBOU,** pl. ***HIBOUX** [ibu] n. m. (onomat.). Nom général des oiseaux de proie nocturnes, et en particulier de ceux qui sont pourvus d'aigrettes, comme les ducs. (Ils ont un bec crochu et des serres puissantes, un vol silencieux. Ce sont des oiseaux utiles, qui détruisent quantité de rats, mulots et souris.)

***HIC** [ik] n. m. (du lat. *hic est quaestio,* ici est la question). Fam. *Voilà le hic, c'est là le hic, le hic c'est que...,* c'est la principale difficulté de l'affaire, l'obstacle majeur.

***HICHORY** [ikɔri] n. m. (algonquin *pohickery*). Arbre de l'Amérique du Nord dont le bois, très résistant, est utilisé dans la fabrication des skis, des canoës, etc.

HIDALGO [idalgo] n. m. (mot esp.). Noble espagnol. ‖ Pl. des *hidalgos.*

HIDALGO (Miguel), prêtre mexicain (1753-1811). Il proclama l'indépendance du Mexique (1810) et fut fusillé par les Espagnols.

***HIDEUX, EUSE** [idø, -øz] adj. (de l'anc. fr. *hisde,* peur) [avant ou après le nom]. D'une laideur horrible, repoussante : *Un visage hideux* (syn. AFFREUX). ◆ ***hideusement** adv.

HIDEYOSHI (Toyotomi), général et homme d'État japonais (1536-1598). Dictateur militaire à partir de 1582, il pacifia et unifia le Japon.

***HIE** [i] n. f. (bas all. *heie*). Lourde pièce de bois, ferrée à un bout, pour enfoncer les pavés (syn. DAME, DEMOISELLE).

HIER [ijɛr] adv. (lat. *heri*). **1.** Le jour qui précède immédiatement celui où l'on est (par rapport à un présent [*aujourd'hui*]; par rapport à un passé ou à un futur, on dit *la veille*) [→ TEMPS *(expression du)*] : *Il est parti hier soir* (ou *hier au soir*); comme substantif sans art. : *Je suis resté tout hier chez moi.* — **2.** Dans un passé récent, il y a peu de temps, à une date récente : *Je m'en souviens comme si c'était hier.* ‖ *Ne pas dater d'hier,* être très ancien, n'être pas nouveau. ‖ Fam. *Ne pas être né d'hier,* avoir de l'expérience. ◆ **avant-hier** [avɑ̃tjɛr] loc. adv. Le jour qui précède immédiatement hier (par rapport au présent [*aujourd'hui*]; par rapport à un passé ou à un futur, on dit *l'avant-veille*) : *Avant-hier soir, je suis allé au théâtre* (syn. IL Y A QUARANTE-HUIT HEURES).

***HIÉRARCHIE** [jerarʃi] n. f. (du gr. *hieros,* sacré, et *arkhein,* commander). **1.** À l'intérieur d'un groupe social, ordre dans lequel les personnes sont classées du rang supérieur jusqu'au rang inférieur, selon des critères d'importance, de responsabilité, de valeur, etc. : *La hiérarchie administrative, ecclésiastique, militaire.* — **2.** Classification d'éléments quelconques en une série croissante ou décroissante : *La hiérarchie des salaires* (syn. ÉCHELLE, ÉVENTAIL). ◆ ***hiérarchique** adj. Conforme à la hiérarchie : *Supérieur hiérarchique. Passer par la voie hiérarchique.* ◆ ***hiérarchiser** v. t. **1.** Organiser selon une hiérarchie. — **2.** Faire varier quelque chose selon une hiérarchie : *Hiérarchiser les salaires.* ◆ ***hiérarchisation** n. f. : *La hiérarchisation des salaires.*

HIÉRATIQUE [jeratik] adj. (du gr. *hieros*, sacré). **1.** Qui a une majesté, une raideur solennelle qui semble imposée par un rite : *Attitude, geste hiératique.* — **2.** *Écriture hiératique*, réservée aux choses sacrées chez les anciens Égyptiens.

HIÉROGLYPHE [jerɔglif] n. m. (du gr. *hieros*, sacré, et *gluphein*, graver). **1.** Chacun des signes qui servaient aux Égyptiens à écrire les mots de leur langue. ⟶ ENCYCL. — **2.** Écriture difficile à lire : *Je ne peux pas lire vos hiéroglyphes.* ◆ **hiéroglyphique** adj. Écrit en hiéroglyphes : *Texte hiéroglyphique.*
— ENCYCL. Les *hiéroglyphes* sont au nombre de plus de 700, avec d'infinies variantes. Champollion commença leur déchiffrage en 1822. Ils peuvent évoquer un objet ou une idée en rapport avec leurs formes ou simplement représenter un son.

***HI-FI** [ifi] adj. inv. (abrév. de l'angl. *high fidelity*, haute fidélité). Se dit d'un appareil de reproduction acoustique qui restitue les sons de façon pratiquement parfaite. ◆ n. f. Technique de la reproduction la plus parfaite possible des sons transmis.

HIGHLANDS *(Hautes Terres)* région de hauts plateaux de l'Écosse septentrionale, au N. des *Lowlands (Basses Terres).*

***HILAIRE** adj. ⟶ *HILE.

HILARE [ilar] adj. (gr. *hilaros*, joyeux). Qui montre une joie béate, un état de grand contentement : *Visage hilare* (syn. RÉJOUI; contr. MAUSSADE, RENFROGNÉ). ◆ **hilarité** n. f. Mouvement brusque de gaieté, qui se manifeste par une explosion de rires. ◆ **hilarant, e** adj. **1.** Qui provoque le rire. — **2.** *Gaz hilarant*, anc. nom de l'oxyde azoteux (N_2O), employé comme anesthésique.

HILBERT (David), mathématicien allemand (1862-1943). On lui doit des travaux essentiels en algèbre (notion de corps*), en théorie des nombres et en axiomatique. Il étudia systématiquement les fondements de la géométrie et fut le premier à présenter (en 1899) un exposé rigoureux de la géométrie plane, en corrigeant les oublis d'Euclide.

HILDESHEIM, v. d'Allemagne (Basse-Saxe); 101 000 hab. Anc. ville de la Hanse*, elle a conservé de nombreux monuments médiévaux.

***HILE** [il] n. m. (lat. *hilum*). *Anat.* Région déprimé par laquelle les vaisseaux sanguins et autres conduits pénètrent dans un viscère : *Hile du foie.* ◆ ***hilaire** adj. Qui se rapporte au hile d'un organe : *Un ganglion hilaire.*

HILLARY (*sir* Edmund), alpiniste néo-zélandais, né en 1919. Avec le Sherpa Tensing, il conquit le sommet de l'Everest en 1953.

HILOTE n. m. ⟶ ILOTE.

HILVERSUM, v. des Pays-Bas (Hollande-Septentrionale); 103 400 hab. Station de radiodiffusion.

HIMĀCHAL PRADESH, État de l'Inde, situé dans l'Himalaya occidental; 4 237 000 hab. Capit. *Simla.*

HIMALAYA, la plus haute chaîne de montagnes du monde, en Asie.

S'étendant sur 2 700 km de long entre l'Indus et le Brahmapoutre, et sur 250 à 500 km de large, l'Himalaya domine la plaine Indo-Gangétique en une vaste barrière. Chaîne récente (sa mise en place a débuté au Tertiaire mais des mouvements se prolongent jusqu'à l'époque actuelle), elle se compose de plusieurs ensembles, du S. au N. Relayant la zone des jungles *(terai),* les *Siwāliks* constituent une avant-chaîne régulièrement plissée atteignant 2 000 m. Au-delà se dresse l'Himalaya proprement dit, dépassant 5 000 m, et dont 14 sommets ont plus de 8 000 m d'altitude : 8 848 m au mont Everest, 8 611 m au pic K2. Au N. des hautes vallées du Brahmapoutre et de l'Indus se situe le *Transhimalaya* prolongé au N. par le haut plateau du *Tibet.*

L'Himalaya constitue une barrière climatique : le versant sud est très arrosé car il est frappé par les vents de mousson; le versant nord est au contraire très sec. La végétation s'étage avec l'altitude : la forêt monte jusqu'à 3 500 m, relayée par la prairie, tandis qu'au-dessus de 5 000 m s'étend le domaine des neiges éternelles. En raison de son altitude, la chaîne a toujours été un obstacle à la pénétration humaine et aux échanges entre l'Inde et l'Asie centrale.

HIMALAYEN, ENNE [imalajɛ̃, -jɛn] adj. De l'Himalaya.

HIMEJI, v. du Japon (Honshū); 408 400 hab. Sidérurgie.

HIMMLER (Heinrich), homme politique allemand (1900-1945). Chef de la Gestapo (= police secrète) en 1934, puis ministre de l'Intérieur en 1943, il dirigea la répression contre les adversaires du régime nazi et organisa l'extermination des Juifs. Il se donna la mort, après son arrestation.

HINDEMITH (Paul), compositeur allemand (1895-1963), un des maîtres de la musique allemande moderne. Son œuvre, très personnelle et très féconde, d'une grande vigueur, marque de son empreinte le langage musical de la première moitié du XXe s. (*Mathis le peintre*, 1934).

HINDENBURG (Paul VON), maréchal allemand (1847-1934). Il bat les Russes à Tannenberg, en 1914, et devient commandant en chef du front oriental. En 1925, il succède à Ebert comme président du Reich. Après avoir favorisé la formation de gouvernements conservateurs, il appelle Hitler à la chancellerie (fin 1932).

HINDĪ [ɛ̃di] n. m. Langue fédérale officielle de l'Inde.

HINDOU, E [ɛ̃du] adj. et n. (de *Inde*). Relatif à l'hindouisme. ◆ **hindouisme** n. m. (syn. BRAHMANISME*).

HINDOUSTAN, région de l'Inde, correspondant à la plaine Indo-Gangétique (par oppos. à l'*Inde péninsulaire* ou *Deccan*).

HINDŪ KŪCH ou **HINDOU KOUCH,** massif de l'Asie centrale, entre le Pamir et les Kouen-louen.

HIPPARQUE, astronome grec du IIe s. av. J.-C. On lui doit notamment l'introduction en Grèce de la division du cercle en 360 degrés, chacun divisible en 60 minutes de 60 secondes, ainsi que le premier catalogue d'étoiles.

***HIPPIE** ou ***HIPPY** [ipi] adj. et n. (mot angl.). Se dit de jeunes gens qui, fuyant les habitudes et les valeurs traditionnelles de la société bourgeoise, veulent se distinguer par leur aspect extérieur (cheveux longs, vêtements originaux), leur mode de vie bohême et leur attitude non conformiste (culte de la nature, goût pour la non-violence, la liberté sexuelle, la pop-music, penchant pour la drogue). ‖ Pl. des *hippies.*

HIPPIQUE [ipik] adj. (gr. *hippikos*). Relatif aux chevaux, à l'équitation. ◆ **hippisme** n. m. Sport qui comprend toutes les formes d'épreuves où intervient le cheval.

HIPPOCAMPE [ipɔkɑ̃p] n. m. (du gr. *hippos*, cheval, et *kampê*, courbure). Poisson marin osseux, de petite taille (10 à 15 cm), dont la tête rappelle celle du cheval. (L'hippocampe est caractérisé par sa position de nage verticale et par sa tête recourbée qui porte un long museau en tube s'ouvrant au bout par un minuscule clapet. Son corps porte de fortes crêtes longitudinales et transversales.) [Nom usuel CHEVAL MARIN.] (Famille des syngnathidés.)

HIPPOCRATE, le plus grand médecin de l'Antiquité (v. 460-v. 377 av. J.-C.). Sa renommée était universelle. Les règles morales de l'art de guérir qu'Hippocrate a établies sont à l'origine du serment que prêtent les médecins avant d'exercer leur art *(serment d'Hippocrate).*

HIPPODROME [ipɔdrom] n. m. (du gr. *hippos*, cheval, et *dromos*, course). Lieu où se déroulent des courses de chevaux (syn. CHAMP DE COURSES).

HIPPOGRIFFE [ipɔgrif] n. m. (du gr. *hippos*, cheval, et de l'it. *grifo*, griffon). Animal fabuleux, moitié cheval et moitié griffon, qui figure dans les romans de chevalerie.

HIPPOMOBILE [ipɔmɔbil] adj. (du gr. *hippos*, cheval, et *mobile*). Se dit de voitures tirées par des chevaux.

HIPPOPHAGIQUE [ipɔfaʒik] adj. (du gr. *hippos*, cheval, et *phagein*, manger). *Boucherie hippophagique*, où l'on vend de la viande de cheval (syn. CHEVALIN).

HIPPOPOTAME [ipɔpɔtam] n. m. (du gr. *hippos*, cheval, et *potamos*, rivière). Très gros mammifère (env. 2 t), herbivore non ruminant, qui vit dans les fleuves africains. (Ordre des ongulés, sous-ordre des artiodactyles.)

HIRO-HITO (1901-1989). Empereur du Japon de 1926 à sa mort. Monarque absolu, il encourage le nationalisme japonais et déclare la guerre aux États-Unis (attaque de Pearl Harbor, 7 décembre 1941). Contraint à la capitulation par l'explosion des bombes atomiques sur Hiroshima et Nagasaki (6 et 9 août 1945), il doit consentir à l'établissement d'une monarchie constitutionnelle.

HIRONDELLE [irɔ̃dɛl] n. f. (du lat. *hirundo*). Oiseau passereau, à dos noir et ventre blanc, à queue fourchue, strictement insectivore : *L'hirondelle effectue des migrations saisonnières entre l'Europe et l'Afrique noire.* ‖ *Nid d'hirondelle*, nid de la salangane, que cet oiseau fabrique en régurgitant du jabot une substance gélatineuse provenant des algues absorbées, et qui constitue un mets très apprécié des Chinois.

HIROSHIGE (Andō), dessinateur, graveur et peintre japonais

(1797-1858). Considéré comme le plus grand paysagiste japonais du XIXe s., il a produit plusieurs milliers d'estampes qui influencèrent les impressionnistes et l'art occidental. Il sut parfaitement saisir toutes les nuances de l'atmosphère des différentes saisons, de la pluie et de la neige, unissant la précision à la poésie.

HIROSHIMA, v. du Japon, dans la partie sud-ouest de Honshū, sur la mer Intérieure; 852 600 hab.

• *6 août 1945. Les Américains lancent sur la ville la première bombe atomique qui fait 150 000 victimes, dont 80 000 tués.*

HIRSON, ch.-l. de cant. de l'Aisne, sur l'Oise, à 13 km au S. de Fourmies; 11 800 hab. Métallurgie. Textiles.

HIRSUTE [irsyt] adj. (lat. *hirsutus*). Se dit de quelqu'un dont la chevelure ou la barbe très fournie est en désordre.

HISPANIOLA, nom donné par Christophe Colomb à l'île d'HAÏTI*

HISPANIQUE [ispanik] adj. (du lat. *Hispanus*, Espagnol). Relatif à l'Espagne. ◆ **hispanisant, e** adj. et n. Qui étudie la langue et la civilisation espagnoles. ◆ **hispano-américain, e** adj. et n. Qui appartient à l'Amérique du Sud de langue espagnole. ◆ **hispano-moresque** adj. Se dit de l'art musulman au temps de la domination des califes de Cordoue sur l'ouest du bassin méditerranéen, et particulièrement de la céramique.

hispano-américaine *(guerre)*, conflit qui opposa en 1898 les États-Unis à l'Espagne en lutte contre ses colonies révoltées de Cuba et des Philippines. Par le traité de Paris, l'Espagne perdit Cuba, devenue indépendante, Porto Rico, les Philippines et l'île de Guam, cédés aux États-Unis.

HISPANO-MORESQUE adj. ⟶ HISPANIQUE.

HISSER** [ise] v. t. (néerl. *hijsen*). Faire monter en tirant ou en soulevant avec effort : *Hisser les voiles. Hisser les valises sur le porte-bagages* (syn. SOULEVER). ◆ ***se *hisser v. pr. S'élever avec effort ou difficulté.

HISTAMINE [istamin] n. f. (du gr. *histos*, tissu, et *amine*). Substance organique qui stimule les sécrétions et intervient dans l'activité des capillaires sanguins. ◆ **histaminique** adj. Relatif à l'histamine ou produit par elle.

HISTOIRE [istwar] n. f. (lat. *historia*). **1.** Récit cherchant à reconstituer le déroulement des événements de la vie d'un peuple, d'un individu, d'une discipline, etc. : *L'histoire de France. Écrire l'histoire de Napoléon Ier* (syn. BIOGRAPHIE). *L'histoire de l'art. La petite histoire* (= l'histoire anecdotique). — **2.** Science dont le domaine comprend l'ensemble des faits et des événements qui constituent le passé de l'humanité, considérés dans leur déroulement et étudiés selon une méthode rigoureuse : *Un professeur d'histoire.* — **3.** Récit d'événements réels ou imaginaires : *Les enfants aiment les histoires* (syn. CONTE). — **4.** Récit mensonger : *Ce sont des histoires!* — **5.** Suite, succession d'événements : *Il est le héros de l'histoire* (syn. AFFAIRE). *C'est toute une histoire* (= c'est un fait long à raconter). *C'est une autre histoire* (= c'est un sujet tout différent). — **6.** Incident, contretemps qui trouble le déroulement normal de quelque chose : *C'est une histoire d'argent qui les divise* (syn. QUESTION). *Je ne veux pas d'histoires* (syn. ENNUI). *Faire des histoires*, donner à un fait une importance exagérée. — LOC. PRÉP. Très fam. *Histoire de*, dans la seule intention de. ◆ **historien, enne** n. Personne qui étudie l'histoire, qui écrit des ouvrages d'histoire (sens 1 et 2). ◆ **historiette** n. f. Petit récit d'une aventure plaisante, souvent imaginée. ◆ **historiographe** n. m. Écrivain chargé officiellement d'écrire l'histoire de son temps, d'un souverain. ◆ **historique** adj. **1.** Qui appartient à l'histoire : *Les circonstances historiques de l'attentat. Un monument historique* (= qui présente un intérêt pour l'histoire). — **2.** Attesté par l'histoire : *Un personnage historique.* ◆ n. m. Exposé de faits dans leur déroulement chronologique : *Faire l'historique d'une science.* ◆ **historiquement** adv. ◆ **historicité** n. f. Caractère de ce qui est attesté par l'histoire : *Prouver l'historicité d'un document.*
— ENCYCL. On divise l'*histoire* en quatre périodes : l'*histoire ancienne*, période s'étendant du début des civilisations connues jusqu'en 395 (mort de l'empereur romain Théodose) ou 476 (fin de l'Empire romain d'Occident); le *Moyen Âge*, période intermédiaire entre l'histoire ancienne et l'histoire moderne, de 395 ou 476 à 1453 (prise de Constantinople par les Turcs) ou 1492 (découverte de l'Amérique); les *Temps modernes*, période qui s'étend de la fin du Moyen Âge à la Révolution française (1789); l'*époque contemporaine*, qui s'étend de 1789 à nos jours.

Histoire naturelle, par Buffon et ses collaborateurs (1749-1789; 36 volumes).

Histoires extraordinaires, recueil de nouvelles d'Edgar Poe (1840-1845).

HISTOLOGIE [istɔlɔʒi] n. f. (du gr. *histos*, tissu, et *logos*, science). Étude descriptive, à l'aide du microscope, des tissus animaux et végétaux et des cellules qui les constituent.

HISTORICITÉ n. f. ⟶ HISTOIRE.

HISTORIÉ, E [istɔrje] adj. (du lat. *historia*, histoire). **1.** Se dit de livres anciens, de bibles ornées de scènes à plusieurs personnages. ‖ *Lettre historiée*, lettre capitale dans laquelle est représentée une scène. — **2.** *Chapiteau historié*, chapiteau où sont figurés des personnages sculptés.

HISTORIEN, ENNE n., **HISTORIETTE** n. f., **HISTORIOGRAPHE** n. m., **HISTORIQUE** adj. et n. m., **HISTORIQUEMENT** adv. ⟶ HISTOIRE.

HISTRION [istrijɔ̃] n. m. (lat. *histrio*, comédien). **1.** Dans l'Antiquité, acteur qui jouait des farces grossières, avec accompagnement de flûte. — **2.** Celui qui a les défauts du mauvais acteur; charlatan.

HITCHCOCK (Alfred), cinéaste anglais, naturalisé américain (1899-1980). Il réalisa de nombreux films à « suspense », parmi lesquels *les Trente-Neuf Marches* (1935), *Une femme disparaît* (1938), *l'Inconnu du Nord-Express* (1951), *Mais qui a tué Harry?* (1955), *la Mort aux trousses* (1959), *Psychose* (1960), *Frenzy* (1971).

HITLER (Adolf), homme politique allemand, né en Autriche (1889-1945).

Engagé dans l'armée allemande au cours de la Première Guerre mondiale, il entre en 1919 au parti ouvrier allemand, groupe d'extrême droite, futur parti national-socialiste *(nazi)* dont il devient rapidement le chef.

• *1923. Hitler tente de s'emparer du pouvoir en Bavière.*

Il échoue et est emprisonné. Pendant sa détention, il écrit *Mein Kampf*, où il précise sa doctrine nationaliste et raciste.

À partir de la crise de 1929, l'influence du parti nazi va en augmentant.

• *1933. Hitler devient chancelier.*

Il reçoit les pleins pouvoirs et élimine ses adversaires.

• *1934. À la mort du maréchal Hindenburg, chef de l'État, Hitler cumule les fonctions de président et de chancelier du Reich, et prend le titre de Führer.*

Il met alors en pratique les idées de *Mein Kampf*. Sa politique dictatoriale vise la grandeur de l'Allemagne par tous les moyens et poursuit un double but : effacer les conséquences du traité de Versailles et ouvrir à l'Allemagne de nouvelles zones d'expansion.

À l'intérieur, par l'organisation d'une police d'État, la Gestapo, et l'encadrement du pays par les fanatiques hitlériens, les S. S., il élimine systématiquement les opposants au régime et les « non-aryens » (Juifs) en les envoyant dans des camps de concentration.

Sa politique extérieure agressive vis-à-vis de ses voisins (occupation militaire de la Rhénanie en 1936, annexion de l'Autriche ou *Anschluss*, annexion des Sudètes en 1938, de la Bohême et de la Moravie en 1939, invasion de la Pologne en 1939) aboutit à la Seconde Guerre mondiale.

Les défaites polonaises et françaises et l'occupation d'une grande partie de l'Europe assurent à Hitler une domination qui va s'effriter progressivement devant les offensives des Soviétiques, des Américains et de leurs alliés.

Dans Berlin en train d'être conquise par les Soviétiques, Hitler est finalement acculé au suicide.

HITLÉRIEN, ENNE [itlerjɛ̃, -ɛn] adj. Relatif à la doctrine de Hitler. ◆ **hitlérisme** n. m. Doctrine de Hitler.

***HIT-PARADE** [itparad] n. m. (mot angl.). Classement dans leur ordre décroissant des chansons à succès. (L'Administration préconise PALMARÈS.)

HITTITES, peuple indo-européen qui fonda, au IIe millénaire av. J.-C., un puissant empire en Asie Mineure; celui-ci s'effondra aux XIIIe-XIIe s. av. J.-C. Les fouilles commencées en 1893 permirent de découvrir la civilisation hittite.

HIVER [ivɛr] n. m. (bas lat. *hibernum*). Saison la plus froide de l'année (du 21 ou 22 décembre au 20 ou 21 mars), dans l'hémisphère Nord. ◆ **hivernal, e, aux** adj. Propre à l'hiver : *Température hivernale* (contr. ESTIVAL). ◆ **hivernale** n. f. En hiver, ascension ou course en haute montagne. ◆ **hiverner** v. i. Passer l'hiver à l'abri. ◆ **hivernage** n. m. **1.** Temps de relâche pour les marins pendant l'hiver. — **2.** Séjour des troupeaux à l'étable pendant l'hiver. — **3.** Saison des pluies, dans les régions tropicales.

HJELMSLEV (Louis Trolle), linguiste danois (1899-1965), l'un des pionniers de la linguistique structurale.

H. L. M. [aʃɛlɛm] n. m. ou f. (initiales de *habitation à loyer modéré*). Immeuble destiné à loger des personnes à revenus modestes.

HOANG-HO ⟶ HOUANG-HO.

HOBART, port du sud-est de l'Australie, capit. de la Tasmanie ; 162 000 hab.

HOBBES (Thomas), philosophe anglais (1588-1679), auteur du *Léviathan* (1651), œuvre qui marqua un tournant dans l'histoire de la pensée politique.

***HOBEREAU** [ɔbro] n. m. (de l'anc. fr. *hobe*, faucon). Propriétaire terrien d'origine noble, qui vit sur ses terres (littér.).

HOCHE (Lazare), général français (1768-1797). Général de brigade sous la Révolution, il fut nommé commandant de l'armée de la Moselle, puis chargé de pacifier la Vendée (1796).

***HOCHEMENT** n. m. ⟶ *HOCHER.

***HOCHEQUEUE** [ɔʃkø] n. m. (de *hocher*, et *queue*). Nom usuel de la BERGERONNETTE qui remue continuellement la queue.

***HOCHER** [ɔʃe] v. t. (frq. *hottisôn*, secouer). *Hocher la tête*, la remuer pour exprimer le doute, l'incertitude, la désapprobation ou, moins souvent, l'accord. ◆ ***hochement** n. m. : *Approuver d'un hochement de tête.*

***HOCHET** [ɔʃɛ] n. m. (de *hocher*). Petit jouet qui fait un léger bruit quand on le remue et que l'on donne aux enfants en bas âge.

HÔ CHI MINH *(Qui apporte les lumières)*, homme politique vietnamien (1890-1969). Après avoir pris part à des activités révolutionnaires au Tonkin, il fonde en 1930 le parti communiste indochinois et, en 1941, l'organisation du Viêt-minh, pour lutter contre l'influence coloniale sur son pays. Après la capitulation japonaise (1945), il proclame à Huê la république démocratique du Viêt-nam dont il est nommé président (1946). Les négociations de Fontainebleau (1946) ayant échoué, il poursuit jusqu'à l'armistice de Genève (1954) la lutte contre la France. Il anime ensuite le combat contre les armées sud-vietnamienne et américaine.

HÔ CHI MINH-VILLE → SAIGON.

***HOCKEY** [ɔkɛ] n. m. (mot angl. signif. *crosse*). Jeu de balle pratiqué avec une crosse de bois et dont les règles rappellent celles du football. ◆ ***hockeyeur, euse** n. Joueur de hockey.
— ENCYCL. On dit souvent *hockey sur gazon*, par oppos. à *hockey sur glace*, jeu analogue, pratiqué sur la glace par des patineurs et où la balle est remplacée par un palet. Le hockey sur gazon se joue à onze, en deux mi-temps de trente-cinq minutes chacune. Le hockey sur glace se pratique à six en trois périodes de vingt minutes chacune de jeu effectif.

HODJA ⟶ HOXHA.

HODLER (Ferdinand), peintre suisse (1853-1918), auteur de compositions historiques *(Marignan)* et de paysages alpestres.

HODNA (*chott* **el-**), dépression marécageuse des hautes plaines de l'Algérie orientale.

HOFFMANN (Ernst Theodor Amadeus), écrivain et compositeur allemand (1776-1822). Il doit sa célébrité à ses nouvelles fantastiques, où la plus vive imagination se fonde sur une observation précise et savoureuse de la réalité quotidienne. Ses récits *(Casse-Noisette et le Roi des rats*, 1816; *les Mines de Falun*, 1819; *Contes des frères Sérapion*, 1819-1821; *la Princesse Brambilla*, 1821) inspirèrent de nombreux musiciens, dont Tchaïkovski et Offenbach.

HOFMANNSTHAL (Hugo VON), écrivain autrichien (1874-1929). Dans son théâtre poétique, il analyse les problèmes du monde moderne à la lumière des mythes antiques et médiévaux (*le Fou et la Mort*, 1893; *Yedermann*, 1911; *la Tour*, 1925) et s'attache à défendre la culture humaniste.

HOGARTH (William), peintre anglais (1697-1764). D'inspiration satirique, ses tableaux forment souvent des suites racontant une histoire *(la Vie du roué)*. Il les reproduisait en gravures qui rencontrèrent un très grand succès. Son œuvre offre le spectacle réaliste et moralisateur de la vie d'une grande ville et de la corruption des mœurs.

HOGGAR ou **AHAGGAR,** massif volcanique du Sahara algérien; 2 918 m au Tahat. Il est habité par les Touaregs.

HOHENSTAUFEN, famille originaire de Souabe, fondée au XIe s. par FRÉDÉRIC DE STAUFEN (1079-1105), qui donna plusieurs empereurs à l'Allemagne, et notamment : CONRAD III (1138-1152), FRÉDÉRIC Ier BARBEROUSSE (1152-1190), FRÉDÉRIC II (1220-1250).

HOHENZOLLERN, famille allemande, qui a donné naissance à la dynastie royale de Prusse. Fondée au XIIe s. par FRÉDÉRIC, comte DE ZOLLERN, elle se scinda en deux branches en 1227.

- *1701. La branche franconienne, la plus importante, accède au trône de Prusse.*

Désormais, les Hohenzollern s'efforcent d'écarter les Habsbourg d'Allemagne.

- *1871. Ils triomphent en devenant famille impériale d'Allemagne.*

La dynastie conserve la couronne impériale jusqu'en 1918.

HOHNECK (le), sommet des Vosges, à l'O. de Munster ; 1 362 m.

HOKKAIDŌ, la plus septentrionale des quatre grandes îles constituant le Japon; 78 500 km^2; 5 232 000 hab. (66 au km^2). Ch.-l. *Sapporo.*
Île montagneuse jalonnée de volcans actifs, Hokkaidō connaît un climat rude aux longs hivers enneigés. C'est l'île la moins peuplée du pays, et seule une faible proportion de ses terres est mise en valeur : on y cultive surtout du riz et un peu d'avoine pour l'élevage des chevaux. La pêche est très active, tant sur les côtes qu'au large (morue, hareng, saumon). Malgré des ressources en charbon, en fer et autres minerais, l'industrie y est peu développée : seul un centre sidérurgique a été créé à Muroran.

HOKUSAI (Katsushika), peintre, dessinateur et graveur japonais (1760-1849). Il a fixé, avec un sens extraordinaire du mouvement les personnages qu'il rencontrait, les scènes auxquelles il assistait. Remarquable dessinateur, précis et cursif, il eut de nombreux élèves et exerça une forte influence sur le dessin occidental.

***HOLÀ !** [ɔla] interj. *(ho!*, et *là)*. Sert à appeler, à attirer l'attention vers soi, à avertir d'un danger. ◆ n. m. *Mettre le holà à qqch.*, y mettre fin.

HOLBACH (Paul Henri DIETRICH, *baron* D'), philosophe français (1723-1789), matérialiste et athée, auteur du *Système de la nature* (1770). Il s'est notamment attaqué aux textes fondamentaux du christianisme dans lequel il voyait une forme particulièrement redoutable du despotisme.

HOLBEIN (Hans), dit **le Vieux**, peintre allemand (v. 1465-1524). Il peignit des retables (= construction sur laquelle s'appuie l'autel d'une église) et des portraits. — Son fils HANS, dit *le Jeune* (1497-1543), se spécialisa dans le genre du portrait, dont il fut un des grands maîtres. Devenu portraitiste officiel de la cour d'Angleterre, il représenta Henri VIII et les grands personnages de l'époque *(Jane Seymour, Anne de Clèves)*. Ses peintures et ses dessins, d'une admirable précision, révèlent la psychologie des modèles.

HÖLDERLIN (Friedrich), poète allemand (1770-1843). Ses œuvres, dont la forme atteint la perfection, sont peu nombreuses (un roman, *Hyperion*, 1797-1799; une tragédie inachevée, *la Mort d'Empédocle*, 1798-1799; et surtout des poèmes), mais constituent un univers poétique très original où s'harmonisent la beauté de la Grèce antique et l'esprit de l'Allemagne, et où le romantisme s'élève jusqu'à un rêve mystique. Considéré aujourd'hui comme un des plus grands poètes allemands, il exerce une influence capitale sur la poésie moderne.

***HOLDING** [ɔldiŋ] n. m. (de l'angl. *to hold*, tenir). Société anonyme qui contrôle, grâce à ses participations financières, un groupe d'entreprises de même nature, entre lesquelles elle crée une communauté d'intérêts.

***HOLD-UP** [ɔldœp] n. m. inv. (mot angl.). Attaque à main armée contre un établissement bancaire, un commerce, un bureau de poste, etc., en vue de le dévaliser.

HOLGUÍN, v. de Cuba, dans la partie orientale de l'île 306 000 hab.

***HOLLANDAIS, E** [ɔllɑ̃dɛ, -ɛz] adj. et n. De la Hollande *Peintre hollandais. Un Hollandais.* ◆ n. m. Dialecte néerlandais parlé en Hollande.

HOLLANDE, région occidentale des Pays-Bas, partagée en deux provinces : la *Hollande-Septentrionale* (2 282 700 hab.) et la *Hollande-Méridionale* (3 018 500 hab.). → carte PAYS-BAS.

GÉOGRAPHIE. Comprise entre le Zuiderzee, l'embouchure du Rhin et la mer du Nord, la Hollande est constituée en majeure partie de terres gagnées sur la mer grâce à un dense réseau de digues et de canaux. Sur ces sols fertilisés est pratiquée une agriculture intensive : cultures maraîchères, plantes fourragères pour l'élevage bovin. C'est la partie vitale des Pays-Bas, dont elle regroupe les principales villes (Amsterdam, Rotterdam, La Haye qui sont aussi les plus grands foyers industriels.

HISTOIRE. Peuplée initialement de Bataves, la Hollande resta aux marges de l'Empire romain. Elle devint comté en 922. À la fin du XIIIe s., elle est déjà une puissance maritime et industrielle importante (laine).

- *1477. Le comté de Hollande devient une possession de la maison d'Autriche.*
- *1572. Guillaume* d'Orange est reconnu comme stathouder par les États de Hollande.*
- *1579. La proclamation de l'Union d'Utrecht permet l'établissement de la république des Provinces-Unies.*

Partie la plus riche et la plus peuplée du nouvel État, la Hollande y ɔue un rôle essentiel tel que les habitants des Provinces-Unies ont souvent désignés du nom de *Hollandais.*

HOLLANDE [ɔllɑ̃d] n. m. (de *Hollande*). **1.** Fromage à croûte ouge, en forme de boule ou plat. — **2.** Papier de luxe.

IOLLYWOOD, faubourg de Los Angeles, centre de l'industrie inématographique américaine.

Iolmes (Sherlock), personnage principal des romans de Conan)oyle, modèle du détective amateur.

IOLMIUM [ɔlmjɔm] n. m. (de [*Stock*]*holm*). Métal (Ho), du ;roupe des terres rares.

IOLOCAUSTE [ɔlɔkost] n. m. (du gr. *holos*, entier, et *kaiein*, rûler). **1.** Chez les juifs, sacrifice religieux où la victime était ntièrement consumée par le feu; la victime ainsi sacrifiée. – **2.** Génocide (en particulier celui des Juifs en Europe entre 1939 t 1945). — **3.** *S'offrir en holocauste,* se sacrifier totalement ittér.).

IOLOCÈNE [ɔlɔsɛn] adj. et n. m. (du gr. *holos*, entier, et *ainos*, récent). *Géol.* Se dit de la période la plus récente de l'ère uaternaire.

IOLOGRAPHIE [ɔlɔgrafi] n. f. (du gr. *holos*, entier, et *ɔhoto*]*graphie*). Méthode de photographie en relief. ◆ **holo-ramme** n. m. Cliché photographique transparent, pris avec la ımière émise par un laser, qui, éclairé sous un certain angle par ne source lumineuse monochromatique et ponctuelle, restitue ne image en relief de l'objet photographié.

IOLOPHERNE, général de Nabuchodonosor, tué durant son ɔmmeil par Judith aux portes de Béthulie, qu'il assiégeait. (Bible.)

IOLOTHURIE [ɔlɔtyri] n. f. (gr. *holothourion*). Échinoderme u corps mou, vivant sur le fond des mers. (L'orifice buccal est ntouré de bras « ambulacraires » servant à capturer des proies.)

IOLSTEIN, ancien État de la Confédération germanique, formant aujourd'hui, avec le sud du Schleswig, l'État de Schles-ig*-Holstein (Allemagne). Érigé en comté en 1110, le Holstein ıt annexé en 1864 à la Prusse.

'HOMARD [ɔmar] n. m. (danois *hummer*). Crustacé décapode narin, dont le corps atteint parfois 50 cm de long, bleu marbré de aune, à grosses pinces constituées par la première paire de pattes horaciques. (Il se pêche avec des casiers sur les fonds rocheux es côtes, à une profondeur de 15 à 50 m.)

IOMBOURG-HAUT, comm. de la Moselle, à 7 km au N.-E. de Saint-Avold; 10 100 hab.

IOMÉCOURT, ch.-l. de cant. de Meurthe-et-Moselle, à 7 km au ı.-E. de Briey, sur l'Orne; 8 100 hab. Sidérurgie.

Iome Fleet, nom donné par les Anglais à la partie de leur flotte e guerre affectée à la protection immédiate du Royaume-Uni.

IOMÉLIE [ɔmeli] n. f. (gr. *homilia*, réunion). **1.** Prédication aite au cours de la messe (syn. SERMON). — **2.** Discours moralisa-eur (souvent péjor.).

IOMÉOPATHIE [ɔmeɔpati] n. f. (du gr. *homoios*, semblable, t *pathos*, maladie). Système de soins qui consiste à traiter les ıaladies par des doses très faibles de substances qui déterminent, fortes doses, chez l'homme sain, des symptômes analogues à eux que l'on combat : *Le précurseur de l'homéopathie est 'Allemand Hahnemann* (par oppos. à ALLOPATHIE.) ◆ **homéopathe** dj. et n. Se dit du médecin qui pratique l'homéopathie ou du pharıacien qui vend les médicaments homéopathiques. ◆ **homéo-athique** adj. Relatif à l'homéopathie : *Traitement homéopathique. Dose homéopathique,* dose extrêmement faible.

IOMÉOTHERMIE [ɔmeɔtɛrmi] n. f. (du gr. *homoios*, sem-lable, et *thermos*, chaleur). État des êtres vivants dont la tempéra-ure est constante, quelle que soit celle du milieu ambiant. ◆ **homéotherme** adj. et n. : *Les seuls animaux homéothermes ont les mammifères et les oiseaux.*

IOMÈRE, le plus célèbre poète épique grec, considéré comme 'auteur des 27 800 vers de *l'Iliade* et de *l'Odyssée.*

Dès l'Antiquité, la légende en avait fait un vieillard aveugle, rrant de ville en ville et déclamant ses vers. Hérodote le fait vivre ers 850 av. J.-C. Au XVIIe et au XIXe s., certains critiques ont nié 'existence d'Homère, et ont prétendu qu'on avait réuni sous ce ıom légendaire des œuvres écrites à des époques différentes par e nombreux poètes. Aujourd'hui, la critique s'accorde à penser ue le noyau central de chaque épopée (« la Colère d'Achille », le Retour d'Ulysse ») a bien été créé par un poète unique, mais ue, au cours des générations, des développements y ont été joutés par d'autres poètes.

IOMÉRIQUE [ɔmerik] adj. (d'*Homère*). **1.** Qui est l'œuvre 'Homère ou supposé tel : *Les poèmes homériques.* — **2.** Qui est à la fois héroïque et comique : *Chahut homérique. Un rire homérique* (= bruyant, inextinguible).

Home Rule (de l'angl. *home*, chez soi, et *rule*, gouvernement), nom donné au régime d'autonomie revendiqué par les Irlandais de 1870 à 1914.

HOMICIDE [ɔmisid] n. et adj. (lat. *homicida*). Qui a causé la mort de quelqu'un; qui a tué (terme jurid.) : *Un chauffard homicide.* ◆ n. m. Acte de celui qui tue un être humain soit sans intention de donner la mort, mais par maladresse, inattention, négligence ou inobservation des règlements *(homicide involontaire* ou *par imprudence)*, soit volontairement *(meurtre, assassinat, parricide, infanticide).*

HOMINIDÉS [ɔminide] ou **HOMINIENS** [ɔminjɛ̃] n. m. pl. (du lat. *homo, -inis*, homme). Famille de mammifères primates dont l'homme *(homo sapiens)* est le seul représentant actuel, mais qui a compté plusieurs genres et d'assez nombreuses espèces à la fin de l'ère tertiaire et au début de l'ère quaternaire.

HOMMAGE [ɔmaʒ] n. m. (de *homme*). **1.** Cérémonie féodale au cours de laquelle le vassal se déclarait l'« homme » de son suzerain, lui promettant un dévouement et une fidélité absolus. — **2.** Témoignage de courtoisie ou de respect (dans quelques express.) : *Rendre hommage.* — **3.** *Faire hommage d'un livre à qq'un*, lui en donner un exemplaire en témoignage de respect ou de reconnaissance. ◆ n. m. pl. Compliments adressés à quelqu'un : *Présenter ses hommages* (syn. CIVILITÉS, RESPECTS).

HOMMASSE adj. ⟶ HOMME 2.

1. HOMME [ɔm] n. m. (lat. *homo*). **1.** Terme générique désignant l'espèce humaine, douée de langage et de raison (par oppos. à l'ANIMAL, à la DIVINITÉ, etc.); membre de cette espèce : *L'évolution de l'homme* ⟶ ENCYCL.; et au plur. : *Les rapports des hommes entre eux.* (⟶ HUMAIN 2.) — **2.** (suivi d'un compl. ou accompagné d'un adj.) Individu qui a tel ou tel caractère, tel ou tel métier, qui est de telle ou telle époque, etc. (dans un grand nombre d'express.) [le fém. est souvent ici FEMME] : *Un homme (une femme) d'affaires* (= un financier). *Un homme de bien* (= honnête, charitable). *Homme d'Église* (= ecclésiastique). *Homme d'État* (= un dirigeant). *Un grand homme* (= remarquable). *Un homme (une femme) de lettres* (= un écrivain). *Un homme de peine* (= qui exécute les travaux n'exigeant aucune qualification professionnelle). *Un homme de loi* (= un huissier, un magistrat). *L'homme de la rue* (= le premier venu). — **3.** (avec un adj. poss.) La personne convenable, propre à quelque chose : *Je suis votre homme* (= je suis prêt à faire ce que vous voulez). *Il a trouvé son homme* (= l'homme plus fort ou plus intelligent qui a réussi à le battre). — **4.** *D'homme à homme*, en toute franchise. ‖ *Comme un seul homme*, à l'unanimité, avec un ensemble parfait. ‖ *Être homme à*, être capable de. ◆ **homme-grenouille** n. m. Plongeur muni d'un appareil pour la respiration, qui lui permet d'effectuer sous l'eau certains travaux. ‖ Pl. des *hommes-grenouilles.* ◆ **homme-orchestre** n. m. Celui qui est capable d'effectuer des travaux très divers, qui a des compétences en des domaines très éloignés les uns des autres. ‖ Pl. des *hommes-orchestres.* ◆ **homme-sandwich** n. m. Celui qui est payé pour promener un panneau publicitaire sur son dos et sur sa poitrine. ‖ Pl. des *hommes-sandwichs.* ◆ **humain, e** [ymɛ̃, -ɛn] adj. Relatif à l'homme, distingué des autres espèces animales : *Les sciences humaines ou sciences de l'homme. Le genre humain* (= l'ensemble des hommes). *Les êtres humains* (= les hommes). *La condition humaine* (= la situation et la destinée de l'homme). ◆ n. m. Ce qui appartient en propre à l'homme : *Perdre le sens de l'humain.* ◆ n. m. pl. Syn. littér. de HOMME : *L'ensemble des humains.* ◆ **humanité** n. f. L'ensemble des êtres humains. ◆ **humanitaire** adj. Qui vise à faire le bien de l'humanité (en parlant d'idées, de sentiments). ◆ **surhomme** n. m. Homme qui se montre exceptionnellement supérieur aux autres par ses qualités physiques, par son génie. ◆ **surhumain, e** adj. Qui est ou qui semble au-dessus des forces ou des qualités de l'homme.

— ENCYCL. Les traces de l'*homme* fossile sont révélées par la présence d'ossements dans des couches géologiques bien déterminées, ou par des objets manifestement travaillés. La première découverte importante date de 1856, avec la calotte crânienne de *Neandertal* : ses dimensions, son front fuyant, ses arcades orbitaires énormes représentaient, à une époque où les théories évolutionnistes* apparaissaient, comme une forme primitive de l'homme. En 1868, dans la grotte de *Cro-Magnon* furent découverts plusieurs squelettes humains ressemblant à l'homme actuel, ce qui empêcha d'apercevoir aussitôt leur origine très ancienne. Les *hommes de Spy*, découverts en 1887 dans la province de Namur, tant par leur situation dans des couches parfaitement identifiées que par leur ressemblance avec le crâne de Neandertal, confirmèrent l'existence d'un homme préhistorique. Les restes du *pithécanthrope* (= « homme-singe »), trouvé à Java en 1891, apportaient la preuve incontestable d'un intermédiaire morphologique entre le crâne des singes et celui des hommes.

Selon l'opinion classique, les pithécanthropes se placent entre les *australopithèques* (= « singes du Sud »), découverts en 1924 en

Afrique du Sud et apparus, pense-t-on, il y a un peu plus de cinq millions d'années, et les hommes actuels, formant ainsi un des chaînons de la lignée humaine qui a donné naissance à l'*homo sapiens* (c'est-à-dire l'homme actuel). Mais d'autres êtres intermédiaires ont été découverts, notamment le *zinjanthrope**.

2. HOMME [ɔm] n. m. (même étym.). **1.** Par oppos. à FEMME, mâle de l'espèce humaine : *Des vêtements d'homme.* — **2.** Individu qui est parvenu à la maturité d'esprit, ou qui jouit de certaines qualités viriles : *Si tu es un homme, montre-le.* (⟶ VIRILITÉ.) ◆ **hommasse** adj. *Péjor.* Se dit d'une femme d'allure masculine.

Homme *(musée de l')*, musée créé à Paris en 1937, au palais de Chaillot, et consacré à l'ethnographie et à l'anthropologie.

Hommes de bonne volonté *(les)*, roman de J. Romains en 27 volumes (1932-1947).

HOMME-GRENOUILLE n. m., **HOMME-ORCHESTRE** n. m., **HOMME-SANDWICH** n. m. ⟶ HOMME 1.

HOMO-, élément tiré du gr. *homos*, semblable, qui, en français, entre dans la composition de mots savants, au sens de « même », « identique » (contr. HÉTÉRO-).

HOMOCHROMIE [ɔmɔkrɔmi] n. f. (de *homo-*, et gr. *khrôma*, couleur). Aptitude de certains animaux à prendre la couleur ou l'aspect du fond sur lequel ils se tiennent immobiles.
— ENCYCL. L'*homochromie* est *passive* quand l'animal vit habituellement sur un fond accordé à son aspect (zèbre parmi les herbes, certains insectes ressemblant à des brindilles); elle est *active* quand l'animal peut modifier sa couleur pour la conformer à celle du fond sur lequel il se trouve momentanément (caméléon, turbot). Dans ce cas, ce sont des grains colorés contenus dans la peau qui se dilatent ou se contractent, montent en surface ou s'enfoncent. L'homochromie est souvent appelée, à tort, *mimétisme**.

HOMOCINÉTIQUE [ɔmɔsinetik] adj. *(homo-*, et *cinétique)*. *Mécan.* Se dit d'un système de liaison entre deux arbres, assurant une transmission régulière des vitesses même si les deux arbres ne sont pas en ligne. (Ce dispositif est utilisé dans la commande des roues d'une automobile à traction avant.)

HOMOGÈNE [ɔmɔʒɛn] adj. (de *homo-*, et gr. *genos*, race). Se dit d'un tout formé d'éléments de même nature, cohérents entre eux : *Un mélange homogène* (contr. HÉTÉROGÈNE). ◆ **homogénéité** n. f. (syn. COHÉSION). ◆ **homogénéisation** n. f. Action de rendre homogène et, en particulier, de soumettre le lait à un traitement qui évite la montée de crème.

HOMOGRAPHE [ɔmɔgraf] adj. et n. m. (de *homo-*, et gr. *graphein*, écrire). Se dit de mots dont l'orthographe est la même, mais dont le sens est différent. (Ex. : *pignon* d'une rue et *pignon* d'une roue; *mâtin*, gros chien, et *mâtin*, taquin; *mâche*, plante, et *il mâche;* etc.) [⟶ HOMONYME.]

HOMOGREFFE n. f. ⟶ GREFFE 2.

HOMOLOGATION n. f. ⟶ HOMOLOGUER.

HOMOLOGUE [ɔmɔlɔg] adj. et n. (gr. *homologos*, semblable). Se dit d'une personne ou d'une chose qui correspond exactement à une autre.

HOMOLOGUER [ɔmɔlɔge] v. t. (gr. *homologeîn*, reconnaître). Approuver, enregistrer ou autoriser d'une manière officielle, administrative : *Homologuer un record* (syn. RATIFIER). ◆ **homologation** n. f. Action d'homologuer.

HOMONYME [ɔmɔnim] adj. et n. m. (de *homo-*, et gr. *onoma*, nom). Se dit de mots qui se prononcent de la même façon, mais dont le sens est différent. (Leur orthographe peut être identique [*ferme*, n. f., et *ferme*, du v. *fermer*] ou différer [*sceau, seau, sot*].) ◆ **homonymie** n. f.

HOMOPHONE [ɔmɔfɔn] adj. et n. m. (de *homo-*, et gr. *phônê*, son). Syn. de HOMONYME*. ◆ **homophonie** n. f.

HOMOPTÈRES [ɔmɔptɛr] n. m. pl. (de *homo-*, et gr. *pteron*, aile). Sous-ordre d'insectes hémiptères caractérisés par deux paires d'ailes entièrement membraneuses *(cigales)* ou par l'absence d'ailes *(pucerons, cochenilles)* : *Les homoptères se nourrissent de la sève des végétaux.*

HOMOSEXUEL, ELLE [ɔmɔsɛksɥɛl] adj. et n. (de *homo-*, et *sexuel*). Qui éprouve une attirance sexuelle pour les personnes de son sexe. ◆ **homosexualité** n. f.

HOMOZYGOTE [ɔmɔzigɔt] n. m. *(homo-*, et *zygote)*. *Biol.* Être porteur du même gène sur l'un et l'autre chromosome d'une même paire (par oppos. à HÉTÉROZYGOTE).

HOMS, v. de Syrie, près de l'Oronte ; 354500 hab. Centre commercial.

HO-NAN, province de la Chine septentrionale; 74423000 hab. Capit. *Tcheng-tcheou.*

HONDO ⟶ HONSHŪ.

HONDSCHOOTE, ch.-l. de cant. du Nord, à 21,5 km au S.-E. de Dunkerque; 3780 hab.

- *6-8 sept. 1793. Victoire des Français sur les Anglo-Autrichiens.*

HONDURAS, république de l'Amérique centrale, s'étendant du golfe du Honduras (mer des Antilles) à l'océan Pacifique; 112000 km²; 5000000 hab. (45 au km²). Capit. *Tegucigalpa* (274000 hab.). → cartes AMÉRIQUE pp. 48-49.

GÉOGRAPHIE

Pays montagneux au climat tropical, le Honduras est en grande partie couvert par la forêt. Seule une faible proportion du sol est mise en valeur par une population peu dense qui produit surtout des bananes et un peu de café et du tabac.

bananes 1600000 t.

L'exploitation de quelques petits gisements fournit un peu d'or, d'argent et de plomb. Mais le niveau de vie du pays reste bas, et toute son économie dépend des États-Unis car ce sont de grandes compagnies américaines (United Fruit) qui possèdent les plantations.

HISTOIRE

Découvert par Christophe Colomb en 1502, le Honduras fut conquis par les Espagnols à partir de 1523.

- *1824-1838. Le pays adhère à la république fédérale des Provinces-Unies d'Amérique centrale.*

Il devient ensuite un État indépendant.

- *1911-1933. Le Honduras est occupé par les États-Unis.*

L'United Fruit Company prend une influence prépondérante dans la vie économique et politique du pays.

- *1933-1949. Tiburcio Carías Andino établit une dictature.*
- *1957. Installation d'un régime libéral.*
- *1965. À la suite d'un coup d'État militaire, le général Oswaldo López Arellano devient président de la République.*
- *1971. Le conservateur Ramon Cruz accède à la présidence.*
- *1972-1975. Arellano est à nouveau au pouvoir.*
- *1978. Coup d'État. Le général Policarpo Paz dirige le pays.*
- *1982. Après la victoire des libéraux aux élections (1981), Roberto Suazo Córdova devient président de la République.*
- *1986. Le libéral José Azcona accède à la présidence.*
- *1990. Le conservateur Rafael Callejas devient président de la République.*

HONDURAS *(golfe du)*, échancrure du littoral centre-américain, sur la mer des Antilles.

HONDURAS BRITANNIQUE ⟶ BELIZE.

HONEGGER (Arthur), compositeur suisse (1892-1955), un des fondateurs du groupe des Six*. Ses trois oratorios (*le Roi David*, 1921 ; *Jeanne au bûcher*, 1935 ; *la Danse des morts*, 1938) sont ses œuvres les plus connues. Mais on lui doit aussi de la musique de chambre, de la musique symphonique (*Pacific 231*, 1923) et de la musique de films.

HONFLEUR, ch.-l. de cant. du Calvados, sur la rive sud de l'embouchure de la Seine; 8500 hab. Port important au XVIᵉ et au XVIIᵉ s. Centre touristique pittoresque.

HONGKONG, ou **HONG KONG,** îlot de la mer de Chine méridionale, dans la baie de Canton; 1034 km²; 5500000 hab. (plus de 5000 au km²). Capit. *Victoria* (675000 hab.).

Cédée aux Anglais par la Chine en 1842, l'île est restée une colonie britannique et a conservé son ancienne fonction d'entrepôt. C'est maintenant une grande place commerciale surpeuplée (notamment à cause de l'afflux de réfugiés chinois) qui draine une partie du commerce extérieur de la Chine. De nombreuses industries s'y sont développées : textiles, électronique, etc.

- *1984. Un accord sino-britannique prévoit un statut spécial lors du retour de Hongkong à la Chine en 1997.*

***HONGRE** [ɔ̃gr] n. et adj. m. (de *hongrois*). Se dit d'un cheval châtré.

HONGRIE, État de l'Europe centrale, à l'E. de l'Autriche.

GÉOGRAPHIE

Les collines et les moyennes montagnes de la *Dorsale hongroise* et de la *Transdanubie* séparent la plaine de la Rába au N. *(Kisalföld)* de la cuvette du Danube et de la Tisza à l'E. *(Nagyalföld)*. L'ensemble du pays connaît un climat continental prononcé.

	TEMPÉRATURES MOYENNES janv.	juil.	PLUIES
Budapest	— 1 °C	21,9 °C	498 mm

L'*agriculture* emploie le tiers de la population active. Elle a été pratiquée dans le cadre d'exploitations collectives après la

Hongrie

SUPERFICIE 93 000 km² (France : 550 000 km²).

POPULATION 10 600 000 hab. *(Hongrois);* 114 hab. au km² (France : 103); taux de natalité, 17.8 p. 1 000; taux de mortalité, 12 p. 1 000.

CAPITALE Budapest (2 065 000 hab.).

VILLES PRINCIPALES Miskolc (213 000 hab.); Debrecen (177 200 hab.); Pécs (165 000 hab.).

LANGUE hongrois.

ÉCONOMIE consommation d'énergie par hab., 3 800 kg d'équivalent charbon ; 1 automobile pour 15 hab.

MONNAIE forint.

réforme agraire. La région centrale est le domaine des céréales (maïs, blé) alternant avec la betterave à sucre et les pommes de terre. L'élevage (porcins et bovins) leur est associé. La partie orientale, autrefois steppique (Puszta), est en voie d'aménagement grâce à l'irrigation (riz, coton). Le pays possède enfin de beaux vergers et vignobles.

maïs	7 millions de t	pomme de terre	1 300 000 t
blé	7 millions de t	bovins	1 900 000 têtes
betterave	4 500 000 t	porcins	9 800 000 têtes

Les ressources du sous-sol sont peu abondantes : du lignite qui sert à fabriquer de l'électricité, un peu de fer et de manganèse, et de la bauxite qui alimente une métallurgie de l'aluminium.

lignite 22 500 000 t ; bauxite 3 millions de t.

L'*industrie* a cependant fait de gros progrès. La production d'acier (Dunaújváros) est utilisée par diverses industries de transformation : construction de machines-outils, machines agricoles, automobiles. La chimie est en développement. Des industries textiles et alimentaires complètent la gamme. L'accent est mis actuellement sur la production de biens de consommation.

acier	3 750 000 t
cotons (filés)	60 000 t
électricité	26 milliards de kWh

Ces activités sont réparties dans différents centres : Pécs, Miskolc et surtout Budapest (qui groupe le cinquième de la population du pays). Mais la Hongrie possède encore de grosses localités à vocation uniquement rurale (Debrecen).

HISTOIRE

■ LE MOYEN ÂGE.

- *896. Sous la direction d'Árpád et de Kurszán, les « Hongrois », peuple formé de Finno-Ougriens et de Turcs (la plus puissante tribu est celle des Magyars), se fixent en Hongrie.*
- *955. Les Hongrois sont battus au Lechfeld par Otton Ier de Germanie. Cette défaite stoppe les raids qu'ils entreprennent régulièrement hors du pays.*

Cependant les Hongrois s'organisent peu à peu en nation sous les descendants d'Árpád, Géza (972-997) puis Étienne Ier qui engage le pays dans la religion chrétienne.

- *1000. Étienne Ier reçoit du pape Sylvestre II la couronne royale, qui assure l'indépendance de la Hongrie.*
- *1172-1196. Sous le règne de Béla III, la dynastie arpadienne atteint son apogée.*

Béla III ajoute la Dalmatie et la Galicie aux conquêtes de ses prédécesseurs (Slavonie et Croatie), tandis que la population de la Hongrie s'accroît de Saxons, de Slaves et de Valaques. Mais le XIIIe s. voit le déclin de la monarchie dominée par les féodaux qui imposent au roi *la Bulle d'or* (1222), limitant son pouvoir. Peu après (1241-1242), l'invasion mongole souligne les faiblesses de la royauté.

- *1301. La dynastie arpadienne s'éteint.*

Aux XIVe et XVe s., la couronne étant devenue élective, plusieurs rois étrangers se succèdent. Sous le règne de Mathias Corvin (1458-1490), la Hongrie connaît un remarquable développement économique, politique et culturel. Mais après sa mort, le pouvoir central s'écroule.

■ L'OCCUPATION TURQUE.

- *1526. Les Hongrois sont écrasés par les Turcs à la bataille de Mohács.*

Toute la Hongrie centrale est occupée par les Ottomans, tandis que la partie non turque se scinde en deux : la principauté calviniste de Transylvanie, souvent alliée aux Turcs, et la Hongrie royale appartenant aux Habsbourg.

À la fin du XVIIe s., les Habsbourg ont reconquis presque la totalité de la Hongrie qui leur est cédée au traité de Karlowitz (1699).

■ LA DOMINATION DES HABSBOURG.

- *1687. La couronne de Hongrie est déclarée héréditaire chez les Habsbourg.*

L'opposition des grands magnats hongrois (= membres de la haute noblesse) est réprimée; des postes de surveillance sont installés par les Autrichiens sur « les Confins militaires » de la Hongrie.

Au XVIIIe s., les Habsbourg, en particulier Marie-Thérèse et Joseph II, renforcent la centralisation administrative et la germanisation du pays. Par ailleurs les grands propriétaires maintiennent la Hongrie dans un état économique et social retardataire.

Au XIXe s., le réveil national hongrois, incarné par Kossuth, devient très important. La lutte contre les Habsbourg est liée à la lutte contre le féodalisme.

- ***Sept. 1848. Un gouvernement national hongrois présidé par Kossuth se constitue.***

- *Avril 1849. Il prononce la déchéance des Habsbourg.*
- *13 août 1849. Les troupes du tsar Nicolas Ier, allié des Autrichiens, écrasent les insurgés à Világos.*

Les représailles autrichiennes sont sanglantes. Kossuth s'enfuit.

- *1867. Les Hongrois obtiennent par un compromis une large autonomie administrative dans le cadre d'un régime dualiste, symbolisé par le nom d'« Autriche-Hongrie ».*

L'Autriche et la Hongrie restent liées par la dynastie et les ministères communs des Affaires étrangères, des Finances et de la Défense nationale.

■ LE « ROYAUME SANS ROI ».

- *31 oct. 1918. Les défaites de la Première Guerre mondiale mettent fin au dualisme austro-hongrois.*
- *16 nov. 1918. La république est proclamée.*

Mais de graves troubles accompagnent ce changement de régime et les amputations opérées sur le territoire national par les Alliés.

- *20 mars-1er août 1919. Un régime communiste dominé par Béla Kun s'installe.*

Mais cette tentative échoue et les contre-révolutionnaires confient la régence à l'archiduc Joseph.

- ***1er mars 1920. Les Alliés refusant la restauration des Habsbourg en Hongrie, le «royaume sans roi» passe sous la régence de l'amiral Horthy (1920-1945).***
- *Juin 1920. Le traité de Trianon reconnaît l'indépendance de la Hongrie, mais réduit son territoire des deux tiers.*
- *1938. Sous l'influence de l'extrême droite nationaliste, la Hongrie passe sous la coupe hitlérienne.*

Les accords de Munich (1938) lui valent de récupérer une partie de la Slovaquie. En 1939 les Hongrois occupent la Ruthénie subcarpatique et en 1940 ils obtiennent la moitié nord de la Transylvanie.

- *1941. La Hongrie déclare la guerre à l'U. R. S. S.*
- *1944. Les Allemands occupent le pays et font régner un régime de terreur. Un important mouvement de résistance se développe.*

■ LA HONGRIE CONTEMPORAINE.

- *13 févr. 1945. Les Allemands capitulent à Budapest.*

La même année une réforme agraire est mise en place.

- *1946. La république est proclamée.*

Rapidement le parti communiste s'assure le pouvoir.

- *20 août 1949. La République populaire hongroise est proclamée.*
- *1953. Le libéral Imre Nagy devient président du Conseil.*
- *Oct. 1956. Imre Nagy est débordé par un mouvement nationaliste et insurrectionnel.*

Écarté, Nagy est remplacé par J. Kádár qui, pour rétablir l'ordre, fait appel à l'U. R. S. S. Les troupes soviétiques entrent dans Budapest (13 novembre) et écrasent l'insurrection.

- *1960. L'amnistie est proclamée.*

Sous la direction de Kádár (chef du gouvernement de 1956 à 1958 et de 1961 à 1965, et secrétaire général du parti à partir de 1956), le régime se libéralise progressivement.

- *1988. Kádár quitte ses fonctions à la tête du parti.*
- *1989. La Hongrie ouvre sa frontière avec l'Autriche (mai). Tandis que le parti renonce à son rôle dirigeant, une révision de la Constitution ouvre la voie au multipartisme. Le pays reprend le nom de «République de Hongrie».*
- *1990. Les premières élections libres sont remportées par un parti de centre droit.*

***HONGROIS, E** [ɔ̃grwa, -waz] adj. et n. De la Hongrie. ◆ n. m. Langue finno-ougrienne parlée en Hongrie.

HONNÊTE [ɔnɛt] adj. (lat. *honestus*). **1.** (avant ou plus souvent après le nom) Qui respecte rigoureusement la loyauté, la justice, sur le plan de l'argent, en particulier, ou de l'honneur : *Un commerçant foncièrement honnête* (syn. INTÈGRE, PROBE). *Un juge honnête* (syn. DROIT, INCORRUPTIBLE). *Il a une conduite très honnête* (syn. LOUABLE, MORAL, VERTUEUX). — **2.** (après ou avant le nom) Conforme au bon sens, à la vérité, à la situation, à la moyenne : *Son travail est honnête* (syn. CONVENABLE, CORRECT). *Il a un honnête talent de musicien* (syn. PASSABLE). *Une honnête récompense* (syn. JUSTE). — **3.** *Honnête homme*, dans la langue classique, parfait homme du monde, agréable et distingué, cultivé mais non pédant. ◆ **honnêtement** adv. : *Honnêtement, je ne l'ai pas fait exprès* (syn. SINCÈREMENT). *Je vous ai honnêtement mis en garde* (syn. LOYALEMENT). ◆ **honnêteté** n. f. Sens 1 de l'adj. : *Sa parfaite honnêteté est connue de tous* (syn. LOYAUTÉ, PROBITÉ). *Ces paroles choquent l'honnêteté* (syn. DÉCENCE, PUDEUR). ◆ **déshonnête** [dezɔnɛt] adj. Contraire à la pudeur, à la morale : *Un mot déshonnête* (syn. INCONVENANT, INDÉCENT). ◆ **malhonnête** adj. Contr. de HONNÊTE (sens 1) : *Un associé malhonnête* (syn. INDÉLICAT). *Il est malhonnête de se conduire ainsi* (syn. IMPOLI, INDÉCENT). ◆ **malhonnêtement** adv. ◆ **malhonnêteté** n. f. : *La malhonnêteté d'un fraudeur* (syn. DÉLOYAUTÉ, FRIPONNERIE). *Malhonnêteté intellectuelle* (= mauvaise foi).

HONNEUR [ɔnœr] n. m. (lat. *honor*). **1.** Vif sentiment de sa propre dignité, qui pousse à agir de manière à conserver l'estime des autres; principes moraux qui sont à la base de ce sentiment : *Un homme d'honneur* (= qui tient sa parole). — **2.** Réputation ou gloire que donnent le courage, le talent, la vertu : *Mon honneur est en jeu* (syn. DIGNITÉ). *Cette action est toute à son honneur* (syn. ÉLOGE). *L'honneur lui en revient* (syn. MÉRITE). — **3.** Traitement particulier, privilège donné afin de marquer la considération : *Je n'ai pas mérité cet honneur. Honneur à ceux qui sont morts pour la patrie* (= louons ceux...). *Être à la place d'honneur* (= place donnée à celui que l'on veut distinguer). — **4.** (loc., avec un verbe) *Être en honneur*, être particulièrement apprécié, entouré de considération. || *Faire honneur à qq'un*, lui valoir de la considération, être un sujet de gloire pour lui. || *Faire honneur à qqch.*, y rester fidèle : *Faire honneur à ses engagements* (= les respecter); en user pleinement : *Faire honneur à un dîner en reprenant de chaque plat.* || *Mettre, remettre en honneur*, faire estimer, faire apprécier de nouveau. — **5.** (loc., comme compl. d'un nom) *Champ d'honneur* ⟶ CHAMP 1. || *Demoiselle d'honneur* ⟶ DEMOISELLE 1. || *Garçon d'honneur* ⟶ GARÇON 1. || *Garde d'honneur*, troupe qui escorte un personnage officiel dans ses déplacements. || *Parole d'honneur* ⟶ PAROLE. || *Point d'honneur*, ce qui met en jeu l'honneur, la réputation. || *Titre d'honneur*, marque de considération. — **6.** *En tout bien tout honneur*, avec des intentions pures. — LOC. PRÉP. et ADV. *En l'honneur (de)*, pour rendre hommage à. || *Pour l'honneur*, gratuitement, sans aucune rémunération. ◆ n. m. pl. **1.** Marque de distinction; fonction ou titre qui donne de l'éclat : *Il fut reçu avec tous les honneurs dus à son rang. Troupe qui rend les honneurs à un chef militaire* (= salue). *Les honneurs funèbres* (= hommage rendu lors des funérailles). *Nous lui avons fait les honneurs de la maison* (= nous l'avons accueilli avec amabilité et lui avons fait visiter la maison). *Se rendre avec les honneurs de la guerre* (= avec des conditions honorables). — **2.** Les cartes les plus hautes, à certains jeux. ◆ **honorer** v. t. **1.** Traiter quelqu'un avec respect, avec estime et considération, rendre hommage à son mérite : *Historien honoré de son vivant* (syn. GLORIFIER). *Honorer la mémoire d'un savant* (syn. CÉLÉBRER). — **2.** Procurer de l'honneur, de la considération : *Cette conduite vous honore.* — **3.** *Honorer qq'un de qqch.*, lui accorder une distinction, une marque de faveur (parfois ironiq.) : *Il m'honora d'un titre dont je suis bien indigne* (syn. GRATIFIER). — **4.** *Honorer un chèque*, le payer. || *Honorer sa signature*, remplir ses engagements financiers. ◆ ***s'honorer*** v. pr. *S'honorer de qqch.*, en tirer fierté. ◆ **honorable** adj. (avant ou après le nom). **1.** Se dit de quelqu'un qui est digne de considération : *Un commerçant honorable* (syn. PROBE). — **2.** Se dit de quelque chose qui attire la considération : *Exercer une profession honorable* (syn. DIGNE). — **3.** Qui atteint un niveau, une quantité, une intensité jugés suffisants : *Avoir une fortune honorable* (syn. HONNÊTE). *Des résultats honorables* (syn. CONVENABLE). ◆ **honorablement** adv. : *Gagner honorablement sa vie* (= assez bien). ◆ **honorabilité** n. f. Qualité d'une personne honorable (sens 1). ◆ **honorifique** adj. Qui procure seulement de la considération : *Fonction purement honorifique* (= qui n'apporte pas d'avantages matériels). ◆ **honoraire** adj. Qui a le titre sans exercer la fonction : *Professeur honoraire* (= qui a exercé cette fonction et en garde le titre). ◆ **déshonneur** n. m. Perte de l'honneur (sens 2) : *Il n'y a pas de déshonneur à avouer son ignorance* (syn. HONTE). ◆ **déshonorer** v. t. *Déshonorer qq'un, qqch.*, porter atteinte à son honneur (sens 2) : *Être déshonoré par une condamnation* (syn. FLÉTRIR). *Il déshonore la profession par de telles pratiques* (syn. ↓DISCRÉDITER, SALIR). ◆ **déshonorant, e** adj. : *Une conduite déshonorante* (contr. GLORIEUX).

***HONNIR** [ɔnir] v. t. (frq. *haunjan*) [le plus souvent au passif]. *Être honni de qq'un*, en être méprisé et détesté.

HONOLULU, capit. des îles Hawaii, dans l'île d'Oahu; 763 000 hab. Port. Escale aérienne. Centre touristique.

HONORABILITÉ n. f., **HONORABLE** adj., **HONORABLEMENT** adv. ⟶ HONNEUR.

1. HONORAIRE adj. ⟶ HONNEUR.

2. HONORAIRES [ɔnɔrɛr] n. m. pl. (lat. *honorarium*). Rétribution versée aux personnes qui exercent des professions libérales, comme les médecins, les avocats, etc.

HONORER v. t., **HONORIFIQUE** adj. ⟶ HONNEUR.

HONORIS CAUSA (loc. lat. signif. *pour l'honneur*), se dit de grades universitaires conférés à titre honorifique et sans examen à de hautes personnalités.

HONORIUS (Flavius) [384-423], premier empereur d'Occident (395-423).

HONORIUS, nom de quatre papes.

HONSHŪ, ancienn. **Hondo,** île du Japon, la plus grande (230 476 km²) et la plus peuplée (91 300 000 hab.).
Île montagneuse bordée de nombreuses plaines littorales surtout sur la côte méridionale, Honshū jouit d'un climat tempéré doux et humide. Elle est la mieux mise en valeur des îles japonaises. La proportion de terres cultivables est faible à cause des montagnes, mais l'exploitation intensive donne d'abondantes récoltes de riz, soja, mil, thé, etc. L'élevage porcin est associé à ces cultures. Tous ces produits alimentent les énormes foyers urbains de la côte méridionale (Ōsaka, Nagoya et surtout la conurbation Tōkyō-Yokohama) qui abritent des industries variées.

***HONTE** [ɔ̃t] n. f. (frq. *haunita*). **1.** Sentiment pénible de sa bassesse, de son déshonneur, de sa confusion, de son abaissement devant les autres ou simplement de son ridicule : *Être rouge de honte* (= confus). *Il a perdu toute honte* (= il est insensible au déshonneur, à l'humiliation). — **2.** *Avoir honte de*, avoir du remords, être dégoûté de; être gêné de : *Il a honte de ce qu'il a fait. Il a honte de venir vous parler* (syn. ÊTRE EMBARRASSÉ). || *Faire honte à qq'un*, être pour lui un sujet de déshonneur : *Faire honte à ses parents;* lui faire des reproches afin de lui donner du remords : *Fais-lui honte de sa conduite* (= fais-le rougir). || *Fausse honte, mauvaise honte*, embarras ou gêne qui proviennent d'un sentiment de timidité, de modestie, d'un scrupule inutile. — **3.** Déshonneur ou humiliation : *La honte du scandale le fit reculer. C'est une honte de loger les gens dans de pareils taudis.* ◆ ***honteux, euse** adj. **1.** Qui cause de la honte : *Une attitude honteuse* (syn. IGNOBLE, INFÂME). — **2.** Qui éprouve de la honte (sens 1 et 2) : *Je suis honteux d'être en retard* (syn. CONFUS). ◆ ***honteusement** adv. : *Il est honteusement payé pour ses travaux* (= d'une manière infamante pour lui). ◆ **éhonté, e** adj. Se dit d'une personne (ou de son comportement) qui agit sans aucune pudeur, qui n'a pas honte de ses actes répréhensibles : *Un menteur éhonté* (syn. CYNIQUE, EFFRONTÉ, IMPUDENT). *Il a fait preuve d'une partialité éhontée* (syn. HONTEUX, SCANDALEUX).

HOOGH (Pieter DE), peintre néerlandais (1629-v. 1684). Peintre d'intimité, il a décrit avec précision les intérieurs hollandais et la vie quotidienne *(les Joueurs de cartes)*.

HOOGHLY ou **HUGLI,** bras occidental du delta du Gange; 250 km.

HOOKE (Robert), astronome et mathématicien anglais (1635-1703). Le premier, il utilisa le mouvement d'un pendule pour déterminer la valeur de l'accélération de la pesanteur.

HOOVER (Herbert Clark), homme politique américain (1874-1964), républicain, président des États-Unis de 1929 à 1932.

HO-PEI, province de la Chine du Nord; 202 700 km²; 53 730 000 hab. Capit. *Che-kia-tchouang.*

HOPIS, Indiens des États-Unis (Arizona).

HÔPITAL [ɔpital] n. m. (lat. *hospitalis*, hospitalier). Établissement public ou privé qui reçoit et traite les malades. ◆ **hospitalier, ère** adj. : *Établissement hospitalier* (= hôpital). *Fonction hospitalière.* || *Étudiant hospitalier*, syn. d'EXTERNE*. ◆ n. m. Employé d'hôpital (infirmier). ◆ adj. et n. Se dit des religieux voués au service des voyageurs, des pèlerins ou des malades. ◆ **hospitaliser** v. t. Faire entrer dans un hôpital. ◆ **hospitalisation** n. f. Admission et séjour dans un hôpital. ◆ **hospitalo-universitaire** adj. Qui se rapporte à l'hôpital en tant que lieu où se fait une partie des études médicales : *Un centre hospitalo-universitaire ou C. H. U.*

HOPLITE [ɔplit] n. m. (gr. *hoplitês*). Soldat de l'infanterie grecque pesamment armé.

***HOQUET** [ɔkɛ] n. m. (onomat.). **1.** Contraction involontaire de la gorge, produisant un appel d'air qui fait un bruit rauque. — **2.** Bruit qui accompagne les larmes et qui est provoqué par l'irrégularité de la respiration : *Des sanglots entrecoupés de hoquets.* ◆ ***hoqueter** [ɔkte] v. i. (Conj. **8.**) Émettre des sanglots accompagnés de hoquets.

HORACE, en lat. **Quintus Horatius Flaccus,** poète latin (65-8 av. J.-C.). Il a doté les lettres latines d'une poésie à la fois familière et solennelle *(Odes, Épodes)*, morale et littéraire (*Satires, Épîtres* dont la plus importante est l'*Épître aux Pisons* ou *Art poétique*). Sa morale fonde le bonheur sur le juste milieu en toutes choses, ce qui lui valut de représenter, pour les écrivains de la Renaissance et du XVIIe s., le modèle parfait des vertus classiques.

Horace, tragédie de Corneille (1640).

HORACES (les trois), nom de trois frères romains qui, sous le règne de Tullus Hostilius et selon la tradition rapportée par Tite-Live, combattirent pour Rome contre les trois Curiaces, champions de la ville d'Albe, pour décider lequel des deux peuples commanderait à l'autre. Le troisième Horace, seul survivant, feignant de fuir, tua séparément les trois Curiaces. Au retour, le vainqueur, voyant sa sœur Camille pleurer un des Curiaces, son fiancé, la tua. Condamné à mort, il en appela au peuple, qui l'acquitta.

HORAIRE adj. et n. m. ⟶ HEURE.

***HORDE** [ɔrd] n. f. (tartare *horda*). Groupe ou troupe d'hommes, plus ou moins disciplinés, qui commettent des actes de violence.

HORDE D'OR, royaume mongol fondé au XIIIe s. par Batū khān, petit-fils de Gengis khān, et qui s'étendait sur la Sibérie méridionale et le sud de la Russie. Il fut détruit à la fin du XVe s.

HOREB. *Géogr. anc.* Autre nom du SINAÏ.

***HORION** [ɔrjɔ̃] n. m. (de l'anc. fr. *oreillon*, coup sur l'oreille). Coup violent donné à une personne.

HORIZON [ɔrizɔ̃] n. m. (du gr. *horizein*, borner). **1.** Partie de la terre et du ciel qui est à la limite visible d'un plan circulaire dont un observateur est le centre : *Le soleil est encore au-dessus de l'horizon. Quelques bateaux se détachaient à l'horizon* (= dans le lointain). — **2.** Domaine qui s'ouvre à l'esprit ou à l'activité de quelqu'un : *Élargir son horizon. Faire un tour d'horizon* (= faire une synthèse de la situation). — **3.** Perspective dans laquelle on voit un problème, avenir : *L'horizon politique, économique.*

HORIZONTAL, E, AUX [ɔrizɔ̃tal, -to] adj. (de *horizon*). Perpendiculaire au plan vertical de l'observateur. ◆ **horizontalement** adv.

HORLOGE [ɔrlɔʒ] n. f. (gr. *hôrologion*, qui dit l'heure). Appareil de mesure du temps dont le mécanisme, animé par un élément moteur et réglé par un balancier, marque et souvent sonne les heures au moyen d'aiguilles indicatrices. || *Horloge atomique*, horloge qui comporte un jet d'atomes de cæsium dans le vide et contrôle la fréquence d'une horloge à quartz. || *Horloge électrique*, horloge dont le mouvement est produit, entretenu ou réglé par un courant électrique. || *Horloge parlante*, horloge fournissant l'heure cinq fois par minute sur simple appel téléphonique. || *Horloge à quartz*, horloge réglée par un quartz dont les oscillations sont entretenues électriquement (syn. HORLOGE ÉLECTRONIQUE). ◆ **horloger, ère** n. Personne qui fabrique, répare ou vend des montres, des pendules, etc. ◆ adj. : *Industrie horlogère* (= fabrication des montres, des pendules, etc.). ◆ **horlogerie** n. f. **1.** Art de faire ou de réparer les horloges, les pendules, les montres. — **2.** Magasin de l'horloger.

***HORMIS** [ɔrmi] prép. *(hors,* et *mis)*. Indique ce qui est excl[u] d'une totalité, d'un ensemble : *Tout, hormis cela!* (syn. EXCEPT[É], SAUF).

HORMONE [ɔrmɔn] n. f. (du gr. *hormân*, exciter). Substa[nce] organique fabriquée par une glande endocrine et déversée dans [le] sang, qui la transporte jusqu'à l'organe qu'elle stimule. (⟶ EN[DO]CRINE.) ◆ **hormonal, e, aux** adj. : *Un traitement hormon[al].* ◆ **hormonothérapie** n. f. Traitement par les hormones.

HORN *(cap)*, cap situé à l'extrémité sud de la Terre de F[eu] (Chili).

HORNPIPE [ɔrnpaip] n. m. (mot angl.). Instrument ancien d[u] pays de Galles, proche parent de la cornemuse, qui a donné son nom à une danse populaire, très à la mode aux XVIe et XVIIe s.

HORODATEUR, TRICE [ɔrɔdatœr, -tris] adj. et n. m. (du lat. *hora*, heure, et *dateur*). Se dit d'un appareil qui imprime la date et l'heure sur un ticket, une fiche, etc.

HOROSCOPE [ɔrɔskɔp] n. m. (gr. *hôroskopos*, qui observe l'heure de la naissance). Prédictions déduites de l'étude des influences astrales qui peuvent s'exercer sur un individu.

HORREUR [ɔrœr] n. f. (lat. *horror*). **1.** Violente impression de répulsion, de dégoût, de peur : *Un cri d'horreur* (syn. ÉPOUVANTE). *Ce médicament lui fait horreur* (= le dégoûte, lui répugne). *Inspirer une sainte horreur* (syn. AVERSION, RÉPUGNANCE). *J'ai horreur de* (= je déteste, j'exècre). — **2.** Caractère de ce qui inspire ce sentiment : *L'horreur d'un crime.* — **3.** (souvent au plur.) Ce qui inspire le dégoût ou l'effroi : *Les horreurs de la guerre* (syn. ATROCITÉ, MONSTRUOSITÉ). *Débiter des horreurs sur ses voisins* (syn. CALOMNIE). ◆ **horrible** adj. **1.** (avant ou après le nom) Qui fait horreur : *Spectacle horrible* (syn. ABOMINABLE, AFFREUX, ATROCE). — **2.** Qui dépasse tout ce que l'on peut imaginer : *J'ai un horrible mal de tête* (syn. TERRIBLE). *Une horrible confusion* (syn. EXTRÊME). *Un temps horrible* (syn. ÉPOUVANTABLE). ◆ **horriblement** adv. ◆ **horrifier** v. t. Causer un sentiment d'effroi (souvent au passif) [syn. SCANDALISER]. ◆ **horrifiant, e** adj. : *Il fit un tableau horrifiant de la situation.*

HORRIPILER [ɔripile] v. t. (lat. *horripilare*, avoir le poil hérissé). *Horripiler qq'un*, provoquer son énervement, son impatience : *Ses manières m'horripilent* (syn. ↓AGACER, EXASPÉRER). ◆ **horripilant, e** adj.

VALEURS	hors	hors de
1. Extériorité (sens local)	Emploi rare, limité à quelques expressions figées : *Saint-Paul-hors-les-Murs* (= hors des limites anciennes de Rome); ou à quelques locutions : *Mettre hors la loi* (= rendre passible d'une exécution sommaire). *Être hors jeu* (= se dit d'un joueur qui n'a pas la position requise par rapport aux autres). *Il a un talent hors pair pour esquiver les difficultés. Avoir un destin hors série, hors ligne* (= exceptionnel).	*Vivre hors de son pays* (= à l'étranger). *Il s'est sauvé hors de chez ses parents. La carpe faisait des bonds hors de l'eau. Hors de son milieu habituel, il devient un tout autre homme.*
2. Extériorité (sens temporel)		*Il vit hors du temps* (= il n'a pas le sens des réalités, il n'a pas les pieds sur terre). *L'achat de ce réfrigérateur est vraiment hors de saison* (= inopportun).
3. Exclusion	Emploi très rare, limité à la langue littéraire archaïque : *Hors son goût pour le jeu, vous ne trouverez guère de passion chez lui.*	Emploi limité à certaines expressions usuelles : *La voiture est hors d'usage. Vous voici hors de danger maintenant* (= à l'abri). *Il est hors d'affaire* (= sauvé). *Je suis hors d'état de vous convaincre* (= je suis incapable). *Son indignation est hors de propos* (= inopportune). *Les résultats obtenus sont hors de proportion avec ce qu'on attendait. Il est hors de doute qu'il sera réélu* (= on ne peut douter). *Il est hors de lui* (= furieux). *Vous la mettez hors d'elle* (= vous l'exaspérez). *La viande est hors de prix* (= inabordable). Etc.

***HORS** [ɔr] prép., **HORS DE** loc. prép. (du lat. *de foris*). Indiquent l'extériorité ou l'exclusion. → tableau ci-dessus.

***HORS-BORD** [ɔrbɔr] n. m. inv. *(hors,* et *bord).* Petit canot automobile, dont le moteur est placé hors de la coque.

***HORS-D'ŒUVRE** [ɔrdœvr] n. m. inv. *(hors, de,* et *œuvre).* **1.** Mets servis au début d'un repas. — **2.** Partie d'une œuvre littéraire qu'on peut retrancher sans nuire à l'ensemble.

***HORS-JEU** [ɔrʒø] n. m. inv. *(hors,* et *jeu).* Au football et au rugby, position irrégulière d'un joueur par rapport aux autres, l'empêchant de passer à l'action.

***HORS-LA-LOI** [ɔrlalwa] n. m. inv. *(hors, la,* et *loi).* Individu qui vit en marge de la société, qui se met volontairement en dehors des lois par ses délits.

***HORS-TEXTE** [ɔrtɛkst] n. m. inv. *(hors,* et *texte).* Gravure tirée à part et intercalée dans un livre.

HORTA (Victor, *baron*), architecte belge (1861-1947). Pionnier du « modern style » (ou « art nouveau »), il fut parmi les premiers à utiliser le fer, puis le béton dans ses constructions.

HORTENSE DE BEAUHARNAIS (1783-1837), reine de Hollande (1806-1810), fille d'Alexandre de Beauharnais et de Joséphine Tascher de La Pagerie. Mariée contre son gré à Louis Bonaparte (1802), elle eut de lui trois fils. Un seul survécut, Louis Napoléon (1808), le futur Napoléon III. Elle se sépara de son mari quand il eut abdiqué (1810).

HORTENSIA [ɔrtɑ̃sja] n. m. (du prénom *Hortense*). Petit arbuste cultivé pour ses grosses fleurs blanches, roses ou bleues.

HORTHY VON NAGYBÁNYA (Miklós ou Nicolas), amiral et homme d'État hongrois (1868-1957). Après la défaite, il fut élu régent par l'Assemblée nationale (1920) au nom de l'empereur Charles IV de Habsbourg; mais il s'opposa aux tentatives de restauration de celui-ci. Il engagea la Hongrie dans l'orbite de l'Allemagne et déclara la guerre à l'U. R. S. S. en 1941.

HORTICULTURE [ɔrtikyltyr] n. f. (du lat. *hortus*, jardin, et *culture*). Culture des jardins qui comprend la culture des légumes, ou *culture potagère*, celle des arbres fruitiers, ou *arboriculture fruitière*, et celle des fleurs. ◆ **horticulteur, trice** n. ◆ **horticole** adj. Relatif à la culture des jardins : *Une exposition horticole.*

HORTILLONNAGE [ɔrtijɔnaʒ] n. m. (mot picard). En Picardie, marais entrecoupé de canaux et exploité pour la culture des légumes et des fruits.

HORUS, dieu solaire de l'anc. Égypte, dont les pharaons se disaient les descendants. Il était représenté par un faucon, ou un homme à tête de faucon.

HOSANNA [ɔzanna] n. m. (mot hébr. signif. *sauvez, je vous prie*). **1.** Cri de joie, de triomphe; chant de louange. — **2.** Hymne catholique qui se chante le jour des Rameaux.

HOSPICE [ɔspis] n. m. (lat. *hospitium*). Établissement public destiné à accueillir des vieillards, des infirmes dans le besoin ou des orphelins abandonnés.

1. HOSPITALIER, ÈRE adj. et n. → HÔPITAL.

2. HOSPITALIER, ÈRE [ɔspitalje, -ɛr] adj. (du lat. *hospes, hospitis*, hôte). Qui accueille avec libéralité et bonne grâce les hôtes, les invités, les étrangers. ◆ **hospitalité** n. f. : *Remercier la maîtresse de maison de sa charmante hospitalité* (syn. ACCUEIL). *Offrir l'hospitalité pour une nuit* (syn. ABRI, ASILE). ◆ **inhospitalier, ère** adj. Qui n'est pas accueillant : *Un peuple inhospitalier.*

HOSPITALISATION n. f., **HOSPITALISER** v. t., **HOSPITALO-UNIVERSITAIRE** adj. → HÔPITAL.

HOSPITALITÉ n. f. → HOSPITALIER 2.

HOSPODAR n. m. (mot slave signif. *prince*). Anc. titre de princes vassaux du sultan, surtout en Moldavie et en Valachie.

HOSSEGOR, station balnéaire des Landes (comm. de *Soorts-Hossegor*), sur l'Atlantique, près de l'*étang d'Hossegor.*

HOSTELLERIE n. f. → HÔTEL 1.

HOSTIE [ɔsti] n. f. (lat. *hostia*, victime). Pain mince et sans levain, que le prêtre consacre à la messe.

HOSTILE [ɔstil] adj. (du lat. *hostis*, ennemi). Se dit de quelqu'un (ou de son comportement) qui manifeste des intentions agressives ou peu favorables, qui se conduit en ennemi (le compl. est introduit par la prép. *à*) : *Il est hostile à toute nouveauté* (syn. OPPOSÉ). *Une attitude hostile* (syn. ↓INAMICAL; contr. BIENVEILLANT, CORDIAL). *Un regard hostile* (contr. AFFECTUEUX, AMICAL). ◆ **hostilité** n. f. Disposition ou attitude hostile : *Manifester de l'hostilité à l'égard d'un intrus* (syn. ANTIPATHIE). *Regarder avec hostilité* (syn. MALVEILLANCE; contr. AMITIÉ, BIENVEILLANCE). ◆ n. f. pl. Actes de guerre : *La cessation des hostilités* (= l'armistice).

***HOT** [ɔt] adj. (mot angl. signif. *brûlant*). Se dit du jazz qui se pratiquait vers les années 1925-1930, et qui se caractérisait par des improvisations.

***HOT DOG** [ɔtdɔg] n. m. (mots amér. signif. *chien chaud*). Petit pain fourré d'une saucisse chaude. ‖ Pl. des *hot dogs.*

HÔTE, HÔTESSE [ot, otɛs] n. (lat. *hospes, hospitis*). **1.** Personne qui reçoit quelqu'un chez elle : *Remercier ses hôtes de leur hospitalité.* — **2.** *Table d'hôte*, table où les clients d'un hôtel, d'une pension de famille, d'un restaurant sont parfois réunis pour un repas à prix fixe. ◆ **hôte** n. m. Personne qui reçoit l'hospitalité : *Les touristes, hôtes de passage dans notre ville.* ◆ **hôtesse** n. f. Personne chargée de veiller au confort des passagers à bord des avions commerciaux *(hôtesse de l'air)*, d'accueillir et de renseigner les visiteurs dans une exposition, une foire, etc.

1. HÔTEL [otɛl] n. m. (lat. *hospitale*, chambre pour les hôtes). **1.** Maison meublée où l'on peut loger (en voyage ou comme résidence provisoire) : *Descendre à l'hôtel.* — **2.** *Maître d'hôtel* ⟶ MAÎTRE 3. ◆ **hôtelier, ère** n. Personne qui tient un hôtel. ◆ adj. Relatif à l'hôtel : *Industrie hôtelière. École hôtelière* (= où l'on forme les professionnels de l'hôtellerie). ◆ **hôtellerie** n. f. **1.** Métier ou profession des hôteliers. ⟶ ENCYCL. — **2.** Hôtel ou restaurant élégant, situé à la campagne ou d'allure rustique. (On écrit, aussi, en ce sens, HOSTELLERIE.)

— ENCYCL. Les métiers de l'*hôtellerie* sont très divers, ainsi que les moyens de formation qui y conduisent.

Les lycées professionnels amènent en trois ans au certificat d'aptitude professionnelle (C. A. P.) de cuisinier, commis de restaurant, employé d'hôtel, ou sommelier.

L'apprentissage « sur le tas », avec formation pratique chez un patron ou un maître d'apprentissage qualifié, est complémenté par des cours professionnels spécialisés obligatoires.

Après la troisième, une formation professionnelle courte (deux ans) est donnée dans un lycée professionnel et conduit au brevet d'études professionnelles hôtellerie-collectivités. Le cycle long (trois ans) est donné dans un lycée technique hôtelier et conduit au brevet de technicien hôtelier (B. T. H.).

La formation supérieure (en deux ans avec le B. T. H. ou le baccalauréat) aboutit à un brevet de technicien supérieur en gestion hôtelière.

Des écoles hôtelières ont été créées à Paris, Aix-les-Bains, Grenoble, Nice, Boulogne-sur-Mer, Vichy, Thonon-les-Bains, Strasbourg, Toulouse. Elles délivrent un enseignement professionnel pratique adapté aux divers emplois subalternes (cuisine, service, bureaux) ou supérieurs (gérance, direction).

2. HÔTEL [otɛl] n. m. (même étym.). **1.** *Hôtel particulier*, ou simplem. *hôtel*, immeuble entièrement occupé par un riche particulier et sa famille. — **2.** Grand édifice destiné à un établissement ou à un organisme public : *L'hôtel de ville* (= où siègent la mairie et le conseil municipal).

HÔTESSE n. f. ⟶ HÔTE.

***HOTTE** [ɔt] n. f. (frq. *hotta*). **1.** Grand panier d'osier, fixé sur le dos avec des bretelles. — **2.** Construction, de forme évasée, qui termine le bas d'une cheminée. — **3.** Dispositif destiné à recueillir les vapeurs dans une cuisine.

HOTTENTOTS, peuple vivant dans la partie méridionale de la Namibie, au N. du fleuve Orange.

HOUA KOUO-FONG ou **HUA GUOFENG,** homme politique chinois, né en 1922. Élément modéré au sein du parti communiste chinois, il est. de 1976 à 1980. Premier ministre et. après la mort de Mao Tsö-tong, président du parti jusqu'en 1981.

HOUANG-HO (le), ou **HOANG-HO,** fl. de la Chine du Nord; 4 845 km.

Issu du Tibet, il se jette dans la mer Jaune après un cours caractérisé par une série de crochets dus au relief. Il charrie d'énormes quantités de limons jaunes (évalués à 500 000 000 de m³ par an), ce qui lui a valu son autre nom de *fleuve Jaune.* Son régime, très irrégulier, est marqué par des basses eaux d'hiver et des crues souvent catastrophiques en été. Des travaux d'aménagement ont été entrepris pour prévenir les inondations, permettre l'irrigation et fournir de l'hydro-électricité. *Régime :* fév., 140 m³/s; juil.-août, 14 000 m³/s; max. enregistré (1933), 25 000 m³/s.

***HOUBLON** [ublɔ̃] n. m. (anc. néerl. *hoppe*). Plante grimpante cultivée dans le nord et l'est de la France pour ses cônes, ou inflorescences femelles, employés pour aromatiser la bière. (Famille des cannabinacées.) ◆ ***houblonnière** n. f. Plantation de houblon.

HOUCHES (Les), comm. de la Haute-Savoie, sur l'Arve, à 7 km au S.-O. de Chamonix; 1 800 hab. Centre de sports d'hiver.

HOUDAIN, ch.-l. de cant. du Pas-de-Calais, à 3,5 km au S. de Bruay-la-Buissière; 7 700 hab.

HOUDAN, ch.-l. de cant. des Yvelines, à 21 km au N.-E. de Dreux; 3 000 hab. Important marché.

HOUDON (Jean-Antoine), sculpteur français (1741-1828). Toute son œuvre est d'inspiration classique, en réaction contre le baroque et le rococo. A Rome, où il passa quatre ans, il étudia les antiques et surtout l'anatomie *(l'Écorché, Saint Bruno).* Mais il fut surtout célèbre comme portraitiste, réalisant des effigies de toutes les personnalités du moment, d'une scrupuleuse exactitude, mais aussi d'une vie intense et spirituelle *(Diderot, Voltaire, Benjamin Franklin, Buffon, Washington, Mirabeau).*

***HOUE** [u] n. f. (frq. *hauwa*). Pioche à fer large et recourbé, pour remuer la terre.

Hougue *(bataille de la)*, combat naval livré par Tourville, le 29 mai 1692, à la flotte anglo-hollandaise, supérieure en nombre, au N.-E. de la presqu'île du Cotentin. Elle se termina par la destruction de la flotte française.

HOUHEHOT, v. de Chine, capit. de la Mongolie-Intérieure; 314 000 hab.

***HOUILLE** [uj] n. f. (frq. *hukila*). **1.** Combustible minéral fossile solide, provenant de végétaux ayant subi, au cours des temps géologiques, une transformation leur conférant un grand pouvoir calorifique. ⟶ ENCYCL. — **2.** *Houille blanche*, énergie obtenue à partir des chutes d'eau et des cascades naturelles, utilisée comme force motrice dans les centrales hydrauliques. ◆ ***houiller, ère** adj. : *Bassin houiller.* ◆ n. f. pl. Ensemble des mines de houille nationalisées (syn. CHARBONNAGES).

— ENCYCL. Les *anthracites* (95 p. 100 de carbone) et les *houilles maigres* (90 p. 100 de carbone) sont utilisés comme combustibles, tandis que par distillation on retire des *houilles grasses* (80 à 85 p. 100 de carbone) du gaz d'éclairage, des goudrons et un résidu solide formé de carbone presque pur : le coke.

La *production mondiale* continue à s'accroître, mais assez modérément. Voisine de 1 milliard de t en 1938, elle a dépassé les 3 milliards de t depuis 1980. Cette croissance masque des évolutions récentes très différentes selon les pays. Si la production

États-Unis	750 millions de t
Chine (estimation)	700 millions de t
U. R. S. S.	490 millions de t
Pologne	190 millions de t
Afrique du Sud	140 millions de t
Inde	140 millions de t
Australie	125 millions de t
Grande-Bretagne	120 millions de t
Allemagne	80 millions de t
France	17 millions de t
Monde	3 300 millions de t

augmente toujours sans doute en Chine, en U. R. S. S., dans la majeure partie des États d'Europe orientale (Pologne notamment) et dans des pays en voie d'industrialisation (Afrique du Sud), elle régresse fortement dans les États d'Europe occidentale (Grande-Bretagne, Allemagne, France en particulier) et aussi au Japon où elle subit surtout la concurrence du pétrole et celle de l'électricité d'origine nucléaire*. Cette évolution est largement liée aux conditions d'exploitation (profondeur et épaisseur des veines, qualités du charbon), particulièrement favorables aux États-Unis (dont la production reprend) et en U. R. S. S., beaucoup moins en Europe occidentale (notamment en France), qui influent lourdement sur le prix de revient.

L'*extraction* de la houille → ILLUSTRATION page suivante.

HOUILLES, ch.-l. de cant. des Yvelines, à 9 km au N.-O. de Paris; 29 900 hab.

***HOULE** [ul] n. f. (germ. *hol*, creux). Mouvement ondulatoire de la mer, succédant à un coup de vent ou provenant d'une brise fraîche soufflant longtemps de la même direction. ‖ *Hauteur de la houle*, distance verticale d'une crête à un creux. ‖ *Longueur de la houle*, distance comprise entre deux crêtes. ◆ ***houleux, euse** adj. **1.** *Mer houleuse*, agitée par la houle. — **2.** Se dit d'une assemblée agitée de sentiments contraires : *Séance houleuse* (syn. MOUVEMENTÉ).

***HOULETTE** [ulɛt] n. f. (de l'anc. fr. *houler*, lancer). **1.** Bâton à l'usage des bergers, terminé par une sorte de cuiller en fer, pour lancer de la terre aux animaux qui s'écartent. — **2.** *Être sous la houlette de qq'un*, être sous sa direction morale.

***HOULEUX, EUSE** adj. ⟶ *HOULE.

HOULGATE, comm. du Calvados, à 4 km à l'E. de Cabourg; 1 800 hab. Station balnéaire.

HOU-NAN, province de la Chine méridionale; 210 500 km²; 54 millions d'hab. Capit. *Tch'ang-cha.*

HOU-PEI, province de la Chine centrale; 187 500 km²; 48 millions d'hab. Capit. *Wou-han.*

HOUPHOUËT-BOIGNY (Félix), homme d'État africain, né en 1905, président de la république de Côte-d'Ivoire depuis 1960.

***HOUPPE** [up] n. f. (frq. *huppo*, touffe). **1.** Assemblage de brins de laine, de soie, de duvet, formant une touffe : *Une houppe à poudrer.* — **2.** Touffe de cheveux (syn. TOUPET). ◆ ***houppette** n. f. Petite houppe.

***HOUPPELANDE** [uplɑ̃d] n. f. (orig. inc.). Ample manteau sans manches, que l'on jette sur ses épaules (vieilli).

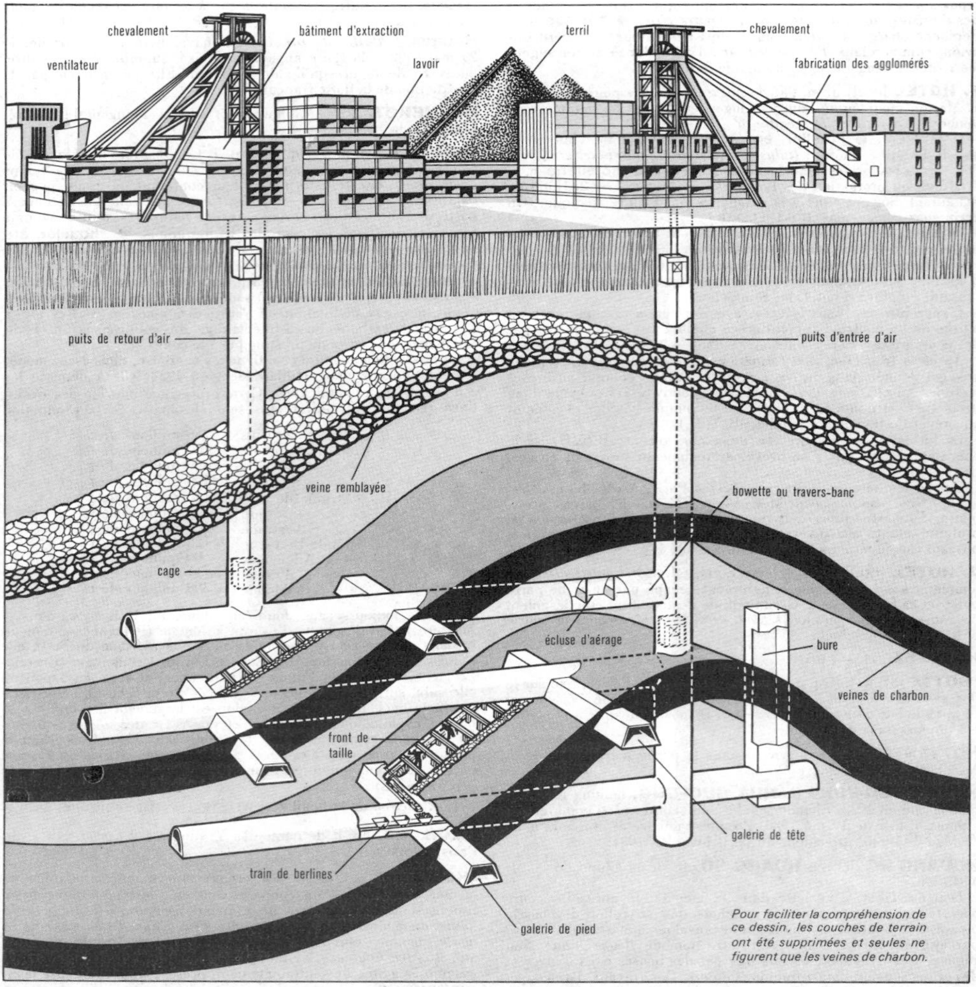

chevalement
bâtiment d'extraction
terril
chevalement
ventilateur
lavoir
fabrication des agglomérés
puits de retour d'air
puits d'entrée d'air
veine remblayée
bowette ou travers-banc
cage
écluse d'aérage
bure
veines de charbon
front de taille
galerie de tête
train de berlines
galerie de pied

Pour faciliter la compréhension de ce dessin, les couches de terrain ont été supprimées et seules ne figurent que les veines de charbon.

ABATTAGE AU MARTEAU PIQUEUR
abattage du charbon
rallonges métalliques
convoyeur blindé à raclettes
étançon
remblayage
bande transporteuse

ABATTAGE AU RABOT

ABATTAGE À LA HAVEUSE

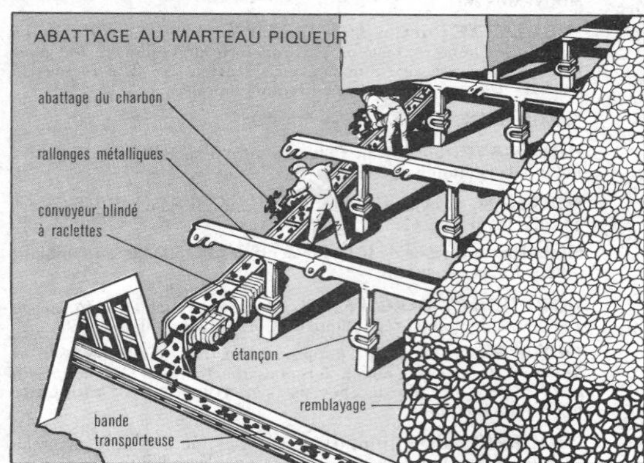

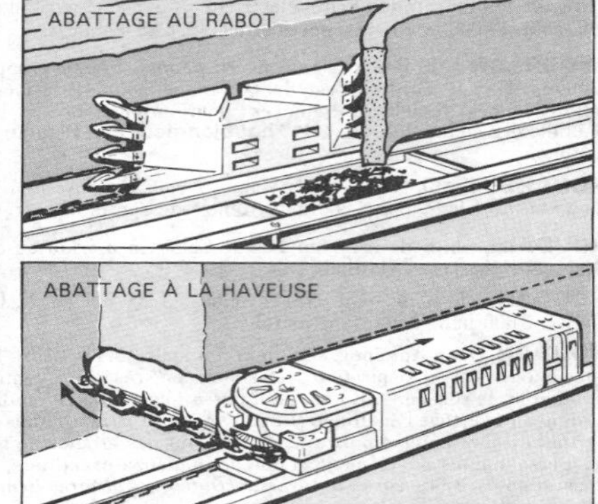

***HOUPPETTE** n. f. ⟶ *HOUPPE.

***HOURDIS** [urdi] n. m. (du frq. *hurd*, claie). *Constr.* Corps de remplissage, en aggloméré ou en terre cuite, posé entre les solives, les poutrelles ou les nervures d'un plancher : *Des hourdis qui assurent une bonne isolation.*

***HOURRA** ou ***HURRAH** [ura] n. m. (de l'angl. *hurra*). Cri d'enthousiasme ou d'acclamation poussé en l'honneur de quelqu'un ou d'un spectacle : *Des hourras enthousiastes* (syn. ACCLAMATION, BRAVO). ◆ interj. Exprime une grande satisfaction devant une victoire ou est utilisé en guise d'acclamation (généralement en corrélation avec *hip!*).

HOURRITES, peuple asiatique installé en Mésopotamie dès le IIIe millénaire.

HOURTIN, comm. de la Gironde, près de l'*étang d'Hourtin*, à 16 km au S.-O. de Lesparre-Médoc; 3600 hab.

***HOUSEAUX** [uzo] n. m. pl. (de l'anc. fr. *huese*, botte). Hautes guêtres de cuir employées pour monter à cheval.

***HOUSPILLER** [uspije] v. t. (de l'anc. fr. *houssepignier*, frapper avec du houx). Faire de vifs reproches, émettre une sévère critique contre quelqu'un (syn. GRONDER, RÉPRIMANDER).

***HOUSSE** [us] n. f. (frq. *hulftia*). Enveloppe qui sert à recouvrir les meubles, à protéger les vêtements.

HOUSTON, port du sud des États-Unis (Texas); 1999300 hab. Raffinage du pétrole. Centre spatial.

***HOUX** [u] n. m. (frq. *hulis*). Arbuste des sous-bois, à feuilles luisantes, épineuses et persistantes, dont l'écorce sert à fabriquer la glu. (Famille des aquifoliacées.)

HOVAS, l'une des castes des Mérinas, peuple de Madagascar.

HOVE, v. du sud de l'Angleterre (Sussex), à l'O. de Brighton; 72800 hab. Station balnéaire.

HOVERCRAFT [ɔvœrkraft] n. m. (mot angl.). Véhicule se déplaçant sur l'eau à l'aide d'un coussin d'air. (L'Administration préconise AÉROGLISSEUR.)

HOWRAH, v. de l'Inde, sur le delta du Gange, près de Calcutta; 740600 hab. Industries textiles.

HOXHA ou **HODJA** (Enver), homme politique albanais (1908-1985). Fondateur du parti des travailleurs albanais, il a été de 1948 à sa mort secrétaire général du parti communiste albanais, qu'il a contribué à isoler idéologiquement des autres partis communistes.

***HUBLOT** [yblo] n. m. (de l'anc. fr. *huve*, bonnet). Ouverture, généralement ronde, pratiquée dans la coque d'un navire ou d'un avion pour donner du jour et de l'air, tout en permettant une fermeture étanche.

***HUCHE** [yʃ] n. f. (bas lat. *hutica*). Grand coffre de bois, pour pétrir la pâte ou conserver le pain.

HUDSON (Henry), navigateur anglais qui entreprit (1607) la recherche d'un passage direct vers la Chine par les mers arctiques. Il découvrit le fleuve, la baie et le détroit qui portent son nom. Il périt en mer (1611), abandonné par son équipage.

HUDSON, fleuve des États-Unis, qui rejoint l'Atlantique à New York; 500 km.

HUDSON *(baie d')*, vaste golfe du Canada, pris par les glaces pendant la moitié de l'année, communiquant avec l'Atlantique par le *détroit d'Hudson*. — La *Compagnie anglaise de la baie d'Hudson*, créée en 1670 par le roi d'Angleterre Charles II, eut le monopole du commerce des peaux dans les régions septentrionales du Canada.

***HUE!** [y] interj. (onomat.). **1.** S'emploie pour inciter un cheval à avancer. — **2.** *Tirer à hue et à dia*, agir de façon désordonnée, contradictoire.

HUÊ, v. du Viêt-nam central, sur la *rivière de Huê*, à 8 km de la mer; 209200 hab. La vieille cité a conservé une citadelle, les tombes des empereurs d'Annam, des palais et des temples.

- *1801. Huê devient la capitale de l'Annam.*
- *1883. La ville est prise par les Français; elle devient la capitale du protectorat d'Annam.*
- *Février 1968. De violents combats s'y déroulent.*

***HUÉE** n. f. ⟶ *HUER.

HUELGOAT, ch.-l. de cant. du Finistère, à 29 km au S. de Morlaix; 2300 hab.

HUELVA, port d'Espagne, en Andalousie, à l'embouchure du río Tinto; 96700 hab. Chimie. Raffinerie de pétrole.

***HUER** [ɥe] v. t. (de *hue!*). Accueillir par des cris manifestant l'hostilité, la réprobation, le mépris : *Il se fit huer par la foule* (syn. CONSPUER, SIFFLER). ◆ ***huée** n. f. (au plur. le plus souvent). Cris hostiles : *S'enfuir sous les huées* (syn. SIFFLETS).

***HUERTA** [ɥɛrta] n. f. (mot esp.). En Espagne, plaine irriguée couverte de riches cultures.

HUGHES (David), ingénieur américain d'origine britannique (1831-1900). Il construisit un appareil télégraphique imprimeur (1854), imagina le microphone (1877).

HUGLI ⟶ HOOGHLY.

HUGO (Victor Marie), écrivain français (1802-1885).

Fils d'un général d'Empire, il passe la plus grande partie de son enfance à Paris avec sa mère.

- *1822. Il publie son premier recueil « Odes et Poésies diverses » et épouse Adèle Foucher.*

À cette époque, la fécondité de son inspiration se manifeste par des poésies (*Nouvelles Odes,* 1823) et des romans (*Han d'Islande,* 1823; *Bug-Jargal*, 1826). Avec *Cromwell* (1827), drame précédé d'une préface-manifeste, puis avec le recueil lyrique des *Orientales*, il rejoint le mouvement romantique. En politique, il se convertit aux idées libérales et au culte napoléonien.

- *1830. « Hernani » provoque une violente bataille littéraire entre les jeunes romantiques et les partisans du théâtre classique dont Victor Hugo renie les principes.*

A partir de cette date, sensibilisé par les événements politiques, la mésentente avec sa femme puis sa liaison avec Juliette Drouet qu'il ne quittera plus, il s'affirme de plus en plus comme le chef du mouvement romantique et son activité littéraire se multiplie. Il publie un roman historique (*Notre-Dame de Paris*, 1831), quatre recueils lyriques (*les Feuilles d'automne*, 1831; *les Chants du crépuscule*, 1835; *les Voix intérieures*, 1837; *les Rayons et les Ombres*, 1840), plusieurs drames au théâtre (*Marion de Lorme*, 1831; *Lucrèce Borgia*, 1833; *Ruy Blas*, 1838).

Mais, après l'échec de son drame, *les Burgraves* (1843), et la mort accidentelle de sa fille Léopoldine, il cesse de publier de nouvelles œuvres et se consacre à la politique.

- *1848. Il se rallie à l'idée d'une république bourgeoise et est élu député.*
- *1851. Son hostilité envers Louis Napoléon Bonaparte l'oblige à fuir après le coup d'État du 2 décembre. Il s'installe à Jersey (1852), puis à Guernesey (1855).*

De cette époque datent les trois grands monuments de son œuvre poétique (le recueil satirique des *Châtiments*, 1853; le recueil lyrique des *Contemplations*, 1856; l'épopée de *la Légende des siècles*, 1859), ainsi que deux romans (*les Misérables*, 1862; *les Travailleurs de la mer*, 1866).

- *1870. Dès la proclamation de la république, Hugo revient à Paris. Sa popularité est immense car il est devenu le symbole de l'idéal républicain.*

Il fait paraître encore des romans (*Quatrevingt-Treize*, 1874) et des poèmes *(l'Art d'être grand-père)*.

- *1885. Il est inhumé au Panthéon.*

Victor Hugo domine le XIXe s. par la fécondité de son art et la diversité des thèmes qu'il a abordés : ceux de l'univers dans son entier, de la nature et de l'homme, mais aussi celui des grands problèmes de la vie sociale. Sa lumineuse imagination fait surgir dans son œuvre tout un monde d'images colorées qu'il exprime avec un vocabulaire d'une richesse incomparable.

Il a, de plus, laissé un grand nombre de dessins à la plume d'inspiration fantastique ou satirique.

***HUGUENOT, E** [ygno, -ɔt] adj. et n. (de l'all. *Eidgenosse*, confédéré). Surnom donné pendant les guerres de Religion aux protestants français par les catholiques.

HUGUES Ier CAPET (v. 941-996), duc de France (956-987), puis roi de France (987-996). Il fit sacrer son fils de son vivant (987) et assura ainsi l'hérédité de sa maison qui forme la dynastie des *Capétiens**.

HUILE [ɥil] n. f. (lat. *oleum*). **1.** Substance grasse, liquide et insoluble dans l'eau, d'origine végétale (*huile d'olive, d'arachide, de lin, de colza,* etc.) ou animale (*huile de baleine, de phoque, de foie de morue*, etc.), qui sert à l'alimentation ou à des usages industriels. ‖ *Huile de paraffine*, huile blanche, utilisée en pharmacie comme laxatif, et comme lubrifiant dans l'industrie alimentaire. ‖ *Huile vierge*, huile pure provenant d'une seule variété végétale. ‖ *Huile sainte, saintes huiles*, huile consacrée, destinée à l'administration des sacrements ou au sacre des rois et des évêques. — **2.** Combustible liquide obtenu à partir du pétrole *(huile lourde)* ou le pétrole lui-même *(huile minérale)*. ‖ *Huile détergente*, huile de pétrole lubrifiante, possédant la propriété de disperser et de retenir en suspension les dépôts et les résidus des moteurs à combustion. — **3.** Produit obtenu en faisant macérer une substance végétale ou animale dans l'huile (*huile de rose, huile pour brunir*, etc.). — **4.** *Peinture à l'huile*, mélange d'huile et de matière colorante. — **5.** *Jeter, verser de l'huile sur le feu*, exciter, envenimer une querelle, une passion. || *Mer d'huile*, mer très calme, presque sans ondulations. || *Mettre de l'huile (dans les rouages)*, aplanir les difficultés, adoucir les contacts entre personnes hostiles (syn. ARRONDIR LES ANGLES). ◆ **huiler** v. t. *Huiler qqch.*, le frotter avec de l'huile, y mettre de l'huile : *Huiler une poêle* (syn. GRAISSER). ◆ **huilage** n. m. : *L'huilage des pièces d'un moteur.* ◆ **huilerie** n. f. Usine fabriquant de l'huile végétale. ◆ **huileux, euse** adj. **1.** Qui est de la nature de l'huile, qui en a l'aspect, la consistance, qui en contient : *Un sirop huileux* (syn. VISQUEUX). — **2.** Gras et comme imbibé d'huile : *Une peau huileuse* (syn. GRAS). ◆ **huilier** n. m. Accessoire de table contenant les burettes de vinaigre et d'huile pour les assaisonnements.

***HUIS CLOS** [ɥiklo] n. m. (du lat. *ostium*, porte, et *clos*). *À huis clos*, sans que le public soit admis (express. judiciaire). || *Ordonner, demander le huis clos*, demander que l'audience ne soit pas publique.

HUISSIER [ɥisje] n. m. (de *huis*). **1.** Employé chargé d'introduire les visiteurs près d'un ministre, d'un chef de service, etc. (syn. APPARITEUR). — **2.** Officier ministériel chargé de mettre à exécution certaines décisions de justice ou de dresser des constats.

***HUIT** ([ɥit] devant une voyelle, un *h* muet et en fin de phrase; [ɥi] devant une consonne) adj. num. cardin. et n. m. inv. (lat. *octo*). ⟶ NUMÉRATION. ◆ ***huitième** [ɥitjɛm] adj. num. ordin. et n. ◆ ***huitièmement** adv. ◆ ***huitain** n. m. Pièce ou stance de huit vers. ◆ ***huitaine** n. f. **1.** Ensemble de huit choses. — **2.** Ensemble de huit jours consécutifs : *Le jugement est remis à huitaine* (= dans une semaine).

HUÎTRE [ɥitr] n. f. (lat. *ostrea*). Mollusque marin bivalve, comestible, fixé au rocher par une valve de sa coquille, l'autre valve jouant le rôle de couvercle : *Des bancs d'huîtres. La culture des huîtres s'appelle l'ostréiculture.* (Famille des ostréidés.) || *Huître perlière*, mollusque lamellibranche fournissant des perles fines, comme la *méléagrine* des mers chaudes, la *mulette* d'eau douce.

***HULOTTE** [ylɔt] n. f. (de l'anc. fr. *huler*, hurler). Oiseau rapace nocturne, commun dans les bois, qui capture surtout des petits rongeurs. (Nom usuel CHAT-HUANT.)

***HULULER** ou **ULULER** [ylyle] v. i. (onomat.) [sujet nom désignant un oiseau rapace nocturne]. Crier : *La chouette hulule.* ◆ ***hululement** ou **ululement** n. m.

1. HUMAIN, E adj. et n. m. ⟶ HOMME 1.

2. HUMAIN, E [ymɛ̃, -ɛn] adj. (lat. *humanus*). **1.** Qui marque de la sensibilité, de la compassion ou de la compréhension à l'égard d'autres hommes : *Se montrer humain.* — **2.** Qui a les qualités ou les défauts liés à ces sentiments : *C'est une réaction humaine* (contr. INHUMAIN). ◆ **humainement** adv. : *On a fait tout ce qui était humainement possible pour le sauver* (syn. MATÉRIELLEMENT). *Traiter humainement ses subordonnés.* ◆ **humanité** n. f. : *Homme plein d'humanité* (syn. BONTÉ, DOUCEUR, SENSIBILITÉ). ◆ **humaniser** v. t. Rendre plus humain (sens 1) : *Humaniser les conditions de travail* (syn. ADOUCIR). ◆ ***s'humaniser*** v. pr. Devenir plus doux, plus compréhensif, bienveillant. ◆ **humanisation** n. f. : *L'humanisation des conditions de travail.* ◆ **déshumaniser** v. t. Faire perdre tout caractère humain. ◆ **inhumain, e** adj. Contr. de HUMAIN : *Une loi inhumaine* (syn. CRUEL, IMPITOYABLE). *Un cri inhumain* (= qui semble ne pas être celui d'un homme). ◆ **inhumainement** adv. ◆ **inhumanité** n. f. Cruauté indigne d'un homme (syn. BARBARIE, FÉROCITÉ).

HUMANISME [ymanism] n. m. (de *humain*). **1.** Doctrine des humanistes de la Renaissance, qui remirent en honneur les langues et les littératures anciennes. — **2.** Ensemble des tendances intellectuelles et philosophiques qui ont pour objet le développement des qualités essentielles de l'homme. (L'humanisme se caractérise par le respect de la personne et de la valeur humaine, par la tolérance entre individus et par la démocratie au niveau de la nation.) ◆ **humaniste** adj. et n. **1.** Qui appartient à l'humanisme (sens 1 et 2). — **2.** Qui est versé dans la connaissance des langues et littératures anciennes.

— ENCYCL. Rompant avec la tradition de l'enseignement du Moyen Âge, uniquement théologique, les *humanistes* pensent que la meilleure connaissance du monde et de l'homme se trouve chez les auteurs anciens. Aussi, ils en recherchent les manuscrits et les lisent dans la langue originale (latin, grec ou hébreu). De ce contact avec la culture antique naît un nouvel idéal de sagesse et une philosophie : les humanistes croient en la bonté de l'homme et en sa capacité de progrès.

L'*humanisme* apparaît en Italie à la fin du Moyen Âge : Dante dans sa *Divine comédie* fait une place importante aux écrivains antiques. Au XVe s., Pétrarque le premier attire l'attention sur Homère et Platon, et les écrivains plagient Cicéron, Virgile, Horace. Le premier centre de l'humanisme est Florence où Marsile Ficin lit et commente les textes anciens dans son académie platonicienne, non plus par rapport à la religion, mais pour eux-mêmes.

Puis la découverte de l'imprimerie (1453) permet aux connaissances de se répandre largement, et, dès la fin du XVe s., l'humanisme se développe dans les centres d'imprimerie (Venise, Bâle) et les villes universitaires comme Lyon, Padoue, Louvain, Paris où à l'instigation de Guillaume Budé François Ier crée en 1530 le Collège de France spécialisé dans l'étude des disciplines nouvelles. De plus, les humanistes voyagent et correspondent beaucoup entre eux : ils forment une « république des lettres » qui diffuse leurs idées à travers l'Europe. Érasme, le plus célèbre d'entre eux, Thomas More, le Français Lefèvre d'Étaples critiquent l'Église et la société de leur temps et ne veulent étudier la religion que dans les Évangiles.

Pour atteindre un plus large public, les humanistes en viennent à utiliser leur propre langue et non plus le latin. Ainsi l'humanisme est à l'origine de l'essor des littératures nationales.

Enfin, le goût des humanistes pour la nature amène un progrès des sciences : Vésale, médecin de Charles Quint, écrit un traité sur la structure du corps humain, Michel Servet étudie la circulation du sang, Copernic pense avec les Grecs que c'est le Soleil et non pas la Terre qui est au centre du système planétaire.

HUMANITAIRE adj. ⟶ HOMME 1.

1. HUMANITÉ n. f. ⟶ HOMME 1 et HUMAIN 2.

2. HUMANITÉS [ymanite] n. f. pl. (lat. *humanitas*, culture). *Faire ses humanités*, étudier les langues et les littératures gréco-latines.

HUMBERT Ier (1844-1900), roi d'Italie à partir de 1878, assassiné par un anarchiste. — HUMBERT II (1904-1983), fils de Victor-Emmanuel III, fut roi d'Italie du 9 mai au 13 juin 1946, avant l'établissement de la république.

1. HUMBLE [œ̃bl] adj. (du lat. *humilis*) [avant ou, moins souvent, après le nom]. Qui dénote une condition sociale modeste : *Une humble demeure* (syn. PAUVRE). ◆ n. m. pl. Les gens de modeste situation (littér.).

2. HUMBLE [œ̃bl] adj. (même étym.) [après ou, moins souvent, avant le nom]. **1.** Se dit d'une personne qui s'abaisse volontairement devant les autres, par sentiment de sa faiblesse, de son insuffisance vraie ou fausse : *Un homme humble* (syn. MODESTE; contr. ORGUEILLEUX). — **2.** Se dit de ce qui témoigne de ce sentiment : *Faire l'humble aveu de ses fautes.* || *À mon humble avis*, si je puis exprimer mon opinion. ◆ **humblement** adv. ◆ **humilité** n. f. Sentiment de celui qui est humble : *Une fausse humilité qui cache un grand orgueil* (syn. MODESTIE). ◆ **humilier** v. t. *Humilier qq'un*, le rabaisser aux yeux des autres, en le faisant apparaître comme inférieur, méprisable : *Se plaire à humilier un adversaire vaincu* (syn. ACCABLER, AVILIR). *Cette parole l'humilia* (syn. MORTIFIER, OFFENSER, VEXER). ◆ ***s'humilier*** v. pr. Se faire humble : *Refuser de s'humilier devant un vainqueur* (syn. S'ABAISSER). ◆ **humiliant, e** adj. : *Un échec humiliant. Un aveu humiliant.* ◆ **humiliation** n. f. : *Le silence de l'assistance fut pour lui le comble de l'humiliation* (syn. MORTIFICATION). *Infliger une humiliation à qq'un* (syn. AFFRONT, VEXATION).

HUMBOLDT (Wilhelm, *baron* VON), érudit et homme d'État prussien (1767-1835). Fondateur de l'université de Berlin (1809-1810), il se consacra à des études de linguistique. — Son frère ALEXANDER (1769-1859) réalisa un important voyage d'exploration en Amérique tropicale (1799-1804) et en publia les résultats en 30 volumes. Il est un des créateurs de la climatologie, de la géographie botanique et de l'océanographie (son nom a été donné au courant froid des côtes occidentales de l'Amérique latine).

HUME (David), philosophe et historien écossais (1711-1776). Il est l'auteur d'*Essais sur l'entendement humain* (1748).

HUMECTER [ymɛkte] v. t. (lat. *humectare*). *Humecter qqch.*, le rendre humide, le mouiller légèrement : *Humecter du linge. L'herbe est humectée de rosée* (syn. IMPRÉGNER). ◆ ***s'humecter*** v. pr. : *S'humecter les lèvres.*

***HUMER** [yme] v. t. (onomat.). **1.** Absorber par le nez en respirant : *Humer l'air frais* (syn. RESPIRER). — **2.** Aspirer par le nez pour sentir : *Humer l'odeur d'un mets.*

HUMÉRUS [ymerys] n. m. (lat. *humerus*). Os formant le squelette du bras.

— ENCYCL. L'*humérus* s'articule au niveau de l'épaule avec l'omoplate et au niveau du coude avec le radius et le cubitus. Sur l'humérus s'insèrent des muscles importants : le *deltoïde*, qui permet l'élévation du bras en avant et en arrière, et qui forme le *moignon de l'épaule;* le *triceps brachial*, en arrière, qui permet l'extension de l'avant-bras sur le bras; le *brachial antérieur* aide à plier le bras sur le thorax.

En arrière, l'humérus est creusé d'une gouttière oblique traversée par le *nerf radial :* ce nerf commande les mouvements des doigts et de l'avant-bras.

1. HUMEUR [ymœr] n. f. (lat. *humor*, liquide). Liquide organique du corps humain ou d'un animal, comme le sang, la lymphe, la bile, etc. ‖ *Humeur aqueuse*, liquide contenu dans l'espace qui sépare le cristallin de la cornée. ‖ *Humeur vitrée*, tissu transparent clair et d'aspect gélatineux, contenu dans la cavité de l'œil, entre le cristallin et la rétine. ◆ **humoral, e, aux** adj. Relatif aux humeurs ou qui y est contenu.

2. HUMEUR [ymœr] n. f. (de *humeur* 1). **1.** Disposition, tendance naturelle, dominante ou momentanée, d'une personne : *Être d'humeur batailleuse* (syn. CARACTÈRE). *Je ne suis pas d'humeur à vous écouter* (= je ne suis pas disposé, enclin). *Être de bonne humeur* (= être gai). *Être de mauvaise humeur* (= triste, morose, irrité). — **2.** Disposition à l'irritation, à la colère (littér., ou dans quelques express.) : *Dans un mouvement d'humeur, il le mit à la porte.*

HUMIDE [ymid] adj. (lat. *humidus*). Imprégné d'eau, de liquide, de vapeur : *Un linge humide* (syn. MOUILLÉ). *Le pays est très humide* (contr. SEC). ◆ **humidité** n. f. Caractère de ce qui est humide : *Le degré d'humidité de l'atmosphère se mesure à l'aide d'un hygromètre.* ‖ *Humidité absolue*, pression absolue de vapeur d'eau pouvant être contenue dans l'air. ‖ *Humidité relative*, rapport de la pression observée de la vapeur d'eau à la pression maximale. ◆ **humidifier** v. t. Rendre plus humide : *Humidifier l'air.* ◆ **humidification** n. f.

HUMILIANT, E adj., **HUMILIATION** n. f., **HUMILIER** v. t., **HUMILITÉ** n. f. ⟶ HUMBLE 2.

HUMORAL, E, AUX adj. ⟶ HUMEUR 1.

HUMOUR [ymur] n. m. (mot angl.). Forme d'esprit qui s'attache à dénoncer, sans appuyer et avec impassibilité apparente, les aspects plaisants, insolites ou absurdes de la réalité qui semble la plus normale : *Avoir de l'humour, le sens de l'humour* (= être capable de faire de l'humour ou de le comprendre). ‖ *Humour noir*, celui qui souligne avec cruauté l'absurdité du monde. ◆ **humoriste** n. Celui qui s'exprime avec humour, qui écrit ou dessine avec humour. ◆ **humoristique** adj. : *Un dessin humoristique* (syn. SATIRIQUE).

HUMUS [ymys] n. m. (mot lat. signif. *terre*). Substance colloïdale noirâtre, résultant de la décomposition partielle, par les microbes du sol, de déchets végétaux et animaux.

***HUNE** [yn] n. f. (anc. scand. *hûnn*). *Mar.* Sur un navire, plateforme ronde qui se trouve à la partie haute d'un mât. ◆ ***hunier** n. m. Voile carrée hissée sur le mât de hune, située immédiatement au-dessus des basses voiles.

HUNINGUE, ch.-l. de cant. du Haut-Rhin, près du Rhin, à 2 km au N. de Bâle; 6600 hab. Textiles. Matières plastiques.

HUNS, anc. population nomade de haute Asie. À la fin du IVe s., les Huns déferlent sur l'Europe, traversant la Volga et le Don.

- *405. Ils parviennent dans les plaines du Danube moyen.*

Englobant plusieurs peuples barbares sur leur passage, ils essaient de s'ériger en État. Au début du Ve s., les Romains ont recours à leur aide contre les Wisigoths (427), les Francs (428) et les Burgondes (430).

- ***434-453. Un de leur chef, Attila*, regroupe les tribus hunniques, entraîne les Germains et prétend étendre son hégémonie sur l'Empire romain.***

Mais plus préoccupé de pillages que de conquêtes, il n'arrive pas à asseoir la puissance hunnique qui se disloque à sa mort (453). Les tribus s'éparpillent parmi les autres Barbares.

On appelle *Huns Hephthalites* des hordes turco-mongoles originaires de l'Altaï qui dévastèrent l'Iran et l'Inde (Ve-VIe s.).

Huon de Bordeaux, chanson de geste française du début du XIIIe s.

***HUPPE** [yp] n. f. (lat. *upupa*). Oiseau passereau insectivore, de la grosseur d'un merle, ayant une touffe de plumes sur la tête; cette touffe de plumes.

***HUPPÉ, E** [ype] adj. (de *huppe*). Qui appartient à un haut rang; qui se classe parmi les personnes distinguées et riches ou dans la noblesse (surtout dans les express. *des plus huppés, de très huppé*).

***HURE** [yr] n. f. (orig. germ.). Tête coupée de sanglier, de saumon, de brochet, etc.

HUREPOIX, pays de l'Île-de-France, au S. de Paris, entre la Beauce et la Brie, ouvert par les profondes vallées de l'Orge et de l'Yvette.

***HURLER** [yrle] v. i. (lat. *ululare*). **1.** (sujet nom désignant un chien, un loup, etc.) Pousser des cris prolongés manifestant la crainte ou la fureur. — **2.** (sujet nom de personne) Pousser des cris aigus et violents, sous l'effet de la douleur, de la peur, etc. : *Le blessé hurlait de douleur* (syn. CRIER). *Hurler avec les loups* (= agir comme ceux avec qui l'on se trouve). — **3.** (sujet nom de chose) Faire entendre un bruit effrayant : *La sirène hurle.* — **4.** (sujet nom de chose) Produire un effet de contraste violent et désagréable : *Ces deux couleurs hurlent ensemble* (syn. JURER). ◆ v. i. et t. Dire, prononcer, chanter en criant très fort : *Hurler des injures* (syn. CLAMER). ◆ ***hurlant, e** adj. : *La meute hurlante des loups. Des couleurs hurlantes* (syn. CRIARD). ◆ ***hurlement** n. m. : *Les hurlements d'un chien. Pousser un hurlement de douleur* (syn. CRI).

HURLUBERLU [yrlybɛrly] n. m. et adj. (orig. incert.). *Fam.* Personne bizarre, extravagante (syn. ÉCERVELÉ, FARFELU).

HURON *(lac)*, l'un des cinq grands lacs de l'Amérique du Nord, entre le lac Supérieur et le lac Michigan. Long de 510 km, il est large de 240 km.

***HURONIEN** [yrɔnjɛ̃] adj. m. (de *Huron*). Géol. *Plissement huronien*, plissement précambrien qui a affecté notamment la Scandinavie et le Canada.

HURONS, nom donné au XVIIe s. à différents peuples d'Amérique du Nord. Les Hurons proprement dits, venus du Saint-Laurent, étaient alliés des Français et furent combattus par les Iroquois.

***HURRAH** n. m. et interj. ⟶ *HOURRA.

***HURRICANE** [yrikan] n. m. (mot angl. signif. *ouragan*). Cyclone tropical aux Antilles.

HUS (Jan), réformateur religieux tchèque (v. 1370-1415). Prêtre, il adhéra aux idées du réformateur Wyclif et les répandit dans ses prédications, véritables réquisitoires contre la hiérarchie romaine. Excommunié en 1412, il fut invité à paraître devant le concile de Constance (1414). Il y fut condamné pour hérésie, et refusant de se rétracter il fut brûlé vif. La Bohême le considéra comme un patriote et un martyr de la foi.

HUSAYN, né en 1935, roi de Jordanie depuis 1952. Il exigea le départ des troupes syriennes (1957), puis britanniques (1958) et participa aux guerres israélo-arabes de 1967 et 1973.

HUSAYN ou **HUSSEIN** (Saddam), homme politique irakien, né en 1937. Il est à la tête de l'État, du parti unique et de l'armée depuis 1979.

***HUSSARD** [ysar] n. m. (hongr. *huszar*). Soldat de la cavalerie légère, dont l'uniforme fut primitivement emprunté aux Hongrois. — LOC. ADV. *À la hussarde*, d'une façon brutale.

HUSSERL (Edmund), logicien et philosophe allemand (1859-1938). Ses recherches logiques l'ont conduit à fonder la « phénoménologie », qui a pour objet de décrire les actes de la conscience, sa vie, afin de saisir les significations pures ou « essences » des choses, par conséquent la vérité du monde et de l'homme en dehors de leur histoire réelle (*Idées directrices pour une phénoménologie*, 1913; *Méditations cartésiennes*, 1929).

***HUSSITE** [ysit] n. m. Partisan des doctrines de Jan Hus.

HUSTON (John), cinéaste américain (1906-1987). Il est l'auteur du *Faucon maltais* (1941), du *Trésor de la sierra Madre* (1947), de *African Queen* (1952), des *Misfits* (1961), de *Au-dessous du volcan* (1984), de *l'Honneur des Prizzi* (1985), des *Gens de Dublin* (1987).

***HUTTE** [yt] n. f. (frq. *hutta*). Habitation rudimentaire en torchis, ou abri provisoire fait de branchages, de paille : *Les huttes d'un village africain* (syn. CASE). *Une hutte de roseaux* (syn. CABANE, CAHUTE).

HUXLEY (Aldous), écrivain anglais (1894-1963). Il a publié de nombreux romans, parmi lesquels *Contrepoint* (1928) et *le Meilleur des mondes* (1932), livre d'anticipation d'un pessimisme ironique et amer.

HUYGENS (Christiaan), physicien, mathématicien et astronome néerlandais (1629-1695). En mathématiques, il composa le premier traité complet de calcul des probabilités. En astronomie, il découvrit l'anneau de Saturne, la rotation de Mars et la nébuleuse d'Orion. En physique, il étudia la théorie ondulatoire de la lumière et utilisa le pendule comme régulateur du mouvement des horloges.

HUYSMANS (Georges Charles, dit **Joris-Karl**), romancier français (1848-1907). Il a évolué du naturalisme au mysticisme chrétien : *À rebours* (1884), *la Cathédrale* (1898).

HYALIN, E [jalɛ̃, -in] adj. (du gr. *hualos*, verre). Qui a l'apparence du verre : *Quartz hyalin.*

HYBRIDE [ibrid] adj. (lat. *hybrida*, de sang mêlé). Composé de deux ou de plusieurs éléments de nature différente; qui participe de plusieurs espèces : *L'essai est un genre hybride qui tient du roman et de la dissertation philosophique.* ◆ n. m. Animal ou plante provenant de deux sujets d'espèce différente : *Le mulet est un hybride de l'âne et de la jument.* ◆ **hybridation** n. f. Croisement fécond entre deux variétés végétales ou deux espèces animales différentes.

HYDARTHROSE [idartroz] n. f. (du gr. *hudôr*, eau, et *arthron*, articulation). *Méd.* Accumulation de liquide séreux dans une articulation (genou, le plus souvent).

HYDERĀBĀD ou **HAIDARĀBĀD,** v. de l'Inde, capit. de l'Āndhra Pradesh, dans le Deccan ; 2 149 000 hab.

HYDERĀBĀD, v. du Pākistān, dans le Sind ; 795 000 hab.

HYDR(O)-, élément issu du gr. *hudôr*, eau, et qui sert de préf. à de nombreux mots, pour indiquer la présence d'eau ou d'hydrogène.

HYDRACIDE [idrasid] n. m. *(hydr-*, et *acide). Chim.* Acide résultant de la combinaison de l'hydrogène avec un métalloïde, sans interposition d'oxygène. (On nomme les hydracides en ajoutant la terminaison *-hydrique* au nom du métalloïde lié à l'hydrogène [par ex., *acide chlorhydrique*].)

HYDRAIRES [idrɛr] n. m. pl. (du gr. *hudôr*, eau). Ordre de cœlentérés au sac digestif simple, dépourvus de squelette calcaire, vivant solitaires ou en petites colonies dans la mer ou dans les eaux douces, dont le type est l'*hydre verte*.

HYDRATANT, E adj., **HYDRATATION** n. f. ⟶ HYDRATER.

1. HYDRATE n. m. ⟶ HYDRATER.

2. HYDRATE [idrat] n. m. (du gr. *hudôr*, eau). *Hydrates de carbone*, composés organiques constitués de carbone, d'hydrogène et d'oxygène (syn. GLUCIDES).

HYDRATER [idrate] v. t. (de *hydrate*). *Chim.* Combiner avec l'eau. ◆ **hydrate** n. m. Combinaison de l'eau avec une substance. ◆ **hydratant, e** adj. Qui fixe l'eau; qui permet de restituer à l'épiderme sa teneur en eau. ◆ **hydratation** n. f. **1.** *Chim.* Fixation d'eau sur un corps. — **2.** Introduction d'eau dans l'organisme. ◆ **déshydrater** v. t. **1.** Priver d'eau en faisant évaporer : *Déshydrater des légumes pour les conserver.* — **2.** Fam. *Être déshydraté*, être assoiffé. ◆ **déshydratation** n. f. **1.** Action de priver d'eau. — **2.** État d'un organisme qui a perdu une partie de son eau, soit par insuffisance de boisson, soit par sudation, vomissements ou diarrhées.

HYDRAULIQUE [idrolik] adj. (de *hydr-*, et gr. *aulos*, flûte). **1.** Qui fonctionne à l'aide d'un liquide, d'une pompe : *Des freins hydrauliques. Une presse hydraulique* (= appareil dans lequel la force de pression est obtenue par une pompe qui refoule un liquide dans un cylindre obturé par un piston). — **2.** Relatif à la circulation de l'eau : *Installation hydraulique.* — **3.** *Chaux hydraulique*, ciment qui donne un mortier durcissant sous l'eau. ◆ n. f. Science et technique qui traitent des lois régissant l'écoulement des liquides et des problèmes posés par l'utilisation de l'eau. ◆ **hydraulicien, enne** adj. et n. Ingénieur en hydraulique.

HYDRAVION [idravjɔ̃] n. m. *(hydr-*, et *avion).* Avion construit pour pouvoir se poser sur l'eau et y décoller.

HYDRE [idr] n. f. (gr. *hudra*). Animal invertébré vivant en eau douce, long de 1 cm. (Le corps comprend une seule cavité digestive et des tentacules garnis de cellules urticantes.) [Embranchement des cœlentérés.]

Hydre de Lerne. *Myth.* Serpent à sept têtes, repoussant au fur et à mesure qu'on les tranchait, détruit par Héraclès.

HYDRIQUE [idrik] suff. (tiré du gr. *hudôr*, eau). Sert à désigner les hydracides : *Acide chlorhydrique.* ◆ adj. Qui a rapport à l'eau : *Diète hydrique* (= régime dans lequel seule l'eau est permise).

HYDROCARBURE [idrɔkarbyr] n. m. *(hydro-*, et *carbure).* Combinaison chimique de carbone et d'hydrogène.

HYDROCÉPHALIE [idrɔsefali] n. f. (de *hydro-*, et gr. *kephalê*, tête). Maladie pouvant entraîner une forte augmentation du volume du crâne, par épanchement du liquide céphalo-rachidien dans l'encéphale. ◆ **hydrocéphale** adj. et n. Atteint d'hydrocéphalie.

HYDROCRAQUAGE [idrɔkrakaʒ] n. m. *(hydro-*, et *craquage).* Procédé de raffinage du pétrole qui consiste à craquer et à hydrogéner en même temps des hydrocarbures lourds. (Ce terme remplace l'anc. HYDROCRACKING, prohibé par l'Administration.)

HYDROCUTION [idrɔkysjɔ̃] n. f. (de *hydro-*, et [*électro*]*cution*). Accident survenant brusquement au moment où une personne entre dans l'eau froide, et qui se caractérise par une perte de connaissance et un arrêt respiratoire.

HYDRODYNAMIQUE [idrodinamik] n. f. (de *hydro-*, et gr. *dunamis*, force). Étude des lois régissant le mouvement des liquides ainsi que les résistances qu'ils opposent aux corps qui se meuvent par rapport à eux.

HYDRO-ÉLECTRICITÉ n. f., **HYDRO-ÉLECTRIQUE** adj. ⟶ ÉLECTRICITÉ.

HYDROFUGE [idrɔfyʒ] adj. (de *hydro-*, et lat. *fugere*, fuir). Qui préserve de l'humidité; qui chasse l'humidité; qui s'oppose au passage de l'eau : *Peinture hydrofuge.*

HYDROGÈNE [idrɔʒɛn] n. m. (de *hydro-*, et gr. *gennân*, produire). Corps simple (H), gazeux, qui entre dans la composition de l'eau. ⟶ ENCYCL. ‖ *Bombe à hydrogène*, ou *bombe H* ⟶ BOMBE 1 et THERMONUCLÉAIRE. ◆ **hydrogéner** v. t. Combiner un corps avec de l'hydrogène. ◆ **hydrogénation** n. f. Opération chimique consistant à fixer de l'hydrogène sur un corps. ◆ **hydrogéné, e** adj. Combiné avec l'hydrogène ou qui contient de l'hydrogène.

— ENCYCL. L'*hydrogène*, découvert par Cavendish en 1781, a été ainsi appelé parce qu'en se combinant avec l'oxygène il forme de l'eau. Il est inflammable et brûle dans l'air avec une flamme pâle. Il est très léger (densité 0,07) et se liquéfie à —253 °C.

L'hydrogène est employé comme matière première dans un grand nombre d'opérations chimiques, telles que la synthèse de l'ammoniac, la fabrication du méthanol et celle de carburants synthétiques. On l'emploie liquide comme combustible dans les fusées spatiales.

HYDROGLISSEUR [idroglisœr] n. m. *(hydro-*, et *glisseur).* Bateau à fond plat, propulsé par une hélice aérienne ou par un moteur à réaction.

HYDROGRAPHIE [idrografi] n. f. (de *hydro-*, et gr. *graphein*, décrire). **1.** Science qui étudie la partie liquide (mers, fleuves, etc.) du globe terrestre. ⟶ ENCYCL. — **2.** Ensemble des eaux courantes d'un pays, d'une région. ◆ **hydrographe** n. Spécialiste d'hydrographie. ◆ **hydrographique** adj. Relatif à l'hydrographie. ‖ *Service hydrographique*, service de la marine nationale chargé de l'établissement et de la mise à jour des cartes marines et autres documents nautiques.

— ENCYCL. Partie de la géographie physique relative aux eaux marines ou douces, l'*hydrographie* étudie les cours d'eau (*hydrologie** fluviale, ou potamologie) et les lacs *(limnologie*)*; elle détermine aussi la configuration des côtes, les profondeurs de la mer, les eaux marines, l'amplitude des marées, les courants océaniques *(océanographie*)*, etc.

HYDROLOGIE [idrɔlɔʒi] n. f. (de *hydro-*, et gr. *logos*, science). **1.** Science qui traite des propriétés mécaniques, physiques et chimiques des eaux. ‖ *Hydrologie fluviale*, étude des régimes fluviaux, des débits, de leurs variations. — **2.** Étude des eaux minérales ou thermales et de leurs propriétés thérapeutiques. ◆ **hydrologique** adj. Relatif à l'hydrologie. ◆ **hydrologiste** ou **hydrologue** n. Spécialiste en hydrologie.

HYDROLYSE [idrɔliz] n. f. (de *hydro-*, et gr. *lusis*, décomposition). *Chim.* Dédoublement de la molécule de certains composés organiques au contact de l'eau.

HYDROMEL [idrɔmɛl] n. m. (de *hydro-*, et gr. *meli*, miel). Boisson, fermentée ou non, faite d'eau et de miel.

1. HYDROPHILE [idrɔfil] adj. (de *hydro-*, et gr. *philein*, aimer). *Coton hydrophile*, coton qui absorbe facilement l'eau.

2. HYDROPHILE [idrɔfil] n. m. (même étym.). Grand insecte coléoptère, d'un noir verdâtre luisant, qui vit dans les eaux stagnantes.

HYDROPISIE [idropizi] n. f. (de *hydro-*, et gr. *opsis*, aspect). Accumulation de sérosités dans quelque partie du corps, notamment dans l'abdomen. (⟶ ŒDÈME.)

HYDROSPHÈRE [idrosfɛr] n. f. *(hydro-*, et *sphère).* Partie liquide de la croûte terrestre, constituée par les océans, les mers, les lacs et les cours d'eau (par oppos. à ATMOSPHÈRE et LITHOSPHÈRE).

HYDROSTATIQUE [idrostatik] n. f. *(hydro-*, et *statique).* Étude des conditions d'équilibre des liquides et de la répartition des pressions qu'ils transmettent. ◆ adj. *Balance hydrostatique*, appareil qui sert à déterminer la densité des corps. ‖ *Niveau hydrostatique*, surface de la nappe phréatique*.

HYDROTHÉRAPIE [idroterapi] n. f. (de *hydro-*, et gr. *therapeuein*, soigner). Traitement des maladies par l'eau. ◆ **hydrothérapique** adj. Relatif à l'hydrothérapie : *Cure hydrothérapique.*

HYDROTHERMAL, E, AUX [idrɔtɛrmal, -mo] adj. *(hydro-*, et *thermal).* Relatif aux eaux thermales, aux sources d'eaux minérales chaudes.

HYDROXYDE [idrɔksid] n. m. *(hydr-,* et *oxyde). Chim.* Combinaison d'eau et d'un oxyde métallique : *La soude est de l'hydroxyde de sodium.*

HYÈNE [jɛn] n. f. (gr. *huaina*). Mammifère carnassier se nourrissant surtout de charognes, à pelage gris ou fauve tacheté de brun. (Abondante en Europe au Quaternaire, elle ne se trouve plus auj. qu'en Afrique et en Asie.)

HYÈRES *(îles d'),* petit archipel français de la Méditerranée, comprenant *Porquerolles, Port-Cros* et l'*île du Levant.*

HYÈRES, ch.-l. de cant. du Var, à 18 km à l'E. de Toulon; 41 700 hab. Station balnéaire.

HYGIÈNE [iʒjɛn] n. f. (gr. *hugieinon,* santé). Partie de la médecine qui traite des mesures propres à conserver la santé en améliorant le milieu dans lequel l'homme est appelé à vivre; moyens et pratiques mis en œuvre pour parvenir à cette amélioration. ⟶ ENCYCL. ◆ **hygiénique** adj. **1.** Favorable à la santé : *Une promenade hygiénique.* — **2.** Utilisé dans les soins d'hygiène, de propreté : *Papier hygiénique.*

— ENCYCL. On peut distinguer l'*hygiène individuelle* (soins de toilette, mode de vie, activité sportive) et l'*hygiène alimentaire* (choix et préparation corrects des aliments, en quantité et qualité).

Ces deux aspects se rapportent à la vie de l'individu, de la famille. Mais la lutte contre les maladies transmissibles, infectieuses en particulier, et contre les maladies dues à une activité particulière a imposé l'organisation de l'*hygiène sociale* et *publique* (vaccinations obligatoires et leur contrôle, déclaration obligatoire par le médecin de certaines maladies à gros risque épidémique, surveillance des produits alimentaires, des eaux, des égouts, etc.) et de l'*hygiène industrielle* (réglementation des conditions du travail en général et de l'exercice de professions exposées à un risque particulier [radiations, émanations de gaz toxiques, poussière de silice des mines, etc.]).

L'*hygiène mentale* cherche par le développement d'un réseau médical à dépister et soigner les troubles mentaux.

HYGROMÉTRIE [igrɔmetri] n. f. (de gr. *hugros,* humide, et *metron,* mesure). Science qui a pour but de déterminer l'état d'humidité de l'atmosphère. ◆ **hygromètre** n. m. Appareil pour mesurer le degré d'humidité de l'air. ◆ **hygrométrique** adj. Relatif à l'hygrométrie.

HYKSOS, nomades qui s'établirent en souverains dans le delta du Nil au XVIIIe s. av. J.-C. Ils furent expulsés au XVIe s. av. J.-C.

HYMEN [imɛn] ou **HYMÉNÉE** [imene] n. m. (du n. d'une divinité qui présidait au mariage). *Poét.* Mariage.

HYMÉNIUM [imenjɔm] n. m. (du gr. *humên,* membrane). Chez les champignons, couche formée par les éléments producteurs de spores.

HYMÉNOPTÈRES [imenɔptɛr] n. m. pl. (du gr. *humên,* membrane, et *pteron,* aile). Important ordre d'insectes qui comporte plus de 300 000 espèces.

— ENCYCL. Les *hyménoptères* présentent les caractères suivants : deux paires d'ailes membraneuses, un appareil buccal lécheur-broyeur, des métamorphoses complètes avec une larve incapable de subvenir elle-même à ses besoins (comme les fourmis, guêpes, abeilles). L'abdomen est terminé par une tarière pour la ponte chez les *térébrants* (cynips, ichneumon), par un aiguillon venimeux chez les *aculéates* (guêpes, abeilles, fourmis, sphex).

HYMETTE *(mont),* montagne de l'Attique, au S. d'Athènes, renommée pour son miel et son marbre.

1. HYMNE [imn] n. m. (gr. *humnos*). Chant, poème à la gloire d'un dieu, d'un héros, d'un personnage puissant, d'une entité quelconque : *Un hymne national* (= chant patriotique adopté par chaque pays pour être exécuté dans les cérémonies solennelles). [Les principaux hymnes nationaux sont : en France, *la Marseillaise;* en Belgique, *la Brabançonne;* en Grande-Bretagne, *God save the King;* en Allemagne, *Deutschland über alles;* aux États-Unis, *Star spangled banner.*]

2. HYMNE [imn] n. f. (même étym.). Poème religieux de la liturgie catholique.

HYPER-, élément tiré du gr. *huper,* au-dessus, au-delà, et qui sert de préf. à de nombreux mots de la langue scientif. (médecine, psychologie, etc.) pour indiquer une intensité ou une qualité supérieures à la normale (contr. HYPO-); il est également passé dans la langue commune : *hypersensible* (qui a une sensibilité excessive, anormale), *hypersensibilité, hyperémotif, hypertension* (tension artérielle supérieure à la normale), etc.

---

1. HYPERBOLE [ipɛrbɔl] n. f. (gr. *huperbolê,* excès). Emploi d'un mot ou d'une loc. dont le sens dépasse de loin ce qu'il convient d'exprimer, et va jusqu'à l'exagération. (Ex. : *Un travail titanesque* pour *un grand travail. Une douleur infinie* pour *une grande douleur. Une bêtise incommensurable, insondable* pour *une profonde bêtise.*) ◆ **hyperbolique** adj. Dont l'expression est excessive, qui va jusqu'à l'exagération.

2. HYPERBOLE [ipɛrbɔl] n. f. (même étym.). *Math.* Ensemble des points d'un plan dont la différence des distances à deux points fixes, appelés *foyers,* est constante.

HYPERFOCAL, E, AUX [ipɛrfɔkal, -ko] adj. *(hyper-,* et *focal). Distance hyperfocale,* distance la plus courte à laquelle un objet doit être placé pour qu'un appareil photographique en donne une image nette.

HYPERFRÉQUENCE [ipɛrfrekɑ̃s] n. f. *(hyper-,* et *fréquence).* **1.** Fréquence très élevée d'un phénomène périodique. — **2.** Onde électromagnétique dont la longueur est de l'ordre du centimètre, utilisée notamment dans le radar.

HYPERGLYCÉMIE n. f. ⟶ GLYCÉMIE.

HYPERMARCHÉ [ipɛrmarʃe] n. m. *(hyper-,* et *marché).* Magasin exploité en libre-service et présentant une superficie consacrée à la vente supérieure à 2 500 m^2.

HYPERMÉTROPIE [ipɛrmetrɔpi] n. f. (de *hyper-,* gr. *metron,* mesure, et *ops,* vue). Anomalie de la vision, due à un défaut de convergence du cristallin, et dans laquelle l'image se forme en arrière de la rétine : *L'hypermétropie se corrige par des verres convergents.* ◆ **hypermétrope** adj. et n. Atteint d'hypermétropie.

HYPERNERVEUX, EUSE adj. et n. → NERF. / **HYPERSONIQUE** adj. → SON 2. / **HYPERTENSION** n. f. → TENSION 2. / **HYPERTHYROÏDIE** n. f. → THYROÏDE.

HYPERTROPHIE [ipɛrtrɔfi] n. f. (de *hyper-,* et gr. *trophê,* nourriture). Développement excessif d'un organe, d'un caractère chez l'individu, d'une activité dans un pays : *L'hypertrophie du foie chez les alcooliques. L'hypertrophie de la sensibilité* (contr. ATROPHIE). ◆ **hypertrophier (s')** v. pr. Se développer excessivement. ◆ **hypertrophié, e** adj. : *Glande hypertrophiée. Administration hypertrophiée.*

HYPNOSE [ipnoz] n. f. (du gr. *hupnos,* sommeil). Sommeil provoqué par des moyens artificiels (chimiques ou psychologiques). ◆ **hypnotique** adj. Relatif à l'hypnose : *Sommeil hypnotique.* ◆ **hypnotiser** v. t. Provoquer l'hypnose chez un sujet. ◆ ***s'hypnotiser*** v. pr. Concentrer toute son attention sur quelque chose. ◆ **hypnotiseur** n. m. Celui qui hypnotise. ◆ **hypnotisme** n. m. Ensemble des phénomènes qui constituent l'hypnose, ou procédés par lesquels on parvient à créer un sommeil artificiel chez quelqu'un.

HYPO-, forme francisée de la prép. gr. *hupo* signif. au-dessous, en deçà, et qui sert de préf. à de nombreux mots de la langue scientif. (médecine, psychologie, chimie, etc.) pour indiquer une intensité ou une qualité inférieures à la normale (contr. HYPER-).

HYPOCENTRE [ipɔsɑ̃tr] n. m. *(hypo-,* et *centre).* Point souterrain présumé où un séisme a pris naissance. (Sa projection sur la surface est l'*épicentre.*)

HYPOCHLORITE [ipɔklɔrit] n. m. (de *hypo-,* et *chlore*). *Chim.* Sel d'un acide contenant du chlore et de l'oxygène : *L'eau de Javel contient de l'hypochlorite de sodium.*

HYPOCONDRE [ipɔkɔ̃dr] n. m. (de *hypo-,* et gr. *khondros,* cartilage). Chacune des parties latérales de la région supérieure du ventre.

HYPOCONDRIE [ipɔkɔ̃dri] n. f. (de *hypocondre*). Affection nerveuse qui rend le malade angoissé pour sa santé. ◆ **hypocondriaque** adj. et n. Atteint d'hypocondrie.

HYPOCRITE [ipɔkrit] adj. et n. (gr. *hupokritês,* acteur). Se dit d'une personne (ou de sa conduite) qui déguise ou cache ses véritables sentiments, qui montre une vertu ou des qualités qui n'existent pas en réalité : *Un air hypocrite* (syn. DISSIMULÉ, SOURNOIS; contr. FRANC). *Des promesses hypocrites* (syn. FALLACIEUX, FAUX; contr. SINCÈRE). ◆ **hypocritement** adv. ◆ **hypocrisie** n. f. : *L'hypocrisie d'une réponse* (syn. DUPLICITÉ, FOURBERIE). *Toute sa conduite n'est que pure hypocrisie* (syn. COMÉDIE, SIMAGRÉES, TARTUFERIE).

1. HYPODERME [ipɔdɛrm] n. m. (de *hypo-,* et gr. *derma,* peau). Partie profonde de la peau, sous le derme, riche en tissu adipeux. ◆ **hypodermique** adj. Qui est ou se fait sous la peau (syn. SOUS-CUTANÉ).

2. HYPODERME [ipɔdɛrm] n. m. (même étym.). Mouche dont la larve vit en parasite sous la peau des ruminants.

HYPOGASTRE [ipɔgastr] n. m. (de *hypo-,* et gr. *gastêr,* ventre). Partie inférieure du ventre. ◆ **hypogastrique** adj. Relatif à l'hypogastre.

HYPOGÉE [ipɔʒe] n. m. (de *hypo-*, et gr. *gê*, terre). *Archéol.* Tombeau souterrain. (C'était un mode de sépulture utilisé avant notre ère sur le littoral de la Méditerranée orientale.)

HYPOGLYCÉMIE n. f. ⟶ GLYCÉMIE.

HYPOPHYSE [ipɔfiz] n. f. (de *hypo-*, et gr. *phusis*, production). Glande endocrine située dans la boîte crânienne, sous le cerveau. ◆ **hypophysaire** adj. Relatif à l'hypophyse.
— ENCYCL. L'*hypophyse* produit plusieurs *hormones*. Certaines ont une action générale sur l'organisme. L'hormone somatotrope* assure la croissance : si elle est déficiente, elle est cause de nanisme; son excès, au contraire, est cause de gigantisme et de déformations du squelette. Une autre hormone contrôle, en partie, l'excrétion d'urine par les reins : son absence est cause de diabète insipide.

Mais le rôle essentiel de l'hypophyse est de contrôler le fonctionnement des autres glandes endocrines par la production d'un groupe d'hormones stimulant ces glandes : ce sont les *stimulines* qui agissent sur la thyroïde, les glandes surrénales, les glandes sexuelles.

Il est, de plus, probable que l'hypophyse est elle-même contrôlée, stimulée ou non, par le système nerveux central : c'est donc une partie essentielle du *système endocrinien** de tous les animaux et de l'homme.

HYPOSTYLE [ipɔstil] adj. (de *hypo-*, et gr. *stulos*, colonne). Se dit de la grande salle des temples égyptiens, dont le plafond est supporté par des colonnes.

HYPOTENSION n. f. ⟶ TENSION 2.

HYPOTÉNUSE [ipɔtenyz] n. f. (gr. *hupoteinousa pleura*, côté se tendant sous les angles). *Math.* Côté opposé à l'angle géométrique droit d'un triangle rectangle.

HYPOTHALAMUS [ipɔtalamys] n. m. (de *hypo-*, et gr. *thalamos*, lit). Région de l'encéphale située à la base du cerveau et au-dessus de l'hypophyse. (Siège de centres supérieurs du système neurovégétatif, il intervient dans le sommeil, les sécrétions endocriniennes, la régulation thermique, etc.)

HYPOTHÈQUE [ipɔtɛk] n. f. (gr. *hupothêkê*, gage). **1.** Droit accordé à un créancier sur un bien, sans que le propriétaire en soit dépossédé : *Prendre une hypothèque sur un immeuble.* — **2.** *Lever une hypothèque*, enlever ce qui empêche l'accomplissement de quelque chose, ce qui est une cause de difficulté. — **3.** *Prendre une hypothèque sur l'avenir*, disposer d'une chose avant de la posséder. ◆ **hypothéquer** v. t. Soumettre à une hypothèque (surtout au passif) : *Les fermes sont hypothéquées.* ◆ **hypothécaire** adj. : *Prêt hypothécaire.*

HYPOTHERMIE [ipɔtɛrmi] n. f. (de *hypo-*, et gr. *thermos*, chaleur). Abaissement de la température du corps, comme chez la marmotte en hiver.

HYPOTHÈSE [ipɔtɛz] n. f. (gr. *hupothêsis*). Proposition admise provisoirement pour servir de base à un raisonnement, à une démonstration, à une explication avant d'être soumise au contrôle de l'expérience : *Une hypothèse scientifique* (syn. CONJECTURE). — **2.** Supposition concernant les causes d'un événement quelconque, la probabilité qu'il a ou non de se produire : *Envisager l'hypothèse d'un accident* (syn. ÉVENTUALITÉ, POSSIBILITÉ). *Dans l'hypothèse où...* (= en supposant que). ◆ **hypothétique** adj. Qui n'est pas certain, qui repose sur une hypothèse : *Un succès hypothétique à l'examen* (contr. SÛR).

HYPOTHYROÏDIE n. f. ⟶ THYROÏDE.

HYPOTONIQUE [ipɔtɔnik] adj. *(hypo-*, et *tonique). Solution hypotonique*, solution saline dont la concentration moléculaire est inférieure à celle du plasma sanguin.

HYPSOMÉTRIE [ipsɔmetri] n. f. (du gr. *hupsos*, hauteur, et *metron*, mesure). Science de la mesure et de la représentation du relief. ◆ **hypsométrique** adj. *Carte hypsométrique*, carte qui représente la répartition des altitudes, en général par des teintes variées, que limitent des courbes de niveau.

HYSTÉRIE [isteri] n. f. (du gr. *hustera*, utérus). **1.** Maladie mentale qui se manifeste parfois par une agitation intense. — **2.** Excitation poussée jusqu'au délire : *Le pays tout entier fut pris d'une hystérie guerrière* (syn. FOLIE). ◆ **hystérique** adj. et n. Atteint d'hystérie. ◆ adj. Qui manifeste de l'hystérie : *Un rire hystérique.*

i

n. m. **1.** Neuvième lettre de l'alphabet, et la troisième des oyelles. ⟶ introduction de l'ouvrage. — **2.** *Mettre les points sur ›s « i »*, s'exprimer d'une façon claire, de manière à dissiper toute quivoque (syn. PRÉCISER). — **3.** I, chiffre romain qui vaut un (1). - **4.** I, symbole chimique de l'*iode*.

ACOPO della Quercia, sculpteur italien (v. 1374-v. 1438).

AKOUTES ou **YAKOUTES,** peuple de Sibérie, d'origine ırque, installé dans le bassin de la Lena, dans la *république utonome de Iakoutie* (664 000 hab.; capit. *Iakoutsk*, 108 000 hab.).

AMBE [jɑ̃b] n. m. (gr. *iambos*). Pied composé d'une syllabe rève suivie d'une syllabe longue accentuée, dans la versification ncienne. ◆ n. m. pl. Pièce de vers satirique : *Les « Ïambes » 'André Chénier*. ◆ **ïambique** adj. Composé d'ïambes.

AROSLAVL, v. de l'U. R. S. S., sur la Volga supérieure; 17 000 hab. Industries textiles et chimiques. Raffinage du pétrole.

AŞI ou **JASSY,** v. de Roumanie (Moldavie); 202 000 hab.

BADAN, v. du sud-ouest du Nigeria ; 847 000 hab.

BÈRES, anc. peuple de l'Europe occidentale, qui se répandit de Irlande à la Sicile mais se fixa surtout en Espagne *(Ibérie)* avant ı conquête romaine.

BÉRIQUE [iberik] adj. (de *Ibérie*). **1.** Qui se rapporte à l'Ibérie u aux Ibères. — **2.** Qui se rapporte à l'Espagne et au Portugal : *es pays ibériques. L'art ibérique.* ‖ *La péninsule Ibérique*, l'Es-agne et le Portugal.

BÉRIQUE ou **CELTIBÉRIQUE** *(chaîne)*, massif compris ntre la Castille et la vallée de l'Èbre; 2 349 m au Moncayo.

BERT (Jacques), compositeur français (1890-1962), auteur de allets, d'opéras-comiques (*le Roi d'Yvetot*, 1927), d'opéras bouffes *Ingélique*, 1926), de musique de chambre, de partitions sympho-iques.

BIDEM [ibidɛm] adv. (mot lat. signif. *là même*). À l'endroit déjà ıdiqué, dans le même passage. (On écrit, par abrév., *ibid.*)

BIS [ibis] n. m. (gr. *îbis*). Oiseau de l'ordre des échassiers, à bec ›ng et courbé vers le bas, habitant les régions chaudes.

BIZA, une des îles Baléares; 36 000 hab. Ch.-l. *Ibiza*. Tourisme.

BN BATTŪTA, voyageur arabe (1304-1377). Il visita le sud de la .ussie, une partie de l'Asie, atteignit la Chine et, dans un dernier oyage, traversa le Sahara.

BN KHALDŪN ('Abd al-Raḥmān), historien arabe (1332-1406). a laissé une immense chronique, où il raconte l'histoire de la ériode antéislamique et des empires musulmans.

BN SA'ŪD 'ABD AL-'AZĪZ III → 'ABD AL-'AZĪZ III IBN A'ŪD.

BOS, population africaine située au S.-E. du Nigeria. Leurs ppositions avec les Haoussas les ont amenés à entrer en lutte vec le gouvernement du Nigeria (1966) et à constituer, jusqu'en 970, un État séparatiste, la *république de Biafra**.

BSEN (Henrik), écrivain norvégien (1828-1906), auteur de drames thèses philosophiques ou sociales : les uns sont poétiques (*Peer ynt*, 1867), d'autres réalistes (*Maison de poupée*, 1879), d'autres ymbolistes (*le Canard sauvage*, 1884).

CARE. Fils de l'architecte Dédale, avec qui il fut emprisonné ar Minos, roi de Crète, dans le Labyrinthe. Pasiphaé les ayant élivrés, ils s'envolèrent avec des ailes qu'ils fixèrent avec de la ire. Icare s'éleva si haut que le soleil fit fondre la cire, et il tomba.

CEBERG [isbɛrg ou ajsbɛrg] n. m. (mot angl.; du norv. *sberg*, montagne de glace). Dans les régions polaires, masse de ace flottante détachée des glaciers ou des barrières de glace. - ENCYCL. La portion émergée (= au-dessus de l'eau) des *icebergs* eut atteindre 200 m de haut, les quatre cinquièmes restant ımergés (= sous l'eau). Leur longueur est en général de plusieurs centaines de mètres et atteint parfois plusieurs kilomètres. Dérivant parfois fort loin des inlandsis (= glaciers) portés par les courants polaires, ils constituent un danger grave pour la navigation (catastrophe du *Titanic*).

ICE-FIELD [ajsfild] n. m. (de l'angl. *ice*, glace, et *field*, champ). Vaste étendue de glace dans les régions polaires. ‖ Pl. des *ice-fields*.

ICHNEUMON [iknømɔ̃] n. m. (gr. *ikhneumôn*, qui suit la piste). Insecte dont la femelle pond ses œufs dans le corps ou les larves d'autres insectes. (Ordre des hyménoptères.)

ICHTYOLOGIE [iktjɔlɔʒi] n. f. (du gr. *ikhthus*, poisson, et *logos*, science). Partie de la zoologie qui étudie les poissons.

ICHTYOSAURE [iktjɔzɔr] n. m. (du gr. *ikhthus*, poisson, et *sauros*, lézard). Grand reptile carnassier marin, qui vivait à l'ère secondaire, long de 1 à 10 m selon les espèces, et qui ressemblait à un requin.

ICI adv. ⟶ LÀ.

ICÔNE [ikon] n. f. (du gr. *eikôn*, image). Dans l'Église russe et l'Église grecque, peinture religieuse sur bois, représentant le Christ, la Vierge ou les saints.

ICONOCLASTE [ikɔnɔklast] n. et adj. (du gr. *eikôn*, image, et *klazein*, briser). **1.** Membre d'une secte hérétique qui, dans l'Empire byzantin, au VIIIe s., s'élevait contre le culte des images (représentant le Christ, la Vierge ou les saints) et les détruisait. — **2.** *Fam.* Personne qui est sans respect pour les traditions.

ICONOGRAPHIE [ikɔnɔgrafi] n. f. (du gr. *eikôn*, image, et *graphein*, décrire). **1.** Étude des sujets représentés par des œuvres d'art. — **2.** Ensemble d'illustrations relatives à un sujet donné.

ICOSAÈDRE [ikɔzaɛdr] n. m. (du gr. *eikosi*, vingt, et *edra*, face). *Géom.* Polyèdre régulier ayant vingt faces, celles-ci étant des triangles équilatéraux. (⟶ POLYÈDRE.)

ICTÈRE [iktɛr] n. m. (gr. *ikteros*). Coloration jaune des tissus et de la peau, due à une augmentation anormale des pigments biliaires *(bilirubine)* dans le sang (syn. JAUNISSE).

ICTINOS, architecte grec du Ve s. av. J.-C. Il construisit, avec Callicratès, le Parthénon.

IDA. *Géogr. anc.* Nom de deux petites chaînes de montagnes, l'une près de Troie (Asie Mineure), l'autre en Crète (où Zeus enfant fut nourri par la chèvre Amalthée).

IDAHO, État du nord-ouest des États-Unis, dans les Rocheuses; 216 413 km²; 756 000 hab. Capit. *Boise*.

IDE [id] n. m. (lat. *idus*). Poisson d'eau douce de couleur rouge, élevé dans les étangs. (Famille des cyprinidés.)

IDÉAL, E, ALS ou **AUX** [ideal, -o] adj. (bas lat. *idealis*). **1.** Qui n'existe que dans l'imagination : *Un monde idéal* (syn. IMAGINAIRE). — **2.** Qui possède la suprême perfection, qui est parfait : *Rêver à un bonheur idéal* (syn. ABSOLU). *Les vacances idéales* (syn. RÊVÉ). ◆ n. m. **1.** Perfection que l'esprit imagine sans pouvoir y atteindre complètement; ce à quoi on aspire : *Un idéal de beauté. Réaliser son idéal.* — **2.** Ensemble de valeurs morales et intellectuelles : *Un homme sans idéal* (= bassement réaliste). — **3.** *L'idéal est (serait, etc.) de* (et l'infin.), *que* (et le subj.), la meilleure solution est (serait, etc.). ‖ Fam. *Ce n'est pas l'idéal*, ce n'est pas ce qui est le meilleur. ◆ **idéaliser** v. t. Donner un caractère idéal; revêtir de toutes les perfections : *Idéaliser la personne aimée* (syn. EMBELLIR, ENNOBLIR). ◆ ***s'idéaliser*** v. pr. Se représenter sous un aspect idéal : *Il s'est idéalisé dans son œuvre.* ◆ **idéalisation** n. f. : *L'idéalisation du personnage de Napoléon.* ◆ **idéalisme** n. m. **1.** Système philosophique qui ramène la réalité des choses, des êtres matériels, aux représentations que l'esprit en a (contr. MATÉRIALISME). — **2.** Attitude d'esprit de celui qui aspire à un idéal, souvent utopique (= irréalisable) : *Son idéalisme est constamment déçu par la réalité.* ◆ **idéaliste** adj. et n. : *Une philosophie* *idéaliste* (contr. MATÉRIALISTE). *Avoir une vue trop idéaliste de la situation* (syn. UTOPIQUE).

IDÉE [ide] n. f. (lat. *idea*). **1.** Représentation abstraite d'un être, d'un objet, etc., élaborée par la pensée : *Une idée générale* (syn. NOTION). *L'idée qu'on se fait du monde. Suggérer quelques idées* (syn. PENSÉE). *Il a eu l'idée du moteur à explosion.* — **2.** Aperçu sommaire : *Ces photographies vous donneront une idée du pays. N'avoir pas la moindre idée de l'heure* (= ne pas la connaître). *J'ai idée des difficultés que vous avez rencontrées* (= j'imagine aisément). — **3.** Manière de voir les choses, impliquant une appréciation; vue plus ou moins originale, juste ou fausse : *J'ai mon idée sur la question* (syn. OPINION). *Avoir une haute idée de soi. Avoir des idées noires* (= être pessimiste). *Qu'il fasse à son idée* (= à sa guise). *Vivre à son idée* (syn. FANTAISIE). *Je ne partage pas vos idées* (syn. VUES). *Il est large d'idées* (= très tolérant). *Suivre le fil de ses idées* (syn. RAISONNEMENT). *C'est chez lui une idée fixe* (= pensée dominante) [syn. MANIE, OBSESSION]. *Il est plein d'idées* (= de pensées originales). *Vous vous faites des idées sur lui* (= votre opinion sur lui est fausse). *Avoir de la suite dans les idées* (= être persévérant). — **4.** L'esprit même qui élabore la pensée : *On ne m'ôtera pas de l'idée qu'il nous a entendus. Cela ne lui viendrait même pas à l'idée* (syn. ESPRIT).

IDEM [idɛm] adv. (mot lat. signif. *la même chose*). S'emploie pour éviter une répétition dans une liste, une énumération, etc. (Abrév. : *id.*)

IDENTIQUE [idɑ̃tik] adj. (du lat. *idem*, le même). Se dit d'une chose ou d'une personne qui ne diffère en rien d'une autre, qui présente avec elle une parfaite ressemblance : *Mon opinion est identique à la vôtre* (syn. SEMBLABLE À; contr. DIFFÉRENT DE). *Des conclusions identiques* (syn. MÊME, PAREIL; contr. AUTRE). *Un raisonnement identique* (syn. ANALOGUE; contr. OPPOSÉ). *Il est toujours identique à lui-même* (= il ne change pas). ◆ **identité** n. f. **1.** Caractère de ce qui est identique à autre chose : *Une parfaite identité de vues* (syn. COMMUNAUTÉ). *Une identité de goûts* (syn. ACCORD; contr. DIFFÉRENCE, OPPOSITION). — **2.** Ensemble des caractères (signalement), des circonstances (état civil) qui font qu'une personne est reconnue comme étant telle personne, sans confusion avec une autre : *Découvrir l'identité de l'agresseur* (= le nom). *La carte d'identité porte le signalement de la personne, sa photographie, son état civil, ses empreintes.* ◆ **identifier** v. t. **1.** Considérer comme identique à une autre chose : *Identifier deux genres* (syn. CONFONDRE). — **2.** Établir l'identité (sens 2) de quelqu'un ou de quelque chose : *Identifier le criminel* (= reconnaître qui il est). ◆ ***s'identifier*** v. pr. Se déclarer, se faire identique à autre chose : *L'actrice s'est identifiée avec son personnage.* ◆ **identifiable** adj. Que l'on peut identifier. ◆ **identification** n. f. : *L'identification des voleurs se révéla difficile.*

1. IDENTITÉ n. f. → IDENTIQUE.

2. IDENTITÉ [idɑ̃tite] n. f. (du lat. *idem*, le même). *Math.* Équation qui est vérifiée quelle que soit la valeur attribuée à la variable. [Exemples d'identités : $(x + a)^2 = x^2 + 2\,ax + a^2$; $(x - a)^2 = x^2 - 2\,ax + a^2$; $x^2 - a^2 = (x + a)(x - a)$.] ‖ *Application identique* ou *identité* → APPLIQUER 2, *encycl.*

IDÉOGRAMME [ideɔgram] n. m. (du gr. *idea*, idée, et *gramma*, signe). Signe graphique qui exprime l'idée, et non les sons du mot représentant cette idée : *Les hiéroglyphes étaient des idéogrammes.*

IDÉOLOGIE [ideɔlɔʒi] n. f. (du gr. *idea*, idée, et *logos*, science). Ensemble des idées, des croyances, des doctrines propres à une époque, une société ou une classe sociale : *Idéologie révolutionnaire. L'idéologie bourgeoise.* ◆ **idéologique** adj. : *Des divergences idéologiques.* (Le mot *idéologue* [= doctrinaire] a vieilli.)

IDES [id] n. f. pl. (mot lat.). Dans le calendrier romain, 15e jour des mois de mars, mai, juillet et octobre, et 13e jour des autres mois : *Jules César fut assassiné aux ides de mars.*

IDIOME [idjom] n. m. (gr. *idiôma*, particularité propre à une langue). Langue particulière à une région : *L'alsacien est un idiome germanique* (syn. DIALECTE). ◆ **idiomatique** adj. Propre à une langue : *Une expression idiomatique* (syn. IDIOTISME).

IDIOSYNCRASIE [idjosɛ̃krazi] n. f. (du gr. *idios*, propre, *sun*, avec, et *krasis*, tempérament). Réaction individuelle, propre à chaque homme.

IDIOT, E [idjo, -ɔt] adj. et n. (gr. *idiôtês*, ignorant). Se dit d'une personne complètement dépourvue d'intelligence, de bons sens ou de finesse, ou de ce qui marque ce manque d'intelligence (sert aussi d'injure) : *Est-ce qu'il me prend pour un idiot? Un film idiot* (syn. STUPIDE). ◆ **idiotie** [idjɔsi] n. f. **1.** Arriération mentale profonde. — **2.** *C'est une idiotie de refuser* (syn. STUPIDITÉ). *Il lit des idioties* (= des livres stupides).

Idiot *(l')*, roman de Dostoïevski (1868).

IDIOTISME [idjɔtism] n. m. (gr. *idiôtismos*). Expression ou construction particulière à une langue : *Les idiotismes du français sont des gallicismes.*

IDJIL *(Kedia d')*, massif de Mauritanie. Minerai de fer.

IDOINE [idwan] adj. (lat. *idoneus*, propre à). Qui convient parfaitement (syn. APPROPRIÉ).

IDOLE [idɔl] n. f. (gr. *eidôlon*, image). **1.** Représentation d'une divinité sous une forme matérielle (statue, image, etc.), qui est adorée comme s'il s'agissait du dieu lui-même : *Culte des idoles.* — **2.** Personne qui est l'objet d'un culte passionné, et en particulier jeune vedette de la chanson, du music-hall, etc., adulée par le public : *Ce chanteur est la nouvelle idole des jeunes.* ◆ **idolâtre** adj. et n. Qui manifeste un sentiment d'adoration pour quelqu'un, qui lui voue une sorte de culte. ◆ **idolâtrer** v. t. : *Elle idolâtre son fils. Il idolâtre l'argent* (syn. ADORER). ◆ **idolâtrie** n. f. **1.** Admiration excessive, amour allant jusqu'au culte passionné. — **2.** Culte rendu à des statues, des images, etc., adorées comme des divinités. ◆ **idolâtrique** adj. : *Attachement idolâtrique.*

IDRĪSIDES, dynastie musulmane, fondée par Idrīs Ier (mort en 792) et qui régna sur le Maroc jusqu'à la fin du Xe s.

1. IDYLLE [idil] n. f. (gr. *eidullion*, petit poème lyrique). Petit poème amoureux, qui se passe dans un décor champêtre : *Les idylles de Théocrite* (syn. ÉGLOGUE, PASTORALE).

2. IDYLLE [idil] n. f. (de *idylle* 1). Amour tendre : *Une idylle s'ébaucha entre les jeunes gens* (syn. AMOURETTE).

IDYLLIQUE [idilik] adj. (de *idylle*). Qui a un caractère idéal et naïf : *Il fit un tableau idyllique de ce que devait être leur existence* (syn. DE RÊVE).

IÉNA, en all. **Jena**, v. d'Allemagne (Thuringe); 107 000 hab. Importante industrie d'optique.

• *14 oct. 1806. Victoire de Napoléon sur les Prussiens.*

IENISSEÏ, fl. de l'U. R. S. S., en Sibérie; 3 354 km. Il traverse toute la Sibérie, depuis la Mongolie jusqu'à l'océan Arctique.

IERMAK → YERMAK.

IESSENINE → ESSENINE.

IEVPATORIA → EUPATORIA.

IEVTOUCHENKO (Ievgheni Aleksandrovitch), poète soviétique né en 1933. Il s'est fait le porte-parole des jeunes générations après la période du stalinisme.

1. IF [if] n. m. (gaul. *ivos*). Arbre des régions calcaires d'Europe et du bassin méditerranéen, à feuilles persistantes. (L'if, qui peut atteindre 15 m de haut et vivre plusieurs siècles, fournit un bois brun-rouge, très recherché par les menuisiers, les sculpteurs et les tourneurs. Dans les jardins, on donne à l'if, par la taille, des formes très variées; la tradition le consacre au culte des morts.) [Sous-embranchement des gymnospermes, famille des taxacées.]

2. IF [if] n. m. (de *if* 1). Instrument servant à faire sécher les bouteilles, après rinçage.

IF, îlot de la Méditerranée, en face de Marseille. Le château fort construit sous François Ier (1524), servit de prison d'État.

IFNI, anc. territoire espagnol d'Afrique, rattaché au Maroc méridional en 1969.

IFRĪQIYYA, nom donné par les Arabes à l'est de l'Afrique du Nord (Tunisie et est du Constantinois).

IGARKA, port de l'U. R. S. S. (R. S. F. S. de Russie), sur le bas Ienisseï, dans l'Arctique; 40 000 hab.

IGLOO [iglu] n. m. (mot esquimau). Construction en neige, servant d'habitat saisonnier à certains groupes d'Esquimaux. (L'igloo est édifié de l'intérieur, par superposition de blocs de neige compacte, sur un plan circulaire. C'est une habitation en forme de coupole, essentiellement temporaire, utilisée seulement à l'occasion des chasses hivernales.)

IGNACE de Loyola *(saint)*, gentilhomme basque (v. 1491-1556). Il est ordonné prêtre en 1537 et jette les bases de la Compagnie de Jésus*, qu'il met au service de la papauté et de la réforme catholique.

IGNAME [iɲam] n. f. (mot esp.). Plante cultivée dans les régions chaudes pour ses tubercules riches en amidon. (Dioscoréacées.)

IGNARE [iɲar] adj. et n. (lat. *ignarus*). *Péjor.* Suprêmement ignorant : *Il est ignare en histoire* (syn. INCULTE).

IGNÉ, E [iɲe ou igne] adj. (du lat. *ignis*, feu). **1.** Qui a les qualités du feu : *Matière ignée.* — **2.** Produit par l'action du feu : *Roches ignées.*

GNIFUGE [ignifyʒ] adj. et n. m. (du lat. *ignis*, feu, et *fugare*, ettre en fuite). Propre à rendre ininflammables les objets comustibles : *Le silicate de potassium est un ignifuge.* ◆ **ignifuger** t. Rendre ininflammable. ◆ **ignifugation** n. f. Action d'ignifuer; son résultat.

GNOBLE [iɲɔbl] adj. (lat. *ignobilis*, non noble) [avant ou après nom]. **1.** D'une bassesse écœurante : *Un ignoble individu* (syn. IFÂME). *Il a eu à mon égard une conduite ignoble* (syn. ABJECT, MMONDE; contr. GÉNÉREUX). — **2.** D'une saleté repoussante; qui oulève le cœur : *Taudis ignobles* (syn. ↓DÉGOÛTANT). *Nourriture noble* (syn. INFECT).

GNOMINIE [iɲɔmini] n. f. (lat. *ignominia*). État de celui qui a erdu tout honneur, toute réputation, pour avoir commis une ction infamante ou avoir fait un outrage; cette action elle-même : *e couvrir d'ignominie* (syn. ↑DÉSHONNEUR). *L'ignominie de sa nduite* (syn. ABJECTION, INFAMIE; contr. NOBLESSE). ◆ **ignomi-ieux, euse** adj. (littér.) : *Subir une condamnation ignominieuse* yn. INFAMANT). ◆ **ignominieusement** adv. : *Mourir ignomi-ieusement* (syn. HONTEUSEMENT).

GNORER [iɲɔre] v.t. (lat. *ignorare*). **1.** *Ignorer une chose*, ne pas connaître, ne rien savoir d'elle : *Nul n'est censé ignorer la loi. es travaux restent ignorés* (syn. INCONNU). — **2.** *Ignorer que* (avec subj. dans la langue littér. et l'indic. dans la langue commune), *e pas ignorer que* (et l'indic.), ne pas savoir, savoir : *J'ignorais i'il pût ou qu'il pouvait se blesser par plaisanterie. Je n'ignorais as qu'il avait quitté Paris.* — **3.** *Ignorer si* (et l'indic.), *ignorer où, iand, comment*, etc. (et une interrogative indirecte), ne pas voir : *J'ignore s'il revient cette semaine. Il ignore comment l'accient a pu se produire.* — **4.** *Ignorer qq'un*, lui manifester une différence complète, n'avoir pour lui aucune considération. ◆ **s'ignorer** v. pr. **1.** *Sentiment, passion*, etc., *qui s'ignore*, qui n'a as pris conscience de son existence. — **2.** *S'ignorer soi-même*, ne as connaître ses sentiments ou ses possibilités : *C'est un malade ii s'ignore.* — **3.** *S'ignorer* (réciproquement), feindre de ne pas se onnaître. ◆ **ignorance** n. f. **1.** État de celui qui ne connaît pas une chose déterminée (suivi d'un compl.) : *Je suis dans l'ignorance complète de cette langue.* — **2.** Manque de connaissances, de savoir, d'instruction (sans compl.) : *Faire preuve d'une ignorance complète.* ◆ **ignorant, e** adj. et n. Qui ne sait pas; qui manque de connaissances, de savoir : *Être très ignorant en histoire* (syn. INCOMPÉTENT). *C'est un être ignorant et borné* (syn. INCULTE; contr. INSTRUIT, LETTRÉ). ◆ **ignoré, e** adj. Inconnu, obscur.

IGNY, comm. de l'Essonne, à 3 km au N.-O. de Palaiseau; 9 600 hab. École d'horticulture.

IGUAÇU, fl. du Brésil, affl. du Paraná (r. g.); 1 320 km. Il forme des chutes de 70 m de hauteur.

IGUANE [igwan] n. m. (esp. *iguano*). Reptile saurien herbivore des forêts de l'Amérique tropicale, atteignant 1,50 m de long, portant une crête dorsale d'écailles pointues.

IGUANODON [igwanɔdɔ̃] n. m. (de *iguane*, et du gr. *odous, odontos*, dent). Genre de reptile dinosaurien de l'époque crétacée, long de 10 m.

IJEVSK, v. de l'U. R. S. S., capit. de la république autonome des Oudmourtes, à l'O. de l'Oural; 611 000 hab.

IJMUIDEN, port des Pays-Bas; 22 100 hab. Avant-port d'Amsterdam. Sidérurgie.

IJSSELMEER ou **LAC D'IJSSEL,** lac d'eau douce des Pays-Bas, compris entre la grande digue de fermeture du Zuiderzee (construite en 1932) et les polders constitués dans la partie sud de cet ancien golfe.

IL-, variante du préf. négatif IN-*.

IL(S) [il], **ELLE(S)** [ɛl], **LE** [lə], **LA** [la], **L', LES** [lɛ], **LUI** [lɥi], **EUX** [ø], **LEUR** [lœr] pron. pers. 3ᵉ pers.; **SE** [sə], **S', SOI** [swɑ] pron. pers. réfléchi; **EN** [ɑ̃], **Y** [i] pron. pers. 3ᵉ pers. → tableaux ci-dessous et page 962.

FONCTION	NOMBRE	GENRE	pronoms atones	Joints au verbe et toujours dans le groupe verbal.	pronoms toniques	Disjoints, placés hors du groupe verbal, avant ou après selon la phrase.
sujet	sing.	m. n.	**il**	IL *a vu ce film. Est-*IL *arrivé? Ne comprendra-t-*IL *pas?* IL *faut partir.*	**lui**	*Georges,* LUI, *a vu ce film. Elle est arrivée et* LUI *aussi.* LUI *seul comprendra. Mais* LUI, *qui vous a vu, vous a reconnu.*
		f.	**elle**	ELLE *aime regarder les vitrines. Qu'a-t-*ELLE *encore imaginé?*	**elle**	*Il est plus grand qu'*ELLE. ELLE *seule ne viendra pas. Ce n'est pas* ELLE, *la coupable.*
	pl.	m.	**ils**	ILS *parlent sans cesse. Que sont-*ILS *devenus?*	**eux**	*Il court aussi vite qu'*EUX.
		f.	**elles**	ELLES *ne m'ont pas vu. Qu'ont-*ELLES *fait hier?*	**elles**	*Je cours aussi vite qu'*ELLES.
complément d'objet direct non réfléchi	sing.	m. n.	**le l' en**	*Je* LE *rendrai* (= ce livre) *à Paul. Il ment, je* LE *sais,* *je* L'*ai compris* (= je sais cela, j'ai compris cela [valeur d'un neutre]). *« As-tu des devoirs? —* J'EN *ai »* (= des devoirs).	**lui**	*On n'admire que* LUI *ici. Je te félicite et* LUI *aussi d'avoir réussi.*
		f.	**la l'**	*Je* LA *rendrai* (= cette petite somme) *dès que je pourrai.*	**elle**	*Je n'ai aperçu ni* ELLE *ni son mari.*
	pl.	m.	**les**	*Je ne* LES *ai pas rencontrés hier* (= les Durand).	**eux**	*On ne les a retrouvés ni* EUX *ni leur bateau.*
		f.		*Il* LES *a cueillies* (= ces fleurs) *dans le pré.* LES *avez-vous brûlées* (= ces lettres)?	**elles**	*Nous les avons saluées,* ELLES *et leur mère.*
complément d'objet direct réfléchi	sing. ou pl.	m. et f.	**se s'**	*Elle* SE *regarde dans la glace. Il* S'*est blessé au doigt.*	**soi-même lui-même elle-même**	*Il faut s'aider* SOI-MÊME *avant d'appeler les autres* (sujet indéterminé). *Il doit s'aider* LUI-MÊME *avant d'appeler les autres* (sujet déterminé).

▷

FONCTION	NOMBRE	GENRE	pronoms atones	Joints au verbe et toujours dans le groupe verbal.	pronoms toniques	Disjoints, placés hors du groupe verbal, avant ou après selon la phrase.
complément d'objet indirect ou complément d'attribution (= prép. *à* + substantif) non réfléchi	sing.	m.	**lui**	*Je* LUI *rendrai* (= à Paul).	**lui**	*Pensez à* LUI. *À* LUI, *on peut tout dire.*
		n.	**y**	*J'*Y *penserai* (= à cela). *Pensez-*Y. *Je ne m'*Y *ferai pas.*		
			en	*Je m'*EN *souviens* (= de cela).		
		f.	**lui**	*Dites-*LUI (= à Odile) *de venir.*	**elle**	*Est-ce à lui ou à* ELLE *que vous vous êtes adressé?*
	pl.	m.	**leur**	*Je ne* LEUR *ai pas prêté* (= à mes amis) *ce livre.*	**eux**	*C'est à* EUX *qu'il faut vous adresser.*
		f.		LEUR *as-tu envoyé* (= à tes tantes) *des fleurs?*	**elles**	*À* ELLES *aussi vous l'avez dit.*
complément d'objet indirect réfléchi	sing. ou pl.	m. et f.	**se** **s'**	*Ils* SE *sont nui. Elle* SE *l'est offert* (= ce livre) *pour sa fête. Ils* SE *sont envoyé des lettres menaçantes.*	**soi** **lui** **elle**	*On ne pense qu'à* SOI (sujet indéterminé). *Il ne pense qu'à* LUI (sujet déterminé). *Elle ne pense qu'à* ELLE.
complément circonstanciel, précédé d'une préposition, ou complément de l'adjectif	sing.	m.			**lui**	*Je suis parti sans* LUI. *Il est maître de* LUI. *Il faut rester maître de* SOI (sujet indéterminé).
		m. ou f.			**soi**	*Il vaut mieux l'avoir avec* SOI *que contre* SOI.
		f.			**elle**	*Sans* ELLE, *il était perdu. Le chien s'assit auprès d'*ELLE.
					elle-même	*Elle est maîtresse d'*ELLE-MÊME.
	pl.	m.			**eux**	*Il s'élança sur* EUX. *Il est arrivé avant* EUX.
		f.			**elles**	*Il a parlé pour* ELLES *avec chaleur.*

place du pronom atone

1. Pronom sujet.

a) Avant le verbe dans les phrases affirmatives ou négatives, sauf lorsqu'elles commencent par *du moins, peut-être, au moins, en vain, aussi, à peine, ainsi* ou lorsque ce sont des incises :
IL *n'y est pas allé. C'est sa faute, dit-*IL. *Peut-être trouvera-t-*IL *un appui.*

b) Après le verbe dans les phrases interrogatives ou exclamatives directes :
*Que lui a-t-*IL *dit? Puisse-t-*IL *guérir vite!*

2. Pronom objet direct non réfléchi.

a) Avant le verbe à tous les modes (sauf l'impératif affirmatif) et dans tous les types de phrases :
verbe : *Je* LE *crois sans peine.*
verbe + auxiliaire : *Je* L'*ai reconnu tout de suite.*
verbe + négation : *Il ne* L'*a jamais vu.*
verbe + réfléchi : *Il se* LE *dit. Je me* LE *suis toujours dit.*

b) Après le verbe à l'impératif, mais l'ordre est inversé lorsque l'impératif est négatif :
*Surveille-*LE. *Ne* LE *tourmentez pas.*

3. Pronom objet indirect non réfléchi.

a) Avant le verbe à tous les modes (sauf l'impératif affirmatif) et dans tous les types de phrases; entre le pronom objet direct et le verbe :
Il LUI *a offert un livre.* LUI *obéit-il?*

b) Après le verbe et l'objet direct à l'impératif; l'ordre est inversé à l'impératif négatif :
*Obéissez-*LUI. *Dites-le-*LUI. *Ne le* LUI *dites pas.*

4. Pronon réfléchi. Le réfléchi atone est toujours avant le verbe :

Il SE *flatte de réussir.* S'*est-il servi de ce verbe?*

LANG-ILANG [ilɑ̃ilɑ̃] n. m. (mot d'une langue de l'océan ndien). Arbre cultivé en Indonésie et à Madagascar pour ses leurs, utilisées en parfumerie. (Famille des anonacées.) [On écrit ussi YLANG-YLANG.]

LE [il] n. f. (lat. *insula*). Espace de terre entouré d'eau de tous ôtés : *L'île de Ré.* ⟶ ENCYCL. ◆ **îlot** [ilo] n. m. **1.** Petite île : *Un lot rocheux.* — **2.** Petit groupe d'arbres, de maisons, etc., isolé au nilieu d'un grand espace vide : *L'oasis, un îlot de verdure. La lémolition des îlots insalubres* (= groupes d'immeubles vétustes). — **3.** Petit groupe d'hommes, isolé au milieu d'un ensemble souent hostile : *Il ne reste que quelques îlots de résistance.* — **4.** Anat. *lots de Langerhans*, groupes de cellules disséminées dans le panréas et sécrétant l'insuline. ◆ **insulaire** [ɛ̃sylɛr] adj. : *Un peuple nsulaire* (= qui habite une île). *La flore insulaire du Pacifique sud* = celle qui pousse dans les îles). ◆ n. : *Les insulaires de Tahiti* = les habitants de l'île). ◆ **insularité** n. f. Caractère particulier 'un pays formé par une île ou un groupe d'îles : *L'insularité de la rande-Bretagne.*
— ENCYCL. Les *îles* doivent leur formation et leur localisation à es causes très diverses : relèvement du niveau des mers (la lupart des îles de la côte de Bretagne), phénomènes volcaniques Açores); d'autres îles peuvent correspondre aux sommets de monagnes en formation (archipel japonais); enfin, les atolls du Paciique sont dus aux coraux.

le au trésor *(l')*, roman de R.-L. Stevenson (1883).

LE-AUX-MOINES (L'), comm. du Morbihan, dans une île du olfe du Morbihan; 590 hab. Centre de villégiature.

LE-DE-FRANCE, anc. prov. de France, constituée au XVᵉ s. à artir du domaine des premiers rois capétiens, comprenant les uit départements de l'actuelle Région Île-de-France, et des arties de l'Oise, de l'Aisne et d'Eure-et-Loir.

LÉON [ileɔ̃] n. m. (du gr. *eilein*, enrouler). Troisième partie de intestin grêle, entre le jéjunum et le gros intestin.

LE-ROUSSE (L'), ch.-l. de cant. de la Corse, à 24 km au N.-E. de Calvi, en face du groupe granitique des *îles Rousses;* 2 632 hab. Port. Centre touristique.

ILI, riv. de l'Asie centrale (Chine et U. R. S. S.), tributaire du lac Balkhach; 1 384 km.

Iliade *(l')*, le premier des deux grands poèmes épiques attribués à Homère. Il tire son nom de la ville de Troie (également appelée *Ilion*). Ses vingt-quatre chants racontent un des épisodes de la guerre de Troie : Achille, retiré sous sa tente à la suite d'une querelle avec Agamemnon, revient au combat pour venger la mort de son ami Patrocle et tue le meurtrier de celui-ci, Hector, fils de Priam et époux d'Andromaque. Ce succès d'Achille annonce la victoire finale des Grecs.

ILIAQUE [iljak] adj. (du lat. *ilia*, flancs). *Anat.* Relatif aux parois latérales du bassin : *Fosses iliaques. Os iliaque.*
— ENCYCL. On appelle *fosses iliaques* chacune des deux régions latérales de la partie inférieure de l'abdomen, limitées en dehors par l'os iliaque. Elles contiennent les uretères, le cæcum et l'appendice, le côlon pelvien, avec en plus les ovaires et les trompes utérines chez la femme.

L'*os iliaque*, pair et symétrique, forme le squelette du bassin. Formé par la soudure de trois os, il s'articule en arrière avec le sacrum, en bas et en dehors avec le fémur, pour constituer l'articulation de la hanche; en avant les deux os iliaques sont unis par la symphyse pubienne.

ILION, un des noms de TROIE, de son fondateur mythique *Ilos*, fils de Tros.

ILL, riv. d'Alsace, affl. du Rhin (r. g.); 208 km. Elle traverse Mulhouse, Colmar et Strasbourg.

ILL, riv. d'Autriche (Vorarlberg), affl. du Rhin (r. dr.); 75 km.

ILLE-ET-VILAINE (35), dép. de l'ouest de la France (Région Bretagne); 6 775 km²; 749 800 hab. (111 au km²) [France : 103]. Ch.-l. *Rennes.*
ADMINISTRATION. 4 arrond. (*Fougères*, 77 100 hab.; *Redon*,

LOCALITÉS PRINCIPALES	NOMBRE D'HAB.
Rennes	200 400
Saint-Malo	47 300
Fougères	25 100
Vitré	13 500
Redon	10 300
Dinard	10 000
Bruz	8 000
Saint-Jacques-de-la-Lande	6 700
Bain-de-Bretagne	5 300
Dol-de-Bretagne	5 000
Cancale	4 700

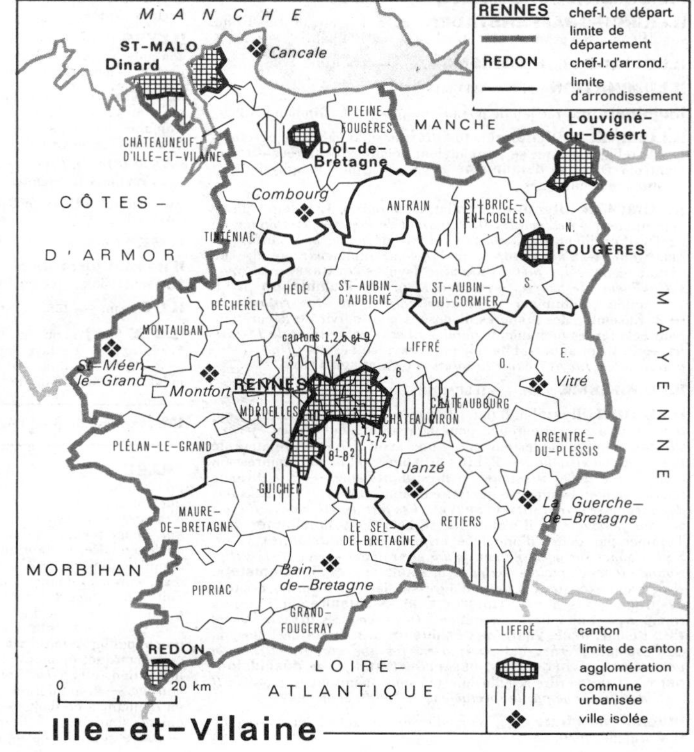

71 800 hab.; *Rennes*, 472 100 hab.; *Saint-Malo*, 128 800 hab.). / 51 cant. / 352 comm.

Situé dans la partie orientale de la Région Bretagne, le département est constitué d'une partie centrale déprimée (le *bassin de Rennes*), entourée par des collines et des plateaux d'altitude toujours modeste. Il s'ouvre largement sur la Manche avec un littoral alternativement bas et sableux (à l'E.), rocheux et parfois plus élevé (à l'O.).

L'*agriculture* emploie encore près du cinquième de la population active. Elle juxtapose la culture céréalière et les plantes fourragères, associées à un important élevage bovin. La *pêche* est peu active sur la côte, qui est surtout consacrée au tourisme (de Dinard à Cancale).

L'*industrie* est encore peu développée, malgré des progrès récents; elle occupe moins de 30 p. 100 de la population active. Elle est représentée dans les principales villes, Vitré, Fougères, Saint-Malo et surtout Rennes, dont l'agglomération rassemble près du tiers de la population totale du département.

Le dynamisme démographique et économique de Rennes est à la base de la sensible augmentation de la population, plaçant dans ce domaine l'Ille-et-Vilaine nettement en tête des départements bretons. Mais l'exode rural se poursuit dans les cantons de la périphérie.

ILLÉGAL, E, AUX adj., **ILLÉGALEMENT** adv., **ILLÉGALITÉ** n. f. ⟶ LÉGAL. / **ILLÉGITIME** adj., **ILLÉGITIMEMENT** adv. ⟶ LÉGITIME.

ILLE-SUR-TÊT, comm. des Pyrénées-Orientales, à 19 km au N.-E. de Prades, sur la Têt; 5 300 hab.

ILLETTRÉ, E adj. et n. → LETTRES 3. / **ILLICITE** adj. → LICITE.

ILLICO [illiko] adv. (mot lat.). *Fam.* Immédiatement, sans délai : *Il est parti illico* (syn. AUSSITÔT). *Mettez-vous illico au travail* (syn. littér. SUR-LE-CHAMP).

ILLIMITÉ, E adj. ⟶ LIMITE.

ILLINOIS, État du centre des États-Unis; 146 075 km²; 11 114 000 hab. Capit. *Springfield.* V. pr. *Chicago.*

ILLISIBILITÉ n. f., **ILLISIBLE** adj. ⟶ LIRE 2.

ILLKIRCH-GRAFFENSTADEN, ch.-l. de cant. du Bas-Rhin, sur l'Ill, à 7,5 km au S. de Strasbourg; 21 100 hab.

ILLOGIQUE adj., **ILLOGISME** n. m. ⟶ LOGIQUE.

ILLUMINATION n. f. ⟶ ILLUMINER.

Illuminations, recueil de poèmes en prose d'A. Rimbaud (1886).

ILLUMINÉ, E [illymine] n. (de *illuminer*). Membre de certaines sectes religieuses qui se prétendaient éclairées, inspirées directement par Dieu. ◆ **illuminisme** n. m. Doctrine métaphysique et mystique des illuminés.

ILLUMINER [illymine] v. t. (lat. *illuminare*). **1.** Éclairer d'une vive lumière : *Les éclairs illuminaient le ciel.* — **2.** Donner de l'éclat, du brillant, de la clarté : *La joie illumine son regard* (syn. ALLUMER). ◆ ***s'illuminer*** v. pr. Devenir lumineux; prendre un certain éclat : *La pièce s'illumine* (syn. S'ÉCLAIRER). *Ses yeux s'illuminent de colère* (syn. BRILLER). ◆ **illumination** n. f. **1.** Action d'illuminer : *L'illumination de la cathédrale.* — **2.** Ensemble des lumières disposées pour servir de décoration, pour éclairer les monuments publics : *Les illuminations du 14-Juillet.* — **3.** Inspiration subite, idée qui traverse l'esprit : *Une illumination subite lui fit trouver la solution* (syn. INSPIRATION).

ILLUMINISME n. m. ⟶ ILLUMINÉ.

ILLUSION [illyzjɔ̃] n. f. (lat. *illusio*). **1.** Erreur de perception qui fait prendre une apparence pour la réalité : *Le mirage est une illusion d'optique* (= erreur due à une mauvaise interprétation de la perception visuelle). — **2.** Effet artistique qui donne l'impression d'une réalité : *Les illusions des prestidigitateurs.* — **3.** Croyance fausse, opinion trompeuse qui flatte et abuse l'esprit : *Les illusions de la jeunesse* (syn. CHIMÈRE, RÊVE). *Il se fait des illusions s'il croit m'avoir persuadé* (= il s'abuse, il se leurre). ◆ **illusionner** v. t. Tromper par l'effet d'une idée erronée. ◆ ***s'illusionner*** v. pr. *S'illusionner sur qqch.* ou *sur qq'un*, se tromper sur eux : *Il s'illusionne sur ses capacités réelles* (syn. S'ABUSER). ◆ **illusionniste** n. Artiste qui exécute des tours d'adresse, des tours qui nécessitent des truquages (syn. PRESTIDIGITATEUR). ◆ **illusoire** adj. Propre à tromper par une fausse apparence : *Des promesses illusoires* (syn. FAUX; contr. RÉEL, VRAI). ◆ **désillusion** n. f. Perte de l'illusion, de l'espoir : *L'échec des pourparlers fut une grande désillusion pour tous* (syn. DÉCEPTION, DÉSAPPOINTEMENT). ◆ **désillusionner** v. t. Faire perdre ses illusions (au sens 3; surtout au passif) : *Il a été désillusionné par le spectacle* (syn. DÉÇU; contr. RAVI).

Illusion comique *(l')*, comédie en 5 actes, en vers, de P. Corneille (1636).

Illusions perdues *(les)*, roman d'H. de Balzac, divisé en tro[is] parties (1837, 1839, 1843).

ILLUSTRATEUR n. m. ⟶ ILLUSTRER 3.

ILLUSTRATION n. f. ⟶ ILLUSTRER 2 et 3.

ILLUSTRE [illystr] adj. (lat. *illustris*, lumineux) [avant ou apr[ès] le nom]. Se dit de personnes ou de choses dont le renom, la gloir[e] le mérite est éclatant : *L'illustre Corneille* (syn. CÉLÈBRE, FAMEU[X] contr. HUMBLE, OBSCUR). ◆ **illustrer** v. t. Rendre illustre : *Illu[s]trer son pays par une grande invention* (syn. FAIRE HONNEUR À ◆ ***s'illustrer*** v. pr. Se rendre célèbre par un exploit quelconqu[e] (syn. SE DISTINGUER).

Illustre-Théâtre (l'), troupe de comédiens où Molière débu[ta] comme acteur en 1643.

ILLUSTRÉ, E adj. et n. m. ⟶ ILLUSTRER 3.

1. ILLUSTRER v. t. ⟶ ILLUSTRE.

2. ILLUSTRER [illystre] v. t. (lat. *illustrare*, éclairer). Mett[re] en lumière, en expliquant par un exemple : *Cette attitude illust[re] bien la manière dont il se conduit d'habitude* (syn. MONTRER ◆ **illustration** n. f. Action d'illustrer, de rendre clair par d[es] exemples, des explications.

3. ILLUSTRER [illystre] v. t. (même étym.). Orner un livre [de] gravures, de dessins, de cartes, d'images, qui donnent de l'agr[é]ment et rendent le texte plus clair : *L'ouvrage est illustré av[ec] goût.* ◆ **illustré, e** adj. : *Un livre illustré.* ◆ n. m. : *Les illustr[és] sont des périodiques (hebdomadaires ou mensuels) composés esse[n]tiellement de photographies, de dessins, etc., accompagnant u[n] texte court.* ◆ **illustration** n. f. Photographie, gravure, dess[in] ornant un livre; ensemble des images illustrant un texte : *L[es] illustrations d'une revue.* ◆ **illustrateur** n. m. Artiste qui dessi[ne] des illustrations, concourt à leur mise en pages.

ILLUVIUM [illyvjɔm] n. m. (du lat. *illuvio*, débordement). *Géo[l.]* Accumulation, sous forme de concrétions ou de croûtes, de pr[o]duits dissous dans l'horizon d'un sol (= l'une des couches qui [le] caractérisent). ◆ **illuviation** n. f. Processus d'accumulation da[ns] un horizon du sol, dû à la migration d'éléments d'un autre horizo[n]. ◆ **illuvial, e, aux** adj. Se dit de ce qui résulte de l'illuviation : *L[']horizon illuvial.*

ILLYÉS (Gyula), écrivain hongrois (1902-1983). L'un des repr[é]sentants les plus éminents du mouvement « populiste » — surto[ut] paysan — hongrois (*Ceux des pusztas*, 1936).

ILLYRIE, région montagneuse de la péninsule des Balkans, co[m]prenant l'*Istrie*, la *Carinthie* et la *Carniole*. Conquise par l[es] Romains au IIe s. av. J.-C. et transformée en province [en] 27 av. J.-C., elle vit naître plusieurs empereurs dits *illyriens*.

- ***1809-1814. L'Illyrie forme avec le Frioul et la Dalmatie l[es] « Provinces Illyriennes », dépendances de l'Empire français.***

Aujourd'hui, l'Illyrie est partagée entre l'Italie, la Yougoslavie [et] l'Autriche.

ILMEN *(lac)*, lac de l'U. R. S. S., au S. de Novgorod; 1 100 km².

Il ne faut jurer de rien, comédie en 3 actes, en prose, d'A. [de] Musset (1836), jouée en 1848.

ÎLOT n. m. ⟶ ÎLE.

ILOTE [ilɔt] n. m. (gr. *heilôtês*, celui qui est au dernier ran[g]). **1.** *Antiq. gr.* Esclave lacédémonien asservi par les Spartiate[s]. — **2.** *Péjor.* Personne qui est réduite au dernier degré de l'abaiss[e]ment, de la misère ou de l'ignorance. (On écrit aussi HILOTE.)

IM-, variante du préf. négatif IN-*.

IMAGE [imaʒ] n. f. (lat. *imago*). **1.** Dessin, gravure, photog[ra]phie, film, etc., représentant une personne, une chose, un su[jet] quelconque : *Un livre d'images* (syn. ILLUSTRATION). *Un chasse[ur] d'images* (= un reporter-photographe, un cinéaste). ‖ *Image d'É[pi]nal*, image populaire illustrant une chanson, un épisode historiq[ue] ou légendaire, et fabriquée à Épinal; toute image de caract[ère] simpliste (péjor.). — **2.** Reproduction inversée qu'une surface po[lie] (eau, miroir...) donne d'un objet ou d'une personne qui s'y réf[lé]chit : *La glace lui renvoya son image.* — **3.** Vision intérieu[re] qu'une personne a d'un être ou d'une chose : *L'image d'un êt[re] cher* (syn. SOUVENIR). ‖ *Image de marque*, idée favorable ou n[on] que le public se fait d'une marque commerciale ou d'un produit [de] cette marque; opinion générale du public sur une personne, u[ne] institution, etc. : *Un homme politique qui soigne son image [de] marque.* — **4.** Manière de rendre une idée plus sensible, plus bel[le] en donnant à ce dont on parle des formes empruntées à d'autr[es] objets similaires : *S'exprimer par images* (syn. MÉTAPHOR[E]) — **5.** Ce qui imite ou reproduit quelqu'un ou quelque chose d'u anière exacte ou analogique : *Cet enfant est l'image de son père* yn. PORTRAIT). *Donner une image fidèle de la situation* (syn. ESCRIPTION, TABLEAU). — **6.** *Math.* Si f est une fonction* d'un ısemble E vers un ensemble F, on appelle *image* d'un élément x

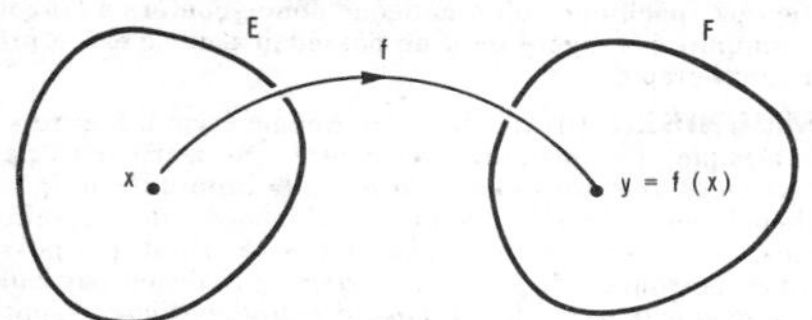

e E l'unique élément y de F, s'il existe, qui est associé à x par la ınction f. ◆ **imagé, e** adj. *Un style imagé,* où les images, les ›mparaisons sont nombreuses (syn. COLORÉ). ◆ **imagerie** n. f. nsemble d'images représentant des faits, des personnages, etc., e même origine, de même inspiration : *L'imagerie populaire.*

MAGINER [imaʒine] v. t. (lat. *imaginari*). **1.** *Imaginer qqch.*, se représenter dans l'esprit : *On ne peut imaginer plus belles fleurs* yn. SE FIGURER). *Imaginons un moment qu'il finisse par céder* yn. ADMETTRE, SUPPOSER). *Sa lenteur dépasse tout ce qu'on peut naginer* (syn. CONCEVOIR, ENVISAGER). — **2.** Trouver un nouveau ıoyen, inventer quelque chose de nouveau : *Qu'est-ce qu'il a pu ıcore imaginer pour taquiner sa sœur?* (syn. TROUVER). ◆ **s'imaginer** v. pr. **1.** Se représenter soi-même en esprit : *Il s'imagine sur sable chaud de la plage!* (syn. SE VOIR). — **2.** *S'imaginer qqch., qu'un, que* (et l'indic.), s'en faire une idée, concevoir que : *Elle se imaginait très différent de ce qu'il était* (syn. SE FIGURER). ◆ **imaginable** adj. Accompagné de l'adj. *tout* : *Il a pour elle utes les attentions imaginables* (syn. CONCEVABLE). ◆ **imaginaire** adj. Qui n'existe que dans l'esprit, qui ne correspond pas à réalité : *Les personnages imaginaires d'un film* (syn. INVENTÉ; ›ntr. HISTORIQUE). *Ses craintes sont purement imaginaires* (syn. HIMÉRIQUE; contr. RÉEL). *Vivre dans un monde imaginaire* (syn. ANTASTIQUE, IRRÉEL; contr. RÉEL, VÉRITABLE). ◆ **imaginatif, ive** lj. et n. Se dit de quelqu'un qui est capable d'inventer facilement : *Un esprit imaginatif* (syn. INVENTIF). ◆ **imagination** n. f. ossibilité pour l'esprit d'imaginer, d'évoquer des images, d'inventer, etc. : *Avoir de l'imagination* (= être inventif). *S'évader par imagination* (syn. RÊVE). ◆ **inimaginable** adj. Qui dépasse tout qu'on pourrait imaginer : *Un désordre inimaginable* (syn. ICROYABLE).

MAGO [imago] n. m. (mot lat. signif. *image*). Stade de l'insecte rivé à son complet développement et capable de se reproduire.

MÂM [imam] ou **IMAN** [imɑ̃] n. m. (mot turc). **1.** Chef religieux musulman. — **2.** Titre de certains souverains musulmans.

MBATTABLE adj. ⟶ BATTRE 1.

MBÉCILE [ɛ̃besil] adj. et n. (lat. *imbecillus*, faible). **1.** *Méd.* rriéré mental. — **2.** Se dit d'une personne (ou de sa conduite) talement dépourvue d'intelligence, de compréhension (souvent rme d'injure) : *Passer pour un imbécile* (syn. IDIOT). *Une réponse ıbécile* (syn. BÊTE, SOT). ◆ **imbécillité** n. f. : *Déplorer l'imbécillité de qq'un* (syn. BÊTISE, SOTTISE). *Il se croit malin en disant des ıbécillités* (syn. IDIOTIE).

MBERBE adj. ⟶ BARBE 1.

MBIBER [ɛ̃bibe] v. t. (lat. *imbibere*, absorber). **1.** (sujet nom ésignant un liquide) Pénétrer profondément un corps, une atière : *L'eau a imbibé la terre* (syn. IMPRÉGNER, TREMPER). **2.** (sujet nom de personne) Faire pénétrer un liquide dans un ›rps, une matière : *Imbiber un coton d'éther* (syn. ↓HUMECTER).

MBRIQUER (S') [sɛ̃brike] v. pr. (du lat. *imbricatus*, disposé mme des tuiles) [sujet nom de chose]. Être lié, mêlé d'une anière étroite : *Des questions économiques sont venues s'imbriquer dans les discussions politiques.* ◆ **imbriqué, e** adj. **1.** Se dit objets disposés de manière à se chevaucher : *Tuiles imbriquées.* **2.** Se dit de choses qui sont engagées les unes dans les autres : *s deux affaires sont étroitement imbriquées* (syn. ENCHEVÊTRER, ER). ◆ **imbrication** n. f. (syn. ENCHEVÊTREMENT).

MBROGLIO [ɛ̃brɔljo] ou plus souvent [ɛ̃brɔglijo] n. m. (mot ; de *imbrogliare*, embrouiller). Situation confuse; affaire ıbrouillée.

MBU, E [ɛ̃by] adj. (du lat. *imbuere*, imbiber). *Être imbu d'un ntiment, d'une opinion, d'une idée*, en être pénétré, en être prégné profondément : *Être imbu de soi-même* (syn. INFATUÉ). *bu de préjugés* (syn. REMPLI).

MBUVABLE adj. ⟶ BOIRE.

IÉRINA ou **ÉMIRNE,** partie la plus élevée du plateau central Madagascar (2 638 m), habitée par les *Mérinas*.

IMITER [imite] v. t. (lat. *imitari*). **1.** (sujet nom d'être animé) *Imiter qq'un*, chercher à faire la même chose que lui, s'inspirer de sa conduite, de sa pensée, de sa manière d'écrire, etc.; le prendre pour modèle : *L'enfant imite son père.* — **2.** *Imiter qqch.*, le reproduire, le copier, le prendre comme modèle : *Imiter la conduite d'un camarade plus âgé* (syn. ADOPTER, COPIER). *Roman imité de l'anglais* (syn. ADAPTER; contr. CRÉER). *Imiter une signature* (syn. CONTREFAIRE). — **3.** (sujet nom de chose) Produire le même effet que : *Une pierre qui imite le rubis.* ◆ **imitateur, trice** adj. et n. Qui s'attache à imiter quelqu'un ou quelque chose; artiste qui met son talent à imiter : *Il a eu de nombreux imitateurs* (syn. PLAGIAIRE). ◆ **imitatif, ive** adj. *Harmonie imitative*, procédé de style qui vise à imiter par les sonorités et le rythme ce que le sens des mots évoque. ◆ **imitation** n. f. **1.** Action d'imiter : *L'imitation d'une signature* (syn. CONTREFAÇON, REPRODUCTION). *Avoir le don d'imitation* (syn. CARICATURE, PARODIE). — **2.** Chose, objet produits en imitant : *Ce roman est une pâle imitation de ceux de Balzac* (syn. DÉMARQUAGE, PLAGIAT). *Un sac imitation cuir.* — **3.** *Mus.* Répétition rigoureusement exacte d'un motif musical (comme dans le célèbre canon de *Frère Jacques*). — LOC. PRÉP. *À l'imitation de*, en suivant le modèle de, à la façon de. ◆ **inimitable** adj. Qu'on ne peut imiter : *Un talent inimitable* (syn. UNIQUE).

IMMACULÉ, E [immakyle] adj. (du lat. *macula*, tache). **1.** Sans une tache : *Une nappe d'une blancheur immaculée. Un ciel immaculé* (= sans un nuage). — **2.** L'*Immaculée Conception*, la Vierge Marie, parce qu'elle est née sans le péché originel.

IMMANENT, E [immanɑ̃, -ɑ̃t] adj. (du lat. *immanere*, résider dans). Qui est contenu dans la nature même d'un être, d'une chose et ne résulte pas d'une intervention extérieure (langue philos.) : *L'absurdité immanente à la société actuelle* (syn. INHÉRENT À). *La justice immanente* (= celle qui résulte du cours naturel des choses, et qui se manifeste un jour ou l'autre). ◆ **immanence** n. f.

IMMANGEABLE adj. ⟶ MANGER. / **IMMANQUABLE** adj., **IMMANQUABLEMENT** adv. ⟶ MANQUER. / **IMMATÉRIALITÉ** n. f., **IMMATÉRIEL, ELLE** adj. ⟶ MATÉRIEL 2.

IMMATRICULER [imatrikyle] v. t. (du lat. *matrix*, *-icis*, registre). Inscrire sur un registre public, en conférant par là même un numéro d'immatriculation (surtout au passif) : *Voiture immatriculée dans le département de la Vienne. L'étudiant se fait immatriculer à la faculté.* ◆ **immatriculation** n. f. : *Relever le numéro d'immatriculation* (ou simplem. *l'immatriculation*) *d'une voiture.* ‖ *Plaque d'immatriculation*, plaque de métal sur laquelle est inscrit le numéro d'immatriculation des véhicules automobiles et des motocycles, et devant obligatoirement figurer sur ceux-ci.

IMMATURITÉ n. f. ⟶ MÛR.

IMMÉDIAT, E [immedja, -at] adj. (bas lat. *immediatus*). **1.** Qui précède ou suit sans qu'il y ait un intermédiaire ou un intervalle : *Nous habitons dans le voisinage immédiat de la gare* (= très près de). *Le cachet lui procura un soulagement presque immédiat* (syn. INSTANTANÉ). — **2.** Au Moyen Âge, se disait des fiefs et de la noblesse du Saint Empire, relevant directement de l'Empereur. — **3.** *Dans l'immédiat*, pour le moment. ◆ **immédiatement** adv. : *Sortez immédiatement* (syn. TOUT DE SUITE). *Il est arrivé immédiatement après votre départ* (syn. AUSSITÔT). ◆ **immédiateté** n. f. Privilège d'un fief immédiat ou de la noblesse immédiate (sens 2).

IMMÉMORIAL, E, AUX [immemɔrjal, -rjo] adj. (du lat. *memoria*, mémoire). *Usage immémorial, coutume immémoriale*, si anciens qu'on n'en connaît pas l'origine. ‖ *De temps immémorial, aux temps immémoriaux*, très éloigné dans le passé. ‖ *Depuis un temps immémorial*, depuis très longtemps.

IMMENSE [immɑ̃s] adj. (lat. *immensus*, qui ne peut être mesuré). D'une très grande étendue, d'une grandeur, d'une importance, d'une valeur considérable : *Avoir une immense fortune* (syn. COLOSSAL, ÉNORME). *Son chagrin est immense* (syn. INFINI; contr. INFIME). ◆ **immensément** adv. : *Être immensément riche* (syn. EXTRÊMEMENT). ◆ **immensité** n. f. : *L'immensité de la plaine russe. L'immensité des besoins des pays sous-développés.*

IMMERGER [immɛrʒe] v. t. (lat. *immergere*). *Immerger qqch.*, le plonger entièrement dans un liquide, spécialement dans la mer : *Immerger des caissons dans la mer.* ◆ **s'immerger** v. pr. (sujet nom de chose). Plonger de manière à être recouvert d'eau : *Le sous-marin s'immerge rapidement* (contr. ÉMERGER). ◆ **immersion** n. f. : *L'immersion d'un sous-marin.*

IMMÉRITÉ, E adj. ⟶ MÉRITER.

IMMERSION n. f. ⟶ IMMERGER.

IMMETTABLE adj. ⟶ METTRE 2.

IMMEUBLE [immœbl] n. m. (lat. *immobilis*, immobile). Grand bâtiment urbain de plusieurs étages. ◆ adj. Dr. *Biens immeubles*, biens qui ne peuvent être déplacés, comme les terrains. ◆ **immo-**

bilier, ère adj. Qui est relatif aux immeubles : *Une vente immobilière* (= d'immeubles). *Une société immobilière* (= qui s'occupe de la construction et de la vente d'immeubles). ◆ n. m. Commerce d'immeubles; vente et location de maisons ou d'appartements : *Travailler dans l'immobilier.*

IMMIGRER [immigre] v. i. (lat. *immigrare*) [sujet nom de personne]. Venir s'installer dans un pays étranger, d'une manière durable ou même définitive (contr. ÉMIGRER). ◆ **immigrant, e** adj. et n. Personne qui vient s'installer dans un pays étranger au sien (contr. ÉMIGRANT). ◆ **immigré, e** adj. et n. Personne qui a quitté son pays pour s'établir dans un autre. ◆ **immigration** n. f. : *L'immigration portugaise en France* (contr. ÉMIGRATION).

IMMINENT, E [imminɑ̃, -ɑ̃t] adj. (du lat. *imminere*, menacer). Qui est près de se produire, qui va avoir lieu dans très peu de temps : *La décision est imminente* (syn. PROCHE). *Le conflit est imminent* (syn. MENAÇANT). ◆ **imminence** n. f. : *L'imminence d'un danger* (syn. APPROCHE). *L'imminence d'un départ* (syn. PROXIMITÉ).

IMMISCER (S') [simmise] v. pr. (lat. *immiscere*) [sujet nom de personne]. Intervenir d'une manière indiscrète dans une affaire : *S'immiscer dans la vie privée d'autrui* (syn. S'INGÉRER, SE MÊLER DE). ◆ **immixtion** [immiksjɔ̃] n. f. : *Condamner toute immixtion dans les affaires intérieures d'un pays étranger* (syn. INGÉRENCE, INTERVENTION).

IMMOBILE adj. ⟶ MOBILE 2.

IMMOBILIER, ÈRE adj. et n. m. ⟶ IMMEUBLE.

IMMOBILISATION n. f., **IMMOBILISER** v. t., **IMMOBILISME** n. m., **IMMOBILITÉ** n. f. ⟶ MOBILE 2. / **IMMODÉRÉ, E** adj., **IMMODÉRÉMENT** adv. ⟶ MODÉRER. / **IMMODESTE** adj. ⟶ MODESTE.

IMMOLER [immɔle] v. t. (lat. *immolare*). *Immoler qq'un* ou *qqch.*, les sacrifier en considération de certains motifs ou intérêts (littér.) : *Immoler un agneau* (= le tuer pour l'offrir en sacrifice à une divinité). *Immoler son amour à son devoir* (syn. RENONCER À). ◆ ***s'immoler*** v. pr. Sacrifier sa vie, ses intérêts. ◆ **immolation** n. f. Action d'immoler.

IMMONDE [immɔ̃d] adj. (lat. *immundus*, sale) [avant ou après le nom]. **1.** D'une saleté extrême qui soulève le dégoût (superl. de SALE) : *Habiter un immonde taudis* (syn. IGNOBLE). — **2.** D'une bassesse qui écœure : *Un film immonde* (syn. ABJECT).

IMMONDICES [immɔ̃dis] n. f. pl. (lat. *immunditiae*). Ordures ménagères; débris ou déchets de toute nature, issus de l'activité commerciale, industrielle, etc. : *Un tas d'immondices* (syn. ORDURES).

IMMORAL, E, AUX adj., **IMMORALISME** n. m., **IMMORALITÉ** n. f. ⟶ MORAL 1. / **IMMORTALISER** v. t., **IMMORTALITÉ** n. f. ⟶ MOURIR.

1. IMMORTEL, ELLE adj. et n. m. ⟶ MOURIR.

2. IMMORTELLE [immɔrtɛl] n. f. (lat. *immortalis*). Nom donné à plusieurs plantes dont l'involucre ne change pas d'aspect après qu'elles se sont desséchées.

IMMOTIVÉ, E adj. ⟶ MOTIF 1.

IMMUABLE [immɥabl] adj. (du lat. *mutare*, changer) [avant ou après le nom]. Qui ne change pas : *Bonheur immuable* (syn. CONSTANT, DURABLE). *Garder un visage immuable* (syn. FIGÉ). ◆ **immuablement** adv. ◆ **immuabilité** ou **immutabilité** n. f. Qualité de ce qui est immuable.

1. IMMUNISER [immynize] v. t. (du lat. *immunis*, exempt). *Immuniser un être vivant*, le rendre réfractaire à une maladie (souvent au passif) : *La vaccination immunise l'organisme contre la variole.* ◆ **immunisation** n. f. Action d'immuniser. ◆ **immunité** n. f. Résistance opposée par un organisme vivant à une agression par un agent infectieux (microbe) ou toxique (venin, toxine de champignon). ⟶ ENCYCL. ◆ **immunologie** n. f. Partie de la biologie et de la médecine qui étudie les phénomènes d'immunité. ◆ **immunologique** adj. : *Les réactions immunologiques.* ◆ **immunodépresseur** adj. et n. m. Se dit d'un médicament ou d'un traitement capables de diminuer ou même de supprimer les réactions immunologiques spécifiques d'un organisme vis-à-vis d'un antigène. (Ils sont utilisés en particulier lors des greffes d'organe.)

— ENCYCL. L'*immunité* peut être *naturelle :* elle est due alors à l'existence dans le sang, dès la naissance, d'anticorps* fabriqués par l'organisme. Elle peut être *acquise :* après un premier contact avec un antigène* (microbe, toxine), l'organisme fabrique des anticorps destinés à le combattre. L'immunité est alors obtenue soit par un contact fortuit avec l'agent infectieux, soit par un contact voulu avec un agent rendu non pathogène* pour l'organisme tout en conservant son rôle d'antigène : c'est le principe de la vaccination*. Enfin, l'immunité peut être le fait d'anticorps contenus so[it] dans les tissus *(immunité tissulaire)*, soit directement dans le san[g] lui-même : on parle alors d'*immunité humorale.* Dans ce cas l'administration d'un sérum* qui contient une forte concentratio[n] d'anticorps spécifiques d'un antigène donné confère à l'organism[e] une immunité passagère qu'il ne possédait pas : c'est le princip[e] de la sérothérapie.

2. IMMUNISER [immynize] v. t. (même étym.). Mettre à l'ab[ri] d'une attaque, d'un mal, protéger contre, etc. (surtout au passif) *Personne n'est immunisé contre la peur.* ◆ **immunité** n. f. **1.** Dro[it] de bénéficier d'une exemption d'impôts, de devoirs, d[e] charges, etc. : *Les immunités féodales.* — **2.** Droit que possède[nt] certaines personnes de jouir de certains privilèges particuliers *Les ambassadeurs possèdent l'immunité diplomatique* (= sont sou[s]traits aux juridictions des pays où ils sont en fonctions). ‖ *Immuni[té] parlementaire*, privilège des membres du Parlement, qui ne peu[]vent être poursuivis, arrêtés ou jugés pendant la durée de le[ur] mandat, sauf flagrant délit.

IMMUTABILITÉ n. f. ⟶ IMMUABLE.

IMPACT [ɛ̃pakt] n. m. (lat. *impactus;* de *impingere*, heurte[r]) **1.** *Point d'impact*, endroit où un projectile touche l'objectif ou u[n] obstacle. — **2.** Effet de surprise, de choc, produit par quelq[ue] chose : *L'impact d'un discours.* — **3.** Influence exercée p[ar] une chose : *L'impact de la publicité sur le public.*

1. IMPAIR, E adj. ⟶ PAIR 1.

2. IMPAIR [ɛ̃pɛr] n. m. (lat. *impar*). *Fam.* Maladresse ch[o]quante : *Commettre un impair* (syn. fam. GAFFE).

IMPALPABLE adj. ⟶ PALPER. / **IMPARABLE** ad[j.] ⟶ PARER 2. / **IMPARDONNABLE** adj. ⟶ PARDON.

1. IMPARFAIT, E adj. ⟶ PARFAIT 1.

2. IMPARFAIT [ɛ̃parfɛ] n. m. (lat. *imperfectus*). *Gramm.* Sy[s]tème de formes verbales qui situe l'énoncé dans un moment ind[é]terminé avant le moment présent ou avant le moment du récit *L'imparfait de l'indicatif.* (Cette indétermination est susceptib[le] d'être interprétée aussi bien comme une durée, une répétition, u[ne] continuité, un état, que comme un instant précis.)

IMPARFAITEMENT adv. ⟶ PARFAIT 1. / **IMPARISYLLABIQUE** adj. et n. m. ⟶ PARISYLLABE. / **IMPARTIAL, E, AU[X]** adj., **IMPARTIALEMENT** adv., **IMPARTIALITÉ** n. [f.] ⟶ PARTIAL.

IMPARTIR [ɛ̃partir] v. t. (bas lat. *impartire*, partager) [seul[e]ment à l'infin. et au part. passé]. Accorder (sujet nom désigna[nt] une autorité administrative) : *Un nouveau délai lui a été impa[rti] pour payer ses impôts.*

IMPASSE [ɛ̃pas] n. f. (de *im-*, priv., et *passer*). **1.** Rue sa[ns] issue : *Au fond d'une impasse* (syn. CUL-DE-SAC). — **2.** Situati[on] sans issue favorable : *Les négociations sont dans l'impass[e].* — **3.** *Faire une impasse*, aux cartes, tenter de faire une levée av[ec] une carte inférieure à celle que possède l'adversaire, en tabla[nt] sur la position de cette carte. — **4.** *Impasse budgétaire*, fracti[on] des dépenses de l'État que l'on espère couvrir non par les re[s]sources budgétaires, mais par des ressources de trésorerie.

IMPASSIBLE [ɛ̃pasibl] adj. (de *in-*, priv., et lat. *pati*, souffri[r]) Se dit d'une personne (ou de son attitude) qui ne laisse voir aucu[ne] émotion, aucun trouble, aucun sentiment : *Rester impassib[le] devant le danger* (syn. IMPERTURBABLE). *Visage impassible* (sy[n.] IMPÉNÉTRABLE; contr. TROUBLÉ). ◆ **impassiblement** ad[v.] ◆ **impassibilité** n. f. : *Ne pas se départir de son impassibili[té]* (syn. ↓CALME).

IMPATIEMMENT adv., **IMPATIENCE** n. f., **IMPA[]TIENT, E** adj., **IMPATIENTER** v. t. ⟶ PATIENCE 1.

IMPATRONISER (S') [sɛ̃patrɔnize] v. pr. (de *patron*). S'é[ta]blir avec autorité quelque part; s'y poser en maître.

IMPAVIDE [ɛ̃pavid] adj. (du lat. *pavidus*, peureux). Q[ui] n'éprouve ou ne trahit aucune peur : *Rester impavide dans [le] danger* (syn. INÉBRANLABLE).

IMPAYABLE [ɛ̃pejabl] adj. (de *payer*). *Fam.* Se dit d'une p[er]sonne qui fait beaucoup rire, d'une chose d'une bizarre[rie] incroyable : *Il est impayable quand il raconte ses histoires* (sy[n.] COCASSE, DRÔLE).

IMPAYÉ, E adj. ⟶ PAYER.

IMPECCABLE [ɛ̃pekabl] adj. (du lat. *peccare*, pécher) [ava[nt] ou plus souvent après le nom]. Sans défaut : *Une tenue impecca[ble]* (syn. IRRÉPROCHABLE). *Il a une conduite impeccable* (syn. PA[R]FAIT). ◆ **impeccablement** adv. : *Être habillé impeccablement. [Se] conduire impeccablement.*

IMPÉDANCE [ɛ̃pedɑ̃s] n. f. (de l'angl. *to impede*, retarde[r]

Électr. Équivalent, pour les courants alternatifs, de la résistance pour les courants continus.

IMPEDIMENTA [ɛ̃pedimɛ̃ta] n. m. pl. (mot lat. signif. *bagages*). **1.** *Autref.* Bagages et charrois qui retardaient la marche des armées. — **2.** *Auj.* Ce qui entrave l'activité, le mouvement.

IMPÉNÉTRABLE adj. ⟶ PÉNÉTRER. / **IMPÉNITENT, E** adj. et n. ⟶ PÉNITENCE. / **IMPENSABLE** adj. ⟶ PENSER. / **IMPER** n. m. ⟶ PERMÉABLE.

1. IMPÉRATIF, IVE [ɛ̃peratif, -iv] adj. (du lat. *imperare*, commander). **1.** Qui exprime un ordre absolu : *Recevoir une consigne impérative.* — **2.** Qui a le caractère du commandement : *D'une voix impérative, il les invita à se taire* (syn. AUTORITAIRE). — **3.** Qui s'impose comme une nécessité absolue : *Besoins impératifs.* ◆ n. m. Nécessité absolue : *Les économies dans le budget sont un impératif auquel il faut se soumettre.* ◆ **impérativement** adv.

2. IMPÉRATIF [ɛ̃peratif] n. m. (même étym.). *Gramm.* Mode du verbe qui exprime l'ordre, le conseil, la défense.

IMPÉRATRICE [ɛ̃peratris] n. f. (lat. *imperatrix*). **1.** Épouse d'un empereur : *L'impératrice Théodora, femme de Justinien.* — **2.** Femme qui gouverne un empire : *Catherine II, impératrice de Russie.*

IMPERCEPTIBLE adj., **IMPERCEPTIBLEMENT** adv. ⟶ PERCEVOIR 1. / **IMPERDABLE** adj. ⟶ PERDRE. / **IMPERFECTION** n. f. ⟶ PARFAIT 1.

IMPERIA, v. d'Italie (Ligurie), sur le golfe de Gênes; 40 700 hab. Centre touristique.

IMPÉRIAL, E, AUX [ɛ̃perjal, -rjo] adj. (du lat. *imperium*, empire). **1.** Qui appartient à un empereur, à un empire; qui caractérise cette autorité : *La dignité impériale. Le pouvoir impérial.* — **2.** *Villes impériales*, nom donné, dans l'Empire germanique, aux villes ayant une administration particulière et ne relevant que de l'Empereur. (Les principales étaient : Aix-la-Chapelle, Brême, Cologne, Francfort-sur-le-Main, Augsbourg et Ulm.) ◆ **Impériaux** n. m. pl. Soldats des empereurs germaniques, ainsi nommés de la fin du XVe s. jusqu'en 1806.

IMPÉRIALE [ɛ̃perjal] n. f. (de *impérial*). Étage supérieur d'une diligence, d'un tramway, d'un autobus, d'une voiture à voyageurs.

IMPÉRIALISME [ɛ̃perjalism] n. m. (angl. *imperialism*). **1.** Politique d'expansion et de domination manifestée par une nation au détriment de peuples divers, qu'elle cherche à mettre sous sa dépendance économique et politique : *L'impérialisme athénien au Ve s. av. J.-C. (ligue de Délos).* — **2.** Selon les marxistes, dernier stade du développement du capitalisme, caractérisé par la concentration des moyens de production entre les mains de monopoles*. ◆ **impérialiste** adj. et n. Favorable à la politique d'expansion nationale.

IMPÉRIAUX n. m. pl. ⟶ IMPÉRIAL.

IMPÉRIEUX, EUSE [ɛ̃perjø, -øz] adj. (lat. *imperiosus;* de *imperium*, empire). **1.** Se dit d'une personne (ou de son attitude) qui commande d'une manière absolue, sans qu'il soit possible de répliquer ou de résister : *Un ton impérieux* (syn. AUTORITAIRE). — **2.** Qui oblige à céder, qui s'impose sans que l'on puisse résister : *Des besoins impérieux* (syn. PRESSANT). ◆ **impérieusement** adv.

IMPÉRISSABLE adj. ⟶ PÉRIR.

IMPÉRITIE [ɛ̃perisi] n. f. (lat. *imperitia;* de *peritus*, expérimenté). Manque de capacité dans la profession ou la fonction que l'on exerce (syn. INCAPACITÉ).

IMPERMÉABILISATION n. f., **IMPERMÉABILISER** v. t., **IMPERMÉABILITÉ** n. f., **IMPERMÉABLE** adj. et n. m. ⟶ PERMÉABLE. / **IMPERSONNEL, ELLE** adj. ⟶ PERSONNE 1 et 3. / **IMPERSONNELLEMENT** adv. ⟶ PERSONNE 3.

IMPERTINENT, E [ɛ̃pɛrtinɑ̃, -ɑ̃t] adj. et n. (bas lat. *impertinens*, qui ne convient pas). Se dit d'une personne (ou de son comportement) qui montre de l'irrespect, une familiarité déplacée : *Répondre d'une façon impertinente* (syn. EFFRONTÉ). ◆ **impertinence** n. f. **1.** *Rien n'égale son impertinence* (syn. EFFRONTERIE, ↑INSOLENCE). — **2.** Parole, action impertinente : *Multiplier les impertinences.* ◆ **impertinemment** adv.

IMPERTURBABILITÉ n. f., **IMPERTURBABLE** adj., **IMPERTURBABLEMENT** adv. ⟶ PERTURBER.

IMPÉTIGO [ɛ̃petigo] n. m. (mot lat.; de *impetere*, attaquer). *Méd.* Affection de la peau d'origine microbienne, très contagieuse, caractérisée par l'éruption de pustules qui, en se desséchant, forment des croûtes épaisses.

IMPÉTRANT, E [ɛ̃petrɑ̃, -ɑ̃t] n. (du lat. *impetrare*, obtenir). Personne qui obtient un titre, un diplôme, etc. (mot admin.) : *La signature de l'impétrant est nécessaire pour la validité de l'acte.*

IMPÉTUEUX, EUSE [ɛ̃petɥø, -øz] adj. (du lat. *impetus*, impulsion) [avant ou plus souvent après le nom]. **1.** Se dit de ce qui se meut avec violence et rapidité (littér.) : *Vent impétueux* (syn. DÉCHAÎNÉ). *Le rythme impétueux de l'orchestre* (syn. ENDIABLÉ). — **2.** Se dit d'une personne (ou de son comportement) qui met de la fougue, de la violence dans la manière de se conduire : *Un caractère impétueux* (syn. EMPORTÉ, VIF; contr. MOU). *Une ardeur impétueuse* (syn. VÉHÉMENT). ◆ **impétueusement** adv. : *Se jeter impétueusement au-devant du danger.* ◆ **impétuosité** n. f. : *L'impétuosité d'un torrent. S'élancer avec impétuosité* (syn. ARDEUR, FOUGUE).

IMPHY, ch.-l. de cant. de la Nièvre, à 11 km au S.-E. de Nevers, sur la Loire; 4 700 hab. Aciérie.

IMPIE adj. et n., **IMPIÉTÉ** n. f. ⟶ PIEUX. / **IMPITOYABLE** adj., **IMPITOYABLEMENT** adv. ⟶ PITIÉ.

IMPLACABLE [ɛ̃plakabl] adj. (du lat. *placare*, apaiser) [avant ou après le nom]. **1.** Dont on ne peut apaiser la violence, adoucir la dureté, l'inhumanité; *Un juge implacable* (syn. IMPITOYABLE). *Un ennemi implacable* (syn. ACHARNÉ). *Un soleil implacable* (syn. TRÈS DUR). *Une logique implacable* (syn. RIGOUREUX). — **2.** Dont il est impossible de changer l'évolution malheureuse : *Être atteint d'un mal implacable.* ◆ **implacablement** adv.

IMPLANTER [ɛ̃plɑ̃te] v. t. (de l'it. *impiantare*, placer). **1.** Installer dans une région une industrie, un organisme, de la main-d'œuvre, etc. : *Implanter à Dunkerque de nouvelles usines.* — **2.** Introduire dans l'esprit d'une manière durable (souvent au passif) : *Des préjugés solidement implantés* (syn. ANCRER, ENRACINER). ◆ **s'implanter** v. pr. Se fixer en un endroit, s'installer : *Des familles d'émigrants italiens se sont implantées dans le sud-est de la France.* ◆ **implantation** n. f. : *L'implantation de nouvelles industries* (syn. ÉTABLISSEMENT, INSTALLATION).

IMPLICATION n. f. ⟶ IMPLIQUER.

IMPLICITE [ɛ̃plisit] adj. (lat. *implicitus*). Qui est contenu dans une proposition sans être exprimé formellement en termes précis, mais peut en être tiré par déduction : *La remise à neuf de l'appartement est la condition implicite que nous mettons à son achat* (contr. EXPLICITE). *Une volonté implicite* (= non formulée, mais que la conduite de la personne permet de supposer). ◆ **implicitement** adv. : *Son silence constitue implicitement une acceptation* (contr. EXPLICITEMENT).

IMPLIQUER [ɛ̃plike] v. t. (lat. *implicare*, envelopper). **1.** *Impliquer qq'un dans qqch.*, le compromettre dans une affaire fâcheuse, le mettre en cause dans une accusation (souvent au passif) : *Il est impliqué dans ce scandale* (syn. MÊLER). — **2.** *Impliquer qqch.* ou *impliquer que*, avoir pour conséquence nécessaire, logique, inéluctable : *La collaboration dans ce travail implique la confiance réciproque* (syn. ENTRAÎNER, SUPPOSER). *Ces propos semblent impliquer de votre part un refus* (syn. SIGNIFIER, VOULOIR DIRE; contr. EXCLURE). — **3.** *Math.* Entraîner une implication. ◆ **implication** n. f. **1.** *Les implications de l'accord intervenu sont trop nombreuses pour pouvoir être toutes prévues* (syn. CONSÉQUENCE). — **2.** *Math.* Relation entre deux propriétés telle que l'exactitude de la première entraîne celle de la seconde. ⟶ ENCYCL.

— ENCYCL. Une proposition P *implique* une proposition Q si Q est vraie lorsque P est vraie. On note alors $P \Longrightarrow Q$.

Exemple : si ABCD est un quadrilatère, l'*implication* (ABCD est

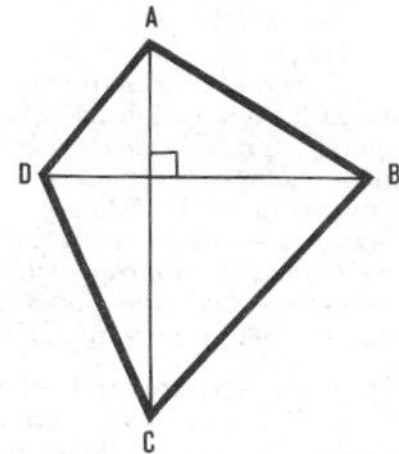

un losange) $\Longrightarrow$ (les diagonales de ABCD sont perpendiculaires) est exacte.

Remarque : (les diagonales de ABCD sont perpendiculaires) $\Longrightarrow$ (ABCD est un losange) est une implication fausse, puisqu'il existe des quadrilatères ayant des diagonales perpendiculaires qui ne sont pas des losanges.

IMPLORER [ɛ̃plɔre] v. t. (lat. *implorare*, invoquer avec des larmes). **1.** *Implorer qq'un*, le supplier avec insistance en cherchant à émouvoir sa pitié (littér. et relig.) : *Implorer Dieu* (syn.

PRIER). *Implorer ses juges* (syn. SUPPLIER). — **2.** *Implorer qqch.*, le demander en suppliant, d'une manière pressante : *Implorer le pardon.* ◆ **implorant, e** adj. : *Une voix implorante* (syn. SUPPLIANT).

IMPLOSION [ɛ̃plozjɔ̃] n. f. (du lat. *in*, dans, et [*ex*]*plosion*). Irruption brutale et rapide d'un fluide dans une enceinte qui se trouve à une pression nettement moindre que la pression du milieu extérieur : *L'implosion d'un poste de télévision.*

IMPLUVIUM [ɛ̃plyvjɔm] n. m. (mot lat.; de *impluere*, pleuvoir). Dans les maisons romaines, espace découvert, au milieu de l'atrium, où se trouvait un bassin destiné à recevoir les eaux de pluie; ce bassin.

IMPOLI, E adj. et n., **IMPOLIMENT** adv., **IMPOLITESSE** n. f. ⟶ POLI 1.

IMPONDÉRABLE [ɛ̃pɔ̃derabl] adj. et n. m. (du lat. *ponderare*, peser). Se dit de facteurs, d'événements qui ne peuvent être ni prévus ni calculés, parce que dus au hasard : *La vie est souvent faite d'impondérables.*

IMPOPULAIRE adj., **IMPOPULARITÉ** n. f. ⟶ POPULAIRE 2.

IMPORTANT, E [ɛ̃pɔrtɑ̃, -ɑ̃t] adj. (it. *importante*) [avant ou après le nom]. **1.** Se dit de choses qui sont considérables en valeur, en nombre, en quantité, en conséquence : *Une question très importante* (syn. GRAVE, SÉRIEUX). *L'important retard de l'économie* (syn. GROS). *Un important héritage* (syn. CONSIDÉRABLE). *Le point important* (syn. ESSENTIEL). *Rien d'important aujourd'hui* (syn. MARQUANT, NOTABLE). — **2.** (suivi de *à* et l'infin.) Utile, nécessaire : *C'est important à savoir, à faire.* — **3.** Se dit d'une personne dont l'influence morale, sociale, intellectuelle est grande, dont la position sociale est élevée : *Un personnage important* (syn. INFLUENT). ◆ adj. et n. m. *Péjor.* Qui veut paraître plus considérable qu'il n'est : *Prendre des airs importants* (syn. AVANTAGEUX). *Faire l'important.* ◆ n. m. *L'important est de* (et l'infin.), *l'important est que* (et le subj.), le point essentiel, le principal. ‖ *Le plus important*, le principal : *Parer au plus important* (syn. PRESSÉ, URGENT). ◆ **importance** n. f. **1.** *Le problème est d'une importance capitale* (syn. GRAVITÉ, PORTÉE). *Un avis de la plus haute importance* (syn. INTÉRÊT). *C'est sans importance* (syn. CONSÉQUENCE). *Il se donne, par ses manières, une importance qu'il n'a pas* (syn. AUTORITÉ, INFLUENCE). — **2.** *D'importance*, considérable : *L'affaire est d'importance* (= de grande conséquence); fortement : *Rosser qq'un d'importance.*

1. IMPORTER [ɛ̃pɔrte] v. t. (lat. *importare*, porter dans). **1.** *Importer des produits*, les faire entrer dans un pays, en provenance d'un autre pays : *Les produits importés* (contr. EXPORTER). — **2.** *Importer une manière de penser, une mode*, etc., introduire dans un pays des façons de penser, de se conduire, etc., appartenant à un autre pays : *Ces danses modernes sont importées d'Amérique.* ◆ **import-export** n. m. Importation et exportation de produits commerciaux. ◆ **importateur, trice** adj. et n. : *Les pays importateurs de blé.* ◆ **importation** n. f. : *L'importation de matières premières* (contr. EXPORTATION). ◆ **réimporter** v. t. Procéder à une nouvelle importation (contr. RÉEXPORTER).

2. IMPORTER [ɛ̃pɔrte] v. t. ind. et i. (it. *importare*, être d'importance). **1.** (sujet nom de chose, ou impersonnellem.) *Importer à qq'un*, avoir de l'importance ou de l'intérêt pour lui : *Vos histoires m'importent peu* (syn. INTÉRESSER). *Ce qui importe avant tout, c'est de conserver la santé* (syn. COMPTER). — **2.** *Qu'importe!, peu importe!*, indiquent le dédain, le mépris : *Peu importe (peu importent) les difficultés! Prenez l'autobus ou le métro, peu importe, vous mettrez le même temps* (= cela est indifférent). ‖ *N'importe*, indique l'indifférence : *« Quelle cravate mets-tu? — Oh! n'importe »* (= cela m'est égal); l'opposition, la concession : *Son roman est très discuté, n'importe, il a eu beaucoup de succès.* — LOC ADV. *N'importe où, n'importe comment, n'importe quand*, indiquent un lieu, une manière, un moment indéfinis : *Travailler n'importe comment* (= sans méthode). — PRON. INDÉF. *N'importe qui, n'importe quoi, n'importe lequel, n'importe quel*, indiquent une personne ou une chose indéfinie : *N'importe qui pourrait le faire. Ce n'est pas n'importe qui* (= c'est un personnage important).

IMPORTUN, E [ɛ̃pɔrtœ̃, -yn] adj. et n. (lat. *importunus*, difficile à aborder). Se dit d'une personne qui ennuie ou gêne en intervenant mal à propos : *Un visiteur importun* (syn. FÂCHEUX). *Je crains d'être importun en restant plus longtemps* (syn. INDISCRET). ◆ adj. Se dit d'une chose qui cause du tracas, de l'incommodité, par sa fréquence, sa répétition, son arrivée hors de propos : *Des plaintes importunes en la circonstance* (syn. INOPPORTUN, INTEMPESTIF). *Une visite importune* (syn. MAL VENU). ◆ **importuner** v. t. (sujet nom de personne ou de chose). Causer du désagrément, de l'ennui, par une conduite intempestive ou par la répétition : *Vous importunez votre voisin par votre bavardage continuel* (syn. DÉRANGER, GÊNER). *Être importuné par le bruit de la rue* (syn. INCOMMODER). ◆ **importunité** n. f. : *L'importunité d'une question* (syn. INDISCRÉTION). *Poursuivre une femme de ses importunités* (= assiduités importunes). [⟶ OPPORTUN.]

IMPOSABLE adj., **IMPOSÉ, E** adj. et n. ⟶ IMPOSER 4.

IMPOSANT, E adj. ⟶ IMPOSER 3.

1. IMPOSER [ɛ̃poze] v. t. (du lat. *imponere*, poser sur) [sujet nom désignant un prêtre, un pasteur, etc.]. *Imposer les mains*, les tenir étendues sur ou au-dessus de la tête d'une personne, pour la bénir ou lui conférer un sacrement. ◆ **imposition** n. f. Action d'imposer les mains.

2. IMPOSER [ɛ̃poze] v. t. (même étym.). *Imposer une feuille*, en typographie, mettre en place les pages de composition dans la forme, en ménageant des blancs déterminés, de telle sorte qu'après pliage de la feuille imprimée les pages du cahier obtenu se suivent dans leur ordre. ◆ **imposition** n. f. Mise en place des pages de composition typographique.

3. IMPOSER [ɛ̃poze] v. t. (même étym.). **1.** (sujet nom de chose ou de personne) *Imposer qqch. à qq'un*, l'obliger à l'accepter, à le faire, à le subir; lui ordonner une action pénible, dure : *La situation nous impose des décisions rapides* (syn. COMMANDER). *Imposer ses idées à son entourage. Ses parents lui imposèrent une punition sévère* (syn. INFLIGER). *Je ne vous impose pas de terminer ce travail avant ce soir* (syn. CONTRAINDRE, FORCER). — **2.** *Imposer le respect*, provoquer, inspirer des sentiments de respect. ◆ v. i. ou t. ind. **1.** *En imposer*, commander le respect, la crainte, l'admiration : *Il en impose à tous par son assurance* (syn. IMPRESSIONNER). — **2.** *S'en laisser imposer*, se laisser tromper par des apparences faussement remarquables : *Ne vous en laissez pas imposer par ses discours.* ◆ **s'imposer** v. pr. **1.** (sujet nom de chose) Devenir une obligation pressante : *Le recours à la force ne s'impose pas* (= n'est pas obligatoire). — **2.** (sujet nom de personne) *S'imposer qqch.*, s'en faire une obligation, une règle : *S'imposer une promenade à pied chaque jour.* — **3.** Se faire reconnaître, admettre par sa valeur : *Il s'impose comme le meilleur joueur de tennis actuel.* ◆ **imposant, e** adj. (avant ou après le nom). **1.** Se dit de choses qui impressionnent par la grandeur, le nombre, la force : *Une taille imposante. Un imposant service d'ordre avait été mis en place* (syn. CONSIDÉRABLE). *La mise en scène imposante de ce film* (syn. GRANDIOSE). — **2.** Se dit ironiq. d'une personne corpulente.

4. IMPOSER [ɛ̃poze] v. t. (même étym.). **1.** Faire payer par voie d'autorité, prélever une contribution, une taxe sur des produits, des revenus, pour assurer le fonctionnement du budget de l'État : *Imposer une taxe sur le chiffre d'affaires.* — **2.** Déterminer le montant de la contribution levée sur quelqu'un, sur une collectivité : *Imposer les salariés* (syn. TAXER). ◆ **imposable** adj. : *La part du revenu imposable* (= qui doit être soumise à l'impôt). *Les personnes imposables* (= qui peuvent être assujetties à l'impôt). ◆ **imposé, e** adj. et n. Soumis à l'impôt. ◆ **imposition** n. f. Syn. de CONTRIBUTION, IMPÔT. ◆ **impôt** [ɛ̃po] n. m. Somme prélevée par un État sur les ressources et les biens des habitants et des sociétés, pour subvenir aux dépenses nécessaires à l'administration du pays et au fonctionnement des services publics ⟶ ENCYCL. ◆ **surimposer** v. t. Frapper d'un surcroît d'impôt.

— ENCYCL. Les *impôts* ou *contributions* sont payés par l'ensemble des *contribuables* (les personnes ou les sociétés, industrielles, commerciales, dont le montant des biens, revenus ou bénéfices est suffisant pour qu'ils soient *imposables*, c'est-à-dire obligés de payer des impôts).

On distingue deux grands groupes d'impôts.

Les *impôts directs* comprennent : la *contribution mobilière*, sur la « valeur locative » du logement ou de la maison; la *taxe professionnelle* des commerçants, des industriels et de certaines professions libérales; la *contribution foncière*, sur les propriétés bâties ou non bâties (maison, terrain, bois, champ, etc.); l'*impôt sur le montant des revenus de chaque personne;* l'*impôt sur les bénéfices des sociétés.* Ils sont établis par l'inspecteur des contributions directes.

Les *impôts indirects* sont perçus indirectement par l'État, sur certains produits de consommation courante, comme les cigarettes, l'essence, les allumettes... Le vendeur doit restituer la part revenant à l'État, sur chaque vente. La T. V. A. ou « taxe à la valeur ajoutée » est un impôt indirect.

IMPOSITION n. f. ⟶ IMPOSER 1, 2 et 4.

IMPOSSIBILITÉ n. f., **IMPOSSIBLE** adj. ⟶ POSSIBLE.

IMPOSTURE [ɛ̃pɔstyr] n. f. (bas lat. *impostura;* de *imponere* tromper). Action de tromper par de fausses apparences, en partic tromperie de celui qui cherche à se faire passer pour ce qu'il n'es pas : *Renommée qui repose sur une imposture* (syn. MYSTIFICATION). ◆ **imposteur** n. m. : *« Le Tartuffe ou l'Imposteur ».*

IMPÔT n. m. ⟶ IMPOSER 4.

IMPOTENT, E [ɛ̃pɔtɑ̃, -ɑ̃t] adj. et n. (lat. *impotens*, impuissant) Se dit de quelqu'un qui ne peut se mouvoir ou qui a une extrême difficulté à marcher, à remuer les membres; se dit aussi parfois des membres eux-mêmes : *Un vieillard impotent* (syn. INFIRME). *Il a le bras droit impotent* (syn. PARALYSÉ). ◆ **impotence** n. f.

IMPRATICABLE adj. → PRATICABLE.

IMPRÉCATION [ɛ̃prekasjɔ̃] n. f. (du lat. *imprecari*, prier). Malédiction proférée contre quelqu'un, souhait de malheur (littér.) : *Les imprécations de Camille dans « Horace »*.

IMPRÉCIS, E adj., **IMPRÉCISION** n. f. → PRÉCIS 1.

IMPRÉGNER [ɛ̃preɲe] v. t. (bas lat. *impraegnare*, féconder). **1.** (sujet nom désignant un liquide, une odeur) *Imprégner qqch.*, y pénétrer (souvent au passif) : *Éponge imprégnée d'eau* (syn. IMBIBER). *L'odeur de l'huile imprègne la cuisine* (syn. SE RÉPANDRE). — **2.** *Imprégner qq'un*, le pénétrer d'une manière profonde, décisive (souvent au passif) : *Son enfance fut imprégnée par l'atmosphère heureuse de la maison* (syn. MARQUER). ◆ ***s'imprégner*** v. pr. : *Une cuisine qui s'imprègne d'odeurs. S'imprégner d'une langue étrangère en séjournant dans le pays* (syn. APPRENDRE, ASSIMILER). ◆ **imprégnation** n. f. **1.** Pénétration d'une odeur, d'un liquide dans quelque chose. ‖ *Imprégnation alcoolique*, taux d'alcool dans le sang, trop élevé pour qu'un conducteur puisse rester maître de son véhicule. — **2.** *Imprégnation des bois*, opération qui consiste à introduire dans le bois des produits chimiques, afin de le rendre plus résistant aux intempéries, aux parasites, etc. — **3.** Pénétration lente dans les esprits d'une influence, d'idées.

IMPRENABLE adj. → PRENDRE 1. / **IMPRÉPARATION** n. f. → PRÉPARER.

IMPRÉSARIO [ɛ̃presarjo] n. m. (mot it.; de *impresa*, entreprise). Celui qui s'occupe des engagements d'un artiste (chanteur, artiste de music-hall, vedette de cinéma, etc.), qui organise des spectacles.

IMPRESCRIPTIBLE adj. → PRESCRIPTION 2.

1. IMPRESSION n. f. → IMPRIMER 1 et 2.

2. IMPRESSION [ɛ̃presjɔ̃] n. f. (lat. *impressio*). **1.** Effet produit dans l'esprit de quelqu'un par un phénomène quelconque; réaction morale, sentimentale devant un fait, une personne : *Ce film m'a laissé une impression étrange* (syn. SENSATION, SENTIMENT). *Quelle est votre impression sur lui?* (= que pensez-vous de lui?). — **2.** *Avoir l'impression de* (et l'infin.), *que* (et l'indic.), avoir le sentiment vrai ou faux de, que : *Il a l'impression que l'on se moque de lui.* ‖ *Donner l'impression de* (et l'infin.), inspirer la croyance, le sentiment vrai ou faux de : *Ce livre me donne l'impression d'avoir été écrit rapidement.* ‖ *Faire impression*, susciter un grand intérêt, provoquer l'admiration, l'étonnement : *Sa déclaration a fait grande impression.* ◆ **impressionner** v. t. *Impressionner qq'un*, produire une vive impression sur lui : *La nouvelle nous a beaucoup impressionnés* (syn. AFFECTER, ÉBRANLER, FRAPPER). *Vos menaces ne m'impressionnent pas* (syn. INTIMIDER, TOUCHER). ◆ **impressionnable** adj. : *Cet enfant est très impressionnable* (syn. ÉMOTIF, SENSIBLE). ◆ **impressionnant, e** adj. Qui agit vivement sur la sensibilité, par sa grandeur, son importance, etc. : *Des forces militaires impressionnantes* (syn. IMPOSANT). *Le spectacle impressionnant de la mer déchaînée* (syn. EFFRAYANT, GRANDIOSE). ◆ **impressionnisme** n. m. Tendance artistique (surtout en peinture) qui consiste à traduire l'impression ressentie et non à représenter objectivement la réalité. → ENCYCL. ◆ **impressionniste** adj. et n. : *Monet, Renoir, Degas, Seurat sont des peintres impressionnistes.*

— ENCYCL. L'*impressionnisme* apparut en France dans la seconde moitié du XIXe s. (la première exposition du groupe date de 1874) et opéra une véritable révolution dans la peinture. Tendance nouvelle, plus que véritable école, il rompait délibérément avec l'art officiel et rencontra l'incompréhension totale du public et de la critique, qui lui donna ce nom par dérision.

Le but des peintres impressionnistes (Manet, Cézanne, Pissarro, Sisley, Renoir, Degas, Berthe Morisot), rassemblés initialement autour de Manet, est avant tout de communiquer l'« impression » ressentie devant la nature et de fixer le paysage dans ce qu'il a de changeant et d'éphémère. Influencés par les paysagistes anglais (Constable, Turner), par Delacroix, Corot et surtout Boudin et le Hollandais Jongkind, précurseurs directs du mouvement, ils s'attachent à rendre ce qu'il y a de plus inconstant et de plus insaisissable dans les formes et les couleurs : les jeux de lumière, l'eau, les nuages, la brume... Les formes ne sont plus enfermées dans un dessin rigide et passent au second plan, tandis que les couleurs, plus claires, plus pures, sont privilégiées, et fixées sur la toile par touches séparées et juxtaposées.

Ces recherches amènent les peintres à travailler dans la nature, et les bords de la Seine et de l'Oise sont leurs lieux de prédilection. Parmi eux, Pissarro, Sisley et Monet (*Étang aux nymphéas*, 1904), poussent très loin les principes de la nouvelle tendance.

Par la suite, Gauguin fit également partie du mouvement, qui eut une grande importance dans l'histoire de l'art moderne.

→ illustrations en couleurs pp. 528-529.

3. IMPRESSION [ɛ̃presjɔ̃] n. f. (même étym.). En photographie, action de soumettre une pellicule photographique à l'effet de la lumière; la reproduction obtenue. ◆ **impressionner** v. t. Produire une image sur une pellicule photographique. ◆ **surimpression** n. f. Impression de plusieurs images sur le même cliché.

IMPRESSIONNABLE adj., **IMPRESSIONNANT, E** adj., **IMPRESSIONNISME** n. m., **IMPRESSIONNISTE** adj. et n. → IMPRESSION 2.

IMPRESSIONNER v. t. → IMPRESSION 2 et 3.

IMPRÉVISIBLE adj., **IMPRÉVOYANCE** n. f., **IMPRÉVOYANT, E** adj., **IMPRÉVU, E** adj. et n. m. → PRÉVOIR.

IMPRIMANTE n. f., **IMPRIMATUR** n. m. inv., **IMPRIMÉ** n. m. → IMPRIMER 2.

1. IMPRIMER [ɛ̃prime] v. t. (lat. *imprimere*, presser sur). **1.** *Imprimer un mouvement, une pression*, etc., les communiquer, les transmettre : *Imprimer un mouvement de rotation à un mécanisme.* — **2.** *Imprimer une empreinte, une marque*, etc., *dans, sur qqch.*, l'y faire, l'y laisser par pression : *Imprimer la marque de ses doigts sur une serviette.* ◆ **impression** n. f. Sens 2 du v. : *L'impression des pas sur la neige* (syn. MARQUE).

2. IMPRIMER [ɛ̃prime] v. t. (même étym.). Reporter (sur du papier, du tissu, etc.) un texte, un dessin par pression d'une surface portant des caractères, des clichés enduits d'encre, selon les techniques de l'imprimerie : *Le livre a été imprimé à Tours. Imprimer un cachet sur une carte d'identité. Une étoffe imprimée.* ◆ ***s'imprimer*** v. pr. Être imprimé : *Son ouvrage s'imprime chez Larousse.* ◆ **imprimé** n. m. Livre, brochure, formule administrative : *Des imprimés distribués gratuitement pour les déclarations d'impôts.* ◆ **imprimante** n. f. Organe de sortie d'un calculateur, qui imprime les résultats à l'aide de caractères. ◆ **imprimatur** [ɛ̃primatyr] n. m. inv. Permission d'imprimer un ouvrage, donnée par l'autorité ecclésiastique. ◆ **imprimerie** n. f. Technique de reproduction de textes, de dessins, etc.; établissement industriel où l'on imprime : *Les caractères d'imprimerie.* → ENCYCL. ◆ **imprimeur** n. m. Propriétaire, directeur d'une imprimerie; professionnel de l'imprimerie. ◆ **impression** [ɛ̃presjɔ̃] n. f. : *Le livre est à l'impression* (= on est en train de l'imprimer). *Les fautes d'impression. L'impression d'un tissu.* ◆ **réimprimer** v. t. Imprimer de nouveau : *Réimprimer un livre.* ◆ **réimpression** n. f. Impression nouvelle d'un ouvrage; l'ouvrage lui-même.

— ENCYCL. L'*imprimerie* par caractères mobiles fut réalisée en Chine au XIe s. En Europe, le développement de la gravure sur bois au XVe s. donna naissance aux caractères d'imprimerie mobiles en bois. Mais l'ensemble du procédé d'impression typographique sur formes en relief (= confection de matrices, fonderie de caractères, composition des textes, impression sur presse à bras) fut conçu par Gutenberg, vers 1436. La nouvelle technique se répandit rapidement dans toute l'Europe, entraînant un progrès décisif pour l'humanité. Des procédés nouveaux, de plus en plus perfectionnés, furent ensuite mis au point : la *typographie*, la *taille-douce*, l'*eau-forte*, la *lithographie*, la *photogravure*, l'*offset*, l'*héliogravure* et la *sérigraphie*. À ces techniques d'imprimerie qui déposent de l'encre sur le papier, par contact ou pression, sont venus s'ajouter des procédés imprimant sans contact (*xérographie*).

→ illustrations page suivante.

IMPRIMERIE n. f. → IMPRIMER 2.

Imprimerie nationale, établissement de l'État assurant, principalement, l'impression des actes administratifs de la République française. Son origine remonte à François Ier.

IMPRIMEUR n. m. → IMPRIMER 2.

IMPROBABILITÉ n. f., **IMPROBABLE** adj. → PROBABLE. / **IMPRODUCTIF, IVE** adj., **IMPRODUCTIVITÉ** n. f. → PRODUIRE 1.

IMPROMPTU, E [ɛ̃prɔ̃pty] adj. (lat. *in promptu*, sur-le-champ). Qui n'a pas été préparé : *Un dîner impromptu* (syn. IMPROVISÉ). ◆ n. m. **1.** Pièce de vers improvisée (épigramme, madrigal, etc.). — **2.** *Mus.* Pièce musicale de forme libre : *Les impromptus pour piano de Schubert, de Chopin.*

Impromptu de Versailles *(l')*, comédie de Molière (1663).

IMPRONONÇABLE adj. → PRONONCER 1. / **IMPROPRE** adj. → PROPRE 3 et 4. / **IMPROPRIÉTÉ** n. f. → PROPRE 3. / **IMPROUVABLE** adj. → PROUVER.

IMPROVISER [ɛ̃prɔvize] v. t. (du lat. *improvisus*, imprévu). *Improviser qqch.*, le composer, l'organiser sur-le-champ, rapidement, sans préparation : *Improviser un discours, un repas.* ◆ v. i. : *Improviser au piano, à l'orgue, etc.* (= jouer, sans préparation, à partir, ou non, d'un thème donné). ◆ ***s'improviser*** v. pr. Être fait

représentation schématique des éléments d'impression

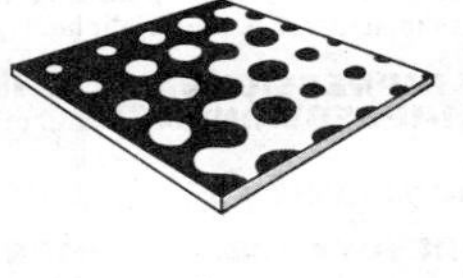
offset

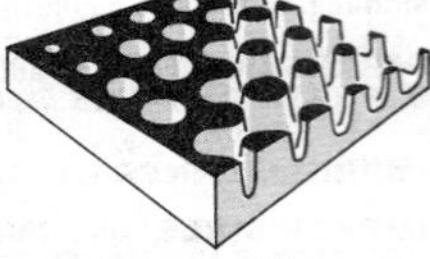
typographie

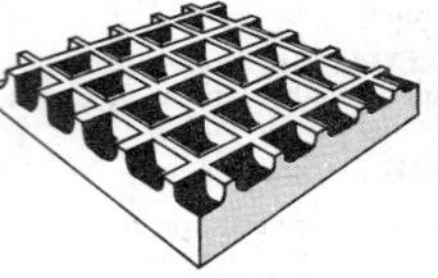
héliographie

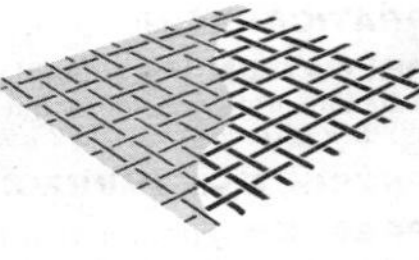
sérigraphie

offset

L'offset est un procédé d'*impression à plat* (plaque imprimante sans creux ni relief) basé sur l'antagonisme entre l'eau et les corps gras (ici l'encre). A partir des textes et illustrations à imprimer, on réalise des *films positifs* qui sont assemblés sur une table lumineuse suivant l'imposition (ordre des pages d'un livre après pliage). Ce montage, placé sur une plaque métallique sensible à la lumière, est soumis à un fort éclairement, permettant la reproduction sur la plaque des textes et illustrations qui seront gravés par l'action d'une solution chimique.

La plaque est montée sur le cylindre porte-plaque de la rotative, les parties non imprimantes sont mouillées et les parties imprimantes encrées. Un cylindre intermédiaire recouvert de toile et de caoutchouc, le blanchet, reçoit de la plaque imprimante l'impression, qu'il reporte alors sur un troisième cylindre (cylindre de pression) portant le papier.

presse offset

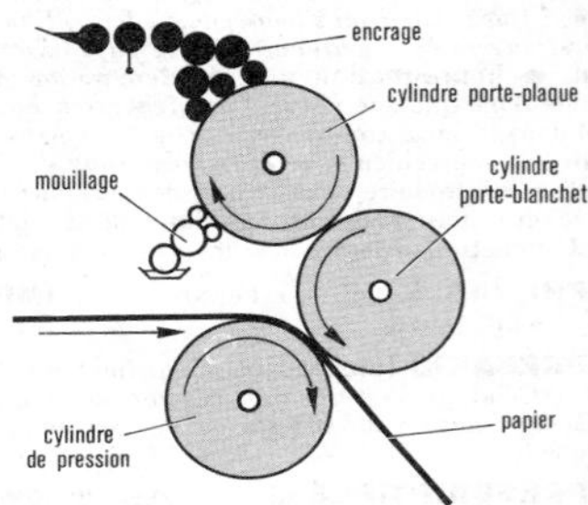

typographie

La typographie est un procédé d'*impression en relief*. La forme imprimante du texte est obtenue soit manuellement (composition à la main signe par signe), soit mécaniquement (composition signe par signe ou ligne par ligne). La forme imprimante des illustrations est constituée par des clichés au trait (reproduction sur métal puis gravure à l'acide) ou des clichés de similigravure (obtenus par l'intermédiaire d'une trame).

La forme imprimante réalisée, l'impression du papier peut se faire de trois façons :

- système plan contre plan : forme imprimante et élément de pression sont horizontaux et se referment l'un contre l'autre, pressant ainsi le papier ;
- système cylindre contre plan : la forme imprimante reste plane, l'élément de pression devient cylindrique, pressant le papier sur la forme qui se déplace en va-et-vient ;
- système cylindre contre cylindre : le papier est pressé entre l'élément de pression et la forme imprimante, tous deux de forme cylindrique.

presse typographique

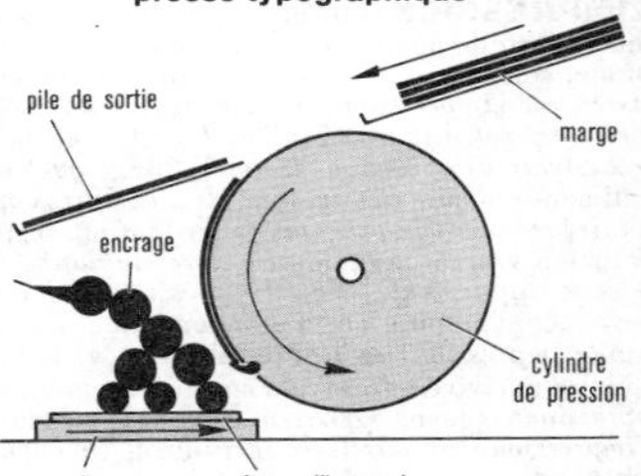

héliographie

L'héliogravure est un procédé d'*impression en creux*. La plaque imprimante est réalisée à partir de films positifs (selon un procédé photographique) sur un papier recouvert de gélatine sensibilisée, le papier charbon.

Ce papier est ensuite appliqué sur un cylindre de cuivre, la gélatine contre le cuivre, puis le support papier est retiré pour permettre à un acide de graver en creux le cylindre.

La forme imprimante ainsi obtenue, l'impression se fait sur une presse rotative à deux cylindres : un cylindre imprimant et un cylindre de pression, entre lesquels passe le papier. L'encrage se fait par passage de la partie inférieure du cylindre imprimant dans un bac rempli d'encre dont la répartition est égalisée par une racle commandée mécaniquement.

presse héliographique

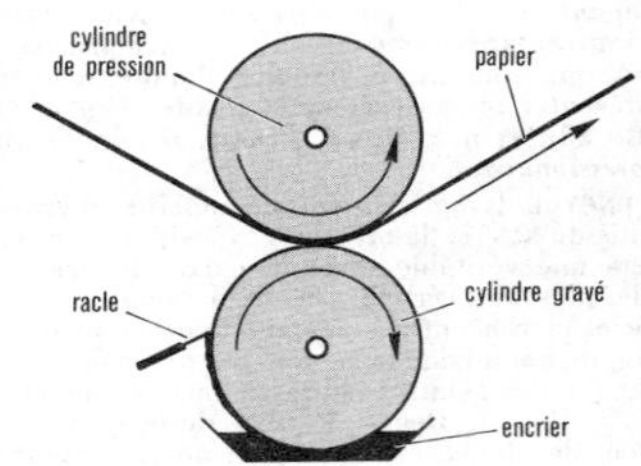

sérigraphie

Technique d'impression utilisant comme élément imprimant un écran de soie, de Nylon ou de toile métallique, tendu sur un cadre et appliqué directement sur le support à imprimer.

La préparation de la forme imprimante se fait soit par découpe, soit par photographie. Dans le premier cas, l'objet à reproduire est placé sous un film composé d'un support transparent, recouvert de gélatine et de cire; on supprime alors, au moyen d'un stylet, la couche de gélatine aux endroits correspondant au dessin.

On fait ensuite adhérer le film sous l'écran de tissu, puis on enlève le support. Les parties non imprimantes sont ainsi rendues imperméables à l'encre.

La forme imprimante peut également être préparée selon un procédé photomécanique qui aboutit au même principe d'obturation des parties non imprimantes du tissu.

Pour imprimer, on place le papier sous la trame; une raclette, commandée manuellement ou mécaniquement, étale l'encre qui, passant à travers les mailles non obturées de la trame, se dépose sur le papier, reproduisant texte et illustrations.

presse sérigraphique

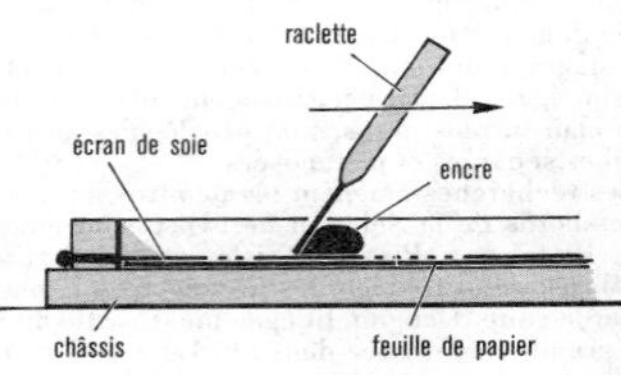

rapidement : *Les secours s'improvisèrent* (syn. S'ORGANISER). *On ne s'improvise pas maçon aussi facilement* (= on ne devient pas). ◆ **improvisé, e** adj. : *Des réformes improvisées* (syn. DE FORTUNE, HÂTIF). ◆ **improvisation** n. f. : *Jouer une courte improvisation à l'orgue.* ◆ **improvisateur, trice** n. : *Un talent d'improvisateur.*

IMPROVISTE (À L') [alɛ̃prɔvist] loc. adv. (de l'it. *improvvisto*, imprévu). D'une manière imprévue, inattendue : *Arrivée à l'improviste* (syn. SUBITEMENT). *Prendre qq'un à l'improviste* (syn. AU DÉPOURVU, DE COURT).

IMPRUDEMMENT adv., **IMPRUDENCE** n. f., **IMPRUDENT, E** adj. et n. ⟶ PRUDENT. / **IMPUBÈRE** adj. ⟶ PUBERTÉ. / **IMPUBLIABLE** adj. ⟶ PUBLIER.

IMPUDENT, E [ɛ̃pydɑ̃, -ɑ̃t] adj. et n. (lat. *impudens;* de *pudere*, avoir honte). D'une insolence poussée au cynisme : *Des propos impudents* (syn. CYNIQUE, EFFRONTÉ). ◆ **impudence** n. f. : *Mentir avec impudence* (syn. CYNISME). *Il a eu l'impudence de venir chez moi* (syn. APLOMB, AUDACE).

IMPUDEUR n. f., **IMPUDICITÉ** n. f., **IMPUDIQUE** adj. ⟶ PUDEUR. / **IMPUISSANCE** n. f., **IMPUISSANT, E** adj. et n. ⟶ PUISSANT.

IMPULSION [ɛ̃pylsjɔ̃] n. f. (lat. *impulsio;* de *pellere*, pousser). **1.** Mouvement communiqué à un corps, à un organisme, etc., par une force quelconque : *Sous l'impulsion des dirigeants, le club prit de l'extension.* — **2.** Groupe d'oscillations à très haute fréquence, utilisées en électronique, qui se succèdent périodiquement dans le temps. — **3.** Force, penchant irrésistible qui pousse quelqu'un à une action : *Se laisser aller à des impulsions violentes* (syn. ÉLAN, INSTINCT, MOUVEMENT). ◆ **impulser** v. t. Pousser quelque chose dans un certain sens (emploi limité). ◆ **impulsif, ive** adj. et n. Qui agit sans réfléchir, d'une manière spontanée; qui cède à ses tendances : *C'est un garçon impulsif* (syn. EMPORTÉ, FOUGUEUX). ◆ **impulsivité** n. f. Caractère impulsif.

IMPUNÉMENT adv., **IMPUNI, E** adj., **IMPUNITÉ** n. f. ⟶ PUNIR. / **IMPUR, E** adj., **IMPURETÉ** n. f. ⟶ PUR 1.

IMPUTER [ɛ̃pyte] v. t. (lat. *imputare*, porter au compte de). **1.** *Imputer une chose à qq'un*, ou *à qqch.*, en attribuer la responsabilité à quelqu'un, à quelque chose; désigner quelqu'un comme l'auteur d'un acte : *Le crime fut imputé à un rôdeur* (syn. ATTRIBUER). — **2.** Mettre au compte d'un chapitre particulier d'un budget (langue financ.) : *Les dépenses nouvelles furent imputées aux frais généraux.* ◆ **imputable** adj. : *Le déficit est imputable à une baisse notable des ventes. Cette erreur est imputable à son inexpérience.* ◆ **imputation** n. f. : *Se justifier des imputations sans preuve dont on est l'objet* (syn. ACCUSATION). *L'imputation d'un chèque à un compte.*

IMPUTRESCIBLE adj. ⟶ PUTRÉFIER.

IN- ([ɛ̃] devant une consonne, [in] devant une voyelle ou un *h* muet), préf. issu du lat. *in-*, de même sens, qui, joint à un grand nombre d'adj., de substantifs et de verbes dérivés, indique la privation, la négation, le contraire, et qui peut prendre, en s'assimilant à la consonne suivante, les formes *il-*, *im-*, *ir-* : *illisible, imbattable, inachevé, inaudible, incohérent, indéfini, indépendant, irréfléchi*, etc.

INABORDABLE adj. ⟶ ABORDER 1 et 2. / **INACCEPTABLE** adj. ⟶ ACCEPTER. / **INACCESSIBLE** adj. ⟶ ACCÉDER 1 et ACCESSIBLE 2. / **INACCOUTUMÉ, E** adj. ⟶ ACCOUTUMER. / **INACHEVÉ, E** adj., **INACHÈVEMENT** n. m. ⟶ ACHEVER 1. / **INACTIF, IVE** adj. ⟶ ACTIF 2.

INACTINIQUE [inaktinik] adj. (du gr. *aktis, aktinos*, rayon). *Phys.* Se dit d'une lumière qui n'a pas d'action chimique, en partic. qui n'impressionne pas la pellicule photographique.

INACTION n. f. ⟶ ACTIF 2 et ACTION 1. / **INACTIVITÉ** n. f. ⟶ ACTIF 2. / **INACTUEL, ELLE** adj. ⟶ ACTUEL. / **INADAPTATION** n. f., **INADAPTÉ, E** adj. et n. ⟶ ADAPTER. / **INADÉQUAT, E** adj. ⟶ ADÉQUAT. / **INADMISSIBLE** adj. ⟶ ADMETTRE 2.

INADVERTANCE [inadvɛrtɑ̃s] n. f. (du lat. *advertere*, faire attention). **1.** Ce qui est le résultat de l'inattention, de l'étourderie (langue soignée) : *Faute d'inadvertance.* — **2.** *Par inadvertance*, par inattention : *Cette sottise lui a échappé par inadvertance* (syn. PAR MÉGARDE).

INALIÉNABLE adj. ⟶ ALIÉNER. / **INALTÉRABLE** adj. ⟶ ALTÉRER 2. / **INAMICAL, E, AUX** adj. ⟶ AMI. / **INAMOVIBLE** adj. ⟶ AMOVIBLE. / **INANALYSABLE** adj. ⟶ ANALYSER. / **INANIMÉ, E** adj. ⟶ ANIMER.

INANITÉ [inanite] n. f. (du lat. *inanis*, vide). Qualité de ce qui est inutile, sans objet : *L'inanité des efforts déployés le découragea* (syn. INUTILITÉ).

INANITION [inanisjɔ̃] n. f. (du lat. *inanis*, vide). *Mourir, tomber d'inanition*, mourir, s'évanouir épuisé par le manque de nourriture.

INAPERÇU, E [inapɛrsy] adj. *(in-*, et *aperçu).* Qui échappe aux regards : *Passer inaperçu.* (⟶ APERCEVOIR.)

INAPPÉTENCE n. f. ⟶ APPÉTIT. / **INAPPLICABLE** adj. ⟶ APPLIQUER 2. / **INAPPLICATION** n. f. ⟶ APPLIQUER 2 et 3. / **INAPPLIQUÉ, E** adj. ⟶ APPLIQUER 3. / **INAPPRÉCIABLE** adj. ⟶ APPRÉCIER. / **INAPPROCHABLE** adj. ⟶ APPROCHER. / **INAPTE** adj., **INAPTITUDE** n. f. ⟶ APTE. / **INARTICULÉ, E** adj. ⟶ ARTICULER 1. / **INASSIMILABLE** adj. ⟶ ASSIMILER 1. / **INASSOUVI, E** adj. ⟶ ASSOUVIR. / **INATTAQUABLE** adj. ⟶ ATTAQUER 1. / **INATTENDU, E** adj. ⟶ ATTENDRE. / **INATTENTIF, IVE** adj., **INATTENTION** n. f. ⟶ ATTENTION 1. / **INAUDIBLE** adj. ⟶ AUDIBLE.

INAUGURER [inogyre] v. t. (lat. *inaugurare*, prendre les augures). **1.** Procéder, par une cérémonie solennelle, à la mise en service d'un édifice : *Le maire inaugura la nouvelle école.* — **2.** Marquer le début de quelque chose; entreprendre pour la première fois (avec l'adj. *nouveau*) : *Inaugurer une nouvelle politique.* ◆ **inaugural, e, aux** adj. : *La séance inaugurale d'un congrès.* ◆ **inauguration** n. f. Surtout au sens 1 du v. : *Un discours d'inauguration.*

INAVOUABLE adj. ⟶ AVOUER.

INCA *(Empire)* ⟶ INCAS.

INCALCULABLE adj. ⟶ CALCUL 2.

INCANDESCENT, E [ɛ̃kɑ̃dɛsɑ̃, -ɑ̃t] adj. (du lat. *incandescere*, être en feu). Devenu blanc ou rouge vif, sous l'effet d'une très haute température : *Des charbons incandescents.* ◆ **incandescence** n. f. : *Le filament de la lampe porté à l'incandescence.*

INCANTATION [ɛ̃kɑ̃tasjɔ̃] n. f. (du lat. *incantare*, prononcer des formules magiques). Chant, formule, etc., auxquels on attribue le pouvoir d'agir sur les éléments, les esprits, etc. ◆ **incantatoire** adj. : *Des paroles incantatoires.*

INCAPABLE adj. et n. ⟶ CAPABLE 1 et 2. / **INCAPACITÉ** n. f. ⟶ CAPABLE 2.

INCARCÉRER [ɛ̃karsere] v. t. (du lat. *carcer*, prison). *Incarcérer qq'un*, le mettre en prison (langue admin.) [syn. EMPRISONNER]. ◆ **incarcération** n. f. : *Donner l'ordre d'incarcération* (syn. EMPRISONNEMENT).

INCARNAT, E [ɛ̃karna, -at] adj. (it. *incarnato*, couleur de chair). D'un rouge vif : *Du velours incarnat.*

INCARNATION n. f. ⟶ INCARNER.

1. INCARNÉ, E adj. ⟶ INCARNER.

2. INCARNÉ [ɛ̃karne] adj. m. (du lat. *caro, carnis*, chair). *Ongle incarné*, ongle qui s'enfonce dans la chair, surtout au pied, et y détermine une plaie.

INCARNER [ɛ̃karne] v. t. (du lat. *caro, carnis*, chair). **1.** Donner une forme matérielle et visible à quelque chose d'abstrait : *Le magistrat incarne la justice* (syn. REPRÉSENTER). — **2.** (sujet nom désignant un acteur) *Incarner un rôle*, interpréter ce rôle au cinéma, au théâtre. ◆ ***s'incarner*** v. pr. **1.** Se matérialiser : *Tous nos espoirs s'incarnent maintenant en lui* (= sont représentés par lui). — **2.** (en parlant d'une divinité) Revêtir un corps charnel : *Vishnu s'est incarné plusieurs fois.* ◆ **incarné, e** adj. : *C'est la jalousie, le vice incarné* (= c'est l'image vivante de la jalousie, du vice) [syn. FAIT HOMME]. ‖ *Le Verbe incarné*, Jésus-Christ. ◆ **incarnation** n. f. **1.** *Cet homme est l'incarnation du dévouement* (syn. PERSONNIFICATION). — **2.** *Mystère de l'Incarnation*, selon la théologie catholique, acte par lequel la deuxième personne de la Trinité est devenue homme en Jésus-Christ. ◆ **désincarné, e** adj. **1.** Qui ne tient pas assez compte du corps, des faiblesses humaines : *Une morale désincarnée.* — **2.** *Fam.* Se dit d'une personne qui semble immatérielle. ◆ **réincarner** v. t. : *Il a réincarné à l'écran le rôle que tenait avec tant de talent cet acteur disparu.* ◆ **réincarnation** n. f. (emploi surtout religieux). Incarnation dans un nouveau corps (d'une âme qui avait été unie à un autre corps) [syn. MÉTEMPSYCHOSE].

INCARTADE [ɛ̃kartad] n. f. (it. *inquartata*, parade d'escrime). Léger écart de conduite, de langage : *Pardonnez-moi cette incartade* (syn. ERREUR).

INCAS, nom donné aux souverains de l'Empire quechua du Pérou, avant la découverte de l'Amérique. L'Empire inca fut constitué au XVe s., dans la vallée de Cuzco, par un chef de clan. L'Inca, empereur et chef religieux, appelé *Fils du Soleil*, détenait sur l'Empire un pouvoir absolu, de droit divin. Il était propriétaire de la terre, dont un tiers seulement était distribué à ses sujets. Sa famille constituait un clan sacré.

Les Incas développèrent une brillante civilisation autour de la capitale, Cuzco. Cette ville somptueuse, reliée au reste du pays par un remarquable réseau routier, abritait un monumental temple du Soleil, sur le culte duquel se fondait la religion. L'Empire inca fut détruit au XVIe s. par les Espagnols de Pizarro.

INCASSABLE adj. ⟶ CASSER 1.

INCE (Thomas Harper), metteur en scène et producteur de cinéma américain (1882-1924). Un des grands pionniers du cinéma, il réalisa les premiers westerns et mit au point la technique du découpage cinématographique. On lui doit notamment *la Bataille de Gettysburg* (1913) et *Civilisation* (1916).

INCENDIE [ɛ̃sɑ̃di] n. m. (lat. *incendium*). Grand feu qui se propage en causant des ravages plus ou moins importants : *Les pompiers ont été appelés pour un incendie.* ◆ **incendiaire** n. Qui allume volontairement un incendie. ◆ adj. **1.** Propre à causer un incendie : *Une bombe incendiaire.* — **2.** Propre ou destiné à enflammer les esprits, à pousser à la révolte : *Tenir des propos incendiaires* (syn. SÉDITIEUX). ◆ **incendier** v. t. **1.** *Incendier qqch.*, y mettre le feu, le détruire par le feu (souvent au passif) : *Les émeutiers ont incendié une voiture* (syn. BRÛLER). — **2.** Fam. *Se faire incendier par qq'un*, être accablé par lui de reproches.

INCERTAIN, E adj., **INCERTITUDE** n. f. ⟶ CERTAIN 1.

INCESSAMMENT [ɛ̃sesamɑ̃] adv. (de *incessant*). D'un instant à l'autre, immédiatement (dans le futur) : *Il arrivera incessamment* (syn. SOUS PEU, TRÈS BIENTÔT).

INCESSANT, E adj. ⟶ CESSER.

INCESTE [ɛ̃sɛst] n. m. (lat. *incestus*, impur). Rapport sexuel entre un homme et une femme qui sont parents proches. ◆ **incestueux, euse** adj. **1.** Qui a commis un inceste; qui constitue un inceste. — **2.** Issu d'un inceste : *Un enfant incestueux.*

INCHANGÉ, E adj. ⟶ CHANGER.

INCHOATIF, IVE [ɛ̃kɔatif, -iv] adj. et n. m. (du lat. *inchoare*, commencer). *Gramm.* Se dit des verbes qui expriment le commencement de l'action (*verdir, enlaidir*, etc.).

INCHON ou **CHEMULPO,** port de la Corée du Sud; 646 000 hab. Centre industriel.

INCIDEMMENT adv. ⟶ INCIDENT 1.

1. INCIDENCE [ɛ̃sidɑ̃s] n. f. (de *incident*). Conséquence que peut avoir un fait précis sur le déroulement d'une affaire, sur un phénomène : *L'incidence de la hausse des prix sur le pouvoir d'achat* (syn. RÉPERCUSSION).

2. INCIDENCE [ɛ̃sidɑ̃s] n. f. (même étym.). *Phys.* Direction suivant laquelle un corps en rencontre, en frappe un autre. ‖ *Angle d'incidence*, angle que fait la direction d'un corps en mouvement ou d'un rayon lumineux avec la normale à une surface au point de rencontre. ‖ *Point d'incidence*, point de rencontre du corps en mouvement ou du rayon incident avec la surface.

1. INCIDENT, E [ɛ̃sidɑ̃, -ɑ̃t] adj. (du lat. *incidere*, survenir). Qui se produit par hasard, d'une manière accessoire, secondaire : *Faire une observation incidente* (= ouvrir une parenthèse). ◆ **incidemment** adv. : *Je vous rappellerai incidemment la promesse que vous m'aviez faite* (syn. ENTRE PARENTHÈSES). *Ils parlèrent incidemment de leurs souvenirs communs, mais sans s'y attarder* (syn. ACCIDENTELLEMENT).

2. INCIDENT [ɛ̃sidɑ̃] n. m. (même étym.). **1.** Événement qui survient à l'improviste au cours d'une action, d'une affaire, et qui en trouble le déroulement : *Tout s'est déroulé sans incident* (= normalement). *Un incident de parcours* (syn. CONTRETEMPS). — **2.** Événement qui risque de provoquer des difficultés plus ou moins graves : *On signale de nouveaux incidents à la frontière.*

INCINÉRER [ɛ̃sinere] v. t. (du lat. *cinis, cineris*, cendre). Réduire en cendres : *Incinérer un cadavre.* ◆ **incinération** n. f. : *L'incinération des ordures.*

INCISE [ɛ̃siz] n. f. (lat. *incisa*, coupée). Phrase de peu d'étendue, formant une sorte de parenthèse dans une phrase plus longue, à l'intérieur d'un récit, pour évoquer une réflexion, rappeler le personnage qui s'exprime, etc. (*Ex. :* « Il était, *je pense*, parfaitement inconscient de la bévue qu'il venait de faire. »)

INCISER [ɛ̃size] v. t. (du lat. *incidere*, couper). Fendre avec un instrument tranchant : *Inciser l'écorce d'un arbre* (syn. ENTAILLER). *Inciser la peau* (syn. SCARIFIER). ◆ **incision** n. f. : *Pratiquer une incision.*

INCISIF, IVE [ɛ̃sizif, -iv] adj. (bas lat. *incisivus*). Qui va droit au but, d'une manière mordante : *Des propos incisifs* (syn. ACERBE).

INCISION n. f. ⟶ INCISER.

INCISIVE [ɛ̃siziv] n. f. (du lat. *incidere*, couper). Chacune des dents aplaties et tranchantes situées sur le devant de chaque mâchoire et dont le rôle est de couper les aliments : *L'homme a huit incisives, quatre supérieures et quatre inférieures.*
— ENCYCL. Les *incisives* sont aptes à trancher lorsqu'elles s'opposent directement entre elles (homme). Lorsqu'elles sont inclinées vers l'avant, elles sont plutôt faites pour pincer et arracher l'herbe (bovins, moutons). Chez les rongeurs, elles ont un tranchant biseauté permettant de détacher des copeaux de matière végétale. Chez les éléphants, elles n'existent qu'à la mâchoire supérieure et constituent les défenses. Chez les suidés (porc, sanglier), les incisives inférieures, longues, plantées horizontalement, servent à déterrer des racines et tubercules.

INCITER [ɛ̃site] v. t. (lat. *incitare*). *Inciter qq'un à qqch., à faire qqch.*, l'y pousser, l'y encourager : *Ce premier succès l'incita à persévérer* (syn. ENGAGER, INVITER). ◆ **incitation** n. f. : *Incitation à la violence* (syn. APPEL, EXCITATION).

INCIVIL, E adj., **INCIVILITÉ** n. f. ⟶ CIVIL 2. / **INCLÉMENCE** n. f. ⟶ CLÉMENT.

INCLINAISON n. f. ⟶ INCLINER 1.

INCLINATION n. f. ⟶ INCLINER 1 et 2.

1. INCLINER [ɛ̃kline] v. t. (lat. *inclinare*, pencher). *Incliner qqch.*, le mettre dans une position oblique; le porter vers le bas, de côté : *Incliner la tête* (syn. PENCHER). *Le vent incline la cime des arbres* (syn. COURBER). ◆ v. i. et **s'incliner** v. pr. Être placé obliquement par rapport à un plan : *Le mur incline* ou *s'incline dangereusement* (syn. PENCHER). ◆ v. pr. **1.** Donner des marques de respect, de politesse, en particulier en courbant la tête, le corps : *S'incliner devant l'autel* (syn. ↑SE PROSTERNER). — **2.** Renoncer à la lutte, à la discussion, en s'avouant vaincu : *S'incliner devant les faits* (syn. CÉDER). ◆ **inclinaison** n. f. **1.** *L'inclinaison de la route* (syn. PENTE). *L'inclinaison de la tête* (= la position inclinée de la tête). — **2.** Angle formé par le plan de l'orbite d'une planète avec le plan de l'écliptique. ◆ **inclination** n. f. *Faire une inclination de tête*, incliner la tête pour saluer, approuver.

2. INCLINER [ɛ̃kline] v. t. (même étym.). *Incliner qq'un à faire qqch., à une chose*, l'y pousser, l'y inciter : *Cela m'incline à penser qu'il réussira* (syn. PORTER). ◆ v. i. (sujet nom de personne). Être poussé vers quelque chose; avoir du penchant pour : *Il incline vers les solutions extrêmes* (syn. TENDRE VERS). ◆ **inclination** n. f. : *Avoir de l'inclination pour la musique* (syn. GOÛT). *Montrer de l'inclination pour qq'un* (syn. AMOUR).

INCLURE [ɛ̃klyr] v. t. (lat. *includere*, enfermer). [Conj. **68.**] **1.** *Inclure une chose*, la mettre dans une autre chose, de telle sorte qu'elle y soit contenue : *Inclure un nom dans une liste* (syn. INTRODUIRE). *Inclure un chèque dans une lettre* (syn. INSÉRER). — **2.** *Inclure qqch.*, entraîner comme conséquence nécessaire : *Cette condition en inclut une autre* (syn. IMPLIQUER). ◆ **inclus, e** adj. : *Apprenez jusqu'à la troisième leçon incluse* (syn. COMPRIS). ‖ *Ci-inclus* ⟶ à son ordre alphab. ◆ **inclusif, ive** adj. Qui contient en soit : *La première personne du pluriel est dite inclusive quand « nous » se substitue à « je » et « tu »* (contr. EXCLUSIF). ◆ **inclusivement** adv. En comprenant ce qui est dit (syn. Y COMPRIS; contr. EXCLUSIVEMENT). ◆ **inclusion** n. f. **1.** *L'inclusion de ce paragraphe ne peut se faire sans un remaniement complet de la page* (syn. INTRODUCTION). — **2.** *Math.* Propriété d'un ensemble F dont tous les éléments appartiennent à un autre ensemble E (ce que l'on exprime par la notation $F \subset E$, qui se lit F est *inclus* dans E). ⟶ ENCYCL.
— ENCYCL. Un ensemble F est *inclus* dans un ensemble E si tout élément de F est élément de E : on dit alors que F est une *partie* de l'ensemble E.

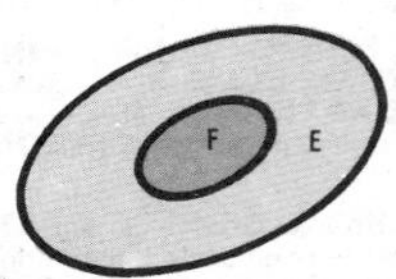

représentation de $F \subset E$ par un diagramme de Venn

L'inclusion est une relation* d'ordre sur l'ensemble des parties d'un ensemble car si E, F, G sont trois parties quelconques de l'ensemble considéré, on a :
$E \subset E$ (réflexivité*);
si $E \subset F$ et $F \subset E$, alors $E = F$ (antisymétrie*);
si $E \subset F$ et $F \subset G$, alors $E \subset G$ (transitivité*).
Si F n'est pas inclus dans E, on note $F \not\subset E$.

INCOERCIBLE adj. → COERCITION.

INCOGNITO [ɛ̃kɔɲito] adv. (mot it. signif. *inconnu*). Sans se faire connaître, d'une manière non officielle; sans révéler sa véritable identité : *Voyager incognito.* ◆ n. m. Situation d'une personne qui cache son identité : *Garder l'incognito.*

INCOHÉRENCE n. f., **INCOHÉRENT, E** adj. → COHÉRENT. / **INCOLLABLE** adj. → COLLE 2. / **INCOLORE** adj. → COULEUR.

INCOMBER [ɛ̃kɔ̃be] v. t. ind. (lat. *incumbere*, peser sur). *Incomber à qq'un*, lui appartenir, en parlant d'une charge, d'une responsabilité : *C'est à vous qu'incombe le devoir de prévenir la famille* (syn. REVENIR À).

INCOMBUSTIBLE adj. → COMBUSTION.

INCOMMENSURABLE [ɛ̃kɔmmɑ̃syrabl] adj. (du lat. *mensura*, mesure). Se dit de ce qui est si grand qu'il ne peut être mesuré : *Une foule incommensurable* (syn. ÉNORME, IMMENSE, INNOMBRABLE). *Il est d'une bêtise incommensurable* (syn. ILLIMITÉ). ◆ **incommensurablement** adv.

INCOMMODANT, E adj., **INCOMMODE** adj., **INCOMMODER** v. t., **INCOMMODITÉ** n. f. → COMMODE 1. / **INCOMMUNICABILITÉ** n. f., **INCOMMUNICABLE** adj. → COMMUNIQUER. / **INCOMPARABLE** adj., **INCOMPARABLEMENT** adv. → COMPARER. / **INCOMPATIBILITÉ** n. f., **INCOMPATIBLE** adj. → COMPATIBLE. / **INCOMPÉTENCE** n. f., **INCOMPÉTENT, E** adj. → COMPÉTENT. / **INCOMPLET, ÈTE** adj., **INCOMPLÈTEMENT** adv. → COMPLET 1. / **INCOMPRÉHENSIBILITÉ** n. f., **INCOMPRÉHENSIBLE** adj., **INCOMPRÉHENSIF, IVE** adj., **INCOMPRÉHENSION** n. f. → COMPRENDRE 2. / **INCOMPRESSIBLE** adj. → COMPRIMER. / **INCOMPRIS, E** adj. et n. → COMPRENDRE 2. / **INCONCEVABLE** adj. → CONCEVOIR 2. / **INCONCILIABLE** adj. → CONCILIER. / **INCONDITIONNEL, ELLE** adj., **INCONDITIONNELLEMENT** adv. → CONDITION 1. / **INCONDUITE** n. f. → CONDUIRE 2. / **INCONFORTABLE** adj., **INCONFORTABLEMENT** adv. → CONFORT.

INCONGRU, E [ɛ̃kɔ̃gry] adj. (du lat. *congruere*, s'accorder). Contraire à la bienséance, aux règles du savoir-vivre, aux convenances : *Faire une réponse incongrue* (syn. DÉPLACÉ). *Un bruit incongru* (syn. INCONVENANT). ◆ **incongruité** n. f. : *Commettre une incongruité.*

1. INCONNU, E adj. et n. → CONNAÎTRE.

2. INCONNUE [ɛ̃kɔny] n. f. (du lat. *incognitus*, non identifié). *Math.* Quantité cherchée dans la solution d'un problème : *L'inconnue est souvent représentée par le symbole* x. (*Ex. :* dans l'équation $3x+2=x-4$, x représente l'*inconnue.*)

INCONSCIEMMENT adv., **INCONSCIENT, E** adj. et n. m. → CONSCIENCE 1. / **INCONSÉQUENCE** n. f., **INCONSÉQUENT, E** adj. → CONSÉQUENCE.

INCONSIDÉRÉ, E [ɛ̃kɔ̃sidere] adj. (lat. *inconsideratus*, qui ne réfléchit pas). Se dit de quelqu'un (ou de son comportement) qui agit sans réflexion : *Une remarque inconsidérée* (syn. IRRÉFLÉCHI). ◆ **inconsidérément** adv. : *Agir inconsidérément* (= avec étourderie).

INCONSISTANCE n. f., **INCONSISTANT, E** adj. → CONSISTANT. / **INCONSOLABLE** adj. → CONSOLER. / **INCONSTANCE** n. f., **INCONSTANT, E** adj. → CONSTANT 1. / **INCONSTITUTIONNALITÉ** n. f., **INCONSTITUTIONNEL, ELLE** adj., **INCONSTITUTIONNELLEMENT** adv. → CONSTITUTION 2. / **INCONTESTABLE** adj., **INCONTESTABLEMENT** adv. → CONTESTER. / **INCONTINENCE** n. f. → CONTINENCE.

1. INCONTINENT, E adj. → CONTINENCE.

2. INCONTINENT [ɛ̃kɔ̃tinɑ̃] adv. (lat. *in continenti* [*tempore*], dans un temps continu). Sans le moindre retard (littér.) : *Il ne demanda pas son reste et partit incontinent* (syn. AUSSITÔT, IMMÉDIATEMENT, SUR-LE-CHAMP).

INCONTRÔLABLE adj., **INCONTRÔLÉ, E** adj. → CONTRÔLE. / **INCONVENANCE** n. f., **INCONVENANT, E** adj. → CONVENIR 2.

INCONVÉNIENT [ɛ̃kɔ̃venjɑ̃] n. m. (lat. *inconveniens*, qui ne convient pas). Ce qui est fâcheux, nuisible, dans une action ou une situation donnée; ce qui a un résultat désavantageux : *Cette décision présente de sérieux inconvénients* (syn. DÉFAUT). *N'y a-t-il pas d'inconvénient à laisser cet enfant jouer près de la rivière?* (syn. DANGER, RISQUE).

INCONVERTIBLE adj. → CONVERTIR 2.

INCORPORER [ɛ̃kɔrpɔre] v. t. (du lat. *corpus*, *corporis*, corps). **1.** *Incorporer une chose*, la faire entrer en composition avec une autre; mêler intimement deux ou plusieurs choses, de façon à former un tout : *Incorporer des œufs à une sauce. Territoires étrangers incorporés dans un empire* (syn. INTÉGRER). — **2.** *Incorporer des recrues*, les affecter à un corps de troupes : *Les soldats appelés sont incorporés dans des régiments.* ◆ **s'incorporer** v. pr. Entrer dans un tout : *Il n'a pas réussi à s'incorporer à notre petit groupe d'amis.* ◆ **incorporation** n. f. **1.** *L'incorporation de l'Autriche à l'Allemagne en 1938* (syn. ANNEXION). — **2.** Phase finale de l'appel du contingent dans laquelle les recrues rejoignent leurs unités. ◆ **réincorporer** v. t. Incorporer de nouveau. ◆ **réincorporation** n. f.

INCORRECT, E adj., **INCORRECTEMENT** adv., **INCORRECTION** n. f. → CORRECT. / **INCORRIGIBLE** adj., **INCORRIGIBLEMENT** adv. → CORRIGER 1. / **INCORRUPTIBILITÉ** n. f., **INCORRUPTIBLE** adj., **INCORRUPTIBLEMENT** adv. → CORROMPRE. / **INCRÉDULE** adj., **INCRÉDULITÉ** n. f. → CRÉDULE. / **INCREVABLE** adj. → CREVER.

INCRIMINER [ɛ̃krimine] v. t. (du lat. *crimen*, *-inis*, accusation). **1.** *Incriminer qq'un*, le rendre responsable d'un acte blâmable, le mettre en cause : *On l'avait incriminé à tort dans un vol.* — **2.** *Incriminer la conduite, les actions de qq'un*, les attaquer comme blâmables : *On incriminera sa bonne foi* (syn. SUSPECTER). ◆ **incriminable** adj. : *Sa conduite n'est pas incriminable.*

1. INCROYABLE adj. → CROIRE.

2. INCROYABLE [ɛ̃krwajabl] n. m. (*in-* priv., et *croyable*). Au début du Directoire, élégant qui affectait une recherche extraordinaire dans sa tenue et sa façon particulière de parler.

INCROYABLEMENT adv., **INCROYANCE** n. f., **INCROYANT, E** adj. et n. → CROIRE.

INCRUSTER [ɛ̃kryste] v. t. (du lat. *crusta*, croûte). **1.** Insérer des fragments d'une matière dans une autre pour former des ornements (souvent au passif) : *Manche de poignard incrusté d'ivoire.* — **2.** Couvrir d'un dépôt de sels minéraux, d'une croûte pierreuse : *L'eau chargée de sels calcaires a incrusté les canalisations* (syn. ENTARTRER). ◆ **s'incruster** v. pr. Fam. *S'incruster (chez qq'un)*, rester chez lui, s'y installer d'une manière prolongée et inopportune. ◆ **incrustation** n. f. : *Une tablette avec des incrustations d'ivoire. Des incrustations se sont déposées sur les parois de la chaudière* (syn. TARTRE).

INCUBATION [ɛ̃kybasjɔ̃] n. f. (du lat. *incubare*, couver). **1.** *Zool.* Action des oiseaux et de certains ovipares qui couvent leurs œufs; développement de l'embryon qui en résulte, et qui dure jusqu'à l'éclosion de l'œuf. — **2.** *Zool.* Hébergement des œufs (ou des jeunes, chez les vivipares) dans une cavité protectrice du corps de leurs parents. — **3.** *Méd.* Période qui s'écoule entre l'introduction d'un agent infectieux dans un organisme et l'apparition des premiers signes de la maladie qu'il détermine. ◆ **incubateur, trice** adj. Se dit d'un organe où se fait l'incubation : *La poche incubatrice du kangourou.* ◆ n. m. **1.** Appareil dans lequel on opère l'incubation artificielle des œufs. — **2.** Appareil permettant d'élever les nouveau-nés prématurés* à température correcte et à l'abri des infections (syn. COUVEUSE). ◆ **incuber** v. t. Opérer l'incubation : *Certains poissons incubent leurs œufs dans la cavité buccale.*

INCULPER [ɛ̃kylpe] v. t. (du lat. *culpa*, faute). *Inculper qq'un*, l'accuser officiellement d'un crime ou d'un délit (jurid. et admin.) : *Le magistrat l'a inculpé d'homicide par imprudence.* ◆ **inculpation** n. f. : *Arrêté sous l'inculpation de vol.* ◆ **inculpé, e** n. : *L'inculpé a été écroué.* ◆ **coïnculpé, e** n. Personne inculpée pour le même délit qu'une autre.

INCULQUER [ɛ̃kylke] v. t. (lat. *inculcare*, pénétrer dans). *Inculquer qqch. à qq'un*, le lui faire entrer durablement dans l'esprit : *Inculquer à un élève les rudiments des mathématiques* (syn. APPRENDRE, ENSEIGNER).

INCULTE adj. → CULTIVER 1 et 2. / **INCULTURE** n. f. → CULTIVER 2.

INCUNABLE [ɛ̃kynabl] adj. et n. m. (lat. *incunabulum*, berceau). Se dit d'un ouvrage qui date de l'origine de l'imprimerie (antérieur à 1500).

INCURABLE adj. et n. → CURABLE.

INCURIE [ɛ̃kyri] n. f. (du lat. *cura*, soin). Manque total de soin dans l'exécution d'une chose : *Faire preuve d'incurie* (syn. LAISSER-ALLER, NÉGLIGENCE).

INCURSION [ɛ̃kyrsjɔ̃] n. f. (lat. *incursio*). **1.** Invasion brutale, mais de peu de durée, dans un territoire étranger : *Incursion de troupes parachutées dans l'intérieur d'un pays ennemi* (syn. RAID). — **2.** Arrivée soudaine dans un lieu, causant des perturbations, du dérangement : *Les enfants ont encore fait une incursion dans mon bureau* (= ont fait irruption).

INCURVER [ɛ̃kyrve] v. t. (lat. *incurvare,* courber). Courber de dehors en dedans : *Les pieds incurvés du fauteuil.* ◆ **s'incurver** v. pr. Prendre la forme d'une courbe : *La route s'incurve pour contourner la montagne.*

INDE, *(république de l'),* en hindī **Bharat,** État de l'Asie méridionale, membre du Commonwealth. La République est formée de 25 États, auxquels s'ajoutent 7 territoires.

SUPERFICIE 3 268 000 km² (France : 550 000 km²).

POPULATION 835 millions d'hab. *(Indiens);* 256 hab. au km² (France : 103); accroissement annuel de population, 2,2 p. 100.

CAPITALE New Delhi (324 300 hab.).

VILLES PRINCIPALES Calcutta (agglomération plus de 9 millions d'hab.); Bombay (8,5 millions d'hab.); Delhi (5 714 000 hab.); Madras (3 276 000 hab.); Bangalore (2 476 000 hab.); Hyderābād (2 149 000 hab.); Ahmadābād (2 060 000 hab.); Kānpur (1 481 000 hab.).

LANGUE OFFICIELLE hindī.

ÉCONOMIE consommation d'énergie par hab., 200 kg d'équivalent charbon ; 1 automobile pour 750 hab.

MONNAIE roupie.

GÉOGRAPHIE

L'énorme chaîne de l'*Himalaya,* au N., barrière quasi infranchissable dépassant 8 000 m d'altitude, et le massif ancien usé par l'érosion du *Deccan,* au S., sont séparés par la vaste *plaine alluviale du Gange.* Un climat de mousson, avec saison sèche d'hiver et pluies d'été, affecte l'ensemble du pays, mais avec des nuances régionales dues à la disposition du relief : l'Assam au N.-E. et la côte de Malabār au S.-O. sont les régions les plus arrosées, tandis que l'intérieur du Deccan est plus sec et que le Nord-Ouest (désert de Thar) est aride.

	TEMPÉRATURES MOYENNES janv.	juil.	PLUIES
Calcutta	19,6 °C	28,9 °C	1 625 mm
Bombay	23,8 °C	27,2 °C	1 805 mm
Hyderābād	22,1 °C	26,6 °C	772 mm

Ceci explique le passage de la forêt dense et de la jungle des régions humides à la savane puis à la steppe quand la sécheresse croît.

Deuxième pays du monde par sa population (après la Chine), l'Inde a une densité moyenne élevée mais qui cache des inégalités : le delta du Gange compte plus de 500 hab. au km², tandis que les régions sèches sont beaucoup moins peuplées. L'accroissement naturel est élevé malgré un taux de mortalité encore fort. La population urbaine, qui ne représente que le quart de la population totale, est répartie dans des villes souvent énormes où sévissent chômage et misère.

L'*agriculture* emploie plus des quatre cinquièmes de la population active. Les cultures vivrières représentent un secteur important : riz dans les régions les plus arrosées, avec parfois deux récoltes grâce à l'irrigation (Bengale), blé et millet ailleurs (Deccan). Mais elles ne suffisent pas à nourrir la population. Les cultures commerciales sont héritées de la période coloniale, et sont destinées à l'exportation : thé de l'Assam, jute du Bengale, coton du nord-ouest du Deccan, canne à sucre, arachide, tabac, etc. Des interdits religieux privent le pays de l'utilisation du premier troupeau de bovins du monde.

riz	90 millions de t	tabac	500 000 t
blé	45 millions de t	jute	1 400 000 t
millet	12 millions de t	coton	1 300 000 t
thé	650 000 t	bovins	180 millions de têtes
sucre	6 millions de t	buffles	70 millions de têtes

Le charbon de la Dāmodar, le fer de l'Orissa, un peu de bauxite, de manganèse et de pétrole ont permis le développement de l'*industrie.* La sidérurgie et la métallurgie lourde sont installées sur le fer et le charbon (Jamshedpur, Rourkela, Asansol), tandis que la métallurgie de transformation est disséminée dans les villes. Mais l'industrie textile demeure prédominante : coton à Bombay et jute à Calcutta. La chimie se développe peu à peu.

pétrole	28 millions de t	électricité	150 milliards de kWh
charbon	140 millions de t	acier	10 millions de t
fer	26 millions de t	coton (filés)	1 100 000 t
bauxite	2 millions de t		

En raison de l'insuffisance de son industrie et de sa production alimentaire, l'Inde importe beaucoup de marchandises tandis qu'elle exporte surtout les produits de son agriculture commerciale. Bombay, Calcutta et Madras sont les principaux ports.

	IMPORTATIONS	EXPORTATIONS
en millions de roupies	140 000	90 000
principaux pays	États-Unis, Grande-Bretagne, U. R. S. S.	

Mais l'Inde se heurte actuellement à de grosses difficultés. Son niveau de vie est l'un des plus bas du monde. Certaines régions (delta du Bengale) souffrent du surpeuplement. L'accroissement rapide de la population (15 millions de personnes par an) aggrave encore cette situation. Il faudrait moderniser l'agriculture, dont les rendements sont faibles, développer l'irrigation, poursuivre l'industrialisation. Mais le pays manque de capitaux et de techniciens. La structure sociale du pays, où l'influence du système des castes* est encore sensible, freine les essais de transformations.

HISTOIRE

■ L'INDE ANCIENNE.

La plus ancienne civilisation connue en Inde (2500-1200 av. J.-C.) se développa dans les sites de la vallée de l'Indus, et fut sans doute influencée par celle de la Mésopotamie.

L'Inde fut ensuite progressivement envahie au VIIIᵉ s. av. J.-C. par les Ārya (ou Aryens) venus de l'O. qui introduisirent le cheval, la métallurgie du fer, une langue indo-européenne (le sanskrit) et un système social fondé sur les castes. C'est sous leur domination que furent rédigés les textes sacrés des *Veda**.

Au VIᵉ s. av. J.-C. apparaissent deux religions nouvelles, le bouddhisme* et le jaïnisme*. À cette époque (VIᵉ-IVᵉ s. av. J.-C.), les Perses et les Grecs commencent à pénétrer en Inde : Cyrus, Darios Iᵉʳ qui occupe le bas Indus (fin du VIᵉ s.), Alexandre le Grand qui fonde des colonies, d'ailleurs éphémères.

● *V. 320 av. J.-C. Chandragupta fonde la dynastie des Maurya.*

Elle atteint son apogée sous le règne d'Asoka (v. 250 av. J.-C.) qui constitue un vaste empire englobant pratiquement toute l'Inde. La disparition de la dynastie Maurya (185 av. J.-C.) est suivie d'un nouveau morcellement du pays.

Aux IIᵉ et Iᵉʳ s. av. J.-C., l'Inde est envahie par les Indo-Scythes, ou Çaka, venus d'Iran.

● *V. 320-v. 467 apr. J.-C. La dynastie nationale des Gupta réunifie progressivement le pays qui connaît alors une grande prospérité.*

Cette période fastueuse est l'âge d'or des lettres et des arts en Inde. Le bouddhisme se répand dans toute l'Asie.

Au début du VIᵉ s., les Huns envahissent et détruisent l'Empire gupta. L'Inde est alors morcelée en plusieurs royaumes.

■ L'INDE MUSULMANE.

Les Turcs apparaissent en Inde dès le VIIIᵉ s. Des dynasties musulmanes s'imposent au Pendjab (XIᵉ s.), à Delhi, puis au Bengale (XIIᵉ s.). Elles sont ruinées par le Tartare Tīmūr Lang (Tamerlan) qui s'empare de Delhi (1398) et dévaste l'Inde.

Au XVIᵉ s. commence l'invasion moghole.

● *1526. Naissance de l'Empire moghol.*

L'Inde retrouve son unité dans le cadre de cet empire, qui atteint sa plus grande extension au XVIIᵉ s.

Cependant, dès le XVᵉ s., les Européens se sont intéressés à l'Inde. Après l'expédition de Vasco de Gama (1498), les Portugais s'assurent en Inde le monopole du commerce qu'ils conservent au cours du XVIᵉ s., puis sont concurrencés par les Hollandais, les Anglais et les Français, qui fondent des compagnies commerciales florissantes.

La compétition oppose surtout les Anglais et les Français, dont l'implantation est favorisée par la décadence de l'Empire moghol, à partir de 1707. Dupleix, gouverneur de 1742 à 1754, étend le protectorat français à l'ensemble du Deccan, mais se heurte à Clive, qui substitue l'influence anglaise à celle de la France.

● *1763. Le traité de Paris limite les possessions françaises à cinq comptoirs : Pondichéry, Chandernagor, Yanaon, Kārikāl et Mahé.*

■ L'INDE BRITANNIQUE.

● *1765. Battu par les Anglais, le Moghol Châh Alem leur abandonne le pouvoir.*

L'implantation des Anglais en Inde progresse ensuite rapidement et la mainmise britannique se poursuit tout au long du XIXᵉ s., partageant le pays entre des États protégés et des possessions directes.

Cependant, les Anglais doivent faire face à de nombreuses révoltes, dont la plus importante est celle des cipayes (1857).

● *1858. L'Empire moghol est officiellement supprimé. Une vice-royauté est instaurée et prend la place de la Compagnie des Indes.*

● *1876. La reine Victoria est proclamée impératrice des Indes.*

AFGHĀNISTĀN
IRAN
CHINE
PĀKISTĀN
Indus
OMAN
MER D'OMAN
JAMMU-ET-CACHEMIRE
Srinagar
HIMĀCHAL PRADESH
Amritsar
PENDJAB
Simla
Ludhiana
Chandigarh
HARYANA
Delhi
NEW DELHI
Ganges
UTTAR PRADESH
Lucknow
NÉPAL
SIKKIM
BHOUTAN
ARUNACHAL PRADESH
ASSAM
NAGALAND
Shillong
Imphāl
MANIPUR
MEGHALAYA
BANGLA DESH
TRIPURA
MIZORAM
Agartala
BIRMANIE
THAÏLANDE
Jaipur
RĀJASTHĀN
Āgra
Gwālior
Kānpur
Allāhābād
Bénarès
Patnā
BIHĀR
GUJERAT
Ahmadābād
Baroda
Bhopāl
MADHYA PRADESH
Jabalpur
Indore
Jamshedpur
BENGALE OCC.
Calcutta
DAMAN ET DIU
Sūrat
Nāgpur
DADRA ET NAGAR HAVELI
MAHĀRĀSHTRA
Bombay
ORISSA
Bhubaneswar
GOLFE DU BENGALE
Poona
Sholāpur
Hyderābād
ANDHRA PRADESH
Visakhapatnam
Hubli-Dharwar
GOA
MYSORE
OCÉAN INDIEN
Bangalore
Mysore
Madras
PONDICHÉRY
ILES ANDAMAN ET NICOBAR
ILES LAQUEDIVES, MINICOY ET AMINDIVI
TAMIL NADU
KERALA
Coimbatore
Cochin
Madurai
Trivandrum
SRI LANKA, CEYLAN
limite d'État ou de territoire
capitale d'État
capitale fédérale
autres villes
0
500 km

Inde

L'Empire britannique est rapidement troublé par les mouvements nationalistes et autonomistes qui sont violemment réprimés.

- *1885. Fondation du Congrès national indien.*
- *1906. Fondation de la Ligue musulmane.*

À partir de 1919, Gandhi devient le chef de la résistance à l'Angleterre, et fonde son mouvement sur la non-violence.

- *1935. Les Anglais accordent à l'Inde une constitution qui lui confère une certaine autonomie.*
- *1947. L'Angleterre doit accepter la « partition » de l'Inde.*

L'*Union indienne*, peuplée d'hindous, et le *Pākistān** musulman (séparé en deux parties) deviennent indépendants.

■ L'INDE INDÉPENDANTE.

- *1949. La Constitution fait de l'Inde une république fédérale, membre du Commonwealth.*

Sous le gouvernement de Nehru, Premier ministre de 1947 à 1964, l'Inde s'engage dans la voie de la modernisation. Les castes sont abolies; mais les difficultés économiques demeurent grandes.

Grâce à Nehru, l'Inde joue un rôle important dans le tiers monde (conférence de Bandung). Cependant, en politique extérieure, la République indienne se heurte au Pākistān et à la Chine.

- *1947-1949. Le problème du Cachemire provoque un premier conflit avec le Pākistān.*

Les Indiens occupent la partie septentrionale du Cachemire.

- *1954. Un accord sino-indien reconnaît l'occupation du Tibet par la Chine.*

À partir de 1959, la Chine émet des revendications territoriales. Des incidents de frontières éclatent périodiquement.

- *1965. Deuxième conflit avec le Pākistān.*
- *1966. Indira Gandhi, fille de Nehru, devient Premier ministre.*

Le parti du Congrès, resté au pouvoir malgré l'opposition, se donne comme objectif d'accentuer le caractère laïc de l'État et d'appliquer une politique de planification économique.

- *1969. Scission du Congrès.*

Le « Nouveau Congrès », favorable à Indira Gandhi, obtient une très large majorité aux élections de 1971.

- *1971. Un nouveau conflit avec le Pākistān aboutit à l'occupation par l'armée indienne du Pākistān oriental, qui constitue la république indépendante du Bangladesh*.*
- *1977. I. Gandhi est remplacée par Morarji Desai.*
- *1980. I. Gandhi retrouve le pouvoir.*
- *1984. Assassinat d'I. Gandhi par des extrémistes sikhs. Son fils Rajiv lui succède.*
- *1989. Rajiv Gandhi démissionne et une coalition de partis de l'opposition accède au pouvoir.*
- *1991. Après la victoire du Congrès aux élections, V. P. Narasimha Rao (leader du parti après l'assassinat de Rajiv Gandhi) devient Premier ministre.*

INDÉCEMMENT adv., **INDÉCENCE** n. f., **INDÉCENT, E** adj. → DÉCENT. / **INDÉCHIFFRABLE** adj. → DÉCHIFFRER.

INDÉCIS, E [ɛ̃desi, -iz] adj. et n. (du lat. *decisus*, tranché). **1.** Se dit d'une personne qui a de la peine à se décider : *Rester indécis devant la solution à adopter* (syn. EMBARRASSÉ, PERPLEXE). *Un caractère indécis* (syn. IRRÉSOLU; contr. DÉCIDÉ). — **2.** Se dit d'une chose qui n'a pas reçu de solution, qui n'est pas sûre : *La victoire est indécise* (syn. DOUTEUX). *La question reste indécise* (= non tranchée). *Le temps est indécis* (syn. INCERTAIN; contr. AU BEAU FIXE). — **3.** Qu'il est difficile de reconnaître, d'apprécier, de définir : *Un sourire indécis* (syn. INDÉFINISSABLE). *Apercevoir dans l'obscurité une forme indécise* (syn. INDISTINCT; contr. NET, PRÉCIS). ◆ **indécision** n. f. (syn. DOUTE, HÉSITATION).

INDÉCLINABLE adj. → DÉCLINER 2. / **INDÉCOMPOSABLE** adj. → DÉCOMPOSER 1. / **INDÉCROCHABLE** adj. → DÉCROCHER. / **INDÉCROTTABLE** adj. → CROTTÉ.

INDÉFECTIBLE [ɛ̃defɛktibl] adj. (du lat. *deficere*, faire défaut). Qui dure toujours, qui ne cesse pas d'exister : *Un attachement indéfectible* (syn. ÉTERNEL; contr. ÉPHÉMÈRE). ◆ **indéfectiblement** adv. : *Rester indéfectiblement attaché à un idéal.*

INDÉFENDABLE adj. → DÉFENDRE 1. / **INDÉFINI, E** adj., **INDÉFINIMENT** adv., **INDÉFINISSABLE** adj. → DÉFINIR. / **INDÉFRICHABLE** adj. → FRICHE. / **INDÉFRISABLE** n. f. → FRISER 1.

INDÉHISCENT, E [ɛ̃deisɑ̃, -ɑ̃t] adj. (du lat. *dehiscere*, s'ouvrir). *Bot.* Qui ne s'ouvre pas, en parlant de certains fruits secs (akènes).

INDÉLÉBILE [ɛ̃delebil] adj. (du lat. *delere*, détruire). Que l'on ne peut effacer : *Encre indélébile* (syn. INEFFAÇABLE). *Impression indélébile* (syn. INDESTRUCTIBLE).

INDÉLICAT, E [ɛ̃delika, -at] adj. *(in-*, priv., et *délicat)*. Qui manque d'honnêteté : *Un employé indélicat* (syn. MALHONNÊTE). ◆ **indélicatesse** n. f. : *Commettre une indélicatesse.*

INDÉMAILLABLE adj. et n. m. → MAILLE 1.

INDEMNE [ɛ̃dɛmn] adj. (du lat. *damnum*, dommage). Qui n'a éprouvé aucun dommage, qui n'a subi aucune blessure, à la suite d'un accident, d'une épreuve difficile, etc. : *Sortir indemne d'une collision de voitures* (syn. SAIN ET SAUF; contr. BLESSÉ).

INDEMNITÉ [ɛ̃dɛmnite] n. f. (lat. *indemnitas*). **1.** Somme d'argent donnée à quelqu'un en réparation d'un dommage subi, en compensation de certains frais : *Recevoir une indemnité* (syn. DOMMAGES-INTÉRÊTS). — **2.** *Indemnité parlementaire*, allocation pécuniaire que reçoivent les membres du Parlement. ◆ **indemniser** v. t. *Indemniser qq'un*, lui payer une indemnité, le dédommager de ses pertes, de ses frais : *Les sinistrés ont été indemnisés.* ◆ **indemnisation** n. f. : *L'indemnisation des sinistrés.*

INDÉNIABLE adj. → DÉNIER.

INDÉPENDAMMENT DE loc. prép., **INDÉPENDANCE** n. f. → INDÉPENDANT.

Indépendance américaine *(guerre de l')*, conflit qui opposa de 1775 à 1782 les treize colonies anglaises d'Amérique du Nord à l'Angleterre et qui aboutit à la reconnaissance de leur indépendance sous le nom d'*États-Unis d'Amérique*. Les insurgés, commandés par Washington, reçurent l'appui de volontaires français, parmi lesquels La Fayette.

- *1777. Victoire américaine de Saratoga.*
- *1781. Les Anglais capitulent à Yorktown.*
- *1783. Le traité de Versailles ratifie l'indépendance des États-Unis.*

INDÉPENDANT, E [ɛ̃depɑ̃dɑ̃, -ɑ̃t] adj. *(in-*, priv., et *dépendant)*. **1.** Se dit d'une personne (ou de son comportement) qui n'est pas sous la dépendance, l'autorité d'une autre, qui a son autonomie : *Peuple indépendant* (syn. AUTONOME, LIBRE). — **2.** Se dit de quelqu'un qui a le goût de la liberté, qui répugne à toute soumission : *Caractère indépendant.* — **3.** Se dit d'une chose qui n'est pas solidaire d'une autre : *Un véhicule à roues indépendantes* (= qui ne sont pas reliées par un essieu rigide). *Une chambre indépendante* (= à laquelle on peut accéder sans passer par une autre pièce). — **4.** Se dit d'une chose qui est sans relation avec une autre : *La vitesse de la chute des corps dans le vide est indépendante de leur masse.* ◆ **indépendante** adj. et n. f. *Gramm.* Se dit d'une proposition qui constitue à elle seule une phrase ou un énoncé, sans dépendre d'aucune autre proposition et sans qu'aucune proposition dépende d'elle : *« Le camion roulait à vive allure » est une proposition indépendante.* ◆ **indépendantiste** adj. et n. Au Canada, partisan de l'indépendance politique de la province du Québec. ◆ **indépendance** n. f. : *Son goût de l'indépendance l'a amené à donner sa démission* (syn. LIBERTÉ). *Un peuple colonisé qui a conquis son indépendance* (syn. AUTONOMIE). ◆ **indépendamment de** loc. prép. **1.** Sans égard à (une chose) en faisant abstraction de : *Indépendamment de ce qui arrive.* — **2.** Par surcroît, en plus : *Indépendamment de ces avantages* (syn. OUTRE).

INDÉRACINABLE adj. → RACINE.

Indes *(compagnies des)*, nom de plusieurs compagnies créées en Europe, qui possédaient un monopole commercial avec certains territoires coloniaux (= régime de l'exclusif) :
la *Compagnie anglaise des Indes orientales*, fondée à Londres pour le commerce avec les pays de l'océan Indien (1600-1858);
la *Compagnie hollandaise des Indes orientales*, fondée aux Provinces-Unies pour commercer avec les pays des mers des Indes (1602-1798);
la *Compagnie française des Indes* (1719-1794), issue de la fusion entre l'ancienne *Compagnie des Indes orientales*, établie par Colbert, et de la *Compagnie d'Occident*, créée par Law; elle ne put se maintenir face à sa rivale, la Compagnie anglaise.

INDES *(empire des)*, nom donné de 1877 à 1947 aux possessions britanniques de l'Hindoustan.

INDES *(mer des)*, anc. nom de l'OCÉAN INDIEN.

Indes galantes *(les)*, opéra-ballet de J.-Ph. Rameau (1735).

INDES OCCIDENTALES, nom donné à l'Amérique par Christophe Colomb, qui croyait avoir atteint les parages de l'Asie.

INDES ORIENTALES, nom donné aux anciennes colonies néerlandaises constituant auj. l'INDONÉSIE.

INDESCRIPTIBLE adj. → DÉCRIRE 1.

INDÉSIRABLE [ɛ̃dezirabl] adj. et n. (angl. *undesirable*). Se dit de personnes que, pour des raisons morales, politiques, etc., on ne désire pas accueillir dans un pays, une société, un groupe.

INDESTRUCTIBLE adj. → DÉTRUIRE. / **INDÉTERMINA-TION** n. f. → DÉTERMINER 1 et 2. / **INDÉTERMINÉ, E** adj. → DÉTERMINER 1.

1. INDEX [ɛ̃dɛks] n. m. (mot lat. signif. *indicateur*). Deuxième doigt de la main, le plus proche du pouce : *Montrer, désigner de l'index.*

2. INDEX [ɛ̃dɛks] n. m. (même étym.). **1.** Table alphabétique des noms cités, des sujets traités, etc., placée à la fin d'un livre et permettant de les retrouver dans l'ouvrage. — **2.** *Mettre qq'un* ou *qch. à l'index*, les signaler comme dangereux et les exclure d'un groupe : *Sa trahison le fit mettre à l'index par tous ses amis.* (L'Index était le catalogue des livres dont le Saint-Siège interdisait la lecture.)

NDEXER [ɛ̃dɛkse] v. t. (de *index*). Lier les variations d'une valeur (titre, salaire, emprunt, etc.) à celles d'un élément donné comme référence (or, coût de la vie, etc.) : *Indexer les salaires sur le coût de la vie.* ◆ **indexation** n. f. : *L'indexation des traitements sur le coût de la vie.*

NDIANA, État du centre des États-Unis (Midwest); 94 000 km²; 5 193 700 hab. Capit. *Indianapolis.*

NDIANAPOLIS, v. des États-Unis, capit. de l'Indiana; 744 600 hab. Circuit pour courses automobiles.

NDIANISME n. m., **INDIANISTE** n. → INDIEN.

NDICATEUR, TRICE adj. et n. m. → INDIQUER.

1. INDICATIF, IVE adj. et n. m. → INDIQUER.

2. INDICATIF [ɛ̃dikatif] n. m. (lat. *indicativus*, qui indique). *Gramm.* Mode du fait objectif, certain et réel du verbe, comportant une série de temps simples (présent, passé simple, imparfait, futur) et une série correspondante de temps composés (passé composé, passé antérieur, plus-que-parfait, futur antérieur).

NDICATION n. f. → INDIQUER.

NDICE [ɛ̃dis] n. m. (lat. *indicium*, signe révélateur). **1.** Signe apparent qui met sur la trace de quelque chose ou de quelqu'un, qui révèle quelque chose d'une manière très probable : *La hausse des prix est l'indice d'un déséquilibre économique croissant* (syn. MARQUE, SIGNE). *Les indices d'un crime* (syn. PREUVE). *Cette paralysie est l'indice d'une lésion grave* (syn. SYMPTÔME). — **2.** Indication numérique qui sert à caractériser une grandeur : a *indice 1* s'écrit a_1. — **3.** *Écon. polit.* Rapport moyen entre des prix, des quantités, qui en montre l'évolution : *L'indice des prix de détail, de gros* (= tableau indiquant, pour un certain nombre d'articles, le prix moyen relevé à une date déterminée). *Les indices de la production* (= tableau indiquant le niveau moyen de la production dans chaque branche d'activité). *Les indices des traitements et salaires* (= les niveaux hiérarchiques). ◆ **indiciaire** adj. Attaché à un indice : *Le classement indiciaire d'un fonctionnaire* (= le niveau de son indice de traitement).

NDICIBLE [ɛ̃disibl] adj. (du lat. *dicere*, dire). D'une intensité, d'une force, d'une grandeur telle qu'on ne peut l'exprimer : *Une joie indicible* (syn. INDESCRIPTIBLE, INEXPRIMABLE).

NDIEN, ENNE [ɛ̃djɛ̃, -ɛn] adj. et n. (bas lat. *indianus*). **1.** Relatif à l'Inde. — **2.** Relatif aux populations autochtones d'Amérique : *Les Indiens, ou Peaux-Rouges* (syn. AMÉRINDIEN). ◆ **indianisme** n. m. Science des civilisations de l'Inde. ◆ **indianiste** n.

NDIEN *(océan)*, océan compris entre l'Afrique, l'Asie méridionale et l'Australie; 75 millions de km².

Il est constitué de deux bassins séparés par une crête centrale orientée N.-S., reliant l'Inde au continent antarctique et émergeant notamment aux îles Kerguelen. C'est le domaine des vents de mousson qui y provoquent de fortes houles et dont le renversement est responsable de l'inversion annuelle des courants.

NDIENNE [ɛ̃djɛn] n. f. (de *Inde*). Étoffe de coton légère, blanche ou écrue, puis colorée par impression.

NDIENS ou **AMÉRINDIENS,** populations autochtones d'Amérique, appelées ainsi à la suite de l'erreur de Colomb qui croyait, en atteignant leur pays, être parvenu aux Indes. Originaires d'Asie, ils seraient passés en Amérique par le détroit de Behring. Certains de ces peuples ont connu de brillantes civilisations (Mayas, Aztèques, Quechuas); d'autres furent refoulés dans les forêts ou dans les steppes (« Peaux-Rouges » de la Prairie nord-américaine); d'autres enfin subsistent encore de nos jours avec des genres de vie assez primitifs (Esquimaux).

NDIFFÉREMMENT adv., **INDIFFÉRENCE** n. f. → INDIFFÉRENT.

NDIFFÉRENCIÉ, E adj. → DIFFÉRER 2.

NDIFFÉRENT, E [ɛ̃diferɑ̃, -ɑ̃t] adj. (lat. *indifferens*, ni bon ni mauvais). Qui touche peu, qui ne provoque aucun intérêt particulier : *Il m'est indifférent d'aller par ici ou par là* (syn. ÉGAL). *Elle ne t'est pas indifférente* (= elle t'inspire un sentiment amoureux). ◆ adj. et n. Se dit d'une personne qui ne prend pas d'intérêt à quelqu'un ou à quelque chose, qui y est insensible, qui reste froide : *Il est indifférent à la misère humaine. Demeurer indifférent devant le danger* (syn. IMPASSIBLE, IMPERTURBABLE). ◆ **indifféremment** adv. Sans faire de différence : *Il est courtois avec tout le monde indifféremment* (syn. INDISTINCTEMENT). ◆ **indifférence** n. f. : *Marquer son indifférence par une attitude désinvolte* (syn. ↑DÉDAIN). *Il est sensible à l'indifférence que tu montres à son égard* (syn. FROIDEUR). *Indifférence en matière religieuse* (= attitude de celui qui considère les problèmes religieux comme sans importance; absence de foi). ◆ **indifférer** v. t. (sujet nom de chose). Ne présenter aucun intérêt pour quelqu'un : *Cela m'indiffère.*

INDIGENCE n. f. → INDIGENT.

INDIGÈNE [ɛ̃diʒɛn] adj. et n. (lat. *indigena*, qui est né dans le pays). Originaire du pays où il vit, où il se trouve (se dit surtout des populations autres que celles de l'Europe et de l'Amérique du Nord, mais l'emploi du mot s'étend) : *La population indigène* (syn. AUTOCHTONE). *Les indigènes de la région sont très hospitaliers* (syn. NATUREL).

INDIGENT, E [ɛ̃diʒɑ̃, -ɑ̃t] adj. et n. (du lat. *indigere*, avoir besoin). Qui vit dans la plus grande pauvreté : *Un vieillard indigent* (syn. NÉCESSITEUX). ◆ adj. Qui manifeste une grande pauvreté intellectuelle, morale : *Son vocabulaire est indigent. Une imagination indigente* (syn. ↓PAUVRE). ◆ **indigence** n. f. : *Vivre dans la plus terrible indigence* (syn. DÉNUEMENT, MISÈRE). *Indigence d'idées* (syn. PAUVRETÉ).

INDIGESTE adj., **INDIGESTION** n. f. → DIGÉRER.

INDIGNATION n. f. → INDIGNER.

INDIGNE adj., **INDIGNEMENT** adv. → DIGNE.

INDIGNER [ɛ̃diɲe] v. t. (lat. *indignari*). *Indigner qq'un*, exalter sa colère, sa révolte par l'absence de moralité, de justice, etc. (souvent au passif) : *Sa conduite m'indigne* (syn. SCANDALISER). *Je suis indigné qu'on puisse être aussi cruel* (syn. OUTRER). ◆ ***s'indigner*** v. pr. *S'indigner de, que* (et le subj.), éprouver un sentiment de colère, de révolte : *Il s'indigne de la condamnation de cet innocent* (syn. S'OFFENSER). ◆ **indigné, e** adj. Qui marque la colère, la révolte : *Une protestation indignée.* ◆ **indignation** n. f. : *Ce spectacle excite l'indignation générale* (syn. RÉVOLTE). *Protester avec indignation* (syn. COLÈRE).

INDIGNITÉ n. f. → DIGNE.

INDIGO [ɛ̃digo] n. m. (mot esp.). **1.** Matière colorante fournie par les feuilles de l'indigotier, et qui sert à teindre en bleu. — **2.** Couleur bleue tirant légèrement sur le violet. ◆ **indigotier** n. m. Plante vivace dont on tire l'indigo.

INDIQUER [ɛ̃dike] v. t. (lat. *indicare*). **1.** *Indiquer qq'un, qqch.*, le désigner, le faire voir d'une manière précise, par un geste, un signal, etc. : *Du doigt, il m'indiqua une place libre dans le compartiment* (syn. MONTRER, SIGNALER). *Ma montre indique trois heures et demie* (syn. MARQUER). — **2.** *Indiquer qq'un, qqch. à qq'un*, le lui faire connaître : *Pouvez-vous m'indiquer un bon oculiste?* — **3.** (sujet nom de chose) *Indiquer qqch.*, révéler, faire connaître l'existence ou la caractéristique d'un être ou d'un événement : *La pâleur de son visage indique son trouble* (syn. DÉNOTER, MARQUER). *Tout indique qu'il est parti précipitamment* (syn. PROUVER). *Cette réponse indique une grande intelligence* (syn. DÉCELER, REFLÉTER). — **4.** Représenter à grands traits, légèrement : *Ces hachures indiquent les ombres.* ◆ **indicateur, trice** adj. : *Un poteau indicateur* (= qui indique le chemin). ◆ n. m. Personne qui dénonce à la police les agissements des malfaiteurs en vue d'en tirer un avantage quelconque. ◆ n. m. **1.** Livre, brochure contenant des renseignements divers (le compl. en indique la nature) : *Indicateur des chemins de fer* (= qui en indique les horaires). — **2.** Instrument servant à fournir des renseignements : *Indicateur de pression, d'altitude.* — **3.** *Indicateur coloré*, substance qui indique, par un net changement de couleur, l'achèvement d'une réaction chimique. ◆ **indicatif, ive** adj. Se dit de ce qui indique : *À titre indicatif, je vous signale que le magasin ferme au mois d'août.* ◆ n. m. Fragment musical répété au début d'une émission régulière de radio ou de télévision, et destiné à l'identifier. ◆ **indication** n. f. : *Donner une fausse indication* (syn. RENSEIGNEMENT). *Ces empreintes sont une indication suffisante pour suivre la piste* (syn. INDICE). *L'indication du prix doit être portée d'une manière évidente* (syn. MARQUE). *Suivre les indications du médecin* (syn. PRESCRIPTIONS).

INDIRECT, E adj., **INDIRECTEMENT** adv. → DIRECT. / **INDISCERNABLE** adj. → DISCERNER. / **INDISCIPLINABLE** adj., **INDISCIPLINE** n. f., **INDISCIPLINÉ, E** adj. → DISCIPLINE 1. / **INDISCRET, ÈTE** adj., **INDISCRÈTEMENT** adv., **INDISCRÉTION** n. f. → DISCRET. / **INDISCUTABLE** adj., **INDISCUTABLEMENT** adv., **INDISCUTÉ, E**

adj. ⟶ DISCUTER. / **INDISPENSABLE** adj. ⟶ DISPENSER 1. / **INDISPONIBILITÉ** n. f., **INDISPONIBLE** adj. ⟶ DISPONIBLE.

1. INDISPOSER [ɛ̃dispoze] v. t. (du lat. *indispositus*, mal ordonné). **1.** *Indisposer qq'un*, le rendre un peu malade; le mettre mal à l'aise physiquement : *Cette grosse chaleur m'indispose* (syn. INCOMMODER). — **2.** *Être indisposé*, être légèrement souffrant. ◆ **indisposition** n. f. Léger malaise physique : *Une indisposition après un trop bon repas* (syn. ↑INDIGESTION).

2. INDISPOSER [ɛ̃dispoze] v. t. (même étym.). *Indisposer qq'un*, le mettre dans une disposition d'esprit peu favorable : *Il indispose tout le monde contre lui* (syn. DÉPLAIRE À, HÉRISSER).

INDISSOCIABLE adj. ⟶ DISSOCIER. / **INDISSOLUBILITÉ** n. f., **INDISSOLUBLE** adj., **INDISSOLUBLEMENT** adv. ⟶ DISSOUDRE. / **INDISTINCT, E** adj., **INDISTINCTEMENT** adv. ⟶ DISTINGUER.

INDIVIDU [ɛ̃dividy] n. m. (lat. *individuum*, indivisible). **1.** Être humain considéré comme une unité distincte, opposé à la collectivité, au groupe : *Les droits de l'individu* (syn. PERSONNE HUMAINE). — **2.** Homme indéterminé ou dont on parle avec mépris (le plus souvent péjor.) : *Un drôle d'individu.* — **3.** *Biol.* Chaque être, soit animal, soit végétal, par rapport à son espèce : *Le genre, l'espèce et l'individu.* ◆ **individuel, elle** adj. Qui concerne une seule personne, qui appartient à un seul individu : *La responsabilité individuelle* (syn. PERSONNEL; contr. COLLECTIF). *La propriété individuelle* (contr. PUBLIC). *Cas individuel* (syn. PARTICULIER). ◆ **individuellement** adv. : *Pris individuellement, chacun des enfants est obéissant, mais en groupe ils sont insupportables* (syn. ISOLÉMENT; contr. COLLECTIVEMENT). ◆ **individualiser** v. t. Rendre distinct des autres par des caractères propres : *Individualiser les peines en adaptant la loi aux circonstances et au milieu. Un groupe fortement individualisé.* ◆ **individualisation** n. f. ◆ **individualisme** n. m. Attitude visant à affirmer son indépendance vis-à-vis des groupes sociaux et à ne considérer que son intérêt ou ses droits propres (syn. NON-CONFORMISME). ◆ **individualiste** adj. et n. : *Il est trop individualiste, il ne pense qu'à lui-même* (syn. ÉGOÏSTE). ◆ **individualité** n. f. **1.** Ce qui constitue le caractère propre et original : *L'individualité d'une province* (syn. ORIGINALITÉ). — **2.** Personne dont le caractère est nettement différent des autres, qui a une forte personnalité : *Ce roman manifeste une forte individualité* (syn. usuel PERSONNALITÉ).

INDIVISIBILITÉ n. f., **INDIVISIBLE** adj., **INDIVISIBLEMENT** adv. ⟶ DIVISER.

INDOCHINE, grande péninsule du sud-est de l'Asie, entre l'Inde et la Chine, limitée par le golfe du Bengale, le détroit de Malacca et la mer de Chine méridionale. Elle est divisée politiquement en six États : Birmanie, Thaïlande, Malaysia (partie continentale), Cambodge, Laos et Viêt-nam.

INDOCHINE FRANÇAISE, nom donné autref. à l'ensemble territorial constitué artificiellement par la réunion, en 1887, des colonies ou protectorats français de Cochinchine, du Cambodge, de l'Annam, du Tonkin, auxquels s'ajoutèrent en 1893 le Laos et en 1911 le Kouang-tcheou-wan.

INDOCHINE *(guerres d')*, ensemble des conflits qui se sont déroulés dans la péninsule indochinoise à partir de 1946.

Pendant la Seconde Guerre mondiale, de 1940 à 1945, le Japon profite de la défaite française pour occuper une partie du Tonkin et la Cochinchine, et favoriser les mouvements nationalistes.

Après la capitulation japonaise (1945), les Chinois occupent le nord de la péninsule jusqu'au 16ᵉ parallèle, les Alliés (Britanniques, puis Français) le Sud.

■ LA PREMIÈRE GUERRE D'INDOCHINE (1946-1954).

La France tente de rétablir sa souveraineté en Cochinchine et en Annam, mais se heurte à l'opposition du Viêt-nam, qui a proclamé son indépendance.

Cette guerre oppose les forces françaises au *Viêt-minh*, mouvement nationaliste et révolutionnaire vietnamien.

- *Nov.-déc. 1946. Les Français bombardent Haiphong. Le Viêt-minh déclenche l'insurrection.*
- *1946-1954. La France se heurte à l'opposition du Viêt-nam, dirigé par le Viêt-minh.*

Les efforts des généraux de Lattre (1950-1952) et Salan (1952-1953) ne viennent pas à bout de l'armée du Viêt-minh dirigée par Giap.

- *7 mai 1954. La défaite française de Diên Biên Phu entraîne la fin des hostilités.*
- *Juil. 1954. Les accords de Genève reconnaissent la souveraineté du Viêt-minh sur le Viêt-nam du Nord.*

Le Viêt-nam est partagé en deux zones, qui vont former deux États. (⟶ VIÊT-NAM.) Les forces françaises évacuent l'Indochine.

■ LA SECONDE GUERRE D'INDOCHINE.

- *1956. Après le départ des dernières troupes françaises, des conflits reprennent au Viêt-nam.*

Le Viêt-minh soutient la guérilla menée au Viêt-nam du Sud par les opposants au régime de Saigon, soutenu par les États-Unis.

- *1960. La création du Viêt-cong (Front national de libération, ou F. N. L.) transforme la guérilla en une véritable guerre.*
- *1962. Les États-Unis prennent directement en main la conduite de la guerre.*

Le conflit s'étend à l'ensemble de l'Indochine (Laos, Cambodge).

- *1968. Malgré l'ouverture de pourparlers de paix entre le Viêt-nam du Nord et les États-Unis, les hostilités se poursuivent avec une violence accrue.*
- *1973. La signature d'un cessez-le-feu entraîne le désengagement des États-Unis au Viêt-nam.*
- *1975. Victoire complète des révolutionnaires au Viêt-nam, au Cambodge et au Laos.*
- *1976. Réunification du Viêt-nam.* (⟶ VIÊT-NAM et ÉTATS-UNIS.)

INDOCHINOIS, E [ɛ̃dɔʃinwa, -az] adj. et n. De l'Indochine.

INDOCILE adj., **INDOCILITÉ** n. f. ⟶ DOCILE.

INDO-EUROPÉEN, ENNE [ɛ̃doørɔpeɛ̃, -ɛn] adj. et n. (du lat. *indus*, de l'Inde, et *européen*). **1.** Se dit d'un groupe de langues, auxquelles on attribue une origine commune et qui ont été parlées dès une époque ancienne à la fois en Europe et en Asie. — **2.** Qui a parlé ou parle une des langues de ce groupe sans que cela implique l'appartenance à une même race : *Populations indo-européennes.*

INDO-GANGÉTIQUE *(plaine)*, région de l'Inde et du Pākistān, formée par les plaines de l'Indus et du Gange.

INDOLENT, E [ɛ̃dɔlɑ̃, -ɑ̃t] adj. et n. (du lat. *dolere*, souffrir). Se dit d'une personne (ou de son comportement) qui ne se donne aucune peine, qui agit avec mollesse : *Un élève indolent* (syn. ↑APATHIQUE, MOU; contr. ACTIF). *Démarche indolente* (syn. NONCHALANT). ◆ **indolence** n. f. : *Secouer son indolence* (syn. APATHIE, INERTIE). *L'indolence d'un homme habitué aux pays chauds* (syn. MOLLESSE, NONCHALANCE; contr. ARDEUR).

INDOLORE adj. ⟶ DOULEUR. / **INDOMPTABLE** adj., **INDOMPTÉ, E** adj. ⟶ DOMPTER.

INDONÉSIE *(État unitaire de la république d')*, État insulaire de l'Asie du Sud-Est.

SUPERFICIE 1 900 000 km² (France : 550 000 km²).

POPULATION 184.6 millions d'hab. *(Indonésiens);* 97 hab. au km² (France : 103); accroissement annuel de population, 2.8 p. 100.

CAPITALE Jakarta (Djakarta) [6 503 000 hab.].

VILLES PRINCIPALES Surabaya (2 028 000 hab.); Bandung (1 201 700 hab.); Semarang (1 030 000 hab.); Medan (1 378 000 hab.); Palembang (783 000 hab.).

LANGUE indonésien.

ÉCONOMIE consommation d'énergie par hab., 240 kg d'équivalent charbon ; 1 automobile pour 332 hab.

MONNAIE rupiah.

GÉOGRAPHIE

Le pays s'étend sur plusieurs guirlandes d'îles, s'étirant d'O. en E. sur près de 5 000 km.

ÎLES PRINCIPALES	SUPERFICIE	POPULATION	DENSITÉ
Java (plus Madura)	132 174 km²	91 270 000 hab.	690
Sumatra	473 606 km²	28 016 000 hab.	59
Kalimantan (partie indonésienne de Bornéo)	539 460 km²	6 723 000 hab.	12
les Célèbes (= Sulawesi)	189 035 km²	10 410 000 hab.	55
archipel des Moluques	74 505 km²	1 411 000 hab.	19
Irian (partie indonésienne de la Nouvelle-Guinée)	421 951 km²	1 174 000 hab.	2

Ces îles ont un relief montagneux, et des volcans, souvent actifs, en constituent les points culminants. L'ensemble du pays est soumis à un climat équatorial qui permet la croissance d'une végétation luxuriante.

	TEMPÉRATURE MOYENNE ANNUELLE	PLUIES
Jakarta	27 °C	1 800 mm

Indonésie

La population est très inégalement répartie : Bornéo, Irian et une partie de Sumatra sont pratiquement vides, tandis que Java et les îles orientales ont de très fortes densités. C'est à Java que sont localisées les plus grandes villes.

L'*agriculture* reste le secteur essentiel de l'économie. Dans les régions peu peuplées, la population pratique la culture sur brûlis qui donne de maigres récoltes. Mais à Java et dans les îles orientales, les riches sols volcaniques sont intensément mis en valeur. Des rizières sont aménagées sur les pentes et donnent deux récoltes par an; le manioc constitue l'autre base de l'alimentation; mais les productions sont insuffisantes pour nourrir le pays. Ancienne possession hollandaise, l'Indonésie a conservé de grandes plantations qui fournissent des cultures commerciales : café, thé, canne à sucre, hévéas.

riz	38 millions de t	thé	120 000 t
manioc	14 millions de t	sucre	1 700 000 t
café	300 000 t	caoutchouc	1 100 000 t

Le sous-sol recèle d'importantes richesses : bauxite, et surtout étain (à Bangka et Belitung) et pétrole (à Sumatra). Mais l'*industrie* est inexistante, les produits bruts sont exportés tels quels.

pétrole 70 millions de t ; étain 20 000 t ; bauxite 1 000 000 de t.

L'Indonésie connaît actuellement de graves problèmes. Le niveau de vie est très bas, et le pays manque de capitaux et de techniciens pour mettre en valeur des ressources naturelles abondantes et amorcer l'industrialisation. D'autre part, le surpeuplement de Java, aggravé par un accroissement naturel rapide, oblige de nombreux habitants à émigrer vers les îles vides, notamment à Bornéo.

HISTOIRE

La civilisation hindoue pénètre très tôt dans les îles qui formeront l'Indonésie. Mais, à partir du XIIIe s., l'islām supplante l'hindouisme qui se maintiendra dans l'île de Bali.

Au XVIe s., les Portugais fondent des comptoirs pour s'assurer le commerce des épices. À partir de 1602 ils sont remplacés par les Hollandais qui conservent longtemps en Indonésie un ensemble colonial d'une grande richesse.

- *1942-1945. L'occupation japonaise renforce les mouvements nationalistes (dirigés par Sukarno).*
- *1945. L'Indonésie se proclame république indépendante sous la présidence du Dr Sukarno.*
- *1949. L'indépendance est reconnue par les Pays-Bas.*

Le gouvernement de Sukarno lutte pour maintenir l'unité face aux tendances séparatistes, fortes dans certaines îles, notamment à Sumatra, et entre en conflit avec la Malaysia.

- *1966. À la suite d'un coup d'État, Sukarno doit remettre ses pouvoirs au général Suharto.*

Celui-ci est nommé président de la République en 1968.

- *1976. L'Indonésie annexe le Timor oriental.*

INDRE, riv. du Bassin parisien, affl. de la Loire (r. g.); 265 km. Née dans la Marche limousine, près de Saint-Priest, elle conflue en amont de Chouzé.

INDRE (36), dép. du centre de la France (Région Centre); 6 791 km²; 243 200 hab. (35,7 au km²) [France : 103]. Ch.-l. *Châteauroux.*
ADMINISTRATION. 4 arrond. (*Le Blanc*, 36 100 hab.; *Châteauroux*, 134 400 hab.; *La Châtre*, 36 500 hab.; *Issoudun*, 36 200 hab.). / 26 cant. / 247 comm.

→ carte et tableau page suivante.

Le département s'étend essentiellement sur l'extrémité méridionale du Bassin parisien, au contact du Massif central : l'altitude dépasse 200 m dans le Sud. Il correspond à la partie occidentale du Berry (*Champagne berrichonne* au N., *Brenne* et *Boischaut* au S.), découpée par les vallées de l'Indre et de la Creuse.

L'*agriculture* emploie encore près du cinquième de la population active. Elle juxtapose cultures céréalières et élevage (surtout ovin).

L'*industrie* n'occupe guère plus du tiers de la population active. Elle est de tradition ancienne, surtout le textile (branche dominante avec la métallurgie), et représentée essentiellement à Châteauroux et Issoudun.

Le département subit une constante émigration.

INDRE-ET-LOIRE (37), dép. du sud-ouest du Bassin parisien, constitué par la Touraine (Région Centre); 6 127 km²; 506 100 hab. (83 au km²) [France : 103]. Ch.-l. *Tours.*
ADMINISTRATION. 3 arrond. (*Chinon*, 78 100 hab. ; *Loches*, 49 600 hab. ; *Tours*, 378 400 hab.). / 37 cant. / 277 comm.

→ carte et tableau page suivante.

Correspondant approximativement à l'ancienne région de la Touraine, le département est formé de bas plateaux (*Gâtine* au N., *Champeigne* au centre, *plateau de Sainte-Maure* au S.) séparés par les vallées de la Vienne, de l'Indre et surtout de la Loire, où se concentre l'essentiel des hommes et des activités.

L'*agriculture* emploie encore le huitième de la population active ; elle est surtout intensive dans les vallées (cultures légumières et fruitières, vigne).

L'*industrie* occupe 35 p. 100 de la population active; elle est dominée par la métallurgie de transformation et, mises à part les grandes centrales nucléaires d'Avoine-Chinon, elle est représentée surtout dans l'agglomération de Tours. Celle-ci domine de loin le département, dont elle regroupe aujourd'hui plus de la moitié de la population.

La présence de Tours explique le développement du *secteur tertiaire* (51 p. 100 de la population active), très partiellement lié à l'activité touristique (châteaux de la Loire : Amboise, Azay-le-Rideau, Chenonceaux, Chinon).

La rapide croissance de Tours explique également la nette augmentation de la population départementale, alors que l'exode rural se poursuit dans de nombreux cantons.

INDU, E [ɛ̃dy] adj. (*in-*, et *dû*). *Une heure indue*, celle où il n'est pas convenable de faire telle ou telle chose (en général très tard dans la nuit). ◆ **indûment** adv. D'une manière qui n'est pas légitime : *Toucher indûment de l'argent.*

INDUBITABLE adj., **INDUBITABLEMENT** adv. → DOUTER 1.

INDUCTANCE n. f., **INDUCTEUR, TRICE** adj. et n. m. → INDUIRE 1.

INDUCTION n. f. → INDUIRE 1 et 3.

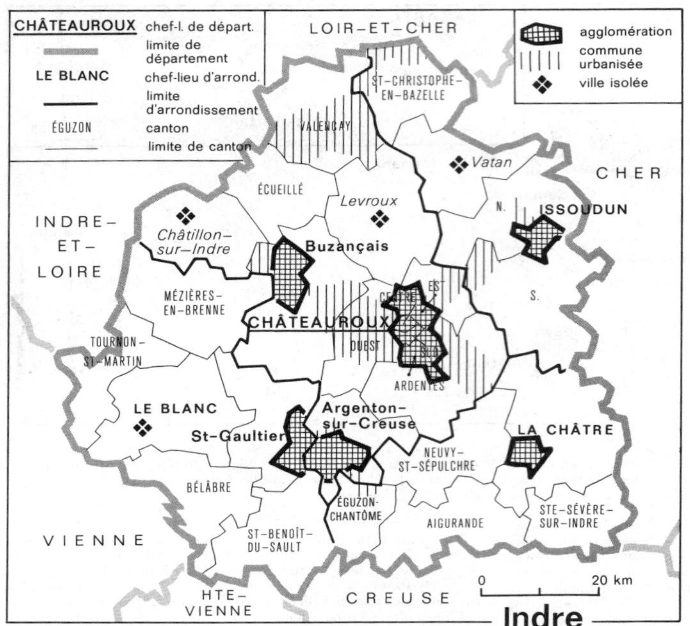

LOCALITÉS PRINCIPALES	NOMBRE D'HAB.
Châteauroux	54 000
Issoudun	15 200
Déols	9 400
Le Blanc	8 100
Argenton-sur-Creuse	6 100
La Châtre	5 100
Buzançais	5 000
Châtillon-sur-Indre	3 550
Ardentes	3 300
Valençay	3 100

LOCALITÉS PRINCIPALES	NOMBRE D'HAB.
Tours	136 500
Joué-lès-Tours	35 200
Saint-Pierre-des-Corps	18 450
Saint-Cyr-sur-Loire	14 400
Amboise	11 400
Saint-Avertin	10 100
Chinon	8 900
Chambray-lès-Tours	7 500
La Riche	7 300
Loches	7 000

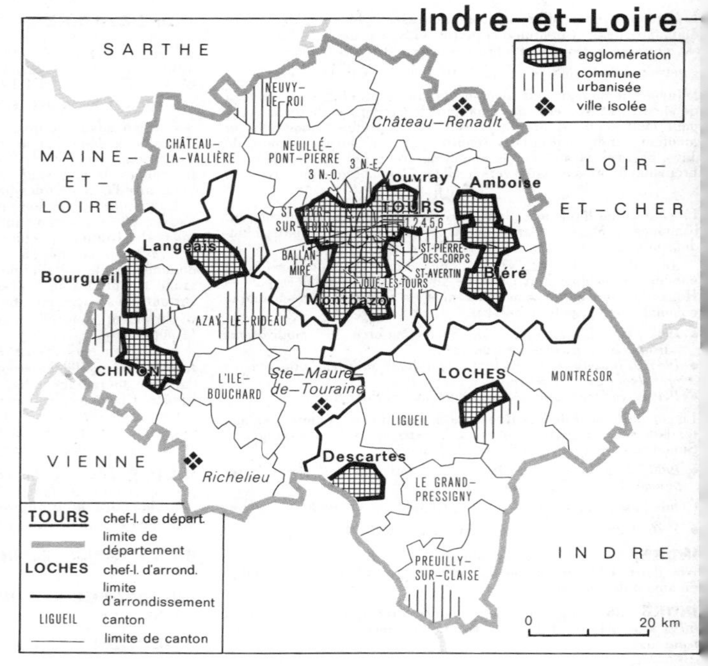

1. INDUIRE [ɛ̃dɥir] v. t. (lat. *inducere*, conduire dans). [Conj. **70.**] *Électr.* Soumettre à l'induction électromagnétique. ◆ **inductance** n. f. Coefficient d'auto-induction d'un circuit. ◆ **inducteur, trice** adj. Se dit de ce qui produit le phénomène d'induction : *Courant inducteur.* ◆ n. m. Aimant ou électro-aimant destiné à fournir le champ magnétique créateur de l'induction. ◆ **induction** n. f. *Induction électromagnétique*, production de courant électrique dans un circuit par suite de la variation du flux d'induction magnétique qui le traverse. ‖ *Induction magnétique*, grandeur vectorielle caractérisant un champ magnétique. ‖ *Moteur à induction*, moteur électrique à courant alternatif sans collecteur, dont une partie seulement, rotor ou stator, est reliée au réseau, l'autre partie travaillant par induction. ◆ **auto-induction** n. f. Induction d'un circuit sur lui-même quand on fait varier l'intensité du courant qui le traverse. ◆ **induit, e** adj. Se dit d'un courant électrique produit par induction. ◆ n. m. Organe d'une machine électrique dans lequel se produisent les courants induits.

2. INDUIRE [ɛ̃dɥir] v. t. (même étym.). [Conj. **70.**] **1.** *Induire qq'un à mal faire, induire qq'un en tentation*, le pousser à commettre une faute, à céder à une tentation. — **2.** *Induire qq'un en erreur*, l'amener à se tromper : *On nous a induits en erreur* (syn. TROMPER).

3. INDUIRE [ɛ̃dɥir] v. t. (même étym.). [Conj. **70.**] *Induire d'une chose que*, en tirer telle conclusion : *J'induis de son silence qu'il ne fait aucune réserve* (syn. INFÉRER). ◆ **induction** n. f. **1.** Raisonnement qui va du particulier au général. — **2.** Raisonnement allant de la cause à la conséquence ou inversement : *Par induction, il remonta aux mobiles du crime.*

INDUIT, E adj. et n. m. ⟶ INDUIRE 1.

INDULGENCE [ɛ̃dylʒɑ̃s] n. f. (lat. *indulgentia*). **1.** Facilité à pardonner les fautes d'autrui : *Réclamer l'indulgence du jury* (syn. BIENVEILLANCE, COMPRÉHENSION; contr. RIGUEUR). *Cet acte ne mérite pas l'indulgence* (syn. PARDON). — **2.** Grâce que fait l'Église en remettant la peine des péchés : *Indulgence plénière.* ◆ **indulgent, e** adj. Se dit d'une personne (ou de son attitude) qui pardonne aisément les fautes : *Un professeur indulgent* (syn. BIENVEILLANT; contr. DUR, SÉVÈRE). *Se montrer indulgent pour une défaillance* (syn. CLÉMENT; contr. IMPITOYABLE).

Indulgences *(querelle des)*, conflit religieux qui opposa, au début du XVIe s., Martin Luther à la papauté. Le pape Léon X ayant promulgué une indulgence en faveur de ceux qui verseraient de l'argent pour la construction de la basilique Saint-Pierre de Rome, Luther contesta le bien-fondé de cette pratique; ce fut le point de départ de sa révolte contre l'Église romaine.

INDULGENT, E adj. ⟶ INDULGENCE.

INDÛMENT adv. ⟶ INDU.

INDUS, fl. de l'Asie méridionale; 3 040 km. Né dans l'Himalaya, l'Indus traverse la chaîne en une succession de gorges. Puis son cours s'infléchit vers le S. et il traverse le Pākistān pour aller se jeter dans la mer d'Oman en formant un vaste delta. Avec ses affluents (Jhelum, Sutlej), il est surtout utilisé pour l'irrigation (barrages de Mangla et de Tarbela).

La *civilisation de l'Indus*, très brillante, se développa entre 2300 et 1500 av. J.-C. sur les bords de l'Indus. Elle était caractérisée par un urbanisme très avancé, et influencée par la Mésopotamie. Les sites principaux sont ceux de Harappā, de Mohenjo-Dāro et Chanhu-Dāro.

INDUSTRIE [ɛ̃dystri] n. f. (lat. *industria*, activité). Ensemble des activités qui ont pour objet de fabriquer des produits à partir de matières premières, d'exploiter les mines et les sources d'énergie : *L'industrie pétrolière, alimentaire, textile, métallurgique, etc. L'industrie lourde* (= celle qui met en œuvre directement les matières premières). *L'industrie légère* (= celle qui transforme les produits de l'industrie lourde). ◆ **industriel, elle** adj. **1.** Qui a rapport à l'industrie : *Les produits industriels. La révolution industrielle.* ⟶ ENCYCL. — **2.** Où l'industrie est importante : *Un centre industriel du nord de la France.* — **3.** Fam. *En quantité industrielle*, en très grande quantité. ◆ n. m. Propriétaire d'une usine, d'établissements industriels. ◆ **industriellement** adv. : *Ce produit est maintenant fabriqué industriellement.* ◆ **industrialiser** v. t. **1.** Exploiter sous une forme industrielle : *Industrialiser l'agriculture.* — **2.** Équiper en usines, en industries (souvent au passif) : *Les régions industrialisées de Lorraine.* ◆ **s'industrialiser** v. pr. Être exploité, être équipé industriellement. ◆ **industrialisation** n. f. : *L'industrialisation des pays sous-développés.*

— ENCYCL. On appelle *révolution industrielle* la transformation du monde moderne qui s'est produite à partir du XVIIIe s. et qui a été caractérisée par le développement de la production industrielle et des communications. C'est en Grande-Bretagne que ce phénomène s'est d'abord manifesté, de 1750 à 1830, pour gagner ensuite les autres pays.

La création de la machine à vapeur donna une vive impulsion au machinisme, et permit l'implantation de manufactures et d'usines qui bouleversa l'exploitation artisanale des ateliers familiaux. Mais les problèmes des logements pour les travailleurs et des conditions de travail furent négligés, ainsi d'ailleurs que toutes les questions relatives à la législation du travail. Le mécontentement, puis la colère des ouvriers entraînèrent la création de syndicats, d'abord en Angleterre, et l'organisation de grèves efficaces.

En France, c'est sous le premier Empire seulement que, grâce à l'Empereur, le machinisme prit un certain essor. Dans l'ensemble, le continent eut un siècle de retard sur l'Angleterre.

L'indépendance permit aux États-Unis de bénéficier de conditions favorables, et le manque de main-d'œuvre y stimula le développement du machinisme.

INDUSTRIEL, ELLE adj., **INDUSTRIELLEMENT** adv. ⟶ INDUSTRIE.

INDUSTRIEUX, EUSE [ɛ̃dystrijø, -øz] adj. (lat. *industriosus*, actif). Qui montre de l'ingéniosité et de l'activité dans sa profession, son métier, etc. (littér.).

INDY (Vincent D'), compositeur français (1851-1931). Disciple de C. Franck, auteur d'opéras, de symphonies (*Symphonie sur un chant montagnard français*, 1886) et de musique de chambre, il fut un des fondateurs de la Schola cantorum. Son enseignement laissa une influence durable.

INÉBRANLABLE adj. ⟶ ÉBRANLER.

INÉDIT, E [inedi, -it] adj. (lat. *ineditus*). **1.** Se dit d'un ouvrage qui n'a pas été publié, d'un auteur qui n'a pas été édité. — **2.** Qui est d'un caractère nouveau, original : *Un numéro encore inédit de prestidigitation.* ◆ n. m. : *Publier des inédits. Voilà de l'inédit!*

INÉDUCABLE adj. ⟶ ÉDUQUER.

INEFFABLE [inefabl] adj. (lat. *ineffabilis*, qu'on ne peut exprimer). Se dit de sentiments, de sensations dont la force, la beauté ne peuvent être exprimées par des mots : *Un bonheur ineffable* (syn. INDICIBLE, INEXPRIMABLE).

INEFFAÇABLE adj. → EFFACER. / **INEFFICACE** adj., **INEFFICACITÉ** n. f. → EFFICACE. / **INÉGAL, E, AUX** adj., **INÉGALABLE** adj., **INÉGALÉ, E** adj., **INÉGALEMENT** adv., **INÉGALITÉ** n. f. → ÉGAL. / **INÉLÉGANCE** n. f., **INÉLÉGANT, E** adj. ⟶ ÉLÉGANT. / **INÉLIGIBILITÉ** n. f., **INÉLIGIBLE** adj. ⟶ ÉLIRE.

INÉLUCTABLE [inelyktabl] adj. (du lat. *luctari*, lutter). Se dit de ce qu'il est impossible d'éviter, contre quoi on ne peut lutter : *La mort inéluctable* (syn. IMPLACABLE). *Conséquences inéluctables* (syn. INÉVITABLE). ◆ **inéluctablement** adv.

INEMPLOYÉ, E adj. ⟶ EMPLOYER.

INÉNARRABLE [inenarabl] adj. (du lat. *enarrare*, raconter en détail). Qui est d'une bizarrerie, d'un comique extraordinaires : *Une aventure inénarrable.*

INEPTE [inɛpt] adj. (lat. *ineptus*, incapable). D'une grande bêtise : *Un film inepte* (syn. STUPIDE). *Réponse inepte* (syn. ABSURDE). ◆ **ineptie** [inɛpsi] n. f. : *L'ineptie de son raisonnement nous étonna* (syn. STUPIDITÉ). *Raconter des inepties* (syn. SOTTISE).

INÉPUISABLE adj. ⟶ ÉPUISER 1 et 2. / **INÉPUISABLEMENT** adv. ⟶ ÉPUISER 1.

INÉQUATION [inekwasjɔ̃] n. f. *(in-*, et *équation*). *Math.* Inégalité entre deux expressions comportant une ou plusieurs inconnues.

— ENCYCL. ***inéquation à une inconnue.*** Si f et g sont deux fonctions définies dans $\mathbb{R}$ et à valeurs dans $\mathbb{R}$, la relation (1) $f(x) \leqslant g(x)$ est une *inéquation* dont x est l'*inconnue.*

Tout nombre réel a pour lequel $f(a) \leqslant g(a)$ est une *solution* de l'inéquation (1). *Résoudre une inéquation*, c'est trouver l'ensemble de toutes ses solutions. Par exemple : l'inéquation $3x+2 \leqslant x-3$ a pour ensemble de solutions

$$S = \left\{ x, x \in \mathbb{R}, x \leqslant -\frac{5}{2} \right\} = \left] -\infty, -\frac{5}{2} \right].$$

Si f et g sont des polynômes, le *degré* de l'inéquation est le plus grand exposant auquel est élevée l'inconnue.

système d'inéquations à une inconnue.

$$\begin{cases} f(x) \leqslant g(x) \\ f'(x) \leqslant g'(x) \end{cases}$$

est un système de *deux inéquations à une inconnue.*

Une solution d'un tel système est un nombre qui est simultanément solution des deux inéquations. L'ensemble des solutions du système est l'intersection des ensembles de solutions de chacune des inéquations qui le composent. Par exemple :

$$\begin{cases} (1)\ 3x+2 \leqslant x-3 \\ (2)\ 3x-2 \leqslant 4x+1 \end{cases}$$

S_1, ensemble des solutions de (1) $= \left]-\infty, -\frac{5}{2}\right]$

S_2, ensemble des solutions de (2) $= \left[-3, +\infty\right[$

S, ensemble des solutions du système $= S_1 \cap S_2$

$$S = \left]-\infty, -\frac{5}{2}\right] \cap \left[-3, +\infty\right[= \left[-3, -\frac{5}{2}\right].$$

INÉQUITABLE adj. → ÉQUITÉ.

INERTE [inɛrt] adj. (lat. *iners, inertis*, inactif). **1.** Qui est sans mouvement : *Un corps inerte* (= où il n'y a plus signe de vie). *Le blessé soutenait son bras inerte* (syn. IMMOBILE). — **2.** Sans énergie morale, sans réaction : *Il restait inerte devant l'étendue du désastre* (syn. PARALYSÉ). ◆ **inertie** [inɛrsi] n. f. **1.** État de ce qui est inerte (sens 1 et 2 de l'adj.) : *Quand sortira-t-il de son inertie?* (syn. APATHIE). — **2.** Propriété de la matière, qui fait que les corps ne peuvent d'eux-mêmes modifier leur état de repos ou de mouvement. ‖ Mécan. *Force d'inertie*, résistance que les corps opposent au mouvement, et qui résulte de leur masse; résistance passive, qui consiste surtout à ne pas obéir : *Opposer la force d'inertie.*

INÈS DE CASTRO (v. 1320-1355), fille d'un noble castillan. Elle épousa secrètement don Pedro, fils du roi de Portugal Alphonse IV, et fut assassinée par ordre de son beau-père. Elle inspira à H. de Montherlant *la Reine morte.*

INESPÉRÉ, E adj. → ESPÉRER. / **INESTHÉTIQUE** adj. → ESTHÉTIQUE. / **INESTIMABLE** adj. → ESTIMER 2. / **INÉVITABLE** adj. et n. m. → ÉVITER./ **INEXACT, E** adj., **INEXACTEMENT** adv., **INEXACTITUDE** n. f. → EXACT. / **INEXCUSABLE** adj. → EXCUSER. / **INEXÉCUTABLE** adj. → EXÉCUTER 1 et 3. / **INEXERCÉ, E** adj. → EXERCER 1. / **INEXISTANT, E** adj., **INEXISTENCE** n. f. → EXISTER.

INEXORABLE [inegzɔrabl] adj. (de *in-*, priv., et lat. *exorare*, obtenir par prière). Que l'on ne peut fléchir; d'une dureté implacable : *Une volonté inexorable* (syn. IMPITOYABLE, INFLEXIBLE). ◆ **inexorablement** adv. : *Marcher inexorablement à sa perte* (syn. FATALEMENT).

INEXPÉRIENCE n. f., **INEXPÉRIMENTÉ, E** adj. → EXPÉRIENCE 2. / **INEXPERT, E** adj. → EXPERT. / **INEXPIABLE** adj. → EXPIER. / **INEXPLICABLE** adj. → EXPLIQUER. / **INEXPLOITABLE** adj. → EXPLOITER 1. / **INEXPLORABLE** adj., **INEXPLORÉ, E** adj. → EXPLORER. / **INEXPRESSIF, IVE** adj., **INEXPRIMABLE** adj. → EXPRIMER 2.

INEXPUGNABLE [inɛkspygnabl] adj. (du lat. *expugnare*, prendre d'assaut). Qu'on ne peut prendre par la force : *Occuper une position inexpugnable* (syn. IMPRENABLE).

INEXTENSIBLE adj. → EXTENSION.

IN EXTENSO [inɛkstɛ̃so] loc. adv. (mots lat. signif. *en entier*). Tout au long, en entier : *Publier un discours « in extenso ».*

INEXTINGUIBLE [inekstɛ̃gibl ou -gɥibl] adj. (du lat. *extinguere*, éteindre). *Soif inextinguible*, qu'on ne peut calmer. ‖ *Rire inextinguible*, qu'on ne peut arrêter (syn. FOU RIRE).

IN EXTREMIS [inɛkstremis] loc. adv. (mots lat. signif. *à l'extrémité*). Au dernier moment, à la dernière limite : *Sauvé « in extremis ».*

INEXTRICABLE [inɛkstrikabl] adj. (du lat. *extricare*, démêler). Si embrouillé qu'on ne peut le démêler, qu'on ne peut s'en retirer : *Un embouteillage, une situation inextricable.* ◆ **inextricablement** adv.

INFAILLIBILITÉ n. f., **INFAILLIBLE** adj., **INFAILLIBLEMENT** adv. → FAILLIBLE. / **INFAISABLE** adj. → FAISABLE.

INFÂME [ɛ̃fɑm] adj. (lat. *infamis;* de *fama*, réputation) [avant ou après le nom]. **1.** Qui cause du dégoût par sa bassesse, sa flétrissure : *Un crime infâme* (syn. ATROCE, HORRIBLE). *Une infâme trahison* (syn. ABJECT, IGNOBLE). — **2.** Qui cause de la répugnance par sa laideur, sa saleté : *Un logis infâme* (syn. MALPROPRE, SALE). ◆ **infamant, e** adj. Qui nuit à la réputation, à l'honneur : *Accusation infamante* (syn. DÉSHONORANT). *Une peine infamante* (syn. FLÉTRISSANT). ◆ **infamie** n. f. **1.** Grand déshonneur, atteinte à la réputation de quelqu'un : *Être couvert d'infamie* (syn. HONTE). — **2.** Caractère de ce qui est déshonorant : *L'infamie d'un crime* (syn. IGNOMINIE). — **3.** Action ou parole déshonorante : *Pourquoi me soupçonner d'une telle infamie?* (syn. BASSESSE, VILENIE). *Dire des infamies sur une voisine* (syn. CALOMNIE).

INFANT, E [ɛ̃fɑ̃, -ɑ̃t] n. (esp. *infante;* du lat. *infans*, enfant). Titre donné aux enfants puînés des rois de Portugal et d'Espagne.

INFANTERIE [ɛ̃fɑ̃tri] n. f. (du lat. *infans*, valet). Ensemble des troupes combattant à pied : *Soldat d'infanterie* (syn. FANTASSIN). ‖ *Infanterie de marine*, corps d'infanterie des troupes de marine, appelé de 1900 à 1958 *infanterie coloniale.* ‖ *Infanterie portée, motorisée*, infanterie disposant de moyens de transport pour effectuer rapidement ses déplacements.

INFANTICIDE [ɛ̃fɑ̃tisid] n. et adj. (du lat. *infans, -antis*, enfant, et *caedere*, tuer). Personne qui tue un nouveau-né : *Une mère infanticide.* ◆ n. m. Meurtre d'un nouveau-né.

INFANTILE [ɛ̃fɑ̃til] adj. (du lat. *infans, -antis*, enfant). **1.** Relatif à l'enfant en bas âge, au nouveau-né : *Médecine infantile* (syn. PÉDIATRIE). — **2.** *Péjor.* Se dit d'une personne (ou de son attitude) comparable à un enfant par son intelligence ou par sa sensibilité : *Avoir des réactions infantiles* (syn. PUÉRIL). ◆ **infantilisme** n. m. Persistance chez l'adulte de caractères propres à un enfant (souvent péjor.).

INFARCTUS [ɛ̃farktys] n. m. (du lat. *in*, dans, et *farcire*, remplir de farce). *Méd.* Lésion d'un tissu, due à un arrêt circulatoire. ‖ *Infarctus du myocarde*, destruction du muscle cardiaque liée à un défaut d'irrigation dans les artères nourricières du cœur (les coronaires).

— ENCYCL. L'*infarctus* résulte d'un arrêt de la circulation du sang dans une artère par *artérite**, *thrombose** ou *embolie**. Le tissu, qui était irrigué par l'artère, manque alors de sang et d'oxygène : les cellules souffrent et meurent; elles libèrent leurs enzymes qui détruisent le tissu environnant (c'est la *nécrose*). Tout autour, il se forme une inflammation et une hémorragie par irruption de sang hors du vaisseau atteint.

Divers organes peuvent être le siège d'un infarctus : les *reins*, les *intestins*, les *poumons*, le *cerveau*, après une hémorragie. Mais l'on connaît surtout l'*infarctus du myocarde* qui atteint le cœur lorsqu'une artère coronaire ou une de ses branches est obstruée par l'artérite. (→ ATHÉROSCLÉROSE.)

INFATIGABLE adj., **INFATIGABLEMENT** adv. → FATIGUE. / **INFATUATION** n. f., **INFATUER (S')** v. pr. → FAT.

INFECT, E [ɛ̃fɛkt] adj. (du lat. *inficere*, souiller) [avant ou après le nom]. **1.** Qui inspire le dégoût par son odeur, son goût, sa saleté : *L'odeur infecte de la viande pourrie* (syn. FÉTIDE, NAUSÉABOND). *Un plat infect. Un infect taudis* (syn. IGNOBLE). — **2.** Qui suscite une répulsion morale : *Il a été infect avec ce pauvre homme* (syn. RÉPUGNANT). ◆ **infecter** v. t. Imprégner d'émanations puantes ou malsaines : *Les usines infectent l'air des villes* (syn. EMPOISONNER). ◆ **infection** n. f. Odeur, goût particulièrement mauvais (syn. PUANTEUR).

1. INFECTER v. t. → INFECT.

2. INFECTER [ɛ̃fɛkte] v. t. (de *infect*). Contaminer par des germes microbiens : *Le malade est contagieux, il peut infecter tous ceux qui l'approchent* (syn. CONTAMINER). ◆ **s'infecter** v. pr. Être contaminé par des germes microbiens : *La plaie s'est infectée.* ◆ **infection** [ɛ̃fɛksjɔ̃] n. f. Pénétration et développement dans un organisme de germes microbiens (bactéries, virus), produisant des troubles d'intensité et de gravité variables : *Il s'est développé un foyer d'infection.* → ENCYCL. ◆ **infectieux, euse** adj. *Germe infectieux*, qui communique une maladie, une infection (syn. PATHOGÈNE). ‖ *Maladie infectieuse*, qui résulte ou s'accompagne d'une infection. ◆ **désinfecter** v. t. Détruire les germes infectieux dans un endroit : *Désinfecter la chambre d'un malade.* ◆ **désinfection** n. f. Destruction des germes microbiens de l'air, des objets, d'une pièce, de la peau, d'une plaie. → ENCYCL. ◆ **désinfectant** n. m. Produit qui désinfecte.

— ENCYCL. ***infection.*** Elle peut être limitée à la zone par laquelle ont pénétré les germes : c'est l'*infection locale.*

Dès qu'un germe est entré dans l'organisme (par une blessure par ex.), la défense s'organise : les vaisseaux sanguins se dilatent autour de la blessure infectée, dont le pourtour devient rouge, chaud, tuméfié et douloureux (inflammation* locale). L'afflux de sang permet à de nombreux globules blancs de se concentrer autour du « foyer infectieux » : ils vont attaquer et « phagocyter » les microbes. Certains de ces globules blancs, tués par les toxines microbiennes, formeront le pus. À ce stade, la plaie guérira avec quelques soins médicaux.

L'infection peut s'étendre au voisinage : les microbes, nombreux et virulents, arrivent dans les tissus plus profonds et parviennent jusqu'aux ganglions lymphatiques, drainant les liquides circulant dans le territoire atteint. Là, les germes vont se heurter à une réaction de défense : ils vont être fixés par les globules blancs, en particulier, et le ganglion va devenir plus gros, douloureux « inflammatoire ». Si, dans les ganglions aussi, les microbes progressent beaucoup, ils peuvent former un abcès ganglionnaire.

Dans ce cas, rien n'empêche plus les microbes de passer dans la circulation sanguine : c'est le stade de l'*infection générale* (septicémie).

L'ensemble des réactions de défense de l'organisme à l'infection constitue l'*immunité.*

désinfection. Elle utilise des procédés divers :

les *désinfectants*, utilisés pour stériliser les instruments chirurgicaux et les locaux (les rayons ultraviolets, la chaleur, certains produits comme le chlore, le formol);
les *antiseptiques*, qui peuvent être appliqués sur la peau, les plaies (ainsi l'alcool à 90°, le mercurochrome, l'éther, l'héxoseptolix ou poudre sulfamide);
les *antibiotiques*, qui peuvent être donnés par voie générale pour désinfecter un organisme atteint de maladie infectieuse (pénicilline, streptomycine, etc.).

INFECTION n. f. ⟶ INFECT et INFECTER 2.

INFÉODER [ɛ̃feɔde] v. t. (du lat. *feodum*, fief). Mettre sous la dépendance de quelqu'un (le plus souvent au passif ou comme pron.) : *Un petit pays inféodé à une grande puissance* (syn. SOUMETTRE). [⟶ FÉODAL.]

INFÉRER [ɛ̃fere] v. t. (lat. *inferre*, être la cause de). Tirer une conséquence d'un fait : *On peut inférer de ses déclarations que tout danger n'a pas disparu* (syn. CONCLURE, DÉDUIRE).

INFÉRIEUR, E [ɛ̃ferjœr] adj. (lat. *inferior*, qui est situé plus bas). **1.** Situé au-dessous, en bas : *La lèvre inférieure* (contr. SUPÉRIEUR). *Les membres inférieurs* (= les jambes). — **2.** Se dit de la partie d'un fleuve qui est la plus voisine de la mer : *Le cours inférieur de la Seine* (contr. SUPÉRIEUR). — **3.** Qui a une valeur moins grande, qui occupe un degré plus bas dans une classification, qui est à un rang moins considéré (le compl. s'introduit par la prép. *à*) : *Note inférieure à la moyenne. Être inférieur à sa tâche* = ne pas être à la hauteur de son travail). *Avoir une situation inférieure* (syn. SUBALTERNE). ◆ n. m. Personne qui, par son rang ou sa dignité, est située au-dessous d'une autre ou en bas de la hiérarchie : *Parler avec condescendance de ses inférieurs* (syn. SUBORDONNÉ; contr. CHEF, SUPÉRIEUR). ◆ **inférieurement** adv. Au-dessous : *Les terrains anciens sont situés inférieurement aux autres.* ◆ **infériorité** n. f. Sens 3 de l'adj. : *Il a un complexe, un sentiment d'infériorité* (= le sentiment d'une faiblesse, réelle ou fausse). *L'adverbe « moins » sert à former les comparatifs d'infériorité (« moins cher »).*

INFERNAL, E, AUX [ɛ̃fɛrnal, -no] adj. (du lat. *infernus*, lieu d'en bas). **1.** Qui appartient aux Enfers : *Les puissances infernales* (= les dieux des Enfers). — **2.** Digne de l'enfer par son caractère horrible, furieux, désordonné : *Ruse infernale* (syn. DÉMONIAQUE, DIABOLIQUE). *La ronde infernale des voitures sur le circuit du Mans* (syn. ENDIABLÉ). *Le cycle infernal des salaires et des prix* (= que rien ne peut arrêter). *Une machine infernale* (= engin muni d'un dispositif devant déclencher une explosion meurtrière). — **3.** *Fam.* Se dit de ce qui est impossible à supporter : *Cet enfant est infernal* (syn. INSUPPORTABLE).

INFERTILE adj. ⟶ FERTILE 1.

INFESTER [ɛ̃fɛste] v. t. (du lat. *infestus*, ennemi). **1.** (sujet nom désignant des brigands, des voleurs, etc.) *Infester un lieu*, le piller, le ravager par des actes de violence, de brigandage. — **2.** (sujet nom désignant des animaux) *Infester un lieu*, y causer des dommages par leur pullulement : *Les moustiques infestent la région* (syn. ENVAHIR). — **3.** (sujet nom désignant des parasites) *Infester un organisme*, l'envahir.

INFIDÈLE adj. et n., **INFIDÉLITÉ** n. f. ⟶ FIDÈLE 1 et 2.

INFILTRER (S') [sɛ̃filtre] v. pr. (lat. *in*, dans, et *filtrer*). **1.** (sujet nom désignant un fluide) Pénétrer peu à peu, insensiblement, à travers un corps, par des interstices : *Le vent s'infiltre par les joints de la fenêtre.* — **2.** Pénétrer furtivement à travers des lignes fortifiées, dans l'esprit de quelqu'un, etc. : *La patrouille s'est infiltrée dans le dispositif ennemi* (syn. SE GLISSER, S'INTRODUIRE). *Ses idées se sont infiltrées dans la société* (syn. S'INSINUER). ◆ **infiltration** n. f. (syn. PÉNÉTRATION).

INFIME [ɛ̃fim] adj. (lat. *infimus*, le plus bas) [avant ou après le nom]. Qui est d'une intensité, d'un degré, d'une grandeur extrêmement petits, faibles : *Des détails infimes* (syn. MINIME, MINUSCULE). *Une quantité infime* (syn. INFINITÉSIMAL).

INFINI, E [ɛ̃fini] adj. (lat. *infinitus*). **1.** Qui n'a pas de limites (sens restreint aux mathématiques, à la philosophie et à la religion) : *La suite des nombres entiers est infinie. La miséricorde divine est infinie* (syn. ÉTERNEL). — **2.** D'une grandeur, d'une quantité, d'une intensité si grande qu'on ne peut communément le mesurer : *Une plaine infinie* (syn. ILLIMITÉ, IMMENSE). *Bavardage infini* (syn. INTERMINABLE). *Avoir une patience infinie* (syn. EXTRÊME). *Prendre d'infinies précautions.* ◆ n. m. **1.** Ce qui est sans limites : *L'infini mathématique.* — **2.** Ce qui paraît sans bornes par son intensité ou sa grandeur : *L'infini des cieux.* — LOC. ADV. *À l'infini*, sans fin, sans bornes : *Les champs de blé s'étendent à l'infini. Varier les hypothèses à l'infini* (syn. INDÉFINIMENT). ◆ **infiniment** adv. : *L'infiniment petit* (= les corps très petits). *Plaire infiniment* (syn. EXTRÊMEMENT). *Je vais infiniment mieux* (syn. INCOMPARABLEMENT). ◆ **infinité** n. f. **1.** Caractère de ce qui est infini dans l'espace, le temps. — **2.** *Une infinité de* (et un nom plur.), un grand nombre de : *On lui posa une infinité de questions.*

INFINITÉSIMAL, E, AUX [ɛ̃finitezimal, -mo] adj. (angl. *infinitesimal*, infiniment petit). D'une extrême petitesse : *Une quantité infinitésimale de ce produit peut entraîner la mort* (syn. INFIME).

INFINITIF, IVE [ɛ̃finitif, -iv] adj. et n. m. (lat. *infinitivus modus*, mode qui est indéfini). Se dit de la forme nominale du verbe *(aimer, finir, vouloir, prendre, rire)*, qui exprime l'action ou l'état d'une façon indéterminée, mais non la personne et le nombre : *Mode infinitif.* ‖ *Proposition infinitive*, proposition subordonnée complétive dont le verbe est à l'infinitif : *J'entends* (principale) *les enfants crier* (proposition infinitive).

INFIRME [ɛ̃firm] adj. et n. (lat. *infirmus*, faible). Qui n'a pas le libre usage de tous ses membres : *Il est resté infirme à la suite d'un accident de voiture* (syn. INVALIDE; contr. VALIDE). ◆ **infirmité** n. f. Affection qui atteint une partie de l'organisme en la mettant dans l'incapacité de remplir normalement ses fonctions : *La surdité est une pénible infirmité.*

INFIRMER [ɛ̃firme] v. t. (lat. *infirmare*, affaiblir). Détruire la force, l'autorité, l'importance de quelque chose : *L'hypothèse a été infirmée par les résultats* (syn. DÉMENTIR, DÉTRUIRE). *Le jugement de la cour a été infirmé* (jurid.) [syn. CASSER; contr. CONFIRMER].

INFIRMIER, ÈRE [ɛ̃firmje, -ɛr] n. (de *infirme*, malade). Auxiliaire médical diplômé, qui donne des soins aux malades dans les hôpitaux, les cliniques, les infirmeries, etc. ◆ **infirmerie** n. f. Partie d'un établissement où l'on donne des soins aux malades.

INFIRMITÉ n. f. ⟶ INFIRME.

INFLAMMABLE adj. ⟶ FLAMME 1.

INFLAMMATION [ɛ̃flamasjɔ̃] n. f. (lat. *inflammatio*). *Méd.* Réaction de l'organisme là où il a subi une agression. ◆ **inflammatoire** adj. Qui tient de l'inflammation; qui se traduit par une inflammation. ◆ **anti-inflammatoire** adj.

— ENCYCL. L'*inflammation* représente la réaction de l'organisme à toute attaque chimique, toxique, infectieuse, traumatique, thermique, etc. Elle se traduit par une lésion plus ou moins nette de la cellule vivante et une congestion vasculaire consécutive à la lésion.

Les quatre signes de l'inflammation sont la *rougeur* (car les vaisseaux se dilatent et le sang tend à sortir hors des parois); la *tuméfaction* (gonflement), provoquée par la sortie de plasma hors des vaisseaux dilatés; une sensation de *chaleur*, qui a les mêmes causes que la rougeur; une *douleur*, due à des toxines microbiennes qui excitent les terminaisons nerveuses, ou à la libération locale de substances acides par destruction cellulaire (nécrose), ou encore à la pression de l'œdème sur les terminaisons nerveuses.

De nombreux médicaments sont *anti-inflammatoires*. Ils calment la douleur due à l'inflammation et diminuent les processus aboutissant à son installation : ainsi l'aspirine, les corticoïdes (médicaments proches d'une hormone sécrétée par la glande corticosurrénale).

INFLATION [ɛ̃flasjɔ̃] n. f. (du lat. *inflare*, enfler). **1.** *Écon.* Déséquilibre caractérisé par une hausse générale des prix, et qui provient soit de l'accroissement de la circulation monétaire, soit du déficit budgétaire, soit de l'excès de pouvoir d'achat des consommateurs (particuliers, entreprises, État) par rapport à la quantité des biens et des services mis à leur disposition (par oppos. à DÉFLATION). — **2.** Augmentation excessive de moyens ou d'hommes : *Une inflation de fonctionnaires.* ◆ **inflationnisme** n. m. Politique qui considère l'inflation comme un moyen d'expansion économique. ◆ **inflationniste** adj. Qui est cause ou marque d'inflation.

INFLÉCHIR [ɛ̃fleʃir] v. t. (lat. *in*, dans, et *fléchir*). **1.** Incliner, plier de manière à former une courbe : *L'atmosphère infléchit les rayons des astres.* — **2.** Changer l'évolution de quelque chose, en modifiant progressivement une ligne de conduite : *Infléchir une politique.* ◆ **s'infléchir** v. pr. **1.** Prendre une autre direction : *Le cours du fleuve s'infléchit vers le sud* (syn. SE COURBER, DÉVIER). — **2.** Subir une modification progressive : *La politique gouvernementale s'est infléchie dans le sens d'un plus grand libéralisme.* ◆ **inflexion** n. f. **1.** *L'inflexion brusque de la route* (syn. COURBE). *L'inflexion d'une orientation politique.* — **2.** Changement d'intonation dans la voix : *Cette inflexion trahit son émotion.*

INFLEXIBLE adj., **INFLEXIBLEMENT** adv. ⟶ FLEXIBLE 2.

INFLEXION n. f. ⟶ INFLÉCHIR.

INFLIGER [ɛ̃fliʒe] v. t. (lat. *infligere*, frapper). **1.** *Infliger qqch. à qq'un*, lui faire subir quelque chose de pénible : *Infliger une contravention pour excès de vitesse* (syn. DONNER). *Il nous inflige sa présence chaque matin* (syn. IMPOSER). — **2.** *Infliger un démenti*, démentir d'une manière catégorique.

INFLORESCENCE [ɛ̃flɔrɛsɑ̃s] n. f. (du lat. *inflorescere*, fleurir). Ensemble des fleurs groupées à l'extrémité d'un rameau.

INFLUENCE [ɛ̃flyɑ̃s] n. f. (du lat. *influere*, couler dans). Action qu'une chose exerce sur une personne ou sur une autre chose; action qu'une personne exerce sur une autre : *Influence du climat sur la végétation* (syn. ACTION). *Agir sous l'influence de la colère* (syn. EFFET, IMPULSION). *Il subit l'influence de son frère* (syn. ASCENDANT, COUPE, EMPRISE). *Avoir de l'influence dans les milieux financiers* (syn. CRÉDIT). ◆ **influencer** v. t. *Influencer qq'un*, exercer une influence sur lui : *Il se laisse facilement influencer par les autres* (syn. ENTRAÎNER). ◆ **influençable** adj. : *Un caractère influençable.* ◆ **influent, e** adj. Qui a du crédit, du prestige, de l'influence : *Personnage très influent* (syn. IMPORTANT). ◆ **influer** v. i. *Influer sur qq'un* ou *sur qqch.*, exercer une action sur eux de manière à les modifier : *La crise politique influe directement sur la situation économique* (syn. PESER SUR). *La maladie a influé sur son caractère* (syn. AGIR).

INFLUENZA [ɛ̃flyɑ̃za ou -ɛza] n. f. (mot it. signif. *influence*). Autre nom de la GRIPPE.

INFLUER v. i. ⟶ INFLUENCE.

INFLUX [ɛ̃fly] n. m. (lat. *influxus*, action de couler dans). Phénomène de nature électrique par lequel l'excitation d'une fibre nerveuse se propage dans le nerf.
— ENCYCL. La vitesse de propagation de l'*influx nerveux* varie de 10 à 100 m/s selon les nerfs. Il ne s'agit donc pas de courant électrique, mais de phénomènes de *polarisation* et de *dépolarisation* entre le cylindraxe et la gaine, qui s'établissent de proche en proche. L'influx est *centrifuge* quand il va des centres nerveux vers les organes (nerfs moteurs), et *centripète* lorsqu'il va des organes vers les centres nerveux (nerfs sensitifs).

IN-FOLIO adj. et n. m. inv. ⟶ FORMAT.

INFORMATEUR, TRICE n., **INFORMATICIEN, ENNE** n., **INFORMATION** n. f., **INFORMATIQUE** n. f., **INFORMÉ, E** adj. ⟶ INFORMER.

INFORME adj. ⟶ FORME 1. / **INFORMEL, ELLE** adj. et n. m. ⟶ FORME 2.

INFORMER [ɛ̃fɔrme] v. t. (lat. *informare*, donner une forme). *Informer qq'un de qqch.* ou *que* (et l'indic.), le mettre au courant de quelque chose, lui donner des renseignements sur : *Il m'a informé par téléphone de son arrivée* (syn. PRÉVENIR). *Il a été informé des difficultés* (syn. AVERTIR, AVISER). *Le ministère l'a informé de son avancement* (= lui a notifié). ◆ **s'informer** v. pr. *S'informer de qqch.*, interroger sur quelque chose afin d'être renseigné : *S'informer de la santé d'un ami* (syn. S'ENQUÉRIR). *Chercher à s'informer avant de se décider* (= recueillir des renseignements). ◆ **informé, e** adj. **1.** Qui sait ce qu'il faut savoir : *Un journal généralement bien informé. Dans les milieux bien informés* (= qui ont des renseignements politiques sérieux). — **2.** *Jusqu'à plus ample informé*, en attendant d'avoir des renseignements plus complets. ◆ **informateur, trice** n. Personne qui, par métier, par fonction, donne ou recueille des informations, des renseignements. ◆ **information** n. f. **1.** Action de mettre au courant des événements : *Un journal d'informations. Les informations sportives* (syn. NOUVELLE). *Un bulletin d'information à la radio.* — **2.** Renseignement obtenu de quelqu'un ou sur quelqu'un ou quelque chose : *Recueillir d'utiles informations* (syn. fam. TUYAU). — **3.** En informatique, juxtaposition de symboles visuels ou auditifs destinés à représenter d'une part des objets ou des événements, d'autre part les relations entre ceux-ci, ainsi qu'à exprimer toute pensée humaine, et qui constitue la matière première de l'informatique. ⟶ ENCYCL. ◆ **informatique** n. f. Science du traitement automatique et rationnel de l'information. ⟶ ENCYCL. ◆ **informaticien, enne** n. Spécialiste de l'informatique. ◆ **informatisation** n. f. Action d'informatiser. ◆ **informatiser** v. t. Doter de moyens informatiques : *Informatiser une usine.*
— ENCYCL. L'*informatique* utilise, pour traiter l'*information*, des ensembles complexes appelés *calculateurs* ou *calculatrices électroniques, ordinateurs, systèmes informatiques.*

Ces machines sont conçues pour pouvoir effectuer, de façon automatique, sur les données qui leur sont fournies, des ensembles d'opérations arithmétiques et logiques selon des schémas constitués en *programmes.* La matière première sur laquelle portent les transformations effectuées par ces machines est l'*information.*

Pour que cette information puisse être traitée par les mécanismes automatiques, elle doit subir une première transformation qui consiste à modifier sa forme de représentation : symboles auditifs (= sons), symboles visuels le plus souvent (= lettres de l'alphabet, signes de ponctuation, chiffres, signes mathématiques qui constituent l'écriture d'une langue), à l'aide d'un *code.* Cette opération est effectuée par une personne qui lit les documents et les « traduit » en langage codé. Il existe également des lecteurs optiques ou magnétiques qui lisent les données (chèques bancaires, par ex.) sans intervention humaine.

L'information, une fois codée, doit être enregistrée sur un support (carte ou bande perforées; carte, bande ou disque magnétiques).

L'ordinateur* est conçu pour pouvoir lire l'information codée sur l'un de ces supports, et lui faire subir le traitement souhaité par l'utilisateur, grâce au programme, suite d'instructions qui lui ont été données. L'ordinateur est constitué d'une *unité centrale de traitement* qui exécute le programme instruction après instruction, et d'une *mémoire centrale* directement accessible par l'unité centrale et qui contient le programme et ses données.

■ *Les carrières de l'informatique.* Elles peuvent concerner la conception et la construction des machines, ou l'utilisation, l'exploitation, l'entretien et le réglage des matériels. Aussi distingue-t-on différents types de métiers à des niveaux très différents : architecte concepteur, ingénieur logicien, analyste, programmeur, opérateur, perforeuse, vérifieuse...

La *formation professionnelle* concerne trois catégories de personnels :
les *cadres supérieurs et chercheurs*, formés par les écoles d'ingénieurs, les unités de formation et de recherche (U.F.R.) des universités, les instituts et centres d'études et de recherches;
les *techniciens et techniciens supérieurs*, formés par les facultés des sciences, les instituts universitaires de technologie (I. U. T.), les lycées techniques, les firmes constructrices, la formation professionnelle des adultes (F. P. A.);
les *personnels d'exécution*, formés par les firmes constructrices, la F. P. A., la réadaptation professionnelle.

INFORMULÉ, E adj. ⟶ FORMULE 1. / **INFORTUNE** n. f., **INFORTUNÉ, E** adj. et n. ⟶ FORTUNE 2.

INFRACTION n. f. ⟶ ENFREINDRE.

INFRANCHISSABLE adj. ⟶ FRANCHIR.

INFRAROUGE [ɛ̃fraruʒ] adj. (du lat. *infra*, au-dessous, et *rouge*). Se dit des radiations calorifiques obscures moins réfrangibles (= capables d'être réfractées) que le rouge. (Ces radiations, de même nature que la lumière, ont des longueurs d'onde plus grandes.)
— ENCYCL. Les radiations *infrarouges*, découvertes en 1800 par W. Herschel, sont émises par tous les corps chauds, mais plus souvent par des tubes luminescents ou des lampes à incandescence sous-voltées. On les utilise pour le chauffage, la cuisson des aliments, le séchage des peintures, la photographie, l'émission de signaux invisibles, ainsi que pour leur action thérapeutique.

INFRASON ou **INFRA-SON** n. m. ⟶ SON 2. / **INFRASTRUCTURE** n. f. ⟶ STRUCTURE.

INFROISSABLE adj. ⟶ FROISSER 1. / **INFRUCTUEUSEMENT** adv., **INFRUCTUEUX, EUSE** adj. ⟶ FRUIT 2.

INFUSE [ɛ̃fyz] adj. f. (du lat. *infusus*, versé dans). *Avoir la science infuse*, se dit ironiq. de quelqu'un qui prétend tout savoir naturellement, sans l'avoir acquis par l'expérience ou le travail.

1. INFUSER [ɛ̃fyze] v. t. (du lat. *infundere*, verser dans). **1.** *Infuser du sang*, le faire pénétrer dans le corps par transfusion. — **2.** *Infuser du courage, un sang nouveau*, etc., communiquer à quelqu'un du courage, de l'ardeur.

2. INFUSER [ɛ̃fyze] v. t. et i. (même étym.). *Infuser* ou *faire infuser du thé, du tilleul, de la verveine*, etc., verser sur eux un liquide bouillant, afin qu'il en prenne l'odeur et en dissolve les principes actifs. ◆ **infusion** n. f. : *Prendre une infusion* (syn. TISANE).

INGAGNABLE adj. ⟶ GAGNER 1.

INGAMBE [ɛ̃gɑ̃b] adj. (it. *in gamba*, en jambe). Qui se meut avec facilité, avec vivacité : *Un vieillard encore ingambe malgré son âge* (syn. ALERTE; contr. IMPOTENT).

INGÉNIER (S') [sɛ̃ʒenje] v. pr. (du lat. *ingenium*, esprit). *S'ingénier à* (et l'infin.), chercher avec toutes les ressources de son esprit le moyen de faire quelque chose : *S'ingénier à trouver une solution* (syn. S'ÉVERTUER). ◆ **ingénieux, euse** adj. **1.** Se dit de quelqu'un qui a un esprit inventif, fertile en ressources : *Il est parfois trop ingénieux, et ses explications sont inutilement compliquées* (syn. SUBTIL; fam. ASTUCIEUX). — **2.** Se dit d'une chose qui témoigne de l'adresse, de l'habileté, de l'intelligence de celui qui en est l'auteur : *Une trouvaille ingénieuse.* ◆ **ingénieusement** adv. : *Rapprocher ingénieusement deux idées.* ◆ **ingéniosité** n. f. : *Faire preuve d'ingéniosité* (syn. HABILETÉ; fam. ASTUCE). *Déployer beaucoup d'ingéniosité pour masquer la vérité* (syn. SUBTILITÉ).

INGÉNIERIE [ɛ̃ʒeniri] n. f. (de *ingénieur*). Terme préconisé par l'Administration pour remplacer ENGINEERING.

INGÉNIEUR [ɛ̃ʒenjœr] n. m. (de l'anc. fr. *engin*, machine de guerre). Personne qui est appelée à élaborer, organiser ou diriger des plans, des recherches et des travaux techniques, dans le cadre

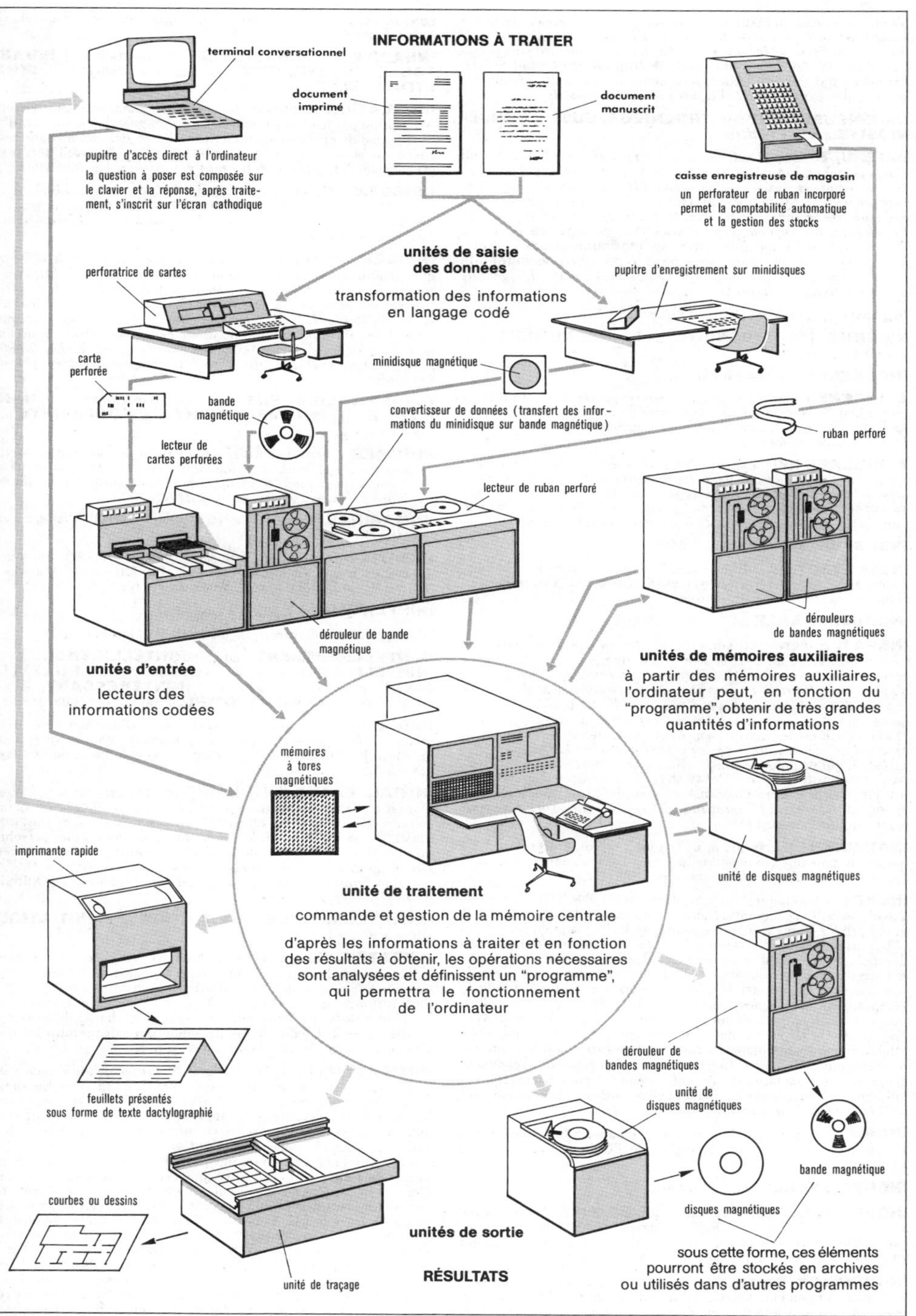
INFORMATIONS À TRAITER
terminal conversationnel
document imprimé
document manuscrit
pupitre d'accès direct à l'ordinateur
la question à poser est composée sur le clavier et la réponse, après traitement, s'inscrit sur l'écran cathodique
caisse enregistreuse de magasin
un perforateur de ruban incorporé permet la comptabilité automatique et la gestion des stocks
unités de saisie des données
transformation des informations en langage codé
perforatrice de cartes
pupitre d'enregistrement sur minidisques
minidisque magnétique
carte perforée
bande magnétique
convertisseur de données (transfert des informations du minidisque sur bande magnétique)
ruban perforé
lecteur de cartes perforées
lecteur de ruban perforé
dérouleur de bande magnétique
dérouleurs de bandes magnétiques
unités d'entrée
lecteurs des informations codées
unités de mémoires auxiliaires
à partir des mémoires auxiliaires, l'ordinateur peut, en fonction du "programme", obtenir de très grandes quantités d'informations
mémoires à tores magnétiques
imprimante rapide
unité de disques magnétiques
unité de traitement
commande et gestion de la mémoire centrale
d'après les informations à traiter et en fonction des résultats à obtenir, les opérations nécessaires sont analysées et définissent un "programme", qui permettra le fonctionnement de l'ordinateur
dérouleur de bandes magnétiques
feuillets présentés sous forme de texte dactylographié
unité de disques magnétiques
bande magnétique
courbes ou dessins
disques magnétiques
unités de sortie
sous cette forme, ces éléments pourront être stockés en archives ou utilisés dans d'autres programmes
unité de traçage
RÉSULTATS

d'une entreprise industrielle, agricole ou d'un service public : *Ingénieur sorti de Polytechnique, de l'École centrale, de l'École d'arts et métiers.* ‖ *Ingénieur du son*, ingénieur électricien spécialisé dans la technique du son. ◆ **ingénieur-conseil** n. m. Ingénieur qui donne, à titre personnel, des conseils, établit des projets, des expertises. ‖ Pl. des *ingénieurs-conseils.*

INGÉNIEUSEMENT adv., **INGÉNIEUX, EUSE** adj., **INGÉNIOSITÉ** n. f. ⟶ INGÉNIER.

INGÉNU, E [ɛ̃ʒeny] adj. et n. (lat. *ingenuus*, né libre). Se dit d'une personne qui laisse voir ses sentiments, qui est d'une naïveté souvent excessive : *Une jeune fille ingénue* ou *une jeune ingénue* (syn. CANDIDE). ◆ adj. Qui manifeste une innocence, une candeur très grande : *Une réponse ingénue* (syn. NAÏF, SIMPLE). *Prendre un air ingénu* (syn. INNOCENT). ◆ **ingénue** n. f. Au théâtre, rôle de jeune fille naïve. ◆ **ingénument** adv. : *Faire ingénument confiance à un escroc* (syn. NAÏVEMENT). ◆ **ingénuité** n. f. : *L'ingénuité de l'enfant* (syn. CANDEUR, PURETÉ). *L'ingénuité d'une question* (syn. NAÏVETÉ).

Ingénu *(l')*, conte de Voltaire (1767).

INGÉNUE n. f., **INGÉNUITÉ** n. f., **INGÉNUMENT** adv. ⟶ INGÉNU.

INGÉRENCE n. f. ⟶ INGÉRER 2.

1. INGÉRER [ɛ̃ʒere] v. t. (lat. *ingerere*, porter dans). Introduire par la bouche (terme méd.) : *Les aliments ingérés dans l'estomac.* ◆ **ingestion** n. f. Action d'ingérer, d'introduire dans l'estomac : *L'ingestion des aliments.*

2. INGÉRER (S') [sɛ̃ʒere] v. pr. (même étym.). Intervenir, sans en avoir le droit, dans l'activité d'autrui : *S'ingérer dans les affaires intérieures des États* (syn. S'IMMISCER, SE MÊLER DE). ◆ **ingérence** n. f. : *Dénoncer les ingérences d'un pays étranger dans la vie politique d'un État* (syn. IMMIXTION, INTERVENTION).

INGESTION n. f. ⟶ INGÉRER 1.

INGOLSTADT, v. d'Allemagne (Bavière), sur le Danube; 89 000 hab. Anc. centre intellectuel. Constructions mécaniques et automobiles. Raffinage du pétrole.

INGOUVERNABLE adj. ⟶ GOUVERNER.

INGRAT, E [ɛ̃gra, -at] adj. et n. (du lat. *gratus*, reconnaissant). Se dit de quelqu'un (ou de son comportement) qui n'a aucune reconnaissance pour les bienfaits ou les services reçus : *Vous n'aurez pas affaire à un ingrat* (= je me souviendrai du service rendu). ◆ adj. **1.** Qui ne répond pas aux efforts que l'on fait, à la peine que l'on se donne : *Un sol ingrat* (syn. STÉRILE; contr. FERTILE). *Un métier ingrat* (syn. DÉCEVANT, PÉNIBLE; contr. PLAISANT). *Une mémoire ingrate* (syn. INFIDÈLE). — **2.** Qui n'est pas agréable, qui manque de grâce : *Un visage ingrat, dur et anguleux* (syn. DISGRACIEUX; contr. AVENANT). *Une contrée ingrate* (syn. HOSTILE). *Être à, dans l'âge ingrat* (= au début de l'adolescence). ◆ **ingratitude** n. f. : *L'ingratitude des enfants envers leurs parents* (contr. RECONNAISSANCE).

INGRÉDIENT [ɛ̃gredjɑ̃] n. m. (du lat. *ingredi*, entrer dans). Ce qui entre dans une composition, un mélange (substance, liquide) : *Les ingrédients d'un médicament* (syn. CONSTITUANT).

INGRES (Dominique), peintre français (1780-1867). Élève de David dès 1797 et fervent admirateur de Raphaël, Ingres obtint le grand prix de Rome (1801) et séjourna en Italie jusqu'en 1824.

Défenseur de l'art classique face au romantisme, il donne au dessin la primauté sur la couleur (ses dessins au crayon [portraits, paysages romains] constituent d'ailleurs une part importante de son œuvre). Son art est très divers selon les thèmes abordés : compositions historiques, portraits ou nus. Si les premiers apparaissent académiques et un peu froids *(le Vœu de Louis XIII, l'Apothéose d'Homère)*, dans les seconds, il sait à merveille atteindre une ressemblance parfaite tout en exprimant le caractère psychologique du sujet *(Bertin l'Aîné, Madame de Senonnes)*. Enfin, il traite ses nus avec un goût prononcé pour l'arabesque et la liberté des lignes qui enchantera plus tard les impressionnistes *(la Grande Odalisque, le Bain turc)*.

INGRIE, anc. province du sud de la Finlande. Elle fut cédée à la Russie en 1721. C'est auj. la région de l'U. R. S. S. qui entoure Leningrad.

INGUÉRISSABLE adj. ⟶ GUÉRIR.

INGUINAL, E, AUX [ɛ̃gɥinal, -no] adj. (du lat. *inguen, -inis*, aine). Relatif à l'aine : *Ganglions inguinaux.* ‖ *Canal inguinal*, canal situé en avant du bord supérieur de l'os iliaque, qui répond au pli de l'aine (= pli de flexion de la cuisse sur le bassin).

INGURGITER [ɛ̃gyrʒite] v. t. (lat. *ingurgitare*, engouffrer). **1.** Avaler rapidement, souvent en grande quantité : *Ingurgiter son repas en quelques minutes.* — **2.** Acquérir massivement des connaissances, sans les assimiler : *Ingurgiter des mathématiques à haute dose.*

INHABILE adj., **INHABILETÉ** n. f. ⟶ HABILE. / **INHABITABLE** adj., **INHABITÉ, E** adj. ⟶ HABITER. / **INHABITUEL, ELLE** adj. ⟶ HABITUDE.

INHALATION [inalasjɔ̃] n. f. (du lat. *inhalare*, souffler sur). Absorption par les voies respiratoires d'un gaz, d'une vapeur, d'un liquide réduit en fines gouttelettes : *Faire des inhalations pour guérir un mal de gorge.* ◆ **inhalateur** n. m. Appareil servant à prendre des inhalations. ◆ **inhaler** v. t. Aspirer par inhalation.

INHÉRENT, E [inerɑ̃, -ɑ̃t] adj. (lat. *inhaerens*, attaché à). Se dit d'une chose qui est liée d'une manière inséparable, nécessaire, à une autre ou à une personne : *Responsabilité inhérente à une fonction.* ◆ **inhérence** n. f.

INHIBER [inibe] v. t. (lat. *inhibere*, retenir). **1.** *Physiol.* Provoquer l'inhibition d'un mouvement, d'une fonction. — **2.** Supprimer toute possibilité de réaction, toute activité : *Ma volonté était comme inhibée par sa personnalité écrasante* (syn. ÉCRASER). ◆ **inhibition** n. f. **1.** *Physiol.* Diminution de l'activité d'un neurone, d'une fibre musculaire ou d'une cellule sécrétrice, sous l'action d'un influx nerveux ou d'une hormone. — **2.** *La timidité provoquait chez lui une sorte d'inhibition quand il voulait prendre la parole.*

INHOSPITALIER, ÈRE adj. ⟶ HOSPITALIER 2. / **INHUMAIN, E** adj., **INHUMAINEMENT** adv., **INHUMANITÉ** n. f. ⟶ HUMAIN 2.

INHUMER [inyme] v. t. (lat. *in*, dans, et *humus*, terre). Mettre en terre un corps humain (terme admin., relig.) : *Obtenir le permis d'inhumer* (syn. usuel ENTERRER). ◆ **inhumation** n. f. : *Inhumation dans un caveau* (contr. EXHUMATION).

INIMAGINABLE adj. ⟶ IMAGINER. / **INIMITABLE** adj. ⟶ IMITER.

INIMITIÉ [inimitje] n. f. (du lat. *inimicus*, ennemi). Sentiment d'hostilité, moins vif que la haine et plus fort que l'antipathie : *Nourrir de l'inimitié à l'égard de ses voisins* (syn. ANIMOSITÉ).

ININFLAMMABLE adj. ⟶ FLAMME 1.

ININI, riv. de la Guyane française, affl. du Maroni (r. dr.).

ININTELLIGEMMENT adv., **ININTELLIGENCE** n. f., **ININTELLIGENT, E** adj. ⟶ INTELLIGENCE 1. / **ININTELLIGIBLE** adj. ⟶ INTELLIGIBLE. / **ININTÉRESSANT, E** adj. ⟶ INTÉRÊT 2. / **ININTERROMPU, E** adj. ⟶ INTERROMPRE.

INIQUE [inik] adj. (lat. *iniquus*, injuste). D'une injustice grave, criante : *Un jugement inique* (syn. ↓INJUSTE; contr. ÉQUITABLE). ◆ **iniquité** [inikite] n. f. : *Être victime d'une iniquité* (syn. ↓INJUSTICE).

INITIAL, E, AUX [inisjal, -sjo] adj. (du lat. *initium*, début). Qui est au début, au commencement de quelque chose : *La syllabe initiale d'un mot* (syn. PREMIER). *L'état initial* (syn. ORIGINEL, PRIMITIF). ◆ **initiale** n. f. Première lettre du nom d'une personne, du nom d'un organisme, etc., qui représente le mot tout entier : *Les initiales de Pierre Larousse sont P. L. Les initiales O. N. U. sont l'abréviation d'« Organisation des Nations unies ».* ◆ **initialement** adv. (syn. AU DÉBUT).

INITIATEUR, TRICE n., **INITIATION** n. f., **INITIATIQUE** adj. ⟶ INITIER.

INITIATIVE [inisjativ] n. f. (du lat. *initiare*, commencer). **1.** Action de celui qui est le premier à proposer ou à faire quelque chose : *Savoir prendre les initiatives nécessaires* (syn. MESURE). *Sur l'initiative* ou *à l'initiative de qq'un* (= sur sa proposition). *Le syndicat d'initiative de la ville* (= organisme chargé de l'essor du tourisme). — **2.** Qualité d'une personne qui sait prendre les décisions nécessaires : *Avoir l'esprit d'initiative.*

INITIER [inisje] v. t. (lat. *initiare*). **1.** *Initier qq'un à qqch.*, être le premier à lui apprendre les éléments d'une science, d'une technique, d'une connaissance quelconque : *Un maître nous a initiés à la philosophie* (syn. APPRENDRE, ENSEIGNER). *Initier un ami aux secrets de la maison* (syn. RÉVÉLER À). — **2.** Faire entrer dans une société secrète. ◆ ***s'initier*** v. pr. (sujet nom de personne). Se mettre au courant des premiers éléments d'une connaissance. ◆ **initié, e** n. Personne qui est dans le secret d'un art, d'une science, d'une connaissance : *Poésie réservée aux seuls initiés.* ◆ **initiateur, trice** n. Personne qui fait connaître la première ou qui ouvre une voie nouvelle : *C'est en sa matière un véritable initiateur* (syn. NOVATEUR, PRÉCURSEUR). *Ils ont été les initiateurs de la révolte* (syn. PROMOTEUR). ◆ **initiation** n. f. **1.** Action de donner à quelqu'un la connaissance de certaines choses qu'il ignorait : *Initiation à la politique.* — **2.** Cérémonies par lesquelles on était admis à la connaissance de certains mystères dans les religions anciennes, et qui accompagnent aujourd'hui l'admission ans différentes sociétés secrètes. ◆ **initiatique** adj. Se dit de ce ui initie quelqu'un à quelque chose : *Rites initiatiques.*

NJECTER [ɛ̃ʒɛkte] v. t. (lat. *injectare*, jeter sur). Introduire par t, par pression un liquide, un gaz dans un organisme, dans un orps, dans une substance poreuse, etc. : *Injecter du ciment dans rocher pour consolider un barrage.* ◆ **injecté, e** adj. : *Yeux njectés de sang* (= rougis par l'afflux du sang). ◆ **injecteur** n. m. ppareil au moyen duquel on introduit sous pression un fluide ans une machine, un mécanisme. ◆ **injection** n. f. : *Faire une njection de morphine* (syn. PIQÛRE). *Moteur à injection* (= où alimentation en carburant se fait directement dans les cylindres, ans carburateur).

NJECTIF, IVE [ɛ̃ʒɛktif, -iv] adj. (de *injecter*). Math. *Application injective* ⟶ APPLIQUER 2, *encycl.*

. **INJECTION** n. f. ⟶ INJECTER.

. INJECTION [ɛ̃ʒɛksjɔ̃] n. f. (lat. *injectio*). *Math.* Syn. de PPLICATION INJECTIVE. (⟶ APPLIQUER 2, *encycl.*)

NJONCTION n. f. ⟶ ENJOINDRE.

NJOUABLE adj. ⟶ JOUER 4.

NJURE [ɛ̃ʒyr] n. f. (lat. *injuria*, injustice). Parole, action, procédé qui offense d'une manière grave et consciente : *Il m'a fait injure de refuser mon invitation* (syn. AFFRONT, OUTRAGE). *Vous aites injure à son honnêteté* (= vous soupçonnez injustement). *'roférer des injures* (syn. INSULTE, INVECTIVE). ◆ **injurier** v. t. *njurier qq'un, qqch.*, lui adresser des injures, l'offenser par des aroles, par des actes : *Injurier la mémoire d'un mort* (syn. INSULTER, OFFENSER). ◆ ***s'injurier*** v. pr. : *Les deux ivrognes s'injuiaient.* ◆ **injurieux, euse** adj. Qui porte atteinte à la réputation, la dignité de quelqu'un : *Des mots injurieux furent échangés* (syn. NSULTANT). *Article injurieux* (syn. OFFENSANT). ◆ **injurieusement** adv.

NJUSTE adj., **INJUSTEMENT** adv., **INJUSTIÇE** n. f. ⟶ JUSTE 2. / **INJUSTIFIABLE** adj., **INJUSTIFIÉ, E** adj. ⟶ JUSTIFIER.

NKERMAN, v. de l'U. R. S. S., en Crimée, faubourg de Sébastool'.

- *5 nov. 1854. Pendant la guerre de Crimée, les Franco-Anglais y remportent une victoire sur les Russes.*

NLANDSIS [inlɑ̃dsis] n. m. (mot scand. signif. *glace à l'intéieur du pays*). Glacier continental des régions polaires, recouvrant e relief et se terminant à sa périphérie par des glaciers de vallée ui atteignent la mer, ou par une barrière de glace : *Des inlandsis ;pais de plus de 2 000 m recouvrent le Groenland et le continent antarctique.*

NLASSABLE adj., **INLASSABLEMENT** adv. ⟶ LAS 1.

NN, riv. de l'Europe centrale, affl. du Danube (r. dr.); 525 km. Sa aute vallée (Engadine) est une région touristique. La moyenne vallée forme le cœur du Tyrol.

NNÉ, E [inne] adj. (lat. *in*, dans, et *natus*, né). Que l'on a en naissant, dès la naissance : *Avoir un goût inné pour la musique* (syn. NATUREL; contr. ACQUIS). ‖ *Idées innées*, idées qui, selon certains philosophes, ne proviendraient pas de l'expérience, mais seraient en notre esprit dès notre naissance. ◆ **innéité** n. f. Caractère de ce qui est inné.

NNERVATION n. f., **INNERVER** v. t. ⟶ NERF.

INNOCENT, E [inɔsɑ̃, -ɑ̃t] adj. et n. (de *in-*, préf. priv., et lat. *nocens*, qui nuit). **1.** (après le nom) Se dit de quelqu'un qui n'est pas coupable : *Être innocent de la faute dont on est accusé.* — **2.** (avant ou après le nom) Se dit de quelqu'un qui est pur, qui ignore le mal ou n'en est pas souillé : *Une innocente jeune fille* (syn. INGÉNU, NAÏF). — **3.** Se dit de quelqu'un dont l'ignorance, la naïveté ou la simplicité d'esprit est trop grande : *Quel innocent d'aller croire un pareil conte!* (syn. CRÉDULE, NIAIS). *L'innocent du village* (syn. IDIOT). — **4.** Se dit de quelque chose qui est inoffensif, sans danger, qu'on ne peut blâmer : *C'est un jeu bien innocent* (contr. NOCIF). *Railleries innocentes* (contr. MALFAISANT, MÉCHANT). *Un baiser innocent* (syn. CHASTE). — **5.** *Saints Innocents*, enfants qui furent massacrés en Judée sur l'ordre d'Hérode, qui espérait faire périr Jésus parmi eux. ◆ **innocemment** [inɔsamɑ̃] adv. Avec innocence, sans le vouloir : *Il tomba bien innocemment dans le piège qu'on lui avait tendu.* ◆ **innocence** n. f. : *Proclamer son innocence* (contr. CULPABILITÉ). *L'innocence d'un jeune enfant* (syn. CANDEUR, PURETÉ). *Abuser de l'innocence de qq'un* (syn. IGNORANCE). ◆ **innocenter** v. t. **1.** *Innocenter qq'un*, le déclarer non coupable : *Le témoignage innocenta l'accusé* (syn. DISCULPER). — **2.** *Innocenter qqch.*, l'excuser : *Chercher à innocenter la conduite blâmable de son fils* (syn. JUSTIFIER).

INNOCENT, nom porté par treize papes. INNOCENT III (1160-1216), pape de 1198 à 1216. Sous son règne, l'autorité du pape sur la chrétienté atteignit son apogée. Il fit reconnaître sa suzeraineté sur la plupart des États d'Occident, mais échoua en France où il se heurta à l'esprit indépendant de Philippe Auguste.

- *1204. Il prend l'initiative de la 4e croisade qui n'aboutit qu'à la prise et au pillage de Constantinople.*
- *1208. Il prêche la croisade contre les albigeois.*
- *1209. Il couronne empereur Otton de Brunswick, mais celui-ci s'étant retourné contre lui, il le remplace par Frédéric II (1215).*

À l'intérieur de l'Église, il combattit les abus, donna l'exemple de l'austérité et favorisa les ordres mendiants.

- *1215. Il réunit le IVe concile œcuménique du Latran, qui marque le sommet de son règne.*

— INNOCENT X (1574-1655), pape de 1644 à 1655, condamna le jansénisme.

INNOCENTER v. t. ⟶ INNOCENT.

INNOCUITÉ [inɔkɥite] n. f. (du lat. *innocuus*, qui n'est pas nuisible). Qualité de ce qui n'est pas nuisible : *L'innocuité d'un remède.* (⟶ NOCIF.)

INNOMBRABLE adj. ⟶ NOMBRE. / **INNOMÉ, E** adj., **INNOMMABLE** adj. ⟶ NOM.

INNOVER [inɔve] v. t. et i. (du lat. *novus*, nouveau). Introduire une chose nouvelle pour remplacer quelque chose d'ancien : *Ne rien vouloir innover ou ne vouloir innover en rien* (syn. CHANGER). ◆ **innovateur, trice** adj. et n. : *Des innovateurs hardis conçurent une nouvelle architecture.* ◆ **innovation** n. f. : *Avoir horreur des innovations* (syn. CHANGEMENT). *Une innovation dangereuse* (syn. NOUVEAUTÉ).

INNSBRUCK, v. d'Autriche, capit. du Tyrol, sur l'*Inn;* 115 200 hab. Station touristique et de sports d'hiver (574 m d'alt.). Les jeux Olympiques d'hiver s'y sont déroulés en 1964 et 1976. Centre industriel et nœud de voies de communication.

INOBSERVABLE adj. ⟶ OBSERVER 1. / **INOCCUPATION** n. f. ⟶ OCCUPER 2. / **INOCCUPÉ, E** adj. ⟶ OCCUPER 1 et 2.

IN-OCTAVO adj. et n. m. inv. ⟶ FORMAT.

INOCULER [inɔkyle] v. t. (lat. *inoculare*, greffer). **1.** Introduire un germe vivant, un virus, un vaccin dans l'organisme afin d'immuniser contre une maladie : *Inoculer le vaccin contre la variole.* — **2.** Transmettre une infection : *La morsure du chien lui a inoculé la rage.* — **3.** Transmettre un sentiment, une doctrine, assimilés à un virus dangereux : *Inoculer une passion* (syn. COMMUNIQUER). ◆ **inoculation** n. f. Sens 1 et 2 du v.

INODORE adj. ⟶ ODEUR.

INOFFENSIF, IVE [inɔfɑ̃sif, -iv] adj. (de *in-*, priv., et *offensif*). **1.** Se dit d'un être vivant qui ne fait de mal à personne : *Un animal inoffensif* (contr. NUISIBLE). *C'est un être bien inoffensif.* — **2.** Se dit de quelque chose qui est sans danger : *Un remède inoffensif.*

INONDER [inɔ̃de] v. t. (du lat. *in*, dans, et *unda*, onde). **1.** (sujet nom désignant un fleuve qui déborde, la mer qui submerge les terres, etc.) Couvrir d'eau : *Les caves ont été inondées par la pluie d'orage.* — **2.** (sujet nom désignant un liquide) Tremper : *Être inondé par une averse* (syn. MOUILLER). — **3.** (sujet nom de personne ou de chose) Affluer dans un endroit au point de l'envahir; emplir une chose complètement : *En août, Paris est inondé de touristes. La joie inonde son cœur* (syn. PÉNÉTRER). ◆ **inondation** n. f. **1.** Débordement des eaux, qui couvre une étendue de pays. — **2.** Afflux considérable de certaines choses.

INÖNÜ (Ismet), général et homme politique turc (1884-1973). Il fut président de la République turque de 1938 à 1950 et Premier ministre de 1961 à 1965.

INOPÉRABLE adj. ⟶ OPÉRER 1. / **INOPÉRANT, E** adj. ⟶ OPÉRER 2.

INOPINÉ, E [inɔpine] adj. (lat. *inopinatus*, imprévu). Qui arrive sans qu'on l'ait prévu : *Une arrivée inopinée* (syn. IMPRÉVU, INATTENDU). *Une rencontre inopinée* (syn. FORTUIT). ◆ **inopinément** adv. : *Recevoir inopinément l'ordre de partir.*

INOPPORTUN, E adj. ⟶ OPPORTUN.

INORGANIQUE [inɔrganik] adj. *(in-*, priv., et *organique).* Se dit des corps dépourvus de vie, non organisés, qui ne peuvent s'accroître que par juxtaposition, tels les minéraux.

INORGANISATION n. f., **INORGANISÉ, E** adj. ⟶ ORGANISER. / **INOUBLIABLE** adj. ⟶ OUBLI.

INOUÏ, E [inwi] adj. (de *in-*, priv., et lat. *auditus*, entendu). Qui est sans exemple par son caractère extraordinaire : *La nouvelle est inouïe* (syn. PRODIGIEUX). *La vogue inouïe de ce chanteur* (syn. INCROYABLE).

INOXYDABLE adj. → OXYDE.

IN PARTIBUS [inpartibys] loc. adj. (mots it. signif. *dans les pays* [*des infidèles*]). Se dit d'un évêque titulaire dont le diocèse est situé en pays non chrétien.

IN PETTO [inpɛto] loc. adv. (mots lat. signif. *dans la poitrine*). À part soi, intérieurement, en secret : *Protester « in petto »*.

IN-PLANO adj. et n. m. inv. → FORMAT.

INQUALIFIABLE adj. → QUALIFIER.

IN-QUARTO adj. et n. m. inv. → FORMAT.

INQUIET, ÈTE [ɛ̃kjɛ, -ɛt] adj. et n. (lat. *inquietus*, agité). Se dit d'une personne qui est agitée par la crainte d'un danger, l'incertitude, l'appréhension de l'avenir : *Je suis inquiet de son retard* (syn. SOUCIEUX). *C'est un inquiet qu'un rien émeut* (syn. ANXIEUX). ◆ adj. Se dit d'une attitude qui manifeste cet état d'esprit : *Avoir l'air inquiet* (contr. RASSURÉ). ◆ **inquiéter** v. t. *Inquiéter qq'un*, troubler son repos, sa tranquillité, son optimisme : *La santé de sa fille l'inquiète* (syn. TOURMENTER, TRACASSER). *Il a été inquiété par la police*. ◆ **s'inquiéter** v. pr. **1.** *S'inquiéter de qqch.*, avoir de la crainte, de l'appréhension : *Il s'inquiète de ne pas la voir rentrer* (syn. ↑S'ALARMER). *Il ne s'inquiète jamais de rien* (= il ne se fait aucun souci). — **2.** *S'inquiéter d'une chose*, prendre des renseignements sur elle : *S'inquiéter de la santé de qq'un* (syn. S'ENQUÉRIR). ◆ **inquiétant, e** adj. : *Des nouvelles inquiétantes* (syn. ↑ALARMANT, SOMBRE). *Personnage inquiétant* (syn. TROUBLE). ◆ **inquiétude** n. f. : *Je n'ai aucune inquiétude à ce sujet* (syn. CRAINTE). *Fou d'inquiétude* (syn. ANXIÉTÉ).

INQUISITION [ɛ̃kizisjɔ̃] n. f. (du lat. *inquirere*, rechercher). **1.** Tribunal ecclésiastique qui était chargé de réprimer les hérésies. (Prend une majusc. en ce sens.) → ENCYCL. — **2.** Enquête rigoureuse et arbitraire : *L'inquisition de la censure*. ◆ **inquisiteur, trice** adj. et n. m. **1.** Membre d'un tribunal de l'Inquisition. ‖ *Grand inquisiteur*, chef suprême de l'Inquisition. — **2.** Qui cherche à découvrir les pensées secrètes, les détails insoupçonnés, etc. : *Un regard inquisiteur*. ◆ **inquisitorial, e, aux** adj. **1.** Qui a rapport à l'Inquisition. — **2.** Se dit de tout acte arbitraire.

— ENCYCL. La multiplication des hérésies à partir du XIIe s. amena les papes à s'opposer à celles-ci. Innocent III appliqua la procédure de l'*Inquisition* contre les albigeois*.

- *1231. Pour lutter contre cette hérésie dans le Languedoc, Grégoire IX organise un tribunal spécial qu'il confie aux Dominicains.*

Le trait principal de sa procédure était le secret le plus absolu de l'information judiciaire. La tournée inquisitoriale comportait essentiellement l'interrogatoire systématique de la population. Les suspects étaient interrogés sans avocat, et à partir de 1260 la pratique de la torture se généralisa. Le bûcher et surtout la prison perpétuelle ou temporaire étaient les peines les plus fréquemment infligées.

L'Inquisition s'étendit peu à peu à toute la chrétienté romaine, sauf l'Angleterre.

- *1482. L'Inquisition est implantée en Espagne.*

Elle y fonctionna surtout contre les juifs, les juifs convertis, ou marranes, accusés d'adhérer toujours en secret au judaïsme, et les musulmans convertis. Elle fut dirigée par la Couronne, et le pape s'efforça sans succès de jouer un rôle modérateur.

- *1492. L'Inquisition obtient de la reine Isabelle Ire l'expulsion de tous les juifs d'Espagne.*
- *1560. L'Inquisition est proscrite de France.*
- *1820. Elle disparaît définitivement en Espagne.*

INRACONTABLE adj. → RACONTER.

I. N. R. I., inscription fixée par Pilate sur la Croix, représentant les initiales des mots latins *Iesus Nazarenus Rex Iudaeorum* (= Jésus de Nazareth, roi des Juifs).

INSAISISSABLE adj. → SAISIR 1 et 2.

IN-SALAH, oasis du Sahara algérien, dans le Tidikelt; 17 400 hab.

INSALIVATION n. f. → SALIVE. / **INSALUBRE** adj., **INSALUBRITÉ** n. f. → SALUBRE.

INSANITÉ [ɛ̃sanite] n. f. (angl. *insanity*, démence). Caractère de ce qui manque de bon sens; acte ou parole déraisonnable : *L'insanité de tels propos est révoltante* (syn. SOTTISE, STUPIDITÉ).

INSATIABLE adj. → SATIÉTÉ. / **INSATISFACTION** n. f., **INSATISFAIT, E** adj. → SATISFAIRE.

INSCRIRE [ɛ̃skrir] v. t. (du lat. *inscribere*, écrire sur). [Conj. **71.**] **1.** *Inscrire qqch.*, l'écrire sur un registre, un cahier, etc.; le graver sur la pierre, sur le métal, etc., de manière qu'il demeure : *Inscrire un rendez-vous sur son carnet* (syn. INDIQUER, NOTER). *Inscrire de nouvelles dépenses au budget* (syn. PORTER). *L'épitaphe inscrite sur la tombe* (syn. GRAVER). — **2.** *Math.* Tracer une figure à l'intérieur d'une autre : *Inscrire un triangle dans un cercle*. — **3.** *Inscrire qq'un*, le mettre sur une liste, le porter sur un registre, etc., afin qu'il fasse partie d'un groupe, qu'il figure parmi ceux qui possèdent une dignité, etc. : *Inscrire son enfant à une école du quartier. Inscrire un élève au tableau d'honneur*. ◆ **s'incrire** v. pr. **1.** (sujet nom de personne) Entrer dans un groupe, un organisme, un établissement, etc. : *S'inscrire à l'université* (= y entrer comme étudiant). *S'inscrire à un parti, à un club* (= s'y affilier). — **2.** *S'inscrire en faux contre qqch.*, lui opposer un démenti formel. — **3.** (sujet nom de chose) Se situer : *Cette mesure s'inscrit dans le cadre de la campagne contre la hausse des prix* (syn. S'INSÉRER). ◆ **inscrit, e** n. Personne dont le nom est porté sur une liste. ‖ *Inscrit maritime*, marin français se livrant professionnellement à la navigation, et immatriculé comme tel sur les registres du service de l'Inscription maritime. ◆ adj. Math. *Polygone inscrit dans un cercle*, polygone dont tous les sommets appartiennent au cercle (le cercle est alors circonscrit au polygone). ‖ *Cercle inscrit dans un polygone*, cercle auquel sont tangents tous les côtés du polygone (le polygone est alors circonscrit au cercle). [→ CERCLE 1, *fig.*] ◆ **inscription** n. f. **1.** Action d'inscrire quelque chose ou quelqu'un : *Inscription d'un étudiant à une université*. — **2.** Ensemble de caractères écrits ou gravés sur la pierre, sur une médaille, etc., pour consacrer le souvenir de quelqu'un ou de quelque chose, donner un renseignement, un avis : *Déchiffrer une inscription en caractères grecs*. — **3.** *Inscription maritime*, institution française destinée à recenser les marins professionnels afin d'assurer l'exercice de leurs droits et l'accomplissement de leurs obligations, notamment celle de servir militairement dans la Marine nationale; administration chargée d'opérer ce recensement. (Elle a pris le nom, en 1967, d'*Administration des affaires maritimes*.) ◆ **réinscrire** v. t. Inscrire de nouveau. ◆ **réinscription** n. f.

INSECTE [ɛ̃sɛkt] n. m. (lat. *insectus*, coupé). Animal de l'embranchement des arthropodes (ou articulés), caractérisé par l'existence de trois paires de pattes articulées insérées sur un *thorax* qui, en outre, porte le plus souvent une ou deux paires d'ailes. ◆ **insecticide** n. m. et adj. Produit destiné à détruire les insectes. ◆ **insectivore** adj. Se dit d'un animal qui se nourrit principalement ou exclusivement d'insectes, comme le lézard, l'hirondelle.

— ENCYCL. En dépit du nombre immense de ses représentants (environ 1 million d'espèces, dont beaucoup comptent des centaines de milliards d'individus), la classe des *insectes* présente une grande homogénéité. Le corps d'un insecte, entouré d'une peau chitineuse, est en effet nettement divisé en trois parties :

la *tête* porte une paire d'antennes, une paire d'yeux composés et trois paires de pièces buccales;

le *thorax*, formé de trois anneaux, a toujours trois paires de pattes et le plus souvent deux paires d'ailes;

l'*abdomen*, à plusieurs anneaux, dépourvu d'appendices articulés, présente les orifices des trachées pour la respiration aérienne.

■ *Développement de l'insecte*. L'éclosion de l'œuf fournit une *larve*, souvent profondément différente de l'adulte et parfaitement adaptée à un autre mode de vie que celui-ci, tant par l'alimentation (chenille et papillon) que par le milieu respiratoire (larve aquatique de la libellule). Dans les groupes supérieurs, la transformation de la larve en un adulte ailé et reproducteur *(imago)* exige une *nymphose*, c'est-à-dire le passage par une période d'inactivité externe, au cours de laquelle le corps se remanie profondément. On parle alors de *métamorphoses complètes*. De toute façon, l'insecte grandit par mues, accompagnées de métamorphoses plus ou moins marquées, et l'aptitude parfaite au vol et à la reproduction n'est acquise qu'après la dernière mue, chez l'adulte, dont la vie est souvent beaucoup plus brève que celle de la larve.

1. INSECTIVORE adj. → INSECTE.

2. INSECTIVORES [ɛ̃sɛktivɔr] n. m. pl. (du lat. *insectum*, insecte, et *vorare*, manger). Ordre de mammifères comprenant des formes terrestres de petite taille, à nombreuses dents pointues, se nourrissant principalement d'insectes.

— ENCYCL. Les *insectivores* sont des animaux de petite taille, aux pattes plantigrades terminées par cinq doigts griffus; beaucoup d'entre eux sont hibernants : ils dorment pendant toute la saison froide, faute de trouver de quoi se nourrir. Les types sont très divers : hérisson, taupe, galéopithèque, musaraigne. Outre des insectes, beaucoup se nourrissent de reptiles, de vers, d'œufs d'oiseaux et même des produits végétaux.

INSÉCURITÉ n. f. → SÉCURITÉ 1.

I. N. S. E. E., sigle de l'*Institut* national de la statistique et des études économiques*.

IN-SEIZE adj. et n. m. inv. → FORMAT.

INSELBERG [inselbɛrg] n. m. (mot all. signif. *montagne-île*).

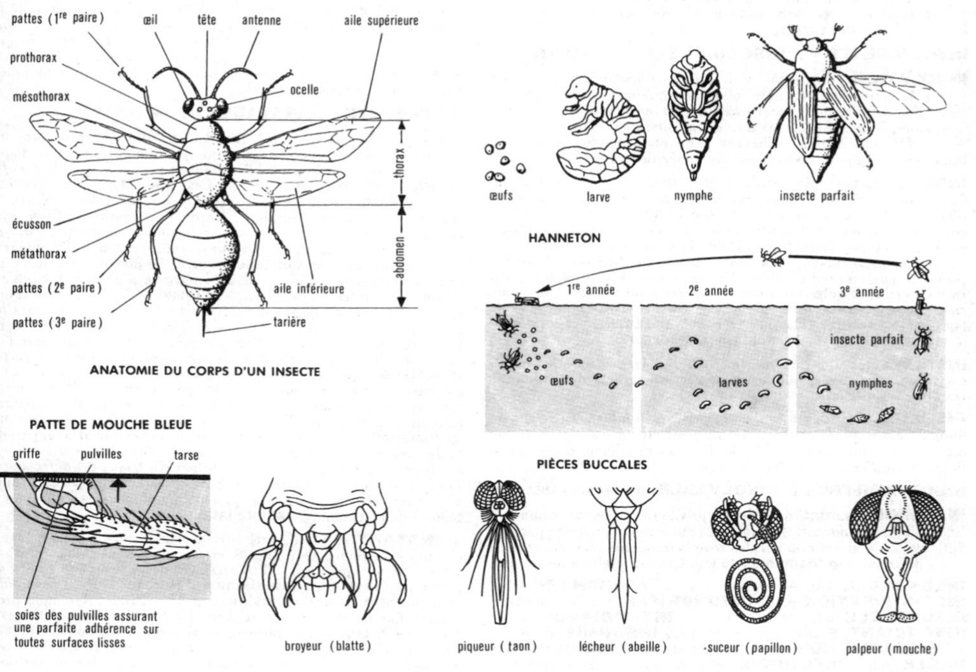

Dans les régions désertiques ou tropicales, butte aux versants très raides se dressant au-dessus de surfaces aplanies.

INSÉMINATION [ɛ̃seminasjɔ̃] n. f. (du bas lat. *inseminare*, semer dans). *Insémination artificielle*, procédé de fécondation artificielle par dépôt dans les voies génitales de semence prélevée sur un mâle. ◆ **inséminer** v. t. Féconder une femelle par insémination artificielle.

INSENSÉ, E adj. → SENS 3. / **INSENSIBILISATION** n. f. → SENSIBLE 2. / **INSENSIBILISER** v. t., **INSENSIBLE** adj. → SENSIBLE 1 et 2. / **INSENSIBLEMENT** adv. → SENSIBLE 2. / **INSÉPARABLE** adj., **INSÉPARABLEMENT** adv. → SÉPARER.

INSÉRER [ɛ̃sere] v. t. (lat. *inserere*, mettre dans). **1.** Introduire quelque chose dans ou sous autre chose, de façon à l'y incorporer : *Insérer une lettre dans une enveloppe.* — **2.** Faire introduire un texte dans un autre, l'y intégrer : *Insérer une annonce dans un journal.* ‖ *Prière d'insérer* (n. m. ou f.), formule par laquelle un éditeur prie les revues et les journaux de publier dans leurs colonnes certaines indications sur un nouvel ouvrage; feuille contenant cette formule, et qui accompagne l'envoi du volume. ◆ ***s'insérer*** v. pr. *S'insérer dans qqch.*, s'y rattacher : *Ce projet de loi s'insère dans un ensemble de réformes* (syn. SE PLACER). ◆ **insertion** n. f. **1.** Action d'insérer; son résultat : *L'insertion d'une annonce dans un journal* (syn. INCORPORATION, PUBLICATION). — **2.** Action de s'insérer dans ou sur quelque chose, dans un ensemble; son résultat : *L'insertion des feuilles sur la tige* (syn. IMPLANTATION). *L'insertion des travailleurs immigrés en France* (syn. INTÉGRATION).

INSERMENTÉ [ɛ̃sɛrmɑ̃te] adj. m. (de *in-*, priv., et *serment*). *Prêtre insermenté*, prêtre qui, sous la Révolution, refusait de prêter serment à la Constitution* civile du clergé. (On dit aussi PRÊTRE RÉFRACTAIRE.)

INSIDIEUX, EUSE [ɛ̃sidjø, -øz] adj. (du lat. *insidiae*, embûches). **1.** Qui constitue un piège, une embûche, ou qui contient des pièges : *D'insidieuses questions* (syn. SOURNOIS). — **2.** *Odeur insidieuse, parfum insidieux*, qui pénètre insensiblement, doucement. — **3.** *Maladie insidieuse*, dont les débuts, apparemment bénins, cachent la gravité. ◆ **insidieusement** adv.

1. INSIGNE [ɛ̃siɲ] adj. (lat. *insignis*, remarquable) [avant ou après le nom]. Qui s'impose par sa grandeur, son éclat, son importance (restreint à quelques express., ou ironiq.) : *Faire preuve d'une insigne maladresse* (syn. REMARQUABLE).

2. INSIGNE [ɛ̃siɲ] n. m. (lat. *insignia*, enseignes). Marque extérieure d'un grade, d'une dignité, de l'appartenance à un groupement : *L'insigne de garde champêtre* (syn. PLAQUE). *L'insigne de la Légion d'honneur* (syn. DÉCORATION).

INSIGNIFIANT, E adj. → SIGNIFIER 1.

INSINUER [ɛ̃sinɥe] v. t. (du lat. *in*, dans, et *sinus*, repli). *Insinuer qqch.*, le faire entendre adroitement, sans le dire expressément : *Il insinue que la mésentente règne dans leur ménage* (syn. PRÉTENDRE). *Qu'insinuez-vous par là?* (syn. VOULOIR DIRE). ◆ ***s'insinuer*** v. pr. **1.** (sujet nom de personne) Pénétrer adroitement dans un lieu, auprès de quelqu'un : *S'insinuer partout pour se faire voir* (syn. fam. SE FAUFILER, SE FOURRER). — **2.** (sujet nom de chose) Pénétrer doucement quelque part : *L'eau s'est insinuée dans les fentes de la maçonnerie* (syn. S'INFILTRER). ◆ **insinuant, e** adj. : *Agir d'une manière insinuante* (syn. INDIRECT). ◆ **insinuation** n. f. **1.** Manière adroite et subtile de faire entendre quelque chose sans l'exprimer formellement : *Procéder par insinuation* (syn. ALLUSION). — **2.** Chose qui est ainsi suggérée : *Une insinuation calomnieuse* (syn. ACCUSATION, ATTAQUE).

INSIPIDE [ɛ̃sipid] adj. (de *in-*, priv., et lat. *sapidus*, qui a du goût). **1.** Qui n'a pas de goût : *Une boisson insipide* (syn. FADE; contr. SAVOUREUX). — **2.** Qui n'a rien d'attirant; qui dégage l'ennui : *Un film insipide* (syn. ENNUYEUX; contr. DIVERTISSANT). ◆ **insipidité** n. f. Caractère de ce qui est insipide : *L'insipidité d'un aliment, d'un roman, d'un film.*

INSISTER [ɛ̃siste] v. t. (lat. *insistere*, s'appuyer sur). **1.** *Insister sur qqch.* (nom abstrait), le souligner avec force, s'y arrêter : *Insister sur un point particulier* (syn. METTRE L'ACCENT SUR); sans compl. : *N'insistez pas, il ne comprendra jamais* (= passez). — **2.** *Insister pour une chose, pour* (et l'infin.), continuer à la demander afin de l'obtenir : *Il insiste pour lui parler.* ◆ **insistant, e** adj. : *Un regard insistant* (syn. PRESSANT). *Ses demandes se faisaient insistantes.* ◆ **insistance** n. f. : *Revenir sur le sujet avec insistance* (syn. OBSTINATION).

INSOCIABILITÉ n. f., **INSOCIABLE** adj. → SOCIABLE.

INSOLATION [ɛ̃sɔlasjɔ̃] n. f. (du lat. *insolare*, exposer au soleil). **1.** Action de la lumière solaire sur quelque chose (techn. et scientif.) : *Insolation d'une pellicule photographique.* — **2.** *Méd.* Ensemble des accidents dus à une exposition excessive au soleil. — **3.** *Météorol.* Nombre d'heures pendant lesquelles le soleil a brillé durant un jour, un mois ou une année déterminés.

INSOLENT, E [ɛ̃sɔlɑ̃, -ɑ̃t] adj. et n. (lat. *insolens*, qui n'a pas l'habitude). **1.** Se dit d'une personne qui manifeste un manque de respect injurieux; se dit aussi de son attitude : *Un fils insolent envers sa mère* (syn. EFFRONTÉ, GROSSIER; contr. DÉFÉRENT, POLI). — **2.** Se dit de quelqu'un qui est d'un orgueil offensant : *Un vainqueur insolent* (syn. ARROGANT). ◆ adj. Se dit d'une chose qui prend le caractère d'un défi : *Montrer une joie insolente* (syn. INDÉCENT). ◆ **insolemment** adv. : *Parler insolemment à ses supérieurs.* ◆ **insolence** n. f. : *Répondre avec insolence à ses parents* (syn. EFFRONTERIE, IRRESPECT; contr. DÉFÉRENCE). *L'insolence d'un parvenu* (syn. ARROGANCE; contr. MODESTIE).

INSOLITE [ɛ̃sɔlit] adj. (de *in-*, priv., et lat. *solitus*, habituel). Contraire aux usages, qui surprend par son caractère inhabituel : *Un bruit insolite* (syn. ANORMAL, BIZARRE).

INSOLUBLE [ɛ̃sɔlybl] adj. *(in-*, priv., et *soluble).* **1.** Se dit de quelque chose (nom concret) qui ne peut être dissous : *La résine est insoluble dans l'eau.* — **2.** Se dit d'un problème, d'une question, etc., qui ne peuvent être résolus.

INSOLVABILITÉ n. f., **INSOLVABLE** adj. → SOLVABLE.

INSOMNIE [ɛ̃sɔmni] n. f. (de *in-*, priv., et lat. *somnus*, sommeil). Impossibilité de dormir. (L'insomnie peut être caractérisée par une difficulté à s'endormir ou par des réveils fréquents ou prolongés au cours de la nuit.) ◆ **insomniaque** adj. Qui est atteint d'insomnie.

INSONDABLE adj. → SONDER 1 et 2. / **INSONORE** adj., **INSONORISATION** n. f., **INSONORISER** v. t. → SONORE. / **INSORTABLE** adj. → SORTIR 1. / **INSOUCIANCE** n. f., **INSOUCIANT, E** adj. et n. → SOUCI 2. / **INSOUMIS, E** adj. et n., **INSOUMISSION** n. f. → SOUMETTRE. / **INSOUPÇONNABLE** adj., **INSOUPÇONNÉ, E** adj. → SOUPÇONNER. / **INSOUTENABLE** adj. → SOUTENIR 2.

INSPECTER [ɛ̃spɛkte] v. t. (lat. *inspectare*). **1.** Examiner avec soin afin de contrôler, de vérifier : *Bagages inspectés par la douane.* — **2.** Observer attentivement : *Inspecter l'horizon* (syn. EXPLORER). *Inspecter tous les recoins d'une maison* (syn. FOUILLER). ◆ **inspecteur, trice** n. et adj. **1.** Agent de l'État ou d'un établissement privé chargé de contrôler le fonctionnement d'un organisme, d'une administration, etc., de vérifier l'application des règlements, de veiller à l'activité normale d'autres employés : *Inspecteur général des lycées et collèges. Inspecteur des mines.* — **2.** *Inspecteur de police*, agent sans uniforme, attaché à une préfecture de police, à un commissariat. ◆ **inspection** n. f. **1.** *Procéder à l'inspection des lieux* (syn. VISITE). *L'inspection des comptes a révélé des détournements* (syn. CONTRÔLE). — **2.** Corps de fonctionnaires ayant pour mission de contrôler, de surveiller. ‖ *Inspection générale des Finances*, l'un des plus grands corps de l'État, dont les agents, les *inspecteurs des Finances*, contrôlent toutes les administrations financières de l'État, ainsi que certains services publics (caisses d'épargne, Sécurité sociale, etc.) et les agents des collectivités locales. ‖ *Inspection du travail*, corps dont les membres (inspecteurs et contrôleurs) sont chargés de vérifier dans les entreprises si la législation et la réglementation du travail sont respectées.

1. INSPIRER [ɛ̃spire] v. t. et i. (lat. *inspirare*, souffler dans). Faire entrer de l'air dans ses poumons : *Inspirez profondément, puis expirez doucement.* ◆ **inspiration** n. f. : *La respiration se décompose en inspiration et expiration.*

2. INSPIRER [ɛ̃spire] v. t. (même étym.). **1.** *Inspirer qqch. à qq'un, inspirer qq'un*, faire naître chez lui, dans son esprit une idée, un sentiment : *Sa santé inspire de l'inquiétude à son médecin* (syn. DONNER). *Le ressentiment inspire ses propos* (syn. DICTER). *Elle lui a inspiré une passion violente* (= elle a éveillé chez lui). *Le projet lui fut inspiré par un ami* (syn. SUGGÉRER). — **2.** *Inspirer qq'un* (poète, artiste, créateur), faire naître dans son esprit l'impulsion créatrice : *Ces paysages lui ont inspiré ses plus beaux tableaux.* ◆ **s'inspirer** v. pr. *S'inspirer de qq'un, de qqch.*, prendre ses idées à quelqu'un, les tirer de quelque chose : *Le romancier s'est inspiré d'une légende* (syn. SE SERVIR). ◆ **inspiré, e** adj. et n. **1.** Qui est animé par une impulsion surnaturelle ou créatrice : *Un moine inspiré* (syn. MYSTIQUE). *Un poète inspiré.* — **2.** Qui a eu une bonne, une mauvaise idée pour agir : *Il a été bien, mal inspiré d'y aller* (syn. AVISÉ). ◆ **inspirateur, trice** adj. et n. : *L'inspirateur d'un complot* (syn. INSTIGATEUR). *La femme inspiratrice de son œuvre* (syn. littér. MUSE). ◆ **inspiration** n. f. **1.** Faculté créatrice : *Il cherche l'inspiration. Manquer d'inspiration.* — **2.** Action de conseiller quelqu'un, de lui suggérer ses décisions : *Agir sous l'inspiration d'un ami* (syn. INSTIGATION). — **3.** Idée brusque, spontanée : *S'en remettre à l'inspiration du moment* (syn. IMPULSION). — **4.** Influence exercée sur une œuvre littéraire, artistique : *Musique d'inspiration orientale.*

INSTABILITÉ n. f., **INSTABLE** adj. → STABLE.

INSTALLER [ɛ̃stale] v. t. (bas lat. *installare*, mettre dans une stalle). **1.** *Installer une chose* (en une place déterminée), la disposer, la mettre en ordre, l'établir selon un plan précis : *On a enfin installé le téléphone* (syn. POSER). *Leur appartement est bien installé* (syn. AMÉNAGER). — **2.** *Installer qq'un* (en un lieu précis), l'y établir d'une manière durable : *Installer sa famille à Lyon* (syn. LOGER). *Installer un blessé sur une civière* (syn. METTRE). — **3.** *Installer un fonctionnaire, un magistrat*, etc., l'établir officiellement dans ses fonctions. ◆ **s'installer** v. pr. **1.** Se placer, s'établir en un endroit déterminé : *S'installer à la terrasse d'un café* (syn. S'ASSEOIR). *S'installer à Paris* (syn. S'ÉTABLIR). — **2.** En parlant d'une chose, s'établir, s'imposer durablement : *Cette idée s'est installée dans son esprit* (syn. SE FIXER). — **3.** *S'installer dans qqch.*, s'établir dans une situation que l'on accepte, un état d'esprit que l'on fait sien : *Il s'est installé dans le mensonge et ne peut en sortir.* ◆ **installé, e** adj. *Un homme installé*, parvenu à une situation sociale qui lui assure l'aisance et le confort. ◆ **installateur** n. m. Spécialiste qui assure la pose et la mise en service d'un appareil sanitaire, d'un poste de télévision, du chauffage central, etc. ◆ **installation** n. f. Action d'installer; ensemble des appareils, bâtiments mis en place : *L'installation de l'appartement est terminée* (syn. AMÉNAGEMENT). *L'installation électrique est défectueuse. Les installations portuaires* (= le port et les docks). ◆ **réinstaller** v. t. : *Se réinstaller dans le quartier de sa jeunesse* (= venir y habiter de nouveau). ◆ **réinstallation** n. f.

1. INSTANT, E [ɛ̃stɑ̃, -ɑ̃t] adj. (du lat. *instare*, presser) [avant ou après le nom]. Qui presse vivement : *Céder aux instantes prières de ses amis* (syn. PRESSANT). *Avoir un besoin instant d'argent* (syn. IMMÉDIAT). ◆ **instamment** [ɛ̃stamɑ̃] adv. : *Demander instamment le silence.* ◆ **instance** n. f. **1.** Prière, demande pressante : *Les instances répétées dont il est l'objet* (syn. SOLLICITATION). — **2.** Organisme, bureau, service qui a un pouvoir d'autorité, de décision : *Les hautes instances internationales* (syn. AUTORITÉS). — **3.** *Dr.* Série des actes d'une procédure ayant pour objet de saisir un tribunal d'une contestation, d'instruire la cause et d'obtenir un jugement : *Instance en divorce. Tribunal de grande instance.* — **4.** *En instance*, se dit d'une affaire dont on attend la solution. — LOC. PRÉP. *En instance de*, sur le point de : *Le train est en instance de départ.*

2. INSTANT [ɛ̃stɑ̃] n. m. (de *instant* 1). Espace de temps très court : *Attendez un instant* (syn. PETIT MOMENT). *En un instant, la grange fut brûlée* (= très rapidement). *Par instants, je me demande s'il pense ce qu'il dit* (= de temps en temps). *À chaque instant, on le dérange* (= tout le temps). *Au même instant, on frappa à la porte* (= en même temps). — LOC. ADV. *À l'instant*, aussitôt, il y a très peu de temps : *Je l'ai quitté à l'instant.* — LOC. CONJ. *Dès l'instant que*, indique la cause dont la conséquence immédiate est traduite par la principale : *Dès l'instant que vous êtes satisfait, c'est le principal* (syn. DU MOMENT QUE). ‖ *À l'instant où*, au moment précis où : *À l'instant où j'allais sortir, le téléphone sonna.* ◆ **instantané, e** adj. Qui se produit subitement, en un instant : *La mort fut instantanée* (syn. IMMÉDIAT). *Une décision instantanée fut prise* (syn. PROMPT). ◆ n. m. Cliché photographique obtenu après un temps très court d'exposition à la lumière. ◆ **instantanément** adv. : *Arrêtez-vous instantanément* (syn. IMMÉDIATEMENT, TOUT DE SUITE).

INSTAR DE (À L') [alɛ̃stardə] loc. prép. (du lat. *ad instar*, à la ressemblance). En suivant l'exemple, le modèle donné par quelqu'un : *À l'instar de ses prédécesseurs* (syn. À L'IMITATION DE).

INSTAURER [ɛ̃stɔre] v. t. (lat. *instaurare*). *Instaurer qqch.*, en établir les bases : *Il instaura une nouvelle politique* (syn. INAUGURER). *Instaurer la république* (syn. INSTITUER; contr. RENVERSER). ◆ **instauration** n. f. : *L'instauration d'un gouvernement* (syn. ÉTABLISSEMENT).

INSTIGATION [ɛ̃stigasjɔ̃] n. f. (du lat. *instigare*, pousser). *À (sur) l'instigation, sur les instigations de qq'un*, sur ses conseils, sur son encouragement (souvent péjor.) : *Le vol a été commis à l'instigation du plus âgé de la bande.* ◆ **instigateur, trice** n. : *Les principaux instigateurs du complot furent arrêtés* (syn. DIRIGEANT).

INSTILLER [ɛ̃stile] v. t. (du lat. *stilla*, goutte). Verser, faire pénétrer goutte à goutte.

INSTINCT [ɛ̃stɛ̃] n. m. (lat. *instinctus*, excitation). **1.** Tendance innée, involontaire, impérative, commune à tous les êtres vivants appartenant à la même espèce : *L'instinct maternel. L'instinc* grégaire. — **2.** Impulsion naturelle, irréfléchie, propre à un homme et qui le détermine dans ses actions : *Pressentir par instinct un danger* (syn. INTUITION). *Avoir l'instinct de l'ordre* (= le goût inné). — **3.** Disposition naturelle permanente : *Avoir l'instinct des affaires* (syn. plus usuel SENS). — LOC. ADV. *D'instinct*, par un mouvement naturel, irréfléchi : *D'instinct, elle s'écarta* (= par une sorte d'intuition) [syn. SPONTANÉMENT]. ◆ **instinctif, ive** adj. : *Un geste instinctif* (syn. INCONSCIENT, IRRÉFLÉCHI). *Avoir une sympathie instinctive pour le plus faible* (syn. NATUREL, SPONTANÉ). ◆ **instinctivement** adv. : *Agir instinctivement* (= sans réfléchir, spontanément). ◆ **instinctuel, elle** adj. Qui relève de l'instinct (sens 1).

INSTITUER [ɛ̃stitɥe] v. t. (lat. *instituere*, établir). **1.** *Instituer une chose*, l'établir, la fonder d'une manière permanente, dans l'intention de la voir durer : *Instituer de nouveaux règlements de circulation* (syn. METTRE EN VIGUEUR). *C'est Richelieu qui a institué l'Académie française* (syn. CRÉER, FONDER). — **2.** *Instituer qq'un son héritier, instituer qq'un héritier*, le désigner comme l'héritier de ses biens. ◆ ***s'instituer*** v. pr. : *Des relations commerciales se sont instituées entre les deux pays.* ◆ **institution** n. f. **1.** Action d'instituer quelque chose : *L'institution de relations amicales entre les deux États* (syn. CRÉATION). — **2.** Ce qui est institué (organisme, loi, établissement, groupement, etc.) : *Les institutions internationales* (= organismes). *Une institution de jeunes filles* (= un établissement scolaire privé). ◆ n. f. pl. Ensemble des lois fondamentales, des structures politiques et sociales d'un État : *Des institutions démocratiques.* ◆ **institutionnaliser** v. t. Donner à quelque chose le caractère d'une institution. ◆ **institutionnel, elle** adj. : *La réforme institutionnelle* (= celle des institutions).

INSTITUT [ɛ̃stity] n. m. (lat. *institutum*, ce qui est établi). **1.** Nom donné à certains établissements de recherche scientifique, d'enseignement (avec une majusc. et un qualificatif) : *L'Institut Pasteur.* — **2.** Nom donné, en France, à la réunion des cinq Académies (avec une majusc.). [⟶ INSTITUT DE FRANCE.] — **3.** *Institut de beauté*, établissement où l'on donne des soins de beauté. — **4.** *Institut universitaire de formation des maîtres (I. U. F. M.)*, établissement de l'enseignement public destiné à la formation des enseignants du premier et du second degré. (Née de la loi d'orientation de 1989, cette structure est devenue en 1991-92 la filière unique de formation des instituteurs [professeurs des écoles] et des professeurs.) ‖ *Institut universitaire de technologie* (I. U. T.), établissement d'enseignement supérieur, créé en 1966, ouvert aux titulaires du baccalauréat ou à des étudiants ayant satisfait aux épreuves d'un examen spécial d'entrée et assurant en deux ans la formation de techniciens supérieurs.

Institut de France, réunion des cinq Académies (française, des sciences, des beaux-arts, des inscriptions et belles-lettres, des sciences morales et politiques) ayant son siège au *palais de l'Institut* (ancienn. collège des Quatre-Nations), à Paris.

Institut national de la statistique et des études économiques (I. N. S. E. E.), établissement public français, chargé de centraliser les statistiques et d'effectuer certaines études de conjoncture et de prospective économique et sociale.

INSTITUTEUR, TRICE [ɛ̃stitytœr, -tris] n. (lat. *institutor*). Personne chargée de l'instruction des enfants dans les écoles primaires. (On l'appelle auj. PROFESSEUR DES ÉCOLES.)

INSTITUTION n. f. ⟶ INSTITUER.

Institution de la religion chrétienne, ouvrage de Calvin, exposant les doctrines des protestants français (publié en latin en 1536).

INSTITUTIONNALISER v. t., **INSTITUTIONNEL, ELLE** adj. ⟶ INSTITUER.

INSTRUCTEUR n. m. et adj. m., **INSTRUCTION** n. f. ⟶ INSTRUIRE 1 et 2.

INSTRUCTIF, IVE adj. ⟶ INSTRUIRE 1.

1. INSTRUIRE [ɛ̃strɥir] v. t. (lat. *instruere*). [Conj. **70.**] **1.** (sujet nom de personne) *Instruire qq'un*, former son esprit par un enseignement, des leçons, lui donner des connaissances nouvelles : *Elle instruit de jeunes élèves dans une école du quartier* (syn. ENSEIGNER À). *Instruire des recrues* (= leur enseigner le maniement des armes); [avec un nom de chose] *Ce livre m'a beaucoup instruit* (syn. APPRENDRE). — **2.** *Instruire qq'un de qqch.*, le mettre au courant de quelque chose, lui faire connaître un fait particulier : *Il m'a instruit de votre désir de collaborer à cet ouvrage* (syn. AVERTIR, PRÉVENIR). *Il est instruit de toute l'affaire* (syn. INFORMER). ◆ ***s'instruire*** v. pr. Accroître ses connaissances : *Il cherche à s'instruire* (syn. APPRENDRE). *S'instruire auprès d'un employé des formalités à accomplir* (syn. S'INFORMER). ◆ **instruit, e** adj. Qui a beaucoup de connaissances : *Un homme instruit* (syn. CULTIVÉ, ↑ÉRUDIT). ◆ **instructeur** n. m. et adj. m. Militaire chargé d'instruire les jeunes soldats : *Officier instructeur.* ◆ **instructif, ive** adj. : *Un livre instructif* (= qui apporte des connaissances). *Cette conversation a été très instructive pour moi* (syn. ÉDIFIANT). ◆ **instruction** n. f. **1.** Action d'instruire : *L'instruction donnée au lycée* (syn. ENSEIGNEMENT, FORMATION). ‖ *Instruction civique*, enseignement qui prépare les élèves à leur rôle de citoyens. ‖ *Instruction militaire*, formation donnée aux militaires, et notamment aux recrues. — **2.** Organisation de l'enseignement : *L'instruction primaire, secondaire, supérieure.* ‖ *Instruction publique*, instruction donnée par l'État. — **3.** Savoir d'une personne qui a reçu un enseignement scolaire, qui a appris beaucoup : *Avoir une solide instruction* (syn. CONNAISSANCES, CULTURE). ◆ n. f. pl. Renseignements verbaux ou écrits, donnés à quelqu'un en vue d'une action particulière, d'une mission, de l'usage particulier de quelque chose, etc. : *Recevoir des instructions* (syn. CONSIGNE, ORDRE). *Donner des instructions* (syn. DIRECTIVES). *Des instructions accompagnent l'appareil de chauffage* (syn. EXPLICATION).

2. INSTRUIRE [ɛ̃strɥir] v. t. (même étym.). *Instruire une affaire, un procès*, rechercher et réunir les preuves d'un délit commis par quelqu'un. ◆ **instructeur** adj. m. *Magistrat instructeur*, magistrat du siège chargé d'instruire une affaire de justice. ◆ **instruction** n. f. *Instruction judiciaire*, procédure utilisée en matière pénale et qui a pour objet de rechercher le ou les auteurs d'un crime ou d'un délit et d'établir leur culpabilité avant leur comparution devant la juridiction de jugement. ‖ *Juge d'instruction*, magistrat instructeur chargé de réunir tous les éléments d'une affaire.

— ENCYCL. Une *instruction* est obligatoirement ouverte si les faits poursuivis apparaissent comme des crimes; elle est facultative s'il s'agit de délits correctionnels. Le *juge d'instruction* est maître de la conduite de l'information qui lui est confiée. Pour cela, il procédera à des interrogatoires, des auditions, des confrontations, des expertises, des perquisitions et saisies, et, exceptionnellement, au placement sous contrôle judiciaire ou à la mise en détention provisoire d'un inculpé.

L'instruction préparatoire peut se terminer par une « ordonnance » (= décision juridique) de renvoi devant la juridiction de jugement compétente, si les faits reprochés constituent des délits; une ordonnance de renvoi de l'accusé devant la cour d'assises, si les faits reprochés constituent des crimes; enfin une ordonnance de non-lieu, si les charges relevées contre l'inculpé ne paraissent pas suffisamment graves, précises et concordantes pour justifier sa comparution devant la juridiction de jugement.

INSTRUIT, E adj. ⟶ INSTRUIRE 1.

1. INSTRUMENT [ɛ̃strymɑ̃] n. m. (lat. *instrumentum;* de *instruere*, outiller). **1.** Objet fabriqué servant à exécuter quelque travail, à faire une opération (souvent accompagné d'un adj. ou d'un compl.) : *Instruments aratoires* (= outillage agricole). *Des instruments de précision. Les tenailles sont des instruments pour couper ou arracher* (syn. OUTIL). — **2.** Personne ou chose grâce à laquelle on obtient un résultat : *Ce pacte de non-agression a été un instrument décisif de la paix* (syn. MOYEN). *Il est un simple instrument au service de gens plus puissants* (syn. EXÉCUTANT). ◆ **instrumental** n. m. ⟶ CAS 2, *encycl.*

2. INSTRUMENT [ɛ̃strymɑ̃] n. m. (même étym.). *Mus.* Appareil propre à produire des sons musicaux *(instrument de musique) : Jouer d'un instrument.* ⟶ ENCYCL. ◆ **instrumental, e, aux** adj. Qui s'exécute avec un instrument de musique : *Musique instrumentale* (contr. VOCALE). ◆ **instrumentation** n. f. Art qui permet d'affecter à tel ou tel instrument les diverses parties d'une composition musicale. (Il ne faut pas confondre l'instrumentation avec l'orchestration, qui est la répartition des notes entre les instruments de l'orchestre en vue de la sonorité d'ensemble.) ◆ **instrumentiste** n. Musicien qui joue d'un instrument dans un orchestre.

— ENCYCL. Dans l'art musical, les *instruments de musique* sont classés en trois catégories.

Les *instruments à cordes* se répartissent en : instruments à *cordes frottées*, appelés ainsi parce que les cordes sont frottées par un archet (violon, alto, violoncelle, contrebasse); instruments à *cordes pincées* (harpe, guitare, mandoline); instruments à *cordes frappées* (piano, clavecin).

Les *instruments à vent* utilisent le souffle humain, mécanique ou électrique pour émettre un son (flûte, hautbois, clarinette, saxophone, ou encore, trompette, cor, trombone, tuba, orgue, harmonium).

Les *instruments à percussion* produisent soit des sons déterminés (timbales, célesta, xylophone), soit des sons indéterminés (grosse caisse, tambour, fouet, grelots, gong, castagnettes).

INSU DE (À L') [alɛ̃sydə] loc. prép. (*in-*, priv., et *su*). Sans qu'on le sache : *À son insu, il m'a livré le fond de sa pensée* (syn. INCONSCIEMMENT). *À l'insu de tout le monde, le mal se développait* (contr. AU VU ET AU SU DE).

INSUBMERSIBLE adj. ⟶ SUBMERGER. / **INSUBORDINATION** n. f., **INSUBORDONNÉ, E** adj. ⟶ SUBORDONNER. / **INSUCCÈS** n. m. ⟶ SUCCÈS. / **INSUFFISAMMENT** adv.,

INSUFFISANCE n. f., **INSUFFISANT, E** adj. ⟶ SUFFIRE.

1. INSUFFLER [ɛ̃syfle] v. t. (du lat. *in*, dans, et *sufflare*, souffler). Introduire dans l'organisme en soufflant : *Insuffler de l'oxygène à un noyé.* ◆ **insufflation** n. f. : *Insufflation d'air dans les poumons.*

2. INSUFFLER [ɛ̃syfle] v. t. (même étym.). *Insuffler qqch. à qq'un*, lui communiquer un sentiment, le lui inspirer : *Insuffler du courage à ses soldats.*

INSULAIRE adj. et n., **INSULARITÉ** n. f. ⟶ ÎLE.

INSULINDE, le plus grand archipel du monde, entre la presqu'île de Malacca et l'Australie. Dépendance géographique de l'Asie, l'Insulinde est une région très volcanique; elle constitue sans doute des chaînes de montagnes en formation et comprend : les *îles de la Sonde* (ou *arc malais*), avec *Java* et *Sumatra*, les *Moluques*, les *Célèbes*, *Bornéo* et les *Philippines*.

À part les Philippines, indépendantes, le nord de Bornéo (Malaysia) et une partie de l'île portugaise de Timor, l'Insulinde constituait un vaste empire colonial hollandais, les *Indes néerlandaises*, qui sont devenues la *république d'Indonésie*.

INSULINE [ɛ̃sylin] n. f. (du lat. *insula*, île [cette hormone étant extraite des « îlots » du pancréas]). Hormone sécrétée par les îlots de Langerhans du pancréas, et qui est utilisée notamment dans le traitement du diabète.
— ENCYCL. Le rôle essentiel de l'*insuline* est de favoriser et rendre possible l'utilisation du glucose par les cellules. Ce faisant, elle diminue le taux de glucose dans le sang : elle est « hypoglycémiante ».

Dans le diabète sucré (= élimination anormale de sucre par les urines), la glycémie* est trop élevée; cette « hyperglycémie » est le plus souvent due à un manque d'insuline : des injections d'insuline (extraite des pancréas de bœuf ou de porc) abaisseront le taux de glucose dans le sang du malade.

INSULTER [ɛ̃sylte] v. t. (lat. *insultare*, sauter sur). *Insulter qq'un*, l'offenser par des actes méprisants et surtout par des paroles injurieuses (syn. INJURIER). ◆ v. t. ind. *Insulter à qq'un, à qqch.*, avoir une attitude offensante, méprisante à leur égard (littér.) : *Ces propos insultent à la misère des gens.* ◆ **insultant, e** adj. : *Des paroles insultantes* (syn. INJURIEUX, INSOLENT). ◆ **insulte** n. f. Acte ou parole qui offense, qui blesse la dignité, l'honneur, etc., de quelqu'un : *Je ressens son attitude à mon égard comme une insulte* (syn. AFFRONT, OUTRAGE). *Une insulte au courage* (syn. ATTEINTE, DÉFI). *Proférer des insultes* (syn. INJURE, INVECTIVE). ◆ **insulteur** n. m. Auteur d'une insulte.

INSUPPORTABLE adj. ⟶ SUPPORTER 1.

INSURGÉ, E n. ⟶ INSURGER (S').

INSURGENTS [insərdʒənts] n. m. pl. (mot angl.; du lat. *insurgens*). Nom donné aux Américains du Nord qui, dans la guerre de l'Indépendance, prirent parti contre l'Angleterre.

INSURGER (S') [sɛ̃syrʒe] v. pr. (lat. *insurgere*, se lever contre). *S'insurger contre une autorité, un gouvernement, un pouvoir*, se soulever contre lui : *Le peuple s'insurgea contre la dictature* (syn. SE REBELLER). *S'insurger contre les abus de l'Administration* (syn. PROTESTER). ◆ **insurgé, e** n. : *Les insurgés sont maîtres d'une partie du pays* (syn. RÉVOLTÉ). ◆ **insurrection** n. f. Soulèvement en armes contre le pouvoir établi : *Mater, briser une insurrection* (syn. RÉVOLTE, SÉDITION). ◆ **insurrectionnel, elle** adj. : *Gouvernement insurrectionnel* (= issu de l'insurrection). *Des journées insurrectionnelles* (= qui ont vu une insurrection).

INSURMONTABLE adj. ⟶ SURMONTER.

INSURRECTION n. f., **INSURRECTIONNEL, ELLE** adj. ⟶ INSURGER (S').

INTACT, E [ɛ̃takt] adj. (lat. *intactus; de tangere*, toucher). Se dit des choses qui n'ont pas subi de dommage, d'altération, ou des personnes qui n'ont souffert aucune atteinte physique ou morale : *Le colis est arrivé intact. Sa réputation est restée intacte* (syn. SAUF).

INTANGIBLE [ɛ̃tɑ̃ʒibl] adj. (*in-*, priv., et *tangible*). Qui doit rester intact : *Des droits intangibles* (syn. INVIOLABLE, SACRÉ). ◆ **intangibilité** n. f. : *L'intangibilité d'un traité.*

INTARISSABLE adj. ⟶ TARIR.

INTÉGRAL, E, AUX [ɛ̃tegral, -gro] adj. (du lat. *integer*, entier). Dont on n'a rien retiré : *Le remboursement intégral d'une dette* (syn. COMPLET, ENTIER; contr. PARTIEL). *L'édition intégrale d'un roman* (= sans coupures). ◆ **intégrale** n. f. Édition complète des œuvres d'un écrivain, d'un musicien. ◆ **intégralement** adv. : *Vous serez payé intégralement* (syn. EN TOTALITÉ). ◆ **intégralité** n. f. État d'une chose complète : *Dépenser l'intégralité de son salaire.*

INTÉGRANT, E adj., **INTÉGRATION** n. f., **INTÉGRATIONNISTE** adj. et n. ⟶ INTÉGRER.

INTÈGRE [ɛ̃tɛgr] adj. (lat. *integer*, entier). Se dit d'une personne (ou de son comportement) qui est d'une très grande honnêteté, qu'on ne peut corrompre avec de l'argent : *Un juge intègre* (contr. CORROMPU). *Une vie intègre* (syn. HONNÊTE). ◆ **intégrité** n. f. : *Être d'une parfaite intégrité* (syn. PROBITÉ).

INTÉGRER [ɛ̃tegre] v. t. (lat. *integrare*, rendre complet). Faire entrer dans un ensemble, dans un groupe plus vaste : *Intégrer un paragraphe dans un exposé* (syn. INCORPORER). ◆ v. i. ou t. *Fam.* Entrer dans une grande école : *Intégrer à Polytechnique.* ◆ **s'intégrer** v. pr. S'assimiler entièrement au groupe dans lequel on entre : *Les réfugiés se sont parfaitement intégrés au reste de la population.* ◆ **intégrant, e** adj. *Partie intégrante*, qui contribue à l'intégralité d'un tout. ◆ **intégration** n. f. **1.** Union étroite de plusieurs États du point de vue économique, politique : *L'intégration européenne* (syn. UNIFICATION). — **2.** *L'intégration des travailleurs étrangers à la population de la ville* (syn. ASSIMILATION). ‖ *Intégration raciale*, égalité de droits pour tous les citoyens d'un même pays, quelle que soit leur race. — **3.** Fusion d'entreprises situées à des stades différents du processus de production. ◆ **intégrationniste** adj. et n. **1.** Partisan d'une intégration politique. — **2.** Partisan d'une intégration raciale.

INTÉGRISME n. m., **INTÉGRISTE** adj. et n. ⟶ INTÉGRITÉ 2.

1. INTÉGRITÉ n. f. ⟶ INTÈGRE.

2. INTÉGRITÉ [ɛ̃tegrite] n. f. (lat. *integritas*). État d'une chose qui est demeurée intacte, qui n'a pas subi de diminution, d'altération : *Conserver dans sa vieillesse l'intégrité de ses facultés intellectuelles* (syn. PLÉNITUDE). ◆ **intégrisme** n. m. Attitude de certains croyants qui veulent maintenir l'intégrité de la doctrine et refusent de l'adapter aux conditions de la société moderne (par oppos. à PROGRESSISME). ◆ **intégriste** adj. et n.

INTELLECTUEL, ELLE [ɛ̃tɛllɛktɥɛl] adj. (bas lat. *intellectualis*). Qui appartient à la faculté de raisonner, de comprendre, aux connaissances et à l'activité de l'esprit, à l'intelligence : *Facultés intellectuelles.* ◆ adj. et n. **1.** Se dit d'une personne qui a un goût affirmé pour les activités de l'esprit : *Il est très intellectuel.* — **2.** Dont la profession comporte essentiellement une activité de l'esprit : *Les travailleurs intellectuels.* ◆ **intellectuellement** adv. : *Du point de vue de l'intelligence.* ◆ **intellect** [ɛ̃tɛlɛkt] n. m. (syn. INTELLIGENCE).

INTELLIGEMMENT adv. ⟶ INTELLIGENCE 1.

1. INTELLIGENCE [ɛ̃tɛlliʒɑ̃s] n. f. (lat. *intelligentia*). **1.** Faculté de comprendre, de connaître, de donner une signification, un sens : *Avoir une grande intelligence.* — **2.** Aptitude d'un homme, d'un animal à s'adapter à la situation, à choisir des moyens d'action en fonction des circonstances : *Faire preuve d'intelligence* (syn. DISCERNEMENT; contr. STUPIDITÉ). *Agir sans intelligence* (syn. CLAIRVOYANCE). — **3.** Être humain qui a une grande faculté de compréhension : *C'est une intelligence supérieure.* — **4.** (suivi d'un compl.) Capacité de comprendre telle ou telle chose : *Pour l'intelligence du texte, il faut remarquer ceci* (syn. COMPRÉHENSION). ◆ **inintelligence** n. f. Manque d'intelligence. ◆ **intelligemment** [ɛ̃tɛliʒamɑ̃] adv. : *Sortir intelligemment d'une situation difficile* (syn. HABILEMENT). ◆ **inintelligemment** adv. ◆ **intelligent, e** adj. Qui a, manifeste de l'intelligence : *Un élève intelligent* (syn. ÉVEILLÉ). *Une réponse intelligente* (syn. fam. ASTUCIEUX). ◆ **inintelligent, e** adj. : *Une remarque inintelligente* (syn. STUPIDE). ◆ **intelligentsia** [ɛ̃tɛliʒɛ̃sja] n. f. **1.** Classe des intellectuels réformateurs dans la Russie tsariste du XIXe s. — **2.** Ensemble d'intellectuels dans un pays.

2. INTELLIGENCE [ɛ̃tɛlliʒɑ̃s] n. f. (même étym.). *D'intelligence*, qui est un témoignage d'entente secrète, tacite entre deux personnes : *Il me fit un sourire d'intelligence* (syn. COMPLICITÉ, CONNIVENCE). ‖ *Être, agir d'intelligence avec qq'un*, être, agir secrètement d'accord avec lui. ‖ *Vivre en bonne, en mauvaise intelligence avec qq'un*, être en bons, en mauvais termes avec lui. ◆ n. f. pl. Relations secrètes établies entre des personnes appartenant à des camps opposés : *Entretenir des intelligences avec l'ennemi* (= être un espion à son service). ◆ **mésintelligence** n. f. Absence d'accord, de bonne entente entre des personnes (littér.) : *Vivre en mésintelligence avec sa famille* (syn. DÉSUNION, MÉSENTENTE).

Intelligence Service, organisme britannique chargé de recueillir des renseignements de toutes sortes intéressant le gouvernement.

INTELLIGENT, E adj., **INTELLIGENTSIA** n. f. ⟶ INTELLIGENCE 1.

INTELLIGIBLE [ɛ̃tɛlliʒibl] adj. (lat. *intelligibilis*). **1.** Qui peut être compris : *S'exprimer d'une manière intelligible* (syn. CLAIR, COMPRÉHENSIBLE). — **2.** (avant le nom) Qui peut être entendu distinctement : *Parler à haute et intelligible voix.* ◆ **intelligible-**

ıent adv. (syn. CLAIREMENT). ◆ **intelligibilité** adj. : *L'intelligibité d'un raisonnement.* ◆ **inintelligible** adj. : *Un texte inintelliıble* (syn. INCOMPRÉHENSIBLE).

NTEMPÉRANCE n. f., **INTEMPÉRANT, E** adj. ⟶ TEMPÉ-ANCE.

NTEMPÉRIES [ɛ̃tɑ̃peri] n. f. pl. (du lat. *tempus*, temps). Mauıis temps, rigueurs du climat, de la saison : *Les agriculteurs ictimes des intempéries.*

NTEMPESTIF, IVE [ɛ̃tɑ̃pɛstif, -iv] adj. (lat. *intempestivus*, ors de saison). Se dit d'une chose que l'on fait à un moment où il e convient pas de la faire, qui se produit mal à propos : *Une emande intempestive* (syn. INOPPORTUN). *Manifester une joie ıtempestive* (syn. DÉPLACÉ, INCONVENANT). ◆ **intempestiveıent** adv.

NTEMPOREL, ELLE adj. ⟶ TEMPS 1. / **INTENABLE** adj. ⟶ TENIR 1.

NTENDANT, E [ɛ̃tɑ̃dɑ̃, -ɑ̃t] n. (du lat. *intendere*, surveiller). . Fonctionnaire chargé de la direction ou de la surveillance admiıistrative ou financière d'un service public, d'un grand établisseıent : *L'intendant d'un lycée est chargé de la gestion financière.* - **2.** Personne chargée d'administrer une propriété importante our le compte d'un propriétaire : *L'intendant d'un château.* - **3.** *Intendant militaire*, fonctionnaire du service de l'intendance ıilitaire. — **4.** Sous l'Ancien Régime, fonctionnaire qui exerçait ırectement, au nom du roi, l'autorité dans une intendance ou énéralité. ⟶ ENCYCL. ◆ **intendance** n. f. **1.** Service de l'intenıant (sens 1); bureaux où est installé ce service. — **2.** *Intendance ıilitaire*, service chargé de pourvoir aux besoins des militaires et l'administration de l'armée. — **3.** Division territoriale à laquelle n intendant était préposé sous l'Ancien Régime (syn. GÉNÉRA-ITÉ). ◆ **surintendant** n. m. **1.** Autref., officier chargé de la ırveillance des intendants militaires. — **2.** *Surintendant des inances*, sous l'Ancien Régime (et jusqu'à Louis XIV), adminisıateur général des Finances. ◆ **surintendance** n. f. **1.** Charge de ırintendant. — **2.** Bureaux d'un surintendant.

– ENCYCL. Créés au XVIe s. sous le nom de « commissaires déparıs », et ayant alors une fonction (ou commission) temporaire, les ıtendants furent envoyés ensuite d'une façon permanente dans ıute la France, et assurèrent, à partir de Louis XIV et jusqu'à la évolution, la centralisation administrative.

NTENSE [ɛ̃tɑ̃s] adj. (lat. *intensus*, tendu). Se dit d'une chose qui st d'une force, d'une puissance très grande, qui agit vivement, qui épasse la mesure, la moyenne : *Circulation intense sur l'autoıute* (syn. ↓FORT). *Une émotion intense* (syn. ↓VIF). *Activité intense* ıyn. ↓GRAND; contr. FAIBLE). ◆ **intensément** adv. : *Vivre, traıailler intensément* (= plus activement que les autres). ◆ **intensif, ıe** adj. Qui met en œuvre des moyens importants, qui fait l'objet 'un effort considérable : *Propagande intensive.* ‖ *Culture intenıve*, système de culture qui consiste à faire donner à un terrain un endement très grand, par oppos. à *culture extensive.* ◆ **intensier** v. t. Rendre plus intense : *Intensifier ses efforts* (syn. AUGMEN-ER). ◆ ***s'intensifier*** v. pr. Devenir plus intense : *Son travail intensifie* (syn. S'ACCROÎTRE; contr. DIMINUER). ◆ **intensificaon** n. f. : *Intensification des efforts pour accroître la production.* ◆ **intensité** n. f. **1.** Très haut degré d'énergie, de force, de uissance atteint par quelque chose : *La tempête perd de son ıtensité* (syn. VIOLENCE). *Un regard d'une grande intensité* (syn. CUITÉ). — **2.** *Électr.* Quantité d'électricité que débite un courant ontinu pendant une seconde. ◆ **intensivement** adv. De façon ıtensive.

NTENTER [ɛ̃tɑ̃te] v. t. (lat. *intentare*, diriger). *Intenter une ction en justice contre qq'un*, engager contre lui des poursuites ıdiciaires.

NTENTION [ɛ̃tɑ̃sjɔ̃] n. f. (lat. *intentio*, action de diriger). Dispoıition d'esprit par laquelle on se propose délibérément un but; ce ut lui-même : *Agir dans une bonne intention. Il n'avait pas ıauvaise intention en agissant ainsi* (syn. DESSEIN, MOBILE). *L'inention de votre père était de...* (syn. DÉSIR, VOLONTÉ). ‖ *Avoir intention de*, se proposer de. ‖ *Faire un procès d'intention à qq'un* = l'accuser non sur les actes qu'il a accomplis, mais sur ceux u'on lui prête, injustement peut-être, l'intention d'accomplir). – LOC. PRÉP. *À l'intention de (qq'un)*, spécialement destiné à lui : *rier à l'intention des disparus* (syn. POUR). ◆ **intentionné, e** adj. *tre bien, mal intentionné*, avoir de bonnes, de mauvaises disposiions d'esprit à l'égard de quelqu'un. ◆ **intentionnel, elle** adj. 'ait de propos délibéré, dans un dessein déterminé : *Une erreur ntentionnelle* (syn. VOLONTAIRE). ◆ **intentionnellement** adv. ◆ **malintentionné, e** adj. et n. Qui a des intentions mauvaises.

. **INTER-**, élément tiré du lat. *inter*, entre, parmi, et utilisé omme préf. en français pour indiquer la mise en relation de deux u plusieurs choses.

2. INTER [ɛ̃tɛr] n. m. (abrév. de *interurbain*). Téléphone interurbain.

INTERACTION n. f. ⟶ ACTION 1. / **INTERALLIÉ, E** adj. ⟶ ALLIER 2.

INTERARMES [ɛ̃tɛrarm] adj. inv. *(inter-*, et *armes)*. Commun à plusieurs armes (infanterie, artillerie, etc.) de l'armée de terre : *Une école interarmes.*

INTERCALER [ɛ̃tɛrkale] v. t. (lat. *intercalare*). *Intercaler une chose*, l'introduire entre deux autres, dans une série, dans un ensemble : *Intercaler une phrase dans un énoncé.* ◆ ***s'intercaler*** v. pr. Se mettre entre deux autres. ◆ **intercalaire** adj. : *Feuille intercalaire* (= ajoutée à l'intérieur d'un fascicule, d'un livre). ◆ **intercalation** n. f. Action d'intercaler; résultat de cette action : *L'intercalation d'un mot dans un texte.*

INTERCÉDER [ɛ̃tɛrsede] v. i. (lat. *intercedere*). *Intercéder pour, en faveur de qq'un*, intervenir en sa faveur : *Intercéder auprès du président de la République pour obtenir la grâce du condamné.* ◆ **intercesseur** n. m. Celui qui intercède. ◆ **intercession** n. f. **1.** Action d'intercéder. — **2.** Prière en faveur de quelqu'un.

INTERCEPTER [ɛ̃tɛrsɛpte] v. t. (du lat. *interceptus*, pris au passage). **1.** Prendre au passage en détournant de sa destination première : *La police a intercepté le message téléphonique* (syn. CAPTER, SURPRENDRE). — **2.** Arrêter dans son cours, dans sa marche : *Les nuages interceptent les rayons du soleil* (syn. ARRÊTER). ◆ **interception** n. f. : *Interception d'une lettre.*

INTERCESSEUR n. m., **INTERCESSION** n. f. ⟶ INTERCÉDER.

INTERCHANGEABLE adj. ⟶ CHANGER. / **INTERCLASSE** n. f. ou m. ⟶ CLASSE 3. / **INTERCOMMUNAL, E, AUX** adj. ⟶ COMMUNE. / **INTERCONTINENTAL, E, AUX** adj. ⟶ CONTINENT 1. / **INTERCOSTAL, E, AUX** adj. ⟶ CÔTE 1. / **INTERCOTIDAL, E, AUX** adj. ⟶ INTERTIDAL. / **INTERDÉPARTEMENTAL, E, AUX** adj. ⟶ DÉPARTEMENT 1. / **INTERDÉPENDANCE** n. f., **INTERDÉPENDANT, E** adj. ⟶ DÉPENDRE 2.

INTERDIRE [ɛ̃tɛrdir] v. t. (lat. *interdicere*). [Conj. **72.**] **1.** *Interdire une chose (à qq'un)*, la lui défendre, l'empêcher de l'utiliser, de la faire, etc. : *On lui a interdit le tabac* (contr. PERMETTRE). *Interdire le stationnement dans le centre de Paris* (contr. AUTORISER). *Le journal a été interdit pendant deux mois* (= empêché de paraître). *Film interdit aux moins de seize ans* (contr. CONSEILLER). — **2.** *Interdire à qq'un de* (et l'infin.), lui défendre de : *Je vous interdis de me parler sur ce ton.* — **3.** *Interdire qq'un*, dans la langue admin. et relig., lui défendre d'exercer ses fonctions (souvent au part. passé) : *Un prêtre interdit.* — **4.** *Interdit de séjour*, se dit d'un condamné libéré qui ne peut résider en un lieu déterminé. ◆ **interdiction** n. f. : *Interdiction de stationner* (syn. DÉFENSE; contr. AUTORISATION). *Interdiction de sortir* (contr. PERMISSION). *Prêtre frappé d'interdiction* (= suspendu de ses fonctions). ◆ **interdit** n. m. **1.** Décision interdisant l'emploi de quelque chose, excluant une personne d'un groupe, etc. : *Jeter l'interdit contre qq'un* (syn. EXCLUSIVE). — **2.** En droit ecclésiastique, sentence défendant à un clerc d'exercer ses fonctions.

1. INTERDIT n. m. ⟶ INTERDIRE.

2. INTERDIT, E [ɛ̃tɛrdi, -it] adj. (de *interdire*). Qui éprouve un grand étonnement et ne sait plus que dire ou que faire : *La nouvelle les laissa interdits* (syn. CONFONDU, PANTOIS).

INTÉRESSANT, E adj. ⟶ INTÉRÊT 1 et 2.

INTÉRESSÉ, E adj. et n., **INTÉRESSEMENT** n. m. ⟶ INTÉRÊT 1.

INTÉRESSER v. t. ⟶ INTÉRÊT 1 et 2.

1. INTÉRÊT [ɛ̃terɛ] n. m. (du lat. *interest*, il importe). **1.** Ce qui est avantageux, profitable à quelqu'un; ce qui est utile à quelque chose : *Ce n'est pas votre intérêt de vous conduire ainsi* (syn. AVANTAGE). *Il trouve son intérêt dans cette affaire* (syn. COMPTE). — **2.** Somme due à son créancier par celui qui emprunte, en plus du capital prêté; bénéfice que le prêteur retire de l'argent prêté : *Le taux de l'intérêt. Consentir des prêts à intérêt très bas.* ‖ *Intérêt composé*, intérêt calculé sur la somme initiale, augmentée des intérêts accumulés au cours des années. ‖ *Intérêt légal*, intérêt dont le taux est inférieur ou égal au maximum admis par la loi. ‖ *Intérêt simple*, intérêt perçu sur la somme empruntée, sans tenir compte des intérêts qui s'accumulent jusqu'au moment de l'échéance (remboursement total). ⟶ ENCYCL. — **3.** Souci exclusif de ce qui est pour soi avantageux, et en partic. attachement exclusif à l'argent : *Agir uniquement par intérêt* (syn. ÉGOÏSME). ◆ n. m. pl. Ensemble des biens, des avantages, etc., qui appartiennent à quelqu'un; la cause de quelqu'un : *Le notaire a pris soin des intérêts de son client.* ◆ **intéressant, e** adj. Qui procure un avantage matériel : *Acheter à un prix intéressant* (syn. AVANTA-

GEUX; contr. ÉLEVÉ). ◆ **intéressé, e** adj. **1.** Qui n'a en vue que son intérêt personnel, et en partic. son intérêt pécuniaire; qui est inspiré par l'intérêt : *Une amitié intéressée.* — **2.** Qui est mis en cause dans une affaire, qui y a une part importante : *Les personnes intéressées devront passer à l'économat;* et comme substantif : *Il faut consulter les intéressés* (= les personnes concernées). ◆ **intéressement** n. m. Action de rémunérer le personnel, en plus de son salaire, sur les bénéfices de l'entreprise. ◆ **intéresser** v. t. **1.** *Intéresser qq'un, qqch.*, avoir de l'importance, de l'utilité pour lui : *Cette mesure intéresse l'ordre public* (syn. TOUCHER). — **2.** *Intéresser qq'un*, lui donner une part financière, un intérêt : *Intéresser le personnel à la marche de l'entreprise.* ◆ **désintéresser** v. t. *Désintéresser qq'un*, lui donner l'argent qui lui est dû; retirer d'une affaire en indemnisant : *Il a proposé de désintéresser ceux qui avaient subi un dommage du fait de l'accident.* ◆ **désintéressé, e** adj. Qui n'agit pas par intérêt égoïste; qui n'est entaché par aucun souci personnel (contr. de INTÉRESSÉ au sens 1) : *Agir de façon désintéressée. Un travail désintéressé* (syn. GRATUIT). *Porter un jugement désintéressé* (syn. IMPARTIAL, OBJECTIF). ◆ **désintéressement** n. m. **1.** Action de désintéresser : *Le désintéressement des divers participants à une affaire par le principal actionnaire.* — **2.** Indifférence à tout ce qui est intérêt personnel, matériel : *Agir avec désintéressement* (syn. GÉNÉROSITÉ).

— ENCYCL. En termes de banque et de bourse, l'*intérêt* est la somme due par quelqu'un qui emprunte de l'argent, en plus du capital (= somme placée). L'intérêt est variable selon le taux prévu. Ainsi, lorsqu'on dit que la banque a prêté à quelqu'un une somme à 12 % (c'est le taux), cela signifie que le remboursement comprendra la somme empruntée augmentée de 12 centimes pour 1 F.

Le *taux de l'intérêt* varie selon la nature des opérations : prêt à court, moyen ou long terme, escompte* d'effets de commerce, dépôt d'argent à la banque... Ce taux varie aussi suivant la personne ou collectivité à qui le prêt est consenti : État, société industrielle, commerçant, particulier...

Dans le domaine financier et économique, le rôle de l'intérêt est important car il provoque et encourage l'épargne qui constitue une provision considérable d'argent, indispensable aux aménagements de grande envergure, favorable au développement de la production.

2. INTÉRÊT [ɛ̃terɛ] n. m. (même étym.). **1.** Sentiment de curiosité à l'égard de quelque chose; agrément que l'on y prend : *Écouter avec intérêt un exposé. Son intérêt fut éveillé par un petit détail* (syn. ATTENTION). — **2.** Sentiment de bienveillance à l'égard de quelqu'un; attention qu'on lui porte : *Porter de l'intérêt à qq'un, lui donner des marques d'intérêt* (syn. SOLLICITUDE; contr. INDIFFÉRENCE). — **3.** Originalité, importance, etc., de quelque chose ou de quelqu'un, qui attire ou séduit : *Sa conversation manque d'intérêt* (syn. ORIGINALITÉ). *Un film sans intérêt. Une déclaration du plus haut intérêt* (syn. IMPORTANCE). ◆ **intéressant, e** adj. **1.** Qui retient l'attention, excite la curiosité, la bienveillance : *Une précision intéressante* (syn. ↑IMPORTANT; contr. INSIGNIFIANT). *Un conférencier intéressant* (syn. ↑BRILLANT). — **2.** Qui est digne d'intérêt par sa situation particulière : *Cette famille offre un cas intéressant.* — **3.** *Faire l'intéressant*, se dit péjor. de quelqu'un qui cherche à se faire remarquer. ◆ **inintéressant, e** adj. Contr. de INTÉRESSANT : *Film inintéressant* (= sans originalité). ◆ **intéresser** v. t. **1.** *Intéresser qq'un*, exciter sa curiosité, son attention à l'égard de quelque chose ou de quelqu'un (sens 1 et 3 du n.) : *Votre idée nous intéresse beaucoup* (syn. ↑PASSIONNER). — **2.** *Intéresser qq'un*, exciter sa sympathie (sens 2 du n.) : *Ce jeune homme intéresse fort notre cousine* (syn. PLAIRE). ◆ ***s'intéresser*** v. pr. Prendre part moralement ou matériellement à quelque chose; éprouver de la sympathie, de la bienveillance à l'égard de quelqu'un : *S'intéresser à la politique. Ne s'intéresser à rien* (syn. SE SOUCIER). *S'intéresser au sort d'un ami, à sa santé* (syn. SE PRÉOCCUPER). ◆ **désintéresser (se)** v. pr. Ne plus porter d'intérêt, d'attention à quelque chose, de sympathie à quelqu'un : *Se désintéresser du sort de ses proches. Se désintéresser de ses affaires* (syn. NÉGLIGER). ◆ **désintérêt** n. m. Absence d'intérêt, indifférence.

INTERFÉRER [ɛ̃tɛrfere] v. i. (de *inter-*, et lat. *ferre*, porter). Se mêler, se superposer en créant des renforcements ou des oppositions : *La crise agricole interfère avec d'autres problèmes économiques et crée une situation difficile.* ◆ **interférence** n. f. **1.** *Phys.* Phénomène résultant de la superposition de deux mouvements vibratoires de même fréquence : *Les interférences lumineuses sont obtenues par superposition de rayons issus d'une même source, mais ayant suivi des chemins différents.* — **2.** *Les interférences du politique et du social* (syn. CONJONCTION). ◆ **interférent, e** adj. Qui présente le phénomène de l'interférence. ◆ **interféromètre** n. m. Appareil de mesure par interférences lumineuses.

INTERFLUVE [ɛ̃tɛrflyv] n. m. (de *inter-*, et lat. *fluvius*, fleuve). *Géogr.* Relief séparant deux vallées; région élevée limitant deux bassins fluviaux.

INTERGLACIAIRE [ɛ̃tɛrglasjɛr] adj. *(inter-*, et *glaciaire).* Se dit des périodes de réchauffement de l'ère quaternaire comprise entre deux glaciations.

INTÉRIEUR, E [ɛ̃terjœr] adj. (lat. *interior*). **1.** Qui est au dedans, dans l'espace compris entre les limites de quelque chose *La poche intérieure du veston. La politique intérieure de la Franc* (par oppos. à la *politique extérieure*). ‖ *Mer intérieure*, vast étendue d'eau complètement enfermée dans les terres. ‖ Matl *Point intérieur à un ensemble*, dans le plan, point dont tous le points infiniment voisins appartiennent à cet ensemble. — **2.** Qu se rapporte à la vie morale, psychologique de l'homme : *La vi intérieure* (= l'activité morale, celle de l'esprit). ◆ n. m. **1.** Ce qu est au-dedans, par oppos. à ce qui est au-dehors (EXTÉRIEUR) *L'intérieur d'une église* (syn. DEDANS). *Vider l'intérieur d'une boît* (syn. CONTENU). *L'intérieur d'un pays* (= la partie la plus éloigné des frontières, des côtes). — **2.** Endroit où l'on habite (appart ment, maison) : *Un intérieur modeste* (syn. UN CHEZ-SOI). *Un vête ment d'intérieur* (= que l'on met à la maison). ‖ *Femme d'intérieu* celle qui sait tenir sa maison, son ménage. — **3.** Pays que l'o habite (par oppos. à ÉTRANGER). ‖ *Ministère de l'Intérieur*, minis tère chargé de l'administration générale du pays et de la directio de la police. — LOC. PRÉP. *À l'intérieur de*, au-dedans de. ◆ **inté rieurement** adv. : *Il ne fait que protester intérieurement* (= en lu même). ◆ **intérioriser** v. t. : *Il intériorise ses réactions devant le personnes étrangères* (= garder pour soi, contenir) [contr. EXTÉRIO RISER]. ◆ **intériorisation** n. f. Action de garder intérieurement *L'intériorisation d'un sentiment.* ◆ **intériorité** n. f. Caractère d ce qui est intérieur (en parlant des sentiments).

INTÉRIM [ɛ̃terim] n. m. (mot lat. signif. *pendant ce temps*) Espace de temps pendant lequel une fonction est remplie par u autre que par le titulaire : *Assurer un intérim.* — LOC. ADV. *Pa intérim*, à titre provisoire pendant l'absence du titulaire. ◆ **intéri maire** adj. : *Personnel intérimaire* (= qui remplace provisoiremen les titulaires).

INTÉRIORISATION n. f., **INTÉRIORISER** v. t., **INTÉRIO RITÉ** n. f. ⟶ INTÉRIEUR.

INTERJECTION [ɛ̃tɛrʒɛksjɔ̃] n. f. (lat. *interjectio*; de *jacere* lancer). [⟶ CLASSE 4.] ◆ **interjectif, ive** adj. : *Les expression « au secours! », « à l'aide! » sont des locutions interjectives.*

INTERLAKEN *(Entre les lacs)*, v. de Suisse (cant. de Berne) entre les lacs de Thoune et de Brienz; 4 700 hab. Tourisme.

INTERLIGNE n. m. ⟶ LIGNE.

INTERLOCUTEUR, TRICE [ɛ̃tɛrlɔkytœr, -tris] n. (du lat *interloqui*, interrompre). **1.** Personne conversant avec une autre *Contredire son interlocuteur.* — **2.** Personne avec laquelle o engage des négociations, des pourparlers : *Les syndicats étaien des interlocuteurs valables.*

INTERLOPE [ɛ̃tɛrlɔp] adj. (de l'angl. *interloper*, intrus). **1.** Qu se fait en fraude : *Commerce interlope.* — **2.** Qui est le lieu ou qu est suspect de trafics louches, de combinaisons malhonnêtes, etc (syn. ÉQUIVOQUE).

INTERLOQUER [ɛ̃tɛrlɔke] v. t. (lat. *interloqui*, interrompre) *Interloquer qq'un*, le mettre dans l'impossibilité de parler à la suit d'un effet de surprise (aux temps composés ou au passif) : *Cett réponse l'a interloqué* (syn. DÉCONTENANCÉ, INTERDIT).

INTERLUDE [ɛ̃tɛrlyd] n. m. (de *inter-*, et lat. *ludus*, jeu). Diver tissement musical ou filmé projeté entre deux parties d'un spec tacle, deux émissions télévisées.

INTERMÈDE [ɛ̃tɛrmɛd] n. m. (de *inter-*, et lat. *medium*, milieu **1.** Temps pendant lequel une action s'interrompt, ou qui sépar deux événements de même nature : *L'année passée à l'étranger fu un intermède inattendu dans sa carrière.* — **2.** Divertissemen musical ou dramatique joué pendant les entractes d'une pièce d théâtre.

INTERMÉDIAIRE [ɛ̃tɛrmedjɛr] adj. (du lat. *intermedius*, inter calé). Qui se trouve entre deux limites, entre deux termes : *Un solution intermédiaire* (= de juste milieu). *Une couleur interm diaire entre le rouge et le rose.* ◆ n. m. **1.** Personne qui sert de lie entre deux autres : *Je ne suis que l'intermédiaire entre lui et vous* — **2.** Personne qui intervient pour faire conclure une affaire com merciale. — LOC. PRÉP. *Par l'intermédiaire de*, grâce à l'entremis de quelqu'un, au moyen de quelque chose (syn. PAR LE CANAL DE).

INTERMINABLE adj. ⟶ TERMINER.

INTERMINISTÉRIEL, ELLE adj. ⟶ MINISTRE.

INTERMITTENT, E [ɛ̃tɛrmitɑ̃, -ɑ̃t] adj. (du lat. *intermittere* discontinuer). Qui s'arrête et reprend par intervalles : *Un bru intermittent* (contr. CONTINU, RÉGULIER). *Effort intermittent* (syn DISCONTINU; contr. PERMANENT). ◆ **intermittence** n. f. **1.** Inter ruption momentanée : *Pendant les intermittences de la fièvre* (syn RÉMISSION). — **2.** *Par intermittence*, d'une manière discontinue ar moments : *Il travaille par intermittence* (syn. IRRÉGULIÈRE-ENT).

NTERNAT n. m. → INTERNE 2 et 3.

NTERNATIONAL, E, AUX adj., **INTERNATIONAL** n. m. → NATION.

nternationale n. f. Association générale d'ouvriers appartenant diverses nations, unis pour la défense des intérêts de la classe uvrière dans son ensemble.

La Ire Internationale *(Association internationale des travailleurs)* st fondée à Londres en 1864. Elle adopte les idées de Karl Marx.

La IIe Internationale, créée à Paris en 1889, organise, à partir de 890, la manifestation annuelle du 1er mai, journée d'action revenicative des travailleurs, et refuse toute collaboration avec les artis « bourgeois ».

La IIIe Internationale *(Komintern)* est fondée par Lénine en 1919 Moscou. Son but est la révolution communiste mondiale avec le outien de l'U. R. S. S. Elle est dissoute par Staline en 1943.

La IVe Internationale est constituée par Trotski en 1938. (D'obéience « trotskiste », elle n'est pas reconnue aujourd'hui par les artis communistes traditionnels.)

nternationale *(l')*, hymne révolutionnaire sur un poème de 'ottier (1871), musique de Degeyter. Il devint le chant de rallieent des révolutionnaires de tous les pays et l'hymne officiel de U. R. S. S. jusqu'à la Seconde Guerre mondiale.

NTERNATIONALISATION n. f., **INTERNATIONALISER** . t., **INTERNATIONALISME** n. m. → NATION.

. INTERNE [ɛ̃tɛrn] adj. (lat. *internus*, intérieur). Situé en edans, à l'intérieur : *Les parois internes d'une cuve* (syn. INTÉIEUR; contr. EXTERNE).

. INTERNE [ɛ̃tɛrn] n. et adj. (même étym.). Élève logé et ourri dans un établissement scolaire : *Être interne dans un lycée* ontr. EXTERNE). ◆ **internat** n. m. **1.** Situation d'interne dans un tablissement scolaire (contr. EXTERNAT). ‖ *Maître d'internat*, dans s lycées et collèges, surveillant chargé du maintien de la discipline dans les études et dortoirs réservés aux pensionnaires. – **2.** Établissement où sont reçus des élèves internes : *Internat de unes filles.*

. INTERNE [ɛ̃tɛrn] n. (même étym.). *Interne des hôpitaux*, tudiant ou étudiante en médecine, qui, après deux années d'exterat au minimum, a subi avec succès les épreuves du concours estiné à pourvoir les services hospitaliers de collaborateurs irects du chef de service. ◆ **internat** n. m. **1.** Temps pendant quel les internes sont en service (généralement quatre ans). – **2.** Concours des internes des hôpitaux.

NTERNER [ɛ̃tɛrne] v. t. (de *interne*). **1.** Mettre dans un camp e concentration, dans une prison : *Interner des suspects* (syn. MPRISONNER). — **2.** Mettre dans un hôpital psychiatrique (asile 'aliénés) : *Interner un dément* (syn. ENFERMER). ◆ **internement** . m. Sens 1 et 2 du v. ◆ **interné, e** n. : *Les internés politiques.*

NTERPELLER [ɛ̃tɛrpəle] v. t. (lat. *interpellare*, interrompre). . *Interpeller qq'un*, lui adresser la parole d'une manière brusque, our l'interrompre, pour attirer son attention : *L'ivrogne interpelit les passants* (syn. APOSTROPHER). ‖ *Être interpellé par la olice* (= être arrêté). — **2.** En parlant d'un membre d'une assemlée parlementaire, sommer un ministre de s'expliquer sur un fait. ◆ **interpellateur, trice** n. Personne qui interpelle. ◆ **interpellaon** n. f. **1.** *Cette interpellation me surprit* (syn. APOSTROPHE). – **2.** Demande d'explication adressée à un ministre par un embre du Parlement. — **3.** Sommation, faite par un juge, un otaire, un huissier, d'avoir à dire, à faire quelque chose.

NTERPÉNÉTRATION n. f., **INTERPÉNÉTRER (S')** v. pr. → PÉNÉTRER.

NTERPHONE [ɛ̃tɛrfɔn] n. m. (nom déposé). Installation téléhonique équipée de haut-parleurs et permettant la conversation ntre plusieurs interlocuteurs.

NTERPLANÉTAIRE adj. → PLANÈTE.

nterpol, abrév. constituant l'adresse télégraphique de l'*Organiation internationale de police criminelle* (O. I. P. C.), à Paris.

NTERPOLER [ɛ̃tɛrpɔle] v. t. (lat. *interpolare*, refaire). Introuire dans un texte ou un ouvrage un mot, une phrase, un passage ui n'en fait pas partie (syn. INSÉRER, INTERCALER). ◆ **interpolaeur, trice** n. Personne qui interpole. ◆ **interpolation** n. f. **1.** *La euxième édition contient des interpolations qui transforment l'esrit du livre* (= des passages intercalés). — **2.** *Erreur d'interpolaion sur un instrument de mesure*, erreur commise dans l'appréciaion de la position du repère entre deux traits de la graduation.

NTERPOSER [ɛ̃tɛrpoze] v. t. (lat. *interponere*). **1.** Mettre, plaer entre deux choses : *Interposer un filtre coloré entre l'objectif 'un appareil photographique et la lumière.* — **2.** Faire intervenir entre des personnes : *Interposer un barrage de police entre les deux groupes de manifestants.* — **3.** *Par personne interposée* ou *par interposé* (loc. adv.), par l'entremise d'une autre personne. ◆ ***s'interposer*** v. pr. Se mettre entre deux choses, entre des personnes : *Des passants se sont interposés pour les séparer.* ◆ **interposition** n. f. **1.** Situation d'un corps entre deux autres. — **2.** Intervention d'une autorité supérieure.

INTERPRÉTARIAT n. m. → INTERPRÈTE 1.

INTERPRÉTATION n. f. → INTERPRÈTE 2 et INTERPRÉTER 1.

1. INTERPRÈTE [ɛ̃tɛrprɛt] n. (lat. *interpres, -pretis*). **1.** Personne qui traduit oralement une langue dans une autre, afin de servir d'intermédiaire dans une conversation entre des personnes parlant des langues différentes. — **2.** Personne qui est chargée de faire connaître la volonté, les désirs de quelqu'un : *Je suis l'interprète des sentiments de tous en disant cela* (syn. PORTE-PAROLE). ◆ **interprétariat** n. m. Métier d'interprète (sens 1).

2. INTERPRÈTE [ɛ̃tɛrprɛt] n. (même étym.). Personne qui exécute une œuvre musicale, vocale ou instrumentale, qui joue un rôle au théâtre, au cinéma : *Ce pianiste est un grand interprète de Bach.* ◆ **interpréter** v. t. Exécuter une œuvre musicale; jouer un rôle au théâtre, au cinéma : *Interpréter le rôle d'une ingénue au théâtre* (syn. INCARNER). ◆ **interprétation** n. f. : *Donner une interprétation nouvelle du « Don Juan » de Molière.*

1. INTERPRÉTER [ɛ̃tɛrprete] v. t. (lat. *interpretari*, expliquer). *Interpréter qqch.*, chercher à le rendre compréhensible, à le traduire, à lui donner un sens : *Interpréter un rêve* (syn. EXPLIQUER). *Comment doit-on interpréter ces propos équivoques?* (syn. COMPRENDRE). ◆ **interprétation** n. f. : *Votre interprétation du livre me paraît fort justifiée* (syn. EXPLICATION). *La phrase est à double interprétation* (syn. SENS).

2. INTERPRÉTER v. t. → INTERPRÈTE 2.

INTERPROFESSIONNEL, ELLE adj. → PROFESSION 2.

INTERRÈGNE [ɛ̃tɛrrɛɲ] n. m. *(inter-*, et *règne)*. Période entre la mort du roi et le sacre de son successeur. ‖ *Le Grand Interrègne* (1250-1273), période de l'histoire d'Allemagne pendant laquelle les princes ne purent s'accorder pour donner un successeur à Frédéric II, ce qui entraîna l'affaiblissement de l'Empire. Il se termina par l'élection de Rodolphe de Habsbourg.

INTERROGER [ɛ̃tɛrɔʒe] v. t. (lat. *interrogare*). [Conj. **2.**] **1.** *Interroger qq'un*, lui poser des questions (avec ou sans idée d'autorité, avec ou sans obligation de répondre) : *L'examinateur interroge un candidat* (syn. QUESTIONNER). *Interroger un écrivain sur ses projets* (syn. INTERVIEWER). — **2.** *Interroger une chose*, l'examiner avec attention pour en tirer un renseignement : *Interroger le ciel pour savoir s'il fera beau.* ‖ *Interroger sa mémoire*, essayer de se remémorer un fait, fouiller dans ses souvenirs. ◆ ***s'interroger*** v. pr. Se poser des questions, être dans l'incertitude : *Il s'interroge lui-même sur la valeur de ce qu'il a écrit.* ◆ **interrogateur, trice** adj. : *Un regard interrogateur* (= qui interroge). ◆ n. m. Professeur chargé de faire passer un examen oral à des candidats. ◆ **interrogatif, ive** adj. Qui indique une interrogation (emploi plus large qu'*interrogateur*) : *Regard interrogatif*; surtout en gramm. : *Pronoms, adjectifs interrogatifs.* (→ CLASSE 4.) *Une proposition interrogative directe* (ex. : *Viendra-t-il?*), *indirecte* (ex. : *Je me demande s'il viendra*). ◆ **interrogatif** n. m. Mot (pron., adj., adv.) qui introduit une proposition interrogative. ◆ **interrogative** n. f. Proposition interrogative. ◆ **interrogation** n. f. **1.** Action de poser des questions à quelqu'un; la question ellemême : *Une interrogation écrite* (syn. ÉPREUVE). ‖ *Interrogation directe*, interrogation posée directement. (Ex. : *Qui est venu?*) ‖ *Interrogation indirecte*, interrogation posée par l'intermédiaire d'un verbe comme *savoir, demander*. (Ex. : *Je me demande qui est venu.*) — **2.** *Point d'interrogation*, signe de ponctuation (?) mis à la fin d'une interrogation directe. (→ PONCTUATION.) ◆ **interrogatoire** n. m. Ensemble de questions posées à quelqu'un par un magistrat, un agent de la force publique, etc. : *Faire subir un interrogatoire à un inculpé.*

INTERROMPRE [ɛ̃tɛrɔ̃pr] v. t. (lat. *interrumpere*, rompre par le milieu). [Conj. **53.**] **1.** *Interrompre une chose*, en briser la continuité, en rompre la continuation : *La récréation interrompit la classe* (syn. SUSPENDRE). — **2.** *Interrompre qq'un*, l'arrêter dans son discours, dans sa conversation : *Interrompre un interlocuteur* (syn. COUPER LA PAROLE À). — **3.** Arrêter quelqu'un dans son action : *Il m'a interrompu dans mon travail* (syn. DÉRANGER). ◆ ***s'interrompre*** v. pr. **1.** (sujet nom de personne) S'arrêter de faire quelque chose, et en partic. de parler : *Parler une heure sans s'interrompre.* — **2.** (sujet nom de chose) Être arrêté dans son développement : *L'émission de télévision s'est interrompue.* ◆ **interrupteur, trice** n. Personne qui en interrompt une autre. ◆ n. m. Appareil qui sert à interrompre ou à rétablir un courant électrique en ouvrant ou en fermant son circuit. ◆ **interruption** [ɛ̃tɛrypsjɔ̃] n. f. : *Le mauvais temps continua sans interruption* (syn. ARRÊT). *Après une interruption de quelques jours, il reprit son travail* (syn. INTERVALLE). *Parler sans interruption pendant une heure* (= d'affilée). ◆ **ininterrompu, e** adj. : *Un bruit ininterrompu* (syn. CONTINU).

INTERSECTION [ɛ̃tɛrsɛksjɔ̃] n. f. (lat. *intersectio;* de *secare,* couper). Endroit où deux lignes, deux routes, deux chemins, etc., se croisent, se coupent (syn. CROISEMENT). ‖ Math. *Intersection de deux parties d'un ensemble* ⟶ PARTIE 1.

INTERSIDÉRAL, E, AUX [ɛ̃tɛrsideral, -ro] adj. (de *inter-,* et lat. *sidus, -eris,* astre). *Espaces intersidéraux,* situés entre les astres.

INTERSTELLAIRE adj. ⟶ STELLAIRE.

INTERSTICE [ɛ̃tɛrstis] n. m. (du lat. *interstare,* se trouver entre). Petit espace vide entre deux corps, entre deux parties d'un tout : *Les interstices entre les lames du parquet.* ◆ **interstitiel, elle** adj. Qui est dans les interstices.

INTERSYNDICAL, E, AUX adj. ⟶ SYNDICAT.

INTERTIDAL, E, AUX [ɛ̃tɛrtidal, -do] adj. (de *inter-,* et angl. *tide,* marée). *Zone intertidale,* zone comprise entre les niveaux des marées les plus hautes et ceux des plus basses. (On dit aussi ZONE INTERCOTIDALE.)

INTERTROPICAL, E, AUX adj. ⟶ TROPIQUE. / **INTERURBAIN, E** adj. et n. m. ⟶ URBAIN.

INTERVALLE [ɛ̃tɛrval] n. m. (lat. *intervallum,* entre deux palissades). **1.** Espace plus ou moins large entre deux corps, deux parties d'un tout : *Ménager des intervalles réguliers entre les arbres d'une plantation* (syn. DISTANCE). *Laisser un large intervalle entre des lignes d'écriture* (syn. INTERLIGNE). — **2.** Espace de temps entre deux dates, deux périodes, deux époques : *Dans l'intervalle* (= entre-temps). *Un court intervalle, il resta silencieux* (syn. MOMENT). *À deux mois d'intervalle, quel changement!* — **3.** *Mus.* Distance qui sépare un son d'un autre, soit au grave, soit à l'aigu : *Intervalle de seconde, de tierce, etc.* (Un intervalle peut être majeur, mineur ou juste.) — **4.** *Math.* ⟶ ENCYCL. — LOC. ADV. *Par intervalles,* de temps en temps : *Par intervalles, on entendait le bruit d'un avion.*

— ENCYCL. Si a et b sont deux nombres réels donnés, on appelle :
intervalle fermé $[a, b]$, l'ensemble de tous les nombres réels x tels que $a \leqslant x \leqslant b$;
intervalle ouvert $]a, b[$, l'ensemble de tous les nombres réels x tels que $a < x < b$;
intervalle semi-ouvert $]a, b]$ ou $[a, b[$, l'ensemble de tous les nombres réels x tels que $a < x \leqslant b$ ou $a \leqslant x < b$.

Dans tous les cas, a et b sont les *bornes* de l'intervalle.

INTERVENIR [ɛ̃tɛrvənir] v. i. (lat. *intervenire,* venir entre). [Conj. **22**; prend toujours l'auxil. *être.*] **1.** (sujet nom de personne) Prendre part volontairement à une action, de manière à influer sur son déroulement : *Intervenir dans les affaires intérieures d'un État* (syn. S'IMMISCER, S'INGÉRER). *Les pompiers interviennent pour éteindre l'incendie. Intervenir dans un débat* (= y prendre la parole pour donner son avis). — **2.** Agir énergiquement pour éviter l'évolution d'un mal : *Après un examen rapide, le chirurgien décida d'intervenir immédiatement* (syn. OPÉRER). — **3.** (sujet nom de chose) Survenir au cours d'une négociation : *Un accord est intervenu entre le gouvernement et les syndicats.* ◆ **intervention** n. f. : *L'intervention d'un orateur dans un débat. Je compte sur votre intervention en ma faveur* (= appui). *Intervention dans la politique économique d'un autre pays* (syn. IMMIXTION, INGÉRENCE). *Une intervention chirurgicale* (syn. OPÉRATION). ◆ **interventionniste** adj. et n. Favorable à une intervention politique, économique ou militaire pour le règlement d'un différend entre États, ou qui préconise une intervention de l'État dans l'économie d'un pays. ◆ **non-intervention** n. f. : *Une politique de non-intervention* (= celle d'un gouvernement qui s'abstient d'intervenir dans les affaires d'un pays étranger).

INTERVERTÉBRAL, E, AUX adj. ⟶ VERTÈBRE.

INTERVERTIR [ɛ̃tɛrvɛrtir] v. t. (lat. *intervertere,* détourner de sa destination). Renverser ou déplacer l'ordre naturel, habituel : *Intervertir les mots d'une phrase* (syn. INVERSER). *Intervertir les rôles* (= les renverser). ◆ **interversion** n. f.

INTERVIEW [ɛ̃tɛrvju] n. f. (mot angl. signif. *entrevue*). Entretien d'un journaliste avec une personne, en vue de l'interroger sur ses actes, ses projets, etc., d'enregistrer ses réponses et de les divulguer, par écrit ou autrement : *Donner une interview à la radio.* ◆ **interviewer** [ɛ̃tɛrvjuve] v. t. : *Interviewer un écrivain* (= le soumettre à une interview). ◆ **interviewer** [ɛ̃tɛrvjuvœr] n. m. : *L'interviewer conduit la conversation par ses questions.*

INTESTAT [ɛ̃tɛsta] adj. et n. inv. (de *in-,* priv., et lat. *testari,* tester). Se dit de l'individu qui meurt sans testament et dont la succession est alors attribuée selon la loi : *Il est décédé intestat.* — LOC. ADV. *Ab intestat* : *Hériter ab intestat* (= hériter de quel qu'un mort intestat).

1. INTESTIN [ɛ̃tɛstɛ̃] n. m. (du lat. *intestinus,* intérieur). *Anat* Portion du tube digestif de l'homme et des animaux faisant suite à l'estomac et se terminant à l'anus, spécialisée dans la digestion des aliments, dans leur absorption et dans le rejet des déchets ◆ **intestinal, e, aux** adj. Qui appartient aux intestins. ‖ *Su intestinal,* suc digestif sécrété par les glandes du duodénum et du jéjunum, contenant de nombreuses enzymes agissant sur toutes les catégories d'aliments organiques. ‖ *Vers intestinaux,* animaux para sites (*ténia, ascaride, oxyure,* etc.), que l'on trouve dans l'intestin de l'homme et des animaux.

— ENCYCL. L'*intestin* comprend deux parties.

L'*intestin grêle,* long de 7 à 8 m, est formé par : le *duodénum* qui sécrète une hormone déclenchant l'écoulement de la bile et du suc pancréatique dans l'intestin; le *jéjunum,* qui sécrète le suc intestinal, et où ont lieu, avec l'aide de la bile et du suc pancréa tique, les dernières transformations des aliments absorbés; l'*iléon* qui est le lieu d'absorption des aliments décomposés en substan ces simples, celles-ci traversant la paroi intestinale et passan dans le sang.

Le *gros intestin,* long de 1,40 à 1,70 m, se divise en *cæcum, côlo* et *rectum.* Là ont lieu la fermentation et la putréfaction de déchets alimentaires, rendues possibles par une abondante « flor microbienne ».

Les parois intestinales comprennent, à tous les niveaux, un « couche musculaire » lisse qui assure la progression des aliment par les mouvements du *péristaltisme intestinal* (= balancement e contractions de la paroi).

■ *Les maladies de l'intestin.* Elles sont nombreuses : malforma tions et occlusions, chez le nouveau-né; tumeurs des parois et de l'épithélium, chez les personnes âgées; infections dues à de germes divers, à tout âge (ainsi la typhoïde); occlusions qui néces sitent l'intervention urgente du chirurgien car la progression de aliments dans l'intestin est arrêtée.

2. INTESTIN, E [ɛ̃tɛstɛ̃, -in] adj. (même étym.). *Querelle, lutte guerre intestine,* qui se produit entre deux groupes d'adversaire appartenant à une même communauté, à une même nation.

INTESTINAL, E, AUX adj. ⟶ INTESTIN 1.

INTIMATION n. f. ⟶ INTIMER.

INTIME [ɛ̃tim] adj. (lat. *intimus,* superl. de *interior*). **1.** Qui es au plus profond d'une chose, d'une personne, qui est lié à so existence même : *J'ai le sentiment intime qu'il garde une certain méfiance à notre égard* (syn. PROFOND). — **2.** Qui est caché de autres et appartient à ce qu'il y a de tout à fait privé : *Sa vie intim ne nous regarde pas* (syn. PRIVÉ). *Un journal intime* (syn. SECRET — **3.** Se dit de personnes réunies par des liens profonds : *Un am intime.* — **4.** Qui se passe entre quelques personnes plus ou moin étroitement unies par des liens d'amitié : *Ce sera une cérémoni intime où il n'y aura que des amis.* ◆ n. Personne amie, conf dent : *Les intimes du président* (syn. CONSEILLER, FAMILIER ◆ **intimement** adv. : *Je suis intimement persuadé de mon erreu* (syn. PROFONDÉMENT). *Il est intimement lié avec un ministre* ◆ **intimiste** adj. **1.** Se dit de la poésie et des poètes qui exprimen sur un ton confidentiel les sentiments les plus secrets de l'âme — **2.** Se dit des peintres qui représentent des scènes intimes e familières. ◆ **intimité** n. f. **1.** Caractère, qualité de ce qui es intime : *Dans l'intimité de sa conscience* (= dans le plus profond *Le mariage a eu lieu dans l'intimité* (= entre intimes). — **2.** V privée : *Dans l'intimité, c'est un homme charmant* (= dans sa vi personnelle).

INTIMER [ɛ̃time] v. t. (lat. *intimare,* notifier). *Intimer un ordre qq'un,* lui donner un ordre impératif, absolu (syn. ENJOINDRE ◆ **intimation** n. f. Action d'intimer, sommation.

INTIMIDER [ɛ̃timide] v. t. (du lat. *timere,* craindre). **1.** *Intim der qq'un,* lui inspirer une crainte, un trouble dû à la timidité; l faire perdre son assurance : *L'examinateur intimidait les cand dats* (syn. IMPRESSIONNER). — **2.** *Intimider qq'un,* lui inspirer d l'effroi par la force, la violence : *Chercher à intimider un adve saire* (syn. EFFRAYER). ◆ **intimidant, e** adj. : *Il y avait quelqu chose d'intimidant dans ce silence.* ◆ **intimidation** n. f. : *De manœuvres d'intimidation* (syn. PRESSION).

INTIMISTE adj., **INTIMITÉ** n. f. ⟶ INTIME.

INTITULER [ɛ̃tityle] v. t. (du lat. *titulus,* titre). *Intituler qqch* le désigner par un titre : *Film intitulé « Terreur sur la ville »* (= q a pour titre). ◆ ***s'intituler*** v. pr. Avoir pour titre : *Commen s'intitule le film?* (syn. S'APPELER). ◆ **intitulé** n. m. Formule e tête d'un jugement, d'une loi.

INTOLÉRABLE adj., **INTOLÉRANCE** n. f., **INTOLÉRANT, E** adj. ⟶ TOLÉRER.

INTONATION [ɛ̃tɔnasjɔ̃] n. f. (du lat. *intonare,* faire retentir

. Ton varié de la voix, que l'on prend en parlant, en lisant : *Avoir les intonations désagréables* (syn. INFLEXION). — **2.** *Mus.* Manière l'entonner soit avec la voix, soit avec un instrument.

NTOUCHABLE adj. → TOUCHER 1.

ntouchables, en Inde, membres de castes inférieures situées au-dessus des parias. (Ils étaient exclus en fait des pratiques religieuses, et leur contact aussi bien que leur voisinage étaient considérés comme une souillure.)

NTOXICANT, E adj., **INTOXICATION** n. f., **INTOXIQUÉ, E** adj. et n., **INTOXIQUER** v. t. → TOXIQUE.

NTRA-, élément tiré du lat. *intra,* à l'intérieur de, et qui entre comme préf. dans la composition de nombreux termes scientifiques et techniques.

NTRADERMIQUE adj., **INTRADERMO-RÉACTION** n. f. → DERME.

NTRADOS [ɛ̃trado] n. m. *(intra-,* et *dos).* Surface intérieure et concave d'un arc, d'une voûte, d'une aile d'avion (par oppos. à EXTRADOS).

NTRADUISIBLE adj. → TRADUIRE 1. / **INTRAITABLE** adj. → TRAITER 1.

NTRAMONTAGNARD, E adj. → MONTAGNE.

NTRA-MUROS [ɛ̃tramyros] loc. adv. (mots lat. signif. *en dedans des murs*). Dans l'intérieur de la ville.

NTRAMUSCULAIRE adj. → MUSCLE.

NTRANSIGEANCE n. f., **INTRANSIGEANT, E** adj. et n. → TRANSIGER. / **INTRANSITIF, IVE** adj. et n. m., **INTRANSITIVEMENT** adv., **INTRANSITIVITÉ** n. f. → TRANSITIF 1. / **NTRANSMISSIBLE** adj. → TRANSMETTRE. / **INTRANSPORTABLE** adj. → TRANSPORTER 1.

NTRAVEINEUX, EUSE adj. → VEINE 1.

NTRÉPIDE [ɛ̃trepid] adj. et n. (de *in-,* priv., et lat. *trepidus,* tremblant) [avant ou plus souvent après le nom]. **1.** Se dit d'une personne (ou de son comportement) qui ne craint pas le danger et affronte les obstacles sans être rebutée : *Des sauveteurs intrépides sont partis à la recherche des alpinistes en péril* (syn. BRAVE, COURAGEUX). — **2.** Qui manifeste une assurance, une détermination, une persévérance imperturbable : *Un bavard intrépide.* ◆ **intrépidement** adv. ◆ **intrépidité** n. f. : *Se lancer avec intrépidité dans une entreprise périlleuse* (syn. COURAGE, HARDIESSE). *L'intrépidité de sa démarche nous a surpris* (syn. AUDACE).

NTRICATION [ɛ̃trikasjɔ̃] n. f. (lat. *intricatio*). État de choses qui sont emmêlées les unes dans les autres.

NTRIGUE [ɛ̃trig] n. f. (du lat. *intricare,* embrouiller). **.** Manœuvre secrète ou déloyale, jeu de combinaisons habiles pour obtenir une faveur, un avantage ou pour nuire à quelqu'un : *Les intrigues parlementaires* (syn. ↑MENÉE). *Déjouer une intrigue* (syn. ↑MACHINATION). — **2.** Liaison amoureuse passagère : *Une intrigue sentimentale* (syn. AVENTURE). — **3.** Ensemble des événements qui forment l'action d'une pièce de théâtre, d'un roman, etc. : *Une comédie d'intrigue* (= où le comique résulte des incidents divers). ◆ **intrigant, e** adj. et n. Qui recourt à l'intrigue pour parvenir à ses fins. ◆ **intriguer** v. i. Faire des intrigues, mener des intrigues : *Intriguer pour obtenir une place convoitée* (syn. MANŒUVRER).

1. INTRIGUER v. i. → INTRIGUE.

2. INTRIGUER [ɛ̃trige] v. t. (lat. *intricare*). *Intriguer qq'un,* exciter vivement sa curiosité, le rendre perplexe : *Je suis intrigué par son silence.*

NTRINSÈQUE [ɛ̃trɛ̃sɛk] adj. (lat. *intrinsecus,* au-dedans). Qui appartient à l'objet lui-même, indépendamment de tous les facteurs externes : *Les difficultés intrinsèques de l'entreprise* (syn. INHÉRENT; contr. EXTRINSÈQUE).

NTRODUIRE [ɛ̃trɔdɥir] v. t. (lat. *introducere,* conduire dans). [Conj. **70.**] **1.** *Introduire qq'un, qqch. dans un endroit déterminé,* l'y faire entrer : *Introduire un visiteur au salon. De nouveaux mots ont été introduits dans la langue* (syn. INCORPORER). — **2.** *Introduire une chose,* la faire pénétrer dans une autre : *Introduire la clef dans la serrure* (syn. ENGAGER). — **3.** *Introduire qqch.,* le faire adopter : *Introduire des idées nouvelles dans une science* (syn. RÉPANDRE). *Les danses d'Amérique ont été introduites* (syn. IMPORTER). — **4.** *Introduire qq'un,* le faire admettre dans un lieu, lui donner accès dans une société : *Être introduit dans le monde* (= avoir ses entrées). ◆ **s'introduire** v. pr. Entrer, pénétrer, être adopté : *Le voleur s'introduisit dans la maison sans que personne le vît.* ◆ **introducteur, trice** n. **1.** Personne qui introduit quelqu'un auprès d'une autre. — **2.** Personne qui introduit le premier un usage, une idée, etc. ◆ **introductif, ive** adj. Qui sert à introduire un problème, une question : *Un exposé introductif* (syn. PRÉALABLE). ◆ **introduction** n. f. **1.** Action d'introduire : *L'introduction d'un visiteur. L'introduction de produits étrangers sur le marché français* (syn. IMPORTATION). ‖ *Lettre d'introduction,* lettre qui facilite à une personne l'accès auprès d'une autre. — **2.** Ce qui sert de préparation à une étude; ouvrage qui sert d'initiation à une science : *Introduction aux mathématiques modernes.* — **3.** Texte explicatif placé en tête d'un ouvrage : *L'introduction explique la conception de l'ouvrage et en donne le plan.* — **4.** Dans une dissertation, un exposé, un discours, entrée en matière dans laquelle on expose le problème traité et le plan (syn. EXPOSITION, PRÉAMBULE).

INTRONISER [ɛ̃trɔnize] v. t. (gr. *enthronizein,* placer sur un trône). **1.** Installer sur le trône, par une cérémonie, un roi, un évêque, etc. — **2.** Établir d'une manière officielle et souveraine : *Introniser une nouvelle doctrine.* ◆ **intronisation** n. f. : *L'intronisation d'un pape.*

INTROSPECTION [ɛ̃trɔspɛksjɔ̃] n. f. (du lat. *introspicere,* regarder à l'intérieur). Analyse de la conscience par elle-même, du sujet par lui-même. ◆ **introspectif, ive** adj.

INTROUVABLE adj. → TROUVER.

INTROVERSION [ɛ̃trɔvɛrsjɔ̃] n. f. (du lat. *introversus,* vers l'intérieur). Fait d'être attentif à soi plus qu'au monde extérieur. ◆ **introverti, e** adj. Qui présente de l'introversion : *Caractère introverti.*

INTRUS, E [ɛ̃try, -yz] adj. et n. (du lat. *intrudere,* introduire de force). Qui s'introduit dans une société, un groupe, un milieu sans y être invité ou sans y avoir droit. ◆ **intrusion** [ɛ̃tryzjɔ̃] n. f. **1.** Action de s'introduire sans droit, sans invitation. — **2.** Action d'intervenir dans un domaine où il ne convient pas de le faire.

INTUITION [ɛ̃tɥisjɔ̃] n. f. (du lat. *intueri,* regarder). **1.** Connaissance directe de la vérité, sans le secours du raisonnement : *Comprendre par intuition.* — **2.** Sentiment irraisonné, mais non vérifiable, qu'un événement va se produire, que quelque chose existe : *Avoir l'intuition d'un danger* (syn. PRESSENTIMENT). *Avoir de l'intuition* (syn. fam. FLAIR). ◆ **intuitif, ive** adj. Qui a le caractère de l'intuition : *Connaissance intuitive.* ◆ adj. et n. Se dit d'une personne qui agit par intuition. ◆ **intuitivement** adv.

INTUMESCENCE [ɛ̃tymesɑ̃s] n. f. (du lat. *intumescere,* gonfler). Gonflement : *L'intumescence de la rate.*

INUSABLE adj. → USER 2. / **INUSITÉ, E** adj. → USITÉ. / **INUTILE** adj. et n., **INUTILEMENT** adv. → UTILE. / **INUTILISABLE** adj., **INUTILISÉ, E** adj. → UTILISER. / **INUTILITÉ** n. f. → UTILE. / **INVAINCU, E** adj. → VAINCRE. / **INVALIDATION** n. f. → VALIDE 2.

1. INVALIDE adj. → VALIDE 2.

2. INVALIDE [ɛ̃valid] adj. et n. (lat. *invalidus,* faible). Se dit d'une personne qui, du fait d'un accident ou de la maladie, n'est pas en état de mener une vie active, de travailler. ◆ n. m. Ancien militaire que l'âge ou les infirmités ont rendu incapable de servir : *Les invalides de guerre.* ◆ **invalidité** n. f. État d'une personne dont la capacité de travail est réduite au moins des deux tiers : *Une pension d'invalidité.*

Invalides *(hôtel des),* édifice construit à Paris, au XVIIe s., pour abriter les soldats que l'âge ou les infirmités rendaient impropres au service. Commencé sur les plans de l'architecte Libéral Bruant, il fut construit en grande partie par Jules Hardouin-Mansart. Sous le dôme des Invalides a été placé le tombeau de Napoléon. L'hôtel abrite le musée de l'Armée et le musée des Plans-Reliefs.

INVALIDER v. t. → VALIDE 2. / **INVALIDITÉ** n. f. → INVALIDE 2 et VALIDE 2.

INVAR [ɛ̃var] n. m. (nom déposé). Acier au nickel, dont le coefficient de dilatation est pratiquement négligeable.

INVARIABILITÉ n. f., **INVARIABLE** adj., **INVARIABLEMENT** adv. → VARIER 1.

INVASION [ɛ̃vazjɔ̃] n. f. (du lat. *invadere,* envahir). **1.** Pénétration massive de forces armées sur le territoire d'un pays étranger ou de populations en migration qui envahissent un pays par la force : *Les grandes invasions barbares.* — **2.** Arrivée massive d'animaux nuisibles : *Une invasion de moustiques* (syn. INCURSION). — **3.** Action d'entrer soudainement en grand nombre dans un lieu (sans idée hostile) : *L'invasion des enfants dans le bureau me tira brusquement de ma rêverie* (syn. IRRUPTION). — **4.** Diffusion soudaine : *Invasion d'idées nouvelles.*

invasions *(les grandes),* nom donné à l'irruption et à l'installation des Barbares, surtout germaniques, dans l'Empire romain, de la fin du IVe au milieu du VIe s. apr. J.-C.

Dès le IIe et le IIIe s., les Barbares effectuent dans l'Empire romain de nombreuses incursions sans s'installer cependant de façon définitive. Mais, à la fin du IVe s., l'arrivée brutale en Europe orientale des Huns chassés d'Asie provoque une gigantesque migration de peuples. L'Empire goth se disloque.

- *376. Les Wisigoths franchissent le Danube.*
- *378. Ils écrasent l'empereur Valens à Andrinople et le tuent.*

Les Barbares germaniques occupent l'Europe occidentale.

- *406. Vandales, Suèves et Alains dévastent la Gaule et pénètrent en Espagne. Les Alamans occupent l'Alsace.*
- *410. Rome est prise par les Wisigoths d'Alaric.*
- *413. Le successeur d'Alaric reçoit de l'empereur Honorius la Narbonnaise et occupe toute l'Aquitaine.*
- *429. Les Vandales passent en Afrique.*

À partir de 450, Angles, Jutes et Saxons venus du nord de l'Europe envahissent la Bretagne.

- *451. Les Huns, d'origine asiatique, envahissent la Gaule, conduits par Attila. Ils pénètrent en Italie.*
- *486-534. La conquête franque s'accélère sous la direction de Clovis et de ses fils.*
- *488. Les Ostrogoths de Théodoric s'installent en Italie.*
- *568. Les Lombards s'implantent en Italie, tandis que les Avars occupent la Pannonie.*

Ces grandes invasions entraînent au Ve s. l'effondrement de l'Empire romain et la mise en place de royaumes barbares : Anglo-Saxons en Bretagne, Francs et Burgondes en Gaule, Wisigoths en Espagne, Ostrogoths en Italie et Vandales en Afrique du Nord. De la fusion des deux mondes, germanique et romain, est issue la civilisation médiévale.

INVECTIVE [ɛ̃vɛktiv] n. f. (bas lat. *invectivae* [*orationes*], [discours] agressifs) [surtout au plur.]. Paroles violentes, injures adressées à quelqu'un : *Se répandre en invectives* (syn. INSULTE). ◆ **invectiver** v. t. Dire des invectives à quelqu'un. ◆ ***s'invectiver*** v. pr. : *Ils se sont violemment invectivés dans la rue* (syn. S'INJURIER).

INVENDABLE adj., **INVENDU, E** adj. et n. m. → VENDRE 1.

INVENTAIRE [ɛ̃vɑ̃tɛr] n. m. (bas lat. *inventarium*; de *invenire*, trouver). **1.** État des biens laissés par une personne pour sa succession; évaluation des marchandises en magasin. — **2.** Revue détaillée, minutieuse d'un ensemble : *Procéder à l'inventaire des ressources touristiques d'un département* (syn. DÉNOMBREMENT, RECENSEMENT). — **3.** *Sous bénéfice d'inventaire* → BÉNÉFICE 1. ◆ **inventorier** v. t. Faire l'inventaire de quelque chose.

INVENTER [ɛ̃vɑ̃te] v. t. (du lat. *invenire*, trouver). **1.** Créer une chose originale ou nouvelle, à laquelle personne n'avait encore pensé, dans tous les domaines de l'activité : *Inventer un nouveau procédé de fabrication* (syn. IMAGINER). — **2.** Concevoir quelque chose qui, dans une occasion déterminée, serve à un usage particulier : *Inventer un moyen de se sortir d'un mauvais pas* (syn. TROUVER). — **3.** Créer de toutes pièces, tirer de son imagination ce que l'on fait passer pour réel ou vrai : *Une histoire inventée de toutes pièces* (syn. FABRIQUER). ◆ ***s'inventer*** v. pr. Être conçu faussement (sens 3 du v. t.) : *Ce sont des choses qui ne s'inventent pas* (syn. S'IMAGINER). ◆ **inventeur, trice** n. Personne qui invente (au sens 1) un procédé, un nouvel objet, qui crée quelque chose d'original : *Gutenberg, l'inventeur de l'imprimerie.* ◆ **inventif, ive** adj. Qui a le don d'inventer : *Un esprit inventif. Il a une imagination inventive* (syn. FERTILE). ◆ **invention** n. f. **1.** Action d'inventer : *L'invention de l'écriture.* — **2.** Faculté d'inventer, don d'imagination : *Cette histoire est de son invention. Un esprit d'invention* (= imaginatif). — **3.** Chose inventée : *Quelle belle invention!* (syn. fam. TROUVAILLE). — **4.** Mensonge inventé pour tromper : *Ce sont de pures inventions!* — **5.** *Mus.* Courte composition musicale de forme libre pour instruments à clavier. ◆ **réinventer** v. t. Créer de nouveau ce qui avait déjà été inventé, mais dont le souvenir s'est perdu.

INVENTORIER v. t. → INVENTAIRE.

INVÉRIFIABLE adj. → VÉRIFIER.

INVERNESS, v. d'Écosse, sur le golfe de Moray; 34 900 hab. Ce fut le ch.-l. d'un anc. comté.

INVERSE [ɛ̃vɛrs] adj. (lat. *inversus*; de *invertere*, retourner). Qui est opposé exactement à la direction, à la fonction actuelle ou habituelle : *Venir en sens inverse* (= de la direction opposée). *Faire un mouvement inverse* (= exactement contraire). ◆ n. m. *L'inverse*, la chose contraire : *C'est l'inverse qu'il fallait faire.* ‖ Math. *Inverse d'un nombre* → ENCYCL. ◆ **inversement** adv. : *Je l'aiderai pour son devoir de mathématiques, et inversement il me donnera quelques idées pour la dissertation* (syn. RÉCIPROQUEMENT). ◆ **inverser** v. t. Renverser la direction, changer la position relative de deux choses : *Inverser l'ordre des mots. Les rôles sont inversés* (= l'avantage a changé de côté). ◆ **inverseur** n. m. Appareil servant à changer le sens de circulation d'un courar électrique, le sens de marche d'un ensemble mécanique. ◆ **inversion** n. f. **1.** *Gramm.* Construction où l'ordre des mots n'est pa conforme à l'ordre habituel commun de la langue considérée : *E français, dans les phrases interrogatives directes, on peut avo l'inversion du sujet* (ex. : *Viendra-t-il?*). — **2.** Géol. *Inversion d relief*, forme de relief dans laquelle les couches géologiques le plus anciennes se trouvent surélevées par rapport aux couche géologiques récentes : *Le synclinal perché est la forme classique d l'inversion de relief.* → illustration ci-dessus. ‖ *Inversion d température*, en montagne, phénomène selon lequel l'air froid, plu lourd, s'accumule dans les vallées et les bassins, tandis que l'a des sommets est relativement plus chaud.

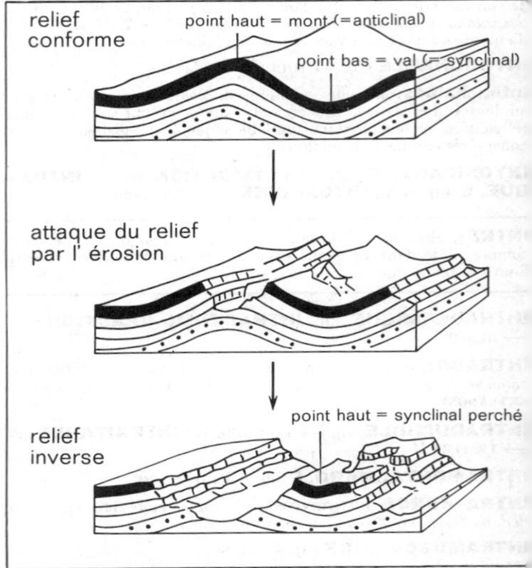

— ENCYCL. L'*inverse* d'un nombre réel non nul a est le symétriqu de a pour la multiplication, c'est-à-dire le nombre réel a' tel qu $a \times a' = a' \times a = 1$.

L'inverse d'un nombre a se note a^{-1} ou $\frac{1}{a}$.

Exemples : l'inverse de -3 est $-\frac{1}{3}$, l'inverse de 10^p est 10^{-} ($p \in \mathbb{Z}$); l'inverse de $\frac{5}{2}$ est $\frac{2}{5}$; zéro n'a pas d'inverse.

INVERSION n. f. → INVERSE et INVERTI.

INVERTÉBRÉS n. m. pl. → VERTÈBRE.

INVERTI, E [ɛ̃vɛrti] n. (du lat. *invertere*, retourner). Qui a un attirance sexuelle pour les personnes de son sexe (syn. HOMOSEXUEL). ◆ **inversion** n. f. *Inversion sexuelle*, attirance sexuell pour les personnes de son sexe.

INVESTIGATION [ɛ̃vɛstigasjɔ̃] n. f. (du lat. *investigar* rechercher avec soin). Recherche menée avec persévérance attention, jusque dans les détails : *Poursuivre ses investigatio* (syn. ENQUÊTE). ◆ **investigateur, trice** n. et adj. Qui fait de recherches suivies; qui examine avec soin : *Regards investigateur*

1. INVESTIR [ɛ̃vɛstir] v. t. (lat. *investire*, revêtir). **1.** *Autref.* Procéder à la cérémonie d'investiture (sens 1). — **2.** *Investir qq'u d'une autorité, d'une fonction*, etc., le mettre en possession c cette autorité, l'installer dans cette fonction : *On l'a investi de to les pouvoirs* (syn. DOTER). — **3.** *Investir qq'un de sa confiance*, s fier entièrement à lui. ◆ **investiture** n. f. **1.** *Autref.* Mise e possession d'un fief, d'une dignité ecclésiastique, selon la traditio et avec les cérémonies d'usage : *Investiture d'un évêché.* — **2.** Ac par lequel un parti politique désigne un candidat à une fonctio électorale (sens 2 du v.). ◆ **réinvestir** v. t.

2. INVESTIR [ɛ̃vɛstir] v. t. (même étym.). *Investir une vill une position*, etc., l'encercler en coupant ses communications ave l'extérieur : *La police investit le repaire des bandits* (syn. ASSIEGER, CERNER). ◆ **investissement** n. m. : *L'investissement d Paris en 1870.*

3. INVESTIR [ɛ̃vɛstir] v. t. et i. (même étym., avec influenc e l'angl. *to invest*). Placer de l'argent, des capitaux, pour en tirer rofit ou assurer l'expansion d'une entreprise : *Investir son argent ans l'industrie chimique.* ◆ **investissement** n. m. **1.** Action de lacer de l'argent, des capitaux, pour en tirer un revenu (syn. LACEMENT). — **2.** Emploi de capitaux visant à l'accroissement de production d'une entreprise, d'une collectivité.

NVESTISSEMENT n. m. ⟶ INVESTIR 2 et 3.

NVESTITURE n. f. ⟶ INVESTIR 1.

nvestitures *(querelle des)*, conflit entre la papauté et le Saint mpire (1059-1122) au sujet de la nomination des évêques et des bbés.

1059. Le pape Nicolas II décide que l'élection du souverain pontife sera soustraite à l'influence de l'empereur allemand et réservée aux seuls cardinaux.
1075. Le concile de Rome interdit aux laïques de conférer l'investiture religieuse aux ecclésiastiques.
1076. L'empereur Henri IV refuse de se soumettre à ces décisions et fait déposer le pape Grégoire VII. Celui-ci l'excommunie.*
1077. Pour faire lever l'excommunication, Henri IV doit venir faire pénitence publique devant Grégoire VII à Canossa.

a lutte se poursuit entre papes et empereurs jusqu'en 1122. Le oncordat de Worms (entre Henri V et Calixte II) établit le prinipe de la séparation des pouvoirs spirituel et temporel : l'investiure spirituelle est réservée à l'autorité religieuse; l'Empereur 'engage à respecter la liberté des élections du pape et des vêques.

NVÉTÉRÉ, E [ɛ̃vetere] adj. (du lat. *inveterare*, vieillir). **1.** Qui 'est fortifié, enraciné chez quelqu'un avec le temps : *L'habitude vétérée de fumer.* — **2.** Qui a laissé une manière d'être s'enraciner en soi : *Un bavard invétéré* (syn. IMPÉNITENT).

NVINCIBILITÉ n. f., **INVINCIBLE** adj., **INVINCIBLEMENT** adj. ⟶ VAINCRE. / **INVIOLABILITÉ** n. f., **INVIOLABLE** adj. ⟶ VIOLER 2. / **INVISIBILITÉ** n. f., **INVISIBLE** dj. ⟶ VOIR 1.

NVITER [ɛ̃vite] v. t. (lat. *invitare*). **1.** *Inviter qq'un*, lui demaner par courtoisie, par politesse, etc., de venir en un lieu, d'assiser à telle ou telle cérémonie (syn. CONVIER). — **2.** (sujet nom de ersonne) *Inviter qq'un*, lui demander avec autorité de faire uelque chose (sens moins fort que ORDONNER) : *Je vous invite à modérer vos expressions* (syn. CONSEILLER, PRIER). — **3.** (sujet nom e chose) Engager à faire quelque chose : *Ce temps chaud invite à a paresse. Ce petit chemin ombragé invite à la promenade* (syn. NGAGER, INCITER). ◆ **invitation** n. f. Sens 1 et 2 du v. : *Envoyer es invitations à un mariage* (syn. FAIRE-PART). *Invitation à se etirer* (syn. AVERTISSEMENT). *Je ne l'ai fait que sur votre invitaion* (syn. APPEL, PRIÈRE). ◆ **invité, e** n. Personne que l'on a priée e venir assister à un repas, à une cérémonie, etc. : *Des invités de marque.* ◆ **invite** [ɛ̃vit] n. f. Manière adroite, plus ou moins irecte, d'amener quelqu'un à faire quelque chose : *Ne pas épondre aux invites d'un adversaire* (syn. APPEL). ◆ **réinviter** v. t. nviter de nouveau.

N VITRO [invitro] loc. adv. (mots lat. signif. *dans le verre*). Se it de toute réaction physiologique qui se fait en dehors de l'organisme (dans des tubes, des éprouvettes, etc.).

NVIVABLE adj. ⟶ VIVABLE.

N VIVO [invivo] loc. adv. (mots lat. signif. *dans l'être vivant*). Se it de toute réaction physiologique qui se fait dans l'organisme.

NVOCATION n. f. ⟶ INVOQUER.

NVOLONTAIRE adj., **INVOLONTAIREMENT** adv. ⟶ VOLONTÉ.

NVOLUCRE [ɛ̃volykr] n. m. (lat. *involucrum*, enveloppe). *Bot.* Ensemble de bractées, d'organes foliacés, rapprochés autour de la ase d'une fleur ou d'une inflorescence.

NVOLUTÉ, E [ɛ̃vɔlyte] adj. (du lat. *volutus*, enveloppé). *Bot.* Roulé en dedans : *Dans le bourgeon, les jeunes feuilles du poirier ont involutées.*

NVOQUER [ɛ̃vɔke] v. t. (lat. *invocare*). **1.** Implorer l'aide, réclaner le secours de quelqu'un de plus puissant, par des prières, des upplications : *Invoquer Dieu.* — **2.** Donner comme argument, omme justification, comme cause : *Invoquer en sa faveur le témoignage des gens présents* (syn. EN APPELER À). *Invoquer son ignorance pour excuser sa faute* (syn. ALLÉGUER). ◆ **invocation** n. f. Action d'implorer une divinité par des prières ou des cérémonies articulières : *Une formule d'invocation* (syn. ADJURATION). *L'invocation à la Vierge* (syn. PRIÈRE). — LOC. PRÉP. *Sous l'invocation de*, sous la protection de, en se réclamant de.

NVRAISEMBLABLE adj., **INVRAISEMBLANCE** n. f. ⟶ VRAISEMBLABLE. / **INVULNÉRABILITÉ** n. f., **INVULNÉRABLE** adj. ⟶ VULNÉRABLE.

IO. *Myth. gr.* Fille d'Inachos, aimée par Zeus, changée par lui en génisse et gardée par Argos.

IOANNINA ou **JANNINA,** v. de Grèce, en Épire, sur le *lac de Ioannina;* 39 800 hab.

IODE [jɔd] n. m. (gr. *iodês*, violet). Corps simple (I) d'un gris bleuâtre, d'un éclat métallique, de densité 4,9, et qui répand, quand on le chauffe, des vapeurs violettes. ◆ **iodé, e** adj. Qui contient de l'iode : *Eau iodée.* ◆ **iodure** n. m. Composé d'iode et d'un corps simple.
— ENCYCL. En médecine, l'*iode* est employé comme antiseptique sous forme de solution alcoolique *(teinture d'iode)*. Il permet également de traiter les affections de la thyroïde (goitres) et les rhumatismes.

IOLE. *Myth. gr.* Fille d'Eurytos, roi d'Œchalie, elle fut enlevée et épousée par Héraclès.

ION [jɔ̃] n. m. (mot angl.; du gr. *ion*, allant). Particule chargée électriquement et formée d'un atome ou d'un groupe d'atomes ayant gagné ou perdu un ou plusieurs électrons. ◆ **ionisation** n. f. Production d'ions dans un gaz ou dans un électrolyte. ◆ **ioniser** v. t. Provoquer l'ionisation. ◆ **ionique** adj. Qui se rapporte aux ions.
— ENCYCL. On distingue les *ions électrolytiques* et les *ions gazeux*.
En solution aqueuse, les molécules des acides, des bases ou des sels sont spontanément dissociées en *ions électrolytiques*, qui sont des particules chargées positivement ou négativement. Dans un champ électrique, les ions positifs se dirigent vers la cathode *(cations)*, et les ions négatifs vers l'anode *(anions)*.
Sous l'influence de certains agents ionisants (rayons X, rayons ultraviolets), les gaz deviennent conducteurs d'électricité. Il y a modification de certains atomes du gaz, qui sont appelés *ions gazeux*. Ces ions sont positifs ou négatifs suivant qu'ils rassemblent autour de leur noyau plus ou moins d'électrons.

IONESCO (Eugène), auteur dramatique français d'origine roumaine, né en 1912. Ses premières comédies dévoilent l'absurdité de l'existence et des rapports sociaux (*la Cantatrice chauve*, 1950; *la Leçon*, 1950; *les Chaises*, 1952). Il recherche ensuite une nouvelle possibilité de communication humaine dans des pièces où la parodie se charge de symbolisme (*Rhinocéros*, 1960; *Le roi se meurt*, 1962; *la Soif et la faim*, 1966; *Jeux de massacre*, 1970).

IONIE, pays de l'anc. Asie Mineure, sur la mer Égée, entre Milet et Phocée, habité par les Grecs émigrés.
Aux VIIe et VIe s. av. J.-C., l'Ionie fut un grand centre de rayonnement de la civilisation grecque : ses habitants créèrent de nombreuses colonies en mer Égée et en mer Noire.

IONIEN, ENNE adj. et n. De l'Ionie. ‖ *Les Ioniens*, nom donné aux physiciens d'Ionie (Thalès, Anaximandre, Anaximène, Diogène, Héraclite), qui, aux VIIe et VIe s. av. J.-C., ouvrirent, par leur réflexion sur le monde, l'ère de la pensée philosophique.

IONIENNE *(mer)*, partie de la Méditerranée entre l'Italie, l'Albanie et la Grèce.

IONIENNES *(îles)*, groupe d'îles grecques de la mer Ionienne; 2 307 km^2; 212 600 hab. Les principales sont *Corfou*, *Zante*, *Céphalonie*, *Leucade*, *Ithaque*, *Cythère*.

1. IONIQUE [jɔnik] adj. De l'Ionie. ‖ *Ordre ionique*, un des cinq ordres de l'architecture grecque, caractérisé surtout par un chapiteau orné de deux volutes latérales.

2. IONIQUE adj. ⟶ ION.

IONISATION n. f., **IONISER** v. t. ⟶ ION.

IONOSPHÈRE [jɔnɔsfɛr] n. f. (de *ion*, et *sphère*). Couche de la haute atmosphère (entre 60 et 600 km env.), où l'air est fortement ionisé et, par conséquent, conducteur d'électricité.

IOTA [jɔta] n. m. (mot gr.). *Il n'y manque pas un iota*, il n'y manque rien. (L'*iota* est une lettre de l'alphabet grec* correspondant à *i*.)

IOWA, État du centre des États-Unis; 145 800 km^2; 2 883 000 hab. Capit. *Des Moines*.

IPÉCACUANA [ipekakwana] et, par abrév., **IPÉCA** [ipeka] n. m. (mot portug.). Racine d'un arbrisseau du Brésil, de la famille des rubiacées. (L'ipéca contient des alcaloïdes qui lui confèrent des propriétés vomitives.)

IPHIGÉNIE. *Myth. gr.* Fille d'Agamemnon et de Clytemnestre. Son père la sacrifia à Artémis afin de fléchir les dieux, qui retenaient par des vents contraires la flotte grecque à Aulis. Suivant une autre tradition, la déesse substitua à Iphigénie une biche et fit de la jeune fille sa prêtresse en Tauride. Cette légende a fourni le thème de plusieurs tragédies et opéras : *Iphigénie à Aulis* et *Iphigénie en Tauride*, tragédies d'Euripide (405 et v. 414 av. J.-C.); *Iphigénie en Aulide*, tragédie de Racine (1674); *Iphigénie en Aulide* et *Iphigénie en Tauride*, opéras de Gluck (1774 et 1779); *Iphigénie en Tauride*, tragédie de Goethe (1787).

IPSO FACTO [ipsofakto] loc. adv. (loc. lat. signif. *par le fait même*). Par le fait même, par une conséquence obligée : *Signer ce traité, c'est reconnaître « ipso facto » l'existence de cet État.*

IPSWICH, port de Grande-Bretagne (Suffolk); 122 050 hab.

IQUITOS, v. du Pérou, port actif sur le Marañón; 58 800 hab. Industries alimentaires. Raffinage du pétrole.

IR-, variante du préf. négatif IN *. → IN-.

I. R. A., sigle de *Irish Republican Army (Armée républicaine irlandaise)*, force nationaliste formée à partir des volontaires irlandais, lors de la proclamation de la république en janvier 1919; elle mena une guérilla contre les forces policières britanniques jusqu'en 1921. Une partie de l'I. R. A. continua alors à manifester son opposition, réclamant l'unité et l'indépendance complète de l'Irlande. Déclarée illégale en 1939, elle poursuit actuellement son action.

IRAN, État de l'Asie du Sud-Ouest, ouvert au S. sur le golfe Persique et le golfe d'Oman.

SUPERFICIE 1 650 000 km² (France : 550 000 km²).
POPULATION 53 900 000 hab. *(Iraniens);* 33 hab. au km² (France : 103); accroissement annuel de population, 3 p. 100.
CAPITALE Téhéran (5 734 000 hab.).
VILLES PRINCIPALES Ispahan (671 000 hab.); Mechhed (670 000 hab.); Tabrīz (599 000 hab.).
LANGUE OFFICIELLE persan.
MONNAIE rial.

GÉOGRAPHIE

La chaîne de l'*Elbourz* (5 604 m) au N. et le *Zagros* au S. encadrent de hautes plaines désertiques. Les reliefs sont un peu plus arrosés, mais le climat y reste très rude en raison de la forte continentalité.

	TEMPÉRATURES MOYENNES janv.	juil.	PLUIES
Téhéran	2 °C	29,7 °C	250 mm

L'ensemble du pays est couvert par la steppe. Quelques cultures extensives de céréales sont pratiquées sur les hautes plaines, et les montagnes servent de pacage aux troupeaux d'ovins et de caprins. Les seules zones intensément mises en culture sont les oasis de piedmont, où grâce à l'irrigation poussent du blé, des arbres fruitiers, du coton. Là se situent les villes principales. Au bord du golfe Persique on cultive la canne à sucre, le riz, le tabac.

blé 6 millions de t ; riz 1 600 000 t ; coton 100 000 t.

L'industrie se limite à des activités traditionnelles (tapis, soieries) et à la transformation des produits agricoles, à l'exception de l'exploitation du pétrole (110 millions de t) qui constitue la richesse essentielle du pays.
Les revenus considérables apportés par le pétrole ont permis une amorce de modernisation de l'économie iranienne, en développant l'irrigation et en poussant l'industrialisation. Mais la révolution de 1979 a remis fondamentalement en cause le type de développement mis en œuvre par le régime impérial.

HISTOIRE

L'histoire de l'Iran moderne (nom actuel de l'anc. PERSE*) commence au début du XXe s., avec l'implantation des Russes et des Britanniques qui partagent le pays en deux zones d'influence.

- *1909. La dépendance à l'égard de l'Angleterre s'accroît par la découverte d'importantes réserves de pétrole.*
- *1925. Le général Rezā khān renverse la dynastie des Qādjārs et se proclame chāh, fondant ainsi la dynastie des Pahlavi.*
- *1941-1945. L'occupation de l'Iran par les Russes et les Anglais entraîne le développement d'un mouvement nationaliste.*
- *1951-1953. Mossadegh, chef du parti nationaliste, est porté au pouvoir. Il nationalise les pétroles iraniens.*
- *1953-1954. Le chāh Muḥammad Reza ressaisit le pouvoir et signe un nouvel accord pétrolier plus conforme aux intérêts des grandes compagnies internationales.*

Il entreprend de moderniser l'Iran (réformes agraire, administrative, etc.) tout en réprimant durement l'opposition.

- *1978. L'opposition devient de plus en plus violente sous la conduite de l'ayatollah Khomeyni, chef spirituel des chī'ites.*
- *1979. Le départ du chāh (janv.) est suivi par la création d'une République islamique (mars), dirigée par Khomeyni. Crise avec les États-Unis à la suite de la prise en otage du personnel de l'ambassade américaine à Téhéran (nov.).*
- *1980. Élection de Bani Sadr à la présidence de la République (janv.). Début du conflit avec l'Iraq (sept.).*
- *1981. Libération des otages américains (janv.). Destitution de Bani Sadr (juin).*
- *1988. Un cessez-le-feu est signé avec l'Iraq.*
- *1989. Mort de Khomeyni. Hachemi Rafsandjani est élu à la présidence de la République.*
- *1990. Signature d'un accord avec l'Iraq qui accepte d'en revenir à la frontière qu'il avait avant le conflit.*

IRAQ ou **IRAK,** État de l'Asie du Sud-Ouest, entre l'Iran et l'Arabie Saoudite.

SUPERFICIE 434 000 km² (France : 550 000 km²).
POPULATION 18 100 000 hab. *(Iraqiens ou Irakiens);* 42 hab. au km² (France : 103); accroissement annuel de population, 3,2 p. 100.
CAPITALE Bagdad (3 205 000 hab.).
VILLES PRINCIPALES Bassora (600 000 hab.); Mossoul (388 200 hab.).
LANGUE OFFICIELLE arabe.
ÉCONOMIE consommation d'énergie par hab., 600 kg d'équivalent charbon ; 1 automobile pour 89 hab.
MONNAIE dinar irakien.

GÉOGRAPHIE

S'étendant sur la majeure partie de l'ancienne Mésopotamie, l'Iraq est une vaste dépression au climat sec et chaud, encadrée par les chaînons du *Zagros* et le rebord du plateau désertique de la *Chamiyé*.

	TEMPÉRATURES MOYENNES janv.	juil.	PLUIES
Bagdad	10 °C	34 °C	163 mm

L'*agriculture* emploie encore la majeure partie de la population active. Le pays est partiellement mis en valeur par l'irrigation (dattes, blé, orge, riz, tabac, coton). L'élevage nomade (ovins et chameaux) est la seule ressource de l'Ouest désertique non irrigué.

Le *pétrole* (60 millions de t) exploité dans le nord (au pied des monts de Zagros) et dans le sud du pays constitue la richesse essentielle. La quasi-totalité de la production est exportée, vers l'Europe occidentale principalement.

HISTOIRE

L'histoire de l'Iraq ancien est celle de la Mésopotamie*.

Au VIIe s., le pays est conquis par les Arabes et islamisé; il

prend le nom d'*Iraq*. Du VIIIe au XIIIe s., il est le centre de l'Empire des 'Abbāssides dont la capitale est Bagdad.

- *1534-1918. L'Iraq fait partie de l'Empire ottoman.*
- *1920. Le pays est placé sous mandat britannique.*
- *1921. L'Iraq devient un royaume, avec l'émir Fayṣāl comme roi.*
- *1941. L'Angleterre occupe l'Iraq et le convainc d'entrer en guerre aux côtés des Alliés.*

L'impopularité de l'alliance anglaise maintient un climat de troubles.

- *1958. Fayṣāl II est renversé par une insurrection et assassiné.*

Un comité militaire, dirigé par le général Kassem, prend le pouvoir et proclame la république. Kassem se heurte à la révolte des Kurdes (1962) et à celle des partisans de la Ligue arabe, qui le font assassiner (1963). Le maréchal Aref lui succède.

- *1966. Après la mort accidentelle du maréchal Aref, son frère, le général Aref, lui succède.*
- *1968. Un coup d'État militaire place le général Bakr à la présidence de la République.*
- *1972. Le gouvernement nationalise l'Iraq Petroleum Company.*

De 1974 à 1975 le conflit avec les Kurdes rebondit : ceux-ci rejettent les décrets d'application de leur statut d'autonomie (ratifié en 1970), mais ils sont battus par les forces de Bagdad.

- *1979. Saddam Hussein devient président de la République.*
- *1980-1988. Guerre avec l'Iran.*
- *1990. L'Iraq envahit et annexe le Koweït.*
- *1991. À l'expiration de l'ultimatum fixé par l'O. N. U., la force multinationale conduite par les États-Unis attaque l'Iraq (17 janv.) et libère le Koweït (28 févr.).* [→ GOLFE *(guerre du)*.]

IRASCIBLE [irasibl] adj. (du lat. *irasci*, se mettre en colère). Se dit d'une personne qui se met en colère facilement, qui est prompte à s'irriter : *Un homme d'humeur irascible* (syn. ↑COLÉREUX, IRRITABLE). ◆ **irascibilité** n. f.

IRÈNE (v. 752-803), impératrice d'Orient (797-802). Régente sous son fils Constantin VI, elle se débarrassa de lui en 797.

IRÉNÉE *(saint)*, évêque de Lyon, Père de l'Église (v. 130-v. 208). Il lutta contre les gnostiques (= qui prétendaient avoir une connaissance complète de Dieu).

IRIAN, nom de la Nouvelle*-Guinée en indonésien.

IRIDACÉES [iridase] n. f. pl. (de *iris*). Famille de plantes monocotylédones aux fleurs souvent décoratives, comme l'*iris*.

IRIDIUM [iridjɔm] n. m. (du lat. *iris, iridis*, arc-en-ciel). Métal (Ir) blanc, très dur, contenu dans certains minerais de platine.

1. IRIS [iris] n. m. (mot gr.). *Anat.* Membrane colorée de l'œil, située derrière la cornée et devant le cristallin, et percée d'un orifice, la pupille. (L'iris joue le rôle d'un diaphragme réglant la quantité de lumière pénétrant dans l'œil; son épithélium contient un pigment qui donne la couleur de l'œil.

2. IRIS [iris] n. m. (même étym.). *Bot.* Plante type de la famille des iridacées, souvent cultivée pour ses fleurs ornementales et odorantes, à trois pétales dressés et trois sépales renversés de la même couleur, et dont le rhizome est employé en parfumerie.

IRIS. *Myth. gr.* Messagère ailée des dieux, dont l'écharpe à sept couleurs fut assimilée à l'arc-en-ciel.

IRISATION [irizasjɔ̃] n. f. (du lat. *iris*, arc-en-ciel). **1.** Propriété dont jouissent certains corps de disperser la lumière en rayons colorés comme l'arc-en-ciel. — **2.** Reflets ainsi produits. ◆ **irisé, e** adj. Qui présente les couleurs de l'arc-en-ciel : *Verre irisé.*

IRKOUTSK, v. de l'U. R. S. S., en Sibérie orientale; 451 000 hab. Grand barrage sur l'Angara. Centrale hydro-électrique. Aluminium. Industries chimiques.

IRLANDE, île située à l'O. de la Grande-Bretagne, dont le Nord-Est, l'*Ulster**, fait partie du Royaume-Uni, tandis que le reste forme la *république d'Irlande.*

GÉOGRAPHIE

Exposée aux influences maritimes, l'Irlande subit un climat océanique humide et venteux. C'est une île aux sols pauvres : le bassin du Shannon, pays de tourbières et de lacs, est entouré de massifs anciens peu élevés couverts par la lande.

	TEMPÉRATURES MOYENNES janv.	juil.	PLUIES
Dublin	8 °C	15 °C	852 mm

HISTOIRE

L'Irlande est d'abord envahie au IVe s. av. J.-C. par des peuplades celtiques, les Gaëls, qui y forment des royaumes bientôt dominés par celui de Connacht.

Au Ve s. apr. J.-C., saint Patrick convertit l'île au christianisme. Aux VIe et VIIe s., la civilisation irlandaise connaît un brillant épanouissement et rayonne sur l'Europe occidentale par l'intermédiaire des moines missionnaires.

L'Angleterre commence la conquête de l'Irlande au XIIe s.

- *1175. Henri II d'Angleterre fait reconnaître sa suzeraineté sur toute l'île, dont le sort est désormais lié à celui de l'Angleterre.*

Les Irlandais luttent vigoureusement pour sauvegarder leur autonomie; les Tudors pratiquent la « plantation », c'est-à-dire la colonisation rurale par des Anglais, dans le but de réduire les rébellions. Au XVIe s., la Réforme aggrave les antagonismes : l'Irlande catholique s'oppose à l'Angleterre protestante.

Aux XVIIe et XVIIIe s., les Irlandais multiplient les révoltes, en s'appuyant systématiquement sur les adversaires de l'Angleterre : Espagnols et Français, puis jacobites (partisans des Stuarts détrônés en Angleterre).

- *1800. L'échec de la révolte autonomiste de 1798 aboutit à l'acte d'Union avec la Grande-Bretagne.*

L'Irlande est intégrée au Royaume-Uni et exploitée comme une véritable colonie par les propriétaires anglais.

Au cours du XIXe s., les Irlandais obtiennent quelques concessions grâce à l'action d'O'Connell, de la société secrète des Fenians et du ministre anglais Gladstone. Mais leurs revendications essentielles (un Parlement national et une large autonomie, ou Home Rule) ne sont pas satisfaites.

Les conditions lamentables de la vie économique accélèrent l'émigration vers les États-Unis.

À la fin du XIXe s., la lutte contre l'Angleterre devient très aiguë avec l'organisation du parti autonomiste du Sinn Fein.

- *1921. Après deux ans de guerre civile, l'Irlande obtient son autonomie et devient un dominion indépendant.*

Cependant, le nord-est du pays, l'Ulster, à majorité protestante, opposé à l'autonomie, reste lié à la Grande-Bretagne, mais doit faire face aux problèmes aigus posés par la minorité catholique.

- *1937. L'Irlande libre est dotée d'une constitution et prend officiellement le nom gaélique d'« Eire ».*
- *1949. La république est proclamée. L'Irlande accède à l'indépendance totale et quitte le Commonwealth.*

IRLANDE *(république d')*, ou **EIRE,** État de l'Europe occidentale, occupant la majeure partie de l'*île d'Irlande.*

GÉOGRAPHIE

L'*agriculture* reste le secteur primordial de l'économie. Pays de landes et de prairies, l'Irlande a une vocation pour l'élevage : bovins, ovins, porcins, volaille. Les cultures sont peu étendues : blé, pomme de terre, orge pour la fabrication de la bière.

bovins	6 700 000 têtes	blé	500 000 t
ovins	3 800 000 têtes	pomme de terre	1 million de t
porcins	1 100 000 têtes	orge	600 000 t

Les villes sont de gros marchés ruraux, à l'exception de la capitale, Dublin, qui groupe le cinquième de la population du pays et où se

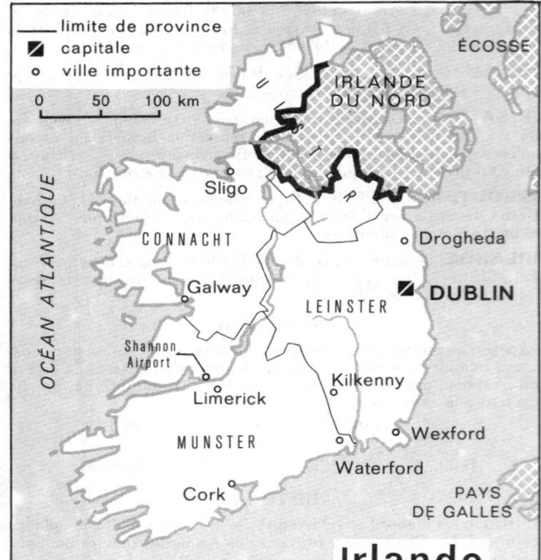

SUPERFICIE 70 000 km² (France : 550 000 km²).

POPULATION 3 500 000 hab. *(Irlandais);* 50 hab. au km² (France : 103); accroissement annuel de population, 0,5 p. 100.

CAPITALE Dublin (983 000 hab. avec les banlieues).

VILLE PRINCIPALE Cork (128 200 hab.).

LANGUES anglais et irlandais.

ÉCONOMIE produit national brut par hab., 5 120 dollars (France : 9 484) ; consommation d'énergie par hab., 3 200 kg d'équivalent charbon ; 1 automobile pour 6 hab.

MONNAIE livre irlandaise.

sont installées quelques usines (brasseries, textiles, montage automobile).

électricité 12 milliards de kWh — laine (filés) 10 000 t
bière 6 millions d'hl

Le pays doit importer des produits fabriqués et exporte les produits de son élevage. Près de la moitié des échanges se font avec le Royaume-Uni. Le *tourisme*, en essor, ne parvient guère à équilibrer la balance commerciale.

HISTOIRE

L'histoire de la république est dominée par Eamon De Valera qui incarne le vieil esprit d'indépendance et d'opposition à l'Angleterre. Premier ministre jusqu'en 1948, puis de 1951 à 1954, il revient au pouvoir en 1957.

• *1959. Eamon De Valera devient président de la République.*

Les catholiques extrémistes souhaitent une réunification de l'Irlande et accordent leur soutien aux catholiques de l'Ulster*.

• *1973. L'Eire entre dans le Marché commun.*

Le protestant Erskine Childers (1973), Cearbhall O'Dalaigh (1974) et Patrick Hillery (1976) se succèdent à la tête de l'État.

• *1985. Accord entre la Grande-Bretagne et la république d'Irlande sur la gestion des affaires de l'Ulster.*

• *1990. Mary Robinson accède à la présidence de la République.*

IRLANDE *(mer d')*, bras de mer de l'Atlantique, entre l'Angleterre et l'Irlande.

IROISE *(mer d')*, bras de mer des côtes de Bretagne, entre les îles de Sein et d'Ouessant.

IRONIE [irɔni] n. f. (gr. *eirôneia*, interrogation). **1.** Attitude de raillerie qui consiste à dire une chose pour faire entendre son contraire, l'intonation aidant. — **2.** *Ironie du sort*, événement qui est si contraire à ce qu'on attendait qu'il apparaît comme une moquerie du destin, une dérision. ◆ **ironique** adj. (avant ou après le nom) : *Un ton ironique* (syn. RAILLEUR). *Un sourire ironique* (syn. MOQUEUR, NARQUOIS). ◆ **ironiquement** adv. ◆ **ironiser** v. t. ind. *Ironiser sur une chose, sur une personne*, les traiter avec ironie : *Il ironise sur l'embarras dans lequel je suis.* ◆ **ironiste** n. Personne qui use habituellement de l'ironie (syn. HUMORISTE).

IROQUOIS, Indiens établis jadis au S.-E. des lacs Érié et Ontario, et formant alors une confédération de cinq tribus, dite *des Cinq-Nations*, qui lutta contre les Français jusqu'en 1700, entravant l'avance de ces derniers vers le S.

1. IRRADIER [iradje] v. i. ou **S'IRRADIER** v. pr. (lat. *irradiare*, rayonner). Se propager à partir d'un centre, en rayonnant : *La douleur du genou irradiait dans toute la jambe.* ◆ **irradiation** n. f. Action de se propager par rayonnement.

2. IRRADIER [iradje] v. t. (même étym.). Soumettre à l'action de certaines radiations, en partic. à un rayonnement radio-actif : *Irradier une tumeur au moyen de la bombe au cobalt.* ◆ **irradiation** n. f. Action de soumettre un corps à un rayonnement radioactif, à la lumière ou à d'autres formes de radiations.

IRRAISONNÉ, E adj. → RAISON 1. / **IRRATIONALITÉ** n. f., **IRRATIONNEL, ELLE** adj. → RATIONNEL 1 et 2.

IRRAWADDY ou **IRRAOUADDI,** fl. de Birmanie; 2 250 km. Il traverse la Birmanie du N. au S., et rejoint l'océan Indien.

IRRÉALISABLE adj. → RÉALISER 2. / **IRRÉALISME** n. m., **IRRÉALITÉ** n. f. → RÉEL. / **IRRECEVABILITÉ** n. f., **IRRECEVABLE** adj. → RECEVOIR 1. / **IRRÉCONCILIABLE** adj. → RÉCONCILIER. / **IRRÉCUPÉRABLE** adj. → RÉCUPÉRER. / **IRRÉCUSABLE** adj., **IRRÉCUSABLEMENT** adv. → RÉCUSER.

IRRÉDENTISME [iredɑ̃tism] n. m. (de *Italia irredenta*, Italie non rachetée). Après 1870, mouvement de revendication italien sur les terres non « rachetées » (Trentin, Istrie, Dalmatie), puis, par extension, sur les territoires considérés comme italiens.

IRRÉDUCTIBILITÉ n. f., **IRRÉDUCTIBLE** adj. → RÉDUIRE 1 et 2. / **IRRÉEL, ELLE** adj. et n. m. → RÉEL. / **IRRÉFLÉCHI, E** adj., **IRRÉFLEXION** n. f. → RÉFLÉCHIR 2. / **IRRÉFRÉNABLE** adj. → RÉFRÉNER. / **IRRÉFUTABLE** adj., **IRRÉFUTABLEMENT** adv., **IRRÉFUTÉ, E** adj. → RÉFUTER. / **IRRÉGULARITÉ** n. f., **IRRÉGULIER, ÈRE** adj., **IRRÉGULIÈREMENT** adv. → RÉGULIER 1 et 2. / **IRRÉLIGIEUSEMENT** adv., **IRRÉLIGIEUX, EUSE** adj., **IRRÉLIGION** n. f., **IRRÉLIGIOSITÉ** n. f. → RELIGION. / **IRREMBOURSABLE** adj. → REMBOURSER. / **IRRÉMÉDIABLE** adj., **IRRÉMÉDIABLEMENT** adv. → REMÈDE. / **IRRÉMISSIBLE** adj., **IRRÉMISSION** n. f. → RÉMISSION. / **IRREMPLAÇABLE** adj. → REMPLACER. / **IRRÉPARABLE** adj. → RÉPARER. / **IRRÉPRÉHENSIBLE** adj. → REPRENDRE 3. / **IRRÉPRESSIBLE** adj., **IRRÉPRIMABLE** adj. → RÉPRIMER 1. / **IRRÉPROCHABLE** adj., **IRRÉPROCHABLEMENT** adv. → REPROCHE. / **IRRÉSISTIBLE** adj., **IRRÉSISTIBLEMENT** adv. → RÉSISTER. / **IRRÉSOLU, E** adj., **IRRÉSOLUTION** n. f. → RÉSOUDRE 2. / **IRRESPECT** n. m., **IRRESPECTUEUSEMENT** adv., **IRRESPECTUEUX, EUSE** adj. → RESPECT. / **IRRESPIRABLE** adj. → RESPIRER 1. / **IRRESPONSABILITÉ** n. f., **IRRESPONSABLE** adj. → RESPONSABLE. / **IRRÉVÉRENCE** n. f., **IRRÉVÉRENCIEUSEMENT** adv., **IRRÉVÉRENCIEUX, EUSE** adj. → RÉVÉRENCE 1. / **IRRÉVERSIBILITÉ** n. f., **IRRÉVERSIBLE** adj. → RÉVERSIBLE 1. / **IRRÉVOCABLE** adj., **IRRÉVOCABLEMENT** adv. → RÉVOQUER 2.

IRRIGUER [irige] v. t. (du lat. *rigare*, arroser). Arroser artificiellement un sol, des terres : *Irriguer une plaine.* ◆ **irrigation** n. f. Technique qui consiste, dans les régions sèches, à amener de l'eau par divers procédés : *Des canaux d'irrigation.* → ENCYCL. ◆ **irrigable** adj. Qui peut être irrigué.
— ENCYCL. Aux procédés traditionnels d'*irrigation* par *déversement* à partir de rigoles, par *infiltration* à partir des sillons, par *submersion* en terrains plats, on tend à substituer l'irrigation par *aspersion* qui évite, notamment, le lessivage du sol.

IRRITER [irite] v. t. (lat. *irritare*). **1.** (sujet nom de personne ou de chose) *Irriter qq'un*, provoquer chez lui un certain énervement, pouvant aller jusqu'à la colère : *Tu ne cesses de l'irriter avec tes plaintes continuelles* (syn. ↓AGACER, ÉNERVER). *Rien ne l'irrite plus que la nonchalance* (syn. ↓CONTRARIER, INDIGNER). — **2.** (sujet nom de chose) *Irriter un organe*, provoquer une inflammation légère : *La fumée des cigarettes irrite sa gorge.* ◆ **s'irriter** v. pr. **1.** *S'irriter de qqch.*, se mettre en colère à cause de cela : *S'irriter du retard des invités.* — **2.** (sans compl.) S'enflammer : *L'œil s'est irrité, il est tout rouge.* ◆ **irritable** adj. Qui s'irrite facilement : *De caractère irritable* (syn. ↑IRASCIBLE; contr. CALME). ◆ **irritant, e** adj. **1.** Qui met en colère : *Il a la manie irritante de tapoter sur la table* (syn. AGAÇANT). — **2.** Qui détermine une irritation : *Sels irritants.* ◆ **irritation** n. f. **1.** *Dans l'état* *d'irritation où il se trouve* (syn. EXASPÉRATION). — **2.** *L'irritation de la gorge, des bronches* (syn. INFLAMMATION).

IRRUPTION [irypsjɔ̃] n. f. (lat. *irruptio*). **1.** Brusque et violente entrée de quelqu'un dans un lieu : *Les enfants firent irruption en criant dans le bureau* (= se précipitèrent). — **2.** Envahissement violent et subit : *L'irruption des eaux dans la basse ville* (syn. INONDATION).

IRTYCH, riv. de l'U. R. S. S., en Sibérie, affl. de l'Ob' (r. g.); 2 970 km. Né dans l'Altaï, l'Irtych draine une partie de la plaine de la Sibérie occidentale.

IRÚN, v. d'Espagne, sur la Bidassoa, en face d'Hendaye; 29 800 hab.

IRVING (Washington), essayiste et historien américain (1783-1859). Il fut le premier en date des écrivains des États-Unis avec son *Histoire de New York par Diedrich Knickerboker*. Il est également l'auteur d'un conte célèbre : *Rip van Winkle*.

ISAAC, fils d'Abraham et de Sara, sauvé par un ange au moment où son père allait le sacrifier. Il épousa Rébecca, dont il eut Esaü et Jacob. (Bible.)

ISABEAU ou **ISABELLE de Bavière** (1371-1435), reine de France. Elle épousa Charles VI en 1385 et fut plusieurs fois régente. Elle passa du clan des Armagnacs à celui des Bourguignons avant de reconnaître le roi d'Angleterre, son gendre, comme héritier légitime du trône de France (traité de Troyes, 1420).

ISABELLE [izabɛl] adj. inv. (du n. d'*Isabelle* la Catholique, qui aurait fait le vœu de ne point changer de chemise tant que la ville de Grenade ne serait pas prise). D'une couleur café au lait : *Des robes isabelle.* ‖ *Cheval isabelle,* de couleur isabelle, avec les crins et les extrémités noirs.

ISABELLE DE FRANCE (1292-1358), fille de Philippe IV le Bel, femme d'Édouard II d'Angleterre, et mère d'Édouard III, qui prétendit à la couronne de France.

ISABELLE Ire la Catholique (1451-1504), reine de Castille (1474-1504). Son mariage, en 1469, avec Ferdinand, héritier d'Aragon, permit la réunion en une seule monarchie des royaumes d'Aragon et de Castille (1479) et facilita l'unité de l'Espagne. Isabelle favorisa l'Inquisition et acheva la Reconquête dans ses États (chute du royaume maure de Grenade en 1492).

ISABELLE II (1830-1904), reine d'Espagne (1833-1868), fille de Ferdinand VII. Elle fut détrônée par le soulèvement de 1868.

ISABEY (Jean-Baptiste), peintre miniaturiste français (1767-1855). Ses miniatures sur ivoire connurent un grand succès sous l'Empire (portrait de Napoléon Ier et des membres de sa famille).

ISAÏE, le premier des quatre grands prophètes juifs au VIIIe s. av. J.-C.

ISARD [izar] n. m. (mot basque). Chamois des Pyrénées.

ISBA ou **IZBA** [izba] n. f. (mot russe). Habitation en bois de sapin de divers peuples du nord de l'Europe ou de l'Asie. (Au-dessus d'un soubassement, les murs sont faits de rondins de sapin empilés horizontalement.)

ISBERGUES, comm. du Pas-de-Calais, à 4 km à l'E. d'Aire; 5 800 hab.

ISCARIOTE (l'*Homme de Kerioth*, village de Judée), surnom donné à l'apôtre JUDAS.

ISCHÉMIE [iskemi] n. f. (du gr. *iskhein*, arrêter, et *haima*, sang). *Méd.* Arrêt local de la circulation sanguine dans une partie de l'organisme.
— ENCYCL. L'*ischémie* est due à l'oblitération d'une artère par embolie, thrombose ou compression. Elle entraîne un arrêt de l'apport d'oxygène dans les tissus. L'ischémie est très dangereuse pour le cerveau en particulier : les cellules nerveuses sont très sensibles à la privation d'oxygène; elles meurent en trois minutes et ne se régénèrent pas.

L'ischémie est le point de départ d'une maladie comme l'*infarctus du myocarde* où l'artère coronaire est obstruée.

ISCHIA, île d'Italie, à l'entrée du golfe de Naples; 32 000 hab. Centre touristique.

ISERAN *(col de l')*, col des Alpes du Nord, entre les vallées de l'Arc et de l'Isère ; 2 762 m.

ISÈRE, riv. des Alpes du Nord; 290 km. Née au pied de l'Iseran, près de la frontière italienne, l'Isère draine la Tarentaise et la majeure partie du Sillon* alpin (combe de Savoie et Grésivaudan), arrose Grenoble et Romans avant de rejoindre le Rhône (r. g.). Sa vallée supérieure (Tarentaise) est une importante artère industrielle (hydro-électricité, électrométallurgie et électrochimie, papeteries, etc.).

ISÈRE (38), dép. du sud-est de la France (Région Rhône-Alpes); 7 431 km²; 936 800 hab. (125 au km²) [France : 103]. Ch.-l. *Grenoble.* ADMINISTRATION. 3 arrond. (*Grenoble*, 621 300 hab. ; *La Tour-du-Pin*, 162 100 hab. ; *Vienne*, 153 400 hab.). / 57 cant. / 532 comm.
→ carte et tableau page suivante.

Le département s'étend sur deux ensembles bien différents. La partie orientale appartient aux *Alpes* (Préalpes de la Grande-Chartreuse, massif de Belledonne, Oisans, etc.); elle est découpée par les vallées de l'Isère (Grésivaudan en amont) et de ses affluents (Drac et Romanche), seuls secteurs où l'altitude tombe au-dessous de 500 m. L'Ouest est constitué par les plateaux du *bas Dauphiné* dominant la vallée du Rhône. Malgré l'extension de la montagne et un climat souvent rude, la densité de la population est supérieure à la moyenne nationale.

L'*agriculture* n'emploie que 6 p. 100 de la population active. L'élevage des bovins est la ressource essentielle de la montagne ; les cultures sont médiocres sur les plateaux du bas Dauphiné, plus riches (fruits) dans la vallée du Rhône et le Grésivaudan.

L'*industrie* est beaucoup plus développée (elle intéresse la moitié de la population active). Elle est fondée en majeure partie sur l'électrométallurgie et l'électrochimie, favorisées par la production d'hydro-électricité. Elle est surtout représentée dans l'agglomération de Grenoble, qui regroupe plus de 40 p. 100 de la population totale.

La présence de Grenoble explique en majeure partie la très nette augmentation de la population départementale intervenue récemment, alors que l'émigration se poursuit dans la montagne et dans les « terres froides » du bas Dauphiné.

ISEUT, ISEULT ou **YSEUT,** héroïne de la légende de *Tristan et Iseut.*

ISIGNY-SUR-MER, ch.-l. de cant. du Calvados, sur l'Aure, à 10,5 km à l'E. de Carentan; 3 300 hab. Beurre. Confiserie.

ISIS. *Myth. égypt.* Déesse du Mariage et de la Famille, sœur et femme d'Osiris, mère d'Horus.

ISLĀM [islam] n. m. (mot ar. signif. *soumission à Dieu*). Religion des musulmans; civilisation musulmane; ensemble des pays habités par des musulmans. (En ces deux derniers sens, prend une majusc.) ◆ **islamique** adj. : *La culture islamique.* ◆ **islamiser** v. t. Convertir à l'islām. ◆ **islamisation** n. f.
— ENCYCL. L'*islām* est la religion fondée au VIIe s. en Arabie par Mahomet, grâce aux révélations divines dont l'ensemble est le Coran, parole de Dieu.

La religion se répandit dès le VIIIe et le IXe s., en Asie jusqu'à l'Indus, sur les rives de la Méditerranée, sur les rivages africains de l'Atlantique et jusqu'en Espagne, d'autant plus rapidement que les *califes*, successeurs de Mahomet, furent de grands conquérants. La conversion des Turcs l'introduisit en Europe orientale après la prise de Constantinople (1453). D'autre part, l'islām se répandit en Extrême-Orient et dans l'Afrique noire.

La doctrine de l'islām affirme l'existence d'un Dieu unique, Allāh, dont Mahomet est le dernier prophète. Le culte est très simple : obligation de réciter les cinq prières quotidiennes précédées d'ablutions purificatoires et faites le visage tourné vers La Mecque, pèlerinage à La Mecque une fois dans la vie, aumône légale, jeûne du ramadān. Il n'y a pas de clergé, à proprement parler, mais le muezzin appelle à la prière, qui est dirigée par l'imām. L'islām n'est pas seulement une religion; c'est aussi une loi, dont la source est le Coran, et qui règle tout le comportement du musulman. L'islām compte plus de 800 millions de fidèles dans le monde.

ISLĀMĀBĀD, nouvelle capit. du Pākistān, construite près de Rawalpindi ; 201 000 hab.

ISLAMIQUE adj., **ISLAMISATION** n. f., **ISLAMISER** v. t. → ISLĀM.

ISLANDE, île de l'Atlantique nord, au S.-E. du Groenland, formant un État indépendant. → carte EUROPE page 512-513.

SUPERFICIE 103 000 km² (France : 550 000 km²).

POPULATION 240 000 hab. *(Islandais);* 2,3 hab. au km² (France : 103); accroissement annuel de population, 1,8 p. 100.

CAPITALE Reykjavik (120 000 hab.).

LANGUE OFFICIELLE islandais.

ÉCONOMIE produit national brut par hab., 9 523 dollars (France : 9 484); consommation d'énergie par hab., 4 900 kg d'équivalent charbon; 1 automobile pour 2 hab.

MONNAIE króna (couronne).

LOCALITÉS PRINCIPALES	NOMBRE D'HAB.
Grenoble	159 500
Échirolles	37 500
Saint-Martin-d'Hères	35 200
Vienne	29 050
Bourgoin-Jallieu	23 000
Fontaine	22 900
Meylan	14 600
Saint-Égrève	14 400
Seyssinet-Pariset	12 900
Pont-de-Claix (Le)	11 900

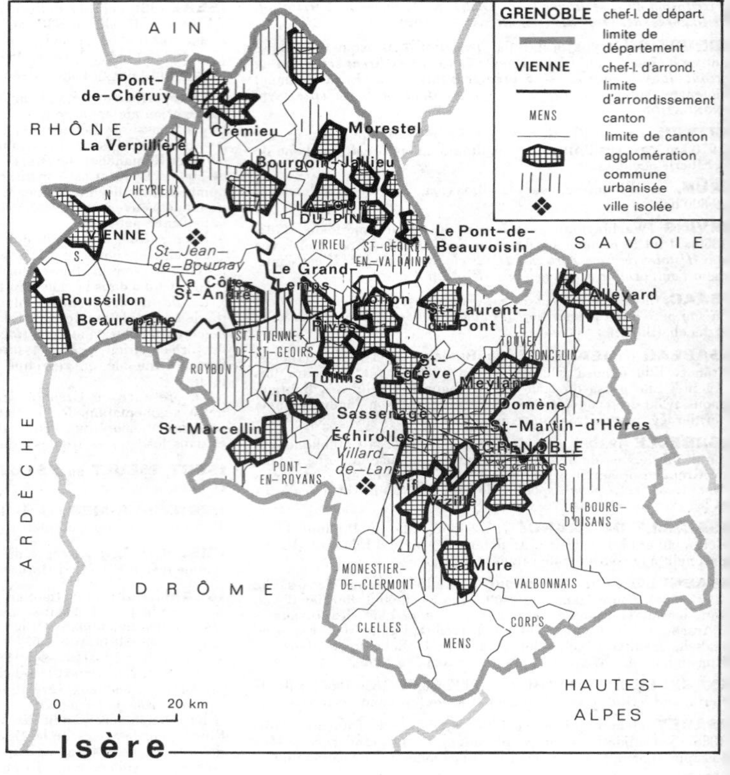

GÉOGRAPHIE

L'Islande est une île montagneuse où le volcanisme joue un rôle actif (éruptions, geysers). Sa haute latitude explique son climat froid et la grande extension des glaciers qui couvrent plus de 10 p. 100 du territoire.

	TEMPÉRATURES MOYENNES janv.	juil.	PLUIES
Reykjavik	0 °C	11,6 °C	860 mm

En raison de conditions naturelles peu favorables, l'île est très peu peuplée et la moitié des habitants se concentrent à Reykjavik.

L'*agriculture* est peu développée : quelques cultures de pomme de terre, et des cultures maraîchères pratiquées dans des serres. L'élevage est surtout constitué par les ovins. Mais c'est la *pêche* qui représente la ressource essentielle de l'île : morues, harengs, baleines alimentent les conserveries et les usines de fabrication de dérivés de poisson à Reykjavik.

ovins 700 000 têtes ; pêche 1 500 000 t.

HISTOIRE

Abordée par les moines irlandais (VIIIe s.), puis par les Vikings (IXe s.), l'Islande se peuple peu à peu grâce à l'émigration scandinave.

Aux XIe et XIIe s., elle est progressivement christianisée.

- *1262. L'Islande passe sous la tutelle du roi de Norvège.*

Devenue possession du Danemark (qui avait conquis la Norvège) en 1380, l'Islande connaît la réforme luthérienne (1550), puis demeure danoise après 1814 lorsque le Danemark perd la Norvège au profit de la Suède.

- *1904. L'Islande obtient son autonomie.*
- *1918. Elle est reconnue comme État indépendant tout en conservant le même roi que le Danemark.*
- *1944. Elle se sépare du Danemark et devient une république.*
- *1949. Adhésion à l'O. T. A. N.*
- *1951. Installation d'une base américaine à Keflavik.*
- *1968. Le Dr Eldjarn, soutenu par la gauche, devient président de la République.*
- *1980. Élection de Mme Vigdis Finnbogadottir à la présidence de la République. (Elle est réélue en 1984 et 1988.)*

ISLE, riv. du Périgord et du Bordelais, affl. de la Dordogne (r. dr.); 235 km.

ISLE-ADAM (L'), ch.-l. de cant. du Val-d'Oise, à 14 km au N.-E. de Pontoise, sur l'Oise; 9 500 hab.

ISLE-SUR-LA-SORGUE (L'), ch.-l. de cant. du Vaucluse, sur la Sorgue, à 10 km au N. de Cavaillon; 13 200 hab. *(L'Islois).*

ISLY (l'), riv. du Maroc oriental, à l'O. d'Oujda.

- *14 août 1844. Victoire remportée par Bugeaud sur les troupes marocaines.*

ISMAËL (mot hébr. signif. *Dieu entend*), fils d'Abraham et de sa servante Agar. Chassé avec sa mère dans le désert, il fut sauvé par un ange. Il est considéré comme l'ancêtre des *Ismaélites.*

ISMAÉLIENS [ismaeljɛ̃] ou **ISMAÏLIENS** [ismailjɛ̃] n. m. pl. (de *Ismā'īl*). Membres d'une secte musulmane qui admet comme dernier imām Ismā'īl (mort en 762).

ISMAÉLITE [ismaelit] adj. et n. (de *Ismaël*). Se dit des Arabes qui prétendaient descendre d'Ismaël, fils d'Abraham et d'Agar.

ISMĀ'ĪL, septième imām des ismaéliens, mort à Médine en 762.

ISMĀ'ĪL PACHA (1830-1895), khédive d'Égypte (1867-1879). Il inaugura le canal de Suez (1869). Ses difficultés financières l'obligèrent à accepter un contrôle franco-anglais, puis à abdiquer.

ISMAÏLIA, v. d'Égypte, sur le lac Timsah et le canal de Suez, au centre de l'isthme; 144 200 hab.

ISO-, élément tiré du gr. *isos,* égal, et qui entre comme préf. dans la composition de nombreux termes scientifiques.

SOBARE [izobar] adj. et n. f. (de *iso-*, et gr. *baros*, pesanur). D'égale pression atmosphérique. (Les isobares sont des gnes imaginaires qui joignent les points de la Terre où la pression st la même à un moment déterminé. La combinaison des isobares ır la carte détermine des figures, éléments essentiels d'interprétion des données météorologiques : anticyclone ou maximum, épression ou minimum.)

SOBATHE [izobat] adj. et n. f. (de *iso-*, et gr. *bathos*, profoneur). Se dit d'une ligne imaginaire joignant tous les points des ers situés à une même profondeur.

SOCÈLE [izosɛl] adj. (de *iso-*, et gr. *skelos*, jambe). *Géom.* Qui a eux côtés dont les longueurs sont égales. ‖ *Trapèze isocèle*, traèze dont les côtés non parallèles ont des longueurs égales. ‖ *riangle isocèle*, triangle ayant deux côtés dont les longueurs sont gales.

SOCHRONE [izokron] ou **ISOCHRONIQUE** [izokronik] dj. (de *iso-*, et gr. *khronos*, temps). Qui se produit selon des itervalles de temps égaux : *Les petites oscillations du pendule ont isochrones.*

SOCLINAL, E, AUX [izoklinal, -no] adj. (de *iso-*, et gr. *klinê*, t). Géol. *Pli isoclinal*, celui dont les deux flancs sont parallèles.

SOGAMIE [izogami] n. f. (de *iso-*, et gr. *gamos*, mariage). Mode e reproduction par fusion entre deux gamètes semblables, qui se alise chez certaines algues *(ulotrix)* et chez plusieurs champiions *(psalliote, levure de bière)* [contr. HÉTÉROGAMIE].

SOHYÈTE [izojɛt] adj. (de *iso-*, et gr. *huetos*, pluie). D'égale luviosité. ◆ n. f. Se dit d'une courbe joignant sur une carte les oints d'une région où les précipitations moyennes sont les mêmes our une période considérée.

SOHYPSE [izoips] adj. (de *iso-*, et gr. *hupsos*, hauteur). D'égale ltitude. ◆ n. f. Se dit d'une ligne qui joint, sur une carte du relief, s points de même altitude (syn. COURBE DE NIVEAU).

SOLER [izɔle] v. t. (de l'it. *isolato*, séparé comme une île). . *Isoler une chose, un objet*, les séparer des choses, des objets qui s environnent (souvent au passif) : *Isoler un événement de son ontexte politique* (syn. ABSTRAIRE). — **2.** *Isoler qq'un*, le séparer es autres hommes, lui interdire toute relation avec la société des utres : *Isoler un malade contagieux.* — **3.** *Isoler un fil, un câble lectrique*, lui ôter tout contact avec ce qui pourrait lui enlever son lectricité. ◆ **s'isoler** v. pr. (sujet nom de personne). Se séparer du onde extérieur, des autres hommes : *Il s'isole pour pouvoir availler dans le silence.* ◆ **isolé, e** adj. **1.** Mis à part, séparé des utres choses : *Un mot isolé* (= détaché de la phrase). *Une protestaion isolée* (syn. INDIVIDUEL; contr. COLLECTIF). *Une maison isolée* yn. ÉCARTÉ). — **2.** Séparé des autres hommes : *Vivre isolé* (syn. EUL). — **3.** Protégé du contact de tout corps conducteur de électricité : *Câble isolé.* ◆ **isolément** adv. : *Travailler isolément* yn. INDIVIDUELLEMENT). *Étudier isolément chaque partie de l'enemble.* ◆ **isolement** n. m. **1.** État d'une personne isolée : *Être enu dans l'isolement* (syn. ABANDON). *Se complaire dans son isolement* (syn. SOLITUDE). — **2.** État d'un corps isolé (sens 3 du v.). ◆ **isolateur, trice** adj. Se dit des substances ayant la propriété 'isoler. ◆ n. m. Support en matière isolante d'un conducteur lectrique. ◆ **isolant** n. m. Matériau qui empêche la propagation es bruits, qui ne conduit pas la chaleur, l'électricité. ◆ **isolation** . f. Action de réaliser un isolement thermique, électrique ou honique. ◆ **isolationnisme** n. m. Doctrine, attitude d'un pays ui vise à son propre isolement politique et économique. ◆ **isolaonniste** adj. et n. ◆ **isoloir** n. m. Cabine où l'électeur met son ulletin de vote dans une enveloppe, afin que le secret de sa écision soit conservé.

SOMÈRE [isomɛr] adj. et n. m. (de *iso-*, et gr. *meros*, partie). Se it de composés chimiques formés des mêmes éléments, en ıêmes proportions, mais de propriétés différentes, ce qui s'explique par une disposition différente des atomes dans la molécule. ◆ **isomérie** n. f. Caractère des corps isomères.

SOMÉTRIE [izometri] n. f. (de *iso-*, et gr. *metron*, mesure). *fath.* Transformation isométrique. ◆ **isométrique** adj. Se dit 'une transformation ponctuelle qui conserve la distance de deux oints quelconques.

– ENCYCL. On appelle *isométrie* d'un plan* euclidien P toute ijection de P sur P qui conserve la distance*, c'est-à-dire telle ue pour tout couple (M, N) de points, leurs transformés $M' = f(M)$ t $N' = f(N)$ vérifient $d(M', N') = d(M, N)$. [*Ex. d'isométries :* appliation identique de P sur P; les translations; les symétries cenrales; les symétries orthogonales.]

L'ensemble des isométries d'un plan euclidien forme un groupe* our la loi de composition des applications; ce groupe est non ommutatif.

■ *Figures isométriques.* Deux figures F et F′ d'un plan euclidien ont *isométriques* s'il existe une isométrie f du plan qui applique 'une sur l'autre, c'est-à-dire telle que $f(F) = F'$.

Propriété : la relation « il existe une isométrie qui applique l'une sur l'autre » est une relation* d'équivalence dans l'ensemble des parties (= des figures) d'un plan euclidien. En effet, elle est :
réflexive (toute figure est isométrique à elle-même, l'identité du plan étant une isométrie);
symétrique (si F est isométrique à F′, alors F′ est isométrique à F, la bijection réciproque d'une isométrie étant une isométrie);
transitive (si F et F′ sont isométriques, si F′ et F″ sont isométriques, alors F et F″ sont isométriques).

On en déduit que :
tous les segments isométriques à un segment donné ont même longueur que lui;
l'ensemble des couples de demi-droites, isométriques à un couple

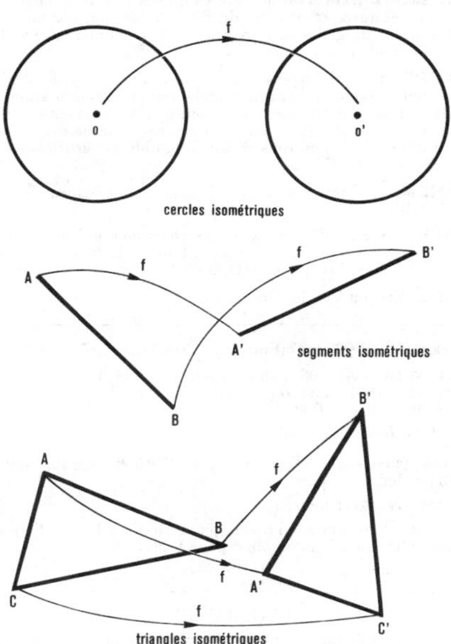

cercles isométriques

segments isométriques

triangles isométriques

de demi-droites (Ox, Oy) de même origine, est un angle* géométrique $\widehat{xOy}$. (⟶ ANGLE.)

L'expression « figures isométriques » doit donc remplacer l'ancienne expression « figures égales », qui n'est pas compatible avec la définition de l'égalité (deux figures sont égales si tout point de l'une est point de l'autre).

■ *Propriétés des isométries.*

Une isométrie d'un plan euclidien transforme :
une droite en une droite;
deux droites parallèles en deux droites parallèles;
deux droites perpendiculaires en deux droites perpendiculaires;
le milieu de deux points en le milieu de leurs images;
un axe en un axe;
une demi-droite en une demi-droite;
un demi-plan en un demi-plan;
deux axes* D_1 et D_2 en deux axes D_1' et D_2', le rapport de projection orthogonale (⟶ PLAN* EUCLIDIEN) de D_1 sur D_2 étant égal au rapport de projection orthogonale de D_1' sur D_2';
deux demi-droites Ox et Oy de même origine O en deux demi-droites O′x′ de même origine telles que les angles* géométriques $\widehat{xOy}$ et $\widehat{x'O'y'}$ soient égaux;
un arc de cercle en un arc de même mesure*.

Si deux triangles ont leurs côtés respectivement isométriques, il existe une isométrie et une seule qui applique un triangle sur l'autre.

ISOMORPHISME [izomɔrfism] n. m. (de *iso-*, et gr. *morphê*, forme). *Chim.* Propriétés que possèdent deux ou plusieurs corps de constitution chimique analogue, d'avoir des formes cristallines voisines. ◆ **isomorphe** adj.

ISONZO, fl. de l'Italie du Nord-Est, qui descend des Alpes, arrose Gorizia et se jette dans le golfe de Trieste; 138 km.

● *1916. Prise de Gorizia par le duc d'Aoste.*

ISOPODES [izopɔd] n. m. pl. (de *iso-*, et gr. *pous*, *podos*, pied). Ordre de crustacés marins, d'eau douce ou terrestres, caractérisés par leur forme aplatie, leurs sept paires de pattes marcheuses identiques, leur appareil respiratoire abdominal, tels que l'*aselle* et le *cloporte*.

ISOPTÈRES [izoptɛr] n. m. pl. (de *iso-*, et gr. *pteron*, aile). Ordre d'insectes sociaux, appelés communément TERMITES, à pièces buccales broyeuses, à quatre ailes membraneuses égales chez les castes sexuées, à métamorphoses incomplètes.

ISOSTASIE [izostazi] n. f. (de *iso-*, égal, et gr. *stasis*, arrêt). Théorie selon laquelle les divers compartiments de l'écorce terrestre se maintiendraient dans un équilibre relatif grâce aux différences de densité des matériaux.

ISOTHERME [izotɛrm] adj. (de *iso-*, et gr. *thermos*, chaud). De même température. ◆ n. f. Se dit d'une ligne qui, sur une carte, joint les points du globe où la température moyenne est identique pour une période considérée.

ISOTOPE [izotɔp] adj. et n. m. (de *iso-*, et gr. *topos*, lieu). Se dit des éléments chimiquement identiques (même numéro atomique), mais de masses atomiques différentes. (Les isotopes ont des noyaux qui comportent le même nombre de protons, mais un nombre différent de neutrons. Beaucoup, obtenus artificiellement, sont radio-actifs.)

ISPAHAN, v. d'Iran, au S. de Téhéran, anc. capit. du pays ; 671 000 hab.

ISRAËL *(royaume d')*, un des deux royaumes qui se formèrent par suite du schisme dans le peuple d'Israël à la mort de Salomon (v. 931/930-722 av. J.-C.). [⟶ HÉBREUX.]

ISRAËL, État du Proche-Orient.

SUPERFICIE 21 000 km² (France : 550 000 km²).

POPULATION 4 500 000 hab. *(Israéliens);* 214 hab. au km² (France : 103); taux de natalité, 26,1 p. 1 000; taux de mortalité, 6,8 p. 1 000.

CAPITALE Jérusalem (366 000 hab.).

VILLES PRINCIPALES Tel-Aviv-Jaffa (838 000 hab.); Haïfa (218 700 hab.).

LANGUE OFFICIELLE hébreu.

ÉCONOMIE consommation d'énergie par hab., 2 300 kg d'équivalent charbon ; 1 automobile pour 9 hab.

MONNAIE shekel.

GÉOGRAPHIE

Israël s'étend principalement sur des plateaux limités à l'O. par la plaine côtière et à l'E. par la grande faille N.-S. correspondant à la vallée du Jourdain. Le climat, méditerranéen au N., devient désertique au S., dans le Néguev.

	TEMPÉRATURES MOYENNES		PLUIES
	janv.	juil.	
Haïfa	14 °C	29 °C	676 mm

Créé artificiellement sur une partie de l'ancienne Palestine, le pays a une population très différente du reste du Proche-Orient, composée de Juifs immigrés, venus surtout d'Europe centrale et orientale et d'Afrique du Nord.

Grâce à des méthodes modernes (irrigation, engrais), l'*agriculture* a beaucoup progressé. Elle est souvent pratiquée dans le cadre d'exploitations collectives, les kibboutzim*, et est fondée sur la production de céréales, la vigne et les arbres fruitiers (agrumes).

blé 200 000 t ; raisin 90 000 t ; agrumes 1 600 000 t.

Le sous-sol recèle des phosphates et de la potasse qui alimentent l'industrie chimique. Mais le développement de l'*industrie* a surtout pour origine l'abondance de capitaux et une main-d'œuvre très qualifiée. Elle s'est spécialisée dans les activités de haute technicité (industrie pharmaceutique, appareillage électrique, taille des diamants), localisées dans les deux grands ports, Haïfa et surtout Tel-Aviv-Jaffa.

électricité	15 milliards de kWh	potasse	900 000 t
superphosphates	300 000 t	sel	117 000 t

Mais le pays connaît des problèmes en raison de son fort taux d'accroissement, dû à l'immigration, et surtout du conflit latent qui l'oppose toujours aux pays arabes.

HISTOIRE

L'État d'Israël a pour origine les efforts entrepris à la fin du XIXe s. pour soustraire les Juifs des divers pays européens aux attaques de l'antisémitisme* : cette entreprise fut dirigée par le mouvement « sioniste », fondé par Theodor Herzl, pour favoriser l'établissement en Palestine de communautés juives vivant de l'agriculture. Au congrès sioniste de 1897, T. Herzl propose la création d'un État juif.

- *1917. Balfour, ministre des Affaires étrangères de la Grande-Bretagne, publie une « déclaration » confirmant la création d'un « foyer national juif » sous mandat britannique en Palestine.*

À la suite des persécutions du régime hitlérien, beaucoup de Juifs émigrent en Palestine. Mais les populations arabes de cette région craignent de se voir submergées et un vif antagonisme se développe entre musulmans et juifs. Devant l'opposition des Arabes, les Anglais cherchent à limiter l'émigration juive vers la Palestine, puis ont recours à l'O. N. U. qui, en nov. 1947, décide le partage de la région entre un État arabe et un État juif.

- *14 mai 1948. À la veille de l'expiration du mandat britannique en Palestine, les Juifs proclament l'indépendance d'Israël.*

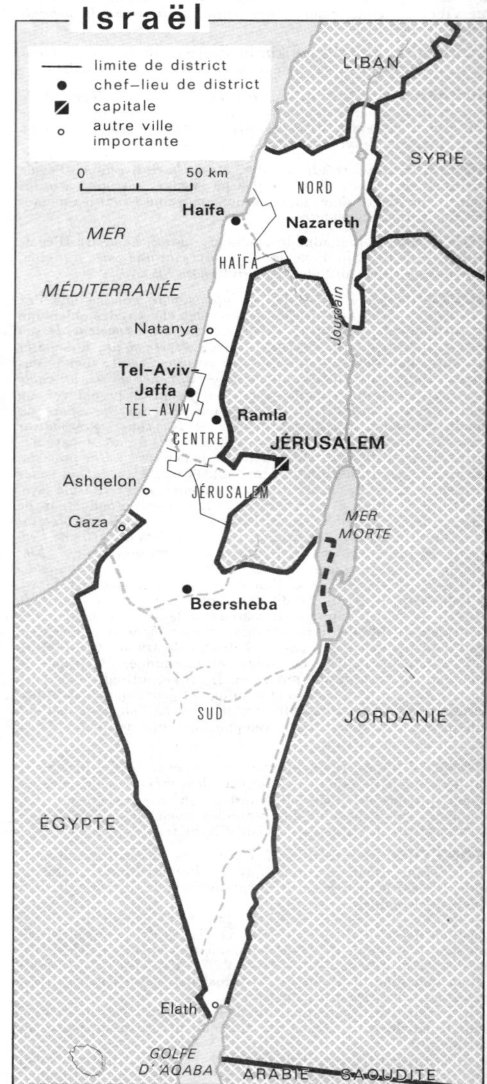

Israël résiste à l'offensive des pays arabes voisins. Il est dirigé jusqu'en 1977 par des gouvernements d'inspiration travailliste, qui instaurent le système des kibboutz.

- *1948-1963. Ben Gourion, Premier ministre (sauf de 1953 à 1955), organise le nouvel État.*
- *Oct. 1956. À la suite de la fermeture du canal de Suez aux navires israéliens, Israël occupe le territoire égyptien jusqu'au canal. Une décision de l'O. N. U. met fin à cette occupation.*
- *1963-1969. Levi Eshkol est Premier ministre.*
- *1967. Guerre des Six-Jours. Israël occupe à nouveau Gaza, le Sinaï et la rive orientale du canal de Suez, sur lequel le trafic est interrompu, ainsi que la partie de la Jordanie située à l'ouest du Jourdain (Cisjordanie) et le Golan.*
- *1969-1974. Golda Meir dirige le gouvernement.*
- *1973. Guerre du Kippour, opposant à nouveau Israël aux pays arabes.*

Des accords aboutissent à la réouverture du canal du Suez en 1975.

- *1977. Après la victoire d'une coalition de partis de droite et du centre (le Likoud), Menahem Begin devient Premier ministre. Il reçoit la visite du président Sadate qui se rend à Jérusalem.*
- *Mars 1979. Traité de paix israélo-égyptien qui prévoit la restitution du Sinaï (effective en 1982) ainsi que l'autonomie de Gaza et de la Cisjordanie.*
- *1981. Annexion du Golan.*
- *1982. Pour démanteler les forces palestiniennes, l'armée envahit le Liban jusqu'à Beyrouth puis se retire dans le sud du pays.*
- *1983. Yitzhak Shamir succède à Menahem Begin.*

De 1984 à 1990, des gouvernements d'union nationale se succèdent, dirigés en alternance par le travailliste Shimon Peres et le leader du Likoud, Y. Shamir.

- *1985. L'armée israélienne se retire du Liban.*
- *1987. Début du soulèvement populaire palestinien (Intifada) dans les territoires occupés (Gaza, Cisjordanie).*
- *1990. Y. Shamir forme un gouvernement de coalition avec les partis religieux et l'extrême droite.*
- *1991. Bien que resté à l'écart du conflit, Israël voit son territoire attaqué par des missiles irakiens pendant la guerre du Golfe*. Il participe, avec les pays arabes, à la conférence sur la paix au Proche-Orient (ouverte à Madrid en oct.).*

ISRAÉLIEN, ENNE [israeljɛ̃, -ɛn] adj. et n. De l'État d'Israël.

ISRAÉLITE [israelit] adj. Qui appartient à la religion juive. ◆ n. m. pl. Descendants de Jacob, ou *Israël*, appelés aussi JUIFS ou HÉBREUX.

ISSOIRE, ch.-l. d'arrond. du Puy-de-Dôme, à 35 km au S.-E. de Clermont-Ferrand, près de l'Allier; 15 400 hab. *(Issoiriens).* Industries métallurgiques, mécaniques et électriques.

ISSOUDUN, ch.-l. d'arrond. de l'Indre, à 27 km au N.-E. de Châteauroux; 16 500 hab. *(Issoldunois).* Constructions électriques.

ISSU, E [isy] part. adj. (de l'anc. fr. *issir*, sortir). **1.** *Être issu d'une personne, d'une famille, de parents*, etc., en être né, en descendre : *Issu d'une humble famille paysanne* (syn. DESCENDANT). *Cousins issus de germains* (= petits cousins). — **2.** Se dit d'une chose qui est la conséquence d'une autre : *Tout progrès est issu de l'effort collectif* (syn. RÉSULTER DE, VENIR DE).

ISSUE [isy] n. f. (de *issu*). **1.** Lieu (passage, ouverture, porte, etc.) par lequel peut sortir, s'échapper une personne ou une chose : *Fermer toutes les issues* (syn. ORIFICE, SORTIE). *Un chemin sans issue* (= une impasse). — **2.** Moyen de sortir d'une affaire dangereuse, d'une difficulté : *Il n'y a pas d'autre issue* (syn. SOLUTION). — **3.** Manière dont une affaire trouve sa solution, dont une chose aboutit : *L'issue malheureuse de la conférence* (syn. RÉSULTAT). *On craint l'issue fatale* (= la mort). — LOC. PRÉP. *À l'issue de*, à la fin de.

ISSYK-KOUL', lac de l'U. R. S. S. (Kirghizistan); 6 200 km².

ISSY-LES-MOULINEAUX, ch.-l. de cant. des Hauts-de-Seine, au S.-O. de Paris; 46 500 hab. *(Isséens).*

ISTANBUL, ancienn. **Constantinople** et **Byzance,** port de Turquie, sur le Bosphore et la mer de Marmara; 2 772 000 hab.

Établie sur la rive européenne, le long de la baie de la Corne d'Or, la cité bénéficie d'une situation privilégiée, sur les Détroits. Au S., la ville ancienne, qui groupe les principaux monuments (Sainte-Sophie, mosquée du sultan Ahmet et mosquée Süleymaniye), abrite de nombreux artisans. Au N. se situe la ville commerçante et cosmopolite. De l'autre côté du Bosphore, sur la rive asiatique, s'étendent des quartiers populaires densément peuplés.

ISTHME [ism] n. m. (gr. *isthmos*, passage étroit). Bande de terre resserrée entre deux mers et réunissant deux terres.

ISTRES, ch.-l. d'arrond. des Bouches-du-Rhône, près de l'étang de Berre, à 15 km au N. de Martigues; 30 400 hab. *(Istréens).* Base aérienne de l'école militaire d'aviation.

ISTRIE, région de Croatie. Presqu'île calcaire baignée par l'Adriatique. L'Italie, qui la réclamait, l'obtint en 1920 (traité de Rapallo). En 1947, l'Istrie devint yougoslave (sauf Trieste).

ITALIANISANT, E n., **ITALIANISME** n. m. → ITALIEN.

ITALIE, en it. **Italia,** république de l'Europe méridionale.

SUPERFICIE 301 000 km² (France : 550 000 km²).

POPULATION 57 400 000 hab. *(Italiens);* 191 hab. au km² (France : 103); taux de natalité, 15 p. 1 000; taux de mortalité, 9,6 p. 1 000.

CAPITALE Rome (2 898 000 hab.).

VILLES PRINCIPALES Milan (1 732 000 hab.); Naples (1 226 600 hab.); Turin (1 200 000 hab.); Gênes (795 000 hab.); Palerme (679 000 hab.).

LANGUE italien.

ÉCONOMIE produit national brut par hab., 6 208 dollars (France : 9 484); consommation d'énergie par hab., 3 300 kg d'équivalent charbon; 1 automobile pour 3 hab.

MONNAIE lire.

GÉOGRAPHIE

■ GÉOGRAPHIE PHYSIQUE.

L'italie s'étend sur deux grands ensembles de relief.

L'*Italie du Nord* se compose du versant interne de l'*arc alpin*, montagne élevée mais aisément franchissable par de nombreux cols, enserrant la vaste *plaine du Pô*. Au débouché de la montagne, de grands lacs (lac Majeur, lac de Garde, lac de Côme) témoignent de l'ancien passage des glaciers. Le climat y est continental, avec des hivers rudes et des étés chauds et orageux.

L'*Italie péninsulaire et insulaire* est axée sur l'*Apennin*, montagne jeune au relief heurté, compartimenté, prolongée par la Sicile; les manifestations volcaniques y sont fréquentes (Vésuve, Etna, Stromboli). Les plaines sont rares et peu étendues *(Toscane, Campanie, Latium).* La *Sardaigne*, isolée, forme un monde à part. Le climat, méditerranéen, est caractérisé par une sécheresse d'été de plus en plus accentuée vers le S.

	TEMPÉRATURES MOYENNES janv.	juil.	PLUIES
Milan	2 °C	25 °C	994 mm
Palerme	10,5 °C	26 °C	711 mm

■ GÉOGRAPHIE HUMAINE ET ÉCONOMIQUE.

La *population* italienne s'accroît à un rythme ralenti, par la baisse du taux de natalité. Elle réside surtout dans des villes, et 4 agglomérations dépassent 1 million d'hab.

L'*agriculture* reste un secteur important de l'économie : elle emploie près du tiers de la population active.

Le Nord est le secteur traditionnel de la polyculture intensive : blé, maïs, vigne, légumes, cultures arbustives. Les parties basses de la plaine du Pô ont été drainées, permettant notamment la culture du riz dans de grandes exploitations employant de nombreux ouvriers agricoles.

Dans le Sud dominent les cultures méditerranéennes : blé, vigne, oliviers, avec parfois des agrumes. Mais les rendements sont faibles car l'agriculture est souvent pratiquée dans de grandes exploitations extensives, les latifundia, en dehors de quelques zones privilégiées (Campanie). L'État a entrepris de mettre en valeur les plaines côtières marécageuses par une politique de bonifications.

La Sardaigne est essentiellement vouée à l'élevage.

blé	10 millions de t	huile d'olive	500 000 t
maïs	7 millions de t	agrumes	3 millions de t
riz	1 million de t	bovins	9 millions de têtes
vin	80 millions d'hl	ovins	9 millions de têtes

L'*industrie*, dans l'ensemble de création récente, progresse rapidement. Le développement de l'hydro-électricité dans les Alpes, le gaz naturel (Cortemaggiore) et le pétrole (Sicile) apportent des sources d'énergie modernes à un pays par ailleurs peu favorisé, mis à part un peu de plomb et de zinc.

L'obligation d'importer des matières premières explique la localisation de l'industrie : dans la plaine du Pô, zone d'échanges depuis le Moyen Âge au réseau urbain très dense (Milan, Bologne); dans les ports (Gênes, Naples), qui abritent notamment la sidérurgie. La concentration financière est très poussée : quelques firmes dominent des secteurs entiers d'activité (Fiat, l'automobile, à Turin; l'ENI, les hydrocarbures; Montedison, les industries chimiques). L'industrie textile est plus dispersée.

L'Italie est orientée vers une production diversifiée, de qualité, et exporte beaucoup vers les États-Unis et les pays du Marché commun.

Le point noir de l'économie italienne demeure le *Mezzogiorno**, zone sous-développée, qui commence au S. de Rome. L'État a créé en 1950 la Caisse du Midi, qui a permis quelques réalisations

ALLEMAGNE
FRANCE
AUTRICHE
HONGRIE
SUISSE
TRENTIN-
HAUT-ADIGE
FRIOUL-
VÉNÉTIE
JULIENNE
Trente
Trieste
Bergame
Aoste
VÉNÉTIE
LOMBARDIE
Vicence
VAL D'AOSTE
Brescia
Vérone
Milan
Padoue
Venise
Turin
Pô
PIÉMONT
Parme
Ferrare
YOUGOSLAVIE
Modène
LIGURIE
ÉMILIE-
Bologne
ROMAGNE
Ravenne
Gênes
La Spezia
SAINT-MARIN
Florence
San Remo
Pise
Ancône
Livourne
TOSCANE
MARCHES
Pérouse
OMBRIE
Terni
Tibre
Pescara
L'Aquila
CORSE
ABRUZZES
ROME
LATIUM
MOLISE
Campobasso
MER ADRIATIQUE
Bari
CAMPANIE
Naples
POUILLES
Salerne
Tarente
Potenza
BASILICATE
SARDAIGNE
MER TYRRHÉNIENNE
CALABRE
Cagliari
Catanzaro
Messine
Palerme
Reggio-de-Calabre
SICILE
Catane
MER MÉDITERRANÉE
ALGÉRIE
TUNISIE
limite de région
chef-lieu de région
capitale
autre ville importante
0
100
200 km
Italie

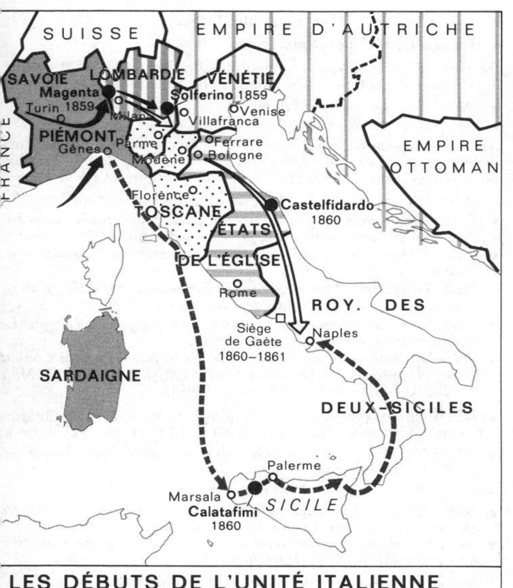

LES DÉBUTS DE L'UNITÉ ITALIENNE

Le royaume de Piémont-Sardaigne en 1859
Acquisition de 1859
Intervention des troupes françaises en 1859
Armée sarde (1860)
Expédition des Mille (Garibaldi, 1860)
Batailles
0 300 km

(complexe sidérurgique de Tarente), mais rares et limitées aux ports.

gaz naturel	14 milliards de m^3	acier	24 millions de t
pétrole	2 200 000 t	automobiles	1 500 000 unités
électricité	185 milliards de kWh	coton (filés)	200 000 t

Les richesses artistiques de l'Italie (Rome, Florence, Venise, Naples) et la beauté de ses paysages attirent chaque année plus de 30 millions de touristes.

Dans son ensemble, l'Italie est donc un pays dynamique, mais au sein duquel s'opposent encore deux secteurs très différents : le Nord, zone d'intense activité, a de nombreuses affinités avec l'Europe occidentale; le Mezzogiorno, zone essentiellement agricole, où sévit le chômage, reste sous-développé malgré quelques initiatives de l'État.

Le développement industriel a permis de stopper l'émigration qui était très forte au début du siècle, surtout vers la France et les États-Unis. Elle se limite maintenant à un courant interne : les populations du Sud vont chercher un emploi dans la capitale ou dans les centres industriels de la plaine du Pô.

HISTOIRE

■ LA PRÉHISTOIRE ET L'ANTIQUITÉ.

Primitivement peuplée de Ligures au N. et de Sicanes au S., l'Italie vit s'installer au IIe millénaire dans la plaine du Pô la civilisation des Terramares, qui apporta le bronze, et au Ier millénaire dans les régions de l'Ombrie, de l'Etrurie et du Latium, celle des Villanoviens, qui diffusèrent l'emploi du fer.

À partir du VIIIe s. av. J.-C., les Grecs fondent des colonies en Sicile et en Italie du Sud (Grande-Grèce).

À la même époque, les Étrusques s'installent dans la péninsule italienne. Ils étendent ensuite leur empire, qui atteint son apogée aux VIe-Ve s. av. J.-C., jusqu'à la plaine du Pô, tandis que les Carthaginois s'installent en Sicile et en Sardaigne.

Aux Ve et IVe s. av. J.-C., les Celtes occupent la plaine du Pô. (C'est l'origine de la Gaule Cisalpine.)

Du IVe au IIe s. av. J.-C., Rome conquiert progressivement toute la péninsule.

- *42 av. J.-C. Avec l'incorporation de la Gaule Cisalpine, la conquête romaine est achevée.*

L'histoire de l'Italie se confond désormais avec celle de Rome. (→ ROME.)

- *395 apr. J.-C. Après le partage de l'Empire romain par Théodose, Milan devient la capitale de l'Empire romain d'Occident.*

■ LES INVASIONS BARBARES ET LA PÉRIODE CAROLINGIENNE.

Au Ve s., les Barbares (Wisigoths, Huns, Vandales) ravagent l'Italie.

- *476. Odoacre dépose le dernier empereur d'Occident, Romulus Augustule, et devient roi d'Italie.*
- *493-526. Le chef ostrogoth Théodoric devient maître de l'Italie tout entière, après avoir battu Odoacre.*

Mais son royaume se disloque après sa mort.

- *535-553. La péninsule est en grande partie reconquise par les Byzantins.*

Justinien Ier, empereur d'Orient, rétablit son autorité, et Ravenne devient la capitale de l'Italie byzantine.

- *568. De nouveaux Barbares, les Lombards, s'installent en Italie du Nord.*

Ils fondent les duchés de Spolète et de Bénévent et refoulent les Byzantins. L'italie se morcelle territorialement et possède alors trois capitales : Rome, où siège le pape; Ravenne, sous influence byzantine; Pavie, résidence du roi lombard.

Aux VIIe et VIIIe s. la papauté s'allie aux Carolingiens pour lutter contre les Lombards.

- *774. Charlemagne se proclame roi des Lombards.*

L'État pontifical se constitue avec l'appui des Carolingiens.

- *800. Charlemagne est sacré à Rome empereur d'Occident.*

L'Italie passe alors sous l'influence carolingienne.

Au IXe s., de nouvelles invasions bouleversent l'Italie (Normands et Sarrasins) que ne défendent plus les empereurs ni le pape. Cette période d'anarchie et de morcellement politique voit naître la féodalité*.

■ LE MOYEN ÂGE ITALIEN.

Au Xe s. naît le Saint Empire romain germanique, qui cherche rapidement à contrôler la papauté et l'Italie.

Ces prétentions entraînent de longs conflits entre le pape et l'Empereur, dont l'Italie est souvent l'enjeu.

- *1059-1122. Querelle des Investitures*.*

Cependant, aux XIe et XIIe s., apparaît une bourgeoisie commerçante et urbaine indépendante qui s'enrichit rapidement et cherche à obtenir des pouvoirs politiques.

- *1154-1250. La lutte du Sacerdoce et de l'Empire oppose les guelfes (partisans du pape) aux gibelins (qui soutiennent l'Empereur).*

Elle se termine par le triomphe de la papauté.

- *1268. Après avoir apporté son soutien au pape en Sicile, Charles d'Anjou établit sa domination sur une partie de l'Italie.*

Aux XIVe et XVe s., l'Italie du Sud et la Sicile sont déchirées par les luttes entre Angevins et Aragonais.

L'Italie du Nord est dominée par quatre grandes cités (Florence, Gênes, Venise, Milan) où se sont formées de véritables dynasties princières.

- *1309. La papauté s'installe en Avignon.*

Le pape ne rentrera définitivement à Rome qu'en 1443.

- *1378. Le Grand Schisme* divise l'Église catholique.*

■ LA RENAISSANCE ET LA DOMINATION ESPAGNOLE.

Au XVe s. et dans la première moitié du XVIe s., l'Italie est au centre du grand mouvement artistique et culturel de la Renaissance*, inspiré de l'Antiquité gréco-latine.

Mais pendant cette période, elle connaît un morcellement politique accentué et subit les interventions continuelles de l'étranger.

- *1559. Le traité du Cateau-Cambrésis met fin aux guerres d'Italie* entre la France, l'Espagne et la maison d'Autriche.*

Il confirme la prépondérance des Espagnols en Italie, qui va durer deux siècles (XVIIe-XVIIIe s.).

La domination espagnole et autrichienne, le morcellement politique extrême du pays, le déplacement des voies maritimes vers l'Atlantique provoquent la décadence économique du pays.

Les vieilles cités perdent progressivement de leur influence au profit du royaume de Piémont-Sardaigne (maison de Savoie).

- *1713. L'empereur Charles VI devient maître de Naples et du Milanais.*
- *1734. Les Bourbons s'installent en Sicile et à Parme (1748).*

■ L'ITALIE FRANÇAISE ET LA MARCHE VERS L'UNITÉ.

- *1796-1797. Au cours de la Révolution française, la campagne d'Italie de Bonaparte aboutit à la création de la république Cisalpine, sous contrôle français.*

Celle-ci est ensuite transformée en République italienne, puis en royaume d'Italie.

Napoléon étend la domination française à toute l'Italie. En organisant le pays sur le modèle français, il prépare la voie à une révolution libérale et nationale.

- *1814-1815. Après l'effondrement du régime français, le congrès de Vienne restaure les anciennes monarchies.*

L'influence autrichienne s'exerce à nouveau en Italie du Nord et du Centre, à l'exception du royaume de Piémont-Sardaigne, foyer du libéralisme et du sentiment national italien.

Après l'échec des insurrections de 1820, 1831 et 1848, Victor-Emmanuel II et son ministre Cavour travaillent à faire l'unité italienne autour du Piémont avec l'appui de la France (bataille de Solferino, contre les Autrichiens, 1859) et de Garibaldi* (1860).

- *1861. Les différentes annexions aboutissent à la création du royaume d'Italie.*
- *1870. L'unité italienne est achevée avec la prise de Rome, qui devient la capitale du royaume, malgré l'opposition de la papauté.*

■ L'ITALIE CONTEMPORAINE.

Le gouvernement entreprend alors des réformes économiques et sociales.

Mais la fin du XIXe s. est marquée par une crise économique importante, le développement de l'émigration et de nombreuses insurrections.

- *1903-1914. Giolitti rétablit l'ordre et l'équilibre économique.*

Une importante législation sociale est élaborée et le suffrage universel est instauré, tandis que le mouvement socialiste s'accentue. L'Italie se crée un empire colonial en Afrique (Érythrée, Somalie italienne, Libye).

- *1915-1918. L'Italie participe à la Première Guerre mondiale aux côtés des Alliés.*

Elle acquiert le Trentin et Trieste, puis Fiume.

- *1922. Mussolini* s'empare du pouvoir et instaure le fascisme*.*
- *1940. L'Italie entre dans la Seconde Guerre mondiale aux côtés de l'Allemagne.*
- *1943. Les défaites entraînent l'effondrement du régime fasciste.*

Mussolini est arrêté. Il sera exécuté (1945).

- *1946. La république est proclamée.*

De Gasperi, chef du parti démocrate-chrétien (1945-1953), assure le relèvement politique et économique du pays (« miracle italien »).

- *1947. L'Italie perd ses colonies.*
- *1957. L'Italie adhère à la C. E. E.*

Au cours des années suivantes, les gouvernements qui se succèdent doivent faire face à des difficultés sociales de plus en plus nombreuses dans un climat d'instabilité politique et de violence.

- *1978. Développement du terrorisme (assassinat d'Aldo Moro).*
- *1981. Avec Spadolini, secrétaire du parti républicain, la présidence du gouvernement échappe à la démocratie chrétienne.*
- *1982. Retour de la démocratie chrétienne au pouvoir avec Fanfani.*
- *1983. Formation d'un nouveau gouvernement présidé, pour la première fois, par un socialiste, Bettino Craxi.*
- *1984. Un nouveau concordat remplace les accords du Latran. Le catholicisme n'est plus religion d'État.*
- *1987. La démocratie chrétienne retrouve la présidence du Conseil (avec, successivement, Giovanni Goria [1987-88], Ciriaco De Mita [1988-89], Giulio Andreotti [depuis 1989]).*

ITALIE *(campagnes d')*, nom de plusieurs campagnes militaires qui se déroulèrent en Italie à la fin du XVIIIe s. et aux XIXe et XXe s.

- *1796-1797. Une première campagne est menée par Bonapart contre les Autrichiens.*

Elle est illustrée par les victoires d'Arcole et de Rivoli.

- *1800. La deuxième campagne de Bonaparte contre les Autri chiens se termine par la victoire de Marengo.*
- *1859. Napoléon III entreprend une nouvelle campagne pour libé rer l'Italie du Nord des Autrichiens.*

Il remporte les victoires de Magenta et de Solferino.

- *1943-1945. Une dernière campagne oppose les Alliés aux Alle mands qui sont chassés d'Italie.*

ITALIE *(guerres d')*, guerres qui eurent lieu en Italie à la fin du XVe s. et au XVIe s.

- *1494-1515. Les rois de France vont guerroyer en Italie à propos de la succession du royaume de Naples (Charles VIII), et, en outre, du Milanais (Louis XII et François Ier).*

Leurs adversaires sont le roi d'Aragon, puis le pape. Les villes italiennes vont de l'un à l'autre camp, suivant leurs intérêts.

- *1515-1559. La lutte devient générale.*

Elle oppose la France à la maison d'Autriche. L'Angleterre inter vient également.

- *1559. Au traité du Cateau-Cambrésis, la France abandonne ses prétentions sur l'Italie.*

ITALIEN, ENNE [italjɛ̃, -ɛn] adj. et n. De l'Italie. ◆ n. m. Langue romane parlée en Italie. ◆ **italianisant, e** n. Personne qui s'occupe de langue et de littérature italiennes. ◆ **italianisme** n. m. Expression, tournure propre à la langue italienne. ◆ **italique** adj. Relatif à l'Italie ancienne : *Les peuples italiques.*

ITALIOTES ou **ITALIQUES,** populations primitives de l'Italie centrale : *Latins, Ombriens, Samnites,* etc.

1. ITALIQUE adj. → ITALIEN.

2. ITALIQUE [italik] adj. et n. f. (de *Italie*). Se dit d'un caractère d'imprimerie légèrement incliné vers la droite, comme l'écriture ordinaire, et créé à Venise, vers 1500.

ITEM [itɛm] adv. (mot lat.). De même, en outre, de plus. (S'emploie surtout dans les comptes, les énumérations.)

ITÉRATIF, IVE [iteratif, -iv] adj. (du lat. *iterare,* recommencer). Fait ou répété plusieurs fois : *Sommation itérative.*

ITHAQUE, une des îles Ioniennes; 8 000 hab. Ch.-l. *Itháki* D'après les poèmes homériques, ce fut le royaume d'Ulysse.

ITINÉRAIRE [itinerɛr] n. m. (du lat. *iter, itineris,* chemin). Chemin à suivre pour aller d'un lieu à un autre : *Un itinéraire touristique* (syn. TRAJET). *Étudier l'itinéraire le plus court* (syn. PARCOURS).

ITINÉRANT, E [itinerɑ̃, -ɑ̃t] adj. (du lat. *itinerari,* voyager). Se dit d'une personne qui se déplace pour exercer ses fonctions.

ITON, riv. de France, qui arrose Évreux et se jette dans l'Eure (r. g.); 118 km.

ITURBIDE (Agustín DE), général mexicain (1783-1824), qui s'insurgea contre la domination espagnole. Il devint empereur (1822) et fut fusillé deux ans après.

IULE [jyl] n. m. (gr. *ioulos*). Mille-pattes se nourrissant de végétaux et s'enroulant en spirale en cas de danger.

IVAN, nom de six grands-princes de Moscovie qui prirent le titre de tsar à partir d'Ivan IV. IVAN III *Vassilievitch le Grand* (1440-1505) réunit les principautés russes septentrionales en un seul État dont Moscou fut le centre. Il mit fin à la suzeraineté mongole sur les provinces russes et ouvrit la Russie aux influences byzantines et italiennes. — IVAN IV *Vassilievitch le Terrible* (1530-1584), tsar de Russie (1533-1584), fut le premier des grands-princes russes à prendre le titre de tsar. Sa mère assura la régence jusqu'en 1538, puis Ivan IV fut soumis aux influences des grandes familles rivales.

• *1547. Il inaugure son règne personnel.*

La première partie de son règne (1547-1560) fut une période d'équilibre pendant laquelle il s'efforça de créer un gouvernement échappant au contrôle de l'aristocratie. Il réunit les premiers états généraux russes (1549-1550), constitua le premier noyau d'armée permanente, réorganisa l'Église et entreprit de grandes expéditions.

• *1552. Il détruit le khānat de Kazan'. La Volga devient un fleuve russe.*
• *1554. Il conquiert Astrakhan'.*

Il ouvrit ainsi des possibilités de conquête vers l'Oural et la Sibérie.

• *1560. Il inaugure un régime de terreur contre l'aristocratie et l'Église.*

Ce régime intérieur et les guerres de Livonie, contre la Suède et la Lituanie, qu'il mena tout le long de son règne, entraînèrent une grave crise sociale et politique.

Ivanhoé, roman historique de W. Scott (1820).

IVANOVO, ancienn. **Ivanovo-Voznessensk,** v. de l'U. R. S. S., au N.-E. de Moscou; 419 600 hab. Textiles (coton).

IVOIRE [ivwar] n. m. (du lat. *ebur, eboris*). **1.** Substance osseuse dure, riche en sels de calcium, qui forme la plus grande partie des dents : *Chez l'homme, l'ivoire est recouvert d'émail et de cément.* — **2.** Substance dure, provenant des dents ou des défenses de l'éléphant, ou d'autres animaux (hippopotame) : *Une statue d'ivoire.* — **3.** Objet d'art fait en cette matière.

IVOIRIEN, ENNE [ivwarjɛ̃, -ɛn] adj. et n. De la Côte-d'Ivoire.

IVRAIE [ivrɛ] n. f. (bas lat. *ebriacus*, ivre). **1.** Plante à graines toxiques, commune dans les prés et les cultures où elle gêne la croissance des céréales. (Famille des graminacées.) — **2.** *Séparer le bon grain de l'ivraie*, séparer les bons des méchants, le bien du mal. (Express. empruntée à l'Évangile.)

IVRE [ivr] adj. (lat. *ebrius*). **1.** (sans compl.) Qui a le cerveau troublé à la suite de l'absorption d'alcool, de vin : *Être à moitié ivre* (syn. GRIS). *Ivre mort* (= ivre au point d'avoir perdu toute conscience). — **2.** *Ivre de qqch.*, exalté par une idée, un sentiment, au point de ne pouvoir se retenir de les exprimer violemment, d'agir en conséquence : *Ivre de joie* (syn. TRANSPORTÉ PAR).

◆ **ivresse** n. f. : *L'air frais dissipera l'ivresse* (syn. ÉBRIÉTÉ). *Quelle ivresse de glisser à toute vitesse sur la neige!* (syn. GRISERIE). ◆ **ivrogne** n. et adj. Personne qui a l'habitude de s'enivrer : *Un ivrogne invétéré* (syn. ALCOOLIQUE). ◆ **ivrognerie** n. f. : *Sombrer dans l'ivrognerie* (syn. ALCOOLISME). ◆ **enivrer** [ɑ̃nivre] v. t. Rendre ivre : *Ce petit vin blanc enivre facilement* (syn. GRISER; pop. ↑SOÛLER). *Enivrer de joie* (syn. TRANSPORTER). ◆ **s'enivrer** v. pr. Devenir ivre. ◆ **enivrant, e** adj. : *Un vin doux enivrant* (syn. CAPITEUX). *Des applaudissements enivrants* (syn. GRISANT). ◆ **enivrement** n. m. Sens 2 de IVRE (littér.) : *L'enivrement du succès. L'enivrement de la vitesse* (syn. FRÉNÉSIE). ◆ **désenivrer** v. t. Tirer de l'ivresse (syn. DÉGRISER).

IVRY-LA-BATAILLE, comm. de l'Eure, sur l'Eure, à 14,5 km à l'E. de Saint-André-de-l'Eure; 2 100 hab.

• *1590. Victoire d'Henri IV sur les ligueurs.*

IVRY-SUR-SEINE, ch.-l. de cant. du Val-de-Marne, sur la Seine (r. g.); 55 900 hab. *(Ivryens).* Centre industriel important.

IWO JIMA ou **IWO SHIMA,** la plus importante des îles Volcano, dans le Pacifique occidental.

• *Fév. 1945. Base principale de l'aviation de chasse japonaise, elle est conquise par les Américains au prix de très lourdes pertes.*

IXODE [iksɔd] n. m. (gr. *ixôdês*, gluant). Nom scientifique de la TIQUE, parasite externe de la peau des vertébrés terrestres (ruminants, chien, homme) dont il puise le sang, et qui, dans diverses régions du globe, transmet des maladies infectieuses *(piroplasmose).*

IZBA n. f. → ISBA.

IZERNORE, ch.-l. de cant. de l'Ain, à 10 km au N.-O. de Nantua; 975 hab. Anc. ville gallo-romaine. Nombreux vestiges (temple, thermes).

IZMIR, ancienn. **Smyrne,** port de Turquie, au fond du *golfe de Smyrne*, sur la mer Égée; 757 000 hab. Important port d'exportation de l'Anatolie (tabac, céréales, fruits). Coton.

IZMIT, v. de Turquie, sur la mer de Marmara; 123 000 hab. C'est l'anc. NICOMÉDIE.

IZOARD *(col de l')*, col des Alpes (Hautes-Alpes), entre le Queyras et le Briançonnais; 2 360 m.

J n. m. **1.** Dixième lettre de l'alphabet, et la septième des consonnes. ⟶ introduction de l'ouvrage. — **2.** *Le jour J*, le jour où doit se déclencher une attaque, se faire une opération quelconque. — **3.** J, symbole du *joule*, unité de travail et d'énergie, et unité de quantité de chaleur.

JABIRU [ʒabiry] n. m. (mot angl.). Très grand oiseau échassier, à plumage blanc et noir, au bec volumineux recourbé vers le haut, vivant au bord des rivières de l'Afrique centrale.

JABOT [ʒabo] n. m. (mot dial.; d'une rac. *gav-*, gorge). **1.** Poche que possèdent certains oiseaux à la base du cou, et où les aliments séjournent avant d'aller dans l'estomac. — **2.** Ornement de dentelle ou de lingerie qui s'adaptait autref. au devant de la chemise masculine.

JACASSER [ʒakase] v. i. (altér. de *jaqueter*). **1.** (sujet nom de certains oiseaux comme la pie, la perruche, etc.) Crier, piailler. — **2.** (sujet nom de personne) Parler avec volubilité pour ne rien dire. ◆ **jacassement** n. m. Sens 1 et 2 du v.

JACHÈRE [ʒaʃɛr] n. f. (bas lat. *gascaria*). État d'une terre labourable qu'on laisse reposer : *Champs en jachère;* terre non cultivée. (La *jachère*, pratiquée autref. pour laisser reposer la terre et la débarrasser des parasites, est de plus en plus souvent abandonnée depuis l'emploi des engrais, des pesticides et des herbicides.)

JACINTHE [ʒasɛ̃t] n. f. (gr. *Huakinthos*, personnage mythologique). Plante bulbeuse dont on cultive une espèce pour ses fleurs en grappes ornementales. (Famille des liliacées.)

JACKSON, v. des États-Unis, capit. de l'État du Mississippi; 154 000 hab.

JACKSON (Andrew), homme d'État américain (1767-1845), président des États-Unis de 1828 à 1836.

JACKSONVILLE, v. des États-Unis, en Floride; 528 900 hab. Métallurgie. Papeterie. Tourisme.

JACOB, patriarche hébreu, père de douze fils, qui furent les ancêtres des douze tribus d'Israël.

JACOB (Georges), ébéniste français (1739-1814). Il a joué dans le domaine des arts décoratifs un rôle très important sous Louis XV, Louis XVI et pendant le Directoire. Ses ateliers produisirent une grande quantité de meubles.

JACOB (Max), écrivain français (1876-1944).

- *1917. Il fait paraître un recueil de poèmes en prose « le Cornet à dés ».*

L'auteur y pratique la transcription fidèle du rêve éveillé et les associations d'idées automatiques, se révélant par là un précurseur du surréalisme*.

- *1921. Il se convertit au catholicisme et se retire à Saint-Benoît-sur-Loire.*
- *1944. Les Allemands viennent l'arrêter et le conduisent au camp de Drancy, où il meurt.*

JACOBIN [ʒakɔbɛ̃] n. m. (du lat. *Jacobus*, Jacques). Démocrate intransigeant (du nom du club des Jacobins pendant la Révolution). ◆ **jacobin, e** adj. : *Professer des opinions jacobines* (= révolutionnaires). ◆ **jacobinisme** n. m. **1.** Doctrine professée sous la Révolution par les Jacobins, ou Montagnards. — **2.** Opinion démocratique avancée.

Jacobins *(club des)*. Pendant la Révolution française, association qui réunissait des députés et des citoyens patriotes.

Le club tenait son nom du couvent des dominicains (appelés aussi jacobins) de la rue Saint-Honoré à Paris, où il s'était installé en 1789. Le club des Jacobins possédait des filiales dans les villes de province et avait une grande influence dans tous les pays.

D'abord de tendance modérée, le club devint l'organe directeur de la Montagne* qui y préparait les séances de la Convention. Robespierre et Pétion en étaient désormais les principaux animateurs et il joua un rôle politique capital jusqu'à la chute de la Convention montagnarde (juillet 1794).

jacobites, nom donné en Angleterre, après la révolution de 1688 aux partisans de Jacques II et de la maison des Stuarts.

JACQUARD (Joseph-Marie), ingénieur français (1752-1834) inventeur du métier à tisser qui porte son nom. Il imagina un dispositif au moyen duquel un seul ouvrier exécutait les étoffes aux dessins les plus compliqués aussi facilement qu'une étoffe unie.

JACQUARD [ʒakar] n. m. (de *Jacquard*). Métier à tisser inventé par Jacquard. (On dit aussi un MÉTIER JACQUARD.)

JACQUERIE [ʒakri] n. f. (de *jacques*, nom pop. donné aux paysans). Nom donné à des révoltes de paysans français (les *jacques*). [La plus célèbre éclata en 1358, après la défaite de Poitiers.]

JACQUES *(saint)*, dit **le Juste** ou **le Mineur,** mort en 62, un des douze apôtres.

JACQUES Ier le Conquérant (1208-1276), roi d'Aragon (1213-1276). Il conquit les Baléares (1235) et les royaumes de Valence et de Murcie (1238).

JACQUES, nom de sept rois d'Écosse. JACQUES V (1512-1542) père de Marie Ire Stuart, se signala par la fidélité de son alliance avec la France. — JACQUES VI ⟶ JACQUES Ier, roi d'Angleterre. — JACQUES VII ⟶ JACQUES II, roi d'Angleterre.

JACQUES Ier (1566-1625), roi d'Angleterre et d'Irlande (1603-1625) et roi d'Écosse (Jacques VI) [1567-1625], fils de Marie Stuart successeur d'Élisabeth Ire en Angleterre. Il se rendit impopulaire par son autoritarisme. Attaché à l'anglicanisme, il persécuta également catholiques et puritains.

JACQUES II (1633-1701), roi d'Angleterre et d'Irlande et roi d'Écosse (Jacques VII) [1685-1688], successeur de son frère Charles II. Il heurta le sentiment national anglais par sa politique favorable aux catholiques (il s'était lui-même converti au catholicisme), son mépris du Parlement et son alliance avec Louis XIV. Détrôné par son gendre Guillaume de Nassau, stathouder de Hollande, appelé secrètement par le Parlement, il s'enfuit en France (1688) où il termina sa vie.

JACQUES ÉDOUARD STUART, dit **le Chevalier de Saint-George** ou **le Prétendant** (1688-1766), fils de Jacques II. Reconnu roi d'Angleterre par Louis XIV en 1701, il échoua dans ses tentatives pour recouvrer son trône.

JACQUET [ʒakɛ] n. m. (de *Jacques*). Jeu que l'on joue avec des pions et des dés, sur une tablette divisée en quatre compartiments.

JACTANCE [ʒaktɑ̃s] n. f. (lat. *jactantia*, vanterie). Attitude d'une personne qui manifeste avec arrogance et vanité la haute opinion qu'elle a d'elle-même.

JADE [ʒad] n. m. (de l'esp. *ijada*). *Minér.* Sorte d'amphibole de couleur vert laiteux, très utilisée en Chine comme pierre fine.

JADIDA (El-), ancienn. **Mazagan,** port du Maroc, sur l'Atlantique; 55 500 hab.

JADIS [ʒadis] adv. (de *ja a dis*, il y a déjà des jours). En un temps fort éloigné dans le passé (syn. AUTREFOIS) : *Au temps jadis* (= dans l'ancien temps).

JAÉN, v. d'Espagne, en Andalousie; 78 200 hab. La ville possède une belle cathédrale du XVIe s.

JAFFA, port d'Israël, partie méridionale de *Tel-Aviv-Jaffa*.

JAGELLON, famille lituanienne, d'où sortit une dynastie qui régna en Pologne, en Bohême et en Hongrie (XIVe-XVIe s.).

JAGUAR [ʒagwar] n. m. (d'un mot tupi-guarani). Mammifère carnassier de l'Amérique du Sud, long de 1,30 m, voisin de la panthère, à taches noires.

JAILLIR [ʒajir] v. i. (d'un rad. gaul. *gali-*, bouillir). **1.** (sujet nom désignant un liquide, une vapeur, une lumière, etc.) Sortir impétueusement, se produire subitement ou abondamment : *Le sang jaillit de la blessure* (syn. ↓GICLER); également en parlant d'un son : *Les rires jaillissaient de partout* (syn. FUSER). — **2.** (sujet nom de chose) Sortir soudainement, vivement d'un endroit (littér.) : *Des flots de spectateurs jaillissent du stade.* — **3.** Se manifester soudainement avec vivacité : *Les réponses jaillissent de tous côtés* (syn. FUSER, SURGIR). ◆ **jaillissant, e** adj. Qui jaillit. ◆ **jaillissement** n. m. : *Un jaillissement de vapeur, d'idées nouvelles.*

JAÏNISME [ʒainism] ou **JINISME** [ʒinism] n. m. (de *Jina*, son fondateur). Une des religions de l'Inde, fondée au VIe s. av. J.-C. : *La doctrine du jaïnisme a pour but de mener l'âme vers le nirvāna*.*

JAIPUR, v. de l'Inde, capit. du Rājasthān, au S.-O. de Delhi; 613 000 hab. Grand centre commercial.

JAIS [ʒɛ] n. m. (lat. *gagates*, pierre de Gages). **1.** Variété de lignite d'un noir brillant. — **2.** *De jais* ou *noir de jais*, d'une couleur noire très foncée.

JAKARTA → DJAKARTA.

JAKOBSON (Roman), linguiste américain d'origine russe (1896-1982), l'un des fondateurs de la phonologie *(Essais de linguistique générale).* Ses travaux ont également porté sur la structure linguistique de la poésie.

JALLIEU, anc. comm. de l'Isère, auj. rattachée à Bourgoin.

JALON [ʒalɔ̃] n. m. (du rad. de *jaillir*). **1.** Piquet de métal, tige de bois plantés en terre pour établir des alignements, déterminer une direction : *Placer des jalons pour rectifier le tracé d'une rue.* — **2.** Ce qui sert de point de repère, d'indication préliminaire : *Les jalons d'un exposé.* ‖ *Poser, planter des jalons*, préparer le terrain. ◆ **jalonner** v. t. **1.** Déterminer une direction, les limites d'un terrain; marquer l'alignement de quelque chose : *Des arbres jalonnent l'avenue* (= s'échelonner le long de). — **2.** Servir de point de repère, de marque dans le cours d'une vie, d'une carrière, etc. : *Des succès jalonnent sa vie d'acteur* (syn. MARQUER). ◆ **jalonnement** n. m. Action de placer des jalons ou des repères.

JALOUSEMENT adv., **JALOUSER** v. t. → JALOUX.

1. JALOUSIE n. f. → JALOUX.

2. JALOUSIE [ʒaluzi] n. f. (it. *gelosia*). Persienne formée d'une série de petites planchettes réunies par des chaînes et dont l'inclinaison peut être modifiée pour donner plus ou moins de jour dans la pièce.

JALOUX, OUSE [ʒalu, -uz] adj. et n. (du gr. *zêlos*, zèle). **1.** (avec ou sans compl. introduit par *de*) Se dit d'une personne (ou de son attitude) qui manifeste pour une autre un attachement exclusif et vit dans la crainte de son infidélité : *Un mari jaloux.* — **2.** (avec ou sans compl. introduit par *de*) Se dit de quelqu'un (ou de son attitude) qui éprouve du dépit ou de l'envie devant les avantages d'autrui : *Jaloux du succès de ses camarades* (syn. ENVIEUX). ◆ adj. Se dit d'une personne qui est très attachée à une chose, ou de ce qui marque ce sentiment : *Jaloux de son indépendance, il préféra ne pas se marier* (syn. SOUCIEUX). ◆ **jalousement** adv. : *Garder jalousement un secret* (syn. SOIGNEUSEMENT). ◆ **jalouser** v. t. *Jalouser qq'un* ou *qqch.*, en être jaloux : *Jalouser ses amis plus riches* (syn. ENVIER). ◆ **jalousie** n. f. : *Cette coquetterie excitait sa jalousie.*

JAMAÏQUE (la), l'une des Antilles, formant un État membre du Commonwealth, au S. de Cuba; 11 425 km²; 2 500 000 hab. (219 au km²) [*Jamaïquains*]. Capit. *Kingston* (476 000 hab.). Langue : *anglais.*

GÉOGRAPHIE

Cette île montagneuse jouit d'un climat tropicale. Des plantations de bananes et de canne à sucre, de tabac et de café fournissent une partie des exportations.

bananes 100 000 t; sucre 250 000 t.

Mais l'île est surtout un important producteur de bauxite. Elle en transforme une partie sur place en alumine, avant de l'exporter notamment vers les États-Unis.

bauxite 8 700 000 t; alumine 700 000 t.

Le tourisme apporte un complément de ressources.

HISTOIRE

• *1494. La Jamaïque est découverte par Christophe Colomb.*

Les Espagnols occupent l'île, y introduisent des esclaves d'Afrique et exterminent les autochtones (Arawaks).

Au XVIIe s. les Anglais, attirés par la valeur stratégique de l'île, en prennent possession et la colonisent.

Le XIXe s. est une période de prospérité grâce à l'exportation du sucre, de l'indigo et du cacao.

• *1958. La Jamaïque est intégrée dans la Fédération des Indes-Occidentales.*

Elle s'en retire en 1961, ce qui provoque la dissolution de la Fédération (1962).

• *1962. L'île obtient sa pleine indépendance.*

JAMAIS [ʒamɛ], **TOUJOURS** [tuʒur] adv. (de l'anc. fr. *ja*, jamais, et *mais*, davantage; de *tous*, et *jours*). Expriment la continuité dans l'absence ou dans l'existence.
→ tableau page suivante.

JAMBAGE [ʒɑ̃baʒ] n. m. (de *jambe*). Dans l'écriture, trait vertical ou légèrement incliné des lettres *p, l, g, d, f, q, m, n, u*, etc.

JAMBE [ʒɑ̃b] n. f. (bas lat. *gamba*). **1.** Membre inférieur de l'homme dans son ensemble, y compris la cuisse et le genou (en anatomie, désigne seulement la partie entre le genou et le pied, formée par le tibia et le péroné; pour l'animal, on dit PATTE) : *Avoir de bonnes jambes* (= être capable de marcher longtemps, sans fatigue). *Tirer, traîner la jambe* (= marcher avec peine). *Prendre ses jambes à son cou* (= partir, s'enfuir rapidement). ‖ *À toutes jambes*, très vite, le plus vite possible : *S'enfuir à toutes jambes.* — **2.** Fam. *Cela (me) fait une belle jambe!*, ça ne sert à rien, c'est parfaitement inutile. ‖ *Faire des ronds de jambe*, faire des manières en vue de plaire. ‖ *Traiter qq'un par-dessus la jambe*, le traiter avec mépris. ‖ *Tirer dans les jambes de qq'un*, l'attaquer en traître, chercher à lui nuire d'une manière déloyale. ◆ **jambière** n. f. **1.** Pièce de vêtement protégeant la jambe. — **2.** Bande de toile pour envelopper les jambes des chevaux. ◆ **entrejambe** n. m. Partie de la culotte ou du pantalon située entre les jambes.

JAMBON [ʒɑ̃bɔ̃] n. m. (de *jambe*). Cuisse ou épaule salée ou fumée d'un porc. ◆ **jambonneau** [ʒɑ̃bɔno] n. m. Partie de la patte du porc située au-dessous de l'articulation du genou.

JAMBOREE [ʒɑ̃bɔri] n. m. (mot angl.). Nom donné par les scouts à leurs réunions internationales périodiques.

JAMES *(baie)*, golfe prolongeant la baie d'Hudson (Canada). Aménagements hydroélectriques.

JAMES (Henry), écrivain anglais d'origine américaine (1843-1916), auteur des *Ambassadeurs* (1903).

JAMES (William), philosophe américain (1842-1910). Il est, avec Peirce, un des fondateurs du pragmatisme*.

JAMMES (Francis), écrivain français (1868-1938), auteur de romans et de poésies d'inspiration religieuse.

JAMMU, v. de l'Inde, capit. (avec Srīnagar) de l'État de *Jammu-et-Cachemire;* 155 200 hab.

JAMNA, JUMNA ou **YAMUNĀ** (la), riv. de l'Inde, qui arros Delhi et Āgra avant de rejoindre le Gange (r. dr.); 1 370 km.

JĀMNAGAR, v. de l'Inde, dans le Gujerāt; 214 900 hab.

JAMSHEDPUR, v. de l'Inde, à l'O. de Calcutta; 340 600 hab Centre métallurgique.

JANÁČEK (Leoš), compositeur tchèque (1854-1928). Ses œuvres et son style sont fortement marqués par le folklore de son pays. Il a laissé des opéras (*Jenufa*, 1903; *le Petit Renard rusé*, 1923; *Mémoires de la maison des morts*, 1928) et de la musique symphonique (*Tarass Boulba*, 1918).

JANCSÓ (Miklós), cinéaste hongrois, né en 1921. Auteur de : *les Sans espoir* (1966), *Rouges et Blancs* (1967), *Psaume rouge* (1972), *Rhapsodie hongroise* (1979), *le Cœur du tyran* (1981), *la Saison des monstres* (1987), *l'Horoscope de Jésus-Christ* (1990).

Jane Eyre, roman de Charlotte Brontë (1847).

JANEQUIN (Clément), compositeur français (1485-1558), un des grands maîtres de la chanson polyphonique (= à plusieurs voix). Il a exprimé avec beaucoup de charme et d'élégance les joies et les tristesses de l'homme : *le Chant des oiseaux* ou *la Bataille de Marignan* comptent parmi les chefs-d'œuvre de cette époque.

JANET (Pierre), psychologue français (1859-1947), l'un des promoteurs de la psychologie expérimentale en France.

JANICULE (le), l'une des collines de Rome, sur la rive droite du Tibre.

JANISSAIRE [ʒanisɛr] n. m. (du turc *ğeni çeri*, nouvelle milice). Soldat d'un corps d'infanterie turque (XIVe-XIXe s.).

JAN MAYEN, île norvégienne de l'océan Arctique, au N.-O. de l'Islande.

JANSÉNISME [ʒɑ̃senism] n. m. (de *Jansénius*). Doctrine religieuse tirée de l'*Augustinus*, ouvrage de *Jansénius.* ◆ **janséniste** adj. et n. Relatif au jansénisme; partisan du jansénisme.
— ENCYCL. Dans l'*Augustinus*, paru après sa mort, en 1640, Jansénius soutenait que la grâce — nécessaire pour vivre chrétiennement — était accordée par Dieu à certains êtres prédestinés : la liberté humaine (ou libre arbitre), les mérites de l'homme étaient

jamais

1. *a*) Accompagné de *ne*, exprime la continuité dans l'absence, dans l'inexistence, dans la négation (d'un moment du passé à l'heure actuelle, dans la totalité du temps ou du présent dans l'avenir) : *Il ne m'a jamais vu. Jamais il n'avait pensé à vous le dire. Je n'ai jamais autant pleuré. Il n'a jamais été aussi attentif. Elle n'en a jamais rien su. Il sera peut-être reçu à son examen : on ne sait jamais* (= il est des circonstances extraordinaires). *Il pleut comme jamais il n'a plu.*
b) Renforcement de la négation, **jamais, au grand jamais** (fam.) indique un refus : *Jamais, au grand jamais, protesta-t-il, je n'ai renversé l'encrier.*
c) Avec *sans* ou avec *ne... plus, ne... que : Il regarde les malheurs des autres sans jamais s'attendrir. Je ne l'ai jamais plus revu* (= du moment passé à nos jours). *Depuis cette cure, il n'avait plus jamais mal au foie. Il n'a jamais fait que ce que vous lui avez dit* (= il a seulement fait). *Il n'a jamais fait que s'en moquer* (= il s'en est toujours moqué).

2. *a*) Non accompagné de *ne*, dans les réponses : *« Accepterez-vous sa collaboration? — Jamais »;* ou renforcé : *« Jamais de la vie ».*
b) En coordination, accompagné ou non de *mais* et *ou : Je travaille plusieurs heures par jour, mais jamais après dîner. C'est le moment ou jamais de se taire* (= il est en ce moment préférable de se taire). *Fais-le maintenant ou jamais* (invitation pressante à l'action).
c) Avec un adjectif : *Des leçons jamais sues.*

3. Non accompagné de *ne*, il peut avoir le sens de « en un moment quelconque », « un jour dans le passé ou l'avenir » (emploi limité à la langue soignée ou à quelques constructions [*si* et dans les comparaisons]) : *Si jamais vous le voyez, vous lui direz que j'ai besoin de son aide. Elle est plus belle que jamais. Il est plus souriant que jamais. C'est pire que jamais.*

4. À jamais, à tout jamais, dans tout temps à venir : *C'est à tout jamais fini entre nous* (syn. POUR TOUJOURS).

toujours

1. Exprime la continuité dans la présence, dans l'existence, dans l'affirmation (d'un moment du passé à l'heure actuelle, dans la totalité du temps ou du présent dans l'avenir) : *La science donnera toujours à l'homme de nouveaux moyens de connaissance* (syn. SANS CESSE). *Il l'avait toujours détesté. Il est toujours prêt à vous aider* (syn. EN TOUTE OCCASION). *Je suis toujours d'un avis différent* (syn. ORDINAIREMENT). *Il est toujours plus morne et désespéré. Il en a toujours fait à sa tête.*

2. Explique que l'action dure encore au moment où le verbe la situe : *Il était trahi, mais il l'aimait toujours* (syn. ENCORE). *Il est toujours le même* (= il a le même caractère).

3. *a*) Exprime une possibilité, souvent très incertaine, dans l'avenir : *Il n'est pas trop bête, vous en tirerez toujours quelque chose* (syn. EN TOUT ÉTAT DE CAUSE). *Vous pourrez toujours vous adresser au guichet* (syn. APRÈS TOUT). *Tu peux toujours courir* (fam.) [= tu ne réussiras pas].
b) En coordination, accompagné de *mais : Je lui faisais des objections, mais toujours avec prudence.*
c) **C'est toujours ça, c'est toujours autant de pris,** indiquent la satisfaction devant un résultat inférieur à ce qu'on pouvait espérer : *Tu as pris une seule truite : c'est toujours ça.*
d) Avec un adjectif : *Un homme toujours satisfait de lui-même.*

4. Toujours est-il, sert de conjonction de coordination pour marquer la restriction, l'opposition : *Certes, la météo a annoncé du beau temps, toujours est-il que le temps est menaçant* (syn. NÉANMOINS). *J'accepte vos excuses, toujours est-il que l'erreur est faite* (syn. DU MOINS).
Depuis toujours, depuis un temps très éloigné : *Nous nous connaissons depuis toujours.*
Pour toujours, dans tout le temps à venir (syn. À JAMAIS) : *Je vais vous ôter pour toujours l'envie de vous mêler de ce qui ne vous regarde pas.*

ainsi réduits à néant, puisque Dieu destinait dès leur naissance certains hommes au salut.

Cette doctrine fut répandue en France par Duvergier de Hauranne, abbé de Saint-Cyran, qui l'introduisit chez les religieuses de Port-Royal. Condamnée comme hérésie par le pape, elle trouva un vigoureux défenseur en la personne de Blaise Pascal *(les Provinciales).*

- *1679. Les jansénistes, dont la rigidité des mœurs et l'esprit d'indépendance inquiètent le roi, sont persécutés.*
- *1709. Le pape ayant de nouveau condamné l'hérésie, Louis XIV fait expulser les religieuses de Port-Royal, puis raser le couvent.*
- *1713. La bulle « Unigenitus » condamne solennellement les principes du jansénisme.*

Le mouvement resta longtemps influent et, malgré les persécutions, ne disparut que progressivement (XIXe s.).

Il a encore de nos jours quelques adhérents en Hollande.

JANSÉNIUS (Cornélius JANSEN, dit), théologien hollandais, évêque d'Ypres (1585-1638). Son principal ouvrage, l'*Augustinus* (1640), dans lequel il exposait à son point de vue les doctrines de saint Augustin sur la grâce, le libre arbitre et la prédestination, donna naissance au *jansénisme.*

JANTE [ʒɑ̃t] n. f. (gaul. *cambo*, courbe). Cercle extérieur d'une roue (en bois, en métal), relié au moyeu par les rayons : *Enlever le pneu de la jante d'une bicyclette pour réparer une crevaison.*

JANUS, l'un des anc. dieux de Rome, représenté avec deux visages opposés. Il était le dieu des Portes, ayant, comme elles, une double face. À Rome, le temple de Janus n'était fermé qu'en temps de paix.

JANVIER [ʒɑ̃vje] n. m. (lat. *januarius*). Premier mois de l'année. (⟶ MOIS.)

JAPON, en japon. **Nippon** *(pays du Soleil-Levant)*, empire insulaire de l'Asie orientale, composé d'une multitude d'îles, dont les 4 principales sont : *Honshū* (ancienn. Hondo), la plus grande, *Hokkaidō* (ancienn. Yeso), *Shikoku, Kyū shū.*

GÉOGRAPHIE

■ **GÉOGRAPHIE PHYSIQUE.**

Le pays s'étend sur un arc insulaire montagneux, formé en majeure partie de chaînes récentes hachées par des accidents tectoniques, et bordé à l'E. par de très profondes fosses sous-marines. Le volcanisme y est actif (mont Fuji-Yama, 3 776 m), les tremblements de terre fréquents et souvent accompagnés de raz de marée *(tsunamis).* Le Japon appartient au domaine de la mousson, chaud et humide l'été, mais en raison de la latitude les régions septentrionales connaissent des hivers rigoureux.

	TEMPÉRATURES MOYENNES janv.	juil.	PLUIES
Sapporo	— 6,3 °C	20,9 °C	1 104 mm
Tōkyō	5,7 °C	24,7 °C	1 491 mm
Ōsaka	4,2 °C	27,2 °C	1 416 mm

■ **GÉOGRAPHIE HUMAINE ET ÉCONOMIQUE.**

La *population* a triplé en moins d'un siècle, mais actuellement elle ne s'accroît plus qu'à un rythme lent, en raison de la politique de limitation des naissances. Inégalement répartie, elle se concentre surtout sur les côtes du sud de l'archipel, notamment entre Tōkyō et Kita Kyū shū.

SUPERFICIE 373 000 km² (France : 550 000 km²).

POPULATION 123 millions d'hab. *(Japonais)*; 330 hab. au km² (France : 103); taux de natalité, 15.4 p. 1 000; taux de mortalité, 6.1 p. 1 000.

CAPITALE Tōkyō (8 841 000 hab.; agglomération 11 477 000 hab.).

VILLES PRINCIPALES Ōsaka (3 156 200 hab.); Yokohama (2 774 000 hab.); Nagoya (2 036 100 hab.); Kyōto (1 429 700 hab.); Kōbe (1 320 900 hab.); Kita Kyū shū (1 400 000 hab.); Sapporo (1 400 000 hab.); Fukuoka (853 300 hab.).

LANGUE japonais.

ÉCONOMIE produit national brut par hab., 9 705 dollars (France : 9 484); consommation d'énergie par hab., 3 600 kg d'équivalent charbon; 1 automobile pour 4 hab.

MONNAIE yen.

CHINE
U.R.S.S.
MER
D'OKHOTSK
HOKKAIDŌ
Sapporo
Hokkaidō
CORÉE DU NORD
CORÉE DU SUD
MER DU JAPON
AOMORI
AKITA
Morioka
IWATE
YAMAGATA
MIYAGI
Sendai
NIIGATA
FUKUSHIMA
TOYAMA
Honshū
ISHIKAWA
Kanazawa
TOCHIGI
Utsunomiya
GUMMA
Mito
Maebashi
IBARAKI
FUKUI
NAGANO
HYŌGO
SHIGA
Urawa
SAITAMA
Matsue
TOTTORI
GIFU
CHIBA
Kōfu
TŌKYŌ
SHIMANE
KYŌTO
Nagoya
Yokohama
OKAYAMA
Kōbe
Ōtsu
HIROSHIMA
ŌSAKA
KANAGAWA
YAMAGUCHI
Tsu
AICHI
SHIZUOKA
MIE
YAMANASHI
Kita Kyū shū
Matsuyama
NARA
FUKUOKA
TOKUSHIMA
SAGA
EHIME
WAKAYAMA
ŌITA
KŌCHI
Takamatsu
KAGAWA
OCÉAN
NAGASAKI
KUMAMOTO
Shikoku
MIYAZAKI
KAGOSHIMA
Kyū shū
PACIFIQUE
limite de préfecture
chef-lieu de préfecture
lorsque la préfecture et son chef-lieu portent le même nom, seuls sont indiqués le nom de la préfecture et la position de son chef-lieu
capitale
ville importante
0
100
200
300 km

Japon

L'*agriculture* souffre de la faible extension des surfaces cultivables : 16 p. 100 du territoire. Malgré l'exploitation intensive des terres (engrais, irrigation), la production reste insuffisante. Le riz constitue la base de l'alimentation, suivi de loin par le blé, l'orge et le soja. Les cultures commerciales, en dehors du thé, ne jouent qu'un rôle secondaire (mûrier, canne à sucre, tabac). L'élevage est peu important, mais la pêche, favorisée par des eaux poissonneuses, est très active.

riz	15 millions de t
thé	100 000 t
pêche	11 800 000 t (1er rang mondial)

L'*industrie* est devenue le secteur principal de l'économie : elle emploie trois fois plus de gens que l'agriculture. Elle a pris son essor sous l'impulsion de l'État (avènement de l'ère Meiji), mais est aujourd'hui aux mains de puissants trusts. Elle est regroupée dans 4 régions fortement urbanisées et dotées de grands ports : Kita Kyū shū, Ōsaka-Kōbe, Nagoya et Tōkyō-Yokohama. Elle manque de ressources énergétiques : le charbon de Kyū shū et d'Hokkaidō est insuffisant, le pétrole inexistant. Mais le potentiel hydro-électrique est largement utilisé. Le Japon possède des minerais variés (mercure, plomb, zinc, cuivre), mais peu de fer.

charbon	17 millions de t
électricité	580 milliards de kWh

La sidérurgie est cependant très puissante. Elle alimente des constructions automobiles et navales et des industries mécaniques variées. L'industrie textile (coton, textiles artificiels et synthétiques) est très importante et utilise une abondante main-d'œuvre féminine. La chimie fournit engrais et colorants. Enfin, le Japon a une réputation internationale sur le plan de l'électronique et de l'optique (appareils photographiques). À côté de ces industries modernes, très concentrées, subsiste l'artisanat traditionnel (laques, porcelaines, soieries).

acier	105 millions de t (2e rang mondial)
constructions automobiles	11 millions d'unités (1er rang mondial)
constructions navales	9,4 millions de tonneaux (1er rang mondial)
coton (filés)	400 000 t
textiles synthétiques	1,9 million de t (2e rang mondial)
engrais azotés	2 204 000 t
appareils radio	16 700 000 unités

L'économie du Japon est très liée au marché international : le pays importe des matières premières et des denrées alimentaires, et exporte des produits fabriqués. L'essentiel des échanges se fait avec les États-Unis et la C. E. E. L'expansion rapide du pays et la conquête des marchés longtemps extérieurs ont été favorisées par une main-d'œuvre abondante et bon marché.

HISTOIRE

■ LA PÉNÉTRATION DE LA CULTURE CHINOISE.

Selon la tradition, le Japon a été créé en 660 av. J.-C. par l'empereur Jimmu tennō, descendant de la déesse Amaterasu (le Soleil). Mais en fait ce n'est qu'à partir du Ve s. de notre ère qu'existe dans l'archipel nippon une confédération de « royaumes », organisés en clans très hiérarchisés. Aux VIe et VIIe s., l'État du Yamato s'impose en introduisant au Japon les principes moraux et politiques du bouddhisme et du confucianisme venus de Chine, et crée un État centralisé sur le modèle chinois. Cet État exerce son influence sur le centre et l'ouest du Japon actuel.

- *710-794. La cour de l'empereur s'installe à Nara qui devient capitale du pays.*

Pendant cette période, le bouddhisme fait d'énormes progrès et la culture chinoise pénètre largement le pays, tandis que le clan des Fujiwara et le moine Dōkyō deviennent les conseillers de l'empereur *(mikado).*

- *794-1185. La capitale est installée à Heian (future Kyōto).*

Cette période est marquée par l'affaiblissement progressif du clan des Fujiwara qui depuis le règne de Seiwa (850-880) avaient pris tous les pouvoirs en main. D'autre part, une nouvelle aristocratie tend à rassembler les domaines attribués à de nombreux petits propriétaires. De cette nouvelle aristocratie émergent deux familles, les Taira et les Minamoto qui s'opposent en une lutte acharnée, d'où les Minamoto sortiront vainqueurs.

■ LES DICTATURES MILITAIRES.

- *1192. Yoritomo, le chef du clan Minamoto, établit un gouvernement militaire, le shōgunat, à Kamakura.*

Le gouvernement impérial se maintient, mais sans pouvoir réel, à Kyōto, tandis que Yoritomo se proclame généralissime et installe des gouverneurs dans chaque province.

- *1200-1333. Le clan Hōjō remplace les Minamoto. Il triomphe des invasions mongoles, mais celles-ci ruinent les finances.*

Après une brève reprise du pouvoir par l'empereur Go-Daigo, le clan des Ashikaga s'empare du shōgunat (1338-1573). C'est une période d'anarchie politique au cours de laquelle la puissance croissante des grands daimyō (seigneurs féodaux) et des monastères bouddhiques provoque des luttes internes. En même temps, une bourgeoisie urbaine se crée, dont la richesse repose sur le négoce et les activités bancaires.

- *1542. L'archipel japonais est atteint pour la première fois par les Européens (Portugais puis Espagnols).*

Derrière eux viennent les missionnaires catholiques, dont le plus célèbre est François Xavier.

■ L'ÉPOQUE DES TOKUGAWA (1600-1867).

- *1616. Tokugawa Iyeyasu s'impose comme shōgun.*

Il installe le siège du gouvernement à Edo (future Tōkyō), organise un État centralisé et soumet les daimyō. À la même époque, les Japonais se lancent dans le grand commerce maritime, tandis que les Hollandais et les Anglais installent des comptoirs au Japon.

Mais par crainte d'agression extérieure et pour assurer la stabilité du régime, le shōgunat devient de plus en plus autoritaire et hostile aux étrangers.

- *1617. Les missionnaires sont expulsés.*

Désormais les chrétiens sont persécutés. Parallèlement, le Japon se ferme aux étrangers : les Espagnols (1624), puis les Hollandais (1640) sont chassés à leur tour.

- *1633. Il est interdit aux Japonais de quitter l'archipel.*

Cette époque se caractérise par la montée rapide de la classe des commerçants urbains, tandis que diminue l'influence de la caste dirigeante des daimyō dont la puissance s'appuyait sur l'économie rurale. Quant aux paysans, leur situation reste critique pendant toute cette période. Victimes des catastrophes naturelles qui ravagent périodiquement le pays et accablés d'impôts, ils se révoltent à plusieurs reprises. Chaque fois, la répression est impitoyable.

Dès le XVIIe s. se forme autour de puissants chefs de clan un mouvement d'opinion favorable à la restauration du pouvoir impérial et à l'élimination du shōgunat. Ces chefs de clan manifestent une grande curiosité pour les arts et les techniques d'Occident. Mais c'est encore en vain qu'à la fin du XVIIIe et au début du XIXe s. Russes et Anglais demandent l'ouverture du Japon.

- *1858. Le port de Yokohama est ouvert au commerce américain.*

Des avantages semblables sont bientôt accordés à d'autres pays, ce qui provoque des mouvements xénophobes (= antiétrangers) dans le pays. L'empereur apparaît dès lors comme seul capable de défendre le pays contre les étrangers.

- *1867. Le shōgunat disparaît. L'empereur Meiji Mutsu-Hito (1867-1912) détient seul le pouvoir.*

■ L'ÈRE MEIJI.

Le nouvel empereur s'installe à Edo qui devient Tōkyō. Le pays s'ouvre largement à l'influence occidentale. L'ancien système féodal est remplacé par un régime centralisé.

- *1889. À l'exemple de l'Occident, une constitution établit une monarchie parlementaire à deux chambres.*

Mais le Japon reste en fait une monarchie absolue. La modernisation économique est très rapide. En dix ans (1870-1880), des associations de marchands et de financiers *(zaibatsu)* procèdent à l'électrification de l'archipel, créent un réseau de voies ferrées et édifient de grandes industries.

À l'extérieur, le Japon pratique une politique d'expansion.

- *1894-1895. Après une guerre victorieuse contre la Chine, le Japon annexe Formose et les îles Pescadores.*
- *1904-1905. La guerre russo-japonaise est marquée par d'importantes victoires nippones.*

Le traité de Portsmouth (1905) qui met fin à cette guerre permet aux Japonais de s'installer en Corée et dans le Leao-tong, et leur donne la souveraineté sur une partie de l'île de Sakhaline et des droits sur la Mandchourie.

■ L'EXPANSION JAPONAISE JUSQU'EN 1945.

- *1912. L'empereur Taishō tennō succède à l'empereur Meiji Mutsu-Hito.*

Durant la Première Guerre mondiale, le Japon se range aux côtés des Alliés.

- *1915. Le Japon obtient une situation économique privilégiée dans une partie de la Chine (Mandchourie, Chan-tong, Mongolie-Intérieure).*
- *1916. Un traité avec la Russie a pour but le partage éventuel de la Chine.*
- *1919. Le traité de Versailles donne au Japon mandat sur les anciennes possessions allemandes en Extrême-Orient et confirmation de ses droits en Chine.*

Les années de guerre ont donné une grande impulsion à l'industrie et au commerce japonais. En 1919, le Japon est l'une des cinq grandes puissances mondiales.

• *1921-1922. À la conférence de Washington, les puissances occidentales imposent un coup d'arrêt à l'expansion japonaise.*
• *1926. Hiro-Hito devient empereur et renforce le pouvoir central.*

Cependant l'expansion est encouragée sur le plan commercial, en particulier vers la Chine et vers les nouveaux marchés d'exportation dans les colonies européennes.

• *1931-1932. L'armée japonaise occupe toute la Mandchourie qui devient l'« État indépendant » du Mandchoukouo, en fait colonie nippone.*
• *1937. Le Japon entre en guerre ouverte contre la Chine et y installe un gouvernement collaborateur (1938).*
• *27 sept. 1940. Le Japon s'allie avec l'Allemagne et l'Italie.*

La Seconde Guerre mondiale lui permet de mettre pleinement en œuvre sa politique d'expansion.

• *7 déc. 1941. L'aviation japonaise attaque la flotte américaine à Pearl Harbor.*
• *1942. Les Japonais sont les maîtres du Sud-Est asiatique.*
• *Mai 1942-1945. Les Alliés arrêtent l'offensive japonaise et reprennent les positions perdues.* (→ GUERRE MONDIALE.)
• *6 et 9 août 1945. Les bombardements atomiques sur Hiroshima et Nagasaki contraignent le Japon à capituler (2 septembre).*

Le général MacArthur, commandant en chef des troupes d'occupation, impose au Japon, resté fidèle à l'empereur, une constitution parlementaire et entreprend la démocratisation du pays.

■ LE JAPON APRÈS LA GUERRE.

• *1950-1951. La guerre de Corée favorise la reprise de l'économie.*
• *8 sept. 1951. La signature du traité de San Francisco avec les Alliés redonne au Japon sa pleine souveraineté.*

Sur le plan intérieur, le gouvernement reste dominé par une forte majorité conservatrice.
Sur le plan extérieur, l'entrée à l'O. N. U. (1956), le traité d'alliance nippo-américain (1960), les nouvelles relations avec les producteurs de pétrole (1974) et le traité de paix et d'amitié avec la Chine (1978) renforcent la position du Japon dans le monde. Mais, surtout, le Japon est devenu une puissance économique de tout premier plan en développant les secteurs industriels les plus avancés : plus que jamais, il fonde sa puissance sur un commerce extérieur particulièrement dynamique.

• *1989. Mort de l'empereur Hiro-Hito. Son fils Akihito lui succède.*

JAPON *(mer du)*, dépendance de l'océan Pacifique, entre l'Extrême-Orient soviétique, la Corée et le Japon.

JAPONAIS, E [ʒapɔnɛ, -ɛz] adj. et n. Du Japon. ◆ n. m. Langue parlée au Japon.

JAPPER [ʒape] v. i. (onomat.) [sujet nom désignant un petit chien]. Aboyer faiblement, de façon aiguë. ◆ **jappement** n. m.

JAQUEMART [ʒakmar] n. m. (de l'anc. prov. *Jaqueme*, Jacques). Figure de métal représentant une homme armé qui frappe les heures avec un marteau sur la cloche d'une horloge.

JAQUETTE [ʒakɛt] n. f. (de *jacques*, paysan). **1.** Vêtement d'homme, à longs pans arrondis, porté seulement dans les cérémonies officielles, les réceptions. — **2.** Vêtement de femme porté sur le corsage et ajusté à la taille. — **3.** Chemise de protection d'un livre. — **4.** Revêtement destiné à remplacer l'émail d'une dent.

JAQUIER ou **JACQUIER** [ʒakje] n. m. (du portug. *jaca*). Arbre cultivé dans les régions tropicales pour ses fruits, riches en amidon, qui peuvent atteindre 15 kg (syn. ARBRE À PAIN).

1. JARDIN [ʒardɛ̃] n. m. (du frq. *gard*). **1.** Terrain, généralement clos, où l'on cultive des légumes *(jardin potager)* ou des fleurs *(jardin d'agrément)* : *Un jardin anglais* (= aux allées irrégulières et d'apparence désordonnée, mais en réalité disposé artistiquement). *Un jardin public* (= espace vert ménagé dans une ville et à la disposition de tous). *Jardin botanique* (= où l'on étudie scientifiquement les plantes). *Jardin zoologique ou zoo.* — **2.** Région riche, fertile : *La Touraine est le jardin de la France.* — **3.** *Jeter une pierre dans le jardin de qq'un*, l'attaquer directement ou indirectement, surtout par des paroles blessantes. ◆ **jardinet** n. m. Petit jardin. ◆ **jardiner** v. i. Travailler dans un jardin, l'entretenir. ◆ **jardinage** n. m. Culture des jardins. ◆ **jardinier, ère** n. Personne dont le métier est de cultiver les jardins.

2. JARDIN [ʒardɛ̃] n. m. (all. *Kindergarten*, jardin d'enfants). *Jardin d'enfants*, établissement destiné à recevoir les enfants trop jeunes pour entrer dans les classes primaires (en dessous de six ans). ◆ **jardinière** n. f. *Jardinière d'enfants*, personne qui a pour métier de tenir un jardin d'enfants.

1. JARDINIÈRE n. f. → JARDIN 1 et 2.

2. JARDINIÈRE [ʒardinjɛr] n. f. (de *jardin*). Plat composé de légumes variés coupés en petits morceaux.

JARGEAU, ch.-l. de cant. du Loiret, à 19 km à l'E. d'Orléans, sur la Loire; 3400 hab.

• *1429. Victoire de Jeanne d'Arc sur les Anglais.*

JARGON [ʒargɔ̃] n. m. (de l'onomat. *garg-*, gosier). **1.** Langage formé d'éléments disparates, de mots altérés; tout langage incompréhensible (syn. BARAGOUIN, CHARABIA). — **2.** Langage particulier à une profession, à un milieu (distinct de l'argot) : *Le jargon des médecins. Le jargon des précieuses.*

JARNAC, ch.-l. de cant. de la Charente, à 14 km à l'E. de Cognac, sur la Charente; 4900 hab.

• *1569. Victoire des catholiques, commandés par le duc d'Anjou (Henri III), sur les protestants du prince de Condé.*

JARNAC (Guy CHABOT, *baron* DE), gentilhomme français (1509-apr. 1572). Gouverneur de l'Aunis (1545), il vainquit en duel François Vivonne, seigneur de La Châtaigneraie (1547), par un coup au jarret, inattendu, mais loyal (d'où l'express. *coup de Jarnac*).

JARRE [ʒar] n. f. (prov. *jarra*). Grand vase de grès dans lequel on conserve des liquides, des salaisons.

JARRE (Maurice), compositeur français, né en 1924. Il a écrit beaucoup de musique de scène et de films, ainsi que des opéras.

JARRET [ʒarɛ] n. m. (du gaul. *garra*, jambe). **1.** Partie de la jambe située derrière l'articulation du genou, chez l'homme. — **2.** Endroit où se plie la jambe de derrière chez les mammifères ongulés : *Les jarrets d'un bœuf.*

JARRETELLE [ʒartɛl] n. f. (de *jarret*). Bande de tissu élastique servant à maintenir les bas tendus.

JARRETIÈRE [ʒartjɛr] n. f. (de *jarret*). Lien de caoutchouc servant à fixer les bas en les entourant au-dessus ou au-dessous du genou.

JARRETIÈRE *(Très noble ordre de la)*, le plus ancien et le plus élevé en dignité des ordres de chevalerie britanniques. Il fut fondé vers 1346 par le roi Édouard III, qui lui donna pour devise : *Honni soit qui mal y pense.*

JARRY (Alfred), écrivain français (1873-1907). Sa vision satirique et angoissée du monde s'incarne dans *Ubu* roi* (1896), première manifestation du « théâtre de l'absurde ».

JARS [ʒar] n. m. (frq. *gard*). Mâle de l'oie.

JARUZELSKI (Wojciech), général et homme d'État polonais, né en 1923. Devenu en 1981 chef de gouvernement (jusqu'en 1985) et secrétaire général du parti ouvrier unifié polonais (jusqu'en 1989), il accède en 1985 à la présidence du Conseil d'État. En 1989, il est élu président de la République par le nouveau Parlement. Son mandat s'achève avec l'élection présidentielle de 1990.

JARVILLE-LA-MALGRANGE, comm. de Meurthe-et-Moselle, sur la Meurthe; 12100 hab. Centre industriel.

JASER [ʒaze] v. i. (onomat.). **1.** Bavarder sans fin sur des sujets futiles pour le plaisir de parler ou pour dire du mal de quelqu'un : *Ses visites font jaser les voisins* (syn. CAUSER). — **2.** Trahir un secret par un bavardage imprudent : *Un complice a jasé* (syn. PARLER). — **3.** Émettre des sons modulés, proches de ceux de la parole : *Le bébé jase dans son berceau* (syn. GAZOUILLER).

JASMIN [ʒasmɛ̃] n. m. (ar. *yāsemīn*). Arbuste à fleurs jaunes ou blanches très odorantes, cultivé dans le Midi pour la parfumerie. (Famille des oléacées.)

JASON. *Myth. gr.* Fils du roi d'Iolcos, Éson. Il réclama le trône paternel à son oncle, qui l'envoya en Colchide à la conquête de la Toison d'or : ce fut l'expédition des Argonautes (du nom de leur bateau, *Argo*). Il en ramena Médée, qu'il épousa.

JASPE [ʒasp] n. m. (lat. *jaspis*). Roche siliceuse de la famille des calcédoines, colorée en jaune, en rouge, en brun, en noir, et employée en bijouterie.

JASPERS (Karl), philosophe et psychologue allemand (1883-1969). Suivant son système, l'expérience de la métaphysique* est ce par quoi l'homme prend conscience de ses limites, conscience qui est la raison, le motif de la philosophie. Mais l'homme est aussi libre de penser et d'agir à l'intérieur de ces limites qui sont celles de son existence. Sa philosophie est donc un existentialisme. Or, dans son existence, l'homme est en rapport avec ses semblables. La compréhension de cet autre qu'est l'homme est ainsi la question philosophique qui a orienté les recherches de Jaspers en psychologie (*Raison et existence*, 1935).

JATTE [ʒat] n. f. (lat. *gabata*, plat). Petit récipient rond et sans bords rentrés : *Une jatte de lait* (syn. ÉCUELLE).

JAUFRÉ RUDEL, troubadour du XIIe s.

JAUGE [ʒoʒ] n. f. (du frq. *galga*). **1.** Capacité totale ou partielle d'un navire de commerce, évaluée au moyen de règles précises. (L'unité de jauge est le tonneau, qui vaut 2,83 m³.) — **2.** Instrument servant au contrôle des dimensions intérieures d'une pièce femelle (alésage). ◆ **jauger** v. t. Mesurer la capacité d'un réservoir, d'une pièce usinée. ◆ v. i. (sujet nom désignant un navire). Avoir une capacité ou un tirant d'eau de : *Navire qui jauge 1 000 tonneaux.* ◆ **jaugeage** n. m.

1. JAUGER v. t. et i. ⟶ JAUGE.

2. JAUGER [ʒoʒe] v. t. (de *jauge*). *Jauger qq'un,* apprécier rapidement sa valeur, sa capacité à faire tel ou tel travail.

1. JAUNE [ʒon] n. m. et adj. (lat. *galbinus*). **1.** Une des sept couleurs fondamentales, placées dans le spectre entre le vert et l'orangé; se dit d'un objet de cette couleur : *Le mélange du jaune et du bleu donne le vert.* — **2.** *Fièvre jaune,* maladie infectieuse des pays chauds, due à un virus et transmise par un moustique (la stégomyie) [syn. VOMITO-NEGRO]. (Elle se manifeste par coloration jaune de la peau et affecte sévèrement l'organisme; la vaccination préventive est obligatoire pour les voyages dans les régions atteintes.) ‖ *Nain jaune,* sorte de jeu de cartes. ◆ n. m. Partie jaune de l'œuf des oiseaux et des reptiles portant le germe et riche en matière de réserve. ◆ adv. *Rire jaune,* avoir un rire forcé, qui dissimule mal le dépit, la gêne, l'irritation. ◆ **jaunâtre** adj. et n. m. Qui tire sur le jaune; qui est d'un jaune pâle, défraîchi, sale. ◆ **jaunir** v. t. Rendre jaune : *Doigts jaunis par les cigarettes.* ◆ v. i. Devenir jaune : *Papier qui a jauni.* ◆ **jaunissant, e** adj. : *Les épis jaunissants.* ◆ **jaunissement** n. m. : *Le jaunissement de son teint annonce une crise de foie.* ◆ **jaunisse** n. f. *Méd.* Coloration jaune de la peau, due à la présence de pigments biliaires dans le sang et les tissus : *Les maladies de foie entraînent souvent des jaunisses* (syn. ICTÈRE).

2. JAUNE [ʒon] adj. et n. (même étym.). Se dit d'une race d'hommes, en majeure partie asiatique, caractérisée par des yeux bridés et un teint jaune.

3. JAUNE [ʒon] n. m. (même étym.). *Péjor.* Ouvrier qui travaille alors que les autres sont en grève (syn. BRISEUR DE GRÈVE).

JAUNE *(fleuve)* ⟶ HOUANG-HO.

JAUNE *(mer),* dépendance de l'océan Pacifique, entre la Corée et la péninsule chinoise du Chan-tong. Elle doit son nom aux alluvions jaunâtres apportées par le Houang-ho.

JAUNIR v. t. et i., **JAUNISSANT, E** adj., **JAUNISSE** n. f., **JAUNISSEMENT** n. m. ⟶ JAUNE 1.

JAURÈS (Jean), homme politique français (1859-1914). Socialiste convaincu, l'un des orateurs les plus brillants de la IIIe République, il fut très populaire dans les milieux ouvriers.

• *1893. Il est élu député de Carmaux.*

Mais partisan de la révision du procès de Dreyfus, il ne sera pas réélu en 1898.

• *1901. Opposé à la fois à Jules Guesde et au blanquisme représenté par Édouard Vaillant, il fonde le parti socialiste français.*

Réélu régulièrement comme député à partir de 1902, il exerça dès lors une action prépondérante sur le bloc des gauches.

• *1904. Il fonde le journal « l'Humanité ».*
• *1905. Il participe à la création du parti socialiste unifié (S. F. I. O., ou Section française de l'Internationale ouvrière).*

Pacifiste ardent, il s'opposa à tout ce qui pouvait encourager la guerre, tel l'allongement du service militaire. Il s'attira ainsi l'hostilité des milieux patriotiques dirigés par Clemenceau.

• *31 juill. 1914. Il est assassiné par un déséquilibré.*

JAVA [ʒava] n. f. (du n. de l'île de *Java*). **1.** Danse populaire à trois temps, dansée dans les bals musettes. — **2.** *Faire la java,* faire la fête, s'amuser.

JAVA, île d'Indonésie; 130 000 km²; 91 millions d'hab. (700 au km²).

Cent vingt et un volcans, dont certains sont encore actifs, constituent l'épine dorsale de cette île longue et étroite, séparant les plateaux calcaires du Sud de la plaine littorale du Nord.

La population rurale (qui constitue les neuf dixièmes de la population totale) a intensément mis en valeur les riches sols de l'île. Les plaines et les basses pentes des volcans, aménagées en terrasses, fournissent deux récoltes de riz par an, grâce au climat équatorial humide toute l'année. Les cultures commerciales, pour l'exportation, sont plutôt répandues dans les montagnes : canne à sucre, hévéa, thé, café. Quelques industries (transformation des produits agricoles, constructions mécaniques) sont réparties dans les villes (Djakarta, Surabaya, Bandung). Le problème majeur de l'île reste le surpeuplement.

JAVA *(mer de),* partie de l'océan Indien entre Java, Sumatra et Bornéo.

1. JAVANAIS, E [ʒavanɛ, -ɛz] adj. et n. De Java. ◆ n. m. Langue du groupe indonésien.

2. JAVANAIS [ʒavanɛ] n. m. (de *Java*). Forme d'argot qui consiste à intercaler dans les mots les syllabes *av* ou *va,* de manière à les rendre incompréhensibles pour les non-initiés (ainsi, « bonjour » devient « bavonjavour »).

JAVEL (EAU DE) [odəʒavɛl] n. f. (de *Javel,* anc. village, auj. quartier de Paris, où l'on fabriquait ce produit). Solution aqueuse de chlorure et d'hypochlorite de sodium, utilisée comme produit désinfectant et décolorant. ◆ **javelliser** v. t. *Javelliser de l'eau,* la stériliser en y ajoutant de l'eau de Javel. ◆ **javellisation** n. f.

JAVELLE [ʒavɛl] n. f. (bas lat. *gabella*). Petit tas de blé, d'orge, etc., coupé, qu'on laisse sur le champ jusqu'à ce qu'on le lie en gerbe. ◆ **javelé, e** adj. *Avoines javelées,* celles dont le grain est devenu noir et pesant par la pluie qui les a mouillées tandis qu'elles étaient en javelles.

JAVELLISATION n. f., **JAVELLISER** v. t. ⟶ JAVEL.

JAVELOT [ʒavlo] n. m. (empr. au gaul.). **1.** Petite lance qu'on projetait avec la main ou avec une machine. — **2.** Instrument de lancer, en forme de lance, employé en athlétisme. (La longueur et le poids minimaux du javelot sont de 2,60 m et 800 g pour les hommes, et de 2,20 m et 600 g pour les femmes.)

JAZZ [dʒaz] n. m. (mot anglo-amér.). Musique d'origine négro-américaine caractérisée par son rythme : *Orchestre de jazz.* ‖ *Free jazz,* école de jazz apparue aux États-Unis vers 1960 et groupant des musiciens partisans de l'improvisation intégrale. ◆ **jazzman** n. m. Joueur de jazz. ‖ Pl. des *jazzmen.*
— ENCYCL. On retrouve dans le *jazz* des éléments populaires occidentaux (polkas, marches militaires) et des éléments du folklore négro-américain issus de la musique africaine et influencés par les cantiques chrétiens (blues, spirituals, chants de travail). L'éclosion du jazz se situe au début du XXe s., à La Nouvelle-Orléans, en Louisiane. Il est vocal ou instrumental. L'improvisation et l'arrangement s'y mêlent.

Le jazz eut beaucoup d'influence sur l'ensemble de la musique vers les années 1920, notamment dans les œuvres de Gershwin *(Rhapsody in blue),* Ravel (le fox-trot de *l'Enfant et les sortilèges*), Stravinski *(l'Histoire du soldat),* Honegger, Milhaud, Ibert.

JDANOV ⟶ MARIOUPOL'.

JE [ʒə], **ME** [mə], **MOI** [mwa] pron. pers. 1re pers. sing. ⟶ tableau ci-dessous. (*Rem.* Pour l'ordre de ces pron. pers. ⟶ IL.)

FONCTION	pronoms atones (= inaccentués) Joints au verbe et toujours dans le groupe verbal.		pronom tonique (= accentué) Disjoint, placé hors du groupe verbe + pronom sujet atone, avant ou après le verbe.	
sujet	**je** **j'**	JE *travaille.* J'*arrive. Ai-*JE *tort? Suis-*JE *assez près?*	**moi**	MOI *aussi, j'ai vu ce film. Il court aussi vite que* MOI. *Georges et* MOI *nous travaillons.*
complément d'objet direct ou indirect, réfléchi ou non réfléchi	**me** **m'**	*Il* ME *voit. Je* ME *vois dans la glace.* M'*écoutera-t-on? Ne* ME *troublez pas. Tous* M'*obéissaient.*	**moi**	*Regarde-*MOI. *Obéissez-*MOI. *Je ne me compte pas dans le nombre,* MOI. *À* MOI, *on obéira. Usez de* MOI *comme il vous plaira.*
complément circonstanciel après préposition			**moi**	*Il est parti sans* MOI. *Vous travaillez pour* MOI? *Il l'a su par* MOI.

Je pense, donc je suis, formule de Descartes dans le *Discours de la méthode* (1637). Elle constitue la première vérité sur laquelle Descartes fondera la suite de sa philosophie.

JEAN *(feux de la Saint-),* feux allumés dans la nuit du 23 au 24 juin (fête de saint Jean-Baptiste).

JEAN ou **JEAN-BAPTISTE** *(saint)* ⟶ JEAN-BAPTISTE.

JEAN l'Évangéliste *(saint),* apôtre du Christ (mort v. 100). Il est l'auteur du 4ᵉ Évangile, de trois épîtres et de l'Apocalypse.

JEAN Chrysostome *(Bouche d'or)* [*saint*], docteur de l'Église (v. 340-407). Patriarche de Constantinople en 398, il s'éleva contre les dérèglements de la Cour et fut un prédicateur prestigieux.

JEAN de la Croix *(saint),* docteur de l'Église (1542-1591). Il entreprit, avec sainte Thérèse d'Ávila, la réforme de l'ordre du Carmel et a laissé de nombreux traités mystiques. Il fut canonisé en 1726.

JEAN, nom porté par vingt-trois papes, dont JEAN XXIII (ANGELO GIUSEPPE RONCALLI) [1881-1963]. Pape de 1958 à 1963, il a marqué l'histoire de l'Église par le rayonnement de sa personne, par un enseignement universel (encyclique *Pacem in terris,* 1963) et par la convocation, en 1962, du IIᵉ concile du Vatican.

JEAN, nom porté par huit empereurs d'Orient (du Xᵉ au XVᵉ s.).

JEAN sans Terre (1167-1216), roi d'Angleterre (1199-1216), cinquième fils d'Henri II et d'Aliénor d'Aquitaine. Ses crises de déséquilibre l'empêchèrent de gérer son royaume avec autorité.

- *1202. Il est déchu de ses fiefs français par Philippe Auguste qui envahit la Normandie**.

L'assassinat d'Arthur de Bretagne, neveu du roi de France, lui fait perdre, en plus de la Normandie, la Bretagne et les pays de la Loire.

- *1204-1206. Il reprend le contrôle de l'Aquitaine et du Poitou.*

Excommunié par le pape Innocent III en 1209, il lui inféode son royaume (= devient son vassal).

- *1214. À La Roche-aux-Moines, il est vaincu par le roi de France, ainsi que ses alliés impériaux et Flamands à Bouvines.*

Humilié et vaincu, le roi n'a plus d'autorité sur les barons qui lui imposent la Grande Charte (1215) par laquelle les privilèges des barons, de l'Église et des hommes libres d'Angleterre sont reconnus. Malgré cela, une guerre civile éclate et la dynastie n'est sauvée que par la mort subite de Jean sans Terre.

JEAN sans Peur (1371-1419), duc de Bourgogne (1404-1419), fils de Philippe le Hardi, chef du parti des Bourguignons.

Pendant la guerre de Cent Ans, il fait assassiner le duc d'Orléans, chef des Armagnacs (1407). Maître de Paris (1408) puis gouverneur du Dauphin (futur Charles VII), il s'appuie sur le peuple, l'Université et la fédération des bouchers. Il introduit les Anglais dans la ville pour lutter contre les Armagnacs et laisse s'accomplir la révolution des Cabochiens* (1413).

- *1416. Il signe une alliance secrète avec Henri V d'Angleterre et établit un gouvernement opposé à celui du Dauphin.*
- *1419. Il cherche à se rapprocher du Dauphin, mais est assassiné par les conseillers de celui-ci.*

JEAN II le Bon (1319-1364), roi de France (1350-1364), fils et successeur de Philippe VI de Valois. Les premiers temps de son règne furent marqués par ses démêlés avec son gendre Charles II le Mauvais, roi de Navarre, et par des difficultés financières résultant de la défaite de Crécy* (1346) et de la peste noire (1347-1348).

Contraint de reprendre la guerre contre les Anglais, il convoque les états généraux pour obtenir des subsides (1355).

- *1356. Il est vaincu et fait prisonnier à Poitiers par le Prince Noir. Il laisse la régence du royaume à son fils Charles.*
- *1356-1358. Celui-ci doit faire face à la jacquerie et à la tentative révolutionnaire dirigée par Étienne Marcel.*
- *1360. Il signe le traité de Calais.*

Par ce traité, Jean II le Bon abandonne à l'Angleterre toute l'Aquitaine, y compris le Poitou, augmentée de Calais, de Guînes et du Ponthieu. Il est libéré, mais laisse deux de ses fils et son frère en otage.

- *1363. Il donne le duché de Bourgogne en apanage à son fils Philippe le Hardi, créant ainsi la seconde maison de Bourgogne.*
- *1364. À la suite de la fuite de son fils Louis d'Anjou, il retourne se constituer prisonnier à Londres où il mourra.*

JEAN, nom de trois rois de Pologne dont JEAN III SOBIESKI (1624-1696), roi de Pologne et de Lituanie (1674-1696). Il vainquit les Ottomans à Khotine (1673) et au Kahlenberg pendant le siège de Vienne (1683).

JEAN, nom porté par six rois du Portugal dont le dernier, JEAN VI (1767-1826), régent de 1792 à 1816, dut s'enfuir au Brésil lors de l'invasion française (1807). Roi du Portugal (1816-1826), il ne revint dans son pays qu'en 1821 (où il inaugura le régime constitutionnel) et reconnut en 1825 l'indépendance du Brésil.

JEAN (Prêtre-), souverain légendaire à qui l'Europe médiévale attribuait un État chrétien sur les arrières du monde musulman. Le désir d'atteindre cet allié de la chrétienté pour prendre les musulmans à revers fut une des causes des grandes découvertes.

Jean des Entommeures *(frère),* personnage de Rabelais, moine batailleur, dont la vaillance contribue grandement à la défaite de Picrochole et pour qui Gargantua fait construire l'abbaye de Thélème.

JEAN de Meung ou **de Meun** (Jean CLOPINEL, dit), écrivain français (v. 1240-v. 1305); il a écrit la seconde partie du *Roman de la Rose.*

JEAN BODEL, trouvère de la région d'Arras (mort v. 1210). Auteur de fabliaux et d'une chanson de geste, il fit représenter à Arras le premier jeu (= pièce en vers) de langue française consacré à un saint (*Jeu de saint Nicolas,* 1200).

JEAN RENART, écrivain français du début du XIIIᵉ s. Auteur du *Lai de l'ombre* et de romans courtois *(l'Escouple, Galeran de Bretagne, Guillaume de Dole),* il fut le premier écrivain à insérer des chansons dans le cours d'un récit.

JEAN-BAPTISTE *(saint),* mort en 28 ou 29 apr. J.-C. En 27, il annonça que le royaume de Dieu était proche; il baptisa Jésus, qu'il désigna comme « l'Agneau de Dieu ». Ayant reproché sa conduite à Hérode Antipas, il fut décapité.

JEAN-BAPTISTE DE LA SALLE *(saint),* prêtre français (1651-1719). Il fonda l'institut des Frères des écoles chrétiennes, pour l'éducation chrétienne des enfants pauvres (1680-1682).

JEAN-BAPTISTE MARIE VIANNEY *(saint),* prêtre français (1786-1859). En 1818, il fut nommé curé d'Ars. Sa prédication attira à lui les foules.

Jean-Christophe, roman-cycle de Romain Rolland (1904-1912).

JEANNE D'ARC *(sainte),* héroïne française (1412-1431), elle contribua à la naissance du sentiment national. Fille de paysans aisés de Domrémy, dans la châtellenie de Vaucouleurs, elle entendit à l'âge de treize ans des voix qui l'engageaient à délivrer la France, ravagée par l'invasion anglaise.

- *1429. Alors que débute le siège d'Orléans, elle arrache à Robert de Baudricourt, capitaine de Vaucouleurs, l'autorisation d'être conduite auprès de Charles VII.*

À Chinon, Jeanne d'Arc réussit à convaincre le roi de sa mission. Mise à la tête d'une petite troupe, elle rallie à Blois la dernière armée de Charles VII. Elle pénètre dans Orléans et joue un rôle décisif dans la délivrance de la ville (8 mai). Se frayant un passage en battant les Anglo-Bourguignons (Patay, 18 juin), elle fait sacrer Charles VII à Reims (17 juillet). Mais les hésitations du roi la feront échouer devant Paris (8 septembre).

- *23 mai 1430. Devant Compiègne, elle tombe aux mains des Bourguignons qui la vendent aux Anglais.*
- *Janv.-mars 1431. Pierre Cauchon, évêque de Beauvais, dévoué aux Anglais, entreprend contre elle un procès d'hérésie.*

Privée d'avocat, elle se défend avec une grande simplicité et un grand bon sens que révèle le texte de son procès.

- *30 mai 1431. Déclarée sorcière, hérétique et relapse*, elle est brûlée vive à Rouen.*

Un nouveau procès ordonné par Charles VII aboutit à sa réhabilitation solennelle proclamée en 1456.

- *1909. Jeanne d'Arc est béatifiée.*
- *1920. Elle est canonisée.*

JEANNE Iʳᵉ DE NAVARRE (1273-1305), reine de France et de Navarre, épouse de Philippe IV le Bel.

JEANNE III D'ALBRET (1528-1572), reine de Navarre (1555-1572), mère d'Henri IV. Elle maintint son royaume indépendant à l'égard de la France et, en 1567, y impose le calvinisme.

JEANNE la Folle (1479-1555), reine de Castille (1504-1555), fille de Ferdinand d'Aragon et d'Isabelle. Elle perdit la raison en 1506. Son fils Charles Iᵉʳ (Charles Quint) fut reconnu roi conjointement avec elle.

JEANNE GREY (v. 1537-1554), reine d'Angleterre (10-19 juillet 1553). Arrière-petite-fille d'Henri VII, elle fut désignée par Édouard VI pour lui succéder, mais fut éliminée par la réaction loyaliste qui porta Marie Tudor sur le trône. Elle fut condamnée à mort et exécutée.

JEANNE SEYMOUR (1509-1537), troisième femme d'Henri VIII, roi d'Angleterre, mère d'Édouard VI. Holbein fit d'elle un célèbre portrait.

JEANNETTE [ʒanɛt] n. f. (de *croix à la Jeannette*). **1.** Petite croix d'or suspendue au cou. — **2.** Petite planche utilisée pour le repassage des manches ou autres pièces.

JEAN PAUL, nom porté par deux papes : JEAN PAUL Ier (Albino LUCIANO) [1972-1978], pape en 1978, pendant trente-trois jours. — JEAN PAUL II (Karol WOJTYŁA) [né en 1920 en Pologne], pape en 1978.

JEEP [dʒip] n. f. (nom déposé; prononc. de *G. P.*, initiales de *General Purpose* signif. « tous usages »). Automobile tout terrain d'origine militaire.
— ENCYCL. La *Jeep* fut adoptée en 1942 par l'armée des États-Unis. Avec son moteur de 60 ch et ses quatre roues qui peuvent être rendues motrices, ce véhicule robuste, rapide (100 km/h) et d'un entretien facile a rendu de très grands services. Des modèles analogues ont été ensuite construits à l'étranger.

JEFFERSON (Thomas), homme d'État et architecte américain (1743-1826). Il rédigea la déclaration d'Indépendance (1776) et fut président (1801-1809) des États-Unis. Il inaugura la nouvelle capitale, Washington, et acheta la Louisiane à la France pour 15 millions de dollars (1803).

JÉHOVAH [ʒeova], mot reproduisant une prononciation inexacte du nom donné à Dieu par les Hébreux. (⟶ YAHVÉ.)

Jéhovah *(Témoins de)*, secte religieuse fondée aux États-Unis en 1874.

JÉJUNUM [ʒeʒynɔm] n. m. (lat. *jejunum intestinum*, intestin à jeun). Partie de l'intestin grêle qui fait suite au duodénum.

JELLICOE (John), amiral britannique (1859-1935). Il livra la bataille du Jutland* (1916) contre la flotte allemande et devint premier lord de la mer (1916-1917).

Jemmapes *(bataille de)*, victoire de Dumouriez sur les Autrichiens, remportée le 6 novembre 1792 dans le Hainaut (à l'O. de Mons), qui assura la conquête de la Belgique.

JE-NE-SAIS-QUOI ou plus souvent **JE NE SAIS QUOI** [ʒənsɛkwa] n. m. inv. (de *savoir*). Chose qu'on ne peut définir (littér.) : *Il y a chez lui un je ne sais quoi qui inquiète* (syn. QUELQUE CHOSE).

JENNER (Edward), médecin anglais (1749-1823). Il découvrit qu'une maladie des vaches, le cow-pox, était transmissible à l'homme sous la forme d'une maladie peu grave, la vaccine, qui immunisait contre la variole. Il fut ainsi le créateur de la vaccination antivariolique.

JENNY [ʒeni] n. f. (mot angl. signif. *Jeannette*). Machine à filer le coton, dont le principe fut imaginé par James Hargreaves et qui fut perfectionnée par Arkwright, puis par Crompton. (C'est l'ancêtre du métier à filer renvideur.)

JÉRÉMIADES [ʒeremjad] n. f. pl. (par allusion aux lamentations de *Jérémie*). *Fam.* Plaintes fatigantes et importunes : *Des jérémiades sans fin* (syn. LAMENTATIONS).

JÉRÉMIE, un des quatre grands prophètes d'Israël, de la tribu de Benjamin (v. 650-v. 580 av. J.-C.). Il conseilla à ses concitoyens la soumission envers les rois de Babylone et annonça, dans ses prophéties, les malheurs d'Israël.

JEREZ n. m. ⟶ XÉRÈS.

JEREZ DE LA FRONTERA, ancienn. **Xeres,** v. de l'Espagne méridionale, au N.-E. de Cadix; 149300 hab. Restes des anc. murailles et alcazar (XIe-XIIIe s.). Vins *(xérès)*.

JÉRICHO, v. de Palestine, près du Jourdain. La date de la destruction de la Jéricho biblique, dont Josué aurait fait tomber les murailles au son des trompettes, est située entre 1400 et 1260 av. J.-C.

JERK [dʒɛrk] n. m. (mot angl. signif. *secousse*). Nom d'une danse moderne. ◆ **jerker** v. i.

JÉROBOAM Ier (mort en 910 av. J.-C.), fondateur et premier souverain du royaume d'Israël (930-910 av. J.-C.).

JÉROBOAM [ʒerɔbɔam] n. m. (de *Jéroboam*). Grosse bouteille de champagne d'une contenance de quatre bouteilles (soit plus de 3 l).

JÉRÔME *(saint)*, docteur de l'Église latine (v. 347-420), auteur de la *Vulgate*, traduction latine de la Bible.

JERRYCAN [ʒerikan] n. m. (de l'angl. *Jerry*, surnom pop. des Allemands, et *can*, récipient). Récipient de forme quadrangulaire, dont la contenance est d'environ 20 l.

JERSEY, la plus grande des îles Anglo-Normandes; 116 km^2; 72600 hab. Ch.-l. *Saint-Hélier*. Située à 25 km à l'O. du Cotentin, l'île est un centre touristique fréquenté surtout par les Anglais.

JERSEY [ʒɛrzɛ] n. m. (de l'île de *Jersey*). Tissu tricoté formant des mailles toujours semblables sur une même face. ‖ *Point de jersey*, point exécuté en alternant un rang de points à l'endroit et un rang de points à l'envers.

JERSEY CITY, v. des États-Unis, en face de New York; 260500 hab.

JÉRUSALEM, v. de Palestine, proclamée capit. par l'État d'Israël; 366000 hab. Dans la vieille ville se trouvent le mur des Lamentations, la Coupole du Rocher, la mosquée al-Aqṣā et le Saint-Sépulcre. La nouvelle ville est un centre intellectuel (université hébraïque) et industriel.

- *V. 1000 av. J.-C. David s'empare de la ville et en fait la capitale et le centre religieux de tout Israël.*

Cette consécration de Jérusalem est achevée par Salomon qui construit le palais royal et le Temple (969-962) et fait de la ville une cité opulente.

- *931 av. J.-C. Jérusalem devient la capitale du royaume de Juda après le schisme du royaume d'Israël.*
- *587 av. J.-C. Le Temple est détruit par Nabuchodonosor, roi de Babylone, lors de sa conquête du royaume.*
- *520-515 av. J.-C. Au retour des habitants de Jérusalem, déportés à Babylone, le Temple est reconstruit mais de façon plus modeste qu'auparavant.*
- *332-143 av. J.-C. Après la conquête d'Alexandre, Jérusalem passe sous la domination des Lagides* et des Séleucides*.*

Après la révolte des Maccabées (143), la ville redevient pour quatre-vingts ans la capitale d'un État juif florissant.

- *63 apr. J.-C. Les Romains s'emparent de Jérusalem.*
- *70. La ville est détruite à la suite d'une révolte.*
- *135. Après l'échec de l'insurrection de Bar-Kokheba, les Romains établissent sur les ruines de la ville une colonie interdite aux Juifs.*

Avec l'Empire chrétien, Israël devient un centre de pèlerinage. Constantin fait édifier la première basilique du Saint-Sépulcre. La ville est tour à tour prise par les Perses (614), les Arabes (637), les croisés (1099), Saladin (1187) et Frédéric II (1229).

- *691. Le calife 'Abd al-Malik édifie sur l'emplacement du Temple la mosquée al-Aqṣā.*
- *1516. Les Turcs Ottomans occupent la ville jusqu'en 1917. Pour Jérusalem, c'est une période de décadence.*
- *1922. Jérusalem devient la capitale de la Palestine sous mandat britannique.*
- *1947. L'internationalisation de la ville est proclamée par l'O. N. U. Elle n'est pas reconnue et la ville est partagée entre l'État d'Israël et la Transjordanie.*
- *1967. Lors de la troisième guerre israélo-arabe, Jérusalem est entièrement annexée par Israël, action condamnée par l'O. N. U.*
- *1980. La Knesset proclame l'ensemble de la ville capitale d'Israël.*

Jérusalem délivrée *(la)*, poème épique du Tasse (1580).

JESSÉ ou **ISAÏ,** petit-fils de Booz et de Ruth, et père du roi David. La descendance de David, dont fait partie le Christ, a été souvent représentée sous la forme de l'*arbre de Jessé*. (C'est un arbre issu du corps de Jessé, dont chaque ramification porte un ancêtre du Sauveur, et qui se termine par les figures du Christ et de la Vierge. Il fut, au Moyen Âge, fréquemment représenté dans les miniatures, les sculptures, les vitraux.)

JESSELTON, auj. **Kota Kinabalu,** v. de Malaysia, capit. du Sabah, sur la mer de Chine; 41800 hab.

JÉSUITE [ʒezɥit] n. m. (de *Jésus*). **1.** Membre d'un ordre religieux, la Compagnie de Jésus, fondée en 1540 par Ignace de Loyola. (⟶ JÉSUS [*Compagnie de*].) — **2.** *Péjor.* Personne hypocrite qui admet que ses actes puissent être en contradiction avec ses paroles. ◆ adj. : *Un air jésuite* (syn. FOURBE, HYPOCRITE). ‖ *Style jésuite*, style architectural instauré par les Jésuites au XVIIe s. ◆ **jésuitisme** n. m. (syn. HYPOCRISIE).

JÉSUS ou **JÉSUS-CHRIST,** selon les chrétiens, le fils de Dieu et le Messie (Christ, Sauveur), annoncé par les prophètes. Sa vie et son enseignement nous sont connus par les Évangiles.

Jésus naquit à Bethléem. vers l'an 749 de la fondation de Rome, soit en l'an 4 ou 5 avant l'ère qui porte son nom. Menacé par la tyrannie d'Hérode, il fut emmené en Égypte par ses parents, Joseph et Marie. Il grandit ensuite à Nazareth en Galilée, mais on ignore tout de son enfance et de son adolescence. C'est vers l'âge de trente ans que Jean-Baptiste le désigna aux foules en le baptisant dans l'eau du Jourdain comme le Messie attendu par les Juifs. Jésus ne cessa alors d'annoncer aux hommes la Bonne Nouvelle du royaume de Dieu. Il ne se présentait pas comme le fondateur d'une religion nouvelle, mais comme celui, annoncé par les prophètes, et à qui toute l'histoire d'Israël aboutit. Il prêchait l'esprit de pauvreté, la justice, la paix, l'amour du prochain. Il se déclarait le fils de Dieu et accomplissait des miracles qui manifestaient cette puissance de Dieu en lui. Il groupa ses disciples, parmi lesquels il en choisit douze qu'il nomma *apôtres.* À la fin de mars 30, Jésus se rendit à Jérusalem pour y célébrer la pâque avec ses disciples. Au cours du repas (la Cène), il institua l'eucharistie*. Un de ses disciples, Judas, l'ayant trahi, il fut arrêté et livré à la justice romaine.

• *Avril 30. Ponce Pilate fait crucifier Jésus.*

Le troisième jour après sa mort il ressuscita et après quarante jours s'éleva au ciel (Ascension). Après la Pentecôte, les apôtres partirent répandre sa doctrine (le christianisme*) dans le monde.

JÉSUS [ʒezy] n. m. (de *Jésus*). **1.** Représentation du Christ enfant. — **2.** Gros saucisson. ◆ adj. inv. *Papier jésus,* format de papier normalisé aux dimensions 56 × 72 cm.

JÉSUS *(Compagnie* ou *Société de),* ordre fondé en 1540 par saint Ignace de Loyola pour la conversion des hérétiques et le service de l'Église. Très hiérarchisé, l'ordre est gouverné par un général élu. Au XVIe s. et au XVIIe s., les Jésuites luttèrent contre le protestantisme et le jansénisme. Leurs adversaires (régalistes, gallicans) obtinrent leur suppression (1764) en France, et en 1773 le pape supprima la Compagnie. Elle fut rétablie en 1814.

1. JET n. m. ⟶ JETER.

2. JET [dʒɛt] n. m. (mot angl.). Avion à réaction.

JETÉ n. m. ⟶ JETER.

JETÉE [ʒəte] n. f. (de *jeter*). Construction en pierre, en bois, formant une avancée dans la mer pour protéger un port contre les vagues (syn. DIGUE, mot qui a aussi d'autres emplois).

JETER [ʒəte] v. t. (bas lat. *jectare*). [Conj. **8.**] **1.** (sujet nom de personne) Envoyer loin, en lançant à travers l'espace, ou laisser tomber : *Jeter une pierre* (syn. LANCER). *Jeter à terre son adversaire* (= faire tomber). — **2.** Se débarrasser d'une chose gênante, inutile : *Jeter des papiers dans une corbeille.* — **3.** *Jeter l'argent par les fenêtres,* le dépenser n'importe comment, le gaspiller. ‖ *Jeter bas,* abattre, renverser. ‖ *Jeter un pont, une passerelle,* etc., les disposer d'un point à un autre à travers l'espace : *Jeter un pont sur le Rhône* (syn. CONSTRUIRE). — **4.** Mettre une chose rapidement sur soi ou en un lieu : *Jeter un manteau sur ses épaules.* — **5.** Lancer, disposer, placer avec plus ou moins de violence (dans un grand nombre d'express. abstraites) : *Jeter à la tête, au visage, au nez* (= reprocher). *Jeter un sort* (= maudire, en parlant d'un sorcier, d'une fée, etc.). *Le sort en est jeté* (= on ne peut revenir en arrière). *Jeter les bases d'une nouvelle étude* (syn. POSER). — **6.** Faire mouvoir rapidement, dans une direction, une partie de son corps : *Jeter la tête en arrière. Jeter un coup d'œil vers son voisin* (= le regarder rapidement). — **7.** (sujet nom de chose) Répandre autour, dans : *Le crime jeta l'effroi dans la ville* (syn. CAUSER, SEMER). *Cette interruption jeta un froid* (= provoqua un silence gêné). — **8.** (sujet nom de personne) Répandre hors de soi, émettre un son : *Jeter un cri* (syn. PROFÉRER). — **9.** Pousser quelqu'un avec violence dans une direction : *Jeter dehors un importun* (= chasser). — **10.** Mettre brusquement dans un état d'esprit déterminé : *Cette proposition me jeta dans l'embarras* (syn. METTRE, PLONGER). ◆ **se jeter** v. pr. **1.** (sujet nom de personne) Aller vivement vers un endroit déterminé, vers une occupation précise : *Se jeter contre un mur. Se jeter sur son lit* (= s'y laisser tomber). *Se jeter à genoux* (syn. TOMBER). *Se jeter sur qq'un pour le frapper* (syn. SE PRÉCIPITER). *Se jeter dans les bras de qq'un* (= l'embrasser). *Se jeter à la tête du premier venu* (= lui donner toute sa confiance). *Se jeter dans la politique* (syn. S'ENGAGER, SE LANCER). *Se jeter en travers des projets de qq'un* (= y faire obstacle). — **2.** (sujet nom désignant un cours d'eau) Déverser ses eaux (dans un fleuve ou dans la mer) : *La Durance se jette dans le Rhône.* ◆ **jet** [ʒɛ] n. m. **1.** Action de jeter, de lancer un objet loin de soi (emploi limité aux projectiles) : *Le jet d'une pierre.* — **2.** Mouvement d'un liquide, de la vapeur, etc., qui s'échappe avec force : *Brûlé par un jet de liquide bouillant* (syn. JAILLISSEMENT). — **3.** Apparition brusque et vive d'une lumière) : *Un jet de lumière.* — **4.** *Jet d'eau,* gerbe d'eau jaillissant d'un bassin, de motifs sculptés, etc. — **5.** *Le premier jet,* la première esquisse, l'ébauche d'un travail intellectuel : *Le premier jet d'un article.* ‖ *Du premier jet,* du premier coup, sans brouillon, sans hésitation. ‖ *D'un seul jet, d'un jet,* sans tâtonnement, sans retouche : *Le roman a été écrit d'un seul jet.* ◆ **jeté** n. m. **1.** Mouvement de danse consistant en un saut lancé par une seule jambe et reçu sur l'autre, cette dernière restant levée pendant la course aérienne. — **2.** En haltérophilie, mouvement qui consiste à amener vivement la barre (préalablement épaulée) au bout du ou des bras tendus verticalement au-dessus de la tête. ◆ **jeteur, euse** n. Personne qui jette : *Un jeteur de sorts.* (Ne s'emploie que dans cette loc.)

JETON [ʒətɔ̃] ou [ʃtɔ̃] n. m. (de *jeter*). **1.** Petite pièce ronde en métal, en ivoire, etc., utilisée pour marquer et payer au jeu ou dans certains services publics : *Jeton de téléphone.* — **2.** *Jeton de présence,* somme donnée comme rémunération aux membres d'un conseil d'administration, d'une académie, etc., présents à une réunion de ces assemblées. — **3.** Fam. *Faux jeton,* personne hypocrite, à laquelle on ne peut se fier.

JET-STREAM [dʒetstrim] n. m. (mot angl.; de *jet,* jet, et *stream,* courant). Courant d'ouest très rapide que l'on observe dans l'atmosphère entre 10 000 et 15 000 m d'altitude, aux latitudes subtropicales des deux hémisphères. Il semble jouer un rôle dans le déplacement des masses d'air et donc influer sur le climat. (Découvert par les aviateurs américains pendant la Seconde Guerre mondiale, il rend de grands services à l'aviation civile.)

1. JEU n. m. ⟶ JOUER 1, 2, 3, 4 et 5.

2. JEU [ʒø] n. m. (lat. *jocus*). **1.** Série complète d'objets de même espèce : *Un jeu de clefs* (= ensemble de clefs pouvant ouvrir différentes portes). — **2.** *Jeu d'orgue,* suite ou série de tuyaux correspondant à un même timbre. (On distingue les jeux à bouche et les jeux à anche.)

Jeu de l'amour et du hasard *(le),* comédie de Marivaux (1730).

Jeu de paume *(galerie nationale du),* annexe du musée du Louvre, à Paris. Édifié en 1862, cet ancien jeu de paume des Tuileries a été utilisé comme musée de l'Impressionnisme de 1947 à 1986 (collections transférées au musée d'Orsay). Restructuré et rénové, il est devenu en 1991 un lieu consacré à l'art contemporain.

Jeu de paume *(serment du),* serment que prêtèrent, le 20 juin 1789, à Versailles, les députés du tiers état, de « ne jamais se séparer et de se rassembler partout où les circonstances l'exigeront jusqu'à ce que la Constitution du royaume soit établie et affermie sur des fondements solides ».

jeux Floraux, nom donné au concours poétique annuel institué à Toulouse en 1323 par un groupe de poètes désireux de maintenir les traditions du lyrisme courtois. De là le titre de « mainteneurs » conféré aux membres de l'association, dont les prix sont des fleurs d'orfèvrerie. Elle favorisa le mouvement romantique en couronnant Victor Hugo et en accueillant Chateaubriand. En 1895, remontant, à l'instigation de Mistral, à ses anciennes traditions, l'académie admit de nouveau la langue d'oc à ses concours.

JEUDI [ʒødi] n. m. (lat. *Jovis dies,* jour de Jupiter). **1.** Quatrième jour de la semaine. ‖ *Jeudi saint,* jeudi de la semaine sainte. — **2.** Fam. *La semaine des quatre jeudis,* un moment qui n'arrivera jamais.

JEUMONT, comm. du Nord, sur la Sambre, à 10,5 km à l'E. de Maubeuge, à la frontière belge; 11 700 hab.

JEUN (À) loc. adv. ⟶ JEÛNER.

JEUNE [ʒœn] adj. [surtout avant le nom] et n. (lat. *juvenis*). Se dit d'une personne (ou de son physique, de son caractère, de son attitude, etc.) qui n'est pas avancée en âge : *Il était le plus jeune des deux frères* (= le cadet) [contr. AÎNÉ]. *Une jeune fille. Un club de jeunes* (contr. VIEUX). ◆ adj. (avant et après le nom). **1.** Se dit d'une personne qui est moins âgée que celles de la même profession : *Un jeune directeur.* — **2.** Se dit d'un animal qui n'a pas fini sa croissance : *Un jeune chien.* — **3.** Se dit d'un végétal qui n'a pas atteint son plein développement : *De jeunes pousses.* — **4.** Se dit de ce qui existe depuis relativement peu de temps : *Un pays jeune* (syn. NEUF). — **5.** (après le nom) Se dit de celui ou de ce qui a gardé les caractères physiques et moraux de la jeunesse (vivacité, spontanéité, etc.) : *Elle paraît encore jeune.* — **6.** Se dit d'une personne qui n'a pas encore les qualités de la maturité : *Il est encore jeune* (syn. CANDIDE, NAÏF). *Il est jeune dans le métier* (= il est inexpérimenté). — **7.** Fam. *C'est un peu jeune,* c'est insuffisant, c'est un peu juste, un peu court. ◆ adv. (variable) : *Faire jeune* (= paraître jeune). *De jeunes mariés* (= nouvellement). ◆ **jeunesse** n. f. **1.** Période de la vie située entre l'enfance et l'âge mûr : *Elle n'est plus de la première jeunesse* (= elle est déjà âgée). *Un péché de jeunesse* (= une erreur due au manque de maturité). *Une seconde jeunesse* (= un renouvellement de vigueur, de santé). — **2.** Ensemble des caractères physiques et moraux d'une personne jeune; fait d'être jeune : *Avoir l'emportement de la jeunesse.* — **3.** Ensemble des personnes jeunes : *Une auberge de la jeunesse.* — **4.** Caractère d'une chose nouvellement créée : *La jeunesse du monde* (= le début de l'histoire du monde). ◆ **jeunet, ette** adj. et n. *Fam.* Dimin. de JEUNE (= très jeune). ◆ **jeunot** adj. et n. m. *Fam.* et *péjor.* D'une jeunesse naïve. ◆ **rajeunir** [raʒønir] v. t. **1.** *Rajeunir qq'un,* lui donner la vigueur, l'apparence de la jeunesse : *Ce traitement l'a rajeunie.* — **2.** Faire paraître plus jeune : *Cette coiffure vous rajeunit.* — **3.** Croire une personne plus jeune qu'elle ne l'est en réalité : *Vous lui donnez quarante ans, vous le rajeunissez, car il en a plus de cinquante.* ‖ Fam. *Cela ne me, nous,* etc., *rajeunit pas,* cela indique que je, nous, etc., ne sommes plus jeunes. ‖ *Rajeunir les cadres d'une entreprise,* recruter un personnel plus jeune. ◆ v. i. Retrouver la vigueur et la fraîcheur de la jeunesse : *Depuis votre cure, vous avez ou vous êtes tout rajeuni.*

◆ ***se rajeunir*** v. pr. Se prétendre plus jeune qu'on ne l'est réellement. ◆ **rajeunissement** n. m. : *Son rajeunissement est extraordinaire.* ◆ **rajeunissant, e** adj. : *Une crème rajeunissante.*

JEÛNER [ʒøne] v. i. (lat. *jejunare*). S'abstenir de manger ou manger très peu, par nécessité ou pour satisfaire à une obligation religieuse : *Jeûner pendant le carême.* ◆ **jeun (à)** [aʒœ̃] loc adv. *Être à jeun*, n'avoir rien mangé ou rien bu depuis le début de la journée. ◆ **jeûne** n. m. Abstinence d'aliments pendant un certain temps : *Le médecin prescrit un jour de jeûne complet.*

JEUNESSE n. f., **JEUNET, ETTE** adj. et n., **JEUNOT** adj. et n. m. ⟶ JEUNE.

JHELUM (la), riv. du Cachemire et du Pākistān, affl. de la Chenāb (r. dr.); 715 km.

JIJEL → DJIDJELLI.

JINISME n. m. ⟶ JAÏNISME.

JINNAH (Muḥammad 'Alī), homme d'État pakistanais (1876-1948). Il peut être considéré comme le fondateur du Pākistān dont il fut le premier gouverneur en 1947.

JITOMIR, v. de l'U. R. S. S., en Ukraine, à l'O. de Kiev; 161 000 hab.

JIU-JITSU [dʒiydjitsy] n. m. (japonais *jūjitsu*, art de la souplesse). Méthode de lutte japonaise qui est à la fois un système d'entraînement physique et un art de se défendre sans arme. (Ses règles sont beaucoup moins strictes que celles du judo*.)

JIVAROS, Indiens vivant aux confins de l'Amazonie, sur le versant oriental des Andes. Ils faisaient subir à la tête de l'ennemi décapité un traitement qui la réduisait à la grosseur d'un poing.

JOAB, personnage biblique, neveu et général du roi David.

JOAD, grand prêtre des Juifs (IXe s. av. J.-C.). Il éleva le jeune Joas en secret de la reine Athalie, fit assassiner celle-ci et proclamer roi son protégé.

JOAILLIER, ÈRE [ʒoaje, -ɛr] n. (de *joyau*). Personne qui monte les pierres précieuses sur des métaux précieux pour faire des bijoux; personne qui vend ces bijoux. ◆ **joaillerie** n. f. Commerce, art du joaillier; articles vendus par le joaillier.

JOÃO PESSOA, v. du nord-est du Brésil, capit. de l'État du Paraíba; 228 400 hab.

JOAS, fils d'Ochosias, roi de Juda après la mort d'Athalie.

JOB [dʒɔb] n. m. (mot angl.). *Fam.* Emploi, travail rémunérateur, mais souvent provisoire.

JOB, personnage biblique, connu par le livre qui porte son nom. Riche et puissant, il fut éprouvé par Dieu, perdit ses enfants et ses biens, et, devenu misérable, fit preuve d'une résignation exemplaire.

JOBARD, E [ʒɔbar, -ard] adj. et n. (de *Job*, à cause des railleries qu'il eut à subir). Naïf, crédule que l'on dupe facilement. ◆ **jobardise** n. f. (syn. CRÉDULITÉ).

JOCASTE. *Myth. gr.* Femme de Laïos, roi de Thèbes, et mère d'Œdipe. Elle épousa ce dernier sans savoir qu'il était son fils. Après l'exil d'Œdipe, instruite de la vérité, elle se tua.

Jocelyn, poème en neuf chants de Lamartine (1836).

JOCKEY [ʒɔkɛ] n. m. (mot angl.). Professionnel qui monte les chevaux de course. ‖ Pl. des *jockeys.*

Joconde (la), tableau de Léonard de Vinci, l'un des chefs-d'œuvre du musée du Louvre. On suppose qu'il s'agit du portrait de Mona Lisa, femme du banquier florentin Francesco del Giocondo, peinte vers 1503-1506. Léonard apporta son tableau en France, où il fut acquis par François Ier.

JOCRISSE [ʒɔkris] n. m. (de *Jocrisse*, n. d'un personnage du théâtre comique). Benêt qui se laisse mener par le premier venu.

JODELLE (Étienne), poète français (1532-1573), membre de la Pléiade. Sa tragédie *Cléopâtre captive* (1553) inaugure une forme dramatique nouvelle, d'où sortira la tragédie classique.

JODHPUR, v. du nord-ouest de l'Inde, dans le Rājasthān; 506 000 hab. Métallurgie. Textiles.

JODL (Alfred), général allemand (1890-1946). Il signa à Reims, le 7 mai 1945, la capitulation allemande. Condamné à mort par le tribunal de Nuremberg, il fut exécuté.

JOËL, un des douze prophètes (Ve s. av. J.-C.). Le livre qui porte son nom prédit le Jugement dernier.

JŒUF, comm. de Meurthe-et-Moselle, à 10 km à l'E. de Briey, sur l'Orne; 9 000 hab. *(Joviciens).* Centre métallurgique.

JOFFRE (Joseph), maréchal de France (1852-1931). Chef d'état-major général de l'armée en 1911, il est commandant des armées du Nord et du Nord-Est à la déclaration de la guerre (2 août 1914). Il dirige la retraite après les premiers revers et remporte la victoire de la Marne (5-10 septembre 1914), qui sauve Paris. Après avoir dirigé les grandes attaques de 1915, il est nommé commandant en chef de toutes les armées françaises (2 décembre) et dégage Verdun par l'offensive de la Somme (juillet-octobre 1916); il est remplacé par Nivelle en décembre 1916.

JOGJAKARTA, v. d'Indonésie, à Java; 342 300 hab.

JOGGING [djɔgiɲ] n. m. (mot angl.). Course à pied pratiquée dans un but hygiénique.

JOHANNESBURG, v. de l'Afrique du Sud (Transvaal); 1 433 000 hab. La ville est née, en 1886, de l'exploitation des gisements aurifères du Witwatersrand*. C'est aujourd'hui la cité la plus peuplée de la République. Capitale financière, c'est encore un grand centre commercial et industriel.

JOHN BULL ⟶ BULL *(John).*

JOHNSON (Andrew), homme politique américain (1808-1875). Vice-président des États-Unis, il fut porté à la présidence par l'assassinat de Lincoln (1865). Il obtint l'évacuation du Mexique par les troupes françaises et acheta l'Alaska à la Russie (1867).

JOHNSON (Lyndon Baines), homme politique américain (1908-1973). Démocrate, il fut élu vice-président des États-Unis en 1960. L'assassinat de Kennedy le porta à la présidence (novembre 1963), et, l'année suivante, de nouvelles élections lui assurèrent la présidence jusqu'en 1969. Il engagea les États-Unis dans une intervention militaire de plus en plus puissante au Viêt-nam.

JOHORE, État de la Malaysia (Malaisie); 1 601 000 hab. Capit. *Johore Bharu* (250 000 hab.).

JOIE [ʒwa] n. f. (lat. *gaudia*). **1.** Sentiment de grande satisfaction, de vif plaisir, que la possession d'un bien réel ou imaginaire fait éprouver : *Ressentir une grande joie* (contr. CHAGRIN). *Être au comble de la joie* (contr. DÉSESPOIR). *J'accepte avec joie votre invitation* (syn. PLAISIR). *Se faire une joie de* (= se réjouir). *Cet incident mit l'assistance en joie* (= provoqua la gaieté). — **2.** Ce qui est la cause d'un grand plaisir (souvent au plur.) : *Les joies de l'existence* (syn. PLAISIR). — **3.** *S'en donner à cœur joie*, jouir pleinement de quelque chose, s'y adonner sans retenue. ◆ **joyeux, euse** adj. (avant ou plus souvent après le nom). **1.** Se dit de personnes qui ont de la gaieté, qui ressentent de la joie : *Il est joyeux à la pensée de la revoir* (syn. GAI, HEUREUX; contr. SOMBRE, TRISTE). *Mener joyeuse vie* (= une vie de plaisirs). *Un joyeux garçon* (= un boute-en-train). — **2.** Se dit de ce qui témoigne de tels sentiments : *Des cris joyeux.* — **3.** (surtout avant le nom) Qui apporte de la joie : *Une joyeuse nouvelle* (syn. HEUREUX; contr. DOULOUREUX). ◆ **joyeusement** adv. (syn. GAIEMENT).

JOIGNY, ch.-l. de cant. de l'Yonne, à 27 km au N.-O. d'Auxerre, sur l'Yonne; 10 500 hab. *(Joviniens).*

JOINDRE [ʒwɛ̃dr] v. t. (lat. *jungere*). [Conj. **55.**] **1.** *Joindre deux choses* (des objets), les mettre en contact ou les mettre ensemble de telle manière qu'elles forment un tout continu ou qu'elles communiquent : *Joindre les deux bouts de la ficelle par un nœud* (syn. ATTACHER). *Une digue joint l'île au continent* (syn. RELIER). *Joindre les mains* (= les unir en entrecroisant les doigts). *Sauter à pieds joints* (= avec les pieds en contact). — **2.** *Joindre une chose à une autre*, l'y ajouter pour former un tout : *Joignez ce témoignage aux autres* (syn. ADJOINDRE); et en parlant de choses abstraites : *Joindre l'utile à l'agréable.* — **3.** *Joindre qq'un*, parvenir à le rencontrer, à lui parler : *J'ai essayé de le joindre par téléphone* (syn. TOUCHER). — **4.** *Joindre une personne à une autre, joindre des personnes*, les unir par un lien moral, religieux, etc. (langue soignée) : *Joindre par les liens du mariage.* — **5.** *Ci-joint* ⟶ à son ordre alphab. ‖ Fam. *Joindre les deux bouts*, parvenir difficilement à boucler le budget d'un ménage, d'une entreprise, etc. ◆ v. i. (sujet nom de chose). Être en contact : *La porte du placard joint mal.* ◆ ***se joindre*** v. pr. **1.** (sujet nom de personne) Se réunir à d'autres, se mettre ensemble : *Se joindre au cortège* (syn. SE MÊLER). — **2.** (sujet nom de chose) Être réuni en un tout : *Leurs mains se joignent.* ◆ **joint** n. m. **1.** Articulation, endroit où se touchent deux os. — **2.** Dispositif assurant une fermeture à l'articulation de deux pièces; pièce de faible épaisseur interposée entre deux surfaces serrées l'une contre l'autre pour assurer l'étanchéité : *Le joint du robinet.* — **3.** Intervalle rempli ou non de mortier et séparant des pierres, des moellons ou des briques juxtaposés ou superposés : *Remplir les joints avec du plâtre.* ‖ *Joint de dilatation*, coupure destinée à parer à l'action normale des variations thermiques, du retrait de durcissement ou de l'expansion du béton. — **4.** *Chercher, trouver le joint*, chercher, trouver le moyen habile de résoudre un problème difficile. ◆ **jointure** n. f. **1.** Endroit où deux os se joignent : *La jointure du poignet* (syn

ARTICULATION). — **2.** Endroit où deux objets, deux choses sont en contact : *La jointure de deux pierres.* ◆ **jonction** [ʒɔ̃ksjɔ̃] n. f. **1.** Action d'unir des choses séparées : *La jonction de deux câbles.* — **2.** Action de joindre, d'entrer en contact : *La jonction des troupes est opérée* (syn. RENCONTRE). — **3.** *Point de jonction,* endroit où deux choses se rencontrent : *Au point de jonction de la route nationale et de la route départementale* (syn. CROISEMENT, POINT DE RENCONTRE). ◆ **disjoindre** v. t. *Disjoindre des choses,* les séparer, en général par la force : *Disjoindre deux blocs de pierre* (syn. DESCELLER). ◆ ***se disjoindre*** v. pr. : *Les montants de l'armoire se disjoignent.* ◆ **disjonction** n. f. Action de disjoindre.

JOINVILLE, ch.-l. de cant. de la Haute-Marne, sur la Marne, à 18 km au S.-E. de Wassy; 5 100 hab.

JOINVILLE (Jean, *sire* DE), chroniqueur français (v. 1224-1317). Il accompagna Saint Louis en Égypte en 1248. À la demande de la reine Jeanne de Navarre, épouse de Philippe le Bel, il écrivit une pittoresque histoire de Saint Louis (1309), intitulée *Mémoires.* C'est un des premiers grands livres de prose française et une source historique précieuse pour le règne de Saint Louis.

JOINVILLE-LE-PONT, ch.-l. de cant. du Val-de-Marne, à 6 km à l'E. de Paris, sur la Marne; 17 200 hab. Industrie du cinéma.

JOKER [ʒɔkɛr] n. m. (mot angl. signif. *farceur*). Dans certains jeux, carte qui prend la valeur que lui donne celui qui la possède dans son jeu.

JOLI, E [ʒɔli] adj. (anc. scand. *jôl*) [avant le nom]. **1.** Se dit des personnes, de leur physique, des productions de l'esprit, des choses, etc., qui séduisent par la grâce, le charme, par un agrément extérieur : *Une jolie fille* (syn. GRACIEUX, MIGNON). *De très jolies statuettes* (syn. ↑RAVISSANT). — **2.** *Fam.* Se dit de ce qui est avantageux, qui mérite de retenir l'attention (accompagné d'une intonation expressive) : *Toucher une jolie somme aux courses* (syn. CONSIDÉRABLE). — **3.** Se dit ironiq. de ce qui est laid, mauvais, etc. (accompagné d'une intonation expressive) : *Un joli monsieur!* (= peu recommandable); et, fam., répété : *C'est pas joli, joli, ce que vous avez fait!* ◆ n. m. Fam. *C'est du joli,* c'est très mal. ◆ **joliment** adv. : *Salon joliment aménagé* (syn. AGRÉABLEMENT). *Il est joliment en retard* (syn. CONSIDÉRABLEMENT, TRÈS).

JOLIET ou **JOLLIET** (Louis), explorateur français (1645-1700). Il explora la région des Grands Lacs, le Mississippi et le Labrador.

JOLIMENT adv. ⟶ JOLI.

JOLIOT-CURIE (Irène), physicienne française (1897-1956), fille de Pierre et Marie Curie, femme de Frédéric Joliot. Avec ce dernier, elle est l'auteur de travaux sur la radio-activité naturelle et artificielle. Elle fut nommée directrice de l'Institut du radium (1946). [Prix Nobel de chimie, 1935.]

JOLIOT-CURIE (Frédéric), physicien français (1900-1958). Préparateur de Marie Curie, dont il épousa la fille Irène, il effectua de nombreuses recherches de physique atomique. Avec sa femme, il participa à l'identification du neutron* et découvrit en 1934 la radio-activité artificielle. Il étudia les réactions en chaîne et les conditions de réalisation d'une pile atomique à uranium et à eau lourde. Il fut nommé, en 1946, haut-commissaire à l'Énergie atomique et dirigea la construction de la première pile atomique française (1948). [Prix Nobel de chimie, 1935.]

JOLIVET (André), compositeur français, (1905-1974), auteur d'une musique très variée et brillante. On lui doit des œuvres pour piano (*Mana,* 1935), un oratorio (*la Vérité de Jeanne,* 1956), des concerts et des symphonies.

JONAS, un des douze petits prophètes d'Israël (VIIIe s. av. J.-C.). D'après la Bible, il fut miraculeusement rendu à la vie après avoir séjourné trois jours dans le ventre d'un gros poisson.

JONC [ʒɔ̃] n. m. (lat. *juncus*). Plante des lieux humides, à tige et feuilles cylindriques. ◆ **joncheraie** [ʒɔ̃ʃrɛ] n. f. Lieu couvert de joncs.

JONCHER [ʒɔ̃ʃe] v. t. (de *jonc*) [sujet nom de personne ou de chose]. Répandre çà et là, étendre sur le sol des feuilles, des fleurs, etc. (le plus souvent au passif) : *Après la tempête, les rues étaient jonchées de débris. Suivre une route jonchée d'obstacles* (syn. COUVRIR). ◆ **jonchée** n. f. Quantité d'objets qui jonchent le sol : *Une jonchée de feuilles.*

JONCHERAIE n. f. ⟶ JONC.

JONCHETS [ʒɔ̃ʃɛ] n. m. pl. (de *jonc*). Bâtonnets de bois, d'os, etc., jetés en tas et qu'il faut, dans un jeu, recueillir un à un, sans faire remuer les autres.

JONCTION n. f. ⟶ JOINDRE.

JONGKIND (Johann Barthold), peintre néerlandais (1819-1891). Il se rend à Paris en 1846 et peint en Normandie *(Estuaire de la Seine)* dans un style qui le fait considérer comme un des précurseurs de l'impressionnisme. Un sens très fin de l'atmosphère caractérise principalement ses aquarelles : canaux, ports, paysages, montagnes.

JONGLER [ʒɔ̃gle] v. i. (du lat. *joculari,* plaisanter). **1.** *Jongler avec des choses,* faire des tours d'adresse en lançant en l'air divers objets, que l'on relance à mesure qu'on les reprend : *Jongler avec des ballons.* — **2.** *Jongler avec qqch.,* en user avec adresse, comme si c'était un jeu : *Jongler avec les difficultés* (syn. SE JOUER DE). ◆ **jonglerie** n. f. (surtout au sens 2 du v. et péjor.). Fausse apparence destinée à duper (syn. TOUR DE CHARLATAN). [Au sens 1 du v., on emploie auj. JONGLAGE.] ◆ **jongleur, euse** n. Sens 1 du v. : *Les tours d'un jongleur.*

1. JONGLEUR, EUSE n. ⟶ JONGLER.

2. JONGLEUR [ʒɔ̃glœr] n. m. (lat. *joculator*). Au Moyen Âge, ménestrel nomade qui récitait ou chantait des vers en s'accompagnant d'un instrument.

JONQUE [ʒɔ̃k] n. f. (mot malais). Navire de mer et de rivière, servant en Extrême-Orient au transport des marchandises ou à la pêche, et dont les voiles de natte ou de toile sont cousues sur de nombreuses lattes horizontales.

JONQUILLE [ʒɔ̃kij] n. f. (esp. *junquillo*). Narcisse à haute collerette, à feuilles cylindriques comme celles des joncs, cultivé pour ses fleurs jaunes.

JONSON (Benjamin), connu sous le nom de **Ben Jonson,** auteur dramatique anglais (1572 ou 1573-1637). Il est l'un des plus remarquables auteurs de comédies de caractère de la Renaissance anglaise (*Volpone* ou le Renard,* 1605).

JONZAC, ch.-l. d'arrond. de la Charente-Maritime, à 23 km à l'O. de Barbezieux-Saint-Hilaire; 4 900 hab.

JORASSES (Grandes-), sommets du massif du Mont-Blanc; 4 208 m à la pointe Walker.

JORDAENS (Jacob), peintre flamand (1593-1678). Il subit fortement l'influence de Rubens et peignit des scènes et des types populaires, exprimant la joie de vivre *(les Quatre Évangélistes, Le roi boit!).*

JORDANIE *(royaume Hāchémite de),* État de l'Asie occidentale, à l'E. d'Israël.

⟶ cartes en couleurs ASIE pp. 96-97.

SUPERFICIE 92 000 km² (France : 550 000 km²).

POPULATION 3 000 000 hab. *(Jordaniens)*; 33 hab. au km² (France : 103); accroissement annuel de population, 3 p. 100.

CAPITALE 'Ammān (744 000 hab.).

LANGUE arabe.

ÉCONOMIE consommation d'énergie par hab., 740 kg d'équivalent charbon; 1 automobile pour 60 hab.

MONNAIE dinar jordanien.

GÉOGRAPHIE

Un plateau aride, parcouru par des troupeaux nomades d'ovins et de caprins, s'étend sur la plus grande partie du pays. Seule la vallée du Jourdain *(Ghor),* à l'O., est cultivable dans les oasis, et les terres mises en valeur représentent 5 p. 100 de la superficie du territoire. C'est là que s'entasse une population qui cultive des céréales, la vigne et l'olivier.

blé	120 000 t	ovins	1 million de têtes
orge	50 000 t	caprins	350 000 têtes
huile d'olive	10 000 t		

Des phosphates sont exploités au N. d'ʿAmmān. L'industrialisation est inexistante et la balance commerciale déficitaire; le pays est très endetté.

HISTOIRE

- *1946. Le pays, placé sous mandat britannique après la Première Guerre mondiale, devient le royaume de Transjordanie.*
- *1947-1948. Il prend une part active à la guerre qui oppose Arabes et Israéliens.*
- *1948. Après la proclamation de l'État d'Israël, la Transjordanie occupe une partie de la Palestine, située à l'O. du Jourdain et dans laquelle se sont réfugiés des Arabes qui ont quitté la partie occupée par Israël.*

Elle prend le nom de royaume Hāchémite de Jordanie.

- *1949. Aux termes de l'armistice conclu entre Israël et les pays arabes, les frontières du nouveau royaume englobent l'ancienne Transjordanie et la partie restée arabe de la Palestine.*

- *1952. Ḥusayn est désigné comme roi.*

Les réfugiés arabes, hostiles à toute collaboration avec l'Angleterre, poussent alors le roi à un renforcement de la Ligue arabe (Égypte-Syrie).

- *1957. Avec l'aide des Bédouins, Ḥusayn forme un gouvernement d'union nationale, s'unit avec l'Iraq et exige le départ des troupes syriennes.*

Depuis lors, les relations de la Jordanie et de la Ligue arabe ont connu des moments de grave tension.

- *1958. Ḥusayn obtient le départ des troupes britanniques.*
- *Juin 1967. Au terme de la troisième guerre israélo-arabe, toute la partie située à l'O. du Jourdain (Cisjordanie) est occupée par les troupes israéliennes.*
- *Sept. 1970. De graves affrontements opposent l'armée royale aux Palestiniens réfugiés en Jordanie.*

Après la guerre israélo-arabe d'octobre 1973, la Jordanie renoue progressivement avec les Palestiniens et les pays arabes.

- *Juill. 1988. Le roi Ḥusayn proclame la rupture des liens unissant la Jordanie et la Cisjordanie.*

JOSAPHAT *(vallée de)*, site de Palestine entre Jérusalem et le mont des Oliviers, arrosé par le Cédron. Suivant la tradition chrétienne, les morts y seront rassemblés au jour du Jugement dernier.

JOSEPH, fils de Jacob et de Rachel, personnage biblique dont l'histoire est racontée dans la Genèse. Vendu par ses frères et conduit en Égypte, il devint ministre d'un pharaon et fit venir les Israélites.

JOSEPH *(saint)*, époux de Marie, mère de Jésus. Il était de la famille de David. Père nourricier de Jésus, il assista à sa naissance, l'emmena avec Marie en Égypte, puis à Nazareth, où selon la tradition il exerça le métier de charpentier.

JOSEPH (François LE CLERC DU TREMBLAY, dit **le P.**), capucin français (1577-1638). Il devint, à partir de 1624, le confident de Richelieu et son conseiller en politique étrangère. Il fut surnommé l'*Éminence grise*.

JOSEPH, roi d'Espagne ⟶ BONAPARTE.

JOSEPH Ier (1678-1711), roi de Hongrie (1687), roi des Romains (1690), archiduc d'Autriche et empereur (1705-1711), fils de Léopold Ier. Il poursuivit la guerre de la Succession d'Espagne, conquit l'Italie du Nord et la Bavière, et reconnut le calvinisme et le droit des États (1711).

JOSEPH II (1741-1790), empereur germanique et corégent des États des Habsbourg (1765-1790), fils de François Ier et de Marie-Thérèse, et frère de Marie-Antoinette. Il ne gouverna en fait qu'après la mort de sa mère (1780). Il entreprit alors des réformes qui devaient faire de lui le modèle du despote éclairé.

- *1781. Il accorde la liberté de culte à toutes les religions.*

Les réformes politiques eurent pour objet de faire l'unité de la monarchie autrichienne qui groupait des peuples divers : Vienne devint la capitale unique des États, l'allemand fut décrété langue officielle et les mêmes divisions administratives furent instaurées dans tous les États. Au point de vue social, il abolit le servage (1781-1785), établit l'égalité de tous ses sujets et favorisa l'expansion agricole et commerciale.

À l'extérieur, entraîné par Catherine II dans une guerre contre l'Empire turc (1788), il vit l'invasion du territoire autrichien. De plus, sa politique d'uniformisation provoqua un vif mouvement aux Pays-Bas (1787) qui proclamèrent la déchéance des Habsbourg, et une révolte en Hongrie où il dut renoncer à appliquer ses réformes.

JOSÉPHINE (Marie-Josèphe Rose TASCHER DE LA PAGERIE), impératrice (1763-1814). En 1779, elle épousa le vicomte de Beauharnais qui mourut sur l'échafaud en 1794. En 1796, elle se maria avec le général Bonaparte, qu'elle contribua à faire nommer général en chef de l'armée d'Italie. Mais elle fut répudiée en 1809. Son portrait par Prud'hon est célèbre.

JOSQUIN DES PRÉS ⟶ DES PRÉS.

JOSSELIN, ch.-l. de cant. du Morbihan, sur l'Oust, à 12 km à l'O. de Ploërmel; 2740 hab. Le château est un des plus beaux exemples d'architecture civile flamboyante.

JOSUÉ, chef des Hébreux après Moïse, et conquérant de la terre de Canaan. C'est lui qui, d'après la Bible, ordonna au soleil de s'arrêter pour lui permettre d'achever sa victoire sur le roi de Jérusalem. Le livre biblique qui porte son nom raconte la conquête de Canaan et son partage entre les tribus d'Israël.

JOTA [xɔta] n. f. (mot esp.). Chanson et danse populaires espagnoles à trois temps, avec accompagnement de castagnettes.

JOTUNHEIM, massif de la Norvège méridionale, portant le point culminant de la Scandinavie; 2470 m.

JOUABLE adj. ⟶ JOUER 2 et 4.

JOUBARBE [ʒubarb] n. f. (lat. *Jovis barba*, barbe de Jupiter). Plante vivace poussant sur les toits, les murs, les rochers, dont les feuilles ressemblent à de petits artichauts. (Famille des crassulacées.)

JOUBERT (Barthélemy), général français (1769-1799). Nommé successivement général en chef des armées de Hollande (1797), de Mayence et d'Italie (1798), il conquit le Piémont et fut tué à Novi.

JOUE [ʒu] n. f. (bas lat. *gauta*). **1.** Chacune des parties latérales du visage, limitées par le nez, la bouche, le menton, les oreilles, les tempes, les yeux : *Embrasser sur les joues.* — **2.** Partie latérale de la tête d'un animal : *Joue de bœuf, de cheval.* — **3.** Pièce métallique servant de fermeture ou de support latéral à un ensemble mécanique. — **4.** *Mettre, tenir, coucher en joue*, viser avec une arme à feu. ‖ *En joue!*, ordre donné à des soldats de mettre l'arme en position de tir, ajustée contre la joue. ◆ **joufflu, e** adj. Aux joues pleines et rebondies : *Un bébé joufflu.*

1. JOUER [ʒwe] v. i. ou t. ind. [**à**] (lat. *jocare*) [sujet nom d'être animé]. S'adonner à un divertissement qui n'a d'autre but que le plaisir, la distraction, l'amusement : *Jouer aux cartes. Jouer serré* (= de telle manière que l'adversaire est forcé à une grande attention). *À vous de jouer!* (= à vous de commencer à jouer, à vous d'agir). ◆ v. t. Faire une partie de ce qui constitue un divertissement, un amusement; avancer, jeter ce avec quoi on joue : *Jouer une partie d'échecs. Jouer un pion dans une partie de dames. Jouer pique.* ◆ ***se jouer*** v. pr. (sujet nom de chose). Être joué : *Le bridge se joue à quatre.* ◆ **joueur, euse** n. Personne qui joue à un jeu quelconque : *Un joueur de football.* ◆ adj. et n. Qui aime à jouer : *Un enfant très joueur. Se montrer mauvais joueur* (= accepter mal sa défaite). *Se montrer beau joueur* (= accepter loyalement sa défaite). ◆ **jeu** [ʒø] n. m. **1.** Activité visant au plaisir, à la distraction de soi-même ou des autres; manière de s'y livrer : *Le jeu d'échecs. Il fait ce problème par jeu* (syn. PLAISIR). *Tricher au jeu.* ‖ *C'est un jeu d'enfant*, c'est très facile. — **2.** Limites marquant l'espace consacré à un jeu (sens 1) : *La balle est sortie du jeu.* — **3.** Au tennis, division d'un set. — **4.** *Jeu à XIII*, sport dérivé du rugby, pratiqué par deux équipes de treize joueurs. — **5.** Ce qui sert à jouer : *Un jeu de cartes.* — **6.** Ensemble des cartes données à un joueur : *Ne pas laisser voir son jeu.* — **7.** *Avoir beau jeu de, pour*, être dans des conditions favorables. ‖ *Cacher son jeu*, dissimuler ses intentions. ‖ *Ce n'est pas de jeu*, c'est irrégulier. ‖ *D'entrée de jeu*, dès l'abord, dès le début. ‖ *Jouer le grand jeu*, employer tous ses talents, ses ressources, pour arriver à ses fins. ‖ *Jouer franc jeu*, loyalement. ‖ *Se piquer au jeu*, ne pas se laisser décourager par un obstacle, un insuccès. ‖ *Tirer son épingle du jeu*, se dégager adroitement d'une mauvaise affaire. ◆ **jouet** [ʒwɛ] n. m. Objet dont les enfants se servent pour s'amuser. ◆ **joujou** n. m. **1.** Dans le langage enfantin, se dit fam. pour JOUET. — **2.** Fam. *Faire joujou*, jouer, s'amuser.

2. JOUER [ʒwe] v. t. ind. et i. (même étym.). **1.** S'adonner à des divertissements (jeux d'argent, de hasard) intéressés (= qui comportent un gain) : *Jouer à la roulette, au baccara, au poker.* — **2.** Se livrer à des spéculations en vue d'en tirer un profit : *Jouer aux courses. Jouer à la Bourse. Jouer sur la victoire* (syn. MISER). ◆ v. t. Mettre comme enjeu sur : *Jouer dix francs sur un cheval* (syn. RISQUER). *Jouer sa réputation sur un coup de tête.* ‖ *Jouer le tout pour le tout*, risquer beaucoup pour tout gagner. ◆ **jeu** n. m. **1.** Amusement, distraction où l'on risque de l'argent : *Le jeu de la roulette. Maison de jeu* (= établissement où l'on joue de l'argent). — **2.** Somme d'argent mise en jeu : *Jouer gros jeu à la Bourse.* — **3.** *Être en jeu*, être mis en question, être l'objet d'un débat, d'une discussion : *C'est votre honneur qui est en jeu* (syn. ÊTRE EN CAUSE). ‖ *Mettre en jeu*, employer dans une action déterminée : *Les intérêts mis en jeu*; risquer : *Mettre en jeu d'importants capitaux.* — **4.** *Théorie des jeux*, théorie des décisions à prendre face à un problème (écon. surtout). ◆ **jouable** adj. Qu'on peut essayer, tenter : *Un coup jouable.*

3. JOUER [ʒwe] v. t. ind. et i. (même étym.). **1.** *Jouer avec qqch.*, ne pas le prendre au sérieux, l'exposer avec légèreté : *Jouer avec sa santé. Il joue avec le feu* (= s'exposer témérairement à un danger). — **2.** *Jouer de malheur*, être malchanceux. ‖ *Jouer au plus fin*, chercher à tromper. ‖ *Jouer sur les mots*, chercher à tirer parti des équivoques des mots. ◆ ***se jouer*** v. pr. *Se jouer de qqch.*, le surmonter facilement, en venir à bout comme s'il s'agissait d'un jeu : *Se jouer des difficultés.* ◆ **jeu** n. m. Manière d'agir légère, facile, gratuite, dépourvue de valeur ou sans gravité : *C'est un jeu* (= ce n'est pas sérieux). *Un jeu de mots* (syn. CALEMBOUR). *Un jeu d'esprit* (syn. BADINAGE). *Se faire un jeu de contredire un adversaire* (= s'amuser), *de vaincre un obstacle* (= le surmonter).

4. JOUER [ʒwe] v. t. ind. et i. (même étym.). **1.** Interpréter un rôle : *Jouer dans un film.* — **2.** *Jouer à*, se donner des airs : *Jouer au grand seigneur* (= faire comme si on l'était). — **3.** *Jouer de qqch.*, le manier avec plus ou moins d'adresse : *Jouer du couteau;*

se servir d'un instrument de musique : *Jouer du piano.* ◆ v. t. 1. Représenter au théâtre, au cinéma, etc. : *Que joue-t-on au cinéma?* — **2.** Faire semblant d'avoir tel ou tel sentiment : *Jouer la comédie* (= simuler certains sentiments pour tromper les autres). — **3.** (sujet nom de personne) *Jouer un rôle,* représenter un personnage au cinéma, au théâtre; se conduire de telle ou telle manière : *Jouer un rôle ridicule dans une affaire.* — **4.** (sujet nom de chose) *Jouer un rôle,* avoir une certaine influence. — **5.** Exécuter sur un instrument : *Jouer un concerto.* — **6.** *Faire jouer la corde sensible,* chercher à émouvoir. ◆ **se jouer** v. pr. **1.** Être représenté : *La pièce se joue à la Comédie-Française.* — **2.** Être exécuté : *Ce morceau se joue au piano.* ◆ **jouable** adj. Qui peut être joué (dans les phrases négatives surtout) : *Le rôle n'est jouable que par un grand acteur.* ◆ **injouable** adj. : *Une pièce injouable.* ◆ **joueur, euse** n. Personne qui joue d'un instrument de musique : *Un joueur de flûte.* ◆ **jeu** n. m. **1.** Manière d'interpréter un rôle : *Le jeu d'un acteur.* — **2.** Manière dont on se sert d'un instrument de musique, d'un objet : *Le jeu brillant d'un violoniste.* — **3.** *Jeux de physionomie,* mouvements du visage exprimant tel ou tel sentiment. ‖ *Jeux de scène,* ensemble des mouvements, des attitudes réglés par un metteur en scène dans une pièce, un film, et concourant à un certain effet. ‖ *Entrer en jeu,* intervenir dans une affaire, une entreprise, un combat : *Des forces puissantes sont entrées en jeu.* ‖ *Entrer dans le jeu de qq'un,* s'associer à ses entreprises, prendre son parti. ‖ *Faire le jeu de qq'un,* agir sans le vouloir dans l'intérêt de quelqu'un. ‖ *Vieux jeu,* démodé, suranné.

5. JOUER [ʒwe] v. i. (même étym.) [sujet nom de chose]. 1. Fonctionner, se mouvoir aisément, sans résistance : *La clef joue dans la serrure.* — **2.** Ne plus joindre, par suite de contraction, de dilatation : *La porte a joué par suite de l'humidité* (syn. SE GONDOLER). ◆ **jeu** n. m. **1.** Mouvement régulier, fonctionnement aisé d'un organe, d'un organisme : *Le libre jeu des institutions. Les forces en jeu* (syn. EN ACTION). — **2.** Espace aménagé pour qu'un organe se meuve, ou défaut de serrage dû à l'usure : *Laisser un peu de jeu entre les pièces d'un mécanisme.*

6. JOUER [ʒwe] v. t. (même étym.). *Jouer qq'un,* le tromper (surtout au passif et dans la langue soignée) : *Il a été joué par un escroc.* ◆ **se jouer** v. pr. **1.** (sujet nom d'être animé) *Se jouer de qqch.,* s'en moquer, vouloir l'ignorer : *Se jouer des lois.* — **2.** *Se jouer de qq'un,* le tromper, l'induire en erreur (syn. SE MOQUER). ◆ **jouet** n. m. (sujet nom de personne ou de chose). *Être le jouet de,* être la victime d'autres personnes, d'une volonté supérieure, des éléments : *Être le jouet d'enfants cruels* (syn. CIBLE). *Être le jouet du destin. Barque qui est le jouet des vents.*

JOUET n. m. ⟶ JOUER 1 et 6.

JOUEUR, EUSE adj. et n. ⟶ JOUER 1 et 4.

JOUFFLU, E adj. ⟶ JOUE.

JOUFFROY D'ABBANS (Claude François, *marquis* DE), ingénieur français (1751-1832). Il fut le premier à avoir pratiquement réussi à mouvoir, à l'aide de la vapeur, un bateau qui évolua sur le Doubs (1776).

JOUG [ʒu] n. m. (du lat. *jugum*). **1.** Pièce de bois qu'on attache sur la tête des bœufs pour les atteler. — **2.** Javelot attaché horizontalement sur deux autres fichés en terre, et sous lequel le vainqueur faisait passer, courbés, en signe de soumission, les chefs et les soldats de l'armée vaincue. — **3.** Dure contrainte, matérielle ou morale, exercée à l'encontre de quelqu'un : *Subir le joug de l'envahisseur* (syn. DOMINATION).

JOUHAUX (Léon), syndicaliste français (1879-1954). Il fut secrétaire général de la C. G. T. de 1909 à sa dissolution en 1940. Il dirigea la C. G. T.-F. O. à partir de 1948.

JOUIR [ʒwir] v. t. ind. et i. (du lat. *gaudere*). **1.** (sujet nom de personne) *Jouir d'une chose,* en tirer un vif plaisir, une grande joie, un profit : *Jouir de la vie* (syn. PROFITER DE). *Jouir de la paix* (syn. SAVOURER). — **2.** (sujet nom de personne ou de chose) *Jouir de qqch.,* avoir la possession avantageuse de quelque bien : *Jouir de l'estime de tous* (syn. BÉNÉFICIER DE). *Jouir d'une grosse fortune* (syn. POSSÉDER). ◆ **jouissance** n. f. : *Les jouissances de la vie* (syn. DÉLICES, PLAISIRS). *Avoir la libre jouissance d'un appartement dès son achat* (syn. USAGE). ◆ **jouisseur, euse** n. Personne qui ne songe qu'aux plaisirs matériels de la vie.

JOUJOU n. m. ⟶ JOUER 1.

JOUKOV (Gheorghi Konstantinovitch), maréchal soviétique (1896-1974). Chef d'état-major de l'Armée rouge en 1940, il sauva Moscou en 1941 de l'attaque allemande. En 1942-1943, il dirigea la défense de Stalingrad, puis, en 1944-1945, conquit Varsovie et entra à Berlin, où il signa, pour l'U. R. S. S., l'acte de capitulation des armées allemandes (8 mai).

JOULE (James), physicien anglais (1818-1889). Il étudia la chaleur dégagée par les courants électriques (1841), et détermina l'équivalent mécanique de la calorie (1843).

JOULE [ʒul] n. m. (du n. de *Joule*). Unité de travail, de quantité de chaleur et d'énergie (symb. : J), équivalant au travail produit par une force de 1 newton dont le point d'application se déplace de 1 mètre dans la direction de la force. ‖ *Effet Joule,* dégagement de chaleur dans un conducteur électrique.

Joule *(loi de),* loi aux termes de laquelle l'énergie interne d'un gaz parfait ne dépend que de sa température.

1. JOUR [ʒur] n. m. (bas lat. *diurnus*). **1.** Espace de temps correspondant à une rotation complète de la Terre sur elle-même (vingt-quatre heures) : *En deux jours, il a repeint la cuisine* (= en quarante-huit heures). *Quinze jours après* (= deux semaines). — **2.** Est employé pour situer un événement dans le temps (indique la date) : *Venez un autre jour. Les nouvelles du jour* (= du jour où nous sommes). *Du jour au lendemain, tout peut changer* (= d'un moment à l'autre, brusquement). *Être dans un bon, un mauvais jour* (= être de bonne, de mauvaise humeur). *Un beau jour, vous verrez ce qui arrivera* (= à un moment donné). *L'autre jour, il m'a dit* (= il y a peu de temps). — **3.** Espace de temps compris entre le lever et le coucher du soleil : *Les jours raccourcissent.* — **4.** *À jour,* selon l'ordre fixé, établi : *Avoir ses comptes à jour. Mettre à jour qqch.* (= le rendre actuel). ‖ *Au jour le jour,* en se limitant à la journée présente : *Vivre au jour le jour* (= sans savoir ce qui se passera demain); régulièrement : *Noter ses dépenses au jour le jour* (syn. AU FUR ET À MESURE). ‖ *De nos jours,* à notre époque (syn. ACTUELLEMENT, AUJOURD'HUI). ‖ *D'un jour* (après un nom), très bref : *Ce fut un bonheur d'un jour.* ‖ *Du jour,* de notre époque : *Le goût du jour. L'homme du jour* (= le plus célèbre en ce moment). ‖ *Tous les jours,* d'habitude, d'ordinaire. ◆ n. m. pl. Indique une durée, une époque indéterminée : *Aux jours héroïques* (syn. MOMENT); indique la durée de la vie : *Il a attenté à ses jours* (= tenté de se suicider). *Les vieux jours* (= la vieillesse); une époque : *Les beaux jours* (= le printemps). ◆ **journalier, ère** adj. Qui se fait chaque jour : *Accomplir sa tâche journalière* (syn. QUOTIDIEN). ◆ n. m. Ouvrier agricole payé à la journée. ◆ **journée** n. f. **1.** Indique l'espace de temps compris entre le lever et le coucher du soleil : *Je ne l'ai pas vu de toute la journée. À longueur de journée* (= pendant toute la journée). *Bonne journée!* — **2.** Indique le travail fourni pendant cet espace de temps : *Être payé à la journée. Une femme de journée* (= femme de ménage). ‖ *La journée continue,* organisation du travail qui consiste à réduire à une demi-heure la pause de midi. ◆ **demi-journée** n. f. Moitié d'une journée : *Des demi-journées.* ◆ **journellement** adv. Chaque jour (syn. QUOTIDIENNEMENT). ◆ **ajourner** [aʒurne] v. t. **1.** *Ajourner qqch.,* le renvoyer à un autre jour ou à une date indéterminée : *Ajourner une décision* (syn. DIFFÉRER, RETARDER). *Le débat a été ajourné d'une semaine* (syn. RECULER). *Ajourner un rendez-vous au lundi suivant* (syn. REMETTRE, REPORTER). — **2.** *Ajourner un candidat, un conscrit,* le renvoyer à une autre session d'examen, au prochain conseil de révision (syn. REFUSER). ◆ **ajournement** n. m. : *Des ajournements successifs* (syn. ATERMOIEMENT). *L'ajournement d'un procès* (syn. RENVOI).

2. JOUR [ʒur] n. m. (même étym.). **1.** Clarté, lumière que le Soleil répand sur la Terre : *Le jour se lève. À la tombée du jour. En plein jour* (= à la pleine lumière). *À la pointe du jour* (= à l'aube). *Les volets fermés ne laissent entrer qu'un faible jour dans la pièce* (syn. CLARTÉ). — **2.** Manière dont les objets sont éclairés : *Le tableau est dans un faux jour* (= dans un mauvais éclairage, qui masque certains aspects). — **3.** *Exposer, étaler,* etc., *une chose au grand jour, en plein jour,* la faire savoir à tous, divulguer. ‖ *Mettre au jour,* sortir de terre, découvrir : *Les restes d'une ville ancienne ont été mis au jour.* ‖ *Montrer, présenter, voir,* etc., *une chose sous un jour favorable, flatteur, nouveau,* etc., sous une apparence, un aspect favorable, flatteur, nouveau, etc. ‖ *Jeter un jour nouveau sur une chose,* la faire apparaître d'une manière nouvelle. ‖ *Donner le jour à un enfant,* le mettre au monde. ‖ *Voir le jour,* naître (littér.) : *Il a vu le jour dans un petit village de Bretagne;* être publié, édité : *Son roman n'a vu le jour que vingt ans après avoir été écrit.* ‖ *Clair comme le jour* (= évident). ‖ *C'est le jour et la nuit,* ils sont le contraire l'un de l'autre, ils n'ont aucun point de ressemblance. ‖ *Percer à jour,* deviner ce qui est secret, caché. ‖ *Se faire jour* (sujet nom de chose), se montrer à tous, émerger de l'obscurité : *La vérité finit par se faire jour.* ◆ **contre-jour** n. m. Éclairage d'un corps placé entre celui qui le regarde et la source lumineuse; tableau ou photographie représentant un objet ainsi éclairé. ‖ Pl. des *contre-jours.* ◆ **demi-jour** n. m. inv. Lumière du jour atténuée : *Le demi-jour d'une pièce aux persiennes fermées.*

3. JOUR [ʒur] n. m. (même étym.). **1.** Ouverture par où passe la lumière : *Mur où il y a des jours.* — **2.** En couture, ouverture décorative pratiquée en tirant les fils d'un tissu. ◆ **ajouré, e** adj. Où l'on a ménagé des ouvertures; orné de jours : *Une dentelle ajourée.*

JOURDAIN (le), fl. du Proche-Orient; 360 km. Né au Liban (sur le versant occidental de l'Anti-Liban), le Jourdain traverse en Israël le lac de Tibériade avant de rejoindre la mer Morte. Il sert partiellement de frontière entre Israël et la Syrie, puis la Jordanie.

C'est dans les eaux du Jourdain que Jésus-Christ fut baptisé par saint Jean-Baptiste.

Jourdain *(M.)*, principal personnage du *Bourgeois gentilhomme* de Molière.

JOURDAN (Jean-Baptiste), maréchal de France (1762-1833), vainqueur à Fleurus (1794), général de l'armée française en Espagne (1808-1814) et gouverneur des Invalides sous Louis-Philippe.

1. JOURNAL, AUX [ʒurnal, -no] n. m. (lat. *diurnalis*, journalier). **1.** Publication, quotidienne ou périodique, qui donne des nouvelles, relate les événements d'actualité, etc. : *Acheter son journal chaque matin* (syn. QUOTIDIEN). *Un journal littéraire paraissant chaque semaine* (syn. HEBDOMADAIRE). — **2.** *Journal parlé, journal télévisé*, bulletin d'information transmis par la radio, la télévision. — **3.** Direction et bureaux d'un journal : *Écrire à un journal.* — **4.** Relation au jour le jour des faits intéressant la vie d'une personne, de ce qu'elle a vu, etc. : *Un journal intime* (= relatant les impressions personnelles). *Journal de bord* (= rapport sur les incidents à bord d'un navire, d'un avion, etc.). *Journal de marche* (= rapport sur la vie quotidienne d'une unité militaire en campagne). ◆ **journalisme** n. m. Profession de ceux qui écrivent dans les journaux, qui participent à la rédaction d'un journal (écrit, parlé, télévisé, filmé). ◆ **journaliste** n. : *Journaliste sportif* (syn. REPORTER). *Journaliste littéraire* (syn. CHRONIQUEUR). *Journaliste à la radio* (syn. COMMENTATEUR). ◆ **journalistique** adj. : *Un style journalistique.*

2. JOURNAL [ʒurnal] n. m. (de *jour*). Anc. mesure de superficie, correspondant à la quantité de terrain qu'un homme pouvait labourer dans un jour.

Journal officiel de la République française, publication officielle de la République française, fondée en 1848. Il publie chaque jour les lois, décrets et arrêtés. Il édite le compte rendu des séances de l'Assemblée nationale et du Sénat.

JOURNALIER, ÈRE adj. et n. m., **JOURNÉE** n. f., **JOURNELLEMENT** adv. ⟶ JOUR 1.

JOURNALISME n. m., **JOURNALISTE** n., **JOURNALISTIQUE** adj. ⟶ JOURNAL 1.

JOUTE [ʒut] n. f. (du lat. *juxta*, près de). **1.** Au Moyen Âge, combat courtois à cheval et à la lance, d'homme à homme. — **2.** *Joute sur l'eau, joute lyonnaise*, divertissement où deux hommes, debout chacun sur l'arrière d'une barque, cherchent à se faire tomber à l'eau au moyen d'une longue perche. — **3.** Lutte entre deux adversaires, rivalité : *Joute oratoire* (syn. DUEL). ◆ **jouteur** n. m. : *Un rude jouteur* (= un adversaire difficile).

JOUVENCE [ʒuvɑ̃s] n. f. (de l'anc. fr. *jouvente*, jeunesse). *Fontaine de Jouvence, eau de Jouvence*, fontaine, eau fabuleuse à laquelle on attribuait la propriété de rajeunir.

JOUVENCEAU, ELLE [ʒuvɑ̃so, -sɛl] n. (bas lat. *juvencellus, -cella*). Adolescent, adolescente (valeur ironiq. ou plaisante).

JOUVET (Louis), acteur, metteur en scène et directeur de théâtre français (1887-1951). Il exerça une influence profonde sur le théâtre de l'entre-deux-guerres. Au cinéma il a joué dans de nombreux films (*Drôle de drame*, 1937; *Hôtel du Nord*, 1938; *Quai des Orfèvres*, 1947). Il fut également professeur au Conservatoire.

JOUY-EN-JOSAS, comm. des Yvelines, à 4 km au S.-E. de Versailles; 7 700 hab. En 1759, Oberkampf y fonda une manufacture de toiles peintes. Institut national de recherches agronomiques (zootechnie). École des hautes études commerciales. Musée Léon-Blum.

JOVIAL, E, ALS [ʒɔvjal] adj. (lat. *jovialis*, relatif à Jupiter). Se dit d'une personne (ou de son comportement) qui est d'une gaieté familière, qui s'exprime avec franchise, bonhomie, simplicité : *Un homme jovial* (syn. ENJOUÉ; contr. RENFROGNÉ). *Caractère jovial* (syn. GAI; contr. MAUSSADE). ◆ **jovialité** n. f. (syn. GAIETÉ).

JOYAU [ʒwajo] n. m. (du lat. *jocus*, jeu). **1.** Objet en matière précieuse (diamant, or, argent, etc.), qui sert à la parure. — **2.** Chose belle et d'un grand prix.

JOYCE (James), écrivain irlandais de langue anglaise (1882-1941). Il est l'auteur d'*Ulysse* (1922), parodie moderne de *l'Odyssée*, écrite sous la forme d'un monologue intérieur (= langage intérieur que se tient l'auteur) fait de toutes les pensées qui lui viennent à l'esprit, sans ordre, et exprimées sans la ponctuation traditionnelle.

JOYEUSE, ch.-l. de cant. de l'Ardèche, à 10 km au S.-O. de Largentière; 1 400 hab. Château Renaissance.

JOYEUSEMENT adv. ⟶ JOIE.

Joyeuses Commères de Windsor *(les)*, comédie en 5 actes de W. Shakespeare (v. 1599).

JOYEUX, EUSE adj. ⟶ JOIE.

JÓZSEF (Attila), poète hongrois (1905-1937). Il est considéré comme l'un des plus grands poètes de la Hongrie moderne.

Juan *(golfe)*, golfe de la Côte d'Azur, entre Cannes et Antibes.

- *1er mars 1815. Napoléon, ayant quitté l'île d'Elbe, y débarque avec une poignée d'hommes pour marcher sur Paris.*

JUAN *(Don)* ⟶ DON JUAN.

JUAN D'AUTRICHE *(don)*, prince espagnol (1545-1578), fils naturel de Charles Quint. Il détruisit la flotte turque à Lépante (1571). Gouverneur général des Pays-Bas il dut accepter d'évacuer les provinces du Sud en 1577.

JUAN CARLOS de Bourbon *(don)*, roi d'Espagne (né en 1938), petit-fils d'Alphonse XIII. En 1969, il est désigné par Franco pour lui succéder, avec le titre de roi. Après la mort de ce dernier (1975), il entreprend la démocratisation du régime.

JUAN-LES-PINS, station balnéaire de la Côte d'Azur (Alpes-Maritimes), à 2 km au S. d'Antibes (dont elle fait partie).

JUBÉ [ʒybe] n. m. (premier mot latin de la prière *Jube, Domine, benedicere*, « Ordonne, Seigneur, de bénir »). Sorte de galerie transversale, entre le chœur et la nef principale d'une église, du haut de laquelle se faisait autref. la lecture de l'Évangile.

JUBILATION n. f. ⟶ JUBILER.

JUBILÉ [ʒybile] n. m. (de l'hébr. *yōbēl*, son du cor). **1.** Dans la religion catholique, année privilégiée *(année sainte)* où les pèlerins de Rome bénéficient d'une indulgence plénière accordée par le pape : *Le vingt-cinquième jubilé de l'histoire de l'Église a été fêté en 1975.* — **2.** Cinquantenaire d'un mariage, de l'exercice d'une fonction, d'un mandat parlementaire, etc.

JUBILER [ʒybile] v. i. (lat. *jubilare*). Se réjouir très vivement, le plus souvent sans extérioriser sa joie. ◆ **jubilation** n. f. : *Une jubilation intense* (syn. JOIE).

JUCHER [ʒyʃe] v. t. (du frq. *juk*, perchoir). *Jucher qqch., qq'un*, le placer à une hauteur relativement grande pour sa taille (souvent au passif) : *Une petite maison juchée au sommet de la colline* (syn. PERCHER). ◆ ***se jucher*** v. pr. : *L'enfant se jucha sur l'âne.*

JUDA, fils de Jacob, ancêtre d'une des tribus d'Israël.

JUDA *(royaume de)*, royaume issu du schisme qui suivit la mort de Salomon (v. 931 av. J.-C.), et qui fut détruit en 586 av. J.-C.

JUDAÏSME [ʒydaism] n. m. (lat. *judaismus*). Religion des juifs. ◆ **judaïque** adj. : *La loi judaïque* (= celle des juifs).

— ENCYCL. Le père du *judaïsme* est Abraham, ancêtre des Hébreux. Sous la direction de Moïse, ceux-ci quittèrent l'Égypte où ils avaient été réduits en esclavage. Ils formèrent dès lors le peuple d'Israël. Peu après leur départ, Moïse leur donna une loi, le Décalogue, qu'il avait reçu de Dieu sur le mont Sinaï. Arrivés en pays de Canaan (auj. Israël), ils y prospérèrent jusqu'à la destruction de Jérusalem par les Romains (70 apr. J.-C.). [⟶ HÉBREUX.]

Le culte du Temple, où des sacrifices étaient pratiqués, est alors remplacé par le culte de la synagogue qui est uniquement un lieu de prière. La Loi écrite, ou Bible, est la principale source de la religion juive. Elle contient en particulier la *Torah*. On y trouve les règles de la vie religieuse d'Israël, des écrits concernant les origines du monde et l'histoire d'Israël, ainsi que des préceptes moraux. Il existe aussi une Loi orale, contenue dans le *Talmud*, qui donne toutes les explications nécessaires pour la mise en pratique des commandements de la Torah.

Les principaux dogmes sont les suivants : Dieu est unique et il est le Créateur et la Providence du monde. Moïse, le plus grand de tous les prophètes, a reçu de Dieu la Loi telle que les juifs la possèdent. Dieu enverra le Messie annoncé par les prophètes pour établir le royaume de Dieu.

Les principaux jours fériés et chômés du judaïsme sont : le sabbat ou samedi, les fêtes du pèlerinage, pâque *(Pessah)*, Pentecôte *(Chabouoth)*, les Tabernacles *(Souccoth)*; toutes ces fêtes perpétuent un souvenir historique (pâque, la sortie d'Égypte; Pentecôte, la proclamation du Décalogue sur le mont Sinaï; les Tabernacles, le séjour de quarante jours dans le désert après la sortie d'Égypte). Les solennités austères sont le jour de l'an *(Roch Hachana)* et le jour du Grand Pardon *(Yom Kippour)* entièrement consacré à la prière et au jeûne.

La liturgie prescrit trois offices quotidiens. Les sabbats et jours de fête comportent un office supplémentaire du matin.

JUDAS, surnommé **Iscariote** (de son lieu d'origine, *Kerioth*), un des douze apôtres. Appâté par la promesse de 30 deniers, il livra Jésus à ses ennemis. Accablé de remords, il se pendit.

JUDAS [ʒyda] n. m. (de *Judas*, n. du disciple qui trahit Jésus-Christ). **1.** Traître (souvent avec une majusc.) : *C'est un Judas.* — **2.** Petite ouverture à une porte, permettant de reconnaître, sans être vu, celui qui frappe ou sonne.

JUDAS MACCABÉE → MACCABÉE.

JUDÉE, partie de la Palestine, entre la mer Morte et la Méditerranée. La Judée fut le cœur du pays juif.

JUDICIAIRE [ʒydisjɛr] adj. (lat. *judiciarius*). Qui appartient à la justice, à son administration, à l'autorité qu'elle concerne : *Le pouvoir judiciaire doit être indépendant du pouvoir exécutif. Une enquête judiciaire* (= ordonnée par la justice). ‖ *Combat, duel judiciaire*, au Moyen Âge, combat où les adversaires soutenaient leur droit en se battant l'un contre l'autre. ◆ **extrajudiciaire** adj. Se dit de tout ce qui est fait sans l'intervention de la justice.

JUDICIEUX, EUSE [ʒydisjø, -øz] adj. (du lat. *judicium*, jugement). **1.** Se dit d'une personne qui a une manière saine, bonne, de juger, de voir les choses : *Un homme judicieux* (= qui est de bon conseil dans les affaires difficiles) [syn. SAGE]. — **2.** Se dit de ce qui manifeste un bon jugement : *Un avis judicieux* (syn. PERTINENT, SENSÉ; contr. ABSURDE). ◆ **judicieusement** adv. : *Faire judicieusement remarquer qqch.* (syn. INTELLIGEMMENT).

JUDITH, héroïne juive qui, pour sauver la ville de Béthulie, séduisit Holopherne, le général ennemi, et, profitant de son sommeil, lui coupa la tête. (Bible.)

JUDO [ʒydo] n. m. (du japon. *jū*, souple, et *dō*, méthode). Sport de combat où la souplesse joue un rôle prépondérant. ◆ **judoka** n. Personne qui pratique le judo.
— ENCYCL. Le *judo*, dérivé du jiu-jitsu*, est né au Japon à la fin du XIXe s. et fut introduit aux jeux Olympiques en 1964 (à Tōkyō).

La toute première obligation de l'apprenti judoka consiste à respecter les traditions particulières, un certain cérémonial dont s'entoure le judo, et à bien s'imprégner de l'« esprit » qui l'anime. Le costume de combat est un kimono, ou *judogi*, composé d'une veste et d'un pantalon de toile solide. Autour de la taille, le judoka serre une ceinture, dont la couleur indique le grade du pratiquant (ceinture blanche pour les débutants, puis jaune, orangée, verte, bleue, marron et noire). Sept catégories de poids sont reconnues : super-léger (moins de 60 kg); mi-léger (moins de 65 kg); léger (moins de 71 kg); mi-moyen (moins de 78 kg); moyen (moins de 86 kg); mi-lourd (moins de 95 kg); lourd (au-dessus).

Le combat se pratique sur un tapis *(tatami)*, toile de bâche tendue sur un feutre épais; il dure de deux à sept minutes. L'épreuve se termine par une immobilisation de l'adversaire pendant trente secondes, par une projection au sol de l'adversaire sur le dos, par l'abandon de l'adversaire, ou par décision de l'arbitre.

JUGE [ʒyʒ] n. m. (lat. *judex, -icis*). **1.** Magistrat chargé de rendre la justice, d'appliquer les lois : *Les juges, en toque et en robe, firent leur entrée dans la salle du tribunal.* ‖ *Juge d'instruction* → INSTRUIRE 2. — **2.** Personne appelée à décider, à apprécier telle ou telle chose (souvent comme attribut ou sans art.) : *Être bon juge en la matière. Être à la fois juge et partie* (= être appelé à juger ses propres actes et n'avoir pas l'impartialité nécessaire). — **3.** Arbitre désigné dans certains sports ou commissaire adjoint à l'arbitre.

JUGER [ʒyʒe] v. t. et i. (lat. *judicare*). **1.** Décider en qualité de juge sur une cause, une affaire, un accusé : *Le tribunal a jugé* (syn. STATUER). — **2.** *Juger qq'un, qqch.*, prendre une décision à leur propos, en qualité d'arbitre entre des concurrents, des antagonistes, etc. : *Juger un différend* (syn. RÉGLER). — **3.** *Juger qq'un, qqch., juger que* (et l'indic.), donner une opinion, en bien ou en mal, à leur sujet : *Il est difficile de juger la valeur de l'ouvrage sur ce seul extrait* (syn. APPRÉCIER, ESTIMER). *Il ne juge pas que votre présence soit nécessaire* (syn. CONSIDÉRER, PENSER). — **4.** *Juger de qqch., de qq'un*, porter une appréciation sur eux : *Juger de la distance. Juger d'une personne sur l'apparence. Autant que j'en puisse juger* (= à ce qu'il me semble). *Vous pouvez juger de ma joie quand je le revis!* (syn. SE REPRÉSENTER). ◆ **se juger** v. pr. **1.** (sujet nom de personne) Porter une appréciation, donner son opinion sur soi-même, ses actes, etc. : *Se juger perdu* (syn. S'ESTIMER). — **2.** (sujet nom de chose) Être soumis à la justice ou à l'appréciation : *Le procès se jugera à l'automne.* ◆ **jugé** n. m. *Au jugé*, selon une appréciation sommaire. ◆ **jugement** n. m. **1.** Décision résultant de l'acte de juger; action de juger : *Le jugement du tribunal* (syn. SENTENCE). *Formuler un jugement hâtif* (syn. APPRÉCIATION). *Je m'en remets à votre jugement* (syn. AVIS). — **2.** Faculté permettant de comparer et de décider : *Il a le jugement solide.* ◆ **jugeote** [ʒyʒɔt] n. f. Fam. Jugement sain, bon sens.

JUGES, chez les Hébreux, chefs militaires provisoires d'une ou plusieurs tribus. Ils aidaient leurs compatriotes à surmonter un danger grave ou à préserver un patrimoine religieux. Ils furent les maîtres d'Israël et se succédèrent de façon presque héréditaire de la mort de Josué à l'établissement de la royauté.

JUGULAIRE [ʒygylɛr] n. f. (du lat. *jugulum*, gorge). **1.** Courroie d'un casque qui, passée sous le menton, sert à le maintenir sur la tête. — **2.** Anat. *Veine jugulaire*, ou *jugulaire* n. f., une des grosses veines du cou : *Les veines jugulaires sont au nombre de quatre.*

JUGULER [ʒygyle] v. t. (lat. *jugulare*, égorger). Arrêter le développement de quelque chose : *Juguler une crise. Juguler une hémorragie.*

JUGURTHA (v. 160-apr. 104 av. J.-C.), roi de Numidie (118-105 av. J.-C.). Il lutta contre les Romains, fut vaincu par Marius, et périt en prison. L'histoire de la *Guerre de Jugurtha* a été racontée par Salluste.

JUIF, IVE [ʒɥif, ʒɥiv] adj. et n. (lat. *judaeus*). Qui appartient au peuple d'Israël; qui appartient à une communauté religieuse professant la religion judaïque : *Le peuple juif.* ‖ *Le Juif errant*, personnage légendaire, appelé aussi *Ahasvérus*, qui, selon une tradition populaire, aurait été condamné à marcher sans s'arrêter jusqu'à la fin du monde, pour avoir injurié Jésus portant sa croix.
— ENCYCL. L'histoire des *Juifs* devient, après la destruction de Jérusalem (70 apr. J.-C.) [→ HÉBREUX], celle d'un peuple dispersé à travers le monde. Déjà, auparavant, des communautés s'étaient formées hors de Palestine dans le monde méditerranéen : la plus importante était celle de Babylonie, composée de Juifs qui n'étaient pas rentrés en Israël après l'Exil de Babylone (586-538 av. J.-C.).

Les persécutions à leur encontre s'étendirent à mesure que le christianisme se développait : en 325, Constantin en fit la religion de l'Empire romain et les Juifs, qui ne voulaient pas de cette nouvelle religion, furent persécutés.

Lorsqu'au début du VIIe s. les Arabes conquirent tout l'Orient, ils soumirent à des taxes spéciales les populations rebelles à la religion musulmane, et notamment les Juifs. Sous leur domination, la communauté de Babylonie connut pendant quatre siècles un grand éclat. En Espagne, délivré de la persécution des Romains par l'arrivée des Arabes, le centre juif vécut une longue période d'épanouissement pendant laquelle les Juifs s'illustrèrent dans tous les domaines. Mais au XIVe s., après la reconquête de l'Espagne par les catholiques, ils furent soumis à de terribles persécutions et finalement chassés d'Espagne (1492). Ils se réfugièrent dans les pays du bassin méditerranéen, en particulier en Afrique du Nord, en Italie et dans le sud-ouest de la France. Ils furent désignés sous le nom de *Sefardim.*

Dans les pays chrétiens de l'Europe occidentale, l'installation du christianisme retira aux Juifs la plupart des droits qu'ils avaient eus auparavant : ils ne pouvaient pas posséder de terres et toute autre profession que le négoce ou le prêt à usure leur était interdite. Après la première croisade, ils se rassemblèrent dans des quartiers spéciaux (ghettos) et furent marqués par le signe distinctif de la rouelle et du chapeau pointu. Accusés par l'Église catholique de la mort de Jésus-Christ, ils étaient ainsi désignés à la haine populaire et considérés comme responsables de toutes les catastrophes, guerres, épidémies, etc.; ils furent souvent victimes de massacres. Cet antijudaïsme à caractère religieux devait persister jusqu'au XVIIIe s.

Toutefois, les Pays-Bas protestants constituèrent pour les Juifs portugais et allemands un refuge où ils pouvaient exercer librement leur religion, et de brillantes communautés s'y créèrent.

En Pologne, où s'était développée dès le XIIIe s. une communauté très importante formée par les Juifs d'Allemagne *(Ashkenazim)* qui avaient fui les persécutions, l'antijudaïsme prit des formes sanglantes dès le XVIIe s. En 1795, lors du partage de la Pologne, la plupart des Juifs devinrent sujets des tsars. À la fin du XIXe s., les massacres (pogroms) devinrent tellement fréquents que les Juifs quittèrent la Russie en masse. Bon nombre d'entre eux s'installèrent finalement aux États-Unis (en 1914, il y avait 3 500 000 Juifs aux États-Unis), certains émigrèrent en Palestine où ils fondèrent les premières colonies agricoles.

Quoique les Juifs aient obtenu la citoyenneté en France en 1791 et au XIXe s. partout en Europe, ainsi que le droit d'exercer les professions de leur choix, on contesta cependant leur patriotisme, et l'antijudaïsme prit alors une forme nationaliste (antisémitisme) : l'affaire Dreyfus en France en fut l'exemple le plus significatif.

À partir du début du XXe s. l'antisémitisme racial s'exacerba en Allemagne. Les lois de Nuremberg (1935) exclurent les Juifs des fonctions publiques et des professions libérales. Les nazis étendirent ces mesures à toute l'Europe occupée. Les Juifs furent d'abord soumis au port de l'étoile jaune et expropriés. En 1942, les nazis décidèrent leur extermination systématique (« solution finale »), en les déportant dans les camps de concentration*. On évalue à 6 millions le nombre de Juifs victimes des nazis. Seules la Scandinavie et la Finlande avaient refusé de livrer leurs ressortissants juifs aux Allemands.

Après la guerre, la situation des Juifs restait précaire. En U. R. S. S., le sionisme fut dénoncé; en Pologne, les Juifs furent écartés des postes de responsabilité; en France, la restitution de leurs biens spoliés souleva de grosses difficultés. Une émigration clandestine fut organisée vers la Palestine qui était sous mandat britannique, et, en 1948, l'indépendance de l'État d'Israël devait être proclamée.

A l'heure actuelle, si l'État d'Israël compte plus de 4 millions d'habitants, c'est aux États-Unis que la population juive est la plus importante (5 800 000). En France, la fin de la guerre d'Algérie et l'arrivée des rapatriés a porté à 530 000 le nombre des Juifs.

JUILLET [ʒɥijɛ] n. m. (lat. *julius* [*mensis*], mois de *Jules* César). Septième mois de l'année. (⟶ MOIS.)

juillet 1789 *(journée du 14)*, insurrection parisienne qui amena la prise de la Bastille.

juillet 1830 *(journées de)*, journées des 27, 28, 29 juillet, dites *les Trois Glorieuses*, au cours desquelles la révolution provoquée à Paris par la publication des ordonnances força Charles X à abdiquer et aboutit à l'avènement du duc d'Orléans, sous le nom de Louis-Philippe Ier.

juillet *(monarchie de)*, régime issu des journées révolutionnaires de juillet 1830 qui portèrent Louis-Philippe sur le trône et mirent fin au règne de Charles X.

Pendant cette période, la vie politique évolua vers un renforcement du régime parlementaire. Économiquement, la France entra dans l'ère de la grande industrie, mais le protectionnisme douanier fut maintenu. L'agitation sociale crût avec le développement économique qui s'accompagna de chômage et de bas salaires. Les revendications ouvrières prirent un caractère aigu dans les dernières années du régime.

En Algérie, la victoire de Bugeaud sur Abd el-Kader marqua le début de la colonisation française.

L'opposition libérale à la politique poursuivie par le ministère Guizot déclencha une insurrection le 23 février 1848. Le 24, Louis-Philippe abdiqua, et les insurgés proclamèrent la république.

JUILLY, comm. de Seine-et-Marne, à 6 km au S. de Dammartin-en-Goële; 1 500 hab. Collège fondé par les Oratoriens.

JUIN [ʒɥɛ̃] n. m. (lat. *junius* [*mensis*], mois de *Junon*). Sixième mois de l'année. (⟶ MOIS.)

juin 1792 *(journée du 20)*, journée révolutionnaire organisée par les Girondins, après le veto opposé par Louis XVI à la signature des décrets que lui présentaient les ministres girondins. Les Tuileries furent envahies par les émeutiers; le roi coiffa le bonnet rouge, mais ne rapporta pas son veto.

juin 1848 *(journées de)*, insurrection parisienne qui éclata à la suite de la fermeture des ateliers nationaux (licenciement de 120 000 ouvriers); le général Cavaignac, nommé chef du pouvoir exécutif, la réprima énergiquement.

juin 1940 *(appel du 18)*, message lancé de Londres par le général de Gaulle pour inviter les Français à refuser l'armistice et à continuer le combat. Il marqua le début de la résistance française.

JUIN (Alphonse), maréchal de France (1888-1967). En 1941, il remplace Weygand comme commandant en chef en Afrique du Nord. Rallié à Giraud en 1942, il commande les forces françaises en Tunisie (1942-1943), puis le corps expéditionnaire français en Italie (1944) et remporte la victoire du Garigliano, qui ouvre les portes de Rome (juin 1944). Il est résident général au Maroc de 1947 à 1951, reçoit son bâton de maréchal en 1952 et commande les forces atlantiques du secteur Centre-Europe de 1951 à 1956.

JUJUBIER [ʒyʒybje] n. m. (gr. *zizuphon*). Arbre cultivé sur le pourtour du bassin méditerranéen pour ses fruits ou *jujubes*.

JUKE-BOX [dʒukbɔks] n. m. (mot amér.). Appareil automatique permettant d'écouter un disque de son choix en introduisant une pièce de monnaie. ‖ Pl. des *juke-boxes*.

JULES, nom porté par trois papes, dont JULES II (1443-1513), pape de 1503 à 1513, qui forma contre Louis XII la Sainte Ligue (1512) et fut un mécène (= protecteur des arts) généreux.

JULIA *(gens)*, illustre famille de Rome, à laquelle appartenait César, et qui prétendait descendre d'Iule, fils d'Énée.

JULIANA (Louise Emma Marie Wilhelmine), née en 1909, reine des Pays-Bas de 1948 à 1980.

JULIE, en lat. **Julia Domna** (v. 158-217), d'origine syrienne, seconde épouse de Septime Sévère, elle joua un important rôle politique.

Julie ou la Nouvelle Héloïse ou *Lettres de deux amants d'une petite ville au pied des Alpes*, roman épistolaire de J.-J. Rousseau (1761).

JULIEN, ENNE [ʒyljɛ̃, -ɛn] adj. (du lat. *Julius*, Jules). *Calendrier julien*, calendrier que réforma Jules César en 46 av. J.-C., faisant l'année de 365 jours (au lieu de 365 jours et quart), avec intercalation tous les quatre ans d'une année de 366 jours, dite *bissextile*. (⟶ CALENDRIER.)

JULIEN, dit **l'Apostat,** né à Constantinople (331-363), empereur romain (361-363). Il abjura le christianisme et favorisa une brillante renaissance païenne.

JULIÉNAS, comm. du Rhône, à 17,5 km au S. de Mâcon; 642 hab. Vins rouges renommés.

JULIENNE [ʒyljɛn] n. f. (de *Julien*). Potage fait avec plusieurs sortes de légumes, taillés en petits filets minces.

JULIENNES *(Alpes)*, partie des Alpes orientales, entre la Save et l'Isonzo; 2 863 m au Triglav.

JUMEAU, ELLE [ʒymo, -mɛl] adj. et n. (lat. *gemellus*). Se dit de deux enfants nés d'un même accouchement : *Des frères jumeaux ou des jumeaux. Des sœurs jumelles ou des jumelles.* ⟶ ENCYCL. ◆ adj. Se dit de choses qui ont des caractères semblables, qui sont parallèles ou symétriques : *Des lits jumeaux* (= semblables, placés l'un à côté de l'autre et parallèlement). ◆ **jumeler** v. t. **1.** Disposer par couple (surtout au passif et au part. passé) : *Roues jumelées* (= roues arrière des véhicules lourds, munies de deux pneumatiques juxtaposés). — **2.** Associer deux villes étrangères dans des manifestations culturelles, sociales. ◆ **jumelage** n. m. **1.** Action de jumeler. — **2.** Opération consistant à créer ou à développer, à des fins culturelles, économiques ou politiques, des liens entre deux villes de pays différents : *Le jumelage de Nantes et de Cardiff.*

— ENCYCL. Biologiquement, les vrais *jumeaux* proviennent d'un seul œuf et se ressemblent totalement; les autres jumeaux, qui peuvent être de sexes différents, ne se ressemblent pas plus que des frères entre eux et viennent d'œufs différents fécondés en même temps.

1. JUMELLE adj. et n. f. ⟶ JUMEAU.

2. JUMELLE [ʒymɛl] n. f. (de *jumeau*). Double lorgnette (au sing. comme au plur.) : *Une jumelle marine. Des jumelles de théâtre.*

JUMENT [ʒymɑ̃] n. f. (lat. *jumentum*, bête de somme). Femelle du CHEVAL.

JUMIÈGES, comm. de la Seine-Maritime, dans la vallée de la Seine, à 14,5 km au S.-E. de Caudebec; 1 500 hab. De l'abbaye fondée en 654 par saint Philibert, il subsiste des ruines du XIe s.

JUMNA (la) ⟶ JAMNA (la).

JUMPING [dʒœmpiŋ] n. m. (de l'angl. *to jump*, sauter). Compétition hippique dont le saut d'obstacles est l'élément essentiel.

JUNEAU, capit. de l'Alaska; 6 000 hab. Port de pêche.

JUNG (Carl Gustav), médecin et psychologue suisse (1875-1961). Il a étudié l'inconscient collectif et mis au point une méthode thérapeutique, la *psychologie psychanalytique*.

JUNGFRAU (la), sommet des Alpes bernoises, en Suisse au-dessus d'Interlaken; 4 166 m. Station d'altitude et de sports d'hiver, sur le *plateau du Jungfraujoch* (3 457 m).

JUNGLE [ʒœ̃gl] ou [ʒɔ̃gl] n. f. (hindī *jangal*). **1.** Dans les pays de mousson très arrosés, végétation très épaisse et exubérante, où les hautes herbes se mêlent en un fouillis verdoyant à des fougères des bambous, des palmiers. — **2.** Fam. *Loi de la jungle*, triomphe du plus fort sur le plus faible.

JUNIOR [ʒynjɔr] adj. et n. (mot lat. signif. *plus jeune*). Se dit d'un jeune sportif qui n'a pas atteint vingt et un ans *(senior)*, mais a dépassé dix-sept ans *(cadet)*. ◆ adj. m. **1.** (après un nom propre). Désigne le plus jeune d'une famille (langue commerciale) : *Dubois junior.* — **2.** (après un prénom). Désigne le fils par rapport au père (quand ils ont le même prénom).

JUNKER [junkœr] n. m. (mot all.). En Allemagne, gentilhomme terrien.

JUNKERS (Hugo), ingénieur allemand (1859-1935). Il construisit en 1915 le premier avion entièrement métallique.

JUNON. *Myth.* Divinité italique, épouse de Jupiter, fille de Saturne, déesse du Mariage, assimilée à l'*Héra* grecque.

JUNTE [ʒœ̃t] ou [ʒɔ̃t] n. f. (esp. *junta*). **1.** Nom donné en Espagne et au Portugal à divers conseils administratifs. — **2.** Nom donné en Amérique du Sud aux gouvernements installés par un soulèvement militaire.

1. JUPE [ʒyp] n. f. (ar. *djubba*). Partie du vêtement féminin qui descend de la ceinture à mi-jambe ou plus bas, selon la mode ◆ **jupon** n. m. Jupe de dessous, en tissu de lingerie.

2. JUPE [ʒyp] n. f. (même étym.). *Jupe d'un piston*, surface latérale d'un piston qui assure son guidage dans le cylindre.

JUPITER. *Myth. gr.* Le père et le maître des dieux, assimilé au *Zeus* grec. Il renversa son père, Saturne, vainquit les Titans, donna à Neptune la Mer, à Pluton l'Enfer, et garda pour lui le Ciel et la Terre. Il était le dieu du Ciel, de la Lumière diurne, du Temps qu'il fait, de la Foudre et du Tonnerre. Il régnait à Rome sur le Capitole, qui lui était consacré.

LOCALITÉS PRINCIPALES	NOMBRE D'HAB.
Dole	30 000
Lons-le-Saunier	21 900
Saint-Claude	13 200
Champagnole	10 100
Morez	7 000
Poligny	5 200
Tavaux	4 400
Salins-les-Bains	4 200
Arbois	4 150
Montmorot	3 700

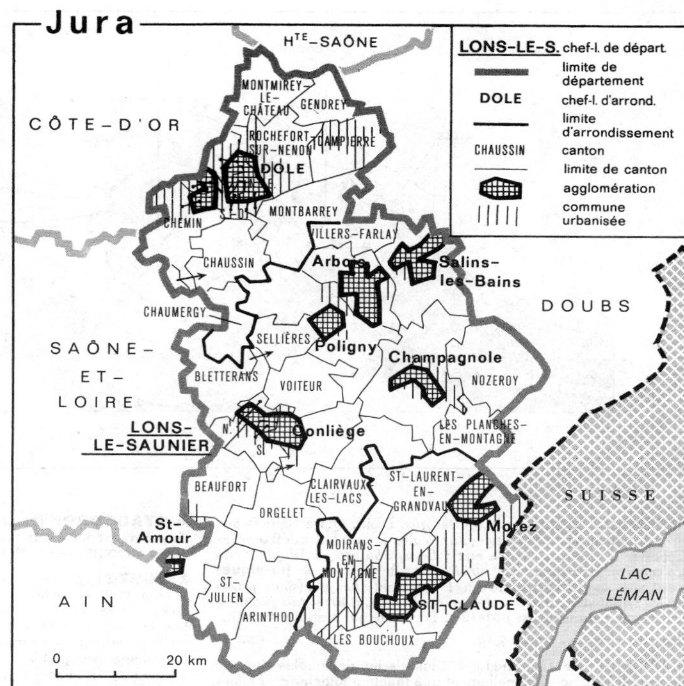

UPITER, la cinquième des planètes principales du système olaire dans l'ordre croissant des distances au Soleil et la plus rosse (diamètre : 142 000 km).

UPON n. m. ⟶ JUPE 1.

URA (le), chaîne de montagnes de France et de Suisse; 1 723 m u crêt de la Neige. Élevage. Industrie horlogère.

URA *(canton du)*, canton de Suisse, créé en 1979, englobant des istricts francophones jurassiens qui appartenaient auparavant au anton de Berne; 837 km²; 67 194 hab. Cap. *Delémont*.

URA (39), dép. formé d'une partie de la Franche-Comté Région Franche-Comté); 4 999 km²; 242 900 hab. (49 au km²) France : 103]. Ch.-l. *Lons-le-Saunier*.

DMINISTRATION. 3 arrond. (*Dole*, 74 200 hab.; *Lons-le-Saunier*, 22 100; *Saint-Claude*, 46 600 hab.). / 34 cant. / 543 comm.

Le département se partage entre les plaines et les bas plateaux e la *haute Saône*, entaillés par la vallée du Doubs à l'O., où 'altitude est le plus souvent inférieure à 200 m, et la *montagne urassienne* à l'E., formée au centre de plateaux de 400 à 1 000 m, oupés par les vallées de la Bienne et de l'Ain supérieur, et de plus n plus élevés vers la frontière suisse. Le climat est assez rude, les empératures hivernales sont basses et le total des précipitations levé.

L'*agriculture* emploie un peu plus du huitième de la population ctive. Les cultures dominent dans les plaines, l'élevage bovin et ocalement le vignoble (Arbois, Poligny) dans la montagne.

L'*industrie*, dispersée, occupe une place importante (45 p. 100 e la population active). Il s'agit de mécanique de précision, de ravail du bois, de lunetterie (Saint-Claude, Morez). Dans la monagne, le tourisme se développe localement (Les Rousses).

La faiblesse du *secteur tertiaire* (guère plus de 40 p. 100 de la opulation active) est à relier à l'absence de grande ville. À exception de Dole, aucune n'atteint plus de 30 000 hab.; seules es localités « administratives » dépassent 10 000 hab.

URANÇON, comm. des Pyrénées-Atlantiques, dans les faubourgs sud de Pau, sur le gave de Pau (r. g.); 7 900 hab. Vins éputés.

URASSIEN, ENNE [ʒyrasjɛ̃, -ɛn] adj. et n. Du Jura. ‖ *Relief urassien*, type de relief développé dans une région sédimentaire régulièrement et modérément plissée, où alternent couches dures et couches tendres : *Le Jura, le Vercors sont des types de relief jurassien.*

— ENCYCL. Le *relief jurassien* est constitué par une série de formes dont l'évolution est classique. Le *mont* correspond à l'anticlinal, le *val* au synclinal. Une dépression évidée au sommet d'un anticlinal s'appelle une *combe*. Elle est dominée par deux escarpements, les *crêts*. Les rivières peuvent franchir perpendiculairement les monts en des vallées resserrées, les *cluses*.

→ illustration page suivante.

JURASSIQUE [ʒyrasik] n. m. (de *Jura*). Deuxième période de l'ère secondaire, entre le Trias et le Crétacé, marquée par le dépôt, en particulier dans le Jura, d'épaisses couches calcaires.

JURÉ, E adj. et n. m. → JURER 1 et JURY.

1. JURER [ʒyre] v. t. (lat. *jurare*). **1.** *Jurer qqch., jurer de* (et l'infin.), *jurer que* (et l'indic.), s'engager à faire quelque chose, promettre une chose solennellement ou par serment : *Jurer de garder un secret. Ils ont juré ma perte* (syn. ↓DÉCIDER). — **2.** Affirmer fortement, comme avec serment : *On jurerait son portrait.* — **3.** (sans compl.) Prêter serment : *Le témoin jura sur la Bible.* — **4.** *On ne jure plus que par lui*, on le croit aveuglément, à cause de l'admiration qu'on lui porte. ‖ *Il ne faut jurer de rien.* on ne doit jamais répondre de l'avenir. ◆ **se jurer** v. pr. **1.** Se promettre intérieurement à soi-même : *Il se jura bien qu'on ne l'y reprendrait plus.* — **2.** Se promettre réciproquement : *Ils se sont juré un amour éternel.* ◆ **juré, e** adj. *Ennemi juré*, adversaire implacable avec lequel on ne peut se réconcilier.

2. JURER [ʒyre] v. i. (même étym.). **1.** Prononcer des blasphèmes, des paroles offensantes à l'égard de tout ce qui est saint ou sacré. — **2.** (sujet nom de chose) *Jurer avec, entre*, être mal assorti avec une autre chose : *Ces deux couleurs jurent entre elles* (syn. DÉTONNER). ◆ **juron** n. m. Exclamation grossière ou blasphématoire marquant le dépit, la colère.

JURIDICTION [ʒyridiksjɔ̃] n. f. (lat. *juris dictio*). **1.** Pouvoir, droit de rendre la justice; ressort ou limite du territoire où s'exerce ce pouvoir : *Exercer sa juridiction dans les limites du département.* — **2.** Ensemble des tribunaux appelés à juger des affaires de même nature : *La juridiction de jugement.*

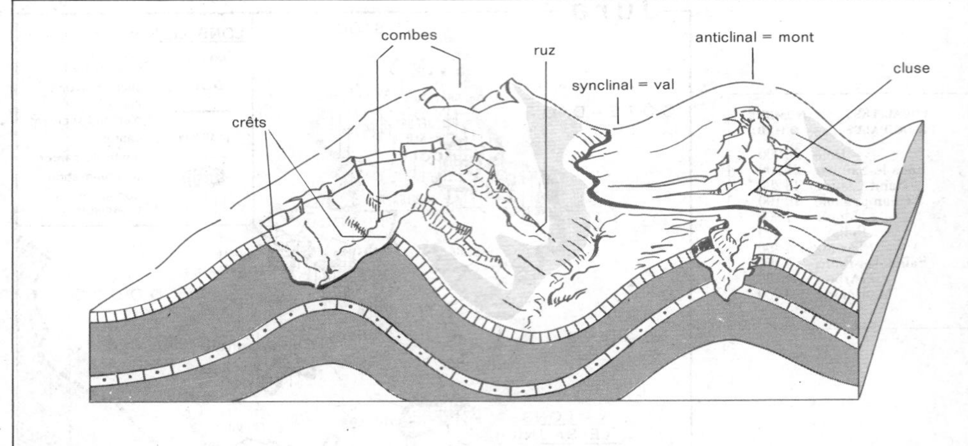

JURIDIQUE [ʒyridik] adj. (du lat. *jus*, droit). Qui a rapport aux formes judiciaires, à la justice, aux règles et aux lois qui fixent les rapports des citoyens entre eux : *Le vocabulaire juridique* (= du droit). *Avoir une formation juridique* (= de juriste). ◆ **juridiquement** adv. ◆ **jurisprudence** n. f. Ensemble des décisions prises par les tribunaux sur une question de droit : *Cet arrêt fait jurisprudence* (= fait autorité). ◆ **juriste** n. Personne qui pratique le droit.

JURON n. m. ⟶ JURER 2.

JURY [ʒyri] n. m. (mot angl.). **1.** Commission de simples citoyens qui remplissent occasionnellement une fonction judiciaire : *Le jury de la cour d'assises se prononce sur la culpabilité du prévenu.* — **2.** Commission de professeurs, d'examinateurs, d'experts, etc., chargée de procéder à l'examen des candidats à un examen ou à un concours : *Les jurys du baccalauréat.* ◆ **juré** n. m. Citoyen faisant partie du jury d'une cour d'assises.

JUS [ʒy] n. m. (lat. *jus*). **1.** Suc tiré d'une substance par pression, cuisson, macération, etc. : *Jus de viande. Boire un jus de raisin.* — **2.** *Pop.* Café noir. — **3.** *Fam.* Courant électrique : *Un court-jus* (= un court-circuit). ◆ **juter** v. i. *Fam.* Répandre, rendre du jus. ◆ **juteux, euse** adj. Qui a beaucoup de jus : *Une poire juteuse* (syn. FONDANT).

JUSANT [ʒyzɑ̃] n. m. (de l'anc. fr. *jus*, en bas). Marée descendante.

JUSQU'AU-BOUTISME n. m., **JUSQU'AU-BOUTISTE** n. ⟶ BOUT.

JUSQUE [ʒysk] (lat. *de usque*). — LOC. PRÉP. *Jusqu'à (au, aux)*, indique le terme final dans l'espace ou dans le temps, la limite que l'on ne dépasse pas : *Aller jusqu'au bout du jardin. Du matin jusqu'au soir. Jusqu'à concurrence de mille francs;* suivi d'un infin. : *J'irai jusqu'à te prêter de l'argent;* indique l'inclusion dans un tout : *Tout a brûlé, jusqu'aux écuries.* ‖ *Jusqu'en, jusque vers, jusque dans*, etc. (*jusque* suivi d'une autre prép.), indique la limite extrême (avec indication du lieu) : *Je vous accompagne jusque chez vous. Il l'a crié jusque sur les toits.* — LOC. CONJ. *Jusqu'au moment où*, indique la limite temporelle précise : *Il a été malheureux jusqu'au moment où, par hasard, il l'a rencontrée.* ‖ *Jusqu'à ce que* (et le subj.), indique une limite temporelle : *Restez jusqu'à ce que je revienne.* — LOC. ADV. *Jusque et y compris* (inv.), indique la limite extrême : *Vous reverrez les leçons jusque et y compris la page 30.* ‖ Avec un adv. de temps, de lieu (*jusqu'ici, jusque-là*, etc.), indique une limite qu'on ne dépasse pas : *Jusqu'ici je n'ai pas eu de nouvelles. Le sentier va jusque-là.* (*Rem.* L'*e* de *jusque* s'élide devant une voyelle.)

JUSQUIAME [ʒyskjam] n. f. (gr. *huoskuamos*, fève de porc). Plante des décombres, à feuilles visqueuses et à fleurs jaunâtres rayées de pourpre : *Les graines de jusquiame sont vénéneuses et les feuilles sont couramment utilisées en pharmacie.* (Famille des solanacées.)

JUSSIEU (Antoine Laurent DE), naturaliste français (1748-1836). Directeur du Muséum et du Jardin des Plantes, il a complété le système de classification botanique.

JUSTAUCORPS [ʒystokɔr] n. m. (de *juste au corps*). **1.** Sorte de pourpoint serré à la taille, muni de basques et de manches, e[n] usage au XVIIe s. — **2.** Maillot de danseuse.

1. JUSTE [ʒyst] adj. (lat. *justus*). **1.** (avant ou plus souvent aprè[s] le nom) Qui est parfaitement adapté à sa destination, qui convien[t] bien, qui est conforme à la règle : *Avez-vous l'heure juste* (syn. EXACT). *Estimer à sa juste valeur* (syn. CONVENABLE). *Se tenir dan[s] un juste milieu* (= éloigné des extrêmes). — **2.** Se dit de ce qu[i] fonctionne avec précision, de ce qui apprécie exactement : *Il a l[a] voix juste* (= il chante bien). *Avoir une oreille juste.* — **3.** Se dit d[e] quelqu'un (ou de son comportement) qui a le sens de la précisio[n] de la vérité, qui apprécie les choses ou les personnes avec raiso[n] exactitude : *Il a une idée très juste de la situation* (contr. FAUX INEXACT). *Tenir un raisonnement juste* (syn. LOGIQUE; contr. BO[I]TEUX). *Votre remarque est très juste* (syn. JUDICIEUX, PERTINENT — **4.** Avec les adv. *bien, trop, un peu*, se dit d'un vêtement qui es[t] étroit, trop ajusté : *Chaussures trop justes.* — **5.** Qui suffit à peine *Le gigot sera un peu juste pour nous six* (= sera insuffisant). ◆ adv **1.** Avec exactitude, comme il convient : *Chanter juste* (cont[r]. FAUX). *Il a frappé juste* (= visé là où il fallait). — **2.** Exactemen[t] précisément : *Vous trouverez le café juste au coin de la ru[e] Donnez-moi juste ce qu'il me faut.* — **3.** D'une manière insuffisant[e] étroite : *Être chaussé un peu juste* (syn. À L'ÉTROIT). *Je reste just[e] quelques minutes* (syn. À PEINE). — LOC. ADV. *Au juste*, exactement : *Tu ne sais pas au juste ce qu'il faut faire* (syn. PRÉCISÉMENT). ‖ *Au plus juste*, d'une manière très précise. ‖ *Comme d[e] juste*, comme il se doit. ◆ **justement** adv. : *On parlait justemen[t] de vous* (syn. PRÉCISÉMENT). ◆ **justesse** n. f. : *La justesse d'un[e] expression* (syn. EXACTITUDE; contr. FAUSSETÉ). *La justesse de so[n] coup d'œil. Avoir une grande justesse d'esprit* (syn. RECTITUDE — LOC. ADV. *De justesse*, de très peu : *Je l'ai évité de justesse* (= s'en est fallu de peu que je ne le rencontre).

2. JUSTE [ʒyst] adj. (même étym.) [avant ou plus souvent aprè[s] le nom]. **1.** Se dit d'une personne qui agit avec équité, en respe[c]tant les droits, la valeur d'autrui : *Un professeur juste dans se[s] notations* (syn. IMPARTIAL). *Il est juste à l'égard de ses subordonné[s]* (syn. ÉQUITABLE; contr. INJUSTE). — **2.** Se dit de ce qui es[t] conforme au droit, à la justice : *Recevoir une juste indemnité* (sy[n]. CORRECT). *Une juste colère* (syn. FONDÉ, LÉGITIME). — **3.** *Jus[te] Ciel!, Juste Dieu!*, exclamations d'indignation, d'étonnemen[t] ◆ n. m. : *Dormir du sommeil du juste* (= d'un sommeil profond tranquille). ◆ **justement** adv. : *Être justement inquiet des no[u]velles* (syn. LÉGITIMEMENT). *Craindre justement pour sa vie* (= ave[c] raison). *Justement puni* (= avec justice). ◆ **injuste** adj. : *U[n] partage injuste* (syn. INÉQUITABLE). *Châtiment injuste* (sy[n]. ↑INIQUE). *D'injustes soupçons* (syn. INJUSTIFIÉ). ◆ **injustemen[t]** adv. : *Accuser injustement qq'un.* ◆ **justice** n. f. **1.** Caractère de c[e] qui est juste, équitable, conforme au droit : *En bonne justice, e[n] toute justice* (= selon le droit strict). *Il a la justice pour lui* (sy[n]. DROIT). *Il faut lui rendre cette justice qu'il ne nous a jamais men[ti]* (= il faut avouer). — **2.** Vertu morale qui inspire le respect abso[lu] du droit des autres : *Traiter les gens avec justice* (syn. ÉQUITÉ — **3.** Pouvoir ou action de faire droit aux réclamations des autre[s] de faire régner le droit : *Une cour de justice* (= lieu où l'on rend justice). *Demander justice pour le tort causé.* — **4.** Organisation, administration publique chargée de ce pouvoir : *Être déféré, traduit devant la justice* (= devant le tribunal). *Le palais de justice* (= où siègent les tribunaux). *Un repris de justice* (= un individu qui a déjà été condamné). — **5.** *Rendre, faire justice à qq'un*, réparer le tort qui lui a été fait; reconnaître ses mérites. ‖ *Se faire justice*, se venger : *Il décida de se faire lui-même justice et il tua le meurtrier de son fils;* se suicider pour se punir d'un crime : *L'assassin s'est fait justice en se tirant une balle dans la tête.* — **6.** *Basse justice*, sous l'Ancien Régime, celle qui ne s'appliquait qu'à des affaires de peu d'importance. ‖ *Haute justice*, celle qui donnait aux seigneurs le droit de prononcer des peines capitales. ◆ **injustice** n. f. : *Être victime d'une injustice criante* (syn. INIQUITÉ). ◆ **justiciable** adj. Qui relève de certains tribunaux : *Criminel justiciable de la cour d'assises.* ◆ **justicier** n. m. Celui qui agit en redresseur de torts sans en avoir reçu le pouvoir légal : *S'ériger en justicier.*

JUSTEMENT adv. ⟶ JUSTE 1 et 2.

JUSTESSE n. f. ⟶ JUSTE 1.

JUSTICE n. f., **JUSTICIABLE** adj., **JUSTICIER** n. m. ⟶ JUSTE 2.

JUSTIFIABLE adj., **JUSTIFICATIF, IVE** adj. ⟶ JUSTIFIER.

1. JUSTIFICATION n. f. ⟶ JUSTIFIER.

2. JUSTIFICATION [ʒystifikasjɔ̃] n. f. (de *justifier*). En imprimerie, longueur d'une ligne de composition typographique.

JUSTIFIER [ʒystifje] v. t. (lat. *justificare*). **1.** *Justifier qq'un*, le mettre hors de cause, dégager sa responsabilité, le défendre d'une accusation : *Justifier un ami devant des personnes malintentionnées à son égard* (syn. DISCULPER). — **2.** *Justifier une chose*, en prouver le bien-fondé, le caractère légitime, nécessaire, etc. : *Il a justifié les espoirs mis en lui* (syn. CONFIRMER). *Rien ne justifie ses craintes* (syn. MOTIVER). *Une réclamation justifiée* (= légitime). *Il faut justifier que vous avez bien effectué ce paiement* (syn. PROUVER). ◆ v. t. ind. *Justifier de qqch.*, en apporter la preuve concrète : *Justifier de la possession de certains titres universitaires.* ◆ **se justifier** v. pr. **1.** (sujet nom de personne) Dégager sa responsabilité, prouver son innocence : *Se justifier devant ses accusateurs.* — **2.** (sujet nom de chose) Être légitime, être fondé : *De tels propos ne se justifient guère en cette occasion.* ◆ **justifiable** adj. (surtout avec une négation) : *Une telle négligence n'est pas justifiable* (syn. EXCUSABLE). ◆ **injustifiable** adj. : *Une conduite injustifiable* (syn. INDÉFENDABLE). ◆ **justifié, e** adj. Qui repose sur une preuve, sur des raisons solides : *Des craintes justifiées.* ◆ **injustifié, e** adj. : *Des réclamations injustifiées.* ◆ **justificatif, ive** adj. Qui sert à justifier quelqu'un ou quelque chose : *Pièces justificatives.* ◆ **justification** n. f. : *Fournir des justifications* (syn. EXCUSE). *La justification d'un acte* (syn. EXPLICATION).

JUSTINIEN Ier (482-565), empereur d'Orient de 527 à 565, il fut très secondé par sa femme Théodora. Bélisaire et Narsès, ses deux généraux, entreprirent la reconquête de l'Afrique du Nord et de l'Italie.

Le règne de Justinien correspond à une période brillante pour Constantinople qui lui doit notamment la basilique Sainte-Sophie. Il entreprit par ailleurs de grands travaux de codification juridique *(code Justinien).*

JUTE [ʒyt] n. m. (mot angl.; d'une langue de l'Inde *jhuto*). Textile grossier servant à faire de la toile de sac, et tiré des tiges d'une plante de la famille des tiliacées, cultivée dans l'Inde (Bengale-Occidental) et le Bangladesh.

JUTER v. i. ⟶ JUS.

JUTES, peuple germanique qui s'établit en Grande-Bretagne au Ve s.

JUTEUX, EUSE adj. ⟶ JUS.

JUTLAND, nom all. du **Jylland**, péninsule formant la partie continentale du Danemark.

• *31 mai et 1er juin 1916. Grande bataille navale anglo-allemande (la flotte allemande fut contrainte de retourner dans ses ports).*

JUVÉNAL, poète latin (v. 60-v. 140). Il est l'auteur de *Satires*, dans lesquelles il attaque les vices de son époque.

JUVÉNILE [ʒyvenil] adj. (lat. *juvenilis*). Se dit d'un trait physique, d'une qualité morale qui appartient en propre à la jeunesse (syn. JEUNE). ◆ **juvénilité** n. f.

JUVISY-SUR-ORGE, ch.-l. de cant. de l'Essonne, à 13 km au N. de Corbeil-Essonnes; 12 300 hab. Gare de triage.

JUXTAPOSER [ʒykstapoze] v. t. (du lat. *juxta*, près de, et *poser*). *Juxtaposer des choses*, placer une chose à côté d'une autre, à la suite d'une autre (souvent au passif) : *Les phrases juxtaposées ne sont reliées entre elles par aucune conjonction.* ◆ **se juxtaposer** v. pr. Être mis à côté d'une autre chose : *Les phrases se juxtaposent sans lien.* ◆ **juxtaposition** n. f. : *Un mot composé est formé par la juxtaposition de deux termes (ex. : « chou-fleur »).*

JYLLAND, en all. **Jutland**, péninsule du nord de l'Europe, qui forme la partie continentale du Danemark.

K n. m. **1.** Onzième lettre de l'alphabet et la huitième des consonnes. → introduction de l'ouvrage. — **2.** k, symbole de *kilo.* — **3.** K, symbole chimique du *potassium.* — **4.** Symbole du *kelvin**.

K2, DAPSANG ou **GODWIN AUSTEN,** l'un des plus hauts sommets de l'Himalaya, dans le Karakoram; 8611 m.

Ka'ba ou **Kaaba,** édifice cubique, sanctuaire de la principale mosquée de La Mecque. Dans sa paroi est scellée la Pierre noire apportée par Gabriel à Abraham.

KABOUL, capit. de l'Afghānistān, dans le nord-est du pays; 1036000 hab.

KABUKI [kabuki] n. m. (mot jap. signif. *chant, danse, personnage*). Genre théâtral japonais où le dialogue alterne avec des parties psalmodiées ou chantées, et avec des intermèdes de ballet.

KABYLIE, terme qui désigne plusieurs massifs montagneux du Tell algérien, en bordure de la Méditerranée. (On distingue d'O. en E. la *Grande Kabylie*, à l'E. d'Alger, puis la *Petite Kabylie*, la *Kabylie de Collo* et la *Kabylie orientale*. Ces régions ont une population dense par rapport à leurs maigres ressources. Des cultures céréalières et arboricoles [olivier, figuier] apportent des revenus insuffisants, et l'émigration temporaire ou définitive est très forte.) ◆ **kabyle** adj. et n. De Kabylie.

KÁDÁR (János), homme politique hongrois (1912-1989). Demeuré à la tête du parti communiste de 1956 à 1988, il a été chef du gouvernement de 1956 à 1958 et de 1961 à 1965.

KADHAFI (Mu'ammar al-), homme politique libyen, né en 1942. S'étant emparé du pouvoir en 1969, il lance en 1973 la révolution culturelle islamique.

KADIÏEVKA, v. de l'U. R. S. S., en Ukraine, dans le Donbass; 137100 hab. Métallurgie.

KAFKA (Franz), écrivain tchèque de langue allemande (1883-1924). Ses récits *(le Procès, le Château)* et son *Journal intime* expriment le désarroi de l'homme devant une existence sans but et sans espoir.

KAGOSHIMA, port du Japon, dans l'île de Kyū shū; 505000 hab.

KAIROUAN, v. de Tunisie, à l'O. de Sousse; 54500 hab. La Grande Mosquée, chef-d'œuvre de l'architecture musulmane, date du IXe s.

KAISER [kajzœr] n. m. (mot all. signif. *empereur*). Titre donné en France à l'empereur d'Allemagne Guillaume II (1859-1941).

1. KAKI [kaki] n. m. (mot d'une langue de l'Inde, signif. *couleur de poussière*). Fruit du plaqueminier, à pulpe molle et sucrée, ayant l'aspect d'une tomate.

2. KAKI [kaki] adj. et n. m. inv. (de *kaki* 1). D'une couleur jaunâtre tirant sur le brun clair : *Le kaki est la couleur de la tenue de campagne de nombreuses armées.*

KALAHARI *(désert du)*, vaste plaine aride de l'Afrique australe, entre les fleuves Orange et Zambèze.

KALÉIDOSCOPE [kaleidɔskɔp] n. m. (du gr. *kalos*, beau, *eidos*, aspect, et *skopein*, regarder). Appareil formé d'un tube opaque, contenant plusieurs miroirs, disposés de façon que de petits objets colorés placés dans le tube y produisent des dessins constamment changeant lorsque l'on tourne ce dernier.

KALGAN, v. de la Chine du Nord; 750000 hab.

KALIMANTAN, nom indonésien de BORNÉO.

KALININE, auj. **Tver,** v. de l'U. R. S. S., sur la Volga; 401000 hab.

KALININGRAD, anciennn. **Königsberg,** port de l'U. R. S. S., sur la mer Baltique, autref. en Prusse-Orientale; 353000 hab.

KALMAR ou **CALMAR,** port de la Suède méridionale; 52800 hab.
L'Union de Kalmar (1397) réunit sous un même sceptre le Danemark, la Suède et la Norvège. Elle fut rompue en 1521-1523.

KALMOUKS, peuple mongol de l'U. R. S. S., entre le Don et la Volga, et en Sibérie.

KALOUGA, v. de l'U. R. S. S., au S.-O. de Moscou; 211000 hab.

KAMA (la), riv. de l'U. R. S. S., affl. de la Volga (r. g.); 2000 km. Installations hydro-électriques.

KĀMA, dieu de l'Amour dans la mythologie hindoue. — Le *Kāma-sūtra*, traité des règles de l'amour, fut écrit en sanskrit entre le IVe et le VIIe s.

KAMERLINGH ONNES (Heike), physicien hollandais (1853-1926), qui étudia les basses températures et liquéfia l'hélium (1908).

KAMIKAZE [kamikaz] n. m. (mot japon. signif. *tempête providentielle*). Avion chargé d'explosifs, employé par les Japonais à la fin de la Seconde Guerre mondiale et piloté par un volontaire : *Destinés à s'écraser sur le pont des navires à couler, les kamikazes causèrent de très lourdes pertes à la marine américaine.*

KAMPALA, capit. de l'Ouganda; 550000 hab.

KAMTCHATKA (le), péninsule de l'extrémité orientale de l'U. R. S. S., entre les mers de Béring et d'Okhotsk. C'est une terre montagneuse et volcanique, au climat rude. Pêcheries.

KANAK, E adj. et n. → CANAQUE.

KANAZAWA, v. du Japon (Honshū); 361400 hab.

KANCHENJUNGA → KANGCHENJUNGA.

KANDAHAR ou **QANDAHĀR,** anc. capit. de l'Afghānistān; 140000 hab.

KANDAHAR [kɑ̃daar] n. m. (de la v. de *Kandahar*). Épreuve de ski, consistant en un combiné descente-slalom.

KANDINSKY (Vassili), peintre français d'origine russe (1866-1944). Il peignit en 1910 sa première œuvre abstraite, devenant ainsi un des principaux initiateurs de cette esthétique.

KANDY, v. de la république de Sri Lanka (Ceylan); 76000 hab. Centre de pèlerinages bouddhiques.

KANGCHENJUNGA ou **KANCHANJANGĀ,** l'un des plus hauts sommets de l'Himalaya, entre le Sikkim et le Népal; 8585 m. Il a été gravi pour la première fois en 1955.

KANGOUROU [kɑ̃guru] n. m. (angl. *kangaroo*). Mammifère d'Australie, herbivore et sauteur. (Ordre des marsupiaux.)
— ENCYL. Le *kangourou* peut atteindre 1,50 m de longueur, queue non comprise, et peser 100 kg. Il se caractérise par son puissant appareil de saut, formé par la queue et par les pattes postérieures, qui lui permet de bondir jusqu'à 10 m en longueur. Le jeune kangourou est nourri pendant deux mois dans la poche de sa mère.

KANO, v. du Nigeria septentrional; 357100 hab. Arachides.

KĀNPUR ou **CAWNPORE,** v. de l'Inde, sur le Gange; 1481000 hab. Centre industriel et commercial.

KANSAS, État du centre des États-Unis; 213095 km²; 2258000 hab. Capit. *Topeka.*

KANSAS CITY, nom donné à deux villes jumelles des États-Unis (Missouri et Kansas) [respectivement 507100 hab. et 170000 hab.]. Grand marché agricole et centre industriel.

KAN-SOU, province de la Chine du Nord; 19600000 hab. Capit. *Lan-tcheou.*

KANT (Emmanuel), philosophe allemand (1724-1804). Sa vie fut consacrée à l'étude, à l'enseignement (il était professeur), à la méditation. Sa philosophie est une vaste critique de la faculté de connaître, qui s'efforce, par ce moyen, de rendre possible une conduite rationnelle, non contradictoire et morale de l'homme dans ses rapports avec les objets et avec les autres hommes. Elle a exercé une grande influence dans l'histoire de la pensée occidentale (*Critique de la raison pure*, 1781; *Fondements de la métaphysique des mœurs*, 1785).

KAO-HIONG ou **KAOSIUNG,** port de la côte sud-ouest de Formose; 871 800 hab.

KAOLACK, port du Sénégal, sur le Saloum; 69 600 hab.

KAOLIN [kaɔlɛ̃] n. m. (de *Kao-ling*, colline de Chine). Argile blanche provenant de l'altération du feldspath* qui entre dans la composition de la porcelaine : *Les gisements de kaolin des environs de Limoges sont à l'origine de son industrie porcelainière.*

KAOSIUNG → KAO-HIONG.

KAPITSA (Piotr Leonidovitch), physicien soviétique (1894-1984). Il inventa un appareil permettant la liquéfaction de l'hélium et fut le principal créateur de l'explosif thermonucléaire soviétique. (Prix Nobel de physique, 1978.)

KAPLAN (Viktor), ingénieur autrichien (1876-1934). Il s'est consacré au perfectionnement des turbines-hélices, imaginant notamment les hélices à pas variable.

KAPOK [kapɔk] n. m. (mot angl.). Duvet végétal très léger qui entoure les graines de certains arbres des pays chauds (fromager, kapokier), et que l'on utilise pour les ceintures de sauvetage ou pour les coussins. ◆ **kapokier** n. m. Arbre de l'Asie tropicale qui produit le kapok. (Famille des malvacées.)

KARA *(mer de)*, mer de l'océan Arctique, entre la Nouvelle-Zemble et le continent.

KARA-BOGAZ, golfe de la côte est de la mer Caspienne, dans le Turkménistan (U. R. S. S.). Salines.

KARĀCHI, v. du Pākistān, sur la mer d'Oman; 5 103 000 hab. Port créé par les Anglais sur le delta de l'Indus, capit. du Pākistān jusqu'en 1960, Karāchi est le débouché de tout le pays. C'est une grande place commerciale, qui exporte les produits de l'agriculture et importe le matériel nécessaire à l'industrie. Des industries variées (mécaniques, chimiques, alimentaires, textiles et raffineries de pétrole) font de la ville la métropole économique du pays.

KARAGANDA, v. de l'U. R. S. S., dans le Kazakhstan, au cœur du *bassin houiller de Karanganda;* 523 300 hab. Sidérurgie.

KARAGEORGES (Djordje Petrović) [v. 1768-1817], fondateur de la dynastie yougoslave des Karadjordjević. Victorieux des Turcs, il se fit proclamer prince héréditaire des Serbes (1808), mais fut contraint de fuir en Autriche lors de l'invasion des Turcs en 1813. De retour en Serbie il fut assassiné.

KARAKORAM ou **KARAKORUM,** massif du Cachemire, portant des sommets élevés (K2, Hidden Peak) et des glaciers.

KARA-KOUM, région désertique de l'U. R. S. S. (Turkménistan).

KARAKUL [karakyl] n. m. (de *Kara-Koul'*, en Asie centrale). **1.** Race de moutons de l'Asie centrale, à toison longue et ondulée. — **2.** Cette fourrure. (La peau bouclée des agneaux karakuls est utilisée en fourrure sous le nom d'*astrakan*.)

KARATÉ [karate] n. m. (mot japon.). Méthode de combat, d'origine japonaise, basée sur des coups de poing et des coups de pied, ressemblant un peu à la boxe française.

KARIBA, site de la vallée du Zambèze, entre la Zambie et le Zimbabwe. Important barrage.

KĀRIKĀL, port de la côte sud-est de l'Inde, anc. comptoir français; 60 500 hab.

KARITÉ [karite] n. m. (mot soudanais). Arbre du Soudan, dont les graines fournissent une matière grasse comestible, le *beurre de karité*. (Famille des sapotacées.)

KARL-MARX-STADT, auj. **Chemnitz,** v. d'Allemagne (Saxe); 319 000 hab. Textiles et métallurgie.

KARLOVY VARY, en all. **Carlsbad** ou **Karlsbad,** v. de Tchécoslovaquie, en Bohême; 45 100 hab. Eaux thermales.

KARLOWITZ, auj. **Karlovci,** v. de Yougoslavie, en Serbie, sur le Danube; 6 000 hab.

• *1699. Traité entre la Turquie, l'Autriche, la Pologne, la Russie et Venise. La Turquie abandonne une grande partie de ses conquêtes en Europe.*

KARLSRUHE, v. d'Allemagne (Bade-Wurtemberg); 270 000 hab. Anc. capit. du pays de Bade, fondée en 1715, sur un plan inspiré de Versailles.

KARLSTAD, v. de Suède, sur le lac Väner; 72 500 hab.

• *1905. L'indépendance de la Norvège y est reconnue.*

KARNAK ou **CARNAC,** village de la Haute-Égypte, sur la rive est du Nil, près de Louxor, à l'emplacement de Thèbes. Ruines du plus important ensemble d'édifices religieux d'Égypte (XVe s. av. J.-C.-Ier s. apr. J.-C.), dont le temple d'Amon.

KARNĀTAKA → MYSORE.

KARPATES → CARPATES.

KARROO ou **KAROO,** ensemble de plateaux étagés de l'Afrique du Sud.

KARST (le), région du nord de la Yougoslavie, formée de plateaux calcaires, qui a donné son nom au relief karstique.

KARSTIQUE [karstik] adj. (de *Karst*). *Relief karstique*, ou *relief calcaire*, relief particulier aux régions calcaires.

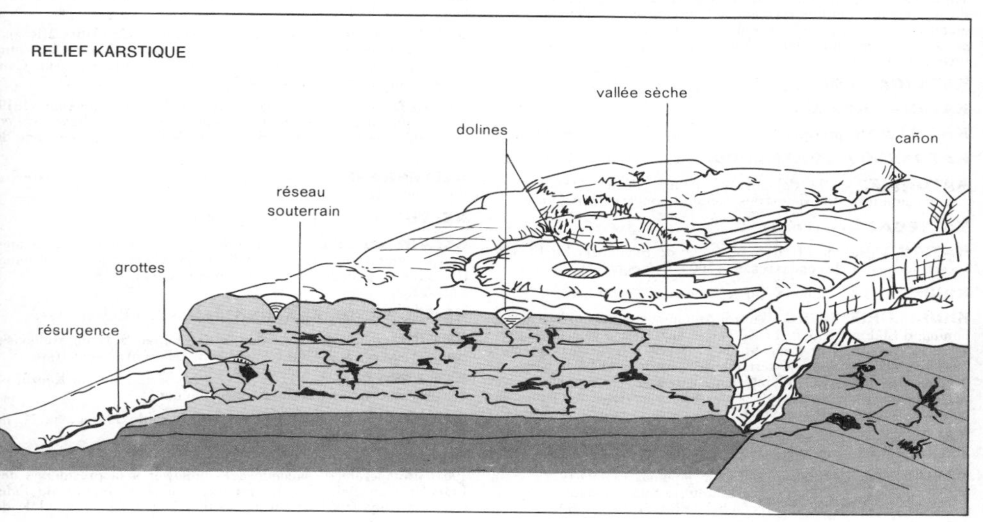

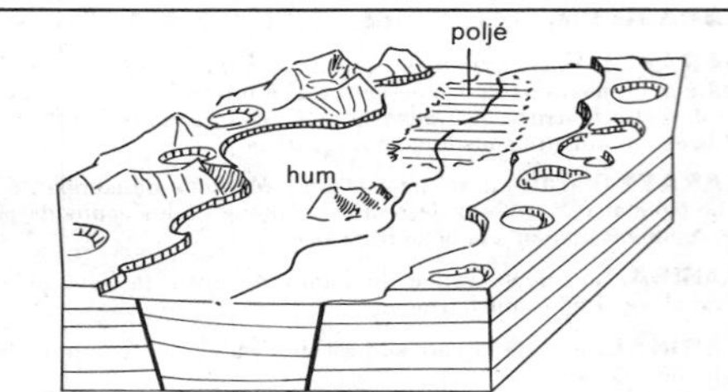

relief karstique. La formation d'un *poljé* est facilitée par l'existence d'un fossé d'effondrement tectonique. Le fond du poljé, tapissé d'argile imperméable, est parfois occupé par un lac. Il est souvent accidenté de buttes résiduelles, les hums.

— ENCYCL. ***relief karstique.*** Le calcaire est une roche perméable, donc l'eau s'y infiltre rapidement. D'autre part il est dissout par l'eau qui agrandit ainsi les fissures et forme des cavités.

L'écoulement des eaux naturelles n'a pas lieu en surface mais en profondeur, sous forme de *rivières souterraines* qui créent des réseaux de grottes. Elles sortent des massifs calcaires sous forme de *résurgences* (la fontaine de Vaucluse). Des effondrements localisés donnent naissance à des *gouffres*, ou *avens* (gouffre de Padirac). En surface, les eaux dissolvent la roche, et provoquent la formation de ciselures *(lapiés)* et de dépressions fermées de petites ou de grandes dimensions *(dolines* ou *poljés)*. Les rivières puissantes, nées hors de ces régions, peuvent traverser les massifs calcaires à l'air libre : elles sont alors encaissées dans des gorges étroites ou *cañons* (*ex. :* le cañon du Tarn, dans les Causses).

Le Karst en Yougoslavie, les Causses en France sont des exemples de relief karstique.

KART [kart] n. m. (mot angl.). Petit véhicule automobile de compétition, à embrayage automatique, sans boîte de vitesses, ni carrosserie, ni suspension. ◆ **karting** [kartiŋ] n. m. Sport pratiqué avec le kart.

KASAÏ (le) ou **KASSAÏ,** riv. de l'Afrique équatoriale, affl. du Zaïre (Congo) [r. g.]; 1 940 km. Né dans l'Angola, il sert de frontière entre l'Angola et la république du Zaïre.

KASSEL, v. d'Allemagne (Hesse), anc. capit. de la Hesse, sur la Fulda; 185 000 hab. Optique.

KASSITES, population de la partie centrale du Zagros (Asie occidentale), dont une portion vint s'installer en Babylonie au IIe millénaire av. J.-C.

KASTLER (Alfred), physicien français (1902-1984). Son invention du « pompage optique », modifiant les niveaux d'énergie des électrons dans les atomes, a trouvé des applications dans les lasers et masers ainsi que dans l'horloge atomique. (Prix Nobel de physique, 1966.)

KATANGA → SHABA.

KAṬAR → QAṬAR (AL-).

KĀTHIĀWĀR, presqu'île de l'Inde (Gujerāt), sur la mer d'Oman.

KATMANDOU ou **KĀTMĀNDU,** capit. du Népal; 333 000 hab.

KATOWICE, v. de Pologne, en haute Silésie; 321 900 hab. Centre administratif. Industries métallurgiques et chimiques.

KATTEGAT → CATTÉGAT.

KATYN', village de l'U. R. S. S., à l'O. de Smolensk. En 1943, y furent découverts les cadavres de 4 500 officiers polonais.

KAUNAS, v. de Lituanie, sur le Niémen; 305 100 hab.

KAUNITZ-RIETBERG (Wenzel Anton, *comte* puis *prince* VON), homme d'État autrichien (1711-1794). Chancelier d'État de Marie-Thérèse, Joseph II et Léopold II (1753-1792), il dirigea pendant quarante ans la politique extérieure de l'Autriche et fut le partisan de l'alliance française. À l'intérieur, il engagea une politique de centralisation administrative et de germanisation, et inspira la politique religieuse de Joseph II.

KAUTSKY (Karl), socialiste allemand (1854-1938), secrétaire d'État aux Affaires étrangères après 1918.

KAWABATA (Yasunari), écrivain japonais (1899-1972). Son œuvre, qui mêle réalisme et fantastique, est une méditation sur la souffrance et sur la mort. (Prix Nobel de littérature, 1968.)

KAWASAKI, v. du Japon (Honshū); 973 500 hab.

KAYAK [kajak] n. m. (mot esquimau). **1.** Canot de pêche en peaux de phoque cousues et tendues sur une carcasse en bois, utilisé par les Esquimaux. — **2.** Canot semblable en toile huilée ou goudronnée, utilisé pour la promenade sportive en rivière ou la compétition. (Le kayak se manœuvre avec une pagaie double.)

KAZAKHSTAN, république fédérée de l'U. R. S. S., la 2e par sa superficie, entre la mer Caspienne et la Chine; 2 717 000 km²; 19 900 000 hab. (7 au km²). Capit. *Alma-Ata.*

Séparant la dépression de Sibérie occidentale de la dépression aralo-caspienne (= région hydrographique de la mer d'Aral et de la mer Caspienne), le Kazakhstan est une région aride aux hivers froids et aux étés brûlants. La steppe, parcourue par des troupeaux nomades (moutons, chameaux), couvre une grande partie de l'État. La population, très peu dense, commence à mettre en valeur le Nord (grande culture de céréales, très mécanisée) et le Sud (production de fruits et de coton grâce à l'irrigation). Mais ce sont surtout les ressources du sous-sol qui font la richesse de l'État : cuivre, pétrole, plomb, zinc et surtout houille du bassin de Karaganda. Elles ont permis la création de grands centres industriels (Karaganda) spécialisés dans la sidérurgie et la métallurgie des métaux non ferreux.

KAZAN', v. de l'U. R. S. S., capit. de la république autonome des Tatars, sur la Volga; 868 500 hab. Forteresse du XVIe s.

KAZAN (Elia KAZANJOGLOUS, dit **Elia**), metteur en scène de cinéma et de théâtre américain, né en 1909. Parmi ses principaux films, on peut citer : *Sur les quais,* 1954; *À l'est d'Éden,* 1955; *America America,* 1963; *l'Arrangement,* 1969; *les Visiteurs,* 1971.

KAZANTZÁKIS (Níkos), écrivain grec (1883-1957), auteur de poèmes, de drames et de romans (*Alexis Zorba,* 1946; *le Christ recrucifié,* 1954) dans lesquels, à travers les thèmes antiques et populaires, il tente de trouver un sens à la vie de l'homme moderne.

KAZVIN → QAZVĪN.

KEATON (Joseph Francis KEATON, dit **Buster**), acteur de cinéma américain (1896-1966). À l'époque du cinéma muet, il créa le type du comique au visage impassible, réalisa et interpréta des films remarquables par leur poésie et leur sens du gag : *la Croisière du « Navigator »* (1924), *le Mécano de la Generale* (1926), *le Cameraman* (1928).

KEATS (John), poète anglais (1795-1821). Fils d'un palefrenier londonien, il abandonne ses études pour se consacrer à la poésie. Son œuvre retient les thèmes traditionnels du romantisme : sentiment de la nature, goût de l'étrange et des légendes médiévales, mysticisme *(Ode à un rossignol).*

KÉGRESSE (Adolphe), ingénieur français (1879-1943). Technicien de l'automobile, il inventa la propulsion par chenilles (1910), employée par l'armée russe en 1914, et dont A. Citroën adopta le procédé.

KEHL, v. d'Allemagne (Bade-Wurtemberg), en face de Strasbourg; 30 000 hab.

KEITEL (Wilhelm), maréchal allemand (1882-1946). Mis par Hitler, en 1938, à la tête du commandement suprême de la Wehrmacht, il signa la capitulation du Reich à Berlin en 1945. Condamné à mort par le tribunal de Nuremberg, il fut exécuté.

KELLER (Gottfried), écrivain suisse de langue allemande (1819-1890). Son roman — en partie autobiographique — *Henri le Vert* (1854-1855) est un des chefs-d'œuvre de la littérature allemande du XIXe s.

KELLERMANN (François Christophe), duc DE VALMY, maréchal de France (1735-1820). Il fut vainqueur à Valmy (1792).

KELVIN *(lord)* → THOMSON (*sir* William).

KELVIN [kɛlvin] n. m. (de lord *Kelvin*). Unité de base de température (symb. : K), dans l'échelle thermodynamique ou absolue. (Dans cette échelle, 0 °C correspond à 273,15 K et 100 °C à 373,15 K.)

KEMAL PACHA ATATÜRK → MUSTAFA KEMAL PAŞA.

KEMBS, comm. du Haut-Rhin, à 15,5 km au S.-E. de Mulhouse, sur le grand canal d'Alsace; 2 600 hab. Usine hydro-électrique.

KEMEROVO, v. de l'U. R. S. S., en Sibérie, dans le Kouzbass; 385 000 hab. Aciéries et industries chimiques.

KENITRA, ancienn. **Port-Lyautey,** port du Maroc, au N. de Rabat; 139 200 hab.

KENNEDY (John Fitzgerald), homme politique américain (1917-1963). Démocrate, il succède à Eisenhower à la présidence des États-Unis en 1961. Son intervention contre le régime de Fidel Castro à Cuba (1961) et son opposition à la présence sur l'île de missiles soviétiques à tête nucléaire provoquent une période de tension internationale. Une détente intervient avec la signature du traité de Moscou (1963) qui met fin à une partie des essais nucléaires. Il est assassiné au cours d'un voyage officiel au Texas.

KENNEDY (centre spatial J.-F.), base américaine de lancement de missiles et d'engins spatiaux, située au cap Canaveral (Floride).

KENT, comté de Grande-Bretagne, à l'extrémité sud-est du pays; 1 435 000 hab. Ch.-l. *Maidstone.*

KENTUCKY, État du centre des États-Unis, entre les Appalaches à l'E. et la vallée de l'Ohio à l'O.; 104 600 km^2; 3 299 000 hab. Capit. *Frankfort.* Production de tabac.

KENYA, république de l'Afrique orientale, sur l'océan Indien.
→ cartes en couleurs AFRIQUE pp. 48-49.

SUPERFICIE 583 000 km^2 (France : 550 000 km^2).
POPULATION 24 100 000 hab.; 41 hab. au km^2 (France : 103); accroissement annuel de population, 3,6 p. 100.
CAPITALE Nairobi (1 104 000 hab.).
VILLE PRINCIPALE Mombasa (247 100 hab.).
LANGUES OFFICIELLES swahili, anglais.
ÉCONOMIE consommation d'énergie par hab., 130 kg d'équivalent charbon; 1 automobile pour 82 hab.

GÉOGRAPHIE

Le sud-ouest du pays, hauts plateaux surmontés de cônes volcaniques et tranchés par un grand fossé d'effondrement, s'oppose au nord-est, formé de plaines et de bas plateaux. Le climat, relativement humide sur les hauts plateaux, devient aride vers le N.-E., expliquant le passage de la savane à la steppe.

	TEMPÉRATURES MOYENNES janv.	juil.	PLUIES
Nairobi (1 820 m)	19,5 °C	15,5 °C	932 mm

Sur les sols riches des hauts plateaux ont été créées des plantations de café, thé, coton, arachide, qui constituent les principaux produits d'exportation avec la canne à sucre et le sisal cultivés sur la côte. Au N.-E. est pratiquée une agriculture vivrière à faibles rendements (maïs, blé, sorgho), associée à l'élevage.

café	100 000 t	maïs	1 300 000 t
thé	100 000 t	bovins	12 millions de têtes
sucre	114 000 t	ovins	5 500 000 têtes

Quelques industries se sont développées à Nairobi et Mombasa, principal port du pays, mais elles restent peu importantes (industries alimentaires, cimenteries, raffineries de pétrole).

Les réserves d'animaux, les parcs nationaux et les sites préhistoriques attirent des touristes de plus en plus nombreux.

HISTOIRE

Occupée depuis le VIIe s. par les Arabes, la côte du Kenya fut contrôlée par les Portugais à partir du XVIe s.

Les Anglais obtiennent d'importantes concessions dans le pays, à la fin du XIXe s. Le Kenya devient un protectorat (1895), puis une colonie britannique (1920).

- *1952-1956. Révolte nationaliste des Mau-Mau.*
- *1963. Le Kenya devient un État indépendant, membre du Commonwealth.*
- *1964. Le pays devient une république, présidée par Jomo Kenyatta.*
- *1978. Daniel Arap Moi succède à Kenyatta, décédé.*

KENYATTA (Kamau JOHNSTONE, dit **Jomo**), homme politique du Kenya (v. 1893-1978), président de la République de 1964 à 1978.

KÉPI [kepi] n. m. (de l'all. *Kappe,* bonnet). Coiffure rigide et légère, munie d'une visière, portée par les militaires et par certains fonctionnaires (pompiers, douaniers, etc.).

KEPLER (Johannes), astronome allemand (1571-1630). Il doit être considéré comme l'un des créateurs de l'astronomie moderne. Ses recherches l'amenèrent à énoncer les lois qui ont immortalisé son nom et d'où Newton sut dégager le principe de l'attraction universelle.

KERALA, État de l'Inde méridionale, sur la mer d'Oman; 25 280 400 hab. Capit. *Trivandrum.*

KÉRATINE [keratin] n. f. (du gr. *keras, keratos,* corne). Substance organique imperméable à l'eau, riche en soufre, qui est un constituant fondamental des poils, des ongles, des sabots, des cornes, des plumes.

KÉRATITE [keratit] n. f. (du gr. *keras, keratos,* corne). *Méd.* Inflammation de la cornée.

KÉRATOSE [keratoz] n. f. (du gr. *keras, keratos,* corne). *Méd.* Affection de la peau, caractérisée par un épaississement de la couche cornée.

KERENSKI (Aleksandr Feodorovitch), homme politique russe (1881-1970). Ministre de la Guerre, puis chef du gouvernement provisoire (juillet 1917), il s'appuya d'abord sur les contre-révolutionnaires contre les bolcheviks, puis se rapprocha de ces derniers, par qui il fut vite débordé. Il se réfugia aux États-Unis.

KERGUELEN *(îles),* ancienn. **îles de la Désolation,** archipel français du sud de l'océan Indien; 7 000 km^2 env.

L'archipel est constitué par plus de 300 îlots et une île principale aux côtes découpées et au relief montagneux. Le climat, froid en raison de la latitude, est caractérisé par la permanence des vents d'ouest. Un glacier occupe la partie occidentale de l'île principale, le reste étant couvert d'herbes et de lichens. Les manchots, les oiseaux de mer et les phoques abondent; l'île principale abrite une base de recherche scientifique.

KERGUELEN DE TRÉMAREC (Yves Joseph DE), navigateur français (1734-1797). Il découvrit en 1772 les îles *Kerguelen.*

KERMĀNCHĀH ou **KIRMĀNCHĀH,** auj. **Bākhtarān,** v. de l'Iran, dans le Kurdistān; 291 000 hab.

KERMÈS [kɛrmɛs] n. m. (ar. *al-kirmiz*). **1.** Autre nom de la COCHENILLE. — **2.** Espèce de chêne méditerranéen à feuilles épineuses persistantes.

KERMESSE [kɛrmɛs] n. f. (flam. *kerkmisse,* messe d'église). **1.** Fête populaire, en particulier dans le nord de la France, en Belgique et aux Pays-Bas (syn. FOIRE). — **2.** Fête de charité, qui a lieu souvent en plein air.

KÉROSÈNE [kerozɛn] n. m. (du gr. *keros,* cire). Liquide pétrolier obtenu par distillation du pétrole brut, intermédiaire entre l'essence et le gasoil, et qui est utilisé pour les moteurs des avions.

KEROUAC (Jack), écrivain américain (1922-1969). Il est considéré comme le chef de file de l'école littéraire américaine de la *beat generation,* qui proteste contre le confort matériel et moral (*Sur la route,* 1957).

KEROULARIOS (Michel), en fr. **Cérulaire** (v. 1000-1059), patriarche de Constantinople de 1043 à 1059.

- *1054. Excommunié par Léon IX pour n'avoir pas reconnu la suprématie du pape, il réunit un synode qui jette l'anathème contre Rome, rendant ainsi le schisme définitif.*

KERTCH', port de l'U. R. S. S., en Ukraine, sur le *détroit de Kertch';* 127 600 hab.

KESSEL (Joseph), écrivain et journaliste français (1898-1979). Il est l'auteur de reportages et de romans qui célèbrent l'aventure et l'action héroïque (*l'Équipage,* 1923; *le Lion,* 1958; *les Cavaliers,* 1967).

KESSELRING (Albert), maréchal allemand (1885-1960). Chef d'état-major de l'armée de l'air allemande en 1936, il commanda le front italien en 1943-1944, puis le front de l'Ouest en février 1945.

KETCHUP [kɛtʃœp] n. m. (mot angl.). Condiment anglais, à base de tomates.

KEYNES (John Maynard, *lord*), économiste et financier britannique (1883-1946). Selon lui, les gouvernements se doivent d'assurer le plein-emploi de la main-d'œuvre, grâce à une redistribution des revenus telle que le pouvoir d'achat des consommateurs croisse dans la même proportion que les moyens de production.

KHABAROVSK, v. de l'U. R. S. S., dans l'Extrême-Orient, sur le fleuve Amour; 436 000 hab.

KHADĪDJA, première femme de Mahomet (morte en 619 à La Mecque).

KHÂGNE n. f., **KHÂGNEUX, EUSE** n. → CAGNE.

KHĀN [kɑ̃] n. m. (turc *han*). Titre princier turco-mongol. ◆ **khānat** n. m. **1.** Fonction, juridiction d'un khān. — **2.** Pays soumis à cette juridiction.

KHARG *(île),* île iranienne du golfe Persique. Terminal pétrolier, gravement touché depuis 1984 par les bombardements iraqiens.

KHARKOV, v. de l'U. R. S. S., anc. capit. de l'Ukraine, sur un affl. du Donets; 1 405 000 hab. Usines de tracteurs, de locomotives, de machines agricoles et de moteurs. La ville fut l'enjeu de plusieurs grandes batailles de 1941 à 1943.

KHARTOUM, capit. du Soudan, à la confluence du Nil Bleu et du Nil Blanc; 650 000 hab.

KHATCHATOURIAN (Aram), compositeur soviétique (1903-1978). Son œuvre, abondante et variée, est fortement marquée par le folklore de son pays (Géorgie). On lui doit le ballet *Gayané.*

KHAYYĀM ('Umar), poète et mathématicien persan, mort v. 1122.

KHAZARS, peuple d'origine turque, qui, du VIIe au XIe s., domina la basse Volga.

KHÉDIVE [kediv] n. m. (mot turco-persan). Titre porté par le vice-roi d'Égypte de 1867 à 1914.

KHERSON, port de l'U. R. S. S. (Ukraine), sur le Dniepr inférieur; 260 700 hab. Constructions navales.

KHMERS, peuple de la péninsule indochinoise, qui fonda, dans le centre et le sud du Cambodge actuel, un empire dont l'apogée se situe du IXe au Xe s. apr. J.-C. et qui connut une brillante civilisation, artistique en particulier. (→ ANGKOR et CAMBODGE.) ◆ **khmer, khmère** [kmɛr] adj. et n. Relatif aux Khmers.

KHODJENT → LENINABAD.

KHÔL [kol] ou **KOHOL** [kɔɔl] n. m. (ar. *kohl*, collyre d'antimoine). Substance noirâtre et parfumée dont les Orientaux frottent leurs sourcils et leurs paupières.

KHOMEYNI (Ruhollāh), chef religieux iranien (1900-1989). Inspirateur de la résistance au régime du chāh, il présida à l'instauration de la République islamique (1979).

KHOTAN, v. de Chine orientale (Sin-kiang), dans une oasis arrosée par la *rivière Khotan,* tributaire du bassin du Tarim; 134 000 hab. Khotan fut une étape sur la route de la soie.

KHOURIBGA, v. du Maroc, sur les plateaux du Tadla; 73 700 hab. Grands gisements de phosphates.

KHOUZISTAN → KHŪZISTĀN.

KHROUCHTCHEV (Nikita Sergheïevitch), homme politique soviétique (1894-1971). Après la mort de Staline, il fut élu Premier secrétaire du parti communiste en U. R. S. S. (1953); il entreprit alors (XXe Congrès, 1956) une politique de « déstalinisation ». Chef du gouvernement en 1958, il centra sa politique économique sur la croissance du niveau de vie et le progrès de l'agriculture; à l'extérieur, il se heurta à l'hostilité croissante de la Chine et pratiqua avec les États-Unis une politique de coexistence pacifique. Il dut abandonner ses fonctions en 1964.

KHULNA, v. du Bangladesh, au S.-O. de Dacca; 623 200 hab.

KHURĀSĀN ou **KHORASSAN,** région du nord-est de l'Iran.

KHŪZISTĀN ou **KHOUZISTAN,** région d'Iran, sur le golfe Persique. Pétrole.

KIANG-SI, province du sud-est de la Chine, au S. du Yang-tseu-kiang; 33 200 000 hab. Capit. *Nan-tch'ang.*

KIANG-SOU, province de la Chine orientale, sur la mer de Chine; 102 200 km^2; 60 500 000 hab. (592 au km^2). Capit. *Nankin.*

Partie sud de la grande plaine limoneuse, limitée par l'embouchure du Yang-tseu, le Kiang-sou est l'une des plus riches régions agricoles de la Chine. La population, extrêmement dense, fait deux récoltes par an : blé associé à du maïs ou du soja au N., riz au S., coton, thé, mûrier. La grande voie navigable du Yang-tseu et les matières premières fournies par l'agriculture sont à l'origine du développement de l'industrie dans les villes, notamment à Chang-hai, première agglomération chinoise.

KIBBOUTS ou **KIBBOUTZ** [kibuts] n. m. (mot hébr. signif. *réunion, collectivité*). Exploitation agricole coopérative dans l'État d'Israël. (Le kibbouts groupe des familles en une communauté où n'existe aucune propriété individuelle, et où le travail est organisé et réparti par un comité élu.) ‖ Pl. des *kibboutsim* ou *kibboutzim.*

KICHINEV, auj. **Chişinău,** v. de l'U. R. S. S., capit. de la Moldavie; 357 000 hab.

KICK-STARTER [kikstartər] n. m. (de l'angl. *to kick*, donner des coups de pied, et *starter*, démarreur). Dispositif de mise en marche d'un moteur de motocyclette. (On dit couramment KICK.) ‖ Pl. des *kick-starters.*

KIDNAPPER [kidnape] v. t. (de l'amér. *to kidnap*). *Kidnapper une personne* (surtout un enfant), l'enlever afin d'obtenir une rançon, ou pour tout autre motif. ◆ **kidnapping** [kidnapiŋ] n. m. Enlèvement d'enfant. ◆ **kidnappeur** n. m.

KIEL, port d'Allemagne, capit. du Schleswig-Holstein, sur la Baltique; 246 000 hab. — Le *canal de Kiel,* de Kiel à l'embouchure de l'Elbe, unit la Baltique et la mer du Nord.

KIERKEGAARD (Sören Aabye), philosophe et théologien danois (1813-1855). C'est de son existence même (rapports anxieux avec son père, fiançailles rompues) qu'il a tiré sa réflexion sur les problèmes de l'homme : confrontation angoissée entre ce que l'individu est réellement et ce qu'il devrait être selon la foi chrétienne. Parce qu'il a affirmé la primauté du vécu, de l'existence concrète sur la réflexion abstraite, on considère Kierkegaard comme le premier « existentialiste » (*Ou bien... ou bien,* 1843; *Post-scriptum aux « Miettes philosophiques »*, 1846).

KIEV, v. de l'U. R. S. S., capit. de l'Ukraine, dans le nord de l'Ukraine, sur le Dniepr; 2 079 000 hab. Centre intellectuel (université) et industriel (constructions mécaniques). Cathédrale Sainte-Sophie (1017-1037), de style byzantin.

KIF [kif] n. m. (mot ar.). Chanvre indien, mélangé au tabac.

KIGALI, capit. du Ruanda; 160 000 hab.

KILIMANDJARO ou **KILIMANJARO,** auj. pic **Uhuru,** le plus haut sommet d'Afrique, dans le nord de la Tanzanie, constitué par un volcan éteint; 5 895 m.

KI-LIN ou **KI-RIN,** province de la Chine du Nord-Est; 22 600 000 hab. Capit. *Tch'ang-tch'ouen.*

KILLY (Jean-Claude), skieur français, né en 1943. Il a été triple champion olympique en 1968.

---

1. KILO- [kilo] (du gr. *khilioi*, mille), préf. (symb. : k) qui, placé devant une unité de mesure, la multiplie par mille.

---

2. KILO [kilo] n. m. Abrév. de *kilogramme.*

KILOGRAMME [kilogram] ou **KILO** n. m. (*kilo-*, et *gramme*). Unité de masse (symb. : kg) dans le système international d'unité SI, équivalant à la masse du prototype en platine iridié, déposé au pavillon de Breteuil, à Sèvres. (→ MESURE, *unités de mesure.*) ◆ **kilogramme-force** ou **kilogramme-poids** n. m. Anc. unité de force (symb. : kgf ou kgp), équivalant à la force avec laquelle une masse de 1 kg est attirée par la Terre (1 kgf vaut 9,81 N). ◆ **kilogrammètre** n. m. Anc. unité de travail (symb. : kgm), équivalant au travail d'une force de 1 kgf se déplaçant dans sa direction de 1 m (1 kgm vaut 9,81 J).

KILOMÈTRE [kilomɛtr] n. m. (*kilo-*, et *mètre*). Unité pratique de distance qui vaut 1 000 m (symb. : km) : *La vitesse du train a dépassé cent vingt kilomètres à l'heure.* ◆ **kilométrique** adj. : *Les bornes kilométriques marquent chaque kilomètre le long des routes.* ◆ **kilométrage** n. m. Mesure en kilomètres : *Ma voiture a déjà un assez fort kilométrage* (= nombre de kilomètres parcourus).

KILOTONNE [kilotɔn] n. f. (*kilo-*, et *tonne*). **1.** Unité de masse (symb. : kt) valant 1 000 t. — **2.** Unité servant à évaluer la puissance d'une bombe nucléaire, en comparant l'énergie produite par l'explosion de cette bombe à l'énergie produite par l'explosion de 1 000 t de trinitrotoluène (T. N. T.).

KILOWATT [kilowat] n. m. (*kilo-*, et *watt*). Anc. unité de puissance (symb. : kW) égale à 1 000 W. ◆ **kilowatt-heure** n. m. Anc. unité d'énergie ou de travail (symb. : kWh), équivalant au travail exécuté pendant une heure par une machine dont la puissance est de 1 kW (1 kWh vaut 3 600 000 J).

KILT [kilt] n. m. (mot angl.). Jupe courte et plissée, partie du costume traditionnel écossais.

KIMBERLEY, v. de l'Afrique du Sud (province du Cap); 107 100 hab. Un des grands centres mondiaux d'extraction de diamants.

KIM IL-SONG, homme d'État nord-coréen, né en 1912, Premier ministre de la Corée du Nord depuis 1948, chef de l'État depuis 1972.

KIMONO [kimono] n. m. (mot japon.). Tunique japonaise à manches, d'une seule pièce, croisée devant et maintenue par une ceinture : *Les judokas revêtent un kimono.*

KINÉSITHÉRAPIE [kineziterapi] n. f. (du gr. *kinêsis*, mouvement, et *therapeia*, soin). Ensemble des traitements qui utilisent le mouvement pour donner ou rendre au malade ou au blessé le geste et la fonction des différentes parties du corps. ◆ **kinésithérapeute** n. Praticien qui exerce professionnellement le massage thérapeutique et la kinésithérapie.

KING (William Lyon MACKENZIE), homme d'État canadien (1874-1950). Chef du parti libéral, il fut Premier ministre de 1921 à 1930 et de 1935 à 1948.

KING (Martin Luther), pasteur américain de race noire (1929-1968). Il chercha à obtenir par des méthodes de « non-violence » l'intégration des Noirs. Il fut assassiné. (Prix Nobel de la paix, 1964.)

KINGSTON, capit. et port de la Jamaïque, sur la côte sud de l'île; 476 000 hab.

KINGSTON-UPON-HULL, v. de Grande-Bretagne (Yorkshire), sur la rive nord de l'estuaire de la Humber; 285 500 hab. Port de pêche et de commerce. Industries chimiques.

KINSHASA, ancienn. **Léopoldville,** capit. de la république du Zaïre, sur la rive sud du Pool Malebo (lac formé par le fleuve Zaïre), en face de Brazzaville; 3 500 000 hab. Centre administratif, commercial et industriel.

KIOSQUE [kjɔsk] n. m. (turc *kiösk*, pavillon de jardin). **1.** Petit abri établi dans les rues, sur les places publiques, dans les gares, etc., pour la vente de journaux, de revues. — **2.** Abri installé dans un jardin public et destiné en particulier aux concerts en plein air. — **3.** Partie supérieure d'un sous-marin.

KIPLING (Rudyard), écrivain anglais (1865-1936). Il s'inspira de la vie et des paysages de l'Inde (*Livre de la jungle*, 1894), puis célébra l'impérialisme anglo-saxon (*Capitaines courageux*, 1897; *Kim*, 1901).

KIRCHHOFF (Gustav Robert), physicien allemand (1824-1887). Il inventa le spectroscope, à l'aide duquel il créa, avec Bunsen, l'analyse spectrale (*Recherches sur le spectre solaire et sur les spectres des éléments chimiques*, 1861).

KIRCHNER (Ernst Ludwig), peintre allemand (1880-1938), un des représentants les plus typiques de l'expressionnisme.

KIRGHIZ, importante population de l'Asie centrale.

KIRGHIZISTAN ou **KIRGHIZIE,** république fédérée de l'U. R. S. S., en Asie centrale, à la frontière du Sin-Kiang; 198 500 km²; 4 300 000 hab. (22 au km²). Capit. *Bichpek*.
République montagneuse au climat semi-désertique, la Kirghizie n'est mise en valeur que dans les dépressions où l'irrigation est possible. La Fergana (haute vallée du Syr-Daria) et la région de Bichpek produisent des céréales, des fruits, du coton et de la soie. Constructions mécaniques (machines agricoles).

KIRIBATI *(république de)*, ancienn. **îles Gilbert,** État du Pacifique, membre du Commonwealth; 861 km²; 70 000 hab. Capit. *Bairiki* (sur l'atoll de Tarawa). Coprah. Phosphate.

KI-RIN → KI-LIN.

KIRKŪK, v. de l'Iraq, au N. de Bagdad; 176 800 hab. Gisement et raffinage du pétrole.

KIRMĀNCHĀH → KERMĀNCHĀH.

KIROV, auj. **Viatka,** v. de l'U. R. S. S., au N. de Kazan'; 332 500 hab.

KIRSCH [kirʃ] n. m. (all. *Kirsch*, cerise). Eau-de-vie de cerise et de merise : *Le kirsch est surtout produit dans les Vosges et dans la Forêt-Noire.*

KIRUNA, v. de Suède, en Laponie; 31 000 hab. Mines de fer.

KISANGANI, ancienn. **Stanleyville,** v. du Zaïre, sur le Congo; 339 000 hab.

KISLING (Moïse), peintre français d'origine polonaise (1891-1953). Il est l'auteur de paysages, de natures mortes et de portraits caractérisés par un dessin précis et un coloris éclatant *(Jeune Femme au châle polonais).*

KITA KYŪ SHŪ, port du Japon, dans le nord de l'île de Kyūshū; 1 400 000 hab. Kita Kyū shū est une conurbation née de la fusion de plusieurs villes. Grand centre industriel (métallurgie).

KITCHENER (*lord* Herbert), maréchal britannique (1850-1916). Il occupa Fachoda en 1898, commanda les forces anglaises à la fin de la guerre des Boers, puis créa l'armée des volontaires britanniques engagée sur le front français au début de la Première Guerre mondiale.

KITCHENETTE n. f. → CUISINETTE.

KIVI (Aleksis STENVALL, dit **Aleksis**), écrivain finlandais (1834-1872), créateur du théâtre finnois et auteur du roman paysan *les Sept Frères*, le plus grand classique de la littérature finlandaise.

KIVU *(lac)*, lac du Zaïre oriental.

KIWI [kiwi] n. m. (mot angl.). Autre nom de l'APTÉRYX.

KLAGENFURT, v. d'Autriche, capit. de la Carinthie; 74 300 hab.

KLAIPEDA, ancienn. en all. **Memel,** port de Lituanie, sur la Baltique; 140 000 hab.

KLAPROTH (Martin Heinrich), chimiste et minéralogiste allemand (1743-1817). Il découvrit le zirconium, l'uranium, le titane et le cérium.

KLAXON [klaksɔn] n. m. (nom déposé). Nom commercial d'une marque d'avertisseur sonore pour véhicules automobiles. ◆ **klaxonner** v. i. et t. Avertir au moyen d'un Klaxon.

KLÉBER (Jean-Baptiste), général français (1753-1800). Il se distingua en Vendée et à Fleurus et fut mis à la tête de l'armée du Rhin. Il commanda en Égypte, après le départ de Bonaparte. Victorieux à Héliopolis, il fut assassiné.

KLEE (Paul), peintre allemand (1879-1940). Avec une invention formelle constante, il a créé un monde onirique et gracieux, qui participe du surréalisme et de l'abstraction. (→ ABSTRAIRE 1, *encycl.*).

KLEIST (Heinrich VON), écrivain allemand (1777-1811), auteur de tragédies et de drames patriotiques (*le Prince de Hombourg*, 1810).

KLEIST (Paul VON), maréchal allemand (1881-1954), un des créateurs de l'arme blindée allemande.

KLEPTOMANIE [klɛptɔmani] n. f. (du gr. *kleptein*, voler, et *mania*, folie). Impulsion qui pousse certains sujets à voler. ◆ **kleptomane** n. Personne atteinte de kleptomanie.

KLONDIKE, riv. du Canada, affl. du Yukon (r. dr.); 180 km. Elle a donné son nom à une région qui a été le théâtre d'une des grandes ruées vers l'or (1896).

KNICKERS [nikœrs] n. m. pl. (mot angl.). Pantalon de sport qui s'arrête sous le genou.

KNOB LAKE, localité du Canada (Québec), aux confins du Labrador. Grand gisement de minerai de fer.

KNOCK-DOWN [nɔkdawn] n. m. inv. (de l'angl. *knock*, coup, et *down*, par terre). État d'un boxeur envoyé à terre, mais qui n'est pas encore mis hors de combat.

KNOCK-OUT [nɔkaut], abrév. **K.-O.** [kao] n. m. inv. (de l'angl. *knock*, coup, et *out*, dehors). Mise hors de combat d'un boxeur qui, à la suite d'un coup de poing, est resté à terre plus de dix secondes. ◆ adj. inv. Mis hors de combat : *le champion du monde était knock-out.*

KNOKKE-HEIST, comm. de Belgique (Flandre-Occidentale); 28 800 hab. Station balnéaire.

KNOUT [knut] n. m. (mot russe). Supplice du fouet en Russie.

KNOX (John), réformateur écossais (1505 ou v. 1513-1572). Il prêcha la Réforme en Angleterre, puis en Écosse, et fut l'un des fondateurs du presbytérianisme*.

KNUD ou **KNUT,** nom de plusieurs souverains scandinaves (Xᵉ-XIIIᵉ s.), dont KNUD Iᵉʳ *le Grand* (995-1035), roi d'Angleterre (1016-1035), de Danemark (1018-1035) et de Norvège (1028-1035).

KNUTANGE, comm. de la Moselle, à 2 km au N.-O. d'Hayange; 3 600 hab. Métallurgie.

KOALA [kɔala] n. m. (mot angl.). Mammifère grimpeur vivant en Australie, long de 80 cm. (Ordre des marsupiaux.)

KŌBE, v. du Japon, dans l'île de Honshū; 1 320 900 hab. Grand centre sidérurgique; constructions navales.

KOCH (Robert), médecin allemand (1843-1910). Il découvrit le bacille de la tuberculose *(bacille de Koch)* et celui du choléra.

KÖCHEL (Ludwig VON), musicologue autrichien (1800-1877), grand admirateur de Mozart, il établit un catalogue de ses œuvres.

KODÁLY (Zoltán), compositeur hongrois (1882-1967), auteur d'œuvres symphoniques et chorales. Il a étudié scientifiquement le folklore de son pays et en a imprégné ses œuvres.

KODOK → FACHODA.

KŒNIG (Marie Pierre), maréchal de France (1898-1970). Il commande en 1942 les forces françaises engagées en Libye et est vainqueur à Bir Hakeim*. En 1944, il commande les Forces françaises de l'intérieur. Il est fait maréchal à titre posthume en 1984.

KOESTLER (Arthur), écrivain anglais d'origine hongroise (1905-1983). Ses romans peignent l'individu aux prises avec les conceptions politiques du monde moderne (*le Zéro et l'infini*, 1945).

KOHL (Helmut), homme politique allemand, né en 1930. Il est chancelier de l'Allemagne de l'Ouest à partir de 1982 et de l'Allemagne unifiée depuis 1990.

KOHOL n. m. → KHÔL.

KOKAND, v. de l'U. R. S. S., en Asie centrale (Ouzbékistan); 133 000 hab. Textiles. Constructions mécaniques.

KOKOSCHKA (Oskar), peintre anglais d'origine autrichienne (1886-1980). Il a peint des portraits d'une grande violence et des compositions d'un lyrisme exacerbé. C'est l'un des plus importants représentants de l'école expressionniste allemande.

KOLA n. m., **KOLATIER** n. m. → COLA.

KOLA *(presqu'île de)*, péninsule de l'U. R. S. S., au N. de la Carélie. Fer. Phosphates. Importante base militaire soviétique.

KOLKHOZ [kɔlkoz] ou **KOLKHOZE** n. m. (mot russe). En U. R. S. S., coopérative agricole de production, qui a la jouissance perpétuelle de la terre qu'elle occupe et la propriété collective des moyens de production. ◆ **kolkhozien, enne** n. et adj. Habitant d'un kolkhoz.

KOLTCHAK (Aleksandr Vassilievitch), amiral russe (1874-1920). Il s'opposa à la révolution en 1917 et fut l'un des chefs des armées blanches en Sibérie, où il fut fusillé par les bolcheviks.

KOMINTERN (abréviation de KOM*mounististcheski* INTERN*acional*, Internationale communiste), nom russe de la IIIe Internationale créée en 1919 et dissoute en 1943.

KOMSOMOLSK-SUR-L'AMOUR, v. de l'U. R. S. S., en Extrême-Orient, sur l'*Amour;* 218 000 hab.

KONIEV (Ivan), maréchal soviétique (1897-1973). Il se distingua en 1941 devant Moscou, à Kharkov en 1943, conquit la Silésie et libéra Prague (1945). Il a commandé les forces du pacte de Varsovie (1956-1960).

KONYA, v. de Turquie orientale, au N. du Taurus; 329 000 hab. C'est l'antique *Ikonion.*

KONZERN [kɔntsɛrn] n. m. (mot all.). Entente formée par plusieurs entreprises économiques, plus étroite que le cartel, mais sans constituer une fusion complète.

KOPA (Raymond), footballeur français, né en 1931. Au poste d'avant-centre en retrait, il a été un des meilleurs joueurs français après 1945.

KOPECK [kɔpɛk] n. m. (russe *kopeïka*). Unité monétaire divisionnaire de l'U. R. S. S., valant 1/100 de rouble.

KORRIGAN, E [kɔrigɑ̃, -an] n. (mot breton). En Bretagne, esprit malfaisant, nain ou fée.

KOŚCIUSZKO (Tadeusz), patriote polonais (1746-1817), chef de la résistance contre la Russie. Il fut battu par les forces russo-prussiennes à Maciejowice (10 octobre 1794).

KOŠICE, v. de Tchécoslovaquie, en Slovaquie orientale; 163 600 hab. Sidérurgie.

KOSOVO, dépendance de la Serbie (Yougoslavie); 1 585 000 hab.

KOSSUTH (Lajos), homme politique hongrois (1802-1894). Il fut l'un des chefs du mouvement nationaliste magyar qui voulait l'indépendance à l'égard de l'Autriche, et joua un rôle prépondérant lors de la révolution de 1848. Il fit voter la déchéance des Habsbourg et l'indépendance (1849). L'intervention russe et la capitulation hongroise à Világos l'obligèrent à fuir en Turquie.

KOSSYGUINE (Aleksis), homme politique soviétique (1904-1980), président du Conseil des ministres de 1964 à 1980.

KOTA KINABALU → JESSELTON.

KOUANG-SI, région autonome de la Chine méridionale; 36 420 000 hab. Capit. *Nan-ning.*

KOUANG-TONG, province de la Chine méridionale; 56 900 000 hab. Capit. *Canton.*

KOUBAN' (le), fl. de l'U. R. S. S., tributaire de la mer d'Azov; 900 km. C'est l'*Hypanis* des Anciens.

KOUBILAÏ → KŪBĪLĀY.

KOUEI-TCHEOU, province de la Chine méridionale; 28 550 000 hab. Capit. *Kouei-yang.*

KOUEN-LOUEN, chaîne de montagnes de Chine, séparant le plateau tibétain du Sin-kiang.

KOUEN-MING ou **KUNMING,** ancienn. **Yun-nan-fou,** v. de Chine méridionale, capit. du Yun-nan; 1 430 000 hab.

KOUFRA, oasis de Libye, dans le sud de la Cyrénaïque, conquises en mars 1941 par des « Français libres » de Leclerc.

KOUGLOF [kuglɔf] n. m. (mot alsacien; de l'all. *Kugel,* boule). Gâteau alsacien fait d'une pâte levée, en forme de couronne.

KOUÏBYCHEV, auj. **Samara,** v. de l'U. R. S. S., sur la Volga; 1 204 000 hab. Située à proximité des gisements d'hydrocarbures du Second-Bakou, c'est un centre industriel (raffineries de pétrole, industries chimiques, constructions mécaniques) et un port fluvial. Une grande centrale est implantée sur la Volga.

KOUKOU-NOR ou **TS'ING-HAI,** lac de Chine, au N.-E. du Tibet, à 3 070 m d'alt.

KOULAK [kulak] n. m. (mot russe). En U. R. S. S., avant la collectivisation des terres, paysan riche.

KOUMASSI ou **KUMASI,** v. du Ghana, anc. capit. des Achantis; 343 000 hab.

Kouo-min-tang *(Parti national du peuple),* parti chinois fondé par Sun* Yat-sen en 1911. À la mort de Sun Yat-sen (1925), l'aile modérée passa sous la direction de Chang Kaï-chek.

KOURILES *(îles),* archipel soviétique d'Asie, composé d'une guirlande d'îles volcaniques, du Kamtchatka à l'île japonaise d'Hokkaidō. Pêcheries et conserveries.

KOURO-SHIVO → KURO-SHIO.

KOUROU (le), fl. de la Guyane française, au N.-O. de Cayenne. Près de son embouchure, base de lancement de satellites artificiels et de missiles.

KOURSK, v. de l'U. R. S. S., au N. de Kharkov; 284 200 hab. Important gisement de fer.

KOUTOUZOV ou **KOUTOUSOV** (Mikhaïl Illarianovitch), feld-maréchal russe (1745-1813). Il fut vaincu à Austerlitz.

KOUZBASS, ancienn. **Kouznetsk,** grand bassin houiller de l'U. R. S. S., au pied de l'Altaï, en Sibérie occidentale. La production de charbon a permis le développement d'industries lourdes (sidérurgie, carbochimie, constructions mécaniques).

KOWEÏT ou **KUWAIT,** État d'Arabie, sur la côte nord-ouest du golfe Persique; 17 800 km^2; 2 100 000 hab. (118 au km^2). Capit. *Koweït* (295 000 hab.).

Ce petit État désertique doit sa richesse à ses énormes ressources en pétrole. Il est le neuvième producteur du monde et le troisième du Proche-Orient.

pétrole 60 millions de t.

Les capitaux fournis par l'exportation du pétrole ont permis une rapide amélioration des conditions de vie des habitants. La capitale, Koweït, est un grand centre commercial.

Sous protectorat britannique depuis 1914, le Koweït accède à l'indépendance en 1961.

- *1990-91. Le 2 août 1990, l'émirat est envahi par l'Iraq, qui l'annexe peu après. Cette invasion, condamnée par l'O. N. U., provoque une grave crise internationale et l'entrée en guerre (17 janv. 1991) contre l'Iraq d'une coalition multinationale, conduite par les États-Unis, qui libère le Koweït (28 févr.).* [→ GOLFE *(guerre du).*]

KRACH [krak] n. m. (mot all. signif. *craquement*). Effondrement du cours des actions de la Bourse : *Le grand krach de 1929 à New York* (syn. DÉBÂCLE FINANCIÈRE).

KRAFT [kraft] n. m. (mot all.). Papier d'emballage foncé, très résistant.

KRAK [krak] n. m. (ar. *karāk,* château fort). Ensemble fortifié construit par les croisés en Orient.

KRAKATOA ou **KRAKATAU** *(île),* île de l'Indonésie, partiellement détruite en 1883 par l'explosion de son volcan, le *Perbuatan.*

KRAKÓW, nom polonais de CRACOVIE.

KRASNODAR, ancienn. **Iekaterinodar,** v. de l'U. R. S. S., au N. du Causase; 552 000 hab.

KRASNOÏARSK, v. de l'U. R. S. S., en Sibérie, sur l'Ienisseï; 820 000 hab. Grande centrale hydro-électrique.

KREFELD, v. d'Allemagne (Rhénanie-du-Nord-Westphalie), sur le Rhin; 217 000 hab.

Kremlin (le), quartier central et forteresse de Moscou, entouré d'une enceinte de 2,25 km. À l'intérieur se trouvent de nombreux monuments, dont les principaux furent construits sous le règne d'Ivan III (1462-1505). Anc. résidence des tsars, c'est auj. le siège du gouvernement soviétique.

KREMLIN-BICÊTRE (Le), ch.-l. de cant. du Val-de-Marne, dans la banlieue sud de Paris; 17 900 hab. C. H. U.

KRISHNA ou **KRICHNA** *(le Noir),* incarnation du dieu indien Vishnu.

KRIVOÏ-ROG, v. de l'U. R. S. S., en Ukraine; 641 000 hab. Importantes mines de fer. Violents combats entre Allemands et Soviétiques en 1943-1944.

KRONCHTADT, KRONSTADT ou **CRONSTADT,** île de l'U. R. S. S., dans le golfe de Finlande, à l'O. de Saint-Pétersbourg. C'est le plus grand ensemble fortifié de la Baltique. Il a été le siège de soulèvements de soldats et de marins en 1905, 1917 et 1921.

KRONPRINZ [krɔnprints] n. m. (mot all.). Titre que portait, en Allemagne et en Autriche, l'héritier de la couronne.

KROPOTKINE (Piotr Alekseïevitch, *prince*), révolutionnaire russe (1842-1921). Théoricien de l'anarchie (*Paroles d'un révolté,* 1885).

KROUMIRIE, région montagneuse et boisée de la Tunisie septentrionale et de l'Algérie orientale.

KRUGER (Paul), homme politique sud-africain (1825-1904). Opposé à l'annexion du Transvaal par la Grande-Bretagne, il prit la tête d'un parti qui organisa l'insurrection des Boers (1880) et obtint la création de la république du Transvaal (1881), qu'il présida à diverses reprises.

KRUPP, famille d'industriels allemands. ALFRED (1812-1887) fut le premier, après avoir mis au point un nouveau type d'acier fondu, à couler en une seule pièce un tube de canon lourd (1847).

KRUŠNÉ HORY, nom tchèque de l'ERZGEBIRGE* ou MONTS MÉTALLIFÈRES*.

KRYPTON [kriptɔ̃] n. m. (du gr. *kruptos*, caché). L'un des gaz rares (symb. : Kr) de l'atmosphère. Il est employé dans certaines lampes électriques à incandescence.

KSAR [kzar] n. m. (ar. *qṣar*). Village fortifié des oasis sahariennes. ‖ Pl. des *ksour*.

KUALA LUMPUR, capit. de la Malaysia; 938 000 hab. Née du commerce de l'étain, la ville est devenue une grande place commerciale. Diverses industries s'y sont développées (fonderies d'étain, raffinerie de pétrole).

KŪBĪLĀY ou **KOUBILAÏ** (1214-1294), empereur mongol (1260-1294), petit-fils de Gengis khān. Après avoir établi sa capitale à Pékin, il acheva la conquête de la Chine. Il se montra tolérant à l'égard du bouddhisme et du christianisme.

Ku Klux Klan, société secrète américaine, qui se constitua après la guerre de Sécession en 1865 pour empêcher les Noirs de faire usage de leurs droits politiques, en utilisant l'intimidation et la violence.

Kulturkampf *(lutte pour la civilisation)*, lutte menée par Bismarck de 1871 à 1878 contre les catholiques allemands et le parti du centre qui les représentait. Bismarck les accusait de favoriser le particularisme des États, celui de la Bavière notamment, et de s'opposer ainsi à la consolidation de l'unité allemande. Cette politique souleva une telle hostilité qu'elle dut être abandonnée.

KUMAÏRI → LENINAKAN.

KUMASI → KOUMASSI.

KUMMEL [kymɛl] n. m. (all. *Kümmel*, cumin). Liqueur alcoolique aromatisée avec du cumin et fabriquée surtout en Allemagne et en Russie.

KUN (Béla), révolutionnaire hongrois (1886-1938). Fondateur du parti communiste hongrois, il détint le pouvoir pendant cent trente-trois jours en 1919, mais fut battu par les Romains.

KUNMING → KOUEN-MING.

KURDE [kyrd] n. m. Langue turque parlée par les Kurdes.

KURDES, peuple de langue iranienne, musulman (sunnite) et habitant principalement la Turquie, l'Iran, l'Iraq et la Syrie. Les Kurdes furent privés en 1923 de l'État souverain que leur avait promis le traité de Sèvres (1920). Au nombre de 20 millions, ils s'efforcent d'obtenir des États dont ils dépendent, par la négociation ou la rébellion, une autonomie effective. Ils ont beaucoup souffert des conflits de la région (guerre Iran-Iraq; guerre du Golfe).

KURE, port du Japon (Honshū); 235 200 hab.

KUROSAWA (Akira), cinéaste japonais, né en 1910, auteur de *Rashomon* (1950), *les Sept Samouraïs* (1954), *Dodes 'ka-den* (1970), *Dersou Ouzala* (1975), *Kagemusha* (1980), *Ran* (1985), *Rêves* (1990).

KURO-SHIO ou **KOURO-SHIVO,** courant chaud de l'océan Pacifique, qui baigne la côte orientale du Japon.

KUTCHUK-KAÏNARDJI, auj. **Kainarža,** village de Bulgarie (Dobroudja).

- *1774. Traité russo-turc donnant à la Russie de grands avantages en mer Noire.*

KUWAIT → KOWEÏT.

KYŌTO, v. du Japon, dans le sud de l'île de Honshu; 1 429 700 hab. Anc. capit. impériale, foyer artistique et culturel.

KYRIE ou **KYRIE ELEISON** [kirjeeleisɔn] n. m. (du gr. *Kurie*, seigneur, *eleêson*, aie pitié). Invocation que fait l'officiant au commencement de la messe, après l'introït.

KYRIELLE [kirjɛl] n. f. (de *kyrie eleison*). *Une kyrielle de* (suivi d'un nom plur.), une suite ininterrompue de : *Elle a une kyrielle d'amis* (syn. FOULE, QUANTITÉ).

KYSTE [kist] n. m. (gr. *kustis*, vessie). *Méd.* Tumeur bénigne, dont le contenu est liquide ou semi-liquide. ◆ **enkyster (s')** v. pr. *Tumeur, écharde, etc., qui s'enkyste*, qui s'enveloppe d'un kyste. ◆ **enkysté, e** adj. Se dit d'un corps étranger ou d'une lésion qui reste dans l'organisme sans inflammation aiguë. ◆ **enkystement** n. m. Formation de tissu conjonctif autour d'un corps étranger.

KYŪ SHŪ ou **KYŪSHŪ,** la plus méridionale des grandes îles du Japon; 42 000 km^2; 12 937 000 hab. (307 au km^2).
Île montagneuse au climat tropical, Kyū shū est en grande partie couverte par la forêt. Les cultures couvrent les plaines et les basses pentes : riz, canne à sucre, sériculture (= élevage des vers à soie). La pêche apporte un complément de ressources à la population, très dense. Mais l'île possède aussi le 1er bassin houiller japonais, qui a permis le développement de l'industrie, sur les côtes nord et est. Kita Kyū shū, Fukuoka et Nagasaki sont de grands centres métallurgiques.

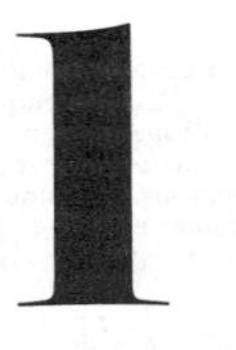

L n. m. **1.** Douzième lettre de l'alphabet, et la neuvième des consonnes. —→ introduction de l'ouvrage. — **2.** L, chiffre romain, vaut *cinquante*. — **3.** l, symbole du *litre*.

1. LA [la] n. m. inv. (première syllabe du mot *labii*, dans l'hymne de saint Jean-Baptiste). **1.** Sixième note de la gamme de *do*. (Le *la* est une note repère donnée par le diapason, et qui permet de régler les voix et les instruments à la même hauteur.) — **2.** *Donner le « la »*, donner le ton.

2. LA pron. pers. —→ IL; art. déf. —→ LE.

LÀ [la], **ICI** [isi], **CI** [si] adv. (lat. *illac;* bas lat. *ecce hic;* lat. *hic*). Employés isolément ou en composition avec un autre mot (relatif, pronom, adverbe), indiquent un lieu éloigné ou proche d'un point considéré. —→ tableau ci-dessous.

LA BARRE (Jean François LEFEBVRE, *chevalier* DE), gentilhomme français (1747-1766). Accusé d'avoir mutilé un crucifix, il fut décapité. Voltaire réclama sa réhabilitation, qui fut décrétée par la Convention.

LABÉ (Louise), femme poète française (v. 1524-v. 1566). Fille et femme de cordiers, elle fut surnommée *la Belle Cordière.*

LABEL [labɛl] n. m. (mot angl. signif. *étiquette*). Marque apposée sur un produit pour en certifier l'origine, la qualité, etc.

LABEUR [labœr] n. m. (lat. *labor*). Travail pénible et prolongé (littér.) [emploi réduit à quelques express.] : *Un dur labeur* (syn. TRAVAIL). ‖ *Imprimerie de labeur*, imprimerie où l'on fait des travaux de longue haleine (par oppos. à l'*imprimerie de presse*, où l'on fabrique des journaux). ◆ **laborieux, euse** adj. **1.** Se dit de quelqu'un qui travaille beaucoup (littér.) : *Être patient et laborieux* (contr. PARESSEUX). — **2.** *Masses, classes laborieuses*, la classe ouvrière.

LABIACÉES [labjase] n. f. pl. (du lat. *labium*, lèvre). Vaste famille (près de 4 000 espèces) de plantes à fleurs, presque toutes herbacées ou arbustives, caractérisées par leur tige à section carrée, leurs feuilles opposées, leur corolle à deux lèvres, leur parfum (ex. : *lavande, thym, sauge, serpolet, romarin, menthe, mélisse,* etc.) [syn. LABIÉES].

là	**ici**
1. Indique un lieu autre que celui où l'on se trouve (par oppos. avec *ici*) : *Votre stylo n'est pas ici, je le vois là, sur l'autre bureau. Il est allé à Londres et de là à New York.* En corrélation avec *où : J'irai passer mes vacances là où vous êtes allé cet été.*	1. Indique un lieu identifié avec celui où l'on est (par oppos. avec *là*) : *Ne répétez pas ici ce que vous avez entendu là-bas. D'ici, il ira à Lyon dimanche. Sortez d'ici, vous nous dérangez. Il est passé par ici il y a quelques minutes. Non, il n'est pas ici en ce moment.*
2. Indique un lieu éloigné quelconque, désigné d'une manière vague, sans opposition avec *ici* (*là* est devenu l'adverbe usuel) : *Je pense que là je serai tranquille, enfin seul;* comme antécédent d'un relatif : *C'est là, près de Verdun, qu'il fut blessé.*	2. Indique un lieu quelconque à l'intérieur duquel on se trouve : *Les gens d'ici sont très hospitaliers* (= de cette région). *Vous n'êtes pas d'ici? Cela se voit* (= de ce pays). *Près d'ici, il y a une source* (= près de ce lieu-ci). *Mon séjour ici est achevé* (= en ce pays).
3. Indique le lieu où l'on est (remplace *ici* dans l'emploi qui lui était propre) : *« Puis-je lui parler? — Non, il n'est pas là »* (= il n'est pas présent). *Déjà là, à cette heure! C'est là où nous sommes que l'accident s'est produit.*	3. Indique un endroit précis (mais qui n'est pas forcément l'endroit où l'on se trouve) : *Regardez ici, dans ce livre, ce que l'on dit de la question. Ici, Médor, cherche!* (s'adressant à un chien). *Ici, M. X..., qui voudrait parler à...* (au téléphone).
4. Indique un moment imprécisé du temps (passé ou futur; en particulier dans les loc. *d'ici là* et *jusque-là*) : *Il n'eut plus de nouvelles et c'est là qu'il le crut perdu. Vous m'écrirez en février, jusque-là ne faites rien. D'ici là, vous pourrez toujours juger de la situation* (= entre maintenant et un moment postérieur). *À quelques semaines de là, il sortit de l'hôpital* (= quelques semaines plus tard).	4. Indique le moment du temps où l'on est (présent), dans certaines loc. *(d'ici à, d'ici peu, d'ici là, jusqu'ici) : D'ici à vendredi, j'aurai fini ce travail urgent. Jusqu'ici, je n'avais rien à lui reprocher. D'ici peu, il aura de mes nouvelles* (= dans peu de temps). *Faites-moi savoir d'ici là quelles sont vos intentions* (= entre le moment où nous sommes et cette époque).
5. Indique une situation, précisée ou non, dans des circonstances données : *Ne voyez là aucun reproche* (= en cela). *Là est toute sa pensée* (= dans cela, dans cette œuvre). *Et dire que j'ai fait tout cela pour en arriver là. Tenez-vous-en là, ne cherchez pas plus loin, vous perdriez votre temps. La situation en est là* (= à ce point). *C'est là que nous l'attendons* (= sur ce point). *Il n'est pas heureux, loin de là* (= de cet état). *Il passera par là comme tous les autres* (= par cet état). *Il faut user de l'autorité là où la persuasion ne suffit pas* (= lorsque, dans le cas où). *Elle s'ennuie là où il n'est pas. Là où il croit être simple, il est plat et banal* (= alors que). *De là vient qu'il est très timide* (= c'est pourquoi).	5. Indique la situation où l'on se trouve, les circonstances dans lesquelles on est actuellement placé, l'ouvrage que l'on écrit, le discours que l'on prononce : *Il faut répéter ici ce que nous avons dit dans d'autres circonstances. Ici, on voit les techniques les plus audacieuses, et là, les machines les plus anciennes. J'ai voulu raconter ici l'histoire de ma jeunesse. J'évoquerai ici les toutes dernières années de ce XIX*[e] *siècle.*

LABIAL, E, AUX [labjal, -bjo] adj. et n. f. (du lat. *labium*, lèvre). Se dit d'une consonne qui se prononce avec un mouvement de lèvres *(p, b, v, f, m)*.

LABICHE (Eugène), auteur dramatique français (1815-1888). Auteur de comédies de mœurs et de vaudevilles dont les plus célèbres sont : *Un chapeau de paille d'Italie* (1851), *le Voyage de M. Perrichon* (1860).

LABIÉES n. f. pl. ⟶ LABIACÉES.

LA BOÉTIE (Étienne DE), écrivain français (1530-1563), humaniste, il fut l'ami de Montaigne.

LABORATOIRE [labɔratwar] n. m. (du lat. *laborare*, travailler). Local aménagé pour faire des recherches scientifiques, des expériences. ‖ *Examens de laboratoire*, tous les examens d'analyses médicales (sang, urines, microbes, etc.) effectués pour préciser un diagnostic. ◆ **laborantin, e** n. Personne employée à des recherches ou à des analyses de laboratoire.

1. LABORIEUX, EUSE adj. ⟶ LABEUR.

2. LABORIEUX, EUSE [labɔrjø, -øz] adj. (lat. *laboriosus*) [avant ou après le nom]. Se dit de ce qui exige un effort pénible, un travail soutenu : *De laborieuses recherches* (syn. DIFFICILE; contr. AISÉ). ◆ **laborieusement** adv. : *Arriver laborieusement au bout de son travail* (= avec difficulté, peine).

LABOUR n. m., **LABOURABLE** adj., **LABOURAGE** n. m. ⟶ LABOURER.

LA BOURDONNAIS (Bertrand François MAHÉ DE), marin français (1699-1753), gouverneur des îles de France et Bourbon. Il combattit les Anglais dans l'Inde. En désaccord avec Dupleix, il fut incarcéré à la Bastille.

LABOURER [labure] v. t. (lat. *laborare*, travailler). **1.** *Labourer la terre*, la retourner avec une charrue, une bêche, une pioche, etc. — **2.** *Labourer qqch.*, y creuser des entailles profondes, des sillons : *Le visage labouré de coups de griffe* (syn. DÉCHIRER). ◆ **labourable** adj. : *Une terre labourable* (syn. CULTIVABLE). ◆ **labourage** n. m. : *Le labourage d'un champ.* ◆ **laboureur** n. m. Syn. ancien de CULTIVATEUR. ◆ **labour** n. m. Travail fait en retournant la terre pour la culture : *Bœuf, cheval de labour* (= utilisés pour le labourage). ◆ n. m. pl. Terres labourées.

LABRADOR (le), péninsule de l'est du Canada, entre l'Atlantique et la baie d'Hudson; 20 000 hab. env.

GÉOGRAPHIE. Extrémité orientale du bouclier canadien, longée par le courant froid du Labrador, la péninsule est couverte au N. par la toundra et au S. par la forêt de conifères. En dehors de la pêche et la chasse, l'essentiel de ses ressources provient de ses importants gisements de fer, reliés par chemin de fer au port de Sept-Îles, sur le Saint-Laurent. Hydroélectricité.

HISTOIRE. Probablement atteint par les Vikings au XIe s., le Labrador fut officiellement découvert par les frères Cabot en 1497, puis visité par Jacques Cartier (1534). Il fut cédé à l'Angleterre en 1763. En 1927, les frontières entre Terre-Neuve et le Québec furent délimitées. Depuis 1949, Terre-Neuve et la côte nord-est du Labrador forment une province canadienne. Le reste (Nouveau-Québec ou Ungava) appartient à la province du Québec.

LABRADOR *(courant du)*, courant froid de l'Atlantique, issu de l'océan Arctique et s'écoulant en bordure du Labrador.

LABRADOR *(mer du)*, partie de l'Atlantique comprise entre le Labrador et le sud du Groenland.

LABRE [labr] n. m. (lat. *labrum*, lèvre). Lèvre supérieure des insectes.

LA BRUYÈRE (Jean DE), moraliste français (1645-1696). Ses *Caractères* (1688-1696) contiennent, sous forme de portraits et de

là	ici
6. Sert de particule de renforcement, en renvoyant parfois à une phrase (souvent avec un relatif ou avec *c'est*) : *Vous me dites là des choses incroyables. Qu'as-tu fait là! le tapis est déchiré. Ce sont là des erreurs impardonnables. C'est là ce qu'on appelle une gaffe. C'est bien là qu'est la difficulté. Qu'entend-il par là?* (= par ces mots).	
7. Prend parfois la valeur d'une interjection, qui, répétée ou avec *hé*, est une mise en garde, une exhortation, un appel, etc. : *Là! là! restez calme. Hé là, vous, s'il vout plaît!*	
LOC.	LOC.
Çà et là, disséminés de tous côtés, de côté et d'autre : *Il y avait çà et là sur la nappe des taches de graisse.* **Là-bas,** en un lieu situé plus bas : *Là-bas, dans la vallée, tout est dans la brume;* plus souvent, indique un lieu éloigné : *Il était en Australie, il est revenu de là-bas en avion.* **Là-haut,** en un lieu situé au-dessus : *Ma maison de campagne est là-haut sur la colline;* dans le ciel, dans la vie future : *Quand je serai là-haut.*	**Ici et là,** de côté et d'autre : *Ici et là, il y avait encore des plaques de neige.* **Ici-bas,** sur cette terre, en ce bas monde : *Les choses d'ici-bas. Ce n'est pas la justice qui règne ici-bas.*

EMPLOIS ET VALEURS	-là	-ci
1. Postposés à un nom et en corrélation avec le démonstratif *ce (cet, cette) :* les formes avec *là* indiquent l'éloignement quand elles sont opposées aux formes en *ci;* seules, elles sont plus fréquentes et indiquent une situation quelconque.	*a)* Éloignement dans l'espace : *Cette chaise est peu confortable, prenez plutôt ce fauteuil-là.* *b)* Éloignement dans le temps : *Ce jour-là, il y avait du verglas sur la route. En ce temps-là, les transports étaient plus lents.*	*a)* Proximité dans l'espace : *Ce magasin-ci offre peu de choix, allez plutôt dans ce magasin-là.* *b)* Proximité dans le temps : *Ces jours-ci, nous avons eu de la pluie. Je passerai cette nuit-ci dans le train.*
Avec le pronom *celui (celle, ceux), là* et *ci* forment des pronoms démonstratifs composés.	**Celui-là, celle-là, ceux-là, celles-là, cela** (sans accent) ⟶ CE.	**Celui-ci, celle-ci, ceux-ci, celles-ci, ceci** ⟶ CE.
2. Préposés à un adverbe, *là* et *ci* forment des locutions adverbiales.	**Là-dessus, là-dessous** ⟶ DESSOUS 1; **là contre** ⟶ CONTRE 1; **là-dedans** ⟶ DEDANS.	**Ci-dessus, ci-dessous** ⟶ DESSOUS 1; **ci-contre** ⟶ CONTRE 1.
3. En corrélation entre eux, *là* et *ci* forment des locutions adverbiales indissociables.	**De-ci de-là,** en divers endroits, d'une manière dispersée, mais assez fréquente (littér.) : *Aller de-ci de-là, sans but précis.* **Par-ci par-là,** en quelques rares endroits ou occasions, de côté et d'autre : *Je lui ai par-ci par-là donné un coup de main. Tu ne pourrais pas trouver par-ci par-là quelques documents qui m'intéresseraient?*	

maximes, des observations sur la société de son temps et sur l'homme en général. Dans son discours de réception à l'Académie française (1693), il prit parti pour les Anciens* contre les Modernes.

Labyrinthe. Demeure du Minotaure, en Crète.

1. LABYRINTHE [labirɛ̃t] n. m. (gr. *laburinthos*, palais des haches). **1.** Réseau compliqué de chemins, de galeries, dont on a du mal à trouver l'issue : *Le labyrinthe des ruelles d'une vieille ville* (syn. ENCHEVÊTREMENT). — **2.** *Un labyrinthe de difficultés, de procédure*, etc., des complications inextricables dues à des difficultés, à la procédure.

2. LABYRINTHE [labirɛ̃t] n. m. (de *labyrinthe* 1). *Anat.* Ensemble des cavités de l'oreille interne, contenant les organes de l'ouïe (limaçon) et de l'équilibration (canaux semi-circulaires).

LAC [lak] n. m. (lat. *lacus*). **1.** Étendue d'eau stagnante entourée de terre : *Le lac d'Annecy.* ⟶ ENCYCL. — **2.** (sujet nom de chose) Fam. *Être dans le lac*, ne pas avoir de suite, d'aboutissement; échouer : *Tous nos projets sont dans le lac.* ◆ **lacustre** [lakystr] adj. Relatif aux lacs; qui se trouve sur les bords, vit dans les eaux ou sur les rives d'un lac : *Une cité lacustre est bâtie sur pilotis.*

— ENCYCL. Le *lac* se différencie généralement de l'étang et du marais par une plus vaste étendue et une plus grande profondeur. Les lacs peuvent être classés selon leur origine. C'est ainsi que l'on distingue : les *lacs tectoniques*, qui occupent des parties effondrées de l'écorce terrestre (lac Tanganyika); les *lacs glaciaires*, qui occupent des dépressions creusées par d'anciens glaciers (lac Ladoga); les *lacs de barrage*, créés par des moraines glaciaires (lac de Gérardmer); les *lacs de cratère*, créés par une coulée de laves (lac d'Aydat), etc.

En dehors de la mer Caspienne, que l'on peut considérer comme un lac (n'ayant aucune liaison avec les océans), les plus vastes lacs du monde sont les Grands Lacs américains (lac Supérieur, lac Huron, lac Michigan), quelques lacs africains (Victoria, Tanganyika, Malawi), la mer d'Aral et le Baïkal, qui tous dépassent 30 000 km². En Europe, seul le lac Ladoga dépasse 10 000 km². Quant au lac Léman, sa superficie n'atteint même pas 600 km², et la surface du lac du Bourget, le plus vaste de France, est inférieure à 50 km².

Lac *(le)*, une des plus célèbres poésies de Lamartine (1818), publiée dans les *Méditations.*

Lac des cygnes *(le)*, ballet de M. Petipa et L. Ivanov, musique de Tchaïkovski (1895).

LAÇAGE n. m. ⟶ LACER.

LACAN (Jacques), psychiatre et psychanalyste français (1901-1981), chef d'une importante école de psychanalyse.

LACANAU, comm. de la Gironde, à 40 km au S. de Lesparre-Médoc, sur l'*étang de Lacanau;* 2 000 hab. Station balnéaire à *Lacanau-Océan.*

LACAUNE *(monts de)*, massif cristallin du sud du Massif central, culminant au *pic de Montalet* (1 260 m).

LACCOLITE [lakɔlit] n. f. (du gr. *lakkos*, fosse, et *lithos*, pierre). Bombement dans le relief, provoqué par la montée des roches volcaniques qui ont déformé les couches superficielles sans pouvoir s'épancher en surface : *Laccolites du Colorado.*

LACÉDÉMONE ⟶ SPARTE.

LACÉDÉMONIEN, ENNE [lasedemɔnjɛ̃, -ɛn] adj. et n. De Lacédémone, ou Sparte.

LACÉPÈDE (Étienne DE), naturaliste français (1756-1825). Il continua l'*Histoire naturelle* de Buffon.

LACER [lase] v. t. (lat. *laqueare*). *Lacer ses chaussures*, les serrer, les maintenir avec un lacet. ◆ **laçage** n. m. Action ou manière de lacer. ◆ **lacet** [lasɛ] n. m. **1.** Cordon que l'on passe dans les œillets pour attacher une chaussure au pied, pour serrer un vêtement. — **2.** Courbe sinueuse, zig zag : *Les lacets d'une route de montagne.* — **3.** Nœud coulant fait soit en crin, soit en chanvre, ou en laiton, fixé à un piquet ou à un arbre, et destiné à prendre le gibier (syn. COLLET, LACS). ◆ **lacs** [lɑ] n. m. **1.** Nœud coulant pour prendre du gibier. — **2.** Fam. *Tomber dans le lacs*, ne pas réussir. (On écrit parfois *tomber dans le lac.*) ◆ **délacer** v. t. Défaire ou relâcher le lacet.

LACÉRER [lasere] v. t. (lat. *lacerare*). Mettre en pièces, en lambeaux : *Lacérer un livre* (syn. DÉCHIRER).

LACERTILIENS [lasɛrtiljɛ̃] n. m. pl. (du lat. *lacerta*, lézard). Ordre de reptiles dont la peau est couverte de replis écailleux et qui sont dépourvus des caractéristiques des serpents (syn. SAURIENS). [Ils ont des paupières mobiles et des pattes. Les principaux lacertiliens sont les *lézards*, les *geckos*, les *iguanes*, les *caméléons.*]

LACET n. m. ⟶ LACER.

LÂCHAGE n. m. ⟶ LÂCHER 2.

LA CHAUSSÉE (Pierre Claude NIVELLE DE), écrivain français (1692-1754), créateur de la « comédie larmoyante » (*le Préjugé à la mode*, 1735).

1. LÂCHE adj. ⟶ LÂCHER 1.

2. LÂCHE [lɑʃ] adj. et n. (de *lâcher*). **1.** Se dit de quelqu'un (ou de son attitude) qui manque de courage, d'énergie, qui n'ose pas affronter le danger (syn. PEUREUX, POLTRON). — **2.** Se dit de quelqu'un qui manifeste de la bassesse, de la cruauté, en sachant qu'il ne sera pas puni : *Un lâche qui ne s'attaque qu'aux faibles.* ◆ adj. (avant ou après le nom). Se dit de ce qui manifeste une absence de courage, de loyauté : *User de lâches procédés* (syn. MÉPRISABLE, VIL). ◆ **lâchement** adv. : *Fuir lâchement devant le danger* (contr. COURAGEUSEMENT, VAILLAMMENT). ◆ **lâcheté** n. f. : *Céder par lâcheté* (syn. FAIBLESSE; contr. COURAGE). *C'est une lâcheté de s'attaquer à ce malheureux* (syn. BASSESSE).

1. LÂCHER [lɑʃe] v. t. (bas lat. *laxicare*). **1.** *Lâcher qqch.*, le tenir moins serré, le rendre moins tendu : *Il lâcha sa ceinture d'un cran* (syn. DESSERRER, DÉTENDRE). *Lâcher la ligne* (= donner du mou). — **2.** *Lâcher pied*, s'enfuir. ◆ v. i. Se rompre, casser : *Ne tire plus, la corde va lâcher. Les freins ont lâché.* ◆ **lâche** adj. **1.** Qui n'est pas tendu : *Un tissu très lâche* (contr. SERRÉ). *Une corde lâche* (syn. MOU). — **2.** Qui manque de concision, de brièveté, de précision : *Un style lâche.*

2. LÂCHER [lɑʃe] v. t. (même étym.). **1.** *Lâcher qqch.*, lancer brusquement quelque chose qui blesse, choque, surprend : *Lâcher un mot grossier* (syn. LAISSER ÉCHAPPER). — **2.** *Lâcher qqch.*, cesser de le retenir, de le garder : *Lâcher un verre* (= le laisser tomber). *Les avions ont lâché leurs bombes sur la ville* (syn. LANCER). *Lâcher les chiens contre un cerf* (= les lancer à sa poursuite). — **3.** Fam. *Lâcher qq'un, qqch.*, le quitter : *Il a lâché ses études* (syn. ABANDONNER). ◆ n. m. Action de laisser partir : *Un lâcher de pigeons.* ◆ **lâchage** n. m. : *Le lâchage d'un ballon* (syn. LARGAGE). ◆ **lâcheur, euse** n. *Fam.* Personne qui abandonne ceux avec qui elle est engagée.

LÂCHETÉ n. f. ⟶ LÂCHE 2.

LÂCHEUR, EUSE n. ⟶ LÂCHER 2.

LA CIERVA Y CODORNÍU (Juan DE), ingénieur espagnol (1896-1936). Il établit le premier trimoteur espagnol (1917). Inventeur de l'autogire, il réussit avec l'un de ses appareils, en 1934, le décollage sur place, sans roulement au sol, réalisant ainsi l'envol vertical absolu.

LACIS [lasi] n. m. (de *lacer*). Réseau compliqué de fils, de rues, etc. (syn. ENTRELACEMENT, LABYRINTHE).

LACLOS (Pierre CHODERLOS DE), officier et écrivain français (1741-1803), auteur des *Liaisons dangereuses* (1782), roman épistolaire (= constitué de lettres) qui est à la fois un chef-d'œuvre d'analyse psychologique et une étude de mœurs.

LA CONDAMINE (Charles DE), mathématicien français (1701-1774). Il mesura avec Bouguer un arc de méridien sous l'équateur (1735).

LACONIQUE [lakɔnik] adj. (gr. *lakonikos*, à la manière des Laconiens [ou Lacédémoniens], célèbres pour leur langage concis). Qui s'exprime ou qui est exprimé en peu de mots : *Une réponse laconique* (syn. CONCIS, COURT). *Une dépêche laconique* (syn. BREF). ◆ **laconiquement** adv. ◆ **laconisme** n. m. : *Le laconisme des dépêches d'agence* (syn. BRIÈVETÉ).

LACORDAIRE (Henri), dominicain français (1802-1861). Célèbre prédicateur (il prêcha le carême à Notre-Dame en 1835 et 1836), il restaura l'ordre des Dominicains en France et se consacra à l'enseignement.

LACQ, comm. des Pyrénées-Atlantiques, à 25 km au N.-O. de Pau, sur le gave de Pau (r. dr.); 711 hab.

C'est le site du principal gisement français de gaz naturel (réserves récupérables de 200 milliards de m³) qui est en grande partie exporté dans de nombreuses régions et alimente encore sur place un complexe industriel : centrale électrique et principale usine française d'aluminium (Noguères), chimie, production de soufre. L'usine d'épuration de Lacq traite le gaz extrait près de Pau (Meillon-Saint-Faust). Le gisement s'épuise.

LACRYMAL, E, AUX [lakrimal, -mo] adj. (du lat. *lacrima*, larme). Qui produit des larmes : *Glandes lacrymales* (= glandes situées dans l'orbite de l'œil et qui sécrètent les larmes). ‖ *Conduits lacrymaux*, petits canaux d'où les larmes sont évacuées dans les fosses nasales. ◆ **lacrymogène** adj. Qui provoque la sécrétion des larmes : *Des grenades lacrymogènes.*

LACS n. m. ⟶ LACER.

LACTAIRE [laktɛr] n. m. (du lat. *lac, lactis,* lait). Champignon des bois, à chapeau souvent coloré, et à lamelles qui laissent écouler un lait blanc ou teinté quand on les casse. (Beaucoup d'espèces sont comestibles; d'autres sont à rejeter en raison de leur âcreté.) [Classe des basidiomycètes; famille des agaricacées.]

LACTASE [laktaz] n. f. (du lat. *lac, lactis,* lait). Diastase qui permet la transformation du lactose en glucose et galactose.

LACTATION n. f. ⟶ LAIT.

1. LACTÉ, E adj. ⟶ LAIT.

2. LACTÉ, E [lakte] adj. (lat. *lacteus,* laiteux). *Voie lactée,* bande blanche, floue, à contours irréguliers, qui fait le tour complet de la sphère céleste et que l'on observe la nuit dans le ciel.

LACTIQUE [laktik] adj. (du lat. *lac, lactis,* lait). *Acide lactique,* acide-alcool CH_3—CHOH—COOH, qui apparaît lors de la fermentation des hexoses sous l'action des bactéries lactiques, et lors de la décomposition du glycogène pendant la contraction musculaire. ‖ *Ferments lactiques,* bactéries que renferme le lait non stérilisé et qui, en transformant le lactose en acide lactique, provoquent la coagulation du lait. (On les emploie par boie buccale dans le traitement des affections de l'intestin et dans la prévention des accidents dus aux antibiotiques.)

LACTOSE [laktoz] n. m. (du lat. *lac, lactis,* lait). Sucre contenu dans le lait et qui, sous l'action d'une diastase, la *lactase,* se dédouble en glucose et galactose.

LACUNE [lakyn] n. f. (lat. *lacuna*). **1.** Absence, omission, interruption qui brise l'enchaînement, la continuité de quelque chose, qui le rend insuffisant : *Son information présente de graves lacunes* (syn. INSUFFISANCE). *Sa mémoire a des lacunes* (syn. DÉFAILLANCE, TROU). — **2.** *Géol.* Absence d'une couche de terrain dans une série stratigraphique (= la série complète des couches de terrain qui se sont succédé). — **3.** *Bot.* Espace compris entre deux cellules végétales dans les tissus dits *lacuneux* (face inférieure des feuilles des dicotylédones, axe des plantes aquatiques). ◆ **lacuneux, euse** ou **lacunaire** adj. Qui contient ou qui présente des lacunes.

LACUSTRE adj. ⟶ LAC.

LAD [lad] n. m. (mot angl.). Garçon d'écurie qui soigne les chevaux de course et aide à leur entraînement.

LÀ-DEDANS loc. adv. ⟶ DEDANS.

LÀ-DESSOUS, LÀ-DESSUS loc. adv. ⟶ DESSOUS 1.

LADISLAS, nom porté par plusieurs rois de Hongrie, de Bohême et de Pologne.

LADOGA *(lac),* grand lac du nord-ouest de l'U. R. S. S., que la Néva fait communiquer avec le golfe de Finlande; 18 000 km².

LADOUMÈGUE (Jules), champion français d'athlétisme (1906-1973). Coureur de demi-fond, il fut le plus populaire des athlètes français de 1925 à 1931 et détint six records du monde.

1. LADRE [ladr] n. (du lat. *Lazarus,* n. du pauvre couvert d'ulcères dans la parabole de saint Luc). Lépreux (vieilli). ◆ **ladrerie** n. f. Hôpital où l'on recevait les lépreux.

2. LADRE [ladr] adj. et n. (même étym.). Syn. littér. de AVARE. ◆ **ladrerie** n. f. Avarice mesquine et sordide.

3. LADRE [ladr] adj. (même étym.). Se dit d'un porc ou d'un bœuf porteur de cysticerques ou larves du ténia. ◆ **ladrerie** n. f. Maladie du porc ou du bœuf ladre.

LADY [lɛdi] n. f. (mot angl.). **1.** Femme de haut rang, en Angleterre. — **2.** Femme distinguée en général. ‖ Pl. des *ladies.*

LAEKEN, faubourg de Bruxelles où est établi le château royal.

LAENNEC (René), médecin français (1781-1826). Médecin de l'hôpital Necker en 1806, il est surtout connu pour sa découverte du stéthoscope, qui permet l'auscultation de la poitrine.

LAËRTE. *Myth. gr.* Roi d'Ithaque, père d'Ulysse.

LA FAYETTE (Marie-Madeleine PIOCHE DE LA VERGNE, *comtesse* DE), femme de lettres française (1634-1693), auteur de *la Princesse de Clèves* (1678). Ce bref roman, dépouillé des artifices du romanesque, est un des chefs-d'œuvre de la littérature classique*. Par sa remarquable analyse psychologique de la passion, il ouvre la voie au roman moderne.

LA FAYETTE (Marie Joseph, *marquis* DE), général et homme politique français (1757-1834). Il prit part à la guerre d'Indépendance en Amérique et, en France, comme royaliste libéral, aux révolutions de 1789 (il fut commandant de la garde nationale) et de 1830, où il favorisa l'avènement de Louis-Philippe.

LAFFITTE (Jacques), financier français (1767-1844). Il joua un rôle actif dans la révolution de 1830 et forma le premier ministère de la monarchie de Juillet.

LA FONTAINE (Jean DE), poète français, né à Château-Thierry (1621-1695).

Maître des Eaux et Forêts (1652), La Fontaine devient le protégé de Fouquet : au moment de la disgrâce du surintendant, il témoigne de sa douleur dans l'*Élégie aux nymphes de Vaux* (1661).

- *1664-1672. Il trouve une nouvelle protection en la personne de la duchesse douairière d'Orléans et publie ses premiers recueils de « Contes » en vers (1665-1671), ainsi que les six premiers livres des « Fables* » (1668).*
- *1672-1693. Il est recueilli par Mme de La Sablière.*

De cette époque, datent deux nouvelles séries de *Contes* (1671-1674), les livres VII à XI des *Fables* (1678-1679), son entrée à l'Académie française (1684), et la publication de l'*Épître à Huet* (1687) où, à propos de la querelle des Anciens* et des Modernes, il prend parti pour les Anciens.

Après la mort de Mme de La Sablière, il trouve asile chez son ami, le financier d'Hervart, et publie un dernier livre (livre XII) de *Fables* (1694).

À la fois sensuel et volage, tout en célébrant la pureté et la fidélité, courtisan mais ayant le culte de l'amitié, La Fontaine eut une existence à l'image même de la variété de son œuvre. Alliant une très riche expérience humaine à une irrépressible fraîcheur d'imagination, il est surtout le véritable créateur d'un genre qui lui survivra mal, la fable. Témoignant d'une sympathie profonde pour tout ce qui vit, lutte et souffre, La Fontaine y a fait une peinture de la société des hommes en général, et des contemporains en particulier, symbolisée souvent par le monde animal. Si ses défauts apparaissent plus souvent que ses qualités, c'est que l'homme, selon La Fontaine, est doté d'une nature contre laquelle il ne peut rien : la sagesse consiste à s'en accommoder.

LAFORGUE (Jules), poète français (1860-1887). Ses recueils de poèmes (*les Complaintes,* 1885; *l'Imitation de Notre-Dame la Lune,* 1886) font date dans l'histoire du symbolisme, mêlant l'humour à une profonde mélancolie. Il fut un des créateurs du vers libre.

LA FRESNAYE (Roger DE), peintre français (1885-1925). Après avoir, un des premiers, pratiqué le cubisme*, il tendit vers un style de plus en plus classique.

LAGASH, anc. v. de Mésopotamie, près du confluent actuel du Tigre et de l'Euphrate. Les fouilles, pratiquées à partir de 1877, y ont fait découvrir la civilisation sumérienne du IIIe millénaire av. J.-C.

LAGERKVIST (Pär), écrivain suédois (1891-1974). Il exprime dans ses poèmes (*Angoisse,* 1916), ses drames et ses romans (*le Bourreau,* 1933; *le Nain,* 1944; *Barabbas,* 1950; *la Sibylle,* 1956) son désespoir devant l'absurdité et la cruauté du monde moderne. (Prix Nobel de littérature, 1951.)

LAGERLÖF (Selma), femme de lettres suédoise (1858-1940). Son premier roman (*la Saga de Gösta Berling,* 1891) marqua la renaissance du romantisme suédois, puis elle fit revivre dans ses récits pour enfants (*le Merveilleux Voyage de Nils Holgersson à travers la Suède,* 1906-1907) un passé à la fois réel et fantastique.

LAGHOUAT, oasis du Sahara algérien; 43 200 hab. Importante palmeraie.

LAGIDES, dynastie qui eut pour fondateur un des lieutenants d'Alexandre, Ptolémée, fils de Lagos; elle régna sur l'Égypte de 305 à 30 av. J.-C. Son dernier représentant fut la reine Cléopâtre VII.

LAGNY-SUR-MARNE, ch.-l. de cant. de Seine-et-Marne, sur la Marne, à 29 km à l'E. de Paris; 18 300 hab. *(Latignaciens* ou *Laniaques).*

LAGON [lagɔ̃] n. m. (de l'esp. *lago,* lac). Étendue d'eau fermée vers le large par un récif corallien.

LAGOPÈDE [lagɔpɛd] n. m. (du gr. *lagôs,* lièvre, et lat. *pes, pedis,* pied). Oiseau gallinacé vivant dans les régions enneigées du nord de l'Europe et des très hautes montagnes, où il se nourrit de bourgeons et de fruits. (Il mue plusieurs fois par an, d'où son aspect blanc en hiver, brun en été.) [Famille des tétraonidés.]

LAGOS, anc. capit. du Nigeria, sur le golfe du Bénin; 4 500 000 hab. Ancien centre commercial et administratif, ce port est doté de quelques industries (industries alimentaires, savonneries).

LAGRANGE (*comte* Louis), mathématicien français (1736-1813). Enseignant à Turin, à Berlin, puis à Paris, il s'illustra par ses recherches en mécanique, dont il fit une science rigoureuse, et dans des domaines très variés des mathématiques. Professeur à l'École normale, puis à la jeune École polytechnique, il ouvrit la voie à l'école mathématique française du XIXe s.

LAGRANGE (Léo), homme politique français (1900-1940). Sous-secrétaire d'État aux Sports et Loisirs (1936-1937 et 1938), socialiste, il favorisa le développement du sport populaire.

LAGUNE [lagyn] n. f. (it. *laguna*). Étendue d'eau de mer retenue derrière un cordon littoral : *Venise est construite sur les îles d'une lagune.* ◆ **lagunaire** adj. Relatif à une lagune.

LAHORE, v. du Pākistān, capit. du Pendjab; 2 922 000 hab. Anc. capit. de l'empire musulman de l'Inde, résidence du Grand Moghol, la ville a conservé de beaux monuments. La ville moderne est un grand centre industriel (matériel ferroviaire) et commercial.

LAI [lɛ] n. m. (empr. au gaul.). Au Moyen Âge, petit poème narratif ou lyrique, à vers courts, généralement de huit syllabes, à rimes plates : *Les lais de Marie de France.*

LAI, E [lɛ] adj. et n. (du gr. *laos*, peuple). *Frère lai, sœur laie,* religieux non prêtre, religieuse non admise aux vœux solennels, qui assurent les services matériels dans les couvents.

LAÏC, ÏQUE adj. et n., **LAÏCAT** n. m. ⟶ LAÏQUE.

LAÎCHE [lɛʃ] n. f. (germ. *liska*). Plante vivace, très commune au bord des eaux, dans les marais, où elle forme des touffes ayant l'aspect de grandes herbes à feuilles coupantes (syn. CAREX). [Famille des cypéracées.]

LAÏCISATION n. f., **LAÏCISER** v. t., **LAÏCITÉ** n. f. ⟶ LAÏQUE.

LAID, E [lɛ, lɛd] adj. (frq. *laid*). **1.** Se dit de quelqu'un, de quelque chose qui, par son aspect, son apparence, sa forme, etc., produit une impression désagréable à la vue, qui est contraire au beau : *Être laid à faire peur* (syn. ↑AFFREUX, VILAIN). — **2.** Se dit de quelque chose qui inspire un sentiment de dégoût, de recul, de mépris, par son caractère contraire à la morale, aux usages (surtout dans des phrases impersonnelles) : *Il est laid de mentir* (syn. ↑HONTEUX). ◆ **laideron** n. m. ou f. Jeune femme, jeune fille laide. ◆ **laideur** n. f. : *La laideur d'un visage* (contr. BEAUTÉ). *La laideur du vice.* ◆ **enlaidir** v. t. Rendre laid : *Ces panneaux publicitaires enlaidissent le paysage.* ◆ v. i. Devenir laid : *Avec l'âge, elle a enlaidi* (contr. EMBELLIR). ◆ **enlaidissement** n. m.

1. LAIE [lɛ] n. f. (frq. *lêha*). Femelle du SANGLIER.

2. LAIE [lɛ] n. f. (frq. *laida*). Chemin divisant les forêts en parcelles et permettant le passage de voitures ou de chariots de transport des bois. ◆ **layon** [lɛjɔ̃] n. m. Petit sentier que l'on pratique dans les bois touffus pour donner passage aux chasseurs.

LAINE [lɛn] n. f. (lat. *lana*). **1.** Poils épais, doux et frisés, qui proviennent de la toison du mouton ou d'autres ruminants (chameau, chèvre, alpaga, lama); étoffe tissée avec ce textile. ⟶ ENCYCL. — **2.** Produit qui se présente comme de la laine naturelle : *La laine de verre, faite de verre filé, est utilisée comme isolant.* ◆ **lainage** n. m. **1.** Vêtement de laine tricotée : *Mettre un lainage.* — **2.** Étoffe de laine : *La fabrication des lainages.* ◆ **laineux, euse** adj. **1.** Qui a beaucoup de laine : *Une étoffe très laineuse.* — **2.** *Cheveux laineux,* frisés et fournis comme la laine. ◆ **lainier, ère** adj. : *L'industrie lainière* (= de la laine).
— ENCYCL. La production mondiale de *laine* (brute) stagne depuis le début des années 1960, la laine souffrant durement de la concurrence des textiles chimiques. Elle provient naturellement des grands pays éleveurs d'ovins, ce qui explique qu'exceptionnellement la majeure partie de la production provienne des États « tempérés » de l'hémisphère Sud.

Australie	720 milliers de t
U. R. S. S.	460 milliers de t
Nouvelle-Zélande	360 milliers de t
Argentine	150 milliers de t
Afrique du Sud	110 milliers de t
Monde	2 900 milliers de t

LAÏQUE ou **LAÏC, ÏQUE** [laik] adj. et n. (gr. *laikos*, du peuple). **1.** Se dit d'un chrétien baptisé qui ne fait pas partie du clergé (masc. écrit parfois LAÏC). — **2.** *École laïque,* ensemble des écoles publiques distribuant un enseignement qui exclut toute éducation religieuse, par oppos. à *école confessionnelle.* ◆ **laïcat** [laika] n. m. Ensemble des laïques à l'intérieur de l'Église. ◆ **laïciser** [laisize] v. t. Organiser en éliminant tout principe de caractère religieux : *Laïciser des écoles.* ◆ **laïcisation** n. f. : *La laïcisation de l'enseignement.* ◆ **laïcité** n. f. Système qui exclut les Églises de l'exercice du pouvoir politique ou administratif, et en partic. de l'organisation de l'enseignement (en vertu du principe de la séparation de l'Église et de l'État).

1. LAISSE [lɛs] n. f. (de *laisser*). **1.** Lanière servant à mener, à retenir un chien. — **2.** *Tenir qq'un en laisse,* lui imposer sa volonté, le contraindre à agir selon des règles déterminées.

2. LAISSE [lɛs] n. f. (même étym.). Ligne formée par les débris apportés par la mer sur une plage.

3. LAISSE [lɛs] n. f. (même étym.). Suite de vers ayant généralement le même nombre de syllabes et terminés par une même assonance ou rime, qui constitue une section d'un poème ou d'une chanson de geste du Moyen Âge.

1. LAISSER [lɛse] v. t. (lat. *laxare*, relâcher). **1.** (sujet nom d'être animé) *Laisser qqch.*, ne pas le prendre, alors qu'il est à portée, qu'on pourrait en disposer : *Laisser des restes dans son assiette* (= ne pas manger toute sa part). *C'est à prendre ou à laisser* (= il faut l'accepter ainsi ou renoncer). *Laissez ça pour demain* (= ne le faites pas maintenant). — **2.** *Laisser une chose à qq'un* (ou *à qqch.*), la lui réserver, ne pas la prendre, afin qu'il puisse en disposer : *Ne rien laisser au hasard* (syn. ABANDONNER). *Il lui laisse le soin de recevoir* (syn. CONFIER); la lui remettre en partant : *Laisser la clef au gardien* (syn. DONNER); la lui donner par testament, par succession : *Il a laissé sa fortune à ses enfants* (syn. LÉGUER); ne pas la lui enlever : *Le jugement a laissé la garde des enfants à la mère* (syn. CONFIER). — **3.** *Laisser une chose (quelque part),* l'abandonner : *J'ai laissé mes gants chez lui* (syn. OUBLIER). — **4.** *Laisser une chose, une personne (quelque part),* ne pas l'emporter, ne pas l'emmener avec soi : *Laisser ses enfants à la campagne. Laisser ses bagages à la consigne* (syn. METTRE; contr. GARDER); abandonner une direction : *Laissez la première rue à gauche et prenez la seconde à votre droite.* — **5.** *Laisser une personne, une chose dans tel ou tel état* (compl. ou adj. attribut), les maintenir dans cet état : *Le prévenu a été laissé en liberté* (syn. GARDER). *Laissez-le tranquille. Laisser les choses en l'état* (= telles qu'on les a trouvées). — **6.** (sujet nom de personne ou de chose) *Laisser une trace, une marque, un souvenir,* etc., abandonner derrière soi, après sa disparition, son passage, une trace, une marque, etc. : *Sa disparition ne laisse que des regrets. Il laisse après lui trois enfants.* — **7.** *Laisser à désirer,* appeler les plus grandes réserves sur le soin, l'application, etc. : *Son travail laisse beaucoup à désirer* (= est insuffisant). ‖ *Laisser à penser,* abandonner le soin de juger (sujet nom de personne) : *Je vous laisse à penser quelle fut notre joie;* donner matière à réflexion (sujet nom de chose). ◆ **laissé-pour-compte** n. m. **1.** Article non vendu, resté en magasin. — **2.** *Fam.* Personne dont on n'a pas voulu, rejetée par un groupe : *Des laissés-pour-compte.*

2. LAISSER [lɛse] v. t. (même étym.) [servant d'auxil.]. **1.** *Laisser qq'un (faire),* lui donner pleine liberté, lui permettre, ne pas l'empêcher de faire (le participe reste inv. en général; lorsque le compl. est sujet de l'infin., il peut y avoir accord) : *Je ne le laisserai pas faire* (= je ne lui permettrai pas d'agir comme il veut). *Je ne les ai pas laissés* ou *laissé partir. Laissez-moi rire. Rien ne laissait voir son exaspération* (= découvrait, montrait). — **2.** *Laisser qqch.* (et l'infin.), agir de telle manière qu'une chose se fait (attitude passive) : *Laisser tomber un verre.* ◆ ***se laisser*** v. pr. (et l'infin.). Prendre une attitude passive telle qu'une chose se fait : *Ils se sont laissé surprendre par l'orage. Il se laisse faire* (= cède aux désirs, à la volonté de quelqu'un). *Se laisser aller* (= s'abandonner à ses penchants, à la nonchalance). ◆ **laisser-aller** n. m. inv. Négligence dans la tenue, les manières; absence de soin. ◆ **laissez-passer** n. m. inv. Permis de circuler librement donné par une autorité (syn. COUPE-FILE, PERMIS).

LAIT [lɛ] n. m. (lat. *lac, lactis*). **1.** Liquide sécrété par les glandes mammaires des femelles des mammifères et servant à l'alimentation. ⟶ ENCYCL. ‖ *Lait concentré,* lait auquel on a ôté 65 p. 100 de son eau et que l'on peut reconstituer par addition d'eau. ‖ *Lait homogénéisé,* lait dont on a réduit la grosseur des globules par passage dans un homogénéisateur. ‖ *Lait pasteurisé,* lait débarrassé de ses germes pathogènes par chauffage mesuré, respectant les vitamines. ‖ *Lait en poudre* ou *lait sec,* lait dont on a enlevé la presque totalité de l'eau. ‖ *Lait de poule,* jaunes d'œufs battus avec du lait bouillant et du sucre en poudre. — **2.** Liquide ayant l'apparence du lait : *Lait d'amande, de coco.* — **3.** *Frère, sœur de lait,* enfants qui ont eu la même nourrice. — **4.** Fam. *Boire du lait,* éprouver une très vive satisfaction devant des éloges, des flatteries, un succès. — **5.** *C'est une soupe au lait,* c'est un homme qui se met facilement en colère. ◆ **petit-lait** n. m. **1.** Liquide qui se sépare du lait caillé. — **2.** *Boire du petit-lait,* goûter avec un grand plaisir les flatteries, les compliments qu'on vous adresse. ◆ **laitage** n. m. Lait ou aliment fait avec du lait. ◆ **laiterie** n. f. **1.** Usine où est traité le lait recueilli dans les fermes, en vue de sa transformation en beurre, fromage, etc. — **2.** Magasin où l'on vend du lait et des produits laitiers. ◆ **laiteux, euse** adj. Dont la couleur blanchâtre ressemble à celle du lait : *La clarté laiteuse de la lune.* ◆ **laitier** n. m. Personne qui vend ou livre du lait. ◆ **laitier, ère** adj. : *Les fromages, le beurre sont des produits laitiers. Une vache laitière* (= qui est élevée en vue de la production de lait). ◆ **allaiter** v. t. Nourrir de lait un enfant ou un animal nouveau-né. ◆ **allaitement** n. m. ◆ **lactation** n. f. Sécrétion du lait à partir des glandes mammaires des femelles des mammifères. ◆ **lacté, e** adj. Qui est à base de lait : *Farine lactée.*
— ENCYCL. La *lait* est un aliment complet qui assure la subsistance du jeune au début de sa vie. C'est un mélange complexe de matières grasses, de protéines, de sucres, de sels minéraux. Il contient également du calcium et des vitamines indispensables à la croissance et des enzymes permettant sa transformation en produits digestibles. Les proportions de ces divers éléments varient selon l'espèce animale considérée.

La production mondiale (toutes origines) avoisine 400 millions de t, en progression assez régulière mais lente (moins de 15 p. 100 en une dizaine d'années). Plus de 90 p. 100 de cette production proviennent de la vache, assurés alors pour environ 60 p. 100 par l'Europe (U. R. S. S. incluse), puis par l'Amérique du Nord (près de 20 p. 100), c'est-à-dire par les pays tempérés, domaines privilégiés de l'élevage bovin.

U. R. S. S.	86,5 millions de t
États-Unis	52,9 millions de t
France	32,5 millions de t
Allemagne	26 millions de t

LAITANCE [lɛtɑ̃s] ou **LAITE** [lɛt] n. f. (de *lait*). Substance blanche et molle constituée par les éléments reproducteurs des poissons mâles.

LAITERIE n. f., **LAITEUX, EUSE** adj. ⟶ LAIT.

1. LAITIER, ÈRE adj. et n. m. ⟶ LAIT.

2. LAITIER [lɛtje] n. m. (de *lait*). Scorie de haut fourneau, composée de silicates qui nagent sur le métal en fusion.

LAITON [lɛtɔ̃] n. m. (ar. *latun*, cuivre). Alliage de cuivre et de zinc : *Un fil de laiton.*

LAITUE [lɛty] n. f. (du lat. *lac, lactis*, lait). Plante potagère annuelle, dont il existe plusieurs espèces *(batavia, romaine, scarole) : Une salade de laitue.* (Famille des composées.)

LAÏUS [lajys] n. m. (d'apr. le premier sujet de composition française donné à Polytechnique et qui fut le discours de *Laïus*, père d'Œdipe). Discours, exposé, généralement long et verbeux.

LAKANAL (Joseph), homme politique français (1762-1845). Membre de la Convention, il fit adopter la loi sur l'instruction publique (1794) et les décrets organisant les trois degrés d'instruction. Il fut député aux Cinq-Cents (1795-1797).

LAKE DISTRICT, région touristique d'Angleterre, parsemée de lacs, située dans le Westmorland et le sud du Cumberland. Elle est célèbre par les séjours des poètes romantiques anglais *(lakistes).*

LAKISTE [lakist] n. et adj. (de l'angl. *lake*, lac). Se dit des poètes de la fin du XVIIIe et du début du XIXe s., dont les principaux sont Wordsworth, Coleridge, Southey, qui habitaient ou fréquentaient le Lake District, et qui se distinguent par leur goût pour les descriptions de la nature et de la vie familière.

LALIQUE (René), décorateur français (1860-1945). Il se spécialisa dans la technique du verre moulé.

LALLAING, comm. du Nord, à 10 km au N.-E. de Douai; 8 200 hab.

LALLY (Thomas, *baron* DE TOLLENDAL, *comte* DE) [1702-1766], gouverneur général des Établissements français dans l'Inde. Battu par les Anglais, il dut capituler dans Pondichéry (1761); accusé de trahison, il fut condamné à mort et exécuté. Il fut réhabilité grâce à son fils et à Voltaire.

LALO (Édouard), compositeur français (1823-1892). Son œuvre, d'inspiration romantique ou folklorique (*Concerto* pour violoncelle, 1877; *Symphonie espagnole*, 1873; le ballet *Namouna*, 1882; l'opéra *le Roi d'Ys*, 1888), vaut par la richesse de l'orchestration.

1. LAMA [lama] n. m. (de l'esp. *llama*). Mammifère ruminant de la cordillère des Andes, dont il existe deux races sauvages *(guanaco* et *vigogne)* et deux races domestiques (*alpaga* et *lama* proprement dit). [Le lama mesure 2,50 m de long et peut vivre vingt ans. On l'utilise comme bête de somme et on l'élève pour sa chair et sa laine.] (Famille des camélidés.)

2. LAMA [lama] n. m. (mot du Tibet). Prêtre ou religieux bouddhiste, chez les Mongols et les Tibétains. ‖ *Grand lama* ou *dalaï-lama*, chef suprême de la religion bouddhique. ◆ **lamaïsme** n. m. Forme particulière du bouddhisme au Tibet et en Mongolie.

LAMANTIN [lamɑ̃tɛ̃] n. m. (de l'esp. *manati*). Mammifère herbivore aquatique, au corps massif, atteignant 3 m de long et pesant jusqu'à 500 kg, vivant dans les fleuves de l'Amérique tropicale. (La femelle nourrit ses petits par ses mamelles situées sous les nageoires. Ces animaux ont accrédité la légende des sirènes.) [Ordre des siréniens.]

LAMARCK (Jean-Baptiste DE MONET, *chevalier* DE), naturaliste français (1744-1829). Auteur de la *Flore française* (1778), de l'*Encyclopédie botanique*, de la *Philosophie zoologique* (1809), de l'*Histoire naturelle des animaux sans vertèbres* (1815-1822) où il expose la théorie de l'évolution appelée par la suite *lamarckisme*.

LAMARCKISME [lamarkism] n. m. (de *Lamarck*). Doctrine évolutionniste* professée en premier lieu par Lamarck, et selon laquelle l'évolution des espèces résulte de la transmission héréditaire des caractères adaptatifs acquis par les individus, à la suite des efforts qu'ils poursuivent pour mieux vivre dans un milieu hostile.

LAMARTINE (Alphonse DE), poète français (1790-1869). Son premier recueil lyrique, les *Méditations poétiques* (1820), lui assure une immense célébrité, et la jeune génération des poètes romantiques le salue comme son maître.

• *1830-1839. La publication des « Harmonies poétiques et religieuses » (1830), de « Jocelyn » (1836), de « la Chute d'un ange » (1838) maintient sa réputation littéraire.*

Élu député en 1834, il met son prestige et son talent au service des idées libérales; membre du gouvernement provisoire et ministre des Affaires étrangères en 1848, il fait admettre, le 25 février, aux manifestants socialistes, que le drapeau tricolore ne doit pas être remplacé par le drapeau rouge (emblème révolutionnaire). Mais après les journées de juin 1848, il perd toute son autorité.

Il n'écrit plus que des récits autobiographiques en prose (*les Confidences*, 1849; *Graziella*, 1852) et meurt presque oublié à soixante-dix-neuf ans.

LAMB (Charles), écrivain anglais (1775-1834). Poète, dramaturge, conteur, il doit sa popularité aux essais, signés *Elia*, qu'il publia de 1820 à 1825 et qui restent un des meilleurs exemples de l'« humour ».

LAMBALLE, ch.-l. de cant. des Côtes-d'Armor, à 20 km à l'E. de Saint-Brieuc; 10 100 hab. Anc. capit. du comté de Penthièvre.

LAMBALLE (Marie-Thérèse Louise DE SAVOIE-CARIGNAN, *princesse* DE) [1749-1792]. Amie de Marie-Antoinette, elle périt lors des massacres de Septembre (1792).

LAMBARÉNÉ, v. du Gabon, sur l'Ogooué; 24 000 hab. Centre hospitalier fondé par le docteur Schweitzer.

LAMBEAU [lɑ̃bo] n. m. (frq. *labba*, chiffon). **1.** Morceau déchiré d'une étoffe, morceau arraché de papier, de chair, de cuir, etc. : *Un habit en lambeaux* (syn. LOQUE). *Mettre en lambeaux* (= déchirer). — **2.** Partie détachée d'un tout : *Des lambeaux de conversation* (syn. BRIBE).

LAMBERSART, comm. du Nord, dans la banlieue nord-ouest de Lille, sur la Deûle; 28 800 hab. *(Lambersatois).* Industries textiles. Céramiques. Imprimeries.

LAMBÈSE, auj. **Tazoult**, comm. d'Algérie (Batna), au N. de l'Aurès; 7 000 hab. Importantes ruines romaines.

LAMBIN, E [lɑ̃bɛ̃, -in] adj. et n. (du frq. *labba*, chose qui pend, qui est molle). *Fam.* Qui agit d'ordinaire avec lenteur, avec mollesse, avec paresse (se dit surtout d'un enfant). ◆ **lambiner** v. i. : *Il lambine dans la rue au lieu de rentrer tout de suite à la maison* (syn. S'ATTARDER; contr. SE PRESSER).

LAMBOURDE [lɑ̃burd] n. f. (du frq. *lado*, planche, et anc. fr. *bourde*, poutre). **1.** En horticulture, rameau terminé par des boutons à fruits. — **2.** Pièce de bois de charpente, servant en partic. à supporter un plancher.

LAMBRIS [lɑ̃bri] n. m. (du lat. *lambrusca*, vigne sauvage). Revêtement en bois, en marbre, en stuc sur les murs intérieurs d'une pièce; revêtement en bois d'un plafond. ◆ **lambrissé, e** adj. Revêtu d'un lambris.

1. LAME [lam] n. f. (lat. *lamina*). Vague de la mer : *Une lame de fond* (= qui s'élève très haut, venant du fond de la mer).

2. LAME [lam] n. f. (même étym.). **1.** Morceau de métal, de verre, de bois, plat et très mince : *Les lames du parquet.* — **2.** Fer d'un couteau, d'une épée, d'un canif, d'un instrument tranchant. — **3.** Outil à large arête coupante. — **4.** *Une fine lame*, un bon escrimeur. ‖ *Visage en lame de couteau*, visage long et mince. ◆ **lamé, e** adj. Tissé avec des fils de métal : *Robe lamée d'or.* ◆ **lamelle** n. f. Petite lame mince et courte : *Découper en lamelles.*

LAMELLIBRANCHES [lamɛlibrɑ̃ʃ] n. m. pl. (de *lamelle*, et *branchie*). Nom de la classe des mollusques bivalves*, dont les branchies sont en forme de lamelles.

LA MENNAIS ou **LAMENNAIS** (Félicité Robert DE), écrivain français (1782-1854). Ordonné prêtre en 1816, il se fait, dans l'*Essai sur l'indifférence en matière de religion* (1817-1823), le défenseur du christianisme; puis, en 1830, il fonde le journal *l'Avenir* et devient l'un des animateurs du catholicisme libéral; après la condamnation de ses idées par le pape, il rompt avec l'Église (*Paroles d'un croyant*, 1834) et exprime sa foi en un socialisme fondé sur la charité chrétienne (*le Livre du peuple*, 1838).

LAMENTABLE [lamɑ̃tabl] adj. (lat. *lamentabilis*). Qui fait pitié (par sa misère, sa pauvreté, sa nullité, etc.) : *Un spectacle lamentable* (syn. NAVRANT, PITOYABLE). *Un orateur lamentable* (syn. fam. MINABLE). ◆ **lamentablement** adv. : *La révolte a échoué lamentablement.*

LAMENTER (SE) [səlamɑ̃te] v. pr. (bas lat. *lamentare*). *Se lamenter sur qqch., sur qq'un*, se répandre en plaintes, en gémissements, en regrets sur eux : *Se lamenter sur son sort* (syn. GÉMIR). ◆ **lamentation** n. f. : *Ses lamentations perpétuelles sur la dureté de la vie* (syn. JÉRÉMIADES).

LAMENTIN, comm. de la Guadeloupe, arrond. de Basse-Terre; 9 900 hab.

LAMENTIN (Le), comm. de la Martinique, à l'E. de Fort-de-France; 26 700 hab.

LA METTRIE (Julien OFFROY DE), médecin et philosophe français (1709-1751). La publication de son ouvrage matérialiste *Histoire naturelle de l'âme* (1745) le força à se réfugier auprès de Frédéric II.

LAMIER [lamje] n. m. (lat. *lamium*). Plante herbacée, commune au bord des chemins et dans les bois : *Le lamier blanc est vulgairement appelé « ortie blanche ».* (Famille des labiacées.)

LAMINAGE n. m. ⟶ LAMINER.

1. LAMINAIRE [laminɛr] n. f. (du lat. *lamina*, lame). Algue marine dont la chlorophylle est masquée par une substance brune. (L'appareil végétatif ou *thalle* peut atteindre jusqu'à 5 m de long. On récolte les laminaires pour en extraire de l'iode, de la soude, de la potasse.)

2. LAMINAIRE [laminɛr] adj. (même étym.). Géogr. *Écoulement laminaire*, dans les régions semi-arides, écoulement des eaux en lames minces pendant les averses.

LAMINER [lamine] v. t. (du lat. *lamina*, lame). Faire subir à un métal une déformation par compression entre deux cylindres, pour modifier, d'une part, sa constitution interne profondément et, d'autre part, sa forme en l'allongeant, afin de l'amener à des dimensions se rapprochant de la forme finale d'utilisation. ◆ **laminage** n. m. : *Le laminage des tôles d'acier.* ⟶ ENCYCL. ◆ **lamineur** n. m. Ouvrier employé au laminage des métaux. ◆ **laminoir** n. m. **1.** Machine comportant deux cylindres d'acier tournant en sens inverse et présentant une surface lisse ou une surface cannelée, entre lesquels on fait passer, en les étirant, des lingots, chauffés ou non, pour les aplatir ou pour les profiler. — **2.** *Passer au laminoir*, être soumis ou soumettre à de rudes épreuves.
— ENCYCL. Le *laminage* est une opération métallurgique au cours de laquelle le métal passe entre les cylindres du laminoir entraînés par un moteur. Pour obtenir de fortes réductions d'épaisseur, il est nécessaire d'opérer par passes successives. Le laminage se pratique le plus souvent à chaud, vers 1 000 °C pour l'acier, pour augmenter la ductilité du métal. Le laminage à froid se pratique sur des tôles déjà assez minces, et permet d'obtenir de bonnes qualités de surface et des épaisseurs précises.

LAMOIGNON (*famille* DE), famille de magistrats français. GUILLAUME (1617-1677) fut premier président au parlement de Paris (1658), et présida avec impartialité au procès de Fouquet. — GUILLAUME (1683-1772), chancelier sous Louis XV, et père de LAMOIGNON DE MALESHERBES, fut le défenseur de Louis XVI.

LAMORICIÈRE (Louis DE), général français (1806-1865). Il se distingua en Algérie (prise de Constantine, 1837). Exilé après le coup d'État du 2 décembre 1851, il entra au service du pape en 1860.

LAMOUREUX (Charles), violoniste et chef d'orchestre français (1834-1899). Il fonda en 1881 les *Nouveaux Concerts* qui portent encore aujourd'hui son nom.

LAMPADAIRE [lɑ̃padɛr] n. m. (lat. *lampadarium*, qui porte la lampe). Support vertical destiné à porter un appareil d'éclairage.

LAMPANT, E [lɑ̃pɑ̃, -ɑ̃t] adj. (du prov. *lampa*, briller). Se dit d'un produit pétrolier convenablement raffiné pour l'éclairage : *Pétrole lampant.*

LAMPARO [lɑ̃paro] n. m. (mot prov.). Lampe ou phare utilisés par les pêcheurs, surtout en Méditerranée, pour attirer le poisson.

LAMPE [lɑ̃p] n. f. (lat. *lampas, -adis*). **1.** Appareil d'éclairage par l'électricité (désigne soit la source de lumière proprement dite, soit l'ensemble de l'appareil) : *Remettre une lampe* (syn. AMPOULE). *Une lampe de poche.* ‖ *Lampe fluorescente*, lampe à vapeur de mercure dont les parois sont intérieurement recouvertes d'un produit fluorescent émettant de la lumière blanche. ‖ *Lampe à incandescence*, lampe dans laquelle la lumière est émise par un filament de tungstène porté à haute température par un courant électrique et placé dans le vide ou dans un gaz inerte (argon, krypton). ‖ *Lampe à iode*, lampe à incandescence dont l'ampoule, en quartz, est remplie de vapeur d'iode. ‖ *Lampe de sûreté*, lampe pouvant être utilisée dans une atmosphère capable d'exploser. ‖ *Lampe à vapeur de mercure*, tube contenant de la vapeur de mercure et qui, traversé par un courant électrique, émet une vive lumière bleuâtre. — **2.** Tube à vide et à plusieurs électrodes servant aux émissions et aux réceptions de radio : *Un poste à six lampes.* — **3.** Récipient contenant un liquide combustible et une mèche, et dont on se sert pour produire de la lumière ou de la chaleur : *Une lampe à pétrole.* ◆ **lampiste** n. m. **1.** Personne chargée, dans les chemins de fer, dans les mines, etc., de l'entretien et de la réparation des lampes. — **2.** Employé subalterne ou personne qui n'a pas de responsabilités importantes dans une entreprise. ◆ **lampisterie** n. f. Lieu où l'on garde et répare les appareils d'éclairage d'une exploitation industrielle.

LAMPÉE [lɑ̃pe] n. f. (de *laper*). *Fam.* Grande gorgée de liquide qu'on avale d'un coup.

LAMPION [lɑ̃pjɔ̃] n. m. (it. *lampione*). **1.** Lanterne en papier translucide et coloré, employée dans les fêtes, les illuminations : *Allumer, éteindre les lampions.* — **2.** *(Demander) sur l'air des lampions*, avec des cris, des appels rythmés, répétés trois fois de suite.

LAMPISTE n. m., **LAMPISTERIE** n. f. ⟶ LAMPE.

LAMPROIE [lɑ̃prwa] n. f. (bas lat. *lampreda*). Poisson cartilagineux, en forme de serpent, vivant en mer et dans les eaux douces en parasite de divers poissons. (La lamproie a une peau gluante, sans écailles; sa bouche ronde porte des couronnes concentriques de dents et lui sert de ventouse pour se fixer à ses proies ou, entre-temps, aux pierres du fond des ruisseaux [d'où son nom usuel de SUCE-PIERRE]. Elle respire par de simples trous branchiaux, d'où son autre nom usuel de FLÛTE À SEPT TROUS.)

LAMPYRE [lɑ̃pir] n. m. (du gr. *lampein*, briller). Insecte coléoptère dont le mâle seul porte des ailes et dont la femelle est connue sous le nom de VER LUISANT.

LANCASHIRE, comté de l'ouest de la Grande-Bretagne, bordé par la mer d'Irlande; 1 369 000 hab. Ch.-l. *Preston.*
Le Lancashire, doté d'un important bassin houiller, est l'une des plus anciennes régions industrielles du pays. Le coton a fait sa richesse : importé par le grand port de Liverpool, il était filé, tissé, puis commercialisé par le grand centre de Manchester. Mais après la crise de 1929, le comté a dû diversifier son activité : constructions mécaniques et automobiles, chimie...

LANCASTER, v. de Grande-Bretagne (Lancashire); 48 900 hab. Industries textiles (coton, rayonne). Raffinerie de pétrole.

LANCASTRE *(maison de)*, maison anglaise dont les plus célèbres titulaires sont issus de Jean de Gand, quatrième fils d'Édouard III. Elle fut la rivale de la maison d'York dans la guerre des Deux-Roses (elle portait dans ses armes la rose rouge). Elle a fourni à l'Angleterre les rois Henri IV, Henri V et Henri VI qui fut détrôné par York.

LANCE [lɑ̃s] n. f. (lat. *lancea*). **1.** Arme offensive faite d'un long manche muni d'un fer pointu. ‖ *En fer de lance*, se dit d'un objet qui en a la forme. — **2.** Tube métallique adapté à l'extrémité d'un tuyau de pompe et servant à diriger le jet d'eau : *Une lance à incendie.* — **3.** *Rompre des lances avec qq'un*, discuter avec lui. ◆ **lancier** n. m. Soldat d'un corps de cavalerie armé de la lance ‖ *Quadrille des lanciers*, variante du quadrille, dansée en France vers 1856.

LANCE-BOMBES n. m. inv., **LANCÉE** n. f., **LANCE-FLAMMES, LANCE-FUSÉES, LANCE-GRENADES, LANCE-PIERRES, LANCE-ROQUETTES, LANCE-TORPILLES** n. m. inv. ⟶ LANCER.

Lancelot du Lac, un des principaux héros des romans de la Table ronde, et en particulier du *Chevalier à la charrette*, de Chrétien de Troyes.

LANCEMENT n. m. ⟶ LANCER.

LANCÉOLÉ, E [lɑ̃seɔle] adj. (du lat. *lancea*, lance). **1.** *Bot.* Se dit d'un organe terminé en forme de lance : *Feuille lancéolée.* — **2.** Archit. *Gothique lancéolé*, caractérisé par des ornements en forme de lancettes.

LANCER [lɑ̃se] v. t. (lat. *lanceare*, manier la lance). **1.** (sujet nom d'être animé) *Lancer une chose* (un projectile) *vers, sur, à, dans*, etc., *qqch.* ou *qq'un*, la jeter loin de soi, loin d'un lieu, avec plus ou moins de force, pour atteindre quelque chose ou quelqu'un : *Lancer la balle à son partenaire* (syn. ENVOYER). — **2.** (sujet nom d'être animé) Faire mouvoir rapidement (une partie du corps), faire un geste dans une direction précise : *Lancer ses bras en avant* (syn. TENDRE). — **3.** (sujet nom de chose) Faire jaillir hors de soi dans une direction : *L'avion a lancé ses bombes sur l'objectif.* — **4.** Émettre avec violence, avec force : *Lancer un cri strident* (syn. LÂCHER). — **5.** Envoyer contre quelqu'un ou quelque chose, avec hostilité ou violence : *Le juge d'instruction lança un mandat d'amener contre l'inculpé. Lancer les troupes à l'assaut.* — **6.** Animer d'un mouvement vif : *Lancer un moteur* (= le mettre en marche). — **7.** *Lancer une offensive, une campagne électorale*, etc., les entreprendre, les déclencher. ‖ *Lancer un navire*, le mettre à l'eau, une fois terminée la construction. — **8.** *Lancer qq'un* ou *qqch.*, les faire connaître, les mettre en vedette, en renom : *Lancer une mode. Lancer un nouveau produit sur le marché* (syn. RÉPANDRE). — **9.** *Lancer qq'un, qqch. (dans)*, le pousser, le mettre dans telle ou telle voie : *Il a lancé son fils dans les affaires. Il est lancé, il ne se taira plus* (= il s'est mis à parler). *Lancer une affaire* (= la mettre en bonne voie). ◆ ***se lancer*** v. pr. **1.** Se précipiter dans une direction déterminée : *Se lancer contre l'obstacle* (syn. SE JETER). — **2.** Prendre son élan : *Le sauteur recula pour se lancer* (syn. S'ÉLANCER). — **3.** S'engager avec hardiesse, avec violence : *Se lancer dans l'aventure. Se lancer dans des explications confuses* (syn. ENTRER DANS). — **4.** (sans compl.) Se mettre en vedette, se faire connaître : *Il cherche à se lancer.* ◆ **lancée** n. f. *Sur sa lancée*, en profitant de l'élan qu'on a pris pour atteindre un objectif et en faisant un nouveau bond en avant (surtout avec les verbes *courir, continuer*) : *L'ailier courut le long de la touche, continua sur sa lancée et dribbla deux adversaires.* ◆ **lancement** n. m. **1.** Action de lancer : *Le lancement du poids. Une rampe de lancement pour les fusées.* — **2.** Mise à l'eau d'un navire sur chantier ou hissé sur une cale, par glissement sur un plan incliné. — **3.** Action de produire, de faire connaître : *Le lancement d'un artiste.* ◆ **lancer** n. m. **1.** Épreuve d'athlétisme*, consistant dans le jet du poids, du javelot, du disque ou du marteau; ce jet lui-même. — **2.** *Pêche au lancer*, pêche qui consiste à lancer l'appât au loin et à le ramener lentement au moyen d'un moulinet. ◆ **lanceur, euse** n. Athlète qui effectue un lancer. ◆ n. m. Fusée qui sert à lancer un engin spatial : *Un lanceur de satellites.* ◆ **lance-**, élément qui entre dans des composés (noms inv.) désignant des appareils servant à lancer des projectiles : *Lance-bombes, lance-flammes, lance-fusées, lance-grenades, lance-pierres, lance-roquettes, lance-torpilles*, etc.

LANCETTE [lɑ̃sɛt] n. f. (de *lance*). **1.** Instrument chirurgical servant à inciser la peau, à ouvrir une veine. — **2.** *Archit.* Ogive en forme de fer de lance.

LANCEUR, EUSE n. ⟶ LANCER.

LANCIER n. m. ⟶ LANCE.

LANCINER [lɑ̃sine] v. t. et i. (lat. *lancinare*). Faire souffrir par des élancements répétés; importuner d'une manière insistante : *Cet abcès au doigt me lancine. La pensée de la maladie le lancinait* (syn. OBSÉDER). ◆ **lancinant, e** adj. : *Un souvenir lancinant. Une douleur lancinante.* ◆ **lancinement** n. m. Action de lanciner.

LANÇON [lɑ̃sɔ̃] n. m. (de *lance*). *Zool.* Autre nom de l'ÉQUILLE.

LANCRET (Nicolas), peintre français (v. 1690-1743). Il travailla dans le goût de Watteau, dont il reçut les conseils. Ses scènes galantes et ses portraits de genre connurent un grand succès *(les Saisons)*.

LANDAIS, E [lɑ̃dɛ, -ɛz] adj. et n. Des Landes.

LANDAU [lɑ̃do] n. m. (de *Landau*, v. d'Allemagne où cette voiture fut d'abord fabriquée). **1.** Voiture à quatre roues, ayant à l'intérieur deux banquettes se faisant vis-à-vis et disposées parallèlement aux essieux. — **2.** Voiture d'enfant à capote. ‖ Pl. des *landaus*.

LANDE [lɑ̃d] n. f. (gaul. *landa*). Dans les régions tempérées humides, formation végétale caractéristique des terrains cristallins, qui se compose principalement de bruyères, de genêts et d'ajoncs, et qui résulte souvent de la dégradation de la forêt : *Les landes de Lanvaux en Bretagne.*

LANDERNEAU, ch.-l. de cant. du Finistère, à 20 km à l'E. de Brest, à l'embouchure de l'Elorn; 15 500 hab. *(Landernéens)*. Anc. capit. du Léon. Nombreuses maisons anciennes. Engrais.

LANDES (40), dép. du bassin d'Aquitaine, sur l'Atlantique (Région Aquitaine); 9 243 km^2; 297 400 hab. (32 au km^2) [France : 103]. Ch.-l. *Mont-de-Marsan*.

ADMINISTRATION. 2 arrond. (*Dax*. 151 200 hab.; *Mont-de-Marsan*. 146 200 hab.). / 30 cant. / 331 comm.

Le département s'étend au N. de la vallée de l'Adour, sur la région des *Landes*, secteur bas, souvent mal drainé, à la façade littorale inhospitalière, bordée d'étangs, et au S., sur les collines de la *Chalosse*, dont l'altitude modeste se relève légèrement vers le S. L'extension de la forêt explique la faiblesse de l'occupation humaine.

L'*agriculture* emploie encore le cinquième de la population active (c'est-à-dire plus du double de la moyenne nationale). La sylviculture (= culture et entretien des bois) fait la renommée essentielle de la région landaise. La polyculture, à base céréalière, domine en Chalosse, fréquemment associée à un petit élevage.

L'*industrie* est peu développée, occupant à peine le tiers de la population active, partiellement liée à la sylviculture (papeteries, scieries). Le département possède encore un notable gisement de

LOCALITÉS PRINCIPALES	NOMBRE D'HAB.
Mont-de-Marsan	30 900
Dax	19 600
Saint-Paul-lès-Dax	9 100
Biscarosse	9 000
Tarnos	8 200
Mimizan	7 500
Aire-sur-l'Adour	7 200
Saint-Pierre-du-Mont	6 400
Morcenx	5 800
Soustons	5 100

pétrole (qui est cependant en voie d'épuisement) à Parentis et du lignite à Arjuzanx.

Le *tourisme* estival doit encore se développer sur le littoral dont l'aménagement est en cours. La relative faiblesse du *secteur tertiaire* est à relier à l'absence de grande ville.

Récemment, le département a connu un certain essor démographique qui intéresse les deux principales villes, Mont-de-Marsan et Dax, ainsi que la région de Biscarrosse-Mimizan, valorisée par l'implantation d'un centre d'expérimentation de missiles. Mais de nombreux centres ruraux continuent à se dépeupler.

LANDGRAVE [lɑ̃dgrav] n. m. (de l'all. *Land*, terre, et *Graf*, comte). **1.** Titre porté au Moyen Âge par plusieurs princes germaniques relevant immédiatement de l'Empereur, dont les comtes d'Alsace, de Hesse, de Thuringe. — **2.** Magistrat qui rendait la justice au nom de l'empereur germanique.

LANDIVISIAU, ch.-l. de cant. du Finistère, à 23 km au S.-O. de Morlaix; 8100 hab.

Landru *(affaire)*, affaire criminelle (1921). Henri Désiré Landru (1869-1922) fut arrêté en 1919 et accusé du meurtre de dix femmes auxquelles il avait proposé le mariage et qui avaient disparu après avoir été invitées dans sa villa à Gambais (Seine-et-Oise). La découverte de restes humains calcinés dans la villa de Gambais fit condamner Landru à mort, sans toutefois qu'il eût jamais avoué.

LANDSTEINER (Karl), biologiste autrichien (1868-1943). Il découvrit les groupes sanguins (1900), ainsi que le facteur Rhésus (1940). [Prix Nobel de médecine, 1930.]

LANESTER, ch.-l. de cant. du Morbihan, près de Lorient; 22300 hab.

LANG (Fritz), cinéaste autrichien naturalisé américain (1890-1976). Il tourna en Allemagne des œuvres de style expressionniste : *le Docteur Mabuse* (1922), *les Nibelungen* (1922-1924), *Metropolis* (1925), *M le Maudit* (1931). Émigré aux États-Unis, il donna ensuite *Furie* (1936), *J'ai le droit de vivre* (1937), *la Femme au portrait* (1944), *Règlement de comptes* (1953), *les Contrebandiers de Moonfleet* (1955).

LANGAGE [lɑ̃gaʒ] n. m. (de *langue*). **1.** Faculté que les hommes ont de communiquer entre eux et d'exprimer leur pensée au moyen de la parole. — **2.** Tout moyen de communiquer des pensées : *Le langage parlé. Le langage écrit.* — **3.** Manière de s'exprimer propre à un homme, à une profession : *Le langage administratif. Parler un langage clair.* — **4.** Voix, cri, chant des animaux : *Le langage des bêtes.* — **5.** *Langage machine*, langage dans lequel doivent être traduits les programmes pour être exécutables par les circuits d'un ordinateur. (Les principaux sont l'*algol*, le *cobol* et le *fortran*.)

LANGE [lɑ̃ʒ] n. m. (lat. *laneus*, de laine). Pièce de laine ou d'étoffe épaisse qui sert à envelopper complètement un bébé.

LANGEAC, ch.-l. de cant. de la Haute-Loire, à 29 km au S. de Brioude, sur l'Allier; 4700 hab.

LANGEAIS, ch.-l. de cant. d'Indre-et-Loire, sur la Loire, à 24 km au S.-O. de Tours; 4100 hab. Château du XVe s. qui appartient à l'Institut de France. Musée de la Tapisserie.

LANGEVIN (Paul), physicien français (1872-1946), auteur de travaux sur le magnétisme, les ultrasons et la relativité.

LANGON, ch.-l. d'arrond. de la Gironde, sur la Garonne, à 47 km au S.-E. de Bordeaux; 6300 hab. Vignobles (vins blancs surtout).

LANGOUREUSEMENT adv., **LANGOUREUX, EUSE** adj. ⟶ LANGUEUR.

LANGOUSTE [lɑ̃gust] n. f. (du lat. *locusta*, sauterelle). Grand crustacé décapode, atteignant 40 cm de long, à fortes antennes, mais sans pinces (contrairement au homard), vivant sur les fonds rocheux de toutes les mers, très apprécié pour sa chair. ◆ **langoustier** n. m. Bateau spécialement équipé pour la pêche de la langouste. ◆ **langoustine** n. f. Petit crustacé décapode voisin de l'écrevisse par sa forme, long de 15 cm, à longues pinces crénelées, que l'on trouve dans l'Océan.

LANGRES, ch.-l. d'arrond. de la Haute-Marne, au-dessus de la Marne, à 65 km au N.-E. de Dijon; 11400 hab. *(Langrois).* Évêché. Anc. place forte, gardant une porte gallo-romaine.

LANGRES *(plateau de)*, plateau calcaire, boisé et peu fertile de l'est du Bassin parisien (Côte-d'Or et Haute-Marne), au S.-O. de la haute vallée de la Marne, constituant une ligne de partage des eaux entre les tributaires de la Manche et ceux de la Méditerranée.

LANG SON, v. du Viêt-nam septentrional (Tonkin), près de la frontière chinoise; 7400 hab.

Occupée par les troupes françaises de Négrier en février 1885, Lang Son fut évacuée quelques semaines plus tard à la suite d'une attaque des Chinois. Cet incident, grossi et mal interprété en France, provoqua la chute du ministère Jules Ferry (30 mars). Les Français s'y battirent de nouveau contre les Japonais en 1940 et en 1945, puis contre les troupes du Viêt-minh en 1953.

1. LANGUE [lɑ̃g] n. f. (lat. *lingua*). **1.** *Anat.* Organe charnu, allongé, mobile, situé dans la cavité buccale et servant à la gustation, à la déglutition, à l'articulation des sons de la voix. ⟶ ENCYCL. — **2.** *Zool.* Organe musculeux contenu dans la bouche des animaux vertébrés et des mollusques, ou figurant parmi les pièces buccales des insectes hyménoptères, et caractérisé par ses multiples rôles dans l'identification, la capture et le conditionnement des proies. ⟶ ENCYCL. — **3.** Ce qui a la forme d'une langue : *Une langue de terre* (= une bande de terre entourée d'eau). *Des langues de feu* (= des flammes allongées). ‖ *Langue glaciaire*, partie d'un glacier de montagne en aval du névé. — **4.** *Donner sa langue au chat*, renoncer à deviner quelque chose. ‖ *Il a avalé sa langue*, il garde le silence (alors que d'ordinaire il parle beaucoup). ‖ *Avoir la langue bien pendue, bien affilée*, être très bavard. ‖ *Avoir la langue trop longue*, ne pas savoir garder un secret. ‖ *Avoir une langue de serpent, de vipère*, être très médisant dans ses propos, calomnier. ◆ **languette** n. f. Objet en cuir, en métal, en bois, etc., dont la forme rappelle celle d'une petite langue.

— ENCYCL. *Chez l'homme*, la *langue* est un organe musculeux, ovoïde, attaché par sa partie postérieure au plancher de la bouche; elle comprend une charpente fibreuse faite de deux membranes sur lesquelles viennent se réunir 17 muscles : c'est cet ensemble de muscles qui lui donne sa mobilité particulièrement importante. La langue est recouverte d'une muqueuse qui porte des *papilles gustatives*, petites saillies présentant un aspect rugueux, et qui servent à la gustation; les plus grosses d'entre elles forment, tout en arrière de la langue, un V nettement visible. Les glossites, le cancer sont les princ pales maladies de la langue.

Chez les animaux, la forme et les fonctions de la langue sont très variées. Tandis que sa partie arrière intervient dans la déglutition, on la voit : servir de piston pour aspirer (lamproie) ou pour refouler (baleine, canard); être ut.lisée comme cuiller (dans l'acte de « laper »), râpe (chat, mollusques), lasso (langue protractile du caméléon); enfin, lécher de diverses manières (fourmilier, abeille). Elle a par ailleurs des fonctions gustatives d'une importance vitale (goût amer) et constitue le seul organe tactile des serpents.

2. LANGUE [lɑ̃g] n. f. (même étym.). **1.** Ensemble de sons articulés, organisés en un système de signes (= transcrits par écrit) en usage dans une certaine communauté, et servant à communiquer les pensées et les sentiments : *La langue française. Un professeur de langues* (= de langues étrangères). ‖ *Langue maternelle*, langue du pays où l'on est né. ‖ *Langue morte*, langue qu'on ne parle plus : *Le latin est une langue morte.* ‖ *Langue vivante*, langue actuellement parlée. ⟶ ENCYCL. — **2.** Ensemble du vocabulaire et de la syntaxe propres à certaines époques, à certains écrivains, à certaines professions, etc. : *La langue du XVIe s., de Victor Hugo, du barreau.* ‖ *Langue verte*, ensemble de locutions imagées, tirées du vocabulaire des faubourgs, des boulevards, des ateliers, etc.

— ENCYCL. ***débouchés des langues vivantes.*** L'étude des langues vivantes oriente traditionnellement le choix des élèves vers les carrières de l'*enseignement*, de l'*interprétariat* et de la *traduction.* Dans ces trois domaines, un niveau d'études élevé est demandé et les débouchés sont de plus en plus incertains.

Les professeurs de langues vivantes sont recrutés actuellement par des concours d'aptitude à l'enseignement (C. A. P. E. S., agrégation), qui impliquent la poursuite d'études supérieures universitaires (licence, maîtrise) et offrent un nombre réduit de postes, les carrières de l'enseignement n'absorbant plus actuellement que 10 à 15 p. 100 des diplômés.

La formation des interprètes et des traducteurs est donnée par des écoles spécialisées, à Paris, Lille, Toulouse, Tours, et à l'étranger. Elle dure de deux à quatre ans selon les écoles, qui recrutent toutes à un niveau d'études équivalent ou même supérieur au baccalauréat. Cette formation n'assure pas nécessairement des débouchés, ni dans les organismes internationaux dont l'accès est très difficile et où les postes sont peu nombreux ni dans les organismes privés où l'offre est inférieure à la demande.

La saturation de ces débouchés ne doit cependant pas détourner les élèves de l'étude des langues vivantes, qui sont de plus en plus appréciées dans de nombreux métiers et qui tendent même à devenir un complément indispensable à de nombreuses formations. La connaissance d'une ou plusieurs langues vivantes est particulièrement utile dans les carrières de l'hôtellerie et du tourisme (guides, accompagnateurs, hôtesses, personnel des syndicats d'initiative, des agences de voyages, des clubs de vacances), dans celles du journalisme, de la radio, de la télévision, des relations publiques et de la publicité, ainsi que dans celles de la documentation. Elle apparaît maintenant indispensable dans les carrières du commerce (exportation surtout), de l'industrie et dans toutes les carrières techniques.

LANGUE-DE-BŒUF [lɑ̃gdəbœf] n. f. *(langue, de,* et *bœuf).* Nom usuel de la FISTULINE, champignon de grande taille, à chair rouge, parasite des chênes et châtaigniers. ‖ Pl. des *langues-de-bœuf.*

LANGUEDOC, pays du sud de l'anc. France, englobant les territoires compris entre le Rhône et la Garonne, entre la Méditerranée et le Massif central. Capit. *Toulouse.* Il tire son nom de la langue parlée autref. par ses habitants (langue d'oc), et qui en faisait l'unité.

• *V. 120 av. J.-C. Avec la création de la province romaine de Gaule Narbonnaise, le Languedoc subit une romanisation profonde.*

Le Moyen Âge est marqué par la formation du puissant comté de Toulouse autour duquel se développe une vie intellectuelle raffinée (troubadours).

Le XIIe s. voit apparaître l'hérésie cathare*. À la suite de la croisade contre les albigeois*, le Languedoc est annexé au domaine royal (XIIIe s.), mais garde ses coutumes et ses privilèges.

Il forme actuellement les départements de la Haute-Garonne, de l'Aude, du Tarn, de l'Hérault, du Gard, de l'Ardèche, de la Lozère et de la Haute-Loire.

LANGUEDOCIEN, ENNE [lɑ̃gdɔsjɛ̃, -ɛn] adj. et n. Du Languedoc.

LANGUEDOC-ROUSSILLON, Région du sud de la France, en bordure de la Méditerranée, regroupant les cinq départements de l'Aude, du Gard, de l'Hérault, de la Lozère et des Pyrénées-Orientales; 27 376 km²; 1 926 500 hab. (70 au km²). Ch.-l. *Montpellier.*

Correspondant à la partie du Midi méditerranéen située à l'O. du Rhône, la Région juxtapose des milieux variés : secteurs montagneux (bordure méridionale du Massif central et extrémité orientale de la chaîne pyrénéenne), collines (en avant de ces reliefs) et plaines littorales, bordées d'une côte à lagunes. Cette diversité explique l'inégalité du peuplement (= contraste entre les secteurs dépeuplés de la Lozère et les régions urbanisées de la plaine). Trois agglomérations dépassent 100 000 hab. (Montpellier, Nîmes, Perpignan); Béziers (la capitale du vin), Alès, Carcassonne et Narbonne sont également des villes importantes.

L'*agriculture* emploie 20 p. 100 de la population active (= plus que la moyenne nationale). Elle est encore dominée par la vigne. La région produit, selon les années, entre le tiers et la moitié du vin français, soit 25 millions d'hl (env. 40 p. 100 de la production française). On s'efforce actuellement, grâce à l'irrigation, de diversifier cette agriculture en développant les cultures fruitières.

L'*industrie* (le bâtiment excepté) occupe une place minime (moins de 20 p. 100 de la population active, à peine la moitié de la moyenne nationale). De la bauxite est extraite dans l'Hérault. Cependant, le nombre des emplois dans l'industrie a augmenté, grâce aux progrès des constructions mécaniques et électriques, à Montpellier notamment.

Le *secteur tertiaire* se développe également. L'importance de l'immigration (surtout rapatriés d'Algérie) explique en partie la forte progression de la population totale depuis 1962.

L'aménagement touristique en cours intéresse l'ensemble du littoral, quelques secteurs restant préservés de toute construction.

LANGUETTE n. f. → LANGUE 1.

LANGUEUR [lɑ̃gœr] n. f. (lat. *languor, -oris*). **1.** Abattement physique ou moral, qui se manifeste par une absence d'activité, de dynamisme : *Maladie de langueur.* — **2.** Manque de mouvement, d'animation : *La conversation tombe en langueur.* ◆ **langoureux, euse** adj. : *Regard langoureux* (syn. ALANGUI). ◆ **langoureusement** adv. ◆ **languir** [lɑ̃gir] v. i. **1.** (sujet nom de personne) Être dans un état d'abattement, conséquence de la durée d'une attente, d'un besoin, d'une souffrance physique : *Elle languit d'ennui* (syn. SE MORFONDRE). *Languir d'amour pour qq'un.* — **2.** (sujet nom de chose) Manquer d'activité, d'animation : *La conversation languit.* — **3.** *Fam.* Attendre vainement : *Ne le fais pas languir; préviens-le tout de suite.* ◆ **languissant, e** adj. : *Une conversation languissante* (= qui se traîne). *Une industrie languissante* (= qui se meurt). ◆ **languissamment** adv. : *S'étendre languissamment.*

LANIÈRE [lanjɛr] n. f. (de l'anc. fr. *lasne*). Longue et étroite bande de cuir ou d'étoffe (syn. COURROIE).

LANNEMEZAN, ch.-l. de cant. des Hautes-Pyrénées, à 36 km au S.-E. de Tarbes; 7 400 hab. Hôpital psychiatrique. Usine d'aluminium. Industries chimiques.

Le *plateau de Lannemezan,* au pied des Pyrénées, est un immense cône de déjections fluvio-glaciaires, d'où divergent la Baïse, le Gers, la Gimone et la Save.

LANNES (Jean), duc DE MONTEBELLO, maréchal de France (1769-1809). Il accompagna Bonaparte en Égypte, favorisa le coup d'État du 18-Brumaire, et contribua à la victoire de Marengo. Il fut mortellement blessé à Essling.

LANNION, ch.-l. d'arrond. des Côtes-d'Armor, à 32 km au N.-O. de Guingamp; 17 200 hab. Port sur le Léguer. Centre national d'études des télécommunications (C. N. E. T.).

LANOLINE [lanɔlin] n. f. (du lat. *lana,* laine). Graisse de consistance solide, jaune ambré, retirée du suint du mouton et employée comme excipient pour de nombreuses pommades.

LANSING, v. des États-Unis, capit. du Michigan; 131 500 hab. Université. Automobiles.

LANSLEBOURG-MONT-CENIS, ch.-l. de cant. de la Savoie, au pied du mont Cenis, à 23 km au N.-E. de Modane; 552 hab. Station de sports d'hiver.

LANSLEVILLARD, comm. de la Savoie, à 3 km à l'E. de Lanslebourg; 370 hab. Station de sports d'hiver.

LANSQUENET [lɑ̃skənɛ] n. m. (de l'all. *Landsknecht,* serviteur du pays). Fantassin allemand mercenaire (XVe-XVIe s.).

LAN-TCHEOU, v. de Chine, capit. du Kan-sou, sur le Houang-ho (r. dr.); 1 430 000 hab. Carrefour routier vers l'Asie centrale et grand centre commercial de la Chine du Nord-Ouest (bétail, laine, peaux, cuirs). L'industrie est en plein essor (raffinage du pétrole, textiles).

1. LANTERNE [lɑ̃tɛrn] n. f. (lat. *lanterna*). **1.** Boîte à armature rigide et garnie d'une matière transparente, dans laquelle on met une source de lumière : *La lanterne du veilleur de nuit.* ‖ *Lanterne des morts,* pilier creux, en pierre, dans lequel on plaçait une lanterne et qui indiquait l'emplacement d'un cimetière, d'un tombeau. ‖ *Lanterne vénitienne,* lanterne en papier translucide, que l'on emploie dans les fêtes publiques en plaçant une bougie ou une lampe à l'intérieur. — **2.** Lampe des phares d'une voiture, qui donne un faible éclairage. — **3.** Appareil servant à projeter des photographies, des diapositives. ‖ *Lanterne magique,* instrument d'optique à l'aide duquel on projette sur un écran l'image agrandie de figures peintes sur verre et qui, perfectionné, a donné naissance aux appareils de projection. — **4.** *Archit.* Tourelle élevée sur un dôme pour donner du jour à la partie supérieure de la coupole et servir de couronnement. — **5.** *À la lanterne!,* cri par lequel le peuple parisien, pendant la Révolution, montrait son désir de pendre quelqu'un à la corde d'une lanterne : *Les aristocrates à la lanterne!* — **6.** *Prendre des vessies pour des lanternes,* faire une confusion absurde, croire une chose stupide. ‖ *Éclairer la lanterne de qq'un,* lui fournir les renseignements nécessaires. ‖ *Éclairer sa lanterne,* éclaircir une démonstration obscure. ‖ *La lanterne rouge,* le dernier d'un classement; le dernier d'une file.

2. LANTERNE [lɑ̃tɛrn] n. f. (de *lanterne* 1, à cause de la forme de cet appareil, tel que l'avait observé Aristote). *Lanterne d'Aristote,* appareil masticateur des oursins composé de cinq pièces en forme de pyramides portant chacune une dent.

Lanterne *(la),* hebdomadaire satirique, créé par Henri Rochefort en 1868, contre le gouvernement de Napoléon III.

LANTERNER [lɑ̃tɛrne] v. i. (de *lanterne*). S'attarder en perdant son temps, en hésitant, en traînant (syn. LAMBINER).

LANZAROTE, une des îles Canaries; 39 700 hab.

LAO [lao] ou **LAOTIEN, ENNE** [laɔsjɛ̃, -ɛn] adj. et n. Du Laos.

LAODICÉE, v. de l'anc. Asie Mineure (Phrygie), près de l'actuelle Denizli.

LAON, ch.-l. du dép. de l'Aisne, à 130 km au N.-E. de Paris; 29 100 hab. *(Laonnois).* Anc. capit. du Laonnois, la ville est entourée de remparts et possède de nombreux monuments, notamment une des premières cathédrales gothiques de France.

LAOS, république de l'Asie du Sud-Est, à l'O. du Viêt-nam.

SUPERFICIE 236 800 km² (France : 550 000 km²).

POPULATION 3 900 000 hab.; *(Laotiens* ou *Laos);* 16,4 hab. au km² (France : 103); accroissement annuel de population, 2,4 p. 100.

CAPITALE Vientiane (176 600 hab.).

LANGUE OFFICIELLE lao.

ÉCONOMIE consommation d'énergie par hab., 70 kg d'équivalent charbon; 1 automobile pour 218 hab.

MONNAIE kip.

GÉOGRAPHIE

En dehors de la vallée du Mékong qui en constitue l'axe vital, le Laos est un pays de plateaux et de montagnes, couverts par la forêt claire. La mousson apporte des pluies d'été relativement abondantes.

	TEMPÉRATURES MOYENNES janv.	juil.	PLUIES
Luang Prabang	20 °C	28 °C	1 300 mm

La population, très peu dense, pratique l'*agriculture* sur brûlis dans les montagnes et des cultures irriguées de riz dans les vallées. Le plateau volcanique des Boloven, au S. du pays, porte quelques plantations de tabac et de café.

Le sous-sol fournit un peu d'étain, et l'*industrie* se limite à la transformation des produits agricoles. Les principales villes, sur le Mékong, ont une fonction administrative et commerciale.

HISTOIRE

Jusqu'au XIVe s., le Laos reste sous la domination des Khmers.

- *1353. Fa Ngoum fonde un royaume lao indépendant.*

À la fin du XVIe s., ce royaume subit quelque temps la suzeraineté de la Birmanie.

Au XVIIe s., les premiers voyageurs européens sont frappés par la richesse du pays, qui est pourtant troublé par des luttes dynastiques. Celles-ci aboutissent, au début du XVIIIe s., à la division du Laos en trois royaumes rivaux (= Luang Prabang, Vientiane, Champassak) qui tombent finalement sous la suzeraineté siamoise.

À la fin du XIXe s., la France intervient pour garantir la frontière Laos-Viêt-nam.

- *1885. Le Siam accepte la création d'un vice-consulat français à Luang Prabang.*
- *1893. Un traité franco-siamois reconnaît l'autorité de la France sur la rive gauche du Mékong.*
- *1949. Le royaume lao devient autonome dans le cadre de l'Union française.*

Il est totalement indépendant en 1953.

À partir de cette date, le Laos est progressivement entraîné dans la guerre d'Indochine*. Le Viêt-minh, soutenu par les forces communistes du Pathet Lao, occupe le nord du pays.

- *1962. Le prince Souvanna Phouma devient le chef d'un gouvernement de coalition.*

À partir de 1964, le Laos est partagé entre les forces de droite installées à Vientiane et soutenues par les Américains, et les forces de gauche provietnamiennes du Pathet Lao.

- *1975. Les révolutionnaires s'imposent dans tout le pays et abolissent la monarchie. La République populaire démocratique du Laos est proclamée, présidée par Souphanouvong.*
- *1986. Souphanouvong démissionne.*

Kaysone Phomvihane (secrétaire général du parti unique et Premier ministre à partir de 1975) engage progressivement le pays sur la voie de l'ouverture économique et politique.

- *1991. Kaysone Phomvihane est élu à la tête de l'État.*

LAOTIEN, ENNE adj. et n. ⟶ LAO.

LAO-TSEU ou **LAO-TAN,** philosophe chinois (VIe s. ou Ve s. av. J.-C.), auteur présumé du *Tao-tö king*, « livre de la voie et de la vertu », qui aurait, pour les taoïstes, engendré le bouddhisme.

LA PALICE (Jacques DE CHABANNES, *seigneur* DE), maréchal de France (v. 1470-1525), tué à Pavie. Ses soldats composèrent en son honneur une chanson où se trouvaient ces vers :

Un quart d'heure avant sa mort
Il était encore en vie...,

voulant dire qu'il s'était bien battu jusqu'à sa dernière heure. Mais le sens de ces vers se perdit et l'on n'en retint que la naïveté, d'où l'expression *vérité de La Palice* (ou *de La Palisse*), désignant une vérité qui saute aux yeux.

LAPALISSADE [lapalisad] n. f. (de *La Palice*). Réflexion d'une banalité et d'une évidence proches de la niaiserie.

LAPALISSE, ch.-l. de cant. de l'Allier, à 26 km au N.-E. de Vichy; 3800 hab. Important château des XVe-XVIe s.

LAPER [lape] v. i. et t. (onomat.) [sujet nom d'animal, tel que le chien, le chat, etc.]. Boire en prenant le liquide avec de petits coups de langue. ◆ **lapement** n. m.

LAPEREAU n. m. ⟶ LAPIN.

LA PÉROUSE (Jean François DE GALAUP, *comte* DE), navigateur français (1741-1788). Chargé par Louis XVI de reconnaître les parties septentrionales des rivages américains et asiatiques, il sillonna le Pacifique avec ses deux frégates, la *Boussole* et l'*Astrolabe*. Il trouva la mort, avec presque tous les marins de ses navires, dans un double naufrage au cours d'une terrible tempête sur les récifs de Vanikoro.

LAPIAZ n. m. ⟶ LAPIÉ.

1. LAPIDAIRE [lapidɛr] n. m. (du lat. *lapis, -idis*, pierre). Artisan qui taille les pierres précieuses autres que le diamant. ◆ adj. Qui concerne les pierres précieuses ou la taille de ces pierres.

2. LAPIDAIRE [lapidɛr] adj. (même étym.). *Inscription lapidaire*, gravée sur une pierre. ‖ *Musée lapidaire*, musée consacré à la conservation de pierres sculptées.

3. LAPIDAIRE [lapidɛr] adj. (de *lapidaire* 2). *Formule lapidaire*, composée d'un minimum de mots, d'une concision brutale, expressive.

LAPIDER [lapide] v. t. (du lat. *lapis, -idis*, pierre). Attaquer ou même tuer à coups de pierre. ◆ **lapidation** n. f. Action de lapider; supplice de celui qu'on lapide.

LAPIÉ [lapje] ou **LAPIAZ** [lapja] n. m. (mot du Jura). Ciselure affectant la surface de roches calcaires, due à la dissolution du carbonate de calcium par les eaux de ruissellement.

LAPILLI [lapili] n. m. pl. (mot it. signif. *petites pierres*). Projections volcaniques de dimensions intermédiaires entre les cendres et les blocs.

LAPIN, E [lapɛ̃, -in] n. (orig. incert.). **1.** Mammifère rongeur sauvage *(lapin de garenne)* et domestique *(lapin de choux)*, caractérisé par ses grandes oreilles et ses deux paires d'incisives : *La femelle du lapin est la lapine. Le lapin clapit.* — **2.** Chair comestible du lapin : *Du civet de lapin.* — **3.** *Peau de lapin*, fourrure du lapin, de bas prix. — **4.** Fam. *Poser un lapin*, ne pas venir à un rendez-vous que l'on a fixé à quelqu'un. ◆ **lapereau** [lapro] n. m. Jeune lapin.

LAPIS [lapis] ou **LAPIS-LAZULI** [lapislazyli] n. m. ou **LAZURITE** [lazyrit] n. f. (du lat. *lapis*, pierre, et *azurum*, azur). Minéral du groupe des feldspathoïdes, de couleur bleu d'azur, utilisé en bijouterie et en tabletterie.

LAPLACE (Pierre Simon, *marquis* DE), astronome et mathématicien français (1749-1827). Ses travaux se rapportent surtout à la mécanique céleste et au calcul des probabilités. Il est célèbre par son hypothèse cosmogonique (1796) selon laquelle le système solaire proviendrait d'une nébuleuse primitive entourant un noyau fortement condensé à température très élevée, et tournant autour d'un axe passant par son centre.

LAPONIE, région la plus septentrionale de l'Europe, au N. du cercle polaire, partagée entre la Norvège, la Suède, la Finlande et l'U. R. S. S. ◆ **lapon, e** [lapɔ̃, -ɔn] adj. et n. De la Laponie. ◆ n. m. Langue parlée en Laponie.

— ENCYCL. Les *Lapons*, environ 35000, vivaient autrefois de la chasse, de la pêche et de l'élevage nomade du renne. Ils ont tendance à se fixer, à moderniser leur élevage et à en commercialiser les produits.

LAPS [laps] n. m. (lat. *lapsus*, écoulé). *Laps de temps*, espace de temps.

LAPSUS [lapsys] n. m. (mot lat.). Faute commise en parlant ou en écrivant, et qui consiste à employer un mot pour un autre, à mutiler un mot : *« Un mou de veau, madame », pour « Un mot de vous, madame », est un « lapsus linguae ».*

LAPTEV *(mer des)*, mer de l'Arctique en bordure de l'U. R. S. S.

LAQUAIS [lakɛ] n. m. (esp. [*a*] *lacayo*, valet d'armes). **1.** Valet de pied qui porte la livrée. — **2.** Homme d'une soumission avilissante.

LAQUE [lak] n. f. (ar. *lakk*). **1.** Gomme-résine obtenue par incision de l'écorce de certains arbres d'Indochine de la famille des anacardiacées, dits *laquiers*, et qui, filtrée, donne une substance transparente et brillante utilisée pour vernir. — **2.** Produit capillaire qui, vaporisé sur la chevelure, la protège de l'humidité et la maintient en place. ◆ n. m. Objet laqué. ◆ **laqué, e** adj. Revêtu d'une couche de laque.

LAQUEDIVES *(îles)*, archipel indien de la mer d'Oman; 30 000 hab.

LAQUELLE pron. rel. et interr. ⟶ LEQUEL.

LARBAUD (Valery), écrivain français (1881-1957), auteur de romans (*Fermina Marquez*, 1911) et d'essais critiques.

LARBIN [larbɛ̃] n. m. (de l'arg. *habin*, chien). **1.** *Fam.* Domestique de grande maison. — **2.** *Fam.* Homme d'une soumission avilissante.

LARCHE *(col de)*, ou **DE L'ARGENTIÈRE,** col des Alpes (Alpes-de-Haute-Provence), aux sources de l'Ubaye, conduisant de Barcelonnette à Cuneo (Italie); 1 991 m.

LARCIN [larsɛ̃] n. m. (lat. *latrocinium*). Vol de peu d'importance, commis furtivement; l'objet volé : *Dissimuler son larcin* (= le produit du vol).

LARD [lar] n. m. (lat. *lardum*). Graisse qui se trouve sous la peau épaisse de certains animaux (en partic. du porc) : *Du lard fumé.* ◆ **larder** v. t. **1.** Piquer une viande de petits morceaux de lard. — **2.** *Larder de coups*, percer de coups (de couteau, etc.), blesser. ◆ **lardon** n. m. Petit morceau de lard pour accommoder un plat.

LARE [lar] n. m. et adj. (lat. *lar, laris;* d'un mot étrusque qui signifiait *chef*). Nom des dieux protecteurs du foyer domestique, chez les Romains. (Les *lares*, génies attachés à une famille, se distinguaient à l'origine des *pénates*, ou dieux du seuil.)

LARGAGE n. m. ⟶ LARGUER.

1. LARGE [larʒ] adj. (lat. *largus*) [avant ou plus souvent après le nom]. **1.** Qui a une dimension (en général dans le sens latéral) plus grande que la moyenne : *Une large avenue* (contr. ÉTROITE). *Le veston est trop large* (contr. SERRÉ). *Décrire un large cercle* (syn. ÉTENDU; contr. PETIT). — **2.** Dont l'importance, la quantité est très grande : *Dans une large mesure, il a raison. Prendre un mot dans son acception la plus large.* — **3.** Qui n'est pas borné, limité, restreint : *Être large d'idées* (syn. LIBÉRAL). ◆ adv. Fam. *Ne pas en mener large*, être plein d'inquiétude, de peur, être dans une situation difficile, dangereuse. ‖ *Voir large*, sans être borné par des préjugés. ◆ n. m. **1.** *De large*, qui a une étendue de : *Une rivière de vingt mètres de large* (= en largeur). ‖ *En long et en large*, sous tous les aspects, de toutes les manières. ‖ *Aller de long en large*, aller et venir en faisant sans cesse le même chemin. ‖ *Être au large*, être à son aise, avoir suffisamment de place; être dans l'aisance. — **2.** La haute mer : *Gagner le large. Un chalutier s'est perdu au large de Cherbourg* (= dans les parages). — **3.** *Prendre le large*, s'enfuir. ◆ **largement** adv. **1.** D'une manière abondante, importante : *La Seine a largement débordé sur les quais. Gagner largement sa vie* (syn. BIEN). *Il donne largement à ses enfants* (syn. BEAUCOUP GÉNÉREUSEMENT). — **2.** Sur une grande surface, d'une manière large (sens 1) : *Robe largement décolletée* (syn. AMPLEMENT). — **3.** Au minimum : *Il était largement onze heures quand il est arrivé* (= onze heures étaient depuis longtemps passées). ◆ **largeur** n. f. **1.** Dimension latérale d'un corps : *La largeur de la route. La largeur d'une fenêtre. La largeur d'une rivière.* — **2.** Caractère de ce qui n'est pas borné. étriqué : *Largeur d'esprit* (contr. ÉTROITESSE, MESQUINERIE). *Largeur de vues.* ◆ **élargir** [elarʒir] v. t. *Élargir qqch.*, le rendre plus large, plus ample : *Élargir une robe* (contr. RÉTRÉCIR). *Ses lectures lui ont élargi l'esprit* (syn. OUVRIR). *Élargir un débat* (= lui donner une portée plus générale). *Le gouvernement cherche à élargir sa majorité* (syn. AUGMENTER). ◆ v. i. ou **s'élargir** v. pr. (sujet nom de chose). Devenir plus large : *Un pull-over qui s'est élargi* ou *qui a élargi.* ◆ **élargissement** n. m. : *L'élargissement d'un vêtement, de la majorité.*

2. LARGE [larʒ] adj. (même étym.). *Être large avec qq'un*, se montrer généreux à son égard. ◆ **largesse** n. f. Qualité de celui qui est large, généreux (syn. GÉNÉROSITÉ, LIBÉRALITÉ; contr. AVARICE). ◆ n. f. pl. Dons généreux : *Prodiguer des largesses.*

LARGHETTO [largeto] adv. (mot it.). *Mus.* Indique un mouvement un peu moins lent que *largo.* ◆ n. m. Morceau ainsi exécuté. ◆ **largo** adv. Le plus lentement possible. ◆ n. m. Morceau ainsi exécuté. (⟶ MOUVEMENT, *mouvements musicaux.*)

LARGILLIÈRE ou **LARGILLIERRE** (Nicolas DE), peintre français (1656-1746). Formé à Anvers et influencé par Rubens, il travaille quelque temps en Angleterre. De retour en France, il devient le peintre officiel de la Ville de Paris et exécute de nombreux portraits de la haute bourgeoisie. Son meilleur tableau (*la Belle Strasbourgeoise*, 1703) témoigne de son talent de portraitiste.

LARGO adv. et n. m. ⟶ LARGHETTO.

LARGUER [large] v. t. (du prov. *larga*, élargir). **1.** *Larguer les amarres*, les détacher, de manière que le navire puisse quitter le quai. ‖ *Larguer une voile*, la laisser aller. — **2.** *Larguer des bombes*, les laisser tomber d'un avion. ‖ *Larguer un parachutiste*, le lâcher en un lieu déterminé. — **3.** *Fam.* Se débarrasser de quelque chose ou de quelqu'un. ◆ **largage** n. m. : *Le largage d'un planeur.*

LARIGOT (À TIRE-) [atirlarigo] loc. adv. (refrain d'une chanson). En grande quantité et sans s'arrêter.

LÁRISSA, v. de Grèce, en Thessalie, ch.-l. de nome; 72 800 hab. Vestiges d'un temple et d'un théâtre antiques. Sucrerie.

LARME [larm] n. f. (lat. *lacrima*). **1.** Liquide salé, sécrété par les glandes lacrymales situées sous les paupières, dont le rôle est d'humecter constamment le globe oculaire pour lui conserver sa transparence, et qui pénètre dans les fosses nasales par les caroncules lacrymales (ce liquide coule des yeux sous l'effet d'une émotion) [le syn. PLEUR est littér.] : *Être en larmes* (= pleurer). *Pleurer à chaudes larmes* (= beaucoup). *Fondre en larmes* (= pleurer abondamment et brusquement). *Verser des larmes de crocodile* (= des larmes hypocrites). *Rire aux larmes* (= au point que les larmes coulent des yeux). *Avoir toujours la larme à l'œil* (= être d'une sensibilité exagérée). — **2.** *Une larme de vin*, une très petite quantité de vin (syn. GOUTTE). ◆ **larmoyer** v. i. **1.** Verser des larmes : *Ses yeux larmoient* (syn. PLEURER). — **2.** Se lamenter continuellement : *Le vieillard larmoyait* (syn. PLEURNICHER). ◆ **larmoyant, e** adj. : *Voix larmoyante* (= où s'entremêlent des larmes). *Récit larmoyant* (syn. PLEURARD). ◆ **larmoiement** n. m.

LARMOR-PLAGE, comm. du Morbihan, à 6 km au S. de Lorient; 6 400 hab. Église des XVe-XVIe s. Station balnéaire.

LARMOYANT, E adj., **LARMOYER** v. i. ⟶ LARME.

LA ROCHEFOUCAULD (François VI, *duc* DE), moraliste français (1613-1680). Après s'être battu dans les rangs des frondeurs, il mena une vie mondaine, fréquentant les salons de Mme de Sablé et de Mme de La Fayette. En 1664 parurent ses *Réflexions ou Sentences et Maximes* morales* qui expriment, en formules concises et frappantes, son dégoût d'un monde dominé par l'égoïsme, où les meilleurs sentiments sont, malgré les apparences, dictés par l'intérêt personnel.

LA ROCHEJAQUELEIN (Henri DU VERGIER, *comte* DE), chef vendéen (1772-1794). Il fut battu à Cholet (1793), mais, devenu général en chef des vendéens après la mort de Lescure, poursuivit la lutte. Il fut tué au combat de Nouaillé.

LAROCHE-SAINT-CYDROINE, comm. de l'Yonne, sur l'Yonne, à 6,5 km à l'E. de Joigny; 1 300 hab. Importante gare de bifurcation, connue sous le nom de *Laroche-Migennes.*

LAROUSSE (Pierre), lexicographe français (1817-1875), auteur du *Grand Dictionnaire universel du XIXe siècle* en 17 volumes (1866-1876).

LARREY (Dominique, *baron*), chirurgien militaire (1766-1842). Il fut chirurgien en chef de la Grande Armée.

LARRON [larɔ̃] n. m. (lat. *latro*). Voleur. ‖ *Le bon et le mauvais larron*, les deux voleurs qui, selon les Évangiles, furent mis en croix avec Jésus-Christ, et dont le premier se convertit avant de mourir. ‖ *S'entendre comme larrons en foire*, s'entendre à merveille, être d'accord pour jouer un mauvais tour. (Le fém. est LARRONNESSE.)

LARTET (Édouard), géologue et préhistorien français (1801-1871). Il jeta les bases de la paléontologie humaine.

LARVE [larv] n. f. (lat. *larva*, masque). Forme par laquelle passent certains animaux, notamment des insectes et des espèces aquatiques, au cours de la première phase de leur développement (au sortir de l'œuf), et pendant laquelle ils diffèrent de l'adulte (par leur forme, leur alimentation, leur locomotion, leur mode respiratoire). ◆ **larvaire** adj. Relatif à la larve ou à son état : *Les formes larvaires des insectes.*

LARVÉ, E [larve] adj. (de *larve*). **1.** Se dit de toute maladie qui se présente sous une forme anormale, et dont les accès sont peu fréquents et bénins. — **2.** Qui ne s'est pas encore manifesté de manière nette : *Une révolte larvée* (syn. LATENT; contr. OUVERT).

LARYNX [larɛ̃ks] n. m. (gr. *larugx*, gosier). *Anat.* Organe situé à la partie antérieure du cou, entre la trachée-artère et le pharynx. ⟶ ENCYCL. ◆ **laryngé, e** ou **laryngien, enne** adj. Relatif au larynx : *Cavité laryngienne.* ◆ **laryngite** n. f. *Méd.* Inflammation du larynx. ◆ **laryngologiste** n. Spécialiste des affections du larynx.

— ENCYCL. Le *larynx* est, chez l'homme, l'organe de la *phona-*

tion : c'est dans le larynx que prennent naissance les sons qui vont servir de base à l'articulation des mots par la langue.

Il comporte un squelette constitué de divers cartilages unis entre eux et aux régions voisines par des muscles. Entre certains de ces cartilages, des replis membraneux forment les *cordes vocales* qui, en vibrant lors de l'expiration de l'air pulmonaire, fabriquent les sons que nous émettons.

LARZAC *(cause du)*, ou **CAUSSE LARZAC,** région du Massif central, le plus méridional des Grands Causses. Camp militaire.

1. LAS, LASSE [lɑ, lɑs] adj. (lat. *lassus*). **1.** Qui éprouve une grande fatigue physique, qui se sent incapable de fournir un effort : *Se sentir las* (syn. FATIGUÉ; contr. DISPOS). — **2.** *Las de qq'un, de qqch., las de faire*, se dit d'une personne qui ne peut plus supporter quelqu'un, quelque chose, qui est ennuyée de faire quelque chose : *Las de vivre* (syn. DÉGOÛTÉ). *Las d'attendre en vain* (syn. ENNUYÉ). — **3.** *De guerre lasse*, à bout de résistance. ◆ **lasser** v. t. Rendre las quelqu'un (sens 2) : *Lasser son entourage par de continuelles jérémiades* (syn. ENNUYER, FATIGUER). *Esprit lassé de tout* (syn. DÉSABUSER). ◆ ***se lasser*** v. pr. Se fatiguer d'une chose par ennui : *Il se lassa de l'attendre en vain. Il parle des heures sans se lasser.* ◆ **lassant, e** adj. : *Des reproches lassants* (syn. ENNUYEUX). ◆ **lassitude** n. f. **1.** Sensation de fatigue physique : *La lassitude due à l'âge* (syn. FATIGUE). — **2.** État moral de celui qui ne peut plus supporter quelque chose : *Céder par lassitude* (syn. DÉCOURAGEMENT; contr. ENTHOUSIASME). ◆ **délasser** v. t. Ôter la fatigue physique ou morale : *Le jeu délasse après une journée d'effort* (syn. DÉTENDRE). ◆ ***se délasser*** v. pr. Se reposer des fatigues physiques ou morales. ◆ **délassement** n. m. Ce qui divertit, ce qui délasse : *La télévision est pour moi un délassement* (syn. DIVERTISSEMENT). ◆ **inlassable** adj. Se dit d'une personne très résistante et qui ne laisse pas paraître sa fatigue : *Un travailleur inlassable* (syn. INFATIGABLE). ◆ **inlassablement** adv. : *Poser inlassablement les mêmes questions* (= sans arrêt).

2. LAS! [lɑs] interj. (de l'anc. fr. *las*, malheureux). Syn. littér. de HÉLAS!

LA SABLIÈRE (Marguerite DE), femme de lettres française (1636-1693), protectrice de La Fontaine.

LA SALLE (*saint* Jean-Baptiste DE) ⟶ JEAN-BAPTISTE DE LA SALLE *(saint)*.

LA SALLE (René Robert CAVELIER DE), voyageur français (1643-1687). Il visita d'abord les lacs Ontario, Érié, Huron et Michigan, puis descendit le cours du Mississippi (1681-1682) jusqu'au golfe du Mexique, reconnaissant ainsi la Louisiane. Il fut tué au cours d'une seconde expédition.

LASCAR [laskar] n. m. (persan *lachkar*, soldat). *Fam.* Individu malin, prêt à des actes hardis, quelquefois répréhensibles : *Nos deux lascars s'entendent pour me tromper.*

LAS CASAS (Bartolomé DE), prélat espagnol (1474-1566). Dominicain, il prit la défense des Indiens contre l'oppression des conquérants espagnols dans des ouvrages qu'il adressa au roi d'Espagne Charles Quint.

LAS CASES (Emmanuel, *comte* DE), historien français (1766-1842), qui accompagna Napoléon Ier en exil à Sainte-Hélène et rédigea le *Mémorial de Sainte-Hélène* (1823).

LASCAUX *(grotte de)*, grotte de la comm. de Montignac (Dordogne). Découverte en 1940 dans un parfait état de conservation, étudiée par l'abbé Breuil, elle présente l'un des plus beaux ensembles d'art préhistorique qui soient (peintures et gravures d'animaux de l'époque magdalénienne). Pour préserver le site, les visites n'y sont plus autorisées à partir de 1963. En 1984, un fac-similé partiel de la grotte, réalisé non loin du site original, est ouvert au public.

LASCIF, IVE [lasif, -iv] adj. (lat. *lascivus*). **1.** Se dit de quelqu'un qui est porté vers les plaisirs des sens, de ses gestes, de son comportement (littér.) : *Une femme lascive* (syn. SENSUEL). — **2.** Qui excite à la sensualité : *Posture lascive* (syn. VOLUPTUEUX).

LASER [lazɛr] n. m. (angl. *l*[*ight*] *a*[*mplification by*] *s*[*timulated*] *e*[*mission of*] *r*[*adiations*]). Source de lumière cohérente pouvant émettre des éclairs très brefs et très intenses ou de la lumière continue selon un pinceau extrêmement fin.

— ENCYCL. Le *laser* a fait l'objet, à partir de 1960, de nombreuses recherches d'applications sur le plan scientifique, industriel, militaire et médical.

Dans le domaine scientifique et industriel, le laser est utilisé pour les télécommunications, en télémétrie, pour la découpe des matériaux (microformage), en gyroscopie, en optique, en spectroscopie, etc.

Dans le domaine militaire, le *fusil à laser*, doué de propriétés aveuglantes et, à courte distance, incendiaires, pourrait devenir un jour une arme de combat. Les *lasers à gaz* permettent d'illuminer un objectif pour le désigner aux têtes chercheuses de bombes (il a été employé par les Américains au Viêt-nam) ou de missiles. Avec les *lasers chimiques*, des applications « futuristes » sont envisagées : un faisceau d'énergie intense pourrait détériorer gravement une ogive de missile intercontinental ou, tout au moins, les appareillages qu'elle contient; l'armorçage direct d'une bombe H pourrait être envisagé, mais le « rayon de la mort » demeure heureusement encore du domaine de la science-fiction.

Dans le domaine médical, le laser est employé en ophtalmologie d'une façon courante pour traiter les décollements de la rétine. Son rayonnement est aussi utilisé pour le traitement des cellules cancéreuses.

LASSALLE (Ferdinand), socialiste allemand (1825-1864). Lié, avant 1848, avec Proudhon et Karl Marx, il préconisait l'association productive des travailleurs aidés par le gouvernement.

LASSANT, E adj., **LASSER** v. t., **LASSITUDE** n. f. ⟶ LAS 1.

LASSO [laso] n. m. (esp. *lazo*). Longue lanière de cuir, terminée par un nœud coulant et qui sert à capturer des animaux.

LASSUS (Roland DE) [v. 1532-1594]. Un des plus grands compositeurs flamands du XVIe s. Il vécut à la cour de Bavière après avoir voyagé en Italie. Son œuvre (toute vocale) très importante comprend plus de 1 500 motets, messes, madrigaux et chansons.

LAS VEGAS, v. des États-Unis (Nevada); 64 400 hab. Centre touristique (jeux de hasard).

LATAKIEH ⟶ LATTAQUIÉ.

LATÉCOÈRE (Pierre), industriel français (1883-1943). Lors de la Première Guerre mondiale, il construisit des avions Salmson pour l'armée. Il créa la ligne aérienne reliant Toulouse à Barcelone (1918), puis à Dakar (1924) et à l'Amérique du Sud (1930).

LATENT, E [latɑ̃, -ɑ̃t] adj. (du lat. *latere*, être caché). Qui ne se manifeste pas à l'extérieur, qui reste caché : *Un foyer latent de troubles* (syn. LARVÉ; contr. OUVERT). ‖ *Maladie latente*, maladie qui ne présente pas de symptômes apparents. (C'est le cas des maladies infectieuses pendant la période d'incubation, avant l'apparition des troubles.) ◆ **latence** n. f. État de ce qui est latent.

LATÉRAL, E, AUX [lateral, -ro] adj. (du lat. *latus, -eris*, côté). Relatif au côté; qui est sur le côté : *Une porte latérale.* ◆ **latéralement** adv. Sur le côté. ◆ **bilatéral, e, aux** adj. Relatif aux deux côtés d'une chose; qui engage les deux parties signataires d'un accord : *Stationnement bilatéral* (= des deux côtés d'une rue). *Un traité bilatéral de défense* (syn. RÉCIPROQUE).

LATÉRITE [laterit] n. m. (du lat. *later*, brique). Sol rouge des régions tropicales, riche en oxydes de fer et en alumine. Dans certains cas, les latérites peuvent former des cuirasses très dures qui, si elles affleurent (ce qui est souvent la conséquence du défrichement de la forêt), rendent le terrain impropre à la culture.

LATEX [latɛks] n. m. (mot lat. signif. *liqueur*). Liquide blanc, plus rarement jaune ou orangé, sécrété par certains végétaux (hévéa, pissenlit, laitue). [On tire le caoutchouc du latex de l'hévéa et de certains pissenlits.]

LATIFUNDIUM [latifɔ̃djɔm] n. m. (mot lat.). Grande propriété cultivée, souvent d'une manière archaïque, par des ouvriers agricoles sous la conduite d'un intendant et pour le compte d'un propriétaire non résident : *Les latifundia du sud de l'Italie.*

LATIN, E [latɛ̃, -in] adj. et n. (lat. *latinus*). **1.** Qui appartient à la Rome ancienne, à l'empire qu'elle avait constitué : *La langue latine.* — **2.** Qui appartient à la langue parlée par les Romains : *Les déclinaisons latines.* — **3.** Qui appartient à une civilisation où la langue est d'origine latine : *L'Amérique latine.* — **4.** *Quartier latin*, quartier de Paris, sur la rive gauche de la Seine, où se trouvent les facultés. ◆ n. m. **1.** La langue des Romains de l'Antiquité : *Le latin est une langue morte.* ‖ *Bas latin*, latin parlé ou écrit après la chute de l'Empire romain et durant le Moyen Âge. ‖ *Latin populaire*, latin parlé par les classes populaires, différent du latin littéraire (ou classique) des écrivains, et qui a donné naissance, à la basse époque, aux diverses langues romanes. — **2.** *Latin de cuisine*, jargon formé de mots français à désinence latine. ‖ *Y perdre son latin*, être dans l'embarras le plus grand pour comprendre, pour expliquer quelque chose. ◆ **latiniser** v. t. Donner à un mot la forme latine; introduire un mot d'origine latine dans une langue. ◆ **latinisation** n. f. ◆ **latinisme** n. m. Tour de phrase propre à la langue latine. ◆ **latiniste** n. Spécialiste du latin. ◆ **latinité** n. f. Civilisation des peuples latins. ◆ **latino-américain, e** adj. De l'Amérique latine.

LATIN DE CONSTANTINOPLE *(Empire)*, État fondé par les croisés sur les ruines de l'Empire d'Orient (1204-1261). Le premier empereur fut Baudouin de Flandre et de Hainaut, qui fut battu par les Bulgares. L'Empire latin continua les traditions byzantines, mais l'Église latine fut installée à côté de l'Église grecque, si bien que les tentatives d'unir les deux Églises échouèrent. Après la mort de Pierre de Courtenay (1217), l'Empire déclina. L'action des Bulgares et des empereurs de Nicée le réduisit à la ville de Constantinople, dont s'empara Michel Paléologue (1261).

LATINA, v. d'Italie (Latium), ch.-l. de province; 84200 hab. Fondée en 1932 par Mussolini, elle devint le centre administratif et commercial des marais Pontins asséchés. Centrale nucléaire.

LATINISATION n. f., **LATINISER** v. t., **LATINISME** n. m., **LATINISTE** n., **LATINITÉ** n. f., **LATINO-AMÉRICAIN, E** adj. → LATIN.

1. LATITUDE [latityd] n. f. (lat. *latitudo, -inis*, largeur). **1.** Distance angulaire, mesurée en degrés, minutes et secondes, qui sépare un point du globe terrestre de l'équateur. || *Basses latitudes*, latitudes voisines de l'équateur. || *Cercle de latitude*, cercle parallèle à l'équateur joignant tous les points de même latitude. (Suivant que l'on considère l'hémisphère Nord ou l'hémisphère Sud on parle de la latitude nord ou de la latitude sud.) || *Hautes latitudes*, latitudes voisines des pôles. || *Latitude géographique d'un lieu*, angle, mesuré en degrés le long du méridien, que fait la verticale de ce lieu avec le plan de l'équateur. || *Latitudes moyennes*, latitudes comprises entre les cercles des tropiques* et les cercles polaires. → ENCYCL. — **2.** *Sous toutes les latitudes*, sous tous les climats, dans toutes les régions.
— ENCYCL. La *latitude* d'un point de la surface terrestre se détermine par la mesure de hauteurs d'étoiles dont les coordonnées sont connues (ascension droite et déclinaison). En mesurant la hauteur d'une étoile au moment de son passage au méridien, on obtient la latitude du lieu en faisant la somme ou la différence de la déclinaison de l'étoile et de la hauteur méridienne mesurée. La latitude varie peu avant et après le passage de l'étoile au méridien. Des variations périodiques des latitudes, dues au déplacement de l'axe de rotation de la Terre par rapport à la Terre elle-même, ont été mises en évidence et sont calculées par les astronomes. La position d'un astre par rapport à l'équateur céleste est déterminée par la déclinaison, quantité sensiblement constante.

2. LATITUDE [latityd] n. f. (même étym.). *Avoir toute latitude, donner, laisser toute latitude à qq'un*, avoir toute liberté d'agir, donner, laisser à quelqu'un tout pouvoir d'agir à son gré.

LATIUM, région de l'Italie centrale, en bordure de la mer Tyrrhénienne, ayant Rome pour capitale; 4810700 hab.
Le Latium s'étend au N.-E. sur l'Appenin calcaire, au centre sur des massifs volcaniques (monts Albains), à l'O., vers le littoral, sur des collines calcaires et sur des plaines bonifiées. La campagne romaine, autour de la capitale, autrefois désolée et malsaine, a été transformée par le drainage.

LATOMIES [latɔmi] n. f. pl. (du gr. *las*, pierre, et *temnein*, couper). Carrières qui servaient de prison, à Syracuse.

LA TOUR (Georges DE), peintre français (v. 1593-1652). Il travailla en Lorraine et séjourna probablement en Italie, où il fut influencé par le Caravage. Passionné par les problèmes de la lumière, il a peint des scènes nocturnes où la lueur d'une bougie détache les volumes en teintes rouges ou brunes sur le fond obscur, et manifesté, dans ses tableaux religieux, des sentiments de douceur, de tristesse et de compassion *(Saint François en extase, Madeleine à la veilleuse)*. *La Nativité* et *l'Adoration des bergers* sont considérées comme ses chefs-d'œuvre.

LA TOUR (Maurice QUENTIN DE), pastelliste français (1704-1788). Portraitiste de la Cour, ses pastels très expressifs (*Louis XV, la Marquise de Pompadour, le Maréchal de Saxe*, etc.) font revivre les célébrités de son temps.

Latran *(accords du)*, accords passés en 1929 entre le Saint-Siège et le gouvernement italien, reconstituant la souveraineté du pape sur l'État du Vatican et reconnaissant le catholicisme comme religion d'État. (Ce dernier principe a été annulé par le concordat de 1984.)

Latran *(conciles du)*, nom donné à cinq conciles œcuméniques qui se tinrent en la basilique du Latran (1123, 1139, 1179, 1215, 1512-1517).

Latran *(palais et église du)*, palais de Rome qui fut pendant dix siècles la résidence des souverains pontifes; l'église Saint-Jean-de-Latran, qui se trouve près du palais, fut construite par Constantin en 324 et plusieurs fois remaniée; c'est une des cinq basiliques patriarcales de Rome.

LATRINES [latrin] n. f. pl. (lat. *latrina*). Lieux d'aisances (dans une caserne, dans un camp, dans une prison, dans un établissement scolaire, dans un lieu public).

LATTAQUIÉ ou **LATAKIEH,** port de Syrie, sur la Méditerranée; 125700 hab. C'est l'ancienne *Laodicée*.

1. LATTE [lat] n. f. (bas lat. *latta*). Long sabre droit de la grosse cavalerie, au XIXe s.

2. LATTE [lat] n. f. (même étym.). Morceau de bois long, étroit et mince, qui sert dans la construction. ◆ **lattis** [lati] n. m. Ensemble en lattes destiné à recevoir un enduit, un revêtement : *Le lattis d'un plafond.*

LATTRE DE TASSIGNY (Jean DE), maréchal de France (1889-1952). En 1944, il conduit la Ire armée française de Saint-Tropez au Rhin et au Danube, et signe à Berlin, au nom de la France, l'acte de la capitulation des armées allemandes (1945). En 1950, il est envoyé comme haut-commissaire et commandant en chef en Indochine où il rétablit la situation militaire, organise l'armée vietnamienne, mais meurt terrassé par la maladie.

LAUDATIF, IVE [lodatif, -iv] adj. (du lat. *laudare*, louer). Se dit de quelque chose qui loue, qui célèbre : *Un article laudatif* (syn. ÉLOGIEUX).

LAUE (Max VON), physicien allemand (1879-1960). Il a découvert la diffraction des rayons X par les cristaux (1912). [Prix Nobel de physique, 1914.]

LAUNAY (Bernard JORDAN DE), gentilhomme français (1740-1789). Gouverneur de la Bastille, il se rendit lors de l'attaque de la forteresse par le peuple (14 juillet 1789). Il fut massacré place de Grève, et sa tête promenée au bout d'une pique.

LAURACÉES [lorase] n. f. pl. (du lat. *laurus*, laurier). Famille de plantes dicotylédones dialypétales, comprenant des arbres et des arbustes des régions chaudes *(laurier, camphrier, cannelier)*.

LAURAGAIS, région du midi de la France, entourant l'extrémité sud-ouest du Massif central. Le *seuil du Lauragais*, qui fait communiquer le Bassin aquitain et le bas Languedoc, est une grande région de passage (autoroute, voie ferrée), où le canal du Midi a été ouvert dès 1681.

LAURÉAT, E [lorea, -at] n. (lat. *laureatus*, couronné de laurier). Personne qui a remporté un prix, une récompense dans un concours.

LAUREL (Arthur Stanley JEFFERSON, dit **Stan**), acteur comique du cinéma américain (1890-1965). Vers 1927, il devint le partenaire d'Oliver HARDY (1892-1957). Parmi leurs grands succès, on peut citer : *Fra Diavolo* (1933), *Têtes de pioche* (1939), *les As d'Oxford* (1941).

LAURENCIN (Marie), femme peintre française (1885-1956). Amie de Guillaume Apollinaire, elle fréquenta les cubistes. Usant d'un style un peu précieux, elle a peint des jeunes femmes, en teintes douces et raffinées : *Femme à la colombe* (1919), *Portrait de femme en rouge* (1941). On lui doit également des lithographies et des eaux-fortes, ainsi que des illustrations de livres et des maquettes de décors et de costumes pour la Comédie-Française et les Ballets russes.

LAURENS (Henri), sculpteur français (1885-1954). D'abord fortement marqué par le cubisme, il s'en est dégagé, créant des formes auxquelles il a imprimé sa propre conception de l'harmonie.

LAURENT *(saint)*, martyr, né en Espagne (v. 210-258). Diacre de l'Église de Rome, il refusa de livrer les biens qui lui étaient confiés et fut torturé sur un gril de fer rougi au feu. La basilique de Saint-Laurent-hors-les-Murs fut élevée à sa mémoire.

LAURENTIDES, ligne de hauteurs du Canada oriental, limitant au S. le bouclier canadien. Parc national de 8 500 km².

LAURIER [lorje] n. m. (lat. *laurus*). **1.** Arbuste aromatique du Midi, aux fleurs blanches, aux feuilles allongées et coriaces, utilisées en cuisine dans les sauces (on dit aussi *laurier-sauce*). [Famille des lauracées.] — **2.** *Se couvrir de lauriers*, se couvrir de gloire. || *S'endormir sur ses lauriers*, se contenter du succès remporté et ne pas poursuivre son effort. ◆ **laurier-rose** n. m. Arbuste cultivé pour ses fleurs ornementales roses ou blanches. (Famille des apocynacées.) || Pl. des *lauriers-roses*.

LAURIER (Wilfrid), homme d'État canadien (1841-1919). Chef du parti libéral, Premier ministre de 1896 à 1911, il renforça l'autonomie du Canada.

LAURIER-ROSE n. m. → LAURIER.

LAURION, région de la Grèce centrale (Attique). Gisements d'argent qui firent l'objet d'une intense exploitation au Ve s. av. J.-C.

LAUSANNE, v. de Suisse, ch.-l. du cant. de Vaud, sur la rive nord du lac Léman; 137 500 hab. Université. Tribunal fédéral.
La cité s'est rapidement développée depuis la fin du XIXe s. et son dynamisme est considérable. C'est la moins industrielle des grandes villes suisses, avec seulement 34 p. 100 de la population active employée dans l'artisanat et l'industrie (mécanique de précision, matières plastiques et produits alimentaires). Mais le commerce, les banques et les assurances concentrent à eux seuls près du tiers des actifs, tandis que l'industrie hôtelière reste très importante. Centre de congrès et d'art (festival international de musique), Lausanne joue un rôle croissant. Cathédrale du XIIe s.

Lausanne *(traité de)*, traité remplaçant celui de Sèvres, rendu caduc par les victoires de la Turquie sur la Grèce. Il réglementa le passage des navires dans les Détroits* et supprima définitivement les capitulations (= conventions réglant le statut des étrangers en Turquie).

LAUTARET *(col du)*, col des Alpes (Hautes-Alpes), à l'extrémité septentrionale du massif du Pelvoux; 2 058 m. Il relie l'Oisans (par la vallée de la Romanche) au Briançonnais (par la vallée de la Guisane). Sports d'hiver.

LAUTERBOURG, ch.-l. de cant. du Bas-Rhin, à 18 km au S.-E. de Wissembourg, sur la Lauter, à la frontière allemande; 2450 hab.

LAUTRÉAMONT (Isidore DUCASSE, dit **le comte de**), écrivain français (1846-1870), auteur des *Chants de Maldoror* (1868-1870), poème en prose dont la violence et les images hallucinantes l'ont fait considérer comme un des précurseurs des surréalistes.

LAUZUN (Antonin, *duc* DE), officier et courtisan français (1633-1723). Il épousa la Grande Mademoiselle (Mlle de Montpensier), cousine germaine de Louis XIV.

LAVABLE adj. ⟶ LAVER.

LAVABO [lavabo] n. m. (mot lat. signif. *je laverai*). Cuvette de porcelaine, de grès ou de tôle émaillée, alimentée en eau par des robinets et servant aux soins de propreté. ◆ n. m. pl. Cabinets d'aisances : *Aller aux lavabos* (syn. TOILETTES, W.-C.).

LAVAGE n. m. ⟶ LAVER.

LAVAL, ch.-l. du dép. de la Mayenne, sur la Mayenne, à 292 km au S.-O. de Paris; 53 800 hab. Industries textiles, métallurgiques. Fabriques de matériel électrique. Usines d'électronique.

LAVAL (Pierre), homme politique français (1883-1945). Plusieurs fois ministre et président du Conseil dans les dernières années de la IIIe République, il devint vice-président du Conseil du maréchal Pétain (juillet-décembre 1940), puis, à la demande des Allemands, remplaça Darlan à la tête du gouvernement de Vichy. Il fut le principal artisan de la politique de collaboration avec l'Allemagne nazie. Condamné à mort à la Libération, il fut fusillé le 15 octobre 1945.

LA VALLIÈRE (Louise de LA BAUME LE BLANC, *duchesse* DE), favorite de Louis XIV (1644-1710), elle entra au Carmel en 1674.

LAVALLIÈRE [lavaljɛr] n. f. (de Mlle de *La Vallière*). Cravate formée d'un large nœud flottant, et qui fut à la mode chez les artistes à la fin du XIXe s.

LAVANDE [lavɑ̃d] n. f. (it. *lavanda*, qui sert à laver). Plante vivace aromatique, aux fleurs bleues en épi, cultivée dans tout le Midi semi-aride pour son parfum; ce parfum. (Famille des labiacées.)

LAVANDIÈRE [lavɑ̃djɛr] n. f. (de *laver*). Femme qui lave le linge à la main (littér.).

LAVANDOU (Le), comm. du Var, sur la côte méditerranéenne, à 24 km à l'E. d'Hyères; 4 300 hab. Station balnéaire. Embarcadère des îles d'Hyères.

LAVASSE n. f. ⟶ LAVER.

LAVAUR, ch.-l. de cant. du Tarn, sur l'Agout, à 37 km au N.-E. de Toulouse; 8 300 hab. *(Vauréens)*. Anc. place forte, prise en 1211 par Simon de Montfort, et, à la fin du XVIe s., un des fiefs du parti ligueur.

LAVE [lav] n. f. (it. *lava*). Matière liquide ou visqueuse émise par un volcan et qui se solidifie au contact de l'air. On distingue les *laves basiques* (basalte), qui sont très fluides et forment de longues coulées, des *laves acides* (rhyolites), qui sont visqueuses et forment des dômes ou des aiguilles.

LAVEDAN, pays des Pyrénées (Hautes-Pyrénées), s'étendant sur les hautes vallées du gave de Pau et de ses affluents, en amont de Lourdes.

LAVE-GLACE n.m., **LAVE-LINGE** n. m. inv. ⟶ LAVER.

LAVELANET, ch.-l. de cant. de l'Ariège, à 24 km à l'E. de Foix, sur le Touyré; 8 400 hab. Industries textiles (laine).

LAVER [lave] v. t. (lat. *lavare*). **1.** Enlever avec un liquide ce qui salit, souille : *Laver les carreaux de la cuisine à grande eau* (syn. NETTOYER). *Laver une plaie à l'alcool.* ‖ *Machine à laver*, appareil actionné par un moteur électrique et destiné au lavage du linge, de la vaisselle. — **2.** *Laver un affront, une injure*, les effacer par la vengeance. ‖ *Laver qq'un d'une accusation*, le justifier aux yeux des autres. ‖ Fam. *Laver son linge sale en famille*, régler à l'intérieur de la famille ou entre soi des querelles intimes. ◆ ***se laver*** v. pr. **1.** Laver son corps : *Se laver dans la salle de bains* (syn. FAIRE SA TOILETTE). *Se laver la figure.* — **2.** *Se laver d'une accusation*, se justifier, se disculper. ◆ **lavable** adj. : *Du tissu lavable* (= qui peut se laver sans dommage). ◆ **lavage** n. m. Action de laver, de nettoyer. ‖ Fam. *Lavage de cerveau*, ensemble des procédés qui ont pour but de forcer un individu à accepter une opinion, une doctrine comme sienne. ◆ **lave-glace** n. m. Appareil projetant de l'eau sur le pare-brise d'une automobile afin de le laver. ‖ Pl. des *lave-glaces.* ◆ **lavement** n. m. **1.** *Méd.* Injection d'un liquide dans le gros intestin, à l'aide d'un appareil. — **2.** Liturgie. *Lavement des pieds*, cérémonie qui a lieu le jeudi saint en souvenir de Jésus qui, d'après saint Jean, lava les pieds à ses apôtres la veille de sa mort. ◆ **lavasse** n. f. *Fam.* Café, boisson trop étendus d'eau. ◆ **laverie** n. f. Établissement commercial équipé de machines à laver, pour nettoyer séparément le linge de chaque client. ◆ **lavette** n. f. **1.** Morceau de linge avec lequel on lave la vaisselle. — **2.** *Fam.* Homme veule et sans énergie. ◆ **laveur, euse** n. Personne dont le métier est de laver, de nettoyer : *Laveur de carreaux.* ◆ **lave-linge** n. m. inv. Machine à laver le linge. ◆ **lave-vaisselle** n. m. inv. Appareil qui lave et sèche automatiquement la vaisselle. ◆ **lavoir** n. m. Lieu où on lave le linge en commun : *Le lavoir municipal.* ◆ **lavure** n. f. *Lavure de vaisselle*, eau qui a servi à laver la vaisselle. ◆ **prélavage** n. m. Dans une machine à laver, lavage préliminaire du linge très sale, sans que l'eau atteigne l'ébullition.

LAVÉRA, écart de la comm. de Martigues (Bouches-du-Rhône), sur le golfe de Fos, à 6 km à l'O. de Martigues. C'est un des principaux ports pétroliers européens (importations annuelles de plus de 60 millions de t de brut), alimentant une douzaine de raffineries, à proximité (étang de Berre), dans le Lyonnais, en Alsace, à Lausanne et même en Allemagne.

LA VÉRENDRYE (Pierre GAULTIER DE VARENNES DE), explorateur canadien (1685-1749). Avec ses trois fils et son neveu, il pénétra à l'intérieur du continent. Deux de ses fils atteignirent les Rocheuses (1731-1743).

LAVERIE n. f., **LAVETTE** n. f., **LAVEUR, EUSE** n., **LAVE-VAISSELLE** n. m. inv. ⟶ LAVER.

LAVIGERIE (Charles), prélat français (1825-1892). Il fonda la congrégation des Pères blancs d'Afrique pour l'apostolat. Cardinal en 1882, archevêque de Carthage (1884), il se voua à la disparition de l'esclavage en Afrique.

LAVINIUM, v. de l'Italie anc. (Latium), dont la fondation était attribuée à Énée.

LAVIS [lavi] n. m. (de *laver*). **1.** Coloriage d'un dessin en teintes plus ou moins foncées, avec de l'encre de Chine ou avec toute autre couleur délayée dans de l'eau. — **2.** Dessin ainsi obtenu.

LAVISSE (Ernest), historien français (1842-1922). Sous sa direction fut publiée une grande *Histoire de France* (10 vol., 1900-1912).

LAVOIR n. m. ⟶ LAVER.

LAVOISIER (Antoine Laurent DE), chimiste français (1743-1794), l'un des créateurs de la chimie moderne. Il énonça la loi de conservation de la masse, indiqua la composition de l'air (1777), de l'eau et du gaz carbonique (1781), établit le rôle de l'oxygène dans les combustions et la respiration. Il mourut sur l'échafaud, avec les fermiers généraux, dont il faisait partie.

LAVURE n. f. ⟶ LAVER.

LAW (John), financier écossais (1671-1729). Il organisa sous la Régence un système financier et économique (fondé sur la création du papier-monnaie et l'ouverture d'une banque d'État), créa la Compagnie des Indes; mais ses spéculations imprudentes se terminèrent par une catastrophe financière.

LAWRENCE (*sir* Thomas), peintre anglais (1769-1830). Élève et continuateur de Reynolds, il est l'auteur de portraits élégants.

LAWRENCE (David Herbert), romancier anglais (1885-1930), auteur de *l'Amant de lady Chatterley* (1928).

LAWRENCE (Thomas Edward), officier et écrivain anglais (1888-1935), agent politique anglais dans les pays arabes, auteur des *Sept Piliers de la sagesse* (1926).

LAWRENCE (Ernest Orlando), physicien américain (1901-1958), prix Nobel de physique (1939) pour son invention du cyclotron.

LAXATIF, IVE [laksatif, -iv] adj. et n. m. (du lat. *laxare*, lâcher). Se dit des médicaments ou produits naturels (miel, pruneaux) qui débarrassent le canal intestinal en facilitant les selles.

LAXISME [laksism] n. m. (du lat. *laxus*, relâché). Tendance excessive à la conciliation, à la tolérance en matière de morale, de politique, de grammaire, etc. ◆ **laxiste** adj. et n.

LAY (le), fl. côtier de la Vendée, qui se jette dans le pertuis Breton. Mytiliculture dans l'estuaire.

LAYETTE [lɛjɛt] n. f. (de l'anc. fr. *laie*, tiroir). Ensemble du linge, des vêtements destinés aux nouveau-nés.

LAYON n. m. ⟶ LAIE 2.

LAYON (le), riv. de Maine-et-Loire, affl. de la Loire (r. g.); 90 km. Vignobles réputés sur les coteaux qui le dominent.

LAZARE *(saint)*, frère de Marthe et de Marie, ressuscité par Jésus.

LAZARET [lazarɛ] n. m. (de l'it. *lazzaro*, ladre). Établissement isolé dans une rade, où l'on garde en quarantaine les équipages et les passagers venant de pays infectés par des maladies contagieuses.

LAZARISTE [lazarist] n. m. (du prieuré de *Saint-Lazare*). Nom donné aux membres de la société des prêtres de la Mission, fondée en 1625 par saint Vincent de Paul à Paris.

LAZURITE n. f. ⟶ LAPIS.

LAZZI [lazi] n. m. (mot it.). Plaisanterie ironique, piquante : *Être l'objet des lazzis* (ou *lazzi*) *de ses camarades* (syn. MOQUERIE, RAILLERIE).

1. LE pron. pers. ⟶ IL.

2. LE [lə], **LA** [la], **L', LES** [lɛ] art. déf.; **UN** [œ̃], **UNE** [yn], **DES** [dɛ] art. indéf.; **DU** [dy], **DES** [dɛ], **AU, AUX** [o] art. contractés. ⟶ tableau page suivante.

LÉ [le] n. m. (lat. *latus*, large). Largeur d'une étoffe entre ses deux lisières.

LEADER [lidœr] n. m. (mot angl. signif. *guide*). **1.** Personne la plus en vue d'un parti politique, ou qui est à la tête d'un groupe, d'un mouvement. — **2.** *Sports.* Concurrent, équipe qui se trouve en tête d'une compétition. ◆ **leadership** n. m. Position de leader (sens 1 surtout).

LEAO-NING ou **LIAO-NING,** province de la Chine du Nord-Est; 35 720 000 hab. Capit. *Chen-yang* (ancienn. Moukden).

LEAO-TONG ou **LIAO-TONG** *(péninsule de)*, péninsule de la Chine du Nord-Est, entre le *golfe de Leao-tong*, à l'O., et le golfe de Corée, à l'E.

Lear *(le Roi)*, drame de Shakespeare (1605).

LEASING [liziŋ] n. m. (mot angl.). Système de financement dans lequel l'industriel fait acheter le matériel ou les immeubles dont il a besoin par une entreprise spécialisée, qui les lui loue ensuite dans le cadre d'un contrat de location-vente. (On dit aussi CRÉDIT-BAIL.)

LEBEL (Nicolas), officier français (1838-1891). Il participa à l'expérimentation du fusil modèle 1886, auquel fut donné son nom. (Le *fusil Lebel* fut en service jusqu'à la Seconde Guerre mondiale.)

LEBLANC (Maurice), écrivain français (1864-1941). Auteur de romans policiers, il est le créateur du personnage d'Arsène Lupin.

LEBON (Philippe), ingénieur français (1767-1804). Il fut le premier à utiliser de façon pratique le gaz provenant de la distillation du bois, pour l'éclairage et le chauffage (1797-1799).

LE BRIX (Joseph), officier de marine et aviateur français (1899-1931). [⟶ COSTES.]

LE BRUN ou **LEBRUN** (Charles), peintre français (1619-1690). Le chancelier Séguier l'envoya à Rome (1642) où il étudia Raphaël et subit l'influence de Poussin. En 1661, lorsque Louis XIV décida la création de Versailles, il fit appel à Le Brun qui en dirigea les travaux et devint premier peintre du roi. En 1663, il fut nommé directeur de l'Académie royale de peinture et de sculpture et de la manufacture royale des Gobelins. Il jouit dès lors d'un pouvoir considérable et dirigea tous les arts de son époque. Il pensait que les imperfections de la nature devaient être corrigées selon les modèles antiques. Le Brun est l'auteur des décorations de la galerie d'Apollon au Louvre, de l'escalier des Ambassadeurs, de la voûte de la galerie des Glaces, des galeries de la Guerre et de la Paix à Versailles.

LEBRUN (Charles) [1739-1824], troisième consul avec Bonaparte et Cambacérès en 1799; il devint, sous l'Empire, duc de Plaisance.

LEBRUN (Albert), homme d'État français (1871-1950). Il fut élu président de la République en 1932, et réélu en 1939. Il céda la direction de l'État au maréchal Pétain en juillet 1940.

LECCE, v. d'Italie (Pouilles); 83 050 hab. Raisin. Tabac.

LECH (le), riv. d'Allemagne et d'Autriche, affl. du Danube (r. dr.); 267 km. Il alimente deux grandes centrales hydro-électriques.

LE CHAPELIER (Isaac René Guy), homme politique français (1754-1794). Député du tiers état, il présenta à l'Assemblée une loi importante qui garda son nom (14 juin 1791). Cette loi interdisait, en conformité avec la suppression des corporations, toute association entre gens de même métier et toute coalition. Elle a été appliquée jusqu'en 1864 pour les coalitions, 1884 pour les syndicats et 1901 pour les associations.

LE CHATELIER (Henry), ingénieur et chimiste français (1850-1936). Inventeur de nombreux appareils de mesure, il fit d'importantes recherches sur les équilibres chimiques, sur la combustion des mélanges gazeux et sur les alliages.

LÉCHER [leʃe] v. t. (frq. *lekkon*). **1.** *Lécher une chose*, passer la langue sur elle : *Le chien lèche la main de son maître.* — **2.** Enlever avec la langue : *Le chat lèche le lait dans la soucoupe.* — **3.** Effleurer légèrement : *Les flammes léchaient les murs de l'immeuble.* — **4.** Exécuter avec un soin excessivement minutieux (souvent au passif) : *Un tableau trop léché.* — **5.** Fam. *Lécher les pieds de* ou *à qq'un*, avoir à son égard une attitude servile. ◆ **se lécher** v. pr. *Se lécher les lèvres, les doigts*, etc., se passer la langue sur les lèvres, les doigts. ‖ *S'en lécher les doigts*, manifester un vif plaisir en mangeant un plat délicieux. ◆ **lèche-vitrines** n. m. inv. Fam. *Faire du lèche-vitrines*, regarder longuement les vitrines des magasins, flâner le long des rues en regardant les étalages. ◆ **léché, e** adj. Fam. *Ours mal léché*, personne brutale, peu courtoise. ◆ **lèche** n. f. Fam. *Faire de la lèche à qq'un*, le flatter servilement. ◆ **lécheur, euse** n. *Fam.* Personne qui fait de la lèche. ◆ adj. m. *Insecte lécheur*, insecte dont l'appareil buccal comporte une langue (lèvre inférieure) pour lécher le nectar des fleurs : *L'abeille et les hyménoptères voisins sont des insectes lécheurs.*

LÉCITHINE [lesitin] n. f. (du gr. *lekithos*, jaune d'œuf). Lipide phosphoré, abondant dans le jaune d'œuf, le tissu nerveux, etc.

LECLAIR (Jean-Marie), violoniste et compositeur français (1697-1764), auteur de sonates pour violon, de concertos.

LECLANCHÉ (Georges), ingénieur français (1839-1882), inventeur de la pile électrique qui porte son nom (1877).

LECLERC (Charles), général français (1772-1802), premier mari de Pauline Bonaparte. Il commanda l'expédition victorieuse de Saint-Domingue, mais y mourut de la fièvre jaune.

LECLERC (Philippe DE HAUTECLOCQUE, dit) maréchal de France (1902-1947). En 1940 il rejoint de Gaulle à Londres. Il se distingue en Afrique (1940-1942), fait en 1943 sa jonction avec les troupes britanniques et participe à la campagne de Tunisie. À la tête de la 2ᵉ division blindée, il entre à Paris (1944) et libère Strasbourg. Commandant supérieur des forces françaises en Indochine (1945), il signe au nom de la France l'acte de capitulation du Japon. Il périt dans un accident d'avion et est nommé maréchal à titre posthume (1952).

LÉCLUSE (Charles DE), botaniste français (1526-1609), il introduisit en Europe la pomme de terre.

LEÇON [ləsɔ̃] n. f. (lat. *lectio*, lecture). **1.** Enseignement donné par un professeur, un maître, en une séance, à une classe, à un auditoire (syn. COURS). — **2.** Ce qu'un élève doit apprendre : *Il ne sait pas sa leçon.* — **3.** Avertissement donné à quelqu'un; enseignement tiré d'une faute : *Cela lui donnera une bonne leçon* (= cette mésaventure lui servira de punition). *Il se souviendra de la leçon* (syn. ADMONESTATION). — **4.** *Réciter sa leçon*, répéter fidèlement ce qu'on vous ordonne de dire.

LECONTE DE LISLE (Charles), poète français (1818-1894). Dans les *Poèmes antiques* (1852), puis dans les *Poèmes barbares* (1862), il crée par réaction contre le lyrisme romantique une poésie impersonnelle qui veut être d'une beauté parfaite. C'est autour de lui que se constitua l'école parnassienne.

LE CORBUSIER (Charles Édouard JEANNERET-GRIS, dit), architecte français d'origine suisse (1887-1965). Au début de sa carrière, Le Corbusier fut autant peintre et sculpteur qu'architecte; il se montra très proche des cubistes*.

Grand théoricien, il a exprimé ses idées sur l'architecture dans une vingtaine d'ouvrages qui eurent un grand retentissement dans le monde (*Vers une architecture*, 1923; *la Charte d'Athènes*, 1943; *le Modulor*, 1950). Son œuvre fut souvent mal comprise car elle apportait des notions révolutionnaires du point de vue du rythme de la vie. Il s'intéressait aussi bien à l'urbanisme qu'à l'architecture proprement dite et au mobilier, les considérant comme un tout indissociable. Fonctionnaliste, il pensait que les formes d'habitation devaient être adaptées aux besoins de leurs usagers par la répartition des activités en zones distinctes. L'aboutissement de ses théories furent ses *unités d'habitation* à Marseille (la Cité radieuse, 1947-1952), à Nantes-Rezé (1952-1957), à Briey (1955-1960).

Bien qu'allant à l'encontre de ses théories sur l'urbanisme, il construisit également des habitations individuelles (la villa Savoye) où, par une conception de l'espace totalement neuve (jeux de rampes, de cloisons mobiles, de transparences), il réalisa une étonnante transparence de l'intérieur vers l'extérieur.

Il conçut également le plan d'urbanisme de Chandigarh au Pendjab (1954) et, dans un autre domaine, réalisa la chapelle de

GENRE ET NOMBRE	PRÉPOSITION	FORMES	ARTICLE DÉFINI (déterminé) EXEMPLES ET VALEURS	FORMES	ARTICLE INDÉFINI (indéterminé) EXEMPLES ET VALEURS		ABSENCE D'ARTICLE (neutralisation de l'opposition déterminé-indéterminé) EXEMPLES ET EMPLOIS
masc. sing.	pas de préposition ou toute autre préposition que *de* et *à*	**le, l'**	Valeur de détermination : *Le premier lundi du mois. Il est le plus grand* (superlatif). Indication du genre et du nombre : *Le vase est fêlé.* Valeur d'habitude : *Il vient le mardi.* Valeur démonstrative : *Je viens dans l'instant même. Cela s'est passé le 9 août.* Valeur possessive : *Le bras droit me fait mal.* Valeur distributive : *Tissu à tant le mètre. Le lundi, il revenait de sa maison de campagne.*	**un**	Valeur d'indétermination : *J'habite un hôtel meublé. Vous viendrez un mardi du mois. Nous avons eu un mois de décembre pluvieux. C'est un sous-préfet.* Valeur affective (mépris ou admiration) : *Il a parlé avec un enthousiasme! En voilà un imbécile!*		La présence d'un possessif, d'un démonstratif, d'un numéral, d'un interrogatif et de certains indéfinis exclut l'article : *Bruxelles, grand centre de la Belgique* (apposition). *Venez mardi : vous me verrez* (date). *Faire grâce* (loc. verbale). *Il est plus grand* (comparatif). *À bon chat, bon rat* (maxime). *Tu n'as rien compris, camarade!* (apostrophe). *Père, mère, enfants, tous étaient là* (énumération). *Il est sous-préfet* (attribut). *André est ingénieur* (métier). *Être blanc comme neige* (comparaison); après *sans, en, sous,* etc. : *Sans argent, en été, sous abri;* avec *par* (valeur distributive) : *Rangez vos papiers par tas.*
						de	Avec une négation : *Je n'ai plus d'espoir. Pas d'argent.*
fém. sing.	pas de préposition	**la, l'**	Valeur de détermination : *Donne-moi la clef. Manquer la correspondance du train.* Valeur démonstrative : *De la sorte, vous n'obtiendrez rien.* Valeur possessive : *J'ai mal à la tête.* Valeur distributive : *Deux fois la semaine.*	**une**	Valeur d'indétermination : *Acheter une machine à écrire. Elle est pour lui une mère.*		*Paris, capitale de la France* (apposition). Valeur distributive (sans prép.) : *Articles à trois francs pièce. Rendre justice* (= reconnaître).
						de	*Je n'ai plus de mère* (avec une négation).
masc. et fém. plur.	pas de préposition	**les**	*J'achète un livre pour les enfants. Ils partent dans les huit jours* (durée). Valeur possessive : *Chacune, les yeux fixés sur lui, était attentive.*	**des**	*Pour des enfants, cela sera excellent. Il reste des semaines sans écrire* (durée indéterminée). Valeur possessive : *Avoir des espérances.*		*Un livre pour enfants. Ils partent dans huit jours* (date).
						de	Précédé d'un adjectif épithète : *J'ai de grandes satisfactions;* avec une négation : *Je n'ai plus d'espoir.*
masc. sing.	*de*	**du** **de l'**	*L'auteur du « Cid ». Le locataire de l'appartement. Avoir du mal à terminer.*	**d'un**	*Le livre d'un grand écrivain. Je m'aperçois d'un grave danger.*	**de**	*Manquer de flair. Les comédies de Molière* (nom propre). LOC. ADV. : *de fait, de près.*
fém. sing.	*de*	**de la** **de l'**	*Que penses-tu de la pièce? Le propriétaire de l'auto.* LOC. ADV. : *de la sorte.*	**d'une**	*La réparation d'une montre. Il souffre d'une angine.*	**de**	*Poste de télévision. Table de marbre* (valeur d'adjectif). LOC. ADV. : *de grâce.*
masc. et fém. plur.	*de*	**des**	*La foule des badauds* (compl. de collectif). *Les toits des maisons.*	**des**	*L'avis des gens incompétents ne m'intéresse pas.*	**de**	*Une foule de badauds* (compl. de collectif). *Manquer de ressources.*
masc., sing.	*à*	**au** **à l'**	*Vous reviendrez au printemps. Au revoir!*	**à un**	*À un de ces jours! Rêver à un héritage.*	**à**	*Un moulin à café. Aller à pied, à cheval.* LOC. ADV. : *à dessein.*
fém. sing.	*à*	**à la** **à l'**	*Avez-vous pensé à la commission que vous devez faire? Je suis allé à l'adresse indiquée.* LOC. ADV. : *à la légère.*	**à une**	*Rendez-vous à une station de métro.*	**à**	*Un avion à réaction.* LOC. ADV. : *à merveille.*
fém. et masc. plur.	*à*	**aux**	*Je ne vois personne aux alentours. Songez aux amies!* LOC. ADV. : *aux dépens.*	**à des**	*Il se trouve à des kilomètres d'ici.*	**à**	*Homme à femmes. Patins à roulettes.*

Remarques : I. PARTITIFS. Les articles *du, de la, de l', des* peuvent être employés avec des noms avec une valeur de partitifs (articles partitifs indiquant une certaine quantité de) : *Prends encore du jambon. Je mange de la confiture à quatre heures. Sers-nous de la soupe* (différent de *Sers-nous la soupe*). *Mange des épinards. Il reste du pain sur la table.*

II. NOMS PROPRES. L'article défini se place devant les noms propres géographiques *(la France)*, sauf lorsqu'ils sont compléments *(les régions de France)*, devant les noms propres de peuples *(les Français)*, les noms désignant une firme, un journal, etc. *(le Monde)*, devant les noms de personnes accompagnés d'un adjectif *(le célèbre Lamartine)*, les noms de personnes au pluriel *(les Durand)*.

III. OMISSION DANS LES COORDINATIONS. La répétition de l'article est normale dans les coordinations, sauf quand les deux termes coordonnés correspondent à un contenu unique : *Les enfants et les parents. Les officiers, sous-officiers et soldats* (= l'armée dans sa totalité). *Faculté des lettres et sciences humaines. Ingénieur des Ponts et Chaussées. École d'arts et métiers.*

Notre-Dame-du-Haut à Ronchamp, où les effets de courbes et de lumière jouent un grand rôle.

LECOUVREUR (Adrienne), tragédienne française (1692-1730). Entrée à la Comédie-Française en 1717, elle dut sa célébrité à son talent et à sa passion pour le maréchal de Saxe.

LECTEUR, TRICE n. ⟶ LIRE 2.

LECTOURE, ch.-l. de cant. du Gers, à 35 km au N. d'Auch; 4400 hab. Anc. capit. de l'Armagnac.

LECTURE n. f. ⟶ LIRE 2.

LÉDA. *Myth. gr.* Femme de Tyndare, aimée de Zeus qui prit la forme d'un cygne pour lui plaire; mère de Castor, de Pollux, d'Hélène et de Clytemnestre.

LE DAIN ou **LE DAIM** (Olivier NECKER, dit **Olivier**), barbier et confident de Louis XI, il fut pendu sous Charles VIII en 1484 en raison des abus qu'il avait commis.

LEDOUX (Claude Nicolas), architecte néo-classique français (1736-1806). Il annonce par l'audace de ses conceptions l'urbanisme moderne (salines d'Arc-et-Senans).

LEDRU-ROLLIN (Alexandre Auguste), avocat et homme politique français (1807-1874). Ministre de l'Intérieur dans le gouvernement provisoire de 1848, il organisa les premières élections au suffrage universel.

LEE (Robert Edward), général américain (1807-1870). Chef des armées sudistes pendant la guerre de Sécession, il fut vainqueur à Richmond (1862) et à Chancellorsville (1863). Marchant sur Washington, il fut vaincu à Gettysburg (1863) et capitula à Appomattox après une longue résistance (1865).

LEEDS, v. de Grande-Bretagne (Yorkshire); 495 000 hab. Université. Grand centre de l'industrie lainière. Métallurgie. Chaussures. Machines agricoles.

LEEUWARDEN, v. des Pays-Bas, ch.-l. de la Frise; 87 800 hab. Anc. résidence des stathouders de la Frise. Industries mécaniques et alimentaires.

LEFEBVRE (François Joseph), duc DE DANTZIG, maréchal de France (1755-1820). Il se distingua à Fleurus (1794) et fit capituler Dantzig (24 mai 1807). — Sa femme, Catherine HUBSCHER, ancienne blanchisseuse, fut popularisée par Sardou sous le nom de MADAME SANS-GÊNE.

LEFEBVRE (Georges), historien français (1874-1959). Ses ouvrages (*les Paysans du Nord pendant la Révolution*, 1924; *la Révolution française*, 1930; etc.) donnent une place essentielle à l'histoire économique et sociale.

LEFÈVRE d'Étaples (Jacques), théologien et humaniste français (v. 1450-1537), qui traduisit la Bible en français et prépara ainsi la diffusion des doctrines de Calvin.

LEFOREST, ch.-l. de cant. du Pas-de-Calais, à 11 km au N. de Douai; 7 900 hab.

LÉGAL, E, AUX [legal, -go] adj. (du lat. *lex, legis*, loi). **1.** Conforme à la loi, prescrit par la loi : *L'âge légal pour voter* (syn. RÉGLEMENTAIRE). *Le pays légal* (= ensemble des habitants d'un pays qui exercent des droits politiques). *User des moyens légaux* (syn. JURIDIQUE). — **2.** Qui appartient à la loi : *Les dispositions légales actuellement en vigueur.* ◆ **extra-légal, e, aux** adj. Qui est en dehors de la légalité : *Moyens extra-légaux.* ◆ **légalement** adv. (contr. ARBITRAIREMENT). ◆ **légaliser** v. t. **1.** *Faire légaliser sa signature*, en faire certifier l'authenticité par une autorité officielle. — **2.** Rendre légal, légitimer : *De nouvelles élections légalisèrent le régime.* ◆ **légalisation** n. f. Action de rendre légal, conforme à la loi. ◆ **légaliste** adj. et n. Qui a un respect scrupuleux, excessif des formes légales, de la loi. ◆ **légalité** n. f. Caractère de ce qui est légal; pouvoir politique conforme à la loi; ensemble des choses prescrites par les lois : *La légalité d'un régime. Rester dans la légalité.* ◆ **illégal, e, aux** adj. : *Décision illégale.* ◆ **illégalement** adv. ◆ **illégalité** n. f. : *L'illégalité d'une mesure.*

1. LÉGAT [lega] n. m. (lat. *legatus*, envoyé). Chez les Romains, commissaire du sénat; délégué d'un proconsul; délégué de l'empereur dans une province; commandant d'une légion.

2. LÉGAT [lega] n. m. (même étym.). *Légat du pape*, son représentant dans un pays étranger.

LÉGATAIRE n. ⟶ LEGS.

Légataire universel *(le)*, comédie en 5 actes et en vers, de Regnard (1708).

LÉGATION [legasjɔ̃] n. f. (lat. *legatio*). Mission entretenue par un gouvernement dans un pays où il n'a pas d'ambassade; lieu où réside cette mission.

1. LÉGENDE [leʒɑ̃d] n. f. (lat. *legenda*, ce qui doit être lu). **1.** Récit traditionnel dont les événements fabuleux ont pu avoir une base historique, réelle, mais ont été transformés par l'imagination populaire : *Les légendes du Moyen Âge.* — **2.** Histoire déformée et embellie par l'imagination : *Il est entré vivant dans la légende.* ◆ **légendaire** adj. **1.** Qui n'a pas d'existence réelle; qui est déformé par l'imagination populaire : *Les animaux légendaires des sculptures du Moyen Âge* (syn. FABULEUX, MYTHIQUE). — **2.** Passé à la célébrité : *Un exploit resté légendaire.*

2. LÉGENDE [leʒɑ̃d] n. f. (même étym.). Explication jointe à une illustration, une gravure, une carte, un plan, afin d'en faciliter la compréhension.

Légende des siècles *(la)*, recueil de poèmes de Victor Hugo, comportant trois séries (1859, 1877, 1883).

Légende dorée *(la)*, nom donné au XVe s. au recueil de Vies de saints composé par Jacques de Voragine vers 1260.

LEGENDRE (Louis), homme politique français (1752-1797). Député montagnard à la Convention, il fut l'un des chefs de la réaction thermidorienne.

LÉGER, ÈRE [leʒe, -ɛr] adj. (lat. *levis*) [avant ou après le nom]. **1.** Dont le poids est peu élevé; dont la densité n'est pas grande : *Des bagages légers* (contr. LOURD). *Une huile légère.* — **2.** Qui a peu d'épaisseur : *Passer une légère couche de vernis* (syn. MINCE; contr. ÉPAIS). — **3.** Qui a peu de force, de violence, de gravité, d'importance : *Un café léger* (contr. FORT). *Une légère tape* (contr. VIOLENT). *Une douleur légère* (contr. VIF). *Une blessure légère* (contr. GRAVE). — **4.** Qui donne une impression de vivacité, de délicatesse, de grâce : *Une démarche légère* (syn. ALERTE, SOUPLE; contr. LOURD). *La taille légère* (syn. ÉLANCÉ, SVELTE). — **5.** Qui a peu de sérieux, de profondeur, de stabilité : *Il a été bien léger de lui confier ce dossier* (syn. IMPRUDENT). *Un esprit léger* (syn. FRIVOLE). *Une femme légère* (syn. VOLAGE). *Une conversation légère* (syn. ↑GRIVOIS). — **6.** *Avoir le cœur léger*, être sans souci, sans remords. ‖ *Avoir le sommeil léger*, avoir un sommeil qu'interrompt le moindre bruit. — LOC. ADV. *À la légère*, sans réfléchir : *Parler, agir à la légère* (syn. INCONSIDÉRÉMENT). *Prendre les choses à la légère* (= avec insouciance). ◆ **légèrement** adv. : *Être habillé légèrement* (contr. CHAUDEMENT). *Remuer légèrement la tête* (= un peu). *Manger légèrement* (= sans excès). *Parler légèrement de la maladie des autres* (= avec désinvolture). *Être blessé légèrement* (= sans gravité). ◆ **légèreté** n. f. : *La légèreté d'un repas* (contr. LOURDEUR). *La légèreté d'une punition* (contr. GRAVITÉ). *Danser avec légèreté* (syn. AISANCE, SOUPLESSE). *Faire preuve de légèreté* (syn. FRIVOLITÉ, IRRÉFLEXION; contr. SÉRIEUX). ◆ **alléger** [aleʒe] v. t. *Alléger qqch.*, le rendre plus léger, moins lourd : *Alléger le toit d'une voiture* (syn. DÉLESTER). *Alléger une peine* (syn. CALMER, SOULAGER). ◆ **allégement** n. m. : *L'allégement des charges de l'État* (syn. DIMINUTION; contr. ACCROISSEMENT).

LÉGER (Fernand), peintre français (1881-1955). D'abord influencé par Cézanne, il se rapproche des cubistes (*les Fumeurs*, 1911). Mais il diffère d'eux par une plus grande recherche du mouvement et du coloris et par le choix de ses sujets (villes, paysages réels, personnages en action).

Dès 1918, il trouve son style personnel, s'inspirant souvent de ce qui rappelle les machines (rouages, bielles, pistons, poulies). Il évolue alors vers un style presque abstrait, prenant pour thème des objets rassemblés pour former des systèmes de lignes, de formes et de couleurs.

Pendant la Seconde Guerre mondiale, qu'il passe aux États-Unis, il revient à des compositions traversées de figures très souples (plongeurs, acrobates). De retour en France, il représente les travailleurs dans leurs *Loisirs* (1948-1949) et dans leur travail (*les Constructeurs*, 1950-1951). Il décore aussi de nombreux édifices et réalise des mosaïques (église d'Assy, 1946), des vitraux (église d'Audincourt, 1951). Il aborde également la tapisserie, la céramique et la sculpture.

LÉGÈREMENT adv., **LÉGÈRETÉ** n. f. ⟶ LÉGER.

LÉGIFÉRER [leʒifere] v. i. (du lat. *legifer*, qui établit des lois). Faire des lois (langue officielle) : *Le Parlement légifère.*

1. LÉGION [leʒjɔ̃] n. f. (lat. *legio*). **1.** Corps de troupes de l'armée romaine. ⟶ ENCYCL. — **2.** Unité de gendarmerie commandée par un colonel. — **3.** *Légion étrangère*, formation de l'armée française, composée de soldats, en majorité étrangers, volontaires pour le service de la France. ⟶ ENCYCL. ◆ **légionnaire** n. m. **1.** Soldat d'une légion romaine. — **2.** Militaire de la Légion étrangère.

— ENCYCL. ***légion romaine.*** Le terme de *légion* (littéral. « levée ») désignait à l'origine l'ensemble de l'armée romaine, c'est-à-dire les citoyens soldats puisqu'il n'y avait pas d'armée permanente. Pendant les deux premiers siècles de la République, l'armée comprit 4 légions (2 par consul), mais leur nombre augmenta rapidement ensuite (25 pendant la deuxième guerre punique). Au IIIe s. av. J.-C., l'effectif était de 300 cavaliers et de 4 200 fantassins; ceux-ci étaient répartis en compagnies appelées *manipules.* Chaque manipule comptait 2 *centuries* (60 hommes environ). La légion était

formée uniquement de citoyens répartis selon leur fortune. Les plus riches servaient dans la cavalerie, les autres dans l'infanterie, ceux qui ne possédaient rien en étaient exclus. À chaque légion, dont l'effectif se stabilisa autour de 6 000 hommes, étaient associés des contingents alliés. Marius (157-86 av. J.-C.) transforma les légions en armée de métier divisée en 10 *cohortes*, et élargit le recrutement à tous les citoyens sans condition de fortune.
Légion étrangère. Elle a été créée en 1831 en Algérie par Louis-Philippe. Elle comprend des régiments d'infanterie, de cavalerie, de parachutistes, ainsi qu'un certain nombre d'unités spécialisées. Ses drapeaux et étendards portent la devise « Honneur et Fidélité ». Très attachés à leurs traditions, les légionnaires portent le képi blanc, la ceinture bleue et les épaulettes aux couleurs de l'arme, qui sont le vert et le rouge.

2. LÉGION [leʒjɔ̃] n. f. (même étym.). Grand nombre d'êtres vivants : *Une légion de cousins* (syn. MULTITUDE).

Légion d'honneur *(ordre de la)*, ordre national français, institué en 1802 par Bonaparte en récompense de services militaires et civils. Le chef de l'État est le grand maître de l'ordre, dont il porte le grand collier. Il y a cinq classes ou grades : grand-croix, grand officier, commandeur, officier, chevalier.

LÉGIONNAIRE n. m. ⟶ LÉGION 1.

LÉGISLATEUR, TRICE [leʒislatœr, -tris] n. (lat. *legislator*). Personne qui fait les lois, qui les fait voter (langue admin.). ‖ *Le législateur*, la loi en général. ◆ **législatif, ive** adj. **1.** Qui fait les lois, qui a la mission de les faire : *Le pouvoir législatif, ou pouvoir de faire les lois, appartient au Parlement*, composé de deux assemblées : l'Assemblée* nationale et le Sénat*.* ‖ *Assemblée législative* ⟶ ASSEMBLÉE. — **2.** Qui se rapporte à la loi : *Un acte législatif.* — **3.** *Élections législatives*, où l'on procède à l'élection des députés à l'Assemblée nationale. (⟶ ÉLIRE, *encycl.*) ◆ **législation** n. f. Ensemble des lois concernant tel ou tel domaine. ◆ **législature** n. f. Période pour laquelle est élue une assemblée législative.

LÉGISTE [legist] n. m. (du lat. *lex, legis*, loi). Celui qui connaît, qui étudie les lois. ◆ adj. *Médecin légiste*, chargé d'expertises en matière légale.

LÉGITIME [leʒitim] adj. (du lat. *lex, legis*, loi) [après le nom; plus rarement avant]. **1.** Se dit de ce qui est conforme au droit, à la justice, à la raison : *Faire valoir ses droits légitimes sur une succession* (syn. LÉGAL). *Des revendications légitimes* (syn. FONDÉ, JUSTE; contr. DÉRAISONNABLE). *Une sévérité légitime* (syn. JUSTIFIÉ; contr. ARBITRAIRE). ‖ *Légitime défense*, état de celui qui, pour se défendre, accomplit un acte interdit par la loi pénale. — **2.** Qui remplit les conditions fixées par la loi : *La femme légitime* (= l'épouse selon la loi). *Enfant légitime* (= né dans le mariage) [contr. NATUREL]. ◆ **légitimement** adv. : *Il s'estime légitimement satisfait.* ◆ **légitimer** v. t. **1.** *Légitimer une action*, la justifier, la faire admettre comme excusable, comme juste : *Rien ne légitime son refus de discuter* (syn. JUSTIFIER). — **2.** *Légitimer un enfant*, donner à un enfant naturel, par un acte juridique, les droits d'un enfant légitime. ◆ **légitimation** n. f. Sens 2 de LÉGITIMER : *La légitimation d'un enfant.* ◆ **légitimité** n. f. **1.** Qualité de ce qui est fondé en justice, en équité : *La légitimité de ses droits* (syn. BIEN-FONDÉ). — **2.** Qualité de ce qui est fondé en droit : *La légitimité du pouvoir établi* (syn. LÉGALITÉ). ◆ **illégitime** adj. **1.** Qui n'est pas fondé, justifié : *Une prétention illégitime.* — **2.** Qui ne remplit pas les fonctions fixées par la loi : *Union illégitime.* ◆ **illégitimement** adv.

LÉGITIMISTE [leʒitimist] n. et adj. (de *légitime*). En France, partisan de la branche aînée des Bourbons, détrônée en 1830 au profit de la branche d'Orléans.

LÉGITIMITÉ n. f. ⟶ LÉGITIME.

LEGNANO, v. d'Italie (Lombardie), sur l'Olona; 47 700 hab. Textiles.

• *1176. Victoire des Milanais sur Frédéric Barberousse.*

LEGNICA, ancienn. en all. **Liegnitz**, v. de Pologne, en basse Silésie; 76 500 hab. Industries métallurgiques (traitement du minerai de cuivre). Textiles.

LEGS [lɛg] ou [lɛ] n. m. (anc. fr. *lais;* de *laisser*). **1.** Disposition prise par testament pour faire un don gratuit à une personne. ‖ *Legs à titre particulier*, legs d'un ou de plusieurs biens déterminés. ‖ *Legs à titre universel*, don qui porte sur un ensemble de biens (soit une partie de la succession, soit la succession complète, avec meubles et immeubles). ‖ *Legs universel*, legs qui porte sur la totalité de la succession, ou, tout au moins, de la part disponible lorsque le légataire universel participe à un héritage avec des héritiers « réservataires » (= qui ne peuvent pas être déshérités). — **2.** *Le legs du passé*, la tradition, les coutumes. ◆ **légataire** n. Bénéficiaire d'un legs. ‖ *Légataire universel*, légataire à qui l'auteur du testament a légué la totalité de ses biens disponibles. ◆ **léguer** v. t. **1.** Donner par testament. — **2.** Transmettre à ceux qui viennent ensuite : *Traditions de métier qu'on se lègue de père en fils.*

LÉGUME [legym] n. m. (lat. *legumen*). Plante potagère dont la racine (navet, salsifis, carotte), les tiges souterraines (pomme de terre) ou aériennes (asperge), les feuilles (poireau), les fruits (haricot vert) ou les graines (pois, lentille) servent à l'alimentation.

LÉGUMINEUSES [legyminøz] n. f. pl. (de *légume*). Ordre de plantes à fleurs, comprenant environ 14 000 espèces, caractérisées par leur fruit en gousse. (Les légumineuses se divisent en trois familles : *mimosacées* [mimosa], *césalpiniacées* et *papilionacées* [pois, fève, lentille, haricot].)

LEHÁR (Franz), compositeur autrichien, d'origine hongroise (1870-1948), auteur d'opérettes (*la Veuve joyeuse*, 1905).

LEIBNIZ (Gottfried Wilhelm), philosophe et mathématicien allemand (1646-1716).
Mathématicien, il découvrit en même temps que Newton, mais indépendamment de lui, le calcul différentiel. Il rechercha une langue universelle applicable aux sciences et, pour cela, créa de nombreux symboles mathématiques encore utilisés aujourd'hui (on lui doit le mot *fonction** créé en 1694).
Philosophe, il croit à l'existence des idées innées. Selon lui, tous les êtres sont constitués par des substances simples, entre lesquelles il y a une harmonie préétablie; il en conclut avec optimisme que « tout est pour le mieux dans le meilleur des mondes possibles ». Il a développé sa philosophie dans de nombreux ouvrages, dont les *Nouveaux Essais sur l'entendement humain*, la *Théodicée*, la *Monadologie*, tous écrits en français.

LEICESTER, v. d'Angleterre, ch.-l. du comté du même nom; 283 500 hab. Industries textiles, mécaniques et chimiques.

LEINSTER, en gaél. **Laighen**, province de la république d'Irlande, s'étendant sur la plaine centrale et sur le sud-est de l'île; 1 494 500 hab. Capit. *Dublin*.

LEIPZIG, v. d'Allemagne (Saxe); 564 000 hab. Vieille cité d'échanges, la ville est devenue une grande place commerciale dotée d'une foire internationale. Des industries variées s'y sont fixées : métallurgie, optique, chimie, etc., et, en liaison avec son université qui en fait un grand centre intellectuel, l'édition.

• *1631. Victoire de Gustave-Adolphe sur les Impériaux.*
• *1813. Défaite de Napoléon au cours de la bataille dite « bataille des Nations » entre Français et Alliés.*

LEITHA (la), riv. qui divisait naguère l'Autriche-Hongrie en *Cisleithanie* et *Transleithanie*. Elle se jette dans le Danube (r. dr.); 178 km.

LEITMOTIV [lajtmɔtiv] ou [lɛtmotif] n. m. (mot all.). **1.** *Mus.* Motif musical conducteur. ⟶ ENCYCL. — **2.** Formule qui revient sans cesse dans un discours, une œuvre littéraire, etc. : *L'éloge du passé et la critique du présent forment le leitmotiv de ses propos.* Pl. des *leitmotive* ou des *leitmotivs*.
— ENCYCL. Le *leitmotiv* est un thème caractéristique employé par le compositeur pour représenter un personnage, un sentiment, une situation ou même un objet, et qui reparaît périodiquement. Déjà utilisé par Weber, le leitmotiv fut systématiquement employé par Wagner.

LE JEUNE (Claude), compositeur français (v. 1530-1600), auteur de psaumes, de motets ainsi que de chansons françaises.

LEM [lɛm] n. m. (de l'angl. *l[unar] e[xcursion] m[odule]*). Élément qui se détache d'un vaisseau spatial pour se poser sur la Lune (syn. MODULE LUNAIRE).

LEMAIRE de Belges (Jean), poète français (1473-apr. 1520), le plus original des « grands rhétoriqueurs ».

LÉMAN *(lac)*, lac partagé entre la France et la Suisse, au N. des Alpes de Savoie. Situé à 375 m d'alt., il a 582 km² de superficie et 72 km de long.
Un fort saillant de sa rive méridionale, en face de Nyon, le divise en 2 bassins : à l'E., le *Grand Lac*, large de 13,8 km au maximum et à l'O., près de Genève, le *Petit Lac* (parfois appelé « lac de Genève »). Façonné par les glaciers quaternaires, ce lac s'étend sur une zone de dislocations tectoniques. Il est traversé par le Rhône, qui édifie un important delta dans sa partie supérieure et entaille la roche en place à sa sortie. Les eaux du Léman exercent une influence adoucissante sur les climats des rives : le versant nord (canton de Vaud), ensoleillé, est couvert de vignobles, et les localités profitent d'une intense activité touristique; la rive française présente des caractères analogues autour de Thonon et d'Évian.

LEMDIYYA ⟶ MÉDÉA.

LEMERCIER (Jacques), architecte français (v. 1585-1654). Il construisit le pavillon de l'Horloge au Louvre (1624), l'ancienne Sorbonne, l'église Saint-Roch, le château et la ville de Richelieu.

LEMMING [lemiɲ] n. m. (mot norv.). Petit mammifère rongeur, vivant dans les terriers en Scandinavie : *Les lemmings creusent des galeries dans le sol et, tous les trois ou quatre ans, à la suite d'une forte pullulation, effectuent vers le sud des migrations massives.*

LEMNACÉES [lɛmnase] n. f. pl. (du gr. *lemna*, lentille d'eau). Famille de plantes monocotylédones aquatiques ayant pour type la *lentille d'eau.*

LEMNOS, île grecque de la mer Égée.

LEMOYNE (les), famille de sculpteurs français des XVIIe et XVIIIe s. JEAN-LOUIS (1665-1755), élève de Coysevox*, sculpta de nombreux bustes *(Duplessis, Fénelon).* — Son frère, JEAN-BAPTISTE Ier (1679-1731), fut l'auteur du *Baptême du Christ* conservé à Saint-Roch. — JEAN-BAPTISTE II dit **Lemoyne fils** (1704-1778) fut le sculpteur favori de Louis XV. Les nombreux bustes qu'il a réalisés sont un témoignage des personnages importants de son temps *(Montesquieu, Marie-Antoinette).*

LE MOYNE ou **LE MOINE** (François), peintre français (1688-1737). Son œuvre annonce Boucher qui fut son élève. Il a surtout exécuté de grandes décorations (coupole de la chapelle de la Vierge à Saint-Sulpice).

LE MOYNE D'IBERVILLE (Pierre), marin et explorateur français (1661-1706). Il combattit les Anglais au Canada et fonda la colonie de la Louisiane (1698), dont il fut le premier gouverneur (1704).

LÉMURES [lemyr] n. m. pl. (lat. *lemures*). Chez les Romains, âmes des morts.

LÉMURIENS [lemyrjɛ̃] n. m. pl. (du lat. *lemures*, âmes des morts). Sous-ordre de mammifères primates de mœurs arboricoles (syn. PROSIMIENS).
— ENCYCL. Nombreux et universellement répandus à l'ère tertiaire, les *lémuriens* ont mal supporté la concurrence des singes et ne se trouvent plus, actuellement, qu'en petit nombre en Afrique équatoriale et dans le Sud-Est asiatique; ils n'abondent qu'à Madagascar, où il n'y a pas de singes. Ils vivent dans les arbres, possèdent un museau allongé, des doigts souvent très longs et des yeux énormes en rapport avec une vie surtout nocturne. Ils se nourrissent principalement d'insectes et de fruits. Les principaux types sont : le *maki*, le *loris*, l'*indri*, l'*aye-aye.*

LENA (la), fl. de l'U. R. S. S., en Sibérie; 4 270 km.

LE NAIN, nom de trois frères : ANTOINE (1588?-1648), LOUIS (1593?-1648), MATHIEU (1607?-1677), peintres français. Nés à Laon, ils furent élevés dans un milieu proche de celui des paysans. De toute leur production, très variée (portraits, scènes religieuses ou mythologiques), c'est la peinture de la vie paysanne qui les a rendus célèbres.
Il est souvent difficile de distinguer l'œuvre de chacun et la part respective qui leur revient dans certains tableaux peints en collaboration. Antoine a surtout peint des scènes familiales (*Danse d'enfants*, 1643; *Portraits dans un intérieur*, 1647). Louis, le plus grand des trois, est un des maîtres du réalisme français. Ses scènes de la vie paysanne sont traitées avec des coloris sobres, une lumière très claire, des formes pleines et immobiles *(la Charrette ou le Retour de la fenaison*, 1641; *le Repas des paysans*, 1642). Mathieu est l'auteur d'élégantes scènes qui évoquent la peinture hollandaise de la même époque *(la Leçon de danse*, 1655-1660; *les Joueurs de trictrac).*

LENCLOS (Anne, dite **Ninon de**), femme célèbre par son esprit et ses aventures amoureuses (1620-1705). Son salon fut surtout fréquenté par les libres penseurs.

LENDEMAIN [lɑ̃dmɛ̃] n. m. (de l'anc. fr. *l'endemain*). **1.** (toujours avec l'art.) Le jour qui suit celui dont on parle, par rapport à un moment passé ou futur (par rapport à un moment présent, on dit DEMAIN) : *Nous arriverons vendredi à Paris, et le lendemain samedi nous repartirons.* — **2.** Désigne un temps futur très proche, un avenir plus ou moins immédiat (en ce sens, peut s'employer au plur.) : *Tu n'as pas souci du lendemain* (syn. AVENIR). *Cette affaire a eu de sombres lendemains* (syn. CONSÉQUENCES). *Au lendemain de l'armistice* (= aussitôt après). — **3.** *Du jour au lendemain*, en un espace de temps très court : *Il change d'opinion du jour au lendemain* (syn. SUBITEMENT). ◆ **surlendemain** n. m. (toujours avec l'art.). Le jour qui suit le lendemain, par rapport à un moment passé ou futur (par rapport à un moment présent, on emploie APRÈS-DEMAIN) : *Le vendredi 8 février, il avait commencé à tousser; le surlendemain, le dimanche 10, il s'était couché avec une bronchite* (= deux jours après).

LENDIT [lɑ̃di] n. m. (de l'anc. fr. *l'endit;* du lat. *indictum*, ce qui est fixé). Au Moyen Âge, importante foire qui se tenait dans la plaine Saint-Denis, près de Paris, et où se vendait, en particulier, le parchemin pour les universités.

LÉNIFIANT, E [lenifjɑ̃, -ɑ̃t] adj. (du lat. *lenis*, doux). *Paroles lénifiantes*, qui calment une peine, apaisent la colère, atténuent la rigueur, la dureté.

LENINABAD, auj. **Khodjent,** v. de l'U. R. S. S. (Tadjikistan), sur le Syr-Daria; 123 000 hab. Textiles (soie).

LENINAKAN, auj. **Kumaïri,** v. de l'U. R. S. S. (Arménie). La ville a été gravement endommagée par un tremblement de terre en 1988.

LÉNINE (Vladimir Ilitch OULIANOV, dit), homme d'État russe (1870-1924).

- *1887. Son frère Aleksandr Oulianov est exécuté pour avoir participé à un attentat contre Alexandre III.*

Dès lors, il est engagé dans le mouvement révolutionnaire. Exclu de l'université de Kazan' (1887), il participe aux cercles clandestins qui étudient le marxisme*.

- *1891. Il est étudiant en droit à Saint-Pétersbourg où il subit l'influence des idées de Plekhanov.*
- *1895-1900. Il est arrêté pour son action révolutionnaire et déporté (1897) pour trois ans en Sibérie.*

Il y épouse Nadejda Kroupskaïa (1898), rédige plusieurs ouvrages dont *le Développement du capitalisme en Russie* (1899).

- *1900. Lénine quitte la Russie et se rend en Suisse.*

Avec Plekhanov, il fonde alors le journal *Iskra* (= *l'Étincelle*). Mais des divergences apparaissent entre eux. Dans son ouvrage *Que faire?* (1902), Lénine précise la nature et les objectifs d'un véritable parti révolutionnaire issu du prolétariat. Il y attaque ceux qui abandonnent le terrain politique à la seule bourgeoisie.

- *1903. Au IIe Congrès du P. O. S. D. R. (Parti ouvrier social-démocrate russe), il impose ses thèses et devient le chef des bolcheviks (majoritaires), par opposition aux mencheviks (minoritaires).*
- *1905. Il regagne la Russie lors de la révolution et soutient la grève générale de Moscou.*

Après l'échec de cette révolution, il s'oppose aux mencheviks en affirmant que le prolétariat russe réalisera seul la révolution politique sans compromission avec la bourgeoisie, afin d'entreprendre aussitôt la révolution sociale.

- *1907. Obligé de quitter la Russie, il réside jusqu'en 1917 tantôt à Genève, tantôt à Paris.*
- *1912. Une conférence du P. O. S. D. R. se réunit à Prague.*

Cette conférence met le parti sous la direction exclusive des bolcheviks qui décident la création d'un quotidien, la *Pravda.*
Lorsque la Première Guerre mondiale éclate, Lénine dénonce en elle une lutte entre impérialismes rivaux (*l'Impérialisme, stade suprême du capitalisme*, 1917). Pensant que les révolutionnaires doivent transformer la guerre entre nations en guerre de classes, il voit dans ce conflit la chance de la révolution.

- *Avril 1917. Après la révolution « bourgeoise » de février et la chute du tsarisme, il rentre en Russie.*

Il publie alors un programme révolutionnaire (paix immédiate, pouvoir aux soviets, usines aux ouvriers et terre aux paysans). Après l'échec des soulèvements de Petrograd (4 mai, 17 juillet) contre le gouvernement provisoire, Lénine s'enfuit en Finlande où il écrit *l'État et la révolution.* Il y présente la dictature du prolétariat comme un mode de gouvernement nécessaire avant l'établissement d'une société sans classes et sans État.

- *7 nov. (ou 25 oct.) 1917. Rentré définitivement à Petrograd, il fait décider par le Comité central du parti l'insurrection générale et armée dont il prend la direction.*

Pendant la période du « communisme de guerre » (1918-1921), il signe la paix séparée de Brest-Litovsk avec l'Allemagne (3 mars 1918), lutte contre les contre-révolutionnaires et jette les bases d'une organisation socialiste de l'économie.
En 1921, conscient des difficultés économiques et sociales de la Russie, il lance la N. E. P. (« nouvelle politique économique »), qui marque un retour partiel et provisoire au capitalisme privé.

- *1922. Il transforme l'ancien Empire russe en Union des républiques socialistes soviétiques (U. R. S. S.).*

LENINGRAD, auj. **Saint-Pétersbourg,** la deuxième ville de l'U. R. S. S. (Russie), au fond du golfe de Finlande; 4 425 000 hab. Anc. capit. de la Russie, la ville est un grand centre intellectuel et administratif. Construite à l'embouchure de la Néva, c'est aussi un port et un centre industriel important : métallurgie, chimie, textile, etc.
Fondée par Pierre Le Grand en 1703, la ville reçoit le nom de *Saint-Pétersbourg* et en 1712 devient résidence impériale.

- *1905. La révolution est marquée par les événements sanglants du Dimanche rouge.*
- *1914-1924. La ville s'appelle « Petrograd ».*
- *1918. La capitale est transférée à Moscou.*
- *1924-1991. La ville s'appelle « Leningrad ».*
- *1941-1943. La ville soutient un dur siège contre les Allemands.*

LÉNINISME [leninism] n. m. (de *Lénine*). Ensemble des théories de Lénine, dans la mesure où elles ont complété le marxisme et le matérialisme dialectique, pour constituer le marxisme-léninisme.

LENOIR (Étienne), ingénieur français d'origine wallonne (1822-1900). Il prit le premier brevet de moteur à explosion (1860).

LE NÔTRE (André), architecte et dessinateur français de jardins (1613-1700). Il dessina pour Fouquet le parc de Vaux-le-Vicomte qui, avec ses perspectives encore fermées, représente la première étape dans l'évolution de son style. Au château de Versailles, il créa le *jardin à la française* qui fut imité dans toute l'Europe. Il dessina de nombreux jardins en France (Chantilly, Sceaux, etc.) et dans le reste de l'Europe.

LENS, ch.-l. d'arrond. du Pas-de-Calais; 38 300 hab. Presque au cœur de l'ancien bassin houiller du Nord-Pas-de-Calais, Lens s'est développé comme le noyau de la principale agglomération minière de la région (plus de 300 000 hab.). L'agglomération, étendue d'O. en E. de Liévin à Hénin-Beaumont, a vu sa population stagner en raison du déclin de l'extraction du charbon.

LENT, E [lɑ̃, lɑ̃t] adj. (lat. *lentus*). **1.** (après le nom) Se dit d'un être animé (ou de son comportement) dont les actions, les mouvements durent un temps plus long qu'il n'est prévu : *Il est lent dans tout ce qu'il fait* (syn. MOU; contr. PROMPT, RAPIDE). *Il a l'esprit lent* (syn. PARESSEUX; contr. VIF). *Marcher d'un pas lent* (contr. ACCÉLÉRÉ). — **2.** (avant ou après le nom) Se dit de quelque chose dont l'effet est lent à se manifester ou qui est fait avec beaucoup de temps : *Une mort lente* (contr. BRUSQUE). ◆ **lentement** adv. : *Les journées s'écoulent lentement* (syn. DOUCEMENT). *Avancer lentement* (syn. POSÉMENT). ◆ **lenteur** n. f. : *Parler avec lenteur* (contr. VIVACITÉ). *Lenteur d'esprit* (syn. APATHIE, PARESSE). ◆ **ralentir** v. t. **1.** Rendre plus lent : *Ralentir sa marche* (contr. ACCÉLÉRER, ACTIVER). — **2.** Rendre moins intense : *L'âge n'a pas ralenti son ardeur au travail* (syn. DIMINUER, FREINER). ◆ v. i. **1.** Aller plus lentement : *Automobilistes, ralentissez en arrivant à un carrefour* (contr. ACCÉLÉRER). — **2.** Devenir plus lent : *Le progrès ne ralentit pas.* ◆ **ralentissement** n. m. (contr. ACCÉLÉRATION). ◆ **ralenti** n. m. **1.** Mouvement d'un moteur qui tourne à une vitesse réduite. — **2.** *Au ralenti*, en diminuant l'énergie, la vigueur : *Travailler au ralenti.* — **3.** Au cinéma, procédé qui, en accélérant le rythme de la prise de vues, permet d'obtenir un rythme de projection ralenti et, par conséquent, de mieux montrer les phases d'un phénomène ou la décomposition d'un mouvement.

LENTE [lɑ̃t] n. f. (lat. *lens, lendis*). Œuf que le pou dépose sur les cheveux.

LENTEMENT adv., **LENTEUR** n. f. ⟶ LENT.

LENTICELLE [lɑ̃tisɛl] n. f. (du lat. *lens, lentis*, lentille). *Bot.* Pore traversant le liège d'une écorce et permettant la respiration des tissus sous-jacents.

1. LENTILLE [lɑ̃tij] n. f. (lat. *lenticula*). Plante dicotylédone annuelle, déjà cultivée dans l'Antiquité pour ses graines comestibles, au nombre de deux par gousse; la graine elle-même. (Famille des papilionacées.) ‖ *Lentille d'eau*, plante aquatique dont les feuilles, de la grandeur d'une lentille, couvrent la surface des eaux stagnantes. (Famille des lemnacées.)

2. LENTILLE [lɑ̃tij] n. f. (de *lentille* 1). **1.** Disque de verre taillé, servant dans les instruments d'optique pour grossir des images. (Les lentilles de verre à bords minces sont convergentes [elles font converger des rayons primitivement parallèles]; les lentilles à bords épais sont divergentes. Lorsqu'une lentille mince est traversée par des rayons voisins de son axe, elle fournit d'un point objet une image ponctuelle.) — **2.** Dispositif électromagnétique qui remplace les verres optiques dans le microscope électronique. — **3.** *Lentille cornéenne*, disque de matière plastique, concave d'un côté, convexe de l'autre, que l'on applique directement sur la cornée pour corriger les défauts de réfraction de l'œil.

LENTINI, v. d'Italie (Sicile), près du *lac de Lentini;* 32 400 hab.

LENTISQUE [lɑ̃tisk] n. m. (lat. *lentiscus*). Arbrisseau cultivé dans le Proche-Orient, et dont le tronc fournit une résine appelée *mastic* et employée comme masticatoire. (Anacardiacées.)

LENTO [lɛnto] adv. (mot it.). *Mus.* Lentement et gravement. (⟶ MOUVEMENT, *mouvements musicaux.*)

LENZ (Jakob Michael Reinhold), écrivain allemand (1751-1792). Il fut par ses drames (*le Précepteur*, 1774; *les Soldats*, 1776) l'un des principaux représentants du « Sturm und Drang ».

LENZ (Heinrich), physicien russe (1804-1865). Il a énoncé la loi donnant le sens des courants induits (1833).

LEÓN, région du nord-ouest de l'Espagne, constituée par les provinces de *León*, de *Salamanque* et de *Zamora*, formant une entité administrative *(Castille-León)* avec la Vieille-Castille.

GÉOGRAPHIE. Elle juxtapose des paysages variés, s'étendant au N. sur une partie du versant méridional des monts Cantabriques, qui recèle un peu de houille, au centre et au S. sur une partie de la Meseta, domaine d'une culture de céréales très extensive. Le peuplement est clairsemé. La densité moyenne de population atteint à peine 30 hab. au km². L'émigration est importante vers Madrid et les régions industrielles du nord de l'Espagne.

HISTOIRE. La région fut conquise aux IXe-Xe s. par les rois des Asturies, qui prirent le titre de rois de León (914). Le *royaume de León* correspondait aux villes de León, de Zamora et de Salamanque. Il fut réuni définitivement à la Castille en 1230.

LEÓN, v. d'Espagne, ch.-l. de la province du même nom, 105 200 hab. Industries textiles.

LÉON *(pays de)*, région du nord-ouest de la Bretagne (Finistère), entre la rivière de Morlaix à l'E. et le goulet de Brest à l'O. (Hab. *Léonais.*) Grandes cultures maraîchères.

LÉON Ier le Grand *(saint)*, mort en 461, pape de 440 à 461. Archidiacre de Rome (430), il fut élu pape alors qu'il était en Gaule. Il obtint d'Attila qu'il évacuât l'Italie (v. 452) et obligea les Vandales à respecter les habitants de Rome (455).

LÉON IX *(saint)* [Bruno D'EGISHEIM-DAGSBURG] (1002-1054), pape de 1049 à 1054. Évêque de Toul (1026), il fut élu pape au concile de Worms. Il entreprit une réforme ecclésiastique, condamna la simonie et affirma la supériorité pontificale. À la fin de son pontificat se produisit le schisme de l'Église orthodoxe (1054). Il dut reconnaître la prédominance normande en Italie du Sud.

LÉON X (Jean DE MÉDICIS) [1475-1521], pape de 1513 à 1521. Il était le fils de Laurent le Magnifique. Il pratiqua le népotisme (= accorda des faveurs particulières à certains membres de sa famille). Sur le plan politique, il se rapprocha de la France et signa avec François Ier le concordat de 1516, mais il soutint financièrement Charles Quint dans ses guerres d'Italie. Il clôtura le Ve concile du Latran (1517). Le besoin d'argent l'amena à accorder des indulgences : c'est l'origine de la réforme de Luther qu'il condamna (1520). Il fut par ailleurs un mécène généreux.

LÉON XIII (Vincenzo Gioacchimo PECCI) [1810-1903], pape de 1878 à 1903. À l'extérieur, il pratiqua une politique de conciliation (politique du ralliement en France). Il favorisa l'expansion du catholicisme en Angleterre et aux États-Unis. Il condamna la franc-maçonnerie et le socialisme. Il signa plusieurs encycliques sur la société moderne; la plus retentissante fut l'encyclique *Rerum novarum* (1891) relative à la condition ouvrière et à l'instauration d'un ordre social chrétien.

LÉON, nom de six empereurs d'Orient.

LÉONARD de Vinci, peintre, sculpteur, ingénieur, architecte et savant italien (1452-1519). Il fit son apprentissage de peintre dans l'atelier du peintre et sculpteur florentin Verrocchio. Il était aussi doué pour l'investigation scientifique que pour tous les arts, et la peinture ne fut qu'une des multiples manifestations de son activité. Il utilisa pour celle-ci le clair-obscur et introduisit l'usage du « sfumato » : rompant avec la tradition qui voulait que les volumes, les figures fussent nettement délimités, par un trait noir par exemple, il dilue les contours dans l'atmosphère et fonce légèrement le bord des figures pour en indiquer le relief.

Il vécut d'abord à Florence, puis, v. 1482, il se rendit à Milan où il offrit à Ludovic le More ses service d'ingénieur militaire, d'architecte et de peintre. Après avoir séjourné à Mantoue et à Rome, il accepta (1515) de suivre François Ier en Touraine où il mourut. Il demeure peu de ses peintures *(la Cène, l'Adoration des Mages*, la *Joconde, la Vierge aux rochers).* Ses dessins, dont on connaît plusieurs milliers, sont tour à tour d'une grande précision scientifique et empreints d'une grande puissance visionnaire. Il a laissé de nombreux *Carnets* (accompagnés de dessins) traitant des sujets les plus variés (mathématiques, perspective, anatomie, optique, mécanique, fortifications, hydraulique). Il demeure le modèle du peintre, mais aussi de l'homme universel, du savant associé au poète et à l'artiste.

LEONCAVALLO (Ruggero), compositeur italien (1858-1919), auteur de plusieurs opéras, dont le célèbre *Paillasse* (1892).

LÉONIDAS Ier, mort en 480 av. J.-C., roi de Sparte (490-480 av. J.-C.), héros des Thermopyles, qu'il défendit contre les Perses et où il périt avec 300 hoplites.

1. LÉONIN, E [leɔnɛ̃, -in] adj. (du lat. *leoninus*, de lion). *Partage, contrat léonin*, où l'un des participants ou des associés se donne la plus grande part.

2. LÉONIN, E [leɔnɛ̃, -in] adj. (de *Léon*, poète du XIIIe s.). Se dit de vers dont une ou deux syllabes, placées le plus souvent à l'hémistiche, reproduisent la consonance de la rime.

LEONOV (Leonid Maksimovitch), écrivain russe, né en 1899, auteur de romans qui peignent la Révolution à travers les remous qu'elle a provoqués dans la vie russe traditionnelle (*les Blaireaux*, 1925).

LÉOPARD [leɔpar] n. m. (du lat. *leo*, lion, et *pardus*, panthère).

Nom donné à la panthère d'Afrique au pelage fauve tacheté de noir, longue de 1,20 m; fourrure de cet animal.

LEOPARDI (Giacomo), poète italien (1798-1837). Son œuvre lyrique exprime le pessimisme profond d'une âme désespérée; il est le plus grand des romantiques italiens.

LÉOPOLD Ier (1640-1705), empereur germanique de 1657 à 1705, beau-frère de Louis XIV et son compétiteur dans la succession d'Espagne. — LÉOPOLD II (1747-1792), empereur germanique de 1790 à 1792, frère de Marie-Antoinette.

LÉOPOLD Ier, prince de Saxe-Cobourg (1790-1865), roi des Belges à partir de 1831, époux de Louise-Marie d'Orléans, fille de Louis-Philippe. — LÉOPOLD II, son fils (1835-1909), roi à partir de 1865, organisateur de l'État libre du Congo. — LÉOPOLD III, fils d'Albert Ier (1901-1983), roi à partir de 1934; il délégua ses pouvoirs à son fils Baudouin en 1950 et abdiqua en 1951.

LÉOPOLDVILLE ⟶ KINSHASA.

L. E. P., abrév. de LYCÉE D'ENSEIGNEMENT PROFESSIONNEL.

LÉPANTE, v. de Grèce, sur le *détroit de Lépante,* qui fait communiquer le golfe de Patras et le golfe de Corinthe; 5 500 hab. Port autref. important.

• *1571. Don Juan d'Autriche y gagna une grande bataille navale sur les Turcs.*

LÉPIDOPTÈRES [lepidɔptɛr] n. m. pl. (du gr. *lepis, -idos,* écaille, et *pteron,* aile). Important ordre d'insectes appelés *papillons* à l'état adulte, dont les quatre ailes membraneuses sont recouvertes d'écailles microscopiques colorées, et dont les pièces buccales forment une longue trompe, enroulée en spirale au repos, et capable d'aspirer le nectar des fleurs. (Leurs métamorphoses complètes comprennent un stade larvaire, ou *chenille,* celle-ci dévorant les végétaux par ses pièces buccales broyeuses, et un stade nymphal, la *chrysalide,* souvent enfermée dans un cocon.)

LÉPINE (Louis), administrateur français (1846-1933). Il a laissé son nom à un concours, organisé depuis 1902 par l'Association des inventeurs et fabricants français, destiné à récompenser les créations d'artisans et d'inventeurs français.

LÉPINE (Pierre), médecin français (1901-1989). Il a mis au point le vaccin français contre la poliomyélite.

LÉPIOTE [lepjɔt] n. f. (du gr. *lepis, -idos,* écaille). Grand champignon à lamelles, comestible, poussant dans les prés, les taillis et les clairières, et caractérisé par son anneau mobile sur le pied et par son chapeau brun, tacheté et mamelonné (syn. COULEMELLE).

LE PLAY (Frédéric), économiste français (1806-1882). On a donné à sa doctrine, fondée sur l'autorité des grands propriétaires, des patrons et des pères de famille, le nom, devenu péjoratif, de *paternalisme.*

LÉPORIDÉS [leporide] n. m. pl. (du lat. *lepus, leporis,* lièvre). Famille de mammifères rongeurs, comprenant les *lièvres* et les *lapins.*

LÈPRE [lɛpr] n. f. (lat. *lepra*). Maladie infectieuse due au bacille de Hansen. ⟶ ENCYCL. ◆ **lépreux, euse** adj. et n. Atteint de la lèpre : *Un hôpital pour lépreux* (ou *léproserie*). ◆ **léproserie** n. f. Hôpital pour lépreux. ◆ **léprome** n. m. Tumeur nodulaire caractéristique de la lèpre. ◆ **lépromateux, euse** adj. Relatif au léprome.
— ENCYCL. Importée d'Orient en Europe par les armées romaines, c'est surtout à l'époque des croisades que la *lèpre* se propagea d'une façon redoutable. Les lépreux formèrent alors une catégorie sociale isolée. Des établissements nombreux les recueillaient *(ladreries, maladreries, mézelleries),* pour les parquer plus que pour les soigner. Objets de l'hostilité universelle, ils annonçaient leur présence avec une crécelle et ne devaient pas entrer dans les édifices publics. Parias, ils vivaient d'aumônes. Il ne persiste que de rares cas de lèpre en France. Les principaux foyers mondiaux actuels se trouvent en Asie (Chine du Sud, Indochine, Inde), en Afrique centrale et équatoriale, en Amérique du Sud.

La lèpre atteint la *peau* et le *système nerveux.* Sur la peau, elle se manifeste par des taches roses d'abord, puis décolorées, au niveau desquelles il n'existe plus aucune sensibilité à la chaleur et à la douleur : ce sont des taches ou macules anesthésiques. L'atteinte du système nerveux se traduit par des troubles de la motricité, de la sensibilité siégeant surtout aux extrémités des membres. Ces signes peuvent avoir deux types d'évolution :
soit une *évolution lente,* sans ulcérations ni mutilations; les lésions cutanées contiennent alors peu de bacilles de Hansen; cette forme est très peu contagieuse;
soit une *évolution rapide;* les taches cutanées forment des *lépromes,* nodules des parties molles, du visage souvent, qu'elles déforment bestialement; puis ces lésions se creusent, s'ulcèrent et mutilent gravement le visage ou le corps du lépreux (ces lésions de la lèpre *lépromateuse* fourmillent de bacilles de Hansen et sont contagieuses).

Les ressemblances entre le bacille de Koch* et le bacille de Hansen permettent d'employer pour la lèpre les traitements antituberculeux.

LE PRIEUR (Yves), officier de marine français (1885-1963). On lui doit de multiples inventions dont surtout le scaphandre autonome (1926), qui permet de réaliser des plongées sans aucun lien avec la surface.

LEPRINCE-RINGUET (Louis), physicien français, né en 1901, spécialiste de l'étude des rayons cosmiques. (Acad. fr.)

LÉPROMATEUX, EUSE adj., **LÉPROME** n. m., **LÉPROSERIE** n. f. ⟶ LÈPRE.

LEPTOCÉPHALE [lɛptɔsefal] n. m. (du gr. *leptos,* mince, et *kephalê,* tête). Larve de l'anguille, transparente, en forme de feuille. (C'est sous cette forme que les anguilles effectuent le début de la longue migration [trois ans] qui les amène de la mer des Sargasses vers les côtes européennes, grâce au Gulf Stream.)

LEPTOSPIRE [lɛptospir] n. m. (du gr. *leptos,* mince, et *spire*). Protozoaire en forme de spirale, responsable de maladies fébriles graves. ◆ **leptospirose** n. f. Maladie due au leptospire.

LEQUEL [ləkɛl], **LAQUELLE** [lakɛl], **LESQUELS, LESQUELLES** [lekɛl], **DUQUEL** [dykɛl], **DESQUELS, DESQUELLES** [dekɛl], **AUQUEL, AUXQUELS, AUXQUELLES** [okɛl] pron. rel. et pron. interr. S'emploient dans un nombre de cas limité, à la place des pronoms *qui, que* et *dont.* (L'emploi comme adj. rel. est restreint à l'expression *auquel cas.*) tableau ci-dessous.

lequel

RELATIF	INTERROGATIF
1. Dans la langue écrite, pour renvoyer à un antécédent éloigné, lorsqu'il y aurait ambiguïté avec *qui* ou *que* (en particulier, lorsque l'antécédent est suivi d'un complément du nom), ou dans la langue juridique : *C'est la maison d'un ami, laquelle n'est pas neuve.* 2. Lorsque l'antécédent est un inanimé (nom de chose), *lequel* s'emploie obligatoirement avec une préposition autre que *de :* *Cette recherche sur laquelle nous fondons de grands espoirs* (au contraire : *Le garçon sur qui nous fondons de grands espoirs*). *L'énergie avec laquelle il mène toute chose. C'est un point auquel vous n'avez pas pensé.* 3. Lorsque le pronom est complément d'un nom précédé d'une préposition, on emploie *duquel (desquels),* au lieu de *dont :* *Le pays à l'avenir duquel je pense. Les gens intelligents, au nombre desquels il se compte.* 4. **Auquel cas,** dans cette circonstance (seul emploi comme adjectif relatif) : *Auquel cas je ne puis rien faire.*	Implique un choix entre des personnes ou des choses exprimées avant ou après, dans une phrase différente ou dans la même phrase sous la forme d'un complément (avec *préférer, aimer mieux* ou des adverbes comme *le plus*) : *Lequel des enfants est le plus vif? Laquelle de ces cravates préférez-vous? J'hésite entre ces tissus; lequel convient le mieux? Vous ne savez pas auquel des employés je dois m'adresser?*

LÉRIDA, v. d'Espagne (Catalogne), sur la Sègre; 91 000 hab. Cathédrale romano-gothique (1203-1278).

LÉRINS, nom d'un groupe d'îles de la Méditerranée (Alpes-Maritimes), dont *Sainte-Marguerite* et *Saint-Honorat.*

LERMONTOV (Mikhaïl Iourievitch), écrivain russe (1814-1841). Tué en duel à l'âge de vingt-sept ans, Lermontov est mort en plein épanouissement de son talent. Poète, il a écrit des vers inspirés du folklore populaire *(le Chant du tsar Ivan Vassilievitch)* ou des idées romantiques *(le Démon).* Prosateur, il a laissé un court roman *(Un héros de notre temps),* dont le personnage principal, Petchorine, le désenchanté, n'est autre que le poète lui-même.

LÉROT [lero] n. m. (de *loir*). Petit loir gris, à taches noires, à odeur désagréable.

LEROUX (Gaston), journaliste et écrivain français (1868-1927). Il créa le personnage du reporter Rouletabille, dont il fit le héros de plusieurs romans policiers (*le Mystère de la chambre jaune,* 1908; *le Parfum de la dame en noir,* 1909).

LE ROY (Eugène), écrivain français (1836-1907). Son roman *Jacquou le Croquant* (1899) évoque l'insurrection des paysans périgourdins.

LES pron. pers. ⟶ IL; art. déf. ⟶ LE.

LESAGE (Alain René), écrivain français (1668-1747). Ses romans de mœurs (*le Diable boiteux,* 1707; *Gil Blas de Santillane,* 1715-1735), dont la forme s'inspire des romans picaresques espagnols, et ses comédies (*Crispin rival de son maître,* 1707; *Turcaret,* 1709) contiennent une vive satire de la société du temps.

LESBIENNE [lɛsbjɛn] n. f. (de *Lesbos*). Femme homosexuelle.

LESBOS ou **MYTILÈNE,** île grecque de la mer Égée, près du littoral turc; 114 500 hab. *(Lesbiens).* Ch.-l. *Mytilène.* Oliveraies.

LESCAR, ch.-l. de cant. des Pyrénées-Atlantiques, à 8 km au N.-O. de Pau, près du gave de Pau; 5 900 hab. Anc. capit. du Béarn.

LESCOT (Pierre), architecte français (v. 1515-1578). Ami de François Ier et des humanistes du temps, il travailla en association avec Jean Goujon, notamment lorsqu'il construisit l'hôtel Carnavalet à Paris et l'aile sud-ouest de la cour Carrée du Louvre, modèle de l'architecture de la Renaissance italianisante en France. On lui doit encore la fontaine des Innocents, à Paris.

LÈSE-MAJESTÉ [lɛzmaʒɛste] n. f. (du lat. *[crimen] laesae majestatis*). *Crime de lèse-majesté,* attentat à la majesté souveraine.

1. LÉSER [leze] v. t. (du lat. *laesus,* blessé). Faire tort à quelqu'un, à ses intérêts (souvent au passif) : *Être lésé dans un contrat* (syn. DÉSAVANTAGER).

2. LÉSER [leze] v. t. (même étym.). Provoquer une blessure grave, une lésion (terme méd.) : *La balle a lésé l'intestin.* ◆ **lésion** n. f. Perturbation, dommage apportés dans un organe, tels que plaie, coup, inflammation, tumeur, etc. : *Une lésion du cerveau.*

LÉSINER [lezine] v. i. (de l'it. *lesina,* alêne). *Lésiner (sur qqch.),* ne faire à ce sujet que le minimum de dépenses : *Lésiner sur tout* (syn. ROGNER). ◆ **lésinerie** n. f. Épargne excessive.

LÉSION n. f. ⟶ LÉSER 2.

LESNEVEN, ch.-l. de cant. du Finistère, à 26 km au N.-E. de Brest; 7 000 hab.

LESOTHO, ancienn. **Basutoland,** État d'Afrique australe, enclavé dans la République d'Afrique du Sud, devenu indépendant en 1966 dans le cadre du Commonwealth; 30 355 km^2; 1 700 000 hab. (56 hab. au km^2). Capit. *Maseru* (45 000 hab.).

LESPARRE-MÉDOC, ch.-l. d'arrond. de la Gironde, à 63 km au N.-O. de Bordeaux; 4 300 hab. Marché des vins de Médoc.

LESPINASSE (Julie DE), femme de lettres française (1732-1776). Demoiselle de compagnie de Mme du Deffand, elle ouvrit elle-même un salon (1764) où se réunirent les encyclopédistes.

LESPUGUE, comm. de la Haute-Garonne, à 20 km env. au N. de Saint-Gaudens. Station préhistorique connue par sa belle statuette dite *Vénus de Lespugue.*

LESQUIN, comm. du Nord, à 7 km au S. de Lille; 5 400 hab. Aéroport.

LESSEPS (Ferdinand, *vicomte* DE), diplomate français (1805-1894). Il réalisa le percement de l'isthme de Suez (1869) et commença celui de l'isthme de Panamá.

LESSING (Gotthold Ephraim), écrivain allemand (1729-1781), auteur de la *Dramaturgie de Hambourg* (1768), critique sévère du théâtre classique français.

LESSIVE [lesiv] n. f. (du lat. *lix, licis,* cendre). **1.** Produit commercial pour le nettoyage. — **2.** Action de passer le linge dans la lessive (sens 1) : *Faire la lessive* (= laver le linge). — **3.** Linge qui doit être lavé ou qui vient d'être lavé : *Étendre sa lessive sur un séchoir.* ◆ **lessiver** v. t. *Lessiver qqch.,* le nettoyer avec de la lessive. ◆ v. i. Faire la lessive. ◆ **lessiveuse** n. f. Récipient spécial où l'on fait bouillir le linge.

LEST [lɛst] n. m. (néerl. *last*). **1.** Matière pesante dont on charge un navire, un véhicule, pour lui donner de la stabilité, rendre sa conduite plus facile. — **2.** Sable que l'aéronaute emporte dans la nacelle du ballon, et qu'il jette pour l'alléger. — **3.** *Jeter du lest,* faire un sacrifice nécessaire pour rétablir une situation compromise, pallier un échec. ◆ **lester** v. t. Charger de lest : *Lester un navire.* (⟶ DÉLESTER.)

LESTE [lɛst] adj. (it. *lesto,* bien équipé). **1.** Se dit de quelqu'un (ou de son comportement) qui est agile, souple dans ses mouvements : *Un vieillard encore leste* (syn. ALERTE). *Avoir la main leste* (= être prompt à frapper). — **2.** Se dit de paroles ou d'actions qui sont contraires à la pudeur (souvent modifié par un adv.) : *Une plaisanterie un peu leste* (syn. CRU, GRIVOIS). ◆ **lestement** adv. : *Sauter lestement dans l'autobus* (= avec agilité). *Mener lestement une affaire* (syn. RONDEMENT).

LESTER v. t. ⟶ LEST.

LE SUEUR (Eustache), peintre français (1617-1655). Élève de Simon Vouet, admirateur de Raphaël, il décora de nombreux hôtels parisiens (l'hôtel Lambert) où il se révéla un grand ornemaniste (= spécialisé dans les ornements dessinés ou gravés, notamment en architecture). Il est également l'auteur d'une suite de compositions religieuses, la *Vie de saint Bruno* (1645-1648).

LE SUEUR (Jean François), compositeur français de musique religieuse et dramatique (1760-1837).

LESZCZYŃSKI, famille polonaise originaire de Posnanie, illustré notamment par le roi STANISLAS* et par sa fille MARIE* LESZCZYŃSKA.

LE TELLIER (Michel), seigneur DE CHAVILLE, homme d'État français (1603-1685). Secrétaire d'État à la Guerre (1643), il fut le principal conseiller de la régente Anne d'Autriche pendant les exils de Mazarin. Louis XIV le conserva jusqu'à sa mort comme ministre d'État. Le Tellier demeure le vrai créateur de l'armée monarchique et le principal instigateur des réformes militaires du règne de Louis XIV. Chancelier de France (1677), il généralisa l'enseignement du droit coutumier français (édit de 1679). Il rédigea l'édit de Fontainebleau « portant révocation de l'édit de Nantes » (1685).

LÉTHARGIE [letarʒi] n. f. (du gr. *lêthê,* oubli, et *argia,* paresse). **1.** Sorte de sommeil maladif très profond et continu, sans fièvre, infection ni état comateux : *Tomber en léthargie.* (On peut réveiller le sujet et le faire parler, mais il se rendort aussitôt.) — **2.** Torpeur, nonchalance extrême : *Sortir de sa léthargie* (syn. ENGOURDISSEMENT). ◆ **léthargique** adj. : *Un sommeil léthargique.*

LÉTHÉ. *Myth.* Un des fleuves des Enfers. Son eau faisait oublier le passé à ceux qui en buvaient.

LETTONIE, en letton **Latvija,** État d'Europe, sur la Baltique; 63 700 km^2; 2 700 000 hab. (42 hab. au km^2). [*Lettons*]. Capit. *Riga.*

GÉOGRAPHIE.

Pays plat au climat humide et relativement doux, la Lettonie est couverte de forêts et de prairies. La vie rurale est tournée surtout vers l'élevage bovin. La culture (lin) joue un rôle secondaire. En dehors de quelques usines de transformation des produits agricoles, l'industrie est concentrée dans les ports et notamment à Riga.

HISTOIRE.

Soumise aux ordres de chevalerie allemands à partir du début du XIIIe s., la Livonie* passe sous domination polonaise en 1561 puis russe en 1710-1795. Devenue indépendante en 1918-1920, la Lettonie est annexée par l'U. R. S. S. en 1940. Elle retrouve son indépendance en 1991.

1. LETTRE [lɛtr] n. f. (lat. *littera*). **1.** Chacun des signes graphiques, des caractères imprimés de l'alphabet, servant à transcrire une langue : *Le français a vingt-six lettres. Les « ll », « rr » sont des lettres doubles.* — **2.** *En toutes lettres,* écrit avec des mots (et non en chiffres) : *Mettez la somme en toutes lettres sur le chèque.* ‖ *Dire, écrire en toutes lettres,* sans atténuation, avec netteté, franchise. ‖ *Être écrit en lettres d'or,* être digne d'être rappelé, d'être gardé dans la mémoire. — **3.** Sens étroit, strict des mots : *S'attacher à la lettre de la loi et non à son esprit.* (⟶ LITTÉRAL.) — **4.** *À la lettre, au pied de la lettre,* au sens exact, propre des termes : *Il a pris mon conseil ironique au pied de la lettre,* ponctuellement, sans rien omettre : *Exécuter à la lettre les ordres reçus.* ◆ **lettrine** n. f. Lettre ornée, placée au commencement d'un chapitre ou d'un paragraphe, et occupant la hauteur de plusieurs lignes du texte. ◆ **lettrisme** n. m. Théorie artistique et littéraire qui fait consister la poésie et la beauté dans la seule sonorité ou dans le seul aspect des lettres disposées en un certain ordre.

2. LETTRE [lɛtr] n. f. (même étym.). **1.** Écrit adressé à quelqu'un (mis sous enveloppe pour être envoyé par la poste). — **2.** *Rester, devenir lettre morte,* rester sans effet; être une chose dont on ne tient pas compte. ‖ *Passer comme une lettre à la poste,* être admis sans difficulté, sans qu'on y fasse obstacle. — **3.** *Lettre de cachet,* lettre fermée, scellée du sceau royal, employée sous l'Ancien Régime pour convoquer les corps politiques et judiciaires, ordonner les cérémonies publiques, et donner l'ordre d'incarcération ou d'exil d'un sujet. ‖ *Lettre de change,* ou *traite* ou *effet de commerce,* écrit à caractère commercial, par lequel un créancier (le vendeur, par ex.; on dit le « tireur ») donne l'ordre à son débiteur (le client, par ex.; on dit le « tiré ») de payer la somme qu'il lui doit, à une date déterminée, au « bénéficiaire » (qui peut être, par ex., le vendeur ou sa banque). ‖ *Lettre de créance,* lettre que remet un diplomate, à son arrivée, au chef du gouvernement étranger auprès duquel il est accrédité et dans laquelle son propre gouvernement justifie sa mission. ‖ *Lettre de crédit,* lettre adressée à une banque par une autre banque pour lui demander de payer une somme d'argent, en une fois ou au fur et à mesure de ses besoins, au client dont il est question dans la lettre, le « bénéficiaire », ou de lui consentir un crédit. ◆ **pèse-lettre** n. m. Petit appareil pour déterminer le poids d'une lettre. ‖ Pl. des *pèse-lettres.* (⟶ ÉPISTOLAIRE.)

3. LETTRES [lɛtr] n. f. pl. (même étym.). **1.** Ensemble des connaissances et des études littéraires : *Un élève fort en lettres, mais faible en sciences.* (⟶ BEAU, *belles-lettres.*) — **2.** *Avoir des lettres,* avoir une certaine culture littéraire. ‖ *Homme, femme, gens de lettres,* écrivains, personnes qui font profession d'écrire. ◆ **lettré, e** adj. et n. Qui a de la culture, des lettres (syn. CULTIVÉ, ÉRUDIT). ◆ **illettré, e** adj. et n. Qui ne sait ni lire ni écrire (syn. ANALPHABÈTE). [⟶ LITTÉRAIRE.]

— ENCYCL. Près de la moitié des pays ou territoires du monde ont un taux d'*illettrés* ou analphabètes supérieur à 50 p. 100; un taux de 3 p. 100 est considéré comme normal, même dans les pays les plus développés. Un tiers des adultes du globe (environ 1,5 milliard de personnes) sont illettrés.

Lettre à d'Alembert sur les spectacles, par J.-J. Rousseau (1758).

Lettre sur les aveugles à l'usage de ceux qui voient, opuscule de Diderot (1749).

Lettres de mon moulin *(les),* recueil de contes (1866) qu'Alphonse Daudet aurait écrits dans son moulin provençal de Fontvieille. Les plus célèbres sont : *le Secret de maître Cornille, la Chèvre de M. Seguin, l'Arlésienne, le Sous-Préfet aux champs, l'Élixir du R. P. Gaucher, les Trois Messes basses.*

Lettres persanes, ouvrage de Montesquieu (1721).

Lettres philosophiques sur l'Angleterre, ou **Lettres anglaises,** par Voltaire (1734).

LETTRINE n. f., **LETTRISME** n. m. ⟶ LETTRE 1.

LEU [lø] n. m. (lat. *lupus*). Forme anc. du mot LOUP, usitée dans la loc. fam. *à la queue leu leu,* qui signifie à la file, à la suite les uns des autres, comme marchent les loups.

LEUCADE, en gr. **Leukas** ou **Lefkádha,** ancienn. **Sainte-Maure,** anc. île de la mer Ionienne, aujourd'hui rattachée au continent par un isthme marécageux.

LEUCATE *(étang de),* ou **DE SALSES,** sur la côte méditerranéenne (Aude et Pyrénées-Orientales). La région est en cours d'aménagement touristique.

LEUCÉMIE [løsemi] n. f. (du gr. *leukos,* blanc, et *haima,* sang). Maladie tumorale atteignant les organes formateurs des globules blancs (moelle osseuse, rate, ganglions lymphatiques) et qui entraîne une augmentation du nombre de globules blancs dans le sang, ces globules étant le plus souvent constitués de façon anormale : *La leucémie est un cancer qui peut frapper à tout âge de la vie.* ◆ **leucémique** adj. et n. Se dit d'une personne atteinte de leucémie.

LEUCOCYTE [løkɔsit] n. m. (du gr. *leukos,* blanc, et *kutos,* cellule). Cellule incolore du sang et de la lymphe, assurant la défense contre les microbes (chaque mm³ de sang en contient 7 000 à 8 000) [syn. GLOBULE BLANC]. ◆ **leucocytaire** adj. Qui concerne les leucocytes : *Formule leucocytaire.* ◆ **leucocytose** n. f. Augmentation du nombre de globules blancs du sang, au-dessus de la normale, ces globules restant normaux.

— ENCYCL. On distingue plusieurs sortes de *leucocytes* d'après leur origine et la forme de leur noyau : les *polynucléaires* ont un noyau à plusieurs lobes et sont formés dans la moelle osseuse; les *mononucléaires* ont un noyau globuleux et se divisent en *lymphocytes,* à gros noyau, formés dans les ganglions lymphatiques, et *monocytes,* formés par les tissus de la rate. (⟶ GLOBULE.)

LEUR pron. pers. ⟶ IL; adj. poss. ⟶ MON.

LEURRE [lœr] n. m. (frq. *lôder,* appât). **1.** Morceau de cuir rouge façonné en forme d'oiseau, auquel on attachait un appât et que l'on jetait en l'air pour faire revenir le faucon. — **2.** Appât factice attaché à un hameçon. — **3.** Artifice, amorce pour tromper : *Ce projet n'est qu'un leurre* (syn. DUPERIE). ◆ **leurrer** v. t. Attirer par des espérances trompeuses, par de vaines paroles (syn. DUPER, MYSTIFIER). ◆ ***se leurrer*** v. pr. Se faire des illusions.

LEVAGE n. m. ⟶ LEVER.

LEVAIN [ləvɛ̃] n. m. (du lat. *levare,* lever). **1.** Substance (levure, pâte fermentée, etc.) propre à produire la fermentation de la pâte à pain : *Du pain sans levain.* — **2.** Ce qui suscite un sentiment passionné, violent, une idée mauvaise (littér.) : *Un levain de haine.*

LEVALLOIS-PERRET, ch.-l. de cant. des Hauts-de-Seine, dans la banlieue nord-ouest de Paris; 53 800 hab. Centre industriel.

LEVANT adj. et n. m. ⟶ LEVER.

LEVANT, nom donné autref. aux pays de la côte orientale de la Méditerranée occupés par les musulmans, et où les marchands chrétiens, surtout italiens, allaient acheter épices et soieries de l'Extrême-Orient. Les Occidentaux appelaient les ports de ces pays les *Échelles* du Levant.*

LEVANT, en esp. **Levante,** région du sud-est de l'Espagne, au climat méditerranéen, correspondant aux pays proches des régions de Valence et Murcie.

LEVANT *(île du),* une des îles d'Hyères. Centre d'essais des missiles de la marine. Centre naturiste.

LEVANTIN, E [ləvɑ̃tɛ̃, -in] adj. et n. Originaire des pays du Levant, de la Méditerranée orientale.

LE VAU (Louis), architecte français (1612-1670). Son œuvre principale fut le château de Versailles, dont il établit les grandes lignes et dont il commença la construction. Il bâtit également le château de Vaux-le-Vicomte pour Fouquet (1656-1661), et dessina les plans du collège des Quatre-Nations (auj. l'Institut de France). Premier architecte du roi, il transforma Vincennes, le Louvre et les Tuileries.

LEVER [ləve] v. t. (lat. *levare*). **1.** *Lever qqch.,* le mouvoir de bas en haut : *Lever la glace d'une voiture* (contr. ABAISSER). *Il leva de terre ce poids énorme* (syn. plus usuel SOULEVER). *Le navire lève l'ancre* (= appareille). — **2.** *Lever la main, le poing, la jambe* (une partie du corps), les mettre plus haut qu'ils ne sont habituellement, les faire mouvoir de bas en haut : *Il lève le doigt pour obtenir le silence* (contr. BAISSER). *Lever les épaules* (= les soulever en signe de mépris, d'indifférence) [syn. HAUSSER]. ‖ *Lever l'étendard de la révolte,* prendre l'initiative d'une révolte, d'une révolution. — **3.** *Lever la tête, le visage, le nez, les yeux,* les diriger vers le haut : *Lever le visage vers qq'un* (contr. INCLINER, PENCHER). *Il leva la tête de son livre* (syn. REDRESSER; contr. BAISSER). — **4.** (dans des express.) Faire disparaître, faire cesser, enlever ‖ *Lever le blocus,* le cesser. ‖ *Lever une difficulté,* la faire cesser. ‖ *Lever un interdit,* en faire cesser les effets. ‖ *Lever le masque,* agir ouvertement, sans se cacher. ‖ *Lever la séance,* la clore. ‖ *Lever les scellés,* les retirer. ‖ *Lever le siège,* mettre fin au siège, s'en aller. — **5.** *Lever une armée,* enrôler des soldats. ‖ *Lever les impôts,* les percevoir. ‖ *Lever un lièvre, une perdrix,* les faire partir de leur gîte (à la chasse). ‖ *Lever un plan,* le dresser. ◆ v. i. **1.** (sujet nom désignant une plante) Sortir de terre : *Le blé commence à lever.* — **2.** Fermenter en gonflant : *La pâte lève.* ◆ **se lever** v. pr. **1.** (sujet nom de chose) Être mû de bas en haut : *Le rideau s'est levé.* — **2.** (sujet nom de personne) Se dresser sur ses pieds, se mettre debout : *Se lever sur son séant* (= se redresser). *Se lever de table* (= la quitter à la fin du repas). — **3.** Sortir de son lit : *C'est l'heure de se lever* (contr. SE COUCHER). — **4.** *Le soleil, la lune se lèvent,* ils apparaissent à l'horizon (contr. SE COUCHER). — **5.** *Le vent se lève,* il commence à souffler (contr. BAISSER). ◆ n. m. *Le lever du jour, du soleil,* l'aurore. ‖ *À son lever, au lever, dès son lever,* au moment où une personne sort de son lit. ‖ *Le lever de rideau,* le moment où on lève le rideau, au théâtre, pour que commence la pièce. ‖ *Un lever de rideau,* une petite pièce jouée en début de soirée. ‖ *Lever du roi,* cérémonial de l'étiquette française de l'Ancien Régime. (On distinguait : le *petit lever,* auquel étaient admis les princes du sang et des grands dignitaires; la *première entrée,* avec secrétaire et valets; et le *grand lever,* au cours duquel le roi, habillé, recevait la noblesse de cour.) ◆ **levage** n. m. *Appareil de levage,* appareil destiné à soulever, à hisser des fardeaux (grue, élévateur, etc.). ◆ **levant** adj. m. Qui se lève, qui paraît à l'horizon : *Soleil levant* (contr. COUCHANT). ◆ n. m. Orient, côté où le soleil se lève : *Un appartement exposé au levant* (syn. EST, ORIENT; contr. OUEST). ◆ **levé, e** adj. *Au pied levé,* sans préparation, à l'improviste. ◆ n. m. *Topogr.* Établissement d'un plan. (On écrit aussi LEVER.) ◆ **levée** n. f. **1.** Action d'enlever, d'ôter, de faire cesser (sens 4 du v. t.) : *La levée des punitions. La levée des difficultés. La levée de la séance. La levée du blocus.* ‖ *Levée du corps,* acte officiel par lequel on enlève le corps d'une personne décédée pour l'inhumer ou pour l'exposer afin qu'il soit reconnu. — **2.** Action de prélever, de recueillir : *La levée des impôts. Les heures des levées sont indiquées sur les boîtes postales.* — **3.** Pli, ensemble de cartes qu'un joueur gagne et ramasse d'un seul coup. — **4.** Digue parallèle à la rive d'un cours d'eau pour en retenir les eaux : *Se promener sur la levée.* — **5.** *Levée de boucliers,* acte d'opposition ou attaque concertée contre une autorité quelconque. — **6.** *Levée en masse,* appel de tous les hommes valides pour la défense du pays.

LEVERKUSEN, v. d'Allemagne (Rhénanie-du-Nord-Westphalie); 107 500 hab. Industries chimiques.

LE VERRIER (Urbain), astronome français (1811-1877). Étudiant les perturbations jusqu'alors inexpliquées que l'on constatait dans le mouvement de la planète Uranus, il en attribua la raison à l'existence d'une planète inconnue que l'on appela *Neptune* (1847).

LÉVI, troisième fils de Jacob. Il donna son nom à l'une des tribus d'Israël, celle qui fournissait les ministres de l'autel, ou *lévites.*

LEVIER [ləvje] n. m. (de *lever*). **1.** Barre rigide pouvant basculer autour d'un point d'appui, d'un pivot, pour soulever un objet pesant, pour commander un mécanisme : *Soulever une pierre avec un levier. Le levier du changement de vitesse dans une voiture.* — **2.** Moyen d'action : *L'argent est un puissant levier.*

LÉVI-STRAUSS (Claude), ethnologue français, né en 1908. Professeur au Collège de France (1959-1982) et l'un des principaux représentants du structuralisme* en anthropologie, il est l'auteur des *Structures élémentaires de la parenté* (1949), de l'*Anthropologie structurale* (tome I, 1958; tome II, 1973), de la *Pensée sauvage* (1962) et d'une étude systématique des mythes d'Amérique du Sud *(Mythologiques).*

LÉVITATION [levitasjɔ̃] n. f. (du lat. *levitas,* légèreté). *Spiritisme.* Action de soulever un corps par la seule puissance de la volonté.

LEVRAUT n. m. ⟶ LIÈVRE.

LÈVRE [lɛvr] n. f. (lat. *labra*). **1.** Chacune des parties charnues de la bouche qui couvrent les dents : *La lèvre supérieure, inférieure. Manger du bout des lèvres* (= sans appétit). ‖ *Du bout des lèvres,* sans conviction, avec dédain. — **2.** Géol. *Lèvre d'une faille, d'une cassure,* chacune de ses deux parois. ◆ n. f. pl. **1.** Bords d'une plaie. — **2.** *Bot.* Lobes de certaines fleurs.

LÉVRIER [levrije] n. m. (de *lièvre*). Chien de haute taille, au ventre relevé, aux membres longs et musclés, propre à la chasse au lièvre. ◆ **levrette** n. f. Femelle du LÉVRIER.

LÉVULOSE [levyloz] n. m. (du lat. *laevus,* gauche). Sucre simple, présent dans de nombreux végétaux (syn. FRUCTOSE).

LEVURE [ləvyr] n. f. (de *lever*). Champignon microscopique unicellulaire qui provoque la levée de la pâte destinée à faire le pain ou la fermentation alcoolique des solutions sucrées (il transforme les sucres en alcool) : *Levure de vin, de bière.*

LÉVY-BRUHL (Lucien), philosophe et sociologue français (1857-1939). Il est l'auteur de *la Mentalité primitive* (1922).

LEWIS (Matthew Gregory), écrivain anglais (1775-1818). Son roman fantastique *Ambrosio ou le Moine* (1795) lança en Angleterre et en Europe la mode du « roman noir ».

LEWIS (Sinclair), romancier américain (1885-1951). Il fit dans ses romans une peinture satirique de la bourgeoisie américaine et de ses préoccupations sociales et religieuses (*Babbitt,* 1922). [Prix Nobel, 1930.]

LEXIQUE [lɛksik] n. m. (gr. *lexikon;* de *lexis,* mot). **1.** Ensemble des mots formant la langue d'une communauté, d'une activité, d'un écrivain; vocabulaire : *Le lexique de Mallarmé. Le lexique de l'aviation.* — **2.** Livre comprenant la liste des termes utilisés par un auteur, par une science ou une technique (avec ou sans définition); dictionnaire bilingue réduit à l'essentiel : *Un lexique français-latin.* ◆ **lexical, e, aux** adj. : *Les mots sont les unités lexicales de la langue* (= qui constituent le lexique). ◆ **lexicographie** n. f. Science de la composition de dictionnaires ou de lexiques. ◆ **lexicographe** n. : *Littré et P. Larousse ont été les principaux lexicographes de la fin du XIXᵉ s.* ◆ **lexicologie** n. f. Étude scientifique des ensembles formés par les mots du lexique. ◆ **lexicologue** n. Spécialiste de lexicologie.

LEYDE, en néerl. **Leiden,** v. des Pays-Bas (Hollande-Méridionale), sur le Vieux-Rhin; 103 000 hab. Université, fondée en 1575. Bibliothèque. Collections scientifiques et d'antiquités.

LEYSIN, comm. de Suisse (cant. de Vaud), dans les Alpes vaudoises; 4 200 hab. Centre de sports d'hiver.

LEYTE, île des Philippines, au N. de Mindanao; 1 110 600 hab. Occupée par les Japonais en 1942, l'île fut reconquise par les Américains en 1944 après une bataille navale où fut détruite une partie de la flotte japonaise.

LÉZARD [lezar] n. m. (lat. *lacertus*). **1.** Petit reptile de 30 cm de long env., vivant près des murs ou dans les bois, et dont la peau, tannée, est utilisée en maroquinerie. (Famille des lacertidés; ordre des sauriens.) — **2.** *Faire le lézard,* se prélasser au soleil.

— ENCYCL. Les *lézards* sont des vertébrés ovipares, à température variable. Ils ont une langue protractile (= qui peut être étirée vers l'avant) et fourchue, des paupières mobiles, une longue queue, que l'animal peut rompre à volonté pour se libérer et qui repousse par la suite, de courtes pattes aux griffes pointues leur permettant de se déplacer avec agilité. Ils se nourrissent surtout d'insectes.

LÉZARDE [lezard] n. f. (fém. de *lézard*). Fente ou crevasse irrégulière et étroite, qui se produit dans un mur, un plafond. ◆ **lézarder** v. t. Produire des lézardes (souvent au passif) : *Un plafond lézardé.* ◆ ***se lézarder*** v. pr. Se crevasser : *Le mur s'est lézardé sous l'effet du gel.*

LÉZIGNAN-CORBIÈRES, ch.-l. de cant. de l'Aude, à 21 km à l'O. de Narbonne; 7 700 hab. Vins.

LEZOUX, ch.-l. de cant. du Puy-de-Dôme, à 26 km à l'E. de Clermont-Ferrand; 4 700 hab. Fabrication de poteries.

LHASSA, v. de Chine, capit. du Tibet, à 3 600 m d'alt.; 70 000 hab. Métropole religieuse du bouddhisme tibétain et chinois. Anc. résidence du dalaï-lama.

L'HERMITE (Tristan), conseiller de Louis XI, qui le fit grand chambellan et l'employa comme agent diplomatique.

LHOMOND (*abbé* Charles François), grammairien français (1727-1794), auteur de textes latins pour débutants *(De viris illustribus urbis Romae).*

L'HOSPITAL (Michel DE), magistrat et homme d'État français (1505 ou 1506-1573). Chancelier de France à partir de 1560, il s'efforça d'apaiser les conflits entre catholiques et protestants et simplifia le fonctionnement des tribunaux judiciaires. Mais il se heurta à l'opposition des catholiques et dut se retirer en 1568.

1. LIAISON n. f. ⟶ LIER 1, 2 et 3.

2. LIAISON [ljezɔ̃] n. f. (de *lier*). **1.** Relations établies entre plusieurs personnes par le moyen des télécommunications : *L'avion reste en liaison avec la tour de contrôle* (syn. CONTACT). *Un agent de liaison.* ‖ *Officier de liaison,* officier chargé d'assurer des relations permanentes entre chefs et subordonnés, armes différentes ou unités voisines. — **2.** Communication assurée entre deux villes par le moyen d'avions, de trains, etc. : *Une liaison aérienne, ferroviaire, routière, maritime.*

Liaisons dangereuses *(les),* roman épistolaire (= constitué de lettres) de Choderlos de Laclos (1782).

LIANCOURT, ch.-l. de cant. de l'Oise, à 9 km au S. de Clermont; 6 100 hab. Constructions mécaniques.

LIANE [ljan] n. f. (du lat. *ligare,* lier). Plante grimpante ligneuse et vivace, qui prend appui sur les branches des arbres. (La clématite et la glycine sont des lianes, le liseron et le lierre n'en sont pas. L'abondance des lianes caractérise la forêt tropicale.)

LIANT, E adj. et n. m. ⟶ LIER 1 et 2.

LIARD [ljar] n. m. (orig. incert.). Anc. monnaie française de bronze qui valait trois deniers, le quart d'un sou.

LIAS [ljɑs] n. m. (d'un mot gaul.). *Géol.* Période de l'ère secondaire correspondant au début du Jurassique.

LIASSE [ljas] n. f. (de *lier*). Paquet de papiers, de billets de banque réunis, tenus ensemble.

LIBAN *(djebel),* montagne de la république du Liban, autref. fameuse par ses cèdres magnifiques; 3 083 m.

LIBAN, république de l'Asie occidentale, sur la Méditerranée.
→ cartes en couleurs ASIE pp. 96-97.

GÉOGRAPHIE

La montagne calcaire du Liban isole l'étroite plaine littorale de la dépression de la Bekaa, dominée à l'E. par l'Anti-Liban qui forme frontière avec la Syrie. Le climat, méditerranéen sur la côte, devient aride à l'intérieur.

	TEMPÉRATURES MOYENNES janv.	juil.	PLUIES
Beyrouth	14 °C	28 °C	893 mm

La région côtière concentre l'essentiel de la population. Celle-ci pratique une *agriculture* irriguée grâce à l'eau descendant de la montagne : blé, olivier, arbres fruitiers (agrumes, bananes) et vigne.

L'absence de matières premières et de sources d'énergie explique le faible développement de l'*industrie.* Limitée à la transformation des produits agricoles, elle est localisée dans les villes principales qui sont aussi des ports. Mais la guerre civile a désorganisé l'économie et diminué le rôle de centre financier.

SUPERFICIE 10 400 km² (France : 550 000 km²).
POPULATION 3,3 millions d'hab. *(Libanais);* 317 hab. au km² (France : 103); accroissement annuel de population, 3,1 p. 100.
CAPITALE Beyrouth (700 000 hab.).
VILLE PRINCIPALE Tripoli (157 300 hab.).
LANGUE OFFICIELLE arabe.
MONNAIE livre libanaise.

HISTOIRE

Le Liban, qui faisait partie de la Phénicie*, connut dans l'Antiquité une civilisation brillante. Le pays fut ensuite conquis par Alexandre et fit partie de l'Empire grec des Séleucides, puis de l'Empire romain et enfin de l'Empire byzantin, avant d'être conquis par les Arabes à partir du VIIe s., puis par les croisés à la fin du XIe s. Au XIIIe s., il est repris par les Mamelouks d'Égypte.

- *1516. Les Turcs envahissent le Liban qui, pendant plus de quatre siècles, va faire partie de l'Empire ottoman.*

Mais ils se heurtent à une importante résistance nationale, notamment sous le règne de l'émir Fakhr al-Dīn (1585-1635) qui, le premier, unifie le Liban et crée un véritable État.

- *1831-1840. L'occupation du pays par les troupes égyptiennes de Méhémet Ali provoque une révolte nationale.*
- *1861. Les puissances européennes obligent les Turcs à accorder au Liban l'autonomie administrative.*

La Première Guerre mondiale met fin à la domination turque.

- *1920. Le Liban est placé sous mandat français.*
- *1943. Le pays accède à l'indépendance.*

Mais le maintien des troupes franco-anglaises (jusqu'en 1946) provoque de graves incidents.

- *1958. Une guerre civile oppose musulmans et chrétiens.*

La crise aboutit à l'élection du général Fouad Chehab à la présidence de la République. Il oriente le pays vers une politique sociale et proarabe (sous l'influence du conflit israélien).

- *1969. Ch. Hélou devient président de la République.*
- *1970. S. Frangié lui succède.*

Le gouvernement doit faire face aux problèmes posés par la présence au Liban des résistants palestiniens et par les affrontements entre les diverses communautés. Ces affrontements dégénèrent en 1976 en guerre civile, dans laquelle la Syrie intervient.

- *1976. Entrée en fonction du président Sarkis.*
- *Juin 1982. Pour détruire des bases palestiniennes, Israël envahit le Liban jusqu'à Beyrouth.*
- *21 septembre 1982. Élection à la présidence d'Amine Gemayel.*
- *Avr. 1984. Formation d'un gouvernement d'union nationale dirigé par Rachid Karamé (tué dans un attentat en 1987).*
- *1985. Les Israéliens se retirent du Liban.*

Depuis, la guerre civile se poursuit, compliquée par des affrontements à l'intérieur de chaque camp et accompagnée de la prise en otages d'Occidentaux. Parallèlement, l'économie s'effondre.

- *1987. Retour des troupes syriennes à Beyrouth-Ouest.*
- *1988. Le mandat d'A. Gemayel s'achève, sans que son successeur à la présidence ait pu être élu. Deux gouvernements parallèles (chrétien [dirigé par le général Michel Aoun] et musulman [dirigé par Selim Hoss]) sont mis en place.*
- *1989. Après plusieurs mois d'affrontements entre chrétiens et musulmans alliés aux Syriens, les députés libanais acceptent, par l'accord de Tā'if, un rééquilibrage des institutions entre les communautés et permet l'élection d'un nouveau président de la République (Elias Hraoui, choisi après l'assassinat de René Moawad).*
- *1990. L'armée libanaise, aidée par la Syrie, met fin à la résistance du général Aoun. Mise en place d'un gouvernement dirigé par Omar Karamé.*

Un retour à la légalité « sous contrôle syrien » est amorcé dans le Grand Beyrouth et le sud du pays.

LIBATION [libasjɔ̃] n. f. (du lat. *libare*, verser un liquide). **1.** Action de répandre du vin ou un autre liquide, faite par les Anciens en l'honneur des dieux. — **2.** *Faire de joyeuses libations*, prendre beaucoup de boissons alcoolisées, s'enivrer.

LIBELLE [libɛl] n. m. (lat. *libellus*, petit livre). Petit écrit satirique, violent, injurieux (littér.) [syn. PAMPHLET].

LIBELLER [libɛlle] ou [libele] v. t. (de *libelle*). Exposer par écrit, dans les formes légales ou requises : *Libeller un télégramme* (syn. FORMULER, RÉDIGER). ◆ **libellé** n. m. Termes dans lesquels est rédigé un texte officiel.

LIBELLULE [libɛllyl] n. f. (du lat. *libella*, niveau, par allus. au vol plané de l'insecte). Insecte à quatre ailes membraneuses vivant près des eaux douces, qui se nourrit d'insectes gobés en plein vol et dont la larve est aquatique. [Les petites libellules bleues ou bronzées sont appelées DEMOISELLES.] (Ordre des odonates.)

LIBER [libɛr] n. m. (mot lat. signif. *écorce*). Tissu végétal assurant par ses tubes criblés la circulation de la sève et se trouvant dans la partie profonde de l'écorce du tronc et des branches.

1. LIBÉRAL, E, AUX [liberal, -ro] adj. et n. (lat. *liberalis*). Se dit de quelqu'un (ou de son attitude) qui donne largement, généreusement : *Se montrer libéral envers ses amis* (syn. GÉNÉREUX, LARGE; contr. AVARE, MESQUIN). ◆ **libéralement** adv. ◆ **libéralité** n. f. **1.** Disposition à donner généreusement : *Manifester une grande libéralité* (syn. GÉNÉROSITÉ, LARGESSE). — **2.** (surtout au plur.) Don fait avec largesse : *Vivre des libéralités de ses parents.*

2. LIBÉRAL, E, AUX [liberal, -ro] adj. et n. (même étym.). **1.** Se dit de quelqu'un (de son attitude, de sa pensée, etc.) qui est partisan de la plus grande liberté individuelle possible dans le domaine politique ou économique, qui est hostile à toute intervention de l'État. — **2.** Tolérant à l'égard de toutes les tendances, de toutes les manifestations individuelles. — **3.** *Professions libérales*, professions indépendantes, d'ordre intellectuel : *Les médecins, les avocats appartiennent aux professions libérales; ils ne reçoivent pas de salaires ou de traitements, mais des honoraires.* — **4.** *Catholicisme libéral* ⟶ CATHOLIQUE. ◆ **libéralement** adv. Avec une grande largeur de vues. ◆ **libéraliser** v. t. Rendre plus libre, donner à la liberté et à l'initiative individuelles une part plus grande dans l'activité sociale; rendre les interventions de l'État moins rigoureuses. ◆ **libéralisation** n. f. ◆ **libéralisme** n. m. **1.** Doctrine qui préconise la liberté individuelle en matière politique et économique, par oppos. au DIRIGISME. ⟶ ENCYCL. — **2.** Tolérance à l'égard des opinions, de la conduite d'autrui.
— ENCYCL. Le terme de *libéralisme* a pris des sens différents selon les époques.
■ *Libéralisme politique.* Il apparaît sous la Restauration et se présente alors comme une doctrine progressiste. Ses partisans réclament le respect des libertés acquises sous la Révolution et s'élèvent contre la monarchie autoritaire, l'influence de l'Église et un retour éventuel à l'Ancien Régime. Attachés à la défense de la liberté, ils réclament des réformes (monarchie censitaire).
Sous la monarchie de Juillet*, les libéraux (Odilon Barrot, Alexis de Tocqueville) sont regroupés dans l'opposition dynastique.
Les revendications sociales de 1848 désorientent les partisans du libéralisme qui, par crainte de la révolution, s'engagent dans la voie de la réaction et du maintien de l'ordre social établi. Cependant, sous le second Empire, les libéraux s'opposent au pouvoir personnel et contribuent à l'évolution vers l'Empire libéral.
À partir de la IIe République, le libéralisme apparaît définitivement comme une doctrine conservatrice soutenue par les adversaires de la démocratie (Thiers) et comme une doctrine de défense de la bourgeoisie face aux revendications sociales (IIIe République). Il anime des formations politiques qui se situent d'abord au centre, puis, après 1914, à droite de l'Assemblée.
■ *Libéralisme économique.* Il se développe également au XIXe s. Ses défenseurs croient en l'existence de lois économiques naturelles capables d'assurer un développement équilibré, où les intérêts individuels concordent avec l'intérêt général. Ses deux principes essentiels sont la libre concurrence entre les individus et la non-intervention de l'État dans l'économie du pays.

LIBÉRATEUR, TRICE adj. et n., **LIBÉRATION** n. f. ⟶ LIBÉRER.

Libération *(ordre de la)*, ordre national français créé en 1940 par le général de Gaulle pour récompenser les citoyens ayant participé à la libération de la France pendant la Seconde Guerre mondiale.

LIBERCOURT, comm. du Pas-de-Calais, à 4 km à l'E. de Carvin; 10 100 hab. Métallurgie.

LIBEREC, v. de Tchécoslovaquie (Bohême); 73 400 hab.

LIBÉRER [libere] v. t. (lat. *liberare*). **1.** *Libérer un prisonnier*, le mettre en liberté (syn. RELÂCHER). — **2.** *Libérer un pays, un peuple*, etc., le délivrer de la domination ennemie. — **3.** *Libérer qq'un de qqch.*, le décharger de quelque obligation, de quelque chose qui est une charge, une peine : *Libérer un ami d'une dette* (syn. DÉGAGER, DÉLIER). — **4.** *Libérer une chose*, la dégager de ce qui l'entrave, la gêne, l'empêche de fonctionner : *Libérer le cran de sûreté d'un fusil. Libérer les échanges économiques.* — **5.** *Libérer des soldats (une classe, un contingent)*, les renvoyer dans leurs foyers. ‖ *Libérer de l'énergie*, en parlant d'un corps, dégager une certaine énergie, notamment dans une réaction chimique. ‖ *Libérer sa conscience, son cœur*, faire une confession qui délivre du remords. ◆ ***se libérer*** v. pr. **1.** Se rendre libre d'occupations : *J'essaierai de me libérer cet après-midi pour aller à cette réunion.* — **2.** Se dégager de ce qui gêne, de ce à quoi on reste assujetti : *Se libérer d'une dette* (syn. S'ACQUITTER). *Se libérer de la tutelle de ses parents* (syn. S'ÉMANCIPER). ◆ **libérateur, trice** adj. et n. Qui délivre, libère : *Le libérateur de la patrie* (syn. ↑SAUVEUR). *Un rire libérateur.* ◆ **libération** n. f. **1.** Action de rendre libre, mise en liberté : *La libération des prisonniers* (syn. ÉLARGISSEMENT). ‖ *Libération conditionnelle*, mesure par laquelle le condamné à une peine privative de liberté est libéré avant l'expiration de celle-ci. — **2.** Délivrance d'une occupation ennemie et spécialem. délivrance par les Alliés et la Résistance des pays occupés pendant la Seconde Guerre mondiale (avec une majusc.).

LIBÉRIA ou **LIBERIA** (le), État de l'Afrique occidentale, à l'O. de la Côte-d'Ivoire, sur l'océan Atlantique.
→ cartes en couleurs AFRIQUE pp. 48-49.

SUPERFICIE 110 000 km² (France : 550 000 km²).

POPULATION 2 500 000 hab. *(Libériens);* 23 hab. au km² (France : 103); accroissement annuel de population, 1,7 p. 100.

CAPITALE Monrovia (308 000 hab.).

LANGUE OFFICIELLE anglais.

MONNAIE dollar libérien.

GÉOGRAPHIE

Un plateau latéritique fait suite à la plaine côtière souvent bordée de lagunes. Le climat est tropical, avec une saison sèche qui dure plus longtemps vers l'intérieur, et il explique la grande extension de la forêt (mangrove sur la côte, forêt dense ailleurs).

	TEMPÉRATURES MOYENNES janv.	juil.	PLUIES
Monrovia	26,5 °C	24,4 °C	3 875 mm

La population est composée de Noirs formant deux groupes : les autochtones (de loin les plus nombreux) qui pratiquent une agriculture vivrière (riz, patates); les descendants d'anciens esclaves émigrés des États-Unis (à peine 2 p. 100 de la population), qui ont créé des grandes plantations d'hévéas grâce à des capitaux américains.

caoutchouc 80 000 t.

Les ressources minières sont très importantes : or, diamants et surtout fer de Bomi Hills. Mais elles sont exploitées par des compagnies étrangères, surtout américaines, qui exportent les produits bruts, et n'ont pas donné naissance à des industries.

L'économie est soutenue par les revenus de l'importante flotte (pétroliers surtout) à laquelle le Libéria prête son pavillon.

fer 12 millions de t; flotte 60 millions de tjb.

HISTOIRE

La république du Libéria doit son origine à la création, au début du XIXe s., par des sociétés philanthropiques américaines d'un établissement permanent pour les esclaves noirs libérés.

- *1847. L'État est proclamé indépendant.*

L'influence des États-Unis joue un rôle important dans la vie économique et politique du pays.

- *1943. William Tubman devient président de la République.*
- *1971. Après la mort de W. Tubman, William Tolbert lui succède.*
- *1980. Coup d'État militaire : Samuel K. Doe prend le pouvoir.*
- *1985. S. K. Doe est élu à la présidence de la République et restaure un régime civil.*
- *1990. S. K. Doe est tué lors d'une guerre civile issue d'un mouvement de guérilla.*

LIBERTAIRE adj. et n., **LIBERTÉ** n. f. → LIBRE.

LIBERTIN, E [libɛrtɛ̃, -in] adj. et n. (lat. *libertinus*, affranchi). **1.** *Autref.* Incrédule en matière religieuse. — **2.** Qui s'adonne sans retenue aux plaisirs charnels, qui manifeste un dérèglement dans sa conduite. ◆ **libertinage** n. m. : *Vivre dans le libertinage* (syn. DÉVERGONDAGE).

LIBIDINEUX, EUSE [libidinø, -øz] adj. (du lat. *libido*, désir). Qui manifeste des désirs sensuels, de l'impudeur (littér.) : *Des spectacles libidineux* (syn. LICENCIEUX).

LIBIDO [libido] n. f. (mot lat signif. *désir*). Pour Freud, énergie vitale qui est à l'origine des manifestations de l'instinct sexuel.

LIBOURNE, ch.-l. d'arrond. de la Gironde, au confluent de l'Isle et de la Dordogne, à 31 km au N.-E. de Bordeaux; 23 300 hab. Vignobles. Hôtel de ville (XVIe s.). Métallurgie.

LIBRAIRE [librɛr] n. m. (lat. *librarius*). Commerçant dont la profession est de vendre des livres. ◆ **librairie** n. f. Commerce du libraire; magasin où l'on vend des livres.

LIBRE [libr] adj. (lat. *liber*). **I. Sans complément** (avant ou après le nom). **1.** Qui ne dépend de personne, qui n'est soumis à aucune autorité, à aucune nécessité absolue; qui jouit du pouvoir d'agir à sa guise : *Rester libre* (syn. INDÉPENDANT). *Être libre comme l'air* (= complètement indépendant). — **2.** (le plus souvent après le nom) Se dit d'une personne, d'un groupe, d'une nation qui ne sont pas soumis à une autorité arbitraire ou dictatoriale : *Les citoyens libres des nations libres* (contr. ESCLAVE, OPPRIMÉ). — **3.** Se dit de quelqu'un qui n'est pas privé de la possibilité d'aller et venir, qui n'est pas emprisonné : *Un prévenu libre* (contr. DÉTENU). — **4.** (avant ou après le nom, selon les express.) Se dit de ce qui n'est pas entravé ou interdit par le pouvoir politique, par une autorité, etc., et dont le fonctionnement, l'usage sans limitation est garanti par les lois, les règlements : *La libre entreprise* (contr. NATIONALISÉ). *Le passage est libre* (syn. AUTORISÉ). *Les prix de la viande sont libres* (contr. FIXÉ, SURVEILLÉ). — **5.** Se dit de celui ou de ce qui n'est pas occupé, retenu : *Êtes-vous libre? Une chambre libre* (syn. INOCCUPÉ). *La route est libre* (syn. DÉGAGÉ; contr. ENCOMBRÉ). *Il me reste du temps libre* (syn. DISPONIBLE). — **6.** Qui agit sans retenue, sans contrainte, sans souci des règles : *Être libre dans ses manières* (contr. RÉSERVÉ, TIMIDE). *Une improvisation libre* (= faite avec fantaisie). — **7.** (après le nom) Qui manifeste du détachement à l'égard des convenances : *Des propos très libres* (syn. ↑LICENCIEUX; contr. RÉSERVÉ). **II. Suivi d'un complément. 1.** (avec un substantif compl.) Qui ne subit pas la contrainte de quelque chose : *Je suis libre de tout engagement.* — **2.** (avec un infin. compl.) Qui peut, qui a le droit de (faire) : *Libre à vous d'accepter ou de refuser* (= vous pouvez accepter ou refuser). **III. Locutions.** *Avoir le champ libre*, avoir entière liberté d'agir. ‖ *À l'air libre*, en plein air, à l'air. ‖ *Donner libre cours à*, laisser échapper, ne plus retenir. ‖ *École libre* (par oppos. à *école publique*), celle qui dépend d'organismes ou de sociétés privés. ‖ *Entrée libre*, facilité d'entrer sans avoir à payer ou à acheter. ‖ *Avoir ses entrées libres*, pouvoir entrer sans difficulté dans un lieu, y connaître des personnages influents. ‖ *Libre arbitre* → ARBITRE 1. ‖ *Figures libres*, exercices ou figures imaginés par les concurrents dans les épreuves de gymnastique, de patinage artistique, etc. (par oppos. aux *figures imposées*). ‖ *Libre penseur*, celui qui manifeste une attitude sceptique à l'égard de toute religion. ‖ *Roue libre* → ROUE. ‖ *Union libre*, association d'un homme et d'une femme qui vivent comme s'ils étaient mariés. ‖ *Vers libre* → VERS 1. ◆ **librement** adv. : *Circuler librement* (= sans interdiction légale). *Parler, s'expliquer librement* (= avec franchise). *La discipline librement consentie* (= sans contrainte ni pression). *Traduire très librement* (= sans suivre le texte). ◆ **liberté** n. f. : *Rendre la liberté à un prisonnier* (= le libérer). *Laisser trop de liberté à ses enfants* (syn. INDÉPENDANCE). *Donner à qq'un toute liberté d'action* (= toute possibilité d'agir). *S'exprimer avec une grande liberté* (syn. FRANCHISE). *Parler en toute liberté* (= sans se contraindre). ‖ *Arbres de la liberté*, arbres plantés au début de la Révolution de 1789 pour symboliser la liberté conquise. ‖ *Liberté de conscience*, droit accordé à l'individu d'avoir ou de ne pas avoir une croyance religieuse. ‖ *Liberté du culte*, droit, pour chaque individu, de pratiquer librement la religion de son choix. ‖ *La liberté économique* (= droit de commercer librement). ‖ *Liberté individuelle*, droit qu'a chaque citoyen d'aller et venir sans entraves sur le territoire national, d'être en sécurité sur ce territoire (notamment de n'être privé de sa liberté que dans certains cas déterminés par la loi). ‖ *Liberté d'opinion, de penser*, droit pour chacun d'exprimer ses pensées, ses croyances. ‖ *Liberté de réunion*, pouvoir accordé aux individus de délibérer des sujets de leur choix dans un local ouvert à tous, sans avoir à solliciter une autorisation préalable. ‖ *Liberté surveillée*, mesure de rééducation des mineurs délinquants consistant à confier l'enfant à une personne ou à une institution charitable sous le contrôle d'un délégué du tribunal, et qui peut être révisée à chaque instant. ‖ *Liberté syndicale*, liberté que possède un travailleur d'adhérer au syndicat de son choix ou de n'adhérer à aucun syndicat. ◆ n. f. pl. **1.** Ensemble des droits concernant l'indépendance, l'autonomie : *Les libertés communales.* — **2.** *Prendre des libertés avec un texte*, ne pas le citer exactement, l'interpréter plus que le traduire. ‖ *Prendre des libertés avec qq'un*, agir avec lui avec trop de familiarité, avec une hardiesse impudente. ◆ **libertaire** n. et adj. *Hist.* Partisan de la liberté absolue, de l'anarchie : *Théories libertaires.* ◆ **libre-échange** n. m. Système économique qui consiste à laisser circuler des marchandises entre les nations sans interdiction pour certains produits et sans faire payer de droits de douane. ◆ **libre-service** n. m. Service assuré par le client lui-même, dans certains restaurants, certains magasins; ces restaurants, ces magasins (syn. SELF-SERVICE). ‖ Pl. des *libres-services.*

LIBRETTO [librɛto] n. m. (mot it. signif. *petit livre*). Livret d'un opéra, d'un opéra-comique, d'un ballet. ‖ Pl. des *librettos* ou *libretti.* ◆ **librettiste** n. m. Auteur du livret d'une œuvre musicale.

LIBREVILLE, capit. du Gabon, sur l'estuaire du Gabon; 260 000 hab. Libreville fut fondée en 1849 par des esclaves libérés.

LIBYE (la), république de l'Afrique du Nord, sur la Méditerranée, s'étendant sur les anc. provinces de la *Tripolitaine*, de la *Cyrénaïque* et du *Fezzan.*

GÉOGRAPHIE

Seuls le nord du littoral, un peu plus arrosé (régions de Tripoli et de El-Beida), et quelques oasis sont mis en culture. C'est là que se

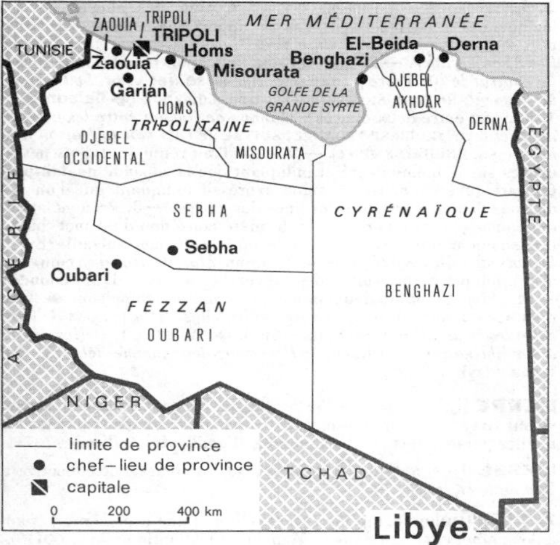

SUPERFICIE 1 760 000 km² (France : 550 000 km²).
POPULATION 4.1 millions d'hab. *(Libyens);* 2 hab. au km² (France : 103); accroissement annuel, 3 p. 100.
CAPITALE Tripoli (551 000 hab.).
VILLE PRINCIPALE Benghazi (282 000 hab.).
LANGUE OFFICIELLE arabe.
ÉCONOMIE consommation d'énergie par hab., 571 kg d'équivalent charbon; 1 automobile pour 22 hab.
MONNAIE dinar libyen.

concentre l'essentiel de la population, récoltant des céréales, des dattes et des fruits.

	TEMPÉRATURES MOYENNES		PLUIES
	janv.	juil.	
Tripoli	13 °C	28 °C	371 mm

Le reste du pays, partie orientale du Sahara, est désertique et parcouru par les troupeaux de chameaux et d'ovins des nomades.

L'économie du pays a été tranformée, au moins localement, par la découverte d'importants gisements pétrolifères.

pétrole 50 millions de t.

Les ports de Tripoli et Benghazi assurent l'essentiel du commerce extérieur, qui est bénéficiaire grâce au pétrole.

HISTOIRE

Ancienne province romaine, la Libye fut conquise par les Arabes, avant de faire partie de l'Empire ottoman.

- *1912. À la suite de la guerre italo-turque, les Italiens occupent la Libye.*

De 1922 à 1931, ils doivent lutter contre les Bédouins révoltés.

- *1939. La Libye est intégrée au territoire national italien.*
- *1940-1943. La campagne de Libye oppose les forces britanniques aux forces germano-italiennes.*

Le pays est ensuite administré par la France et l'Angleterre.

- *1951. La Libye devient un royaume indépendant.*
- *1953. Elle adhère à la Ligue arabe.*

L'Angleterre et les États-Unis utilisent dans le pays de nombreuses bases stratégiques.

- *1969. Un coup d'État militaire dirigé par le colonel Kadhafi renverse la royauté et établit la république.*

Le nouveau régime, de tendance socialiste, s'engage dans la voie des nationalisations et pratique une politique proarabe et antisioniste (= opposée à l'État d'Israël).

- *À partir de 1973. Interventions libyennes au Tchad.*
- *1986. Accusée par les États-Unis de soutenir le terrorisme international, la Libye est l'objet de sanctions économiques et militaires (raid sur Tripoli).*
- *1988. Tandis qu'à l'intérieur le régime connaît une certaine libéralisation, la Libye rétablit ses relations diplomatiques avec le Tchad.*

LIBYE *(désert de)*, partie orientale du Sahara, entre le Tibesti et la vallée du Nil.

1. LICE [lis] n. f. (frq. *listja*). **1.** Nom donné d'abord aux palissades de bois dont on entourait les places ou châteaux fortifiés; puis au terrain lui-même ainsi entouré, et qui servait aux joutes, aux tournois; enfin à tout champ clos préparé pour des exercices, des joutes en plein air. — **2.** *Entrer en lice*, s'engager dans une lutte, intervenir dans une discussion.

2. LICE n. f. → LISSE 1.

1. LICENCE [lisɑ̃s] n. f. (lat. *licentia;* de *licet*, il est permis). Grade universitaire : *Licence ès lettres.* ◆ **licencié, e** n. et adj. Qui a obtenu une licence.

2. LICENCE [lisɑ̃s] n. f. (même étym.). Permission donnée par une autorité administrative d'exercer certaines activités économiques, un commerce, un sport.

3. LICENCE [lisɑ̃s] n. f. (même étym.). **1.** Liberté excessive prise avec les bienséances (littér.). — **2.** *Licence poétique, grammaticale*, liberté prise par un écrivain avec les règles de la poésie, de la grammaire.

LICENCIER [lisɑ̃sje] v. t. (lat. *licentiare*). Priver des employés, des ouvriers, etc., de leur emploi. ◆ **licenciement** n. m. : *Le licenciement d'un employé* (syn. RENVOI). *Protester contre les licenciements* (contr. EMBAUCHE).

LICENCIEUX, EUSE [lisɑ̃sjø, -øz] adj. (lat. *licentiosus*). Qui incite au dévergondage, à la débauche; qui vise à exciter la sensualité : *Des écrits licencieux* (syn. ÉROTIQUE). *Des propos licencieux* (syn. GRIVOIS, INDÉCENT).

LICHEN [likɛn] n. m. (mot lat.; du gr. *leikhein*, lécher). Végétal cryptogame vivant sur le sol, les pierres, les arbres et résultant de l'association d'un champignon et d'une algue.

LICITE [lisit] adj. (lat. *licitus*). Permis par la loi : *Des profits licites.* ◆ **illicite** adj. : *Avoir une activité illicite* (syn. DÉFENDU, INTERDIT).

LICOL n. m. → LICOU.

LICORNE [likɔrn] n. f. (du lat. *unicornis*, qui n'a qu'une corne). Animal fabuleux à corps de cheval, dont la corne unique blanc et noir sur le front était symbole de force et de virginité, et censée neutraliser le poison.

LICOU [liku] ou **LICOL** [likɔl] n. m. (de *lier*, et *cou*). Courroie de cuir que l'on met autour du cou des chevaux, des ânes, des mulets, pour les mener.

LICTEUR [liktœr] n. m. (lat. *lictor;* de *ligare*, lier). Officier qui marchait devant les principaux magistrats de l'anc. Rome. (Les licteurs portaient un faisceau de verges entourant, dans certains cas, une hache ; ils avaient pour tâche d'écarter la foule.)

LIDICE, village de Tchécoslovaquie, à l'O. de Prague. En 1942, la population fut victime de sanglantes représailles de la part des Allemands, à la suite de l'assassinat de Heydrich, le « protecteur » de la Bohême-Moravie.

LIDO [lido] n. m. (mot it.). Bande de sable fermant complètement une baie et pouvant isoler une lagune.

LIDO (le), île allongée fermant vers l'Adriatique la lagune de Venise. Grande station balnéaire. Palais du festival cinématographique de Venise.

LIE [li] n. f. (gaul. *liga*). Dépôt qui se forme dans un liquide et qui tombe au fond du récipient. ‖ *Boire le calice jusqu'à la lie* → CALICE 1. ◆ **lie-de-vin** adj. et n. inv. Qui est d'une couleur rouge rappelant celle de la lie de vin.

LIEBIG (Justus, *baron* VON), chimiste allemand (1803-1873). Auteur de la méthode classique d'analyse des composés organiques, il créa la théorie des cycles du carbone et de l'azote dans la nature.

LIEBKNECHT (Karl), militant socialiste et homme politique allemand (1871-1919). Il fut le seul député à refuser, en 1914, le vote des crédits de guerre. Chef du groupe communiste spartakiste, il fut assassiné pendant le soulèvement de 1919.

LIECHTENSTEIN, principauté indépendante de l'Europe centrale, entre l'Autriche et la Suisse; 160 km²; 26 000 hab. (163 au km²). Capit. *Vaduz* (5 000 hab.).

Le pays s'étend sur une étroite portion de la plaine du Rhin, dominée à l'E. par un massif montagneux. La polyculture (blé, maïs, pomme de terre) associée à l'élevage bovin et quelques usines (textiles) sont l'essentiel de ses activités, autres que touristiques et financières.

La principauté de Liechtenstein, constituée en 1719 par la réunion des seigneuries de Vaduz et Schellenberg, est rattachée à la Confédération du Rhin (1810-1814), puis à la Confédération germanique (1815-1866). Elle est ensuite, et jusqu'en 1918, incluse dans l'union douanière autrichienne. À partir de 1921-1924, elle est liée à la Suisse dans les domaines monétaire, douanier et diplomatique. En 1990, elle devient membre de l'O. N. U.

LIED [lid] n. m. (mot all. signif. *chant*). Chant ou mélodie typique des pays germaniques. || Pl. des *lieder*.
— ENCYCL. Le *lied* est un morceau chanté, accompagné par un seul instrument (presque toujours le piano). Il trouve ses origines dans les chansons populaires allemandes.
Après Beethoven, le lied atteint son apogée avec Schubert et surtout Schumann. On y trouve l'exaltation de la nature, le sentiment religieux, des méditations sur l'amour ou la mort, thèmes principaux du romantisme allemand.

LIE-DE-VIN adj. et n. inv. ⟶ LIE.

LIÈGE [ljɛʒ] n. m. (du lat. *levis*, léger). Substance élastique, imperméable et légère existant sous l'écorce de tous les arbres, mais particulièrement épaisse chez le *chêne*-liège*, dont on l'extrait pour en faire des bouchons, des flotteurs, des revêtements imperméables, etc.

LIÈGE, v. de la Belgique orientale, au confluent de la Meuse et de l'Ourthe, ch.-l. de la province de ce nom; 147 300 hab. La vieille ville, centre commercial et religieux, est devenue une cité industrielle grâce à son bassin houiller et aux minerais des Ardennes aujourd'hui épuisés. La houille alimente des industries variées : sidérurgie, constructions mécaniques, verrerie, etc. Mais le port fluvial de Liège en expédie une partie vers Anvers par le canal Albert. L'agglomération (440 400 hab.) englobe une série de communes qui s'étirent le long de la vallée de la Meuse.

LIÈGE *(province de)*, province de l'est de la Belgique; 3 900 km^2; 1 008 900 hab. (260 au km^2). Ch.-l. *Liège*.
La Meuse sépare la *Hesbaye*, grande région de culture (céréales, betterave), du sud-est de la province *(pays de Herve, Condroz et Hautes Fagnes)* à vocation plutôt herbagère et forestière. L'industrie est concentrée autour de Verviers (travail de la laine), et surtout dans la vallée de la Meuse. Le bassin houiller de Liège (qui n'est plus exploité) a été en effet à l'origine des nombreuses activités développées le long du fleuve (sidérurgie, métallurgie...) et qui en font une grande artère industrielle.

LIÉGEOIS, E [ljeʒwa, -az] adj. et n. **1.** De Liège. — **2.** *Café* ou *chocolat liégeois*, glace au café ou au chocolat, semi-liquide, servie avec de la crème Chantilly.

LIEN n. m. ⟶ LIER 1, 2 et 3.

LIEOU CHAO-K'I ou **LIU SHAO-CHI,** homme politique chinois (1898-1973). Président de la République populaire chinoise en 1959, il est accusé de révisionnisme pendant la « révolution culturelle » (1966) et est démis de ses fonctions en 1968.

LIEPAÏA ou **LIEPAJA,** ancienn. **Libau,** port de Lettonie, sur la Baltique; 82 000 hab. Métallurgie.

1. LIER [lje] v. t. (lat. *ligare*). **1.** Attacher avec quelque chose de souple, de flexible, de manière à tenir serré : *Lier un prisonnier avec une corde* (syn. LIGOTER). — **2.** Assembler, joindre à l'aide d'une substance : *Le ciment lie les pierres.* — **3.** *Lier une sauce*, l'épaissir avec de la farine. — **4.** *Avoir les mains liées*, n'avoir plus aucune possibilité d'action, être réduit à l'impuissance. || *Être livré pieds et poings liés à qq'un*, être mis entièrement à sa merci. || *Fou à lier*, tout à fait extravagant. ◆ **liaison** n. f. Tout ingrédient servant à lier, à épaissir les sauces. ◆ **liant** n. m. **1.** Matière ajoutée à une autre pour en agglomérer les parties composantes. — **2.** Élasticité : *Le liant de l'acier.* ◆ **lien** [ljɛ̃] n. m. Bande, courroie, corde, etc., flexible, servant à attacher, à serrer étroitement : *Un lien d'osier. Briser ses liens* (syn. CHAÎNE). ◆ **lieuse** n. f. Machine agricole servant à lier les gerbes. ◆ **délier** v. t. **1.** Détacher de ce qui lie; défaire un nœud : *Délier un fagot* (syn. DÉTACHER). *Délier un ruban* (syn. DÉNOUER). — **2.** Fam. *Délier la langue à qq'un*, l'amener à parler, à révéler ce qu'il sait. || *Sans bourse délier*, sans avoir rien à payer. ◆ ***se délier*** v. pr. : *Le sac s'est délié.*

2. LIER [lje] v. t. (même étym.). **1.** Unir par l'intérêt, l'amitié, la solidarité : *Un commun mépris des honneurs les avait liés étroitement* (syn. RAPPROCHER; contr. ÉLOIGNER). *Je suis peu lié avec lui* (syn. FAMILIER). *Lier conversation* (= engager, entamer la conversation). — **2.** *Avoir partie liée avec qq'un*, être engagé avec lui dans une affaire commune. ◆ ***se lier*** v. pr. S'unir à une autre personne par un lien affectif : *Se lier d'amitié avec un camarade d'école.* ◆ **liaison** n. f. **1.** Action de se lier avec quelqu'un; relations amoureuses. — **2.** *En liaison avec qq'un*, en accord avec lui. ◆ **liant, e** adj. Qui se lie facilement avec les gens (syn. SOCIABLE). ◆ n. m. Caractère sociable : *Avoir du liant.* ◆ **lien** n. m. Ce qui unit des personnes : *Les liens du sang, de la parenté. Le lien qui unit les deux époux* (syn. ATTACHEMENT). *Servir de lien entre deux personnes* (syn. INTERMÉDIAIRE).

3. LIER [lje] v. t. (même étym.). **1.** Unir des choses par la logique, par le raisonnement, par un rapport quelconque : *Lier une phrase à la précédente par un mot de liaison. Ces souvenirs étaient liés à son enfance.* — **2.** Imposer une obligation morale, juridique : *Le contrat le lie. Votre parole vous lie.* ◆ ***se lier*** v. pr. *Se lier par un serment, un vœu*, etc., s'imposer une obligation. ◆ **liaison** n. f. **1.** Rapport entre deux choses : *Manque de liaison entre les parties du sujet* (syn. CORRESPONDANCE, SUITE). *Je vois mal la liaison des idées* (syn. ENCHAÎNEMENT). — **2.** *Mus.* Trait réunissant deux notes écrites sur le même degré et indiquant que la seconde ne doit pas être attaquée de nouveau; signe expressif indiquant que l'on ne doit pas détacher les notes les unes des autres. — **3.** Prononciation qui consiste à faire entendre la dernière consonne d'un mot, habituellement muette, avec la voyelle initiale du mot suivant. (Ex. : *Les oiseaux* [lezwazo].) — **4.** Gramm. *Mot de liaison*, conj. ou adv. indiquant la suite des diverses parties d'un énoncé. — **5.** *Chim.* Union de deux atomes dans une combinaison. ◆ **lien** n. m. Ce qui unit plusieurs choses entre elles : *Il n'y a pas de lien entre les deux affaires* (syn. RAPPORT). ◆ **délier** v. t. *Délier qq'un d'une obligation*, l'en libérer : *Il se considère comme délié de son serment* (syn. DÉGAGER).

LIERRE [ljɛr] n. m. (de *l'ierre;* du lat. *hedera*). Plante ligneuse vivant fixée aux murs ou aux arbres par des racines-crampons, à feuilles persistantes et à baies noires. (Famille des araliacées.)

LIESSE [ljɛs] n. f. (du lat. *laetitia*). Joie, réjouissance collective : *Une foule en liesse.*

1. LIEU [ljø] n. m. (breton *leouek*). Nom d'une espèce de merlan à dos jaune, commun dans la Manche et l'Atlantique (syn. COLIN). || Pl. des *lieus.*

2. LIEU [ljø] n. m. (lat. *locus*). **1.** Partie déterminée de l'espace : *Un lieu charmant* (syn. ENDROIT); suivi de la prép. *de* et d'un compl. sans art. : *Quel est votre lieu de naissance? Un lieu de passage* (= où l'on passe souvent); suivi de la prép. *de* et d'un compl. du nom, d'un adj. poss., etc. : *Le lieu de la scène est à Séville. Indiquer le lieu de son domicile.* — **2.** *Ce n'est pas le lieu de*, ce n'est pas l'endroit convenable de : *Ce n'est ni le temps ni le lieu de discuter : il faut agir.* || *En temps et lieu*, au moment et à l'endroit convenables. || *Lieu public*, endroit où le public peut aller (cinéma, jardin, café). || *Un mauvais lieu*, un lieu de débauche, un café mal famé. || *En lieu et place*, à la place de (langue admin.). || *N'avoir ni feu ni lieu*, ne pas avoir de domicile fixe. || *Un haut lieu*, le théâtre de hauts faits : *Le Vercors est un des hauts lieux de la Résistance.* || *En haut lieu*, près des personnes influentes, près des dirigeants. — **3.** Gramm. *Complément circonstanciel de lieu*, nom ou pronom qui indique l'endroit où se passe une action, le lieu où l'on va, d'où l'on vient, par où l'on passe. — LOC. VERBALES. *Avoir lieu*, se produire en un endroit et à un moment donnés : *Le bal aura lieu dans la salle des fêtes* (syn. SE TENIR). || *Avoir lieu de* (suivi d'un infin.), avoir une raison pour : *Il a lieu de se féliciter.* || *Il y a lieu de* (suivi d'un infin.), il convient de (surtout dans des phrases négatives ou hypothétiques) : *Vous appellerez le docteur s'il y a lieu.* || *Donner lieu à* (suivi d'un nom), fournir le prétexte, l'occasion de : *Son attitude donna lieu à quelques remarques* (syn. PROVOQUER). || *Donner lieu de* (suivi d'un infin.), autoriser, permettre (littér.). || *Tenir lieu de* (suivi d'un nom), remplacer, tenir la place de : *Il lui tient lieu de père* (syn. SERVIR DE). — LOC. ADV. *En premier, en second lieu*, premièrement (d'abord), deuxièmement (ensuite). || *En dernier lieu*, enfin, finalement. — LOC. PRÉP. *Au lieu de*, à la place de (suivi d'un nom) : *Employer un mot au lieu d'un autre* (syn. POUR); suivi d'un infin. : *Au lieu de vous lamenter, essayez de réagir.* — LOC. CONJ. *Au lieu que* (suivi du subj. ou de l'indic.), marque une opposition : *Au lieu qu'il reconnaisse ses erreurs, il s'entête à soutenir l'impossible.* ◆ **lieux** n. m. pl. **1.** Endroit où l'on est, où l'on habite, maison, appartement : *Visiter les lieux avant d'emménager.* — **2.** *Les Lieux saints*, la Palestine, Jérusalem, où le Christ a vécu. || *Lieux d'aisances*, cabinets, latrines. ◆ **lieu commun** n. m. Idée, sujet banal que tout le monde utilise : *Un roman qui s'écarte des lieux communs* (syn. IDÉE TOUTE FAITE). ◆ **lieu-dit** n. m. Lieu qui, à la campagne, porte un nom traditionnel : *« La Pierre-au-Diable » et « les Trois-Épis » sont des lieux-dits.* ◆ **local, e, aux** adj. Relatif à une région précise, à un lieu déterminé : *Une notabilité locale* (= de la ville, de la province). *Les collectivités locales* (= les communes). *La couleur locale* (= la reproduction des caractères spécifiques d'une région, d'un pays). *Une anesthésie locale* (= qui ne touche qu'une partie du corps). ◆ n. m. Partie d'un bâtiment qui a une destination déterminée : *Un local commercial. Détruire des locaux insalubres* (syn. LOGEMENT). ◆ **localement** adv. : *Demain, le ciel sera localement nuageux* (= par endroits dans le pays). ◆ **localiser** v. t. **1.** Déterminer l'emplacement, l'origine, la cause : *Localiser une maladie.* — **2.** Arrêter l'extension de quelque chose à des limites précises : *Localiser un incendie* (syn. CIRCONSCRIRE). *Des conflits localisés* (= limités à une région). ◆ ***se localiser*** v. pr. Se fixer en un lieu : *L'épidémie se localise dans une ville.* ◆ **localisation** n. f. ◆ **localité** n. f. Lieu habité déterminé; petite ville, village.

LIEUE [ljø] n. f. (lat. *leuca*). Unité utilisée anciennement pour la mesure des distances, et valant env. 4 km. ‖ *Être à cent lieues, à mille lieues de*, être fort éloigné de.

LIEUSE n. f. ⟶ LIER 1.

LIEUTENANT [ljøtnɑ̃] n. m. (lat. *locum tenens*, qui tient un lieu). **1.** Celui qui vient immédiatement après le chef et le remplace à l'occasion : *Tout chef a besoin de bons lieutenants.* — **2.** Grade des officiers des armées de terre et de l'air immédiatement inférieur à celui de capitaine : *Le lieutenant porte deux galons à la couleur de son arme.* (⟶ GRADE 2.) — **3.** *Lieutenant général de police*, magistrat établi en 1667 et chargé de la police de Paris. (Le premier fut La Reynie.) ‖ *Lieutenant général du royaume*, personne que le roi désignait pour exercer temporairement le pouvoir à sa place. (Le comte d'Artois en 1814, le duc d'Orléans en 1830 furent créés chacun lieutenant général du royaume.) ◆ **sous-lieutenant** n. m. Premier grade de la hiérarchie des officiers dans les armées de terre et de l'air : *Le sous-lieutenant porte un seul galon à la couleur de son arme.* (⟶ GRADE 2.) ◆ **lieutenant-colonel** n. m. Officier supérieur des armées de terre et de l'air, dont le grade se situe entre celui de commandant et celui de colonel : *Les lieutenants-colonels portent cinq galons panachés or et argent.*

LIÉVIN, ch.-l. de cant. du Pas-de-Calais, à 5 km au S.-O. de Lens; 33 200 hab. Chimie.

LIÈVRE [ljɛvr] n. m. (lat. *lepus, -oris*). **1.** Mammifère sauvage à longues pattes postérieures permettant une progression par bonds, à pointes des oreilles noires, gîtant dans des dépressions du sol : *La femelle du lièvre est la hase.* (Ordre des rongeurs.) — **2.** Chair de cet animal : *Un civet de lièvre.* — **3.** *Soulever, lever un lièvre*, soulever une question embarrassante, mais importante. ‖ *Courir deux lièvres à la fois*, poursuivre plusieurs buts différents en même temps. — **4.** Coureur chargé d'entraîner un champion dans une tentative de record. ◆ **levraut** n. m. Jeune lièvre.

LIFAR (Serge), danseur et chorégraphe français d'origine russe (1905-1986). Il fit partie des Ballets russes de Diaghilev, puis fut danseur étoile (1929) et chorégraphe à l'Opéra de Paris (1930), où il imposa son style néo-classique.

LIFTIER [liftje] n. m. (de l'angl. *lift*, ascenseur). Garçon chargé de la manœuvre d'un ascenseur.

LIGAMENT [ligamɑ̃] n. m. (du lat. *ligare*, lier). *Anat.* Ensemble de fibres de tissu conjonctif, serrées et résistantes, orientées dans le même sens, qui relient différents organes entre eux ou les deux os constituant une articulation *(ligaments articulaires).*

LIGATURE [ligatyr] n. f. (du lat. *ligare*, lier). **1.** Opération qui consiste à serrer un lien, une bande autour d'une partie du corps afin de la comprimer. — **2.** Action d'entourer d'un lien une plante à son tuteur, une greffe, etc. — **3.** Trait qui, dans l'écriture, réunit deux lettres (comme *œ, fl, ff*). ◆ **ligaturer** v. t. : *Ligaturer une artère.*

LIGE [liʒ] adj. (du germ. *let*, libre). **1.** Se disait, sous le régime féodal, de celui qui était étroitement obligé envers son seigneur, et de l'hommage dû à celui-ci. — **2.** *Homme lige*, qui obéit sans condition à un autre, à un parti, à un gouvernement (syn. plus usuel INCONDITIONNEL).

LIGNE [liɲ] n. f. (lat. *linea*, fil de lin). **1.** Trait long, fin et continu : *Tracer une ligne. Lire dans les lignes de la main* (= prédire l'avenir d'après les rides sillonnant la paume de la main). — **2.** Ce qui forme une séparation, une limite entre deux choses : *La ligne de démarcation. Le navire a franchi la ligne* (= l'équateur). — **3.** Ensemble de fortifications protégeant la frontière; retranchement : *La ligne Maginot. Monter en ligne* (= aller à l'assaut). *En première ligne* (= au plus près du combat). — **4.** Forme, dessin, contour d'un objet, d'un corps, d'une représentation picturale, etc. : *La ligne du nez* (syn. PROFIL). *La ligne d'une voiture. Quelle est la ligne cette année dans la mode?* (= la forme générale). ‖ *Perdre la ligne*, engraisser, prendre de l'embonpoint. — **5.** Direction déterminée : *Avoir une ligne générale de conduite* (syn. RÈGLE). *S'écarter de sa ligne* (syn. VOIE). *La ligne de tir d'une arme à feu.* — **6.** Installation servant à la communication, à la transmission, au transport d'énergie : *Une ligne téléphonique. Une ligne de haute tension. La ligne aérienne Paris-Tôkyô. Une tête de ligne* (= gare de départ). *Un avion de ligne* (= qui assure le service entre deux points). *Un pilote de ligne* (= qui assure la conduite d'un avion de transport). — **7.** Fil servant à la pêche : *La pêche à la ligne.* ‖ *Ligne de fond*, ligne sans flotteur, qui repose au fond de l'eau et est garnie, de distance en distance, de fils courts portant des hameçons. — **8.** Suite continue de personnes, de choses : *Une ligne d'arbres le long de la route* (syn. ALIGNEMENT). — **9.** Suite de caractères imprimés ou manuscrits : *Intervalle entre deux lignes* (= interligne). *Écrire quelques lignes. Lire entre les lignes* (= deviner ce qui est sous-entendu). *L'élève a fait cent lignes* (= copié cent lignes comme punition). — **10.** Sports. *Ligne d'avants, d'arrières, de demis*, ensemble formé par les joueurs occupant des positions parallèles (au football, au rugby, etc.). — **11.** Ensemble des ascendants ou des descendants d'une famille : *Descendre en ligne directe d'une noble famille bretonne. La ligne collatérale* (= descendance par le frère ou la sœur). — **12.** *Télév.* Décomposition de l'image à transmettre ou de l'image reçue en points élémentaires juxtaposés selon une ligne horizontale. — **13.** Zool. *Ligne latérale*, chez les poissons, rangée d'écailles perforées au milieu de chacun des flancs, qui abrite un organe sensoriel percevant les ébranlements mécaniques. — **14.** Géogr. *Ligne de plus grande pente*, ligne coupant à angle droit les courbes de niveau. — **15.** Math. *Ligne polygonale*, réunion de segments consécutifs deux à deux, appelés *côtés* de la

exemples de lignes polygonales — exemple de polygone

ligne, dont les extrémités sont appelées *sommets* de la ligne. (Une ligne polygonale est *fermée* si tout sommet appartient à deux côtés : la ligne s'appelle alors *polygone.*) — **16.** *Bâtiment de ligne*, grand navire de guerre formant l'élément principal d'une escadre. — **17.** *Entrer en ligne de compte*, avoir de l'importance. ‖ *Faire entrer en ligne de compte*, prendre en considération. ‖ *Être en ligne*, se dit de troupes qui sont sur la ligne de combat; se dit aussi, en sports, d'équipes prêtes à affronter une épreuve. ‖ *Être battu sur toute la ligne*, complètement. ‖ *Hors ligne*, d'une valeur supérieure. ◆ **interligne** n. m. Espace entre deux lignes d'écriture ou d'impression.

LIGNÉE [liɲe] n. f. (de *ligne*). Ensemble des descendants : *N'avoir qu'un fils pour toute lignée* (syn. POSTÉRITÉ).

LIGNEUX, EUSE [liɲø, -øz] adj. (du lat. *lignum*, bois). **1.** De la nature du bois : *Tige ligneuse.* (Se dit des arbustes et des arbrisseaux, par oppos. à HERBACÉ.) — **2.** Qui appartient au bois : *Vaisseau ligneux. Fibre ligneuse.*

LIGNINE [liɲin] n. f. (du lat. *lignum*, bois). Substance organique qui se fixe sur les membranes de certains tissus végétaux (bois), en les rendant imperméables et inextensibles. ◆ **lignification** n. f. Imprégnation par la lignine des membranes des cellules, fibres et vaisseaux du bois. ◆ **lignifié, e** adj. Imprégné de lignine.

LIGNITE [liɲit] n. m. (du lat. *lignum*, bois). Roche combustible, provenant de la décomposition de débris végétaux, contenant 70 p. 100 de carbone (sa valeur calorifique est trois fois moindre que celle de la houille) : *Les gisements de lignite du bassin de Cologne.*

— ENCYCL. Le *lignite* est essentiellement utilisé pour alimenter des centrales électriques à proximité immédiate de son lieu d'extraction. La production mondiale s'est accrue, dépassant 1 100 millions de tonnes, mais ne représente en valeur énergétique guère plus du dixième de celle de la houille. Trois États d'Europe centrale ou orientale assurent plus des trois quarts de cette production mondiale.

Allemagne	410 millions de t
U. R. S. S.	160 millions de t
Tchécoslovaquie	103 millions de t

LIGNY-EN-BARROIS, ch.-l. de cant. de la Meuse, à 16 km au S.-E. de Bar-le-Duc, près de l'Ornain; 5 700 hab. *(Linéens).* Verres de lunettes. Chaussures.

LIGOTER [ligɔte] v. t. (de l'anc. fr. *ligote*, corde). Attacher solidement avec un lien : *Ligoter un prisonnier* (syn. LIER).

LIGUE [lig] n. f. (it. *liga;* du lat. *ligare*, lier). **1.** Union formée entre plusieurs princes; confédération entre plusieurs États. — **2.** Nom donné à des associations, des groupements dont les buts sont moraux, politiques, sportifs, etc. : *La Ligue des droits de l'homme. Ligue contre l'alcoolisme.* ◆ **liguer** v. t. Unir dans une même coalition, dans une même alliance : *Liguer tous les mécontents* (syn. COALISER). ◆ ***se liguer*** v. pr. : *Ils se liguèrent pour le contraindre à avouer.* ◆ **ligueur, euse** n. **1.** Membre d'une ligue politique. — **2.** Membre de la Ligue sous Henri III et Henri IV.

Ligue *(Sainte)* ou la **Ligue,** confédération catholique fondée par le duc de Guise en 1576 pour défendre la religion catholique contre les calvinistes et, par contrecoup, pour renverser Henri III et placer les Guises, chefs des *ligueurs*, sur le trône de France. Henri IV, en abjurant le calvinisme, mit fin à la Ligue, discréditée par son alliance avec Philippe II d'Espagne.

Ligue arabe ⟶ ARABE *(Ligue).*

Ligue française de l'enseignement et de l'éducation permanente, ancienn. **Ligue française de l'enseignement,**

association fondée en 1866 par Jean Macé pour favoriser la diffusion de l'instruction dans les classes populaires.

LIGUER v. t., **LIGUEUR, EUSE** n. → LIGUE.

LIGULE [ligyl] n. f. (lat. *ligula*, languette). *Bot.* Petite lame saillante que porte la feuille, chez les graminacées, à la jonction du limbe et de la gaine.

LIGURES, peuple ancienn. établi sur la côte méditerranéenne entre Marseille et La Spezia, vaincu par les Romains au début du IIe s. av. J.-C.

LIGURIE, région du nord de l'Italie, sur le golfe de Gênes, correspondant aux provinces de *Gênes, Imperia, Savone* et *La Spezia;* 1853600 hab. *(Liguriens).*

La région a un relief accidenté, correspondant à l'extrémité nord-ouest de l'Apennin, et qui retombe brutalement sur un littoral jalonné de terrasses et de plaines deltaïques discontinues. Abritée, la côte bénéficie d'un climat doux aux précipitations assez abondantes. C'est là que se concentre la vie humaine. Le tourisme anime de nombreuses stations (San Remo). L'activité industrielle est surtout développée dans l'agglomération de Gênes*, qui regroupe près de la moitié de la population de la province.

LIGURIENNE *(république),* État substitué à la république de Gênes en 1797 et incorporé à l'Empire français en 1805.

LILAS [lila] n. m. (ar. *lilâk*). Arbuste cultivé pour ses grappes de fleurs mauves ou blanches, odorantes; les fleurs elles-mêmes. (Famille des oléacées.) ◆ adj. inv. De couleur violette tirant sur le rose (syn. MAUVE).

LILAS (Les), ch.-l. de cant. de la Seine-Saint-Denis, dans la banlieue nord-est de Paris; 20500 hab. *(Lilasiens).*

LILIACÉES [liljase] n. f. pl. (du lat. *lilium*, lis). Importante famille de plantes monocotylédones vivaces comprenant plus de 2000 espèces. Les principaux types sont la *tulipe*, le *lis*, l'*ail*, l'*oignon*, le *poireau*, la *jacinthe*, le *muguet*, l'*asperge*, la *colchique*...

LILIENTHAL (Otto), ingénieur allemand (1848-1896), l'un des pionniers du vol à voile.

LILLE, ch.-l. de la Région Nord-Pas-de-Calais et du dép. du Nord; 174000 hab. *(Lillois).*

Lille est le principal noyau d'une agglomération de près de 900 000 hab. qui comprend également Roubaix et Tourcoing et qui s'étend d'Haubourdin à la frontière belge. Le textile demeure l'activité industrielle principale, mais subit une crise. La métallurgie de transformation est également peu dynamique. Lille paie la précocité de son développement et l'ancienne prépondérance de branches qui ne sont plus des moteurs de la croissance; mais sa situation géographique dans le cadre du Marché commun est cependant un atout important.

LILLEBONNE, ch.-l. de cant. de la Seine-Maritime, à 35 km à l'E. du Havre, près de la Seine; 9700 hab.

LILLERS, ch.-l. de cant. du Pas-de-Calais, à 13 km au N.-O. de Béthune; 9500 hab. Église romane (XIIe s.). Métallurgie.

LILLIPUTIEN, ENNE [lilipysjɛ̃, -ɛn] adj. et n. (de *Lilliput*, pays imaginaire des *Voyages de Gulliver**, de Swift). **1.** Relatif à Lilliput : *Le royaume lilliputien.* — **2.** Habitant de Lilliput. — **3.** *Taille lilliputienne*, toute petite taille.

LIMA, capit. du Pérou, sur le río Rimac, près de l'océan Pacifique; 4600000 hab. Université. Fondée par Pizarro en 1535, Lima fut pendant deux siècles une ville administrative et commerciale, résidence des vice-rois du Pérou. Cité historique, elle est devenue une ville industrielle active (produits alimentaires, constructions mécaniques, textiles).

LIMACE [limas] n. f. (lat. *limax*). Mollusque gastropode terrestre, respirant par un poumon et se nourrissant de feuilles, de champignons et de débris végétaux, ce qui en fait un animal nuisible dans les jardins. Sa coquille, réduite à une lame mince, est cachée dans l'épaisseur du manteau.

LIMAÇON [limasɔ̃] n. m. (de *colimaçon*). **1.** Nom usuel de l'ESCARGOT (syn. COLIMAÇON). — **2.** *Anat.* Partie de l'oreille interne, enroulée en spirale comme une coquille d'escargot et qui contient les terminaisons sensorielles du nerf auditif.

LIMAGNES (les), petites plaines du Massif central, drainées par l'Allier et constituant le cœur de l'Auvergne. Elles sont les sites de la vie urbaine (Clermont-Ferrand, Brioude, Issoire, etc.). On distingue : la *Limagne de Brioude*, la *Limagne d'Issoire* et la *Limagne de Clermont*, ou *Grande Limagne.*

LIMAILLE n. f. → LIME.

LIMANDE [limɑ̃d] n. f. (de l'anc. fr. *lime*). Poisson osseux plat, comestible, vivant sur les fonds sableux de la Manche et de l'Atlantique. (Elle vit couchée sur le côté gauche et son flanc droit porte les deux yeux.) [Famille des pleuronectidés.]

LIMAY, ch.-l. de cant. des Yvelines, en face de Mantes-la-Jolie, sur la Seine; 10100 hab. Cimenterie.

1. LIMBE [lɛ̃b] n. m. (lat. *limbus*, bord). **1.** Bord extérieur d'un astre. — **2.** *Bot.* Partie élargie et aplatie de la feuille, parcourue de nervures, le plus souvent d'une coloration verte due à la chlorophylle et où s'effectuent les principales réactions du métabolisme et les échanges gazeux de la plante.

2. LIMBES [lɛ̃b] n. m. pl. (même étym.). **1.** *Théol.* Séjour des âmes des justes, avant la venue de Jésus-Christ, et de celles des enfants morts sans avoir été baptisés. — **2.** (sujet nom de chose) *Être dans les limbes*, être vague, incertain, n'avoir pas pris corps : *Ces projets sont encore dans les limbes.*

LIMBOURG, en néerl. **Limburg,** province du nord-est de la Belgique; 2400 km²; 666000 hab. (275 au km²). Ch.-l. *Hasselt.* Le Nord, industriel (bassin houiller de la Campine, en net déclin), s'oppose au Sud, prolongeant la Hesbaye, à vocation agricole.

LIMBOURG, province méridionale des Pays-Bas; 2200 km²; 1038000 hab. (479 au km²). Ch.-l. *Maastricht.*

LIMBOURG (Pol, Hennequin et Hermann), peintres français du début du XVe s. Ils enluminèrent les *Très Riches Heures du duc de Berry.*

LIME [lim] n. f. (lat. *lima*). Outil d'acier trempé, dont la surface est entaillée de dents, et qui sert à détacher par frottement des parcelles de matières (bois, métaux, etc.) : *Une lime à ongles.* ◆ **limer** v. t. Polir, user avec une lime. ◆ **limaille** n. f. Parcelles de métal détachées par le frottement de la lime : *Limaille de fer.*

LIMEIL-BRÉVANNES, comm. du Val-de-Marne, à 3 km au N. de Villeneuve-Saint-Georges; 16700 hab. Centre hospitalier.

LIMER v. t. → LIME.

LIMERICK, en gaél. **Luimneach,** port de la république d'Irlande (Munster), au début de l'estuaire du Shannon; 57100 hab.

LIMES [limɛs] n. m. (mot lat. signif. *chemin* et *limite*). Zone de fortifications plus ou moins continues et larges qui bordait la frontière extérieure d'une province de l'Empire romain : *Le limes de Germanie.*

LIMICOLE [limikɔl] adj. (du lat. *limus*, fange, et *colere*, habiter). Qui habite les marécages.

LIMIER [limje] n. m. (de l'anc. fr. *liem*, tenu en laisse). **1.** Grand chien de chasse à courre. — **2.** Fam. *Un fin limier*, un policier sagace.

LIMINAIRE [liminɛr] adj. (du lat. *limen, -inis*, seuil). Qui se trouve au début d'un livre, d'un discours, d'un débat.

LIMITE [limit] n. f. (lat. *limes, -itis*). **1.** Ligne séparant deux pays, deux territoires, etc. : *Le Rhin marque la limite entre les deux pays* (syn. FRONTIÈRE). *Les limites d'une propriété* (syn. BORNES). — **2.** Ce qui marque la fin d'une étendue, d'une période; partie extrême : *Dans les limites du temps qui m'est imparti, j'exposerai cette question* (syn. CADRE). *La dernière limite pour les inscriptions est fixée au 15 mai* (syn. TERME; contr. COMMENCEMENT, DÉBUT). — **3.** Borne, point au-delà desquels on ne peut aller dans son action, dans son influence, etc. : *Ce film a dépassé la limite des bienséances* (syn. COMBLE). *Un pouvoir sans limites* (syn. FREIN, RESTRICTION). ◆ adj. Que l'on ne peut dépasser : *Des prix limites* (syn. PLAFOND). *C'est le cas limite* (syn. EXTRÊME). ◆ **limiter** v. t. *Limiter qq'un, qqch.*, l'enfermer, le restreindre dans certaines limites : *Limiter la durée de parole des orateurs. Les montagnes limitent l'horizon* (syn. BORNER). *Limiter les dégâts* (syn. CIRCONSCRIRE). ◆ ***se limiter*** v. pr. S'imposer des limites : *Je vais me limiter à exposer l'essentiel.* ◆ **limité, e** adj. Qui ne doit durer qu'un certain temps; qui est restreint à un certain domaine : *Cette politique a des objectifs limités* (contr. VASTE). *J'ai une confiance très limitée en lui* (syn. RÉDUIT; contr. ABSOLU, TOTAL). ◆ **limitatif, ive** adj. Qui précise, fixe les limites : *Les dispositions limitatives de la loi.* ◆ **limitation** n. f. Action de limiter : *La limitation des prix* (syn. FIXATION). *La limitation des naissances* (syn. CONTRÔLE). *Sans limitation de temps* (syn. RESTRICTION). ◆ **limitrophe** [limitrɔf] adj. Qui est immédiatement voisin d'un pays, d'une région, etc. : *Les villes limitrophes de la frontière* (syn. PROCHE). ◆ **délimiter** v. t. *Délimiter qqch.*, en déterminer les limites : *Le conférencier commença par délimiter son sujet* (syn. CIRCONSCRIRE). *Ses attributions ne sont pas nettement délimitées* (syn. DÉFINIR, FIXER). ◆ **délimitation** n. f. : *Délimitation de frontières* (syn. FIXATION, TRACÉ). ◆ **illimité, e** adj. Sans limites : *Confiance illimitée* (syn. ABSOLU). *Durée illimitée* (syn. INDÉTERMINÉ). *Ressources illimitées* (syn. IMMENSE, INFINI).

LIMNÉE [limne] n. f. (gr. *limnê*, lac). Mollusque gastropode d'eau douce, à coquille spiralée et pointue, et à respiration pulmonaire.

LIMNOLOGIE [limnɔlɔʒi] n. f. (du gr. *limnê*, lac, et *logos*, science). Science qui étudie tous les phénomènes physiques et biologiques se rapportant aux lacs.

LIMOGER [limɔʒe] v. t. (de *Limoges*, où 134 officiers généraux furent placés en résidence en 1914). *Limoger qq'un*, le priver de son emploi, par révocation, mise à la retraite, déplacement, etc. (syn. DESTITUER). ◆ **limogeage** n. m.

LIMOGES, ch.-l. du dép. de la Haute-Vienne et de la Région Limousin; 144 100 hab. *(Limougeauds).* À 375 km de Paris, dans le nord-ouest du Massif central, sur la Vienne, Limoges est la capitale de la porcelaine, activité qui connut son apogée au XIXe s., mais demeure présente, associée à d'autres branches, anciennes (chaussures) ou plus récentes (constructions mécaniques et électriques). Les fonctions tertiaires liées aux rôles commercial, administratif et aussi culturel (université) de la ville sont également importantes. L'agglomération compte aujourd'hui plus de 170 000 hab.

1. LIMON [limɔ̃] n. m. (lat. *limus*). Roche sédimentaire détritique meuble, dont la grosseur des grains est intermédiaire entre celle des sables et celle des argiles (si leur teneur en calcaire est suffisante, des sols fertiles se développent sur les limons) : *La présence de limon sur le plateau de Beauce explique la prospérité de son agriculture.* ◆ **limoneux, euse** adj. Plein de boue, de limon : *Terrain limoneux.*

2. LIMON [limɔ̃] n. m. (ar. *lima*). Sorte de citron juteux. ◆ **limonade** n. f. Boisson acidulée composée de citron, de sucre et d'eau. ◆ **limonadier** n. m. Commerçant vendant des boissons au détail, consommées sur place.

3. LIMON [limɔ̃] n. m. (orig. gaul.). Chacune des deux longues pièces de bois fixées au-devant d'une voiture et qui servent à atteler un cheval.

LIMONADE n. f., **LIMONADIER** n. m. ⟶ LIMON 2.

LIMONEUX, EUSE adj. ⟶ LIMON 1.

LIMONITE [limɔnit] n. f. (de *limon* 1). Oxyde naturel de fer hydraté, de couleur ocre jaune ou rouille.

LIMOUSIN, Région du centre de la France; 16 942 km^2; 737 200 hab. Ch.-l. *Limoges.*

GÉOGRAPHIE. La Région regroupe les trois départements de la *Corrèze*, de la *Creuse* et de la *Haute-Vienne*, s'étendant essentiellement sur la partie occidentale du Massif central, souvent élevée, au climat rude et aux sols médiocres. La Corse exclue, c'est la région la moins peuplée de France : sa densité est inférieure de plus de moitié à la moyenne nationale. Limoges (148 000 hab.) est la seule agglomération importante. En dehors de Brive (50 000 hab.), les autres villes sont peu peuplées.

L'*agriculture*, dominée par l'élevage, emploie encore près du tiers de la population active, c'est-à-dire plus du double de la moyenne nationale.

Les emplois dans l'*industrie* ont augmenté grâce à l'essor relatif des constructions mécaniques et électriques. L'accroissement de la population totale est faible : la relative progression de la Haute-Vienne, dont Limoges est le chef-lieu, s'oppose au dépeuplement de la Creuse. Malgré la présence de Limoges, l'émigration se poursuit.

HISTOIRE. Dépendant d'abord de l'Aquitaine, le Limousin fit partie au XIIe s. du domaine anglo-angevin. Perdu par les Anglais au XIVe s., il fut définitivement rattaché à la Couronne en 1607 par Henri IV.

LIMOUSINE [limuzin] n. f. (fém. de *Limousin*). Anc. carrosserie automobile où seuls les voyageurs de l'arrière sont complètement protégés, les places avant n'étant abritées que par le pare-brise.

LIMOUX, ch.-l. d'arrond. de l'Aude, sur l'Aude, à 23 km au S. de Carcassonne; 10 900 hab. Vin blanc mousseux réputé, dit *blanquette.* Chaussures.

LIMPIDE [lɛ̃pid] adj. (lat. *limpidus*). **1.** Se dit de ce qui est d'une parfaite transparence, de ce qui n'est troublé par rien : *Une eau limpide* (syn. ↓CLAIR; contr. TROUBLE). *Le ciel est limpide* (= sans nuages). *Un regard limpide* (syn. PUR). — **2.** Très facile à comprendre : *Une explication limpide* (syn. ↓CLAIR; contr. OBSCUR). ◆ **limpidité** n. f.

LIMPOPO (le), fl. de l'Afrique australe, tributaire de l'océan Indien; 1 600 km env.

LIMULE [limyl] n. m. (orig. inc.). Articulé marin (mer des Antilles, Pacifique), atteignant 30 cm de long, comestible, appelé à tort (car ce n'est pas un crustacé) CRABE DES MOLUQUES.

LIN [lɛ̃] n. m. (lat. *linum*). **1.** Plante herbacée annuelle, à feuilles lancéolées et à fleurs à cinq pétales libres. (Les fibres de la tige, isolées par rouissage, servent à fabriquer des toiles fines; les graines constituent un laxatif, et, broyées, elles donnent la farine de lin, dont on fait des cataplasmes.) — **2.** Toile faite avec les fibres du lin : *Être vêtu de lin.* — **3.** *Huile de lin*, huile employée en peinture et dans la fabrication de la toile cirée et du linoléum. ◆ **linon** n. m. Tissu fin et transparent en toile de lin.

LINAS, comm. de l'Essonne, à 6 km au N. d'Arpajon; 4 500 hab. Autodrome et circuit routier dits *de Montlhéry;* laboratoire d'essais routiers.

LINCEUL [lɛ̃sœl] n. m. (du lat. *linteolum*, toile de lin). Toile dans laquelle on ensevelit les morts.

LINCOLN, v. des États-Unis, capit. du Nebraska; 149 500 hab. Université.

LINCOLN, v. d'Angleterre, ch.-l. du Lincolnshire; 74 200 hab. Sa cathédrale (XIIIe s.) est le plus bel exemple de l'architecture ogivale anglaise dans sa première période.

LINCOLN (Abraham), homme d'État américain (1809-1865). Membre du parti républicain à partir de 1856, il emploie toute son ardeur à faire abolir l'esclavage.

- *1860. Son élection à la présidence des États-Unis est le signal de la guerre de Sécession*.*
- *1863. Il proclame l'émancipation immédiate des esclaves dans tous les États.*
- *1864. Réélu à la présidence, il entreprend, à la fin de la guerre, de « reconstruire » l'union des États.*

Il est assassiné par un fanatique au lendemain de la victoire nordiste.

LINDBERGH (Charles), aviateur américain (1902-1974). Il réussit le premier la traversée sans escale de New York à Paris, seul à bord de son monoplan, le *Spirit of Saint Louis*, et parcourut 5 800 km en 33 h 30 mn (20-21 mai 1927).

LINDER (Gabriel LEUVIELLE, dit **Max**), acteur de cinéma français (1883-1925). Acteur comique, soucieux du détail juste, pittoresque et humain, il a eu une influence déterminante sur le style comique au cinéma.

LINÉAIRE [lineɛr] adj. (du lat. *linea*, ligne). Qui a rapport aux lignes droites, à une suite continue d'éléments disposés sur une même ligne, se déroulant selon une ligne. ‖ *Dessin linéaire*, dessin où les lignes, les traits sont seuls marqués. ‖ Géol. *Érosion linéaire*, érosion due à l'action des eaux concentrées dans les cours d'eau. ◆ **colinéaire** adj. *Math.* Se dit des points qui appartiennent à une même droite (les points sont dits aussi ALIGNÉS).

LINÉAMENT [lineamɑ̃] n. m. (lat. *lineamentum*) [surtout au plur.]. **1.** Ligne élémentaire qui indique la forme générale d'un être ou d'un objet. — **2.** Lignes essentielles du visage. — **3.** Esquisse, ébauche : *Les premiers linéaments d'un ouvrage.*

LINE ISLANDS → SPORADES ÉQUATORIALES.

LINGE [lɛ̃ʒ] n. m. (lat. *lineus*, de lin). **1.** Étoffe, tissu de coton, de lin, de Nylon, etc., servant aux divers usages d'une maison (pour la toilette, le service de table, le lit, etc.). — **2.** Vêtements de dessous (caleçon, slip, maillot de corps, etc.) et certaines pièces d'habillement (mouchoir, chaussettes, pyjama, chemise) : *Changer de linge.* — **3.** (avec l'art. indéf.) Pièce d'étoffe, de tissu. — **4.** *Blanc comme un linge*, blême. — **5.** *Laver son linge sale en famille* (Fam.), limiter à la famille, aux proches les discussions sur des problèmes personnels difficiles. ◆ **lingère** n. f. Personne chargée de l'entretien et de la distribution du linge dans une communauté, un internat. ◆ **lingerie** n. f. **1.** Linge de corps, ensemble des pièces composant les sous-vêtements d'une personne : *De la lingerie fine.* — **2.** Local où on range et où on entretient le linge dans une communauté, un internat.

LINGOT [lɛ̃go] n. m. (orig. obscure). Morceau de métal précieux solidifié après fusion et conservant la forme du moule : *Des lingots d'or.*

LINGUISTIQUE [lɛ̃gɥistik] n. f. (du lat. *lingua*, langue). Science du langage humain et étude scientifique des langues, en partic. étude des phénomènes intéressant leur évolution et leur développement, leur répartition dans le monde, leurs rapports entre elles, etc. ◆ adj. Relatif à l'étude scientifique du langage humain et des langues. ◆ **linguiste** n. Spécialiste de linguistique.

LINIMENT [linimɑ̃] n. m. (du lat. *linire*, oindre). Médicament onctueux, de consistance molle ou liquide, employé en friction sur la peau.

LINKÖPING, v. de la Suède méridionale; 108 000 hab. Cité historique. Constructions aéronautiques.

LINKS [links] n. m. pl. (mot angl.). Parcours d'un golf.

LINNÉ (Carl VON), naturaliste suédois (1707-1778). Il a donné une classification des plantes en 24 classes, fondée sur les caractères tirés du nombre et de la disposition des étamines, et qui est entièrement abandonnée, et une classification du règne animal. Sa nomenclature binominale par *genres* et *espèces* fait encore autorité.

LINOLÉUM [linɔleɔm] ou fam. **LINO** [lino] n. m. (mot angl.; du lat. *linum*, lin, et *oleum*, huile). Tapis servant à revêtir les planchers, composé d'une toile de jute recouverte d'un mélange d'huile de lin et de poudre de liège agglomérée et comprimée.

LINON n. m. ⟶ LIN.

LINOTTE [linɔt] n. f. (de *lin*). **1.** Petit oiseau passereau à dos brun et à poitrine rouge, granivore, chanteur. (Famille des fringillidés.) — **2.** *Tête de linotte*, personne très étourdie.

LINOTYPE [linotip] n. f. (angl. *line of types*, ligne de caractères; nom déposé). Machine à composer les lettres d'imprimerie en fondant les caractères par lignes complètes. ◆ **linotypiste** n. Personne chargée de composer, sur le clavier d'une Linotype, les textes destinés à l'impression.

LIN PIAO, homme politique chinois (1908-1971). L'un des principaux collaborateurs de Mao Tsö-tong dans la révolution culturelle; accusé de trahison, il serait mort dans un accident d'avion alors qu'il cherchait à fuir en U. R. S. S.

LINTEAU [lɛ̃to] n. m. (de l'anc. fr. *lintel*, seuil). Pièce horizontale en pierre, en bois, en métal, qui soutient la maçonnerie au-dessus d'une porte.

LINZ, v. d'Autriche, capit. de la Haute-Autriche, sur le Danube; 202 900 hab. Centre sidérurgique. Raffinerie de pétrole.

LION, LIONNE [ljɔ̃, ljɔn] n. (lat. *leo, leonis*). **1.** Grand mammifère carnassier des savanes d'Afrique, au pelage fauve orné, chez le mâle, d'une crinière : *Le lion rugit.* (Famille des félidés.) — **2.** Homme brave et courageux. ‖ *La part du lion*, la plus grosse part, que l'on s'adjuge parce qu'on est le plus fort. — **3.** *Lion de mer*, otarie à crinière, des côtes de l'Amérique du Sud. ◆ **lionceau** n. m. Petit du lion.

LION (le), constellation boréale ainsi appelée en raison de sa forme, composée de vingt-cinq étoiles visibles à l'œil nu. — Cinquième signe du zodiaque, correspondant à la période du 23 juillet au 25 août.

LION *(golfe du)*, golfe de la Méditerranée occidentale, à l'O. du delta du Rhône.

LIONCEAU n. m. ⟶ LION.

LIORAN, écart de la comm. de Laveissière (Cantal), à 12 km à l'O. de Murat. Station de sports d'hiver. — Le *tunnel de Lioran* (1 172 m d'alt.) est utilisé par la voie ferrée de Clermont-Ferrand à Aurillac.

LIPARI *(île)*, la principale des îles Éoliennes (Italie), qui donne souvent son nom à l'archipel, au N. de la Sicile. Gisement de pierre ponce.

LIPASE [lipaz] n. f. (du gr. *lipos*, graisse). Diastase contenue dans plusieurs sucs digestifs qui, par action sur les lipides ou corps gras, permet leur transformation et leur assimilation.

LIPETSK, v. de l'U. R. S. S., sur le Voronej, affl. du Don; 290 000 hab. Métallurgie.

LIPIDE [lipid] n. m. (du gr. *lipos*, graisse). Nom générique des CORPS GRAS (huile, beurre, graisse) insolubles dans l'eau. ◆ **lipidique** adj. Qui se rapporte aux lipides.
— ENCYCL. On distingue les *lipides simples* et les *lipides complexes*.

CATÉGORIE	ÉLÉMENTS	EXEMPLES
lipides simples		
glycérides	glycérol, acides gras	beurre, huiles végétales, saindoux
cérides	alcool supérieur, acides gras	cire d'abeille, cire de palmier, graisse de baleine
stérides	stérol, acides gras	dérivés gras du cholestérol, des hormones sexuelles et des glandes surrénales, etc.
lipides complexes	association de lipides simples et de groupements chimiques divers, en général phosphorés	myéline de la gaine des neurones, lécithine du jaune d'œuf

LI PO ou **LI T'AI-PO** (701-762), l'un des plus grands poètes chinois.

LIPOME [lipom] n. m. (du gr. *lipos*, graisse). *Méd.* Tumeur bénigne provenant d'une hypertrophie locale du tissu graisseux. (Il siège surtout au cou, au dos, à l'épaule.)

LIPPE [lip] n. f. (néerl. *lippe*, lèvre). **1.** Lèvre inférieure épaisse et avancée. — **2.** Fam. *Faire la lippe*, faire la moue en avançant la lèvre inférieure. ◆ **lippu, e** adj. *Bouche lippue*, à grosses lèvres.

LIPPI (*Fra* Filippo), peintre florentin (v. 1406-1469). Influencé par Masaccio et Fra Angelico, il réalisa cependant des créations originales et sut donner aux thèmes traditionnels une grâce nouvelle qui fit école. On lui doit notamment les fresques de la cathédrale de Prato, en Toscane.

LIPPU, E adj. ⟶ LIPPE.

LIQUÉFACTION n. f., **LIQUÉFIABLE** adj., **LIQUÉFIER** v. t. ⟶ LIQUIDE 1.

LIQUEUR [likœr] n. f. (lat. *liquor*). Boisson à base d'eau-de-vie ou d'alcool, sucrée et aromatisée.

LIQUIDATION n. f. ⟶ LIQUIDER.

1. LIQUIDE [likid] adj. (lat. *liquidus*). Se dit d'un corps qui coule ou qui tend à couler : *Un gaz qui passe à l'état liquide* (par oppos. à GAZEUX ou SOLIDE). *Cette sauce est trop liquide* (syn. FLUIDE). ◆ n. m. Corps qui se présente à l'état liquide : *Liquide qui bout.* ◆ **liquéfier** v. t. Transformer en liquide : *Liquéfier un gaz.* ◆ ***se liquéfier*** v. pr. Devenir liquide. ◆ **liquéfaction** n. f. Passage d'un gaz à l'état liquide. ◆ **liquéfiable** adj. Qu'on peut liquéfier.

2. LIQUIDE [likid] adj. (it. *liquido*). Se dit de sommes d'argent immédiatement disponibles. ◆ **liquidités** n. f. pl. *Dr.* Sommes disponibles pour faire face à des créances.

LIQUIDER [likide] v. t. (de *liquide*). **1.** Mener à sa fin, donner une solution à quelque chose : *Liquider une affaire* (syn. RÉGLER). *Je liquide ce travail et je suis à vous* (syn. ACHEVER, TERMINER). — **2.** *Liquider ses dettes*, les payer. ‖ *Liquider des actions, des biens, des terres*, les vendre. — **3.** Vendre au rabais des marchandises : *Le commerçant liquide son stock.* — **4.** Fam. *Liquider qq'un*, s'en débarrasser en le tuant ou en le renvoyant. ◆ **liquidation** n. f. **1.** Opération qui a pour objet de régler des comptes : *La liquidation d'une succession, d'un compte* (syn. REGLEMENT). *La liquidation d'une propriété* (syn. VENTE). ‖ *Liquidation judiciaire*, procédure judiciaire qui permet de réaliser l'actif et d'apurer le passif d'un commerçant, d'une société ou d'un artisan en état de cessation de paiements, en vue du règlement de leurs créanciers. (La loi de 1985 a substitué la liquidation judiciaire à la liquidation des biens.) ‖ *Liquidation de l'impôt*, calcul de l'impôt dû par un contribuable. — **2.** Vente à bas prix de marchandises en vue d'un écoulement rapide : *La liquidation de marchandises en solde* (syn. RÉALISATION). — **3.** Action de faire disparaître en donnant une solution, une réponse : *La liquidation d'un problème.* — **4.** Fam. : *La liquidation d'un témoin gênant* (syn. MEURTRE).

LIQUIDITÉS n. f. pl. ⟶ LIQUIDE 2.

1. LIRE [lir] n. f. (it. *lira*). Unité monétaire principale de l'Italie, divisée en 100 centesimi.

2. LIRE [lir] v. t. et i. (lat. *legere*). [Conj. **73.**] **1.** Parcourir des yeux ce qui est écrit ou imprimé, en prenant connaissance du contenu : *Lire une lettre.* — **2.** Prononcer à haute voix un texte écrit : *Lire un discours à la tribune de l'Assemblée* (syn. PRONONCER). — **3.** Identifier les lettres et les assembler pour comprendre le lien qui existe entre ce qui est écrit et la parole : *Un enfant qui apprend à lire. Lire une écriture difficile* (syn. DÉCHIFFRER). — **4.** Pénétrer le sens de, grâce à des signes que l'on interprète : *Lire dans les lignes de la main. J'ai lu dans ses yeux une sorte de regret* (syn. DISCERNER). *Il a lu dans ton jeu* (= il a vu tes intentions). ◆ **lecteur, trice** [lɛktœr, -tris] n. **1.** Personne qui lit un ouvrage imprimé (sens 1 et 2 du v.) : *Un grand lecteur de romans* (syn. LISEUR). — **2.** Personne qui, dans une maison d'édition, est chargée de lire et d'apprécier les manuscrits proposés. — **3.** Professeur de nationalité étrangère, chargé, dans une université, d'exercices pratiques sur la langue de son pays d'origine. ◆ n. m. Appareil qui transforme en courants électriques les perforations d'une carte, les sons enregistrés sur un disque, un support magnétique. ◆ **lecture** n. f. **1.** Action de lire; ce qu'on lit : *La lecture du journal. Faire de mauvaises lectures.* — **2.** Art de lire : *Un livre de lecture* (= où l'on apprend à lire). — **3.** Action de délibérer sur une loi, dans une assemblée législative : *Le texte du gouvernement est venu en première lecture au Sénat.* ◆ **liseur, euse** n. *Un grand liseur*, celui qui lit beaucoup. ◆ **liseuse** n. f. Couvre-livre mobile. ◆ **lisible** adj. **1.** Facile à lire, à déchiffrer : *Une écriture à peine lisible.* — **2.** Qui mérite d'être lu : *Un roman qui n'est pas lisible.* ◆ **lisiblement** adv. : *Écrire lisiblement.* ◆ **lisibilité** n. f. ◆ **illisibilité** n. f. Caractère de ce qu'on ne peut lire. ◆ **illisible** adj.

Qu'on ne peut lire : *Il a une écriture illisible* (syn. INDÉCHIFFRABLE). *Il écrit des romans illisibles* (= dont la lecture est insupportable). ◆ **relire** v. t. et i. Lire de nouveau, afin de vérifier l'exactitude, de contrôler la connaissance qu'on a prise du texte : *Relire un manuscrit en corrigeant les fautes.* ◆ **se relire** v. pr. Lire ce qu'on a écrit, afin d'en vérifier la correction, l'exactitude. ◆ **relecture** n. f.

LIRÉ, comm. de Maine-et-Loire, à 3 km au S. d'Ancenis; 2300 hab. Vignobles. Château où naquit Joachim du Bellay.

LIS ou **LYS** [lis] n. m. (lat. *lilium*). Plante herbacée monocotylédone, vivace par son bulbe, à fleurs blanches et odorantes : *Le lis est le symbole de la pureté.* (Famille des liliacées.) ‖ *Fleur de lis,* motif ornemental qui, au Moyen Âge, symbolisa la pureté et devint l'emblème du royaume de France depuis Saint Louis jusqu'à la Révolution.

LISBONNE, en portug. **Lisboa,** capit. du Portugal, dans l'Estrémadure, à l'embouchure du Tage; 822000 hab.

L'essor de la ville, établie sur la rive nord de l'estuaire du Tage, est lié à celui du port, qui effectue la majeure partie du commerce extérieur portugais (trafic de 10 millions de t). L'agglomération regroupe aujourd'hui plus de 2 millions d'hab. (env. 20 p. 100 de la population portugaise). Chantiers navals, raffinerie de pétrole et pétrochimie. Lisbonne fut ravagée par un tremblement de terre en 1755 et reconstruite par Pombal. Son centre historique a été gravement endommagé par un incendie en 1988.

LISERÉ [lizre] ou **LISÉRÉ** [lizere] n. m. (de *lisière*). Ruban étroit dont on borde un vêtement ou une étoffe.

LISERON [lizrɔ̃] n. m. (de *lis*). Plante grimpante à fleurs blanches, à corolle en entonnoir. (Autres noms : BELLE-DE-JOUR, VOLUBILIS.) [Famille des convolvulacées.]

LISEUR, EUSE n. ⟶ LIRE 2.

1. LISEUSE n. f. ⟶ LIRE 2.

2. LISEUSE [lizøz] n. f. (de *lire*). Petit vêtement féminin qui couvre le buste et les bras et que l'on met pour lire au lit.

LISIBILITÉ n. f., **LISIBLE** adj., **LISIBLEMENT** adv. ⟶ LIRE 2.

LISIÈRE [lizjɛr] n. f. (de l'anc. fr. *lis,* fil de trame). Bord extrême d'une pièce de tissu, d'un terrain : *À la lisière d'un bois* (syn. LIMITE).

LISIEUX, ch.-l. d'arrond. du Calvados, sur la Touques, à 49 km à l'E. de Caen; 25800 hab. *(Lexoviens).* Pèlerinage à sainte Thérèse de l'Enfant-Jésus. Industries métallurgiques.

1. LISSE ou **LICE** [lis] n. f. (lat. *licium,* fil de trame). Fil de métal ou de lin portant un maillon dans lequel passe le fil de chaîne, sur un métier à tisser.

2. LISSE [lis] adj. (du lat. *lixare,* repasser). Dont la surface est égale, douce au toucher : *Peau lisse* (contr. RUGUEUX). ◆ **lisser** v. t. Rendre lisse : *Lisser sa moustache. L'oiseau lisse ses plumes.* ◆ **lissage** n. m.

LISTE [list] n. f. (germ. *lista*). **1.** Suite de noms, de signes numériques, etc., inscrits à la suite les uns des autres : *Faire la liste des absents. Être inscrit sur la liste électorale* (= des électeurs). *Scrutin de liste* (= où l'on vote pour plusieurs candidats de même tendance, groupés sur la même liste). *La liste noire* (= qui contient des gens suspects, objets d'une étroite surveillance). — **2.** Énumération importante : *La liste des revendications.* — **3.** *Liste civile,* somme allouée annuellement à un chef d'État. ◆ **lister** v. t. Mettre en liste, sur une liste.

LISTEL [listɛl] n. m. (it. *listello*). Petite moulure carrée et unie qui en surmonte ou en accompagne une plus grande.

LISTER v. t. ⟶ LISTE.

LISZT (Franz), compositeur et pianiste hongrois (1811-1886).

● *1824-1834. Il passe sa jeunesse surtout en France, où il fréquente le monde littéraire et artistique.*

Pianiste virtuose, il donne des concerts et écrit principalement des œuvres pour piano *(Rhapsodies hongroises)* qui ont un caractère orchestral.

● *1847-1860. En Allemagne, il est directeur de la musique de Weimar et commence sa carrière de chef d'orchestre et de compositeur. Il y écrit ses plus belles œuvres symphoniques.*

Liszt s'attache surtout à la « musique à programme », d'un style brillant, coloré, mais plus extérieur que profond (concertos pour piano, poèmes symphoniques) [*Faust,* les *Préludes*].

Il passe ses années de vieillesse à Rome et écrit des œuvres de musique religieuse (deux grands oratorios, quatre messes).

1. LIT [li] n. m. (lat. *lectus*). **1.** Meuble sur lequel on se couche pour dormir; ensemble des objets qui le composent : *Aller au lit, se mettre au lit* (= se coucher). *Être au lit* (= être couché). *Au saut du lit* (= dès le lever). *Faire son lit* (= le disposer de manière à pouvoir se coucher). *Mourir dans son lit* (= de mort naturelle). *Les enfants du premier lit* (= du premier mariage). ‖ *Lit de camp,* lit composé de sangles ou d'un morceau de coutil tendu sur deux pièces de bois parallèles soutenues par des pieds qui se croisent et que l'on peut replier. ‖ *Lit clos,* lit breton, fermé comme une armoire. ‖ *Lit de justice,* lit sous dais où siégeait le roi, dans un angle de la chambre du parlement; séance royale du parlement, et, en partic., à la fin de l'Ancien Régime, séance lors de laquelle le souverain ordonnait l'enregistrement immédiat d'un édit vis-à-vis duquel le parlement manifestait des réticences. — **2.** Tout ce qui, sur le sol, peut être utilisé pour se coucher, ce qui a la mollesse d'un lit : *Un lit de feuillage* (syn. TAPIS). — **3.** Tout ce qui a la forme d'une couche étendue sur une autre : *Un lit de sable.* ◆ **literie** n. f. Ensemble des objets servant à confectionner un lit (matelas, traversin, etc., parfois aussi les draps). ◆ **aliter** v. t. *Aliter qq'un,* le forcer à garder le lit (seulement aux temps composés et souvent au passif) : *Il est resté alité un mois.* ◆ **s'aliter** v. pr. *Malade qui s'alite,* qui se met au lit et reste couché.

2. LIT [li] n. m. (même étym.). Chenal creusé par un cours d'eau et par où il s'écoule : *La crue a détourné le torrent de son lit.* ‖ *Lit majeur,* celui qu'occupe le cours d'eau lors des crues. ‖ *Lit mineur,* celui qu'occupe le cours d'eau en temps normal.

LI T'AI-PO ⟶ LI PO.

LITANIES [litani] n. f. pl. (gr. *litaneia,* prière). Longue suite de prières, faites de formules brèves récitées sur le même ton et constituées de phrases de structure analogue : *Les litanies de la Vierge, des saints.* ◆ n. f. *Fam.* Répétition ennuyeuse et longue (de reproches, de plaintes, etc.).

LITERIE n. f. ⟶ LIT 1.

LITHIASE [litjɑz] n. f. (du gr. *lithos,* pierre). *Méd.* Formation de calculs dans les voies biliaires ou urinaires.

LITHIUM [litjɔm] n. m. (du gr. *lithos,* pierre). Métal alcalin (Li), très léger, de densité 0,55, fusible à 180 °C.

LITHOGRAPHIE [litɔgrafi] n. f. (du gr. *lithos,* pierre, et *graphein,* écrire). **1.** Reproduction par l'impression des dessins tracés au moyen d'une encre grasse sur une pierre calcaire. — **2.** Gravure imprimée par ce procédé. ◆ **lithographique** adj.

— ENCYCL. Inventée par A. Senefelder en 1796, la *lithographie* consiste à dessiner, sur un bloc de calcaire à grain très fin, des images imprimables. C'est grâce à l'antagonisme entre l'eau et les corps gras que l'impression est réalisable avec ce procédé. L'encre des zones encrées, l'eau sur les régions vierges pénètrent légèrement dans les pores de la pierre et s'y fixent. L'*offset* est un procédé photomécanique dérivé de la lithographie, dont l'emploi a pris une extension considérable.

LITHOLOGIE [litɔlɔʒi] n. f. (du gr. *lithos,* pierre, et *logos,* science). Science qui a pour objet la connaissance des pierres.

LITHOSPHÈRE [litɔsfɛr] n. f. (du gr. *lithos,* pierre, et *sphère*). Ensemble des roches solides constituant la croûte terrestre.

LITIÈRE [litjɛr] n. f. (de *lit*). **1.** Paille, fourrage, etc., qu'on répand sur le sol d'une étable ou d'une écurie et sur quoi les animaux se couchent. — **2.** Chaise couverte, portée par des hommes ou par des bêtes de somme à l'aide de deux brancards.

LITIGE [litiʒ] n. m. (du lat. *lis, litis,* procès). Contestation entre deux parties : *La solution du litige est en vue* (syn. DIFFÉREND). *Quels sont les points en litige?* (syn. DISCUSSION). ◆ **litigieux, euse** adj. Qui est ou peut être l'objet d'un litige : *Les points litigieux* (syn. CONTESTÉ).

LITORNE [litɔrn] n. f. (de l'anc. néerl. *loteren,* tarder). Grive à tête et croupion gris, vivant en France pendant l'hiver.

LITOTE [litɔt] n. f. (gr. *litotês,* simplicité). Emploi d'une expression, d'un terme qui atténuent la pensée et suggèrent beaucoup plus qu'on ne dit. (Ex. : *ce n'est pas très bon,* pour *c'est mauvais; il ne m'est pas antipathique,* pour *il m'est très sympathique.*)

LITRE [litr] n. m. (gr. *litra,* poids de douze onces). **1.** Unité de mesure de capacité pour les liquides et les matières sèches. (⟶ MESURE, *unités de mesure.*) — **2.** Bouteille contenant cette quantité de liquide. — **3.** Contenu de ce récipient.

LITTÉRAIRE adj. et n., **LITTÉRAIREMENT** adv. ⟶ LITTÉRATURE.

LITTÉRAL, E, AUX [literal, -ro] adj. (du lat. *littera,* lettre). Qui est pris rigoureusement à la lettre; qui s'en tient à la lettre : *Au sens littéral du mot* (syn. PROPRE). *Une traduction littérale* (= mot à mot). ◆ **littéralement** adv. *Fam.* Absolument.

LITTÉRATURE [literatyr] n. f. (lat. *litteratura,* écriture). **1.** Ensemble des œuvres écrites d'un pays, d'une époque dans la mesure où, en plus de la communication qui s'établit avec celui qui les lit, elles portent la marque de préoccupations esthétiques, morales ou philosophiques : *Les grandes œuvres de la littérature classique.* — **2.** Métier, travail de l'écrivain : *Faire de la littérature.* ◆ **littéraire** adj. **1.** Relatif à la littérature, à l'écrivain : *Faire une explication littéraire en classe* (= sur un texte tiré de la littérature). *Les milieux littéraires* (= ceux que fréquentent des écrivains). *L'histoire littéraire* (= qui traite des œuvres de la littérature). *Une revue littéraire* (= où l'on édite, commente les œuvres des écrivains). — **2.** Qui a les qualités esthétiques reconnues à une œuvre de la littérature : *Un texte est d'autant plus littéraire qu'il autorise un plus grand nombre de lectures* (= d'interprétations) *différentes.* ◆ adj. et n. Qui se consacre aux lettres, à la philosophie, à l'histoire, à la littérature (par oppos. à SCIENTIFIQUE). ◆ **littérairement** adv. ◆ **littérateur** n. m. Écrivain de métier (souvent péjor.).

LITTLE ROCK, v. des États-Unis, capit. de l'Arkansas, sur l'Arkansas, à l'E. des monts Ozark; 132 500 hab. Bauxite.

LITTORAL, E, AUX [litɔral, -ro] adj. (du lat. *litus, -oris,* rivage). Qui appartient au bord de la mer : *Les dunes littorales.* ‖ *Érosion littorale,* érosion des côtes sous l'action de la mer (celle-ci agit par l'intermédiaire des courants, des vagues, des embruns, etc.) et des agents atmosphériques : *Les falaises sont des formes d'érosion littorale.* ◆ n. m. Étendue de pays qui borde la mer : *Le littoral breton* (syn. CÔTE). *Un littoral sablonneux* (syn. RIVAGE).

LITTORINE [litɔrin] n. f. (du lat. *litus, -oris,* rivage). Mollusque très abondant sur les côtes européennes à marée basse, et dont une espèce comestible est appelée BIGORNEAU ou VIGNOT. (Classe des gastropodes.)

LITTRÉ (Émile), philosophe français (1801-1881). Disciple d'Auguste Comte, il a appliqué la méthode scientifique à la rédaction de son *Dictionnaire de la langue française* (1863-1873).

LITUANIE, en lituanien **Lietuva,** État d'Europe, sur la Baltique; 65 200 km²; 3 700 000 hab. *(Lituaniens)* [57 hab. au km²]. Capit. *Vilnius.*

GÉOGRAPHIE

Pays de collines et de lacs d'origine glaciaire, la Lituanie est couverte de forêts et de bocages. L'élevage (bovins et porcins) y prédomine, sauf dans les plaines centrales qui produisent des céréales et des betteraves. L'industrie se limite à la transformation des produits agricoles, à l'exception de constructions mécaniques localisées à Vilnius.

HISTOIRE

Formée au XIIIe s., la Lituanie est rattachée à la Pologne en 1386, puis partagée entre la Russie et la Prusse en 1795. Devenue indépendante en 1918-1920, elle est annexée par l'U. R. S. S. en 1940. Elle retrouve son indépendance en 1991.

LITURGIE [lityrʒi] n. f. (gr. *leitourgia,* service public). Ordre des cérémonies et des prières déterminé par une autorité religieuse : *La liturgie catholique.* ◆ **liturgique** adj. : *Des chants liturgiques* (= conformes à la liturgie).

LIU SHAO-CHI ⟶ LIEOU CHAO-K'I.

LIVAROT [livaro] n. m. (de *Livarot,* ch.-l. de cant. du Calvados). Fromage à pâte molle et à croûte lavée, fait au lait de vache dans la région de Livarot.

LIVERPOOL, v. du nord-ouest de l'Angleterre (Lancashire); 1 262 500 hab. La ville est avant tout un port, le 3e de Grande-Bretagne, sur l'estuaire de la Mersey (trafic de 30 millions de t). Il doit sa richesse au commerce du coton, mais son activité s'est diversifiée, ce qui a permis le développement d'industries variées : constructions mécaniques, chimie, industries alimentaires, etc.

LIVIDE [livid] adj. (lat. *lividus*). Se dit d'une personne qui est extrêmement pâle : *Teint livide* (syn. BLAFARD, BLÊME). ◆ **lividité** n. f. : *La lividité cadavérique* (= coloration violacée de la peau d'un cadavre).

LIVING-ROOM [liviŋrum] n. m. (mot angl. signif. *pièce où l'on vit*). Pièce de séjour dans un appartement. ‖ Pl. des *living-rooms.* (L'Administration préconise SALLE DE SÉJOUR.)

LIVINGSTONE (David), explorateur écossais (1813-1873). Missionnaire, il voyagea en Afrique australe, traversa le continent d'O. en E. (1853-1856), reconnut le Zambèze (1858-1862), découvrit le lac Nyassa (1859) et étudia le plateau des grands lacs avant de mourir d'épuisement à Chitambo. Il combattit l'esclavagisme.

LIVONIE, anc. province de la Russie, située entre le lac Peïpous et la mer Baltique (auj. Estonie et Lettonie).

LIVOURNE, v. d'Italie, en Toscane, ch.-l. de province, sur la mer Tyrrhénienne; 174 800 hab. *(Livournais).* Métallurgie, raffinage du pétrole et industries chimiques.

LIVRADOIS (le), région du Massif central, en Auvergne, comprenant, à l'O., les *monts du Livradois* et, à l'E., le *bassin d'Ambert.*

LIVRAISON n. f. ⟶ LIVRER 2.

1. LIVRE [livr] n. m. (lat. *liber*). **1.** Assemblage de feuilles imprimées et réunies en un volume, considéré du point de vue de l'objet lui-même ou de son contenu : *Les livres scolaires* (= destinés à l'enseignement). *Se plonger dans un livre.* — **2.** *Livre blanc,* livre publié par les services officiels d'un gouvernement pour faire le point sur des événements controversés. ‖ *Livre de compte,* registre où l'on note la comptabilité d'une maison. ‖ *Livre d'or,* registre où sont inscrits les noms de visiteurs connus, où sont réunis des éloges, des réflexions sur un lieu célèbre. ‖ *Parler comme un livre,* d'une manière savante. ‖ *À livre ouvert,* couramment. ◆ **livresque** adj. Qui provient des livres et non d'une expérience personnelle : *Un savoir livresque.*

2. LIVRE [livr] n. f. (lat. *libra*). Unité monétaire de Grande-Bretagne et d'Irlande du Nord *(livre sterling),* de Chypre, de l'Égypte, de la république d'Irlande, du Liban, de Malte, du Soudan, de la Syrie et de la Turquie.

3. LIVRE [livr] n. f. (même étym.). **1.** Anc. unité de masse dont le nom est donné encore fam. au demi-kilogramme. — **2.** Mesure de masse anglaise.

Livre de la jungle *(le),* titre de deux recueils de récits de R. Kipling (1894-1895), consacrés aux aventures de Mowgli.

LIVRÉE [livre] n. f. (de *livrer*). **1.** Costume particulier que portent les domestiques masculins d'une grande maison. — **2.** Pelage de certains animaux; plumage de certains oiseaux.

1. LIVRER [livre] v. t. (lat. *liberare,* libérer). **1.** *Livrer une personne à qq'un,* la remettre en son pouvoir, la soumettre à son action : *Livrer un coupable à la police* (syn. REMETTRE). *L'assassin fut livré à la justice* (syn. DÉFÉRER) [langue jurid.]. — **2.** *Livrer une personne, une chose à,* la donner, l'abandonner pour qu'elle soit soumise à l'action de quelque chose, de quelqu'un : *Livrer une ville au pillage. Livrer son âme au diable.* — **3.** *Livrer qq'un, qqch. (à qq'un),* les lui remettre par trahison : *Le voleur a livré ses complices* (syn. DÉNONCER). *Livrer un secret* (= le dévoiler). — **4.** *Livrer passage,* laisser passer. ◆ **se livrer** v. pr. **1.** *Se livrer à qq'un,* se confier à lui, découvrir ses secrets, ses pensées intimes. — **2.** *Se livrer à qq'un,* se remettre complètement en son pouvoir : *Le meurtrier se livra à la police.* — **3.** *Se livrer à qqch.,* s'y abandonner complètement : *Se livrer au désespoir;* s'y donner volontairement : *Se livrer à l'étude* (syn. SE CONSACRER). *Se livrer à une enquête approfondie* (syn. PROCÉDER À). — **4.** (sans compl.) Faire don de soi-même : *Se livrer sans réserve.*

2. LIVRER [livre] v. t. (même étym.). *Livrer (une marchandise),* la remettre à l'acheteur : *Les commandes sont livrées à domicile.* ◆ **livraison** n. f. : *Prendre livraison de la marchandise* (= venir chercher une marchandise achetée). ◆ **livreur, euse** n. Personne qui livre une marchandise achetée.

LIVRESQUE adj. ⟶ LIVRE 1.

LIVRET [livrɛ] n. m. (de *livre*). **1.** Petit registre sur lequel sont reproduites des indications concernant le titulaire : *Livret individuel* ou *livret militaire* (= donnant les renseignements relatifs à la situation militaire du titulaire). ‖ *Livret de caisse d'épargne,* livret remis aux déposants des caisses d'épargne et où sont inscrits les dépôts, remboursements et intérêts. (⟶ ÉPARGNER 3). ‖ *Livret de famille,* livret remis gratuitement, lors de la célébration du mariage, aux deux époux, et destiné à recevoir, par extraits, les actes de l'état civil intéressant la future famille. ‖ *Livret scolaire,* livret mentionnant les aptitudes de l'élève, ses notes et places de composition. — **2.** Texte mis en musique pour le théâtre lyrique : *Le livret d'un opéra* (syn. LIBRETTO).

LIVREUR, EUSE n. ⟶ LIVRER 2.

LIVRON-SUR-DRÔME, comm. de la Drôme, à 17 km au S. de Valence, sur la Drôme; 7 400 hab. Industries chimiques.

LIVRY-GARGAN, ch.-l. de cant. de la Seine-Saint-Denis, à 10 km au N.-E. de Paris; 32 900 hab. Industries diverses.

LJUBLJANA, en all. **Laibach,** v. de Yougoslavie, capit. de la république de Slovénie; 173 500 hab. Métallurgie. Constructions électriques. Textiles. Produits chimiques.

LLANOS [ʎanos] n. m. pl. (mot esp.). Région de savanes du Venezuela central, en partie drainée par les affluents de gauche de l'Orénoque.

LLIVIA, village et enclave du territoire espagnol, dans le dép. français des Pyrénées-Orientales; 12 km²; 755 hab.

LLOYD (Harold), acteur de cinéma américain (1893-1971). Créant un personnage maladroit à grosses lunettes d'écaille, il devint, après Chaplin et Keaton, le troisième grand comique américain.

LLOYD GEORGE (David), homme politique britannique (1863-

1945). Député libéral à partir de 1890, il soutint le mouvement nationaliste gallois et prit rapidement la tête de son parti. Chancelier de l'Échiquier (1908-1915), il fit voter une loi importante sur les assurances sociales (1911) et restreignit les pouvoirs des lords. Pendant la Première Guerre mondiale, il fut ministre des Munitions (1915-1916), puis de la Guerre (1916) et Premier ministre (1916-1922). Il joua ensuite un rôle primordial dans les négociations du traité de Versailles. En 1921, il accepta de reconnaître l'État libre d'Irlande. Abandonné par la majorité conservatrice, il démissionna.

LOB [lɔb] n. m. (mot angl.). Au tennis, au football, etc., action consistant à faire passer la balle ou le ballon au-dessus de la tête du joueur adverse, pour qu'il ne puisse pas les renvoyer ou les rattraper. ◆ **lober** v. t. : *L'avant-centre lobe le gardien de but et loge la balle dans les filets.*

LOBATCHEVSKI (Nikolaï), mathématicien russe (1792-1856). Il fut l'un des premiers à concevoir une géométrie « non euclidienne », dans laquelle par tout point n'appartenant pas à une droite on peut mener plusieurs parallèles à cette droite.

LOBBY [lɔbi] n. m. (mot angl. signif. *couloir*). Syn. de GROUPE DE PRESSION*. ‖ Pl. des *lobbies.*

LOBE [lɔb] n. m. (gr. *lobos*). **1.** *Anat.* Partie arrondie et saillante d'un organe quelconque du corps : *Lobes du poumon, du cerveau.* — **2.** *Lobe de l'oreille,* partie arrondie et molle du bas de l'oreille. — **3.** *Bot.* Division profonde et généralement arrondie des organes foliacés ou floraux.

LOBER v. t. ⟶ LOB.

LOBITO, port de la côte centrale de l'Angola, relié par chemin de fer au Shaba (Katanga); 59 500 hab.

LOCAL, E, AUX adj. et n. m., **LOCALEMENT** adv., **LOCALISATION** n. f., **LOCALISER** v. t., **LOCALITÉ** n. f. ⟶ LIEU 2.

LOCARNO, v. de Suisse (Tessin), sur la rive nord du lac Majeur; 14 150 hab. Grand centre touristique.

Locarno *(accords de),* accords signés en 1925 par la France, la Belgique, l'Allemagne, l'Angleterre et l'Italie en vue de garantir la paix.

LOCATAIRE n. ⟶ LOUER 1.

LOCATELLI (Pietro), violoniste et compositeur italien (1695-1764). Élève de Corelli, il vécut surtout à Amsterdam où il écrivit de très nombreuses œuvres pour violon.

1. LOCATIF [lɔkatif] n. m. (du lat. *locus,* lieu). ⟶ CAS 2.

2. LOCATIF, IVE adj. ⟶ LOUER 1.

LOCATION n. f. ⟶ LOUER 1.

1. LOCH [lɔk] n. m. (néerl. *log,* poutre). *Mar.* Appareil servant à mesurer la vitesse apparente d'un navire.

2. LOCH [lɔk] n. m. (mot écossais). Lac très allongé, établi au fond des vallées, caractéristique de l'hydrographie de l'Écosse, tels le loch Ness et les autres lacs de la dépression du Glen More.

LOCHE [lɔʃ] n. f. (du gaul. *leukos,* blanc). Poisson osseux des eaux douces, très allongé, muni de nombreux barbillons, contraint de respirer l'air en surface, faute de branchies suffisantes.

LOCHES, ch.-l. d'arrond. d'Indre-et-Loire, en Touraine, à 39 km au S.-E. de Tours, sur l'Indre; 7 000 hab. *(Lochois).*

La ville possède quelques industries (confection, fabrique de radios, minoteries). Mais c'est surtout une cité d'art, que surplombe un important château couronnant un promontoire naturel. À l'intérieur d'une enceinte flanquée de tours, le château comprend un donjon d'époque romane, la collégiale Saint-Ours (XIIe s.) et le logis du roi (XIVe-XVe s.) où se trouve le tombeau d'Agnès Sorel et l'oratoire d'Anne de Bretagne.

La *forêt domaniale de Loches* s'étend à l'E. de la ville, entre les vallées de l'Indre et de l'Indrois; 3 622 ha.

Loches *(paix de),* ou **de Beaulieu,** dite aussi **paix de Monsieur,** par laquelle Henri III accordait en 1576 certains avantages aux protestants.

LOCKE (John), philosophe anglais (1632-1704), auteur de l'*Essai sur l'entendement humain.* Il rejetait les idées innées (= qui seraient en notre esprit dès notre naissance) pour placer la source de nos connaissances dans l'expérience, c'est-à-dire dans la sensation aidée de la réflexion.

LOCK-OUT [lɔkaut] n. m. inv. (de l'angl. *to lock out,* mettre à la porte). Fermeture d'une entreprise par la direction, afin de faire pression sur le personnel qui menace de faire grève.

LOCLE (Le), v. de Suisse (cant. de Neuchâtel), dans le Jura; 15 200 hab. Grand centre horloger. Sports d'hiver.

LOCMARIAQUER, comm. du Morbihan, à l'entrée du golfe du Morbihan, à 13 km au S. d'Auray; 1 290 hab. Port de pêche. Grand dolmen dit « Table des marchands » et menhir géant.

LOCOMOTION [lɔkɔmɔsjɔ̃] n. f. (du lat. *locus,* lieu, et *movere,* mouvoir). **1.** Action de se mouvoir d'un lieu vers un autre : *Moyens de locomotion* (= moyens de transport pour se déplacer d'un point à un autre). — **2.** Fonction des êtres vivants, principalement des animaux, par laquelle ils assurent activement le déplacement de leur organisme tout entier : *Les organes de la locomotion.* ◆ **locomoteur, trice** adj. Qui a rapport à la locomotion. ◆ **locomotrice** n. f. Engin de traction ferroviaire de moyenne puissance (150 à 500 ch), actionné par un moteur thermique ou électrique.

LOCOMOTIVE [lɔkɔmɔtiv] n. f. (du lat. *locus,* lieu, et *motivus,* mobile). Véhicule de traction mû par un moteur électrique ou un moteur Diesel, utilisé pour remorquer un convoi de wagons ou de voitures sur une voie ferrée.

— ENCYCL. La première *locomotive à vapeur* fut construite en 1829 par Stephenson et fut longtemps le seul engin de traction. Elle comprend trois parties principales : la *chaudière,* où se produit la vapeur sous pression; le *mécanisme,* ou *machine à vapeur* proprement dite; le *véhicule,* composé du châssis et des roues. Les locomotives à vapeur ne sont plus employées. aujourd'hui. que dans de rares régions (Afrique du Sud. Inde).

La *locomotive électrique* utilise l'énergie du réseau de distribution, qu'elle capte au moyen d'un pantographe (ligne d'alimentation aérienne) ou d'un frotteur (rail conducteur). Les locomotives électriques peuvent atteindre une puissance de 6 000 ch et permettent de réaliser de très longs parcours sans arrêt.

La *locomotive à moteur Diesel* est intéressante en raison de son rendement global élevé, de la possibilité d'arrêt et de mise en marche immédiats, de son entière autonomie. Entre le moteur Diesel et les essieux, la transmission peut se faire électriquement; le moteur Diesel entraîne une génératrice à courant continu alimentant des moteurs électriques accouplés aux essieux moteurs. (Une machine Diesel-électrique peut avoir une puissance de 8 000 ch.) Il existe des machines à transmission hydraulique (locomotives de manœuvres) et à transmission mécanique (autorails).

→ illustration en couleurs CHEMINS DE FER pp. 272-273.

LOCOMOTRICE adj. et n. f. → LOCOMOTION.

LOCRIDE, contrée de la Grèce continentale anc., séparée par la Phocide en deux parties : la *Locride orientale,* sur la mer Égée; la *Locride occidentale,* sur le golfe de Corinthe. (Hab. *Locriens.*)

LOCRONAN, comm. du Finistère, à 10 km à l'E. de Douarnenez; 704 hab. Maisons Renaissance. Célèbre pardon.

LOCTUDY, comm. du Finistère, à 5,5 km au S. de Pont-l'Abbé; 3 550 hab. Station balnéaire.

LOCUSTE [lɔkyst] n. f. (lat. *locusta,* sauterelle). Nom scientifique du CRIQUET MIGRATEUR, insecte orthoptère, du type broyeur, dont les vols en groupes peuvent, en régions chaudes, causer des dégâts considérables.

LOCUTEUR, TRICE [lɔkytœr, -tris] n. (du lat. *loqui,* parler). Terme de linguistique désignant la personne qui parle (syn. SUJET PARLANT).

LOCUTION [lɔkysjɔ̃] n. f. (lat. *locutio,* façon de parler). Groupe figé de mots constituant une unité sur le plan du sens : *Les locutions verbales équivalent à un verbe* (ex. : *Faire grâce, avoir peur, avoir pitié,* etc.). *Les locutions adverbiales* (ex. : *Côte à côte, à la débandade,* etc.). *Les locutions prépositives* (ex. : *À côté de, auprès de,* etc.). *Les locutions conjonctives* (ex. : *Bien que, de même que,* etc.).

LODEN [lɔdɛn] n. m. (mot all.). Lainage épais et feutré : *Un manteau de loden.*

LODÈVE, ch.-l. d'arrond. de l'Hérault, à 54 km au N.-O. de Montpellier; 8 600 hab. Industries textiles (draps).

LODI, v. d'Italie (Lombardie, province de Milan), sur l'Adda; 44 400 hab. Centre agricole. Industrie de la laine.

• *10 mai 1796. Victoire de Bonaparte sur les Autrichiens.*

ŁÓDŹ, v. de Pologne, au S.-O. de Varsovie, ch.-l. de deux voïévodies; 848 500 hab. Deuxième ville de Pologne, c'est le principal centre textile du pays.

LŒSS [løs] n. m. (mot all.). Variété de limon* calcaire, qui peut se décalcifier sous l'action des eaux d'infiltration : *Les collines de lœss de la Chine orientale.*

— ENCYCL. Le *lœss* est un limon, souvent calcaire, perméable, d'origine éolienne. Il recouvre les plateaux et les versants de vastes régions de l'Europe moyenne, de la Chine, des États-Unis, de la pampa argentine, etc. Le lœss s'est formé, en Europe, pendant les périodes glaciaires quaternaires. Par décalcification, il donne naissance à des limons plus argileux *(lehm);* au contraire, la concentration du calcaire détermine des concrétions *(poupées de lœss)*.

LOF [lɔf] n. m. (néerl. *loef*). *Mar.* Côté d'un navire qui se trouve frappé par le vent. ‖ *Virer lof pour lof,* virer vent arrière.

LOFOTEN *(îles)*, archipel des côtes norvégiennes (Nordland).

LOGAN *(mont)*, point culminant du Canada (territoire du Yukon), à la frontière de l'Alaska; 6 050 m.

LOGE [lɔʒ] n. f. (frq. *laubja*). **1.** Logement ou rez-de-chaussée, près de la porte d'entrée d'un immeuble, destiné à l'habitation du concierge. — **2.** Dans une salle de spectacle, compartiment cloisonné. — **3.** Dans un théâtre, petite pièce, dans les coulisses, où s'habillent et se maquillent les artistes. — **4.** Local où les francs-maçons tiennent leur assemblée. — **5.** Fam. *Être aux premières loges,* être le témoin bien placé d'un événement.

1. LOGER [lɔʒe] v. t. (de *loge*). **1.** *Loger qq'un,* lui donner un lieu d'habitation, une maison, une résidence (souvent au passif) : *Être logé confortablement* (= avoir un appartement confortable). *Le lycée peut loger une centaine d'internes* (syn. RECEVOIR). — **2.** (sujet nom de personne) *Être logé à la même enseigne,* être traité de la même manière. ◆ v. i. ou ***être logé*** v. passif. Avoir une habitation permanente ou temporaire en un endroit : *Où êtes-vous logé?* (syn. HABITER). *Loger dans un hôtel* (syn. RÉSIDER). *Loger rue du Bac* (syn. DEMEURER). ◆ ***se loger*** v. pr. Habiter un endroit : *Ne pas trouver à se loger.* ◆ **logeable** adj. : *La pièce est très logeable* (= on peut y habiter commodément). ◆ **logement** n. m. **1.** Action de loger quelqu'un, de lui donner une habitation : *La crise du logement.* — **2.** Lieu où l'on habite : *Avoir un logement de trois pièces* (syn. APPARTEMENT). ◆ **logeur, euse** n. Personne qui loue des chambres meublées. ◆ **logis** n. m. Syn. littér. et vieilli de LOGEMENT : *Rentrer au logis* (= chez soi). *Le corps de logis* (= la partie principale d'un bâtiment, par oppos. aux *dépendances*). ◆ **reloger** v. t. Loger de nouveau : *Reloger des sinistrés.* ◆ **relogement** n. m. ◆ **sans-logis** n. inv. Personne qui n'a pas d'habitation permanente (syn. SANS-ABRI).

2. LOGER [lɔʒe] v. t. (même étym.). *Loger qqch.,* mettre, introduire, placer quelque chose dans un endroit : *Il a logé toutes ses balles dans la cible.* ◆ ***se loger*** v. pr. (sujet nom de personne). *Se loger qqch. dans un endroit du corps,* l'y faire pénétrer : *Se loger une balle dans le cœur* (= se tuer). ◆ **logement** n. m. Lieu, cavité où se place une pièce mobile d'un mécanisme : *Le logement du percuteur dans un fusil.*

LOGGIA [lɔdʒja] n. f. (mot it. signif. *loge*). **1.** *Archit.* Petite loge sans colonnes. — **2.** Balcon couvert.

LOGICIEL [lɔʒisjɛl] n. m. (trad. de l'angl. *software*). En informatique, ensemble des programmes destinés à effectuer un traitement sur un ordinateur.

LOGIQUE [lɔʒik] adj. (gr. *logikê*, relatif à la raison). **1.** Se dit d'une chose conforme au bon sens, aux règles de cohérence d'un bon raisonnement : *Un plan logique* (syn. JUDICIEUX; contr. ABSURDE). *La suite logique d'un événement* (syn. ATTENDU, NÉCESSAIRE). — **2.** Se dit de quelqu'un qui raisonne d'une manière cohérente : *Il est logique avec lui-même.* ◆ n. f. **1.** Suite cohérente d'idées, d'événements : *Son raisonnement manque de logique* (syn. COHÉRENCE). — **2.** Manière de raisonner : *Comprendre la logique de l'enfant* (syn. RAISONNEMENT). — **3.** *Philos.* La science du raisonnement. ◆ **logiquement** adv. : *Logiquement, nous devrions avoir une lettre ce matin* (= à considérer la suite normale des choses). ◆ **logicien, enne** n. Personne qui étudie la logique ou qui raisonne avec méthode. ◆ **illogique** adj. Qui manque de logique : *Sa conduite est illogique* (syn. ABSURDE). *Ses arguments sont illogiques* (syn. INCOHÉRENT). ◆ **illogisme** n. m. : *L'illogisme de son attitude saute aux yeux* (syn. ABSURDITÉ).

LOGIS n. m. ⟶ LOGER 1.

LOGISTIQUE [lɔʒistik] n. f. (gr. *logisticos*, relatif à l'art du calcul). Partie de l'art militaire traitant de toutes les activités ayant pour but de permettre aux armées de vivre, de se déplacer et de combattre dans les meilleures conditions d'efficacité.

LOGONE (le), riv. d'Afrique équatoriale, affl. du Chari (r. g.); 900 km env.

Lohengrin ou **Loherangrin** *(le Lorrain Gerin)*, héros d'une légende allemande rattachée au cycle des romans courtois d'origine française sur la quête du Graal.

Lohengrin, opéra en 3 actes et 4 tableaux, paroles et musique de R. Wagner (1850).

LOI [lwa] n. f. (lat. *lex, legis*). **1.** Règle ou ensemble de règles obligatoires établies par l'autorité souveraine d'une société pour l'organiser ou y maintenir l'ordre : *Violer, transgresser, enfreindre, respecter, observer la loi. Nul n'est censé ignorer la loi.* ‖ *Homme de loi,* avocat, avoué, magistrat, etc. — **2.** Acte voté par le Parlement et rendu applicable par le chef de l'État. ⟶ ENCYCL. ‖ *Loi de finances,* loi comportant l'évaluation globale des dépenses de l'État et du rendement des impôts et des taxes, ainsi que l'autorisation, pour le gouvernement, de recouvrer ces derniers. ‖ *Loi de programme* ou *d'engagement,* loi autorisant le gouvernement à engager certaines dépenses dont le règlement est échelonné sur plusieurs années. — **3.** Commandement, ordre impératif imposé à quelqu'un par une autre personne, par les circonstances, par la vie sociale, etc. : *Ce n'est pas vous qui viendrez faire la loi chez nous* (= vous y comporter en maître). *Il se fait une loi de...* (= il s'impose). *La loi du milieu* (= de la pègre). *Les lois de l'honneur* (syn. LE CODE). ‖ *Lois de la guerre,* ensemble des règles (traitement des blessés, des prisonniers, etc.) admises par de nombreux États, qui se sont engagés à les respecter en cas de guerre. — **4.** Énoncé d'une propriété d'un objet ou d'une relation entre des phénomènes, vérifiée selon une méthode définie : *La loi de la pesanteur.* ‖ Math. *Loi de composition interne* ⟶ ENCYCL. ◆ **loi-cadre** n. f. Loi qui définit un certain principe, en laissant le soin au gouvernement d'en préciser la portée exacte dans les décrets d'application. ‖ Pl. des *lois-cadres.*

— ENCYCL. ***élaboration d'une loi.*** Elle comporte plusieurs phases : le projet de loi, proposé par le Premier ministre (ou la proposition de loi par le Parlement), est étudié et discuté par l'Assemblée nationale et le Sénat, qui modifient les articles contestés, l'un et l'autre jusqu'à accord complet. Les projets de lois vont donc successivement d'une assemblée à l'autre; en termes parlementaires, ils font la « navette ». Si un accord n'intervient pas, le Premier ministre provoque la réunion d'une commission mixte paritaire (autant de députés que de sénateurs). Si cette commission ne parvient pas à l'adoption d'un texte commun, le gouvernement peut alors demander à l'Assemblée de statuer définitivement. Lorsque les textes sont acceptés, ils deviennent des lois que le président de la République signe, pour en garantir l'authenticité, puis il les promulgue (= les rend applicables).

loi de composition interne (ou *opération sur un ensemble E*). C'est une application de E × E dans E. On note la loi $*$ (lire « étoile » ou « star »), ou ⊤ (lire « truc »), ou ⊥ (lire « anti-truc »), ou □... À tout couple d'éléments de E, on associe un élément unique de E, noté $x * y$ (ou $x \top y$, ou $x \square y$, etc.).

Exemples de lois de composition interne : l'addition, la multiplication dans l'ensemble $\mathbb{Z}$ des entiers relatifs; l'intersection, la réunion, la différence symétrique dans l'ensemble $\mathcal{P}(E)$ des parties d'un ensemble E (⟶ PARTIE 1); la composition dans l'ensemble des applications de $\mathbb{R}$ dans $\mathbb{R}$ (⟶ APPLICATION).

■ *Propriétés des lois de composition interne.* Une loi de composition interne, notée $*$, sur un ensemble E, est *commutative* si pour tout couple d'éléments (x, y) de E on a $x * y = y * x$. (*Ex. :* l'addition, la multiplication dans $\mathbb{Z}$ sont commutatives, la composition des applications n'est pas commutative.)

La loi est *associative* si pour tout triplet d'éléments (x, y, z) de E on a $(x * y) * z = x * (y * z)$. On note $x * y * z$ la valeur commune aux deux membres. (*Ex. :* l'addition, la multiplication dans $\mathbb{Z}$ sont associatives; la soustraction dans $\mathbb{Z}$ n'est pas associative, car, par exemple, $(3-2)-5=-4$ et $3-(2-5)=+6$.)

La loi possède un *élément neutre* e si pour tout élément x de E on a $e * x = x * e = x$. *Ex. :* 0 est élément neutre pour la loi d'addition dans $\mathbb{Z}$ car, pour tout entier relatif z, $z+0=0+z=z$; 1 est élément neutre pour la loi de multiplication dans $\mathbb{Z}$; $\emptyset$ (ensemble vide) et E sont respectivement l'élément neutre pour la réunion et l'élément neutre pour l'intersection dans l'ensemble $\mathcal{P}(E)$ des parties d'un ensemble E car, pour toute partie* A de E, on a :

$$A \cup \emptyset = \emptyset \cup A = A$$
$$A \cap E = E \cap A = A$$

Un élément a de E possède un *symétrique* a' *pour la loi* $*$ si, la loi ayant un élément neutre e, $a * a' = a' * a = e$. (*Ex. :* -3 est le symétrique de $+3$ pour l'addition dans $\mathbb{Z}$; $+\frac{1}{3}$ est le symétrique de $+3$ pour la multiplication dans $\mathbb{Q}$ car $(+3) + (-3) = 0$ et $+\frac{1}{3} \times (+3) = +1$.)

Deux éléments symétriques pour l'addition sont dits *opposés;* s'ils sont symétriques pour la multiplication, ils sont dits *inverses.*

LOIN [lwɛ̃] adv. (lat. *longe*). Indique l'éloignement relativement à un point situé dans l'espace ou le temps. **1.** À une distance d'un lieu déterminé jugée comme relativement grande : *Vous êtes trop loin, rapprochez-vous.* — **2.** À une distance du moment présent jugée comme relativement grande : *L'hiver n'est pas loin maintenant* (syn. ÉLOIGNÉ). — **3.** Au-delà d'une limite fixée; d'une portée plus grande, etc. (dans des loc. verbales) : *Ne cherchez pas si loin.* ‖ *Aller loin,* être promis à la réussite, au succès : *Avec ses qualités, il ira loin!* ‖ *Aller plus loin,* oser dépasser ce qui est dit : *J'irai même plus loin et je dirai que...* ‖ *Aller trop loin,* dépasser ce qui est convenable, exagérer. ‖ *Aller, mener loin,* avoir de grandes conséquences : *C'est un conflit qui peut mener loin.* ‖ *Il y a loin de... à,* il y a une grande différence entre : *De là à dire que tout est perdu, il y a loin* (contr. IL N'Y A QU'UN PAS). ‖ *Voir loin,* avoir de la prévoyance, être perspicace. — Loc. ADV. *Au loin*, à une grande distance : *On aperçoit au loin un bouquet d'arbres.* ‖ *De loin*, d'une distance assez grande relativement à un point déterminé : *Il m'appela de loin. Il suit de loin les événements;* et dans le temps : *Cela date de loin;* d'une distance ou d'une quantité très grande (syn. DE BEAUCOUP) : *C'est de loin le garçon le plus intelligent que je connaisse. Revenir de loin* (= réchapper d'une grave maladie). ‖ *De loin en loin*, à des intervalles très espacés. — Loc. PRÉP. *Loin de* (et un substantif), à une grande distance de (dans l'espace ou le temps) : *Orléans n'est pas loin de Paris. Il n'est pas loin de dix heures du soir* (= il est presque); en tête de phrases exclamatives, pour rejeter : *Loin de moi l'idée de vous imposer cette corvée!* ‖ *Loin de là*, bien au contraire. ‖ *Loin de, bien loin de* (et l'infin.), négation renforcée pour affirmer le contraire : *Il était loin de s'attendre à pareille mésaventure* (= il ne s'y attendait pas du tout). — Loc. CONJ. *D'aussi loin que, du plus loin que* (et l'indic. ou le subj.), indiquent une distance très grande : *D'aussi loin qu'il me vit, il agita son mouchoir. Du plus loin qu'il m'en souvienne.* ‖ *Bien loin que* (et le subj.), marque le contraire de ce qui est affirmé dans la principale. (⟶ ÉLOIGNER.)

LOING (le), riv. du Bassin parisien, qui arrose Montargis, Nemours et Moret, et se jette dans la Seine (r. g.); 166 km. — Le *canal du Loing* accompagne la rivière depuis le confluent sur la Seine jusqu'à Buges, où il se divise en deux : le canal d'Orléans, aujourd'hui désaffecté, et le canal de Briare, qui remonte le cours du Loing jusqu'à Rogny.

LOINTAIN, E [lwɛ̃tɛ̃, -ɛn] adj. (bas lat. *longitanus*). Qui se trouve à une grande distance dans l'espace ou dans le temps, relativement au lieu où l'on se trouve ou au moment où l'on est : *Les pays lointains* (syn. ÉLOIGNÉ; contr. PROCHE, VOISIN). *Une époque lointaine* (syn. RECULÉ; contr. RAPPROCHÉ, RÉCENT). ◆ n. m. *Dans le lointain, au lointain*, dans un lieu éloigné, mais visible, par rapport à l'endroit où l'on est (syn. À L'HORIZON, AU LOIN).

LOIR [lwar] n. m. (lat. *glis, gliris*). Petit mammifère rongeur hibernant d'octobre à avril, nichant dans les branches des arbres, dont il grignote fruits et graines. ‖ *Dormir comme un loir*, dormir profondément.

LOIR (le), riv. du sud-ouest du Bassin parisien, qui arrose Châteaudun, Vendôme, La Flèche, et se jette dans la Sarthe (r. g.); 311 km.

LOIRE (la), le plus long fleuve de France; 1 020 km. Son bassin, couvrant 115 000 km² (env. le cinquième de la France), s'étend sur l'est du Massif central *(Loire supérieure)*, le sud du Bassin parisien *(Loire moyenne)* et le sud-est du Massif armoricain *(Loire inférieure)*.

La Loire, née à 1 400 m d'alt., près du mont Gerbier-de-Jonc, se dirige d'abord vers le N., raccordant par des gorges étroites de petits bassins d'effondrement (bassins du Puy et du Forez, plaine de Roanne), avant de recevoir l'Allier (r. g.) en aval de Nevers. Le fleuve, sorti du Massif central, décrit alors une vaste boucle, dont Orléans constitue le sommet. Il coule dans une vallée élargie, encombrée de bancs de sable, et reçoit successivement, après Tours, le Cher, l'Indre, la Vienne (grossie de la Creuse) à gauche, issus du Massif central, et la Maine à droite (en pénétrant dans le

LOCALITÉS PRINCIPALES	NOMBRE D'HAB.
Saint-Etienne	206 700
Roanne	49 600
Saint-Chamond	40 600
Firminy	24 400
Le Chambon-Feugerolles	18 200
Rive-de-Gier	15 850
Montbrison	13 700
La Ricamarie	9 600
Roche-la-Molière	9 200
Unieux	8 300

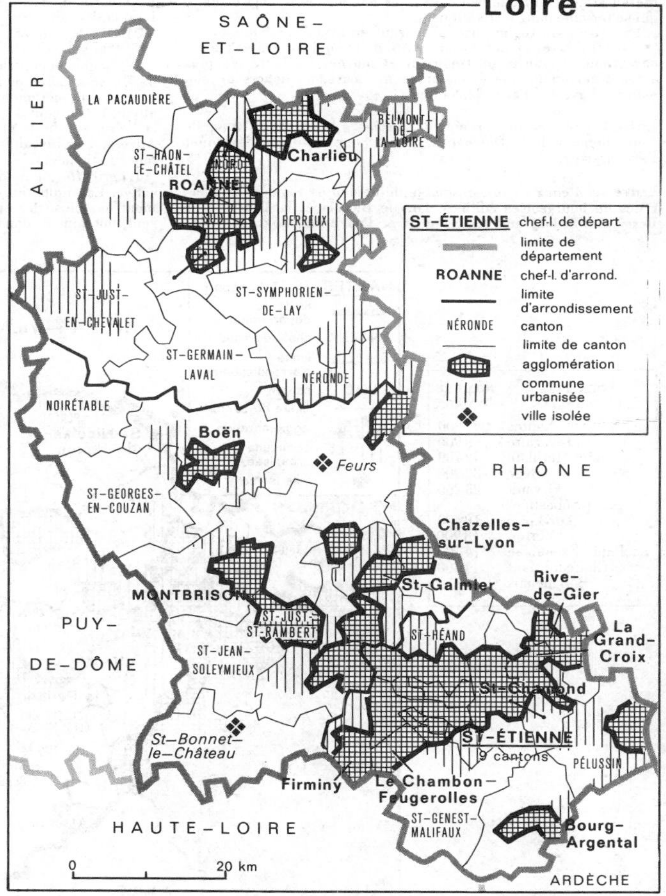

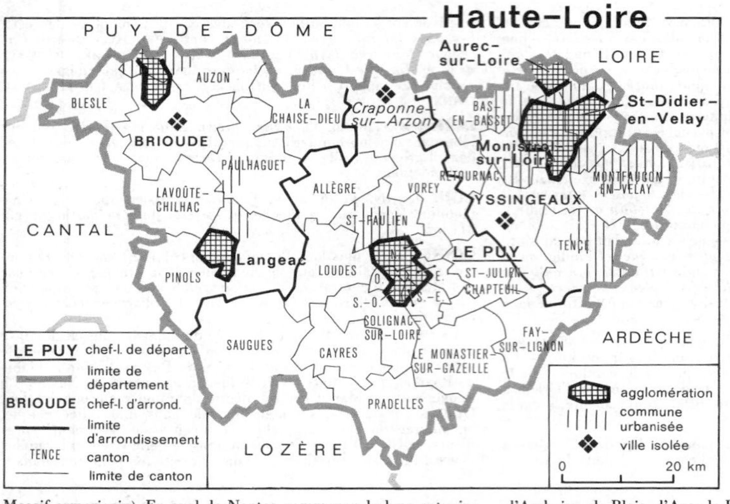

LOCALITÉS PRINCIPALES	NOMBRE D'HAB.
Le Puy	26 000
Brioude	7 900
Yssingeaux	6 700
Monistrol-sur-Loire	5 400
Sainte-Sigolène	5 100
Langeac	4 700
Aurec-sur-Loire	4 550
Brives-Charensac	4 200
Espaly-Saint-Marcel	3 850
Vals-près-le-Puy	3 650

Massif armoricain). En aval de Nantes commence le long estuaire qui se termine dans l'Atlantique.

La Loire a un régime irrégulier (sauf en aval), aux hautes eaux (= crues) d'hiver et aux basses eaux d'été, qui interdisent toute navigation sur son cours supérieur et moyen. La Loire n'a plus aujourd'hui qu'un rôle économique médiocre, en dehors de son extrémité avale, à partir de Nantes.

Loire *(armées de la).* armées organisées à la fin de 1870 par le gouvernement de la Défense nationale pour tenter de débloquer Paris assiégé.

Loire *(châteaux de la)*, ensemble de demeures royales, seigneuriales ou bourgeoises édifiées dans le Blésois et la Touraine, le Berry et l'Anjou, aux XVe et XVIe s. Les principaux sont ceux d'Amboise, de Blois, d'Azay-le-Rideau, de Chenonceaux, de Chambord et de Valençay.

LOIRE *(Pays de la),* Région de l'ouest de la France; 32 082 km²; 2 930 000 hab. Ch.-l. *Nantes.*

La Région occupe les cinq départements de la *Loire-Atlantique*, de *Maine-et-Loire*, de la *Mayenne*, de la *Sarthe* et de la *Vendée*. La densité est légèrement inférieure à la moyenne nationale, mais elle atteint localement des chiffres élevés, notamment dans la vallée de la Loire, site de la principale agglomération, Nantes. Le Mans et Angers, à un niveau inférieur, sont également des centres d'importance nationale.

L'*agriculture* emploie encore environ 20 p. 100 de la population active. La production est variée, culture et élevage étant fréquemment associés; des spécialisations (légumes, vignobles) apparaissent, notamment dans la vallée de la Loire.

LOCALITÉS PRINCIPALES	NOMBRE D'HAB.
Nantes	247 200
Saint-Nazaire	68 900
Saint-Herblain	42 700
Rezé	33 900
Orvault	23 200
Saint-Sébastien-sur-Loire	18 400
Vertou	15 900
La Baule-Escoublac	14 700
Châteaubriant	14 400
Bouguenais	14 150

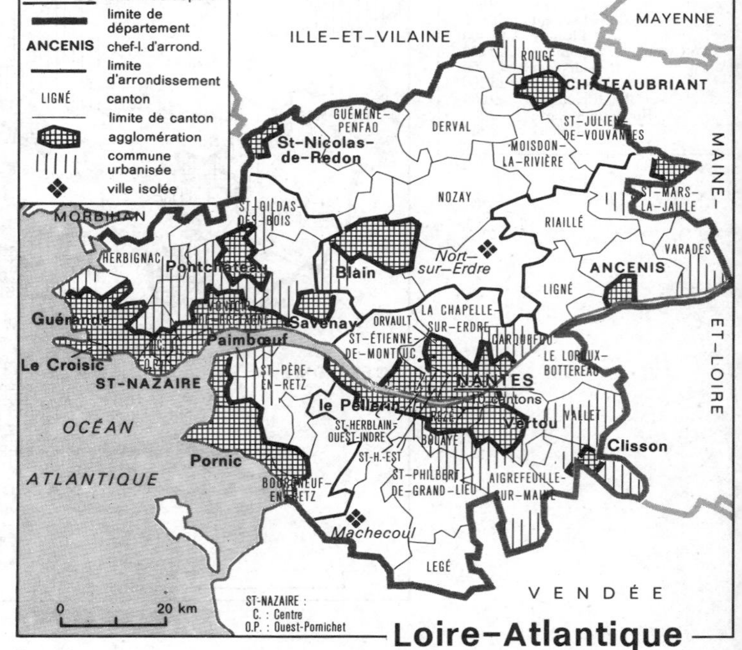

L'*industrie* est relativement peu développée en moyenne, cependant on observe des secteurs très actifs, notamment de Nantes à Saint-Nazaire (capitale de la construction navale française). L'emploi dans l'industrie s'est accru sensiblement, surtout après 1960, dans les constructions mécaniques et électriques. C'est encore insuffisant pour compenser les départs très nombreux dans l'agriculture, et la balance des migrations dans le cadre de la métropole est nettement déficitaire. Cependant l'excédent naturel ajouté à l'immigration étrangère a permis un notable accroissement de la population totale. Le bilan est relativement satisfaisant grâce au dynamisme des principales agglomérations. La croissance de la population a été particulièrement sensible en Maine-et-Loire et en Loire-Atlantique.

électricité 3,5 milliards de kWh; pétrole raffiné 7,5 millions de t.

LOIRE (42), dép. de l'est du Massif central (Région Rhône-Alpes); 4 781 km^2; 739 500 hab. (154 au km^2) [France : 103]. Ch.-l. *Saint-Étienne.*

ADMINISTRATION. 3 arrond. (*Montbrison,* 138 900 hab.; *Roanne,* 160 500 hab. ; *Saint-Étienne,* 440 100 hab.). / 40 cant. / 327 comm. → carte page 807.

La vallée de la Loire supérieure, formant le *bassin du Forez,* puis la *plaine de Roanne,* sépare deux ensembles de hautes terres. À l'O., il s'agit des monts de la *Madeleine,* puis de ceux du *Forez* (où l'altitude dépasse parfois 1 000 m). À l'E., ce sont les hauteurs du *Beaujolais* et du *Lyonnais,* et l'altitude se relève dans l'extrémité sud-est du département (mont Pilat).

Malgré l'extension de la montagne, et des conditions climatiques assez sévères, la densité est élevée. Ce niveau s'explique surtout par la présence de Saint-Étienne dont l'agglomération rassemble près de la moitié de la population totale du département.

L'*industrie* emploie au total un peu plus de la moitié de la population active. La métallurgie est la principale branche. Le textile est aussi répandu, dans le Nord, à Roanne, autre agglomération importante.

En contrepartie, l'*agriculture* occupe peu d'actifs (les cultures prédominent dans les parties basses et l'élevage sur les hauteurs), de même que le *secteur tertiaire.*

La population stagne aujourd'hui : la Loire souffre de la précocité de son développement industriel.

LOIRE (Haute-) [43], dép. de l'est du Massif central (Région Auvergne); 4 977 km^2; 205 900 hab. (41 au km^2) [France : 103]. Ch.-l. *Le Puy.*

ADMINISTRATION. 3 arrond. (*Brioude,* 44 500 hab.; *Le Puy,* 98 700 hab. ; *Yssingeaux,* 62 800 hab.). / 35 cant. / 260 comm.

À l'intérieur du Massif central, le département est essentiellement formé de hautes terres. L'altitude dépasse fréquemment 1 000 m et ne s'abaisse guère en dessous de 500 m que dans la *Limagne de Brioude,* dépression parcourue par l'Allier, plus basse que le *bassin du Puy* ouvert par la Loire. La majeure partie du département correspond aux hauteurs volcaniques du *Velay.* L'extension des hautes terres et la rudesse des conditions climatiques imposées par ce relief expliquent une densité d'occupation très faible.

Malgré ces conditions naturelles souvent peu favorables, l'*agriculture* emploie encore plus du cinquième de la population active. Limagne de Brioude et bassin du Puy sont intensément mis en valeur (céréales, arbres fruitiers, lentille verte); l'élevage est la ressource principale des hauteurs.

L'*industrie* emploie seulement le tiers de la population active; métallurgie et surtout textile (dentelle du Puy) sont les principales branches.

Le très faible développement du *secteur tertiaire* est lié à l'absence de grande ville. Le Puy n'atteint pas 30 000 hab. et aucune autre localité ne dépasse 10 000 hab.

LOIRE-ATLANTIQUE (44), dép. formé d'une partie de la Bretagne (Région Pays de la Loire); 6 815 km^2; 995 500 hab. (144 au km^2) [France : 103]. Ch.-l. *Nantes.*

ADMINISTRATION. 4 arrond. (*Ancenis,* 44 800 hab.; *Châteaubriant,* 100 200 hab.; *Nantes,* 604 900 hab.; *Saint-Nazaire,* 269 000 hab.). / 59 cant. / 221 comm.

Développé de part et d'autre de la basse vallée de la Loire, le département est formé de collines et de bas plateaux en bordure d'un littoral parfois marécageux *(Grande Brière),* plus souvent sableux et alors animé par le tourisme (La Baule, au N. de l'estuaire de la Loire).

Le département doit surtout son importante population (le tiers de l'ensemble de la région du long de la Loire) à la présence de l'agglomération de Nantes. Celle-ci, la septième de France, regroupe près de la moitié de la population départementale, environ 60 p. 100 avec celle de Saint-Nazaire.

Nantes et Saint-Nazaire expliquent le relatif développement du *secteur tertiaire* (environ 40 p. 100 de la population active) et de l'*industrie* (presque 40 p. 100). Celle-ci, variée, est fondée cependant sur la métallurgie de transformation, l'alimentation et la chimie.

L'*agriculture* emploie encore le dixième de la population active. La polyculture cède localement la place aux cultures maraîchères (près de Nantes, marché de consommation) et au vignoble (muscadet).

La population s'accroît notablement. La progression est naturellement due en priorité à celle de l'agglomération nantaise, nouvelle métropole d'équilibre. La vallée de la Loire, la basse Loire, est de plus en plus l'axe vital du département.

LOIRET (le), petite riv. du Bassin parisien, affl. de la Loire (r. g.), au S. d'Orléans; 12 km. C'est une résurgence de la Loire.

LOIRET (45), dép. du Bassin parisien (Région Centre); 6 775 km^2; 535 700 hab. (79 au km^2) [France : 103]. Ch.-l. *Orléans.*

ADMINISTRATION. 3 arrond. (*Montargis,* 145 200 hab.; *Orléans,* 340 600 hab.; *Pithiviers,* 49 800 hab.). / 41 cant. / 334 comm.

L'extrémité méridionale du département appartient à la *Sologne* marécageuse, terre d'étangs et de chasses. Le Nord atteint à l'O. la *Beauce.* L'Est occupe une partie du *Gâtinais* et de la *Puisaye.*

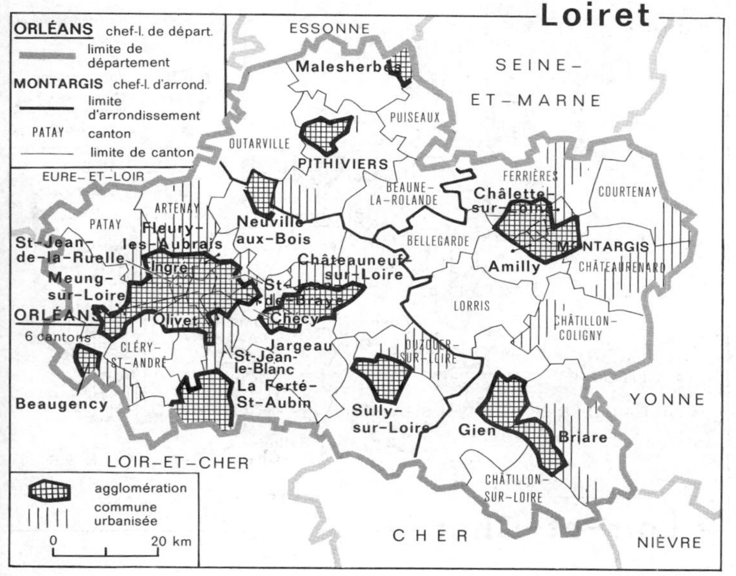

LOCALITÉS PRINCIPALES	NOMBRE D'HAB.
Orléans	105 600
Montargis	17 600
Fleury-les-Aubrais	19 800
Saint-Jean-de-la-Ruelle	17 400
Gien	16 800
Châlette-sur-Loing	15 000
Olivet	14 500
Saint-Jean-de-Braye	13 600
Saran	10 200
Amilly	10 100

La vallée de la Loire constitue l'axe du département, et ceci surtout au point de vue humain et économique.

L'*agriculture* emploie environ le sixième de la population active. L'élevage domine dans l'Est, la grande culture (blé et betterave) dans la partie beauceronne, les cultures délicates (pépinières, cultures fruitières, légumes) dans la vallée de la Loire (le Val d'Orléans ici) intensément mise en valeur.

L'*industrie* occupe les deux cinquièmes de la population active. Elle est dominée par les constructions mécaniques et électriques, l'alimentation, et représentée surtout dans l'agglomération d'Orléans. Celle-ci regroupe 40 p. 100 de la population départementale et est d'ailleurs la seule localité dépassant 20 000 hab. Mais les deux-tiers de la population du département sont urbanisés.

Orléans explique en majeure partie le sensible accroissement récent de la population départementale.

LOIR-ET-CHER (41), dép. du Bassin parisien (Région Centre); 6 343 km^2; 296 200 hab. (47 au km^2) [France : 103]. Ch.-l. *Blois.* ADMINISTRATION. 3 arrond. (*Blois*, 162 900 hab.; *Romorantin-Lanthenay*, 67 100 hab.; *Vendôme*, 66 300 hab.). / 30 cant. / 291 comm.

Le sud du département est occupé par la majeure partie de la *Sologne*, terre d'étangs et de chasses. Le Nord est constitué par les plaines et bas plateaux du *Blésois*, limité par le Loir. Au centre coule la Loire, dont la vallée est le secteur vital du département, site de la seule ville importante, Blois. La densité d'occupation est faible, à peine supérieure à 45 hab. au km^2.

L'*agriculture* emploie encore plus du cinquième de la population active. Le Blésois est céréalier mais le Val de Loire est la partie la plus intensément mise en valeur (pépinières, cultures fruitières, légumes).

L'*industrie* occupe aujourd'hui plus du tiers de cette population active, représentée surtout par les constructions mécaniques et électriques, l'alimentation. Dans le département se trouve la centrale nucléaire de Saint Laurent-des-Eaux.

L'urbanisation du département reste assez faible.

LOISIBLE [lwazibl] adj. (de *loisir*). *Il m' (t', lui, nous, vous, leur) est loisible*, il m'est permis, tu as la possibilité, vous êtes libre de, etc.

LOISIR [lwazir] n. m. (du lat. *licere*, être permis). **1.** Temps dont on dispose en dehors de ses occupations régulières, de son métier, pour se distraire, pour se reposer, pour ne rien faire (le plus souvent au plur.) : *Mon travail me laisse peu de loisirs* (syn. LIBERTÉ). — **2.** Distractions auxquelles on se livre pendant les moments où l'on est libre de tout travail : *Organiser ses loisirs.* — **3.** *Avoir le loisir de* (suivi d'un infin.), avoir le temps disponible de (faire) : *Il aura tout le loisir de réfléchir.* — LOC. ADV. *À loisir, tout à loisir*, en prenant tout son temps, sans être pressé.

LOLLAND ou **LAALAND,** île du Danemark, dans la Baltique, séparée de l'île de Falster par un canal étroit; 124 400 hab. Ch.-l. *Maribo.*

LOMBAIRE adj. → LOMBES.

LOMBARDIE, région du nord de l'Italie, au pied des Alpes, correspondant aux provinces de *Bergame, Brescia, Côme, Crémone, Mantoue, Milan, Pavie, Sondrio* et *Varèse;* 8 711 700 hab. (*Lombards*). Capit. *Milan.*

La Lombardie s'étend sur deux grands ensembles. Les *Alpes lombardes* sont spécialisées dans l'élevage. Elles sont parfois bordées de collines couvertes de vergers et de vignes. Cinq grands lacs d'origine glaciaire en ornent le piedmont : lac Majeur, de Côme, de Garde... La *plaine lombarde* est la plus riche région agricole de l'Italie. À des cultures fourragères et céréalières (maïs) est associé un élevage intensif de bovins pour le lait et le fromage et de porcins pour la charcuterie. L'hydro-électricité des Alpes a permis le développement d'une puissante industrie. Textiles (coton, laine, soie) et constructions mécaniques, qui sont les principales activités, sont répartis dans un très dense réseau urbain organisé autour de Milan, la métropole économique de l'Italie.

LOMBARDS, peuple germanique établi entre l'Elbe et l'Oder, qui, venu de la basse Elbe, envahit l'Italie au VIe s. et y fonda un État puissant, dont la capitale était Pavie. Abattus par Charlemagne, les Lombards maintinrent une dynastie à Bénévent jusqu'en 1047.

LOMBARD-VÉNITIEN (*Royaume*), nom donné de 1815 à 1866 aux provinces italiennes de l'empire d'Autriche (Lombardie et Vénétie). La Lombardie en 1859, puis la Vénétie en 1866 furent incorporées au royaume d'Italie.

LOMBES [lɔ̃b] n. m. pl. (du lat. *lumbus*, rein). *Anat.* Régions symétriques situées dans le bas du dos, de chaque côté de la colonne vertébrale. ◆ **lombaire** adj. : *Douleur lombaire* (= des reins).

LOMBRIC [lɔ̃brik] n. m. (lat. *lumbricus*). Nom scientifique du VER DE TERRE, ver annelé, gris ou rose, extrêmement commun, caractérisé par son incapacité de survivre hors de la terre et par son haut pouvoir de régénération. (Coupé en deux, le lombric forme deux animaux entiers.)

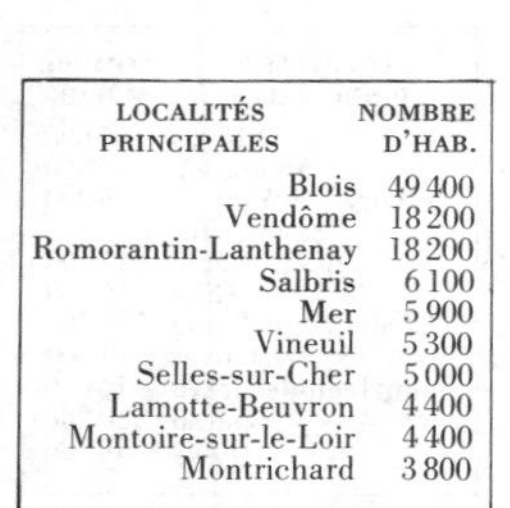

LOCALITÉS PRINCIPALES	NOMBRE D'HAB.
Blois	49 400
Vendôme	18 200
Romorantin-Lanthenay	18 200
Salbris	6 100
Mer	5 900
Vineuil	5 300
Selles-sur-Cher	5 000
Lamotte-Beuvron	4 400
Montoire-sur-le-Loir	4 400
Montrichard	3 800

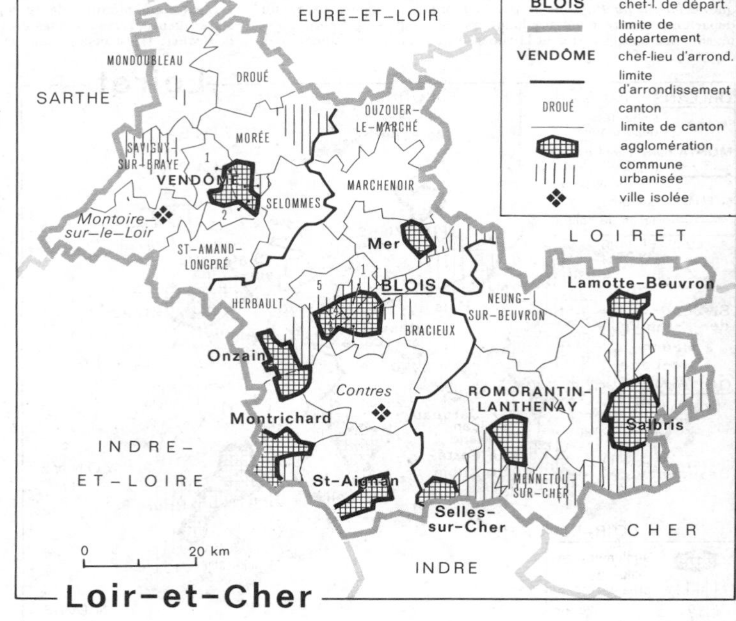

LOMÉ, capit. de la république du Togo, port sur le golfe de Guinée; 200 100 hab.

LOMME, ch.-l. de cant. du Nord, dans la banlieue ouest de Lille; 28 500 hab. *(Lommois).* Industries textiles et alimentaires.

LOMONOSSOV (Mikhaïl Vassilievitch), écrivain et savant russe (1711-1765). Il a réformé la poésie et la langue littéraire russes. En 1755, sur son initiative, fut créée l'université de Moscou. Il est l'auteur de la première *Grammaire russe.*

LONDON, v. du Canada (Ontario), sur la Thames; 194 400 hab. Constructions mécaniques et électriques.

LONDON (Jack), romancier américain (1876-1916). Les plus célèbres de ses romans sont des récits d'aventures : *l'Appel de la forêt* (1903), *Croc-Blanc* (1907), où il excelle à peindre des héros ardents et primitifs épris d'actions violentes, comme les pionniers et chercheurs d'or qu'il a connus dans les neiges de l'Alaska, ou l'existence mystérieuse des animaux. Devenu célèbre et riche, mais révolté par la société moderne, il se suicida.

LONDONDERRY ou **DERRY,** en gaél. **Dhoire,** v. de l'Irlande du Nord, ch.-l. de comté, sur l'estuaire du Foyle; 51 600 hab. Textiles. Chimie. Constructions électriques.

LONDRES, en angl. **London,** capit. de la Grande-Bretagne, sur la Tamise; 3 200 000 hab. *(Londoniens);* 7 379 000 hab. dans le « Grand Londres ».

GÉOGRAPHIE. Ancien lieu de passage du fleuve sur la route de l'Écosse, Londres est rapidement devenue une grande place commerciale. Son port, le premier de Grande-Bretagne, le cinquième d'Europe, s'allonge sur 50 km dans l'estuaire de la Tamise (trafic de 50 millions de t). Mais sa fonction d'entrepôt est en régression et son activité n'est pas équilibrée, les entrées l'emportant de loin sur les sorties.

Londres a une fonction administrative (capitale du pays et du Commonwealth), financière (banques, Bourse) et intellectuelle. Mais c'est aussi le plus gros centre industriel du pays, groupant pratiquement toutes les branches d'industrie. L'agglomération est la troisième du monde par sa population. Aux quartiers résidentiels de l'Ouest s'opposent les quartiers populaires de l'Est, tandis que le Centre — la *City* — est réservé aux affaires. Pour freiner la croissance de Londres, l'État a créé un certain nombre de villes nouvelles dans un rayon d'une trentaine de kilomètres.

HISTOIRE. Capitale du royaume d'Essex au VIIe s., l'importance politique et économique de Londres n'a cessé d'augmenter malgré l'énorme incendie de 1666.

Aux XVIIIe et XIXe s., le rythme de développement s'accélère : le port est agrandi au XIXe s., et Londres devient la capitale de la finance et du commerce internationaux. En 1888 est créée une nouvelle unité territoriale autonome, le *comté de Londres* (300 km²), gouvernée par le « London County Council ». Tandis que la Cité se vide de ses habitants (120 000 hab. v. 1850, moins de 5 000 auj.), le « Grand Londres » se développe très rapidement au-delà du comté, le long des axes de communication.

Pendant la bataille d'Angleterre (septembre-novembre 1940), Londres fut durement atteinte par les bombardiers allemands (13 000 tués, 20 000 blessés). La capitale fut de nouveau la cible des V1 et des V2 en 1944-1945.

LONG, LONGUE [lɔ̃, lɔ̃g] adj. (lat. *longus*) [avant ou après le nom]. **1.** Au point de vue de l'espace, qui s'étend sur une distance, sur une étendue plus grande que la moyenne ou simplement grande : *De longues jambes* (contr. PETIT). *Robe longue* (contr. COURT). *J'ai fait un long détour avant de venir ici* (syn. GRAND). *Une longue suite de noms* (syn. ↑INTERMINABLE). — **2.** Qui est envisagé dans sa plus grande dimension, d'une extrémité à l'autre : *Une corde longue de trois mètres.* — **3.** Au point de vue du temps, qui dure longtemps : *Il resta un long moment silencieux* (contr. COURT). *Il trouve le temps long. Nous sommes amis de longue date* (= depuis longtemps). *La réponse est longue à venir* (syn. LENT). *Une voyelle longue* ou *une longue* n. f. (contr. BRÈVE). — **4.** *Avoir le bras long,* avoir de l'influence, de la puissance. ◆ n. m. Dimension dans le sens de la longueur (avec une prép.) : *Une rue de un kilomètre de long. Tomber de tout son long* (= dans toute sa longueur). *Aller de long en large* (= aller et venir en tous sens). *Lire tout du long un roman* (= complètement). — LOC. PRÉP. *Le long de,* en suivant, en allant sur la plus grande dimension de, pendant toute la durée de : *Les arbres le long de la route* (= au bord de). *Tout le long de sa vie, il n'a cessé de lutter.* ◆ adv. *En savoir long,* être pleinement instruit de quelque chose. ‖ *Sa mine, son attitude,* etc., *en dit long,* est éloquente, fait connaître ses véritables sentiments. ◆ **longuement** adv. Pendant un long moment : *Projet longuement médité* (syn. LONGTEMPS). ◆ **longuet, ette** adj. *Fam.* Qui dure un peu trop longtemps. ◆ **longueur** n. f. **1.** Qualité de ce qui est long (espace et durée) : *Les unités de longueur* (= qui sont utilisées pour mesurer). *La longueur des négociations* (syn. LENTEUR). *Le saut en longueur.* — **2.** Distance définie par la longueur du cheval, du véhicule, etc., et servant à mesurer l'espace qui sépare deux concurrents dans une course : *Le cheval a gagné de deux longueurs.* — **3.** *Traîner en longueur,* durer trop longtemps. ‖ *À longueur de journée, de semaine,* etc., pendant toute la journée, la semaine, etc., sans arrêter. ◆ **demi-longueur** n. f. Moitié de la longueur d'un bateau, d'un cheval, etc., dans une compétition : *Gagner d'une demi-longueur.* ‖ Pl. des *demi-longueurs.* ◆ **longueurs** n. f. pl. Développements trop longs, inutiles, qui alourdissent, encombrent un texte. ◆ **allonger** [alɔ̃ʒe] v. t. **1.** *Allonger qqch.,* le rendre ou le faire paraître plus long : *Allonger une robe* (contr. RACCOURCIR). — **2.** (sujet nom d'être animé) *Allonger le bras, la jambe, le cou,* etc., les tendre, en augmenter la longueur en les étendant : *Allonger les jambes sur la chaise* (syn. ÉTENDRE). — **3.** *Allonger le pas,* se hâter (syn. ACCÉLÉRER). ‖ *Allonger le visage, le nez, la figure,* marquer son désappointement ou sa surprise par sa physionomie (souvent au part. passé). ◆ v. i. *Les jours allongent,* ils deviennent plus longs (syn. AUGMENTER; contr. RACCOURCIR). ◆ ***s'allonger*** v. pr. **1.** Devenir ou paraître plus long; être étendu en longueur : *La route s'allonge devant nous* (syn. S'ÉTENDRE). *À cette nouvelle, son visage s'allongea* (= montra de la déception). — **2.** (sujet nom de personne) S'étendre ou tomber de tout son long : *S'allonger sur son lit.* ◆ **allonge** n. f. En termes de boxe, longueur des bras supérieure à la moyenne. ◆ **allongement** n. m. : *L'allongement d'une jupe* (contr. RACCOURCISSEMENT). *L'allongement des jours* (syn. ACCROISSEMENT). *L'allongement des vacances* (syn. PROLONGATION). ◆ **rallonger** v. t. et i. Augmenter la longueur; s'accroître en longueur (auj. souvent au sens 1 de ALLONGER) : *Rallonger un manteau. Les jours rallongent.* ◆ **rallonge** n. f. **1.** Pièce mobile qui sert à augmenter la longueur d'un appareil (compas), la grandeur d'une surface (table) : *Mettre deux rallonges à la table.* — **2.** *Fam.* Ce qui s'ajoute à quelque chose pour l'augmenter; augmentation d'une somme prévue : *Obtenir une rallonge de deux jours à ses vacances* (syn. AUGMENTATION, SUPPLÉMENT). — **3.** Fam. *Nom à rallonge,* nom comportant plusieurs mots, dont souvent la particule *de,* qui laisse supposer que le titulaire est noble. ◆ **rallongement** n. m. Employé souvent au sens de ALLONGEMENT.

LONGANIMITÉ [lɔ̃ganimite] n. f. (du lat. *longus,* patient, et *animus,* esprit). Patience à supporter les offenses des autres ou ses propres malheurs (littér.). ◆ **longanime** adj.

LONG BEACH, port des États-Unis (Californie), sur l'océan Pacifique, au S. de Los Angeles; 358 600 hab. Industries chimiques et mécaniques.

LONG-COURRIER [lɔ̃kurje] adj. et n. m. *(long,* et *courrier).* Qui fait des voyages sur de longues distances : *Avion long-courrier.* ‖ Pl. des *long-courriers.*

1. LONGE [lɔ̃ʒ] n. f. (de *long*). Courroie pour attacher ou pour conduire un cheval.

2. LONGE [lɔ̃ʒ] n. f. (du lat. *lumbus,* rein). *Longe de veau,* moitié de l'échine d'un veau (de l'épaule à la queue).

LONGER [lɔ̃ʒe] v. t. (de *long*). [Conj. **2.**] Suivre le bord de quelque chose (sujet nom de chose); marcher le long de quelque chose (sujet nom d'être animé) : *Le bois longe la côte. Longer la rivière.*

LONGERON [lɔ̃ʒrɔ̃] n. m. (de *long*). **1.** Pièce maîtresse de l'ossature d'une machine ou d'un ouvrage métallique. — **2.** Chacune des poutres principales d'une aile d'avion.

LONGÉVITÉ [lɔ̃ʒevite] n. f. (de *long,* et lat. *aevum,* âge). **1.** Longue durée de la vie d'un être animé : *La longévité des patriarches de la Bible.* — **2.** Durée maximale moyenne de la vie dans une espèce animale donnée : *La longévité du chien est de vingt ans.*

LONGFELLOW (Henry Wadsworth), poète américain (1807-1882). Son inspiration sentimentale et moralisatrice se révèle surtout dans son long poème *Évangéline* (1847).

LONGICORNES [lɔ̃ʒikɔrn] n. m. pl. (du lat. *longus,* long, et *corne*). Syn. de CÉRAMBYCIDÉS*.

LONGILIGNE [lɔ̃ʒiliɲ] adj. (du lat. *longus,* long, et *ligne*). Se dit des individus aux membres allongés et minces (contr. BRÉVILIGNE).

LONG ISLAND, île de la côte atlantique des États-Unis, sur laquelle est bâti Brooklyn, quartier de New York.

LONGITUDE [lɔ̃ʒityd] n. f. (lat. *longitudo,* longueur). Angle que fait le plan méridien d'un point à la surface du globe avec un plan méridien d'origine.

— ENCYCL. Le méridien d'origine adopté par presque toutes les nations est le méridien de Greenwich; tous les points situés sur un même méridien ont même *longitude.* Lorsqu'on connaît la longitude et la latitude d'un point, la position de celui-ci à la surface du globe terrestre se trouve parfaitement déterminée. Mesurer la longitude et la latitude d'un lieu s'appelle *faire le point.*

LONGITUDINAL, E, AUX [lɔ̃ʒitydinal, -no] adj. (du lat. *longitudo*). Dans le sens de la longueur : *Faire une coupe longitudinale* (= en long). ◆ **longitudinalement** adv.

LONGJUMEAU, ch.-l. de cant. de l'Essonne, sur l'Yvette, dans le sud de la région parisienne; 18400 hab. *(Longjumellois)*. Produits pharmaceutiques.

LONGTEMPS [lɔ̃tɑ̃] adv. *(long,* et *temps).* **1.** Pendant un long espace de temps : *Il vivra encore longtemps* (contr. PEU). *Ils parlèrent longtemps* (syn. LONGUEMENT). — **2.** *Il y a longtemps, voilà, voici longtemps que...,* depuis un long espace de temps. ‖ *De longtemps,* pour une très longue durée : *Je ne le verrai pas de longtemps.* ‖ *Avant, depuis, pendant, pour longtemps,* avant, depuis, pendant, pour un long espace de temps.

LONGUE adj. et n. f. → LONG.

Longue Marche (la), retraite des troupes communistes de Mao Tsö-tong. Pour échapper aux nationalistes de Chang Kaï-chek, elles parcoururent le territoire qui sépare le Kiang-si du Chen-si (1934-1935).

LONGUEMENT adv., **LONGUET, ETTE** adj., **LONGUEUR** n. f. → LONG.

LONGUENESSE, comm. du Pas-de-Calais; 12600 hab. Matériel téléphonique.

LONGUE-VUE [lɔ̃gvy] n. f. (de *long,* et *vue*). Lunette d'approche. ‖ Pl. des *longues-vues.*

LONGUYON, ch.-l. de cant. de Meurthe-et-Moselle, à 18 km au S.-O. de Longwy; 7000 hab. Métallurgie. Église du XIIIe s.

LONGVIC, comm. de la Côte-d'Or, à 4 km au S. de Dijon; 8900 hab. Base aérienne militaire. Constructions mécaniques et électriques.

LONGWY, ch.-l. de cant. de Meurthe-et-Moselle, sur la Chiers, à 31 km au S.-O. de Luxembourg; 17500 hab. *(Longoviciens).* Sidérurgie et métallurgie.

LONS-LE-SAUNIER, ch.-l. du dép. du Jura, à 405 km au S.-E. de Paris; 21900 hab. *(Lédoniens).* La ville doit son origine à l'exploitation de ses salines. Lunetterie. Industries alimentaires et textiles. Établissement hydrominéral.

LOOPING [lupiŋ] n. m. (mot angl.). Exercice de voltige aérienne consistant à faire une boucle dans un plan vertical.

LOOS, comm. du Nord, dans la banlieue sud-ouest de Lille, sur la Deûle; 21500 hab. *(Loossois).* Prison. Industries chimiques et textiles. Imprimerie.

LOPE DE VEGA → VEGA *(Lope de).*

LOPIN [lɔpɛ̃] n. m. (de l'anc. fr. *lope,* masse informe). *Lopin de terre,* petit morceau de terrain, petit champ.

LOQUACE [lɔkas] ou [lɔkwas] adj. (lat. *loquax*). Qui parle volontiers, qui est très expansif (syn. BAVARD, ÉLOQUENT; contr. RÉSERVÉ). ◆ **loquacité** n. f.

LOQUE [lɔk] n. f. (anc. néerl. *locke,* boucle de cheveux). **1.** (surtout au plur.) Lambeau d'une étoffe déchirée, usée : *Sa veste tombe en loques* (syn. HAILLON). — **2.** Être sans énergie, veule : *Loque humaine.* ◆ **loqueteux, euse** adj. : *Des vêtements loqueteux* (= en loques). *Un mendiant loqueteux* (= vêtu de haillons).

LOQUET [lɔkɛ] n. m. (de l'anc. fr. *loc,* serrure). Barre mobile autour d'un pivot, servant à fermer une porte par la pression d'un ressort ou par son propre poids.

LOQUETEUX, EUSE adj. → LOQUE.

LORD [lɔrd] n. m. (mot angl.). Titre donné en Angleterre aux pairs du royaume (ducs, marquis, comtes, vicomtes et barons) et aux membres de la Chambre haute ou Chambre des lords. ◆ **lord-maire** n. m. Premier magistrat des grandes villes britanniques. ‖ Pl. des *lords-maires.*

LORELEI, rocher dominant la rive droite du Rhin, auquel le poète Brentano a rattaché la légende d'une ondine attirant les bateaux sur les écueils. H. Heine a popularisé cette légende.

LORENTZ (Hendrik Antoon), physicien néerlandais (1853-1928), prix Nobel (1902) pour sa théorie électronique de la matière.

Lorenzaccio, drame historique d'A. de Musset (1834).

LORENZETTI (les), peintres italiens. PIETRO (v. 1280-v. 1348) est célèbre pour ses fresques de la basilique d'Assise, et AMBROGIO, son frère, mort v. 1348, pour celles du palais municipal à Sienne.

LORGNER [lɔrɲe] v. t. (frq. *lurni,* guetter). **1.** Regarder avec insistance et avec une intention particulière. — **2.** *Fam.* Convoiter secrètement quelque chose : *Lorgner un héritage.*

LORGNETTE [lɔrɲɛt] n. f. (de *lorgner*). **1.** Petite lunette d'approche portative. — **2.** *Regarder par le petit bout de la lorgnette,* ne regarder que le petit côté des choses, grossir un détail secondaire, un élément accessoire.

LORGNON [lɔrɲɔ̃] n. m. (de *lorgner*). Lunettes sans branches, qui peuvent être tenues à la main ou maintenues sur le nez par une pince à ressort.

LORIENT, ch.-l. d'arrond. du Morbihan, sur la ria formée par l'embouchure du Scorff et du Blavet; 64700 hab. *(Lorientais).* Simple sous-préfecture, Lorient est cependant la première ville du département. Son agglomération avoisine 100000 hab. C'est un important port de pêche. L'arsenal perpétue la fonction militaire, prépondérante au siècle dernier. La construction mécanique s'est substituée à d'anciennes forges établies dans la banlieue (Hennebont).

LORIOT [lɔrjo] n. m. (du lat. *aureolus,* d'or). Oiseau passereau jaune et noir (mâle) ou verdâtre (femelle), au chant sonore, vivant dans les bois, les vergers, où il se nourrit de fruits et d'insectes.

LORMONT, ch.-l. de cant. de la Gironde, à 6 km à l'E. de Bordeaux; 21000 hab. *(Lormontais).* Vins rouges.

LORRAIN, E [lɔrɛ̃, -ɛn] adj. et n. De la Lorraine.

LORRAIN ou **LE LORRAIN** (Claude GELLÉE, dit **Claude**), peintre français (1600-1682). Il fit sa carrière à Rome, où il se lia avec Poussin. Il a laissé quelques-uns des plus beaux paysages de la peinture mondiale. Il a étudié les effets de la lumière, faisant du soleil le véritable objet de ses tableaux et annonçant ainsi l'impressionnisme. Il a exercé une très grande influence sur les peintres anglais *(Port au soleil couchant, Vue du Campo Vaccino à Rome, l'Embarquement de sainte Ursule).*

LORRAINE, Région du nord-est de la France; 23547 km²; 2319900 hab. *(Lorrains).* Ch.-l. *Metz.*

GÉOGRAPHIE. La Région occupe les quatre départements de *Meurthe-et-Moselle,* de la *Meuse,* de la *Moselle* et des *Vosges.* Correspondant essentiellement à la partie orientale du Bassin parisien, elle oppose deux départements fortement peuplés, Moselle et Meurthe-et-Moselle (plus de 138 hab. au km²), à deux départements beaucoup moins peuplés, Vosges et Meuse. La densité moyenne est légèrement inférieure à 100, c'est-à-dire assez proche de la moyenne nationale. Si la Lorraine ne renferme aucune grande métropole, elle est en fait très urbanisée (au moins dans sa partie industrialisée), et deux villes dominent, Nancy et Metz qui se disputent la primauté régionale.

L'*agriculture,* assez médiocre, non spécialisée, emploie 8 p. 100 de la population active.

L'*industrie* en occupe presque la moitié. La sidérurgie (avec l'extraction du minerai de fer) utilisait près de 100000 personnes en 1968. Le textile, l'extraction de la houille, puis les constructions mécaniques et la métallurgie de première transformation sont les autres branches employant le plus de personnel. La prééminence de l'industrie est ancienne; cependant le nombre de postes dans l'industrie a notablement diminué. Ce déclin tient au fait que les activités occupant le plus de main-d'œuvre sont en réadaptation. C'est notamment le cas de la houille, du textile, et plus récemment de la sidérurgie. Cette évolution explique la stagnation récente de la population totale. Aujourd'hui, la Lorraine ne peut plus être considérée comme une région économiquement très dynamique; elle paie (comme le Nord) la rançon de la précocité de son développement industriel.

charbon	11	millions de t
électricité	13	milliards de kWh
minerai de fer	14	millions de t
acier	6,4	millions de t

HISTOIRE. La Lorraine *(Lotharingie)* faisait partie des États de Lothaire Ier au traité de Verdun (843); en 880 elle passa tout entière à Louis le Germanique. Elle fut divisée au Xe s. en Haute- et Basse-Lorraine, cette dernière étant attribuée, au XIIe s., aux ducs de Brabant. La Haute-Lorraine, devenue le duché de Lorraine, passa à la maison d'Anjou (XVe s.). Aux XVIe et XVIIe s., la Lorraine fut amputée au profit de la France (Trois-Évêchés, 1552; Sarre méridionale, 1661-1681). Attribuée à Stanislas Leszczyński en 1738, elle fut réunie à la France à sa mort, en 1766. Elle constitua les départements de la Meuse, de la Meurthe, de la Moselle et des Vosges. Annexée en partie par l'Allemagne entre 1871 et 1919, elle revint en totalité à la France par le traité de Versailles (1919).

LORRAINE *(maisons de).* Trois maisons ont régné successivement sur le duché de Lorraine : la *maison de Lorraine-Alsace* (1048-1431); la *maison de Lorraine-Anjou* (1431-1473); la *maison de Lorraine-Vaudémont* (1473-1738).

LORS [lɔr] adv., **LORSQUE** [lɔrsk] conj., **ALORS** [alɔr] adv., **ALORS QUE** [alɔrkə] loc. conj. (du lat. *illa hora,* à cette heure). Indiquent en général un rapport temporel. → tableau ci-contre.

LOS ou **LOOS** *(îles de),* archipel côtier de la Guinée, en face de Conakry.

LOS ALAMOS, localité des États-Unis (Nouveau-Mexique). Centre de recherches nucléaires. La première bombe atomique y fut expérimentée le 16 juillet 1945.

LOSANGE [lɔzɑ̃ʒ] n. m. (du gaul. *lausa*, pierre plate). *Géom.* Parallélogramme dont les quatre côtés ont des longueurs égales. (Les diagonales d'un losange se coupent en leur milieu et sont perpendiculaires. Un carré est un cas particulier de losange.) [⟶ AIRE 2.]

LOS ANGELES, v. des États-Unis (Californie); 2966000 hab. Située à l'aboutissement de 2 voies ferrées transcontinentales, Los Angeles est un grand port sur le Pacifique.

À ses fonctions commerciales et intellectuelles, elle joint celles de grand centre industriel (constructions automobiles et aéronautiques, industries liées au pétrole, etc.). Le faubourg d'Hollywood est la capitale de l'industrie cinématographique américaine. L'agglomération (7477000 hab.) a un rayon moyen de 35 km, obligeant à l'utilisation continuelle de la voiture. C'est sans doute ce qui explique le caractère alarmant qu'y a pris la pollution.

LOSEY (Joseph), cinéaste américain (1909-1984). On lui doit notamment *The Servant* (1963), *Accident* (1966), *le Messager* (1971), *Maison de poupée* (1972), *Don Giovanni* (1979).

1. LOT [lo] n. m. (frq. *hlot*, sort). Ce qui revient à chaque billet gagnant, dans une loterie (argent, denrées, etc.) : *Gagner le gros lot.* ◆ **loterie** n. f. **1.** Jeu de hasard consistant dans le tirage au sort de numéros qui désignent les billets dont les possesseurs ont droit à des lots. || *Loterie nationale*, loterie instituée en 1933 au profit de l'Etat. (Elle a disparu en 1990, remplacée par France Loto.) — **2.** *C'est une loterie*, c'est réglé uniquement par le hasard.

2. LOT [lo] n. m. (même étym.). **1.** Portion d'un tout partagé entre plusieurs personnes (langue du droit, du commerce) : *La propriété fut partagée en une dizaine de lots. Un lot de livres anciens.* — **2.** Ce qui échoit à chacun (littér.) : *La mort est le lot commun des hommes* (syn. DESTIN). ◆ **lotir** v. t. *Lotir qqch.*, le diviser en lots : *Lotir un terrain.* ◆ **loti, e** adj. *Être bien, mal loti*, favorisé ou défavorisé par le sort. ◆ **lotissement** n. m. Ensemble des parcelles d'un terrain vendu pour la construction d'immeubles.

LOT (le), riv. du Massif central et du bassin d'Aquitaine, affl. de la Garonne (r. dr.); 480 km. Il arrose Mende et Cahors.

LOT (46), dép. du bassin d'Aquitaine (Région Midi-Pyrénées): 5217 km²; 154500 hab. (30 au km²) [France : 103]. Ch.-l. *Cahors.*
ADMINISTRATION. 3 arrond. (*Cahors*, 64800 hab.; *Figeac*, 51600 hab.; *Gourdon*, 38100 hab.). / 31 cant. / 340 comm.

Le département s'étend essentiellement sur les *causses du Quercy*, plateaux calcaires arides, entaillés par des vallées où se concentrent les hommes et les activités. Du N. au S. se succèdent le *causse Martel*, le *causse de Gramat* et enfin le *causse de Limogne.*

L'*agriculture* emploie encore près de 30 p. 100 de la population active. Les cultures sont variées, avec quelques spécialités (fruits, tabac) et de l'élevage dans les vallées, où sont situées les villes modestes : Cahors, Figeac. La faiblesse de l'urbanisation est liée à celle du secteur secondaire (seulement un quart de la population active) et du secteur tertiaire (le tiers seulement de la population active).

Cette situation explique la stagnation démographique du département : la relative croissance de villes comme Cahors et Figeac compense une partie de l'exode rural qui affecte les cantons des plateaux des Causses.

L'importance actuelle de l'agriculture et, en contrepartie, le faible pouvoir d'attraction des villes laisse prévoir une nouvelle progression de l'exode rural, le plus souvent au-delà du cadre départemental.

→ carte et tableau page suivante.

LOTE n. f. ⟶ LOTTE.

LOTERIE n. f. ⟶ LOT 1.

LOT-ET-GARONNE (47), dép. du bassin d'Aquitaine (Région Aquitaine); 5361 km²; 298500 hab. (56 au km²) [France : 103]. Ch.-l. *Agen.*
ADMINISTRATION. 4 arrond. (*Agen*, 95800 hab.; *Marmande*, 76800 hab.; *Nérac*, 37800 hab.; *Villeneuve-sur-Lot*, 88200 hab.). / 40 cant. / 313 comm.

Formé de collines mollassiques, le département est entaillé par les deux vallées de la Garonne et du Lot (ce qui explique son nom), où se concentrent les hommes et les activités.

L'agriculture emploie encore près du quart de la population active. La polyculture domine sur les collines. Dans les vallées, intensément mises en valeur, émergent, à côté des cultures maraîchères et de l'élevage bovin, quelques spécialités (primeurs, fruits, tabac).

L'*industrie* occupe à peine 30 p. 100 du total. Elle est surtout liée à la vie rurale (conserveries, préparation du tabac, engrais).

Son faible développement et celui du *secteur tertiaire* (qui emploie 45 p. 100 de la population active) sont à rapprocher de l'absence de grande ville.

Le département a cependant connu un accroissement démographique notable depuis 1945, mais stagne ou presque aujourd'hui. Cette progression a été due essentiellement aux trois principales

---

alors
adv. et loc. adv.

1. Marque un moment précis dans le temps : *Je me souviens de l'avoir vu : il avait alors vingt ans. Jusqu'alors, il n'avait pas dit un mot.*
2. Marque une relation de cause à conséquence entre deux événements :
Il restait indécis; alors, j'avançai d'autres arguments.
3. Dans le style familier, marque un renforcement de l'intonation (indignation, impatience, interrogation) :
Alors, tu viens? Ça alors, il est encore absent? Et alors, que peux-tu ajouter? Alors, là! qu'est-ce que j'ai pris!
Non mais alors, marque l'indignation devant un fait ou une attitude jugés inadmissibles ou impossibles : *Les mains dans vos poches? Non mais alors, à qui croyez-vous parler?*
Et alors, et puis alors, cela ne change rien, il n'y a pas lieu d'en déduire des conclusions : *Tu es champion de natation, et alors?* (syn. ET PUIS APRÈS).

lors
adv. et loc. adv.

Inusité auj. dans l'emploi adverbial; usité seulement dans des loc. adv. :
Pour lors, en conséquence et sur le moment (littér.) :
La situation est embrouillée, pour lors essayons d'en examiner les divers aspects.
Depuis, dès lors ⟶ DEPUIS.

lors de loc. prép.

Lors de votre arrivée dans ce village, les gens étaient intrigués (syn. AU MOMENT DE; plus fréquent À).

alors que loc. conj.
(indicatif ou conditionnel)

Marque un rapport d'opposition :
Alors qu'il pleut à torrents, tu restes là, planté, à attendre.

lorsque conj.
(indicatif ou conditionnel)

Marque un rapport de temps (concomitance, simultanéité) :
Lorsque vous y penserez, vous me rapporterez ce livre (syn. plus fréquent QUAND). *J'allais sortir, lorsque vous avez téléphoné* (syn. AU MOMENT OÙ).

alors même que loc. conj.

Avec le conditionnel, marque l'opposition :
Alors même que vous insisteriez, je ne vous communiquerais pas ce document.

lors même que loc. conj.

Avec le conditionnel, marque une opposition (littér.) :
Lors même que vous me montreriez cette lettre, je ne pourrais pas croire à sa culpabilité (syn. MÊME AU CAS OÙ).

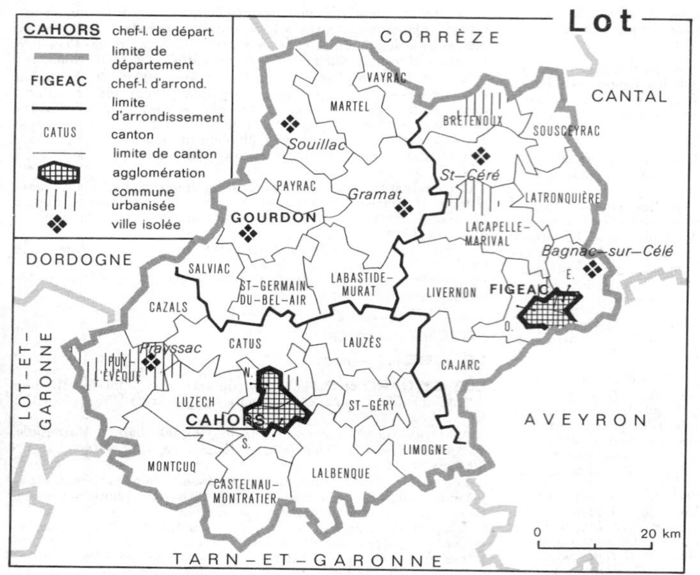

LOCALITÉS PRINCIPALES	NOMBRE D'HAB.
Cahors	20 800
Figeac	10 500
Gourdon	5 100
Saint-Céré	4 200
Souillac	4 050
Gramat	3 800
Puy-l'Évêque	2 300
Pradines	2 300
Prayssac	2 250
Leyme	2 150

villes : Agen, Villeneuve-sur-Lot et Marmande. Mais la population diminue encore fortement dans de nombreux cantons ruraux.
→ carte ci-dessous.

LOTH ou **LOT,** personnage biblique (XIXe s. av. J.-C.), neveu d'Abraham. Sa femme fut changée en statue de sel pour avoir, en quittant Sodome, regardé derrière elle, malgré la défense des anges.

LOTHAIRE Ier (795-855), empereur d'Occident (840-855), fils aîné de Louis Ier le Pieux. À la mort de son père, il voulut garder l'intégralité de l'Empire pour lui, mais ses frères lui imposèrent un partage (traité de Verdun, 843). — LOTHAIRE II (v. 825-869), fils du précédent, roi de Lotharingie (855-869).

LOTHAIRE (941-986), roi de France (954-986), fils de Louis IV d'Outremer.

LOTHAIRE II (ou **III**) [v. 1060-1137], roi de Germanie et empereur germanique (1125-1137). Il accéda au pouvoir grâce à l'appui de l'Église et soutint le pape Innocent II contre l'antipape Anaclet II.

LOTHARINGIE → LORRAINE.

LOTI, E adj. → LOT 2.

LOTI (Julien VIAUD, dit **Pierre**), écrivain français (1850-1923). Sa carrière d'officier de marine le mena dans des pays lointains : il en tira des romans au cadre exotique (*le Mariage de Loti*, 1882;

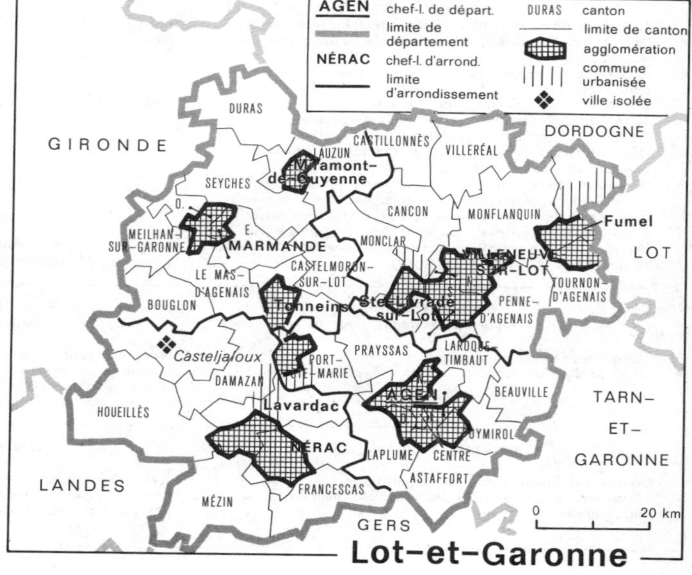

LOCALITÉS PRINCIPALES	NOMBRE D'HAB.
Agen	32 900
Villeneuve-sur-Lot	23 700
Marmande	17 800
Tonneins	10 100
Le Passage	8 600
Nérac	7 300
Fumel	6 700
Sainte-Livrade-sur-Lot	6 000
Casteljaloux	5 300
Bon-Encontre	4 500

Madame Chrysanthème, 1887); la mer, des souvenirs de Bretagne et du Pays basque furent également la matière d'autres romans (*Pêcheur d'Islande*, 1886; *Ramuntcho*, 1897).

LOTIER [lɔtje] n. m. (du lat. *lotus*, mélilot). Plante herbacée annuelle comprenant de nombreuses espèces dont certaines sont appréciées comme plantes fourragères. (Famille des papilionacées.)

LOTION [losjɔ̃] n. f. (du lat. *lavare*, laver). Eau de toilette parfumée et légèrement alcoolisée, utilisée pour les soins de l'épiderme ou de la chevelure. ◆ **lotionner** v. t. Frictionner l'épiderme ou le cuir chevelu avec une lotion.

LOTIR v. t., **LOTISSEMENT** n. m. ⟶ LOT 2.

LOTO [loto] n. m. (it. *lotto*, sort). Jeu de hasard où les joueurs couvrent les cases de cartons numérotés, à mesure qu'ils tirent d'un sac les quatre-vingt-dix numéros correspondants.

LOTTE ou **LOTE** [lɔt] n. f. (gaul. *lotta*). Poisson osseux carnassier d'eau douce, à chair estimée, dont la deuxième nageoire dorsale est très longue. (Famille des gadidés.) ‖ *Lotte de mer*, autre nom de la BAUDROIE.

LOTUS [lɔtys] n. m. (mot lat.). Nom donné à plusieurs espèces de nénuphars, en partic. au NYMPHAEA LOTUS, ou lotus sacré des Égyptiens, et au NELUMBO, ou lotus sacré des hindous.

LOUABLE adj., **LOUANGE** n. f., **LOUANGEUR, EUSE** adj. et n. ⟶ LOUER 2.

LOUAGE n. m. ⟶ LOUER 1.

LOUANG PRABANG ⟶ LUANG PRABANG.

LOUBET (Émile), homme politique français (1838-1929). Républicain modéré, il fut président du Conseil (1892), puis du Sénat (1896), et enfin président de la République (1899-1906).

1. LOUCHE [luʃ] n. f. (frq. *lôtja*). Grande cuiller à long manche, pour servir le potage.

2. LOUCHE [luʃ] adj. (du lat. *luscus*, borgne). Se dit de quelque chose qui manque de franchise, de netteté, de clarté; de quelqu'un dont l'attitude est équivoque : *Des manœuvres louches* (syn. TROUBLE). *Une conduite louche* (syn. SUSPECT). *Un individu au passé louche* (syn. DOUTEUX). ◆ n. m. : *Il y a du louche dans cette proposition.*

LOUCHER [luʃe] v. i. (de *louche* 2). **1.** Être atteint d'un défaut de parallélisme dans les yeux : *Avoir l'œil droit qui louche* (= regarde de travers). — **2.** Fam. *Loucher sur qqch., sur qq'un*, jeter sur eux un regard d'envie, de convoitise. ◆ **loucheur, euse** n. Personne qui louche.

LOUDÉAC, ch.-l. de cant. des Côtes-d'Armor, à 22 km au N.-E. de Pontivy; 10 800 hab. Industries alimentaires.

LOUDUN, ch.-l. de cant. de la Vienne, à 25 km au S.-O. de Chinon; 8 400 hab.

LOUE (la), riv. de Franche-Comté, affl. du Doubs (r. g.); 125 km. Elle naît à 13 km de Pontarlier, d'une résurgence formant une cascade de 10 m de hauteur.

1. LOUER [lwe] v. t. (lat. *locare*). **1.** *Louer une chose*, la rendre disponible, moyennant un loyer, une rémunération, pour un temps déterminé, tout en en conservant la propriété : *Louer des chambres aux estivants.* — **2.** Avoir la possession, pour un temps déterminé, d'un local, d'une terre, etc., moyennant le paiement d'une somme au propriétaire : *Louer un canot à moteur pour une promenade en mer.* — **3.** *Louer une place*, la retenir à l'avance. ◆ **louage** n. m. *Contrat de louage*, par lequel on donne en location des choses (terres, objets). ◆ **loueur, euse** n. Personne qui donne en location. ◆ **sous-louer** v. t. Louer, moyennant le paiement d'une somme, un local, une chose dont on est soi-même locataire. ◆ **locataire** [lɔkatɛr] n. Personne qui loue un appartement, une maison, une terre : *Les locataires du cinquième* (= du 5e étage). ◆ **colocataire** n. Personne qui est locataire en même temps que d'autres dans un immeuble. ◆ **sous-locataire** n. Personne qui loue un local d'habitation, une terre à quelqu'un qui en est lui-même locataire. ◆ **locatif, ive** adj. *Valeur locative*, revenu d'un immeuble en location. ◆ **location** n. f. **1.** Action de louer un local d'habitation, une terre, un appareil, etc. : *Prendre en location* (syn. À BAIL). — **2.** Action de retenir à l'avance une place dans un train, un avion, etc. ◆ **sous-location** n. f. : *La sous-location d'une chambre dans un appartement.*

2. LOUER [lwe] v. t. (lat. *laudare*). **1.** *Louer qq'un, qqch.*, le déclarer comme digne d'estime, en vanter les mérites ou les qualités : *Louer un élève de son travail* (syn. FÉLICITER; contr. BLÂMER). *Louer les beautés d'un pays* (syn. CÉLÉBRER; contr. DÉPRÉCIER). — **2.** *Dieu soit loué!*, exclamation manifestant le soulagement et la satisfaction. ◆ **se louer** v. pr. **1.** *Se louer de qq'un, de qqch.*, en être pleinement satisfait. — **2.** *Se louer de* (et un infin.), témoigner sa satisfaction de : *Je me loue d'avoir été prudent* (syn. SE FÉLICITER). ◆ **louable** adj. Digne de louanges. ◆ **louange** [luɑ̃ʒ] n. f. **1.** Action de louer, fait d'être loué : *Il faut dire ceci à sa louange* (syn. HONNEUR). *Son attitude est digne de louange* (syn. ÉLOGE). — **2.** (au plur. surtout) Paroles par lesquelles on fait l'éloge de quelqu'un ou de quelque chose : *Prodiguer des louanges* (syn. COMPLIMENTS). ◆ **louangeur, euse** adj. et n. Qui manifeste une grande estime (souvent exagérée) : *Des paroles louangeuses.*

LOUFOQUE [lufɔk] adj. et n. (de l'anc. fr. *lof*, nigaud). *Fam.* Se dit de quelqu'un (ou de son comportement) dont la conduite est bizarre, qui est déséquilibré (syn. INSENSÉ). ◆ **loufoquerie** n. f. *Fam.* Acte, parole loufoque.

LOUGANSK ⟶ VOROCHILOVGRAD.

LOUHANS, ch.-l. d'arrond. de Saône-et-Loire, sur la Seille, à 48 km au S.-E. de Chalon-sur-Saône; 6 900 hab. Important marché agricole.

LOUIS [lwi] n. m. (de *Louis* XIII). Pièce d'or de 20 francs du système monétaire français de l'an XI, au poids droit de 6,451 6 g et au titre de 900/1 000, restée en usage jusqu'à la Première Guerre mondiale. (On l'appelle aussi NAPOLÉON.)

LOUIS *(Saint)* ⟶ LOUIS IX, roi de France.

EMPEREURS

LOUIS Ier le Pieux ou **le Débonnaire** (778-840), fils de Charlemagne auquel il succéda en 814 comme roi des Francs et empereur d'Occident. Il dut réprimer les révoltes de ses fils Lothaire, Louis et Pépin, jaloux de leur demi-frère Charles à qui il avait voulu attribuer une part d'héritage. — LOUIS II (825-875), fils de Lothaire Ier, roi d'Italie (844), puis empereur (855-875). — LOUIS III *l'Aveugle* (880-928), petit-fils du précédent, empereur de 901 à 905. — LOUIS IV DE BAVIÈRE (1287-1347), roi des Romains (1314-1346), empereur germanique (1328-1346). Il fut excommunié par Jean XXII.

FRANCE

LOUIS Ier ⟶ LOUIS Ier *le Pieux*, empereur.

LOUIS II le Bègue (846-879), fils de Charles le Chauve, roi de 877 à 879.

LOUIS III (v. 863-882), fils et successeur de Louis II, roi de 879 à 882. Il perdit une partie de la Lotharingie, l'Aquitaine et la Bourgogne.

LOUIS IV d'Outremer, fils de Charles le Simple, roi de 936 à 954. En 948, il vainquit Hugues le Grand grâce auquel il était parvenu au trône. Après avoir combattu les Normands, il poursuivit une politique de rapprochement avec eux.

LOUIS V le Fainéant (v. 967-987), fils de Lothaire, roi en 986-987. Il fut le dernier représentant de la branche française de la dynastie carolingienne.

LOUIS VI le Gros (v. 1081-1137), fils de Philippe Ier, roi de 1108 à 1137. Bien conseillé par son ministre Suger, il rétablit l'ordre dans le domaine royal, combattit le roi d'Angleterre Henri Ier et l'empereur germanique Henri V.

LOUIS VII le Jeune (v. 1120-1180), fils et successeur de Louis VI, roi de 1137 à 1180. Il participa à la deuxième croisade prêchée par saint Bernard et se maria trois fois : avec *Aliénor d'Aquitaine* qu'il répudia (1152) et qui épousa ensuite le roi d'Angleterre Henri II Plantagenêt; avec *Constance de Castille* en 1154; avec *Adèle de Champagne* en 1160.

LOUIS VIII le Lion (1187-1226), fils de Philippe Auguste, roi de 1223 à 1226. Il triompha de Jean sans Terre et le poursuivit jusqu'en Angleterre. Devenu roi, il enleva aux Anglais tout le centre-ouest de la France, participa à la croisade contre les albigeois et soumit tout le Languedoc, moins Toulouse.

LOUIS IX ou **SAINT LOUIS** (1214-1270), fils de Louis VIII et de Blanche de Castille, roi de 1226 à 1270. Il régna d'abord sous la régence de sa mère (1226-1236).

- *1234. Louis IX épouse Marguerite de Provence.*
- *1242. Il écrase une ligue de grands vassaux à Saintes.*
- *1249. Il participe à la septième croisade.*

Vaincu en Égypte et fait prisonnier (1250), il est libéré mais reste quatre ans en Palestine (1250-1254).

- *1259. Le conflit avec l'Angleterre prend fin au traité de Paris.*

Le roi obtient la Normandie, l'Anjou, le Maine et le Poitou.

- *1270. Louis IX organise la huitième croisade vers Tunis, où il meurt, à peine débarqué.*

Saint Louis fortifia l'autorité royale et réforma la justice. Il fit construire la Sainte-Chapelle, la Sorbonne et les Quinze-Vingts. Sa réputation d'honnêteté et de justice le fit souvent choisir comme l'arbitre de l'Europe chrétienne.

LOUIS X le Hutin (1289-1316), fils de Philippe IV le Bel, roi de Navarre de 1305 à 1316 (sous le nom de Louis Ier) et de France de 1314 à 1316. Époux de Marguerite de Bourgogne, il la fit exécuter en 1315 pour adultère. Sa politique fut un échec (expédition inutile contre les Flamands, révoltes nobiliaires).

LOUIS XI (1423-1483), fils de Charles VII, roi de 1461 à 1483.

- *1440. Il participe à la Praguerie, mouvement de révolte féodale contre son père.*

Réconcilié avec celui-ci, il reçoit le gouvernement du Dauphiné (d'où le titre de « Dauphin » traditionnellement porté par le fils aîné du roi).

Devenu roi, il renvoie les conseillers de son père. Son autoritarisme provoque le soulèvement des seigneurs.

- *1465. Le roi doit céder devant la « ligue du Bien public ».*
- *1468. Après avoir repris la lutte, Louis XI est fait prisonnier à Péronne par son principal adversaire Charles le Téméraire, duc de Bourgogne.*
- *1475. Il parvient à dénouer l'alliance de l'Angleterre et de la Bourgogne (traité de Picquigny) et réalise l'union des cantons suisses et de la Lorraine.*

Charles le Téméraire est vaincu et tué (1477).

- *1480-1481. Le roi hérite de l'Anjou et de la Provence.*
- *1482. Il obtient, au traité d'Arras, le duché de Bourgogne.*

Louis XI affermit le pouvoir royal aux dépens des grands corps politiques et du clergé, poursuivit la centralisation administrative et la réorganisation de l'armée entreprises par Charles VII, et favorisa le renouveau économique du royaume (soieries, mines, foires).

À sa mort, seules la Flandre et la Bretagne échappent encore à l'influence royale.

LOUIS XII (1462-1515), fils de Charles d'Orléans, roi de 1498 à 1515.

- *1476. Il est contraint d'épouser Jeanne de Valois, fille de Louis XI.*
- *1488. Participant à la révolte seigneuriale contre la régence d'Anne de Beaujeu (« Guerre folle »), il est battu et fait prisonnier à Saint-Aubin-du-Cormier.*

Libéré en 1491, il se rallie à Charles VIII et participe à la première guerre d'Italie (1494-1495).

- *1498. Il succède à son cousin Charles VIII, mort sans héritier et dont il est le plus proche parent.*

Pour conserver le duché de Bretagne à la France, il épouse la veuve de Charles VIII, Anne de Bretagne, après avoir fait annuler son premier mariage.

- *1499-1500. Louis XII reprend les guerres d'Italie et conquiert le duché de Milan, qu'il revendiquait en tant que petit-fils de Valentine Visconti.*

Il se rend également maître du royaume de Naples mais en est chassé en 1504.

- *1509. Entré dans la ligue de Cambrai contre Venise, il remporte la victoire d'Agnadel.*
- *1513. Après la défaite de Novare, les Français sont chassés d'Italie par la Sainte Ligue du pape Jules II.*

La France est envahie par les Anglais et les Suisses.

L'avènement du pape Léon X permet cependant à Louis XII de faire la paix.

- *1514. Devenu veuf, Louis XII épouse Marie d'Angleterre.*

Il meurt peu après, ayant conservé jusqu'à sa mort le titre de *Père du peuple.*

LOUIS XIII le Juste (1601-1643), roi de 1610 à 1643, fils d'Henri IV et de Marie de Médicis.

- *1610-1617. Pendant sa minorité, la régence est exercée par sa mère.*

Le pouvoir appartient en fait au conseiller de Marie de Médicis, Concini.

- *1615. Louis XIII épouse Anne d'Autriche.*

Après la mort de Concini il inaugure son règne personnel. Il laisse le pouvoir à son ami de Luynes qui lutte contre les grands seigneurs révoltés et contre les protestants (siège de Montauban, 1621).

- *1624. Le roi choisit Richelieu comme chef du Conseil.*

À la politique d'alliance avec l'Espagne choisie par sa mère et le parti dévot, il préfère celle de Richelieu, enclin aux alliances avec les protestants, et sait imposer celui-ci lors de la journée des Dupes (1630).

- *1635. Il intervient dans la guerre de Trente Ans contre la maison d'Autriche.*

LOUIS XIV le Grand (1638-1715), roi de 1643 à 1715, fils de Louis XIII et d'Anne d'Autriche. Pendant sa minorité, la régence est exercée par sa mère qui confie le pouvoir à Mazarin*. Celui-ci a à lutter contre les troubles de la Fronde.

- *1660. Il épouse l'infante d'Espagne Marie-Thérèse.*
- *1661. À la mort de Mazarin, Louis XIV affirme sa volonté de gouverner seul.*

Il sait cependant s'entourer de grands ministres. Colbert rétablit l'ordre dans les finances, développe le commerce et l'industrie. De Lionne fait valoir les « droits de la reine » aux Pays-Bas où Turenne mène la guerre de Dévolution (1668), tandis que Vauban consolide la frontière du Nord.

- *1678. La paix de Nimègue, qui met fin à la guerre de Hollande, fait de Louis XIV l'arbitre de l'Europe.*
- *1682. Le roi et la Cour quittent Saint-Germain pour Versailles où ils vivent au rythme d'une étiquette minutieusement réglée.*

L'absolutisme royal s'affirme dans le domaine religieux : le roi soutient contre la papauté les libertés de l'Église gallicane (affirmation du droit de régale, 1673) et combat les jansénistes et les protestants.

- *1685. Révocation de l'édit de Nantes.*

À l'extérieur, Louis XIV veut imposer la prédominance française et pratique une politique d'annexion en forme de « réunions juridiques ». Mais les prétentions françaises sur le Palatinat, la rivalité commerciale avec la Hollande et l'Angleterre provoquent la guerre de la Ligue d'Augsbourg (1688-1697).

- *1697. Le traité de Ryswick, qui met fin à cette guerre, marque l'arrêt de la puissance française.*

La fin du siècle est dominée par des embarras financiers, militaires et religieux.

- *1700. La succession d'Espagne ouvre une longue guerre qui ruine la France.*

Les traités d'Utrecht et de Rastatt (1713-1714) mettent fin à la guerre. La France perd ses colonies, mais parvient à protéger celles de l'Espagne dont le roi, Philippe V, est le petit-fils de Louis XIV.

Dans le même temps, Louis XIV combat les protestants (révolte des Cévennes, 1702-1705).

À sa mort, Louis XIV laisse un royaume affaibli au point de vue économique, financier et démographique.

LOUIS XV le Bien-Aimé (1710-1774), fils de Louis de France, duc de Bourgogne, et de Marie-Adélaïde de Savoie, roi de 1715 à 1774. Arrière-petit-fils de Louis XIV, il lui succéda à l'âge de cinq ans et régna d'abord sous la régence de Philippe d'Orléans, neveu de Louis XIV, puis du duc de Bourbon.

- *1725. Louis XV épouse Marie Leszczyńska, fille du roi de Pologne.*
- *1726. Le roi renvoie le duc de Bourbon et choisit, pour gouverner, son ancien précepteur, le cardinal Fleury.*

Celui-ci rétablit l'ordre et la prospérité mais doit accepter la guerre de la Succession de Pologne, que termine le traité de Vienne (1738), puis la guerre de la Succession d'Autriche (1740-1748) qui aboutit à la paix blanche d'Aix-la-Chapelle.

- *1743. À la mort de Fleury, le roi manifeste la volonté de gouverner personnellement, surtout en politique extérieure.*

En fait, il laisse agir ses ministres et subit l'influence de ses favorites successives.

- *1756-1763. La guerre de Sept Ans entreprise contre la Prusse et l'Angleterre aboutit à la perte des possessions de l'Inde et du Canada (malgré le pacte de Famille conclu par Choiseul en 1761 entre les quatre branches de la maison de Bourbon).*
- *1764. À la demande du parlement, hostile à sa politique religieuse, le roi fait dissoudre la Compagnie de Jésus.*
- *1766-1768. Choiseul réorganise la marine et l'armée et annexe la Lorraine et la Corse.*
- *1770. Louis XV remplace Choiseul, trop favorable au parlement, par un triumvirat ministériel : Maupeou, Terray et d'Aiguillon.*
- *1771. Le parlement de Paris est supprimé.*

Les dernières années du règne sont marquées par d'importantes réformes financières, qui permettent le redressement politique intérieur du pays, par un retour à l'expansion économique et par le renforcement de l'alliance autrichienne.

LOUIS XVI (1754-1793), roi de France (1774-1791), roi des Français (1791-1792), petit-fils de Louis XV. Il épouse l'archiduchesse Marie-Antoinette (1770), fille de l'empereur d'Autriche François Ier.

- *1774-1776. Le jeune roi s'entoure d'excellents ministres (Saint-Germain, Turgot, Malesherbes) qui proposent des réformes, tandis que le parlement, rappelé, reprend son opposition à l'autorité royale.*

'uis Louis XVI appelle à la direction générale des Finances le anquier suisse Jacques Necker; celui-ci est renvoyé après la ublication de son *Compte rendu au roi* sur l'état des finances qui évèle au pays les gaspillages de la Cour (1781).

1781-1787. Le prestige de la France est restauré par le traité de Versailles (reconnaissance de l'indépendance américaine par les Anglais) et par la politique extérieure menée par Vergennes.

lais la crise du régime, dominée par les difficultés financières, se oursuit après l'échec de l'Assemblée des notables convoquée par :alonne pour proposer une réforme radicale de la fiscalité.

1787-1789. Loménie de Brienne, puis Necker échouent encore dans le règlement de la crise financière.

.a pression de l'opinion publique (y compris le désir des nobles de oir confirmer leurs privilèges) amène Louis XVI à convoquer les tats généraux.

En se proclamant Assemblée nationale (17 juin 1789) puis constiıante, les députés du tiers état substituent leur autorité à celle du ɔi.

5-6 oct. 1789. La famille royale doit quitter Versailles et venir s'installer à Paris.
20-21 juin 1791. Rattrapé à Varennes, lors d'une tentative de fuite, le roi revient à Paris, ayant perdu toute popularité.

doit alors renouveler son serment de fidélité à la Constitution de 791 qui en fait un monarque institutionnel et limite son pouvoir à n droit de veto suspensif.

20 avril 1792. Le roi accepte de déclarer la guerre à l'Autriche.

ersuadé de la défaite prochaine de la France, il espère retrouver ɔn autorité tout en rétablissant la paix. Cette guerre démontre intelligence du roi avec l'ennemi.

10 août 1792. Fait prisonnier, il est suspendu par l'Assemblée législative.

a Convention juge Louis XVI que défend son ancien ministre lalesherbes. Sa mort est votée à une faible majorité et il est écapité le 21 janvier 1793.

OUIS XVII (1785-1795), fils de Louis XVI et de Marie-Antoiette. Dauphin en 1789, il fut enfermé au Temple, où il mourut. Sa ıort ayant été entourée de mystère, de nombreux « faux Dauhins » apparurent pendant toute la première moitié du XIXe s. lont le célèbre Naundorff).

OUIS XVIII (1755-1824), roi de 1814 à 1815 et de 1815 à 1824, etit-fils de Louis XV et frère de Louis XVI. Il épousa Louise de avoie (1771).

1791. Il émigre après la manifestation populaire du 20 juin aux Tuileries et vit d'abord en Allemagne à Coblence.
1793. À la mort de Louis XVI, il prend le titre de régent.
1795. À l'annonce de la mort de son neveu Louis XVII, il prend le nom de Louis XVIII.

vit successivement en Italie, en Suède et en Angleterre. La ıute de l'Empire lui permet de rentrer à Paris. [⟶ RESTAURAON *(première)*.]

Avril 1814-mars 1815. Louis XVIII prend Talleyrand comme Premier ministre. Il octroie une charte établissant une monarchie constitutionnelle et doit signer les traités de Paris.

endant les Cent-Jours, il se réfugie à Gand et revient après 'aterloo. [⟶ RESTAURATION *(seconde)*.]

Très attaché à la tradition monarchique et à la légitimité, il se ontre cependant prêt à suivre les conseils des modérés, cherıant à jouer un rôle d'arbitre.

1816. Il prononce la dissolution de la Chambre, jugée trop réactionnaire.

choisit comme principal ministre le duc de Richelieu, puis ecazes.

1820-1824. Après l'assassinat du duc de Berry et la victoire des ultraroyalistes aux élections, le roi confie le pouvoir à Villèle qui prend les mesures souhaitées par la droite.

BAVIÈRE

OUIS Ier DE WITTELSBACH (1786-1868), roi de 1825 à 1848, s de Maximilien Ier, il embellit sa capitale, Munich; le scandale sa liaison avec Lola Montez l'obligea à abdiquer. — LOUIS II DE ITTELSBACH (1845-1886), roi de 1864 à 1886, fils de Maximin II. Il encouragea Wagner, fit construire des châteaux romanues, mais, atteint de folie, se noya. — LOUIS III DE WITTELS-.CH, né à Munich (1845-1921), roi de 1913 à 1918. Il dut abdiquer rès la défaite allemande.

GERMANIE

OUIS Ier (ou **II**) **le Germanique** (804-876), roi des Francs orienux (817-843), puis de Germanie (843-876), fils de Louis le Pieux. traité de Verdun (843) lui attribua la Germanie. — LOUIS II ı III) *le Jeune* (822-882), roi de Germanie (876-882), fils et successeur de Louis le Germanique. Il prit la Bavière à son frère Carloman. — LOUIS III (ou IV) *l'Enfant* (893-911), roi de Germanie et de Lotharingie (900-911).

HONGRIE

LOUIS Ier le Grand (1326-1382), roi de Hongrie (1342-1382) et de Pologne (1370-1382), fils de Charles d'Anjou. Il fonda l'université de Pécs (1367) et tint une cour brillante à Buda. Il annexa la Dalmatie. — LOUIS II (1506-1526), roi de Bohême et de Hongrie (1516-1526); il fut battu et tué à Mohács par les Turcs.

PORTUGAL

LOUIS Ier (1838-1889), roi du Portugal (1861-1889). Il abolit l'esclavage dans les colonies.

SICILE

LOUIS Ier (1339-1384), duc d'Anjou (1360-1384), roi de Sicile, comte de Provence et de Forcalquier (1383-1384), fils de Jean II de France, désigné par Jeanne Ire de Sicile pour lui succéder. — LOUIS II (1377-1417), roi de Naples, de Sicile et de Jérusalem, duc d'Anjou, comte du Maine et de Provence (1384-1417). — LOUIS III (1403-1434), roi titulaire d'Aragon, de Naples, de Sicile et de Jérusalem (1417-1434).

LOUISE DE SAVOIE, régente de France (1476-1531). Mère de François Ier, elle fut régente pendant les guerres d'Italie et la captivité de son fils en Espagne. En 1529, elle négocia avec Marguerite d'Autriche la paix de Cambrai ou paix des Dames.

LOUISIADE (la), archipel de la Mélanésie, au S.-E. de la Nouvelle-Guinée, dépendance de la Papouasie-Nouvelle-Guinée.

LOUISIANE, État du sud des États-Unis, sur le golfe du Mexique; 125 674 km²; 3 643 200 hab. (29 hab. au km²). Capit. *Baton Rouge.*

Le pays fut colonisé par les Français Joliet et Marquette, puis par Cavelier de La Salle (1682), qui lui donna le nom de *Louisiane* en l'honneur de Louis XIV. Par le traité de Paris (1803), Napoléon vendit la Louisiane aux États-Unis.

LOUIS-PHILIPPE Ier (1773-1850), roi des Français (1830-1848).

Membre du club des Jacobins au début de la Révolution de 1789, il servit dans les armées révolutionnaires à Valmy et à Jemmapes (1792).

- *1793. Il passe à l'ennemi et mène une vie d'exil en Suisse puis à Hambourg, aux États-Unis et en Angleterre.*
- *1809. Il épouse Marie-Amélie de Bourbon et se fixe en Sicile.*
- *1817-1830. Pendant la Restauration, il vit à l'écart de la Cour, au Palais-Royal. Il apparaît comme le représentant de la bourgeoisie libérale.*

Lors de la révolution de 1830, il est proclamé roi des Français (7 août). Il confie tout d'abord le pouvoir aux hommes du « mouvement » (1831-1832), c'est-à-dire partisans des réformes (Laffitte), puis il fait appel aux chefs du parti de la « résistance » (1832-1836) pour le maintien de l'ordre établi (Casimir Perier). Il recherche l'appui de la bourgeoisie d'affaires et réprime les tentatives de restauration de la duchesse de Berry (1832), puis de Louis Napoléon (1836 et 1840).

- *1840-1848. Contre les libéraux, il maintient Guizot au gouvernement. À l'extérieur, il mène une politique sans prestige.*

Malgré les insurrections sociales de Paris et de Lyon (1834) et le complot de la Société des saisons créée par Blanqui et Barbès (1839), il ne sut pas prévoir la crise économique et morale de 1847-1848.

- *24 fév. 1848. Le mouvement révolutionnaire le contraint à abdiquer. La république est proclamée.*

LOUISVILLE, v. des États-Unis (Kentucky), sur l'Ohio (r. g.); 395 000 hab. Centre commercial et industriel. Constructions aéronautiques et mécaniques.

LOUKOUM n. m. ⟶ RAHAT-LOUKOUM.

LOUKSOR ⟶ LOUXOR.

LOULOU [lulu] n. m. (de *loup*, répété). Type de chiens d'agrément, à fourrure longue et abondante, à tête pointue et à oreilles droites. (Il en existe plusieurs races, différant par la taille, la couleur : *grand loulou* ou *spitz, loulou de Poméranie*.)

1. LOUP [lu] n. m. (lat. *lupus*). **1.** Mammifère carnassier, au pelage gris jaunâtre, aux oreilles droites, au museau pointu, qui vit dans les forêts d'Europe, d'Asie et d'Amérique : *Les hurlements du loup.* (Famille des canidés.) — **2.** Nom usuel de plusieurs poissons voraces dont le BAR. — **3.** *Avoir une faim de loup*, avoir une grande faim. ‖ *Un froid de loup*, une température rigoureuse. ‖ *Être connu comme le loup blanc*, être très connu. ‖ *Hurler avec les loups*, se joindre avec ceux qui attaquent, critiquent quelqu'un; faire comme les autres. ‖ *Jeune loup*, homme jeune, ambitieux quant à sa carrière. ‖ *Marcher, avancer*, etc., *à pas de loup*, sans bruit, dans l'intention de surprendre quelqu'un. ‖ *Un (vieux) loup de mer*, un vieux marin qui a beaucoup navigué. ◆ **loup-garou** n. m. Être légendaire, qui commettait des méfaits en errant la nuit, dans la campagne, sous la forme d'un loup. ◆ **louve** n. f. Femelle du LOUP. ◆ **louveteau** n. m. **1.** Petit loup. — **2.** Jeune scout (âgé de moins de douze ans). ◆ **louveterie** [luvtri] n. f. Chasse au loup.

2. LOUP [lu] n. m. (de *loup* 1). Demi-masque de velours noir, que l'on met dans les bals masqués, au moment du carnaval, etc.

LOUP-CERVIER [lusɛrvje] n. m. (du lat. *cervarius*, qui attaque les cerfs). Autre nom du LYNX. ‖ Pl. des *loups-cerviers*.

LOUPE [lup] n. f. (frq. *luppa*, masse informe). **1.** *Opt.* Lentille de verre convergente qui sert à grossir les objets. — **2.** *Méd.* Tumeur produite sous la peau par le gonflement d'une glande sébacée dont le produit de sécrétion n'est plus évacué (syn. KYSTE SÉBACÉ). — **3.** *Bot.* Excroissance ligneuse qui se produit sur le tronc et sur les branches de certains arbres.

LOUPER [lupe] v. t. (de *loup*). Fam. *Louper qqch., qq'un*, ne pas réussir à l'avoir, à l'atteindre, à l'obtenir, à le réaliser (syn. MANQUER). ◆ **loupé** n. m. Erreur commise par une mauvaise exécution (syn. RATAGE).

LOUP-GAROU n. m. ⟶ LOUP 1.

LOURD, E [lur, lurd] adj. (bas lat. *lurdus*). **1.** (avant ou plus souvent après le nom) Dont le poids est élevé, supérieur à la moyenne; difficile à porter, à soulever à cause de son poids : *Un lourd fardeau* (syn. PESANT; contr. LÉGER). — **2.** *Artillerie lourde*, à gros calibre. ‖ *Eau lourde*, liquide employé dans les piles atomiques. ‖ *Gaz lourd*, dont la densité est élevée. ‖ *Industrie lourde*, grosse industrie sidérurgique. ‖ *Poids lourd*, camion. ‖ *Temps lourd*, temps qui accable, où l'on respire difficilement. ‖ *Avoir les yeux lourds*, appesantis par la fatigue, le sommeil. ‖ *Avoir la main lourde*, frapper, punir durement; verser en trop grande abondance : *Le potage est salé; elle a eu la main lourde*. — **3.** Dont la quantité, la force, la violence, etc., est difficile à supporter; pénible à faire, à accomplir : *Une lourde tâche à accomplir* (contr. FACILE). *De lourdes présomptions pèsent contre lui* (syn. ACCABLANT). *Une phrase lourde de menaces* (= chargée de). *Des aliments lourds* (= difficiles à digérer). — **4.** (après le nom ou plus rarement avant) Qui se fait avec lenteur; qui donne une impression de pesanteur, de masse : *Une démarche lourde* (syn. péjor. LOURDAUD). — **5.** Qui manque de finesse, d'intelligence, d'adresse : *Avoir l'esprit lourd* (syn. ÉPAIS, ↑GROSSIER; contr. SUBTIL). *Une lourde plaisanterie* (syn. MALADROIT; contr. DÉLICAT, FIN). *Style lourd* (syn. GAUCHE). ◆ adv. *Peser lourd*, avoir un poids plus élevé que la moyenne. ‖ *Cela ne pèsera pas lourd dans la balance*, quand il s'agira de décider, cela n'aura pas grande importance. ‖ Fam. *Il n'en sait pas lourd*, son ignorance est grande. ◆ **lourdaud, e** adj. et n. Maladroit, gauche dans ses mouvements, dans son attitude, sa conduite : *Être un peu lourdaud* (syn. BALOURD). ◆ **lourdement** adv. **1.** D'une manière pesante : *Voiture lourdement chargée* (contr. LÉGÈREMENT). — **2.** D'une manière maladroite : *Se tromper lourdement* (syn. GROSSIÈREMENT). ◆ **lourdeur** n. f. **1.** État de ce qui est lourd, pesant, massif, de ce qui est difficile à supporter : *La lourdeur d'un fardeau*. — **2.** État de ce qui est gauche, maladroit : *La lourdeur du style* (contr. LÉGÈRETÉ). *La lourdeur d'esprit* (contr. AGILITÉ). ◆ **alourdir** v. t. *Alourdir qqch.*, le rendre lourd, pesant : *La chaleur est étouffante; ma tête est alourdie* (syn. APPESANTIR). *Cette tournure alourdit la phrase* (contr. ALLÉGER). ◆ ***s'alourdir*** v. pr. Devenir lourd : *Sa taille s'est alourdie* (syn. S'ÉPAISSIR). ◆ **alourdissement** n. m. : *L'alourdissement des impôts* (syn. AGGRAVATION, ↑SURCHARGE).

LOURDES, ch.-l. de cant. des Hautes-Pyrénées, sur le gave de Pau, à 20 km au S.-O. de Tarbes; 17600 hab.

Lourdes est le centre d'un des pèlerinages les plus fréquentés du monde catholique, depuis 1858 où la Vierge apparut à plusieurs reprises à Bernadette* Soubirous.

LOURDEUR n. f. ⟶ LOURD.

LOURENÇO MARQUES → MAPUTO.

LOURISTAN ⟶ LURISTĀN.

LOUSTIC [lustik] n. m. (all. *lustig*, gai). *Fam.* Celui qui joue des farces aux autres, qui plaisante en se moquant d'autrui, dont l'attitude manque de sérieux (syn. PLAISANTIN).

LOU-TCHEOU, en angl. **Luchow,** anciennement **Luhsien,** v. de Chine (Sseu-tch'ouan); 289 000 hab. Centre minier.

LOUTRE [lutr] n. f. (lat. *lutra*). Mammifère carnassier qui se nourrit de poissons, excellent nageur et plongeur. (La *loutre commune* vit près des cours d'eau, des marais, en Europe, en Asie, en Amérique, et atteint 80 cm de long. La *loutre de mer*, qui peut peser 40 kg, vit dans le Pacifique.) [Famille des mustélidés.]

LOUVAIN, en néerl. **Leuven,** v. de Belgique (Brabant), sur la Dyle; 88100 hab. Minoteries. Brasseries. Industries mécaniques et chimiques. La célébrité de Louvain est liée en grande partie à son université, créée en 1426.

LOUVE n. f. ⟶ LOUP 1.

LOUVECIENNES, comm. des Yvelines, à 14 km à l'O. de Paris; 7300 hab. Château du XVIIe s., remanié par Gabriel pour Mme du Barry.

LOUVERTURE (Toussaint) ⟶ TOUSSAINT LOUVERTURE.

LOUVETEAU n. m., **LOUVETERIE** n. f. ⟶ LOUP 1.

LOUVIERS, ch.-l. de cant. de l'Eure, à 29 km au S. de Rouen; 19400 hab. *(Lovériens)*. Draps. Constructions mécaniques et électriques.

LOUVOIEMENT n. m. ⟶ LOUVOYER 2.

LOUVOIS (Michel LE TELLIER, *marquis* DE), homme d'État français (1639-1691). Sous-secrétaire d'État à la Guerre et surintendant des Bâtiments, il fut l'un des principaux ministres de Louis XIV. Il réorganisa l'armée en améliorant l'armement (baïonnette), le recrutement, l'entretien et la police des troupes. Il exerça une réelle influence sur la politique extérieure de Louis XIV (réunion de Strasbourg à la France, 1681; dévastation du Palatinat, 1689). Il fut disgracié à la suite de la perte de Mayence (1689).

1. LOUVOYER [luvwaje] v. i. (de *lof*). *Mar.* Naviguer contre le vent, tantôt à droite, tantôt à gauche de la route à suivre.

2. LOUVOYER [luvwaje] v. i. (de *louvoyer* 1). Prendre des détours pour parvenir à un but qu'on ne peut pas atteindre directement (syn. BIAISER, TERGIVERSER). ◆ **louvoiement** n. m. : *Son caractère hésitant l'entraînait à des louvoiements sans fin.*

Louvre *(palais du)*, anc. résidence royale à Paris. Au début du XIIIe s., Philippe Auguste fait construire hors des murs de la ville sur la Seine, un château fort dont il ne subsiste pratiquement rien. Au XIVe s., Charles V en fait une résidence royale. Il y installe sa bibliothèque ainsi que des œuvres d'art. François Ier en fait abattre la grande tour et confie (1546) la construction d'un château neuf à Pierre Lescot qui continue les travaux sous Henri II et qui édifie une partie de la cour Carrée, décorée notamment par Jean Goujon.

Sous Catherine de Médicis et Henri IV sont élevées la Grande et la Petite Galerie, joignant le Louvre au palais des Tuileries dont les travaux sont commencés depuis 1564. Louis XIII fait travailler aux bâtiments de la cour Carrée dont Le Vau poursuit l'édification sous Louis XIV tandis que Colbert confie à Claude Perrault* la construction de la grande façade de la Colonnade.

Les travaux ne reprennent ensuite que sous le premier Empire. Napoléon Ier fait achever la cour Carrée et commencer les travaux du nouveau Louvre avec l'aile de la rue de Rivoli destinée au raccordement du Louvre et des Tuileries. Le nouveau Louvre est achevé sous Napoléon III. Mais cet ensemble subit une grave amputation avec l'incendie du château des Tuileries en 1871.

À l'heure actuelle le *musée du Louvre* abrite une des plus riches collections publiques du monde. La « pyramide » de verre de I. M. Pei (1987-1989) y éclaire de nouveaux locaux souterrains.

Une aile du palais abrite le *musée des Arts décoratifs*.

LOUXOR ou **LOUKSOR,** v. d'Égypte, sur le Nil (r. dr.) 39 900 hab. Centre touristique.

La ville actuelle recouvre l'emplacement du faubourg méridional de l'antique capitale des pharaons, Thèbes. Il subsiste un important ensemble de ruines constitué principalement par un sanctuaire d'Amon. Entourant une chapelle construite par Thoutmès III, le sanctuaire et la cour furent rebâtis et décorés d'élégants reliefs, au temps du roi Aménophis III. Au N., dans le prolongement de ces constructions, une avant-cour, peuplée de colosses, et un majestueux pylône, précédé d'une paire d'obélisques, furent ajoutés sous le règne de Ramsès II. L'un de ces obélisques se trouve à Paris, depuis 1836, au centre de la place de la Concorde. Une allée de sphinx à tête de bélier reliait un temple à la résidence ordinaire d'Amon à Karnak.

LOVER (SE) [səlɔve] v. pr. (de *lof*). S'enrouler en spirale : *Le serpent se love pour s'élancer.*

LOWLANDS *(Basses Terres)*, plaine centrale de l'Écosse, par oppos. aux HIGHLANDS *(Hautes Terres)* du Nord et du Sud.

LOXODROMIE [lɔksɔdrɔmi] n. f. (du gr. *loxos*, courbe, et *dromos*, course). Courbe tracée sur une sphère et coupant tous les méridiens sous le même angle.

— ENCYCL. Un navire suivant une route vraie, c'est-à-dire orientée par rapport au nord géographique et non par rapport au compas décrit un arc de *loxodromie*.

LOYAL, E, AUX [lwajal, -jo] adj. (lat. *legalis*) [surtout après le nom]. Se dit de quelqu'un (ou de son attitude) qui obéit aux lois de la probité, de l'honnêteté, de l'honneur : *Un adversaire loyal* (syn. HONNÊTE). *User de procédés loyaux dans la lutte* (syn. CORRECT, RÉGULIER; contr. PERFIDE). ◆ **loyalement** adv. : *Accepter loyalement sa défaite.* ◆ **loyalisme** n. m. Fidélité aux institutions politiques établies, à des dirigeants, à une cause : *Un loyalisme à toute épreuve* (syn. DÉVOUEMENT). ◆ **loyaliste** adj. et n. Qui a de entiments de loyalisme. ◆ **loyauté** n. f. : *Reconnaître avec loyauté son erreur* (syn. HONNÊTETÉ). *Se conduire avec loyauté à l'égard d'un ami* (syn. DROITURE). ◆ **déloyal, e, aux** adj. Se dit d'une personne ou d'une action qui n'est pas loyale, qui manque de bonne foi : *Un adversaire déloyal* (syn. FOURBE). *Manœuvre déloyale* (syn. PERFIDE). ◆ **déloyalement** adv. ◆ **déloyauté** n. f. : *Il ne reculera devant aucune déloyauté pour arriver à ses fins* (syn. FOURBERIE, ↑PERFIDIE, TRAHISON).

LOYALEMENT adv., **LOYALISME** n. m. ⟶ LOYAL.

LOYALISTE adj. et n. ⟶ LOYAL.

LOYALISTES [lwajalist] n. m. pl. (de *loyal*). Colons américains qui restèrent fidèles au gouvernement anglais pendant la guerre de l'Indépendance et qui émigrèrent dans le Bas-Canada.

LO-YANG, v. de Chine (Ho-nan); 978 000 hab. Tracteurs.

LOYAUTÉ n. f. ⟶ LOYAL.

LOYAUTÉ *(îles)*, archipel français du Pacifique, dépendance de la Nouvelle-Calédonie; 13 600 hab. Il comprend les îles d'Uvéa, de Lifou et de Maré. Coprah.

LOYER [lwaje] n. m. (lat. *locarium*). **1.** Prix auquel on loue une maison, un logement, une terre : *Payer le loyer d'un appartement.* — **2.** *Loyer de l'argent*, son taux d'intérêt.

LOYOLA (*saint* Ignace DE) ⟶ IGNACE DE LOYOLA *(saint)*.

LOZÈRE *(mont)*, point culminant des Cévennes; 1 699 m.

LOZÈRE (48), dép. du sud-est du Massif central (Région Languedoc-Roussillon); 5 167 km²; 74 300 hab. (14 au km²) [France : 103]. Ch.-l. *Mende*.

ADMINISTRATION. 2 arrond. (*Florac*, 11 600 hab.; *Mende*, 62 700 hab.). / 25 cant. / 185 comm.

Dans ce département montagneux, l'altitude dépasse fréquemment 1 000 m dans le Nord (hauteurs du *Gévaudan* entre Lot et Truyère, monts de la *Margeride*) et dans le Sud-Est *(Cévennes)*. Elle demeure souvent supérieure à 500 m dans les *Grands Causses (Sauveterre* et *Méjean)*. La rudesse du climat et le relief se combinent pour expliquer la faiblesse du peuplement : les chiffres de population sont les plus bas des départements français.

L'*agriculture*, dominée par l'élevage, emploie encore près du tiers de la population active. L'*industrie* est pratiquement inexistante et occupe moins du cinquième de cette population active. Mende atteint à peine 12 000 hab. Le dépeuplement, ancien, ne s'est pas ralenti.

L.P., abrév. de LYCÉE PROFESSIONNEL.

L. S. D. n. m. (de l'all. *L[yserg] S[äure] D[iethylamid]*). Puissant hallucinogène (= substance qui provoque des hallucinations). [Il a été découvert en 1943 par Hofmann.]

LUANDA, ancienn. **São Paulo de Loanda** ou **Loanda,** en fr. **Saint-Paul-de-Loanda,** capit. de l'Angola, sur l'Atlantique; 700 000 hab. Centre commercial, administratif et industriel (raffinage du pétrole).

LUANG PRABANG ou **LOUANG PRABANG,** v. du Laos, sur le haut Mékong; 44 200 hab. Anc. capit. du *royaume de Luang Prabang* (intégré au Laos en 1946). Centre religieux.

LÜBECK, port d'Allemagne (Schleswig-Holstein), près de la Baltique; 212 000 hab. Ville impériale dès 1226, Lübeck fut à la tête de la Hanse de 1230 à 1535. Elle ne perdit son titre de ville libre qu'en 1937. Métallurgie. Chimie.

LUBERON (le), chaîne calcaire du Vaucluse, au N. de la Durance; 1 125 m. Parc régional.

LUBIE [lybi] n. f. (orig. obscure). Idée extravagante, capricieuse ou folle : *Avoir des lubies.*

LUBITSCH (Ernst), cinéaste allemand naturalisé américain (1892-1947). En 1922, il partit pour les États-Unis où il tourna de nombreuses comédies : *Ninotchka* (1939); *To be or not to be* (1942); *Le ciel peut attendre* (1943).

LUBLIN, v. de Pologne, au S.-E. de Varsovie; 264 000 hab. Textiles. Constructions mécaniques. La ville fut le siège du gouvernement provisoire polonais en 1944.

LUBRICITÉ n. f. ⟶ LUBRIQUE.

LUBRIFIER [lybrifje] v. t. (du lat. *lubricus*, glissant). Graisser une pièce d'une machine pour en faciliter le fonctionnement. ◆ **lubrifiant** n. m. Produit servant au graissage. (Les lubrifiants sont en majorité des huiles animales, minérales ou végétales. Certains produits solides, tel le graphite, sont également employés comme lubrifiants.) ◆ **lubrification** n. f. Action de lubrifier; son résultat. ⟶ ENCYCL.

— ENCYCL. La *lubrification* d'une machine consiste à interposer entre deux surfaces frottantes de cette machine une mince couche onctueuse qui facilite le glissement, donc réduit l'échauffement et l'usure des pièces. La lubrification d'un outil de coupe a pour but d'éviter son échauffement et donc sa détérioration rapide.

LUBRIQUE [lybrik] adj. (lat. *lubricus*, glissant). Qui marque un penchant effréné pour les plaisirs sexuels. ◆ **lubricité** n. f.

LUBUMBASHI, ancienn. **Élisabethville,** v. du Zaïre, dans le Shaba (ancienn. Katanga); 451 000 hab. Principal centre de l'industrie du cuivre du Zaïre.

LOCALITÉS PRINCIPALES	NOMBRE D'HAB.
Mende	12 100
Marvejols	6 000
Saint-Chély-d'Apcher	5 500
Langogne	4 000
Saint-Alban-sur-Limagnole	2 150
Florac	2 100
La Canourgue	1 900
Montrodat	1 100
Meyrueis	1 080
Aumont-Aubrac	1 050

LUC *(saint)*, l'un des quatre évangélistes (Ier s.). Il écrivit le troisième Évangile (entre 64 et 70 apr. J.-C.). Il est aussi l'auteur des Actes des Apôtres.

LUCAIN, poète latin (39-65), auteur d'une épopée, *la Pharsale*.

LUCANE [lykan] n. m. (lat. *lucanus*, cerf-volant). Insecte coléoptère, dont le mâle porte d'énormes mandibules qui lui ont valu son nom vulgaire de CERF-VOLANT.

LUCANIE, anc. nom du BASILICATE.

LUCARNE [lykarn] n. f. (du lat. *lucerna*, lampe). Ouverture pratiquée dans le toit d'une maison, pour éclairer et aérer le grenier, les combles; petite ouverture pratiquée dans un mur, dans une cloison d'un lieu clos.

LUCAS de Leyde, peintre et graveur néerlandais (1494-1533). Influencé par Dürer, il a laissé une œuvre variée. Il est l'auteur de portraits, de scènes de genre *(les Joueurs d'échecs)* et de tableaux d'inspiration biblique *(Loth et ses filles)*. Ses gravures *(le Portement de la Croix)* lui valurent une réputation européenne.

LUCAYES *(îles)* ⟶ BAHAMAS.

LUCERNE, v. de Suisse, ch.-l. du cant. de même nom, à l'extrémité ouest du lac des Quatre-Cantons; 73 000 hab. *(Lucernois)*. Station touristique. — Le *canton de Lucerne* (292 000 hab.) entre en 1845 dans l'alliance du *Sonderbund*.

LUCHON ⟶ BAGNÈRES-DE-LUCHON.

LUCIDE [lysid] adj. (lat. *lucidus*, lumineux). Qui est en pleine possession de ses facultés de compréhension : *Le mourant était encore lucide* (syn. CONSCIENT). *Un témoin lucide des événements* (syn. CLAIRVOYANT, PERSPICACE; contr. AVEUGLE). ◆ **lucidement** adv. : *Regarder en face, lucidement, une situation dangereuse.* ◆ **lucidité** n. f. : *Juger avec lucidité* (syn. PÉNÉTRATION). *Le malade garde sa pleine lucidité* (syn. CONNAISSANCE, CONSCIENCE). ◆ **extralucide** adj. *Voyante extralucide*, personne qui prétend avoir connaissance du passé et de l'avenir des hommes par des moyens divinatoires.

Lucie de Lammermoor, opéra de Donizetti (1835).

LUCIEN, écrivain grec (v. 125-v. 192), auteur des *Dialogues des morts*, d'un roman satirique *(l'Histoire vraie)* et de nombreuses parodies littéraires.

Lucien Leuwen, roman inachevé de Stendhal, publié en 1894.

LUCIFER, un des noms du démon, dans le christianisme.

LUCIOLE [lysjɔl] n. f. (de l'it. *luce*, lumière). Insecte coléoptère voisin du ver luisant.

LUCKNOW, v. de l'Inde, capit. de l'Uttar Pradesh; 763 800 hab. Métallurgie. Textiles.

LUÇON, ch.-l. de cant. de la Vendée, à 28 km à l'O. de Fontenay-le-Comte, sur le *canal de Luçon;* 9 600 hab. Évêché.

LUÇON ou **LUZON,** la plus grande île de l'archipel des Philippines, en Asie du Sud-Est; 108 172 km^2; 18 001 300 hab.

Île montagneuse au climat tropical, Luçon a une vocation essentiellement agricole. Le riz, cultivé dans les plaines, constitue la base de l'alimentation de la population. Mais les cultures commerciales (canne à sucre, tabac) sont en essor. L'île abrite aussi le grand port de Manille, principale ville du pays, où se sont développées quelques industries.

Occupée par les Japonais en 1942, Luçon fut reconquise par les Américains (1944-1945).

LUCQUES, en it. **Lucca,** v. d'Italie (Toscane); 91 000 hab. Cathédrale romane. Au Moyen Âge, Lucques fut la ville la plus importante de Toscane et un grand centre de l'industrie de la soie; commune libre dès 1081, elle prit le parti des guelfes. Plus tard, elle devint le centre d'un duché qui passa aux Bourbons-Parme (1815) et qui fut cédé à la Toscane (1847).

LUCRATIF, IVE [lykratif, -iv] adj. (lat. *lucrativus*). Qui rapporte de l'argent, qui procure un profit.

LUCRE [lykr] n. m. (lat. *lucrum*, profit). *L'appât du lucre*, le désir d'un profit exagéré et souvent illicite.

LUCRÈCE (m. en 509 av. J.-C.), dame romaine qui se tua après avoir été outragée par un fils de Tarquin le Superbe. Son geste fut le signal d'une révolte qui mit fin à la royauté.

LUCRÈCE, poète latin (v. 98-55 av. J.-C.). Son poème *De natura rerum (De la nature)* s'efforce d'enseigner le bonheur par la compréhension des lois immuables de l'univers.

LUCRÈCE BORGIA ⟶ BORGIA.

LUCULLUS, général romain (v. 106-v. 57 av. J.-C.). Il dirigea avant Pompée la guerre contre Mithridate et à son retour se rendit célèbre par son luxe.

LUDENDORFF (Erich VON), général allemand (1865-1937). Il fu chef d'état-major (1914), puis adjoint de Hindenburg (1916-1918), prit de ce fait une part déterminante à la direction des opération pendant la Première Guerre mondiale. Il participa au coup d'Éta manqué de Hitler à Munich (1923).

LUDHIĀNA, v. de l'Inde (Pendjab); 401 100 hab. Industries textiles.

LUDION [lydjɔ̃] n. m. (lat. *ludio*, histrion). Petite figurine qu suspendue à une sphère creuse, descend ou remonte dans un vas rempli d'eau, suivant qu'on appuie ou non sur la membrane éla tique qui ferme ce vase.

LUDIQUE [lydik] adj. (du lat. *ludus*, jeu). Relatif au jeu : *Activit ludique*.

LUDOVIC SFORZA le More (1452-1508), duc de Milan (149 1500). Il obtint le Milanais avec l'aide de la France, mais l'avènement de Louis XII ruina son pouvoir. Capturé à Novare (1500), fut interné à Loches.

LUDWIGSHAFEN AM RHEIN, v. d'Allemagne (Rhénanie Palatinat), en face de Mannheim; 155 000 hab. Industries chimiques.

LUETTE [lɥɛt] n. f. (pour *l'uette*, dimin. du lat. *uva*, grappe Appendice charnu, mobile et contractile, qui pend à l'entrée d gosier et contribue à la fermeture des fosses nasales pendant déglutition : *En touchant la luette, on provoque le vomissement.*

LUEUR [lɥœr] n. f. (du lat. *lucere*, luire). **1.** Clarté faible intermittente : *La lueur vacillante de la bougie.* — **2.** Manifest tion passagère, mais vive, d'un sentiment, de la conscience, etc. *Il reste une lueur d'espoir.*

Lufthansa ou **Deutsch Lufthansa,** société allemande transports aériens, créée en 1926.

Luftwaffe (mot all. signif. *arme aérienne*), nom donné depu 1935 à l'aviation militaire allemande.

LUGANO, v. de Suisse (Tessin), sur le *lac de Lugano;* 28 800 hab Station climatique. Tabac. — Le *lac de Lugano* ou *de Ceres* (48 km^2), entre la Suisse et l'Italie, est traversé par une jetée 800 m, supportant la voie ferrée du Saint-Gothard.

LUGE [lyʒ] n. f. (mot savoyard). Petit traîneau utilisé pour gliss sur la neige.

LUGUBRE [lygybr] adj. (du lat. *lugere*, être en deuil). Q indique ou provoque une grande tristesse; qui incite à de sombr pensées : *Une maison lugubre* (syn. SINISTRE). *Une chanso lugubre* (syn. FUNÈBRE; contr. GAI). *Une figure lugubre* (cont RÉJOUI). ◆ **lugubrement** adv. : *La sirène hurle lugubrement.*

LUI pron. pers. ⟶ IL.

LUIRE [lɥir] v. i. (lat. *lucere*). [Conj. **69.**] **1.** Émettre ou réfléch de la lumière (langue soignée) : *Le soleil commence à luire* (sy usuel BRILLER). — **2.** *Un espoir luit encore*, on peut encore espére il reste un espoir. ◆ **luisant, e** adj. **1.** *Des yeux luisants de fièv Une peau luisante.* — **2.** *Ver luisant* (syn. LAMPYRE). ◆ **relui** v. t. Briller en réfléchissant la lumière : *Ces souliers reluisen* ◆ **reluisant, e** adj. *Peu reluisant*, médiocre, qui ne met pas évidence, qui manque de grandeur : *Une situation peu reluisan* (contr. BRILLANT).

LUKÁCS (György), philosophe hongrois (1885-1971). Il s'est inte rogé sur la relation qui s'établit entre les sujets concrets (individu classes sociales) et leur vision du monde (*Histoire et conscience classe*, 1923; *Existentialisme ou marxisme*, 1948). Ceci l'a conduit analyser les liens entre les pensées d'Hegel et de Marx, voire à l confondre et, à partir de là, à étudier les conditions favorables à création culturelle (*Théorie du roman*, 1920).

LULLE (Raymond), théologien espagnol (v. 1233-1315). Il étud l'arabe, se livra à l'alchimie et se voua à la conversion au christi nisme de l'Afrique islamisée. Son *Ars magna (Grand Art)* est l' des livres les plus curieux de la scolastique.

LULLY ou **LULLI** (Jean-Baptiste), compositeur français (163 1687).

Malgré ses origines italiennes, il fut le plus fervent défenseur la musique française. Surintendant de la Musique, il composa d ballets, des divertissements pour les comédies de Molière *(le Bou geois gentilhomme)*, des tragédies lyriques, de la musique re gieuse. À la demande du roi, il écrivit des opéras dans lesquels introduisit la danse. À ce titre, il est le créateur de l'opéra françai

LUMBAGO [lɔ̃bago] n. m. (du lat. *lumbus*, rein). Douleur vi lente dans la région des reins, due à une atteinte des articulatio des vertèbres.

LUMEN [lymɛn] n. m. (mot lat. signif. *lumière*). Unité de fl lumineux (symb. : lm).

. LUMIÈRE [lymjɛr] n. f. (du lat. *lumen, -inis*). **1.** Ce qui claire naturellement les objets et les rend visibles : *Ouvre les olets pour que la lumière pénètre* (syn. CLARTÉ; contr. OBSCURITÉ). → ENCYCL. — **2.** Ce qui éclaire artificiellement les objets; source 'éclairage : *Ouvre la lumière, on ne voit rien* (syn. ÉLECTRICITÉ). *a lumière des phares.* — **3.** Orifice d'admission ou d'échappement e la vapeur dans une machine à vapeur, des gaz dans certains ıoteurs à explosion fonctionnant sans soupapes. — **4.** Ouverture ratiquée dans le canon d'une arme à feu, et par laquelle on nflammait la charge. — **5.** *Lumière noire* ou *lumière de Wood,* ayons ultraviolets, invisibles, provoquant la fluorescence (= le fait 'émettre de la lumière) de certains corps. — **6.** *Habit de lumière,* ostume du torero consacré. ◆ **lumignon** [lymiɲɔ̃] n. m. Faible ource de lumière; bout de chandelle, petite lampe, etc. ◆ **luminaire** n. m. Terme technique désignant l'ensemble des appareils 'éclairage. ◆ **luminescence** n. f. Émission de lumière sans haleur. ◆ **luminescent, e** adj. Qui émet des rayons lumineux ans chaleur. ‖ *Éclairage luminescent,* obtenu avec des tubes fluoescents. ◆ **lumineux, euse** adj. **1.** Qui émet de la lumière ou la éfléchit : *Une enseigne lumineuse.* — **2.** Qui appartient à la ımière : *Des rayons lumineux.* ◆ **luminosité** n. f. Qualité de ce ui est lumineux : *La luminosité du ciel* (syn. CLARTÉ). [→ ALLUER 1, ILLUMINER.]
— ENCYCL. La *lumière* est constituée par des ondes électromagnéques, et sa vitesse de propagation dans le vide est d'environ 00 000 km/s; on peut aussi la considérer comme un flux de articules dénuées de masse, mais transportant de l'énergie, les *hotons.*

. LUMIÈRE [lymjɛr] n. f. (de *lumière* 1). *Avoir, acquérir uelque lumière sur une chose,* avoir quelque connaissance sur elle. *Faire la lumière sur une affaire,* réussir à l'éclaircir, alors qu'elle tait mystérieuse, obscure. ‖ *Mettre en lumière,* signaler à l'atten-on, découvrir (syn. METTRE EN ÉVIDENCE). ‖ *Trait de lumière,* onnaissance soudaine (syn. ILLUMINATION). ‖ *Ce n'est pas une ımière,* c'est un sot (ironiq.). ◆ n. f. pl. Capacités intellectuelles, nsemble des connaissances que possède quelqu'un : *Nous allons voir besoin de vos lumières.* ‖ *Siècle des lumières,* le XVIIIe siècle. ◆ **lumineux, euse** adj. Qui est d'une grande clarté, d'une grande cidité : *Une idée lumineuse* (syn. INGÉNIEUX; contr. OBSCUR). ◆ **lumineusement** adv. : *Expliquer lumineusement un problème ifficile* (syn. CLAIREMENT).

UMIÈRE *(les frères),* AUGUSTE (1862-1954) et LOUIS (1864-948), inventeurs du cinématographe (1895). Leur premier film fut résenté en public à Paris le 28 décembre 1895. En 1903, Louis nagina la plaque trichrome pour la photographie des couleurs; il udia la photographie en relief. En 1935, il obtint le relief cinémagraphique.

UMIGNON n. m., **LUMINAIRE** n. m., **LUMINESCENCE** f., **LUMINESCENT, E** adj., **LUMINOSITÉ** n. f. → LUMIÈRE 1.

UMINEUSEMENT adv. → LUMIÈRE 2.

UMINEUX, EUSE adj. → LUMIÈRE 1 et 2.

UMUMBA (Patrice), homme politique congolais (1925-1961). remier ministre en 1960, il prôna l'unité du pays; destitué, il fut ansféré au Katanga, où il fut assassiné.

UNAIRE adj., **LUNAISON** n. f. → LUNE.

UNATIQUE [lynatik] adj. et n. (bas lat. *lunaticus*). Se dit une personne dont l'humeur est changeante (syn. FANTASQUE).

UNCH [lœʃ] ou [lœnʃ] n. m. (mot angl.). Repas léger, composé e sandwiches, de viandes froides, de pâtisseries, etc., et que l'on rend debout, à l'issue d'une cérémonie, au cours d'une récepon, etc.

UND, v. de la Suède méridionale; 75 500 hab. Université. athédrale (XIe-XIIIe s.).

UNDI [lœ̃di] n. m. (lat. *Lunae dies,* jour de la Lune). Premier ur de la semaine. (→ SEMAINE.)

UNE [lyn] n. f. (lat. *luna*). **1.** Corps céleste tournant autour de la erre et recevant la lumière du Soleil, qu'il reflète sur la Terre. → ENCYCL. ‖ *Clair de lune,* clarté que la Lune envoie à la Terre. *Lune rousse,* lunaison qui commence après Pâques, entre le avril et le 6 mai. ‖ *Nouvelle lune,* phase de la Lune dans laquelle elle-ci se trouve placée entre le Soleil et la Terre, et nous offre sa ce obscure. ‖ *Pleine lune,* phase de la Lune dans laquelle la erre se trouve placée entre le Soleil et la Lune, et où celle-ci nous ontre sa face éclairée tout entière. — **2.** *Être dans la lune,* être strait, manquer de réalisme (syn. ÊTRE PERDU DANS LES UAGES). ‖ *Promettre la lune,* faire des promesses impossibles. *Lune de miel,* premiers temps du mariage; entente parfaite entre ux personnes. ◆ **lunaire** adj. : *La clarté lunaire* (= de la lune). *n paysage lunaire* (= sinistre et accidenté, analogue à ceux que n observe à la surface de la lune). *Le module lunaire ou LEM.* ◆ **lunaison** n. f. Espace de temps qui s'écoule entre deux nouvelles lunes consécutives, soit 29 j 12 h 44 mn. ◆ **alunir** v. i. Arriver sur la Lune. ◆ **alunissage** n. m.
— ENCYCL. La *Lune* est animée d'un mouvement de rotation sur elle-même autour d'un axe incliné à 83° 30′ sur le plan de l'orbite. Comme la durée de sa rotation est exactement égale à la durée de sa révolution autour de la Terre, la Lune présente toujours la même face à la Terre. Son volume est 50 fois plus petit que celui de la Terre, dont elle se trouve à une distance moyenne de 353 680 km. Son rayon est de 1 736 km, sa densité de 3,3 et sa masse d'environ 1/81 de celle de la Terre.

La Lune est visible parce qu'elle nous réfléchit les rayons du Soleil. Suivant la position respective du Soleil et de la Lune par rapport à nous, celle-ci présente des « phases », ou aspects différents. C'est à l'attraction de la Lune, combinée avec celle du Soleil, que sont dues les marées.

Le sol lunaire a été foulé pour la première fois le 21 juillet 1969 par les astronautes d'*Apollo XI* (→ ASTRONAUTIQUE); cinq autres missions Apollo ont suivi, permettant de rapporter plusieurs quintaux de matériaux lunaires.

La surface de la Lune se présente sous l'aspect d'un sol poussiéreux, prodigieusement convulsé et entièrement aride. On y distingue, outre des massifs montagneux, de très nombreuses formations circulaires, ou « cirques ». On dit quelquefois aussi des « cratères ». Cette appellation laisserait préjuger une ancienne activité volcanique qui, d'après les échantillons de sol de couleur orangée, prélevés lors de la mission *Apollo XVII,* aurait cessé il y a 3 milliards d'années. Un grand nombre de ces cirques ne sont que les points d'impact de multiples météorites ayant rencontré la surface lunaire. De grandes surfaces grisâtres, peu accidentées, visibles à l'œil nu et appelées « mers », sont, en fait, de vastes plaines. D'autre part, à côté de reliefs apparemment très récents, comme le pic du centre des cirques, apparaissent des traces de failles, de longs fossés d'effondrement rectilignes et des reliefs blanchâtres aux formes molles, formés sans doute d'accumulations de cendres.

On n'a pu déceler jusqu'à présent aucune atmosphère gazeuse à la surface de la Lune, ni aucune présence de vapeur d'eau, ni de trace apparente de vie organique, ni même d'activité orogénique*.
→ illustration en couleurs ASTRONAUTIQUE pp. 112-113.

LUNÉ, E [lyne] adj. (de *lune*). *Être bien, mal luné,* être dans de bonnes, de mauvaises dispositions d'humeur.

LÜNEBURG, v. d'Allemagne (Basse-Saxe), dans les *landes de Lüneburg;* 60 900 hab. Industries chimiques.

LUNEL, ch.-l. de cant. de l'Hérault, à 24 km au N.-E. de Montpellier, sur le *canal de Lunel;* 15 700 hab. Vins. Tonnellerie.

LUNETTE [lynet] n. f. (de *lune*). **1.** Instrument d'optique destiné à faire voir de manière distincte des objets éloignés : *Une lunette d'approche* (syn. LONGUE-VUE). *Une lunette astronomique* (syn. TÉLESCOPE). → ENCYCL. — **2.** Glace ménagée à l'arrière de la carrosserie d'une automobile. — **3.** Ouverture de la cuvette des W.-C. — **4.** Petit ouvrage extérieur de fortification. — **5.** *Lunette de la guillotine,* ouverture par laquelle passe la tête du condamné. ◆ n. f. pl. **1.** Paire de verres enchâssés dans une monture faite de manière à être placée sur le nez devant les yeux. — **2.** *Serpent à lunettes,* nom usuel du NAJA. ◆ **lunetier** n. m. Commerçant, fabricant de lunettes. ◆ **lunetterie** n. f. Commerce de lunetier.
— ENCYCL. Les objets éloignés sont vus à l'œil nu sous des angles trop petits pour qu'on puisse en percevoir les détails. La *lunette,* formée de deux systèmes de lentilles, l'objectif et l'oculaire, en donne des images que l'œil, regardant à travers l'oculaire, voit sous des angles plus grands. Le rapport de ces angles est le grossissement de la lunette. Une lunette astronomique, utilisée pour observer les astres, donne des images renversées. Une lunette terrestre, dite lunette d'approche ou longue-vue, donne des images droites.

LUNÉVILLE, ch.-l. d'arrond. de Meurthe-et-Moselle, à 29 km au S.-E. de Nancy; 23 200 hab. Métallurgie et textiles. Électronique.
• *1801. Un traité confirmant celui de Campoformio y est signé entre la France et l'Autriche.*

LUNULE [lynyl] n. f. (lat. *lunula,* petite lune). Tache blanche, en forme de croissant, située à la base de l'ongle chez l'homme.

LUNURE [lynyr] n. f. (de *lune*). Défaut dans le bois, consistant en cercles qui apparaissent sur la tranche.

LUPERCALES [lypɛrkal] n. f. pl. (de *Lupercus*). Fêtes célébrées dans l'anc. Rome, le 15 février, en l'honneur du dieu *Lupercus,* protecteur des champs et des troupeaux.

LUPIN [lypɛ̃] n. m. (lat. *lupinus,* pois de loup). Plante herbacée annuelle ou vivace dont certaines variétés sauvages sont toxiques; d'autres sont cultivées pour leurs fleurs en longues grappes ou comme fourrage. (Famille des papilionacées.)

LUPUS [lypys] n. m. (mot lat. signif. *ulcère*). *Méd.* Affection inflammatoire de la peau du visage et spécialement du nez.

LURÇAT (Jean), peintre français (1892-1966). Sa peinture se rattache au surréalisme. Lurçat a joué un rôle très important dans la rénovation de la tapisserie française; sa grande œuvre est *le Chant du monde*, série de panneaux couvrant 500 m², acquise par la ville d'Angers.

LURE, ch.-l. d'arrond. de la Haute-Saône, sur l'Ognon, à 32 km à l'O. de Belfort; 10500 hab. *(Lurons)*. Constructions mécaniques. Confection.

LURE *(montagne de)*, chaîne calcaire des Préalpes françaises du Sud (Basses-Alpes), au S.-O. de Sisteron; 1 827 m.

LURETTE [lyrɛt] n. f. (de *il y a belle heurette;* de *heure*). Fam. *Il y a belle lurette (que)*, il y a bien longtemps (que).

LURISTĀN ou **LOURISTAN,** région montagneuse de l'Iran, qui fut le site de civilisations de l'âge du bronze et de l'âge du fer. Les fouilles ont livré de remarquables objets de bronze décorés d'animaux sauvages ou fantastiques (Iᵉʳ millénaire av. J.-C.).

LURON, ONNE [lyrɔ̃, -ɔn] n. (orig. incert.). *Fam.* Personne d'une gaieté vive, insouciante : *Un joyeux luron* (syn. DRILLE).

LUSACE, en all. **Lausitz,** région d'Allemagne et de la Tchécoslovaquie, culminant aux monts de Lusace (1 010 m).

LUSAKA, capit. de la Zambie; 691 000 hab. Centre ferroviaire.

Lusiades *(les)*, poème épique de Camões (1572), en 10 chants; il a pour héros Vasco de Gama, qui raconte son voyage et les grands événements de l'histoire du Portugal.

LUSIGNAN, famille féodale française, qui domina longtemps sur la Marche et l'Angoumois, qui fit souche dans l'Orient latin et à Chypre avec GUI **de Lusignan** (1129-1194) et à Jérusalem avec HUGUES III **de Poitiers-Lusignan,** m. en 1284.

Lusitania, paquebot anglais, torpillé en 1915 par un sous-marin allemand; 1 200 passagers — dont 124 Américains — périrent. Cet acte contribua à l'entrée en guerre des États-Unis.

LUSITANIE, une des divisions de l'Espagne romaine, couvrant, pour une part, l'actuel territoire du Portugal. (Hab. *Lusitains* ou *Lusitaniens*.)

1. LUSTRE [lystr] n. m. (it. *lustro*). Appareil d'éclairage suspendu au plafond et portant plusieurs lampes : *Lustre de cristal.*

2. LUSTRE [lystr] n. m. (même étym.). Éclat naturel ou artificiel d'une surface quelconque : *Le vernis donne du lustre au parquet.* ◆ **lustrer** v. t. Rendre brillant : *Lustrer une paire de chaussures.* ◆ **lustrage** n. m. ◆ **lustré, e** adj. **1.** Rendu brillant par l'usure, le frottement : *Des manches de veston lustrées.* — **2.** *Schistes lustrés*, schistes un peu métamorphisés, micacés, sans fossiles, présents dans la zone alpine interne.

3. LUSTRE [lystr] n. m. (même étym.). Éclat que donne le mérite ou la beauté (littér.) : *Le festival a redonné du lustre à la petite ville.*

4. LUSTRE [lystr] n. m. (lat. *lustrum*, sacrifice expiatoire fait à Rome tous les cinq ans). Période de cinq ans (pris dans le sens de « longue durée » en général) : *Je ne l'ai pas vu depuis des lustres.*

LUSTRINE [lystrin] n. f. (de l'it. *lustro*, éclat). Étoffe de coton apprêtée : *Mettre des manches de lustrine pour éviter d'user son veston.*

LUTÈCE, v. de Gaule, dont l'emplacement correspond au cœur de Paris (île de la Cité). [→ PARIS.]

Lutèce *(arènes de)*, arènes romaines (IIᵉ ou IIIᵉ s. apr. J.-C.), découvertes à Paris rue Monge (1869 et 1883-1885).

1. LUTH [lyt] n. m. (ar. *al'ūd*). Instrument de musique ancien, à cordes pincées, très en usage en Europe aux XVIᵉ et XVIIᵉ s., et dont la sonorité se rapproche de celle de la guitare. (Il est composé d'une caisse de résonance en forme de poire et d'un manche en équerre; le nombre des cordes varie suivant les époques.) ◆ **lutherie** n. f. Profession du luthier. ◆ **luthier** n. m. Fabricant d'instruments de musique à cordes.

2. LUTH [lyt] n. m. (de *luth* 1). Tortue marine des mers chaudes, dont la carapace, sans écailles cornées, est incluse dans une peau coriace comme du cuir. (Il peut atteindre 2,40 m de longueur et peser 600 kg.)

LUTHER (Martin), moine augustin et réformateur allemand (1483-1546). Docteur en théologie, il enseigne notamment à l'université de Wittenberg.

- *1517. Il s'oppose à la vente des indulgences et affiche à Wittenberg les 95 thèses qui marquent le début de la Réforme.*
- *1520. Il brûle publiquement la bulle du pape (« Exsurge domine ») qui l'invite à se rétracter : il est excommunié.*

Mis au ban de l'Empire par la diète de Worms (1521), il se cache à Wartburg où il traduit la Bible en langue allemande.

- *1525. Il laisse les princes allemands écraser les paysans révolt[és] au nom de sa conception de la liberté.*

La confession de foi luthérienne est résumée dans la *Confessi[on] d'Augsbourg* (1530) et les *Articles de Smalkalde* (1537). À la mo[rt] de Luther, le luthéranisme et la Réforme ont gagné une part importante de l'Europe.

LUTHÉRANISME [lyteranism] n. m. (de *Luther*). Doctrine [de] Luther. ◆ **luthérien, enne** n. Adepte de la doctrine de Luthe[r]. ◆ adj. Conforme à la doctrine de Luther.
— ENCYCL. Le *luthéranisme* est surtout un mouvement religie[ux] dirigé contre la religion décadente du XVIᵉ s. La *Confession d'Aug[s]bourg* (1530) est dominée par l'affirmation de l'autorité unique [de] l'Écriture sainte. Est rejeté tout ce qui n'est pas dans l'Écritu[re] (ainsi le célibat ecclésiastique), est admis tout ce qui n'y est p[as] contraire (ainsi l'épiscopat). Appuyé par les princes allemand[s] membres de la ligue de Smalkalde (1531), le luthéranisme s'im[]planta en Allemagne du Nord et du Centre, en Alsace du Nord [et] en Scandinavie. En 1970, on comptait 75 millions de luthérie[ns] dans le monde, dont la moitié en Allemagne.

LUTHERIE n. f. → LUTH 1.

LUTHÉRIEN, ENNE adj. et n. → LUTHÉRANISME.

LUTHIER n. m. → LUTH 1.

1. LUTIN [lytɛ̃] n. m. (du lat. *Neptunus*, Neptune, dieu de [la] Mer, rangé ensuite parmi les démons). Petit démon familier, q[ui] apparaît la nuit.

2. LUTIN, E [lytɛ̃, -in] adj. (de *lutin* 1). Qui a l'esprit éveill[é,] l'humeur malicieuse (littér.). ◆ **lutiner** v. t. Taquiner de faç[on] espiègle.

LUTRIN [lytrɛ̃] n. m. (bas lat. *lectrinum*). Pupitre élevé, dans [le] chœur d'une église, pour porter les livres de l'office religieux.

Lutrin *(le)*, poème héroï-comique de Boileau, en 6 chants, pub[lié] de 1674 à 1683.

LUTTE [lyt] n. f. (du lat. *luctare*). **1.** Effort fait par une personn[e,] combat mené par un individu ou un groupe pour venir à bout d'[un] rival, d'un obstacle, d'un danger ou pour résister à une attaque : *La lutte d'un peuple pour son indépendance* (syn. COMBAT). *Apr[ès] sept années de lutte, la guerre cessa* (syn. CONFLIT; con[tr.] ENTENTE). ‖ *La lutte des classes*, opposition entre le prolétariat [et] la bourgeoisie, selon la théorie marxiste, devant se résoudre p[ar] l'avènement de la société sans classes, c'est-à-dire communiste. *Lutte pour la vie*, fait biologique très général, souligné par Darwi[n,] et qui consiste non seulement dans la lutte directe et meurtriè[re] entre animaux, mais encore et surtout dans la *concurrence vita[le]* ou lutte pour l'espace, par la fécondité, l'adaptation, la ra[pi]dité, etc. — **2.** Sport consistant à essayer de renverser et [à] maintenir à terre un adversaire. — **3.** Opposition de deux [ou] plusieurs choses : *Des luttes d'intérêts* (syn. CONFLIT). — **4.** *[De] haute lutte*, en l'emportant sur ses adversaires par la force, par [un] effort de volonté, d'autorité. ◆ **lutter** v. i. Entrer en lutte av[ec] quelqu'un ou quelque chose : *Lutter corps à corps* (syn. BATTRE). *Lutter contre le sommeil* (= s'efforcer de ne pas dormi[r]). *Cesser de lutter* (syn. RÉSISTER). ◆ **lutteur, euse** n. **1.** Person[ne] qui pratique le sport de la lutte. — **2.** Personne qui fait preu[ve] d'ardeur, de ténacité, d'énergie.

LÜTZEN, v. d'Allemagne, au S.-O. de Leipzig; 48 000 ha[b.] Théâtre de deux batailles : l'une en 1632, où fut tué Gustav[e-]Adolphe, roi de Suède (→ TRENTE ANS, *guerre de*), l'autre en 181[3] où Napoléon Iᵉʳ battit les Russes et les Prussiens.

LUX [lyks] n. m. (mot lat. signif. *lumière*). Unité d'éclaireme[nt] (symb. : lx), équivalant à l'éclairement d'une surface qui reç[oit] normalement, d'une manière uniformément répartie, un flux lu[mi]neux de un lumen (= une unité de flux lumineux) par mètre carré.

LUXATION n. f. → LUXER.

LUXE [lyks] n. m. (lat. *luxus*). **1.** État de ce qui est caractéri[sé] par des richesses superflues; usage de biens coûteux et inutiles : *Faire étalage de luxe* (syn. FASTE, RICHESSE). *Objets de lux[e].* — **2.** *Un luxe de* (suivi d'un nom plur.), une grande quantité d[e] : *Raconter un accident avec un luxe de détails* (syn. PROFUSION). ‖ *[Se] payer le luxe de (faire)*, se permettre avec une hardiesse inha[bi]tuelle de (faire). ◆ **luxueux, euse** adj. : *Une installation luxueu[se]* (syn. RICHE). *Mener un train de vie luxueux* (syn. ↑PRINCIER; con[tr.] MODESTE). ◆ **luxueusement** adv. : *Être luxueusement meublé.*

LUXEMBOURG *(grand-duché de)*, État de l'Europe occidenta[le;] 2 586 km²; 380 000 hab. (147 au km²) [*Luxembourgeois*]. Cap[.] *Luxembourg*. Langues : *français* et *allemand*.
→ carte BELGIQUE p. 158.

GÉOGRAPHIE

La partie nord du pays *(Ösling)* est un morceau de l'Ardenne, [au] climat rude, couvert par la forêt. Le Sud *(Gutland)* est le prolon[g] ent du relief de côtes de la Lorraine, aux températures plus émentes.

L'exploitation de la forêt reste la principale ressource du Nord, ais le Gutland est une riche région de cultures. Des céréales, des bres fruitiers et des vignes voisinent, les plantes fourragères ervant à l'élevage bovin.

blé	30 000 t	vin	150 000 hl
orge	40 000 t	bovins	220 000 têtes

lais le gisement de fer du Sud-Ouest (qui n'est plus exploité ijourd'hui) a permis le développement industriel du pays. La dérurgie et la métallurgie se sont développées à Esch-sur-lzette, Dudelange, Rumelange, Differdange, etc., grâce aussi au harbon importé. Les autres industries sont peu représentées.

acier 4 000 000 t.

e Luxembourg exporte vers ses partenaires du Benelux et du arché commun. La capitale, qui groupe le quart de la population ı pays, est un grand centre administratif et commercial.

HISTOIRE

e Luxembourg, compris en 843 dans l'héritage de Lothaire, passa ı XVe s. dans la maison de Bourgogne. Espagnol en 1555, autri- iien en 1714, il devint département français pendant la période volutionnaire.

1815. Le congrès de Vienne en fait un grand-duché lié aux Pays-Bas par la personne du roi, et membre de la Confédération germanique.
1867. Le traité de Londres en fait un État neutre.
1868. Une constitution à caractère parlementaire est votée.
1890. La famille de Nassau devient famille régnante.

ı neutralité luxembourgeoise fut violée par les Allemands au urs des deux guerres mondiales. Après la Seconde Guerre mon-ale le Luxembourg devint membre du Benelux (1947), abandonna n statut de neutralité (1948), adhéra au pacte de l'Atlantique rd (1949) et entra dans le système de l'intégration européenne . E. C. A. et C. E. E.).

À l'intérieur, la vie politique est marquée de 1919 à 1974 par la édominance du parti chrétien social.

1974. Un gouvernement de centre gauche est formé.
1979. Retour du parti chrétien social au pouvoir. (Il doit néanmoins, à partir de 1984, former un gouvernement de coalition avec les socialistes.)

UXEMBOURG, capit. du grand-duché de Luxembourg, sur Alzette; 76 150 hab. Siège de certaines institutions européennes. entre intellectuel, financier et administratif. Métallurgie. Chimie.

UXEMBOURG, province du S.-E. de la Belgique; 4418 km²; ı7 300 hab. (49 au km²). Ch.-l. *Arlon*. La province s'étend pres-ıe entièrement sur l'Ardenne*, ce qui explique la faiblesse lative de l'occupation humaine, de l'urbanisation et de l'activité onomique (élevage, exploitation de la forêt, tourisme).

UXEMBOURG (François Henri DE MONTMORENCY-BOUTE-LLE, *duc* DE) [1628-1695], maréchal de France, victorieux de uillaume d'Orange à Fleurus (1690), Steinkerque (1692) et Neer-nden (1693). Il fut surnommé *le Tapissier de Notre-Dame*, tant il ait pris de drapeaux à l'ennemi.

uxembourg *(palais du)*, palais de Paris, construit de 1615 à 20 par de Brosse pour Marie de Médicis, occupé par le Sénat.

UXEMBOURGEOIS, E [lyksɑ̃burʒwa, -az] adj. et n. Du and-duché ou de la ville de Luxembourg.

UXEMBURG (Rosa), socialiste allemande (1871-1919). Elle prit ırt à la révolution russe de 1905, fit partie du groupe clandestin partakus (1917) et dirigea avec Liebknecht l'insurrection sparta-ste de 1919, à l'issue de laquelle elle fut arrêtée et assassinée. lle a établi une théorie marxiste de l'impérialisme (*Accumulation ı capital*, 1913) et de la grève générale.

UXER [lykse] v. t. (lat. *luxare*). Faire sortir un os de sa place ormale (surtout au pron. et au part. passé) : *Avoir une épaule xée* (syn. DÉMETTRE). *Se luxer le genou* (syn. SE DÉBOÎTER). ◆ **luxation** n. f. Déboîtement, déplacement d'un os hors de sa vité articulaire : *Luxation du coude. Les luxations peuvent être origine traumatique* (= occasionnées par un coup) *ou congénitale* de naissance).

UXEUIL-LES-BAINS, ch.-l. de cant. de la Haute-Saône, à km au N.-E. de Vesoul; 10 700 hab. Monastère fondé par saint olomban au VIe s. Basilique des XIIIe et XIVe s. Station thermale. étallurgie.

UXUEUSEMENT adv., **LUXUEUX, EUSE** adj. → LUXE.

UXURE [lyksyr] n. f. (lat. *luxuria*). Vice de ceux qui se livrent ns retenue aux plaisirs sexuels (littér.) : *Une vie de luxure* (syn. uel DÉBAUCHE). ◆ **luxurieux, euse** adj. : *Des pensées luxu-euses* (syn. SENSUEL).

LUXURIANT, E [lyksyrjɑ̃, -ɑ̃t] adj. (du lat. *luxuriari*, surabonder). Qui pousse, se développe avec abondance : *Végétation luxuriante* (syn. SURABONDANT). *Une imagination luxuriante* (syn. EXUBÉRANT, RICHE). ◆ **luxuriance** n. f. : *La luxuriance des forêts tropicales.*

LUXURIEUX, EUSE adj. → LUXURE.

LUYNES (Charles D'ALBERT, *duc* DE), connétable de France (1578-1621). Favori de Louis XIII, il poussa celui-ci au meurtre de Concini (1617). Devenu le véritable maître du royaume, il vainquit les partisans de Marie de Médicis aux Ponts-de-Cé (1620), puis signa le traité d'Angers, qui réconciliait le roi et sa mère. Le rétablissement du catholicisme en Béarn (1620) provoqua l'insurrection des protestants. Luynes, nommé connétable (1621), les vainquit à Saumur et à Saint-Jean-d'Angély, mais échoua devant Montauban. Il mourut à la veille de sa disgrâce.

LUZERNE [lyzɛrn] n. f. (du prov. *luzerno*, ver luisant, à cause de l'éclat des graines). Plante herbacée vivace dont une espèce à fleurs violettes, souvent cultivée, fournit un excellent fourrage. (Famille des papilionacées.)

LUZON → LUÇON.

LVOV, en all. **Lemberg,** en polon. **Lwów,** v. de l'U. R. S. S. (Ukraine), entre le Bug et le Dniestr; 553 500 hab. Industries diverses. Prise par Charles XII en 1705, par les Russes en 1914, par les Allemands en 1915, elle fut polonaise de 1919 à 1939. Incorporée à l'U. R. S. S. en 1939, la ville fut occupée par les Allemands en 1941 puis reprise par l'Armée rouge en 1944.

LYAUTEY (Louis Hubert Gonzalve), maréchal de France (1854-1934). Ancien élève de l'école de Saint-Cyr, ami d'Albert de Mun, il fait paraître dans la *Revue des Deux Mondes* (1891) une étude sur le rôle social de l'officier.

- *1894. En Indochine, il est chef d'état-major de Gallieni.*
- *1897-1902. Toujours auprès de Gallieni, il participe à la pacification de Madagascar.*
- *1903-1910. En Algérie, il fait progresser la présence française.*
- *1912. Il est nommé résident général au Maroc.*

Il maintient le pays sous le contrôle français pendant la Première Guerre mondiale et met en place un plan d'action économique et social qui sera sa grande œuvre. Promu maréchal de France (1921) il est rappelé à Paris en pleine guerre du Rif (1925).

- *1927-1931. Il organise l'Exposition coloniale à Vincennes.*

LYCAON [likaɔ̃] n. m. (du gr. *lukos*, loup). Mammifère carnassier d'Afrique, vivant en bandes, intermédiaire entre le chien et l'hyène, à pelage fauve rayé de noir. (Famille des canidés.)

LYCÉE [lise] n. m. (gr. *lukeion*, gymnase situé hors d'Athènes où enseignait Aristote). Établissement d'enseignement du second degré. **1.** *Lycée d'enseignement général et technologique*, établissement d'enseignement du second cycle du second degré (de la seconde à la terminale), préparant aux baccalauréats d'enseignement général et aux baccalauréats technologiques. — **2.** *Lycée professionnel (L. P.)* [de 1975 à 1985, lycée d'enseignement professionnel ou L. E. P.], établissement d'enseignement professionnel, préparant aux C. A. P., aux brevets d'études professionnelles et aux baccalauréats professionnels. ◆ **lycéen, enne** n. Élève d'un lycée.

LYCIE, anc. région du sud de l'Asie Mineure, sur la mer Égée.

LYCOPERDON [likɔpɛrdɔ̃] n. m. (du gr. *lukos*, loup, et *perdein*, péter). Champignon en forme de poire retournée, blanc, poussant en été et en automne dans les bois et les prés. (Nom usuel VESSE-DE-LOUP.)

LYCOPODE [likɔpɔd] n. m. (du gr. *lukos*, loup, et *pous, podos*, pied). Cryptogame vasculaire, appelé vulgairement PIED-DE-LOUP.

LYCOSE n. f. (du gr. *lukos*, loup). Araignée coureuse, dont les grosses espèces vivent dans un terrier, et qui ne fait pas de toile, mais poursuit ses proies. (Elle entoure sa ponte d'un cocon qu'elle transporte partout avec elle. Une espèce est la *tarentule*.)

LYCURGUE, personnage considéré par la tradition comme le législateur de Sparte, au IXe s. av. J.-C.

LYDIE, anc. pays de l'Asie Mineure, sur la mer Égée, entre la Mysie et la Carie. (Hab. *Lydiens*.) Crésus, le plus riche et le dernier de ses rois, fut vaincu par les Perses.

LYMPHE [lɛ̃f] n. f. (lat. *lympha*, eau). Liquide organique limpide et incolore, composé chez l'homme de 97 p. 100 de plasma et de 3 p. 100 de leucocytes (= globules blancs). → ENCYCL. ◆ **lymphatique** adj. **1.** Relatif à la lymphe. — **2.** Se dit de l'appareil circulatoire contenant la lymphe, et des organes annexes : *Ganglions lymphatiques.* ‖ *Vaisseau lymphatique*, vaisseau dans lequel circule la lymphe. ◆ adj. et n. Atteint d'un état de déficience physique, souvent lié à une mauvaise nutrition : *Un enfant lymphatique.* ◆ **lymphatisme** n. m. Tempérament caractérisé par la blancheur de la peau, la mollesse des muscles, et généralement

une augmentation de volume des ganglions lymphatiques. ◆ **lymphangite** n. f. *Méd.* Inflammation des vaisseaux lymphatiques.
— ENCYCL. Une partie de la *lymphe* circule dans des vaisseaux, veines et capillaires. L'autre partie baigne directement les tissus. La lymphe constitue l'intermédiaire entre le sang et les tissus. Le sang et la lymphe forment dans notre corps un milieu intérieur liquide ou peuvent vivre les cellules qui constituent nos organes. Elles y puisent leurs aliments et y rejettent leurs déchets.

LYMPHOCYTE [lɛ̃fɔsit] n. m. (de *lymphe*, et gr. *kutos*, cellule). Variété de leucocyte (globule blanc) à gros noyau, fabriqué par les ganglions lymphatiques. (Le lymphocyte joue un rôle important dans les mécanismes de l'immunité. Il intervient dans la production des anticorps* que l'organisme oppose aux agressions microbiennes, mais aussi aux tissus greffés.) ◆ **lymphocytose** n. f. *Méd.* Augmentation du nombre des lymphocytes dans le sang.

Lynch *(loi de)*, procédure sommaire originaire des États-Unis (la foule saisit un accusé, le condamne et l'exécute séance tenante).

LYNCHER [lɛ̃ʃe] v. t. (de loi de *Lynch*) [sujet nom désignant un groupe humain]. *Lyncher qq'un*, lui faire subir des violences ou l'exécuter sur-le-champ : *La foule tenta de lyncher le meurtrier.* ◆ **lynchage** n. m. : *Le lynchage d'un assassin.*

LYNX [lɛ̃ks] n. m. (gr. *lunx*). Mammifère carnassier aux oreilles pointues terminées par un faisceau de poils raides, de la taille d'un grand chat, à vue perçante et de mœurs sanguinaires, vivant en Europe (*loup-cervier* des Alpes), en Afrique, en Asie *(caracal)* et en Amérique. (Famille des félidés.)

LYON, ch.-l. de la Région Rhône-Alpes et du dép. du Rhône, au confluent du Rhône et de la Saône; 418 500 hab. *(Lyonnais).*

GÉOGRAPHIE. Lyon est la troisième ville de France (devancée par Paris et Marseille), et le principal noyau d'une agglomération, la deuxième du pays (plus d'1 million d'hab.), qui s'étend sur une vingtaine de kilomètres du N. au S., de Sathonay au-delà de Feyzin, et, d'O. en E., de Tassin-La-Demi-Lune au-delà de Bron. Ses fonctions sont multiples. Le rôle commercial ancien est attesté par la présence d'une foire internationale, le rôle culturel par celle de plusieurs universités et d'une École normale supérieure. Le textile a été largement relayé par les constructions mécaniques et la chimie. Lyon paraît la plus puissante des métropoles régionales, servie par une remarquable desserte autoroutière, ferroviaire (T. G. V.) et aérienne (aéroport de Satolas).

HISTOIRE. Colonie romaine fondée en 43 av. J.-C., Lyon (Lugdunum) devint, sous Auguste, la capitale administrative de la province lyonnaise, puis rapidement la capitale religieuse et la ville la plus prospère des Gaules.

- *1032. La ville est annexée au Saint Empire, mais bénéficie en fait d'une large autonomie.*

Le réveil du commerce européen favorise son essor. Deux importants conciles œcuméniques s'y tiennent en 1245 et 1274.

- *1307. Lyon est annexé au royaume de France et reçoit une charte communale (1320).*

Au cours du Moyen Âge, une cité marchande s'étend entre la Saône et le Rhône, et la ville devient un important centre commercial et bancaire; ses foires acquièrent une réputation internationale, et Louis XI encourage l'imprimerie et l'industrie de la soie qui s'épanouit au XVIIIe s. Pendant la Révolution, la ville devient un foyer d'insurrection girondine et royaliste.

- *1793. La Convention assiège victorieusement la ville qui est rebaptisée Commune-Affranchie. Collot d'Herbois et Fouché dirigent la répression.*

Dans la première moitié du XIXe s. des révoltes des canuts (= ouvriers de la soie) y éclatent (1831 à 1834), liées aux pénibles conditions de vie et de travail.
À cette époque, la ville s'étend vers l'E. au-delà du Rhône. Son développement monumental s'accentue au lendemain de la Seconde Guerre mondiale au cours de laquelle la ville a été la capitale de la Résistance française.

LYONNAIS *(monts du)*, plateaux cristallins de la bordure orientale du Massif central; 937 m.

LYONNAISE. *Géogr. anc.* Une des divisions de la Gaule romaine. Au Bas-Empire, elle fut divisée en quatre provinces.

LYOPHILISATION [ljɔfilizasjɔ̃] n. f. (du gr. *luein*, dissoudre). Méthode particulière de déshydratation que l'on fait subir à certaines substances, à basse température, et qui consiste à faire disparaître temporairement l'eau qu'elles renferment. ◆ **lyophiliser** v. t. Déshydrater par lyophilisation : *Du café lyophilisé.*

LYRE [lir] n. f. (gr. *lura*). Instrument de musique à cordes pincées, en usage dans l'Antiquité gréco-latine.

LYRIQUE [lirik] adj. (gr. *lurikos;* de *lyre*). **1.** *Poésie lyrique*, poésie qui exprime les sentiments personnels du poète, ses émotions, ses passions. — **2.** Relatif à ce genre de poésie : *Style lyrique.* — **3.** Destiné à être mis en musique, à être chanté : *Comédie lyrique.* ‖ *Artiste lyrique*, chanteur, chanteuse d'opéra, d'opéra-comique. ◆ adj. et n. **1.** Qui cultive ce genre de poésie : *Un poète lyrique.* — **2.** D'une expression exaltée, d'une grande émotion : *Il devient lyrique quand il parle de son auteur préféré* (syn. PASSIONNÉ). ◆ **lyrisme** n. m. Expression poétique ou exaltée de sentiments personnels, d'émotions, de passions : *S'exprimer avec lyrisme sur son bonheur présent* (syn. EXALTATION).

LYS n. m. ⟶ LIS.

Lys dans la vallée *(le)*, roman d'H. de Balzac (1835).

LYS (la), en néerl. **Leie,** riv. des Flandres française et belge, affl. de l'Escaut (r. g.) à Gand; 214 km. Elle arrose Aire, Armentières, Courtrai. La Lys est canalisée à partir d'Aire.

LYSANDRE, général spartiate, qui battit les Athéniens à l'embouchure de l'Aigos-Potamos et prit Athènes (405 av. J.-C.).

LYSIMAQUE, roi de Thrace (v. 360-281 av. J.-C.). Lieutenant d'Alexandre, il hérita de la Thrace. Il fut tué par Séleucos.

LYSIPPE, sculpteur grec (IVe s. av. J.-C.). Il modifia, en l'élançant, le canon (= modèle idéal) du corps masculin *(Apoxyomène)* et lui donna une expression plus vivante.

Lysistrata, comédie d'Aristophane (411 av. J.-C.).

LYS-LEZ-LANNOY, comm. du Nord, dans la banlieue sud-ouest de Roubaix; 11 100 hab. Textiles.

M n. m. **1.** Treizième lettre de l'alphabet, et la dixième des consonnes. ⟶ introduction de l'ouvrage. — **2.** M, chiffre romain, vaut *mille*. — **3.** M., abrév. de *monsieur;* MM., *messieurs;* Mme, *madame;* Mlle, *mademoiselle;* M^{e}, *maître*. — **4.** m, m^2, m^3, symboles du *mètre*, du *mètre carré*, du *mètre cube*. — **5.** m, symbole du préf. *milli-*.

MA adj. poss. ⟶ MON.

MAASTRICHT ou **MAËSTRICHT,** v. des Pays-Bas, ch.-l. de la province du Limbourg; 112 400 hab. Constructions médiévales. Métallurgie. Textiles. Porcelaines et céramiques.

MABLY (Gabriel BONNOT DE), philosophe et historien français (1709-1785), frère de Condillac. Précurseur du socialisme communautaire, il a contribué à la diffusion des idées de réforme politique et sociale au XVIIIe s.

MAC [mak], mot celtique signif. *fils* et qui précède un grand nombre de noms écossais et irlandais (S'abrège en *M'* ou *Mc* ou *M^{c}*.)

MACABRE [makabr] adj. (de *Maccabées*). Qui a trait à la mort, qui l'évoque : *Une plaisanterie macabre* (syn. SINISTRE). ‖ *Danse macabre*, au Moyen Âge, ronde infernale, peinte ou sculptée, dansée par des morts de toutes les conditions et de tous les âges, rois ou sujets, riches ou pauvres, vieillards ou enfants. (Cette ronde symbolise la fatalité qui condamne tous les humains à la mort.)

McADAM (John Loudon), ingénieur écossais (1756-1836). Il inventa le procédé d'empierrement des routes, dit *macadam*.

MACADAM [macadam] n. m. (du n. de l'inventeur *McAdam*). **1.** Revêtement des routes formé de pierres concassées, mêlées de sable et agglomérées au moyen d'un rouleau compresseur : *Le macadam goudronné de la route*. — **2.** La route elle-même : *Rouler sur le macadam*. ◆ **macadamiser** v. t. Recouvrir de macadam.

MACAO, territoire portugais, sur la côte méridionale de la Chine, près de l'embouchure du Si-kiang; 300 000 hab. Possession portugaise depuis 1557, important port au XVIIIe s., Macao a décliné avec l'essor de la colonie britannique de Hongkong au XIXe s. Un accord sino-portugais de 1987 (ratifié en 1988) prévoit le retour de Macao à la Chine en 1999.

MACAPÁ, v. du Brésil, ch.-l. de l'Amapá; 87 800 hab.

MACAQUE [makak] n. m. (portug. *macaco*). Singe d'Asie voisin des cercopithèques, mesurant de 50 à 60 cm de long. (Le macaque rhésus, de l'Inde, est utilisé dans les laboratoires et a permis la découverte du facteur* Rhésus.)

MACAREUX [makarø] n. m. (orig. inc.). Oiseau des mers arctiques, voisin des pingouins, au gros bec triangulaire rouge, bleu et jaune.

MACARON [makarɔ̃] n. m. (it. *macarone*, macaroni). **1.** Pâtisserie croquante, ronde, faite de pâte d'amande et de sucre. — **2.** *Fam.* Rosette d'une décoration ou insigne distinctif quelconque, de forme ronde, portés à la boutonnière.

MACARONI [makarɔni] n. m. (mot it.). Pâte alimentaire moulée en tubes creux et longs. ‖ Pl. des *macaronis*.

MACARONIQUE [makarɔnik] adj. (de *macaroni*). *Poésie macaronique*, poésie burlesque, où les mots sont mêlés de latin ou prennent une terminaison latine.

MACARTHUR (Douglas), général américain (1880-1964). Vainqueur du Japon dans le Pacifique (1945), il commanda en 1950-1951 les forces des Nations unies en Corée.

MACASSAR, MAKASSAR ou **MAKASAR,** auj. **Ujungpandang,** port d'Indonésie (Célèbes), sur le *détroit de Macassar* (entre Bornéo et les Célèbes); 434 800 hab. Pêche. Agro-alimentaire.

MACBETH, roi d'Écosse de 1040 à 1057, connu surtout par le drame de Shakespeare (1605).

MACCABÉE [Mattathias), prêtre juif, chef de la résistance contre Antiochos IV Épiphane en 166 av. J.-C. — JUDAS, son fils, remporta deux victoires à Emmaüs et à Hébron, et fut tué en 160 av. J.-C. dans un combat contre Démétrios Ier Sôter. — JONATHAS, son frère, grand prêtre des Juifs, fut assassiné en 143 av. J.-C. — SIMON, leur frère, fut assassiné en 134 av. J.-C.

Maccabées *(Livre des)*, nom de deux livres de la Bible : le premier contient l'histoire de la révolte des Juifs de 175 à 135 av. J.-C.; le second raconte le martyre des sept frères Maccabées sous Antiochos IV.

MACCHABÉE [makabe] n. m. (de *Maccabées*). *Pop.* Cadavre : *Repêcher un macchabée dans la Seine.*

McCLURE (*sir* Robert John LE MESURIER), amiral anglais (1807-1873). Il découvrit le passage du Nord-Ouest entre la baie d'Hudson et le détroit de Béring.

McCORMICK (Cyrus Hall), industriel américain (1809-1884). Il imagina de nombreuses machines agricoles, notamment un nouveau type de moissonneuse.

MACDONALD (*sir* John Alexander), homme politique canadien (1815-1891), un des fondateurs de la Confédération du Canada de 1867, Premier ministre de 1867 à 1873 et de 1878 à 1891.

MACDONALD (James Ramsay), homme d'État anglais (1866-1937), leader travailliste, plusieurs fois chef du gouvernement.

MACÉ (Jean), écrivain français (1815-1894), fondateur de la Ligue* française de l'enseignement.

MACÉDOINE, région de la péninsule des Balkans, auj. partagée entre la Grèce (1 883 200 hab.; v. pr. *Thessalonique*), la Bulgarie et la Yougoslavie, dont elle constitue une des républiques fédérées (1 647 100 hab.; capit. *Skopje*).

Longtemps considérée comme un pays barbare par les Grecs, la Macédoine s'intégra peu à peu au monde grec.

Sous les règnes de Philippe* II (356-336 av. J.-C.) et de son fils Alexandre* III le Grand (336-323 av. J.-C.) le royaume de Macédoine domine la Grèce.

- *216-168 av. J.-C. Après trois guerres successives menées par Rome, la Macédoine est réduite en province romaine.*

Devenue province byzantine, elle est envahie par les Barbares, les Slaves, puis les Bulgares.

- *1371. Les Turcs s'installent en Macédoine.*

Sous leur occupation, la région subit une longue régression économique et politique, dont elle ne sort qu'au XIXe s.

Elle est alors revendiquée par les Bulgares, les Serbes et les Grecs, tandis que des mouvements révolutionnaires se développent.

- *1912-1913. La Macédoine est l'enjeu des deux guerres balkaniques entre les Turcs et les États chrétiens des Balkans.* (⟶ BALKANS.)

Ces guerres aboutissent au partage de la région entre la Serbie, la Grèce et la Bulgarie (traité de Bucarest, 1913).

- *1915-1918. La Macédoine est le théâtre d'une importante campagne menée par les forces alliées (françaises, britanniques, grecques, italiennes et serbes) contre les troupes austro-germano-bulgares.*

Le traité de Neuilly (1919) et les fluctuations territoriales liées à la Seconde Guerre mondiale ne modifient que légèrement les dispositions du partage de 1913.

Occupées en 1941 par les Bulgares et les Allemands, les régions grecque et yougoslave de la Macédoine sont restituées officiellement en 1947.

MACÉDOINE [masedwan] n. f. (du n. pr. *Macédoine*). **1.** Mets composé de plusieurs sortes de fruits ou de légumes coupés en morceaux. — **2.** Amas de choses disparates.

MACEIÓ, port du Brésil, ch.-l. de l'État d'Alagoas, sur l'Atlantique; 269 400 hab. Industries métallurgiques, textiles et alimentaires.

MACÉRER [masere] v. t. (lat. *macerare*). Faire tremper une substance dans un liquide (surtout au passif) : *Des fleurs macérées dans l'alcool.* ◆ v. i. (surtout avec FAIRE, LAISSER) : *Faire macérer une plante dans l'huile pour fabriquer un baume.* ◆ **macération** n. f. Opération consistant à faire tremper un corps dans un liquide pour en extraire les produits solubles, ou un produit alimentaire pour le parfumer ou le conserver.

MACH (Ernst), physicien et philosophe autrichien (1838-1916). Il mit en évidence le rôle de la vitesse du son en aérodynamique.

Mach [mak] *(nombre de)*, ou **mach,** rapport de la vitesse d'un mobile ou de la vitesse d'écoulement d'un fluide à la vitesse locale du son. (Cette unité n'est pas une véritable unité de vitesse, car la vitesse du son est proportionnelle à la racine carrée de la température. Un avion volant à mach 1 au voisinage du sol, par une température de 15 °C, a une vitesse de 1 225 km/h.)

MACHADO (Antonio), poète espagnol (1875-1939). L'amour qu'il exprime dans une langue simple pour l'Andalousie, sa terre natale (*Solitudes*, 1903), et pour la Castille, où il vécut longtemps (*les Paysages de Castille*, 1912), fait de lui l'un des plus grands poètes de l'Espagne contemporaine.

MACHAON [makaɔ̃] n. m. (de *Machaon*, héros de la guerre de Troie). Papillon diurne, à ailes jaunes tachetées de noir, de rouge et de bleu, mesurant jusqu'à 9 cm d'envergure et appelé usuellement GRAND PORTE-QUEUE.

MACHAULT D'ARNOUVILLE (Jean-Baptiste DE), homme politique et financier français (1701-1794). Il fut contrôleur général des Finances (1745-1754), garde des Sceaux (1750) et ministre secrétaire d'État à la Marine (1754-1757). Le premier, il essaya, en établissant un impôt du vingtième sur tous les revenus, nobles et roturiers, de mettre en vigueur le principe de l'égalité devant l'impôt.

MACHAUT (Guillaume DE) → GUILLAUME DE MACHAUT.

MÂCHE [maʃ] n. f. (orig. incert.). Plante potagère mangée en salade.

MÂCHEFER [maʃfɛr] n. m. (de l'anc. fr. *macher*, écraser, et *fer*). Résidu provenant de la combustion de charbon produisant des cendres à demi fusibles. (Le *mâchefer* est utilisé pour l'assèchement des milieux humides, la confection de briques, de mortiers et de bétons.)

MÂCHER [maʃe] v. t. (lat. *masticare*). **1.** Broyer avec les dents, avant d'avaler, ou triturer dans la bouche : *Mâcher la viande. Mâcher du chewing-gum.* — **2.** Expliquer mot à mot une chose à quelqu'un, pour la lui faire comprendre, la lui faire assimiler : *Il faut tout lui mâcher.* ‖ *Mâcher la besogne à qq'un*, lui préparer son travail. — **3.** *Ne pas mâcher ses mots*, exprimer son opinion avec une franchise, une simplicité brutales. ◆ **mâchoire** n. f. **1.** Pièce osseuse dure de la bouche des vertébrés, portant les dents. (Chez l'homme, la *mâchoire supérieure* est formée de deux os, les maxillaires, soudés entre eux et aux os voisins; la *mâchoire inférieure* ne comporte qu'un maxillaire, articulé au crâne par une paire de condyles.) — **2.** Chez les invertébrés, pièce masticatrice. — **3.** *Technol.* Pièce double dont les deux parties peuvent se rapprocher ou s'éloigner à volonté pour serrer et maintenir un objet, comme dans les tenailles, les étaux, etc. — **4.** *Mâchoire de frein*, pièce métallique portant à sa périphérie la garniture de frein qui vient frotter sur un tambour solidaire d'une roue ou directement sur les organes de transmission. ◆ **mâchonner** v. t. **1.** Triturer avec les dents lentement, continuellement : *Mâchonner son crayon.* — **2.** Articuler d'une manière indistincte : *Mâchonner quelques excuses.* ◆ **mâchonnement** n. m. ◆ **remâcher** v. t. Garder et rappeler sans cesse le souvenir amer d'un affront, d'une humiliation, etc. : *Remâcher son échec.*

MACHETTE [maʃɛt] n. f. (esp. *machete*). Grand couteau à lame épaisse, à usages multiples (arme ou outil), répandu surtout dans les régions tropicales.

MACHIAVEL (Niccolo MACHIAVELLI, dit), homme d'État et écrivain italien (1469-1527).

- *1498-1512. Secrétaire de la chancellerie de Florence, il accomplit de nombreuses missions diplomatiques, au cours desquelles il forme sa pensée politique.*
- *1512. La victoire de Prato ouvre aux Espagnols les portes de Florence.*

Suspect au nouveau pouvoir des Médicis, Machiavel, après avoir été emprisonné, consacre sa retraite à la rédaction d'ouvrages qui lui permettent de prendre position en faveur d'un gouvernement républicain et démocratique.

- *1513. Il exprime sa philosophie politique dans « le Prince ».*

Considérant que la politique est action, Machiavel montre qu'à ce titre elle entraîne parfois l'usage de moyens que la morale réprouve. Il aborde par conséquent sous un jour nouveau les relations entre la morale et la politique.

MACHIAVÉLIQUE [makjavelik] adj. (de *Machiavel*). **1.** Conforme à la philosophie politique de Machiavel, aux termes de laquelle l'action politique, si elle veut réussir, ne doit pas se conformer aux exigences de la morale : *Politique machiavélique.* — **2.** Qui vise à tromper par une habileté perfide et sans scrupule : *Des intrigues machiavéliques.* ◆ **machiavélisme** n. m. **1.** Système politique de Machiavel. — **2.** Conduite déloyale et perfide.

MÂCHICOULIS [maʃikuli] n. m. (de l'anc. fr. *macher*, écraser, et *coulis*, action de couler). Créneau vertical au sommet d'une muraille de fortifications médiévales et permettant de projeter sur l'assaillant pierres, huile ou poix bouillantes. (Les mâchicoulis sont disposés sur le côté externe du chemin de ronde.)

MACHIN [maʃɛ̃] n. m. (de *machine*). *Fam.* Désigne tout objet ou toute personne dont on ignore le nom ou que l'on ne cherche pas à dénommer : *La mère Machin.*

MACHINAL, E, AUX adj., **MACHINALEMENT** adv → MACHINE.

MACHINATION n. f. → MACHINER.

MACHINE [maʃin] n. f. (lat. *machina*). **1.** Ensemble d'appareils ou dispositifs destinés à recevoir une certaine forme d'énergie et à la transformer pour produire un effet donné : *Ne pas être esclave de la machine;* peut être suivi de *à* avec l'infin. ou un substantif : *Une machine à laver. Machine à vapeur* (= dans laquelle on utilise la force d'expansion de la vapeur d'eau); suivi d'un adj. : *Machine électronique;* suivi de *de* avec un nom : *Machine d'imprimerie.* — **2.** Machine à écrire : *Taper à la machine.* — **3.** Nom générique de véhicules (bicyclette, locomotive, etc.) : *Le mécanicien grimpe dans sa machine.* — **4.** Désigne un homme qui n'agit plus spontanément, qui est réduit à l'état de mécanisme (souvent suivi de *à* avec l'infin.) : *Être une simple machine à travailler.* — **5.** Ensemble de moyens, de services, d'organismes dont la marche régulière a un aspect automatique, sans âme : *La grande machine de l'État.* — **6.** *Machine infernale*, engin contenant un explosif et réglé pour tuer. ‖ *Machine de guerre*, terme désignant dans l'Antiquité et le Moyen Âge toutes sortes de matériels de guerre (balistes, béliers, catapultes) employés dans la guerre de siège (notamment pour lancer des projectiles). ◆ **machine-outil** n. f. Machine destinée à façonner la matière au moyen d'outils mus mécaniquement. ‖ Pl. des *machines-outils.* → ILLUSTRATIONS ◆ **machine-transfert** n. f. Machine-outil à postes multiples, dans laquelle les pièces à usiner restent fixes pendant l'usinage, puis se déplacent mécaniquement de poste en poste pendant les opérations intermédiaires. ‖ Pl. des *machines-transferts* ◆ **machinal, e, aux** adj. Se dit d'un mouvement humain qui n'a plus de spontanéité, où la volonté n'a pas part : *Un geste machinal* (syn. AUTOMATIQUE, MÉCANIQUE). ◆ **machinalement** adv. : *Secouer machinalement la tête.* ◆ **machinerie** n. f. **1.** Ensemble de machines servant à effectuer un travail déterminé. — **2.** Endroit où sont les machines d'un navire. ◆ **machinisme** n. m. Emploi généralisé des machines substituées à la main-d'œuvre dans l'industrie : *Le machinisme est à l'origine de la révolution industrielle du XIXe s.* ◆ **machiniste** n. m. **1.** Ouvrier chargé de mettre en place les décors et les accessoires de théâtre, de cinéma. — **2.** Conducteur d'autobus, de métro.

MACHINE (La), ch.-l. de cant. de la Nièvre, à 8 km au N. de Decize; 4 600 hab. Houille.

MACHINE-OUTIL n. f. → MACHINE.

MACHINER [maʃine] v. t. (de *machine*). Préparer en secret des intrigues déloyales : *Machiner un complot* (syn. MANIGANCER) ◆ **machination** n. f. : *Déjouer les machinations de ses adversaires.*

MACHINERIE n. f., **MACHINE-TRANSFERT** n. f. **MACHINISME** n. m., **MACHINISTE** n. m. → MACHINE.

MACHO [matʃo] n. m. (mot esp.; lat. *masculus*, mâle). *Péjor.* Homme considéré sous le rapport de sa supériorité en tant que mâle. ◆ **machisme** [maʃism] n. m. *Péjor.* Idéologie et comportement du macho.

MÂCHOIRE n. f., **MÂCHONNEMENT** n. m., **MÂCHONNER** v. t. → MÂCHER.

MACHUPICCHU, site du Pérou, au N.-O. de Cuzco. Importants vestiges précolombiens de l'époque inca.

MÂCHURER [maʃyre] v. t. (de l'anc. fr. *macher*, écraser). Meurtrir, déchirer, mettre en lambeaux : *Mâchurer son mouchoir.*

MACINA, région du Mali, traversée par le Niger et mise en valeur (cultures du riz et du coton) par l'Office du Niger.

MACKENZIE, fl. du Canada; 4 600 km. Né dans les Rocheuses sous le nom d'*Athabaska*, il s'écoule vers le N., pénètre dans le lac Athabaska, d'où il ressort sous le nom de *rivière de l'Esclave*, traverse le Grand Lac de l'Esclave, avant de prendre enfin le nom de *Mackenzie* et de rejoindre l'océan Arctique.

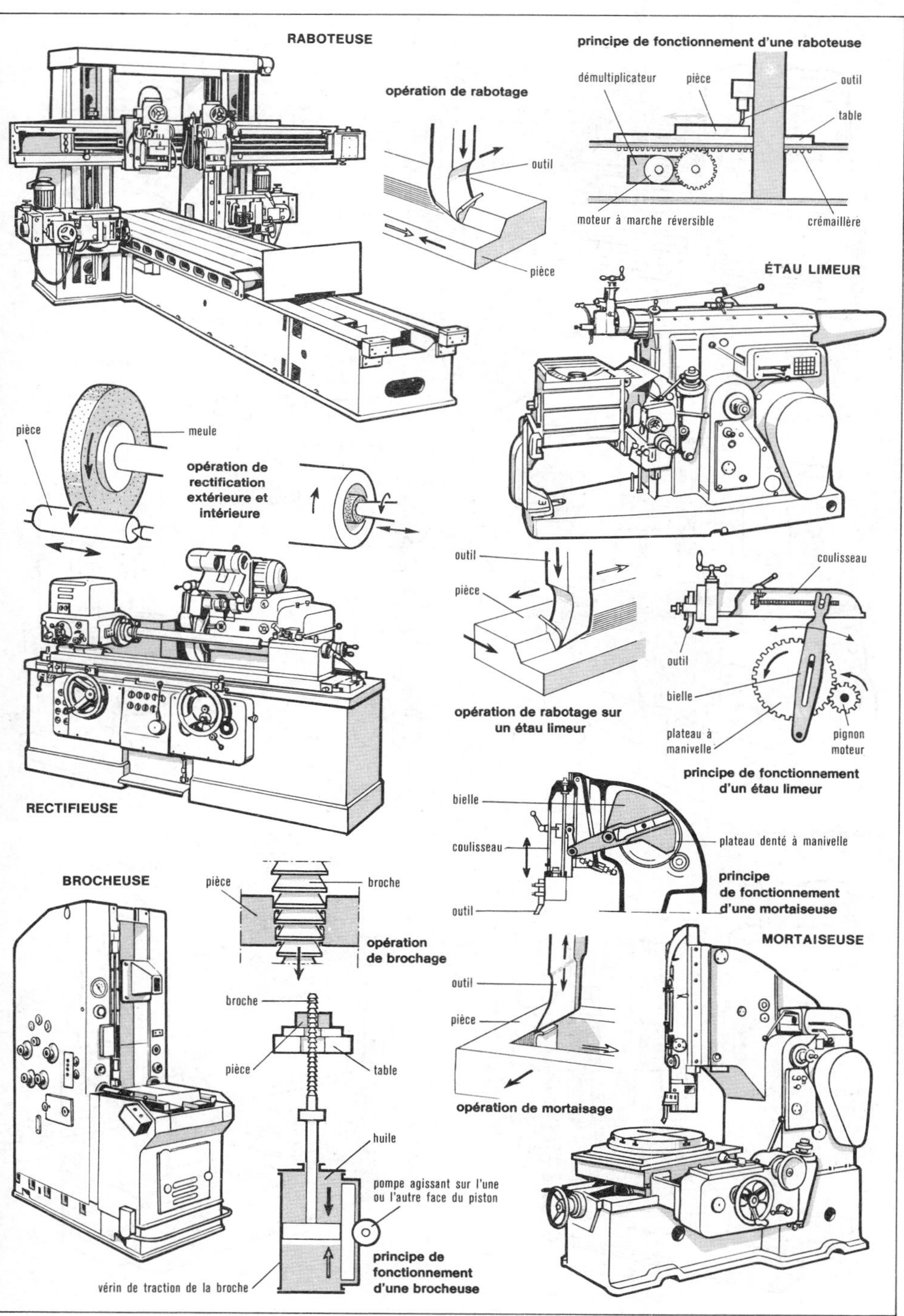
RABOTEUSE
opération de rabotage
outil
pièce
principe de fonctionnement d'une raboteuse
démultiplicateur
pièce
outil
table
moteur à marche réversible
crémaillère
ÉTAU LIMEUR
pièce
meule
opération de rectification extérieure et intérieure
RECTIFIEUSE
outil
pièce
opération de rabotage sur un étau limeur
coulisseau
outil
bielle
plateau à manivelle
pignon moteur
principe de fonctionnement d'un étau limeur
bielle
coulisseau
plateau denté à manivelle
outil
principe de fonctionnement d'une mortaiseuse
BROCHEUSE
pièce
broche
opération de brochage
broche
pièce
table
huile
pompe agissant sur l'une ou l'autre face du piston
principe de fonctionnement d'une brocheuse
vérin de traction de la broche
MORTAISEUSE
outil
pièce
opération de mortaisage

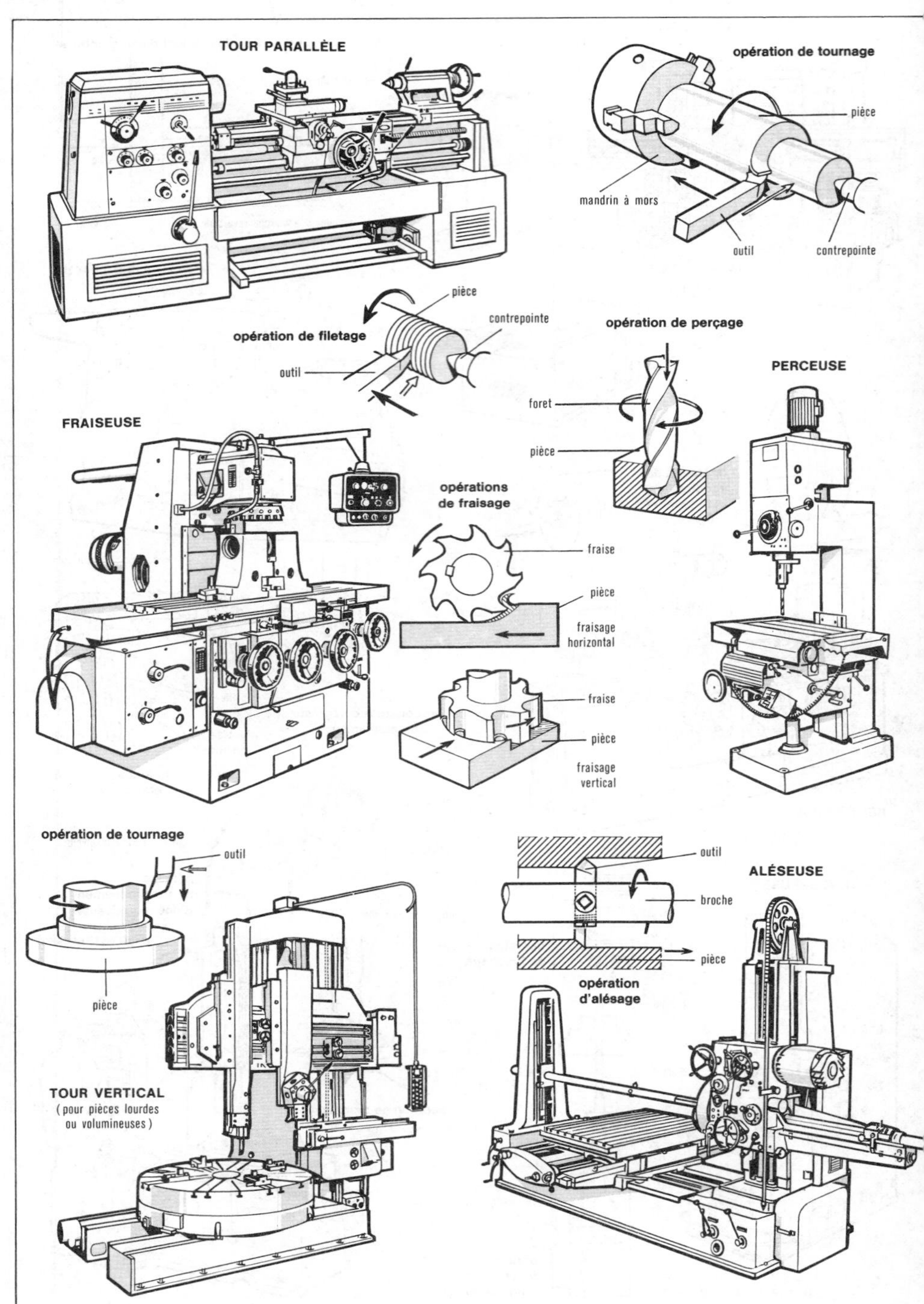
TOUR PARALLÈLE
opération de tournage
pièce
mandrin à mors
outil
contrepointe
pièce
contrepointe
opération de filetage
outil
opération de perçage
PERCEUSE
foret
pièce
FRAISEUSE
opérations
de fraisage
fraise
pièce
fraisage
horizontal
fraise
pièce
fraisage
vertical
opération de tournage
outil
pièce
TOUR VERTICAL
(pour pièces lourdes
ou volumineuses)
outil
ALÉSEUSE
broche
pièce
opération
d'alésage

MACKENZIE KING (William Lyon) ⟶ KING (William Lyon MACKENZIE).

McKINLEY *(mont)*, point culminant de l'Amérique du Nord (Alaska); 6 187 m. Parc national.

McKINLEY (William), homme d'État américain (1843-1901), président des États-Unis en 1897. Réélu en 1900, il fut assassiné.

MACLE [makl] n. f. (germ. *maskila*). Association de deux ou plusieurs cristaux de même espèce, mais orientés différemment, avec interpénétration partielle.

MAC-MAHON (Edme Patrice Maurice, *comte* DE), duc DE MAGENTA, maréchal de France et homme politique français (1808-1893).

- *1855. Il se distingue en Crimée lors de la prise de la tour de Malakoff.*
- *1859. Il prend Magenta aux Autrichiens.*
- *1864-1870. Il est gouverneur général de l'Algérie.*
- *1870. Vaincu par les Prussiens, il doit évacuer l'Alsace et la Lorraine, puis est encerclé à Sedan (1er septembre).*
- *1871. Il commande l'armée de Versailles qui triomphe de la Commune.*
- *1873. Mac-Mahon est porté à la présidence de la République.*

Malgré ses opinions monarchistes, il doit gouverner avec une majorité républicaine à la Chambre.

- *1879. Devant le succès des républicains aux élections de 1877 et au Sénat, Mac-Mahon donne sa démission.*

MACMILLAN (Harold), homme politique britannique (1894-1986). Premier ministre conservateur de 1957 à 1963.

MÂCON, ch.-l. du dép. de Saône-et-Loire, sur la Saône, à 68 km au N. de Lyon; 39 900 hab. *(Mâconnais)*. Anc. capit. du *Mâconnais*. Port fluvial. Centre commercial et industriel (constructions mécaniques, motocyclettes, allumettes, etc.).

MAÇON [masɔ̃] n. m. (germ. *makjo*). Ouvrier qualifié exécutant la partie du gros œuvre du bâtiment appelée *maçonnerie* ainsi que les enduits de revêtement. ◆ **maçonner** v. t. Construire ou réparer en maçonnerie. ◆ **maçonnerie** n. f. Ouvrage composé de matériaux (briques, pierres, moellons, etc.) unis par un liant (mortier, plâtre, ciment, etc.). ‖ *Grosse maçonnerie*, travail principal des fondations et des gros murs. (On dit aussi GROS OUVRAGE.) ‖ *Petite maçonnerie*, travaux de maçon comprenant les cloisons, les crépissages, les plafonds, etc. (On dit aussi OUVRAGE LÉGER.)

MÂCONNAIS, partie de la bordure nord-est du Massif central; 761 m. Élevage et viticulture.

MAÇONNER v. t., **MAÇONNERIE** n. f. ⟶ MAÇON.

MAÇONNIQUE [masɔnik] adj. (de *maçon*). Qui appartient à la franc*-maçonnerie.

MAC ORLAN (Pierre DUMARCHEY, dit), écrivain français (1882-1970), auteur de *Quai des brumes* (1927), *la Bandera* (1931).

MACPHERSON (James), écrivain écossais (1736-1796). Il publia les *Poèmes d'Ossian* qu'il prétendait avoir traduits du gaélique et qui exercèrent une grande influence sur la littérature romantique.

1. MACREUSE [makrøz] n. f. (frison *markol*). Grand canard au plumage noir chez le mâle, brun chez la femelle, et dont les troupes fréquentent en hiver les côtes françaises, volant au ras de l'eau et capturant mollusques et crustacés des fonds littoraux.

2. MACREUSE [makrøz] n. f. (même étym.). Viande maigre qu'on trouve sur l'os à moelle de l'épaule du bœuf.

MACRO-, élément tiré du gr. *makros*, grand, et qui entre dans la composition de mots au sens de « très grand », « important » (contr. MICRO-).

MACROCÉPHALE [makrɔsefal] adj. (de *macro-*, et gr. *kephalê*, tête). Qui présente une tête anormalement volumineuse.

MACRO-ÉCONOMIE [makrɔekɔnɔmi] n. f. *(macro-*, et *économie)*. Étude de la vie économique à partir de phénomènes (revenu national, volume de l'épargne, de la dépense, de la consommation, etc.) considérés globalement.

MACROMOLÉCULE [makrɔmɔlekyl] n. f. *(macro-*, et *molécule)*. Très grosse molécule, obtenue en général par polymérisation (= union de plusieurs molécules identiques).

MACROPHAGE [makrɔfaʒ] n. m. et adj. (de *macro-*, et gr. *phagein*, manger). Cellule douée de propriétés phagocytaires* vis-à-vis des éléments de grande taille (contr. MICROPHAGE).
— ENCYCL. Les *macrophages* sont des cellules du tissu conjonctif. Ils font partie du système de défense de l'organisme contre les microbes, éléments toxiques, étrangers ou non, et sont capables de détruire non seulement les microbes et bactéries de petite taille, mais aussi des cellules entières (hématies endommagées ou autres cellules détériorées dans les tissus, et parfois cellules étrangères).

MACROPODE [makrɔpɔd] n. m. (de *macro-*, et gr. *pous, podos*, pied). Petit poisson des eaux douces du sud-est de l'Asie, souvent élevé en aquarium. (Le mâle édifie un nid flottant, fait de bulles d'air et de mucus, y transporte à l'aide de sa bouche les œufs pondus par la femelle, surveille l'éclosion et protège les jeunes.)

MACROSCOPIQUE [makrɔskɔpik] adj. (de *macro-*, et gr. *skopein*, regarder). Qui se voit à l'œil nu (contr. MICROSCOPIQUE).

MACROURES [makrur] n. m. pl. (de *macro-*, et gr. *oura*, queue). Sous-ordre de crustacés décapodes comprenant les formes à abdomen allongé et annelé *(écrevisse, homard, langouste)*.

MACTA (la), région marécageuse de l'Algérie occidentale, formée par l'embouchure de l'Habra et du Sig.

MACULA [makyla] n. f. (mot lat.). Dépression de la rétine, appelée aussi TACHE JAUNE, située à l'endroit où aboutit l'axe optique de l'œil, et où l'acuité visuelle est maximale.

MACULER [makyle] v. t. (lat. *maculare*). Salir de taches : *Chemise maculée de sang* (syn. SOUILLER, TACHER).

MADAGASCAR, grande île de l'océan Indien, séparée de l'Afrique par le canal de Mozambique, formant une république.

SUPERFICIE 587 000 km² (France : 550 000 km²).

POPULATION 11,6 millions d'hab. *(Malgaches);* 20 hab. au km² (France : 103).

CAPITALE Antananarivo (1 050 000 hab.).

VILLES PRINCIPALES Toamasina (60 000 hab.); Mahajanga (67 500 hab.); Antseranana (45 500 hab.).

LANGUES OFFICIELLES français et malgache.

ÉCONOMIE consommation d'énergie par hab., 67 kg d'équivalent charbon.

MONNAIE franc malgache.

GÉOGRAPHIE

Le centre de l'île est occupé par des hauts plateaux granitiques, souvent couverts de latérite*, dominés par des volcans éteints. Ils retombent brusquement sur une étroite plaine côtière à l'E., tandis qu'à l'O. un ensemble de plateaux sédimentaires et de collines s'abaisse doucement jusqu'à la mer. Le climat, tropical, est sous l'influence des alizés : la côte orientale, « au vent », est très arrosée, tandis que la côte occidentale, « sous le vent », est beaucoup plus sèche. Ceci explique le passage de la forêt dense à l'E. à la forêt claire, puis à la savane et à la brousse à l'O.

	TEMPÉRATURES MOYENNES janv.	juil.	PLUIES
Toamasina (côte est)	26,4 °C	20,6 °C	3 526 mm
Mahajanga (côte ouest)	27,2 °C	24,9 °C	1 567 mm

La population, constituée de Noirs, les Malgaches, pratique la culture du riz et du manioc pour son alimentation, ainsi que l'élevage de zébus dans les savanes de l'Ouest. Des plantations, qui datent de la colonisation, fournissent des produits pour l'exportation : café, canne à sucre, tabac, vanille.

Les ressources minières sont variées (graphite, chrome, mica), mais l'absence de source d'énergie et l'exportation des produits bruts expliquent la faiblesse de l'industrie qui se limite à la transformation des produits agricoles.

graphite 18 000 t; chrome 60 000 t.

En dehors d'Antananarivo, située au cœur des hauts plateaux, les grandes villes sont des ports qui exportent les produits de l'agriculture et des mines et importent des produits fabriqués.

HISTOIRE

Le peuplement de Madagascar est issu d'une souche indonésienne et d'une souche négro-africaine et arabe.

Dès le XIIᵉ s., des comptoirs commerciaux arabes sont établis dans le nord de l'île.

- *1500. Le Portugais Diogo Dias est le premier Européen à découvrir l'île.*
- *1642-1674. Les Français tentent de s'établir, mais en 1674 Fort-Dauphin est abandonné.*

Politiquement, aux XVIIᵉ et XVIIIᵉ s., l'île est divisée en royaumes (Sakalaves sur la côte ouest, Betsimisarakas sur la côte est).

- *1787. Avènement d'Andrianampoinimerina qui va jeter les bases d'un royaume centré autour d'Antananarivo, l'Imérina.*

Au cours du XIXᵉ s., celui-ci domine les deux tiers de l'île. Parallèlement, sous l'influence des missions catholiques et surtout protestantes, la christianisation et la scolarisation progressent.

- *1886. La proportion des enfants scolarisés de l'Imérina est comparable à celle de l'Europe occidentale.*
- *30 sept. 1895. La reine malgache Ranavalona reconnaît le protectorat français.*

Son peuple se soulève et Gallieni doit reconquérir l'île, qui devient « colonie française » le 6 août 1896.

- *29 mars 1947. Une insurrection nationaliste éclate : elle est réprimée durement par l'armée française.*
- *1958. La République malgache est proclamée. L'indépendance est obtenue en 1960.*

Madagascar conserve avec la France des relations économiques et culturelles étroites, sous le gouvernement du président Tsiranana, malgré un mécontentement croissant des étudiants et des paysans.

- *1972. Un soulèvement enlève ses pouvoirs à Tsiranana.*

Le nouveau gouvernement mène une politique plus nationaliste.

- *1973. Madagascar quitte la zone franc. Les forces militaires françaises sont évacuées.*
- *1975. Didier Ratsiraka devient chef de l'État.*

Après l'échec d'une expérience socialiste de plus de dix ans, le régime s'oriente à la fin des années 1980 vers le libéralisme économique et le multipartisme, mais cette évolution ne peut empêcher la montée de l'opposition.

- *1991. Un gouvernement de transition, chargé d'organiser la démocratisation des institutions, est mis en place.*

MADAME [madam] n. f. *(ma,* et *dame).* **1.** Titre donné à une femme qui est ou a été mariée (sans art.) [abrév. : Mᵐᵉ] : *Madame Durand.* — **2.** Titre désignant toute femme exerçant une fonction (avec une valeur de respect) : *Madame la Directrice;* en ce sens, peut être suivi d'un nom masc. : *Madame le Maire de la commune.* — **3.** Titre donné à une maîtresse de maison : *Madame est sortie.* ‖ Pl. *mesdames.*

Madame Bovary, roman de Gustave Flaubert (1857).

MADEIRA (le), riv. de l'Amérique du Sud, affl. de l'Amazone (r. dr.); 3 240 km.

MADELEINE [madlɛn] n. f. (de *Madeleine*). Petit gâteau léger, de forme arrondie.

MADELEINE *(grotte de la),* site préhistorique de la Dordogne, au-dessus de la Vézère, au N. des Eyzies-de-Tayac-Sireuil. Il a donné son nom à l'époque magdalénienne. (→ MAGDALÉNIEN.)

MADELEINE *(monts de la),* plateaux boisés du nord du Massif central, à l'O. de Roanne; 1 165 m.

MADELEINE (La), comm. du Nord, dans la banlieue nord de Lille; 22 300 hab. Industries textiles et chimiques.

MADEMOISELLE [madmwazɛl] n. f. *(ma,* et *demoiselle).* Titre donné aux jeunes filles et aux femmes non mariées (sans art.) [abrév. : Mˡˡᵉ]. ‖ *La Grande Mademoiselle,* la duchesse de Montpensier, fille de Gaston d'Orléans, frère de Louis XIII. ‖ Pl. *mesdemoiselles.*

MADÈRE, île portugaise de l'Atlantique, à l'O. du Maroc; 740 km²; 253 200 hab. Capit. *Funchal.* Au centre d'un petit archipel, Madère est une île volcanique et montagneuse. Le climat, doux, y a favorisé les cultures de la canne à sucre, les plantations de bananiers et surtout la vigne.

MADÈRE [madɛr] n. m. (de *Madère*). Vin récolté dans l'île de Madère, et dont il existe plusieurs sortes : le *muscat,* surtout consommé sur place; le *madère sec,* qui devient parfumé et spiritueux en vieillissant; le *madère rouge.* ◆ adj. *Sauce madère,* sauce brune à laquelle on ajoute, hors du feu, du vin de Madère.

MADHYA PRADESH, État de l'Inde, dans le nord du Deccan; 443 280 km²; 52 180 000 hab. Capit. *Bhopāl.*

MADISON, v. des États-Unis, capit. du Wisconsin; 173 300 hab.

MADISON (James), homme d'État américain (1751-1836), président des États-Unis de 1809 à 1817, un des créateurs du parti républicain.

MADONE [madɔn] n. f. (it. *madonna,* madame). **1.** *La Madone,* la Vierge. — **2.** Image de la Vierge : *Les madones de Raphaël.*

MADOURA → MADURA.

MADRAGUE [madrag] n. f. (prov. *madraga*). Engin de pêche fixe, formé de filets et de pieux, conduisant les poissons dans la « chambre de la mort », où ils sont capturés.

MADRAS, v. de l'Inde, capit. de l'État du Tamil Nadu (avant 1967, État de Madras), sur la côte de Coromandel; 3 276 000 hab. C'est l'une des plus grandes villes de l'Inde, l'un des principaux ports et un centre d'industries textiles et chimiques.

MADRAS [madras] n. m. (de *Madras,* où l'on fabrique cette étoffe). Étoffe à chaîne de soie et trame de coton, de couleurs vives, dont on fait des mouchoirs, des fichus, des écharpes.

MADRE *(sierra),* nom des deux rebords montagneux qui limitent le plateau mexicain au-dessus du Pacifique et du golfe du Mexique.

MADRÉ, E [madre] adj. (de l'anc. fr. *masdre,* bois veiné). Se dit de quelqu'un qui est malin, rusé et sans scrupule (littér.) : *Les paysans madrés des contes de Maupassant* (syn. plus usuel FINAUD).

MADRÉPORES [madrepɔr] n. m. pl. (de l'it. *madre,* mère, et *poro,* pore). Ordre de cœlentérés renfermant des polypes isolés ou coloniaux, possédant un squelette calcaire, ou polypier, et qui, très abondants dans les mers chaudes, forment près des côtes des récifs coralliens ou des îles circulaires *(atolls).*

MADRID, capit. de l'Espagne (depuis 1561) et de la région de Madrid; 3 146 100 hab. *(Madrilènes).*

Située au centre du pays, sur le Manzanares, au cœur d'une région pauvre et peu peuplée, la ville s'est longtemps contentée d'un rôle administratif. Sa population a beaucoup progressé au début du XXᵉ s., principalement sous l'effet de l'exode rural. Cette abondance de main-d'œuvre a permis le développement de diverses industries (constructions mécaniques et aéronautiques).

Ville d'art (musée du Prado), Madrid possède de nombreux monuments.

MADRIER [madrije] n. m. (du lat. *materia*, bois de construc-:ion). Pièce de bois très épaisse, employée dans la construction : *La charpente est faite en madriers de chêne.*

MADRIGAL, AUX [madrigal, -go] n. m. (it. *madrigale*). **1.** Petite pièce de vers exprimant des sentiments tendres. — **2.** Composition vocale avec accompagnement instrumental.

MADRILÈNE [madrilɛn] adj. et n. De Madrid.

MADURA ou **MADOURA,** île d'Indonésie, au N. de Java; 2 450 000 hab.

MADURAI, v. de l'Inde (Tamil Nadu); 548 300 hab. Grand temple brahmanique (XVIIe s.). Université.

MAEBASHI, v. du Japon (Honshū); 233 600 hab. Textiles.

MAELSTRÖM ou **MALSTROM,** chenal de la mer de Norvège, site de courants tourbillonnaires, près des îles Lofoten.

MAELSTRÖM ou **MALSTROM** [malstrɔm] n. m. (de *Maelström*). Gouffre, tourbillon.

MAESTOSO [maɛstozo] adv. (mot it.). *Mus.* Lentement et majestueusement.

MAESTRIA [maestrija] n. f. (mot it. signif. *maîtrise*). Maîtrise et vivacité dans l'exécution, la réalisation de quelque chose : *Conduire un orchestre avec maestria* (syn. BRIO).

MAËSTRICHT → MAASTRICHT.

MAESTRO [maestro] n. m. (mot it. signif. *maître*). Titre donné à un musicien de talent. || Pl. des *maestros.*

MAETERLINCK (Maurice), écrivain belge de langue française (1862-1949). Il entreprit d'évoquer dans son théâtre des personnages aux états d'âme mystérieux, en proie à des forces obscures et malveillantes (*Pelléas et Mélisande*, 1892) ou évoluant dans un monde de féerie (*l'Oiseau bleu*, 1908). Il manifesta également dans ses essais son attrait pour les secrets de la vie et de la nature (*la Vie des abeilles*, 1901; *la Vie des fourmis*, 1930). [Prix Nobel, 1911.]

MAFFIA ou **MAFIA** [mafja] n. f. (mot it.). **1.** Association secrète de malfaiteurs. — **2.** *Fam.* et *péjor.* Groupe de gens unis par des intérêts communs : *La maffia des collectionneurs.* ◆ **maffioso** ou **mafioso** n. m. Membre de la Maffia. || Pl. des *maf(f)iosi.*

Maffia (la), réseau d'associations secrètes d'origine sicilienne, fondé au début du XIXe s. afin de substituer sa propre justice à la justice officielle et de maintenir en fait la structure sociale et économique existante. La Maffia a essaimé jusqu'aux États-Unis grâce à de nombreuses complicités.

MAGASIN [magazɛ̃] n. m. (ar. *makhāzin*, lieu de dépôt). **1.** Établissement de commerce où l'on expose des marchandises en vue de les vendre (se substitue à BOUTIQUE, qui désigne un commerce plus petit) : *Les grands magasins* (= grands établissements de vente réunissant de nombreux rayons spécialisés). *Courir les magasins* (= faire des courses). — **2.** Lieu où l'on conserve des marchandises, des provisions, des objets : *Les magasins à blé installés près du port* (syn. ENTREPÔT). *Je n'ai pas cet article en magasin* (= dans mon stock de marchandises). — **3.** *Magasin d'une arme, d'un appareil photographique*, partie ménagée pour l'approvisionnement en cartouches, en pellicule photographique. ◆ **magasinage** n. m. Action de mettre en dépôt dans un magasin. ◆ **magasinier** n. m. Employé chargé de garder les objets amenés en magasin et d'en assurer la distribution. ◆ **emmagasiner** [ɑ̃magazine] v. t. **1.** Mettre en magasin : *Emmagasiner des marchandises.* — **2.** Amasser, mettre en réserve : *Emmagasiner des souvenirs* (syn. ACCUMULER). ◆ **emmagasinage** n. m.

MAGAZINE [magazin] n. m. (mot angl.). Publication périodique illustrée, traitant de sujets divers.

MAGDALÉNIEN, ENNE [magdalenjɛ̃, -ɛn] adj. et n. m. (de l'abri préhistorique de la *Madeleine*, à Tursac, Dordogne). Se dit de la dernière période du paléolithique, caractérisée par l'apogée de l'industrie de l'os (sagaies, harpons) et des peintures murales fresques des grottes de Lascaux, d'Altamira).

MAGDEBURG, v. d'Allemagne, capit. de Saxe-Anhalt, sur l'Elbe; 288 700 hab. Port fluvial. Métallurgie. Industries chimiques. Place forte saxonne, rebâtie par Otton le Grand. Archevêché au Xe s. Plusieurs fois détruites, elle fut une des principales villes hanséatiques et devint prussienne en 1648.

MAGE [maʒ] n. m. (lat. *magus*). Celui qui se prétend versé dans les sciences occultes; grand prêtre d'une religion secrète. ◆ adj. m. *Les Rois mages*, personnages qui vinrent, guidés par une étoile, adorer Jésus à Bethléem. (Une tradition postérieure leur a donné les noms de *Melchior, Gaspard* et *Balthazar*.)

MAGELLAN (Fernand DE), navigateur portugais (1480-1521). Entré au service de Charles Quint, il longea la côte de l'Amérique du Sud et parvint dans le Pacifique par le détroit qui porte son nom (21 octobre 1520); le 28 novembre il aborda le Grand Océan, qu'il appela *Pacifique.* Il découvrit l'archipel des Philippines (16 mars 1521) mais y fut tué. C'est son lieutenant Sebastián de El Cano qui ramena les restes de l'expédition, réalisant ainsi le premier voyage autour du monde.

MAGELLAN *(détroit de)*, détroit long de 583 km, reliant l'Atlantique et le Pacifique, entre le continent américain et les archipels qui en prolongent la pointe méridionale.

MAGENTA, v. d'Italie (Lombardie); 21 600 hab.

• *4 juin 1859. Pendant la campagne d'Italie, Mac-Mahon y remporte une victoire sur les Autrichiens.*

MAGHREB, en ar. **Marhrib** ou **Maghrib** *(le Couchant)*, ensemble des pays du nord-ouest de l'Afrique (Maroc, Algérie, Tunisie), compris entre la Méditerranée et le Sahara. (La notion, politique, de *Grand Maghreb* [ou *Maghreb*] recouvre, outre ces trois pays, la Libye et la Mauritanie.)

MAGHRÉBIN, E [magrebɛ̃, -in] adj. Relatif au Maghreb, et particulièrement aux parlers arabes dont le domaine s'étend de l'Égypte à l'Atlantique.

MAGIE [maʒi] n. f. (lat. *magia*). **1.** Art supposé de produire, par des procédés mystérieux, secrets, des phénomènes inexplicables : *Les formules de magie.* || *Magie noire*, magie qui avait pour objet l'évocation des démons. — **2.** *Comme par magie*, d'une manière inexplicable (syn. PAR ENCHANTEMENT). — **3.** Effet étonnant ou influence surprenante exercés par un sentiment très vif : *La magie des mots* (syn. PRESTIGE, PUISSANCE). ◆ **magicien, enne** n. **1.** Personne qui pratique la magie. — **2.** Personne capable de produire des choses extraordinaires : *Magicien du vers.* ◆ **magique** adj. **1.** Qui tient de la magie : *Formule magique* (syn. CABALISTIQUE). *La baguette magique d'une fée* (syn. ENCHANTÉ). — **2.** Qui produit un effet d'étonnement, d'enchantement : *Le mot magique de « liberté ».* — **3.** *Lanterne magique*, instrument d'optique avec lequel on projette sur un écran des images agrandies.

MAGINOT (André), homme politique français (1877-1932). Plusieurs fois ministre de la Guerre à partir de 1922, il attacha son nom au système de fortifications (ou *ligne Maginot*) construit de 1927 à 1936 pour la défense de la frontière française entre Montmédy et le Rhin.

MAGIQUE adj. → MAGIE.

MAGISTÈRE [maʒistɛr] n. m. (du lat. *magister*, maître). *Exercer un magistère*, exercer une autorité doctrinale s'imposant d'une manière absolue.

MAGISTRAL, E, AUX [maʒistral, -tro] adj. (lat. *magistralis*) [avant ou plus souvent après le nom]. **1.** Qui porte la marque d'un homme éminent, qui a des qualités supérieures incontestées : *Une œuvre magistrale. Réussir un coup magistral* (= un coup de maître). — **2.** *Fam.* Qui est d'une force remarquable : *Recevoir une fessée magistrale* (syn. SUPERBE). — **3.** Qui appartient à un maître; qui est donné en chaire : *Un cours magistral.* ◆ **magistralement** adv.

MAGISTRAT [maʒistra] n. m. (lat. *magistratus*). Fonctionnaire ou officier civil ayant une autorité de juridiction (membres des tribunaux et des cours), d'administration (préfet, maire), de gouvernement (ministre) : *Les magistrats municipaux d'une ville. Le président de la République est le premier magistrat du pays;* désigne surtout les fonctionnaires chargés de la justice : *Les magistrats de la cour d'assises.* ◆ **magistrature** n. f. Charge, fonction, corps des magistrats : *La magistrature suprême* (= la présidence de la République). *Faire carrière dans la magistrature* (= la justice). || *Magistrature assise*, ensemble des magistrats qui siègent comme juges dans les affaires pénales et civiles, et dont le rôle est de juger. || *Magistrature debout*, les magistrats du parquet, qui doivent se lever pour prendre la défense de la loi dans les affaires pénales, au nom du gouvernement.

MAGMA [magma] n. m. (mot gr. signif. *pâte pétrie*). **1.** Masse pâteuse, épaisse et visqueuse. — **2.** Masse fondue, de température élevée (700 à 1 200 °C env.), dont la cristallisation par refroidissement donne les roches éruptives. — **3.** Mélange inextricable.

MAGNANERIE [maɲanri] n. f. (du prov. *magnan*, ver à soie). **1.** Bâtiment destiné à l'élevage des vers à soie. — **2.** Art d'élever les vers à soie. ◆ **magnanarelle** n. f. Nom provençal des femmes qui s'occupent de l'élevage des vers à soie.

MAGNANIME [maɲanim] adj. (du lat. *magnus*, grand, et *animus*, esprit). Se dit d'une personne (ou de son comportement) dont la générosité se manifeste par la bienveillance envers les faibles ou le pardon aux vaincus : *Se montrer magnanime* (syn. CLÉMENT). *Un vainqueur magnanime* (syn. GÉNÉREUX). ◆ **magnanimité** n. f. : *Agir avec magnanimité* (syn. GRANDEUR D'ÂME). *La magnanimité de son pardon* (syn. GÉNÉROSITÉ).

MAGNAT [magna] n. m. (du lat. *magnus*, grand). **1.** *Autref.* Grand de l'État, en Pologne et en Hongrie. — **2.** *Magnat de l'industrie, de la finance, du pétrole, de la métallurgie*, etc., personnage important de l'industrie, de la finance, etc., où il représente de puissants intérêts économiques (valeur péjor.).

MAGNÉSIE [maɲezi] n. f. (du lat. *magnes* [*lapis*], [pierre] d'aimant). *Chim.* Oxyde ou hydroxyde de magnésium.

MAGNÉSIE du Sipyle, v. de Lydie où Antiochos III fut battu par Scipion en 189 av. J.-C.

MAGNÉSIUM [maɲezjɔm] n. m. (du lat. *magnes* [*lapis*], [pierre] d'aimant). Métal solide (Mg), très léger, blanc argenté, pouvant brûler à l'air avec une flamme éblouissante.
— ENCYCL. Le *magnésium* existe dans la nature, principalement à l'état d'oxyde (magnésie), de carbonates, de silicates divers (magnésite, talc, amiante). On le prépare par des procédés thermiques de réduction ou par voie électrolytique. Le magnésium sert à la désoxydation de bains en fonderie de cuivre et d'alliages cuivreux. Il est utilisé en photographie (flash au magnésium), en pyrotechnique et en fonderie d'acier pour la désulfuration à la coulée. À résistance égale, les alliages de magnésium, de densité inférieure à 2, ont un poids inférieur de 20 p. 100 à celui des alliages d'aluminium.

MAGNÉTIQUE adj. ⟶ MAGNÉTISME et MAGNÉTOPHONE.

MAGNÉTISME [maɲetism] n. m. (du gr. *magnês, -êtos*, aimant). **1.** Ensemble des propriétés des aimants et des phénomènes s'y rapportant : *L'aiguille de la boussole est soumise à l'action du magnétisme terrestre.* ‖ *Magnétisme terrestre*, champ magnétique qui existe au niveau de la surface de la Terre et qui agit sur l'aiguille aimantée d'une boussole (orienté dans la direction sud-nord). — **2.** Attraction exercée par une personne sur une autre. ◆ **magnétique** adj. **1.** *Corps magnétique* (= qui possède les propriétés de l'aimant). *Champ magnétique* (= zone où se manifeste le magnétisme). — **2.** (sujet nom de personne) *Avoir un pouvoir magnétique*, exercer une influence puissante et mystérieuse. ◆ **magnétiser** v. t. **1.** Donner les propriétés de l'aimant : *Barre de fer magnétisée.* — **2.** Soumettre une personne à une influence magnétique (syn. FASCINER, HYPNOTISER). ◆ **magnétiseur** n. m. Personne qui prétend utiliser le « fluide humain » en effectuant, à l'aide des mains, des passes à distance sur un sujet, en général à des fins thérapeutiques.

MAGNÉTITE [maɲetit] n. f. (du gr. *magnês, -êtos*, aimant). Oxyde naturel de fer, magnétique, utilisé comme minerai.

MAGNÉTO [maɲeto] n. f. (du gr. *magnês, -êtos*, aimant). Génératrice de courant électrique où l'induction est produite par un champ magnétique créé par un aimant permanent.
— ENCYCL. Une *magnéto* comporte un inducteur fixe constitué par des aimants juxtaposés en forme de fer à cheval et un induit en tôles isolées sur lequel sont enroulées quelques spires de gros fil formant le circuit primaire. Le circuit secondaire, comportant un grand nombre de spires de fil fin, est enroulé sur le premier. La magnéto, qui était autrefois employée pour le démarrage des moteurs à explosion, est remplacée par l'allumage par batterie, qui donne un courant d'intensité supérieure.

MAGNÉTOPHONE [maɲetɔfɔn] n. m. (du gr. *magnês, -êtos*, aimant, et *phônê*, voix). Appareil d'enregistrement et de restitution des sons par aimantation d'un ruban (bande). ◆ **magnétique** adj. : *Bandes magnétiques* (= sur lesquelles on enregistre des sons au moyen du magnétophone).

MAGNÉTOSCOPE [maɲetɔskɔp] n. m. (du gr. *magnês, -êtos*, aimant, et *skopein*, regarder). Procédé d'enregistrement des images de télévision sur une bande recouverte d'une substance magnétique, et qui permet une rediffusion immédiate des images.

MAGNÉTOSPHÈRE [maɲetɔsfɛr] n. f. (du gr. *magnês, -êtos*, aimant, et *sphère*). Domaine spatial entourant la Terre au-delà de l'ionosphère, à partir de 800-1 000 km, et s'étendant jusqu'à la frontière ultime entre les espaces terrestre et interplanétaire.

MAGNÉTOSTATIQUE [maɲetɔstatik] n. f. (du gr. *magnês, -êtos*, aimant, et *statique*). Étude des phénomènes magnétiques se manifestant lorsque des conducteurs sont parcourus par des courants électriques continus, ou lorsque des milieux matériels sont aimantés de façon permanente, ou, plus généralement, lorsque les deux cas se présentent simultanément.

MAGNIFICAT [maɲifikat] n. m. inv. (mot lat.). Cantique par lequel la Vierge exprima sa reconnaissance à Dieu lors de sa visite à Élisabeth, sa cousine.

MAGNIFICENCE n. f. ⟶ MAGNIFIQUE.

MAGNIFIER [maɲifje] v. t. (du lat. *magnus*, grand). Célébrer comme grand (littér.) : *Magnifier un exploit* (syn. GLORIFIER).

MAGNIFIQUE [maɲifik] adj. (lat. *magnificus*) [avant ou après le nom]. **1.** Se dit d'une chose qui a de la grandeur, une beauté majestueuse, de l'éclat : *Le magnifique portail de la cathédrale de Chartres* (syn. SPLENDIDE, SUPERBE). — **2.** Se dit de quelqu'un de très beau, très fort : *De magnifiques athlètes.* ◆ **magnifiquement** adv. : *Livre magnifiquement illustré.* ◆ **magnificence** n. f. **1.** Qualité de ce qui est magnifique (langue soignée) : *La magnificence de la réception officielle* (syn. ÉCLAT, FASTE). *La magnificence d'un spectacle* (syn. SOMPTUOSITÉ, SPLENDEUR). — **2.** Attitude de celui qui donne avec une grande libéralité (littér.) : *Une ruineuse magnificence* (syn. GÉNÉROSITÉ, PRODIGALITÉ).

MAGNITOGORSK, v. de l'U. R. S. S., au pied de l'Oural central; 364 200 hab. Gisements de fer. Grand centre sidérurgique.

MAGNITUDE [maɲityd] n. f. (lat. *magnitudo*). *Astron.* Éclat d'une étoile, variable d'un astre à un autre suivant son intensité lumineuse et sa distance. (Ptolémée a classé 1 028 étoiles en 6 magnitudes : les étoiles les plus brillantes sont numérotées 1, celles qui sont à la limite de visibilité à l'œil nu sont numérotées 6.) [On disait récemment GRANDEUR.]

MAGNOL (Pierre), médecin et botaniste français (1638-1715). Il conçut l'idée du classement des plantes par familles.

MAGNOLIA [maɲɔlja] n. m. (du botaniste *Magnol*). Arbre ornemental, originaire d'Asie et d'Amérique, aux grandes fleurs roses ou blanches, à l'odeur suave, planté dans les parcs.

MAGNUM [magnɔm] n. m. (lat. *magnum*, grand). Grosse bouteille d'une contenance équivalente à celle de deux bouteilles de champagne.

1. MAGOT [mago] n. m. (de *Magot*, n. de chef oriental). **1.** Singe sans queue, du genre macaque, vivant en Algérie, au Maroc et sur le rocher de Gibraltar. — **2.** Petite figure grotesque sculptée ou modelée, et, en partic., figurine de porcelaine provenant de Chine ou du Japon.

2. MAGOT [mago] n. m. (de l'anc. fr. *mugot*, lieu où l'on conserve les fruits). *Fam.* Argent, économies cachés dans un lieu jugé sûr : *Chercher le magot.*

MAGOUILLE [maguj] n. f. (orig. incert.). *Fam.* Combinaison douteuse entre des organisations ou des personnes dans un groupe. ◆ **magouillage** n. m. : *Magouillage électoral.* ◆ **magouiller** v. i. ◆ **magouilleur, euse** adj. et n.

MAGRET [magrɛ] n. m. (de *maigre*). Filet de canard.

MAGRITTE (René), peintre belge (1898-1967), l'un des principaux représentants du surréalisme.

MAGYARS, peuple qui s'installa au IXe s. dans la vallée du Danube et qui constitue auj. la grande majorité de la population de la Hongrie.

MAHAJANGA ⟶ MAJUNGA.

MAHĀRĀJAH ou **MAHĀRĀDJAH** [maaradʒa] n. m. inv. (mot sanskrit signif. *grand roi*). Titre qui, dans l'Inde, désigna d'abord les rois et les empereurs, puis les princes. ◆ **mahārāni** n. f. inv. Femme de mahārājah.

MAHĀRĀSHTRA, État de l'Inde, dans l'ouest du Deccan; 62 784 000 hab. Capit. *Bombay.*

MAHĀTMĀ [maatma] n. m. inv. (mot sanskrit signif. *grande âme*). Titre donné dans l'Inde à des personnalités spirituelles de premier plan : *Le mahātmā Gandhi.*

MAHÉ, v. de l'Inde (Kerala), sur la côte de Malabār; 18 300 hab. Anc. établissement français.

MAH-JONG [maʒɔ̃] n. m. (mots chin. signif. *je gagne*). Sorte de jeu de dominos d'origine chinoise.

MAHLER (Gustav), compositeur et chef d'orchestre autrichien (1860-1911), auteur de neuf symphonies et de cinq cycles de lieder.

MAHMUT II (1784-1839), sultan des Turcs de 1808 à 1839. Il lutta contre la désagrégation de l'Empire et fit massacrer les janissaires (= mercenaires constituant la garde du sultan) qui s'opposaient aux réformes de l'armée (1826); mais il dut reconnaître l'indépendance de la Grèce en 1830. En conflit avec le pacha d'Égypte Méhémet Ali, il fut écrasé par celui-ci à Nisibe (1839).

MAHOMET ou **MUḤAMMAD** *(le Loué)*, prophète fondateur de la religion musulmane, né à La Mecque (v. 570-632).

Issu d'une tribu spécialisée dans le commerce caravanier (les Quraych), orphelin, il devient berger puis homme de confiance d'une riche veuve, Khadīdja, qu'il épouse. Il en aura quatre filles dont Fāṭima*. Insatisfait socialement et spirituellement, il subit l'influence du christianisme et du judaïsme.

- *610. Inspiré par Dieu, il commence à prêcher une réforme religieuse et sociale, fondée sur la croyance en un Dieu unique et tout-puissant auquel chacun doit se soumettre (islām).*

Le groupe de ses partisans, les musulmans, « ceux qui remettent leur âme à Dieu », grossit parmi les pauvres et les jeunes surtout, et l'aristocratie de La Mecque les persécute.

• *24 sept. 622. Mahomet se réfugie à Médine, c'est l'« hégire » (= émigration).*

Cette émigration forcée est le point de départ de l'ère musulmane.

• *630. Il s'empare de La Mecque, qui devient la ville sainte de l'islām.*

Dès lors, les conversions se multiplient. À la mort du prophète toute l'Arabie est musulmane. (⟶ ISLĀM.)

MAHOMÉTAN, E [maɔmetɑ̃, -an] adj. et n. (de *Mahomet*). Syn. anc. de MUSULMAN.

MAHÓN, port de l'archipel des Baléares (Espagne), capit. de l'île de Minorque; 16 600 hab.

MAHRĀTTES, peuple de l'Inde, habitant l'État de Mahārāshtra.

MAI [mɛ] n. m. (lat. *Maius mensis*, mois de [la déesse] Maia). **1.** Cinquième mois de l'année. (⟶ MOIS.) — **2.** Période de l'année que l'on consacre, dans certaines villes, à des représentations théâtrales, cinématographiques, etc. : *Le mai de Bordeaux.* — **3.** *Le Premier-Mai*, le jour de la fête du Travail. — **4.** Arbre vert et enrubanné que l'on plantait, le premier jour du mois de mai, devant la porte d'une personne ou d'une confrérie qu'on voulait honorer.

mai 1958 *(crise du 13)*, nom donné aux événements d'Algérie qui provoquèrent la fin de la IVe République. Les Européens d'Alger, hostiles au ministère Pflimlin formé le 12 mai, envahirent le 13 le ministère de l'Algérie et créèrent un comité de salut public présidé par le général Massu, avec lequel se solidarisa le général Salan, commandant en chef de l'Algérie (15 mai). La crise, rejaillissant en métropole, entraîna la démission de Pflimlin, et le président Coty appela au pouvoir le général de Gaulle (1er juin).

mai 1968 *(« événements » de)*, période de l'histoire de France qui dura un mois environ et qui fut marquée par une remise en cause des structures sociales, du fait de deux mouvements parallèles : une contestation étudiante de l'enseignement, puis de la société tout entière, et un mouvement de grève ouvrier, le plus vaste que la France ait connu (9 millions de grévistes).

MAÏAKOVSKI (Vladimir Vladimirovitch), poète soviétique (1893-1930). Orphelin, il adhéra très jeune au parti bolcheviste. Après avoir participé au mouvement « futuriste » (*le Nuage en pantalon*, 1915), il exalta la révolution dans un vers libre nouveau : *150 000 000* (1921), *V. I. Lénine* (1924), *Octobre* (1927). Un des plus grands poètes soviétiques, il a écrit aussi des pièces de théâtre (*la Punaise*, 1929). Déçu dans sa vie publique et privée, il se suicida.

MAIDSTONE, v. d'Angleterre, ch.-l. du comté de Kent; 70 900 hab. Industries alimentaires.

MAIE [mɛ] n. f. (lat. *magis, -idis*, pétrin). Meuble rustique, en forme de coffre sur pieds, qui servait autref. à pétrir et à conserver le pain.

MAÏEUTIQUE [majøtik] n. f. (gr. *maieutikê*, art de faire accoucher). Dans la philosophie socratique, art de faire découvrir à l'interlocuteur, par une série de questions, les vérités qu'il porte en lui.

1. MAIGRE [mɛgr] adj. et n. (lat. *macer*). **1.** (après le nom) Se dit d'une personne, d'un animal (ou des parties de son corps) qui a très peu de graisse : *Il est devenu très maigre avec l'âge* (syn. ↑SQUELETTIQUE; contr. GROS, POTELÉ). *Un visage maigre* (syn. HÂVE, TIRÉ). — **2.** (après le nom) Se dit d'un aliment qui ne contient pas de graisse : *Une viande maigre* (contr. GRAS). ‖ *Jours maigres*, où l'on ne mange, par prescription religieuse, ni viande ni aliments gras. — **3.** (avant le nom) Où il y a peu à manger : *Faire un maigre repas* (contr. PLANTUREUX). — **4.** (avant le nom) Peu abondant : *La maigre végétation de ce paysage désertique* (syn. PAUVRE; contr. RICHE). — **5.** (avant le nom) Peu important : *Toucher un maigre salaire* (syn. MÉDIOCRE, PETIT). *Le profit est bien maigre* (syn. MINCE). ◆ adv. *Faire maigre*, ne manger ni viande ni aliments gras les jours prescrits par la religion catholique. ◆ **maigrement** adv. D'une manière pauvre : *Être maigrement payé* (syn. CHICHEMENT). ◆ **maigreur** n. f. : *Être d'une maigreur effrayante. La maigreur d'un sujet* (= son peu d'importance). ◆ **maigrichon, onne** et **maigrelet, ette** adj. et n. Un peu trop maigre (sens 1) : *Des jambes maigrelettes. Une petite fille maigrichonne.* ◆ **maigrir** v. i. Devenir maigre : *Elle a beaucoup maigri* (contr. PRENDRE DU POIDS). ◆ **maigri, e** adj. Syn. plus usuel de AMAIGRI : *Je l'ai trouvé maigri.* ◆ **amaigrir** v. t. Rendre maigre (surtout au passif) : *Il sortit de l'hôpital très amaigri.* ◆ **s'amaigrir** v. pr. Devenir maigre : *Ses joues s'amaigrissent.* ◆ **amaigrissant, e** adj. : *Le régime amaigrissant qu'elle suit peut avoir des conséquences désastreuses pour sa santé.* ◆ **amaigrissement** n. m. : *En se pesant, il constata un amaigrissement inquiétant.*

2. MAIGRE [mɛgr] n. m. (de *maigre* 1). Période où le débit des eaux est le plus faible (syn. BASSES EAUX, CREUX, ÉTIAGE).

MAÏKOP, v. de l'U. R. S. S., dans le Caucase septentrional; 110 000 hab. Gisements pétrolifères. Papier.

MAIL [maj] n. m. (lat. *malleus*, marteau). **1.** Petit maillet muni d'un long manche flexible, dont on se servait pour pousser une boule de bois au jeu du mail; ce jeu lui-même. — **2.** Promenade publique (où l'on jouait au mail).

1. MAILLE [maj] n. f. (lat. *macula*, boucle). **1.** Chaque boucle que forme le fil, la laine, etc., dans les tissus tricotés, dans les filets : *Laisser échapper une maille en tricotant.* — **2.** Ouverture que les boucles de ces tissus laissent entre elles : *Passer entre les mailles du filet. Tissu à mailles fines.* — **3.** *Cotte de mailles*, armure du Moyen Âge faite de petits annelets de fer. ◆ **maillon** n. m. **1.** Anneau d'une chaîne : *Un maillon est rompu.* — **2.** *Être un maillon de la chaîne*, être un élément dans un organisme dont tous les services dépendent les uns des autres. ◆ **démailler (se)** v. pr. Se dit d'un tissu dont les mailles se défont. ◆ **indémaillable** adj. Dont les mailles ne peuvent se défaire. ◆ n. m. Mode de tissage du tissu à mailles, où une maille cassée n'entraîne pas le coulage des autres mailles. ◆ **remmailler** [rɑ̃maje] v. t. Remettre les mailles de : *Remmailler des bas.* ◆ **remmaillage** n. m.

2. MAILLE [maj] n. f. (du lat. *medius*, demi). *Avoir maille à partir avec qq'un*, avoir avec lui des difficultés, une dispute.

MAILLECHORT [majʃɔr] n. m. (des noms des inventeurs, *Maillot* et *Chorier*). Alliage inoxydable de cuivre, de nickel et de zinc, imitant l'argent.

MAILLET [majɛ] n. m. (du lat. *malleus*, marteau). **1.** Marteau en bois très dur, à deux têtes. — **2.** Instrument similaire, à long manche, avec lequel on joue au croquet.

MAILLOL (Aristide), sculpteur français (1861-1944).

D'abord peintre, il exécute ses premières sculptures à l'âge de quarante ans. Celles-ci représentent des corps de femmes nues, aux formes épanouies, souvent lourdes, qui évoquent l'art antique, sans tomber dans l'académisme.

Parmi ses œuvres, citons *la Pensée* (1901), *l'Action enchaînée* (1906), le monument aux morts de Céret (1922), *la Rivière* (1943). Un important ensemble de ses statues décore depuis 1964 le jardin des Tuileries à Paris.

MAILLON n. m. ⟶ MAILLE 1.

MAILLOT [majo] n. m. (de *maille* 1). **1.** Large carré d'étoffe dont on enveloppe les jambes et le corps d'un nouveau-né jusqu'au-dessous des bras (syn. LANGE). — **2.** Vêtement souple qui couvre une partie du corps et se porte sur la peau : *Un maillot de corps. Un maillot de bain. Le maillot jaune du coureur classé premier au Tour de France cycliste.* ◆ **démailloter** v. t. *Démailloter un enfant*, lui ôter le maillot (sens 1). ◆ **emmailloter** v. t. **1.** Envelopper un enfant dans des langes. — **2.** *Emmailloter un doigt blessé*, l'envelopper complètement avec de la gaze, un pansement.

Maillotins, nom donné aux Parisiens insurgés sous Charles VI, parce qu'ils étaient armés de maillets, pris à l'Arsenal (1382).

MAIN [mɛ̃] n. f. (lat. *manus*). **1.** Organe qui termine le bras de l'homme et qui lui sert à prendre, à tenir, à toucher, à exécuter, etc. : *Les cinq doigts de la main.* ⟶ ENCYCL. — **2.** Partie correspondante du membre antérieur des vertébrés tétrapodes. — **3.** Symbole de l'autorité, de la possession, de la violence, de l'effort, de l'aide : *Trouver une main secourable* (= une aide). *Tomber entre des mains sacrilèges* (= en la possession de). — **4.** Au jeu de cartes, distribution des cartes : *Prendre la main* (= prendre son tour de distribuer). *Avoir une belle main* (= avoir une belle distribution de cartes). — **I. Locutions.** *À la main*, en tenant par la main : *Tenir un chapeau à la main;* fait avec la main (et non avec une machine) : *Tricot fait à la main.* ‖ *À main armée*, en ayant des armes à la main : *Attaque à main armée.* ‖ *À pleines mains*, abondamment, largement, sans compter : *Distribuer les crédits à pleines mains;* de manière à remplir totalement les mains : *Puiser à pleines mains dans un sac de blé.* ‖ *De la main à la main*, sans faire l'objet d'un acte officiel : *J'ai versé au vendeur, de la main à la main, une partie de la somme due.* ‖ *De longue main*, en s'y prenant longtemps à l'avance. ‖ *De main en main*, en allant d'une personne à une autre : *L'objet passa de main en main.* ‖ *De première main*, directement, sans intermédiaire : *Renseignements obtenus de première main.* ‖ *De seconde main*, d'une manière indirecte et le plus souvent avec des risques d'erreur : *Travailler de seconde main.* ‖ *En main*, en la possession de : *Il a en main le livre que j'aurais désiré lire.* ‖ *En main propre*, dans les mains de la personne même. ‖ *Haut la main*, sans difficulté, avec aisance. ‖ *Haut les mains*, les mains au-dessus de la tête (pour se rendre). ‖ *Sous la main*, à la disposition immédiate : *Je n'ai pas sous la main les papiers nécessaires.* — **II. Expressions.** *Ne pas y aller de main morte*, agir avec brutalité, dureté, violence. ‖ *Avoir une chose bien* *en main*, la tenir solidement; *avoir qq'un bien en main*, exercer sur lui une autorité incontestée. || *Avoir la haute main sur qqch.*, jouir de la principale autorité sur cette chose. || *Avoir la main heureuse*, être habituellement heureux dans son choix. || *Avoir les mains libres*, avoir l'entière liberté d'agir. || *Avoir les mains liées*, ne plus être libre de faire telle ou telle chose. || *Battre des mains*, applaudir. || *Changer de mains*, passer d'un possesseur à un autre : *La ferme a changé de mains.* || *Coup de main*, action militaire locale, visant à obtenir des renseignements; aide apportée à quelqu'un : *Donne-moi un coup de main pour soulever l'armoire.* || *De la main (de la propre main) de*, par la main de : *Tableau exécuté de la main même de Rubens;* de la part de : *J'ai reçu le manuscrit de la main même de l'auteur.* || *De main de maître*, d'une manière magistrale, remarquable. || *Demander, obtenir la main d'une femme*, demander, obtenir de l'épouser. || *En un tour de main*, en très peu de temps. || *Entre les mains de qq'un*, en sa possession, en son pouvoir, à sa disposition. || *En venir aux mains*, en arriver au combat, se battre. || *Être en bonnes mains*, être entre les mains d'une personne honnête ou compétente. || *Faire main basse sur qqch.*, s'en emparer sans en avoir le droit, voler. || *Forcer la main*, obliger, contraindre. || *Homme de main*, homme d'action, décidé, souvent sans scrupule, et au service d'une autre personne. || *Main courante* ou *coulante*, partie d'une rampe d'escalier, d'une rambarde, sur laquelle s'appuie la main. || *Main de justice*, main d'ivoire qui, placée à l'extrémité du bâton royal de France, symbolisait le pouvoir judiciaire. || *Mettre la dernière main à une chose*, la terminer. || *Mettre la* (ou *sa*) *main au feu*, être prêt à jurer que ce qu'on avance est vrai; être fortement persuadé de quelque chose. || *Mettre la main à la pâte*, prêter son concours efficace à une entreprise. || *Mettre la main sur qq'un*, l'arrêter, le mettre en prison. || *Passer la main*, transmettre son pouvoir, se démettre. || *Passer par les mains de*, venir en la possession de quelqu'un; venir sous l'autorité, sous la responsabilité de quelqu'un. || *Perdre la main*, perdre l'habitude de faire quelque chose. || *Petite main*, apprentie couturière. || *Première main*, première ouvrière d'une maison de couture. || *Prendre en main qqch.*, s'en charger, en prendre la responsabilité. || *Reprendre en main*, redresser une situation compromise. || *S'en laver les mains*, dégager sa responsabilité. || *Tendre la main*, demander l'aumône. || *Tomber sous la main de qq'un*, venir par hasard en sa possession.

— ENCYCL. Le squelette de la *main* comprend le carpe (8 os courts), le métacarpe (5 métacarpiens) et les phalanges (2 pour le pouce, 3 pour chacun des autres doigts). Les muscles qui commandent les mouvements de la main sont, d'une part, des muscles situés dans l'avant-bras et agissant par des tendons fins et longs, et, d'autre part, des muscles propres situés dans la main.

MAIN (le), riv. d'Allemagne, affl. du Rhin (r. dr.), qu'il rejoint à Mayence; 524 km. Arrosant notamment Würzburg et Francfort, le Main constitue l'artère majeure d'une liaison moderne Rhin-Danube en voie d'achèvement.

MAINARD ou **MAYNARD** (François), poète français (v. 1582-1646). Il a écrit surtout des odes *(À la belle vieille)* où il se montre le fidèle disciple de Malherbe.

MAINATE [menat] n. m. (orig. inc.). Passereau noir d'Indo-Malaisie qui imite tous les sons, y compris la parole humaine. (Famille des sturnidés.)

MAIN-D'ŒUVRE [mɛ̃dœvr] n. f. (de *main*, et *œuvre*). **1.** Travail de l'ouvrier, dans la fabrication d'un produit, dans la confection d'un ouvrage, considéré sur le plan du prix de revient : *Les frais de main-d'œuvre. Fournir la main-d'œuvre.* — **2.** Ensemble des ouvriers, des salariés d'une entreprise, d'une région, d'un pays : *Faire appel à la main-d'œuvre étrangère.* || Pl. des *mains-d'œuvre.*

MAINE (la), riv. de l'Anjou (Maine-et-Loire), affl. de la Loire (r. dr.); 10 km. Formée par l'union de la Mayenne et de la Sarthe grossie du Loir, elle arrose Angers.

MAINE (le), anc. province de l'ouest de la France, entre la Normandie, l'Orléanais, la Touraine et l'Anjou, la Bretagne. Capit. *Le Mans.*

GÉOGRAPHIE. On distingue : à l'O. le *bas Maine*, partie la plus élevée, qui appartient au Massif armoricain (dép. de la Mayenne); à l'E., le *haut Maine*, extrémité occidentale du Bassin parisien, qui constitue la majeure partie du département de la Sarthe, et dont le centre est Le Mans. Le Maine est une région d'aspect bocager, où l'élevage est partout présent, les cultures tenant une place relativement plus importante dans le haut Maine.

HISTOIRE. Le Maine, érigé en comté au Xe s., uni à l'Anjou au début du XIIe s., fit comme tel partie des domaines des Plantagenêts. Repris par Philippe Auguste à Jean sans Terre (1203), il fut donné en apanage à Charles Ier d'Anjou en 1246. Louis XI en hérita en 1481 et le réunit définitivement au domaine royal.

MAINE, État du nord-est des États-Unis, en Nouvelle-Angleterre; 86 000 km^2; 1 029 000 hab. Capit. *Augusta.*

MAINE (Louis Auguste DE BOURBON, *duc* DU), fils légitimé de Louis XIV et de Mme de Montespan, né à Saint-Germain (1670-1736). — Sa femme, LOUISE DE BOURBON-CONDÉ (1676-1753), petite-fille du Grand Condé, tint à Sceaux une cour brillante. Elle entraîna le duc dans la conspiration de Cellamare.

MAINE DE BIRAN (François Pierre GONTIER, dit), philosophe français de tendances spiritualistes (1766-1824).

MAINE-ET-LOIRE (49), dép. formé presque exclusivement de l'Anjou (Région Pays de la Loire); 7 166 km^2; 675 300 hab. (95 au km^2) [France : 103]. Ch.-l. *Angers.*

ADMINISTRATION. 4 arrond. (*Angers*, 316 200 hab.; *Cholet*, 176 800 hab.; *Saumur*, 128 800 hab.; *Segré*, 53 400 hab.). / 41 cant. / 364 comm.

L'ample vallée de la Loire (*Val d'Anjou* ici) sépare des régions de collines et de plateaux d'altitude modeste, *Mauges* au S.-O., coteaux d'entre Layon et Loire au S.-E., *Segréen* et *région de Baugé* au N. Le climat est doux, les précipitations assez également réparties sur l'ensemble de l'année.

L'agriculture emploie encore près du cinquième de la population active (près du double de la moyenne française). Elle est surtout intensive dans le Val d'Anjou (cultures fruitières et légumières, vignes), polyculture et élevage bovin étant fréquemment associés ailleurs; les coteaux du Layon portent aussi des vignobles.

L'*industrie* occupe un peu plus du tiers de cette population active. À côté d'activités traditionnelles (industries extractives [minerai de fer, ardoisières], textiles) se sont développées les constructions mécaniques et électriques, représentées surtout dans l'agglomération d'Angers. Celle-ci regroupe aujourd'hui environ 30 p. 100 de la population du département, mais Cholet et Saumur sont aussi des cités importantes.

L'essor démographique d'Angers et de Cholet explique l'accroissement récent de la population de Maine-et-Loire. La croissance des grandes villes compense largement la poursuite de l'exode rural.

MAIN-FORTE [mɛ̃fɔrt] n. f. (de *main*, et *fort*). *Donner, prêter main-forte à qq'un*, l'assister, lui venir en aide pour assurer son autorité dans des circonstances difficiles (syn. fam. DONNER UN COUP DE MAIN).

MAINLEVÉE [mɛ̃lәve] n. f. (de *main*, et *lever*). *Dr.* Acte qui arrête les effets d'une saisie, d'une opposition.

MAINMISE [mɛ̃miz] n. f. (de *main*, et *mettre*). Action de mettre la main sur quelque chose, d'en prendre possession, d'avoir une influence exclusive : *La mainmise de l'État sur certaines entreprises.*

MAINMORTE [mɛ̃mɔrt] n. f. (du lat. *manus*, pouvoir, propriété, et *mortua*, morte). *Dr. féodal.* Droit dont jouissaient les seigneurs et qui leur permettait de recueillir les biens de leurs serfs décédés, ceux-ci étant privés du droit de disposer par testament des biens qu'ils tenaient de leur seigneur.

MAINT, E [mɛ̃, mɛ̃t] adj. indéf. (orig. incert.) [surtout au plur. et dans quelques express. de la langue soignée]. **1.** En un grand nombre de : *En maints endroits* (= plus d'un endroit). *À maintes reprises* (= de nombreuses fois). — **2.** *Maintes et maintes fois, à maintes et maintes reprises*, très fréquemment.

MAINTENANCE n. f. → MAINTENIR.

MAINTENANT [mɛ̃tnɑ̃] adv. (de *maintenir*). **1.** Dans le moment présent, à l'époque actuelle (avec un verbe à l'indic. prés.) : *Maintenant, il connaît la nouvelle* (syn. À PRÉSENT). *Nous avons maintenant plus de moyens de guérir qu'autrefois* (syn. ACTUELLEMENT); avec un passé composé : *Il est maintenant arrivé* (syn. À L'HEURE QU'IL EST); avec un imparfait (style indirect libre) : *Maintenant, il se sentait découragé.* — **2.** À partir de l'instant où l'on est (suivi du futur) : *Il sera maintenant plus prudent* (syn. DÉSORMAIS). — **3.** Introduit une considération nouvelle et conclusive après une affirmation : *C'est mon idée; maintenant, vous pourrez agir comme vous l'entendez.* — LOC. CONJ. *Maintenant que*, indique une relation causale entre deux événements qui se suivent dans le temps : *Maintenant que le temps s'est remis au beau, nous allons pouvoir sortir* (syn. PUISQUE).

MAINTENIR [mɛ̃tnir] v. t. (bas lat. *manu tenere*, tenir avec la main). [Conj. **22.**] **1.** *Maintenir qqch.*, le tenir dans une position fixe, en état de stabilité : *Le mur maintient la terre* (syn. RETENIR). *Maintenir la tête au-dessus de l'eau* (syn. SOUTENIR). — **2.** *Maintenir qq'un*, l'empêcher de remuer, d'avancer : *Deux oreillers maintiennent le malade assis. Un cordon de police maintenait la foule loin du cortège* (syn. CONTENIR). — **3.** Tenir pendant longtemps dans le même état; faire durer, subsister : *Chercher à maintenir ses privilèges* (syn. CONSERVER, GARDER). *Maintenir un fonctionnaire dans son poste* (syn. CONFIRMER). *Maintenir un adversaire en respect* (= le tenir éloigné par crainte). — **4.** Affirmer avec insistance, répéter avec force : *Maintenir une opinion* (syn. SOUTENIR). ◆ ***se maintenir*** v. pr. Rester dans le même état, dans une même

LOCALITÉS PRINCIPALES	NOMBRE D'HAB.
Angers	141 100
Cholet	56 500
Saumur	34 000
Les Ponts-de-Cé	11 100
Trélazé	11 100
Avrillé	10 900
Saint-Barthélemy-d'Anjou	9 300
Segré	7 400
Doué-la-Fontaine	6 900
Longué-Jumelles	6 800

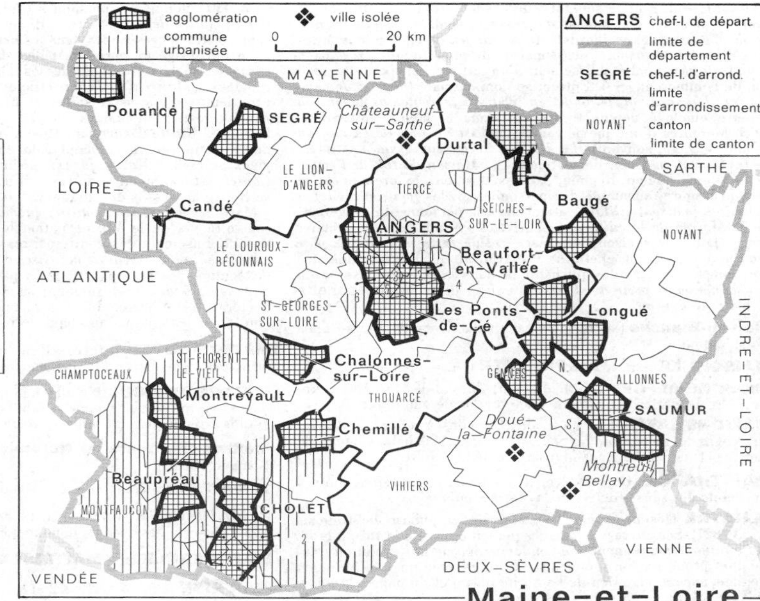

Maine-et-Loire

situation : *La paix s'est maintenue vingt ans* (syn. DURER). *Le candidat se maintient au second tour* (= maintient sa candidature). *L'élève se maintient dans une honnête moyenne* (syn. RESTER). ◆ **maintenance** n. f. Ensemble de tout ce qui permet de maintenir un système ou une partie de système en état de fonctionnement. ◆ **maintien** n. m. **1.** Action de faire durer : *Le maintien des libertés* (syn. CONSERVATION; contr. SUPPRESSION). *Le maintien des prix. Les forces du maintien de l'ordre* (= la police). — **2.** Manière habituelle de se comporter en société, de se tenir physiquement : *Un maintien modeste* (syn. ATTITUDE). *Il cherche à se donner du maintien* (syn. CONTENANCE).

MAINTENON, ch.-l. de cant. d'Eure-et-Loir, à 19 km au N.-E. de Chartres, sur l'Eure; 3 300 hab. Château du XVIe s. Parc dessiné par Le Nôtre.

MAINTENON (Françoise D'AUBIGNÉ, *marquise* DE) [1635-1719], petite-fille d'Agrippa d'Aubigné, veuve du poète Scarron. Elle fut chargée de l'éducation des enfants du roi et de Mme de Montespan, puis elle épousa secrètement Louis XIV. Après la mort de celui-ci, elle se retira à Saint-Cyr, où elle avait fondé une maison pour l'éducation des jeunes filles nobles et pauvres.

MAINTIEN n. m. ⟶ MAINTENIR.

1. MAIRE [mɛr] n. m. (lat. *major*, plus grand). *Maire du palais*, dignitaire qui gouvernait sous le nom des rois mérovingiens et qui, au VIIIe s., les supplanta.

2. MAIRE [mɛr] n. m. (même étym.). Membre du conseil municipal élu pour diriger les affaires d'une ville, d'une commune. (Le fém. MAIRESSE est rare.) ⟶ ENCYCL. ◆ **mairie** n. f. **1.** Hôtel de ville, où se trouvent les bureaux, l'administration de la commune, du maire. — **2.** L'administration de la ville elle-même.
— ENCYCL. Le *maire* est à la fois le représentant de la commune et le représentant de l'État. Il est assisté de un ou plusieurs *adjoints*, selon le nombre d'habitants.

Maire et adjoints sont élus par les conseillers municipaux, eux-mêmes élus au suffrage universel lors des élections municipales.

En qualité de *représentant de la commune*, le maire fait exécuter les décisions prises par le conseil municipal (*ex. :* achats ou ventes de biens communaux, réglementation de la circulation ou du stationnement dans la localité).

En qualité de *représentant de l'État*, le maire tient son pouvoir du gouvernement dont il doit publier et faire exécuter les lois, ainsi que les mesures de sécurité générale; il remplit les fonctions d'officier de l'état civil en enregistrant les naissances, les mariages, les décès. Il établit la liste électorale (noms des citoyens qui remplissent les conditions pour voter), la liste des enfants d'âge scolaire, celle des jeunes gens qui doivent se présenter devant le conseil de révision, en vue du service militaire.

1. MAIS [mɛ] adv. (lat. *magis*, plus). *N'en pouvoir mais*, être accablé de fatigue; ne pouvoir rien à quelque chose (littér.).

2. MAIS [mɛ] conj. (de *mais* 1). **1.** Introduit une opposition à ce qui a été affirmé, une restriction à ce qui a été dit : *Il est intelligent, certes, mais très paresseux* (syn. EN REVANCHE, NÉANMOINS); substantiv. : *Que veut dire ce mais?* (syn. OBJECTION, OPPOSITION; contr. ACQUIESCEMENT, OUI). *Il y a un mais* (= il y a une difficulté, une objection). — **2.** Sert de particule de renforcement dans les réponses : *Mais oui, bien sûr, je viendrai demain* (syn. ASSURÉMENT). *Mais non, je vous assure, je n'ai reçu aucune lettre;* sert de liaison entre un mot et sa répétition insistante : *C'était d'un drôle, mais d'un drôle!;* entre dans les phrases exclamatives en liaison avec certaines interjections ou dans les propositions interrogatives : *Ah ça, mais! Mais enfin, qu'est-ce que vous avez?* (marque quelque impatience); en partic. dans la loc. *non mais* marque l'indignation (fam.). — **3.** Sert de particule de transition pour marquer soit le début de la conversation, soit son changement : *Mais j'y pense, que faites-vous demain?*

MAÏS [mais] n. m. (mot esp.). Céréale de grande culture, aux épis formés de très gros grains comestibles. (Famille des graminacées.)
— ENCYCL. Les *maïs cornés* et *dentés* cultivés en France sont destinés à l'alimentation animale; le *maïs sucré*, cultivé aux États-Unis, intervient dans l'alimentation humaine.

La farine de maïs sert à faire des gâteaux, des pâtes, des bouillies. L'industrie tire des grains de l'amidon, du glucose, de l'alcool, de l'huile; les sous-produits (gluten, son, tourteau) peuvent être utilisés dans l'alimentation du bétail.

Près de la moitié de la production mondiale provient des États-Unis.

Monde	450 millions de t
États-Unis	190 millions de t
Chine	75 millions de t
Brésil	21 millions de t
Mexique	14 millions de t
U. R. S. S.	13 millions de t
France	10 millions de t

MAISON [mɛzɔ̃] n. f. (lat. *mansio, -onis;* de *manere*, rester). **1.** Bâtiment construit pour servir d'habitation à l'homme : *Avoir une maison de campagne.* — **2.** Logement que l'on habite; son aménagement : *Rentrer à la maison* (= chez soi) [syn. DOMICILE]. *La maîtresse de maison* (syn. LOGIS). *Savoir tenir sa maison* (syn.

MÉNAGE). — **3.** Édifice servant à un usage particulier : *Maison de santé* (= un asile). *Une maison d'arrêt* (= prison). *Maison de retraite* (= où sont reçus les vieillards). *Maison de jeu* (= où l'on joue à des jeux d'argent). *Maison close* (= maison de prostitution). *La maison mère* (= le principal établissement d'un ordre religieux, d'une maison de commerce). — **4.** Entreprise commerciale *(maison de commerce) : La maison a été fondée en 1880. Avoir trente ans de maison* (= être employé depuis trente ans dans la même entreprise). — **5.** Membres d'une même famille : *C'est un ami de la maison* (= qui y vient souvent). *Le fils de la maison* (syn. FAMILLE). — **6.** *Gens de maison,* domestiques. ‖ *Maison du roi, de l'empereur,* sous l'Ancien Régime, la Restauration, le premier et le second Empire, ensemble des personnes civiles *(maison civile)* et militaires *(maison militaire)* attachées à la personne du souverain. — **7.** *Maison de la culture* ⟶ CULTIVER 2. ◆ adj. inv. De premier ordre, fait à la maison, sur place : *Une tarte maison. Le pâté maison* (= pâté du chef). ◆ **maisonnée** n. f. Ensemble des personnes d'une famille qui habitent dans la même maison : *La maisonnée était prête au départ dès six heures.* ◆ **maisonnette** n. f. Petite maison.

Maison-Blanche (la), résidence des présidents des États-Unis à Washington.

MAISONNÉE n. f., **MAISONNETTE** n. f. ⟶ MAISON.

MAISONS-ALFORT, ch.-l. de cant. du Val-de-Marne, à 5 km au S.-E. de Paris; 51 600 hab. École nationale vétérinaire.

MAISONS-LAFFITTE, ch.-l. de cant. des Yvelines, à 13 km au N.-O. de Paris, sur la Seine (r. g.); 22 900 hab. Champ de courses. Château bâti par Mansart de 1642 à 1651.

MAISTRANCE [mɛstrɑ̃s] n. f. (de l'anc. fr. *maistre,* maître). Ensemble des sous-officiers de la Marine nationale.

MAISTRE (Joseph, *comte* DE), écrivain et philosophe français (1753-1821). Ses ouvrages, dans lesquels il oppose à la raison la foi et l'intuition, contiennent une condamnation de la Révolution française et proposent un retour aux traditions politiques de l'Ancien Régime, avec le maintien de l'autorité du roi et du pape (*Du pape,* 1819; *les Soirées de Saint-Pétersbourg,* 1821).

1. MAÎTRE [mɛtr], **MAÎTRESSE** [mɛtrɛs] n. (lat. *magister*). **1.** Personne qui enseigne, éduque : *Une maîtresse d'école, un maître d'école* (= professeurs d'écoles primaires) [syn. INSTITUTRICE, INSTITUTEUR]. *Le maître interroge l'élève* (syn. PROFESSEUR). *Un maître, une maîtresse d'internat* (= chargés de la surveillance d'un internat). — **2.** (sans fém.) *Maître d'armes,* celui qui enseigne l'escrime. ‖ *Maître de conférences,* titre porté par un professeur de l'enseignement supérieur, avant celui de professeur. ‖ *Maître nageur* ⟶ NAGER. — **3.** (sans fém.) Celui dont on est le disciple, qui est pris comme modèle; artiste, écrivain célèbre : *Il est pour tous un maître à penser.*

2. MAÎTRE [mɛtr], **MAÎTRESSE** [mɛtrɛs] n. (même étym.). **1.** Personne qui exerce un pouvoir, une autorité sur d'autres, qui commande, qui dirige : *Le maître et l'esclave. Le maître et son chien. Le maître, la maîtresse de maison.* — **2.** Personne qui possède un bien et en dispose : *Le maître d'un domaine* (syn. PROPRIÉTAIRE). — LOC. DIV. **1.** (avec *maître, maîtresse* attributs sans art.) *Être, rester maître de soi,* avoir, garder la maîtrise de soi, de ses sentiments : *Elle est restée maîtresse d'elle-même* (= elle a gardé son sang-froid) [syn. SE DOMINER]. ‖ *Être maître de qqch.,* en disposer librement : *Il est maître de son temps.* ‖ *Être maître de* (et l'infin.), être libre de, pouvoir librement : *Vous êtes maître de refuser.* ‖ *Être maître à telle couleur,* aux cartes, avoir les cartes les plus importantes dans cette couleur. — **2.** (avec *maître* seul) *Être, passer maître dans le métier, l'art de,* avoir une compétence incontestée dans. ‖ *Trouver son maître,* rencontrer quelqu'un qui vous est supérieur. ‖ *De main de maître,* avec une habileté incomparable. ◆ adj. **1.** Qui est le plus important, le principal, qui est essentiel : *L'idée maîtresse de son exposé. La branche maîtresse de l'arbre. Abattre un atout maître* (= une carte qui l'emporte sur les autres). — **2.** *Une maîtresse femme,* une femme énergique, volontaire, qui sait commander. ◆ **maîtrise** n. f. **1.** *Maîtrise de soi,* ou simplem. *maîtrise,* qualité de celui qui a du sang-froid, qui se domine : *Perdre sa maîtrise* (syn. CALME). — **2.** Domination incontestée : *Les physiciens ont la maîtrise de l'atome.* — **3.** Supériorité militaire acquise sur un adversaire : *Avoir la maîtrise des mers, de l'air* (syn. DOMINATION). — **4.** Perfection, sûreté dans la technique : *Faire preuve d'une maîtrise exceptionnelle* (syn. VIRTUOSITÉ). ◆ **maîtriser** v. t. **1.** Soumettre, contenir par la force : *Maîtriser un cheval sauvage* (syn. DOMPTER). *Les agents maîtrisèrent le forcené* (= le réduisirent à l'impuissance). — **2.** Dominer un sentiment, une passion : *Maîtriser sa colère* (syn. CONTENIR, RÉPRIMER). ◆ **se maîtriser** v. pr. Se dominer, se rendre maître de son émotion (contr. S'ABANDONNER). ◆ **maîtrisable** adj. (surtout dans des phrases négatives) : *En ces occasions, la douleur n'est pas facilement maîtrisable.*

3. MAÎTRE [mɛtr] n. m. (même étym.) [sans fém.]. **1.** Titre donné aux avocats et aux gens de loi : *Maître Un tel, avocat.* — **2.** Titre donné aux personnes titulaires de certaines charges. ‖ *Grand maître des cérémonies,* officier de la Couronne qui fixait le rang selon les préséances dans les cérémonies. ‖ *Maître de ballet,* celui qui dirige un corps de ballet dans un théâtre. ‖ *Maître de chapelle,* musicien qui dirige les chœurs au cours des offices religieux. ‖ *Maître d'équipage,* officier marinier. ‖ *Maître de forges,* propriétaire d'une usine sidérurgique. ‖ *Maître d'hôtel,* celui qui, dans un restaurant ou dans une grande maison, veille au service de la table. ‖ *Maître d'œuvre,* au Moyen Âge et à la Renaissance, chef des artisans qui travaillaient à la construction d'un édifice religieux ou civil. ‖ *Maître queux,* cuisinier. ‖ *Maître des requêtes au Conseil d'État,* membre du Conseil d'État, qui, hiérarchiquement, se trouve au-dessus des auditeurs* et au-dessous des conseillers*. ‖ Mar. *Second maître, maître, premier maître, maître principal,* sous-officiers de la Marine nationale. (⟶ GRADE 2.) ◆ **maîtrise** n. f. **1.** Ensemble des contremaîtres et des chefs d'équipe d'une entreprise. — **2.** *Agent de maîtrise,* employé qui surveille et dirige l'exécution des travaux effectués par les ouvriers. — **3.** Grade universitaire de l'enseignement supérieur (entre la licence et le doctorat). — **4.** Ensemble des chanteurs d'une église; école où l'on forme les enfants au chant de la musique sacrée.

MAÎTRE-AUTEL [mɛtrotɛl] n. m. (*maître,* et *autel*). Autel principal d'une église. ‖ Pl. des *maîtres-autels.*

MAÎTRE DE MOULINS (le), peintre anonyme français de la fin du XVe s., qui travailla pour la famille de Bourbon. L'un des plus grands artistes de son époque, il réalisa le *Triptyque de Moulins.*

Maîtres chanteurs de Nuremberg *(les),* opéra de Richard Wagner (1868).

1. MAÎTRESSE adj. et n. f. ⟶ MAÎTRE 1 et 2.

2. MAÎTRESSE [mɛtrɛs] n. f. (de *maître*). Femme qui a des relations sexuelles avec un homme hors du mariage.

MAÎTRISABLE adj., **MAÎTRISER** v. t. ⟶ MAÎTRE 2.

MAÎTRISE n. f. ⟶ MAÎTRE 2 et 3.

MAIZIÈRES-LÈS-METZ, ch.-l. de cant. de la Moselle, à 11,5 km au N. de Metz; 9 800 hab. Cimenterie.

MAJESTÉ [maʒɛste] n. f. (lat. *majestas*). **1.** Caractère de grandeur, de dignité, de souveraineté qui impose le respect : *La majesté solennelle des juges de la cour.* — **2.** Caractère extérieur de noblesse, de beauté admirable : *Son visage est empreint d'une grande majesté* (contr. VULGARITÉ). — **3.** Titre que l'on donne aux souverains héréditaires (avec une majusc.; abrév. : S. M.) : *Sa Majesté le roi des Belges.* ◆ **majestueux, euse** adj. **1.** Se dit d'une personne (ou de son attitude) qui a de la grandeur, de la dignité : *Une démarche majestueuse* (syn. NOBLE, SOLENNEL; contr. QUELCONQUE, VULGAIRE). — **2.** Se dit d'une chose d'une beauté grandiose et admirable : *La façade majestueuse de la cathédrale de Chartres.* ◆ **majestueusement** adv.

1. MAJEUR, E [maʒœr] adj. et n. (lat. *major,* plus grand). Se dit de quelqu'un qui a atteint l'âge de la majorité (dix-huit ans en France) [contr. MINEUR]. ◆ **majorité** n. f. Âge à partir duquel on est, selon la loi, responsable de ses actes ou reconnu capable d'exercer pleinement ses droits.

— ENCYCL. En France, l'âge de la *majorité civile* et *civique* (qui donne le droit d'être inscrit sur les listes électorales, de recevoir un legs, ou de gérer ses biens) est fixé, depuis 1974, à dix-huit ans.

L'âge de la *majorité pénale* (qui considère l'individu comme responsable devant les tribunaux) est aussi fixé à dix-huit ans.

2. MAJEUR, E [maʒœr] adj. (même étym.). **1.** Sert de comparatif à GRAND, dans le sens d'« important », « considérable » : *Un cas de force majeure* (= situation, événement qui empêche de faire quelque chose et dont on n'est pas responsable). *C'est une raison majeure pour refuser le projet.* — **2.** *En majeure partie,* pour la plus grande partie. ‖ *La majeure partie,* la plus grande quantité, le plus grand nombre. — **3.** Mus. *Gamme majeure,* série mélodique de huit sons disposés ainsi : 2 tons, 1 demi-ton diatonique, 3 tons, 1 demi-ton diatonique. ‖ *Intervalle majeur,* intervalle qui part de la tonique d'une gamme majeure. ‖ *Mode majeur,* mode dont l'accord fondamental de la tonique est majeur. ‖ *Tierce majeure,* composée de deux tons. ◆ **majorité** n. f. **1.** Groupement de voix qui, dans un vote, donne à une personne, à un parti ou au gouvernement la supériorité par le nombre des suffrages obtenus : *La majorité absolue* (= la moitié des suffrages exprimés, plus un). *La majorité relative* (= qui groupe plus de voix que chacun des autres concurrents, mais sans atteindre la majorité absolue). [⟶ ÉLIRE, *encycl.*] — **2.** Ensemble de ceux qui, dans une assemblée, un groupe, représentent le plus grand nombre : *Les députés de la majorité* (contr. OPPOSITION). ‖ *La majorité silencieuse,* ceux qui, représentant le plus grand nombre, n'expriment pas ouvertement leur opinion. — **3.** Le plus grand nombre, la plus grande partie : *Nous sommes en majorité hostiles à cette opinion. Dans la majorité des* cas (= la majeure partie). ◆ **majoritaire** adj. Qui appartient à la majorité : *Un gouvernement majoritaire* (= qui s'appuie sur une majorité à l'Assemblée) [contr. MINORITAIRE]. ‖ *Scrutin majoritaire,* mode d'élection où est exigée la majorité des suffrages. ◆ adj. et n. Qui fait partie de la majorité.

3. MAJEUR [maʒœr] n. m. (même étym.). Le troisième et le plus long des doigts de la main (syn. MÉDIUS).

MAJEUR *(lac),* lac de la bordure sud des Alpes, entre l'Italie et la Suisse; 212 km². Il renferme les îles Borromées. Tourisme.

MAJOR [maʒɔr] n. m. (du lat. *major,* plus grand). **1.** Sous l'Ancien Régime, officier supérieur du grade de chef de bataillon; auj., officier supérieur chargé de l'administration d'un corps de troupes; grade le plus élevé des sous-officiers des armées. — **2.** Appellation donnée aux médecins militaires jusqu'en 1928. — **3.** Premier d'une promotion, dans une grande école; candidat reçu premier à un concours. ◆ adj. inv. Supérieur par le rang : *Sergent-major, tambour-major.*

MAJORANT [maʒɔrɑ̃] n. m. (du lat. *major,* plus grand). *Math.* Si x est un nombre réel, on appelle *majorant* de x tout nombre M supérieur à x. *(Ex. :* 3,15 est un majorant du nombre π car $\pi < 3,15$.)

MAJORATION n. f. → MAJORER.

MAJORDOME [maʒɔrdɔm] n. m. (du lat. *major domus,* chef de la maison). Chef des domestiques d'une grande maison.

MAJORER [maʒɔre] v. t. (du lat. *major*). Augmenter le prix d'une marchandise, le montant d'un salaire, l'estimation d'un objet; porter à un chiffre plus élevé : *Majorer des prix* (syn. RELEVER; contr. BAISSER). ◆ **majoration** n. f. : *Majoration du prix des transports* (syn. AUGMENTATION, HAUSSE; contr. BAISSE, DIMINUTION).

MAJORETTE [maʒɔrɛt] n. f. (mot amér.). Jeune fille en uniforme qui participe à des défilés, des fêtes.

MAJORITAIRE adj. et n. → MAJEUR 2.

MAJORITÉ n. f. → MAJEUR 1 et 2.

MAJORQUE, en esp. **Mallorca,** la plus grande des îles Baléares; 3 500 km²; 400 000 hab. *(Majorquins).* Ch.-l. *Palma de Majorque.*

L'île, au relief montagneux (1 445 m au Puig Mayor), vit de quelques cultures (céréales, primeurs, fruits) et surtout du tourisme.

Le royaume de Majorque (1276-1344), détaché de la couronne d'Aragon, comprenait les Baléares, le Roussillon, la Cerdagne et Montpellier. Sa capitale était Perpignan. L'Aragon finit par s'en emparer, la France acquérant Montpellier.

MAJUNGA, auj. **Mahajanga,** port du nord-ouest de Madagascar; 67 500 hab.

MAJUSCULE [maʒyskyl] n. f. et adj. (lat. *majusculus,* un peu plus grand). Lettre plus grande que les autres et de forme différente, que l'on met aux noms propres, au premier mot d'une phrase, au début des vers, etc. : *« R » majuscule* (contr. MINUSCULE).

MAKĀLU (le), sommet de l'Himalaya central, entre le Tibet et le Népal; 8 515 m. L'ascension fut réussie pour la première fois, en mai 1955, par l'expédition française de J. Franco.

MAKARIOS III (Mouskos), prélat et homme d'État chypriote (1913-1977), président de la république de Chypre de 1960 à sa mort.

MAKASSAR ou **MAKASAR** → MACASSAR.

MAKEÏEVKA ou **MAKEEVKA,** v. de l'U. R. S. S. (Ukraine); 392 250 hab. Centre métallurgique du Donbass.

MAKHATCHKALA, v. de l'U. R. S. S., capit. de la république autonome du Daghestan, sur la Caspienne; 186 000 hab. Raffinage du pétrole. Conserveries de poisson.

MAKI n. m. (mot malgache). Mammifère lémurien de Madagascar, à museau allongé, de mœurs arboricoles et nocturnes, couvert d'une fourrure épaisse et douce, notamment le long de la queue.

1. MAL, MAUX [mal, mo] n. m. (lat. *malum*). **1.** Ce qui cause du dommage, de la peine : *Faire du mal* (syn. ↓TORT; contr. BIEN). *Sa jalousie est la cause de tous ses maux* (syn. MALHEUR; contr. BONHEUR). — **2.** Ce qui cause une souffrance, une douleur physique : *Se faire du mal en tombant. Mal de tête* (syn. CÉPHALÉE, MIGRAINE). — **3.** Ce qui exige de l'effort, de la peine : *Il a du mal à travailler le soir* (syn. DIFFICULTÉ; contr. FACILITÉ). — **4.** Ce qui est contraire à la morale, au bien : *Dire du mal des autres* (= calomnier, médire de). — **5.** Sans art., forme avec le verbe une loc. verb. : *Avoir mal à la tête* (= souffrir). *Cela me fait mal de l'entendre* (= m'écœure). *Il s'est fait mal en tombant* (= s'est blessé). *Il ne songe pas à mal* (= il ne pense pas à nuire). *Mettre à mal* (= abîmer). ‖ *Être en mal de qqch.,* souffrir de son absence : *Écrivain en mal de sujet.* — **6.** Méd. *Mal blanc,* nom usuel du PANARIS. ‖ *Mal au cœur* ou *mal de cœur,* nausée. ‖ *Mal de mer,* nausée causée par les oscillations des bateaux. — **7.** *Le mal du pays* (= la nostalgie). ‖ *Mal du siècle,* expression par laquelle on désigna, à l'époque romantique, la mélancolie sans cause précise et le désenchantement éprouvés par les jeunes générations du XIXe s. (Ce sentiment, éprouvé par le *René* de Chateaubriand, a été analysé par A. de Musset dans *la Confession d'un enfant du siècle* [1836].) ◆ **demi-mal** n. m. Inconvénient moins grave qu'on ne l'aurait pu craindre : *Il n'y a que demi-mal; sa voiture est endommagée, mais il est indemne.* ‖ Pl. des *demi-maux.*

2. MAL [mal] adv. (lat. *male*). **1.** D'une manière mauvaise (défectueuse, fâcheuse, désagréable, douloureuse, défavorable, etc.) : *La porte ferme mal* (= imparfaitement). *Ce chapeau lui va mal* (= ne lui convient pas). *Le moment est mal choisi* (= inopportun). *Elle s'est trouvée mal* (= s'est évanouie). *Être bien mal, au plus mal* (= très malade). *Son échec s'explique mal* (= difficilement). *Agir mal* (= contrairement à la morale). — **2.** Fam. *Pas mal,* équivaut à un adv. de quantité, de qualité (le plus souvent sans *ne*) : *Il y avait pas mal de badauds* (syn. BEAUCOUP). *« Ça va? — Pas mal »* (= assez bien). ‖ *De mal en pis,* d'un état mauvais à un autre plus mauvais encore : *La situation va de mal en pis.*

3. MAL [mal] adj. inv. (lat. *malus*). *Bon an mal an,* l'un dans l'autre, en dépit des situations diverses, contraires. ‖ *Bon gré mal gré,* plus ou moins volontiers. ‖ *Il est mal de, c'est mal de* (suivi d'un infin.), il est contraire à la morale : *C'est mal de mentir à ses parents!* (contr. IL EST BIEN DE).

MALABĀR *(côte de),* partie de la côte sud-ouest du Deccan.

MALABO, ancienn. **Santa Isabel,** capit. de la Guinée équatoriale; 37 200 hab.

MALACCA *(presqu'île de),* ou **PRESQU'ÎLE MALAISE,** presqu'île au S. de l'Indochine, entre la mer de Chine méridionale et l'océan Indien, unie au continent par l'isthme de Kra, et séparée de Sumatra par le *détroit de Malacca.* Région montagneuse au climat tropical, elle est partagée entre la Thaïlande et la Malaysia.

MALACCA ou **MELAKA,** v. de la Malaysia (Malaisie), sur le *détroit de Malacca,* capit. de l'*État de Malacca;* 86 400 hab. — L'*État de Malacca* a 403 700 hab.

MALACHITE [malakit] n. f. (du gr. *malakhê,* mauve). Carbonate naturel de cuivre, d'un beau vert vif, utilisé en bijouterie et en tabletterie.

MALADE [malad] adj. et n. (lat. *male habitus,* qui se trouve en mauvais état). Se dit d'un être vivant dont l'organisme souffre de troubles, qui a subi une altération dans sa santé : *Être gravement malade* (syn. ↓SOUFFRANT; contr. BIEN PORTANT). *Se sentir malade* (syn. INCOMMODÉ; contr. DISPOS). *Un malade mental. Il est malade d'inquiétude* (syn. ↑FOU). ◆ adj. **1.** Troublé, altéré dans ses fonctions : *Avoir la poitrine malade.* — **2.** Dont le fonctionnement est déréglé, dont l'état a subi un grave dérangement : *L'entreprise est bien malade; elle ne peut faire face à ses échéances.* ◆ **maladie** n. f. **1.** Altération dans la santé, trouble, dérangement dans l'équilibre des êtres vivants (homme, animal, végétal) : *Les maladies professionnelles* (= qui résultent de l'exercice normal d'une profession). *Les maladies mentales. Le phylloxéra est la plus redoutable maladie de la vigne.* → ENCYCL. ‖ *Maladie de Basedow,* autre nom du *goitre exophtalmique,* signe d'hyperfonctionnement de la thyroïde. ‖ *Maladie bleue* → BLEU 1. ‖ *Maladie de Carré,* maladie infectieuse, due à un ultravirus, atteignant surtout les jeunes chiens et se manifestant par des troubles divers. ‖ *Maladie de Parkinson* → PARKINSON. ‖ *Maladie par carence* → AVITAMINOSE et MALNUTRITION. ‖ *Maladie du sommeil* → SOMMEIL. ‖ *Assurance maladie,* une des assurances sociales. — **2.** Passion excessive, manie : *Il a la maladie de la vitesse.* — **3.** Fam. *En faire une maladie,* être très contrarié de quelque chose. ◆ **maladif, ive** adj. **1.** Sujet à être malade : *Un enfant maladif* (syn. MALINGRE; contr. ROBUSTE). — **2.** Se dit de ce qui manifeste une constitution fragile, un état de maladie : *La pâleur maladive de son visage.* — **3.** Qui dénote un trouble mental, un comportement malsain : *Une curiosité maladive* (syn. MORBIDE).

— ENCYCL. Une *maladie* est caractérisée par sa cause, ses symptômes, son évolution et les moyens thérapeutiques de traitement qu'on peut lui opposer. On distingue les *maladies aiguës* (à manifestations brutales et de courte durée) et les *maladies chroniques* (moins intenses, mais durant plus longtemps). L'étude des maladies est la *pathologie;* la recherche de la nature et de la cause d'une maladie constitue le *diagnostic;* les prévisions concernant son évolution constituent le *pronostic.* Enfin, tenter de supprimer les causes des maladies est la *prophylaxie.* On peut classer les maladies, suivant leurs causes, en maladies infectieuses, parasitaires, toxiques, métaboliques, génétiques et d'origine psychique.

Malade imaginaire *(le),* comédie en 3 actes et en prose de Molière (1673).

MALADETA ou **MALADETTA** *(massif de la)*, massif des Pyrénées espagnoles, en Aragon; 3 404 m au pic d'Aneto (point culminant des Pyrénées), 3 312 m au *pic de la Maladeta.*

MALADIE n. f., **MALADIF, IVE** adj. ⟶ MALADE.

MALADRESSE n. f., **MALADROIT, E** adj. et n., **MALADROITEMENT** adv. ⟶ ADROIT.

MÁLAGA, port d'Espagne (Andalousie), sur la Méditerranée; 502 000 hab. Forteresses mauresques (XVIe s.). Cathédrale (XVIe-XVIIIe s.). Vins. Raisins secs.

MALAGA [malaga] n. m. (de *Málaga*). Raisin récolté aux environs de Málaga; vin fait avec ce raisin.

MALAIS, E [malɛ, -ɛz] adj. et n. De la péninsule de Malacca et des îles de la Malaisie.

MALAISE [malɛz] n. m. *(mal,* et *aise).* **1.** Sensation pénible d'un trouble de l'organisme, provoquée en particulier par les affections du cœur : *Éprouver un malaise* (syn. INDISPOSITION). — **2.** Sentiment pénible et mal défini : *Provoquer un malaise* (syn. TROUBLE). — **3.** Début de crise, de troubles économiques, politiques : *Le malaise social.*

MALAISÉ, E adj., **MALAISÉMENT** adv. ⟶ AISE.

MALAISIE, partie méridionale de la presqu'île de Malacca ou presqu'île Malaise, intégrée auj. à la Malaysia. (⟶ MALAYSIA.)

MALAKOFF, ch.-l. de cant. des Hauts-de-Seine, dans la banlieue sud de Paris; 32 600 hab.

Malakoff *(tour)*, ouvrage qui, en 1855, était le point central de la défense de Sébastopol'. Il fut pris d'assaut par la division française de Mac-Mahon, le 8 septembre, ce qui entraîna la chute de la ville.

MALANDRIN [malɑ̃drɛ̃] n. m. (it. *malandrino*). Voleur, bandit (mot vieilli et surtout littér.).

MALANG, v. d'Indonésie, dans l'île de Java ; 560 000 hab.

MALAPARTE (Kurt SUCKERT, dit **Curzio**), écrivain italien (1898-1957). Ses romans sont des tableaux vigoureux et cyniques de la vie moderne (*Kaputt,* 1944; *la Peau,* 1949; *Ces sacrés Toscans,* 1956), ainsi que ses pièces de théâtre.

MALAPPRIS, E [malapri, -iz] adj. et n. *(mal,* et *appris).* Qui a reçu une mauvaise éducation (souvent terme d'injure) : *Un garçon malappris* (syn. IMPOLI, MAL ÉLEVÉ).

MÄLAREN, lac de la Suède centrale, au débouché duquel est bâti Stockholm.

MALARIA [malarja] n. f. (it. *mala aria,* mauvais air). Anc. nom du PALUDISME.

MALATESTA *(Mauvaise Tête),* célèbre famille de condottieri italiens, originaire de Rimini, qui contrôla du XIIe au XIVe s. une grande partie de la marche d'Ancône et de la Romagne. SIGISMONDO PANDOLFO (1417-1468) en fut le membre le plus célèbre.

MALATYA, v. de Turquie, près de l'Euphrate; 130 300 hab. C'est l'antique MÉLITÈNE

MALAVISÉ, E adj. et n. ⟶ AVISÉ.

MALAWI, anciennn. **Nyassaland,** État de l'Afrique orientale sur la rive ouest du *lac Malawi;* 118 000 km²; 8 700 000 hab. (74 au km²). Capit. *Lilongwe* (103 000 hab.). Langue : *anglais.*
→ cartes AFRIQUE pp. 48-49.

GÉOGRAPHIE

Le pays s'étend sur de hauts plateaux limités à l'E. par un fossé tectonique où est installé le lac Malawi. Il connaît un climat tropical à saison sèche.

La population, concentrée surtout dans le Sud, cultive le maïs, le riz, le sorgho pour son alimentation, tandis que des plantations de tabac, de coton et de thé fournissent des produits pour l'exportation.

L'industrie est inexistante et de nombreux habitants émigrent temporairement au Zimbabwe ou en Afrique du Sud pour trouver du travail.

HISTOIRE

Le pays fut reconnu par les Portugais au XVIIe s.

- *1859. Il est redécouvert par Livingstone.*

Les missionnaires anglais s'y installent à partir de 1861.

- *1907. Le protectorat anglais de l'Afrique centrale, créé en 1891, prend le nom de « Nyassaland ».*
- *1953-1963. Le Nyassaland forme une fédération avec la Rhodésie.*
- *1964. Au moment de son indépendance, le pays prend le nom de « Malawi ».*
- *1966. La république est proclamée.*

Le Malawi reste cependant membre du Commonwealth.

MALAWI *(lac),* ancienn. **lac Nyassa,** grand lac de l'Afrique orientale, à l'O. du Mozambique; 26 000 km².

MALAXER [malakse] v. t. (lat. *malaxare,* amollir). *Malaxer une substance,* la pétrir de façon à la rendre plus molle ou pour la mêler à une autre : *Malaxer du beurre, de la farine et des jaunes d'œufs* (syn. TRITURER). ◆ **malaxage** n. m. (syn. MIXAGE). ◆ **malaxeur** adj. m. Se dit d'un appareil servant à disperser et à mélanger intimement deux ou plusieurs produits par un moyen mécanique : *Cylindre malaxeur.* ◆ n. m. Appareil souvent incorporé à une baratte, et qui rend homogène le beurre en assurant la répartition des gouttelettes d'eau qu'il contient.

MALAYSIA, État de l'Asie du Sud-Est, membre du Commonwealth, formé par la fédération des États de Malaisie, et par Sabah et Sarawak (= nord de Bornéo).
→ cartes ASIE pp. 96-97.

SUPERFICIE 330 000 km² (France : 550 000 km²).

POPULATION 17 400 000 hab. *(Malais);* 52 hab. au km² (France : 103); taux de natalité, 35,2 p. 1 000; taux de mortalité, 7,6 p. 1 000.

CAPITALE Kuala Lumpur (938 000 hab.).

LANGUES malais et anglais.

ÉCONOMIE consommation d'énergie par hab., 1 000 kg d'équivalent charbon.

MONNAIE dollar malais.

GÉOGRAPHIE

Le pays s'étend sur la partie sud de la presqu'île de Malaisie et le nord de l'île de Bornéo, à l'exception de Brunei. Essentiellement montagneux, il connaît un climat tropical humide, qui permet la croissance de la forêt dense.

	TEMPÉRATURES MOYENNES janv.	juil.	PLUIES
Kuala Lumpur	28,2 °C	26,9 °C	2 443 mm

La population, constituée de Malais, de Chinois et d'Indiens, pratique la culture du riz pour son alimentation. Mais la principale richesse agricole du pays vient de ses plantations d'hévéas qui font de la Malaysia le premier producteur mondial de caoutchouc.

caoutchouc 1 600 000 t.

Le sous-sol recèle d'abondantes richesses minières, notamment de l'étain (1er producteur mondial), de la bauxite, du fer, du pétrole. Mais exportées brutes le plus souvent, elles n'ont guère favorisé le développement de l'industrie qui se limite à la transformation des produits agricoles et à quelques fonderies d'étain, localisées dans les principales villes.

étain 40 000 t; pétrole 21 millions de t.

L'économie du pays, fondée sur l'exportation de produits bruts, demeure donc précaire en raison de l'instabilité des cours mondiaux.

HISTOIRE

La péninsule Malaise subit très tôt l'influence de l'Inde. Puis l'islām y pénètre au XIVe s.

- *1511. Les Portugais s'emparent de Malacca.*

Premiers Européens à atteindre la péninsule, ils sont supplantés par les Hollandais à partir de 1641.

- *1795. Les Anglais remplacent les Hollandais à Malacca.*
- *1867. Malacca forme avec Singapour et Penang le gouvernement des Détroits.*

Les sultanats malais sont placés sous protectorat britannique.

- *1946. La fédération de Malaisie comprend toute la Malaisie à l'exception de Singapour.*

Elle reçoit le statut de colonie anglaise, avant de devenir un État indépendant, membre du Commonwealth, en 1957.

- *1963. La fédération de Malaysia est constituée par l'union de la fédération de Malaisie, de l'État de Singapour et des anciennes colonies britanniques de Sarawak et de Sabah (nord de Bornéo).*

Le nouvel État est membre du Commonwealth et des Nations unies.

- *1965. Singapour quitte la fédération.*

MALCHANCE n. f., **MALCHANCEUX, EUSE** adj. et n. ⟶ CHANCE.

MALCOMMODE adj. ⟶ COMMODE 1.

MALDIVES *(îles)*, archipel de l'océan Indien, au S.-O. de Sri Lanka; 300 km^2; 140000 hab. (419 au km^2). Capit. *Mâlé* (13600 hab.).
Situé près de l'équateur, l'archipel est formé d'environ 2000 atolls et récifs coralliens, dont le dixième seulement est habité. Les Maldives vivent des cocoteraies et de la pêche, mais l'économie doit être soutenue par la Grande-Bretagne. Sous protectorat britannique jusqu'en 1965, les îles Maldives constituent une république depuis 1968.

MALDONNE n. f. ⟶ DONNER.

1. MÂLE [mɑl] adj. (lat. *masculus*). **1.** Propre au sexe fécondant (ou aux organes fécondants des individus bisexués) chez les êtres vivants des deux règnes : *Perdrix mâle. Gamète mâle* (par oppos. à FEMELLE). — **2.** Qui annonce de la force, de l'énergie : *Une voix mâle* (= grave). *Une mâle assurance* (syn. VIRIL). *Les mâles accents de « la Marseillaise »* (syn. MARTIAL). ◆ n. m. **1.** Individu animal ou végétal qui ne porte que les organes du sexe mâle : *Chez les cerfs, le mâle seul porte des bois.* — **2.** L'homme, par oppos. à la femme : *La couronne de France était héréditaire par les mâles.*

2. MÂLE [mɑl] adj. (même étym.). Se dit de la partie d'un organe entrant dans un autre. (Une *pièce mâle*, est celle qui est *contenue*, par oppos. à la *pièce contenante*, qui est l'élément *femelle*.)

MALEBRANCHE (Nicolas DE), philosophe français (1638-1715). Son principal ouvrage est *De la recherche de la vérité* (1674-1675). Sa métaphysique, issue du cartésianisme, s'attache à résoudre le problème de la liaison de l'âme et du corps par le recours à Dieu, professe l'optimisme et fonde la morale sur l'idée d'ordre.

MALÉDICTION n. f. ⟶ MAUDIRE.

MALÉFICE [malefis] n. m. (lat. *maleficium*, méfait). Pratique magique par laquelle on cherche à nuire à une personne, à un animal (envoûtement, philtre, etc.); mauvais sort qu'on peut jeter sur eux. ◆ **maléfique** adj. Qui a une influence malfaisante.

MALENCONTREUX, EUSE [malɑ̃kɔ̃trø, -øz] adj. (de *mal*, et anc. fr. *encontre*, rencontre). Qui cause de l'ennui en survenant mal à propos : *Une panne malencontreuse m'a mis en retard* (syn. FÂCHEUX; contr. OPPORTUN). ◆ **malencontreusement** adv.

MAL-EN-POINT loc. adj. inv. ⟶ POINT 4.

MALENTENDANT [malɑ̃tɑ̃dɑ̃] n. m. *(mal*, et *entendant)*. Personne atteinte d'un certain degré de surdité.

MALENTENDU [malɑ̃tɑ̃dy] n. m. *(mal*, et *entendu)*. Divergence d'interprétation sur le sens d'une action, d'une parole, entraînant un désaccord, une mésentente, une contestation : *Faire cesser un malentendu* (syn. QUIPROQUO). *Dissiper un malentendu* (syn. ERREUR, MÉPRISE).

MALESHERBES (Chrétien Guillaume DE LAMOIGNON DE), magistrat français (1721-1794). Il fut ministre de Louis XVI, défendit le roi devant la Convention et fut guillotiné sous la Terreur.

MALET (Claude François DE), général français (1754-1812). Durant la retraite de Russie il organisa un complot contre Napoléon. Il fut condamné à mort et fusillé.

MALEVITCH (Kazimir), peintre russe (1878-1935), précurseur de l'art abstrait (*Carré blanc sur fond blanc*, 1914).

MALFAÇON n. f. ⟶ FAÇONNER.

MALFAISANT, E [malfəzɑ̃, -ɑ̃t] adj. (de *mal*, et *faire*). Qui fait, qui cause du mal : *Avoir une influence malfaisante* (syn. PERNICIEUX; contr. BIENFAISANT). *Une bête malfaisante* (syn. NUISIBLE). ◆ **malfaisance** n. f.

MALFAITEUR [malfetœr] n. m. (lat. *malefactor*, qui agit mal). Personne qui a commis des vols, des crimes : *On a arrêté un dangereux malfaiteur* (syn. BANDIT).

MALFAMÉ, E [malfame] adj. (de *mal*, et lat. *fama*, renommée). *Maison, rue, hôtel*, etc., *malfamés*, qui sont fréquentés par des individus louches, qui ont une mauvaise réputation. (On écrit aussi MAL FAMÉ.)

MALFORMATION n. f. ⟶ FORMER 2.

MALGACHE [malgaʃ] adj. et n. De Madagascar. ◆ n. m. Langue parlée à Madagascar.

MALGRÉ [malgre] prép., **MALGRÉ QUE** [malgrekə] loc. conj. *(mal*, mauvais, et *gré)*. Indiquent une opposition active. ⟶ tableau ci-dessous.

MALHABILE adj. ⟶ HABILE.

MALHERBE (François DE), poète français (1555-1628). Protégé d'Henri IV et de Louis XIII, il a laissé quelques poèmes de circonstance *(Consolation à Dupérier sur la mort de sa fille, Prière pour le roi allant en Limousin)*, des odes, des sonnets, conformes à ses principes : hostile à l'érudition savante et à toutes les complications du vocabulaire et du rythme, il s'oppose aux continuateurs de la Pléiade, pour proposer une poésie aux idées claires, obéissant aux règles rigoureuses de la versification. Cet idéal de clarté et de rigueur lui valut l'admiration des écrivains classiques et surtout de Boileau qui, plus tard, par la célèbre formule : « Enfin, Malherbe vint », le célébra comme le précurseur de la poésie française classique.

MALHEUR [malœr] n. m. (*mal*, et *heur*, chance). **1.** Événement pénible, douloureux, ou simplement regrettable, qui affecte quelqu'un : *Il lui est arrivé un grand malheur, il a perdu son fils* (syn. COUP DU SORT, INFORTUNE, REVERS). *Cette rencontre fut le grand malheur de sa vie* (contr. BONHEUR). *Le malheur, c'est que je n'ai pas sur moi son adresse* (syn. ENNUI, INCONVÉNIENT). — **2.** Sort pénible, douloureux, funeste qui est celui de quelqu'un : *Montrer du courage dans le malheur* (syn. ADVERSITÉ). ‖ *Jouer de malheur*, avoir une mauvaise chance persistante. ‖ *Porter malheur*, avoir une influence fatale, entraîner des conséquences néfastes pour quelqu'un. ‖ *Oiseau de malheur*, personne qui porte malheur. ‖ *Par malheur*, par un effet de la malchance. ◆ **malheureux, euse** adj. et n. **1.** (après le nom) Qui se trouve dans une situation douloureuse, qui est victime d'un malheur; qui est dans l'ennui : *Il la rend très malheureuse* (contr. HEUREUX). *Je suis malheureux de ne pouvoir lui venir en aide* (syn. PEINÉ). *Secourir les malheureux* (syn. INDIGENT, MISÉREUX, PAUVRE). *Il est malheureux comme les pierres* (= très malheureux). — **2.** (avant le nom) Se dit de quelqu'un qui inspire un sentiment de mépris mêlé de pitié : *Ce n'est qu'un malheureux ivrogne* (syn. PAUVRE). ◆ adj. **1.** (avant ou après le nom) Qui exprime ou est marqué par le malheur; qui en est victime : *Un air malheureux* (syn. TRISTE). *La situation malheureuse dans laquelle il se trouve* (syn. MISÉRABLE). — **2.** (avant ou après le nom) Dont les conséquences sont tristes, fâcheuses : *C'est une malheureuse issue* (syn. DÉSASTREUX, ↑FUNESTE). *Un mot malheureux* (syn. FÂCHEUX, MALENCONTREUX; contr. HEUREUX). — **3.** (après le nom) Qui manque de chance, à qui la réussite fait défaut : *Avoir une initiative malheureuse* (syn. REGRETTABLE; contr. ADROIT, HABILE). — **4.** (avant le nom) Qui est sans importance, sans valeur : *Se mettre en colère pour une malheureuse petite erreur* (syn. INSIGNIFIANT). ◆ **malheureusement** adv. : *Je ne pourrai malheureusement pas venir* (syn. PAR MALHEUR).

MALHONNÊTE adj., **MALHONNÊTEMENT** adv., **MALHONNÊTETÉ** n. f. ⟶ HONNÊTE.

malgré prép. (suivie d'un substantif ou d'un pronom)	**malgré que** loc. conj. (suivie du subjonctif)
1. Opposition de quelqu'un : *Il s'est marié malgré son père* (= contre l'avis). *Il y est arrivé presque malgré lui* (= involontairement). *Il y a consenti malgré soi* (= à contrecœur). 2. Opposition de quelque chose : *Je continue malgré les critiques malveillantes* (syn. EN DÉPIT DE). *Malgré les ordres reçus* (syn. AU MÉPRIS DE). 3. **Malgré tout,** en dépit de tous les obstacles qui peuvent se présenter : *Il faut malgré tout que je réussisse à cet examen;* marque une opposition avec ce qui précède : *Il suivait un entraînement fantaisiste, mais c'était malgré tout un grand champion;* marque une opposition à ce que l'on pense ou ce que l'on juge d'habitude : *Je connais votre duplicité, et malgré tout je me suis laissé prendre.*	*Malgré que cela ne puisse vous servir à rien, je veux bien vous le prêter* (syn. BIEN QUE [langue soignée et écrite]; ENCORE QUE, EN DÉPIT QUE, QUOIQUE [langue usuelle]). L'emploi de *malgré que* est restreint par quelques grammairiens à celui du verbe *avoir* dans la subordonnée conjonctive, cela afin de respecter l'origine présumée de *que* (*malgré qu'on en ait* = en dépit de l'opposition que l'on manifeste) : *Il faut se plier à une certaine discipline, malgré qu'on en ait.*

MALI, empire constitué du XIIIe au XVIIe s. par les Mandingues, entre le haut Sénégal et le haut Niger.

MALI *(république du),* État de l'Afrique occidentale, correspondant à l'ancien Soudan français.

→ cartes AFRIQUE pp. 48-49.

SUPERFICIE 1 240 000 km² (France : 550 000 km²).

POPULATION 8 900 000 hab. *(Maliens);* 7 hab. au km² (France : 103).

CAPITALE Bamako (404 000 hab.).

LANGUE OFFICIELLE français.

ÉCONOMIE consommation d'énergie par hab., 25 kg d'équivalent charbon.

MONNAIE franc C. F. A.

GÉOGRAPHIE

Pays de plaines (cuvettes de Ségou et du coude du Niger) et de plateaux, le Mali se situe à la limite méridionale du Sahara. Toute la moitié nord (Adrar des Iforas) appartient au domaine désertique, tandis que vers le S. le climat s'humidifie de plus en plus, permettant la croissance de la savane puis de la forêt claire.

	TEMPÉRATURES MOYENNES		PLUIES
	mois le plus froid	mois le plus chaud	
Bamako	25 °C	32 °C	1 000 mm

La population, très peu dense, est inégalement répartie. Le Nord n'est habité que par quelques tribus nomades de Blancs qui vivent de l'élevage (ovins, caprins, bovins). Le Sud, au contraire, a un peuplement beaucoup plus dense de Noirs sédentaires, notamment le long des vallées (Niger, haut Sénégal).

L'aménagement des fleuves a permis l'amélioration de l'*agriculture.* Les céréales (maïs, mil, riz) sont la base de l'alimentation, tandis que coton et arachide sont destinés à l'exportation.

En dehors de l'extraction de sel au Sahara, l'*industrie* se limite à la transformation des produits agricoles (huileries) localisée notamment à Bamako, principale ville du pays.

HISTOIRE

Le Soudan français, conquis de 1880 à 1895 par Gallieni et devenu république en 1958, forme avec le Sénégal*, en 1959, la fédération du Mali, qui éclate dès 1960. L'ancien Soudan français conserve alors seul le nom de *Mali* et devient pleinement indépendant sous la présidence de Modibo Keita. En 1968, un coup d'État militaire porte au pouvoir Moussa Traoré. Ce dernier est à son tour renversé en 1991.

MALICE [malis] n. f. (lat. *malitia,* méchanceté). Attitude d'esprit consistant à s'amuser ironiquement aux dépens d'autrui; penchant à jouer des tours à quelqu'un; parole ou action reflétant cet état d'esprit : *Une réponse pleine de malice* (syn. MOQUERIE). *La malice est cousue de fil blanc* (= la ruse est trop visible pour ne pas être déjouée). *Un sac à malice* (= une personne qui a plus d'un tour dans son sac). ◆ **malicieux, euse** adj. : *Un enfant malicieux* (syn. ESPIÈGLE). *Faire une réflexion malicieuse* (syn. NARQUOIS, SPIRITUEL). ◆ **malicieusement** adv.

MALIEN, ENNE [maljɛ̃, -ɛn] adj. et n. Du Mali.

MALIEVITCH (Kazimir) ⟶ MALEVITCH.

MALIN, IGNE [malɛ̃, -iɲ] adj. et n. (lat. *malignus,* méchant). Se dit de quelqu'un qui a de la finesse d'esprit, de la ruse, et qui s'en sert pour se tirer d'embarras ou se moquer : *Un homme malin et débrouillard* (syn. ASTUCIEUX, DÉLURÉ). *Il n'est pas très malin* (syn. FINAUD, INTELLIGENT). ◆ adj. **1.** (après le nom) Se dit de ce qui manifeste ou demande de la finesse, de l'intelligence : *Ce n'est pas bien malin; un enfant de cinq ans saurait manipuler cet appareil* (fam.) [syn. COMPLIQUÉ, DIFFICILE]. — **2.** (avant le nom) Se dit de ce qui montre de la méchanceté : *Mettre un malin plaisir à importuner son voisin* (syn. MÉCHANT). — **3.** *Influence maligne,* pernicieuse, dangereuse. ‖ Méd. *Tumeur maligne,* tumeur généralement cancéreuse, persistante, puis envahissant les tissus voisins, souvent indolore au début (contr. BÉNIGNE). ◆ **malignité** n. f. **1.** Caractère de celui qui cherche à nuire bassement : *Dénonciation faite par malignité* (syn. BASSESSE). *Être en butte à la malignité publique* (syn. MALVEILLANCE, MÉCHANCETÉ). — **2.** *La malignité d'une tumeur,* son caractère dangereux, mortel.

MALINES, en néerl. **Mechelen,** v. de Belgique (Anvers), sur la Dyle; 65 600 hab. Archevêché créé en 1559 (son titulaire, métropolitain de la Belgique, partage ce titre avec Bruxelles depuis 1962). De nombreux monuments anciens font de Malines une ville d'art. Dentelles renommées. Tapisserie d'art. Constructions mécaniques.

MALINGRE [malɛ̃gr] adj. et n. (orig. incert.). Se dit d'une personne de constitution délicate, fragile : *Un enfant malingre* (syn. CHÉTIF, FRÊLE; contr. ROBUSTE).

MALINKÉS, peuple noir du haut Sénégal et de Guinée, appartenant au groupe mandingue.

MALINOVSKI (Rodion), maréchal soviétique (1898-1967). Commandant le second front d'Ukraine (1943), il occupa la Roumanie en 1944, puis entra à Budapest et à Vienne (1945). En 1957, il succéda à Joukov comme ministre de la Défense.

MALINTENTIONNÉ, E adj. et n. ⟶ INTENTION.

MALLARMÉ (Stéphane), poète français (1842-1898). D'abord professeur d'anglais, ce n'est qu'à l'âge de quarante-deux ans qu'il connaît brusquement la célébrité littéraire (il avait alors publié dix poèmes dans *le Parnasse contemporain,* une scène de son drame lyrique *Hérodiade* et *l'Après-midi d'un faune* [1876]).

● *1897. Mallarmé publie un poème déconcertant par sa présentation (effets typographiques) et par son hermétisme : « Un coup de dés jamais n'abolira le hasard ».*

Ce poème est l'ébauche d'un « Livre » absolu dont Mallarmé a toujours rêvé et qui aurait été une tentative d'explication de l'univers au moyen d'une langue poétique cherchant à suggérer les impressions les plus subtiles.

Bien que brève, l'œuvre de Mallarmé apparaît comme une de celles qui ont déterminé l'évolution de la littérature au cours du XXe s.

MALLE [mal] n. f. (frq. *malha*). **1.** Coffre en bois, en métal, etc., où l'on enferme les objets et les vêtements que l'on emporte en voyage : *Défaire ses malles.* — **2.** Coffre d'une automobile où l'on met les bagages. (On dit auj. COFFRE.) ◆ **mallette** n. f. Petite valise rigide, renfermant en général le nécessaire de toilette.

MALLÉABLE [maleabl] adj. (du lat. *malleatus,* battu au marteau). **1.** *Technol.* Susceptible d'être réduit en feuilles minces, sans se déchirer, par martelage ou par passage au laminoir : *Un métal très malléable.* — **2.** Qui subit facilement les volontés des autres : *Un caractère malléable* (syn. DOCILE, SOUPLE). ◆ **malléabilité** n. f. Qualité de ce qui est malléable.

MALLÉOLE [maleɔl] n. f. (lat. *malleolus,* petit marteau). *Anat.* Chacune des apophyses de la région inférieure du tibia et du péroné formant la cheville. (*Malléole externe,* celle du péroné; *malléole interne,* celle du tibia.)

MALLE-POSTE [malpɔst] n. f. *(malle,* et *poste).* Voiture qui faisait le service général des dépêches et prenait quelques voyageurs. ‖ Pl. des *malles-poste.*

MALLETTE n. f. ⟶ MALLE.

Malmaison, domaine situé sur la commune de *Rueil-Malmaison,* dans la banlieue ouest de Paris. Il fut acheté par Bonaparte, qui y résida souvent pendant le Consulat. Joséphine s'y retira après son divorce et y mourut en 1814. Le musée est surtout consacré aux souvenirs napoléoniens.

MALMÉDY, comm. de Belgique (Liège); 6 500 hab. Ch.-l. d'un district rattaché à la Prusse de 1815 à 1919 et remis à la Belgique après la Première Guerre mondiale.

MALMENER [malməne] v. t. *(mal,* et *mener).* **1.** *Malmener qq'un,* le traiter avec dureté, violence, sans douceur, en actions ou en paroles. — **2.** Faire subir un échec, battre durement : *Le champion malmena son adversaire dès le premier round.*

MALMÖ, port de la Suède méridionale, sur l'Øresund; 265 500 hab. Chantiers navals.

MALNUTRITION [malnytrisjɔ̃] n. f. *(mal,* mauvais, et *nutrition).* Mauvaise adaptation de l'alimentation aux conditions de vie d'un individu.

— ENCYCL. La *malnutrition* est un déséquilibre de l'alimentation : bien que parfois copieuse et suffisante en ce qui concerne la *ration calorique,* l'alimentation n'apporte pas certains aliments indispensables à un développement normal; il existe une *carence* en un ou plusieurs produits, souvent des vitamines *(avitaminoses).*

MALODORANT, E adj. ⟶ ODEUR.

MALO-LES-BAINS, anc. comm. du Nord, intégrée à Dunkerque en 1971. Station balnéaire.

MALOT (Hector), écrivain français (1830-1907). Il doit sa célébrité à ses récits destinés à la jeunesse (*Sans famille,* 1878).

MALOTRU, E [malɔtry] n. et adj. (lat. *male astrucus,* né sous une mauvaise étoile). Individu mal élevé, grossier dans ses propos et dans ses attitudes (souvent terme d'injure) [syn. GOUJAT, MUFLE].

MALOUINES *(îles),* anc. nom français des ÎLES FALKLAND.

MALPIGHI (Marcello), médecin et anatomiste italien (1628-1694); il fut le premier à utiliser le microscope pour l'étude des tissus vivants.

MALPLAQUET, hameau du dép. du Nord (comm. de Taisnières-sur-Hon). Marlborough et le Prince Eugène y battirent le maréchal de Villars (1709).

MALPROPRE adj., **MALPROPREMENT** adv., **MALPROPRETÉ** n. f. → PROPRE 1.

MALRAUX (André), écrivain et homme politique français (1901-1976). Il voyage au Cambodge et au Laos, puis gagne la Chine, où, à Canton, le spectacle de la révolution communiste lui confirme le déclin du système de pensée européen (*la Tentation de l'Occident,* 1926) et la valeur absolue de l'action comme moyen d'assurer la dignité et la liberté humaines (*les Conquérants,* 1928; *la Voie royale,* 1930; *la Condition humaine,* 1933). Il s'engage comme aviateur lors de la guerre d'Espagne dans les rangs républicains (*l'Espoir,* 1937).

Pendant la Seconde Guerre mondiale, il prend part à la Résistance, commande en 1944 la brigade Alsace-Lorraine et consigne sa double expérience de l'action et de la littérature dans *les Noyers de l'Altenburg* (1943). Après la guerre, il entreprend une carrière politique liée à celle du général de Gaulle et devient ministre de l'Information (1945-1946), ministre d'État chargé des Affaires culturelles (1959-1969). Il abandonne cependant la littérature romanesque pour s'attacher à l'étude comparative des formes de l'art (*les Voix du silence*, 1947-1951; *le Musée imaginaire de la sculpture mondiale*, 1952-1954; *la Métamorphose des dieux*, 1957) et réfléchir sur sa vie (*Antimémoires*, 1967).

MALSAIN, E adj. → SAIN 1 et 2.

MALSÉANT, E [malseɑ̃, -ɑ̃t] adj. (*mal,* et *séant,* convenable). Qui est contraire à la politesse, aux bonnes mœurs (langue soignée) [syn. GROSSIER, INCONVENANT; contr. BIENSÉANT].

MALSONNANT, E [malsɔnɑ̃, -ɑ̃t] adj. *(mal,* et *sonnant).* Contraire aux convenances, à la pudeur (langue soignée) : *Des qualificatifs malsonnants* (syn. GROSSIER).

MALSTRØM → MAELSTRÖM.

MALSTROM n. m. → MAELSTRÖM.

MALT [malt] n. m. (mot angl.). Orge germée, séchée et réduite en farine pour faire de la bière. ◆ **malterie** n. f. Fabrique de malt.

MALTASE [maltɑz] n. f. (de *malt*). Diastase du suc intestinal qui permet la transformation du maltose en glucose.

MALTE, île principale d'un petit archipel de la Méditerranée (comprenant en outre Gozo, Comino et Filfola), entre la Sicile et l'Afrique, qui constitue un État indépendant; 316 km^2 (246 pour l'île de Malte seule); 350 000 hab. *(Maltais).* Capit. *La Valette.*

GÉOGRAPHIE

L'île jouit d'un climat méditerranéen très doux permettant des cultures variées : blé, orge, tomate, vigne, arbres fruitiers.

HISTOIRE

Position stratégique en Méditerranée, l'île est occupée successivement par les Phéniciens, les Grecs, les Carthaginois, les Romains (218 av. J.-C.) et les Arabes, qui l'islamisent (870). Les Normands de Sicile l'annexent en 1090.

- *1530. L'île est cédée par Charles Quint à l'ordre de Saint-Jean de Jérusalem, qui fuyait Rhodes, occupée par les Turcs.*

Français et Anglais se disputent l'île de 1798 à 1800. Les Anglais y demeureront, bien que leur départ ait été prévu par la paix d'Amiens (1802).

Pendant la Seconde Guerre mondiale, l'île, de première importance pour les Anglais, est une base.

- *1964. Malte obtient son indépendance dans le cadre du Commonwealth, après une longue lutte pour l'autonomie.*

Le parti travailliste, qui succède aux nationalistes à la tête du gouvernement en 1971, doit affronter des problèmes économiques que le relâchement des liens avec l'Angleterre accentue.

- *1974. L'île devient une république.*
- *1979. Les forces britanniques quittent l'île.*
- *1987. Le parti nationaliste revient au pouvoir.*

Malte *(fièvre de),* maladie infectieuse transmise par le lait de chèvre à l'homme et existant sur tout le littoral méditerranéen (syn. BRUCELLOSE, FIÈVRE ONDULANTE, MÉLITOCOCCIE).

Malte *(ordre hospitalier et militaire de),* ordre issu des *Hospitaliers de Saint-Jean de Jérusalem,* fondés en 1099, réfugiés à Rhodes en 1308, puis à Malte de 1530 à 1798. Installés à Rome en 1834, dotés d'une nouvelle constitution en 1961, les chevaliers de Malte comportent plusieurs branches.

MALTERIE n. f. → MALT.

MALTHUS (Thomas Robert), économiste anglais (1766-1834), auteur de l'*Essai sur le principe de population* (1798), où, présentant l'augmentation constante de la population comme un danger pour la subsistance du monde, il recommande la restriction volontaire des naissances.

MALTHUSIANISME [maltyzjanism] n. m. (de *Malthus*). **1.** Restriction volontaire des naissances. — **2.** Limitation volontaire de l'expansion économique, grâce à la réduction durable de l'offre. ◆ **malthusien, enne** adj. et n. : *Une politique malthusienne.*

MALTOSE [maltoz] n. m. (de *malt*). Sucre obtenu lors de la digestion par transformation sous l'influence d'une diastase, l'amylase, de l'amidon cuit, et subissant lui-même, sous l'influence de la maltase, une transformation en glucose.

MALTRAITER [maltrɛte] v. t. *(mal,* et *traiter). Maltraiter un être vivant* (ou ses œuvres), le traiter avec violence, dureté; lui faire subir de mauvais traitements (syn. BRUTALISER, MALMENER).

MALVACÉES [malvase] n. f. pl. (du lat. *malva,* mauve). Famille de plantes dicotylédones dialypétales, des régions tempérées et chaudes, renfermant des arbres *(fromager),* des arbustes *(hibiscus, cotonnier)* et des plantes herbacées *(mauve).*

MALVEILLANT, E [malvɛjɑ̃, -ɑ̃t] adj. et n. (de *mal,* et l'anc. part. prés. de *vouloir, vueillant*). **1.** Se dit d'une personne portée à juger mal autrui, à lui souhaiter du mal : *Une voisine malveillante avait répandu sur lui des calomnies.* — **2.** Qui est inspiré par des intentions hostiles : *Tenir des propos malveillants* (syn. DÉSOBLIGEANT). ◆ **malveillance** n. f. **1.** Disposition d'esprit de celui qui est malveillant : *Regarder avec malveillance* (syn. ANIMOSITÉ). — **2.** Intention de nuire : *Incendie dû à la malveillance.*

MALVENU, E [malvəny] adj. *(mal,* et *venu). Être malvenu de, à* (et l'infin.), être peu qualifié pour faire quelque chose.

MALVERSATION [malvɛrsasjɔ̃] n. f. (du lat. *male versari,* se comporter mal). Détournement d'argent, de fonds, commis par un fonctionnaire, un employé, dans l'exercice de sa charge.

MALVÉSI, écart de la comm. de Narbonne (Aude). Usine de concentration de l'uranium.

MALVOISIE [malvwazi] n. m. ou f. (de *Malvoisie,* v. de la Grèce). Vin grec, doux et liquoreux. (Ce vin est produit actuellement en Grèce, à Chypre, en Italie, en Espagne et aussi en France, dans les Pyrénées-Orientales, où il est plus connu sous le nom de MUSCAT.)

MALVOYANT [malvwajɑ̃] n. m. *(mal,* et *voyant).* Personne atteinte d'un certain degré de cécité.

MAMAN [mamɑ̃] n. f. (du lat. *mamma*). Nom donné à la mère par les enfants et par ceux qui leur parlent.

MAMELLE [mamɛl] n. f. (du lat. *mamma,* mamelle). **1.** Organe qui, chez les mammifères femelles, sécrète le lait. — **2.** Syn. de SEIN (chez la femme) : *Enfant à la mamelle* (= qui tète encore). ◆ **mamelon** n. m. **1.** Bout de la mamelle. — **2.** Petite colline de forme arrondie. ◆ **mamelonné, e** adj. : *Paysage mamelonné* (syn. ACCIDENTÉ). ◆ **mammaire** adj. Relatif aux mamelles : *Glandes mammaires.*

MAMELOUK [mamluk] n. m. (ar. *mamlūk*). Soldat appartenant à une milice qui joua à plusieurs reprises un rôle important dans l'histoire de l'Égypte. → ENCYCL. ‖ *Mamelouks de la garde impériale,* corps formant un escadron rattaché à la garde impériale. (Il fut créé par Bonaparte pendant la campagne d'Égypte et fut officialisé en 1804. Il disparut après l'Empire.)
— ENCYCL. Les *mamelouks* étaient des esclaves grecs ou le plus souvent turcs. Ils devinrent maîtres de l'Égypte au XIIIe s. À partir du XVIe s., ils fusionnèrent avec les Turcs Ottomans et devinrent de plus en plus indépendants du sultan de Constantinople. Bonaparte vainquit les Mamelouks à la bataille des Pyramides en 1798. Méhémet Ali les fit massacrer en 1811.

MAMERS, ch.-l. d'arrond. de la Sarthe, sur la Dive, à 25 km au S.-E. d'Alençon; 6 800 hab. *(Mamertins).*

MAMMAIRE adj. → MAMELLE.

MAMMIFÈRES [mamifɛr] n. m. pl. (du lat. *mamma,* mamelle, et *ferre,* porter). Classe de vertébrés supérieurs caractérisés par une respiration pulmonaire, une température constante et élevée, une reproduction vivipare, l'allaitement des jeunes par les mamelles de leur mère, une peau couverte de poils et, généralement, des dents de plusieurs sortes, implantées dans des alvéoles. → tableau et illustration pages suivantes.
— ENCYCL. On ne connaît que 2 500 espèces de *mammifères,* mais leur diversité compense leur petit nombre. On les classe d'après la forme de leur ongle (sabot, griffe, ongle plat) et d'après le nombre

MAMMIFÈRES

ORDRE	REPRODUCTION	PATTES	DENTURE	RÉGIME	EXEMPLES
monotrèmes	par des œufs	palmées	bec corné	insectivore	*ornithorynque*
marsupiaux	incubation dans une poche ventrale	très variables	très variable	très variable	*kangourou, koala, wombat, thylacine*
cétacés		réduites	dents tranchantes	carnassier	*cachalot, dauphin*
		aux nageoires pectorales	pas de dents; fanons	petits crustacés	*baleine*
édentés		griffes	dents toutes pareilles		*tatou*
			pas de dents		*fourmilier*
insectivores		griffes	44 dents pointues	insectes	*hérisson, taupe*
chauves-souris		pattes de devant formant ailes	44 dents pointues	insectes	*pipistrelle, oreilla*
				fruits	*roussette*
				sang	*vampire*
rongeurs		griffes	incisives rongeuses; molaires à crêtes transversales	herbe, tubercules	*lapin, rat, écureui porc-épic*
carnassiers		griffes, parfois rétractiles	molaires tranchantes	carnassier	*ours, belette, hyène chien, lion, chat*
pinnipèdes	viviparité vraie	nageoires, parfois munies d'ongles	crocs, molaires tranchantes	piscivore	*phoque, otarie*
primates		ongles plats; tendance à la bipédie	32-36 dents peu différenciées	omnivore	*singe, homme*
périssodactyles		5 doigts par patte; sabot	molaires à crêtes transversales; incisives supérieures (défenses)	herbivore	*éléphant*
		3 doigts par patte; sabot		herbivore	*rhinocéros*
		1 doigt par patte; sabot	dents hautes; replis émaillés	herbivore	*cheval, âne*
porcins		4 doigts par patte; sabot	molaires mamelonnées	tubercules	*hippopotame, porc*
ruminants		2 doigts (principaux) par patte; canon, sabot	molaires à croissants de lune; pas d'incisives supérieures	herbivore	*chameau, girafe, cerf, renne, bœuf, mouton*

et la forme des divers types de dents, en rapport avec leur régime alimentaire. Trois groupes (cétacés, pinnipèdes et siréniens) sont strictement aquatiques; les chauves-souris volent aussi aisément que des oiseaux; les autres groupes sont terrestres. Les plus gros animaux de la faune actuelle (baleine, éléphant) sont des mammifères, et c'est dans cette classe que l'on range l'espèce humaine.

MAMMON (de l'araméen *mamna*, richesse), terme dont s'est servi Jésus-Christ pour personnifier les richesses injustement acquises.

MAMMOUTH [mamut] n. m. (mot russe). Éléphant fossile du Quaternaire, dont on a retrouvé des cadavres entiers dans les glaces de Sibérie. (Couvert d'une toison laineuse, il possédait d'énormes défenses recourbées et mesurait 3,50 m de haut.)

MAN *(île de)*, île de la mer d'Irlande ; 560 km²; 56 200 hab. V. pr. *Douglas*. Tourisme. En 1765, elle fut achetée par la Couronne à une famille anglaise. Elle constitue une dépendance de la Couronne britannique depuis 1828.

MANADE [manad] n. f. (esp. *manada*, troupeau). Troupeau de taureaux, de chevaux, en Camargue.

MANAGEMENT [manaʒmɑ̃] n. m. (mot angl.). Science de la technique de direction et de gestion de l'entreprise.

MANAGER [manadʒɛr] n. m. (mot angl.; de *to manage*, diriger). Celui qui gère les intérêts financiers des champions professionnels, des artistes, en leur procurant des contrats, qui organise des spectacles, des concerts, etc.

MANAGUA, capit. du Nicaragua, près du *lac Managua* (1 134 km²); 623 000 hab. Archevêché. Raffinerie de pétrole.

MANĀMA, capit. de la principauté de Bahreïn, dans l'île de Bahreïn; 88 800 hab.

MANANT [manɑ̃] n. m. (du lat. *manere*, rester). **1.** *Autref.* Habitant d'un village; vilain, roturier. — **2.** *Auj.* Homme grossier, mal élevé.

MANAUS, ancienn. **Manáos,** port du Brésil, capit. de l'État d'Amazonas, sur le rio Negro, près du confluent avec l'Amazone; 635 000 hab. Raffinage du pétrole.

1. MANCHE [mɑ̃ʃ] n. f. (lat. *manica;* de *manus*, main). **1.** Partie du vêtement qui couvre le bras. — **2.** Fam. *C'est une autre paire de manches*, c'est une affaire tout à fait différente, beaucoup plus difficile. ◆ **manchette** n. f. **1.** Bande de toile, fixe ou mobile, adaptée aux poignets d'une chemise : *Mettre ses boutons de manchettes.* — **2.** Coup donné avec l'avant-bras. — **3.** Dans un journal, titre en gros caractères de la première page. ◆ **manchon** n. m.

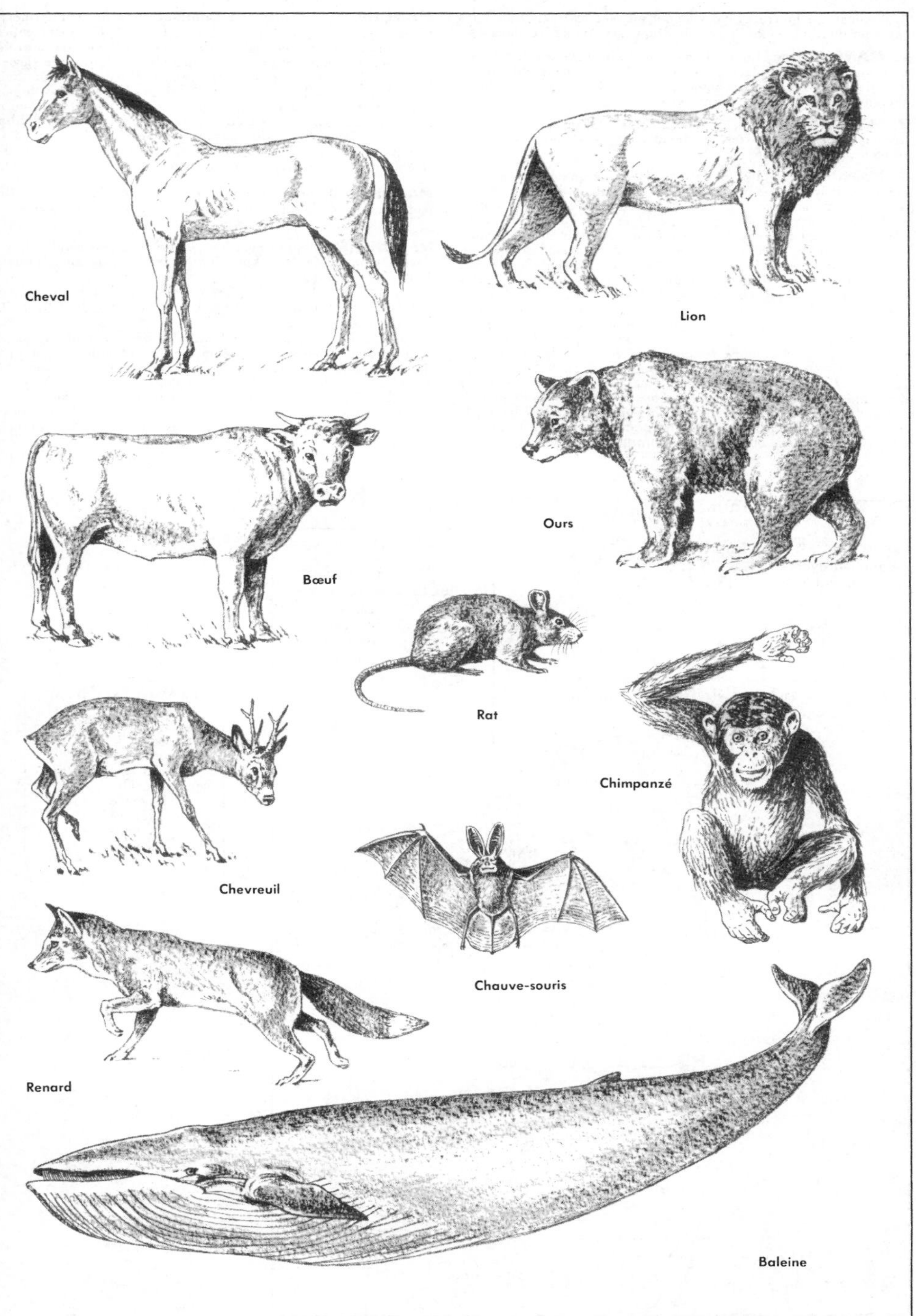
Cheval
Lion
Ours
Bœuf
Rat
Chimpanzé
Chevreuil
Chauve-souris
Renard
Baleine

1. Rouleau de fourrure, dans lequel on met les mains pour les protéger du froid. — 2. Pièce cylindrique servant à divers usages.

2. MANCHE [mɑ̃ʃ] n. f. (de *manche* 1). *Manche à air*, tube en toile blanc et rouge, placé au sommet d'un mât pour indiquer la direction du vent sur un aérodrome; grand conduit métallique servant à aérer l'intérieur d'un navire.

3. MANCHE [mɑ̃ʃ] n. f. (même étym.). Chacune des parties liées d'un jeu (aux cartes, au tennis, etc.) : *Première manche, seconde manche et belle.*

4. MANCHE [mɑ̃ʃ] n. m. (lat. *manicum*, ce qu'on tient avec la main). **1.** Partie allongée par laquelle on tient un outil, un instrument : *Un manche de couteau. Le manche d'un violon.* — **2.** *Manche à gigot*, pince par laquelle on tient l'os du gigot pour découper la viande. — **3.** *Manche à balai*, levier au moyen duquel on commande la montée ou la descente d'un avion. — **4.** Fam. *Jeter le manche après la cognée*, abandonner tout, après le premier échec, la première difficulté. ◆ **mancheron** n. m. Chacune des deux poignées d'une charrue. ◆ **démancher** v. t. **1.** Ôter le manche d'un outil, d'un instrument : *Démancher un balai.* — **2.** Défaire les parties de quelque chose; démettre un membre : *Chaise toute démanchée* (syn. DISLOQUER). ◆ ***se démancher*** v. pr. **1.** *Un marteau qui se démanche.* — **2.** *Se démancher le bras*, se démettre le bras. ◆ **emmancher** v. t. **1.** Pourvoir d'un manche : *Emmancher une pelle, un marteau.* — **2.** *Fam.* Engager dans une fente, dans un logement : *Emmancher une bougie dans le chandelier.* — **3.** Fam. *Emmancher une affaire, une discussion*, la mettre en train, l'engager. ◆ ***s'emmancher*** v. pr. *Fam.* Commencer : *L'affaire s'emmanche mal.* ◆ **emmanchement** n. m.

MANCHE (la), en angl. **the Channel,** bras de mer formé par l'Atlantique, entre la France et l'Angleterre. Appartenant entièrement au plateau continental, la Manche est une mer où la profondeur ne dépasse qu'exceptionnellement 100 m. Elle est le siège de marées, plus fortes sur la côte française (baie du Mont-Saint-Michel) que sur le littoral anglais. Ses rives sont jalonnées de ports (dont Le Havre et Southampton sont les plus importants), ce qui explique, avec son rôle de voie de passage vers la mer du Nord par le pas de Calais, un trafic maritime intense.

Faisant suite à de nombreux autres projets, la construction d'un double tunnel ferroviaire sous la Manche sera achevée en 1993.

MANCHE (la), région dénudée et aride de l'intérieur de l'Espagne, partie de la région de Castille-la Manche, que Cervantès a immortalisée dans son *Don Quichotte.*

MANCHE (50), dép. formé d'une partie de la Normandie (Région Basse-Normandie); 5 938 km²; 465 900 hab. (78 au km²) [France : 100]. Ch.-l. *Saint-Lô.*

ADMINISTRATION. 4 arrond. (*Avranches*, 121 700 hab.; *Cherbourg*, 174 700 hab.; *Coutances*, 72 900 hab.; *Saint-Lô*, 96 700 hab.). / 52 cant. / 597 comm.

La Manche est le plus occidental des départements normands, occupant essentiellement la péninsule du Cotentin. C'est un pays de collines où l'altitude est basse. À proximité de la mer, l'ensemble a un climat humide, assez doux, propice à l'herbe. La densité est nettement inférieure à la moyenne nationale.

L'*agriculture* est encore l'activité principale, employant un peu plus de 30 p. 100 de la population active. L'élevage bovin domine très largement.

LOCALITÉS PRINCIPALES	NOMBRE D'HAB.
Cherbourg	30 100
Saint-Lô	24 800
Octeville	18 700
Tourlaville	15 700
Granville	15 000
Équeurdreville-Hainneville	13 500
Coutances	13 400
Avranches	10 400
Valognes	6 950
Carentan	6 900

L'*industrie* occupe seulement le quart de cette population active, liée souvent à l'agriculture (produits laitiers), sauf à Cherbourg*.

Le *secteur tertiaire* n'emploie que 40 p. 100 de la population active. Cette faiblesse et celle de l'industrialisation sont à rapprocher de l'absence de véritable ville en dehors de Cherbourg.

Ainsi s'explique largement la stagnation de la population du département. La croissance de quelques villes ou agglomérations masque un important exode rural.

MANCHERON n. m. ⟶ MANCHE 4.

MANCHESTER, v. de Grande-Bretagne, sur l'Irwell, affl. de la Mersey; 616 500 hab. Université. Musée. Cathédrale en partie du XVe s. Grand centre d'industries textiles (coton), métallurgiques et chimiques.

MANCHETTE n. f., **MANCHON** n. m. ⟶ MANCHE 1.

1. MANCHOT, E [mɑ̃ʃo, -ɔt] adj. et n. (de l'anc. fr. *manc*, estropié). Privé ou estropié d'un bras, d'une main, ou des deux mains, des deux bras.

2. MANCHOT [mɑ̃ʃo] n. m. (de *manchot* 1). Oiseau palmipède des régions antarctiques, dont les membres antérieurs, impropres au vol, sont utilisés comme nageoires. (Famille des sphéniscidés.)

MANCINI, famille italienne. Les plus célèbres de ses représentants furent les nièces de Mazarin, qui avaient suivi celui-ci en France. MARIE, princesse COLONNA (1640-1715), inspira une vive passion à Louis XIV.

MANDALAY, v. de la haute Birmanie, sur l'Irrawaddy; 417 300 hab. Nombreux monastères et temples bouddhiques. Centre commercial.

MANDANT, E n. ⟶ MANDAT.

MANDARIN [mɑ̃darɛ̃] n. m. (mot portug.). **1.** Titre donné autref. aux hauts fonctionnaires publics de la Chine impériale. — **2.** *Péjor.* Personnage important et influent. ◆ **mandarinat** n. m. Dignité, fonction de mandarin (sens 1).

MANDARINE [mɑ̃darin] n. f. (esp. [*naranja*] *mandarina*, orange de mandarin). Fruit doux et parfumé du *mandarinier*, arbrisseau plus petit que l'oranger. (Famille des rutacées.)

MANDAT [mɑ̃da] n. m. (lat. *mandatum*). **1.** Pouvoir donné par une personne *(mandant)* à une autre *(mandataire)* de s'acquitter de quelque chose (souvent avec *donner*) : *Donner mandat à un notaire d'acheter une ferme.* — **2.** Fonction d'un membre élu d'une assemblée; pouvoir d'un élu : *Mandat de député. Les délégués ont reçu un mandat impératif* (= qui impose de s'en tenir aux instructions reçues). — **3.** Ordre donné de comparaître, ordre d'arrêter, etc. (langue admin.) : *Le juge d'instruction délivra un mandat d'amener* (= de comparaître devant un juge). *Mandat d'arrêt, de dépôt* (= d'arrêter, de conduire quelqu'un en prison). — **4.** Titre remis par le service des postes pour faire parvenir une somme à un correspondant : *Envoyer un mandat.* ◆ **mandat-carte** n. m. Mandat postal transmis sous forme de carte postale et généralement payable à domicile. ‖ Pl. des *mandats-cartes.* ◆ **mandat-lettre** n. m. Mandat postal muni d'un coupon double destiné à fermer la correspondance particulière que l'expéditeur adresse au destinataire. ‖ Pl. des *mandats-lettres.* ◆ **mandataire** n. **1.** Personne à qui on a confié un mandat (sens 1 et 2) : *Les députés sont les mandataires des électeurs* (syn. DÉLÉGUÉ, REPRÉSENTANT). — **2.** *Mandataire aux Halles*, personne dont le métier est de servir d'intermédiaire entre les producteurs de province et les revendeurs de Paris, sur le marché de la viande, des fruits, etc. ◆ **mandater** v. t. **1.** Payer une somme avec un mandat (sens 4). — **2.** *Mandater qq'un*, lui confier une mission, une charge au nom d'un autre. ◆ **mandant, e** n. Personne qui confie un mandat (sens 1 et 2) à une autre : *Je parle au nom de mes mandants.*

MANDCHOU, E [mɑ̃tʃu] adj. et n. De la Mandchourie.

MANDCHOUKOUO (le), nom pris par la Mandchourie lorsqu'elle a été séparée de la Chine par le Japon, de 1932 à 1945.

MANDCHOURIE, anc. nom d'une partie de la Chine, formant auj. la majeure partie de la Chine du Nord-Est. (Hab. *Mandchous.*) V. pr. *Chen-yang (Moukden), Harbin.*

Les Mandchous, peuple de race toungouse, envahirent la Chine au XVIIe s. et y fondèrent la dynastie des Ts'ing, qui régna jusqu'en 1912.

À la fin du XIXe s., la Mandchourie, convoitée à la fois par la Russie et par le Japon, fut partagée en deux zones d'influence.

• *1924. Les Russes se retirent de cette partie de la Chine.*

Le Japon peut alors créer l'État du Mandchoukouo (1932).

• *1945. Les troupes soviétiques occupent la Mandchourie.*

Puis le pays devient de nouveau un territoire chinois.

MANDEL (Georges), homme politique français (1885-1944). Chef du cabinet de Clemenceau (1917), ministre des P. T. T. (1934-1936), il devint ministre de l'Intérieur dans le cabinet Paul Reynaud (mai 1940). Le gouvernement de Vichy le fit traduire devant la cour de Riom (1940). Remis aux Allemands (1942), il fut livré aux miliciens, qui l'assassinèrent.

MANDELIEU-LA-NAPOULE, ch.-l. de cant. des Alpes-Maritimes, à 6,5 km à l'O. de Cannes; 14 300 hab. Station balnéaire.

MANDER [mɑ̃de] v. t. (lat. *mandare*). **1.** Faire savoir par une lettre, un message (littér.). — **2.** Demander de venir (langue soignée) : *Mander le médecin* (syn. usuel APPELER).

MANDEURE, comm. du Doubs, à 13 km au S. de Montbéliard, sur le Doubs; 6 100 hab. Vestiges romains.

MANDIBULE [mɑ̃dibyl] n. f. (bas lat. *mandibula*, mâchoire). **1.** Mâchoire inférieure de l'homme et des vertébrés. — **2.** Chacune des deux parties du bec des oiseaux ou des deux pièces buccales de certains insectes et crustacés, qui leur servent à saisir et broyer les aliments.

MANDINGUES, groupe ethnique de l'Afrique occidentale, qui constitua l'empire du Mali aux XIVe-XVIe s. Il comprend les Malinkés, les Bambaras, les Dioulas, etc.

MANDOLINE [mɑ̃dɔlin] n. f. (it. *mandolina*). Petit instrument de musique de la famille du luth, à quatre cordes doubles et à caisse de résonance bombée.

MANDRAGORE [mɑ̃dragɔr] n. f. (gr. *mandragoras*). Plante des régions chaudes, presque sans tige, à grandes feuilles qui semblent sortir du sol et dont la racine, fourchue, rappelle la forme d'un corps humain avec ses jambes. (On la croyait jadis douée de nombreuses vertus et on l'utilisait en sorcellerie.) [Famille des solanacées.]

MANDRILL [mɑ̃dril] n. m. (d'une langue de Guinée). Singe d'Afrique à museau bariolé de bleu et de rouge.

MANDRIN [mɑ̃drɛ̃] n. m. (mot occitan signif. *manivelle, tourillon*). **1.** Appareil servant à tenir sur une machine-outil soit une pièce à travailler (on dit alors que l'on travaille « sur mandrin »), soit un outil. — **2.** Outil pour percer, emboutir une pièce, agrandir ou égaliser un trou.

MANDRIN (Louis), bandit français (1724-1755). Marchand ruiné, il se fit contrebandier; pendant cinq ans, à la tête d'une troupe nombreuse, il fut la terreur des fermiers de l'impôt. Malgré sa popularité, il fut arrêté et exécuté.

MANDUCATION [mɑ̃dykasjɔ̃] n. f. (du lat. *manducare*, manger). **1.** Action de manger. — **2.** Actes qui préparent la digestion des aliments, et qui comprennent la préhension, la mastication, l'insalivation et la déglutition. ◆ **manducateur, trice** adj. Se dit des organes servant à manger.

MANÉCANTERIE [manekɑ̃tri] n. f. (du lat. *mane*, matin, et *cantare*, chanter). Nom donné autref. à une école de chant attachée à une paroisse pour y former des enfants de chœur. (Ce terme a été choisi en 1907 par les fondateurs de la maîtrise ambulante, devenue célèbre depuis, la *Manécanterie des petits chanteurs à la croix de bois.*)

1. MANÈGE [manɛʒ] n. m. (de l'it. *maneggiare*, manier). **1.** Lieu où l'on forme des cavaliers, où l'on fait le dressage des chevaux. — **2.** Attraction foraine où des figures d'animaux, des véhicules, etc., qui servent de montures à des enfants, sont animés d'un mouvement circulaire : *Faire un tour de manège.*

2. MANÈGE [manɛʒ] n. m. (de *manège* 1). Conduite rusée qui est jugée défavorablement : *Je me méfie du manège de mes adversaires* (syn. MANŒUVRE). *Le manège de la coquette l'amusait* (syn. ↑ROUERIE).

MÂNES [mɑn] n. m. pl. (lat. *manes*). Chez les Romains, âmes des morts, considérées comme des divinités, et dont le culte était lié aux rites funéraires.

MANÈS, fondateur du *manichéisme*, né en Perse au début du IIIe s. apr. J.-C., mort en 273.

MANET (Édouard), peintre et graveur français (1832-1883). Se dégageant très tôt de l'enseignement traditionnel, il manifesta un goût pour les scènes de la vie quotidienne et un sens des contrastes lumineux qui l'apparentent aux peintres espagnols. Sa peinture réaliste, spontanée et sincère, où il cherche à donner une image juste et vraie de la vie, scandalisa ses contemporains (*le Déjeuner sur l'herbe*, 1863) et ouvrit la voie à l'art moderne, par l'utilisation nouvelle de la lumière, des reflets, et l'emploi de couleurs plus claires et plus vives. Peintre de la vie parisienne (*le Bar des Folies-Bergère*, 1882) et témoin de son temps, Manet exécuta aussi des tableaux de plein air, des natures mortes et des portraits (*le Fifre*, 1866; *le Bon Bock*, 1873). Il influença beaucoup les impressionnistes, qui le considéraient comme leur chef de file.

MANETTE [manɛt] n. f. (de *main*). Clef, poignée ou petit levier qui commande un mécanisme et que l'on manœuvre à la main : *La manette des gaz dans un avion.*

MANGALORE ou **MANGALUR,** port de l'Inde (Karnātaka), sur la côte de Malabār; 193 300 hab.

MANGANÈSE [mɑ̃ganɛz] n. m. (du lat. *magnesia*, pierre d'aimant). Métal grisâtre (Mn), très dur et très cassant, qui existe dans la nature à l'état d'oxyde. (Il est utilisé surtout dans la fabrication des aciers spéciaux.)
— ENCYCL. La production mondiale, qui a connu un vif essor après la Seconde Guerre mondiale, est aujourd'hui stagnante. Elle avait beaucoup progressé chez les pays producteurs traditionnels (Afrique du Sud, Inde et surtout U. R. S. S.), comme chez les nouveaux producteurs (Brésil, Australie, Gabon).

Monde	10 millions de t	Australie	900 000 t
U. R. S. S.	3 400 000 t	Brésil	900 000 t
Afrique du Sud	1 200 000 t	Inde	500 000 t
Gabon	1 100 000 t		

MANGER [mɑ̃ʒe] v. t. et i. (lat. *manducare*, mâcher). **1.** Mâcher et avaler un aliment solide, afin de se nourrir : *Il faut manger pour vivre et non pas vivre pour manger* (syn. S'ALIMENTER, SE NOURRIR). *Manger du bout des dents* (= sans appétit). *Il mange comme quatre* (= beaucoup). *Il ne mange rien* (= très peu). — **2.** (sujet nom désignant des insectes, des souris, etc.) Détruire en rongeant : *Vêtement mangé aux mites;* (sujet nom de chose) *Barre de fer mangée par la rouille* (syn. ATTAQUER). — **3.** *Manger des yeux*, regarder avidement. ‖ *Il ne vous mangera pas*, il n'est pas terrible, ne soyez pas si timide. ‖ *Il y a à boire et à manger*, il y a du bon et du mauvais. ‖ Pop. *Manger le morceau*, dénoncer ses complices, révéler une affaire secrète. ◆ v. i. Prendre un repas : *Manger au restaurant* (syn. DÉJEUNER, DÎNER). *Manger sur le pouce* (= très rapidement). ◆ n. m. Nourriture, aliments, repas. ◆ **mangeable** adj. Qui peut être mangé. ◆ **immangeable** adj. : *Ces lentilles brûlées sont immangeables* (syn. ↓MAUVAIS). ◆ **mangeaille** n. f. *Fam.* et *péjor.* Nourriture abondante et de qualité médiocre. ◆ **mangeoire** n. f. Bac, auge où mangent les animaux. ◆ **mangeur, euse** n. *Gros, grand mangeur*, personne de gros appétit, qui mange beaucoup. ‖ *Un mangeur de quelque chose*, celui qui en mange habituellement : *Les Italiens sont des mangeurs de pâtes.* ◆ **mange-tout** n. et adj. m. inv. Haricot ou pois dont la cosse se mange avec le grain.

MANGIN (Charles), général français (1866-1925). Pendant la Première Guerre mondiale, il s'illustra à Verdun (1916) en reprenant Douaumont et Vaux. Après l'échec du Chemin des Dames (1917), il stoppa l'offensive allemande sur le Matz (juin 1918) et déclencha, à la tête de la Xe armée, la contre-offensive de Villers-Cotterêts (18 juillet 1918).

MANGOUSTE [mɑ̃gust] n. f. (esp. *mangosta*). Mammifère carnassier d'Asie et d'Afrique. (La mangouste, qui atteint 50 cm de long, attaque les serpents, même venimeux, et est immunisée, naturellement, contre leur venin.) [Famille des viverridés.]

MANGROVE [mɑ̃grɔv] n. f. (mot angl.). Dans les régions côtières intertropicales, formation végétale caractérisée par des forêts impénétrables de palétuviers, qui fixent leurs fortes racines dans les baies aux eaux calmes, où se déposent boues et limons.

MANGUE [mɑ̃g] n. f. (port. *manga*). Fruit du manguier. ◆ **manguier** n. m. Arbre originaire du Sud-Est asiatique et importé dans toutes les régions chaudes pour ses gros fruits comestibles recherchés, semblables à de grosses pêches. (Famille des anacardiacées.)

MANHATTAN, île des États-Unis, entre l'Hudson, l'East River et la rivière de Harlem, constituant le centre de la ville de New York.

MANIABILITÉ n. f., **MANIABLE** adj. ⟶ MANIER.

MANIAQUE adj. et n. ⟶ MANIE.

MANICHÉISME [manikeism] n. m. (de *Manès*). Doctrine qui admet comme celle de Manès l'existence de deux principes : le dieu du Bien ou de la Lumière, essentiellement bon; le diable ou principe des Ténèbres et du Mal. ◆ **manichéen, enne** adj. Relatif au manichéisme, doctrine de Manès. ◆ n. Partisan de cette doctrine.

MANICOUAGANE (la), en angl. **Manicouagan,** riv. du Canada (Québec), qui rejoint l'estuaire du Saint-Laurent (r. g.); 500 km. Importants aménagements hydro-électriques.

MANIE [mani] n. f. (lat. *mania*, folie). Goût, habitude bizarre, ridicule, qui provoque l'irritation ou la moquerie : *Il a la fâcheuse manie de dire toujours « n'est-ce pas? »* (syn. TIC). *Chacun a ses petites manies* (syn. DADA, MAROTTE). [La *manie* est aussi un trouble mental, caractérisé par l'exubérance et l'agitation.] ◆ **maniaque** adj. et n. **1.** Se dit de quelqu'un qui a une idée fixe, bizarre ou perverse : *Le meurtre a été commis par un dangereux maniaque* (syn. FOU). — **2.** Qui est très attaché à des habitudes : *Il est maniaque dans ses rangements* (syn. MÉTICULEUX, POINTILLEUX).

MANIER [manje] v. t. (de *main*). **1.** Prendre un objet entre les mains, le tourner et le retourner pour l'examiner; utiliser quelque chose avec adresse : *Manier un appareil avec précaution* (syn. MANIPULER). — **2.** (sujet nom de personne) *Manier de l'argent, des fonds*, avoir pour fonction, pour tâche habituelle de verser et d'encaisser des sommes assez considérables; gérer des affaires. — **3.** Utiliser avec habileté (des idées, des mots, des sentiments, etc.) : *Manier sa langue avec une grande sûreté* (= en user). ◆ ***se manier*** v. pr. (sujet nom de chose). Être utilisé facilement : *Ce vélomoteur se manie très bien* (syn. SE CONDUIRE). ◆ **maniabilité** n. f. : *La maniabilité d'un avion* (= qualité de l'appareil qui peut être facilement dirigé). ◆ **maniable** adj. : *Instrument maniable* (syn. PRATIQUE). *Il n'est pas de caractère maniable* (syn. SOUPLE; contr. INTRAITABLE). ◆ **maniement** n. m. : *Le maniement d'un outil, d'une voiture* (syn. USAGE). *Appareil électrique d'un maniement très simple* (syn. UTILISATION). *Le maniement d'armes* (= ensemble de mouvements réglementaires effectués par les soldats et qui font partie de l'instruction). *Le maniement des mots* (syn. EMPLOI). ◆ **manieur** n. m. *Manieur d'argent, de fonds*, homme d'affaires, financier.

1. MANIÈRE [manjɛr] n. f. (de l'anc. adj. *manier*, fait avec la main). **1.** Façon particulière de penser, de parler, de se conduire, d'agir, propre à quelqu'un (surtout avec un infin. compl., avec un possessif ou un démonstratif) : *Sa manière d'agir avec lui est inqualifiable* (= sa conduite). *Une manière de s'exprimer* (syn. FAÇON, GENRE). *Refusez, mais mettez-y la manière* (= sachez vous y prendre). *Employer la manière forte* (= la force). *C'est une manière de parler* (= il ne faut pas prendre cela au pied de la lettre). *D'une manière générale* (= en règle générale). *L'accident ne s'est pas produit de cette manière* (= ainsi). *De toute manière, il réussira* (= quoi qu'il arrive). — **2.** *Une manière de* (et un nom), quelque chose qui approche (syn. UNE FAÇON DE, UNE SORTE DE) : *C'est une manière de roman philosophique.* ‖ *À la manière de* (suivi d'un nom), *à la manière* (et un adj.), selon les habitudes de, à l'imitation de : *Écrire à la manière de Saint-Simon. Il se levait avec l'aube, à la manière paysanne.* — LOC. PRÉP. *De manière à* (et l'infin.), indique le but (syn. AFIN DE, DE FAÇON À). — LOC. CONJ. *De telle manière que* (et l'indic.), indique la conséquence : *Il a crié de telle manière qu'il m'a réveillé* (syn. DE TELLE SORTE QUE, TELLEMENT QUE).

2. MANIÈRES [manjɛr] n. f. pl. (même étym.). **1.** Façons habituelles de parler, d'agir en société : *Apprendre les belles manières* (= la distinction, les usages du monde). *Avoir des manières désinvoltes* (syn. ATTITUDE). — **2.** *Faire des manières*, hésiter à accepter, se faire prier. ‖ Fam. *Sans manières*, en toute simplicité. ◆ **maniéré, e** adj. Qui manque de naturel, de simplicité; qui est affecté dans son comportement, dans ses expressions : *Le style maniéré d'un écrivain sans talent* (syn. APPRÊTÉ, PRÉCIEUX). ◆ **maniérisme** n. m. **1.** Affectation et manque de naturel en matière artistique et littéraire. — **2.** Ensemble de tendances (raffinement, complication allant parfois jusqu'au bizarre, allongement des formes) qui se manifesta dans la peinture et la sculpture des XVIe et XVIIe s. en Italie (le Pontormo, le Parmesan, Giambologna), puis en France (école de Fontainebleau), en Espagne, aux Pays-Bas, etc.

MANIEUR n. m. ⟶ MANIER.

MANIFESTANT, E n. ⟶ MANIFESTER 2.

MANIFESTATION n. f. ⟶ MANIFESTER 1 et 2.

1. MANIFESTE adj. et n. m. ⟶ MANIFESTER 1.

2. MANIFESTE [manifɛst] n. m. (it. *manifesto*). *Mar.* Tableau de toutes les marchandises formant la cargaison d'un navire, avec l'indication de leur nature, de leur origine et de leur destination.

Manifeste du parti communiste, ouvrage de Karl Marx et Friedrich Engels, publié en 1848, et exposant le programme du communisme marxiste. Il se termine par l'appel suivant : « Prolétaires de tous les pays, unissez-vous! »

1. MANIFESTER [manifɛste] v. t. (lat. *manifestare*) [sujet nom d'être animé ou de chose]. Laisser apparaître un sentiment, donner des marques d'un état d'esprit; donner des preuves d'une qualité, d'un défaut, etc. : *Manifester clairement son opinion* (syn. EXPRIMER, PROCLAMER). *Ces contradictions manifestent un grand désarroi* (syn. INDIQUER, RÉVÉLER, TRADUIRE). ◆ ***se manifester*** v. pr. **1.** (sujet nom de chose) Apparaître, se montrer au grand jour : *L'irritation de l'opinion publique se manifeste par les journaux* (syn. SE RÉVÉLER). — **2.** (sujet nom d'être animé) Donner des signes de son existence : *Il se manifeste de temps en temps par un article retentissant.* ◆ **manifestation** n. f. : *Se livrer à des manifestations de tendresse* (syn. DÉMONSTRATION, MARQUE, TÉMOI-

GNAGE). *La manifestation de la vérité* (syn. EXPRESSION). *La manifestation soudaine d'une maladie* (syn. APPARITION). ◆ **manifeste** n. m. Déclaration écrite par laquelle un parti, un groupe de personnes, un homme politique, etc., définit ses vues, son programme, justifie son action passée : *Un manifeste littéraire, politique.* ◆ adj. Qui est évident, dont l'existence, la nature réelle est hors de contestation : *Une erreur manifeste* (syn. INDÉNIABLE). *Sa jalousie est manifeste* (syn. FLAGRANT). *Sa fatigue est manifeste* (syn. VISIBLE). ◆ **manifestement** adv. : *Ce raisonnement est manifestement erroné.*

2. MANIFESTER [manifɛste] v. i. (même étym.). Participer à un rassemblement populaire destiné à exprimer publiquement un sentiment, une opinion politique : *Les étudiants ont manifesté pour réclamer des locaux.* ◆ **manifestant, e** n. : *Les manifestants arrêtés par la police.* ◆ **manifestation** n. f. : *Le préfet a interdit toute manifestation* (syn. RASSEMBLEMENT). ◆ **contre-manifester** v. i. Faire une manifestation en opposition à une autre. ◆ **contre-manifestant, e** n. : *Le cortège des manifestants et celui des contre-manifestants s'affrontèrent sur la place.* ◆ **contre-manifestation** n. f.

MANIGANCE [manigɑ̃s] n. f. (orig. obscure). *Fam.* Petite manœuvre qui a pour but de tromper quelqu'un, de cacher quelque chose : *Il est arrivé à ce poste par une série de manigances* (syn. COMBINAISON). ◆ **manigancer** v. t. *Fam.* Machiner secrètement : *Les voleurs ont bien manigancé leur coup* (syn. COMBINER).

1. MANILLE [manij] n. f. (esp. *malilla*, petite malicieuse). Jeu de cartes qui se joue à quatre, deux contre deux.

2. MANILLE [manij] n. f. (it. *maniglia*). Anneau ouvert à l'une de ses extrémités et employé pour réunir deux bouts de chaîne entre eux.

MANILLE, capit. des Philippines, dans l'île de Luçon, au fond de la *baie de Manille;* 1 600 000 hab. C'est le principal port des Philippines, par lequel passe tout le commerce extérieur du pays. À cette fonction commerciale s'ajoute une fonction industrielle (constructions mécaniques, industries alimentaires) et intellectuelle (université).

MANIN (Daniele), avocat et patriote italien (1804-1857), président de la république de Venise en 1848. Il lutta contre la domination autrichienne.

MANIOC [manjɔk] n. m. (mot tupi). Plante des régions tropicales dont la racine fournit une fécule nourrissante, servant à faire le tapioca. (Famille des euphorbiacées.)

MANIPULATEUR, TRICE n., **MANIPULATION** n. f. ⟶ MANIPULER.

MANIPULE [manipyl] n. m. (lat. *manipulus*, poignée). Division de la légion romaine. (Unité tactique de base, elle était constituée par deux centuries.)

MANIPULER [manipyle] v. t. (du lat. *manipulus*, poignée). **1.** Manœuvrer, remuer, déplacer, faire fonctionner avec la main : *Manipuler un vase avec précaution.* — **2.** Transformer par des opérations suspectes : *Manipuler les statistiques.* — **3.** *Manipuler une personne, un groupe de personnes*, exercer une emprise sur elles, les influencer pour qu'elles fassent ce qu'on désire leur voir faire. ◆ **manipulateur, trice** n. Celui, celle qui manipule. ◆ n. m. Appareil employé dans la télégraphie électrique pour transmettre les dépêches en alphabet Morse par l'établissement et la rupture du courant. ◆ **manipulation** n. f. **1.** Action de manipuler un objet, un produit : *Les explosifs sont d'une manipulation dangereuse* (syn. MANIEMENT). — **2.** (au plur.) Travaux pratiques de physique et chimie, dans les établissements scolaires ou universitaires. — **3.** Manœuvre visant à tromper, à frauder : *Des manipulations électorales.* — **4.** Action de manipuler (sens 3) une personne ou un groupe de personnes.

MANIPUR, État de l'est de l'Inde ; 1 470 000 hab. Capit. *Imphāl.*

MANITOBA (le), province du Canada, dans la Prairie; 650 100 km²; 988 200 hab. Capit. *Winnipeg.* C'est une riche région agricole spécialisée dans la culture du blé.

MANITOBA *(lac)*, lac du Canada, dans le sud de la *province de Manitoba;* 4 800 km².

MANITOU, le Grand-Esprit, chez les Indiens de l'Amérique du Nord.

MANITOU [manitu] n. m. (de *Manitou*). Fam. *Un grand manitou*, un personnage puissant et influent, dont l'autorité est incontestée (syn. GRAND PATRON). ‖ Pl. des *manitous.*

MANIVELLE [manivɛl] n. f. (lat. *manicula;* de *manus*, main). **1.** Levier coudé à angle droit, à l'aide duquel on imprime un mouvement rotatif à un arbre sur lequel il est placé : *Tourner la manivelle pour mettre en marche le moteur.* ‖ *Premier tour de manivelle*, première séance de prise de vues d'un film. — **2.** Organe d'une machine servant à transformer un mouvement rectiligne alternatif en mouvement de rotation continu. — **3.** Partie du pédalier d'une bicyclette qui porte la pédale.

MANIZALES, v. de Colombie, sur le Cauca; 222 000 hab. Café.

MANN (Heinrich), écrivain allemand (1871-1950). Il se fait, dans ses romans, l'observateur satirique de la société allemande moderne (*le Professeur Unrat*, 1905).

MANN (Thomas), écrivain allemand, frère du précédent (1875-1955). Ses premiers romans sont une analyse de deux conceptions opposées de l'existence : le culte de l'action et la vie de l'esprit (*les Buddenbrooks*, 1901; *la Mort à Venise*, 1913). La fin de la Première Guerre mondiale le voit évoluer vers la méditation et le recueillement (*la Montagne magique*, 1924). À l'avènement de Hitler, il s'exile et consacre ses récits à la défense des valeurs spirituelles et morales (*Joseph et ses frères*, 1933-1943; *Docteur Faustus*, 1947), donnant par l'étude de ses conflits intérieurs l'image même de l'ambiguïté et du déchirement de l'Allemagne moderne. (Prix Nobel, 1929.)

MANNE [man] n. f. (hébr. *man*). **1.** Nourriture miraculeuse que Dieu envoya du ciel aux Israélites dans le désert. — **2.** Aliment abondant et peu cher. — **3.** *La manne céleste*, bienfaits inattendus, qui semblent un don de Dieu.

Manneken-Pis, fontaine de Bruxelles qui doit son nom à une statuette d'enfant, œuvre de Jérôme Duquesnoy (1619).

MANNEQUIN [mankɛ̃] n. m. (anc. néerl. *mannekijn*, petit homme). **1.** Forme humaine en bois, en cartonnage ou en métal, sur laquelle les tailleurs, les couturiers, les marchands de confection essayent ou présentent les vêtements. — **2.** Personne sur laquelle les couturiers composent et essayent leurs modèles, et qui présente au public les nouvelles créations.

MANNERHEIM (Carl Gustaf, *baron*), maréchal et homme d'État finlandais (1867-1951). Il fut élu régent en 1918. Pendant la Seconde Guerre mondiale, il lutta contre les Russes (1939-1940 et 1941-1944). Il fut président de la République de 1944 à 1946.

MANNHEIM, v. d'Allemagne (Bade-Wurtemberg), sur le Rhin; 295 000 hab. Grand centre industriel (construction automobile, industries chimiques, constructions électriques, raffinage du pétrole) et port fluvial important.

MANNING (Henry Edward), cardinal britannique (1808-1892). Prêtre anglican converti au catholicisme, il devint archevêque de Westminster en 1865.

1. MANŒUVRE [manœvr] n. f. (du lat. *manu*, avec la main, et *opera*, travail). **1.** Manière ou action de régler la marche d'une machine, d'un instrument, d'un appareil, d'un bateau, d'un véhicule : *La manœuvre d'un fusil* (syn. MANIEMENT). *Faire une fausse manœuvre* (= opération mal exécutée, ou maladroite). — **2.** Exercice faisant partie de l'instruction militaire donnée aux troupes : *Les grandes manœuvres.* — **3.** Moyen mis en œuvre pour atteindre un but, pour obtenir le résultat cherché (souvent péjor.) : *Des manœuvres électorales* (= pour exercer une influence sur les votes). *S'opposer aux manœuvres de ses adversaires* (syn. AGISSEMENT, MENÉE). ◆ **manœuvrer** v. t. et i. **1.** Faire fonctionner une machine; faire exécuter des mouvements à un appareil, à un navire, etc. : *Manœuvrer un levier* (syn. MANIER). *Manœuvrer un bateau* (syn. CONDUIRE). — **2.** Prendre des mesures, agir habilement de manière à obtenir le résultat désiré : *C'est bien manœuvré : il n'a pas su quoi répondre.* ◆ v. i. Exécuter une manœuvre militaire. ◆ **manœuvrier, ère** adj. et n. Qui manœuvre habilement. ◆ **manœuvrabilité** n. f. Qualité de ce qu'on peut manœuvrer : *La manœuvrabilité d'un bateau.* ◆ **manœuvrable** adj. Qui peut être manœuvré facilement.

2. MANŒUVRE [manœvr] n. m. (même étym.). Ouvrier exécutant des travaux manuels pour lesquels aucune qualification n'est exigée. ‖ *Manœuvre spécialisé*, manœuvre chargé d'un travail pour lequel il a reçu une instruction spéciale (syn. plus usuel OUVRIER SPÉCIALISÉ).

MANOIR [manwar] n. m. (du lat. *manere*, demeurer). Petit château servant de résidence de campagne.

MANOIR (Yves DU), rugbyman français (1904-1928). Son nom a été donné au stade olympique de Colombes et à une épreuve annuelle du rugby français.

MANOMÈTRE [manɔmɛtr] n. m. (du gr. *manos*, peu dense, et *metron*, mesure). Instrument servant à mesurer la pression d'un fluide. (Il existe des manomètres à liquide, à air libre ou à air comprimé, et des manomètres métalliques.)

Manon, opéra-comique sur une musique de Massenet et des paroles de H. Meilhac et Ph. Gilles, inspiré du roman de l'abbé Prévost (1884).

Manon Lescaut, roman de l'abbé Prévost (1731).

MANOSQUE, ch.-l. de cant. des Alpes-de-Haute-Provence, dans la vallée de la Durance, à 54 km au N.-E. d'Aix-en-Provence; 19100 hab. *(Manosquins).*

MANQUER [mɑ̃ke] v. t. (it. *mancare*, être insuffisant). **1.** *Manquer qqch.*, ne pas le réussir; ne pas atteindre son but : *Manquer une photo* (syn. fam. RATER). *Le gardien de but a manqué le ballon* (= il ne l'a pas attrapé). — **2.** *Manquer qq'un,* ne pas le rencontrer alors qu'on veut le voir : *Vous l'avez manqué de quelques minutes.* — **3.** Être absent de; ne pas assister, ne pas venir à : *Manquer les cours* (syn. fam. SÉCHER). *Il ne manquait pas une réunion.* — **4.** Ne pas prendre (parce qu'on est en retard) : *Manquer son train.* — **5.** Laisser passer : *Manquer une occasion. Vous n'avez rien manqué!* (syn. PERDRE). ◆ v. t. ind. [**de**]. **1.** *Manquer de* (et l'infin.), être sur le point de (au passé composé) : *Il a manqué de se noyer* (syn. FAILLIR); ou, elliptiq. : *Il a manqué se noyer.* ‖ *Ne pas manquer de* (et l'infin.), ne pas oublier de, ne pas omettre de : *Je ne manquerai pas de l'avertir;* être certainement : *Il ne manqua pas d'être surpris;* (sujet nom de chose) *Ça n'a pas manqué d'arriver* (= cela devait arriver). — **2.** *Manquer de qqch.*, ne pas en avoir suffisamment : *Manquer d'expérience* (syn. ÊTRE DÉPOURVU). *Il ne manque pas d'esprit* (= il a de l'esprit). ◆ v. t. ind. [**à**]. **1.** *Manquer à qq'un*, lui faire défaut (surtout avec un pron. pers.) : *Mes enfants me manquent beaucoup;* ne pas lui témoigner du respect (littér.) : *Manquer à un supérieur* (syn. OFFENSER). — **2.** *Manquer à qqch.*, ne pas y assister, être absent : *Manquer à l'école. Un homme manque à l'appel;* ne pas s'y conformer : *Il manque à tous ses devoirs* (syn. S'ÉCARTER DE). *Manquer à sa parole* (= ne pas la respecter). ◆ v. i. **1.** Être absent, faire défaut : *L'argent vint à manquer. Il ne manque plus que cela!* (= c'est le comble, on ne peut pas avoir une situation plus mauvaise). — **2.** Ne pas réussir : *L'expérience a manqué* (syn. ÉCHOUER). ◆ **manquant, e** adj. et n. : *Les livres manquants devront être restitués dans les huit jours.* ◆ **manque** n. m. **1.** Absence de quelque chose : *Le manque de sommeil* (syn. INSUFFISANCE). *Le manque de logements* (syn. PÉNURIE; contr. ABONDANCE). — **2.** Chose qui fait défaut : *Il y a beaucoup de manques dans ce travail* (syn. LACUNE, OMISSION). ‖ *Un manque à gagner*, une perte portant sur un bénéfice escompté et non réalisé. — LOC. PRÉP. *Par manque de*, en raison de l'absence de : *Par manque de précaution, un accident est vite arrivé* (syn. FAUTE DE). ◆ **manquement** n. m. Action de manquer à un devoir, à une loi, etc. : *Tout manquement à la discipline sera sévèrement puni.* ◆ **immanquable** adj. : *C'est le moyen immanquable de le persuader de son erreur* (syn. INFAILLIBLE). ◆ **immanquablement** adv. : *Un tel geste attire immanquablement l'attention sur vous* (syn. INÉVITABLEMENT, SÛREMENT).

MAN RAY, peintre, photographe et cinéaste américain (1890-1976). Surréaliste, il est représenté au musée d'Art moderne de New York; il est l'auteur du film *l'Étoile de mer* (1928).

MANS (Le), ch.-l. du dép. de la Sarthe, au confluent de la Sarthe et de l'Huisne, à 217 km à l'O. de Paris; 150300 hab. *(Manceaux).* Le Mans s'est développé grâce à la voie ferrée reliant Paris à la Bretagne. Son rôle pionnier dans l'histoire de l'automobile est attesté par la course des *Vingt-Quatre Heures du Mans*, qui s'y dispute annuellement. Les constructions mécaniques (matériel agricole) et électriques sont les activités industrielles dominantes. Le Mans est également un centre commercial et universitaire.

MANSARDE [mɑ̃sard] n. f. (de *Mansart*). Petite chambre située sous un comble, dont un mur est en pente et le plafond très bas. ◆ **mansardé, e** adj. *Chambre mansardée*, aménagée sous le comble d'une maison.

MANSART (François), architecte français (1598-1666). Il fut le véritable fondateur du style classique en France. Il a construit à Paris l'hôtel de La Vrillière (Banque de France), la façade de l'hôtel Carnavalet et une partie du Val-de-Grâce. Il éleva le château de Maisons et une des ailes du château de Blois. — Son petit-neveu par alliance, Jules HARDOUIN, dit **Hardouin-Mansart** (1646-1708), fit une carrière rapide et extrêmement brillante. Architecte favori de Louis XIV, il a dominé son époque, bâtissant de très nombreux édifices, agrandissant notamment le château de Versailles (galerie des Glaces, grandes ailes, Orangerie, Grand Trianon, grandes écuries) et créant entièrement Marly. À Paris, il éleva le dôme des Invalides, de nombreux hôtels particuliers, la place des Victoires et la place Vendôme.

MANSE [mɑ̃s] n. m. (du lat. *manere*, résider). Au Moyen Âge, unité d'exploitation agricole comprenant la maison d'habitation et son jardin, ainsi que les champs répartis dans les diverses soles du terroir.

MANSFIELD (Kathleen MANSFIELD BEAUCHAMP, dite **Katherine**), romancière d'origine néo-zélandaise (1888-1923), auteur de nouvelles *(Félicité, la Garden Party)*, de *Lettres* et d'un *Journal.*

MANSOURAH, en ar. **Al-Manṣūra** *(la Victorieuse)*, v. d'Égypte; 191500 hab.

• *1250. Saint Louis y est fait prisonnier.*

MANSTEIN (Eric VON LEWINSKI VON), maréchal allemand (1887-1973). Auteur du plan d'opérations contre la France adopté par Hitler en 1940, il fut chef d'état-major de von Rundstedt (1940), conquit la Crimée (1942), mais échoua dans le dégagement de Stalingrad. Fait prisonnier par les Anglais en 1945, il fut condamné pour crimes de guerre en 1949 et libéré en 1953.

MANSUÉTUDE [mɑ̃sɥetyd] n. f. (lat. *mansuetudo*). Douceur de caractère qui incline à la patience, au pardon : *Faire preuve de mansuétude* (syn. INDULGENCE).

1. MANTE [mɑ̃t] n. f. (gr. *mantis*, devineresse). Insecte abondant dans les lieux ensoleillés du Midi, et qui chasse à l'affût caché sur des herbes de sa propre couleur. (Carnassier vorace, la femelle dévore le mâle après la fécondation; ses pattes de devant repliées dans une attitude dévote, se détendent pour capturer les proies qu'elle dévore aussitôt : cette posture lui a valu le nom de MANTE RELIGIEUSE ou MANTE PRIE-DIEU.)

2. MANTE [mɑ̃t] n. f. (prov. *manta*, manteau). Manteau de femme ample et sans manches.

1. MANTEAU [mɑ̃to] n. m. (lat. *mantellum*). **1.** Vêtement ample, que l'on porte par-dessus les autres vêtements. — **2.** *Sous le manteau*, d'une manière secrète, en se cachant : *Un ouvrage interdit, vendu sous le manteau* (syn. CLANDESTINEMENT). ◆ **mantelet** n. m. Petit manteau court, sans manches, que portent les femmes et qui couvre les épaules et les bras.

2. MANTEAU [mɑ̃to] n. m. (même étym.). *Le manteau de la cheminée*, la partie en saillie au-dessus du foyer.

3. MANTEAU [mɑ̃to] n. m. (même étym.). Chez les mollusques, membrane qui sécrète la coquille.

MANTEGNA (Andrea), peintre, graveur et dessinateur italien (1431-1506). Il fut fortement influencé par Donatello et se passionna pour l'art antique qu'il connaissait essentiellement par la sculpture. Son style s'en ressent : le dessin est net, les volumes sont très en relief, les couleurs sont froides. Il peint des scènes religieuses dans des paysages où s'élèvent de hauts rochers, des villes imaginaires comme dans *la Crucifixion.* Il est aussi un grand portraitiste : dans les fresques de la chambre des Époux du palais ducal de Mantoue (1473-1474), il fait vivre le duc et la duchesse entourés de leurs familiers. À la fin de sa vie, il abandonne son style graphique (où le trait du dessin est très visible) en faveur d'un style plus fondu et plus souple, comme on le voit dans *le Parnasse* (1497).

MANTELÉ, E [mɑ̃tle] adj. (de l'anc. fr. *mantel*, manteau). Se dit des animaux dont le dos est d'une couleur différente de celle du corps.

MANTELET n. m. → MANTEAU 1.

MANTES-LA-JOLIE, ancienn. **Mantes-Gassicourt,** ch.-l. d'arrond. des Yvelines, sur la Seine (r. g.), à 60 km à l'O. de Paris; 43600 hab. *(Mantais).* [L'agglomération compte près de 60000 hab.] Constructions mécaniques. Caoutchouc.

MANTES-LA-VILLE, comm. des Yvelines, dans la banlieue sud de Mantes-la-Jolie; 17400 hab.

MANTILLE [mɑ̃tij] n. f. (esp. *mantilla*). Écharpe de dentelle ou de soie, que les femmes mettent sur la tête.

MANTINÉE, anc. v. de Grèce (Arcadie), célèbre par la victoire qu'y remporta sur les Spartiates le Thébain Épaminondas, qui y trouva la mort (362 av. J.-C.).

MANTOUE, en it. **Mantova,** v. d'Italie (Lombardie), entourée de trois lacs formés par le Mincio; 65700 hab. *(Mantouans).* Place forte. Évêché. Centre commercial. Industries chimiques.

• *1797. Après un long siège, Bonaparte s'empare de la ville.*

MANUCE, en it. **Manuzio,** famille d'imprimeurs italiens. ALDE *l'Ancien* (v. 1449-1515) fonda à Venise une imprimerie que rendirent célèbre ses éditions *princeps* des chefs-d'œuvre grecs et latins. On lui doit le caractère *italique* (1500) et le format in-octavo.

MANUCURE [manykyr] n. (du lat. *manus*, main, et *curare*, soigner). Personne dont le métier est de mettre en valeur, par des soins appropriés, les mains (en particulier les ongles).

1. MANUEL, ELLE [manɥɛl] adj. (du lat. *manus*, main). *Travail, métier manuel*, ordre d'activité où le travail des mains joue le rôle principal (par oppos. à INTELLECTUEL). ◆ adj. et n. Se dit de quelqu'un qui exerce un métier manuel. ◆ **manuellement** adv. : *Travailler manuellement* (= de ses mains).

2. MANUEL [manɥɛl] n. m. (même étym.). Petit livre, d'un format maniable, qui présente les notions essentielles d'une science, d'une technique, etc. : *Un manuel d'histoire* (syn. COURS).

MANUEL Ier COMNÈNE (v. 1122-1180), empereur byzantin (1143-1180). Il se rapprocha de l'Occident et contrôla temporairement l'Italie normande. Il étendit son autorité sur les États latins d'Orient et sur la Serbie. Mais il se heurta aux Vénitiens et fut battu par les Turcs (1176). — MANUEL II PALÉOLOGUE (1348-1425), empereur byzantin (1391-1425). Il ne put relever l'Empire réduit à la ville de Constantinople et au despotat de Morée. Après le siège de Constantinople par le sultan Murat II, il dut se reconnaître son vassal.

MANUEL Ier le Grand et **le Fortuné** (1469-1521), roi de Portugal (1495-1521). Il chercha vainement à obtenir l'héritage espagnol et jeta les bases de l'Empire portugais en Amérique du Sud et dans l'océan Indien. Sous son règne, le Portugal se couvrit de monuments célèbres du style dit *manuélin*.

MANUELLEMENT adv. ⟶ MANUEL 1.

MANUFACTURE [manyfaktyr] n. f. (lat. *manufactura*, travail fait à la main). Vaste établissement industriel (le mot ne s'emploie plus que pour certaines fabrications; dans les autres cas, il est remplacé par USINE) : *Une manufacture de tabac. La manufacture des Gobelins, où se font des tapisseries. Les manufactures d'armes, de porcelaine.* ‖ *Manufacture de l'État*, ensemble des services se rattachant au monopole (droit exclusif) que l'État possède pour la fabrication des tabacs et des allumettes. ◆ **manufacturé, e** adj. *Produits, articles manufacturés*, qui sont issus de la transformation des matières premières en usine.

MANU MILITARI [manymilitari] loc. adv. (mots lat. signif. *par la main militaire*). Par l'emploi de la force armée, de la gendarmerie : *Expulser qq'un « manu militari ».*

MANUSCRIT, E [manyskri, -it] adj. (lat. *manu scriptus*, écrit à la main). Écrit à la main : *Une lettre manuscrite de Victor Hugo* (syn. AUTOGRAPHE). ◆ n. m. **1.** Ouvrage écrit à la main : *Les manuscrits conservés à la Bibliothèque nationale.* — **2.** Texte original d'un ouvrage destiné à l'impression : *On a retrouvé un manuscrit de Diderot.*

MANUTENTION [manytɑ̃sjɔ̃] n. f. (du lat. *manu tenere*, tenir avec la main). Action de manipuler des marchandises, de les emmagasiner, de les emballer pour l'expédition ou la vente (techn.). ◆ **manutentionnaire** n. Employé chargé d'effectuer la manutention. ◆ **manutentionner** v. t.

MANZANARES (le), riv. d'Espagne, affl. du Jarama (r. dr.); 85 km. Elle arrose Madrid.

MANZONI (Alessandro), écrivain italien (1785-1873). Auteur de poèmes d'inspiration religieuse et de drames patriotiques, il est célèbre pour un roman historique (*les Fiancés*, 1825-1827) qui fut un modèle pour le romantisme italien.

MAOÏSME [maɔism] n. m. (de *Mao* Tsö-tong). Terme qui désigne les apports de la pensée de Mao Tsö-tong au marxisme*-léninisme. ◆ **maoïste** adj. et n.

— ENCYCL. Le *maoïsme* comme doctrine s'est élaboré tout au long de la révolution chinoise. Mao souligne le rôle révolutionnaire que les masses paysannes peuvent jouer en Chine, la nécessité d'une armée populaire (l'« Armée rouge ») pour mener à bien la révolution, cette armée devant être parmi le peuple « comme un poisson dans l'eau ». Pour lui, l'initiative doit toujours venir des masses elles-mêmes.

La nécessité de remettre en cause constamment la révolution (par des « révolutions culturelles ») et le volontarisme (c'est-à-dire la possibilité de transformer la réalité selon sa volonté) sont deux éléments essentiels de la pensée de Mao Tsö-tong. C'est en partie ce dernier élément qui a permis à certains groupes politiques français de se définir comme des « maoïstes ».

MAORIS, population de la Nouvelle-Zélande, habitant surtout la pointe septentrionale de l'île du Nord.

MAO TSÖ-TONG ou **MAO ZEDONG,** homme politique chinois (1893-1976).

- *1913-1918. Il suit les cours de l'école normale de Tch'ang-cha (Hou-nan) et collabore à des revues révolutionnaires.*

Il poursuit ses activités révolutionnaires à Pékin où il devient aide-bibliothécaire de l'université.

- *1er juil. 1921. Mao Tsö-tong est l'un des douze fondateurs du parti communiste chinois (P. C. C.).*

Il sera élu au Comité central du P. C. C. (1923), puis membre suppléant du Comité central du Kouo-min-tang* (1924), chargé de la formation de cadres révolutionnaires paysans. En 1926, il publie son premier ouvrage, *Analyse des classes de la société chinoise* (1926), puis peu après, un texte devenu fameux, *Rapport sur l'enquête menée au Hou-nan à propos du mouvement paysan.* Ses idées sur la force révolutionnaire que représente la paysannerie pauvre sont rejetées par le Comité central du P. C. C.

- *Août 1927. Il dirige un soulèvement paysan dirigé contre le Kouo-min-tang après la rupture de celui-ci avec le P. C. C.*

Battu, il se réfugie d'abord avec ses compagnons à la limite du Hou-nan et du Kiang-si dans un réduit montagneux. De 1927 à 1934, il met sur pied l'« Armée rouge » et organise dans le Kiang-si une République soviétique chinoise dont il est élu président en 1931. Le renforcement du pouvoir de Chang Kaï-chek oblige l'Armée rouge à évacuer le Kiang-si pour éviter l'extermination. C'est le début de la Longue Marche (1934).

- *Janv. 1935. Mao Tsö-tong prend la direction du parti communiste à Tsunyi (Kueichou).*

L'Armée rouge s'installe en Chine du Nord, à Yenan (Chen-si).

- *1937-1945. Le pays est engagé dans la guerre sino-japonaise.*

Mao élabore ses thèses sur la guerre révolutionnaire, sur l'avenir de la Chine (*la Démocratie nouvelle*); et organise la résistance contre les Japonais en Chine du Nord et du Centre.

- *1946-1949. Mao mène avec succès la « troisième guerre civile » contre le gouvernement du Kouo-min-tang.*

Le 1er octobre 1949, il proclame à Pékin l'instauration de la république populaire de Chine, dont il sera président jusqu'en 1959.

- *1949-1965. Il dirige le pays dans sa transition vers le socialisme à travers une série de campagnes de mobilisation.*

Par le « Mouvement des cent fleurs », puis le « Grand Bond en avant », il essaie de résoudre les problèmes culturels et économiques. Les oppositions dans le parti vont le pousser à déclencher la révolution culturelle le 16 mai 1966.

- *1966-1969. Il dirige la « Grande Révolution* culturelle prolétarienne ».*

Celle-ci doit modifier les structures économiques, politiques et culturelles du pays, et former une nouvelle génération de révolutionnaires. À partir de 1969, Mao favorise une politique d'ouverture diplomatique dont la venue du président Nixon à Pékin (février 1972) a été le symbole.

- *1976. Mort de Mao Tsö-tong. Le nouveau président du parti communiste, Hua Kuo-fong, élimine la tendance radicale dont faisait partie la veuve de Mao Tsö-tong.*

Aujourd'hui, de nombreux aspects de la politique de Mao Tsö-tong sont fondamentalement remis en question.

MAPPEMONDE [mapmɔ̃d] n. f. (du lat. *mappa mundi*, nappe du monde). Carte représentant le globe terrestre.

MAPUTO, ancienn. **Lourenço Marques,** capit. du Mozambique ; 755 000 hab. Par son port transite une partie du commerce extérieur du Zimbabwe.

MAQUEREAU [makro] n. m. (anc. néerl. *makelaer*). Poisson de mer à chair estimée, à dos bleu-vert zébré de noir, s'approchant des côtes au printemps et en été, objet d'une pêche industrielle.

MAQUETTE [makɛt] n. f. (it. *macchietta*, petite tache). **1.** Modèle réduit d'une maison, d'un décor, d'une machine ou d'un ouvrage quelconque : *La maquette d'un avion.* — **2.** Présentation, avant exécution finale, d'une affiche, d'une couverture de livre, ou de la mise en pages (texte et illustrations) d'un ouvrage, etc. ◆ **maquettiste** n. Spécialiste des maquettes (sens 1 et 2).

MAQUIGNON [makiɲɔ̃] n. m. (du néerl. *makeln*, trafiquer). **1.** Marchand de chevaux. — **2.** Commerçant, agent d'affaires peu scrupuleux. ◆ **maquignonnage** n. m. Procédés indélicats, tromperies employés dans des négociations, dans les affaires.

MAQUILLER [makije] v. t. (de l'anc. picard *makier*, faire). **1.** Mettre sur le visage des produits de beauté, des fards, afin d'en modifier les traits (syn. FARDER). — **2.** Modifier les apparences de quelque chose afin de tromper : *Maquiller la vérité* (syn. DÉGUISER). ◆ ***se maquiller*** v. pr. Se farder. ◆ **maquillage** n. m. : *Refaire son maquillage.* ◆ **maquilleur, euse** n. : *Le maquilleur d'un studio de cinéma.* ◆ **démaquiller** v. t. ou ***se démaquiller*** v. pr. Ôter son maquillage. ◆ **démaquillant** n. m. Produit destiné à ôter le maquillage du visage.

1. MAQUIS [maki] n. m. (it. *macchia*, fourré). **1.** Dans les régions méditerranéennes, association végétale touffue et dense qui caractérise les sols siliceux des massifs anciens, et qui est composée d'arbustes (chênes verts, chênes-lièges), de myrtes, de bruyères, d'arbousiers et de lauriers-roses. — **2.** Réseau inextricable de complications : *Se perdre dans le maquis de la procédure.*

2. MAQUIS [maki] n. m. (de *maquis* 1). Lieu retiré dans lequel se réfugiaient et luttaient les résistants, pendant l'occupation allemande en France, de 1940 à 1944; ces hommes eux-mêmes : *Le maquis du Vercors. Prendre le maquis* (= s'y réfugier). ◆ **maquisard** n. m. Résistant d'un maquis.

1. MARABOUT [marabu] n. m. (portug. *marabuto*). Oiseau échassier d'Asie et d'Afrique, au bec énorme, au jabot proéminent (le cou, déplumé, est enfoncé entre les ailes), qui se nourrit de détritus et de cadavres.

2. MARABOUT [marabu] n. m. (même étym.). Saint religieux musulman.

MARACAIBO, v. du Venezuela, à l'extrémité nord-ouest du *lac de Maracaibo*, formé par la mer des Antilles ; 901 000 hab. Centre de l'industrie pétrolière du pays.

MARAÎCHER, ÈRE [marɛʃe, -ɛr] n. (de *marais*). Cultivateur qui se livre à la production en grand des légumes, des primeurs. ◆ adj. : *Cultures maraîchères* (= de légumes, de primeurs).

MARAIS [marɛ] n. m. (frq. *marisk*). **1.** Région basse où sont accumulées, sur une faible épaisseur, des eaux stagnantes, et qui est caractérisée par une végétation particulière (aunes, roseaux, plantes aquatiques, etc.) : *Les marais de Saint-Gond.* — **2.** *Marais salants*, exploitation de caractère agricole, où le sel est produit par évaporation des eaux de la mer sous l'action du soleil et du vent.

Marais, nom donné péjorativement à la *Plaine*, parti modéré de la Convention.

MARAIS (le), quartier de Paris (IIIe et IVe arrond.) où s'élevèrent, au XVIe et surtout au XVIIe s., de nombreux hôtels particuliers (Carnavalet, Lamoignon, Sully, ensemble de la place des Vosges...).

MARAIS BRETON, région de la côte française de l'Atlantique (Vendée et Loire-Atlantique), au S. de la pointe Saint-Gildas.

MARAIS POITEVIN, région de la côte française de l'Atlantique (Vendée et Charente-Maritime), en bordure de la baie de l'Aiguillon et du pertuis Breton. Parc régional.

MARANHÃO, État du nord-est du Brésil, sur l'Atlantique ; 328 663 km^2 ; 4 003 000 hab. Capit. *São Luís do Maranhão.*

MARAÑÓN (le), riv. du Pérou, l'une des branches mères de l'Amazone; 1 800 km.

MARANS, ch.-l. de cant. de la Charente-Maritime, à 23 km au N.-E. de La Rochelle; 4 100 hab. *(Marandais).* Anc. port. Aviculture *(race de Marans).*

MARASME [marasm] n. m. (gr. *marasmos*, consomption). Arrêt de l'activité commerciale, industrielle et économique : *Le marasme des affaires* (= la crise) [syn. ↓RALENTISSEMENT, ↓STAGNATION].

MARASQUIN [maraskɛ̃] n. m. (it. *maraschino*). Liqueur faite avec une cerise nommée, en Italie, *marasca.*

MARAT (Jean-Paul), homme politique français (1743-1793). Après avoir séjourné en Angleterre où il publie des écrits philosophiques et politiques, il se fixe en France, où il devient médecin aux gardes du corps du comte d'Artois (1777-1783).

• *1789. Il fonde « l'Ami du peuple ».*

Dans ce journal, il dénonce avec violence tout ce qu'il considère comme des trahisons à l'égard du peuple. Ses attaques contre Necker, puis contre le roi après la fuite à Varennes l'obligent à des exils à Londres (janvier-mai 1790, puis décembre 1791-mai 1792). De retour à Paris, il pousse de toutes ses forces à la chute de la monarchie. Son influence ne cesse de grandir auprès du peuple de Paris et au club des Cordeliers*.

• *1792. Il joue un rôle important dans la préparation du 10-Août*, puis au cours des massacres de Septembre.*

Élu député de Paris à la Convention, Marat siège à la Montagne*. Il réclame la tête du roi et obtient le vote par appel nominal qui décide de la condamnation à mort de Louis XVI.

• *1793. Les Girondins font voter contre lui un décret d'accusation (13 avril). Acquitté par le Tribunal révolutionnaire, il prend une part décisive dans leur chute (2 juin).*

Peu après (13 juillet 1793), il est assassiné par Charlotte Corday, admiratrice des Girondins.

MARATHON. *Géogr. anc.* V. de l'Attique, à 40 km d'Athènes, sur l'Europe. Dans la plaine qui l'entoure, les Grecs battirent les Perses. La bataille de Marathon (13 septembre 490 av. J.-C.) mit fin à la première guerre médique*. Une légende affirme qu'un coureur dépêché à Athènes pour annoncer la victoire mourut d'épuisement à son arrivée.

MARATHON [maratɔ̃] n. m. (de *Marathon*). **1.** Course à pied de grand fond (42,195 km sur route). — **2.** Discussion ou négociation prolongée et difficile.

MARÂTRE [marɑtr] n. f. (du lat. *mater*, mère). Mère qui traite ses enfants avec méchanceté.

MARAUDER [marode] v. i. (de *maraud*, n. du *matou* dans l'Ouest). Commettre des vols de fruits, de légumes, de volailles, à la campagne. ◆ **maraude** n. f. ou **maraudage** n. m. : *Vivre de mendicité et de maraude* (syn. RAPINE, VOL). *Taxi qui fait la maraude* (= dont le conducteur cherche à charger un client en dehors des stationnements indiqués). ◆ **maraudeur** n. m. (syn. VOLEUR).

MARBRE [marbr] n. m. (lat. *marmor*). **1.** Pierre calcaire très dure, souvent veinée de couleurs diverses et capable de recevoir un beau poli : *Une statue en marbre de Carrare. Un visage de marbre* (= insensible). — **2.** Œuvre plastique en marbre : *Des marbres antiques.* — **3.** Table sur laquelle, dans une imprimerie, on place la composition pour l'impression ou la correction. ◆ **marbrier** n. m. Celui qui fabrique ou vend des ouvrages en marbre (cheminées, plaques, marches d'escalier, etc.) et des monuments funéraires.

MARBRER [marbre] v. t. (de *marbre*). Faire, sur la peau, des marques longues et étroites : *Le bras marbré de bleus.* ◆ **marbrure** n. f. : *Des marbrures causées par le froid.*

MARBRIER n. m. → MARBRE.

MARBRURE n. f. → MARBRER.

MARBURG, v. d'Allemagne (Hesse), sur la Lahn; 74 000 hab. Université. Produits chimiques.

MARC [mar] n. m. (de l'anc. fr. *marcher*, broyer). **1.** Résidu des fruits que l'on a pressés pour en extraire le jus : *Marc de raisin.* — **2.** Résidu de certaines substances que l'on fait infuser, bouillir, etc., pour en obtenir le suc : *Marc de café.*

MARC *(saint)*, le deuxième des quatre évangélistes (Ier s.). Auteur du deuxième Évangile.

MARCASSIN [markasɛ̃] n. m. (de *marquer* [les marcassins portent des rayures sur le dos]). Petit sanglier au-dessous d'un an.

MARC AURÈLE (121-180), empereur romain (161-180). Son éducation fut marquée par le stoïcisme* dont l'influence est sensible dans les *Pensées* qu'il a écrites.

• *138. Il est adopté par l'empereur Antonin.*

Nommé césar en 139, il épouse Faustine, fille d'Antonin, en 145. Devenu empereur, son idéal est celui d'une monarchie égalitaire, dont les pouvoirs doivent être forts, mais partagés; ainsi il s'associe avec son fils Commode.

Il favorise la centralisation des pouvoirs, humanise la justice et mène une politique financière saine, malgré des dépenses sociales et militaires importantes.

Sous son règne croît l'importance des philosophes et se développe le christianisme. Hostile à celui-ci, Marc Aurèle laissera s'opérer des persécutions locales (Lyon).

• *161-175. Les invasions se succèdent.*

Il lutte contre les Parthes, que ses armées refoulent hors de Syrie en 166. Puis, de 166 à 175, sous son commandement, des envahisseurs germaniques sont expulsés d'Italie.

• *177-180. De nouvelles invasions sont enrayées, mais il doit accepter l'installation de Barbares comme colons dans l'Empire.*

Il meurt de la peste en 180, dans un camp militaire.

MARCEAU (François Séverin), général français (1769-1796). Il se distingua en Vendée, à Fleurus (1794) et vainquit les Autrichiens à Neuwied (1795). Il fut mortellement blessé près d'Altenkirchen.

MARCEL (Étienne) [v. 1316-1358], prévôt des marchands de Paris. Il domina les états généraux de 1355 et 1357 et fut pendant un temps maître de Paris à qui il rêvait de donner une constitution communale. Il fut tué en 1358 par Jean Maillard, alors qu'il allait livrer Paris au roi de Navarre, Charles le Mauvais, allié des Anglais.

MARCESCENT, E [marsɛsɑ̃, -ɑ̃t] adj. (du lat. *marcescere*, flétrir). *Bot.* Se dit d'un organe qui se flétrit. ‖ *Feuilles marcescentes*, feuilles mortes à l'automne, mais qui ne tombent qu'au printemps suivant (chêne).

MARCHAND, E [marʃɑ̃, -ɑ̃d] n. (du lat. *mercatus*, marché). Personne dont le métier est de vendre des produits : *Une marchande de légumes. Le kiosque du marchand de journaux. Le marchand de couleurs* (= quincaillier et droguiste). ‖ *Marchand de biens*, celui qui fait profession d'acheter, pour les revendre, des terrains et des domaines ruraux, ou de servir d'intermédiaire dans des transactions relatives à ces biens, à des immeubles ou à des fonds de commerce. ◆ adj. *Valeur marchande d'un objet*, sa valeur dans le commerce. ‖ *Prix marchand*, prix d'achat pour le commerçant. ‖ *Marine marchande*, celle qui assure le transport des marchandises. ‖ *Navire marchand*, syn. de CARGO. ◆ **marchandise** n. f. Tout produit faisant l'objet d'un commerce : *Le transport des marchandises par train, par péniche.*

MARCHAND (Jean-Baptiste), général français (1863-1934). Après avoir traversé l'Afrique du Congo au Nil, il occupa, puis évacua Fachoda en 1898.

Marchand de Venise *(le)*, comédie de Shakespeare (1596).

MARCHANDER [marʃɑ̃de] v. t. (de *marchand*). **1.** *Marchander une chose* (nom concret), essayer de l'acheter meilleur marché en discutant le prix avec le vendeur : *Marchander un livre d'occasion.* — **2.** *Marchander qqch.* (nom abstrait), l'accorder à regret, ou en exigeant en retour certains avantages : *Il ne nous a pas marchandé son appui.* ◆ **marchandage** n. m. **1.** Action de marchander (sens 1 du v.). — **2.** Manière sans scrupule de traiter une affaire, où deux partis se concèdent des avantages réciproques : *Marchandage électoral.*

MARCHANDISE n. f. ⟶ MARCHAND.

1. MARCHE n. f. ⟶ MARCHER.

2. MARCHE [marʃ] n. f. (de *marcher*). Chacune des surfaces horizontales, placées à des hauteurs différentes, qui servent à monter et à descendre, et dont l'ensemble constitue un escalier. ◆ **contremarche** n. f. Paroi verticale formant le devant d'une marche.

3. MARCHE [marʃ] n. f. (frq. *marka*, frontière). Sous les Carolingiens, district territorial déterminé, jouant le rôle de protection militaire à proximité d'une frontière.

MARCHE (la), partie des plateaux cristallins du nord-ouest du Massif central, entre le Limousin et la Combrailles. (⟶ CREUSE.) La Marche formait un comté, qui fut réuni en 1527 à la Couronne.

MARCHÉ [marʃe] n. m. (lat. *mercatus*). **1.** Lieu public, en plein air ou couvert, où des commerçants vendent des marchandises : *Un marché aux bestiaux.* ‖ *Marché aux puces*, marché où se vendent des objets usagés. — **2.** Réunion périodique, dans une localité ou le quartier d'une ville, de commerçants, pour la vente de leurs marchandises : *Faire son marché* (= aller acheter ses provisions). — **3.** Ville où se fait le principal commerce de certains objets : *Lyon est un grand marché pour les soieries.* — **4.** Endroit où l'on peut vendre des produits; débouché économique : *Les pays en voie de développement offrent d'importants marchés aux industries européennes.* — **5.** État de l'offre et de la demande; circuits commerciaux : *Le marché financier. Mettre sur le marché un nouveau produit* (= à la vente). ‖ *Étude de marché*, ensemble des études qui concourent à l'observation des besoins d'une clientèle et à la possibilité de la satisfaire par l'introduction sur le marché de produits nouveaux. ‖ *Marché du travail*, situation de l'emploi en un lieu, une région, un pays donnés. ‖ *Marché noir*, trafic clandestin de marchandises à des prix illégaux. — **6.** Convention d'achat et de vente : *Conclure un marché* (syn. AFFAIRE). *Marché conclu* (= l'affaire est faite). ‖ *Mettre le marché en main à qq'un*, lui donner le choix de décider l'acceptation ou le refus. — **7.** *(À) bon marché*, à bas prix, à peu de frais. ‖ *Produits bon marché*, d'un prix abordable. ‖ *Faire bon marché de qqch.*, en tenir peu de compte, lui accorder peu de valeur : *S'en tirer à bon marché* (= sans graves inconvénients). ‖ *À meilleur marché*, moins cher. ‖ *Par-dessus le marché*, en outre, en plus de ce qui a été convenu. (⟶ SUPERMARCHÉ.)

Marché commun, terme employé couramment pour désigner la COMMUNAUTÉ* ÉCONOMIQUE EUROPÉENNE (C. E. E.).

MARCHEPIED [marʃəpje] n. m. (de *marcher*, et *pied*). Marche servant à faciliter la montée dans une voiture.

MARCHER [marʃe] v. i. (frq. *markôn*, marquer). **1.** (sujet nom d'être animé) Changer de place en déplaçant les pieds l'un après l'autre; se déplacer à pied vers un lieu déterminé : *Marcher à pas de géant* (= à grandes enjambées), *à pas de loup* (= silencieusement). *Les écoliers marchent en rang* (syn. AVANCER). — **2.** Faire mouvement vers un but : *Marcher à la conquête de la gloire.* — **3.** *Marcher sur, dans qqch.*, mettre le pied sur quelque chose en avançant : *Ne marche pas sur la pelouse.* ‖ *Marcher sur les pas de qq'un*, le suivre docilement; suivre son exemple, l'imiter. ‖ *Marcher sur la corde raide, sur des œufs*, marcher avec précaution sur un terrain difficile, dangereux, où l'on n'est pas à son aise. ‖ *Marcher droit*, obéir strictement aux ordres. — **4.** (sujet nom de personne) *Fam.* Donner son acceptation, consentir : *Je ne marche pas dans cette combine;* croire naïvement : *Il n'a pas marché dans cette histoire!* ‖ Fam. *Faire marcher qq'un*, lui faire croire une chose fausse. — **5.** (sujet nom de chose) Fonctionner, en parlant d'un mécanisme, d'un organe, etc. : *La pendule marche bien* (= elle marque exactement l'heure); se mouvoir, avancer régulièrement (en parlant d'un véhicule) : *La voiture marche à 120 kilomètres à l'heure* (syn. ROULER); faire des progrès, aller (en parlant d'une activité quelconque) : *Les affaires marchent* (syn. PROSPÉRER). ◆ **marche** n. f. **1.** Action de marcher; façon de marcher : *Une marche rapide* (syn. ALLURE, PAS). *Ouvrir, fermer la marche* (= marcher le premier, le dernier). *Régler la marche d'un cortège* (= l'ordre des participants, l'horaire du défilé). *Avancer à marche forcée* (= prolongée au-delà de la durée normale d'une étape). *Le village est situé à une heure de marche* (= temps mis en marchant). — **2.** *Sports.* Exercice athlétique dérivé de la marche ordinaire. (Les épreuves se déroulent sur piste ou sur route. Les distances classiques sont de 20 km sur piste et 50 km sur route.) — **3.** (sujet nom désignant un véhicule, un mécanisme, un organisme) Action de se déplacer, de fonctionner : *La voiture fit marche arrière* (= recula). *Régler la marche d'une horloge* (syn. FONCTIONNEMENT). *La bonne marche d'un service. La marche d'une affaire* (syn. DÉVELOPPEMENT). *L'employé lui indique la marche à suivre pour déposer sa demande* (= les papiers à remplir). ‖ *Mettre en marche*, faire fonctionner. ‖ *Se mettre en marche*, commencer à progresser, à fonctionner. ‖ *Monter en marche*, prendre un véhicule en marche, y monter alors qu'il est déjà en mouvement. — **4.** Pièce de musique de rythme marqué, destinée à régler le pas des troupes, d'un cortège, etc. : *Une marche nuptiale.* ‖ *Marche d'harmonie*, petit groupe d'accords se reproduisant systématiquement à des intervalles égaux : *Les concertos de Vivaldi contiennent beaucoup de marches d'harmonie.* ◆ **marcheur, euse** n. Personne qui marche, qui aime à marcher; athlète qui participe à une épreuve de marche.

MARCHES (les), région de l'Italie centrale, en bordure de l'Adriatique, comprenant les provinces d'*Ancône*, d'*Ascoli Piceno*, de *Macerata* et de *Pesaro e Urbino;* 9 692 km²; 1 359 900 hab.

MARCHEUR, EUSE n. ⟶ MARCHER.

MARCHFELD, plaine d'Autriche, située au N. et à l'E. de Vienne. Ce fut l'un des principaux champs de bataille de l'Europe : victoires d'Otakar II (1260) et de Rodolphe Ier de Habsbourg (1278); batailles d'Essling et de Wagram (1809).

MARCINELLE, localité de Belgique (Hainaut), aujourd'hui faubourg de Charleroi. En 1956, une catastrophe minière y fit 263 victimes.

MARCOMANS, anc. peuple de la Germanie, vaincu par Drusus (9 av. J.-C.). Ils s'installèrent au S. du Danube et finirent par faire la paix avec Commode.

MARCONI (Guglielmo), physicien italien (1874-1937). Il réalisa les premières liaisons par ondes hertziennes. (Prix Nobel de physique, 1909.)

MARCO POLO ⟶ POLO (Marco).

MARCOTTE [markɔt] n. f. (de *marcus*, n. d'un cep de la Gaule). Branche tenant encore à la plante mère, que l'on couche en terre pour qu'elle y prenne racine. ◆ **marcotter** v. t. Pratiquer le marcottage. ◆ **marcottage** n. m. Procédé de multiplication des végétaux, par lequel une tige aérienne (ou marcotte) est mise en contact avec le sol et s'y enracine, avant d'être isolée de la plante mère : *Marcottage naturel des fraisiers, des ronces. Marcottage artificiel de la vigne, des rosiers.*

MARCOULE, lieu-dit du Gard (comm. de Codolet et de Chusclan), près du Rhône (r. dr.), à 33 km au N. d'Avignon. Le Commissariat à l'énergie atomique a établi à Marcoule le premier centre atomique industriel français (production du plutonium).

MARCOUSSIS (Louis MARKOUS, dit), peintre français d'origine polonaise (1883-1941). Fixé à Paris en 1903, il est l'un des promoteurs du cubisme (*Nature morte au damier*, 1912).

MARCQ-EN-BARŒUL, ch.-l. de cant. du Nord, dans la banlieue nord-est de Lille; 35 500 hab. *(Marcquois).* Industries alimentaires, textiles, électriques.

MARCUSE (Herbert), philosophe américain d'origine allemande (1898-1979). Ses recherches sur Hegel, Freud et Marx l'ont conduit à identifier société industrielle et répression des besoins instinctuels de l'homme (*Éros et Civilisation*, 1955). Selon lui, cette société récupère tout ce qui s'oppose à elle, y compris la pensée qui devient technologique, réduite à la seule dimension d'une équation générale universellement applicable. Face à cela Marcuse n'envisage qu'une solution : le « Grand Refus » (*l'Homme unidimensionnel*, 1964).

MAR DEL PLATA, v. d'Argentine, sur l'Atlantique; 299 700 hab. Centre touristique et commercial.

MARDI [mardi] n. m. (lat. *Martis dies*, jour de Mars). ⟶ SEMAINE. ‖ *Mardi gras*, dernier jour avant le début du carême.

MARDOUK, dieu principal de Babylone à partir d'Hammourabi.

MARE [mar] n. f. (de l'anc. scand. *marr*, mer). **1.** Petite nappe d'eau dormante : *Les canards barbotent dans la mare de la ferme.* — **2.** *Mare de sang*, grande quantité de sang répandue sur le sol.

Mare au diable *(la)*, roman de George Sand (1846).

MARÉCAGE [marekaʒ] n. m. (de *maresc*, anc. forme de *marais*). Terrain bas, humide, couvert de marais. ◆ **marécageux, euse** adj. : *Plaine marécageuse.*

MARÉCHAL, AUX [mareʃal, -ʃo] n. m. (frq. *marhskalk*, serviteur responsable des chevaux). **1.** Officier général titulaire d'une dignité qui est conférée à certains commandants en chef victorieux devant l'ennemi et dont l'insigne est un *bâton de maréchal.* (On dit aussi MARÉCHAL DE FRANCE.) — **2.** *Avoir son bâton de maréchal*, obtenir le plus haut titre auquel on pouvait prétendre. — **3.** *Maréchal de camp*, officier général de l'armée sous l'Ancien Régime, puis sous la Restauration et la monarchie de Juillet. ‖ *Maréchal des logis*, sous-officier de cavalerie, d'artillerie, du train, dont le grade correspond à celui de sergent dans l'infanterie. ◆ **maréchale** n. f. Femme d'un maréchal.

MARÉCHAL-FERRANT [mareʃalferɑ̃] ou **MARÉCHAL**

n. m. (de *maréchal*, et *ferrer*). Artisan dont le métier est de ferrer les chevaux. ‖ Pl. des *maréchaux-ferrants*.

MARÉCHAUSSÉE [mareʃose] n. f. (de *maréchal*). **1.** Anc. juridiction des maréchaux de France. — **2.** Corps de cavaliers chargé jadis de veiller à la sûreté publique, et qui a pris en 1790 le nom de GENDARMERIE. — **3.** Syn. fam. de GENDARMERIE.

1. MARÉE [mare] n. f. (de *mer*). **1.** Mouvement régulier et périodique des eaux de la mer, par lequel le niveau monte et descend chaque jour dans un lieu donné : *À marée haute, basse. La force des marées est utilisée dans des usines marémotrices, comme celle de la Rance.* ‖ *Courant de marée*, courant déterminé par le flux ou le reflux. ‖ *Marée diurne*, mouvement qui ne se fait sentir qu'une fois par jour. ‖ *Marée semi-diurne*, mouvement qui a lieu deux fois en vingt-quatre heures. ⟶ ENCYCL. — **2.** *Marée noire*, arrivée sur un rivage de nappes de pétrole provenant d'un navire qui a été accidenté ou qui a purgé ses réservoirs. — **3.** *Marée humaine*, masse d'hommes qui se répand, déferle irrésistiblement (syn. FLOT). ‖ *Contre vents et marée*, en dépit de tous les obstacles. ◆ **marégraphe** n. m. Appareil enregistrant automatiquement les variations du niveau de la mer en un point donné, et permettant de mesurer son niveau moyen. ◆ **marémoteur, trice** adj. Qui utilise la force motrice des marées : *Une usine marémotrice*.

— ENCYCL. La *marée* est due à l'attraction exercée sur les masses d'eau par la Lune et, à un moindre degré, par le Soleil (loi de l'attraction universelle). L'amplitude des marées dépend de la position relative de la Lune et du Soleil. Si leurs actions s'ajoutent, l'amplitude est maximum *(marée de vive-eau)*; si elles se contrarient, l'amplitude est minimum *(marée de morte-eau)*. Mais l'amplitude dépend également de la taille de la mer, de sa forme, du dessin de ses côtes, etc. Dans une mer fermée, elle est presque nulle, tandis qu'elle est maximale sur les plates-formes continentales des océans (*ex. :* 15,40 m dans la baie du Mont-Saint-Michel).

La montée *(flux)* et la baisse *(reflux)* de la mer sont accompagnées de *courants de marée* pouvant être localement très importants.

2. MARÉE [mare] n. f. (même étym.). Poissons de mer frais et crustacés destinés à la consommation. ◆ **mareyeur** n. m. Commerçant en gros vendant les produits de la pêche en mer.

MARÉGRAPHE n. m. ⟶ MARÉE 1.

MARELLE [marɛl] n. f. (de l'anc. fr. *merel*, jeton). Jeu d'enfants qui consiste à pousser, à cloche-pied, un palet dans des cases tracées sur le sol.

MAREMME (la), région de l'Italie centrale, le long de la mer Tyrrhénienne.

MARÉMOTEUR, TRICE adj. ⟶ MARÉE 1.

MARENGO, village d'Italie (Piémont), près d'Alexandrie.

• *14 juin 1800. Victoire de Bonaparte sur les Autrichiens.*

MARENNES, ch.-l. de cant. de la Charente-Maritime, à 22 km au S.-O. de Rochefort; 4 600 hab. Parcs à huîtres.

Mare Nostrum, express. antique par laquelle les Romains désignaient la Méditerranée. Elle fut reprise par les fascistes italiens.

MAREY (Étienne Jules), médecin français (1830-1904). Il a perfectionné l'enregistrement graphique des phénomènes physiologiques (mouvements du cœur, contraction musculaire, marche, vol des oiseaux) et créé en 1882 la chronophotographie (= procédé d'analyse du mouvement par des photographies successives), d'où dérive le cinéma.

MAREYEUR n. m. ⟶ MARÉE 2.

MARGARINE [margarin] n. f. (du gr. *margaron*, perle). Substance grasse comestible, préparée à partir d'huiles et de graisses végétales (arachide, soja, noix de coco, etc.).

MARGATE, v. de Grande-Bretagne (Kent), sur la mer du Nord; 45 700 hab. Station balnéaire.

MARGAUX, comm. de la Gironde, à 28 km au N. de Bordeaux, sur la Gironde; 1 400 hab. Vins réputés.

MARGE [marʒ] n. f. (lat. *margo, -inis*, bord). **1.** Espace blanc autour d'un texte imprimé ou écrit, et en partic. espace blanc à gauche d'une page manuscrite : *Écrire une remarque dans la marge.* — **2.** Intervalle (temps, espace) dont on dispose ou facilité que l'on se donne pour faire quelque chose : *Prévoir une marge d'erreur de cinq pour cent. Marge de sécurité* (= intervalle dont on dispose avant d'atteindre un point critique). *Laisser un peu de marge à ses collaborateurs dans l'exécution d'un travail* (syn. LIBERTÉ). — **3.** *Marge bénéficiaire* ou simplem. *marge*, différence entre le prix de vente et le prix d'achat d'une marchandise, évaluée en pourcentage du prix de vente. — **4.** Océanogr. *Marge continentale*, ensemble formé par la plate-forme continentale et le talus qui la limite vers le large. — LOC. PRÉP. *En marge de*, plus ou moins en dehors de : *Vivre en marge de la société* (syn. À L'ÉCART DE). ◆ **marginal, e, aux** adj. **1.** Mis en marge (sens 1) : *Des notes marginales.* — **2.** Qui n'entre pas dans l'essentiel, dans l'activité principale; qui est accessoire : *Des phénomènes marginaux* (syn. SECONDAIRE). ◆ n. Personne qui ne s'intègre pas à la société, qui vit en marge. ◆ **marginalement** adv.

MARGELLE [marʒɛl] n. f. (du lat. *margo*, bord). Pierres disposées circulairement et formant le rebord d'un puits.

MARGERIDE (la), massif granitique du sud-est de l'Auvergne, culminant au « truc » de Randon (1 554 m).

1. MARGINAL, E, AUX adj. ⟶ MARGE.

2. MARGINAL, E, AUX [marʒinal, -no] adj. (de l'angl. *margin*). *Entreprise marginale*, entreprise dont le prix de revient est sensiblement égal au prix de vente le plus élevé pratiqué sur le marché, et qui tendrait à disparaître si ce dernier prix s'abaissait.

MARGINALEMENT adv. ⟶ MARGE.

MARGOULIN [margulɛ̃] n. m. (de *goule*, mot de l'Ouest, signif. *gueule*). *Fam.* Individu sans scrupule en affaires; commerçant malhonnête.

MARGRAVE [margrav] n. m. (all. *Markgraf*, comte de la frontière). Titre des chefs des provinces frontières, ou *marches*, dans l'ancien Empire germanique.

MARGUERITE [margərit] n. f. (lat. *margarita*, perle). Nom de plusieurs plantes à fleurs centrales jaunes et à fleurs périphériques blanches. (La petite marguerite est aussi appelée PÂQUERETTE.) [Famille des composées.]

MARGUERITE D'ANGOULÊME (1492-1549), reine de Navarre. Sœur de François Ier, elle épousa le duc d'Alençon (1509), puis Henri d'Albret, roi de Navarre (1527). Elle protégea les réformés, les écrivains et les artistes. Elle a laissé un recueil de contes (*l'Heptaméron*, 1559) et des poèmes.

MARGUERITE D'ANJOU (1430-1482), fille de René le Bon, roi de Sicile, et épouse d'Henri VI, roi d'Angleterre. Elle s'illustra par l'énergie dont elle fit preuve pendant la guerre des Deux*-Roses.

MARGUERITE D'AUTRICHE (1480-1530), duchesse de Savoie, gouvernante des Pays-Bas. Son père, l'empereur Maximilien Ier, lui confia l'éducation de Charles Quint. Elle négocia la ligue de Cambrai (1508) et la paix des Dames (1529).

MARGUERITE DE NAVARRE ⟶ MARGUERITE D'ANGOULÊME.

MARGUERITE DE VALOIS, dite **la Reine Margot** (1553-1615), fille d'Henri II et de Catherine de Médicis, elle épousa Henri de Navarre, le futur Henri IV (1572) qui la répudia en 1599. Elle a laissé des *Poésies* et des *Mémoires*.

MARGUILLIER [margije] n. m. (du lat. *matricularis*, qui tient un registre). Administrateur des biens d'une paroisse.

MARI [mari] n. m. (lat. *maritus*). Homme uni à une femme par le mariage (syn. ÉPOUX). ◆ **marital, e, aux** adj. (langue du droit) : *Puissance maritale* (= celle du mari). ◆ **maritalement** adv. *Vivre maritalement*, vivre comme des époux, mais sans être mariés légalement.

MĀRI, v. anc. retrouvée en 1933 au tell Ḥarīrī, sur le moyen Euphrate, en Syrie, près de l'Iraq, et fouillée par André Parrot. Vestiges de la fin du IVe millénaire au IIIe s. av. J.-C.

Maria Chapdelaine, roman de Louis Hémon (1913).

MARIAGE n. m. ⟶ MARIER.

Mariage de Figaro ou la Folle Journée *(le)*, comédie en 5 actes et en prose de Beaumarchais (1784).

MARIAL, E [marjal] adj. (de *Marie*). Relatif à la Vierge Marie : *Le culte marial*.

Marianne, surnom de la République française.

MARIANNES *(îles)*, archipel du Pacifique, à l'E. des Philippines ; 13 100 hab. (en excluant Guam*). Capit. *Saipan*. L'archipel compte une quinzaine d'îles volcaniques échelonnées du N. au S. sur près de 1 000 km. Jadis sous mandat japonais, placées par l'O. N. U. sous administration américaine de 1947 à 1986, les Mariannes (*Guam* exceptée) constituent depuis 1978 un État associé aux États-Unis sous le nom de « Commonwealth des Mariannes du Nord ».

• *1941-1942. L'archipel est occupé par les Japonais.*
• *Juin 1944. Une violente bataille aéronavale s'y déroule à la suite du débarquement américain.*

MARIANNES *(fosse des)*, fosse très profonde (env. 11 000 m) du Pacifique en bordure de l'archipel des Mariannes.

MARIÁNSKÉ LÁZNĚ, en all. **Marienbad,** v. de Tchécoslovaquie (Bohême); 20 000 hab. Station thermale.

MARIBOR, v. de Yougoslavie (Slovénie), sur la Drave; 97 200 hab. Constructions mécaniques.

MARICA ⟶ MARITZA.

MARIE *(sainte)*, mère de Jésus, épouse de Joseph. Après que l'ange Gabriel lui eut annoncé qu'elle serait la mère du Messie, elle visita sa cousine Élisabeth. Elle mit au monde Jésus à Bethléem et l'éleva ensuite à Nazareth. L'Église a défini dogmatiquement son titre de *Mère de Dieu*, son *Immaculée* Conception* et son *Assomption**. Les deux plus célèbres pèlerinages à la Vierge sont Lourdes et Fatima.

MARIE D'ANJOU (1404-1463), reine de France, fille de Louis II, duc d'Anjou, épouse de Charles VII.

MARIE DE BOURGOGNE (1457-1482), fille unique de Charles le Téméraire. Par son mariage avec Maximilien d'Autriche (1477), les Pays-Bas et la Franche-Comté devinrent possessions des Habsbourg.

MARIE DE FRANCE, poétesse française (seconde moitié du XIIe s.). Ses *Lais* sont des récits inspirés des légendes celtiques et où le merveilleux tient une grande place.

MARIE LESZCZYŃSKA (1703-1768), fille du roi de Pologne Stanislas Leszczyński, reine de France par son mariage avec Louis XV.

MARIE DE MÉDICIS (1573-1642), reine de France. Fille du grand-duc de Toscane, elle épouse Henri IV (1600).

- *1610-1614. Elle est régente pour son fils, Louis XIII.*

Elle laisse gouverner Concini qui s'enrichit, tout en menant une politique d'alliance avec l'Espagne.

- *1614. Les opposants (gallicans*, protestants) obtiennent la convocation des états généraux.*

Leur victoire est éphémère. Marie de Médicis devient chef du Conseil et continue la même politique.

- *24 avril 1617. Louis XIII, majeur, exécute un véritable coup d'État sur les conseils de De Luynes.*

Marie est enfermée à Blois, d'où elle s'évade en février 1619 pour prendre les armes contre son fils. Ses partisans sont dispersés dans l'échauffourée des Ponts-de-Cé (7 août 1620). Sous l'influence de Richelieu, une réconciliation a lieu. Marie de Médicis rentre au Conseil.

- *11 nov. 1630. C'est la journée des Dupes.*

Elle ne parvient pas à écarter Richelieu du pouvoir. Le conflit personnel qui l'oppose à celui-ci est un conflit entre deux conceptions de l'État, la reine refusant la séparation du religieux (catholicisme) et du politique (alliance espagnole). Marie de Médicis s'exile alors et meurt à Cologne.

MARIE Ire STUART (1542-1587), reine d'Écosse (1542-1567). Fiancée au dauphin François II, elle est élevée en France où elle se marie en 1558.

- *1559. Elle devient reine de France.*

Veuve en 1560, elle rentre en Écosse.

- *1565. Elle épouse lord Darnley, son cousin, dont elle a un fils, le futur Jacques VI d'Écosse et Ier d'Angleterre.*

Darnley, chef du parti catholique dans une Écosse gagnée à l'Église presbytérienne, est assassiné en 1567. La reine épouse l'un des responsables du meurtre, Bothwell, et ce mariage sert de prétexte à un soulèvement général.

- *1568. Ses partisans sont vaincus à Langside.*

Elle se réfugie auprès de sa rivale Élisabeth d'Angleterre. Celle-ci la fera condamner et décapiter en 1587 après dix-huit ans de captivité sur présomption de participation à un complot.

Marie Stuart, tragédie historique de Schiller (1800).

MARIE Ire TUDOR (1516-1558), reine d'Angleterre (1553-1558), fille d'Henri VIII et de Catherine d'Aragon. Devenue reine, elle persécuta brutalement les protestants, ce qui lui valut le nom de MARIE *la Sanglante*. Son mariage avec Philippe II d'Espagne indigna l'opinion. À l'issue d'une guerre désastreuse, elle dut céder Calais à la France (1558).

Marie Tudor, drame de V. Hugo (1833).

MARIÉ, E n. ⟶ MARIER.

MARIE-ADÉLAÏDE DE SAVOIE (1685-1712), duchesse de Bourgogne (1697), puis dauphine de France (1711) par son mariage avec Louis de France, petit-fils de Louis XIV. Elle fut la mère de Louis XV.

MARIE-AMÉLIE DE BOURBON (1782-1866), fille de Ferdinand IV roi de Naples; elle épousa Louis-Philippe d'Orléans, qui devint en 1830 Louis-Philippe Ier, roi des Français.

MARIE-ANTOINETTE (1755-1793), reine de France. Fille de l'empereur François Ier et de Marie-Thérèse d'Autriche, elle épouse à quinze ans le dauphin Louis qui devient roi en 1774. Elle exerce sur le roi une influence grandissante, s'opposant aux ministres réformateurs et est très vite suspectée de servir les intérêts autrichiens.

- *1784. Elle pousse le roi à résister à la Révolution et gagne à la cause royale Mirabeau et Barnave.*
- *1791. Elle est l'instigatrice de la fuite à Varennes.*

Après l'échec de cette fuite, elle ne doit sa sauvegarde qu'à un coup de force étranger. Aussi quand éclate la guerre de 1792 fournit-elle les plans qui doivent faciliter la pénétration étrangère, espérant de la défaite des armées révolutionnaires une restauration du prestige royal.

- *1792. Elle est enfermée au Temple après le 10-Août.*
- *1793. Elle est transférée à la Conciergerie après l'exécution du roi (21 janvier) et subit son propre procès et sa mort (16 octobre) avec dignité.*

MARIE-GALANTE, île des Antilles françaises, dépendance de la Guadeloupe; 158 km²; 16 300 hab. Ch.-l. *Grand-Bourg.* Culture de la canne à sucre.

MARIE-JOSÈPHE DE SAXE (1731-1767), fille d'Auguste III, Électeur de Saxe, épouse du dauphin Louis (1747), fils de Louis XV. Elle fut la mère de Louis XVI, de Louis XVIII et de Charles X.

MARIE-LOUISE DE HABSBOURG-LORRAINE (1791-1847), archiduchesse d'Autriche, impératrice des Français (1810), puis duchesse de Parme (1815). Fille de François II, empereur d'Autriche, elle épousa Napoléon Ier (1810) et fut mère du roi de Rome (1811). Régente (mars 1813), elle quitta Paris (mars 1814) pour rejoindre son père. Elle se remaria avec le comte de Neipperg, puis avec le comte de Bombelles.

MARIE-MADELEINE *(sainte)*, pénitente (Ier s.), convertie par Jésus-Christ, sœur de Lazare et de Marthe.

MARIER [marje] v. t. (lat. *maritare*). **1.** (sujet nom désignant une autorité civile ou religieuse) Unir un homme et une femme en célébrant le mariage : *L'adjoint au maire les a mariés vendredi.* — **2.** (sujet nom désignant un père, une mère, etc.) Donner en mariage : *Marier sa fille. Une fille à marier* (= en âge d'être mariée). — **3.** Associer des choses qui peuvent se combiner, s'allier (littér.) : *Marier des couleurs* (syn. ASSORTIR). ◆ ***se marier*** v. pr. S'unir par le mariage : *Elle s'est mariée avec un ingénieur.* ◆ ***être marié*** v. passif. Être dans l'état de celui qui a contracté mariage : *Ils sont mariés depuis deux ans.* ◆ **marié, e** n. **1.** *Les mariés arrivent à la mairie* (= ceux dont on va célébrer le mariage). *De jeunes mariés.* — **2.** *Se plaindre que la mariée est trop belle,* se plaindre de ce dont on devrait se féliciter. ◆ **mariage** n. m. **1.** Union légale d'un homme et d'une femme : *Contracter mariage. Un mariage mal assorti* (syn. UNION). ⟶ ENCYCL. — **2.** Célébration de cette union légale : *Fixer la date du mariage* (syn. NOCES). — **3.** Combinaison harmonieuse de plusieurs choses : *Mariage de mots* (syn. ASSOCIATION). ◆ **marieuse** n. f. Femme qui s'entremet pour faciliter des mariages. ◆ **remarier (se)** v. pr. : *Après son divorce, il s'est remarié.* ◆ **remariage** n. m. (⟶ MATRIMONIAL.)

— ENCYCL. En France, le *mariage civil,* seul reconnu par la loi, doit obligatoirement précéder le *mariage religieux.* Il est célébré publiquement à la mairie du lieu de résidence d'un des deux époux par un officier de l'état civil (le maire ou un adjoint), après la publication des bans*.

Sauf dispense accordée par le chef de l'État, l'homme doit avoir au moins dix-huit ans et la femme quinze. Pour les mineurs (moins de dix-huit ans), le consentement de l'un des deux parents est nécessaire.

MARIE-THÉRÈSE (1717-1780), archiduchesse d'Autriche, impératrice (1740), reine de Hongrie (1741) et de Bohême (1743).

- *1740. À la mort de son père éclate la guerre de la Succession d'Autriche (1740-1748).*

Appuyée sur l'Angleterre et sur ses sujets hongrois, Marie-Thérèse sauve ses Etats et fait proclamer empereur son mari, François Ier (1745), mais elle doit abandonner la Silésie.

- *1756-1763. Au cours de la guerre de Sept Ans, elle essaie vainement de récupérer la Silésie.*

À l'intérieur de ses États, elle pratique un despotisme éclairé, renforçant les organes du gouvernement central, réorganisant l'armée et réduisant l'influence du clergé. Elle demeure au pouvoir sous son fils Joseph II (1765) et participe au premier partage de la Pologne (1772).

MARIE-THÉRÈSE D'AUTRICHE (1638-1683), fille du roi d'Espagne Philippe IV; elle épousa Louis XIV, roi de France, en 1660.

MARIETTE (Auguste), égyptologue français (1821-1881). Il a retrouvé notamment l'emplacement du serapeum (nécropole des taureaux Apis) de Memphis.

MARIEUSE n. f. ⟶ MARIER.

MARIGNAN, en it. **Melegnano,** v. d'Italie, au S.-E. de Milan; 17 400 hab.

- *1515. Les Suisses y sont battus par François Ier.*

MARIGNANE, ch.-l. de cant. des Bouches-du-Rhône, près de l'étang de Berre, à 25 km au N.-O. de Marseille; 31 200 hab. Aéroport de Marseille (Marseille-Provence). Constructions aéronautiques.

MARIGOT [marigo] n. m. (orig. inc.). Bras de rivière qui se perd dans des lieux bas facilement inondables.

MARIHUANA [mariwana] ou **MARIJUANA** [mariʒɥana] n. f. (mot esp.). Stupéfiant (= drogue) voisin du chanvre indien.

1. MARIN [marɛ̃] n. m. (lat. *marinus;* de *mare*, mer). **1.** Membre du personnel d'un navire, personne dont la profession est de naviguer sur mer. — **2.** Homme d'équipage (par oppos. à OFFICIER). ◆ **marine** n. f. **1.** Ensemble des marins et des navires qui effectuent les transports commerciaux; ensemble des marins et des bâtiments destinés à la guerre sur mer. ‖ *Artillerie, infanterie, troupes de marine*, ensemble des formations chargées de la sécurité des territoires français d'outre-mer. (Ces troupes, créées aux XVIIe et XVIIIe s., ont été appelées *troupes coloniales* de 1900 à 1958 et *troupes d'outre-mer* de 1958 à 1961.) ‖ *Marine marchande*, ensemble des marins et des navires qui font des transports commerciaux. ‖ *Marine nationale* ou *Marine de guerre*, ensemble des navires de guerre et des forces aériennes (aéronavale) destinés à la guerre sur mer. — **2.** Administration et services ayant trait à la navigation maritime : *Ministère de la Marine.* — **3.** La navigation maritime : *Le vocabulaire de la marine.* — **4.** Peinture ayant pour sujet la mer. ◆ adj. inv. *Bleu marine* ou *marine*, bleu foncé. ◆ **marinier, ère** n. Personne dont la profession est de conduire ou d'entretenir les bateaux destinés à la navigation intérieure.

2. MARIN, E [marɛ̃, -in] adj. (même étym.). **1.** Relatif à la mer : *Un courant marin* (= de la mer). *Des plantes marines* (= qui vivent dans la mer). *La brise marine* (= qui souffle de la mer). *Le sel marin* (par oppos. à *sel gemme*). — **2.** Qui sert à la navigation maritime : *Une carte marine.* — **3.** *Avoir le pied marin*, n'avoir jamais le mal de mer, en dépit du tangage et du roulis. ‖ *Costume marin*, vêtement bleu foncé de garçonnet, dont la coupe (le col en particulier) rappelle la tenue des marins français.

MARINADE n. f. ⟶ MARINER.

MARINE n. f. ⟶ MARIN 1.

MARINER [marine] v. i. (de *marine*, eau de mer). Tremper dans une saumure (ou marinade) faite de vinaigre, de sel, d'huile, d'épices, qui permet de conserver certaines viandes, certains poissons en leur donnant un arôme : *Faire mariner des harengs.* ◆ **mariné, e** adj. : *Du thon mariné.* ◆ **marinade** n. f.

MARINES [marinz] n. m. pl. (mot angl.). Nom donné aux fusiliers marins dans les forces navales britanniques et américaines.

1. MARINIER, ÈRE n. ⟶ MARIN 1.

2. MARINIÈRE [marinjɛr] n. f. (de *marin*). Blouse très ample, qui se passe par la tête.

MARINO ou **MARINI** (Giambattista), poète italien (1569-1625). Son poème *Adonis* (1623) lui valut une grande réputation à la cour de France, où on l'appelait le CAVALIER MARIN; les subtilités de son style influèrent sur la préciosité française *(marinisme).*

MARIONNETTE [marjɔnɛt] n. f. (de *Marion*, n. pr.). **1.** Petite figure de bois, de carton, articulée ou non, qu'une personne cachée derrière une toile fait mouvoir à l'aide de ses mains ou de fils, ou qui est animée dans un film spécial dit *film d'animation : Un montreur de marionnettes.* — **2.** Personne sans caractère, qu'on manœuvre comme on veut (syn. PANTIN).

MARIOTTE *(abbé* Edme), physicien français (v. 1620-1684). Il étudia la compressibilité des gaz et énonça la loi qui porte son nom : *À température constante, le volume d'une masse gazeuse varie en raison inverse de sa pression.*

MARIOUPOL', ancienn. **Jdanov** (1948-1989), port de l'U. R. S. S. (Ukraine), sur la mer d'Azov; 522 000 hab. Sidérurgie.

MARIOUT *(lac)*, ancienn. **Maréotis,** lagune du littoral égyptien, séparée de la mer par une langue de terre sur laquelle s'élève Alexandrie.

MARISTE [marist] n. m. (de *Marie*). Membre de congrégations religieuses vouées à la Vierge.

MARITAL, E, AUX adj., **MARITALEMENT** adv. ⟶ MARI.

MARITIME [maritim] adj. (lat. *maritimus*). **1.** Qui est au bord de la mer, près de la mer : *Port maritime* (par oppos. à *port fluvial*). *La gare maritime du Havre* (= qui dessert le port pour l'embarquement des voyageurs). — **2.** Qui concerne la mer ou la navigation sur mer : *Le trafic maritime.* ‖ *Inscription maritime* → INSCRIRE.

MARITIMES *(Provinces)* → PROVINCES MARITIMES.

MARITZA (la) ou **MARICA** (la), en gr. **Évros,** fl. de Bulgarie et de Grèce, né dans le Rila, tributaire de la mer Égée; 437 km. C'est l'HÈBRE des Anciens.

MARIUS (Caius), général et homme politique romain (157-86 av. J.-C.).

- *107. Marius est élu consul d'Afrique.*

Il remplace Metellus à la tête de l'armée d'Afrique; il est soutenu par le parti populaire dont il s'est fait le champion.

- *1er janv. 104. Il triomphe du roi des Numides, Jugurtha.*

Réélu consul de 105 à 100, il fait voter une loi admettant les pauvres dans l'armée, premier pas vers une armée de métier et vers l'Empire. Il accroît sa popularité en écartant une menace germanique par ses victoires contre les Teutons à Aix (102) et les Cimbres à Verceil (101).

- *88. Le parti aristocratique et son chef Sulla reprennent le pouvoir par les armes, et Marius est proscrit.*

Il s'enfuit en Afrique. Mais la victoire de Sulla est précaire. En 87, la guerre civile éclate, et Marius, aidé de Cinna, rentre dans Rome, et fait tuer les partisans de Sulla au sénat. En 86 il est consul pour la septième fois, mais il meurt alcoolique et à demi fou.

MARIVAUDER [marivode] v. i. (de *Marivaux*). Donner un style raffiné, compliqué à l'expression de ses sentiments (généralement amoureux). ◆ **marivaudage** n. m. Langage raffiné et précieux comme celui des personnages de Marivaux.

MARIVAUX (Pierre CARLET DE CHAMBLAIN DE), écrivain français (1688-1763). Au début de sa carrière littéraire, Marivaux publie quelques romans et collabore au journal *le Nouveau Mercure.* En même temps il fréquente les salons littéraires parisiens.

- *1720. Il fait ses véritables débuts au théâtre avec « Arlequin poli par l'amour ».*

À la fin de 1720, il est ruiné par la faillite de Law* et se consacre à la littérature : journaux, romans et, surtout, pièces de théâtre.

Marivaux a renouvelé la comédie en se consacrant à la peinture psychologique de l'amour. Il décrit le cheminement de l'amour à ses débuts et le présente comme une seconde naissance. Il fait parler ses personnages dans un langage subtil que l'on a appelé *marivaudage*, passant sans cesse de la sensibilité à l'ironie, de la sincérité à la feinte, du respect à la familiarité, de la discrétion à la hardiesse, selon l'évolution des sentiments.

Les plus célèbres de ses pièces sont : *la Surprise de l'amour* (1722), *la Double Inconstance* (1723), *le Jeu de l'amour et du hasard* (1730), *les Fausses Confidences* (1737).

Dans ses romans *(la Vie de Marianne, le Paysan parvenu)*, il représente non la haute société, comme dans son théâtre, mais plutôt les gens de la bourgeoisie, la finance, le peuple, avec un plus grand souci de réalisme.

MARJOLAINE [marʒɔlɛn] n. f. (orig. obscure). Plante aromatique (syn. ORIGAN). [Famille des labiacées.]

MARK [mark] n. m. inv. (mot all.). Unité monétaire de l'Allemagne et de la Finlande. (Après la Première Guerre mondiale l'unité monétaire allemande est désignée par le mot *Reichsmark* Après la Seconde Guerre mondiale, la République fédérale d'Allemagne adopte pour unité le *deutsche Mark* [symb. : DM], divisé en 100 pfennige. En 1990, le *deutsche Mark* devient l'unité monétaire de toute l'Allemagne, unifiée.)

MARKETING [marketiŋ] n. m. (mot angl. signif. *mise en vente*) Ensemble des nombreuses techniques offertes aux entreprises modernes pour promouvoir la diffusion massive de leurs produits.

MARLBOROUGH (John CHURCHILL, *duc* DE), général et diplomate anglais (1650-1722). Il dut sa fortune en partie à Jacques II Mais, fervent protestant, il est indigné par la politique religieuse de celui-ci.

- *1688. Il se rallie à Guillaume d'Orange.*
- *1702. L'avènement de la reine Anne lui permet de devenir l'homme le plus en vue d'Angleterre.*

Commandant en chef de l'armée anglaise, puis généralissime des armées alliées (Pays-Bas, Empire, Angleterre, Prusse), il joue un rôle déterminant dans la guerre de la Succession d'Espagne contre la France, dans laquelle il se révéla comme le meilleur soldat de son temps (Bleinheim, 1704; Ramillies, 1706; Malplaquet, 1709).

Mais, s'étant rapproché du parti whig*, il se brouilla avec la reine et tomba en disgrâce (1710). Après un exil volontaire de deux ans, il retrouva tous ses titres à l'avènement de George Ier de Hanovre.

Son nom est devenu légendaire grâce à la chanson burlesque dont il est le héros sous le nom dénaturé de *Malbrough.*

MARLES-LES-MINES, comm. du Pas-de-Calais, à 5 km au N.-O. de Bruay-en-Artois; 7 300 hab.

MARLOWE (Christopher), écrivain anglais (1564-1593). Il fut par ses tragédies historiques et ses drames le précurseur de Shakespeare *(la Tragique Histoire du docteur Faust,* 1588).

MARLY, comm. du Nord, dans la banlieue est de Valenciennes 14 300 hab. Métallurgie. Textiles.

ARLY-LA-MACHINE, écart de la commune de Bougival Yvelines), célèbre par deux machines hydrauliques qui alimentè-ent Versailles en eau : celle qui fut construite sous Louis XIV et elle de Dufrayer, édifiée de 1855 à 1859.

ARLY-LE-ROI, ch.-l. de cant. des Yvelines, à 4 km au S. de aint-Germain-en-Laye; 17300 hab. *(Marlychois).* Louis XIV y vait fait construire par Hardouin-Mansart un château entouré de ouze pavillons, vendu puis détruit sous la Révolution.

ARMAILLE [marmaj] n. f. (de *marmot*). *Fam.* Groupe de tout eunes enfants, bruyants et tapageurs.

ARMANDE, ch.-l. d'arrond. de Lot-et-Garonne, sur la aronne; 17700 hab. Centre de production maraîchère. Electro-écanique. Manufacture de tabac.

ARMARA *(mer de)*, mer intérieure du bassin de la Méditerra-ée, qui communique avec la mer Égée par le détroit des Darda-elles et avec la mer Noire par le Bosphore. C'est l'anc. PROPON-IDE.

ARMELADE [marmәlad] n. f. (du portug. *marmelo*, coing). . Compote de fruits écrasés et cuits avec du sucre : *Une marme-ade de pommes.* — **2.** *En marmelade*, réduit en bouillie.

. MARMITE [marmit] n. f. (orig. incert.). **1.** Récipient avec ouvercle, dans lequel on fait bouillir et cuire des aliments; son ontenu. — **2.** *Marmite norvégienne*, récipient à parois épaisses, ont le contenu est porté à ébullition et où la cuisson se poursuit ans feu.

. MARMITE [marmit] n. f. (de *marmite* 1). *Marmite de géants* u *marmite torrentielle*, cavité que l'érosion d'un cours d'eau reuse, avec l'aide de graviers et de galets, dans une roche assez ompacte pour s'user sans s'émietter : *Les marmites de géants de a Valserine.*

ARMITON [marmitɔ̃] n. m. (de *marmite* 1). Jeune apprenti ttaché au service de la cuisine dans un grand restaurant.

ARMONNER [marmɔne] v. t. et i. (onomat.). Murmurer entre es dents, d'une manière confuse ou avec hostilité : *Marmonner les injures.*

ARMONT (Auguste Frédéric Louis VIESSE DE), duc DE AGUSE, maréchal de France (1774-1852). Aide de camp de Bona-arte, il commanda l'armée de Dalmatie et fut créé duc de Raguse 1808), puis maréchal (1809). Il se battit au Portugal (1811), en spagne (1812) et devant Paris dont il négocia la capitulation. Mais quittant sa position sur l'Essonne que couvrait Napoléon, il se replia sur la Normandie, ce qui incita sans doute le tsar à exiger la capitulation sans condition de l'Empereur qui le considéra comme un traître. Créé pair de France (1814), il suivit Louis XVIII à Gand (1815) et commanda la garnison de Paris lors des journées de juillet 1830.

MARMORÉEN, ENNE [marmɔreɛ̃, -ɛn] adj. (du lat. *marmor*, marbre). **1.** Qui tient du marbre : *Blancheur marmoréenne.* — **2.** Froid, dur comme le marbre : *Un cœur marmoréen.*

MARMOT [marmo] n. m. (de *marmotter*). **1.** *Fam.* Petit enfant. — **2.** Fam. *Croquer le marmot*, attendre longtemps et avec impatience.

MARMOTTE [marmɔt] n. f. (de *marmotter*). **1.** Petit mammifère rongeur dont une espèce vit dans les Alpes entre 1 500 et 3 000 m d'altitude, et qui passe l'hiver à dormir dans son terrier. — **2.** *Dormir comme une marmotte*, dormir profondément.

MARMOTTER [marmɔte] v. t. et i. (onomat.). *Fam.* Murmurer confusément entre ses dents (syn. BREDOUILLER, MARMONNER).

MARMOUTIER, ch.-l. de cant. du Bas-Rhin, à 6 km au S. de Saverne; 2000 hab. Une abbaye y fut fondée au VIe s. Église des XIe, XIVe et XVIIIe s.

Marmoutier, abbaye située à 3 km de Tours, fondée par saint Martin (IVe s.). Vestiges de l'abbatiale.

1. MARNAGE n. m. ⟶ MARNE.

2. MARNAGE [marnaʒ] n. m. (orig. incert.). Élévation de la mer au-dessus de son niveau normal, par suite de la marée.

MARNE [marn] n. f. (bas lat. *margila*). Roche argileuse contenant une forte proportion (entre 20 et 80 p. 100) de calcaire, et que l'on utilise pour amender les sols acides et pour fabriquer du ciment. ◆ **marner** v. t. Incorporer de la marne au sol arable : *On marne les terres trop sableuses.* ◆ **marnage** n. m. Incorporation de marne dans une terre arable pour l'amender (5 à 10 t à l'ha). ◆ **marneux, euse** adj. : *Sol marneux* (= qui contient de la marne).

MARNE (la), riv. de France, qui prend sa source sur le plateau de Langres, arrose Chaumont, Vitry-le-François, Châlons-sur-Marne, Épernay, Château-Thierry, Meaux et se jette dans la Seine (r. dr.) à Charenton-le-Pont; 525 km. — Le *canal latéral à la Marne* remonte la rivière de Dizy à Vitry-le-François, où il est prolongé par le *canal de la Marne au Rhin*, d'une part, et par le *canal de la Marne à la Saône*, d'autre part.

LOCALITÉS PRINCIPALES	NOMBRE D'HAB.
Reims	182 000
Châlons-sur-Marne	54 400
Épernay	28 900
Vitry-le-François	18 800
Tinqueux	8 000
Saint-Memmie	6 700
Sézanne	6 200
ourmelon-le-Grand	5 900
Sainte-Menehould	5 800
Suippes	5 200

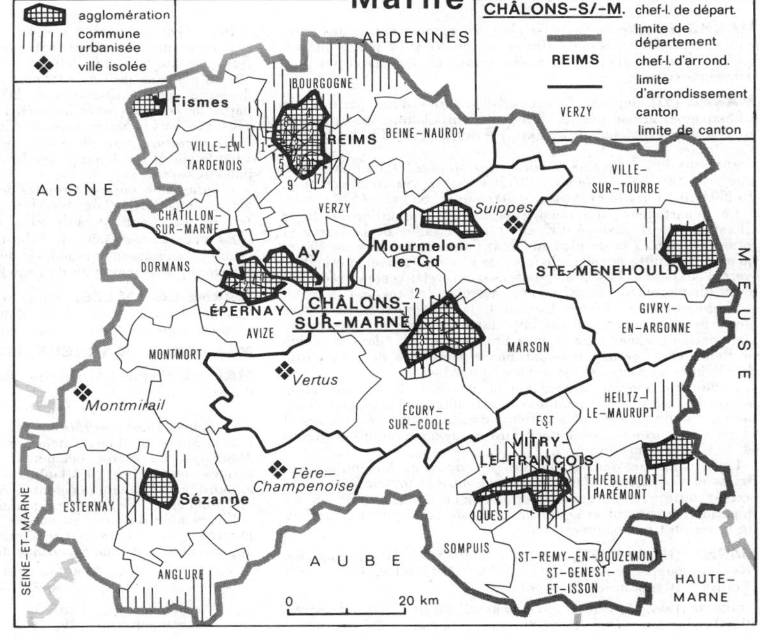

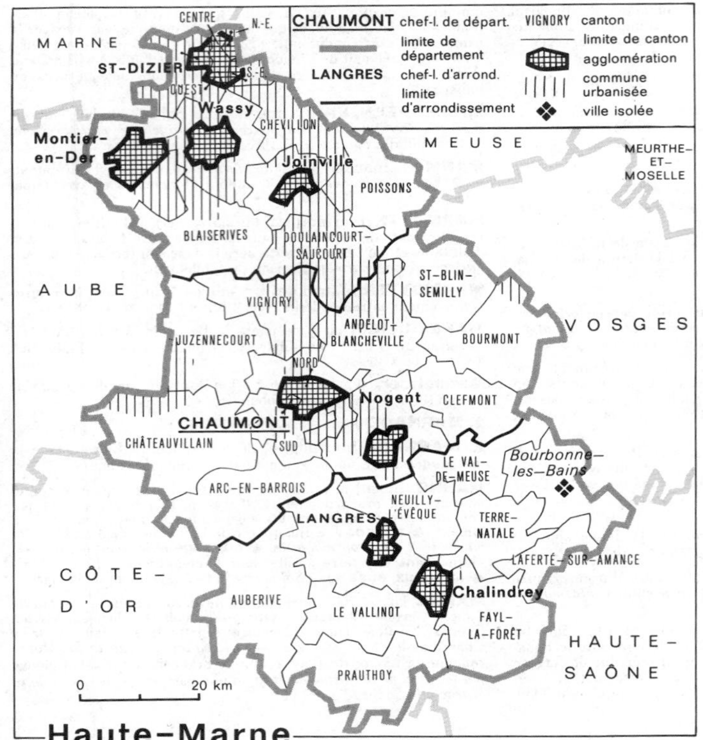

LOCALITÉS PRINCIPALES	NOMBRE D'HAB.
Saint-Dizier	37 400
Chaumont	29 600
Langres	11 400
Nogent	5 400
Joinville	5 100
Wassy	3 600
Chalindrey	3 150
Bourbonne-les-Bains	3 150

MARNE *(bataille de la)*, ensemble des manœuvres et des combats victorieux dirigés par Joffre en septembre 1914, par lesquels il arrêta l'invasion allemande. Foche remporta dans la région une deuxième victoire, en août 1918.

MARNE (51), dép. du Bassin parisien, formé d'une partie de la Champagne, arrosé par la Marne (Région Champagne-Ardenne); 8 162 km²; 543 600 hab. (67 au km²) [France : 103]. Ch.-l. *Châlons-sur-Marne.*

ADMINISTRATION. 5 arrond. (*Châlons-sur-Marne*, 99 500 hab.; *Épernay*, 92 000 hab.; *Reims*, 285 500 hab.; *Sainte-Menehould*, 15 200 hab.; *Vitry-le-François*, 51 400 hab.). / 35 cant. / 618 comm.

Le département, qui occupe la moitié septentrionale de la Champagne, est traversé d'E. en O. par la vallée de la Marne et formé de plaines et de plateaux dont l'altitude ne dépasse 200 m qu'aux extrémités occidentale (côte de l'Île-de-France) et orientale (vers l'Argonne). Les précipitations sont relativement réduites, assez régulièrement réparties sur l'ensemble de l'année.

L'*agriculture* emploie le dixième de la population active seulement, mais la production est importante : le blé et la betterave viennent au premier rang pour la France. De plus, dans la région de Reims et d'Épernay, le département possède la majeure partie du célèbre vignoble dont est tiré le champagne.

L'*industrie* emploie pratiquement le tiers de la population active. Elle est partiellement liée à l'agriculture (champagnisation), mais aussi de plus en plus variée : constructions mécaniques et électriques surtout représentées dans les agglomérations de Reims et de Châlons-sur-Marne.

Le dynamisme démographique des deux agglomérations de Reims et Châlons-sur-Marne explique, outre la prépondérance du *secteur tertiaire*, le rapide accroissement de la population du département, ce qui accentue le poids de la Marne à l'intérieur de la région Champagne-Ardenne.

MARNE (Haute-) [52], dép. du sud-est du Bassin parisien (Région Champagne-Ardenne); 6 211 km²; 210 700 hab. (34 au km²) [France : 103]. Ch.-l. *Chaumont.*

ADMINISTRATION. 3 arrond. (*Chaumont*, 73 300 hab.; *Langres*, 50 700 hab.; *Saint-Dizier*, 86 600 hab.). / 32 cant. / 395 comm.

Dans l'est du Bassin parisien, le département est formé de régions naturelles variées, hauteurs du *plateau de Langres* et de *Bassigny* au S.-E. où l'altitude est généralement supérieure à 400 m, plateaux du *Châtillonnais* et du *Vallage* au centre où elle demeure encore au-dessus de 200 m ne s'abaissant qu'au N., partie de la *Champagne humide*. Les précipitations sont plus élevées que dans la Marne voisine et les hivers plus rigoureux.

L'*agriculture* emploie le dixième de la population active; l'élevage bovin et localement l'exploitation forestière sont les principales ressources.

L'*industrie* occupe environ les deux cinquièmes de la population active (métallurgie de transformation), tandis que le *secteur tertiaire* en occupe près de 50 p. 100.

La récente progression de Saint-Dizier et Chaumont explique en priorité l'accroissement modeste de la population du département. Elle masque la poursuite de l'exode sévissant dans le Sud.

MARNE-LA-VALLÉE, ville nouvelle à l'E. de Paris, sur la rive gauche de la Marne. Parc d'attractions et cité scientifique Descartes en cours d'aménagement.

MARNER v. t., **MARNEUX, EUSE** adj. → MARNE.

MAROC, État de l'Afrique du Nord, sur l'Atlantique et la Méditerranée.

GÉOGRAPHIE

Les chaînes atlasiques *(Moyen Atlas, Haut Atlas, Anti-Atlas)* séparent le Maroc oriental, plateau limité au N.-E. par le bassin de la *Moulouya*, du Maroc occidental, ensemble de plateaux et de plaines ouvert sur l'Atlantique. Au S., le Maroc occupe aujourd'hui le Sahara occidental. Au N., la chaîne récente du *Rif* qui prolonge le Tell algérien domine la Méditerranée.

L'ensemble du pays est soumis au climat méditerranéen, plus humide à l'O. en raison de l'influence atlantique. Seul le Sud appartient au domaine désertique du Sahara.

	TEMPÉRATURES MOYENNES janv.	juil.	PLUIES
Casablanca	15,3 °C	23,7 °C	710 mm
Marrakech	19,3 °C	30,1 °C	320 mm

L'*agriculture* emploie encore plus de la moitié de la population, composée de Berbères (qui habitent surtout les montagnes) et d'Arabes, tous musulmans. Deux types d'exploitation s'opposent. L'exploitation traditionnelle, très morcelée et peu modernisée, associe l'élevage ovin et caprin à la culture des céréales. De grands domaines mécanisés, hérités de la colonisation, fournissent du blé, du vin, des fruits (agrumes) et des légumes. La *pêche* dans l'Atlantique apporte un complément de ressources.

blé	2 millions de t		ovins	12 millions de têtes
orge	1 400 000	t	pêche	460 000 t
vin	450 000	hl		

C'est aussi la colonisation qui a favorisé l'exploitation des richesses minières (phosphates, manganèse, fer et plomb) qui constituent le principal produit d'exportation. Les ressources énergétiques (charbon, pétrole) et le développement de l'hydro-électricité font espérer un développement de l'*industrie*, qui reste modeste jusqu'à maintenant : industrie alimentaire (conserveries de poisson), textile, chimie.

phosphates	21 millions de t (3e producteur mondial)
fer	100 000 t
manganèse	30 000 t
plomb	100 000 t
houille	800 000 t
électricité	6 milliards de kWh

HISTOIRE

Les trois principales tribus berbères du Maroc sont les Maṣmūda, agriculteurs sédentaires, les Ṣanhādja et les Zenāta, nomades du Sud et de l'Est. Dès le IIe millénaire avant notre ère, des contacts commerciaux sont attestés avec l'Espagne.

SUPERFICIE 710 000 km² (France : 550 000 km²).
POPULATION 25 600 000 hab. *(Marocains)*; 36 hab. au km² (France : 103); accroissement annuel de la population, 3 p. 100.
CAPITALE Rabat (519 000 hab.). *V. pr.* Casablanca (2 millions d'hab.), Marrakech (332 700 hab.), Fès (325 300 hab.), Meknès (248 400 hab.).
LANGUES arabe, berbère et français.
ÉCONOMIE consommation d'énergie par hab., 340 kg d'équivalent charbon.
MONNAIE dirham.

• *XIe s. av. J.-C. Les Phéniciens fondent Lixus.*

À leur suite, les Carthaginois créent des comptoirs.

• *40 apr. J.-C. Le royaume de Mauritanie est annexé par Rome.*

Il devient province romaine en 42, sous le nom de *Mauritanie Tingitane*, mais celle-ci ne contrôle que les plaines du Nord.

Dès le IIIe s., à cause de l'insécurité, la colonie est réduite à la zone de Tanger. De l'invasion vandale (429) à la conquête arabe règne l'anarchie politique et religieuse.

• *705. Les Arabes s'emparent de Tanger.*

Après 710, la conquête arabe (dynastie des Idrīsides, puis des Fāṭimides) entraîne l'islamisation du pays.

• *1055-1056. La confrérie almoravide, née parmi les Berbères Ṣanhādja, envahit le Maroc, qui est unifié pour la première fois.*

Son chef Yūsuf ibn Tāchfīn fonde Marrakech (1062) et s'empare de Fès (1069). Son empire s'étend du Sénégal à l'Ebre (Espagne), ce qui favorise la pénétration au Maroc de la civilisation andalouse et de l'or soudanais.

• *1147. Les Almohades, issus des Maṣmūda du Haut Atlas, éliminent les Almoravides, en s'emparant de Marrakech.*

À partir de 1160, l'Empire almohade, sous la direction d'‘Abd al-Mu'min, contrôle tout le Maghreb. C'est l'apogée de l'Islām berbère, influencé par l'Andalousie. Mais les Almohades, qui luttent d'abord victorieusement contre les Espagnols chrétiens (Alarcos, 1195), subissent une défaite retentissante à Las Navas de Tolosa (1212).

• *1244-1269. Les Marīnides, dynastie de Berbères Zenāta, s'emparent à leur tour du Maroc.*

Ils s'attachent en vain à reconstituer l'empire de leurs prédécesseurs et, de 1358 à 1465, la décadence est rapide. Elle se poursuit jusqu'en 1554 sous leurs successeurs, les Waṭṭāsides.

• *1415. Les Portugais débarquent à Ceuta, puis en d'autres points de la côte, suivis par les Espagnols.*

Leur présence crée un climat de guerre sainte, à la faveur duquel une nouvelle dynastie, les Sa'diens, s'empare du Maroc. Populaires après leur victoire de Ksar el-Kébir (1578) contre le roi du Portugal, ils luttent contre les Turcs; puis, en 1591, conquièrent le royaume noir Songhaï de Gao (Niger) pour contrôler la route de l'or. Cette conquête est sans lendemain, et à la mort d'Al-Manṣūr (1603), la décadence commence.

• *1666-1672. Mūlāy Rāchid, originaire du Tafilelt (Maroc saharien), fonde la dynastie des ‘Alawītes qui se maintient jusqu'à nos jours.*

Pour trouver de nouvelles ressources, elle fait appel aux Européens, dont la pénétration diplomatique et commerciale s'accentue après 1830.

• *1906. La conférence d'Algésiras met le Maroc sous le contrôle économique de l'Europe.*

Elle est la conséquence de l'opposition de l'Allemagne à la pénétration française. Celle-ci reprend militairement en 1907 (Lyautey). L'Allemagne reçoit le Cameroun en échange.

• *30 mars 1912. Le sultan Mūlāy Ḥāfiẓ accepte le protectorat français tandis que ses sujets se soulèvent.*

L'Espagne reçoit pour prix de son consentement le nord du pays (Rif). Pendant la Première Guerre mondiale, Lyautey étend l'autorité du protectorat par une action méthodique et patiente sur les plaines marocaines, mais le Haut Atlas résiste jusqu'en 1933-1934.

• *1er fév. 1922. Le Rif, insurgé sous la direction d'Abd el-Krim contre les Espagnols, est érigé en république indépendante.*

Celle-ci ne disparaît qu'en 1926, après une intervention franco-espagnole. Désormais, le protectorat français fait place à l'administration directe. L'économie est transformée par la colonisation.

• *1934. Formation d'un Comité d'action autour d' 'Allāl al-Fāsī. Il donnera naissance en 1943 au parti de l'Istiqlal (=Indépendance).*

Des manifestations en faveur des réformes sont organisées en 1934, puis en 1937, qui entraînent l'arrestation des chefs nationalistes dont les idées se répandent. Après la défaite française de 1940, les partis, puis le sultan Muḥammad V demandent l'indépendance. Le mouvement nationaliste s'amplifie. Les Français déposent le sultan (1953) et l'exilent à Madagascar, après avoir suscité contre lui l'opposition des grands notables.

• *26 août 1955. Les accords d'Aix-les-Bains définissent les modalités du retour du souverain.*

La France, puis l'Espagne reconnaissent l'indépendance politique du pays. Le Maroc indépendant modernise sa législation, mais les éléments les plus radicaux de l'Istiqlāl passent à l'opposition sous le nom d'Union nationale des forces populaires.

• *1961. Hassan II succède à son père.*

Il va devoir affronter une opposition croissante (émeute de Casablanca, 1965). Une politique autoritaire, la suspension de la Constitution, l'arrestation de syndicalistes et d'hommes politiques vont isoler la monarchie, et en 1971 et 1972, deux complots militaires éclatent. Depuis, le roi a libéralisé son régime.

• *1975. Partage du Sahara occidental entre le Maroc et la Mauritanie, qui se heurtent aux nationalistes.*

• *1976. Rupture des relations diplomatiques avec l'Algérie.*

• *1979. Occupation par le Maroc de la zone saharienne à laquelle la Mauritanie renonce.*

• *1988. Les relations diplomatiques avec l'Algérie sont rétablies.*

MAROCAIN, E [marɔkɛ̃, -ɛn] adj. et n. Du Maroc.

MAROILLES, comm. du Nord, à 12,5 km d'Avesnes-sur-Helpe; 1 500 hab. Fromages dits *maroilles,* ou *marolles.*

MAROMME, ch.-l. de cant. de la Seine-Maritime, dans la banlieue nord de Rouen; 12 500 hab. Métallurgie.

MARONI (le), fl. tributaire de l'Atlantique, formant la frontière entre la Guyane française et le Surinam; 680 km.

MARONITE [marɔnit] adj. et n. (du patriarche *Maroun*). Nom des catholiques de rite syrien.

MAROQUIN [marɔkɛ̃] n. m. (de *Maroc*). **1.** Peau de chèvre tannée, teinte et utilisée pour la reliure, pour la confection de portefeuilles, de sacs, d'étuis, etc. — **2.** *Obtenir un maroquin,* obtenir un poste de ministre. ◆ **maroquinerie** n. f. Fabrication et commerce des articles de cuir. ◆ **maroquinier** n. m. Personne qui fabrique ou vend ces objets.

MAROT (Clément), poète français (1496-1544). Valet de chambre de François Ier, il fut soupçonné de sympathie pour la Réforme et mourut à Turin, où il s'était réfugié. Resté fidèle aux formes traditionnelles du Moyen Âge (rondeau, ballade), il est aussi un poète de cour plein d'élégance dans ses *Épîtres (Épître à Lyon Jamet, Épître au roi),* ses *Épigrammes* et ses *Élégies.*

MAROTTE [marɔt] n. f. (de *Marie*). *Fam.* Idée fixe.

MARQUAGE n. m., **MARQUANT, E** adj., **MARQUE** n. f. ⟶ MARQUER.

MARQUENTERRE (le), plaine maritime de la Picardie, entre les estuaires de la Somme et de la Canche.

MARQUER [marke] v. t. (du germ. *marka,* signe). **1.** (sujet nom d'être animé) *Marquer (une chose) de, à, par,* etc., lui mettre un signe qui permette de la distinguer, de la reconnaître : *Marquer le linge à ses initiales.* — **2.** (sujet nom d'être animé, ou au passif) Indiquer, noter, inscrire : *Les frontières sont marquées sur la carte. Marquer ses dépenses.* — **3.** (sujet nom de chose) Être un signe qui permet de distinguer, de noter : *Ces bornes marquent les limites de la propriété* (syn. INDIQUER, SIGNALER). — **4.** (sujet nom de chose) Laisser des traces, des empreintes sur quelque chose : *Elle a le visage marqué* (=ridé). — **5.** Souligner en faisant ressortir, en mettant en évidence : *Marquer un temps d'arrêt. Des incidents violents ont marqué la séance* (syn. PONCTUER). *Une différence marquée* (=nette). — **6.** (sujet nom de personne) Faire connaître aux autres : *Marquer son désaccord* (syn. EXPRIMER). *Marquer sa fidélité* (syn. MANIFESTER). — **7.** Fam. *Marquer le coup,* souligner l'importance de quelque chose. ‖ *Marquer un point,* obtenir un avantage. ‖ *Marquer les points,* faire le compte des points, au cours d'une partie de cartes. ‖ *Marquer un but,* réussir un but, au football. ‖ *Marquer un joueur,* surveiller de près un adversaire, dans les jeux d'équipe, afin de l'empêcher d'aller librement vers le but. ‖ *Marquer le pas,* conserver la cadence du pas sans avancer. ◆ v. i. Laisser une trace durable : *Ces événements ont marqué dans ma vie.* ◆ ***se marquer*** v. pr. Être indiqué, marqué : *La colère se marque chez lui par un silence obstiné.* ◆ **marquage** n. m. **1.** Action de marquer des marchandises, du linge. — **2.** *Sports.* Action de marquer un joueur. ◆ **marquant, e** adj. Qui laisse un souvenir durable, qui est remarquable : *Les événements marquants de la semaine* (syn. IMPORTANT). ◆ **marque** n. f. **1.** Empreinte ou signe servant à reconnaître, à distinguer une chose : *Faire une marque sur un livre. La marque de fabrique* (syn. LABEL). ‖ *Marque déposée,* marque de fabrique ou de commerce adoptée par un industriel ou un commerçant. (Elle fait l'objet d'un monopole [=droit exclusif], à condition d'être déposée par celui qui l'adopte au greffe du tribunal de commerce de son domicile.) — **2.** Ce qui distingue une personne : *Les marques d'une fonction* (syn. INSIGNE). — **3.** Entreprise commerciale : *Une marque de postes de radio.* — **4.** Trace laissée par quelque chose ou par quelqu'un : *Des marques de pas dans la neige.* — **5.** Empreinte ineffaçable que le bourreau appliquait, à l'aide d'un fer chaud, sur l'épaule d'un condamné. — **6.** Signe, indice qui révèle quelque chose : *Donner des marques de sa confiance* (syn. TÉMOIGNAGE). — **7.** Décompte de points au cours d'une partie, d'un match : *La marque, à la mi-temps, est de deux à zéro.* — **8.** Pavillon indiquant le grade du chef présent à bord d'un navire. — **9.** *Reconnaître dans qqch. la marque de qq'un,* reconnaître son style, sa manière de faire. ‖ *Produits de marque,* produits de grande qualité. ‖ *Personnage, hôte de marque,* personnalité, hôte important. ◆ **marqueur** n. m. Feutre formant un trait large. ◆ **contremarque** n. f. **1.** Seconde marque apposée sur quelque chose. — **2.** Ticket remis à un spectateur qui quitte la salle un instant, pour lui permettre de rentrer. ◆ **démarquer** v. t. **1.** Ôter ou changer la marque de : *Démarquer des articles.* — **2.** Libérer un partenaire de la surveillance d'un adversaire, dans un sport d'équipe. ◆ ***se démarquer*** v. pr. Échapper à la surveillance d'un adversaire (dans un sport d'équipe).

MARQUET (Albert), peintre français (1875-1947). Issue du fauvisme, son œuvre de paysagiste se distingue par la délicatesse du coloris.

MARQUETERIE [markɛtri] n. f. (de *marquer*). Assemblage composé de feuilles de bois précieux, de métal ou de marbre, plaquées sur un ouvrage de menuiserie et formant des dessins.

MARQUETTE (Jacques), jésuite français (1637-1675). Il descendit avec Joliet le Mississippi jusqu'au 34e parallèle, et fut le premier explorateur du cours de ce fleuve.

MARQUETTE-LEZ-LILLE, comm. du Nord, dans la banlieue nord de Lille; 7 900 hab. Matériel agricole et ferroviaire. Minoterie.

MARQUEUR n. m. ⟶ MARQUER.

MARQUIS [marki] n. m. (de *marche,* frontière). **1.** Seigneur qui était préposé à la garde d'une marche territoriale. — **2.** Titre de noblesse entre ceux de duc et de comte. ◆ **marquisat** n. m. **1.** Territoire gouverné par un marquis (syn. MARCHE). — **2.** Titre de marquis. ◆ **marquise** n. f. Femme d'un marquis.

1. MARQUISE [markiz] n. f. (de *marquis*). Auvent vitré construit au-dessus d'une porte pour la protéger de la pluie.

2. MARQUISE n. f. ⟶ MARQUIS.

MARQUISE, ch.-l. de cant. du Pas-de-Calais, à 13 km au N.-E. de Boulogne-sur-Mer; 4 800 hab. Marbre.

MARQUISES *(îles),* archipel volcanique de la Polynésie française, au N.-E. de Tahiti 1 274 km²; 6 500 hab. *(Marquisiens* ou *Marquésans).* Ch.-l. *Atuana.* L'archipel est formé de deux groupes d'îles, dont les principales sont *Nuku-Hiva* et *Hiva-Oa.*

MARRAINE [marɛn] n. f. (du lat. *mater,* mère). **1.** Celle qui est liée à un enfant qu'on baptise (il devient son *filleul* ou sa *filleule* par une parenté spirituelle. — **2.** Celle qui préside au baptême (=lancement) d'un navire, à l'inauguration d'un ouvrage d'art, etc. qui lui donne son nom.

MARRAKECH, v. et anc. capit. du Maroc, sur le Tensift, au pied du Haut Atlas; 332 700 hab. Minaret de la *Kutūbiyya* (XIIe s.)

MARRANES [maran] n. m. pl. (de l'ar. *mahram*, illicite). Nom donné, à partir du XIVe s., par les chrétiens aux juifs d'Espagne et du Portugal convertis par contrainte au catholicisme et demeurés fidèles en secret à leur religion.

MARRANT, E adj. ⟶ MARRER (SE).

MARRE [mar] adv. (de l'esp. *marearse*, avoir la nausée). Très fam. *En avoir marre*, en avoir assez, être excédé, écœuré.

MARRER (SE) [səmare] v. pr. (de *marre*). *Pop.* S'amuser, rire. ◆ **marrant, e** adj. Drôle.

MARRI, E [mari] adj. (de l'anc. fr. *marrir*, affliger). *Être marri de qqch.*, ou *de* (et l'infin.), être désolé de (littér.).

1. MARRON [marɔ̃] n. m. (d'un rad. préroman *marr-*, caillou). **1.** Nom usuel donné au fruit comestible du châtaignier. — **2.** *Marron d'Inde*, fruit du marronnier d'Inde, entouré d'une capsule épineuse verte, et qui renferme une graine farineuse, non comestible par l'homme. (On l'emploie en pharmacie contre les troubles de la circulation.) ◆ adj. inv. et n. m. De la couleur jaune-brun ou brun-rouge des marrons : *Des yeux marron.* ◆ **marronnier** n. m. **1.** Variété de châtaignier qui produit le marron. — **2.** *Marronnier d'Inde*, arbre à feuilles composées palmées, originaire des Balkans, et souvent planté en France sur les voies publiques et dans les parcs. (Haut. : 30 m; longévité : deux à trois siècles.)

2. MARRON, ONNE [marɔ̃, -ɔn] adj. (de l'esp. *cimarron*, réfugié dans un fourré). Qui exerce une profession sans titre, en se livrant à des pratiques illégales : *Médecin marron.*

MARRONNIER n. m. ⟶ MARRON 1.

MARS. *Myth. rom.* Dieu de la Guerre et des Agriculteurs. Ses prêtres portaient le nom de *saliens*. Il est assimilé à l'*Arès* grec.

MARS [mars] n. m. (de *Mars*). Troisième mois de l'année. (⟶ MOIS.)

MARS, quatrième grande planète du système solaire, dans l'ordre croissant des distances au Soleil. ◆ **martien, enne** adj. et n. **1.** Relatif à la planète Mars. — **2.** Habitant présumé de la planète Mars.

— ENCYCL. Les photographies du sol de *Mars*, transmises en 1972 par la sonde américaine *Mariner IX*, ainsi que les échantillons prélevés en 1976 par les sondes *Viking 1* et *2*, ont montré l'intense activité volcanique de la planète « rouge », qui, contrairement à la Lune, n'est pas un astre mort : l'une des taches sombres, traditionnellement observée par les astronomes, s'est révélée être un cratère volcanique entouré d'immenses coulées de lave. Très accidenté, le relief martien témoigne d'une activité tectonique* récente. Il est soumis à une érosion éolienne sans comparaison sur la Terre (les vents soufflent à plusieurs centaines de km/h). En outre, certaines formations n'ont pas leur équivalent sur la Lune ou la Terre, tels ces vastes effondrements qui ont créé des dépressions à fond plat, dont la profondeur va jusqu'à 2 900 m.

Enfin, Mars possède deux satellites minuscules, *Phobos* et *Deimos*, dont les curieuses formes irrégulières et criblées d'impacts de météorites sont maintenant parfaitement connues.

MARSALA, port de Sicile; 79 900 hab. Vins renommés.

MARSEILLAIS, E [marsɛjɛ, -ɛz] adj. et n. De Marseille.

Marseillaise *(la)*, hymne composé pour l'armée du Rhin en 1792, à Strasbourg, par Rouget de Lisle. Adopté par les fédérés marseillais, il est devenu l'hymne national français.

Allons, enfants de la patrie,
Le jour de gloire est arrivé!
Contre nous de la tyrannie
L'étendard sanglant est levé! (bis)
Entendez-vous dans les campagnes
Mugir ces féroces soldats?
Ils viennent jusque dans nos bras
Égorger nos fils, nos compagnes.
Refrain
Aux armes, citoyens, formez vos bataillons!
Marchons! Marchons!
Qu'un sang impur abreuve nos sillons!

MARSEILLE, ch.-l. de la Région Provence-Alpes-Côte d'Azur et du dép. des Bouches-du-Rhône; 878 700 hab. *(Marseillais).*

GÉOGRAPHIE. Deuxième ville de France, mais seulement troisième agglomération (après Paris et Lyon), avec environ 1 million d'habitants, Marseille s'est développée à partir de sa fonction portuaire. Celle-ci est primordiale puisque le port, avec un trafic d'env. 80 millions de t, se situe au premier rang en France. La majeure partie de ce trafic est constituée par le pétrole (importé à l'O. de la ville à Lavéra et Fos) qui a donné naissance à un important complexe de raffinage (quatre usines : La Mède, Berre, Fos et Lavéra) en bordure de l'étang de Berre, et alimente des oléoducs dirigés vers Lyon, l'Alsace, la Lorraine et la R. F. A.

Économiquement, Marseille se développe de plus en plus vers l'O., avec l'aménagement du golfe de Fos, future base sidérurgique, la ville et le port étant à l'étroit dans une plaine de faibles dimensions entourée de chaînons calcaires (Estaque, chaîne de l'Étoile, mont Saint-Cyr, Gardiolle, etc.). La fonction industrielle est née du trafic portuaire (avec notamment des usines de traitement des produits tropicaux), mais apparaît insuffisamment développée, sans doute en raison de l'absence d'arrière-pays immédiat. L'implantation de la métallurgie lourde, de grandes centrales thermiques (Martigues-Ponteau), l'ouverture vers Lyon par le Rhône devraient relancer une croissance qui a souffert de la décolonisation, de la réduction des échanges avec le Maghreb et de la fermeture (1967-1975) du canal de Suez.

HISTOIRE. Fondée vers 600 av. J.-C. par les Phocéens, *Massalia* se développe rapidement et, dès le Ve s. av. J.-C., fonde ses propres colonies maritimes (Nice, Antibes, etc.). Devenue romaine, elle est défavorisée par rapport à Narbonne et Arles.

- *Ve s. apr. J.-C. La fondation du monastère Saint-Victor fait de Marseille un centre important du christianisme.*

La véritable renaissance de la ville date des croisades : elle devient alors un port de transit vers la Terre sainte. Après une nouvelle période de déclin, Marseille retrouve sa prospérité grâce à Jacques Cœur qui y base ses galères, puis au roi René qui s'installe en Provence (1470).

- *1481. Marseille est annexée à la France.*

Peu à peu son commerce reprend grâce aux relations avec l'Afrique du Nord (XVIe s.) et l'Espagne (XVIIe s.). Tout en lui enlevant, à la suite d'une révolte, ses privilèges municipaux, Louis XIV lui accorde la création d'un port franc (1669).

- *1789-1792. La ville témoigne de son ardeur révolutionnaire, mais après la chute des Girondins elle prend part à la révolte fédéraliste, réprimée par les troupes de la Convention.*
- *XIXe s. La politique coloniale de la France et le creusement du canal de Suez font de Marseille le premier port méditerranéen.*

MARSHALL *(îles)*, archipel de l'Océanie, au N. de l'équateur, formé de deux groupes d'îles : les *Ratak* et les *Ralik;* 23 200 hab. Possession allemande (1885-1914), puis japonaise (1920-1944), l'archipel est placé par l'O. N. U. sous tutelle américaine de 1947 à 1986 avant de devenir un État librement associé aux États-Unis. Sur les atolls de Bikini et Eniwetok ont eu lieu des expériences atomiques (1949-1956).

MARSHALL (George), général et homme politique américain (1880-1959). Chef d'état-major de l'armée américaine pendant la Seconde Guerre mondiale, il fut ministre des Affaires étrangères et donna son nom au plan américain d'aide économique à l'Europe, adopté en 1948.

MARSOUIN [marswɛ̃] n. m. (scand. *marsvin*, porc de mer). **1.** Mammifère cétacé marin carnassier, long de 1,50 m, voisin du dauphin. (Communs dans l'Atlantique, les marsouins, très voraces, accompagnent souvent les navires.) — **2.** *Fam.* Soldat de l'infanterie de marine.

MARSUPIAUX [marsypjo] n. m. pl. (du lat. *marsupium*, bourse). Mammifères primitifs caractérisés par leur mode de développement : le jeune, après un séjour dans l'utérus, poursuit sa croissance dans une poche ventrale de la mère (le *marsupium*). ‖ Sing. un *marsupial*.

— ENCYCL. Les *marsupiaux* sont presque uniquement cantonnés en Australie et en Nouvelle-Guinée. On les divise en deux ordres : les carnivores et insectivores (ex. : *sarigue*) et les herbivores (ex. : *kangourou, koala*).

MARTE n. f. ⟶ MARTRE.

1. MARTEAU [marto] n. m. (bas lat. *martellus*). **1.** Outil formé d'une tête en métal et d'un manche en bois, dont on se sert pour frapper; instrument servant à percer, à perforer, etc. : *Enfoncer un clou avec un marteau.* ‖ *Marteau pneumatique*, outil de percussion ou de perforation, fonctionnant à l'air comprimé. — **2.** *Marteau d'une porte*, battant de fer (ou de bronze) qui, fixé sur la porte d'entrée, sert à heurter la porte pour avertir. — **3.** Pièce garnie de feutre appartenant à la mécanique du piano et qui, frappant la corde, la met en vibration. — **4.** *Sports.* Sphère métallique (7,257 kg), munie d'un fil d'acier et d'une poignée, que les athlètes lancent après l'avoir fait tournoyer : *Le lancement du marteau.* ◆ **marteau-pilon** n. m. Gros marteau de forge : *Les marteaux-pilons fonctionnent à l'air comprimé.* ◆ **marteler** v. t. (Conj. **5.**) **1.** Frapper à coups de marteau. — **2.** Frapper fort et à coups redoublés : *L'artillerie martèle les positions ennemies* (syn. PILONNER). — **3.** Articuler avec force, en détachant les syllabes : *Marteler ses mots.* ◆ **martelage** n. m. **1.** Opération consistant à battre les métaux à chaud ou à froid pour les forger et leur donner l'ébauche de leur forme définitive : *Le martelage du cuivre.* — **2.** Marque faite avec le marteau aux arbres qui doivent être abattus ou réservés. ◆ **martèlement** n. m. Sens 2 et 3 du v. : *Le martèlement des pas* (= bruit cadencé).

2. MARTEAU [marto] n. m. (de *marteau* 1). *Anat.* Premier osselet de l'oreille moyenne des vertébrés.

3. MARTEAU [marto] n. m. (même étym.). Requin des mers chaudes, à tête aplatie en deux lobes latéraux portant les yeux.

MARTEAU-PILON n. m. ⟶ MARTEAU 1.

MARTEL [martɛl] n. m. (bas lat. *martellus*, marteau). *Se mettre martel en tête*, se faire du souci.

MARTEL (Édouard), spéléologue français (1859-1938), créateur de la spéléologie.

MARTELAGE n. m., **MARTÈLEMENT** n. m., **MARTELER** v. t. ⟶ MARTEAU 1.

MARTELLANGE (Étienne Ange MARTEL, dit), architecte et jésuite français (1569-1641). Après le retour des Jésuites en France, il devint le principal constructeur des chapelles de leurs collèges.

MARTÍ (José), patriote et écrivain cubain (1853-1895). Emprisonné pour ses idées révolutionnaires, il fut déporté en Espagne et vécut longtemps en exil. Créateur du parti révolutionnaire cubain, il réclama dans ses écrits la libération de sa patrie et l'union des peuples américains de famille ibérique. Il fut tué à la bataille de Dos Ríos.

MARTIAL, E, AUX [marsjal, -sjo] adj. (de *Mars*, dieu de la Guerre). **1.** Se dit de ce qui rappelle les habitudes militaires : *Une allure martiale* (syn. ↓DÉCIDÉ). — **2.** *Loi martiale*, loi autorisant l'intervention de la force armée en cas de troubles intérieurs. ‖ *Cour martiale*, tribunal militaire exceptionnel, fonctionnant en cas d'état de guerre ou de troubles.

MARTIAL, poète latin (v. 40-v. 104), auteur d'*Épigrammes*.

MARTIEN, ENNE adj. et n. ⟶ MARS.

MARTIGUES, ch.-l. de cant. des Bouches-du-Rhône, à 38 km au N.-O. de Marseille; 42 000 hab. *(Martégaux* ou *Martigaux).* Port pétrolier (Lavéra), près de l'étang de Berre. Conserves de poisson. Raffinage du pétrole. Métallurgie.

MARTIN *(saint)*, évêque de Tours (v. 316-397). Soldat romain, il aurait un jour d'hiver partagé son manteau avec un pauvre. Devenu prêtre, il fut le véritable fondateur du christianisme dans l'ouest de la Gaule.

MARTIN (Pierre), ingénieur et industriel français (1824-1915). Il inventa le procédé qui porte son nom, pour la fabrication de l'acier (1865).

MARTIN DU GARD (Roger), écrivain français (1881-1958). Auteur de *Jean Barois* (1913), roman où il montre les conséquences de l'affaire Dreyfus* dans les consciences, et des *Thibault* (1922-1940), roman en six volumes qui conte l'histoire d'une famille française au début du XXe s. (Prix Nobel, 1937.)

1. MARTINET [martinɛ] n. m. (de *Martin*, n. pr.). Oiseau passereau migrateur, aux longues ailes étroites, au vol très rapide, mais incapable de marcher à cause de ses pattes trop courtes. Il se nourrit d'insectes qu'il gobe en plein vol.

2. MARTINET [martinɛ] n. m. (de *marteau*). **1.** Fouet formé de brins de cuir, dont on menace les enfants. — **2.** *Technol.* Marteau à bascule qui, mis en mouvement par une roue à cames commandée par un moteur, sert à battre les métaux.

MARTINGALE [martɛ̃gal] n. f. (de l'esp. *almartaga*, bride). Demi-ceinture placée à la taille, dans le dos d'un vêtement.

MARTINI (Simone), peintre italien (v. 1284-1344). Un des plus illustres représentants de l'école de Sienne au XIVe s., il exécuta des fresques à Assise et une remarquable *Annonciation* (Florence), un des sommets du gothique siennois par la grâce des silhouettes et la délicatesse du coloris.

MARTINIQUE *(île de la)*, une des Petites Antilles, formant un département français d'outre-mer; 1 102 km²; 328 600 hab. *(Martiniquais* [298 au km²]). Ch.-l. *Fort-de-France*.

GÉOGRAPHIE. Île montagneuse dont le relief est en grande partie d'origine volcanique (1 397 m au volcan actif de la montagne Pelée), la Martinique jouit d'un climat tropical humide permettant la croissance de la forêt dense. La population, composée de Noirs (descendants des anciens esclaves amenés d'Afrique) et de Blancs d'origine européenne, vit essentiellement de l'agriculture. Des plantations d'ananas et de bananiers sont en développement. La canne à sucre, en déclin, alimente les sucreries et les rhumeries. Mais les industries restent embryonnaires et le manque de débouchés impose à de nombreux Martiniquais l'émigration vers la métropole.

HISTOIRE. Découverte par Christophe Colomb en 1502, l'île fut colonisée par les Français à partir de 1635. Au XVIIIe s. l'exploitation de la canne à sucre fut assurée par la main-d'œuvre africaine. La Martinique est un département d'outre-mer depuis 1946. En 1983, dans le cadre de la loi sur la décentralisation, un conseil régional est créé.

MARTIN-PÊCHEUR [martɛ̃peʃœr] n. m. (de *Martin*, n. pr., et *pêcheur*). Petit oiseau passereau, au plumage brillamment coloré. Il se nourrit de poissons qu'il capture en plongeant. (Famille des alcédinidés.) ‖ Pl. des *martins-pêcheurs*.

MARTINŮ (Bohuslav), compositeur américain d'origine tchèque (1890-1959), l'un des maîtres de la musique tchèque contemporaine.

MARTRE [martr] ou **MARTE** [mart] n. f. (germ. *marthor*). Mammifère carnassier à fourrure estimée, dont il existe trois espèces (la *martre ordinaire*, la *fouine* et la *zibeline*). [Famille des mustélidés.]

MARTYR, E [martir] n. et adj. (gr. *martus*, *-uros*, témoin). **1.** Personne qui souffre, qui meurt, plutôt que de renoncer à ses croyances religieuses, politiques. — **2.** Personne qui souffre de mauvais traitements systématiques : *Un enfant martyr.* ◆ **martyre** n. m. **1.** Souffrance, mort endurées pour une cause : *Le martyre de saint Pierre.* — **2.** Grande souffrance morale ou physique : *Sa vie fut un long martyre* (syn. CALVAIRE). ◆ **martyriser** v. t. Faire souffrir beaucoup : *Enfant martyrisé par ses parents* (syn. TORTURER). ◆ **martyrologe** [martirɔlɔʒ] n. m. Liste ou catalogue des martyrs ou des saints.

Martyrs ou le Triomphe de la religion chrétienne *(les)*, épopée en prose de Chateaubriand (1809).

MARVEJOLS, ch.l. de cant. de la Lozère, à 28 km au N.-O. de Mende; 6 000 hab. Anc. capit. du Gévaudan. Fromages.

MARX (Karl Heinrich), homme politique, philosophe et économiste allemand (1818-1883). Fils d'un avocat d'origine juive converti au protestantisme, il fait des études de droit et de philosophie à Bonn et à Berlin où il subit l'influence de Hegel. En 1842, il devient rédacteur en chef de la *Rheinische Zeitung*, finalement interdite par le gouvernement prussien.

- *1843. Il émigre à Paris.*

Là il se lie avec F. Engels et fréquente les cercles d'ouvriers socialistes.

- *1845. Expulsé de France, il se réfugie à Bruxelles.*
- *1847. À la demande de la Ligue des communistes, il rédige avec Engels le « Manifeste du parti communiste ».*

Au moment de la flambée révolutionnaire de 1848, générale en Europe, il dirige à Cologne la *Neue Rheinische Zeitung* et fonde une association de travailleurs de 7 000 adhérents. Mais, expulsé d'Allemagne au moment de la répression, il s'installe à Londres où il finira sa vie.

- *1864. Marx fait partie, dès sa fondation, du Conseil général de la Ire Internationale qu'il animera avec Engels.*
- *1867. Il publie la première partie du « Capital », la seule qui soit parue de son vivant, et où il définit sa doctrine.*

Lorsque la Commune de Paris éclate (1871), il organise un mouvement de solidarité internationale et tire les leçons de cet événement dans *la Guerre civile en France* (1871).

Parmi ses autres œuvres, il faut citer *Économie politique et philosophie* (1844), *la Sainte Famille* (1845), *Misère de la philosophie* (1847), *Contribution à la critique de l'économie politique* (1859).

MARX BROTHERS (Chico, Harpo, Groucho, Zeppo), nom pris par les frères MARKS (Leonard, 1891-1961; Adolph, 1893-1964; Julius, 1895-1977; Herbert, 1901-1979), artistes burlesques et acteurs de cinéma. Après 1932, Zeppo se sépara du groupe. Leurs films les plus célèbres furent *Monnaie de singe* (1932), *Soupe au canard* (1933), *Une nuit à l'Opéra* (1935), *Un jour aux courses* (1936), *Une nuit à Casablanca* (1946).

MARXISME [marksism] n. m. (du n. de Karl *Marx*). Analyse militante de la société capitaliste, faite par Marx et Engels. ◆ **marxiste** adj. et n.

— ENCYCL. Pour le *marxisme*, l'analyse de la société est inséparable de l'action concrète en vue de laquelle elle est faite, Cette analyse est menée sur deux plans : le *plan politique*, où l'État, la religion, l'éducation sont considérés comme les moyens par lesquels la bourgeoisie exerce sa domination sur le prolétariat (= la classe ouvrière); le *plan social*, où la lutte des classes, c'est-à-dire la contradiction entre ceux (les bourgeois) qui détiennent les richesses (capital) et ceux (les salariés) qui leur vendent leur « force de travail », se montre de façon quotidienne, et parfois sous les formes les plus violentes.

Selon les marxistes, la lutte des classes est le résultat d'une situation dans laquelle il y a une disproportion entre le travail nécessaire à la fabrication d'une marchandise et le salaire que le travailleur reçoit en échange. Cette différence constitue ce que Marx appelle la *plus-value*. Le système capitaliste appauvrit et exploite les salariés qui se voient contraints d'accepter de travailler au profit de la bourgeoisie qui s'enrichit indéfiniment *(accumulation du capital)*. La lutte des classes évolue aussi avec la prise de conscience par la classe ouvrière de son exploitation et sa capacité à s'organiser elle-même en surmontant ses divisions.

Le marxisme se veut ainsi, à la fois vérité scientifique de l'histoire *(matérialisme historique)* et vérité que le prolétariat, par sa pratique révolutionnaire de la lutte des classes (et parce qu'il contient en lui l'abolition des classes elles-mêmes), fera naître un jour en dépassant les contradictions du capitalisme *(matérialisme dialectique)*.

MARXISME-LÉNINISME [marksismleninism] n. m. (de *Marx*, et *Lénine*). Conception du marxisme propre à Lénine qui considère le parti communiste comme la conscience vivante de la classe ouvrière et, à ce titre, son seul dirigeant pour la conquête du pouvoir.

MARY *(puy)*, sommet du massif du Cantal; 1 787 m.

MARYLAND, État de l'est des États-Unis, de part et d'autre de la baie de Chesapeake; 27 394 km²; 4 056 000 hab. Capit. *Annapolis*. V. pr. *Baltimore*.

MAS [mɑ ou mas] n. m. (du lat. *manere*, demeurer). Dans le Midi, ferme, maison de campagne.

MASACCIO (Tommaso DI SER GIOVANNI, dit), peintre italien (1401-1429). Il marque la fin du gothique, en découvrant de nouvelles dimensions à l'espace, en établissant des formes donnant l'illusion du relief. Ses fresques de l'église Santa Maria del Carmine à Florence *(Adam et Ève chassés du Paradis)* constituent une date importante dans l'évolution de l'art.

MASADA → MASSADA.

MASAÏS ou **MASSAÏS,** population du Kenya et de la Tanzanie. Ce sont des éleveurs nomades.

MASAN, port de la Corée du Sud, sur le détroit de Corée; 372 000 hab. Constructions mécaniques.

MASARYK (Tomáš), homme d'État tchécoslovaque (1850-1937), premier président de la République tchécoslovaque en 1918; il fut réélu en 1927 et 1934.

MASCAGNI (Pietro), compositeur de musique italien (1863-1945), auteur de *Cavalleria rusticana* (1890).

MASCARA, auj. **Mouaskar,** v. de l'Algérie occidentale; 36 900 hab. Vins.

MASCARADE [maskarad] n. f. (it. *mascarata*). **1.** Réunion ou défilé de personnes déguisées et masquées. — **2.** Mise en scène trompeuse, hypocrite.

MASCAREIGNES *(îles)*, anc. nom de l'archipel, dans l'océan Indien, formé principalement par la *Réunion* (anc. *île Bourbon*) et l'*île Maurice** (anc. *île de France*).

MASCARET [maskarɛ] n. m. (mot gascon). Surélévation brusque des eaux, qui se produit dans certains estuaires au moment du flot et qui progresse rapidement vers l'amont sous la forme d'une vague déferlante.

MASCARON [maskarɔ̃] n. m. (it. *mascherone*). Figure grotesque, décorant les clefs ou agrafes des cintres de fenêtre, la panse des vases, les orifices des fontaines, le tablier des portes.

MASCATE, en angl. **Muscat,** capit. du *sultanat d'Oman*, sur le golfe d'Oman; 60 000 hab.

MASCATE-ET-OMAN, anc. nom du *sultanat d'Oman*.

MASCOTTE [maskɔt] n. f. (prov. *mascoto*, sortilège). Objet, animal fétiche, qui, selon certains, porte bonheur.

1. MASCULIN, E [maskylɛ̃, -in] adj. (lat. *masculinus*). Propre à l'homme, au mâle; qui a ses caractères, ses qualités : *La force masculine* (syn. VIRIL). *Le sexe masculin* (contr. FÉMININ). *Une voix masculine* (syn. MÂLE). ◆ **masculinité** n. f. Qualité d'homme, de mâle.

2. MASCULIN, E [maskylɛ̃, -in] adj. et n. m. (même étym.). Se dit d'un des deux genres du substantif (et de ses déterminants ou qualificatifs), qui ne porte aucune marque distinctive et qui correspond au sexe mâle (êtres animés), ou à une répartition qui est fonction de la terminaison (les mots en *-ès* sont masculins : *abcès, procès*), du suffixe (les mots en *-ge* et *-ment* sont masculins) ou de la classe sémantique (les noms de métaux sont masculins : *le fer, le zinc, l'aluminium*). [→ FÉMININ.]

MAS-D'AZIL (Le), ch.-l. de cant. de l'Ariège, sur l'Arize, à 24 km au N.-E. de Saint-Girons; 1 600 hab. Station préhistorique.

MASER [mazɛr] n. m. (initiales de *m*[*icrowave*] *a*[*mplification*] *by s*[*timulated*] *e*[*mission*] *of r*[*adiations*]). Dispositif fonctionnant suivant les mêmes principes que le laser*, mais pour des ondes électromagnétiques non visibles. (Amplificateurs de micro-ondes, les masers se prêtent à l'amplification de signaux très faibles.)

MASERU, v. de l'Afrique australe, capit. du Lesotho; 45 000 hab.

MASINISSA ou **MASSINISSA,** roi de Numidie (v. 238-v. 148 av. J.-C.), allié de Rome contre Carthage.

MASOCHISME [mazɔʃism] n. m. (de *Sacher-Masoch*, romancier autrichien). Attitude d'une personne qui trouve de la satisfaction dans sa propre souffrance, dans sa déchéance, son humiliation. ◆ **masochiste** adj. et n.

MASQUE [mask] n. m. (it. *maschera*). **1.** Objet (pièce de tissu, forme de carton, appareil, etc.) dont on se couvre le visage, soit pour le cacher, soit pour le protéger : *Des masques de carnaval. Le masque à gaz protège des fumées et des gaz asphyxiants.* — **2.** Lèvre inférieure de la larve de libellule, en forme de bras coudé terminé par des tenailles. (Il « masque » la bouche au repos, mais se détend brusquement pour la capture des proies.) — **3.** Moulage de la face pris sur le vif ou sur le cadavre : *Le masque mortuaire de Pascal.* — **4.** Aspect du visage considéré sur le plan des traits généraux de la physionomie (littér.) : *Avoir un masque impénétrable* (syn. AIR, EXPRESSION). — **5.** Apparence trompeuse (langue soignée) : *Sous un masque d'indifférence se cache sa bonté* (syn. DEHORS); surtout dans des express. : *Lever, ôter le masque* (= dévoiler son jeu). ◆ **masqué, e** adj. **1.** Qui porte un masque : *Visage masqué.* — **2.** Où l'on porte un masque : *Bal masqué* (= travesti). ◆ **masquer** v. t. Cacher à la vue, à la pensée, etc. : *Masquer ses projets véritables* (syn. DISSIMULER). ◆ **démasquer** v. t. **1.** *Démasquer qq'un*, lui ôter son masque. — **2.** *Démasquer qq'un, qqch.*, le faire apparaître sous son véritable aspect, sa vraie identité, que cachaient des apparences trompeuses : *Démasquer les intentions de qq'un.* — **3.** Faire connaître ce qu'on tenait caché : *Il n'a pas démasqué son plan* (syn. DÉVOILER, RÉVÉLER).

masque de fer *(l'Homme au)*, personnage demeuré inconnu, qui fut amené dans la forteresse de Pignerol en 1679, puis à la Bastille, où il mourut en 1703, après avoir été contraint, sa vie durant, de porter un masque.

MASQUÉ, E adj., **MASQUER** v. t. → MASQUE.

MASSA, v. d'Italie (Toscane), ch.-l. de la province de *Massa e Carrara;* 62 900 hab. Marbre.

MASSACHUSETTS, État du nord-est des États-Unis, en Nouvelle-Angleterre, sur l'Atlantique; 21 386 km²; 5 689 200 hab. Capit. *Boston*. De cette colonie partit en 1773 le mouvement d'indépendance qui est à l'origine des États-Unis d'Amérique.

MASSACRE [masakr] n. m. (de l'ar. *maslakh*, abattoir). **1.** Action de tuer sauvagement et en masse des gens qui ne peuvent se défendre : *Le massacre de la Saint-Barthélemy* (syn. BOUCHERIE, TUERIE); et en parlant d'animaux : *Les chasseurs se livrèrent à un véritable massacre* (syn. CARNAGE). — **2.** Action de défigurer une œuvre musicale, théâtrale, etc., en l'exécutant mal : *Cette interprétation est un vrai massacre.* — **4.** *Jeu de massacre*, jeu de foire qui consiste à renverser avec des balles des poupées à bascule. ◆ **massacrer** v. t. **1.** Tuer sauvagement et en masse : *Massacrer des populations civiles* (syn. EXTERMINER). — **2.** Abîmer par maladresse, par un travail sans soin, par une mauvaise exécution, etc. : *Massacrer un texte en le disant* (syn. DÉFIGURER). ◆ **massacrant, e** adj. *Être d'une humeur massacrante*, être de très mauvaise humeur. ◆ **massacreur** n. m.

MASSADA ou **MASADA,** forteresse de Palestine, près de la rive ouest de la mer Morte, qui fut le dernier bastion de la résistance juive (73 apr. J.-C.).

MASSAGE n. m. ⟶ MASSER 2.

MASSAÏS ⟶ MASAÏS.

MASSALIOTE [masaljɔt] adj. et n. (de *Massalia*, n. grec de *Marseille*). De l'antique Marseille.

MASSAOUA, port d'Éthiopie (Érythrée), sur la mer Rouge; 17 200 hab. Débouché maritime de l'Éthiopie. Salines.

1. MASSE [mas] n. f. (lat. *massa*). **1.** Grande quantité d'une matière, d'une substance, etc., sans forme précise, mais compacte : *Une masse de rocher. Statue taillée dans la masse* (= dans un seul bloc de pierre, de marbre). ‖ *Masse d'air*, flux d'air qui présente une certaine homogénéité et dont les qualités physiques (pression, température, degré d'humidité) varient suivant la position géographique qu'il occupe : *La rencontre de deux masses d'air constitue un front.* ‖ *Tomber comme une masse*, d'une manière pesante. — **2.** Amas, réunion de parties, de choses distinctes, assemblées en un tout (suivi d'un compl. introduit par *de*) : *Une masse de documents* (syn. ↑MONCEAU, QUANTITÉ); et, fam., au plur. : *Des masses de lettres à écrire.* — **3.** Ensemble imposant dont on ne distingue pas les parties : *On voyait dans la brume la masse du paquebot glisser sur les eaux.* — **4.** *Une masse de*, un grand ensemble d'êtres animés : *Des masses de touristes* (syn. FOULE). — **5.** Grand groupe humain, caractérisé par une fonction déterminée (généralement au plur.) : *Les masses laborieuses, les masses paysannes.* ‖ *Masse salariale*, ensemble des salaires directs et indirects payés par une entreprise. — **6.** Le plus grand nombre, la grande majorité des hommes (avec ou sans compl.) : *La masse des électeurs* (syn. LE GROS). — **7.** (au plur. surtout) La classe ouvrière, les classes populaires : *Discours qui a de l'influence sur les masses* (syn. PEUPLE). — **8.** *Masse de manœuvre*, troupe mise en réserve et disponible pour une manœuvre; argent mis de côté pour servir éventuellement à une opération financière. — **9.** *Électr.* Ensemble des pièces conductrices qui, dans une installation électrique, sont mises en communication avec le sol. — **10.** Mécan. *Masse d'un corps*, rapport de la force appliquée à ce corps à l'accélération qu'elle lui communique. (C'est une grandeur invariable qui correspond à une quantité de matière. L'unité principale de masse est le *kilogramme.*) ‖ *Masse spécifique* ou *volumique*, quotient de la masse d'un corps par son volume. — LOC. ADJ. *De masse*, qui concerne ou qui s'adresse au plus grand nombre : *Les moyens de communication de masse.* — LOC. ADV. *En masse*, en grand nombre (syn. EN FOULE). ◆ **masser** v. t. Rassembler en grand nombre : *Masser des troupes à la frontière.* ◆ **se masser** v. pr. : *La foule s'est massée au passage du cortège.* ◆ **massif, ive** adj. **1.** Qui forme une masse épaisse, imposante, lourde, compacte : *Un homme au visage massif* (syn. ÉPAIS). — **2.** Qui forme un bloc compact, sans présenter de creux ni être plaqué : *Bijou en or massif.* — **3.** En grande quantité; qui réunit un grand nombre de personnes : *Les départs massifs de juillet.* ◆ **massivement** adv.

2. MASSE [mas] n. f. (du lat. *mateola*, marteau). **1.** Gros maillet cerclé de métal, servant à enfoncer un coin dans le bois à fendre. — **2.** *Masse d'armes*, arme formée d'un manche et d'une tête de métal, souvent garnie de pointes. — **3.** Gros bout d'une queue de billard.

MASSÉNA (André), duc DE RIVOLI, prince D'ESSLING, maréchal de France (1758-1817). Il s'illustra à Rivoli (1797), à Zurich (1799), au siège de Gênes (1800), à Essling (1809) et à Wagram (1809).

MASSENET (Jules), compositeur de musique français (1842-1912). Parmi ses compositions pour le théâtre, citons : *Manon*, 1884; *Werther*, 1892.

MASSEPAIN [maspɛ̃] n. m. (it. *marzapane*). Petit biscuit rond, fait avec des amandes et du sucre.

1. MASSER v. t. ⟶ MASSE 1.

2. MASSER [mase] v. t. (de l'ar. *mass*, palper). Presser, en pétrissant avec les mains ou avec un appareil, différentes parties du corps, pour leur donner de la souplesse, pour enlever la fatigue, une douleur, etc. : *Masser les jambes d'un sportif.* ◆ **massage** n. m. : *Le massage du visage.* ◆ **masseur, euse** n. Auxiliaire médical qui pratique les massages. ◆ **masseur-kinésithérapeute** n. Praticien habilité à pratiquer les massages et la kinésithérapie sur prescriptions médicales.

MASSICOT [masiko] n. m. (de *Massicot*, n. de l'inventeur). Machine à rogner le papier. ◆ **massicoter** v. t. Couper, rogner au massicot : *Massicoter un livre.*

1. MASSIF, IVE adj. ⟶ MASSE 1.

2. MASSIF [masif] n. m. (de *masse*). **1.** Ensemble de hauteurs présentant le plus souvent un caractère montagneux : *Le massif du Mont-Blanc.* ‖ *Massif ancien*, région formée de roches cristallines ou primaires n'ayant subi que de larges déformations ou des cassures (failles) : *Les Vosges méridionales sont un massif ancien.* — **2.** Ensemble de fleurs, d'arbustes groupés sur un espace de terre : *Un massif de roses* (syn. PARTERRE).

MASSIF ARMORICAIN ⟶ ARMORICAIN *(Massif).*

MASSIF CENTRAL, région naturelle du centre de la France, s'étendant principalement sur les Régions Auvergne* et Limousin*.

MASSIVEMENT adv. ⟶ MASSE 1.

MASS MEDIA [masmedja] n. m. pl. (de l'angl. *mass*, masse, et *media*, moyens). Syn. de MÉDIAS.

MASSUE [masy] n. f. (bas lat. *matteuca*). **1.** Gros bâton noueux, dont une des extrémités était plus grosse que l'autre et dont on se servait comme arme. — **2.** Fam. *Coup de massue*, événement brutal, catastrophique et inattendu. ‖ *Argument massue*, qui laisse sans réplique l'interlocuteur.

MASSY, ch.-l. de cant. de l'Essonne, dans la banlieue sud de Paris; 40 400 hab. *(Massicois).* Grand ensemble résidentiel.

MASSYS (Quinten) ⟶ MATSYS.

MASTIC [mastik] n. m. (gr. *mastikhê*). Pâte adhésive, faite de craie pulvérisée et d'huile de lin, dont on se sert pour boucher les trous, pour faire tenir les vitres, etc. ◆ **mastiquer** v. t. : *Mastiquer les fentes d'un mur.* ◆ **masticage** n. m.

MASTICATEUR, TRICE adj., **MASTICATION** n. f. ⟶ MASTIQUER 2.

1. MASTIQUER v. t. ⟶ MASTIC.

2. MASTIQUER [mastike] v. t. (lat. *masticare*). Broyer les aliments avec les dents et les triturer avant de les avaler (syn. MÂCHER). ◆ **masticateur, trice** adj. Qui intervient dans la mastication : *Muscles masticateurs.* ◆ **mastication** n. f. Action de broyer, de mâcher les aliments solides.

MASTOC [mastɔk] adj. inv. (all. *Mastochs*, bœuf à l'engrais). *Péjor.* Se dit de quelqu'un ou de quelque chose aux formes grossières, massives, lourdes : *Des édifices mastoc.*

MASTODONTE [mastɔdɔ̃t] n. m. (du gr. *mastos*, mamelle, et *odontos*, dent). **1.** Mammifère fossile de la fin du Tertiaire et du début du Quaternaire, voisin de l'éléphant, dont il avait la taille, et qui possédait quatre défenses (les deux incisives supérieures et les deux inférieures) et des molaires à gros tubercules arrondis sur quatre à six rangées. — **2.** *Fam.* Personne ou chose énorme.

MASTOÏDE [mastɔid] adj. et n. f. (gr. *mastoeidês*, qui a l'apparence d'une mamelle). *Anat.* Se dit de l'apophyse en forme de mamelon, située à la partie inférieure et postérieure de l'os temporal. (La mastoïde reçoit les insertions de plusieurs muscles du cou. Elle est creusée de cavités qui communiquent avec l'oreille moyenne.) ◆ **mastoïdien, enne** adj. *Cavités mastoïdiennes*, cavités creusées dans l'os temporal, en communication avec la caisse du tympan. ◆ **mastoïdite** n. f. *Méd.* Inflammation des cavités mastoïdiennes, consécutive à une otite.

MASTURBER (SE) [səmastyrbe] v. pr. (lat. *manus*, main, et *stuprare*, polluer). Se toucher les parties génitales pour se procurer du plaisir. ◆ **masturbation** n. f.

M'AS-TU-VU [matyvy] n. m. inv. *Fam.* Personne toujours prête à se vanter.

MASURE [mazyr] n. f. (bas lat. *mansura*). Maison délabrée.

1. MAT [mat] adj. inv. et n. m. (persan *mât*, mort). Terme du jeu d'échecs indiquant que le roi ne peut plus quitter sa place sans être pris.

2. MAT, E [mat] adj. (du lat. *madere*, être humide). **1.** Se dit d'un métal, d'une couleur, etc., qui n'a pas d'éclat, de poli : *De l'argent mat* (contr. BRILLANT). *Peinture mate. Teint mat* (contr. CLAIR). — **2.** Se dit d'un son qui n'a pas de résonance : *Un bruit mat* (syn. SOURD; contr. SONORE).

MÂT [mɑ] n. m. (frq. *mast*). **1.** Dans un navire, pièce de bois verticale ou oblique, portant la voilure, les antennes de radio, les signalisations, etc. : *Le drapeau flotte au mât du navire.* ⟶ ENCYCL. — **2.** Poteau servant à divers usages : *Un mât de tente.* ‖ *Mât de cocagne* ⟶ COCAGNE. ◆ **mâter** v. t. Mettre en place les mâts d'un navire. ◆ **mâture** n. f. Ensemble des mâts d'un navire. ◆ **démâter** v. t. Enlever les mâts.
— ENCYCL. Les navires à voiles ont de un à six *mâts* verticaux et un incliné, le beaupré. Mais la mâture la plus commune se compose de trois mâts verticaux (mât d'artimon, grand mât et mât de misaine) et du beaupré. Au-dessus des bas-mâts se trouvent les mâts de hune, que complètent les mâts de perroquet.

MATABÉLÉ ou **MATABELELAND,** région du Zimbabwe, peuplée par les *Matabélés.* V. pr. *Bulawayo.*

MATADI, port du Zaïre, sur le Congo, relié par chemin de fer à Kinshasa; 110 400 hab.

MATADOR [matadɔr] n. m. (mot esp. signif. *tueur*). Celui qui, dans les courses de taureaux, est chargé de tuer l'animal.

MATA HARI (Margaretha Geertruida ZELLE, dite), danseuse et aventurière hollandaise (1876-1917). Convaincue d'espionnage en faveur de l'Allemagne, elle fut fusillée à Vincennes.

Matamore (le) [esp. *Matamoros* signif. *tueur de Maures*], personnage de la comédie espagnole, bravache et poltron, qui se vante d'exploits imaginaires.

MATAMORE [matamɔr] n. m. (de *Matamore*). Personne qui n'est courageuse qu'en paroles : *Prendre des airs de matamore* (syn. BRAVACHE, FANFARON).

MATAMOROS, v. du Mexique, sur le río Grande del Norte; 182 900 hab.

MATANZAS, port de la côte nord de Cuba; 99 000 hab. Exportation de sucre.

MATAPAN *(cap)* ou **TÉNARE** *(cap)*, cap au S. du Péloponnèse (Grèce). Victoire navale remportée par les Anglais sur les Italiens pendant la Seconde Guerre mondiale (mars 1941).

MATCH [matʃ] n. m. (mot angl.). Épreuve sportive disputée entre deux adversaires ou deux équipes : *La série des matchs* (ou *matches*) *aller* (dans une coupe où les adversaires se rencontrent deux fois). *Faire match nul* (= se dit d'équipes ou de concurrents qui, à l'issue des épreuves, ont un nombre égal de points).

MATÉ [mate] n. m. (mot d'une langue du Pérou). Arbre de l'Amérique du Sud, voisin du houx. (On fait de ses feuilles une infusion stimulante et diurétique appelée THÉ DE PARAGUAY ou THÉ DES JÉSUITES.)

MATELAS [matla] n. m. (de l'ar. *matrash*, chose jetée à terre). **1.** Pièce de la literie, composée d'un long et large coussin piqué, rembourré et qui est posé sur le sommier. — **2.** *Matelas pneumatique*, enveloppe de toile caoutchoutée que l'on gonfle d'air. ◆ **matelasser** v. t. Rembourrer à la manière d'un matelas; garnir d'un revêtement. ◆ **matelassier, ère** n. Personne dont le métier est de confectionner des matelas.

MATELOT [matlo] n. m. (anc. néerl. *mattenoot*, compagnon). Homme de l'équipage d'un navire qui participe à sa manœuvre.

MATELOTE [matlɔt] n. f. (de *matelot*). Plat cuisiné composé de poisson (anguille) assaisonné de vin et d'oignons.

MATER [mate] v. t. (de *mat* 1). **1.** *Mater qq'un*, le soumettre à son autorité par la violence, par la sévérité, en brisant sa résistance : *Mater un enfant indiscipliné* (syn. DOMPTER). — **2.** *Mater qqch.*, s'en rendre maître, en empêcher le développement dangereux : *Mater une révolte* (syn. ÉTOUFFER).

MÂTER v. t. ⟶ MÂT.

MATÉRIALISATION n. f., **MATÉRIALISER** v. t., **MATÉRIALISME** n. m., **MATÉRIALISTE** adj. et n., **MATÉRIALITÉ** n. f. ⟶ MATÉRIEL 2.

MATÉRIAUX [materjo] n. m. pl. (pl. de *material*, var. anc. de *matériel*). **1.** Ensemble des matières entrant dans la construction des bâtiments, des voies de communication, etc. : *Éprouver la résistance des matériaux.* — **2.** Ensemble de faits, d'idées entrant dans la composition d'une œuvre littéraire : *Matériaux réunis pour la rédaction d'un livre* (syn. DOCUMENT). ◆ **matériau** n. m. Matière entrant dans la construction : *La pierre est un matériau.*

1. MATÉRIEL [materjɛl] n. m. (lat. *materialis*, de *materia*, matière). Ensemble des objets, des équipements, des machines utilisés dans une usine, des bureaux, une exploitation, etc. : *Le matériel agricole. Le matériel roulant* (= locomotives, wagons, voitures).

2. MATÉRIEL, ELLE [materjɛl] adj. (même étym.). **1.** Formé par la matière (par oppos. à SPIRITUEL) : *L'univers matériel.* ⟶ MATIÈRE 1.) — **2.** Qui existe effectivement, dont la réalité est évidente : *Je suis dans l'impossibilité matérielle de le joindre. Ne pas avoir le temps matériel d'accomplir une action* (= nécessaire). *Avoir les preuves matérielles d'un mensonge.* — **3.** Qui concerne les nécessités de la vie quotidienne, les moyens financiers d'existence; qui est constitué par les biens possédés : *Les avantages matériels* (= concrets, en nature). *Avoir des soucis matériels* (= d'argent). *Apporter une aide matérielle* (contr. MORAL). — **4.** Exclusivement attaché à l'argent, aux plaisirs, à la possession des biens : *Un esprit matériel* (syn. PROSAÏQUE, TERRE À TERRE). ◆ **matériellement** adv. D'une manière réelle, positive : *C'est matériellement impossible* (syn. EFFECTIVEMENT). ◆ **immatériel, elle** adj. **1.** Qui n'est pas formé de matière : *Les anges sont des êtres immatériels.* — **2.** Qui ne semble pas de nature matérielle : *Elle est d'une minceur immatérielle.* ◆ **immatérialité** n. f. : *L'immatérialité de l'âme.* ◆ **matérialiser** v. t. Donner une forme concrète; rendre réel, effectif : *Matérialiser un projet* (syn. CONCRÉTISER, RÉALISER). ◆ **se matérialiser** v. pr. Devenir réel. ◆ **matérialisation** n. f. Action de donner une forme concrète, réelle à quelque chose : *La matérialisation d'un rêve* (syn. RÉALISATION). ◆ **matérialisme** n. m. **1.** Position philosophique qui considère la matière comme la seule réalité et qui nie l'existence de l'âme, de l'au-delà et de Dieu. — **2.** État d'esprit, attitude de celui pour qui seuls comptent les biens matériels et la recherche immédiate du plaisir (sens 4 de l'adj.). ◆ **matérialiste** adj. et n. ◆ **matérialité** n. f. *Établir la matérialité des faits*, établir leur existence réelle.

MATERNEL, ELLE adj., **MATERNELLEMENT** adv., **MATERNITÉ** n. f. ⟶ MÈRE 1.

MATHÉMATIQUES [matematik] n. f. pl. (du gr. *mathêma*, science). Science qui étudie les propriétés des êtres abstraits (nombres, figures géométriques, etc.) ainsi que les relations qui s'établissent entre eux. (Abrév. fam. MATH ou MATHS.) [*Rem.* Ce mot tend de plus en plus à être utilisé au sing. *(la mathématique)* afin de montrer l'unification profonde réalisée dans cette science au cours de la première moitié du XXe s.] ◆ **mathématique** adj. **1.** Relatif aux mathématiques : *Des connaissances mathématiques.* ‖ *Symboles mathématiques* ⟶ tableau. — **2.** Qui a la rigueur des mathématiques : *Une précision mathématique.* — **3.** Fam. *C'est mathématique*, c'est absolument nécessaire ou inévitable. ◆ **mathématiquement** adv. Comme si cela était calculé (syn. NÉCESSAIREMENT). ◆ **mathématicien, enne** n. Personne qui étudie ou enseigne les mathématiques. ◆ **matheux, euse** n. *Fam.* Personne qui aime les mathématiques, qui réussit dans cette discipline.

Symboles mathématiques

VOCABULAIRE	NOTATION	DÉFINITION
implication	$\Longrightarrow$	$A \Longrightarrow B$ A implique B
équivalence	$\Longleftrightarrow$	$A \Longleftrightarrow B$ A est équivalent à B
appartenance	$\in$	$a \in A$ *a* est un élément de A
non-appartenance	$\notin$	$b \notin A$ *b* n'est pas un élément de A
inclusion	$\subset$	$A \subset B$ A est inclus dans B
non-inclusion	$\not\subset$	$M \not\subset B$ M n'est pas inclus dans B
intersection	$\cap$	$T = A \cap B$ T est égal à A inter B (T est l'ensemble des éléments qui appartiennent à la fois à A et à B)
réunion	$\cup$	$R = A \cup B$ R est égal à A union B (R est l'ensemble des éléments qui appartiennent soit à A, soit à B, soit aux deux)

MATHIAS Ier Corvin (1440-1490), roi de Hongrie (1458-1490). Grand soldat, il fut aussi un grand législateur et un protecteur des lettres; il fonda l'université de Pozsony (auj. Bratislava). — MATHIAS II (1557-1619), empereur germanique, roi de Hongrie et de Bohême (1612-1619), fils de Maximilien II. Sous son règne, la défenestration de Prague fut le signal de la guerre de Trente Ans.

MATHIEU (Georges), peintre français, né en 1921. Son art, qu'il appelle l'*abstraction lyrique*, se rattache à la peinture gestuelle. Il est fait de signes tracés avec une grande rapidité en pressant le tube de couleur.

MATHURĀ, v. de l'Inde (Uttar Pradesh); 133 700 hab. Grand centre politique et religieux au début de l'ère chrétienne, Mathurā est considérée comme le lieu de naissance du dieu Krishna. Ce fut le foyer d'une des écoles artistiques les plus importantes de l'Inde, qui connut son apogée au IIe s. apr. J.-C. et continua jusqu'au Ve s.

MATHUSALEM ou **MATHUSALA,** patriarche, fils d'Énoch et grand-père de Noé. Il passe pour avoir vécu 969 ans.

1. MATIÈRE [matjɛr] n. f. (lat. *materia*). **1.** Substance qui constitue les corps : *La structure de la matière.* ⟶ ENCYCL. — **2.** Choses matérielles, concrètes : *Mépriser la matière.* — **3.** (avec un adj.) Substance ayant des caractéristiques, des formes déterminées ou non : *Matière grise* (du cerveau) [syn. SUBSTANCE GRISE]; *fam.* Intelligence, réflexion : *Faire travailler sa matière grise.* ‖ *Matière plastique* ⟶ PLASTIQUE. ‖ *Matière première*, matière brute (= non encore transformée par le travail, par la machine), fournie par le sous-sol ou l'agriculture (pétrole, minerais, coton, etc.) à l'industrie. ‖ *Matières grasses*, substances alimentaires (beurre, huile, etc.) contenant des corps gras. ◆ **antimatière** n. f. Matière (sens 1) qui serait constituée d'antiparticules, de la même manière que la matière est formée de particules. ⟶ ENCYCL.

— ENCYCL. Aujourd'hui, on sait que les corps (= tout objet matériel, caractérisé par ses propriétés physiques) se composent de molécules, elles-mêmes formées d'atomes. L'atome est lui-même constitué d'électrons négatifs gravitant autour d'un noyau central formé de protons et de neutrons : ces constituants de l'atome sont ses particules, dites « élémentaires ». Toute cette « substance » qui constitue les corps forme la *matière*.

La science nucléaire fait apparaître pour chaque particule une antiparticule, de sorte qu'on peut parler d'*antimatière* et, plus aventureusement, d'un univers opposé au nôtre et dont les éléments seraient les antiparticules.

2. MATIÈRE [matjɛr] n. f. (même étym.). **1.** Ce qui constitue le fond, le sujet d'un ouvrage, d'un discours, etc. : *Matière d'un exposé.* — **2.** *En matière* (et un adj.), en ce qui concerne : *En matière juridique.* ‖ *En matière de*, sous le rapport de : *En matière de religion.* ‖ *Être, donner*, etc., *matière à* (et un substantif, un infin.), être l'occasion, la cause de : *Être matière à réflexion.*

Matignon *(hôtel)*, construit rue de Varenne, à Paris, par Courtonne (1721); auj. affecté aux services du Premier ministre.

Matignon *(accords)*, conclus le 7 juin 1936 entre le patronat français et la C. G. T. Ils ont abouti notamment à la reconnaissance du droit syndical, à l'octroi de la semaine de quarante heures et des congés payés.

MATIN [matɛ̃] n. m. (lat. *matutinum*). **1.** Espace de temps compris entre minuit et midi, et en partic. partie du jour comprise entre le lever du soleil et midi (considéré comme une date ou un moment de la journée) : *Le lendemain matin. Il ne travaille que le matin* (contr. SOIR). *À une heure du matin* (= une heure après minuit). — **2.** *Un beau matin*, un jour déterminé (où se passe un incident). ‖ *Au petit matin, de bon matin, de grand matin*, de très bonne heure. ◆ **matinal, e, aux** adj. **1.** Se dit de quelqu'un qui se lève tôt. — **2.** Se dit de quelque chose qui se fait, qui a lieu le matin : *La toilette matinale.* ◆ **matinée** n. f. **1.** Temps qui s'écoule depuis le lever du soleil jusqu'à midi (considéré comme une durée) : *Une très belle matinée* (contr. SOIRÉE). *Faire la grasse matinée* (= s'attarder dans son lit le matin). — **2.** Spectacle qui a lieu l'après-midi : *Jouer une pièce en matinée.* ◆ **matines** n. f. pl. Première partie de l'office divin, chantée avant le lever du jour.

1. MÂTIN [mɑtɛ̃] n. m. (du lat. *mansuetus*, apprivoisé). Gros chien de garde.

2. MÂTIN, E [mɑtɛ̃, -in] n. (même étym.). *Fam.* Personne vive, délurée, malicieuse : *La mâtine nous a trompés!* (syn. COQUIN).

MATINAL, E, AUX adj., **MATINÉE** n. f., **MATINES** n. f. pl. ⟶ MATIN.

MATISSE (Henri), peintre français (1869-1954), l'un des principaux représentants du fauvisme. Il ne cherche pas à décrire objectivement la nature, mais, au contraire, à suggérer des sentiments, simplifiant les formes, créant des arabesques décoratives et poussant la couleur à sa plus haute intensité (série des *Odalisques*). Il a décoré la chapelle du Rosaire des dominicaines de Vence (1950).

MATO GROSSO et **MATO GROSSO DO SUL,** États du Brésil occidental; 1 231 549 km²; 2 512 000 hab. Capit. *Cuiabá* et *Campo Grande.*

MATOIS, E [matwa, -waz] adj. et n. (de l'argot anc. *mate*, lieu de réunion des voleurs). Rusé, finaud (littér.) : *Un paysan matois* (syn. MADRÉ).

MATOU [matu] n. m. (onomat.). *Fam.* Chat mâle.

MÁTRA, massif de la Hongrie du Nord.

MATRAQUE [matrak] n. f. (ar. *matraq*, gourdin). Arme destinée à frapper et qui est constituée par un bâton de bois, de caoutchouc durci, plus ou moins long. ◆ **matraquer** v. t. Frapper à coups de matraque. ◆ **matraquage** n. m. **1.** *Le matraquage des manifestants.* — **2.** *Matraquage publicitaire*, répétition constante de messages publicitaires (à la radio par ex.).

MATRIARCAT [matrijarka] n. m. (du lat. *mater*, mère). Forme de société en vertu de laquelle, chez certains peuples, les femmes donnent leur nom aux enfants et exercent une autorité prépondérante au sein de la famille. ◆ **matriarcal, e, aux** adj. : *Une société matriarcale.*

MATRIÇAGE n. m. ⟶ MATRICE 2.

MATRICAIRE [matrikɛr] n. f. (du lat. *matrix, -icis*, matrice). Plante herbacée odorante, dont une espèce est appelée *petite camomille.* (Famille des composées.)

1. MATRICE [matris] n. f. (lat. *matrix;* de *mater*, mère). Viscère où se fait le développement de l'embryon et du fœtus chez les mammifères.

2. MATRICE [matris] n. f. (même étym.). Moule métallique, en creux ou en relief, qui sert à reproduire des objets par estampage. ◆ **matricer** v. t. Forger une pièce à l'aide de matrices, afin de lui donner une forme et des dimensions précises, la pièce déformée mécaniquement épousant l'empreinte des matrices. ◆ **matriçage** n. m. Opération par laquelle on forme une pièce métallique, de façon définitive, en l'appliquant de force contre une matrice.

3. MATRICE [matris] n. f. (même étym.). *Matrice des contributions*, registre original d'après lequel sont établis les rôles (= cahiers qui portent la liste des contribuables, avec indication de ce qu'ils ont à payer) des contributions. (La *matrice cadastrale* intéresse la contribution foncière des propriétés non bâties. La *matrice d'impôts sur le revenu* est une liste de contribuables assujettis à l'impôt sur le revenu, portant mention des bases d'imposition de chacun.) ◆ **matriciel, elle** adj. Relatif aux matrices administratives : *Les données matricielles de l'impôt.*

MATRICER v. t. ⟶ MATRICE 2.

MATRICIEL, ELLE adj. ⟶ MATRICE 3.

MATRICULE [matrikyl] n. f. (lat. *matricula*, petit registre). Registre, liste où sont inscrites les personnes qui entrent dans une collectivité ou un organisme : *Matricule militaire.* ◆ n. m. Numéro d'inscription sur ce registre : *Le prisonnier, matricule 390* ◆ adj. : *Registre, numéro matricule.*

MATRIMONIAL, E, AUX [matrimɔnjal, -njo] adj. (du lat. *matrimonium*, mariage). Relatif au mariage. ‖ *Régime matrimonial*, ensemble de dispositions fixées par la loi qui règlent les intérêts (argent, biens, etc.) des époux.

MATRONE [matrɔn] n. f. (lat. *matrona*). **1.** *Antiq.* Dame romaine. — **2.** *Péjor.* Grosse femme d'âge mûr, aux manières vulgaires.

MATSUDO, v. du Japon, dans l'île de Honshū ; 400 900 hab.

MATSUMOTO, v. du Japon, dans l'île de Honshū; 162 900 hab. Centre commercial et textile (soie).

MATSUYAMA, v. du Japon, dans l'île de Shikoku ; 401 000 hab. Textiles.

MATSYS ou **MASSYS** (Quinten ou Quentin), peintre flamand (v. 1466-1530). Fondateur de l'école d'Anvers, il reflète dans sa peinture l'influence de l'Italie *(Madones* et *Crucifixions).* Ses grands triptyques (*Lignée de sainte Anne*, 1510; *Ensevelissement du Christ*, 1509-1511) manifestent une beauté plastique dont la *Madeleine* d'Anvers semble être l'accomplissement. Il a développé la peinture de genre *(le Prêteur et sa femme).*

MATTERHORN, nom all. du CERVIN.

MATTHIEU *(saint)*, apôtre et évangéliste (Ier s.). Il est l'auteur du premier Évangile.

MATURATION n. f., **MATURITÉ** n. f. ⟶ MÛR.

MÂTURE n. f. ⟶ MÂT.

MAUBEUGE, ch.-l. de cant. du Nord, sur la Sambre, à 36 km au S.-E. de Valenciennes; 36 200 hab. Anc. ville forte (restes de fortifications par Vauban). Métallurgie.

MAUDIRE [modir] v. t. (lat. *maledicere*, dire du mal). [Conj. **15**; à l'exception de l'infin. *maudire* et du part. passé *maudit*.] **1.** *Maudire qq'un*, appeler le malheur sur lui, le vouer à la damnation : *Noé maudit son fils Cham.* — **2.** *Maudire qq'un, qqch.*, manifester contre eux son exaspération, sa colère, sa haine : *Maudire le sort* (syn. S'EMPORTER CONTRE). ◆ **maudit, e** adj. et n. Qui est voué à la damnation; qui est rejeté par la société : *Les sculptures évoquaient les supplices des maudits* (syn. DAMNÉ). *L'amour maudit* (syn. INTERDIT). ◆ adj. (avant le nom). Sert d'injure pour manifester sa colère, son impatience contre quelqu'un, contre quelque chose : *Une maudite pluie nous a empêchés de sortir.* ◆ **malédiction** [malediksjɔ̃] n. f. **1.** Action de maudire, d'appeler sur quelqu'un le malheur; paroles par lesquelles on souhaite du mal à quelqu'un. — **2.** Malheur fatal qui semble s'abattre sur quelqu'un sur quelque chose : *La malédiction semble peser sur ce navire, trois fois atteint par l'incendie.*

MAUGES (les), région de l'Anjou méridional (Maine-et-Loire), au S. de la Loire.

MAUGRÉER [mogree] v. i. et t. (de *mal*, et *gré*). Manifester de a mauvaise humeur, du mécontentement, en prononçant des paroles à mi-voix : *Il céda sa place en maugréant* (syn. fam. RONCHONNER, ROUSPÉTER).

MAUGUIO, ch.-l. de cant. de l'Hérault, à 11 km à l'E. de Montpellier, près de l'*étang de Mauguio*; 9 900 hab. *(Melgoriens).*

MAULÉON-LICHARRE, ancienn. **Mauléon-Soule,** ch.-l. de cant. des Pyrénées-Atlantiques, à 31 km à l'O. d'Oloron-Sainte-Marie, sur le *gave de Mauléon*: 4 300 hab. Anc. capit. du pays de Soule. Chaussures.

MAUMUSSON *(pertuis de)*, détroit entre l'île d'Oléron et la côte.

MAUNA KEA, volcan éteint, point culminant de l'île d'Hawaii (4 208 m), au N.-E. du *Mauna Loa*, volcan actif (4 168 m).

MAUNOURY (Joseph), maréchal de France (1847-1923). Il contribua à la victoire de la Marne en battant les Allemands sur l'Ourcq (1914).

MAUPASSANT (Guy DE), écrivain français (1850-1893). Il est l'auteur de romans, de contes et de nombreuses nouvelles réalistes qui évoquent la vie des paysans normands, des petits bourgeois, la misère et la médiocrité attachées à la condition des hommes de son temps, ou les hallucinations de la folie. Souffrant de troubles nerveux, il mourut dans un état voisin de la folie.

Parmi ses recueils de contes et nouvelles, citons : *la Maison Tellier* (1881), *Contes de la bécasse* (1883), *le Horla* (1887); parmi ses romans, *Une vie* (1883), *Bel-Ami* (1885), *Pierre et Jean* (1888).

MAUPEOU (René Nicolas DE), chancelier de France (1714-1792). Chancelier en 1768, il constitua avec l'abbé Terray et le duc d'Aiguillon un triumvirat antiparlementaire et exila le parlement de Paris en 1771. Dès 1774, Louis XVI rappela celui-ci, ruinant ainsi l'œuvre de Maupeou.

MAUPERTUIS (Pierre Louis MOREAU DE), mathématicien français (1698-1759). En 1736, il est envoyé par l'Académie des sciences en Laponie pour mesurer la longueur d'un arc de méridien de 1°, afin de trancher entre diverses théories sur la forme de la Terre et son aplatissement. En 1744, il énonce son fameux *principe de moindre action :* « Le chemin que tient la lumière est celui pour lequel la quantité d'action est moindre. »

MAURE ou **MORE** [mor] adj. et n. m. (du lat. *maurus*). **1.** Nom donné par les Romains aux Berbères de l'Afrique septentrionale. (Au Moyen Âge, le terme s'appliqua aux Berbères qui conquirent l'Espagne.) — **2.** Auj., nom donné aux habitants du Sahara occidental. (Fém. : *Une Mauresque. Une femme mauresque.*) ◆ **mauresque** ou **moresque** adj. Propre aux Maures.

MAUREPAS (Jean Frédéric PHÉLYPEAUX, *comte* DE), homme politique français (1701-1781). Secrétaire d'État à la Maison du roi (1718-1749), puis à la Marine et aux Colonies sous Louis XV (1723-1749), il devint ministre d'État sous Louis XVI (1774).

MAURES (les), massif côtier de Provence (Var); 780 m au signal de la Sauvette. Massif primaire gréseux et schisteux, en partie boisé, il domine de nombreuses stations balnéaires.

MAURESQUE adj. et n. ⟶ MAURE.

MAURÉTANIE ⟶ MAURITANIE.

MAURIAC, ch.-l. d'arrond. du Cantal, à 58 km au N. d'Aurillac; 4 800 hab. *(Mauriacois).* Marché agricole.

MAURIAC (François), écrivain français (1885-1970). Auteur de romans qui peignent la vie provinciale et évoquent le conflit entre la foi catholique et la brutalité des passions, ou entre l'individu et la famille (*Genitrix*, 1924; *Thérèse Desqueyroux*, 1927; *le Nœud de vipères*, 1932; *les Anges noirs*, 1936), il a écrit également des pièces de théâtre (*Asmodée*, 1938; *les Mal-Aimés*, 1945), des articles critiques et politiques, des recueils de souvenirs. (Prix Nobel, 1952.)

MAURICE *(île)*, en angl. **Mauritius**, ancienn. **île de France,** État de l'océan Indien, à l'E. de Madagascar; 2 040 km²; 1 million d'hab. Capit. *Port-Louis.*

GÉOGRAPHIE

L'économie de cette île montagneuse, en grande partie volcanique, repose sur la culture de la canne à sucre, principal produit d'exportation. La population, pour les deux tiers d'origine indienne, s'accroît rapidement.

HISTOIRE

- *1507. L'île est découverte par les Portugais.*

Au XVIIᵉ s., les Hollandais s'y établissent et lui donnent le nom de *Maurice* de Nassau.

- *1715. Les Français les remplacent et lui donnent le nom d'« île de France ».*

L'île s'enrichit alors par ses plantations de canne à sucre. Port-Louis devient un des grands ports de l'océan Indien.

- *1810. Malgré la résistance du général Decaen, l'île tombe aux mains des Anglais.*

Elle devient une possession britannique (congrès de Vienne) et reprend le nom d'*île Maurice*.

- *1968. L'île constitue un État indépendant, membre du Commonwealth.*

MAURICE DE NASSAU (1567-1625), stathouder des Provinces-Unies (1584-1625), fils du stathouder Guillaume Iᵉʳ de Nassau. Il combattit victorieusement la domination espagnole et fit condamner à mort le grand pensionnaire (= chef du pouvoir exécutif) Oldenbarnevelt (1619). Il devint prince d'Orange en 1618.

MAURICE, comte **de Saxe,** dit **le Maréchal de Saxe** (1696-1750), fils de l'Électeur de Saxe Frédéric-Auguste. Il servit le roi de Pologne, puis le roi de France (1720). L'un des plus grands capitaines de son siècle, il fut victorieux à Fontenoy (1745), Raucoux (1746), Lawfeld (1747). Il fut créé maréchal de France en 1744.

MAURICIE, partie du Québec (Canada), entre Montréal et Québec, dans la région du Saint-Maurice. V. pr. *Trois-Rivières.* Nombreuses installations hydro-électriques et papeteries.

MAURIENNE (la), région des Alpes, en Savoie, correspondant à la vallée de l'Arc. Aménagements hydro-électriques. Électrométallurgie et électrochimie.

MAURITANIE ou **MAURÉTANIE,** contrée de l'Afrique du Nord, divisée par les Romains en Mauritanies *Tingitane*, *Césarienne* et *Sitifienne*, auj. partagée entre le Maroc, l'Algérie et la Tunisie.

MAURITANIE *(République islamique de)*, république de l'Afrique occidentale, sur l'océan Atlantique, 1 080 000 km²; 2 millions d'hab. (2 au km²) [*Mauritaniens*]. Capit. *Nouakchott* (600 000 hab.). Langues : *arabe* et *français*.

⟶ cartes en couleurs AFRIQUE pp. 48-49.

GÉOGRAPHIE

Vaste ensemble de plaines et de bas plateaux gréseux, la Mauritanie appartient au Sahara occidental. En raison de son climat désertique, sa végétation se limite à une maigre steppe.

	TEMPÉRATURES MOYENNES janv.	juil.	PLUIES
Nouadhibou	20 °C	27 °C	43 mm

Le pays, à la densité extrêmement faible, est peuplé surtout de pasteurs nomades dont les troupeaux (ovins, caprins, chameaux) parcourent le désert. Quelques îlots de culture se localisent dans le Sud, plus humide, et dans des oasis.

La pêche est très développée le long des côtes de l'Atlantique (langoustes). Mais la véritable richesse du pays vient de ses gisements de fer (F'Derick). Le minerai (6 millions de t) est amené par voie ferrée jusqu'à Nouadhibou, par où il est exporté.

HISTOIRE

Au IVᵉ s., les Berbères Ṣanhādja repoussent vers le S. les sédentaires noirs pour contrôler le commerce de l'or du Soudan et du sel saharien.

Au XIᵉ s. la secte musulmane des Almoravides se développe parmi les Ṣanhādja, détruit l'empire noir du Ghāna et s'empare du Maroc.

Au cours du XIVᵉ s., les Arabes Ma'qil s'installent en Mauritanie et arabisent les Berbères.

Aux XVIIᵉ et XVIIIᵉ s., les Français occupent les forts d'Arguin et Portendick.

- *1855-1858. Faidherbe commence la conquête du pays.*

Elle se poursuivra jusqu'en 1909, sous la direction de Gouraud.

- *1958. La Mauritanie, colonie autonome depuis 1920, est proclamée République islamique.*

Elle obtient l'indépendance en 1960, sous la présidence de Moktar Ould Daddah. La nouvelle république doit affronter les revendications territoriales marocaines, puis, en 1966, des troubles linguistiques, et, en 1972, une crise sociale.

- *1976. Occupation de la partie sud de l'ancien Sahara espagnol.*
- *1978. Un coup d'État militaire renverse Moktar Ould Daddah.*
- *1979. La Mauritanie renonce à sa zone du Sahara occidental.*
- *1980. Le lieutenant-colonel Ould Haidalla devient chef de l'État.*
- *1984. Il est renversé par le colonel Ould Taya.*

En 1989, de graves affrontements interethniques provoquent une vive tension avec le Sénégal.

MAUROIS (André), écrivain français (1885-1967). Auteur de souvenirs de guerre pleins d'humour (*les Silences du colonel Bramble*, 1918), de romans (*Climats*, 1928), d'essais historiques et littéraires, il doit surtout sa célébrité à ses biographies romancées (*Ariel ou la Vie de Shelley*, 1923; *Olympio ou la Vie de Victor Hugo*, 1954; *Prométhée ou la Vie de Balzac*, 1965).

MAUROY (Pierre), homme politique français (né en 1928), Premier ministre de 1981 à 1984 et premier secrétaire du parti socialiste de 1988 à 1992.

MAURRAS (Charles), écrivain français (1868-1952). Monarchiste, directeur du journal *l'Action française*, il attaqua dans ses récits et ses essais tout ce qui lui paraissait cause de désordre dans l'art ou la vie politique : *Enquête sur la monarchie*, 1900-1909; *Anthinea*, 1901; *l'Avenir de l'intelligence*, 1905. Il fut, en 1945, condamné à la réclusion perpétuelle pour collaboration avec les Allemands.

MAUSER [mozɛr] n. m. (du n. de son fabricant). Fusil mis au point en Allemagne en 1872. (Plusieurs fois perfectionné, il arma l'infanterie allemande jusqu'en 1945 et fut adopté par diverses armées européennes.)

MAUSOLE, mort en 353 av. J.-C., roi de Carie de 377 à 353 av. J.-C., dont le tombeau comptait parmi les Sept Merveilles* du monde (le *Mausolée*).

MAUSOLÉE [mozɔle] n. m. (de *Mausole*). Monument funéraire somptueux.

MAUSS (Marcel), sociologue et ethnologue français (1872-1950), créateur, avec P. Rivet, de l'Institut d'ethnologie.

MAUSSADE [mosad] adj. (de *mal*, et anc. fr. *sade*, agréable). **1.** Se dit de quelqu'un (ou de son attitude) qui manifeste de la mauvaise humeur : *Un air maussade* (syn. MÉCONTENT, RENFROGNÉ). — **2.** Se dit de ce qui inspire de l'ennui : *Le temps est maussade* (syn. TERNE, TRISTE).

MAUTHAUSEN, localité d'Autriche, près de Linz, sur le Danube. Pendant la Seconde Guerre mondiale, les nazis y établirent un camp d'extermination (environ 150 000 morts).

MAUVAIS, E [movɛ, -ɛz] adj. (bas lat. *malifatius*, qui a un mauvais sort) [avant le nom]. **1.** Se dit d'une chose qui présente un défaut, une imperfection : *Acheter de la mauvaise marchandise* (syn. DÉFECTUEUX; contr. BON). *Sa mémoire est mauvaise* (syn. INFIDÈLE). *Parler un mauvais français* (syn. INCORRECT). *Faire un mauvais calcul* (syn. FAUX). *Sa santé est mauvaise. Avoir mauvaise mine* (= paraître malade). — **2.** Se dit de quelqu'un qui n'a pas les qualités qu'il devrait avoir : *De mauvais acteurs* (contr. EXCELLENT). — **3.** Se dit de ce qui ne convient pas, de ce qui n'est pas opportun : *Il s'est décidé au mauvais moment* (syn. INOPPORTUN). *Chercher une mauvaise querelle à qq'un.* — **4.** Se dit de ce qui nuit, cause du mal, présente un danger : *Il s'est fait une mauvaise fracture. C'est mauvais pour votre santé* (syn. NUISIBLE À). — **5.** Se dit de ce qui est désagréable, de ce qui déplaît, cause de la peine : *Faire un mauvais repas. Passer un mauvais quart d'heure* (syn. PÉNIBLE). — **6.** Se dit de quelqu'un (ou de son comportement) qui n'a pas les qualités morales requises : *Être le mauvais génie de qq'un. Une femme de mauvaise vie.* — **7.** Qui fait le mal; qui manifeste de la méchanceté : *Une mauvaise langue* (= une personne médisante). *Faire la mauvaise tête* (= s'obstiner méchamment). *Un mauvais sujet* (= un individu dont la conduite est répréhensible). — **8.** *Trouver mauvais que* (et le subj.), considérer comme néfaste (syn. DÉSAPPROUVER). ◆ adv. *Il fait mauvais,* le temps n'est pas beau (= il pleut, il neige, il fait froid, etc.). ‖ *Sentir mauvais,* exhaler une odeur désagréable. ◆ n. m. : *Le bon et le mauvais.*

1. MAUVE [mov] n. f. (lat. *malva*). Plante à fleurs roses ou violacées. (Famille des malvacées.)

2. MAUVE [mov] adj. (même étym.). De couleur violet pâle. ◆ n. m. : *Un mauve très proche du bleu.*

MAUVIETTE [movjɛt] n. f. (de l'anc. fr. *mauve*, mouette). *Fam.* Personne chétive, délicate.

MAUVIS [movi] n. m. (de l'anc. fr. *mauve*, mouette). Petite grive passant en France en octobre et en février, et dont la chair est estimée. (Famille des turdidés.)

MAXENCE (v. 280-312), empereur romain de 306 à 312, fils de Maximien. Il prit le titre d'auguste en 307, et s'empara de l'Italie et de l'Afrique. Il fut vaincu par Constantin au pont Milvius (312), où il trouva la mort.

MAXÉVILLE, comm. de Meurthe-et-Moselle, dans la banlieue nord de Nancy; 9 000 hab. Brasserie. Carrières de calcaire.

MAXILLAIRE [maksilɛr] adj. (du lat. *maxilla*, mâchoire). Relatif aux mâchoires. ◆ n. m. Chacun des deux os qui constituent la mâchoire : *Chez l'homme, la mâchoire supérieure est constituée par les deux maxillaires supérieurs et la mâchoire inférieure par le maxillaire inférieur, seul os mobile de la tête.* ◆ **sous-maxillaire** adj. Situé sous la mâchoire. ‖ *Glande sous-maxillaire,* glande salivaire située à la face interne du maxillaire inférieur.

MAXIMA adj. et n. m. pl., **MAXIMAL, E, AUX** adj. ⟶ MAXIMUM.

MAXIME [maksim] n. f. (lat. *maxima sententia*, sentence générale). Formule énonçant une règle de morale ou de conduite : *Des maximes populaires* (syn. SENTENCE).

MAXIME, mort en 388, empereur romain (383-388). Il régna en Gaule et en Espagne, et fut vaincu et tué par Théodose Ier.

Maximes, ouvrage de La Rochefoucauld (1665), où il tend à rapporter toutes les actions et tous les sentiments à l'amour-propre et à l'intérêt personnel.

MAXIMIEN (v. 250-310), empereur romain de 286 à 305 et de 306 à 310. Il fut associé à la tétrarchie par Dioclétien d'abord comme césar, puis comme auguste.

MAXIMILIEN Ier, archiduc d'Autriche (1459-1519), empereur germanique de 1493 à 1519. Il livra contre Louis XI la bataille de Guinegatte (1479) et lui laissa la Picardie et la Bourgogne au traité d'Arras (1482). Il avait épousé Marie de Bourgogne, héritière de Charles le Téméraire.

MAXIMILIEN Ier, né à Munich (1573-1651), duc, puis Électeur de Bavière de 1597 à sa mort, allié de Ferdinand d'Autriche dans la guerre de Trente Ans.

MAXIMILIEN (Ferdinand Joseph), archiduc d'Autriche (1832-1867). Choisi comme empereur du Mexique par Napoléon III, il se rendit impopulaire. Abandonné en 1867 par la France, il fut pris à Querétaro et fusillé.

MAXIMIN Ier (173-238), empereur romain (235-238). Il succéda à Sévère Alexandre, mais fut assassiné à la suite de révoltes en Italie et en Afrique.

MAXIMUM [maksimɔm], pl. **MAXIMUMS** ou **MAXIMA,** n. m. et adj. (mot lat. signif. *le plus grand*). Se dit du degré le plus haut qu'une chose puisse atteindre; la plus grande quantité : *Payer le tarif maximum* (contr. MINIMUM). *Courir le maximum de risques. Le condamné a eu le maximum* (= la peine la plus forte qui soit prévue). *Températures maxima.* — LOC. ADV. *Au maximum,* au plus haut degré. ◆ **maximal, e, aux** adj. Syn. de l'adj. MAXIMUM : *Les températures maximales* (contr. MINIMAL).

MAXWELL (James Clerk), physicien anglais (1831-1879), auteur de la théorie électromagnétique de la lumière (1865).

MAXWELL [makswɛl] n. m. (de *Maxwell*). Unité C. G. S. de flux magnétique (symb. : M).

MAYAS, Indiens de l'Amérique centrale (Honduras, Guatemala, sud du Mexique) dont la langue est encore parlée par 2 millions de personnes. Ils avaient atteint un haut degré de civilisation à l'époque précolombienne.

- *320-987 apr. J.-C. Après une longue maturation, apparaît l'Ancien Empire qui connaît son apogée de 731 à 987, autour de Palenque et Piedras Negras. Sa décadence est rapide.*

Le Nouvel Empire commence à la fin du Xe s. Il est centré sur le Yucatán, autour des cités d'Uxmal, Chichén, Mayapán, fédérées jusqu'en 1194.

La période suivante est marquée par des luttes entre cités, qui à partir de 1441 entraînent une décadence que consacrera la conquête espagnole (début du XVIe s.).

La civilisation maya était une civilisation de cités-États. Quatre classes composaient la société : nobles, prêtres, peuple et esclaves. L'économie, essentiellement agricole, reposait sur la culture du maïs, du coton et du cacao.

Cette civilisation créa un système d'écriture hiéroglyphique et une arithmétique très précise, comportant le zéro. Il subsiste de nombreux exemples de son architecture (pyramides tronquées) et de sa sculpture (bas-reliefs). Les Mayas vénéraient de nombreux dieux, dont le culte comprenait peu de sacrifices humains.

MAYENCE, en all. **Mainz,** v. d'Allemagne, capit. de l'État de Rhénanie-Palatinat, sur le Rhin (r. g.); 172 200 hab. Cathédrale (XIe-XIIIe s.). Musée d'antiquités romaines.

MAYENNE (la), riv. du Maine, qui se joint à la Sarthe pour former la Maine; 200 km. Elle arrose Mayenne, Laval, Château-Gontier.

MAYENNE (53), dép. de l'ouest de la France (Région Pays de la Loire); 5 175 km²; 271 800 hab. (52 au km²) [France : 103]. Ch.-l. *Laval.*

ADMINISTRATION. 3 arrond. (*Château-Gontier*, 55 900 hab.; *Laval*, 128 300 hab.; *Mayenne*, 87 600 hab.). / 32 cant. / 259 comm.

Appartenant à l'extrémité orientale du Massif armoricain, le département s'étend sur le bas Maine, pays de plaines (au S.) et de plateaux dont l'altitude dépasse assez fréquemment 200 m dans le Nord. Le climat océanique domine.

L'*agriculture* emploie encore le tiers de la population active (plus du triple de la moyenne française). L'élevage bovin domine, mais les cultures céréalières n'ont pas disparu.

L'*industrie*, peu développée, n'occupe guère plus que 30 p. 100 de la population active. À la prépondérance du textile a succédé celle des constructions mécaniques, présentes surtout à Laval.

LOCALITÉS PRINCIPALES	NOMBRE D'HAB.
Laval	53 800
Mayenne	14 300
Château-Gontier	8 400
Évron	6 800
Ernée	6 100
Saint-Berthevin	5 800
Craon	5 000
Bonchamp-lès-Laval	3 450
Villaines-la-Juhel	3 100
Ambrières-les-Vallées	3 000

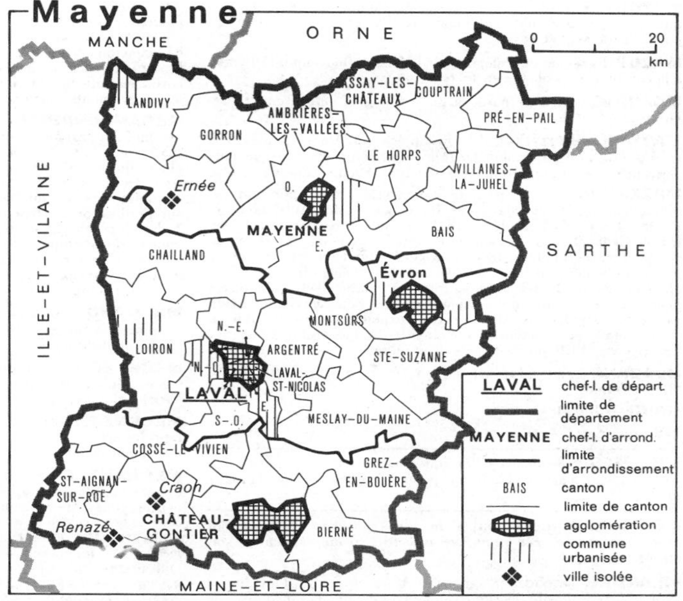

La faiblesse de l'urbanisation est à relier à celle de l'industrie, ainsi qu'à celle du *secteur tertiaire* qui emploie moins de 40 p. 100 de la population active, ce qui est un taux très bas. Ainsi s'explique le faible accroissement de la population du département depuis quelques années. La progression de Laval a compensé un exode rural important.

MAYENNE, ch.-l. d'arrond. de la Mayenne, sur la Mayenne, à 74 km au N.-O. du Mans; 14 300 hab. Imprimerie. Textiles. Constructions mécaniques.

MAYERLING, localité d'Autriche, à 40 km au S. de Vienne, où furent trouvés morts, dans un pavillon de chasse, le 30 janvier 1889, l'archiduc Rodolphe et Marie Vetsera.

MAYNARD (François) ⟶ MAINARD.

MAYONNAISE [majɔnɛz] n. f. (de *Port-Mahon*, en souvenir de la prise de la ville). Sauce froide, composée d'huile et de jaune d'œuf battus jusqu'à émulsion.

MAYOTTE, une des îles Comores; 374 km²; 32 500 hab. Ch.-l. Dzaoudzi. Canne à sucre.

- *1976. Par un référendum qui suit l'indépendance des autres îles de l'archipel, les habitants de Mayotte (Mahorais) demandent à rester dans le cadre français.*

MAZAGRAN, écart de Mestghanem (Algérie). Siège soutenu en 1840 par les Français contre Abd el-Kader.

MAZAMET, ch.-l. de cant. du Tarn, à 18 km au S.-E. de Castres, au pied de la Montagne Noire; 13 300 hab. *(Mazamétains)*. Centre de délainage d'importance mondiale.

MAZĀR-I CHARĪF, v. de l'Afghānistān septentrional, ch.-l. de province; 41 000 hab.

MAZARIN (Jules), prélat et homme politique français, d'origine italienne (1602-1661). Il est officier, puis diplomate au service du pape Urbain VIII.

- *Janv. 1630. Il est remarqué par Richelieu, au cours d'une entrevue à Lyon.*

Il soutient les positions françaises sur la question de Pignerol, et prend une part active à l'élaboration du traité de paix de Cherasco* (1631). Nonce (= ambassadeur du pape) à Paris (1635-1636), il se fait naturaliser français en 1639.

- *1639. Il entre au « Conseil des ministres » comme ministre d'État chargé des Affaires étrangères, succédant au père Joseph.*

Nommé cardinal en 1641, sans avoir jamais été prêtre, il est, à la mort de Richelieu (1642), le principal ministre d'État.

- *1643. La régente Anne d'Autriche le prend comme Premier ministre.*

Désormais plus puissant que ne l'avait jamais été Richelieu, il va dicter sa conduite à la reine et faire l'éducation politique de Louis XIV.

Mais, dès 1643, il doit affronter l'opposition de l'entourage de la reine (cabale des Importants) et surtout une situation économique et politique qui se détériore. À l'extérieur, par la paix de Westphalie (1648), il annexe une partie de l'Alsace mais la guerre continue avec l'Espagne.

- *1648-1652. Mazarin doit faire face à la Fronde*.*

La crise économique, une politique fiscale oppressive, le mécontentement des parlementaires et des nobles (Condé) le rendent très impopulaire. Il doit s'enfuir avec la reine et le roi à Saint-Germain (5-6 janvier 1649), puis s'exiler en 1651 et d'août 1652 à février 1653. La division de ses ennemis lui permet de revenir en triomphe à Paris.

Il mène désormais une politique de réaction absolutiste, entouré d'une équipe brillante (Michel Le Tellier, Servien, Fouquet, de Lionne et Colbert), qu'il léguera à son filleul Louis XIV. Il essaie de rétablir l'ordre dans les provinces, d'améliorer l'état des finances.

- *1659. Il impose à l'Espagne la paix des Pyrénées*, qui prévoit le mariage de Louis XIV avec l'infante espagnole Marie-Thérèse (1660).*

En 1661, Mazarin, le médiateur de la « paix du Nord », semble l'arbitre de l'Europe, mais la France est épuisée. Il meurt après avoir amassé une fortune considérable, pratiqué largement le népotisme, en plaçant et dotant toute sa famille, et mené une politique de mécénat.

MAZDÉISME [mazdeism] n. m. (de l'anc. perse *mazda*, sage). Religion de l'Iran ancien (Mèdes, anciens Perses, etc.), qui admettait deux principes : le Bien, Ormuzd, qui a créé le monde, et le Mal, Ahriman, qui cherche à détruire l'œuvre d'Ormuzd. (La lutte doit se terminer par la défaite d'Ahriman et le triomphe du Bien.) ◆ **mazdéen, enne** adj. Qui appartient au mazdéisme.

MAZEPPA (Ivan Stepanovitch), hetman (= chef) des Cosaques d'Ukraine (1644-1709). Élevé à la cour du roi de Pologne, il aurait été, à la suite d'une intrigue, attaché sur un cheval sauvage qui le conduisit en Ukraine, où il fut élu hetman. Il servit d'abord le tsar Pierre le Grand, puis s'allia à Charles XII de Suède. Après la défaite de Poltava (1709), il se réfugia en Turquie.

MAZINGARBE, comm. du Pas-de-Calais, à 12 km au S. de Béthune; 8 100 hab. Cokerie. Industries chimiques.

MAZOUT [mazut] n. m. (mot russe). Combustible liquide, visqueux et noirâtre, obtenu comme résidu de la distillation du pétrole brut (syn. FUEL-OIL).

MAZOVIE, région de Pologne, sur la Vistule moyenne, rattachée à la couronne de Pologne en 1526.

MAZURIE, région du nord-est de la Pologne, autref. en Prusse-Orientale.

MAZURKA [mazyrka] n. f. (mot polon.). **1.** Danse populaire à trois temps, d'origine polonaise (Mazurie), comportant des accents souvent placés à contretemps. — **2.** Air sur lequel elle s'exécute.

MAZZINI (Giuseppe), patriote italien (1805-1872). Son but fut d'établir la république dans une Italie libérée des Autrichiens et unifiée. Pour cela il fonde en 1831 une société secrète, la *Jeune-Italie*. Exilé, il poursuit son action en France, en Suisse et en Angleterre. De retour en 1848, il dirige à Milan la résistance contre les Autrichiens; puis il gagne Rome révoltée contre le pape et est élu triumvir de la République romaine (mars 1849) qu'il dirige jusqu'à la restauration de la papauté par les Français (juillet 1849). En 1860 ses partisans participent à l'expédition de Garibaldi en Sicile, mais se refusent à reconnaître la monarchie italienne. Emprisonné (1870) puis amnistié, il se réfugie à Pise, où il meurt.

MBABANE, capit. du Swaziland, en Afrique australe; 30 000 hab. Mines d'étain.

MBINI → RÍO MUNI.

ME pron. pers. → JE.

MÉ-, MÉS- (devant voyelle) [du frq. *missi*], préf. négatif (*se méfier* [= ne pas se fier]) ou péjor. (*mésentente* [= mauvaise entente]).

MEA-CULPA [meakylpa] n. m. inv. (mots lat. signif. *par ma faute*). *Faire son mea-culpa,* se repentir, avouer sa faute, son erreur.

MÉANDRE [meɑ̃dr] n. m. (gr. *Maiandros*, n. d'un fleuve sinueux). **1.** Sinuosité décrite par un cours d'eau : *Les méandres de la Seine.* — **2.** Détours sinueux, tortueux : *Il est difficile de suivre les méandres de sa pensée* (syn. ZIGZAG).
— ENCYCL. Les *méandres divagants* (*ex :* les méandres du Mississippi) se déplacent vers l'aval en occupant tout le lit majeur du cours d'eau. Les *méandres encaissés* (*ex. :* les méandres de la Meuse dans les Ardennes) évoluent par sapement de la rive concave, toujours abrupte, et alluvionnement sur la rive convexe, à la pente plus douce. L'évolution des méandres peut conduire au recoupement et à la formation de bras morts.

MÉAT [mea] n. m. (lat. *meatus*, canal). **1.** *Anat.* Canal, conduit, et très souvent, orifice d'un canal : *Méat urinaire.* — **2.** *Bot.* Interstice entre certaines cellules végétales, en partic. celles des parenchymes.

MEAUX, ch.-l. d'arrond. de Seine-et-Marne, sur la Marne et le canal de l'Ourcq, à 44 km à l'E.-N.-E. de Paris; 45 900 hab. *(Meldois).* Anc. évêché (musée Bossuet). Métallurgie. Chimie.

MÉCANIQUE [mekanik] adj. (du gr. *mêkhanê*, machine). **1.** Se dit de ce qui est mis en mouvement par une machine, par un mécanisme : *Un escalier mécanique. L'industrie mécanique* (= des machines). — **2.** Relatif au mouvement et à ses propriétés : *Les agents mécaniques de l'érosion* (= qui dépendent des seules lois du mouvement). — **3.** Se dit d'une attitude humaine qui ne semble pas dépendre de la volonté ni de la réflexion : *Un geste mécanique* (syn. plus usuel MACHINAL). — **4.** *Avoir des ennuis mécaniques,* avoir une panne de moteur. ◆ n. f. **1.** Science qui a pour objet l'étude des forces ou de leurs actions. → ENCYCL. — **2.** Combinaison d'organes propres à produire ou à transmettre des mouvements : *La mécanique d'une montre* (syn. MÉCANISME). — **3.** Étude des machines, de leur construction et de leur fonctionnement. — **4.** *Mécanique céleste,* science traitant des lois régissant les mouvements des corps célestes. ‖ *Mécanique ondulatoire,* théorie selon laquelle les particules en mouvement sont associées à des ondes capables de produire des phénomènes d'interférence et de diffraction. ‖ *Mécanique quantique* → QUANTUM. ◆ **mécaniquement** adv. : *Réciter mécaniquement sa leçon* (= comme un automate). ◆ **mécanicien** n. m. **1.** Celui qui a pour métier de construire, de réparer des machines, etc. (syn. pop. MÉCANO). — **2.** Celui qui conduit une locomotive. — **3.** *Ingénieur mécanicien,* celui qui s'occupe des applications de la mécanique (construction de machines). ◆ **mécanicienne** n. f. Ouvrière qui travaille sur une machine à coudre. ◆ **mécaniser** v. t. **1.** Utiliser, dans un travail déterminé, les machines à la place des hommes : *Mécaniser l'agriculture.* — **2.** Doter une formation militaire de véhicules servant à la fois au transport et au combat. ◆ **mécanisation** n. f. : *La mécanisation de l'agriculture. La mécanisation de la cavalerie.* ◆ **mécanisme** n. m. **1.** Combinaison de pièces, d'organes destinés à assurer un fonctionnement; ce fonctionnement lui-même : *Le mécanisme d'une horloge.* — **2.** Ensemble de structures d'une société ou d'un être humain dont l'organisation assure une fonction : *Les mécanismes du langage* (syn. PROCESSUS).
— ENCYCL. La *mécanique* comprend : la *cinématique*, qui s'occupe des mouvements, indépendamment des forces qui les produisent; la *statique*, qui étudie l'équilibre et l'action des forces sur les corps, en l'absence de tout mouvement; la *dynamique*, qui étudie les mouvements sous l'action des forces.

MÉCANOGRAPHIE [mekanografi] n. f. (du gr. *mêkhanê*, machine, et *graphein*, écrire). **1.** Industrie et activité englobant la fabrication, la vente, l'entretien et l'emploi de matériel de bureau, allant de la machine à écrire aux calculateurs électroniques. — **2.** Méthode de dépouillement ou d'établissement de documents administratifs, comptables, industriels ou commerciaux, fondée sur l'utilisation de machines comptables. ◆ **mécanographe** n. **1.** Employé chargé de transcrire, en perforations, des renseignements alphabétiques ou chiffrés sur des cartes spéciales, au moyen de perforeuses ou de poinçonneuses. — **2.** Employé assumant des travaux de calculs industriels ou commerciaux à l'aide de machines comptables.

MECCANO [mekano] n. m. (nom déposé). Jeu de construction en métal, à pièces interchangeables, fondé sur le système des trous équidistants.

MÉCÈNE, chevalier romain (v. 69-68 av. J.-C.). Il se servit de son crédit auprès d'Auguste pour encourager les lettres et les arts. Virgile, Horace, Properce bénéficièrent de sa protection.

MÉCÈNE [mesɛn] n. m. (de *Mécène*). Personnage riche, protecteur des arts, des sciences. ◆ **mécénat** n. m. Protection des arts, des sciences par une personne riche, un groupe financier.

MÉCHANT, E [meʃɑ̃, -ɑ̃t] adj. et n. (de l'anc. fr. *meschoir*, tomber mal) [surtout après le nom]. Se dit d'une personne qui fait consciemment du mal, qui cherche à nuire aux autres (par oppos. à *bon*) : *Être méchant envers les faibles* (syn. SANS-CŒUR; contr. BIENVEILLANT, HUMAIN); et en parlant d'un animal : *Chien méchant* (= qui cherche à mordre). ◆ adj. **1.** (surtout après le nom) Qui marque la volonté de nuire, la malveillance : *Un regard méchant.* — **2.** Fam. *Ce n'est pas (bien) méchant,* ce n'est pas grave ni dangereux. — **3.** (avant le nom) Qui ne vaut rien, qui est insignifiant (surtout littér.) : *Il fait de bien méchants vers* (= mauvais); qui attire des ennuis, cause des difficultés : *S'attirer une méchante affaire* (= dangereuse). *Être de méchante humeur* (= maussade, chagrin). ◆ **méchamment** adv. : *Agir méchamment* (syn. CRUELLEMENT; contr. GENTIMENT). ◆ **méchanceté** n. f. **1.** Caractère, attitude d'une personne méchante : *Agir par pure méchanceté* (contr. BONTÉ). — **2.** Parole, acte qui vise à nuire : *Méchanceté gratuite* (= qui ne rapporte rien à son auteur).

1. MÈCHE [mɛʃ] n. f. (gr. *muxa*, mèche de lampe). **1.** Assemblage de fils, cordon, support d'un corps combustible que l'on fait brûler et qui est destiné à donner une flamme d'une certaine durée (dans une lampe, une bougie, etc.); gaine de poudre noire servant à enflammer un explosif. — **2.** *Vendre la mèche,* trahir en le dévoilant un projet secret.

2. MÈCHE [mɛʃ] n. f. (même étym.). **1.** Petite bande de gaze stérile qui, introduite dans une plaie, permet l'écoulement du pus. — **2.** Petite touffe de cheveux qui se distingue du reste de la chevelure par sa couleur, sa forme. — **3.** Tige d'acier servant à percer des trous.

3. MÈCHE [mɛʃ] n. f. (it. *mezzo*, moitié). Fam. *Être de mèche avec qq'un*, être son complice dans une affaire louche.

MECHHED ou **MECHED,** v. d'Iran (Khurāsān); 670 000 hab. Mosquée (sanctuaire chī'ite). Textiles.

MECHOUI [meʃwi] n. m. (mot ar.). Chez les Arabes, rôti de mouton, de gazelle ou de jeune chameau.

MECKLEMBOURG-POMÉRANIE-OCCIDENTALE, État (Land) d'Allemagne; 22 500 km^2; 21 millions d'hab. Capit. *Schwerin*. Son territoire a appartenu à la R. D. A. de 1949 à 1990.

MÉCOMPTE [mekɔ̃t] n. m. (de l'anc. fr. *mesconter*, se tromper). Attente, espérance trompée (syn. DÉCEPTION, DÉSILLUSION).

MÉCONNAÎTRE [mekɔnɛtr] v. t. *(mé-,* et *connaître).* [Conj. **64.**] **1.** *Méconnaître qqch.*, ne pas le reconnaître pour ce qu'il est : *Méconnaître l'importance d'une découverte* (syn. IGNORER). — **2.** *Méconnaître qq'un*, ne pas l'apprécier à sa juste valeur (surtout au passif) : *Il est méconnu par la critique.* ◆ **méconnaissable** adj. Devenu difficile à reconnaître : *La ville est maintenant méconnaissable* (syn. TRANSFORMÉ). ◆ **méconnaissance** n. f. Sens 1 du v. : *Il y a chez lui une méconnaissance totale de la situation réelle* (syn. INCOMPRÉHENSION). ◆ **méconnu, e** adj. et n. Qui n'est pas estimé à sa juste valeur : *Un écrivain méconnu.*

MÉCONTENT, E adj. et n., **MÉCONTENTEMENT** n. m., **MÉCONTENTER** v. t. → CONTENT.

MECQUE (La), v. d'Arabie Saoudite, capit. du Hedjaz; 370 000 hab. Patrie de Mahomet. Mosquée renfermant la Ka'ba, et vers laquelle les musulmans se tournent en faisant leurs prières. C'est une ville sainte, à laquelle les fidèles de l'islām sont tenus de se rendre en pèlerinage au moins une fois dans leur vie.

MÉCRÉANT, E [mekreɑ̃, -ɑ̃t] adj. et n. (de l'anc. fr. *mescroire*, ne pas croire). Qui n'a aucune religion, qui ne croit pas en l'existence d'un dieu.

MÉDAILLE [medaj] n. f. (it. *medaglia*). **1.** Pièce de métal frappée en mémoire d'un personnage, d'une action glorieuse, ou décoration donnée comme distinction honorifique pour des services signalés. — **2.** Pièce de métal représentant des sujets divers; porte-bonheur ou pièce de métal portés en mémoire d'un événement. ◆ **médaillé, e** adj. et n. Se dit d'une personne qui porte une médaille (décoration) : *Un médaillé militaire.* ◆ **médailleur** n. m. Artiste graveur en médailles. ◆ **médaillier** n. m. Collection de médailles : *Le médaillier national.* ◆ **médaillon** n. m. **1.** Médaille de grandes dimensions. — **2.** Bijou de forme circulaire ou ovale, où l'on place un portrait, des cheveux, etc. — **3.** Bas-relief représentant, dans un cadre rond ou oval, une tête ou un sujet.

MEDAN, port de l'Indonésie, dans l'île de Sumatra, sur le détroit de Malacca; 1 378 000 hab. Commerce actif (tabac, caoutchouc).

MÉDARD *(saint)*, évêque de Noyon et Tournai (v. 456-v. 545).

MÈDE [mɛd] adj. et n. De la Médie.

— ENCYCL. Les *Mèdes* occupaient l'Iran au Ier millénaire avant notre ère. D'abord nomades, ils se fixèrent en Perse et prirent, au VIIe s. av. J.-C., Ecbatane pour capitale. Alliés aux Babyloniens, ils provoquèrent la chute de l'Empire assyrien : leur roi Cyaxare occupa Assur en 614 av. J.-C., puis Ninive (612). Cyrus, fils du roi de Perse Cambyse et de Mandane, fille du roi des Mèdes, s'empara de l'Empire mède et le soumit à l'Empire perse, prenant le titre de roi des Mèdes et des Perses (546 av. J.-C.). Mèdes et Perses furent désormais liés.

MÈDE (La), écart de la comm. de Martigues (Bouches-du-Rhône). Raffinage du pétrole et pétrochimie.

MÉDÉA, auj. **Lemdiyya,** v. d'Algérie, au S.-O. d'Alger; 37 000 hab.

MÉDECIN [medsɛ̃] n. m. (du lat. *medicus*). Personne qui est titulaire du diplôme de docteur en médecine et dont la profession est de soigner les maladies de l'homme : *Appeler le médecin* (syn. DOCTEUR). *Médecin légiste* (= qui vient constater le décès, donne le permis d'inhumer, et remplit les fonctions d'expert auprès des tribunaux). *Médecin traitant* (= qui donne ses soins au cours d'une maladie). *Une femme médecin* (= doctoresse). ◆ **médecine** n. f. **1.** Science qui a pour but de conserver ou de rétablir la santé : *Faire sa médecine* (= faire des études de médecine). *Médecine générale* (= qui s'occupe de l'ensemble des maladies). *Médecine légale* (= ensemble des actes effectués par le médecin légiste). *Médecine du travail* (= qui vise à prévenir les maladies et infirmités imputables à l'activité professionnelle). — **2.** Profession de médecin : *Exercer la médecine.* ◆ **médical, e, aux** adj. Qui concerne la médecine : *Le corps médical* (= l'ensemble des médecins). ◆ **médicalement** adv. ◆ **médico-légal, e, aux** adj. Relatif à la médecine légale : *Expertise médico-légale.* ‖ *Institut médico-légal*, nom donné à la morgue de Paris, où sont pratiquées les autopsies requises par la justice.

Médecin de campagne *(le)*, roman d'H. de Balzac (1833).

Médecin malgré lui *(le)*, comédie en prose, en 3 actes, de Molière (1666).

MÉDÉE. *Myth. gr.* Magicienne légendaire. Elle s'enfuit avec Jason et l'épousa; par ses artifices, elle l'aida à découvrir la Toison d'or. Jason l'ayant quittée, elle tua les enfants nés de leur union.

MEDELLÍN, v. de la Colombie, dans la Cordillère centrale; 1 760 000 hab. Centre industriel (textiles, métallurgie).

MÉDIA [medja] n. m. (de *mass media*). Chacune des techniques de diffusion de la culture de masse (presse, radio, télévision, etc.). [Au pl. désigne l'ensemble de ces techniques.]

MÉDIAN, E [medjɑ̃, -an] adj. (du lat. *medius*, milieu). Placé au milieu (langue techn.) : *La nervure médiane de la feuille.* ◆ **médiane** n. f. Dans un triangle, droite qui joint un des sommets au milieu du côté opposé : *Un triangle a trois médianes qui sont concourantes au centre de gravité du triangle.*

MÉDIANTE [medjɑ̃t] n. f. (lat. *medians*, au milieu). *Mus.* Troisième degré de la gamme (entre la tonique et la dominante).

MÉDIASTIN [medjastɛ̃] n. m. (lat. *mediastinus*, qui se tient au milieu). *Anat.* Espace compris entre les deux poumons et divisé en deux parties par des replis des plèvres. (Le *médiastin antérieur* contient le cœur et le thymus; le *médiastin postérieur* renferme l'œsophage, l'aorte et le canal thoracique.)

MÉDIATION [medjasjɔ̃] n. f. (du lat. *mediare*, s'interposer). Entremise destinée à amener un accord entre deux ou plusieurs personnes, groupes, nations, à les réconcilier, à leur proposer d'être arbitre : *Offrir sa médiation* (syn. ARBITRAGE). *La médiation de l'O. N. U.* (syn. INTERVENTION). ◆ **médiateur, trice** adj. et n. **1.** Qui s'entremet pour amener un accord entre deux personnes, deux groupes, etc. : *Un pays neutre fut pris comme médiateur* (syn. ARBITRE, CONCILIATEUR). — **2.** *Médiateur chimique*, substance qui est libérée par l'extrémité des fibres nerveuses en activité et qui excite les neurones voisins, les fibres musculaires, la paroi des vaisseaux sanguins. ◆ n. m. Arbitre appelé à examiner les plaintes que tout citoyen peut déposer contre les autorités ou les administrations officielles. (Ce personnage est appelé OMBUDSMAN dans d'autres pays que la France.)

MÉDIATOR [medjatɔr] n. m. (mot lat.). Petit morceau d'écaille ou d'ivoire servant à faire vibrer les cordes de certains instruments tels que la mandoline, le banjo (syn. PLECTRE).

1. MÉDIATRICE adj. et n. f. ⟶ MÉDIATION.

2. MÉDIATRICE [medjatris] n. f. (du lat. *mediare*, être au milieu). Math. *Médiatrice d'un bipoint (A, B)*, droite passant par le milieu de (A, B) et perpendiculaire à la droite AB : *La médiatrice de (A, B) est l'ensemble des points équidistants de A et de B.*

MÉDICAL, E, AUX adj., **MÉDICALEMENT** adv. ⟶ MÉDECIN.

MÉDICAMENT [medikamɑ̃] n. m. (lat. *medicamentum*). Substance préparée et utilisée pour traiter une maladie (syn. REMÈDE). ◆ **médicamenteux, euse** adj. : *Les plantes médicamenteuses* (= qui entrent dans la composition de médicaments).

MÉDICATION [medikasjɔ̃] n. f. (lat. *medicatio*). Emploi de médicaments, de moyens thérapeutiques pour combattre une maladie déterminée (langue de la méd.).

MÉDICINAL, E, AUX [medisinal, -no] adj. (lat. *medicinalis*). *Herbe, plante médicinale*, qui sert de remède, qui entre dans la composition de médicaments.

MÉDICIS, en it. **Medici,** famille de banquiers, qui, entre le XVe et le XVIIIe s., domina Florence, puis y régna.

Les Médicis apparaissent dans la vie politique de Florence après l'adoption des ordonnances de Justice (1293) qui éliminent les magnats (= anciennes familles dirigeantes). Leur rôle croît après la crise des années 1342-1348 qui ruine certains de leurs concurrents.

SILVESTRE (1331-1388), participe en 1378 à la révolte du peuple florentin contre les riches familles. Il est banni, mais sa famille continue de s'enrichir; leur compagnie devient une des plus puissantes d'Europe, et leur popularité est grande.

COSME *l'Ancien* (1389-1464) voit l'opposition se cristalliser autour de lui. Dangereux pour les riches familles au pouvoir, il est banni en septembre 1433, mais, rappelé par une nouvelle seigneurie (= gouvernement de la cité), devient en 1434 le maître de la ville. Il gouverne par personne interposée pendant trente ans, sans cesser de s'occuper de ses affaires, et double sa fortune personnelle. Contre Venise, rivale commerciale, il va rapprocher Florence de son ennemie Milan. Arbitre de l'Italie, il joue les mécènes et fait de Florence le foyer de l'humanisme.

LAURENT Ier, dit *le Magnifique* (1449-1492), petit-fils de Cosme, fonde une dynastie princière, en prenant entre ses mains l'essentiel du pouvoir, sans modifier les formes extérieures de la république. Humaniste, poète et orateur, il se désintéresse des affaires de la compagnie, qui périclite et fera faillite deux ans après sa mort.

PIERRE (1472-1503), son fils et successeur, est chassé après deux ans de règne par un soulèvement populaire dirigé par Savonarole (1494). Les Florentins se soulèvent au nom d'une morale chrétienne plus stricte et des libertés de la cité, que Pierre aurait aliénées en appuyant l'expédition en Italie de Charles VIII de France. Les Médicis gardent cependant des partisans et, en 1512, les troupes espagnoles imposent leur retour.

Le cardinal JEAN (1475-1521) devient seigneur de Florence avant de devenir pape en 1513 sous le nom de *Léon X.* Il met désormais les ressources de la papauté au service de sa famille, c'est-à-dire LAURENT II (1492-1519), fils de Pierre et père de CATHERINE* DE MÉDICIS, puis son cousin JULES, cardinal qui devient pape à son tour en 1523 sous le nom de *Clément VII.*

Les Médicis, chassés à nouveau en 1527, sont rétablis par Charles Quint sur une base monarchique, et deviennent avec COSME *le Jeune* (1519-1574) ducs de Florence et grands-ducs de Toscane.

Médicis *(villa)*, palais (v. 1544) et jardin occupés depuis 1803 par l'Académie de France à Rome.

MÉDICO-LÉGAL, E, AUX adj. ⟶ MÉDECIN.

MÉDIE, anc. région du nord-ouest de l'Iran, au N. de la Perse. Sa capitale était *Ecbatane.*

MÉDIÉVAL, E, AUX [medjeval, -vo] adj. (du lat. *medium aevum*, âge du milieu). Relatif au Moyen Âge. ◆ **médiéviste** n. Spécialiste qui s'occupe de la littérature, de l'histoire, de la civilisation du Moyen Âge.

MÉDINA [medina] n. f. (mot ar. signif. *ville*). Dans les pays arabes, partie d'une ville habitée par les musulmans, par opposition aux quartiers récents d'origine européenne.

MÉDINE, en ar. **Al-Madīna** ou **Al-Madīnat al-Nabī,** v. d'Arabie Saoudite, dans le Hedjaz; 198 000 hab. Principale ville sainte de l'islām, après La Mecque. Mahomet s'y réfugia en 622 et y mourut.

MÉDINET EL-FAYOUM, v. d'Égypte, dans le Fayoum; 133 600 hab. Artisanat.

Médinet Habou, nom moderne du temple funéraire de Ramsès III, sur le site de Thèbes.

MÉDIOCRE [medjɔkr] adj. (lat. *mediocris*, modéré) [avant ou après le nom]. Qui est au-dessous de ce qui est normal, de ce qui est suffisant : *Avoir des ressources médiocres* (syn. MODIQUE). *Il a une situation médiocre* (syn. MODESTE). *L'éclairage est bien médiocre* (syn. FAIBLE, INSUFFISANT). ◆ adj. et n. Se dit d'une personne qui a peu de valeur, d'intelligence, de capacités : *Un élève médiocre en classe* (syn. FAIBLE). ◆ n. m. Ce qui est médiocre : *Ne pas sortir du médiocre.* ◆ **médiocrement** adv. Assez peu : *Je suis médiocrement satisfait de votre travail* (syn. NE... GUÈRE). ◆ **médiocrité** n. f. : *Vivre dans la médiocrité. La médiocrité d'une pièce de théâtre.*

médiques *(guerres)*, guerres qui opposèrent les cités grecques à l'Empire perse à son apogée, sous Darios, puis Xerxès. À l'origine de ces guerres était le désir de Darios de soumettre les Grecs d'Europe, en particulier les Athéniens, qui avaient aidé les villes grecques d'Ionie, révoltées contre lui.

- *490 av. J.-C. Malgré sa supériorité numérique, l'armée perse est vaincue par les Athéniens à Marathon.*

Xerxès, à partir de 486, reprend la politique de son père, mais Athènes, sur les conseils de Thémistocle, se donne une flotte de guerre puissante. En 481, une armée perse formidable, accompagnée d'une flotte, envahit la Grèce toujours divisée. Malgré le sacrifice de Léonidas et de ses Spartiates aux Thermopyles, Athènes est prise et incendiée.

- *480. La victoire navale de Salamine sauve la situation.*

Les troupes perses, en retraite, sont battues par une armée coalisée, sous le commandement du Spartiate Pausanias à Platées (479). Désormais, Athènes, dirigée par Cimon, prend la tête des coalisés grecs, qu'elle rassemble dans la ligue de Délos. Celle-ci va libérer l'Ionie, mais, instrument des ambitions athéniennes, elle provoque des dissensions entre cités.

- *449. La paix avec les Perses est finalement signée par Callias.*

Elle sauvegarde la liberté des cités et leur civilisation, écarte les Perses de la mer Égée et marque la prédominance d'Athènes sous Périclès, son nouveau chef.

MÉDIRE [medir] v. t. ind. *(mé-, et dire)*. [Conj. **72.**] *Médire de qq'un*, en dire du mal avec l'intention de nuire : *Médire de ses voisins* (syn. ↑CALOMNIER, DÉNIGRER). ◆ **médisance** [medizɑ̃s] n. f. **1.** Action de médire : *Être victime de la médisance* (syn. ↑CALOMNIE). — **2.** Parole, propos de celui qui médit : *Il méprisait les médisances qu'on débitait sur son compte* (syn. COMMÉRAGE, RAGOT). ◆ **médisant, e** adj. et n. Qui médit.

MÉDITATIF, IVE adj., **MÉDITATION** n. f. ⟶ MÉDITER.

Méditations poétiques (1820) et **Nouvelles Méditations poétiques** (1823), poésies de Lamartine.

Méditations touchant la philosophie première, ouvrage de Descartes (1641).

MÉDITER [medite] v. t. (lat. *meditari*, réfléchir). **1.** *Méditer un projet*, le préparer en y réfléchissant longuement : *Un ouvrage longtemps médité* (syn. MÛRIR). — **2.** *Méditer de* (et l'infin.), penser à : *Il médite de supplanter son rival.* ◆ v. i. *Méditer sur qqch.*, y réfléchir longuement : *Méditer sur la fragilité de la destinée.* ◆ **méditatif, ive** adj. Porté à la méditation; qui l'indique : *Un caractère, un air méditatif* (syn. PENSIF, RÊVEUR). ◆ **méditation** n. f. **1.** Réflexion demandant une grande concentration d'esprit : *Ce livre est le fruit de ses profondes méditations* (syn. PENSÉE). — **2.** Écrit sur un sujet philosophique ou religieux.

MÉDITERRANÉE, mer intérieure, comprise entre l'Europe méridionale, l'Asie occidentale et l'Afrique du Nord; env. 2,5 millions de km^2.

Presque fermée, puisqu'elle ne communique avec l'Atlantique que par le détroit de Gibraltar et avec la mer Noire par le détroit des Dardanelles, la Méditerranée est une mer chaude, à forte salinité et à faibles marées. Elle atteint de grandes profondeurs (max. : − 5 120 m), mais est aussi parsemée de grandes îles : Corse, Sardaigne, Sicile, Crète, Chypre. La péninsule italienne prolongée par le seuil de Sicile la divise en deux bassins : la *Méditerranée occidentale* et son annexe, la mer Tyrrhénienne, et la *Méditerranée orientale* et ses annexes, les mers Adriatique, Ionienne et Égée, que sépare l'avancée de la péninsule des Balkans.

MÉDITERRANÉEN, ENNE [mediteraneɛ̃, -ɛn] adj. Qui appartient à la Méditerranée : *Le bassin méditerranéen.* ‖ *Climat méditerranéen*, type de climat tempéré caractérisé par des étés chauds et secs au ciel lumineux, et des hivers doux et humides. (Ce climat affecte les pays du bassin méditerranéen, la Californie, le centre du Chili, l'Afrique australe. La longue sécheresse d'été implique une adaptation de la végétation [plantes xérophiles : chênes verts, arbustes épineux...], tandis que les précipitations tombent sous forme de violentes averses qui ravinent les pentes et empêchent le développement des sols.)

MÉDIUM [medjɔm] n. m. (du lat. *medius*, qui est au milieu). **1.** Personne réputée douée du pouvoir de communiquer avec les esprits. — **2.** *Mus.* Partie centrale de l'étendue d'une voix ou d'un instrument (entre le grave et l'aigu).

MÉDIUS [medjys] n. m. (du lat. *digitus medius*, doigt du milieu). Le doigt du milieu de la main (syn. MAJEUR).

MEDJERDA (la), fleuve de l'Afrique du Nord, né en Algérie et débouchant dans le golfe de Tunis; 365 km. Sa basse vallée est en cours d'aménagement.

MÉDOC, région viticole du Bordelais (Gironde), sur la rive gauche de la Gironde, depuis Blanquefort jusqu'à la pointe de Grave. Le *haut Médoc* (de Blanquefort à Saint-Seurin-de-Cadourne) groupe les crus les plus renommés, alors que le *bas Médoc* produit des vins courants.

MÉDULLAIRE adj. ⟶ MOELLE.

MÉDUSE, une des trois Gorgones, extrêmement belle. Athéna, offensée par elle, changea ses cheveux en serpents et donna à ses yeux le pouvoir de transformer en pierre ceux qu'ils fixaient. Persée lui trancha la tête et s'en servit pour pétrifier ses ennemis.

MÉDUSE [medyz] n. f. (de *Méduse*). Animal marin invertébré de l'embranchement des polypes ou cœlentérés. (Le corps des méduses, transparent, a la forme d'un sac à double paroi dont l'ouverture est entourée de tentacules garnis de cellules urticantes.)

Méduse *(naufrage de la)*, naufrage dont fut victime, le 2 juillet 1816, la frégate *Méduse.* Le sort affreux de 150 hommes réfugiés sur un radeau a frappé l'imagination et inspiré le célèbre tableau de Géricault, intitulé *le Radeau de la « Méduse »* (1819).

MÉDUSER [medyze] v. t. (de *Méduse*). Frapper de stupeur (souvent au passif) [syn. STUPÉFIER].

MEERUT, v. de l'Inde (Uttar Pradesh); 540 000 hab. Produits chimiques. La révolte des cipayes y éclata en 1857.

MEETING [mitiŋ] n. m. (mot angl.). **1.** Réunion publique organisée pour débattre d'un problème politique ou social. — **2.** Réunion sportive : *Meeting d'athlétisme.*

MÉFAIT [mefɛ] n. m. (de *mé-*, et *faire*). **1.** Résultat désastreux, conséquence nuisible de quelque chose : *Les méfaits du mauvais temps, de l'alcoolisme.* — **2.** Mauvaise action commise par quelqu'un : *Être puni pour ses méfaits* (syn. FAUTE).

MÉFIER (SE) [səmefje] v. pr. (de *mé-*, et *se fier*). **1.** *Se méfier de qq'un, de son attitude*, ne pas avoir confiance en lui, soupçonner une mauvaise intention (contr. SE FIER À). — **2.** (sans compl.) Se tenir sur ses gardes, avoir une attitude soupçonneuse : *Méfie-toi! il nous écoute.* ◆ **méfiance** n. f. : *Cette lettre a éveillé sa méfiance* (syn. SOUPÇONS). ◆ **méfiant, e** adj. Qui se méfie.

MÉGALITHE [megalit] n. m. (du gr. *megas, megalos*, grand, et *lithos*, pierre). Monument préhistorique formé d'un ou de plusieurs blocs de pierre. ◆ **mégalithique** adj. : *Monument mégalithique.*
— ENCYCL. Les principaux types de *mégalithes* sont : les *menhirs**, pierres dressées, particulièrement nombreuses en Bretagne; les *dolmens**, monuments funéraires dont la juxtaposition forme des « allées couvertes »; les *tumulus**, tertres parfois gigantesques, recouvrant quelquefois les dolmens. La civilisation néolithique des mégalithes s'est répandue dans l'ouest et le nord de l'Europe vers le IIIe millénaire.

MÉGALOMANE [megaloman] adj. et n. (du gr. *megas, megalos*, grand, et *mania*, folie). Qui manifeste un désir excessif, anormal, de grandeur, de gloire, de puissance. ◆ **mégalomanie** n. f.

MEGALOPOLIS, nom donné à la façade côtière du nord-est des États-Unis, de Boston à Washington, très industrialisée.

MÉGAPHONE [megafɔn] n. m. (du gr. *megas*, grand, et *phônê*, voix). Appareil qui sert à amplifier les sons enregistrés.

MÉGARDE (PAR) [parmegard] loc. adv. (de l'anc. fr. *mesgarder*, se mal garder). Par défaut d'attention, pour ne pas avoir pris garde (langue soignée) : *Il est entré par mégarde dans le salon* (syn. PAR ERREUR; fam. SANS LE FAIRE EXPRÈS).

MÉGARE, v. de Grèce, sur l'isthme de Corinthe; 13 900 hab. Elle fut prospère au VIIe s. av. J.-C. et fonda de nombreuses colonies, dont Byzance.

MÉGATONNE [megatɔn] n. f. (de *méga-*, préf. qui, placé devant une unité, la multiplie par un million, et *tonne*). Unité servant à évaluer la puissance d'un projectile nucléaire et qui vaut 1 000 kilotonnes.

MÉGÈRE. *Myth. gr.* Une des trois Érinyes*, ou Furies.

MÉGÈRE [meʒɛr] n. f. (de *Mégère*). Femme méchante, hargneuse et acariâtre.

Mégère apprivoisée *(la)*, comédie de Shakespeare (1593).

MEGÈVE, comm. de la Haute-Savoie, sur l'Arve, à 11 km au S.-O. de Saint-Gervais; 5 300 hab. *(Megévans)*. Sports d'hiver.

MEGHALAYA, État de l'Inde du Nord-Est; 22 489 km^2; 1 327 000 hab. Capit. *Shillong*.

MÉGISSERIE [meʒisri] n. f. (de l'anc. fr. *megier*, soigner). Industrie qui a pour objet le traitement des peaux et des cuirs.

MÉGOT [mego] n. m. (orig. incert.). *Pop.* Bout de cigarette ou de cigare qu'on a fini de fumer.

MÉHARI [meari] n. m. (mot ar.). Dromadaire domestique du Sahara, capable de parcourir 80 km par jour. ‖ Pl. des *méhara* ou des *méharis*. ◆ **méharée** n. f. Voyage à dos de méhari. ◆ **méhariste** n. Personne qui monte un méhari.

MÉHÉMET ALI (1769-1849), vice-roi d'Égypte (1804-1849), qui triompha des Mamelouks (1811) et lutta victorieusement contre le sultan. En 1840, soutenu par la France contre l'Angleterre et les autres puissances dans son conflit avec le sultan, il perdit la Syrie et la Crête, mais fut reconnu vice-roi héréditaire. Aidé par des techniciens français, il fut le fondateur de l'Égypte moderne.

MEHMET, nom de six sultans ottomans.

MÉHUL (Étienne), compositeur français (1763-1817), auteur de nombreux opéras et de la musique du *Chant du départ* (1794).

MEHUN-SUR-YÈVRE, ch.-l. de cant. du Cher, à 16 km au N.-O. de Bourges, sur l'Yèvre et le canal du Berry; 7 200 hab. *(Mehunois)*. Restes d'un château du XIVe s. où mourut Charles VII.

MEIJE (la), montagne des Alpes françaises, dans l'Oisans; 3 983 m.

MEIJI [mɛʒʒi], terme désignant, au Japon, l'ère nouvelle qui commence en 1868, celle du « gouvernement éclairé », sous le règne de Mutsu-Hito.

MEIJI TENNŌ, dit **Mutsu-Hito** (1852-1912), empereur du Japon (1867-1912). En 1868, il supprima le shōgunat et le régime féodal. Il installa sa capitale à Tōkyō. En 1889, il donna au Japon une constitution. Il favorisa l'occidentalisation du pays sur tous les plans. Victorieux des Chinois (1895) et des Russes (1905), Meiji tennō put voir l'influence japonaise s'instaurer en Corée et en Mandchourie.

MEILHAC (Henri), auteur dramatique français (1831-1897). Il doit sa célébrité aux comédies (*Froufrou*, 1869) et aux opéras bouffes (*la Belle Hélène*, 1864; *la Vie parisienne*, 1866) qu'il écrivit en collaboration avec Ludovic Halévy.

EMPLOIS	**meilleur** **le meilleur**	**mieux** **le mieux**
1. Comparatif sans article, avec les sens correspondant à *bon* (adj.) et *bien* (adv.) : « plus avantageux, plus accompli », etc.; « de façon plus avantageuse, plus favorable », etc. L'adverbe modifie surtout un verbe; modifiant un adjectif, il appartient à la langue littéraire et il est remplacé dans la langue usuelle par *plus*.	*Le repas est meilleur qu'hier* (= sa qualité est supérieure). *Ce vin est bien meilleur. Nous avons l'espoir d'un monde meilleur* (= plus juste). *Je vous souhaite une meilleure santé.*	*Cela vaut mieux pour vous* (= est préférable). *Il se porte mieux, il se sent mieux, il est mieux* (= en meilleure santé). *Nous ferons beaucoup mieux. Ça ne vaut guère mieux. Vous êtes mieux logé. Elle est mieux que jolie, elle est séduisante. Je ne peux pas vous dire mieux.* Introduisant une phrase qui indique une précision : *J'accepte tous vos projets; mieux, je vous soutiendrai devant vos adversaires.* Avec une préposition : *Je m'attendais à mieux* (= à quelque chose de mieux fait). *Il a changé en mieux* (= il s'est amélioré).
2. Superlatif : *a)* Avec l'article défini ou indéfini, les possessifs, les démonstratifs (l'adjectif varie avec le mot qualifié).	*Les plaisanteries les plus courtes sont souvent les meilleures. Il a la meilleure part. Cette information est puisée aux meilleures sources. Je vous présente mes meilleurs vœux, mes souhaits les meilleurs. C'est une femme du meilleur monde* (= de la haute société).	*C'est cette façon de vivre qui me convient le mieux. Son fils cadet est le mieux doué* (littér.) [syn. usuel LE PLUS]. **De mon (ton, son,** etc.) **mieux,** aussi bien qu'il est en mon (ton, son) pouvoir : *Il a toujours fait de son mieux pour ne pas vous déplaire.*
b) Avec l'article défini invariable (« ce qui est excellent dans quelqu'un ou dans quelque chose »).	*Il lui a consacré le meilleur de sa vie. Ils sont unis pour le meilleur et pour le pire.*	
c) Substantif avec l'article indéfini et sans complément *(un mieux)*.		*Le médecin a constaté un mieux* (syn. AMÉLIORATION). *La situation est moins mauvaise, il y a du mieux* (syn. PROGRÈS).

	LOCUTIONS ADVERBIALES ET PRÉPOSITIVES	LOCUTIONS DIVERSES
meilleur	**À meilleur marché,** d'une façon moins coûteuse : *On trouve des asperges à meilleur marché chez l'épicier.* **De meilleure heure,** syn. littér. de PLUS TÔT : *Je me suis levé de meilleure heure pour prendre le train.* **De meilleure grâce,** plus spontanément, sans se faire prier.	*J'en passe et des meilleures,* je ne parle pas d'autres aventures extraordinaires qui ont eu lieu.
mieux	**À qui mieux mieux,** à qui fera mieux (ou plus) que les autres (syn. À L'ENVI). **Au mieux,** de la meilleure façon possible : *Arrangez l'affaire au mieux* (syn. POUR LE MIEUX). *En mettant les choses au mieux* (= en supposant les conditions les meilleures). *Être au mieux avec qq'un* (= avoir avec lui d'excellents rapports). ‖ *Au mieux de,* de la manière la plus favorable à : *Il a réglé la succession au mieux de nos intérêts;* dans l'état le meilleur : *Un athlète qui est au mieux de sa forme.* **De mieux en mieux,** progressivement vers un état plus favorable, en s'améliorant : *Il se porte de mieux en mieux.* **Faute de mieux,** en raison de l'absence d'une solution meilleure, de quelque chose de plus favorable : *Faute de mieux, nous nous arrêterons dans cette auberge.* **Pour le mieux,** d'une manière excellente, favorable : *Tout va pour le mieux* (= le mieux possible). **Tant mieux** ⟶ TANT à AUTANT.	*Aller mieux,* être en meilleure santé : *Le malade va mieux, sa température a baissé* (syn. SE REMETTRE); être dans un état plus favorable : *Ça ira mieux demain, vous aurez oublié.* ‖ *Aimer mieux,* syn. de PRÉFÉRER. ‖ *Faire mieux,* faire des progrès, obtenir de meilleurs résultats : *Cet élève peut faire mieux.* ‖ *Faire mieux de* (suivi d'un infin.), avoir avantage à (souvent dans des conseils impératifs) : *Vous feriez mieux de vous taire, on n'entend que vous.* ‖ *Valoir mieux,* être capable de plus hautes fonctions, de réalisations plus importantes, etc. (sujet nom de personne) : *Il vaut mieux que la place qu'il remplit.* ‖ *Il vaut mieux,* il est préférable.

MEILLEUR, E [mejœr] adj. (lat. *melior*, comparatif de *bonus*, bon) [avant ou après le nom], **MIEUX** [mjø] adv. (lat. *melius*). Servent de comparatifs (et, avec l'art., de superl.) à BON et à BIEN. → tableau page précédente.

Meilleur des mondes *(le)*, roman d'A. Huxley (1932).

Mein Kampf *(Mon combat)*, ouvrage publié en 1925 par Adolf Hitler. Il y exposait ses principes politiques fascistes.

MÉIOSE [mejoz] n. f. (du gr. *meiôsis*, décroissance). Mode de multiplication cellulaire, par l'effet duquel une cellule à $2n$ chromosomes fournit quatre cellules à n chromosomes, porteuses de la moitié seulement des éléments transmetteurs de l'hérédité.

MEISSEN, v. d'Allemagne (Saxe), sur l'Elbe : 50 000 hab. Cathédrale gothique. Château du XVe s., devenu en 1709 la première manufacture, en Europe, de porcelaine dure. Métallurgie.

MÉJEAN ou **MÉJAN** *(causse)*, région la plus élevée et la plus aride des Grands Causses, dans le sud de la France.

MÉJUGER [meʒyʒe] v. t. ind. *(mé-*, et *juger)*. *Méjuger de ses forces, de son talent*, etc., commettre une erreur d'interprétation sur sa propre valeur en l'estimant en dessous de ce qu'elle est (littér.). ◆ **se méjuger** v. pr. Se sous-estimer.

MEKNÈS, v. du Maroc, au S.-O. de Fès; 248 400 hab. Murailles aux portes magnifiques (Bab al-Manṣūr). Centre commercial.

MÉKONG (le), fleuve d'Indochine; 4 200 km. Issu de Chine occidentale, il traverse le Yun-nan, puis sert de frontière entre le Laos et la Thaïlande, traverse le Cambodge et le Viêt-nam avant de se jeter dans la mer de Chine méridionale en un vaste delta. Il arrose Vientiane et Phnom Penh. Son régime a de hautes eaux en été et en automne et de basses eaux en hiver et au printemps. Ses eaux sont utilisées pour l'irrigation. Navigable jusqu'à Vientiane, il constitue un lien entre les États de l'Indochine.

MELANCHTHON (Philipp SCHWARZERD, dit), théologien allemand, né à Bretten (1497-1560). Ami de Luther, il rédigea la *Confession d'Augsbourg*. Après la mort de Luther (1546), il devint le principal chef du luthérianisme.

MÉLANCOLIE [melɑ̃kɔli] n. f. (gr. *melagkholia*, bile, humeur noire). État de tristesse vague, de dégoût de la vie, humeur sombre, accompagnés de rêveries : *Dans sa solitude, il eut un accès de mélancolie* (syn. VAGUE À L'ÂME; fam. CAFARD). *Les souvenirs du passé incitent à la mélancolie* (syn. NOSTALGIE). *Sa conversation n'engendre pas la mélancolie* (= est très amusante). ◆ **mélancolique** adj. et n. Qui est dans un état de tristesse vague, de rêverie (syn. SOMBRE). ◆ adj. Qui marque ou inspire la mélancolie : *Une chanson mélancolique* (syn. TRISTE). *Un regard mélancolique* (syn. MORNE; contr. GAI). ◆ **mélancoliquement** adv.

MÉLANÉSIE (c'est-à-dire *îles des Noirs*), division de l'Océanie, comprenant la Nouvelle-Guinée, l'archipel Bismarck, les îles Salomon, la Nouvelle-Calédonie, le Vanuatu, les îles Fidji, la Louisiade. (L'ensemble couvre environ 965 000 km^2, dont 830 000 pour la Nouvelle-Guinée. La population s'élève à environ 3 500 000 personnes, auxquelles s'ajoutent plus de 200 000 étrangers : Indiens, Malais, Vietnamiens.) [Hab. *Mélanésiens.*]

MÉLANGE [melɑ̃ʒ] n. m. (de *mêler*). **1.** Action de mettre ensemble des choses diverses : *Un mélange de races* (syn. BRASSAGE). — **2.** Ensemble de choses différentes réunies pour former un tout : *Les produits entrant dans ce mélange* (syn. COMPOSITION, MIXTURE). *Ce récit est un mélange de vérités et de mensonges* (syn. AMAS). ‖ *Mélange détonant*, mélange de deux gaz dont l'inflammation entraîne une réaction explosive : *L'hydrogène forme avec l'air un mélange détonant.* ‖ *Mélange réfrigérant*, mélange de certains sels qui, par dissolution dans l'eau ou par contact avec de la glace pilée, produisent un abaissement de température. — **3.** *Sans mélange*, pur : *Bonheur, joie sans mélange.* ◆ **mélanger** v. t. **1.** Mettre ensemble des choses pour former un tout : *Mélanger des laines pour faire un pull-over* (syn. MÊLER). *Une assistance très mélangée* (= composite). — **2.** Mettre en désordre : *Mélanger des fiches.* ◆ **mélangeur** n. m. Dispositif canalisant dans un même conduit l'eau venant des robinets d'eau chaude et d'eau froide.

MÉLANINE [melanin] n. f. (du gr. *melas, melanos*, noir). Pigment brun, insoluble, qui donne leur coloration à la peau des races noires et le hâle qui résulte de l'exposition au soleil.

MÉLANOME [melanom] n. m. (du gr. *melas, melanos*, noir). Tumeur de la peau, d'origine pigmentaire (syn. NÆVUS). [Il existe des mélanomes bénins et des mélanomes malins.]

MÉLASSE [melas] n. f. (esp. *melaza;* de *miel*). **1.** Liquide sirupeux contenant de 40 à 50 p. 100 de sucre, résidu non cristallisable de la fabrication du sucre. — **2.** Fam. *Être dans la mélasse*, avoir des ennuis, des difficultés.

MELBA [mɛlba] adj. inv. (du nom d'une cantatrice). *Pêche, fraise*, etc., *melba*, servie sur de la glace à la vanille et nappée de purée de framboise et de crème Chantilly.

MELBOURNE, port d'Australie, capit. de l'État de Victoria; 2 837 000 hab. Deuxième cité du pays, Melbourne est un centre administratif, commercial et intellectuel (université), et une grande ville industrielle (métallurgie, produits chimiques, textiles, alimentation) et portuaire. Siège des jeux Olympiques en 1956.

MELCHISÉDECH, roi de Salem, en Canaan, à l'époque d'Abraham. Dans la langue biblique, il est le prêtre par excellence.

MELCHITE adj. et n. ⟶ MELKITE.

MÊLÉE [mele] n. f. (de *mêler*). **1.** Combat tumultueux, confus et désordonné : *La mêlée fut générale* (syn. BATAILLE). *Rester en dehors de la mêlée* (= de la lutte d'idées). *Se tenir à l'écart de la mêlée* (syn. CONFLIT). — **2.** *Sports.* Groupement formé au cours d'une partie de rugby par plusieurs joueurs de chaque équipe, pour la possession du ballon placé au milieu d'eux.

MÊLER [mele] v. t. (bas lat. *misculare*). **1.** Mettre ensemble des choses diverses, de façon à former un tout : *Mêler des œufs et de la farine pour faire une pâte* (syn. AMALGAMER, MÉLANGER). *Mêler l'utile à l'agréable* (syn. JOINDRE). — **2.** Mettre en désordre : *Mêler une pelote de fil* (syn. EMBROUILLER). *Il a mêlé tous les dossiers* (syn. BROUILLER, MÉLANGER). — **3.** *Mêler les cartes*, les battre avant de les distribuer. ‖ *Mêler qq'un à une affaire*, l'y faire participer, l'y impliquer. ◆ **se mêler** v. pr. **1.** Être mis ensemble : *Les races les plus diverses se mêlent dans la ville de Singapour* (syn. FUSIONNER). *Sa colère se mêlait d'amertume.* — **2.** (sujet nom de personne) Participer à une activité, à une action, souvent mal à propos : *Se mêler des affaires des autres* (syn. S'IMMISCER, S'INGÉRER DANS). *Depuis quand se mêle-t-il d'apprendre le chinois?* (syn. S'AVISER). — **3.** Entrer dans un tout : *Se mêler à un cortège* (syn. SE JOINDRE). ◆ **mêlé, e** adj. Qui forme un mélange (avec) : *Tons mêlés. Plaisir mêlé de crainte. Sang mêlé* (= métis). *Société mêlée* (= où se trouvent des gens de conditions diverses).

MÉLÈZE [melɛz] n. m. (mot du Dauphiné). Conifère de nos régions, à feuilles caduques (tous les autres conifères français ont des feuilles persistantes), croissant dans les hautes montagnes de l'Europe centrale au-dessus de la zone des sapins (jusqu'à 2 400 m dans les Alpes françaises). [Il atteint 30 à 35 m.]

MÉLIÈS (Georges), illusionniste et metteur en scène de cinéma français (1861-1938). Pionnier du cinéma, il réalisa des centaines de films muets où sa science des trucages fit merveille.

MELILLA, v. d'Afrique du Nord, enclave espagnole sur la côte marocaine de la Méditerranée; 86 000 hab.

MÉLILOT [melilo] n. m. (gr. *melilôtos*, lotus à miel). Plante herbacée à fleurs jaunes ou blanches en grappes, employée en pharmacie et comme fourrage.

MÉLI-MÉLO [melimelo] n. m. (de *mêler*). *Fam.* Mélange confus, désordonné, de choses diverses (syn. FOUILLIS). ‖ Pl. des *mélis-mélos.*

MÉLINITE [melinit] n. f. (du gr. *mêlinos*, couleur de coing). Explosif très puissant, à base d'acide picrique.

MÉLIORATIF, IVE [meljɔratif, -iv] adj. et n. m. (du lat. *melior*, comparatif de *bonus*, bon). Se dit d'un terme propre à présenter l'idée sous un jour favorable (contr. PÉJORATIF).

MELISSE [melis] n. f. (gr. *melissa*, abeille). Plante herbacée vivace odorante. (Famille des labiacées.) ‖ *Eau de mélisse*, produit obtenu par la distillation des feuilles de mélisse dans de l'alcool, et employé contre les vertiges.

MELKITE ou **MELCHITE** [mɛlkit] adj. et n. (du syrien *melek*, roi). Nom porté par les orthodoxes et les catholiques de rite byzantin dans le Proche-Orient.

MELLIFÈRE [mellifɛr] adj. (du lat. *mel, mellis*, miel, et *ferre*, porter). Se dit d'une plante dont le nectar peut être utilisé par les abeilles pour faire du miel.

MÉLO n. m. ⟶ MÉLODRAME.

MÉLODIE [melɔdi] n. f. (du gr. *melos*, cadence, et *ôdê*, chant). **1.** Suite de sons ordonnés selon un certain rythme, généralement agréable à entendre : *Les accents d'une mélodie espagnole.* — **2.** Composition vocale avec accompagnement d'un instrument de musique : *Une mélodie de Fauré* (syn. AIR). — **3.** Caractère de ce qui est propre à flatter l'oreille : *La mélodie du vers.* ◆ **mélodieux, euse** adj. Se dit d'un son, d'une suite de sons agréables à l'oreille : *Une voix mélodieuse* (syn. HARMONIEUX). ◆ **mélodique** adj. Relatif à la mélodie (sens 1 et 2).

MÉLODRAME [melɔdram] ou fam. **MÉLO** [melo] n. m. (du gr. *melos*, cadence, et *drama*, action). Drame populaire, caractérisé par l'accumulation d'épisodes pathétiques, outrés, violents, par la multiplication d'intrigues compliquées et par des incidents imprévus (souvent péjor., pour marquer l'invraisemblance d'une action théâtrale, d'un film, etc.) : *Le mélodrame comporte nécessairement une simplification des personnages, qui s'opposent en deux groupes,* *les bons et les mauvais (ou les traîtres). La scène tourna au mélodrame.* ◆ **mélodramatique** adj. Qui tient du mélodrame par l'exagération pathétique.

MÉLOMANE [melɔman] adj. et n. (du gr. *melos,* chant, et *mania,* folie). Amateur de musique.

1. MELON [məlɔ̃] n. m. (lat. *melo, -onis*). Plante dont le fruit arrondi a une chair juteuse et sucrée, jaunâtre ou rougeâtre selon les espèces. (Famille des cucurbitacées.) ‖ *Melon d'eau,* pastèque.

2. MELON [məlɔ̃] n. m. (de *melon* 1). *Chapeau melon* ou *melon,* chapeau d'homme, rond et bombé.

MÉLOPÉE [melɔpe] n. f. (du gr. *melos,* chant, et *poiein,* faire). Chant monotone, long récitatif sur la même mélodie.

MELTING-POT [mɛltiɲpɔt] n. m. (mot angl.). *Hist.* Assimilation de diverses populations, comme lors du peuplement des États-Unis au XIXe s.

MELUN, ch.-l. du dép. de Seine-et-Marne, sur la Seine, à 45 km au S.-E. de Paris; 36 200 hab. *(Melunais).* Constructions mécaniques et aéronautiques. Industries alimentaires.

MELUN-SÉNART, ville nouvelle au sud-est de Paris.

Mélusine, fée qui, en Poitou, passe pour avoir été l'aïeule de l'illustre famille de Lusignan.

MELVILLE (Herman), écrivain américain (1819-1891). Ancien marin, il publie des romans dont l'action est située en Polynésie : *Taïpi* (1846) et, en 1851, son chef-d'œuvre, *Moby* Dick ou la Baleine blanche.* L'œuvre passa inaperçue, ainsi que les romans, contes et poèmes que Melville fit paraître de son vivant. Après sa mort on édita notamment *Billy Bud* (1924). Melville est aujourd'hui placé parmi les plus grands romanciers américains.

MEMBRANE [mɑ̃bran] n. f. (lat. *membrana*). Tissu mince et souple, qui enveloppe, forme ou tapisse les organes (membrane des intestins, du tympan, etc.) ou une partie d'un végétal (la membrane qui recouvre la gaine d'une plante). ‖ *Fausse membrane,* tissu anormal se développant sur les muqueuses à la suite de certaines inflammations. ‖ *Membrane cellulaire,* enveloppe semi-perméable qui entoure le protoplasme.

MEMBRE [mɑ̃br] n. m. (lat. *membrum*). **1.** Chacune des quatre parties articulées du tronc de l'homme ou des animaux, disposées par paires, et servant à la locomotion *(jambes, pattes)* ou à la préhension *(bras).* ⟶ ENCYCL. — **2.** *Gramm.* Division d'une phrase correspondant à une unité syntaxique (groupe nominal, verbal) ou à une unité lexicale (mot). — **3.** *Math.* Chacune des expressions situées l'une à gauche, l'autre à droite du signe = (égal) dans une égalité, ou des signes > (plus grand que) ou < (plus petit que) dans une inégalité. — **4.** Personne, pays, etc., faisant partie d'un ensemble organisé : *Les divers membres de la famille.* ◆ adj. Se dit d'un pays qui fait partie d'un tout : *Les États membres de l'O. N. U.* (⟶ DÉMEMBRER, REMEMBRER.)

— ENCYCL. Chez l'*homme,* il existe deux *membres* inférieurs, attachés au bassin, et deux membres supérieurs, attachés à la ceinture scapulaire. Chaque membre comprend trois segments : le bras, l'avant-bras et la main pour le membre supérieur; la cuisse, la jambe et le pied pour le membre inférieur. Diverses anomalies congénitales peuvent affecter les membres : atrophie, aplasie, déformations telles que le pied bot.

Les *animaux vertébrés* possèdent au maximum deux paires de membres, fixées aux épaules (membres antérieurs) et au bassin (membres postérieurs). Chez les *serpents,* les membres ont disparu. Chez les *oiseaux* et les *chauves-souris,* les membres antérieurs sont modifiés en ailes. Chez les *poissons,* les membres constituent les *nageoires paires.* Les pattes des insectes ne sont pas appelées des membres, mais des *appendices.*

1. MÊME [mɛm] adj. (bas lat. *metipsimum*). **1.** Entre l'article, le déterminatif et le nom, indique l'identité, la ressemblance, l'égalité : *Ils ont les mêmes goûts* (syn. IDENTIQUE, PAREIL). *Arriver en même temps* (= ensemble). *Il est travailleur et en même temps il est intelligent* (= à la fois); suivi d'une proposition comparative introduite par *que : Il fait la même température qu'hier.* — **2.** Après un substantif, un pronom démonstratif, ou joint à un pronom personnel par un trait d'union, a une valeur de renforcement : *Ce sont les propos mêmes qu'il a tenus sur vous* (syn. PROPRE). *Il est la loyauté même* (syn. EN PERSONNE). *Il ne cesse de gémir sur lui-même* (= sur son propre sort). *C'est un autre moi-même* (= il peut me remplacer en toute circonstance). ‖ *De lui-même, de toi-même,* etc., spontanément, de son propre mouvement. ◆ pron. indéf. Précédé de l'art., joue le rôle d'un substantif indiquant l'identité, la ressemblance : *Il est toujours le même* (= il garde le même caractère). ‖ Fam. *C'est du pareil au même,* c'est tout à fait la même chose. ‖ *Cela revient au même,* on obtient ainsi le même résultat.

2. MÊME [mɛm] adv. (même étym.). **1.** (avant ou après un adj., un autre adv., un verbe, avant un substantif, un pron.) Introduit un terme qui renchérit dans une énumération, une opposition, une gradation, qui insiste sur le mot : *Il est réservé et même timide* (syn. QUI PLUS EST). *Dans le bateau, même lui était malade* (= lui aussi). *Je ne l'ai même pas vu.* — **2.** (après un adv. de lieu ou de temps, un pron. dém.) Indique une valeur exclusive : *C'est ici même que l'accident s'est produit* (syn. PRÉCISÉMENT). — LOC. ADV. *Quand même, tout de même,* indique une opposition insistante : *Je le ferai quand même* (syn. MALGRÉ TOUT). *Il a réussi tout de même* (syn. APRÈS TOUT). ‖ *De même,* pareillement, d'une manière identique : *Agissez de même.* ‖ *À même,* directement : *Coucher à même le sol* (= sur la terre même). — LOC. PRÉP. *Être à même de* (suivi d'un infin.), être capable de : *Je ne suis pas à même de vous renseigner.* — LOC. CONJ. *De même que,* introduit une proposition comparative.

MÉMENTO [memɛ̃to] n. m. (lat. *memento,* souviens-toi). **1.** Agenda où l'on inscrit les rendez-vous, les adresses, les numéros de téléphone, etc. — **2.** Ouvrage où sont résumées les parties essentielles d'une question. ‖ Pl. des *mémentos.*

MEMLING ou **MEMLINC** (Hans), peintre flamand (v. 1433-1494). Toute sa carrière s'est déroulée à Bruges, où sont conservées ses œuvres principales *(Châsse de sainte Ursule) :* compositions religieuses d'un style doux et calme, portraits dont le modèle est représenté dans son cadre familier.

1. MÉMOIRE [memwar] n. f. (lat. *memoria*). **1.** Faculté de conserver et de rappeler des faits, des sentiments passés, des connaissances acquises antérieurement : *Ces vers se sont gravés dans sa mémoire. Il a perdu la mémoire* (= il ne se souvient de rien). — **2.** *De mémoire,* en s'aidant seulement de la mémoire, sans avoir le texte sous les yeux : *Il cite de mémoire* (syn. PAR CŒUR). — **3.** Ce qui reste d'une personne ou d'une chose, après sa disparition, dans le souvenir des hommes : *Venger la mémoire de son père.* ◆ **mémorable** adj. (avant ou après le nom). Digne de mémoire : *Une parole mémorable* (syn. INOUBLIABLE). *Date mémorable* (syn. MARQUANT). ◆ **mémoriser** v. t. Fixer méthodiquement, par répétitions systématiques, dans la mémoire. ◆ **mémorisation** n. f. ◆ **remémorer (se)** [sərəmemɔre] v. pr. Se remettre en mémoire : *Essaie de te remémorer cette histoire* (syn. SE RAPPELER, SE SOUVENIR DE).

2. MÉMOIRE [memwar] n. f. (même étym.). Dans un ordinateur, dispositif qui enregistre l'information nécessaire à l'exécution d'un programme, la conserve et la restitue par la suite.

3. MÉMOIRE [memwar] n. m. (même étym.). **1.** Écrit sommaire, contenant un exposé, une requête, etc. : *Mémoire adressé au chef de l'État pour lui demander la grâce d'un condamné.* — **2.** Dissertation sur un sujet déterminé et destinée à être présentée à une société savante, à un jury de concours, etc. : *Mémoire présenté à l'Académie des sciences.*

4. MÉMOIRES [memwar] n. m. pl. (même étym.) [avec une majusc.]. Souvenirs écrits par une personne sur sa vie publique ou privée : *Écrire ses Mémoires.* ◆ **Mémorial** n. m. (avec une majusc.). Recueil de faits mémorables : *Le « Mémorial de Sainte-Hélène ».* ◆ **mémorialiste** n. Auteur de Mémoires.

Mémoires d'outre-tombe, par Chateaubriand (1848-1850).

MÉMORABLE adj. ⟶ MÉMOIRE 1.

MÉMORANDUM [memɔrɑ̃dɔm] n. m. (du lat. *memorandus,* qui doit être rappelé). Note diplomatique contenant l'exposé d'une question. ‖ Pl. des *mémorandums.*

1. MÉMORIAL n. m. ⟶ MÉMOIRES 4.

2. MÉMORIAL [memɔrjal] n. m. (bas lat. *memoriale*). Monument commémoratif.

Mémorial de Sainte-Hélène, ouvrage publié en 1823 par le comte de Las Cases, secrétaire de Napoléon Ier. Il y a consigné ses conversations avec l'Empereur.

MÉMORIALISTE n. ⟶ MÉMOIRES 4.

MÉMORISATION n. f., **MÉMORISER** v. t. ⟶ MÉMOIRE 1.

MEMPHIS, v. de l'anc. Égypte, sur le Nil, en amont du Delta, capit. de l'Ancien Empire. Elle fut particulièrement embellie par les Ramessides. La fondation d'Alexandrie et l'invasion arabe marquèrent sa décadence.

MEMPHIS, v. des États-Unis (Tennessee), sur le Mississippi; 623 500 hab.

MENACER [mənase] v. t. (bas lat. *minaciare*). [Conj. **1.**] **1.** (sujet nom d'être animé) *Menacer qq'un,* l'avertir en lui faisant craindre quelque chose, en lui manifestant son intention de faire mal : *Dans sa colère, il me menaça de sa canne;* suivi d'un infin. : *Il menaça de démissionner.* — **2.** (sujet nom de chose) *Menacer qq'un, qqch.,* constituer un danger, un objet de crainte pour eux (souvent au passif) : *Son bonheur est menacé.* — **3.** (sujet nom de chose) Laisser prévoir, être à craindre : *Les murs branlants mena-*

cent de tomber. ◆ **menaçant, e** adj. : *Un orage menaçant* (syn. IMMINENT). *Des gestes menaçants* (= qui constituent une menace). ◆ **menace** n. f. **1.** Parole, geste, action par lesquels on exprime son intention de faire mal, on manifeste sa colère : *Obliger sous la menace à se retirer* (syn. INTIMIDATION). *Mettre ses menaces à exécution* (syn. ↓AVERTISSEMENT). — **2.** Signe qui fait craindre une chose : *Locataire qui est sous la menace d'une expulsion.*

MÉNAGE [menaʒ] n. m. (du lat. *mansio,* maison). **1.** Ensemble de ce qui concerne la conduite, l'entretien d'une maison, d'une famille, et en partic. travaux concernant la propreté de l'appartement, des intérieurs : *Faire le ménage* (= nettoyer la maison). *La femme de ménage* (= qui fait le ménage pour un particulier, moyennant un salaire). — **2.** *Monter son ménage,* acheter les ustensiles, le mobilier nécessaires à la vie domestique. — **3.** Homme et femme vivant ensemble et formant la base de la famille : *Un jeune ménage* (syn. COUPLE). *Un ménage sans enfants. Des querelles, des scènes de ménage* (= entre mari et femme). — **4.** *Faire bon, mauvais ménage avec qq'un,* s'entendre bien ou mal avec lui. ◆ **ménager, ère** adj. Relatif aux soins du ménage, à tout ce qui concerne l'entretien, la propreté, la conduite d'une maison : *Les ustensiles, les appareils ménagers* (= balai, aspirateur, etc.). *Le Salon des arts ménagers présente les dernières nouveautés qui assurent le confort domestique. Les ordures ménagères.* ◆ **ménagère** n. f. **1.** Femme qui a soin du ménage. — **2.** Ensemble des couverts de table.

MÉNAGE (Gilles), érudit français (1613-1692). Il s'est surtout occupé d'étymologie et a publié des ouvrages sur la langue française. Il a laissé des vers français, italiens, latins, grecs : *Poemata.* Boileau l'a tourné en ridicule, et Molière l'a visé dans le personnage de Vadius des *Femmes savantes.*

1. MÉNAGER, ÈRE adj. et n. f. → MÉNAGE.

2. MÉNAGER [menaʒe] v. t. (de *ménage*). [Conj. **2.**] **1.** *Ménager qq'un,* le traiter avec respect, prudence, considération, délicatesse, de manière à ne pas lui déplaire ou l'humilier : *Il ne ménage pas ses adversaires* (syn. ÉPARGNER). — **2.** *Ménager une chose,* en user avec modération, l'utiliser avec économie : *Ménager son argent* (syn. ÉPARGNER). *Ménager son temps* (= ne pas le perdre). *Ménager ses paroles* (= parler peu). *Ménagez vos expressions* (= parlez avec plus de modération). — **3.** Préparer avec attention, avec prudence, avec un soin minutieux : *Ménager l'avenir. Ménager un entretien* (syn. ARRANGER). *Je lui ménage une surprise* (syn. RÉSERVER). — **4.** Réserver, disposer une place; pratiquer une ouverture : *Ménager une fenêtre dans le mur* (syn. OUVRIR). ◆ ***se ménager*** v. pr. Prendre soin de sa santé. ◆ **ménagement** n. m. **1.** Réserve, modération dont on use à l'égard de quelqu'un : *Traiter avec ménagement* (syn. CIRCONSPECTION; contr. BRUTALITÉ). *Parler sans ménagement* (= avec une franchise brutale). — **2.** (au plur.) Procédés dont on use envers quelqu'un : *Traiter un malade avec de grands ménagements* (syn. PRÉCAUTION).

MÉNAGERIE [menaʒri] n. f. (de *ménage*). Lieu où l'on conserve une collection d'animaux de toute espèce, généralement rares ou curieux, soit pour les étudier (ménagerie du Jardin des Plantes), soit pour les montrer (ménagerie d'un cirque).

MÉNAM (le) ou **CHAO PHRAYA** (la), fl. de Thaïlande, qui passe à Bangkok et se jette dans le golfe de Siam; 1 200 km.

MÉNANDRE, poète comique grec, né à Athènes (v. 342-v. 292 av. J.-C.). Il fut le représentant le plus célèbre de la « comédie nouvelle ». Plaute et Térence l'imitèrent.

MENCHEVIK [menʃəvik] n. m. et adj. (mot russe, signif. *qui fait partie de la minorité*). Nom donné aux minoritaires du parti social-démocrate russe, adversaires des *bolcheviques**, majoritaires.

MENDE, ch.-l. du dép. de la Lozère, sur le Lot (r. g.), au N. du *causse de Mende;* 12 000 hab. *(Mendois).*

MENDEL (Johann, en relig. **Gregor**), moine botaniste autrichien (1822-1884). Il a réalisé des expériences sur l'hybridation des plantes et l'hérédité chez les végétaux. Il a dégagé les lois qui portent son nom sur la transmission de certains caractères héréditaires.

MENDELEÏEV (Dimitri Ivanovitch), chimiste russe (1834-1907). Il est l'auteur de la classification périodique des éléments* chimiques (1869), tableau dans lequel il faisait correspondre à des métaux encore inconnus des cases vides; l'existence et les propriétés de ces métaux se sont vérifiées depuis.

MENDELSSOHN-BARTHOLDY (Félix), compositeur et chef d'orchestre allemand (1809-1847). Il est l'auteur de symphonies *(Symphonie italienne),* d'oratorios, d'ouvertures *(les Grottes de Fingal),* de musique de scène *(le Songe d'une nuit d'été),* de concertos (violon, piano) et de *Romances sans paroles.* Il se rapproche des « classiques », mais il peut être considéré comme un « préromantique », pour sa sensibilité vive et chaleureuse, pour son sens du fantastique et du merveilleux. Il contribua à la résurrection de l'œuvre de Bach.

MENDERES (le), ancienn. **Méandre,** fl. de la Turquie d'Asie, qui rejoint la mer Égée; 450 km.

MENDÈS FRANCE (Pierre), homme politique français (1907-1982). Député radical-socialiste, il fut président du Conseil de 1954 à 1955. Il mit fin à la guerre d'Indochine et accorda l'autonomie interne à la Tunisie.

1. MENDIANT, E adj. et n. → MENDIER.

2. MENDIANT [mɑ̃djɑ̃] n. m. (de *mendier*). *Les quatre mendiants* ou *mendiant(s),* dessert composé de figues sèches, raisins secs, amandes et noisettes.

MENDIER [mɑ̃dje] v. t. et i. (lat. *mendicare*). **1.** Demander l'aumône; faire appel à la pitié, à la charité d'autrui : *Mendier à la porte d'une église. Mendier du travail.* — **2.** Rechercher avec empressement, avec une insistance servile ou humble : *Mendier des éloges, des compliments* (syn. SOLLICITER). ◆ **mendiant, e** n. Personne qui mendie : *Donner de l'argent à un mendiant* (= lui faire l'aumône). ◆ adj. *Ordres mendiants,* ordres fondés ou réorganisés au XIIIe s., et qui faisaient profession de ne vivre que de la charité publique. (Les quatre premiers, et les plus importants, furent les Carmes, les Franciscains, les Dominicains et les Augustins.) ◆ **mendicité** n. f. **1.** Action de mendier (terme admin.). — **2.** Condition de celui qui mendie : *Sa paresse avait réduit sa famille à la mendicité.* ◆ **mendigot, e** n. Syn. pop. de MENDIANT.

MENDOZA, v. d'Argentine, au pied des Andes; 115 200 hab. Archevêché. Centre commercial d'une riche région viticole.

MENÉ *(landes du),* ligne de hauteurs de Bretagne (Côtes-d'Armor), culminant au *Bel-Air* (341 m).

MENÉES [məne] n. f. pl. (de *mener*). Manœuvres secrètes et malveillantes qui visent à faire réussir un projet : *Être victime de menées perfides* (syn. AGISSEMENTS, MACHINATION).

MÉNÉLAS. *Myth. gr.* Roi achéen, fondateur de Lacédémone, époux d'Hélène, dont l'enlèvement par Pâris fut à l'origine de la guerre de Troie.

MÉNÉLIK II (1844-1913), négus d'Éthiopie (1889-1909). Il battit à Adoua (1896) les Italiens envahisseurs, assurant ainsi l'indépendance de l'Éthiopie.

MENENIUS AGRIPPA, consul romain en 503 av. J.-C. Au moment de la sécession, pour obtenir le retour des plébéiens retirés sur le mont Sacré, il composa le célèbre apologue : *les Membres et l'Estomac.*

MENER [məne] v. t. (bas lat. *minare,* pousser des bêtes devant soi en criant). [Conj. **9.**] **1.** (sujet nom d'être animé) *Mener qq'un,* le conduire vers un endroit en le guidant, en exerçant sur lui une autorité : *Mener un enfant à l'école* (syn. AMENER). *Mener des troupes au combat.* — **2.** (sujet nom de chose) *Mener qq'un,* le transporter d'un lieu à un autre : *L'autocar vous mènera au village;* faire arriver en un lieu, en une situation déterminés : *Tous les chemins mènent à Rome* (syn. CONDUIRE). *Cela ne vous mènera à rien* (= vous ne pouvez rien faire avec cela). — **3.** (sujet nom d'être animé ou nom de chose) *Mener qq'un, qqch.,* les entraîner vers un lieu, vers une situation : *Ce crime l'a mené en cour d'assises;* les gouverner à sa guise : *Le président mène les débats* (syn. DIRIGER). *Sa femme le mène par le bout du nez, à la baguette* (= le fait agir comme elle veut). *Il mène le jeu* (= il est maître du jeu, de la situation). — **4.** (sujet nom d'être animé) *Mener un véhicule, un navire,* etc., en assurer la marche, le faire aller en un lieu : *Mener sa voiture au garage. Il mène bien sa barque* (= il gère bien ses affaires). — **5.** *Mener (une affaire, une lutte),* en assurer le déroulement : *Les policiers ont mené l'enquête. Mener à bonne fin son travail* (= le terminer heureusement). *Mener de front deux activités* (= s'occuper simultanément). ‖ *Mener grand bruit, grand tapage autour d'une affaire,* attirer l'attention sur elle en faisant du bruit. ‖ *Mener une vie* (et un adj. ou un compl.), vivre (et un adv.) : *Mener une vie honnête* (= vivre honnêtement). ‖ *Mener la vie dure à qq'un,* exercer sur lui une autorité brutale, rude. ‖ Fam. *Ne pas en mener large,* être dans une situation gênante, difficile; être dans l'inquiétude, la peur. ◆ v. i. (sujet nom désignant une équipe, un joueur). Avoir l'avantage (à la marque) : *L'équipe mène à la mi-temps par deux buts à zéro.* ◆ **meneur, euse** n. **1.** Personne qui dirige, entraîne les autres dans une entreprise : *On a arrêté les meneurs de l'émeute.* — **2.** *Un meneur d'hommes,* celui qui sait diriger les hommes. ‖ *Le meneur de jeu,* celui qui est chargé, dans une émission radiophonique, télévisée, etc., d'enchaîner les moments du spectacle.

MÉNESTREL [menestrɛl] n. m. (bas lat. *ministerialis,* serviteur). Au Moyen Age, musicien et chanteur ambulant.

MÉNÉTRIER [menetrije] n. m. (du lat. *ministerium,* service). Dans les campagnes, homme qui joue d'un instrument de musique pour faire danser.

MENEUR, EUSE n. → MENER.

MENEZ HOM, point culminant de la Montagne Noire, dans la Bretagne de l'Ouest (Finistère); 330 m.

MENHIR [menir] n. m. (du breton *men*, pierre, et *hir*, longue). Pierre dressée verticalement par les hommes de la préhistoire.
— ENCYCL. Les *menhirs* étaient sans doute des pierres commémoratives ou des édifices relatifs à un culte religieux. Ils sont souvent disposés en cercles qui forment les « cromlechs ». On en compte près de 5000 en Bretagne. Les alignements de Carnac comptent environ 2800 menhirs; ils forment une trentaine de rangées sur 3 à 4 km de longueur, et constituent, probablement, un vaste sanctuaire lié au culte solaire et aux fêtes des grands travaux agricoles.

MENIA (El-) → GOLÉA *(El-)*.

MENIN, en néerl. **Menen,** v. de Belgique (Flandre-Occidentale), sur la Lys; 34300 hab. Industries mécaniques et textiles.

MENINE [menin] n. f. (esp. *menina*). Femme de qualité attachée à la reine d'Espagne ou aux infantes royales : *Un tableau de Vélasquez porte le nom de « las Meninas » (= « les Menines »).*

MÉNINGE [menɛ̃ʒ] n. f. (gr. *mêninga*). **1.** *Anat.* Chacune des trois membranes entourant les centres nerveux : *Les trois méninges sont la pie-mère, l'arachnoïde et la dure-mère.* — **2.** (au plur.) *Fam.* Cerveau, esprit : *Ne pas se fatiguer les méninges.* ◆ **méningé, e** adj. Relatif aux méninges, à la méningite : *Réaction méningée.* ◆ **méningite** n. f. *Méd.* Inflammation des méninges due à un germe microbien. ◆ **méningocoque** n. m. Microbe responsable d'une sorte de méningite, la méningite cérébro-spinale.

1. MÉNISQUE [menisk] n. m. (gr. *mêniskos*, petite lune). **1.** Lentille de verre convexe d'un côté et concave de l'autre : *Ménisque convergent, divergent.* — **2.** Surface courbe qui se forme à l'extrémité supérieure d'une colonne de liquide contenue dans un tube.

2. MÉNISQUE [menisk] n. m. (même étym.). *Anat.* Lame de cartilage située entre les os, dans certaines articulations : *Les ménisques du genou.*

MÉNOPAUSE [menopoz] n. f. (du gr. *mên, mênos*, mois, et *pausis*, cessation). Arrêt de la menstruation chez la femme (entre quarante et cinquante-cinq ans).

1. MENOTTE [mənɔt] n. f. (de *main*). Petite main (en parlant d'un enfant).

2. MENOTTES [mənɔt] n. f. pl. (même étym.). Bracelets métalliques avec lesquels on attache les poignets des prisonniers : *Passer, mettre les menottes à un voleur.*

MENOTTI (Gian Carlo), compositeur italien naturalisé américain, né en 1911; auteur de nombreux opéras : *le Médium*, 1946, *le Consul*, 1950.

MENSONGE n. m., **MENSONGER, ÈRE** adj. → MENTIR.

MENSTRUATION [mɑ̃stryasjɔ̃] n. f. (du lat. *menstruus*, mensuel). Écoulement périodique de sang, observé chaque mois chez les femmes, depuis la puberté jusqu'à la ménopause. ◆ **menstruel, elle** adj. Qui se rapporte à la menstruation : *Le cycle menstruel.* ◆ **menstrues** n. f. pl. Syn. de RÈGLES.

MENSUEL, ELLE [mɑ̃sɥɛl] adj. (du lat. *mensis*, mois). Qui se fait tous les mois : *Une revue mensuelle* (= qui paraît tous les mois). *Le salaire mensuel* (= du mois). ◆ n. m. Employé payé au mois. ◆ **mensuellement** adv. ◆ **mensualisation** n. f. Paiement au mois des salaires précédemment payés à l'heure ou à la quinzaine. ◆ **mensualiser** v. t. Opérer la mensualisation. ◆ **mensualité** n. f. Somme versée chaque mois : *Payer par mensualités.* ◆ **bimensuel, elle** adj. Qui paraît deux fois par mois.

MENSURATIONS [mɑ̃syrasjɔ̃] n. f. pl. (du lat. *mensura*, mesure). Ensemble des dimensions caractéristiques du corps humain, chez un individu; les mesures ainsi obtenues.

MENTAL, E, AUX [mɑ̃tal, -to] adj. (du lat. *mens, mentis*, esprit). **1.** Relatif aux fonctions intellectuelles de l'esprit : *La folie est une maladie mentale.* — **2.** Qui se fait dans l'esprit seulement : *Calcul mental.* ◆ **mentalement** adv. : *Calculer mentalement* (= de tête). ◆ **mentalité** n. f. **1.** État d'esprit, manière de penser : *Il a une mentalité d'enfant* (= il pense comme un enfant). — **2.** Conduite, comportement moral : *La belle mentalité de la jeunesse actuelle!* (syn. MORALITÉ).

MENTANA, v. d'Italie (province de Rome), au N.-E. de Rome; 13800 hab.

- *1867. Garibaldi y est battu par les troupes pontificales et françaises du général de Failly.*

MENTERIE n. f., **MENTEUR, EUSE** adj. et n. → MENTIR.

Menteur *(le)*, comédie de P. Corneille, en 5 actes et en vers (1643).

MENTHE [mɑ̃t] n. f. (gr. *minthê*). Plante herbacée vivace odorante, utilisée en infusion et pour aromatiser les liqueurs, les bonbons, etc. (Famille des labiacées.) ◆ **menthol** [mɛ̃tɔl ou mɑ̃tɔl] n. m. Alcool extrait de l'essence de menthe.

MENTION [mɑ̃sjɔ̃] n. m. (lat. *mentio*). **1.** Note fournie sur quelque chose; citation ou bref renseignement donnés par écrit : *Je ne vois nulle part mention de cet ouvrage.* ‖ *Faire mention de*, signaler. — **2.** Appréciation élogieuse donnée à la suite de certains examens : *Avoir la mention « très bien ».* ◆ **mentionner** v. t. : *Tous les collaborateurs de l'ouvrage sont mentionnés dans l'avant-propos* (syn. CITER). *Le journal mentionne plusieurs incendies de voitures* (syn. INDIQUER, SIGNALER).

MENTIR [mɑ̃tir] v. i. (lat. *mentiri*). [Conj. **19.**] **1.** Affirmer ce qu'on sait être faux ou nier ce qu'on sait être vrai : *Il ment comme il respire* (= continuellement). — **2.** *Sans mentir*, à dire vrai, en vérité (renforcement d'une affirmation) : *Sans mentir, la salle était comble.* ◆ **se mentir** v. pr. Refuser d'avouer à soi-même la vérité. ◆ **mensonge** n. m. Affirmation contraire à la vérité : *Un pieux mensonge* (= fait dans l'intention de cacher une vérité pénible ou offensante). *Vivre dans le mensonge* (syn. HYPOCRISIE). ◆ **mensonger, ère** adj. Fondé sur le mensonge : *Affirmations mensongères* (syn. FAUX, TROMPEUR; contr. VRAI). ◆ **menterie** n. f. Syn. vieilli de MENSONGE. ◆ **menteur, euse** adj. et n. Se dit d'une personne qui ment, qui a l'habitude de mentir. ◆ adj. Qui trompe, qui induit en erreur : *Le proverbe est menteur qui affirme que la fortune vient en dormant.*

MENTON [mɑ̃tɔ̃] n. m. (bas lat. *mento, -onis*). Partie saillante du visage formée par le maxillaire inférieur : *Avoir un menton en galoche* (= long et recourbé en avant). ◆ **mentonnière** n. f. **1.** Bande d'étoffe passant sous le menton, pour attacher certaines coiffures. — **2.** Pièce inférieure de la visière d'un casque, qui protégeait le menton.

MENTON, ch.-l. de cant. des Alpes-Maritimes, à 29 km au N.-E. de Nice, près de la frontière italienne; 25300 hab. *(Mentonnais)*. Centre touristique.

MENTONNET [mɑ̃tɔnɛ] n. m. (de *menton*). Pièce saillante d'une roue ou d'un arbre tournant, pour déterminer un arrêt lorsqu'elle se rencontre avec une autre pièce.

MENTONNIÈRE n. f. → MENTON.

MENTOR [mɑ̃tɔr] n. m. (de *Mentor*, personnage de la mythologie grecque). Conseiller sage et expérimenté d'un jeune homme.

1. MENU [məny] n. m. (lat. *minutus;* de *minuere*, diminuer). Liste détaillée des mets qui composent un repas : *Le menu à prix fixe.*

2. MENU, E [məny] adj. (même étym.) [avant ou plus souvent après le nom]. **1.** Très petit; de très faible volume : *Une tige menue* (syn. GRÊLE). *Avoir des doigts menus* (syn. FIN). *Une voix menue* (syn. FLUET; contr. FORT). — **2.** De peu d'importance : *De menus frais* (contr. GROS). *Raconter une aventure dans le menu détail. La menue monnaie* (syn. PETIT). ◆ adv. *Couper, hacher menu*, en petits morceaux. ◆ n. m. *Expliquer, raconter par le menu*, en détail. ◆ **amenuiser** [amənɥize] v. t. **1.** *Amenuiser qqch.*, le rendre ou le faire paraître plus petit, moins important : *Chaque jour qui s'écoule amenuise les chances de réussite* (syn. DIMINUER, RÉDUIRE). — **2.** *Amenuiser une planche*, l'amincir. ◆ **s'amenuiser** v. pr. Devenir plus petit : *Les recettes s'amenuisent* (syn. DIMINUER; contr. S'ACCROÎTRE). ◆ **amenuisement** n. m. Diminution.

MENUET [mənɥɛ] n. m. (de *menu*). Anc. danse française à trois temps, originaire du Poitou.

MENUISIER [mənɥizje] n. m. (du bas lat. *minutiare*, rendre menu). Ouvrier, artisan exécutant des travaux en bois pour le bâtiment et des meubles. ◆ **menuiserie** n. f. Métier, ouvrage, atelier du menuisier.

MENZEL-BOURGUIBA, ancienn. **Ferryville,** v. de la Tunisie septentrionale, sur le lac de Bizerte; 33800 hab. Arsenal maritime. Sidérurgie. Pneumatiques.

Méphistophélès, incarnation du diable, popularisée par le *Faust* de Goethe.

MÉPLAT [mepla] n. m. *(mé-*, et *plat)*. **1.** Chacun des plans d'une surface. — **2.** *Archit.* Plan intermédiaire formant la transition entre deux surfaces.

MÉPRENDRE (SE) [səmeprɑ̃dr] v. pr. *(mé-*, et *prendre)*. [Conj. **54.**] **1.** *Se méprendre sur qq'un, sur qqch.*, se tromper à leur sujet, les méconnaître : *Je me suis mépris sur ses intentions réelles. Se méprendre sur le sens de ses paroles.* — **2.** *À s'y méprendre*, au point de se tromper, de confondre. ◆ **méprise** n. f. Erreur commise sur quelqu'un, sur son attitude, sur quelque chose : *Victime d'une méprise* (syn. CONFUSION, MALENTENDU). *Il m'a adressé par méprise une lettre qui ne m'était pas destinée* (syn. INADVERTANCE).

MÉPRIS [mepri] n. m. (de *mé-*, et *priser*). **1.** Sentiment par lequel on juge quelqu'un ou quelque chose indigne d'estime ou d'attention, condamnable, inférieur sur le plan moral, intellectuel, etc. : *Regarder avec mépris* (syn. ↓DÉDAIN). — **2.** Absence de considération, d'attention pour quelque chose; sentiment par lequel on s'élève au-dessus des émotions et des passions : *Le mépris des convenances* (contr. RESPECT, VÉNÉRATION). *Le mépris des honneurs* (contr. ENVIE). *Le mépris de la mort* (contr. CRAINTE). — LOC. PRÉP. *Au mépris de*, contrairement à, sans considérer : *Au mépris des lois* (syn. MALGRÉ). ◆ **mépriser** v. t. *Mépriser qq'un* ou *qqch.*, témoigner pour eux du mépris : *Un orgueilleux qui méprise ses subordonnés* (syn. DÉDAIGNER). *Mépriser les flatteries* (syn. IGNORER). *Mépriser le danger* (syn. BRAVER). ◆ **méprisable** adj. Digne de mépris : *Des procédés méprisables* (syn. VIL). ◆ **méprisant, e** adj. Qui montre du mépris : *Un homme méprisant* (syn. DÉDAIGNEUX).

MÉPRISE n. f. —→ MÉPRENDRE.

MÉPRISER v. t. —→ MÉPRIS.

MER [mɛr] n. f. (lat. *mare*). **1.** Très vaste étendue d'eau salée, qui occupe environ 70 p. 100 de la surface de la Terre. —→ ENCYCL. — **2.** (avec un compl. ou un adj.) Partie déterminée de cette étendue : *La mer Rouge.* — **3.** *Avoir le mal de mer* (= des nausées). *Les gens de mer* (= les marins). ‖ *Bras de mer*, partie de la mer située entre deux terres assez proches l'une de l'autre. ‖ *Haute mer*, partie de la mer soumise à un régime de liberté, aucun État ne pouvant légitimement prétendre à en soumettre une partie quelconque à sa souveraineté. ‖ *Pleine mer*, marée haute; partie de la mer éloignée du rivage. ‖ *C'est une goutte d'eau dans la mer* (= un effort insignifiant, un apport insuffisant). ‖ *Ce n'est pas la mer à boire*, ce n'est pas une tâche insurmontable. — **4.** (avec un compl.) Vaste étendue, immense superficie : *Une mer de sable.* ◆ **amerrir** [amerir] v. i. (sujet nom désignant un avion, un hydravion, etc.). Se poser à la surface de l'eau. ◆ **amerrissage** n. m.
— ENCYCL. Le caractère fondamental distinguant les *mers* des lacs ou rivières est la salinité (de l'ordre de 35 p. 1 000), dont l'origine est controversée. On réserve parfois le nom de *mer* aux étendues d'eaux salées communiquant entre elles, ce qui revient notamment à exclure de la classification la mer Caspienne, la mer d'Aral, la mer d'Azov, considérées comme des lacs. Le terme, dans un sens restreint, peut désigner aussi les étendues d'eau salée en bordure des continents (mer Méditerranée, mer des Antilles, mer d'Oman, etc.). Les vastes masses d'eau séparant les continents reçoivent alors le nom d'*océans**.

MERCANTI [mɛrkɑ̃ti] n. m. (de l'it. *mercante*, marchand). *Péjor.* Commerçant malhonnête. ◆ **mercantile** adj. *Esprit mercantile*, attitude, comportement d'une personne préoccupée surtout de réaliser par tous les moyens des bénéfices, des gains. ◆ **mercantilisme** n. m. **1.** Âpreté au gain. — **2.** Doctrine économique qui régna en Europe du milieu du XVe s. au milieu du XVIIIe s. et selon laquelle, les métaux précieux constituant la richesse essentielle des États, il convient d'organiser le commerce extérieur en vue d'en conserver et d'en accroître le stock. (En France, le mercantilisme fut, au XVIIe s., à la base du colbertisme [—→ COLBERT].)

MERCANTOUR (le), massif cristallin des Alpes-Maritimes; 3 045 m. Parc national.

MERCATOR (Gerhard KREMER, dit **Gerard**), mathématicien et géographe flamand (1512-1594). Il fut l'un des fondateurs de la géographie mathématique moderne, imaginant notamment la projection à laquelle son nom est resté attaché. Dans cette représentation plane de la Terre, les méridiens successifs sont représentés par des droites parallèles équidistantes, et les parallèles par des droites perpendiculaires aux précédentes. En 1569, Mercator publia la première carte du monde à l'usage des navigateurs.

MERCENAIRE [mɛrsənɛr] n. m. et adj. (du lat. *merces*, salaire). Soldat qui sert à prix d'argent un gouvernement étranger.

Mercenaires *(guerre des)*, guerre soutenue par Carthage contre ses mercenaires révoltés, après la première guerre punique (240-237 av. J.-C.). Hamilcar Barca les massacra.

MERCERIE n. f. —→ MERCIER.

1. MERCI [mɛrsi] interj. de politesse (lat. *merces, -edis*, récompense, grâce). **1.** Interj. employée pour remercier, pour accompagner ou appuyer une affirmation, un refus : *Merci beaucoup. Non, merci, je ne fume pas.* — **2.** *Dieu merci!*, exclamation indiquant le soulagement, la satisfaction (syn. GRÂCE À DIEU). ◆ n. m. Parole de remerciement : *Dites-lui un grand merci de ma part.*

2. MERCI [mɛrsi] n. f. (même étym.). **1.** *Être à la merci de qq'un, de qqch.*, être dans une situation telle qu'on dépend d'eux entièrement : *Sur la route, on est à la merci du premier chauffard venu.* — **2.** *Lutte, combat*, etc., *sans merci*, sans pitié, avec un acharnement extraordinaire.

MERCIER, ÈRE [mɛrsje, -ɛr] n. (de l'anc. fr. *merz*, marchandise). Personne qui vend les articles relatifs aux travaux de couture (fil, boutons, rubans, etc.). ◆ **mercerie** n. f. Commerce et boutique du mercier.

MERCKX (Eddy), coureur cycliste belge, né en 1945. Il a gagné le Tour de France en 1969, 1970, 1971, 1972 et 1974.

MERCREDI [mɛrkrədi] n. m. (du lat. *Mercurii dies*, jour de Mercure). **1.** —→ SEMAINE. — **2.** *Mercredi des Cendres*, premier jour du carême.

MERCURE, dieu romain du Commerce, des Voleurs et des Voyageurs, fils de Jupiter, assimilé à *Hermès* par les Romains.

MERCURE [mɛrkyr] n. m. (de *Mercure*, à cause de la mobilité du mercure). Métal liquide (Hg), d'un blanc d'argent, dont le nom vulgaire est VIF-ARGENT : *Les alliages du mercure avec un autre métal se nomment amalgames.*
—ENCYCL. Le *mercure* existe le plus souvent dans la nature à l'état de sulfure, appelé aussi *cinabre*. On le trouve en Espagne, en Italie, en Californie. Le mercure est blanc, brillant, de densité 13,59. C'est le seul métal liquide à la température ordinaire. Il se solidifie à —39 °C et bout à 357 °C. Il est employé à la construction d'appareils de physique : thermomètres, baromètres, etc. Il sert à l'étamage des glaces et, surtout, à l'extraction de l'or et de l'argent, avec lesquels il s'allie facilement pour former des amalgames. Il est aussi utilisé en médecine. Mais ses sels provoquent une intoxication particulière, l'*hydrargyrisme*.

MERCURE, planète du système solaire, la plus rapprochée du Soleil. Elle tourne autour du Soleil en lui présentant toujours la même face et ne possède aucune atmosphère gazeuse.

MERCUREY, comm. de Saône-et-Loire, à 11 km au N.-O. de Chalon-sur-Saône; 2 000 hab. Vins réputés.

1. MERCURIALE [mɛrkyrjal] n. f. (de *Mercure*). Liste des prix courants des denrées alimentaires sur les marchés.

2. MERCURIALE [mɛrkyrjal] n. f. (du lat. *Mercurii dies*, mercredi). **1.** Sous l'Ancien Régime, assemblée que les corps judiciaires tenaient chaque mercredi et où le ministère public présentait ses observations sur la manière dont la justice avait été rendue. — **2.** Discours prononcé dans cette assemblée : *Les mercuriales de d'Aguesseau.*

3. MERCURIALE [mɛrkyrjal] n. f. (lat. *mercurialis herba*, herbe de Mercure). Plante commune dans les champs, les bois, à fleurs verdâtres, utilisée comme laxatif. (Famille des euphorbiacées.)

1. MÈRE [mɛr] n. f. (lat. *mater*). **1.** Femme qui a un ou plusieurs enfants : *Une mère de famille.* ‖ *Mère célibataire*, femme non mariée qui a un ou des enfants. — **2.** Femelle d'un animal qui a eu des petits : *La mère nourrit ses petits.* — **3.** Supérieure d'un couvent : *La mère abbesse.* — **4.** Pays, lieu où une chose a commencé : *La Grèce, mère des arts.* ‖ *Mère patrie*, pays qui a fondé une colonie. — **5.** Entre dans un certain nombre de proverbes au sens de « cause », « source » : *L'oisiveté est la mère de tous les vices.* ◆ adj. f. Qui est l'origine, le centre, etc. : *La maison mère* (= établissement dont dépendent les succursales). *La langue mère* (= celle dont une autre est issue). *L'idée mère d'un ouvrage* (= principale). ◆ **maternel, elle** adj. **1.** Propre à une mère, à son rôle : *L'amour maternel.* — **2.** Relatif à la mère : *Grand-père maternel* (= du côté de la mère). — **3.** *Langue maternelle*, celle que l'on a parlée dans son enfance, que l'on a apprise de ses parents. ‖ *École maternelle*, ou *maternelle* n. f., école qui reçoit les enfants entre quatre et six ans. ◆ **maternellement** adv. ◆ **maternité** n. f. **1.** État, qualité de mère : *Les maternités répétées l'ont fatiguée* (= le fait de mettre des enfants au monde). — **2.** Établissement hospitalier, clinique où s'effectuent les accouchements.

2. MÈRE [mɛr] n. f. (même étym.). *Mère de vinaigre*, pellicule qui se forme à la surface du vinaigre pendant la fermentation acétique, et qui est constituée par l'accumulation des bactéries acétiques aérobies.

Mère *(la)*, roman de M. Gorki (1907-1908), qui inspira le film de Vsevolod Poudovkine (1926).

Mère Courage et ses enfants, pièce en 12 tableaux de Bertolt Brecht, écrite en 1938, créée à Zurich en 1943.

MÉRIBEL-LES-ALLUES, station de sports d'hiver de Savoie (comm. des Allues), en Tarentaise, à 18 km au S. de Moûtiers (alt. 1 600-2 700 m).

MÉRICOURT, comm. du Pas-de-Calais, à 3 km au S. de Lens; 13 300 hab.

MERIDA, v. d'Espagne (Estrémadure), sur le Guadiana; 38 300 hab. Ensemble de ruines romaines. Cimenterie.

MÉRIDA, v. du Mexique, capit. du Yucatán; 212 900 hab. Université. Industries textiles.

MÉRIDIEN [meridjɛ̃] n. m. (du lat. *meridies*, midi). Demi-grand cercle imaginaire de la surface terrestre ou de la sphère céleste limité aux pôles, le demi-grand cercle qui le complète étant l'*antiméridien*. (Le *méridien* est ainsi appelé parce qu'il est midi pour tous les lieux par lesquels il passe, lorsque le soleil est parvenu à ce cercle.) ‖ *Méridien origine* ou *premier méridien*, celui par rapport auquel on compte les degrés de longitude. (Le méridien origine international passe par l'observatoire de Greenwich, à

2° 20′14″ à l'O. de Paris.) ◆ **méridienne** n. f. *Méridienne d'un lieu*, intersection du plan méridien et du plan horizontal en un lieu donné. ◆ **antiméridien** n. m. Méridien qui s'oppose diamétralement à un autre.
— ENCYCL. Le *méridien* d'un lieu est un grand cercle de la sphère céleste passant par la ligne des pôles et dont le plan est perpendiculaire à l'équateur céleste. La longitude d'un point est l'angle dièdre dont l'arête est constituée par l'axe du monde et dont les faces sont, d'une part, le méridien du lieu considéré et, d'autre part, un méridien particulier pris pour origine conventionnelle et souvent appelé *premier méridien*. Cette longitude, comptée positivement vers l'E., est mesurée en heures, minutes et secondes, ces quantités étant ici considérées comme des unités de mesure angulaire (1 h = 15°, 1 mn = 15′). Depuis 1911, la France s'est ralliée au système des longitudes ayant pour premier méridien celui de l'observatoire de Greenwich.
À ce système sont rattachés les systèmes des fuseaux horaires et du temps universel, dont la définition très précise est très complexe. La longitude du méridien de Paris est environ 9 mn 21 s E., soit 2° 20′14″. La valeur d'un arc de méridien de 1′ à la latitude de 45° a été adoptée comme unité de mesure de longueur internationale pour les usages de la marine et de l'aviation. Une convention internationale (1929) a fixé cette unité, le *mille marin international*, à sa valeur moyenne arrondie, soit 1 852 m.

MÉRIDIONAL, E, AUX [meridjɔnal, -no] adj. (du lat. *meridies*, midi). Qui est situé au midi (par oppos. à SEPTENTRIONAL). ◆ adj. et n. Qui appartient au midi de la France; habitant de cette région : *Avoir un accent méridional.*

MÉRIGNAC, ch.-l. de cant. de la Gironde, à 6 km à l'O. de Bordeaux; 52 800 hab. Aéroport. Constructions aéronautiques.

MÉRIMÉE (Prosper), écrivain français (1803-1870). Auteur d'un recueil de pièces qu'il prétendait avoir traduites de l'espagnol (*Théâtre de Clara Gazul*, 1825), d'un roman historique (*Chronique du règne de Charles IX*, 1829), il est surtout célèbre pour ses nouvelles (*Mateo Falcone*, 1829; *Tamango*, 1829; *le Vase étrusque*, 1830; *la Vénus d'Ille*, 1837; *Colomba*, 1840; *Carmen*, 1845). Celles-ci se caractérisent par la violence des passions, des descriptions colorées et pittoresques, un goût pour le fantastique, une tension dramatique qui tient constamment le lecteur en haleine, la pureté et la concision du style. Une constante ironie marque le détachement de l'auteur à l'égard de son œuvre.

MÉRINAS, peuple de Madagascar, occupant les plateaux centraux autour d'Antananarivo et comptant plus de 1 million de représentants.

MERINGUE [mərɛ̃g] n. f. (polon. *marzynka*). Pâtisserie légère, à base de sucre et de blanc d'œuf battu.

MÉRINOS [merinos] n. m. (mot esp.). Mouton de race espagnole dont la laine est très fine.

MERISIER [mərizje] n. m. (de *amer*, et *cerisier*). Cerisier sauvage qui a donné des variétés cultivées, et dont le bois est utilisé en ébénisterie. ◆ **merise** n. f. Fruit noir et légèrement acide du merisier.

Mérite *(ordre national du)*, ordre français créé en 1963 pour récompenser les mérites distingués acquis dans une fonction publique, civile ou militaire, ou dans une activité privée.

MÉRITER [merite] v. t. (du lat. *meritum*, chose méritée). **1.** *Mériter qqch., de* (et l'infin.), *que* (et le subj.), être digne d'une récompense ou avoir droit justement à un châtiment : *Mériter le premier prix de sa classe. Mériter un blâme* (syn. ENCOURIR). *Il ne mérite pas qu'on se fasse du souci pour lui* (syn. VALOIR). *J'ai bien mérité de me reposer* (syn. GAGNER). — **2.** (sujet nom de chose) Avoir besoin de quelque chose : *La nouvelle mérite confirmation* (syn. RÉCLAMER). ◆ v. t. ind. *Bien mériter de la patrie*, avoir droit à sa reconnaissance pour les services qu'on a rendus. ◆ **méritant, e** adj. : *Des élèves méritants* (= dont le travail mérite récompense). ◆ **mérite** n. m. **1.** Ce qui rend une personne digne d'estime, de récompense : *Tout le mérite de l'affaire lui revient.* — **2.** Qualités intellectuelles, morales qui font qu'une personne est digne d'éloges : *Un élève plein de mérite* (= méritant). *Un peintre de grand mérite* (syn. VALEUR). — **3.** Nom donné à certaines décorations : *Mérite agricole.* ◆ **méritoire** adj. Digne de récompense, d'estime : *Un acte méritoire* (contr. BLÂMABLE). *Faire des efforts méritoires* (syn. LOUABLE). ◆ **démériter** v. i. (sujet nom de personne). Agir de manière à perdre l'estime, l'affection, à encourir le blâme : *À mes yeux, il n'a jamais démérité.* ◆ **démérite** n. m. Ce qui fait perdre l'estime, la bienveillance (littér.). ◆ **immérité, e** adj. Que l'on n'a pas mérité : *Des reproches immérités* (syn. INJUSTE).

MERLAN [mɛrlɑ̃] n. m. (de *merle*). Poisson comestible des mers d'Europe, allongé, mou et sans barbillons, que l'on pêche industriellement au chalut. (Famille des gadidés.)

MERLE [mɛrl] n. m. (lat. *merula*). **1.** Oiseau passereau voisin de la grive, commun dans les parcs, les bois, à plumage sombre (noir chez le mâle, brun chez la femelle) et bec jaune. (Famille des turdidés.) — **2.** *Merle blanc*, personne ou objet introuvable.

MERLEBACH → FREYMING-MERLEBACH.

Merlin l'Enchanteur, magicien souvent cité dans les légendes celtiques et le cycle d'Arthur*.

MERLU [mɛrly] n. m. ou **MERLUCHE** [mɛrlyʃ] n. f. (it. *merluccio*). Poisson des côtes de l'Europe occidentale, vendu sur les marchés sous le nom de COLIN. (Famille des gadidés.)

MERMOZ (Jean), aviateur français (1901-1936). Il fut, avec Guillaumet, le pionnier de la ligne Rio de Janeiro-Santiago du Chili par-dessus la cordillère des Andes, et il réussit, avec Dabry et Gimié, la première liaison postale aérienne directe France-Amérique du Sud (12 mai 1930). Il disparut en mer au large de Dakar, à bord de l'hydravion *Croix-du-Sud*.

MÉROU [meru] n. m. (esp. *mero*). Nom commun à deux poissons des côtes de Provence, longs de 1 à 2 m et pouvant peser plus de 100 kg. (Famille des serranidés.)

MÉROVÉE, roi franc (448-v. 458). Ce personnage mal connu, fils présumé de Chlodion le Chevelu, a donné son nom à la première dynastie des rois de France.

MÉROVINGIENS, dynastie qui apparaît chez les Francs Saliens au Ve s., et qui régna sur la Gaule de 481 à 751.

- *481-511. Clovis unifie la Gaule et se convertit au christianisme.*
- *511-613. Le royaume est partagé comme un héritage privé et les unités territoriales se forment (Neustrie, Austrasie, Burgondie et Aquitaine).*

À l'exception du règne unique de Clotaire Ier (558-561), les conflits dynastiques sont permanents.
À partir de 613, les maires du palais jouent un rôle croissant. Sauf sous le règne de Dagobert Ier, secondé par saint Éloi, les rois n'ont plus aucun pouvoir.

- *687. Pépin d'Herstal, maire du palais d'Austrasie, s'impose comme maire des royaumes de Neustrie, Austrasie et Burgondie.*

Son fils, Charles Martel, bat les Arabes à Poitiers (732).

- *751. Pépin le Bref, fils de Charles Martel, remplace le dernier Mérovingien (Childéric III) sur le trône.*

MERS EL-KÉBIR, v. d'Algérie (Oran); 13 500 hab. Base navale sur le golfe d'Oran. En juillet 1940, une escadre française obéissant au gouvernement de Vichy refusa l'alternative des Anglais : continuer la lutte contre l'Allemagne ou se laisser désarmer. Elle fut coulée, alors qu'elle était à l'ancre, par la flotte anglaise; 1 300 marins français périrent.

MERSENNE (le *P.* Marin), savant bénédictin français (1588-1648). Il détermina la relation entre les fréquences et les différentes notes de la gamme, étudia les échos sonores et mesura la vitesse du son (1636).

MERSEY (la), fl. de Grande-Bretagne; 113 km. Elle rejoint la mer d'Irlande par un large et profond estuaire, sur lequel se trouve Liverpool.

MÉRU, ch.-l. de cant. de l'Oise, à 24 km au N. de Pontoise; 11 500 hab. *(Méruviens)*. Constructions mécaniques.

MERVEILLE [mɛrvɛj] n. f. (lat. *mirabilia*, choses étonnantes). **1.** Ce qui suscite l'admiration, l'étonnement, par sa beauté, sa perfection, ses qualités extraordinaires : *Les merveilles de la nature.* — **2.** *Faire merveille, faire des merveilles*, obtenir ou produire des résultats étonnants. ‖ *Promettre monts et merveilles*, faire des promesses extraordinaires, exagérées et trompeuses. ‖ *Au pays des merveilles*, dans le monde des contes de fées. — LOC. ADV. *À merveille*, d'une manière qui approche la perfection : *S'acquitter à merveille d'un emploi* (syn. PARFAITEMENT). *Je me porte à merveille* (= très bien). ◆ **merveilleuse** n. f. Femme élégante de la période qui suivit le 9-Thermidor, et dont la toilette extravagante était inspirée de celle de l'Antiquité. ◆ **merveilleusement** adv. ◆ **merveilleux, euse** adj. (avant ou après le nom). Qui cause de l'admiration, de l'étonnement, par ses qualités extraordinaires : *Une merveilleuse réussite* (syn. PRODIGIEUX). ◆ n. m. **1.** Caractère de ce qui appartient au surnaturel, au monde de la magie, de la féerie : *L'emploi du merveilleux dans les films de J. Cocteau.* — **2.** En littérature, intervention d'êtres surnaturels dans un poème : *Merveilleux chrétien et merveilleux païen dans l'épopée.*

Merveilles du monde *(les Sept)*, surnom donné aux sept monuments les plus remarquables de l'Antiquité : la *pyramide de Chéops* (Égypte) de 138 m de haut et 227 m de côté; les *jardins suspendus de Sémiramis*, à Babylone; la *statue de Zeus Olympien* à Olympie (Grèce), sculptée par Phidias, en or et en ivoire; le *colosse de Rhodes* (Grèce), statue d'Apollon de 32 m de hauteur, placée à l'entrée du port de Rhodes; le *mausolée d'Halicarnasse*, en Asie Mineure, élevé v. 353 av. J.-C. par Artémise II, reine d'Halicarnasse, pour son époux le roi Mausole; le *temple d'Artémis* à Éphèse (Asie Mineure), construit au VIe s. av. J.-C., détruit au IIIe s. av.

J.-C. ; le *phare d'Alexandrie*, achevé v. 285, écroulé en 1302. De tous ces monuments, seul le premier subsiste de nos jours.

MERVEILLEUSEMENT adv., **MERVEILLEUX, EUSE** adj. et n. ⟶ MERVEILLE.

MERVILLE, ch.-l. de cant. du Nord, sur la Lys, à 13 km au S.-E. d'Hazebrouck; 9 100 hab.

MES adj. poss. ⟶ MON.

MÉS- préf. → MÉ-.

MESA [meza] n. f. (mot esp. signif. *table*). Plateau constitué par les restes d'une coulée volcanique et découpé par l'érosion fluviale.

MÉSALLIANCE n. f., **MÉSALLIER (SE)** v. pr. ⟶ ALLIER 2.

MÉSANGE [mezɑ̃ʒ] n. f. (frq. *meisinga*). Petit passereau insectivore, aux joues blanches encadrées de noir, dont les nombreuses espèces doivent être protégées comme utiles à l'agriculture. (Famille des paridés.)

MÉSAVENTURE n. f. ⟶ AVENTURE.

MESCALINE [mɛskalin] n. f. (du mexicain *mexcalli*, peyotl). Alcaloïde extrait d'une cactacée mexicaine, le peyotl, qui donne des hallucinations visuelles intenses.

MESDAMES [medam], **MESDEMOISELLES** [medmwazɛl] n. f. pl. Pluriel de MADAME, MADEMOISELLE.

MÉSENTENTE n. f. → ENTENDRE 2.

MÉSENTÈRE [mezɑ̃tɛr] n. m. (du gr. *mesos*, au milieu, et *enteron*, intestin). *Anat.* Membrane conjonctive reliant les anses de l'intestin grêle à la paroi postérieure de l'abdomen. (Entre les feuillets du mésentère cheminent les vaisseaux et les nerfs de l'intestin grêle.)

MÉSESTIMER v. t. ⟶ ESTIME 2.

MESETA (la), nom donné, en Espagne, au socle hercynien rigide qui forme le substratum des plateaux centraux (Vieille-Castille et Nouvelle-Castille) et de la péninsule Ibérique. — Le terme désigne aussi une région du Maroc, à l'O. du Moyen Atlas, où affleure en majeure partie le socle ancien, granitique et schisteux *(Meseta marocaine)*.

MÉSIE, contrée de l'Europe ancienne, correspondant partiellement à la Bulgarie et à l'anc. Thrace.

MÉSINTELLIGENCE n. f. ⟶ INTELLIGENCE 2.

MESMER (Franz Anton), médecin allemand (1734-1815). Il affirmait avoir découvert dans l'aimant des propriétés capables de guérir toutes les maladies. Grâce à quelques guérisons, il eut un succès éphémère. Sa théorie porte le nom de *mesmérisme*.

MESNIL-LE-ROI (Le), comm. des Yvelines, à 15 km au N.-O. de Paris; 5 700 hab.

MÉSOCARPE [mezokarp] n. m. (du gr. *mesos*, au milieu, et *karpos*, fruit). Zone médiane d'un fruit, entre l'épiderme et le noyau ou les graines.

MÉSOLITHIQUE [mezolitik] adj. et n. m. (du gr. *mesos*, au milieu, et *lithos*, pierre). Se dit de la période préhistorique comprise entre le paléolithique et le néolithique. (Elle débute entre 10 000 et 8 500 av. J.-C., et se termine vers 5 000 av. J.-C. Elle est caractérisée par un réchauffement du climat et un habitat plus évolué [cabanes] auprès des eaux.)

MÉSON [mezɔ̃] n. m. (du gr. *mesos*, au milieu). Particule élémentaire, découverte dans les rayons cosmiques, et ayant une masse comprise entre celle de l'électron et celle du proton.

MÉSOPOTAMIE, nom anc. (signif. *le pays entre les fleuves*) de la plaine formée par les alluvions du Tigre et de l'Euphrate, et actuellement située en Iraq*.

Les civilisations s'y succédèrent, régulièrement détruites par des luttes entre cités et des invasions de nomades.

À la fin du IVe millénaire av. J.-C., un peuple du Sud, les Sumériens, a déjà constitué l'essentiel de sa civilisation, qu'il transmettra aux autres peuples.

Peuple d'agriculteurs et de commerçants, groupés en cités, il possède une écriture cunéiforme* et vit dans la crainte de nombreux dieux; le clergé joue un rôle politique et économique important. Au cours du IIIe millénaire, les Sumériens sont soumis par des envahisseurs nomades sémites, mais, de 2100 à 1900, ils connaissent une renaissance autour d'Our et Lagash.

- *2300. L'un de ces envahisseurs, Sargon, crée autour de sa capitale Akkad un vaste empire.*
- *V. 1730. Le premier royaume de Babylone apparaît.*

Son roi le plus connu est Hammourabi, responsable d'un code de lois, symbole de l'unification entre éléments sumériens et sémitiques. Cet empire est dévasté par de nouveaux arrivants d'origine indo-européenne, parmi lesquels les Hittites, qui pillent Babylone en 1531.

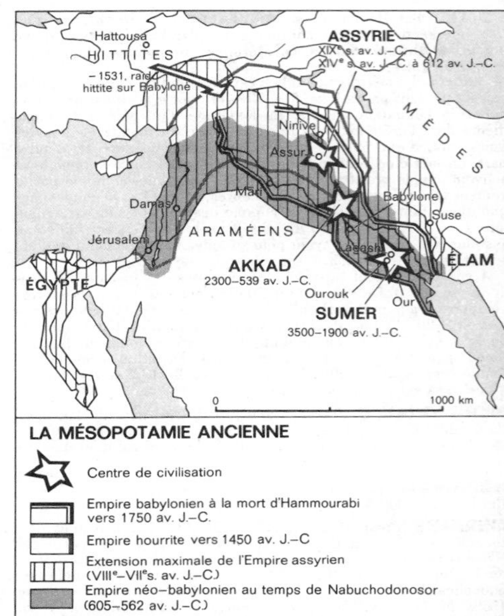

LA MÉSOPOTAMIE ANCIENNE

Centre de civilisation

Empire babylonien à la mort d'Hammourabi vers 1750 av. J.-C.

Empire hourrite vers 1450 av. J.-C

Extension maximale de l'Empire assyrien (VIIIe-VII[e]s. av. J.-C)

Empire néo-babylonien au temps de Nabuchodonosor (605-562 av. J.-C)

À la fin du IIe millénaire, la Mésopotamie s'unifie sous l'Empire assyrien dont l'apogée se situe entre le IXe et le VIIe s. av. J.-C.

Cet empire militaire, dont le dernier grand souverain est Assurbanipal (669-631), s'écroule en 612 sous les coups des Babyloniens et de nouveaux envahisseurs, les Mèdes. Il avait contrôlé, à partir de sa capitale, Ninive, un territoire qui s'étendait du golfe Persique à l'Égypte.

- *605-562. Babylone retrouve sa prééminence sous Nabuchodonosor.*

Cet empire néo-babylonien est annexé par le roi des Perses, Cyrus, en 539. La Mésopotamie, épuisée, n'assimile plus les envahisseurs, et sa civilisation s'éteint. Si ses monuments en terre (ziggourats*, palais) disparurent jusqu'aux fouilles du XIXe s., elle légua des croyances religieuses, une astronomie et une médecine avancées.

MÉSOSPHÈRE [mezosfɛr] n. f. (du gr. *mesos*, au milieu, et *sphère*). Couche atmosphérique qui s'étend au-dessus de la stratosphère.

MÉSOTHORAX [mezotoraks] n. m. (du gr. *mesos*, au milieu, et *thorax*). Deuxième anneau du thorax des insectes, parfois appelé ÉCUSSON, entre le prothorax et le métathorax. (Il porte les ailes antérieures.)

MÉSOZOÏQUE [mezozɔik] adj. (du gr. *mesos*, au milieu, et *zôikos*, relatif aux animaux). *Géol.* Syn. de SECONDAIRE *(ère et terrains)*.

MESQUIN, E [mɛskɛ̃, -in] adj. (it. *meschino*, chétif). Se dit de ce qui manque de grandeur, de noblesse, d'une personne médiocre, attachée aux petitesses : *Des calculs mesquins* (syn. SORDIDE; contr. GÉNÉREUX). ◆ **mesquinement** adv. ◆ **mesquinerie** n. f. : *Agir avec mesquinerie à l'égard d'un rival* (syn. BASSESSE; contr. GÉNÉROSITÉ).

MESS [mɛs] n. m. (mot angl.). Salle où les officiers, les sous-officiers d'un corps ou d'une garnison prennent leurs repas.

MESSAGE [mesaʒ] n. m. (du lat. *missus*, envoyé). **1.** Communication, nouvelle, transmise à quelqu'un : *Porter un message* (syn. DÉPÊCHE). *Être chargé d'un message* (syn. COMMISSION). — **2.** *Message publicitaire*, à la télévision, bref film publicitaire. (Cette expression doit être, selon l'Administration, substituée à SPOT.) — **3.** Contenu de ce qui est transmis et qui a une signification importante : *Un écrivain à message.* ◆ **messager, ère** n. Personne chargée de transmettre un message (syn. ENVOYÉ).

MESSAGER (André), compositeur et chef d'orchestre français

(1853-1929). Il est l'auteur de nombreux opéras-comiques et opérettes : *les Deux Pigeons, Véronique, Fortunio*, etc.

MESSAGERIE [mesaʒri] n. f. (de *messager*). Transport des marchandises, des colis, par chemin de fer, par bateau (généralement au plur.).

MESSALINE, impératrice romaine (v. 25-48 apr. J.-C.), épouse de l'empereur Claude Ier, mère de Britannicus et d'Octavie. Célèbre par ses débauches, elle fut exécutée sur l'ordre de l'empereur.

MESSE [mɛs] n. f. (lat. *missa*). **1.** Dans la religion catholique, repas eucharistique qui rend présent aujourd'hui le sacrifice de la Croix (le prêtre, qui tient la place de Jésus-Christ, reprend les gestes et les paroles de ce dernier lorsqu'il institua l'eucharistie en disant : « Ceci est mon corps, ceci est mon sang; faites ceci en mémoire de moi »). ‖ *Messe noire*, pratique de sorcellerie, consistant en une parodie sacrilège de la messe, célébrée en l'honneur du diable. — **2.** Composition musicale pour une grand-messe. — **3.** Fam. *Messes basses*, entretien particulier entre deux personnes, à voix basse (syn. APARTÉS). ◆ **grand-messe** n. f. Messe solennelle chantée. ‖ Pl. des *grand(s)-messes*.

MESSÉNIE, région de la Grèce, dans le sud-ouest du Péloponnèse. Peuplée par les Achéens, elle fut conquise par Sparte malgré une vive résistance au VIIIe s. av. J.-C. et se révolta sans succès aux VIIe et Ve s. av. J.-C. Elle ne fut libérée des Spartiates qu'en 369 grâce à Épaminondas. Elle fut annexée par Rome avec l'Achaïe en 146 av. J.-C.

MESSERSCHMITT (Willy), ingénieur allemand (1898-1978). Il construisit de nombreux avions, et notamment le premier chasseur à réaction en 1938.

MESSIAEN (Olivier), compositeur français, né en 1908. Dans son œuvre, d'inspiration mystique, il use d'un langage personnel fondé sur des rythmes inédits, sur des modes hindous, utilisant tous les timbres. Il a composé de nombreuses œuvres pour orchestre, pour orgue, pour piano : *Turangalila-Symphonie* (1948), *Saint François d'Assise* (1983).

MESSIANISME n. m. ⟶ MESSIE.

MESSIDOR [mesidɔr] n. m. (du lat. *messis*, moisson, et gr. *dôron*, don). Dixième mois du calendrier républicain (20 juin-19 juillet). [⟶ CALENDRIER, *encycl.*]

MESSIE [mesi] n. m. (de l'araméen *meschîkhâ*, sacré par le Seigneur). **1.** Envoyé divin chargé d'établir sur Terre le royaume de Dieu, annoncé par les prophètes et reconnu par les chrétiens en la personne de Jésus-Christ. (Prend une majusc.) — **2.** *Être attendu comme le Messie*, avec une grande impatience. ◆ **messianisme** n. m. Pour les Juifs, attente d'un Messie.

Messie *(le)*, oratorio de Händel (1741).

MESSIEURS [mesjø] n. m. pl. Pluriel de MONSIEUR.

MESSINE, v. d'Italie (Sicile), sur le *détroit de Messine*, qui, séparant l'Italie péninsulaire de la Sicile, relie les mers Tyrrhénienne et Ionienne; 264600 hab. Port de voyageurs et de commerce. Un tremblement de terre détruisit la ville en 1908.

MESSIRE [mesir] n. m. *(mes*, cas suj. de *mon*, et *sire)*. **1.** Titre d'honneur donné d'abord à toute personne d'un rang distingué, puis à toute personne noble. — **2.** *Fam.* Syn. de MAÎTRE en poésie : *Messire rat.*

MESTGHANEM → MOSTAGANEM.

1. MESURE [məzyr] n. f. (lat. *mensura*). **1.** Action d'évaluer une grandeur par comparaison avec une autre de même espèce prise pour unité de référence : *La mesure de la vitesse.* ‖ Math. *Mesure d'un arc de cercle, mesure algébrique d'un bipoint (A, B) sur un axe* → ENCYCL. ‖ *Unités de mesure* → tableau p. 880. —**2.** Quantité servant d'unité de base pour cette évaluation : *Le mètre est la mesure de longueur* (= étalon). — **3.** Grandeur déterminée par cette évaluation : *Prendre les mesures d'un costume* (syn. DIMENSION). — **4.** *Mus.* Division de la durée en parties égales délimitées par une barre : *La mesure se divise en temps.* — **5.** *Mesure d'un vers*, quantité de syllabes exigée par le rythme. — **6.** *Sur mesure*, spécialement adapté à son but, à la personne : *Faire un costume sur mesure* (=spécialement adapté à la personne). ‖ *Donner la mesure de son talent*, montrer pleinement, dans une circonstance, ce dont on est capable. ‖ *Avoir deux poids, deux mesures*, traiter d'une manière différente (jusqu'à l'injustice) deux personnes équivalentes. ‖ *Faire bonne mesure*, donner à un acheteur un peu au-delà de ce qui lui revient (en parlant d'un commerçant). ‖ *Il n'y a pas de commune mesure entre* (deux choses), il est impossible de les comparer entre elles. ‖ *Être en mesure de* (et l'infin.), être capable de; avoir la possibilité de (syn. ÊTRE À MÊME DE). — LOC. ADV., PRÉP. ET CONJ. *À mesure, au fur et à mesure, au fur à mesure*, par degrés successifs, d'une manière progressive (syn. PEU À PEU); suivi de *que*, indique la durée progressive ou la simultanéité : *Au fur et à mesure que l'heure avançait, elle s'inquiétait davantage.* ‖ *À la mesure de*, proportionné à : *Ce qu'on lui propose n'est pas à sa mesure.* ‖ *Dans la mesure où*, autant qu'il est possible. ‖ *Outre mesure, sans mesure*, d'une manière excessive. ◆ **mesurer** v. t. **1.** Évaluer une grandeur par comparaison avec l'unité, déterminer une quantité, une longueur, un volume par cette évaluation : *Mesurer le tour du cou* (=prendre la pointure). — **2.** Déterminer la valeur : *Savoir mesurer les risques. Il n'a pas mesuré la portée de ses paroles* (=il n'en a pas vu les conséquences). *Mesurez vos paroles* (= faites attention à ce que vous dites). — **3.** Donner d'une manière restreinte, limitée, avec parcimonie : *Le temps nous est mesuré, pressons-nous* (= nous avons peu de temps). ◆ v. i. Avoir pour mesure : *Il mesure un mètre soixante-dix.* ◆ ***se mesurer*** v. pr. *Se mesurer avec qq'un*, lutter, se battre avec lui. ◆ **mesurable** adj. Que l'on peut mesurer.

— ENCYCL. ***mesure d'un arc de cercle.*** Soit k un nombre réel strictement positif; à tout arc γ d'un cercle (C) on associe un nombre positif, noté $mes_k(\gamma)$, appelé *mesure* de l'arc γ. Celle-ci est telle que :

- deux arcs isométriques d'un même cercle ont même mesure;
- un demi-cercle a pour mesure k;
- si l'arc γ est la réunion de deux arcs γ' et γ'' qui n'ont qu'un point commun, la mesure de γ est la somme des mesures des arcs γ' et γ'';
- pour tout nombre u compris entre 0 et $2k$ $(0 \leqslant u \leqslant 2k)$, il existe un arc de mesure u.

Un arc réduit à un point a une mesure nulle; le cercle entier a une mesure de $2k$.

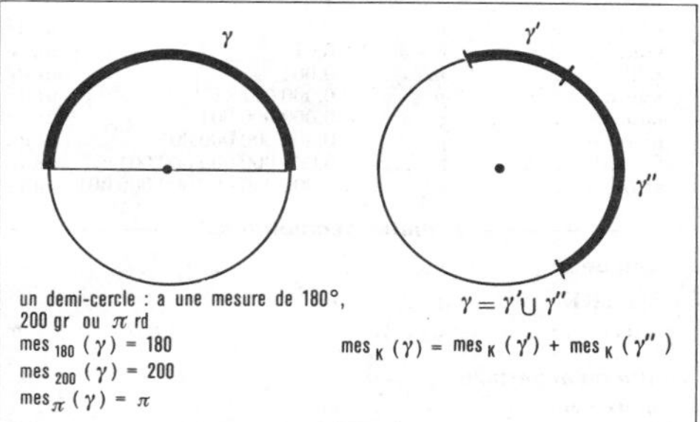

On donne à k des valeurs usuelles :
si $k = 180$, la mesure est en *degrés* (notés °);
si $k = 200$, la mesure est en *grades* (notés gr);
si $k = \pi$, la mesure est en *radiants* (unité légale) [notés rd].

Le cercle entier a une mesure de 360°, ou 400 gr, ou de 2π rd; un demi-cercle a une mesure de 180°, ou 200 gr, ou de π rd.

mesure algébrique d'un bipoint. La mesure algébrique d'un bipoint (A, B) sur un axe est le nombre réel, noté $\overline{AB}$, égal à l'abscisse de B diminuée de l'abscisse de A, quel que soit le repère de l'axe considéré. (⟶ AXE 1.)

2. MESURE [məzyr] n. f. (même étym.). **1.** Modération mise dans sa manière d'agir : *Il n'a pas le sens de la mesure* (syn. ÉQUILIBRE). *Homme plein de mesure* (syn. RETENUE; contr. DÉMESURE). — **2.** *Passer toute mesure*, dépasser ce qui est permis. ◆ **mesuré, e** adj. Qui est modéré, fait avec mesure : *Un effort mesuré* (syn. CALCULÉ). ◆ **démesure** n. f. Excès d'orgueil, de violence chez une personne; état d'une chose qui dépasse fâcheusement les limites normales : *La démesure de ses propos* (syn. OUTRANCE). ◆ **démesuré, e** adj. Se dit de ce qui dépasse les bornes, certaines normes : *Un orgueil démesuré* (syn. EXAGÉRÉ, EXCESSIF). ◆ **démesurément** adv. (syn. EXAGÉRÉMENT).

3. MESURE [məzyr] n. f. (même étym.). Manière d'agir, moyen mis en œuvre pour obtenir un résultat précis : *Prendre des mesures contre la hausse des prix* (syn. DISPOSITION). ◆ **demi-mesure** n. f. Moyen insuffisant ou provisoire : *Ces décisions ne sont que des demi-mesures inefficaces.* ◆ **contre-mesure** n. f. : *Pour riposter aux mesures d'élévation des droits de douane, les gouvernements étrangers ont pris des contre-mesures* (= des mesures de rétorsion).

MÉTABOLISME [metabɔlism] n. m. (du gr. *metabolê*, changement). **1.** Ensemble des transformations chimiques et physiques que subissent les aliments pendant leur traversée dans un organisme vivant (digestion, adsorption, élaboration et mise en réserve de composés nouveaux). — **2.** *Métabolisme basal*, quantité de chaleur produite par le corps humain, par heure et par mètre carré de la surface du corps, au repos.

MÉTACARPE [metakarp] n. m. (du gr. *meta*, après, et *karpos*, jointure). Partie du squelette de la main comprise entre le poignet et les doigts.

TABLEAU DES PRINCIPALES UNITÉS DE MESURE LÉGALES FRANÇAISES

Les unités marquées d'un astérisque sont aujourd'hui abandonnées.
Les unités de base du système SI sont écrites en **MAJUSCULES GRASSES.**
Les autres unités du système **SI** sont écrites en **minuscules grasses.**
Les multiples et sous-multiples des unités du système SI sont écrits en minuscules.
Les unités hors système sont écrites en PETITES CAPITALES.

multiples et sous-multiples décimaux

exa	E	1 000 000 000 000 000 000 d'unités
peta	P	1 000 000 000 000 000 d'unités
téra	T	1 000 000 000 000 d'unités
giga	G	1 000 000 000 d'unités
méga	M	1 000 000 d'unités
kilo	k	1 000 unités
hecto	h	100 unités
déca	da	10 unités
unité		1

unité		1	
déci	d	0,1	unité
centi	c	0,01	unité
milli	m	0,001	unité
micro	μ	0,000 001	unité
nano	n	0,000 000 001	unité
pico	p	0,000 000 000 001	unité
femto	f	0,000 000 000 000 001	unité
atto	a	0,000 000 000 000 000 001	unité

I. unités géométriques

longueur

MÈTRE	m		
MILLE		1 852	m

aire ou superficie

mètre carré	m²		
hectare	ha	10 000	m²
are	a	100	m²

volume

mètre cube	m³		
stère*	st	1	m³
litre	l	0,001	m³

angle plan

radian	rad		
TOUR	tr	2π	rad
GRADE	gr	$\pi/200$	rad
DEGRÉ	°	$\pi/180$	rad
MINUTE	′	$\pi/10\,800$	rad
SECONDE	″	$\pi/648\,000$	rad

angle solide

stéradian	sr

II. unités de masse

masse

KILOGRAMME	kg		
tonne	t	1 000	kg
quintal*	q	100	kg
CARAT MÉTRIQUE		0,000 2	kg

masse volumique

kilogramme par mètre cube	kg/m³

III. unités de temps

temps

SECONDE	s		
MINUTE	min	60	s
HEURE	h	3 600	s
JOUR	j	86 400	s

fréquence

hertz	Hz

IV. unités mécaniques

vitesse

mètre par seconde	m/s	
NŒUD		1 852/3 600 m/s

accélération

mètre par seconde carrée	m/s²

force

newton	N		
DYNE*	dyn	0,0000 1	

énergie, travail ou quantité de chaleur

joule	J		
erg*		0,000 000 1	J
WATT-HEURE	Wh	3 600	J
ÉLECTRON-VOLT	eV	$1{,}602.10^{-19}$	J
CALORIE*	cal	4,185 5	J
THERMIE* (ou MÉGACALORIE*)	th	$4{,}185\,5.10^{6}$	J

puissance

watt	W

contrainte et pression

pascal	Pa		
bar	bar	100 000	Pa

MÉTAIRIE n. f. ⟶ MÉTAYER.

MÉTAL, pl. **MÉTAUX** [metal, -to] n. m. (lat. *metallum*, mine). Corps simple, doué d'un éclat particulier appelé *éclat métallique*, en général bon conducteur de la chaleur et de l'électricité, et qui possède en outre la propriété de donner, en se combinant avec l'oxygène, au moins un oxyde basique (dans l'électricité il donne un ion positif) : *L'industrie des métaux* (= la métallurgie). *Métaux précieux* (= l'or, l'argent, le platine). ⟶ ENCYCL. ◆ **métalliser** v. t. Revêtir d'une mince couche de métal ou d'alliage. ◆ **métallisation** n. f. Action de métalliser. ◆ **métallique** adj. **1.** Fait d'un métal : *Charpente métallique.* — **2.** Constitué d'or et d'argent : *L'encaisse métallique de la Banque de France.* — **3.** Qui rappelle le métal par son apparence, par ses caractéristiques : *Bruit métallique.* ◆ **métallographie** n. f. Étude de la structure et des propriétés des métaux et de leurs alliages.
— ENCYCL. Tous les *métaux* sont solides à la température ordinaire, sauf le mercure qui est liquide. Ils sont doués de propriétés mécaniques : dureté, ténacité, malléabilité, ductilité, qui conditionnent leurs nombreux emplois. Les principaux sont : l'*or*, le *platine*, le *mercure*, le *cuivre*, l'*aluminium*, le *fer*, l'*étain*, le *plomb*, le *zinc*, etc.

MÉTALLIFÈRES *(monts)*, nom de plusieurs massifs montagneux riches en minerais : en Toscane (1 059 m); en Slovaquie, au S. des Tatras (1 480 m); et surtout aux confins de l'Allemagne et de la Bohême (⟶ ERZGEBIRGE).

MÉTALLIQUE adj., **MÉTALLISATION** n. f., **MÉTALLISER** v. t. ⟶ MÉTAL.

MÉTALLO [metalo] n. m. Syn. fam. de MÉTALLURGISTE.

MÉTALLOGRAPHIE n. f. ⟶ MÉTAL.

MÉTALLOÏDE [metalloid] n. m. (du gr. *metallon*, métal, et *eidos*, aspect). Corps simple non métallique.
— ENCYCL. Les *métalloïdes* sont mauvais conducteurs de la chaleur et de l'électricité; ils n'ont pas, en général, d'éclat métallique, et tous leurs composés oxygénés sont ou des oxydes neutres ou des

(Décret de 3 mai 1961, modifié par les décrets du 5 janvier 1966, du 4 décembre 1975 et du 26 février 1982.)

V. unités électriques

intensité de courant électrique		
AMPÈRE	A	
force électromotrice et différence de potentiel (ou tension)		
volt	V	
résistance électrique		
ohm	Ω	
quantité d'électricité, charge électrique		
coulomb	C	
AMPÈRE-HEURE	Ah	3 600 C
capacité électrique		
farad	F	
inductance électrique		
henry	H	
flux magnétique		
weber	Wb	
induction magnétique		
tesla	T	
intensité de champ magnétique		
ampère par mètre	A/m	
force magnétomotrice		
ampère	A	

VI. unités calorifiques

température	
KELVIN	K
Degré Celsius	°C

VII. unités optiques

intensité lumineuse	
CANDELA	cd
flux lumineux	
lumen	lm
éclairement	
lux	lx

oxydes acides. Les métalloïdes sont : l'*hydrogène*, le *fluor*, le *chlore*, le *brome*, l'*iode*, l'*oxygène*, le *soufre*, le *sélénium*, le *tellure*, l'*azote*, le *phosphore*, l'*arsenic*, le *carbone*, le *silicium*, le *bore*.

MÉTALLURGIE [metalyrʒi] n. f. (du gr. *metallourgein*, exploiter une mine). Ensemble des procédés et des techniques d'extraction et de traitement des métaux à partir de leurs minerais; ensemble des établissements industriels assurant ce travail : *La métallurgie de l'est de la France.* ◆ **métallurgique** adj. ◆ **métallurgiste** adj. et n. : *Ouvrier métallurgiste* (syn. fam. MÉTALLO).
— ENCYCL. ***métallurgie.*** Le minerai de fer est fondu dans le *haut fourneau* par le *coke* en présence d'un fondant calcaire *(castine).* Pour que la fonte qui s'écoule du creuset devienne de l'*acier*, on doit la débarrasser du carbone qu'elle contient en excès, du phosphore, du soufre et autres impuretés. On se sert surtout des *convertisseurs*, cornues où de l'air insufflé dans la masse de fonte liquide (parfois additionnée de ferraille) oxyde le carbone et élimine les autres impuretés; on emploie aussi le *four Martin*, chauffé au gaz, dans lequel le mélange de fonte, de ferraille et de réducteurs est longuement balayé par une flamme oxydante; enfin, le *four électrique*, pour aciers fins, est chauffé par un arc jaillissant entre des électrodes de carbone et le métal fondu.
Chaque *métal non ferreux* a son traitement approprié. Dans le cas de l'aluminium, la *bauxite*, attaquée par la soude, fournit l'*alumine* (oxyde d'aluminium, ce dernier se déposant sur la cathode, constituée par le fond du four).
■ *Laminage.* Le lingot, réchauffé dans un four spécial, subit un premier aplatissement dans un laminoir qui le transforme en *brame* de faible épaisseur. Puis les brames sont amincies et allongées progressivement par des passages successifs entre les cylindres des *trains de laminoirs*. Il en résulte un long ruban de tôle, plus ou moins mince et polie, selon l'usage auquel on la destine, qui s'enroule en bobines à la sortie du dernier laminoir.
■ *Forgeage, usinage.* Les grosses pièces coulées en moules sont forgées au *marteau-pilon*. Les formes et les dimensions définitives des pièces métalliques sont obtenues, avec une grande précision, au terme d'opérations d'usinage telles que le *tournage*, le *fraisage*, l'*alésage*, etc.

MÉTAMÈRE [metamɛr] n. m. (du gr. *meta*, qui indique la succession, et *meros*, partie). Chacun des segments articulés identiques ou *anneaux* successifs des vers et des arthropodes.

MÉTAMORPHISME [metamɔrfism] n. m. (du gr. *meta*, qui indique le changement, et *morphê*, forme). *Géol.* Transformations (modifications de la structure, apparition de nouveaux minéraux) affectant une roche sous l'effet d'une variation de la température et de la pression. (Le *métamorphisme de contact* est dû à l'intrusion de magma dans l'écorce terrestre. Le *métamorphisme régional* ou *général* affecte les énormes masses de sédiments accumulées dans les géosynclinaux. Plus les roches initiales ont été transformées, plus le *degré* de métamorphisme est élevé.) ◆ **métamorphique** adj. *Roches métamorphiques*, ensemble de roches résultant de la transformation par le métamorphisme de roches sédimentaires ou éruptives préexistantes. (Leur aspect, souvent folié ou feuilleté, les fait aussi qualifier de roches cristallophylliennes. Les schistes, les micaschistes et les gneiss sont les principales roches métamorphiques.)

MÉTAMORPHOSE [metamɔrfoz] n. f. (gr. *metamorphôsis*, changement de forme). **1.** *Myth.* Changement miraculeux d'un homme en animal. — **2.** Transformation anatomique et physiologique importante au cours du développement de certains animaux (batraciens, insectes, crustacés, etc.). ⟶ ENCYCL. — **3.** Changement complet dans l'état, le caractère d'une personne, dans la forme ou l'aspect d'une chose (syn. TRANSFORMATION). ◆ **métamorphoser** v. t. : *Ce déguisement le métamorphosait complètement* (syn. CHANGER). ◆ ***se métamorphoser*** v. pr. Changer de forme, d'état (syn. SE TRANSFORMER).
— ENCYCL. La *métamorphose* est un changement rapide qui survient au cours du développement d'un animal après son éclosion et qui affecte non seulement sa taille, mais aussi sa forme et souvent sa manière de vivre. Elle se manifeste d'une façon frappante chez les arthropodes, dont la croissance se fait par *mues*. Une chenille entre en nymphose, et, quelque temps après, l'on voit un papillon sortir de l'enveloppe nymphale, à l'abri de laquelle se sont faites les transformations. (La métamorphose est dite *complète* si un stade nymphe existe entre les différentes mues et l'insecte parfait ou *imago*. Elle est dite *incomplète* si le stade nymphe n'existe pas.) La majorité des espèces animales subit des métamorphoses. Les seules exceptions sont les vertébrés amniotes (reptiles, oiseaux, mammifères), la plupart des poissons, les espèces terrestres ou d'eau douce appartenant à des groupes marins (escargots, écrevisses, etc.) et, enfin, divers arthropodes terrestres (arachnides, mille-pattes, insectes inférieurs).

Métamorphoses *(les)*, poème mythologique d'Ovide, en 15 livres.

MÉTAPHORE [metafɔr] n. f. (gr. *metaphora*, transport). Procédé stylistique qui consiste à « transporter » un mot de l'objet qu'il désigne d'ordinaire à un autre objet auquel il ne convient que par une comparaison sous-entendue : *C'est par métaphore qu'on appelle un homme courageux un lion.* ◆ **métaphorique** adj.

MÉTAPHYSIQUE [metafizik] n. f. (gr. *meta ta phusika*, après la physique). Recherche philosophique des causes et des principes premiers. ◆ adj. Qui relève de cet ordre de réflexion : *Problèmes métaphysiques.* ◆ **métaphysicien, enne** n.

MÉTAPSYCHIQUE [metapsiʃik] adj. (du préf. *méta-*, ce qui dépasse, et *psychique*). Qui concerne des phénomènes psychologiques non encore connus scientifiquement (télépathie, etc.).

MÉTASTASE [metastɑz] n. f. (gr. *metastasis*, changement de place). Développement dans une partie du corps d'une lésion analogue à une autre lésion située dans un autre point du corps, par transport d'une cellule ou d'un élément microbien d'un point à un autre : *Métastase cancéreuse.*

MÉTATARSE [metatars] n. m. (du gr. *meta*, après, et *tarsos*, plat du pied). Partie du squelette du pied comprise entre le tarse et les orteils. ◆ **métatarsien, enne** adj. Qui appartient au métatarse. ◆ n. m. Chacun des cinq os longs constituant le métatarse.

MÉTATHORAX [metatɔraks] n. m. (gr. *meta*, après, et *thorax*). Troisième anneau du thorax des insectes, qui porte la paire d'ailes postérieures et la troisième paire de pattes.

MÉTAURE (le), auj. **Metauro**, fl. d'Italie centrale, qui se jette dans l'Adriatique; 110 km. Sur ses bords, Hasdrubal, frère d'Hannibal, fut vaincu et tué par les Romains (207 av. J.-C.).

METAXÁS (Ioánnis), général et homme politique grec (1871-1941). Il se fit proclamer chef à vie du gouvernement en 1938 et en 1940 se rangea aux côtés des Alliés.

MÉTAYER, ÈRE [meteje, -ɛr] n. (de l'anc. fr. *meitié*, moitié). Personne qui exploite un domaine rural suivant le système de métayage. ◆ **métairie** n. f. Domaine agricole exploité par un métayer. ◆ **métayage** n. m. Bail rural dans lequel l'exploitant s'engage à cultiver un domaine et remet au propriétaire une part de la récolte (au maximum un tiers).

MÉTAZOAIRES [metazɔɛr] n. m. pl. (du gr. *meta*, après, et *zôon*, animal). Ensemble des organismes animaux pluricellulaires (= qui ont plusieurs cellules), par oppos. aux animaux unicellulaires (= à une seule cellule), ou *protozoaires*.

METCHNIKOV ou **METCHNIKOFF** (Élie), zoologiste et biologiste russe (1845-1916). On lui doit des travaux sur les ferments, et surtout la découverte de la phagocytose*. Il a écrit sur l'*Immunité dans les maladies infectieuses* (1901).

METELLUS, consul romain en 251 av. J.-C., vainqueur des Carthaginois en Sicile. — METELLUS *le Macédonique*, son petit-fils, conquit la Macédoine en 148, fut consul en 143 av. J.-C. — METELLUS *le Numidique*, neveu de ce dernier, consul, triompha de Jugurtha (109 av. J.-C.). — METELLUS (130-64 av. J.-C.), fils du précédent, fut préteur, et l'un des chefs de la guerre sociale. — METELLUS *Scipion*, petit-fils de Scipion Nasica; il suivit le parti de Pompée, fut battu à Thapsus et se suicida (46 av. J.-C.).

MÉTEMPSYCOSE [metɑ̃psikoz] n. f. (gr. *metempsukhôsis*). Déplacement de l'âme d'un corps dans un autre, après la mort.

MÉTÉORE [meteɔr] n. m. (gr. *meteôros*, élevé dans les airs). **1.** Phénomène lumineux qui résulte de l'entrée dans l'atmosphère terrestre d'une particule solide venant de l'espace. — **2.** *Passer comme un météore*, briller d'un éclat vif et passager. ◆ **météorique** adj. Qui appartient ou a trait à un météore. ‖ *Cratère météorique*, dépression circulaire formée par la chute d'une grande météorite. ‖ *Pierres météoriques*, aérolithes. ◆ **météorite** n. f. Objet solide provenant de l'espace interplanétaire et qui atteint la surface de la Terre sans être complètement vaporisé par l'échauffement dû au frottement dans l'atmosphère.

Météores, monastères de Thessalie, dans la vallée du Pénée, bâtis sur des rochers à pic. On y accède par des échelles. Ils remontent au XIIe s. Quatre sont encore occupés.

MÉTÉORIQUE adj., **MÉTÉORITE** n. f. ⟶ MÉTÉORE.

MÉTÉOROLOGIE [meteɔrɔlɔʒi] ou **MÉTÉO** n. f. (gr. *meteôrologia*). **1.** Étude scientifique des phénomènes atmosphériques, en partic. pour la prévision du temps. — **2.** Organisme chargé de cette étude, afin de donner les indications sur l'évolution du temps : *Le bulletin de la météo.* ◆ **météorologique** adj. : *Les prévisions météorologiques.* → illustration page ci-contre.

MÉTÈQUE [metɛk] n. m. (gr. *metoikos*, qui change de maison). **1.** Dans la Grèce antique, étranger domicilié dans une cité. — **2.** *Péjor.* Étranger établi dans un pays.

MÉTHANE [metan] n. m. (du gr. *methu*, boisson fermentée). Gaz incolore (CH_4), de densité 0,55, brûlant à l'air avec une flamme pâle. (Il se dégage des matières en putréfaction et constitue le grisou des houillères. C'est le constituant essentiel du gaz de Lacq.) ◆ **méthanier** n. m. Navire conçu pour transporter le gaz naturel liquéfié.

MÉTHODE [metɔd] n. f. (gr. *methodos*, poursuite). **1.** Manière d'exposer des idées, de découvrir la vérité, etc., selon certains principes et dans un certain ordre, caractérisant une démarche organisée de l'esprit : *La méthode cartésienne* (= de Descartes). — **2.** Démarche raisonnée, ordonnée de l'esprit pour parvenir à un but : *Avoir une méthode de travail. Les méthodes nouvelles de la pédagogie* (= procédés). — **3.** Ouvrage groupant logiquement les éléments d'une science, d'un art, etc. : *Méthode de chant.* ◆ **méthodique** adj. **1.** Se dit de quelqu'un qui raisonne, qui agit selon certains principes et dans un ordre voulu : *Un esprit méthodique* (syn. RÉFLÉCHI; contr. BROUILLON, DÉSORDONNÉ). — **2.** Réalisé par une démarche raisonnée de l'esprit : *Le classement méthodique des fiches.* ◆ **méthodiquement** adv. : *Procéder méthodiquement* (= avec réflexion, suivant un certain plan). ◆ **méthodologie** n. f. Étude des méthodes propres à une science.

MÉTHODISME [metɔdism] n. m. (angl. *methodism*). Secte protestante très austère, que Wesley fonda à Oxford au XVIIIe s. pour provoquer un «réveil» religieux en Angleterre. ◆ **méthodiste** n. Membre de cette secte. (Il y aurait auj. 30 millions de méthodistes dans le monde, dont les membres de l'Armée du salut.)

MÉTHODOLOGIE n. f. ⟶ MÉTHODE.

MÉTHYLE [metil] n. m. (de *méthylène*). Radical CH_3, dérivé du méthane, que l'on trouve dans de nombreux corps organiques. ‖ *Chlorure de méthyle* (CH_3Cl), liquide dont l'évaporation abaisse la température à —55 °C, et qui est employé dans plusieurs industries et en médecine. ◆ **méthylique** adj. Se dit de composés dérivés du méthane : *Alcool méthylique (CH_3OH).*

MÉTHYLÈNE [metilɛn] n. m. (du gr. *methu*, boisson fermentée, et *hulê*, bois). Nom commercial de l'alcool méthylique, ou ESPRIT-DE-BOIS. ‖ *Bleu de méthylène*, colorant et désinfectant extrait de la houille.

MÉTHYLIQUE adj. ⟶ MÉTHYLE.

MÉTICULEUX, EUSE [metikylø, -øz] adj. et n. (lat. *meticulosus*, craintif). Se dit de quelqu'un (ou de sa manière d'agir) qui a le goût du petit détail, qui a de la minutie : *Être très méticuleux dans son travail* (syn. MINUTIEUX). ◆ **méticuleusement** adv. ◆ **méticulosité** n. f. Caractère méticuleux.

1. MÉTIER [metje] n. m. (lat. *ministerium*, service). **1.** Tout travail dont on tire des moyens d'existence : *Exercer un métier manuel, intellectuel* (syn. PROFESSION). *Il connaît son métier* (= il a de l'expérience dans son travail). *Il est du métier* (= c'est un spécialiste de ce genre de travail). *L'argot de métier* (= termes non techniques propres à une profession). — **2.** Expérience acquise, qui se manifeste par une grande habileté technique : *Avoir du métier.*

2. MÉTIER [metje] n. m. (même étym.). **1.** Machine servant à fabriquer divers ouvrages et surtout des tissus : *Métier à tisser.* — **2.** *Mettre qqch. sur le métier*, en entreprendre la réalisation.

MÉTIS, ISSE [metis] adj. et n. (du lat. *mixtus*, mélangé). Qui est issu du croisement de sujets de races différentes (se dit surtout d'êtres humains) : *Un métis né d'un Noir et d'une Blanche (ou d'une Noire et d'un Blanc) est un mulâtre.* ◆ **métisser** v. t. (surtout au part. passé) : *Race métissée.* ◆ **métissage** n. m.

MÉTONYMIE [metɔnimi] n. f. (gr. *metonumia*, changement de nom). Procédé stylistique par lequel on exprime l'effet par la cause, le contenu par le contenant, le tout par la partie, etc. (Ex. : *Boire un verre* [= le contenu]. *Toute la ville fut en émoi* [= les habitants de la ville].)

MÉTOPE [metɔp] n. f. (du gr. *meta*, après, et *opê*, ouverture). *Archit.* Espace entre deux triglyphes, dans la frise d'ordre dorique, garni d'une plaque d'argile généralement ornée de sculptures en bas relief.

1. MÈTRE [mɛtr] n. m. (gr. *metron*, mesure). **1.** Unité de longueur (symb. : m) dans le système légal des poids et mesures. ⟶ ENCYCL. ‖ *Mètre carré*, unité de mesure de superficie (symb. : m^2), équivalant à l'aire d'un carré ayant un mètre de côté. ‖ *Mètre cube*, unité de mesure de volume (symb. : m^3), équivalant au volume d'un cube ayant un mètre de côté. ‖ *Mètre par seconde*, unité de mesure de vitesse (symb. : m/s), équivalant à la vitesse d'un mobile qui, animé d'un mouvement uniforme, parcourt une distance de un mètre en une seconde. (⟶ MESURE, *unités de mesure.*) — **2.** Règle, ruban servant à mesurer, divisé en centimètres et ayant la longueur d'un mètre (ou plus). ◆ **métrage** n. m. **1.** Mesurage au mètre. — **2.** Longueur en mètres d'un coupon d'étoffe, d'un film. — **3.** *Court métrage*, film d'environ 300 à 600 m de longueur. ‖ *Long métrage*, film de plus de 2 500 m. ◆ **métré** n. m. **1.** Mesure d'un terrain, d'un ouvrage de construction quelconque. — **2.** Description détaillée d'un ouvrage de construction en classant les différents travaux à exécuter suivant leur nature, leur coût, etc. : *Faire le métré d'un travail.* ◆ **métrer** v. t. Mesurer avec un mètre un terrain, une construction, du tissu, etc. ◆ **métreur** n. m. Employé d'un architecte ou d'un entrepreneur, chargé de s'assurer de l'état d'avancement des travaux par la mesure des éléments réalisés. ◆ **métrique** adj. *Système métrique*, système des poids et mesures ayant pour base le mètre et adopté en France depuis 1795. ⟶ ENCYCL.

— ENCYCL. Le *mètre* avait été primitivement défini comme une longueur égale à la dix-millionième partie du quart du méridien terrestre (1799), puis comme la distance séparant, à la température de 0 °C, deux traits parallèles tracés sur le prototype international en platine iridié, appelé *mètre étalon*, déposé au Pavillon international des poids et mesures, dit pavillon de Breteuil, à Sèvres (1903). Liée de 1960 à 1983 à la valeur d'une des radiations émises par une lampe à décharge contenant l'isotope 86 du krypton, la définition du mètre est aujourd'hui rattachée à la vitesse de la lumière, que l'utilisation des lasers permet de déterminer avec précision (le mètre correspond au trajet parcouru dans le vide par la lumière pendant la durée donnée de 1/299 792 458 de seconde).

Le *système métrique* a été institué en France par la loi du 18 germinal an III (7 avril 1795). Sa qualité essentielle est sa décimalité, qui correspond à la numération. Pour une même sorte

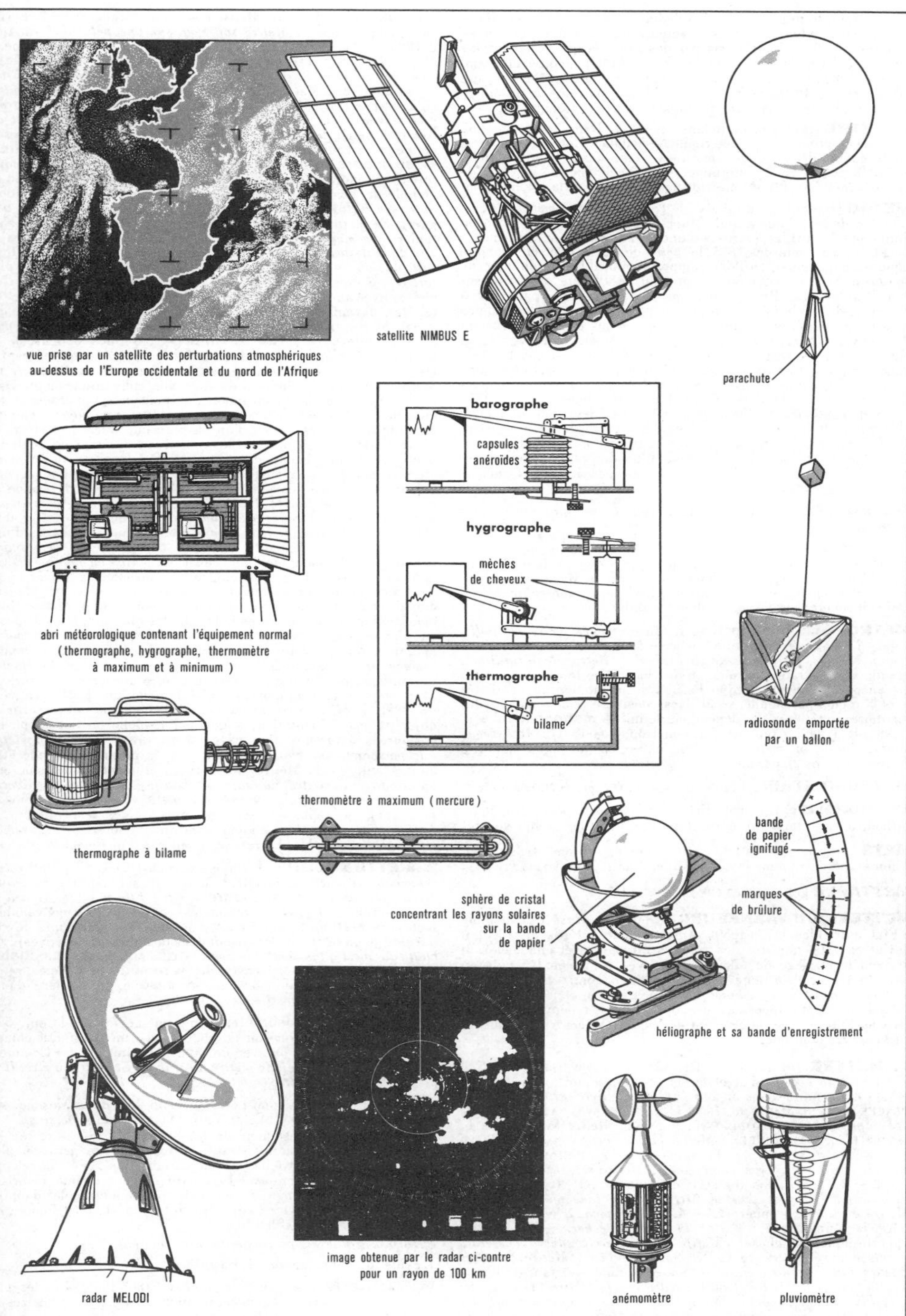

vue prise par un satellite des perturbations atmosphériques au-dessus de l'Europe occidentale et du nord de l'Afrique

satellite NIMBUS E

abri météorologique contenant l'équipement normal (thermographe, hygrographe, thermomètre à maximum et à minimum)

radiosonde emportée par un ballon

thermographe à bilame

thermomètre à maximum (mercure)

héliographe et sa bande d'enregistrement

radar MELODI

image obtenue par le radar ci-contre pour un rayon de 100 km

anémomètre

pluviomètre

de grandeur, toutes les unités se déduisent de l'une d'elles; leurs valeurs sont indiquées par des facteurs qui sont des puissances entières de 10, et leurs noms par des préfixes qui désignent les puissances. Un décret, promulgué en 1961 (et modifié en 1966, 1975 et 1982), fixe le système des unités de mesures légales, qui est, depuis le 1er janvier 1962, le système métrique à six unités de base, appelé *système international d'unités* (système SI).

2. MÈTRE [mɛtr] n. m. (même étym.). **1.** Dans la versification grecque et latine, groupe déterminé de syllabes longues ou brèves, comprenant deux temps marqués, l'un fort, l'autre faible. — **2.** Type de vers, déterminé en français par le nombre de syllabes (6, 8, 10, 12). ◆ **métrique** n. f. Science de la versification.

MÉTRO [metro] n. m. (abrév. de [*chemin de fer*] *métropolitain*, [chemin de fer] d'une grande ville). Chemin de fer souterrain ou aérien qui dessert les quartiers d'une grande ville et sa banlieue.
— ENCYCL. Projeté dès 1855, le *métro* de Paris, dont la première ligne a été inaugurée en 1900, comprend quinze lignes, en majorité souterraines, d'un développement total de 192 km et desservant 295 stations. La Régie autonome des transports parisiens a entrepris de moderniser le réseau existant en équipant certaines lignes d'un matériel roulant sur pneumatiques et en construisant de nouvelles lignes à grande vitesse. Ainsi, dans la région parisienne, le Réseau express régional (R. E. R.) est constitué de deux lignes est-ouest et nord-sud (complétées par une ligne transversale, exploitée par la S. N. C. F.), qui sont en correspondance au centre de Paris. Outre Paris, Marseille (depuis 1977), Lyon (depuis 1978) et Lille (depuis 1984) possèdent aussi un métro. Une cinquantaine de grandes villes dans le monde ont un métro. Les métros les plus importants sont ceux de Londres (inauguré en 1863), de New York et de Moscou. L'un des plus modernes est celui de Montréal, qui utilise la technique parisienne sur pneus.
→ illustration page ci-contre.

MÉTROLOGIE [metrɔlɔʒi] n. f. (du gr. *metron*, mesure, et *logos*, science). Science des mesures.

MÉTRONOME [metrɔnɔm] n. m. (du gr. *metron*, mesure, et *nomos*, règle). *Mus.* Appareil indiquant la vitesse à laquelle doit être joué un morceau. (Le métronome, dû à Maelzel, consiste essentiellement en un mouvement d'horlogerie muni d'un balancier soit sonore, soit visuel, à vitesse variable.)

MÉTROPOLE [metrɔpɔl] n. f. (du gr. *mêtêr*, mère, et *polis*, ville). **1.** Capitale politique ou économique d'un pays, d'une région : *Paris, métropole de la France.* ‖ *Métropole d'équilibre*, grande agglomération urbaine en province, dont le développement est encouragé afin de limiter l'afflux de population et d'activités vers la région parisienne. — **2.** Pays considéré relativement à des territoires extérieurs qui dépendent de lui. ◆ **métropolitain, e** n. m. et adj. **1.** Qui a rapport à une métropole (sens 1) : *Archevêque métropolitain*, ou *métropolitain* n. m. — **2.** Qui appartient à la métropole (sens 2), par oppos. à COLONIAL.

MÉTROPOLITAIN adj. et n. m. → MÉTRO et MÉTROPOLE.

MÉTROPOLITE [metrɔpɔlit] n. m. (de *métropole*). Dignitaire orthodoxe, intermédiaire entre le patriarche et les archevêques.

METS [mɛ] n. m. (bas lat. *missum*, ce qui est mis sur la table). Aliment qui entre dans la composition d'un repas (syn. PLAT).

METTABLE adj. → METTRE 2.

METTERNICH-WINNEBURG (Klemens, *prince* DE), homme d'État autrichien (1773-1859). Ambassadeur à Paris en 1806, il devint en 1809 ministre des Affaires étrangères et chancelier. Il négocia le mariage de Marie-Louise avec Napoléon Ier, puis en 1813 fit entrer l'Autriche dans la coalition contre la France. Il domina le congrès de Vienne, où il incarnait le conservatisme et l'absolutisme, et s'opposa au développement des mouvements libéraux en Europe. Le soulèvement de Vienne (13 mars 1848) mit fin à sa carrière politique.

1. METTRE [mɛtr] v. t. (lat. *mittere*, envoyer). [Conj. **57.**] **1.** (suivi d'un compl. d'objet direct et d'un compl. de lieu) Faire passer d'un endroit dans un autre : *Mettez le livre sur la table* (syn. PLACER, POSER). *Mettre sa tête à la portière* (syn. PASSER). *Mettre des papiers dans un tiroir* (syn. RANGER). *Mettre la clé dans la serrure* (syn. INTRODUIRE). *Mettre bas les armes* (= les déposer). *Mettre un enfant au lit* (= le coucher). — **2.** *Mettre qq'un à un endroit*, l'y mener, l'y accompagner : *Mettre ses enfants dans le train.* — **3.** Placer dans une certaine situation : *Mettre un poulet à la broche. Mettre en danger. Mettre un malade en observation. Mettre en liberté* (= libérer). — **4.** *Mettre qqch. à* (et l'infin.), le faire, le soumettre à : *Mettre du linge à sécher.* — **5.** Ajouter, apporter quelque chose : *Mettre un couvercle sur la casserole* (= poser sur). *Mettre de l'entêtement à refuser. Mettre tous ses espoirs dans l'avenir* (syn. PLACER). — **6.** Employer tant de temps à : *La viande a mis longtemps à cuire.* — **7.** *Mettre (de l'argent) sur, dans*, l'engager dans : *Mettre des capitaux dans une affaire.* — **8.** Avoir pour conséquence, entraîner : *Mettre obstacle* (= empêcher). *Mettre du désordre. Mettre bon ordre* (= ranger). — **9.** Écrire sur quelque chose : *Mettre son nom sur une pétition* (syn. INSCRIRE). — **10.** Avec un substantif, forme de nombreuses loc. *Mettre de côté* (= réserver). *Mettre qqch. sur le dos de qq'un* (= lui en faire endosser la responsabilité). *Mettre de l'eau dans son vin* (= se modérer). *Mettre au fait* (= instruire). *Mettre la main sur qq'un* (= l'arrêter). *Mettre au monde* (= donner naissance). *Mettre à pied* (= renvoyer). *Mettre en présence* (= confronter). *Il y met du sien* (= il y met de la bonne volonté). *Mettre la table* (= y placer la nappe et les couverts). *Mettre sous les yeux, sous le nez* (= montrer). ◆ ***se mettre*** v. pr. **1.** (sujet nom d'être animé; sans compl. direct). Prendre position : *Se mettre debout* (= se lever); (avec un compl. de lieu) aller occuper un lieu, une place, une fonction, etc. : *Se mettre à l'abri* (= s'abriter). *Se mettre à l'eau* (= se baigner). *Se mettre au lit* (= se coucher). *Se mettre à table* (= s'attabler). *Se mettre dans la peau de qq'un* (= à sa place). *Il s'est mis dans de beaux draps* (= il est dans une triste situation). *Il ne sait plus où se mettre* (= il est honteux). *Se mettre du côté du plus fort* (= se ranger du côté). — **2.** (sujet nom d'être animé ou de chose; avec un attribut ou un compl. de manière) Prendre tel ou tel état, devenir : *Se mettre à son aise* (= se dépouiller de ce qui gêne). *Se mettre en colère. Se mettre d'accord sur l'heure du départ* (= s'accorder). *Se mettre en frais* (= faire des dépenses). — **3.** (avec un compl. d'objet direct) Mettre sur soi, dans son esprit, etc. : *Il s'est mis de l'encre sur les doigts.* ◆ **metteur** n. m. *Metteur en ondes*, technicien du spectacle radiodiffusé ou télévisé chargé de régler la construction du spectacle et d'ordonner les éléments de la réalisation scénique. ‖ *Metteur en pages*, celui qui effectue la mise en pages d'un ouvrage imprimé. ‖ *Metteur en scène*, personne qui, pendant les répétitions d'une pièce, règle les mouvements de chacun des acteurs, la disposition des décors, etc.; au cinéma, spécialiste qui dirige les prises de vues (décors, éclairage, son, jeu des acteurs). ◆ **mise** [miz] n. f. **1.** Action de mettre : *Mise en liberté d'un détenu* (= libération). *Adresser une mise en demeure* (= un écrit sommant de remplir telle ou telle obligation). ‖ *Mise à feu*, action d'enflammer la charge d'une arme à feu, d'un explosif ou d'une mine. ‖ *Mise en ondes*, réalisation radiophonique d'une émission. ‖ *Mise en pages* → PAGE 1. ‖ *Mise à pied*, mesure disciplinaire consistant à priver, pendant une courte durée, un fonctionnaire ou un salarié de son emploi et du traitement ou salaire correspondant. ‖ *Mise en plis*, opération qui consiste, après le lavage des cheveux, à les disposer en plis qui demeureront après le séchage. ‖ *Mise au point*, opération qui consiste, dans un instrument d'optique, à rendre l'image nette; assemblage, mise en place et réglage d'éléments mécaniques ou électriques; rectification d'une erreur de presse; avertissement plus ou moins déguisé à quelqu'un. ‖ *Mise en scène* → SCÈNE. ‖ *Mise en valeur*, action par laquelle on fait ressortir un objet par sa présentation; action par laquelle on développe les ressources naturelles d'un pays. ◆ **remettre** v. t. **1.** *Remettre une personne, une chose dans un lieu*, la mettre là où elle était auparavant. — **2.** Mettre de nouveau, replacer dans son état antérieur : *Remettre du café à chauffer. Remettre en liberté. Remettre un couvercle.* ◆ ***se remettre*** v. pr. (sujet nom de personne). Se replacer : *Se remettre à table.* ◆ **remise** n. f. Action de remettre dans un lieu, dans un état antérieur : *La remise en place d'un meuble. La remise en marche d'une machine.*

2. METTRE [mɛtr] v. t. (même étym.). [Conj. **57.**] *Mettre (un vêtement, un objet)*, le revêtir, le poser sur soi : *Mettre ses gants. Mettre ses lunettes.* ◆ ***se mettre*** v. pr. : *Elle n'a plus rien à se mettre* (= elle n'a plus de vêtements pour s'habiller convenablement). ◆ **mettable** adj. Se dit d'un vêtement, ou d'une de ses parties, qu'on peut porter (surtout dans des phrases négatives) : *Ce chapeau n'est plus mettable* (syn. UTILISABLE). ◆ **immettable** adj. : *Ce veston fripé est immettable.* ◆ **remettre** v. t. *Remettre un vêtement*, le mettre de nouveau. ◆ **mise** n. f. Manière d'être habillé : *Une mise débraillée* (syn. TENUE).

3. METTRE (SE) [səmɛtr] v. pr. (même étym.). [Conj. **57.**] (Sujet nom d'être animé ou de chose; avec un substantif compl. introduit par *en* ou *à*, ou avec un infin. introduit par *à*.) Commencer à, entreprendre de : *Se mettre au travail. Se mettre à rire. Il se met à pleuvoir. Se mettre en marche.*

METZ, ch.-l. de la Région Lorraine et du dép. de la Moselle, sur la Moselle, à 312 km à l'E. de Paris; 118 500 hab. *(Messins).*

À proximité du gisement de fer lorrain, Metz est restée un centre commercial, administratif, et une ville de garnison plus qu'une cité industrielle. L'industrialisation s'y développe aujourd'hui, notamment avec la construction automobile, favorisée sans doute par la promotion de la ville comme métropole* d'équilibre (associée à Nancy) et la desserte autoroutière. L'agglomération rassemble près de 200 000 hab.

• *1870. Bazaine y capitule devant les Prussiens.*

La ville fut allemande de 1871 à 1918.

METZINGER (Jean), peintre français (1883-1956). Un des plus ardents défenseurs du cubisme, il publia en 1912, avec Gleizes, le premier traité théorique *Du cubisme.*

VOITURE AUTOMOTRICE SUR PNEUMATIQUES DU MÉTROPOLITAIN PARISIEN

nombre de voyageurs
assis : 24
debout : 135

loge du machiniste et du chef de train

La mise en service de la première rame remonte à 1956, sur la ligne Châtelet-Porte des Lilas. Les voitures automotrices et les remorques sont supportées par deux bogies à quatre roues porteuses, équipées de pneumatiques, auxquelles sont accolées des roues métalliques de sécurité, en cas de crevaison. Le guidage est réalisé par quatre roues plus petites roulant horizontalement sur des rails qui assurent par ailleurs l'arrivée et le retour du courant. Les rames se déplacent sur des pistes encadrant la voie normale. Ce mode de roulement permet des démarrages et des freinages rapides et puissants, une très bonne suspension, supprime le bruit et assure une sécurité totale.

PRINCIPE DU ROULEMENT ET DU GUIDAGE

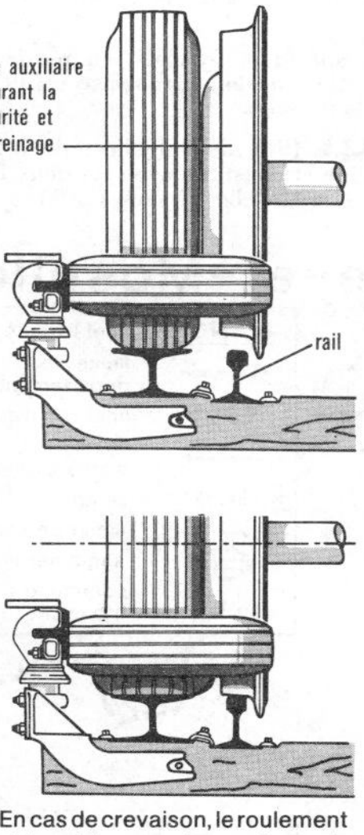

roue auxiliaire assurant la sécurité et le freinage

rail

En cas de crevaison, le roulement et le guidage sont assurés par la roue auxiliaire.

BOGIE D'UNE VOITURE AUTOMOTRICE

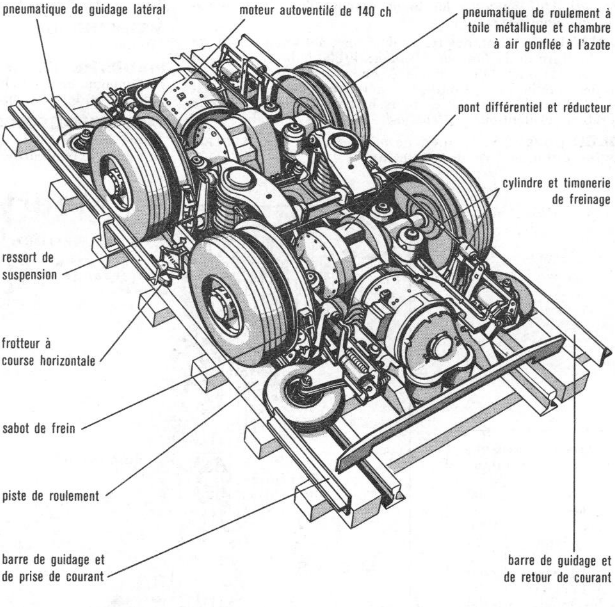

pneumatique de guidage latéral

moteur autoventilé de 140 ch

pneumatique de roulement à toile métallique et chambre à air gonflée à l'azote

pont différentiel et réducteur

cylindre et timonerie de freinage

ressort de suspension

frotteur à course horizontale

sabot de frein

piste de roulement

barre de guidage et de prise de courant

barre de guidage et de retour de courant

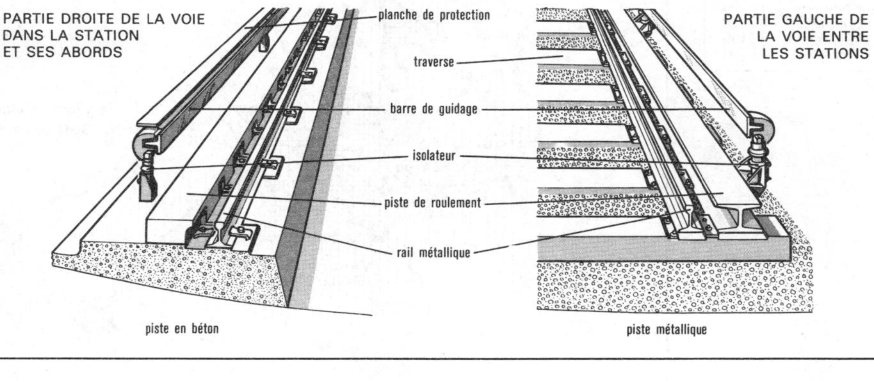

PARTIE DROITE DE LA VOIE DANS LA STATION ET SES ABORDS

PARTIE GAUCHE DE LA VOIE ENTRE LES STATIONS

planche de protection

traverse

barre de guidage

isolateur

piste de roulement

rail métallique

piste en béton

piste métallique

1. MEUBLE [mœbl] n. m. (lat. *mobilis*, qu'on peut changer de place). **1.** Objet mobile qui sert à l'usage ou à la décoration des lieux d'habitation (table, siège, armoire, bureau, etc.). — **2.** *Être dans ses meubles*, dans un appartement où les meubles appartiennent au locataire, à celui qui habite les lieux. ◆ **meubler** v. t. **1.** *Meubler un lieu*, le garnir, l'équiper, le remplir de meubles. — **2.** Remplir ce qui est vide, enrichir de connaissances : *Savoir meubler ses loisirs* (syn. OCCUPER). ◆ v. i. Produire un effet d'ornementation : *Ces rideaux meublent bien.* ◆ **meublé, e** adj. et n. m. *Chambre meublée, appartement meublé*, etc., ou *un meublé* n. m., local qui est loué avec tout le mobilier. ◆ **démeubler** v. t. Dégarnir de ses meubles. ◆ **mobilier** n. m. Ensemble des meubles servant, dans les appartements, à l'usage ou à la décoration. ‖ *Mobilier national*, ensemble des meubles, bronzes et tapisseries qui appartenaient à la maison de France et qui appartiennent aujourd'hui à l'État.

2. MEUBLE [mœbl] adj. (même étym.). Qui se brise facilement : *Terre, sol meuble* (= qui se laboure facilement). *Roche meuble* (syn. FRIABLE). ◆ **ameublir** v. t. Travailler la terre pour la rendre plus meuble. ◆ **ameublissement** n. m. **1.** Travail pour ameublir la terre : *L'ameublissement est indispensable pour une germination et une végétation normales.* — **2.** Transformation d'une roche en débris.

3. MEUBLE [mœbl] adj. (même étym.). Dr. *Bien meuble*, bien susceptible d'être déplacé (par oppos. à *bien immeuble*). ◆ **mobilier, ère** adj. Qui concerne les biens susceptibles d'être déplacés : *Valeurs mobilières.*

MEUDON, ch.-l. de cant. des Hauts-de-Seine, à 4 km au S.-O. de Paris, en bordure de la *forêt de Meudon;* 49 000 hab. Château du XVIIe s. par Mansart, auj. aménagé en observatoire. Ateliers d'aérostation militaire, soufflerie aérodynamique *(Chalais-Meudon).* Industries concentrées dans le *bas Meudon.* Nouvelle agglomération résidentielle à *Meudon-la-Forêt* (19 700 hab.).

MEUGLER [møgle] v. i. (altér. de *beugler*). Syn. de BEUGLER. ◆ **meuglement** n. m. Syn. de BEUGLEMENT.

1. MEULE [møl] n. f. (lat. *mola*). **1.** Corps cylindrique, solide qui sert à broyer *(meule de moulin)* ou à aiguiser : *Affûter u couteau sur une meule.* — **2.** Gros fromage en forme de disque *Meule de gruyère.* ◆ **meulière** n. et adj. f. *Pierre meulière*, o *meulière* n. f., roche sédimentaire siliceuse et calcaire, abondant dans les couches tertiaires du Bassin parisien, utilisée pour l fabrication des meules. (Une variété partiellement décalcifiée, l *meulière caverneuse*, sert souvent en construction.)

2. MEULE [møl] n. f. (même étym.). Gros tas de foin, de gerbe de blé, etc., dressé après la moisson dans les champs et couvert d chaume pour le protéger de la pluie.

MEUNERIE n. f. ⟶ MEUNIER.

MEUNG (Jean DE) ⟶ JEAN DE MEUNG.

MEUNIER, ÈRE [mønje, -ɛr] n. (lat. *molinarius*). Personne qu exploite un moulin à blé. ◆ **meunerie** n. f. **1.** Industrie qui assur la transformation des grains en farine (syn. MINOTERIE — **2.** Ensemble des meuniers.

MEUNIER (Constantin), peintre et sculpteur belge (1831-1905). I a montré l'homme au travail, surtout le mineur, en un style réalist et pathétique qui a fait de lui un des meilleurs représentants de l sculpture belge.

MEURSAULT, comm. de la Côte-d'Or, à 8 km au S.-O. d Beaune; 1 600 hab. Vins blancs réputés.

MEURTHE (la), riv. de Lorraine, affl. de la Moselle (r. dr. 170 km.

MEURTHE *(dép. de la)*, anc. dép. français, en partie cédé l'Allemagne en 1871. La partie redevenue française en 1919 a ét incorporée dans le dép. de la Moselle.

MEURTHE-ET-MOSELLE (54), dép. de l'est de la Franc formé en 1871 par la Lorraine et constitué avec les deux fraction des dép. de la Meurthe et de la Moselle laissées à la France par l

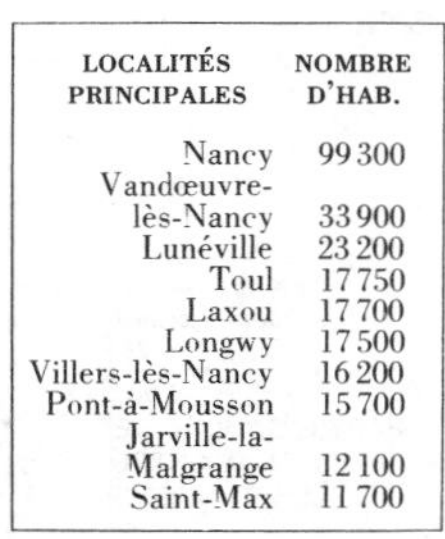

LOCALITÉS PRINCIPALES	NOMBRE D'HAB.
Nancy	99 300
Vandœuvre-lès-Nancy	33 900
Lunéville	23 200
Toul	17 750
Laxou	17 700
Longwy	17 500
Villers-lès-Nancy	16 200
Pont-à-Mousson	15 700
Jarville-la-Malgrange	12 100
Saint-Max	11 700

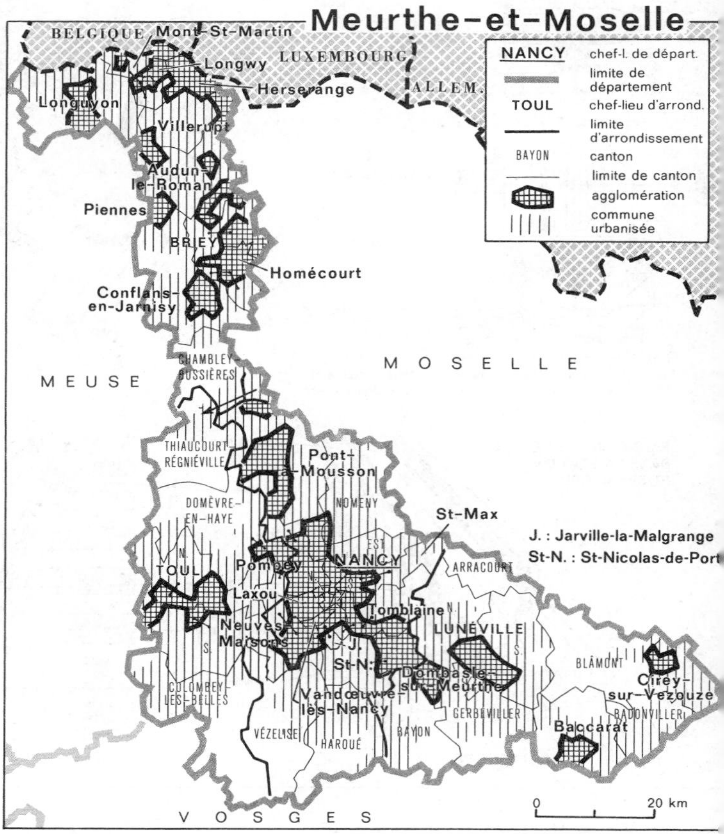

Meurthe-et-Moselle

NANCY chef-l. de départ. · limite de département · TOUL chef-lieu d'arrond. · limite d'arrondissement · BAYON canton · limite de canton · agglomération · commune urbanisée

J. : Jarville-la-Malgrange
St-N. : St-Nicolas-de-Port

LOCALITÉS PRINCIPALES	NOMBRE D'HAB.
Verdun	24 100
Bar-le-Duc	20 000
Commercy	8 000
Ligny-en-Barrois	5 700
Saint-Mihiel	5 600
Thierville-sur-Meuse	4 800
Revigny-sur-Ornain	4 100
Stenay	3 900
Étain	3 800
Bouligny	3 600

raité de Francfort (Région Lorraine); 5 241 km²; 716 800 hab. (137 au km²) [France : 103]. Ch.-l. *Nancy*.
ADMINISTRATION. 4 arrond. (*Briey*. 173 700 hab.; *Lunéville*. 78 700 hab.; *Nancy*, 403 900 hab.; *Toul*, 60 600 hab.). / 41 cant. / 587 comm.

A l'intérieur de la Lorraine, le département s'étend au N. sur le revers des *Côtes de Moselle*, au S. sur une partie du *plateau lorrain*.

La densité de population (quatre fois plus grande que dans le département voisin de la Meuse) est due au développement de l'*industrie*, en grande partie liée à l'extraction du fer au N. Le département partage avec la Moselle le bassin ferrifère lorrain (gisements de Briey, Longwy) qui a donné naissance à une importante sidérurgie et métallurgie de première transformation. Le sous-sol, au S.-E., recèle encore du sel. L'industrie emploie aujourd'hui plus de 40 p. 100 de la population active.

Le développement du *secteur tertiaire* (presque égal à celui de l'industrie) est lié à la présence de l'agglomération de Nancy qui regroupe près de 40 p. 100 de la population du département. Celle-ci ne s'accroît plus aujourd'hui en raison de la crise frappant les activités autrefois motrices (sidérurgie, textile) et de l'insuffisance des industries de transformation, lien que certaines spécialités se maintiennent (cristallerie). Cette situation n'est d'ailleurs essentiellement due qu'à la vitalité de l'agglomération de Nancy, l'exode rural se poursuivant dans les régions méridionales du département, l'exode industriel dans le Pays Haut.

L'*agriculture*, peu importante, n'emploie aujourd'hui que le vingtième de la population active.

MEURTRE [mœrtr] n. m. (de *meurtrir*). Action de tuer volontairement un être humain (syn. CRIME, HOMICIDE). ◆ **meutrier, ère** n. : *Arrestation du meurtrier* (syn. ASSASSIN). ◆ adj. **1.** Qui cause la mort : *Une main meurtrière a frappé dans l'ombre* (syn. CRIMINEL). *Des combats meurtriers* (syn. SANGLANT). — **2.** Qui sert à un meurtre : *Une arme meurtrière*.

1. MEURTRIER, ÈRE adj. et n. → MEURTRE.

2. MEURTRIÈRE [mœrtrijɛr] n. f. (de *meurtrier*). Fente verticale pratiquée dans une muraille, pour tirer sur des assaillants ou jeter des projectiles.

MEURTRIR [mœrtrir] v. t. (frq. *murthrjan*, assassiner). **1.** Blesser par un choc qui produit une marque bleuâtre (souvent au passif) : *Le visage meurtri par les coups* (syn. MARQUER). — **2.** *Fruit meurtri*, qui a une tache due à un choc. — **3.** Provoquer une douleur morale profonde : *Meurtrir le cœur* (syn. DÉCHIRER). ◆ ***se meurtrir*** v. pr. ◆ **meurtrissure** n. f. **1.** Marque sur la peau meurtrie. — **2.** Tache sur les fruits.

MEUSE (la), en néerl. **Maas,** fl. de Belgique et des Pays-Bas; 950 km. Née dans le Bassigny, elle passe à Verdun et à Sedan, traverse l'Ardenne au fond d'une vallée encaissée. En Belgique, elle draine la région du bassin houiller, où elle arrose Namur et Liège. Son cours inférieur, à travers les Pays-Bas, s'achève par un delta dont les nombreuses branches se mêlent au delta du Rhin. C'est une importante voie navigable, accessible jusqu'à Givet (en amont) aux chalands de 1 350 t.

MEUSE (55), dép. de l'est du Bassin parisien (Région Lorraine); 6 216 km²; 200 100 hab. (32 au km²) [France : 103]. Ch.-l. *Bar-le-Duc*.
ADMINISTRATION. 3 arrond. (*Bar-le-Duc*. 68 300 hab.; *Commercy*. 44 200 hab.; *Verdun* : 87 700 hab.). / 31 cant. / 482 comm.

La vallée de la Meuse coupe le revers des *Côtes de Meuse* qui sépare la dépression de la *Woëvre* à l'E. de l'*Argonne* et du plateau du *Barrois* à l'O. L'altitude dépasse généralement 300 m dans les Hauts de Meuse, elle ne s'abaisse qu'exceptionnellement (à l'O.) au-dessous de 200 m. Les précipitations sont assez abondantes et les hivers rigoureux.

L'*agriculture* emploie environ le septième de la population active (une part un peu supérieure à la moyenne française). Si les céréales apparaissent dans la Woëvre, là où elle est recouverte de limon, l'élevage domine ailleurs et notamment dans l'Ouest.

L'*industrie* occupe un peu plus des deux cinquièmes de la population active, représentée surtout par la métallurgie de transformation et les industries alimentaires. Elle est localisée dans les principaux centres urbains, d'importance réduite.

L'absence de grande ville est à rapprocher du faible dynamisme de l'industrie et du *secteur tertiaire.* L'exode rural se poursuit, et la population du département connaît une régression sensible.

MEUTE [møt] n. f. (du lat. *movere*, mouvoir). **1.** Troupe de chiens courants dressés pour la chasse à courre. — **2.** Bande de gens acharnés à la poursuite de quelqu'un : *Une meute de journalistes s'élança à la suite de la vedette du film.* — **3.** Dans le scoutisme, unité formée de louveteaux.

MÉVENTE n. f. → VENDRE 1.

MEXICALI, v. du Mexique, à la frontière des États-Unis; 346 000 hab.

MEXICO, capit. du Mexique ch.-l. du district fédéral; 9 191 000 hab. Située à 2 260 m d'alt. sur le plateau de l'Anáhuac, c'est un grand centre administratif et commercial. Le développement de l'industrie (textile, métallurgie) depuis le début du siècle y a entraîné un rapide essor de la population et l'extension de ses faubourgs. Le tourisme y attire chaque année un nombre croissant de visiteurs. Siège des jeux Olympiques en 1968. En 1985, la ville est en partie détruite par un tremblement de terre.

Fondée au XIVe s., sous le nom de *Tenochtitlán*, la ville a été prise par Cortés en 1521; rasée, elle fut reconstruite par les Espagnols, qui en firent la métropole de la « Nouvelle-Espagne », avant qu'elle ne devînt la capitale du Mexique en 1924.

MEXIQUE, en esp. **México** ou **Méjico,** république fédérale de l'Amérique septentrionale et centrale, au S. des États-Unis.

GÉOGRAPHIE

Parallèles à la presqu'île montagneuse de Basse-Californie située à l'O. du pays, la sierra Madre occidentale et la sierra Madre orientale encadrent de hauts plateaux. Elle se rejoignent au S. pour former une chaîne massive dominée par de hauts volcans (Orizaba, Popocatepetl). À l'exception du Nord-Est et du Yucatán, les plaines littorales sont étroites. Le climat, presque désertique au N., devient tropical humide au S. et permet la croissance de la forêt sur les côtes. Mais il est tempéré par l'altitude sur les hauts plateaux.

SUPERFICIE 1 970 000 km² (France : 550 000 km²).

POPULATION 86 700 000 hab. *(Mexicains).* 44 hab. au km² (France : 103); taux d'accroissement annuel, 3,2 p. 100; taux de natalité, 34,6 p. 1 000; taux de mortalité, 6,5 p. 1 000.

CAPITALE Mexico (9 191 000 hab.).

VILLES PRINCIPALES Guadalajara (1 561 000 hab.); Monterrey (1 090 000 hab.); Ciudad Juárez (597 000 hab.); Mexicali (346 000 hab.).

LANGUE OFFICIELLE espagnol.

ÉCONOMIE consommation d'énergie par hab., 1 700 kg d'équivalent charbon.

MONNAIE peso mexicain.

	TEMPÉRATURES MOYENNES janv.	juil.	PLUIES
Yoma	12 °C	33 °C	89 mm
Mexico (2 260 m)	12 °C	19 °C	572 mm
Mérida	23 °C	28 °C	905 mm

La population est composée d'Indiens (30 p. 100), de Blancs (10 p. 100) et surtout de métis (60 p. 100). Elle se concentre sur les hauts plateaux, où le climat est le plus sain et les sols les plus riches, et qui sont la partie du pays la mieux mise en valeur.

L'étagement en altitude permet une *agriculture* variée : cultures tropicales (canne à sucre, coton, café, sisal) sur les basses pentes, cultures tempérées (blé, maïs, arbres fruitiers, tabac) sur les hauts plateaux. La réforme agraire a permis la distribution de terres aux paysans organisés en coopératives, mais les grands domaines *(haciendas)* employant des ouvriers agricoles sont encore nombreux. Le nord du pays est le domaine de l'élevage extensif de bovins. De gros progrès ont été réalisés récemment grâce à l'irrigation et à la modernisation des techniques.

maïs 14 millions de t	coton 250 000 t
sucre 3 millions de t	bovins 35 millions de têtes

Les ressources du sous-sol sont variées : or, zinc, plomb, cuivre, fer, argent et surtout pétrole (golfe du Mexique).

argent 2 000 t; pétrole 150 millions de t.

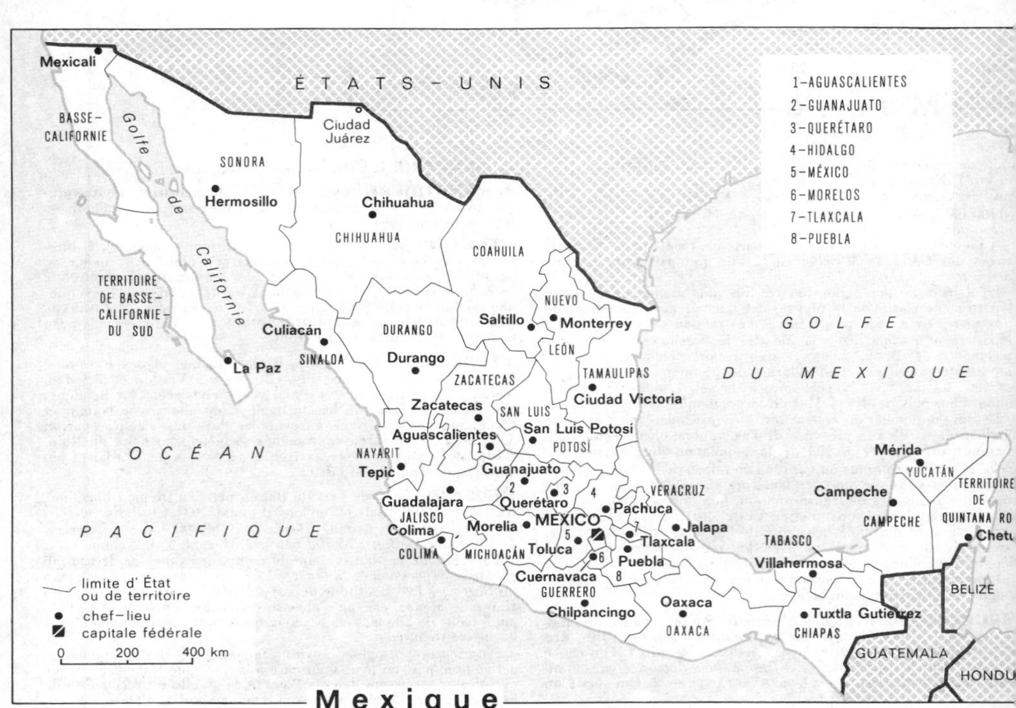

Mexique

Elles alimentent une *industrie* qui commence à se développer grâce également à l'équipement hydro-électrique. Des aciéries sont implantées à Monterrey, Monclova et Mexico. Le textile et la chimie (surtout la pétrochimie) sont en plein essor.

électricité 90 milliards de kWh; acier 7 000 000 t.

Mais ces progrès restent insuffisants, notamment en raison du très rapide accroissement de la population. Les grandes villes abritent de nombreux chômeurs, et beaucoup de Mexicains passent la frontière et vont travailler aux États-Unis. Enfin, le revenu national est très inégalement réparti. Le pays doit encore importer des produits fabriqués car son industrie ne couvre pas ses besoins. L'essentiel des échanges se fait avec les États-Unis. Le développement du tourisme ne rétablit que partiellement le déficit de la balance commerciale et le pays est lourdement endetté.

HISTOIRE

À l'époque précolombienne le Mexique est le siège de civilisations brillantes, dont la civilisation olmèque, dès le Ier s. av. J.-C., sur la côte du golfe du Mexique.

Dans le Sud, la civilisation maya*, apparue au IVe s. de notre ère, influence les autres peuples. Mais elle est en décadence au moment de la conquête espagnole (XVIe s.).

Sur le plateau central, la civilisation toltèque, à son apogée entre le Xe et le XIIe s., disparaît, tandis que déferlent des tribus nomades venues du N.

À la fin du XIVe s., les Aztèques* ou Mexica, derniers venus parmi ces nomades, créent un empire autour de Tenochtitlán (Mexico). Cet empire est fragile, car la domination aztèque est mal acceptée par les autres tribus, ce qui va favoriser la conquête du pays par les Espagnols.

- *18 fév. 1519. Hernán Cortés quitte Cuba à la tête de 500 guerriers pour s'emparer du continent.*

Là, il se rend compte de la richesse, mais aussi de la faiblesse des Aztèques, et s'allie aux tribus qui leur sont opposées. L'empereur aztèque Moctezuma II se soumet après le massacre de Cholula. Mais la cupidité et l'intolérance des Espagnols entraînent un soulèvement (« noche triste », juin 1520), sous la direction de Cuauhtémoc, neveu de l'empereur. Mexico n'est reprise qu'en 1521 après trois mois de siège.

- *1527. Le centre et le sud du pays sont conquis, à l'intérieur du Yucatán, où résistent des Mayas.*

Dans le Nord, certaines tribus résisteront jusqu'à la fin du XIXe s.

La conquête va de pair avec la colonisation et la christianisation, tandis qu'une partie de la population indienne est réduite au travail forcé par l'« encomienda », puis le « péonage ». Le Mexique devient une vice-royauté, à la société strictement hiérarchisée, qui exporte des matières premières, surtout de l'argent, vers Séville, puis Cadix. Pendant la période coloniale, les épidémies et le travail forcé déciment la population indienne, qui de 11 millions en 1519, tombe à 1,5 million à la fin du XVIIe s., tandis qu'immigrent de nombreux Espagnols.

Au XVIIIe s., les idées libérales pénètrent à la faveur des réformes de Charles III d'Espagne.

La domination espagnole, minée par le mécontentement général, va s'écrouler du fait de l'avènement à Madrid de Joseph Bonaparte (1808), que les colonies espagnoles refuseront de reconnaître.

- *1810. La lutte d'indépendance commence, sous la direction de deux prêtres, Hidalgo (fusillé en 1811), puis Morelos (exécuté en 1815).*

Elle échoue, car le soulèvement des Indiens effraye les créoles. Ceux-ci se rallieront à la cause de l'indépendance quand le général Iturbide, passé à l'insurrection, garantira le maintien des privilèges du clergé et des grands propriétaires.

- *Août 1821. Le Mexique est indépendant (traité de Córdoba).*

Empire sous Iturbide, il devient république en 1823. Celle-ci est marquée par une instabilité permanente, à cause des luttes entre centralistes et fédéralistes, cléricaux et anticléricaux. Le pays perd le Texas (1836), puis après une guerre malheureuse contre les États-Unis, la haute Californie et le Nouveau-Mexique (1848). Le mécontentement populaire permet à l'avocat indien Juárez et aux libéraux de prendre le pouvoir en 1855. Les réformes que Juárez entreprend entraînent l'opposition de l'Église, qui perd ses biens, puis la guerre civile et l'intervention étrangère.

- *1862-1867. Les partisans de Juárez luttent contre l'empereur Maximilien, installé par une intervention militaire française.*

Ils le fusillent à Querétaro en juin 1867.

Les réformes de Juárez ouvrent une période d'essor économique. Celui-ci s'amplifie après 1872 sous Porfirio Díaz, dont la politique favorise les capitaux étrangers, mais accentue aussi les inégalités sociales.

- *1911-1920. La révolution politique menée par Madero se transforme en guerre civile où s'illustrent les armées de Pancho Villa, Carranza et Zapata.*

La soumission du premier, la mort des deux autres permettent à Obregón, qui s'appuie sur les syndicats ouvriers, d'être élu président (1920-1924). Ce régime, émanation d'une nouvelle bourgeoisie métisse, consolide son pouvoir en commençant une réforme agraire et en développant l'instruction. Cette politique, freinée sous Calles (1924-1928), reçoit une nouvelle impulsion sous le général Cárdenas (1934-1940), qui mène une politique économique plus nationaliste (nationalisation du pétrole en 1938).

Après la Seconde Guerre mondiale, la politique mexicaine, sous l'égide du Parti révolutionnaire institutionnel, se fait plus conservatrice, tandis que les capitaux des États-Unis affluent.

Depuis 1968, l'agitation étudiante contribue à amener le président Echeverria, élu en 1970, à donner à la politique mexicaine une orientation plus libérale et plus nationaliste.

- *1976. Élection à la présidence de José López Portillo.*
- *1982. Élection à la présidence de Miguel de la Madrid.*
- *1988. Élection à la présidence de Carlos Salinas de Gortari.*

MEXIQUE *(golfe du)*, dépendance de l'Atlantique entre les États-Unis, le Mexique et Cuba, communiquant avec l'Atlantique par le détroit ou canal de Floride et avec la mer des Antilles par le canal du Yucatán.

MEXIQUE (Nouveau-) ⟶ NOUVEAU-MEXIQUE.

MEYERBEER (Jakob BEER, dit **Giacomo**), compositeur allemand (1791-1864), auteur d'opéras romantiques : *les Huguenots* (1836), *l'Africaine* (1865), etc.

MEYLAN, ch.-l. de cant. de l'Isère, dans la banlieue nord-est de Grenoble; 14 600 hab.

MEYZIEU, ch.-l. de cant. du Rhône, dans la banlieue est de Lyon, sur le Rhône; 26 800 hab. Matières plastiques.

MÉZENC *(mont)*, massif volcanique du Velay; 1 754 m.

MÉZIÈRES, anc. ch.-l. du dép. des Ardennes, sur la Meuse. En 1966, sa fusion avec diverses communes voisines a formé la nouvelle comm. de *Charleville*-Mézières.*

MEZZANINE [mɛdzanin] n. f. (it. *mezzanino*, entresol). Étage compris entre le parterre et le balcon d'un théâtre.

MEZZOGIORNO (le), ensemble des régions méridionales de l'Italie péninsulaire et insulaire (Abruzzes, Campanie, Pouilles, Basilicate, Calabre, Sicile, Sardaigne).

Région fortement peuplée, au taux d'accroissement rapide, le Mezzogiorno est marqué par le sous-développement. Le chômage qui y sévit oblige de nombreux habitants à aller chercher du travail en Italie du Nord. L'État, par l'intermédiaire de la *Cassa per il Mezzogiorno*, a entrepris un effort d'amélioration par la réforme agraire et la bonification des terres, et par la création d'industries qui restent cependant limitées.

MEZZO-SOPRANO [mɛdzosɔprano] n. m. (mots it.). Voix de femme plus grave et plus étendue que le soprano. ‖ Pl. des *mezzo-sopranos.*

1. MI [mi] n. m. (première syllabe de *mira* dans l'hymne latin à saint Jean-Baptiste). Note de musique, troisième degré de la gamme de *do*.

---

2. MI- [mi], mot. inv. issu du lat. *medius*, qui est au milieu, entrant dans la composition de certains substantifs en signifiant « à moitié », « à demi ». **1.** Forme des loc. adv. : *À mi-corps. À mi-côte. À mi-chemin.* — **2.** Forme des substantifs : *La mi-carême. La mi-août*, etc. ‖ *Une mi-temps*, chacune des deux parties d'un jeu comme le football, le rugby. — **3.** Forme des adj. (littér.) : *Mi-souriant.*

MIAMI, v. des États-Unis (Floride); 334 900 hab. Grande station balnéaire.

MIAOULIS (Andréas VOKOS, dit), amiral grec (v. 1768-1835). Il commanda les forces navales des insurgés grecs (1822-1827) et incendia la flotte d'Ibrāhīm à Modon (mai 1825).

MIASME [mjasm] n. m. (gr. *miasma*, souillure). Gaz, émanation pestilentielle provenant des marais, des déchets en décomposition.

MIAULER [mjole] v. i. (onomat.) [sujet nom désignant le chat, le tigre]. Crier. ◆ **miaulement** n. m. : *Le miaulement des chats.*

MICA [mika] n. m. (mot lat. signif. *parcelle*). Minéral brillant, que l'on peut découper en lamelles très minces et qui est utilisé (mica blanc) pour sa transparence ou pour sa résistance à la chaleur : *Le mica est abondant dans les roches éruptives et métamorphiques.* ◆ **micaschiste** [mikaʃist] n. m. Roche métamorphique feuilletée, formée de lits de mica séparés par de petits cristaux de quartz.

MI-CARÊME [mikarɛm] n. f. (*mi-*, et *carême*). Le jeudi de la troisième semaine de carême. ‖ Pl. des *mi-carêmes.*

MICASCHISTE n. m. ⟶ MICA.

MICELLE [misɛl] n. f. (du lat. *mica*, parcelle). Particule mesurant entre 0,001 et 0,3 micron, formée d'un agrégat de molécules semblables, et donnant une solution colloïdale.

MICHAUX (Henri), poète français d'origine belge (1899-1984). Ses poèmes sont un témoignage sur ses voyages réels (*Un barbare en Asie*, 1932) ou imaginaires (*Voyage en Grande Garabagne*, 1936; *Plume*, 1938). Pour mieux poursuivre l'exploration de l'« espace du dedans » (*Qui je fus*, 1927), il a volontairement pris une drogue, la mescaline, afin d'en transcrire par la poésie et par les dessins les effets qu'elle produisait en lui.

MICHE [miʃ] n. f. (du lat. *mica*, parcelle). Gros pain rond.

MICHEL *(saint)*, archange, le prince des anges, défenseur des intérêts de Dieu contre Satan.

MICHEL, nom de plusieurs empereurs byzantins. — MICHEL Ier *Rangabé*, mort en 840, empereur de 811 à 813. Il fut favorable au culte des images. — MICHEL III *l'Ivrogne* (838-867), empereur de 842 à 867. Il obtint la conversion des Bulgares, mais prépara le schisme avec Rome. — MICHEL VIII PALÉOLOGUE (1224-1282), empereur byzantin à Nicée (1258-1261), puis à Constantinople (1261-1282). Il détruisit l'Empire latin de Constantinople (1261) et provoqua les Vêpres siciliennes (1282).

MICHEL Ier, né en 1921, roi de Roumanie (1927-1930 et 1940-1947). Il dut céder la place à la République populaire roumaine.

MICHEL III Fiodorovitch (1596-1645), tsar de Russie (1613-1645). Il est le premier tsar de la famille des Romanov. Il encouragea la colonisation de la Sibérie.

MICHEL (Louise), révolutionnaire française (1830-1905). Institutrice, elle participa à la Commune de 1871 et fut déportée en Nouvelle-Calédonie. Rentrée en 1880, elle poursuivit sa propagande révolutionnaire et fut plusieurs fois condamnée. Elle se rendit populaire par son désintéressement et son sens de la justice.

MICHEL-ANGE (Michelangelo BUONARROTI, dit), peintre, sculpteur, architecte et poète italien (1475-1564).

Il se forme à la cour des Médicis à Florence, à l'école de Donatello, et par l'étude de la sculpture grecque classique. Après la chute des Médicis, il séjourne à Venise, Bologne, puis Rome. Il reviendra plusieurs fois travailler à Florence, avant de se fixer définitivement à Rome en 1534.

Par son génie, multiple, il domine tout le XVIe s. italien. Avant tout sculpteur, même dans sa peinture, il sait traduire, grâce à sa grande connaissance de l'anatomie, la souplesse et la vigueur des formes humaines. Dans un style lyrique et souvent pathétique, qui par certains côtés annonce l'art baroque*, il exprime dans des œuvres grandioses la lutte entre l'esprit et la matière, et glorifie la grandeur et la puissance de l'homme.

Il a sculpté notamment le *David* de Florence (1501-1503), plusieurs *Pietà* (dont celle de Saint-Pierre de Rome, v. 1500), les tombeaux, inachevés, de Jules II *(Moïse)* et des Médicis.

Appelé à Rome par le pape Jules II en 1505, il peint pour lui les fresques de la voûte de la chapelle Sixtine (1508-1512) et, plus tard, *le Jugement dernier* (1534-1541). Il a construit également la bibliothèque Laurentienne à Florence (1515), travaillé à la coupole de Saint-Pierre et dessiné la place du Capitole à Rome.

MICHELET (Jules), écrivain et historien français (1798-1874). Il est nommé professeur au Collège de France en 1838. Dans ses cours, très suivis, il se fait le porte-parole des idées libérales. À partir de 1840, il prend nettement parti contre la politique conservatrice du gouvernement. Napoléon III lui supprime sa chaire en 1851. Michelet renouvela la façon de concevoir et d'écrire l'histoire. Considérée jusque-là comme un récit chronologique, l'histoire prétend désormais ressusciter la vie intégrale en tenant compte en particulier de l'influence du milieu géographique sur les hommes. Pour Michelet, le peuple est le moteur de l'histoire, et l'histoire de France est une longue lutte du peuple contre le despotisme.

- *1831. Introduction à l'histoire universelle.*
- *1833-1846. Histoire de France (6 volumes allant jusqu'à Louis XI).*
- *1847-1853. Histoire de la Révolution française (7 volumes).*
- *1855-1867. Histoire de France (12 volumes de Louis XI à Louis XVI).*

MICHELIN *(les frères)*, industriels et philanthropes français. ANDRÉ (1853-1931) et ÉDOUARD (1859-1940) lièrent le nom de leur famille à l'application du pneumatique à l'automobile. En 1891, Édouard imagina pour la bicyclette un pneu fixé à la jante par des boulons et aisément démontable en cas de crevaison. Ils appliquèrent ensuite ce principe à l'automobile : en 1899, grâce au pneu, une automobile atteignit pour la première fois la vitesse de 100 km/h. En 1900, André créa le *Guide Michelin*, puis une série de cartes qu'il établit pour la France et certains pays étrangers. Les deux frères furent parmi les premiers à appliquer, dans leur entreprise, les principes d'organisation scientifique du travail. Leurs œuvres sociales ont été particulièrement importantes.

MICHELINE [miʃlin] n. f. (du n. de l'inventeur, *Michelin*). Voiture de chemin de fer automotrice, montée sur pneumatiques et servant autref. au transport des voyageurs.

MICHIGAN, État du nord des États-Unis; 150 779 km^2; 9 082 000 hab. Capit. *Lansing.* L'État s'étend sur deux péninsules séparées par le *lac Michigan.* La construction automobile est de très loin l'activité prédominante, avec les usines de Detroit.

MICHIGAN, un des cinq grands lacs de l'Amérique du Nord, entre le lac Supérieur et le lac Huron; 58 000 km^2.

Michna → MISHNA.

Mickey ou **Mickey Mouse,** personnage de dessin animé, représenté par une souris, imaginé par Walt Disney en 1926.

MICKIEWICZ (Adam), poète et patriote polonais (1798-1855). Il est le représentant le plus prestigieux du romantisme polonais *(Ode à la jeunesse, Konrad Wallenrod)* et de la lutte pour l'indépendance nationale (*Pan Tadeusz*, 1834).

MICMAC [mikmak] n. m. (de l'anc. fr. *mutemaque*, rébellion). *Fam.* Intrigue secrète et obscure; désordre.

MICOCOULIER [mikɔkulje] n. m. (mot prov.). Arbre du Midi, dont le bois sert à faire des manches d'outils, des cannes. (Famille des ulmacées.)

---

1. MICRO(-), élément issu du gr. *mikros*, petit, qui indique une quantité très petite ou l'idée de quelque chose de très petit : *Microfilm.*

---

2. MICRO-, préf. (symb. : μ) qui, placé devant une unité, la divise par un million : *Microampère* (= un millionième d'ampère).

3. MICRO [mikro] ou **MICROPHONE** [mikrofɔn] n. m. (de *micro-*, et gr. *phônê*, voix). Appareil qui, transformant les vibrations sonores en oscillations électriques, permet d'enregistrer ou de transmettre les sons.

MICROBE [mikrɔb] n. m. (de *micro-*, et gr. *bios*, vie). Terme du langage courant désignant les bactéries, les virus et un certain nombre de protozoaires et de champignons microscopiques, responsables des maladies infectieuses ou non. ◆ **microbicide** adj. et n. m. Qui tue les microbes. ◆ **microbien, enne** adj. Qui a rapport aux microbes : *Maladie microbienne.* ◆ **microbiologie** n. f. Science qui traite des microbes.

MICROCÉPHALE [mikrosefal] adj. et n. (de *micro-*, et gr. *kephalê*, tête). Se dit d'un individu dont la tête est petite, par suite d'un défaut de développement de l'encéphale.

MICROCHIRURGIE [mikroʃiryrʒi] n. f. *(micro-*, et *chirurgie).* Chirurgie pratiquée sous le contrôle du microscope.

MICROCLIMAT n. m. *(micro-*, et *climat).* Ensemble des conditions de température, d'humidité, de vent, particulières à un espace homogène de faible étendue à la surface du sol.

MICROCOQUE n. m. (de *micro-*, et gr. *kokkos*, grain). Bactérie de forme sphérique qui provoque des réactions suppurées.

MICROCOSME [mikrokɔsm] n. m. (de *micro-*, et gr. *kosmos*, monde). Petit monde; image réduite du monde, de la société.

MICRO-ÉCONOMIE [mikrɔekɔnɔmi] n. f. *(micro-*, et *économie).* Étude qui, à partir d'un phénomène économique individuel (comportement du consommateur, prix d'un bien sur le marché, fonctionnement d'une entreprise, etc.) considéré comme représentatif, généralise les renseignements obtenus et en déduit les règles qui seront valables pour l'ensemble des phénomènes.

MICROFARAD n. m. → FARAD.

MICROFICHE [mikrofiʃ] n. f. *(micro-*, et *fiche).* Photographie reproduisant sous un volume très réduit un document d'archives.

MICROFILM [mikrofilm] n. m. *(micro-*, et *film).* Film composé d'une série de microfiches.

MICROGRAPHIE [mikrografi] n. f. (de *micro-*, et gr. *graphein*, décrire). Étude, au microscope, de très petits objets.

MICROGRENU, E adj. *(micro-*, et *grenu).* Se dit d'une roche éruptive formée d'une juxtaposition de petits cristaux.

MICRO-INFORMATIQUE n. f. *(micro-*, et *informatique).* Domaine de l'informatique relatif à la fabrication et à l'utilisation des micro-ordinateurs.

MICROLITIQUE [mikrolitik] adj. (de *micro-*, et gr. *lithos*, pierre). Se dit d'une roche volcanique formée de gros cristaux enrobés par une pâte composée de verre et de cristaux microscopiques en forme de tablettes allongées, les *microlites : Le basalte, la phonolite, l'andésite sont des roches microlitiques.*

MICROMÈTRE [mikromɛtr] n. m. (de *micro-*, et gr. *metron*, mesure). **1.** Instrument servant à évaluer avec précision de très faibles longueurs ou épaisseurs. — **2.** Unité de mesure de longueur (symb. : μm) égale à un millionième de mètre.

MICRON [mikrɔ̃] n. m. (du gr. *mikros*, petit). Anc. unité de mesure de longueur (symb. : μ) égale à un millionième de mètre.

MICRONÉSIE (c'est-à-dire *petites îles*), ensemble d'îles du Pacifique, situé entre l'Indonésie et les Philippines à l'O., la Mélanésie au S. et la Polynésie à l'E. (à laquelle on le rattache parfois). Elle comprend les Mariannes, les Carolines, les Palaos, les Marshall, les Kiribati (anc. Gilbert). [Hab. *Micronésiens*.]

MICRO-ORDINATEUR → ORDINATEUR.

MICRO-ORGANISME ou **MICRORGANISME** n. m. *(micro-*, et *organisme)*. Organisme microscopique, végétal ou animal.

MICROPHONE n. m. → MICRO 3.

MICROPROCESSEUR n. m. (angl. *microprocessor*). En informatique, organe de traitement de l'information constitué de très petits circuits électroniques intégrés.

MICROSCOPE [mikrɔskɔp] n. m. (de *micro-*, et gr. *skopein*, observer). Instrument d'optique formé de plusieurs lentilles, qui permet de voir des objets très petits. ◆ **microscopique** adj. Infiniment petit (syn. IMPERCEPTIBLE, MINUSCULE).
— ENCYCL. Le *microscope* se compose d'un pied ou *statif*, supportant un tube aux extrémités duquel se trouvent un *objectif*, ensemble de petites lentilles de très courte distance focale, qui donne d'un petit objet une image réelle agrandie, et un *oculaire*, souvent formé de deux lentilles convergentes et qui fonctionne comme une loupe vis-à-vis de l'image précédente. L'objet est habituellement une coupe mince, placée sur une lame de verre éclairée par dessous au moyen d'un condenseur. Le *microscope électronique* utilise un faisceau d'électrons au lieu de rayons lumineux. Son grossissement peut atteindre 100 fois celui du microscope ordinaire.

MICROSILLON [mikrosijɔ̃] n. et adj. m. *(micro-*, et *sillon)*. Disque pressé en vinylite, dont la gravure des sillons permet une audition de vingt-cinq minutes par face de 30 cm de diamètre. (Les vitesses normalisées sont 45 tours/min, 33 tours/min.)

MICROTOME [mikrotɔm] n. m. (de *micro-*, et gr. *temnein*, découper). Instrument pour découper dans des tissus animaux ou végétaux de minces tranches en vue d'un examen au microscope.

MICTION [miksjɔ̃] n. f. (lat. *mictio*). Action d'uriner.

MIDAS, roi de Phrygie (v. 715-676 av. J.-C.). Selon la légende, Dionysos lui aurait donné le pouvoir de changer en or tout ce qu'il touchait (en réalité, il dut sa richesse aux mines d'or de Phrygie). Comme il avait offensé Apollon en préférant la flûte de Pan, il lui serait poussé des oreilles d'âne.

MIDDELBURG, v. des Pays-Bas, ch.-l. de la Zélande, dans l'anc. île de Walcheren; 32 600 hab. Hôtel de ville (XVe-XVIe s.).

MIDDLESBROUGH, port d'Angleterre (Yorkshire), sur l'estuaire de la Tees; 154 600 hab. Sidérurgie.

MIDDLESEX, anc. comté d'Angleterre, auj. intégré dans le « Grand Londres ».

MIDDLE WEST ou **MIDWEST,** région des États-Unis, comprise entre les Appalaches et les Rocheuses.

MIDI [midi] n. m. (du lat. *medius*, au milieu, et *dies*, jour). **1.** Milieu du jour; instant marqué douze heures : *À midi juste.* — **2.** Syn. de SUD : *Appartement exposé au midi;* avec une majusc., les régions du sud de la France : *L'accent du Midi.* — **3.** *Chercher midi à quatorze heures,* chercher des difficultés là où il n'y en a pas.

MIDI *(aiguille du)*, sommet du massif du Mont-Blanc (Haute-Savoie); 3 843 m. Téléphérique.

MIDI *(canal du)*, canal de navigation reliant par la Garonne (et le canal latéral à la Garonne) l'Atlantique à la Méditerranée. Il commence à Toulouse et aboutit, après Agde, à l'étang de Thau; 241 km. Parfois appelé *canal du Languedoc* ou *des Deux-Mers*, il fut creusé par Riquet de 1666 à 1681. Son trafic est faible.

MIDI *(dents du)*, massif des Alpes suisses, dans le Valais; 3 260 m.

MIDI *(pic du)*, nom de deux sommets des Pyrénées : le *pic du Midi de Bigorre* (Hautes-Pyrénées) [2 877 m], où se trouve un observatoire, et le *pic du Midi d'Ossau* (Pyrénées-Atlantiques) [2 885 m].

MIDINETTE [midinɛt] n. f. (mot signif. [*qui se contente d'une*] *dînette à midi*). **1.** Autref., jeune ouvrière parisienne de la mode ou de la couture. — **2.** Auj., jeune fille simple et sentimentale.

MIDI-PYRÉNÉES, Région du sud de la France; 45 348 km^2; 2 268 000 hab. Ch.-l. *Toulouse.*
Regroupant huit départements (Ariège, Aveyron, Haute-Garonne, Gers, Lot, Hautes-Pyrénées, Tarn et Tarn-et-Garonne), c'est la plus étendue des régions françaises, mais ce n'est pas la plus peuplée. De vastes secteurs comme la montagne pyrénéenne (dont la région occupe la partie centrale, la plus élevée), la boucle de la Garonne (Gers), les plateaux du Quercy et des Causses (Lot et Aveyron) sont très peu peuplés. La population se concentre dans les vallées : Garonne (Toulouse), Adour (Tarbes), Tarn (Albi). L'agglomération toulousaine regroupe environ le cinquième de la population régionale.
L'*agriculture* emploie encore plus du quart de la population active, chiffre nettement supérieur à la moyenne nationale. L'élevage domine dans les secteurs les moins peuplés (surtout montagneux); les cultures variées sont développées dans les vallées et sur les versants (maïs, vigne, fruits et légumes).
L'*industrie* utilise environ 35 p. 100 de la population active, un peu moins que la moyenne nationale. La construction aéronautique (représentée surtout à Toulouse) est l'activité qui occupe le plus de main-d'œuvre. L'emploi dans l'industrie n'augmente que dans des proportions qui sont bien insuffisantes pour compenser les très nombreux départs affectant le secteur agricole. Au total, le nombre des personnes pourvues d'un emploi est en diminution assez considérable dans l'ensemble de la région.

électricité 10,3 milliards de kWh.

L'importance de l'immigration étrangère à la région explique une certaine croissance de la population. Toutefois l'exode rural se poursuit, masqué par l'essor de l'agglomération toulousaine.

Toulouse 550 000 hab.; Tarbes 80 000 hab.; Albi 60 000 hab.

MIDLANDS (les), région du centre de l'Angleterre, au S. des Pennines, correspondant approximativement aux bassins supérieurs de la Severn et de la Trent, et dont Birmingham est le principal centre. Grâce à son riche bassin houiller, elle a été atteinte dès le XVIIIe s. par la révolution industrielle. Mais elle a su partiellement s'adapter au déclin du charbon en diversifiant ses activités (constructions mécaniques, textiles, chimie, céramique) et constitue encore une notable région industrielle.

MIDSHIP [midʃip] n. m. (de l'angl. *midshipman*, qui est au milieu d'un navire). *Fam.* Dans la marine française, aspirant ou enseigne de vaisseau de 2e classe.

MIDWAY *(îles)*, archipel américain du Pacifique.

• *1942. La flotte américaine de l'amiral Nimitz y remporte une grande victoire aéronavale sur l'amiral japonais Yamamoto.*

MIDWEST → MIDDLE WEST.

MIE [mi] n. f. (lat. *mica*, parcelle). **1.** Partie molle de l'intérieur du pain, par opposition à la croûte. — **2.** *Pain de mie*, pain sans croûte, utilisé pour les toasts, les sandwiches.

MIEL [mjɛl] n. m. (lat. *mel*). **1.** Substance sucrée et parfumée produite par certains insectes, et principalement par les abeilles, à partir du nectar des fleurs. (C'est dans le jabot de l'abeille que s'opère la transformation du nectar en miel.) — **2.** (sujet nom de personne) *Être tout miel*, se faire très doux pour obtenir ce que l'on veut. ◆ **mielleux, euse** adj. D'une douceur hypocrite, affectée : *Des paroles mielleuses* (syn. DOUCEREUX; contr. BRUTAL). ◆ **emmiellé, e** adj. **1.** Enduit de miel, sucré avec du miel : *Pain emmiellé.* — **2.** D'une douceur forcée et trompeuse : *Un ton emmiellé.* ‖ *Paroles emmiellées*, paroles flatteuses.

MIEN, MIENNE adj. et pron. poss. → MON.

MIES VAN DER ROHE (Ludwig), architecte américain d'origine allemande (1886-1969). Directeur du Bauhaus de Dessau (1930-1933), il émigra aux États-Unis où il édifia, en particulier à Chicago, des buildings caractérisés par de grands pans de verre sur ossatures d'acier.

MIETTE [mjɛt] n. f. (de *mie*). **1.** Petite parcelle qui tombe du pain lorsqu'on le coupe. — **2.** Débris, fragment d'une chose : *Mettre un vase en miettes* (= casser, briser). — **3.** *Ne pas perdre une miette d'un spectacle, d'un exposé*, etc., y prêter une grande attention pour n'en rien perdre. ◆ **émietter** v. t. **1.** Mettre en petits fragments, en miettes : *Émietter du pain.* — **2.** Disperser en tous sens, éparpiller : *Émietter son effort.* ◆ **émiettement** n. m.

MIEUX adv. → MEILLEUR.

MIEUX-ÊTRE [mjøzɛtr] n. m. inv. *(mieux*, et *être)*. Amélioration du confort, de la santé de quelqu'un : *La diminution du nombre d'heures de travail doit aboutir à un mieux-être général.*

MIÈVRE [mjɛvr] adj. (orig. incert.). D'une gentillesse, d'une grâce, etc., un peu affectée et fade : *Des paroles mièvres* (syn. DOUCEREUX). *Une beauté un peu mièvre.* ◆ **mièvrerie** n. f. : *La mièvrerie d'une poésie champêtre.*

MIGENNES, ch.-l. de cant. de l'Yonne, sur le canal de Bourgogne et près de l'Armançon, à 9,5 km à l'E. de Joigny; 8 200 hab. (→ LAROCHE-SAINT-CYDROINE.)

MIGMATITE [migmatit] n. f. (du gr. *migma*, mélange). Roche métamorphique ayant subi un début de fusion : *Les migmatites ont souvent l'aspect de gneiss riche en quartz et en feldspath.*

MIGNARD, E [miɲar,-ard] adj. (de *mignon*). D'une grâce, d'une douceur, d'une délicatesse affectée, recherchée (littér.). ◆ **mignardise** n. f. : *La mignardise de ses manières* (= ses minauderies).

MIGNARD (Nicolas), dit **Mignard d'Avignon,** peintre français (1606-1668). Il travailla à Avignon, puis fut appelé par Louis XIV à Paris, où il participa à la décoration des Tuileries. — Son frère PIERRE, dit *le Romain* (1612-1695), accomplit une brillante carrière comme portraitiste attitré de la noblesse. Il décora la coupole du Val-de-Grâce à Paris et succéda à Le Brun dans toutes ses charges.

MIGNARDISE n. f. ⟶ MIGNARD.

MIGNON, ONNE [miɲɔ̃, -ɔn] adj. (orig. obscure) [avant ou après le nom]. Qui a de la grâce, de la délicatesse : *Un mignon petit nez* (syn. ↑CHARMANT). ◆ n. Personne mignonne (en parlant d'un enfant, d'une jeune fille). ◆ n. m. Nom donné aux favoris de Henri III.

MIGRAINE [migrɛn] n. f. (du gr. *hêmi*, à demi, et *kranion*, crâne). Douleur qui n'affecte qu'un côté de la tête et qui s'accompagne de nausées et parfois de vomissements (syn. MAL DE TÊTE).

MIGRATION [migrasjɔ̃] n. f. (du lat. *migrare*, changer de résidence). **1.** Déplacement de populations, de groupes humains importants, qui passent d'un pays dans un autre pour s'y établir : *Les grandes migrations humaines dans les premiers siècles de notre ère.* — **2.** Déplacement en groupe et dans une direction déterminée, qu'entreprennent périodiquement certains animaux : *La migration des hirondelles.* ◆ **migrant, e** n. Personne qui effectue une migration. ◆ **migrateur, trice** adj. et n. m. : *Oiseau migrateur.*

MIJAURÉE [miʒɔre] n. f. (orig. obscure). Femme, jeune fille qui prend des manières affectées et ridicules : *Faire la mijaurée.*

MIJOTER [miʒɔte] v. t. (de l'anc. fr. *mijot*, lieu où les fruits mûrissent lentement). Préparer avec soin un projet, minutieusement et dans le secret : *Mijoter un complot.* ◆ v. t. et i. *Faire mijoter un potage, un ragoût,* etc., *sur le feu,* le faire cuire lentement et à petit feu.

MIKADO [mikado] n. m. (mot jap.). **1.** Palais impérial japonais. — **2.** Empereur du Japon.

MIL [mil] n. m. (lat. *milium*). Variété de graminée de grande taille, cultivée surtout en régions tropicales : *sorgho, pénicillaire.* (Le mil constitue la base de la nourriture de certaines populations [Inde, Afrique].)

MILAN [milɑ̃] n. m. (bas lat. *milanus*). Oiseau rapace diurne à queue longue et fourchue, capable d'étonnantes acrobaties aériennes.

MILAN, ville de l'Italie du Nord, capit. de la Lombardie; 1 732 000 hab. *(Milanais).*

GÉOGRAPHIE. Située au centre d'une riche région agricole, au carrefour des routes du Simplon et du Saint-Gothard, Milan acquiert très vite un rôle commercial et bancaire. Elle est devenue la métropole économique de l'Italie : son industrie, puissante, est très diversifiée (textiles, métallurgie, chimie, raffineries de pétrole).

HISTOIRE. Sous les Romains, Milan est déjà un important centre commercial. L'empereur y réside souvent.

• *313 apr. J.-C. Par l'édit de Milan, Constantin et Licinius proclament la liberté des cultes.*

Ville drapière, Milan devient au Moyen Âge la principale ville de l'Italie. Aux XIVe et XVe s., elle connaît, sous les Visconti puis les Sforza, une grande prospérité économique (soie, armes), financière (elle est un centre bancaire international) et artistique.

La domination espagnole, puis autrichienne entraîne une certaine décadence.

• *1815. Successivement capitale de la république Cisalpine (1797) et de la République italienne (1802), puis du royaume d'Italie (1805), Milan est rendue aux Habsbourg.*

Capitale du royaume lombard-vénitien, elle est un centre de résistance contre les Autrichiens, jusqu'à sa libération, en 1859. Après la création du royaume d'Italie, Milan en devient la capitale économique.

MILAN OBRENOVIĆ (1854-1901), prince (1868-1882), puis roi de Serbie (1882-1889). Impopulaire, vaincu par les Bulgares (1885), il dut abdiquer en faveur de son fils Alexandre (1889).

MILANAIS (le), anc. État du nord de l'Italie, formé à partir du XIIe s. autour de Milan, et qui appartint aux Visconti, aux Sforza, puis, après l'échec des Français (XVIe s.), aux Habsbourg et aux Espagnols. En 1815, le Milanais fit partie intégrante du royaume lombard-vénitien.

MILDIOU [mildju] n. m. (angl. *mildew*). Maladie produite par un champignon parasite sur les feuilles de vigne, qui se couvrent de taches jaunes, puis brunes. (La pomme de terre, la betterave, le houblon peuvent être atteints par des mildious particuliers.)

MILE [majl] n. m. (mot angl.). Mesure de longueur anglo-saxonne valant 1 609 m.

MILET, cité ionienne de l'Asie Mineure. Elle domina le commerce méditerranéen du VIIIe au VIe s. av. J.-C. et fut le siège d'une école de philosophes, célèbres pour leurs recherches scientifiques (Thalès).

MILHAUD (Darius), compositeur de musique français (1892-1974). Il fut membre du groupe des Six*. Sa production, très abondante, touche à tous les genres : opéras (*Christophe Colomb*, 1928), ballets (*la Création du monde*, 1923), symphonies, musique de chambre. Il a recherché les effets les plus subtils et les plus violents dans les domaines du son et du rythme.

MILICE [milis] n. f. (lat. *militia*, service militaire). Armée composée de citoyens appelés à effectuer des périodes d'instruction fréquente, dans les pays qui n'ont qu'une faible armée permanente. ‖ *Milices communales* ou *bourgeoises* ou *urbaines*, formations d'infanterie recrutées au Moyen Âge dans les villes et chargées de missions de police ou de défense (notamment dans les villes-frontières, où elles subsistèrent jusqu'à la fin du XVIe s. pour le service des portes et du guet). ‖ *Milice « de Vichy »*, formation paramilitaire créée par le gouvernement de Vichy en janvier 1943. (Dirigée par Darnand, la milice collabora avec les Allemands à la lutte contre la Résistance, notamment dans le Vercors, en 1944.) ◆ **milicien, enne** n. Personne appartenant à une milice.

1. MILIEU [miljø] n. m. *(mi-,* et *lieu).* **1.** Ce qui est à égale distance des deux extrémités (dans l'espace et dans le temps), des deux bords : *Le milieu de la route. Le milieu du jour. Le milieu d'une place* (syn. CENTRE). — **2.** Math. *Milieu d'un bipoint (A, B) ou d'un segment [AB]* ⟶ ENCYCL. — **3.** Ce qui est éloigné des extrêmes (dans des express.) : *Garder le juste milieu* (syn. MESURE). — LOC. PRÉP. *Au milieu de*, à égale distance de, au centre de : *Au milieu du champ, au milieu de la route;* entre le début et la fin : *Au milieu de la journée;* à l'intérieur de : *Se perdre au milieu de la foule;* en compagnie de : *Se trouver au milieu de gens connus;* entouré de quelque chose : *Travailler au milieu du bruit* (syn. DANS). ‖ *Au beau milieu, en plein milieu de,* formes intensives de *au milieu de : Au beau milieu du film, il y eut une panne d'électricité.*

— ENCYCL. *Milieu d'un bipoint* (A, B) *ou d'un segment* [AB] : Δ étant une droite* affine, A et B deux de ses points, il existe un point I et un seul qui vérifie $\overline{IA} = -\overline{IB}$, quel que soit l'axe porté par Δ utilisé pour calculer $\overline{IA}$ et $\overline{IB}$: I est le *milieu* de (A, B) (ou de [AB]).

L'abscisse du milieu est donnée, dans un repère quelconque, par

$$x_I = \frac{x_A + x_B}{2}$$

x_A étant l'abscisse de A, x_B celle de B; le milieu d'un bijoint est donc le barycentre* des points A et B respectivement affectés de coefficients égaux (non nuls).

Lorsque A et B sont distincts, le milieu I de (A, B) est caractérisé sur la droite affine Δ par $\frac{\overline{IA}}{\overline{IB}} = -1$.

Si D est une droite euclidienne portée par Δ, I est caractérisé par d (I, A) = d(I, B).

2. MILIEU [miljø] n. m. (même étym.). **1.** Environnement immédiat des êtres vivants, considéré dans ses caractères physiques, chimiques, biologiques et sociaux : *Un milieu sec. Un milieu surpeuplé.* — **2.** Méd. *Milieu intérieur*, ensemble des liquides circulant dans l'organisme (sang des vaisseaux, lymphe des vaisseaux et espaces interstitiels, liquide baignant les vaisseaux). — **3.** Entourage social qui influence un être humain : *Fréquenter un milieu bourgeois. La nouvelle vient des milieux généralement bien informés* (= des gens). — **4.** *Le milieu*, le monde de la pègre.

Milieu *(Empire du)*, nom jadis donné à la Chine (considérée comme le centre du monde).

MILITAIRE [militɛr] adj. (lat. *militaris*). **1.** Qui concerne les forces armées, les soldats, la guerre : *Les autorités civiles et militaires. Un gouvernement militaire* (= fondé sur les forces armées). ‖ *Service militaire* ⟶ SERVIR 1. — **2.** Qui est considéré comme propre à l'armée : *Exactitude militaire.* ◆ n. m. Membre des forces armées : *Un militaire de carrière* (syn. SOLDAT). ◆ **militairement** adv. : *Saluer militairement* (= de façon militaire). ◆ **militariser** v. t. Pourvoir de forces armées; donner une structure, une organisation militaire (surtout au part. passé) : *Une zone militarisée. Les pays militarisés* (= sur pied de guerre). ◆ **militarisation** n. f. ◆ **militarisme** n. m. Politique fondée sur l'usage ou la menace des forces armées. ◆ **militariste** adj. et n. ◆ **antimilitarisme** n. m. : *L'antimilitarisme est une hostilité à l'égard de l'armée, de son existence et de son état d'esprit.* ◆ **antimilitariste** adj. et n. ◆ **démilitariser** v. t. Supprimer ou interdire toute activité militaire dans une région déterminée. ◆ **démilitarisation** n. f. : *La demilitarisation de l'Allemagne en 1945.* ◆ **remilitariser** v. t. Redonner une structure militaire; munir à nouveau de forces armées. ◆ **remilitarisation** n. f.

MILITER [milite] v. i. (du lat. *miles, -itis,* soldat). **1.** (sujet nom de personne) Participer d'une manière active à la vie d'un parti, d'un syndicat, d'une association. — **2.** (sujet nom de chose) Agir pour ou contre quelqu'un, quelque chose : *Son passé milite en sa faveur* (syn. PLAIDER). ◆ **militant, e** adj. Qui manifeste de l'activité au service d'une idée, d'une cause, d'un parti, etc. : *Une politique militante* (syn. ACTIF). ◆ n. Membre actif d'un syndicat, d'un parti : *Les militants de la base.* ◆ **militantisme** n. m. Action de militer dans un parti, une organisation ou pour une idée, une cause.

MILL (John STUART), philosophe et économiste anglais (1806-1873). Il s'est efforcé de conjuguer utilité et liberté. L'utilité est pour lui le principal critère de l'activité, tant en morale qu'en économie. La liberté de l'individu est pour lui la source du bonheur, même si les modalités de son expression politique le conduisent à s'interroger sur la démocratie *(Logique inductive et déductive, Principes d'économie politique).*

MILLAU, ch.-l. d'arrond. de l'Aveyron, sur le Tarn, à 71 km au S.-E. de Rodez: 22 300 hab. *(Millavois).* Grand centre français de l'industrie du gant.

1. MILLE [mil] adj. num. inv. (lat. *milia*). **1.** Dix fois cent : *Deux mille neuf cents;* employé comme ordinal : *Page mille;* employé dans la numération des années : *Le monde de l'an deux mille* (on peut écrire, dans ce dernier cas, *mil : L'an mil cinq cent quatre-vingt-treize*). [⟶ NUMÉRATION.] — **2.** Indique un nombre indéterminé considérable : *Mille baisers.* ◆ n. m. **1.** Nombre composé de mille unités : *Le roman a dépassé son centième mille* (= en nombre d'exemplaires). — **2.** *Avoir, gagner des mille et des cents,* avoir, gagner beaucoup d'argent. ‖ Fam. *Mettre dans le mille,* réussir. ◆ **millième** adj. num. et n. **1.** Qui occupe un rang marqué par le nombre mille. — **2.** Chacune des parties d'un tout divisé en mille parties égales. ◆ **millier** n. m. Quantité, nombre de mille unités environ, ou quantité considérable : *Un millier d'hommes. Par milliers les gens étaient atteints de la grippe* (= en très grand nombre). ◆ **millénaire** n. m. Mille années : *Le Ier millénaire avant J.-C.*

2. MILLE [mil] n. m. (lat. *mille*). **1.** Mesure de longueur qui valait chez les Romains mille pas (1 481 m). — **2.** *Mille marin,* unité de longueur correspondant à la distance moyenne de deux points de la surface de la Terre qui ont même longitude et dont les latitudes diffèrent d'un angle de une minute. (Sa valeur est fixée conventionnellement à 1 852 m. Son emploi est autorisé seulement en navigation aérienne ou maritime.)

Mille et Une Nuits *(les),* recueil de contes arabes d'origine persane, dont la première traduction française est due à Galland (1704). Les plus connus de ces contes sont : *Ali Baba, Sindbād le Marin, Aladin ou la Lampe merveilleuse,* etc.

MILLE-FEUILLE [milfœj] n. m. *(mille,* et *feuille).* Gâteau fait de pâte feuilletée. ‖ Pl. des *mille-feuilles.*

MILLÉNAIRE n. m. ⟶ MILLE 1.

MILLE-PATTES [milpat] n. m. inv. *(mille,* et *pattes).* Classe d'arthropodes terrestres, au corps allongé formé d'anneaux semblables munis chacun d'une ou de deux paires de pattes articulées. (syn. MYRIAPODES).

— ENCYCL. Les *mille-pattes* ont de nombreuses ressemblances avec les insectes; la tête possède une seule paire d'antennes et trois paires de pièces buccales; la respiration est assurée par des trachées. Les uns, tels que la scolopendre, sont carnivores et munis de crochets venimeux; les autres sont végétariens, peuvent s'enrouler sur eux-mêmes et ont deux paires de pattes par anneau (iule, gloméris). Tous les mille-pattes de nos régions vivent dans ou sur le sol, à l'abri de la lumière, par exemple sous les pierres.

MILLEPERTUIS [milpɛrtɥi] n. m. (*mille,* et *pertuis,* trou). Herbe aux fleurs d'un jaune vif, aux feuilles parsemées de glandes translucides pouvant être prises pour des trous. (Famille des hypéricacées.)

MILLER (Henry), écrivain américain (1891-1980). Ses romans sont de violents réquisitoires contre le monde moderne; l'auteur y rapporte ses aventures intimes avec une extrême liberté de langage *(Tropique du Cancer, Tropique du Capricorne, Plexus).*

MILLER (Arthur Ashur), auteur dramatique américain, né en 1915. Ses pièces jugent sans indulgence la société américaine contemporaine (*les Sorcières de Salem,* 1953; *Vu du pont,* 1955; *Après la chute,* 1963 ; *The American Clock,* 1981).

MILLERAND (Alexandre), homme politique français (1859-1943), ministre de la Guerre (1914-1915), président du Conseil (1920), et président de la République (1920-1924); il démissionna devant l'opposition du Cartel des gauches.

MILLÉSIME [millezim] n. m. (lat. *millesimus,* millième). **1.** Date marquée en chiffres sur une monnaie, une médaille, pour indiquer l'année dans laquelle elle a été frappée : *Une pièce de vingt francs au millésime de 1974.* — **2.** Date de la récolte du raisin ayant servi à faire un vin. ◆ **millésimé, e** adj. Qui porte un millésime : *Des bouteilles de vin millésimées.*

MILLET [mijɛ] n. m. (du lat. *milium*). Nom donné à diverses graminacées dont les graines sont utilisées pour la nourriture des oiseaux.

MILLET (Jean-François), peintre français (1814-1875). Fils de paysans du Cotentin, à la fois réaliste et poète, il peignit à Barbizon, où il s'était fixé en 1849, la vie rustique et les paysans au travail. Ses œuvres les plus célèbres sont *l'Angélus* et *les Glaneuses.*

MILLEVACHES, haut plateau granitique du Limousin, culminant à 977 m, où naissent la Vienne, la Creuse, la Vézère et la Corrèze. Élevage ovin.

MILLIAIRE [miljɛr] adj. (de *mille*). Se dit des bornes placées au bord des routes pour indiquer les milles, les kilomètres.

MILLIARD [miljar] n. m. (de *million*). Mille millions. ◆ **milliardième** n. m. Chaque partie d'un tout divisé en un milliard de parties égales. ◆ **milliardaire** adj. et n. Personne très riche (dont le capital ou les revenus se comptent en milliards).

MILLIBAR [milibar] n. m. (du lat. *mille,* mille, et *bar*). Unité de pression atmosphérique équivalant à un millième de bar (symb. : *mb*) : *La pression atmosphérique normale est de 1 013 millibars.* (Le millibar est aujourd'hui remplacé par l'HECTOPASCAL.)

MILLIÈME adj. num. et n., **MILLIER** n. m. ⟶ MILLE 1.

MILLIGRAMME [miligram] n. m. (lat. *mille,* mille, et *gramme*). Millième partie du gramme (symb. : *mg*).

MILLIKAN (Robert Andrews), physicien américain (1868-1953). Il détermina la charge de l'électron en 1911. (Prix Nobel, 1923.)

MILLILITRE [mililitr] n. m. (du lat. *mille,* mille, et *litre*). Millième partie du litre (symb. : *ml*).

MILLIMÈTRE [milimɛtr] n. m. (du lat. *mille,* mille, et *mètre*). Millième partie du mètre (symb. : *mm*). ◆ **millimétrique** adj. : *Papier millimétrique* (= avec des lignes espacées d'un millimètre).

MILLION [miljɔ̃] n. m. (it. *milione*). **1.** Mille fois mille : *Deux millions de personnes.* — **2.** Somme équivalente à un million de francs : *Toucher cinq millions à la Loterie nationale.* — **3.** Très grand nombre : *Des millions d'étoiles dans le ciel.* ◆ **millionième** adj. et n. : *Le millionième visiteur de l'exposition.* ◆ **millionnaire** n. et adj. Personne très riche. ◆ **multimillionnaire** adj. Qui possède plusieurs millions.

MILLY-LA-FORÊT, ch.-l. de cant. de l'Essonne, à 19 km à l'O. de Fontainebleau; 3 800 hab. Chapelle décorée par Cocteau, qui y a sa sépulture.

MILO, île grecque de la mer Égée, une des Cyclades. — La fameuse *Vénus de Milo* y fut trouvée en 1820.

MILOCH OBRÉNOVITCH ou **MILOŠ OBRENOVIĆ** (1780-1860), prince de Serbie. Il lutta contre les Turcs, puis se soumit à eux (en apparence) pour se débarrasser de son rival Karageorges qu'il fit assassiner en 1817. Il fut reconnu prince des Serbes par les Turcs. Forcé d'abdiquer en 1838 en faveur de son fils Milan, il fut rappelé par l'Assemblée en 1858 avec le titre de « Père de la patrie ». Il fit établir l'hérédité dans sa famille.

MILON de Crotone, athlète grec d'une force extraordinaire (VIe s. av. J.-C.), qui triompha aux jeux Olympiques et aux jeux Pythiques.

MILORD [milɔr] n. m. (angl. *my lord,* mon seigneur). Titre qu'on donne aux lords anglais quand on leur adresse la parole.

MILOUIN [milwɛ̃] n. m. (du lat. *miluus,* milan). Espèce de canard du genre fuligule à poitrine noire, tête et cou roux chez le mâle, qu'on trouve en hiver sur les lacs et les cours d'eau lents d'Europe.

MILTIADE, général et homme politique athénien (540-v. 489 av. J.-C.), vainqueur des Perses à Marathon (490 av. J.-C.). Il fut blessé peu après, puis emprisonné à cause de l'hostilité du parti démocratique. — Son fils CIMON fut le fondateur de l'empire athénien.

MILTON (John), poète anglais (1608-1674). Après divers essais poétiques, il fait un voyage de trois ans en Italie. À son retour, il prend part aux luttes politiques et religieuses qui déchirent son pays et se range aux côtés des puritains dont il devient le pamphlétaire attitré. Après la restauration des Stuarts, ruiné et aveugle, il revient à la poésie et dicte le chef-d'œuvre dont il avait conçu le plan dans sa jeunesse, le *Paradis perdu* (1667), suivi, en 1671, du *Paradis reconquis.*

MILWAUKEE, port des États-Unis (Wisconsin), sur le lac Michigan, à l'embouchure du *Milwaukee;* 717 000 hab. Métallurgie.

MIME [mim] n. m. (gr. *mimos*). Acteur qui joue dans les pièces sans paroles, où l'intrigue est évoquée par de simples gestes. ◆ **mimer** v. t. Reproduire les gestes, les attitudes de quelqu'un sans l'aide de paroles : *Les élèves miment leur professeur* (syn. IMITER; fam. SINGER). ◆ **mimique** n. f. Ensemble de gestes, d'attitudes, de jeux de physionomie qui expriment sans paroles des sentiments : *Une mimique expressive.* ◆ **mimodrame** n. m. Œuvre dramatique interprétée par gestes, mimiques, sans texte, mais avec accompagnement musical. (→ PANTOMIME.)

MIMÉTISME [mimetism] n. m. (du gr. *mimesthai*, imiter). Ressemblance (dans l'attitude ou les couleurs) que prennent certains êtres vivants soit avec le milieu dans lequel ils se trouvent, soit avec les espèces mieux protégées ou celles aux dépens desquelles ils vivent.

MIMIQUE n. f. → MIME.

MIMIZAN, ch.-l. de cant. des Landes, à 60 km au N.-O. de Dax; 7 700 hab. *(Mimizannais).* Papeterie. — Station balnéaire à *Mimizan-Plage.*

MIMODRAME n. m. → MIME.

MIMOSA [mimoza] n. m. (du lat. *mimus*, qui se contracte comme un mime). Plante originaire du Brésil et appelée usuellement SENSITIVE, car ses feuilles se replient au moindre contact. (Le mimosa des fleuristes, cultivé dans le Midi pour ses fleurs jaunes réunies en petites boules, appartient au genre acacia.)

MĪNĀ' AL-AḤMADĪ, port du Koweït, sur le golfe Persique. Exportation et raffinage du pétrole.

MINABLE [minabl] adj. (de *miner*) [avant et surtout après le nom]. D'une pauvreté, d'une médiocrité pitoyable : *Un être minable, sans volonté, sans ambition* (syn. LAMENTABLE, PITEUX).

MINAGE n. m. → MINE 4.

MINARET [minarɛ] n. m. (de l'ar. *manāra*, phare). Tour d'une mosquée, du haut de laquelle le muezzin fait les cinq appels de prière quotidienne.

MINAS GERAIS, État de l'intérieur du Brésil méridional; 11 500 000 hab. Capit. *Belo Horizonte.* Importantes ressources minières (diamant, manganèse, bauxite et surtout fer).

MINAUDER [minode] v. i. (de *mine* 1). Prendre des manières affectées, se montrer d'une amabilité précieuse pour plaire. ◆ **minauderie** n. f. Attitude affectée (souvent au plur.) : *Les minauderies d'une coquette* (syn. MANIÈRES, SIMAGRÉES). ◆ **minaudier, ère** adj. et n. Qui minaude.

MINCE [mɛ̃s] adj. (de l'anc. fr. *mincier*, couper en menus morceaux) [avant ou après le nom]. **1.** Qui a peu d'épaisseur : *Tranches minces* (syn. FIN; contr. ÉPAIS). *Une mince couche de neige* (contr. PROFOND). *Un mince filet d'eau* (contr. LARGE). *Avoir la taille mince* (syn. ÉLANCÉ, SVELTE; contr. GROS). — **2.** Qui a peu de valeur, qui est peu considérable : *Avoir un rôle très mince dans une affaire* (syn. INSIGNIFIANT). *Le prétexte est mince* (syn. FAIBLE). ◆ **minceur** n. f. : *La minceur d'une feuille* (contr. ÉPAISSEUR). *La minceur de sa taille* (contr. AMPLEUR). ◆ **amincir** v. t. **1.** Diminuer l'épaisseur de quelque chose : *Amincir une planche en la rabotant.* — **2.** Faire paraître moins épais : *Cette robe l'amincit.* ◆ **s'amincir** v. pr. Devenir moins épais, moins gros. ◆ **amincissement** n. m. : *L'amincissement d'une planche au rabot. L'amincissement de la taille* (contr. ÉPAISSISSEMENT).

MINDANAO, île des Philippines; 99 036 km^2; 9 millions d'hab. Elle fut occupée par les Japonais de 1942 à 1945.

1. MINE [min] n. f. (breton *min*, museau). **1.** Aspect du visage qui est l'expression de la santé, de l'humeur, des sentiments : *Avoir mauvaise mine. Avoir une mine renfrognée* (syn. VISAGE). *Faire grise mine à qq'un* (= lui faire mauvais accueil). — **2.** Aspect extérieur d'une personne, manière apparente dont elle se conduit : *Ne jugez pas les gens sur la mine* (syn. DEHORS, EXTÉRIEUR); en parlant de choses : *Ce gigot a vraiment bonne mine* (= est très appétissant). — **3.** *Faire mine de*, faire semblant de, paraître. ‖ *Ne pas payer de mine*, ne pas inspirer confiance par son extérieur : *Le restaurant ne paie pas de mine, mais on y mange bien.* ‖ Fam. *Mine de rien*, sans en avoir l'air (syn. EN FAISANT COMME SI DE RIEN N'ÉTAIT). ◆ n. f. pl. Jeux de physionomie (souvent péjor.) : *Elle fait des mines pour attirer l'attention sur elle* (syn. SIMAGRÉES).

2. MINE [min] n. f. (gaul. *mina*). **1.** Gisement d'un minerai utile : *Des mines de fer, de charbon.* — **2.** Cavité creusée dans le sol et installation souterraine établie pour l'extraction du minerai : *Les galeries de la mine sont à huit cents mètres sous terre. Le carreau de la mine* (= installations de surface). — **3.** Fonds très riche, ressource importante : *Ces archives sont une mine de renseignements.* ◆ **mineur** n. m. Ouvrier qui travaille dans une mine : *Les mineurs de fond* (= qui travaillent au fond de la mine). ◆ **minier, ère** adj. Qui a rapport aux mines : *Industrie minière.* ◆ **minière** n. f. Mine peu profonde, qui s'exploite à ciel ouvert.

— ENCYCL. Les matières minérales ou fossiles forment, dans le sein de la terre, des gisements. Si le gisement est situé à faible profondeur, on l'exploite à ciel ouvert, en creusant des gradins à front vertical et à banquette horizontale. Le chargement se fait en camions ou en wagons, avec des pelles sur chenilles ou de grands convoyeurs.

Les gisements profonds donnent lieu à l'exploitation souterraine. L'équipement d'une *mine* comporte généralement un puits d'extraction vertical et un ou plusieurs puits de service. Dans les charbonnages, la profondeur des puits se tient habituellement entre 400 et 1 200 m. La machine d'extraction est installée au sol, à proximité du chevalement (= charpente établie au-dessus du puits), ou bien en tour au-dessus du puits. A la base du puits d'extraction, un réseau de galeries horizontales sert au transport des produits abattus, à l'amenée du matériel ou du remblai, à la circulation du personnel, à l'aérage. Ces galeries reçoivent un soutènement en bois ou en métal et comportent une ou deux voies ferrées pour le roulage des berlines. Un tel réseau est répété une centaine de mètres plus haut et relie les travaux d'exploitation en couche au second puits (puits de retour d'air). L'exploitation se fait à l'intérieur de l'étage matérialisé par ces deux niveaux de galeries.

→ illustration HOUILLE page 682.

3. MINE [min] n. f. (même étym.). Matière solide, utilisée dans la fabrication des crayons : *Tailler la mine.* ◆ **porte-mine** n. m. inv. Petit instrument de métal ou de matière plastique dans lequel on met plusieurs mines de crayon pour écrire.

4. MINE [min] n. f. (même étym.). Charge explosive, engin explosif souterrain ou immergé dont l'explosion est déclenchée par le passage d'un véhicule ou d'un individu dans le premier cas, d'un navire dans le deuxième : *Un champ de mines.* ‖ *Une barre à mine* (= une tige d'acier pour creuser à la main les trous de mine). ◆ **minage** n. m. Ensemble des opérations concernant l'emploi des explosifs dans les carrières et dans les mines. ◆ **miner** v. t. **1.** Poser des mines. — **2.** Creuser lentement à la base de quelque chose ou en dessous : *La rivière mine peu à peu la berge* (syn. RONGER). — **3.** Attaquer, ruiner peu à peu, de manière continue : *Le chagrin le mine* (syn. CONSUMER, USER). *Le régime, miné de l'intérieur, s'effondra* (syn. DÉSINTÉGRER). ◆ **déminer** v. t. Débarrasser un lieu des mines qui y ont été placées. ◆ **déminage** n. m. ◆ **démineur** n. m. Membre des équipes chargées du déminage.

MINERAI [minrɛ] n. m. (de *mine* 2). Roche contenant sous forme combinée un métal que l'on peut isoler par des procédés industriels : *Minerai de fer, de cuivre, d'uranium, etc.*

MINÉRAL, AUX [mineral, -ro] n. m. (du lat. *minera*, minière). Corps inorganique (= dépourvu de vie) et solide, constituant les roches de l'écorce terrestre. ◆ **minéral, e, aux** adj. **1.** Qui appartient aux minéraux. — **2.** *Eaux minérales*, qui contiennent des minéraux en dissolution et dont on se sert comme boisson. ‖ *Règne minéral*, une des trois grandes divisions de la nature qui comprend les minéraux. — **3.** *Matières minérales*, substances (sels, phosphate de calcium, etc.) constitutives des tissus de l'organisme. ◆ **minéralisation** n. f. **1.** Transformation d'un métal en minéral par sa combinaison avec un autre corps. — **2.** Nature et proportions respectives des matières minérales qui entrent dans la constitution des tissus vivants. ◆ **minéralogie** n. f. Étude scientifique des minéraux. ◆ **minéralogiste** n. ◆ **minéralogique** adj. : *Des recherches minéralogiques.* ◆ **déminéralisation** n. f. Élimination excessive des matières minérales nécessaires à l'organisme. (Le terme s'applique surtout à la perte de phosphate de calcium, constituant de l'os.)

1. MINÉRALOGIQUE adj. → MINÉRAL.

2. MINÉRALOGIQUE [mineralɔʒik] adj. (de *minéral*). *Numéro, plaque minéralogique*, plaque d'immatriculation des véhicules automobiles.

MINÉRALOGISTE n. → MINÉRAL.

MINERVE, déesse latine des Arts, des Sciences et de l'Industrie, de la Connaissance et de la Sagesse. Elle faisait partie de la triade capitoline avec Jupiter et Junon. Elle fut assimilée à l'*Athéna* des Grecs. Ses attributs étaient le hibou et l'olivier.

MINERVOIS (le), anc. pays du Languedoc (Aude et Hérault). Vignobles.

MINET, ETTE [minɛ, -ɛt] n. (de *mine*, n. pop. du chat). **1.** *Fam.* Nom donné à un chat, une chatte. — **2.** *Fam.* Jeune homme, jeune fille à la mode.

1. MINEUR n. m. → MINE 2.

2. MINEUR, E [minœr] adj. et n. (lat. *minor*, plus petit). Qui n'a pas encore atteint l'âge requis (en France, dix-huit ans) pour exercer pleinement les droits fixés par la loi (par oppos. à MAJEUR). ◆ **minorité** n. f. **1.** État d'une personne qui, du fait de son jeune âge, n'a pas le plein exercice de ses droits ou n'est pas considérée comme pénalement responsable de ses actes (par oppos. à MAJO-

RITÉ). — **2.** Temps pendant lequel une personne est mineure et spécialement, temps pendant lequel un jeune souverain ne peut exercer le pouvoir.

3. MINEUR, E [minœr] adj. (même étym.). **1.** Qui est moindre, plus petit; d'une importance, d'un intérêt secondaire, accessoire : *Les écrivains mineurs d'une époque* (= de moindre talent, de second plan). *Des problèmes mineurs* (contr. CAPITAL, MAJEUR). — **2.** Mus. *Gamme mineure,* série mélodique de huit sons disposés ainsi : 1 ton, 1 demi-ton diatonique, 2 tons, 1 demi-ton diatonique, 1 ton et demi, 1 demi-ton diatonique. ‖ *Intervalle mineur,* intervalle plus petit d'un demi-ton chromatique que l'intervalle majeur formé du même nombre de degrés. ‖ *Mode mineur,* mode dont l'accord fondamental de la tonique est mineur. ◆ **minorité** n. f. Groupe, ensemble réunissant le moins grand nombre de voix (dans une élection, un vote), le moins de membres (dans un groupe, un parti de plusieurs tendances), etc. : *Le gouvernement est mis en minorité* (= il est battu, il n'a pas la majorité des voix). *Une minorité de gens* (contr. MAJORITÉ). ◆ **minoritaire** adj. Qui appartient à la minorité : *Parti minoritaire.*

MING, dynastie chinoise (1368-1644) qui succéda en Chine à la dynastie mongole des Yuan et fut détrônée par les Mandchous. Elle installa sa capitale à Pékin (1409). Les tombeaux de treize empereurs Ming sont situés près de Pékin.

MINHO (le), en esp. **Miño,** fl. du nord-ouest de la péninsule Ibérique, qui arrose Lugo et Orense, et constitue la frontière entre l'Espagne et le Portugal, avant de rejoindre l'Atlantique; 275 km

MINHO, région du Portugal septentrional, berceau de la nation portugaise. V. pr. *Braga.*

MINI-, élément issu du lat. *minus,* moins, qui se répand de plus en plus pour former des noms composés indiquant quelque chose de très court, de petit, de faible, etc.

MINIATURE [minjatyr] n. f. (it. *miniatura*). **1.** Peinture de petites dimensions, faite avec des couleurs fines, et servant d'illustration ou de petit tableau : *Les miniatures du Moyen Âge.* — **2.** *En miniature,* en réduction, en tout petit. ◆ **miniaturiste** n. Peintre auteur de miniatures. ◆ **miniaturiser** v. t. Réduire un objet, un élément aux plus petites dimensions possibles sans que le fonctionnement soit modifié. ◆ **miniaturisation** n. f.

MINI-BASKET n. m. → BASKET-BALL.

MINIBUS [minibys] ou **MINICAR** [minikar] n. m. *(mini-,* et *bus, car).* Petit autocar.

MINICASSETTE [minikasɛt] n. m. *(mini-,* et *cassette).* Magnétophone portatif à cassette.

MINIER, ÈRE adj. et n. f. → MINE 2.

MINIJUPE [miniʒyp] n. f. *(mini-,* et *jupe).* Jupe très courte.

MINIMA adj. et n. m. pl., **A MINIMA** loc. adv., **MINIMAL, E, AUX** adj. → MINIMUM.

MINIME [minim] adj. (lat. *minimus*) [avant ou après le nom]. Superl. de PETIT, au sens de « peu important » : *Une somme minime* (syn. INSIGNIFIANT). ◆ n. m. Jeune sportif de treize à quinze ans. ◆ **minimiser** v. t. *Minimiser qqch.,* en réduire l'importance : *Minimiser la gravité de la situation* (contr. EXAGÉRER, GROSSIR).

MINIMUM [minimɔm], pl. **MINIMUMS** ou **MINIMA,** n. m. et adj. (mot lat. signif. *le plus petit*). Se dit du degré le plus bas qu'une chose puisse atteindre; la plus petite quantité (contr. MAXIMUM) : *Les températures minimums (ou minima). Le salaire minimum interprofessionnel de croissance (S. M. I. C.). Avoir le minimum vital* (= toucher un salaire qui suffit aux besoins vitaux). — LOC. ADV. *Au minimum,* pour le moins. ◆ **a minima** loc. adv. *Appel « a minima »,* appel que le ministère public interjette quand il estime que la peine est insuffisante. ◆ **minimal, e, aux** adj. Syn. de l'adj. MINIMUM : *Dose minimale* (contr. MAXIMAL).

MINISTRE [ministr] n. m. (lat. *minister,* serviteur). **1.** Homme d'État chargé de la direction d'un ensemble de services publics appelé « département ministériel » : *Le ministre de l'Agriculture. Le Premier ministre* (= le chef du gouvernement). — **2.** *Ministre plénipotentiaire,* diplomate de rang inférieur à celui d'ambassadeur. — **3.** Pasteur du culte réformé *(ministre protestant).* ◆ **ministrable** adj. *Fam.* Susceptible de devenir ministre (au sens 1). ◆ **ministère** n. m. **1.** Ensemble des ministres constituant l'organe exécutif de l'État : *Réunion du ministère présidée par le chef de l'État* (= conseil des ministres). *La formation du ministère* (syn. GOUVERNEMENT). — **2.** Temps pendant lequel dure un gouvernement : *Pendant le ministère Herriot.* — **3.** Administration dépendant d'un ministre (sens 1), bâtiment où se trouvent ses services : *Le ministère de l'Éducation nationale est situé rue de Grenelle. Un employé de ministère* (= un huissier, une secrétaire, un chef de bureau, etc.). — **4.** *Ministère public,* magistrature (constituée par le procureur général, les avocats généraux, le procureur de la République), qui a la mission, auprès du tribunal, de défendre l'intérêt social, l'ordre public et la bonne application des lois. — **5.** Charge remplie par le prêtre, par le pasteur : *Le prêtre exerce son ministère dans une paroisse.* — **6.** *Par le ministère de,* loc. jurid. signif. « par l'intermédiaire de », « par l'entremise de ». ◆ **ministériel, elle** adj. **1.** Relatif au ministère (sens 1) : *Un arrêté ministériel.* — **2.** Qui est partisan du gouvernement, de la majorité : *Les journaux ministériels* (syn. GOUVERNEMENTAL). — **3.** *Officiers ministériels,* les avoués, notaires, huissiers, commissaires-priseurs, etc. ◆ **interministériel, elle** adj. Qui concerne plusieurs ministres : *Réunion interministérielle.*

MINIUM [minjɔm] n. m. (mot lat.). Oxyde de plomb qui, délayé dans l'huile, fournit une peinture rouge vif : *On enduit le fer de minium pour le préserver de la rouille.*

MINNEAPOLIS, v. des États-Unis (Minnesota), sur le Mississippi; 434 400 hab. Université. Industries alimentaires et mécaniques.

MINNESOTA, État du centre-nord des États-Unis, riverain du lac Supérieur; 217 736 km²; 3 805 100 hab. Capit. *Saint Paul.* V. pr. *Minneapolis.* Minerai de fer. Élevage bovin.

MIÑO (le) → MINHO (le).

MINOEN, ENNE [minɔɛ̃, -ɛn] adj. (de *Minos*). Relatif à la période de l'histoire de la Crète allant du IIIᵉ millénaire jusque vers 1580 av. J.-C.

MINOIS [minwa] n. m. (de *mine* 1). Visage délicat et gracieux d'enfant ou de jeune fille : *Un frais minois.*

MINORANT [minorɑ̃] n. m. (du lat. *minor,* moindre). *Math.* Si x est un nombre réel, on appelle *minorant* de x tout nombre m inférieur à x. *(Ex. :* 3,14 est un *minorant* du nombre π car $3{,}14 < \pi$.)

MINORITAIRE adj. → MINEUR 3.

MINORITÉ n. f. → MINEUR 2 et 3.

MINORQUE, en esp. **Menorca,** île de l'archipel espagnol des Baléares, au N.-E. de Majorque; 668 km²; 60 000 hab. *(Minorquins).* Ch.-l. *Mahón.* Disputée entre les Anglais et les Français au XVIIIᵉ s., elle redevint espagnole après la paix d'Amiens (1802).

MINOS. *Myth. gr.* Héros, fils de Zeus et d'Europe, époux de Pasiphaé. Souverain de Cnossos en Crète, il fut le créateur d'un puissant empire maritime et, sage législateur, il devint après sa mort juge aux Enfers avec Éaque et Rhadamante. Le nom de *Minos* était le titre dynastique des souverains de la Crète.

MINOTAURE. *Myth. gr.* Monstre moitié homme, moitié taureau, fils de Pasiphaé, enfermé par Minos dans le Labyrinthe construit par Dédale. On lui livrait chaque année en pâture de jeunes Athéniens (7 garçons et 7 filles) : Thésée le tua avec la complicité d'Ariane.

MINOTIER [minotje] n. m. (de *minot,* anc. mesure de grains). Industriel exploitant un établissement où l'on prépare les farines. ◆ **minoterie** n. f. Usine pour la préparation des farines.

MINSK, v. de l'U. R. S. S., capit. de la Biélorussie; 955 000 hab. Centre industriel (automobiles, tracteurs, textiles [lin]).

MINUIT [minɥi] n. m. *(mi-,* et *nuit).* Moment correspondant au milieu de la nuit et marqué par la vingt-quatrième heure de la journée : *Il est minuit* (ou *zéro heure*).

MINUS [minys] n. m. (lat. *minus habens,* qui a le moins). *Fam.* Individu minable, poltron.

MINUSCULE [minyskyl] adj. (lat. *minusculus,* assez petit) [avant ou après le nom]. Superl. de PETIT (syn. ↑MICROSCOPIQUE). ◆ n. f. et adj. Petite lettre (par oppos. à MAJUSCULE) : *Un « f » minuscule.*

1. MINUTE [minyt] n. f. (du lat. *minutus,* menu). **1.** Soixantième partie d'une heure (symb. : *min* [ancienn. mn]) : *La minute se divise en soixante secondes.* — **2.** Court espace de temps : *Je ne peux pas rester une minute de plus* (syn. INSTANT). *La minute de vérité est arrivée* (= le moment où l'on va connaître la vérité). ◆ **minuter** v. t. Fixer d'une manière précise la durée d'un discours, d'une cérémonie, etc. : *Minuter le temps de parole d'un orateur.* ◆ **minutage** n. m. : *Le minutage précis de l'horaire de travail.* ◆ **minuterie** n. f. Appareil électrique, muni d'un mouvement d'horlogerie, destiné à garder la lumière allumée pendant un nombre déterminé de minutes.

2. MINUTE [minyt] n. f. (lat. *minuta,* écriture menue). *Dr.* Écrit original d'un jugement ou d'un acte passé devant notaire, et dont il ne peut être délivré que des copies *(grosses* ou *expéditions)* ou des extraits. ◆ **minutier** n. m. Registre qui contient les minutes d'un notaire.

MINUTIE [minysi] n. f. (lat. *minutia,* parcelle). Soin des menus détails : *Corriger avec minutie un travail* (syn. EXACTITUDE; contr.

NÉGLIGENCE). ◆ **minutieux, euse** adj. et n. Se dit de quelqu'un qui a soin des détails, qui y prête une attention consciencieuse : *Un esprit tatillon et minutieux* (syn. POINTILLEUX, SCRUPULEUX). ◆ adj. Fait avec minutie : *Inspection minutieuse* (syn. MÉTICULEUX). *Le dessin minutieux d'une machine* (syn. DÉTAILLÉ, SOIGNÉ). ◆ **minutieusement** adv. : *Il notait minutieusement toutes les indications* (syn. CONSCIENCIEUSEMENT).

MINUTIER n. m. → MINUTE 2.

MINUTIEUSEMENT adv., **MINUTIEUX, EUSE** adj. et n. → MINUTIE.

MIOCÈNE [mjɔsɛn] n. m. (du gr. *meiôn*, moins nombreux, et *kainos*, récent). Troisième période de l'ère tertiaire, entre l'Oligocène et le Pliocène, qui a vu l'achèvement du plissement alpin, l'effondrement des plaines d'Alsace et des Limagnes, des éruptions volcaniques en Auvergne, tandis qu'apparaissaient des mammifères évolués (singes, ruminants, mastodonte, dinotherium).

MIOCHE [mjɔʃ] n. (de *mie*). *Fam.* Jeune enfant (au masc. et au fém.).

MIQUELON, île française du golfe du Saint-Laurent, près de la côte méridionale de Terre-Neuve, constituée, au N., par la *Grande Miquelon;* 216 km²; 600 hab. Les deux Miquelons forment, avec Saint-Pierre, une collectivité territoriale à statut particulier.

MIR [mir] n. m. (mot russe). Dans la Russie tsariste, communauté villageoise qui avait la propriété collective des terres et qui les répartissait par lots, pour un temps donné, entre les familles. (En 1861, le mir devint une entité administrative.)

MIRABEAU (Honoré Gabriel RIQUETI, *comte* DE), homme politique français (1749-1791). Après une jeunesse dissipée, un scandale le mène au donjon de Vincennes, d'où il ne sort qu'en 1780, après trois ans d'emprisonnement. Sa carrière politique commence avec la Révolution. Membre du « parti patriote », lié au duc d'Orléans, il est élu, quoique noble, comme représentant du tiers état d'Aix aux états généraux.

- *23 juin 1789. Il s'oppose à l'expulsion du tiers état de la salle des séances.*

Partisan des principes de 1789, il estime nécessaire une réconciliation entre le roi et l'Assemblée constituante. Aussi, en novembre 1789, il soutient sans succès le droit pour le roi d'opposer un veto absolu à toute décision de l'Assemblée. Il contribue d'autre part à la mise à la disposition des biens du clergé. Puis, tout en défendant les principes révolutionnaires, il dévoile son ambition en demandant que le roi choisisse ses ministres au sein de l'Assemblée, ce qui l'oppose notamment à La Fayette. Il se laisse acheter par la Cour, et prodigue ses conseils au roi.

- *2 avril 1791. Sa mort, alors qu'il vient d'être élu président de l'Assemblée, sauve sa réputation d'homme d'État.*

Son plan supposait en effet la fidélité du roi au régime constitutionnel. Or Louis XVI préparait sa fuite à l'étranger.

MIRABELLE [mirabɛl] n. f. (it. *mirabella*). Petite prune jaune, douce et parfumée; eau-de-vie tirée de ce fruit.

MIRABILIS [mirabilis] n. m. (mot lat. signif. *merveilleux*). Plante ornementale aux grandes fleurs de couleurs vives, s'ouvrant la nuit, d'où son nom usuel de BELLE-DE-NUIT. (Famille des nyctaginacées.)

MIRACLE [mirakl] n. m. (lat. *miraculum*, prodige). **1.** Fait extraordinaire qui échappe à la raison de l'homme et qui manifeste une intervention divine. — **2.** Au Moyen Âge, drame religieux. (→ MYSTÈRE 2.) — **3.** Chose extraordinaire ou inattendue, qui suscite l'étonnement ou l'admiration : *Ce sauvetage tient du miracle* (= est étonnant). *Il n'y a pas de quoi crier au miracle* (= s'étonner). *Il a échappé par miracle* (syn. PAR BONHEUR). — **4.** *Cour des Miracles* → COUR 1. ◆ **miraculé, e** adj. et n. Se dit de quelqu'un qui a été l'objet d'un miracle. ◆ **miraculeux, euse** adj. **1.** Qui tient du miracle; inexplicable : *Une guérison miraculeuse* (syn. EXTRAORDINAIRE, SURNATUREL). — **2.** Extraordinaire par ses effets : *Il n'y a pas de remède miraculeux.* ◆ **miraculeusement** adv. : *Miraculeusement sauvé des flammes.*

MIRADOR [miradɔr] n. m. (de l'esp. *mirar*, regarder). Poste d'observation et de surveillance surélevé, dans les camps de prisonniers, etc.

MIRAGE [miraʒ] n. m. (de *mirer*). **1.** Illusion d'optique consistant à apercevoir, dans les pays chauds, une image renversée d'objets en réalité très éloignés, qui semblent se refléter sur une nappe d'eau. (Ce phénomène est dû à l'échauffement ou à la densité inégale des couches de l'air et, par suite, à la réflexion totale des rayons lumineux.) — **2.** Apparence trompeuse, qui séduit pendant un court instant : *Les mirages de l'amour* (syn. ILLUSION).

MIRAIL (le), quartier de la ville de Toulouse, développé après 1960 au S.-O. du centre de la ville.

MIRAMAS, comm. des Bouches-du-Rhône, à 35 km au S.-E. d'Arles; 20 700 hab. Ruines d'un oppidum romain. Produits chimiques.

MIRANDA (Francisco), patriote vénézuélien (1750-1816). Après une tentative infructueuse de proclamation de la république à Caracas, il fit voter en 1811 la déclaration d'Indépendance. En 1812, il fut battu par les Espagnols et mourut en prison à Cadix.

MIRANDE, ch.-l. d'arrond. du Gers, à 24 km au S.-O. d'Auch; 4 150 hab. Marché agricole (eaux-de-vie, volailles).

MIRANDOLE *(Pic de La)* → PIC DE LA MIRANDOLE.

MIRE [mir] n. f. (de *mirer*). **1.** *Topogr.* Règle graduée, signal fixe (jalon, perche, etc.), utilisés dans le nivellement. — **2.** À la télévision, ensemble d'images géométriques très simples, permettant de vérifier et de mettre au point l'appareil. — **3.** *Ligne de mire*, ligne droite, déterminée par l'œil du tireur et les points qui, sur l'arme à feu (fusil), servent à viser. — **4.** *Être le point de mire de tout le monde, de tout un groupe*, être la personne vers qui convergent tous les regards, un centre d'attraction. ‖ *Avoir en point de mire*, avoir en vue (le but à atteindre) : *Le peloton a les échappés en point de mire.*

MIRECOURT, ch.-l. de cant. des Vosges, à 33 km au N.-O. d'Épinal; 8 500 hab. Église du XVᵉ s. Textiles. Lutherie.

Mireille, poème prov. de Mistral (1859). Sur un livret tiré de ce poème, Gounod a composé la musique d'un opéra-comique (1864).

MIRER [mire] v. t. (bas lat. *mirare*, regarder avec attention). *Mirer un œuf*, l'examiner à la lumière, par transparence, pour voir s'il est bon. ◆ ***se mirer*** v. pr. Se regarder longuement et avec complaisance (littér.) : *Se mirer dans une glace.*

MIRIFIQUE [mirifik] adj. (lat. *mirificus*). Se dit d'une chose si admirable, si magnifique qu'on doute de sa réalité : *Des projets mirifiques* (syn. MERVEILLEUX; fam. MIROBOLANT).

MIRLITON [mirlitɔ̃] n. m. (d'un anc. refrain). **1.** Flûte faite d'un roseau creusé et garni aux deux bouts d'un morceau de baudruche. — **2.** Fam. *Vers de mirliton*, mauvais vers.

MIRÓ (Joan), peintre espagnol (1893-1983). Membre du groupe surréaliste en 1922 (*Intérieur hollandais*, 1928), il a évolué vers l'art abstrait. Céramiste, il a exécuté deux panneaux pour le palais de l'Unesco à Paris.

MIROBOLANT, E [mirɔbɔlɑ̃, -ɑ̃t] adj. (de *myrobolan*, fruit desséché). *Fam.* Trop extraordinaire, trop beau pour être réalisable : *Des promesses mirobolantes* (syn. MERVEILLEUX). *Des projets mirobolants* (syn. MIRIFIQUE).

MIROIR [mirwar] n. m. (de *mirer*). **1.** Surface ou verre polis qui réfléchissent la lumière et donnent des images des objets ou des personnes qui sont placés en face : *Se regarder dans un miroir* (syn. GLACE). ‖ *Miroir à alouettes*, instrument monté sur un pivot et garni de petits morceaux de miroir, qu'on fait tourner au soleil pour attirer les alouettes et d'autres petits oiseaux; ce qui fascine par une apparence trompeuse. — **2.** Ce qui est l'image, la représentation de quelqu'un, des choses, etc. : *Les yeux sont le miroir de l'âme.* — **3.** Géol. *Miroir de faille*, paroi d'une faille polie par le frottement des deux blocs. ◆ **miroiter** v. i. **1.** Réfléchir la lumière en jetant des reflets par intervalles : *Sa robe de soie miroite* (syn. CHATOYER). — **2.** *Faire miroiter qqch. aux yeux de qq'un, à qq'un*, le lui faire entrevoir comme possible, d'une manière séduisante et souvent trompeuse. ◆ **miroitement** n. m. Sens 1 du v. : *Le miroitement des eaux de la mer* (syn. REFLET). ◆ **miroitier** n. m. Personne qui coupe, encadre ou vend des glaces, des miroirs. ◆ **miroiterie** n. f. Industrie ou commerce des miroirs, des glaces.

MIROTON [mirɔtɔ̃] n. m. (orig. inc.). Ragoût de viandes cuites, assaisonnées aux oignons.

MISAINE [mizɛn] n. f. (du catalan *mitjana*, voile du milieu). *Mât de misaine*, mât vertical le plus sur l'avant d'un navire, situé entre le grand mât et le beaupré.

MISANTHROPE [mizɑ̃trɔp] adj. et n. (du gr. *misein*, haïr, et *anthrôpos*, homme). Se dit d'une personne qui est d'une humeur constamment maussade, agressive, hostile et qui aime la solitude : *Devenir misanthrope* (syn. ASOCIABLE, SAUVAGE). ◆ **misanthropie** n. f. Caractère sombre, difficile, peu sociable, de quelqu'un qui fuit la société. ◆ **misanthropique** adj.

Misanthrope *(le)*, comédie de Molière, en 5 actes et en vers (1666).

MISCIBLE [misibl] adj. (du lat. *miscere*, mêler). Qui peut être mêlé à un autre corps, à un autre liquide.

1. MISE n. f. → METTRE 1 et 2.

2. MISE [miz] n. f. (de *mettre*). **1.** Somme d'argent que l'on risque dans un jeu, dans une affaire, etc. : *Doubler sa mise à la roulette, au baccara. Sauver la mise* (= retirer son enjeu sans rien perdre ni gagner). — **2.** *Mise de fonds*, somme d'argent, capital engagé dans une entreprise. — **3.** *Ne pas être de mise,* se dit de choses, d'habitudes, de propos, etc., qui ne sont pas opportuns, qui ne conviennent pas aux bienséances. ◆ **miser** v. t. et i. **1.** Mettre comme enjeu une somme d'argent. — **2.** *Miser sur les deux tableaux,* se ménager un intérêt, quel que soit le vainqueur.

MISÈNE *(cap),* promontoire d'Italie, fermant à l'O. le golfe de Naples. Il abritait un port important sous l'Empire romain.

MISER v. t. et i. → MISE 2.

MISÉRABILISME n. m., **MISÉRABILISTE** adj. et n., **MISÉRABLE** adj. et n., **MISÉRABLEMENT** adv. → MISÈRE.

Misérables *(les),* roman de Victor Hugo (1862). L'œuvre est divisée en cinq parties : «Fantine», «Cosette», «Marius», «l'Idylle rue Plumet et l'Épopée rue Saint-Denis», «Jean Valjean».

MISÈRE [mizɛr] n. f. (du lat. *miser,* malheureux). **1.** État d'extrême pauvreté : *Être dans la misère* (syn. DÉNUEMENT). *Un salaire de misère* (= insuffisant pour faire face aux dépenses indispensables). *Reprendre son collier de misère* (= son travail pénible). — **2.** État digne de pitié : *C'est une misère de le voir dans un tel état* (syn. PITIÉ). — **3.** (surtout au plur.) Événements douloureux, pénibles, qui suscitent la pitié : *Les misères de l'âge* (syn. ↓DISGRÂCES). — **4.** Fam. *Faire des misères à qq'un,* le taquiner, lui créer des ennuis légers. ◆ **miséreux, euse** adj. et n. Se dit de quelqu'un qui est dans une extrême pauvreté. ◆ **misérable** adj. **1.** (après le nom) Se dit de ce qui témoigne d'une extrême pauvreté, de ce qui excite la compassion par le dénuement : *Mener une existence misérable* (syn. PITOYABLE). — **2.** (avant le nom) D'une grande insignifiance, d'une totale absence de valeur : *Une misérable querelle* (syn. INSIGNIFIANT). — **3.** (avant le nom) Qui inspire le mépris : *Un misérable acte de vengeance* (syn. HONTEUX, MESQUIN). ◆ n. Personne digne de mépris, de ressentiment (mot d'injure) : *Le misérable m'a encore trompé.* ◆ **misérablement** adv. : *Mourir misérablement* (= dans la misère, dans l'abandon). ◆ **misérabilisme** n. m. Tendance d'un écrivain, d'un cinéaste à décrire avec complaisance les aspects les plus misérables de la vie sociale. ◆ **misérabiliste** adj. et n.

MISERERE [mizerere] n. m. (mot lat. signif. *aie pitié*). Œuvre musicale, de caractère religieux et dramatique, écrite sur le texte du psaume L de David, qui commence par ce mot : *Le «Miserere» d'Allegri.*

MISÉREUX, EUSE adj. et n. → MISÈRE.

MISÉRICORDE [mizerikɔrd] n. f. (lat. *misericordia*). Pitié qui pousse à pardonner à un vaincu, à un coupable : *Demander miséricorde* (syn. PARDON). *À tout péché miséricorde* (= toute faute est pardonnable). ◆ **miséricordieux, euse** adj. Enclin au pardon.

Mishna ou **Michna** (mot hébr. signif. *enseignement oral*), partie du Talmud formée de décisions juridiques et de commentaires sur les textes bibliques.

MISKOLC, v. de la Hongrie du Nord; 203 000 hab. Métallurgie.

MISOGYNE [mizɔʒin] adj. et n. (du gr. *misein,* haïr, et *gunê,* femme). Qui a une hostilité manifeste à l'égard des femmes. ◆ **misogynie** n. f.

MISS [mis] n. f. **1.** Mot anglais équivalant au français *mademoiselle.* — **2.** Reine de beauté : *Miss France.* ‖ Pl. des *miss* ou *misses.*

MISSEL [misɛl] n. m. (du lat. *missalis liber,* livre de messe). Livre contenant les prières de la messe.

MISSI DOMINICI [misidɔminisi] n. m. pl. (mots lat. signif. *envoyés du seigneur*). Agents créés par Charlemagne en 802. (Chargés d'inspecter les autorités locales et de recevoir les plaintes des administrés, ils allaient par deux, un clerc et un laïc. Ils disparurent presque tous à la fin du IXe s.)

MISSILE [misil] n. m. (mot angl.; du lat. *missile,* arme de jet). Projectile autopropulsé et guidé sur tout ou partie de sa trajectoire : *Le premier missile fut le V2 allemand en 1944, destiné à attaquer les objectifs au sol.* (En France, les missiles ont d'abord été appelés ENGINS GUIDÉS ou SPÉCIAUX.)

— ENCYCL. Un *missile* comprend essentiellement une *tête,* ou *ogive,* qui porte la charge explosive (nucléaire ou non), et un *propulseur* (moteur-fusée en général) à un ou à plusieurs étages. Le guidage peut être commandé depuis la base de lancement *(téléguidage)* ou autonome grâce à des dispositifs incorporés à l'engin *(autoguidage).*

On dit qu'un missile est *balistique* lorsque, après une courte phase propulsive, il continue sa route sous la seule action des forces de gravitation; il est dit *non balistique* s'il utilise la portance de l'air pour voler.

Les missiles sont classés, en fonction de leur point de lancement et de leur objectif, dans les catégories suivantes : *missile air-air,* tiré d'avion contre les objectifs aériens; *missile air-sol,* tiré d'avion contre des objectifs de surface sur terre ou sur mer; *missile sol-air,* tiré du sol ou d'un navire contre des objectifs aériens: *missile sol-sol,* lancé d'un point de la surface terrestre ou d'un navire contre un objectif terrestre ou maritime; *missiles mer-mer, mer-sol, mer-air,* conçus pour être lancés d'un navire ou d'un sous-marin; *missile air-mer,* tiré d'un aéronef et conçu pour la lutte anti-sous-marine.

MISSION [misjɔ̃] n. f. (lat. *missio,* action d'envoyer). **1.** Charge, fonction, mandat donnés à quelqu'un de faire quelque chose : *Remplir une mission* (syn. TÂCHE). *Envoi d'une mission diplomatique à l'étranger* (syn. AMBASSADE, DÉLÉGATION). — **2.** Ensemble de personnes faisant partie d'un groupe, d'une organisation chargés d'une mission temporaire, déterminée : *La mission scientifique est parvenue en terre Adélie;* en partic., organisation de religieux chargés de propager la foi chrétienne : *Les missions catholiques et protestantes à Madagascar.* — **3.** Devoir essentiel que l'on se propose à soi-même, ou but auquel quelqu'un ou quelque chose semble destiné : *Se donner pour mission de soigner et guérir. La mission d'un journal est d'informer ses lecteurs* (syn. RÔLE). ◆ **missionnaire** n. m. et adj. Prêtre, pasteur, etc., envoyé pour prêcher une religion : *Les missionnaires catholiques.*

MISSISSIPPI (le), anciennn. **Meschacebé,** fleuve drainant la partie centrale des États-Unis, entre les Rocheuses et les Appalaches. Long de 3 780 km, il forme avec son principal affluent, le Missouri, un ensemble de 6 260 km. Issu du Minnesota, il arrose Saint Paul et Minneapolis, Saint Louis, Memphis, Baton Rouge et La Nouvelle-Orléans. De débit relativement faible, il transporte d'énormes masses d'alluvions qui s'accumulent en un vaste delta à son embouchure dans le golfe du Mexique. Aménagé pour la navigation, le Mississippi constitue une importante voie de communication.

Découvert par l'Espagnol H. de Soto en 1540, exploré au XVIIe s. par les Français Marquette, Joliet et Cavelier de La Salle, le Mississippi a joué un important rôle frontière et commercial au XIXe s.

MISSISSIPPI, État du sud des États-Unis; 123 584 km^2; 2 216 900 hab. Capit. *Jackson.* Pétrole et gaz naturel.

MISSIVE [misiv] n. f. (du lat. *mittere,* envoyer). Lettre : *Envoyer une longue missive à une amie.*

MISSOLONGHI, v. de Grèce, sur la mer Ionienne, célèbre par la défense héroïque qu'elle opposa aux Turcs en 1822-1823 et en 1826; 12 400 hab. Tabac.

MISSOURI (le), fl. des États-Unis, affl. du Mississippi (r. dr.); 4 370 km.

MISSOURI, État du centre des États-Unis; 180 456 km^2; 4 677 400 hab. Capit. *Jefferson City.* V. pr. *Saint Louis, Kansas City.*

MISTELLE [mistɛl] n. f. (de l'esp. *misto,* mélangé). Moûts de raisin additionnés d'alcool pour en arrêter la fermentation.

MISTI, volcan du Pérou, près d'Arequipa; 5 842 m.

MISTRAL [mistral] n. m. (de l'anc. prov. *maëstral,* vent maître). Vent violent, froid et sec, qui descend la vallée du Rhône, et souffle le long du rivage méditerranéen, surtout vers l'E.

MISTRAL (Frédéric), écrivain français d'expression provençale (1830-1914). Passionné par les traditions et la langue provençales, il fait partie de la réunion des sept poètes provençaux qui, en 1854, jettent les bases de l'organisation du *félibrige.*

- *1859. Il publie « Mireille », épopée en douze chants en langue provençale.*

Il écrit ensuite une épopée héroïque, *Calendal* (1867), et en 1875 un recueil de poèmes, *les Îles d'or.*

- *1899. Il fonde le Musée arlésien qui abrite toutes les formes du folklore provençal.*
- *1904. Il reçoit le prix Nobel de littérature.*

MISTRAL (Lucila GODOY Y ALCAYAGA, dite **Gabriela**), poétesse chilienne (1889-1957). Institutrice rurale, elle devint célèbre dans toute l'Amérique latine avec *les Sonnets de la mort* (1917), puis les poèmes de *Desolación* (1923). [Prix Nobel, 1945.]

MITAINE [mitɛn] n. f. (de l'anc. fr. *mite,* moufle). Gant ne couvrant que la première phalange des doigts.

MITCHELL (Margaret), romancière américaine (1900-1949), auteur d'*Autant en emporte le vent* (1936).

MITE [mit] n. f. (anc. néerl. *mite*). Insecte dont la larve ronge les vêtements de laine, les tapis, etc. ◆ **mité, e** adj. : *Fourrure mitée.* ◆ **antimite** n. m. et adj. Produit contre les mites.

MI-TEMPS [mitɑ̃] n. f. *(mi-,* et *temps).* **1.** Chacune des deux périodes d'égale durée que comportent certains sports d'équipes comme le football, le rugby, etc. — **2.** Temps d'arrêt qui sépare ces deux périodes. — **3.** Moitié du temps de travail habituel : *Travailler à mi-temps.*

MITHRA, grande divinité des Perses, génie des éléments et juge des morts. Mithra devint le centre d'une religion à mystères qui se répandit dans la Grèce hellénistique et dans l'Empire romain.

MITHRIDATE VI Eupator, dit **le Grand** (v. 132-63 av. J.-C.), roi du Pont (111-63 av. J.-C.). Il lutta sans merci contre Rome de 90 à 63. Trahi par son fils Pharnace, au moment où il se préparait à envahir l'Italie, il dut demander à son esclave de le tuer, car il s'était immunisé contre les effets du poison.

Mithridate, tragédie de Racine (1673).

MITIDJA, plaine d'Algérie, fermée au S. par l'Atlas mitidjien.

MITIGÉ, E [mitiʒe] adj. (du lat. *mitigare*, adoucir). **1.** Qui n'a pas la rigueur, la force réclamée : *Il n'a pour le travail qu'un zèle mitigé.* — **2.** *Fam.* Mélangé : *Des éloges mitigés.*

MITOCHONDRIE [mitɔkɔ̃dri] n. f. (du gr. *mitos*, filament, et *khondros*, grain). Corpuscule en forme de grain de un micron, présent en grand nombre dans le cytoplasme des cellules.

MITONNER [mitɔne] v. t. (de *miton*, mie de pain). **1.** *Mitonner un ragoût*, le faire cuire longtemps et doucement. — **2.** *Mitonner qqch*, le préparer soigneusement : *Mitonner une surprise.*

MITOSE [mitoz] n. f. (du gr. *mitos*, filament). Mode de division le plus fréquent des cellules, dont le résultat est la constitution de deux cellules filles absolument semblables à la cellule mère qui leur a donné naissance (syn. DIVISION INDIRECTE).

MITOYEN, ENNE [mitwajɛ̃, -ɛn] adj. (de *mi-*, et l'anc. fr. *moiteen*, moitié). Se dit de ce qui est la propriété commune de deux personnes et qui sépare deux choses (langue du droit) : *Les deux chambres étaient séparées par une cloison mitoyenne.* ◆ **mitoyenneté** n. f. : *La mitoyenneté d'un mur.*

MITRAILLER [mitraje] v. t. (de l'anc. fr. *mite*, monnaie de cuivre). **1.** Tirer par rafales, sur un objectif, avec une arme automatique : *Les avions mitraillent la ville* (= attaquent à la mitrailleuse); ou avec des projectiles quelconques : *Mitrailler le plafond à coups de boulettes de papier.* — **2.** *Fam.* Photographier ou filmer sans arrêt : *Le ministre fut mitraillé par les reporters-photographes.* ◆ **mitraille** n. f. Projectiles divers déchargés par les armes automatiques, les canons, etc. : *Fuir sous la mitraille.* ◆ **mitraillade** n. f. Action de tuer avec des armes automatiques. ◆ **mitraillette** n. f. Arme à tir automatique portative. ◆ **mitrailleur** n. m. Servant d'une mitrailleuse. ◆ adj. m. *Fusil mitrailleur*, arme automatique portative. ◆ **mitrailleuse** n. f. Arme automatique à tir rapide, montée sur un affût.

MITRE [mitr] n. f. (gr. *mitra*, bandeau). **1.** Coiffure haute et pointue de certains prélats, des évêques, portée au cours des cérémonies de l'Église. — **2.** Appareil coiffant le sommet d'une cheminée pour empêcher l'entrée de la pluie ou du vent. ◆ **mitral, e, aux** adj. Qui est en forme de mitre. ‖ *Valvule mitrale*, valvule située entre l'oreillette et le ventricule gauche du cœur.

MITRON [mitrɔ̃] n. m. (de *mitre*). Garçon boulanger ou pâtissier.

MITTERRAND (François), homme d'État français (né en 1916). Il fut plusieurs fois ministre sous la IVe République et devint Premier secrétaire du parti socialiste en 1971.

- *10 mai 1981. Devançant V. Giscard d'Estaing, F. Mitterrand est élu président de la République.*
- *Mars 1986. Après la victoire de l'opposition aux élections législatives et régionales, F. Mitterrand nomme J. Chirac Premier ministre. Pour la première fois de la Ve République, un président de la République « cohabite » avec un chef de gouvernement d'une tendance politique opposée à la sienne.*
- *8 mai 1988. F. Mitterrand est réélu président de la République et forme un nouveau gouvernement socialiste.*

MI-VOIX (À) [amivwa] loc. adv. (*à, mi-*, et *voix*). En émettant un faible son de voix : *Parler à mi-voix* (syn. À VOIX BASSE).

MIXER [mikse] v. t. (de l'angl. *to mix*). Syn. technique de MÉLANGER. ◆ **mixage** n. m. Enregistrement simultané, sur la bande sonore d'un film, des images et du son nécessaire. ◆ **mixer** ou **mixeur** [miksœr] n. m. Appareil ménager servant à broyer, à mélanger des denrées alimentaires (sucre, œufs, etc.).

MIXTE [mikst] adj. (lat. *mixtus*, mélangé). **1.** Formé d'éléments de nature diverse, d'origine différente : *Un mariage mixte* (= entre un catholique et une protestante ou une orthodoxe, ou *vice versa*). *Un cargo mixte* (= transportant des marchandises et des passagers). *Un tribunal mixte* (= formé de civils et de militaires). — **2.** *École mixte, classe mixte*, où sont admis des garçons et des filles. ◆ **mixité** n. f. État d'une école où filles et garçons sont admis.

MIXTÈQUES, peuple indien qui s'établit dans le sud du Mexique au XIIIe s.

MIXTURE [mikstyr] n. f. (lat. *mixtura*). Boisson dont les composants sont nombreux et dont le goût est désagréable.

MIZOGUCHI (Kenji), cinéaste japonais (1898-1956). Il est l'auteur de très nombreux films dont *Contes de la lune vague après la pluie* (1953), *l'Intendant Sansho* (1954), *le Héros sacrilège* (1955).

MIZORAM, État du nord-est de l'Inde; 21 000 km^2; 600 000 hab. Capit. *Aijal.*

MNÉMOTECHNIQUE [mnemotɛknik] adj. (du gr. *mnêmê*, mémoire, et *tekhnê*, art). Qui développe, qui aide la mémoire : *Des procédés mnémotechniques.*

MOABITES, peuple qui habitait à l'E. de la mer Morte, actuellement la Jordanie, et qui descendait de Moab, fils de Loth

MOANDA, localité du Gabon. Manganèse.

1. MOBILE [mɔbil] n. m. (lat. *mobilis;* de *movere*, mouvoir). Impulsion qui incite à agir; ce qui détermine une action volontaire : *Les mobiles d'un crime* (syn. MOTIF, RAISON).

2. MOBILE [mɔbil] adj. (même étym.). **1.** Qui peut se mouvoir, être mis en mouvement : *La mâchoire inférieure de l'homme est mobile.* — **2.** Qui change sans cesse, qui se déplace continuellement : *Les fêtes mobiles sont celles dont la date change chaque année. Une main-d'œuvre mobile* (syn. MOUVANT; contr. SÉDENTAIRE). — **3.** Qui manifeste une grande instabilité : *Un caractère mobile* (syn. CHANGEANT, INCONSTANT). — **4.** *Garde mobile*, gendarme affecté au maintien de l'ordre. ◆ n. m. **1.** Corps en mouvement : *La vitesse d'un mobile.* — **2.** Objet d'art en métal léger, imaginé par le sculpteur américain Calder, et dont les éléments entrent en mouvement au moindre souffle d'air. ◆ **mobilité** n. f. : *La mobilité du piston dans le cylindre. La mobilité d'un regard* (contr. FIXITÉ). *La mobilité du caractère* (syn. INSTABILITÉ). ◆ **immobile** adj. Qui reste sans se mouvoir, qui demeure fixe : *Rester immobile.* ◆ **immobiliser** v. t. **1.** Rendre immobile; priver des moyens d'agir : *Immobiliser un membre fracturé.* — **2.** *Immobiliser des capitaux, de l'argent*, les rendre indisponibles. ◆ ***s'immobiliser*** v. pr. Devenir immobile, s'arrêter. ◆ **immobilisation** n. f. ◆ **immobilisme** n. m. Opposition systématique à tout progrès, à toute innovation. ◆ **immobilité** n. f. État de ce qui ne peut se mouvoir ou de ce qui demeure immobile.

MOBILE, port des États-Unis (Alabama), sur la *baie de Mobile;* 202 800 hab. Centre industriel.

MOBILIER, ÈRE adj. et n. m. ⟶ MEUBLE 1 et 3.

MOBILISABLE adj. ⟶ MOBILISER.

1. MOBILISATION n. f. ⟶ MOBILISER.

2. MOBILISATION [mɔbilizasjɔ̃] n. f. (de *mobile*). Transformation, par les animaux et les plantes, de leurs réserves alimentaires insolubles (amidon, glycogène, graisse) en molécules solubles qui circulent dans le sang ou la sève et qui peuvent ainsi nourrir n'importe quelle partie de l'organisme.

MOBILISER [mɔbilize] v. t. (de *mobile*). **1.** Mettre sur le pied de guerre les forces militaires d'un pays, adapter ses structures économiques aux nécessités du temps de guerre : *Mobiliser les réservistes* (syn. APPELER, RAPPELER). — **2.** *Mobiliser qq'un*, le mettre en état d'alerte, le requérir pour accomplir une œuvre collective : *Il mobilisa tous ses amis pour se faire aider.* — **3.** *Mobiliser qqch.*, le mettre en œuvre en réunissant, en concentrant : *Mobiliser toutes les bonnes volontés* (syn. FAIRE APPEL À). ◆ **mobilisable** adj. : *Il est trop jeune et n'est pas mobilisable.* ◆ **mobilisation** n. f. : *Décréter la mobilisation générale* (= mise en œuvre de l'ensemble des mesures préparées pour assurer la défense du pays). ◆ **démobiliser** v. t. Renvoyer des soldats mobilisés chez eux. ◆ **démobilisation** n. f.

MOBILITÉ n. f. → MOBILE 2.

MOBUTU *(lac)*, → ALBERT *(lac).*

Moby Dick ou la Baleine blanche, roman de Herman Melville (1851).

MOCASSIN [mɔkasɛ̃] n. m. (de *makisin*, mot de l'Amérique du Nord). **1.** Chaussure en peau non tannée des Indiens de l'Amérique du Nord. — **2.** Chaussure basse, sans lacets.

MOCHE [mɔʃ] adj. (orig. incert.). *Fam.* Laid; mauvais.

MOCTEZUMA ou **MONTEZUMA II** (1466-1520), empereur aztèque (1502-1520). Il fit bon accueil aux envoyés de Cortés (1519) et devint l'instrument politique de celui-ci. Il mourut lors d'une émeute contre les Espagnols.

MODAL, E, AUX adj. → MODE 1.

MODALITÉ n. f. ⟶ MODE 2.

MODANE, ch.-l. de cant. de la Savoie, à 31 km à l'E. de Saint-Jean-de-Maurienne, sur l'Arc, à l'entrée du tunnel du Fréjus; 4 900 hab. Gare internationale. Soufflerie aérodynamique.

1. MODE [mɔd] n. m. (lat. *modus*, manière). **1.** *Gramm.* Forme verbale qui indique la manière dont l'action est présentée : *Les*

odes indicatif, subjonctif, impératif en français.* — **2.** *Mus.* anière d'être d'un ton; façon dont il est constitué d'après la sposition des intervalles dans la gamme : *Mode majeur, mineur.* ◆ **modal, e, aux** adj. : *Les formes modales du verbe français.*

. **MODE** [mɔd] n. m. (même étym.). Manière générale dont un ıénomène se présente, dont une action se fait (suivi d'un nom ompl. sans art.) : *Changer de mode de vie* (= de manière de vivre). *e mode de paiement par chèque est le plus commode* (= la façon de ıyer). *Un mode de locomotion. Le mode d'emploi se trouve dans la ıite* (= la manière de s'en servir). ◆ **modalité** n. f. Forme partiılière sous laquelle se présente un fait, un acte juridique, etc. : *ixer les modalités de paiement* (= de quelle manière les paieents seront effectués).

. **MODE** [mɔd] n. f. (même étym.). **1.** Manière d'agir, de vivre, e penser, etc., liée à un milieu et à une époque déterminés, et qui ɔnc ne dure qu'un temps : *Cette danse est passée de mode* = démodée). — **2.** Manière de s'habiller conforme aux goûts du oment : *Être habillé à la dernière mode.* — **3.** Commerce de la ilette féminine : *Magasins de modes* (= où l'on vend des articles e toilette féminine). — **4.** *À la mode de,* préparé à la manière de n cuisine) : *Tripes à la mode de Caen.* ‖ *Bœuf mode* ou *à la mode,* ıit avec des carottes et des oignons. ◆ **modiste** n. et adj. f. emme qui crée, exécute ou vend des coiffures féminines. ◆ **démoder (se)** v. pr. Cesser d'être à la mode. ◆ **démodé, e** ıj. Qui n'est plus à la mode : *Un chapeau démodé* (syn. VIEILLOT). *es théories démodées* (syn. DÉPASSÉ, DÉSUET).

IODELAGE n. m. → MODELER.

IODÈLE [mɔdɛl] n. m. (it. *modello*). **1.** Ce qui sert d'objet 'imitation; ce qui est offert pour servir à la reproduction, à l'imitaon : *Sa conduite est un modèle pour tous* (syn. EXEMPLE). *Le odèle d'un peintre* (= la personne dont l'artiste reproduit les aits). — **2.** (suivi d'un compl. du nom) Personne ou objet qui ɔssède à la perfection certaines caractéristiques : *Il est le modèle e l'enfant gâté.* — **3.** Objet industriel qui sera reproduit en série : *e modèle d'une nouvelle voiture. Un fusil modèle 1936.* — Pièce originale d'une collection de couture. — **5.** *Modèle éduit,* reproduction à échelle réduite d'une machine ou d'un nsemble : *Le modèle réduit doit fonctionner sur les mêmes princies que l'original en vraie grandeur.* ◆ adj. Parfait en son genre : *'n élève modèle* (syn. EXEMPLAIRE). *Une ferme modèle.* ◆ **modéste** n. et adj. **1.** Personne qui fabrique des modèles réduits. — . Personne qui crée des modèles dans la couture.

IODELER [mɔdle] v. t. (de *modèle*). [Conj. **6.**] **1.** *Modeler un bjet,* le pétrir dans l'argile, la cire, la terre pour obtenir une ertaine forme : *De la pâte à modeler* (= que l'on peut pétrir pour ıi donner une forme). — **2.** Donner une forme, un relief particuers : *Un relief accidenté, modelé par l'érosion.* — **3.** Régler une hose sur quelque modèle : *Modeler sa conduite sur celle de son ère* (syn. CONFORMER). ◆ ***se modeler*** v. pr. Régler sa conduite, ɔn caractère sur quelqu'un ou d'après quelque chose. ◆ **modeage** n. m. : *Le modelage d'une statuette.* ◆ **modelé** n. m. Relief es formes en sculpture, en peinture. ◆ **modeleur, euse** adj. et . Artiste qui modèle.

IODÉLISTE n. et adj. → MODÈLE.

IODÈNE, v. d'Italie (Émilie); 171 100 hab. Cathédrale (XIIe et Ve s.). Centre industriel (automobiles, chaussures).

IODÉRATEUR, TRICE adj. et n., **MODÉRATION** n. f. → MODÉRER.

IODERATO adv. → MOUVEMENT, *mouvements musicaux.*

IODÉRER [mɔdere] v. t. (du lat. *modus,* mesure). Diminuer la ɔrce, l'intensité, jugées excessives, de quelque chose : *Modérer sa olère* (syn. TEMPÉRER). *Modérez vos paroles* (= atténuez-en la vioənce). *Modérer ses désirs* (syn. BORNER, LIMITER). ◆ ***se modérer*** . pr. (sujet nom de personne). S'écarter de tout excès, contenir es sentiments violents (syn. SE CALMER). ◆ **modéré, e** adj. et n. . Se dit de quelqu'un qui est éloigné de tout excès : *Être modéré ans ses prétentions* (syn. MESURÉ). — **2.** Se dit de quelqu'un qui rofesse des opinions politiques conservatrices : *Les députés modéés à l'Assemblée nationale.* ◆ adj. Se dit de quelque chose qui ent le milieu entre les extrêmes : *Un vent modéré* (contr. FORT ou AIBLE). *Des prix modérés* (contr. EXCESSIF). *Habitation à loyer ıodéré (ou H. L. M.).* ◆ **modérément** adv. : *Boire modérément* ɔntr. EXCESSIVEMENT). ◆ **modération** n. f. Qualité d'une perɔnne ou d'une chose éloignée de tout excès : *Faire preuve de ıodération* (syn. DOUCEUR, SAGESSE). *Avoir beaucoup de modération dans ses paroles* (syn. RETENUE; contr. EXCÈS). ◆ **modérateur, trice** adj. et n. **1.** Qui modère : *Pouvoir modérateur.* — **2.** *Ticket modérateur,* fraction du coût des soins que l'assurance ıaladie laisse à la charge de l'assuré. ◆ n. m. *Phys.* Substance ui, comme le graphite ou l'eau lourde, ralentit les neutrons dans ne pile atomique. ◆ **immodéré, e** adj. Qui dépasse la mesure : *es dépenses immodérées.* ◆ **immodérément** adv.

IODERNE [mɔdɛrn] adj. (du lat. *modo,* récemment). **1.** Qui appartient ou convient au temps présent ou à une époque récente (par oppos. au PASSÉ) : *La vie moderne* (syn. ACTUEL). *La science moderne* (syn. CONTEMPORAIN). *La peinture moderne* (contr. CLASSIQUE). *Le matériel le plus moderne* (syn. NOUVEAU, RÉCENT; contr. DÉSUET). ‖ *Enseignement moderne,* section de l'enseignement secondaire où l'on n'enseigne pas les langues anciennes (grec et latin). ‖ *Histoire moderne,* depuis la prise de Constantinople (1453) jusqu'à la Révolution française (1789), où commence l'histoire contemporaine. — **2.** Qui est de son temps, conforme aux évolutions les plus récentes : *S'habiller d'une façon moderne. Le confort moderne.* ◆ n. m. **1.** Ce qui appartient à l'époque actuelle, ce qui en suit le goût : *Dans son ameublement, il a choisi le moderne* (contr. L'ANCIEN). — **2.** Homme (écrivain, artiste) de son époque, par opposition à ceux qui l'ont précédé : *La querelle des Anciens et des Modernes.* ◆ **moderniser** v. t. Organiser en adaptant aux techniques présentes, rajeunir en conformant aux goûts actuels : *Moderniser ses méthodes de vente* (syn. RÉNOVER). ◆ **modernisation** n. f. : *La modernisation de l'agriculture.* ◆ **modernisme** n. m. Goût, recherche de ce qui est moderne, des idées qui rompent avec la tradition ou avec ce qui est désuet, vieilli. ◆ **moderniste** adj. et n. Partisan de ce qui est moderne.

MODERN STYLE [mɔdɛrnstil] n. m. et adj. inv. (mots angl.). Nom donné à une formule d'art décoratif : *Les vases de Gallé, les grilles extérieures des stations de métro à Paris sont des exemples du modern style.*

— ENCYCL. Le *modern style,* ou « art nouveau », est né aux environs de 1900 du désir de fonder un style qui ne doive rien au passé et qui, joignant « l'art et l'utile », se fasse sentir dans tous les domaines, de l'architecture à la mode vestimentaire, dans la rue comme dans les intérieurs. Ce style attache beaucoup d'importance à la ligne, qui devient flexible et sinueuse et, avec une profusion d'ornements, s'inspire des formes du monde végétal.

En Belgique, le modern style donna ses meilleures réussites dans l'architecture avec Paul Hankar (1859-1901) et Victor Horta (1861-1947) qui construisit la maison Tassel à Bruxelles.

Mais c'est en France que ce nouveau style parvint à son apogée. À Nancy, ses principaux représentants furent les verriers Émile Gallé (1884-1904) et les frères Daum, et le créateur de meubles Louis Majorelle (1859-1926) qui utilisa beaucoup la technique de la marqueterie. À Paris, le bijoutier René Lalique (1860-1945) inventa des bijoux très marqués par le symbolisme et se consacra également au verre moulé. L'architecte Hector Guimard (1867-1934), auteur des entrées de métro qui ont popularisé son nom, construisit le castel Béranger, exemple typique du modern style.

Ce style eut aussi une grande diffusion, en Belgique, en Allemagne et en Espagne où l'architecte Gaudi lui donna un éclat particulier.

MODESTE [mɔdɛst] adj. (après le nom) et n. (lat. *modestus,* modéré). Se dit d'une personne (ou de son comportement) qui a sur elle-même une opinion mesurée, qui parle sans orgueil ni ostentation : *Un savant modeste, qui n'aime pas les honneurs* (syn. EFFACÉ; contr. VANITEUX). ◆ adj. **1.** (avant ou après le nom) D'une grande simplicité, sans faste, sans importance : *Un modeste présent* (syn. MODIQUE). *Il est modeste dans ses prétentions* (syn. MODÉRÉ). — **2.** (après le nom) Qui montre de la pudeur (littér.) : *Prendre un air modeste* (syn. PUDIQUE; contr. EFFRONTÉ). ◆ **modestement** adv. ◆ **modestie** n. f. (Syn. RÉSERVE, SIMPLICITÉ; contr. ORGUEIL, VANITÉ.) ◆ **immodeste** adj. Qui manque de modestie, de pudeur.

MODICITÉ n. f. → MODIQUE.

MODIFIER [modifje] v. t. (lat. *modificare*). *Modifier qqch.,* en changer la forme, la qualité, etc. : *Modifier une loi* (syn. AMENDER). *Modifier sa conduite* (syn. CHANGER, RECTIFIER). ◆ ***se modifier*** v. pr. Changer de forme : *Ses idées ne se sont pas modifiées avec l'âge* (syn. ÉVOLUER). ◆ **modification** n. f. : *La modification d'un projet* (syn. REFONTE). *La modification du régime des allocations* (syn. CHANGEMENT, TRANSFORMATION).

MODIGLIANI (Amedeo), peintre italien (1884-1920). Venu à Paris en 1906, il pratiqua un temps la sculpture, puis se consacra entièrement à la peinture, exécutant des portraits caractérisés par l'allongement des figures et empreints souvent de mélancolie. Il peignit également des nus.

MODIQUE [mɔdik] adj. (lat. *modicus*) [avant ou après le nom]. Se dit d'une somme d'argent peu importante, de ce qui est de faible valeur : *Avoir un salaire très modique* (syn. MODESTE; contr. GROS). ◆ **modicité** n. f. : *La modicité d'un prix.*

MODISTE n. et adj. f. → MODE 3.

MODULATION n. f. → MODULER.

1. MODULE [modyl] n. m. (angl. *module*). Élément qui compose un vaisseau spatial et qui peut s'en détacher : *On distingue le module de commande et le module lunaire.*

2. MODULE [modyl] n. m. (du lat. *modus,* mesure). **1.** Plus petite commune mesure que doivent posséder les dimensions des différents éléments entrant dans la composition d'un bâtiment pour que ces éléments puissent se superposer et se juxtaposer dans l'espace, sans retouche lors de leur pose. — **2.** Unité de mesure, particulièrement pour les eaux courantes : *Le module est le débit moyen annuel exprimé en mètres cubes par seconde.*

MODULER [modyle] v. t. et i. (du lat. *modulus,* cadence). Émettre une succession de sons avec des changements de ton, de hauteur, d'accent : *Moduler un air.* ◆ **modulation** n. f. **1.** Inflexion variée de la voix; passage d'un ton dans un autre. — **2.** *Émission par modulation de fréquence,* émission radiophonique obtenue par variation de la fréquence d'une oscillation électrique.

MODUS VIVENDI [mɔdysvivɛ̃di] n. m. inv. (mots lat. signif. *manière de vivre*). Transaction mettant d'accord deux parties en litige, sans résoudre leur litige sur le fond.

MOËLAN-SUR-MER, comm. du Finistère, à 10 km au S.-O. de Quimperlé; 6300 hab. Mytiliculture.

MOELLE [mwal] n. f. (lat. *medulla*). **1.** *Moelle osseuse,* tissu riche en graisses, situé à l'intérieur des os. ⟶ ENCYCL. — **2.** *Moelle épinière,* axe nerveux logé dans le canal rachidien de la colonne vertébrale, centre de nombreux réflexes du tronc et des membres, et, par sa substance blanche externe, conduisant l'influx nerveux entre l'encéphale et les nerfs rachidiens. ⟶ ENCYCL. ◆ **médullaire** adj. Relatif à la moelle osseuse ou à la moelle épinière. ‖ *Canal médullaire,* canal axial des os longs, rempli de moelle jaune.

— ENCYCL. ***moelle osseuse.*** La *moelle jaune,* riche en graisses, occupe le canal axial des os longs. Elle participe activement à la croissance et au renouvellement de l'os, car elle contient des cellules spécialisées dans la destruction de la substance osseuse.

La *moelle rouge* est logée dans le tissu spongieux des os courts et des extrémités des os longs; elle a un rôle capital : c'est dans la moelle rouge que se trouvent des cellules mères de toutes les cellules sanguines (globules rouges, globules blancs et plaquettes). La moelle rouge des os est donc le lieu de fabrication de toutes les cellules du sang.

moelle épinière. Elle a la forme d'un cylindre avec deux renflements : l'un, en haut, correspond à la sortie des nerfs rachidiens destinés aux membres supérieurs; l'autre, en bas, correspond aux membres inférieurs.

Il y a autant de paires de nerfs* rachidiens que la moelle comporte de *segments,* empilés les uns sur les autres, comme les vertèbres, et au même nombre : chaque nerf sort du canal rachidien au niveau de la vertèbre qui porte le même numéro que lui.

La moelle est divisée en deux parties par deux sillons, l'un antérieur, large, et l'autre postérieur, plus profond mais étroit; entre les deux passe un canal (l'*épendyme*) dans lequel circule du liquide céphalo-rachidien.

La moelle est formée au centre de *substance grise,* contenant des cellules nerveuses motrices qui commandent les mouvements des muscles, et de cellules nerveuses sensitives, qui commandent les réflexes élémentaires.

À la périphérie, la moelle est formée de *substance blanche,* donc de fibres servant à la *transmission* des influx nerveux venant du cerveau ou reliant les différents étages de la moelle entre eux.

MOELLEUX, EUSE [mwalø, -øz ou mwelø, -øz] adj. (de *moelle*). **1.** Doux et d'une mollesse agréable au toucher : *Un fauteuil moelleux* (= confortable, où l'on enfonce un peu). — **2.** Agréable à goûter, à cause de sa douceur et de son velouté : *Un vin moelleux* (= légèrement sucré). ◆ **moelleusement** adv. : *Moelleusement étendu sur son lit* (syn. MOLLEMENT).

MOELLON [mwalɔ̃] n. m. (du lat. *modiolus,* moyeu). Pierre de construction de petites dimensions : *Un mur en moellons.*

MŒURS [mœrs; ou plus souvent mœr] n. f. pl. (lat. *mores*). **1.** Habitudes ou pratiques morales d'un individu, d'un groupe : *La pureté de ses mœurs* (syn. CONDUITE). *Un mot contraire aux bonnes mœurs* (= à la décence). — **2.** Habitudes de vie d'un groupe, d'un peuple, d'une époque, d'une personne, d'une espèce animale : *Les mœurs des peuplades primitives* (syn. COUTUMES). *Avoir des mœurs simples* (syn. MODE DE VIE). *Les mœurs des abeilles.* ‖ *Scène de mœurs,* représentation peinte, dessinée ou gravée de scènes de la vie quotidienne. (Les Flamands et les Hollandais du XVIIe s. y excellèrent.) [On dit aussi SCÈNE DE GENRE.]

1. MOFETTE n. f. ⟶ MOUFETTE.

2. MOFETTE [mɔfɛt] n. f. (it. *moffetta*). Émanation de gaz carbonique, le plus souvent dans les régions volcaniques et dans les mines de houille.

MOGADISHU ou **MOGADISCIO,** auj. **Muqdisho,** capit. de la Somalie, sur l'océan Indien; 600000 hab. Centre commercial.

MOGHILEV, v. de l'U.R.S.S. (Biélorussie), sur le Dniepr; 202300 hab. Métallurgie.

MOGHOL, E ou **MOGOL, E** [mɔgɔl] adj. et n. (mot indigène). Se dit de la dynastie mongole d'origine timuride qui régna sur l'Inde du XVIe au XIXe s. ‖ *Le Grand Moghol,* désignation habituelle des empereurs de cette dynastie.

MOHÁCS, v. de Hongrie, sur le Danube, près de la frontière yougoslave; 20000 hab. Métallurgie.

- *1526. Louis II de Hongrie y est vaincu et tué par les troupes turques de Soliman le Magnifique.*
- *1687. Charles V, duc de Lorraine, y bat les Turcs.*

MOHAIR [mɔɛr] n. m. (mot angl.). Poil de la chèvre angora, dont on fait des laines à tricoter.

MOHAMMEDIA, ancienn. **Fédala,** port du Maroc, au N.-E. de Casablanca; 70400 hab. Pêche. Raffinerie de pétrole.

MOHAWK (la ou le), riv. des États-Unis, affl. de l'Hudson (r. dr.); 257 km. Sa vallée, très large, est une voie de communication entre la région de New York et les Grands Lacs.

MOHÉLI, auj. **Moili,** île française des Comores; 9500 hab.

MOHICANS, tribu indienne des États-Unis (Connecticut), en voie de disparition.

1. MOI pron. pers. ⟶ JE.

2. MOI [mwa] n. m. inv. (lat. *me*). **1.** Ce qui constitue l'individualité, la personnalité : *Barrès a écrit le « Culte du moi ».* — **2.** La personnalité dans son attachement à soi-même, son égoïsme : *« Le moi est haïssable », a dit Pascal.* — **3.** En psychanalyse, ce qui, dans l'homme, équilibre les pulsions instinctives (le « ça ») condamnées par les contraintes sociales apprises (le « surmoi »).

MOIGNON [mwaɲɔ̃] n. m. (de l'anc. fr. *moignier,* mutiler). Ce qui reste d'un membre coupé, amputé.

MOINDRE [mwɛ̃dr] adj. (lat. *minor*). **1.** (avant ou après le nom) Comparatif de PETIT (dans des express. en nombre limité) : *Acheter à moindre prix* (= à un prix plus bas). *Une bière de moindre qualité* (= de moins bonne). — **2.** (précédé de l'art.) Superl. relatif de PETIT : *Le moindre effort lui coûte.* ◆ **moindrement** adv. *Le moindrement* (dans une phrase négative), le moins du monde : *Il n'est pas le moindrement surpris.*

MOINE [mwan] n. m. (du gr. *monakhos,* solitaire). Religieux vivant à l'écart du monde, soit seul, soit le plus souvent en communauté en tant que membre d'un ordre : *Les moines de la Trappe. Les moines bouddhistes.* ◆ **monacal, e, aux** adj. Relatif aux moines (emploi restreint à *vie monacale*). ◆ **monachisme** n. m. État de moine, vie monastique. ◆ **monastère** n. m. Ensemble des bâtiments où vivent des moines ou des religieuses : *Se retirer dans un monastère* (syn. COUVENT). ◆ **monastique** adj. : *Une vie monastique* (= de moine). *La simplicité monastique* (= qui est celle des moines).

MOINEAU [mwano] n. m. (de *moine*). Oiseau passereau au plumage brun, noir et blanc, très commun dans les lieux habités : *Le moineau pépie.* (Famille des plocéidés.)

MOINS adv. → PLUS 2.

MOIRE [mwar] n. f. (de l'angl. *mohair*). Tissu à reflets changeants : *Robe de moire.* ◆ **moiré, e** adj. Se dit de ce qui a des reflets brillants (littér.) : *L'eau moirée de la rivière.*

MOIS [mwa] n. m. (lat. *mensis*). **1.** Chacune des douze divisions de l'année légale; sa durée : *Le mois de février est de vingt-huit jours (de vingt-neuf les années bissextiles). Chaque mois* (= mensuellement). *Tous les trois mois* (= par trimestre). *Tous les six mois* (= par semestre). — **2.** Unité de travail et de salaire correspondant à un mois légal : *Être payé au mois* (→ MENSUEL n. m.). *Toucher son mois* (= salaire d'un mois de travail). — **3.** Espace de temps d'environ trente jours : *D'ici au mois prochain, les travaux seront achevés.* (⟶ MENSUEL.)

janvier n. m.	31 jours	*juillet* n. m.	31 jours
février n. m.	28 ou 29 jours	*août* n. m.	31 jours
mars n. m.	31 jours	*septembre* n. m.	30 jours
avril n. m.	30 jours	*octobre* n. m.	31 jours
mai n. m.	31 jours	*novembre* n. m.	30 jours
juin n. m.	30 jours	*décembre* n. m.	31 jours

MOÏSE, libérateur et législateur d'Israël, selon la Bible (Ancien Testament). À sa naissance, pour le soustraire au massacre par les Égyptiens des enfants mâles des Juifs, sa mère, de la tribu de Lévi, le laissa sur le Nil, où il fut recueilli par la fille du roi, qui le nomma Moïse, c'est-à-dire *Sauvé des eaux.* Dans le désert du Sinaï, Dieu se montra à lui sous la forme d'un buisson ardent et lui donna pour mission de délivrer son peuple de l'oppression égyptienne et de le conduire en pays de Canaan. Alors commença la période de l'*Exode* (⟶ HÉBREUX) au cours de laquelle Dieu fit alliance avec son peuple et lui donna sa Loi (Décalogue).

MOÏSE [mɔiz] n. m. (par anal. avec la corbeille dans laquelle *Moïse* fut exposé sur le Nil). Corbeille de vannerie capitonnée de tissu, servant de couchette aux nouveau-nés.

MOISIR [mwazir] v. i. (bas lat. *mucire*). **1.** Se couvrir de moisissures sous l'effet de l'humidité, et commencer à s'altérer. — **2.** *Fam.* Rester longtemps dans le même endroit à s'ennuyer, à ne rien faire : *Nous n'allons pas moisir ici, partons.* ◆ v. t. Détériorer en couvrant de moisissures (surtout au part. passé) : *Des gâteaux moisis* (syn. GÂTER). ◆ **moisi** n. m. Ce qui est moisi : *Une odeur de moisi.* ◆ **moisissure** n. f. Mousse blanchâtre ou verdâtre, faite de champignons microscopiques qui vivent notamment sur les aliments, et qui leur font subir des altérations chimiques : *La moisissure d'un fromage.*

— ENCYCL. Les milieux obscurs, humides, où se développent les *moisissures,* conviennent également aux bactéries, d'où une concurrence vitale pour laquelle le moyen de défense des moisissures est de sécréter des substances antibiotiques* qui arrêtent la croissance des bactéries, par exemple la *pénicilline* ou la *streptomycine.* Par ailleurs, l'arôme particulier de certains fromages fermentés (roquefort) est dû à l'action des moisissures.

MOISSAC, ch.-l. de cant. de Tarn-et-Garonne, à 8 km au N. de Castelsarrasin, sur le Tarn; 11 400 hab. *(Moissagais).* Église Saint-Pierre, anc. abbatiale bénédictine (XIIe-XVe s.), chef-d'œuvre de l'art roman. Raisin de table blanc. Caoutchouc.

MOISSAN (Henri), chimiste français (1852-1907). Il développa en chimie l'emploi des températures élevées, grâce à l'usage du four électrique; il a isolé le fluor (1886) et le silicium. (Prix Nobel, 1906.)

MOISSON [mwasɔ̃] n. f. (du lat. *messis*). **1.** Récolte des céréales (blé, avoine, orge, etc.) : *Faire la moisson.* — **2.** Ensemble des céréales qui ont été récoltées ou qui vont l'être : *Engranger la moisson.* — **3.** Action de réunir une grande quantité de renseignements, de faits : *Revenir de voyage avec une moisson de souvenirs* (syn. MASSE). ◆ **moissonner** v. t. **1.** *Moissonner du blé, de l'orge,* etc., les faucher en vue de la récolte. — **2.** *Moissonner un champ,* y faire la récolte des céréales. — **3.** *Moissonner des lauriers,* récolter de nombreux succès (littér.). ◆ **moissonneur, euse** n. Personne qui fait la moisson. ◆ **moissonneuse** n. f. Machine à moissonner les céréales. ◆ **moissonneuse-batteuse** n. f. Machine qui coupe les céréales, puis en bat les grains et rejette la paille. ‖ Pl. des *moissonneuses-batteuses.*

MOITE [mwat] adj. (orig. incert.). Légèrement humide : *Avoir les mains moites.* ◆ **moiteur** n. f. : *La moiteur du front d'un malade fiévreux.*

MOITIÉ [mwatje] n. f. (lat. *medietas, -atis,* milieu). **1.** Une des deux parties égales ou presque égales d'un tout : *Vingt est la moitié de quarante. Il est sorti la moitié du temps* (= presque toujours). *La moitié des vacances est passée* (ou *sont passées*). — **2.** *Ironiq.* et *fam.* L'épouse, pour le mari. — LOC. ADV. *À moitié,* en partie : *Son verre est rempli à moitié* (syn. À DEMI). ‖ *À moitié chemin,* au milieu du parcours, du trajet (syn. À MI-CHEMIN). ‖ *À moitié prix,* pour la moitié du prix fixé. ‖ *Moitié..., moitié,* ou *à moitié..., à moitié,* en partie..., en partie : *Un groupe de touristes moitié Allemands, moitié Suisses.* ‖ *Être de moitié,* participer à égalité avec quelqu'un aux bénéfices ou aux pertes d'une entreprise. ‖ *Par moitié,* par la moitié, en deux parties égales.

MOKA, port du Yémen, sur la mer Rouge; 6 000 hab. Plantations de caféiers.

MOKA [mɔka] n. m. (de *Moka,* port du Yémen). Gâteau fourré d'une crème au beurre parfumée au café.

MOL, MOLLE adj. → MOU 1.

1. MOLAIRE adj. → MOLE.

2. MOLAIRE [mɔlɛr] n. f. (lat. *dens molaris,* dent en forme de meule). Grosse dent placée en arrière des canines ou des incisives, et servant à broyer les aliments.

— ENCYCL. Chez l'homme, il existe sur chaque mâchoire quatre *molaires* temporaires (dents de lait) et six molaires définitives. Ces dernières sortent à six ans (dents de six ans), de onze à quatorze ans (dent de onze ans) et vers vingt et un ans (dents de sagesse). Les molaires temporaires sont remplacées, chez l'adulte, par les prémolaires.

Les molaires, ou *dents jugales,* au nombre maximal de sept par demi-mâchoire chez les mammifères placentaires, sont situées derrière les joues, aux extrémités des arcades dentaires. Leur aspect varie avec le régime alimentaire.

MOLASSE ou **MOLLASSE** [mɔlas] n. f. (du lat. *mollis,* mou). Grès tendre à ciment calcaire, abondant en bordure des Alpes, où il date du Miocène.

MOLDAVIE, en roum. **Moldova,** anc. principauté danubienne, constituant l'extrémité nord-est de la Roumanie, sur le Prout (r. dr.). Fondée en 1359 aux dépens de la Hongrie, tombée sous la domination des Turcs en 1504, la Moldavie fut soumise, au XVIIIe s., aux princes grecs de Constantinople, vassaux du sultan. Les Russes l'occupèrent plusieurs fois au XIXe s. Autonome en 1856, elle fit ensuite partie intégrante de la Roumanie.

MOLDAVIE *(république socialiste soviétique de),* république fédérée de l'U. R. S. S., en bordure de la Roumanie; 33 700 km^2; 4 300 000 hab. *(Moldaves).* Capit. *Chişinău.* Située entre le Prout et le Dniestr, la Moldavie est une région à prépondérance agricole, associant cultures (céréales, betterave, fruits) et élevage.

MOLE [mɔl] n. f. (de *molécule*). *Chim.* Syn. de MOLÉCULE-GRAMME. ◆ **molaire** adj. Relatif à la mole : *Masse molaire.*

MÔLE [mol] n. m. (du lat. *moles,* masse). **1.** Ouvrage en maçonnerie destiné à protéger l'entrée d'un port (syn. DIGUE). — **2.** *Géogr.* Bloc soulevé entre deux compartiments affaissés par des failles (syn. HORST).

MOLÉCULE [mɔlekyl] n. f. (du lat. *moles,* masse). Particule formée d'atomes, qui représente la plus petite quantité d'un corps pur pouvant exister à l'état libre. ‖ *Molécule-gramme,* masse représentée par la formule d'un corps chimique (syn. MOLE). ◆ **moléculaire** adj. Relatif aux molécules.
→ illustration ci-dessous.

MOLENBEEK-SAINT-JEAN, en néerl. **Sint-Jans-Molenbeek,** comm. de Belgique (Brabant); 68 800 hab. Faubourg de Bruxelles.

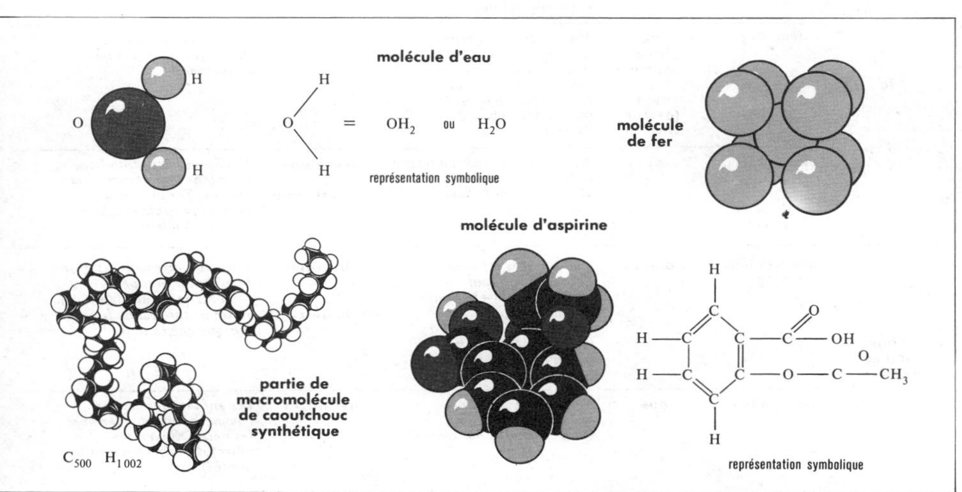

MOLÈNE *(île)*, île et comm. du Finistère, entre Ouessant et la pointe Saint-Mathieu; 330 hab.

MOLESKINE [mɔlɛskin] n. f. (de l'angl. *moleskin*, peau de taupe). Toile recouverte d'un enduit et imitant le cuir.

MOLESTER [mɔleste] v. t. (du lat. *molestus*, importun). Faire subir des brutalités, des violences à quelqu'un : *Le voleur a été molesté par la foule* (syn. ↑LYNCHER).

MOLETTE [mɔlɛt] n. f. (du lat. *mola*, meule). **1.** Petite roue striée : *La molette d'un briquet. Clef à molette* (= clef dont une roulette actionne la mâchoire mobile). — **2.** Partie de l'éperon, en forme de roue étoilée, qui sert à piquer le cheval.

MOLIÈRE (Jean-Baptiste POQUELIN, dit), auteur dramatique français (1622-1673). Destiné à hériter de la charge de son père, tapissier du roi, il préfère se consacrer à sa vocation d'acteur et, en association avec l'actrice Madeleine Béjart, fonde l'Illustre-Théâtre. Mais celui-ci fait faillite.

- *1645-1658. À la fois directeur de troupe, acteur, auteur, Molière parcourt les provinces.*

De cette tournée, il rapporte deux comédies : *l'Étourdi* (1655) et *le Dépit amoureux* (1656).

- *1659. Il présente au public « les Précieuses ridicules », peinture satirique des salons littéraires alors en vogue.*

Cette pièce est son premier grand succès. Désormais Molière travaille non seulement pour son propre théâtre, mais écrit aussi pour la Cour. Il s'essaie sans succès à la tragédie, puis revient à la comédie (*l'École des maris, les Fâcheux*, 1661).

- *1662. Il triomphe avec « l'École des femmes ».*

Cette pièce provoque la jalousie de ses rivaux et l'opposition des dévots qui l'accusent de s'y moquer de la famille, du mariage, de la religion. Molière répond à cette querelle par *la Critique de « l'École des femmes »* (1663) où il expose ses idées sur la comédie.

- *1664. « Le Tartuffe » dans lequel il dénonce les vices des dévots est interdit par le roi.*

Molière écrit alors une pièce sur un sujet traditionnel, *Don Juan ou le Festin de pierre* (1665), où il développe les idées les plus graves, mêlées aux scènes bouffonnes; il recrée le personnage de Don Juan qu'il présente comme un libertin et un faux dévot. De nouveau, la cabale des dévots fait supprimer la pièce.

- *1665. Molière dirige la troupe du roi.*

Malade, il doit s'interrompre plusieurs mois, puis fait jouer *le Misanthrope* (1666). Il aborde alors les genres les plus divers : des divertissements, des comédies-ballets pour la Cour : *Amphitryon*, *le Médecin malgré lui* (1666), où apparaît son horreur des médecins, *l'Avare* (1668), qui est une puissante comédie de caractères, *le Bourgeois gentilhomme* (1670), où il attaque les parvenus, *les Fourberies de Scapin* (1671), où il revient à la farce, *les Femmes savantes* (1672).

- *1673. À la suite de la quatrième représentation du « Malade imaginaire », Molière meurt.*

Molière a combattu les hypocrisies, les outrances, les contradictions qui altèrent la personnalité et dérèglent les rapports sociaux. La vérité humaine de ses personnages tient à leur profondeur psychologique : les interprétations différentes et parfois contradictoires qui en ont été données par les comédiens et les metteurs en scène en sont la meilleure preuve.

MOLINA (Luis), jésuite espagnol (1536-1600). L'édition de son ouvrage sur le libre arbitre provoqua une longue controverse théologique. Sa doctrine, le *molinisme*, qui cherche à concilier la liberté humaine et la grâce divine, fut généralement adoptée par les jésuites et violemment attaquée par les jansénistes.

MOLLAH [mɔla] n. m. (mot ar.). Docteur de la loi coranique.

1. MOLLASSE n. f. ⟶ MOLASSE.

2. MOLLASSE adj. ⟶ MOU 1.

MOLLASSON, ONNE adj. et n., **MOLLEMENT** adv., **MOLLESSE** n. f. ⟶ MOU 1.

1. MOLLET [mɔlɛ] adj. m. (du lat. *mollis*, mou). *Œuf mollet*, œuf cuit de telle façon que le blanc seul soit coagulé, le jaune restant liquide.

2. MOLLET [mɔlɛ] n. m. (même étym.). Partie saillante des muscles postérieurs de la jambe, entre la cheville et le jarret. ◆ **molletière** n. et adj. f. *Bande molletière*, bande de drap ou de toile que l'on enroule autour de la jambe.

MOLLETON [mɔltɔ̃] n. m. (de *mollet* 2). Étoffe épaisse de laine ou de coton, moelleuse et chaude, dont on fait des peignoirs, de la doublure de manteaux, etc. ◆ **molletonné, e** adj. Garni de molleton. ◆ **molletonneux, euse** adj. Qui ressemble à du molleton : *Étoffe molletonneuse.*

MOLLIR v. i. ⟶ MOU 1.

	POSSESSEUR (pronom)	POSSÉDÉ (genre et nombre)	ADJECTIF ANTÉPOSÉ	EXEMPLES	PRONOM	EXEMPLES (souvent en opposition avec un autre possessif)
1re PERSONNE	**je**	masc. sing.	**mon**	*Mon livre est sur la table* (= qui est à moi : possession). *Mon voyage en Corse* (= que j'ai fait : sujet de l'action).	**le mien**	*Ce livre n'est pas le mien. Ton temps est aussi précieux que le mien.*
		fém. sing.	**ma** (devant consonne) **mon** (devant voyelle)	*Ma montre est arrêtée* (possession). *À ma vue, tous se taisent* (= en me voyant : objet de l'action). *Il est venu à mon aide* (= m'aider : objet de l'action).	**la mienne**	*Je ne vois pas ta brosse à dents; je n'aperçois que la mienne.*
		masc. et fém. plur.	**mes**	*Mes amis m'ont accompagné* (= les amis que j'ai). *Mes mains sont couvertes d'engelures.*	**les miens** **les miennes**	*Vos soucis sont grands; les miens sont encore plus sérieux. Tes propositions ne sont pas raisonnables; écoute les miennes.*
	nous (**on** en style fam.)	masc. et fém. sing.	**notre**	*Notre procès est venu devant le tribunal correctionnel* (= le procès que nous avons). *Notre Jean-Claude est déjà là* (valeur affective). *Il a perdu notre confiance* (possession).	**le nôtre** **la nôtre**	*Votre appartement est grand, le nôtre est tout petit* (= celui que nous habitons). *Votre voiture est de la même marque que la nôtre.*
		masc. et fém. plur.	**nos**	*Nos enfants sont tous heureux* (possession). *On ne voit plus nos amies.*	**les nôtres**	*Les enfants des voisins commencèrent à jouer avec les nôtres. Soyez des nôtres demain* (= parmi nos invités).

MOLLUSQUES [molysk] n. m. pl. (lat. *mollusca nux*, noix à écorce molle). Embranchement du règne animal, comprenant des animaux généralement aquatiques, au corps mou muni d'un pied ventral et d'un manteau dorso-latéral qui sécrète souvent une coquille, tels que la *moule*, l'*escargot* et la *seiche*.
— ENCYCL. On compte environ 100 000 espèces de *mollusques* presque tous rassemblés dans trois grandes classes : les *lamellibranches* (ou *bivalves*), les *gastropodes*, les *céphalopodes*.

MOLOCH, prétendue divinité, mentionnée dans la Bible, et à qui on aurait sacrifié des victimes humaines.

MOLOSSE [mɔlɔs] n. m. (gr. *molosses*, chien du pays des Molosses [peuple de l'Épire]). Gros chien de garde, d'allure féroce.

MOLOTOV (Viatcheslav Mikhaïlovitch SKRIABINE, dit), homme politique soviétique (1890-1986). Commissaire du peuple aux Affaires étrangères de 1939 à 1949 et de 1953 à 1956, et premier vice-président du Conseil de 1941 à 1946, il fut écarté du pouvoir en 1957.

MOLSHEIM, ch.-l. d'arrond. du Bas-Rhin, sur la Bruche, à 23 km au S.-O. de Strasbourg; 7 000 hab. Vignobles. Constructions mécaniques.

MOLTKE (Helmuth, *comte* VON), maréchal prussien (1800-1891). Il commanda l'armée prussienne pendant la guerre des Duchés (1864) contre les Danois, pendant la campagne de Bohême contre l'Autriche (1866) et enfin contre la France (1870-1871). — Son neveu HELMUTH, général allemand (1848-1916), succéda à Schlieffen comme chef d'état-major général (1906); il fut battu par Joffre sur la Marne et relevé de son commandement.

MOLUQUES *(îles)*, archipel d'Indonésie, séparé des Célèbes par la mer de Banda et la *mer des Moluques;* 74 505 km^2; 1 411 000 hab. Les principales îles sont *Halmahera*, *Céram* et *Amboine*.

MOLYBDÈNE [mɔlibdɛn] n. m. (du gr. *molubdos*, plomb). Métal blanc, dur, cassant et peu fusible, qui présente des analogies avec le chrome.

MOMBASA ou **MOMBASSA,** principal port du Kenya, sur une petite île située à 800 m de la côte; 247 100 hab.

MÔME [mom] n. (orig. incert.). *Fam.* Enfant (syn. fam. GOSSE).

MOMENT [mɔmɑ̃] n. m. (lat. *momentum*, contraction). **1.** Espace de temps (avec ou sans idée de brièveté) : *Attendez un moment* (syn. INSTANT). *Les grands moments de l'histoire* (syn. DATE). *Un moment! j'arrive* (syn. MINUTE, SECONDE). *Je n'ai pas un moment à moi* (= un instant libre). *Ce disque est le grand succès du moment* (= du jour). *Lire à ses moments perdus* (= quand on n'est pas occupé). *Elle en a pour un bon moment, patientez* (= longtemps). *Je reviendrai dans un moment* (= bientôt). *Il est très fatigué en ce moment* (= dans le temps présent). — **2.** Mécan. *Moment d'une force par rapport à un point*, produit de l'intensité de cette force par la distance de la droite, suivant laquelle elle est appliquée, à ce point. — LOC. PRÉP. *Au moment de* (suivi d'un nom ou d'un infin.), indique la simultanéité, la coïncidence : *Au moment de partir, il s'aperçut qu'il oubliait son portefeuille.* — LOC. ADV. *À tout moment*, continuellement, sans cesse. ‖ *D'un moment à l'autre*, très prochainement. ‖ *Par moments*, de temps à autre. ‖ *Pour le moment*, dans l'instant présent. ‖ *Sur le moment*, au moment précis où une chose s'est faite. — LOC. CONJ. *Au moment où*, indique le temps précis où un événement s'est produit. ‖ *À partir du moment où*, indique le point de départ, l'origine (dès l'instant que). ‖ *Du moment que*, indique une relation de cause : *Du moment que vous vous connaissez, je ne vous présente pas* (syn. PUISQUE). ◆ **momentané, e** adj. Qui ne dure qu'un bref instant : *La panne a été momentanée* (syn. BREF). *Ne fournir qu'un effort momentané* (syn. ÉPHÉMÈRE; contr. DURABLE). ◆ **momentanément** adv. : *Il est ici momentanément* (syn. PROVISOIREMENT).

MOMERIES [momri] n. f. pl. (de l'anc. fr. *momer*, se déguiser). Affectation hypocrite, outrée, d'un sentiment qu'on n'éprouve pas (syn. SIMAGRÉES).

MOMIE [momi] n. f. (de l'ar. *mūmiya*, cire). Dans l'Égypte ancienne, cadavre conservé, embaumé et desséché : *Une momie entourée de bandelettes.* ◆ **momifier** v. t. Transformer un corps en momie (surtout au part. passé) : *Un cadavre momifié.* ◆ ***se momifier*** v. pr. Se dessécher. ◆ **momification** n. f. : *La momification consistait à vider le cadavre de ses viscères (à l'exception du cœur et des reins) et à le faire macérer dans du natron. Des aromates, des résines étaient ensuite introduites dans les cavités viscérales, puis on procédait à l'emmaillotage de la momie, avant de la placer dans un sarcophage.*

MON [mɔ̃], **TON** [tɔ̃], **SON** [sɔ̃], **MA** [ma], **TA** [ta], **SA** [sa], **MES** [mɛ], **TES** [tɛ], **SES** [sɛ], **LEUR** [lœr], **NOTRE** [nɔtr], **VOTRE** [vɔtr], **NOS** [no], **VOS** [vo] adj. poss.; **LE MIEN** [ləmjɛ̃], **LE TIEN** [lətjɛ̃], **LE SIEN** [ləsjɛ̃], **LE NOTRE** [lənotr], **LE VOTRE** [ləvotr], **LE LEUR** [ləlœr] pron. poss. Indiquent en général la possession ou la relation entre le sujet et l'objet. → tableau ci-dessous et page suivante.

2e PERSONNE

POSSESSEUR (pronom)	POSSÉDÉ (genre et nombre)	ADJECTIF ANTÉPOSÉ	EXEMPLES	PRONOM	EXEMPLES (souvent en opposition avec un autre possessif)
tu	masc. sing.	**ton**	*Ton départ nous a surpris* (tu es parti : sujet de l'action).	**le tien**	*Mon devoir d'algèbre est plus difficile que le tien.*
	fém. sing.	**ta** (devant consonne) **ton** (devant voyelle)	*Ta chemise est sale* (possession). *C'est donc cela, ta petite plage tranquille? Tu as raté ton épreuve.*	**la tienne**	*Laisse ma bicyclette et prends la tienne.*
	masc. et fém. plur.	**tes**	*Tes reproches sont sans objet. Je n'ai pas pris tes cravates!*	**les tiens** **les tiennes**	*Tiens, voilà mes ciseaux, ils coupent mieux que les tiens. On se passerait de réflexions comme les tiennes.*
vous	masc. et fém. sing.	**votre**	*Prenez-vous votre café?* (= que vous prenez habituellement). *Votre erreur a été de ne pas avouer tout de suite* (= l'erreur que vous avez commise : sujet de l'action).	**le vôtre** **la vôtre**	*Mon droit est incontestable, je n'en dirai pas autant du vôtre.* *À la vôtre, chers amis* (fam.) [= à votre santé].
	masc. et fém. plur.	**vos**	*Buvons à vos succès futurs. Vos remarques me sont très précieuses* (= celles que vous me faites).	**les vôtres**	*Je retrouve mes notes, mais où sont passées les vôtres?*

▷

MONACAL, E, AUX adj., **MONACHISME** n. m. → MOINE.

MONACO, principauté d'Europe enclavée dans le dép. français des Alpes-Maritimes; 1,8 km^2; 30 000 hab. *(Monégasques).* Capit. *Monaco.* Port sur un promontoire de la Méditerranée, Monaco vit des ressources que lui apportent le tourisme (jardins, Musée océanographique) et ses nombreux établissements de jeux (casino de Monte-Carlo).

Dès le Xe s., le territoire de Monaco est sous l'autorité d'une famille génoise, les Grimaldi. Leur indépendance est reconnue par la France en 1512.

- *1793-1814. La principauté est annexée par la France.*

Monaco se place ensuite sous la protection française, tout en conservant sa souveraineté, et vit dans l'orbite économique de la France.

- *1865. La principauté signe un traité d'union douanière avec la France.*
- *1949. L'actuel prince de Monaco. Rainier III. succède à Louis II.*
- *1962. Réforme de la Constitution.*

MONARCHIE [mɔnarʃi] n. f. (du gr. *monos,* seul, et *arkhein,* commander). **1.** Gouvernement d'un État par un seul chef, appelé roi ou empereur. ‖ *Monarchie absolue,* celle où le pouvoir du roi n'est contrôlé par aucun autre : *Le gouvernement de la France sous l'Ancien Régime fut une monarchie absolue.* ‖ *Monarchie constitutionnelle,* celle où l'autorité du souverain est limitée par des règles réunies dans une constitution : *De 1815 à 1848, la France fut une monarchie constitutionnelle.* ‖ *Monarchie parlementaire,* celle où l'autorité du roi est limitée par un parlement, sans la confiance duquel il ne peut rester en fonctions : *La monarchie anglaise est une monarchie parlementaire.* — **2.** État gouverné par un roi ou un empereur, généralement héréditaire : *La monarchie anglaise.* ◆ **monarchique** adj. Qui appartient à la monarchie : *Le pouvoir monarchique.* ◆ **monarchiste** n. et adj. Partisan de la monarchie (syn. ROYALISTE). ◆ **monarque** n. m. Chef d'une monarchie.

MONASTÈRE n. m., **MONASTIQUE** adj. → MOINE.

MONASTIR, v. de Tunisie, sur le golfe de Hammamet; 20 400 hab. Ancien monastère chrétien. Port de pêche.

MONBAZILLAC, comm. de la Dordogne, à 7 km au S. de Bergerac; 800 hab. Château fort du XVIe s. Vins blancs réputés.

MONCEAU [mɔ̃so] n. m. (lat. *monticellus,* petit mont). Grande quantité de choses accumulées en tas, en amas : *Des monceaux de papiers* (syn. AMONCELLEMENT).

MÖNCHENGLADBACH, ancienn. **München-Gladbach,** v. d'Allemagne (Rhénanie-du-Nord-Westphalie), à l'O. de Düsseldorf; 25 500 hab. Métallurgie.

MONCK (George) → MONK (George).

MONDAIN, E adj. et n., **MONDANITÉS** n. f. pl. → MONDE 2.

1. MONDE [mɔ̃d] n. m. (lat *mundus*). **1.** Ensemble de tout ce qui existe : *Les lois qui gouvernent le monde* (syn. UNIVERS). ‖ *Venir au monde,* naître. ‖ *Mettre au monde,* entanter. — **2.** Système planétaire formé par la Terre et les astres visibles : *On plaçait la Terre au centre du monde.* — **3.** La Terre elle-même, où vivent les hommes : *Faire le tour du monde. Le Nouveau Monde* (= l'Amérique). *L'Ancien Monde* (= l'Europe, l'Asie et l'Afrique). *Se croire le centre du monde* (= se croire regardé par tous les hommes). *Au bout du monde* (= en un endroit très éloigné). — **4.** La terre, par opposition au CIEL : *Il n'est plus de ce monde* (= il est mort). — **5.** Ensemble des hommes vivant sur la Terre : *Les idées qui mènent le monde* (syn. HUMANITÉ). *Depuis que le monde est monde* (= depuis qu'il y a des hommes). *C'est une histoire vieille comme le monde* (= cela se répète depuis qu'il y a des hommes). — **6.** (avec un adj. ou un compl. du nom) Société déterminée (humaine ou animale); groupement humain défini : *Le monde du travail* (= l'ensemble des travailleurs). *Le monde du spectacle* (= les acteurs). *Ils sont du même monde* (= du même milieu social). — **7.** Domaine particulier, distinct, spécifique : *Le monde du silence. Le monde de la poésie.* — **8.** Ensemble de personnes; grand nombre ou nombre indéfini : *Il y a du monde dans les magasins aujourd'hui* (syn. FOULE). *Il se moque du monde* (= des gens). — **9.** *Tout le monde,* tous les gens, chacun des hommes : *Tout le monde est d'accord?* — **10.** *Du monde,* renforce un superl. : *C'est le meilleur homme du monde. Il n'est pas le moins du monde fâché.* ‖ *Pour rien au monde,* en aucun cas, nullement. ‖ *Se faire un monde de qqch.,* lui donner une importance exagérée. ◆ **mondial, e, aux** adj. Relatif au monde (sens 3 et 5) : *Les guerres mondiales. Un événement d'importance mondiale.* ◆ **mondialement** adv. : *Une marque d'alcool mondialement connue* (syn. UNIVERSELLEMENT). ◆ **mondovision** n. f. Transmission dans différentes parties du monde d'images de télévision par relais radio-électriques gravitant autour de la Terre.

	POSSESSEUR (pronom)	POSSÉDÉ (genre et nombre)	ADJECTIF ANTÉPOSÉ	EXEMPLES	PRONOM	EXEMPLES (souvent en opposition avec un autre possessif)
3e PERSONNE	**il, elle, on**	masc. sing.	**son**	*Son pays est là-bas, près de la mer* (= le pays où il est né : origine). *Cela sent son homme malhonnête* (valeur péjor.). *Chacun va de son côté.*	**le sien**	*On demanda les passeports, chacun présenta le sien. Chacun doit y mettre du sien* (= participer à l'œuvre commune).
		fém. sing.	**sa** (devant consonne) **son** (devant voyelle)	*Sa voiture est garée dans le jardin.* *Son aimable fille nous renseigna* (possession). *On a le droit d'avoir son opinion.*	**la sienne**	*Nous avions perdu notre lampe; il nous a prêté la sienne.*
		masc. et fém. plur.	**ses**	*Il parla de ses chevaux* (possession). *Ne dérange pas ses affaires.*	**les siens** **les siennes**	*Il est entouré de l'affection des siens.* *Ton frère a encore fait des siennes* (= fait ses sottises habituelles).
	ils, elles	masc. et fém. sing.	**leur**	*Leur fils est malade* (= le fils qu'ils ont). *Ils n'ont pas retrouvé leur chemin. Ils vont chacun de leur côté.*	**le leur** **la leur**	*Vous n'avez pas votre parapluie? Prenez le leur en attendant.* *Ma maison est bien modeste, mais la leur est magnifique.*
		masc. et fém. plur.	**leurs**	*Leurs désirs sont irréalisables. Ils n'ont pas manqué à leurs promesses* (= à celles qu'ils ont faites).	**les leurs**	*Ils sont entourés de l'affection des leurs* (= de leurs proches parents).

Rem. On emploie parfois les formes *mien, tien, sien, nôtre, vôtre* (formes du pronom possessif sans article) comme attributs; cet emploi est devenu peu fréquent : *Cette opinion est mienne* (= c'est mon opinion). *Considérez cet argent comme vôtre* (= comme le vôtre). On n'emploie plus que très rarement les formes du pronom possessif comme adjectifs épithètes : *Un mien cousin.*

2. MONDE [mɔ̃d] n. m. (même étym.). Ensemble des personnes appartenant aux classes les plus riches des villes et formant une société caractérisée par son luxe, ses divertissements particuliers : *Faire son entrée dans le monde.* ‖ *Homme, femme du monde,* qui connaissent les usages de cette société aristocratique à laquelle ils appartiennent. ◆ **mondain, e** adj. Relatif à cette société particulière : *Le carnet mondain donne dans les journaux les nouvelles du monde.* ◆ adj. et n. Qui fréquente ce milieu, qui aime les divertissements qu'on y donne. ‖ *Police mondaine* ou, fam., *la mondaine,* service de police chargé spécialement des crimes et délits contre les mœurs, et de la surveillance de certains lieux publics. ◆ **mondanités** n. f. pl. Divertissements du monde : *Les mondanités parisiennes.* ◆ **demi-monde** n. m. Milieu où se mêlent les gens des classes riches, aristocratiques et des femmes déclassées, des individus équivoques. ◆ **demi-mondaine** n. f. Femme légère qui fréquente les milieux riches.

MONDEVILLE, comm. du Calvados, dans la banlieue est de Caen; 9400 hab. *(Mondevillais).* Sidérurgie. Chimie.

MONDIAL, E, AUX adj., **MONDIALEMENT** adv. ⟶ MONDE 1.

MONDOVI, v. d'Italie (Piémont); 21 400 hab. Sidérurgie. Faïencerie. Bonaparte y vainquit les Piémontais le 21 avril 1796.

MONDOVISION n. f. ⟶ MONDE 1.

MONDRIAN ou **MONDRIAAN** (Pieter CORNELIS, dit **Piet**), peintre néerlandais (1872-1944). Il vient à Paris en 1911 et, à partir des données du cubisme, évolue vers l'abstraction (*l'Arbre,* 1913). En 1917, il fonde avec Theo Van Doesburg le groupe « De Stijl », qui réduisait la peinture à des éléments géométriques simples et à quelques couleurs pures. Son influence sur l'art non figuratif a été considérable.

MONÉGASQUE [mɔnegask] adj. et n. De la ville ou de la principauté de Monaco.

MONET (Claude), peintre français (1840-1926). À Paris, où il connut longtemps une vie matérielle très difficile, il se lie avec ceux qui devaient constituer le groupe des impressionnistes*, dont il fut le véritable chef.

Il cherche avant tout à traduire la lumière et ses effets par la couleur, et pose sa peinture en l'adaptant à l'impression qu'il veut donner (la peinture est lisse là où l'eau est calme, plus fragmentaire là où l'eau clapote). Ses couleurs sont claires et ne comportent pas de noir (qui n'existe pas dans la nature) : les ombres sont vertes ou bleues. À la fin de sa vie, il renonce à varier les thèmes de sa peinture; il peint des séries du même sujet et se consacre à l'incessante variation de ce motif pris à des heures différentes (les *Cathédrales,* les *Nymphéas*). Son influence fut considérable *(le Déjeuner sur l'herbe,* 1865; *Femmes au jardin,* 1886; *Impression, soleil levant,* 1872; *l'Église de Vétheuil,* 1877; *les Meules, 1891).*

MONÉTAIRE adj., **MONÉTARISME** n. m. ⟶ MONNAIE.

MONGE (Gaspard), comte DE PÉLUSE, mathématicien français (1746-1818); l'un des fondateurs de l'École polytechnique. Il créa la géométrie descriptive (1795). On lui doit également les théories les plus importantes de la géométrie analytique à trois dimensions. Ses cendres ont été transférées au Panthéon à Paris en 1989.

MONGIE (La), station de sports d'hiver des Pyrénées, au S. de Bagnères-de-Bigorre, sur la route du Tourmalet (alt. 1 800-2 340 m).

MONGOLIE, région d'Asie centrale, dont une partie forme aujourd'hui la *république populaire de Mongolie* et l'autre, sous le nom de *Mongolie-Intérieure,* une région autonome de la république populaire de Chine.

La population est constituée depuis l'Antiquité de nomades de races turque, toungouse et mongole, organisés en tribus.

- *IIe s. av. J.-C. La Mongolie est sous le contrôle de tribus turques, les Hiong-nou, mais leur fédération éclate en 60 av. J.-C.*

L'hégémonie politique passe aux Mongols Sien-pei (IIe s. apr. J.-C.) et Jouan-jouan (Ruan-ruan) [Ve-VIe s.], puis aux Turcs (552-920). À partir du Xe s., les Mongols K'i-tan forment un nouveau royaume qui sombre dans l'anarchie au XIIe s., tandis que de nouvelles tribus se mettent en place.

Ces confédérations, redoutées par les sédentaires qui, en Chine, construisirent la Grande Muraille pour se protéger, ont cependant servi de relais entre la Chine et le Moyen-Orient pour les idées nouvelles (bouddhisme, christianisme nestorien* et islām).

- *1206. Témudjin, sous le nom de Gengis khān (v. 1160-1227), assujettit toutes les tribus mongoles.*

La Mongolie unifiée, il entreprend de conquérir la Chine (Pékin est pris en 1215). La conquête continue sous son fils Ogoday (1229-1241) en Russie, Perse et Chine du Sud, où l'empire Song s'effondre en 1276.

- *1260-1294. Kūbilāy, nouveau grand khan, installe sa capitale à Pékin, et son empire devient un empire chinois.*

Tolérants, les Mongols favorisent le bouddhisme et le christianisme sous « la paix mongole », les rapports avec l'Occident s'intensifient : Marco Polo visite l'empire de 1275 à 1291.

- *1368. Les Mongols sont expulsés de Chine par les Ming; leur empire se divise, et ils se fondent dans les populations locales.*

Le khānat de Crimée (Horde d'Or) va durer jusqu'en 1783, tandis qu'au Turkestan, Tīmūr, qui règne de 1370 à 1405 et prétend descendre de Gengis khān, jette les bases de l'empire du Grand Moghol, qui s'étendra jusqu'au N. de l'Inde.

- *1583-1757. La Mongolie divisée passe progressivement sous la suzeraineté chinoise.*

Alors que des paysans chinois colonisent le Sud-Est, l'Ouest est dominé par la Russie.

- *1er déc. 1911. Après la chute de l'empire en Chine, la Mongolie obtient l'indépendance.*

Mais en 1912, elle devient protectorat russe, alors que la Chine contrôle à nouveau le Sud-Est.

- *Juil. 1921. Soukhé Bator, aidé par l'U. R. S. S., installe un gouvernement révolutionnaire qui, en 1924, proclame la république populaire de Mongolie.*
- *1949. La Mongolie-Intérieure devient région autonome de la république populaire de Chine.*

MONGOLIE *(république populaire de),* ancienn. **Mongolie-Extérieure,** État de l'Asie centrale, situé entre l'U. R. S. S. et la Chine; 1 565 000 km²; 2 100 000 hab. (1,1 au km²) [*Mongols*]. Capit. *Oulan-Bator* (435 000 hab.). ⟶ cartes ASIE pp. 96-97.

GÉOGRAPHIE

Région de hautes plaines encadrées par des chaînes montagneuses (Altaï), la Mongolie connaît un climat continental très accusé, aux hivers glacials et aux étés torrides. En raison de l'aridité, la steppe couvre la majeure partie du pays.

	TEMPÉRATURES MOYENNES		PLUIES
	janv.	juil.	
Oulan-Bator	— 27 °C	18 °C	257 mm

L'*élevage* (ovins et caprins) reste la ressource essentielle du pays, mais la population, autrefois nomade, a tendance à se fixer.

L'*industrie* extractive se développe (charbon), parallèlement aux activités traditionnelles liées à l'élevage (laine, cuir...). L'U. R. S. S. est le principal partenaire commercial de la Mongolie.

MONGOLIE-INTÉRIEURE, région autonome du nord de la Chine, correspondant à la partie méridionale de la *Mongolie:* 1 200 000 km²; 19 millions d'hab. Capit. *Houhehot.* Pour des raisons militaires (controverses sino-soviétiques), une partie de son territoire (Est et Ouest) est rattachée depuis 1968 à d'autres provinces chinoises.

MONGOLISME [mɔ̃gɔlism] n. m. (de *mongol*). *Méd.* Affection congénitale due à la présence d'un chromosome en trop (47 au lieu de 46) : *Le mongolisme se traduit par des anomalies physiques (visage aplati, yeux bridés) et intellectuelles (langage difficile).* ◆ **mongolien, enne** adj. et n. Atteint de mongolisme.

MONIALE [mɔnjal] n. f. (du gr. *monos,* seul). Religieuse qui vit dans la retraite ou la solitude.

1. MONITEUR, TRICE [mɔnitœr, -tris] n. (lat. *monitor;* de *monere,* avertir). Personne chargée de l'enseignement et de la pratique de certains sports, de certaines disciplines; personne servant à l'encadrement de groupes d'enfants : *Des moniteurs de colonies de vacances.* ◆ **monitorat** n. m. Fonction de moniteur.

2. MONITEUR [mɔnitœr] n. m. (même étym.). *Méd.* Appareil électronique permettant l'enregistrement permanent des phénomènes physiologiques et utilisé pour la surveillance des malades et la correction des troubles. ◆ **monitorage** ou **monitoring** n. m. Utilisation médicale d'un moniteur.

MONK ou **MONCK** (George), 1er duc d'ALBEMARLE, général anglais (1608-1670). En 1647, il se rallia au Parlement contre le roi; il combattit en Écosse dans l'armée de Cromwell (1650), puis sur mer contre les Hollandais (1653). Lorsque la dictature de Cromwell se termina, il entra dans Londres, puis fit élire un nouveau Parlement qui vota la restauration des Stuarts. Charles II fit de lui le commandant en chef de l'armée royale.

MONLUC ⟶ MONTLUC.

Monna Lisa → JOCONDE (la).

MONNAIE [mɔnɛ] n. f. (du n. de *Junon moneta,* Junon la Conseillère, dans le temple de laquelle on fabriquait la monnaie). **1.** Pièces de métal frappées ou billets émis par un État et destinés à servir de moyen d'échange dans un pays déterminé : *La dévaluation de la monnaie. Fabriquer de la fausse monnaie* (= contrefaire la monnaie d'un pays). *L'hôtel de la Monnaie, à Paris, fabrique les* *pièces de monnaie. Monnaie fiduciaire* (= billets de banque). ‖ *Monnaie de compte*, unité monétaire utilisée uniquement dans les comptes (entre commerçant et client, par ex.), mais qui n'est représentée ni par une pièce ni par un billet : *La guinée anglaise est une monnaie de compte, car les prix sont affichés en guinées, mais il n'existe pas de pièces d'une guinée.* — **2.** Équivalent de la valeur d'un billet de banque ou d'une pièce de monnaie, en billets ou en pièces de plus petite valeur : *Donnez-moi la monnaie de dix francs. De la petite monnaie* (= des pièces de petite valeur). — **3.** Différence entre la valeur d'un billet ou d'une pièce et la valeur d'une marchandise (cette différence étant versée en argent par le vendeur) : *Le receveur d'autobus me rend la monnaie sur dix francs.* — **4.** *Payer qq'un en monnaie de singe*, se moquer de lui, au lieu de le rembourser. ‖ *Rendre à qq'un la monnaie de sa pièce*, lui rendre le mal qu'il vous a fait. ‖ *C'est monnaie courante*, cela arrive fréquemment. ◆ **monnayer** v. t. **1.** *Monnayer un terrain, une valeur*, etc., les transformer en argent liquide. — **2.** *Monnayer son talent, son génie*, etc., en tirer un profit pécuniaire (syn. FAIRE ARGENT DE). ◆ **monétaire** adj. : *L'unité monétaire est en France le franc.* ◆ **monétarisme** n. m. Doctrine selon laquelle il existe un lien entre le volume de la masse monétaire et le comportement de l'économie. ◆ **démonétisé, e** adj. **1.** Se dit d'une monnaie qui n'a plus cours. — **2.** Se dit de quelqu'un qui a perdu son autorité, qui s'est discrédité : *Un ministre démonétisé.* ◆ **faux-monnayeur** n. m. Celui qui fabrique de la fausse monnaie. ◆ **porte-monnaie** n. m. inv. Bourse pour mettre la petite monnaie, les pièces de monnaie.

— ENCYCL. À l'origine, les hommes pratiquaient le *troc* : par exemple, on échangeait du sel contre des fourrures. Peu à peu, on en vint à fabriquer des pièces ou *monnaie* pour simplifier les échanges. On utilisa d'abord des métaux (fer, cuivre, argent, or), puis des alliages. Ensuite la monnaie apparut sous la forme du billet de banque émis par un établissement de crédit ayant la confiance du public, généralement une banque d'État *(monnaie fiduciaire)*. De cette monnaie, on est passé au chèque, chèque postal, ou virement bancaire : c'est la *monnaie scripturale*.

MONNAIE-DU-PAPE [mɔnɛdypap] n. f. (de *monnaie*, pièce, et *pape*). Nom usuel de la LUNAIRE. ‖ Pl. des *monnaies-du-pape*.

Monnaies *(hôtel des)*, hôtel construit par Antoine de 1771 à 1777, quai Conti à Paris. On y fabrique les monnaies françaises.

MONNAYER v. t. → MONNAIE.

MONNET (Jean), administrateur français (1888-1979). Premier commissaire général au Plan, il a proposé, en 1945, un plan de modernisation et d'équipement de l'économie française. Promoteur de l'idée européenne, il a été, de 1952 à 1955, président de la Haute Autorité de la C. E. C. A. Ses cendres ont été transférées au Panthéon à Paris en 1988.

MONNIER (Henri), écrivain et dessinateur français (1805-1877). Il renonça à la peinture pour la caricature et illustra les *Chansons* de Béranger, les *Fables* de La Fontaine, tout en écrivant des *Scènes populaires* (1830). Il a dépeint le personnage du bourgeois de la monarchie de Juillet dans les *Mémoires de Joseph Prudhomme* (1857).

MONO-, élément tiré du gr. *monos*, seul, unique, qui est utilisé comme préf. dans de nombreux mots.

MONOCHROMATIQUE [mɔnɔkrɔmatik] adj. (de *mono-*, et gr. *khrôma*, couleur). *Phys.* Se dit d'une lumière d'une seule couleur, correspondant à des vibrations d'une seule fréquence.

MONOCLE [mɔnɔkl] n. m. (de *mono-*, et lat. *oculus*, œil). Petit verre que l'on maintient sous l'arcade de l'œil.

MONOCLINAL, E, AUX [mɔnɔklinal, -no] adj. (de *mono-*, et [*syn*]*clinal*). *Géol.* Se dit d'une structure où les couches sont inclinées dans la même direction et ont le même pendage. ‖ *Relief monoclinal*, forme topographique asymétrique, se composant d'un talus en pente raide et d'un autre flanc en pente douce : *La cuesta est un relief monoclinal.*

MONOCOQUE [mɔnɔkɔk] adj. *(mono-*, et *coque)*. Se dit d'un fuselage de véhicule dont la rigidité est obtenue par la résistance de la tôle de revêtement.

MONOCORDE [mɔnɔkɔrd] adj. (gr. *monokhordon*, à une seule corde). Dont le son, dont le ton est monotone.

MONOCOTYLÉDONES [mɔnɔkɔtiledɔn] n. f. pl. (de *mono-*, et gr. *kotulêdôn*, cavité). Importante classe de plantes à fleurs (angiospermes), comprenant environ 30 000 espèces, et caractérisée par le fait que la graine n'a qu'un seul cotylédon.

— ENCYCL. Les *monocotylédones* se reconnaissent facilement à leurs feuilles aux nervures parallèles, identiques sur les deux faces et orientées à peu près verticalement. C'est parmi elles que l'on classe les céréales, les graminacées fourragères (herbes des prairies) et ornementales (gazon des pelouses), les joncs, carex, roseaux et plantes analogues du bord des eaux, les palmiers, les bananiers, les ananas, les lis et les narcisses, les oignons et les poireaux, et les 12 000 espèces d'orchidacées.

MONOCULTURE [mɔnɔkyltyr] n. f. *(mono-*, et *culture)*. Utilisation des terres d'une exploitation agricole pour une seule culture permanente (par oppos. à POLYCULTURE).

MONOCYTE [mɔnɔsit] n. m. (de *mono-*, et gr. *kutos*, cellule). Variété de leucocytes mononucléaires, représentant 6 p. 100 des globules blancs du sang humain normal.

MONOGAMIE [mɔnɔgami] n. f. (de *mono-*, et gr. *gamos*, mariage). Système dans lequel l'homme ne peut épouser à la fois qu'une seule femme, et la femme un seul homme (par oppos. à POLYGAMIE).

MONOGRAMME [mɔnɔgram] n. m. (de *mono-*, et gr. *gramma*, lettre). Signe formé de la lettre initiale ou de plusieurs lettres entrelacées d'un nom.

MONOGRAPHIE [mɔnɔgrafi] n. f. (de *mono-*, et gr. *graphein*, décrire). Étude limitée à un point d'histoire, de géographie, de littérature, et consistant souvent dans la description d'une région ou dans une biographie.

MONOÏQUE [mɔnɔik] adj. (de *mono-*, et gr. *oikos*, demeure). Se dit d'une plante à fleurs unisexuées, mais où chaque pied porte des fleurs mâles et des fleurs femelles, comme le maïs (par oppos. à DIOÏQUE).

MONOLITHE [mɔnɔlit] n. m. (de *mono-*, et gr. *lithos*, pierre). Monument fait d'un seul bloc de pierre (colonne, obélisque). ◆ **monolithique** adj. **1.** D'un seul bloc de pierre. — **2.** Se dit de ce qui forme un ensemble rigide, inébranlable : *Un système monolithique* (contr. NUANCÉ, SOUPLE). ◆ **monolithisme** n. m. : *Le monolithisme des partis politiques.*

MONOLOGUE [mɔnɔlɔg] n. m. (de *mono-*, et gr. *logos*, discours). **1.** Discours d'une personne qui se parle à elle-même à haute voix : *Il avait oublié son auditoire et son exposé devint un monologue qui ne s'adressait qu'à lui-même* (syn. SOLILOQUE). *Monologue intérieur* (= suite de pensées intérieures, analogue à la rêverie). — **2.** Dans une pièce de théâtre, scène où un personnage est seul et se parle à lui-même : *Les monologues des tragédies classiques.* ◆ **monologuer** v. i. Parler seul ou pour soi-même.

1. MONÔME [mɔnom] adj. et n. m. (de *mono-*, et gr. *onoma*, nom). Math. *Fonction monôme*, fonction de $\mathbb{R}$ dans $\mathbb{R}$ telle que l'image d'un nombre x soit égale au produit d'une puissance entière de x par un nombre réel. Le nombre réel image de x par une telle fonction est un *monôme*.

— ENCYCL. Exemple de *fonction monôme* $f : \mathbb{R} \to \mathbb{R}$, $x \mapsto 5x^2$

Exemple de *monôme* : $5x^2$.

Dans le monôme ax^n (a élément de $\mathbb{R}$, n élément de $\mathbb{N}$), a est le *coefficient* et n le *degré* du monôme (*ex.* : 2 est le degré de $5x^2$, 7 est le degré de $-\frac{1}{2}x^7$).

Une somme de monômes est un *polynôme*.

2. MONÔME [mɔnom] n. m. (par allus. à la suite des termes du *monôme*). Défilé d'étudiants qui manifestent.

MONOMOTAPA, nom porté par le chef d'un vaste empire bantou qui s'étendait dans la région du Zambèze. Créé au IXe s. cet empire devint protectorat de fait du Portugal au XVIIe s.

MONONUCLÉAIRE [mɔnɔnykleɛr] adj. et n. m. (de *mono-*, et lat. *nucleus*, noyau). Globule blanc du sang qui n'a qu'un seul noyau (par oppos. à POLYNUCLÉAIRE). ◆ **mononucléose** n. f. Maladie caractérisée par l'augmentation du nombre des mononucléaires.

MONOPHASÉ [mɔnɔfaze] adj. m. (de *mono-*, et *phase*). Se dit du courant électrique alternatif simple, ne nécessitant que deux fils pour sa distribution (s'oppose à POLYPHASÉ).

MONOPLAN [mɔnɔplɑ̃] n. m. (*mono-*, et *plan*). Avion dont les ailes sont sur un seul et même plan.

MONOPOLE [mɔnɔpɔl] n. m. (de *mono-*, et gr. *pôlein*, vendre). **1.** Privilège qu'une entreprise, un État *(monopole d'État)* ou un individu possède pour fabriquer et vendre un produit ou pour exploiter certains services : *En empêchant le jeu de la libre concurrence, celui qui détient le monopole reste maître sur le marché et pratique les prix qui lui conviennent. Il y a un monopole d'État pour la fabrication des allumettes, du tabac, etc.* — **2.** Privilège exclusif et souvent arbitraire : *Il n'a pas le monopole de la générosité* (syn. EXCLUSIVITÉ). ◆ **monopoliser** v. t. **1.** Réduire en monopole. — **2.** Réserver pour son profit personnel, accaparer pour son seul usage : *Il a monopolisé le livre à la bibliothèque et on ne peut l'avoir.* ◆ **monopolistique** adj. Qui a la forme du monopole.

MONORAIL [mɔnɔraj] adj. m. et n. m. *(mono-*, et *rail)*. Se dit d'un dispositif de chemin de fer n'utilisant qu'un seul rail de roulement, et de tous véhicules, palans et autres dispositifs se déplaçant sur un seul rail.

MONOSKI [mɔnɔski] n. m. *(mono-, et ski).* Ski nautique ou de neige sur un seul ski; le ski lui-même. (Abrév. MONO.)

MONOSTYLE [mɔnɔstil] adj. et n. m. *(mono-, et style). Archit.* Se dit d'une colonne à fût unique et isolé.

MONOSYLLABE [mɔnɔsillab] ou **MONOSYLLABIQUE** adj. *(mono-, et syllabe).* Qui n'a qu'une syllabe : *Terme monosyllabique.* ◆ **monosyllabe** n. m. : *Les monosyllabes sont souvent des homonymes en langue parlée, comme seau, sot, sceau.* ◆ **monosyllabisme** n. m. Caractère des mots qui ne contiennent qu'une syllabe et des langues formées exclusivement de ces mots : *Le monosyllabisme chinois.*

MONOTHÉISME [mɔnɔteism] n. m. (de *mono-*, et gr. *theos*, dieu). Croyance en un seul Dieu. ◆ **monothéiste** adj. et n.

MONOTONE [mɔnɔtɔn] adj. (de *mono-*, et gr. *tonos*, ton). Dont la régularité, le peu de variété, l'uniformité, la répétition lassent, ennuient ; *Le débit monotone d'un orateur* (syn. UNIFORME; contr. VARIÉ). *Une vie monotone* (= triste, sans relief). ◆ **monotonie** n. f. : *La monotonie d'une voix* (syn. UNIFORMITÉ). *Cet incident rompit la monotonie de sa vie* (syn. ENNUI; contr. VARIÉTÉ).

MONOTRÈMES [mɔnɔtrɛm] n. m. pl. (de *mono-*, et gr. *trêma*, orifice). Classe de mammifères primitifs, strictement localisée en Australie, en Tasmanie et en Nouvelle-Guinée, et comprenant notamment l'*ornithorynque*, l'*échidné*. (Chez ces animaux on trouve curieusement réunis des caractères d'oiseaux [bec corné, reproduction ovipare] et des caractères de mammifères [poils, sécrétion lactée].)

1. MONOTYPE [mɔnɔtip] n. m. *(mono-, et type).* Yacht à voile, faisant partie d'une série de bateaux identiques, tous construits sur le même plan. (On y distingue notamment le « Finn » [un homme à bord], les « Flying Dutchman » et « Star » [deux hommes à bord], et le « Dragon » [trois hommes à bord].)

2. MONOTYPE [mɔnɔtip] n. f. (nom déposé). *Arts graph.* Machine à composer en caractères séparés mobiles. (Prend une majusc.)

MONROE (James), homme politique américain (1758-1831), président des États-Unis en 1817, réélu en 1820. En 1823, dans son message au Congrès, il formula un des principes de politique étrangère connus sous le nom de *doctrine de Monroe,* suivant lesquels l'ensemble du continent américain n'était plus susceptible de colonisation et serait protégé par les États-Unis; ceux-ci, en compensation, se désintéresseraient des affaires européennes.

MONROVIA, capit. du Libéria, sur l'Atlantique, près de l'embouchure de la rivière Saint Paul; 308 000 hab. Port exportateur de caoutchouc, d'huile de palme, de minerai de fer.

MONS, v. de Belgique, ch.-l. du Hainaut, à 55 km au S.-S.-O. de Bruxelles; 91 000 hab. *(Montois).* Centre d'une ancienne région houillère ayant attiré l'industrie lourde. Verrerie. Siège du SHAPE.

MONS ou **MONS-EN-BARŒUL,** comm. du Nord, faubourg de Lille; 26 600 hab. Textiles.

MONSEIGNEUR [mɔ̃sɛɲœr] n. m. *(mon-, et seigneur).* **1.** Titre d'honneur donné à certaines personnes d'une dignité éminente (évêque, prince). [Écrit en abrégé Mgr.] — **2.** Après Louis XIV, titre donné au Dauphin de France. (En ce sens, prend une majusc.) ‖ Pl. *messeigneurs.*

MONSIEUR [møsjø], pl. **MESSIEURS** [mesjø] n. m. *(mon, et sieur).* **1.** Titre donné à tout homme à qui l'on écrit, à qui l'on parle ou dont on parle (suivi d'un nom propre, d'un titre, ou employé en apostrophe) : *Monsieur Durand. Monsieur le Président.* (Écrit en abrégé *M.* [au sing.] et *MM.* [au plur.].) — **2.** Titre donné au maître de la maison, ou par un commerçant, un garçon de café, etc., à son client : *Ces messieurs désirent déjeuner?* — **3.** Homme quelconque dont on ne connaît pas le nom : *Un monsieur très bien.* — **4.** *C'est un monsieur, un grand monsieur,* un homme de grande valeur intellectuelle ou morale. — **5.** Titre du frère puîné (= cadet) du roi de France, sous l'Ancien Régime. (En ce sens, prend une majusc.)

Monsieur *(paix de),* accord signé à Étigny (Yonne) entre catholiques et protestants, le 7 mai 1576, par l'intermédiaire de Monsieur, duc d'Alençon, frère de Henri III.

Monsieur de Pourceaugnac, comédie-ballet de Molière, en 3 actes et en prose, musique de Lully (1669).

MONSIGNY (Pierre Alexandre), compositeur français (1729-1817), l'un des créateurs de l'opéra-comique.

MONSTRE [mɔ̃str] n. m. (lat. *monstrum*). **1.** Être vivant présentant une importante malformation, une absence ou une position anormale des membres : *Les veaux à deux têtes sont des monstres.* — **2.** Être fantastique des mythologies, des légendes, généralement formé de parties d'êtres ou d'animaux différents : *Les centaures, monstres moitié cheval, moitié homme.* — **3.** Animal de très grande taille : *Les monstres marins.* — **4.** Personne dont les sentiments inhumains, pervers, provoquent l'horreur : *Un monstre de cruauté;* qui se distingue par un caractère anormal : *C'est un monstre de travail.* — **5.** *Les monstres sacrés,* les grandes vedettes du cinéma ou de la scène. ◆ adj. D'une grandeur, d'une quantité extraordinaire : *Une publicité monstre* (syn. FANTASTIQUE, PRODIGIEUX). ◆ **monstrueux, euse** adj. **1.** D'une conformation contre nature : *Un veau monstrueux* (syn. DIFFORME). — **2.** D'une grandeur, d'une force extraordinaire : *Un bruit monstrueux* (syn. ÉNORME). — **3.** D'une cruauté, d'une perversion qui provoque l'horreur : *Un crime monstrueux* (syn. ABOMINABLE). ◆ **monstrueusement** adv. : *Être monstrueusement laid.* ◆ **monstruosité** n. f. Caractère de celui qui est monstrueux, de ce qui est horrible : *La monstruosité du geste indigna l'opinion publique* (syn. ATROCITÉ).

MONT [mɔ̃] n. m. (lat. *mons, montis*). **1.** *Géogr.* Forme de relief en région plissée, correspondant à un anticlinal* conservé : *Le mont Blanc. Les monts d'Auvergne.* — **2.** *Par monts et par vaux,* à travers le pays tout entier : *Être sans cesse par monts et par vaux* (= en voyage). ‖ *Promettre monts et merveilles,* faire des promesses étonnantes, exagérées. ◆ **montueux, euse** adj. Qui présente des collines nombreuses : *Terrain montueux* (syn. ACCIDENTÉ; contr. PLAT). ◆ **monticule** n. m. Petite bosse de terrain, amas de matériaux, de pierres, etc. : *Des monticules se profilaient à l'horizon* (syn. BUTTE). *Un monticule de pierres* (syn. TAS).

MONTAGE n. m. ⟶ MONTER 3.

MONTAGNARD, E adj. et n. ⟶ MONTAGNE.

Montagnards, pendant la Convention, députés qui siégeaient sur les bancs les plus élevés de l'Assemblée (par oppos. aux GIRONDINS situés à droite, et aux représentants du centre appelés MARAIS).

Apparus sous l'Assemblée législative, ils forment l'aile gauche des « démocrates » autour de Desmoulins, Carnot, Hébert, Couthon, Saint-Just et surtout Danton, Marat, Robespierre.

Élus de la petite et moyenne bourgeoisie urbaine, surtout parisienne, ils sont membres du club des Jacobins et de celui des Cordeliers, qu'ils rallient à leur politique.

- *10 août 1792. Leur union avec les sans-culottes face à l'inaction des Girondins et aux manœuvres du roi entraîne la suppression de la monarchie et l'instauration du suffrage universel.*

Ils font condamner et exécuter Louis XVI en janvier 1793.

- *2 juin 1793. La lutte qui les oppose aux Girondins se termine par l'élimination de ceux-ci et l'instauration de la Convention montagnarde.*

Danton écarté le 10 juillet 1793, Marat assassiné le 13 juillet, les Montagnards font l'unité autour de Robespierre qui instaure « le despotisme de la liberté ». Ils héritent de difficultés économiques et militaires, et mènent une politique économique dirigiste pour rétablir la situation. Partisans d'une centralisation des pouvoirs favorable au mouvement populaire parisien (Comité de salut public), ils utilisent la « Terreur » à l'égard des contre-révolutionnaires. Leurs efforts en vue d'une rénovation sociale vont cependant échouer.

- *Printemps 1794. Les divergences entre eux aboutissent à l'élimination de Hébert et de ses partisans, éléments les plus proches des sans-culottes, puis de Danton et des « indulgents ».*

Progressivement, l'indifférence populaire (« la Révolution est glacée », dira Saint-Just), l'amélioration de la situation militaire (victoire de Fleurus le 26 juin 1794) et la peur des députés menacés (prévaricateurs ou terroristes) isolent Robespierre.

- *27 juil. 1794 (9 thermidor an II). Il est mis en minorité, arrêté avec ses partisans, et exécuté le lendemain.*

Les derniers Montagnards, isolés, sont éliminés après les émeutes de Germinal an III (avril 1795).

MONTAGNE [mɔ̃taɲ] n. f. (du lat. *mons, montis,* mont). **1.** Forme de relief caractérisée par son altitude relativement élevée (l'opposant à la plaine) et par une topographie accidentée (la distinguant du haut plateau), et résultant généralement de la forte dénivellation entre sommets et fonds de vallée. — **2.** *Une montagne (des montagnes) de,* une grande quantité de : *Une montagne de livres.* — **3.** *Se faire une montagne de qqch.,* s'en exagérer l'importance, les dangers, les difficultés. — **4.** *Montagnes russes,* série de montées et de descentes rapides sur lesquelles on se laisse glisser dans une sorte de traîneau. ◆ **montagnard, e** adj. et n. Qui habite les montagnes, qui y vit : *Les montagnards de Savoie.* ◆ **intramontagnard, e** adj. Situé à l'intérieur d'un massif, d'une chaîne de montagnes. ◆ **montagneux, euse** adj. Formé de montagnes, où il y a beaucoup de montagnes : *Pays montagneux.*

Montagne (la), les députés montagnards.

MONTAGNE BLANCHE (la), colline voisine de Prague.

• *8 nov. 1620. Les Tchèques y furent vaincus par les Impériaux.*

MONTAGNE NOIRE, massif de la bordure méridionale du Massif central, culminant au pic de Nore (1 210 m).

MONTAGNE NOIRE ou **MONTAGNES NOIRES,** ligne de hauteurs de Bretagne, culminant au Menez Hom (326 m).

MONTAGNEUX, EUSE adj. ⟶ MONTAGNE.

MONTAIGNE (Michel EYQUEM DE), écrivain français (1533-1592).

Conseiller à la cour des aides de Périgueux, puis au parlement de Bordeaux, où il rencontre Étienne de La Boétie, il fréquente la Cour, puis se démet de sa charge. À partir de 1572, il commence à fixer par écrit ses réflexions, ses notes de lectures. Ainsi se font les *Essais,* dont la première édition paraît en 1580. Jusqu'à sa mort, il ne cessera d'enrichir cet ouvrage, qui, dès 1588, comportera trois livres. Il s'y peint lui-même, mais, à travers les contradictions de sa propre nature, il découvre l'impuissance de l'homme à trouver la vérité et la justice. Le voyage que Montaigne accomplit à travers l'Europe en 1580-1581, et dont il laisse un *Journal,* ne fait que lui confirmer la relativité des choses humaines. Il juge que l'« art de vivre » doit se fonder sur une sagesse prudente, inspirée par le bon sens et l'esprit de tolérance.

MONTAIGU, ch.-l. de cant. de la Vendée, à 34 km au S.-E. de Nantes; 4 800 hab. *(Montaigusiens* ou *Montacutains).*

• *1793. Les Vendéens y sont battus par le général Beysser, mais prennent leur revanche quelques jours plus tard.*

MONTAIGUS (les), famille véronaise, célèbre au XVe s. par sa rivalité avec les Capulets. Le nom italien est MONTECCHI. Shakespeare a popularisé la forme Montaigu dans *Roméo et Juliette.*

MONTALEMBERT (Charles FORBES, *comte* DE), publiciste et homme politique français (1810-1870), défenseur du catholicisme libéral.

MONTANA, État du nord-ouest des États-Unis; 381 087 km^2; 719 000 hab. Capit. *Helena.*

MONTANA, comm. de Suisse, dans le Valais; 1 600 hab. — Station climatique et de sports d'hiver *(Montana-Vermala),* à 1 234 m.

1. MONTANT, E adj. ⟶ MONTER 1.

2. MONTANT n. m. ⟶ MONTER 4.

3. MONTANT [mɔ̃tɑ̃] n. m. (de *monter*). Pièce de bois, de métal, posée verticalement, dans un ouvrage de menuiserie ou de serrurerie, pour servir de soutien : *Les montants d'une échelle* (= pièces dans lesquelles s'emboîtent les barreaux). *Les montants d'un lit.*

MONTARGIS, ch.-l. d'arrond. du Loiret, sur le Loing, au point de jonction des canaux de Briare, d'Orléans et du Loing, à 112 km au S. de Paris; 17 600 hab. *(Montargois).* Constructions mécaniques et électriques.

MONTATAIRE, ch.-l. de cant. de l'Oise, dans la banlieue S.-O. de Creil; 12 900 hab. Sidérurgie.

MONTAUBAN, ch.-l. du dép. de Tarn-et-Garonne, sur le Tarn, à 630 km au S. de Paris; 53 100 hab. *(Montalbanais).* Centre expéditeur de primeurs, fruits et volailles. Constructions électriques.

MONTBARD, ch.-l. d'arrond. de la Côte-d'Or, sur le canal de Bourgogne, à 81 km au N.-O. de Dijon; 7 900 hab. *(Montbardois).* Métallurgie.

MONTBÉLIARD, ch.-l. d'arrond. du Doubs, sur le canal du Rhône au Rhin, à 18 km au S. de Belfort; 33 400 hab. *(Montbéliardais).* La ville, peu importante, est surtout le centre d'une agglomération presque cinq fois plus peuplée, dominée par la métallurgie, en particulier par la construction automobile (Sochaux).

MONT-BLANC *(massif du)* ⟶ BLANC *(mont).*

MONTBRISON, ch.-l. d'arrond. de la Loire, à 34 km au N.-O. de Saint-Étienne; 13 700 hab. Anc. capit. du Forez et ch.-l. du dép. de la Loire de 1801 à 1856. Métallurgie.

MONTCALM *(pic de),* sommet des Pyrénées ariégeoises; 3 080 m.

MONTCALM (Louis Joseph, *marquis* DE), général français (1712-1759). Il commanda les troupes du Canada à partir de 1756, s'empara du fort d'Oswego (1756) et du fort William Henry (1757), et contint les Anglais près du fort Carillon (1758). Il fut tué en défendant Québec.

MONTCEAU-LES-MINES, ch.-l. de cant. de Saône-et-Loire, sur la Bourbince et le canal du Centre, à 19 km au S.-O. du Creusot; 26 900 hab. *(Montcelliens).* Caoutchouc. Constructions mécaniques. Bonneterie.

MONTCHANIN, ch.-l. de cant. de Saône-et-Loire, à 7 km au S. du Creusot; 6 300 hab. Métallurgie.

MONT-DE-MARSAN, ch.-l. du dép. des Landes, au confluent du Midou et de la Douze, à 695 km au S.-O. de Paris; 30 900 hab. *(Montois).* Siège du Centre d'expériences aériennes militaires.

MONT-DE-PIÉTÉ [mɔ̃dəpjete] n. m. (de l'it. *monte di pietà,* crédit de pitié). Établissement public qui prête de l'argent à intérêt, moyennant la mise en gage d'un objet mobilier. ‖ Pl. des *monts-de-piété.*

MONTDIDIER, ch.-l. d'arrond. de la Somme, au-dessus de la rivière des Trois-Doms, à 36 km au S.-E. d'Amiens; 6 300 hab. *(Montdidériens).* Maroquinerie. En mars-août 1918 la ville fut le théâtre d'une bataille menée victorieusement par Foch avec les armées anglaises.

MONT-DORE *(massif du),* ou **MONTS DORE** (les), massif volcanique le plus élevé du Massif central, en Auvergne; 1 885 m au puy de Sancy.

MONT-DORE (Le), comm. du Puy-de-Dôme, à 48 km au S.-O. de Clermont-Ferrand; 2 350 hab. Eaux thermales. Sports d'hiver.

MONTE n. f. ⟶ MONTER 2.

MONTÉ, E adj. ⟶ MONTER 2 et 3.

MONTEBELLO, comm. d'Italie (Lombardie). Le 9 juin 1800, les Autrichiens y furent vaincus par Lannes et, en 1859, par le général Forey.

MONTE-CARLO, quartier de la principauté de Monaco, où se trouvent le casino et les principaux hôtels.

MONTE-CHARGE n. m. inv. ⟶ MONTER 1.

MONTECRISTO, îlot italien situé au S. de l'île d'Elbe, rendu célèbre par un roman d'Alexandre Dumas père.

Monte-Cristo *(le Comte de)* ⟶ COMTE DE MONTE-CRISTO *(le*

MONTÉE n. f. ⟶ MONTER 1.

MONTÉLIMAR, ch.-l. de cant. de la Drôme, à 44 km au S. de Valence, dans la vallée du Rhône, près du confluent du Roubion et du Jabron; 30 200 hab. *(Montiliens).* Nougats.

MONTÉNÉGRO, anc. principauté balkanique, indépendante par le traité de Berlin (1878). Elle fut érigée en royaume (1910) par Nicolas Ier, et réunie à la Yougoslavie depuis 1918. Le Monténégro est auj. la plus petite des six républiques fédérées de la Yougoslavie; 13 812 km^2; 530 400 hab. *(Monténégrins).* Capit. *Titograd.*

MONTE-PLATS n. m. inv. ⟶ MONTER 1.

1. MONTER [mɔ̃te] v. i. (du lat. *mons, montis,* mont) [auxil. *être*]. **I. Sujet désignant un être animé. 1.** Se transporter en un lieu plus élevé : *Monter au sommet de la montagne* (syn. GRIMPER; contr. DESCENDRE); suivi d'un infin. : *Les enfants sont montés se coucher.* ‖ *Monter sur le trône,* devenir roi. ‖ *Monter sur les planches,* devenir acteur. — **2.** Se placer dans ou sur ce qui peut transporter : *Monter en voiture. Monter à bicyclette. Monter dans le train, dans un taxi, dans un avion* (syn. PRENDRE [le train, etc.]). — **3.** *Monter à Paris,* se déplacer du sud vers Paris. — **4.** Progresser en passant d'un degré à un autre plus élevé : *Officier qui monte en grade.* ‖ *Les générations qui montent,* celles qui parviennent à l'âge adulte. **II. Sujet désignant une chose. 1.** S'élever dans l'espace, venir d'un lieu moins élevé : *L'avion monte dans le ciel. Le brouillard monte de la vallée* (contr. DESCENDRE SUR). *Le vin lui monte à la tête* (= il devient ivre). — **2.** Aller en pente d'un lieu moins élevé vers un autre : *La rue monte vers l'église. Le chemin monte* (syn. GRIMPER). — **3.** Devenir plus haut, accroître son niveau (auxil. *avoir*) : *La mer a monté* (contr. DESCENDRE). *Sa température a encore monté* (= sa fièvre). — **4.** (sujet nom désignant un prix, une valeur) Augmenter (auxil. *avoir*) : *Les prix ont monté* (contr. DESCENDRE). *Les cours des actions n'ont cessé de monter* (contr. BAISSER). — **5.** S'élever à un certain total : *Les frais ont monté à plusieurs milliers de francs.* — **6.** Passer du grave à l'aigu : *La voix monte par tons et demi-tons.* ◆ v. t. (auxil. *avoir*). **1.** Parcourir en s'élevant, en allant de bas en haut : *Monter les marches. Monter une côte* (syn. ESCALADER). — **2.** Transporter en un lieu plus élevé : *Le garçon vous montera votre petit déjeuner.* — **3.** *Monter la tête à qq'un,* l'exciter contre un autre; provoquer chez lui une exaltation par des espérances trompeuses (au passif aussi) : *On lui a monté la tête contre vous.* ‖ *Être monté,* être en colère. ◆ **se monter** v. pr. *Se monter la tête,* se mettre en colère en s'excitant soi-même. ◆ **montant, e** adj. Qui monte : *La marée montante* (contr. DESCENDANT). *Un col montant* (= qui cache la gorge). ◆ **montée** n. f. **1.** Action de monter sur un lieu élevé : *Il a voulu faire la montée à pied* (syn. ASCENSION, ESCALADE). — **2.** Action de croître en valeur, en grandeur : *La montée des prix* (syn. AUGMENTATION). *La montée de la température. La montée des eaux du fleuve* (syn. CRUE). — **3.** Pente plus ou moins raide, chemin par où l'on monte vers une éminence (syn. RAIDILLON).

◆ **monte-charge** n. m. inv. Appareil servant à monter des fardeaux d'un étage à l'autre. ◆ **monte-plats** n. m. inv. Monte-charge qui, dans un restaurant, monte les plats de la cuisine dans la salle à manger. ◆ **remonter** v. i. **1.** (sujet nom de personne) Monter de nouveau, regagner l'endroit d'où l'on est descendu : *Remonter à (dans) sa chambre. Remonter dans sa voiture.* — **2.** S'élever, s'accroître de nouveau : *La fièvre remonte, le malade est plus mal.* — **3.** Augmenter de nouveau : *Les prix des denrées alimentaires remontent.* ‖ *Ses actions remontent,* se dit de quelqu'un qui retrouve la faveur, le crédit qu'il avait perdus. ◆ v. t. **1.** Gravir de nouveau : *Remonter un escalier.* — **2.** Porter de nouveau en haut : *Remonter une valise au grenier.*

2. MONTER [mɔ̃te] v. t. et i. (même étym.). *Monter à cheval* (auxil. *être*), *monter un cheval* (auxil. *avoir*), aller à cheval, être sur un cheval. ◆ **monte** n. f. Manière de monter à cheval. ◆ **monté, e** adj. Se dit des militaires qui utilisaient autref. le cheval pour combattre, ou comme animal de transport (artillerie, cavalerie, train). ◆ **monture** n. f. Animal (cheval, âne, etc.) sur lequel on monte : *Qui veut voyager loin ménage sa monture.*

3. MONTER [mɔ̃te] v. t. (même étym.) [auxil. *avoir*]. **1.** Mettre un objet en état de fonctionner; en assembler les parties de façon à le faire servir : *Monter une tente. Monter un diamant sur une bague* (syn. ENCHÂSSER). — **2.** Entreprendre en organisant : *Monter une pièce de théâtre* (=la préparer pour qu'elle soit représentée). — **3.** *Monter un film,* en choisir et en assembler les plans en vue de la bande définitive. — **4.** Munir de ce qui est nécessaire à (souvent au passif) : *Les nouvelles rames de métro sont montées sur pneus* (syn. ÉQUIPER). ◆ ***se monter*** v. pr. Se pourvoir en : *Se monter une garde-robe.* ◆ **montage** n. m. **1.** Action d'assembler les pièces d'un mécanisme, de mettre en état de fonctionner : *Le montage d'une tente, d'un moteur.* — **2.** Assemblage des diverses séquences d'un film en une bande définitive. ◆ **monté, e** adj. **1.** Pourvu de ce qui est nécessaire : *Il est bien monté en cravates.* — **2.** *Coup monté,* coup préparé à l'avance et en secret. ◆ **monteur, euse** n. Spécialiste du montage. ◆ **monture** n. f. Garniture d'un objet, d'un outil, d'un appareil, qui en maintient les diverses parties et permet de l'utiliser facilement : *La monture des lunettes. La monture en or d'une bague.* ◆ **démonter** v. t. **1.** *Démonter un objet, un appareil,* le défaire pièce à pièce sans l'endommager : *Démonter une tente.* — **2.** *Démonter une chose,* la retirer de l'endroit où elle est fixée : *Démonter un pneu.* ◆ **démontable** adj. Qui peut être démonté. ◆ **démontage** n. m. : *Le démontage d'une tente, d'un pneu.* ◆ **remonter** v. t. **1.** Ajuster de nouveau les pièces, les parties d'un objet démonté : *Remonter un moteur.* — **2.** Pourvoir de nouveau de ce qui est nécessaire : *Remonter sa garde-robe.* ‖ *Remonter un violon, une raquette de tennis,* les garnir de cordes neuves. ◆ ***se remonter*** v. pr. Se pourvoir de nouveau des choses nécessaires : *Se remonter en vêtements.*

4. MONTER (SE) [səmɔ̃te] v. pr. (même étym.). S'élever à un total de : *Les réparations se montent à plus de mille francs.* ◆ **montant** n. m. Total d'un compte : *Le montant de l'impôt* (syn. CHIFFRE). *Le montant de ses dettes* (syn. SOMME).

MONTEREAU-FAULT-YONNE ou **MONTEREAU,** ch.-l. de cant. de Seine-et-Marne, à 23 km à l'E. de Fontainebleau; 19600 hab. *(Monterelais).* Métallurgie. Centrale thermique.

- *1419. Jean sans Peur y est assassiné.*
- *1814. Victoire de Napoléon Ier sur les Alliés.*

MONTERREY, v. du nord-est du Mexique, au pied de la sierra Madre; 858100 hab. Troisième ville du pays, c'est un important centre industriel (sidérurgie, raffinage du pétrole, chimie).

MONTESPAN (Françoise Athénaïs DE ROCHECHOUART DE MORTEMART, *marquise* DE) [1640-1707], favorite du roi Louis XIV, dont elle eut plusieurs enfants, elle fut compromise dans l'affaire des Poisons.

MONTESQUIEU (Charles DE SECONDAT, *baron* DE LA BRÈDE et DE), écrivain français (1689-1755).

Né dans un milieu de magistrats bordelais, il couronne ses études classiques par une formation juridique. En 1714, il est conseiller au parlement de Bordeaux. Il ne tarde pas à tourner sa curiosité vers les faits sociaux du passé et de son temps. Ce sont ces derniers qu'il présente en 1721 d'une façon humoristique dans les *Lettres* persanes.* Peu après son élection à l'Académie française (1727), il entreprend un voyage à travers l'Autriche, l'Italie, l'Allemagne, la Hollande. Il séjourne deux ans en Angleterre et revient chez lui en 1731. Il publie en 1734 *Considérations* sur les causes de la grandeur des Romains et de leur décadence,* mais accumule depuis longtemps les documents de son œuvre principale, *De l'esprit* des lois,* dont les *Considérations* ne sont qu'une sorte de chapitre détaché. Après y avoir encore travaillé quatorze ans, il se résout à la publier en 1748. Ce livre suscite de violentes critiques aussi bien des jansénistes que des jésuites. La Sorbonne condamne l'ouvrage, et Rome le censure en 1751. Une cécité presque totale attriste les dernières années de la vie de Montesquieu. Il ne collabore que de loin avec les encyclopédistes, mais rédige toutefois pour leur grand dictionnaire un article sur *le Goût.*

De son œuvre et de son journal, qu'il intitule *Mes pensées,* se dégage l'image d'un moraliste, curieux de tout ce qui touche au bonheur et désireux d'en enseigner la conquête à ses semblables. Il jeta les bases des sciences sociales et économiques, inspira les rédacteurs de la Constitution de 1791 et fut à l'origine des doctrines constitutionnelles libérales qui reposent sur la séparation des pouvoirs législatif, exécutif et judiciaire.

MONTESQUIOU (Charles DE BATZ ou DE), comte d'ARTAGNAN, homme de guerre français (1611-1673). Officier des mousquetaires, il arrêta Fouquet à Nantes (1661). Sous le nom de « d'Artagnan », il est le héros des *Trois Mousquetaires* de Dumas.

MONTESSON, comm. des Yvelines, à 3 km au N.-E. de Saint-Germain-en-Laye; 11200 hab.

MONTESSORI (Maria), pédagogue italienne (1870-1952). Elle a mis au point et expérimenté une méthode destinée à développer par des exercices attrayants le goût de l'ordre et la mémoire des sens chez les jeunes enfants.

MONTEUR, EUSE n. → MONTER 3.

MONTEVERDI (Claudio), compositeur italien (1567-1643), un des créateurs de l'opéra en Italie, auteur d'*Orfeo* (1607), d'*Arianna* (1608), du *Retour d'Ulysse* (1641), du *Couronnement de Poppée* (1642) et de neuf livres de madrigaux et cantates, qui ont, pour une part, révolutionné le langage musical.

MONTEVIDEO, capit. de l'Uruguay, sur le río de la Plata; 1400000 hab. Exportation de viandes, laines, peaux. Importantes industries alimentaires (conserve de viande) et textiles. Port de pêche.

MONTEZUMA → MOCTEZUMA.

MONTFAUCON, localité située jadis hors de Paris, entre La Villette et les Buttes-Chaumont, où s'élevait un gibet construit au XIIIe s.

MONTFERMEIL, ch.-l. de cant. de la Seine-Saint-Denis, à 3 km à l'E. du Raincy; 23000 hab. Métallurgie.

MONTFERRAT, en it. **Monferrato,** région d'Italie, dans le Piémont, formée de collines tertiaires calcaires ou argilo-sableuses; 716 m. Vins renommés (asti).

MONTFERRAT, famille de Lombardie, dont un des membres les plus célèbres a été BONIFACE, marquis **de Montferrat.** Il fut l'un des chefs de la quatrième croisade (1202) et roi de Thessalonique (1204-1207).

MONTFORT (Simon IV *le Fort, sire* DE), seigneur français (v. 1150-1218). Chef de la croisade contre les albigeois, il remporta la victoire de Muret (1213), mais fut tué au siège de Toulouse.

MONTGENÈVRE, station de sports d'hiver des Hautes-Alpes, au *col du Montgenèvre* (alt. 1850-2600 m).

MONTGERON, ch.-l. de cant. de l'Essonne, à 2 km au S.-E. de Villeneuve-Saint-Georges, en bordure de la forêt de Sénart; 22200 hab.

MONTGOLFIER (*les frères* DE), JOSEPH (1740-1810) et ÉTIENNE (1745-1799), industriels et inventeurs français. Ils collaborent étroitement aussi bien à l'invention du ballon à air chaud, auquel leur nom est resté attaché sous la dénomination de *montgolfière* (1783), qu'à celle de la machine servant à élever l'eau et appelée *bélier hydraulique* (1792). Étienne rénova la technique française de la papeterie.

MONTGOLFIÈRE [mɔ̃gɔlfjɛr] n. f. (du n. des frères *Montgolfier*). Aérostat qui s'élève dans les airs grâce à la force ascensionnelle de l'air chaud emmagasiné dans l'enveloppe.

MONTGOMERY (Gabriel, *seigneur* DE LORGES, *comte* DE), homme de guerre français (v. 1530-1574). Capitaine de la garde écossaise sous Henri II, il le blessa mortellement dans un tournoi. Il devint plus tard un des chefs protestants et fut décapité.

MONTGOMERY OF ALAMEIN (Bernard LAW MONTGOMERY, *1er vicomte*), maréchal britannique (1887-1976). En mai 1940, il commande en France une division, qui se rembarque à Dunkerque. À la tête de la VIIIe armée en Égypte, il bat Rommel à El-Alamein (octobre 1942) et repousse l'Afrikakorps jusqu'en Tunisie (1943). Il commande un groupe d'armées en Europe occidentale et reçoit la reddition des forces allemandes du Nord-Ouest (mai 1945). Il est commandant adjoint des forces atlantiques en Europe de 1951 à 1958.

MONTHERLANT (Henry MILLON DE), écrivain français (1895-1972).

Après avoir exalté les passions qui développent la vigueur physique et morale (le sport dans *les Olympiques,* 1924; la tauromachie dans *les Bestiaires,* 1926), il a condamné la sentimentalité dans les romans (*les Célibataires,* 1934; *les Jeunes Filles,* 1936-1939). Il a enfin dépeint les qualités viriles de l'homme et l'héroïsme de la femme dans des pièces de théâtre qui rejoignent l'austérité de la tragédie classique : *la Reine morte* (1942), *le Maître de Santiago* (1948), *Malatesta* (1950), *Port-Royal* (1954), *le Cardinal d'Espagne* (1960). Menacé de cécité complète, il s'est suicidé.

MONTICULE n. m. → MONT.

MONTIGNIES-SUR-SAMBRE, localité industrielle de Belgique, dans la banlieue de Charleroi.

MONTIGNY-EN-GOHELLE, comm. du Pas-de-Calais, à 10 km à l'E. de Lens; 11 100 hab.

MONTIGNY-LÈS-CORMEILLES, comm. du Val-d'Oise, à 10 km au S.-E. de Pontoise; 13 700 hab. Briqueterie.

MONTIGNY-LÈS-METZ, ch.-l. de cant. de la Moselle, agglomération résidentielle de la banlieue sud de Metz; 23 700 hab. *(Montigniens).*

MONTIVILLIERS, ch.-l. de cant. de la Seine-Maritime, à 13 km au N.-E. du Havre; 15 000 hab.

MONTLHÉRY, ch.-l. de cant. de l'Essonne, à 6 km au N. d'Arpajon; 4 800 hab. Tour médiévale, haute de 32 m, qui a servi à plusieurs expériences sur la vitesse du son (1738), de la lumière (1822). Autodrome (situé sur la comm. de Linas).

- *1465. Une bataille indécise a lieu entre Louis XI et la ligue du Bien public.*

MONT-LOUIS, ch.-l. de cant. des Pyrénées-Orientales, à 9 km à l'E. de Font-Romeu; 440 hab. Centre de séjour d'été et de sports d'hiver (alt. 1 600 m). Dans la citadelle, four solaire expérimental.

MONTLUC ou **MONLUC** (Blaise DE LASSERAN MASSENCOME, *seigneur* DE) [1502-1577], maréchal de France. Défenseur de Sienne (1554-1555), lieutenant général en Guyenne (1565), il se signala par la vigueur de sa répression à l'égard des huguenots.

MONTLUÇON, ch.-l. d'arrond. de l'Allier, dans le Bourbonnais, à 90 km au N.-O. de Clermont-Ferrand, sur le Cher; 51 800 hab. *(Montluçonnais).* Métallurgie. Pneumatiques. Constructions électriques. Confection.

MONTMAJOUR, écart de la comm. d'Arles, à 4 km au N. de la ville. Ruines d'une abbaye bénédictine, fondée au Xe s.

MONTMARTRE *(butte)*, colline de la partie nord de Paris, qui donne son nom administratif au XVIIIe arrond. Sur cette butte a été édifiée, à l'E. de l'église Saint-Pierre, la basilique du Sacré-Cœur (1876-1910).

MONTMÉDY, ch.-l. de cant. de la Meuse, sur la Chiers, à 42 km à l'O. de Longwy; 2 300 hab. Anc. place fortifiée par Vauban.

MONTMIRAIL, ch.-l. de cant. de la Marne, à 33 km au S.-O. d'Épernay, sur le Petit Morin; 3 700 hab.

- *11 fév. 1814. Victoire de Napoléon sur l'armée de Silésie.*

MONTMORENCY, ch.-l. d'arrond. du Val-d'Oise, en bordure de la *forêt de Montmorency* (3 500 ha), à 13 km au N. de Paris; 20 800 hab. *(Montmorencéens).* Église Renaissance (beaux vitraux). Château du XVIIIe s.

MONTMORENCY (Anne, *duc* DE) [1493-1567]. Maréchal et pair de France (1522), il négocia le traité de Madrid (1526), combattit en Provence contre Charles Quint (1536), devint connétable (1537) et conseiller de Henri II, qui le fit duc (1551). Il prit le parti des Guises et fut mortellement blessé à Saint-Denis en combattant les protestants.

MONTMORILLON, ch.-l. d'arrond. de la Vienne, sur la Gartempe, à 48 km au S.-E. de Poitiers; 7 400 hab. Église Notre-Dame (XIIe-XIIIe s.) avec fresques du XIIIe s.

MONTOIRE-SUR-LE-LOIR, ch.-l. de cant. de Loir-et-Cher, à 19 km au S.-O. de Vendôme; 4 200 hab. *(Montoiriens).*

- *Oct. 1940. Entrevue entre Hitler et Pétain, au cours de laquelle les deux hommes tentèrent de définir la politique de collaboration franco-allemande.*

MONTPARNASSE, nom administratif d'un quartier du XIVe arrond. de Paris. Il fut très fréquenté de 1910 à 1930 environ par des écrivains et surtout des artistes. L'ancienne *gare Montparnasse*, où le général Leclerc reçut, le 25 août 1944, la reddition du général von Choltitz, a fait place à un grand ensemble d'immeubles à usage commercial, comprenant, notamment, une tour haute de 209 m.

MONTPELLIER, ch.-l. du dép. de l'Hérault, sur le Lez, à 52 km au S.-O. de Nîmes; 201 100 hab. *(Montpelliérains).* Traditionnel centre commercial, administratif et culturel (université, cité de l'agronomie [*Agropolis*]), Montpellier s'est récemment industrialisée (électronique notamment). Son agglomération a vu sa population se développer considérablement : Montpellier est la première ville de la région Languedoc-Roussillon dont elle est aussi la capitale. C'est également une très belle ville (promenade du Peyrou [XVIIIe s.], cathédrale Saint-Pierre [XIVe s.], jardin botanique).

MONTPENSIER (Anne Marie Louise d'ORLÉANS, *duchesse* DE), dite LA GRANDE MADEMOISELLE (1627-1693), fille de Gaston d'Orléans. Elle prit part aux guerres de la Fronde. Pour sauver Condé, écrasé au faubourg Saint-Antoine, elle fit tirer le canon de la Bastille sur les troupes royales (2 juillet 1652). En 1681, elle épousa le duc de Lauzun*.

MONTRABLE adj. → MONTRER.

1. MONTRE n. f. → MONTRER.

2. MONTRE [mɔ̃tr] n. f. (de *montrer*). **1.** Instrument portatif qui sert à indiquer l'heure. — **2.** *Course contre la montre*, épreuve cycliste où chaque coureur part seul, et où le classement se fait selon le temps mis pour parcourir une distance fixée; affaire qui doit être menée à bien en un temps court, fixé à l'avance. ‖ *Montre en main*, d'une manière précise, en vérifiant sur une montre. ‖ *Dans le sens des aiguilles d'une montre*, selon un mouvement circulaire pris de la gauche vers la droite. ◆ **montre-bracelet** n. f. ou **bracelet-montre** n. m. Montre qu'on porte au poignet. ‖ Pl. des *montres-bracelets* ou des *bracelets-montres*.

MONTRÉAL, ville du Canada (Québec), sur le Saint-Laurent; 980 300 hab. Fondée en 1642 sous le nom de *Ville-Marie*, Montréal acquiert au XIXe s. une fonction commerciale très importante en raison de sa situation et du développement des voies de communication. Raffineries de pétrole. Métallurgie. Montréal a abrité l'Exposition universelle de 1967, et les jeux Olympiques en 1976. (L'agglomération compte 2 830 000 hab.)

MONTRE-BRACELET n. f. → MONTRE 2.

MONTRER [mɔ̃tre] v. t. (lat. *monstrare*). **1.** Faire ou laisser voir en mettant devant les yeux : *Le vendeur montre sa marchandise au client* (syn. PRÉSENTER). *Montrer ses bijoux* (syn. ARBORER). *Montrer ses jambes* (syn. DÉCOUVRIR; contr. CACHER). — **2.** Faire voir par un geste, un signe; donner une indication : *Montrer le chemin à un étranger* (syn. INDIQUER). — **3.** Faire paraître (quelque chose) : *Ce livre montre la vie sous un jour très sombre* (syn. DÉPEINDRE). *Montrer un zèle intempestif* (syn. MANIFESTER, TÉMOIGNER). — **4.** Faire constater (à quelqu'un) : *Montrer ses fautes à un élève* (syn. SIGNALER). *Cela montre jusqu'à quel point il est minutieux* (syn. DÉMONTRER, PROUVER). — **5.** Apprendre quelque chose à quelqu'un : *L'avenir montrera qui a raison* (syn. ENSEIGNER); et avec un inf. compl. : *Montrer à un enfant à écrire.* ◆ **se montrer** v. pr. **1.** Apparaître à la vue : *Le soleil se montre à l'horizon* (syn. PARAÎTRE, SURGIR). — **2.** Être en réalité, se faire voir (et un attribut ou un adv., etc.) : *Montrez-vous digne de votre père. Les mesures se montrent efficaces* (syn. S'AVÉRER). ◆ **montrable** adj. Qui peut être montré. ◆ **montre** n. f. *Faire montre de*, manifester, prouver aux autres : *Faire montre de courage* (syn. FAIRE PREUVE). ◆ **montreur** n. m. *Montreur d'ours*, celui qui montre des ours dressés dans un spectacle. ◆ **remontrer** v. t. Montrer, présenter de nouveau.

MONTREUIL ou **MONTREUIL-SOUS-BOIS,** ch.-l. de cant. de la Seine-Saint-Denis, à 3 km à l'E. de Paris; 93 400 hab. *(Montreuillois).* Nombreuses industries.

MONTREUIL ou **MONTREUIL-SUR-MER,** ch.-l. d'arrond. du Pas-de-Calais, au-dessus de la Canche, à 37 km au S.-E. de Boulogne; 2 900 hab. *(Montreuillois).* Anc. place forte.

MONTREUR n. m. → MONTRER.

MONTREUX, v. de Suisse (Vaud), sur le lac Léman (r. dr.); 20 450 hab. Station hivernale et centre touristique.

- *1936. Une Convention internationale sur le régime juridique international du Bosphore et des Dardanelles y est signée.*

MONTROUGE, ch.-l. de cant. des Hauts-de-Seine, dans la banlieue sud de Paris; 38 600 hab. Nombreuses industries.

MONT-SAINT-MARTIN, ch.-l. de cant. de Meurthe-et-Moselle, dans la banlieue nord de Longwy; 10 400 hab. Sidérurgie.

MONT-SAINT-MICHEL (Le), comm. de la Manche, sur un rocher granitique de 90 m de haut et de 900 m de tour, à 9 km au N. de Pontorson; 80 hab. L'abbaye bénédictine est un des ensembles les plus prestigieux de l'architecture militaire et monastique. Elle comprend notamment une église abbatiale, et le logement des moines, appelé *la Merveille* (1203-1264).

La *baie du Mont-Saint-Michel* connaît des marées aux très fortes amplitudes, et les basses mers découvrent d'immenses étendues de sable et de vase.

MONTSÉGUR, comm. de l'Ariège, à 12 km au S. de Lavelanet; 131 hab. Situé dans un site difficilement accessible, son château féodal fut ruiné pendant la guerre des albigeois; il fut le dernier refuge de 205 cathares qui furent brûlés vifs après la prise de la forteresse (1243).

MONTSERRAT, massif montagneux de la Catalogne. Monastère bénédictin. Pèlerinage de la Vierge noire.

MONTSOREAU. comm. de Maine-et-Loire. à 11 km au S.-E. de Saumur. sur la Loire; 454 hab. Vins blancs réputés. CHâteau du XVe s.

MONTUEUX, EUSE adj. → MONT.

MONTURE n. f. → MONTER 2 et 3.

MONUMENT [mɔnymɑ̃] n. m. (lat. *monumentum*). **1.** Ouvrage d'architecture ou de sculpture, remarquable par son intérêt esthétique, historique, religieux, ou par sa masse : *Visitez les principaux monuments de la ville : la cathédrale, l'hôtel de ville, le musée* (syn. ÉDIFICE). *Cette église est classée monument historique* (= sa conservation est assurée par une protection spéciale). — **2.** *Monument funéraire,* ouvrage élevé sur la sépulture de quelqu'un. — **3.** Œuvre dont l'importance et les dimensions sont considérables : *Le dictionnaire de Littré et le Larousse du XIXe siècle sont les monuments de la lexicographie française du siècle dernier.* — **4.** *Être un monument de bêtise,* être très bête. ◆ **monumental, e, aux** adj. **1.** Qui a les proportions d'un monument, qui en a la masse, la grandeur : *Une statue monumentale* (syn. ↑COLOSSAL, GIGANTESQUE). — **2.** De caractère démesuré, de proportions énormes : *Une erreur monumentale* (syn. COLOSSAL). *Être d'une stupidité monumentale* (syn. PRODIGIEUX).

MONZA, v. d'Italie (Lombardie, province de Milan); 114 300 hab. Industries mécaniques et textiles. Célèbre circuit automobile.

MOORE (Thomas), poète irlandais (1779-1852). Il a exprimé son attachement à son pays dans ses *Mélodies irlandaises,* publiées de 1808 à 1834.

MOORE (Henry), sculpteur anglais (1898-1986). Influencé par Brâncuşi, Picasso et le surréalisme, il s'est créé un art personnel, parfois à la limite de l'abstraction, utilisant largement les vides, dont il creuse ses figures *(Silhouette au repos).*

MOOREA, île de la Polynésie française, à l'O. de Tahiti; 4 200 hab.

MOQUER (SE) [səmɔke] v. pr. (d'une onomat.). *Se moquer de qq'un, de qqch.,* en faire un objet d'amusement, de plaisanterie, le tourner en ridicule : *On se moquait de ses retards continuels* (syn. PLAISANTER SUR, RAILLER); ne pas tenir compte de quelque chose, ne pas y faire attention : *Il se moque de tous les conseils qu'on peut lui donner;* prendre quelqu'un pour un sot, essayer de le tromper : *Vous vous moquez des gens en leur racontant de pareilles balivernes.* ◆ **moquerie** n. f. Action, geste, parole par lesquels on s'amuse aux dépens de quelqu'un : *Être en butte aux moqueries de ses proches* (syn. QUOLIBET, RAILLERIE). ◆ **moqueur, euse** adj. Se dit de quelqu'un qui a l'habitude de se moquer, ou de quelque chose qui est inspiré par le désir de railler : *Regarder d'un air moqueur* (syn. IRONIQUE, NARQUOIS).

MOQUETTE [mɔkɛt] n. f. (orig. inc.). Étoffe épaisse, en laine ou en coton, dont on recouvre uniformément les parquets d'un appartement.

MOQUEUR, EUSE adj. → MOQUER.

MORĀDĀBĀD, v. de l'Inde (Uttar Pradesh); 358 300 hab. Mosquée du XVIIe s. Métallurgie. Textiles.

MORAINE [mɔrɛn] n. f. (savoyard *morêna*). Débris arrachés à la montagne, transportés et accumulés par un glacier*. ◆ **morainique** adj. Relatif aux moraines : *Amphithéâtre morainique.*

— ENCYCL. Dans un glacier de montagne, on distingue : les *moraines latérales,* alimentées par les débris descendant les pentes dominant le glacier, et qui se déplacent le long de ses parois latérales; à la confluence de deux langues glaciaires, deux moraines latérales se rejoignent pour former une *moraine médiane;* la *moraine de fond,* constituée par les débris que le glacier entraîne sur son fond rocheux; à l'extrémité de la langue la *moraine frontale,* formée par les matériaux abandonnés par le glacier.

→ illustration GLACIER page 615.

1. MORAL, E, AUX [mɔral, -ro] adj. (du lat. *mores,* mœurs). **1.** Qui concerne les règles de conduite en usage dans une société déterminée : *Les valeurs morales.* — **2.** Se dit de ce qui est conforme à ces habitudes, à ces manières de se conduire, de ce qui est admis comme honnête, juste, de ce qui est considéré comme bien par une société : *Avoir le sens moral* (= discerner le bien et le mal). *Ce film n'est guère moral.* ◆ **morale** n. f. **1.** Ensemble des règles à suivre pour faire le bien et éviter le mal : *La morale chrétienne. Un traité de morale. La morale de notre époque* (syn. MŒURS). — **2.** Précepte qui découle d'une histoire; conclusion que l'on peut tirer d'un événement : *La morale d'une fable. La morale de cette histoire est que nous ne prenons jamais assez de précautions* (syn. MORALITÉ). — **3.** *Faire la morale à qq'un,* le réprimander en invoquant des considérations morales. ◆ **moralement** adv. Du point de vue des règles de conduite, des habitudes de la société, de la justice. ◆ **moraliser** v. t. *Moraliser qq'un,* lui faire la morale, le réprimander en faisant appel aux notions de bien et de mal (syn. SERMONNER). ◆ **moralisateur, trice** adj. et n. Qui cherche à élever les sentiments, le sens moral, selon la morale d'une époque (souvent péjor.) : *Un roman moralisateur* (syn. ÉDIFIANT). ◆ **moraliste** n. Écrivain qui décrit les mœurs d'une époque et développe, à partir de là, ses réflexions sur la nature humaine : *Pascal, Vauvenargues, La Bruyère sont des moralistes.* ◆ **moralité** n. f. **1.** Attitude, conduite de quelqu'un jugée dans sa conformité aux préceptes de la morale : *Une personne d'une moralité irréprochable.* — **2.** Conclusion morale tirée d'un texte : *La moralité d'une fable* (syn. ENSEIGNEMENT). ◆ **amoral, e, aux** adj. Se dit d'une personne qui n'a aucune notion de la morale, ou qui en ignore les principes ou les traite par l'indifférence. ◆ **amoralisme** n. m. : *L'amoralisme d'A. Gide.* ◆ **immoral, e, aux** adj. **1.** Se dit d'une personne qui se conduit contrairement aux règles de la morale : *C'est un être immoral, qui corrompt tous ceux qui l'entourent* (syn. DÉPRAVÉ). — **2.** Se dit d'une chose (parole, écrit, etc.) qui est contraire aux bonnes mœurs, à la justice : *Cette inégalité est profondément immorale* (syn. HONTEUX). ◆ **immoralisme** n. m. Mépris de la morale établie. ◆ **immoralité** n. f. Caractère de celui ou de ce qui est immoral.

2. MORAL, E, AUX [mɔral, -ro] adj. (même étym.). Se dit de ce qui est relatif à l'esprit, de ce qui est intellectuel (par oppos. à MATÉRIEL, PHYSIQUE) : *Trouver la force morale de faire face aux difficultés.* ◆ **moralement** adv. Du point de vue de l'esprit, de la pensée : *Je suis moralement sûr de ce que j'avance.* ◆ **moral** n. m. **1.** Ensemble des phénomènes relatifs au caractère, à la pensée : *Au moral, c'est un homme d'une parfaite loyauté.* — **2.** État d'esprit de la personne considérée dans sa volonté plus ou moins grande de faire face au danger, à la fatigue, etc. : *Le moral des troupes est très bas* (syn. COMBATIVITÉ). ◆ **démoraliser** v. t. Ôter le courage, l'énergie, le moral (souvent au passif) : *Ces échecs répétés le démoralisent* (syn. ABATTRE, DÉCOURAGER). ◆ **démoralisant, e** adj. : *Des nouvelles démoralisantes.* ◆ **démoralisation** n. f. ◆ **démoralisateur, trice** adj. : *L'influence démoralisatrice exercée par le spectacle de l'injustice.*

MORANE *(les frères),* LÉON (1885-1918) et ROBERT (1886-1968), industriels et aviateurs français, nés à Paris. Avec l'ingénieur Saulnier, ils fondèrent l'une des premières firmes de constructions aéronautiques (1910). Léon fut le premier aviateur à dépasser la vitesse de 100 km/h et à atteindre une altitude supérieure à 2 500 m (1910).

MORATOIRE [mɔratwar] n. m. (du lat. *morari,* retarder). Suspension légale de certaines obligations (loyer, paiement de dettes, etc.) pendant un temps déterminé.

MORAVA (la), riv. de Yougoslavie, affl. du Danube (r. dr.); 245 km. — Riv. de Tchécoslovaquie, affl. du Danube (r. g.); 378 km. Elle donne son nom à la *Moravie.*

MORAVIA (Alberto PINCHERLE, dit **Alberto**), écrivain italien (1907-1990). Ses romans (*les Indifférents,* 1929; *le Mépris,* 1954; l'*Attention,* 1965; *Desideria,* 1978; *l'Homme qui regarde,* 1985), ses nouvelles (*l'Automate,* 1962) et ses essais (*l'Homme,* 1965) font une peinture satirique des problèmes de la société moderne.

MORAVIE, région de Tchécoslovaquie, à l'E. de la Bohême, traversée par la Morava; 26 095 km²; 3 752 300 hab. *(Moraves).* V. pr. *Brno, Ostrava.*

À la fin du VIIIe s. apr. J.-C. des Slaves y sont établis sous le nom de *Moraves.* Tributaire de Charlemagne, puis indépendante (v. 830), la Moravie connaît des luttes religieuses entre partisans du rite latin et disciples de Cyrille et Méthode, avant d'être détruite par les Magyars en 908.

- *1029. Elle est rattachée au royaume de Bohême*.*
- *XVe s. Elle est le berceau d'une secte chrétienne issue du mouvement hussite* : les frères moraves.*

MORBIDE [mɔrbid] adj. (lat. *morbidus*). **1.** *État morbide,* état maladif. — **2.** Se dit d'un sentiment, d'une idée, etc., qui dénote un déséquilibre mental, maladif : *Une imagination morbide, qui se complaît dans l'affreux* (syn. MALSAIN). ◆ **morbidité** n. f. **1.** Caractère de ce qui est morbide. — **2.** Pourcentage des malades par rapport au chiffre de la population.

MORBIHAN (56), dép. de la Bretagne méridionale (Région Bretagne); 6 823 km²; 590 900 hab. (87 au km²) [France : 103]. Ch.-l. *Vannes.*

ADMINISTRATION. 3 arrond. (*Lorient.* 259 500 hab.; *Pontivy.* 118 600 hab.; *Vannes.* 212 800 hab.). / 42 cant. / 261 comm.

Le plus méridional des quatre départements de la Région Bretagne oppose une partie intérieure, formée de collines et de bas plateaux d'altitude généralement comprise entre 100 et 200 m, à un secteur littoral découpé, entaillé de rias et précédé d'îles (Belle-Île et Groix). Le climat est assez doux et les étés ensoleillés.

L'*agriculture* (avec la pêche) emploie encore plus du cinquième de la population active. Céréales et élevage sont largement

LOCALITÉS PRINCIPALES	NOMBRE D'HAB.
Lorient	64 700
Vannes	45 400
Lanester	22 300
Pontivy	14 200
Ploemeur	14 000
Hennebont	13 100
Auray	10 200
Quéven	7 700
Ploërmel	7 300
Guer	7 100

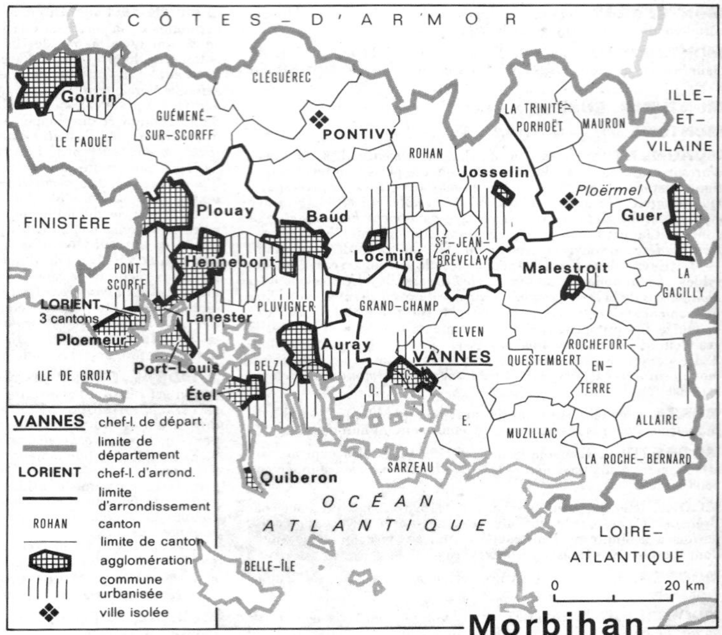

représentés, mais des secteurs de lande, inexploités, dominent dans l'intérieur aux sols pauvres. La *pêche* est active notamment dans l'Ouest (vers Lorient), le *tourisme* estival anime une portion plus vaste du littoral (notamment vers Quiberon, le golfe du Morbihan et l'embouchure de la Vilaine).

L'*industrie* est encore peu développée, partiellement liée au secteur primaire (conserveries). Elle est surtout active dans les deux agglomérations majeures, Lorient et Vannes.

MORBIHAN *(golfe du)*, golfe situé sur la côte du dép. du Morbihan. Il renferme de nombreux groupes d'îles.

MORCEAU [mɔrso] n. m. (de l'anc. fr. *mors*, morceau). **1.** Partie d'un corps, d'une substance, d'un aliment, etc., séparée d'un tout; fragment d'un corps solide : *Manger un morceau de pain* (syn. BOUT). *Couper un morceau de jambon* (syn. TRANCHE). *Mettre en morceaux* (= briser). *Réduire en mille morceaux* (= en miettes). *C'est un morceau de roi* (= excellent). — **2.** Fragment d'une œuvre artistique, littéraire : *Un recueil de morceaux choisis* (= de textes pris dans plusieurs auteurs). — **3.** Œuvre musicale prise dans sa totalité : *Le dernier morceau d'un concert.* — **4.** Fam. *Enlever le morceau,* emporter l'affaire. ‖ *Être fait de pièces et de morceaux,* manquer d'unité, de cohérence. ◆ **morceler** v. t. (Conj. **6.**) Diviser en parties, partager en petits morceaux. ◆ **morcellement** n. m. : *Le morcellement des terres* (syn. DÉMEMBREMENT; contr. REMEMBREMENT). *Le morcellement politique de l'Afrique* (syn. DIVISION).

MORDANT, E adj. et n. m. → MORDRE.

MORDICUS [mɔrdikys] adv. (mot lat. signif. *en mordant*). Fam. *Soutenir, affirmer mordicus une chose,* la soutenir avec obstination, sans en démordre.

MORDILLER v. t. et i. → MORDRE.

MORDORÉ, E [mɔrdɔre] adj. (de *More*, et *doré*). D'un brun chaud, à reflets dorés (littér.) : *De la soie mordorée.*

MORDRE [mɔrdr] v. t. et i. (lat. *mordere*). [Conj. **52.**] **1.** (sujet nom d'être animé) Serrer, saisir fortement avec les dents, en entamant, en blessant, etc. : *Le chien m'a mordu la main. Mordre dans une tranche de pain.* — **2.** (sujet nom d'animal) Blesser par un croc, un crochet, un bec, etc. : *Être mordu par un serpent* (syn. PIQUER). — **3.** (sujet nom de chose) Pénétrer dans quelque chose : *La lime mord le métal* (syn. ATTAQUER). *L'ancre n'a pas mordu dans le sable.* — **4.** Aller au-delà de la limite fixée (avec la prép. *sur* ou transitif direct) : *Les illustrations mordent sur la marge* (syn. EMPIÉTER SUR). — **5.** *Mordre la poussière,* tomber par terre; subir une défaite. ◆ v. t. ind. **1.** Fam. *Mordre à une chose,* la comprendre, manifester des aptitudes pour l'apprendre : *Mordre au latin.* — **2.** *Poisson qui mord à l'appât,* qui s'en saisit, qui s'y laisse prendre. ◆ ***se mordre*** v. pr. *Se mordre les doigts de qqch.*, s'en repentir amèrement. ‖ *Se mordre la langue,* regretter d'avoir dit quelque chose. ◆ **mordant, e** adj. Qui critique, qui raille avec dureté, avec l'intention de blesser : *Une ironie mordante* (syn. INCISIF). *Un écrivain mordant* (syn. SATIRIQUE). ◆ n. m. Énergie, dynamisme, vivacité dans l'action : *La troupe a du mordant* (syn. ↑FOUGUE). ◆ **mordu, e** n. *Fam.* Personne qui manifeste un goût très prononcé, une passion pour quelque chose : *Un mordu du jazz* (syn. FANATIQUE). ◆ **mordiller** v. t. et i. Mordre légèrement et à plusieurs reprises : *Le jeune chien mordillait la balle en jouant.* ◆ **morsure** n. f. Plaie faite par un animal qui, en mordant, peut transmettre diverses maladies infectieuses.

MORE adj. et n. m. → MAURE.

MORE → THOMAS MORE *(saint)*.

MORÉAS (Jean PAPADIAMANTOPOULOS, dit **Jean**), poète français (1856-1910). Il se sépara des symbolistes pour fonder l'« école romane », puis parvint dans les *Stances* (1899-1901) à un lyrisme de forme classique, où s'exprime son inquiétude philosophique.

MOREAU (Jean Victor), général français (1763-1813). Il fut mis à la tête de l'armée de Rhin-et-Moselle (1796) et servit en Italie. Vainqueur à Hohenlinden (1800), il devint le rival de Bonaparte et fut exilé. Il fut tué à Dresde en combattant contre les Russes.

MOREAU (Gustave), peintre français (1826-1898). Il a peint des scènes d'une mythologie romanesque, des rêves orientaux. Ses effets de couleurs sont riches, mais son dessin est souvent académique. On fait parfois de lui un initiateur du surréalisme.

MORÉE, nom donné au Péloponnèse après la conquête latine (1205).

MORENA *(sierra)*, région montagneuse du sud de l'Espagne, s'étendant de la frontière portugaise, à l'O., jusqu'aux abords d'Alcaraz, à l'E.; 1 323 m. C'est le rebord méridional de la Meseta ibérique.

MORENO (Jacob Levy), psychosociologue américain d'origine roumaine (1892-1974). Il a « inventé » le psychodrame et créé la sociométrie.

MORESQUE adj. → MAURESQUE.

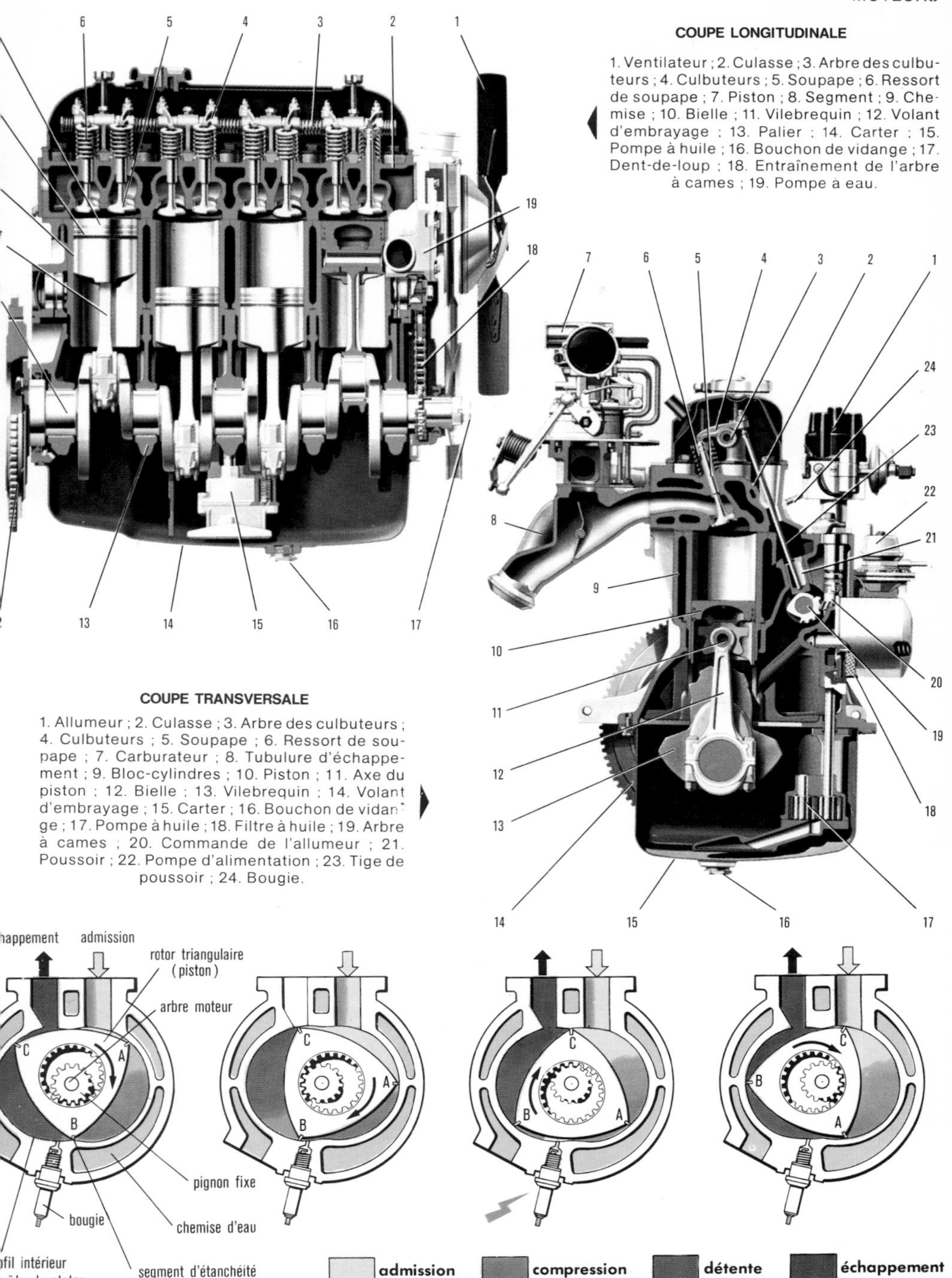

COUPE LONGITUDINALE

1. Ventilateur ; 2. Culasse ; 3. Arbre des culbuteurs ; 4. Culbuteurs ; 5. Soupape ; 6. Ressort de soupape ; 7. Piston ; 8. Segment ; 9. Chemise ; 10. Bielle ; 11. Vilebrequin ; 12. Volant d'embrayage ; 13. Palier ; 14. Carter ; 15. Pompe à huile ; 16. Bouchon de vidange ; 17. Dent-de-loup ; 18. Entraînement de l'arbre à cames ; 19. Pompe à eau.

COUPE TRANSVERSALE

1. Allumeur ; 2. Culasse ; 3. Arbre des culbuteurs ; 4. Culbuteurs ; 5. Soupape ; 6. Ressort de soupape ; 7. Carburateur ; 8. Tubulure d'échappement ; 9. Bloc-cylindres ; 10. Piston ; 11. Axe du piston ; 12. Bielle ; 13. Vilebrequin ; 14. Volant d'embrayage ; 15. Carter ; 16. Bouchon de vidange ; 17. Pompe à huile ; 18. Filtre à huile ; 19. Arbre à cames ; 20. Commande de l'allumeur ; 21. Poussoir ; 22. Pompe d'alimentation ; 23. Tige de poussoir ; 24. Bougie.

COUPE SCHÉMATIQUE D'UN MOTEUR ROTATIF

piston triangulaire (rotor), solidaire d'un excentrique entraînant l'arbre de sortie, tourne à l'intérieur d'un carter (stator), en enant appui et en roulant sur un pignon fixe concentrique avec l'arbre de sortie. Au cours de sa révolution, le piston crée des ambres dont le volume croît et décroît suivant le cycle des moteurs à pistons, à cette différence près que le moteur rotatif réalise toujours trois temps simultanément.

Giraudon

Détail d'un vitrail
de la cathédrale de Chartres :
signes du zodiaque (XVIIe s.)

Statue reliquaire de
Sainte-Foy de
Conques (Aveyron),
IXe s. Transformations
aux Xe, XIVe, XVIe s.

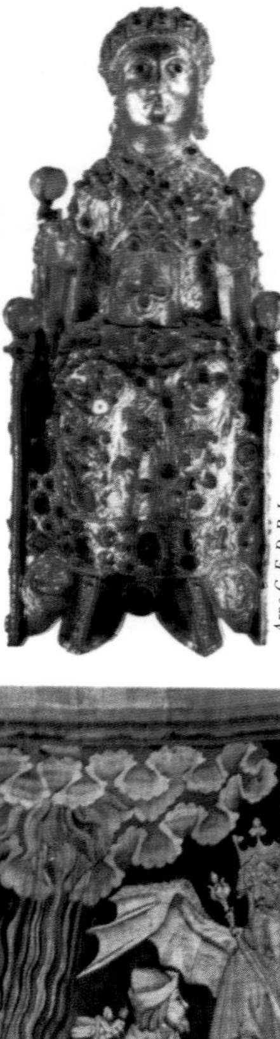

Arne-C. E. D. R. I.

Ruines de l'ancien château fort
de Montlhéry XIIIe-XIVe s.).

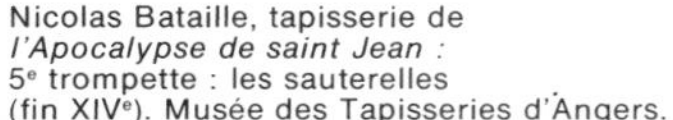

Nicolas Bataille, tapisserie de
l'Apocalypse de saint Jean :
5e trompette : les sauterelles
(fin XIVe). Musée des Tapisseries d'Angers.

MORET-SUR-LOING, ch.-l. de cant. de Seine-et-Marne, à 10 km au S.-E. de Fontainebleau; 3600 hab. *(Morétains).* Vestiges des anciennes fortifications. Centre de villégiature.

MOREZ, ch.-l. de cant. du Jura, à 27 km au N.-E. de Saint-Claude, sur la Bienne; 7000 hab. Grand centre français de la lunetterie. Horlogerie.

MORFIL [mɔrfil] n. m. (de *mort*, et *fil*). Ensemble de parcelles métalliques très fines qui restent sur le tranchant d'un outil ou d'une lame aiguisée à la meule.

MORFONDRE (SE) [səmɔrfɔ̃dr] v. pr. (du prov. *mourre*, museau, et *fondre*, s'enrhumer). [Conj. **51.**] S'ennuyer, s'attrister à attendre longuement. ◆ ***être morfondu*** v. passif. Être atterré par une déception cruelle, par une blessure d'amour-propre.

MORGAN (John Pierpont), financier américain (1837-1913). Fils de banquier, il s'assura le contrôle des grandes usines métallurgiques des États-Unis, qu'il fondit en un gigantesque trust.

MORGAN (Thomas Hunt), biologiste américain (1866-1945). On lui doit la théorie chromosomique de l'hérédité.

MORGANATIQUE [mɔrganatik] adj. (du frq. *morgangeba*, don pour l'épouse de rang inférieur). Se dit d'un mariage entre un prince et une personne de rang inférieur, qui reste exclue des dignités nobiliaires; se dit aussi des enfants nés de ce mariage.

MORGAT, station balnéaire du Finistère (comm. de Crozon). Pêche.

MORGE (la), riv. du Bassin parisien (Aube), sous-affl. de la Seine par la Barse; 15 km. Une partie de son bassin constitue un réservoir pour contenir les eaux de la Seine pendant les crues et pour améliorer l'alimentation en eau de Paris.

1. MORGUE [mɔrg] n. f. (du bas lat. *murricare*, faire la moue). Attitude hautaine et méprisante; sentiment affecté et exagéré de sa dignité : *Un homme plein de morgue* (syn. SUFFISANCE).

2. MORGUE [mɔrg] n. f. (de *morgue* 1). Lieu où l'on met les cadavres des personnes décédées sur la voie publique, dont on ignore l'identité, etc.

MORHANGE, comm. de la Moselle, à 18 km au N.-E. de Château-Salins; 5800 hab. *(Morhangeois).* Matières plastiques. Bataille franco-allemande en août 1914.

MORIBOND, E [mɔribɔ̃, -ɔ̃d] adj. et n. (du lat. *mori*, mourir). Se dit de quelqu'un qui est près de mourir (syn. AGONISANT, MOURANT).

MORICAUD, E [mɔriko, -od] adj. et n. (de *More*). Qui a la peau très brune.

MORIENVAL, comm. de l'Oise, à 15 km environ au S. de Compiègne; 921 hab. L'église Notre-Dame, à trois clochers (XIe-XIIe s.), possède un déambulatoire couvert de voûtes sur croisées d'ogives parmi les plus anciennes que l'on connaisse.

MORIGÉNER [mɔriʒene] v. t. (du bas lat. *morigenatus*, bien élevé). *Morigéner un subordonné, un enfant*, etc., les réprimander (syn. ↓GRONDER, TANCER).

MORILLE [mɔrij] n. f. (du lat. *maurus*, brun foncé). Champignon comestible, à pied blanchâtre terminé par un chapeau jaune-brun ressemblant à une éponge, qui pousse au printemps dans les bois. (Classe des ascomycètes.)

MORILLON [mɔrijɔ̃] n. m. (de l'anc. fr. *morel*, brun). Canard sauvage du genre fuligule, à plumage noir et blanc chez le mâle, commun en France pendant l'hiver.

MORIN (le **Grand** [112 km] et le **Petit** [90 km]), riv. du Bassin parisien, affl. de la Marne (r. g.).

MORION [mɔrjɔ̃] n. m. (de l'esp. *morra*, crâne). Casque de fantassin, d'origine espagnole, caractérisé par ses bords relevés en nacelle et par une crête en croissant renversé (XVIe et XVIIe s.).

MORISOT (Berthe), peintre français (1841-1895). Elle fut l'élève, le modèle et la belle-sœur de Manet. Elle fit partie du groupe des impressionnistes, dont elle se distingue par une sensibilité tendre, qu'elle exprime dans des scènes familiales *(le Berceau).*

MORLAIX, ch.-l. d'arrond. du Finistère, sur la *rivière de Morlaix* (estuaire du Dossen); 19500 hab. Produits pharmaceutiques. Cigares. Viaduc.

MORMON, E [mɔrmɔ̃, -ɔn] n. et adj. (d'un n. pr.). Membre d'une secte religieuse fondée aux États-Unis en 1838 par Joseph Smith, qui eut pour successeur Brigham Young. (En 1846, les mormons s'établirent sur les bords du Grand Lac Salé [Utah]. La polygamie, autorisée par Young en 1852, fut interdite à partir de 1890. Les mormons, qui constituent l'« Église de Jésus-Christ des saints des derniers jours », sont au nombre d'environ 1 million.)

1. MORNE [mɔrn] adj. (du frq. *mornan*, être triste). **1.** Se dit d'une personne (ou de son attitude) accablée par la tristesse, le désespoir : *Jeter un regard morne* (syn. ABATTU, TRISTE). — **2.** (parfois avant le nom) Se dit de ce qui porte à la tristesse par son aspect sombre : *Une morne soirée* (syn. TERNE). *Une conversation morne* (= sans intérêt). *Une vie morne* (= sans éclat ni originalité).

2. MORNE [mɔrn] n. m. (de l'esp. *morro*, monticule). Aux Antilles, petite montagne de forme arrondie.

MORNE-À-L'EAU, comm. de la Guadeloupe (arrond. de Pointe-à-Pitre); 13700 hab. Sucreries.

MORNY (Charles, *duc* DE), homme politique français (1811-1865), fils de Hortense de Beauharnais et du général de Flahaut. Demi-frère de Louis Napoléon, dont il favorisa le coup d'État le 2 décembre 1851, il fut président du Corps législatif.

MORONI, capit. des Comores, sur l'île de Ngazidja; 11500 hab.

MORONUBU (Hishikawa), peintre et graveur japonais, mort v. 1694. Il est considéré comme un des créateurs de l'estampe japonaise.

MOROSE [moroz] adj. (lat. *morosus*, sévère). Se dit d'une personne (ou de son comportement) d'humeur maussade, triste : *Avoir un air morose* (syn. MORNE, SOMBRE).

MORPHINE [mɔrfin] n. f. (de *Morphée*, dieu du Sommeil). Alcaloïde tiré de l'opium, employé pour calmer les douleurs violentes, mais qui, pris à haute dose, conduit à la morphinomanie. ◆ **morphinomanie** n. f. Habitude, très dangereuse pour l'organisme, qui consiste, en se faisant des piqûres sous-cutanées, à rechercher l'état d'euphorie provoqué par la morphine, mais qui nécessite des doses de plus en plus fortes conduisant à des désordres physiques (amaigrissement, etc.) et mentaux (plus de volonté, de sens moral, hallucinations, etc.). ◆ **morphinomane** n. Toxicomane qui se pique à la morphine.

MORPHOLOGIE [mɔrfɔlɔʒi] n. f. (du gr. *morphê*, forme, et *logos*, science). **1.** Étude de la formation des mots et des variations de formes qu'ils subissent dans la phrase. — **2.** Étude des formes et des structures du relief géographique : *La morphologie du relief terrestre et de son évolution a reçu le nom de « géomorphologie ».* — **3.** Étude de la forme et de la structure externe des êtres vivants : *La morphologie du corps humain.* ◆ **morphologique** adj.

MORPION [mɔrpjɔ̃] n. m. (de *mords*, et *pion*, fantassin). Jeu dans lequel chacun des deux adversaires s'efforce, en dépit des obstacles que l'autre lui suscite, de remplir, le premier, cinq cases à la file sur un papier quadrillé.

MORS [mɔr] n. m. (du lat. *mordere*, mordre). **1.** Barre métallique passée dans la bouche du cheval et maintenue par la bride. — **2.** *Prendre le mors aux dents*, s'emballer en parlant d'un cheval; se laisser aller à la colère (syn. S'EMPORTER). — **3.** Chacune des mâchoires d'un étau, d'une pince, d'une tenaille.

MORSANG-SUR-ORGE, ch.-l. de cant. de l'Essonne, à 5 km au S.-O. de Juvisy; 20200 hab.

1. MORSE [mɔrs] n. m. (finnois *mursu*). Mammifère marin, long de 5 m et pesant 1 t, qui vit dans les mers arctiques, où il se nourrit de coquillages et où on le chasse activement pour son cuir, sa graisse et l'ivoire de ses dents. (Le mâle possède une paire d'énormes crocs à la mâchoire supérieure.) [Ordre des pinnipèdes.]

2. MORSE [mɔrs] n. m. (du n. de l'inventeur). Système de transmission télégraphique utilisant un code conventionnel (alphabet) fait de traits et de points.

MORSURE n. f. ⟶ MORDRE.

MORT, E adj. et n. ⟶ MOURIR.

MORT *(Vallée de la)*, en angl. **Death Valley,** dépression aride de la Californie méridionale (États-Unis).

MORTADELLE [mɔrtadɛl] n. f. (it. *mortadella*). Gros saucisson d'Italie, fait de porc et de bœuf.

MORTAGNE-AU-PERCHE, ch.-l. d'arrond. de l'Orne, à 38 km au N.-E. d'Alençon; 5200 hab. *(Mortagnais).*

MORTAISE [mɔrtɛz] n. f. (de l'ar. *murtazza*, fixé). Entaille faite dans une pièce de bois ou de métal pour recevoir le tenon d'une autre pièce qui doit s'ajuster avec elle. ◆ **mortaiseuse** n. f. Machine-outil conçue spécialement pour l'exécution de mortaises, mais utilisée aussi pour des travaux de rabotage vertical.

MORTALITÉ n. f., **MORT-AUX-RATS** n. f. inv. ⟶ MOURIR.

MORTE *(mer)*, lac de Palestine, entre Israël et la Jordanie, où se jette le Jourdain; 1015 km², 85 km de long, 17 km de large. Elle occupe un fossé tectonique, ce qui explique sa grande profondeur

(392 m au-dessous du niveau de la mer). La teneur en sel de ses eaux est extrêmement forte. Près de ses rives, à Qirbet Qumrān, ont été découverts des manuscrits d'une importance capitale pour l'histoire des esséniens.

MORTEAU, ch.-l. de cant. du Doubs, à 31 km au N.-E. de Pontarlier, sur le Doubs; 6700 hab. *(Mortuaciens).* Horlogerie. Industries alimentaires.

MORTEL, ELLE adj. et n., **MORTELLEMENT** adv., **MORTE-SAISON** n. f. ⟶ MOURIR.

MORTIER [mɔrtje] n. m. (lat. *mortarium,* auge de maçon). **1.** Mélange de sable et de chaux ou de ciment, délayé dans l'eau, qui durcit à l'air et sert à lier la pierre, les briques. — **2.** Récipient en matière dure, servant à broyer des couleurs, des drogues. — **3.** Canon à tir courbe, servant à lancer des bombes *(obus de mortier).* — **4.** Bonnet des magistrats de la Cour de cassation et de la Cour des comptes.

MORTIER (Adolphe) [1768-1835], duc DE TRÉVISE, maréchal de France; il conquit le Hanovre (1803), puis combattit en Espagne. Il fut tué lors de l'attentat de Fieschi.

MORTIFIER [mɔrtifje] v. t. (du lat. *mors, mortis,* mort, et *facere,* faire). **1.** *Mortifier son corps, sa chair,* leur infliger des traitements pénibles (privations, souffrances) pour se préserver des tentations. — **2.** *Mortifier qq'un,* le blesser en l'humiliant, en froissant son amour-propre : *Ce reproche injuste le mortifie* (syn. VEXER). ◆ **mortifiant, e** adj. : *Refus mortifiant* (syn. BLESSANT, ↑INJURIEUX). ◆ **mortification** n. f. : *Les mortifications des ascètes. Subir des mortifications* (syn. HUMILIATION, VEXATION).

MORT-NÉ, E adj. et n., **MORTUAIRE** adj. ⟶ MOURIR.

MORUE [mɔry] n. f. (orig. obscure). Grand poisson osseux des mers arctiques, où on le pêche au chalut. (Vendue à l'état frais sous le nom de CABILLAUD, la morue peut être séchée et salée; son foie fournit une huile riche en vitamines, utilisée comme fortifiant : l'*huile de foie de morue.*) [Famille des gadidés.] ◆ **morutier** n. m. Navire ou homme qui fait la pêche à la morue.

MORUS ⟶ THOMAS MORE *(saint).*

MORUTIER n. m. ⟶ MORUE.

MORVAN, massif montagneux, formant l'extrémité nord-est du Massif central; 901 m (Hab. *Morvandiaux* ou *Morvandeaux.*) Grandes forêts. Élevage. Parc régional.

MORVE [mɔrv] n. f. (du frq. *worm,* gourme). **1.** Maladie contagieuse des solipèdes (cheval, âne), souvent mortelle, transmissible à l'homme et due à un bacille produisant des ulcérations des fosses nasales. — **2.** Liquide visqueux qui coule des narines. ◆ **morveux, euse** adj. **1.** Qui est atteint de la morve : *Cheval morveux.* — **2.** Qui a la morve au nez. ◆ n. *Fam.* Garçon, fille sans expérience et prétentieux.

MORZINE, comm. de la Haute-Savoie, à 33 km au S.-E. de Thonon-les-Bains, sur la Dranse; 2900 hab. Station de sports d'hiver (alt. 1008-2250 m).

MOSAÏQUE [mɔzaik] n. f. (it. *mosaico*). **1.** Assemblage de petits cubes ou fragments multicolores en pierre, en verre, etc., formant un motif décoratif et incrustés dans du ciment : *Les mosaïques de Pompéi.* — **2.** Ensemble formé d'éléments nombreux et disparates : *Essai philosophique qui n'est qu'une mosaïque de pensées de multiples origines.* — **3.** Maladie à virus de diverses plantes (tabac, pomme de terre, concombre), se traduisant par des taches jaunâtres dispersées sur les feuilles.

MOSCOU, capit. de l'U. R. S. S. et de la R. S. F. S. de Russie; 8203000 hab. *(Moscovites).*

Située dans la plaine russe, sur la Moskova, la ville est un important carrefour de voies de communication. Les quartiers modernes se sont développés autour du centre traditionnel du Kremlin, très bel ensemble architectural qui abrite les bâtiments administratifs. Capitale politique et culturelle du pays, Moscou est aussi un grand port fluvial, et surtout un grand centre industriel où toutes les branches d'activité sont représentées.

- *1703. Moscou perd son rôle de capitale politique au profit de Saint-Pétersbourg.*
- *1812. Napoléon entre dans la ville, mais doit s'en éloigner à la suite de l'incendie que ses habitants y allument.*
- *1917. Les bolcheviks prennent la ville et lui restituent son rang de capitale politique.*

MOSCOVIE, nom donné à l'État russe (principauté de Moscou) jusqu'au XVIIe s.

MOSELEY (Henry Gwyn-Jeffreys), physicien anglais (1887-1915). Il a mis au point la classification des atomes.

MOSELLE (la), riv. de l'Europe occidentale; 550 km. Née dans les Vosges, elle coule vers le N., arrosant Épinal et Metz, avant de former la frontière entre l'Allemagne et le Luxembourg. En aval de Trèves, elle s'encaisse dans le Massif schisteux rhénan et rejoint le Rhin (r. g.) à Coblence. Accessible aux chalands de 1500 t jusqu'à Neuves-Maisons, en amont, la Moselle facilite la liaison entre la Lorraine industrielle et les pays rhénans.

MOSELLE (57), dép. formé d'une partie de la Lorraine (Région Lorraine); 6216 km^2; 1007200 hab. (162 au km^2) [France : 103] Ch.-l. *Metz.*

ADMINISTRATION. 9 arrond. (*Boulay-Moselle,* 73500 hab.; *Château-Salins,* 28700 hab.; *Forbach,* 195000 hab.; *Metz-Campagne,* 198100 hab.; *Metz-Ville,* 114200 hab.; *Sarrebourg,* 60700 hab.; *Sarreguemines,* 83000 hab.; *Thionville-Est,* 122000 hab.; *Thionville-Ouest,* 131900 hab.). / 51 cant. / 718 comm.

La majeure partie du département s'étend sur le *Plateau lorrain* (dont l'altitude est généralement comprise entre 200 et 300 m), occupant toutefois à l'O. une partie des *Côtes de Moselle,* entaillées par la vallée du même nom. Les précipitations sont assez abondantes, et les hivers déjà marqués.

L'intensité du peuplement est liée à l'*industrie,* née de la richesse du sous-sol, qui contient au S. du sel (Saulnois), au N.-E. de la houille et au N.-O. des gisements de minerai de fer (prolongeant ceux de la Meurthe-et-Moselle voisine). Une importante industrie chimique et surtout une sidérurgie (mais en déclin aujourd'hui) sont nées. Aujourd'hui l'industrie emploie environ la moitié de la population active et est représentée surtout dans les vallées de la Moselle et de ses affluents.

L'*agriculture* occupe moins du vingtième de la population active. Le *secteur tertiaire,* en partie dû à la forte urbanisation (résultant surtout de l'essor industriel), en occupe environ les deux cinquièmes.

Le département a connu récemment un très léger essor démographique. Cette progression est liée à celle de Metz, la principale agglomération, mais aussi à l'importance accrue d'autres agglomérations de la vallée de la Moselle. Le département connaît cependant des difficultés : la production houillère décline, celle du minerai de fer a aussi fortement reculé et la sidérurgie traverse une crise profonde. L'insuffisance des activités de transformation est encore marquée.

MOSKOVA (la), riv. de l'U. R. S. S., qui arrose Moscou (à laquelle elle a donné son nom), affl. de l'Oka (r. dr.); 508 km.

- *7 sept. 1812. L'armée de Napoléon bat les troupes russes de Koutouzov.*

MOSQUÉE [mɔske] n. f. (de l'ar. *masdjid,* lieu où l'on adore). Édifice du culte musulman.
— ENCYCL. Les *mosquées* sont essentiellement des maisons de prières. On distingue des mosquées de quartier et des mosquées principales *(djāmi'),* dites « grandes mosquées » ou « mosquées cathédrales », pourvues d'un *minbar* et dans lesquelles se fait la prière solennelle du vendredi. Le *mihrāb,* niche d'orientation dans le fond de l'oratoire, indique la direction de La Mecque. La mosquée a comme annexe le *minaret**, pour l'appel à la prière.

MOSSADEGH ou **MUṢADDAQ** (Muḥammad HIDĀYAT, dit), homme politique iranien (1881-1967). Chef du gouvernement (1951-1953), il nationalisa les pétroles et manifesta vigoureusement son opposition au chāh. Renversé par le général Zahedi, il fut emprisonné de 1953 à 1956.

MOSSIS, peuple noir de l'Afrique occidentale, comptant plus de 1 million d'individus et vivant principalement au Burkina. Les Mossis forment un groupe très hiérarchisé, dirigé par un souverain, le *morho-naba.* Ils constituèrent au XIIe s. un grand empire qui disparut au XVIe s. On connaît de nombreux masques mossis comparables à ceux des Dogons.

MOSSOUL ou **MOSUL,** v. de l'Iraq (Kurdistān), sur le Tigre; 388200 hab. Pétrole. Cimenterie. Coton.

MOSTAGANEM, auj. **Mestghanem,** port d'Algérie, ch.-l. de wilaya, sur la Méditerranée; 75300 hab. Centre commercial d'une région viticole.

MOSTAR, v. de Yougoslavie (Herzégovine); 55000 hab. Pont du XVIe s. Mosquées.

MOT [mo] n. m. (du lat. *muttum,* grognement). **1.** Élément d'une langue formé d'un son ou d'un groupe de sons, d'une lettre ou d'un ensemble de lettres qui représentent ce son : *Le sens d'un mot. Un néologisme est un mot nouveau* (syn. TERME, VOCABLE). *Il cherche ses mots* (= il hésite en parlant). *Un mot à double sens* (= équivoque). — **2.** Petit nombre de paroles prononcées ou écrites : *Envoyer un mot à un ami* (syn. BILLET). *Sur ces mots, à ces mots, il s'en alla* (= aussitôt après avoir dit cela). *Je m'en vais lui dire deux mots* (= lui faire des reproches). *Il ne dit pas un mot, il ne souffle mot* (= il reste silencieux). *Il ne mâche pas ses mots* (= il parle avec une franchise brutale). *Avoir le mot pour rire* (= plaisanter). — **3.** *C'est mon dernier mot* (= c'est ma dernière proposition). ‖ *Avoir son mot à dire,* être autorisé à donner son avis. ‖ *Avoir le dernier mot,* l'emporter dans une discussion. ‖ *Ne pas avoir dit son dernier mot,* ne pas avoir encore montré tout ce dont on est capable. || *Bon mot, mot d'esprit,* plaisanterie. || *Se donner le mot,* se mettre d'accord, convenir à l'avance de ce qu'il faut dire, de ce qu'il faut faire. || *Le fin mot de l'histoire,* le sens caché de ce qui s'est passé. || *Grand mot,* terme emphatique, dont la valeur est disproportionnée avec ce que l'on doit dire : *Parler de trahison est un bien grand mot en cette circonstance.* || *Gros mot,* mot grossier, parole injurieuse. || *Jeu de mots,* calembour. || *Jouer sur les mots,* employer des termes d'une manière équivoque, en utilisant les divers sens dans lesquels ils peuvent être compris. || *Prendre au mot,* accepter une proposition dès qu'elle est formulée, sans donner le temps d'en préciser les limitations. || *Se payer de mots,* s'en tenir aux discours, sans passer à l'action. — LOC. ADV. *Au bas mot,* en évaluant au plus bas. || *En un mot,* enfin; pour résumer brièvement. || *Mot à mot, mot pour mot,* sans rien changer : *Répéter mot à mot une conversation* (syn. TEXTUELLEMENT). ◆ **mot-à-mot** n. m. Traduction qui consiste à rendre un mot par un mot d'une autre langue en restant très proche du texte original. ◆ **mots croisés** n. m. pl. Jeu consistant à trouver, d'après leurs définitions, des mots qui doivent entrer dans une grille, où ils sont disposés verticalement et horizontalement, de telle sorte que certaines de leurs lettres coïncident. (→ CRUCIVERBISTE.) ◆ **demi-mot (à)** loc. adv. *Comprendre, entendre à demi-mot,* sans qu'il soit nécessaire de tout dire.

MOTARD n. m. → MOTO 2.

MOTEL [mɔtɛl] n. m. (de *mo[teur]*, et *[hô]tel*). Hôtel situé au bord des routes à grande circulation, et qui est spécialement aménagé pour accueillir les automobilistes de passage.

MOTET [mɔtɛ] n. m. (de *mot*). Pièce de musique religieuse à plusieurs voix, avec ou sans accompagnement, écrite sur un texte latin.

1. MOTEUR [mɔtœr] n. m. (lat. *motor;* de *movere,* mouvoir). **1.** Appareil servant à transformer en énergie mécanique d'autres formes d'énergie. || *Moteur à combustion interne,* moteur dans lequel l'énergie fournie par un combustible est directement transformée en énergie mécanique. || *Moteur à explosion,* moteur qui emprunte son énergie à l'explosion d'un mélange d'air et de carburant. || *Moteur à réaction,* moteur utilisant la poussée due à l'expulsion à grande vitesse vers l'arrière des gaz produits par une combustion. — **2.** Personne qui pousse à agir, qui dirige : *Il est le moteur de l'entreprise* (syn. ÂME, INSTIGATEUR). ◆ **moteur-fusée** n. m. Propulseur à réaction utilisé en aviation et en astronautique. || Pl. des *moteurs-fusées.*

→ illustrations en couleurs pp. 912-913.

2. MOTEUR, TRICE [mɔtœr, -tris] adj. (même étym.). **1.** Qui produit un mouvement, qui le transmet : *Force motrice. Les roues motrices sont à l'avant.* — **2.** Se dit d'un nerf ou d'un muscle qui assure le mouvement d'un organe. || *Troubles moteurs,* paralysies. — **3.** *Plaque motrice,* région où l'arborisation terminale d'un neurone moteur entre en contact avec le cytoplasme d'une cellule musculaire et au niveau de laquelle l'ordre de contraction est transmis. ◆ **motricité** n. f. Ensemble des mouvements qui peuvent, chez un homme ou un animal, être faits sous le contrôle de la volonté (motricité volontaire) ou se produire inconsciemment (motricité involontaire). → ENCYCL.

— ENCYCL. La *motricité volontaire,* c'est-à-dire exécutée volontairement, est commandée par le cerveau (le centre est la circonvolution frontale ascendante, située sur l'écorce du cerveau, juste en avant de la scissure de Rolando) et réglée par le cervelet qui coordonne les mouvements.

La *motricité involontaire* des viscères (tube digestif, vessie, etc.) dépend du système nerveux végétatif, sympathique et parasympathique. De même, le cœur, muscle rouge automatique, qui bat même privé de toutes connexions nerveuses, est sous la dépendance du système nerveux végétatif.

Toute maladie ou atteinte d'un centre, d'une voie, d'un relais de la motricité se traduit par une paralysie : maladies de la moelle, des nerfs, du cerveau ; atteintes du faisceau pyramidal, etc.

1. MOTIF [mɔtif] n. m. (bas lat. *motivus,* mobile). Raison d'ordre intellectuel qui pousse à agir de telle ou telle manière, à faire quelque chose : *Quels sont les motifs de sa conduite?* (syn. MOBILE). *Sa colère est sans motif* (syn. SUJET). ◆ **motiver** v. t. **1.** (sujet nom d'être animé) Justifier, excuser une action par les raisons qui l'expliquent : *Il motive son refus par l'insuffisance des renseignements qui lui ont été fournis.* — **2.** (sujet nom de chose) *Motiver qqch.,* servir de motif à quelque chose : *Les troubles ont*

LOCALITÉS PRINCIPALES	NOMBRE D'HAB.
Metz	118 500
Thionville	41.500
Forbach	27 300
Sarreguemines	25 200
Montigny-lès-Metz	23 700
Hayange	18 000
Saint-Avold	17 000
Yutz	15 400
Creutzwald	15 200
Sarrebourg	15 100

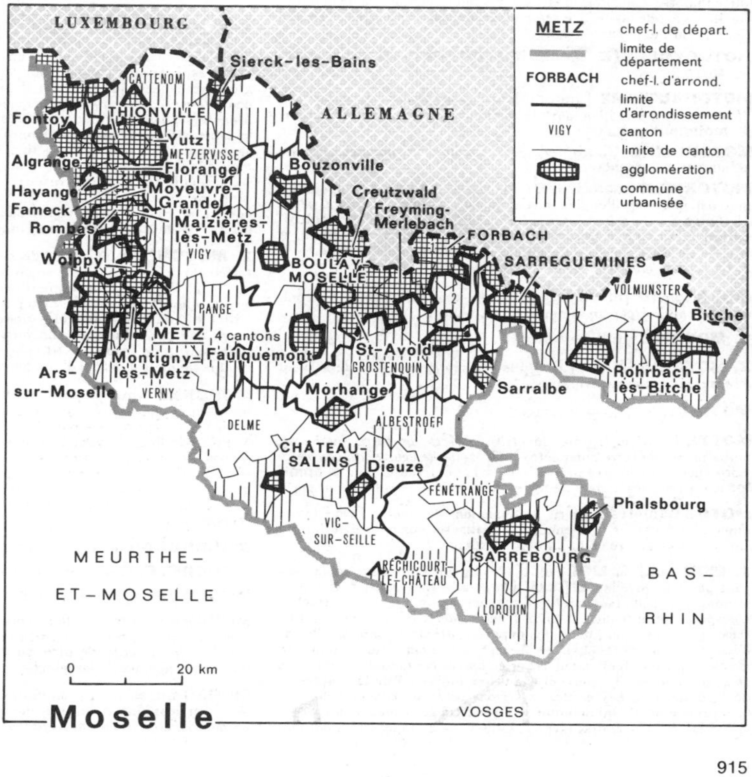

Moselle

motivé l'intervention de l'O. N. U. (syn. ↑NÉCESSITER). ◆ **motivant, e** adj. ◆ **motivation** n. f. Ensemble des motifs qui expliquent un acte, une conduite; intérêt spontané pour quelque chose : *Les motivations des jeunes d'aujourd'hui sont différentes de celles de leurs parents.* ◆ **immotivé, e** adj. Sans motif : *Des craintes immotivées* (syn. INJUSTIFIÉ).

2. MOTIF [mɔtif] n. m. (même étym.). **1.** Sujet d'une peinture; ornement d'une architecture : *Un motif décoratif.* — **2.** Petit élément caractéristique d'une composition musicale, qui assure l'unité d'une œuvre ou d'une partie d'une œuvre. (Il peut être harmonique, mélodique ou rythmique.) [⟶ LEITMOTIV.]

MOTION [mosjɔ̃] n. f. (lat. *motio*, mise en mouvement). Proposition faite dans une assemblée par un ou plusieurs membres : *Rédiger une motion.* ‖ *Motion de censure* ⟶ CENSEUR 3.

MOTIVANT, E adj., **MOTIVATION** n. f., **MOTIVER** v. t. → MOTIF 1.

---

1. MOTO-, élément tiré de *moteur* (n. m.), et qui entre dans la composition de termes techniques pour indiquer l'action d'un moteur.

---

2. MOTO [moto] n. f. (de *moto-*, et [*bicyclette*]). Abrév. fam. de MOTOCYCLETTE. Véhicule à deux roues, actionné par un moteur dont la cyclindrée est supérieure à 125 cm^3 : *L'obtention du permis de conduire une moto a été fixé en 1973 à dix-huit ans.* ◆ **motocycliste** n. et adj. : *Les motocyclistes doivent porter un casque protecteur.* ◆ **motard** n. m. *Fam.* Motocycliste de la police (souvent au sens général de « motocycliste »). ◆ **moto-cross** ou **motocross** n. m. Course de motos sur parcours accidenté.

→ illustration page ci-contre.

MOTOCULTURE [motokyltyr] n. f. *(moto-*, et *culture).* Utilisation du moteur pour actionner les instruments agricoles. ◆ **motoculteur** n. m. Machine de petites dimensions, formée d'un châssis qui porte le moteur, l'outil de travail et les mancherons pour la conduite, et qui repose sur une ou deux roues. (Le motoculteur convient au jardinage, à la petite culture, à la viticulture.)

MOTOCYCLE [motosikl] n. m. *(moto-*, et *cycle).* Cycle mû par un moteur. (Il existe trois groupes de motocycles : le *cyclomoteur*, qui comporte obligatoirement un pédalier, et dont la cyclindrée maximale est de 50 cm^3; le *vélomoteur*, dont la cyclindrée n'excède pas 125 cm^3; et la *motocyclette.*)

MOTOCYCLETTE n. f., **MOTOCYCLISTE** adj. et n. ⟶ MOTO 2.

MOTONAUTISME [motonotism] n. m. *(moto-*, et *nautisme).* Sport de la navigation sur de petites embarcations à moteur. ◆ **motonautique** adj.

MOTOPOMPE [motopɔ̃p] n. f. *(moto-*, et *pompe).* Pompe actionnée par un moteur.

MOTORISER [motorize] v. t. (de *moteur*). Munir de véhicules à moteur, pourvoir d'engins mécaniques : *Motoriser une division d'infanterie. Motoriser l'agriculture* (syn. MÉCANISER). ◆ **motorisation** n. f. : *La motorisation de l'agriculture.* ◆ **motorisé, e** adj. **1.** Se dit d'une troupe munie de véhicules de transport. — **2.** Fam. *Être motorisé,* avoir une voiture pour se déplacer.

MOTORSHIP [mɔtɔrʃip] n. m. (mot angl.). Navire de commerce propulsé par un moteur Diesel. (Abrév. : *M/S.)*

1. MOTRICE adj. f. → MOTEUR 2.

2. MOTRICE [mɔtris] n. f. (de *locomotrice*). Véhicule servant de tracteur à d'autres voitures.

MOTRICITÉ n. f. ⟶ MOTEUR 2.

MOTTE [mɔt] n. f. (orig. incert.). **1.** *Motte de terre,* ou *motte,* petite masse de terre compacte. — **2.** *Motte de beurre, du beurre en motte,* masse de beurre préparée pour la vente au détail. ◆ **émotter** v. t. Briser les mottes de terre d'un champ après le labourage.

MOTUS! [motys] interj. (latinisation de *mot*). *Fam.* Invite quelqu'un à garder le silence, à être discret sur ce qui se fait ou sur ce qui va suivre (syn. CHUT!, SILENCE!).

1. MOU [mu] ou **MOL** [mɔl] (devant un nom masc. commençant par une voyelle), **MOLLE** [mɔl] adj. (lat. *mollis*). **1.** (après le nom) Qui cède facilement au toucher, qui manque de fermeté : *Une pâte molle* (contr. DUR). *La chair molle de ses joues* (contr. FERME); avant le nom, dans des express. littér. : *Le mol oreiller de l'oisiveté* (syn. MOELLEUX). — **2.** (après le nom) Qui manque de rigidité, qui plie facilement : *Porter un col mou* (contr. RAIDE). *Un chapeau mou.* — **3.** (souvent avant le nom) Qui a de la souplesse, de la douceur : *Les molles inflexions de la voix* (syn. DOUX). — **4.** (après le nom) Qui manque de force : *Un geste mou* (contr. FORT, VIOLENT). *Jambes molles* (syn. FLASQUE). — **5.** (après le nom) Qui n'a pas d'énergie, de vitalité : *Garçon mou* (syn. APATHIQUE, INDOLENT). — **6.** (avant le nom) Qui manifeste un manque de ténacité, de vigueur : *Élever de molles protestations* (contr. FERME). *Opposer une molle résistance* (contr. VIGOUREUX). ◆ n. m. **1.** Personne sans énergie : *C'est un mou facilement influençable.* — **2.** *Donner du mou à une corde,* la laisser détendue. ◆ **mollasse** adj. *Péjor.* Qui est très mou, sans vigueur : *Un grand garçon mollasse* (syn. NONCHALANT). ◆ **mollasson, onne** adj. et n. *Fam.* Personne molle, sans énergie. ◆ **mollement** adv. : *Mollement étendu sur un divan* (syn. NONCHALAMMENT). *Refuser mollement des demandes pressantes* (syn. FAIBLEMENT). *Sévir trop mollement contre des abus* (syn. TIMIDEMENT). ◆ **mollesse** n. f. : *La mollesse d'une pâte, d'un matelas. La mollesse de caractère* (syn. FAIBLESSE; contr. VIGUEUR). ◆ **mollir** v. i. **1.** Perdre de sa force : *Le vent mollit. Devant le danger, il sentit ses jambes mollir.* — **2.** Perdre de sa vigueur, de son énergie : *La résistance de l'ennemi mollit* (syn. FAIBLIR). *Son courage mollit* (syn. DIMINUER). ◆ **amollir** v. t. *Amollir qq'un, qqch.*, le rendre mou : *L'inactivité avait amolli son énergie* (syn. AFFAIBLIR; contr. FORTIFIER). ◆ ***s'amollir*** v. pr. Devenir mou : *Sa volonté s'était amollie avec l'âge* (syn. S'ÉMOUSSER). ◆ **amollissant, e** adj. : *Un climat amollissant, chaud et humide* (contr. TONIQUE). ◆ **amollissement** n. m. : *Il y avait chez lui un amollissement général de toutes les facultés* (syn. AFFAIBLISSEMENT). ◆ **ramollir** v. t., ***se ramollir*** v. pr. Syn. usuels de AMOLLIR, S'AMOLLIR. ◆ **ramollissement** n. m. *Ramollissement cérébral, du cerveau,* altération des tissus du cerveau, provoquant une diminution progressive des qualités intellectuelles (syn. GÂTISME).

2. MOU [mu] n. m. (même étym.). Poumon de certains animaux de boucherie : *Mou de veau.*

MOUASKAR → MASCARA.

MOUBARAK (Hosni), homme d'État égyptien, né en 1928. Il est élu à la tête de l'État égyptien après l'assassinat de Sadate (1981).

MOUCHARABIEH [muʃarabje] n. m. (de l'ar. *machrabiyya*). Grillage en bois placé devant une fenêtre (dans les pays musulmans) et qui permet de voir sans être vu.

MOUCHARD, E [muʃar, -ard] n. (de *mouche*). *Fam.* Personne qui en espionne une autre, qui la surveille, qui dénonce ses actes (syn. DÉLATEUR, RAPPORTEUR). ◆ **moucharder** v. t. *Fam.* Dénoncer auprès de quelqu'un (syn. fam. CAFARDER).

1. MOUCHE [muʃ] n. f. (lat. *musca*). **1.** Insecte* diptère à une seule paire d'ailes, au corps trapu et court, au vol bourdonnant et dont la larve est semblable à un ver. ‖ *Mouche bleue, mouche verte,* espèces qui pondent sur la viande. ‖ *Mouche tsé-tsé,* ou *glossine,* espèce qui transmet la maladie du sommeil. ‖ *Mouche charbonneuse,* ou *stomoxe,* espèce qui pique les bestiaux. ‖ *Mouche du vinaigre* → DROSOPHILE. — **2.** *Faire mouche,* atteindre la cible visée. ‖ *Faire la mouche du coche,* s'agiter beaucoup, sans rendre des services effectifs. ‖ *Il ne ferait pas de mal à une mouche,* il est d'une grande douceur. ‖ *Une fine mouche,* personne habile, astucieuse, rusée. ‖ *Pattes de mouche,* petite écriture fine et souvent illisible. ‖ *Prendre la mouche,* se mettre en colère. ‖ Fam. *Quelle mouche le pique?*, pourquoi se met-il en colère? ◆ **moucheron** n. m. Petite mouche.

2. MOUCHE [muʃ] n. f. (de *mouche* 1). **1.** Petite rondelle de taffetas noir que les dames se collaient sur le visage par coquetterie. — **2.** Point noir au centre d'une cible. — **3.** Bouton de cuir à la pointe d'un fleuret, afin d'éviter toute blessure. ◆ **moucheté, e** [muʃte] adj. **1.** Marqué de petits points, de taches d'une couleur autre que celle du fond : *La panthère a une peau mouchetée de noir* (syn. plus usuel TACHETÉ). — **2.** *Fleuret moucheté,* fleuret dont la pointe est garnie d'une mouche.

MOUCHER [muʃe] v. t. (du lat. *muccus,* morve). Débarrasser les narines des sécrétions nasales. ◆ ***se moucher*** v. pr. : *Se moucher avec bruit* (= moucher son nez). ◆ **mouchoir** n. m. **1.** Pièce de linge servant à se moucher, à essuyer des larmes, etc. *(mouchoir de poche).* ‖ *Comme un mouchoir de poche* (= tout petit). — **2.** Étoffe dont les femmes se couvrent la tête, le cou *(mouchoir de tête).* — **3.** Fam. *Arriver dans un mouchoir,* arriver dans une course en peloton serré, si bien que le premier est difficile à reconnaître.

MOUCHERON n. m. ⟶ MOUCHE 1.

MOUCHETÉ, E adj. ⟶ MOUCHE 2.

MOUCHOIR n. m. ⟶ MOUCHER.

MOUDRE [mudr] v. t. (lat. *molere*). [Conj. **58.**] Broyer du grain avec une meule; réduire en poudre avec un moulin : *Moudre du blé. Moudre du café.* ◆ ***être moulu*** v. passif. Être rompu, brisé (par des coups, par la fatigue) [syn. ÉREINTÉ, FOURBU].

MOUE [mu] n. f. (frq. *mauwa*). Grimace faite en avançant les lèvres et manifestant un sentiment d'ennui, de mécontentement, de mépris, etc. : *L'enfant fit la moue devant son assiette.*

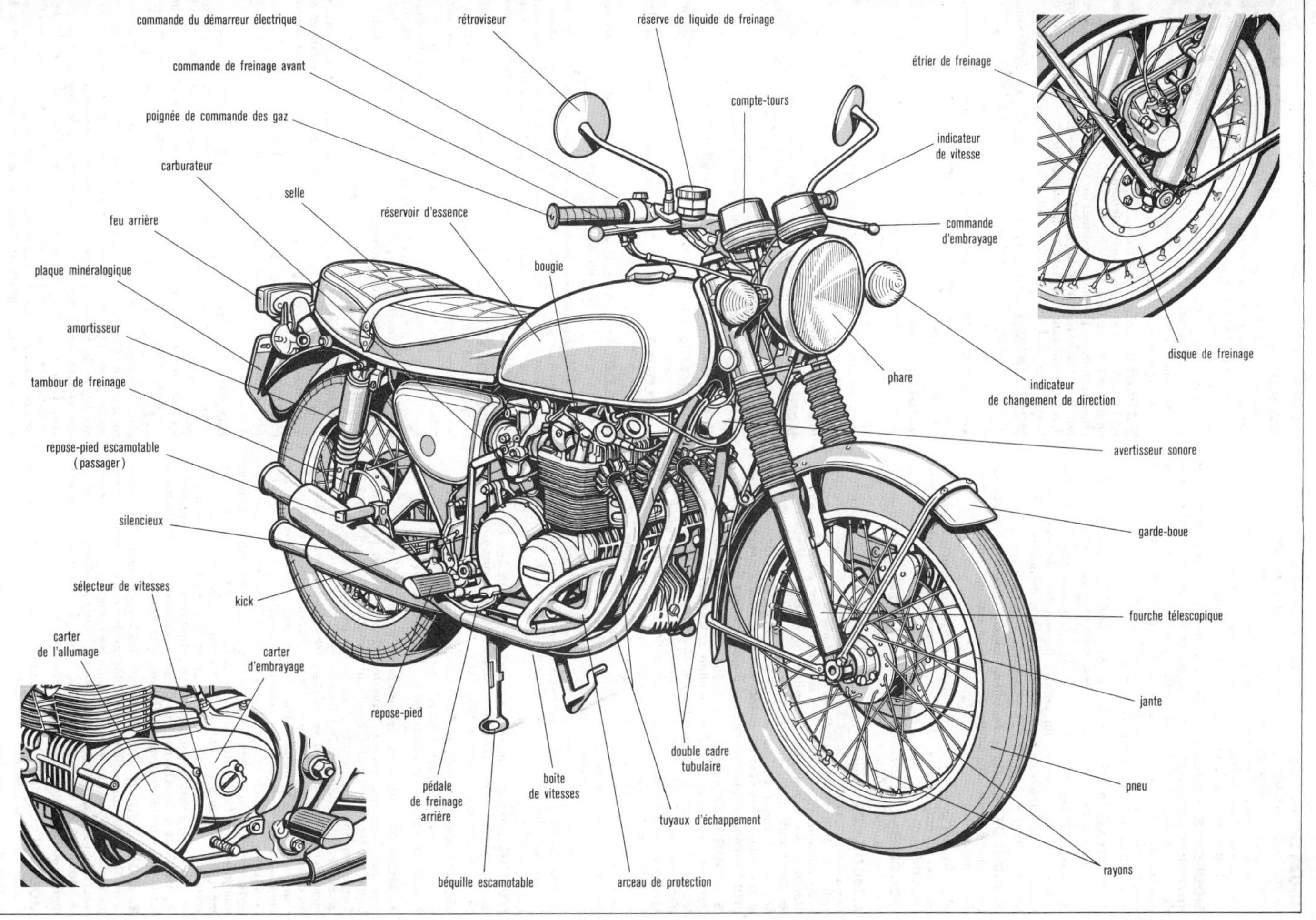
commande du démarreur électrique
rétroviseur
réserve de liquide de freinage
commande de freinage avant
étrier de freinage
compte-tours
poignée de commande des gaz
indicateur
de vitesse
carburateur
selle
réservoir d'essence
commande
d'embrayage
feu arrière
bougie
plaque minéralogique
amortisseur
disque de freinage
tambour de freinage
phare
indicateur
de changement de direction
repose-pied escamotable
(passager)
avertisseur sonore
silencieux
garde-boue
sélecteur de vitesses
kick
fourche télescopique
carter
de l'allumage
carter
d'embrayage
repose-pied
jante
double cadre
tubulaire
pédale
de freinage
arrière
boîte
de vitesses
pneu
tuyaux d'échappement
rayons
béquille escamotable
arceau de protection

MOUETTE [mwɛt] n. f. (du frq. *mauwe*). Oiseau aquatique blanc ou gris clair, aux pattes palmées, au cri aigre, mangeur de poissons, et qui se distingue du goéland par une taille plus petite (moins de 65 cm). [Les mouettes ont un beau vol plané, se posent souvent sur l'eau, mais nagent peu et ne plongent pas. Elles vivent en colonies, recherchant les ports.] (Famille des laridés.)

MOUFETTE [mufɛt] n. f. (de l'it. *moffetta*, odeur fétide). Petit mammifère carnassier américain, couvert d'une très belle fourrure, mais dont les glandes anales peuvent lancer à plusieurs mètres de distance un liquide suffocant, d'odeur tenace, qui éloigne tous ses ennemis (syn. SCONSE). [Famille des mustélidés.] (On écrit aussi MOUFFETTE, MOFETTE.)

1. MOUFLE [mufl] n. f. (du germ. *muffel*, museau rebondi). Gros gant fourré, où le pouce seul est isolé des autres doigts.

2. MOUFLE [mufl] n. f. (même étym.). Assemblage de poulies dans une même chape, qui permet de soulever de très lourdes charges. (La réunion de deux moufles par une même corde constitue un *palan*.)

3. MOUFLE [mufl] n. m. (même étym.). *Chim.* Récipient de terre pour chauffer les corps sans que la flamme soit en contact direct avec eux.

MOUFLON [muflɔ̃] n. m. (it. *muflone*). Grand mouton sauvage, à poil court, non laineux, dont le mâle porte de grandes cornes recourbées.

MOUGINS, ch.-l. de cant. des Alpes-Maritimes, à 8 km au N. de Cannes; 10 200 hab. Centre touristique.

1. MOUILLER [muje] v. i. (bas lat. *molliare*, amollir) [sujet nom désignant un navire]. Jeter l'ancre, s'arrêter dans un port, une rade, etc. (syn. ÊTRE ANCRÉ). ◆ v. t. Laisser tomber au fond de l'eau quelque chose : *Mouiller une ancre pour retenir le navire. Mouiller des mines pour interdire un détroit, un goulet, etc.* ◆ **mouillage** n. m. **1.** Action de mouiller : *Le mouillage d'un bateau. Le mouillage des mines.* — **2.** Plan d'eau favorable au stationnement des navires. ◆ **mouilleur** n. m. *Mouilleur de mines*, petit bâtiment de guerre aménagé pour immerger des mines.

2. MOUILLER [muje] v. t. (même étym.). **1.** Rendre humide, imbiber d'eau ou d'un autre liquide : *Mouiller son doigt pour tourner les pages* (syn. HUMECTER). *La pluie avait mouillé son pantalon* (syn. ↑TREMPER). — **2.** *Mouiller du vin, du lait*, etc., y ajouter un peu d'eau, l'étendre avec de l'eau. ◆ ***se mouiller*** v. pr. **1.** Être imbibé d'eau : *Se mouiller en sortant sous la pluie.* — **2.** *Fam.* Se compromettre dans une affaire louche : *Il s'est mouillé dans une histoire de drogue* (= il a trempé). ◆ **mouillé, e** adj. *Avoir le regard, les yeux mouillés*, pleins de larmes. ‖ *Avoir la voix mouillée*, légèrement troublée sous l'effet de l'émotion. ‖ *Poule mouillée*, personne qui manque de courage, d'énergie. ◆ **mouillette** n. f. Petit morceau de pain long et mince, qu'on trempe dans les œufs à la coque. ◆ **mouillure** n. f. Trace laissée par l'humidité.

MOUJIK [muʒik] n. m. (mot russe signif. *le petit homme*, c'est-à-dire le *paysan* par oppos. au *guerrier*). Paysan russe. (Les plus riches d'entre eux étaient les *koulaks*.)

MOUKDEN, anc. nom de CHEN*-YANG, v. de la Chine du Nord-Est. Au cours de la guerre russo*-japonaise de 1905, les Russes de Kouropatkine y furent battus par les Japonais en février-mars.

1. MOULE [mul] n. m. (lat. *modulus*, mesure). **1.** Objet présentant une empreinte creuse, dans lequel on introduit une matière liquide, pâteuse ou pulvérulente, qui prend, en se solidifiant, la forme de cette empreinte : *Le moule à gaufres, le moule à glaces, etc., sont utilisés en pâtisserie.* — **2.** *Personnes faites sur le même moule*, absolument semblables. ◆ **mouler** v. t. **1.** Obtenir un objet en versant dans un moule la substance qui, par solidification, en prendra la forme : *Mouler une statue.* — **2.** Prendre une empreinte en appliquant sur l'objet une matière qui en épouse les contours : *Mouler le visage d'un mort.* — **3.** *Mouler sa pensée, son style*, etc., *sur un modèle*, les adapter à ce modèle; *les mouler dans une forme*, les faire entrer dans cette forme. — **4.** Accuser nettement les contours en épousant étroitement la forme (au passif surtout) : *Une robe de soie moulant son corps* (syn. SERRER). ◆ **moulage** n. m. Action de mouler; objet obtenu avec un moule. ◆ **mouleur** n. m. Ouvrier qui exécute des moulages. ◆ **démouler** v. t. Retirer d'un moule : *Démouler un gâteau.*

2. MOULE [mul] n. f. (lat. *musculus*, coquillage). Mollusque lamellibranche comestible, à coquille bivalve noire, vivant fixé sur les rochers battus par la mer ou dans les estuaires : *L'élevage des moules, ou mytiliculture, se pratique sur toutes les côtes françaises.* ◆ **moulière** n. f. Parc à moules, formé de plusieurs compartiments, ou *bouchots*, hérissés de pieux.

MOULE (Le), port de la Guadeloupe, sur la côte nord-est de la Grande-Terre; 15 200 hab. Distilleries.

MOULER v. t., **MOULEUR** n. m. → MOULE 1.

MOULIÈRE n. f. → MOULE 2.

MOULIN [mulɛ̃] n. m. (du lat. *mola*, meule). **1.** Machine o[u] appareil servant à moudre le grain des céréales, à broyer, à écrase[r] certaines matières : *Un moulin à vent, à eau. Un moulin à légume[s], à café.* — **2.** Bâtiment où la machine à broyer des céréales es[t] installée : *Le moulin d'A. Daudet.* — **3.** *On entre ici comme dan[s] un moulin*, on y entre comme on veut. ‖ Fam. *Moulin à parole[s]*, bavard impénitent. ‖ *Apporter de l'eau au moulin de qq'un*, lu[i] donner un appui en lui fournissant des arguments. ◆ **moulinett[e]** n. f. Petit moulin à légumes.

MOULIN (Jean), patriote français (1899-1943). Préfet de Chartre[s] en juin 1940, il s'opposa aux Allemands, gagna Londres et, para[chuté] en zone sud en 1942, fut le grand organisateur de la Résis[tance] française. Premier président du Conseil national de la Résis[tance], il fut livré par trahison (21 juin 1943), torturé, et mouru[t] dans le train qui l'emmenait en Allemagne. Ses cendres ont ét[é] transférées au Panthéon à Paris en 1964.

MOULINAGE [mulinaʒ] n. m. (de *moulin*). Opération de conso[lidation] de la soie grège, consistant à réunir et à tordre ensembl[e] plusieurs fils.

MOULIN-À-VENT, vignoble du Beaujolais, situé à Romanèche[-]Thorins (Saône-et-Loire), et qui fournit un vin rouge renommé appelé lui-même *moulin-à-vent.*

MOULINET [mulinɛ] n. m. (de *moulin*). **1.** Appareil qui fonc[tionne] par un mouvement de rotation : *Le moulinet d'une canne à pêche sert à enrouler la ligne.* — **2.** *Faire des moulinets avec u[n] bâton*, lui donner un mouvement de rotation rapide, pour parer u[n] coup ou pour éloigner un adversaire; *faire des moulinets avec le[s] bras*, les faire tourner vite.

MOULINETTE n. f. → MOULIN.

MOULINS, ch.-l. du dép. de l'Allier, dans le Bourbonnais, su[r] l'Allier, à 286 km au S. de Paris; 25 500 hab. *(Moulinois).* Cathé[drale] de style gothique (en grande partie du XIXe s.) renfermant l[e] célèbre triptyque du Maître de Moulins. Faïences (fin du XVIIe s. e[t] XVIIIe s.). Constructions mécaniques et électriques. Chaussures.

MOULINS *(le Maître de)* → MAÎTRE DE MOULINS (le).

MOULMEIN, port de Birmanie, à l'embouchure du Salouen[;] 336 000 hab.

MOULOUYA *(oued)*, fl. du Maroc oriental, tributaire de la Médi[terranée]; 450 km.

MOULURE [mulyr] n. f. (de *mouler*). Ornement d'architecture[,] d'ébénisterie, etc., plus ou moins saillant.

MOUNIER (Emmanuel), philosophe français (1905-1950). Au nom de sa doctrine (le *personnalisme*), exposée et développée dans l[a] revue *Esprit* qu'il fonda, il prôna le respect de la personne humaine et son engagement dans les problèmes de son temps (c'est ainsi qu'il prit parti contre le fascisme et le colonialisme).

MOUNTBATTEN (prince Louis DE BATTENBERG, *lord*), amiral britannique (1900-1979). Pendant la Seconde Guerre mondiale, il fut chef des opérations aéronavales combinées (1942-1943), commanda les forces alliées du Sud-Est asiatique et chassa les Japonais de l'océan Indien (1943-1945). Dernier vice-roi des Indes (1946), chef d'état-major de la Marine en 1955, promu amiral de la flotte en 1956, il fut chef d'état-major de la Défense de 1959 à 1965. Il fut tué par des nationalistes irlandais dans un attentat.

MOURANT, E adj. et n. → MOURIR.

MOURENX, comm. des Pyrénées-Atlantiques, à 25 km env. au N.-O. de Pau, au S. de Lacq; 9 000 hab. Une ville a été édifiée sur le territoire de la commune, près des exploitations de gaz naturel.

MOURÈZE, comm. de l'Hérault, à 8 km à l'O. de Clermont[-]l'Hérault; 76 hab. Magnifique cirque ouvert dans des calcaires dolomitiques.

MOURIR [murir] v. i. (bas lat. *morire*). [Conj. **25.**] **1.** Cesser de vivre : *Mourir dans son lit* (syn. S'ÉTEINDRE). *Mourir assassiné* (syn. PÉRIR). *Mourir muni des derniers sacrements* (syn. DÉCÉDER). *La gelée a fait mourir les fleurs.* ‖ *Mourir de sa belle mort*, mouri[r] de mort naturelle et non de mort accidentelle ou violente. — **2.** (sujet nom de chose) Cesser d'exister, finir peu à peu : *Une civilisation qui meurt* (syn. DISPARAÎTRE). *Laisser mourir la conversation* (syn. TOMBER). *Les vagues viennent mourir sur la plage. Son amour pour elle est maintenant mort* (syn. S'ÉTEINDRE, S'ÉVANOUIR). — **3.** Éprouver une peine très vive, un sentiment violent, une grande souffrance physique ou morale : *Je suis mort de fatigue. Il a l'air complètement mort* (= épuisé). *Mourir de peur* (= éprouver une grande peur). *Mourir de rire* (= rire aux éclats). ◆ ***se mourir*** v. pr. Être sur le point de disparaître, de cesse[r] d'être : *Il se meurt sur un lit d'hôpital.* ◆ **mourant, e** adj. et n. En train de mourir : *Le prêtre fut appelé auprès du mourant* (syn.

MORIBOND). ◆ adj. Qui est près de disparaître : *Une voix mourante* (= à peine perceptible). *Ranimer le feu mourant* (= presque éteint). ◆ **mort, e** adj. **1.** Qui a cessé de vivre : *Feuilles mortes.* — **2.** Qui est éteint, privé d'animation, d'activité : *Une ville morte* (= où il n'y a plus trace de vie). — **3.** *Angle mort,* zone de terrain qui ne peut être atteinte par le tir, ou qui ne peut être vue d'un endroit donné. ‖ *Être plus mort que vif,* être paralysé par la peur. ‖ *Langue morte,* langue qui n'est plus parlée. ‖ *Lettre morte* → LETTRE 2. ‖ *Nature morte,* peinture représentant des objets inanimés autres que le paysage, ou des animaux tués. ‖ *Point mort* → POINT 3. ‖ *Temps mort* → TEMPS 2. ◆ n. **1.** Personne qui a cessé de vivre. — **2.** *Faire le mort,* rester immobile en contrefaisant une personne morte; ne donner aucun signe de vie, ne manifester aucune activité; au bridge, être celui des quatre joueurs qui étale son jeu. ◆ **mort** n. f. **1.** Cessation de la vie; terme de la vie : *Nous avons appris sa mort il y a quelques jours* (syn. DÉCÈS). *Le chien hurle à la mort* (= d'une manière sinistre, comme après la mort de quelqu'un). *Être entre la vie et la mort* (= en danger de mourir). *Être à l'article de la mort* (= être près de mourir). *C'est une question de vie ou de mort* (= il y va de la vie de quelqu'un). — **2.** Arrêt total de l'activité : *Sans des mesures de soutien, c'est la mort de cette industrie* (syn. FIN). — **3.** *La mort dans l'âme,* à regret. ‖ *Souffrir mille morts,* subir d'atroces souffrances. ‖ *Un silence de mort,* absolu, total. ‖ *Être amis à la vie et à la mort,* pour toujours. ‖ *À mort,* d'une manière qui entraîne la mort : *Un combat à mort. Être brouillés à mort* (= être animés l'un contre l'autre d'une haine mortelle). *En vouloir à mort à quelqu'un* (= le détester jusqu'à souhaiter sa mort). ◆ **mort-aux-rats** [mɔrora] n. f. inv. Préparation empoisonnée, destinée à détruire les rats. ◆ **mort-né, e** adj. et n. **1.** Se dit d'un enfant mort en venant au monde. — **2.** Qui échoue dès le début : *Des projets mort-nés.* ◆ **morte-saison** n. f. Temps pendant lequel, dans certaines professions, on a moins de travail qu'à l'ordinaire : *Les mortes-saisons de l'hôtellerie.* ◆ **mortalité** n. f. Rapport entre le nombre de décès survenus au cours d'un temps donné et celui de la population, dans un lieu déterminé. ‖ *Taux de mortalité,* expression du nombre de décès par an par rapport à la population. (Il est de l'ordre de 11 p. 1000 en France.) ◆ **mortel, elle** adj. (avant ou plus souvent après le nom). **1.** Qui cause la mort, qui entraîne la mort : *Un poison mortel.* — **2.** *Ennemi mortel,* que l'on hait profondément. ‖ *Une pâleur mortelle,* qui ressemble à celle de la mort. — **3.** *Dépouille mortelle,* cadavre. — **4.** Qui provoque de la souffrance, de la peine, de l'ennui : *Un silence mortel* (syn. SINISTRE). ◆ adj. et n. Se dit de l'homme, qui est sujet à la mort (littér.) : *Tous les hommes sont mortels. Voici un heureux mortel* (= homme heureux de vivre). ◆ **mortellement** adv. : *Être blessé mortellement* (syn. À MORT). *Il est mortellement ennuyeux* (syn. EXTRÊMEMENT, TERRIBLEMENT). ◆ **mortuaire** adj. Relatif au mort, à la cérémonie des funérailles : *Le drap mortuaire* (= linceul). *Couronne mortuaire.* ◆ **immortel, elle** adj. **1.** Qui n'est pas sujet à la mort : *Les dieux sont immortels.* — **2.** Qui vivra toujours dans la mémoire des hommes : *Gloire immortelle.* ◆ **immortel** n. m. *Fam.* Académicien. ◆ n. m. pl. Les dieux du paganisme. ◆ **immortaliser** v. t. Rendre immortel dans la mémoire des hommes. ◆ **immortalité** n. f. **1.** Qualité, état de ce qui est immortel : *L'immortalité de l'âme.* — **2.** Vie perpétuelle dans le souvenir des hommes : *Aspirer à l'immortalité.*

MOURMANSK, port de l'U. R. S. S., sur la mer de Barents; 308 600 hab. Pêche. Constructions navales.

MOURMELON-LE-GRAND, comm. de la Marne, à 30 km au S.-E. de Reims; 5 900 hab. Camp militaire de 9 000 ha.

MOURON [murɔ̃] n. m. (orig. germ.). **1.** Petite plante commune dans les cultures et les chemins, à fleurs rouges ou bleues, toxique pour les animaux. (Famille des primulacées.) ‖ Le *mouron des oiseaux,* ou *morgeline,* à petites fleurs blanches, appartient au genre stellaire. (Famille des caryophyllacées.) — **2.** Fam. *Se faire du mouron,* se faire du souci, se tracasser.

MOURZOUK, oasis du Sahara libyen, dans le Fezzan.

MOUSCRON, comm. de Belgique (Hainaut), à 3 km au N.-E. de Tourcoing; 37 600 hab. Textiles.

MOUSQUET [muskɛ] n. m. (it. *moschetto*). Arme à feu portative, utilisée par l'infanterie espagnole au début du XVIe s. et introduite en France après la bataille de Pavie (1525) pour les légions provinciales de François Ier (XVIe et XVIIe s.). ◆ **mousqueterie** n. f. Décharge de mousquets ou de fusils qui tirent en même temps.

MOUSQUETAIRE [muskətɛr] n. m. (de *mousquet*). **1.** À l'origine et jusqu'à l'adoption du fusil, soldat d'infanterie armé d'un mousquet. — **2.** Gentilhomme appartenant, au début du XVIIe s., à l'une des deux compagnies à cheval préposées, la première, à la garde du roi, la deuxième, à celle de Richelieu, puis de Mazarin, et rattachées toutes les deux par Louis XIV à la maison du roi.

MOUSQUETERIE n. f. → MOUSQUET.

1. MOUSQUETON [muskətɔ̃] n. m. (it. *moschettone*). Arme à feu individuelle, plus légère et plus courte que le fusil, en service jusqu'à la Seconde Guerre mondiale dans les armes montées.

2. MOUSQUETON [muskətɔ̃] n. m. (même étym.). **1.** Système d'accrochage rapide, constitué par une lame métallique recourbée formant boucle à ressort : *Mousqueton de parachute.* — **2.** Anneau de métal portant un ergot articulé, utilisé en alpinisme pour réaliser une liaison solide entre une corde et un piton, entre deux cordes, etc.

1. MOUSSE [mus] n. m. (de l'esp. *mozo,* garçon). Jeune marin de quinze à seize ans. ◆ **moussaillon** n. m. Petit mousse.

2. MOUSSE [mus] n. f. (frq. *mossa*). Plante cryptogame des lieux humides ou des eaux douces, caractérisée par un développement en touffes ou en tapis, et qui n'a ni racines ni sève circulante, mais qui présente des tiges et des feuilles. (Classe des muscinées.) ◆ **moussu, e** adj. Couvert de mousse.

— ENCYCL. La classe des *mousses* comprend des espèces terrestres et quelques espèces aquatiques, toutes chlorophylliennes et pourvues de feuilles, et assurant leur dispersion par des spores. Une spore germe en donnant un réseau de filaments rampants, le protonéma, sur lequel poussent côte à côte les courtes tiges feuillues qui portent à leur sommet les organes mâles ou femelles. Faute de racines, la mousse absorbe l'eau de pluie par ses feuilles; elle survit d'ailleurs à de longues sécheresses. C'est encore la pluie qui permet la fécondation, les cellules mâles atteignant à la nage les organes femelles. L'œuf éclôt au sommet des tiges en donnant un sporogone, formé d'une longue tige nue (soie) et d'un sporange en forme d'urne.

3. MOUSSE [mus] n. f. (de *mousse* 2). **1.** Écume, amas de bulles qui se forme à la surface d'un liquide : *La mousse de la bière déborda du verre.* — **2.** Dessert ou entremets fait de crème et de blancs d'œufs fouettés : *Mousse au chocolat.* ◆ adj. inv. Se dit de toute matière semblable à une éponge : *Caoutchouc mousse.* ◆ **mousser** v. i. Produire de la mousse : *Le champagne, le cidre moussent. Ce savon mousse beaucoup.* ◆ **mousseux, euse** adj. Qui produit de la mousse : *Du vin mousseux* (= qui, après préparation, donne de la mousse par fermentation). ◆ **mousseux** n. m. Vin qui mousse, à l'exclusion du champagne : *Verser du mousseux dans des coupes.*

4. MOUSSE [mus] adj. (du lat. *mutilus,* tronqué). Qui n'est pas aigu ou tranchant : *Lame mousse.*

MOUSSELINE [muslin] n. f. (de la ville de *Mossoul,* en Mésopotamie). Tissu peu serré, léger, souple et transparent.

MOUSSER v. i. → MOUSSE 3.

MOUSSERON [musrɔ̃] n. m. (orig. obscure). Champignon comestible, à chapeau blanc ou gris, croissant en automne dans les prés ombragés. (Famille des agaricacées.)

MOUSSEUX, EUSE adj. et n. m. → MOUSSE 3.

MOUSSON [musɔ̃] n. f. (de l'ar. *mausim,* saison). Nom donné à des vents des régions tropicales qui soufflent alternativement de la mer vers la terre et de la terre vers la mer au cours de l'année.

— ENCYCL. Les vents de *mousson* sont particulièrement actifs en Inde et en Asie du Sud-Est. En hiver, la mer est plus chaude que le continent : la mousson souffle alors de la terre vers la mer et c'est un vent sec. En été, le continent surchauffé provoque un appel d'air. L'alizé de l'hémisphère Sud franchit alors l'équateur et souffle de la mer vers la terre : la mousson d'été est un vent très humide, qui apporte de grosses quantités de pluie.

Le *climat de mousson* affecte les régions dont la circulation atmosphérique est dominée par les vents de mousson. Les hivers sont secs et frais, les étés chauds et humides : le record mondial des précipitations annuelles a été enregistré en Inde (12 m par an).

MOUSSORGSKI (Modest), compositeur russe (1839-1881). Soucieux de vérité et de sincérité, il traduit directement ses impressions dans sa musique, où il exprime le désespoir et la ferveur du peuple russe, personnage essentiel de ses drames. Dans ses œuvres les plus importantes (*Boris Godounov* [opéra], *Une nuit sur le mont Chauve* [poème symphonique], *Tableaux d'une exposition* [pour piano]), il se révèle un grand précurseur de la musique nouvelle.

MOUSSU, E adj. → MOUSSE 2.

MOUSTACHE [mustaʃ] n. f. (du gr. *mustax,* lèvre supérieure). **1.** Partie de la barbe qui pousse sur la lèvre supérieure. — **2.** Poils longs et raides qui poussent sur la lèvre de certains animaux (chat, lion, phoque, souris, etc.). ◆ **moustachu, e** adj. et n. Qui a de la moustache.

MOUSTÉRIEN [musterjɛ̃] ou **MOUSTIÉRIEN** [mustjerjɛ̃] n. m. (de *Moustier*). *Préhist.* Industrie du paléolithique moyen (nommée d'après la grotte du Moustier, Dordogne), utilisant des éclats de silex et plus rarement l'os, associée particulièrement à l'homme de Néandertal.

MOUSTIER (Le), écart de la comm. de *Peyzac-le-Moustier* (Dordogne), sur la Vézère (r. dr.), à 9 km au N.-E. des Eyzies-de-Tayac-Sireuil. En 1908, y fut découvert un fossile humain, l'*homme du Moustier*, individu de l'espèce de Néandertal.

MOUSTIÉRIEN n. m. → MOUSTÉRIEN.

MOUSTIERS-SAINTE-MARIE, ch.-l. de cant. des Alpes-de-Haute-Provence, au pied de hautes falaises, à 45 km à l'O. de Castellane; 575 hab. Centre touristique. Faïences (l'industrie en fut très importante aux XVIIe et XVIIIe s.).

MOUSTIQUE [mustik] n. m. (esp. *mosquito*, petite mouche). Insecte diptère piqueur et suceur de sang, aux formes grêles, et dont la larve est aquatique. ◆ **moustiquaire** n. f. Rideau de mousseline dont on entoure les lits pour se préserver des moustiques. ◆ **démoustiquer** v. t. Détruire les moustiques dans une région.

MOÛT [mu] n. m. (lat. *mustum*). Jus de raisin ou de pomme qui n'a pas encore fermenté.

MOUTARDE [mutard] n. f. (de *moût*). **1.** Genre de plantes de la famille des cruciféracées, à fleurs jaunes. (Les graines de la *moutarde blanche* servent à fabriquer le condiment nommé *moutarde*. La farine des graines de la *moutarde noire* est utilisée comme révulsif dans les cataplasmes.) — **2.** Assaisonnement fait avec la graine broyée de la *moutarde* et de l'eau, du vinaigre, des aromates : *La moutarde de Dijon.* — **3.** *La moutarde lui monte au nez*, il commence à se mettre en colère. ◆ adj. inv. Jaune verdâtre. ◆ **moutardier** n. m. Petit pot dans lequel on sert la moutarde.

1. MOUTON [mutɔ̃] n. m. (gaul. *multo*). **1.** Mammifère ruminant à cornes spiralées chez le mâle, élevé pour sa chair et pour sa laine. (Le mâle est le *bélier;* la femelle, la *brebis*.) : *Le mouton bêle.* → ENCYCL. — **2.** Viande de cet animal, vendue dans les boucheries : *Faire un ragoût de mouton.* — **3.** Personne qui modèle son attitude sur ceux qui l'entourent. — **4.** *Pop.* Mouchard que la police met dans la même cellule qu'un détenu, qu'il est chargé de faire parler. — **5.** *Chercher un mouton à cinq pattes*, chercher une personne ou une chose très rare, présentant des qualités idéales. ◆ n. m. pl. **1.** Petites vagues avec une crête d'écume. — **2.** Amas de poussière d'aspect laineux. ◆ **moutonner** v. i. Rappeler, par ses ondulations blanches, par son aspect, la toison d'un mouton : *Les nuages moutonnent dans le ciel.* ◆ **moutonné, e** adj. *Un ciel moutonné*, couvert de nuages blancs. ◆ **moutonnement** n. m. : *Le moutonnement des vagues.* ◆ **moutonnier, ère** adj. Qui suit aveuglément et stupidement : *Les foules moutonnières.*
— ENCYCL. Le *mouton* se caractérise par des pattes à deux doigts principaux, protégés chacun par un sabot, un estomac à quatre poches, une denture incomplète. De nombreuses races de moutons ont été domestiquées depuis la plus haute antiquité. Elles sont issues d'une espèce sauvage de nos jours disparue et dont les représentants actuels sont les mouflons. Le mouton est élevé pour la laine, pour sa viande, pour son lait (fromage de Roquefort). [→ OVINS.]

2. MOUTON [mutɔ̃] n. m. (même étym.). Dispositif utilisé pour enfoncer dans le sol des pieux servant d'appui aux fondations de construction.

MOUTURE [mutyr] n. f. (du lat. *molere*, moudre). **1.** Opération consistant à moudre le grain dans une meunerie. — **2.** *Péjor.* Reprise d'un sujet déjà traité et que l'on présente d'une manière différente.

MOUVANCE [muvɑ̃s] n. f. (de *mouvoir*). *Hist.* État de dépendance d'un domaine par rapport au fief dont il relevait.

MOUVANT, E adj. → MOUVOIR.

MOUVAUX, comm. du Nord, dans la banlieue nord-ouest de Roubaix; 12 600 hab. *(Mouvallois).* Filatures.

MOUVEMENT [muvmɑ̃] n. m. (de *mouvoir*). **1.** Changement de position d'un corps par rapport à un point fixe dans l'espace et à un moment déterminé du temps : *Le mouvement d'un pendule* (syn. DÉPLACEMENT). *Le mouvement des astres* (syn. COURS). *Les mouvements des navires dans le port* (= les entrées et les sorties). *Les mouvements de fonds* (= les opérations financières). — **2.** Ensemble d'organes, de mécanismes engendrant un déplacement régulier : *Un mouvement d'horlogerie devait faire exploser l'engin à une heure précise.* — **3.** Action ou manière de mouvoir son corps ou une partie de son corps dans l'espace : *Des mouvements de gymnastique* (syn. EXERCICE). *Un mouvement d'épaules marqua sa désapprobation* (syn. HAUSSEMENT). *En deux temps trois mouvements* (= très rapidement). *Être sans cesse en mouvement* (= ne pas tenir en place). *J'ai besoin de mouvement* (syn. ACTIVITÉ). *Se donner du mouvement* (= prendre de l'exercice). — **4.** Changement de place d'un groupe : *Des mouvements de foule.* — **5.** Animation, dans le langage, dans les compositions littéraires ou artistiques : *La phrase a du mouvement* (syn. VIVACITÉ). *Le mouvement dramatique d'une scène.* — **6.** *Mus.* Degré de vitesse ou de lenteur dans l'exécution (→ tableau) : *Indication du mouvement sur la partition;* partie d'une œuvre musicale exécutée dans un mouvement donné : *Le deuxième mouvement d'une symphonie.* — **7.** *Mouvement du sol*, vallonnement, accident de terrain. — **8.** Modification dans l'état d'esprit, qui se traduit par une émotion, une réaction : *Être en proie à des mouvements divers* (syn. SENTIMENT). *Dans un bon mouvement, il lui pardonna. Il a agi de son propre mouvement* (syn. INITIATIVE). — **9.** Modification dans l'état social, politique, économique : *Le mouvement des idées. Un mouvement d'opinion.* — **10.** Action collective qui vise à produire un changement, ou courant d'idées qui témoigne de cette transformation : *Le mouvement humaniste en France au XVIe siècle;* organisation politique, sociale, etc., qui tend à diriger ce changement : *Les mouvements de jeunesse* (syn. GROUPEMENT). — **11.** Modification, variation dans le prix, dans les valeurs, dans les quantités : *Mouvement de baisse sur les ventes à la Bourse.* ◆ **mouvementé, e** adj. **1.** Troublé ou agité par des événements subits, violents : *Une séance mouvementée à l'Assemblée* (syn. ANIMÉ). — **2.** *Terrain mouvementé*, qui présente des accidents, qui n'est pas uni, plat.

mouvements musicaux
(le *tempo*)

Les termes ne définissent pas des mouvements absolus, mais seulement relatifs les uns aux autres.

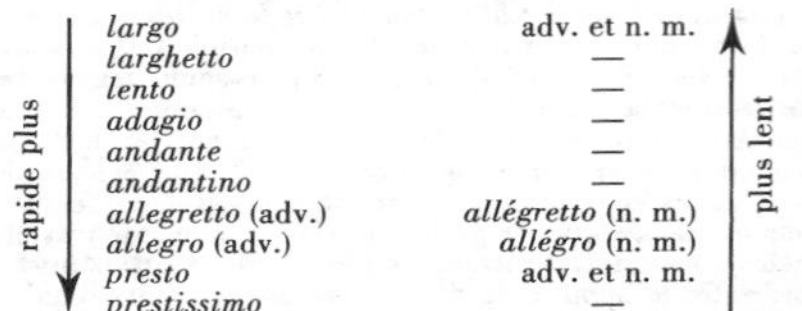

rapide plus
largo — adv. et n. m.
larghetto — —
lento — —
adagio — —
andante — —
andantino — —
allegretto (adv.) — allégretto (n. m.)
allegro (adv.) — allégro (n. m.)
presto — adv. et n. m.
prestissimo — —
plus lent

Maestoso (majestueux), *moderato* (modéré), *vivace* (vif), *furioso* (violent), *scherzo* et *scherzando* (vivement et gaiement) peuvent être employés seuls ou ajoutés à un terme désignant le mouvement.

Mouvement républicain populaire (M. R. P.), parti politique fondé en 1944 et groupant les adeptes de la démocratie chrétienne, la plupart anciens résistants. Il connut dès l'abord un grand succès (150 députés aux élections de 1945, le premier groupe parlementaire). Il conserva, par la suite, sous la IVe République, un effectif stable de députés et entra dans presque tous les gouvernements, en dirigeant même quelques-uns (Bidault, Schuman, Pflimlin). Sous la Ve République, il perdit peu à peu son audience, au point de s'effacer en septembre 1967 devant le Centre démocrate.

MOUVEMENTÉ, E adj. → MOUVEMENT.

MOUVOIR [muvwar] v. t. (lat. *movere*). [Conj. **36;** surtout à l'infin., et au passif avec le part. passé *mû, mue.*] **1.** *Mouvoir une chose*, la mettre en mouvement : *Les moteurs de la centrale sont mus par la force hydraulique* (syn. ACTIONNER). — **2.** *Mouvoir qq'un*, le mettre en action, le faire agir (uniquement au passif) : *Il était mû par un sentiment de bonté* (syn. ANIMER, POUSSER). ◆ **se mouvoir** v. pr. Être soi-même en mouvement : *Il ne pouvait se mouvoir qu'avec difficulté* (syn. BOUGER, MARCHER, REMUER). ◆ **mouvant, e** adj. **1.** *Sables mouvants*, qui n'ont pas de stabilité, où l'on enfonce très rapidement. ‖ *Terrain mouvant*, dont le fond n'est pas solide. ‖ *Avancer en terrain mouvant*, dans un domaine qui est peu connu, où l'on risque à tout moment de commettre une erreur fatale (contr. SOLIDE). — **2.** Qui change continuellement d'aspect : *La situation actuelle est mouvante* (syn. CHANGEANT, INSTABLE; contr. STABLE).

1. MOYEN [mwajɛ̃] n. m. (du lat. *medius*, qui est au milieu). **1.** Ce qui sert pour parvenir à un but : *Utiliser des moyens illégitimes. Il n'y a pas moyen de faire tout ce qu'il demande* (= il est impossible). *Tous les moyens lui sont bons pour parvenir à ses fins* (= il n'a aucun scrupule). *C'est l'unique moyen de le persuader* (syn. MANIÈRE). *Employer les grands moyens* (= énergiques). *Se servir des moyens du bord* (= de ceux qui sont immédiatement à la disposition). — **2.** (suivi d'un compl. du nom sans art.) Ce qui permet de faire quelque chose (objet, véhicule, etc.) : *Les moyens de défense d'un pays* (= l'armement qu'il possède). *Les moyens de transport* (= les véhicules servant au transport des voyageurs et des marchandises). — **3.** *Le moyen de* (suivi d'un infin.), la possibilité de. ◆ n. m. pl. **1.** Capacités intellectuelles ou physiques : *Il perd ses moyens au moment des examens. C'est au-dessus de mes moyens* (syn. FORCES). — **2.** Ressources pécuniaires : *Il mène un grand train de vie, mais il a les moyens* (= il est riche). — **3.** Dr. *Les moyens de la défense, de l'accusation*, les raisons alléguées par la défense, par l'accusation, à un procès. — **4.** *Par ses propres moyens*, avec ses seules ressources, par sa seule action : *Il a réussi par ses propres moyens. Les voyageurs du car en panne devaient gagner le village par leurs propres moyens* (= à pied). — LOC.

PRÉP. *Au moyen de*, grâce à l'aide apportée par quelque chose. ‖ *Par le moyen de*, par l'intermédiaire de.

2. MOYEN, ENNE [mwajɛ̃, -ɛn] adj. (même étym.) [avant ou après le nom]. **1.** Se dit de ce qui tient le milieu entre deux extrémités, entre deux périodes extrêmes, entre deux choses : *Homme de taille moyenne. C'est une moyenne entreprise* (contr. IMPORTANT ou PETIT). *Le Français moyen* (= celui qui occupe un rang intermédiaire par sa situation sociale et par sa culture). *Les classes moyennes* (= dont le niveau d'existence est aisé et qui composent les cadres de l'industrie, du commerce, les professions libérales, les fonctionnaires des grades supérieurs, etc.). — **2.** Qui n'est ni bon ni mauvais : *Les résultats bien moyens de cet élève* (= à peine passables). *Il est moyen en français*. — **3.** Que l'on calcule en divisant la somme de plusieurs quantités par leur nombre : *La température moyenne de cet hiver a été faible. L'espérance moyenne de vie s'est élevée*. ◆ **moyenne** n. f. **1.** Ce qui s'éloigne des extrêmes, ce qui est au milieu de deux choses : *Intelligence au-dessus de la moyenne*. — **2.** Nombre obtenu en divisant la somme de plusieurs quantités par leur nombre : *Cet élève a dix sur vingt; il a la moyenne* (= la moitié des points sur le total possible). ‖ *Moyenne arithmétique de deux nombres réels* a *et* b, c'est le nombre réel $m = \frac{a+b}{2}$. ‖ *Moyenne géométrique de deux nombres réels* a *et* b, c'est le nombre réel n tel que $\frac{a}{n} = \frac{n}{b}$ (ou encore $n = \sqrt{ab}$, si ab est positif ou nul. — **3.** *En moyenne*, si l'on prend approximativement la moyenne (sens 2) : *On compte en moyenne trente-cinq élèves par classe*. ◆ **moyennement** adv. Ni peu ni beaucoup : *Travailler moyennement* (syn. MÉDIOCREMENT).

MOYEN ÂGE [mwajɛnɑʒ] n. m. *(moyen,* et *âge)*. Période de l'histoire qui va du début du Ve s. au milieu ou à la fin du XVe s. (→ HISTOIRE, *encycl.*) : *Les arts du Moyen Âge*. ◆ **moyenâgeux, euse** adj. **1.** Qui appartient au Moyen Âge : *La France moyenâgeuse* (syn. MÉDIÉVAL). — **2.** Qui évoque le Moyen Âge : *Des rues moyenâgeuses*. — **3.** Syn. de SURANNÉ : *Des idées moyenâgeuses*.
→ illustrations en couleurs pp. 912-913.

MOYEN-CONGO, anc. territoire de l'A.-É. F. (→ CONGO.)

MOYEN-COURRIER [mwajɛ̃kurje] adj. et n. m. *(moyen,* et *courrier)*. Avion de transport destiné à voler sur des distances moyennes (en général inférieures à 2 000 km). ‖ Pl. des *moyen-courriers*. (→ LONG-COURRIER.)

MOYENNANT [mwajenɑ̃] prép. (de *moyen*). Par le moyen de; à la condition de : *Moyennant une somme modique, vous pourrez louer cet appareil* (syn. POUR). *Il y parviendra moyennant un effort soutenu* (syn. GRÂCE À). *Moyennant ce petit service, vous aurez droit à son appui* (syn. EN ÉCHANGE DE).

MOYENNE n. f., **MOYENNEMENT** adv. → MOYEN 2.

MOYEN-ORIENT, ensemble formé par les États riverains de la Méditerranée orientale (Turquie, Syrie, Égypte, Libye, Israël et Liban) et du golfe Persique (États de la péninsule d'Arabie, Iraq et Iran). L'expression englobe celle de *Proche*-Orient*.

MOYEU [mwajø] n. m. (lat. *modiolus*, petit vase). Partie centrale d'une roue, que traverse l'essieu.

MOYEUVRE-GRANDE, ch.-l. de cant. de la Moselle, à 10 km à l'E. de Briey; 10 300 hab. Mine de fer. Sidérurgie.

MOZAMBIQUE, État de l'Afrique orientale; 785 000 km^2; 13 500 000 hab. (17 au km^2). Capit. *Maputo* (755 000 hab.).
→ cartes AFRIQUE pp. 48-49.

La plaine côtière, souvent marécageuse, s'élève progressivement vers l'O. Un climat tropical s'asséchant vers l'intérieur affecte l'ensemble du pays. La population, essentiellement noire, pratique des cultures vivrières (maïs, riz, manioc), et des cultures commerciales destinées à l'exportation (coton, canne à sucre). Le sous-sol recèle s'importantes richesses, mais qui sont encore peu exploitées (charbon, béryl). La transformation des produits agricoles représente la seule activité industrielle.

HISTOIRE

Avant l'arrivée des Européens, la région, peuplée de Bantous, connaît déjà une certaine prospérité; la côte est en relation avec l'Asie et la péninsule Arabique, par l'intermédiaire des marchands arabes, persans et, au XVe s., chinois.

- *1489-1508. Les Portugais s'installent sur la côte.*

L'intérieur du pays leur est connu sous le nom de *royaume de Monomotapa;* celui-ci accepte en 1624 leur suzeraineté.

Au XVIIe s., les Portugais deviennent les maîtres incontestés du pays après avoir repoussé Hollandais et Arabes. Ils se livrent essentiellement à la traite des esclaves jusqu'en 1878.

- *1964. Début d'une insurrection nationaliste.*
- *1975. Indépendance du Mozambique.*

Après le départ de la plupart des Portugais, Samora Moïse Machel, président de la République populaire, doit faire face à une situation économique difficile (sécheresse, famine, guérilla).

- *1984. Traité de non-agression avec l'Afrique du Sud.*
- *1986. Joaquim Chissano succède à S. M. Machel.*
- *1990. Restauration du multipartisme.*

MOZAMBIQUE *(canal de)*, bras de mer de l'océan Indien, entre l'Afrique et Madagascar.

MOZARABE [mɔzarab] adj. et n. (de l'ar. *musta'rib*, arabisé). Se dit des chrétiens d'Espagne qui conservèrent leur religion sous la domination musulmane. ‖ *Art mozarabe*, se dit en Espagne d'un art influencé par l'islām, qui s'épanouit au Xe s. dans les provinces chrétiennes du Nord.

MOZART (Wolfgang Amadeus), compositeur autrichien (1756-1791). Né à Salzbourg et élevé par un père lui-même musicien, il manifeste un génie précoce comme interprète, puis comme compositeur pour piano et violon. Les nombreux voyages qu'il effectue bientôt en France, Angleterre, Italie et Allemagne vont exercer une influence déterminante sur son œuvre.

Il passe plusieurs années au service de l'archevêque de Salzbourg, en tant que premier violon d'orchestre, puis en qualité d'organiste de la cour et de la cathédrale de Salzbourg, avant de s'installer définitivement à Vienne en 1781, comme musicien indépendant. Dans les œuvres très nombreuses et très variées qu'il compose alors, il sait assimiler les influences les plus diverses : la musique allemande (Bach, Händel, Haydn), les tendances nouvelles de l'opéra italien, et la musique française de son temps. Dans sa recherche de la pureté et de l'élégance, Mozart atteint à une grandeur « classique », tout en conservant à sa musique, où apparaissent déjà les premiers symptômes du romantisme, la simplicité et la grâce.

Auteur d'opéras célèbres (*les Noces de Figaro*, 1786; *Don Juan*, 1787; *la Flûte enchantée*, 1791), il a composé de la musique religieuse (nombreuses messes dont la *Messe du couronnement* [1779], et surtout le célèbre *Requiem*) et de la musique instrumentale (sonates, divertissements, symphonies et concertos).

M. R. P., abrév. de *Mouvement* républicain populaire*.

m. t. s. *(système)*, système d'unités dont les trois unités fondamentales sont le *mètre* (unité de longueur), la *tonne* (unité de masse), la *seconde* (unité de temps).

MUCHA (Alfons), peintre et décorateur tchèque (1860-1939). Il vécut à Paris au début du siècle, se classant parmi les promoteurs du modern* style. Il dessina de nombreuses affiches, en particulier pour Sarah Bernhardt.

MUCILAGE [mysilaʒ] n. m. (du lat. *mucus*, morve). **1.** Substance organique présente dans de nombreux tissus végétaux, et qui se gonfle au contact de l'eau en donnant des solutions visqueuses. — **2.** Liquide visqueux formé par la solution d'une gomme dans l'eau, et dont on se sert en pharmacie.

MUCIUS SCAEVOLA (Caius), jeune Romain (fin du VIe s. av. J.-C.). Selon la légende, il pénétra dans le camp ennemi pendant un siège de Rome par les Étrusques et, croyant mettre à mort Porsenna, tua le lieutenant de celui-ci. Conduit devant le roi, il plaça sa main sur un brasier pour la punir de s'être trompée.

MUCOR [mykɔr] n. m. (mot lat.). Champignon microscopique donnant une moisissure blanche qui se développe sur le pain.

MUCUS [mykys] n. m. (mot lat. signif *morve*). **1.** Sécrétion gluante contenant des protides, produite par les muqueuses. (Le mucus abonde surtout dans l'estomac, dont il protège la paroi, et dans les fosses nasales, où il retient les poussières et les microbes.) — **2.** Substance visqueuse sécrétée par un animal. ◆ **mucosité** n. f. Substance épaisse sécrétée par les muqueuses du nez. ◆ **muqueux, euse** adj. **1.** Relatif aux mucosités : *Sécrétions muqueuses*. — **2.** *Membrane muqueuse*, ou *muqueuses* n. f. pl., enveloppes de tissu épithélial bordant une cavité interne de l'organisme : *La bouche, l'estomac, la vessie, etc., sont tapissés par une membrane muqueuse*.

MUDÉJAR [mudexar] adj. et n. (de l'ar. *mudadjdjan*, celui auquel on a donné la permission de rester où il est). Se dit des musulmans restés en Castille après la reconquête chrétienne (XIe-XVe s.). ‖ *Art mudéjar*, art qui se développa en Espagne chrétienne du XIIe au XVIe s., et qui est caractérisé par l'influence de l'islām.

MUE [my] n. f. (du lat. *mutare*, changer). **1.** Changement dans le plumage, le poil, la peau, auquel les animaux vertébrés sont sujets à certaines époques de l'année. — **2.** Perte de la peau ou de la carapace pendant la croissance de certains animaux (lézards, insectes, crustacés); la peau ainsi abandonnée. — **3.** Changement qui s'opère dans le timbre de la voix humaine au moment de la puberté. ◆ **muer** v. i. **1.** Changer de peau ou de poil, se déplumer, en parlant de certains animaux. — **2.** Avoir un timbre de voix plus grave au moment de la puberté; devenir plus grave, en parlant de la voix. ◆ ***se muer*** v. pr. Se transformer : *Sa sympathie s'est muée en amour* (syn. SE CHANGER).

MUET, MUETTE [mɥɛ, -ɛt] adj. (avant ou après le nom) et n. (lat. *mutus*). **1.** Se dit d'une personne qui n'a pas ou qui n'a plus l'usage de la parole : *Il est sourd et muet de naissance.* — **2.** Se dit de celui qu'un sentiment empêche de parler, qui ne veut pas manifester son opinion, qui ne veut pas répondre : *Muet de terreur. Être muet comme une carpe* (syn. SILENCIEUX; contr. BAVARD, PROLIXE). ◆ adj. **1.** Se dit d'une chose (émotion, sentiment, etc.) qui n'est pas exprimée par la parole, de ce qui n'est pas explicite : *De muets reproches. Un désespoir muet.* — **2.** *Film muet,* qui n'est pas accompagné d'un son enregistré (contr. PARLANT, SONORE); et substantiv., *le muet,* le cinéma muet, avant que la reproduction du son sur film ne soit inventée. ‖ *« E » muet,* qui est écrit, mais ne se prononce pas. ◆ **mutisme** [mytism] n. m. Attitude de celui qui refuse de parler, de s'exprimer, qui garde le silence (sens 2 de MUET) : *S'enfermer dans un mutisme hostile. Le mutisme de la presse au sujet de cette affaire.* ◆ **mutité** n. f. Impossibilité réelle de parler (sens 1 de MUET).

MUEZZIN [mɥedzin] n. m. (mot turc). Fonctionnaire chargé d'annoncer du haut d'un minaret les cinq prières quotidiennes de l'islām.

MUFLE [myfl] n. m. (de *moufle*). Extrémité du museau de certains gros mammifères : *Le mufle du lion, du bœuf.* ◆ n. m. et adj. *Fam.* Individu grossier : *Se conduire comme un mufle* (syn. GOUJAT, MALOTRU). ◆ **muflerie** n. f. : *Attitude d'une muflerie révoltante* (syn. GOUJATERIE, GROSSIÈRETÉ).

MUFLIER [myflije] n. m. (de *mufle*). Autre nom de la GUEULE-DE-LOUP, plante ornementale dont les fleurs pourpres, à deux lèvres, ont l'aspect d'un mufle d'animal. (Famille des scrofulariacées.)

MUFTĪ ou **MUPHTI** [myfti] n. m. (mot ar.). En pays musulman, personne chargée du maintien de la loi religieuse.

MUGE [myʒ] ou **MULET** [mylɛ] n. m. (lat. *mugil*). Poisson à large tête, vivant près des côtes, mais pondant en mer, et dont la chair est estimée : *Le cabot est une espèce de muge.*

MUGIR [myʒir] v. i. (lat. *mugire*). **1.** (sujet désignant un bœuf, une vache) Pousser un cri sourd et long : *Le taureau mugit* (syn. BEUGLER). — **2.** (sujet nom de chose) Faire entendre un bruit qui ressemble à ce cri : *Le vent mugit avec fureur. La sirène mugit dans la nuit.* ◆ **mugissant, e** adj. : *Les vagues mugissantes.* ◆ **mugissement** n. m. : *Les mugissements des bœufs* (syn. BEUGLEMENT).

MUGUET [mygɛ] n. m. (de l'anc. fr. *muguette,* altér. de *muscade* [à cause de l'odeur]). **1.** Plante des bois, dont les fleurs, petites et blanches, sont groupées en grappes, et qui fleurit en mai. (Famille des liliacées.) — **2.** Maladie des muqueuses, due à un champignon, et qui apparaît surtout dans la bouche des nouveau-nés. (Le muguet se manifeste par des plaques blanches crémeuses.)

MUḤAMMAD, nom arabe de MAHOMET*.

MUḤAMMAD V IBN YŪSUF (1909-1961), sultan (1927), puis roi (1957-1961) du Maroc, fils et successeur du Mūlāy Yūsuf. S'étant prononcé pour l'indépendance du Maroc, il fut déposé par les Français en 1953. Exilé en Corse, puis à Madagascar, il fut rappelé en 1955, alors que la situation au Maroc s'aggravait. En 1957, il devint souverain du royaume de Maroc, dont la France avait reconnu l'indépendance. En 1960, il assuma aussi la direction du gouvernement, auquel il associa son fils Ḥasan, qui devait être son successeur.

MUID [mɥi] n. m. (lat. *modius,* mesure). Anc. unité de mesure de capacité pour les liquides, les grains et diverses matières, et qui variait selon les pays et les marchandises. (À Paris, le muid valait 274 l pour le vin.)

MULATIÈRE (La), comm. du Rhône, dans la banlieue sud de Lyon; 7 800 hab. *(Mulatins).* Constructions mécaniques.

MULÂTRE, MULÂTRESSE [mylɑtr, mylɑtrɛs] n. et adj. (de l'esp. *mulato,* mulet). Homme ou femme de couleur, né d'un Noir et d'une Blanche ou d'une Noire et d'un Blanc.

MŪLĀY ou **MOULAY,** titre porté par les sultans du Maroc de la dynastie chérifienne.

1. MULE n. f. ⟶ MULET 2.

2. MULE [myl] n. f. (lat. *mulleus calceus,* soulier rouge). Pantoufle laissant le talon découvert. ‖ *Mule du pape,* pantoufle blanche du pape, portant une croix brodée.

1. MULET n. m. ⟶ MUGE et ROUGET.

2. MULET [mylɛ] n. m. (lat. *mulus*). Animal stérile issu du croisement entre un âne et une jument. ◆ **mule** n. f. **1.** Femelle du mulet. — **2.** *Têtu comme une mule,* très têtu. ‖ *Avoir une tête de mule,* être entêté. ◆ **muletier** n. m. Conducteur de mulets.

MULETA [muleta] n. f. (mot esp.). Morceau d'étoffe écarlate, dont se sert le matador pour achever de fatiguer le taureau avant de lui donner l'estocade.

MULETIER n. m. ⟶ MULET 2.

MULHACÉN, point culminant de l'Espagne (Andalousie), dans la sierra Nevada; 3 478 m.

MÜLHEIM AN DER RUHR, v. d'Allemagne (Rhénanie-du-Nord-Westphalie), dans la Ruhr; 185 000 hab.

MULHOUSE, ch.-l. d'arrond. du Haut-Rhin, à 28 km au N.-O. de Bâle, sur l'Ill; 113 800 hab. *(Mulhousiens).* Simple chef-lieu d'arrondissement, Mulhouse est cependant la première ville du département, le noyau d'une agglomération regroupant 200 000 personnes, la deuxième d'Alsace. L'industrie est l'activité dominante. Le textile a été largement remplacé par les constructions mécaniques et électriques, cependant qu'à proximité sont exploités d'importants gisements de potasse.

MULOT [mylo] n. m. (d'un mot germ. signif. *taupe*). Petit rat gris, qui vit sous terre, dans les bois et les champs.

MULTĀN, v. du Pākistān; 544 000 hab. Engrais. Textiles.

MULTI-, élément tiré du lat. *multi,* nombreux, et qui sert de préf. à de nombreux mots avec le sens de « beaucoup », « plusieurs ».

MULTICELLULAIRE adj. ⟶ CELLULE 4. / **MULTICOLORE** adj. ⟶ COULEUR. / **MULTIFORME** adj. ⟶ FORME 1. / **MULTIMILLIONNAIRE** adj. ⟶ MILLION. / **MULTINATIONALE** n. f. ⟶ NATION.

MULTIPARE [myltipar] adj. et n. f. (de *multi-,* et lat. *parere,* enfanter). Qui met bas plusieurs petits en une seule portée : *La femelle du lapin est multipare.*

1. MULTIPLE [myltipl] adj. (lat. *multiplex*) [après et avant un nom au plur.]. Qui se produit de nombreuses fois, qui existe à de nombreux exemplaires : *À de multiples reprises* (syn. NOMBREUX). *Les aspects multiples de son activité* (syn. DIVERS, VARIÉ). ◆ **multiplicité** n. f. Caractère de ce qui est nombreux et varié : *La multiplicité des opinions* (= le grand nombre). ◆ **multiplier** v. t. Augmenter le nombre de; accroître en quantité : *Multiplier les expériences* (syn. RÉPÉTER). ◆ ***se multiplier*** v. pr. S'accroître en nombre, en quantité : *Les moyens de communication se multiplient* (syn. SE DÉVELOPPER). *Les accidents se sont multipliés au cours des dernières vingt-quatre heures* (syn. AUGMENTER). ◆ **multiplication** n. f. : *La multiplication des points de vente* (= accroissement en nombre). ◆ **démultiplier** v. t. *Démultiplier une vitesse, un déplacement,* faire en sorte que, dans un système de transmission, la vitesse ou le déplacement de l'organe entraîné soient moindres que ceux de l'organe qui entraîne. ◆ **démultiplication** n. f. Rapport de réduction de la vitesse ou du mouvement.

2. MULTIPLE [myltipl] n. m. (même étym.). Math. *Multiple d'un nombre entier* n, c'est un nombre entier *m* tel qu'il existe un nombre entier *n'* tel que $m = n \times n'$: *3, 6, 9, 12, 15 sont des multiples de 3; 49, 56, 63 sont des multiples de 7. Tous les nombres pairs sont des multiples de 2.* ‖ *Multiple commun à deux entiers naturels* a *et* b, nombre qui est multiple simultanément de *a* et de *b* : *0, 15, 30, 45, 60... sont des multiples communs à 3 et 5.* ‖ *Plus petit commun multiple de deux nombres entiers naturels* (abrégé en p. p. c. m.), c'est le plus petit de leurs multiples communs (⟶ P. P. C. M.). ◆ **multiplier** v. t. Faire une multiplication. ◆ **multiplicande** n. m. Lorsqu'on multiplie un nombre réel *a* par un nombre réel *b, a* s'appelle le *multiplicande* et *b* le *multiplicateur* (distinction inutile puisque la multiplication est une opération commutative : $a \times b = b \times a$). ◆ **multiplicateur** n. m. ⟶ MULTIPLICANDE. ◆ **multiplication** n. f. Loi* de composition interne (ou opération) sur un ensemble de nombres, symbolisée par le signe × qui à deux nombres *a* et *b* fait correspondre le nombre, noté $a \times b$, appelé *produit* de *a* par *b.* (*Ex.* : $2 \times 5 = 10$ dans $\mathbb{N}$; $(+\frac{3}{2}) \times (-\frac{5}{3}) = -\frac{5}{2}$ dans $\mathbb{Q}$. On note parfois $a \times b = a \cdot b$ le produit de *a* par *b.*) ⟶ ENCYCL.

— ENCYCL. La *multiplication* est une opération associative*, commutative*, distributive* par rapport à l'addition, et admet 1 pour élément* neutre. Pour tout nombre réel *a*, $a \times 0 = 0 \times a = 0$.

L'ensemble* $\mathbb{R}$ des nombres réels non nuls, muni de la multiplication, est un groupe* commutatif.

Si *a* est un nombre non nul, on appelle *inverse* de *a* le symétrique de *a* pour la multiplication, c'est-à-dire le nombre réel *a'* tel que $a \times a' = 1$. L'inverse de *a* se note a^{-1} ou $\frac{1}{a}$. (*Ex.* : l'inverse de $+4$ est $+\frac{1}{4}$; l'inverse de $-\frac{3}{5}$ est $-\frac{5}{3}$; 0 n'a pas d'inverse.

MULTIPOLAIRE [myltipolɛr] adj. (de *multi-*, et *pôle*). *Électr.* Qui a plus de deux pôles : *Dynamo multipolaire.*

MULTIPROPRIÉTÉ n. f. → PROPRIÉTÉ 1.

MULTITUDE [myltityd] n. f. (lat. *multitudo*). **1.** (avec un compl.) Très grande quantité d'êtres, d'objets, de choses : *Une multitude d'événements* (syn. UN GRAND NOMBRE DE). — **2.** (sans compl.) La masse importante des gens, le plus grand nombre des hommes (littér.) : *Fuir les acclamations de la multitude* (syn. FOULE, MASSE).

MUN (Albert, *comte* DE), homme politique français (1841-1914), créateur, avec La Tour du Pin, des Cercles catholiques d'ouvriers (1871).

MUNCH (Edvard), peintre norvégien (1863-1944). Il a joué un rôle très important dans la formation de l'expressionnisme allemand. Coloriste s'apparentant aux fauves, il a pris pour thèmes de ses tableaux l'amour, l'angoisse et la mort *(le Cri).*

MÜNCHHAUSEN (Hieronymus, *baron* VON), officier allemand (1720-1797), dont les excentricités sont restées célèbres; il est souvent comparé au baron de Crac.

MUNICH, en all. **München,** v. d'Allemagne, capit. de la Bavière, sur l'Isar; 1 267 000 hab. *(Munichois).*

Principale ville de Bavière dès le Moyen Âge, Munich acquiert rapidement une prospérité commerciale qui facilite, au XIXe s., son développement industriel grâce à l'abondance des capitaux. Elle abrite aujourd'hui des activités variées : constructions mécaniques et électriques, chimie, brasseries. C'est aussi un grand centre intellectuel et universitaire. Siège des jeux Olympiques en 1972.

Munich *(accords de)*, conférence qui réunit en septembre 1938 la Grande-Bretagne (Chamberlain), la France (Daladier), l'Allemagne (Hitler) et l'Italie (Mussolini), pour mettre fin à la crise germano-tchèque. Elle décida l'évacuation du territoire des Sudètes par les Tchèques et son occupation progressive par les troupes allemandes, mais elle ne fit qu'encourager l'Allemagne dans sa politique d'expansion.

MUNICIPAL, E, AUX [mynisipal, -po] adj. (lat. *municipalis*). Qui a rapport à l'administration des communes : *Le conseil municipal* (= assemblée élue, chargée de l'administration de la commune sous la présidence du maire). ◆ **municipalité** n. f. Ensemble formé par le maire, ses adjoints et les conseillers municipaux qui administrent une commune.

MUNICIPE [mynisip] n. m. (lat. *municipium*). *Antiq.* Ville soumise à Rome, mais ayant les droits de cité romaine tout en se gouvernant par ses propres lois.

MUNIFICENCE [mynifisɑ̃s] n. f. (du lat. *munus*, cadeau, et *facere*, faire). Disposition qui porte à donner avec largesse, prodigalité (littér.).

MUNIR [mynir] v. t. (lat. *munire*). **1.** *Munir une chose*, la garnir, l'équiper de ce qui est utile : *Voiture munie de tous ses accessoires* (syn. DOTER). — **2.** *Munir qq'un*, le pourvoir de ce qui lui est indispensable, utile : *Munir son fils d'argent de poche.* ◆ ***se munir*** v. pr. **1.** Prendre avec soi : *Munissez-vous d'un parapluie.* — **2.** *Se munir de patience*, se préparer à supporter avec patience ce qui va arriver (syn. S'ARMER). ◆ **démunir** v. t. Priver de ce qu'on possédait : *Cette période de disette nous avait démunis de nos petites réserves.* ◆ ***se démunir*** v. pr. *Se démunir de qqch.*, abandonner ce qu'on a : *Il a refusé de se démunir de ce certificat* (syn. SE DESSAISIR).

MUNITIONS [mynisjɔ̃] n. f. pl. (du lat. *munire*, fortifier). Projectiles et charges explosives nécessaires à l'approvisionnement des armes à feu.

MUNSTER, province de la république d'Irlande, dans le sud-ouest de l'île; 24 119 km²; 880 000 hab. Capit. *Cork.*

MUNSTER, ch.-l. de cant. du Haut-Rhin, à 19 km au S.-O. de Colmar; 4 700 hab. *(Munstériens).* Fromage réputé.

MUNSTER [mœ̃stɛr] n. m. (de *Munster*). Sorte de fromage à pâte grasse, fabriqué avec du lait de vache dans les Vosges.

MÜNSTER, v. d'Allemagne (Rhénanie-du-Nord-Westphalie), dans le *bassin de Münster;* 273 000 hab. Imprimeries. Constructions mécaniques. C'est à Münster, en 1648, que furent signés les préliminaires des traités de Westphalie.

MUNTÉNIE, en roum. **Muntenia,** région de Roumanie, à l'E. de l'Olt. Elle s'étend sur la partie orientale de la Valachie.

MÜNZER ou **MÜNTZER** (Thomas), fondateur de la secte des anabaptistes; il fut exécuté en 1525.

MUPHTI n. m. → MUFTI.

MUQDISHO → MOGADISHU.

MUQUEUX, EUSE adj. et n. f. pl. → MUCUS.

MUR [myr] n. m. (lat. *murus*). **1.** Ouvrage de maçonnerie, élevé verticalement, qui constitue un des côtés de la maison et supporte les étages, ou qui sert à séparer des espaces ou à soutenir quelque chose; ouvrage analogue d'une autre matière que la maçonnerie : *Un mur de terre.* — **2.** *Entre quatre murs*, à l'intérieur d'une pièce. ‖ *Sauter, faire le mur*, sortir sans permission, en parlant d'élèves internes, de soldats. ‖ *Mettre, être au pied du mur*, mettre, être devant ses responsabilités, sans pouvoir reculer ni différer la réponse; forcer à prendre parti. ‖ *Cet homme est un mur, on parle à un mur*, il est insensible, inhumain; on ne peut le persuader. ‖ *Les murs ont des oreilles*, on peut être entendu (= parlons bas). — **3.** *Mur du son*, ensemble des phénomènes aérodynamiques qui se produisent lorsqu'un mobile se déplace dans l'atmosphère avec une vitesse voisine de celle du son. ◆ **muraille** n. f. **1.** Mur épais, assez élevé. — **2.** *Autref.* Maçonnerie élevée soit autour d'un château ou d'une ville, soit le long d'une frontière (ex. : *Grande Muraille de Chine)*, pour permettre aux défenseurs ainsi protégés d'agir contre l'ennemi. ◆ **mural, e, aux** adj. : *Plante murale* (= qui pousse dans les murs). *Une décoration murale* (= faite sur les murs). *Une carte murale* (= accrochée au mur). ◆ **murer** v. t. **1.** *Murer une fenêtre, une porte*, etc., les fermer par un mur, par des pierres, etc. — **2.** *Murer qq'un*, l'enfermer dans un endroit dont les issues sont bouchées : *Les mineurs sont restés murés pendant deux jours au fond de la mine.* ◆ ***se murer*** v. pr. ou ***être muré*** v. passif . *Se murer dans un silence (hostile)*, rester obstinément silencieux. ‖ *Être muré dans son orgueil*, être enfermé, séparé des autres à cause de son orgueil. ◆ **murette** n. f. Petit mur. ◆ **emmurer** v. t. *Emmurer qq'un*, l'enfermer, le bloquer dans un lieu d'où il est impossible de s'échapper.

Mur des lamentations, mur de pierre, datant de l'époque d'Hérode, et situé dans les parages de l'ancien temple de Salomon, à Jérusalem. Les Juifs y venaient chaque vendredi pleurer la ruine de Jérusalem. (Cet usage, qui remonte au Ier s. apr. J.-C., s'est perpétué jusqu'à nos jours.)

MUR (la), riv. de l'Europe centrale (Autriche et Yougoslavie), affl. de la Drave (r. g.); 445 km. Aménagements hydro-électriques. Elle arrose Graz.

MÛR, E [myr] adj. (lat. *maturus*) [en général après le nom]. **1.** Se dit d'un fruit, d'une graine qui ont atteint leur complet développement et peuvent être cueillis : *Le blé mûr est moissonné.* — **2.** Se dit de ce qui a atteint le développement nécessaire à sa réalisation, à sa manifestation : *Le projet n'est pas mûr* (= il exige encore de la réflexion). *L'abcès est mûr* (= il est près de percer). — **3.** *Mûr pour qqch.*, se dit de quelqu'un qui est prêt à quelque chose, après une série d'événements : *Il est maintenant mûr pour le mariage.* — **4.** Se dit de quelqu'un (ou de ce qui le concerne) qui a atteint son plein développement physique ou intellectuel : *Un homme mûr a atteint la quarantaine. L'âge mûr.* (→ MATURITÉ.) — **5.** *Après mûre réflexion*, après une longue méditation, après avoir pesé les avantages et les inconvénients. ◆ **mûrement** adv. Surtout dans : *J'ai mûrement réfléchi à la question* (= beaucoup, longuement). ◆ **mûrir** v. i. Devenir mûr : *Les fruits ont bien mûri avec la chaleur. L'idée a lentement mûri dans son esprit.* ◆ v. t. **1.** Rendre mûr : *Le soleil a mûri les fruits. La vie l'a mûri* (= lui a donné du sérieux). — **2.** Réfléchir longuement à une chose pour la mettre en état d'être utilisée : *Mûrir un projet de vengeance* (syn. MÉDITER, PRÉPARER). ◆ **mûrisserie** n. f. Établissement organisé pour amener à maturité complète, après transport, des fruits qui ont été cueillis non mûrs : *Mûrisserie de bananes.* ◆ **maturation** n. f. Ensemble des phénomènes par lesquels un fruit devient mûr (langue scientif.). ◆ **maturité** n. f. État d'une personne qui a atteint son plein développement physique et intellectuel; état d'un esprit qui a acquis l'expérience de la réflexion : *Être en pleine maturité* (= dans la force de l'âge). *Sa maturité d'esprit.* ◆ **immaturité** n. f. État de ce qui n'est pas mûr.

MURAILLE n. f. → MUR.

Muraille *(la Grande)*, ensemble de fortifications, longues de 5 000 km, édifiées au IIIe s. av. J.-C. entre la Chine et la Mongolie, pour protéger la Chine contre les incursions des tribus barbares des steppes. Dans son état actuel, la muraille date de la dynastie Ming (XVe s.-XVIIe s.).

MURAL, E, AUX adj. → MUR.

MURANO, agglomération de la comm. de Venise (Italie), construite sur une île de la lagune. Verrerie d'art.

MURAT ou **MOURAD,** nom de cinq sultans turcs, dont : MURAT Ier, sultan de 1359 à 1389, qui établit sa capitale à Andrinople et organisa la milice des janissaires; MURAT II, sultan de 1421 à 1451, vainqueur des Hongrois à Kosovo en 1448.

MURAT (Joachim), maréchal de France et roi de Naples (1767-1815). Fils d'aubergiste, il connaît une promotion rapide dans l'armée révolutionnaire.

• *1796. Il est général et aide de camp de Bonaparte.*

Il participe au 18-Brumaire, puis épouse Caroline Bonaparte en 1800. Il est fait maréchal (1804), puis prince d'Empire (1805). À la tête de la cavalerie, il fait preuve d'une grande bravoure pendant les campagnes de Prusse (1806), de Pologne (1807) et de Russie (1812).

• *Juil. 1808. Napoléon le nomme roi de Naples, après qu'il eut réprimé l'insurrection de Madrid (mai).*

En 1814, désireux de garder son royaume, il abandonne Napoléon, en signant un traité avec les Alliés. Ceux-ci, cependant, vont favoriser une restauration des Bourbons, et Murat sera fusillé après avoir débarqué en Calabre pour tenter de reconquérir son royaume.

MURCIE, en esp. **Murcia,** v. d'Espagne, ch.-l. de région, sur le Segura; 243 800 hab. Industries textiles et alimentaires.

MÛRE [myr] n. f. (lat. *mora*). **1.** Fruit noir comestible des arbustes formant les haies de ronces. — **2.** Fruit du mûrier. ◆ **mûrier** n. m. Arbre dont les feuilles servent de nourriture aux vers à soie.

MURE (La), ch.-l. de cant. de l'Isère, à 38 km au S. de Grenoble; 5 900 hab. *(Murois).* Houille.

MUREAUX (Les), comm. des Yvelines, sur la Seine, en face de Meulan; 31 800 hab. *(Muriautins).* Industrie aéronautique. Métallurgie.

MÛREMENT adv. ⟶ MÛR.

MURÈNE [myrɛn] n. f. (lat. *muraena*). Poisson des fonds rocheux des côtes méditerranéennes, à corps allongé comme l'anguille, carnassier, causant des morsures dangereuses, et dont la chair était très estimée des Romains. (Long. max. 1,50 m.) [Ordre des apodes.]

MURER v. t., **SE MURER** v. pr. ou **ÊTRE MURÉ** v. passif ⟶ MUR.

MUREȘ ou **MURESH** (le), en hongr. **Maros,** riv. de Roumanie et de Hongrie, affl. de la Tisza (r. g.); 900 km.

MURET, ch.-l. d'arrond. de la Haute-Garonne, à 20 km au S.-O. de Toulouse, sur la Garonne; 16 200 hab. *(Murétains).* Vignobles.

• *1213. Pendant la croisade des albigeois, le comte de Toulouse et le roi Pierre II d'Aragon y furent vaincus par Simon de Montfort.*

MURETTE n. f. ⟶ MUR.

MUREX [myrɛks] n. m. (mot lat.). Mollusque gastropode à coquille couverte de pointes, vivant sur les côtes rocheuses de la Méditerranée, et dont les Anciens tiraient la pourpre.

MURGER (Henri), écrivain français (1822-1861). Il a conté avec ironie les années de sa jeunesse artiste et misérable dans ses récits (*Scènes de la vie de bohème*, 1847-1849).

MÛRIER n. m. ⟶ MÛRE.

MURILLO (Bartolomé Esteban), peintre espagnol (1618-1682). Élève de Juan del Castillo, il passa presque toute sa vie à Séville, sa ville natale. Il exécuta de nombreuses toiles pour les couvents de Séville *(l'Extase de saint François; l'Adoration des bergers* et la *Vierge au chapelet).* Il peignit des scènes d'une spiritualité paisible, où l'aspect religieux côtoie la réalité quotidienne *(la Cuisine des anges).*

MÛRIR v. i. et t., **MÛRISSERIE** n. f. ⟶ MÛR.

MURMURE [myrmyr] n. m. (lat. *murmur*). **1.** Bruit sourd et confus de voix humaines : *Des murmures, puis des rires s'élevèrent* (syn. CHUCHOTEMENT). — **2.** Bruit léger et harmonieux (littér.) : *Le murmure d'un ruisseau.* — **3.** Plainte de gens mécontents (le plus souvent au plur.) : *Ce projet excita les murmures de la presse* (syn. PROTESTATION). ◆ **murmurer** v. t. (sujet nom de personne). Dire à mi-voix, prononcer à voix basse : *Murmurer quelques mots à l'oreille de son voisin* (syn. CHUCHOTER). ◆ v. i. **1.** (sujet nom de chose) Faire entendre un murmure (littér.) : *Le vent murmure dans les feuilles.* — **2.** Faire entendre une protestation, une plainte : *Il murmure entre ses dents sans oser dire ouvertement ce qu'il pense* (syn. fam. RONCHONNER).

MURNAU (Friedrich Wilhelm PLUMPE, dit), cinéaste allemand (1889-1931), auteur de *Nosferatu le vampire* (1922), du *Dernier des hommes* (1924), de *Tabou* (1931) [avec Flaherty].

MURRAY (le), fl. du sud-est de l'Australie, tributaire de l'océan Indien austral; 2 574 km. Principal fleuve du pays, né dans la Cordillère australienne, il est utilisé pour la production d'électricité et l'irrigation.

MURUROA, atoll des îles Tuamotu (Polynésie française). Base d'expérimentation d'engins nucléaires.

MUSARAIGNE [myzarɛɲ] n. f. (lat. *musaranea*, souris-araignée). Mammifère insectivore de la taille d'une souris, à museau pointu, utile car il détruit un grand nombre de vers, d'insectes, etc. (Famille des soricidés.)

MUSARDER [myzarde] ou **MUSER** [myze] v. i. (de l'anc. fr. *mus*, [rester le] museau [en l'air]). Perdre son temps, s'amuser à des riens (littér.) [syn. FLÂNER].

MUSC [mysk] n. m. (lat. *muscus*). Substance odorante utilisée en parfumerie et produite par certains mammifères, en particulier par un cervidé, le *porte-musc* mâle. ◆ **musqué, e** adj. Qui a l'odeur du musc.

MUSCADE [myskad] n. f. (de l'anc. prov. *notz muscada*, noix musquée). **1.** Graine *(noix muscade)* du fruit d'un arbrisseau des pays chauds (muscadier), utilisée comme épice à cause de son odeur aromatique. — **2.** *Passez muscade*, le tour a été exécuté avec une adresse telle que les assistants n'ont rien vu. ◆ **muscadier** n. m. Arbre ou abrisseau des pays chauds, qui fournit la muscade.

MUSCADET [myskadɛ] n. m. (de *Muscat*). Vin blanc sec de la région de Nantes.

MUSCADIER n. m. ⟶ MUSCADE.

MUSCADIN [myskadɛ̃] n. m. (de l'it. *moscardino*, pastille au musc). Nom donné, après le 9-Thermidor (1794), aux élégants royalistes qui faisaient grand usage de parfum au musc.

MUSCARDIN [myskardɛ̃] n. m. (it. *moscardino*). Petit mammifère rongeur, voisin du loir, arboricole et frugivore, à sommeil hivernal.

MUSCAT [myska] adj. et n. m. (mot prov.; de *musc*). *Raisin muscat*, ou *muscat* n. m., raisin à saveur de musc.

MUSCIDÉS [myside] n. m. pl. (du lat. *musca*, mouche). Famille d'insectes diptères comprenant les mouches proprement dites.

MUSCINEES [mysine] n. f. pl. (du lat. *muscus*, mousse). Classe de végétaux cryptogames appelés usuellement MOUSSES*, présentant des tiges feuillées, mais pas de vaisseaux ni de racines. (La reproduction se fait par des spores.) [Embranchement des bryophytes.]

MUSCLE [myskl] n. m. (lat. *musculus*, petite souris). Organe formé de tissu excitable, contractile et élastique, et destiné à l'exécution des mouvements. ⟶ ENCYCL. ◆ **musclé, e** adj. Qui a des muscles très développés : *Un homme musclé.* ◆ **musculaire** adj. : *Force musculaire.* ‖ *Tissu musculaire*, tissu formé de fibres contractiles, les unes lisses, à structure cellulaire simple, contenant des myofibrilles homogènes, les autres striées, contenant des myofibrilles formées de disques sombres et de disques clairs alternés. ◆ **intramusculaire** adj. Qui est ou se fait à l'intérieur d'un muscle : *Un piqûre intramusculaire.* ◆ **musculature** n. f. Ensemble des muscles du corps humain, d'une partie du corps humain.

— ENCYCL. On distingue dans le corps humain trois types de *muscles :* les muscles rouges, le muscle cardiaque et les muscles blancs.

Les *muscles rouges*, ou *muscles striés*, sont les muscles de la motricité volontaire : muscles du squelette, de la peau, qui sont mis en jeu dans la vie de relation (mouvements, sentiments, etc.). Ils sont formés de longues *fibrilles* groupées en *fibres* et *faisceaux;* chaque fibrille alterne des disques clairs et des disques sombres, leur donnant leur apparence striée; elle est entourée d'une membrane, et à la périphérie de la fibre existent de nombreux noyaux. Les disques clairs sont élastiques et les disques sombres contractiles : leur contraction raccourcit le muscle qui anime de ce fait le segment du squelette ou de la peau où il s'insère. La contraction a lieu quand le muscle est excité par un influx nerveux transmis depuis les centres moteurs du cerveau ou de la moelle antérieure par le faisceau pyramidal puis la racine motrice du nerf rachidien correspondant au muscle en cause.

Le *cœur* est un muscle strié particulier : il ne dépend pas du système nerveux de la vie de relation, mais du système nerveux végétatif, comme les muscles lisses. Mais il est, de plus, automatique : il fonctionne seul, même privé de tout contact avec les nerfs végétatifs. Isolé sur une table, un cœur de grenouille continue à battre jusqu'à épuisement de ses réserves d'énergie.

Les *muscles blancs*, ou *muscles lisses*, sont formés de *fibrilles* qui sont constituées par une seule cellule très allongée avec un noyau central. Obéissant au système nerveux végétatif, ils animent les viscères (tube digestif, vessie, estomac, etc.). Leur fonctionnement échappe au contrôle de la volonté, il est purement réflexe.

La contraction musculaire est possible parce que le muscle brûle du glucose, ce qui fournit de la chaleur et l'énergie indispensable au travail du muscle. Le glucose est transformé en produits plus simples : des *métabolites* qui, quand le travail est intense, s'accumulent dans le muscle provoquant de la fatigue et parfois des crampes.

→ illustrations en couleurs ANATOMIE pp. 80-81.

MUSCOVITE [myskɔvit] n. f. (de *Muscovy*, nom angl. de la Moscovie). Variété de mica blanc, abondant dans les roches métamorphiques.

MUSCULAIRE adj., **MUSCULATURE** n. f. ⟶ MUSCLE.

MUSE [myz] n. f. (gr. *moûsa*). **1.** Chacune des neuf déesses de la mythologie grecque qui présidaient aux arts (avec une majusc.) : *Les Muses, filles de Zeus et de Mnémosyne, sont Clio (histoire), Euterpe (musique), Thalie (comédie), Melpomène (tragédie), Terpsichore (danse), Érato (élégie), Polymnie (poésie lyrique), Uranie (astronomie), Calliope (éloquence).* — **2.** Inspiratrice d'un poète; inspiration poétique (littér.) : *La muse d'A. de Musset dans « les Nuits ».*

MUSEAU [myzo] n. m. (de l'anc. fr. *mus*). **1.** Partie saillante, allongée et plus ou moins pointue, de la face de certains mammifères et poissons : *Le museau du chien, du chat.* — **2.** *Fam.* Figure humaine : *Un joli petit museau.* ◆ **museler** v. t. (Conj. **6.**) **1.** *Museler un animal*, lui mettre un appareil pour l'empêcher de mordre : *Un chien muselé.* — **2.** Empêcher de s'exprimer, réduire au silence : *Museler la presse* (syn. BÂILLONNER). ◆ **démuseler** v. t. : *Démuseler un chien.* ◆ **muselière** n. f. Appareil que l'on place sur le museau des animaux pour les empêcher de mordre (chien, cheval), de téter (veau), de paître.

MUSÉE [myze] n. m. (gr. *mouseion*, temple des Muses). Édifice où sont rassemblées et présentées au public des collections d'objets d'intérêt historique, esthétique, scientifique : *Le musée du Louvre.* ◆ **muséum** [myzeɔm] n. m. Musée destiné à contenir des collections de sciences naturelles. ‖ Pl. des *muséums*.

MUSELER v. t., **MUSELIÈRE** n. f. ⟶ MUSEAU.

MUSER v. i. ⟶ MUSARDER.

1. MUSETTE [myzɛt] n. f. (de *muser*). **1.** Instrument de musique à vent, semblable à la cornemuse, très en vogue au XVIIe s. — **2.** Air de danse de caractère pastoral. — **3.** *Bal musette*, bal populaire, où l'on danse au son de l'accordéon.

2. MUSETTE [myzɛt] n. f. (même étym.). Sac en toile, servant à divers usages et que l'on porte en bandoulière : *Mettre son repas dans sa musette.*

MUSÉUM n. m. ⟶ MUSÉE.

Muséum national d'histoire naturelle, nom donné, en 1794, aux collections du Jardin des Plantes de Paris, qui doit son origine au Jardin du roi (1635) et qui fut complété ensuite par des galeries d'histoire naturelle et par une ménagerie.

MUSIQUE [myzik] n. f. (gr. *mousikê*, art des Muses). **1.** Art de combiner les sons de manière à produire une impression esthétique; théorie de cet art : *Apprendre la musique.* ‖ *Musique de chambre*, musique écrite pour un petit nombre d'instruments. ‖ *Musique électronique*, musique utilisant les sons obtenus à partir de courants électriques alternatifs. (Ces courants peuvent être produits dans des oscillateurs à lampes, ou à partir de mouvements vibratoires qu'un capteur de vibrations traduit en courants électriques.) ‖ *Musique instrumentale*, celle qui fait appel aux instruments, à l'exclusion de la voix. ‖ *Musique légère*, musique enjouée, facile, sans prétention. ‖ *Musique populaire*, musique d'accès facile, et qui peut être retenue par un grand nombre de personnes. ‖ *Musique à programme*, musique liée à des données étrangères aux purs phénomènes sonores, notamment à un argument littéraire. ‖ *Musique vocale*, le chant. — **2.** Notation écrite d'une composition musicale : *Lire la musique.* — **3.** Réunion de musiciens appartenant à un corps de troupes, à une fanfare : *La musique du régiment.* — **4.** Suite de sons donnant une impression analogue à celle de la musique proprement dite : *La musique du vers, de la phrase* (syn. HARMONIE). — **5.** Fam. *Connaître la musique*, connaître les moyens d'obtenir le résultat cherché, savoir comment s'y prendre dans telle circonstance. ‖ *Réglé comme du papier à musique*, ordonné d'une manière précise, minutieuse, dans les moindres détails. ◆ **musical, e, aux** adj. **1.** Qui a les caractères de la musique : *Une voix musicale* (syn. MÉLODIEUX). *Une phrase musicale* (syn. HARMONIEUX). — **2.** Propre à la musique, qui la concerne : *Une émission musicale.* — **3.** *Avoir l'oreille musicale*, distinguer avec précision les sons de la musique. ◆ **musicalement** adv. ◆ **musicalité** n. f. Qualité de ce qui est musical (sens 1) : *L'excellente musicalité d'un poste de radio.* ◆ **musicien, enne** n. Personne qui compose ou exécute des morceaux de musique. ◆ adj. et n. Qui a le goût de la musique; qui a des aptitudes pour la musique : *Avoir l'oreille musicienne.* ◆ **musicographe** n. Auteur qui écrit sur la musique. ◆ **musicologie** n. f. Science de l'histoire de la musique, de l'esthétique musicale. ◆ **musicologue** n. Spécialiste de musicologie. ◆ **musiquette** n. f. Petite musique sans prétention, dépourvue de valeur artistique. ◆ **music-hall** [mysikol] n. m. Établissement spécialisé dans des spectacles de fantaisie, de variétés, où la musique sert de fond; ce spectacle lui-même : *L'Olympia, Bobino sont des music-halls de Paris.*

MUSQUÉ, E adj. ⟶ MUSC.

MUSSET (Alfred DE), poète français (1810-1857). Il n'a pas vingt ans quand paraissent ses premiers *Contes d'Espagne et d'Italie* (1830). Au théâtre, ses essais sont malheureux, et il décide de composer des pièces destinées à la lecture. On en trouve deux *(la Coupe et les lèvres* et *À quoi rêvent les jeunes filles)* dans le recueil *Un spectacle dans un fauteuil* (1832).

- *1833-1838. Cette période, marquée par une liaison brève et orageuse avec George Sand, est celle d'une intense activité créatrice.*

Il publie alors des pièces (*les Caprices de Marianne*, 1833; *Andrea del Sarto*, 1833; *Fantasio*, 1834; *On ne badine pas avec l'amour*, 1834; *Lorenzaccio*, 1834; *le Chandelier*, 1835; *Il ne faut jurer de rien*, 1836; *Un caprice*, 1837), des poèmes (*Rolla*, 1833; *les Nuits*, 1835-1837), un roman autobiographique (*la Confession d'un enfant du siècle*, 1836) et une satire du romantisme, les *Lettres de Dupuis et Cotonet* (1836-1837). Mais déjà la grande période de Musset, qui n'a encore que vingt-huit ans, se termine.

Parmi ses œuvres publiées après 1838, il faut citer ses pièces en forme de proverbe (*Il faut qu'une porte soit ouverte ou fermée*, 1845) et ses fantaisies poétiques (*Une soirée perdue*, 1840; *Sur trois marches de marbre rose*, 1849).

Poète de la douleur et des grandes passions, il est aussi celui de la fantaisie légère. Le succès remporté par ses pièces prouve les qualités dramatiques d'un théâtre que son auteur avait pourtant réservé à la lecture.

MUSSOLINI (Benito), homme politique italien (1883-1945). Instituteur, puis en 1912 rédacteur en chef d'*Avanti!*, quotidien du parti socialiste, il est antimilitariste et neutraliste jusqu'en août 1914. Il est ensuite exclu du parti pour avoir prôné l'entrée en guerre de l'Italie dans *Il Popolo d'Italia*, journal qu'il avait fondé en novembre 1914.

- *23 mars 1919. Il crée les Faisceaux de combat qui se transforment, en novembre 1921, en parti national fasciste.*

Dans la crise qui ébranle l'Italie de l'après-guerre, les fascistes, par leurs violences contre les grévistes et leur nationalisme exacerbé, semblent offrir une alternative à la bourgeoisie italienne.

- *29 oct. 1922. Le « duce » (chef du parti fasciste) est appelé par le roi à former le gouvernement, à la suite de la « marche sur Rome ».*

Ayant obtenu les pleins pouvoirs (25 novembre 1922), il écarte les oppositions et réforme la loi électorale, ce qui lui donne une forte majorité fasciste en 1924.

- *3 janv. 1925. Il s'attribue des pouvoirs dictatoriaux après l'assassinat par ses partisans du député socialiste Matteotti.*

Il se montre opportuniste : républicain, il accepte la monarchie; « révolutionnaire », il utilise les moyens légaux pour arriver au pouvoir et mène une politique d'oppression sociale et politique; anticlérical, il rapproche par les accords du Latran (1929) le régime et la papauté; anticapitaliste enfin, il favorise la grande industrie. Les mêmes contradictions se retrouvent dans sa politique extérieure. Mussolini, d'abord favorable à une révision des traités de paix, évolue après 1933 vers un rapprochement avec la France et l'Angleterre, face aux ambitions hitlériennes en Autriche (rencontre de Stresa, avril 1935). Mais les menaces de sanctions de la S. D. N., au moment de la conquête de l'Éthiopie (octobre 1935-mai 1936), puis l'intervention en Espagne* rapprochent Hitler et Mussolini (Axe Rome-Berlin en octobre 1936).

- *22 mai 1939. Le pacte d'Acier fait de l'Italie l'auxiliaire de Hitler.*

L'occupation de l'Albanie (avril 1939) est suivie d'une intervention en France (juin 1940), puis en Grèce (novembre), qui tourne au désastre. Les difficultés militaires et économiques provoquent, au moment du débarquement allié en Sicile (9 juillet 1943), une crise du régime et l'arrestation de Mussolini. Délivré par les Allemands, il sert, lors de l'éphémère « république de Salo », de caution aux Allemands qui occupent l'Italie. La défaite allemande est suivie de son arrestation et de son exécution par la résistance italienne (28 avril 1945). [⟶ FASCISME.]

MUSTAFA KEMAL PAŞA, homme politique turc (v. 1880-1938), le fondateur de la Turquie moderne.

- *1919. Mustafa Kemal dirige la résistance nationale des Turcs opposés au démembrement de leur pays par les alliés occidentaux.*
- *1920. Les nationalistes réunis à Ankara l'élisent chef d'un gouvernement provisoire.*

Refusant les dures conditions du traité de Sèvres, il refoule successivement les Arméniens, les Français, les Italiens, et chasse les Grecs d'Asie et de Thrace, sauvant ainsi la Turquie.

- *1922. Il dépose le sultan et fait proclamer la république dont il devient le président en 1923.*

Il s'attache dès lors à créer un État moderne et laïc : adoption du droit civil occidental, séparation de l'Église et de l'État, émancipation de la femme, occidentalisation des mœurs, des vêtements, de l'écriture, du calendrier. Il institue l'usage des patronymes et prend celui d'Atatürk (« Père de tous les Turcs »).

MUSTANG [mystɑ̃] n. m. (de l'anc. esp. *mestengo*, sans maître). Cheval sauvage des pampas de l'Amérique du Sud.

MUSTÉLIDÉS [mystelide] n. m. pl. (du lat. *mustela*, belette). Famille de mammifères carnassiers caractérisés par leurs pattes courtes, leur belle fourrure, leur odeur nauséabonde, tels que la *marte*, le *furet*, le *putois*, l'*hermine*, le *vison*, le *blaireau*, la *belette*, la *zibeline*, le *glouton*.

MUSULMAN, E [myzylmɑ̃, -an] adj. et n. (de l'ar. *muslim*, fidèle, croyant). Relatif à l'islām et à la culture qui en est issue.

1. MUTATION n. f. —→ MUTER.

2. MUTATION [mytasjɔ̃] n. f. (du lat. *mutare*, changer). *Biol.* Apparition dans une lignée animale ou végétale d'un caractère héréditaire nouveau, compatible avec la vie et la reproduction du mutant, et qui est à l'origine d'une nouvelle variété. ◆ **mutant** n. m. Individu, animal ou végétal, qui présente des caractères nouveaux par rapport à ses ascendants.
— ENCYCL. Une même *mutation* apparaît chez de nombreux individus de la même espèce qui n'ont aucune parenté; les généticiens ont prouvé qu'elle était en rapport avec un changement dans la structure des chromosomes, et, par extension, ils appellent mutation toute modification transmissible, même si elle n'a aucune conséquence visible.

MUTER [myte] v. t. (lat. *mutare*, changer). *Muter un fonctionnaire, un employé*, le changer d'affectation, de poste. ◆ **mutation** n. f. Changement d'affectation d'un fonctionnaire : *Demander sa mutation.*

MUTILER [mytile] v. t. (lat. *mutilare*). **1.** *Mutiler qq'un* (ou un *animal*), lui enlever un membre, lui infliger une blessure grave qui altère son intégrité physique (souvent au passif) : *On sortit de la voiture un cadavre mutilé.* — **2.** *Mutiler un objet, une chose*, les détériorer gravement : *Mutiler une statue. Mutiler un texte* (= en retrancher une partie essentielle) [syn. AMPUTER]. ◆ **mutilé, e** n. : *Les mutilés de guerre* (syn. BLESSÉ). *Un mutilé des deux bras* (syn. AMPUTÉ). ◆ **mutilation** n. f. : *Le corps portait encore les traces des mutilations subies* (syn. ↓ BLESSURE). *La mutilation du texte en transforme le sens.*

1. MUTIN n. m. —→ MUTINER.

2. MUTIN, E [mytɛ̃, -in] adj. (de l'anc. fr. *meute*, émeute). Qui aime à taquiner; qui manifeste du goût pour les facéties, les espiègleries (syn. ESPIÈGLE).

MUTINER (SE) [səmytine] v. pr. (de *mutin*). Se révolter contre une autorité avec violence : *Les prisonniers se mutinèrent et massacrèrent les gardiens.* ◆ **mutin** [mytɛ̃] n. m. Celui qui refuse de se soumettre à l'autorité établie (syn. REBELLE). ◆ **mutinerie** n. f. : *Une mutinerie éclata dans le pénitencier* (syn. RÉVOLTE).

MUTISME n. m., **MUTITÉ** n. f. —→ MUET.

MUTSU-HITO → MEIJI TENNŌ.

1. MUTUEL, ELLE [mytɥɛl] adj. (du lat. *mutuus*, réciproque) [avant ou surtout après le nom]. Qui comporte un rapport de réciprocité, un échange : *Un amour mutuel* (syn. PARTAGÉ). *Des torts mutuels* (syn. RÉCIPROQUE). ‖ *Le Pari mutuel urbain ou P. M. U.*, jeu ouvert au public pour les courses de chevaux. ◆ **mutuellement** adv. : *Se jurer mutuellement fidélité.*

2. MUTUELLE [mytɥɛl] n. f. (même étym.). Appellation courante des sociétés mutualistes (souvent dénommées, avant 1945, SOCIÉTÉS DE SECOURS MUTUEL). ◆ **mutualiste** adj. : *Société mutualiste.* ◆ **mutualité** n. f. Ensemble des associations de personnes (appelées auj. SOCIÉTÉS MUTUALISTES) poursuivant un but social de prévoyance, de solidarité ou d'entraide, grâce aux cotisations de leurs adhérents.

MYCALE, mont et promontoire de l'Asie Mineure (Ionie), sur la mer Égée.

• *479 av. J.-C. Victoire navale des Grecs sur les Perses.*

MYCÉLIUM [miseljɔm] n. m. (du gr. *mukês*, champignon). Appareil végétatif des champignons, formé de filaments ramifiés.

MYCÈNES, village de Grèce, dans le Péloponnèse, au N. d'Argos. Aux environs, ruines de la ville antique, capit. de l'Argolide, où la légende fait régner Agamemnon. Ce fut la principale cité de la Grèce à l'époque de la civilisation mycénienne (XVe-XIIe s. av. J.-C.). [—→ GRÈCE.] Capit. des Atrides, elle fut ruinée par l'invasion dorienne. Les fouilles entreprises au XIXe s. ont restitué d'importants vestiges : porte des Lionnes, enceinte cyclopéenne, nécropole royale, palais...

MYCÉNIEN, ENNE [misenjɛ̃, -ɛn] adj. et n. De Mycènes. ‖ *Art mycénien*, art qui s'est développé dans le monde achéen durant le IIe millénaire av. J.-C.

MYCODERME [mikɔdɛrm] n. m. (du gr. *mukês*, champignon, et *derma*, peau). Levure se développant à la surface des boissons fermentées ou sucrées : *Le mycoderme acétique, qui oxyde l'alcool éthylique pour donner de l'acide acétique, est utilisé dans la fabrication du vinaigre.*

MYCOLOGIE [mikɔlɔʒi] n. f. (du gr. *mukês*, champignon, et *logos*, science). Partie de la botanique et de la médecine relative aux champignons.

MYCORHIZE [mikɔriz] n. f. (du gr. *mukês*, champignon, et *rhiza*, racine). Association entre le mycélium d'un champignon (truffe, par ex.) et les racines d'une plante (chêne, hêtre, orchidée).

MYCOSE [mikoz] n. f. (du gr. *mukês*, champignon). *Méd.* Affection pouvant atteindre de très nombreux organes (cuir chevelu, peau, bouche, poumon, etc.), et qui est provoquée par des champignons parasites.

MYÉLINE [mjelin] n. f. (du gr. *muelos*, moelle). Substance grasse qui entoure l'axone des cellules nerveuses et qui est contenue dans la gaine de Schwann : *C'est la myéline qui donne sa couleur à la substance blanche du cerveau et de la moelle épinière; les nerfs sympathiques en sont dépourvus.*

MYÉLITE [mjelit] n. f. (du gr. *muelos*, moelle). Inflammation de la moelle épinière : *Les myélites peuvent toucher la substance grise (poliomyélite) ou la substance blanche.*

MYGALE [migal] n. f. (du gr. *mugaleê*, musaraigne). Grosse araignée des régions chaudes. (Certains genres creusent des terriers remarquables par leur fermeture hermétique et invisible; d'autres vivent dans des tubes ou des loges de soie. Les plus grandes mygales atteignent 18 cm de long et peuvent attaquer les souris et les colibris. Leur morsure est très douloureuse, mais non dangereuse.)

MYKÉRINOS, pharaon de la IVe dynastie (v. 2500 av. J.-C.). Il fit construire la troisième des grandes pyramides de Guizèh.

MYOCARDE [mjɔkard] n. m. (du gr. *mus*, muscle, et *kardia*, cœur). Muscle du cœur. ‖ *Infarctus du myocarde* —→ INFARCTUS.
— ENCYCL. Le *myocarde* est un muscle rouge, strié, particulier par sa structure et surtout par son comportement : il est doté d'un système nerveux intrinsèque qui assure à lui seul l'automatisme du muscle cardiaque. Le myocarde occupe la quasi-totalité de la paroi des cavités du cœur. Il est irrigué par les branches terminales des artères coronaires, nées de l'aorte et circulant à la surface du myocarde.

MYOPATHIE [mjɔpati] n. f. (du gr. *mus*, muscle, et *pathos*, maladie). Affection héréditaire et familiale des muscles, conduisant généralement à leur atrophie.

MYOPE [mjɔp] adj. et n. (gr. *muôps*). Qui ne voit nettement que les objets rapprochés. ◆ **myopie** n. f. Défaut de la vision dû à une trop grande courbure du cristallin, qui forme les images en avant de la rétine : *La myopie se corrige par des verres divergents.*

MYOSOTIS [mjɔzɔtis] n. m. (du gr. *muosôtis*, oreille de souris). Plante herbacée velue, à très petites fleurs, qui, roses à l'éclosion, virent au bleu à maturité. (Famille des borraginacées.)

MYRIADE [mirjad] n. f. (du gr. *murias*, dix mille). Quantité considérable : *Des myriades d'étoiles.*

MYRIAPODES [mirjapɔd] n. m. pl. (du gr. *murias*, dix mille, et *pous*, *podos*, pied). Classe d'arthropodes terrestres, à respiration trachéenne, dont le corps est formé de nombreux anneaux, portant chacun une paire de pattes chez les chilopodes *(scolopendre)*, ou deux paires chez les diplopodes *(iule)* [syn. MILLE-PATTES].

MYRIOPHYLLE [mirjɔfil] n. m. (du gr. *murias*, dix mille, et *phullon*, feuille). Plante aquatique phanérogame à feuilles découpées en fines lanières, commune dans les étangs et les rivières calmes.

MYRMIDON [mirmidɔ̃] n. m. (de *Myrmidons*). **1.** Homme de très petite taille. — **2.** Personne de peu d'importance.

MYRMIDONS, anc. peuplade grecque de Thessalie. Ils apparaissent dans les poèmes homériques, comme sujets d'Ajax et d'Achille.

MYRON, célèbre sculpteur grec (Ve s. av. J.-C.), auteur du *Discobole.*

MYRRHE [mir] n. f. (gr. *murra*). Résine odorante fournie par un arbre d'Arabie, le *commiphora.*

MYRTACÉES [mirtase] n. f. pl. (de *myrte*). Famille de plantes dicotylédones dialypétales des régions chaudes, comprenant le *myrte*, l'*eucalyptus.*

MYRTE [mirt] n. m. (gr. *murtos*). Arbuste des régions chaudes, à feuillage toujours vert et à petites fleurs blanches odorantes.

MYRTILLE [mirtij] n. f. (de *myrte*). Baie bleu-noir comestible, produite par un arbrisseau croissant dans les montagnes. (Famille des éricacées; genre airelle.)

MYSIE, contrée du nord-ouest de l'Asie Mineure anc. V. pr. *Pergame* et *Cyzique*.

MYSORE, auj. **Karnataka,** État du Sud de l'Inde; 192 200 km^2; 37 043 000 hab. Capit. *Bangalore*.

MYSORE ou **MAISŪR,** v. de l'Inde (État de Karnātaka); 355 600 hab. Anc. capit. de l'État. Lieu de pèlerinage. Université. Textiles. Constructions mécaniques.

1. MYSTÈRE [mistɛr] n. m. (du gr. *mustês*, initié). **1.** Culte religieux secret, auquel n'étaient admis que des initiés (ceux-ci ne devaient rien révéler ni des rites qui se déroulaient dans les sanctuaires, ni de ce qu'on leur enseignait) : *Les mystères d'Éleusis.* — **2.** Vérité révélée par Dieu, mais que l'homme ne peut pas expliquer avec la raison : *Les mystères de la Trinité, de l'Incarnation, de la Rédemption dans la religion catholique.* — **3.** Ce qui n'est pas accessible à la connaissance, ce qui est incompréhensible, ce qui est obscur, caché, inconnu : *Lever les voiles du mystère* (syn. SECRET). — **4.** Question difficile, obscure : *Les enquêteurs devront éclaircir ce mystère* (syn. ÉNIGME). — **5.** Discrétion volontaire, afin d'empêcher qu'une chose ne soit divulguée; ensemble de précautions prises pour cacher quelque chose : *Pas tant de mystères! dites clairement ce que vous savez* (syn. CACHOTTERIE). *Faire grand mystère d'une chose* (=la cacher, être très discret à son sujet). ◆ **mystérieux, euse** adj. (avant ou plus souvent après le nom). **1.** Se dit d'une chose difficile à comprendre, d'une chose cachée ou dont le contenu est tenu secret : *Un hasard mystérieux* (syn. INEXPLICABLE). *Le monde mystérieux des abîmes sous-marins* (syn. INCONNU). — **2.** Se dit de quelqu'un dont l'identité n'est pas connue ou qui s'entoure de mystère; se dit de son attitude : *Un mystérieux personnage.* ◆ **mystérieusement** adv. : *Il parle mystérieusement de ce projet.*

2. MYSTÈRE [mistɛr] n. m. (même étym.). Nom donné à des pièces de théâtre du Moyen Âge, à sujet religieux, et où l'on faisait intervenir Dieu, les saints, les anges et le diable.
— ENCYCL. Le *mystère*, dont la représentation durait plusieurs jours consécutifs, a l'ambition de donner une représentation totale de la vie humaine dans ses rapports avec les puissances divines. Le surnaturel côtoie le réalisme le plus trivial. Le texte, parfois d'une grande ampleur — il peut atteindre plus de 20 000 vers —, est généralement écrit en octosyllabes, groupés en couplets, dont le premier vers rime avec le dernier du précédent. L'action transporte sans cesse le spectateur dans le temps et dans l'espace. Elle est coupée d'intermèdes musicaux ou de ballets et se déroule sur plusieurs journées. Les acteurs, très nombreux, évoluent dans un décor installé sur le parvis de l'église. Le plus célèbre mystère est *le Mystère de la Passion* d'Arnoul Gréban.

Mystères de Paris *(les)*, roman-feuilleton d'Eugène Sue (1842-1843).

MYSTÉRIEUSEMENT adv., **MYSTÉRIEUX, EUSE** adj. ⟶ MYSTÈRE 1.

MYSTICISME n. m. ⟶ MYSTIQUE.

MYSTIFIER [mistifje] v. t. (de *mystère*). **1.** Abuser de la crédulité de quelqu'un pour se moquer de lui : *Les naïfs qu'on mystifie* (syn. DUPER). — **2.** Tromper en donnant de la réalité une idée séduisante, mais inexacte : *L'opinion a été mystifiée par quelques journalistes.* ◆ **mystification** n. f. Acte, parole propre à mystifier : *Être le jouet d'une mystification* (syn. CANULAR, FARCE, TROMPERIE). ◆ **mystificateur, trice** adj. et n. : *Des mystificateurs habiles avaient mis la police sur une fausse piste.* ◆ **démystifier** v. t. Détromper quelqu'un qui a été abusé : *Cruellement démystifié, il a été profondément humilié.* ◆ **démystification** n. f.

MYSTIQUE [mistik] adj. et n. (gr. *mustikos*, relatif aux mystères). **1.** Dont les idées, les attitudes sont empreintes de mysticisme : *Les grands mystiques espagnols.* — **2.** Dont le caractère est exalté, dont les idées sont absolues : *Les révolutions ont leurs mystiques* (syn. ILLUMINÉ). ◆ adj. Qui concerne le mysticisme ou qui en est empreint : *La foi, la contemplation mystique.* ◆ n. f. Croyance absolue, qui se forme autour d'une idée, d'une personne, mise hors de toute discussion et prenant une valeur magique : *La mystique de la force. La mystique de la paix.* ◆ **mysticisme** n. m. Ensemble de croyances religieuses ou philosophiques d'après lesquelles la perfection consiste en une sorte de contemplation qui va jusqu'à l'extase et unit l'homme à la divinité.

MYTHE [mit] n. m. (gr. *muthos*, récit, fable). **1.** Récit d'origine populaire, transmis par la tradition et exprimant d'une manière allégorique, ou sous les traits d'un personnage historique déformé par l'imagination collective, un grand phénomène naturel : *Le mythe solaire. Les mythes grecs* (syn. LÉGENDE). *Le mythe de Prométhée.* — **2.** Amplification et déformation par l'imagination populaire d'un personnage ou de faits historiques, de phénomènes sociaux, etc. : *Le mythe napoléonien. Le mythe du héros.* — **3.** Construction de l'esprit qui ne repose pas sur un fond de réalité : *Sa fortune est un mythe.* ◆ **mythique** adj. : *Les héros mythiques de l'Antiquité.* ◆ **mythologie** n. f. **1.** Ensemble des légendes, des mythes qui appartiennent à une civilisation, à un peuple, à une religion, et en partic. à l'Antiquité gréco-latine. — **2.** Étude scientifique des mythes, de leurs origines. ◆ **mythologique** adj. : *Les divinités mythologiques.* ◆ **démythifier** v. t. Faire cesser le caractère mythique qui s'attache à quelqu'un ou à quelque chose : *Démythifier le personnage de Napoléon.*

MYTHOMANE [mitɔman] n. et adj. (du gr. *muthos*, fable, et *mania*, folie). Déséquilibré qui a tendance à imaginer des mensonges ou à simuler la vérité. ◆ **mythomanie** n. f.

MYTILÈNE ⟶ LESBOS.

MYTILICULTURE [mitilikyltyr] n. f. (du lat. *mytilus*, moule, et *culture*). Élevage des moules.

MYXŒDÈME [miksedɛm] n. m. (du gr. *muxa*, morve, et *oidêma*, gonflement). Affection due à une insuffisance de fonctionnement de la glande thyroïde.

MYXOMATOSE [miksɔmatoz] n. f. (du gr. *muxa*, morve). Maladie contagieuse et mortelle du lapin, due à un virus. (La myxomatose s'est répandue en Australie et, depuis 1952, en France; elle provoque chez le lapin des œdèmes qui déforment la face, une inflammation purulente des paupières qui rend l'animal aveugle.)

MYXOMYCÈTES [miksɔmisɛt] n. m. pl. (du gr. *muxa*, morve, et *mukês*, champignon). Ordre de champignons inférieurs saprophytes, formant des masses gélatineuses pouvant se déplacer, car leurs cellules ne sont pas séparées par des membranes rigides.

MZAB, groupe d'oasis du nord du Sahara algérien. (Hab. *Mzabites* ou *Mozabites.*) V. pr. *Ghardaïa*.

N n. m. **1.** Quatorzième lettre de l'alphabet et la onzième des consonnes. → introduction de l'ouvrage. — **2.** *Math.* ℕ, lettre qui représente l'ensemble des nombres entiers naturels. (→ NOMBRE.) — **3.** *Chim.* N, symbole de l'azote. — **4.** *Phys.* N, symbole du *newton.* — **5.** N., indique le *nord.*

NABAB [nabab] n. m. (mot d'une langue de l'Inde; de l'ar. *nawwāb*). **1.** Titre donné dans l'Inde aux grands dignitaires de la cour des sultans et aux gouverneurs de provinces. — **2.** Homme riche qui fait étalage de son opulence.

NABATÉENS, peuple de l'Arabie septentrionale qui constitua un État puissant à l'époque hellénistique. La capit. en était *Pétra.* Les nabatéens furent soumis par Trajan (105 av. J.-C.).

NABIS [nabi] n. m. pl. (mot hébr. signif. *prophète*). Nom pris aux environs de 1890 par de jeunes peintres influencés par Gauguin et qui pratiquaient un art fortement teinté de symbolisme (Maurice Denis, Vuillard, Bonnard, Ker Xavier Roussel, Sérusier). — ENCYCL. Le théoricien du groupe des *nabis*, Maurice Denis, affirme qu'un tableau est fait de « couleurs en un certain ordre assemblées ». Le sujet du tableau a donc peu d'importance (ce qui n'était alors guère admis). Les deux plus grands peintres du groupe, Vuillard et surtout Bonnard, composent de nombreuses scènes d'intérieur aux couleurs claires. Bonnard, inspiré par l'art japonais, crée des compositions très décoratives, d'une originalité inconnue jusque-là dans l'art occidental *(la Nappe à carreaux rouges).*

NABOT, E [nabo, -ɔt] n. m. (de *nain*, et *bot*). *Péjor.* Personne de très petite taille (syn. NAIN).

NABUCHODONOSOR, le plus grand souverain du Nouvel Empire babylonien (605-562 av. J.-C.). Tout son règne fut occupé par la rivalité avec l'Égypte pour dominer la Syrie et la Palestine. Il détruisit Jérusalem (587) et en déporta la population. Il s'imposa à l'Arabie et, en s'alliant aux Mèdes, à la Lydie. Il embellit Babylone (palais, temple de Mardouk, ziggourat [« tour de Babel »], porte d'Ishtar).

NACELLE [nasɛl] n. f. (du lat. *navis*, bateau). **1.** Petite barque sans mât ni voile. — **2.** Grand panier suspendu à un ballon et dans lequel montait l'équipage.

NACRE [nakr] n. f. (it. *naccaro*). Substance dure, d'un blanc rosé, à reflets irisés, constituant la couche interne de la coquille de certains mollusques et dont on se sert en bijouterie, en ébénisterie, etc. ◆ **nacré, e** adj. Qui a la couleur, l'aspect de la nacre.

NADAR (Félix TOURNACHON, dit), photographe, aéronaute, dessinateur et écrivain français (1820-1910). Il photographia la plupart des gens célèbres de son époque. Passionné également par le problème de l'aérostation, il réalisa les premières photographies aériennes prises en ballon (1858), qu'il proposa d'utiliser en topographie, et il fit construire en 1863 le ballon le *Géant*, de 6 000 m³.

NADIR [nadir] n. m. (mot ar. signif. *opposé*). Point de la voûte céleste qui se trouve sur la verticale de l'observateur et directement sous ses pieds. (Le point opposé s'appelle *zénith.*)

Nadja, roman d'A. Breton (1928).

NADJD, NAJD ou **NEDJD** *(le Plateau)*, ancien émirat, région de l'Arabie Saoudite; 1 390 300 km²; 4 000 000 hab. Capit. *Riyād.*

NÆVUS [nevys] n. m. (mot lat. signif. *tache*). Tache de la peau, de couleur rose, brune ou noire, dont l'origine peut être une malformation ou une tumeur. ‖ Pl. des *nævi.*

NAGALAND, État du nord-est de l'Inde, à la frontière de la Birmanie; 16 500 km²; 773 000 hab. Capit. *Kohīma.*

NAGASAKI, port du Japon (Kyū shū); 422 000 hab. Chantiers navals. La deuxième bombe atomique américaine, lancée le 9 août 1945, fit 70 000 victimes (décédées en 1945).

NAGER [naʒe] v. i. (lat. *navigare*, naviguer). **1.** (sujet nom d'être animé) Se soutenir et avancer sur ou dans l'eau soit par des mouvements des membres (homme) ou à l'aide de nageoires (poissons), soit par expulsion d'eau (pieuvre), soit par ondulations (serpents aquatiques). [→ NATATION.] — **2.** (sujet nom de chose) Flotter sur l'eau, être dans un liquide : *L'huile nage sur l'eau. Des morceaux de viande qui nagent dans la sauce* (syn. BAIGNER). — **3.** *Nager entre deux eaux*, se ménager adroitement deux partis opposés. ‖ *Nager dans son sang*, être étendu dans une mare de son propre sang. ‖ *Nager dans la joie, le plaisir*, etc., être dans un état de joie sans mélange. ‖ *Savoir nager*, savoir se conduire selon les circonstances (syn. fam. SE DÉBROUILLER). — **4.** *Fam.* Ne savoir que faire dans une situation compliquée; être au milieu des pires difficultés : *Nous nageons dans la confusion la plus complète.* ◆ v. t. Pratiquer une certaine forme de nage ou parcourir à la nage une distance : *Nager la brasse. Nager un cent mètres.* ◆ **nage** n. f. **1.** Action de nager : *Le deux cents mètres nage libre.* — **2.** *À la nage*, en nageant : *Gagner la rive à la nage.* — **3.** *(Être) en nage*, être inondé de sueur : *Cette course l'a mis en nage.* ◆ **nageoire** n. f. Membre ou appendice court et plat qui permet à des animaux aquatiques (poissons, cétacés, crustacés) de se soutenir et d'avancer dans l'eau. ◆ **nageur, euse** n. **1.** *Un excellent nageur.* — **2.** *Maître nageur*, celui qui enseigne la natation.

NAGĪB (Muḥammad) ⟶ NÉGUIB (Muḥammad).

NAGOYA, port du Japon, dans l'île de Honshū, sur le Pacifique; 2 036 100 hab. Important centre industriel (constructions mécaniques, textiles, céramiques, etc.).

NĀGPUR, v. de l'Inde (Mahārāshtra); 1 298 000 hab. Cotonnades. Métallurgie.

NAGUÈRE [nagɛr] adv. (de *n'a guère*, il n'y a guère [de temps]). Il y a quelque temps (par oppos. à JADIS, il y a longtemps).

NAHA, capit. de l'archipel des Ryū kyū, dans l'île d'Okinawa; 284 000 hab. Port de commerce.

NAÏADE [najad] n. f. (gr. *naias, -ados*). **1.** *Myth. gr.* Divinité féminine veillant sur une source ou un ruisseau. — **2.** Jeune fille, jeune femme qui se baigne, qui nage.

NAÏF, IVE [naif, -iv] adj. et n. (du lat. *natus*, né). **1.** Se dit de quelqu'un (ou de son attitude) qui manifeste dans ses actions l'inexpérience, la spontanéité ou l'irréflexion de la jeunesse : *Une jeune fille naïve* (syn. CANDIDE, INGÉNU). — **2.** Se dit de quelqu'un (ou de son attitude) qui a une confiance exagérée, qui est trop crédule : *C'est un naïf, toujours dupe des autres.* — **3.** *Peintre naïf*, ou *naïf* n. m., peintre autodidacte qui ne cherche pas à imiter l'art savant traditionnel, mais peint de façon spontanée, en suivant sa sensibilité et sa fraîcheur d'inspiration. ◆ **naïvement** adv. : *Dire tout naïvement ce que l'on pense* (syn. INGÉNUMENT). ◆ **naïveté** n. f. : *La naïveté d'un enfant* (syn. CANDEUR, INGÉNUITÉ). *En toute naïveté, je le croyais convaincu* (syn. CRÉDULITÉ).

NAIN, E [nɛ̃, nɛn] adj. et n. (lat. *nanus*). **1.** Se dit de quelqu'un dont la taille est très inférieure à la normale : *Blanche-Neige et les sept nains* (contr. GÉANT). — **2.** *Nain jaune*, nom donné à un jeu de cartes. ◆ adj. Se dit de végétaux, d'animaux, d'objets de taille minuscule ou plus petite que la normale : *Un chêne nain.* ◆ **nanisme** n. m. Affection caractérisée par une insuffisance de développement de la taille (contr. GIGANTISME).

NAIROBI, capit. du Kenya; 1 104 000 hab. Située sur un haut plateau (1 660 m d'alt.), au creux d'une riche région agricole, Nairobi est un centre administratif et commercial important. Cimenterie.

NAISSAIN [nɛsɛ̃] n. m. (de *naître*). Ensemble des jeunes huîtres ou des jeunes moules qui viennent d'éclore dans un parc.

NAÎTRE [nɛtr] v. i. (du lat. *nasci*). [Conj. **65.**] **1.** Venir au monde (sujet nom d'être animé); commencer à pousser (sujet nom désignant un végétal) : *Enfant qui vient de naître. Les fleurs naissent au printemps* (contr. MOURIR). — **2.** *Être né de*, être issu par sa naissance de : *Être né d'un père lorrain et d'une mère parisienne.* — **3.** *Naître à une chose*, commencer à montrer de l'intérêt pour elle, s'éveiller à : *Naître à l'amour.* — **4.** (sujet nom de chose) Commencer à se manifester, à exister : *La guerre est née d'un conflit d'intérêts économiques* (syn. RÉSULTER). *Une amitié naquit*

Minéralier.

ubishi Heavy Industry.

Navire porte-conteneur.

Mitsubishi Heavy Industry.

Fernez.

thanier.

Sumitono.

Pétrolier.

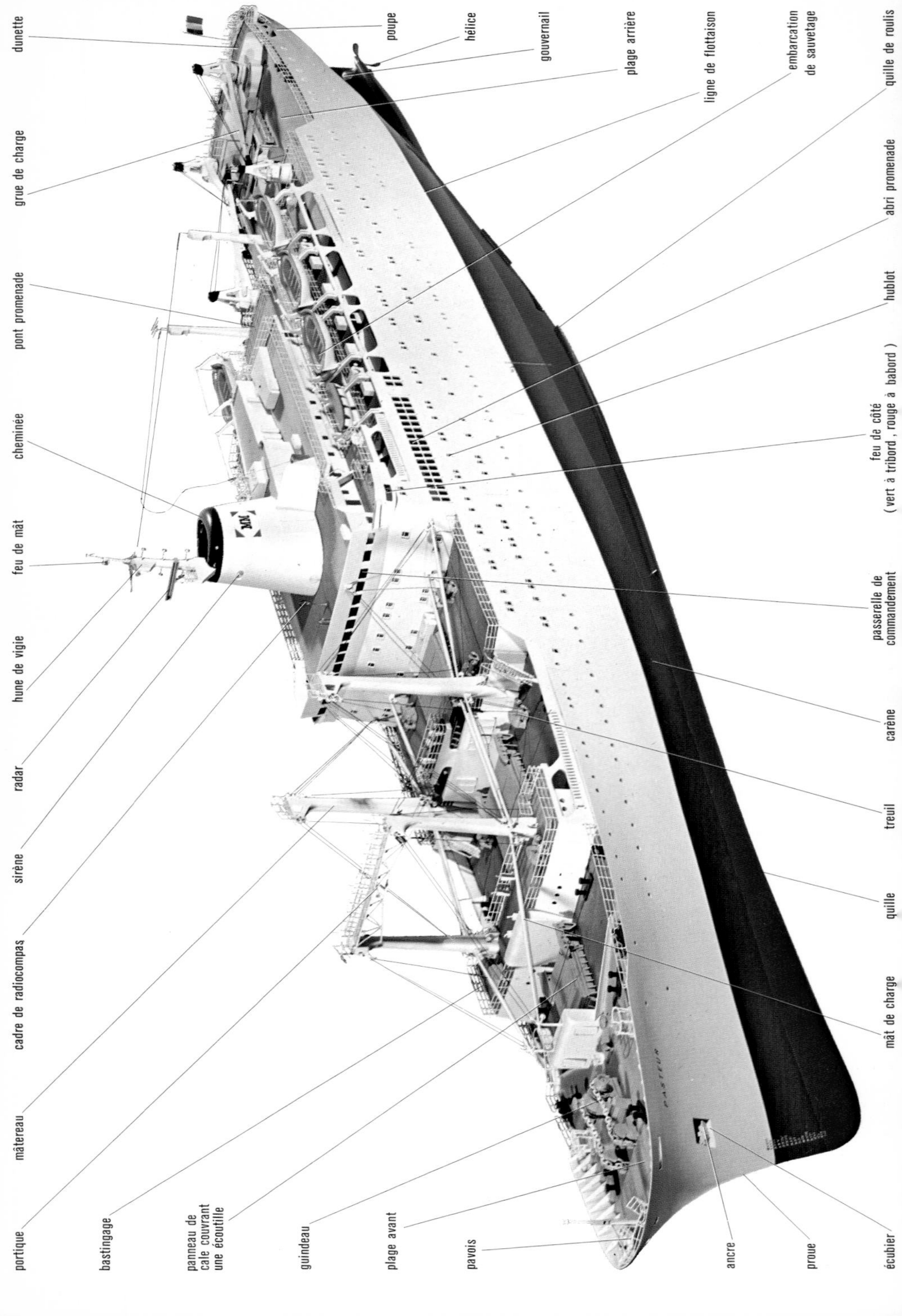

dunette
grue de charge
pont promenade
cheminée
feu de mât
hune de vigie
radar
sirène
cadre de radiocompas
mâtereau
portique
bastingage
panneau de cale couvrant une écoutille
guindeau
plage avant
pavois
ancre
proue
écubier
poupe
hélice
gouvernail
plage arrière
ligne de flottaison
embarcation de sauvetage
quille de roulis
abri promenade
hublot
feu de côté (vert à tribord, rouge à babord)
passerelle de commandement
carène
treuil
quille
mât de charge
PASTEUR

entre eux deux (syn. SE DÉVELOPPER). *Sentir naître en soi un sentiment de malaise* (syn. ÉCLORE). *Faire naître* (= provoquer, produire). [→ aussi NÉ.] ◆ **naissant, e** adj. : *Une barbe naissante* (= qui commence à apparaître). *Le jour naissant* (= l'aube; contr. FINISSANT). ◆ **naissance** n. f. **1.** Commencement de la vie, de l'existence, pour un être vivant (→ NATAL) : *La naissance d'un fils. Elle a donné naissance à une fille* (= enfanter). *Aveugle de naissance* (= depuis ou avant la naissance). ‖ *Acte de naissance,* écrit rédigé par l'officier de l'état civil pour enregistrer la naissance d'un enfant. ‖ *Contrôle des naissances* → CONTRÔLE. — **2.** Origine, début d'une chose : *La naissance d'une idée* (syn. APPARITION). *Cette nouvelle a donné naissance à de nombreux commentaires* (= a causé, produit). *La naissance du jour* (syn. COMMENCEMENT). — **3.** *À la naissance de qqch.*, à l'endroit où elle commence : *À la naissance de la colonne* (= à la base). ◆ **renaître** v. i. (seulement aux temps simples). **1.** Naître de nouveau (sujet nom désignant des végétaux); se manifester de nouveau (sujet nom de chose) : *Les fleurs renaissent au printemps* (= croissent de nouveau). *L'espoir renaît dans les cœurs* (syn. REPARAÎTRE). *Le conflit renaissait sans cesse* (syn. RECOMMENCER). — **2.** Reprendre des forces; prendre un nouvel essor : *Il renaissait à la vie après sa maladie. L'industrie renaissait après les destructions de la guerre.* ◆ **renaissant, e** adj. ◆ **renaissance** n. f. Action de naître de nouveau (sens 4) : *La renaissance de l'agriculture. La renaissance d'idées anciennes* (syn. RÉAPPARITION). [→ aussi RENAISSANCE.]

NAÏVEMENT adv., **NAÏVETÉ** n. f. → NAÏF.

NAJA [naʒa] n. m. (orig. ar.). Genre de reptiles ophidiens venimeux, très meurtriers, d'Asie et d'Afrique : *Le cobra ou serpent à lunettes est une espèce de naja de l'Inde.*

NAJD → NADJD.

NAM DINH, v. du Viêt-nam septentrional (Tonkin), sur le fleuve Rouge; 90 000 hab. Textiles.

NAMIB *(désert du)*, région côtière aride de l'Afrique australe occidentale.

NAMIBIE, anc. **SUD-OUEST AFRICAIN,** État de l'Afrique australe, sur l'Atlantique; 825 000 km²; 1 800 000 hab. Capit. *Windhoek.*

- *1892. L'Allemagne établit son protectorat sur la région.*
- *1920. La Société des Nations confie un « mandat » sur le pays (= la tâche de l'administrer) à l'Union sud-africaine.*
- *1949. L'Union sud-africaine annexe en pratique le territoire.*

Depuis, l'O. N. U. cherche à obtenir la pleine indépendance pour ce territoire, où des nationalistes poursuivent des actions de guérilla. L'Afrique du Sud, pour sa part, tente de susciter une émancipation qui resterait favorable à ses intérêts.

- *1988. Un accord est signé entre l'Angola, Cuba et l'Afrique du Sud, visant à établir l'indépendance de la Namibie.*
- *1990. Accession de la Namibie à l'indépendance.*

NAMUR, en néerl. **Namen,** v. de Belgique, ch.-l. de la *province de Namur*, au confluent de la Sambre et de la Meuse, à 39 km à l'E.-N.-E. de Charleroi; 100 100 hab. Anc. cité au rôle stratégique important (fortifications), Namur est devenue un centre industriel actif (textiles, chimie, coutellerie).

NAMUR *(province de)*, province du sud de la Belgique; 3 660 km²; 746 000 hab. Ch.-l. *Namur.*

Nana, roman d'Émile Zola (1880).

NANAN [nanɑ̃] n. m. (onomat.). Fam. *C'est du nanan*, c'est une chose délicieuse, exquise.

NANÇAY, comm. du Cher, à 18 km au N.-E. de Vierzon, en Sologne; 790 hab. Station de radio-astronomie.

NANCHANG → NAN-TCH'ANG.

NANCY, ch.-l. du dép. de Meurthe-et-Moselle, sur la Meurthe; 99 300 hab. *(Nancéiens).* Nouvelle métropole d'équilibre (avec Metz), la ville est le centre d'une agglomération deux fois plus peuplée, la première de la Lorraine. L'industrie y est active et relativement diversifiée (métallurgie liée à la proche extraction du fer, chimie, travail du cuir et du verre, etc.). Le commerce est actif et la fonction universitaire, ancienne, demeure importante.

Anc. capit. des ducs de Lorraine, embellie par Charles III et par Stanislas Leszczyński, la ville garde de beaux monuments (église des Cordeliers, XVe s.; porte de la Craffe, XIVe-XVe s.). La place de la Carrière, le palais du Gouvernement et la place Stanislas, bordée d'hôtels et limitée par des grilles de fer forgé, sont du XVIIIe s.

NANDOU [nɑ̃du] n. m. (mot esp.). Grand oiseau coureur de l'Amérique du Sud, caractérisé par des ailes inaptes au vol et l'absence de bréchet. (Sous-classe des ratites.)

NANGIS, ch.-l. de cant. de Seine-et-Marne, à 22 km à l'O. de Provins; 6 900 hab.

NANISME n. m. → NAIN.

NANKIN ou **NAN-KING,** v. de la Chine centrale, capit. du Kiang-sou, sur le Yang-tseu-kiang; 3 millions d'hab. Nankin fut la capitale de la Chine à plusieurs reprises. Le traité qui mettait fin à la guerre de l'opium y fut signé en 1842, cédant Hongkong à l'Angleterre.

NAN-NING, v. de Chine, capit. du Kouang-si, sur le Si-kiang; 876 000 hab.

NANSEN (Fridtjof), explorateur et naturaliste norvégien (1861-1930). Il traversa le Groenland (1888), explora l'Arctique en se laissant dériver à bord du *Fram* et tenta d'atteindre le pôle en traîneau (1893-1896). Délégué de la Norvège à la S. D. N., il s'occupa du problème des réfugiés. (Prix Nobel de la paix, 1922.)

NAN-TCH'ANG ou **NANCHANG,** v. de Chine, capit. du Kiang-si, sur le Kan-kiang; 1 061 000 hab.

NANTERRE, ch.-l. du dép. des Hauts-de-Seine, à 5 km à l'O. de Paris, sur la Seine; 90 400 hab. *(Nanterrois).* Université. École de danse de l'Opéra de Paris.

NANTES, ch.-l. de la Région Pays de la Loire et du dép. de la Loire-Atlantique, sur la Loire; 247 200 hab. *(Nantais).* Nantes est le centre d'une agglomération d'environ 500 000 hab. et a été promue, associée à son avant-port Saint-Nazaire, au rang de métropole d'équilibre. L'industrie (métallurgie, activités alimentaires) est encore largement liée au port, qui a connu sa plus grande fortune au XVIIIe s. avec la traite des esclaves et le trafic du sucre. La ville est devenue un centre universitaire.

Nantes *(édit de)*, édit de compromis qui règle pendant près d'un siècle les relations entre catholiques et protestants français.

- *13 avril 1598. Henri IV accorde une reconnaissance officielle au protestantisme.*

La liberté de culte est reconnue dans les villes où il a déjà été autorisé, en 1597, et dans deux localités par bailliage. Les protestants obtiennent l'égalité civile (accès aux charges publiques et tribunaux mi-parties), et pour huit ans une centaine de places fortes dont les gouverneurs et les troupes seront payés par l'État. Après les troubles de 1620, la grâce d'Alais (1629), en leur enlevant leurs places fortes, les laisse sans recours. Dès 1665-1670, les persécutions reprennent contre le million de protestants français, du fait de l'intolérance et du progrès de l'absolutisme monarchique. En 1681, les premières dragonnades entraînent des conversions forcées.

- *18 oct. 1685. Louis XIV, jugeant l'édit inutile, le révoque.*

Leur culte interdit, les protestants semblent se convertir, tout en maintenant la double pratique, puis 300 000 d'entre eux quittent la France. Enfin, dans les Cévennes, des révoltés tiennent tête aux armées royales (1702-1704). Les conséquences humaines et économiques de la révocation furent considérables.

NANTIR [nɑ̃tir] v. t. (de l'anc. fr. *nant*, gage). *Nantir qq'un de qqch.*, le pourvoir, le mettre en possession de cette chose (souvent au passif) : *Il est nanti de titres universitaires* (syn. MUNI). ◆ **se nantir** v. pr. Prendre avec soi : *Se nantir d'un parapluie.* ◆ **nanti, e** adj. et n. Qui a de la fortune, une situation aisée.

NANTUA, ch.-l. d'arrond. de l'Ain, sur le *lac de Nantua;* 3 600 hab. *(Nantuatiens).* Centre touristique.

NANTUA *(lac de)*, lac du Jura, à 475 m d'alt.; 1,4 km².

NANTUCKET, île des États-Unis (Massachusetts). Centre touristique. — Le *port de Nantucket* fut une base importante de baleiniers jusqu'au milieu du XIXe s.

NAOS [naɔs] n. m. (mot gr.). **1.** *Antiq. gr.* Partie intérieure centrale d'un temple où se trouvait la statue de la divinité, entre le pronaos et l'opisthodome. — **2.** Dans l'Égypte anc., édicule placé dans le sanctuaire d'un temple et destiné à recevoir la statue de la divinité.

NAPALM [napalm] n. m. (de *Na*, symb. du sodium, et *palm*[*itate*]). Essence gélifiée au palmitate de sodium ou d'aluminium, utilisée pour le chargement de projectiles incendiaires : *Bombe au napalm.*

NAPHTALÈNE [naftalɛn] n. m. (du lat. *naphta*, pétrole brut). Hydrocarbure benzénique $C_{10}H_8$, tiré du goudron de houille, utilisé comme matière première dans l'industrie des colorants, des parfums, etc. ◆ **naphtaline** n. f. Naphtalène impur vendu dans le commerce pour préserver les tissus des mites.

NAPIER ou **NEPER** (John), baron DE MERCHISTON, mathématicien écossais (1550-1617). Il inventa les logarithmes.

NAPLES, ville de l'Italie du Sud (Campanie), située sur le *golfe de Naples*, à proximité du Vésuve; 1 226 600 hab. *(Napolitains).* Important port de voyageurs et de marchandises (13 millions de t) sur la mer Tyrrhénienne, Naples est un grand centre commercial. Le port alimente en matières premières des industries variées, localisées le long du golfe : aciéries (Bagnoli, Torre Annunziata), raffineries de pétrole, industries chimiques, alimentaires, etc.

NAPLES *(royaume de)*, anc. royaume d'Italie, partie péninsulaire du royaume de Sicile que la dynastie angevine conserve après son expulsion de la Sicile insulaire (1282). À la suite de l'invasion française (1494-1495), le royaume fut rattaché (1504) à l'Aragon. La Révolution et l'Empire amenèrent la domination française. Ferdinand IV de Bourbon, restauré en 1815, rétablit l'union avec la Sicile (royaume des Deux-Siciles).

NAPLOUSE, en ar. **Nābulus,** v. de Cisjordanie; 50 000 hab. Site de Sichem aux environs.

NAPOLÉON Ier (1769-1821), empereur des Français (1804-1815).

Il naît à Ajaccio dans une famille anoblie, les Bonaparte*. Élève à l'école militaire de Brienne, puis de Paris, il sort en 1785 avec le grade de lieutenant d'artillerie. De 1789 à 1793, il participe aux luttes politiques en Corse. Son ralliement au jacobinisme et son rôle pendant le siège de Toulon (1793) à la tête de l'artillerie entraînent une promotion rapide.

- *Mars 1793. Il est général de brigade affecté à l'armée d'Italie.*

La chute de Robespierre (9 thermidor an II) entraîne une disgrâce provisoire, mais il réprime le soulèvement royaliste du 13 vendémiaire (octobre 1795), et le patronage de Barras lui donne le commandement de l'armée d'Italie.

- *1796-1797. La campagne d'Italie révèle ses qualités de militaire, de diplomate (traité de Campoformio, 1797) et d'administrateur.*

L'expédition d'Égypte (1798-1799), destinée à couper la route des Indes aux Anglais, lui semble une nouvelle occasion de se couvrir de gloire, tandis que le Directoire y voit un moyen de se débarrasser d'un général ambitieux. Les difficultés militaires (Aboukir et Saint-Jean-d'Acre) et l'évolution du Directoire l'incitent à rentrer.

- *18 brumaire* an VIII (9 nov. 1799). Il exécute un coup d'État, en union avec Sieyès.*

Mais dans le nouveau régime, le Consulat, organisé par la Constitution de l'an VIII, il prend l'essentiel du pouvoir avant de se faire nommer consul à vie en 1802. Il instaure une paix éphémère à l'extérieur (fin de la deuxième coalition, 1802), réorganise en les centralisant l'administration, la justice (Code civil, 1804) et l'enseignement, tout en rétablissant les finances (franc germinal, Banque de France). Il mène une politique de conciliation, qui échoue avec certains royalistes (complot de Cadoudal), mais qui permet de pacifier la Vendée et de régler la question religieuse (concordat avec le pape en 1801).

- *Mai 1804. Bonaparte se fait proclamer, sous le nom de Napoléon Ier, empereur héréditaire des Français, et, le 2 décembre, Pie VII le sacre à Paris.*

L'opposition économique de l'Angleterre et l'ambition de Napoléon aboutissent à une reprise des hostilités. Contre l'Angleterre, il échoue (camp de Boulogne, puis désastre de Trafalgar, 1805). Mais les victoires d'Austerlitz (2 décembre 1805) contre les Austro-Russes, de Iéna (1806) contre la Prusse, puis de Friedland (1807) contre la Russie lui donnent le contrôle du continent (paix de Presbourg, décembre 1805) et favorisent l'alliance russe (traité de Tilsit, 1807). La France s'agrandit (130 départements), et Napoléon, qui place sa famille sur les divers trônes européens, s'entoure d'une cour brillante et crée une noblesse d'Empire.

- *1806. Le décret de Berlin instaure le Blocus continental.*

Napoléon veut abattre l'Angleterre en touchant ses intérêts économiques. Il échoue et doit intervenir contre la contrebande en Italie, en Hollande et surtout dans la péninsule Ibérique (1808). En Espagne, un soulèvement contre les Français, appuyé par les Anglais, va immobiliser jusqu'en 1814 une partie des forces de l'Empire. Désormais, les oppositions s'amplifient : l'Empereur doit affronter l'hostilité du pape, puis une nouvelle coalition, la cinquième, nouée par l'Autriche qui, battue à Wagram, signe la paix de Vienne (14 octobre 1809).

- *1811. Après son divorce avec Joséphine de Beauharnais, Napoléon a un héritier de sa nouvelle épouse, Marie-Louise d'Autriche.*
- *1812. Après la rupture de l'alliance russe, la campagne de Russie le mène à Moscou, mais détruit la Grande Armée et entraîne un soulèvement général.*

Battu à Leipzig (octobre 1813), Napoléon mène la campagne de France (1814), mais Paris capitule le 30 mars. L'Empereur abdique à Fontainebleau le 6 avril 1814 et est exilé à l'île d'Elbe.

Profitant de l'impopularité de la Restauration, Napoléon débarque en France le 1er mars 1815.

- *Mars-juin 1815. Il établit un Empire constitutionnel éphémère (les « Cent-Jours »).*

Obligé d'affronter toute l'Europe, il est battu à Waterloo (18 juin), abdique de nouveau et est exilé à Sainte-Hélène, où il meurt le 5 mai 1821.

Son règne laissait la France épuisée et diminuée territorialement (congrès de Vienne, 1815), mais la légende napoléonienne allait se développer rapidement et contribuer, au bout d'un demi-siècle, à favoriser l'instauration du second Empire.

NAPOLÉON II (François Charles Joseph BONAPARTE), fils de Napoléon Ier et de Marie-Louise (1811-1832). Proclamé roi de Rome lors de sa naissance et reconnu empereur par les Chambres lors de la seconde abdication de Napoléon Ier (1815), il passa toute sa vie au château de Schönbrunn, sous le nom de duc de Reichstadt. Ses cendres ont été transférées aux Invalides, à Paris, en 1940. E. Rostand en a fait le héros de son drame *l'Aiglon*.

NAPOLÉON III (Charles Louis Napoléon BONAPARTE) [1808-1873], empereur des Français (1852-1870), fils de Louis Bonaparte et neveu de Napoléon Ier. Il mène une vie d'aventurier : carbonaro* en Italie en 1831, puis prétendant bonapartiste, auteur de coups d'État manqués (1836 et 1840). Détenu au fort de Ham, il s'en évade (1846). La révolution de 1848 lui permet de rentrer en France et de se faire élire député.

- *10 déc. 1848. Grâce au suffrage universel et à la légende napoléonienne, il est élu président de la République.*
- *2 déc. 1851. Il dissout l'Assemblée et devient prince-président pour dix ans avec des pouvoirs étendus.*

Le coup d'État est sanctionné par un plébiscite de même que la restauration de l'Empire le 2 décembre 1852.

Jusqu'en 1859, l'« Empire autoritaire » s'accompagne du contrôle de la presse et de l'élimination de toute opposition. Cette période est marquée par l'essor économique et une politique exte rieure de prestige : conquêtes coloniales (Sénégal, Cochinchine), interventions victorieuses en Crimée (1854-1856), puis en Italie (1859), grâce à laquelle il obtient Nice et la Savoie (1860).

- *1860. Il instaure le libre-échange avec l'Angleterre.*

Mais les difficultés économiques, le coût des grands travaux, sa politique italienne lui aliènent des partisans (industriels, catholiques) et l'obligent à libéraliser son régime (octroi du droit de grève en 1864). Malgré cette libéralisation, les oppositions s'amplifient d'autant que l'expédition du Mexique* (1862-1867) est un désastre et que les hésitations de la diplomatie impériale en Italie et en Allemagne isolent la France.

- *1870. Il accepte un régime de type parlementaire (2 janvier) [ministère Émile Ollivier] et le plébiscite de mai est un triomphe.*

Napoléon III entre en guerre avec la Prusse, mais la défaite de Sedan (2 septembre 1870) montre la fragilité du régime qui s'effondre le 4 septembre.

NAPOLÉON (Eugène Louis) ⟶ BONAPARTE.

NAPOLÉON [napɔleɔ̃] n. m. (de *Napoléon*). Pièce d'or de 20 francs, à l'effigie de Napoléon Ier ou de Napoléon III.

Napoléon *(route)*, route allant de Cannes à Grenoble par Gap et le col Bayard; 324 km. Elle reconstitue le trajet suivi par Napoléon à son retour de l'île d'Elbe (1815).

NAPOLÉONIEN, ENNE [napɔleɔnjɛ̃, -ɛn] adj. Relatif aux Napoléon, à leur système, et plus particulièrement à Napoléon Ier : *L'épopée napoléonienne.*

NAPOLITAIN, E [napɔlitɛ̃, -ɛn] adj. et n. De Naples. ‖ *Tranche napolitaine,* sorte de glace légère disposée par couches diversement parfumées, et servie en tranches.

NAPOULE (La), station balnéaire des Alpes-Maritimes, à 8 km au S.-O. de Cannes.

1. NAPPE [nap] n. f. (lat. *mappa*). Linge dont on couvre la table pour prendre un repas. ◆ **napperon** n. m. Petite nappe placée sous une assiette, sur un coin de table, sur un guéridon, etc., comme décoration ou comme protection.

2. NAPPE [nap] n. f. (même étym.). Vaste étendue d'eau, de liquide, de gaz, etc., s'étendant comme une couche sous terre ou en surface, dans une dépression, etc. : *Une nappe de pétrole.* ‖ *Nappe de charriage* ⟶ CHARRIER. ‖ *Nappe phréatique* ⟶ PHRÉATIQUE.

NAPPER [nape] v. t. (de *nappe*). Recouvrir un mets d'une sauce, d'une crème.

NAPPERON n. m. ⟶ NAPPE 1.

NARA, v. du Japon dans l'île de Honshū; 208 300 hab. Capit. du Japon de 710 à 794. — La *période de Nara* (645-794) fut l'âge d'or de la civilisation japonaise.

NARBADA (la), fl. de l'Inde, tributaire de la mer d'Oman, limite entre l'Hindoustan et le Deccan; 1 290 km.

NARBONNAISE, province de la Gaule romaine, constituée par Auguste en 27 av. J.-C. De nombreuses colonies (Narbonne, Nîmes, Orange, Aix) y furent fondées.

NARBONNE, ch.-l. d'arrond. de l'Aude, sur le canal de la Robine, à 27 km au S.-O. de Béziers; 42700 hab. *(Narbonnais).* Important port de mer à l'époque romaine et au Moyen Âge. La modification du cours de l'Aude au XIVe s. mit fin à son activité portuaire. Marché viticole. Station balnéaire à *Narbonne-Plage.*

NARCISSE. *Myth. gr.* Personnage légendaire, célèbre par sa beauté. Il s'éprit de sa propre image en se regardant dans les eaux d'une fontaine, au fond de laquelle il se précipita. Il fut métamorphosé en la fleur qui porte son nom.

NARCISSE [narsis] n. m. (de *Narcisse*). Plante bulbeuse, à fleurs jaunes ou blanches munies d'une sorte de couronne dorée. (Le *narcisse des bois* est appelé *jonquille.*) [Famille des amaryllidacées.]

NARCISSISME [narsisism] n. m. (de *Narcisse*). Attention excessive portée à soi-même, contemplation de soi. ◆ **narcissique** adj.

NARCOTIQUE [narkɔtik] n. m. (du gr. *narkê*, engoudissement). Substance (opium, belladone, etc.) qui provoque l'assoupissement, le sommeil, en diminuant la sensibilité (syn. SOMNIFÈRE, SOPORIFIQUE). ◆ **narcose** n. f. Assoupissement produit par l'action d'un narcotique.

NAREW (le), riv. de l'U. R. S. S. et de Pologne, affl. du Bug (r. dr.); 480 km.

NARGUER [narge] v. t. (du lat. *naris*, narine). *Narguer qq'un*, le regarder avec insolence, le braver.

NARGUILÉ ou **NARGHILÉ** [nargile] n. m. (mot persan). Pipe orientale, à long tuyau flexible, dans laquelle la fumée passe par un flacon rempli d'eau parfumée avant d'arriver à la bouche.

NARINE [narin] n. f. (du lat. *naris*). Chacune des deux ouvertures du nez chez l'homme.

NARITA, aéroport de Tōkyō.

NARQUOIS, E [narkwa, -waz] adj. (orig. incert.). Se dit d'une personne (et surtout de son attitude) qui se moque avec une ironie fine : *Se montrer narquois* (syn. CAUSTIQUE, RAILLEUR). *Un sourire narquois* (syn. IRONIQUE). ◆ **narquoisement** adv.

NARRER [nare] v. t. (lat. *narrare*). *Narrer qqch.*, le faire connaître dans le détail, par un récit généralement assez long : *Narrer le récit de ses mésaventures* (syn. RACONTER). ◆ **narrateur, trice** n. Personne qui fait par écrit un récit, qui raconte : *A. Daudet est un narrateur de talent.* ◆ **narratif, ive** adj. Qui appartient au récit, à son style : *Poésie narrative.* ◆ **narration** n. f. **1.** *Faire une longue narration des événements* (syn. EXPOSÉ, RÉCIT). — **2.** Exercice scolaire consistant à faire un récit sur un sujet donné (syn. RÉDACTION). — **3.** Gramm. *Infinitif de narration*, infinitif ayant valeur d'indicatif (ex. : *Et grenouilles de se plaindre*).

NARTHEX [nartɛks] n. m. (mot gr.). Portique construit en avant des basiliques chrétiennes et où se tenaient les catéchumènes : *Les narthex des églises romanes, telles que Vézelay, Saint-Benoît-sur-Loire.*

NARVA, v. d'Estonie; 28000 hab.

- *1700. Victoire de Charles XII de Suède sur Pierre le Grand.*
- *1704. Pierre le Grand s'empare de la ville.*

NARVAL [narval] n. m. (danois *narhval*). Mammifère cétacé des mers arctiques, atteignant 4 m de long et appelé LICORNE DE MER à cause de la longue canine (2 à 3 m) que porte le mâle. ‖ Pl. des *narvals.*

NARVIK, port de la Norvège (dép. du Nordland); 13300 hab. Exportation du minerai de fer de Kiruna (Suède). Sidérurgie. Pendant la Seconde Guerre mondiale, la région de Narvik, occupée par les Allemands le 9 avril 1940, fut le théâtre de violents combats navals et terrestres entre Alliés et Allemands.

NASA (abrév. de *National Aeronautics and Space Administration*), organisme américain de recherches spatiales et aéronautiques.

NASAL, E, AUX [nazal, -zo] adj. (du lat. *nasus*, nez) [le masc. plur. est inusité]. Relatif au nez : *Une hémorragie nasale. Consonne, voyelle nasale*, ou *nasale* n. f., dont le son est modifié par le nez, comme [m], [n], [ɑ̃], [ɛ̃], [ɔ̃]. ‖ *Fosses nasales*, les deux cavités limitées par l'ethmoïde et le palais, séparées par la lame perpendiculaire, et où l'air pénètre par les narines avant de passer dans les poumons. ◆ **nasaliser** v. t. Prononcer avec une résonance nasale (surtout au part. passé) : *Un «a» nasalisé.* ◆ **nasalisation** n. f. ◆ **dénasaliser** v. t. Enlever la résonance nasale de : *Les voyelles nasales suivies d'une consonne nasale se sont dénasalisées au début du XVIIe s. («femme», prononcé* [fɑ̃mə], *devint* [fam]). ◆ **dénasalisation** n. f.

NASEAU [nazo] n. m. (du lat. *nasus*, nez). Narine de certains animaux comme le cheval, le bœuf, etc.

NASHVILLE-DAVIDSON, v. des États-Unis, capit. du Tennessee; 447900 hab. Les confédérés y furent battus en 1864 (guerre de Sécession).

NASILLER [nazije] v. i. et t. (du lat. *nasus*, nez). Avoir une voix modifiée par la fermeture plus ou moins complète des fosses nasales (« parler du nez »), ou émettre des sons dont la résonance est analogue à cette voix : *Il nasille légèrement en parlant. Le phonographe nasillait un vieux refrain.* ◆ **nasillement** n. m. ◆ **nasillard, e** adj. : *Un ton nasillard. Le son nasillard d'un disque ancien.*

NASSAU, capit. des îles Bahamas, sur l'île de New Providence; 101500 hab. Centre touristique.

NASSAU *(famille de)*, famille qui s'établit en Rhénanie au XIIe s. et qui se subdivise en plusieurs branches. La *branche d'Orange-Nassau* s'illustre à la tête des Provinces-Unies.

NASSAU (Guillaume Ier DE) ⟶ GUILLAUME Ier DE NASSAU.

NASSE [nas] n. f. (lat. *nassa*). **1.** Panier en osier ou en fil de fer pour prendre les poissons. — **2.** Filet pour prendre les petits oiseaux.

NASSER (Gamal Abdel), homme d'État égyptien (1918-1970). Dès 1948, il prend part à l'action nationaliste égyptienne.

- *Juil. 1952. Il participe au coup d'État effectué par Néguib, qui s'empare du pouvoir et fait exiler le roi Farouk.*
- *1954. Il évince Néguib et se fait nommer président de la République.*

Après avoir nationalisé le canal de Suez jusque-là sous le contrôle des occidentaux (1956), il réalise l'éphémère union de l'Égypte et de la Syrie (République arabe unie, 1958-1961). Après la guerre des Six Jours (juin 1967) qui voit la victoire d'Israël et l'occupation du Sinaï, il démissionne puis presque aussitôt revient au pouvoir, assumant en plus la charge de Premier ministre.

NASSER *(lac)*, nom donné à la retenue formée par le barrage de Sadd al-'Alī qui s'allonge sur environ 500 km.

NATAL, E, ALS [natal] adj. (du lat. *natus*, né) [plur. masc. inusité]. *Pays natal, terre natale, ville natale*, où l'on est né. ◆ **natalité** n. f. Rapport entre le nombre des naissances et celui des habitants d'un pays, d'une région, pendant une période déterminée : *Les taux de natalité.* → ENCYCL. ◆ **dénatalité** n. f. Diminution du nombre des naissances : *La dénatalité en France pendant l'entre-deux-guerres.* ◆ **nataliste** adj. Qui vise à favoriser la natalité : *Une politique nataliste.* ◆ **prénatal, e, als** adj. qui précède la naissance : *Allocations prénatales.*
— ENCYCL. Le *taux de natalité* est le rapport entre le nombre des enfants nés vivants en une année et le total de la population; on le calcule généralement pour 1000 habitants. En France, le taux de natalité est aujourd'hui de 14 p. 1000 env. Dans le monde, le taux de natalité varie entre env. 12 p. 1000 et 50 p. 1000.

NATAL, province de l'Afrique du Sud, sur la côte sud-est de l'Afrique; 87000 km²; 6256000 hab. Ch.-l. *Pietermaritzburg.* V. pr. *Durban.*

NATAL, port du Brésil, capit. de l'État de Rio Grande do Norte, sur l'Atlantique; 420000 hab. Industries alimentaires et textiles.

NATALISTE adj., **NATALITÉ** n. f. → NATAL.

NATANYA, port d'Israël, sur la Méditerranée; 70700 hab. Taille des diamants.

NATATION [natasjɔ̃] n. f. (du lat. *natare*, nager). **1.** Action de nager, considérée comme un exercice, un sport. ⟶ ENCYCL. — **2.** Progression active des animaux dans l'eau ou sur l'eau.
— ENCYCL. La *natation* englobe plusieurs formes de nages, qui, sur le plan sportif, sont au nombre de quatre : le crawl*, la brasse*, la brasse papillon (ou papillon) et la nage sur le dos (ou dos crawlé*). Les principales épreuves sont les courses de nage libre (de 50 à 1500 m), disputées en crawl (nage la plus rapide).

NATATOIRE [natatwar] adj. (bas lat. *natatorius*). *Vessie natatoire*, poche située dans l'abdomen de certains poissons, pleine d'oxygène et d'azote, et dont le rôle est mal connu.

NATCHEZ, anc. tribu d'Indiens du Mississippi.

Natchez *(les)*, poème en prose de Chateaubriand (1826).

NATHAN, prophète juif, qui reprocha au roi David d'avoir épousé Bethsabée après s'être débarrassé de son mari.

NATIF, IVE [natif, -iv] adj. et n. (lat. *nativus*). *Natif de tel lieu*, en parlant d'une personne, originaire de tel endroit, qui est née en ce lieu, où sa famille a résidé et où elle a vécu un certain temps : *C'est un natif de Limoges.* ◆ adj. Se dit d'un sentiment, d'une qualité apportés en naissant : *Sa peur native pour les serpents.*

NATION [nasjɔ̃] n. f. (lat. *natio*). Grande communauté humaine, installée en général sur un même territoire ou dans des territoires

dépendants et qui se caractérise par des traditions historiques et culturelles communes, par des intérêts économiques convergents et par une unité linguistique (= de langue) ou religieuse : *La nation française. La nation se distingue de l'État* (= qui représente l'ensemble des institutions en vigueur sur le territoire national) *et du peuple* (= ensemble des individus appartenant à une même communauté). *La Société des Nations fut créée en 1919.* ◆ **national, e, aux** adj. **1.** Se dit de ce qui appartient à la nation ou qui en est issu : *« La Marseillaise » est l'hymne national de la France. Le 14-Juillet, fête nationale. L'Assemblée* nationale. Le service* national.* — **2.** Se dit de ce qui intéresse l'ensemble du pays et non une seule région : *Les routes nationales* (= construites et entretenues par l'État, et distinctes des routes départementales); et, par oppos. à INTERNATIONAL: *Mener une politique nationale.* ◆ **nationaux** n. m. pl. Les citoyens d'un État (par oppos. aux ÉTRANGERS). ◆ **nationaliser** v. t. Transférer à la communauté, à l'État, les moyens de production qui sont entre les mains de propriétaires privés : *Nationaliser les chemins de fer.* ◆ **nationalisation** n. f. → ENCYCL. ◆ **antinational, e, aux** adj. Opposé aux intérêts ou au caractère de la nation. ◆ **dénationaliser** v. t. Rendre une entreprise nationalisée au secteur privé. ◆ **dénationalisation** n. f. ◆ **nationalisme** n. m. Doctrine politique qui préconise la prise de conscience ou la défense des intérêts nationaux et se fonde sur l'exaltation de l'idée de patrie ou de nation : *Le nationalisme africain.* ◆ **nationaliste** adj. et n. : *Le mouvement nationaliste en Asie.* ◆ **nationalité** n. f. État de celui qui a le statut juridique de membre d'une nation déterminée : *Prendre la nationalité française.* ◆ **international, e, aux** adj. Qui se rapporte aux relations entre nations, entres États : *Les championnats internationaux. Le droit international* (= qui régit les rapports entre nations). [→ aussi INTERNATIONALE.] ◆ **n. m.** Sportif qui représente son pays à des épreuves internationales. ◆ **internationaliser** v. t. Donner un caractère international, porter sur le plan international. ◆ **internationalisation** n. f. : *Éviter l'internationalisation d'un conflit.* ◆ **internationalisme** n. m. Doctrine politique qui a pour base le développement de la solidarité entre les peuples, entre les membres d'une classe sociale, par-delà les frontières, entre tous les États : *L'internationalisme ouvrier.* ◆ **multinational, e, aux** adj. Relatif à plusieurs États. ◆ **n. f.** Groupe industriel, commercial ou financier dont les activités et les capitaux se répartissent entre plusieurs États. ◆ **supranational, e, aux** adj. Qui dépend d'un pouvoir situé au-dessus des gouvernements de chaque nation.
— ENCYCL. La *nationalisation* est le transfert à la collectivité nationale de la propriété de certaines entreprises ou certains moyens de production appartenant à des particuliers en vue soit de mieux servir l'intérêt général, soit de mieux assurer l'indépendance de l'État, soit d'empêcher la réalisation de bénéfices privés dans certains domaines (défense nationale). Ainsi, en 1938, les anciennes compagnies de chemin de fer ont cédé leurs lignes, leurs gares, leurs locomotives et leurs wagons à la Société nationale des chemins de fer français (S. N. C. F.).

Après la Seconde Guerre mondiale, les nationalisations ont porté sur divers secteurs : le crédit (Société générale, Crédit Lyonnais, Comptoir national d'escompte, B. N. C. I.); l'énergie (Charbonnages de France, Gaz de France, Électricité de France); les transports (Air France); les assurances; l'automobile (Renault). Après l'arrivée au pouvoir de F. Mitterrand (1981), une nouvelle série de nationalisations intervient, en particulier dans le domaine bancaire. Inversement, le gouvernement de J. Chirac mis en place après les élections de mars 1986 décide le retour au secteur privé de 65 entreprises. Mais ce programme ne connaît qu'un début de réalisation : il est interrompu par le gouvernement socialiste nommé après la réélection de F. Mitterrand (1988).

National Gallery *(Galerie nationale),* musée national de peinture de Londres, fondé en 1824.

NATIONALISATION n. f., **NATIONALISER** v. t., **NATIONALISME** n. m., **NATIONALISTE** adj. et n., **NATIONALITÉ** n. f. → NATION.

NATIONAL-SOCIALISME [nasjɔnalsɔsjalism] n. m. *(national,* et *socialisme).* Doctrine du parti national-socialiste (Parti ouvrier allemand national-socialiste [N. S. D. A. P.] ou nazi) fondé par Hitler en 1920. (On dit aussi NAZISME.) ◆ **national-socialiste** adj. et n. Partisan de cette doctrine. (On dit aussi NAZI.)
— ENCYCL. Dans *Mein Kampf* (= « Mon combat ») écrit en 1923-1924, Hitler expose la doctrine du *national-socialisme,* étroitement nationaliste, vigoureusement raciste et antimarxiste. Cette doctrine se caractérise par sa devise : « Ein Volk, ein Reich, ein Führer » (= un Peuple, un Empire, un Chef), par son pangermanisme*, d'où découle la théorie de l'espace vital (territoire qu'il jugeait nécessaire d'acquérir pour la nation allemande), par l'apologie de la guerre et de la violence, et par la distinction essentielle entre un peuple supérieur (la race germanique) et des races inférieures (Latins, Slaves, Jaunes, Noirs, Juifs...) vouées au mépris, à l'esclavage ou même à l'extermination.

Dès 1921, le parti crée ses sections d'assaut (S. A.) ou « Chemises brunes », et Hitler développe sa garde personnelle (S. S.). A partir de 1930, le parti grossit rapidement (107 sièges au Reichstag en 1930, 288 en 1933). Après que Hitler eut obtenu les pleins pouvoirs, le parti national-socialiste devint parti unique (1933). C'est alors une puissante organisation politique. La propagande et l'endoctrinement de la jeunesse lui gagnent largement le peuple allemand. D'immenses congrès se tiennent à Nuremberg.

Après la chute du régime (1945), la découverte des camps de concentration* révèle l'étendue des crimes nazis qui furent condamnés par le tribunal de Nuremberg (1946). Le nazisme, en tant que doctrine officielle, est mort en 1945, mais certains hommes politiques de l'Allemagne contemporaine sont parfois qualifiés de « néo-nazis » (parti N. P. D.).

NATIONAUX n. m. pl. → NATION.

Nations unies *(Organisation des)* → ORGANISATION* DES NATIONS UNIES (O. N. U.).

NATIVITÉ [nativite] n. f. (lat. *nativitas*). *Fête de la Nativité* (= de la naissance de Jésus-Christ) [syn. NOËL].

NATTE [nat] n. f. (lat. *matta*). **1.** Pièce de tissu fait avec des végétaux entrelacés (paille, jonc), qui est utilisée comme tapis. — **2.** Tresse de cheveux. ◆ **natter** v. t. Mettre en natte (sens 2) : *Des cheveux nattés en deux longues tresses.*

NATTIER (Jean-Marc), peintre français (1685-1766). Devenu en 1740 peintre de la famille royale, il exécuta de nombreux portraits féminins, notamment ceux de Mesdames, filles de Louis XV.

1. NATURALISER [natyralize] v. t. (de *naturel*). Donner à un étranger la nationalité du pays où il réside. ◆ **naturalisation** n. f. Acte par lequel une personne résidant à l'étranger peut acquérir, sous certaines conditions, la nationalité du pays où elle réside. (Elle acquiert ainsi les droits auxquels peuvent prétendre les gens qui y sont nés [nationaux].) ◆ **naturalisé, e** adj. et n. Personne qui a obtenu sa naturalisation.

2. NATURALISER [natyralize] v. t. (même étym.). **1.** Acclimater un animal ou une plante sur un sol qui leur est étranger. — **2.** Empailler un animal ou préparer une plante pour leur garder leur aspect naturel. ◆ **naturalisation** n. f.

1. NATURALISTE n. → NATURE 2.

2. NATURALISTE [natyralist] adj. et n. (de *naturel*). Adepte du naturalisme en littérature : *Les romanciers naturalistes comme É. Zola, J.-K. Huysmans, G. de Maupassant.* ◆ **naturalisme** n. m. École littéraire du XIXe s., qui s'est proposée de décrire les aspects réels de la vie humaine, avec objectivité, et dans tous leurs aspects, même les plus laids.

1. NATURE [natyr] n. f. (lat. *natura*). **1.** Ensemble des caractères fondamentaux, physiques ou moraux, propres à un être, à une chose : *La nature de l'homme* (syn. CONDITION). *Ce n'est pas dans sa nature* (syn. CARACTÈRE). *Avoir une nature enjouée* (syn. TEMPÉRAMENT). *La nature des réformes envisagées nous inquiète* (syn. ESPÈCE, GENRE). ‖ *Par (sa) nature,* essentiellement : *Cette loi est par (sa) nature irrévocable* (syn. EN SOI). ‖ *De nature à* (et un infin.), capable de, propre à. — **2.** Principe fondamental qui donne son caractère propre à l'espèce humaine : *Un vice contre nature* (= qui va à l'encontre de la nature humaine). *Le cri, la voix de la nature* (= les sentiments nés de liens familiaux). ◆ **naturel, elle** adj. **1.** Qui appartient à une personne, par nature; qui est compréhensible venant d'un homme : *Avoir des dispositions naturelles pour la peinture* (= une inclination). *Sa bonté naturelle* (syn. INNÉ). *Il est naturel qu'on en vienne à des négociations* (syn. NORMAL). — **2.** Qui est exempt de recherche, d'artifice, d'affectation : *Rester naturel en toute circonstance.* — **3.** *Enfant naturel,* né hors du mariage. ‖ *Mort naturelle,* mort résultant de l'âge, de la maladie, et non d'un accident. ‖ *Note naturelle,* note dont la hauteur n'est pas modifiée par une altération (dièse ou bémol). ◆ n. m. **1.** Ensemble des tendances et des caractères propres à un individu : *Il est d'un naturel bavard* (syn. TEMPÉRAMENT). — **2.** Absence d'affectation, de contrainte : *Se conduire avec naturel dans les milieux les plus divers.* — **3.** *Au naturel,* se dit d'aliments préparés simplement, sans assaisonnement : *Des conserves au naturel.* ◆ **naturellement** adv. **1.** Par une impulsion naturelle, conformément au tempérament, à la nature physique : *Être naturellement gai. Ses cheveux frisent naturellement.* — **2.** D'une manière aisée, simple : *Écrire naturellement.* — **3.** D'une manière inévitable, par une conséquence logique : *Naturellement, il n'est pas encore arrivé* (syn. ÉVIDEMMENT, FORCÉMENT). ◆ **dénaturer** v. t. **1.** (sujet nom de personne) *Dénaturer un produit,* y incorporer une substance qui le rende impropre à la consommation humaine : *Dénaturer de l'alcool.* — **2.** (sujet nom de chose) *Dénaturer une saveur, une odeur,* etc., les altérer considérablement : *Un médicament qui dénature le goût du vin.* — **3.** (sujet nom de personne) *Dénaturer les faits, les paroles de qq'un,* les rapporter avec des modifications qui en faussent complètement le sens. ◆ **dénaturé, e** adj. **1.** Contraire aux lois naturelles : *Goûts dénaturés.* — **2.** *Parents dénatu-*

rés, qui n'ont pas l'affection naturelle des parents à l'égard de leurs enfants (syn. INDIGNE).

2. NATURE [natyr] n. f. (même étym.). **1.** Principe d'organisation du monde; ensemble de tout ce qui existe, êtres et choses : *L'ordre de la nature. La place de l'homme dans la nature* (syn. MONDE, UNIVERS). — **2.** Le monde physique (champs, mer, montagne, etc.) par oppos. aux choses créées par l'homme : *Aimer la nature* (syn. CAMPAGNE). *Le retour à la nature* (= la vie simple telle qu'elle existait avant la civilisation). — **3.** *Les forces de la nature,* éléments naturels considérés comme non dominés par l'homme (feu, vent, eau, etc.). ‖ *Être une force de la nature,* être un homme d'une force, d'une puissance physique très grande. ‖ *En nature,* avec des produits du sol, des objets : *Payer en nature, don en nature* (par oppos. à *en argent*). ‖ *Grandeur nature* → GRAND. ‖ *Nature morte* → MOURIR. ◆ adj. inv. **1.** *Fam.* Qui est servi seul, sans accompagnement : *Du café nature* (= noir). — **2.** Fam. *Il est nature,* il est spontané, sans détour. ◆ **naturaliste** n. Personne qui étudie les sciences naturelles. ◆ **naturel, elle** adj. Qui appartient à la nature (monde physique, organisation, ordre habituel) : *Les phénomènes naturels. Les productions naturelles d'un pays. Les sciences naturelles* (= celles qui étudient la nature et les êtres vivants). *Le gaz naturel est exploité à Lacq. Il ne trouve pas cela naturel* (syn. NORMAL). ◆ **surnaturel, elle** adj. Se dit de ce qui dépasse les lois, les forces de la nature, qui ne peut être expliqué : *Les êtres surnaturels* (= démons, fées, esprits, etc.). *Un événement surnaturel* (= un miracle). ◆ n. m. *Le surnaturel,* la magie, le fantastique. ◆ **naturisme** n. m. Retour à la nature dans la manière de vivre (vie en plein air, nudisme). ◆ **naturiste** adj. et n. Relatif au naturisme; adepte du naturisme.

1. NATUREL, ELLE adj. et n. m. → NATURE 1 et 2.

2. NATUREL [natyrɛl] adj. et n. m. (lat. *naturalis*). Math. *Nombre entier naturel* → NOMBRE.

3. NATUREL [natyrɛl] n. m. (de *nature*). Personne originaire d'un lieu (syn. AUTOCHTONE, INDIGÈNE).

NATURELLEMENT adv. → NATURE 1.

NATURISME n. m., **NATURISTE** adj. et n. → NATURE 2.

NAUFRAGE [nofraʒ] n. m. (du lat. *navis,* bateau, et *frangere,* briser). **1.** Perte accidentelle d'un navire. — **2.** Perte totale, ruine complète : *Le naufrage de sa fortune, de sa réputation.* ◆ **naufragé, e** adj. et n. : *Des naufragés réfugiés sur une île.* ◆ **naufrageur** n. m. : *Les naufrageurs d'un projet* (= ceux qui en provoquent la ruine).

NAUMACHIE [nomaʃi] n. f. (gr. *naumakhia,* combat de navires). **1.** Spectacle romain représentant un combat naval. — **2.** Piscine creusée dans un cirque pour ce combat.

NAUNDORFF ou **NAUNDORF** (Karl), personnalité politique, morte à Delft en 1845. Horloger, il a prétendu être Louis XVII évadé du Temple.

NAUPLIE, v. de Grèce, dans le Péloponnèse (Argolide); 9 300 hab. Citadelle. C'était le port d'Argos.

NAUROUZE *(seuil* ou *col de),* passage reliant le Bassin aquitain au Midi méditerranéen, sur la ligne de partage des eaux entre l'Atlantique et la Méditerranée; 190 m.

NAURU, atoll de la Polynésie, au S. des îles Marshall, formant un État indépendant depuis 1968; 9 000 hab. Capit. *Yaren.*

NAUSÉE [noze] n. f. (lat. *nausea,* mal de mer). **1.** Mal de cœur, envie de vomir : *Cette odeur me donne la nausée* (syn. HAUT-LE-CŒUR). — **2.** Sentiment profond de dégoût : *Tant de bassesse donne la nausée.* ◆ **nauséabond, e** adj. Qui cause des nausées : *Une odeur nauséabonde* (syn. ÉCŒURANT, FÉTIDE).

NAUSICAA. *Myth. gr.* Fille d'Alcinoos, roi des Phéaciens, qui accueillit Ulysse après son naufrage.

NAUTILE [notil] n. m. (gr. *nautilos,* matelot). Mollusque céphalopode des mers chaudes, à coquille spiralée dont l'animal occupe la dernière loge.

NAUTIQUE [notik] adj. (lat. *nauticus,* naval). Qui appartient à la navigation de plaisance, aux jeux et aux sports de l'eau : *Une fête nautique* (= sur l'eau). *Faire du ski nautique.* ◆ **nautisme** n. m. Ensemble des sports nautiques.

NAUTONIER [notɔnje] n. m. (du lat. *nauta,* matelot). Qui conduit un navire, une barque (vieilli). ‖ *Le nautonier des Enfers,* Charon.

NAVAJA [navaxa] n. f. (mot esp.). Long couteau à lame effilée, légèrement recourbée.

NAVAJOS ou **NAVAHOS,** Indiens de l'Amérique du Nord, groupe indigène des États-Unis (Oklahoma), qui est de loin le plus important numériquement.

NAVAL, E, ALS [naval] adj. (du lat. *navis,* navire). Relatif à la marine de guerre : *Un combat naval. Les forces navales.* (→ AÉRONAVAL.)

navale *(École),* école de formation des officiers de la marine militaire, créée en 1830, à Brest, auj. à Lanvéoc-Poulmic. On entre à l'École navale par concours entre dix-huit et vingt-deux ans. La formation des élèves s'étend sur deux années.

NAVARIN [navarɛ̃] n. m. (de *Navarin,* n. d'une bataille). Ragoût de mouton préparé avec des navets et parfois des pommes de terre.

NAVARIN ou **PYLOS,** port de Grèce, dans le Péloponnèse, sur la mer Ionienne; 2 500 hab.

- *1827. La flotte turco-égyptienne y est détruite par la flotte anglo-franco-russe.*

NAVARRE, anc. royaume fondé au IXᵉ s., correspondant auj. à deux régions : la *basse Navarre* ou *Navarre française,* pays de l'anc. France, comprise dans le dép. des Pyrénées-Atlantiques et qui s'étend à l'O. de la Soule (v. pr. *Saint-Jean-Pied-de-Port*); la *haute Navarre* ou *Navarre espagnole,* province du N. de l'Espagne (464 900 hab.; capit. *Pampelune*).

Après une domination éphémère sur l'Espagne, au début du XIᵉ s., le royaume de Navarre recule devant les empiétements de la Castille et de l'Aragon.

- *1284. La Navarre est unie à la France.*
- *1484. Par le mariage de Catherine de Foix et de Jean d'Albret, elle passe à la famille d'Albret.*
- *1512. Ferdinand II d'Aragon annexe la haute Navarre.*
- *1589. Henri IV, héritier de la basse Navarre, lie celle-ci à la France, par son accession au trône.*

NAVAS DE TOLOSA (Las), bourg d'Espagne (province de Jaén).

- *1212. Victoire des rois d'Aragon, de Castille et de Navarre sur les Almohades.*

NAVET [navɛ] n. m. (de l'anc. fr. *nef,* navet). **1.** Plante potagère dont la racine, longue et ronde, est comestible. — **2.** *Fam.* Œuvre d'art, roman, film sans intérêt ni originalité.

1. NAVETTE [navɛt] n. f. (de *nef*). **1.** Instrument de tisserand pour porter et faire passer les fils de la trame entre les fils de la chaîne d'une étoffe. — **2.** Pièce de la machine à coudre qui renferme la canette. — **3.** Véhicule (train, car, bateau, etc.) servant à des liaisons courtes et répétées entre deux lieux : *Prendre la navette.* — **4.** *Faire la navette,* aller et venir continuellement entre deux lieux déterminés : *Sa profession l'oblige à faire la navette entre Tours et Paris* (syn. L'ALLER ET RETOUR). *Le projet de loi fait la navette entre le Sénat et l'Assemblée nationale.* ‖ *Navette spatiale,* véhicule spatial réutilisable, conçu pour assurer des liaisons entre la Terre et l'espace.

2. NAVETTE [navɛt] n. f. (de *navet*). Plante crucifère voisine du colza, utilisée soit comme fourrage vert, soit pour ses graines qui fournissent une huile alimentaire.

NAVIGUER [navige] v. i. (lat. *navigare*). **1.** (en parlant d'un navire ou d'une personne) Voyager sur mer, sur l'eau : *Ce navire a beaucoup navigué.* — **2.** (sujet nom de personne) Faire suivre à un avion une route déterminée : *Le pilote naviguait à 5 000 mètres d'altitude en direction d'Amsterdam.* ◆ **navigabilité** n. f. **1.** État d'une rivière navigable. — **2.** État d'un navire pouvant tenir la mer, d'un avion pouvant voler. ◆ **navigable** adj. Où un bateau peut naviguer : *Rivière navigable.* ◆ **navigant, e** adj. et n. Qui fait partie de l'équipage d'un avion ou d'un navire : *Personnel navigant.* ◆ **navigateur** n. m. et adj. **1.** Syn. de MARIN : *Les Normands étaient de hardis navigateurs.* — **2.** Membre de l'équipage d'un avion chargé de déterminer la route à suivre. ◆ **navigation** n. f. **1.** Action de naviguer ; voyage de quelqu'un ou marche d'un navire sur mer, sur l'eau : *Navigation au long cours, côtière. Navigation marchande* (= celle des cargos). — **2.** Ensemble du trafic sur l'eau : *Compagnies de navigation. La navigation fluviale, maritime* (syn. TRANSPORT). — **3.** *Navigation aérienne,* transports aériens, voyages en avion. ‖ *Navigation interplanétaire, intersidérale,* voyages dans le cosmos.

NAVIPLANE [naviplan] n. m. (nom déposé). Véhicule qui glisse au-dessus de l'eau sur un coussin d'air injecté et qui est utilisé pour le transport rapide de passagers.

NAVIRE [navir] n. m. (bas lat. *navilium*). Bateau, en général de fort tonnage, destiné à la navigation en pleine mer : *Navire de guerre. Navire de commerce* (= cargo). ◆ **navire-école** n. m. Navire où l'on fait l'apprentissage du métier de marin.
→ illustrations en couleurs pp. 928-929.

NAVRER [navre] v. t. (du norrois *nafarra,* percer). *Navrer qq'un,* lui causer une peine très vive (souvent au passif) : *Ses échecs me navrent* (syn. DÉSOLER). *Je suis navré de l'avoir vexé* (syn. ↓CON-

TRARIER, ↓ENNUYER). ◆ **navrant, e** adj. : *Une nouvelle navrante* (syn. DÉPLORABLE, DÉSOLANT).

NAXOS, la plus grande des îles des Cyclades (Grèce); 18 000 hab. V. pr. *Naxos* (2 000 hab.).

NAZARÉEN, ENNE [nazareɛ̃, -ɛn] adj. et n. De Nazareth. ‖ *Le Nazaréen,* surnom donné au Christ.

NAZARETH, v. d'Israël, en Galilée; 35 400 hab. *(Nazaréens).* Résidence de la Sainte Famille jusqu'au baptême de Jésus.

NAZISME [nazism] n. m. Abrév. de national*-socialisme. ◆ **nazi** adj. et n.

N'DJAMENA, ancienn. **Fort-Lamy,** capit. du Tchad, au confluent du Chari et du Logone; 303 000 hab. Centre administratif et commercial.

NDZOUANI, ancienn. **Anjouan,** l'une des îles Comores; 123 000 hab.

NE [nə] (**N'** devant une voyelle ou un *h* muet) adv. (lat. *non*). Indique une négation dans le groupe verbal, seul ou plus souvent en corrélation avec un autre mot négatif (*pas, point, plus, jamais, nul, aucun,* etc.). → tableau ci-dessous.

NÉ, E [ne] adj. (de *naître*). **1.** (précédé d'un trait d'union) Qui est en naissant : *Orateur-né. Premier-né, dernier-né* (= enfant né le premier ou le dernier dans une famille). — **2.** *Bien né,* qui est de naissance noble; qui a un cœur généreux (littér.). — **3.** *Être né pour* (et un infin. ou un nom), avoir des dispositions naturelles pour, être destiné à : *Ils sont nés l'un pour l'autre* (syn. FAIRE).

NEANDERTAL ou **NEANDERTHAL,** vallon du bassin de la Düssel, en Allemagne, à l'E. du Düsseldorf. C'est dans une grotte de ce vallon (grotte de Feldhofer) que, en 1856, le Dr Fuhlrott trouva le crâne humain fossile connu sous le nom de *crâne de Neandertal.* L'homme de Neandertal a vécu au Pléistocène supérieur, pendant la période correspondant à l'âge moyen de la pierre taillée. En dehors de l'Europe, on a retrouvé des hommes de Neandertal au Proche-Orient, en Afrique. L'homme se caractérise par une petite taille (1,60 m), une attitude bipède imparfaite avec flexion des

EMPLOIS ET VALEURS	EXEMPLES
	« Ne » seul
1. Dans une proposition principale ou indépendante, *ne* employé seul peut indiquer une négation, mais cet emploi est restreint à des expressions figées, en nombre limité, ou reste facultatif dans quelques constructions qui appartiennent à la langue soignée.	**Locutions verbales :** *Je n'ai cure de vos plaintes continuelles. Il n'a garde de l'importuner par ses questions. Qu'à cela ne tienne, je me passerai de votre avis. Il n'empêche que vous auriez pu m'avertir à temps. N'était l'orage qui menace, nous sortirions. Que ne suis-je déjà en vacances! Je n'ai que faire de tous ces meubles qui m'embarrassent. Il fait froid. N'importe! nous sommes bien chauffés.* **Groupes verbaux où « ne » seul est moins fréquent que « ne pas » :** *Il ne peut faire un pas sans qu'elle s'inquiète* (= il ne peut pas faire). *Il ne cesse, il ne peut, il n'ose parler* (on dit plus souvent : *il ne cesse pas, il ne peut pas, il n'ose pas parler*). *Il ne sait ce qu'il veut* (= il ne sait pas). *Il est venu une personne pour vous voir, je ne sais qui* (= je ne sais pas qui). *Il n'est travail qui ne demande un temps d'apprentissage* (littér.; = il n'y a pas de travail). *Je n'ai d'autre désir que de vous satisfaire* (plus souvent : *je n'ai pas d'autre*).
2. Dans une proposition subordonnée, l'emploi de *ne* avec la valeur négative est restreint à des expressions figées ou à des constructions en nombre limité. (Il est remplacé par *ne... pas* dans la langue usuelle.)	**Locutions :** *Si je ne me trompe, je vous ai bien rencontré l'année dernière?* **Dans une proposition relative au subjonctif, après une principale négative ou interrogative :** *Il n'est pas de jour qu'il ne se lamente sur son sort.* Dans des subordonnées temporelles : *Voici cinq ans que je ne l'ai vu* (= je ne l'ai pas vu depuis cinq ans). *Il s'est passé bien des choses depuis que je ne vous ai vu.* **Après « ce n'est pas que », « non que », « non pas que » (causales) :** *J'ai refusé, mais ce n'est pas que je n'en aie eu envie.*
3. Dans certaines propositions subordonnées, en nombre limité, *ne* n'a pas de valeur négative (c'est le *« ne » explétif*).	**Après les verbes de crainte :** *Je crains, j'ai peur, j'appréhende qu'il n'apprenne cette nouvelle.* **Après les verbes d'empêchement, de défense :** *J'évite, j'empêche, je prends garde qu'il ne vienne* (plus souvent sans *ne*). **Après les verbes de doute employés négativement ou interrogativement :** *Il ne doute pas, il ne désespère pas, il ne disconvient pas, il ne méconnaît pas, il ne dissimule pas, il ne nie pas qu'il ne se soit trompé.* **Après « avant que », « à moins que », « il s'en faut que » (langue soignée), « sans que » (langue usuelle) :** *Il faut le prévenir avant qu'il ne fasse cette sottise. Peu s'en faut qu'il n'ait tout abandonné. Prends le pain chez le boulanger, à moins qu'il ne soit déjà fermé.* **Dans les propositions comparatives, après « plus », « moins », « mieux », « autre », « meilleur », « pire », « plutôt », « moindre », si la principale est affirmative (langue soignée; dans la langue parlée, « ne » est supprimé) :** *Il est plus fin qu'on ne croit. Il veut faire mieux qu'il n'est pratiquement possible.*
	« Ne » avec un mot négatif placé avant ou après
	Avec « aucun », « personne », « nul », « rien » : *Je ne l'ai dit à personne. Nul ne l'a compris. Il n'y a rien de compromettant dans le dossier.* **Avec « pas », « point », « plus », « guère », « aucunement », « nullement » :** *Il ne le connaît pas. Vous n'êtes plus satisfait de votre métier. Je ne l'ai guère rencontré ces temps-ci. Je voudrais ne pas sortir cet après-midi. Il ne faut pas qu'il se méprenne;* **pas de, plus de,** etc., devant les substantifs : *Il n'y avait pas d'homme plus connu dans cette ville. Je n'ai pas de disques.* **Avec « ni » :** *Il n'a plus ni parents ni amis.*
Double négation.	**Ne... pas** (**plus, jamais,** etc.) peut être la négation d'un verbe lui-même suivi d'une proposition subordonnée ou d'un infinitif négatif (parfois affirmation renforcée) : *Il n'est pas sans savoir* (= il connaît très bien). *Il n'est pas d'homme qui ne le connaisse pas* (= tout le monde le connaît). *Je ne suis pas mécontent de ne pas l'avoir attendu.*
Ne... que indique une restriction (syn. SEULEMENT).	*Il n'y a que dix minutes qu'il est là* (= il y a seulement dix minutes qu'il est là). *Je n'ai que peu de temps à vous consacrer* (= j'ai seulement très peu de temps). Avec une négation, la restriction porte sur une idée négative : *Il n'y a pas que des paresseux. On ne vit pas que d'air et d'eau fraîche.*

genoux et bras projetés en avant, un crâne allongé avec front fuyant, d'énormes arcades sourcilières, une boîte crânienne volumineuse. On admet généralement que l'espèce de Neandertal s'est éteinte brusquement et sans laisser de postérité, *Homo sapiens* constituant une lignée parallèle, mais sans lien de filiation apparent avec elle.

NÉANMOINS [neɑ̃mwɛ̃] adv. (de *néant*, et *moins*). Marque une opposition à ce qui vient d'être dit, et joue le rôle d'une conjonction de coordination dont la place est variable dans la phrase (en tête de l'énoncé, après le verbe ou son auxil., etc.) : *La foule était dense, néanmoins il se sentait seul* (syn. ↓MAIS, POURTANT). *Rien ne semblait changé dans sa vie, néanmoins il avait maintenant repris espoir* (syn. CEPENDANT, TOUTEFOIS).

NÉANT [neɑ̃] n. m. (lat. *ne gentem*, pas un être). **1.** Fait de ne pas être ou de ne plus être : *Tirer, sortir du néant* (syn. RIEN). *Réduire à néant les espérances de qq'un* (= anéantir, détruire). *Signes particuliers : néant* (= aucun). — **2.** Absence de valeur, d'importance (relig.) : *Le néant de l'homme.*

NÉARQUE, navigateur crétois du IVe s. av. J.-C. Il explora les côtes d'Asie, de l'Indus à l'Euphrate.

NEBRASKA, État des États-Unis, situé au centre-ouest des Grandes Plaines; 200 018 km²; 1 525 000 hab. Capit. *Lincoln.*

NÉBULEUSE [nebyløz] n. f. (de *nébuleux*). Masse lumineuse, aux contours imprécis, observée dans le ciel.
— ENCYCL. Il existe deux types principaux de *nébuleuses*, fondamentalement distincts : d'une part, les nébuleuses proprement dites, ou *nébuleuses galactiques*, qui font partie de notre Galaxie, tantôt obscures, tantôt lumineuses, et qui correspondent à des régions de l'espace où la matière cosmique interstellaire est plus dense que la moyenne; d'autre part, les *nébuleuses* longtemps appelées à tort *extragalactiques*, qui sont en fait des galaxies extérieures à la nôtre, mais analogues à elle. La nébuleuse la plus proche de la Terre est celle d'*Andromède*, située à 800 000 années de lumière environ.

1. NÉBULEUX, EUSE [nebylø, -øz] adj. (du lat. *nebula*, nuage). *Ciel nébuleux*, obscurci par les nuages. ◆ **nébulosité** n. f. Rapport entre la surface du ciel couverte de nuages et la surface totale du ciel au-dessus d'une région.

2. NÉBULEUX, EUSE [nebylø, -øz] adj. (de *nébuleux* 1). Qui manque de clarté, est peu compréhensible ou a peu de sens : *Ses projets sont encore nébuleux* (syn. OBSCUR, VAGUE; contr. PRÉCIS).

NÉCESSAIRE [nesesɛr] adj. (lat. *necessarius*). **1.** Se dit de ce dont on a absolument besoin : *La respiration est nécessaire à la vie* (syn. ESSENTIEL, OBLIGATOIRE). *Il a les qualités nécessaires à (pour) cet emploi* (syn. REQUIS PAR; contr. INUTILE). *Un repos prolongé sera nécessaire* (syn. ↓UTILE). *C'est un mal nécessaire* (= mauvais en soi, mais inévitable si l'on veut obtenir ce qui est désiré). — **2.** Se dit d'une personne dont on ne peut se dispenser : *Il sait se rendre nécessaire* (syn. INDISPENSABLE). — **3.** Se dit de ce qui arrive d'une manière inévitable : *La chaleur est l'effet nécessaire du feu* (syn. INÉLUCTABLE). ◆ n. m. **1.** Ensemble des choses indispensables à la vie : *N'avoir chez soi que le strict nécessaire.* — **2.** Ce qu'il faut faire ou dire, et qui suffit : *Je ferai le nécessaire pour que l'affaire soit réglée.* — **3.** *Nécessaire de toilette, nécessaire de voyage*, sac, mallette renfermant tous les ustensiles nécessaires à la toilette, au voyage. ◆ **nécessairement** adv. : *De telles mesures ont nécessairement pour résultat un mécontentement général* (syn. FATALEMENT, FORCÉMENT). ◆ **nécessité** n. f. **1.** Caractère de ce qui est nécessaire; chose nécessaire : *La nécessité de prendre une décision* (syn. OBLIGATION). *Je me trouve dans la nécessité de le congédier* (= je suis obligé). — **2.** *Par nécessité*, par l'effet d'une contrainte matérielle ou morale : *Je suis obligé de m'absenter par nécessité.* — **3.** Chose (moyen, condition) nécessaire : *Les nécessités de la concurrence. Faire face à des nécessités financières imprévues.* — **4.** *Les nécessités de la vie*, les besoins indispensables à l'existence.‖ *De première nécessité*, qui est nécessaire pour satisfaire des besoins essentiels : *Des dépenses de première nécessité.* ◆ **nécessiter** v. t. Rendre nécessaire : *Les dégâts causés par la tempête nécessitent d'urgentes réparations* (syn. EXIGER, RÉCLAMER). ◆ **nécessiteux, euse** adj. et n. Qui manque du nécessaire, qui est dans la pauvreté, le dénuement : *Des familles nécessiteuses* (syn. INDIGENT).

NECK [nɛk] n. m. (mot angl. signif. *cou*). Pointement de laves solidifiées dans une cheminée volcanique, puis dégagées par la destruction du cône formé de roches plus tendres : *Les rochers Corneille et Saint-Michel-l'Aiguilhe qui dominent la ville du Puy-en-Velay sont des necks.*

NECKAR, rivière d'Allemagne, qui se jette dans le Rhin (r. dr.) à Mannheim; 367 km. Elle arrose Tübingen, Stuttgart et Heidelberg. Grâce à des travaux d'aménagement, le Neckar est accessible aux chalands de 1 350 t jusqu'à Stuttgart.

NECKER (Jacques), financier et homme politique (1732-1804). Issu d'une famille protestante allemande installée à Genève, il s'établit comme banquier à Paris en 1765.

- *1776-1777. À la chute de Turgot, Louis XVI nomme Necker directeur général du Trésor royal, puis directeur général des Finances.*

Il poursuit la politique d'économie de Turgot et crée des assemblées provinciales chargées d'établir un impôt général.

- *1781. Il publie un « Compte rendu au roi » qui fait scandale.*

Il révèle dans ce bilan financier de l'État l'ampleur des sommes distribuées aux courtisans. L'opposition des parlements et des courtisans provoque sa démission.

- *1788. Rappelé en août, après la déclaration de banqueroute de l'État, il est nommé ministre d'État.*

Mais il ne peut rétablir la situation financière. Ayant recommandé la réunion des états généraux et la double représentation du tiers état, il est accusé par la Cour de déchaîner la Révolution et renvoyé par le roi (11 juillet 1789). Son renvoi déclenche le mécontentement populaire et est à l'origine de la prise de la Bastille. Son rappel, le 16 juillet, est considéré comme une victoire de la Révolution.

- *Sept. 1790. Necker abandonne définitivement le pouvoir et se retire auprès de sa fille, Mme de Staël.*

NEC PLUS ULTRA [nɛkplyzyltra] loc. adv. et n. m. (mots lat. signif. *rien au-delà*). Se dit d'une qualité, d'un terme qui n'ont pas été ou ne sauraient être dépassés.

NÉCROLOGIE [nekrɔlɔʒi] n. f. (du gr. *nekros*, mort, et *logos*, discours). Notice biographique consacrée à une personne morte récemment. ◆ **nécrologique** adj. *Rubrique nécrologique*, rubrique où l'on annonce les décès récents. ‖ *Article, notice nécrologique*, consacrés à un défunt et où l'on retrace sa carrière.

NÉCROPHAGE [nekrɔfaʒ] adj. (du gr. *nekros*, mort, et *phagein*, manger). Se dit d'un animal qui se nourrit de cadavres : *L'hyène est nécrophage.*

NÉCROPHORE [nekrɔfɔr] n. m. (gr. *nekrophoros*, qui transporte les morts). Insecte coléoptère qui enterre les cadavres d'animaux avant d'y déposer ses œufs.

NÉCROPOLE [nekrɔpɔl] n. f. (du gr. *nekros*, mort, et *polis*, ville). **1.** Vastes souterrains destinés aux sépultures, chez différents peuples de l'Antiquité. — **2.** Cimetière d'une grande ville (littér.).

NÉCROSE [nekroz] n. f. (gr. *nekrôsis*, mortification). Altération se produisant après la mort d'une cellule au niveau d'un tissu, d'un organe, alors que le reste de l'organisme continue de vivre (syn. MORTIFICATION). ◆ **nécrosé, e** adj. : *Tissu nécrosé.*

NECTAR [nektar] n. m. (gr. *nektar*). **1.** Liquide sucré sécrété par les nectaires des fleurs : *Les abeilles transforment le nectar en miel.* — **2.** Toute boisson délicieuse. ◆ **nectaire** n. m. Organe végétal, localisé à la base des pièces florales et qui sécrète le nectar : *Les éperons des orchidées, des ancolies sont des nectaires.*

NEDERLAND, nom néerlandais des PAYS-BAS.

NEDJD ⟶ NADJD.

NÉEL (Louis), physicien français, né en 1904. Il a découvert de nouveaux types de magnétisme. (Prix Nobel, 1970.)

NÉERLANDAIS, E [neɛrlɑ̃dɛ, -ɛz] adj. et n. Des Pays-Bas ou Néerlande. ◆ n. m. Langue germanique parlée aux Pays-Bas et dans le nord de la Belgique.

NEERWINDEN, anc. comm. de Belgique (Brabant), à 16 km au S.-E. de Tirlemont.

- *1793. Victoire de Frédéric de Saxe-Cobourg sur Dumouriez.*

NEF [nɛf] n. f. (lat. *navis*). **1.** Au Moyen Âge, grand navire à voiles. — **2.** Partie d'une église voûtée qui s'étend du chœur jusqu'à la porte principale et qui présente une analogie de forme avec la coque renversée d'un navire.

NÉFASTE [nefast] adj. (lat. *nefastus*, interdit par la loi divine). Qui a des conséquences nuisibles, dangereuses : *L'action néfaste d'un homme politique* (syn. FUNESTE). *Une influence néfaste* (syn. NUISIBLE).

NÉFERTITI, reine d'Égypte, épouse d'Aménophis IV Akhenaton (XIVe s. av. J.-C.).

NÈFLE [nɛfl] n. f. (gr. *mespilon*). Fruit comestible du néflier. ◆ **néflier** n. m. Arbrisseau épineux à l'état sauvage, dont le fruit est la nèfle. (Famille des rosacées.)

1. NÉGATIF, IVE adj. et n. f. ⟶ NIER.

2. NÉGATIF [negatif] n. m. (bas lat. *negativus*). Cliché photographique dans lequel les parties éclairées sont figurées en noir.

NÉGATION n. f., **NÉGATIVEMENT** adv. ⟶ NIER.

NÉGLIGER [neglize] v. t. (lat. *negligere*). **1.** *Négliger qqch., de faire qqch.*, le laisser de côté, omettre de le faire : *Négliger un avertissement* (syn. DÉDAIGNER). *Il a négligé de m'avertir* (syn. OUBLIER). — **2.** *Négliger une chose*, la laisser sans soin, ne lui accorder aucune importance : *Négliger sa santé, ses affaires* (syn. SE DÉSINTÉRESSER; contr. SOIGNER). *Négliger sa tenue. Un style négligé* (contr. IMPECCABLE). — **3.** *Négliger qq'un*, le traiter sans attention, sans considération, l'oublier : *Négliger ses amis* (syn. ↑ABANDONNER). ◆ ***se négliger*** v. pr. Ne plus prendre soin de soi-même. ◆ **négligeable** adj. : *En quantité négligeable* (= très petite). *Détail négligeable* (syn. MINCE). ◆ **négligence** n. f. **1.** Manque de soin, d'application, de prudence : *Une négligence qui coûte cher* (syn. INATTENTION, OMISSION). *Réparer la négligence de sa tenue* (syn. LAISSER-ALLER). — **2.** Manque de précision, faute légère : *Des négligences de style.* ◆ **négligent, e** adj. et n. : *Un employé, un élève négligent* (contr. APPLIQUÉ, CONSCIENCIEUX). ◆ **négligemment** [-ʒamɑ̃] adv. : *Répondre négligemment à une question grave* (= avec négligence). *Regarder négligemment autour de soi* (= avec nonchalance).

NÉGOCE [negɔs] n. m. (lat. *negotium*, occupation). Activité commerciale intéressant surtout le commerce de gros ou les grandes affaires : *S'enrichir dans le négoce* (syn. COMMERCE). *Le négoce de l'argent* (= l'activité boursière). ◆ **négociant, e** n. Personne qui fait du commerce en gros : *Un négociant en vins* (contr. DÉTAILLANT). *Négociant en tissus* (syn. MARCHAND). ◆ **négocier** v. t. *Négocier une valeur, un titre, une action*, les transmettre à un acheteur contre de l'argent liquide.

1. NÉGOCIER [negɔsje] v. t. et i. (lat. *negotiari*, faire du commerce) [sujet nom désignant des États, des partis entre lesquels existe un différend]. Discuter afin d'arriver à un accord : *Négocier la paix, un traité, un accord de salaires. Négocier avec une puissance étrangère* (syn. TRAITER). ◆ ***se négocier*** v. pr. Être discuté : *Un traité secret s'est négocié entre les deux pays.* ◆ **négociateur, trice** n. **1.** Personne qui est chargée de négocier pour le compte de son gouvernement. — **2.** Personne qui sert d'intermédiaire dans n'importe quelle affaire. ◆ **négociation** n. f. : *Enregistrer des progrès sensibles dans la négociation* (syn. DISCUSSION).

2. NÉGOCIER [negɔsje] v. t. (trad. de l'angl. *to negociate [a curve]*). Fam. *Négocier un virage* (en voiture), manœuvrer de manière à le prendre le mieux possible à grande vitesse.

3. NÉGOCIER v. t. ⟶ NÉGOCE.

NÈGRE, NÉGRESSE [nɛgr, negrɛs] n. et adj. (du lat. *niger*, noir). **1.** Homme, femme de la race noire (le mot ayant pris un sens péjor., on le remplace par NOIR, E) : Les *Nègres d'Afrique, d'Amérique;* a désigné l'esclave noir (au masc.) : *La traite des nègres.* — **2.** *Parler petit nègre*, parler un français incorrect, rudimentaire et peu intelligible. ‖ *Travailler comme un nègre*, avec acharnement et sans repos. ◆ n. m. *Fam.* Personne, au service d'un écrivain, qui rédige des ouvrages que ce dernier signe de son nom. ◆ adj. *Motion nègre blanc*, rédigée en termes équivoques, pour tenir la balance égale entre des tendances contraires. ◆ **négrier** n. m. et adj. Bâtiment qui servait à la traite des nègres; capitaine ou armateur qui faisait le commerce des esclaves. ◆ **négrillon, onne** n. Enfant de race noire. ◆ **négritude** n. f. Ensemble des caractères particuliers à la race noire. ◆ **négro-africain, e** adj. Relatif aux Noirs d'Afrique. ◆ **négroïde** adj. Qui rappelle les Nègres par son aspect (cheveux crépus, nez épaté, lèvres épaisses).

NÈGREPONT ⟶ EUBÉE.

NÉGRIER adj. et n. m., **NÉGRILLON, ONNE** n. ⟶ NÈGRE.

NÉGRITOS, race de Noirs de petite taille, vivant dans l'archipel malais.

NÉGRITUDE n. f. ⟶ NÈGRE.

NEGRO *(rio)*, riv. de l'Amérique du Sud, affl. de l'Amazone (r. g.); 2 200 km.

NÉGRO-AFRICAIN, E adj., **NÉGROÏDE** adj. ⟶ NÈGRE.

NEGRO SPIRITUAL [negrospiritwol] n. m. (mot anglo-amér.). Chant religieux des Noirs d'Amérique, d'inspiration chrétienne : *Les negro spirituals, très rythmés, sont joyeux ou mélancoliques.*

NEGUEV, désert du sud d'Israël, débouchant sur le golfe d'ʻAqaba (mer Rouge). Cultures irriguées.

NÉGUIB ou **NAGĪB** (Muḥammad), général et homme d'État égyptien (1901-1984). En 1952, il renversa le roi Farouk, puis instaura la république en 1953. Il fut éliminé par Nasser en 1954.

NÉGUS [negys] n. m. (mot éthiopien). Titre du souverain d'Éthiopie.

NEHRU (Çrī Jawāharlāl), homme d'État indien (1889-1964). Avocat, il lutte très tôt en faveur du nationalisme indien. Vice-président du gouvernement provisoire, il participe aux travaux qui aboutissent à l'indépendance de l'Inde (1947). Il devient alors Premier ministre et ministre des Affaires étrangères. Il s'affirme désormais comme le leader des pays neutres et joue un rôle important dans les rencontres internationales (Bandung, 1955; Belgrade, 1961).

NEIGE [nɛʒ] n. f. (du lat. *nix, nivis*). **1.** Eau congelée qui tombe en flocons blancs et légers : *La neige tombe en hiver. Ses espoirs ont fondu comme neige au soleil.* ‖ *Neiges éternelles*, neiges amoncelées sur les sommets des montagnes, qui ne fondent jamais et qui donnent naissance aux glaciers. — **2.** *Neige carbonique*, gaz carbonique solidifié employé contre le feu et pour traiter certaines maladies de la peau. — **3.** *Œufs à la neige*, blancs d'œufs battus, montés et cuits, servis en entremets. ◆ **neiger** v. i. et impers. : *Il neige sur toute la région* (= il tombe de la neige). ◆ **neigeux, euse** adj. **1.** Couvert de neige : *Les cimes neigeuses.* — **2.** *Temps neigeux*, qui laisse prévoir des chutes de neige. ◆ **déneigement** n. m. Déblaiement de la neige sur une route. ◆ **déneiger** v. t. ◆ **enneigé (être)** v. passif. Être couvert de neige : *Les toits sont enneigés* (= couverts d'une épaisse couche de neige). ◆ **enneigement** n. m. État d'un endroit couvert de neige : *L'enneigement, au début de l'hiver, est insuffisant pour les skieurs.*

NEIGE *(crêt de la)*, point culminant du Jura (Ain); 1 723 m.

NEISSE DE LUSACE, en polon. **Nysa Łużycka,** riv. de l'Europe centrale, née en Tchécoslovaquie, qui sert de frontière entre l'Allemagne et la Pologne, avant de rejoindre l'Oder (r. g.); 256 km.

NEKRASSOV (Nikolaï Alekseïevitch), poète et publiciste russe (1821-1877). Il dirigea des revues libérales qui exercèrent une grande influence sur l'évolution politique et littéraire de la Russie et réclama dans ses poèmes l'affranchissement des serfs et l'amélioration des conditions de vie des paysans.

NELSON (Horatio, *vicomte*), duc DE BRONTE, amiral britannique (1758-1805). Il gagna la bataille d'Aboukir et celle de Trafalgar, où il fut tué.

NELUMBO ou **NÉLOMBO** [nelɔ̃bo] n. m. (mot de Ceylan). Genre de nymphéacées dont une espèce à fleurs blanches ou jaunes est le *lotus sacré* des hindous.

NÉMATHELMINTHES [nematɛlmɛ̃t] n. m. pl. (du gr. *nêma, -atos*, fil, et *helmis, -inthos*, vers). Embranchement de vers cylindriques, à corps non segmenté et recouvert d'une cuticule inextensible contenant une substance voisine de la chitine. (Les *nématodes* en constituent la principale classe.)

NÉMATODES [nematɔd] n. m. pl. (du gr. *nêma*, fil). Principale classe de l'embranchement des némathelminthes, dont les petites espèces *(anguillules)* abondent dans le sol végétal, les mousses, les eaux croupissantes, tandis que des espèces plus grandes sont des parasites soit de l'homme, du cheval *(ascaride, oxyure)*, etc., soit des végétaux, chez lesquels elles déterminent des galles.

NÉMÉE. *Géogr. anc.* Vallée grecque de l'Argolide (Péloponnèse), où le lion que tua Hèraclès exerçait ses ravages. Les *jeux Néméens* y avaient lieu tous les deux ans dans un bois sacré.

NÉMÉSIS. *Myth. gr.* Déesse de la Justice et de la Vengeance.

NEMOURS, ch.-l. de cant. de Seine-et-Marne, à 15 km au S. de Fontainebleau; 11 700 hab.

NEMOURS (Louis Charles Philippe D'ORLÉANS, *duc* DE), second fils de Louis-Philippe (1814-1896). Il se distingua en Algérie (1834-1842).

NEMROD, roi fabuleux dont diverses légendes arabes et persanes ont fait le fondateur d'un royaume babylonien.

NÉNUPHAR [nenyfar] n. m. (ar. *ninūfar*). Plante aquatique, souvent cultivée dans les pièces d'eau pour ses larges feuilles flottantes et pour ses fleurs à pétales blancs, jaunes ou rouges. (Famille des nymphéacées.)

NÉO-, élément tiré du gr. *neos*, nouveau, et qui entre comme préf. dans des mots empruntés au grec *(néologisme)* ou dans des composés formés sur un mot français (en ce cas *néo-* est séparé du second radical par un trait d'union : *néo-colonialisme*).

NÉO-CALÉDONIEN, ENNE [neɔkaledɔnjɛ̃, -ɛn] adj. et n. De la Nouvelle-Calédonie.

NÉO-CLASSICISME [neɔklasisism] n. m. *(néo-*, et *classicisme)*. Tendance artistique et littéraire inspirée de l'Antiquité classique (fin du XVIIIe s.-début du XIXe s.).
— ENCYCL. Le *néo-classicisme* est un style qui apparaît en France au cours du dernier quart du XVIIIe s. *(style Louis XVI)*, qui culmine de 1800 à 1815 *(style Empire)* pour décliner et disparaître

sous la Restauration. Il a pour caractéristique essentielle de s'inspirer de l'Antiquité.

C'est l'Angleterre qui, sous l'influence de Robert Adam (1728-1792), a été le premier pays à pratiquer ce style en architecture et dans le décor intérieur des maisons. En France, l'art néo-classique commence par s'inspirer des motifs antiques, sans renoncer pour autant au sentimentalisme alors à la mode. Sous Napoléon Ier (la période révolutionnaire n'a pas été fructueuse en créations artistiques), l'art néo-classique triomphe en architecture avec Fontaine et Percier, et en peinture surtout avec Louis David (*le Serment des Horaces,* 1784).

NÉO-COLONIALISME [neɔkɔlɔnjalism] n. m. *(néo-,* et *colonialisme).* Forme nouvelle prise au XXe s. par le colonialisme, visant à la domination économique des pays ayant nouvellement acquis leur indépendance. ◆ **néo-colonialiste** adj. et n.

NÉOGÈNE [neɔʒɛn] n. m. et adj. (de *néo-,* et gr. *genos,* naissance). *Géol.* Partie terminale de l'ère tertiaire, subdivisée en *Miocène* et *Pliocène.* (Il va de — 25 millions à — 1 million d'années.)

NÉOLITHIQUE [neɔlitik] n. m. et adj. (de *néo-,* et gr. *lithos,* pierre). Période de la fin de la préhistoire (ère quaternaire) allant de 5 000 à 2 500 av. J.-C., entre le mésolithique et l'âge des métaux.

— ENCYCL. Le *néolithique* est caractérisé par le grand développement de la culture et de l'élevage, permettant la sédentarisation des populations, et par l'utilisation de la pierre polie.

NÉOLOGISME [neɔlɔʒism] n. m. (de *néo-,* et gr. *logos,* discours). Mot nouveau, ou sens nouveau d'un mot existant déjà dans la langue (contr. ARCHAÏSME).

NÉON [neɔ̃] n. m. (gr. *neon,* nouveau). Gaz rare (Ne) de l'atmosphère, employé dans l'éclairage par tubes luminescents à lumière rouge.

NÉOPHYTE [neɔfit] n. (gr. *neophutos,* nouvellement engendré). Nouvel adepte d'une doctrine, d'un parti, d'une religion : *Avoir l'ardeur d'un néophyte. Se conduire comme un néophyte* (syn. fam. UN BLEU).

NÉO-RÉALISME [neɔrealism] n. m. *(néo-,* et *réalisme).* École cinématographique italienne qui, après 1945, s'attacha à l'observation des réalités quotidiennes les plus humbles, insérées dans leur contexte social. ◆ **néo-réaliste** adj. : *« Le Voleur de bicyclette » de V. de Sica est un film néo-réaliste.*

NÉOUVIELLE ou **NÉOUVIEL** *(massif de),* massif des Pyrénées françaises, entre l'Adour et la Garonne, culminant au pic de *Néouvielle;* 3 092 m. Réserve naturelle.

NÉO-ZÉLANDAIS, E [neɔzelɑ̃dɛ, -ɛz] adj. et n. De la Nouvelle-Zélande.

N. E. P., initiales russes des termes *nouvelle politique économique;* cette politique marqua de 1921 à 1928 un retour provisoire à un certain libéralisme économique en U. R. S. S.

NÉPAL, royaume indépendant de l'Asie, au N. de l'Inde; 140 000 km²; 18,7 millions d'hab. (134 au km²). Capit. *Katmandou* (333 000 hab.). → cartes ASIE pp. 96-97.

GÉOGRAPHIE

Entre la chaîne de l'Himalaya proprement dite, que dominent l'Everest et le Kangchenjunga, et les avant-monts (Siwālik) s'échelonnent une série de vallées et de bassins intramontagnards (bassin de Katmandou), au climat tropical tempéré par l'altitude, qui abritent l'essentiel de l'activité du pays.

L'agriculture (riz, maïs, arbres fruitiers) et l'élevage sont les principales ressources du Népal. Quelques usines de transformation des produits agricoles sont implantées près de la capitale.

HISTOIRE

Du XIVe au XVIIIe s., le pays est dominé par la dynastie bouddhiste de Malla, puis il est conquis par les Gurkhas hindouistes qui fondent une nouvelle dynastie.

Pour échapper à l'emprise chinoise, le Népal se rapproche de l'Angleterre.

- *1815. L'Angleterre établit un protectorat.*
- *1923. Le pays devient pleinement indépendant.*

À partir de 1947, il suit une politique d'équilibre entre ses deux puissants voisins, la Chine et l'Inde.

NÈPE [nɛp] n. f. (lat. *nepa,* scorpion). Insecte carnassier des eaux stagnantes respirant en surface par un tube abdominal. On l'appelle aussi SCORPION D'EAU. (Ordre des rhynchotes.)

NÉPENTHÈS [nepɛ̃tɛs] n. m. (mot gr.). Chez les Grecs, breuvage magique contre la tristesse.

NEPER (John) ⟶ NAPIER (John).

NÉPHRÉTIQUE [nefretik] adj. (du gr. *nephros,* rein). Relatif aux reins. ◆ **néphrite** n. f. Maladie inflammatoire du rein.

NÉPOTISME [nepɔtism] n. m. (du lat. *nepos, -otis,* neveu). Attitude d'un homme en place (ministre, haut fonctionnaire, etc.) qui abuse de son pouvoir pour procurer des fonctions, des emplois par préférence aux membres de sa famille, à ses amis.

NEPTUNE. *Myth. rom.* Dieu de la Mer, identifié avec le dieu grec *Poséidon.* On le représentait comme un homme barbu, armé d'un trident, et souvent sur un char traîné par des chevaux marins.

NEPTUNE, la huitième des planètes principales du système solaire, dans l'ordre croissant des distances au Soleil. Découverte en 1846 par l'astronome allemand Galle grâce aux calculs de Le Verrier, elle présente de nombreuses similitudes avec Uranus mais elle est un peu plus dense. La sonde américaine « Voyager 2 », qui l'a survolée en 1989, a révélé la dynamique insoupçonnée de son atmosphère et confirmé qu'elle est entourée d'anneaux de matière. On lui connaît huit satellites (dont deux, Triton et Néréide, découverts depuis la Terre, respectivement en 1846 et 1949).

NÉRAC, ch.-l. d'arrond. de Lot-et-Garonne, à 30 km à l'O.-S.-O. d'Agen, sur la Baïse; 7 300 hab. *(Néracais).* Vins. Eaux-de-vie d'Armagnac. Industries alimentaires.

NÉRÉE. *Myth. gr.* Dieu marin, père des *Néréides.*

NÉRÉIDE [nereid] n. f. ou **NÉRÉIS** [nereis] n. m. (de *Nérée*). Ver marin vivant dans la vase ou sur les rochers de nos côtes. (Embranchement des annélides.)

NÉRÉIDES. *Myth. gr.* Filles de Nérée et de Doris, nymphes de la mer Méditerranée, qui personnifiaient l'aspect mouvant des vagues. (Les plus connues sont Amphitrite, Thétis et Galatée.)

NERF [nɛr] n. m. (lat. *nervus,* ligament). **1.** Chacun des organes qui conduit des incitations sensorielles ou motrices du cerveau aux diverses parties du corps. ⟶ ENCYCL. — **2.** *Fam.* Vigueur physique et morale d'une personne : *Un peu de nerf et vous y arriverez.* — **3.** *Nerf de bœuf,* matraque faite d'un ligament du bœuf. ◆ n. m. pl. Constitution nerveuse d'une personne : *Ce bruit me porte sur les nerfs* (= m'agace). *Il a les nerfs à toute épreuve* (= il est d'un calme imperturbable). *Il a une vie fatigante; il est (vit) toujours sur les nerfs* (= il ne continue à travailler que par un effort de volonté). *Une crise de nerfs* (= état coléreux qui se manifeste par des cris, des larmes, de l'agitation). *La guerre des nerfs* (= un ensemble de procédés de propagande visant à créer chez l'adversaire un affaiblissement du moral). *Avoir les nerfs en pelote* (= être irritable). *Un paquet de nerfs* (= une personne très irritable, agitée). ◆ **nerveusement** adv. De façon nerveuse. ◆ **nerveux, euse** adj. **1.** Qui se rapporte ou appartient aux nerfs : *Fibre nerveuse. Troubles nerveux.* ‖ *Centres nerveux,* l'encéphale et la moelle épinière; (au sing.) centre où se trouvent les organismes directeurs d'un pays, d'une entreprise : *Paris est le centre nerveux de la France.* ‖ *Système nerveux,* ensemble des nerfs, ganglions et centres nerveux qui assurent la commande et la coordination des fonctions vitales et la réception des messages sensoriels. ⟶ ENCYCL. — **2.** Se dit d'une personne qui a les nerfs irritables : *Un tempérament nerveux.* — **3.** Se dit d'une personne qui a de la vigueur, de la vivacité : *Il n'est pas très nerveux dans son travail.* ‖ *Voiture nerveuse,* qui a de bonnes reprises. ‖ *Style nerveux,* ferme, concis. ◆ n. Personne de tempérament nerveux. ◆ **hypernerveux, euse** adj. et n. D'une nervosité excessive. ◆ **nervosité** n. f. État permanent ou momentané d'irritabilité ou d'inquiétude : *Ce geste trahit sa nervosité* (syn. ÉNERVEMENT, IRRITATION). ◆ **énerver** v. t. Provoquer l'irritation (donner, porter, taper sur les nerfs) : *Il m'énerve avec ses questions stupides* (syn. AGACER). ◆ **énervant, e** adj. : *Cet enfant est énervant à courir sans cesse autour de nous* (syn. ↑EXASPÉRANT, INSUPPORTABLE). ◆ **énervé, e** adj. : *Sa colère s'explique parce qu'il était très énervé.* ◆ **énervement** n. m. : *N'attachez pas d'importance à des mots prononcés dans un moment d'énervement* (syn. IMPATIENCE, IRRITATION, NERVOSITÉ). ◆ **innerver** v. t. (sujet nom désignant un nerf). Atteindre un organe. ◆ **innervation** n. f. Distribution des nerfs dans une région du corps.

— ENCYCL. ***nerf.*** Les nerfs sont des cordons cylindriques blanchâtres, constitués par la réunion des fibres nerveuses, qui sont les axones (ou prolongements) des neurones (cellules nerveuses) situés dans les centres nerveux. Les nerfs établissent les relations entre les centres nerveux et les organes périphériques (muscles, viscères). Ils conduisent donc soit les influx nerveux des centres vers la périphérie (*nerfs moteurs* constitués de fibres motrices), soit les influx sensitifs de la périphérie vers les centres (*nerfs sensitifs* constitués de fibres sensitives), soit les deux *(nerfs mixtes).*

Les *nerfs issus du système nerveux cérébro-spinal* sont formés de fibres entourées d'une gaine de myéline : les *nerfs rachidiens* (30 paires) naissent de la moelle épinière et se réunissent pour former les nerfs périphériques; les *nerfs crâniens* (12 paires) sont issus de la face inférieure de l'encéphale. Les nerfs du système nerveux cérébro-spinal règlent les fonctions de relation.

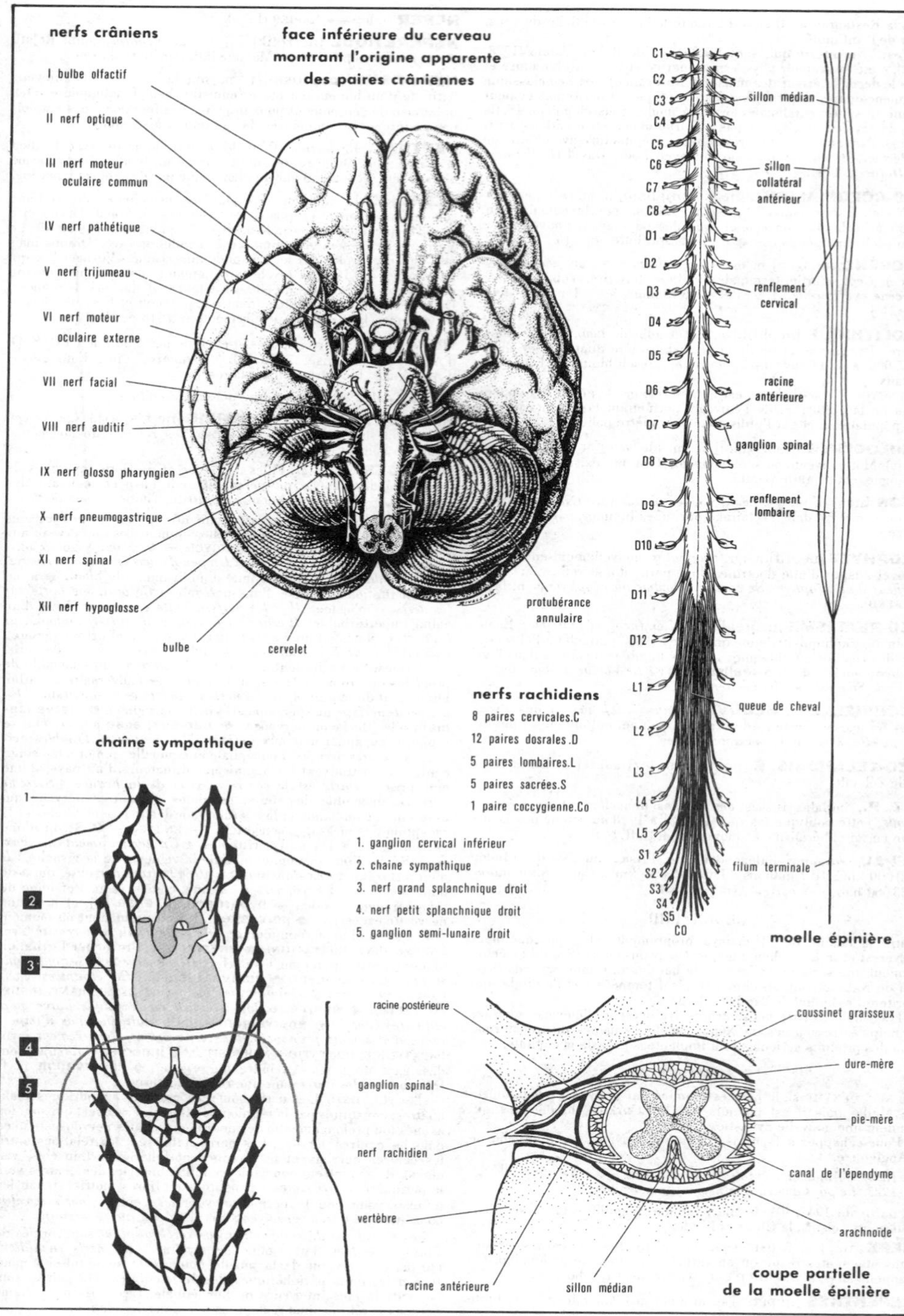
nerfs crâniens
face inférieure du cerveau
montrant l'origine apparente
des paires crâniennes
I bulbe olfactif
II nerf optique
III nerf moteur oculaire commun
IV nerf pathétique
V nerf trijumeau
VI nerf moteur oculaire externe
VII nerf facial
VIII nerf auditif
IX nerf glosso pharyngien
X nerf pneumogastrique
XI nerf spinal
XII nerf hypoglosse
bulbe
cervelet
protubérance annulaire
C1
C2
C3
C4
C5
C6
C7
C8
D1
D2
D3
D4
D5
D6
D7
D8
D9
D10
D11
D12
L1
L2
L3
L4
L5
S1
S2
S3
S4
S5
CO
sillon médian
sillon collatéral antérieur
renflement cervical
racine antérieure
ganglion spinal
renflement lombaire
queue de cheval
filum terminale
moelle épinière
nerfs rachidiens
8 paires cervicales.C
12 paires dosrales.D
5 paires lombaires.L
5 paires sacrées.S
1 paire coccygienne.Co
chaîne sympathique
1. ganglion cervical inférieur
2. chaine sympathique
3. nerf grand splanchnique droit
4. nerf petit splanchnique droit
5. ganglion semi-lunaire droit
1
2
3
4
5
racine postérieure
ganglion spinal
nerf rachidien
vertèbre
racine antérieure
sillon médian
coussinet graisseux
dure-mère
pie-mère
canal de l'épendyme
arachnoïde
coupe partielle
de la moelle épinière

Les *nerfs du système nerveux neuro-végétatif* (nerfs de la chaîne sympathique et du système parasympathique) règlent les fonctions de nutrition (digestion, respiration, circulation...). Ils sont formés de fibres dépourvues de myéline.

système nerveux. Chez l'homme et les vertébrés supérieurs, on distingue le système nerveux central et le système nerveux végétatif (ou neurovégétatif).

Le *système nerveux central*, ou *axe cérébro-spinal*, est le système de la vie de relation : c'est lui qui nous met en relation avec l'extérieur. Il est composé de *centres nerveux* situés dans le cerveau, le cervelet, le bulbe et la moelle épinière (substance grise de l'encéphale), et de *nerfs* joignant ces centres à la périphérie (substance blanche et nerfs myélinisés). Il reçoit les informations venues de la peau, des yeux, de la bouche, des oreilles, du nez, des muscles même. Il répond à ces informations par une activité qui peut être volontaire ou réflexe : l'activité volontaire part toujours du cerveau, l'activité réflexe part de centres moins haut situés (bulbe, moelle épinière). Mais ces réflexes peuvent être influencés par le cerveau qui est le centre le plus haut situé et qui règle toutes les activités de la vie de relation en surveillant constamment les centres d'activité réflexe.

Le *système nerveux végétatif*, ou *autonome*, règle l'activité indépendante de notre volonté : ainsi le cœur, les vaisseaux, les organes du tube digestif fonctionnent sans que nous en ayons conscience et sans intervention de notre volonté. Ce système est subdivisé en deux systèmes qui ont chacun des effets opposés sur les mêmes organes : le *système sympathique*, formé de deux chaînes de ganglions situées de part et d'autre de la colonne vertébrale et de nerfs non myélinisés partant de ces ganglions vers le cœur, les vaisseaux, les viscères; le *système parasympathique*, formé de centres situés dans la partie terminale de la moelle épinière et dans le bulbe rachidien (ses nerfs, non myélinisés, empruntent le trajet de certains nerfs crâniens, en particulier le nerf pneumogastrique qui innerve le cœur, les poumons, l'estomac, etc.).

Ces deux systèmes règlent en même temps par des effets opposés la vie de nos organes internes : ainsi, le système sympathique accélère le rythme du cœur et contracte les vaisseaux sanguins, diminue les contractions et sécrétions de l'estomac, rétrécit la pupille des yeux quand la lumière est vive; le système parasympathique ralentit le cœur, dilate les vaisseaux, augmente les contractions et sécrétions de l'estomac, dilate la pupille à l'obscurité.

NÉRITIQUE [neritik] adj. (du gr. *neritês*, coquillage de mer). *Dépôts néritiques*, dépôts marins constitués de galets, de graviers, de sable, de vase et de boue, s'accumulant sur le plateau continental.

NERNST (Walther), physicien allemand (1864-1941). Il a inventé une lampe électrique à incandescence, élaboré une théorie des piles électriques et effectué des mesures à très basse température. (Prix Nobel, 1920.)

NÉRON, (37-68), empereur romain (54-68), fils d'Agrippine la Jeune qui, après avoir écarté Britannicus, le fit adopter par Claude (50) et lui fit épouser Octavie, la fille de celui-ci (53).

• *54. Empereur à la mort de Claude, bien conseillé par Sénèque et Burrus, il est accueilli favorablement par le sénat.*

Il doit affronter les partisans de Britannicus qu'il fait assassiner en 55, puis l'opposition du sénat, bientôt hostile à sa politique et à son immoralité.

La tentation du pouvoir absolu l'entraîne à faire assassiner sa mère (59) et Octavie (62). Des persécutions contre les chrétiens suivent l'incendie de Rome (64), dont Néron les rend responsables.

• *65. La conjuration de Pison, durement réprimée, montre l'ampleur de l'opposition sénatoriale au « tyran ».*

La révolte des légions occidentales en 68 permet au sénat de déclarer Néron ennemi public. Traqué, il se fait tuer par un affranchi.

NERPRUN [nɛrprœ̃] n. m. (lat. *niger prunus*, prunier noir). Arbuste épineux dont le fruit est utilisé comme purgatif ou comme colorant. (Famille des rhamnacées.)

NERUDA (Neftalí Ricardo REYES, dit **Pablo**), poète chilien (1904-1973), auteur de poèmes d'inspiration sociale et révolutionnaire (*Vingt Poèmes d'amour et une chanson désespérée*, 1924; *le Chant général*, 1950). [Prix Nobel de littérature, 1971.]

NERVA, empereur romain de 96 à 98. Il adopta Trajan. Il assainit les finances et acheva les travaux de Domitien au forum impérial.

NERVAL (Gérard LABRUNIE, dit **Gérard de**), écrivain français (1808-1855).

Son enfance s'écoula dans le Valois, qu'il devait évoquer dans *Sylvie*, l'une des nouvelles de son recueil *les Filles du feu* (1854). Il se rattache au romantisme par ses relations avec la plupart des grands écrivains du groupe et par sa façon de vivre en marge de la société; mais ses sonnets, *les Chimères*, font de lui un précurseur de Baudelaire, de Mallarmé et du surréalisme, et son roman *Aurélia* (1855) appartient à une inquiétante littérature du rêve, aux confins de la folie. Sujet à des crises de démence (sa passion malheureuse pour l'actrice Jenny Colon avait déjà nécessité un internement dans la clinique du Dr Blanche), il fut trouvé pendu à une grille. Il avait également rapporté d'un voyage en Égypte et en Turquie les récits pittoresques du *Voyage en Orient* (1851) où se mêlent la fantaisie et l'authentique souvenir.

NERVATION n. f. → NERVURE.

NERVEUSEMENT adv., **NERVEUX, EUSE** adj. et n. → NERF.

NERVI [nɛrvi] n. m. (de l'it. *nervi*, nerfs). *Fam.* Bandit spécialisé dans les attaques à main armée ou servant d'homme de main dans des organisations subversives.

NERVI (Pier Luigi), ingénieur et architecte italien (1891-1979). Utilisateur du métal et du béton, il a construit, avec Breuer et Zehrfuss, le palais de l'Unesco à Paris et l'immeuble Pirelli à Milan.

NERVOSITÉ n. f. → NERF.

NERVURE [nɛrvyr] n. f. (de *nerf*). **1.** *Nervure d'une feuille*, filet ramifié et saillant, sur le limbe d'une feuille, par où est transportée la sève. (C'est la disposition des nervures qui détermine la forme du limbe des feuilles : des nervures parallèles caractérisent les monocotylédones, des nervures ramifiées les dicotylédones.) — **2.** *Nervure d'une reliure*, saillie formée sur le dos d'un livre relié. — **3.** *Nervure d'une voûte*, moulure arrondie formant l'arête saillante d'une voûte. — **4.** Filet de l'aile des insectes. ◆ **nervation** n. f. Disposition des nervures dans les feuilles d'une plante ou sur une aile d'insecte.

NESS *(loch)*, lac d'Écosse, au S.-O. d'Inverness.

NESSELRODE (Karl Robert, *comte* VON), diplomate russe d'origine allemande (1780-1862). Il représenta le tsar au congrès de Vienne (1815) et dirigea la politique extérieure russe de 1816 à 1856.

NESSOS ou **NESSUS.** *Myth. gr.* Centaure qui, ayant voulu enlever Déjanire, fut blessé à mort par Héraclès. Il se vengea en invitant Déjanire à envoyer à Héraclès une tunique trempée dans son sang. Héraclès éprouva de telles douleurs au contact de la tunique, qu'il alla se brûler sur le mont Œta.

N'EST-CE-PAS [nɛspa] loc. adv. *(n'est, ce, pas)*. **1.** Prononcée sur un ton interrogatif, appelle l'acquiescement de l'auditeur à ce qui vient d'être dit : *Vous me croyez, n'est-ce-pas?* — **2.** *N'est-ce-pas que*, introduit une phrase interrogative avec une valeur insistante : *N'est-ce-pas que ce tableau est beau?* (→ EST-CE QUE.)

NESTE D'AURE ou **GRANDE NESTE** (la), riv. des Pyrénées centrales, affl. de la Garonne (r. g.); 65 km. Drainant la *vallée d'Aure*, elle alimente, avec ses affluents (*Nestes de Louron, de Couplan*, etc.), outre des centrales hydrauliques, le *canal de la Neste* ou *de Lannemezan*, qui, à son tour, maintient en été le niveau de plusieurs rivières de la Haute-Garonne et du Gers.

NESTORIANISME [nɛstɔrjanism] n. m. (de *Nestorius*, patriarche de Constantinople au Ve s.). Doctrine religieuse hérétique des *nestoriens* (disciples de Nestorius), qui soutenait qu'il y avait deux personnes distinctes en Jésus-Christ (homme et Dieu).

NET, NETTE [nɛt] adj. (lat. *nitidus*, brillant). **1.** (après le nom) Qui n'est sali par rien : *Une nappe nette, sans la moindre tache* (syn. ↑IMPECCABLE, PROPRE; contr. SALE). — **2.** (après ou plus rarement avant le nom) Dont les limites, les contours, les formes sont distinctement indiqués : *La photographie est nette* (contr. FLOU). *Avoir les idées nettes* (contr. IMPRÉCIS). *Il y a une différence très nette entre eux deux* (syn. MARQUÉ). — **3.** (après le nom) Qui ne prête à aucun doute, à aucun soupçon : *Son refus est net* (syn. CATÉGORIQUE, FORMEL; contr. INDÉCIS). *Sa position n'est pas nette* (syn. EXPLICITE). — **4.** Dont on a retiré tout élément étranger (par oppos. à BRUT) : *Le poids net. Le prix net* (= toutes déductions ou majorations retirées). *Bénéfice net* (= une fois retirées les charges). — **5.** *Faire place nette*, débarrasser un endroit de tout ce qui gêne; congédier ceux dont on veut se débarrasser. ‖ *En avoir le cœur net*, s'assurer entièrement de l'exactitude d'un fait pour dissiper un doute. ‖ *Net de*, exempt de (charge) : *Emprunt net de tout impôt sur le revenu.* ◆ adv. **1.** D'une manière brutale, unie, tout d'un coup : *S'arrêter net. Il a été tué net* (syn. SUR LE COUP). — **2.** D'une manière précise, franche : *Refuser tout net* (syn. CARRÉMENT). ◆ n. m. *Mettre au net*, mettre au propre, recopier un brouillon. ◆ **nettement** adv. **1.** D'une manière précise, distincte, claire : *Prendre nettement position.* — **2.** D'une manière incontestable, qui est claire aux yeux de tous : *L'équipe de France l'a emporté nettement.* — **3.** Renforce un adj. au superlatif ou au comparatif : *Il est nettement le plus fort. Aller nettement plus mal* (syn. BEAUCOUP). ◆ **netteté** n. f. : *La netteté d'un intérieur* (syn. PROPRETÉ). *La netteté d'une photographie. Répondre, parler avec netteté* (contr. AMBIGUÏTÉ).

NETTEMENT adv., **NETTETÉ** n. f. ⟶ NET.

NETTOYER [netwaje] v. t. (de *net*). [Conj. **3.**] *Nettoyer qqch.*, le rendre propre en le débarrassant de tout ce qui le salit ou l'encombre : *Nettoyer le parquet* (= le balayer), *des meubles* (= les essuyer), *les tapis* (= les épousseter). *Nettoyer une plaie avec de l'alcool* (= la désinfecter). ◆ **nettoyage** n. m. Action de nettoyer. ◆ **nettoiement** n. m. Ensemble des opérations servant au nettoyage : *Le nettoiement des rues.*

NEUCHÂTEL, v. de Suisse, ch.-l. du *cant. de Neuchâtel,* sur le *lac de Neuchâtel;* 38 800 hab. Horlogerie. Constructions électriques. — Le *canton de Neuchâtel* a 797 km² et compte 154 800 hab.

NEUCHÂTEL *(lac de)*, lac de la Suisse, au pied du Jura, long de 38 km sur 3 à 8 km de large; 216 km².

NEUENGAMME, localité d'Allemagne, au S.-E. de Hambourg. Pendant la Seconde Guerre mondiale, les nazis y installèrent un camp de concentration.

1. NEUF [nœf] adj. num. et n. m. (lat. *novem*). ⟶ NUMÉRATION. ◆ **neuvaine** n. f. Prières, actes de piété que l'on fait pendant neuf jours, en vue d'obtenir une grâce particulière. ◆ **neuvième** adj. num. ordin. et n. ◆ **neuvièmement** adv. (⟶ NUMÉRATION.)

2. NEUF, NEUVE [nœf, nœv] adj. (lat. *novus*, nouveau). **1.** Qui vient d'être fait, fabriqué, construit depuis peu de temps et qui n'a pas encore été utilisé : *Acheter un appartement neuf* (contr. ANCIEN). *Son costume n'est plus neuf* (= il est usagé). — **2.** Qui n'a pas été encore dit ou vu sur le plan artistique, littéraire, etc. : *Un sujet neuf* (syn. NOUVEAU, ORIGINAL). — **3.** Qui est différent de ce qu'il était : *Regarder un spectacle d'un œil neuf.* — **4.** *Rien de neuf, quoi de neuf?*, rien de nouveau, quelle nouvelle? ◆ n. m. **1.** Ce qui est nouveau : *Est-ce qu'il y a du neuf?* (syn. NOUVEAU). — **2.** *Habillé, vêtu de neuf*, avec des vêtements qui viennent d'être achetés. — **3.** *Rebâtir, repeindre, refaire, remettre qqch. à neuf*, de façon que l'objet, la salle, la maison, etc., apparaissent comme neufs. (⟶ NOUVEAU.)

NEUF-BRISACH, ch.-l. de cant. du Haut-Rhin, à 17 km au S.-E. de Colmar; 2 200 hab. Port sur le grand canal d'Alsace. Anc. place forte construite par Vauban.

NEUFCHÂTEAU, ch.-l. d'arrond. des Vosges, à 35 km au N.-O. de Vittel, sur la Meuse; 9 100 hab. *(Néocastriens).*

NEUFCHÂTEL-EN-BRAY, ch.-l. de cant. de la Seine-Maritime, à 36 km au S.-E. de Dieppe, sur la Béthune; 5 800 hab. *(Neufchâtelois).* Marché agricole (fromages dits *bondons* ou *neufchâtels*).

NEUILLY-PLAISANCE, ch.-l. de cant. de la Seine-Saint-Denis, à 12 km à l'E. de Paris; 17 000 hab. *(Nocéens).*

NEUILLY-SUR-MARNE, ch.-l. de cant. de la Seine-Saint-Denis, à 15 km à l'E. de Paris, sur la Marne; 31 200 hab. *(Nocéens).* Hôpitaux psychiatriques de Ville-Évrard et de Maison-Blanche.

NEUILLY-SUR-SEINE, ch.-l. de cant. des Hauts-de-Seine, en bordure du bois de Boulogne; 64 500 hab. *(Neuilléens).* Agglomération surtout résidentielle.

NEURASTHÉNIE [nørasteni] n. f. (du gr. *neuron*, nerf, et *asthenia*, manque de force). État plus ou moins durable d'abattement, de tristesse, pouvant aller jusqu'à un trouble mental caractérisé. ◆ **neurasthénique** adj. et n.

NEUROCHIRURGIE [nøroʃiryrʒi] n. f. (du gr. *neuron*, nerf, et *chirurgie*). Chirurgie du système nerveux.

NEUROLEPTIQUE [nørɔlɛptik] adj. et n. m. (du gr. *neuron*, nerf, et *leptos*, faible). Se dit de certaines substances ayant un effet calmant sur le système nerveux.

NEUROLOGIE [nørɔlɔʒi] n. f. (du gr. *neuron*, nerf, et *logos*, science). Spécialité médicale qui s'occupe des maladies du système nerveux. ◆ **neurologue** n. Spécialiste en neurologie.

NEURONE [nørɔn] n. m. (gr. *neuron*, nerf). Cellule nerveuse. — ENCYCL. Le *neurone* est formé d'un corps cellulaire comportant un noyau, entouré de prolongements courts, les *dendrites*, et d'un seul prolongement long, l'*axone* ou *cylindraxe*. La transmission de l'influx nerveux se fait toujours dans le sens : dendrites, corps cellulaire, axone. La liaison entre les terminaisons de l'axone et les dendrites du neurone suivant, est une *synapse*.

NEUROVÉGÉTATIF, IVE [nørɔveʒetatif, -iv] adj. (du gr. *neuron*, nerf, et *végétatif*). *Système nerveux neurovégétatif* ⟶ NERF.

NEUSIEDL *(lac)*, en hongr. **Fertö,** lac de l'Europe centrale, formant frontière entre l'Autriche et la Hongrie; 200 km². Vignobles sur ses rives.

NEUSTRIE, l'un des trois royaumes mérovingiens issus du partage du royaume de Clotaire (561). Il revint à Chilpéric Iᵉʳ. Il comprenait les pays situés entre la Loire, la Bretagne, la Manche et la Meuse et fut en rivalité avec l'Austrasie. Pépin de Herstal fit l'unité entre les deux royaumes.

1. NEUTRE [nøtr] adj. et n. m. (lat. *neuter*, ni l'un ni l'autre). *Gramm.* Se dit d'une catégorie qui n'a les caractéristiques ni du masculin ni du féminin : *Genre neutre. Pronoms neutres.*

2. NEUTRE [nøtr] adj. (même étym.). **1.** *Chim.* Se dit d'un corps, d'une solution qui n'est ni acide ni basique. — **2.** *Phys.* Se dit d'un corps qui ne présente aucune électrisation, d'un conducteur qui n'est le siège d'aucun courant. — **3.** Math. *Élément neutre pour une loi de composition interne définie dans un ensemble* ⟶ LOI* DE COMPOSITION INTERNE. ◆ **neutraliser** v. t. (sens 1 de l'adj.): *Neutraliser un acide* (= le rendre neutre). ◆ **neutralité** n. f. (sens 2 de l'adj.). État, qualité d'un corps ou d'un milieu neutre.

3. NEUTRE [nøtr] adj. et n. (même étym.). Qui ne participe pas à un conflit, qui s'abstient de prendre parti dans une lutte, une querelle mettant aux prises plusieurs puissances, plusieurs groupes, plusieurs personnes : *La Suisse, pays neutre. Rester neutre dans une discussion* (contr. ENGAGÉ, PARTISAN). ◆ adj. **1.** Se dit de ce qui est sans éclat : *Couleur neutre.* — **2.** Se dit de ce qui est objectif, dépourvu de passion : *Un ton neutre.* ◆ **neutraliser** v. t. **1.** *Neutraliser une ville, un territoire*, les déclarer neutres, les placer hors d'un conflit entre plusieurs États : *Neutraliser une zone entre deux armées.* — **2.** *Neutraliser qqch., qq'un*, empêcher d'agir par une action contraire qui annule les efforts, les tentatives de quelqu'un; réduire à l'impuissance : *Neutraliser les projets de qq'un* (syn. ANNIHILER). *Neutraliser un adversaire dangereux.* ◆ **se neutraliser** v. pr. S'annuler, se faire équilibre : *Ces deux forces se neutralisent.* ◆ **neutralisation** n. f. : *La neutralisation d'un objectif par des tirs de barrage.* ◆ **neutralisme** n. m. Doctrine politique préconisant le refus d'adhérer à aucun bloc de puissances antagonistes. ◆ **neutraliste** adj. et n. : *Les États neutralistes.* ◆ **neutralité** n. f. Caractère de celui qui est neutre, de ce qui est neutre : *Garder la neutralité dans un conflit.*

NEUTRON [nøtrɔ̃] n. m. (mot angl.; de *neutral*, neutre). Particule dénuée de charge électrique (neutre), qui constitue avec les protons les noyaux des atomes. ◆ **antineutron** n. m. Particule ayant un moment magnétique opposé à celui du neutron.

NEUVAINE n. f. ⟶ NEUF 1.

NEUVES-MAISONS, ch.-l. de cant. de Meurthe-et-Moselle, à 14 km au S.-O. de Nancy; 7 000 hab. *(Néodomiens).* Métallurgie.

NEUVIÈME adj. num. ordin. et n., **NEUVIÈMEMENT** adv. ⟶ NEUF 1.

NÉVA (la), fl. de Russie. Elle sort du lac Ladoga, arrose Saint-Pétersbourg et se jette dans le golfe de Finlande; 74 km.

NEVADA *(sierra)*, massif du sud de l'Espagne; 3 478 m au Mulhacén.

NEVADA *(sierra)*, chaîne de montagnes de l'ouest des États-Unis (Californie); 4 418 m au mont Whitney.

NEVADA, État de l'ouest des États-Unis; 286 299 km²; 799 000 hab. Capit. *Carson City.* Le Nevada vit principalement de l'exploitation du sous-sol (cuivre, fer, or) et du tourisme (Las Vegas, Reno).

NEVADO DEL RUIZ → RUIZ *(Nevado del).*

NÉVÉ [neve] n. m. (du lat. *nix, nivis*, neige). Dans la zone des neiges persistantes, amas de neige en cours de transformation en glace, et qui donne naissance à un glacier.

NEVERS, anc. capit. du Nivernais, ch.-l. du dép. de la Nièvre, sur la Loire, à 232 km au S.-E. de Paris; 44 800 hab. *(Nivernais).* Chaudronnerie. Constructions électriques. La faïence de Nevers apparut à la fin du XVIᵉ s.; elle s'inspira d'abord de l'Italie, puis des décors persans et chinois.

NEVEU [nəvø] n. m., **NIÈCE** [njɛs] n. f. (lat. *nepos, -otis;* lat. *neptis*). Fils, fille du frère ou de la sœur. (⟶ PARENTÉ.) ‖ *Neveu à la mode de Bretagne*, enfant d'un cousin germain ou d'une cousine germaine.

Neveu de Rameau *(le)*, roman de Diderot, composé en 1762 et publié en 1821.

NEVIS → SAINT-CHRISTOPHE.

NÉVRALGIE [nevralʒi] n. f. (du gr. *neuron*, nerf, et *algos*, douleur). Vive douleur d'origine nerveuse, et, en particulier, syn. de MAL DE TÊTE : *Une névralgie faciale. Avoir une violente névralgie.* ◆ **névralgique** adj. **1.** *Douleur névralgique* (= des nerfs). — **2.** *Centre, point névralgique*, point sensible qui commande les divers accès à un lieu, les communications, ou qui commande l'issue d'une entreprise : *Les grandes gares de triage sont les centres névralgiques du réseau ferroviaire. Le point névralgique d'une situation* (syn. SENSIBLE).

NÉVRAXE [nevraks] n. m. (du gr. *neuron*, nerf, et *axe*). Syn. de AXE CÉRÉBRO-SPINAL (= encéphale et moelle épinière).

NÉVRITE [nevrit] n. f. (du gr. *neuron*, nerf). *Méd.* Lésion inflammatoire des nerfs.

NÉVROPATHE [nevrɔpat] adj. et n. (du gr. *neuron*, nerf, et *pathos*, maladie). Se dit d'une personne, en général anxieuse et très émotive, qui présente des troubles du système nerveux végétatif. ◆ **névropathie** n. f.

NÉVROPTÈRES [nevrɔptɛr] n. m. pl. (du gr. *neuron*, nervure, et *pteron*, aile). Ordre d'insectes à métamorphoses complètes, pourvus de quatre ailes membraneuses à nombreuses nervures, et comprenant le *fourmi-lion*, la *phrygane*.

NÉVROSE [nevroz] n. f. (du gr. *neuron*, nerf). Maladie mentale caractérisée par des troubles psychologiques dont le malade est conscient, mais qu'il ne parvient pas à résoudre. ◆ **névrosé, e** adj. et n. Atteint de névrose. ◆ **névrotique** adj. Relatif à la névrose.

NEVSKI (Alexandre) ⟶ ALEXANDRE NEVSKI.

NEWARK, port des États-Unis (New Jersey); 382 400 hab. Centre industriel sur la *baie de Newark*.

NEWCASTLE, port d'Australie (Nouvelle-Galles du Sud); 219 200 hab. Sidérurgie.

NEWCASTLE-UPON-TYNE ou **NEWCASTLE,** v. de Grande-Bretagne, dans le nord-est de l'Angleterre, sur la Tyne; 222 200 hab. Constructions navales. Industries chimiques et mécaniques.

New Deal, nom donné aux réformes mises en œuvre par Roosevelt aux États-Unis, à partir de 1933, et consacrant une certaine intervention de l'État dans les domaines économique et social.

NEW DELHI ⟶ DELHI.

NEW HAMPSHIRE, État du nord-est des États-Unis, en Nouvelle-Angleterre; 24 097 km²; 771 000 hab. Capit. *Concord*.

NEWHAVEN, port de Grande-Bretagne (Sussex), sur la Manche; 8 300 hab. Service de paquebots pour Dieppe.

NEW HAVEN, port des États-Unis (Connecticut); 152 000 hab. Université Yale.

NEW JERSEY, État du nord-est des États-Unis, sur l'Atlantique; 20 295 km²; 7 367 000 hab. Capit. *Trenton*. V. pr. *Newark*.

NEWMAN (John Henry), théologien anglais (1801-1890). Pasteur anglican, il se convertit au catholicisme et devint cardinal en 1879. Ses ouvrages eurent une grande influence sur la vie spirituelle de l'Angleterre.

NEWPORT, port de Grande-Bretagne, au N. de l'estuaire de la Severn (Monmouthshire); 108 100 hab. Sidérurgie. Produits chimiques.

NEWTON (*sir* Isaac), physicien et mathématicien anglais (1642-1727). Son nom reste attaché à trois découvertes fondamentales :
la gravitation universelle, qui lui permit d'interpréter la pesanteur terrestre, les marées, les mouvements de la Lune et des planètes;
la nature de la lumière blanche, qu'il exposa dès 1669 et qui lui fit énoncer une théorie corpusculaire de la lumière;
enfin le calcul infinitésimal, outil fondamental du développement des mathématiques, qu'il créa en même temps que Leibniz mais indépendamment de lui.

Son ouvrage essentiel : *Principes mathématiques de philosophie naturelle* (1687), d'une portée considérable, a posé les principes de la science moderne.

NEWTON [njutɔn] n. m. (de *Newton*). Unité de force (symb. : N), équivalant à la force qui communique à un corps ayant une masse de 1 kg une accélération de 1 m/s².

NEW WINDSOR ⟶ WINDSOR.

NEW YORK, État du nord-est des États-Unis, entre l'Atlantique et les Grands Lacs; 128 402 km²; 18 366 000 hab. Capit. *Albany*. V. pr. *New York*.

NEW YORK, ville des États-Unis (État de New York), sur l'Atlantique, à l'embouchure de l'Hudson; 7 071 000 hab. (agglomération 9 120 000 hab.).

Fondée en 1626 par des Hollandais sous le nom de *Nouvelle-Amsterdam*, à la pointe sud de l'île de Manhattan, New York s'est surtout développée depuis le XIXᵉ s. en devenant le principal port de commerce du pays et le point d'arrivée des immigrants venus d'Europe.

C'est aujourd'hui la deuxième ville du monde par sa population (après Tōkyō),et la première agglomération. Le port jouit d'un site favorable, une série de chenaux formant des îles à l'embouchure de l'Hudson. Son trafic (101 millions de t) le place au deuxième rang dans le monde (après Rotterdam). Mais New York est aussi la plus importante agglomération industrielle des États-Unis, regroupant toutes les branches d'activité.

Manhattan, le quartier des affaires, abrite dans ses gratte-ciel les bureaux et les banques (Wall Street). Il est prolongé vers le N. par le quartier des Noirs, *Harlem*. L'industrie se concentre autour du port, le long de l'Hudson et de l'East River. Les parties périphériques de *Brooklyn*, *Queens*, *Richmond*, et du *Bronx*, sont les zones résidentielles.

New York est enfin une grande place culturelle (universités, musées, etc.) et le siège de l'O. N. U. depuis 1946.

NEY (Michel), duc d'ELCHINGEN, maréchal de France (1769-1815). Il prit part brillamment aux guerres de la Révolution puis à celles de l'Empire. En 1805, il conquit le Tyrol et s'empara d'Elchingen sur les Autrichiens. Il se distingua surtout pendant la campagne de Russie (la Moskova). En 1814, il se mit à la disposition de Louis XVIII mais se rallia à Napoléon lors des Cent-Jours. Il combattit avec bravoure à Waterloo. La seconde Restauration ne lui pardonna pas d'avoir trahi les Bourbons. Il fut exécuté.

1. NEZ [ne] n. m. (lat. *nasus*). **1.** Partie saillante du visage, entre la lèvre supérieure et le front, qui abrite les organes de l'odorat et joue un rôle dans la respiration et la parole (⟶ NASAL) : *Un nez droit, aquilin, en trompette, retroussé. Les ailes du nez. Parler du nez.* — **2.** *Avoir du nez*, du flair, du discernement. ‖ *Au nez de qq'un*, devant lui, sans se cacher : *Rire au nez de qq'un.* ‖ *Fermer la porte au nez*, ne pas recevoir. ‖ Fam. *À vue de nez*, de loin, approximativement, sans approfondir. ‖ *Se laisser mener par le bout du nez*, se soumettre docilement aux ordres d'une autre personne. ‖ *Ne pas voir plus loin que le bout de son nez*, être incapable de voir plus loin que son intérêt immédiat, ne voir que les conséquences les plus proches et non celles qui sont lointaines. ‖ *Mettre le nez dehors*, sortir. ‖ *Mettre le nez (dans qqch.)*, se mêler indiscrètement d'une affaire. ‖ (sujet nom de chose) Fam. *Passer sous le nez de qq'un*, lui échapper, alors qu'il aurait pu en profiter : *L'affaire lui est passée sous le nez.* ‖ *Se trouver nez à nez avec qq'un*, se rencontrer face à face avec lui. ‖ *Tirer les vers du nez*, arracher un secret par d'habiles questions. ‖ *Faire un pied de nez*, faire un geste de moquerie qui consiste à appuyer le pouce sur le bout du nez, les quatre doigts de la main étant écartés.

2. NEZ [ne] n. m. (de *nez* 1). **1.** *Géogr.* Cap. — **2.** Partie avant d'un navire, d'un avion : *L'avion piqua du nez vers la mer.*

NGAN-CHAN ou **AN-CHAN,** v. de la Chine du Nord-Est (Leaoning); 900 000 hab. Principal centre sidérurgique et métallurgique chinois, à proximité de mines de fer.

NGAN-HOUAI ou **AN-HOUEI,** en angl. **Anhwei,** province de la Chine orientale, de part et d'autre du Yang-tseu; 139 900 km²; 49 millions d'hab. Capit. *Ho-fei*.

NGAZIDJA ⟶ COMORES.

NI conj. ⟶ ET.

NIABLE adj. ⟶ NIER.

NIAGARA (le), riv. de l'Amérique du Nord, séparant le Canada des États-Unis et unissant les lacs Érié et Ontario. Il est coupé par les *chutes du Niagara* (hautes de 47 m), haut lieu touristique et site d'un grand aménagement hydro-électrique.

NIAGARA FALLS, v. des États-Unis (New York), sur le *Niagara* (r. dr.); 102 000 hab. Électrométallurgie. — La ville homonyme sur la rive canadienne (Ontario) a 56 900 hab. Métallurgie.

NIAIS, E [njɛ, njɛz] adj. et n. (du lat. *nidus*, nid). Se dit de quelqu'un (ou de son comportement) qui est d'une grande ignorance associée à une naïveté un peu sotte : *Prendre un air niais* (syn. SOT, STUPIDE). ◆ **niaisement** adv. ◆ **niaiserie** n. f. : *La niaiserie d'une remarque* (syn. SOTTISE). *Débiter des niaiseries sentimentales* (syn. FADAISE). ◆ **déniaiser** v. t. *Déniaiser qq'un*, l'éduquer, l'instruire afin de le rendre moins naïf; en particulier, lui faire perdre son innocence : *De vivre aussi loin de sa famille l'a un peu déniaisé* (syn. DÉGROSSIR).

NIAMEY, capit. du Niger, sur le fleuve Niger (r. g.); 300 000 hab.

Nibelungen *(Chanson des)*, épopée germanique, écrite vers 1200. Elle raconte l'aventure de Siegfried, maître du trésor des Nibelungen, pour aider Gunther à conquérir la main de Brünhild, son mariage avec la sœur de Gunther, Kriemhild, sa mort, provoquée par Brünhild, et la vengeance de Kriemhild. Wagner a tiré de cette légende le sujet de son drame lyrique *l'Anneau du Nibelung*.

NICARAGUA, république de l'Amérique centrale, entre le Honduras et le Costa Rica; 148 000 km²; 3 500 000 hab. (24 au km²). Capit. *Managua* (623 000 hab.). ⟶ cartes AMÉRIQUE pp. 48-49.

Des zones élevées, chaîne volcanique à l'O., hauts plateaux à l'E., isolent la grande dépression centrale, occupée par les lacs Managua et Nicaragua, des plaines côtières.

L'économie du pays repose sur la production de coton et de café dans l'étroite plaine côtière du Pacifique, tandis que la côte de la mer des Antilles (côte des Mosquitos) est couverte par la forêt.

coton 100 000 t; café 60 000 t; or 2 000 kg.

Le sous-sol recèle de l'or, mais l'industrie est inexistante.

HISTOIRE

À partir du XVIe s., le Nicaragua est exploré par les Espagnols et intégré à la capitainerie générale du Guatemala.

- *1821. Il obtient son indépendance, mais de 1826 à 1838 rejoint l'Union des États d'Amérique centrale.*

Le XIXe s. est marqué par les luttes entre conservateurs et libéraux, et par la rivalité entre intérêts anglais et américains. Les Américains occupent le pays de 1912 à 1933, puis favorisent, face à la guérilla de Sandino, l'arrivée au pouvoir du chef de la garde nationale.

- *1936-1956. Somoza dirige le pays au profit de l'oligarchie locale et des intérêts américains.*

Après son assassinat, le «clan Somoza» reste au pouvoir.

- *Déc. 1972. Un tremblement de terre détruit Managua.*
- *1979. Un soulèvement populaire abat la dictature de Somoza et établit un régime de tendance socialiste soutenu par Cuba.*

Des commandos d'opposants (contras), appuyés par les États-Unis, menacent le pays sur ses frontières.

- *1984. Daniel Ortega est élu à la présidence de la République.*
- *1990. La candidate de l'opposition, Violeta Chamorro, est élue à la présidence de la République.*

NICE, ch.-l. du dép. des Alpes-Maritimes, à 933 km de Paris, sur la Côte d'Azur; 338 500 hab. *(Niçois).* De loin la principale ville de la Côte d'Azur, Nice doit son développement spectaculaire à l'essor du tourisme. Si le secteur tertiaire et la fonction résidence demeurent largement prépondérants (expliquant l'importance de l'aéroport, le deuxième de France), quelques industries légères se sont établies (constructions électriques notamment).

NICÉE, anc. v. d'Asie Mineure (Anatolie), où se tinrent deux conciles œcuméniques, l'un convoqué par Constantin en 325, qui condamna l'arianisme* et définit le *Credo,* ou *symbole de Nicée,* l'autre, en 787, contre les iconoclastes*. De 1204 à 1261, Nicée fut la capitale des empereurs byzantins dépossédés de Constantinople par les croisés. — L'*empire de Nicée,* fondé par Théodore Ier Lascaris, eut comme dernier titulaire Michel VIII Paléologue, qui reprit Constantinople.

1. NICHE [niʃ] n. f. (de l'it. *nicchia,* coquille). **1.** Petit abri destiné au logement d'un chien. — **2.** Petit enfoncement pratiqué dans un mur afin d'y placer une statue, un vase.

2. NICHE [niʃ] n. f. (de *nique*). Fam. *Faire une niche, des niches,* jouer un tour, des farces à quelqu'un.

NICHÉE n. f. → NID.

1. NICHER v. i., **SE NICHER** v. pr. → NID.

2. NICHER [niʃe] v. i. (du lat. *nidus,* nid) [sujet nom de personne]. *Fam.* Avoir sa demeure, son logement : *Où niche-t-il maintenant?* (syn. HABITER, LOGER). ◆ **se nicher** v. pr. (sujet nom de chose). Se loger, s'installer : *La bille s'est nichée dans le trou.*

NICHOLSON (William), chimiste et physicien anglais (1753-1815). Il découvrit, avec Carlisle, l'électrolyse de l'eau et inventa un aréomètre.

NICKEL [nikɛl] n. m. (abrév. de l'all. *Nicolaus*). Métal (Ni) blanc grisâtre, brillant, à cassure fibreuse. → ENCYCL. ◆ **nickelage** n. m. Opération de revêtement superficiel d'une pièce métallique, par dépôt d'une couche de nickel dans un bain électrolytique ou chimique; résultat de cette opération. ◆ **nickeler** v. t. Recouvrir d'une couche de nickel. ◆ **nickélifère** adj. Qui contient du nickel : *Gisement nickélifère.*

— ENCYCL. Le *nickel* est d'un beau poli, très ductile, très malléable, très dur, de densité 8,8, et fond à 1 455 °C. Il est rare dans l'écorce terrestre. Il est surtout employé pour sa résistance à de nombreux agents chimiques, dont l'oxygène. On l'utilise alors sous forme de dépôt électrolytique pour le revêtement de pièces métalliques. Il s'allie facilement avec la plupart des métaux, le fer, le cuivre, le chrome, etc., et sert à fabriquer des aciers spéciaux, des pièces de monnaie, etc.

NICOBAR *(îles),* archipel indien du golfe du Bengale (territoire des îles Andaman et Nicobar); 12 500 hab.

NICOLAS, nom de cinq papes.

NICOLAS Ier (1796-1855), empereur de Russie (1825-1855), fils de Paul Ier et successeur de son frère Alexandre Ier. Il gouverne avec fermeté et s'oppose à toute réforme. Il place la Pologne sous la dépendance étroite de la Russie (1831). Il signe avec la Turquie le traité d'Andrinople (1829), qui donne les boucles du Danube et une partie du littoral oriental de la mer Noire à la Russie. Par le traité d'Unkiar-Skelessi (1833), il réserve l'accès exclusif des Détroits à la Russie. Sa politique ambitieuse l'engage dans la guerre de Crimée contre la France et l'Angleterre.

NICOLAS II (1868-1918), dernier tsar de Russie (1894-1917), fils et successeur d'Alexandre III.

- *1896. Son voyage à Paris renforce l'entente franco-russe.*
- *1904-1905. Le tsar engage la Russie dans une guerre désastreuse contre le Japon.*
- *22 janv. 1905. Il laisse réprimer la manifestation pacifique des ouvriers à Saint-Pétersbourg (« Dimanche rouge »).*

Puis il écrase l'insurrection armée des révolutionnaires (déc. 1905-janv. 1906). Il promet un régime constitutionnel mais ne le met pas en application. Aux exigences des réformateurs et des révolutionnaires, il répond par des mesures réactionnaires.

- *1914-1916. Les revers de la guerre contre l'Allemagne renforcent l'agitation révolutionnaire.*
- *15 mars 1917. Le tsar est contraint d'abdiquer après la formation d'un gouvernement révolutionnaire.*
- *1918. Conduit à Iekaterinbourg, il est exécuté ainsi que sa famille.*

NICOLLE (Charles), médecin et bactériologiste français (1866-1936), auteur de travaux sur le typhus, la fièvre de Malte, etc. (Prix Nobel, 1928.)

Nicomède, tragédie de P. Corneille (1651).

NICOMÉDIE. *Géogr. anc.* V. d'Asie Mineure, capit. de la Bithynie. [Auj. IZMIT.]

NICOPOLIS, auj. **Nikopol',** v. de Bulgarie, sur le Danube; 5 400 hab.

- *1396. Victoire du sultan turc Bāyazīd sur les croisés du roi de Hongrie, Sigismond.*

NICOSIE, capit. de Chypre, dans l'intérieur de l'île; 161 000 hab.

NICOT (Jean), diplomate français (v. 1530-1600). Il importa le tabac en France.

NICOTINE [nikɔtin] n. f. (de *Nicot*). Composé chimique contenu dans le tabac, et qui, à forte dose, est un poison. ◆ **dénicotinisé, e** adj. Débarrassé d'une partie de sa nicotine.

NICTITANT, E [niktitɑ̃, -ɑ̃t] adj. (du lat. *nictare,* clignoter). *Paupière nictitante,* troisième paupière horizontale, transparente, qui, chez les oiseaux, certains reptiles et mammifères (félins), se déplace horizontalement devant l'œil.

NID [ni] n. m. (lat. *nidus*). **1.** Construction faite par certains oiseaux et poissons pour y déposer et couver leurs œufs, élever leurs petits : *Un nid de mésange, d'épinoche.* — **2.** Habitation que se ménagent certains animaux : *Un nid de guêpes, de rats, de serpents, de fourmis.* — **3.** Habitation intime et confortable : *Se ménager un nid douillet à l'abri des importuns et du bruit.* — **4.** Repaire : *Un nid de brigands.* ‖ *Nid d'aigle,* château placé sur le sommet d'une montagne, d'une colline escarpée et inaccessible. ◆ **nichée** n. f. Couvée d'oiseau. ◆ **nicher** [niʃe] v. i. ou **se nicher** v. pr. Faire son nid : *Les oiseaux nichent (*ou *se nichent) dans les arbres.*

NIDATION [nidasjɔ̃] n. f. (de *nid*). Fixation de l'œuf fécondé dans la cavité de l'utérus.

NID-D'ABEILLE [nidabɛj] n. m. *(nid, de,* et *abeille). Broderie.* Garniture en forme d'alvéoles obtenus par le rapprochement de plis que l'on maintient entre eux avec des points disposés en quinconce. ‖ Pl. des *nids-d'abeilles.*

NID-DE-POULE [nidəpul] n. m. *(nid, de,* et *poule).* Trou dans une route défoncée. ‖ Pl. des *nids-de-poule.*

NIÈCE n. f. → NEVEU.

NIEL (Adolphe), maréchal de France (1802-1869). Ministre de la Guerre (1867), il fit adopter le fusil Chassepot, tenta de réorganiser l'armée et institua en 1868 la garde nationale mobile.

1. NIELLE [njɛl] n. m. (lat. *nigellus,* noirâtre). Incrustation d'un émail noir sur un fond blanc, dans un ouvrage d'orfèvrerie. ◆ **nielleur** n. m. Graveur de nielles.

2. NIELLE [njɛl] n. f. (même étym.). Plante herbacée annuelle, à fleurs pourpres, à petites graines rondes toxiques, croissant dans les moissons. (Famille des caryophyllacées.)

3. NIELLE [njɛl] n. f. (même étym.). Maladie du blé dont les épis noircissent. ◆ **niellé, e** adj. Atteint de la nielle.

NIÉMEN (le), fl. du nord-ouest de l'U. R. S. S., tributaire de la Baltique; 937 km.

NIEMEYER (Oscar), architecte et urbaniste brésilien, né en 1907. Il travailla avec Le Corbusier, construisit la cité de Pampulha, près de Belo Horizonte, et prit une part prépondérante à la construction de Brasília.

NIEPCE (Nicéphore), physicien français (1765-1833). Il inventa la photographie (1829), que son associé Daguerre perfectionna par la suite. — Son neveu ABEL **Niepce de Saint-Victor,** chimiste (1805-1870), imagina un procédé de photographie sur verre.

NIEPPE, comm. du Nord, à 5 km au N.-O. d'Armentières; 7 200 hab. Textiles.

NIER [nje] v. t. et i. (lat. *negare*). *Nier qqch.* (ou infin. sans prép.), *nier que* (et l'indic. ou le subj.), affirmer avec force l'inexistence d'un fait, rejeter comme faux : *Il nie la réalité des preuves* (syn. CONTESTER). *Il va jusqu'à nier l'évidence* (syn. REFUSER). *Il nie qu'il est* ou *soit coupable.* (Lorsque la proposition principale est interrogative ou négative, on peut employer ou non la particule *ne* dans la subordonnée : *Je ne nie pas que le problème ne soit* ou *soit difficile.*) ◆ **niable** adj. Qui peut être nié (uniquement dans des phrases négatives) : *Cela n'est pas niable.* ◆ **négatif, ive** adj. **1.** Dépourvu d'éléments constructifs, réels, d'efficacité; qui n'aboutit à rien : *Une critique négative* (= qui n'apporte aucune amélioration) [contr. POSITIF]. *Les résultats négatifs d'une conférence internationale* (syn. NUL). *Les résultats des examens de laboratoire sont négatifs* (= il n'y a pas de signe de maladie). — **2.** Qui exprime un refus : *Faire une réponse négative* (contr. AFFIRMATIF). *« Non » est un adverbe négatif* (contr. POSITIF). — **3.** Math. *Nombre négatif,* nombre inférieur à 0 (contr. POSITIF) : *— 12 est négatif, car — 12 < 0.* ◆ **négative** n. f. : *Répondre par la négative* (= par un refus). *Dans la négative, nous nous adresserons à une autre personne* (= dans le cas d'un refus). ◆ **négativement** adv. ◆ **négation** n. f. **1.** Action de rejeter comme fausse une idée, de nier l'existence de : *La négation de Dieu.* — **2.** Math. *Négation d'une proposition P,* proposition qui est fausse lorsque P est vraie, et vraie lorsque P est fausse. — **3.** Acte contraire à quelque chose : *Cette mesure est la négation de toute justice.* — **4.** *Gramm.* Adv. ou conj. de coordination qui sert à nier (ex. : *ne, non, pas, point, ni,* etc.).

NIETZSCHE (Friedrich), philosophe allemand (1844-1900). Il conçoit le monde comme un jeu de forces qui s'opposent. Dans ce monde, les notions de Dieu (métaphysique), de raison (rationalisme), de morale (moralisme) dominent, mais ce sont pour Nietzsche des forces « réactives », des pseudo-valeurs qui engendrent un confort moral et démontrent la démission et la faiblesse de l'homme. Or le monde évolue dans le sens de forces « actives », il est soumis au retour éternel de *ce* qui engendre la diversité. Il faut donc bouleverser les conditions productrices de ces pseudo-valeurs, surmonter le pessimisme et même l'optimisme qu'elles engendrent, c'est-à-dire allier la force à la *volonté de puissance* ou volonté de vie.

Tel est pour Nietzsche le fait du *surhomme* qui va dans le sens du monde, dans le sens des forces actives et qui affirme ainsi joyeusement la vie *(le Gai Savoir,* 1881; *Ainsi parlait Zarathoustra; la Généalogie de la morale; Par-delà le bien et le mal).*

NIÈVRE (la), riv. de France, qui se jette dans la Loire (r. dr.), à Nevers; 53 km.

NIÈVRE (58), dép. du sud-est du Bassin parisien (Région Bourgogne); 6 817 km²; 239 600 hab. (35 au km²) [France : 103]. Ch.-l. *Nevers.*

ADMINISTRATION. 4 arrond. (*Château-Chinon,* 32 800 hab.; *Clamecy,* 29 800 hab.; *Cosne-Cours-sur-Loire,* 48 000 hab.; *Nevers,* 129 000 hab.). / 32 cant. / 312 comm.

Le département est formé de régions variées : *vallée de la Loire* (qui le limite au S.-O. et à l'O.), collines du *Nivernais* (au centre) et partie occidentale du *Morvan* (à l'E.), où l'altitude dépasse généralement 300 m. Les précipitations sont assez abondantes et bien réparties sur l'ensemble de l'année.

L'*agriculture,* qui emploie encore environ 15 p. 100 de la

LOCALITÉS PRINCIPALES	NOMBRE D'HAB.
Nevers	44 800
Cosne-Cours-sur-Loire	12 600
Varennes-Vauzelles	10 100
Decize	7 500
La Charité-sur-Loire	6 400
Fourchambault	5 900
Clamecy	5 800
Imphy	4 900
La Machine	4 600
Coulanges-lès-Nevers	3 900

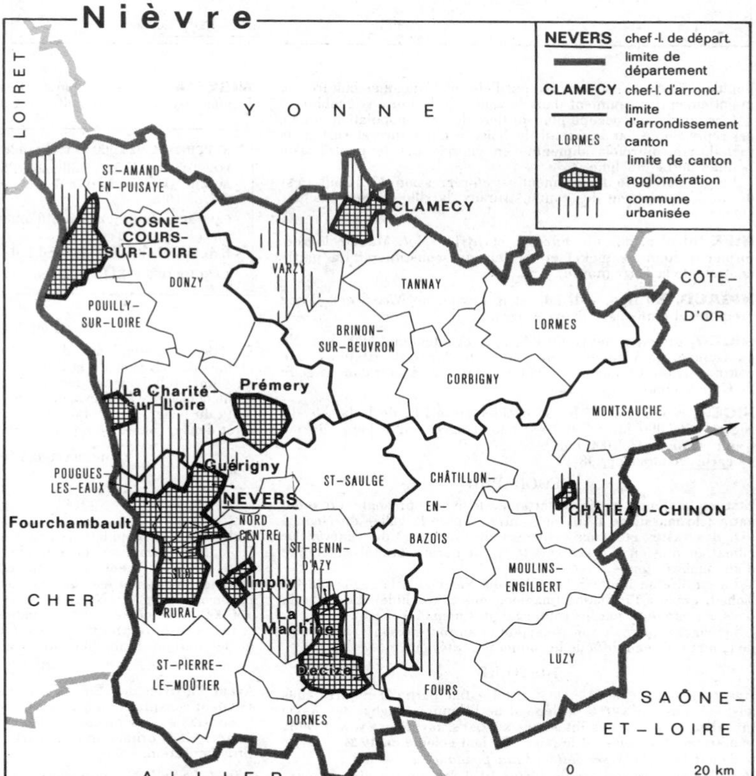

Nièvre

Nigeria

population active, est dominée par l'élevage; quelques cultures se maintiennent, notamment dans la vallée de la Loire (vignoble).

L'*industrie*, qui occupe plus du tiers de cette population active, est représentée par le travail du bois, la chaussure et surtout la métallurgie, autrefois alimentée en énergie par le petit bassin houiller de La Machine.

La population du département est en régression. Ce résultat est dû au dépeuplement des cantons ruraux, la ville de Nevers étant stagnante.

NIFE [nife] n. m. (de *ni*[*ckel*], et *fe*[*r*]). *Géol.* Matière lourde, formée surtout de nickel et de fer, qui constituerait la partie centrale de la Terre (noyau).

NIGAUD, E [nigo, -od] adj. et n. (dimin. de *Nicomède*). D'une crédulité et d'une naïveté excessives.

NIGER, principal fleuve de l'Afrique occidentale; 4 200 km. Né en Guinée, au pied du mont Loma, le Niger décrit une vaste courbe, arrosant Bamako et Niamey, avant de se jeter dans le golfe de Guinée en un vaste delta.

NIGER, république d'Afrique occidentale à l'E. de la boucle du Niger; 1 267 000 km²; 7 400 000 hab. *(Nigériens);* 6 hab. au km² Capit. *Niamey* (300 000 hab.).

→ cartes AFRIQUE pp. 48-49.

GÉOGRAPHIE

État en majeure partie désertique, le Niger présente un relief varié : le massif de l'Aïr, au centre, sépare la vallée du Niger à l'O. des vastes étendues sableuses de l'Est (erg* du Ténéré). Le climat, de plus en plus sec vers le N., ne permet la croissance que d'une maigre steppe.

La culture se limite à la vallée du Niger et à la région du lac Tchad, grâce à l'irrigation (manioc, millet, arachide). Le reste du pays est parcouru par les troupeaux des nomades.

Le Niger souffre de son isolement et surtout de son éloignement de la mer qui rend difficile le commerce extérieur.

HISTOIRE

Avant l'époque coloniale, le territoire fait partie d'empires plus vastes : ainsi au XVIe s. il dépend de l'Empire songhaï des Askia musulmans. Les luttes intestines au XIXe s. favorisent vers 1890 la pénétration française, et le Niger devient colonie en 1922.

- *3 août 1960. Le Niger obtient l'indépendance.*

Présidé par Hamani Diori de 1960 à 1974, le pays est, depuis cette date, dirigé par les militaires.

NIGERIA (le), république de l'Afrique occidentale, membre du Commonwealth, sur le golfe de Guinée.

SUPERFICIE 924 000 km² (France 550 000 km²).
POPULATION 115,3 millions d'hab. *(Nigérians);* 125 hab. au km² (France : 103); accroissement annuel de population, 2,7 p. 100.
CAPITALE Abuja (en cours d'aménagement).
VILLES PRINCIPALES Lagos (4 500 000 hab.); Ibadan (847 000 hab.); Ogbomosho (386 650 hab.); Kano (357 100 hab.).
LANGUE OFFICIELLE anglais.

GÉOGRAPHIE

Le Nigeria s'étend sur deux grandes régions séparées par les plaines du Niger et de la Bénoué : au N., une région de plateaux au climat relativement sec, couverts par la savane et principalement consacrés à l'élevage; au S., la région côtière, englobant le delta du Niger, où les fortes pluies permettent la croissance de la forêt dense, trouée de nombreuses plantations.

	TEMPÉRATURES MOYENNES		PLUIES
	janv.	juil.	
Lagos	27 °C	25 °C	1 761 mm

Habité par des populations noires variées (Haoussas, Yoroubas et Ibos), le Nigeria est le pays le plus peuplé d'Afrique. Son activité reste essentiellement rurale. Aux cultures vivrières (sorgho, millet, manioc) s'opposent les cultures commerciales destinées à l'exportation : cacao (le Nigeria est le 4e producteur mondial avec 150 000 t), arachide, huile de palme, coton.

Le sous-sol fournit du pétrole (70 millions de t), un peu d'étain et de charbon. Mais l'industrialisation reste limitée.

HISTOIRE

Avant l'arrivée des Européens, deux puissants royaumes noirs s'étaient constitués au Nigeria, le Yorouba et le Bénin.

Au XIXe s., ces royaumes déclinent, tandis que la pénétration commerciale britannique, à partir de 1840, va de pair avec la christianisation.

- *1914. Le Sud, sous protectorat anglais depuis 1885, est réuni aux territoires du Nord.*

• *1960. Le Nigeria accède à l'indépendance.*
Sa vie politique est marquée par des luttes entre civils et militaires (ces derniers accèdent au pouvoir en 1966), et surtout par l'opposition entre ethnies. En 1967, les Ibos du Sud-Est font sécession, formant la république du Biafra qui capitule en janvier 1970.
• *1979. Fin du régime militaire. Élection du président Shagari.*
• *1983. Expulsion des travailleurs venus des pays voisins (févr.). À partir de cette date, les militaires reviennent au pouvoir et les coups d'État se succèdent. Le général Babangida dirige le pays depuis 1985.*

NIHILISME [niilism] n. m. (du lat. *nihil*, rien). **1.** Négation de toute croyance. — **2.** État d'esprit des intellectuels libéraux russes, dans la seconde partie du règne d'Alexandre II, qui voulaient la destruction de toutes les structures sociales : *Vers 1870, le nihilisme évolua pour devenir un mouvement politique, mais dégénéra en attentats anarchistes individuels.* ◆ **nihiliste** adj. et n. Partisan du nihilisme.

NIIGATA, port du Japon (Honshū); 383 900 hab. Métallurgie. Raffinage du pétrole et industries chimiques.

NIJINSKI (Vaslav), danseur russe d'origine polonaise (1890-1950). Le plus grand danseur de son époque.

NIJNI NOVGOROD → GORKI.

NIJNI TAGHIL, v. de l'U. R. S. S., dans l'Oural; 378 400 hab. Mines de fer et de cuivre. Important centre métallurgique.

NIL, principal fleuve d'Afrique; 6 700 km (5 600 km depuis le lac Victoria). Issu du Burundi, sous le nom de *Kagera*, le Nil traverse les lacs Victoria, Kioga et Mobutu, puis la cuvette marécageuse du Soudan méridional à la sortie de laquelle il prend le nom de *Nil Blanc*. Il reçoit le *Nil Bleu* à Khartoum, puis l'Atbara avant de traverser les déserts de Nubie et d'Égypte. A partir du Caire, il se divise en diverses branches et forme un vaste delta.

Son régime, aux crues d'été et aux basses eaux d'hiver,est réglé par les pluies abondantes qui alimentent son cours supérieur. Son débit abondant permet l'irrigation des régions désertiques qu'il traverse,et les énormes quantités de limon qu'il dépose fertilisent sa vallée.

Navigable par biefs, il est surtout utilisé sur son cours égyptien. Des travaux d'aménagement ont permis la régularisation de son cours, notamment par le haut barrage d'Assouan* qui forme un lac artificiel de 500 km de long.

NILGIRI *(monts)*, massif montagneux du sud de l'Inde; 2 635 m.

NILVANGE, comm. de la Moselle, à 12 km à l'O.-S.-O. de Thionville; 5 900 hab. Métallurgie.

NIMBA *(monts)*, massif de l'Afrique occidentale, aux confins de la Côte-d'Ivoire, de la Guinée et du Libéria; 1 752 m. Grand gisement de fer.

NIMBE [nɛ̃b] n. m. (lat. *nimbus*, nuage). Cercle lumineux placé autour de la tête des dieux et des empereurs déifiés, puis, par les chrétiens, autour de celle du Christ et des saints (syn. AURÉOLE).

NIMBUS [nɛ̃bys] n. m. (mot lat. signif. *nuage*). Nuage gris sombre (ce terme n'est utilisé auj. que dans des express. composées : *nimbo-stratus, cumulo-nimbus*, etc.). ◆ **nimbo-stratus** n. m. Masse nuageuse très basse, de couleur gris sombre, caractéristique du mauvais temps.

NIMÈGUE, en néerl. **Nijmegen,** v. des Pays-Bas (Gueldre), sur le Waal (r. g.), près de la frontière allemande; 150 200 hab. Constructions mécaniques et électriques.

• *1678-1679. La France y signe trois traités célèbres qui mettent fin à la guerre de Hollande.*

Elle conclut le premier avec les Provinces-Unies (1678), le deuxième avec l'Espagne (1678), le troisième avec l'Empire (1679). Elle recevait la Franche-Comté, de nombreuses villes de Flandre et le Cambrésis. Ces traités firent de Louis XIV l'arbitre de l'Europe.

NÎMES, ch.-l. du dép. du Gard; 129 900 hab. *(Nîmois).* Ville ancienne, Nîmes est devenue un centre administratif, commercial et aussi touristique, où l'industrie ne tient encore qu'une place restreinte, liée largement à la production agricole environnante (vin, fruits). La ville conserve des monuments romains : arènes, Maison carrée.

NIMITZ (William), amiral américain (1885-1966). Commandant en chef des forces aéronavales alliées dans le Pacifique de 1942 à 1945. Vainqueur de la flotte japonaise, il signa avec MacArthur l'acte de capitulation de l'Empire nippon (2 septembre 1945).

NING-HIA *(région autonome de)*, région du nord-ouest de la Chine; 3 895 000 hab. Capit. *Yin-tch'ouan.*

NINIVE, v. de l'Asie anc., capit. de l'Assyrie, sur le Tigre. (Hab. *Ninivites.*) Fondée au IIIe millénaire, Ninive n'acquit sa splendeur que sous Sennachérib (705-681 av. J.-C.). Elle fut détruite en 612 av. J.-C. Les fouilles de Ninive, qui ont commencé en 1847, ont révélé d'importants vestiges, dont ceux des palais de Sennachérib (bibliothèque contenant des milliers de tablettes cunéiformes) et d'Assurbanipal.

NIOBÉ. *Myth. gr.* Reine légendaire de Phrygie. Mère de sept fils et de sept filles, elle railla Léto, qui n'avait eu qu'Apollon et Artémis. Ceux-ci, pour venger leur mère, tuèrent tous les enfants de Niobé qui, stupéfiée par la douleur, fut transformée en rocher par Zeus.

NIORT, ch.-l. du dép. des Deux-Sèvres, à 414 km au S.-O. de Paris, sur la Sèvre Niortaise et le Lambon; 60 200 hab. *(Niortais).* Ganterie. Peausserie. Siège de grandes compagnies d'assurances mutualistes.

NIPPES [nip] n. f. pl. (orig. obscure). *Fam.* et *péjor.* Vêtements usagés, malpropres, etc. ◆ **nipper** v. t. *Fam.* Vêtir (surtout au passif) : *Il est mal nippé.* ◆ ***se nipper*** v. pr. *Fam.* S'habiller.

NIPPON, E [nipɔ̃, -ɔn] adj. et n. (mot japon. signif. *soleil levant*). Du Japon.

NIQUE [nik] n. f. (onomat.). *Faire la nique à qq'un*, lui faire un signe de moquerie.

NIRVĀNA [nirvana] n. m. (mot sanskrit signif. *évasion de la douleur*). Dans le bouddhisme, dernière étape de la contemplation, caractérisée par l'absence de la douleur et la possession de la vérité.

NIŠ ou **NISH,** ancienn. **Nissa,** v. de Yougoslavie (Serbie); 132 700 hab. Centre industriel.

NITERÓI, v. du Brésil et de l'État de Rio de Janeiro, sur la baie de Guanabara ; 408 000 hab. Métallurgie.

NITOUCHE (SAINTE) n. f. → SAINTE NITOUCHE.

NITRATE [nitrat] n. m. (du gr. *nitron*, nitre). *Chim.* Sel de l'acide nitrique : *Nitrate d'argent* (syn. AZOTATE). → ENCYCL. ◆ **nitre** n. m. Nom usuel du NITRATE DE POTASSIUM, ou SALPÊTRE. ◆ **nitrique** adj. *Acide nitrique*, composé oxygéné dérivé de l'azote (HNO_3), acide fort et oxydant (syn. ACIDE AZOTIQUE). [L'acide nitrique du commerce est communément appelé EAU-FORTE.] ◆ **nitrification** n. f. Transformation de l'ammoniac et de ses sels en nitrates. ◆ **nitrifier** v. t. Transformer en nitrate. ◆ **dénitrification** n. f. Enlèvement de l'azote dans le sol ou dans une substance.
— ENCYCL. Les *nitrates* jouent un rôle important comme engrais. Ils agissent en fournissant de l'azote à la végétation et sont employés sous forme de sels de sodium, de potassium, de calcium, d'ammonium.

NITROBENZÈNE [nitrɔbɛ̃zen] n. m. (du gr. *nitron*, nitre, et *benzène*). Dérivé nitré du benzène, connu sous le nom d'ESSENCE DE MIRBANE. (Il entre dans la composition de certains explosifs et sert à préparer l'aniline.)

NITROCELLULOSE [nitrɔselylɔz] n. f. (du gr. *nitron*, nitre, et *cellulose*). Corps résultant de l'action de l'acide nitrique sur la cellulose, et servant à fabriquer le collodion, le Celluloïd et les poudres sans fumée.

NITROGLYCÉRINE [nitrɔgliserin] n. f. (du gr. *nitron*, nitre, et *glycérine*). Corps explosif résultant de l'action de l'acide nitrique sur la glycérine. (La *nitroglycérine* est un explosif puissant; stabilisée dans un corps poreux [invention de Nobel en 1866], elle entre dans la composition de la dynamite.)

NITRURATION [nitryrasjɔ̃] n. f. (du gr. *nitron*, nitre). Durcissement artificiel de l'acier, par chauffage dans une atmosphère azotée.

NIVAL, E, AUX [nival, -vo] adj. (du lat. *nix, nivis*, neige). Relatif à la neige, dû à la neige. ‖ *Régime nival*, régime d'un cours d'eau caractérisé par de basses eaux d'hiver, pendant lequel les précipitations sont retenues sous forme de neige (rétention nivale), et des crues printanières dues à la fonte des neiges : *La Volga a un régime nival.*

NIVE (la), riv. des Pyrénées-Atlantiques, qui se jette dans l'Adour (r. g.), à Bayonne; 75 km.

NIVEAU [nivo] n. m. (du lat. *libella*). **1.** Hauteur d'un point, degré d'élévation par rapport à un plan de référence : *Mesurer le niveau d'huile du moteur. L'eau lui arrive au niveau des genoux.* ‖ *Niveau de la mer*, niveau zéro à partir duquel on évalue les altitudes. ‖ *Passage à niveau* → PASSAGE. — **2.** Étage d'un immeuble. — **3.** Degré social, intellectuel, moral; situation par rapport à un point de référence : *Les divers niveaux sociaux* (= degrés de l'échelle sociale). *Mettez-vous à son niveau* (syn. PORTÉE). ‖ *Niveau intellectuel* ou *mental*, degré d'évolution intellectuelle d'un individu par rapport à la moyenne. ‖ *Niveau de vie*, évaluation quantitative du mode d'existence moyen d'une nation, d'un groupe social, d'une famille, d'un individu : *Avoir un niveau de vie élevé.*

— **4.** *Niveau d'eau,* appareil composé de deux tubes communicants qui, remplis d'eau, servent à déterminer les différences de hauteur ou à repérer le plan horizontal. — **5.** Géogr. *Niveau de base,* point en fonction duquel s'établit le profil d'équilibre d'un cours d'eau : *Le niveau de base local d'un petit cours d'eau est l'altitude de la rivière principale au point où il s'y jette. Le niveau de base général est le niveau moyen des océans.* ‖ *Courbe de niveau,* ligne imaginaire reliant les points de même altitude, et qui est utilisée pour représenter le relief sur une carte. (La différence d'altitude entre deux courbes voisines est constante.) ◆ **niveler** v. t. (Conj. **6.**) Rendre horizontal, uni : *Niveler un terrain* (syn. APLANIR). *Niveler les fortunes* (syn. ÉGALISER). ◆ **nivellement** n. m. : *Étudier le nivellement d'un terrain* (= les différences verticales des divers points du terrain par rapport à une même surface de niveau, réelle ou imaginaire, prise comme référence). *Le nivellement des salaires. Un nivellement par la base* (= une réduction vers le plus bas niveau de l'échelle des valeurs). ◆ **déniveler** v. t. **1.** Mettre à un niveau inférieur, en contrebas : *Le fond du jardin est dénivelé par rapport à cette partie-ci.* — **2.** Rendre inégale la surface de : *Des éboulements qui ont dénivelé le sol.* ◆ **dénivellation** n. f. ou **dénivellement** n. m. Différence de niveau; inégalité de la surface : *La voiture cahotait à toutes les dénivellations du chemin. L'eau suit la dénivellation* (syn. PENTE). ◆ **dénivelée** n. f. Différence de niveau, d'altitude entre deux points (notamment entre une arme à feu et son objectif).

NIVELLE (Jean DE) [v. 1422-1477], fils de Jean II de Montmorency. Il refusa de marcher contre le duc de Bourgogne, malgré l'appel de son père, prenant la fuite devant toutes les sommations, ce qui fut l'origine de cette loc. pop. : *Il ressemble au chien* (pour *à ce chien*) *de Jean de Nivelle, qui s'enfuit quand on l'appelle.*

NIVELLEMENT n. m. → NIVEAU.

NIVERNAIS, E [nivɛrnɛ, -ɛz] adj. et n. De Nevers ou de la Nièvre.

Nivernais *(canal du),* il relie la Seine à la Loire par l'Yonne, d'Auxerre à Decize; 174 km.

NIVO-GLACIAIRE [nivoglasjɛr] adj. (du lat. *nix, nivis,* neige, et *glaciaire*). *Régime nivo-glaciaire,* régime d'un cours d'eau alimenté par des neiges et des glaciers, caractérisé par de hautes eaux de printemps (fonte des neiges) et d'été (fonte de la glace), et par de basses eaux d'hiver (rétention nivale et glaciaire) : *Le Rhône supérieur a un régime nivo-glaciaire.*

NIVO-PLUVIAL, E, AUX [nivoplyvjal, -jo] adj. (du lat. *nix, nivis,* neige, et *pluie*). *Régime nivo-pluvial,* régime d'un cours d'eau alimenté par les neiges et les pluies, caractérisé par de hautes eaux de printemps (fonte des neiges) et d'automne, et par de basses eaux d'été (forte évaporation) : *La Vistule à Varsovie a un régime nivo-pluvial.*

NIVÔSE [nivoz] n. m. (lat. *nivosus,* neigeux). → CALENDRIER* RÉPUBLICAIN.

NIXON (Richard), homme politique américain, né en 1913. Républicain, il a été président des États-Unis de 1969 à 1974.

NÔ [no] n. m. (mot japon.). Drame lyrique japonais, combinant la musique, la danse et la poésie.

NOAILLES *(maison de),* famille française, dont les principaux membres furent : FRANÇOIS, habile diplomate (1519-1585), qui rétablit le prestige de la France en Orient; ANNE JULES maréchal de France (1650-1708), gouverneur du Languedoc, qui appliqua sévèrement le système des dragonnades; LOUIS ANTOINE, cardinal français (1651-1729), archevêque de Paris, qui s'opposa à la bulle *Unigenitus;* LOUIS, vicomte **de Noailles** (1756-1804), député de la noblesse aux états généraux, qui proposa, dans la nuit du 4 août 1789, l'abolition des privilèges.

NOAILLES (Anna BRANCOVAN, *comtesse* DE), femme de lettres française (1876-1933), auteur de recueils lyriques.

NOBEL (Alfred), industriel et chimiste suédois (1833-1896), inventeur de la dynamite (1866). Il fonda le *prix Nobel,* destiné à récompenser chaque année les bienfaiteurs de l'humanité dans les domaines de la physique, la chimie, la physiologie et la médecine, la littérature, la paix et les sciences économiques.

NOBILE (Umberto), général, aviateur et explorateur italien (1885-1978). Il participa, aux côtés d'Amundsen, à la première expédition polaire effectuée par un dirigeable (1926).

NOBLE [nɔbl] adj. (avant ou après le nom) et n. (lat. *nobilis*). Qui fait partie d'une catégorie de personnes qui possèdent des titres les distinguant des autres, et qui est issu historiquement d'une classe jouissant, sous les régimes monarchiques et impériaux, de privilèges soit de naissance, soit concédés par les souverains : *Les nobles de l'Ancien Régime* (syn. ARISTOCRATE; par oppos. à BOURGEOIS, ROTURIER). ◆ adj. **1.** Qui appartient aux nobles : *De sang noble* (syn. ILLUSTRE). — **2.** Qui indique de grandes qualités morales ou intellectuelles, une élévation d'esprit : *Un noble caractère* (syn. GÉNÉREUX, MAGNANIME). *De nobles sentiments* (contr. BAS). — **3.** Qui commande le respect par son autorité, sa majesté : *Une allure noble* (syn. IMPOSANT; contr. COMMUN). *Jouer les pères nobles au théâtre* (= hommes d'un certain âge et d'une dignité un peu outrée). *Un style noble* (syn. ÉLEVÉ, SOUTENU). ◆ **noblesse** n. f. **1.** Condition de noble; classe des nobles : *Noblesse de naissance* (par oppos. à BOURGEOISIE, ROTURE). *Les privilèges de la noblesse* (syn. ARISTOCRATIE). ‖ *Noblesse d'épée,* condition d'un noble, qui a été originairement acquise par ses services à titre militaire. ‖ *Noblesse de robe,* condition d'un noble, qui a été originairement acquise grâce aux fonctions ou charges qu'il avait exercées (et en particulier au parlement). → ENCYCL. — **2.** Caractère de ce qui est généreux, de celui qui est noble : *La noblesse de cœur* (syn. GÉNÉROSITÉ; contr. MESQUINERIE). *La noblesse de ses vues* (syn. ÉLÉVATION; contr. BASSESSE). ◆ **noblement** adv. Avec grandeur : *Refuser noblement qqch.* (syn. DIGNEMENT). ◆ **nobiliaire** adj. Propre à la noblesse (sens 1) : *Titre nobiliaire.* ‖ *Particule nobiliaire* → PARTICULE. ◆ **anoblir** [anɔblir] v. t. *Anoblir qq'un,* lui conférer un titre de noblesse. ◆ ***s'anoblir*** v. pr. S'attribuer le titre de noble : *Il s'était anobli en ajoutant une particule à son nom.* ◆ **anoblissement** n. m. : *L'anoblissement des magistrats, sous l'Ancien Régime, pouvait résulter de l'achat de leurs charges.* ◆ **ennoblir** [ɑ̃nɔblir] v. t. Rendre plus noble moralement : *C'est l'intention qui ennoblit certains actes* (contr. AVILIR). ◆ **ennoblissement** n. m.

— ENCYCL. En Europe, jusqu'au XIe s., la *noblesse* est un état de fait lié à un genre de vie, à la propriété de la terre et à l'usurpation des droits régaliens (droit du roi à lever des impôts, par ex.). Aux XIe et XIIe s., la transformation en chevalerie, du fait de l'évolution des techniques militaires (le noble est celui qui se bat à cheval), s'accompagne d'un statut juridique plus précis et de la généralisation de l'hérédité.

En France, la noblesse, favorisée par le pouvoir royal qui organise à son profit la hiérarchie féodale, prend son aspect définitif au XIIIe s. Malgré des tentatives de fermeture sur lui-même, le nouvel ordre subit un renouvellement constant, lié à la volonté royale d'anoblir moyennant finances, et à l'extension des fonctions parlementaires (noblesse de robe). Dès le XVIIe s., le rôle croissant de la bourgeoisie entraîne l'anoblissement de sa couche supérieure, mais aussi une réaction nobiliaire qui s'accentue au XVIIIe s.

• *Nuit du 4 août 1789. Les privilèges de la noblesse sont abolis.*

À partir du XIXe s., l'ancienne noblesse et celle créée par Napoléon Ier en 1808 voient leurs titres protégés, mais sans fonction économique ou politique particulière.

NOCE [nɔs] n. m. (lat. *nuptiae*). **1.** (au sing. et au plur.) Ensemble des réjouissances, festin qui accompagnent un mariage : *Repas de noce(s).* — **2.** *Épouser en secondes noces,* faire un second mariage. ‖ *Épouser en justes noces,* faire un mariage légitime. ‖ *Noces d'argent, noces d'or, noces de diamant,* fêtes que l'on célèbre au bout de vingt-cinq, cinquante, soixante ans de mariage. — **3.** Fam. *Faire la noce,* mener une vie de débauche accompagnée d'excès de boisson. ◆ **noceur, euse** n. *Fam.* Personne qui fait la noce (sens 3).

Noces de Figaro *(les),* opéra bouffe en 4 actes, livret de Lorenzo Da Ponte, d'après *le Mariage de Figaro* de Beaumarchais, musique de Mozart (1786).

NOCEUR, EUSE n. → NOCE.

NOCHER [nɔʃe] n. m. (lat. *nauclerus,* pilote). Celui qui conduit une barque (littér.). ‖ *Le nocher des Enfers,* Charon.

NOCIF, IVE [nɔsif, -iv] adj. (du lat. *nocere,* nuire). Se dit de quelqu'un (ou de son comportement), de quelque chose qui peut nuire beaucoup : *Exercer une influence nocive sur son entourage* (syn. FUNESTE, NUISIBLE; contr. BÉNÉFIQUE). *Un climat nocif, chaud et humide* (syn. DANGEREUX, PERNICIEUX). ◆ **nocivité** n. f. : *La nocivité d'une doctrine* (contr. BIENFAISANCE).

NOCTAMBULE [nɔktɑ̃byl] n. m. (du lat. *nox, noctis,* nuit, et *ambulare,* marcher). Personne qui aime à sortir, se divertir la nuit.

NOCTILUQUE [nɔktilyk] n. f. (lat. *noctilucus,* qui brille la nuit). Protozoaire parfois très abondant dans la mer, qu'il rend lumineuse la nuit.

NOCTUELLE [nɔktɥɛl] n. f. (du lat. *noctua,* chouette). Nom donné à divers papillons nocturnes, à ailes grises ou brunes, dont les chenilles de plusieurs espèces sont nuisibles à certaines plantes cultivées (chou, céréales, etc.).

NOCTURNE [nɔktyrn] adj. (du lat. *nox, noctis,* nuit). Qui a lieu la nuit : *Tapage nocturne.* ◆ n. m. *Mus.* Au XIXe s., morceau de musique d'un caractère tendre et mélancolique ; *Les nocturnes de Chopin.* ◆ n. f. Ouverture le soir de certains magasins et services.

NODAL, E, AUX [nɔdal, -do] adj. (du lat. *nodus,* nœud).

1. *Anat.* Se dit d'un tissu musculaire spécial, situé dans l'épaisseur du muscle cardiaque dont il assure l'excitation autonome. — **2.** Phys. *Points nodaux*, points de l'axe d'un système optique centré, par lesquels passent un rayon incident et le rayon émergent correspondant, lorsque ces rayons sont parallèles.

NODIER (Charles), écrivain français (1780-1844). Il a donné libre cours à son goût du fantastique dans ses contes (*la Fée aux miettes*, 1832; *Histoire du chien de Brisquet*, 1844), ouvrant ainsi la voie à Nerval et au surréalisme.

NODOSITÉ [nɔdɔzite] n. f. (du lat. *nodus*, nœud). **1.** Formation naturelle ou accidentelle, arrondie et dure : *Les nodosités d'un arbre* (syn. NŒUD). *Des nodosités apparaissent au poignet après une crise de rhumatisme.* — **2.** *Bot.* Renflement rencontré sur les racines des plantes légumineuses et contenant un microbe fixateur de l'azote atmosphérique, le *rhyzobium*. ◆ **nodule** n. m. **1.** Petite nodosité. — **2.** *Anat.* Renflement de l'extrémité antérieure du vermis inférieur du cervelet. (⟶ NŒUD 2.)

NOÉ, patriarche biblique. Lors du déluge, Dieu lui fit construire une arche pour qu'il s'y réfugie avec sa famille et des couples de tous les animaux vivants. Les eaux s'étant retirées, Noé aborda au mont Ararat.

NOËL [nɔɛl] n. m. (lat. [*dies*] *natalis*, [jour] de naissance). **1.** (avec une majusc.) Célébration de la naissance de Jésus-Christ. — **2.** (avec une minusc.) Cantique en l'honneur de cette fête. — **3.** *Arbre de Noël*, arbuste vert (sapin) sur lequel on accroche des jouets, des ampoules électriques, pour la fête de Noël.

1. NŒUD [nø] n. m. (lat. *nodus*). **1.** Enlacement d'un fil, d'une corde, d'un ruban, etc., qui est d'autant plus serré que l'on tire davantage sur les deux extrémités : *Faire un nœud à son mouchoir pour se souvenir d'un rendez-vous. Nœud coulant* (= fait de manière à former une boucle qu'on peut rétrécir ou agrandir à volonté). — **2.** Ornement en forme de nœud : *Un nœud papillon* (= nœud de cravate dont la forme évoque celle d'un papillon). — **3.** Croisement de plusieurs voies de communication (voies ferrées, routes) : *Nœud ferroviaire.* (On dit aussi NŒUD DE COMMUNICATIONS.) — **4.** Point essentiel d'une affaire compliquée : *Vous êtes au nœud du problème* (syn. POINT CAPITAL). *Trancher le nœud* (= résoudre). *Trancher, couper le nœud gordien* (= résoudre d'une manière violente une difficulté jusque-là insoluble). *Le nœud d'une tragédie, le nœud de l'action* (= le moment où l'intrigue sur laquelle repose toute l'action prend un nouveau cours vers le dénouement). — **5.** *Avoir un nœud à la gorge*, avoir la gorge serrée. ‖ *Nœud de vipères*, enlacement de vipères dans le nid. ◆ n. m. pl. Liens très étroits qui unissent des personnes, des groupes (littér.) : *Rompre des nœuds déjà anciens* (= une amitié, un amour). ◆ **nouer** v. t. **1.** Serrer, lier par un ou plusieurs nœuds : *Nouer un paquet avec une ficelle.* — **2.** Unir en faisant un nœud : *Nouer les lacets de ses chaussures* (syn. ATTACHER). — **3.** *Nouer une amitié, une alliance*, etc., *nouer amitié avec qq'un*, former des liens amicaux avec lui. ‖ *Nouer la conversation*, engager une conversation avec quelqu'un. ‖ *Nouer un complot, une intrigue*, organiser, être l'instigateur d'un conflit. ‖ *Avoir les articulations nouées*, raidies par les rhumatismes. ‖ *Avoir la gorge nouée par l'émotion*, ne plus pouvoir parler. ◆ ***se nouer*** v. pr. Être organisé, engagé, etc. : *La conversation s'est nouée facilement.* ◆ **noueux, euse** adj. *Doigts noueux*, qui présentent aux articulations des renflements dus aux rhumatismes. ◆ **nouure** n. f. *Méd.* Déformation des os due aux rachitisme et caractérisée par des épaississements en forme de nœuds. ◆ **dénouer** v. t. **1.** Défaire un nœud : *Dénouer la ficelle d'un paquet* (syn. DÉTACHER). *Dénouer ses lacets de chaussures* (= délacer ses chaussures). *Dénouer ses cheveux* (= défaire les nœuds qui les enserrent). — **2.** Résoudre une difficulté, rendre plus clair : *Dénouer une intrigue* (syn. DÉMÊLER, ÉCLAIRCIR). — **3.** *Dénouer la langue de qq'un*, le faire parler. ◆ ***se dénouer*** v. pr. : *Les langues se dénouèrent* (= on parla). *La crise internationale s'est dénouée.* ◆ **dénouement** n. m. Manière dont se résout une difficulté, une intrigue : *Le dénouement heureux, malheureux d'une affaire* (syn. RÉSULTAT). *Le dénouement tragique de la pièce* (syn. CONCLUSION, ISSUE). ◆ **renouer** [rənwe] v. t. **1.** Nouer ce qui est dénoué : *Renouer ses lacets de ses chaussures* (syn. RATTACHER). — **2.** Reprendre après une interruption : *Renouer la conversation.* ◆ v. t. ind. **1.** *Renouer avec qq'un*, avoir de nouveau des relations avec lui. — **2.** *Renouer avec une tradition, avec une mode, avec un usage*, les remettre en honneur, les faire revivre.

2. NŒUD [nø] n. m. (même étym.). *Bot.* **1.** Partie du tronc d'un arbre d'où part une branche et où les fibres ligneuses prennent une nouvelle orientation : *La scie a cassé sur le nœud de la planche.* — **2.** Point de la tige où s'insère une feuille. ◆ **entre-nœud** n. m. Espace compris entre deux nœuds d'une tige. ‖ Pl. des *entre-nœuds.* ◆ **noueux, euse** adj. Se dit d'un arbre, d'un végétal qui a beaucoup de nœuds. (⟶ NODOSITÉ.)

3. NŒUD [nø] n. m. (même étym.). Unité de vitesse utilisée en navigation maritime ou aérienne, et équivalant à la vitesse uniforme qui correspond à 1 mille par heure, soit 1 852 m/h ou 0,514 4 m/s : *Ce bateau file 25 nœuds* (= 46,30 km à l'heure).

NŒUX-LES-MINES, ch.-l. de cant. du Pas-de-Calais, à 6 km au S.-E. de Béthune; 13 200 hab. *(Nœuxois).* Textiles.

NOGARET (Guillaume DE), légiste français, mort en 1313. Il dirigea la politique de Philippe le Bel contre le pape Boniface VIII et les Templiers.

NOGENT-LE-ROTROU, ch.-l. d'arrond. d'Eure-et-Loir, à 21 km au N.-E. de La Ferté-Bernard, sur l'Huisne; 13 200 hab. *(Nogentais).* Électronique.

NOGENT-SUR-MARNE, ch.-l. de cant. du Val-de-Marne, dans la banlieue est de Paris, sur la Marne; 24 700 hab. *(Nogentais).*

NOGENT-SUR-OISE, ch.-l. d'arrond. de l'Oise, à 2 km au N.-O. de Creil; 17 400 hab. *(Nogentais).* Fonderie d'aluminium.

NOGUÈRES, comm. des Pyrénées-Atlantiques, à 6 km au S. de Lacq; 186 hab. Importante usine d'aluminium.

1. NOIR, E [nwar] adj. (lat. *niger*). **1.** Se dit, par oppos. à BLANC, d'une couleur foncée analogue à celle du charbon : *Une encre noire. Du café noir* (= sans lait). — **2.** Se dit de ce qui est sale : *Avoir les ongles noirs* (syn. SALE). *Avoir les mains noires* (syn. CRASSEUX). — **3.** Se dit de ce qui n'est pas éclairé, de ce qui est dans l'obscurité : *Chambre noire. Arriver à la nuit noire* (= en pleine nuit). — **4.** Se dit de ce qui est assombri par la tristesse, la mélancolie : *Avoir des idées noires. Faire un tableau très noir de la situation* (syn. SOMBRE). — **5.** Se dit de ce qui manifeste de l'hostilité, de la haine, du mal : *Jeter un regard noir sur un adversaire.* — **6.** *C'est sa bête noire*, c'est la personne pour laquelle il a le plus d'antipathie. ‖ *Caisse noire*, fonds secrets utilisés sans contrôle, par une administration, un gouvernement, et qui n'apparaissent pas en comptabilité. ‖ *Liste noire*, celle qui comprend des noms sur lesquels pèse un interdit, que l'on veut boycotter. ‖ *Marché noir*, trafic illicite de marchandises (lors des périodes de pénurie). ‖ *Messe noire* ⟶ MESSE. ‖ *Roman noir*, récit dont l'action est jalonnée d'aventures terrifiantes. ‖ *Travail noir*, celui qui est effectué en infraction à la législation du travail, en partic. qui est payé à un salaire moindre. ◆ **noirâtre** adj. Qui tire sur le noir, qui n'est pas franchement noir : *Une traînée noirâtre sur le sol.* ◆ **noiraud, e** adj. et n. Qui a les cheveux noirs et le teint très brun. ◆ **noirceur** n. f. **1.** Qualité de ce qui est noir : *La noirceur du ciel.* — **2.** Très grande méchanceté : *La noirceur de ses sentiments* (syn. PERFIDIE). ◆ **noircir** v. t. **1.** Rendre noir : *La fumée a noirci le plafond.* — **2.** Peindre sous des couleurs noires : *Noircir la situation.* ◆ v. i. et ***se noircir*** v. pr. Devenir noir : *Le ciel se noircit* (syn. S'ASSOMBRIR). ◆ **noircissement** n. m. : *Le noircissement des murs de la cuisine.*

2. NOIR [nwar] n. m. (même étym.). **1.** Couleur noire : *Teindre en noir. Porter du noir* (= des vêtements couleur de deuil). — **2.** Matière colorante noire : *Noir animal* (= charbon obtenu en calcinant des os en vase clos). *Noir de fumée* (= suie servant à divers usages). *Poche du noir* (= glande des céphalopodes produisant un colorant qui leur permet de masquer leur fuite). — **3.** Obscurité, ténèbres : *Avoir peur du noir.* — **4.** *Broyer du noir* (= avoir des idées tristes). *Voir tout en noir* (= être pessimiste).

3. NOIR, E [nwar] adj. et n. (même étym.). Se dit d'une personne appartenant à une race* caractérisée en partic. par la noirceur de la peau (le nom s'écrit avec une majusc.) : *L'Afrique noire. La traite des Noirs au XVIII*e *s.* (⟶ NÈGRE.)

NOIR *(causse)*, un des Grands Causses du sud de la France, entre les gorges de la Jonte et de la Dourbie.

NOIRÂTRE adj., **NOIRAUD, E** adj. et n., **NOIRCEUR** n. f., **NOIRCIR** v. t. et i., **NOIRCISSEMENT** n. m. ⟶ NOIR 1.

1. NOIRE adj. et n. f. ⟶ NOIR 1 et 3.

2. NOIRE [nwar] n. f. (de *noir*). *Mus.* Note égale au quart de la ronde, représentée par le chiffre 4.

NOIRE *(mer)*, anciennement **Pont-Euxin**, mer intérieure entre l'Europe et l'Asie, communiquant avec la Méditerranée par les détroits du Bosphore et des Dardanelles; 461 000 km^2 (avec la mer d'Azov, sa dépendance).

NOIRMOUTIER, île des côtes françaises de l'Atlantique; 8 100 hab. Elle constitue un canton de la Vendée (arrond. des Sables-d'Olonne). V. pr. *Noirmoutier-en-l'Île* (ch.-l. de cant.); 4 200 hab. L'île vit de la pêche, des cultures maraîchères et du tourisme estival. Pont routier la reliant au continent.

NOISE [nwaz] n. f. (lat. *nausea*, mal de mer). *Chercher noise à qq'un*, lui chercher querelle; trouver un prétexte pour se disputer avec lui.

NOISETTE [nwazɛt] n. f. (de *noix*). Fruit contenant une graine riche en huile, produit par le noisetier : *On donne le nom* *d'« avelines » aux noisettes cultivées.* ◆ adj. inv. D'un gris roux. ◆ **noisetier** n. m. Arbrisseau des taillis et des haies. (Famille des corylacées.)

NOISY-LE-GRAND, ch.-l. de cant. de la Seine-Saint-Denis, à 18 km à l'E. de Paris; 40 600 hab. *(Noiséens).*

NOISY-LE-SEC, ch.-l. de cant. de la Seine-Saint-Denis, à 10 km au N.-E. de Paris; 36 700 hab. Métallurgie.

NOIX [nwa] n. f. (lat. *nux, nucis*). **1.** Fruit du noyer, qui fournit une huile comestible. — **2.** Fruit d'autres arbres : *Noix de coco* (= drupe du cocotier). *Noix de muscade* (= baie du muscadier). *Noix vomique* (= baie du vomiquier). — **3.** *Noix de veau,* partie charnue placée au-dessus de la cuisse de l'animal. — **4.** *Noix de beurre,* petit morceau de beurre. ◆ **noyer** [nwaje] n. m. Grand arbre des régions tempérées, qui porte des noix; bois de cet arbre. (Famille des juglandacées.)

NOLDE (Emil HANSEN, dit), peintre allemand (1867-1956), un des représentants de l'expressionnisme germanique.

NOM [nɔ̃] n. m. (lat. *nomen, -inis*). **1.** Mot servant à désigner un individu, dénomination sous laquelle il est connu : *Le nom d'une personne est formé de son nom de famille (Durand) et d'un ou de plusieurs prénoms (Georges). L'enfant répond au nom de Pierre* (= s'appelle). *J'agis en son nom* (= à sa place). *Nom de guerre* (= nom emprunté sous lequel une personne est connue). — **2.** Mot servant à désigner un animal, un lieu, une chose. ‖ *Appeler les choses par leur nom,* s'exprimer avec franchise ou d'une manière crue. — **3.** Terme grammatical désignant les substantifs et les mots substantivés (le plus souvent, *nom* et *substantif* sont confondus) [⟶ CLASSE 4] : *On distingue les noms propres, qui dans l'écriture prennent une majuscule, et les noms communs. Les noms composés sont formés de plusieurs mots qui existent indépendamment.* ‖ *Complément du nom* ⟶ FONCTION 1. — LOC. PRÉP. *Au nom de,* au lieu et place de, sous la responsabilité de : *Je prends la parole au nom de la majorité des assistants. Arrêter un individu au nom de la loi;* en considération de : *Au nom de ce que vous avez de plus cher, soyez prudent.* — LOC. INTERJ. Fam. *Nom d'un chien!, nom d'une pipe!,* jurons exprimant l'indignation, la surprise, etc. ◆ **nominal, e, aux** adj. **1.** *Appel nominal,* qui se fait en désignant les noms. ‖ *Liste nominale,* qui contient les noms d'une catégorie, d'une espèce déterminée de personnes. — **2.** Qui n'a que le nom, sans avoir de réalité, d'importance : *C'est une satisfaction purement nominale, qui ne me rapporte pratiquement rien* (syn. THÉORIQUE; contr. RÉEL). ‖ Bourse. *Valeur nominale,* valeur inscrite sur une monnaie, un effet de commerce ou une valeur mobilière, qui correspond à la valeur théorique d'émission et de remboursement. — **3.** Relatif au nom grammatical (sens 3 du n.) : *Le groupe nominal est formé d'un nom accompagné de ses déterminants, ou d'un pronom; il forme avec le groupe verbal la phrase ou la proposition.* ◆ **nominalement** adv. : *Il reste nominalement le propriétaire de l'immeuble* (= en nom). ◆ **nominatif, ive** adj. **1.** *Liste nominative, état nominatif,* qui contient les noms de la catégorie concernée (personnes ou surtout choses). — **2.** *Titre nominatif,* action, obligation, etc., portant le nom du propriétaire (par oppos. à *titre au porteur*). ◆ **nominativement** adv. En désignant le nom. ◆ **nomination** n. f. Désignation, par une autorité, d'une personne à un emploi, à une fonction, à une dignité : *Une nomination à un poste d'ambassadeur.* ◆ **nommer** [nɔme] v. t. **1.** *Nommer qq'un, qqch.,* les distinguer par un nom : *Ses parents l'ont nommée Laurence* (syn. APPELER). — **2.** *Nommer qq'un, qqch.,* les qualifier d'un nom : *On l'a nommé « le Sauveur de la patrie ».* — **3.** *Nommer qq'un, qqch.,* en indiquer (prononcer, écrire) le nom : *Nommer ses complices* (syn. DÉNONCER). — **4.** *Nommer qq'un,* le désigner à un emploi, à une fonction : *Le conseil municipal l'a nommé maire* (syn. CHOISIR COMME). ◆ **se nommer** v. pr. **1.** Avoir pour nom : *Il se nomme André Dubois.* — **2.** Se faire connaître par son nom : *L'inconnu s'avança et se nomma.* ◆ **nommé, e** n. *Le nommé, la nommée, les nommés,* la ou les personnes de tel nom (admin.). ◆ **nommément** adv. Par son nom : *Être dénoncé nommément comme l'auteur du crime.* ◆ **innommable** adj. (avant ou après le nom). Trop vil, trop dégoûtant pour être nommé : *Des procédés innommables* (syn. INQUALIFIABLE). ◆ **innomé, e** adj. Qui n'a pas encore reçu de nom. (On écrit aussi INNOMMÉ, E.) ◆ **susnommé, e** adj. et n. Nommé plus haut dans le texte (langue admin.). [⟶ DÉNOMMER, PRÉNOM, SURNOM.]

NOMADE [nɔmad] adj. et n. (du gr. *nemein,* faire paître). **1.** Se dit de groupes humains qui n'ont pas d'habitation fixe : *Les tribus nomades du désert* (contr. SÉDENTAIRE). — **2.** Se dit d'une personne qui se déplace continuellement : *Mener une vie nomade* (syn. VAGABOND). ◆ **nomadisme** n. m. Genre de vie caractérisé par le déplacement de groupes humains, en vue d'assurer leur subsistance. (Il repose sur la nécessité du déplacement régulier des troupeaux à la recherche de points d'eau et de pâturages, dans les régions sèches.) ◆ **semi-nomadisme** n. m. Genre de vie combinant une agriculture occasionnelle et un élevage nomade, le plus souvent en bordure des déserts. ◆ **semi-nomade** adj. et n.

NO MAN'S LAND [nomanslɑ̃d] n. m. (express. angl. signif *terrain qui n'est à personne*). Espace compris entre les positions d deux belligérants, de deux groupes se faisant face.

NOMBRE [nɔ̃br] n. m. (lat. *numerus*). **1.** *Math.* Unité, réunion de plusieurs unités, ou fraction d'unité : *Le nombre est le concep fondamental des mathématiques;* symbole représentant cett notion ou ce concept (syn. CHIFFRE). → ENCYCL. — **2.** Collection plus ou moins grande de personnes ou de choses : *Quel est l nombre d'habitants de cette ville? Un bon nombre de* (= une grande quantité de). ‖ *Sans nombre,* qui ne peut être compté, en trè grande quantité : *Des erreurs sans nombre.* — **3.** *Le nombre,* la masse, la grande quantité : *L'emporter par le nombre.* ‖ *E nombre,* en masse : *Venir en nombre.* ‖ *Nombre de,* beaucoup *Nombre d'entre vous.* ‖ *Êtes-vous du nombre?,* serez-vous parm les présents? — **4.** Catégorie grammaticale qui permet l'expres sion de l'opposition entre le singulier et le pluriel : *Accord en genr et en nombre.* ‖ *Nom de nombre,* adjectif ou substantif qui sert exprimer soit le nombre, la quantité ou la date *(noms de nombr cardinaux),* soit le rang précis *(noms de nombre ordinaux).* [— NUMÉRATION.] — LOC. PRÉP. *Au nombre de,* au total : *Les accusé sont au nombre de trois* (= il y a trois accusés); indique que l compl. est compris dans un ensemble (syn. PARMI) : *Je le compte a nombre de mes amis.* ◆ **nombrer** v. t. Évaluer en quantité : *On n peut nombrer tous les spectateurs.* ◆ **nombrable** adj. ◆ **innom brable** adj. En une quantité, une masse si grande qu'on ne peu l'évaluer : *Une foule innombrable.* ◆ **nombreux, euse** adj **1.** (avec un nom sing. surtout; avant ou après le nom) Compos d'éléments en très grand nombre : *Une nombreuse assistance* — **2.** (avec un nom plur.) Qui est en très grand nombre : *De nom breuses expériences.*

— ENCYCL. ***nombre entier naturel.*** C'est la propriété commun (le « cardinal ») à un ensemble fini et à tous les ensembles finis qu peuvent être mis en bijection avec lui. (*Ex.* : trois est le cardinal [l « nombre d'éléments »] des ensembles { Metz, Toul, Verdun } { Pierre, Paul, Jean }.) L'ensemble des entiers naturels est noté $\mathbb{N}$

Construction de $\mathbb{N}$:

on appelle 0 le cardinal de l'ensemble vide $\emptyset$;

on appelle 1 le cardinal de l'ensemble $\{0\}$, qui a pour seu élément 0;

on appelle 2 le cardinal de l'ensemble $\{0, 1\}$, qui a pour seul éléments 0 et 1;

on poursuit le procédé, en appellant par exemple 17 le cardinal d l'ensemble $\{1, 2, 3, 4, ..., 15, 16\}$.

On définit dans $\mathbb{N}$ une loi d'addition notée + et une loi d multiplication notée ×; soit a et b deux entiers naturels, A u ensemble dont le cardinal est a, B un ensemble dont le cardinal es b, tels que A et B n'aient aucun élément commun. Alors :

$a + b$ est le cardinal de la réunion $A \cup B$;

$a \times b$ est le cardinal du produit* cartésien $A \times B$.

Ces lois sont associatives*, commutatives*, et admettent respe tivement 0 et 1 pour élément* neutre. Mais $\mathbb{N}$, muni d'une de ce lois, ne forme pas un groupe*, car un entier naturel quelconqu n'admet de symétrique dans $\mathbb{N}$ pour aucune d'entre elles.

nombre entier relatif. Il est appelé quelquefois *entier rationne* À tout entier naturel a, on associe son opposé, noté $-a$ (c'est-à dire son symétrique pour la loi +).

L'ensemble formé des entiers naturels et de leurs opposés es l'ensemble des entiers relatifs : il se note $\mathbb{Z}$. Un entier relatif s note à l'aide d'un entier naturel (sa *valeur absolue*) précédé d'u signe (+ ou −). On note $|n|$ la valeur absolue de n. (*Ex. :* la valeu absolue de -10 est 10, $|-10| = 10$; celle de $+67$ est 6 $|+67| = 67$.)

On étend à $\mathbb{Z}$ l'addition et la multiplication définies dans $\mathbb{N}$ et o a les propriétés suivantes : $(\mathbb{Z}, +)$ est un groupe* commutati $(\mathbb{Z}, +, \times)$ est un anneau* commutatif et unitaire. (*Rem.* $(\mathbb{Z}, +, \times)$ n'est pas un corps* car tout entier relatif non nul n'admet pa d'inverse.)

nombre décimal. C'est un nombre qui, multiplié par une pui sance de 10, est égal à un nombre entier relatif; un nomb décimal peut donc être écrit sous la forme : $a \cdot 10^n$ (a et n élément de $\mathbb{Z}$).

Écriture d'un nombre décimal :

si n est positif, on écrit le décimal en ajoutant n zéros à droite d l'entier a (*ex. :* $48 \times 10^2 = 4\,800$; $-72 \times 10^4 = -720\,000$);

si n est négatif, on écrit le décimal en plaçant une virgule à $|n$ rangs à gauche du dernier chiffre de l'entier a (*ex.* $284 \times 10^{-4} = 0{,}0284$; $628 \times 10^{-1} = -62{,}8$).

Le nombre qui précède la virgule est la *partie entière* du déc mal, celui qui la suit en est la *partie décimale.* L'ensemble de nombres décimaux se note $\mathbb{D}$.

nombre rationnel. Ce nombre est représenté par un rapport deux entiers, précédé d'un signe (+ ou −). [*Ex.* : $+\frac{2}{3}$; $-\frac{3}{4}$.]

Un tel rapport s'appelle une *fraction.* Deux fractions sont égal si et seulement si elles représentent le même nombre rationnel $\left(\frac{a}{b} = \frac{c}{d}\right) \Leftrightarrow (ad = bc)$; a est le *numérateur* et b le *dénominateur* la fraction $\frac{a}{b}$. Un nombre rationnel dont un représentant a pour dénominateur une puissance de 10 est un nombre décimal. (*Ex.* : $+\frac{5}{4}=+\frac{125}{100}=+1,25$.) Une fraction dont le dénominateur est 1 est identifiable à un nombre relatif. (*Ex.* : $-\frac{12}{1}=-12$.)

L'ensemble des nombres rationnels est noté $\mathbb{Q}$. On étend à $\mathbb{Q}$ les opérations + et × de l'ensemble $\mathbb{Z}$. ($\mathbb{Q}$, +, ×) est un corps commutatif.

nombre réel. L'ensemble des nombres réels, noté $\mathbb{R}$, contient tous les nombres rationnels et d'autres nombres, appelés *irrationnels,* qui n'appartiennent pas à $\mathbb{Q}$. (*Ex.* : π, $\sqrt{2}$ sont des nombres irrationnels).

On définit dans $\mathbb{R}$:
une addition + et une multiplication × telles que ($\mathbb{R}$, +, ×) soit un corps commutatif;
une relation d'ordre total, notée $\leqslant$.

L'ensemble des réels est en bijection avec toute droite munie d'un repère (c'est-à-dire deux points distincts O et I auxquels on a associé arbitrairement les nombres 0 et 1).

Les cinq ensembles de nombres précédents sont inclus les uns dans les autres : $\mathbb{N} \subset \mathbb{Z} \subset \mathbb{D} \subset \mathbb{Q} \subset \mathbb{R}$.

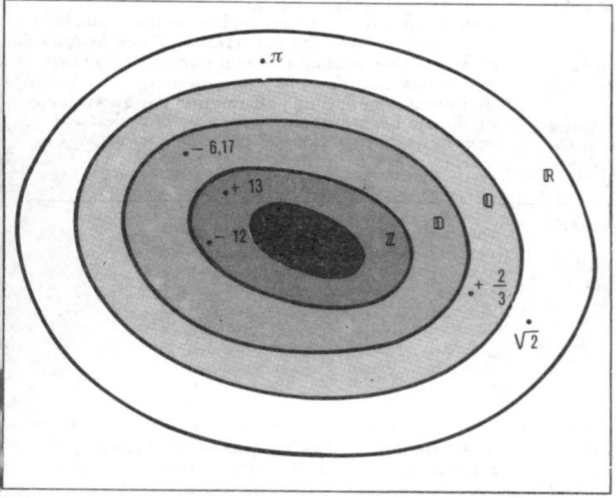

NOMBRIL [nɔ̃bri] n. m. (lat. *umbilicus*). Cicatrice arrondie laissée après la chute du cordon ombilical, au milieu du ventre (syn. OMBILIC).

NOME [nom] n. m. (gr. *nomos*). Division administrative de l'ancienne Égypte et de la Grèce actuelle.

NOMENCLATURE [nɔmɑ̃klatyr] n. f. (lat. *nomenclatura*, désignation par le nom). **1.** Ensemble des termes, strictement définis, composant le lexique d'une technique, d'une science : *La nomenclature des éléments chimiques.* — **2.** Liste méthodique énumérant les objets d'une collection, les événements d'une période, etc.

NOMINAL, E, AUX adj., **NOMINALEMENT** adv. ⟶ NOM.

1. NOMINATIF, IVE adj. ⟶ NOM.

2. NOMINATIF [nɔminatif] n. m. (lat. *nominativus*). *Gramm.* Dans les langues à déclinaison, cas qui désigne le sujet d'une proposition. (⟶ CAS 2.)

NOMINATION n. f., **NOMINATIVEMENT** adv., **NOMMÉ, E** n., **NOMMÉMENT** adv., **NOMMER** v. t. ⟶ NOM.

1. NON [nɔ̃], **PAS** [pa] (précédé ou non de *ne*) adv. (lat. *non;* lat. *passus*). Indiquent une négation. → tableau page suivante.

2. NON [nɔ̃] n. m. inv. (lat. *non*). Refus : *Répondre par un non* (contr. OUI). *Les non au référendum* (= ceux qui votèrent non).

---

3. NON-, préf. indiquant l'absence totale ou la négation du terme entrant en composition comme second élément. (*Non* connaît en français contemporain un développement important; il est particulièrement productif dans la langue admin., polit., jurid.)

NONAGÉNAIRE [nɔnaʒenɛr] adj. et n. (lat. *nonagenarius*). Âgé de 90 ans. → ÂGE, *encycl.*

NON-AGRESSION n. f. → AGRESSION.

NON-ALIGNÉ, E [nɔnaliɲe] n. m. (*non-*, et *aligné*). Se dit des pays qui pratiquent une politique d'indépendance politique et économique vis-à-vis de l'Est et de l'Ouest. ◆ **non aligné** adj. : *Le bureau de coordination des pays non alignés et des autres pays en voie de développement.* ◆ **non-alignement** n. m. Attitude des pays non alignés.

NON-ASSISTANCE n. f. ⟶ ASSISTER 2. / **NON-BELLIGÉRANCE** n. f., **NON-BELLIGÉRANT, E** adj. et n. ⟶ BELLIGÉRANT.

NONCE [nɔ̃s] n. m. (lat. *nuntius*, messager). *Nonce apostolique,* ou *nonce,* ambassadeur du pape auprès d'un gouvernement étranger. ◆ **nonciature** n. f. Fonctions de nonce, résidence du nonce.

NONCHALANT, E [nɔ̃ʃalɑ̃, -ɑ̃t] adj. et n. (de *non-*, et anc. fr. *chaloir*, être d'intérêt pour). Se dit d'une personne (ou de son attitude) qui manque d'ardeur, de vivacité : *Un geste nonchalant* (syn. LANGUISSANT, MOU). ◆ **nonchalamment** adv. ◆ **nonchalance** n. f. : *La nonchalance d'une démarche* (syn. MOLLESSE). *Qui pourra le faire sortir de sa nonchalance naturelle?* (syn. APATHIE).

NONCIATURE n. f. ⟶ NONCE.

NON-COMBATTANT, E adj. et n. ⟶ COMBATTRE. / **NON-CONFORMISME** n. m., **NON-CONFORMISTE** adj. et n., **NON-CONFORMITÉ** n. f. ⟶ CONFORME.

NONE [nɔn] n. f. (lat. *nona*). *Antiq. rom.* Quatrième partie du jour, commençant après la neuvième heure, c'est-à-dire vers trois heures de l'après-midi.

NON-ENGAGÉ, E adj. et n., **NON-ENGAGEMENT** n. m. → ENGAGER 2.

NONES [nɔn] n. f. pl. (lat. *nonae*). Chez les Romains, septième jour de mars, mai, juillet et octobre, cinquième jour des autres mois.

NON-EXÉCUTION n. f. ⟶ EXÉCUTER 1 et 2.

NON-INSCRIT [nɔnɛ̃skri] n. m. (*non-*, et *inscrit*). Député qui n'est pas inscrit à un groupe parlementaire. ◆ **non inscrit, e** adj.

NON-INTERVENTION n. f. ⟶ INTERVENIR.

NON-LIEU [nɔ̃ljø] n. m. (*non-*, et *lieu*). Décision du juge d'instruction constatant qu'il n'y a pas lieu de poursuivre une personne en justice. ‖ Pl. des *non-lieux.*

NONNE [nɔn] n. f. (lat. *nonna*, nourrice). Religieuse.

NONO (Luigi), compositeur de musique italien (1924-1990), représentant du mouvement sériel* en Italie.

NON-OBSERVATION n. f. → OBSERVER 2.

NONOBSTANT [nɔnɔpstɑ̃] adv. et prép. (de *non-*, et l'anc. fr. *obstant*, faisant obstacle). Employé uniquement dans le style admin. ou par ironie, marque une opposition très forte à ce qui vient d'être dit (souvent en tête de proposition) : *Nonobstant ses protestations indignées, il fut emmené au commissariat* (syn. usuel EN DÉPIT DE, MALGRÉ).

NON-PAIEMENT n. m. ⟶ PAYER.

NON-PROLIFÉRATION [nɔ̃prɔliferasjɔ̃] n. f. (*non-*, et *prolifération*). *Non-prolifération des armes nucléaires,* politique visant à interdire la possession d'armes nucléaires aux pays qui n'en ont pas encore.

NON-RECEVOIR n. m. ⟶ FIN 3. / **NON-SENS** n. m. ⟶ SENS 3.

NONTRON, ch.-l. d'arrond. de la Dordogne, à 20 km au N. de Brantôme; 4100 hab.

NON-VIOLENCE n. f., **NON-VIOLENT, E** adj. et n. → VIOLENT. / **NON-VOYANT** n. m. → VOYANT 1.

NORANDA, v. du Canada (Québec); 11 500 hab. Centre minier et métallurgique (cuivre).

NORBERT *(saint)* [v. 1080-1134], fondateur de l'ordre des chanoines réguliers, les Prémontrés (1120).

NORD [nɔr] n. m. (de l'anc. angl. *norþ*). **1.** Un des quatre points cardinaux, dans la direction de l'étoile Polaire, du pôle situé dans l'hémisphère où se trouvent l'Europe et une partie de l'Asie : *Le vent du nord.* — **2.** Ensemble des pays situés près du pôle Nord (avec une majusc.) : *Expédition vers le Grand Nord.* — **3.** Ensemble des régions d'un pays qui se trouvent le plus au nord relativement aux autres parties : *Un homme du Nord* (par oppos. à un *homme du Midi, de l'Est, de l'Ouest, du Centre*). — **4.** *Au nord de,* dans une région située plus près du nord, relativement à une autre. — **5.** Fam. *Perdre le nord,* ne plus savoir où l'on en est (syn. PERDRE LA TÊTE). ◆ adj. inv. : *Les côtes nord du Brésil. Pôle Nord.* ◆ **nord-africain, e** adj. et n. D'Afrique du Nord. ◆ **nord-américain, e** adj. et n. D'Amérique du Nord. ◆ **nor-**

EMPLOIS	**non**	**pas**
1. Réponse négative à une question, refus à une proposition.	*a)* Seul : *« Veux-tu lui téléphoner? — Non »* (contr. OUI). *« Vous n'avez pas pu accepter ce poste? — Non »* (contr. SI). *b)* Renforcé par un adverbe (langue usuelle : *sûrement, vraiment, certes, certainement, mais, ah çà! ma foi, merci*), par *que (que non)* ou une formule *(non, rien à faire) : Sortir par cette pluie battante? Non, merci. Je ne ferai pas son travail à sa place, ah çà! non* (contr. OUI).	Avec un adverbe ou une formule de renforcement, après une question positive ou négative : *« Tu acceptes? — Absolument pas. » « Il est rentré? — Pas encore. » « Tu ne le lui as pas donné par hasard? — Sûrement pas, pas le moins du monde. » « Vous viendrez avec nous cet été? — Pourquoi pas? »* (a remplacé *pourquoi non*, littér.).
	Ou sous la forme **non pas** : *« Vous avez jeté les papiers qui étaient sur mon bureau? — Non pas, nous les avons rangés. »*	
2. Sert de renforcement dans une question, une réponse, une exclamation ou une affirmation.	*a)* Dans une question : *Tu as fini de t'agiter, non?* (dans le même emploi : *oui*). *Ce n'est pas beau, non?* *b)* Dans une réponse : *Non, mille fois non! je ne lui en veux pas. Il a été reçu? Non, pas possible?* *c)* Dans une exclamation (indignation, protestation), souvent appuyé par une formule : *Ah non! par exemple, vous ne sortirez pas avant d'avoir fini. Non mais, des fois, qu'est-ce qui vous prend?* (fam.) [= pourquoi vous mettez-vous en colère]. *d)* Renforcement de la réponse négative par la reprise d'un terme de la phrase qui précède : *« Je suis désolé. — Moi non. »* *e)* Renforcement d'une affirmation par un système de double négation *(non sans) : Il a accepté votre invitation, non sans hésitation. Il y est arrivé non sans peine.*	*a)* Dans une phrase interrogative ou exclamative (fam.) : *Tu es reçu, pas vrai? Voilà-t-il pas qu'il prend la parole! Tombera, tombera pas?* *b)* Dans des formules populaires : *Faut pas s'en faire. Si c'est pas malheureux!* Dans une exclamation, il s'emploie avec un participe, formant une phrase nominale : *Pas vu! Pas folle, la guêpe!* (= elle est assez sensée pour éviter le piège tendu). Dans les phrases sans verbe, il s'emploie sous la forme *pas de*, avec des substantifs : *Pas d'histoires!* *c)* Même rôle de renforcement que *non : « Je suis très content. — Moi, pas »* (ou *pas moi*). *d)* Renforcement d'une affirmation par un système de double négation *(n'est pas sans) : Ce n'est pas sans hésitation qu'il a accepté votre invitation. Ce n'est pas sans peine qu'il y est parvenu.*
3. Peut représenter, comme complément d'un verbe, la négation totale de la phrase ou d'un membre de phrase précédent; peut former avec le verbe une locution négative.	*a) Vous dites qu'il vous a téléphoné. Lui prétend que non* (syn. LE CONTRAIRE). *b) Il répond non à toutes les sollicitations* (= il refuse). *Il fait non de la tête. Il dit non à tout* (= il refuse tout). *Je ne dis ni oui ni non* (= je refuse de donner une réponse définitive).	
4. Indique une opposition absolue ou la négation d'un membre de phrase précédent (avec ou sans coordination).	*a)* **Et non, mais non, ou non** : *Tu l'as fait par pitié et non par conviction. Je veux bien de ce livre, mais non de ton disque. Venez-vous où non?* *b)* L'opposition peut se faire par juxtaposition : *Il a besoin de toi, moi non* (langue soignée ou renforcement de la négation). *Il l'a fait pour son frère, non pour sa belle-sœur. C'est mon opinion, non la vôtre, je le sais. C'est mon désir, le vôtre non, je le sais.*	*a)* **Et pas, mais pas, ou pas** : *C'est la peur qui t'a poussé, et pas ta conviction intérieure. Je veux bien que tu viennes, mais pas lui. Ceci est à vous ou pas?* (fam.). *b)* L'opposition peut se faire par juxtaposition : *Il a eu la grippe cet hiver, moi pas* (langue commune). *Il l'a fait pour elle, pas pour toi. C'est ton avis, pas le mien en tout cas. C'est votre désir, le mien pas.*
	Et non pas, mais non pas renforcent l'opposition : *J'approuve le fond de ce que vous dites, mais non pas votre violence. C'est un conseil et non pas un ordre.*	
	c) L'opposition peut être renforcée par *seulement* (coordonné avec *mais encore, mais aussi, mais même*) : *Non seulement il ne fait rien, mais encore il proteste.* Avec *que* (causale) : *Il ne réussit pas, non qu'il soit paresseux, mais parce qu'il est très malchanceux.*	*c)* L'opposition peut être renforcée par *seulement* (mêmes coordinations) : *Il ne fait pas seulement de l'aquarelle, mais il est aussi bon musicien.* Avec *que* (causale) : *Ce n'est pas qu'il soit sot, mais il est vraiment apathique.*
	Non pas que (langue soignée) : *Il aimait ce quartier de Paris, non pas qu'il fût beau, mais parce qu'il était tranquille.*	
5. Dans les systèmes comparatifs.	**Non plus que, non moins que** ont le sens de *aussi* ou *et aussi*, avec des phrases négatives : *Il n'a pas été blessé dans cet accident, non plus que moi d'ailleurs. C'est un restaurant non moins fameux que les meilleurs de Paris.*	**Pas plus que, pas moins que** indiquent qu'une quantité égale n'est pas remplie : *Je n'en sais pas plus que vous. Il n'est pas moins intelligent que toi.*
Adverbe modifiant un adjectif, un participe, un substantif.	1. Un adjectif ou un participe : *Des leçons non sues. C'est un enregistrement non audible* (= inaudible). *Des objets de luxe non indispensables. Les peuples non engagés.* 2. Un substantif (joue le rôle de préfixe à valeur négative, comme *in-*) : *Une politique de non-violence, de non-intervention dans les affaires des autres nations.*	1. Un adjectif ou un participe (sans *ne*, fam.) : *Ce sont des enfants pas sages. Il a un travail pas fatigant. Raconter une histoire pas drôle. Manger des poires pas mûres.* 2. Emploi restreint à la loc. : *C'est un* (ou *une*) *pas-grand-chose* (= un vaurien).

dique adj. et n. Du nord de l'Europe : *Les pays nordiques* (= Suède, Norvège, Finlande, Danemark, Islande). ◆ **nordiste** adj. et n. Aux États-Unis, partisan du gouvernement fédéral pendant la guerre de Sécession. ◆ **nord-est** [nɔrɛst] ou [nɔrdɛst] n. m. Point de l'horizon situé entre le nord et l'est; partie d'un pays située dans cette direction : *Le nord-est de l'Angleterre*. ◆ **nord-ouest** [nɔrwɛst] ou [nɔrdwɛst] n. m. Point de l'horizon situé entre le nord et l'ouest; région située dans cette direction.

Nord *(canal du)*, détroit entre l'Écosse et l'Irlande. Il unit l'Atlantique à la mer d'Irlande.

NORD *(cap)*, promontoire d'une île des côtes de la Norvège, le point le plus septentrional de l'Europe.

NORD *(mer du)*, mer du nord-ouest de l'Europe, annexe de l'océan Atlantique. Baignant les côtes de la Grande-Bretagne, la France, la Belgique, les Pays-Bas, l'Allemagne, le Danemark et la Norvège, elle a une grande importance économique. Sur ses côtes se situent les principaux ports européens (Rotterdam, Londres, Anvers, Hambourg), et elle connaît une circulation intense. La pêche, enfin, y est active (morues, harengs). Extraction du pétrole et du gaz naturel.

NORD (59), dép. formé partiellement de la Flandre française (Région Nord); 5 742 km²; 2 520 500 hab. (439 au km²) [France : 103]. Ch.-l. *Lille*.

ADMINISTRATION. 6 arrond. (*Avesnes-sur-Helpe*. 250 600 hab.; *Cambrai*. 167 700 hab.; *Douai*. 244 100 hab.; *Dunkerque*. 350 500 hab.; *Lille*. 1 126 100 hab.; *Valenciennes*. 360 400 hab.). / 76 cant. / 652 comm.

De forme allongée, le département s'étend à l'O. sur la plaine de la *Flandre*, ouverte sur la mer du Nord, où l'altitude ne dépasse qu'exceptionnellement 100 m, et à l'E. sur les collines et plateaux du *Hainaut*, où elle dépasse fréquemment ce niveau. Le climat, océanique, est arrosé, mais la latitude déjà septentrionale aggrave la rigueur des hivers. La densité de la population, la plus élevée de France après celle du Rhône (la région parisienne exceptée), est consécutive au développement de l'urbanisation née du commerce et de l'industrie.

L'*industrie* occupe près de la moitié de la population active. Elle a été fondée sur la houille (dont l'extraction est aujourd'hui arrêtée), qui a favorisé une puissante sidérurgie et métallurgie de transformation, sur le textile et sur la chimie.

Le *secteur tertiaire* occupe près de la moitié de la population active, grâce à la présence de nombreuses villes parmi lesquelles

LOCALITÉS PRINCIPALES	NOMBRE D'HAB.	LOCALITÉS PRINCIPALES	NOMBRE D'HAB.
Lille	174 000	Marcq-en-Barœul	35 500
Roubaix	101 900	Lambersart	28 800
Tourcoing	97 100	Lomme	28 500
Dunkerque	73 600	Grande-Synthe	26 200
Villeneuve-d'Ascq	59 900	Armentières	26 000
Wattrelos	44 700	Coudekerque-Branche	24 100
Douai	44 500	Saint-Pol-sur-Mer	23 100
Valenciennes	40 900	La Madeleine	22 300
Cambrai	36 600	Hem	21 900
Maubeuge	36 200	Denain	21 900

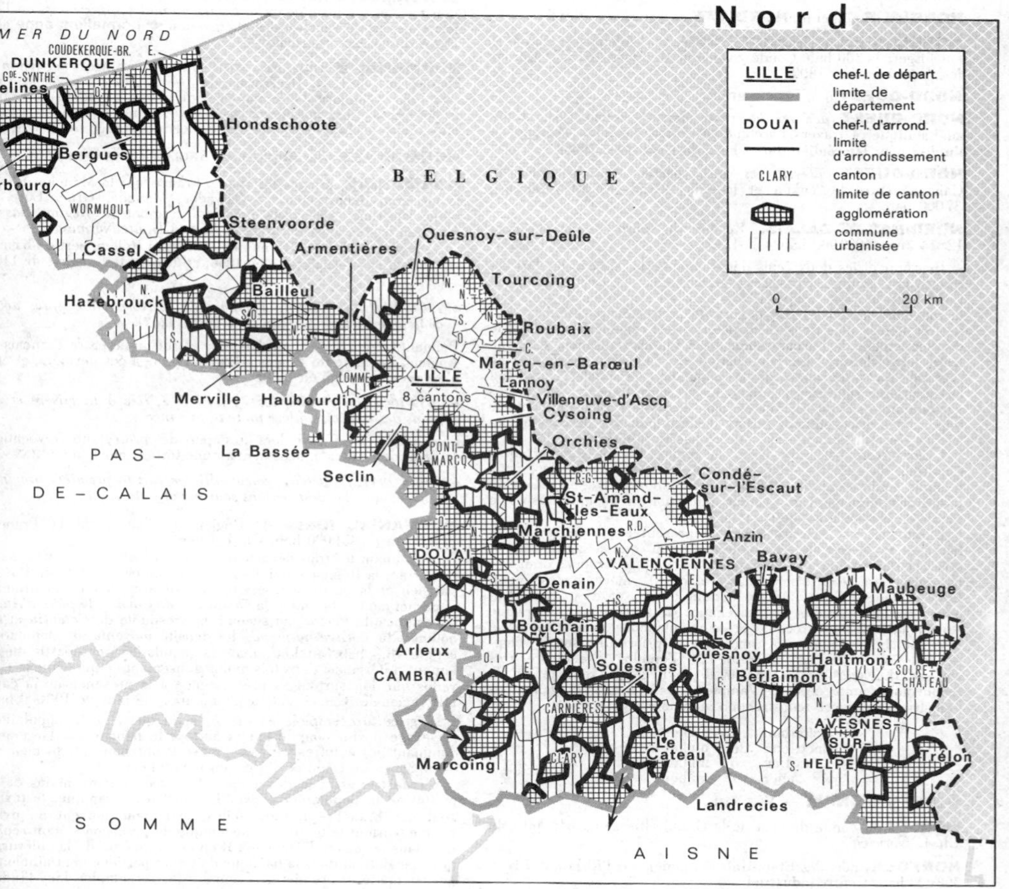

émerge l'agglomération lilloise, qui regroupe plus du tiers de la population du département. Mais les agglomérations de Valenciennes, de Douai (débordant sur le Pas-de-Calais), de Dunkerque, de Denain dépassent encore chacune 100 000 hab.

L'*agriculture* emploie peu d'actifs, mais la production (céréales et plantes industrielles, élevage bovin) est importante.

Malgré un ralentissement de la croissance démographique, le Nord est aujourd'hui le département français le plus peuplé. Les activités autrefois motrices, houille, textile, sidérurgie, sont cependant en difficulté, et le développement d'activités de transformation dynamiques s'impose.

NORD-AFRICAIN, E adj. et n., **NORD-AMÉRICAIN, E** adj. et n. → NORD.

NORDENSKJÖLD (Adolf Erik, *baron*), naturaliste et explorateur suédois (1832-1901). En 1878-1879, il longea les côtes septentrionales de l'Eurasie, atteignit les bouches de la Lena, franchit le détroit de Béring et redescendit vers le Japon, avant de rentrer en Europe par le canal de Suez, prouvant la navigabilité du passage du Nord-Est. — Son neveu OTTO (1869-1928) effectua des voyages scientifiques en Patagonie, à la Terre de Feu en 1895-1897, puis en Alaska (1898), et dirigea dans les mers australes situées au S. de l'Amérique une expédition qui contribua à une meilleure connaissance de l'Antarctique (1901-1904).

NORD-EST n. m. → NORD.

NORD-EST *(passage du)*, route maritime de l'océan Arctique, au N. de la Sibérie, conduisant de l'Atlantique au Pacifique par le détroit de Béring, ouverte par E. Nordenskjöld (1878-1879).

NORDESTE (le), région du Brésil septentrional, entre les États de Bahia et de Pará.

NORDIQUE adj. et n., **NORDISTE** adj. et n. → NORD.

NÖRDLINGEN ou **NŒRDLINGEN,** v. d'Allemagne (Bavière), sur l'Eger; 14 300 hab. Condé y vainquit Mercy en 1645, et Moreau les Autrichiens en 1800.

NORD-OUEST n. m. → NORD.

NORD-OUEST *(passage du)*, route maritime reliant l'Atlantique au Pacifique, à travers l'archipel Arctique canadien. Amundsen l'utilisa pour la première fois à bord du *Gjøa* (1903-1906).

NORD-OUEST *(Territoires du)*, partie septentrionale du Canada, entre le Yukon et la baie d'Hudson; 3 379 700 km^2; 37 000 hab.

NORD-PAS-DE-CALAIS, Région du nord de la France; 12 414 km^2; 3 932 900 hab. Ch.-l. *Lille*.

Regroupant les deux seuls départements du *Nord* et du *Pas-de-Calais*, la région n'est pas très étendue, mais elle est très peuplée. La densité moyenne dépasse 315 hab. au km^2 (plus de trois fois la moyenne nationale). En dehors de la Région parisienne, c'est de très loin la plus densément peuplée des régions françaises : le développement de l'urbanisation, lié à l'industrialisation, explique cette forte densité. La conurbation de Lille-Roubaix-Tourcoing regroupe près du quart de la population régionale, se situant au quatrième rang des groupements urbains français. Les autres agglomérations sont dominées par des villes beaucoup moins importantes et constituent surtout des groupements de cités industrielles (essentiellement sur l'ancien bassin minier).

L'*agriculture* est intensive : la région fournit d'importantes quantités de céréales, plantes fourragères et industrielles, mais n'emploie guère que 8 p. 100 de la population active, en raison du grand développement du secteur industriel qui occupe plus de la moitié de la population active totale.

L'*industrie* est essentiellement représentée par le textile, le bâtiment et la métallurgie. Bâtiment exclu, ces activités sont en crise, ce qui explique les difficultés de l'emploi. Certaines branches ont progressé (constructions mécaniques), mais modestement. Cette situation a entraîné un certain exode, et c'est l'excédent actuel de l'immigration en provenance de l'étranger qui explique surtout la croissance récente de la population globale. Comme la Lorraine, la région paie la rançon de la priorité de son développement industriel. Le problème de l'emploi y demeure très sérieux. L'avenir de la région dépend de la réussite de la reconversion amorcée et de l'ampleur des nouvelles implantations industrielles prévues (construction automobile notamment).

charbon	2,5	millions de t
électricité	38	milliards de kWh
pétrole raffiné	5	millions de t
acier	7	millions de t

NORD VIÊT-NAM → VIÊT-NAM.

NORFOLK, comté de l'est de la Grande-Bretagne; 643 900 hab. Ch.-l. *Norwich*.

NORFOLK, port des États-Unis (Virginie), sur l'Elizabeth River; 308 000 hab. Centre industriel.

NORIA [nɔrja] n. f. (mot esp.). Machine hydraulique, utilisée pour l'irrigation, formée de pots ou godets attachés à une chaîne sans fin, plongeant renversés et remontant pleins.

Norma *(la)*, opéra de Bellini (1831).

1. NORMAL, E, AUX [nɔrmal, -mo] adj. (de *norme*). Se dit de ce qui est conforme à l'état le plus fréquent, le plus habituel, de ce qui n'est pas modifié par un accident, de ce qui n'a aucun caractère exceptionnel : *La maladie suit son cours normal* (syn. NATUREL). *Il n'est pas dans son état normal* (= il est malade, ivre, etc.). *En temps normal* (syn. ORDINAIRE). ◆ **normale** n. f. État normal, habituel : *Des capacités intellectuelles au-dessus de la normale* (syn. MOYENNE). ◆ **normalement** adv. : *Normalement, on doit arriver à dix heures* (contr. EXCEPTIONNELLEMENT). ◆ **normaliser** v. t. Unifier et simplifier des produits industriels, des chaînes de fabrication, des règlements de travail, etc., pour obtenir un meilleur rendement (syn. STANDARDISER). ◆ **normalisation** n. f. : *La normalisation des rapports entre deux États* (= le retour à l'état normal, habituel). *La normalisation des appareils sanitaires* (syn. STANDARDISATION). ◆ **anormal, e, aux** adj. Qui est contraire à l'ordre habituel; qui s'écarte des règles ou des usages établis, de la raison ou du bon sens : *Ce mauvais temps est anormal pour la saison* (syn. INHABITUEL; contr. HABITUEL, NORMAL). *Il est anormal que l'on condamne si peu les parents indignes* (syn. ILLOGIQUE). ◆ adj. et n. Dont le développement intellectuel ou l'état affectif ou mental présente un grand déséquilibre, une forte instabilité ou quelque défectuosité : *Seul un anormal a pu commettre un pareil crime* (syn. DÉSÉQUILIBRÉ, FOU). ◆ **anormalement** adv. *La température est anormalement basse pour un mois d'octobre* (syn. EXCEPTIONNELLEMENT; contr. NORMALEMENT).

2. NORMAL, E [nɔrmal] adj. (même étym.). *Écoles normales*, où l'on formait les instituteurs. ‖ *Écoles normales supérieures*, où l'on forme des professeurs et des chercheurs. ◆ **normalien, enne** adj. Élève d'une école normale.

NORMAND, E [nɔrmɑ̃, -ɑ̃d] adj. et n. (frq. *northmann*, homme du Nord). **1.** De Normandie. — **2.** *Faire une réponse de Normand*, répondre d'une manière équivoque, en ne disant ni oui ni non. — **3.** *Race normande*, race bovine numériquement la plus importante en France, bonne laitière et bonne race de boucherie.

NORMANDES *(îles* **Anglo-**) → ANGLO-NORMANDES *(îles)*.

NORMANDIE, province de l'anc. France, sur la Manche. Elle a formé cinq départements : Calvados, Manche, Orne, Eure et Seine-Maritime. Les trois premiers forment la *Région Basse-Normandie*, les deux derniers la *Région Haute-Normandie*.

La région, cédée en 911 au chef normand Rollon, sert de base à la conquête de l'Angleterre en 1066, et devient fief anglais de 1106 à 1202.

- *1204. Philippe Auguste s'empare de la Normandie après avoir confisqué les fiefs de Jean sans Terre (1202).*

Pendant la guerre de Cent Ans, elle est disputée entre Français et Anglais. Le traité de Troyes (1420) la donne à ces derniers, et elle n'est reconquise qu'en 1450.

- *1639-1641. La révolte des « Nu-Pieds », liée à la misère et au poids des impôts, soulève toute la province.*

L'économie est affaiblie lors du départ des protestants (révocation de l'édit de Nantes*), mais connaît une forte expansion au XIXe s.

- *6 juin 1944. Le débarquement allié en fait la première province libérée, mais les destructions sont importantes.*

NORMANDIE (Basse-), Région de l'ouest de la France; 17 589 km^2; 1 351 000 hab. Ch.-l. *Caen*.

Regroupant les trois départements du *Calvados*, de la *Manche* et de l'*Orne*, la Région s'étend sur l'extrémité occidentale du Bassin parisien et la partie nord-est du Massif armoricain. Au premier appartiennent notamment la *campagne de Caen* et le *pays d'Auge*, les collines du *Perche;* au second, la presqu'île du *Cotentin* et les collines du *Bocage normand*. La densité moyenne de population est de 76,8 hab. au km^2, mais la population se répartit inégalement. L'Orne est deux fois moins densément peuplée que le Calvados qui doit surtout sa prééminence à la présence de la capitale régionale. Caen, seule agglomération de plus de 100 000 hab.

L'*agriculture* emploie encore près du quart de la population. L'élevage bovin, pour le lait et surtout le beurre, est largement dominant, les cultures (céréales) ne se maintenant que localement (campagnes de Caen et d'Alençon notamment).

L'*industrie* est peu développée, occupant encore moins de 30 p. 100 de la population active. L'industrie mécanique, le textile sont des branches traditionnelles, manquant souvent de dynamisme (surtout le textile, la mécanique de précision s'étant répandue dans la région d'Alençon). Il en est de même de la sidérurgie qui se maintient dans la banlieue de Caen, partiellement alimentée par les matières premières régionales (fer). L'emploi dans l'indu trie s'est pourtant accru depuis une vingtaine d'années, mais pas suffisamment pour absorber là totalité des effectifs libérés par l'agriculture.

La population régionale ne s'accroît que faiblement. L'émigration rurale s'est poursuivie dans les départements de la Manche et de l'Orne.

NORMANDIE (Haute-), Région du nord-ouest de la France; 12 317 km²; 1 655 000 hab. Ch.-l. *Rouen.*

La Région regroupe les deux départements de l'*Eure* et de la *Seine-Maritime,* pratiquement séparés par la basse vallée de la Seine, axe vital du département. La densité moyenne d'occupation, de 134 hab. au km², est supérieure d'un tiers à la moyenne nationale.

L'*agriculture* emploie environ 15 p. 100 de la population active. L'élevage bovin, pour le lait et ses dérivés, domine dans le Sud-Ouest *(Lieuvin* et *pays d'Ouche),* les cultures (céréales, betterave), à hauts rendements, sont répandues dans le Sud-Est *(campagne du Neubourg, plaine de Saint-André)* et au N. de la Seine, dans le *pays de Caux* (l'élevage redevenant prédominant dans le *pays de Bray*). La Haute-Normandie est moins herbagère que la Basse-Normandie.

L'*industrie* tient une place très importante, occupant plus de la moitié de la population active et concentrée surtout dans la vallée de la Seine, en aval de Rouen. La métallurgie de transformation est l'activité dominante, mais l'industrie chimique (stimulée par la présence du plus important ensemble national de raffinage pétrolier) et les industries agricoles et alimentaires (grâce à l'abondante production agricole) sont développées également.

Récemment, la population a notablement progressé grâce à la croissance de Rouen et du Havre qui, ensemble, regroupent plus des deux cinquièmes de la population régionale totale.

NORMANDS *(Hommes du Nord),* nom donné à l'époque carolingienne aux pillards scandinaves, qui s'appelaient eux-mêmes VIKINGS, et dont les flottilles de barques à faible tirant d'eau déferlèrent sur les côtes d'Europe du VIIIe au Xe s. Les causes de cette expansion sont nombreuses : excédent démographique, luttes intestines, techniques maritimes avancées et surtout faiblesse des royaumes chrétiens. À l'E., sous le nom de *Varègues,* les Normands poussent des raids jusqu'à la mer Caspienne, mêlant commerce et pillage, et reliant la mer Baltique à Byzance et au monde musulman.

- *Vers 850. Ils dominent Kiev et fondent le premier État russe.*

À l'O., les Norvégiens, vers 834, colonisent l'Irlande et l'Écosse.

À la fin du IXe s., ils découvrent l'Islande, puis le Groenland, et même, mais sans s'y installer, le continent américain.

Les Danois, mieux organisés, ravagent les côtes de Frise, d'Angleterre, où ils s'établissent. À la mort de Charlemagne, ils remontent les fleuves du royaume franc, pillant villes et abbayes.

- *911. Par le traité de Saint-Clair-sur-Epte, Charles III le Simple leur permet d'occuper la « Normandie »* en échange d'une reconnaissance de suzeraineté.*

Une des dernières manifestations de l'esprit viking est la conquête de l'Angleterre en 1066 (Hastings) par Guillaume le Conquérant. Parallèlement, un aventurier, Robert Guiscard, jetait, en 1059, les bases d'un royaume normand en Italie du Sud et en Sicile.

1. NORME [nɔrm] n. f. (lat. *norma,* équerre, règle). État habituel, conforme à la moyenne générale des cas et considéré le plus souvent comme la règle : *Rester dans la norme* (syn. RÈGLE). ◆ n. f. pl. Ensemble de règles fixant le type d'un objet, les procédés techniques de fabrication, de production : *L'appareil est conforme aux normes de fabrication.* ◆ **normatif, ive** adj. Qui établit la norme : *Grammaire normative* (= dont le but est d'enseigner les règles).

2. NORME [nɔrm] n. f. (même étym.). *Math.* $\vec{V}$ étant un vecteur* et (A, B) un bipoint le représentant, le nombre *d* (A, B) distance de A à B] est indépendant du choix de ce représentant et s'appelle la *norme* du vecteur $\vec{V}$. Il se note $\|\vec{V}\|$:

$$\vec{V} = \overrightarrow{AB} \Rightarrow \|\vec{V}\| = d(A, B).$$

Propriété : la norme d'un vecteur est nulle si et seulement si le vecteur est nul : $\vec{V} = \vec{O} \Leftrightarrow \|\vec{V}\| = O$.

NORODOM SIHANOUK, né en 1922. Roi du Cambodge (1941-1955), il devient ensuite chef du gouvernement, puis chef de l'État à partir de 1960. Destitué en 1970 à la suite d'un coup d'État militaire, il constitue en Chine un gouvernement en exil. Revenu au pouvoir en 1975 grâce à la victoire de ses partisans, il renonce à coopérer avec les révolutionnaires extrémistes en 1976. En 1982, il réussit à regrouper les adversaires du régime établi à Phnom Penh avec l'aide du Viêt-nam, mais, à partir de 1987, accepte de négocier avec toutes les factions cambodgiennes en vue d'obtenir un règlement politique du conflit. En 1990, il forme avec elles un Conseil national suprême, dont il est nommé président (1991). De retour à Phnom Penh, il y est reconnu comme chef de l'État.

NOROÎT ou **NOROIS** [nɔrwa] n. m. (forme altérée de *nord-ouest*). Vent venant de la mer et soufflant du N.-O.

NORRKÖPING, port de Suède, sur la Baltique; 119 500 hab. Chantiers navals. Textiles. Pneumatiques.

NORROIS [nɔrwa] n. m. (de *Nord*). Langue des anciens peuples de la Scandinavie.

NORTHAMPTON, v. d'Angleterre, ch.-l. du *Northamptonshire* (487 900 hab.); 126 600 hab.

NORTHUMBERLAND, comté du nord-est de l'Angleterre; 286 700 hab. Bassin houiller.

NORVÈGE, en norv. **Norge,** État de l'Europe septentrionale, occupant la partie occidentale de la péninsule de Scandinavie.
→ carte page suivante.

SUPERFICIE 325 000 km² (France : 550 000 km²).
POPULATION 4 200 000 hab. *(Norvégiens);* 13 hab. au km² (France : 103); taux de natalité, 12,5 p. 1 000; taux de mortalité, 9,7 p. 1 000.
CAPITALE Oslo (447 000 hab.; 800 000 hab. pour l'agglomération).
VILLES PRINCIPALES Bergen (207 000 hab.); Trondheim (134 000 hab.).
LANGUE norvégien.
ÉCONOMIE produit national brut par hab., 13 333 dollars (France : 9 484); consommation d'énergie par hab., 5 900 kg d'équivalent charbon; 1 automobile pour 3 hab.
MONNAIE krone (couronne norvégienne).

GÉOGRAPHIE

La Norvège est un État montagneux (à l'exception de sa partie nord, le *Finnmark*), au relief marqué par les glaciations du Quaternaire qui ont élargi les vallées et creusé les nombreux fjords* découpant la côte. Le climat océanique, plus arrosé sur la façade occidentale, est frais en raison de la latitude. La forêt couvre la majeure partie du pays.

	TEMPÉRATURES MOYENNES janv.	juil.	PLUIES
Oslo	— 3 °C	18 °C	608 mm

La population, peu dense, se concentre dans les vallées et surtout sur les côtes, où se localisent toutes les grandes villes.

Le climat et le relief limitent l'extension des surfaces cultivables (céréales, pommes de terre) qui ne représentent que 3,4 p. 100 de la superficie du pays. L'élevage (bovins, ovins) et l'exploitation de la forêt sont les principales activités rurales. Mais la *pêche* est très active et constitue l'une des bases de l'alimentation.

pêche 2 400 000 t.

L'industrie est basée sur l'énergie hydro-électrique, les hydrocarbures et les matières premières : pâte à papier, conserveries de poisson, électrochimie et électrométallurgie.

pétrole	35 millions de t
gaz naturel	25 milliards de m³
aluminium	760 000 t

Pays traditionnellement tourné vers la mer, la Norvège possède une flotte puissante qui effectue le commerce extérieur nécessaire

flotte 17 millions de tjb

à l'économie : importation de produits alimentaires et matières premières; exportation de poisson, papier et, surtout, hydrocarbures. Le tourisme se développe peu à peu. La Norvège possède un des niveaux de vie les plus élevés d'Europe.

HISTOIRE

Dans le Sud, de petits royaumes se forment dès le VIIe s. Au IXe et au Xe s., les Norvégiens, trop nombreux sur leurs terres mais excellents marins, colonisent l'Irlande, le nord de l'Écosse, l'Islande et même le Groenland. (→ NORMANDS.)

Au IXe s., Harald Ier à la Belle Chevelure (860-933) unifie la Norvège pour la première fois.

L'unification, reprise par Olav Tryggvesson (995-1000), s'accompagne de la diffusion du christianisme. Les luttes avec le Danemark et l'Angleterre et les querelles dynastiques au XIIe s. affaiblissent le pays, dont le commerce passe aux mains des Allemands de la Hanse installés à Bergen et Oslo. L'aristocratie et l'Église seront soumises par Haakon IV (1217-1263) et son fils Magnus le Législateur (1263-1280). Mais la situation économique se détériore au XIVe s. à cause du poids des impôts, de l'action des Hanséates et de la peste noire de 1348.

- *1397. L'Union de Kalmar unit Norvège, Suède et Danemark sous un même monarque, Erik de Poméranie.*

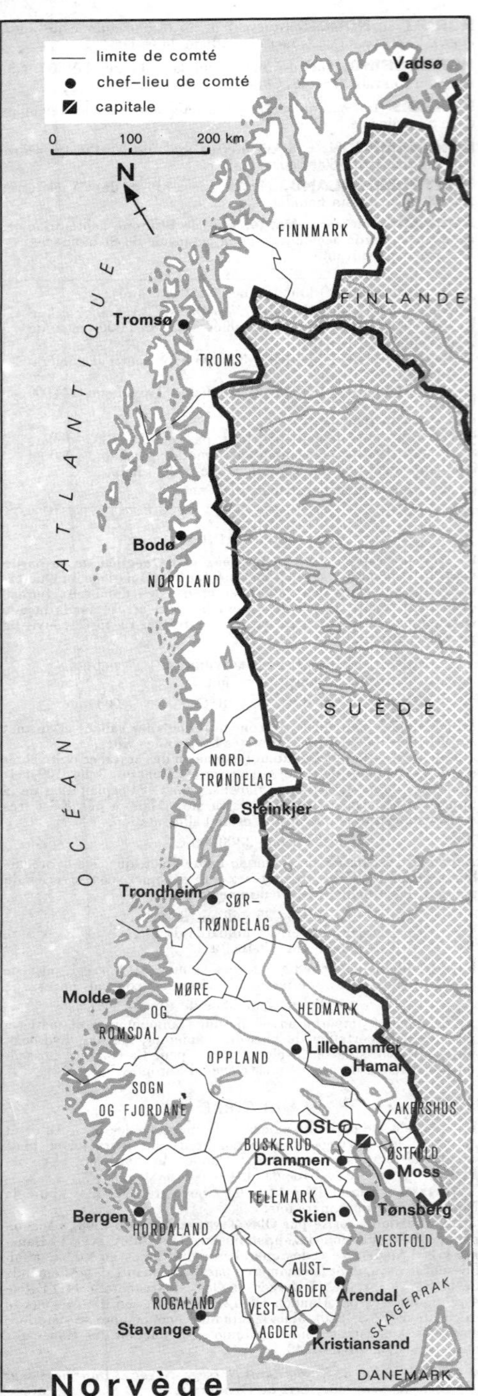

La Suède quitte l'Union en 1523, mais la Norvège reste sous la dépendance du Danemark qui lui impose le luthéranisme. Tandis que le commerce est désormais contrôlé par les Hollandais, la Norvège perd sa langue au profit du danois, et des territoires sont annexés par la Suède (milieu du XVIIe s.). La renaissance d'une marine favorise l'apparition d'une bourgeoisie commerçante, mais les défaites du Danemark, allié de la France napoléonienne, ruinent son économie.

- *6 août 1815. La Norvège est annexée par Bernadotte, régent de Suède (acte d'Union).*

Le Parlement (Storting) garde l'essentiel du pouvoir pour les questions intérieures. L'économie se développe au cours du XIXe s., tandis qu'un renouveau culturel (Ibsen) accompagne l'affirmation du sentiment national.

- *1905. La dénonciation par le Storting de l'acte d'Union est reconnue par le traité de Karlstad.*

Monarchie constitutionnelle sous Haakon VII (1905-1957). Le nouvel État accorde le droit de vote aux femmes (1913).

- *8 avril 1940. Hitler envahit la Norvège qui, malgré une intervention franco-britannique à Narvik, capitule le 9 juin.*

Occupée jusqu'en mai 1945, sous la direction du collaborateur Quisling, la Norvège connaît une résistance active. L'après-guerre voit revenir les travaillistes, au pouvoir depuis 1935.

- *1957. Olav V succède à son père Haakon VII.*

Conservateurs (1965-1971; 1972-1973; 1981-1986; 1989-1990) et travaillistes (1971-1972; 1973-1981; 1986-1989 et depuis 1990) dirigent alternativement des gouvernements de coalition.

- *1991. Harald V succède à son père Olav V.*

NORWICH, v. de Grande-Bretagne, ch.-l. du comté de Norfolk; 121 700 hab.

NOS adj. poss. ⟶ MON.

NOSTALGIE [nɔstalʒi] n. f. (du gr. *nostos*, retour, et *algos*, souffrance). Tristesse vague causée par l'éloignement de ce que l'on a connu, par le sentiment d'un passé révolu, par un désir insatisfait : *Avoir la nostalgie des voyages* (syn. REGRET). *Un regard plein de nostalgie* (syn. MÉLANCOLIE). ◆ **nostalgique** adj. : *Le regret nostalgique du passé* (syn. MÉLANCOLIQUE).

NOSTRADAMUS (Michel DE NOSTRE-DAME, dit), astrologue et médecin français (1503-1566), auteur d'un recueil de prédictions dit *Centuries astrologiques* (1555).

NOSY BE, ancienn. **Nossi-Bé,** île de l'océan Indien, au N.-O. de Madagascar, dont elle dépend.

NOTA [nɔta] n. m. (mot lat. signif. *notez, remarquez*). Note mise dans la marge ou au bas d'un récit. (On dit aussi NOTA BENE.)

1. NOTABLE [nɔtabl] adj. (du lat. *notare*, remarquer) [avant ou après le nom]. Se dit d'une chose importante, digne d'être prise en considération : *Un fait notable* (syn. REMARQUABLE). *Notable amélioration du temps* (syn. SENSIBLE). ◆ **notablement** adv. : *La tension a notablement diminué* (syn. SENSIBLEMENT).

2. NOTABLE [nɔtabl] n. m. (même étym.). Personne qui occupe un rang important dans les affaires publiques, qui a une situation sociale de premier plan dans une ville (littér.) : *Les notables de la ville.* ‖ *Assemblée des notables*, assemblée de membres représentatifs des trois ordres du royaume de France convoqués par le roi pour prendre leur avis dans certaines circonstances. ◆ **notabilité** n. f. Personne en vue par sa situation, sa renommée, son autorité intellectuelle, morale ou administrative.

NOTAIRE [nɔtɛr] n. m. (lat. *notarius*, scribe). Officier ministériel qui rédige les actes et contrats (contrats de mariage, ventes de terrains, d'immeubles, testaments, baux...) pour leur donner un caractère d'authenticité officiellement reconnu, pour en garantir la date, en assurer le dépôt. ◆ **notarial, e, aux** adj. : *Fonctions notariales.* ◆ **notariat** n. m. : *École de notariat.* ◆ **notarié, e** adj. : *Acte notarié* (= passé devant notaire).

NOTAMMENT [nɔtamɑ̃] adv. (de *noter*). En particulier, entre autres.

1. NOTE [nɔt] n. f. (lat. *nota*, marque). **1.** Courte remarque faite sur un texte pour le rendre intelligible : *Mettre une note manuscrite dans la marge* (syn. ANNOTATION). — **2.** Courte indication recueillie par écrit pendant un exposé, une lecture, etc. : *Prendre des notes à un cours. Je prends bonne note de ce que vous venez de dire* (= je me souviendrai). — **3.** Brève communication écrite faite à un service, à une ambassade, etc. : *Faire passer une note dans tous les services. Une note diplomatique* (= communication faite par un gouvernement à son représentant auprès d'un autre gouvernement). ◆ **noter** v. t. **1.** Faire une marque sur ce que l'on veut retenir : *Noter d'une croix un passage intéressant.* — **2.** *Noter qqch.*, le mettre par écrit afin d'en conserver la mémoire : *Noter un* *rendez-vous sur son agenda* (syn. INSCRIRE). — **3.** *Noter qqch.*, y faire attention : *Je n'ai noté aucun changement dans son attitude* (syn. CONSTATER, REMARQUER). ◆ **notation** n. f. **1.** Action de noter, de représenter par des signes convenus : *La notation algébrique, phonétique.* — **2.** Remarque brève, faite à propos de quelque chose. ◆ **notule** n. f. Remarque sur un point particulier d'un texte, d'un exposé (syn. ANNOTATION).

2. NOTE [nɔt] n. f. (même étym.). Appréciation en chiffres ou en lettres du travail ou de la conduite de quelqu'un : *Le carnet de notes d'un écolier. Il a eu la note A.* ◆ **noter** v. t. Apprécier le travail, la conduite de quelqu'un en le traduisant par une note en chiffres ou en lettres : *Devoir noté dix sur vingt. Il est très mal noté auprès de ses supérieurs* (= mal considéré). ◆ **notation** n. f. : *La notation d'un travail scolaire va de 0 à 20 ou de A à E.*

3. NOTE [nɔt] n. f. (même étym.). Détail d'un compte à payer : *Une note d'hôtel.*

4. NOTE [nɔt] n. f. (même étym.). **1.** Signe de musique figurant un son, sa hauteur et sa durée : *Les notes de la gamme.* ⟶ ENCYCL. — **2.** *Être dans la note*, être dans le style de quelque chose ou de quelqu'un, être en accord avec eux. ‖ *Forcer la note*, exagérer. ‖ *Une note juste*, un détail parfaitement en accord avec la situation. ‖ *Une fausse note*, un détail qui brise l'harmonie de l'ensemble. ◆ **noter** v. t. : *Noter un air* (= le transcrire). ◆ **notation** n. f. Ensemble des signes conventionnels destinés à symboliser les sons d'une œuvre musicale.
— ENCYCL. Pour représenter les sons musicaux, on se sert de signes conventionnels, les *notes*. Ces signes, qui ont chacun une forme spéciale, sont au nombre de sept : la *ronde*, la *blanche*, la *noire*, la *croche*, la *double croche*, la *triple croche*, la *quadruple croche*. D'après l'ordre précédent, chaque note vaut, en durée, le double de celle qui la suit. Ainsi la ronde vaut deux blanches, la blanche deux noires, etc. La forme des notes indique donc leur durée, leur valeur; la position qu'elles occupent sur la portée indique leur degré d'élévation. Leur intonation est réglée, au point de vue général, par la clef qui se trouve au début de la portée; elle varie selon la figure et la position de cette clef*; quant à leur valeur, elle est invariable. Pour désigner les divers sons et pour les distinguer entre eux, on donne des noms particuliers aux notes qui les représentent. Il y a sept noms de notes : *do* ou *ut, ré, mi, fa, sol, la, si.* Ainsi disposées, les notes forment une série de sons allant de bas en haut, et que l'on peut répéter plusieurs fois.

NOTICE [nɔtis] n. f. (lat. *notitia*, connaissance). Court écrit qui donne des indications sommaires ou qui forme un résumé sur un sujet particulier : *Une notice explicative est jointe à l'appareil.*

NOTIFIER [nɔtifje] v. t. (lat. *notificare*). *Notifier qqch.*, le faire connaître d'une manière officielle, expressément : *Notifier à un élève son renvoi du lycée* (syn. SIGNIFIER). ◆ **notification** n. f. : *La notification de la résiliation du contrat a été faite* (syn. AVIS).

NOTION [nosjɔ̃] n. f. (lat. *notio*, connaissance). **1.** Connaissance de quelque chose : *Elle n'a pas la moindre notion du temps, elle est toujours en retard* (syn. IDÉE). — **2.** Connaissance élémentaire d'une science : *Avoir des notions de physique.* — **3.** Syn. de CONCEPT, IDÉE : *La notion de bien, de mal* (= la connaissance de ce qui est le bien, le mal). ‖ Math. *Notion première* ou *notion primitive*, notion qu'on ne peut définir à l'aide d'autres notions, car elles servent de base à la construction des mathématiques : *Les notions d'ensemble, d'élément, d'appartenance sont des notions premières.* ◆ **notionnel, elle** adj. : *Champ notionnel* (= ensemble des mots recouvrant un concept déterminé).

NOTOIRE [nɔtwar] adj. (lat. *notorius*, qui fait connaître). Se dit de choses ou de personnes qui sont connues de tous : *Son mauvais caractère est notoire* (syn. RECONNU). *Le fait est notoire* (syn. PUBLIC). ◆ **notoriété** n. f. Caractère d'une personne ou d'un fait notoire : *Leur dissentiment est de notoriété publique. Ses publications lui ont acquis une grande notoriété* (syn. RENOM).

NOTRE, LE NÔTRE adj. et pron. poss. ⟶ MON.

NOTRE-DAME [nɔtrədam] n. f. (*notre*, et *dame*). **1.** La Sainte Vierge. — **2.** Église qui lui est consacrée : *Notre-Dame de Paris.*

Notre-Dame de Paris, église métropolitaine de Paris, située dans l'île de la Cité, une des premières grandes cathédrales gothiques. Elle fut commencée en 1163; le chœur fut achevé en 1177, le transept et la nef en 1196, la façade et les tours dans le deuxième quart du XIIIe s. Aux XIIIe et XIVe s. furent ajoutées des chapelles entre les contreforts et autour du chœur. Les grands arcs-boutants du chevet datent du XIVe s. L'intérieur de la cathédrale mesure 130 m de longueur, 108 m de largeur et 35 m de hauteur sous les voûtes (69 m au sommet des tours). Notre-Dame a subi de fâcheuses transformations au XVIIIe s. et des déprédations (notamment de l'admirable statuaire gothique) pendant la Révolution. Elle fut restaurée au XIXe s. par Lassus et Viollet-le-Duc.

Notre-Dame de Paris, roman historique de V. Hugo (1831).

NOTRE-DAME-DE-BONDEVILLE, ch.-l. de cant. de la Seine-Maritime, dans la banlieue nord de Rouen; 6 700 hab. *(Bondevillais).* Textiles.

NOTRE-DAME-DE-GRAVENCHON, comm. de la Seine-Maritime, à 5 km au S.-E. de Lillebonne; 9 000 hab. *(Gravenchonnais).* Raffinerie de pétrole.

NOTTINGHAM, v. d'Angleterre, sur la Trent, ch.-l. du *Nottinghamshire* (974 600 hab.); 299 800 hab. Industries mécaniques, chimiques et textiles.

NOTULE n. f. ⟶ NOTE 1.

NOUADHIBOU, nom actuel de PORT-ÉTIENNE.

NOUAKCHOTT, capit. de la Mauritanie, près de l'Atlantique; 600 000 hab. Ville créée en 1958.

NOUER v. t., **SE NOUER** v. pr. ⟶ NŒUD 1.

NOUEUX, EUSE adj. ⟶ NŒUD 1 et 2.

NOUGAT [nuga] n. m. (mot prov.). Confiserie faite d'amandes, de sucre et de miel : *Du nougat de Montélimar.*

NOUGATINE [nugatin] n. f. (de *nougat*). Petit gateau de pâte à génoise parfumée à la vanille, fourré à la crème pralinée et glacé au fondant au chocolat.

NOUILLE [nuj] n. f. (all. *Nudel*). **1.** Pâte alimentaire à base de blé dur, coupée en lanières minces (généralement au plur.) : *Des nouilles à la sauce tomate.* — **2.** *Fam.* Personne sans énergie, molle et lente. ◆ adj. fam. : *Ce qu'il peut être nouille!* (syn. BÊTE).

NOUMÉA, capit. de la Nouvelle-Calédonie (Océanie), sur la côte sud-ouest de l'île; 56 000 hab. Principal port de l'île.

NOUREÏEV (Rudolf), danseur d'origine russe, naturalisé autrichien, né en 1938, un des plus brillants danseurs contemporains.

NOURRI, E adj. ⟶ NOURRIR.

1. NOURRICE n. f. ⟶ NOURRIR.

2. NOURRICE [nuris] n. f. (du lat. *nutrix, -icis*). Réservoir supplémentaire pour contenir un liquide (eau, essence).

NOURRIR [nurir] v. t. (lat. *nutrire*). **1.** *Nourrir un être animé*, le faire vivre en lui donnant des aliments; fournir des aliments : *Nourrir un bébé* (syn. ALLAITER). *Nourrir un malade* (syn. ALIMENTER). *Les élèves sont bien nourris à la cantine* (= mangent bien). — **2.** *Nourrir qq'un*, lui donner les moyens de vivre, de subsister : *Il a cinq personnes à nourrir* (= à sa charge) [syn. ENTRETENIR]. *Être logé, blanchi et nourri.* — **3.** *Nourrir qqch.*, accroître son importance, sa vigueur : *Le fourrage sec nourrissait l'incendie. Nourrir un texte de citations* (syn. ÉTOFFER). — **4.** *Nourrir qq'un*, lui donner une formation, le pourvoir d'idées, de sentiments, etc. : *La lecture nourrit l'esprit.* — **5.** Entretenir un sentiment, une idée : *Nourrir un préjugé contre qq'un.* ◆ **se nourrir** v. pr. **1.** Absorber les aliments nécessaires à la vie : *Se nourrir de viande.* — **2.** Entretenir en soi : *Se nourrir d'illusions* (syn. SE REPAÎTRE). ◆ **nourri, e** adj. : *Un tir nourri* (syn. DENSE). *Un feu nourri* (syn. INTENSE). ◆ **nourrissant, e** adj. Qui nourrit bien : *Aliments particulièrement nourrissants.* ◆ **nourrisson** n. m. Enfant en bas âge (de vingt et un jours à deux ans). ◆ **nourrice** n. f. Femme qui allaite un enfant qui n'est pas le sien : *Confier un enfant à une nourrice.* ‖ *Mettre un enfant en nourrice*, le donner à nourrir à une femme en dehors de chez soi. ◆ **nourriture** n. f. **1.** Aliment destiné à entretenir la vie: *Une nourriture légère* (syn. ALIMENTATION). — **2.** *Les nourritures de l'esprit*, ce qui sert à sa formation.

Nourritures terrestres *(les)*, roman d'A. Gide (1897).

NOUS [nu], **VOUS** [vu] pron. pers. 1re et 2e pers. du plur. S'emploient dans toutes les fonctions (sujet, complément. etc.), comme personnels et comme réfléchis. (*Rem.* Pour l'ordre des pron. pers. ⟶ IL.)

→ tableau page suivante.

NOUURE n. f. ⟶ NŒUD 1.

NOUVEAU [nuvo] ou **NOUVEL** [nuvɛl] (devant une voyelle ou un *h* muet), **NOUVELLE** [nuvɛl] adj. (lat. *novellus*). **1.** (avant ou plus souvent après le nom) Se dit de ce qui n'existe ou n'est connu que depuis très peu de temps, de ce qui vient d'apparaître : *Un modèle nouveau de voiture* (contr. ANCIEN). *Un mot nouveau* (= un néologisme). *Du cidre nouveau* (= de l'année) [contr. VIEUX]. — **2.** Qui a un caractère d'originalité, de hardiesse propre à ce qui apparaît pour la première fois : *Une robe nouvelle* (syn. NEUF). *Une méthode toute nouvelle* (syn. ORIGINAL). [*Rem.* L'adj. prend un sens différent selon qu'il est placé avant ou après le nom : *Une robe nouvelle* (= d'une forme récente). *Une nouvelle robe* (= autre que celle que l'on vient de quitter).] — **3.** Qui était jusqu'alors inconnu, inhabituel : *Voir de nouveaux visages.* — **4.** Se dit d'une personne qui est telle depuis peu de temps (avec un adj. substantivé et

nous VALEUR	nous EXEMPLES
1. = *je* + *tu* (ou *vous*).	*Toi et moi, nous sommes persuadés de son innocence. Nous autres, nous considérons que cela est inexact.*
2. = *je* + *il* (ou *eux*).	*Lui et moi, nous en sommes bien convaincus. Rendez-le-nous.*
3. *Nous* de majesté ou de modestie.	*Nous, Préfet de..., décidons que...* (employé uniquement dans le style officiel). *Nous avons rédigé cet ouvrage en pensant le rendre pratique pour les lecteurs (nous,* l'auteur, au lieu de *je).*
4. *Nous* de reproche bienveillant.	*Avons-nous repris courage après cet échec, mon ami?* (emploi fam. et vieilli).

vous VALEUR	vous EXEMPLES
1. *tu* + *tu.*	*Vous deux, vous avez bien répondu. C'est à vous seuls qu'il appartient de continuer ce que j'ai fait.*
2. *tu* + *il.*	*Toi et lui, puissiez-vous réussir!*
3. *Vous* social (= 2ᵉ pers. sing.).	*Vous me permettez de vous interrompre un instant? Où êtes-vous allé en vacances?* (Le *vouvoiement,* usuel dans les relations sociales, s'oppose au *tutoiement,* familier et usuel dans les relations familiales, amicales, etc.)

considéré souvent comme adv. variable) : *Les nouveaux riches. Les nouveaux mariés.* — **5.** *Le nouvel an,* premier jour de l'année. ‖ *Le Nouveau Monde,* l'Amérique. ‖ *Le Nouveau Testament,* l'Évangile. ‖ *Nouvelle vague* → VAGUE 2. ◆ n. Celui, celle qui vient d'arriver dans une école, une classe, un atelier : *L'arrivée des nouveaux dans la classe* (syn. en arg. scol. BIZUTH). ◆ n. m. Ce qui est original, neuf, inattendu : *Voilà du nouveau* — LOC. ADV. *À nouveau,* en recommençant d'une nouvelle manière : *Reprendre à nouveau le problème;* une seconde fois : *Entendre à nouveau un disque.* ‖ *De nouveau,* indique la répétition (encore une fois) : *Il commit de nouveau la même erreur.* ◆ **nouveau-né, e** n. Enfant qui vient de naître (de la naissance à vingt et un jours). ‖ Pl. des *nouveau-nés.* ◆ adj. : *Des enfants nouveau-nés.* ◆ **nouvellement** adv. : *Être nouvellement arrivé* (syn. RÉCEMMENT). ◆ **nouveauté** n. f. **1.** Caractère de ce qui est nouveau : *La nouveauté d'une mode* (syn. ORIGINALITÉ). — **2.** Ce qui est nouveau : *Les nouveautés l'effraient* (syn. CHANGEMENT, INNOVATION). — **3.** Ouvrage nouveau : *Les nouveautés sont chez le libraire.* (→ RENOUVELER.)

NOUVEAU-BRUNSWICK, en angl. **New Brunswick,** une des provinces « maritimes » du Canada, sur l'Atlantique; 73 440 km²; 648 000 hab. Capit. *Fredericton.*

NOUVEAU-MEXIQUE, en angl. **New Mexico,** État du sud-ouest des États-Unis; 315 115 km²; 1 065 000 hab. Capit. *Santa Fe.*

NOUVEAU-NÉ, E adj. et n. → NOUVEAU.

NOUVEAU-QUÉBEC ou **UNGAVA,** région du Canada, à l'E. de la baie d'Hudson. Minerai de fer.

NOUVEAUTÉ n. f. → NOUVEAU.

1. NOUVELLE adj. et n. f. → NOUVEAU.

2. NOUVELLE [nuvɛl] n. f. (lat. *novella*). **1.** Première annonce d'un événement arrivé récemment : *On a donné la nouvelle à la radio.* — **2.** *Bonne Nouvelle,* express. désignant la prédication de l'Évangile; l'Évangile lui-même. ◆ n. f. pl. **1.** Renseignements fournis sur un événement, sur une chose, sur quelqu'un : *Donner des nouvelles de sa santé.* — **2.** Renseignements donnés par la presse, la radio : *Les nouvelles du jour.*

3. NOUVELLE [nuvɛl] n. f. (même étym.). Récit de courte dimension. ◆ **nouvelliste** n. Auteur de nouvelles.

NOUVELLE-AMSTERDAM (la), île française du sud de l'océan Indien. Station météorologique.

NOUVELLE-ANGLETERRE, nom donné aux six États américains qui correspondent aux colonies anglaises fondées au XVIIᵉ s. : Maine, New Hampshire, Vermont, Massachusetts, Rhode Island, Connecticut.

NOUVELLE-BRETAGNE, en angl. **New Britain,** île de la Mélanésie, dans l'archipel Bismarck; 122 200 hab. Coprah. De 1884 à 1914, ce fut un protectorat allemand sous le nom de NEUPOMMERN *(Nouvelle-Poméranie).* Depuis 1975, elle appartient à la Papouasie-Nouvelle-Guinée.

NOUVELLE-CALÉDONIE, île de la Mélanésie, à l'E. de l'Australie; 19 000 km²; 150 000 hab. *(Néo-Calédoniens).* Capit. *Nouméa* (56 000 hab.).

Île montagneuse entourée d'un récif-barrière, la Nouvelle-Calédonie jouit d'un climat tropical. La population canaque pratique des cultures vivrières. Les Européens possèdent des plantations de café et des grands domaines d'élevage. L'île est le troisième producteur de nickel, après l'U. R. S. S. et le Canada.

L'île fut découverte par Cook en 1774 et appartient à la France depuis 1853. Jusqu'en 1898, on y transporta les condamnés aux travaux forcés et les déportés politiques.

- *1946. La Nouvelle-Calédonie devient territoire d'outre-mer.*
- *1984. Un nouveau statut ouvre la voie à l'autodétermination. Des incidents meurtriers opposent les partisans de l'indépendance (Front de libération nationale kanak et socialiste, F. L. N. K. S.) aux anti-indépendantistes (notamm. le Rassemblement pour la Calédonie dans la République, R. P. C. R.).*

À partir de ce moment, tandis que les heurts entre les deux communautés se multiplient sur le terrain, plusieurs statuts d'autonomie interne se succèdent.

- *1987. Un référendum local (sept.) — massivement boycotté par les Canaques — confirme le maintien du territoire au sein de la République française.*
- *1988. Le F. L. N. K. S., le R. P. C. R. et le gouvernement français concluent un accord (qui, en nov., acquiert force de loi par voie référendaire) sur un statut intérimaire pour dix ans et sur la tenue d'un scrutin d'autodétermination en 1998.*

L'assassinat, en 1989, de deux leaders du F. L. N. K. S., Jean-Marie Tjibaou et Yeiwéné Yeiwéné, par des indépendantistes extrémistes ne remet pas en cause le dialogue intercommunautaire.

NOUVELLE-ÉCOSSE, en angl. **Nova Scotia,** une des trois provinces « maritimes » du Canada, sur l'océan Atlantique; 55 500 km²; 802 000 hab. Capit. *Halifax.*

- *1713. Traité d'Utrecht : la Nouvelle-Écosse devient anglaise.*

NOUVELLE-FRANCE, appellation des terres françaises du Canada* jusqu'en 1763.

NOUVELLE-GALLES DU SUD, en angl. **New South Wales,** État du Commonwealth d'Australie, sur l'océan Pacifique; 801 428 km²; 4 738 000 hab. Capit. *Sydney.*

NOUVELLE-GUINÉE, île de l'océan Pacifique, au N. de l'Australie, la plus grande du globe après le Groenland; 883 650 km². Elle est partagée entre deux États :
la *Nouvelle-Guinée occidentale* (Irian occidental) dépend de l'Indonésie (421 950 km²; 1 174 000 hab. [3 au km²]; ch.-l. *Djajapura);* l'est de l'île constitue la *Papouasie-Nouvelle-Guinée* 463 000 km² ; 3,9 millions d'hab. (8 au km²) ; capit. *Port Moresby.*

GÉOGRAPHIE

L'ensemble de la Nouvelle-Guinée, affecté d'un climat équatorial très humide, est couvert par la forêt dense peu pénétrable. Quelques tribus primitives l'habitent, qui vivent de la culture sur brûlis. Sur les côtes, des plantations de coprah ont été créées.

HISTOIRE

L'île ne fut d'abord occupée que sur les côtes, par les Malais, puis par les Hollandais (1660).

- *1884-1885. Elle est partagée entre les Pays-Bas (partie occidentale), les Allemands et les Anglais (partie orientale).*
- *1906. La Papouasie britannique est attribuée à l'Australie.*
- *1921. Le territoire allemand est confié à l'Australie comme mandat, puis comme territoire sous tutelle (1946).*
- *1963. La Nouvelle-Guinée occidentale (Irian occidental) passe sous l'administration de l'Indonésie.*
- *1973. Les deux territoires orientaux (Nouvelle-Guinée sous tutelle australienne et Papouasie), réunis, obtiennent leur autonomie interne et s'acheminent vers l'indépendance.*
- *1975. La Papouasie-Nouvelle-Guinée accède à l'indépendance.*

Nouvelle Héloïse *(la)* ⟶ JULIE OU LA NOUVELLE HÉLOÏSE.

NOUVELLE-IRLANDE, île de l'archipel Bismarck (Mélanésie); proche de la Nouvelle-Guinée; 42 200 hab. Ch.-l. *Kavieng.* C'est l'ancien NEUMECKLENBURG *(Nouveau-Mecklembourg)* des Allemands.

NOUVELLEMENT adv. ⟶ NOUVEAU.

NOUVELLE-ORLÉANS (La), en angl. **New Orleans,** ville du sud des États-Unis (Louisiane), sur le delta du Mississippi; 593 500 hab. Bâtie autour du *Vieux Carré,* anc. quartier français, la ville est devenue un grand centre commercial et industriel.

NOUVELLES-HÉBRIDES, auj. **Vanuatu,** archipel de la Mélanésie (Océanie), au N.-E. de la Nouvelle-Calédonie; 14 760 km²; 150 000 hab. Ch.-l. *Vila* ou *Port-Vila.*

Ces îles volcaniques au climat équatorial sont en grande partie couvertes par la forêt. La population autochtone pratique la culture du manioc, tandis que les Européens possèdent des plantations de coprah.

• *30 juil. 1980. L'archipel, ancien condominium franco-britannique, devient indépendant sous le nom de Vanuatu.*

NOUVELLE-ZÉLANDE, État de l'Océanie, au S.-E. de l'Australie, membre du Commonwealth.

SUPERFICIE 270 000 km² (France : 550 000 km²).

POPULATION 3 400 000 hab. *(Néo-Zélandais);* 13 hab. au km² (France : 103); taux de natalité, 18 p. 1 000; taux de mortalité, 8,5 p. 1 000.

CAPITALE Wellington (350 000 hab.).

VILLES PRINCIPALES Auckland (840 000 hab.); Christchurch (322 000 hab.).

LANGUE OFFICIELLE anglais.

ÉCONOMIE produit national brut par hab., 7 183 dollars (France : 9 484); consommation d'énergie par hab., 3 300 kg d'équivalent charbon; 1 automobile pour 2 hab.

MONNAIE dollar néo-zélandais.

GÉOGRAPHIE

La Nouvelle-Zélande s'étend sur deux îles montagneuses, séparées par le détroit de Cook : l'*île du Nord,* au relief d'origine volcanique, et l'*île du Sud,* axée sur les Alpes néo-zélandaises. Le climat, aux fortes influences maritimes, est tempéré, les températures s'abaissant régulièrement vers le S.

	TEMPÉRATURES MOYENNES janv.	juil.	PLUIES
Auckland (au N.)	19 °C	11 °C	1 267 mm
Dunedin (au S.)	14 °C	7 °C	919 mm

La population se divise en deux grands groupes. Les Maoris, autochtones, ne représentent que 8 p. 100 du total. Les Européens sont surtout d'origine britannique.

L'*élevage* constitue la base de l'économie. Bovins et surtout ovins sont élevés pour la viande, le lait, la laine. Ces produits constituent l'essentiel des exportations, qui ont lieu surtout vers la Grande-Bretagne. Les cultures ne jouent qu'un rôle secondaire.

bovins 7 300 000 têtes; ovins 70 millions de têtes.

L'*industrie* alimentaire prédomine, mais l'utilisation de la houille blanche a permis le développement d'autres secteurs d'activité : textile, constructions mécaniques.

électricité 26 milliards de kWh.

La Nouvelle-Zélande a un niveau de vie élevé.

HISTOIRE

Explorée par Cook en 1769, la Nouvelle-Zélande est occupée par les Anglais à partir de 1840, après des guerres sanglantes contre les Maoris.

• *1907. La Nouvelle-Zélande devient un dominion.*

L'immigration, importante depuis 1861, est freinée après 1929. La vie politique est marquée par l'alternance au pouvoir des travaillistes (1935-1949; 1957-1960; 1972-1975; 1984-1990) et des conservateurs (1949-1957; 1960-1972; 1975-1984 et depuis 1990).

NOUVELLE-ZEMBLE, en russe **Novaïa Zemlia** *(Terre nouvelle),* archipel des côtes arctiques de l'U. R. S. S., entre les mers de Barents et de Kara.

NOUVELLISTE n. ⟶ NOUVELLE 3.

NOUZONVILLE, ch.-l. de cant. du dép. des Ardennes, à 7,5 km au N. de Charleville, sur la Meuse; 7 400 hab. Métallurgie.

NOVALIS (Friedrich VON HARDENBERG, dit), écrivain allemand (1772-1801). Ses poèmes (*Hymnes à la nuit,* 1800) et son roman (*Henri d'Ofterdingen,* 1802) sont d'un romantisme mystique.

NOVARE, v. d'Italie (Piémont); 101 800 hab. Centre industriel (produits chimiques). Défaite des Français en 1513, et du roi de Sardaigne Charles-Albert devant l'Autrichien Radetzky en 1849.

NOVATEUR, TRICE [nɔvatœr, -tris] adj. et n. (du lat. *novare,* renouveler). Qui innove : *Esprit novateur.*

NOVEMBRE [nɔvɑ̃br] n. m. (du lat. *novem,* neuf). Onzième mois de l'année. (⟶ MOIS.)

NOVGOROD, v. de l'U. R. S. S., au S. de Saint-Pétersbourg; 128 000 hab. Indépendante des princes de Kiev dès le XIe s., Novgorod fut au XIIIe s. un des centres les plus brillants de la civilisation russe et une importante place de la Ligue hanséatique, en relation avec l'Orient et la Baltique. Nombreux monuments.

NOVICE [nɔvis] adj. et n. (du lat. *novus,* nouveau). Qui montre de l'inexpérience dans un métier, dans une activité : *Un jeune instituteur, encore novice dans sa profession* (contr. EXPÉRIMENTÉ). *Se laisser prendre comme un novice* (syn. APPRENTI, DÉBUTANT). ◆ n. Personne qui est entrée récemment dans un ordre religieux. ◆ **noviciat** n. m. Temps d'épreuve imposé aux novices avant leurs vœux (sens relig.).

NOVI SAD, v. de Yougoslavie, capit. du territoire de la Vojvodine, sur le Danube; 141 700 hab. Métallurgie.

NOVOCHAKHTINSK, de 1929 à 1939 **Komintern,** v. de l'U. R. S. S., au N. de Rostov-sur-le-Don; 102 000 hab. Centre houiller dans le Donbass oriental.

NOVO-KOUZNETSK, de 1932 à 1961 **Stalinsk,** v. de l'U. R. S. S., en Sibérie, dans le Kouzbass; 499 200 hab. Houille. Sidérurgie. Métallurgie (aluminium).

NOVOMOSKOVSK, de 1934 à 1961 **Stalinogorsk,** v. de l'U. R. S. S., au S. de Moscou; 134 000 hab. Industries chimiques.

NOVOROSSIISK, port de l'U. R. S. S., sur la mer Noire; 133 000 hab. Métallurgie.

NOVOSSIBIRSK, v. de l'U. R. S. S., en Sibérie occidentale, sur l'Ob'; 1 304 000 hab. Elle doit son développement à celui du Kouzbass, dont elle est le centre administratif et technique. Auj., elle est une grande cité industrielle (métallurgie, textiles) et un important centre scientifique.

NOVOTCHERKASSK, v. de l'U. R. S. S., au N.-E. de Rostov-sur-le-Don; 162 000 hab. Matériel ferroviaire.

NOWA HUTA, agglomération de la Pologne, dans la banlieue de Cracovie. Centre sidérurgique et métallurgique.

NOYADE n. f. ⟶ NOYER 2.

1. NOYAU [nwajo] n. m. (du lat. *nodus,* nœud). Partie centrale et dure de certains fruits charnus, formée d'un endocarpe lignifié contenant la graine, ou amande : *Noyau de pêche.* ◆ **dénoyauter** v. t. Enlever le noyau du fruit.

2. NOYAU [nwajo] n. m. (même étym.). **1.** Partie centrale du globe terrestre, sans doute constituée de nife*. — **2.** *Anat.* Amas de substance grise dans un centre nerveux, comme les corps striés de la base du cerveau. — **3.** *Biol.* Corps sphérique que l'on observe à l'intérieur de presque toutes les cellules vivantes. — **4.** *Phys.* Partie centrale d'un atome, formée de protons et de neutrons et où est rassemblée sa masse. — **5.** Pièce de fer doux placée à l'intérieur d'une bobine d'induction, d'un inducteur de machine électrique. — **6.** Partie centrale autour de laquelle s'organise un groupe, un ensemble, un système : *Le verbe est le noyau de la phrase.* — **7.** Petit groupe d'individus solidement liés les uns aux autres et formant un élément essentiel : *Détruire les derniers noyaux de résistance ennemie* (= groupes isolés).

NOYAUTER [nwajɔte] v. t. (de *noyau*). Introduire dans un groupement (parti, syndicat, etc.) des éléments isolés chargés de le diviser, de le désorganiser ou d'en prendre la direction pour en modifier le but. ◆ **noyautage** n. m. : *Le noyautage d'un syndicat.*

NOYÉ, E n. ⟶ NOYER 2.

NOYELLES-GODAULT, comm. du Pas-de-Calais, à 3 km à l'E. d'Hénin-Liétard; 5 500 hab. Métallurgie du plomb et du zinc.

NOYELLES-SOUS-LENS, comm. du Pas-de-Calais, dans la banlieue est de Lens; 8 200 hab.

1. NOYER n. m. ⟶ NOIX.

2. NOYER [nwaje] v. t. (lat. *necare,* tuer). [Conj. **3.**] **1.** *Noyer un être animé,* le faire périr par asphyxie en le plongeant dans un liquide : *Noyer des petits chats.* — **2.** Faire disparaître sous les eaux; recouvrir d'une grande quantité d'eau : *La rupture des digues a noyé toutes les basses terres* (syn. INONDER, SUBMERGER).

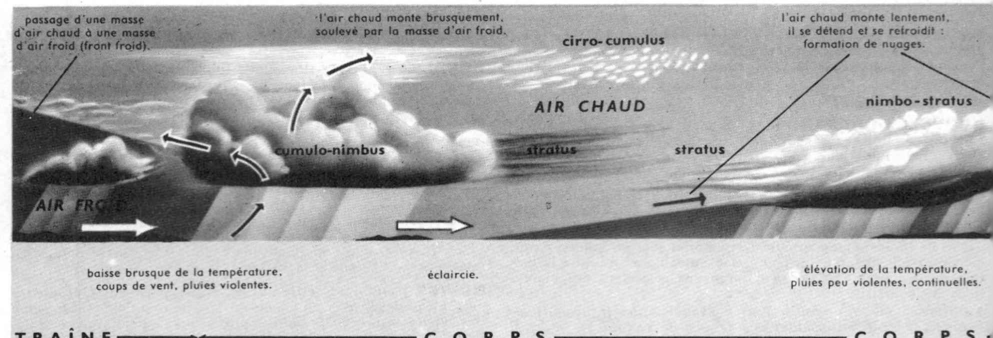
passage d'une masse d'air chaud à une masse d'air froid (front froid).
l'air chaud monte brusquement, soulevé par la masse d'air froid.
cirro-cumulus
l'air chaud monte lentement, il se détend et se refroidit : formation de nuages.
AIR CHAUD
nimbo-stratus
cumulo-nimbus
stratus
stratus
AIR FROID
baisse brusque de la température, coups de vent, pluies violentes.
éclaircie.
élévation de la température, pluies peu violentes, continuelles.
TRAÎNE
CORPS
CORPS

— **3.** Faire disparaître dans une masse (souvent au passif) : *Le cri fut noyé par le bruit de la fête foraine* (syn. ÉTOUFFER). — **4.** *Noyer une révolte dans le sang,* la réprimer avec violence. ‖ *Noyer le poisson,* embrouiller une question, un problème, de telle manière que l'adversaire soit fatigué et cède. ‖ *Noyer son chagrin dans l'alcool,* le faire disparaître en s'enivrant. ◆ ***se noyer*** v. pr. **1.** Mourir asphyxié dans l'eau : *Deux baigneurs se sont noyés.* — **2.** *Se noyer dans les détails,* être incapable de les dépasser pour aller à l'essentiel. ‖ *Se noyer dans un verre d'eau,* échouer devant une petite difficulté. ◆ **noyé, e** n. : *Ranimer un noyé par la respiration artificielle.* ◆ **noyade** n. f. Mort par asphyxie, due à la pénétration de l'eau dans les poumons.

NOYON, ch.-l. de cant. de l'Oise, à 24 km au N.-E. de Compiègne; 14 000 hab. *(Noyonnais).* Cathédrale (XIIe-XIIIe s.).

● *1516. Traité d'alliance entre François Ier et Charles Quint.*

NU, E [ny] adj. (après le nom) [lat. *nudus*]. **1.** Se dit de quelqu'un (d'une partie de son corps) qui n'a sur lui aucun vêtement : *Tête nue* ou *nu-tête. Pieds nus* ou *nu-pieds.* (*Rem.* Placé avant le nom d'une partie du corps et relié à lui par un trait d'union, *nu* a la valeur d'un préf. et reste inv. : *Aller nu-jambes, nu-tête, nu-pieds.* Placé après le nom, et non relié par un trait d'union, *nu* varie comme un adjectif : *Marcher pieds nus.*) — **2.** Se dit d'un lieu, d'un objet dépourvu d'ornement : *Une chambre nue* (= sans meubles). — **3.** *Dire la vérité toute nue,* simplement, sans adoucissement ni déguisement. ‖ *À l'œil nu,* sans utiliser de jumelles, de lunettes. ‖ *Mettre à nu,* découvrir, montrer à tous. ◆ n. m. Genre d'art (dessin, peinture, sculpture) représentant le corps humain nu. ◆ **nûment** adv. : *Dire tout nûment la vérité* (= sans la déguiser) [syn. CRÛMENT]. ◆ **nudisme** n. m. Pratique de la vie en plein air dans un état de nudité complète. ◆ **nudiste** n. et adj. : *Un camp de nudistes.* ◆ **nudité** n. f. **1.** État d'une personne nue, d'une partie du corps nue. — **2.** État d'une chose qui n'est recouverte, ornée de rien. ◆ **dénuder** v. t. **1.** Mettre à nu, découvrir le corps ou une partie du corps. — **2.** Enlever à quelque chose ce qui le recouvre (souvent au passif). ‖ *Dénuder un conducteur électrique,* enlever la gaine isolante qui le recouvre.

NUAGE [nɥaʒ] n. m. (lat. *nubes*). **1.** Ensemble de particules d'eau très fines, solides ou liquides, maintenues en suspension dans l'atmosphère par les mouvements verticaux de l'air. ⟶ ENCYCL. — **2.** Masse compacte de vapeur, de menues particules, etc., qui empêche de voir : *Un nuage de fumée.* — **3.** *Bonheur sans nuages,* parfait, sans souci. ‖ *Être dans les nuages,* rêver; être distrait. ‖ *Un nuage de lait,* une petite quantité de lait versée dans du thé, du café (syn. SOUPÇON). ◆ **nuageux, euse** adj. Couvert de nuages : *Un temps nuageux.*

— ENCYCL. L'Organisation météorologique mondiale a proposé une classification internationale des *nuages,* fondée sur leur aspect aisément reconnaissable. On en distingue dix genres : altocumulus, altostratus, cirrus, cirro-cumulus, cirro-stratus, cumulus, cumulo-nimbus, nimbo-stratus, stratus et strato-cumulus. (⟶ ces mots à leur ordre alphabétique et illustration ci-dessus.)

NUANCE [nɥɑ̃s] n. f. (de l'anc. fr. *nuer,* nuancer). **1.** Chacun des degrés différents par lesquels peut passer une même couleur : *Les nuances du rouge (cerise, cramoisi, vermillon, etc.).* — **2.** Chacun des états par lesquels peut passer une odeur, un sentiment, etc. : *Les nuances d'un parfum. Les nuances de l'amour.* — **3.** *Mus.* Intensité donnée à l'exécution d'un morceau de musique pour lui donner un caractère expressif : *Les nuances, indiquées par des termes italiens, vont de pianissimo (= très doux) à fortissimo (= très fort).* — **4.** Différence minime, fine, entre deux choses de même genre : *Il y a plus qu'une nuance entre ces deux points de vue.* ◆ **nuancer** v. t. Exprimer d'une manière délicate, en tenant compte des différences (souvent au passif) : *Nuancer sa pensée.*

NUBIE, contrée d'Afrique, correspondant à la partie septentrionale de l'État du Soudan et à l'extrémité sud de l'Égypte. (Hab. *Nubiens.*) Les importants vestiges des civilisations anciennes qu'elle possède, menacés de submersion par la mise en eau du barrage de Sadd al-ʿĀlī, ont fait l'objet d'une campagne mondiale pour leur sauvegarde.

NUBILE [nybil] adj. f. (du lat. *nubere,* se marier). *Une fille nubile,* en âge de se marier. (⟶ aussi PUBÈRE.)

1. NUCLÉAIRE [nykleɛr] adj. (du lat. *nucleus,* noyau). Relatif au noyau de l'atome : *Énergie nucléaire. Centrale nucléaire.* ⟶ ENCYCL. ‖ *Armes nucléaires,* terme collectif englobant toutes les armes qui utilisent l'énergie nucléaire (armes atomiques et thermonucléaires). ‖ *Électricité nucléaire* ⟶ ÉLECTRICITÉ. ◆ n. m. Ensemble des industries qui concourent à la mise en œuvre de l'énergie nucléaire. ◆ **nucléon** n. m. Particule constituant le noyau d'un atome. (Il existe des *nucléons positifs,* ou protons, et des *nucléons neutres,* ou neutrons.) ◆ **antinucléaire** adj. et n. Hostile à l'emploi de l'énergie nucléaire. ◆ **dénucléarisé, e** adj. Se dit d'un territoire où l'on a supprimé tout engin atomique.

— ENCYCL. La fission des éléments lourds (uranium) comme la fusion des éléments légers (hydrogène), qui s'accompagnent d'une perte de masse, dégagent une grande quantité d'énergie, dite *énergie nucléaire.* Celle-ci, qui est à l'origine des rayonnements du Soleil et des étoiles, a pu être libérée, grâce aux réactions en chaîne, dans les bombes atomiques et les piles à uranium, ou *réacteurs nucléaires.* Elle a diverses applications, telles que production d'électricité, moteurs de sous-marins et de navires, emplois médicaux et industriels des isotopes radio-actifs.

2. NUCLÉAIRE [nykleɛr] adj. (même étym.). *Biol.* Relatif au noyau de la cellule. ◆ **nucléique** [nykleik] adj. *Acides nucléiques,* acides phosphorés qui sont parmi les constituants fondamentaux du noyau de la cellule. ◆ **nucléole** n. m. Corps sphérique situé à l'intérieur du noyau des cellules.

NUDISME n. m., **NUDISTE** adj. et n., **NUDITÉ** n. f. ⟶ NU.

1. NUÉE [nɥe] n. f. (du lat. *nubes,* nue). Multitude dense d'animaux, de gens, d'objets : *Une nuée de sauterelles. Une nuée d'admirateurs* (syn. ↓ FOULE).

2. NUÉE [nɥe] n. f. (même étym.). *Nuée ardente,* forte émission de gaz en combustion à très haute température accompagnés de projections solides (cendres, pierrailles) lors d'une éruption volcanique : *Une nuée ardente détruisit la ville de Saint-Pierre (Martinique), lors de l'éruption de la montagne Pelée en 1902.*

NUES [ny] n. f. pl. (lat. *nubes*). *Porter, élever qq'un aux nues,* le louer avec un enthousiasme excessif. ‖ *Tomber des nues,* être extrêmement surpris.

NUIRE [nɥir] v. t. ind. (lat. *nocere*). [Conj. **69.**] **1.** *Nuire à qq'un* (ou à ce qui lui appartient), lui faire du mal, lui causer du dommage : *C'est un honnête homme qui ne voudrait nuire à personne* (syn. DISCRÉDITER). — **2.** *Nuire à qqch.,* causer une gêne, faire obstacle : *Cet incident risque de nuire aux négociations* (syn. CONTRARIER, GÊNER). ◆ ***se nuire*** v. pr. Nuire à soi-même : *Il se nuit en insistant trop.* ◆ **nuisible** adj. : *Un animal nuisible* (= parasite, dangereux). *Un climat particulièrement nuisible à la santé* (syn. NÉFASTE POUR; contr. BIENFAISANT). [⟶ NOCIF.]

NUISANCE [nɥizɑ̃s] n. f. (de *nuire,* avec influence de l'angl.

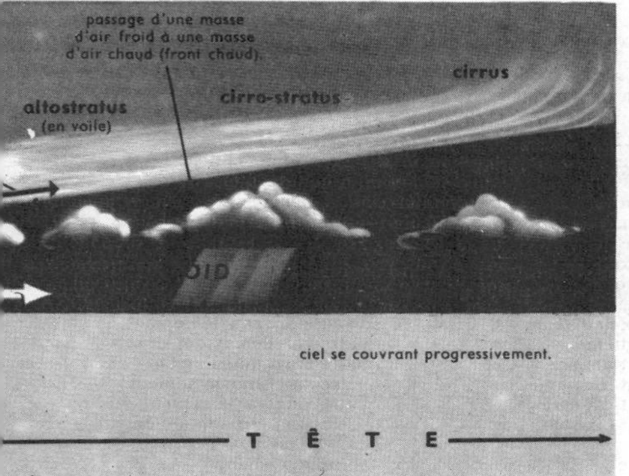

uisance). Ensemble des facteurs d'origine industrielle ou sociale qui rendent insupportable la vie actuelle (souvent au plur.) : *Les bruits, la pollution de l'air, la promiscuité sont des nuisances de la vie moderne.*

NUISIBLE adj. → NUIRE.

NUIT [nɥi] n. f. (lat. *nox, noctis*). **1.** Temps pendant lequel le Soleil n'est pas visible en un point de la Terre : *Les régions polaires connaissent une nuit de plusieurs mois. Passer une nuit blanche* (= sans dormir). — **2.** Obscurité qui règne pendant cette durée : *Il fait nuit* (contr. JOUR). — **3.** *Dans la nuit des temps*, à une époque très ancienne, très reculée. ‖ *De nuit*, qui se passe la nuit : *Travail, service de nuit;* qui fonctionne la nuit : *Une boîte de nuit* (= un cabaret); qui vit la nuit : *Oiseau de nuit.* ◆ **nuitamment** adv. Pendant la nuit : *Un vol commis nuitamment.* ◆ **nuitée** n. f. Séjour d'une nuit d'un voyageur dans un hôtel. (→ NOCTAMBULE, NOCTURNE.)

Nuits (les), poèmes d'Alfred de Musset, publiés dans *la Revue des Deux Mondes : la Nuit de mai* et *la Nuit de décembre* (1835), *la Nuit d'août* (1836), *la Nuit d'octobre* (1837).

NUITS-SAINT-GEORGES, ch.-l. de cant. de la Côte-d'Or, à 16 km au N.-E. de Beaune; 5 500 hab. Vins rouges réputés.

NUKU-HIVA, la plus grande des îles Marquises; 117 km²; 5 600 hab. Lieu de déportation sous le second Empire.

1. NUL, NULLE [nyl] adj. indéf. (lat. *nullus*) [toujours placé avant le nom]. Indique, avec la négation *ne*, l'absence totale : *Nul doute qu'il ne soit déjà arrivé* (= il n'y a aucun doute); avec *sans : Sans nul doute, il aura oublié* (= incontestablement, sûrement); avec *autre*, de sens comparatif : *Nul autre que toi ne peut le faire* (= aucune autre personne). — LOC. ADV. *Nulle part*, en aucun lieu : *On ne l'a trouvé nulle part* (contr. PARTOUT). ◆ **nullement** adv. En aucune façon : *Il n'en est nullement responsable* (syn. AUCUNEMENT). ◆ **nul** pron. indéf. Presque toujours sujet et masculin : *Nul n'est censé ignorer le règlement* (syn. PERSONNE). *À l'impossible, nul n'est tenu. Nul n'est prophète en son pays.*

2. NUL, NULLE [nyl] adj. (même étym.) [après le nom]. **1.** Indique la réduction à rien, l'inexistence, l'absence de validité : *Ils ont fait match nul* (= le match s'est terminé sans vainqueur ni vaincu). *La récolte du vin est presque nulle dans la région* (syn. INEXISTANT). *Le testament a été déclaré nul* (= sans validité). — **2.** Se dit de choses qui n'ont aucune valeur, et en particulier de ce qui est intellectuel : *Ce devoir est nul, j'ai mis un zéro;* se dit d'une personne sans compétence : *Cet élève est nul en mathématique* (= il obtient de très mauvais résultats dans cette discipline). ◆ **nullard, e** adj. et n. *Fam.* et *péjor.* Se dit d'une personne sans valeur, sans compétence. ◆ **nullité** [nyllite] ou [nylite] n. f. **1.** Caractère d'une chose sans valeur, d'une personne sans intelligence, sans connaissances : *Cet élève est d'une parfaite nullité.* — **2.** Caractère d'un acte juridique qui ne peut avoir d'effet parce qu'il n'a pas d'existence légale : *Testament frappé de nullité.*

NUMANCE, v. de l'anc. Espagne, prise et détruite par Scipion Émilien, après un long siège (134-133 av. J.-C.).

NUMA POMPILIUS, deuxième roi légendaire de Rome; il aurait régné de 715 env. à 672 av. J.-C.

NÛMENT adv. → NU.

NUMÉRAIRE [nymerɛr] n. m. (du lat. *numerare*, compter). Toute monnaie ayant cours légal (techn., par oppos. à TRAITE, CHÈQUE, etc.) : *Payer en numéraire* (syn. EN ESPÈCES).

NUMÉRATION [nymerasjɔ̃] n. f. (du lat. *numerus*, nombre). **1.** *Math.* Procédé permettant la représentation des nombres (entiers ou rationnels) au moyen de symboles, grâce à un système de conventions. (Ces symboles peuvent être énoncés [*numération parlée*], ou écrits [*numération écrite*] : on les appelle alors *chiffres.* Le nombre de chiffres utilisés s'appelle la *base* de la numération écrite.) ‖ *Numération binaire* (= à base deux), qui n'utilise que les symboles 0 et 1. ‖ *Numération décimale* (= à base dix), qui utilise les symboles 0, 1, 2, 3, 4, 5, 6, 7, 8, 9. (*Ex. :* le nombre vingt-sept s'écrit 27 en base dix, 11011 en base deux.) → tableau. — **2.** Méd. *Numération globulaire*, dénombrement des globules rouges et des globules blancs du sang (rapporté en général à 1 mm³). [À l'état normal, on dénombre de 4 500 000 à 5 000 000 de globules rouges (hématies) et de 6 000 à 8 000 globules blancs

numération

CHIFFRES	NUMÉRAUX CARDINAUX (adj. et n.) Indique un nombre précis, le jour, la date, le rang d'un souverain, le numéro d'une maison, d'une page, etc.	NUMÉRAUX ORDINAUX (adj. et n.; suffixe *-ième*) Indique un rang précis.	ADVERBES (formés sur les ordinaux et d'origine latine)
1	un	premier	premièrement (primo)
2	deux	deuxième (second)	deuxièmement (secondement, secundo)
3	trois	troisième	troisièmement (tertio)
4	quatre	quatrième	quatrièmement (quarto)
5	cinq	cinquième	cinquièmement (quinto)
6	six	sixième	sixièmement (sexto)
7	sept	septième	septièmement (septimo)
8	huit	huitième	huitièmement (octavo)
9	neuf	neuvième	neuvièmement (nono)
10	dix	dixième	dixièmement (decimo)
11	onze	onzième	onzièmement
12	douze	douzième	douzièmement
13	treize	treizième	treizièmement
14	quatorze	quatorzième	quatorzièmement
15	quinze	quinzième	quinzièmement
16	seize	seizième	seizièmement
17	dix-sept	dix-septième	dix-septièmement
18	dix-huit	dix-huitième	dix-huitièmement
19	dix-neuf	dix-neuvième	dix-neuvièmement
20	vingt	vingtième	vingtièmement
21	vingt et un	vingt et unième	vingt et unièmement
22	vingt-deux	vingt-deuxième	vingt-deuxièmement
29	vingt-neuf	vingt-neuvième	vingt-neuvièmement
30	trente	trentième	trentièmement

▷

CHIFFRES	NUMÉRAUX CARDINAUX (adj. et n.) Indique un nombre précis, le jour, la date, le rang d'un souverain, le numéro d'une maison, d'une page, etc.	NUMÉRAUX ORDINAUX (adj. et n.; suffixe *-ième*) Indique un rang précis.	ADVERBES (formés sur les ordinaux et d'origine latine)
31	trente et un	trente et unième	trente et unièmement
38	trente-huit	trente-huitième	trente-huitièmement
40	quarante	quarantième	quarantièmement
50	cinquante	cinquantième	cinquantièmement
60	soixante	soixantième	soixantièmement
70	soixante-dix	soixante-dixième	soixante-dixièmement
71	soixante et onze	soixante et onzième	soixante et onzièmement
73	soixante-treize	soixante-treizième	soixante-treizièmement
79	soixante-dix-neuf	soixante-dix-neuvième	soixante-dix-neuvièmement
80	quatre-vingts	quatre-vingtième	quatre-vingtièmement
81	quatre-vingt-un	quatre-vingt-unième	quatre-vingt-unièmement
83	quatre-vingt-trois	quatre-vingt-troisième	quatre-vingt-troisièmement
90	quatre-vingt-dix	quatre-vingt-dixième	quatre-vingt-dixièmement
97	quatre-vingt-dix-sept	quatre-vingt-dix-septième	quatre-vingt-dix-septièmement
100	cent	centième	centièmement
101	cent un	cent unième	cent unièmement
110	cent dix	cent dixième	cent dixièmement
200	deux cents	deux centième	deux centièmement
220	deux cent vingt	deux cent vingtième	deux cent vingtièmement
280	deux cent quatre-vingts	deux cent quatre-vingtième	deux cent quatre-vingtièmement
600	six cents	six centième	six centièmement
1 000	mille	millième	millièmement
2 000	deux mille	deux millième	
100 000	cent mille	cent millième	
1 000 000	un million	un millionième	
10 000 000	dix millions	dix millionième	
1 000 000 000	un milliard	un milliardième	
10 000 000 000	dix milliards	dix milliardième	

Rem. Pour désigner un nombre ordinal indéterminé; en mathématiques ou fam., on dit *ennième* ou n^{ieme} (*n* + suffixe *-ième) : Pour la ennième fois, je vous le répète.* Le *quantième* indique le jour du mois dans la langue administrative. Dans les phrases interrogatives familières, *combientième?* indique en quel rang, à quelle date : *Tu es le combientième à la composition?*

Accord. Les numéraux cardinaux sont invariables comme adjectifs et comme noms, sauf *million, milliard, vingt* dans *quatre-vingts* et *cent* dans *deux cents, trois cents,* etc. Toutefois, il est d'usage de ne pas mettre d'*s* lorsqu'ils sont complétés d'un autre adjectif numéral : *quatre-vingt-deux, deux cent trois.* Les numéraux ordinaux sont variables.

Adverbes. Les adverbes d'origine latine ne sont usuels que jusqu'à *decimo.*

FRACTIONS (n.)		× (multiplié par)	MULTIPLES (adj. et n. m.)	ENSEMBLE ou QUANTITÉ APPROXIMATIVE (n. f.)
$\frac{1}{2}$	un demi; la moitié	×2	(le) double (adv. : doublement)	une huitaine (de jours)
$\frac{1}{3}$	un (le) tiers	×3	(le) triple (adv. : triplement)	une dizaine
$\frac{1}{4}$	un (le) quart	×4	(le) quadruple	une douzaine
$\frac{1}{5}$	un (le) cinquième	×5	(le) quintuple	une vingtaine
$\frac{1}{6}$	un (le) sixième	×6	(le) sextuple	une (la) trentaine
$\frac{2}{3}$	(les) deux tiers	×10	(le) décuple	une (la) quarantaine
$\frac{3}{4}$	(les) trois quarts	×100	(le) centuple	une (la) cinquantaine
$\frac{4}{5}$	(les) quatre cinquièmes			une (la) soixantaine
				une (la) centaine ou un cent
				un (le) millier

La *trentaine*, la *quarantaine*, la *cinquantaine*, la *soixantaine* désignent l'âge d'environ trente ans, quarante ans, cinquante ans, soixante ans : *Avoir atteint, dépassé la cinquantaine. Approcher de la soixantaine.*

Emplois particuliers des noms de nombre cardinaux et ordinaux; ils désignent :

Dans l'organisation de l'enseignement, les classes du second degré, et anciennement celles du premier degré (ordinal au fém.).	*Les classes de la sixième* (11-12 ans) *à la première* (16-17 ans) : *la cinquième, la quatrième, la troisième, la seconde; anciennement, la onzième* (7 ans), *la dixième, la neuvième, la huitième, la septième* (11 ans).	Les jours de l'année (cardinal au masc.).	*Vous viendrez le huit à la maison?*
		Les numéros des maisons d'une rue; les étages d'une maison (cardinal au masc.).	*Habiter le 26 de la rue de Vaugirard. Habiter au troisième, au second.*
Dans les jeux de cartes, les basses cartes (cardinal au masc.).	*Le huit de trèfle. Un sept de cœur.*	Les chiffres.	*Un trois. Demain en huit.*

(leucocytes).] ◆ **numérateur** n. m. *Math.* Terme d'une fraction placé au-dessus de la barre horizontale : *Le numérateur de la fraction* $\frac{a}{b}$ *est le nombre* a. ◆ **numéral, e, aux** adj. *Adjectif numéral* → CLASSE 4. ‖ *Système numéral,* ensemble des symboles utilisés pour représenter les nombres. ◆ **numérique** adj. Évalué par des nombres : *La force numérique de l'adversaire* (= en nombre). *Quelles sont les données numériques du problème?* ◆ **numériquement** adv. : *Vaincre un ennemi numériquement supérieur* (= au point de vue du nombre). [→ DÉNOMBRER.]

1. NUMÉRO [nymero] n. m. (mot it.; du lat. *numerus,* nombre). **1.** Nombre qui indique la place d'un objet dans une série, qui sert à distinguer une chose d'autres choses de même nature : *Habiter au numéro trente de la rue de Vaugirard. Les coureurs ont un numéro sur leur dossard.* — **2.** Nombre marqué sur les billets, les boules, etc., utilisés dans les jeux de hasard : *Le numéro gagnant à la loterie.* — **3.** Partie d'une revue, d'un périodique, publiée à une date donnée : *Son article vient de paraître dans le dernier numéro. La suite au prochain numéro* (= la suite de l'article, de l'histoire paraîtra dans le numéro suivant du journal, de la revue; ce qui reste à faire est remis à plus tard). — **4.** *Numéro un,* principal : *Ennemi public numéro un.* ◆ **numéroter** v. t. Marquer d'un numéro : *Numéroter des fiches.* ◆ **numérotage** n. m.

2. NUMÉRO [nymero] n. m. (de *numéro* 1). **1.** Chacune des divisions du spectacle d'un cirque, d'un music-hall : *Un numéro de jongleurs. Faire son numéro habituel* (= se donner habituellement en spectacle par une attitude ridicule, déplacée). — **2.** *Fam.* Personne singulière, bizarre : *C'est un drôle de numéro.*

NUMERUS CLAUSUS [nymerysklozys] n. m. (mots lat. qui signif. *nombre arrêté*). Catégorie de personnes admises en nombre limité à une fonction, à un grade, conformément à une loi, à une décision d'autorité.

NUMIDIE, anc. contrée de l'Afrique du Nord, située entre la Mauritanie et le pays de Carthage, peuplée de Berbères nomades, longtemps alliés de Carthage.

Pendant la deuxième guerre punique, sous le roi Masinissa, les Numides s'allient aux Romains.

- *201 av. J.-C. Masinissa agrandit le royaume de Numidie aux dépens de Carthage.*
- *116 av. J.-C. Le roi Jugurtha se révolte contre l'autorité romaine.*
- *105 av. J.-C. Après la défaite de Jugurtha, Rome confie une partie de la Numidie au roi de Mauritanie, Bocchus.*
- *46 av. J.-C. César fait de la Numidie la province d'Africa Nova, bientôt rattachée à l'ancienne province d'Afrique.*

NUMISMATIQUE [nymismatik] n. f. (lat. *numisma;* du gr. *nomisma,* monnaie). Science qui traite de la description et de l'histoire des monnaies, médailles et jetons. ◆ adj. Relatif à la numismatique. ◆ **numismate** n. Personne versée dans la connaissance des monnaies et des médailles.

NUMMULITE [nymylit] n. f. (du lat. *nummus,* pièce de monnaie, et gr. *lithos,* pierre). *Géol.* Fossile du genre des protozoaires foraminifères dont les coquilles, en forme de lentilles pouvant atteindre 8 cm de diamètre, abondent dans certains calcaires du début du Tertiaire. ◆ **nummulitique** adj. Qui renferme des nummulites : *Calcaire nummulitique.* ◆ n. m. Se dit de la première moitié de l'ère tertiaire (Éocène et Oligocène), caractérisée par l'abondance des nummulites.

NUNATAK [nynatak] n. m. (mot esquimau). Pointement rocheux isolé, perçant la glace d'un inlandsis.

NUNGESSER (Charles), aviateur français (1892-1927). As de la chasse pendant la Première Guerre mondiale, il disparut avec Coli à bord de son avion l'*Oiseau-Blanc* au cours d'une tentative de traversée de l'Atlantique nord.

NUOC-MÂM [nɥɔkmam] n. m. inv. (mot vietnamien signif. *eau de poisson*). Condiment liquide tiré de la fermentation du poisson, utilisé dans la cuisine asiatique.

NUPTIAL, E, AUX [nypsjal, -sjo] adj. (du lat. *nuptiae,* noces). Qui se rapporte aux noces, à la cérémonie du mariage : *Bénédiction nuptiale.* ◆ **nuptialité** n. f. Nombre des mariages dans une population déterminée et pendant une période donnée. ◆ **prénuptial, e, aux** adj. Qui précède le mariage : *Certificat prénuptial.* (→ NOCE.)

NUQUE [nyk] n. f. (ar. *nuqa,* moelle épinière). Partie postérieure du cou.

NUREMBERG, en all. **Nürnberg,** v. d'Allemagne (Bavière), sur la Pegnitz; 474 000 hab. Grand centre industriel juxtaposant activités modernes (constructions mécaniques et électriques, chimie) et traditionnelles (jouets). Ce fut l'une des citadelles du national-socialisme.

- *1945-1946. Vingt-quatre membres du parti et huit organisations nazies accusés de crimes de guerre y sont jugés par un tribunal militaire international.*

Douze chefs nazis sont condamnés à la pendaison, et sept à la prison. D'autres procès similaires s'y déroulèrent jusqu'en 1949.

NŪRISTĀN, ancienn. **Kāfiristān,** région montagneuse de l'Asie centrale, située dans le nord-est de l'Afghānistān.

NURMI (Paavo), champion finlandais d'athlétisme (1897-1973). Il domina la course à pied de fond entre 1920 et 1930.

NURSE [nœrs] n. f. (mot angl.). Bonne d'enfants; gouvernante. ◆ **nursery** [nœrsəri] n. f. Appartement réservé aux enfants.

NUTRITION [nytrisjɔ̃] n. f. (du lat. *nutrire,* nourrir). Acquisition et utilisation par les êtres vivants de matériaux prélevés dans le milieu extérieur, et qui assurent leur développement et couvrent leurs besoins énergétiques. → ENCYCL. ‖ *Fonctions de nutrition,* ensemble des fonctions digestives, respiratoires, circulatoires, excrétoires et endocriniennes qui permettent l'apport aux cellules des éléments assurant leur croissance, le maintien de leurs formes, leur fonctionnement (métabolisme) et l'élimination de leurs déchets. → ENCYCL. ◆ **nutritif, ive** adj. **1.** Qui a la propriété de nourrir : *Aliments très nutritifs* (syn. NOURRISSANT). — **2.** Qui concourt à la nutrition : *L'appareil nutritif d'un animal.* ◆ **nutritionnel, elle** adj. Qui concerne la nutrition. ◆ **nutritionniste** n.
— ENCYCL. ***nutrition.*** Un organisme vivant a deux sortes de besoins alimentaires.

Il lui faut d'une part des *matériaux de construction.* Pour grandir, remplacer les tissus détruits, l'organisme fabrique des tissus nouveaux; ceci nécessite l'apport extérieur de matériaux (protéines et lipides, glucides), fournis par l'alimentation.

Il lui faut d'autre part des *substances chimiques* capables de lui fournir l'*énergie* indispensable à toute activité : la contraction musculaire, le travail de toutes les cellules (nerveuses ou glandulaires) ne sont possibles que grâce à l'énergie apportée par la combustion des glucides, lipides, protéines, en présence de l'oxygène apporté par la respiration et aboutissant à la dégradation de ces produits avec libération d'une certaine énergie sous une forme utilisable par la cellule.

Toutes les activités de fabrication de matière vivante *(anabolisme)* ou de production d'énergie par dégradation des produits complexes *(catabolisme)* sont groupées sous le nom de *métabolisme**. Les aliments dégradés servent à fabriquer des *réserves* (glycogène du foie, graisse sous-cutanée, etc.), et dans ces réserves l'organisme puise les matériaux pour ses besoins d'énergie (glycogène) ou de synthèse (graisses, etc.).

■ *Les fonctions de nutrition.* La nutrition nécessite la mise en jeu de plusieurs appareils et fonctions : la *digestion* et la *respiration* qui apportent les éléments extérieurs indispensables (eau, aliments, oxygène), la *circulation* qui les transporte vers les organes, le *métabolisme* qui les utilise sur place en les transformant, détruisant, reconstruisant, l'*excrétion* (sueur, reins, foie) assurant l'élimination des déchets de la nutrition.

NUUK → GODTHAAB.

NYASSA, anc. nom du lac MALAWI*.

NYASSALAND, anc. nom du MALAWI*.

NYCTALOPIE [niktalɔpi] n. f. (du gr. *nuktalôps,* qui voit la nuit). Anomalie des yeux, dans laquelle la vision, très faible pendant le jour, augmente notablement avec le déclin de la lumière.

NYLON [nilɔ̃] n. m. Nom déposé d'une fibre textile artificielle.

1. NYMPHE [nɛ̃f] n. f. (gr. *numphê,* jeune fille). Jeune fille ou jeune femme belle et gracieuse (par comparaison avec les déesses des bois, des montagnes, etc., de la mythologie).

2. NYMPHE [nɛ̃f] n. f. (même étym.). Chez les insectes à métamorphoses complètes, état intermédiaire entre la larve et l'imago. ◆ **nymphal, e, als** ou **aux** adj. Relatif à une nymphe d'insecte : *Stade nymphal.* ◆ **nymphose** n. f. État de nymphe, pendant lequel les tissus et organes larvaires sont détruits et remplacés par des organes de l'insecte adulte.

NYMPHÉA [nɛ̃fea] n. m. (de *nymphe*). Nénuphar dont une espèce est le *lotus sacré* des Égyptiens de l'Antiquité. ◆ **nymphéacées** n. f. pl. Famille de dicotylédones dialypétales ayant pour type le *nymphéa,* ou *nénuphar blanc.*

NYMPHOMANE [nɛ̃fɔman] n. f. (de *nymphe,* et gr. *mania,* folie). Femme atteinte de besoins sexuels exagérés.

NYMPHOSE n. f. → NYMPHE 2.

NYON, comm. de Suisse (Vaud), sur le lac Léman; 8 500 hab. Château gothique.

NYONS, ch.-l. d'arrond. de la Drôme, à 16 km au N. de Vaison-la-Romaine; 6 300 hab. *(Nyonsais).* Industries alimentaires.

NYSA ŁUŻYCKA → NEISSE DE LUSACE.

O n. m. **1.** Quinzième lettre de l'alphabet et la quatrième des voyelles. → introduction de l'ouvrage. — **2.** O, symbole de l'*oxygène.*

Ô [o] interj. Marque le début d'une apostrophe, d'une invocation (avec un subst. ou un adj.) : *Ô fou que vous êtes! Ô mon Dieu!*

OAHU, île la plus peuplée de l'archipel des Hawaii, où se localisent la capit. de l'État des Hawaii, *Honolulu,* et le port militaire de *Pearl Harbor;* 1 549 km^2; 763 000 hab.

OAKLAND, v. des États-Unis (Californie), sur la baie de San Francisco; 361 600 hab. Métallurgie. Industries chimiques.

OAK RIDGE, v. des États-Unis (Tennessee); 27 400 hab. Premier centre de l'industrie de l'énergie atomique.

O. A. S. *(Organisation armée secrète),* organisation clandestine dirigée par les généraux rebelles Salan et Jouhaud, qui tenta de s'opposer par la violence à l'indépendance de l'Algérie (1961-1963).

OASIS [ɔazis] n. f. (mot gr.; orig. égypt.). **1.** Endroit d'une région désertique où se trouve un point d'eau qui permet à la végétation de croître : *L'oasis d'El-Goléa dans le Sahara.* — **2.** *Une oasis de* (et un substantif), lieu isolé du milieu environnant (littér.) : *Ce quartier résidentiel est une oasis de calme dans la ville* (syn. ÎLOT). ◆ **oasien, enne** adj. et n. Habitant d'une oasis.

OASIS *(dép. des),* anc. dép. du Sahara algérien; 573 000 hab. Le ch.-l. en était *Ouargla.*

OB' ou **OBI,** fl. de l'U. R. S. S.; 4 345 km. Né dans l'Altaï, il s'écoule vers le N., drainant malaisément la plaine marécageuse de la Sibérie occidentale, avant de rejoindre l'océan Arctique dans le long *golfe de l'Ob'.* Il arrose Novossibirsk, et son principal affluent est l'Irtych (r. g.).

OBÉDIENCE [ɔbedjɑ̃s] n. f. (lat. *oboedientia,* obéissance). **1.** Soumission à un supérieur ecclésiastique. — **2.** *D'obédience* (avec un adj.), se dit d'une personne, d'un peuple, etc., qui se reconnaît une autorité spirituelle ou politique : *Les pays d'obédience communiste. Une entente profonde est difficile entre des gens qui ne sont pas de même obédience* (syn. APPARTENANCE).

OBÉIR [ɔbeir] v. t. ind. et i. (lat. *oboedire*). **1.** (sujet nom d'être animé) *Obéir à qq'un, à qqch.,* se soumettre aux ordres de quelqu'un, aux stipulations d'un règlement, ou se conformer aux impulsions d'un sentiment, etc. : *Obéir au doigt et à l'œil* (= aveuglément). *Il n'obéit qu'à ses instincts* (syn. ÉCOUTER, SUIVRE). — **2.** *Être obéi, se faire obéir,* obtenir que quelqu'un vous obéisse. — **3.** (sujet nom de chose) *Obéir à une loi, à un principe,* etc., y être soumis, les confirmer : *Tout objet lancé obéit à la loi de la chute des corps* (syn. SUIVRE). — **4.** (sujet nom d'un animal ou d'un mécanisme) *Obéir à quelque chose,* suivre une impulsion donnée, y répondre : *Le cheval obéit à l'éperon.* ◆ **obéissant, e** adj. : *Un enfant obéissant* (syn. DOCILE). *Élèves obéissants* (syn. DISCIPLINÉ). ◆ **obéissance** n. f. : *L'obéissance est l'attitude que l'on apprécie le plus chez les enfants* (syn. DISCIPLINE, DOCILITÉ, ↑SOUMISSION). *Refus d'obéissance* (= insoumission, révolte). ◆ **désobéir** v. t. ind. *Désobéir à qq'un, à qqch.,* ne pas y obéir : *Enfant qui désobéit à ses parents. Désobéir au règlement* (syn. ENFREINDRE, TRANSGRESSER). ◆ **désobéissant, e** adj. : *Un élève désobéissant.* ◆ **désobéissance** n. f. : *La désobéissance d'un militaire* (syn. INSUBORDINATION). *Désobéissance à la loi* (syn. INFRACTION).

OBÉLISQUE [ɔbelisk] n. m. (gr. *obeliskos,* broche à rôtir). Pierre levée, très allongée, quadrangulaire à sa base et terminée en pointe.
— ENCYCL. Les *obélisques* étaient pour la plupart des monolithes. Ils sont couverts d'hiéroglyphes qui rappellent les titres du roi fondateur, le dieu à qui le monument a été consacré, etc. Les obélisques ornaient, en Égypte, l'entrée des temples et des palais. Les Romains en ont transporté beaucoup à Rome. Paris en possède un qui date de Ramsès II et qui vient de Louxor.

OBÉRER [ɔbere] v. t. (du lat. *obaeratus,* endetté). Accabler d'une lourde charge financière (langue soignée) : *Les conflits armés obèrent toujours les ressources d'un pays* (syn. GREVER). *Obéré de dettes* (= très endetté).

OBERHAUSEN, v. d'Allemagne, dans la Ruhr; 246 700 hab. Houille. Sidérurgie.

OBERKAMPF (Christophe Philippe), industriel français, d'origine allemande (1738-1815). En 1759, il fonda à Jouy-en-Josas la première manufacture de toiles imprimées à l'aide de planches de cuivre gravées. Plus tard, il installa à Essonnes la première filature française de coton.

OBERLAND BERNOIS, massif montagneux de Suisse (cant. de Berne), entre les hautes vallées de l'Aar et de la Sarine, englobant plusieurs sommets de plus de 4 000 m (Finsteraarhorn, Jungfrau, Mönch).

OBERNAI, ch.-l. de cant. du Bas-Rhin, à 10 km au S. de Molsheim, sur l'Ehn; 9 400 hab. Tissages. Constructions mécaniques. Tabac.

OBERTH (Hermann), savant allemand (1894-1989). Spécialiste de la propulsion par fusées, il est considéré comme l'un des précurseurs de l'astronautique.

OBÈSE [ɔbɛz] adj. et n. (lat. *obesus,* gras). Se dit d'une personne anormalement grosse (contr. ÉTIQUE, MAIGRE). ◆ **obésité** n. f. Excès d'embonpoint par surcharge graisseuse du tissu souscutané, du péritoine, etc.

OBI [ɔbi] n. f. (mot japon.). Longue ceinture en soie des Japonais, formant un nœud dans le dos.

OBI → OB'.

OBIER [ɔbje] n. m. (de l'it. *obbio*). Arbrisseau du genre viorne, dont une forme cultivée doit son nom de *boule-de-neige* à ses fleurs blanches groupées en une boule.

OBJECTER [ɔbʒɛkte] v. t. (lat. *objectare,* placer devant). *Objecter à qq'un* (ou à sa conduite) *qqch.,* ou *que* (et l'indic.), lui opposer une réfutation, émettre une protestation ou une affirmation contraire à sa proposition ou à ses ordres : *On vous objectera que votre projet est irréalisable* (syn. RÉTORQUER). ◆ **objection** n. f. **1.** Argument opposé à une affirmation : *Prévenir d'éventuelles objections de la part de ses adversaires.* — **2.** *Objection de conscience,* refus de remplir ses obligations militaires, pour des raisons morales ou religieuses. ◆ **objecteur** n. m. Sens 2 de OBJECTION : *Obtenir un statut pour les objecteurs de conscience.*

1. OBJECTIF [ɔbʒɛktif] n. m. (du lat. *objectus,* placé devant). **1.** Système optique d'une lunette, d'un microscope, etc., qui est tourné vers l'objet à examiner (par oppos. à l'*oculaire,* contre lequel on place l'œil) : *La distance focale d'un objectif.* — **2.** Système optique d'un appareil photographique, contenant les lentilles et qui donne des objets une image réelle, enregistrée sur une plaque sensible ou un film; l'appareil photographique lui-même.

2. OBJECTIF [ɔbʒɛktif] n. m. (même étym.). **1.** But précis à atteindre (syn. BUT). — **2.** Point contre lequel est dirigée une opération militaire : *Bombarder les objectifs stratégiques.*

3. OBJECTIF, IVE [ɔbʒɛktif, -iv] adj. (même étym.). **1.** Qui existe hors de l'esprit, comme chose ou comme matière, qui fait partie du monde extérieur et peut être perçu par les sens (s'emploie surtout en philos.) : *La réalité objective* (contr. SUBJECTIF). — **2.** Qui ne fait pas intervenir des éléments personnels dans ses jugements, qui décrit avec exactitude la réalité : *Des constatations objectives* (contr. SUBJECTIF). *Un compte rendu objectif* (syn. IMPARTIAL; contr. PARTIAL). ◆ **objectivement** adv. : *Le monde existe objectivement* (= indépendamment de nous). *Objectivement, je n'en sais rien.* ◆ **objectivité** n. f. : *Diriger des débats avec objectivité* (syn. IMPARTIALITÉ). *L'objectivité d'un exposé* (contr. PARTIALITÉ). ◆ **objectivisme** n. m. Absence systématique de parti pris.

4. OBJECTIF, IVE adj. → OBJET 3.

OBJECTION n. f. → OBJECTER.

OBJECTIVEMENT adv., **OBJECTIVISME** n. m., **OBJECTIVITÉ** n. f. → OBJECTIF 3.

1. OBJET [ɔbʒɛ] n. m. (lat. *objectum*, chose placée devant). Chose définie par sa matière, sa forme, sa couleur, destinée à un usage quelconque : *Des objets traînent dans la pièce, livres, jouets, etc. Rassembler ses objets personnels* (= ses affaires). *Collection d'objets d'art* (= d'œuvres d'art).

2. OBJET [ɔbʒɛ] n. m. (même étym.). **1.** (sujet nom d'être animé ou de chose) *Être l'objet, faire l'objet de*, être la cause, le motif d'une pensée, d'un sentiment, d'une action : *Cet enfant malade est l'objet d'un dévouement constant. Le choix des horaires a fait l'objet de violentes discussions.* — **2.** But d'une action, matière d'une activité : *L'objet d'une démarche* (syn. BUT). *L'objet de la discussion est très important* (syn. CONTENU, SUJET). — **3.** *Sans objet*, qui n'est pas fondé, qui est sans but : *Une question sans objet.*

3. OBJET [ɔbʒɛ] n. m. (même étym.). *Gramm.* Par opposition à SUJET, terme de la proposition désignant l'être ou la chose sur lesquels s'exerce l'action exprimée par le verbe : *Complément d'objet direct, indirect.* ◆ **objectif, ive** adj. *Complément objectif*, terme qui serait complément d'objet si le mot complété était un verbe (contr. SUBJECTIF). [Ainsi *paix* dans *le désir de la paix* = désirer la paix.]

OBJURGATIONS [ɔbʒyrgasjɔ̃] n. f. pl. (du lat. *objurgare*, blâmer). Paroles par lesquelles on essaie, avec une vive insistance, de détourner quelqu'un d'agir comme il a l'intention de le faire (litter.) : *J'ai cédé à vos objurgations* (syn. EXHORTATION).

OBLATION [ɔblasjɔ̃] n. f. (du lat. *oblatus*, offert). Offrande faite à Dieu; acte par lequel le prêtre offre à Dieu, pendant la messe, le pain et le vin qu'il doit consacrer.

1. OBLIGATION n. f. → OBLIGER 1 et 2.

2. OBLIGATION [ɔbligasjɔ̃] n. f. (lat. *obligatio*). Titre négociable, représentant une fraction d'un prêt à intérêt consenti à une société ou à une collectivité publique lors de l'émission d'un emprunt*

OBLIGATOIRE adj., **OBLIGATOIREMENT** adv. → OBLIGER 1.

OBLIGÉ, E adj. et n., **OBLIGEAMMENT** adv., **OBLIGEANCE** n. f., **OBLIGEANT, E** adj. → OBLIGER 2.

1. OBLIGER [ɔbliʒe] v. t. (lat. *obligare*, lier par contrat). **1.** *Obliger qq'un*, le lier par une loi, une convention : *Le contrat oblige les deux parties signataires* (syn. ENGAGER). — **2.** *Obliger qq'un à (faire) qqch.*, le forcer à une action (au passif, prép. *de*) : *La nécessité l'a obligé à accepter ce travail* (syn. CONTRAINDRE À). *Il a été obligé de réparer les dégâts* (syn. ASTREINDRE À, CONDAMNER). *Je suis obligé de partir* (= il faut que je parte). ◆ **obligation** n. f. **1.** Engagement qu'imposent la religion, la loi, la morale : *Remplir ses obligations militaires* (= répondre à l'appel, faire son service militaire). *Faire honneur à ses obligations familiales* (syn. DEVOIR). *Avoir des obligations mondaines* (= visites ou invitations à faire ou à rendre). *Obligation scolaire* (= devoir de fréquenter l'école). — **2.** Lien juridique par lequel une personne est tenue de faire ou de ne pas faire quelque chose : *Il lui faut d'abord s'acquitter de ses obligations* (= dettes, contrats). *Contracter une obligation envers qq'un* (= se lier par un engagement). — **3.** Nécessité, caractère inévitable ou contraignant d'une situation : *Être dans l'obligation de démissionner.* ◆ **obligatoire** adj. Se dit d'une chose imposée par la loi ou par des circonstances particulières : *L'assistance aux travaux pratiques est obligatoire* (syn. INDISPENSABLE; contr. FACULTATIF). *Tenue de soirée obligatoire* (syn. DE RIGUEUR, EXIGÉ). ◆ **obligatoirement** adv. : *En suivant cette rue, on arrive obligatoirement sur la place* (syn. INÉVITABLEMENT, NÉCESSAIREMENT).

2. OBLIGER [ɔbliʒe] v. t. (même étym.). *Obliger qq'un*, lui rendre un service par pure complaisance (langue soignée) : *Vous m'obligeriez beaucoup en ne répétant pas ce que je vous ai dit* (= vous me feriez un très grand plaisir en...). ◆ **obligation** n. f. Sentiment ou devoir de reconnaissance de quelqu'un envers un bienfaiteur (le plus souvent au sing.) : *Avoir beaucoup d'obligation à qq'un pour des services rendus.* ◆ **obligeamment** adv. : *Il a très obligeamment proposé de nous reconduire* (syn. AIMABLEMENT). ◆ **obligeance** n. f. : *Auriez-vous l'obligeance de me prêter vos documents?* (syn. COMPLAISANCE). ◆ **obligeant, e** adj. **1.** Se dit d'une personne (ou de son attitude) aimable et serviable (contr. DÉSOBLIGEANT). — **2.** *Paroles obligeantes*, paroles flatteuses. ◆ **obligé, e** adj. et n. À qui on a rendu service; qui est lié par la reconnaissance à quelqu'un : *Il est mon obligé en cette affaire.* ‖ *Je vous serais obligé de*, je vous serais très reconnaissant de. ◆ **désobliger** v. t. *Désobliger qq'un*, lui causer de la contrariété, du déplaisir : *J'évitai toute allusion qui aurait pu le désobliger* (syn. BLESSER, FROISSER). ◆ **désobligeant, e** adj. : *Des réflexions désobligeantes* (syn. BLESSANT). ◆ **désobligeance** n. f.

OBLIQUE [ɔblik] adj. (lat. *obliquus*). Se dit d'une droite, d'un chemin ou d'un tracé qui est de biais, incliné par rapport à une ligne, à un plan : *Le chemin suit un tracé oblique par rapport à la rivière.* — LOC. ADV. *En oblique*, de biais, en diagonale : *Traverser une rue en oblique.* ◆ adj. et n. m. *Anat.* Se dit de divers muscles dont l'action s'exerce dans des directions non parallèles au plan de symétrie du corps (le muscle *grand oblique de l'œil* fait rouler celui-ci à l'intérieur de l'orbite). ◆ n. f. *Math.* Droite qui coupe une autre droite ou un plan sans lui être perpendiculaire. ◆ **obliquement** adv. : *Regarder qq'un obliquement* (syn. DE BIAIS, DE CÔTÉ). ◆ **obliquer** v. i. Prendre une direction de côté : *Arrivé sur la place, vous obliquerez à droite* (syn. TOURNER). ◆ **obliquité** [ɔblikɥite] n. f. Inclinaison d'une ligne ou d'une surface par rapport à une autre : *Le degré d'obliquité des rayons solaires permet d'apprécier l'heure.* ‖ *Obliquité de l'écliptique*, angle d'environ 23° 27′ que l'écliptique forme avec l'équateur céleste.

OBLITÉRER [ɔblitere] v. t. (lat. *obliterare*, effacer). **1.** *Oblitérer un timbre*, le marquer d'un cachet portant le nom du bureau de poste de départ, l'heure, le mois, l'année. — **2.** Obstruer (terme méd.) : *Avoir une artère oblitérée par un caillot.* — **3.** *Oblitérer qqch.*, l'effacer, l'user progressivement (langue soignée) : *Les inscriptions murales sont partiellement oblitérées par le temps* (syn. EFFACÉ). ◆ **oblitération** n. f. : *L'oblitération empêche un timbre de servir une seconde fois. L'oblitération d'une artère.* ◆ **oblitérateur, trice** adj. : *Tampon oblitérateur.*

OBLONG, OBLONGUE [ɔblɔ̃, ɔblɔ̃g] adj. (du lat. *longus*, long). De forme allongée, plus long que large.

OBNUBILER [ɔbnybile] v. t. (lat. *obnubilare*, couvrir de nuages) [sujet nom désignant une idée]. Assombrir l'esprit, éclipser les autres idées (surtout au passif) : *Cette maladie l'obnubile, elle y pense tout le temps* (syn. OBSÉDER).

OBOLE [ɔbɔl] n. f. (gr. *obolos*). Petite offrande, contribution en argent peu importante.

OBRENOVIĆ ou **OBRÉNOVITCH,** nom patronymique de la dynastie qui a régné en Serbie depuis 1817 jusqu'en 1903, sauf de 1842 à 1858.

O'BRIEN (William Smith), homme politique irlandais (1803-1864). Il tenta d'organiser un soulèvement contre les Anglais (1846).

OBSCÈNE [ɔpsɛn] adj. (lat. *obscenus*, de mauvais présage). Qui choque la pudeur par sa trivialité ou sa crudité : *Tenir des propos obscènes* (syn. GROSSIER, INCONVENANT; contr. CONVENABLE, PUDIQUE). ◆ **obscénité** n. f. Caractère de ce qui est obscène; parole, acte, image obscènes (syn. GROSSIÈRETÉ).

OBSCUR, E [ɔpskyr] adj. (lat. *obscurus*). **1.** Se dit d'un lieu qui est mal éclairé, privé de lumière, qui n'est pas lumineux : *Un appartement obscur* (syn. SOMBRE; contr. CLAIR). *Fréquenter les salles obscures* (= aller au cinéma). — **2.** Se dit d'une pensée, d'une personne que l'on comprend difficilement : *Il traduit ses idées de façon obscure* (contr. CLAIR). — **3.** Se dit de quelqu'un (ou de son rôle) qui reste inconnu, peu célèbre : *Occuper un poste obscur* (syn. INSIGNIFIANT; contr. IMPORTANT). *Un poète obscur* (syn. INCONNU). ◆ **obscurément** adv. D'une manière confuse, imprécise : *Il sentit obscurément la crainte l'envahir* (syn. CONFUSÉMENT). ◆ **obscurité** n. f. **1.** État, qualité de ce qui est obscur : *On dit que les chats voient dans l'obscurité* (syn. NUIT, TÉNÈBRES [littér.]; contr. JOUR). *Laisser un problème dans l'obscurité* (= ne pas le traiter). *L'obscurité de la poésie de Mallarmé* (= la difficulté de la comprendre) [syn. HERMÉTISME]. — **2.** (au sing. ou au plur.) Phrase, pensée obscure : *Son langage est plein d'obscurités.* ◆ **obscurcir** v. t. Rendre obscur : *Les feuillages obscurcissent le jardin en été* (syn. ASSOMBRIR). *Le vin lui obscurcit les idées* (syn. BROUILLER; contr. ÉCLAIRCIR). ◆ ***s'obscurcir*** v. pr. Devenir obscur : *Le temps s'obscurcit* (syn. SE COUVRIR). *Son esprit s'obscurcit* (= devient confus). ◆ **obscurcissement** n. m.

OBSCURANTISME [ɔpskyrɑ̃tism] n. m. (de *obscur*). Opposition à la diffusion de l'instruction, de la culture, et au progrès des sciences. ◆ **obscurantiste** adj. et n. Opposé à la diffusion des connaissances.

OBSCURCIR v. t., **OBSCURCISSEMENT** n. m., **OBSCURÉMENT** adv., **OBSCURITÉ** n. f. → OBSCUR.

OBSÉDER [ɔpsede] v. t. (lat. *obsidere*, assiéger). **1.** (sujet nom de personne ou de chose) *Obséder qq'un*, l'importuner d'une manière continue (langue soignée) : *Obséder qq'un par ses assiduités* (syn. HARCELER). — **2.** *Être obsédé*, avoir une idée fixe : *Être obsédé par les questions d'argent.* ◆ **obsédant, e** adj. : *Le rythme obsédant d'une musique* (syn. ↑LANCINANT). ◆ **obsédé, e** n. et adj. : *C'est un obsédé de la montagne* (syn. FOU). ◆ **obsession** n. f. Idée fixe : *L'obsession de grossir* (syn. HANTISE). ◆ **obsessionnel, elle** adj. Se dit d'un état maladif caractérisé par une idée fixe : *Une névrose obsessionnelle.*

OBSÉQUENT [ɔpsekɑ̃] adj. (du lat. *ob*, à l'encontre, et *sequi*, suivre). *Géogr.* Dans un relief de côte*, se dit d'un cours d'eau qui s'écoule en sens contraire de la pente des couches.

OBSÈQUES [ɔpsɛk] n. f. pl. (lat. *obsequiae;* de *obsequi,* suivre). Cérémonie et convoi funèbres : *Se rendre à des obsèques* (= enterrement).

OBSÉQUIEUX, EUSE [ɔpsekjø, -øz] adj. (lat. *obsequiosus;* de *obsequium,* complaisance). Poli et empressé à l'excès : *Un subordonné obséquieux* (syn. SERVILE). ◆ **obséquieusement** adv. : *Il s'incline obséquieusement.* ◆ **obséquiosité** n. f. Politesse, respect exagérés (syn. SERVILITÉ).

OBSERVABLE adj. → OBSERVER 1.

OBSERVANCE n. f. → OBSERVER 2.

OBSERVATEUR, TRICE n. et adj., **OBSERVATOIRE** n. m. → OBSERVER 1.

OBSERVATION n. f. → OBSERVER 1 et 2.

Observatoire de Paris, établissement fondé par Louis XIV (1667) et destiné à l'étude ainsi qu'à l'observation des phénomènes célestes et atmosphériques. Il possède de nombreux services de photographie, de spectroscopie et de recherches physiques, et coopère à l'établissement de la carte photographique du ciel. Siège du Bureau international de l'heure, il assure la transmission de l'heure par radio. L'architecture (1667-1672) est une œuvre de Perrault. À cet observatoire est rattaché celui de Meudon, installé en 1877 et spécialement consacré à l'étude du Soleil, ainsi qu'à l'observation des planètes et des comètes.

1. OBSERVER [ɔpsɛrve] v. t. (lat. *observare*). **1.** *Observer qq'un, qqch.,* le considérer attentivement, l'étudier en détail : *Observer une éclipse de Soleil* (syn. ↓REGARDER). — **2.** *Observer qq'un, qqch.,* l'étudier scientifiquement : *Observer un insecte au microscope* (syn. EXAMINER). — **3.** *Observer qq'un,* épier ses faits et gestes : *Elle se sait observée et se méfie* (syn. SURVEILLER). — **4.** *Observer qqch.,* faire une remarque particulière : *Je vous ferai observer que vous êtes en retard* (syn. REMARQUER). ◆ **s'observer** v. pr. Exercer sur ses propres actions un contrôle constant pour éviter un geste déplacé, une maladresse, etc. ◆ **observateur, trice** n. **1.** Personne qui regarde, témoin : *Assister à un combat en simple observateur* (syn. SPECTATEUR). — **2.** Personne qui observe attentivement, étudie les phénomènes, les événements, les hommes : *Cet écrivain est un observateur de la société.* — **3.** Personne qui a pour mission d'assister à un événement, et parfois pour en rendre compte, sans y participer : *Des observateurs ont été admis au concile* (syn. AUDITEUR). ◆ adj. Très apte à observer : *Les enfants sont très observateurs* (= remarquent tout). *Avoir l'esprit observateur* (syn. ATTENTIF). ◆ **observation** n. f. **1.** Fait de considérer quelque chose avec attention : *Leurs rapports commencèrent par une période d'observation muette* (syn. EXAMEN). — **2.** Étude attentive et scientifique d'un phénomène, d'un événement, d'un homme, etc. : *Observations météorologiques. Cycle d'observation* (= d'étude des aptitudes des élèves). *Mettre un malade en observation* (= sous une surveillance particulière). *Poste d'observation* (= poste de contrôle). ‖ *Observation aérienne,* recherche de renseignements pour la préparation et la conduite d'opérations militaires, à partir d'engins aériens. — **3.** Remarque ou note exprimant le résultat d'un examen, d'une étude, une appréciation sur le contenu d'un texte : *Placer des observations en marge* (syn. COMMENTAIRE, REMARQUE). — **4.** Remarque, critique : *Faire une observation à un élève dissipé* (syn. RAPPEL À L'ORDRE). ◆ **observatoire** n. m. **1.** Lieu où l'on procède à des études d'astronomie et de météorologie : *L'observatoire de Forcalquier.* — **2.** Endroit d'où l'on peut aisément observer, surveiller. ◆ **observable** adj. Qui peut être remarqué, étudié : *L'éclipse de Soleil totale a été observable en 1973.* ◆ **inobservable** adj. : *Certaines étoiles sont inobservables à l'œil nu.*

2. OBSERVER [ɔpsɛrve] v. t. (même étym.). *Observer un règlement, un principe,* etc., s'y conformer : *Observer la règle du jeu* (syn. SE PLIER À). *Observer les usages* (syn. SUIVRE; contr. MANQUER À). ◆ **observance** n. f. Obéissance à une règle, le plus souvent religieuse : *Il vit dans la plus stricte observance des préceptes du Coran* (syn. SOUMISSION). *Religieuse qui appartient à telle observance* (= ordre). ◆ **observation** n. f. : *L'observation du règlement* (syn. OBÉISSANCE, RESPECT). ◆ **non-observation** n. f. : *La non-observation de cette loi entraînera des poursuites* (= le fait de ne pas s'y conformer).

OBSESSION n. f., **OBSESSIONNEL, ELLE** adj. → OBSÉDER.

OBSIDIENNE [ɔpsidjɛn] n. f. (de *Obsius,* qui aurait découvert ce minéral). Roche volcanique, vitreuse, de couleur sombre, appartenant à la famille des rhyolites*.

OBSOLESCENCE [ɔpsɔlɛsɑ̃s] n. f. (mot angl.; du lat. *obsolescere,* tomber en désuétude). Phénomène caractéristique des sociétés modernes, qui rend inutilisable un bien d'équipement ou de consommation, du fait du perfectionnement continu des techniques.

OBSOLÈTE [ɔpsɔlɛt] adj. (lat. *obsoletus;* de *solere,* avoir coutume). Hors d'usage : *Mot obsolète.*

OBSTACLE [ɔpstakl] n. m. (lat. *obstaculum;* de *obstare,* se tenir devant). **1.** Tout objet qui empêche de passer : *Le soleil ne peut pénétrer dans l'appartement, car la maison d'en face lui fait obstacle* (syn. ÉCRAN). — **2.** *Sports.* Difficulté que l'on place sur le parcours d'une course de haies ou d'un steeple-chase : *Une course d'obstacles.* — **3.** Ce qui entrave la réalisation de quelque chose : *Projet qui se heurte à des obstacles insurmontables* (syn. DIFFICULTÉ). *Le principal obstacle à ce mariage est l'âge des intéressés* (syn. EMPÊCHEMENT, ENTRAVE). *Faire obstacle* (= opposer).

OBSTÉTRIQUE [ɔpstetrik] n. f. (du lat. *obstetrix,* accoucheuse). Partie de la médecine relative aux accouchements. ◆ **obstétrical, e, aux** adj.

OBSTINER (S') [sɔpstine] v. pr. (lat. *obstinare*). S'attacher avec ténacité à, persister : *Inutile de chercher à le persuader, il s'obstine* (syn. S'ENTÊTER). *Elle s'obstine à tout contrôler elle-même* (syn. S'ACHARNER). ◆ **obstination** n. f. : *Faire preuve d'obstination* (syn. ACHARNEMENT, PERSÉVÉRANCE). *Réussir à un examen à force d'obstination* (syn. TÉNACITÉ). ◆ **obstiné, e** adj. et n. Se dit de quelqu'un (ou de son attitude) qui s'attache énergiquement à quelque chose : *Un travail obstiné* (syn. ACHARNÉ). ◆ **obstinément** adv. : *Il maintient obstinément son veto.*

OBSTRUER [ɔpstrɥe] v. t. (lat. *obstruere,* construire devant) [souvent au passif]. *Obstruer une canalisation, un passage,* etc., y rendre difficile ou impossible la circulation des matières ou des personnes : *Le conduit est obstrué par des détritus* (syn. BOUCHER). *Des paquets accumulés qui obstruent un couloir* (syn. ENCOMBRER, ENTRAVER). ◆ **obstruction** n. f. **1.** En politique, tactique consistant à paralyser les débats : *Les députés irlandais faisaient de l'obstruction systématique aux Communes.* — **2.** *Méd.* Engorgement d'un canal, d'un vaisseau, etc. : *L'obstruction des voies biliaires par des calculs.* — **3.** Dans les sports d'équipe, action de s'opposer de façon déloyale à un adversaire : *Sanctionner l'obstruction d'une équipe.* ◆ **obstructionnisme** n. m. Tactique parlementaire consistant à employer l'obstruction de façon systématique : *Partisan de l'obstructionnisme.* ◆ **obstructionniste** adj. et n. : *Tactique obstructionniste. Groupe d'obstructionnistes.* ◆ **désobstruer** v. t. : *Désobstruer une canalisation* (syn. DÉBOUCHER). *Désobstruer une rue* (syn. DÉGAGER).

OBTEMPÉRER [ɔptɑ̃pere] v. t. ind. et i. (lat. *obtemperare*). *Obtempérer à un ordre,* s'y soumettre sans répliquer.

OBTENIR [ɔptənir] v. t. (lat. *obtinere,* tenir fortement) [Conj. 22.] **1.** *Obtenir une chose,* se la faire donner, parvenir à se la faire accorder : *Obtenir la permission de sortir une fois par semaine. Ils ont obtenu leur bac* (syn. fam. DÉCROCHER). *Je tâcherai de vous obtenir cet ouvrage* (syn. AVOIR, PROCURER). — **2.** *Obtenir qqch.,* atteindre un but, arriver à un résultat : *Il faut obtenir une température de — 25° C* (syn. PARVENIR À). *Faites l'addition; quel total obtenez-vous?* (syn. TROUVER). *Cette espèce de tulipe s'obtient par croisement* (= résulte de). ◆ **obtention** n. f. : *Ne rien décider avant l'obtention du diplôme de fin d'année.*

OBTURER [ɔptyre] v. t. (lat. *obturare,* boucher). *Obturer qqch.,* le boucher hermétiquement : *Obturer un trou dans le mur* (syn. FERMER). *Obturer une dent* (syn. PLOMBER). ◆ **obturation** n. f. **1.** Action d'obturer. — **2.** Opération qui consiste à combler les cavités des dents cariées, avec un ciment ou un amalgame. ◆ **obturateur, trice** adj. : *Plaque obturatrice.* ◆ n. m. **1.** Appareil qui sert à interrompre la circulation dans une conduite d'eau, de vapeur ou de gaz. — **2.** Dispositif d'un appareil photographique qui ne laisse pénétrer la lumière que pendant un temps donné et réglable.

1. OBTUS [ɔpty] adj. m. (lat. *obtusus,* émoussé). *Angle obtus,* plus grand qu'un angle droit.

2. OBTUS, E [ɔpty, -yz] adj. (même étym.). Se dit d'une personne (ou de son intelligence) qui est lente à comprendre : *Esprit obtus* (syn. BORNÉ, LOURD; fam. BOUCHÉ).

OBUS [ɔby] n. m. (all. *Haubitze,* obusier). Projectile de forme cylindrique, lancé par une bouche à feu : *Éclat d'obus.* (On distingue les obus pleins, ou perforants, et les obus remplis de matières explosives, incendiaires, toxiques, fumigènes, etc.) ◆ **obusier** n. m. Canon court appelé aussi MORTIER, spécialement destiné au tir plongeant.

OBVIER [ɔbvje] v. t. ind. (lat. *obviare,* aller au-devant). *Obvier à qqch.,* parer à un danger, à un inconvénient (syn. PRÉVENIR, REMÉDIER).

OC [ɔk] (de l'anc. prov. *oc,* particule affirmative; du lat. *hoc*). *Langue d'oc,* ensemble des dialectes du midi de la France, à l'exception du Pays basque.

— ENCYCL. Au IXe s., la langue parlée au S. d'une ligne allant du N. de Poitiers à Grenoble était appelée *langue d'oc;* la langue parlée au N. était appelée *langue d'oïl*. La langue d'oïl comprenait le wallon, le picard, le champenois, le lorrain, le franc-comtois, le bourguignon, l'angevin, le normand, le dialecte de l'Île-de-France, et la langue d'oc le limousin, l'auvergnat, le gascon, le provençal, etc. Du XIIe au XVIe s., le dialecte de l'Île-de-France, ou *francien*, suivant les progrès de la puissance royale, prévalut sur les autres dialectes; il forme aujourd'hui la langue française.

OCAGNE (Maurice D'), mathématicien français (1862-1938), créateur de la nomographie (= science qui remplace les calculs numériques par des graphiques).

O. C. A. M., sigle de l'*Organisation* commune africaine et mauricienne.*

OCARINA [ɔkarina] n. m. (mot it.; de *oca*, oie). Petit instrument de musique à vent, de forme ovoïde, muni d'un bec et percé de huit trous.

O'CASEY (Sean), auteur dramatique irlandais (1880-1964). Il a donné dans ses drames une image pathétique des problèmes politiques et sociaux qui ont secoué sa patrie : *l'Ombre d'un terroriste* (1923), *la Charrue et les étoiles* (1926), *Roses rouges pour moi* (1943).

1. OCCASION [ɔkazjɔ̃] n. f. (lat. *occasio*, ce qui échoit). **1.** Circonstance, et en partic. circonstance qui vient à propos : *Je profite de l'occasion pour vous dire ma satisfaction* (syn. ÉVÉNEMENT). *Venez si vous en avez l'occasion* (syn. POSSIBILITÉ). *Je n'ai jamais eu l'occasion de le gronder* (= je n'ai jamais eu de raison de). *Le noir convient en toute occasion* (syn. CIRCONSTANCE). *Sortir la bouteille de champagne des grandes occasions* (= des grands jours). *À la première occasion* (= au premier moment favorable). *À l'occasion, venez dîner* (= le cas échéant, éventuellement). *On a organisé une surprise-partie à l'occasion de ses vingt ans* (= à propos de, pour). ◆ **occasionnel, elle** adj. Qui arrive par hasard : *Un travail occasionnel* (contr. PERMANENT, RÉGULIER). ◆ **occasionnellement** adv. : *Remplir occasionnellement un emploi.*

2. OCCASION [ɔkazjɔ̃] n. f. (même étym.). **1.** *Une occasion, un objet d'occasion*, un objet, un meuble, un véhicule, etc., qui n'est pas neuf et que l'on achète de seconde main : *Acheter une voiture d'occasion.* — **2.** Acquisition faite à un prix avantageux : *J'ai acheté cet appareil photographique à moitié prix; c'est une belle occasion.* ◆ **occase** n. f. Syn. pop. de OCCASION.

OCCASIONNER [ɔkazjɔne] v. t. (de *occasion*). *Occasionner qqch.*, en être la cause : *Je vous ai occasionné des ennuis* (syn. CAUSER, CRÉER).

OCCIDENT [ɔksidɑ̃] n. m. (lat. *occidens*, qui se couche). **1.** Un des quatre points cardinaux, le côté de l'horizon où le soleil se couche (littér.) : *Le vent de l'occident* (syn. plus usuel OUEST; contr. EST, ORIENT). — **2.** (avec une majusc.) Partie du monde constituant la partie ouest du continent européen; ensemble des États du pacte de l'Atlantique nord (par oppos. aux États de l'est de l'Europe et de l'Asie) : *L'évolution de l'Occident* (syn. L'OUEST; contr. L'EST, L'ORIENT). — **3.** *Église d'Occident*, Église romaine, par oppos. à l'Église orthodoxe. ◆ **occidental, e, aux** adj. Qui est situé à l'occident : *La partie occidentale du pays.* ◆ adj. et n. Qui habite l'Occident (par oppos. aux peuples de l'Orient, de l'Afrique et de l'est de l'Europe). ◆ **occidentaliser (s')** v. pr. Prendre les caractères des civilisations occidentales. ◆ **occidentalisation** n. f. Évolution d'une civilisation vers les caractères occidentaux. ◆ **occidentalisme** n. m. Tendance à préférer les valeurs politiques, intellectuelles, etc., de l'Occident, par opposition à celles de l'Est. ◆ **occidentaliste** adj. et n.

OCCIDENT *(Empire d')*, partie occidentale de l'Empire romain, issue du partage de l'Empire à la mort de Théodose (395 apr. J.-C.). Il s'effondra en 476 sous les coups des Barbares.

OCCIDENTAL, E, AUX adj. et n., **OCCIDENTALISATION** n. f., **OCCIDENTALISER (S')** v. pr., **OCCIDENTALISME** n. m., **OCCIDENTALISTE** adj. et n. → OCCIDENT.

OCCIPUT [ɔksipyt] n. m. (mot lat.; de *caput*, tête). Partie inférieure et postérieure de la tête. ◆ **occipital, e, aux** adj. Qui appartient à l'occiput. ‖ *Condyles occipitaux*, saillies de chaque côté du trou occipital, permettant l'articulation du crâne avec la première vertèbre. ‖ *Lobe occipital*, lobe postérieur du cerveau où sont localisés les centres visuels. ‖ *Os occipital*, ou *occipital* n. m., os qui forme la paroi postérieure et inférieure du crâne. (L'occipital, os pair, présente en arrière une partie aplatie, l'écaille, qui s'articule avec les pariétaux, et en avant le trou occipital, limité par des masses latérales qui s'articulent avec l'atlas, et par le « corps » de l'os qui s'articule avec le sphénoïde.) ‖ *Trou occipital*, trou dans l'os occipital qui fait communiquer la cavité crânienne avec le canal rachidien.

OCCITAN, E [ɔksitɑ̃, -an] adj. (de *oc*). Se dit des dialectes de langue d'oc, et plus spécialement de l'ancien provençal, ou langue des troubadours.

OCCITANIE, nom donné, au Moyen Âge, à l'ensemble des pays de langue d'oc.

OCCLUSION [ɔklyzjɔ̃] n. f. (du lat. *occludere*, fermer). *Méd.* Fermeture anormale d'un conduit naturel : *L'occlusion atteint le plus souvent le tube digestif, surtout la portion intestinale.*

OCCLUSIVE [ɔklyziv] adj. et n. f. (du lat. *occludere*, fermer). *Consonne occlusive*, produite par une fermeture momentanée du canal buccal : *[b], [p], [d], [t], [g], [k] sont des occlusives.*

OCCULTE [ɔkylt] adj. (lat. *occultus*, caché). **1.** Se dit de ce qui agit d'une manière cachée (littér.) : *Une politique guidée par des forces occultes.* — **2.** *Sciences occultes*, l'astrologie, l'alchimie, la magie, la nécromancie, etc., dont la connaissance est réservée à un groupe d'initiés, et qui semblent échapper à l'explication rationnelle. ◆ **occultisme** n. m. Pratique des sciences occultes. ◆ **occultiste** adj. et n.

1. OCCUPER [ɔkype] v. t. (lat. *occupare*, s'emparer de). **1.** (le plus souvent, sujet nom de personne) *Occuper un lieu*, y entrer ou y être en l'envahissant militairement : *Les Allemands ont occupé la France pendant la Seconde Guerre mondiale* (syn. ENVAHIR). — **2.** (sujet nom de personne ou de chose) *Occuper un lieu*, en avoir la possession; s'y trouver : *J'occupe cet appartement depuis dix ans* (syn. HABITER). *Ce vieux meuble occupe trop de place* (syn. PRENDRE, TENIR). — **3.** (sujet nom de personne ou de chose) *Occuper un moment*, faire en sorte que le temps ne soit pas vide d'activités : *Occuper ses loisirs à lire* (syn. CONSACRER, EMPLOYER). — **4.** (sujet nom de personne) *Occuper un poste, une fonction*, l'avoir comme charge, comme fonction. ◆ **occupant, e** adj. Qui occupe un lieu, un pays : *Les forces occupantes.* ◆ n. m. Personne qui occupe un lieu : *L'occupant, en temps de guerre, vit sur l'habitant* (= la puissance étrangère qui a envahi un pays). ◆ **occupation** n. f. **1.** Fait de prendre possession d'un lieu ou d'être en possession d'un lieu. — **2.** Période où la France était occupée par les Allemands, de 1940 à 1945. (En ce sens prend une majusc.) ◆ **occupé, e** adj. Se dit d'un lieu dont quelqu'un a pris possession : *Un appartement occupé* (contr. LIBRE). *Poste occupé* (contr. VACANT). *La place est occupée* (syn. PRIS; contr. DISPONIBLE). *Zone occupée* (par l'ennemi) [syn. ENVAHI]. ◆ **inoccupé, e** adj. : *Un appartement inoccupé* (syn. INHABITÉ). ◆ **réoccuper** v. t. *Réoccuper un lieu*, en reprendre possession. ◆ **réoccupation** n. f.

2. OCCUPER [ɔkype] v. t. (même étym.). **1.** (sujet nom de personne) *Occuper qq'un*, l'employer à un travail, ou lui fournir des distractions : *L'usine ne peut occuper que six cents ouvriers* (syn. EMPLOYER). *Occuper les enfants les jours de pluie* (syn. AMUSER, DISTRAIRE). — **2.** (sujet nom de chose) *Occuper qq'un*, remplir complètement son activité, sa pensée : *Ce travail m'a occupé tout l'après-midi* (syn. ABSORBER, PRENDRE). *Le ménage l'occupe beaucoup* (= lui prend beaucoup de temps). ◆ **s'occuper** v. pr. **1.** Ne pas rester oisif, exercer son activité : *Histoire de s'occuper* (= pour faire quelque chose). *Avec cette grande maison à remettre en état, il y a de quoi s'occuper* (syn. FAIRE, TRAVAILLER). — **2.** *S'occuper de qqch., de qq'un*, ou *de* (et l'infin.), leur consacrer son activité, les prendre en charge : *Il n'a absolument pas le temps de s'occuper de ses affaires* (syn. PENSER À, VEILLER À). *Donnez-lui ses médicaments, et si elle crie ne vous en occupez pas* (syn. S'INQUIÉTER, SE SOUCIER DE). *Pour l'instant nous ne nous occuperons que des verbes* (syn. S'INTÉRESSER À). *S'occuper des malades* (syn. SE CONSACRER À). *Une minute, et je m'occupe de vous* (syn. SE CONSACRER À, ÉCOUTER, ÊTRE À). ◆ **occupation** n. f. Travail, activité rémunérée ou non : *Avoir bien de l'occupation* (syn. BESOGNE, TRAVAIL). *Il faudrait, au milieu de toutes ces occupations, garder du temps libre* (syn. ACTIVITÉ). ◆ **occupé, e** adj. Se dit d'une personne (ou de son esprit) très absorbée par son travail, ses activités : *Une personne très occupée* (syn. PRIS). *Être toujours occupé* (syn. ACTIF, AFFAIRÉ). ◆ **inoccupé, e** adj. : *Il lui est pénible de rester inoccupé* (syn. OISIF). ◆ **inoccupation** n. f. État de quelqu'un qui n'a ni travail ni activité : *Végéter dans l'inoccupation* (syn. OISIVETÉ).

OCCURRENCE [ɔkyrɑ̃s] n. f. (du lat. *occurrens*, qui court à la rencontre de). *En l'occurrence, en pareille occurrence*, dans la circonstance présente. (Dans la langue scientif., *occurrence* désigne un événement fortuit ou une rencontre fortuite d'événements : *Probabilité d'occurrences.*)

O. C. D. E., sigle de l'*Organisation* de coopération et de développement économiques.*

OCÉAN [ɔseɑ̃] n. m. (gr. *ôkeanos*). Vaste étendue d'eau salée, qui occupe la plus grande partie du globe terrestre : *Les océans et les mers couvrent les sept dixièmes de la surface de la Terre.* ◆ **océanique** adj. **1.** Qui appartient à un océan. — **2.** *Climat océanique*, type de climat affectant la façade occidentale des continents dans la zone tempérée, caractérisé par l'influence prédominante des vents d'ouest : *Brest connaît un climat océanique.* (Les hivers sont doux, les étés frais, les écarts de température peu accentués. L'humidité constante se traduit par des pluies fines et abondantes, tombant toute l'année, avec un maximum en saison

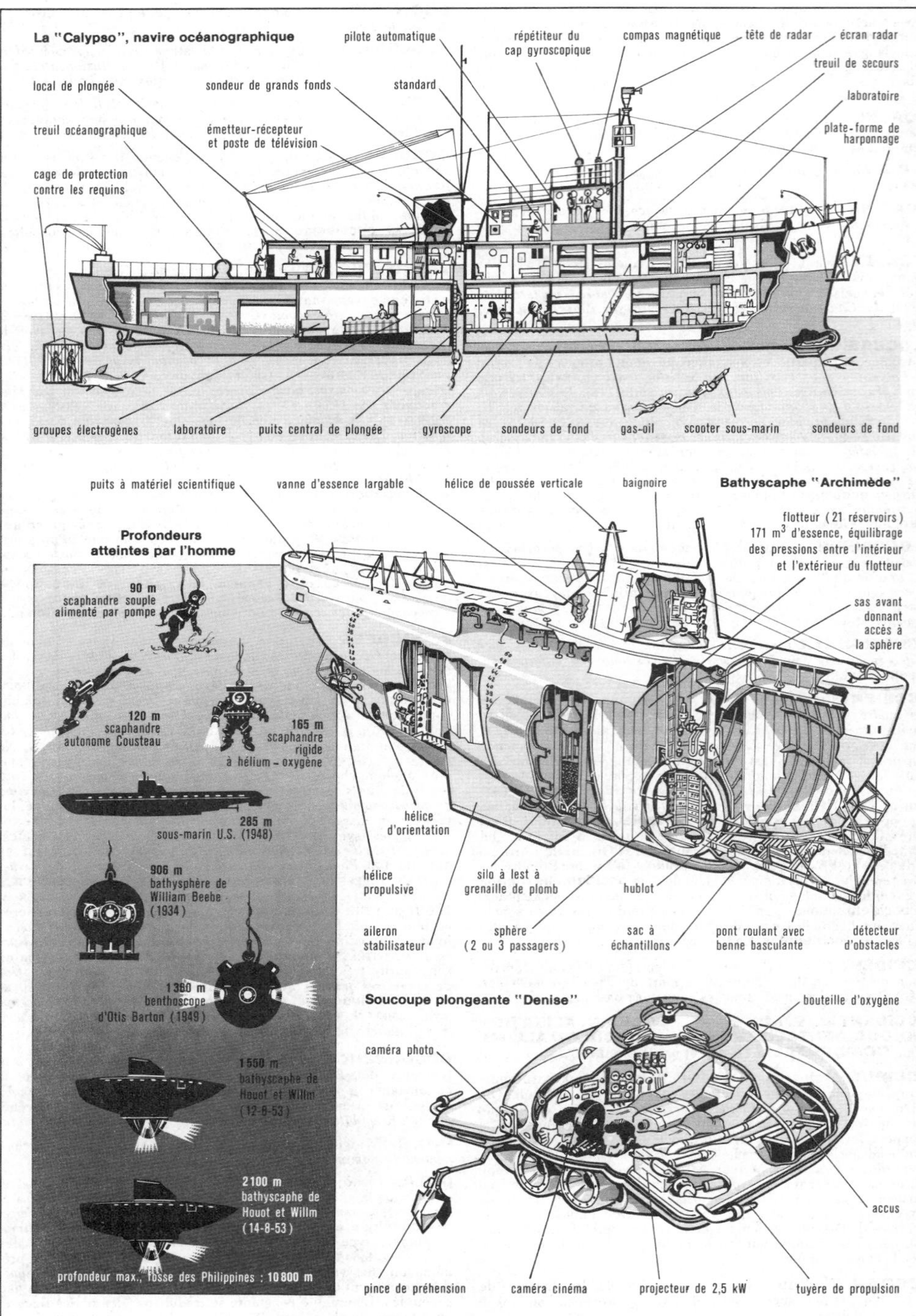

La "Calypso", navire océanographique
pilote automatique
répétiteur du cap gyroscopique
compas magnétique
tête de radar
écran radar
treuil de secours
local de plongée
sondeur de grands fonds
standard
laboratoire
treuil océanographique
émetteur-récepteur et poste de télévision
plate-forme de harponnage
cage de protection contre les requins
groupes électrogènes
laboratoire
puits central de plongée
gyroscope
sondeurs de fond
gas-oil
scooter sous-marin
sondeurs de fond
puits à matériel scientifique
vanne d'essence largable
hélice de poussée verticale
baignoire
Bathyscaphe "Archimède"
flotteur (21 réservoirs) 171 m³ d'essence, équilibrage des pressions entre l'intérieur et l'extérieur du flotteur
sas avant donnant accès à la sphère
Profondeurs atteintes par l'homme
90 m scaphandre souple alimenté par pompe
120 m scaphandre autonome Cousteau
165 m scaphandre rigide à hélium - oxygène
285 m sous-marin U.S. (1948)
906 m bathysphère de William Beebe (1934)
1360 m benthoscope d'Otis Barton (1949)
1550 m bathyscaphe de Houot et Willm (12-8-53)
2100 m bathyscaphe de Houot et Willm (14-8-53)
profondeur max., fosse des Philippines : 10 800 m
hélice d'orientation
hélice propulsive
silo à lest à grenaille de plomb
hublot
aileron stabilisateur
sphère (2 ou 3 passagers)
sac à échantillons
pont roulant avec benne basculante
détecteur d'obstacles
Soucoupe plongeante "Denise"
bouteille d'oxygène
caméra photo
accus
pince de préhension
caméra cinéma
projecteur de 2,5 kW
tuyère de propulsion

froide.) ◆ **océanographie** n. f. Science qui étudie les océans et les mers, leurs eaux, leurs fonds, leurs organismes végétaux et animaux. ◆ **océanographique** adj. : *L'Institut océanographique. Un navire océanographique* ⟶ illustration page 966. ◆ **océanographe** n.

OCÉANIDES. *Myth.* Nymphes de la mer et des eaux, filles de l'Océan et de Téthys.

OCÉANIE, une des cinq parties du monde. Elle comprend le continent australien et divers groupements insulaires situés dans le Pacifique entre l'Asie à l'O. et l'Amérique à l'E.

SUPERFICIE 8 940 000 km² (Asie : 44 millions de km²; Amérique : 42 millions de km²; Afrique 30 millions de km²; Europe : 10 millions de km²).

POPULATION 28 millions d'hab. C'est le moins peuplé des continents (mis à part l'Antarctique). La densité est de 3 hab. au km² (Europe : 70); Asie : 71,5 Afrique : 22; Amérique : 17).

OCÉANIE *(Établissements français de l'),* anc. nom de la POLYNÉSIE* FRANÇAISE.

OCÉANIQUE adj., **OCÉANOGRAPHE** n., **OCÉANOGRAPHIE** n. f., **OCÉANOGRAPHIQUE** adj. ⟶ OCÉAN.

OCELLE [ɔsɛl] n. m. (lat. *ocellus*, petit œil). **1.** Œil simple des arthropodes terrestres adultes (mille-pattes, araignée, scorpion, etc.). — **2.** Tache ronde sur un œil d'insecte, le plumage d'un oiseau, le pelage d'un mammifère.

OCELOT [ɔslo] n. m. (mot aztèque). Mammifère carnassier d'Amérique du Sud, à robe grise, marquée de taches fauves cerclées de noir; fourrure de cet animal.

OCKEGHEM ou **OKEGHEM** (Johannes), compositeur flamand (v. 1430-v. 1496), musicien de Charles VII, auteur de messes et de chansons polyphoniques, l'un des maîtres du contrepoint.

O'CONNELL (Daniel), homme politique irlandais (1775-1847). Il fut un des champions de la lutte politique et religieuse de l'Irlande contre l'Angleterre.

O'CONNOR (Feargus), homme politique irlandais (1794-1855), un des chefs du mouvement chartiste.

OCRE [ɔkr] n. f. (gr. *ôkhra*, sorte de terre jaune). Variété d'argile riche en hématite (ocre rouge, ou sanguine) ou en limonite (ocre jaune, terre de Sienne), utilisée en peinture. ◆ adj. inv. De couleur jaune-brun ou jaune-rouge. ◆ **ocrer** v. t. Teindre en ocre.

OCTAÈDRE [ɔktaɛdr] n. m. (du gr. *oktô*, huit, et *hedra*, base). *Géom.* Polyèdre ayant huit faces.

OCTANE [ɔktan] n. m. (du gr. *oktô*, huit). Hydrocarbure saturé (C_8H_{18}) existant dans l'essence de pétrole. ‖ *Indice d'octane*, échelle mesurant le pouvoir antidétonnant d'un carburant, c'est-à-dire le taux de compression maximal que peut supporter le mélange air-essence sans exploser spontanément, par comparaison avec celui d'un carburant étalon.

OCTAVE [ɔktav] n. f. (lat. *octavus*, huitième). **1.** *Relig. catholique.* Période de huit jours qui suit chacune des principales fêtes de l'année. — **2.** *Mus.* Intervalle de huit degrés; ensemble des notes contenues dans cet intervalle : *Jouer un morceau à l'octave supérieure* (= le jouer une octave plus haut qu'il n'est écrit).

OCTAVE, nom d'AUGUSTE* avant son adoption par César.

OCTAVIE, sœur d'Auguste (v. 70-11 av. J.-C.). Elle épousa en secondes noces le triumvir Antoine.

OCTAVIE, princesse romaine (v. 42-62 apr. J.-C.), fille de Claude et de Messaline et épouse de Néron, mise à mort par ordre de l'empereur.

OCTAVIEN, nom porté par AUGUSTE* après son adoption par César.

OCTAVO adv. ⟶ NUMÉRATION.

OCTEVILLE, ch.-l. de cant. de la Manche, dans la banlieue sud de Cherbourg; 18 700 hab. Minoterie.

OCTIDI [ɔktidi] n. m. (du lat. *octo*, huit, et *dies*, jour). Huitième jour de la décade, dans le calendrier républicain.

OCTOBRE [ɔktɔbr] n. m. (lat. *october*). Dixième mois de l'année. (⟶ MOIS.)

Octobre *(révolution d')* ⟶ RÉVOLUTION RUSSE DE 1917.

octobre 1789 *(journées des 5 et 6)*, journées révolutionnaires marquées par le soulèvement du peuple de Paris, qui marche sur Versailles, où se trouve la famille royale. Le 5, une foule de plusieurs milliers de personnes, parmi lesquelles dominent les femmes, se rend à Versailles. Louis XVI doit accepter la Déclaration des droits de l'homme et les décrets du 4 août. Le 6, la foule massacre les gardes du corps et envahit les appartements royaux. Sur les conseils de La Fayette, le roi accepte de rentrer au palais des Tuileries.

OCTOGÉNAIRE [ɔktɔʒenɛr] adj. et n. m. (lat. *octogenarius*). Qui a quatre-vingts ans. ⟶ ÂGE, *encycl.*

OCTOGONE [ɔktɔgon] n. m. (gr. *oktagônes*, à huit angles). *Géom.* Polygone ayant huit côtés. ◆ **octogonal, e, aux** adj. Dont la base est un octogone.

OCTOSYLLABE [ɔktɔsillab] adj. et n. m. (du gr. *oktô*, huit, et *syllabe*). Se dit d'un vers de huit syllabes. ◆ **octosyllabique** adj.

1. OCTROI n. m. ⟶ OCTROYER.

2. OCTROI [ɔktrwa] n. m. (de *octroyer*). Droit que payaient certaines denrées à leur entrée en ville; bureau chargé de percevoir ce droit.

OCTROYER [ɔktrwaje] v. t. (bas lat. *auctorizare*). *Octroyer qqch. à qq'un*, le concéder, l'accorder à quelqu'un de condition moins élevée (langue soignée) : *Le directeur a octroyé une prime à tout le personnel.* ◆ **s'octroyer** v. pr. *Fam.* Prendre sans permission : *Il s'est octroyé huit jours de vacances supplémentaires* (syn. S'ACCORDER). ◆ **octroi** n. m. : *Le gouvernement a décidé l'octroi d'un jour de congé.*

1. OCULAIRE [ɔkylɛr] adj. (du lat. *oculus*, œil). *Témoin oculaire*, qui a vu la chose dont il témoigne : *Il n'y a pas de témoin oculaire de cet accident.* ‖ *Le globe oculaire*, le globe de l'œil. ◆ **oculiste** n. m. Médecin spécialiste des yeux (syn. OPHTALMOLOGISTE).

2. OCULAIRE [ɔkylɛr] n. m. (même étym.). Système optique d'un microscope, d'une lunette, placé du côté de l'œil de l'observateur, et qui sert à examiner l'image fournie par l'objectif. ◆ **binoculaire** adj. et n. m. Se dit d'un appareil d'optique à deux oculaires : *Loupe binoculaire.* ◆ adj. Qui se fait, qui a lieu par les deux yeux : *Vision binoculaire.*

ODALISQUE [ɔdalisk] n. f. (du turc *oda*, chambre). **1.** Esclave au service des femmes du sultan. — **2.** Femme d'un harem. (Femme nue, allongée sur un lit, l'*odalisque* est un thème pictural qui a été traité au XIXᵉ s. par Ingres [*Odalisque couchée*, dite *Grande Odalisque*], Delacroix, Chassériau, et, au XXᵉ s., par Matisse et Picasso.)

ODE [ɔd] n. f. (gr. *ôidê*, chant). **1.** Chez les Anciens, tout poème destiné à être mis en musique : *Les « Odes » de Pindare.* — **2.** Poème lyrique, divisé en strophes, destiné soit à célébrer de grands événements ou de hauts personnages (*Odes pindariques* de Ronsard, *Odes* de V. Hugo), soit à exprimer des sentiments plus familiers *(Odes anacréontiques)*. ◆ **odelette** n. f. Petite ode.

ODENSE, port du Danemark, dans l'île de Fionie; 167 800 hab. Chantiers navals. Industries alimentaires.

ODER, en polon. **Odra,** fl. né en Tchécoslovaquie, qui traverse la Silésie polonaise (arrosant Wrocław) et rejoint la Baltique dans le golfe de Szczecin; 848 km. Son cours inférieur (sur lequel est établi Francfort-sur-l'Oder) forme avec la Neisse occidentale la frontière actuelle entre l'Allemagne et la Pologne.

Oder-Neisse *(ligne)*, frontière occidentale de la Pologne, approuvée par les accords de Potsdam (1945). Reconnue par la R. D. A. en 1950, puis par la R. F. A. en 1970, elle est entérinée par un traité germano-polonais en 1990.

Odes et Ballades, recueil de poésies de V. Hugo (1822).

ODESSA, port de l'U. R. S. S. (Ukraine), sur la mer Noire; 1 039 000 hab. Industries métallurgiques, chimiques et alimentaires.

• *1905. La population d'Odessa soutient la révolte du cuirassé « Potemkine* »*.

ODET, fl. de Bretagne, tributaire de l'Atlantique, qui passe à Quimper; 56 km.

ODEUR [odœr] n. f. (lat. *odor*). **1.** Émanation volatile d'un corps, qui provoque une sensation olfactive : *Être allergique à l'odeur du jasmin* (syn. SENTEUR). *Aimer l'odeur de l'encens* (syn. PARFUM). *Une épouvantable odeur de putréfaction* (= une puanteur). — **2.** *Ne pas être en odeur de sainteté auprès de qq'un*, n'être pas particulièrement bien vu de lui. ◆ **odorat** n. m. Sens par lequel on perçoit les odeurs : *Avoir l'odorat fin.* ◆ **odorant, e** adj. : *Des essences odorantes* (syn. PARFUMÉ). ◆ **odoriférant, e** adj. Qui répand une bonne odeur. ◆ **inodore** adj. : *Un produit inodore* (= sans odeur). ◆ **désodoriser** v. t. Débarrasser d'une mauvaise odeur : *Désodoriser un liquide, une pièce.* ◆ **désodorisant** ou

déodorant adj. et n. m. : *Un produit désodorisant. Un déodorant est un produit destiné à l'hygiène corporelle.* ◆ **malodorant, e** adj. Qui a une mauvaise odeur (langue soignée) : *Des vapeurs malodorantes* (syn. FÉTIDE).

ODIEUX, EUSE [odjø, -øz] adj. (lat. *odiosus;* de *odium,* haine) [après ou parfois avant le nom]. Se dit d'une personne ou d'un acte, etc., qui excite la haine, l'indignation : *Avoir un caractère odieux* (syn. DÉTESTABLE; contr. DÉLICIEUX). *Se conduire d'odieuse façon* (syn. IGNOBLE). *Cet enfant a été odieux pendant les vacances* (syn. INSUPPORTABLE). ◆ **odieusement** adv. : *Se conduire odieusement* (= de façon ignoble). *Des prisonniers odieusement torturés.*

ODILE *(sainte),* religieuse alsacienne (v. 600-v. 720). Fille d'un duc d'Alsace, elle est la fondatrice du célèbre monastère qui porte son nom, dans les Vosges. Elle est la patronne de l'Alsace.

ODIN ou **ODDIN,** le premier des dieux de la mythologie scandinave.

ODOACRE (v. 434-493), roi des Hérules. Il renversa le dernier empereur romain d'Occident, Romulus Augustule (476), et envoya les insignes impériaux à Zénon, empereur d'Orient. Créé patrice, il gouverna l'Italie; il fut battu et bloqué dans Ravenne (490-493) par Théodoric, envoyé contre lui par Zénon.

ODONATES [odonat] n. m. pl. (du gr. *odous, odontos,* dent). Ordre d'insectes comprenant les *libellules* (æschne, agrion, demoiselle, etc.).

— ENCYCL. À l'état adulte, les *odonates* se caractérisent par leurs gros yeux, leurs deux paires de longues ailes étroites qui restent étalées au repos, leur corps grêle et allongé. Mais c'est l'état larvaire qui les distingue le plus nettement : la larve est un insecte aquatique, carnivore, qui capture ses proies en dépliant brusquement un « masque », ou bras préhensile replié devant sa bouche. Il n'y a pas de nymphose, et l'éclosion de l'adulte se fait à la surface de l'eau.

ODONTOLOGIE [ɔdɔ̃tɔlɔʒi] n. f. (du gr. *odous, odontos,* dent, et *logos,* science). Étude des dents, de leurs maladies et des traitements de celles-ci.

ODONTOSTOMATOLOGIE [ɔdɔ̃tɔstɔmatɔlɔʒi] n. f. (du gr. *odous, odontos,* dent, et *stomatologie*). Discipline groupant les chirurgiens-dentistes et les stomatologistes dans l'étude des maladies de la bouche et des dents.

ODORANT, E adj., **ODORAT** n. m., **ODORIFÉRANT, E** adj. → ODEUR.

ODRA, nom polon. de l'ODER*

ODYSSÉE *(l'),* poème épique grec en 24 chants, attribué à Homère. Tandis que Télémaque va à la recherche de son père Ulysse (chants I à IV), celui-ci, recueilli par Alcinoos, roi des Phéaciens, après un naufrage, raconte ses aventures depuis son départ de Troie (chants V à XIII). La troisième partie du poème (chants XIV à XXIV) raconte l'arrivée d'Ulysse à Ithaque et la ruse qu'il doit employer pour se débarrasser des prétendants de sa femme Pénélope.

ODYSSÉE [ɔdise] n. f. (de *l'Odyssée*). Voyage riche en aventures, suites de péripéties : *Leur voyage au Portugal a été une véritable odyssée.*

O. E. A., sigle de l'*Organisation** *des États américains.*

ŒCUMÉNIQUE [ekymenik] adj. (du gr. *oikoimenê,* l'univers). *Concile œcuménique,* concile présidé par le pape et auquel sont convoqués tous les évêques catholiques. ◆ **œcuménisme** n. m. Tendance à l'union de toutes les Églises chrétiennes en une seule.

ŒDÈME [edɛm] n. m. (gr. *oidêma,* tumeur). Gonflement anormal de certains tissus, par sortie de liquide séreux hors des vaisseaux sanguins : *Avoir un œdème de la face, du poumon.* ‖ *Œdème de Quincke,* gonflement du visage d'origine allergique et de nature voisine de celle de l'urticaire. ◆ **œdémateux, euse** adj. De la nature de l'œdème : *Gonflement œdémateux.*

ŒDIPE, héros thébain, fils de Laïos, roi de Thèbes, et de Jocaste. Laïos, averti par un oracle qu'il serait tué par son fils et que celui-ci épouserait sa mère, abandonna Œdipe. Recueilli par des bergers, Œdipe fut porté au roi de Corinthe, qui l'éleva. Ayant connu l'oracle le concernant, il s'exila; mais il rencontra sur son chemin Laïos, qu'il tua à la suite d'une querelle. Créon, successeur de Laïos, avait promis le trône à qui délivrerait le pays du Sphinx, qui dévorait tout passant qui ne devinait pas ses énigmes. Œdipe, ayant deviné l'énigme, épousa Jocaste et devint roi de Thèbes. Mais, ayant connu par un oracle la vérité sur sa naissance, il s'arracha les yeux et quitta Thèbes, guidé par sa fille Antigone. La légende d'Œdipe a inspiré à Sophocle deux de ses plus belles tragédies : *Œdipe roi* (v. 430 av. J.-C.) et *Œdipe à Colone* (401 av. J.-C.).

Œdipe *(complexe d'),* ensemble des tendances attractives d'une fille à l'égard de son père ou d'un garçon à l'égard de sa mère et de ses tendances répulsives à l'égard du parent du sexe opposé, considéré comme un rival. Mis en évidence par Freud, ce complexe est souvent utilisé pour le diagnostic et le dépistage des névroses* et des refoulements.

ŒHMICHEN (Étienne), ingénieur français (1884-1955). Pionnier de l'aéronautique, il fut le premier à voler en hélicoptère (1921).

ŒIL [œj], pl. **YEUX** [jø] n. m. (lat. *oculus*). **1.** Organe de la vue : *Avoir les yeux bleus.* → ENCYCL. — **2.** Trou pratiqué dans une pièce mécanique, un outil, pour le passage ou l'articulation d'une autre pièce : *L'œil d'un marteau.* — LOC. et EXPRESS. **1.** (avec *œil* au sing.) Fam. *À l'œil,* gratuitement, pour rien : *Faire faire un travail à l'œil.* ‖ *À l'œil nu,* sans l'aide d'un instrument d'optique. ‖ Fam. *Avoir qq'un à l'œil, avoir l'œil sur qq'un,* le surveiller. ‖ *Avoir l'œil à tout, avoir l'œil,* être attentif. ‖ *À vue d'œil,* autant qu'on en peut juger par la vue seule : *Estimer une marchandise à vue d'œil;* très rapidement : *Enfant qui grandit à vue d'œil.* ‖ *Du coin de l'œil,* discrètement : *Surveiller qq'un du coin de l'œil.* ‖ Fam. *Mon œil!,* ce n'est pas vrai, ce n'est pas possible (exprime l'incrédulité). ‖ Fam. *Faire de l'œil à qq'un,* cligner de l'œil dans sa direction, en signe de connivence ou pour l'aguicher. ‖ *Ne pas pouvoir fermer l'œil,* ne pas pouvoir dormir. ‖ *L'œil du maître,* la surveillance du patron, du chef. ‖ Fam. *Ouvrir l'œil,* faire attention, être attentif à un danger, à un événement imprévu, etc. ‖ *Sous l'œil de,* sous la surveillance de. ‖ *Tape-à-l'œil,* d'un caractère voyant : *Une robe tape-à-l'œil.* ‖ Fam. *Taper dans l'œil de qq'un,* attirer son attention (syn. PLAIRE). ‖ Fam. *Tourner de l'œil,* s'évanouir. ‖ *Voir quelque chose d'un bon œil, d'un mauvais œil,* de façon favorable, défavorable. — **2.** (avec *yeux* au plur.) *Aux yeux de qq'un,* selon son jugement, selon son appréciation. ‖ Fam. *Avoir les yeux plus gros que le ventre,* avoir plus d'appétit que de possibilité de manger; avoir plus d'ambition que ne vous en permettent vos possibilités réelles. ‖ *N'avoir d'yeux que pour qq'un,* ne regarder que lui. ‖ Fam. *Ne pas avoir les yeux dans sa poche,* être très observateur. ‖ *Coûter les yeux de la tête,* valoir très cher. ‖ *Crever les yeux,* être évident : *La solution de ce problème crève les yeux* (syn. SAUTER AUX YEUX). ‖ *Entre quatre yeux* (fam., *entre quat'-z-yeux*), dans l'intimité. ‖ Fam. *Faire les gros yeux,* regarder avec sévérité. ‖ *Fermer les yeux sur qqch.,* faire semblant de ne pas le voir, l'ignorer. ‖ *Les yeux fermés,* en toute confiance, sans vérification. ‖ *Ouvrir les yeux de qq'un,* faire cesser son aveuglement, lui découvrir une réalité qu'il ignore. ‖ Fam. *Pour les beaux yeux de,* pour plaire à, gratuitement, pour rien. ‖ *Sauter aux yeux,* être évident. ‖ *Sous les yeux,* devant soi : *Regardez le mode d'emploi, vous l'avez sous les yeux.*

— ENCYCL. L'*œil humain* est limité par trois membranes : la *sclérotique,* protectrice, formant en avant la *cornée transparente;* la *choroïde,* pigmentée et nourricière, se prolongeant en avant par l'*iris,* percé de la *pupille,* à ouverture variable suivant l'intensité de la lumière incidente; la *rétine,* nerveuse et sensible à l'excitant lumineux, reliée à l'encéphale par le *nerf optique,* et sur laquelle se dessinent les images fournies par les milieux antérieurs transparents de l'œil (cornée, humeur aqueuse, cristallin, humeur vitrée). Les *muscles ciliaires,* à la limite de l'iris et de la choroïde, font varier la convergence du cristallin, permettant l'accommodation, dont l'amplitude diminue pendant la vieillesse (presbytie). L'œil peut présenter des défauts de constitution (myopie, hypermétropie, astigmatisme) et des anomalies dans la vision des couleurs (daltonisme, achromatopsie).

L'*œil des vertébrés* et l'*œil des mollusques céphalopodes* ressemble à l'œil humain; l'*œil composé,* propre aux crustacés et aux insectes, est une association de facettes constituant chacune un œil très simple regardant dans une direction déterminée.

ŒIL-DE-BŒUF [œjdəbœf] n. m. *(œil, de,* et *bœuf).* Fenêtre ronde ou ovale, dans un comble, un pignon : *Les œils-de-bœuf du grenier donnent un éclairage vague.*

ŒIL-DE-PERDRIX [œjdəpɛrdri] n. m. *(œil, de,* et *perdrix).* Cor entre les doigts du pied. ‖ Pl. des *œils-de-perdrix.*

ŒILLADE [œjad] n. f. (de *œil*). Coup d'œil furtif, lancé pour marquer la tendresse ou la connivence.

1. ŒILLÈRE [œjɛr] n. f. (de *œil*). Petit récipient ovale servant à faire des bains d'œil.

2. ŒILLÈRES [œjɛr] n. f. pl. (même étym.). *Avoir des œillères,* ne pas voir ou ne pas comprendre certaines choses, par étroitesse d'esprit ou parti pris. (Les œillères d'un cheval sont des pièces de la bride qui l'empêchent de voir de côté.)

1. ŒILLET [œjɛ] n. m. (de *œil*). Plante comportant de nombreuses variétés cultivées pour leurs fleurs parfumées et de couleurs variées; la fleur même.

2. ŒILLET [œjɛ] n. m. (même étym.). Trou circulaire ou ovale, pratiqué dans du cuir, une étoffe, etc., pour passer un lacet ou un crochet; cercle de métal qui entoure ce trou.

ŒILLETON [œjtɔ̃] n. m. (de *œil*). *Bot.* Rejeton qui pousse au collet de certaines plantes et qui sert à les multiplier (artichaut, bananier).

ŒILLETTE [œjɛt] n. f. (de l'anc. fr. *olie*, olive). Variété de pavot somnifère, cultivée pour ses graines, dont on tire une huile comestible et utilisée en peinture; cette huile.

ŒNILISME [enilism] n. m. (du gr. *oînos*, vin). Forme d'alcoolisme due à l'abus à peu près exclusif du vin.

ŒNOLOGIE [enɔlɔʒi] n. f. (du gr. *oînos*, vin, et *logos*, science). Science qui traite du vin, du point de vue de sa préparation, de sa conservation, de ses maladies, etc.

ŒRSTED ou **ØRSTED** (Christian), physicien danois (1777-1851). Il découvrit l'existence du champ magnétique créé par les courants (1820). Il a aussi étudié la compression des solides et des liquides (1822).

ŒSOPHAGE [ezɔfaʒ] n. m. (gr. *oisophagos*, qui porte ce qu'on mange). Première partie du tube digestif de l'homme et des animaux, depuis le pharynx jusqu'au cardia de l'estomac, et dont les parois antérieure et postérieure, normalement appliquées l'une contre l'autre, ne s'écartent qu'au passage du bol alimentaire.

ŒSTRAL, E, AUX [ɛstral, -tro] adj. (du gr. *oistros*, fureur). *Cycle œstral*, période d'une durée moyenne de vingt-huit jours chez la femme, séparant deux ovulations ou deux menstruations.

ŒTA, en gr. **Oitê,** massif situé dans la Grèce continentale, entre la Thessalie et la Phocide; 2 152 m.

ŒUF [œf, au pl. ø] n. m. (lat. *ovum*). **1.** *Biol.* Cellule résultant de la fécondation, fusion d'un gamète mâle et d'un gamète femelle, et qui par division donnera un nouvel individu. — **2.** Organe pondu par la femelle d'un animal, notamment d'un oiseau, et susceptible d'éclore en donnant un jeune. → ENCYCL. ‖ *Dans l'œuf*, au début (d'une affaire) : *Écraser une révolte dans l'œuf.* ‖ Fam. *Marcher sur des œufs*, gauchement, ou avec précaution. ‖ Fam. *Mettre tous ses œufs dans le même panier*, mettre tous ses espoirs du même côté, dans la même affaire. — **3.** Morceau de bois en forme d'œuf, qu'on met dans un bas pour le tendre, tandis qu'on le reprise.
— ENCYCL. Un *œuf* d'oiseau contient un germe entouré de substances de réserve (jaune, ou vitellus, et blanc, riche en ovalbumine) et protégé par une coquille calcaire poreuse permettant les échanges gazeux par la chambre à air située près du gros bout. Les oiseaux couvent leurs œufs jusqu'à l'éclosion du jeune.

1. ŒUVRE [œvr] n. f. (lat. *opera*). **1.** Activité, travail (dans un nombre limité d'express.) : *Il est temps de se mettre à l'œuvre* (syn. OUVRAGE, TRAVAIL). *La modernisation de ce quartier sera une œuvre de longue haleine* (syn. ENTREPRISE). *Faire œuvre utile* (syn. TÂCHE). ‖ *Être fils de ses œuvres*, ne devoir sa réussite qu'à ses seuls efforts (littér.). ‖ *Juger qq'un à l'œuvre*, selon ses actes. — **2.** *Mettre en œuvre*, mettre en action, utiliser : *On a tout mis en œuvre pour éteindre le feu* (= on a essayé tous les moyens). — **3.** Résultat d'un travail, d'une action : *La décoration de la salle est l'œuvre de l'école tout entière* (= résulte du travail de). — **4.** (surtout au plur.) Action humaine envisagée d'un point de vue moral : *Bonnes œuvres* (= actions charitables). *Œuvres d'une paroisse* (= les organisations de charité). ‖ *Œuvre de bienfaisance*, organisation ayant pour but de venir en aide aux personnes dans le besoin. ‖ *L'exécuteur des hautes œuvres*, le bourreau. — **5.** Composition, production littéraire ou artistique : *L'œuvre romanesque de V. Hugo* (syn. PRODUCTION). *Des œuvres d'art.* ◆ **œuvrer** v. i. *Œuvrer pour qq'un*, travailler d'une manière désintéressée (langue soignée) : *J'ai œuvré pour votre succès* (syn. TRAVAILLER).

2. ŒUVRE [œvr] n. m. (même étym.). *Gros œuvre*, en architecture, ensemble des parties principales d'une bâtisse (fondations, murs et toiture) : *Le gros œuvre est terminé.* ◆ **sous-œuvre** n. m. Fondement d'une construction. ‖ *En sous-œuvre*, par-dessous les fondations. ‖ Pl. des *sous-œuvres.*

3. ŒUVRE [œvr] n. m. ou souvent f. (même étym.). Ensemble des œuvres d'un artiste, et particulièrement d'un peintre ou d'un graveur : *L'œuvre gravé de Jacques Callot.*

4. ŒUVRES [œvr] n. f. pl. (même étym.). En termes de marine, parties d'un navire : *Œuvres vives* (= parties immergées), *œuvres mortes* (= parties émergées).

OFFENBACH, v. d'Allemagne (Hesse), près de Francfort-sur-le-Main; 107 000 hab. Château du XVIᵉ s. Industrie du cuir. Produits chimiques.

OFFENBACH (Jacques), compositeur d'origine allemande (1819-1880), naturalisé français. Il est l'auteur d'opérettes (*Orphée aux enfers*, 1858; *la Belle Hélène*, 1864; *la Vie parisienne*, 1866) et d'un opéra fantastique, *les Contes d'Hoffmann.*

OFFENSE [ɔfɑ̃s] n. f. (du lat. *offendere*, heurter). **1.** Parole ou action blessant quelqu'un dans sa dignité : *Pardonner, venger une offense* (syn. AFFRONT, INJURE, OUTRAGE). — **2.** Péché, dans la religion chrétienne : *Demander pardon à Dieu de ses offenses* (syn. FAUTE, PÉCHÉ). ◆ **offenser** v. t. *Offenser qq'un*, le blesser par des paroles ou par des actes : *Je l'ai offensé sans le vouloir* (syn. ↓FROISSER). *Soit dit sans vous offenser* (= sans vouloir vous faire de la peine). ◆ ***s'offenser*** v. pr. *S'offenser de qqch.*, s'en sentir blessé moralement, s'en vexer. ◆ **offensé, e** adj. et n. : *Se sentir offensé par les paroles de qq'un* (syn. HUMILIÉ, OUTRAGÉ). ◆ **offensant, e** adj. : *Paroles offensantes pour qq'un* (syn. BLESSANT). ◆ **offenseur** n. m. Personne qui offense (littér.) : *Dans cette querelle, l'offenseur criait et récriminait plus que l'offensé.*

OFFENSIF, IVE [ɔfɑ̃sif, -iv] adj. (du lat. *offendere*, attaquer). Qui sert à attaquer; qui prend le caractère d'une attaque : *Armes offensives* (contr. DÉFENSIF). *Retour offensif du mauvais temps* (syn. BRUTAL, VIOLENT). ◆ **offensive** n. f. **1.** Action d'une force armée destinée à imposer à l'ennemi sa volonté, à le chasser de ses positions et à le détruire (contr. DÉFENSIVE). — **2.** Initiative, mouvement en avant visant à faire reculer un adversaire : *Offensive diplomatique.* — **3.** *Nouvelle offensive de l'hiver* (= période de froid plus intense). ◆ **contre-offensive** n. f. Opération répondant à une offensive de l'ennemi. ‖ Pl. des *contre-offensives.*

OFFERTOIRE [ɔfɛrtwar] n. m. (du lat. *offerre*, offrir). Partie de la messe pendant laquelle le prêtre offre à Dieu le pain et le vin, avant de les consacrer.

1. OFFICE [ɔfis] n. m. (lat. *officium*). **1.** Fonction, charge exercée par une personne; rôle joué par une chose : *Remplir l'office de gérant* (syn. RÔLE). *Faire office de chauffeur* (syn. SERVIR DE). *Papier qui fait office de passeport* (= qui tient lieu de). — **2.** Fonction publique, dépendante *(office ministériel)* ou indépendante *(office public)* de l'administration de la justice, dont le titulaire est nommé à vie. — **3.** Bureau, agence : *Office de publicité.* — **4.** Service public : *L'Office national de la chasse.* — **5.** *Bons offices*, service occasionnel rendu par quelqu'un : *Proposer, offrir ses bons offices.* — **6.** *D'office*, par décision administrative, sans que cela ait été demandé par l'intéressé : *Avocat commis d'office dans une affaire. Promu d'office* (syn. AUTOMATIQUEMENT). ◆ **officier** n. m. **1.** Titulaire d'un office (sens 1), d'une charge : *Officier de l'état civil*, personne responsable de la tenue des registres de l'état civil où sont consignés les naissances, les mariages, les décès survenus dans une commune (c'est généralement le maire ou quelqu'un qui agit sous sa responsabilité). ‖ *Officiers municipaux*, magistrats, fonctionnaires qui administrent une municipalité. ‖ *Officier de police judiciaire*, personne (procureur de la République, juge d'instruction, juge de paix, maire et ses adjoints, garde champêtre, garde forestier, garde-pêche) qui a pour mission de constater les infractions et d'en livrer les auteurs à la justice. — **2.** Titulaire d'un office (sens 2) : *Officier ministériel*, homme de loi (notaire, avoué, huissier, etc.) investi par le ministère de la Justice, pour dresser (= rédiger) des actes authentiques (= officiels). ‖ *Officier public*, personne ayant qualité pour authentifier des actes (le maire comme officier de l'état civil, l'huissier, etc.) : *Le notaire est officier ministériel et public; le maire est seulement officier public.*

2. OFFICE [ɔfis] n. m. (même étym.). Service religieux : *Aller à l'office* (= messe, vêpres, etc.). *L'office des morts* (syn. SERVICE). ◆ **officiant** n. m. Celui qui célèbre un office religieux : *L'officiant se tient devant l'autel* (syn. CÉLÉBRANT, PRÊTRE). ◆ **officier** v. i. Célébrer l'office divin.

3. OFFICE [ɔfis] n. f. (même étym.). Pièce attenante à la cuisine, ou la cuisine elle-même : *Ranger la vaisselle à l'office.* (Le mot est souvent masc. dans l'usage.)

Offices *(palais des)*, palais de Florence, construit de 1560 à 1580, par Giorgio Vasari. Il est occupé par une galerie de peintures et de sculptures créée par les Médicis et très riche en primitifs italiens.

OFFICIALISATION n. f., **OFFICIALISER** v. t. → OFFICIEL.

OFFICIANT n. m. → OFFICE 2.

OFFICIEL, ELLE [ɔfisjɛl] adj. (angl. *official;* du lat. *officialis*). **1.** Se dit de ce qui émane d'une autorité reconnue, publique : *Information de source officielle* (contr. OFFICIEUX). *Journal officiel.* — **2.** Se dit de ce qui concerne une cérémonie ou un acte public : *Fiançailles officielles.* ◆ n. m. Personnage qui a une autorité publique : *Attendre la visite des officiels.* ◆ **officiellement** adv. : *Nouvelle officiellement connue.* ◆ **officialiser** v. t. Rendre officiel : *Officialiser une nomination.* ◆ **officialisation** n. f.

1. OFFICIER v. i. → OFFICE 2.

2. OFFICIER n. m. → OFFICE 1.

3. OFFICIER [ɔfisje] n. m. (lat. *officiarius*). **1.** Militaire qui a un grade au moins égal à ceux de sous-lieutenant ou d'enseigne de vaisseau : *Élève officier. Officier de gendarmerie.* ‖ *Officier subalterne*, sous-lieutenant, lieutenant, capitaine; enseigne et lieutenant de vaisseau. ‖ *Officier supérieur*, commandant, lieutenant-colonel, colonel; capitaine de corvette, capitaine de frégate, capitaine de vaisseau. ‖ *Officier de marine* ou *de vaisseau*, officier appartenant au corps combattant de la marine de guerre. (→ GRADE 2.) — **2.** Grade de certains ordres : *Officier d'académie* (= officier dans l'ordre des Palmes académiques). ‖ *Officier de la Légion d'honneur,* grade immédiatement supérieur à celui de chevalier. ‖ *Grand officier de la Légion d'honneur,* dignité au-dessus du grade de commandeur. ◆ **sous-officier** n. m. Militaire des armées de terre et de l'air pourvu d'un grade qui en fait l'auxiliaire d'un officier dans l'exercice du commandement (abrév. fam. *sous-off*). [→ GRADE 2.]

OFFICIEUX, EUSE [ɔfisjø, -øz] adj. (du lat. *officium,* service rendu). Se dit d'une nouvelle émanant d'une source autorisée, mais dont l'authenticité n'est pas garantie : *Nomination connue de façon officieuse* (contr. OFFICIEL). *De source officieuse* (syn. PRIVÉ). ◆ **officieusement** adv. : *Il a pu savoir officieusement les décisions du conseil* (contr. OFFICIELLEMENT).

OFFICINE [ɔfisin] n. f. (lat. *officina,* atelier). Ensemble des locaux où le pharmacien entrepose, prépare et vend les médicaments au public (syn. PHARMACIE). ◆ **officinal, e, aux** adj. *Herbes, plantes officinales,* utilisées en pharmacie.

OFFRIR [ɔfrir] v. t. (lat. *offerre*). [Conj. **16.**] **1.** (sujet nom de personne) *Offrir qqch. (à qq'un),* le lui donner en cadeau, le lui présenter : *Offrir une bicyclette à un enfant* (contr. RECEVOIR). *Offrir le bras à qq'un dans un cortège* (syn. DONNER). *Offrir l'apéritif* (syn. PAYER). — **2.** (sujet nom de personne) *Offrir qqch. à qq'un, offrir de* (et l'infin.), le mettre à sa disposition, le lui proposer : *Offrir à qq'un l'hospitalité* (contr. REFUSER). *Que m'offrez-vous de ce tableau?* (= à combien achetez-vous...). — **3.** (sujet nom de chose) Comporter, être caractérisé par : *Cette solution offre de nombreux avantages* (syn. PRÉSENTER). ◆ **s'offrir** v. pr. **1.** *S'offrir à* (et un infin.), se proposer pour, se montrer disposé à : *En nous voyant en panne sur la route, il s'est offert à nous aider.* — **2.** *S'offrir qqch.,* s'accorder le plaisir de cette chose : *Ils se sont offert des vacances en Égypte* (syn. fam. SE PAYER). — **3.** (sujet nom de chose) Apparaître, se manifester : *Nous saisirons la première occasion qui s'offrira* (syn. SE PRÉSENTER). ◆ **offrande** n. f. Don en argent offert pour le service divin ou pour des œuvres charitables : *Déposer son offrande* (syn. OBOLE, PRÉSENT). ◆ **offrant** adj. et n. m. *Au plus offrant,* à l'acheteur qui propose le prix le plus élevé : *Vendre sa maison au plus offrant, aux enchères.* ◆ **offre** n. f. **1.** Proposition ou avance faite à quelqu'un : *Une offre avantageuse. Offre d'emploi* (contr. DEMANDE). — **2.** *Écon. polit.* Quantité de marchandises disponibles à un moment donné sur le marché : *L'offre croissante d'appareils ménagers* (par oppos. à DEMANDE). *La loi de l'offre et de la demande.* — **3.** *Offre publique d'achat* (en abrégé O. P. A.), annonce faite par une société décidée à acquérir la majorité des actions d'une autre société moyennant un prix qu'elle fixe elle-même.

OFFSET [ɔfsɛt] n. m. inv. (de l'angl. *to set,* placer, et *off,* dehors). *Arts graph.* Procédé d'impression au moyen d'une machine rotative, par l'intermédiaire d'un rouleau de caoutchouc passant sur les caractères encrés d'une feuille de zinc ou d'aluminium, dont il reporte l'encre sur le papier.

→ illustration IMPRIMERIE page 708.

OFFUSQUER [ɔfyske] v. t. (lat. *offuscare,* obscurcir). *Offusquer qq'un,* le choquer, lui déplaire fortement : *Ne soyez pas offusqué par ses manières* (syn. FROISSER, HEURTER).

OFLAG [ɔflag] n. m. (abrév. de *of* [*fizier*] *lag* [*er*], camp d'officiers). Nom donné en Allemagne, pendant la Seconde Guerre mondiale, aux camps de prisonniers de guerre réservés aux officiers.

OGIVE [ɔʒiv] n. f. (orig. incert.). *Archit.* **1.** Arc diagonal de renfort, généralement semi-circulaire, bandé sous une voûte pour augmenter sa résistance, faciliter sa construction ou l'alléger. ‖ *Croisée d'ogives,* intersection en croix de deux ogives, caractérisant le système de construction gothique*. — **2.** Arcade formée de deux arcs qui se croisent de manière à former au sommet un angle aigu : *L'architecture mauresque utilise l'ogive lancéolée.* — **3.** En artillerie, partie antérieure d'un projectile, de forme conique : *L'ogive d'un obus porte la fusée.* ‖ *Ogive nucléaire,* ogive à charge nucléaire dont on peut doter certains missiles ou projectiles. (On dit aussi TÊTE NUCLÉAIRE.) ◆ **ogival, e, aux** adj. : *Forme ogivale. Architecture ogivale* (= architecture gothique).

OGLIO, riv. d'Italie (Lombardie), affl. du Pô (r. g.); 280 km.

OGNON, riv. de l'est de la France, affl. de la Saône (r. g.); 190 km.

OGODAY (v. 1185-1241), empereur mongol (1229-1241), troisième fils de Gengis khān. Il annexa la Corée, le nord de la Chine, l'Azerbaïdjan et la Géorgie. Il dévasta la Russie et alla jusqu'à Vienne.

OGOOUÉ, fl. de l'Afrique équatoriale, qui se jette dans l'Atlantique, au Gabon; 1 170 km.

OGRE, OGRESSE [ɔgr, ɔgrɛs] n. (du lat. *Orcus,* dieu de la Mort). **1.** (au masc.) Dans les contes de fées, géant qui se nourrit de chair fraîche : *L'ogre et le Petit Poucet.* — **2.** Personne affamée et vorace.

OH! [o] interj. Marque en général le début d'une interpellation ou d'une phrase exclamative, dont les intonations variées peuvent exprimer la joie, la douleur, l'impatience, l'indignation, etc. : *Oh! quelle horreur!;* et substantiv. : *Il pousse des oh! d'indignation.*

OHÉ! [oe] interj. Sert à appeler : *Ohé! les amis, venez voir!*

O'HIGGINS (Bernardo), homme politique chilien (1776-1842). Lieutenant de San Martín, il fut nommé « Directeur suprême de la nation » (1817). Il proclama l'indépendance du Chili en 1818, mais il fut renversé dès 1823.

OHIO, riv. des États-Unis (Pennsylvanie), affl. du Mississippi (r. g.), qui arrose Cincinnati, Louisville; 1 580 km.

OHIO, État du nord-est des États-Unis, limité au N. par le lac Érié; 106 765 km²; 10 652 000 hab. Capit. *Columbus.* V. pr. *Cleveland, Cincinnati.*

OHM (Georg), physicien allemand (1789-1854), qui énonça en 1827 les lois fondamentales des courants électriques.

OHM [om] n. m. (du nom du physicien). Unité de résistance électrique (symb. : Ω) équivalant à la résistance électrique qui existe entre deux points d'un fil conducteur lorsqu'une différence de potentiel de 1 volt, appliquée entre ces deux points, produit dans ce conducteur un courant de 1 ampère, ledit conducteur n'étant le siège d'aucune force électromotrice. ◆ **ohmmètre** n. m. *Électr.* Appareil servant à mesurer la résistance électrique d'un conducteur.

OHŘE, en all. **Eger,** riv. de l'Europe centrale (Allemagne et Tchécoslovaquie), affl. de l'Elbe (r. g.); 310 km.

OHRID ou **OKHRID,** v. de Yougoslavie (Macédoine), sur le *lac d'Ohrid* (348 km²), qui est situé à la frontière de l'Albanie et de la Yougoslavie; 14 000 hab.

OÏDIUM [ɔidjɔm] n. m. (du gr. *ôion,* œuf). Champignon microscopique parasite de la vigne, dont il couvre les feuilles et les fruits d'une poussière blanchâtre; maladie produite par ce champignon.

OIE [wa] n. f. (bas lat. *auca*). **1.** Oiseau palmipède dont il existe des espèces sauvages, migratrices (celles qui passent en France viennent des régions arctiques et hivernent sur les rivages méditerranéens), et une espèce domestique, qu'on élève pour sa chair et son foie qui se charge en graisse par gavage : *Le jars est le mâle de l'oie. L'oie criaille, siffle, cacarde.* (Famille des anatidés.) ‖ *Oies du Capitole,* oies consacrées à Junon et qui, enfermées dans le Capitole, sauvèrent Rome en prévenant par leurs cris Manlius et les Romains de l'escalade nocturne des Gaulois. — **2.** *Fam.* Personne très sotte, niaise : *C'est une petite oie.* ‖ *Oie blanche,* jeune fille candide. — **3.** *Pas de l'oie,* pas militaire spécial et de parade. ◆ **oison** n. m. Très jeune oie.

OIGNIES, comm. du Pas-de-Calais, à 4 km au S.-E. de Carvin; 10 500 hab. *(Oigninois).*

1. OIGNON [ɔɲɔ̃] n. m. (bas lat. *unio, unionis*). **1.** Plante potagère bisannuelle, cultivée pour son bulbe comestible : *De la soupe à l'oignon.* — **2.** Bulbe souterrain de certaines plantes (lis, tulipe, jacinthe, etc.). — **3.** *Pelure d'oignon,* sorte de vin rosé. ‖ Pop. *Occupe-toi de tes oignons,* mêle-toi de tes affaires. ‖ Fam. *En rang d'oignons,* sur une seule ligne.

2. OIGNON [ɔɲɔ̃] n. m. (de *oignon* 1). Callosité du pied, à la naissance du gros orteil.

OÏL [ɔil] adv. (anc. forme de *oui*). *Langue d'oïl,* langue que l'on parlait au N. d'une ligne Poitiers-Grenoble. (→ OC.)

OINDRE [wɛ̃dr] v. t. (lat. *ungere*). [Conj. **82.**] Attoucher une partie du corps avec les saintes huiles pour bénir ou consacrer : *L'évêque oint les enfants auxquels il administre le sacrement de confirmation.* ◆ **oint** n. m. *L'Oint du Seigneur,* Jésus-Christ. ◆ **onction** n. f. Geste rituel consistant à appliquer les saintes huiles sur quelqu'un : *Les rois de France recevaient l'onction du sacre.*

OISANS, région des Alpes françaises (Isère et Hautes-Alpes), correspondant à la vallée de la Romanche (où l'industrie s'est développée grâce à l'hydro-électricité) et aux montagnes qui l'encadrent (élevage et tourisme surtout hivernal [Alpe d'Huez]).

OISE, riv. du nord de la France, née en Belgique; 302 km. Elle arrose Compiègne, Creil et Pontoise, avant de rejoindre la Seine (r. dr.) à Conflans-Sainte-Honorine. C'est une grande voie navigable.

OISE (60), dép. du Bassin parisien (Région Picardie); 5 860 km²; 661 800 hab. (113 au km²) [France : 103]. Ch.-l. *Beauvais.*
ADMINISTRATION. 4 arrond. (*Beauvais.* 177 400 hab.; *Clermont.* 99 300 hab.; *Compiègne.* 152 900 hab.; *Senlis.* 232 200 hab.). / 41 cant. / 693 comm.

LOCALITÉS PRINCIPALES	NOMBRE D'HAB.
Beauvais	54100
Compiègne	43300
Creil	36100
Nogent-sur-Oise	17400
Senlis	15300
Noyon	14200
Montataire	12900
Crépy-en-Valois	12300
Méru	11500
Chantilly	10200

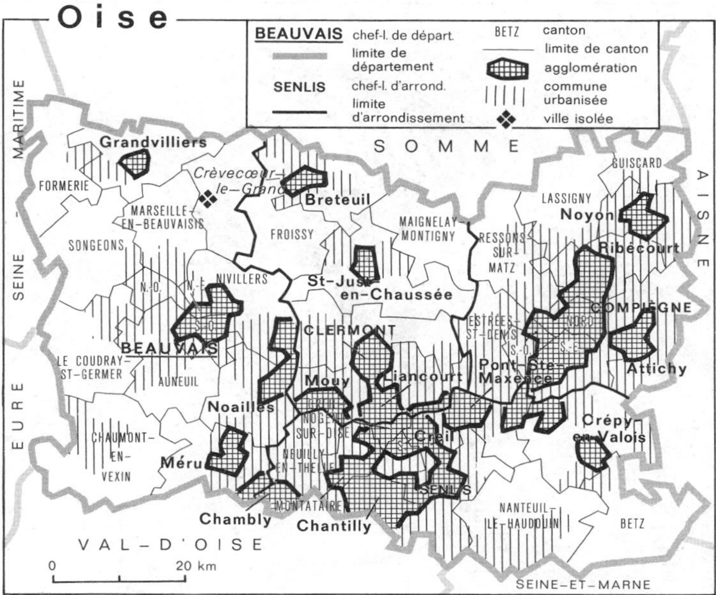

L'Oise est formée essentiellement de plateaux calcaires souvent limoneux, dont l'altitude est généralement comprise entre 100 et 200 m, entaillés notamment par la vallée de l'Oise (qui a donné son nom au département). Le climat est océanique, avec des précipitations assez abondantes, bien réparties dans l'année.

L'*agriculture* n'emploie guère plus du vingtième de la population active. Pourtant la production, dans le cadre de grandes exploitations, est importante (céréales et betteraves ; élevage dans les régions argileuses du pays de Thelle (au S. de Beauvais), dans le pays de Bray ainsi que dans la vallée de l'Oise, où s'ajoutent des cultures fruitières et légumières.

L'*industrie* occupe près de la moitié de cette population active. À côté de la valorisation des produits du sol (sucreries), le textile, la chimie et la métallurgie dominent, notamment à Beauvais et dans la vallée de l'Oise.

Le *secteur tertiaire* emploie plus des deux cinquièmes de la population active.

La rapide progression des villes est à la base de l'augmentation très sensible de la population.

OISEAU [wazo] n. m. (bas lat. *aucellus*). **1.** Animal vertébré ovipare à respiration pulmonaire et à température constante, au corps couvert de plumes, aux mâchoires conformées en bec, aux membres antérieurs conformés en ailes et généralement capable de voler. (Les oiseaux constituent une classe de l'embranchement des vertébrés.) → ENCYCL. — **2.** *Un drôle d'oiseau,* un personnage peu recommandable (syn. INDIVIDU). ‖ *Un oiseau rare,* quelqu'un qui a d'éminentes qualités (le plus souvent ironiq.). ‖ *À vol d'oiseau,* en prenant la distance théorique la plus courte, sans suivre les chemins existants. ◆ **oiseleur** n. m. Celui qui fait métier de prendre les oiseaux. ◆ **oiselier, ère** n. Personne dont le métier est d'élever et de vendre des oiseaux. ◆ **oisellerie** n. f. Commerce de l'oiselier; lieu où l'on vend des oiseaux. ◆ **oisillon** ou **oiselet** n. m. Petit oiseau.

— ENCYCL. Apparus au Jurassique, à partir d'une souche reptilienne, les *oiseaux* ont presque tous des pattes de derrière à un seul métatarsien (os canon) et à quatre doigts griffus, dont un seul dirigé franchement vers l'arrière. Leur tube digestif se caractérise par l'existence d'un *jabot* et par celle d'un estomac broyeur aux parois musclées, le *gésier.* Leur appareil respiratoire comporte des circuits bronchiques et des sacs aériens, dispositions favorables au vol. Les oiseaux pondent et couvent des œufs à coquille calcaire, et beaucoup font un nid. Les espèces des régions froides effectuent en hiver une *migration* collective vers des régions plus clémentes et plus riches en nourriture (cigogne, hirondelle). Il y a cependant une grande diversité dans l'alimentation, à laquelle est liée la forme du bec, ainsi que dans les gestes et attitudes autres que le vol : oiseaux percheurs, grimpeurs, nageurs, plongeurs, marcheurs, sauteurs, etc.

→ illustration page suivante.

Oiseau de feu *(l'),* ballet d'I. Stravinski (1910).

Oiseaux *(les),* comédie féerique d'Aristophane (414 av. J.-C.).

OISEAU-LYRE [wazolir] n. m. *(oiseau,* et *lyre).* Autre nom du MÉNURE. ‖ Pl. des *oiseaux-lyres.*

OISEAU-MOUCHE [wazomuʃ] n. m. *(oiseau,* et *mouche).* Autre nom du COLIBRI. ‖ Pl. des *oiseaux-mouches.*

OISELET n. m., **OISELEUR** n. m., **OISELIER, ÈRE** n., **OISELLERIE** n. f. → OISEAU.

OISEUX, EUSE [wazø, -øz] adj. (lat. *otiosus,* inutile). Qui ne sert à rien, à cause de son caractère superficiel : *Une question oiseuse* (= sans intérêt).

OISIF, IVE [wazif, -iv] adj. (de *oiseux*). Se dit de quelqu'un qui ne travaille pas : *C'est une distraction pour gens oisifs* (syn. DÉSŒUVRÉ, INOCCUPÉ). ◆ **oisivement** adv. ◆ **oisiveté** n. f. État d'une personne inoccupée : *L'oisiveté est la mère de tous les vices* (syn. DÉSŒUVREMENT).

OISILLON n. m. → OISEAU.

OISIVEMENT adv., **OISIVETÉ** n. f. → OISIF.

OISON n. m. → OIE.

OISSEL, comm. de la Seine-Maritime, à 11.5 km au S. de Rouen; 12800 hab. *(Oisselais).* Chimie.

O. I. T., sigle de l'*Organisation* internationale du travail.*

O. K. [oke] interj. (abrév. de l'angl. *all correct*). *Fam.* D'accord, c'est entendu.

OKA, riv. de Russie, affl. de la Volga (r. dr.); 1480 km.

OKAPI [okapi] n. m. (d'un mot bantou). Mammifère ruminant de la forêt équatoriale du Congo, voisin de la girafe. Ses pattes sont zébrées de rayures horizontales. (Famille des giraffidés.)

OKAYAMA, v. du Japon, dans l'est de Honshū ; 572000 hab. Industries textiles et chimiques.

OKEGHEM → OCKEGHEM.

OKHOTSK *(mer d'),* mer formée par l'océan Pacifique au N.-E. de l'Asie; 1590000 km².

Autour
Chouette (Hulotte)
Mouette
Troglodyte
Bouvreuil
Pigeon (Ramier)
Perroquet (Ara)
Tétras-lyre
Chevalier (Gambette)

OKHRID → OHRID.

OKINAWA, île japonaise de l'archipel des Ryū kyū; 759 000 hab. En 1945, elle fut l'enjeu d'une lutte acharnée entre Américains et Japonais.

OKLAHOMA, État du centre-ouest des États-Unis; 181 090 km²; 2 634 000 hab. Capit. *Oklahoma City.*

OKOUMÉ [okume] n. m. (mot gabonais). Arbre du Gabon, au bois rose, utilisé en menuiserie et pour fabriquer le contre-plaqué.

OLAF, nom de deux rois de Danemark.

ÖLAND, île de Suède, dans la mer Baltique; 34 000 hab. V. pr. *Borgholm.*

OLAV, nom de cinq rois de Norvège. OLAV Ier *Tryggvesson* (969-1000), roi de 995 à 1000, contribua à implanter le christianisme dans son royaume. — OLAV V (1903-1991), roi de Norvège de 1957 à sa mort.

OLDENBARNEVELDT (Johan VAN), homme d'État hollandais (1547-1619), pacifiste et tolérant, adversaire de Maurice de Nassau.

OLDENBURG, en fr. **Oldenbourg,** anc. État de l'Allemagne. Comté à la fin du XIe s., il passa dans la famille royale de Danemark au XVe s., puis aux Holstein au XVIIIe s. Son possesseur devint grand-duc en 1815. — La ville d'*Oldenburg,* en Allemagne (Basse-Saxe), a 138 000 hab. Métallurgie. Constructions électriques. Imprimerie.

OLDHAM, v. d'Angleterre (Lancashire); 105 700 hab. Industrie du coton.

OLDUVAI, site préhistorique de Tanzanie, au S.-O. du lac Natron. Le Dr L. S. B. Leakey y a découvert le *Zinjanthrope* (1959) et l'*Homo habilis* (1963).

OLÉ! [ɔle] interj. Expression espagnole servant à encourager. ◆ **olé olé** adj. *Fam.* Leste; qui manque de retenue.

OLÉACÉES [ɔlease] n. f. pl. (du lat. *oleum,* huile). Famille de plantes dicotylédones gamopétales, comprenant des arbres et des arbustes *(olivier, jasmin, lilas, frêne).*

OLÉAGINEUX, EUSE [ɔleaʒinø, -øz] adj. (du lat. *oleum,* huile). **1.** Se dit des végétaux dont on tire de l'huile : *Le colza est une plante oléagineuse.* — **2.** De la nature de l'huile : *Les liquides oléagineux se figent à une température proche de zéro.*

OLÉCRANE [ɔlekran] n. m. (du gr. *ôlenê,* bras, et *karênon,* tête). *Anat.* Apophyse du cubitus formant la saillie du coude.

OLÉICULTURE [ɔleikyltyr] n. f. (du lat. *oleum,* huile). Culture de l'olivier : *Le midi de la France est une région d'oléiculture.* ◆ **oléiculteur** n. m.

OLÉODUC [ɔleodyk] n. m. (du lat. *oleum,* huile, et *ducere,* conduire). Syn. de PIPELINE.

OLÉRON *(île d'),* île de la Charente-Maritime, formant deux cantons *(Le Château*-d'Oléron* et *Saint-Pierre*-d'Oléron),* à l'embouchure de la Charente, séparée du continent par le pertuis de Maumusson, et de l'île de Ré par celui d'Antioche; 16 400 hab. Un pont relie l'île au continent. Ostréiculture. Pêche. Tourisme.

OLÉUM [ɔleɔm] n. m. (lat. *oleum,* huile). *Chim.* Acide sulfurique partiellement déshydraté.

OLFACTIF, IVE [ɔlfaktif, -iv] adj. (du lat. *olfactus,* odorat). Relatif à l'odorat, à la perception des odeurs : *Les organes olfactifs.* ‖ *Nerf olfactif,* nerf pair formant la première paire de nerfs crâniens, qui naît à la base du cerveau et traverse la lame criblée de l'ethmoïde pour aboutir au plafond des fosses nasales. ◆ **olfaction** n. f. Fonction grâce à laquelle les odeurs sont perçues (syn. ODORAT).

OLIBRIUS [ɔlibrijys] n. m. (du n. d'un empereur d'Occident). *Fam.* Individu qui se distingue des autres par quelque stupide excentricité.

OLIFANT [ɔlifɑ̃] n. m. (du lat. *elephantus,* éléphant). Petit cor d'ivoire, que portaient les chevaliers : *Roland, se voyant cerné par les Maures, se mit à sonner de l'olifant.*

OLIGARCHIE [ɔligarʃi] n. f. (du gr. *oligoi,* peu nombreux, et *arkhê,* commandement). **1.** Régime politique dans lequel le pouvoir est aux mains d'une classe restreinte, ou d'un petit nombre de personnes ou de familles : *L'oligarchie de Sparte.* — **2.** Groupe de quelques personnes puissantes dominant une partie des intérêts d'un pays : *Une oligarchie financière.* ◆ **oligarchique** adj. : *Gouvernement oligarchique.*

OLIGISTE [ɔliʒist] n. m. et adj. (gr. *oligistos,* très peu). Oxyde naturel de fer, appelé aussi HÉMATITE ROUGE, colorant souvent des roches sédimentaires (grès, argiles) et constituant un minerai exploitable dans certains schistes.

OLIGOCÈNE [ɔligɔsɛn] adj. et n. m. (du gr. *oligos,* peu, et *kainos,* récent). *Géol.* Se dit de la deuxième période de l'ère tertiaire, entre l'Éocène et le Miocène, d'une durée de 20 millions d'années (entre — 45 millions d'années et — 25 millions d'années env.), marquée par le début du plissement de la chaîne alpine, l'effondrement de l'Alsace et des Limagnes.

OLIGO-ÉLÉMENT [ɔligɔelemɑ̃] n. m. (du gr. *oligoi,* peu nombreux, et *élément*). *Biol.* Substance nécessaire, en très petite quantité, au fonctionnement des organismes vivants. (Les vitamines et de nombreux métaux [fer, manganèse, bore, magnésium, cobalt, etc.] sont des oligo-éléments.)

OLIVAIE n. f. → OLIVE.

OLIVARES (Gaspar DE GUZMÁN, *comte-duc* D'), homme d'État espagnol (1587-1645). Favori de Philippe IV, il fut en fait le maître du pouvoir de 1621 à 1643. Sa politique centralisatrice provoqua la révolte de la Biscaye (1631), de la Catalogne et du Portugal (1640). Il fit entrer l'Espagne dans la guerre de Trente Ans (1636).

OLIVE [ɔliv] n. f. (lat. *oliva*). **1.** Petit fruit comestible à noyau, dont on tire en partic. de l'huile de table : *Les olives vertes sont cueillies un peu avant maturité, les olives noires à complète maturité.* — **2.** Nom de divers objets ayant la forme d'une olive : *Appuyer sur une olive pour allumer une lampe* (= un interrupteur). *L'olive est un ornement d'architecture utilisé en frise.* ◆ adj. inv. De couleur verdâtre : *Une robe olive.* ◆ **olivaie** ou **oliveraie** n. f. Lieu planté d'oliviers. ◆ **olivâtre** adj. Verdâtre : *Un mur couvert de moisissure olivâtre.* ◆ **olivette** n. f. Sorte de raisin dont les grains rappellent la forme de l'olive. ◆ **olivier** n. m. Arbre des pays chauds, dont le fruit est l'olive. (Famille des oléacées.)

OLIVET, ch.-l. de cant. du Loiret, à 4,5 km au S. d'Orléans, sur le Loiret; 14 500 hab. *(Olivetins).* Pépinières et roseraies.

OLIVETTE n. f., **OLIVIER** n. m. → OLIVE.

Olivier, personnage légendaire de *la Chanson de Roland;* ami de Roland, il s'oppose à la fougue et à la témérité de celui-ci par sa sagesse et sa mesure.

Olivier Twist, roman de Ch. Dickens (1838).

OLIVIERS *(mont des),* colline à l'E. de Jérusalem, au pied de laquelle, dans le jardin de Gethsémani, Jésus agonisa. C'est, d'après les Actes des Apôtres, le lieu de son Ascension.

OLIVINE [ɔlivin] n. f. (de *olive*). *Minér.* Silicate naturel de fer et de magnésium, du groupe des péridots. (De couleur vert olive, l'olivine est fréquente dans les basaltes et peut s'altérer en donnant la *serpentine*.*)

OLLAIRE [ɔlɛr] adj. (du lat. *olla,* marmite). Se dit d'une espèce de serpentine facile à tailler, et dont on fait des pots : *Pierre ollaire.*

OLLIOULES, ch.-l. de cant. du Var, à 8 km à l'O. de Toulon; 9 200 hab.

OLLIVIER (Émile), homme politique français (1825-1913). Chef du Tiers Parti, il devint Premier ministre en 1870. Attaqué par une opposition républicaine de plus en plus violente, il poursuivit la libéralisation du régime. Il provoqua le plébiscite du 8 mai 1870 (→ SECOND EMPIRE) et prit la responsabilité de la guerre (juillet 1870). Dès les premiers échecs, il se retira du pouvoir.

OLMEDO (José Joaquín), homme politique et écrivain équatorien (1780-1847). Ami de Bolívar, il fut président de Guayaquil lors de son indépendance (1820) et il en assura la réunion à la Grande-Colombie (1822). Il rédigea la Constitution de l'Équateur après la sécession (1830).

OLMÈQUES, peuple indien de l'époque précolombienne, qui, dans la région du golfe du Mexique, a créé une importante civilisation entre 500 et 1000 av. J.-C. (sculptures monumentales).

OLOGRAPHE [ɔlɔgraf] adj. (du gr. *holos,* entier, et *graphein,* écrire). Se dit d'un testament écrit en entier de la main du testateur.

OLOMOUC, en all. **Olmütz,** v. de Tchécoslovaquie (Moravie), sur la Morava; 82 500 hab. Industries alimentaires.

OLORON *(gave d'),* riv. des Pyrénées, formée par les gaves d'Aspe et d'Ossau, qui se rejoignent à Oloron-Sainte-Marie et se jettent dans le gave de Pau (r. g.); 120 km.

OLORON-SAINTE-MARIE, ch.-l. d'arrond. des Pyrénées-Atlantiques, à 29,5 km au S.-O. de Pau, au confluent des gaves d'Aspe et d'Ossau; 12 200 hab. *(Oloronais).* Église Sainte-Marie (XIIe-XIVe s.). Constructions aéronautiques.

O. L. P., sigle de l'*Organisation* de libération de la Palestine.*

OLSZTYN, en all. **Allenstein,** v. du nord-est de la Pologne; 109 400 hab. Matériel agricole.

OLT, riv. de Roumanie, affl. du Danube (r. g.); 600 km.

OLTEN, v. de Suisse (Soleure), sur l'Aar; 21 700 hab. Nœud ferroviaire. Métallurgie (véhicules lourds).

OLTÉNIE, région de Roumanie, en Valachie, à l'O. de l'Olt.

OLYMPE, nom de plusieurs montagnes de la Grèce anc. De la plus fameuse, située entre la Macédoine et la Thessalie (alt. 2 911 m), les anciens Grecs avaient fait la résidence des dieux. (Auj. OLIMBOS.)

OLYMPIA, port des États-Unis, capit. de l'État de Washington; 23 100 hab.

OLYMPIADE n. f. → OLYMPIQUE.

OLYMPIE, v. du Péloponnèse (Élide), centre religieux panhellénique, où se célébrèrent les jeux dits *Olympiques* jusque sous Théodose. Ruines importantes de l'Héraïon (v. 600 av. J.-C.), le plus ancien temple connu de grandes dimensions, et du temple de Zeus (v. 460 av. J.-C.).

OLYMPIEN, ENNE [ɔlɛ̃pjɛ̃, -ɛn] adj. (de *Olympe*). **1.** De l'Olympe. ‖ *Dieux olympiens,* les douze principales divinités grecques. ‖ *Zeus Olympien,* surnom de Zeus (avec une majusc.). — **2.** Noble et majestueux : *Garder un calme olympien.*

OLYMPIQUE [ɔlɛ̃pik] adj. (de *Olympie*). **1.** *Jeux Olympiques,* jeux sportifs qui se célébraient tous les quatre ans chez les Grecs, depuis 776 av. J.-C., près d'Olympie, en l'honneur de Zeus Olympien, et à l'issue desquels les vainqueurs recevaient la *couronne olympique;* auj., rencontres sportives internationales, qui ont lieu tous les quatre ans. (Il est décidé en 1986 que les jeux Olympiques d'été et d'hiver se dérouleront, après 1992, alternativement tous les deux ans.) — **2.** Relatif aux jeux Olympiques : *Stade olympique. Champion olympique.* — **3.** Qui est conforme aux règles des jeux Olympiques : *Piscine olympique.* ◆ **olympiade** n. f. Espace de quatre ans qui s'écoulait entre deux célébrations successives des jeux Olympiques.

— ENCYCL. C'est sur l'initiative de Pierre de Coubertin que les *jeux Olympiques modernes* eurent lieu pour la première fois à Athènes en 1896. Les jeux Olympiques modernes se sont tenus dans les villes suivantes : Athènes (1896), Paris (1900), Saint Louis (1904), Londres (1908), Stockholm (1912), Anvers (1920), Paris (1924), Amsterdam (1928), Los Angeles (1932), Berlin (1936), Londres (1948), Helsinki (1952), Melbourne (1956), Rome (1960), Tōkyō (1964), Mexico (1968), Munich (1972), Montréal (1976), Moscou (1980), Los Angeles (1984), Séoul (1988), Barcelone (1992). Des jeux Olympiques d'hiver, réservés aux sports de neige et de glace, ont été organisés depuis 1924 dans les villes suivantes : Chamonix (1924), Saint-Moritz (1928), Lake Placid (1932), Garmisch-Partenkirchen (1936), Saint-Moritz (1948), Oslo (1952), Cortina d'Ampezzo (1956), Squaw Valley (1960), Innsbruck (1964), Grenoble (1968), Sapporo (1972), Innsbruck (1976), Lake Placid (1980), Sarajevo (1984), Calgary (1988), Albertville (1992).

OMAHA, v. des États-Unis (Nebraska), sur le Missouri; 347 300 hab. Industries métallurgiques et alimentaires.

OMAN *(sultanat d'),* État de la partie orientale de l'Arabie; 212 000 km²; 1 400 000 hab. Capit. *Mascate.* Pétrole.

OMAN *(mer d'),* mer formée par l'océan Indien, au S.-O. de l'Asie. Le *golfe d'Oman,* au N.-O., communique par le détroit d'Ormuz avec le golfe Persique.

OMAR Ier → 'UMAR Ier.

OMAYYADES → OMEYYADES.

OMBELLE [ɔ̃bɛl] n. f. (lat. *umbella,* parasol). Forme d'inflorescence dans laquelle les pédoncules floraux partent tous d'un même point pour s'élever au même niveau, comme les rayons d'un parasol : *On distingue des ombelles simples et des ombelles composées.* ◆ **ombellifères** n. f. pl. Famille de plantes à fleurs, dicotylédones, caractérisées par leur inflorescence en ombelle, par leurs feuilles généralement très découpées et pourvues d'une forte gaine, par l'aspect côtelé de leur tige et de leur gaine, et par les substances spécifiques qui rendent les unes toxiques *(ciguë),* les autres comestibles *(carotte, céleri, persil, fenouil, angélique).*

OMBILIC [ɔ̃bilik] n. m. (lat. *ombilicus*). **1.** Orifice de l'abdomen qui, chez le fœtus, laisse passer les organes reliant celui-ci aux annexes de l'œuf (placenta). — **2.** Cicatrice arrondie laissée sur l'abdomen après la chute du cordon ombilical (syn. NOMBRIL). — **3.** Point central : *L'ombilic de la terre.* — **4.** *Géogr.* Élargissement dans une vallée glaciaire. ◆ **ombilical, e, aux** adj. *Cordon ombilical,* conduit qui relie le fœtus au placenta, et qui contient les veines et les artères par lesquelles le fœtus est nourri.

OMBLE [ɔ̃bl] n. m. (du bas lat. *amulus*). Poisson d'eau douce voisin du saumon, à chair délicate.

1. OMBRAGE [ɔ̃braʒ] n. m. (de *ombre*). Ensemble de branches et de feuilles qui donnent de l'ombre; cette ombre elle-même : *Se promener sous les ombrages du parc.* ◆ **ombragé, e** adj. Se dit d'un lieu où des arbres donnent de l'ombre : *Chercher un coin ombragé.* ◆ **ombrager** v. t. Couvrir d'ombre : *Les pommiers ombragent le jardin.*

2. OMBRAGE [ɔ̃braʒ] n. m. (même étym.). Se dit d'une blessure d'amour-propre causée à quelqu'un ou ressentie par quelqu'un (littér., limité à quelques express.) : *Il a pris ombrage de mon refus d'aller chez lui* (= il s'est vexé). *Sa gloire porte ombrage à ses rivaux* (= leur inspire de l'inquiétude, du dépit). ◆ **ombrageux, euse** adj. : *Regarder qq'un d'un air ombrageux* (syn. MALVEILLANT, SOUPÇONNEUX). *Un caractère ombrageux* (syn. SUSCEPTIBLE).

1. OMBRE [ɔ̃br] n. f. (lat. *umbra*). **1.** Zone sombre créée par un corps qui intercepte les rayons lumineux : *S'asseoir à l'ombre* (contr. AU SOLEIL). — **2.** Reproduction sombre et plus ou moins déformée d'un corps éclairé : *Ombre portée* (= tache noire, ombre d'un objet sur le sol). *Les ombres des arbres s'allongent vers le soir. Représenter une scène en ombres chinoises* (= avec des silhouettes sombres apparaissant sur un écran transparent). — **3.** Reflet, apparence d'une chose : *Lâcher la proie pour l'ombre* (= pour une vaine apparence, un objet vain). *Une ombre de malice* (syn. SOUPÇON). *N'être plus que l'ombre de soi-même* (= avoir beaucoup maigri). *Il n'y a pas l'ombre d'un doute* (= il n'y a pas le moindre doute). — **4.** *Royaume, séjour des ombres,* les Enfers, dans la religion gréco-romaine. ‖ *Dans l'ombre,* dans l'obscurité, l'humilité : *Vivre dans l'ombre;* de côté, à l'écart : *Laisser une question dans l'ombre.* ‖ *Il y a une ombre au tableau* (langue soignée), il y a un inconvénient, un ennui dans cette affaire. ‖ Fam. *Être, mettre à l'ombre,* être, mettre en prison. ◆ **ombrer** v. t. *Ombrer un dessin, un tableau,* lui mettre des ombres. ◆ **ombré, e** adj. : *Dessin ombré.* ◆ **ombreux, euse** adj. : *Forêt ombreuse* (= où il y a beaucoup d'ombre).

2. OMBRE [ɔ̃br] n. f. (de *Ombrie,* où se trouve le principal gisement de cette terre). *Terre d'ombre,* ou simplem. *ombre,* ocre brun et rougeâtre, qu'on utilise en peinture. (On dit aussi TERRE DE SIENNE.)

OMBRÉE [ɔ̃bre] n. f. (de *ombre*). *Géogr.* Syn. de UBAC.

OMBRELLE [ɔ̃brɛl] n. f. (du lat. *umbrella,* parasol). **1.** Petit parasol de dame. — **2.** *Zool.* Organe, en forme de cloche, d'une méduse, bordé de tentacules urticants, et dont les contractions assurent la nage de l'animal.

OMBRER v. t., **OMBREUX, EUSE** adj. → OMBRE 1.

OMBRIE, région de l'Italie centrale, traversée par le Tibre, formée des prov. de *Pérouse* et de *Terni;* 775 800 hab. *(Ombriens).*

OMBUDSMAN n. m. → MÉDIATEUR.

OMÉGA [ɔmega] n. m. Dernière lettre de l'alphabet grec* (ω), correspondant à *ô.* ‖ *L'alpha et l'oméga* → ALPHA.

OMELETTE [ɔmlɛt] n. f. (de l'anc. fr. *alumelle,* petite lame). **1.** Préparation culinaire constituée d'œufs battus et cuits dans une poêle : *Omelette aux fines herbes.* — **2.** *Fam.* Œufs cassés par accident.

OMETTRE [ɔmɛtr] v. t. (lat. *omittere*). [Conj. **57.**] *Omettre qqch.,* ou *de* (et l'infin.), ou *que* (et l'indic.), négliger de faire ou de dire cette chose (langue soignée) : *Je crois n'avoir omis personne sur cette liste d'invités* (syn. OUBLIER). ◆ **omission** n. f. **1.** Action d'omettre : *Péché par omission* (syn. ABSENCE, DÉFAUT). — **2.** Chose oubliée, volontairement ou non : *Il y a plusieurs omissions dans votre liste* (syn. LACUNE, MANQUE, OUBLI).

OMEYYADES, OMAYYADES ou **UMAYYADES,** dynastie de califes arabes, qui régna à Damas de 661 à 750. Détrônée par les 'Abbāsides, elle alla fonder le califat de Cordoue (756-1031) et créa une brillante civilisation en Andalousie.

OMISSION n. f. → OMETTRE.

OMNIBUS [ɔmnibys] adj. et n. m. inv. (mot lat. signif. *pour tous*). *Train omnibus,* train de voyageurs qui dessert toutes les stations d'un parcours (par oppos. à EXPRESS, RAPIDE).

OMNIPOTENT, E [ɔmnipɔtɑ̃, -ɑ̃t] adj. (du lat. *omnis,* tout, et *potens,* puissant). Tout-puissant (littér.) : *Personne omnipotente dans l'Administration.* ◆ **omnipotence** n. f. Toute-puissance; pouvoir absolu.

OMNIPRATICIEN, ENNE [ɔmnipratisjɛ̃, -ɛn] adj. et n. (du lat. *omnis,* tout, et *praticien*). Se dit d'un médecin qui exerce la médecine générale.

OMNIPRÉSENT, E [ɔmniprezɑ̃, -ɑ̃t] adj. (du lat. *omnis,* tout, et *présent*). Présent en tous lieux.

OMNISCIENT, E [ɔmnisjɑ̃, -ɑ̃t] adj. (du lat. *omnis,* tout, et *sciens,* sachant). Qui sait tout (littér.) : *Un homme omniscient.*

1. OMNIUM [ɔmnjɔm] n. m. (mot angl.; du lat. *omnis,* tout).

Compagnie financière ou commerciale qui fait indistinctement tous les genres d'opérations.

2. OMNIUM [ɔmnjɔm] n. m. (même étym.). *Sports*. Compétition cycliste sur piste, comportant plusieurs épreuves.

OMNIVORE [ɔmnivɔr] adj. (du lat. *omnis*, tout, et *vorare*, dévorer). Qui se nourrit indifféremment de substances animales ou végétales (par oppos. à CARNIVORE ou à HERBIVORE) : *L'homme, le chien, le porc sont omnivores.*

OMOPLATE [ɔmɔplat] n. f. (du gr. *ômos*, épaule, et *platê*, chose plate). Os large, mince et triangulaire, situé à la partie postérieure de l'épaule : *Avoir les omoplates saillantes.* (Les deux omoplates forment avec les clavicules la *ceinture scapulaire*, ou partie fixe du membre antérieur.)

O. M. S., sigle de l'*Organisation* mondiale de la santé.*

OMSK, v. de l'U. R. S. S., en Sibérie occidentale, sur l'Irtych; 821 200 hab. Métallurgie. Raffinerie de pétrole. Industries chimiques.

ON [ɔ̃] pron. pers. indéf. (lat. *homo*). **1.** Remplace ou désigne un ou plusieurs êtres humains non précisés : *On a frappé à la porte* (= quelqu'un a frappé à la porte). — **2.** Avec un verbe au présent, peut désigner n'importe quelle personne, y compris celui qui parle (cet emploi est fréquent dans les proverbes) : *Quand on veut noyer son chien, on l'accuse de la rage. On aime bien se sentir approuvé* (syn. NOUS, CHACUN, QUICONQUE). — **3.** Dans la langue fam., remplace *nous* (incluant clairement celui qui parle) : *On a tous les deux les mêmes goûts* (= toi et moi). *Marie et moi, on s'entend bien* (= elle et moi). *Qu'est-ce qu'on fait là, tous autant qu'on est?* (*on* = vous et moi). — **4.** Dans la langue fam., remplace *je* : *On fait ce qu'on peut.* — **5.** Remplace, surtout dans la langue parlée, la 2e ou la 3e pers. du sing. ou du plur., avec diverses intentions (familiarité, sympathie, enjouement, mépris), dans un discours adressé directement à quelqu'un ou non : *Alors, on n'est plus fâché maintenant? Cette petite pimbêche ne s'est même pas excusée; on est trop fière pour ça!* (*Rem.* L'accord grammatical se fait alors comme avec le pron. remplacé.) → tableau ci-dessus.

emploi de « on »

1. *On* ne peut s'employer que comme sujet; il est remplacé comme complément par divers équivalents.

SUJET	COMPLÉMENT
On *m'a demandé de vos nouvelles* (syn. QUELQU'UN [sing.]; DES GENS, DES PERSONNES [plur.]).	*J'ai rencontré **quelqu'un** qui m'a demandé de vos nouvelles* (sing.). *J'ai rencontré **des gens** qui m'ont demandé de vos nouvelles* (plur.).
On *est venu vous voir* (syn. QUELQU'UN).	*Je n'ai vu **personne** venir.*
On *ne travaille bien qu'avec une bonne santé* (syn. CHACUN, LES HOMMES).	*Si on ne sait pas s'en servir **soi-même,** on doit se faire aider. On doit réfléchir par **soi-même** à ce problème.*
On *est inquiet de ce qu'on ne comprend pas* (syn. NOUS, VOUS, LES GENS).	*Quand on est inquiet, rien ne peut **vous** distraire;* ou : *Quand on est inquiet, rien ne peut **nous** distraire.*

2. *On* ne peut être séparé du verbe que par les pron. pers. *le, la, les, leur, lui, me, te, se* ou par *en, y, ne.*

3. La forme *l'on* se rencontre dans la langue écrite, plus particulièrement quand le mot qui précède comporte une voyelle finale.

ONAGRE [ɔnagr] n. m. (gr. *onagros*, âne sauvage). Mammifère ongulé sauvage, de la Perse et de l'Inde, intermédiaire entre le cheval et l'âne.

1. ONCE [ɔ̃s] n. f. (lat. *uncia*, mesure d'un douzième). **1.** Unité de poids anc. d'un grand nombre de pays avec des valeurs diverses comprises entre 24 et 33 g. — **2.** *Une once de* (et un nom sing.), une très petite quantité de : *Mettre une once de beurre dans la pâte* (syn. POINTE).

2. ONCE [ɔ̃s] n. f. (du lat. *lynx*). Espèce de grand chat d'Asie et d'Afrique.

ONCLE [ɔ̃kl] n. m. (lat. *avunculus*). **1.** Frère du père ou de la mère. (→ PARENTÉ.) — **2.** *Oncle d'Amérique*, parent riche, qui laisse un héritage inattendu. ◆ **grand-oncle** n. m. Frère du grand-père ou de la grand-mère. ‖ Pl. des *grands-oncles.*

1. ONCTION [ɔ̃ksjɔ̃] n. f. (du lat. *ungere*, oindre). Douceur particulière dans les gestes ou la manière de parler : *Parler avec une onction tout ecclésiastique.*

2. ONCTION n. f. → OINDRE.

ONCTUEUX, EUSE [ɔ̃ktɥø, -øz] adj. (du lat. *ungere*, oindre). Qui donne à la vue, au toucher ou au goût une sensation de douceur : *Potage onctueux* (syn. LIÉ, VELOUTÉ). ◆ **onctuosité** n. f. : *L'onctuosité d'une crème.*

ONDATRA [ɔ̃datra] n. m. (d'un mot huron). Mammifère rongeur de l'Amérique du Nord, vivant comme le castor, appelé aussi RAT MUSQUÉ et recherché pour sa très belle fourrure, que l'on vend sous le nom de *rat d'Amérique.*

1. ONDE [ɔ̃d] n. f. (lat. *unda*). Mouvement de la surface de l'eau formant des rides concentriques : *Des ondes apparaissent à la surface d'une mare quand on y jette un caillou* (syn. RIDES). ◆ **ondoyer** v. i. (sujet nom de chose). Avoir un mouvement semblable à celui de la surface d'un liquide parcourue par des ondes : *Blé, herbe qui ondoie* (syn. FRÉMIR). ◆ **ondoyant, e** adj. Mouvant, variable : *Couleur ondoyante* (syn. CHANGEANT). *Démarche ondoyante* (syn. DANSANTE, SOUPLE). ◆ **ondoiement** n. m. Mouvement de ce qui ondoie : *Ondoiement des herbes sous l'effet du vent* (syn. FRÉMISSEMENT). ◆ **onduler** v. i. (sujet nom de chose). Avoir un léger mouvement sinueux : *Cheveux qui ondulent* (syn. BOUCLER, FRISER). ◆ **ondulant, e** adj. Qui ondule. ‖ *Fièvre ondulante*, syn. de FIÈVRE DE MALTE ou BRUCELLOSE. ◆ **ondulation** n. f. Mouvement alternatif de la surface d'un liquide; mouvement sinueux : *Une légère ondulation sur le lac* (syn. FRISSON). *Ondulations des cheveux* (syn. CRAN). ◆ **ondulé, e** adj. Qui présente des ondulations : *Cheveux ondulés* (contr. RAIDE). ◆ **onduleux, euse** adj. Qui forme des ondulations, des sinuosités.

2. ONDE [ɔ̃d] n. f. (même étym.). **1.** *Phys.* Nom donné aux lignes ou aux surfaces atteintes à un instant donné par un ébranlement ou une vibration qui se propage dans l'espace. → ENCYCL. — **2.** *Longueur d'onde*, distance entre deux points consécutifs de même phase d'un mouvement ondulatoire qui se propage en ligne droite. ‖ *Onde de choc*, onde formée par l'accumulation des ondes sonores que tout mobile en mouvement fait rayonner autour de lui, lorsque sa vitesse devient au moins égale à celle du son (l'onde de choc est à l'origine du « bang » produit par les avions supersoniques). ‖ *Ondes courtes, petites ondes, grandes ondes*, les différentes gammes dans lesquelles sont classées les longueurs d'onde en matière de radiodiffusion. — **3.** *Sur les ondes*, à la radio : *Allocution diffusée sur les ondes.* ‖ Fam. *Être sur la même longueur d'onde*, se comprendre, parler le même langage. ◆ **ondulatoire** adj. **1.** En forme d'ondulations : *Mouvement ondulatoire.* — **2.** Qui se propage par ondes : *Nature ondulatoire de la lumière.*

— ENCYCL. On distingue les *ondes matérielles* qui se propagent par vibration de la matière gazeuse, liquide ou solide, et les *ondes électromagnétiques*, dues à la vibration d'un champ électromagnétique, en dehors de tout support matériel. Parmi les premières, les *ondes sonores* ont des fréquences comprises entre 16 et 20 000 hertz; les ultrasons ont des fréquences plus élevées, les infrasons des fréquences plus basses. Les ondes électromagnétiques comprennent, selon leur longueur, les rayons gamma (de 0,005 à 0,25 angström), puis les rayons X (jusqu'à 0,001 micron), l'ultraviolet (de 0,02 à 0,4 micron), la lumière visible (de 0,4 à 0,8 micron), l'infrarouge (de 0,8 à 300 microns), les ondes radioélectriques (du millimètre à plusieurs dizaines de kilomètres).

3. ONDE [ɔ̃d] n. f. (même étym.). L'eau de la mer, d'un lac, d'une rivière, etc. (littér., poét.).

ONDÉE [ɔ̃de] n. f. (de *onde*). Pluie soudaine et de peu de durée (syn. AVERSE).

ON-DIT [ɔ̃di] n. m. inv. (*on*, et *dit*). Rumeur, bruit répété de bouche en bouche : *Se méfier des on-dit* (syn. fam. CANCAN, COMMÉRAGE, RAGOT).

ONDOIEMENT n. m. ⟶ ONDE 1 et ONDOYER 2.

ONDOYANT, E adj. ⟶ ONDE 1.

1. ONDOYER v. i. ⟶ ONDE 1.

2. ONDOYER [ɔ̃dwaje] v. t. (de *onde*). *Ondoyer un enfant*, lui administrer le baptême sans les cérémonies extérieures. ◆ **ondoiement** n. m. Baptême réduit à l'essentiel (eau versée sur le front et paroles sacramentelles). [⟶ OINDRE.]

ONDULANT, E adj., **ONDULATION** n. f., **ONDULÉ, E** adj., **ONDULER** v. i., **ONDULEUX, EUSE** adj. ⟶ ONDE 1.

ONDULATOIRE adj. ⟶ ONDE 2.

ONEGA *(lac)*, lac du nord-ouest de l'U. R. S. S., en Carélie, qui se déverse dans le lac Ladoga par la Svir'; 9 900 km^2.

O'NEILL (Eugene Gladstone), auteur dramatique américain (1888-1953). Empruntant aux Anciens la technique du masque, aux Allemands les procédés de l'expressionnisme, à Freud les données essentielles de la psychanalyse, il passe du réalisme (*Anna Christie*, 1922; *le Désir sous les ormes*, 1924) à une vision essentiellement poétique, dont les thèmes majeurs sont l'incapacité de l'homme à s'intégrer à un univers qui le déroute (*Empereur Jones*, 1921; *le Singe velu*, 1922) et, dans l'esprit de la tragédie grecque, la lutte d'êtres d'exception contre l'inexorable destin (*l'Étrange Intermède*, 1928; *Le deuil sied à Électre*, 1931). [Prix Nobel, 1936.]

ONÉREUX, EUSE [ɔnerø, -øz] adj. (du lat. *onerosus*, lourd). **1.** Qui provoque de grosses dépenses (langue soignée) : *Un voyage onéreux* (syn. CHER, COÛTEUX; contr. ÉCONOMIQUE). — **2.** *Acquérir qqch. à titre onéreux*, en payant (loc. jurid.) [contr. À TITRE GRACIEUX].

ONGLE [ɔ̃gl] n. m. (lat. *ungula*, serre). **1.** Lame cornée produite par l'épiderme, et couvrant l'extrémité des doigts et des orteils de l'homme et des singes. — **2.** Sabot ou griffe d'autres mammifères. ◆ **onglier** n. m. Nécessaire pour la toilette des ongles.

ONGLÉE [ɔ̃gle] n. f. (de *ongle*). Engourdissement douloureux du bout des doigts, causé par un grand froid.

ONGLET [ɔ̃glɛ] n. m. (de *ongle*). **1.** Petite rainure sur la lame d'un couteau ou d'un canif, sur un couvercle, etc., servant à saisir cette lame ou ce couvercle avec l'ongle. — **2.** Petit morceau de papier fort ou de toile qui dépasse de la tranche d'un livre, ou échancrure pratiquée dans cette tranche, pour faciliter l'ouverture à une page donnée. — **3.** *Technol.* Extrémité d'une planche, d'une moulure, qui forme un angle de 45^0 au lieu d'être terminée à angle droit. ‖ *Boîte à onglets*, boîte en forme de canal, dans laquelle on place la pièce à couper, et qui porte dans ses parois des entailles obliques servant à guider la scie.

ONGLIER n. m. ⟶ ONGLE.

ONGUENT [ɔ̃gɑ̃] n. m. (lat. *unguentum*). Médicament à consistance de pommade dure, destiné à être appliqué sur la peau, et dans la composition duquel entre une résine.

ONGULÉ, E [ɔ̃gyle] adj. (du lat. *ungula*, ongle). Se dit des mammifères dont les doigts sont terminés par des sabots. ◆ n. m. pl. Important ordre de mammifères onguligrades, herbivores ou parfois omnivores, et dont les principaux sous-ordres sont : les *proboscidiens* (éléphants), les *périssodactyles* (cheval, rhinocéros), les *artiodactyles* (comprenant les porcins et les ruminants). ◆ **onguligrade** adj. Se dit des mammifères ongulés qui n'appuient que le sabot sur le sol pendant la marche : *Le cheval est onguligrade.*

ONIRIQUE [ɔnirik] adj. (du gr. *oneiros*, rêve). Relatif au rêve : *Délire onirique.* ◆ **onirisme** n. m. Hallucination visuelle qui s'apparente au rêve.

ONNAING, comm. du Nord, à 6,5 km au N.-E. de Valenciennes; 9 200 hab. Aciérie. Brasserie.

On ne badine pas avec l'amour, proverbe d'Alfred de Musset (1834).

ONOMATOPÉE [ɔnɔmatɔpe] n. f. (gr. *onomatopoiia*, création de mot). Mot dont le son imite celui de la chose qu'il représente : *Dans les bandes dessinées les bruits sont traduits par des onomatopées, telles que «plouf!», «vlan!», etc.*

ONTARIO *(lac)*, le plus oriental des Grands Lacs américains, entre le Canada et les États-Unis. Il reçoit les eaux du lac Érié par le Niagara et se déverse dans le Saint-Laurent; 18 800 km^2.

ONTARIO, province du Canada, limitée au N. par la baie d'Hudson et au S. par les Grands Lacs; 1 068 464 km^2; 7 893 000 hab. (7,4 au km^2). Capit. *Toronto.* V. pr. *Hamilton, Ottawa, Windsor.* L'Ontario est la plus riche des provinces canadiennes.

ONTOGENÈSE [ɔ̃tɔʒənɛz] n. f. (du gr. *ôn, ontos*, être, et *genesis*, génération). Série de transformations subies par l'individu depuis la fécondation de l'œuf jusqu'à l'être parfait.

O. N. U., sigle de l'*Organisation* des Nations unies.*

ONYX [ɔniks] n. m. (gr. *onux*, ongle). Variété de calcédoine présentant des bandes régulières de diverses couleurs, et dont on fait des camées, des vases, etc. : *Une coupe en onyx.*

ONZE [ɔ̃z]; la liaison ne se fait pas avec un mot précédent : *Les onze jours* [leɔ̃zʒur], *un onze* [œ̃ɔ̃z]) adj. num. cardin. et n. m. (lat. *undecim*). **1.** ⟶ NUMÉRATION. — **2.** Équipe de onze joueurs, au football : *Le onze de France.* ◆ **onzième** adj. num. ordin. et n. ◆ **onzièmement** adv. (⟶ NUMÉRATION.)

OOLITHE ou **OOLITE** [ɔɔlit] n. f. (du gr. *ôon*, œuf, et *lithos*, pierre). *Géol.* Ensemble de petites sphères d'env. 1 mm de diamètre, formées par une succession d'enveloppes minérales concentriques, le plus souvent calcaires. ◆ **oolithique** adj. Qui contient des oolithes : *Calcaire oolithique.*

OOSPHÈRE [ɔɔsfɛr] n. f. (du gr. *ôon*, œuf, et *sphaira*, sphère). Cellule reproductrice femelle chez certains végétaux cryptogames (algues, mousses, fougères).

OOTHÈQUE [ɔɔtɛk] n. f. (du gr. *ôon*, œuf, et *thêkê*, lieu où l'on place). Coque sécrétée par la femelle, dans laquelle sont renfermés les œufs des insectes orthoptères (sauterelles, criquets, mantes).

O. P. A., abrév. de *Offre* publique d'achat.*

OPACIFIER v. t., **OPACITÉ** n. f. ⟶ OPAQUE.

OPALE [ɔpal] n. f. (lat. *opalus*). Pierre précieuse, à reflets changeants, qui est une variété de silice hydratée. ◆ **opalin, e** adj. Qui a la teinte laiteuse et blanchâtre, les reflets irisés de l'opale. ◆ **opaline** n. f. Substance vitreuse dont on fait des objets d'ornement : *Vase en opaline.* ◆ **opalescence** n. f. Reflet opalin. ◆ **opalescent, e** adj. : *Lueur opalescente.*

OPALE *(Côte d')*, nom touristique du littoral français, entre Le Tréport et la frontière belge.

OPALESCENCE n. f., **OPALESCENT, E** adj., **OPALIN, E** adj., **OPALINE** n. f. ⟶ OPALE.

OPAQUE [ɔpak] adj. (lat. *opacus*). **1.** (sans compl.) Qui n'est pas transparent, qui ne se laisse pas traverser par la lumière, par d'autres radiations : *Vitre opaque* (contr. TRANSLUCIDE, TRANSPARENT). — **2.** *Opaque à qqch.*, qui s'oppose au passage de cette chose : *Corps opaque aux rayons X.* ◆ **opacité** n. f. État de ce qui est opaque. ◆ **opacifier** v. t. Rendre opaque.

OP'ART [ɔpart] n. m. (abrév. de l'angl. *optical art*, art optique). Forme d'art qui, à partir de 1965, a appliqué aux vêtements (dessins géométriques produisant une illusion d'optique), aux tissus d'ameublement (couleurs violentes opposées hardiment dans une même pièce) les principes de l'art cinétique*.

OPAVA, en all. **Troppau,** v. de Tchécoslovaquie; 52 900 hab.

OPENFIELD [ɔpɛnfild] n. m. Mot angl. signif. *champ ouvert.* (⟶ CAMPAGNE 1, *encycl.*)

O. P. E. P., sigle de l'*Organisation* des pays exportateurs de pétrole.*

OPÉRA [ɔpera] n. m. (it. *opera*, œuvre). **1.** Œuvre théâtrale, entièrement chantée, comprenant des récitatifs, des airs et des chœurs, et jouée avec accompagnement d'orchestre : *Livret d'opéra. Écouter un opéra de Mozart.* ⟶ ENCYCL. — **2.** Genre lyrique auquel appartiennent ces sortes d'ouvrages : *Aimer l'opéra.* — **3.** Théâtre, édifice où sont joués les drames lyriques : *Aller à l'Opéra.* ◆ **opéra bouffe** n. m. Opéra dont l'action est entièrement comique, en vogue au XVIIIe s. ‖ Pl. des *opéras bouffes.* ◆ **opéra-comique** n. m. Pièce dans laquelle se mêlent des passages parlés et des épisodes chantés. ‖ Pl. des *opéras-comiques.* ◆ **opérette** n. f. **1.** Genre léger, dérivé de l'opéra bouffe, dans lequel les couplets chantés alternent avec le parlé : *Les opérettes d'Offenbach.* — **2.** *Un décor d'opérette*, conventionnel, représentant un luxe factice. ‖ *Un personnage d'opérette*, sans consistance. — ENCYCL. C'est en Italie, sous la Renaissance, qu'est né l'*opéra*, dans le but de reconstituer le théâtre antique. La première œuvre maîtresse est conçue par Claudio Monteverdi (*Orfeo*, 1607).

Au XVIIe s., les opéras italiens, où dominent récitatifs, airs et chœurs, sont représentés en France, à la demande de Mazarin et de Catherine de Médicis. Mais c'est Lully qui est le véritable créateur de l'opéra et qui introduit le ballet au cours de l'action chantée. Au XVIIIe s. Rameau porte le genre de l'*opéra-ballet* (*les Indes galantes*, 1735) à un haut degré de perfection.

En Allemagne, l'opéra se rattache d'abord à celui des Italiens. Mozart avec *Don Juan* (1787) illustre parfaitement le genre de l'opéra-comique avec ses alternances de comique et de sérieux. Puis avec *la Flûte enchantée* (1791) il apparaît comme le créateur de l'opéra allemand.

À la fin du XVIIIe s. et au début du XIXe s'épanouit le «grand opéra» visant à l'effet avec, entre autres, Rossini (*le Barbier de Séville*, 1816; *Guillaume Tell*, 1829) et Bellini (*la Norma*, 1831).

En Allemagne, sous l'influence du romantisme, Wagner abandonne les formes anciennes, recherche l'unité du drame, emploie la mélodie continue soutenue par un orchestre puissant (*Tétralogie*, 1853-1874; *Parsifal*, 1882). Verdi en Italie (*Rigoletto*, 1851) et Berlioz en France (*la Damnation de Faust*, 1846) représentent également le romantisme.

En Russie, Moussorgski (*Boris Goudounov*, 1868-1872), Borodine (*le Prince Igor'*, 1887), Rimski-Korsakov créent un opéra national qui s'inspire des légendes et du folklore russe.

À la fin du XIXe s., en France, Gounod (*Faust*, 1859), Saint-Saëns et Lalo réagissent contre le romantisme et créent un opéra néo-classique, tandis qu'avec *Carmen* (1875) Bizet porte le genre de l'opéra-comique à son sommet.

Au XXe s. Debussy (*Pelléas et Mélisande*, 1902), Dukas et Fauré marquent le renouveau de l'opéra français, lui donnant plus de vraisemblance et plus de naturel.

Opéra de la Bastille, théâtre lyrique national, construit par le Canadien Carlos Ott, au sud-est de la place de la Bastille à Paris, et inauguré en 1989 (ouvert définitivement en 1990).

Opéra de Paris, monument construit à Paris de 1862 à 1875 par Charles Garnier, caractéristique du goût du second Empire. Nouveau plafond de la salle peint par Chagall (1964).

Haut lieu traditionnel de l'art lyrique, le théâtre de l'Opéra est, depuis la saison 1989-90, voué presque exclusivement à la danse.

Opéra de quat' sous *(l')*, pièce de Bertolt Brecht (1928).

OPÉRABLE adj. ⟶ OPÉRER 1.

OPÉRA BOUFFE n. m., **OPÉRA-COMIQUE** n. m. ⟶ OPÉRA.

OPÉRANT, E adj., **OPÉRATEUR, TRICE** n. ⟶ OPÉRER 2.

1. OPÉRATION n. f. ⟶ OPÉRER 1 et 2.

2. OPÉRATION [ɔperasjɔ̃] n. f. (lat. *operatio*). *Math.* Syn. de LOI* DE COMPOSITION INTERNE, spécialement utilisé lorsque cette loi est définie sur un ensemble de nombres E : une opération est alors une application de E×E dans E qui à deux nombres leurs associe un troisième. (L'arithmétique comporte quatre opérations essentielles : l'addition [notée +], la multiplication [notée ×], la soustraction [notée −] et la division [notée :].)

3. OPÉRATION [ɔperasjɔ̃] n. f. (même étym.). Ensemble de mouvements militaires faits dans un but précis : *Ligne d'opérations* (= front). ‖ *Opération «Primevère», «Émeraude»*, etc., ensemble de mesures de police relatives à la circulation routière baptisées «Primevère», «Émeraude», etc. ◆ **opérationnel, elle** adj. **1.** Relatif aux opérations militaires ou à l'aspect spécifiquement militaire de la stratégie : *La défense opérationnelle du territoire.* — **2.** Se dit d'un engin militaire dont l'expérimentation est achevée, et qui est désormais apte à être engagé dans des opérations de guerre : *Le missile est devenu opérationnel.*

OPÉRATIONNEL, ELLE adj. ⟶ OPÉRATION 3 et OPÉRER 2.

OPÉRATOIRE adj. ⟶ OPÉRER 1.

OPERCULE [ɔpɛrkyl] n. m. (lat. *operculum*, couvercle). **1.** Mince couvercle de cire qui ferme les cellules des abeilles contenant des larves ou du miel. — **2.** Couvercle de l'urne, organe producteur de spores des mousses. — **3.** Volet osseux qui recouvre les branchies chez les poissons osseux. — **4.** Plaque calcaire qui peut fermer la coquille chez les mollusques gastropodes aquatiques, lorsque ceux-ci se rétractent. ◆ **désoperculer** v. t. Enlever les opercules qui ferment les rayons de miel d'une ruche.

1. OPÉRER [ɔpere] v. t. (lat. *operari*, travailler). *Opérer qq'un, opérer un membre, un organe*, etc., pratiquer un acte chirurgical sur cette personne, ce membre, cet organe : *Opérer un malade de l'appendicite.* ◆ **opéré, e** adj. et n. Qui a subi un acte chirurgical : *Quel est le bras opéré? Un grand opéré* (= quelqu'un qui a subi une opération importante). ◆ **opérable** adj. Qui peut être opéré : *Maladie opérable.* ◆ **inopérable** adj. : *Un malade, une maladie inopérable.* ◆ **opération** n. f. Intervention pratiquée par le chirurgien : *Opération chirurgicale* (syn. INTERVENTION). ◆ **opératoire** adj. Relatif aux opérations : *Bloc opératoire d'un hôpital* (= ensemble de locaux et d'installations permettant les opérations). *Choc opératoire* (= consécutif à une opération). ◆ **postopératoire** adj. Se dit de ce qui suit une opération.

2. OPÉRER [ɔpere] v. t. et i. (même étym.). **1.** (sujet nom de chose) Produire un effet, donner un résultat : *Les vacances ont opéré sur lui un heureux changement* (syn. PRODUIRE). *Le remède a opéré; ça va mieux* (syn. AGIR, FAIRE SON EFFET). — **2.** (sujet nom de personne) Accomplir l'action que l'on se propose de faire : *J'ai opéré un redressement de mes finances* (syn. RÉALISER). *Pour installer votre maison, il faut opérer avec méthode* (syn. AGIR, PROCÉDER). ◆ **opérant, e** adj. Se dit de ce qui est efficace : *Une méthode très opérante.* ◆ **inopérant, e** adj. : *Un remède inopérant* (syn. INEFFICACE). ◆ **opérateur, trice** n. Personne qui fait fonctionner des appareils : *Une défaillance de l'opérateur. L'opérateur de cinéma est chargé des prises de vues.* ◆ **opération** n. f. **1.** Action d'opérer (sens 1) : *Une opération de sauvetage* (syn. ACTE). *Une opération de publicité* (syn. CAMPAGNE). — **2.** Affaire financière : *Une opération avantageuse* (syn. TRANSACTION). *Faire une opération malheureuse en Bourse* (syn. SPÉCULATION). — **3.** Fam. et ironiq. *Par l'opération du Saint-Esprit*, par une intervention divine, miraculeusement. ◆ **opérationnel, elle** adj. Écon. *Recherche opérationnelle*, méthode d'analyse scientifique orientée vers la recherche de la meilleure façon de prendre des décisions pour aboutir aux meilleurs résultats.

OPÉRETTE n. f. ⟶ OPÉRA.

Ophélie, personnage d'*Hamlet*, de Shakespeare. Amoureuse d'Hamlet, elle perd la raison lorsqu'il tue son père, et se noie.

OPHIDIENS [ɔfidjɛ̃] n. m. pl. (du gr. *ophis*, serpent). Ordre (ou sous-ordre) de reptiles comprenant tous les serpents.

OPHIURE [ɔfjyr] n. f. (du gr. *ophis*, serpent). Animal marin ayant l'aspect d'une étoile de mer, mais à bras longs, grêles et souples. (Embranchement des échinodermes.)

OPHRYS [ɔfris] n. m. (gr. *ophrus*, sourcil). Genre de plantes vivaces, à racines tuberculeuses, à fleurs sans éperon, ressemblant, chez quelques espèces, à divers insectes (mouche, abeille, frelon) ou araignées. (Famille des orchidacées.)

OPHTALMIE [ɔftalmi] n. f. (du gr. *ophtalmos*, œil). Affection inflammatoire de l'œil et de ses annexes. ◆ **ophtalmique** adj. Qui concerne les yeux. ◆ **ophtalmologie** n. f. Partie de la médecine qui concerne l'œil et la vision. ◆ **ophtalmologiste** ou **ophtalmologue** n. m. Syn. d'OCULISTE.

OPHULS (Max OPPENHEIMER, dit **Max**), cinéaste français d'origine allemande (1902-1957). Il est l'auteur de : *Liebelei* (1932), *la Ronde* (1950), *le Plaisir* (1951), *Lola Montès* (1955).

OPIACÉ, E adj. ⟶ OPIUM.

OPINER [ɔpine] v. i. (lat. *opinari*, émettre une opinion). **1.** Exprimer son opinion (langue soignée) : *Tous les membres du bureau ont opiné dans le même sens que le président.* — **2.** *Opiner de la tête*, acquiescer en hochant la tête. ‖ Fam. *Opiner du bonnet*, être d'accord avec les autres.

OPINIÂTRE [ɔpinjɑtr] adj. (du lat. *opinio*, pensée). Se dit de quelqu'un qui est obstiné dans sa résolution ou de quelque chose qui est tenace dans sa manière d'être, durable dans son état : *Avoir un caractère opiniâtre* (syn. ACHARNÉ; contr. VERSATILE). *Haine opiniâtre* (syn. IRRÉDUCTIBLE). *Fièvre opiniâtre* (syn. PERSISTANT). ◆ **opiniâtrement** adv. ◆ **opiniâtreté** n. f.

OPINION [ɔpinjɔ̃] n. f. (lat. *opinio*). **1.** Jugement, manière de penser sur un sujet : *Donner son opinion sur une question* (syn. AVIS). *C'est une opinion* (syn. POINT DE VUE). *Avoir le courage de ses opinions* (syn. IDÉE). *Journal d'opinion* (syn. TENDANCE; contr. INFORMATION). *Avoir bonne, mauvaise opinion de soi-même* (= être content, mécontent de soi). — **2.** *L'opinion publique*, ou simplem. *l'opinion*, la manière générale de penser commune à une société : *Flatter, amuser l'opinion publique* (syn. fam. PUBLIC). *Braver l'opinion* (syn. QU'EN-DIRA-T-ON). *Informer l'opinion* (= les gens, les lecteurs, les auditeurs, etc.). ‖ *Sondage d'opinion* ⟶ SONDER.

OPIUM [ɔpjɔm] n. m. (gr. *opion*, suc de pavot). **1.** Suc des capsules de diverses espèces de pavots. ⟶ ENCYCL. — **2.** Se dit de tout ce qui assoupit les facultés intellectuelles et morales : *Marx considérait la religion comme l'opium du peuple.* ◆ **opiacé, e** adj. Qui contient de l'opium. ◆ **opiomane** n. Fumeur d'opium.

— ENCYCL. On mâche et on fume l'*opium* en Orient, car il provoque une euphorie suivie d'un sommeil lourd, mais son usage répété conduit à un état de déchéance physique et intellectuelle qui en fait un des plus violents poisons. Cependant, la médecine l'utilise comme calmant, somnifère et analgésique, ainsi que les alcaloïdes qu'il renferme (morphine, codéine).

Opium *(guerre de l')*, nom donné au conflit qui opposa, en 1839, la Chine et la Grande-Bretagne, la Chine ayant interdit à la Compagnie des Indes de faire entrer de l'opium dans le pays. Le traité de Nankin* (1842) mit fin à cette guerre.

OPOPANAX [ɔpɔpanaks] ou **OPOPONAX** [ɔpɔponaks] n. m. (du gr. *opos*, suc, et *panax*, panacée). Ombellifère aux fleurs jaunes, d'Europe et du Proche-Orient, fournissant une gomme-résine utilisée en pharmacie.

OPOSSUM [ɔpɔsɔm] n. m. (algonquin *oposon*). Mammifère d'Amérique (ordre des marsupiaux), recherché pour sa fourrure.

OPPENHEIMER (Robert), physicien américain (1904-1967). Auteur de travaux de physique nucléaire, il fut nommé, en 1943, directeur du centre de recherches de Los Alamos, où fut élaborée la première bombe atomique.

OPPIDUM [ɔpidɔm] n. m. (mot lat.). *Antiq.* Fortification romaine située en un lieu élevé.

OPPORTUN, E [ɔpɔrtœ̃, -yn] adj. (lat. *opportunus*). Se dit de ce qui vient à propos : *Faire une démarche opportune* (contr. DÉPLACÉ, INOPPORTUN). *Choisir le moment opportun* (syn. CONVENABLE, PROPICE). ◆ **opportunément** adv. : *Il est arrivé opportunément* (= au bon moment) [syn. À PROPOS]. ◆ **opportunité** n. f. : *S'interroger sur l'opportunité d'une visite* (syn. À-PROPOS, CONVENANCE; contr. INOPPORTUNITÉ). ◆ **opportunisme** n. m. Tactique ou politique de celui qui préfère attendre pour arriver plus sûrement au but, en cherchant à tirer le meilleur parti des circonstances, du moment. ◆ **opportuniste** n. et adj. : *Faire une politique opportuniste.* ◆ **inopportun, e** adj. : *Une démarche inopportune* (= à contretemps) [syn. DÉPLACÉ].

OPPOSER [ɔpoze] v. t. (du lat. *opponere*). **1.** *Opposer deux choses*, les mettre en vis-à-vis, en face l'une de l'autre : *Opposer deux gros meubles dans une pièce.* — **2.** *Opposer une chose* ou *une personne à une autre*, les mettre en parallèle pour faire ressortir les contrastes : *Opposer des couleurs vives à des couleurs tendres. Opposer les Anciens aux Modernes* (contr. RAPPROCHER); les faire s'affronter : *Ce match opposera l'équipe de Reims à celle de Marseille.* — **3.** *Opposer qqch. à qq'un, à qqch.*, le lui présenter comme obstacle, matériel ou non : *Opposer un barrage au déferlement des eaux. Je n'ai rien à opposer à ce projet* (syn. OBJECTER). *Opposer une résistance à tous les ordres reçus.* ◆ **s'opposer** v. pr. **1.** (sujet nom de personne) *S'opposer à qq'un, à qqch., à ce que* (et le subj.), leur faire front, leur faire obstacle : *Ce garçon s'oppose continuellement à son père* (syn. ENTRER EN LUTTE AVEC). *De nombreux orateurs se sont opposés au cours du débat* (syn. S'AFFRONTER). *Il s'oppose à tout progrès technique* (syn. ÊTRE HOSTILE À, LUTTER CONTRE). *Ses parents se sont opposés à son mariage* (contr. CONSENTIR, PERMETTRE). — **2.** (sujet nom de chose) *S'opposer à qqch.*, constituer un obstacle : *Qu'est-ce qui s'oppose à votre départ?* (syn. EMPÊCHER, GÊNER). — **3.** Contraster : *Leurs caractères s'opposent* (contr. SE RESSEMBLER, SE RÉPONDRE). *Nos positions s'opposent sur ce problème* (syn. DIVERGER; contr. CONCORDER). ◆ **opposable** adj. **1.** Qui peut être mis vis-à-vis de quelque chose : *Le pouce est opposable aux autres doigts.* — **2.** Qui peut être un obstacle à quelque chose : *Un argument opposable à une décision. Droit opposable à qq'un* (= que l'on peut juridiquement faire valoir contre quelqu'un). ◆ **opposant, e** adj. **1.** Qui s'oppose à un acte, à un jugement : *La partie opposante.* — **2.** Qui s'oppose à une mesure, à une loi : *La minorité opposante* (contr. CONSENTANT). ◆ n. m. Adversaire : *Les opposants au régime* (contr. DÉFENSEUR, SOUTIEN). ◆ **opposé, e** adj. **1.** Se dit de deux choses placées vis-à-vis : *Les angles opposés d'un carré.* ‖ Bot. *Feuilles opposées*, ensemble de deux feuilles insérées face à face au même nœud sur la tige (ortie par ex.); de deux directions allant en sens inverse : *Partir dans des directions opposées* (syn. CONTRAIRE). — **2.** Se dit de choses très différentes l'une de l'autre, et souvent contradictoires : *Concilier des avis opposés* (syn. CONTRAIRE, DIVERGENT). — **3.** Se dit d'une personne défavorable, hostile à quelque chose : *Je suis opposée à la télévision pour les jeunes enfants* (syn. ENNEMI, HOSTILE). ◆ n. m. **1.** *L'opposé*, le contraire, l'inverse : *C'est tout l'opposé de son frère.* — **2.** Math. *Opposé d'un nombre réel* a, c'est le symétrique de a pour l'addition, c'est-à-dire l'unique nombre a' tel que $a+a'=a'+a=0$. (L'opposé d'un nombre a se note $-a$: l'opposé de (-3) est $-(-3)=+3$; l'opposé de $+\frac{5}{3}$ est $-\frac{5}{3}$) — LOC. ADV. ET PRÉP. *À l'opposé, à l'opposé de*, dans une situation, une position contraire (à) : *Être à l'opposé l'un de l'autre* (syn. AUX ANTIPODES). ◆ **opposite de (à l')** loc. prép. Vis-à-vis, à l'opposé de (rare). ◆ **opposition** n. f. **1.** Position de deux choses situées en face l'une de l'autre : *Remarquer l'opposition des masses dans un tableau* (= rapport, répartition, équilibre). *Phase où la Lune est en opposition avec le Soleil* (contr. CONJONCTION). — **2.** Différence extrême, contraste : *Opposition de caractère entre deux personnes* (syn. ANTAGONISME). — **3.** Rapport de tension, de lutte, entre deux choses ou deux personnes : *Opposition d'intérêts* (syn. CONFLIT). *Être en opposition avec ses parents* (syn. RÉACTION, RÉBELLION). — **4.** Fait de mettre obstacle à quelque chose, de lutter contre : *Pas d'opposition? Je continue* (syn. CRITIQUE, OBJECTION). *Ce projet rencontre beaucoup d'opposition* (syn. RÉSISTANCE; contr. ADHÉSION). — **5.** Ensemble des personnes qui sont hostiles à un programme politique, à un gouvernement : *Les partis de l'opposition* (= antigouvernementaux). *Faire partie de l'opposition* (contr. MAJORITÉ). — **6.** Déclaration de la volonté de faire obstacle à une chose par un acte juridique : *Faire opposition à un chèque* (= empêcher que quelqu'un ne le touche). ◆ **oppositionnel, elle** adj. Qui est dans l'opposition ou propre à l'opposition.

OPPRESSER [ɔprese] v. t. (du lat. *oppressus*, accablé). **1.** (sujet nom de chose) *Oppresser qq'un*, gêner sa respiration : *Avoir un vêtement trop serré qui vous oppresse* (syn. ↓COMPRIMER). *Se sentir oppressé* (= avoir l'impression d'étouffer, de suffoquer). — **2.** *Sentiment qui oppresse qq'un*, qui l'étreint, l'accable : *L'angoisse m'oppresse.* ◆ **oppressant, e** adj. Qui accable, étouffe : *Une chaleur oppressante.* ◆ **oppression** n. f. : *Souffrir d'oppression à cause de la chaleur.*

OPPRESSEUR n. m., **OPPRESSIF, IVE** ⟶ OPPRIMER.

OPPRESSION n. f. ⟶ OPPRESSER et OPPRIMER.

OPPRIMER [ɔprime] v. t. (lat. *opprimere*, peser sur). *Opprimer qq'un*, l'accabler sous le poids d'une autorité excessive ou par la violence : *Opprimer les faibles. Opprimer l'opinion, les consciences* (syn. ÉTOUFFER). ◆ **opprimé, e** adj. et n. Personne, peuple injustement ou violemment traités : *La révolte des opprimés.* ◆ **oppresseur** adj. et n. m. Personne ou peuple qui accable un inférieur. ◆ **oppression** n. f. **1.** Action de faire violence, abus d'autorité : *L'oppression fut exercée sur le vaincu par tous les moyens.* — **2.** État de celui qui est opprimé : *Ce peuple vit dans un état d'oprression permanente.* ◆ **oppressif, ive** adj. Qui vise à l'oppression : *Système de censure oppressif* (syn. COERCITIF, ↑TYRANNIQUE; contr. LIBÉRAL).

OPPROBRE [ɔprɔbr] n. m. (du lat. *probrum*, infamie). **1.** Honte, humiliation infligées à quelqu'un (littér.) : *Couvert d'opprobre.* — **2.** État d'abjection : *Vivre dans l'opprobre.* — **3.** Sujet de honte, de déshonneur : *Ce garçon est l'opprobre de sa famille.*

OPTATIF [ɔptatif] n. m. (du lat. *optare*, souhaiter). Mode verbal existant dans certaines langues et exprimant le souhait : *L'optatif existe en grec.* ◆ **optatif, ive** adj. : *Le mode optatif.*

OPTER [ɔpte] v. i. (lat. *optare*). *Opter pour qqch.*, le choisir entre deux ou plusieurs possibilités : *À sa majorité, elle pourra opter pour la nationalité française ou américaine* (syn. CHOISIR). ◆ **option** [ɔpsjɔ̃] n. f. **1.** Faculté, action d'opter : *Se trouver devant une option délicate* (syn. CHOIX). *Matière à option* (= facultative) [s'oppose à OBLIGATOIRE]. — **2.** Chose choisie : *Bac de série A avec option mathématiques.* — **3.** Droit de choisir entre plusieurs situations juridiques : *Avoir un droit d'option.* — **4.** Promesse d'achat ou de vente : *Avoir une option de deux mois sur un appartement.* ◆ **optionnel, elle** adj. À option.

OPTICIEN, ENNE n. ⟶ OPTIQUE.

OPTIMAL, E, AUX adj. ⟶ OPTIMUM.

OPTIMISME [ɔptimism] n. m. (du lat. *optimus*, le meilleur). **1.** Tournure d'esprit qui dispose à voir les choses du bon côté : *Son optimisme foncier l'empêche de croire à la méchanceté humaine. Être d'un optimisme béat* (syn. CONTENTEMENT, SATISFACTION). — **2.** Confiance dans l'avenir : *Envisager une situation avec optimisme* (contr. PESSIMISME). — **3.** Nom de divers systèmes philosophiques selon lesquels le mal n'est jamais absolu ou définitif : *Voltaire a réfuté l'optimisme dans son « Candide ».* ◆ **optimiste** adj. et n. **1.** Qui voit ou qui prend les choses du bon côté : *Avoir un caractère optimiste* (syn. HEUREUX). — **2.** Se dit de quelqu'un (ou de ses actes, de ses paroles) qui a confiance dans l'avenir : *Le pronostic du médecin est optimiste* (syn. BON, RASSURANT; contr. PESSIMISTE, SOMBRE).

OPTIMUM [ɔptimɔm] n. m. (mot lat. signif. *le meilleur*). État d'une chose considéré comme le plus favorable : *Atteindre l'optimum de production.* ‖ Pl. des *optimums* ou *optima.* ◆ adj. : *L'effet optimum* (= le meilleur). ◆ **optimal, e, aux** adj. Syn. de l'adj. OPTIMUM : *La température optimale d'une chambre de malade.*

OPTION n. f., **OPTIONNEL, ELLE** adj. ⟶ OPTER.

OPTIQUE [ɔptik] n. f. (gr. *optikê tekhnê*, art de la vision). **1.** Partie de la physique qui traite de la lumière et de la vision. ⟶ ENCYCL. — **2.** Manière particulière dont on voit les objets dans certains cas : *Se placer dans l'optique des élèves* (syn. CONCEPTION, MANIÈRE DE VOIR). ◆ adj. Relatif à l'œil, à la vision. ‖ *Angle optique* ou *angle de vision*, angle ayant son sommet à l'œil de l'observateur et dont les côtés passent par les extrémités de l'objet considéré. ‖ *Nerf optique*, nerf de la vision qui part de la rétine et transmet les sensations visuelles jusqu'au cerveau. ◆ **opticien, enne** n. Fabricant ou marchand d'instruments d'optique.

— ENCYCL. L'*optique géométrique* est l'étude des propriétés de la lumière par des raisonnements géométriques, sans qu'il soit fait d'hypothèses sur sa nature. L'*optique physique* comporte l'interprétation de ses propriétés par la connaissance de sa nature; elle se divise elle-même en *optique ondulatoire*, la lumière étant considérée comme une onde électromagnétique, et en *optique corpusculaire*, la lumière étant considérée comme formée par des photons.

OPULENT, E [ɔpylɑ̃, -ɑ̃t] adj. (du lat. *opes*, richesses). **1.** Se dit d'une personne (ou de ses possessions) qui est très riche (littér.) : *Une famille opulente* (syn. ↓AISÉ). — **2.** Se dit des formes corporelles très développées : *Avoir une poitrine opulente* (syn. GÉNÉREUX). ◆ **opulence** n. f. : *Vivre, nager dans l'opulence* (syn. ↓RICHESSE).

OPUNTIA [ɔpɔ̃sja] n. m. (gr. *opuntios*, d'Oponte). Plante des régions chaudes, à rameaux charnus, aplatis, souvent garnis d'épines. (Nom usuel FIGUIER DE BARBARIE.) [Famille des cactacées.]

OPUS [ɔpys] n. m. inv. (mot lat. signif. *œuvre*). Indication d'un morceau de musique avec son numéro d'ordre dans l'œuvre d'un compositeur : *La sonate opus 109 de Beethoven.*

OPUSCULE [ɔpyskyl] n. m. (du lat. *opus*, ouvrage). Petit ouvrage de science ou de littérature.

1. OR [ɔr] conj. de coordination (lat. *hac hora*, à cette heure). Marque une transition entre deux idées, dans le cours d'un raisonnement, entre deux moments distincts d'un récit, ou introduit une réflexion incidente (se place toujours en tête de la proposition) : *On comptait beaucoup sur lui; or il a eu un empêchement au dernier moment.*

2. OR [ɔr] n. m. (lat. *aurum*). **1.** Métal précieux (Au), jaune et brillant : *Bracelet en or.* ‖ *Or gris*, alliage d'or, de fer, d'argent et de cuivre. ‖ *Or jaune*, variété d'or dont la teinte est jaune pâle. ‖ *Or rouge*, alliage d'or et de cuivre. ⟶ ENCYCL. — **2.** Ce métal considéré du point de vue de sa valeur : *Étalon or. Encaisse or de la Banque de France.* — **3.** Richesse, fortune (dans certaines express.) : *Valoir son pesant d'or* (fam.) [= être très cher, ou très précieux]. *Pour tout l'or du monde* (= pour rien au monde) [dans une proposition négative]. *À prix d'or* (= très cher). *Rouler sur l'or* (fam.) [= être très riche]. *Faire un pont d'or à qq'un* (fam.) [= lui offrir une rémunération très intéressante]. — **4.** Indique l'excellence : *Avoir un cœur d'or* (= être très bon, très compatissant). *Un mari en or* (= parfait). ‖ *Âge d'or* ⟶ ÂGE. — **5.** Indique une nuance de jaune : *Jaune d'or* (= doré, chaud). *Les ors et les bruns de la peinture siennoise.* — **6.** *L'or noir*, le pétrole.

— ENCYCL. L'*or* est le plus malléable et le plus ductile de tous les métaux; on peut le réduire en feuilles de 1/10 000 de mm d'épaisseur. Sa densité est 19,5. Bon conducteur de la chaleur et de l'électricité, il fond à 1 064 °C. Inattaquable par l'air, l'eau, les acides, il n'est soluble que dans le mercure et l'eau régale (mélange d'acide chlorhydrique et d'acide nitrique). On le trouve le plus souvent à l'état pur, ou natif, dans le sol. Certaines rivières charrient des paillettes d'or dans leur sable.

La production mondiale, difficile à connaître, est estimée aux environs de 1 000 t; elle a régressé depuis le début des années 1960 et suit assez fidèlement les fluctuations de l'apport de l'Afrique du Sud, dont la prépondérance se maintient.

Afrique du Sud	680 t	Chine	110 t
U. R. S. S.	300 t	Canada	80 t

ORACLE [ɔrakl] n. m. (lat. *oraculum*). **1.** Réponse que les dieux étaient censés faire, dans l'Antiquité, à certaines questions que leur adressaient les hommes; sanctuaire où l'on consultait le dieu : *L'oracle d'Apollon, à Delphes, était un des plus célèbres.* — **2.** Personne qui parle avec autorité ou compétence; ce qui est ainsi affirmé.

ORADEA, v. de Roumanie, en bordure de la plaine hongroise; 148 600 hab. Monuments religieux. Métallurgie. Industries chimiques et alimentaires.

ORADOUR-SUR-GLANE, comm. de la Haute-Vienne, à 12 km au N.-E. de Saint-Junien; 1 900 hab.

• *10 juin 1944. La population du village y est massacrée par les Allemands.*

On dénombre 642 victimes, dont plus de 450 femmes et enfants brûlés vifs dans l'église.

ORAGE [ɔraʒ] n. m. (du lat. *aura*, vent). **1.** Perturbation atmosphérique violente, liée aux mouvements verticaux de l'air provoquant la formation de cumulo-nimbus, et accompagnée de phénomènes mécaniques (rafales de vent et averses) et, souvent, de phénomènes électriques (éclairs, tonnerre) : *Les orages sont fréquents en été.* — **2.** Trouble et violence dans les sentiments ou les rapports humains : *Sentir venir l'orage* (= les reproches, l'explosion de colère, etc.). *Il y a de l'orage dans l'air* (fam.) [= cela va mal se passer]. ◆ **orageux, euse** adj. **1.** Se dit du temps et des signes qui caractérisent l'orage. — **2.** Se dit des comportements ou des sentiments tourmentés : *La discussion a été orageuse* (syn. AGITÉ, HOULEUX). ◆ **orageusement** adv. : *Réunion qui se termine orageusement.*

ORAISON [ɔrezɔ̃] n. f. (lat. *oratio*, discours). **1.** Prière religieuse : *Oraison dominicale* (= le Notre Père). — **2.** *Oraison funèbre*, éloge public et solennel d'un mort : *Bossuet a prononcé treize oraisons funèbres.*

ORAL, E, AUX [ɔral, -ro] adj. (du lat. *os, oris*, bouche). Se dit de ce qui est exprimé de vive voix, de ce qui est transmis par la voix (par oppos. à ÉCRIT) : *Examen oral. Promesse orale* (syn. VERBAL; contr. ÉCRIT). ◆ **oral, aux** n. m. Partie orale d'un examen ou d'un concours : *Avoir un oral à passer* (contr. ÉCRIT). ◆ **oralement** adv. : *Accord conclu oralement* (contr. PAR ÉCRIT).

ORAN, v. d'Algérie, ch.-l. de wilaya; 590 000 hab. *(Oranais).* Grand port sur la Méditerranée, Oran est au centre d'une riche région agricole. Grand centre commercial et industriel.

ORANAIS, nom donné à la région d'Algérie formée par l'anc. dép. d'Oran.

ORANGE [ɔrɑ̃ʒ] n. f. (ar. *nārandj*). Fruit comestible de l'oranger, de couleur jaune doré : *Un kilo d'oranges.* ◆ n. m. et adj. inv. D'une couleur jaune doré : *Tissu orange clair.* ◆ **orangé, e** adj. et n. m. D'une couleur qui tire sur l'orange. ◆ **orangeade** n. f. Boisson faite de jus d'orange allongé d'eau sucrée. ◆ **oranger** n. m. Espèce d'arbre à feuillage persistant, de la famille des rutacées, cultivé dans les pays méditerranéens pour ses fruits, ou oranges. (On distingue les *orangers doux* et les *orangers amers*, ou *bigaradiers*, dont les fleurs fournissent par distillation l'eau de fleur d'oranger et l'essence de néroli.) ◆ **orangeraie** n. f. Lieu planté d'orangers. ◆ **orangerie** n. f. Serre où l'on met les orangers pendant l'hiver : *L'orangerie de Versailles.*

ORANGE, ch.-l. de cant. de Vaucluse, à 25 km au N. d'Avignon, près de l'Eygues; 27 500 hab. *(Orangeois).* Importantes ruines romaines (théâtre, arc de triomphe de l'époque d'Auguste). Industries alimentaires.

ORANGE, fl. de l'Afrique australe, tributaire de l'Atlantique; 1 860 km. Installations hydro-électriques.

ORANGE *(province de l'État libre d')*, province de l'Afrique du Sud; 129 152 km²; 1 932 000 hab. Capit. *Bloemfontein.* Mines d'or et de diamants. Houille.

ORANGÉ, E adj. et n. m., **ORANGEADE** n. f., **ORANGER** n. m., **ORANGERAIE** n. f., **ORANGERIE** n. f. → ORANGE.

ORANGISTE [ɔrɑ̃ʒist] n. m. et adj. (de *Orange*). **1.** Partisan du roi d'Angleterre Guillaume III (prince d'Orange), opposé au parti catholique, qui soutenait Jacques II. — **2.** Protestant irlandais de l'Ulster.

ORANG-OUTAN ou **ORANG-OUTANG** [ɔrɑ̃utɑ̃] n. m. (malais *orang outan*, homme de la forêt). Singe anthropoïde, haut de 1,20 m à 1,50 m, arboricole, frugivore, des forêts de Sumatra et de Bornéo. (Il peut vivre plusieurs années en captivité et il est éducable.)

ORATEUR [ɔratœr] n. m. (du lat. *orare*, parler). **1.** Personne qui prononce un discours devant une assemblée, un public : *L'orateur avait captivé l'assistance.* — **2.** Personne qui a le don de la parole en public : *C'est un très bon orateur.* ◆ **oratoire** adj. Se dit de ce qui concerne l'art de parler en public : *Il connaît toutes les règles de l'art oratoire* (= de l'éloquence).

1. ORATOIRE [ɔratwar] n. m. (du lat. *orare*, prier). Lieu d'une maison destiné à la prière; petite chapelle.

2. ORATOIRE adj. ⟶ ORATEUR.

Oratoire *(congrégations de l')*. L'*Oratoire d'Italie* est une société de prêtres séculiers vouée à l'enseignement et à la prédication. Il fut fondé à Rome en 1564 par saint Philippe Neri. L'*Oratoire de France* fut créé à Paris par le cardinal de Bérulle (1611) dans la ligne de la Contre-Réforme. ◆ **oratorien** n. m. Membre de la congrégation de l'Oratoire.

ORATORIO [ɔratɔrjo] n. m. (mot it.). Composition musicale dramatique, sur un sujet religieux ou profane, qui n'est pas destinée à être représentée sur scène. ‖ Pl. des *oratorios.*

ORB, fl. né dans les Cévennes, qui arrose Béziers et finit dans la Méditerranée; 145 km.

ORBAY (D') → D'ORBAY.

ORBE [ɔrb] n. m. (lat. *orbis*, cercle). Surface circonscrite par l'orbite d'un corps céleste.

ORBE, riv. de Suisse, née en France, près de Morez; 57 km. Elle traverse le lac de Joux et, sous le nom de *Thièle*, se jette dans le lac de Neuchâtel.

1. ORBITE [ɔrbit] n. f. (lat. *orbita*, ligne circulaire). *Anat.* Cavité osseuse de la face, dans laquelle l'œil est placé : *Les yeux lui sortent des orbites.*

2. ORBITE [ɔrbit] n. f. (même étym.). **1.** *Phys.* Trajectoire fermée décrite par un corps animé d'un mouvement périodique : *Orbite décrite dans un atome par un électron autour du noyau.* — **2.** Toute trajectoire courbe d'un corps céleste ayant pour foyer un autre corps céleste : *L'orbite décrite en un an par la Terre autour du Soleil.* ‖ *Mise sur orbite*, ensemble des opérations visant à placer un satellite artificiel sur une orbite déterminée. ◆ **orbital, e, aux** adj. : *Mouvement orbital. Rendez-vous orbital* (= dans la langue des journalistes, rencontre provoquée de deux engins satellisés).

ORCADES, en angl. **Orkney,** archipel britannique, au N. de l'Écosse, comprenant 90 îles, dont la plus grande est *Mainland*, ou

Pomona. Élevage. Pêche. Les Orcades forment un comté de 18 700 hab. Ch.-l. *Kirkwall,* dans l'île de Mainland.

1. ORCHESTRE [ɔrkɛstr] n. m. (gr. *orkhêstra;* de *orkheisthai,* danser). **1.** Partie d'un théâtre située devant et un peu en contrebas de la scène, et où les musiciens prennent place pour la représentation d'un opéra, d'une opérette, etc. : *À l'orchestre, les musiciens accordaient leurs instruments* (syn. FOSSE). — **2.** Partie d'une salle de spectacle réservée aux spectateurs et située au rez-de-chaussée, près de la scène : *Préférer l'orchestre aux balcons, au parterre, aux loges.*

2. ORCHESTRE [ɔrkɛstr] n. m. (même étym.). Groupe d'instrumentistes qui exécutent une œuvre musicale : *Orchestre de chambre* (= formation d'instrumentistes réduite où les instruments à cordes dominent). *Orchestre symphonique* (= grande formation d'instrumentistes, où toutes les familles d'instruments sont représentées). ◆ **orchestrer** v. t. **1.** *Orchestrer une œuvre,* la composer ou l'adapter pour un orchestre. — **2.** *Orchestrer une campagne de presse, un mouvement revendicatif,* etc., les organiser de façon à leur donner le maximum d'ampleur et de retentissement. ◆ **orchestration** n. f. **1.** Art de répartir les différentes notes d'un morceau de musique entre des instruments choisis, en tenant compte de leur timbre. — **2.** Art d'organiser une campagne, une manifestation, etc. ◆ **orchestral, e, aux** adj. : *Musique orchestrale.*

ORCHIDACÉES [ɔrkidase] ou **ORCHIDÉES** [ɔrkide] n. f. pl. (du gr. *orkhis,* testicule). Vaste famille de plantes à fleurs, monocotylédones, comprenant près de 20 000 espèces, caractérisée par une fleur tordue sur son axe et munie des dispositifs les plus compliqués pour favoriser la fécondation par les insectes.

ORCIÈRES, ch.-l. de cant. des Hautes-Alpes, à 40 km au N.-E. de Gap; 890 hab. Sports d'hiver (alt. 1 850-2 645 m).

ORDALIE n. f. (de l'anc. fr. *ordâl,* jugement). Épreuve judiciaire en usage au Moyen Âge sous le nom de JUGEMENT DE DIEU.

ORDENER (Michel, *comte*), général français (1755-1811). Il fut chargé d'arrêter le duc d'Enghien (1804).

1. ORDINAIRE [ɔrdinɛr] adj. (lat. *ordinarius,* rangé par ordre). Se dit de ce qui est conforme à l'ordre établi, à l'usage habituel : *Manière ordinaire de procéder* (syn. COURANT, HABITUEL, NORMAL; contr. EXCEPTIONNEL). *Menu ordinaire* (= de tous les jours). ◆ n. m. **1.** Menu de tous les jours : *Se contenter de l'ordinaire.* — **2.** *Ordinaire de la messe,* prières qui ne changent pas avec l'office du jour. — LOC. ADV. *À l'ordinaire, d'ordinaire,* de façon habituelle, le plus souvent : *Il est venu dimanche, comme à l'ordinaire* (syn. D'HABITUDE). *D'ordinaire, nous déjeunons à midi* (syn. EN GÉNÉRAL). ◆ **ordinairement** adv. : *Être ordinairement à l'heure* (syn. HABITUELLEMENT). ◆ **extraordinaire** [ɛkstraɔrdinɛr] adj. **1.** Qui est en dehors de l'usage, de la règle ordinaire : *Dépenses extraordinaires* (syn. IMPRÉVU). *Un ambassadeur en mission extraordinaire* (syn. SPÉCIAL). — **2.** Qui étonne par sa bizarrerie, sa rareté : *Raconter des aventures extraordinaires* (syn. FANTASTIQUE, INCROYABLE). *Un événement extraordinaire* (syn. EXCEPTIONNEL, INHABITUEL).

2. ORDINAIRE [ɔrdinɛr] adj. (même étym.). Se dit d'une chose, d'une personne qui est de valeur moyenne, commune : *Tissu de qualité ordinaire* (syn. COURANT, ↑MÉDIOCRE). *Une personne très ordinaire* (syn. COMMUN, ↑VULGAIRE; contr. DISTINGUÉ). *C'est un esprit très ordinaire* (syn. BANAL, QUELCONQUE; contr. EXCEPTIONNEL, REMARQUABLE). ◆ **extraordinaire** [ɛkstraɔrdinɛr] adj. Qui dépasse de beaucoup le niveau moyen, qui est remarquable en son genre : *Un homme d'une taille extraordinaire* (syn. GIGANTESQUE). ◆ **extraordinairement** adv. : *Chanter extraordinairement faux* (syn. EXTRÊMEMENT).

ORDINAL, E, AUX [ɔrdinal, -no] adj. (du lat. *ordo, -dinis,* rang). *Adjectifs numéraux ordinaux, noms de nombre ordinaux,* ceux qui indiquent un rang précis, comme *deuxième, vingtième, millième.* (→ NUMÉRATION.)

ORDINAND n. m., **ORDINANT** n. m. → ORDRE 4.

ORDINATEUR [ɔrdinatœr] n. m. (du lat. *ordo, -dinis,* rang; repris pour traduire l'angl. *computer*). Calculateur universel composé d'un nombre variable d'unités spécialisées, commandées par un même programme enregistré, et qui permet, sans intervention humaine en cours de travail, d'effectuer des ensembles complexes d'opérations arithmétiques et logiques. ◆ **micro-ordinateur** n. m. Ordinateur de faible volume, dont l'unité centrale de traitement est constituée d'un microprocesseur.

— ENCYCL. Un *ordinateur* comprend une unité centrale dite « de traitement », autour de laquelle sont rassemblées des unités spécialisées, dites « périphériques ».

L'*unité de traitement* se compose de circuits arithmétiques ou logiques, d'une mémoire et de canaux : les *circuits* correspondent aux différentes instructions que peut effectuer l'ordinateur et dont les combinaisons constituent des programmes; la *mémoire,* qui est à accès instantané, enregistre les programmes à effectuer et reçoit les données nécessaires à leur exécution; les *canaux* mettent en relation la mémoire centrale et les unités spécialisées. À l'unité de traitement sont généralement associés un pupitre de commande et une machine à écrire.

Autour de l'ordinateur sont groupées des *unités périphériques,* qui peuvent être des *unités d'entrée* (machines à écrire, lecteurs de cartes perforées, dérouleurs de bandes magnétiques, lecteurs de caractères magnétiques, convertisseurs de données analogiques en données numériques, etc.), placées à proximité de l'ordinateur ou reliées à celui-ci par voie téléphonique ou télégraphique; des *unités de mémoires auxiliaires* (bandes, disques, tambours, cellules ou cartes magnétiques, etc.), reliées à l'ordinateur, dont elles complètent l'unité centrale; des *unités de sortie* des résultats.

→ illustration INFORMATIQUE page 715.

ORDINATION n. f. → ORDRE 4.

ORDJONIKIDZE, anciennt **Dzaoudjikaou,** et auj. **Vladikavkaz** ou **Vladicaucase,** v. de l'U. R. S. S., dans le Caucase, capit. de l'Ossétie du Nord; 303 000 hab. Plomb et zinc.

1. ORDONNANCE n. f. → ORDRE 1.

2. ORDONNANCE [ɔrdɔnɑ̃s] n. f. (de *ordonner*). Ensemble des prescriptions d'un médecin; papier sur lequel elles sont consignées. ◆ **ordonner** v. t. Prescrire un remède : *Ce médicament m'a été ordonné pour mes maux de tête* (syn. ↓INDIQUER).

3. ORDONNANCE [ɔrdɔnɑ̃s] n. f. (même étym.). **1.** Loi faite par les rois de France sous l'Ancien Régime. → ENCYCL. — **2.** Texte législatif élaboré et promulgué par le gouvernement dans le cadre d'une délégation de pleins pouvoirs.

— ENCYCL. Les *ordonnances royales,* à partir de Louis XIV, sont rédigées par le Conseil privé ou Conseil d'État. Elles prennent le caractère d'un règlement général concernant l'administration et ne sont pas forcément soumises à l'enregistrement des parlements. Les principales furent celles de Villers-Cotterêts sur l'état civil (1539), celles de Colbert réglant l'administration des eaux et forêts (1669), la justice criminelle (1670), le commerce (1673), et celles de Charles X (1830) qui provoquèrent la révolution de juillet 1830.

4. ORDONNANCE [ɔrdɔnɑ̃s] n. m. ou f. (même étym.). Soldat mis à la disposition d'un officier. ‖ *Officier d'ordonnance,* officier attaché à la personne d'un souverain, d'un officier général et, qui remplit les fonctions d'aide de camp.

ORDONNANCEMENT n. m., **ORDONNANCER** v. t. → ORDRE 2.

ORDONNATEUR, TRICE n. → ORDRE 1 et 2.

ORDONNÉ, E adj. → ORDRE 1.

ORDONNÉE [ɔrdɔne] n. f. (de *ordonner*). *Math.* Le second des deux nombres réels, appelés *coordonnées,* caractérisant un point, dans un plan rapporté à un repère. (→ REPÈRE.)

ORDONNER v. t. → ORDONNANCE 2 et ORDRE 1, 2 et 4.

ORDOS, plateau de la Chine, dans la boucle du Houang-ho.

ORDOVICIEN [ɔrdɔvisjɛ̃] adj. et n. m. (de *Ordovices,* n. lat. d'un peuple du pays de Galles). Se dit de la seconde période de l'ère primaire, entre le Cambrien et le Silurien.

1. ORDRE [ɔrdr] n. m. (lat. *ordo, -dinis*). **1.** Organisation, disposition des choses, des personnes, selon le rang, la place qui leur convient : *Une maison en ordre* (contr. DÉSORDRE). *Mettre de l'ordre dans ses affaires* (= les ranger, les classer). *Exposer les faits dans l'ordre* (= successivement, chronologiquement). *L'ordre des mots dans une phrase. Défiler en ordre. Armée en ordre de marche, de bataille* (syn. FORMATION). — **2.** Catégorie dans laquelle se classent les choses, les idées, les personnes : *Dans le même ordre d'idée* (syn. DOMAINE, GENRE). *Remplacer une récompense par une dignité du même ordre* (syn. IMPORTANCE, VALEUR). *Pour donner un ordre de grandeur* (= une approximation). *Affaire de premier ordre* (= très importante). — **3.** Qualité d'une personne qui sait ranger, organiser : *Travailler avec ordre* (syn. MÉTHODE). — **4.** Organisation de la société, stabilité des institutions, respect des règlements : *Troubler l'ordre social* (syn. CALME, PAIX). *Les C. R. S. ont assuré le maintien de l'ordre* (contr. DÉSORDRE). *Le parti de l'ordre* (= les conservateurs). *C'est dans l'ordre des choses* (= c'est normal, régulier). — **5.** Math. *Relation d'ordre* → RELATION 2. — **6.** *Ordre du jour,* matières, sujets de délibération pour une séance d'assemblée : *Passer à l'ordre du jour* (= écarter une question étrangère au programme prévu). *Voter l'ordre du jour* (= la motion résumant les décisions prises). ◆ **ordonner** v. t. *Ordonner des choses,* les mettre en ordre : *Il va falloir ordonner ces différents paragraphes dans votre dissertation* (syn. CLASSER). ◆ **s'ordonner** v. pr. Se disposer en ordre, se classer : *Les faits s'ordonnent autour de deux dates principales.* ◆ **ordonnance** n. f.

Action de disposer, d'arranger selon un ordre; résultat de cette action : *L'ordonnance des mots dans une phrase* (syn. AGENCEMENT, DISPOSITION, ORGANISATION). ◆ **ordonnateur, trice** n. Celui qui arrange, règle. ◆ **ordonné, e** adj. **1.** Se dit de ce qui est bien rangé, régulièrement disposé : *Maison ordonnée* (= en ordre). *Discours bien ordonné* (syn. ARRANGÉ). — **2.** Se dit de quelqu'un qui a de l'ordre, qui sait ranger ses affaires : *Un enfant ordonné* (syn. SOIGNEUX). — **3.** Math. *Ensemble ordonné*, ensemble sur lequel on a défini une relation* d'ordre. ‖ *Ensemble totalement ordonné*, ensemble sur lequel on a défini une relation* d'ordre total. ◆ **désordre** n. m. **1.** Manque d'ordre, d'organisation : *Des livres qui traînent en désordre sur tous les meubles* (syn. fam. PAGAILLE). *Des cheveux en désordre* (= épars, en broussaille). — **2.** Agitation qui trouble le fonctionnement régulier des institutions, d'un organisme, etc. (souvent au plur. en parlant de troubles politiques) : *Des jeunes gens ont causé du désordre dans le théâtre en sifflant la pièce* (syn. TUMULTE; fam. CHAHUT). *Le malaise économique laissait craindre de graves désordres* (syn. ↑ÉMEUTE, MANIFESTATION). ◆ **désordonné, e** adj. **1.** Se dit des choses dont les éléments sont en désordre : *Une chambre désordonnée. Des mouvements désordonnés.* — **2.** Se dit des personnes qui n'ont pas des habitudes d'ordre : *Un enfant très désordonné.*

2. ORDRE [ɔrdr] n. m. (même étym.). **1.** Manifestation de l'autorité, commandement : *Donner un ordre* (syn. CONSIGNE, ↓DIRECTIVE, INSTRUCTION). *Je suis à vos ordres* (= à votre service, à votre disposition). — **2.** *Mot d'ordre*, consigne donnée à une ou plusieurs personnes en vue d'une circonstance précise : *Il a donné comme mot d'ordre de ne laisser entrer personne.* — **3.** Endossement d'un billet, d'une lettre de change, pour les passer au profit d'une autre personne : *Billet à ordre. Ordre de Bourse.* ◆ **contrordre** n. m. Ordre, décision qui annule un ordre ou une décision antérieurs : *Nous arriverons vers midi, sauf contrordre.* ◆ **ordonnancement** n. m. Acte par lequel, après avoir liquidé les droits d'un créancier, un administrateur donne l'ordre à un comptable public de payer sur sa caisse. ◆ **ordonnancer** v. t. Donner l'ordre de payer le montant d'une dépense publique. ◆ **ordonnateur** n. m. Administrateur qui a qualité pour déclarer qu'une dépense engagée et liquidée peut être payée. ◆ **ordonner** v. t. Donner un ordre : *Je vous ordonne de vous taire* (syn. ↓DEMANDER, ENJOINDRE, PRIER).

3. ORDRE [ɔrdr] n. m. (même étym.). **1.** Association obligatoire de personnes appartenant à certaines professions libérales (avocats, médecins, architectes, etc.), et dont des membres élus veillent au respect des règles internes de la profession : *Le conseil de l'ordre des avocats.* — **2.** Compagnie ayant un statut particulier : *L'ordre de la Légion d'honneur.* — **3.** Société religieuse dont les membres font vœu de vivre sous certaines règles : *L'ordre de Saint-Vincent-de-Paul.* — **4.** Division de la société française sous l'Ancien Régime : *Les trois ordres étaient le clergé, la noblesse et le tiers état.* — **5.** L'un des degrés de la hiérarchie cléricale catholique : *Ordres majeurs, ordres mineurs.* — **6.** *Hist. nat.* Dans la classification des êtres vivants, échelon intermédiaire entre la *classe* et la *famille*, groupant des êtres dont la ressemblance est généralement très apparente.

4. ORDRE [ɔrdr] n. m. (même étym.). Sacrement institué par Jésus-Christ qui donne le pouvoir d'exercer les fonctions ecclésiastiques et notamment la prêtrise. ◆ n. m. pl. *Être, entrer dans les ordres*, faire partie de la hiérarchie cléricale catholique, y entrer. ◆ **ordonner** v. t. Conférer le sacrement de l'ordre : *Être ordonné prêtre.* ◆ **ordinand** n. m. Celui qui reçoit le sacrement de l'ordre. ◆ **ordinant** n. m. Évêque qui confère le sacrement de l'ordre. ◆ **ordination** n. f. Cérémonie religieuse par laquelle un évêque confère le sacrement de l'ordre.

5. ORDRE [ɔrdr] n. m. (même étym.). *Archit.* Forme et disposition des parties saillantes d'une construction, particulièrement des colonnes et de l'entablement, qui distinguent différentes manières de construire. (Il y a trois ordres grecs : l'*ordre dorique*, l'*ordre ionique*, l'*ordre corinthien;* les Romains y ont ajouté l'*ordre composite* et l'*ordre toscan.*)

ORDURE [ɔrdyr] n. f. (de l'anc. fr. *ord*, sale). **1.** (au plur.) Déchets, saletés : *Les éboueurs enlèvent tous les matins les ordures ménagères* (syn. DÉTRITUS). *Un tas d'ordures* (syn. IMMONDICES). — **2.** Action ou propos obscènes, sales : *Ce livre est plein d'ordures* (syn. ↑OBSCÉNITÉ). — **3.** *Pop.* Personne abjecte : *C'est une ordure, ce type.* ◆ **ordurier, ère** adj. **1.** Qui dit ou écrit des choses sales, obscènes : *Un homme ordurier* (syn. ↓GROSSIER). — **2.** Qui contient des propos ou des mots obscènes : *Publier un article ordurier.*

ÖREBRO, v. de Suède, à l'O. de Stockholm; 117 600 hab.

ORÉE [ɔre] n. f. (du lat. *ora*, bord). *À l'orée d'un bois*, à la lisière de ce bois (littér.).

OREGON, État du nord-ouest des États-Unis, sur le Pacifique, bordé au N. par le fleuve Columbia (ancienn. *Oregon*); 251 181 km²; 2 182 000 hab. Capit. *Salem.* V. pr. *Portland.*

OREILLARD [ɔrɛjar] n. m. (de *oreille*). Petite chauve-souris remarquable par ses énormes oreilles en cornet.

1. OREILLE [ɔrɛj] n. f. (lat. *auricula*). **1.** Partie externe de l'organe de l'ouïe, située de chaque côté de la tête : *Avoir les oreilles décollées.* ⟶ ENCYCL. — **2.** Sens de l'ouïe : *Être dur d'oreille* (= être presque sourd). *Avoir l'oreille fine. Le bruit m'écorche les oreilles* (= m'assourdit). — **3.** *Aux oreilles de qq'un*, à sa connaissance : *J'espère que cela n'arrivera pas à ses oreilles.* ‖ *Marcher l'oreille basse*, être honteux, penaud. ‖ *N'en pas croire ses oreilles*, être incrédule à ce qu'on vous dit. ‖ *Dresser l'oreille*, avoir brusquement l'attention attirée par quelque chose. ‖ *Faire la sourde oreille*, rester insensible à une demande. ‖ *Les murs ont des oreilles*, il y a des espions partout. ‖ *Ouvrir l'oreille*, être attentif à ce qu'on va vous dire. ‖ Fam. *Mettre la puce à l'oreille de qq'un*, l'avertir, le mettre en éveil. ‖ *Rougir jusqu'aux oreilles*, très fort (syn. COMME UNE PIVOINE). ‖ Fam. *Tirer les oreilles à qq'un*, le gronder familièrement. ‖ Fam. *Se faire tirer l'oreille*, se faire prier. ‖ *Ce n'est pas tombé dans l'oreille d'un sourd*, il a bien remarqué ce détail, il n'oubliera pas ces mots. ◆ **oreillons** [ɔrejɔ̃] n. m. pl. Maladie contagieuse, due à un virus, qui atteint surtout les enfants et qui se manifeste par un gonflement et une inflammation des glandes parotides.

— ENCYCL. L'*oreille* se compose, chez l'homme et chez les mammifères, de trois parties : l'oreille externe, l'oreille moyenne et l'oreille interne.

L'*oreille externe* est composée du pavillon et du conduit auditif, qui se termine au tympan. Elle capte les ondes sonores et les canalise vers l'oreille moyenne.

L'*oreille moyenne* est logée dans une cavité osseuse fermée du côté du conduit externe par le tympan, membrane fine qui transmet les vibrations de l'air à une série d'osselets (marteau, enclume, étrier). Ceux-ci font parvenir les vibrations du tympan à la fenêtre ovale, membrane qui les transmet à l'oreille interne.

L'*oreille interne* est constituée d'une série de cavités creusées dans un os du crâne, le rocher; celles-ci forment le labyrinthe osseux, constitué d'un vestibule communiquant avec les trois canaux semi-circulaires (organes de l'équilibre) et avec le limaçon (qui contient les cellules auditives).

Les *maladies de l'oreille* sont fréquentes chez les enfants : les *otites* sont des maladies infectieuses atteignant soit l'une, soit l'autre des parties de l'oreille.

2. OREILLE [ɔrɛj] n. f. (de *oreille* 1). Se dit de toutes sortes d'objets, allant généralement par paires et ayant très approximativement la forme d'une oreille : *Les oreilles d'un écrou. Un vieux fauteuil à oreilles. Les oreilles d'une soupière* (syn. ANSE).

OREILLE-DE-MER [ɔrɛjdəmɛr] n. f. *(oreille, de,* et *mer). Zool.* Nom usuel de l'HALIOTIDE, ou ORMEAU, mollusque gastropode marin. ‖ Pl. des *oreilles-de-mer.*

OREILLER [ɔreje] n. m. (de *oreille*). Coussin de literie servant à reposer sa tête pendant le sommeil.

OREILLETTE [ɔrejɛt] n. f. (de *oreille*). Chacune des deux cavités situées à la partie supérieure du cœur, recevant le sang des veines. (Les oreillettes communiquent avec les ventricules par les orifices auriculo-ventriculaires.)

OREILLONS n. m. pl. ⟶ OREILLE.

OREKHOVO-ZOUÏEVO, v. de l'U. R. S. S., à l'E. de Moscou; 120 100 hab. Industries textiles.

OREL, v. de l'U. R. S. S., sur l'Oka; 232 200 hab. Constructions mécaniques. Violents combats en 1941 et 1943.

ORELLANA (Francisco DE), voyageur espagnol, mort en 1550. Il découvrit l'Amazone.

ORENBOURG, de 1938 à 1957 **Tchkalov,** v. de l'U. R. S. S., sur l'Oural; 344 300 hab. Importants combats en 1917.

ORÉNOQUE, en esp. **Orinoco,** fl. du Venezuela. Né à la frontière brésilienne, l'Orénoque entoure le massif des Guyanes, sépare partiellement le Venezuela de la Colombie et rejoint l'Atlantique par un vaste delta; 2 160 km.

ORES [ɔr] adv. (lat. *hac hora*, à cette heure). *D'ores et déjà*, dès maintenant, dès à présent, dès aujourd'hui (souvent avec *mais*, indique que le fait prévisible est pour ainsi dire en voie de réalisation) : *La production d'énergie électrique sera accrue, mais d'ores et déjà elle couvre les besoins actuels.*

ORESTE. *Myth. gr.* Fils d'Agamemnon et de Clytemnestre. Il vengea, avec sa sœur Électre, le meurtre de son père en assassinant sa mère et fut poursuivi par les Érinyes.

Orestie *(l')*, trilogie dramatique d'Eschyle, jouée à Athènes en 458 av. J.-C., comprenant trois tragédies *(Agamemnon, les Choéphores, les Euménides)* qui ont pour sujet les aventures d'Oreste.

ORFÈVRE [ɔrfɛvr] n. m. (bas lat. *aurifaber*, artisan en or). **1.** Artisan dont le métier est de faire des objets en métal précieux : *Orfèvre-joaillier.* — **2.** *Être orfèvre en la matière*, être expert en quelque chose, s'y connaître. ◆ **orfèvrerie** n. f. **1.** Métier de

l'orfèvre; corporation des orfèvres. — **2.** Magasin d'orfèvre. — **3.** Ouvrage de l'orfèvre : *Une pièce d'orfèvrerie.*
— ENCYCL. L'étymologie du mot *orfèvrerie* indique qu'il s'agissait à l'origine exclusivement du travail de l'or, connu dès la plus haute antiquité. Aujourd'hui, l'orfèvrerie met en œuvre principalement l'argent, les alliages à base de cuivre (laiton ou maillechort) destinés à être argentés par électrolyse, et éventuellement l'or.

ORFRAIE [ɔrfrɛ] n. f. (lat. *ossifraga*, qui brise les os). **1.** Oiseau rapace diurne, de grande taille (syn. PYGARGUE). — **2.** *Pousser des cris d'orfraie*, pousser des hurlements.

ORGANDI [ɔrgɑ̃di] n. m. (orig. inc.). Mousseline de coton légère et apprêtée : *Robe en organdi.*

1. ORGANE [ɔrgan] n. m. (gr. *organon*, instrument). Partie nettement délimitée d'un corps vivant, qui remplit une fonction déterminée : *Les organes de la digestion constituent l'appareil digestif. Les organes de la respiration constituent l'appareil respiratoire.* ◆ **organique** adj. **1.** Relatif aux organes du corps : *Avoir des troubles organiques* (= des organes). — **2.** Qui provient de tissus vivants : *De l'engrais organique* (syn. ANIMAL, VÉGÉTAL; contr. CHIMIQUE, SYNTHÉTIQUE). *Matières, déchets organiques.* — **3.** *Chimie organique*, partie de la chimie qui étudie les composés du carbone (contr. CHIMIE MINÉRALE). — **4.** Se dit de ce qui concerne la constitution d'un être : *Vice organique* (syn. CONGÉNITAL, CONSTITUTIONNEL). ◆ **organiquement** adv. : *Être vivant organiquement déficient* (= du point de vue des organes). ◆ **organisme** n. m. Ensemble des organes qui constituent un être vivant : *Un organisme jeune* (syn. CONSTITUTION, CORPS).

2. ORGANE [ɔrgan] n. m. (même étym.). **1.** Instrument : *La parole est l'organe de la pensée* (syn. VÉHICULE). — **2.** Voix humaine : *Cette cantatrice a un bel organe.* — **3.** Personne ou objet qui sert d'entremise, de porte-parole : *Les magistrats sont les organes de la justice* (syn. REPRÉSENTANT). — **4.** Journal considéré comme l'interprète des opinions d'un parti, d'un groupement : *C'est l'organe de l'opposition.*

ORGANIGRAMME [ɔrganigram] n. m. (de *organi[ser]*, et gr. *gramma*, graphique). Graphique qui représente la structure hiérarchique des services d'une administration, d'une entreprise.

1. ORGANIQUE adj. → ORGANE 1.

2. ORGANIQUE [ɔrganik] adj. (de *organe*). **1.** Se dit d'un ensemble qui fait un tout : *Un groupement organique d'associations* (syn. CONSTITUÉ). — **2.** Qui a rapport à l'essentiel de la constitution d'un État : *Les lois électorales sont des lois organiques.* ◆ **organiquement** adv. : *Deux institutions liées organiquement entre elles* (= formant un tout). ◆ **organisme** n. m. **1.** Tout ensemble organisé : *L'organisme social* (syn. MACHINE). — **2.** Association de personnes, société officiellement reconnue : *Avoir affaire à un organisme privé* (syn. AGENCE, BUREAU). *Organisme syndical* (syn. ASSOCIATION).

ORGANIQUEMENT adv. → ORGANE 1 et ORGANIQUE 2.

ORGANISATEUR, TRICE adj. et n., **ORGANISATION** n. f. → ORGANISER.

Organisation pour l'alimentation et l'agriculture, en angl. **Food and Agriculture Organization (F. A. O.),** organisation des Nations unies créée en 1945 pour l'examen des problèmes de nutrition, d'alimentation et d'agriculture. Elle siège à Rome.

Organisation commune africaine et mauricienne (O. C. A. M.), organisme créé en 1965 sous le nom d'*Organisation commune africaine et malgache* et qui réunissait divers États francophones de l'Afrique noire. Il a été dissous en 1985.

Organisation de coopération et de développement économique (O. C. D. E.), groupe constitué en 1961 par dix-neuf États européens, les États-Unis, le Canada, quelques autres pays, puis le Japon, en vue de favoriser l'expansion économique des États membres et des États en voie de développement.

Organisation des États américains (O. E. A.), en anglo-amér. **Organization of American States (O. A. S.),** organisme fondé en 1948 pour régler les problèmes communs au États du continent américain.

Organisation internationale du travail (O. I. T.), organisation associée à l'O. N. U. depuis 1946 et qui a pour but d'améliorer le sort des travailleurs sur le plan international, en instituant un régime de travail plus humain, fondé sur la justice sociale.

Organisation de libération de la Palestine (O. L. P.), organisation de la résistance palestinienne, fondée en 1964. Elle est dirigée, depuis 1967, par Yasser 'Arafāt.

Organisation mondiale de la santé (O. M. S.), institution de l'O. N. U. créée en 1946, dont le but est de réaliser les conditions « d'un état de bien-être physique, mental et social pour tout être humain ». Elle siège à Genève.

Organisation des Nations unies (O. N. U.), organisme international créé en 1945 pour succéder à la Société des Nations. L'O. N. U. a pour but essentiel de sauvegarder la paix entre les nations, d'assurer la sécurité mondiale et de proclamer les droits fondamentaux de l'homme. Les principaux organes de l'O. N. U sont : l'*Assemblée générale*, où chaque pays membre siège et dispose d'une voix; le *Conseil* de sécurité*, responsable de la paix dans le monde; le *Conseil économique et social*, qui étudie les questions économiques, médicales et sociales; la *Cour* internationale de justice.* L'O. N.U. siège à New York.

Organisation des pays exportateurs de pétrole (O. P. E. P.), organisation créée en 1960 pour tenter de contrôler la production et le prix du pétrole. Elle comprend aujourd'hui treize États (Algérie, Émirats arabes unis, Arabie Saoudite, Équateur, Gabon, Indonésie, Iran, Iraq, Koweït, Libye, Nigeria, Qatar et Venezuela).

Organisation du traité de l'Asie du Sud-Est (O. T. A. S. E.), organisme créé après la conférence de Genève sur l'Indochine (1954) et dissous en 1977, il avait pour but d'établir un système de défense dans le Sud-Est asiatique.

Organisation du traité de l'Atlantique nord (O. T. A. N.), ou **pacte de l'Atlantique nord,** organisation politique et militaire constituée entre les signataires du traité d'alliance signé à Washington le 4 avril 1949, la Belgique, le Canada, le Danemark, les États-Unis, la France, la Grande-Bretagne, l'Islande, l'Italie, le Luxembourg, la Norvège, les Pays-Bas et le Portugal, étendue en 1952 à la Grèce et à la Turquie, en 1955 à l'Allemagne fédérale et en 1982 à l'Espagne, en vue de « sauvegarder la paix et la sécurité, et de développer la stabilité et le bien-être dans la région de l'Atlantique nord ». Le *Shape** est un des quatre grands commandements mis sur pied par l'alliance. Bien que restant membre de l'alliance, la France a décidé en 1966 de se retirer de l'organisation militaire du pacte. La Grèce a fait de même en 1974 mais a réintégré les structures militaires de l'O. T. A. N. en 1980. Depuis 1990, l'Allemagne unie fait partie de l'O. T. A. N.

Organisation de l'Unité africaine (O. U. A.), organisation créée par les États africains à la conférence d'Addis-Abeba (1963). Elle a pour but de développer la solidarité entre les États membres.

ORGANISER [ɔrganize] v. t. (de *organe*). **1.** *Organiser qqch.*, le préparer selon un plan précis : *Organiser une réception.* — **2.** *Organiser qqch.*, le mettre en ordre de façon à le faire fonctionner : *Organiser son emploi du temps* (syn. AMÉNAGER). *Organiser un programme de vacances* (syn. ARRANGER, PRÉVOIR). ◆ **s'organiser** v. pr. **1.** (sujet nom de personne) Agencer son travail, ses affaires de façon harmonieuse : *Il faut savoir s'organiser* (syn. S'ARRANGER). — **2.** (sujet nom de chose) S'arranger, se clarifier : *Peu à peu, tout ça va s'organiser.* ◆ **organisateur, trice** n. et adj. Personne qui organise une chose, qui a l'art d'organiser : *L'organisateur d'une cérémonie.* ◆ **organisation** n. f. **1.** Action d'organiser, de préparer : *L'organisation d'une fête.* — **2.** Fait d'être organisé de telle ou telle manière : *L'organisation de ce bureau est déplorable.* — **3.** Association qui se propose des buts déterminés : *Partir en vacances avec une organisation de jeunes.* ◆ **organisé, e** adj. **1.** *Biol.* Qui est pourvu d'organes dont le fonctionnement constitue la vie : *La matière organisée* (contr. INERTE). — **2.** Qui est constitué, aménagé d'une certaine façon : *Travail bien organisé* (syn. PLANIFIÉ, PROGRAMMÉ). *Un parti organisé.* — **3.** Prévu, réglé par avance : *Voyage organisé.* — **4.** Qui sait organiser sa vie, ses affaires : *C'est une personne organisée.* ◆ **inorganisé, e** adj. **1.** Qui n'a pas été organisé : *Un secteur de l'industrie encore inorganisé.* — **2.** Qui ne sait pas organiser : *Une personne inorganisée* (syn. BROUILLON, DÉSORDONNÉ). ◆ **inorganisation** n. f. Manque d'organisation d'une chose : *Dénoncer l'inorganisation d'un service public* (syn. DÉSORDRE; fam. PAGAILLE). ◆ **désorganiser** v. t. *Désorganiser qqch.*, le mettre en désordre, en déranger l'organisation : *Tous nos projets de vacances ont été désorganisés par sa maladie* (syn. BOULEVERSER). ◆ **désorganisation** n. f. : *Un groupement menacé de désorganisation par des rivalités personnelles* (syn. DÉSAGRÉGATION, DISLOCATION). ◆ **réorganiser** v. t. : *Réorganiser un magasin en fonction des nouveaux besoins de la clientèle.* ◆ **réorganisation** n. f. : *La réorganisation des services de police.*

ORGANISME n. m. → ORGANE 1 et ORGANIQUE 2.

ORGANISTE n. → ORGUE 1.

ORGANITE [ɔrganit] n. m. (de *organe*). *Biol.* Chacun des éléments de la cellule : noyau, centrosome, mitochondries, etc.

ORGASME [ɔrgasm] n. m. (du gr. *orgân*, bouillonner d'ardeur). Le plus haut point du plaisir sexuel.

ORGE [ɔrʒ] n. f. (parfois masc.) [lat. *hordeum*]. **1.** Plante portant des épis munis de longues barbes, et dont une espèce est cultivée pour l'alimentation et pour la fabrication de la bière. (Famille des graminacées.) — **2.** *Sucre d'orge*, friandise faite de sucre cuit avec une décoction d'orge et présentée sous la forme de bâtonnets colorés.

ORGE, riv. de l'Île-de-France, affl. de la Seine (r. g.); 50 km.

ORGEAT [ɔrʒa] n. m. (de *orge*). Sirop préparé avec une émulsion d'amandes.

ORGELET [ɔrʒəlɛ] n. m. (bas lat. *hordeolus*, grain d'orge). Furoncle en forme de grain d'orge, situé au bord de la paupière (syn. fam. COMPÈRE-LORIOT).

ORGIE [ɔrʒi] n. f. (du lat. *orgia*, fêtes de Bacchus). **1.** Débauche : *Faire une orgie.* — **2.** Surabondance, profusion : *Une orgie de fleurs, de musique.* ◆ **orgiaque** adj. : *Une nuit orgiaque* (= où l'on se livre à des excès).

1. ORGUE [ɔrg] n. m. (lat. *organum*). **1.** Instrument de musique à vent et à clavier, principalement en usage dans les églises : *Facteur d'orgues* (= celui qui fabrique les orgues). [Parfois au plur. pour désigner un seul instrument; il est alors fém. : *De très belles orgues.*] — **2.** *Orgue de Barbarie*, orgue portatif, actionné par une manivelle. ◆ **organiste** n. Personne dont la profession est de jouer de l'orgue.

— ENCYCL. L'*orgue* fonctionne grâce à une *soufflerie* mécanique ou électrique. Les sons sont produits par des *tuyaux* de formes et de grandeurs différentes (certaines orgues possèdent plusieurs milliers de tuyaux). Les tuyaux sont groupés en *jeux* qui fournissent des sons de même timbre. L'ouverture des jeux est commandée par des réglettes appelées *registres* et placées de chaque côté des *claviers*, eux-mêmes encastrés dans une *console*. Les claviers commandent l'ouverture des tuyaux. Il peut y avoir de un à cinq claviers, ainsi qu'un clavier « à pieds » appelé *pédalier*. Enfin un *buffet* (souvent chef-d'œuvre d'ébénisterie et de sculpture) protège les tuyaux et le mécanisme de cet instrument.

2. ORGUE [ɔrg] n. m. (de *orgue* 1). Géogr. *Orgues basaltiques*, prismes d'une grande régularité, pouvant atteindre de 30 à 45 m de hauteur, qui ressemblent à des tuyaux d'orgue et qui se sont formés dans des coulées de basalte en voie de refroidissement : *Les orgues basaltiques de Bort.*

ORGUEIL [ɔrgœj] n. m. (frq. *urgôli*, fierté). Sentiment exagéré qu'une personne a de sa valeur ou de son importance : *Cacher ses ennuis par orgueil* (syn. FIERTÉ; contr. HUMILITÉ, MODESTIE). ◆ **orgueilleux, euse** adj. : *Personne orgueilleuse.* ◆ **orgueilleusement** adv. : *Bomber le torse orgueilleusement.* ◆ **enorgueillir** [ɑ̃nɔrgœjir] v. t. Rendre orgueilleux : *Ses succès l'ont enorgueilli.* ◆ ***s'enorgueillir*** v. pr. *S'enorgueillir de qqch., de* (et l'infin.), s'en montrer orgueilleux : *S'enorgueillir d'avoir réalisé un exploit.*

ORIENT [ɔrjɑ̃] n. m. (lat. *oriens*, qui se lève). **1.** Côté de l'horizon où le soleil se lève : *Regarder vers l'orient* (syn. EST; contr. OCCIDENT). *Se diriger du côté de l'orient* (syn. LEVANT; contr. OUEST). — **2.** (avec une majusc.) Ensemble des pays d'Asie par rapport à l'Europe, ou de l'est du Bassin méditerranéen par rapport à l'ouest : *Voyage en Orient, en Extrême-Orient* (= Chine, Indochine, Japon, etc.). — **3.** *Le Grand Orient de France*, la loge centrale des francs-maçons. ◆ **oriental, e, aux** adj. Qui se situe à l'orient, à l'est : *La frontière occidentale et la frontière orientale d'un pays.* ◆ adj. et n. Qui a trait à la région ou aux peuples de l'Orient : *Langues orientales. Coutumes orientales* (contr. OCCIDENTAL). ◆ **orientalisme** n. m. **1.** Science des choses ou des langues de l'Orient : *Les progrès de l'orientalisme en Europe.* — **2.** Goût pour les choses de l'Orient : *La mode de l'orientalisme.* ◆ **orientaliste** n. Spécialiste de l'étude des langues et des civilisations de l'Orient.

ORIENT *(Empire romain d')*, un des deux empires formés après la mort de Théodose, en 395, connu aussi sous le nom d'EMPIRE BYZANTIN*; il fut détruit par les Ottomans en 1453.

Orient *(question d')*, ensemble de problèmes et de conflits internationaux issus de l'installation des Turcs dans les Balkans à partir du XIVe s. L'importance stratégique des Détroits, des défilés du Taurus, de l'isthme de Suez ont de tout temps incité les grandes puissances européennes (Autriche, Grande-Bretagne, France, Russie) à s'en emparer aux dépens de l'Empire ottoman*.

Orient *(schisme d')*, scission entre l'Église byzantine et l'Église romaine survenue en 1054.

ORIENTABLE adj. → ORIENTER.

ORIENTAL, E, AUX adj. et n. → ORIENT.

Orientales *(les)*, recueil poétique de V. Hugo (1829).

ORIENTALISME n. m., **ORIENTALISTE** n. → ORIENT.

ORIENTER [ɔrjɑ̃te] v. t. (de *orient*). **1.** *Orienter une chose*, la disposer par rapport à une direction déterminée : *Maison bien orientée* (syn. EXPOSER). *Orienter la lumière vers le papier* (syn. DIRIGER). — **2.** *Orienter qq'un*, le diriger vers des études, une carrière, etc. : *Orienter un élève vers les sections modernes* (syn. GUIDER). ◆ ***s'orienter*** v. pr. (sujet nom de personne). **1.** Déterminer la position que l'on occupe par rapport aux points cardinaux ou à tout autre repère : *Comment s'orienter dans le noir?* (syn. SE REPÉRER, SE RETROUVER). — **2.** *S'orienter vers*, tourner son activité vers : *Il s'oriente vers des études de médecine.* ◆ **orientable** adj. Que l'on peut orienter : *Bras orientable d'une machine.* ◆ **orientation** n. f. **1.** Action de se repérer géographiquement par rapport aux quatre points cardinaux : *L'orientation est facile avec une boussole.* — **2.** Direction, tendance donnée à une action, à un ouvrage : *L'orientation d'un exposé* (syn. TENDANCE). — **3.** *Procédures d'orientation sur les filières scolaires et les débouchés professionnels dans le second degré de l'enseignement secondaire.* → ENCYCL. ◆ **orienté, e** adj. Qui manifeste une opinion, une tendance idéologique; qui est au service d'une cause précise, d'une propagande : *Passage orienté dans un livre. Article de journal nettement orienté* (syn. TENDANCIEUX). ◆ **orienteur, euse** n. Personne qui s'occupe d'orientation scolaire et professionnelle : *Consulter l'orienteur* (désignation courante du *conseiller d'orientation scolaire et professionnelle*). ◆ **désorienter** v. t. **1.** *Désorienter une personne, un animal*, lui faire perdre sa direction (surtout au passif) : *Un pigeon voyageur désorienté par la tempête.* — **2.** *Désorienter qq'un*, le mettre dans une situation telle qu'il ne sait plus quel parti prendre (surtout au passif) : *Il est désorienté par les nouvelles méthodes* (syn. DÉCONCERTÉ, TROUBLÉ). ◆ **désorientation** n. f.

— ENCYCL. C'est à la fin du deuxième trimestre des classes de cinquième et troisième que le conseil de classe exprime des propositions d'*orientation* provisoire pour la rentrée suivante, après discussion entre les parents des élèves (invités à formuler leurs vœux au début de ce trimestre) et une équipe éducative (ces propositions tiennent compte des capacités et des goûts des élèves). Au cours du troisième trimestre, le conseil de classe formule des propositions d'*affectation* définitive (celles-ci tiennent compte non seulement des vœux des familles et des décisions du conseil de classe, mais aussi des places disponibles) qui seront formulées à l'inspecteur d'académie, responsable de la décision finale. En cas de désaccord, les parents peuvent faire appel devant une commission spéciale ou faire passer un examen à leur enfant. Pour les élèves de sixième, quatrième et seconde, la procédure est plus simple, ne commençant qu'à la fin du deuxième trimestre, à l'initiative de la famille ou du conseil de classe, lorsque celui-ci envisage un changement de type d'enseignement pour l'élève.

ORIFICE [ɔrifis] n. m. (du lat. *os, oris*, bouche). Entrée ou issue d'une cavité ou d'un organe du corps, qui permet l'écoulement d'un fluide : *Boucher un orifice* (syn. OUVERTURE). *Orifice intestinal.*

ORIFLAMME [ɔriflam] n. f. (lat. *aurea flamma*, flamme d'or). **1.** Drapeau ou bannière d'apparat, en forme de flamme : *Les rues sont pavoisées, partout claquent les drapeaux et les oriflammes.* — **2.** Enseigne féodale de l'abbaye de Saint-Denis, de forme carrée, en soie rouge, parsemée d'étoiles d'or, à plusieurs pointes, adoptée par les rois de France du XIIe au XVe s., à côté de leur bannière personnelle.

ORIGAN [ɔrigɑ̃] n. m. (gr. *origanon*). Autre nom de la MARJOLAINE.

ORIGÈNE, en gr. **Ôrigenês,** théologien et exégète (v. 183/186-v. 252/254). Il a pratiquement ouvert la voie à toutes les sciences sacrées et aurait laissé près de 2000 ouvrages, notamment des travaux d'interprétation de la Bible. Cependant, certaines de ses idées ont été condamnées au concile de Constantinople (553).

ORIGINAIRE adj., **ORIGINAIREMENT** adv. → ORIGINE.

1. ORIGINAL, E, AUX [ɔriʒinal, -no] adj. (de *origine*). Se dit d'une pièce, d'un document émanant directement de son auteur, de sa source : *Illustrations originales* (= dues à l'artiste lui-même). *Édition originale* (= la première sortie). *Se référer à l'acte original* (contr. COPIE). *Gravure originale* (contr. REPRODUCTION). ◆ **original, aux** n. m. Modèle, ouvrage primitif d'un auteur : *Copie conforme à l'original. L'original d'un acte notarié* (syn. MINUTE; contr. COPIE, DOUBLE). *Faire un dessin d'après l'original* (syn. MODÈLE).

2. ORIGINAL, E, AUX [ɔriʒinal, -no] adj. (même étym.). Se dit d'une personne ou d'une chose unique en son genre, qui ne ressemble à rien d'autre : *Porter un costume original* (contr. COMMUN, ORDINAIRE). *Un artiste original* (contr. CONFORMISTE, TRADITIONNEL). ◆ n. Personne excentrique, qui ne ressemble à aucune autre : *C'est un original* (syn. FANTAISISTE, PHÉNOMÈNE; fam. FARFELU, NUMÉRO). ◆ **originalité** n. f. **1.** Caractère de ce qui est nouveau, singulier : *Manquer d'originalité* (syn. FANTAISIE, PERSONNALITÉ). *L'originalité d'un écrivain* (contr. BANALITÉ, CLASSICISME). — **2.** Marque ou preuve de fantaisie et de nouveauté : *Se faire remarquer par certaines originalités* (syn. BIZARRERIE).

ORIGINE [ɔriʒin] n. f. (lat. *origo, -inis*). **1.** Première apparition ou manifestation, commencement : *L'origine du monde* (syn. GENÈSE, NAISSANCE). *Histoire des peuples des origines à nos jours* (syn. DÉBUT). — **2.** Point de départ de la formation d'une chose :

Remonter à l'origine d'une idée (syn. FONDEMENT, SOURCE). *Mot d'origine savante, étrangère* (syn. FORMATION). — **3.** Cause d'un phénomène : *Musique d'origine africaine* (syn. PROVENANCE). *Une maladie d'origine nerveuse.* — **4.** Milieu d'où sont issues des personnes : *Être d'origine bourgeoise* (syn. ASCENDANCE, EXTRACTION, FAMILLE). — **5.** *Math.* Dans un repère (sur une droite ou dans un plan), point dont toutes les coordonnées sont nulles. — **6.** *À l'origine, dès l'origine*, au début, dès le début. ◆ **originaire** adj. Qui tire son origine de : *Être originaire de Tchécoslovaquie* (syn. NÉ EN). *Il est originaire du pays* (= indigène, autochtone) [contr. ÉTRANGER]. ◆ **originairement** adv. Primitivement, à l'origine. ◆ **originel, elle** adj. Qui date de l'origine : *Le péché originel* (= que tous les hommes, selon la croyance chrétienne, ont contracté, à l'origine de l'humanité, en la personne d'Adam). *Le sens originel d'un terme* (syn. INITIAL, PREMIER). *Parler sa langue originelle* (syn. MATERNELLE, NATALE). ◆ **originellement** adv. Primitivement : *Cette maison devait originellement leur appartenir* (= dans le plan primitif, au point de départ). *Contrat originellement vicié* (syn. À LA BASE).

origine des espèces par voie de sélection naturelle *(De l')*, livre de Ch. Darwin, où sont exposés le mécanisme du transformisme, la concurrence vitale, la sélection naturelle (1859).

ORIGINEL, ELLE adj., **ORIGINELLEMENT** adv. → ORIGINE.

ORIGNAL [ɔriɲal] n. m. (basque *oregnac*). Autre nom de l'ÉLAN, au Canada. ‖ Pl. des *orignaux*.

ORIN [ɔrɛ̃] n. m. (néerl. *ooring*). *Mar.* Filin frappé sur un objet immergé (ancre, grappin, mine) et tenu à la surface par une bouée.

ORION. *Myth. gr.* Chasseur gigantesque et d'une grande beauté, qu'Artémis tua. Il fut changé en constellation.

ORIPEAUX [ɔripo] n. m. pl. (de l'anc. fr. *orie*, doré). Vêtements usés ou de mauvais goût : *Être vêtu d'oripeaux* (syn. GUENILLES, HAILLONS).

ORISSA ou **ORISSĀ,** État de l'Inde, en bordure du golfe du Bengale; 155 765 km^2; 26 370 000 hab. Capit. *Bhubaneswar.*

ORIZABA, v. du Mexique, dominée par le *volcan d'Orizaba*, ou Citlaltépetl (5 700 m), point culminant du Mexique; 55 500 hab.

O. R. L., abrév. de *oto*-rhino-laryngologiste.*

ORLÉANAIS, anc. province de France, qui, à plusieurs reprises, forma un duché, apanage de la famille d'Orléans, et qui fut définitivement réunie à la Couronne en 1626. Capit. *Orléans.* Elle a formé trois départements : Loiret, Loir-et-Cher, Eure-et-Loir.

ORLÉANISME [ɔrleanism] n. m. (de *Orléans*). Opinion de ceux qui soutenaient les revendications au trône de France d'un prince de la maison d'Orléans, s'opposant au parti légitimiste, favorable aux Bourbons. ◆ **orléaniste** adj. et n. Partisan des princes de la maison d'Orléans.

ORLÉANS, ch.-l. de la Région Centre et du dép. du Loiret, sur la Loire, à 116 km au S. de Paris; 105 600 hab. *(Orléanais).* Orléans a bénéficié récemment de la proximité de la capitale pour accueillir diverses industries (constructions mécaniques et électriques) qui se sont ajoutées aux branches traditionnelles (alimentation), expliquant en partie l'essor rapide d'une agglomération dont la population est voisine de 170 000 hab.

ORLÉANS *(famille d')*, nom de quatre maisons capétiennes. La première est représentée par PHILIPPE Ier, fils de Philippe VI, qui reçut en apanage le duché d'Orléans (1344) mais mourut sans postérité (1375). — La deuxième fut fondée par LOUIS Ier (1372-1407), frère de Charles VI, et se divisa en *branche d'Orléans* et en *branche d'Angoulême* qui parvinrent au trône, la première avec LOUIS XII (1498) et la seconde avec FRANÇOIS Ier (1515). — La troisième est représentée par GASTON (1608-1660), frère de Louis XIII. — La quatrième commence avec PHILIPPE Ier (1640-1701), frère de Louis XIV, et parvint à la royauté avec Louis-Philippe.

ORLÉANS (Louis, *duc* D') [1372-1407], deuxième fils de Charles V. Il reçut de son frère Charles VI le duché d'Orléans en 1392. Le roi ayant été écarté du pouvoir par sa folie (1392), il entra en rivalité avec les ducs de Bourgogne, d'abord Philippe le Hardi, puis Jean sans Peur; ce dernier le fit assassiner.

ORLÉANS (Charles D'), poète français (1394-1465), fils de Louis d'Orléans, frère de Charles VI. Son œuvre poétique, qui comprend surtout des rondeaux et des ballades, marque les différentes étapes de son existence.

ORLÉANS (Gaston, *comte* D'EU, *duc* D'), troisième fils d'Henri IV et de Marie de Médicis (1608-1660). En 1611, il devint le deuxième personnage du royaume avec le titre de Monsieur. Il fut mêlé à tous les complots contre Richelieu, puis contre Mazarin. Lieutenant général du royaume à la mort de Louis XIII, il participa aux intrigues de la Fronde. Il fut le père de la Grande Mademoiselle.

ORLÉANS (Philippe, *duc* D') [1674-1723], régent de France (2 septembre 1715-22 février 1723). À la mort de Louis XIV, il fit casser le testament du roi par le parlement de Paris, et se fit attribuer la régence. Son gouvernement marqua une réaction contre les tendances absolutistes du règne de Louis XIV. Il fit participer la haute noblesse au pouvoir en créant les conseils, qui remplacèrent les secrétaires d'État. Il tenta de résoudre le problème financier avec le système de Law*. Il continua de diriger les affaires même après la majorité de Louis XV.

ORLÉANS (Louis Philippe Joseph, *duc* D'), dit **Philippe Égalité** (1747-1793). Duc de Montpensier (1747-1752), puis duc de Chartres (1752-1758) et duc d'Orléans (1785-1793), il manifesta dès avant la Révolution son opposition à Louis XVI. Député de la noblesse aux états généraux, il fit du Palais-Royal, sa résidence, un centre d'agitation révolutionnaire. Après les journées d'Octobre*, il s'exila en Angleterre jusqu'en juillet 1790. Député de Paris à la Convention avec le surnom d'« Égalité » (septembre 1792), il vota la mort du roi, son cousin, mais fut cependant condamné à mort par le tribunal révolutionnaire. Il fut le père de Louis-Philippe, roi des Français.

ORLY, ch.-l. de cant. du Val-de-Marne, à 12 km au S. de Paris, au N.-E. de l'*aéroport d'Orly:* 23 900 hab.

ORLY *(aéroport d')*, aéroport de la région parisienne, au sud de Paris. Sur les 1 700 ha de l'aéroport, il existe deux pistes est-ouest, l'une de 3 320 m, l'autre de 3 650 m, et deux pistes nord-sud, l'une de 2 400 m, l'autre de 1 865 m. L'aérogare a été agrandie et peut absorber un trafic annuel de 10 millions de passagers. L'une des caractéristiques de cette aérogare est le système d'écoulement continu des passagers, dénommé *Orly System* par les Anglo-Saxons, et dans lequel la visite de douane des bagages de soute est séparée des formalités concernant les personnes. Les hangars des avions s'étendent sur plus de 1,5 km. Les aides radio-électriques à la navigation et à l'atterrissage sont constituées par des dispositifs d'atterrissage sans visibilité et par un radar d'atterrissage. Un second radar permet de prendre en charge les avions à une grande distance de l'aérodrome. Une nouvelle aérogare, *Orly-Ouest*, est entrée en service en 1971. (→ aussi ROISSY.)

ORME [ɔrm] n. m. (du lat. *ulmus*). Arbre haut de 20 à 30 m, à feuilles dentelées, dont le bois est utilisé en charpente et en ébénisterie. (Famille des ulmacées.) ◆ **ormaie** ou **ormoie** n. f. Lieu planté d'ormes. ◆ **ormeau** n. m. Jeune orme.

ORMESSON-SUR-MARNE, ch.-l. de cant. du Val-de-Marne, à 12 km au S.-E. de Paris; 8 700 hab. Château des XVIe et XVIIIe s.

ORMUZ ou **HORMUZ,** île iranienne du golfe Persique, sur le *détroit d'Ormuz* ou *d'Hormuz*, qui relie le golfe Persique au golfe d'Oman.

ORMUZD, en zend **Ahura-Mazdâ,** dieu suprême dans la religion mazdéenne. Il est le principe du Bien, opposé à Ahriman, le principe du Mal.

ORNAIN, riv. du Bassin parisien, sous-affl. de la Marne (r. dr.) par la Saulx; 120 km.

ORNE (l'), fl. côtier de Normandie qui passe à Caen; 152 km.

ORNE (61), dép. formé d'une partie de la Normandie et du Perche (Région Basse-Normandie); 6 103 km^2; 295 500 hab. (48 au km^2) [France :103]. Ch.-l. *Alençon.*

ADMINISTRATION. 3 arrond. (*Alençon*, 102 000 hab. ; *Argentan*, 122 700 hab.; *Mortagne-au-Perche*, 70 800 hab.). / 40 cant. / 507 comm.

Le département se situe aux confins du Massif armoricain et du Bassin parisien. L'altitude dépasse généralement 200 m dans l'Ouest, partie la plus élevée du *Bocage normand,* et dans le Nord-Est *(collines du Perche)*, s'abaissant au centre et au S.-E. *(campagnes d'Alençon* et *d'Argentan).* Les précipitations sont abondantes, surtout dans la moitié occidentale.

L'*agriculture* emploie près du quart de la population active. L'élevage bovin (pour la viande et les produits laitiers) domine largement dans les parties les plus élevées; les cultures (céréales) se développent dans les campagnes d'Alençon et d'Argentan.

LOCALITÉS PRINCIPALES	NOMBRE D'HAB.	LOCALITÉS PRINCIPALES	NOMBRE D'HAB.
Alençon	32 500	Mortagne-au-Perche	5 200
Flers	19 400	Vimoutiers	5 100
Argentan	18 000	Domfront	4 550
L'Aigle	10 200	Tinchebray	3 350
La Ferté-Macé	7 400		
Sées	5 200		

L'*industrie* n'occupe guère plus du tiers de la population active. Aux traditionnelles activités alimentaires et textiles, parfois en déclin, se sont ajoutées les constructions mécaniques et électriques.

Cette faiblesse et celle du *secteur tertiaire* sont à relier à l'absence de grande ville. De ce fait, le dynamisme démographique du département est faible : sa population n'augmente que très lentement.

ORNER [ɔrne] v. t. (lat. *ornare*). *Orner qqch.*, l'arranger, l'embellir par un ou plusieurs éléments décoratifs : *Orner un balcon avec des plantes vertes* (syn. DÉCORER, GARNIR). *Orner un discours de citations* (syn. ÉMAILLER, ENJOLIVER). ◆ **ornemaniste** [ɔrnəmanist] adj. et n. Dessinateur, peintre ou sculpteur dont l'œuvre consiste en recueils d'ornements dessinés ou gravés, destinés à servir de modèles. ◆ **ornement** n. m. **1.** Qualité de ce qui est purement décoratif : *Dessin d'ornement* (= décoratif). — **2.** Détail qui sert à la décoration, qui agrémente un ensemble : *Ornements de cheminée* (syn. GARNITURE). *Ornement d'architecture* (syn. MOTIF). *Ornements de style* (syn. ÉLÉGANCE, FIORITURE). — **3.** *Mus.* Note brève représentée par un signe, qui sert à agrémenter une mélodie. ◆ n. m. pl. Dans la liturgie catholique, vêtements revêtus pour les cérémonies du culte : *Ornements sacerdotaux.* ◆ **ornemental, e, aux** adj. **1.** Qui concerne les ornements : *Style ornemental* (contr. DÉPOUILLÉ, SOBRE). — **2.** Qui sert à l'ornement : *Motif ornemental* (syn. DÉCORATIF). ◆ **ornementation** n. f. **1.** Action de décorer un ensemble, de garnir d'ornements : *L'ornementation d'un monument* (syn. DÉCORATION). *Dessin d'ornementation* (= décoratif). — **2.** *Mus.* Légère modification apportée à une ligne mélodique pour l'agrémenter.

ORNIÈRE [ɔrnjɛr] n. f. (du lat. *orbita*). **1.** Trace creusée par les roues de voiture dans un chemin de terre. — **2.** Habitude, routine : *Savoir sortir de l'ornière* (syn. CHEMIN BATTU).

ORNITHOLOGIE [ɔrnitɔlɔʒi] n. f. (du gr. *ornis, ornithos*, oiseau, et *logos*, science). Partie de la zoologie qui traite des oiseaux. ◆ **ornithologue** ou **ornithologiste** n. Spécialiste d'ornithologie.

ORNITHORYNQUE [ɔrnitɔrɛ̃k] n. m. (du gr. *ornis, ornithos*, oiseau, et *runkhos*, bec). Mammifère d'Australie et de Tasmanie, caractérisé par son bec de canard, ses pattes palmées et sa reproduction ovipare. (Long de 50 cm, l'ornithorynque vit dans l'eau, se creuse un terrier à ouverture immergée et nourrit ses petits en répandant son lait dans l'eau qui l'entoure.)

OROBANCHE [ɔrɔbɑ̃ʃ] n. f. (gr. *orobankhê*). Plante dicotylédone gamopétale sans chlorophylle, vivant en parasite sur les racines d'autres espèces (labiées, légumineuses, composées, etc.), auxquelles elle se fixe par un suçoir renflé.

OROGENÈSE [ɔrɔʒənɛz] n. f. (du gr. *oros*, montagne, et *genesis*, génération). Édification des chaînes de montagnes. ◆ **orogénie** n. f. Étude des dislocations de l'écorce terrestre, et particulièrement des montagnes. ◆ **orogénique** adj. Relatif à l'orogénie. ‖ *Mouvements orogéniques*, mouvements de l'écorce terrestre qui donnent naissance aux montagnes.

ORONGE [ɔrɔ̃ʒ] n. f. (prov. *ouronjo*, orange). Nom usuel de plusieurs espèces de champignons du genre amanite. ‖ *Oronge vraie*, ou *amanite des Césars*, champignon à chapeau orangé, comestible. ‖ *Oronge verte*, ou *amanite phalloïde*, champignon mortel. ‖ *Fausse oronge*, ou *amanite tue-mouches*, champignon à chapeau rouge couvert de verrues blanches, dangereux. ‖ *Oronge vineuse*, ou *golmote*, champignon à chapeau brun-rouge couvert de verrues blanches, comestible après cuisson.

ORONTE, en ar. **Nahr al-'Aṣī**, fl. du Proche-Orient (Liban, Syrie, Turquie), tributaire de la Méditerranée; 570 km. Il arrose Homs et Antioche.

OROZCO (José Clemente), peintre mexicain (1883-1949). Sa peinture, très influencée par l'art précolombien, est empreinte de réalisme dramatique. Il a exécuté de nombreuses décorations murales, de grandes dimensions, souvent satiriques.

ORPHÉE. *Myth. gr.* Fils du roi de Thrace Péléagre ou d'Apollon et de la muse Calliope. Poète et musicien remarquable, il charmait tous ceux qui l'entendaient. Après la mort de son épouse Eurydice, il fut autorisé à aller la chercher aux Enfers sous la condition qu'il ne la regarderait pas avant d'avoir regagné la lumière. Mais il faillit à sa promesse et la perdit à tout jamais. On lui attribuait l'invention de la lyre et son personnage mythique est à l'origine d'une doctrine de sectes mystiques. (⟶ ORPHISME.) Il inspira de nombreux artistes : peintres (le Tintoret, Rubens, Poussin, Delacroix), musiciens (Monteverdi, Gluck, Offenbach, Darius Milhaud).

ORPHELIN, E [ɔrfəlɛ̃, -in] n. et adj. (du lat. *orphanus*). Enfant qui a perdu l'un de ses parents, ou les deux : *Être orphelin de père* (= avoir perdu son père). ◆ **orphelinat** n. m. Établissement où sont élevés les enfants orphelins.

ORPHÉON [ɔrfeɔ̃] n. m. (de *Orphée*). Société musicale, en général masculine : *L'orphéon du village jouait une marche militaire.*

ORPHIE [ɔrfi] n. f. (gr. *orphos*). Poisson osseux carnassier des côtes européennes, dont le squelette est vert émeraude (syn. AIGUILLE, BÉCASSE DE MER).

Orne

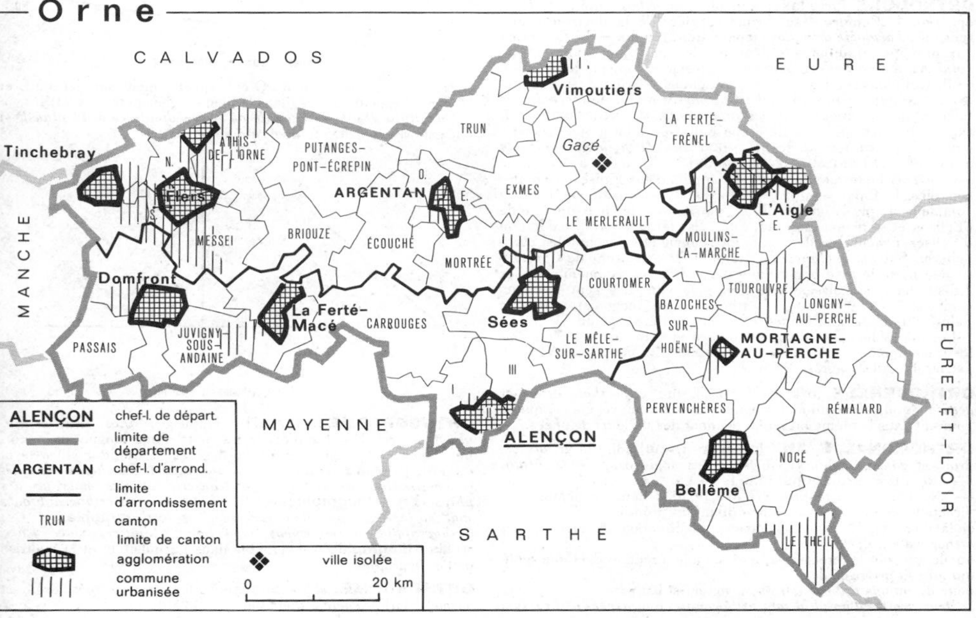

ORPHISME [ɔrfism] n. m. (de *Orphée*). Religion d'Orphée, réservée à des initiés qui croyaient à la divinité de l'âme, à l'impureté du corps et à une vie dans l'au-delà, et affirmaient, sinon l'existence d'un seul Dieu, du moins la primauté de Zeus. ◆ **orphique** adj. Relatif à Orphée ou à l'orphisme.

ORPIMENT [ɔrpimɑ̃] n. m. (du lat. *aurum*, or, et *pigmentum*, piment). Sulfure naturel d'arsenic, d'une belle couleur jaune vif, employé en peinture et en pharmacie.

ORRY (Philibert), comte DE VIGNORY (1689-1747), contrôleur général des Finances de 1730 à 1745. Il pratiqua une politique protectionniste et fit ajouter une aile au château de Versailles. — Son frère JEAN (1703-1751), seigneur DE FULVY, intendant des Finances, fonda à Vincennes une manufacture de porcelaine transférée à Sèvres en 1759.

ORSAY, ch.-l. de cant. de l'Essonne, à 5 km au S.-O. de Palaiseau, sur l'Yvette; 14100 hab. *(Orcéens)*. Université (sciences).

Orsay *(musée d')*, musée consacré aux arts de la seconde moitié du XIXe s. et des premières années du XXe, installé en 1986 dans l'ancienne gare d'Orsay, à Paris.

ORSINI, grande famille romaine, du clan des guelfes, longtemps opposée aux Colonna qui étaient gibelins.

ORSINI (Felice), conspirateur italien (1819-1858). Le 14 janvier 1858, il échoua dans un attentat contre Napoléon III. Défendu par Jules Favre, il fut condamné à mort et exécuté.

ORSK, v. de l'U. R. S. S., sur l'Oural; 225300 hab. Sidérurgie.

ORTEGA Y GASSET (José), écrivain espagnol (1883-1955). Il a exercé une puissante action sur la pensée espagnole de son temps. Aristocrate de pensée et de style, il affirme que la vie doit être disciplinée par la raison. Ces idées s'expriment dans les *Méditations de don Quichotte* (1914), *la Révolte des masses* (1930).

ORTEIL [ɔrtɛj] n. m. (lat. *articulus*, jointure). Chacune des terminaisons du pied chez l'homme, homologue du doigt de la main. (Il existe cinq orteils par pied; le premier ou *gros orteil* comporte deux phalanges, et les autres trois.)

O. R. T. F., sigle de l'*Office de radiodiffusion-télévision française*, organisme créé en 1964 et supprimé en 1974.

ORTHEZ, ch.-l. de cant. des Pyrénées-Atlantiques, à 37 km au S.-E. de Dax, sur le gave de Pau; 11500 hab. *(Orthéziens)*. Chaussures. Textiles. Papeterie.

ORTHOCENTRE [ɔrtosɑ̃tr] n. m. (du gr. *orthos*, droit, et *centre*). Math. *Orthocentre d'un triangle*, point commun aux trois hauteurs de ce triangle.

ORTHODOXE [ɔrtɔdɔks] adj. (du gr. *orthos*, droit, et *doxa*, opinion). **1.** Conforme au dogme religieux, à la doctrine d'une religion : *Théologie orthodoxe* (contr. HÉRÉTIQUE). — **2.** Conforme aux principes traditionnels dans un domaine quelconque : *Une opinion qui n'est pas orthodoxe* (= conforme à l'opinion habituelle). — **3.** Qui concerne les Églises chrétiennes d'Orient. ⟶ ENCYCL. ◆ n. Chrétien de rite oriental : *Ce congrès réunit de catholiques romains, des orthodoxes et des protestants.* ◆ **orthodoxie** n. f. Dogme ou doctrine officielle d'une Église ou d'un groupe social : *L'orthodoxie catholique* (contr. HÉRÉSIE). *Orthodoxie politique* (contr. DÉVIATIONNISME, HÉTÉRODOXIE).

— ENCYCL. Le terme d'*orthodoxe* s'applique aux Églises orientales séparées de Rome en 1054. Les orthodoxes considèrent le pape comme le simple évêque de Rome, non comme le chef suprême de l'Église, et refusent son autorité. Ils forment une fédération d'Églises, chacune gardant sa propre langue et ses coutumes particulières. Suivant une ancienne tradition, le patriarche de Constantinople porte le titre honorifique de patriarche œcuménique. Ces Églises ne reconnaissent que l'enseignement des sept premiers conciles. Elles accusent les catholiques de reconnaître dans la Sainte-Trinité deux principes différents, le Père et le Fils.

Le rapprochement entre catholiques et orthodoxes s'est manifesté notamment par trois rencontres entre le pape Paul VI et le patriarche Athênagoras (1964-1967).

ORTHOGENÈSE [ɔrtoʒənɛz] n. f. (du gr. *orthos*, droit, et *genèse*). Mode d'évolution des lignées animales ou végétales, qui se poursuit dans la même direction pendant des millions d'années.

ORTHOGONAL, E, AUX [ɔrtɔgɔnal, -no] adj. (du gr. *orthos*, droit, et *gônia*, angle). **1.** Qui se fait à angle droit. — **2.** *Math.* ⟶ ENCYCL. ◆ **orthogonalité** n. f. ⟶ ENCYCL.

— ENCYCL. L'*orthogonalité* est une relation dans l'ensemble des directions de droites d'un plan vérifiant les propriétés :

si la direction d est orthogonale à la direction d', alors d' est orthogonale à d;

quelle que soit la direction d, il existe une direction d' et une seule qui lui soit orthogonale;

deux directions orthogonales sont toujours distinctes.

Deux droites d'un plan sont orthogonales (ou *perpendiculaires*) si leurs directions sont orthogonales. La relation d'orthogonalité dans un plan peut être illustrée par la notion de pliage : si une feuille de papier représente un plan, en pliant la feuille le long d'une droite

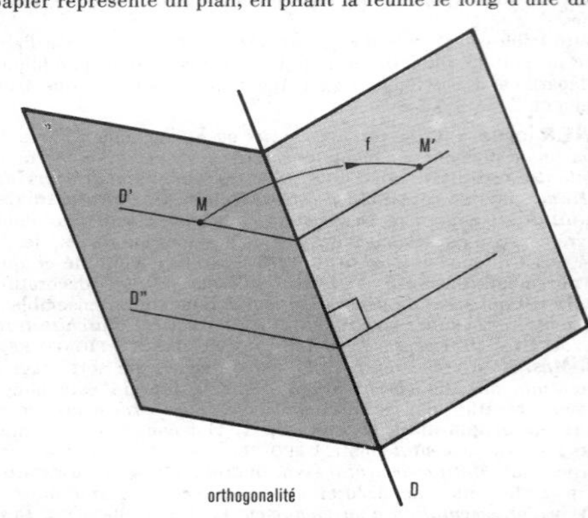

orthogonalité

D du plan, on réalise une application f du plan dans lui-même qui, à un point M, associe le point M' qui vient coïncider avec lui. On vérifie alors que :

$f \circ f =$ identité du plan (si M' est l'image de M, M est l'image de M');

f transforme une droite en une droite;

f laisse invariants tous les points de D;

f laisse globalement invariantes toutes les droites D' joignant deux points homologues distincts (ces droites sont dites perpendiculaires à D; étant parallèles entre elles, elles déterminent une direction d', qui est orthogonale à la direction d de D).

Deux droites D et D' de l'espace sont orthogonales si les droites

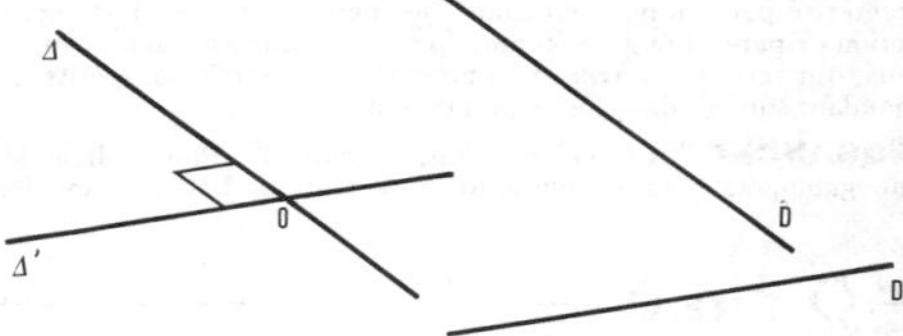

droites de l'espace orthogonales

Δ et Δ' passant par un point O et respectivement parallèles à D et D' sont perpendiculaires (dans le plan qu'elles déterminent).

Une droite D est orthogonale ou perpendiculaire à un plan P si elle est orthogonale à toute droite de ce plan.

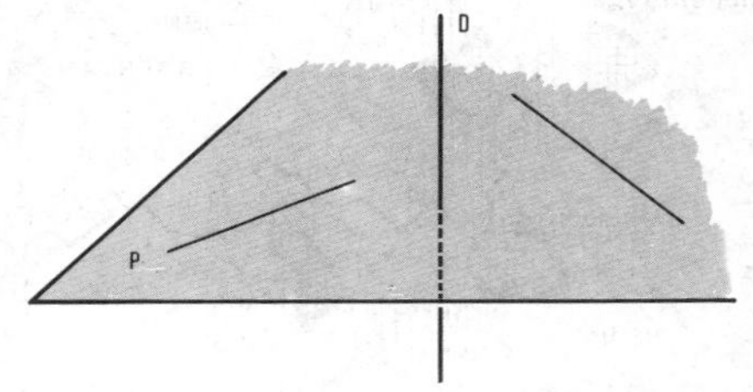

droite orthogonale à un plan

ORTHOGRAPHE [ɔrtɔgraf] n. f. (du gr. *orthos*, droit, et *graphein*, écrire). Manière d'écrire les mots d'une langue en conformité avec des usages définis et des règles traditionnelles (syn. GRAPHIE [langue scientif.]) : *Avoir une mauvaise orthographe, c'est commettre des erreurs dans la transcription des mots ou des phrases.* ◆ **orthographique** adj. : *Les habitudes orthographiques sont maintenues par l'enseignement.* ◆ **orthographier** v. t. : *Orthographiez correctement mon nom, Gautier, sans « h ».* ◆ **disorthographie** n. f. Trouble dans l'acquisition et la maîtrise de l'orthographe.

ORTHONORMÉ, E [ɔrtɔnɔrme] adj. (du gr. *orthos*, droit, et *norme*). Math. *Repère orthonormé* ⟶ REPÈRE.

ORTHOPÉDIE [ɔrtɔpedi] n. f. (du gr. *orthos*, droit, et *pais, paidos*, enfant). Branche de la chirurgie qui traite des affections de l'appareil locomoteur (os, articulations, muscles, tendons, nerfs). ◆ **orthopédique** adj. Relatif à l'orthopédie. ◆ **orthopédiste** adj. et n. Qui pratique l'orthopédie.

ORTHOPTÈRES [ɔrtɔptɛr] n. m. pl. (du gr. *orthos*, droit, et *pteron*, aile). Ordre d'insectes à métamorphoses incomplètes, pourvus de pièces buccales broyeuses et d'une paire d'élytres recouvrant au repos deux ailes membraneuses à plis droits en éventail : *Le criquet, la sauterelle, le grillon sont des orthoptères.*

ORTHOSE [ɔrtoz] n. f. (du gr. *orthos*, droit). *Minér.* Feldspath potassique, abondant dans le granite, le gneiss.

ORTIE [ɔrti] n. f. (lat. *urtica*). Plante herbacée vivace, couverte de poils contenant un liquide irritant qui pénètre dans la peau au moindre contact de la plante : *Des piqûres d'ortie.* (Famille des urticacées.) ‖ *Ortie blanche*, plante herbacée vivace, non urticante *(lamier blanc)*, dont la feuille ressemble à celle de l'ortie. (Famille des labiées.)

ORTIGUEIRA, v. d'Espagne (Galice), sur l'Atlantique; 20 400 hab. Station balnéaire.

ORTOLAN [ɔrtɔlɑ̃] n. m. (mot prov. signif. *jardinier*). Petit oiseau recherché pour sa chair délicate. (Famille des fringillidés.)

ORVET [ɔrvɛ] n. m. (de l'anc. fr. *orb*, aveugle). Reptile de la classe des lézards, bien que démuni de pattes. (Sa queue qui se rompt facilement lui a valu le nom de SERPENT DE VERRE.)

ORVIÉTAN [ɔrvjetɑ̃] n. m. (du n. de son inventeur *Ferranto d'Orvieto*). Drogue en vogue au XVIIe s.

ORVIETO, v. d'Italie (Ombrie); 25 100 hab. La cathédrale gothique (v. 1290-1370) est décorée de fresques de Signorelli, de Gentile da Fabriano et de Fra Angelico.

ORWELL (Eric BLAIR, dit **George**), écrivain anglais (1903-1950). Il s'efforça d'attirer l'attention de ses contemporains sur les problèmes du monde moderne par ses récits allégoriques (*la République des animaux*, 1945) ou d'anticipation (*1984*, 1949).

ORYX [ɔriks] n. m. (gr. *oruks*). Antilope aux cornes très longues, au pelage clair, coureuse rapide, qui vit dans les déserts d'Afrique et d'Arabie.

OS [ɔs, au plur. o] n. m. (lat. *ossum*). **1.** Substance dure et solide qui forme la charpente du corps de l'homme et des animaux vertébrés. → ENCYCL. — **2.** Fam. *Il y a un os*, une difficulté. ‖ *En chair et en os*, en personne. ‖ Fam. *N'avoir que la peau sur les os*, être très maigre. ‖ *Être trempé jusqu'aux os*, être mouillé complètement. ‖ Fam. *Ne pas faire de vieux os*, ne pas vivre vieux. ◆ **ossature** n. f. **1.** Ensemble des os dans le corps de l'homme ou de l'animal : *Une forte ossature* (syn. CHARPENTE, SQUELETTE). — **2.** Toute charpente qui soutient un ensemble : *L'ossature d'un bâtiment.* ◆ **osséine** n. f. Substance organique qui constitue le tiers en poids des os frais. (Elle a la propriété de se transformer en gélatine par l'action prolongée de l'eau bouillante.) ◆ **osselet** [ɔslɛ] n. m. **1.** Petit os : *Les osselets de l'oreille moyenne.* — **2.** *Jouer aux osselets*, lancer et rattraper sur le dos de la main de petits os. ◆ **ossements** n. m. pl. Os décharnés et desséchés d'hommes ou d'animaux morts. ◆ **osseux, euse** adj. **1.** Qui se rapporte aux os : *Le tissu osseux* (= le tissu organique qui constitue les os). *Maladie osseuse.* — **2.** *Visage osseux, main osseuse*, très maigres. ◆ **ossifier (s')** v. pr. Se transformer en tissu osseux : *Le crâne s'ossifie chez l'embryon.* ◆ **ossification** n. f. Formation de la substance osseuse. → ENCYCL. ◆ **ossu, e** adj. Qui a de gros os : *Un grand gaillard ossu.* ◆ **ossuaire** n. m. Lieu où l'on entasse des ossements, particulièrement près des champs de bataille : *L'ossuaire de Douaumont.* ◆ **ostéite** n. f. Inflammation du tissu osseux. ◆ **désosser** v. t. **1.** *Désosser une viande*, en retirer les os. — **2.** Fam. *Désosser un texte*, l'analyser minutieusement. ◆ **désossement** n. m.

— ENCYCL. **os.** Les *os* constituant le squelette humain sont au nombre de 200. On distingue des *os courts* (vertèbre), des *os plats* (omoplate) et des *os longs* (fémur). Tous les os sont formés de deux types de tissu *(tissu spongieux, tissu compact)* et enveloppés dans une enveloppe fibreuse ou *périoste.*

Le *tissu spongieux* est toujours central. Il est formé de lames ou travées osseuses orientées de façon à offrir la plus grande résistance possible aux forces qui s'exercent sur les os. Entre ces travées, les espaces laissés libres sont occupés par la *moelle rouge*, tissu conjonctif où sont formés les éléments figurés du sang (globules rouges, globules blancs et plaquettes). Ce tissu spongieux se trouve dans la tête ou *épiphyse* des os longs, et au centre des os courts et plats.

Le *tissu compact* entoure le tissu spongieux là où il existe et forme le *diaphyse*, ou corps des os longs. Il est percé de petits canaux autour desquels les lamelles osseuses se forment peu à peu de façon concentrique. Dans les os longs, il laisse libre une cavité centrale ou *canal médullaire*, remplie de *moelle blanche*, tissu riche en graisses.

Le *périoste* recouvre toute la surface de l'os, sauf les surfaces articulaires recouvertes de *cartilage :* à ce niveau, il se continue par la capsule articulaire. C'est une membrane fibreuse très résistante, épaisse, qui joue un grand rôle dans la croissance osseuse (→ OSSIFICATION) et dans la réparation des os fracturés; c'est par le périoste également que les vaisseaux sanguins abordent l'os.

Le tissu osseux est composé d'une substance organique, l'*osséine*, qui constitue la trame de matière vivante sur laquelle vont se déposer les substances minérales (calcium et phosphore) qui donnent à l'os sa dureté et sa solidité.

Un os long comprend donc : une partie moyenne, ou *diaphyse*, formée de tissu osseux compact, entouré du périoste, creusée d'une cavité axiale contenant la moelle blanche; et des parties extrêmes, ou *épiphyses*, formées de tissu osseux spongieux, dont les cavités contiennent de la moelle rouge. Les surfaces articulaires sont recouvertes de *cartilage*, et les muscles s'insèrent sur des protubérances de l'os, ou *apophyses.*

→ illustration SQUELETTE page 1303 et ANATOMIE pp. 80-81.

■ *Les maladies des os.* Elles sont de plusieurs types. Très souvent ce sont des *fractures.* L'os peut aussi être le siège de tumeurs de toute nature, et être atteint par des infections : ce sont les *ostéites*, dont les plus graves étaient autrefois les ostéites tuberculeuses qui atteignaient soit la colonne vertébrale et étaient responsables de graves déformations, soit la hanche et entraînaient une boiterie.

ossification. Il y a trois modes d'ossification.

L'*ossification enchondrale* est le remplacement de l'ébauche cartilagineuse de l'os par de l'os spongieux : cette ossification se fait *à l'intérieur* du cartilage, en différents points (ainsi, pour un os long, il existe un point d'ossification central dit *diaphysaire* et deux points d'ossification pour les deux *épiphyses;* ces trois points restent séparés par deux zones qui resteront cartilagineuses et formatrices d'os jusqu'à la fin de la croissance de l'os considéré, soit à vingt ou vingt-cinq ans). Cette ossification enchondrale est le mode de *croissance en longueur* des os longs.

L'*ossification périostée* est la *croissance de dedans en dehors* d'un os long; ce mode d'ossification est le premier en date : la membrane conjonctive qui entoure le cartilage produit de la substance osseuse par sa face interne, réalisant un os diaphysaire entourant l'ébauche cartilagineuse qui disparaîtra plus tard.

L'*ossification fibreuse* est le mode d'ossification des os qui se forment sans la nécessité d'une ébauche cartilagineuse : ainsi les os plats de la voûte du crâne. L'os se forme alors directement à partir d'un tissu conjonctif fibreux : c'est l'*os de membrane.*

La croissance osseuse assure le développement du squelette. Plus tard, le périoste, sans grandir davantage, continue à former de l'os nouveau qui vient remplacer l'os ancien détruit par la moelle blanche. Ainsi, de l'os se forme toute la vie : la substance osseuse est vivante.

Tous ces phénomènes sont sous le contrôle du système endocrinien.

ŌSAKA, port du Japon, dans le sud de l'île de Honshū, sur le Pacifique *(baie d'Ōsaka);* 3 156 200 hab. Anc. capit. du Japon, Ōsaka est auj. la deuxième ville du pays, le centre d'une importante conurbation industrielle (textiles, chantiers navals, chimie, électronique). Une exposition internationale s'y est tenue en 1970.

OSBORNE (John), écrivain anglais, né en 1929. Il s'imposa comme le chef de file des « jeunes hommes en colère » en attaquant dans ses drames, avec violence ou ironie, les conformismes et les préjugés nationaux ou privés (*la Paix du dimanche*, 1956; *le Monde de Paul Slickey*, 1959; *Luther*, 1961; *Témoignage irrecevable*, 1964).

OSCAR [ɔskar] n. m. (de *Oscar*, n. pr.), **1.** Récompense cinématographique décernée chaque année aux États-Unis. — **2.** Se dit de toutes sortes de récompenses décernées par un jury, dans divers domaines.

OSCAR Ier (1799-1859), roi de Suède et de Norvège (1844-1859), fils de Bernadotte. — OSCAR II, fils du précédent, roi de Suède et de Norvège (1872-1905), puis roi de Suède après la séparation de ces deux États.

1. OSCILLER [ɔsile] v. i. (lat. *oscillare*, balancer) [sujet nom de chose]. Se déplacer alternativement dans un sens et dans l'autre, de manière à repasser par les mêmes positions : *Le balancier d'une pendule oscille régulièrement* (syn. SE BALANCER). ◆ **oscillant, e** adj. Qui oscille. ◆ **oscillateur** n. m. *Électr.* Appareil produisant des courants alternatifs, principalement de haute fréquence. ◆ **oscillation** n. f. **1.** Mouvement de balancement alternatif : *Les oscillations d'un pendule.* — **2.** Variation régulière d'une grandeur qui reprend périodiquement les mêmes valeurs. ◆ **oscillatoire** adj. De la nature de l'oscillation : *Mouvement oscillatoire.* ◆ **oscillogramme** n. m. Image qui apparaît sur l'écran d'un oscillographe. ◆ **oscillographe** n. m. Appareil permettant d'observer et d'enregistrer les variations d'un courant électrique variable au cours du temps. ‖ *Oscillographe cathodique*, appareil universel de mesure électrique qui, fondé sur l'action d'un champ électrique sur un pinceau d'électrons, permet l'étude des phénomènes oscillants jusqu'à des fréquences très élevées. ◆ **oscilloscope** n. m. Autre nom de l'OSCILLOGRAPHE CATHODIQUE.

2. OSCILLER [ɔsile] v. i. (de *osciller* 1) [sujet nom de personne]. Hésiter, penser alternativement une chose ou l'autre : *J'oscille entre deux partis contraires* (syn. BALANCER). ◆ **oscillant, e** adj. : *Un esprit perpétuellement oscillant* (syn. HÉSITANT). ◆ **oscillation** n. f. Va-et-vient, variation : *Vos perpétuelles oscillations me fatiguent* (= votre indécision).

OSE [oz] n. m. (de [*gluc*]*ose*). *Chim.* Terme collectif désignant les sucres simples, ou sucres non hydrolysables. ◆ **oside** [ozid] n. m. Glucide hydrolysable (par oppos. aux OSES).

OSÉ, E adj. ⟶ OSER.

OSEILLE [ozɛj] n. f. (du lat. *acidulus*, aigrelet). **1.** Plante potagère herbacée à feuilles comestibles, de goût acide : *Une soupe à l'oseille.* — **2.** *Arg.* Argent.

OSER [oze] v. t. (du lat. *audere*) [et l'infin. sans prép.]. **1.** Avoir l'audace, le courage de : *Oser dire la vérité aux gens* (contr. CRAINDRE DE). — **2.** Avoir le front de, se permettre de : *Il a osé porter plainte, alors qu'il était dans son tort.* ◆ **osé, e** adj. Risqué, audacieux : *Une plaisanterie osée* (syn. LESTE, LIBRE).

OSHOGBO, v. du sud-ouest du Nigeria; 252 600 hab.

OSIDE n. m. ⟶ OSE.

OSIER [ozje] n. m. (bas lat. *auseria*). Variété de saule dont les rameaux sont employés en vannerie : *Un fauteuil en osier.*

OSIRIS, dieu de l'Égypte anc., frère et époux d'Isis. Dieu du monde infernal et juge des morts, il symbolise également la vitalité de la nature et son renouveau annuel.

OSLO, ancienn. **Christiania,** capit. de la Norvège, au fond du golfe formé par le Skagerrak; 447 000 hab. Grand centre culturel (université), administratif et commercial, Oslo est aussi une grande ville industrielle aux activités variées. Son port est un des plus actifs du pays.

OSMAN Ier Gazi, fondateur de la dynastie ottomane (1259-1326), sultan à partir de 1281. Il était le chef de la tribu turcomane des *Osmanlis* venue en Asie Mineure au XIIIe s. sous le commandement de son père Ertoğrul.

OSMAN PACHA Gazi, maréchal turc (1837-1900). Il arrêta à Plevna l'avance russe pendant la guerre russo-turque (1877-1878) et dirigea la campagne victorieuse contre la Grèce (1897).

OSMOSE [ɔsmoz] n. f. (du gr. *osmos*, poussée). **1.** Phénomène de diffusion entre deux solutions de concentration différente, à travers une membrane perméable (parchemin, intestin, vessie) ou semi-perméable. (Le solvant passe de la solution la moins concentrée vers la plus concentrée; la substance en solution suit le trajet inverse.) ⟶ ENCYCL. — **2.** Interpénétration, influence : *Une lente osmose s'est produite entre ces deux civilisations.* ◆ **osmotique** adj. Relatif à l'osmose.
— ENCYCL. La pénétration de l'eau et des sels minéraux du sol dans les racines des plantes, celle des aliments dans le sang à travers l'épithélium intestinal, les échanges de matière entre les globules et le plasma du sang sont régis dans une large mesure par les lois de l'*osmose*, ce qui donne à celles-ci une grande importance biologique.

OSNABRÜCK, v. d'Allemagne (Basse Saxe); 156 000 hab. Sidérurgie. Là fut signé l'un des traités de Westphalie (1648).

OSORNO, v. du Chili, au S. de Valdivia; 67 100 hab.

OSQUES, peuple de l'Italie anc., dans l'Apennin. Leur langue subsista longtemps dans le patois populaire, à Rome même.

OSSA, montagne de Grèce (Thessalie); 1 955 m.

OSSATURE n. f. ⟶ OS.

OSSAU, vallée des Pyrénées centrales, parcourue par le *gave d'Ossau* (80 km).

OSSÉINE n. f., **OSSELET** n. m., **OSSEMENTS** n. m. pl. ⟶ OS.

OSSÈTES, peuple du Caucase, habitant deux républiques autonomes : l'*Ossétie du Nord*, à l'intérieur de la R. S. F. S. de Russie (capit. *Vladikavkaz*), et l'*Ossétie du Sud*, incluse dans la république fédérée de Géorgie (capit. *Tskhinvali*).

OSSEUX, EUSE adj. ⟶ OS.

OSSIAN, barde légendaire écossais (IIIe s. apr. J.-C.), fils de Fingal, roi de Morven. Sous son nom, Macpherson publia en 1760 des poèmes d'une sombre et grandiose mélancolie, qui eurent un immense succès et une influence déterminante sur les débuts du romantisme. Les vrais poèmes d'Ossian furent publiés en 1807.

OSSIFICATION n. f., **OSSIFIER (S')** v. pr., **OSSU, E** adj., **OSSUAIRE** n. m. ⟶ OS.

OST [ɔst] n. m. (lat. *hostis*, ennemi, puis troupe armée). Au Moyen Âge, armée. ‖ *Service d'ost*, service militaire dû par les vassaux à leur suzerain pour la défense du pays.

OSTÉITE n. f. ⟶ OS.

OSTENDE, en néerl. **Oostende,** port de Belgique, sur la mer du Nord, à 24 km à l'O. de Bruges; 71 500 hab. Port de pêche et de voyageurs (vers la Grande-Bretagne). Centre industriel et touristique.

OSTENSIBLE [ɔstɑ̃sibl] adj. (du lat. *ostendere*, montrer). Que l'on ne cache pas, que l'on cherche à montrer : *De façon ostensible* (syn. VISIBLE; contr. DISCRET, FURTIF). ◆ **ostensiblement** adv. : *Regarder ostensiblement qq'un* (= sans se cacher).

OSTENSOIR [ɔstɑ̃swar] n. m. (du lat. *ostendere*, montrer). Pièce d'orfèvrerie dans laquelle on expose l'hostie consacrée.

OSTENTATION [ɔstɑ̃tasjɔ̃] n. f. (du lat. *ostendere*, montrer). Étalage excessif d'un avantage ou d'une qualité; geste, attitude de quelqu'un qui cherche à se faire remarquer : *Faire ostentation de sa culture* (syn. ÉTALAGE, MONTRE). ◆ **ostentatoire** adj. Fait avec ostentation : *Un luxe ostentatoire* (contr. DISCRET).

OSTIE, port de la Rome antique (auj. comblé), près de l'embouchure du Tibre. Il jouait un rôle essentiel dans l'approvisionnement de Rome et les fouilles ont révélé une ville importante dont il reste de nombreux vestiges (IVe s. av. J.-C.-IVe s. apr. J.-C.). Grande station balnéaire de *Lido di Ostia* (ou *Lido di Roma*).

OSTRACISME [ɔstrasism] n. m. (du gr. *ostrakon*, coquille sur laquelle, à Athènes, on inscrivait le nom de celui qu'on voulait bannir). **1.** À Athènes, bannissement de dix ans voté à l'encontre d'un citoyen dont l'ambition semblait dangereuse à la démocratie. — **2.** Action d'exclure, d'écarter quelqu'un d'un groupe, d'un parti politique ou d'une société : *Être frappé d'ostracisme.*

OSTRAVA, anciann. **Moravská-Ostrava,** v. de Tchécoslovaquie (Silésie); 317 000 hab. Grand centre houiller et métallurgique.

OSTRÉICULTURE [ɔstreikyltyr] n. f. (du lat. *ostreum*, huître, et *culture*). Élevage des huîtres, en vue de leur vente. ◆ **ostréicole** adj. Qui se rapporte à l'ostréiculture. ◆ **ostréiculteur** n. m.

OSTROGOTH, E [ɔstrogo, -ɔt] adj. et n. (de *Ostrogoths*). *Fam.* Se dit d'une personne grossière, bourrue (syn. BARBARE, SAUVAGE).

OSTROGOTHS, anc. peuple germanique, constituant une des deux fractions des Goths*. Venus des abords de la mer d'Azov, ils sont chassés vers le Dniestr par les Huns (370). Ils parcourent ensuite les Balkans.

- *488. L'empereur Zénon les envoie en Italie sous le commandement de leur roi Théodoric pour reprendre le pays à Odoacre.*
- *493. La domination des Ostrogoths en Italie est établie sous la suzeraineté théorique de Constantinople.*

Contrairement aux autres Barbares, Théodoric conserve ce qu'il peut des institutions romaines et s'entoure de Romains, réservant aux Goths les fonctions militaires et les décisions de justice intéressant leur nation. Mais l'arianisme*, auquel les Goths sont attachés de longue date, leur vaut l'hostilité des populations italiennes et rend difficiles les rapports avec Constantinople.

- *535. L'empereur Justinien fait attaquer le royaume.*
- *552. Les Ostrogoths sont écrasés à Tadinze et dispersés.*

OSTROVSKI (Aleksandr Nikolaïevitch), auteur dramatique russe (1823-1886). Auteur de plus de cinquante pièces, il est le fondateur du répertoire national. Il se fit en particulier le critique de la bourgeoisie commerçante (*Entre amis on s'arrangera*, 1850) et peignit dans *l'Orage* (1860) la déplorable condition de la femme russe.

OSTWALD (Wilhelm), chimiste allemand (1853-1932). Auteur de travaux sur les électrolytes et la catalyse, il mit au point en 1907 la préparation industrielle de l'acide nitrique. Il fut l'un des créateurs de la théorie énergétique. (Prix Nobel de chimie, 1909.)

OTAGE [ɔtaʒ] n. m. (de *hôte*). Personne qu'on détient prisonnière comme une sorte de gage contre un adversaire.

Otage *(l')*, drame en 3 actes de Paul Claudel (1911). Cette pièce forme une trilogie avec *le Pain dur* (1918) et *le Père humilié* (1920).

OTAKAR Ier PŘEMYSL, mort en 1230, duc puis roi de Bohême (1198-1230); il fit de son royaume un État autonome et l'augmenta de la Moravie (1222). — OTAKAR II PŘEMYSL (1230-1278), élu duc d'Autriche en 1251. Il hérita de la Bohême et de la Moravie en 1253; la couronne impériale lui échappa en 1273 au profit de Rodolphe de Habsbourg.

O. T. A. N., sigle de l'*Organisation* du traité de l'Atlantique nord.*

OTARIE [ɔtari] n. f. (gr. *ôtarion*, petite oreille). Mammifère marin voisin du phoque, mais moins différent des formes terrestres, puisqu'il a conservé des oreilles externes et que ses membres sont plus nettement dégagés du corps. (Famille des pinnipèdes.)

O. T. A. S. E., sigle de l'*Organisation* du traité de l'Asie du Sud-Est*.

ÔTER [ote] v. t. (lat. *obstare*, faire obstacle). **1.** *Ôter une chose*, l'enlever de l'endroit où elle se trouve : *Ôter un objet de la table* (syn. SUPPRIMER). *Ôtez votre manteau* (syn. ENLEVER, RETIRER; contr. GARDER, METTRE). — **2.** *Ôter qqch. à qq'un*, l'en déposséder, l'en débarrasser : *Je voudrais vous ôter cette idée de la tête* (syn. ENLEVER, RETIRER). — **3.** *Ôter une chose d'une autre, à une autre*, la retrancher de cette autre chose : *Ôter deux de quatre* (syn. RETRANCHER, SOUSTRAIRE). ◆ **s'ôter** v. pr. Fam. *Ôte-toi de là*, retire-toi de cet endroit, va-t'en.

OTHE *(pays ou forêt d')*, massif boisé du Bassin parisien, au S.-O. de Troyes.

Othello ou le Maure de Venise, drame en 5 actes, de Shakespeare (1604).

OTHON (Marcus Salvius), empereur romain en 69 apr. J.-C. Il fit assassiner Galba auquel il succéda et se suicida à l'annonce de la défaite de ses partisans devant ceux de Vitellius.

OTITE [ɔtit] n. f. (du gr. *oûs, ôtos*, oreille). *Méd.* Inflammation de l'oreille.

OTO-RHINO-LARYNGOLOGISTE [ɔtorinolarɛ̃gɔlɔ́ʒist] n. (du gr. *oûs, ôtos*, oreille, *rhinos*, nez, *laruggos*, gosier, et *logos*, science). Médecin spécialiste des maladies des oreilles, du nez et de la gorge. (Abrév. OTO-RHINO et O. R. L.)

OTRANTE, v. d'Italie méridionale, dans la terre de ce nom, sur le *canal d'Otrante* (détroit entre les Balkans et l'Italie).

OTRANTE *(duc d')* → FOUCHÉ (Joseph).

OTTAWA ou **OUTAOUAIS,** rivière du Canada, affl. du Saint-Laurent (r. g.); 1 120 km.

OTTAWA, capit. fédérale du Canada, sur la *rivière Ottawa;* 304 500 hab. (agglomération près de 800 000 hab.). Siège du Parlement et résidence du gouverneur général. Ville administrative avec quelques industries (papeteries, chimie, etc.).

OTTMARSHEIM, comm. du Haut-Rhin, à 13 km au N.-E. de Mulhouse; 2 000 hab. Installation hydro-électrique sur le grand canal d'Alsace. Industries chimiques.

OTTOMAN [ɔtɔmɑ̃] n. m. (de *Ottoman*). Étoffe de soie à trame de coton et à grosses côtes.

OTTOMAN *(Empire)*, empire fondé par la tribu turque des Kayt, dont un des premiers chefs fut Osman Ier (mort en 1326). Présents sur le plateau anatolien depuis le XIe s., les Turcs sont à la fin du XIIIe s. divisés en principautés indépendantes. Celle des Ottomans va imposer en un siècle son autorité en Anatolie et dans les Balkans.

- *1346. Orhan (1324-1359), allié de Byzance contre les Serbes, débarque pour la première fois en Europe.*

Ses successeurs défont deux coalitions chrétiennes et s'emparent de la Thrace, de la Bulgarie et de la Macédoine, distribuant les territoires conquis en fief à leurs fidèles.

- *1402. La défaite du sultan Bāyazīd Ier à Ankara contre Tīmūr* donne un coup d'arrêt à l'expansion en Asie.*

Mais l'unité de l'Anatolie est reconstituée en 1413 et Murat II (1421-1451) assiège sans succès Constantinople, occupe la Serbie et le Péloponnèse et bat en 1448 les Hongrois de Jean Hunyadi à Kosovo.

- *5 avril-29 mai 1453. Mehmet II (1451-1481) s'empare de Constantinople qui devient sa capitale.*

Ses successeurs se tournent vers le monde arabe et conquièrent la Syrie et l'Égypte. Sélim Ier s'arroge même le titre de calife et commandeur des croyants.

- *1520-1566. Sous Süleyman Ier (Soliman le Magnifique) l'Empire connaît son apogée militaire et culturelle.*

Süleyman, allié de François Ier, s'empare de Bagdad (1524), de l'est de la Hongrie (prise de Buda, 1526) et de l'Afrique du Nord à l'exception du Maroc. L'organisation administrative des pays conquis est libérale, laissant aux peuples leur langue et leur religion, les Ottomans assurant la défense et prélevant les impôts.

- *15 mai 1571. La défaite de Lépante contre une coalition de princes chrétiens sanctionne une décadence commencée à la mort de Süleyman.*

Cette décadence s'explique par l'immensité de l'Empire, la médiocrité des sultans, les intrigues de cour où se distinguent les janissaires* et l'emprise économique croissante des puissances européennes.

- *XVIIIe s. L'Empire en pleine décomposition perd des territoires au profit de l'Autriche et la Russie dont les ambitions balkaniques ajoutées à celles de l'Angleterre ouvrent la « question d'Orient ».*

L'intervention des grandes puissances entraîne au XIXe s. l'émancipation de la Grèce (1829), de la Roumanie après la guerre de Crimée (1856), puis de la Serbie et de la Bulgarie (traité de Berlin, 1878). Les dernières positions en Europe sont perdues après la guerre balkanique (1912-1913), malgré le sursaut national du mouvement « jeune-turc ».

Les ambitions austro-russes ouvrent la Première Guerre mondiale qui va réduire l'Empire ottoman, allié de l'Allemagne, à ses territoires anatoliens (à l'exception d'Istanbul), réglant par là la question d'Orient (traité de Lausanne, 1923). Quant au sultanat, la défaite lui est fatale, et en novembre 1922 Mustapha Kemal fonde la République turque. (→ TURQUIE.)

OTTON Ier le Grand (912-973), roi de Germanie (936-973), roi d'Italie (951-973), premier empereur du Saint Empire romain germanique (962-973). Avec l'appui de l'Église, il soumit les uns après les autres les grands duchés nationaux. Il fit ensuite face à une invasion des Hongrois, qu'il battit à Lechfeld (955), et des Slaves, qu'il repoussa également (955). Il apparut dès lors comme le champion de la chrétienté et reçut la couronne impériale à Rome. Il tendit à mettre la papauté en tutelle et à soumettre l'Italie à la Germanie, mais se heurta aux Grecs en Italie du Sud.

OTTON II (955-983), roi de Germanie (961-973), empereur germanique (973-983). Il repoussa les invasions danoise et sarde, mais se fit battre par les Sarrasins en Calabre.

OTTON III (980-1002), empereur germanique (996-1002). Il transféra à Rome le siège de son gouvernement, mais dut fuir devant une révolte populaire.

OTTON IV DE BRUNSWICK (1180-1218), roi des Romains (1198), empereur germanique (1209-1218); il fut couronné à Rome, mais excommunié pour avoir envahi la Sicile (1210). Une guerre civile opposa alors ses partisans à ceux de Frédéric II soutenus par Philippe Auguste. Allié aux Anglais, Otton IV fut battu à Bouvines (1214) et Frédéric II proclamé roi des Romains à sa place (1216).

OTTON Ier (1815-1867), roi de Grèce (1832-1862), fils de Louis Ier de Bavière. En 1844, il fut contraint d'accorder une constitution et en 1862 d'abdiquer.

OTTON Ier (1848-1916), roi de Bavière (1886-1913). Atteint d'aliénation mentale, il ne régna que nominalement.

OU [u] conj. de coordination (lat. *aut*). → ET.

OÙ [u] adv. (lat. *ubi*). **1.** Utilisé dans les propositions interrogatives et relatives pour indiquer le lieu (avec ou sans adjonction d'une prép.) : *Où va-t-il? D'où vient-il? Par où passera-t-il? Le document n'est plus dans le dossier où il avait été mis* (= dans lequel). — **2.** Employé dans des propositions relatives et des loc. conj. pour indiquer la date, le temps : *À l'époque où j'étais au lycée. Au moment où il viendra* (= quand). — LOC. ADV. *D'où*, introduit un terme exprimant la conséquence : *Il ne s'y attendait pas, d'où sa surprise.* (→ aussi QUI.) ‖ *Là où* → LÀ.

O. U. A., sigle de l'*Organisation* de l'Unité africaine.*

OUADDAÏ ou **OUADAÏ,** région du Tchad, à l'E. du lac Tchad.

OUAGADOUGOU, capit. du Burkina, dans le centre du pays; 250 000 hab.

OUAHHABITES → WAHHĀBITES.

OUAILLES [wɑj] n. f. pl. (du lat. *ovis*, brebis). Ensemble des paroissiens d'un prêtre ou d'un pasteur (littér.).

OUARGLA, auj. **Wargla,** v. du Sahara algérien, entre le Mzab et le Grand Erg oriental; 77 000 hab. Palmeraie.

OUARSENIS, massif calcaire de l'Algérie, au S. du Chélif; 1 985 m.

OUATE [wat] n. f. (it. *ovatta*). **1.** Coton étalé en nappe et préparé pour servir de pansement ou de doublure à des vêtements chauds ou à des objets de literie : *De l'ouate ou de la ouate hydrophile.* — **2.** *Élever un enfant dans de la ouate*, dans du coton, avec trop de mollesse. ◆ **ouater** v. t. Garnir d'ouate : *Ouater un manteau.* ◆ **ouaté, e** adj. Se dit d'un endroit où l'on se sent à l'abri des dérangements, où l'on vit confortablement, etc. : *Une atmosphère ouatée.* ◆ **ouatine** n. f. Étoffe molletonnée utilisée comme doublure. ◆ **ouatiné, e** adj. : *Un manteau ouatiné.*

OUBANGUI, riv. de l'Afrique équatoriale, affl. du Zaïre (r. dr.); 1 160 km. L'Oubangui sépare la République centrafricaine puis le Congo du Zaïre.

OUBANGUI-CHARI, anc. territoire de l'Afrique-Équatoriale française. (→ CENTRAFRICAINE [*République*].)

OUBLI [ubli] n. m. (du lat. *oblitus,* oublié). **1.** Absence ou disparition des souvenirs : *Le temps apporte l'oubli. Cet écrivain est tombé dans l'oubli* (= il n'est plus connu). — **2.** Défaillance précise de la mémoire ou de l'attention : *Un oubli involontaire* (syn. ÉTOURDERIE, NÉGLIGENCE). *Réparer un oubli* (syn. INADVERTANCE, OMISSION). — **3.** Manquement à des règles ou habitudes : *L'oubli des convenances* (syn. INOBSERVATION; contr. RESPECT). — **4.** *Oubli de soi,* renoncement à ses goûts, à ses intérêts personnels, en faveur d'une personne, d'une cause (syn. ABNÉGATION, DÉVOUEMENT). ◆ **oublier** v. t. **1.** *Oublier qqch., qq'un,* ne pas en garder mémoire : *J'ai oublié votre nom* (contr. RETENIR). *Avoir oublié une histoire, une affaire* (= ne pas se les rappeler). *Cette chanteuse est complètement oubliée aujourd'hui* (= personne ne s'en souvient). *J'ai oublié de passer chez vous* (contr. PENSER À). — **2.** *Oublier qqch., qq'un, de* (et l'infin.), l'abandonner par étourderie; ne pas y penser : *Oublier son parapluie dans le métro* (syn. LAISSER). *Oublier l'heure* (= laisser passer). *Allez, on ne vous oublie pas* (= on pense à vous). — **3.** Manquer à une règle : *Oublier ses promesses* (syn. MANQUER À). — **4.** *Oublier qqch.,* n'en être plus préoccupé : *Vous m'avez fait oublier mes malheurs* (syn. DISTRAIRE DE; contr. RUMINER, SONGER À). — **5.** *Se faire oublier,* faire en sorte de passer inaperçu, éviter de se faire remarquer. ◆ ***s'oublier*** v. pr. **1.** Être oublié : *De tout ce qu'on apprend au lycée, beaucoup de choses s'oublient vite* (contr. RESTER DANS LA MÉMOIRE). — **2.** Faire abnégation de soi, ne plus penser à ses intérêts : *Il s'est oublié dans le partage* (contr. PENSER À SOI). — **3.** (sujet nom désignant un enfant, un malade, un animal) *Fam.* Manquer aux convenances; faire ses besoins : *L'enfant s'est oublié dans sa culotte.* ◆ **oublieux, euse** adj. Qui oublie facilement. ◆ **inoubliable** adj. : *Cette rencontre m'a laissé un souvenir inoubliable.*

OUBLIETTE [ublijɛt] n. f. (de *oublier*). Cachot souterrain et obscur, où l'on enfermait autref. certains prisonniers (souvent au plur.).

OUBLIEUX, EUSE adj. ⟶ OUBLI.

OUCHE *(pays d'),* région de la Normandie, parcourue par la Risle.

OUDH ⟶ AOUDH.

OUDINOT (Nicolas Charles), duc DE REGGIO, maréchal de France (1767-1847). Il se distingua à Austerlitz, Friedland, Wagram, Bautzen. Il se rallia à Louis XVIII à la Restauration. — Son fils NICOLAS CHARLES VICTOR, général (1791-1863), commanda le corps expéditionnaire qui prit Rome en 1849 et rétablit les pouvoirs du pape.

OUDJDA ⟶ OUJDA.

OUDMOURTES ⟶ VOTIAKS.

OUDRY (Jean-Baptiste), peintre et graveur français (1686-1755). Peintre animalier, il donna de nombreux cartons de tapisserie à la manufacture de Beauvais, dont il était directeur, et aux Gobelins, où il assura la surinspection. Il a également laissé des portraits et des natures mortes *(le Canard blanc).*

OUED [wɛd] n. m. (mot ar. signif. *cours d'eau*). Dans les régions arides, cours d'eau temporaire, le plus souvent desséché, mais pouvant rouler de grandes quantités d'eau et de boue lors d'une crue violente. ‖ Pl. des *oueds.*

OUED (El-), oasis du Sahara algérien, dans le Souf; 86100 hab.

OUENZA, région montagneuse d'Algérie, près de la Tunisie. Fer.

OUESSANT, île de Bretagne, constituant un canton du Finistère correspondant à la seule comm. d'*Ouessant;* 15 km²; 1300 hab. *(Ouessantins).* Pêche. Moutons de pré salé.

OUEST [wɛst] n. m. (de l'angl. *west*). **1.** Un des quatre points cardinaux, situé du côté où le soleil se couche : *Vent d'ouest* (syn. OCCIDENT; contr. EST, LEVANT). *Regarder vers l'ouest* (syn. COUCHANT). *Neuilly est à l'ouest de Paris.* — **2.** (avec une majusc.) *L'Ouest,* l'ensemble des départements de l'ouest de la France. — **3.** (avec une majusc.) *L'Ouest,* l'ensemble des pays de l'ouest de l'Europe et de l'Amérique du Nord, par oppos. à ceux de l'est de l'Europe : *La politique de l'Ouest* (syn. OCCIDENT). ◆ adj. inv. : *La côte ouest de la Corse est plus découpée que la côte est* (syn. OCCIDENTAL).

OUF! [uf] interj. (onomat.). **1.** Exprime le soulagement après une épreuve, un travail difficile, une sensation d'oppression. — **2.** Fam. *Sans avoir le temps de dire ouf, sans faire ouf,* sans pouvoir répliquer, sans que l'on ait le temps de prononcer un mot.

OUFA, v. de l'U. R. S. S., ch.-l. de la Bachkirie*, au confluent de la Bielaïa et de l'*Oufa* (912 km); 770900 hab. Métallurgie. Raffinage du pétrole.

OUGANDA ou **UGANDA,** État de l'Afrique orientale, membre du Commonwealth; 237000 km²; 17000000 hab. (72 au km²). Capit. *Kampala* (550000 hab.).
→ cartes AFRIQUE pp. 48-49.

GÉOGRAPHIE

Pays de plateaux couverts de savane, s'abaissant au S. vers le lac Victoria, l'Ouganda jouit d'un climat équatorial d'altitude, avec des températures généralement inférieures à 25 °C.

La population pratique une agriculture vivrière (maïs, millet, riz) et l'élevage (bovins, ovins et caprins). Les plantations de coton, de café et de thé, et les ressources minières (tungstène et surtout cuivre) fournissent l'essentiel des exportations. L'industrialisation reste limitée, malgré l'aménagement du haut Nil qui a permis la production d'hydro-électricité.

bovins	4900000 têtes	coton	18000 t
caprins	2150000 têtes	café	150000 t

HISTOIRE

Royaume noir d'Afrique centrale qui s'étend au XIXe s. du lac Albert au lac Victoria, l'Ouganda doit accepter (1894) le protectorat britannique. En 1962, le pays est devenu indépendant dans le cadre du Commonwealth.

- *1966. Obote devient chef de l'État.*
- *1971-1979. Régime dictatorial d'Idi Amin Dada.*
- *1980-1985. Milton Obote, à nouveau chef de l'État.*

Plusieurs coups d'État militaires se succèdent, sous-tendus par des rivalités tribales.

OUGARIT ou **UGARIT,** anc. ville de la côte phénicienne, dont les vestiges ont été retrouvés à Ras Shamra. L'occupation de la ville, détruite en 1200 av. J.-C., remonte à l'époque néolithique. Depuis 1929, plus de vingt campagnes de fouilles y ont été menées sans épuiser le site.

OUI [wi], **SI** [si] adv. d'affirmation et n. m. inv. (de l'anc. fr. *o,* cela, et *il;* lat. *sic,* ainsi). Indiquent une réponse positive à une question (contr. NON). → tableau page ci-contre.

OUÏ-DIRE [widir] n. m. inv. (du lat. *audire,* entendre, et *dire*). *Apprendre, savoir,* etc., *qqch. par ouï-dire,* l'apprendre, le savoir par la rumeur publique.

OUÏE! ou **OUILLE!** [uj] interj. (onomat.). Sert à exprimer une douleur vive.

1. OUÏE [wi] n. f. (de *ouïr*). Sens de la perception des sons : *Les organes de l'ouïe. Avoir l'ouïe fine* (= entendre très bien). *Je suis tout ouïe* (= je vous écoute) [syn. TOUT OREILLES].

2. OUÏES [wi] n. f. pl. (de *ouïe* 1). **1.** Ouvertures que les poissons ont aux côtés de la tête et qui donnent issue à l'eau amenée dans la bouche par la respiration. — **2.** Ouvertures en forme d'S pratiquées sur la table supérieure d'un violon.

OUÏGOURS, Turcs qui dominèrent un empire en Asie centrale (VIIIe s.-IXe s.). Auj. les Ouïgours constituent la population majoritaire du Sin-K'iang.

OUILLE! interj. → OUÏE!

OUÏR [uir] v. t. (lat. *audire,* entendre). *Avoir ouï dire que,* avoir entendu dire que (avec une intention humoristique). [Les formes de *ouïr* autres que le part. passé *ouï, e* sont pratiquement inusitées.]

OUISTITI [wistiti] n. m. (onomat.). Singe arboricole de l'Amérique du Sud, de très petite taille, portant une longue queue et une touffe de poils à la pointe de chaque oreille.

OUISTREHAM, comm. du Calvados, à 14 km au N.-N.-E. de Caen; 6300 hab. Port à l'embouchure de l'Orne. Station balnéaire à *Riva-Bella.*

OUJDA ou **OUDJDA,** v. du Maroc, près de la frontière algérienne; 175500 hab.

OUKASE ou **UKAZE** [ukaz] n. m. (russe *ukaz,* décret). Décision autoritaire et impérative : *Prendre un oukase.* (On appelait *oukases* les édits des tsars.)

OULAN-BATOR autref. **Ourga,** capit. de la Mongolie, sur la Tola; 435000 hab.

OULAN-OUDE, v. de l'U. R. S. S., capit. de la république des Bouriates-Mongols; 253600 hab. Matériel ferroviaire.

OULED NAÏL, confédération de tribus nomades de l'Algérie méridionale.

OULIANOVSK, auj. **Simbirsk,** v. de l'U. R. S. S., sur la Volga; 351100 hab. Métallurgie. Patrie de Lénine.

OULLINS, ch.-l. de cant. du Rhône, dans la banlieue sud de Lyon, sur le Rhône; 27400 hab. Constructions mécaniques.

oui	si
1. Réponse positive à une question (en tête de phrase) : *« Avez-vous vu ce film? — Oui. »* En combinaison avec *et non*, indique une réponse dubitative : *« Vous êtes content en ce moment de vos affaires? — Oui et non. »*	1. Réponse positive à une question comprenant un terme négatif : *« Personne n'est venu? — Si, André. »*
2. Sert de renforcement à une affirmation : *C'est un paresseux, oui, oui, un paresseux. Tu as fini de faire du bruit, oui!*	2. Sert de réfutation à une énonciation négative : *« Il n'est pas venu aujourd'hui. — Si, mais il n'est resté que quelques instants. » « Je ne le connais pas. — Mais si, vous l'avez rencontré un jour chez moi. »*
3. Peut représenter, après un verbe d'énonciation ou d'opinion, une phrase ou un membre de phrase précédents en confirmant la réalité de l'affirmation : *« Serez-vous libre samedi? — Je pense que oui. » Il dit toujours oui, mais, finalement, il n'en fait qu'à sa tête* (= il paraît accepter). *Répondez par oui ou par non. Je crois que oui* (= je suis presque sûr).	3. Peut représenter, après un verbe d'énonciation ou d'opinion, une phrase ou un membre de phrase précédents pour affirmer le contraire : *Vous affirmez que cet éclairage n'est pas défectueux. Je vous réponds que si : on y voit très mal. Il semble bien que si. Il me répond que si.*
4. Peut être renforcé par *certes, ma foi, vraiment, mais, ah ça!, certainement, assurément, sûrement,* et dans la langue familière par *que : « Et ce livre vous a plu? — Mais oui! » « Alors vous êtes d'accord? — Ma foi oui. » « Il aime les gâteaux? — Que oui, trop même! »* Avec *merci*, peut remplacer une négation : *Lui servir de secrétaire? Ah bien oui, merci! vous ne le connaissez pas.*	4. *Si fait* est un renforcement de *si* dans la langue soutenue, *mais si* dans la langue usuelle : *« Vous n'avez pas fini de lire ce roman? — Si fait, je suis resté pour cela dimanche après-midi chez moi. »*
N. M. INV. Réponse affirmative : *Les oui au référendum* (contr. NON). *Se fâcher pour un oui ou pour un non* (= pour un motif futile).	N. M. INV. Approbation : *Des si et des mais.*

OULU, en suéd. **Uleåborg,** port de Finlande, sur le golfe de Botnie; 85 500 hab. Industries du bois.

OUM ER-REBIA ou **OUM ER-R'BIA,** fl. du Maroc central, coupé de barrages (Im-Fout), tributaire de l'Atlantique; 556 km.

OUNCE [awns] n. f. (mot angl.). Unité de mesure de masse anglo-saxonne, valant 28,35 g.

OUOLOFS ou **WOLOFS,** peuple de race noire, établi principalement au Sénégal. Leur langue s'est répandue dans le pays.

OUR → UR.

OURAGAN [uragɑ̃] n. m. (esp. *huracan*, tornade). **1.** Temps caractérisé par un vent très violent, accompagné ou non de pluie et d'orage (syn. TEMPÊTE). — **2.** Ce qui a l'impétuosité de l'ouragan : *Déchaîner un ouragan de protestations* (syn. TEMPÊTE). *Arriver comme un ouragan* (= très brusquement).

OURAL, fl. de l'U. R. S. S., né dans les *monts Oural* et qui arrose Orsk, Orenbourg et Ouralsk avant de rejoindre la Caspienne; 2 428 km.

OURAL ou **MONTS OURAL,** chaîne de montagnes de l'U. R. S. S., entre l'Europe et l'Asie. S'étirant du N. au S. sur plus de 2 000 km et culminant à 1 894 m, l'Oural a une grande importance économique en raison de la richesse de son sous-sol. Ses gisements de fer, de cuivre, de bauxite, etc., ainsi que le pétrole de son avant-pays (Second-Bakou) ont permis le développement d'une puissante industrie (sidérurgie, métallurgie, chimie) répartie dans les grands foyers urbains qui le jalonnent : Sverdlovsk, Perm', Tcheliabinsk, Oufa, Magnitogorsk.

OURALSK, v. de l'U. R. S. S., sur l'Oural; 134 000 hab. Métallurgie.

OURCQ, riv. de France, née dans le dép. de l'Aisne, qui se jette dans la Marne (r. dr.) et communique avec la Seine par le *canal de l'Ourcq* (108 km); 80 km.

• *Sept. 1914. Maunoury remporte la « bataille de l'Ourcq » sur les Allemands.*

OURDIR [urdir] v. t. (lat. *ordiri*). Disposer, combiner les éléments d'une intrigue (littér.) : *Ourdir une conspiration* (syn. MACHINER, TRAMER).

OURLET [urlɛ] n. m. (du lat. *ora*, bord). Repli cousu au bord d'une étoffe : *Faire un ourlet à un vêtement trop long.* ‖ *Faux ourlet*, ourlet formé avec un morceau de tissu rajouté. ◆ **ourler** v. t. **1.** Faire un repli cousu au bord d'une étoffe : *Ourler un mouchoir.* — **2.** *Oreille bien ourlée*, au repli régulier.

OURO PRÊTO, v. du Brésil (Minas Gerais); 8 800 hab. Ville d'art (églises du XVIIIe s.). Centre de la production d'or aux XVIIIe et XIXe s.

OUROUK, v. antique de Mésopotamie, sur l'Euphrate (r. g.). Ce fut un centre important de la civilisation sumérienne.

OUROUMTSI ou **TI-HOUA,** v. de Chine, capit du Sin-kiang; 947 000 hab. Métallurgie.

OUROUNDI → RUANDA-URUNDI et BURUNDI.

OURS [urs] n. m. (lat. *ursus*). **1.** Mammifère carnassier, plantigrade, au corps lourd et massif : *Ours brun, ours blanc.* — **2.** Fam. *Tourner comme un ours en cage*, aller et venir sans raison. ‖ Fam. *Ours mal léché*, personne mal élevée, bourrue. ‖ Fam. *Vivre en ours*, en sauvage. ◆ **ourse** n. f. Femelle de l'ours. ◆ **ourson** n. m. Petit de l'ours.

OURS *(grand lac de l')*, lac du Canada septentrional (Territoires du Nord-Ouest), drainé par la *rivière de l'Ours* (affl. du Mackenzie); 31 100 km^2. À proximité, gisements de radium et d'uranium (Port Radium).

OURSE n. f. → OURS.

OURSE. *Petite Ourse, Grande Ourse*, constellations de l'hémisphère boréal.

OURSIN [ursɛ̃] n. m. (de *ours*). Animal marin à carapace calcaire couverte de piquants articulés, et qui se distingue des autres échinodermes par l'absence de bras. (On distingue : les *oursins réguliers* dont la bouche et l'anus sont situés aux deux pôles, supérieur et inférieur, du corps; les *oursins irréguliers* dont la bouche et l'anus n'occupent plus les pôles du corps.)

OURSON n. m. → OURS.

OURTHE, riv. de Belgique, qui se jette dans la Meuse (r. dr.) à Liège; 165 km.

OUSE, fl. d'Angleterre, qui rejoint la mer du Nord dans le Wash; 269 km. — Riv. d'Angleterre qui s'unit au Trent pour former la Humber; 102 km.

OUSSOURIISK, de 1935 à 1959 **Vorochilov,** v. de l'U. R. S. S., au N. de Vladivostok; 128 200 hab. Industries alimentaires.

OUST! ou **OUSTE!** [ust] interj. (onomat.). *Fam.* Exprime un mouvement brusque, qui vise souvent à l'expulsion, ou incite à presser le mouvement.

Oustachis, membres de l'*Oustacha*, société secrète nationaliste croate fondée en 1930. Ayant obtenu de Hitler l'indépendance de la Croatie (1941), les oustachis aidèrent les Allemands et les Italiens à lutter contre les patriotes et commirent de très nombreux crimes.

OUSTE! interj. ⟶ OUST!

OUST-OURT, plateau désertique de l'Asie soviétique (Kazakhstan), situé entre les mers Caspienne et d'Aral.

OUT [aut] adv. (mot angl. signif. *dehors*). Mot employé au tennis pour indiquer que la balle est tombée hors des limites du court.

OUTAMARO ⟶ UTAMARO.

OUTAOUAIS ⟶ OTTAWA.

OUTARDE [utard] n. f. (du lat. *avis tarda*, oiseau lent). Oiseau échassier qui court rapidement dans les terrains découverts et arides, mais dont le vol est lourd. (Il est recherché pour sa chair savoureuse.)

OUTIL [uti] n. m. (du lat. *ustensilia*, ustensiles). **1.** Instrument fabriqué par l'homme pour faire un travail manuel. — **2.** Tout instrument de travail : *Ce livre est un outil de travail précieux.* ◆ **outillage** n. m. Ensemble des outils, des machines nécessaires à l'exercice d'une activité ou d'une profession manuelle : *L'outillage du parfait bricoleur.* ◆ **outillé, e** adj. Muni des outils, des instruments nécessaires à un travail : *Atelier bien outillé* (syn. ÉQUIPÉ, MONTÉ).

OUTRAGE [utraʒ] n. m. (de *outre*). Affront ou offense grave, manquement à une règle morale : *Outrage à magistrat* (syn. AFFRONT). *Outrage au bon sens* (syn. INJURE). *Être condamné pour outrage aux bonnes mœurs* (= pour avoir porté atteinte à la moralité publique par écrits, dessins, photographies ou paroles). *Les outrages du temps* (= les infirmités de l'âge). ‖ *Faire subir les derniers outrages à une femme*, lui faire violence. ◆ **outrager** v. t. Offenser gravement : *Outrager un supérieur* (syn. INSULTER). *Prendre un air outragé* (syn. OFFENSÉ). ◆ **outrageant, e** adj. Insultant : *Tenir des propos outrageants.* ◆ **outrageux, euse** adj. **1.** Qui a le caractère d'un outrage : *Un soupçon outrageux* (syn. INSULTANT). — **2.** Excessif : *Se vanter d'une manière outrageuse.* ◆ **outrageusement** adv. De façon excessive : *Femme outrageusement fardée.*

OUTRANCE n. f., **OUTRANCIER, ÈRE** adj. ⟶ OUTRER.

1. OUTRE [utr] n. f. (lat. *uter*). Peau de bouc cousue en forme de sac, pour conserver et transporter des liquides : *Une outre de vin.*

2. OUTRE [utr] prép. (lat. *ultra*). Entre dans la composition de certains mots avec le sens de « au-delà de » : *Outre-monts* (= au-delà des monts). ◆ **outre-Atlantique** loc. adv. Au-delà de l'Atlantique, par rapport à l'Europe. ◆ **outre-Manche** loc. adv. Au-delà de la Manche, par rapport à la France. ◆ **outre-mer** loc. adv. Au-delà des mers, par rapport à un pays, à une métropole : *Les départements* et territoires* d'outre-mer.* ◆ **outre-tombe** loc. adv. Au-delà de la mort.

3. OUTRE [utr] prép. (de *outre* 2). En plus de, en sus de (langue soignée) : *Outre son travail régulier, il fait des heures supplémentaires* (syn. EN PLUS DE). ◆ adv. *Passer outre*, ne pas s'arrêter, ne pas s'attarder sur un point : *Je lui fais des observations, mais il passe outre* (= il n'en tient aucun compte). — LOC. ADV. *Outre mesure*, au-delà de ce qui convient : *Boire outre mesure* (syn. TROP). ‖ *En outre*, de plus.

OUTREAU, ch.-l. de c. du Pas-de-Calais, dans la banlieue sud de Boulogne-sur-Mer; 14 700 hab. Métallurgie.

OUTRECUIDANCE [utrəkɥidɑ̃s] n. f. (de *outre* 2, et l'anc. fr. *cuidier*, penser). Confiance excessive en soi-même (langue soignée) : *Parler avec outrecuidance* (syn. FATUITÉ, ORGUEIL). ◆ **outrecuidant, e** adj. Qui manifeste une confiance excessive en soi-même : *Une personne outrecuidante* (= infatuée d'elle-même) [syn. ↓PRÉSOMPTUEUX].

OUTRE-MANCHE loc. adv. ⟶ OUTRE 2.

1. OUTRE-MER loc. adv. ⟶ OUTRE 2.

2. OUTREMER [utrəmɛr] n. m. (de *outre* 2, et *mer*). **1.** Pierre fine d'un beau bleu d'azur (syn. LAPIS-LAZULI). — **2.** Couleur extraite de cette pierre.

OUTREPASSER [utrəpase] v. t. (de *outre* 2, et *passer*). *Outrepasser ses droits*, aller au-delà de ce qui est prescrit, de ce qui est légal.

OUTRER [utre] v. t. (de *outre* 2). **1.** *Outrer qqch.*, lui donner une importance, une grandeur, une force exagérée : *Outrer la vérité* (syn. FORCER). *Tenir des propos outrés* (= excessifs). — **2.** *Outrer qq'un*, provoquer chez lui une vive indignation : *Vos propos m'ont outrée* (syn. INDIGNER). ◆ **outrance** n. f. **1.** Excès dans les paroles ou le comportement : *Un jugement qui perd toute valeur par son outrance.* — **2.** Chose excessive, exagérée : *Une outrance verbale.* — LOC. ADV. *À outrance*, jusqu'à l'excès, exagérément, à fond. ◆ **outrancier, ère** adj. : *Caractère outrancier* (= qui exagère). *Propos outranciers* (syn. EXCESSIF).

OUTRE-TOMBE loc. adv. ⟶ OUTRE 2.

OUTSIDER [outsajdœr] n. m. (mot angl. signif. *celui qui est en dehors*). Concurrent d'une épreuve, sportive ou autre, qui peut gagner, mais n'est pas parmi les favoris.

OUVÉA *(île)* ⟶ UVÉA.

OUVERT, E adj., **OUVERTEMENT** adv., **OUVERTURE** n. f. ⟶ OUVRIR.

OUVRABLE [uvrabl] adj. (de *ouvrer*, travailler). *Jour ouvrable*, jour où l'on travaille (par oppos. au dimanche et aux jours fériés).

OUVRAGE [uvraʒ] n. m. (de *œuvre*). **1.** Travail, besogne : *Avoir de l'ouvrage* (syn. fam. DU PAIN SUR LA PLANCHE). *Mettre la main à l'ouvrage* (= à la pâte [fam.]). *Avoir le cœur à l'ouvrage* (= être en bonne forme pour travailler). — **2.** Objet travaillé : *Ouvrage de dames* (= travail de couture, de tapisserie, tricot, etc.). ‖ *Sac, boîte à ouvrage*, sac, boîte dans lesquels les femmes mettent leur ouvrage. — **3.** Fortification : *Les ouvrages de la ligne Maginot.* — **4.** Production, travail de l'esprit : *Publier un ouvrage sur la politique contemporaine* (syn. LIVRE, TRAITÉ). ◆ n. f. Fam. *De la belle ouvrage*, se dit d'une chose réussie (style plaisant). ◆ **ouvragé, e** adj. Travaillé avec minutie : *Un lambris ouvragé* (syn. SCULPTÉ; contr. GROSSIER). *Un napperon ouvragé* (syn. BRODÉ).

OUVRANT, E adj. ⟶ OUVRIR.

OUVRÉ, E [uvre] adj. (du lat. *operari*, travailler). Travaillé, façonné avec soin : *Bague ouvrée.*

OUVRE-BOÎTES n. m. inv., **OUVREUR, EUSE** n. ⟶ OUVRIR.

OUVREUSE [uvrøz] n. f. (de *ouvrir*). Femme chargée de placer les spectateurs dans un cinéma, un théâtre.

OUVRIER, ÈRE [uvrije, -ɛr] n. (lat. *operarius*). Personne qui, moyennant un salaire, se livre à un travail manuel pour le compte d'un employeur. ‖ *Ouvrier qualifié* ou *professionnel* (P), ouvrier qui possède un métier acquis par une longue pratique ou par un apprentissage sanctionné par un certificat d'aptitude professionnelle. ‖ *Ouvrier spécialisé* (O. S.), ouvrier qui exécute des tâches demandant une certaine adaptation, mais qui n'a pas de qualification précise. ◆ adj. : *La classe ouvrière, le monde ouvrier* (= les ouvriers). ◆ **ouvriérisme** n. m. Tendance de ceux qui considèrent les ouvriers comme seuls qualifiés pour diriger un mouvement populaire. ◆ **ouvriériste** adj. : *Une politique ouvriériste.*

1. OUVRIÈRE adj. et n. f. ⟶ OUVRIER.

2. OUVRIÈRE [uvrijɛr] n. f. (de *ouvrier*). Chez les insectes sociaux (abeilles, fourmis, termites), individu stérile assurant la nutrition, la construction du nid, les soins aux larves, la défense de la société.

OUVRIÉRISME n. m., **OUVRIÉRISTE** adj. ⟶ OUVRIER.

OUVRIR [uvrir] v. t. (du lat. *aperire*). [Conj. **16**.] (Le contr., dans presque tous les emplois, est FERMER.) **1.** Ôter l'obstacle qui sépare l'intérieur de l'extérieur : *Ouvrir une bouteille* (= en retirer le bouchon). *Ouvrir une armoire* (= écarter les portes). *Il se hâta d'ouvrir la lettre* (syn. DÉCACHETER). — **2.** Provoquer une déchirure, une plaie en coupant : *Le chirurgien a ouvert l'abcès* (syn. INCISER). — **3.** Écarter des parties appliquées l'une sur l'autre ou sur autre chose : *Ouvrez votre livre à la page 100. L'oiseau ouvre ses ailes pour s'envoler* (syn. DÉPLOYER). *Ouvrir la bouche pour crier.* — **4.** *Ouvrir une porte, une fenêtre, une barrière*, etc., les disposer de telle sorte qu'elles permettent le passage, la vue : *Ouvrir les volets. L'automobiliste ouvrit sa portière et descendit;* et absolum. : *Frappez, on vous ouvrira.* — **5.** *Ouvrir une brèche, un passage*, etc., les pratiquer, les établir : *On a ouvert une large avenue dans ce quartier* (syn. PERCER). — **6.** *Ouvrir un magasin, un établissement*, etc., les créer. — **7.** *Ouvrir la lumière, la radio, la télévision*, etc., faire fonctionner l'éclairage, la radio, etc. — **8.** *Ouvrir un crédit, un compte à qq'un*, commencer à lui faire crédit. ‖ *Ouvrir le feu*, commencer à tirer. — **9.** *Ouvrir qqch.*, (nom abstrait), le commencer, l'inaugurer : *Ouvrir le bal par une valse. Ouvrir la chasse* (= chasser le premier jour où cela est permis). — **10.** *Ouvrir l'esprit à qq'un*, le rendre plus capable de comprendre : *Ce détail m'a soudain ouvert l'esprit* (= m'a éclairé). ‖ *Ouvrir des horizons à qq'un*, lui faire découvrir des choses insoupçonnées. ◆ v. i. **1.** *Porte, fenêtre qui ouvre sur*, qui donne accès à, qui regarde vers (syn. DONNER). — **2.** *Magasin, commerçant qui ouvre à telle heure*, qui reçoit les clients à partir de telle heure. — **3.** *Ouvrir à cœur, à trèfle*, etc., au jeu de cartes, commencer à enchérir ou à jouer dans cette couleur. ◆ **s'ouvrir** v. pr. **1.** (sujet nom désignant une fleur) S'épanouir. — **2.** *La séance, le procès*, etc., *s'ouvre*, ils commencent. — **3.** (sujet nom de personne) *S'ouvrir à qq'un d'un projet, d'une intention*, lui en faire part. — **4.** *Personne, esprit qui s'ouvre aux arts, aux problèmes économiques*, etc., qui s'y intéresse, qui les découvre. ◆ **ouvrant, e** adj.

Se dit de ce qui peut être ouvert : *Une voiture à toit ouvrant.* ◆ **ouvert, e** adj. **1.** Se dit de ce qui n'est pas fermé : *Porte ouverte. Ville ouverte* (contr. FORTIFIÉ). *Une mine à ciel ouvert* (= à découvert). *Lettre ouverte* (= article conçu sous forme de lettre et publié dans la presse). — **2.** Se dit d'un lieu accessible à quelqu'un : *Un bureau ouvert au public* (contr. FERMÉ). — **3.** Se dit d'un groupe humain ou de quelqu'un qui est accueillant, accessible : *Un milieu très ouvert. Accueillir un ami à bras ouverts* (= cordialement). *Caractère très ouvert* (= franc, qui aime se livrer). *Une physionomie ouverte* (syn. AVENANT, FRANC). ◆ **ouvertement** adv. Sans déguisement, sans cacher ses intentions : *Il a déclaré ouvertement qu'il ne craignait personne* (syn. PUBLIQUEMENT). ◆ **ouverture** n. f. **1.** Action d'ouvrir : *Des clients faisaient la queue dehors une demi-heure avant l'ouverture du magasin. L'ouverture de deux nouvelles routes à la circulation. L'ouverture de la chasse a lieu en septembre. Les formalités nécessaires à l'ouverture d'un compte en banque.* — **2.** Espace vide permettant une communication entre deux lieux, entre l'intérieur et l'extérieur : *Il y a plusieurs ouvertures dans le mur* (syn. BRÈCHE, TROU). *Les ouvertures d'une maison* (= les portes et les fenêtres). — **3.** *Mus.* Morceau de musique instrumentale qui précède un opéra, un oratorio, etc., et qui est destiné à mettre dans l'atmosphère de l'œuvre qui va suivre. — **4.** *Sports.* En rugby, action d'adresser le ballon aux joueurs des lignes d'arrière, par l'intermédiaire du *demi d'ouverture* ou directement. — **5.** *Ouverture d'un angle,* grandeur de cet angle. ‖ *Ouverture de compas,* écartement des pointes de ses deux branches. ‖ *Ouverture relative d'un objectif photographique,* rapport du diamètre du diaphragme à la distance focale. — **6.** Offre, proposition qu'un parti fait à un parti politiquement voisin, en vue de s'allier avec lui. — **7.** *Ouverture d'esprit,* aptitude à comprendre des questions diverses, à s'y intéresser. ◆ **ouvre-boîtes** [uvrəbwat] n. m. inv. Instrument pour ouvrir les boîtes de conserve. ◆ **ouvreur, euse** n. Dans certains jeux de cartes, personne qui commence les enchères. ◆ **entrouvrir** v. t. *Entrouvrir qqch.,* l'ouvrir partiellement, en écartant, en séparant ses parties : *Entrouvrir une porte* (syn. ENTREBÂILLER). ◆ **rouvrir** v. t. Ouvrir de nouveau : *Rouvrir une porte, un livre, une école.* ‖ *Rouvrir une blessure, une plaie,* ranimer une douleur. ◆ **réouverture** n. f. : *La réouverture d'un magasin.*

OUVROIR [uvrwar] n. m. (de *ouvrer,* travailler). Endroit où se réunissent les dames d'une paroisse, ou les religieuses d'un couvent, pour faire des travaux d'aiguille bénévoles.

OUZBÉKISTAN, république fédérée de l'U. R. S. S., située en Asie centrale, entre le Turkménistan et le Kazakhstan: 447 000 km^2; 16 500 000 hab. (37 au km^2) [*Ouzbeks*]. Capit. *Tachkent* (1 858 000 hab.). V. pr. *Samarkand, Boukhara.* Coton cultivé grâce à l'irrigation. Industrie liée à l'agriculture (machines agricoles, transformations des produits).

OVAIRE [ɔvɛr] n. m. (du lat. *ovum,* œuf). **1.** *Anat.* Glande génitale femelle, où se forment les ovules, et qui sécrète les hormones sexuelles femelles déterminant le cycle œstral. — **2.** *Bot.* Partie renflée du pistil des angiospermes, formée d'un ou de plusieurs carpelles soudés, et creusée d'une ou de plusieurs cavités contenant les ovules. (Après la fécondation, l'ovaire fournit le fruit.) ◆ **ovarien, enne** adj. Relatif à l'ovaire.

OVALBUMINE [ɔvalbymin] n. f. (du lat. *ovum,* œuf, et *albumine*). Protéine du blanc de l'œuf de poule.

OVALE [ɔval] adj. (du lat. *ovum,* œuf). Se dit d'une courbe fermée et allongée rappelant la forme d'un œuf en plan ou en volume : *Une table ovale. Un ballon ovale.* ◆ n. m. Courbe plane imitant l'ellipse : *Dessiner un ovale.*

OVARIEN, ENNE adj. ⟶ OVAIRE.

OVATION [ɔvasjɔ̃] n. f. (lat. *ovatio*). Honneurs rendus à quelqu'un par une assemblée ou par une foule : *On lui a fait une véritable ovation à son entrée.* ◆ **ovationner** v. t. : *L'orateur a été ovationné* (contr. HUER).

OVE [ɔv] n. m. (lat. *ovum,* œuf). Ornement architectural en forme d'œuf, servant à décorer les moulures et quelquefois les chapiteaux.

OVERIJSEL, ancienn. **Overijssel,** province de la partie orientale des Pays-Bas; 966 800 hab. Ch.-l. *Zwolle.* De 1810 à 1814, elle forma le dép. français des *Bouches-de-l'Yssel.*

OVIDE, poète latin (43 av. J.-C.-17/18 apr. J.-C.). Il écrivit des œuvres légères *(les Amours, les Héroïdes, l'Art d'aimer)* et un vaste poème mythologique *(les Métamorphoses*).*

OVIDUCTE [ɔvidykt] n. m. (du lat. *ovum,* œuf, et *ductus,* conduit). Chez les oiseaux, conduit reliant l'ovaire au cloaque, et le long duquel l'œuf est poussé vers l'extérieur.

OVIEDO, v. d'Espagne, capit. de l'anc. royaume des Asturies; 154 100 hab. Remarquables monuments de l'époque asturienne (IXe s.). Centre métallurgique.

OVIN, E [ɔvɛ̃, -in] adj. et n. m. (du lat. *ovis,* brebis). Qui concerne les moutons et les brebis : *Les races bovines et les races ovines.*

— ENCYCL. Les *ovins* se répartissent ainsi dans le monde :

Monde	1 100 millions de têtes
U. R. S. S.	145 millions de têtes
Australie	140 millions de têtes
Chine	100 millions de têtes
Nouvelle-Zélande	70 millions de têtes
France	12 millions de têtes

OVINÉS [ɔvine] n. m. pl. (de *ovin*). Sous-famille des bovidés, comprenant les *moutons,* les *mouflons,* les *chèvres,* les *bouquetins.*

OVIPARE [ɔvipar] adj. et n. m. (du lat. *ovum,* œuf, et *parere,* engendrer). Se dit d'un animal qui se reproduit par des œufs pondus avant l'éclosion : *Les poules sont ovipares* (contr. VIVIPARE). ◆ **oviparité** n. f.

OVNI [ɔvni] n. m. (sigle de *Objet Volant Non Identifié*). Mystérieux engin volant que certaines personnes prétendent avoir vu dans l'atmosphère.

OVOCYTE [ɔvɔsit] n. m. (du lat. *ovum,* œuf, et gr. *kutos,* cellule). Cellule ovarienne dérivant de l'ovogonie et destinée à former l'ovule fécondable.

OVOGONIE [ɔvɔgɔni] n. f. (du lat. *ovum,* œuf, et gr. *gônia,* génération). Cellule souche existant dans l'ovaire avant la naissance. (A la naissance, elle se transforme en *ovocyte.*)

OVOÏDE [ɔvɔid] adj. (du lat. *ovum,* œuf, et gr. *eidos,* forme). Qui a la forme d'un œuf : *Fruit ovoïde.*

OVOVIVIPARE [ɔvɔvivipar] adj. et n. (du lat. *ovum,* œuf, et *vivipare*). Se dit d'un animal dont l'œuf fécondé éclôt lors de la mise bas : *La vipère est ovovivipare.*

OVULE [ɔvyl] n. m. (du lat. *ovum,* œuf). **1.** *Biol.* Gamète femelle à *n* chromosomes, élaboré par l'ovaire et destiné à être fécondé par un spermatozoïde. ⟶ ENCYCL. — **2.** *Bot.* Chez les phanérogames, organe fixé sur le carpelle par un placenta, composé d'un nucelle entouré d'un ou de deux téguments, et contenant le sac embryonnaire où se trouve l'oosphère ou gamète femelle. (Après la fécondation, l'ovule donne une graine.) ◆ **ovulation** n. f. (sens 1 du n.). Libération, par le follicule de l'ovaire, d'un ovule mûr (syn. PONTE OVULAIRE). ⟶ ENCYCL.

— ENCYCL. L'*ovule* humain est la plus grande cellule produite par l'espèce. Il dérive de cellules souches situées dans chaque ovaire *(ovogonies,* puis *ovocytes).* Ces cellules restent en repos dans l'ovaire de la fillette jusqu'à la puberté. C'est à ce moment (onze-douze ans) que se déclenche, pour la première fois, l'ovulation qui donne son impulsion au cycle menstruel en lui permettant de se développer normalement : l'ovaire libère un ovule mûr à une éventuelle fécondation; cet ovule est recueilli par la trompe utérine qui le conduit à l'utérus où la muqueuse le reçoit. L'ovulation a lieu environ le 15e jour après le début du cycle : elle correspond à la période de fécondité de la femme (celle-ci commence deux jours avant la ponte ovulaire et se termine deux à trois jours après).

Deux cas sont possibles alors. Si l'ovule est fécondé par un spermatozoïde, il s'implante dans la muqueuse utérine et y nidifie sous l'action de la *progestérone :* une grossesse commence. S'il n'est pas fécondé, il meurt vite (quelques jours). La muqueuse utérine dépérit également et meurt. En une quinzaine de jours encore, les débris de la muqueuse vont tomber et seront évacués lors des règles.

OWEN (Robert), réformateur et socialiste anglais (1771-1858). Il créa en Grande-Bretagne les premières coopératives de production et de consommation et s'intéressa au mouvement trade-unioniste. Sa tentative de constitution d'une confédération des métiers échoua, mais ses idées influencèrent le mouvement chartiste.

OWENS (James CLEVELAND, dit **Jesse**), champion américain d'athlétisme (1914-1980). Spécialiste des 100 m, 200 m, et du saut en longueur, il fut détenteur de ces trois records du monde, longtemps inégalés.

OXACIDE [ɔksasid] ou **OXYACIDE** [ɔksiasid] n. m. (de *oxy[gène],* et *acide*). *Chim.* Acide contenant de l'oxygène.

OXENSTIERNA (Axel), comte DE SÖDERMÖRE, homme d'État suédois (1583-1654). Il fut le conseiller du roi Gustave-Adolphe à partir de 1611 et devint tuteur de la reine Christine.

OXFORD, v. d'Angleterre, au confluent de la Tamise et du Cherwell, ch.-l. de l'*Oxfordshire;* 108 600 hab. *(Oxoniens* ou *Oxfordiens).* Ville pittoresque, célèbre par ses fonctions universitaires. Cathédrale romane et gothique.

OXFORD [ɔksfɔr] n. m. (de *Oxford*). Toile de coton rayée ou quadrillée, très solide, à grain accentué.

OXHYDRIQUE [ɔksidrik] adj. (du gr. *oxus,* oxygène, et *hudôr,* eau). Se dit d'un mélange d'hydrogène et d'oxygène dont la combustion dégage une très grande quantité de chaleur : *Le chalumeau oxhydrique peut fondre le platine.*

OXYACÉTYLÉNIQUE [ɔksiasetilenik] adj. (de *oxy[gène]*, et *acétylène*). Relatif au mélange d'oxygène et d'acétylène : *Chalumeau oxyacétylénique.*

OXYACIDE n. m. → OXACIDE.

OXYCARBONÉ, E [ɔksikarbɔne] adj. (de *oxy[de]*, et *carbone*). *Hémoglobine oxycarbonée*, hémoglobine qui a fixé, d'une manière stable, de l'oxyde de carbone.

OXYCOUPAGE [ɔksikupaʒ] n. m. (de *oxy[de]*, et *couper*). Découpage des tôles par oxydation à haute température.

OXYDE [ɔksid] n. m. (du gr. *oxus*, acide). *Chim.* Composé résultant de la combinaison d'un corps avec l'oxygène : *L'oxyde de carbone a pour formule CO.* ◆ **bioxyde** n. m. Oxyde contenant deux fois plus d'oxygène que l'oxyde normal. ◆ **oxydant, e** adj. et n. m. Qui a la propriété d'oxyder. ◆ **oxyder** v. i. **1.** Faire passer à l'état d'oxyde. — **2.** Combiner avec l'oxygène. ◆ ***s'oxyder*** v. pr. Passer à l'état d'oxyde, se couvrir d'oxyde : *L'argent noircit en s'oxydant.* ◆ **oxydation** n. f. **1.** Combinaison avec l'oxygène : *L'oxydation du fer produit la rouille.* — **2.** État de ce qui est oxydé. ◆ **oxydoréduction** n. f. Action chimique d'un corps oxydant sur un corps réducteur. ◆ **inoxydable** adj. Qui ne s'oxyde pas : *Un couteau en acier inoxydable.*

OXYGÈNE [ɔksiʒɛn] n. m. (du gr. *oxus*, acide, et *gennân*, engendrer). **1.** Corps simple gazeux (O), entrant pour un cinquième dans la composition de l'air atmosphérique dont il constitue la partie respirable. — **2.** Air pur, non vicié : *Aller faire une cure d'oxygène à la montagne.* ◆ **oxygéner** v. t. Combiner un corps avec l'oxygène. ◆ ***s'oxygéner*** v. pr. **1.** *Fam.* Respirer de l'air pur. — **2.** *S'oxygéner les cheveux*, les décolorer à l'eau oxygénée. ◆ **oxygéné, e** adj. **1.** Qui contient de l'oxygène : *Les composés oxygénés de l'azote.* — **2.** *Eau oxygénée*, solution aqueuse employée comme antiseptique.
— ENCYCL. L'*oxygène* est un gaz incolore, inodore et sans saveur, de densité 1,105; il se liquéfie à — 183 °C, sous la pression atmosphérique normale. Il se combine à la plupart des corps simples, en particulier avec l'hydrogène pour donner l'eau. C'est l'agent de la respiration et de la combustion. Il est employé dans l'industrie pour un grand nombre de préparations (fer, acide sulfurique, etc.), dans les chalumeaux produisant une haute température et en médecine.

OXYHÉMOGLOBINE [ɔksiemoglobin] n. f. (de *oxy[gène]*, et *hémoglobine*). Combinaison instable d'hémoglobine et d'oxygène qui donne sa couleur rouge vif au sang sortant de l'appareil respiratoire. (C'est sous la forme d'oxyhémoglobine que le sang transporte l'oxygène dans tous les tissus d'un organisme animal.)

OXYURE [ɔksjyr] n. m. (du gr. *oxus*, aigu, et *ouron*, queue). Ver nématode parasite de l'intestin de l'homme (surtout de l'enfant), qui provoque des démangeaisons anales pénibles.

OYAMA (Iwao), maréchal et homme d'État japonais (1842-1916). Il battit les Chinois à Port-Arthur (1894) et les Russes à Moukden (1905).

OYAPOCK ou **OYAPOC,** fl. de Guyane, tributaire de l'Atlantique, entre la Guyane française et le Brésil; 370 km.

OYA-SHIO ou **OYA-SHIVO,** courant froid du Pacifique, longeant les côtes nord-est de l'Asie.

OYAT [ɔja] n. m. (orig. inc.). Plante herbacée à racines traçantes, utilisée pour fixer le sable des dunes. (Famille des graminacées.)

OYONNAX, ch.-l. de cant. de l'Ain, à 16 km au N. de Nantua; 22 800 hab. *(Oyonnaxiens).* Industrie des matières plastiques.

OZANAM (Frédéric), historien et écrivain français (1813-1853), auteur de travaux sur Dante et sur les *Poètes franciscains*, ainsi que d'*Études germaniques*. Il fut le principal fondateur de la Société de Saint-Vincent-de-Paul.

OZONE [ɔzɔn] n. m. (du gr. *ozein*, exhaler une odeur). Gaz d'odeur forte, dont la molécule (O_3) est formée de trois atomes d'oxygène, et qui sert en particulier à la stérilisation des eaux. ◆ **ozonisation** ou **ozonation** n. f. Stérilisation des eaux par l'ozone. ◆ **ozoniseur** ou **ozoneur** n. m. Appareil servant à préparer l'ozone.
— ENCYCL. Sous une grande épaisseur, l'*ozone* est bleu; c'est un gaz d'odeur forte et pénétrante, d'un pouvoir oxydant bien supérieur à celui de l'oxygène. Il est préparé par action de l'effluve électrique sur l'oxygène. Son action oxydante et bactéricide le fait employer pour le renouvellement de l'air confiné et la désinfection des locaux, pour la stérilisation des eaux potables et pour le traitement de certaines maladies de peau. → illustration EAU p. 447.

Dans la haute atmosphère, où il est produit par réaction photochimique, l'*ozone* joue le rôle d'écran vis-à-vis du rayonnement ultraviolet. Sans lui, la vie sur Terre serait impossible.

P n. m. **1.** Seizième lettre de l'alphabet et la douzième des consonnes. ⟶ introduction de l'ouvrage. — **2.** p. *Mus.* Abrév. de *piano* (= doucement). — **3.** P, symbole chimique du *phosphore.* — **4.** P., abrév. de *père* (relig.).

PABST (Georg Wilhelm), cinéaste allemand (1885-1967), réalisateur de *la Rue sans joie* (1925), *l'Opéra de quat' sous* (1931).

PACAGE [pakaʒ] n. m. (du lat. *pascuum,* pâturage). Terrain couvert d'herbe où l'on fait paître les bestiaux. ‖ *Droit de pacage,* ou *vaine pâture,* droit de faire pâturer le bétail sur des terres en jachère ou en friche.

PACEMAKER [pɛsmekœr] n. m. (mot angl. signif. *celui qui règle l'allure*). Petit appareil qui stimule le cœur électriquement.

PACHA [paʃa] n. m. (mot turc). **1.** Titre honorifique des gouverneurs de province, dans l'anc. Turquie. — **2.** Fam. *Mener une vie de pacha,* mener une vie fastueuse.

PACHELBEL (Johann), compositeur allemand (1653-1706), auteur de nombreuses pièces pour orgue et pour clavecin.

PACHUCA DE SOTO, v. du Mexique, capit. de l'État d'Hidalgo; 135 000 hab. Mines d'argent.

PACHYDERME [paʃidɛrm] n. m. (du gr. *pakhus,* épais, et *derma,* peau). Animal à peau épaisse, comme l'*éléphant,* l'*hippopotame,* le *rhinocéros.*

PACIFICATEUR, TRICE adj. et n., **PACIFICATION** n. f., **PACIFIER** v. t., **PACIFIQUE** adj. ⟶ PAIX.

PACIFIQUE *(océan),* ancienn. **Grand Océan,** la plus grande masse maritime du globe, entre l'Amérique, l'Asie et l'Australie.

Avec ses 180 millions de km², il représente la moitié de la superficie des océans. Il communique avec l'océan Arctique par le détroit de Béring, très resserré, tandis qu'il est largement ouvert au S. vers l'Antarctique. Il est bordé à l'O. et au N. par une série de guirlandes insulaires volcaniques qui dominent des fosses très profondes : fosse des Philippines (11 524 m dans la fosse de Mindanao), des Mariannes, du Japon, etc. Il est également parcouru par des dorsales émergeant parfois en îles (Hawaii, île de Pâques, Tuamotu). Entre les tropiques, les constructions coralliennes y sont très abondantes (atolls*, récifs-barrières).

PACIFIQUEMENT adv., **PACIFISME** n. m., **PACIFISTE** adj. et n. ⟶ PAIX.

1. PACK [pak] n. m. (mot angl. signif. *paquet*). Dans les régions polaires, ensemble des glaces flottantes et des chenaux qui les séparent, résultant du morcellement de la banquise par les courants marins et les vents.

2. PACK [pak] n. m. (même étym.). **1.** *Sports.* Ensemble des avants d'une équipe de rugby. — **2.** Emballage qui maintient et permet de porter ensemble plusieurs petites bouteilles ou pots : *Pack de bière.*

PACOTILLE [pakɔtij] n. f. (esp. *pacotilla*). **1.** Autref., petit lot de marchandises à vendre que pouvaient embarquer, sans payer de fret, les gens de l'équipage ou les passagers. — **2.** *De pacotille,* de peu de valeur, de qualité médiocre : *Du matériel de pacotille.*

PACTE [pakt] n. m. (du lat. *pacisci,* faire un pacte). Convention solennelle entre des États ou entre des particuliers : *Un pacte d'alliance* (syn. TRAITÉ). *Faire un pacte avec le diable* (= faire alliance avec une personne dangereuse afin d'obtenir quelque avantage). ◆ **pactiser** v. i. Péjor. *Pactiser avec qq'un,* se mettre d'accord avec lui : *Pactiser avec l'ennemi* (syn. TRANSIGER).

PACTOLE [paktɔl] n. m. (de *Pactole,* rivière de Lydie, qui roulait des paillettes d'or). *C'est un pactole, c'est un vrai pactole,* c'est une vraie source de richesses.

PACY-SUR-EURE, ch.-l. de cant. de l'Eure, à 18 km à l'E. d'Évreux : 3 800 hab. *(Pacéens).* Église gothique.

PADANG, port de la côte ouest de Sumatra; 481 000 hab.

PADDOCK [padɔk] n. m. (mot angl. signif. *parc*). Enceinte réservée aux chevaux, aux poulinières et aux poulains dans les prairies, aux chevaux promenés en main avant une course.

PADEREWSKI (Ignacy), homme d'État, pianiste et compositeur polonais (1860-1941), président du Conseil de la République polonaise en 1919.

PADIRAC, comm. du Lot, à 11 km au N.-E. de Rocamadour; 148 hab. — Le *gouffre de Padirac,* dans le nord de la commune, est l'un des grands sites touristiques des Causses. Profond de 75 m, il mène à un cours d'eau souterrain, la *rivière de Padirac,* qui coule pendant 3 km dans des corridors étroits ou sous des voûtes immenses avant de rejoindre la Dordogne.

PADOUE, en it. **Padova,** v. d'Italie, en Vénétie, ch.-l. de province; 228 000 hab. *(Padouans).* Université. Industries chimiques. La ville est riche en monuments : basilique Sant'Antonio, dite « Il Santo », du XIIIᵉ s., devant laquelle se dresse la statue équestre du Gattamelata, par Donatello; chapelle de l'Arena (fresques de Giotto).

PAELLA [paɛlja] n. f. (mot esp.). Mets espagnol composé de riz, de viande, de poissons, de crustacés, de chorizo et de légumes.

PAESTUM, v. de l'Italie anc., sur le golfe de Salerne. Temples grecs des VIᵉ et Vᵉ s. av. J.-C. qui comptent parmi les principaux exemples de l'ordre dorique.

PAF [paf] adj. inv. (onomat.). Pop. *Être paf,* être ivre : *Il était drôlement paf hier soir* (syn. fam. SOÛL).

PAGAIE [pagɛ] n. f. (malais *pengajoeh*). Aviron court que l'on manie sans le fixer sur l'embarcation. ◆ **pagayer** [pagɛje] v. i. Faire mouvoir un canot à la pagaie.

PAGAILLE ou **PAGAÏE** [pagaj] n. f. (prov. *[en] pagaio,* [en] désordre). **1.** *Fam.* Désordre. — **2.** Fam. *Il y en a en pagaille,* en grande quantité (syn. EN MASSE).

PAGANINI (Niccolo), violoniste italien (1782-1840). Célèbre par sa virtuosité prodigieuse, il est l'auteur de *Vingt-Quatre Caprices* et de concertos pour violon.

PAGANISME n. m. ⟶ PAÏEN.

PAGAYER v. i. ⟶ PAGAIE.

1. PAGE [paʒ] n. f. (lat. *pagina*). **1.** Chacun des deux côtés d'une feuille de papier capable de recevoir un texte imprimé ou manuscrit, des dessins, etc. : *Un livre de deux cents pages. La mise en pages* (= assemblage des différentes parties de la composition typographique, pour obtenir des pages d'un format déterminé, en vue de l'impression). *Commencer en belle page* (= en page de droite). — **2.** Feuillet complet : *Déchirer une page.* — **3.** Passage d'une œuvre littéraire : *Les plus belles pages d'un roman.* — **4.** *Les belles pages de l'histoire d'un pays,* les événements les plus glorieux de cette histoire. ‖ *Tourner la page,* passer sous silence, oublier le passé sans se perdre en regrets ou en reproches inutiles. — **5.** *Être à la page,* être au courant de ce qui se passe, de ce qui se fait. ◆ **paginer** v. t. Numéroter les pages d'un cahier, d'un livre. ◆ **pagination** n. f. Manière dont un livre est paginé : *Une erreur de pagination.*

2. PAGE [paʒ] n. m. (orig. incert.). Jeune noble qui était au service d'un noble de rang supérieur pour apprendre le métier des armes et le servir en quelques occasions.

PAGEL [paʒɛl] n. m. (lat. *pagellus*). Poisson marin de couleur gris-rose argenté, dont une espèce, le *rousseau,* est pêchée sur les côtes d'Europe et consommée sous le nom de *dorade.*

PAGINATION n. f., **PAGINER** v. t. ⟶ PAGE 1.

PAGNE [paɲ] n. m. (esp. *paño*). Morceau d'étoffe dont certains peuples d'Afrique ou d'Asie se couvrent de la ceinture aux genoux.

PAGNOL (Marcel), écrivain et cinéaste français (1895-1974). Son inspiration, à la fois attendrie et satirique, s'incarne dans son théâtre (*Topaze*, 1928; *Marius*, 1929, tableau de mœurs marseillaises, complété successivement au théâtre par *Fanny*, 1931, et au cinéma par *César*, 1936) et dans son œuvre cinématographique (*Angèle*, 1934; *Regain*, 1937; *la Femme du boulanger*, 1939).

PAGODE [pagɔd] n. f. (portug. *pagoda*). Temple de l'Extrême-Orient : *Pagode chinoise, japonaise.*

PAGURE [pagyr] n. m. (gr. *pagouros*, qui a la queue en corne). Syn. de BERNARD-L'ERMITE.

PAHANG, un des États de la Malaysia, en Malaisie; 36 000 km²; 503 100 hab. Capit. *Kuantan.*

PAHLAVI (Reza chāh), empereur d'Iran (1878-1944). Élu souverain héréditaire en 1925, il abdiqua en 1941. — Son fils MUHAMMAD REZA CHĀH (1919-1980), lui succéda en 1941. Il entreprit de moderniser son pays, mais instaura un régime autoritaire qui souleva de violentes oppositions. Il dut s'exiler en janvier 1979, quelques jours avant la révolution qui balaya son régime.

PAIE n. f., **PAIEMENT** n. m., **PAIERIE** n. f. → PAYER.

PAÏEN, ENNE [pajɛ̃, -ɛn] adj. et n. (lat. *paganus*, paysan). **1.** Se dit des peuples de l'Antiquité qui adoraient plusieurs dieux ou des faux dieux (par oppos. à CHRÉTIEN). — **2.** Qui n'a aucune croyance religieuse (syn. IMPIE). ◆ **paganisme** n. m. **1.** Nom donné par les premiers chrétiens au polythéisme (= le fait de croire en plusieurs dieux) gréco-romain, auquel les habitants des campagnes restèrent longtemps fidèles. — **2.** État de ceux qui ne sont pas chrétiens.

PAILLARD, E [pajar, -ard] adj. et n. (de *paille*). *Fam.* Se dit de quelqu'un (ou de son comportement) qui tient des propos grivois, égrillards : *Une histoire paillarde* (syn. ↓POLISSON). ◆ **paillardise** n. f. Acte ou mot grivois.

PAILLASSE [pajas] n. f. (de *paille*). Grand sac de toile bourré de paille, de balle d'avoine, et dont on garnit le fond d'un lit : *Sur la paillasse on met un matelas.*

PAILLASSON [pajasɔ̃] n. m. (de *paillasse*). **1.** Natte en fibres dures qu'on place à la porte des appartements pour s'essuyer les pieds : *Mettre la clef sous le paillasson.* — **2.** Claie faite avec de la paille longue, dont on couvre les couches et les espaliers pour les garantir de la gelée.

1. PAILLE [pɑj] n. f. (lat. *palea*). **1.** Tiges des céréales dépouillées de leur grain (s'emploie surtout collectivement pour désigner un amas de tiges) : *Une botte de paille.* — **2.** Tige creuse de paille ou d'une autre matière, servant à aspirer un liquide. — **3.** *Paille de fer*, fins copeaux de métal réunis en paquet pour nettoyer les parquets. — **4.** *Feu de paille* → FEU 2. ‖ *Mettre qq'un sur la paille*, le ruiner. ‖ *Tirer à la courte paille*, tirer au sort avec des brins de paille de longueur inégale. (Celui qui tire la paille la plus courte est choisi.) ‖ *Homme de paille*, complice qui prête son nom dans une affaire malhonnête, qui aide quelqu'un dans une entreprise criminelle. ◆ adj. inv. De couleur jaune clair : *Des gants paille.* ◆ **paillis** n. m. Couche de paille répandue sur le sol pour éviter que certains fruits (fraises, melons) ne soient souillés de terre. ◆ **empailler** [ɑ̃pɑje] v. t. **1.** *Empailler un siège*, le garnir de paille tressée. — **2.** *Empailler un animal*, remplir de paille sa peau, quand il est mort, afin de lui garder son aspect (syn. NATURALISER). ◆ **empailleur, euse** n. Personne qui empaille des sièges. (On dit plutôt REMPAILLEUR.) ◆ **rempailler** [rɑ̃pɑje] v. t. *Rempailler un siège*, le garnir d'une nouvelle paille. ◆ **rempaillage** n. m. : *Le rempaillage d'un fauteuil.* ◆ **rempailleur, euse** n. Personne qui rempaille des sièges.

2. PAILLE [pɑj] n. f. (même étym.). *Technol.* Défaut interne dans les produits forgés ou laminés, constitué par une cavité plane et allongée, due souvent à une soufflure dont les parois ne se sont pas soudées au cours de la déformation mécanique ultérieure.

PAILLETTE [pajɛt] n. f. (de *paille*). **1.** Petite lame très mince, faite de métal brillant, et qu'on applique sur une étoffe pour la faire scintiller : *Une robe à paillettes d'or.* — **2.** *Savon, lessive en paillettes*, en petites lamelles. — **3.** Parcelle d'or qu'on trouve dans le sable de quelques rivières. ◆ **pailleter** v. t. (Conj. **8.**) Orner de paillettes (surtout au part. passé).

PAILLIS n. m. → PAILLE 1.

PAILLOTE [pajɔt] n. f. (de *paille*). Hutte de paille ou d'un matériau analogue.

PAIMBŒUF, ch.-l. de cant. de la Loire-Atlantique, à 14 km à l'E. de Saint-Nazaire; 3 400 hab. *(Paimblotins).*

PAIMPOL, ch.-l. de cant. des Côtes-d'Armor, à 15 km à l'E. de Tréguier, sur la *baie de Paimpol;* 8 500 hab. *(Paimpolais).* Port de pêche. École nationale de navigation.

PAIMPONT *(forêt de)*, forêt de Bretagne (Ille-et-Vilaine), au N.-E. de Ploërmel. C'est sans doute cette forêt qui a été célèbre dès le XIIe s. sous le nom de BROCÉLIANDE*.

PAIN [pɛ̃] n. m. (lat. *panis*). **1.** Aliment fait de farine pétrie, fermentée et cuite au four : *Le pain est surtout fait de farine de blé, mais il y a aussi du pain de seigle. Pain complet* (= où entrent de la farine brute et du petit son). *Pain de fantaisie* (= vendu à la pièce et non au poids). *Pain bis* (= dont la farine contient encore le son). *Pain noir* (= fait avec la farine de sarrasin). *Pain viennois* (= dont la pâte contient un peu de lait). — **2.** (avec un compl. ou un adj.) Nom donné à certains aliments où entre de la farine : *Pain de Gênes* (= gâteau à base d'œufs, de sucre, de farine et d'amandes). *Pain perdu* (= pain rassis trempé dans du lait aromatisé et doré à la poêle). *Pain d'épice* (= gâteau de farine de seigle, de sucre et de miel). — **3.** Préparation culinaire où entre de la mie de pain : *Pain de poisson.* — **4.** Masse de matière qui a une forme allongée : *Pain de sucre, de savon.* — **5.** Fam. *Avoir du pain sur la planche*, avoir beaucoup de travail à faire. ‖ *Gagner son pain à la sueur de son front* (= ce qui est nécessaire pour la subsistance journalière). ‖ *Long comme un jour sans pain*, très long. ‖ *Manger son pain blanc le premier*, jouir d'un moment présent, de circonstances favorables qui ne vont pas durer. ‖ Fam. *Ça se vend comme des petits pains*, avec une grande facilité. ‖ *Pour une bouchée de pain*, pour une très petite somme. ‖ *Retirer le pain de la bouche de qq'un*, le priver du nécessaire. — **6.** *Arbre à pain*, nom usuel du JACQUIER, arbre des pays chauds, dont les fruits (pesant de 1 à 3 kg), riches en amidon, sont utilisés pour l'alimentation. ◆ **panetière** n. f. **1.** Coffre ou sac utilisé pour conserver le pain. — **2.** Dans certaines régions (Bretagne, midi de la France) armoire à claire-voie, pendue au mur et servant à conserver le pain. ◆ **panifiable** adj. *Farine panifiable*, qui est propre à être transformée en pain. ◆ **panifier** v. t. Transformer en pain. ◆ **panification** n. f. ◆ **panure** n. f. Mie de pain râpée dont on saupoudre les viandes ou les poissons avant de les faire frire (syn. CHAPELURE).

PAIN DE SUCRE, en portug. **Pão de Açúcar**, piton de granite, à l'entrée de la baie de Guanabara, à Rio de Janeiro; 395 m.

PAINLEVÉ (Paul), mathématicien et homme politique français (1863-1933). Auteur de nombreux travaux en analyse et en mécanique, notamment sur le frottement, il devint le grand théoricien de l'aviation. Plusieurs fois ministre, président de la Chambre des députés de juin 1924 à avril 1925, fondateur du Cartel des gauches, il fut trois fois chef du gouvernement (septembre-novembre 1917; avril-octobre 1925; octobre-novembre 1925). Il fit voter la loi sur le service militaire d'un an (1928) et prit les premières décisions concernant la ligne Maginot.

1. PAIR, E [pɛr] adj. (lat. *par*, égal). Se dit d'un nombre entier s'il est divisible par deux. (L'écriture décimale des nombres pairs se termine par 0, 2, 4, 6 ou 8.) ‖ *Numéro pair*, qui est représenté par un nombre pair. ◆ **impair, e** adj. Se dit d'un nombre entier relatif s'il n'est pas divisible par deux. (Les nombres impairs sont ceux dont l'écriture décimale se termine par 1, 3, 5, 7 ou 9.)

2. PAIR [pɛr] n. m. (même étym.). *Être, travailler au pair*, être logé et nourri, en échange d'un certain travail (sans salaire).

3. PAIR [pɛr] n. m. (même étym.). **1.** *Aller, marcher de pair*, se dit de choses qui vont ensemble : *La paresse et l'ignorance vont de pair.* — **2.** *Hors pair, hors de pair*, qui n'a pas son égal, qui est supérieur à tout : *Un collaborateur hors pair.*

4. PAIR [pɛr] n. m. (même étym.). **1.** Membre de la Chambre des lords, en Angleterre. — **2.** *Un pair de France*, membre de la Chambre haute entre 1814 et 1848. (Le fém. PAIRESSE est peu usuel.) ◆ **pairie** n. f. Dignité de pair.

PAIRE [pɛr] n. f. (de *pair* 1). **1.** Ensemble de deux choses semblables et qui vont habituellement ensemble : *Une paire de gants.* — **2.** Chose unique, composée de deux pièces semblables : *Une paire de lunettes* (= des lunettes). — **3.** Couple d'animaux de la même espèce, composé d'un mâle et d'une femelle : *Une paire de pigeons.* — **4.** Réunion de deux animaux employés ou vendus ensemble : *Une paire de bœufs* (= un couple). — **5.** *Une paire d'amis* (= des amis inséparables). *Ces deux-là font bien la paire* (= ils ont les mêmes défauts). — **6.** Les deux parties d'un membre, d'une partie du corps : *Une paire de joues, de fesses.* — **7.** *Math.* Ensemble ayant deux éléments distincts : *Si* a *et* b *sont deux éléments distincts, on note la paire* $\{a, b\}$. (*Rem.* Il ne faut pas confondre la paire $\{a, b\}$ avec le couple (a, b), ensemble ordonné ayant deux éléments.) ◆ **apparier** v. t. *Apparier des objets*, les assortir par paires : *Apparier des gants.* ◆ **déparier** ou **désapparier** v. t. Faire disparaître l'un des éléments d'une paire : *Des bas dépariés.*

PAIRIE n. f. → PAIR 4.

PAIRS [pɛr] n. m. pl. (lat. *pares*). Ceux qui ont la même fonction sociale (langue soignée) : *Être jugé par ses pairs* (= par ses égaux).

PAISIBLE [pezibl] adj. (de *paix*) [après ou moins souvent avant le nom]. **1.** Se dit de quelqu'un (ou de son comportement) qui n'est pas troublé, inquiet, qui est d'humeur douce et tranquille : *Avoir un air paisible* (syn. CALME, PLACIDE; contr. TOURMENTÉ). — **2.** Se dit de quelque chose que rien ne trouble, où règne la paix : *Un quartier paisible* (syn. TRANQUILLE; contr. AGITÉ). ◆ **paisiblement** adv. : *Reposer paisiblement après une nuit agitée et fiévreuse.*

PAISLEY, v. d'Écosse; 95 300 hab. Aéroport de Glasgow.

PAÎTRE [pɛtr] v. i. (lat. *pascere*). [Conj. **80.**] **1.** (sujet nom désignant des animaux herbivores) Manger de l'herbe en broutant. — **2.** Fam. *Envoyer paître qq'un,* s'en débarrasser brutalement (syn. ENVOYER PROMENER).

PAIX [pɛ] n. f. (lat. *pax, pacis*). **1.** Situation d'un État, d'un peuple qui n'est pas en guerre : *Maintenir la paix.* — **2.** Traité qui met fin à l'état de guerre : *Signer la paix.* ‖ *Paix des Dames,* paix de Cambrai (1529). ‖ *Paix de Dieu,* interdiction formulée maintes fois par les conciles ecclésiastiques (du XIe au XIVe s.) de causer du tort, à l'occasion des guerres privées, aux non-combattants (clercs, agriculteurs, femmes, etc.). — **3.** État de concorde, d'accord entre les membres d'un groupe, d'une nation : *Vivre en paix avec son voisin. Faire la paix* (= se réconcilier). *Se donner la paix* (= accolade, poignée de main fraternelle que les fidèles catholiques se donnent avant l'eucharistie, au cours de la messe). *Les gardiens de la paix* (= agents de police urbaine chargés du maintien de l'ordre et de l'application des règlements de police). — **4.** État d'une personne qui n'est pas troublée, inquiète, qui a le calme, la tranquillité : *Être en paix avec sa conscience* (= ne pas avoir de remords). *Je voudrais bien avoir la paix* (= qu'on me laisse tranquille). *La paix!* (= silence). — **5.** État d'un lieu qui ne connaît ni bruit ni agitation : *La paix des cimetières* (syn. CALME, SILENCE). ◆ **pacifier** [pasifje] v. t. Rétablir le calme, la paix, dans un pays en état de guerre, parmi les populations révoltées, dans un esprit troublé : *Pacifier une région en proie à des désordres. Pacifier les esprits* (syn. CALMER; contr. AMEUTER, RÉVOLTER). ◆ **pacificateur, trice** adj. et n. Qui apaise les troubles ou rétablit la paix. ◆ **pacification** n. f. Action de rétablir l'ordre : *Des opérations militaires de pacification.* ◆ **pacifique** [pasifik] adj. **1.** Se dit de quelqu'un, d'un groupe d'hommes qui désire vivre en paix avec les autres : *Un peuple pacifique* (syn. PAISIBLE). — **2.** Qui est fait avec une intention de paix, qui tend à la paix, qui n'a pas de caractère agressif : *Sa volonté pacifique est indéniable* (contr. BELLIQUEUX). *La coexistence pacifique* (contr. GUERRE FROIDE). ◆ **pacifiquement** adv. ◆ **pacifisme** n. m. Doctrine politique préconisant la recherche à tout prix de la paix par des négociations ou des moyens pacifiques : *Le pacifisme est le renoncement à l'action violente.* ◆ **pacifiste** adj. et n. Partisan du pacifisme.

PAIX *(rivière de la),* riv. de l'ouest du Canada, affl. de la rivière de l'Esclave (r. dr.); 1 600 km.

PĀKISTĀN, État de l'Asie méridionale, au N.-O. de l'Inde.

SUPERFICIE 803 000 km² (France : 550 000 km²).
POPULATION 99 200 000 hab. *(Pakistanais);* 123 hab. au km² (France : 103); accroissement annuel de population, 3,6 p. 100.
CAPITALE Islāmābād (201 000 hab.).
VILLES PRINCIPALES Karāchi (5 103 000 hab.); Lahore 2 922 000 hab.; Faisalabad (820 000 hab); Hyderābād (795 000 hab.).
LANGUES OFFICIELLES urdu et anglais.

GÉOGRAPHIE

Le Pākistān s'étend sur deux grands ensembles naturels : les plaines du *moyen* et *bas Indus* à l'E., et les massifs montagneux du *Baloutchistan* et de l'*Hindū Kūch* à l'O. et au N. Le climat aride qui affecte le pays explique la grande extension de la steppe.

	TEMPÉRATURES MOYENNES		PLUIES
	min.	max.	
Karāchi	20 °C	32 °C	198 mm

L'*agriculture* emploie encore 74 p. 100 de la population active. Les montagnes sont parcourues par les troupeaux des tribus nomades. Mais les régions vitales correspondent aux zones irriguées grâce aux eaux de l'Indus et de ses affluents. Le Pendjab, au N., produit blé et coton; le Sind, au S., riz et canne à sucre.

blé 12 millions de t; coton 900 000 t.

L'*artisanat* traditionnel reste vivace (textiles, armes, poteries...), mais l'*industrie* est limitée, en raison du manque de sources d'énergie et de capitaux. Le pays exporte des produits bruts (coton) et doit importer des produits fabriqués. Le port de Karāchi assure l'essentiel du commerce extérieur.

HISTOIRE

L'histoire du Pākistān en tant qu'État ne commence qu'en 1947, mais la vallée de l'Indus et le delta du Gange ont connu dès 3500 av. notre ère la civilisation de l'Indus, ou celles des empires Maurya (322-196 av. J.-C.) et Gupta (Ve s. apr. J.-C.).

Du XVIe au XIXe s. sous l'Empire moghol* l'islamisation progresse.

La conquête britannique entraîne une montée du sentiment national et, en 1906, est fondée la Ligue musulmane qui adopte en 1940 sous la direction de Jinnah le principe d'un État musulman.

- *1947. L'indépendance des Indes britanniques est suivie de la partition du Pākistān et de l'Union indienne.*

Le Nouvel État, musulman, est coupé en deux (Pākistān occidental et Pākistān oriental). La question du Cachemire provoque deux guerres avec l'Inde en 1949 et 1965.

- *1958. La montée des tendances autonomistes et le malaise social entraînent le coup d'État du général Ayyūb khān.*

Malgré une tentative de réforme agraire, une nouvelle Constitution (1962) et une expansion économique (au Pākistān occidental surtout), le mécontentement s'exprime à nouveau, entraînant une intervention de l'armée et l'arrivée au pouvoir de Yahiā khān (1969). La volonté d'autonomie du Pākistān oriental se cristallise autour de la ligue Awami de Mujibur Rahman.

- *Mars 1971. Le refus d'accorder l'autonomie aboutit à la guerre civile, suivie, du 10 novembre au 17 décembre 1971, d'une intervention indienne.*

La défaite pakistanaise au Bengale entraîne l'indépendance du Bangladesh* (Pākistān oriental) et l'arrivée au pouvoir à Karāchi d'Ali Bhutto.

- *Juill. 1977. Bhutto est renversé par un coup d'État militaire.*
- *Sept. 1978. Le général Zia ul-Haq président de la République.*
- *Avr. 1979. Exécution d'Ali Bhutto.*
- *1988. Zia ul-Haq meurt dans un accident d'avion. Ghulam Ishaq Khan lui succède à la présidence et la fille d'Ali Bhutto, Benazir, devient Premier ministre.*

En 1989, le Pākistān réintègre le Commonwealth (qu'il avait quitté en 1972).

- *1990. Benazir Bhutto est destituée et remplacée à la tête du gouvernement par le leader de l'Alliance démocratique islamique, Mian Nawaz Sharif.*

PAL [pal] n. m. (lat. *palus,* pieu). **1.** Pieu aiguisé à un bout. — **2.** Supplice oriental qui consistait à enfoncer un pal, ou pieu, dans le corps du condamné. ‖ Pl. des *pals.* ◆ **empaler** [ɑ̃pale] v. t. Transpercer d'un pieu. ◆ ***s'empaler*** v. pr. *Fam.* Tomber ou se jeter sur un objet en saillie qui blesse, qui défonce.

PALABRES [palabr] n. f. pl. (esp. *palabra,* parole). Discussions, conversations longues et ennuyeuses : *Après des palabres interminables, on finit par aborder les sujets essentiels.* ◆ **palabrer** v. i. Discuter longuement.

PALACE [palas] n. m. (mot angl. signif. *palais*). Hôtel luxueux.

PALACKÝ (František), historien et homme politique tchèque (1798-1876). Son *Histoire de la Bohême* (1836-1867) joua un rôle essentiel dans le réveil national tchèque.

PALADIN [paladɛ̃] n. m. (du lat. *palatinus,* officier du palais). Seigneur du Moyen Âge en quête d'aventures héroïques.

PALADRU, comm. de l'Isère, à 21 km au S.-E. de La Tour-du-Pin, sur le *lac de Paladru;* 621 hab. Centre touristique. Vestiges de palafittes néolithiques.

PALAFITTE [palafit] n. m. (it. *palafitta*). Dans les régions de lacs, habitation préhistorique construite sur un plancher grossier établi sur des pilotis.

1. PALAIS [palɛ] n. m. (lat. *palatum*). **1.** *Anat.* Partie supérieure interne de la bouche, formée d'une voûte osseuse *(dôme du palais* ou *palais dur)* et d'une membrane *(voile du palais)* en arrière. — **2.** Syn. de GOÛT dans quelques express. : *Avoir le palais fin.*

2. PALAIS [palɛ] n. m. (lat. *palatium,* le Palatin, colline de Rome où Auguste fit construire son palais). **1.** Résidence vaste et somptueuse d'un chef d'État, d'un riche particulier; ancienne demeure d'une famille royale ou princière : *La cour d'honneur du palais de l'Élysée. Le palais du Louvre, où habitèrent les rois de France. Le palais des Doges, à Venise.* — **2.** Vaste édifice abritant un musée, des assemblées, des services publics, etc. (parfois avec une majusc.) : *Le Grand Palais. Le palais des Expositions. Le palais des Sports.* — **3.** *Palais de justice* ou *palais,* édifice affecté aux services de la justice : *Se rendre au palais pour y plaider.*

PALAIS (Le), ch.-l. de cant. du Morbihan, principal centre de Belle-Île; 2400 hab. *(Palantins).* Port et station balnéaire.

Palais-Bourbon ⟶ BOURBON *(palais).*

PALAISEAU, ch.-l. d'arrond. de l'Essonne, à 20 km au S.-S.-O. de Paris, sur l'Yvette; 29400 hab. École polytechnique.

Palais-Royal, édifice construit à Paris en 1633 par l'architecte Lemercier pour le cardinal de Richelieu, et appelé alors PALAIS-CARDINAL. Par la suite, il fut légué au roi puis occupé par la famille d'Orléans.

PALAIS-SUR-VIENNE (Le), comm. de la Haute-Vienne, à 8 km au N.-E. de Limoges; 5100 hab. Raffinage du cuivre.

PALAN [palɑ̃] n. m. (it. *palanco*). Appareil de levage utilisé pour déplacer verticalement de lourdes charges : *Un palan est formé de poulies actionnées par des cordages ou des chaînes.*

PALANGRE [palɑ̃gr] n. f. (orig. inc.). Ligne de fond sur laquelle sont fixées de petites lignes munies d'hameçons.

PALANQUIN [palɑ̃kɛ̃] n. m. (portug. *palanquim*). Litière portée par des hommes, qui était utilisée en Orient.

PALAOS ou **PALAU** *(îles),* auj. **Belau,** archipel d'Océanie (Micronésie), à l'E. de Mindanao (Philippines); 13000 hab. Capit. *Koror.* Sous tutelle américaine de 1947 à 1986, l'archipel constitue aujourd'hui un État librement associé aux États-Unis.

PALAOUAN ⟶ PALAUAN.

PALATAL, E, AUX [palatal,-to] adj. et n. f. (du lat. *palatum,* palais). Se dit de voyelles ou de consonnes dont le point d'articulation est dans la région du palais dur. ([e] et [i] sont des voyelles palatales; [s] et [f], des consonnes palatales.) ◆ **palatalisé, e** adj. Se dit d'un phonème dont l'articulation est reportée vers le palais dur. ◆ **palatalisation** n. f.

1. PALATIN, E [palatɛ̃, -in] adj. (lat. *palatinus,* qui appartient au palais). **1.** Se disait de celui qui avait une charge dans le palais d'un prince. — **2.** *Comte palatin,* grand officier représentant les anciens rois de Germanie auprès des ducs. (Après la bulle d'Or de 1356, le comte palatin du Rhin fit partie du collège des sept Électeurs qui nommaient l'Empereur.)

2. PALATIN, E [palatɛ̃, -in] adj. Qui appartient au Palatinat : *Maison palatine.* ‖ *Princesse Palatine,* titre d'Anne de Gonzague et de Charlotte-Élisabeth de Bavière. ◆ **palatinat** n. m. **1.** Dignité d'Électeur palatin. — **2.** Pays gouverné par l'Électeur palatin.

PALATIN *(mont),* une des sept collines de l'anc. Rome, celle où, d'après la tradition, les premières habitations auraient été construites. Les empereurs y établirent leur résidence.

PALATINAT, en all. **Pfalz,** région d'Allemagne, située sur la rive gauche du Rhin, au N. de l'Alsace. Elle constitue depuis 1946 une partie du pays de *Rhénanie-Palatinat*.* Le Palatinat fut ravagé par les armées de Louis XIV (1687-1688).

PALAU *(îles)* ⟶ PALAOS *(îles).*

PALAUAN ou **PALAOUAN** ou **PALAWAN,** île des Philippines, au N.-E. de Bornéo; 14900 km²; 236600 hab.

PALAVAS-LES-FLOTS, comm. de l'Hérault, à 11,5 km au S. de Montpellier; 4200 hab. *(Palavasiens).* Station balnéaire.

PALE [pal] n. f. (prov. *pala,* pelle). **1.** Partie plate d'un aviron, qui entre dans l'eau quand on rame. — **2.** Vanne qui ferme un réservoir. — **3.** Palette d'une roue d'un bateau à aubes. — **4.** Élément d'une hélice d'avion affectant la forme d'une aile vrillée.

PÂLE [pɑl] adj. (lat. *pallidus*). **1.** (après le nom) Se dit du visage, de la peau, etc., qui est d'une blancheur terne, mate, qui a perdu ses couleurs : *Être pâle comme un linge* (syn. BLAFARD, ↑ BLÊME; contr. COLORÉ, ROSE). — **2.** *Les Visages pâles* (= les Blancs d'après les Indiens d'Amérique). — **3.** (quelquefois avant le nom) Se dit de ce qui est faible de couleur, qui n'a pas d'éclat : *Un bleu pâle. À la pâle clarté de la bougie* (syn. FAIBLE). — **4.** *Péjor.* Se dit de quelqu'un qui est terne, sans brillant : *Un pâle imitateur de Racine.* ◆ **pâleur** n. f. : *La pâleur du visage.* ◆ **pâlichon, onne** adj. *Fam.* Un peu pâle. ◆ **pâlir** v. i. **1.** (sujet nom de personne ou de chose) Devenir pâle : *Il pâlit sous l'injure* (syn. BLÊMIR). *Les couleurs du papier ont pâli* (syn. PASSER). — **2.** *Faire pâlir qq'un,* lui inspirer des sentiments de jalousie : *Sa réussite fit pâlir d'envie ses camarades.* ◆ v. t. Rendre pâle ou faire paraître pâle : *Le soleil pâlit les couleurs.* ◆ **pâlot, otte** adj. Assez pâle : *Il est un peu pâlot; il faudra l'envoyer à la campagne.*

PALEFRENIER [palfrənje] n. m. (de l'anc. fr. *palafren,* palefroi). Garçon d'écurie chargé de soigner et panser les chevaux.

PALEFROI [palfrwa] n. m. (bas lat. *paraveredus,* cheval de renfort). Cheval de parade au Moyen Âge (par oppos. au DESTRIER, cheval de combat).

PALEMBANG, port d'Indonésie, dans le sud de Sumatra; 783000 hab. Raffinage du pétrole.

PALENQUE, l'un des grands centres de la civilisation maya, au S.-O. du Yucatán (Mexique). Importants vestiges (temples, bas-reliefs, têtes en stuc).

PALÉOBOTANIQUE [paleɔbɔtanik] n. f. (du gr. *palaios,* ancien, et *botanique*). Partie de la paléontologie ayant pour objet l'étude des plantes fossiles.

PALÉOCHRÉTIEN, ENNE [paleɔkretjɛ̃, -ɛn] adj. (du gr. *palaios,* ancien, et *chrétien*). Se dit de l'art des premiers chrétiens, du IIIᵉ au VIᵉ s. env., en Orient et en Occident.

PALÉOCLIMAT [paleɔklima] n. m. (du gr. *palaios,* ancien, et *climat*). Climat d'une ancienne époque géologique. ◆ **paléoclimatologie** n. f. Science qui étudie les climats anciens.

PALÉOGÈNE [paleɔʒɛn] n. m. (du gr. *palaios,* ancien, et *genos,* race). Première moitié de l'ère tertiaire (Éocène et Oligocène) appelée aussi NUMMULITIQUE.

PALÉOGÉOGRAPHIE [paleɔʒeɔgrafi] n. f. (du gr. *palaios,* ancien, et *géographie*). Science qui a pour objet la reconstitution hypothétique de la répartition des mers et des continents au cours des époques géologiques.

PALÉOGRAPHIE [paleɔgrafi] n. f. (du gr. *palaiòs,* ancien, et *graphein,* écrire). Science qui permet de déchiffrer les anciennes écritures. ◆ **paléographe** n. et adj. Spécialiste de paléographie.

PALÉOLITHIQUE [paleɔlitik] n. m. et adj. (du gr. *palaios,* ancien, et *lithos,* pierre). Première époque de la préhistoire, caractérisée par l'apparition de l'industrie humaine (industrie de la pierre taillée), il y a plus de 1 million d'années, et qui fait place au mésolithique vers 12000 av. J.-C. (L'homme habite alors souvent des cavernes dont certaines montrent encore des fresques admirables : grottes de Lascaux, d'Altamira.)

PALÉOLOGUE, famille byzantine, dont plusieurs membres furent empereurs d'Orient, de 1261 à 1453.

PALÉONTOLOGIE [paleɔ̃tɔlɔʒi] n. f. (du gr. *palaios,* ancien, et *logos,* science). Étude scientifique des vestiges laissés dans les sédiments par les animaux et les plantes des ères géologiques.

PALÉOSOL [paleɔsɔl] n. m. (du gr. *palaios,* ancien, et *sol*). Sol formé sous des conditions climatiques anciennes et qui a été par la suite recouvert par une formation plus récente ou repris par un autre type d'évolution.

PALÉOZOÏQUE n. m. et adj. (du gr. *palaios,* ancien, et *zôikos,* relatif aux animaux). Autre nom de l'ÈRE PRIMAIRE.

PALERME, port d'Italie, principale v. de Sicile, située sur la côte nord de l'île; 679000 hab. Située au débouché d'une riche région agricole, la Conca d'Oro, Palerme est un centre commercial : son port exporte vins, fruits et soufre. Quelques industries s'y sont développées. La ville, très pittoresque, renferme de belles églises de style arabe et byzantin. Université.

PALESTINE *(pays des Philistins),* région du Proche-Orient, entre le Liban au N., la mer Morte au S., la Méditerranée à l'O. et le désert de Syrie à l'E. Bande de terre étroite parcourue par le Jourdain, le pays était divisé au temps des Hébreux en royaumes de Juda et d'Israël. (⟶ HÉBREUX, SYRIE.)

En 1918, la Palestine est enlevée à la Turquie, puis placée sous mandat britannique (1923). Mais, de 1935 à 1939, les Arabes, craignant d'être submergés par l'immigration juive, se révoltent à plusieurs reprises contre les Anglais. (Cette immigration, commencée dès la fin du XIXᵉ s. [⟶ JUIF], dans un pays qui comptait alors une grande majorité d'Arabes musulmans, des chrétiens, des Druzes et un petit nombre de Juifs, se renforçait.)

Le refus britannique d'accepter les recommandations du congrès sioniste de New York (1942) préconisant la fondation d'un État juif, la création de la Ligue* arabe (1945) et l'organisation d'une immigration juive clandestine provoque l'action terroriste de groupes juifs contre l'administration britannique.

- *1947. La Grande-Bretagne renonce à son mandat.*
- *1948. L'État d'Israël, correspondant à la partie du pays occupée par les Juifs, est proclamé.*

Les pays arabes interviennent aussitôt militairement. Après leur échec (1949), la Palestine est divisée en trois secteurs allant respectivement à l'Égypte, la Jordanie et Israël. En 1967, la région est entièrement occupée par les Israéliens. À partir de déc. 1987, cette occupation se heurte à un important soulèvement populaire palestinien *(intifada).*

- *1988. Le roi Ḥusayn rompt (juill.) les liens entre la Jordanie et la Cisjordanie, faisant de l'O. L. P. (Organisation de libération de la Palestine) le représentant unique et légitime du peuple palestinien. En nov., l'O. L. P. proclame la création d'un État indépendant « en Palestine ».*

PALESTRE [palɛstr] n. f. (du gr. *palê,* lutte). *Antiq.* Terrain de sports particulièrement destiné à la lutte, et entouré d'un portique. (C'était un des éléments du gymnase grec et des thermes romains.)

PALESTRINA (Giovanni Pierluigi DA), compositeur italien (1525-1594). Il fut maître de chapelle de plusieurs églises romaines et écrivit de très nombreuses œuvres de musique sacrée (messes, motets, psaumes et cantiques.)

PALESTRO, comm. d'Italie (Lombardie).

- *30-31 mai 1859. Victoire des Français et des Piémontais sur les Autrichiens.*

PALET [palɛ] n. m. (du lat. *pala,* pelle). Pierre ou pièce de métal plate et ronde avec laquelle on vise un but dans certains jeux.

PALETOT [palto] n. m. (anc. angl. *paltok,* jaquette). Gilet d'homme ou de femme, muni de poches extérieures, en général assez court, que l'on porte sur les autres vêtements.

PALETTE [palɛt] n. f. (du lat. *pala,* pelle). **1.** Plaque de bois, large et aplatie, sur laquelle les artistes peintres disposent et mélangent leurs couleurs, ou petit instrument de bois de forme analogue servant à divers usages. — **2.** Plateau de chargement conçu essentiellement pour permettre des manutentions par chariots élévateurs à fourche.

PALÉTUVIER [paletyvje] n. m. (mot d'une langue du Brésil). Nom commun à divers arbres (comme le *manglier,* ou rizophore) des mangroves*, caractérisés par leurs racines formant arcade au-dessus de l'eau, et par leur graine qui germe sur l'arbre en donnant une plantule en forme de flèche *(arrowroot),* qui se plante fortement dans la vase.

PÂLEUR n. f. ⟶ PÂLE.

PĀLI, E [pali] n. m. et adj. Langue anc. de l'Inde, apparentée au sanskrit et encore parlée par les bouddhistes du Sud.

PÂLICHON, ONNE adj. ⟶ PÂLE.

PALIER [palje] n. m. (de l'anc. fr. *paele,* poêle). **1.** Plate-forme aménagée à chaque étage d'une maison, ou qui se trouve de distance en distance sur une voie inclinée : *Les voisins de palier* (= de l'appartement qui se trouve au même étage). *La route montait par paliers vers le col* (= par plans horizontaux entre deux déclivités). — **2.** État stable, étape après une modification en hausse : *Procéder par paliers* (syn. DEGRÉ). — **3.** *Technol.* Pièce fixe supportant, par l'intermédiaire de coussinets ou de roulements, un arbre de transmission. ◆ **palière** adj. *Porte palière,* porte qui s'ouvre sur un palier.

PALIKAO, bourgade chinoise, où l'armée anglaise et l'armée française du général Cousin-Montauban battirent l'armée chinoise (septembre 1860).

PALIMPSESTE [palɛ̃psɛst] n. m. (du gr. *palin,* de nouveau, et *psêstos,* gratté). Manuscrit sur papyrus et surtout sur parchemin, dont la première écriture, enlevée par grattage ou lavage, a fait place à un nouveau texte.

PALINODIES [palinɔdi] n. f. pl. (du gr. *palin,* de nouveau, et *ôdê,* chant). Changement brusque et fréquent d'opinion selon les circonstances et l'intérêt personnel : *Les palinodies d'un homme politique* (syn. REVIREMENT, VOLTE-FACE).

PÂLIR v. i. et t. ⟶ PÂLE.

PALISSADE [palisad] n. f. (du lat. *palus,* pieu). Clôture, barrière faite de pieux ou de planches reliés les uns aux autres, ou mur de verdure fait d'une rangée d'arbustes.

PALISSADIQUE [palisadik] adj. (de *palissade*). *Bot.* Se dit du parenchyme chlorophyllien, de la face supérieure des feuilles.

PALISSANDRE [palisɑ̃dr] n. m. (d'une langue de la Guyane). Bois lourd et dur, brun foncé à reflet violacé, très recherché en ébénisterie, et provenant de diverses espèces d'arbres de l'Amérique du Sud.

PALISSY (Bernard), potier, émailleur, écrivain et savant français (v. 1510-1589 ou 1590). Un des créateurs de la céramique en France, il est célèbre par ses « figulines » ornées de plantes, de fruits et de petits animaux. Pour mener à bien ses expériences et alimenter son four, il brûla jusqu'au plancher de sa maison. Arrêté en 1589 comme huguenot, il fut enfermé à la Bastille, où il mourut.

PALLADIO (Andrea DI PIETRO, dit), architecte italien (1508-1580). Ayant étudié les monuments antiques à Rome, il adapta les éléments de l'architecture romaine aux constructions qu'il éleva : basilique, villa Rotonda, théâtre Olympique, à Vicence; église San Giorgio Maggiore, à Venise. Il construisit de nombreuses villas pour l'aristocratie de Venise et de Vicence.

1. PALLADIUM [paladjɔm] n. m. (de *Palladion,* n. pr.). Objet sacré quelconque à la garde duquel était attachée la conservation d'une ville ou d'un État : *Le bouclier de Numa était le palladium de la République romaine.*

2. PALLADIUM [paladjɔm] n. m. (mot angl.; du n. de la planète *Pallas*). Métal blanc (Pd), très ductile et très dur, dont la propriété la plus remarquable est d'absorber l'hydrogène. (Ses alliages sont employés en horlogerie et pour la fabrication d'instruments de physique; certains de ses sels servent en photographie.)

PALLAS, l'un des surnoms d'ATHÉNA.

PALLÉAL, E, AUX [palleal, -o] adj. (du lat. *palla,* manteau). Qui concerne le manteau des mollusques. ‖ *Cavité palléale,* cavité située dans le manteau et contenant les organes respiratoires des mollusques.

PALLIATIF, IVE adj. et n. m. ⟶ PALLIER.

PALLICE (La), avant-port de La Rochelle (Charente-Maritime), sur le pertuis d'Antioche, à 5 km de La Rochelle, dont il dépend. Centre industriel.

PALLIER [palje] v. t. (lat. *palliare,* couvrir d'un manteau). *Pallier qqch.* (inconvénient, difficulté, etc.) ou *pallier à qqch.* (construction rejetée par quelques grammairiens), y remédier d'une manière provisoire ou incomplète : *Pallier un inconvénient.* ◆ **palliatif, ive** adj. et n. m. Mesure qui n'a qu'une efficacité incomplète ou provisoire : *Ces nouveaux impôts ne sont que des palliatifs* (syn. EXPÉDIENT).

PALLIUM [paljɔm] n. m. (mot lat.). Manteau romain, fait d'une pièce d'étoffe rectangulaire en laine, que l'on drapait de différentes manières.

PALMA (La), île volcanique de l'archipel des Canaries; 726 km²; 68 000 hab.

PALMA ou **PALMA DE MAJORQUE,** capit. des îles Baléares, dans l'*île de Majorque,* sur le littoral sud-ouest de l'île; 234 100 hab. Important port et centre touristique, Palma concentre 40 p. 100 de la population de l'archipel des Baléares.

PALMAIRE [palmɛr] adj. (du lat. *palma,* paume). Relatif à la paume de la main : *Muscle palmaire.*

PALMARÈS [palmarɛs] n. m. (lat. *palmaris,* digne de la palme). **1.** Liste des lauréats dans un concours, dans une rencontre sportive, à la distribution des prix d'un établissement scolaire, etc. — **2.** Classement des chansons à succès, dans l'ordre décroissant de leur popularité. (Ce terme doit être, selon l'Administration, substitué à HIT-PARADE.)

PALMAS (Las), v. de l'archipel des Canaries (Grande-Canarie), ch.-l. de province; 287 000 hab.

1. PALME n. f. ⟶ PALMIER.

2. PALME [palm] n. f. (lat. *palma*). **1.** Insigne ou décoration en forme de feuilles de palmier : *Les palmes académiques* (= attribuées pour services rendus à l'enseignement, aux beaux-arts). — **2.** Symbole de la victoire, de la gloire (littér.) : *Remporter la palme* (= être vainqueur).

3. PALME [palm] n. f. (de *palme* 2). Nageoire en caoutchouc qui s'ajuste à chaque pied du nageur pour lui permettre de se propulser sous l'eau.

PALMÉ, E [palme] adj. (de *palme*). **1.** *Bot.* Dont les éléments partent d'un même point, en parlant d'une feuille composée, d'une nervation. — **2.** *Zool.* Dont les doigts sont réunis par une membrane (palmure), comme chez le canard, les grenouilles. ◆ **palmipèdes** n. m. pl. Ordre d'oiseaux aquatiques, comprenant des formes aux pattes palmées (*grèbe, pingouin, macareux, albatros,* *goéland, pélican, cormoran, oie, canard, flamant*, etc.). ◆ **palmure** n. f. Membrane reliant les doigts de certains vertébrés aquatiques (palmipèdes, loutres, grenouilles).

PALMERAIE n. f. ⟶ PALMIER.

PALMERSTON (Henry TEMPLE, *lord*), homme politique anglais (1784-1865). Il dirigea à plusieurs reprises le ministère des Affaires étrangères et combattit l'influence de la France. Il fut Premier ministre de 1855 à 1858 et de 1859 à 1865.

PALMIER [palmje] n. m. (de *palme*). Arbre de la famille des palmiers. ◆ n. m. pl. Famille de plantes monocotylédones dont la tige, ou *stipe*, se termine par un bouquet de feuilles souvent pennées et dont les fleurs sont unisexuées. (Sur les 1 200 espèces que comporte la famille, plusieurs fournissent des produits alimentaires [dattes, noix de coco, huile de palme, choux-palmistes] ou industriels [raphia, rotin, ivoire végétal].) ◆ **palme** n. f. **1.** Feuille de palmier. — **2.** *Huile de palme*, huile extraite du fruit de palmier à huile. ‖ *Vin de palme*, boisson fermentée fournie par certains palmiers. ◆ **palmeraie** n. f. Lieu planté de palmiers. ◆ **palmiste** n. m. Nom usuel de plusieurs espèces de palmiers (*arec, cocotier des Maldives*, etc.) dont le bourgeon est consommé sous le nom de *chou-palmiste*.

PALMIPÈDES n. m. pl., **PALMURE** n. f. ⟶ PALMÉ.

PALMISTE n. m. ⟶ PALMIER.

PALMYRE *(Ville des palmiers)*, village ruiné de la Syrie, entre Damas et l'Euphrate, autref. ville puissante sous le règne de Zénobie. Prise par l'empereur Aurélien en 272, elle fut détruite en 273. Ses ruines, retrouvées à la fin du XVIIe s., sont importantes : elles comprennent notamment le temple de Bêl (32 apr. J.-C.), des tombes en forme de tours ou d'habitations et garnies de statues (certaines au Louvre), des portes monumentales, des colonnades.

PALOMAR *(mont)*, montagne des États-Unis (Californie); 1 871 m. Observatoire astronomique possédant un télescope géant (5 m d'ouverture).

PALOMBE [palɔ̃b] n. f. (lat. *palumbus*). Autre nom du PIGEON RAMIER.

PALOS *(cap)*, promontoire de la côte d'Espagne (province de Murcie), sur la Méditerranée.

PALOS, bourg du sud-ouest de l'Espagne (province de Huelva), à l'embouchure du río Tinto; 2 500 hab. Anc. port, aujourd'hui comblé par les alluvions, d'où Colomb s'embarqua à la découverte de l'Amérique.

PÂLOT, OTTE adj. ⟶ PÂLE.

PALOURDE [palurd] n. f. (lat. *peloris*). Mollusque bivalve, comestible, vivant dans le sable. (Connu sous le nom de CLOVISSE sur le littoral méditerranéen français.)

PALPABLE adj., **PALPATION** n. f. ⟶ PALPER.

PALPE [palp] n. m. (de *palper*). Appendice mobile des pièces buccales des arthropodes *(palpes labiaux, palpes maxillaires)*, dont le rôle est sensoriel.

PALPER [palpe] v. t. (lat. *palpare*). **1.** Toucher avec la main à plusieurs reprises et doucement, afin d'examiner, de connaître : *Palper le matelas pour voir s'il est souple* (syn. TÂTER). — **2.** Fam. *Palper (de l'argent)*, en recevoir, en toucher. ◆ **palpable** adj. Dont on peut s'assurer de soi-même l'existence; que l'on peut vérifier : *Des avantages palpables* (syn. CONCRET, RÉEL). *Des preuves palpables* (syn. ÉVIDENT, MANIFESTE). ◆ **impalpable** adj. Si ténu qu'il ne peut être palpé; dont les éléments constituants sont si petits qu'ils ne peuvent être perçus au toucher : *Une poussière impalpable* (syn. ↓FIN). ◆ **palpation** n. f. **1.** Action de palper; son résultat. — **2.** *Méd.* Méthode d'examen qui utilise la sensibilité tactile de la main ou des doigts pour apprécier certains signes pathologiques (modifications de forme, de consistance, de température, etc., des organes).

PALPEUR [palpœr] n. m. (de *palper*). Appareil servant à évaluer des variations d'épaisseur. (Il fonctionne en agissant sur la capacité d'un condensateur ou l'inductance d'une bobine.)

PALPITER [palpite] v. i. (lat. *palpitare*). **1.** (sujet nom désignant le cœur, le pouls, un organe) Battre d'une manière précipitée et désordonnée; avoir des mouvements convulsifs : *Son cœur palpite de joie. Ses paupières palpitèrent sous la brusque clarté.* — **2.** (sujet nom désignant la chair d'animaux fraîchement tués) Être animé de mouvements brusques : *Le corps du cerf palpitait encore.* — **3.** (sujet nom de chose) Être agité d'un frémissement léger (littér.) : *La flamme palpite avant de s'éteindre.* ◆ **palpitant, e** adj. **1.** Qui palpite : *Avoir le cœur palpitant* (= vivement ému). — **2.** Qui excite l'émotion : *Le moment palpitant d'un film.* ◆ **palpitation** n. f. Battement précipité et déréglé du cœur; frémissement convulsif (le plus souvent au plur.) : *Avoir des palpitations. Les palpitations des paupières.*

PALTOQUET [paltɔkɛ] n. m. (de l'anc. angl. *paltok*, jaquette). *Fam.* Homme sans aucune valeur et prétentieux.

PALUDÉEN, ENNE adj. ⟶ PALUDISME.

PALUDINE [palydin] n. f. (du lat. *palus, paludis*, marais). Mollusque gastropode vivipare, des cours d'eau et des étangs, long de 3 à 4 cm.

PALUDISME [palydism] n. m. (du lat. *palus, paludis*, marais). Maladie infectieuse produite par un protozoaire parasite des globules rouges du sang, l'*hématozoaire*, et transmise par un moustique des régions chaudes et marécageuses, l'*anophèle* (syn. FIÈVRE DES MARAIS, FIÈVRE PALUDÉENNE, MALARIA). ⟶ ENCYCL. ◆ **paludéen, enne** adj. *Fièvre paludéenne*, syn. de PALUDISME.
— ENCYCL. Le *paludisme* est à la fois la maladie la plus répandue dans le monde, encore à l'heure actuelle, et l'une des plus faciles à éviter et à soigner.

Le parasite, dont il existe plusieurs espèces, est transmis d'un sujet infesté à un sujet sain par la femelle d'un moustique : l'*anophèle*. La maladie se manifeste par des accès de fièvre élevée qui se répètent tous les trois jours *(fièvre tierce)* ou tous les quatre jours *(fièvre quarte)* selon le parasite. Le traitement de la maladie se fait à l'aide de médicaments tels la *quinine* et ses dérivés.

PALUS [palys] n. m. (mot lat. signif. *marais*). Nom donné, dans le sud-ouest de la France, notamment dans le Bordelais, aux terres d'alluvions du fond des vallées.

PÂMER (SE) [səpɑme] v. pr. ou **ÊTRE PÂMÉ** v. passif (lat. *spasmare*, avoir un spasme) [sujet nom de personne]. Être comme paralysé sous le coup d'une émotion, d'une sensation violente : *Elle était pâmée d'admiration devant ses propos. Se pâmer de rire* (= s'y abandonner complètement). ◆ **pâmoison** n. f. Fam. et ironiq. *Tomber en pâmoison*, s'évanouir, avoir une défaillance.

PAMIERS, ch.-l. d'arrond. de l'Ariège, à 19 km au N. de Foix, sur l'Ariège; 15 200 hab. *(Appaméens)*. Métallurgie.

PAMIR, massif montagneux de l'Asie centrale (Chine et U. R. S. S.), culminant à 7 719 m.

PÂMOISON n. f. → PÂMER.

PAMPA [pɑ̃pa] n. f. (mot esp.). Vaste prairie de l'Amérique du Sud.

PAMPA (la), région de l'Argentine centrale, autour de Buenos Aires. La Pampa est une zone d'élevage bovin et de grande culture (maïs, blé) très mécanisée.

PAMPELUNE, en esp. **Pamplona**, v. d'Espagne, ch.-l. de province et capit. de l'anc. royaume de Navarre; 147 200 hab. Cathédrale (XIVe-XVe s.).

PAMPHLET [pɑ̃flɛ] n. m. (mot angl.). Brochure courte et satirique, écrit qui attaque violemment les institutions, le régime, la religion ou les hommes politiques. ◆ **pamphlétaire** n.

PAMPHYLIE, contrée de l'Asie Mineure, entre la Lycie et la Cilicie, traversée par le Taurus.

PAMPLEMOUSSE [pɑ̃pləmus] n. m. ou f. (du néerl. *pompel*, gros, et *limoes*, citron). Baie comestible du pamplemoussier, à goût acide, plus grosse que les oranges, appelée aussi GRAPE-FRUIT. ◆ **pamplemoussier** n. m. Arbre voisin de l'oranger, cultivé dans les pays chauds pour ses fruits, ou pamplemousses.

PAMPRE [pɑ̃pr] n. m. (lat. *pampinus*). Rameau de vigne avec ses feuilles et ses fruits.

PAN [pɑ̃] n. m. (lat. *pannus*, morceau d'étoffe). **1.** Partie tombante et flottante d'un vêtement : *Un pan de chemise. Les pans d'un habit de cérémonie* (syn. BASQUES). — **2.** *Pan de mur*, partie plus ou moins grande d'un mur : *Il ne restait plus de la maison que des pans de mur calcinés.* ‖ *Pan coupé*, surface qui remplace l'angle abattu de deux murs qui se coupent.

PAN. *Myth. gr.* Dieu des bergers d'Arcadie. Il était né avec les jambes, les cornes et le poil d'un bouc. Sous l'influence des stoïciens, il personnifia dans la suite le Grand Tout, l'Univers.

PANACÉE [panase] n. f. (gr. *panakeia*). Ce qu'on croit capable de guérir de tous les maux, de résoudre tous les problèmes : *Le droit des peuples à disposer d'eux-mêmes est pour lui la panacée.*

PANACHAGE n. m. ⟶ PANACHER.

PANACHE [panaʃ] n. m. (du lat. *penna*, plume). **1.** Assemblage de plumes flottantes dont on ornait un casque, un drapeau, un corbillard, etc. : *Ralliez-vous à mon panache blanc.* — **2.** *Un panache de fumée*, des nuages de fumée ondoyante. — **3.** *Avoir du panache*, avoir de l'éclat, du brio, une fière allure. ◆ **empanaché, e** adj. Garni d'un panache : *Un chapeau empanaché.*

PANACHÉ, E [panaʃe] adj. (de *panacher*). **1.** Composé de couleurs variées : *Un œillet panaché.* — **2.** Mélangé, disparate : *Un style panaché.* — **3.** Composé de bière et de limonade : *Un* *bock, un demi panaché.* — **4.** *Glace panachée,* glace composée de différents parfums. ‖ *Fruits panachés,* mélangés.

PANACHER [panaʃe] v. t. (de *panache*). Dans une élection, mêler sur une même liste des candidats qui appartiennent à des listes différentes. ◆ **panachage** n. m.

PANADE [panad] n. f. (de l'it. *pane*, pain). **1.** Soupe faite d'eau, de pain et de beurre, qui ont bouilli ensemble. — **2.** Pop. *Être, tomber dans la panade,* dans la misère.

PANAFRICANISME [panafrikanism] n. m. (du gr. *pan*, tout, et *africanisme*). Doctrine qui tend à développer l'unité et la solidarité des peuples africains.

PANAIS [panɛ] n. m. (lat. *pastinaca*, carotte). Plante potagère, dont la racine est appréciée pour les bouillons, le pot-au-feu, et qui peut servir à nourrir le bétail. (Famille des ombellifères.)

PANAMA n. m. (de *Panamá*). Chapeau souple, tressé avec la feuille d'un arbuste de l'Amérique centrale appelé *bombanaje.*

PANAMÁ, capit. de la république de Panamá, sur le Pacifique *(golfe de Panamá);* 441 000 hab.

PANAMÁ, république de l'Amérique centrale; 77 000 km^2; 2 4000 000 hab. (31 au km^2) [*Panamiens* ou *Panaméens*]. Capit. *Panamá* (441 000 hab.).
→ cartes AMÉRIQUE pp. 48-49.

GÉOGRAPHIE

Une cordillère centrale (3 374 m au volcan Chiriquí), qui constitue l'axe du pays, sépare les étroites plaines côtières de l'Atlantique et du Pacifique. La forêt tropicale couvre une grande partie de l'État.

Le pays tire l'essentiel de ses revenus des plantations de banane, café, cacao, canne à sucre, dont la plupart sont contrôlées par les États-Unis. La pêche (crustacés) apporte un complément. Le pays tire divers profits de la zone du canal et du prêt du pavillon de complaisance.

HISTOIRE

La côte atlantique est abordée par les Espagnols en 1501 et la côte pacifique découverte en 1513.

- *1519. La fondation de la ville de Panamá est suivie d'un essor causé par la découverte du Pérou (1532), puis des Philippines.*

Jusqu'au XVIIe s. la fièvre des affaires règne dans la colonie, tandis que les marchandises de Manille et l'or du Pérou traversent l'isthme en convois de mules. L'intervention croissante des flibustiers français et surtout anglais contre les ports de l'isthme entraîne le déclin de la route au XVIIIe s.

- *1739. Panamá est rattaché à la vice-royauté de la Nouvelle-Grenade.*

La dépendance à l'égard de Bogotá continue après la proclamation de l'indépendance de la Colombie (1819). La découverte de l'or de Californie (1848) offre une nouvelle chance au pays et l'idée d'un canal interocéanique se précise. Son percement par F. de Lesseps échoue (1878-1889) et l'initiative est reprise par les États-Unis.

- *1903. Face aux exigences de la Colombie, les États-Unis suscitent un mouvement d'indépendance.*

La nouvelle république leur accorde une zone interocéanique où ils construisent, de 1904 à 1914, un canal à écluses, introduisant pour cela une main-d'œuvre noire. Le canal apporte une relative prospérité à Panamá, mais aussi une dépendance à l'égard des États-Unis. La vie politique se caractérise par des poussées de fièvre nationaliste qui favorisent l'augmentation de la redevance perçue pour l'exploitation du canal (1936, 1955, 1964). En 1973, le général Torrijos, au pouvoir de 1968 à 1978, réclame pour son pays la souveraineté sur la zone du canal.

- *1978-1982. Aristides Royo, président.*
- *1979. Panamá retrouve la souveraineté sur la zone du canal (les États-Unis gardant un droit de contrôle jusqu'à fin 1999).*
- *1982-1984. Ricardo de la Espriella, président.*
- *1984. Nicolás Barletta, président.*
- *1985. Eric Delvalle, président.*
- *1988. Sous la pression de l'armée, commandée par le général Noriega, E. Delvalle est destitué.*

Défiant les États-Unis, Noriega règne en maître sur le pays.

- *20 déc. 1989. Une intervention militaire américaine évince Noriega et place à la tête de l'État Guillermo Endara (leader de l'opposition et vainqueur de l'élection présidentielle* [*annulée par le régime en place*] *de mai 1989).*

Panamá *(affaire de),* scandale politique de la IIIe République, provoqué par la faillite, en 1889, de la compagnie créée par les Français pour réaliser le canal de Panamá; certains parlementaires furent accusés d'avoir touché de l'argent pour soutenir la compagnie et l'affaire contribua à déconsidérer le régime.

Panamá *(canal de),* canal interocéanique traversant l'*isthme de Panamá*, long de 79,6 km, coupé par 6 écluses. Les travaux commencés en 1881 par les Français sur l'initiative de Ferdinand de Lesseps furent arrêtés en 1888. (→ PANAMÁ [*affaire de*].) Repris en 1904 par les États-Unis, ils furent achevés en 1914. Le canal permet d'effectuer un gain de 60 p. 100 sur la route New York-San Francisco. Le trafic annuel est de 150 millions de t.

La *zone du canal,* située de part et d'autre du canal, a 1 680 km^2 et 44 200 hab. Elle a été concédée par la république de Panamá aux États-Unis de 1903 à 1979.

Panamá *(isthme de),* isthme qui unit les deux Amériques. C'est une langue de terre longue d'env. 250 km, sur laquelle s'étend la *république de Panamá**, entre la Colombie et le Costa Rica.

PANAMÉRICAIN, E [panamerikɛ̃, -ɛn] adj. (du gr. *pan*, tout, et *américain*). Relatif aux pays des deux Amériques : *Une conférence panaméricaine.* ◆ **panaméricanisme** n. m. Mouvement tendant à améliorer et à développer les relations des républiques américaines entre elles.

PANARABE [panarab] adj. (du gr. *pan*, tout, et *arabe*). Relatif à l'ensemble des pays de langue arabe et de civilisation musulmane. ◆ **panarabisme** [panarabism] n. m. Doctrine qui tend à l'union de tous les pays de langue et de civilisation arabes.

PANARIS [panari] n. m. (lat. *panaricium*). *Méd.* Inflammation locale d'un doigt.

— ENCYCL. Le *panaris* naît souvent dans la pulpe d'un doigt, par suite d'une piqûre (écharde de bois, aiguille). Il entraîne rougeur, gonflement et douleur locale, ainsi qu'une sensation de chaleur. En l'absence de traitement chirurgical, l'infection peut s'étendre aux os voisins, aux gaines tendineuses de la main, entraînant des lésions graves (lymphangite du bras).

PANATHÉNÉES [panatene] n. f. pl. (du gr. *pan*, tout, et *Athênê*, Athéna). Fêtes qu'on célébrait en l'honneur d'Athéna.

PANAY, île des Philippines; 1 851 000 hab.

PANCARTE [pɑ̃kart] n. f. (du gr. *pan*, tout, et lat. *charta*, charte). Plaque de bois, de carton, etc., sur laquelle sont donnés des avis, des renseignements, des slogans, etc., et qu'on applique sur un mur, un panneau, etc., ou qu'on porte.

PANCRACE [pɑ̃kras] n. m. (du gr. *pan*, tout, et *kratos*, force). Exercice combinant la lutte et le pugilat à poings nus.

PANCRÉAS [pɑ̃kreas] n. m. (du gr. *pan*, tout, et *kreas*, chair). Glande à sécrétion interne (endocrine) et externe (exocrine), située dans l'abdomen, en arrière de l'estomac. ◆ **pancréatique** adj. Relatif au pancréas. ‖ *Suc pancréatique,* sécrétion externe du pancréas. (Il contient des enzymes agissant sur les protides [trypsine], sur les glucides [amylase] et sur les lipides [lipase].) ◆ **pancréatite** n. f. *Méd.* Inflammation du pancréas. (On distingue des *pancréatites aiguës,* qui provoquent des crises abdominales violentes, nécessitant souvent une intervention chirurgicale, et des *pancréatites chroniques,* qui s'accompagnent de troubles digestifs.)

— ENCYCL. Le *pancréas* est une glande allongée, aplatie d'avant en arrière. On y distingue : une extrémité droite renflée, appelée *tête;* une partie moyenne plus étroite, le *corps;* une extrémité gauche effilée, la *queue.*

Le *pancréas exocrine* sécrète des sucs digestifs déversés dans le duodénum, très actifs sur les protéines et les graisses. Le *pancréas endocrine* sécrète l'insuline, seule hormone capable de faire baisser le taux de sucre dans le sang et présidant à l'utilisation de ce sucre; c'est là le rôle capital du pancréas, indispensable à la vie. Il sécrète aussi une hormone augmentant le taux de sucre.

PANDA [pɑ̃da] n. m. (mot du Népal). Mammifère carnassier voisin de l'ours, qui habite l'Himalaya.

PANDÉMIE [pɑ̃demi] n. f. (du gr. *pan*, tout, et *dêmos*, peuple). Extension d'une maladie contagieuse à tout un continent, voire à tout le globe terrestre. (Les principales pandémies sont celles de peste, de grippe et de choléra.)

PANDÉMONIUM [pɑ̃demɔnjɔm] n. m. (du gr. *pan*, tout, et *daimôn*, démon). **1.** Capitale imaginaire du royaume des Enfers. — **2.** Lieu de réunion de personnages qui sont comme possédés par un démon, où il y a beaucoup de vacarme.

PANDIT [pɑ̃dit] n. m. (mot sanskrit). Titre honorifique que l'on donne dans l'Inde aux brahmanes érudits, et spécialement à ceux qui sont versés dans l'étude de la littérature sanskrite.

PANDORE. *Myth. gr.* Nom de la première femme, comblée de tous les dons. Zeus lui fit présent d'une boîte où tous les maux étaient enfermés et l'envoya sur Terre au premier homme, Épiméthée; quand elle ouvrit la boîte fatale, tous les maux se répandirent sur la Terre. Il ne resta au fond que l'Espérance.

PANÉ, E adj. ⟶ PANER.

PANÉGYRIQUE [panezirik] n. m. (gr. *panêgurikos*, éloge). Parole, écrit à la louange de quelqu'un : *Faire le panégyrique d'un professeur* (syn. ↑APOLOGIE, DITHYRAMBE). ◆ **panégyriste** adj. et n. : *Se faire le panégyriste de quelqu'un.*

PANEL [panɛl] n. m. (mot angl. signif. *tableau*). Échantillon fixe de personnes, à qui l'on présente des questionnaires d'enquête par sondage échelonnés sur une période plus ou moins longue, ce qui permet d'étudier l'évolution d'un phénomène dans le temps.

PANER [pane] v. t. (du lat. *panis*, pain). Couvrir de chapelure avant de frire (terme de cuisine). ◆ **pané, e** adj. : *Escalope panée.*

PANETIÈRE n. f. ⟶ PAIN.

PANGERMANISME [pɑ̃ʒɛrmanism] n. m. (du gr. *pan*, tout, et *germanisme*). Idéologie et mouvement visant à regrouper en un État unique toutes les populations d'origine germanique. ◆ **pangermaniste** adj. et n.

Pangloss, personnage de *Candide*, roman de Voltaire. Disciple de Leibniz et de Wolff, il a enseigné à son élève Candide que « tout est pour le mieux dans le meilleur des mondes possibles », et il reste fidèle à son optimisme au milieu de toutes les catastrophes.

PANGOLIN [pɑ̃gɔlɛ̃] n. m. (malais *pang-goling*, celui qui s'enroule). Mammifère d'Asie et d'Afrique, au corps couvert d'écailles cornées. Il se nourrit de termites et fourmis grâce à une langue enduite de salive visqueuse. (Ordre des édentés.)

PANHARD, famille d'ingénieurs et de constructeurs d'automobiles français. RENÉ (1841-1908) fonda avec E. Levassor la Société Panhard et Levassor. Daimler leur ayant cédé la licence de son moteur, ils construisirent en 1891 la première automobile à essence, qui réalisa le premier voyage Paris-Nice (1893).

PANHELLÉNISME [panɛllenism] n. m. (du gr. *pan*, tout, et *hellénisme*). Système politique visant à regrouper les peuples grecs des Balkans et d'Asie Mineure, et qui s'est manifesté essentiellement entre la proclamation de l'indépendance grecque (1829) et le traité de Lausanne (1923). ◆ **panhellénique** adj. Qui intéresse tous les Grecs. ‖ *Jeux panhelléniques*, les quatre grandes fêtes des anciens Grecs (jeux Olympiques, Pythiques, Isthmiques et Néméens).

PANICAUT [paniko] n. m. (mot prov.; du lat. *panis*, pain, et *cardus*, chardon). Plante à feuilles épineuses bleuâtres, des endroits incultes et des sables littoraux, confondue à tort avec le chardon. (Nom usuel CHARDON BLEU.) [Famille des ombellifères.]

1. PANIER [panje] n. m. (lat. *panarium*, corbeille à pain). **1.** Ustensile d'osier, de jonc, etc., muni d'une anse, avec lequel on transporte des provisions, des marchandises, etc. — **2.** Contenu d'un panier : *Un plein panier de fraises.* — **3.** *Panier à salade*, ustensile de cuisine ajouré où l'on fait égoutter la salade; fam., voiture cellulaire employée pour le transport de personnes appréhendées par la police. ‖ *Jeter au panier*, mettre dans une corbeille des choses inutiles. ‖ *Panier percé*, personne dépensière, qui ne peut jamais garder d'argent. ‖ *Panier de crabes* ⟶ CRABE. ‖ *Panier de la ménagère*, budget destiné aux dépenses alimentaires ou d'entretien de la maison et qui sert au calcul du coût de la vie. ◆ **panier-repas** n. m. Repas froid distribué à des touristes lors d'une excursion.

2. PANIER [panje] n. m. (même étym.). Au basket-ball, but formé d'une armature métallique circulaire et horizontale soutenant un filet sans fond, à travers laquelle on doit faire passer le ballon; point marqué en y envoyant le ballon : *Réussir un panier.*

PANIFIABLE adj., **PANIFICATION** n. f., **PANIFIER** v. t. ⟶ PAIN.

PANIQUE [panik] n. f. (du n. de *Pan*, dieu qui passait pour effrayer). Terreur subite et violente de caractère collectif : *Un début d'incendie provoqua la panique parmi les spectateurs* (syn. AFFOLEMENT, ↑SAUVE-QUI-PEUT). ◆ adj. *Terreur panique*, effroi violent. ◆ **paniquer** v. i. S'affoler. ◆ ***être paniqué*** v. passif. *Fam.* Être pris d'une peur violente.

PANISLAMISME [panislamism] n. m. (du gr. *pan*, tout, et *islamisme*). Mouvement religieux à tendance politique, tendant à faire l'union de tous les peuples de religion musulmane.

1. PANNE [pan] n. f. (du lat. *penna*, aile). Arrêt accidentel dans le fonctionnement d'une machine quelconque : *La voiture a une panne. Tomber en panne* (= se détraquer). *Avoir une panne d'essence* (ou *panne sèche*). ◆ **dépanner** v. t. **1.** *Dépanner une voiture, un appareil*, etc., les remettre en état de marche. — **2.** Fam. *Dépanner qq'un*, lui rendre un service qui le tire d'embarras. ◆ **dépannage** n. m. : *Un mécanicien appelé pour un dépannage. Le dépannage d'un poste de radio.* ◆ **dépanneur** n. m. Ouvrier qui dépanne. ◆ **dépanneuse** n. f. Voiture, camion utilisés pour dépanner les automobiles.

2. PANNE [pan] n. f. (du lat. *penna*, plume). Graisse dont sont garnis les rognons du porc.

PANNEAU [pano] n. m. (de *pan*). **1.** Plaque de bois ou de métal servant de support à des inscriptions : *Des panneaux de signalisation* (ou *panneaux indicateurs*). *Les programmes des candidats sont affichés sur les panneaux électoraux.* — **2.** Surface plane constituant une partie d'un meuble, d'un ouvrage d'architecture, etc. : *Les panneaux d'une armoire. Les panneaux vitrés du hall de départ à l'aéroport d'Orly.* — **3.** *Tomber, donner dans le panneau*, se laisser prendre au piège de quelqu'un.

PANNETON [pantɔ̃] n. m. (de *pennon*). *Technol.* Partie d'une clef qui, entrant dans la serrure, en fait mouvoir le mécanisme.

PANNONIE, région de l'Europe anc., entre le Danube, la Norique, l'Illyricum et la Mésie. Conquise par les Romains, envahie au Ve s. par les Ostrogoths, les Lombards et les Huns, elle tomba finalement au pouvoir des Magyars.

PANNONIEN *(Bassin)*, plaines comprises entre les Alpes orientales et les Carpates.

PANONCEAU [panɔ̃so] n. m. (de *penne*). Plaque métallique placée à la porte des notaires et huissiers, ou à celle des hôtels et indiquant leur catégorie.

PANOPLIE [panɔpli] n. f. (du gr. *pan*, tout, et *hoplon*, arme). **1.** Ensemble d'armes présentées et disposées sur un panneau, et servant de trophée, d'ornement. — **2.** Jouet d'enfant constitué par un déguisement présenté sur un carton et comprenant plusieurs pièces : *Une panoplie d'Indien.* — **3.** Ensemble de choses qui servent à une activité : *La panoplie du parfait bricoleur.*

PANORAMA [panɔrama] n. m. (du gr. *pan*, tout, et *orama*, vue). Vaste paysage que l'on découvre d'une hauteur : *Découvrir un panorama splendide depuis un belvédère* (syn. ↓VUE). ◆ **panoramique** adj. : *Un croquis panoramique* (= qui représente un terrain). *Une carrosserie panoramique* (= dont la surface vitrée très étendue permet de voir largement le paysage). ◆ n. m. *Cinéma.* Procédé qui consiste à faire pivoter la caméra sur un axe horizontal ou vertical pendant la prise de vues.

PANSAGE n. m. ⟶ PANSER 2.

PANSE [pɑ̃s] n. f. (lat. *pantex, panticis*, intestins). **1.** Première poche de l'estomac des ruminants, où les végétaux absorbés s'entassent avant la mastication. — **2.** *Très fam.* Ventre : *Se remplir la panse.* — **3.** Partie arrondie d'un récipient : *La panse d'un vase.* ◆ **pansu, e** adj. Se dit de ce qui a une grosse panse : *Un vase pansu.*

1. PANSER [pɑ̃se] v. t. (de *penser*, s'occuper de). *Panser qq'un, une partie du corps*, soigner une plaie sur le corps en y appliquant un remède ou une bande pour la guérir ou la protéger : *Panser un bras blessé* (syn. BANDER). *Panser une blessure.* ◆ **pansement** n. m. Action de panser un malade, une blessure, une plaie; bandes, compresses stériles, etc. utilisées pour cela : *Changer le pansement d'un blessé* (syn. BANDAGE). *Appliquer un pansement sur une carie dentaire.*

2. PANSER [pɑ̃se] v. t. (même étym.). *Panser un cheval*, le soigner en lui donnant des soins de propreté, en l'étrillant. ◆ **pansage** n. m. Action de panser un cheval.

PANSU, E adj. ⟶ PANSE.

Pantagruel, roman de Rabelais (1532), qui raconte l'enfance du géant Pantagruel, fils de Gargantua, son éducation, sa rencontre avec Panurge, ses prouesses dans la guerre contre les Dipsodes. Ses aventures se poursuivent dans le *Tiers Livre* (1546), puis dans le *Quart Livre* (1548-1552) et le *Cinquième Livre* (1562-1564) par un long voyage à travers des pays symboliques, qui permettent une satire de la société civile et religieuse du XVIe s.

PANTAGRUÉLIQUE [pɑ̃tagryelik] adj. (de *Pantagruel*). Qui rappelle l'énorme appétit de Pantagruel : *Repas pantagruélique.*

PANTALON [pɑ̃talɔ̃] n. m. (de *Pantalon*, personnage de la comédie italienne). Longue culotte descendant de la ceinture aux pieds et enveloppant séparément chaque jambe.

PANTALONNADE [pɑ̃talɔnad] n. f. (de *Pantalon*). Bouffonnerie, farce burlesque et grossière.

PANTELANT, E [pɑ̃tlɑ̃, -ɑ̃t] adj. (de *pantois*). Qui respire avec peine : *Être pantelant d'émotion* (syn. HALETANT).

PANTELLERIA, île italienne entre la Sicile et la Tunisie; 83 km²; 9 600 hab.

PANTHÉISME [pɑ̃teism] n. m. (du gr. *pan*, tout, et *theos*, dieu). Doctrine religieuse ou philosophique de ceux qui identifient Dieu et le monde (tout est Dieu). ◆ **panthéiste** adj. et n.

PANTHÉON [pɑ̃teɔ̃] n. m. (du gr. *pan*, tout, et *theos*, dieu). **1.** Temple que les Grecs et les Romains consacraient à tous les dieux. — **2.** Monument national où sont déposés les restes de ceux qui ont illustré la patrie. — **3.** Ensemble des dieux d'une nation, d'une religion : *Panthéon védique.*

Panthéon, monument de Paris, édifié par Soufflot de 1764 à

1780 et terminé par son élève Rondelet en 1812. La Révolution en fit un temple destiné à recevoir les cendres des grands hommes. Dans sa crypte furent déposés entre autres les corps de Mirabeau, Voltaire, J.-J. Rousseau, Victor Hugo, Lazare Carnot, La Tour d'Auvergne, Marceau, Zola, Berthelot, Jaurès, Perrin, Langevin, Éboué, Schœlcher, Braille, Jean Moulin, René Cassin, J. Monnet, Condorcet, l'abbé Grégoire, Monge. Le fronton a été sculpté par David d'Angers (1831-1837); l'intérieur a été décoré notamment par Gros et par Puvis de Chavannes.

PANTHÈRE [pɑ̃tɛr] n. f. (gr. *panthêr*). *Zool.* Mammifère carnassier. (Famille des félidés.) [Il y en a plusieurs espèces : *léopard* ou panthère d'Afrique, *panthère tachetée* ou *panthère noire* d'Asie, *jaguar* d'Amérique centrale et du Sud.] ◆ adj. inv. Bot. *Amanite panthère*, champignon à lamelles, au chapeau brun marqué de blanc (toxique mais non mortel).

PANTIN [pɑ̃tɛ̃] n. m. (du lat. *pannus*, morceau d'étoffe). **1.** Jouet constitué par une figure de carton peint représentant un personnage burlesque dont on agite les membres à l'aide d'un fil : *Gesticuler comme un pantin.* — **2.** Personne qui change sans cesse d'opinion au gré des circonstances ou de la volonté d'une autre.

PANTIN, ch.-l. de cant. de la Seine-Saint-Denis, au N.-E. de Paris; 43 600 hab. *(Pantinois).* Cimetière. Centre industriel.

PANTOGRAPHE [pɑ̃tɔgraf] n. m. (du gr. *pan, pantos*, tout, et *graphein*, écrire). *Ch. de f.* Dispositif de captage du courant, sur une locomotive électrique, constitué par un système de cadres articulés comportant à sa partie supérieure une semelle qui est maintenue au frottement sous le fil de contact de la caténaire.

PANTOIS, E [pɑ̃twa, -waz] adj. (de l'anc. fr. *pantoisier*, haleter). *Rester pantois*, être déconcerté, stupéfait devant un événement imprévu.

PANTOMIME [pɑ̃tɔmim] n. f. (du gr. *pan, pantos*, tout, et *mimos*, mime). **1.** Représentation théâtrale où la parole est entièrement remplacée par des gestes et des attitudes : *Le mime Marceau cultive de nos jours l'art de la pantomime.* (On dit aussi MIMODRAME). — **2.** Art de s'exprimer par les gestes et les attitudes.

PANTOUFLE [pɑ̃tufl] n. f. (orig. incert.). Chaussure d'intérieur en tissu ou en cuir, sans talon ni tige. ◆ **pantouflard** n. m. *Fam.* Homme qui aime à rester chez lui (syn. CASANIER).

PANTOUM [pɑ̃tum] n. m. (mot malais). Poème à forme fixe composé d'une suite de quatrains à rimes croisées, dont le deuxième et le quatrième vers deviennent les premier et troisième du quatrain suivant. (De plus, les deux premiers vers de tous les quatrains correspondent à un thème, et les deux derniers à un autre thème parallèle. Introduit en France par V. Hugo [*les Orientales*], il fut utilisé aussi par Th. Gautier, Baudelaire, Banville, Leconte de Lisle.)

PANTY [pɑ̃ti] n. m. (de l'angl. *pants*, culotte). Gaine-culotte longue. ‖ Pl. des *panties.*

PANURE n. f. ⟶ PAIN.

Panurge, personnage créé par Rabelais, dans *Pantagruel**. Son nom, transcrit du gr. *Panourgos*, signifie « industrieux, capable de tout ». L'épisode des moutons de Panurge *(Quart Livre)* est populaire. Panurge achète au marchand de moutons Dindenault, riche et plein de suffisance, une de ses bêtes. Panurge la jette alors à la mer, mais les autres moutons la suivent, et Dindenault, qui veut retenir un bélier, est entraîné et se noie.

PANZER [pɑ̃dzɛr] n. m. (mot all. signif. *cuirasse*). Char, véhicule blindé. ‖ *Panzerdivision*, division blindée allemande, au cours de la Seconde Guerre mondiale.

PAOLI (Pascal), patriote corse (1725-1807). Il souleva l'île contre les Génois, puis contre les Français (1768 et 1793).

PAON, PAONNE [pɑ̃, pan] n. (lat. *pavo, -onis*). **1.** Oiseau gallinacé, originaire d'Asie, au plumage vert à reflets métalliques, dont les plumes (parfois longues de 1,50 m), décorées de taches rondes (« yeux »), peuvent se dresser en éventail vertical lorsque l'oiseau « fait la roue ». — **2.** *Se rengorger comme un paon*, faire le vaniteux. ‖ *Se parer des plumes du paon*, tirer vanité de ce qu'on a emprunté et qui ne vous appartient pas. ◆ **paonneau** [pano] n. m. Jeune paon.

PAO-T'EOU, v. de Chine (Mongolie-Intérieure), sur le Houang-ho; 650 000 hab. Sidérurgie.

PAPA [papa] n. m. (onomat.). Père dans le langage des enfants. ◆ **grand-papa** n. m. Grand-père.

PAPAGOS ou **PAPÁGHOS** (Alexandros), maréchal et homme politique grec (1883-1955). Ministre de la Guerre en 1935, il commanda les armées grecques contre les Italiens en 1940, puis contre les communistes en 1949-1951. Il fut chef du gouvernement de 1952 à 1955.

PAPAL, E, AUX adj. ⟶ PAPE.

PAPANDHRÉOU (Georges), homme politique grec (1888-1968). Fondateur du parti social-démocrate (1935), il fut le chef du gouvernement grec en exil pendant la Seconde Guerre mondiale. Il créa en 1959 le parti libéral démocratique et fut Premier ministre de 1963 à 1965. Son départ en juillet 1965 provoqua une grave crise politique. — Son fils ANDRÉ (né en 1919), leader socialiste, a été Premier ministre de 1981 à 1989.

PAPAUTÉ n. f. ⟶ PAPE.

PAPAVÉRACÉES [papaverase] n. f. pl. (du lat. *papaver*, pavot). Famille de plantes dicotylédones dialypétales, à deux sépales caducs, quatre pétales et nombreuses étamines, dont le type est le *pavot.*

PAPAYER [papaje] n. m. (malais *papaya*). Espèce d'arbre d'Amérique tropicale, dont la baie, ou *papaye*, est comestible, et dont le latex contient une diastase. (Famille des caricacées.)

PAPE [pap] n. m. (gr. *pappas*, père). Chef de l'Église catholique romaine, élu par un conclave de cardinaux. (On l'appelle aussi SOUVERAIN PONTIFE, SAINT-PÈRE.) ◆ **papal, e, aux** adj. : *L'autorité papale.* ◆ **papauté** n. f. **1.** Administration, gouvernement d'un pape. — **2.** Dignité, fonction du pape : *Le cardinal Pacelli fut élevé à la papauté et prit le nom de Pie XII.* ◆ **papisme** n. m. Terme péjoratif par lequel les protestants désignent l'Église catholique romaine. ◆ **antipape** n. m. Pape élu irrégulièrement et non reconnu par l'Église.

— ENCYCL. Le *pape* est le successeur de saint Pierre. Chef visible de l'Église, il fait connaître sa pensée aux catholiques par des encycliques et des bulles. Lorsqu'il s'agit d'une question de dogme, le pape est déclaré infaillible (= il ne se trompe pas). Il est aussi l'évêque de la ville de Rome et réside à la cité du Vatican. Le pape Jean Paul II, élu en 1978, est le deux cent soixante-sixième pape.

PAPEETE, port de l'île de Tahiti, ch.-l. de la Polynésie française (Océanie); 62 700 hab. Aéroport. Centre touristique.

PAPELARD, E [paplar, -ard] adj. (de l'anc. fr. *papeler*, marmonner des prières). Qui manifeste une hypocrisie doucereuse (littér.) : *Un air papelard* (syn. MIELLEUX). ◆ **papelardise** n. f.

PAPIER [papje] n. m. (lat. *papyrus*). **1.** Matière à base de cellulose, obtenue à partir de substances végétales réduites en pâte, et dont on fait des feuilles qui servent à écrire, imprimer, envelopper, recouvrir, etc. (suivi d'un adj. ou d'un compl. avec la prép. *à* pour indiquer l'usage) : *De la pâte à papier. Une feuille de papier. Le papier buvard* (= qui sèche l'encre). *Du papier carbone* (= pour obtenir des copies d'un même document). *Du papier hygiénique* (= pour l'usage des toilettes). *Papier timbré* (= sur lequel on fait les actes officiels et qui est marqué d'un timbre). *Du papier peint* (= que l'on colle sur les parois intérieures des murs d'une maison). *Du papier de verre* (= qui sert à polir). *Du papier à musique* (= où sont inscrites les portées et qui sert à écrire la musique). *Papier mâché* (= pâte à papier contenant de la colle et pouvant être moulée). ⟶ ENCYCL. — **2.** Feuille, morceau de papier écrits ou imprimés; article rédigé : *Brûler des papiers compromettants* (syn. ÉCRIT). *Il a envoyé un papier au journal* (syn. ARTICLE). — **3.** (au plur.) Documents : *Les papiers d'identité* (syn. PIÈCE). *Avoir de faux papiers* (= de fausses pièces d'identité). — **4.** Fam. *Être dans les petits papiers de qq'un*, jouir de sa considération. ‖ *Sur le papier*, en projet; par écrit : *C'est très beau sur le papier, mais c'est irréalisable.* ‖ *Rayez cela de vos papiers*, n'y comptez pas. ‖ *Figure de papier mâché*, d'une pâleur maladive. ◆ **paperasses** [papras] n. f. pl. Ensemble de papiers écrits ou imprimés, considérés comme inutiles, sans valeur. ◆ **paperasserie** n. f. Quantité abusive de papiers administratifs. ◆ **paperassier, ère** adj. et n. Qui multiplie les formalités écrites, qui s'embarrasse inutilement de papiers : *Une administration paperassière.* ◆ **papetier, ère** n. Personne qui fabrique ou vend du papier. ◆ **papeterie** n. f. **1.** Fabrique de papier. — **2.** Commerce de papier (cahiers, papier à écrire, etc.) et de petits articles de bureau (crayon, stylo, etc.).

— ENCYCL. Les Anciens ne connaissaient pas le *papier;* ils écrivirent d'abord sur des feuilles de palmier, sur des écorces d'arbres, sur des tablettes enduites de cire, sur du plomb, etc., et enfin sur l'écorce du *papyrus*, d'où est venu le mot *papier*. Un peu avant l'ère chrétienne, le *parchemin* vint faire concurrence au papyrus. L'introduction du papier chiffon ne paraît guère remonter qu'au Xe s.; mais ce n'est que vers le XVIIIe s. que sa fabrication a pris une extension considérable. De nos jours, le papier chiffon n'a pas cessé d'être employé; mais on fabrique aussi du papier avec une foule de substances végétales (paille, alfa, fibres du bois, écorce, etc.). Tout ce qui sert à fabriquer le papier est mécaniquement réduit en pâte; celle-ci passe par une série de cylindres chauffés, s'étend en nappe, chemine entre de nouveaux cylindres recouverts de feutre, qui la sèchent, et d'où elle sort en une feuille qui s'enroule sur de vastes bobines.

PAPIER-MONNAIE [papjemɔnɛ] n. m. *(papier,* et *monnaie).* Papier créé par un gouvernement comme instrument de paiement, mais qui n'est pas convertible en or. ‖ Pl. des *papiers-monnaies.* (⟶ MONNAIE.)

PAPILIONACÉES [papiljɔnase] n. f. pl. (du lat. *papilio, -onis,* papillon). Famille de plantes dicotylédones dialypétales de l'ordre des légumineuses, dont le fruit est une gousse : *Le pois, le haricot, le trèfle, la luzerne, le robinier, l'arachide sont des papilionacées.* (La corolle de la fleur a une forme rappelant celle d'un papillon. Elle est formée de cinq pétales [l'*étendard,* les deux *ailes* et la *carène* formée de deux pétales soudés].)

PAPILLE [papij] n. f. (lat. *papilla*). Petite éminence saillante à la surface de la peau, en partic. sur la langue *(papilles gustatives).*

1. PAPILLON [papijɔ̃] n. m. (lat. *papilio, papilionis*). Forme adulte des insectes de l'ordre des lépidoptères, à quatre ailes membraneuses couvertes d'écailles microscopiques colorées, et à pièces buccales formant une trompe, enroulée en spirale au repos, permettant d'aspirer le nectar des fleurs. (Les œufs pondus par les papillons donnent des larves, ou *chenilles,* puis des nymphes, ou *chrysalides.*) ◆ adj. *Nœud papillon,* nœud de cravate qui a la forme d'un papillon. ‖ *Brasse papillon* ⟶ BRASSE.

2. PAPILLON [papijɔ̃] n. m. (de *papillon* 1). *Technol.* **1.** Écrou à ailettes qu'on peut desserrer à la main. — **2.** Soupape ou registre mobile d'un tuyau de cheminée, d'un carburateur, etc.

3. PAPILLON [papijɔ̃] n. m. (de *papillon* 1). Petite feuille de papier contenant un avis et en partic. une contravention.

PAPILLONNER [papijɔne] v. i. (de *papillon*) [sujet nom de personne]. *Fam.* Aller d'une chose à une autre, d'une personne à l'autre, sans nécessité, sans rien approfondir.

PAPILLOTANT, E adj. ⟶ PAPILLOTER.

PAPILLOTE [papijɔt] n. f. (du lat. *papilio,* papillon). **1.** Morceau de papier sur lequel on enroule les cheveux pour les faire friser. — **2.** Morceau de papier dont on enveloppe les bonbons.

PAPILLOTER [papijɔte] v. i. (de *papillote*). **1.** (sujet nom désignant les yeux, les paupières) Être animé d'un mouvement continuel, involontaire, qui empêche de voir distinctement : *Sous le soleil vif, les yeux papillotent* (syn. CLIGNOTER). — **2.** (sujet nom désignant la lumière) Avoir des reflets, des miroitements, des scintillements. ◆ **papillotant, e** adj. : *Des lumières papillotantes.* ◆ **papillotement** n. m. Sautillement qui fatigue la vue.

PAPIN (Denis), physicien français (1647-1714). Le premier, il utilisa la force due à la pression de la vapeur d'eau, imagina la marmite qui porte son nom, ancêtre de nos autoclaves, et expérimenta en Allemagne un bateau à vapeur (1707).

PAPINEAU (Louis Joseph), homme politique canadien (1786-1871). Il défendit les droits des Canadiens français (vote des 92 résolutions en 1834), et fut l'un des instigateurs de la rébellion de 1837.

PAPISME n. m. ⟶ PAPE.

PAPOTER [papɔte] v. i. (de l'anc. fr. *papeter,* babiller). Parler beaucoup et d'une manière insignifiante ou frivole : *Les deux vieilles dames papotaient dans un coin du salon* (syn. BAVARDER). ◆ **papotage** n. m.

PAPOUASIE-NOUVELLE-GUINÉE, État unitaire formé en 1973 par la *Papouasie* ou *territoire de Papua,* ancienne colonie australienne, et par la *Nouvelle-Guinée* jusque-là sous mandat australien; 463 000 km²; 3 900 000 hab. Capit. *Port Moresby* (122 000 hab.).

PAPOUS, populations noires de l'Océanie, établies surtout dans la Nouvelle-Guinée et les îles voisines.

PAPRIKA [paprika] n. m. (mot hongr.). Piment très fort qui, réduit en poudre, sert de condiment.

PAPYRUS [papirys] n. m. (mot lat.). Texte écrit sur la feuille d'une plante (papyrus) qui pousse sur les bords du Nil et que les Anciens utilisaient comme papier : *Les papyrus égyptiens.* ◆ **papyrologie** n. f. Étude et déchiffrement des papyrus. ◆ **papyrologue** n.

PÂQUE [pɑk] n. f. (gr. *paskha;* d'un mot hébr. signif. *passage*). Fête annuelle des juifs, en mémoire de leur sortie d'Égypte : *Célébrer la pâque.*
— ENCYCL. La *pâque* fut établie par les juifs en mémoire du passage de la mer Rouge, et en même temps du passage de l'ange exterminateur qui, dans la nuit où ils quittèrent l'Égypte, tua tous les premiers-nés des Égyptiens, épargnant les maisons israélites marquées du sang de l'agneau.

PAQUEBOT [pakbo] n. m. (de l'angl. *packet-boat,* bateau qui transporte les dépêches). Grand navire aménagé pour le transport des passagers : *Les paquebots des lignes transatlantiques.*

PÂQUERETTE [pɑkrɛt] n. f. (de *Pâques*). Petite marguerite blanche qui fleurit dans les prés au début du printemps.

PÂQUES [pɑk] n. m. (de *pâque*) [avec une majusc. et sans art.]. Fête annuelle, mobile, de l'Église chrétienne, en mémoire de la résurrection du Christ : *Le lundi de Pâques est chômé. Le dimanche de Pâques.* ◆ n. f. pl. *Faire ses pâques,* communier un jour du temps pascal. ◆ **pascal, e, als** adj. : *Le temps pascal va de Pâques à la Trinité.*

PÂQUES *(île de),* île du Pacifique, à l'O. du Chili, dont elle dépend; 1 500 hab. Grandes effigies humaines, monolithiques, atteignant 10 m de hauteur (deux sont au musée de l'Homme), disposées sur des plates-formes cultuelles nommées *ahus.* La civilisation qui les érigea a disparu au XVIIᵉ s. de notre ère.

PAQUET [pakɛ] n. m. (du néerl. *pak*). **1.** Réunion de plusieurs choses attachées ou enveloppées ensemble pour être transportées; marchandise, objet, etc., enveloppés ou attachés pour la vente, le transport, etc. : *Faire un paquet. Expédier un paquet par la poste. Un paquet de cigarettes.* — **2.** *Un paquet de,* une masse importante de : *Un paquet de billets de banque. Des paquets de mer balayaient la digue* (= de grosses vagues). — **3.** *Faire ses paquets,* s'apprêter à partir, s'en aller. ‖ Fam. *Mettre le paquet,* donner le maximum de ce que l'on peut; mettre toute son énergie dans une entreprise. ‖ Fam. *Lâcher son paquet,* dire tout ce que l'on a sur le cœur. ‖ Fam. *Risquer le paquet,* s'engager dans une entreprise dangereuse en prenant tous les risques. ‖ *Un paquet de nerfs,* une personne nerveuse, qui remue continuellement. ‖ *Par paquets,* par masses successives, par groupes. ◆ **paquetage** n. m. Ensemble des effets et des objets militaires d'un soldat : *Faire son paquetage.* ◆ **dépaqueter** v. t. (Conj. **8.**) Défaire ce qui était en paquet : *Dépaqueter des livres.* ◆ **dépaquetage** n. m. ◆ **empaqueter** v. t. Mettre en paquet, envelopper en paquet : *Empaqueter des livres.* ◆ **empaquetage** n. m. : *Les employés préposés à l'empaquetage des colis à expédier.* ◆ **rempaqueter** v. t. Remettre en paquet.

1. PAR [par] prép. (lat. *per*). Indique le moyen ou l'agent par lequel se réalise l'action, le lieu de passage, etc. ‖ *Par-ci par-là* → LÀ. ‖ *Par-dessous, par-dessus* → DESSOUS 1. ‖ *Par-devant, par-derrière* → DEVANT 1. → tableau ci-contre.

2. PAR (DE) [dəpar] loc. prép. (de *de,* et *part*). **1.** *De par le roi,* au nom du roi. — **2.** Par l'ordre ou l'autorité de : *De par la volonté du peuple.*

PARA n. m. ⟶ PARACHUTE.

PARÁ, État du nord-est du Brésil; 1 248 042 km²; 3 415 000 hab. Capit. *Belém.*

1. PARABOLE [parabɔl] n. f. (gr. *parabolê,* comparaison). Récit allégorique (= où chaque élément correspond aux divers détails de l'idée générale) sous lequel se cache une vérité, un enseignement : *Les paraboles de l'Évangile.*
— ENCYCL. La *parabole* était une comparaison utilisée par le Christ dans sa prédication pour initier à son enseignement. Les Évangiles relatent vingt-cinq paraboles. Parmi les plus célèbres citons le bon Samaritain, l'enfant prodigue.

2. PARABOLE [parabɔl] n. f. (gr. *parabolê,* action d'égaler). Courbe décrite par un projectile. ◆ **parabolique** adj. En forme de parabole.

PARACELSE (Theophrastus BOMBASTUS VON HOHENHEIM, dit), médecin suisse (v. 1493-1541). Médecin ambulant, il exerça son art en appliquant une thérapeutique (= façon de guérir les malades) ayant pour base une prétendue correspondance entre le monde extérieur (macrocosme) et les parties de l'organisme humain (microcosme).

PARACENTÈSE [parasɛ̃tɛz] n. f. (du gr. *para,* auprès, et *kentêsis,* action de piquer). *Méd.* Opération qui consiste à pratiquer une ponction dans une cavité pleine de liquide.

PARACHEVER [paraʃve] v. t. *(par,* et *achever).* Mener à son achèvement avec le plus grand soin, conduire à sa perfection : *Parachever un travail* (syn. PARFAIRE). ◆ **parachèvement** n. m.

PARACHUTE [paraʃyt] n. m. (de *parer,* et *chute*). Appareil utilisant la résistance de l'air pour ralentir la chute d'un corps qui descend d'une grande hauteur ou pour freiner un avion au sol. ◆ **parachuter** v. t. **1.** *Parachuter qq'un, qqch.,* les lâcher d'un avion avec un parachute. ◆ **parachutage** n. m. : *Un parachutage d'armes à un maquis pendant la guerre.* ◆ **parachutisme** n. m. Sport consistant dans la pratique du saut en parachute. ◆ **parachutiste** n. et adj. Personne, soldat entraînés à sauter en parachute. ◆ **para** n. m. *Fam.* Soldat parachutiste appartenant à des troupes de choc.

1. PARACHUTER v. t. ⟶ PARACHUTE.

2. PARACHUTER [paraʃyte] v. t. (de *parachute*). Fam. *Parachuter qq'un,* le nommer brusquement à un emploi, à un poste où sa nomination n'était pas prévue.

par	VALEUR	EXEMPLES
1. Suivi d'un nom d'être animé ou d'un collectif accompagné de l'article et dépendant d'un verbe, qui est souvent au passif, ou d'un nom d'action (en *-ment*, en *-tion*, etc.).	agent	Avec un verbe : *Cet avis a été exprimé par l'un d'entre vous à la dernière réunion. Il a été choisi par l'assemblée tout entière. Le vase a été cassé par cet enfant. Il ne fait rien par lui-même. Je l'apprends par les voisins.* Avec un nom : *Le rassemblement des élèves dans la cour par le surveillant. L'exploitation des faibles par les forts.*
2. Suivi d'un nom de chose accompagné ou non d'un article et dépendant d'un verbe ou d'un nom d'action.	moyen ou manière, cause ou mobile	Avec un article : *Il cherche à arriver par tous les moyens. Il a été averti par votre dépêche. Je l'ai su par le journal. Il voyage par le train. La mort par le poison. Une porte fermée par un verrou* (syn. AU MOYEN DE). *Il réussit par son travail. Il s'est imposé par son intelligence* (syn. GRÂCE À). *Il a envoyé un colis par la poste.*
Il peut être suivi d'un nom désignant une partie du corps ou un caractère particulier.		*Il le retint au dernier moment par le bras. Il le saisit par la taille pour le jeter à terre. Une prise par le cou. Ils diffèrent par le caractère.*
Il introduit dans des formules toutes faites des jurons ou des invocations.		*Je jure par tous les dieux que je ne l'ai pas fait.*
Les emplois sans article forment de nombreuses locutions à valeur adverbiale ou prépositives.		Sans article : *Par bonheur, il n'est pas tombé* (syn. HEUREUSEMENT). *C'est un parent par alliance. J'ai dû arrêter mes recherches par manque de temps* (= faute de). *Par pitié, ne le renvoyez pas. Il a gâché sa vie par bêtise. Par exemple. Il sait tout par cœur* (= de mémoire). *Être condamné par contumace. Mettez-le par écrit. Par approximations successives. Il agit par impulsion* (= impulsivement). *Je le récuse par avance* (= d'avance). *Avaler par petites bouchées. Il a renoncé par faiblesse, par amour, par passion, par devoir.*
3. N'est suivi d'un infinitif qu'avec les verbes *finir* et *commencer*. Peut être suivi d'une proposition avec *finir, terminer, commencer.*		*Il commença par s'exercer quelques instants avant d'entrer en scène. Il finit par nous ennuyer avec ses récriminations continuelles. Il termine par où il aurait dû commencer.*
4. Suivi d'un nom de chose au pluriel ou moins souvent au singulier, ou précédé et suivi du même nom.	distribution	*Il achète en gros, par douzaines. On l'a interrompu par deux fois. Par moments il ne sait plus ce qu'il dit. Je le vois plusieurs fois par mois. Il gagne tant par jour. Son salaire se monte à tant par mois. Entrez dans la salle trois par trois.*
5. Suivi d'un nom de lieu ou d'un nom indiquant un espace, le plus souvent avec un article.	*a)* le lieu où se fait un passage	*Nous irons en voiture par Tours et Vierzon. Il passe par son bureau. Allez par le passage souterrain. Il est sorti par l'escalier de service. Ils sont revenus par la Touraine. Le bruit se répand par la ville. C'est passé par tant de mains!*
Avec un nom abstrait.		*Il est passé par de rudes épreuves. Cette idée lui est passée par l'esprit.*
Renforcé par *de.*		*Aller de par le monde.* Sans article : *Voyager par terre, par mer, par voie aérienne, par voie maritime.*
	b) la position ou le milieu où se situe une action	*Aborder par le flanc. Le heurt par l'avant de deux véhicules. Envoyer un navire par le fond.* Sans article : *Être assis par terre. Un navire par tribord!*
	c) le moment pendant lequel se déroule l'action	*Il se promène par cette température glaciale! Par une belle après-midi d'automne, nous avons été à Versailles. Par le temps qui court* (= en ce moment). Sans article : *Par mauvais temps, que pouvons-nous faire? Par temps de brouillard, il est préférable de ne pas sortir.*

PARACHUTISME n. m., **PARACHUTISTE** adj. et n. → PARACHUTE.

PARACLET [paraklɛ] n. m. (gr. *paraklêtos*, qu'on appelle à son secours). Nom biblique du Saint-Esprit.

1. PARADE n. f. → PARER 2.

2. PARADE [parad] n. f. (de *parer*). **1.** *Faire parade de qqch.*, étaler une qualité afin de la faire valoir : *Faire parade de son savoir* (syn. FAIRE ÉTALAGE). ‖ *Lit de parade*, où l'on expose après leur mort de hauts personnages. — **2.** Syn. vieilli de REVUE (militaire), de DÉFILÉ, conservé dans *pas de parade, défiler comme à la parade.* — **3.** Scène burlesque jouée à la porte d'un théâtre forain pour attirer le monde. ◆ **parader** v. i. Se donner un air avantageux en attirant l'attention de tous : *Parader au milieu de jolies femmes* (syn. SE PAVANER).

PARADIGME [paradigm] n. m. (gr. *paradeigma*). *Gramm.* **1.** Ensemble des flexions d'un terme donné comme modèle : *Les formes verbales de « aimer », « finir », « rendre » sont des paradigmes des conjugaisons françaises.* — **2.** Ensemble des termes d'une même classe grammaticale qui peuvent être substitués l'un à l'autre. ◆ **paradigmatique** adj. Qui appartient à un paradigme.

PARADIS [paradi] n. m. (gr. *paradeisos*, jardin). **1.** Syn. de CIEL dans la religion chrétienne. ‖ *Le paradis terrestre*, jardin merveilleux où Dieu plaça Adam et Ève. — **2.** Séjour enchanteur : *Trouver le paradis sur terre. Les paradis artificiels* (= états de bien-être procurés par l'opium). — **3.** *Vous ne l'emporterez pas au paradis*, vous me le revaudrez, je me vengerai tôt ou tard. ‖ *Oiseau de paradis* ⟶ PARADISIER. ◆ **paradisiaque** adj. : *Séjour paradisiaque* (littér.) [= enchanteur].

Paradis perdu *(le)*, épopée de Milton, en douze chants (1667-1674), sur la chute de l'homme par le péché originel.

PARADIS *(Grand)*, massif des Alpes occidentales italiennes; 4 061 m. Parc national.

PARADISIAQUE adj. ⟶ PARADIS.

PARADISIER [paradizje] n. m. (de *paradis*). Oiseau passereau de la Nouvelle-Guinée, dont le mâle porte un plumage aux couleurs variées et brillantes, formant des panaches légers sur les flancs et la tête (syn. OISEAU DE PARADIS).

PARADOXE [paradɔks] n. m. (du gr. *para*, à côté, et *doxa*, opinion). Opinion, chose qui va contre la manière de penser habituelle, qui heurte la raison ou la logique. ◆ **paradoxal, e, aux** adj. : *Son refus est paradoxal, puisque sur le fond il est d'accord* (syn. BIZARRE; contr. NORMAL). ◆ **paradoxalement** adv.

PARAFE n. m., **PARAFER** v. t. ⟶ PARAPHE.

PARAFFINE [parafin] n. f. (lat. *parum affinis*, de faible affinité). Mélange d'hydrocarbures saturés solides, caractérisés par leur indifférence aux agents chimiques. (La paraffine raffinée est blanche et translucide, inodore, onctueuse. Elle sert dans la fabrication des bougies, pour l'imprégnation du papier et du carton, pour l'isolement électrique. On l'extrait des huiles de pétrole.) ◆ **paraffinage** n. m. Action de paraffiner. ◆ **paraffiner** v. t. Enduire, enrober de paraffine.

PARAGES [paraʒ] n. m. pl. (de l'esp. *paraje*, lieu de station). **1.** Espace déterminé de la mer (avec un compl. du nom indiquant la côte) : *Les parages du cap de Bonne-Espérance ont vu bien des naufrages.* — **2.** *Dans les parages de*, au voisinage de, dans des lieux proches de : *Il doit être dans les parages* (= non loin d'ici).

PARAGRAPHE [paragraf] n. m. (gr. *paragraphos*, écrit à côté). Petite division d'un texte en prose, formant une unité : *Les députés repoussèrent ce paragraphe de la loi.*

PARAGUAY (le), riv. d'Amérique du Sud; 2 500 km. Né dans le Mato Grosso brésilien, il traverse la *république du Paraguay*, avant de séparer cet État de l'Argentine et de rejoindre le Paraná (r. dr.).

PARAGUAY, république de l'Amérique du sud, entre le Brésil et l'Argentine; 407 000 km²; 4 200 000 hab. (10 au km²) [*Paraguayens*]. Capit. *Asunción* (600 000 hab.). Langue : *espagnol*.
→ cartes AMÉRIQUE pp. 48-49.

GÉOGRAPHIE

Le pays, axé sur la vallée du Paraguay, s'étend sur un ensemble de plaines et de plateaux peu accidentés. Le climat, tropical humide à l'E. (forêt), s'assèche progressivement vers l'O. (savane et arbustes épineux dans le *Gran Chaco*).

	TEMPÉRATURES MOYENNES janv.	juil.	PLUIES
Asunción	28 °C	18,5 °C	1 325 mm

La population, en majeure partie indienne ou métis, tire ses ressources de l'exploitation de la forêt (quebracho, maté) et d'une agriculture vivrière (manioc, maïs) associée à l'élevage bovin extensif. Quelques plantations fournissent des produits pour l'exportation : canne à sucre, coton, tabac.

manioc 2 millions de t; bovins 5 500 000 têtes.

Le commerce extérieur, nécessité par la quasi-absence d'industrie, se fait par les grandes voies navigables du Paraguay et du Paraná.

HISTOIRE

Explorée vers 1520 par les Espagnols, la région, peuplée d'Indiens Guaranis, devient en 1551 la province de Paraguay.

- *1640. Les jésuites fondent des « réductions », communautés qui permettent le contrôle et la protection des Indiens.*

Organisés en une trentaine de « réductions », les Indiens sont sédentarisés, mènent une vie communautaire et connaissent une économie prospère. L'autonomie relative de la République guaranie, reconnue en 1649, suscite la convoitise des Portuguais et des colons espagnols.

- *1768. Les jésuites sont expulsés et les « réductions » ruinées.*

Malgré l'échec final, l'expérience a permis la survie d'une population indienne et de sa langue. Le Paraguay, qui depuis 1776 dépend de la vice-royauté de La Plata, profite de l'indépendance argentine pour prendre la sienne (1811-1813). Rodríguez Francia au pouvoir de 1814 à 1840 ouvre la longue lignée des dictateurs paraguayens.

- *1865-1870. Une guerre terrible oppose le Paraguay au Brésil, à l'Argentine et à l'Uruguay coalisés.*

Après une résistance héroïque, le pays est saigné à blanc et amputé territorialement. L'instabilité politique accompagne la reconstruction.

- *1928-1935. Une nouvelle guerre, victorieuse celle-là, l'oppose à la Bolivie à propos du désert du Chaco.*

Ce conflit fut suivi d'une série de dictatures militaires dont, à partir de 1954, celle du général Stroessner.

- *1989. Stroessner est renversé après 35 ans de pouvoir et remplacé à la tête de l'État par le général Andrès Rodríguez.*

1. PARAÎTRE [parɛtr] v. i. (du lat. *parere*). [Conj. **64.**] **1.** (sujet nom de personne ou de chose) Se faire voir subitement ou peu à peu (auxil. *avoir*) : *Un sourire parut sur son visage* (syn. APPARAÎTRE). *Un avion parut dans le ciel* (syn. SURGIR). *Le président paraît au balcon* (syn. SE MONTRER). — **2.** (sujet nom de personne) Se montrer en un endroit où l'on doit faire quelque chose (auxil. *avoir*) : *Il n'a pas paru à la réunion* (syn. VENIR). *Paraître en justice* (syn. COMPARAÎTRE). *Paraître en scène, à l'écran* (= se produire). *Il a paru à son avantage* (syn. SE MONTRER SOUS SON MEILLEUR JOUR). — **3.** *Faire paraître, laisser paraître*, faire voir, montrer : *Laisser paraître son irritation* (syn. MANIFESTER, TÉMOIGNER). ‖ *Il y paraît*, cela se voit : *Malgré sa maladie, il continue à travailler sans qu'il y paraisse rien.* ‖ *Chercher, aimer à paraître*, chercher, aimer à se faire remarquer. ‖ *Le désir de paraître*, de briller. ◆ **reparaître** v. i. Paraître de nouveau.

2. PARAÎTRE [parɛtr] v. i. (même étym.). [Conj. **64;** surtout auxil. *avoir*.] **1.** (avec un substantif, un adj., un part., une express. comme attribut) Avoir l'apparence de, donner l'impression de : *Il paraît malade* (syn. SEMBLER). *Elle paraît trente ans* (= elle semble avoir trente ans). *Il ne paraît pas son âge* (= il semble plus jeune que son âge réel); avec un infin. : *Il paraît approuver cette idée.* — **2.** *Il paraît que* (et l'indic.), on prétend que, on dit que : *Il paraît que vous êtes allé en Grèce cet été.* ‖ *Il me paraît que* (et l'indic.), *il ne me paraît pas que* (et le subj.), j'ai l'impression que : *Il ne me paraît pas que la situation soit si mauvaise.* ‖ *À ce qu'il paraît*, selon les apparences.

3. PARAÎTRE [parɛtr] v. i. (même étym.). [Conj. **64;** auxil. *avoir* ou plus souvent *être*.] Être mis en vente dans les librairies : *L'ouvrage est paru en librairie* (syn. PUBLIER). ◆ **parution** [parysjɔ̃] n. f. : *La parution de ce roman provoqua des critiques* (syn. PUBLICATION).

PARALLAXE [paralaks] n. f. (gr. *parallaxis*, changement). **1.** Moitié de l'angle sous lequel, d'un astre, on voit la Terre. — **2.** Déplacement de la position apparente d'un corps, dû à un changement de position de l'observateur.

PARALLÈLE [paralɛl] adj. (du gr. *para*, à côté de, et *allêlos*, l'un l'autre). **1.** *Math.* Se dit de deux droites D et D′ d'un plan réel affine si elles sont confondues ou si elles n'ont aucun point commun. (L'ensemble de toutes les droites parallèles à D est appelé *direction* de la droite D.) — **2.** Se dit d'une ligne, d'une surface qui est également distante d'une autre ligne ou d'une autre surface sur toute son étendue : *Une rue parallèle à une autre.* — **3.** Se dit de choses qui se développent dans la même direction, qui ont lieu en même temps ou présentent des caractères semblables : *Les difficultés économiques des deux pays sont parallèles* (contr. DIVERGENT). — **4.** Qui porte sur le même objet, mais d'une manière illégale, non officielle ou dans l'intention de nuire : *Le marché parallèle de l'or* (syn. ↑MARCHÉ NOIR). *Mener une action parallèle* (syn. EN MARGE). ◆ **parallèle** n. m. **1.** *Géogr.* Cercle imaginaire situé sur la Terre, dans un plan parallèle à celui de l'équateur. → ENCYCL. — **2.** Comparaison entre deux personnes ou deux choses pour en estimer les qualités ou les défauts : *Faire un parallèle entre deux auteurs* (syn. RAPPROCHEMENT). *Mettre en parallèle les avantages et les inconvénients* (syn. EN BALANCE). ◆ n. f. Droite, ligne parallèle à une autre. ‖ *En parallèle*, se dit d'une disposition relative de plusieurs conducteurs, générateurs ou condensateurs électriques, dont chacun a ses deux bornes réunies aux deux mêmes points. (On dit aussi EN DÉRIVATION). ◆ **parallèlement** adv. De façon parallèle. ◆ **parallélisme** n. m. **1.** État de droites parallèles (sens 1 et 2 de l'adj.) : *Vérifier le parallélisme des roues d'une voiture.* — **2.** État de ce qui est parallèle (sens 3 de l'adj.) : *On constate un parallélisme complet dans les réactions des divers syndicats à ces mesures* (syn. ACCORD).
— ENCYCL. Les *parallèles* sont numérotés de 0 à 90 au N. et de 0 à

90 au S. de l'équateur, et leur longueur décroît au fur et à mesure qu'ils se rapprochent des pôles; l'équateur, étant le plus long des parallèles, est le parallèle d'origine. Les parallèles servent à déterminer la latitude.

PARALLÉLÉPIPÈDE [parallelepipɛd] n. m. (du gr. *parallêlos*, parallèle, et *epipedon*, surface). *Géom.* Polyèdre ayant six faces en forme de parallélogramme et parallèles deux à deux. ‖ *Parallélépipède droit*, parallélépipède dont les arêtes latérales sont perpendiculaires aux bases. ‖ *Parallélépipède rectangle*, parallélépipède dont les faces sont des rectangles. ‖ *Parallélépipède oblique*, parallélépipède qui n'est pas un parallélépipède droit.

PARALLÉLISME n. m. ⟶ PARALLÈLE.

PARALLÉLOGRAMME [parallelɔgram] n. m. (du gr. *parallêlos*, parallèle, et *grammê*, ligne). *Math.* Se dit d'un quadruplet de points (A, B, C, D), si les segments [AC] et [BD] ont même milieu.
— ENCYCL. Les points A, B, C, D sont les *sommets du parallélogramme;* les segments [AB], [CD], [DA], [BC] en sont les *côtés;* les segments [AC] et [BD] en sont les *diagonales.*

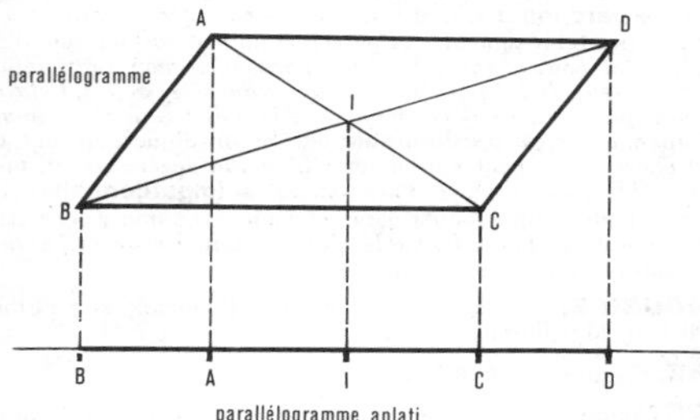

Un parallélogramme est dit *aplati* si ses sommets appartiennent à une droite.

Les droites portant deux côtés opposés d'un parallélogramme non aplati sont parallèles; c'est pourquoi on définit aussi un parallélogramme non aplati comme un quadrilatère ayant ses côtés opposés parallèles.

PARALYSIE [paralizi] n. f. (gr. *paralusis*, relâchement). **1.** *Méd.* Perte ou nette diminution de la possibilité d'effectuer volontairement des mouvements : *Les paralysies peuvent être dues à une lésion des voies nerveuses ou à une lésion musculaire.* — **2.** Impossibilité d'agir, arrêt complet : *La paralysie de l'Administration* (syn. IMPUISSANCE). *La paralysie des transports.* ◆ **paralyser** v. t. **1.** *Paralyser qq'un*, le frapper de paralysie : *Une attaque l'a paralysé sur tout le côté droit.* — **2.** *Paralyser qqch., qq'un*, l'empêcher de produire, d'agir; le frapper d'impuissance, lui faire perdre tous ses moyens : *La grève de l'électricité a paralysé toutes les activités du pays* (syn. ARRÊTER, BLOQUER). *La dureté de l'examinateur paralysait les candidats* (syn. FIGER, GLACER). ◆ **paralysant, e** adj. Qui paralyse; qui empêche d'agir. ◆ **paralysé, e** adj. et n. Atteint de paralysie : *Un bras paralysé.* ◆ **paralytique** adj. et n. Se dit d'une personne atteinte de paralysie (sens 1).

PARAMAGNÉTIQUE [paramaɲetik] adj. (gr. *para*, à côté de, et *magnétique*). Se dit d'une substance qui est très faiblement attirée par un aimant.

PARAMARIBO, capit. et port du Surinam, sur le fleuve Surinam; 152 000 hab.

PARAMÉ, anc. comm. d'Ille-et-Vilaine, sur la Manche, intégrée depuis 1967 à Saint*-Malo. Station balnéaire.

PARAMÉCIE [paramesi] n. f. (gr. *paramêkês*, oblong). Protozoaire de l'embranchement des ciliés, commun dans les eaux douces stagnantes, et dont le corps atteint parfois 1/5 de mm de long.

PARAMÈTRE [paramɛtr] n. m. (du gr. *para*, à côté de, et *metron*, mesure). *Math.* Nombre indéterminé pouvant entrer dans une équation et qui permet de résoudre le problème dans le cas général, sans avoir à donner au paramètre des valeurs particulières.
— ENCYCL. *Exemple d'emploi d'un paramètre* dans la résolution de l'équation $ax+b=0$, où x est l'inconnue, a et b sont les paramètres :
1er cas, $a=0$, $b\neq 0$; l'équation n'a pas de solution;
2e cas, $a=0$, $b=0$; tout nombre réel est solution de l'équation;
3e cas, $a\neq 0$, b quelconque; l'équation a une solution unique $x=-\frac{b}{a}$.

PARAMILITAIRE [paramilitɛr] adj. (gr. *para*, à côté de, et *militaire*). Se dit d'une organisation civile dont la structure et la discipline imitent celles de l'armée.

PARAMNÉSIE [paramnezi] n. f. (du gr. *para*, à côté de, et *mnêsis*, mémoire). Trouble de la mémoire affectant le rappel des souvenirs, se manifestant par une fabulation, une localisation erronée dans le temps, ou l'illusion du déjà-vu.

PARANÁ (le), grand fleuve de l'Amérique du Sud, qui traverse et limite le Brésil, le Paraguay et l'Argentine. Il draine ensuite le nord-est de l'Argentine avant de rejoindre l'Atlantique dans l'estuaire du Río de La Plata qu'il forme avec le fleuve Uruguay; 3 000 km.

PARANÁ, État du Brésil méridional; 199 554 km²; 7 630 500 hab. Capit. *Curitiba.* Café.

PARANÁ, port de l'Argentine, sur le *Paraná;* 175 100 hab.

PARANGON [parɑ̃gɔ̃] n. m. (esp. *parangón*, comparaison). Modèle, type : *Harpagon est le parangon des avares* (vieilli).

PARANOÏA [paranɔja] n. f. (gr. *paranoia*, folie). Maladie mentale qui se caractérise par un orgueil démesuré, de la méfiance, avec susceptibilité exagérée favorisant une tendance à se croire persécuté, des opinions et des jugements catégoriques, un caractère insociable. ◆ **paranoïaque** adj. et n. Atteint de paranoïa.

PARAPET [parapɛ] n. m. (it. *parapetto*, qui protège la poitrine). Mur, balustrade, à hauteur d'appui qui sert de garde-fou : *La voiture franchit le parapet du pont et tomba dans la rivière.*

PARAPHE ou **PARAFE** [paraf] n. m. (de *paragraphe*). **1.** Signature abrégée : *Apposer son paraphe au bas d'un document.* — **2.** Trait de plume de forme variée qui accompagne la signature. ◆ **parapher** ou **parafer** v. t. Signer d'un paraphe (sens 1) : *Parapher un procès-verbal.*

PARAPHRASE [parafraz] n. f. (gr. *paraphrasis*, phrase qui amplifie). **1.** Explication développée d'un texte. — **2.** *Péjor.* Commentaire diffus, verbeux, qui ne fait qu'allonger un texte sans l'enrichir. ◆ **paraphraser** v. t. Commenter par paraphrase : *Paraphraser un texte.*

PARAPLÉGIE [parapleʒi] n. f. (du gr. *para*, contre, et *plêgê*, choc). *Méd.* Paralysie des deux membres inférieurs (jambes).

PARAPLUIE [paraplɥi] n. m. (de *parer*, et *pluie*). Objet portatif, formé d'un manche et d'une étoffe qui se tend sur des tiges flexibles, et destiné à garantir de la pluie. ◆ **porte-parapluies** n. m. inv. Meuble, objet de formes diverses dans lequel on dépose les parapluies.

PARAPSYCHOLOGIE [parapsikɔlɔʒi] n. f. (du gr. *para*, à côté de, et *psychologie*). Syn. de MÉTAPSYCHIQUE*.

PARASITE [parazit] n. m. (du gr. *para*, à côté de, et *sitos*, aliment). **1.** Personne qui vit dans l'oisiveté, aux dépens des autres, de la société qui l'entretient. — **2.** Être vivant qui prélève une partie ou la totalité de sa nourriture sur un autre être vivant *(hôte) : Le ténia est un parasite de l'homme. Le mildiou est un parasite de la vigne.* ⟶ ENCYCL. ◆ adj. **1.** Qui vit en parasite : *Insecte parasite. Champignon parasite.* — **2.** Qui se développe aux dépens d'autre chose : *Commerce parasite.* ◆ n. m. pl. Perturbations d'origine atmosphérique ou industrielle, qui troublent la réception des signaux radio-électriques. ◆ **parasitaire** adj. **1.** *Maladie parasitaire*, maladie provoquée par la présence dans l'organisme, ou à sa surface, de parasites (syn. PARASITOSE). ⟶ ENCYCL. — **2.** Qui est superflu : *Commerce parasitaire.* ◆ **parasiter** v. t. **1.** Envahir un organisme animal ou végétal et en tirer la source de sa subsistance. — **2.** Perturber par des bruits parasites. ◆ **parasitisme** n. m. État d'une personne vivant en parasite. ◆ **parasitose** n. f. Maladie causée par un parasite. ◆ **antiparasite** adj. et n. m. Se dit d'un dispositif conçu pour l'élimination, dans les réceptions radio-électriques, des bruits ou troubles parasitaires causés par les phénomènes électriques, naturels ou artificiels. ◆ **antiparasiter** v. t. : *Antiparasiter une voiture.*
— ENCYCL. Les *parasites* qui vivent à la surface du corps de leur hôte sont des *ectoparasites* et ils se nourrissent à travers la peau : ce sont les puces, les poux, les tiques, les gales, etc. Les parasites qui vivent à l'intérieur du corps sont des *endoparasites :* ce sont les agents de toutes les maladies contagieuses ou infectieuses (virus, bactéries, champignons pathogènes, protozoaires, de même que les vers intestinaux).

PARASOL [parasɔl] n. m. (it. *parasole*, qui écarte le soleil). Grand objet portatif de même forme que le parapluie, utilisé pour se protéger du soleil.

PARASYMPATHIQUE [parasɛ̃patik] adj. et n. m. (du gr. *para*, à côté de, et *sympathique*). Se dit de l'une des deux parties du système nerveux végétatif (l'autre étant le *sympathique*).
— ENCYCL. On distingue chez l'homme le *système parasympathique crânien*, comprenant des centres encéphaliques et des fibres de nerfs crâniens qui, d'une part, innervent l'iris, les glandes

salivaires, et qui, d'autre part, par le nerf pneumogastrique, atteignent le larynx, les bronches, le cœur, le tube digestif (de l'estomac au rectum), le foie, le pancréas, les reins; et le *système parasympathique pelvien* ou *sacré*, composé de centres situés dans la partie terminale de la moelle, et de nerfs atteignant le rectum, la vessie et les organes génitaux.

PARATONNERRE [paratɔnɛr] n. m. (de *parer*, et *tonnerre*). Appareil destiné à préserver les bâtiments des effets de la foudre : *L'invention du paratonnerre est due à Franklin.*

PARAVENT [paravɑ̃] n. m. (de *parer*, et *vent*). Écran composé de panneaux verticaux mobiles et servant à cacher quelque chose à la vue.

PARAY-LE-MONIAL, ch.-l. de cant. de Saône-et-Loire, à 13 km à l'O. de Charolles; 11300 hab. *(Parodiens).* L'église, entreprise en 1109 sous l'influence de Cluny, est un très bel exemple d'architecture romane bourguignonne.

PARBLEU! [parblø] interj. (de *par Dieu*). Juron qui exprime en général l'approbation ou souligne une évidence : *« Il est content? — Parbleu! C'est justement ce qui lui convenait »* (syn. fam. PARDI).

1. PARC [park] n. m. (orig. germ.). Étendue boisée de terrain clos, dépendant d'une grande maison, d'un château, aménagée pour la promenade ou destinée aux plaisirs de la chasse : *Le parc de Versailles.* ‖ *Parc national*, réserve territoriale organisée pour favoriser la conservation des espèces végétales et animales vivant à l'état sauvage.

2. PARC [park] n. m. (même étym.). **1.** Pré entouré ou non de fossés, où l'on met les bœufs à l'engrais, où l'on enferme le bétail. — **2.** Lieu clos où sont entreposés les munitions, le matériel militaire. — **3.** Petit enclos à l'intérieur duquel on place un bébé pour l'empêcher de s'échapper. — **4.** *Parc à huîtres*, bassin où sont engraissés ces coquillages. — **5.** *Parc de stationnement*, emplacement réservé au stationnement temporaire des voitures (syn. PARKING). — **6.** *Parc automobile*, ensemble des véhicules immatriculés dans un pays, une région. ◆ **parcage** n. m. : *Le parcage des moutons. Le parcage des voitures dans le sous-sol d'un immeuble.* ◆ **parcmètre** ou **parcomètre** n. m. Appareil dans lequel un automobiliste doit déposer une somme correspondant à la durée de son stationnement. ◆ **parking** [parkiŋ] n. m. Syn. de PARC DE STATIONNEMENT. ◆ **parquer** v. t. **1.** *Parquer des animaux*, les mettre dans un lieu entouré d'une clôture, d'un fossé. — **2.** *Parquer qqch.*, le mettre, le placer dans une enceinte, dans un endroit protégé ou caché : *Parquer des vivres, des provisions.* — **3.** *Parquer sa voiture* (ou *se parquer*), la mettre en stationnement. — **4.** *Parquer des gens*, les enfermer dans un espace étroit : *Les manifestants arrêtés furent parqués dans une caserne* (syn. ENTASSER).

PARCELLE [parsɛl] n. f. (lat. *particula*). **1.** Très petite partie : *Une parcelle d'or* (syn. FRAGMENT). *Il n'y a pas une parcelle de vérité dans ce qu'il dit* (= la moindre vérité). — **2.** Pièce de terrain d'étendue variable, où on pratique la culture. ◆ **parcellaire** adj. Fait de parcelles (sens 2) : *En France, le cadastre est parcellaire.*

PARCE QUE [parskə] loc. conj. *(par, ce,* et *que).* Indique la cause (en réponse à la question *pourquoi*) : *Nous avons renoncé à notre promenade parce qu'il commençait à pleuvoir* (syn. CAR). *Je ne peux vous croire parce que les faits vont contre votre argumentation* (syn. ÉTANT DONNÉ QUE, PUISQUE, qui insistent sur la dépendance causale). *Parce que tout semble se retourner contre lui il désespère* (syn. COMME, qui se place alors en tête de l'énoncé); dans la langue fam., dans une réponse sans principale exprimée : *« Vous êtes pressé? — Non. — Parce que nous aurions pu prendre l'apéritif ensemble. »*

PARCHEMIN [parʃəmɛ̃] n. m. (gr. *pergamênê*, peau de Pergame). **1.** Peau de mouton, d'agneau, de chevreau, etc., séchée à l'air et non tannée, de manière à recevoir une écriture manuscrite ou imprimée, à servir à la reliure; document écrit sur parchemin : *Les scribes grattaient les parchemins afin d'écrire de nouveaux textes. Déchiffrer un vieux parchemin.* — **2.** *Fam.* Diplôme universitaire (syn. PEAU D'ÂNE). ◆ **parcheminé, e** adj. *Visage parcheminé*, qui a l'aspect du parchemin (ridé et grisâtre).

PARCIMONIE [parsimɔni] n. f. (du lat. *parcere*, épargner). Économie rigoureuse et mesquine dans les dépenses, dans les dons (surtout avec la prép. *avec*) : *Donner avec parcimonie de l'argent de poche* (contr. GÉNÉROSITÉ, PRODIGALITÉ). *Il n'accordait ses éloges qu'avec parcimonie* (syn. RÉSERVE; contr. PROFUSION). ◆ **parcimonieux, euse** adj. : *Une distribution parcimonieuse de récompenses* (contr. ABONDANT). ◆ **parcimonieusement** adv.

PARCMÈTRE ou **PARCOMÈTRE** n. m. → PARC 2.

PARCOURIR [parkurir] v. t. (du lat. *percurrere*). [Conj. **29.**] **1.** *Parcourir un lieu, un chemin, une rue*, etc., se déplacer dans ce lieu en divers sens pour trouver, visiter; suivre un chemin, une rue, etc. : *Parcourir une région en touriste. Le train parcourt cette distance en deux heures* (syn. FRANCHIR). — **2.** *Parcourir un texte*, le lire rapidement. ◆ **parcours** [parkur] n. m. Trajet suivi par un être animé ou une chose : *Le fleuve traverse plusieurs grandes villes sur son parcours* (syn. COURS). *Le parcours d'un autobus* (syn. ITINÉRAIRE).

PARDESSUS [pardəsy] n. m. (de *par-dessus*). Vêtement masculin porté au-dessus des autres vêtements pour se garantir du froid.

PARDI! [pardi] interj. (de *par Dieu*). *Fam.* Sert de renforcement à un énoncé qui a une valeur de conclusion : *« Il n'est pas là. — Pardi! il aura encore oublié le rendez-vous »* (syn. BIEN SÛR, NATURELLEMENT).

PARDIES, comm. des Pyrénées-Atlantiques, à 8 km au S.-E. de Lacq; 1100 hab. Industries chimiques.

PARDON [pardɔ̃] n. m. (du préf. intensif *par-*, complètement, et *donner*). **1.** Décision de ne pas tenir rigueur d'une faute : *Demander pardon.* — **2.** *Pardon* ou *je vous demande pardon*, interjection, formule de politesse adressées à quelqu'un qu'on dérange plus ou moins ou qu'on prie de ne pas se formaliser. — **3.** Pèlerinage breton. ◆ **pardonner** v. t. et t. ind. *Pardonner qqch., pardonner à qq'un*, ne pas tenir rigueur à la personne qui est responsable d'un acte hostile, contrariant : *Veuillez pardonner mon indiscrétion* (syn. EXCUSER). *Je lui pardonne sa rude franchise.* ◆ v. i. *Cela ne pardonne pas*, cela a des conséquences fatales : *Une maladie qui ne pardonne pas.* ◆ **pardonnable** adj. Se dit d'une personne ou d'une chose qu'on peut pardonner : *C'est une légère erreur, bien pardonnable à son âge* (syn. EXCUSABLE). ◆ **impardonnable** adj. Qu'on ne peut pas pardonner (généralement avec une valeur atténuée) : *Vous êtes impardonnable d'avoir négligé cette précaution élémentaire* (= gravement coupable).

PARDUBICE, v. de Tchécoslovaquie (Bohême), sur l'Elbe; 77400 hab. Métallurgie.

PARÉ, E adj. → PARER 1 et 2.

PARÉ (Ambroise), chirurgien français (v. 1509-1590). Il fut l'innovateur de la ligature des artères, substituée à la cautérisation des plaies au fer rouge après l'amputation d'un membre.

PARE-BALLES, PARE-BRISE, PARE-CHOCS, PARE-FEU, n. m. inv. → PARER 2.

PARÉGORIQUE [paregɔrik] adj. (du gr. *parêgorein*, adoucir). *Élixir parégorique*, teinture anisée d'opium camphré, employée contre les douleurs intestinales et la diarrhée.

PAREIL, EILLE [parɛj] adj. (du lat. *par, paris*, égal). **1.** Qui présente une ressemblance ou une similitude : *Toutes les assiettes du service sont pareilles* (syn. IDENTIQUE). *Sa maison est pareille à la mienne* (syn. SEMBLABLE). *Ce n'est plus pareil* (= c'est différent). — **2.** Avec une valeur démonstrative, indique le cas présent, la situation actuelle : *Je n'ai encore jamais vu une pareille obstination* (syn. TEL). *Qui peut bien m'appeler à pareille heure?* (= à une heure aussi inhabituelle que celle-ci). ◆ n. : *Elle n'a pas sa pareille pour réussir ce plat* (= elle est supérieure à n'importe qui, incomparable). *C'est un désordre sans pareil* (= que rien n'égale). *Vous et vos pareils, vous croyez toujours que tout vous est dû* (= les gens de votre espèce). ◆ **pareille** n. f. *Rendre la pareille à qq'un*, le traiter de la même manière qu'on a été traité par lui, et particulièrement se venger. ◆ **pareillement** adv. : *Deux pièces tapissées pareillement* (= de la même façon). *Ils étaient tous pareillement mécontents* (syn. AUSSI, ÉGALEMENT). [→ APPAREILLER 2, DÉPAREILLER.]

PAREMENT n. m. → PARER 1.

PARENCHYME [parɑ̃ʃim] n. m. (du gr. *para*, à côté de, et *egkhuma*, effusion). **1.** *Anat.* Tissu dont les cellules ont une activité physiologique déterminée : *Parenchyme pulmonaire.* — **2.** *Bot.* Tissu à cellules peu différenciées, assurant la nutrition des plantes (parenchyme chlorophyllien des feuilles, parenchymes de réserve) ou jouant un rôle de remplissage (parenchyme médullaire).

PARENT, E [parɑ̃, -ɑ̃t] adj. et n. (lat. *parens*; de *parere*, engendrer). **1.** Qui a des liens familiaux plus ou moins étroits avec quelqu'un : *Leurs grand-mères étaient cousines; ils sont donc parents éloignés. Deux beaux-frères sont parents par alliance* (ou *alliés*). — **2.** *Traiter qq'un en parent pauvre*, ne pas lui accorder une aussi bonne part qu'aux autres; se dit aussi des choses, des institutions : *Le ministre se plaignait que son département fût traité en parent pauvre.* ◆ adj. Se dit de ce qui a des affinités, des traits communs avec quelque chose : *L'italien est parent du français.* ◆ **parents** n. m. pl. Le père et la mère : *L'association des parents d'élèves d'un lycée.* ◆ **parental, e, aux** adj. Qui concerne les parents (le père et la mère) : *L'autorité parentale.* ◆ **parenté** n. f. **1.** Situation de personnes parentes : *Ils ont le même nom, mais il n'y a entre eux aucune parenté.* — **2.** Ensemble des parents et des alliés : *Il est brouillé avec toute sa parenté.* — **3.** Ressemblance, points communs entre des choses : *La parenté des goûts, des caractères* (syn. AFFINITÉ). [→ aussi APPARENTÉ (ÊTRE) et tableau ci-contre.]

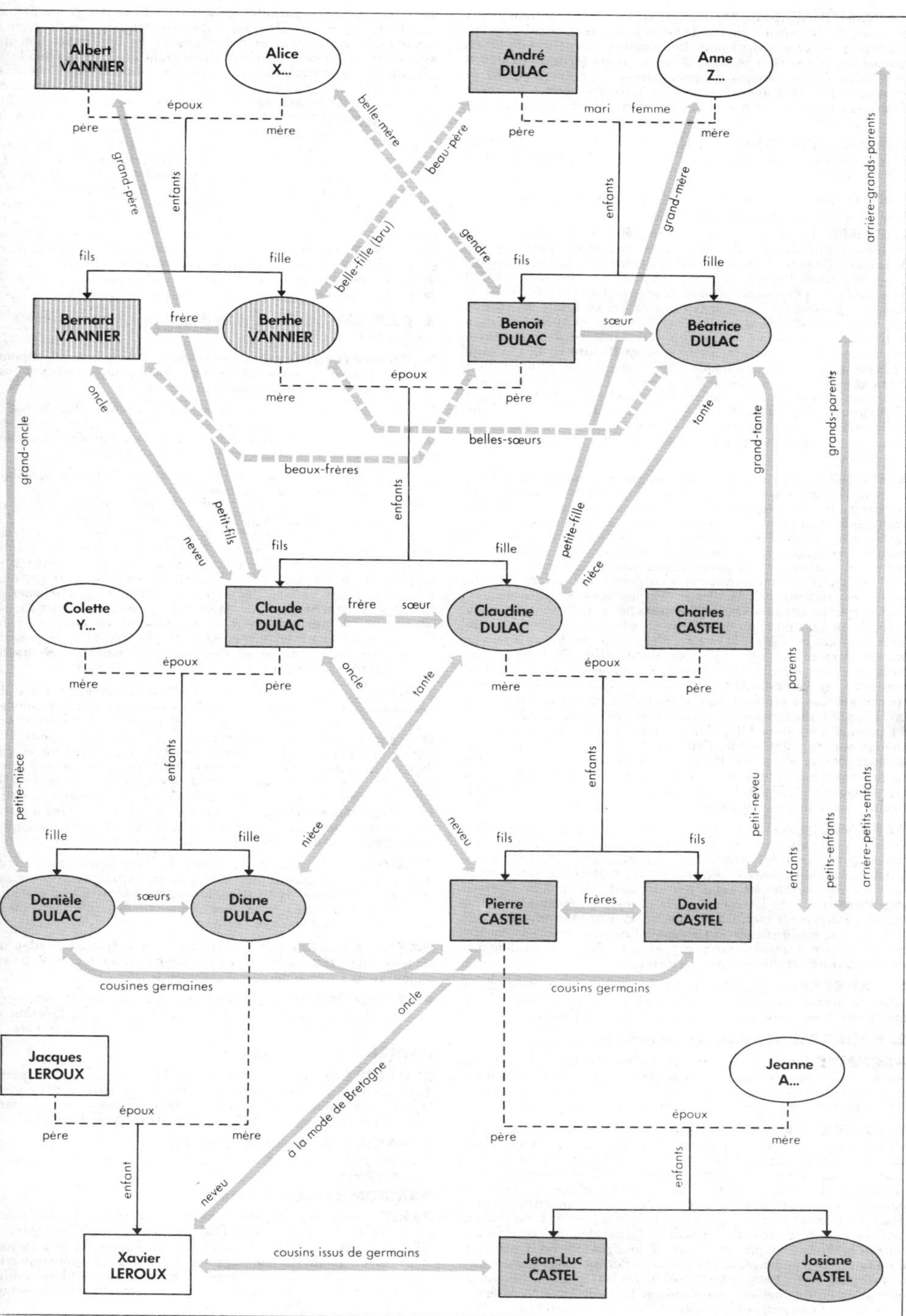
Albert VANNIER
Alice X...
André DULAC
Anne Z...
époux
père
mère
mari
femme
belle-mère
beau-père
grand-père
enfants
grand-mère
arrière-grands-parents
belle-fille (bru)
gendre
fils
fille
Bernard VANNIER
frère
Berthe VANNIER
Benoît DULAC
sœur
Béatrice DULAC
oncle
belles-sœurs
beaux-frères
tante
grand-oncle
grand-tante
grands-parents
petit-fils
petite-fille
neveu
nièce
Colette Y...
Claude DULAC
Claudine DULAC
Charles CASTEL
parents
petite-nièce
petit-neveu
Danièle DULAC
sœurs
Diane DULAC
Pierre CASTEL
frères
David CASTEL
enfants
petits-enfants
arrière-petits-enfants
cousines germaines
cousins germains
oncle
à la mode de Bretagne
Jacques LEROUX
Jeanne A...
enfant
neveu
Xavier LEROUX
cousins issus de germains
Jean-Luc CASTEL
Josiane CASTEL

PARENTHÈSE [parɑ̃tɛz] n. f. (gr. *parenthesis*, action de mettre de côté). **1.** Remarque incidente, développement accessoire qui s'écarte du sujet principal pour le compléter : *Après cette courte parenthèse, je reprends le cours de mon exposé* (syn. DIGRESSION). — **2.** Chacun des signes de ponctuation ( ) entre lesquels on enferme les mots d'une phrase écrite : *Ouvrir, fermer la parenthèse.* (→ PONCTUATION.) — **3.** *Entre parenthèses*, ou, plus rarement, *par parenthèse*, soit dit en passant.

PARENTIS-EN-BORN, ch.-l. de cant. des Landes, à 42 km au S. d'Arcachon; 4300 hab. Étang. Gisement de pétrole (en voie d'épuisement).

PARÉO [pareo] n. m. (mot tahitien). Sorte de pagne porté à Tahiti par les hommes et par les femmes.

1. PARER [pare] v. t. (lat. *parare*, apprêter) [sujet nom de personne]. Embellir par des ornements, par ce qui peut apporter de la gloire (le plus souvent au part. adj. *paré* ou à la forme pron.) : *On avait paré de fleurs la table du banquet* (syn. DÉCORER, ORNER). *Être paré de ses plus beaux atours. Il se parait du titre de président-directeur général* (= il se donnait par vanité ce titre). ◆ **paré, e** adj. Orné, embelli : *Jardin paré de mille fleurs.* ◆ **parement** n. m. **1.** Revers des manches de certains vêtements. — **2.** Revêtement en pierre de taille d'une construction. ◆ **parure** n. f. **1.** Ce qui embellit, met en valeur quelque chose (littér.) : *Au printemps, les prés ont revêtu leur parure de fleurs.* — **2.** Garniture de pierreries ou de perles comprenant collier, bracelets, etc. : *Une parure de diamants.* ◆ **déparer** v. t. Rendre moins beau; nuire à la qualité esthétique de : *Des panneaux publicitaires qui déparent un site* (syn. ENLAIDIR). *Cette parole mesquine dépare un geste généreux* (syn. GÂTER).

2. PARER [pare] v. t. (it. *parare*, se garder d'un coup). **1.** *Parer un coup, une manœuvre*, etc., détourner de soi ce coup, se protéger contre cette manœuvre, etc. : *Un boxeur qui pare un direct du droit.* — **2.** (sujet nom de personne) *Être paré (contre qqch.)*, être en sécurité, à l'abri : *J'ai une bonne provision de bois, je suis paré contre le froid.* ◆ v. t. ind. *Parer à un danger, à un inconvénient*, y remédier, y pourvoir : *Il avait heureusement paré à cet incident* (= il avait pris des mesures pour s'en préserver). ‖ *Parer au plus pressé, au plus urgent*, prendre les dispositions les plus urgentes pour éviter ou atténuer un mal. ◆ **parade** n. f. Geste, action par lesquels on pare un coup donné par un adversaire : *Un escrimeur, un boxeur qui a la parade rapide. Un avocat qui trouve la bonne parade pour sauver son client.* ◆ **paré!** *Mar.* Exclamation qui indique qu'un ordre a été exécuté, ou qu'on est prêt pour son exécution. ◆ **pare-balles** n. m. inv. Plaque d'acier, vêtement spécial servant à protéger contre les balles. ◆ **pare-brise** n. m. inv. Plaque transparente (de verre ou de produit de même qualité) à l'avant d'une automobile, d'une locomotive, etc., qui préserve le conducteur de l'action de l'air, de la pluie, de la poussière. ◆ **pare-chocs** n. m. inv. Plaque de métal servant à protéger la carrosserie d'une voiture à l'avant et à l'arrière. ◆ **pare-feu** n. m. inv. Dispositif empêchant la propagation d'un incendie. ◆ **imparable** adj. Qu'on ne peut parer : *Un coup imparable.*

PARESSE [parɛs] n. f. (lat. *pigritia*). Répugnance au travail, à l'effort, à l'activité pénible, goût pour l'inaction : *Un climat amollissant qui incite à la paresse* (syn. ↓INDOLENCE, OISIVETÉ; contr. ÉNERGIE). *S'abandonner à la paresse* (syn. FAINÉANTISE). *C'est une solution de paresse* (= celle qui demande le moins d'effort). ◆ **paresser** v. i. Se laisser aller à la paresse en évitant l'effort, le travail : *Paresser le matin dans son lit.* ◆ **paresseux, euse** adj. Qui montre, manifeste de la paresse : *Être paresseux comme une couleuvre. Un estomac paresseux* (= qui digère avec lenteur). ◆ **paresseusement** adv. Avec paresse.

1. PARESSEUX [parɛsø] n. m. pl. (de *paresse*). *Zool.* Sous-ordre de mammifères édentés de l'Amérique du Sud, aux mouvements très lents, comprenant l'*aï*, ou *bradype*, et l'*unau*.

2. PARESSEUX, EUSE adj. → PARESSE.

PARFAIRE [parfɛr] v. t. (lat. *perficere*). *Parfaire qqch.*, l'amener à l'achèvement complet, à la plénitude (seulement à l'infin.) : *Pour parfaire la ressemblance, il avait pris l'accent du professeur* (syn. PARACHEVER). *Parfaire une somme* (syn. COMPLÉTER).

1. PARFAIT, E [parfɛ, -ɛt] adj. (lat. *perfectum*). **1.** (avant ou plus souvent après le nom) Se dit d'une personne ou d'une chose qui ne présente aucun défaut, ou qui a telle ou telle qualité au degré le plus élevé : *Un garçon d'une parfaite correction* (syn. ACCOMPLI, IRRÉPROCHABLE). *Une imitation d'une ressemblance parfaite* (syn. COMPLET). *Un travail parfait* (syn. IMPECCABLE). *Jouir d'un calme parfait* (syn. ABSOLU, TOTAL). — **2.** *C'est parfait*, tout est pour le mieux. ‖ *Parfait!* (généralement suivi d'une réflexion, d'une critique, etc.), sert à souligner qu'on a pris note d'un fait : *Vous ne voulez pas m'écouter? Parfait, nous verrons bien le résultat!* (syn. BIEN, ↓BON). — **3.** (avant le nom) Se dit de quelqu'un ou de quelque chose qui est tel, sans aucune réserve : *Ce récit est d'une parfaite invraisemblance* (syn. COMPLET, TOTAL). ◆ n. m. **1.** Chose parfaite; perfection : *Chercher le parfait en toutes choses.* — **2.** Chez les cathares, celui qui avait reçu le *consolamentum*, sacrement qui consistait en une imposition des mains avec promesse de vivre chastement et de rester fidèle au catharisme. ◆ **imparfait, e** adj. Contr. de PARFAIT (sens 1, surtout pour les choses) : *Sa prononciation de l'anglais reste très imparfaite.* ◆ **parfaitement** adv. **1.** *Il prononce parfaitement l'anglais* (syn. À LA PERFECTION, TRÈS BIEN). — **2.** Insiste sur la véracité absolue d'une affirmation : *C'est parfaitement exact* (syn. ABSOLUMENT). *« Tu y crois, toi, à cette histoire? — Parfaitement, j'y crois »* (syn. BIEN SÛR, CERTAINEMENT). ◆ **imparfaitement** adv. : *Un ouvrage imparfaitement rédigé.* ◆ **perfection** n. f. **1.** Qualité de ce qui est parfait (sens 1 de l'adj.) : *Un écrivain admiré pour la perfection de son style. Un artiste qui joue à la perfection* (= admirablement). — **2.** (au plur.) Vertus, qualités portées à un très haut degré : *Un poème qui loue les perfections de la femme aimée.* ◆ **imperfection** n. f. Caractère, détail imparfait d'une chose : *On remarque des imperfections dans ce tissu* (syn. DÉFAUT). ◆ **perfectionnisme** n. m. Désir excessif de perfection (sens 1). ◆ **perfectionniste** adj. et n. (→ aussi PERFECTIONNER.)

2. PARFAIT [parfɛ] n. m. (même étym.). Crème glacée à un seul parfum.

3. PARFAIT [parfɛ] n. m. (de *parfaire*, achever complètement). *Gramm.* Temps du verbe, qui marque une époque écoulée ou une action présentement accomplie.

PARFOIS [parfwa] adv. (*par*, et *fois*). Indique que le fait se produit dans des circonstances relativement rares ou à des moments espacés : *Au mois d'avril, il y a parfois de fortes gelées* (syn. QUELQUEFOIS; contr. CONSTAMMENT, TOUJOURS).

PARFUM [parfœ̃] n. m. (de l'it. *perfumare*). **1.** Odeur agréable : *Une rose qui répand un parfum délicat* (syn. ARÔME). *Le riche parfum de l'ambre* (syn. SENTEUR). *Le parfum capiteux d'un vin* (syn. BOUQUET). — **2.** Composition odorante, souvent à base d'alcool : *Un flacon de parfum.* — **3.** Impression agréable, souvenir évoqués par une chose (littér.) : *Ce conte a un charmant parfum d'autrefois.* — LOC. ADV. Très fam. *Au parfum*, au courant : *Il est au parfum.* ◆ **parfumer** v. t. Remplir ou imprégner de parfum : *Un bouquet qui parfume la pièce* (syn. EMBAUMER). *Parfumer du linge.* ◆ ***se parfumer*** v. pr. Mettre du parfum sur soi ou sur ses vêtements. ◆ **parfumerie** n. f. **1.** Industrie ou commerce des parfums. — **2.** Parfums divers (sens 2) : *Vendre de la parfumerie.* — **3.** Magasin, boutique où l'on vend des parfums. ◆ **parfumeur, euse** n. Fabricant ou marchand de parfums.

PARI [pari] n. m. (du lat. *par*, égal). **1.** Convention entre des personnes qui soutiennent des opinions contradictoires et qui s'engagent soit à verser une somme à celui d'entre eux dont il sera prouvé qu'il a dit vrai, soit à exécuter quelque chose : *Je tiens le pari* (= j'accepte de le soutenir). — **2.** Jeu d'argent où le gain dépend de l'issue d'une épreuve, d'une compétition sportive : *Recueillir des paris sur un match de boxe. Le Pari mutuel* (= jeu autorisé en matière de courses de chevaux). ◆ **parier** v. t. et i. *Parier aux courses. Parier gros sur un cheval. Il y a gros à parier qu'il a raté son train* (= il y a beaucoup de chances pour que). ◆ **parieur, euse** n. : *Les parieurs du champ de courses.*

PARIA [parja] n. m. (mot portug.). **1.** Nom donné, dans l'Inde, aux individus qui étaient privés de tous droits religieux ou sociaux, soit par leur origine, soit par exclusion de la société brahmanique. — **2.** Homme méprisé, considéré comme un être inférieur, mis au ban de la société : *Vivre en paria.*

PARIADE [parjad] n. f. (du lat. *par, paris*, égal). **1.** Action des oiseaux qui se réunissent par paires pour s'accoupler. — **2.** Saison où les oiseaux s'accouplent.

PARIDIGITIDÉ [paridiʒitide] adj. et n. m. (du lat. *par, paris*, égal, et *digitus*, doigt). Se dit d'un mammifère ongulé ayant un nombre pair de doigts à chaque patte, comme le *bœuf*, le *porc*.

PARIER v. t. et i. → PARI.

1. PARIÉTAL [parjetal] n. m. (du lat. *paries, parietis*, paroi). *Anat.* Os plat, quadrangulaire, qui constitue la partie supérieure de la voûte crânienne. (Il existe un pariétal de chaque côté du crâne, s'articulant en avant avec le frontal, en arrière avec l'occipital.)

2. PARIÉTAL, E, AUX [parjetal, -to] adj. (même étym.). *Peinture pariétale*, faite sur les parois ou la voûte d'une grotte (syn. RUPESTRE).

PARIEUR, EUSE n. → PARI.

PARIS, capit. de la France et ch.-l. de la Région Île-de-France, sur la Seine, formant un dép. **(75)**; 2176200 hab. *(Parisiens).* GÉOGRAPHIE. La ville s'est établie au centre du Bassin parisien*, à un point de convergence des voies de communication (routes et fleuves : Seine, Marne et Oise), dans une plaine édifiée par la Seine, et où s'élèvent des restes de plateaux (Ménilmontant, Montmartre, butte Sainte-Geneviève...).

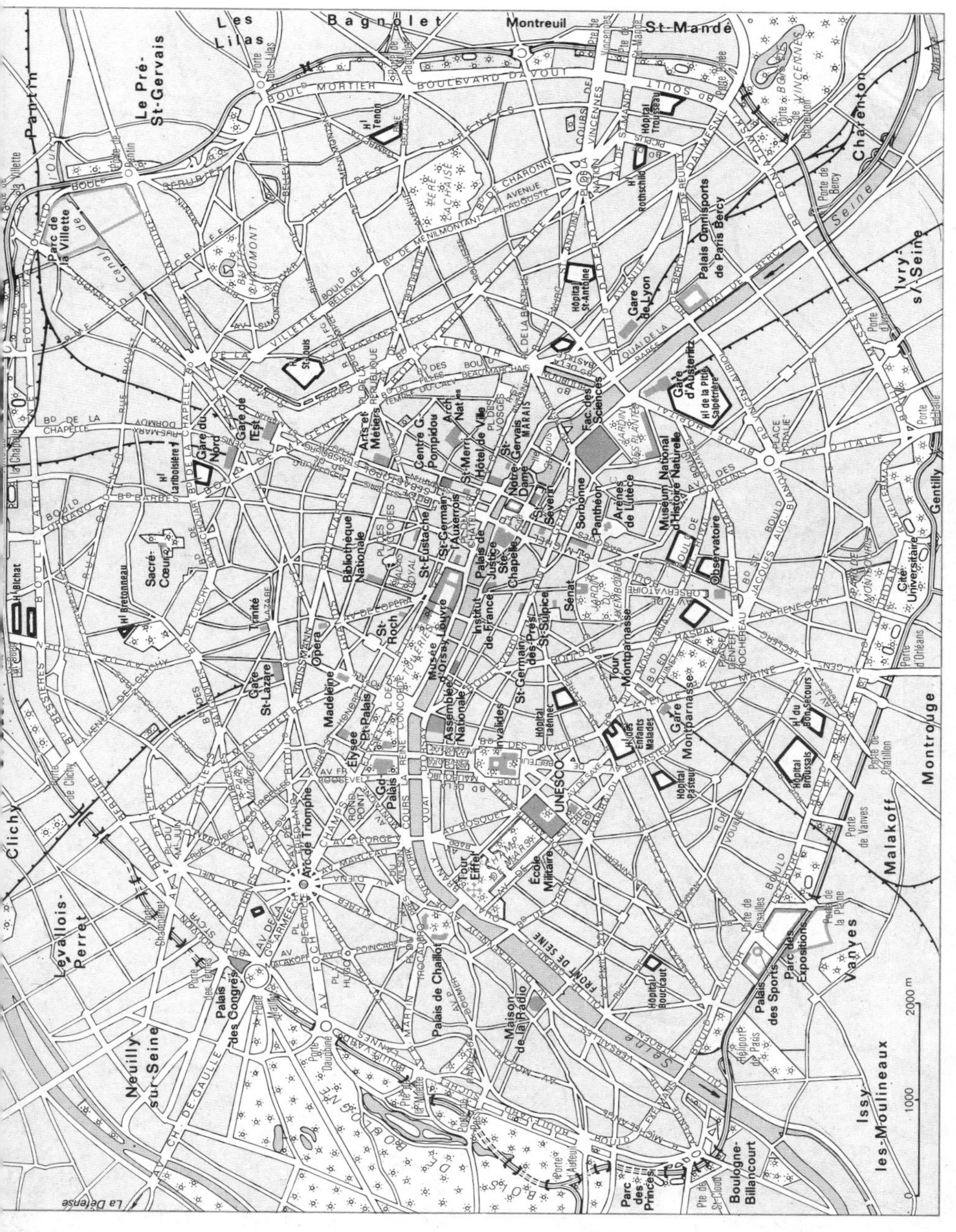

Les Lilas
Bagnolet
Montreuil
St-Mandé
Le Pré-St-Gervais
Pantin
Charenton
Ivry-s/-Seine
Gentilly
Montrouge
Malakoff
Vanves
Issy-les-Moulineaux
Boulogne-Billancourt
Neuilly-sur-Seine
Levallois-Perret
Clichy
La Défense
Parc de la Villette
Gare du Nord
Gare de l'Est
Gare de Lyon
Gare d'Austerlitz
Gare Montparnasse
Gare St-Lazare
Sacré-Cœur
Trinité
Opéra
Madeleine
Élysée
Arc de Triomphe
Tour Eiffel
École Militaire
UNESCO
Invalides
Palais de Chaillot
Maison de la Radio
Palais des Congrès
Parc des Princes
Palais des Sports
Parc des Expositions
Louvre
Musée d'Orsay
Assemblée Nationale
Gd Palais
Pt Palais
St-Roch
Notre Dame
Ste Chapelle
Palais de Justice
Hôtel de Ville
Centre G. Pompidou
Arts et Métiers
Bibliothèque Nationale
St-Eustache
St-Germain l'Auxerrois
Institut de France
St-Germain des-Prés
St-Sulpice
Sénat
Sorbonne
Panthéon
Arènes de Lutèce
Museum National d'Histoire Naturelle
Observatoire
Tour Montparnasse
Cité Universitaire
Palais Omnisports de Paris Bercy
Fac. des Sciences
Hôpital St-Antoine
Seine
Front de Seine
1000
2000 m

PONTOISE
VILLE NOUVELLE
Cergy
DE CERGY-PONTOISE
Oise
N 14
Beauchamp
St-Leu-la-Forêt
Forêt de Montmorency
N 1
N 16
Goussainville
N 17
A 1
Aéroport Charles-de-Gaulle
Roissy-en-France
Villiers-le-Bel
Conflans-Ste-Honorine
Patte d'Oie d'Herblay
N 215
Eaubonne
A 15
Sarcelles
Seine
Franconville
MONTMORENCY
Gonesse
Ermont
Patte d'Oie de Gonesse
Cormeilles-en-P.
Enghien-les-Bains
Garges-lès-Gonesse
Forêt de St-Germain
Maisons-Laffitte
Épinay-s/-S.
Stains
Aéroport du Bourget
N 2
Le Vert-Galant
ARGENTEUIL
Saint-Denis
Sartrouville
A 86
Port de Gennevilliers
Canal
A 1
Le Blanc-Mesnil
Aulnay-s/s-Bois
Sevran
Canal de l'Ourcq
Villeparisis
Bezons
Gennevilliers
La Courneuve
Drancy
N 3
Houilles
A 86
Colombes
St-Denis
Aubervilliers
B 3
Livry-Gargan
Asnières-s/-S.
St-Ouen
BOBIGNY
Bondy
Clichy-s/s-Bois
ST-GERMAIN-EN-LAYE
Clichy
A 86
LE RAINCY
Montfermeil
N 13
Le Pecq
Chatou
NANTERRE
Courbevoie
Levallois-P.
Pantin
B 3
A 3
Noisy-le-Sec
Gagny
Le Vésinet
La Défense
Neuilly-s/-S.
Gare St-Lazare
Gare du Nord
Gare de l'Est
ROSNY 2
Rueil-Malmaison
Puteaux
Bagnolet
A 86
Rosny-s/s-Bois
Marly-le-Roi
Suresnes
Bois de Boulogne
A 3
PARIS
Montreuil
Fontenay-s/s-Bois
Neuilly-s/-M.
Canal de Chelles
Château de Champs
Marne
H 3
Forêt de Marly
La Celle-St-Cloud
Saint-Cloud
Gare Montparnasse
Vincennes
Le Perreux-s/-M.
A 13
AUTOROUTE DE NORMANDIE
A 13
BOULOGNE-BILLANCOURT
Gare de Lyon
St-Mandé
Bois de Vincennes
NOGENT-S/-M.
Bry-s/-M.
VILLE NOUVELLE DE MARNE-LA-VALLÉE
Gare d'Austerlitz
PARLY 2
Le Chesnay
Sèvres
Charenton-le-P.
Villiers-s/-M.
A 4
A 12
VERSAILLES
Vanves
Issy-les-Moulineaux
Malakoff
Ivry-s/-S.
Maisons-Alfort
Champigny-s/-Marne
St-Cyr-l'École
Château
Meudon
Châtillon
Montrouge
Le Kremlin-Bicêtre
Alfortville
St-Maur-des-Fossés
Forêt de Meudon
Clamart
Arcueil
N 10
Vélizy-Villacoublay
Bagneux
Cachan
Vitry-s/-Seine
Chennevières-s/-M.
Carrefour du Pt-Clamart
Fontenay-aux-Roses
Villejuif
Bièvre
VÉLIZY 2
Le Plessis-Robinson
L'HAŸ-LES-ROSES
A 86
CRÉTEIL
N 4
VILLE NOUVELLE DE ST-QUENTIN-EN YVELINES
A 86
Sceaux
Choisy-le-Roi
Sucy-en-Brie
Bois Notre-Dame
Aérodrome de Villacoublay
Châtenay-Malabry
La Croix-de-Berny
Marché de Rungis
Thiais
Carrefour Pompadour
Forêt de Verrières
A 86
ANTONY
Fresnes
Boissy-St-Léger
La Belle Épine
Orly
Villeneuve-St-Georges
Château de Gros-Bois
Le Christ de Saclay
Villeneuve-le-Roi
PALAISEAU
Massy
Yerres
N 118
Aéroport d'Orly
St-Rémy-lès-Chevreuse
A 10
Athis-Mons
Vigneux-s/-S.
Montgeron
Brunoy
Brie-Comte-Robert
Gif-s/-Yvette
Juvisy-s/-Orge
Vallée de Chevreuse
Yvette
Orsay
Chilly-Mazarin
Draveil
Yerres
Savigny-s/-O.
Forêt de Sénart
N 19
Viry-Châtillon
A 6
Grigny
Morsang-s/-O.
GRIGNY 2
Ste-Geneviève-des-Bois
Ris-Orangis
VILLE NOUVELLE
L'AQUITAINE
A 10
Orge
N 7
St-Michel-s/-Orge
VILLE NOUVELLE
Autodrome de Linas-Montlhéry
ÉVRY
DE
N 446
Brétigny-s/-Orge
D'ÉVRY
N 20
N 5
AUTOROUTE DU SOLEIL
Corbeil-Essonnes
MELUN-SÉNART
Arpajon
Aérodrome de Brétigny
Seine
Essonne
0
5 km
MELUN
autoroute
voie rapide
route importante
voie ferrée importante
R.E.R. et stations

L'*île de la Cité,* à partir de laquelle la ville s'est développée, lemeure son centre religieux et judiciaire (Notre-Dame, le Palais le justice...), tandis que, de part et d'autre du fleuve, se distin-guent traditionnellement la *rive droite,* siège de la vie financière et commerciale (Palais-Royal, rue de Rivoli, Opéra...), et la *rive gauche,* centre de la vie intellectuelle (Collège de France, Sor-bonne, grandes librairies), artistique (École des beaux-arts, anti-quaires...) et politique (ministères).

Les nombreux monuments érigés au cours des siècles font de la capitale un centre touristique très attractif.

Géographiquement, Paris est indissociable d'une *banlieue* éten-lue, avec laquelle il constitue une agglomération d'environ) millions d'hab.; ainsi se trouve rassemblé, sur 1,5 p. 100 du erritoire national, le sixième de la population française. La den-ité moyenne de population est supérieure à 20 000 dans la ville nême, approche ou dépasse 5 000 dans les trois départements imitrophes, dits de la « première couronne » (Hauts-de-Seine, Seine-Saint-Denis et Val-de-Marne).

L'urbanisation est continue dans la vallée de la Seine, de Viry-Juvisy à Conflans-Saint-Honorine, de Sarcelles, au N., au-delà de Massy, au S., interrompue seulement par les espaces verts le l'Ouest (bois de Boulogne) et de l'Est (bois de Vincennes).

Dans cette banlieue s'individualisent plusieurs secteurs : la vieille banlieue industrielle est localisée à proximité de la Seine et des grands axes ferroviaires, à l'O., au N., au N.-E. et au S.-E. le Paris. Ailleurs, la banlieue est plus résidentielle; partout se léveloppent les grands ensembles.

À la puissance de cette concentration humaine répond une puissance politique et économique encore bien supérieure. Paris, siège du gouvernement et du Parlement, exerce par rapport à la province une lourde prépondérance administrative. Sur le plan économique, l'agglomération regroupe près du cinquième de la population active nationale, et vient nettement en tête pour le nombre d'emplois dans toutes les branches industrielles, à l'excep-ion des industries extractives, de la sidérurgie et du textile. La prépondérance est particulièrement accentuée pour les produc-ions de qualité (près de la moitié des emplois nationaux dans la onstruction électrique et électronique, près du tiers dans la himie, plus de la moitié dans la presse et l'édition). Premier entre commercial et industriel français, grâce à l'abondance de la nain-d'œuvre, à l'importance du marché de consommation et à la oncentration des capitaux, l'agglomération possède le principal port fluvial et les principaux aéroports de France (Orly et Roissy). Sur le plan des services, la domination parisienne est encore plus vidente. Toutes les grandes banques y ont leur siège et la Bourse es valeurs est la seule qui compte réellement. Le tiers des tudiants français y fréquente une douzaine d'universités et autant e grandes écoles. La plupart des sièges des grandes entreprises y ont domiciliés.

La prépondérance politique et économique de Paris, sans égale n Europe, est le résultat de plusieurs siècles d'une centralisation ui a entraîné la croissance continue et anarchique de l'aggloméra-ion, faisant naître de graves difficultés économiques et sociales déplacements quotidiens des travailleurs, problèmes de transport, e circulation, etc.) auxquelles on a apporté diverses solutions : réation du boulevard périphérique, voies express longeant la Seine, R. E. R., etc.; décentralisation du centre de Paris par la réation du marché de Rungis pour remplacer les Halles; installa-on de nouvelles universités périphériques (Nanterre, Dauphine, Orsay, Saint-Denis)... Aujourd'hui, après un essai de décentralisa-ion nationale des industries et des services vers la province, on ente de planifier la croissance, notamment par la création de illes-satellites, susceptibles d'assurer à proximité à la fois ogement et emploi. Si la population de l'agglomération continue e s'accroître faiblement, celle de la capitale a diminué.

HISTOIRE. Le site est occupé au moins depuis le Néolithique ncien (vers 4000 av. J.-C.) [fouilles de la Cour du Louvre]. Située ur le territoire de la tribu celte des Parisii, la *Lutèce* gallo-omaine, déchue au IVe s., prend le nom de *Paris* au début du Moyen Âge. Bourgade réduite à l'île de la Cité, elle subit le siège es Huns (451) et des Normands (885-886).

XIe s. La ville s'agrandit grâce à l'essor du commerce fluvial et à sa fonction de capitale sous les Capétiens.

on développement est parallèle au renforcement du pouvoir royal t touche surtout la rive droite, commerçante.

Début du XIIIe s. Paris est doté par Philippe Auguste d'une muraille, et par le pape Innocent III d'une université (1215).

a population s'accroissant (200 000 hab. à la fin du XVe s.), harles V puis Louis XIII agrandissent l'enceinte. Si les rois mbellissent la ville, ils s'en méfient depuis la révolte au XIVe s. Étienne Marcel, suivie au XVIe s. des troubles dus aux guerres de eligion, puis de la Fronde en 1648-1652. Le départ de Louis XIV our Versailles (1682) ne freine pas l'essor économique et culturel, t, au XVIIIe s., Paris est le foyer des idées philosophiques qui sont la base du siècle des lumières.

Oct. 1789. Les Parisiens vont chercher le roi à Versailles et pèsent désormais de façon décisive sur l'évolution politique de la France révolutionnaire.

Napoléon Ier fait des travaux dans la ville, dont la population passe entre 1800 et 1848 de 500 000 à 1 million d'hab. et se soulève à deux reprises en 1830 et 1848; mais le suffrage universel enlève la primauté politique à Paris. Le second Empire, avec les travaux d'Haussmann*, modifie la physionomie de la ville.

- *1870-1871. Le siège de Paris par les Prussiens est suivi de la Commune, dernière des grandes insurrections parisiennes.*

Désormais la ville s'étend sous forme de banlieues tentaculaires, tandis que se développe la grande industrie. Occupé par les Allemands en 1940, Paris est libéré le 25 août 1944.

- *1977. Réforme du statut de la ville de Paris.*

Un maire* exerce les fonctions anciennement attribuées au préfet de Paris. Élu en 1977, J. Chirac est réélu maire de Paris en 1983 et en 1989.

- *1983. Dans le cadre d'un nouveau statut, les élections municipales, au scrutin proportionnel, sont suivies par un accroissement de l'autonomie des arrondissements.*

PARIS (Philippe D'ORLÉANS, *comte* DE) [1838-1894], fils aîné du duc d'Orléans. À la mort de celui-ci (1842) il devient l'héritier de la dynastie orléaniste. En février 1848, son grand-père Louis-Philippe abdique en sa faveur, mais il doit se réfugier à l'étranger. Rentré en France en 1871, il provoque en 1873 la fusion des orléanistes et des légitimistes, mais la restauration monarchique échoue, à cause de l'intransigeance de son cousin, le comte de Chambord. À la mort de celui-ci (1883) il devient le chef de la maison de France, mais doit s'exiler en Angleterre en 1886.

PÂRIS, surnommé **Alexandre.** *Myth. gr.* Second fils de Priam et d'Hécube, mari d'Œnone. Il enleva Hélène, femme de Ménélas, ce qui provoqua la guerre de Troie.

PARISIEN, IENNE [parizjɛ̃, -ɛn] adj. et n. De Paris : *La banlieue parisienne* (= autour de Paris). *Un événement bien parisien* (= caractéristique de la vie mondaine de Paris).

PARISIEN *(Bassin),* région sédimentaire s'étendant sur tout ou partie des Régions suivantes : *Île-de-France, Picardie, Champagne-Ardenne, Lorraine, Bourgogne, Centre, Haute-Normandie, Basse-Normandie* et *Pays-de-la-Loire.*

PARISIENNE *(Région),* région appelée auj. Région **Île-de-France,** comprenant, outre la *ville de Paris,* les dép. de l'*Essonne,* des *Hauts-de-Seine,* de *Seine-et-Marne,* de la *Seine-Saint-Denis,* du *Val-de-Marne,* du *Val-d'Oise* et des *Yvelines:* 12 000 km²; 9 878 000 hab. Ch.-l. *Paris.*

PARIS-PLAGE ⟶ TOUQUET-PARIS-PLAGE *(Le).*

PARISYLLABE [parisillab] ou **PARISYLLABIQUE** [parisillabik] adj. et n. m. (du lat. *par,* égal, et *syllabique*). *Gramm.* Se dit des mots latins qui ont dans leur déclinaison le même nombre de syllabes à tous les cas du singulier : *« Avis », « mare » sont des exemples de déclinaison parisyllabique.* ◆ **imparisyllabique** adj. et n. m. Se dit des mots latins qui ont au génitif sing. une syllabe de plus qu'au nominatif : *« Consul, consulis » est un exemple de déclinaison imparisyllabique.*

PARITÉ [parite] n. f. (du lat. *par, paris,* égal). Équivalence parfaite (restreint auj. à un emploi économique) : *La parité entre les salaires masculins et féminins* (syn. ÉGALITÉ). *La parité du change* (= même valeur d'échange d'une monnaie entre deux pays). *La parité du franc* (= son taux de change). ◆ **paritaire** adj. *Commission paritaire,* où siègent à égalité de nombre les représentants des parties en présence. ◆ **disparité** n. f. Manque d'harmonie, d'égalité : *Les disparités de salaires à qualification égale.*

PARJURE [parʒyr] n. m. (du lat. *perjurare*). Faux serment ou violation de serment : *Être coupable de parjure.* ◆ **parjure** adj. et n. Qui viole son serment : *Parjure à ses amis, il a abusé de leur confiance* (syn. TRAÎTRE; contr. FIDÈLE). ◆ **parjurer (se)** v. pr. Violer son serment; faire un faux serment.

PARK (Mungo), explorateur écossais (1771-1806). Il fit deux voyages en Afrique occidentale et périt noyé dans le Niger.

PARKÉRISATION [parkerizasjɔ̃] n. f. (nom déposé). Protection du fer par formation d'une couche d'oxyde imperméable.

PARKING n. m. ⟶ PARC 2.

Parkinson *(maladie de),* affection du système nerveux caractérisée par un tremblement et une rigidité musculaire.

PARLANT adv. et adj., **PARLÉ, E** adj. et n. m. ⟶ PARLER.

PARLEMENT [parləmɑ̃] n. m. (de *parler*). **1.** Sous l'Ancien Régime, premier corps de justice du royaume, qui eut des attributions avant tout judiciaires, mais qui tendit de plus en plus à jouer un rôle politique (s'écrit avec une minusc.). ⟶ ENCYCL. — **2.** Assemblée ou ensemble d'assemblées chargées d'exercer le pouvoir législatif (s'écrit avec une majusc.) : *En France, le Parlement comprend l'Assemblée* nationale et le Sénat*.* ⟶ ENCYCL. — **3.** Assemblée politique de la monarchie anglaise. ◆ **parlementaire** adj. : *Les débats parlementaires* (= du Parlement). ‖ *Régime parlementaire*, régime politique dans lequel les ministres sont responsables devant le Parlement. ◆ n. m. Membre d'un Parlement. ◆ **parlementarisme** n. m. Syn. de RÉGIME PARLEMENTAIRE. ◆ **antiparlementaire** adj. : *Discours antiparlementaire.* ◆ **antiparlementarisme** n. m. : *L'antiparlementarisme est une hostilité à l'égard du régime parlementaire.*

— ENCYCL. Le premier *parlement* fut créé à Paris au XIIIe s. Les parlements de province, qui apparurent au XVe s., jouèrent un rôle beaucoup moins important que le parlement de Paris qui, outre ses prérogatives judiciaires, tenta souvent, surtout pendant la minorité de Louis XIV, de Louis XV et le règne de Louis XVI, de s'ériger en Conseil du gouvernement et de contrôler le pouvoir royal : chargé de vérifier les édits, ordonnances et lettres patentes du roi, il était autorisé en effet à présenter des remontrances qui ajournaient leur enregistrement et retardait leur application. Défenseur des traditions religieuses, il s'affirma également comme le gardien des lois fondamentales du royaume contre l'arbitraire royal. Il joua un rôle important pendant la Fronde* et, en 1787, déclencha une véritable révolte parlementaire, qui contribua à faire naître le ferment révolutionnaire. Mais son existence prit fin avec la Révolution.

Actuellement le *Parlement* français représente le *pouvoir législatif,* car il discute et vote les lois, dont la loi de finances qui établit, pour l'année suivante, le budget de l'État. Le Parlement exerce un droit de contrôle sur le gouvernement; si des députés sont en désaccord grave avec le gouvernement et lui retirent leur confiance, ils peuvent présenter une *motion de censure** qui oblige le gouvernement à démissionner si elle est votée à la majorité absolue (la moitié des voix plus une). Parfois, le gouvernement demande de lui-même à l'Assemblée nationale si elle lui fait confiance sur un sujet déterminé; il lui pose la *question de confiance,* qui fait également l'objet d'un vote. Le chef de l'État et le chef du gouvernement possèdent aussi des moyens d'action sur le Parlement : le président de la République peut solliciter l'avis de la population, à propos de certains projets de loi, par voie de *référendum** et prononcer la dissolution de l'Assemblée nationale. Le Premier ministre peut convoquer le Parlement en sessions extraordinaires pour des projets précis à étudier.

PARLEMENTAIRE adj. et n. m. ⟶ PARLEMENT et PARLEMENTER.

PARLEMENTARISME n. m. ⟶ PARLEMENT.

PARLEMENTER [parləmɑ̃te] v. i. (de *parlement*). **1.** Négocier avec un adversaire en vue d'un armistice, d'une reddition. — **2.** Discuter en vue d'un accommodement : *Il fallut parlementer longtemps avec le gardien pour se faire ouvrir la porte.* ◆ **parlementaire** n. m. Celui qui, en temps de guerre, a pour mission d'entrer en pourparlers ou de poursuivre des négociations avec le commandement adverse.

PARLER [parle] v. i. et t. ind. (du lat. *parabolare*). **1.** Articuler des paroles : *Les enfants commencent à parler vers le début de la deuxième année. Parler du nez* (= prononcer les mots avec un son nasal). — **2.** Exprimer sa pensée, ses sentiments par la parole : *Si je pouvais parler librement, je révélerais des faits surprenants* (syn. S'EXPRIMER). *Parler politique, affaires,* etc. *Parler en l'air* (= sans certitude, sans preuves). *Parler en maître* (= avec autorité). *Parler d'or* (= dire ce qu'il y a de mieux à dire). — **3.** Prononcer un discours, une allocution : *Il déteste parler en public* (syn. DISCOURIR). — **4.** *Parler à qq'un,* lui adresser la parole : *Depuis qu'il est brouillé avec son cousin, il ne lui parle plus.* ‖ Fam. *Trouver à qui parler,* rencontrer une vive opposition. — **5.** *Parler avec qq'un,* s'entretenir avec lui (syn. CAUSER, CONFÉRER, CONVERSER). — **6.** *Parler de qq'un, de qqch.,* en faire le sujet d'une conversation, d'un exposé : *Nous parlions de lui quand il est entré. On parle d'abattre ces immeubles* (= on fait le projet). *Parler de la pluie et du beau temps* (= s'entretenir de choses banales, indifférentes). ‖ *Sans parler de...,* indique une considération accessoire : *Cela va vous coûter très cher, sans parler de tous les ennuis que vous vous attirerez* (syn. INDÉPENDAMMENT DE, OUTRE). — **7.** Exprimer une pensée, un sentiment autrement qu'en paroles : *Parler par gestes. Dans sa lettre, il me parla de ses soucis* (syn. FAIRE PART DE). — **8.** (sujet nom de chose) Être un témoignage de : *Tout ici nous parle du passé;* dicter la conduite : *L'honneur parle* (= commande). ‖ *Parler aux yeux, au cœur, à l'imagination,* etc., flatter le regard, plaire, porter à la rêverie, etc. ◆ v. t. *Parler une langue,* être capable de s'exprimer en cette langue, l'employer : *Il parle un peu l'anglais* (ou *anglais*). *Le français est parlé dans une grande partie de l'Afrique.* ◆ ***se parler*** v. pr. **1.** *Se parler à soi-même,* tenir un monologue intérieur. — **2.** Être parlé : *L'espagnol se parle en Amérique latine.* ◆ n. m. **1.** Manière dont quelqu'un s'exprime : *Un parler truculent* (syn. LANGAGE). *Il a le parler tranchant* (syn. PAROLE). — **2.** Langue particulière à une région : *Les parlers méridionaux* (syn. DIALECTE, PATOIS). ◆ **parlant** adv. (précédé d'un adv. en *-ment*) : *Scientifiquement, administrativement,* etc., *parlant* (= en termes scientifiques, du point de vue administratif, etc.). ◆ **parlant, e** adj. **1.** Se dit de ce qui est expressif, suggestif : *Une image parlante. La comparaison est parlante* (syn. ÉLOQUENT). — **2.** *Film, cinéma parlant,* accompagné de paroles synchronisées (contr. MUET). ◆ **parlé, e** adj. Manifesté par la parole : *La langue parlée se distingue par bien des traits de la langue écrite.* ◆ n. m. Partie d'une œuvre exprimée par la parole : *Le parlé et le chanté dans un opéra.* ◆ **parleur** n. m. Péjor. *Beau parleur,* celui qui séduit par de belles phrases dont il ne sort rien de positif ou de sincère. ◆ **parloir** n. m. Salle où l'on reçoit les visiteurs dans certains établissements : *Le parloir d'un lycée, d'un monastère.* ◆ **parlote** n. f. *Fam.* Conversation, discussion de peu d'utilité : *La réunion du comité s'est passée en vaines parlotes.* ◆ **reparler** v. i. Parler de nouveau de quelque chose, de (ou à) quelqu'un.

PARME, v. d'Italie (Émilie), ch.-l. de province, sur la *Parma,* 175 900 hab. *(Parmesans).* Cathédrale du XIIe s. Baptistère romano-gothique. Eglises (XVIe-XVIIe s.). Le palais de la Pilotta (XVIe-XVIIe s.) abrite des musées et le théâtre Farnèse. Jusqu'en 1860, Parme fut la capit. du *duché de Parme-et-Plaisance.*

PARMÉNIDE, philosophe grec (v. 540-v. 450 av. J.-C.). Dans son poème *De la nature,* il pose l'univers comme éternel, un, continu, immobile. Platon lui a consacré l'un de ses dialogues.

PARMENTIER (Antoine Augustin), agronome et pharmacien militaire français (1737-1813). Il développa en France la culture de la pomme de terre.

PARMESAN [parməzɑ̃] n. m. (de *Parme*). Fromage fabriqué avec du lait de vache dans la région de Parme.

PARMESAN (Francesco MAZZOLA, dit **le**), peintre italien (1503-1540). Formé par le Corrège, il décora de grisailles l'église de la Madonna della Steccata, à Parme. Maniériste, il chercha l'élégance, étirant les corps de ses personnages (la *Madone au long cou*). Il fut un remarquable portraitiste (la *Courtisane Antea, Malatesta Baglioni*), et son influence se répandit dans toute l'Italie.

PARMI prép. ⟶ ENTRE 1.

PARNASSE, mont de la Grèce, au N.-E. de Delphes; 2 457 m. Dans l'Antiquité, il était consacré à Apollon et aux Muses.

Parnasse contemporain *(le),* titre de trois recueils de vers parus de 1866 à 1876, auxquels collaborèrent Leconte de Lisle, Th. Gautier, Th. de Banville, Heredia, Sully Prudhomme, Fr. Coppée.

PARNASSIEN, ENNE [parnasjɛ̃, -ɛn] adj. et n. m. Nom donné aux poètes qui réagirent contre le lyrisme romantique à partir de 1850 et cultivèrent une poésie savante et impersonnelle. L'école « parnassienne » condamnait le lyrisme confidentiel et défendait la théorie de « l'art pour l'art ».

PARNELL (Charles Stewart), homme politique irlandais (1846-1891). Il prit la direction du nationalisme irlandais et fut un des défenseurs les plus énergiques de la politique du *Home Rule.*

PARODIE [parɔdi] n. f. (du gr. *para,* à côté de, et *ôdê,* chant). **1.** Travestissement plaisant d'une œuvre ou d'un passage d'œuvre littéraire ou artistique. — **2.** Imitation grossière, de caractère ironique ou cynique : *Tout ce procès n'a été qu'une sinistre parodie, les accusés étant condamnés d'avance.* ◆ **parodier** v. t. : *Parodier une tragédie, un acteur* (syn. CONTREFAIRE, IMITER). ◆ **parodiste** n. Auteur d'une parodie littéraire.

PAROI [parwa] n. f. (lat. *paries, -etis*). **1.** Surface intérieure latérale d'un récipient, d'un conduit : *Un dépôt qui se fixe aux parois du réservoir. Une paroi étanche.* — **2.** Face intérieure de murs, cloison qui sépare les pièces d'une habitation. — **3.** *Paroi rocheuse,* ou simplem. *paroi,* surface de rocher à peu près unie et proche de la verticale. — **4.** *Anat.* Nom donné à des parties qui circonscrivent certaines cavités : *Les parois du crâne, de l'estomac.*

PAROISSE [parwas] n. f. (gr. *paroikia,* groupement d'habitations voisines). Circonscription ecclésiastique où s'étend la juridiction spirituelle d'un curé; église où s'exerce ce ministère : *L'église de la paroisse. Aller à la paroisse.* ◆ **paroissien, enne** n. **1.** Catholique fidèle d'une paroisse. — **2.** Fam. *Un drôle de paroissien,* un drôle d'individu. ◆ **paroissial, e, aux** adj. : *Les œuvres paroissiales* (= de la paroisse).

PAROLE [parɔl] n. f. (lat. *parabola*). **1.** Faculté de parler, aptitude à parler : *La parole est le propre de l'homme* (syn. LANGAGE). *Un conférencier qui a la parole facile* (= qui s'exprime avec facilité). *L'accusé semblait avoir perdu la parole* (= être devenu muet). — **2.** *Prendre la parole,* commencer à parler. ‖ *Passer la parole à qq'un,* l'inviter à parler. ‖ *Couper la parole à qq'un,* l'interrompre quand il parle. — **3.** Ton, débit de la voix : *Avoir la parole douce.* — **4.** Mot, phrase qu'on prononce : *Des paroles de bienvenue. Je n'ai pas osé lui adresser la parole* (= lui parler). *Citer une parole de*

Vapoléon (= une phrase mémorable). — **5.** *Belles paroles* (souvent éjor.), vaines promesses. ‖ *Parole en l'air,* dite à la légère. ‖ *La arole de Dieu,* l'Écriture sainte. — **6.** Assurance donnée à quel-u'un, engagement formel : *Je vous en donne ma parole. Reprendre a parole* (= se dédire, se rétracter). *Je n'ai qu'une parole* (= je ne eviens pas sur mes promesses). *Je vous crois sur parole* (= je vous ais confiance). — **7.** *Parole d'honneur!* ou (plus usuel) *Ma parole!,* ormules par lesquelles on atteste la vérité de ce que l'on dit. – **8.** (au plur.) Texte d'une chanson : *Faire la musique et les aroles.* ◆ **parolier** n. m. Auteur des paroles d'une chanson.

ARONYME [parɔnim] n. m. (du gr. *para,* à côté de, et *onoma,* om). Mot proche d'un autre par sa forme, son orthographe, sa onorité, comme *conjecture* et *conjoncture, collision* et *collusion, llocation* et *allocution, gradation* et *graduation, percepteur* et *récepteur,* etc. ◆ **paronymie** n. f. Ressemblance des paronymes. ◆ **paronymique** adj. Relatif aux paronymes, à la paronymie.

AROS, une des îles Cyclades, au S. de Délos, célèbre autref. ar ses marbres d'une blancheur éclatante; 9 000 hab.

AROTIDE [parɔtid] n. f. et adj. (du gr. *para,* à côté de, et *oûs, tos,* oreille). Glande salivaire, située au voisinage de l'oreille : *Les reillons sont une inflammation des parotides.* (La *glande parotide* st située en arrière de la branche montante du maxillaire infé-ieur.

AROXYSME [parɔksism] n. m. (gr. *paroxusmos,* action d'ex-iter). Extrême intensité d'une maladie, d'une douleur, d'un senti-ent, d'une passion : *Au paroxysme de la colère, il se jeta sur son dversaire.* ◆ **paroxystique** adj. : *Une douleur paroxystique* = poussée à son paroxysme).

AROXYTON [parɔksitɔ̃] adj. et n. m. (du gr. *para,* à côté de, *xus,* aigu, et *tonos,* ton). Se dit d'un mot qui a l'accent tonique sur avant-dernière syllabe.

ARPAILLOT [parpajo] n. m. (du prov. *parpaioun*). Nom inju-eux donné anciennement aux protestants par les catholiques.

ARPAING [parpɛ̃] n. m. (orig. incert.). Bloc rectangulaire de atériaux agglomérés (ciment, gravillons, mâchefer), de la gran-eur d'une pierre de taille, servant à la construction des murs.

ARQUER v. t. ⟶ PARC 2.

ARQUES. *Myth. rom.* Divinités des Enfers, au nombre de trois, ui filaient, dévidaient et coupaient le fil de la vie des hommes.

. PARQUET [parkɛ] n. m. (de *parc*). *Parquet,* ou *ministère ublic,* ensemble des magistrats (magistrature debout) qui repré-entent la société et demandent l'application de la loi, au nom du ouvernement, auprès des tribunaux; local qui leur est affecté en ehors des audiences.

. PARQUET [parkɛ] n. m. (même étym.). Assemblage de mes de bois qui garnissent le sol d'une pièce : *Cirer un parquet.* **parqueter** v. t. (Conj. **8.**) Garnir d'un parquet. ◆ **parque-age** n. m.

ARRAIN [parɛ̃] n. m. (du lat. *pater,* père). **1.** Celui qui est lié à n enfant qu'on baptise *(filleul, filleule)* par une parenté spiri-elle. — **2.** Celui qui présente quelqu'un dans une société, qui lui rt de répondant. ◆ **parrainer** v. t. *Parrainer qq'un, parrainer ne entreprise,* lui servir de répondant, de garant (syn. PATRON-ER). ◆ **parrainage** n. m. Qualité, fonction de parrain ou de arraine (sens 2).

ARRICIDE [parisid] n. m. (du lat. *pater,* père, et *cadere,* tuer). eurtre du père ou de la mère ou de tout autre ascendant. ◆ n. et j. Qui a commis ce crime.

ARSEMER [parsəme] v. t. *(par,* et *semer).* **1.** (sujet nom d'être imé ou de chose) Couvrir de choses répandues çà et là (surtout part. passé) : *L'ennemi avait parsemé le sol de mines. Un scours parsemé de citations* (syn. TRUFFER). — **2.** (sujet nom de ose) Être épars sur une surface, dans quelque chose : *Quelques uilles mortes parsèment les allées* (syn. ↑JONCHER).

arsifal, dernier opéra de Wagner (1882).

. PART [par] n. f. (lat. *pars, partis*). **1.** Portion d'un tout desti-e à quelqu'un, affectée à un emploi : *Diviser un gâteau en six rts égales. Il a abandonné à ses frères sa part d'héritage. Consa-er une part importante de son salaire au loyer* (syn. PARTIE). *hacun a sa part de bonheur et de misère* (syn. LOT). — **2.** *La part lion,* la plus grosse, celle que s'attribue le plus fort dans un rtage, au mépris de la justice. ‖ *Avoir part à,* participer à : *Avoir rt aux bénéfices.* ‖ *Faire la part du feu,* abandonner quelque ose pour ne pas tout perdre. ‖ *Associé à part entière, membre à rt entière d'un groupe,* etc., personne qui jouit pleinement de us les droits reconnus aux membres de ce groupe. — **3.** Ce qui t apporté à une œuvre commune, participation, concours : *Cha-n doit fournir sa part d'efforts.* — **4.** (sujet nom d'être animé) *endre part à, prendre une part dans,* participer activement à, s'associer à : *Plusieurs députés n'ont pas pris part au vote. Je prends part à vos soucis.* ‖ *Faire la part de,* tenir compte de l'influence de : *Faire la part des circonstances.* — **5.** Titre garantis-sant à un actionnaire des dividendes ou des droits sur une fraction du capital d'une société anonyme. — **6.** *Pour une part,* indique un des mobiles, une des causes que l'on considère séparément : *Sa décision résulte pour une part du souci de ne gêner personne. Pour une bonne (une large) part* (= dans une large mesure). ‖ *Pour ma (ta,* etc.) *part,* en ce qui me (te, etc.) concerne : *Pour ma part, je trouve ce choix excellent* (syn. QUANT À MOI [TOI, etc.]). ‖ *De la part de qq'un,* en son nom, venant de lui : *J'ai un paquet à vous remettre de la part de vos parents.* ‖ *Faire part de qqch. à qq'un,* l'en informer : *Je lui ai fait part de mes projets.* ‖ *Prendre des paroles, des actes en mauvaise part, en bonne part,* s'en offenser, ne pas s'en offenser.

2. PART [par] n. f. (même étym.) [dans des loc. adv.]. *Autre part,* à un autre endroit, ailleurs : *Il n'est pas ici, il faut chercher autre part.* ‖ *Nulle part,* en aucun lieu : *Nulle part ailleurs vous ne trouverez de meilleures conditions.* ‖ *Quelque part,* en quelque lieu : *C'est un visage que j'ai déjà vu quelque part.* ‖ *De toute(s) part(s),* de tous côtés, partout. ‖ *De part et d'autre,* d'un côté comme de l'autre, chez l'un (les uns) comme chez l'autre (les autres). ‖ *De part en part,* d'un côté à l'autre en traversant l'épaisseur : *Le projectile a transpercé le blindage de part en part.* ‖ *D'une part..., d'autre part...,* marquent les différents points d'un développe-ment : *D'une part il est paresseux, d'autre part il n'a pas eu de chance.*

3. PART (À) [apar] loc. adv. (même étym.). Séparément : *Une question qui sera examinée à part. Prendre qq'un à part pour lui confier un secret.* — LOC. ADJ. Qui se distingue nettement des autres, du reste : *C'est un garçon à part* (syn. SPÉCIAL). *Considérer chaque fait comme un cas à part* (syn. PARTICULIER). — LOC. PRÉP. Excepté : *À part toi, personne n'est au courant* (syn. SAUF). ‖ *À part moi (toi,* etc.), en mon (ton, etc.) for intérieur : *J'ai gardé mes réflexions à part moi.*

PARTAGER [partaʒe] v. t. (de l'anc. fr. *partir,* partager). **1.** *Partager qqch.,* le diviser en plusieurs parts : *Partager les bénéfices entre les associés. Partager une pomme en deux par la moitié* (syn. COUPER). *Nous allons nous partager la besogne* (syn. RÉPARTIR); et absolum. : *C'est un égoïste, il n'aime pas partager avec ses voisins.* — **2.** *Partager le pouvoir, les responsabilités, un droit,* etc., *avec qq'un,* être associé à cette personne dans ce domaine. — **3.** *Partager les sentiments, l'opinion de qq'un,* etc., éprouver les mêmes sentiments que lui, être du même avis : *Je partage votre embarras* (syn. S'ASSOCIER À). *Je ne partage pas ses idées politiques.* — **4.** *Être partagé* (sujet nom de personne), être animé de sentiments, de tendances contraires : *Il restait partagé entre la crainte et l'espoir;* (sujet nom de personne ou de chose au plur.) Être divers, en désaccord : *Les avis sont partagés sur la question;* (sujet nom de chose au plur.) Ne pas être le fait d'une seule personne : *Dans cette querelle, les torts sont partagés.* ◆ **se partager** v. pr. **1.** Diviser entre plusieurs : *Ils se partagèrent l'héritage.* — **2.** Être divisé : *Les responsabilités ne se partagent pas.* ◆ **partage** n. m. **1.** Action ou manière de partager : *On a procédé au partage de l'héritage entre les successeurs. Un partage à l'amiable.* ‖ *Sans partage,* exclusif, total, sans réserve : *Exiger des adhérents une fidélité sans partage.* — **2.** Ce qui revient à quelqu'un pour sa part : *Il s'est retiré dans la maison qui lui était échue en partage à la mort de son père.* ◆ **partageable** adj. : *Les frais d'entretien sont partageables entre les copropriétaires. Vous avez émis une opinion difficilement partageable.* ◆ **partageant** n. m. Une des personnes entre qui se fait un partage : *Distribuer des lots égaux aux partageants.* ◆ **copartager** v. t. Partager avec une ou plusieurs personnes. ◆ **copartageant, e** adj. Qui par-tage avec d'autres : *Héritiers copartageants.*

PARTANCE (EN) loc. adv. et adj., **PARTANT** n. m. ⟶ PAR-TIR.

PARTANT [partɑ̃] conj. *(par,* et *tant).* Indique la conséquence (littér.) : *Il se voyait abandonné, partant son désarroi était grand.*

PARTENAIRE [partənɛr] n. (de l'angl. *partner*). Personne à qui on est associé dans un jeu, avec qui on est en relation dans une entreprise, ou avec qui l'on danse.

1. PARTERRE [partɛr] n. m. *(par,* et *terre).* Partie d'un jardin où des fleurs variées sont disposées d'une manière ornementale.

2. PARTERRE [partɛr] n. m. (même étym.). **1.** Partie d'un théâtre située au rez-de-chaussée, derrière les fauteuils d'or-chestre. — **2.** Les spectateurs qui y sont placés.

PARTHENAY, ch.-l. d'arrond. des Deux-Sèvres, sur le Thouet; 11 700 hab. *(Parthenaisiens).* Remparts (XIIe s.). Église en partie romane. Vestiges d'un château du XIIe s. Foires (bovins).

PARTHÉNOGENÈSE [partenɔʒənɛz] n. f. (du gr. *parthenos,* vierge, et *genesis,* engendrement). Mode de reproduction dans lequel l'œuf se développe sans avoir été fécondé par un gamète mâle. (La *parthénogenèse naturelle* s'observe chez les abeilles [où elle donne les mâles, ou faux bourdons], chez les pucerons, chez quelques végétaux; on a pu provoquer artificiellement la parthénogenèse chez de nombreux animaux, même chez des mammifères [lapine].)

Parthénon, temple dédié à *Athéna Parthénos* (= vierge), bâti au Ve s. av. J.-C. sur l'Acropole d'Athènes par Phidias, assisté des architectes Ictinos et Callicratès, et qui le décora de sculptures. C'est un temple dorique périptère (= entouré d'un seul rang de colonnes), en marbre, de plus de 69 m de long, sur un peu plus de 30 m de large. À l'intérieur se trouvait la gigantesque statue en or et en ivoire de la déesse, sculptée par Phidias. Des sculptures diverses (frise des Panathénées), auj. réparties entre plusieurs musées, ornaient les différentes parties du temple, dont l'harmonie résultait de calculs subtils. → schéma page 72.

PARTHÉNOPÉENNE *(république)*, république fondée par les Français à Naples en 1799 et qui ne se maintint que quelques mois.

PARTHES, anc. peuple scythe, apparenté aux Iraniens, qui s'établit au S. de l'Hyrcanie (contrée de l'anc. Perse, au S. et au S.-E. de la mer Caspienne). Vers 250 av. J.-C., il se constitua en un royaume puissant qui dura jusqu'en 224 apr. J.-C., et contre lequel Trajan lutta en vain. Après 224, le royaume parthe fut incorporé à l'empire perse des Sassanides.

1. PARTI [parti] n. m. (de l'anc. fr. *partir*, partager). **1.** *Tirer parti de qqch., de qq'un*, en profiter, l'utiliser : *Il a tiré parti de ses relations pour obtenir cette place.* ‖ *Faire un mauvais parti à qq'un*, le maltraiter ou le tuer. — **2.** *Un beau parti, un riche parti*, etc., une personne à marier considérée du point de vue de sa situation sociale.

2. PARTI [parti] n. m. (même étym.). Solution à prendre pour résoudre une situation : *Il a opté pour le parti le plus avantageux* (syn. SOLUTION). ‖ *Prendre un parti*, fixer son choix, arrêter sa résolution : *En voyant le peu d'ardeur des autres, il a pris le parti d'agir seul* (= il a décidé). ‖ *Prendre parti pour qq'un, en faveur de qq'un, contre qq'un*, se prononcer pour ou contre lui. ‖ *Prendre son parti de qqch.*, l'accepter comme inévitable, s'y résigner. ‖ Péjor. *Parti pris*, opinion préconçue qui empêche de juger objectivement.

3. PARTI [parti] n. m. (même étym.). **1.** Groupe organisé de personnes réunies par une communauté d'opinions (en général politiques), d'intérêts : *Un parti politique qui tient son congrès annuel. Il y a traditionnellement deux grands partis en Angleterre : les conservateurs et les travaillistes.* ‖ *Le parti*, le parti communiste. — **2.** Ensemble inorganisé de gens ayant des tendances communes : *Le parti des mécontents.* — **3.** *Esprit de parti*, attitude de ceux qui, trop exclusivement attachés aux idées d'un parti, manquent d'objectivité à l'égard des autres (syn. SECTARISME). ◆ **sans-parti** n. inv. Personne qui n'est inscrite à aucun parti politique. ◆ **partisan** n. m. **1.** Attaché aux idées d'un parti, à une doctrine, à la personne d'un homme politique, à un régime. — **2.** (sans compl.) Combattant volontaire n'appartenant pas à une armée régulière et luttant pour un idéal national, politique : *La lutte des partisans contre les armées d'occupation pendant la Seconde Guerre mondiale* (syn. MAQUISARD). ◆ **partisan, e** adj. et n. **1.** Se dit de quelqu'un qui est favorable à une idée (en ce sens, le fém. est parfois PARTISANTE) : *Je ne suis pas partisan de cette thèse. Êtes-vous partisan de le mettre au courant de nos projets?* (syn. D'AVIS). — **2.** *Péjor.* Se dit de ce qui est inspiré par l'esprit de parti (le fém. est toujours PARTISANE) : *Querelles partisanes.*

4. PARTI, E adj. ⟶ PARTIR.

PARTIAL, E, AUX [parsjal, -sjo] adj. (de *parti*). Se dit d'une personne (ou de son comportement) qui a du parti pris en faveur de quelqu'un ou de quelque chose : *Un juge partial* (syn. INIQUE). ◆ **partialement** adv. : *Il a été trop impliqué dans cette affaire, il ne peut la juger que partialement.* ◆ **partialité** n. f. Préférence injuste. ◆ **impartial, e, aux** adj. : *Juge impartial* (syn. INTÈGRE). *Un arbitrage impartial* (syn. ÉQUITABLE). *Un historien impartial* (syn. OBJECTIF). ◆ **impartialement** adv. ◆ **impartialité** n. f. Qualité de celui ou de ce qui est équitable, objectif.

PARTICIPANT, E n. et adj., **PARTICIPATION** n. f. → PARTICIPER.

PARTICIPE [partisip] n. m. (lat. *participium*). Forme adjective du verbe qui joue le rôle tantôt d'un adjectif (variable), tantôt d'un verbe suivi du complément (invariable). ◆ **participial, e, aux** adj. : *La proposition participiale a son verbe au participe et un sujet indépendant de la principale.* → tableau ci-contre.

PARTICIPER [partisipe] v. t. ind. (du lat. *particeps*, qui prend part). **1.** *Participer à qqch.*, y avoir part, en recevoir sa part : *Les actionnaires participent aux bénéfices de l'affaire;* s'y associer, y prendre part : *Je participe à votre joie.* — **2.** *Participer de qqch.*, en présenter certains caractères : *Le drame, en littérature, participe à la fois de la tragédie et de la comédie.* ◆ **participant, e** n. et adj. : *Le nombre des participants à ce concours a été très élevé.* ◆ **participation** n. f. : *Ce monument a pu être restauré grâce à la participation des pouvoirs publics* (syn. CONCOURS). *Il est accusé de participation à un complot. Dans une entreprise, la participation est le système par lequel les employés sont associés aux bénéfices, et éventuellement à la gestion de l'entreprise.*

PARTICIPIAL, E, AUX adj. ⟶ PARTICIPE.

PARTICULARISER v. t., **PARTICULARISME** n. m., **PARTICULARITÉ** n. f. ⟶ PARTICULIER 1.

1. PARTICULE [partikyl] n. f. (lat. *particula*, petite partie). **1.** Très petite partie, parcelle d'une chose matérielle : *Une poudre composée de fines particules.* — **2.** *Phys.* Chacun des constituants de l'atome (électron, proton, neutron, etc.). ◆ **antiparticule** n. f. *Phys.* Particule élémentaire de propriétés opposées à celles qui caractérisent les atomes des éléments chimiques.

2. PARTICULE [partikyl] n. f. (même étym.). **1.** Préposition (en fr. DE) qui précède certains noms de famille et qui n'est pas nécessairement signe de noblesse. — **2.** *Gramm.* Petit mot inv., qui ne peut être employé seul et qui sert soit à préciser ou à renforcer le sens des mots principaux, comme *ci, da* dans *celui-ci, oui-da*, soit à exprimer les rapports qu'on établit entre eux (particules de liaison, conjonctions, etc.), comme *et, ou, ni, mais*, etc. (⟶ CLASSE 4.)

1. PARTICULIER, ÈRE [partikylje, -ɛr] adj. (lat. *particularis*). **1.** Se dit de ce qui appartient ou est affecté en propre à un être animé ou à une chose : *Il utilise tantôt une voiture de l'usine, tantôt sa voiture particulière* (syn. PERSONNEL). *Une partie du lycée est réservée aux appartements particuliers du proviseur* (syn. PRIVÉ). — **2.** Se dit de ce qui concerne spécialement un individu : *S'efforcer de concilier les intérêts particuliers avec l'intérêt général* (syn. INDIVIDUEL). *Il a des raisons toutes particulières d'agir ainsi* (syn. PERSONNEL). ‖ *Avoir un entretien particulier, une conversation particulière avec qq'un*, parler avec lui seul à seul (syn. PRIVÉ). ‖ *Leçon particulière*, leçon faite à un seul élève et non à une classe. — **3.** Se dit de ce qui distingue quelqu'un ou quelque chose, qui a un caractère remarquable : *Un écrivain qui a un style très particulier* (syn. SPÉCIAL). *C'est un film d'un genre particulier* (syn. ↑UNIQUE). — **4.** *Particulier à qq'un, à qqch.*, qui ne se rencontre, ne s'observe que chez cette personne, dans cette chose : *Un parler particulier à une région* (syn. SPÉCIAL). *Un symptôme particulier à une maladie* (syn. SPÉCIFIQUE DE). — **5.** (parfois avant le nom) Se dit de ce qui est important, se manifeste avec force : *Je l'ai écouté avec une particulière attention.* ◆ n. m. Ce qui concerne seulement un élément d'un ensemble : *Le conférencier, passant du général au particulier, raconta quelques anecdotes.* — LOC. ADV. *En particulier*, à part, séparément (après un verbe) : *Je vous raconterai cela en particulier* (syn. EN PRIVÉ; contr. EN PUBLIC); spécialement, notamment, entre autres (souvent avant un nom, un pron., un adj., un adv., une proposition) : *Il a fait beau toute la semaine, en particulier hier. J'aimerais connaître l'avis d'un spécialiste, le vôtre en particulier.* ◆ **particulièrement** adv. **1.** De façon particulière : *Chérir particulièrement un enfant.* — **2.** D'une manière intime; dans l'intimité : *Je ne la connais pas particulièrement.* ◆ **particulariser** v. t. Rendre particulier (par oppos. à GÉNÉRALISER) : *Particulariser des critiques.* ◆ **particularisme** n. m. Attitude d'une population, d'un groupe social, d'une région et même d'un individu, qui maintient ses caractères particuliers et originaux, qui veut conserver son autonomie par rapport à l'ensemble dont il fait partie : *Le particularisme des habitants du Jura suisse.* ◆ **particularité** n. f. : *Cette montre a la particularité d'indiquer les mois et les jours* (syn. CARACTÉRISTIQUE). *Quelles sont les particularités de ce dialecte?* (= les traits distinctifs). *Chercher à définir les particularités d'une œuvre littéraire* (= les traits pertinents). *Les particularités de la formation du pluriel en français* (= les exceptions).

2. PARTICULIER [partikylje] n. m. (même étym.). **1.** Personne privée, par oppos. au public, à l'ensemble des citoyens : *Le président de la République vote comme un simple particulier.* — **2.** *Fam.* Individu quelconque : *Qu'est-ce qu'il réclame, ce particulier?*

1. PARTIE [parti] n. f. (de l'anc. fr. *partir*, partager). **1.** Portion, élément d'un tout : *Un exposé en trois parties* (syn. POINT). *Les cinq parties du monde* (= les cinq continents). *Diviser les bénéfices en quatre parties* (syn. PART). *Une partie de l'assemblée acclama l'orateur* (syn. FRACTION). — **2.** Math. *Partie d'un ensemble*, ensemble formé avec des éléments d'un premier ensemble. (On dit aussi SOUS-ENSEMBLE.) ⟶ ENCYCL. — **3.** *Mus.* Chacune des voix, instrumentale ou non, d'une composition musicale. — **4.** *En partie*, s'oppose à EN TOTALITÉ, TOTALEMENT : *Le bâtiment a été en partie détruit par un incendie.* ‖ *Tout ou partie*, la totalité ou une fraction : *Il espère obtenir le remboursement de tout ou partie des dégâts.* ‖ *Faire partie de qqch.*, en être un élément : *La France fa*

accord du participe passé

RÈGLES D'ACCORD	EXEMPLES
1. Conjugué avec *être :* le participe passé s'accorde en genre et en nombre avec le sujet du verbe.	*La villa a été louée pour les vacances. Les feuilles sont tombées. Nos amis sont venus hier. Les rues sont bien éclairées.*
2. Conjugué avec *avoir :* le participe passé des temps composés des verbes actifs s'accorde en genre et en nombre avec le complément d'objet direct lorsque ce complément le précède.	*Vous avez pris la bonne route;* mais : *La bonne route que vous avez prise. Vous aviez envoyé une lettre : je l'ai bien reçue.*
3. Conjugué avec *avoir* suivi d'un infinitif : le participe passé reste invariable si l'infinitif est complément d'objet direct. Il s'accorde si le complément d'objet du participe est sujet de l'infinitif.	*Vous auriez dû écouter nos conseils. Les conseils que vous auriez dû écouter. La cantatrice que j'ai entendue chanter.*
4. Conjugué avec *avoir* et précédé de *en :* le participe passé reste invariable, sauf lorsque *en* est précédé d'un adverbe de quantité.	*J'ai cueilli des fraises dans le jardin et j'en ai mangé. Autant d'ennemis il a attaqués, autant il en a vaincus.*
5. Conjugué avec *avoir* et précédé de *l'* représentant une proposition : le participe passé reste invariable.	*La journée fut plus belle qu'on ne l'avait prévu.*
6. Conjugué avec *avoir* et les verbes *courir, valoir, peser, vivre, coûter :* le participe passé s'accorde avec le complément d'objet des emplois transitifs.	*Les dangers que j'ai courus. Les efforts que ce travail m'a coûtés. Les jours heureux qu'elle a vécus ici. Les mois qu'il a vécu* (*que* est complément de temps).
7. Conjugué avec *avoir* et un verbe impersonnel : le participe passé reste invariable.	*Les deux jours qu'il a neigé. Les accidents nombreux qu'il y a eu cet été. La chaleur qu'il a fait.*
8. Conjugué avec *avoir* et une expression collective comme complément d'objet direct placé avant : le participe passé s'accorde soit avec le mot collectif, soit avec le mot complément du terme collectif.	*Le grand nombre de succès que vous avez remporté* (ou *remportés*). *Le peu d'attention que vous avez apporté* (ou *apportée*) *à cette affaire.*
9. Conjugué avec *être* et une forme pronominale : le participe passé s'accorde avec le sujet du verbe, sauf les cas suivants : *a*) lorsque le verbe est suivi d'un complément d'objet direct (il y a accord lorsque ce complément précède); *b*) lorsque le verbe pronominal réfléchi ou réciproque est, à la forme active, un verbe transitif indirect, ou un verbe admettant un complément d'attribution introduit par *à*.	*Ils se sont aperçus de leur erreur. Ils se sont lavés. Ils se sont battus. Elle s'est regardée dans la glace. Ils se sont lavé les mains. Ils se sont écrit des lettres;* mais : *Les mains qu'ils se sont lavées. Les lettres qu'ils se sont écrites. Ils se sont nui* (nuire à quelqu'un). *Ils se sont écrit* (écrire à quelqu'un).

participe et adjectif verbal

I. Valeur de verbe

FORMES ET EMPLOIS	EXEMPLES
1. Participe présent invariable ou participe passé avec ou sans auxiliaire *étant* ou *ayant*, variable selon des conditions étudiées plus loin; tous deux équivalent à une proposition subordonnée complément circonstanciel de temps, de condition, de cause ou relative. (Appartient à la langue écrite; la langue parlée préfère le gérondif ou la proposition subordonnée.)	*Appelant un de ses amis à son aide, il s'efforça de soulever le rocher. Les personnes ayant des renseignements à demander pourront s'adresser ici. Appliqués à leur travail, ils doivent réussir. Il ne put comprendre ce qui se passait, étant étourdi par le choc. Ayant oublié sa clef, il ne pouvait rentrer chez lui.*
2. Gérondif : forme simple en *-ant* invariable, ou forme composée variable sous conditions avec auxiliaire *(ayant, étant)*, précédée de la préposition *en* et équivalant à une proposition subordonnée de temps, de condition, etc., à un complément de manière.	*Ils défilèrent dans la rue en chantant* (manière). *Il lisait le journal tout en mangeant* (temps). *En prenant l'escabeau vous atteindrez le compteur* (condition). *Il est parti en ayant fini son travail.*

II. Valeur d'adjectif

FORMES ET EMPLOIS	EXEMPLES
1. Adjectif verbal en *-ant* variable : sans modification de l'orthographe; avec modification de l'orthographe; avec modification de la forme du radical; avec modification de la forme de la désinence.	*Vous aurez des enfants très obéissants. C'est une rue passante. Des paroles provocantes* (participe *provoquant*). *Une course fatigante* (participe *fatiguant*). *Place vacante* (participe *vaquant*). *Capitaine navigant* (participe *naviguant*). *Des personnes négligentes* (participe *négligeant*).
2. Adjectif verbal en *-é, -i, -u, -is, -(i)t* (sans auxiliaire) variable.	*C'est une femme dissimulée et hypocrite. Un garçon étourdi, mais intelligent. Un jeune homme bien mis. Une soirée très courue. Une personne bien faite.*

partie de l'Europe. Il ne fait pas partie de ce syndicat (syn. APPARTENIR). *Vous faites partie des heureux gagnants* (syn. ÊTRE AU NOMBRE DE). ◆ n. f. pl. Organes génitaux. ◆ **partiel, elle** [parsjɛl] adj. Qui constitue, qui concerne une partie seulement d'un ensemble : *Il n'a obtenu qu'un succès partiel* (syn. INCOMPLET; contr. TOTAL). ◆ n. m. Examen dont le résultat compte pour l'examen final. ◆ **partiellement** adv. : *Cette demande n'a pu être que partiellement satisfaite. Une réponse partiellement fausse.*

— ENCYCL. ***partie.*** Un ensemble F est une *partie* (on dit aussi un *sous-ensemble*) d'un ensemble E, s'il est inclus dans E (c'est-à-dire si tout élément de F est élément de E) : on note $F \subset E$. (*Ex. :* l'ensemble des élèves d'une classe qui portent des lunettes est une partie de l'ensemble des élèves de la classe.)

Tout ensemble E est une partie de lui-même *(partie pleine).* L'ensemble vide $\varnothing$ est une partie de tout ensemble *(partie vide).* On appelle *partie propre* d'un ensemble toute partie qui n'est ni pleine ni vide. On représente une partie d'un ensemble E par un diagramme, dit *diagramme de Venn* ou *de Carroll.*

ensemble des parties d'un ensemble E. Il se note $\mathscr{P}(E)$. On a l'équivalence : $F \in \mathscr{P}(E) \Longleftrightarrow F \subset E$. On définit dans $\mathscr{P}(E)$ quatre lois* de composition interne (ou *opérations*) :

- l'*intersection* de deux parties A et B, notée $A \cap B$, est la partie formée des éléments qui appartiennent simultanément à A et à B;
- la *réunion* de deux parties A et B, notée $A \cup B$, est la partie formée des éléments qui appartiennent au moins à l'une des deux parties A ou B;
- la *différence* de deux parties A et B, notée $A - B$, est la partie formée des éléments de A qui n'appartiennent pas à B;
- la *différence symétrique* de deux parties A et B, notée $A \Delta B$, est l'ensemble formé par les éléments de A qui n'appartiennent pas à B et par les éléments de B qui n'appartiennent pas à A [*propriété :* $A \Delta B = (A - B) \cup (B - A) = (A \cup B) - (A \cap B)$].

Propriétés de ces opérations :
la réunion et l'intersection sont des opérations commutatives,

$$A \cap B = B \cap A \text{ et } A \cup B = B \cup A,$$

associatives,

$$A \cup (B \cup C) = (A \cup B) \cup C \text{ et } A \cap (B \cap C) = (A \cap B) \cap C,$$

et distributives l'une par rapport à l'autre,

$$A \cap (B \cup C) = (A \cap B) \cup (A \cap C)$$
$$\text{et } A \cup (B \cap C) = (A \cup B) \cap (A \cup C);$$

la différence n'est ni commutative ni associative; la différence symétrique est commutative et associative.

complémentaire. Le complémentaire d'une partie A dans un ensemble E est la partie notée $\complement_E A$ des éléments de E qui n'appartiennent pas à A. Par définition de la différence, $\complement_E A = E - A$.

Propriétés du complémentaire :
$\complement_E(\complement_E A) = A$ (le complémentaire du complémentaire de A est A);
$\complement_E \varnothing = E$ (le complémentaire de la partie vide est la partie pleine);
$\complement_E E = \varnothing$ (le complémentaire de la partie pleine est la partie vide);
$\complement_E (A \cup B) = \complement_E A \cap \complement_E B$ (le complémentaire de la réunion de deux parties est l'intersection de leurs complémentaires);
$\complement_E (A \cap B) = \complement_E A \cup \complement_E B$ (le complémentaire de l'intersection de deux parties est la réunion de leurs complémentaires).

partie stable. Dans un ensemble E muni d'une loi* de composition interne$*$, une partie A de E est *stable pour*$*$, si $*$ est aussi une loi de composition interne dans A. (Par ex., l'addition est une loi de composition interne dans l'ensemble $\mathbb{Z}$ des entiers relatifs : $\mathbb{N}$, ensemble des entiers naturels, qui est une partie de $\mathbb{Z}$, est une partie stable pour l'addition car la somme de deux entiers naturels est un entier naturel; l'ensemble des nombres pairs est stable pour l'addition car la somme de deux nombres pairs est un nombre pair; l'ensemble des nombres impairs n'est pas stable pour l'addition car la somme de deux nombres impairs est un nombre pair.)

→ illustrations en couleurs pp. 1024-1025.

2. PARTIE [parti] n. f. (même étym.) [généralement précédé d'un possessif]. Profession, spécialité de quelqu'un, domaine qu'il connaît bien : *La chimie, ce n'est pas ma partie* (syn. fam. RAYON). *Je ne peux pas discuter de cette question : je ne suis pas dans la partie* (ou *de la partie*).

3. PARTIE [parti] n. f. (même étym.). **1.** Totalité des coups à jouer, des points à obtenir pour avoir gagné ou perdu à un jeu : *La partie d'échecs est terminée quand un des rois est échec et mat.* — **2.** Ensemble de manœuvres, d'opérations à accomplir demandant une certaine habileté : *Entre les deux candidats, la partie a été serrée* (= chacun a exploité à fond ses avantages). *Gagner, perdre la partie* (= réussir, échouer). — **3.** *Partie de chasse, de pêche, de canotage,* etc., divertissement qu'on prend à plusieurs en pratiquant ces exercices. ‖ *Partie de campagne,* promenade, excursion à la campagne, à plusieurs et généralement pour une journée. ‖ *Partie de plaisir,* divertissements collectifs variés. ‖ Fam. *Ce n'est pas une partie de plaisir,* c'est un travail pénible, une occupation ennuyeuse. ‖ *Ce n'est que partie remise,* ce n'est que différé.

4. PARTIE [parti] n. f. (même étym.). *Dr.* **1.** Personne qui participe à un acte juridique ou qui est engagée dans un procès, un débat : *L'avocat a contesté les arguments de la partie adverse.* — **2.** *Partie civile,* personne qui a subi un préjudice et qui demande réparation des dommages que lui a causés l'accusé devant un tribunal. ‖ *Être juge et partie,* avoir à juger d'un cas où l'on a ses propres intérêts engagés. ‖ *Avoir affaire à forte partie,* avoir un adversaire redoutable. ‖ *Prendre qq'un à partie,* s'en prendre à lui, l'attaquer.

PARTIEL, ELLE adj. et n. m., **PARTIELLEMENT** adv. → PARTIE 1.

PARTIR [partir] v. i. (lat. *partiri,* partager). [Conj. **26.**] **1.** (sujet nom d'être animé ou de véhicule) Quitter un lieu, se mettre en route : *Quand partez-vous en vacances? Partons vite, nous allons être en retard* (syn. S'EN ALLER). *Le train part dans dix minutes* (syn. DÉMARRER). [→ aussi DÉPART 1.] — **2.** (sujet nom de personne) Entreprendre quelque chose : *Vous êtes mal parti, vous devriez changer de méthode* (syn. COMMENCER, DÉBUTER). — **3.** (sujet nom de personne ou de chose) *Partir de qqch.,* le prendre comme base, comme origine : *C'est le quatrième de la rangée, en partant de la droite.* ‖ *Il est parti de rien,* ses débuts ont été très modestes. ‖ *À partir de,* à dater de, depuis : *À partir de maintenant, tout va changer.* — **4.** (sujet nom de chose) S'échapper, se dégager : *Un bouchon de champagne qui part au plafond* (syn. SAUTER); se détacher, disparaître : *Une tache qui part à la lessive.* — **5.** Avoir tel ou tel début : *L'affaire part très bien* (syn. S'ENGAGER). ‖ *Coup de feu qui part,* qui est tiré. — **6.** (sujet nom de chose) Avoir pour origine dans l'espace, dans le temps, dans l'enchaînement des choses : *Une route qui part du faubourg nord de la ville* (contr. ABOUTIR À). *Votre proposition part d'un bon sentiment.* ◆ **partant** n. m. : *Il y avait cinquante partants pour cette course.* ◆ **partance (en)** loc. adv. et adj. Sur le point de partir vers une destination éloignée (suivi généralement de *pour,* et en parlant d'un navire, d'un train, d'un avion ou des passagers) : *Avion en partance pour Lima.* ◆ **parti, e** adj. *Fam.* Ivre : *À la fin du repas, il était un peu parti.* ◆ **repartir** v. t. Revenir à l'endroit d'où l'on vient.

PARTISAN, E adj. et n. → PARTI 3.

PARTITIF [partitif] n. m. (du lat. *partitus,* partagé). *Gramm.* Se dit de l'article *du, de la, des,* lorsqu'il désigne une partie d'un tout. (Ex. : *Manger du chocolat, de la confiture, des épinards.*)

1. PARTITION [partisjɔ̃] n. f. (lat. *partitio,* partage). *Mus.* Ensemble des parties d'une composition musicale réunies pour être lues simultanément.

2. PARTITION [partisjɔ̃] n. f. (même étym.). Math. *Partition d'un ensemble E,* c'est une famille de parties* non vides de E telle que : ces parties sont deux à deux disjointes (leur intersection est vide); la réunion des parties de la famille est l'ensemble E. (Tout élément de E appartient donc à une seule des parties de la partition.)

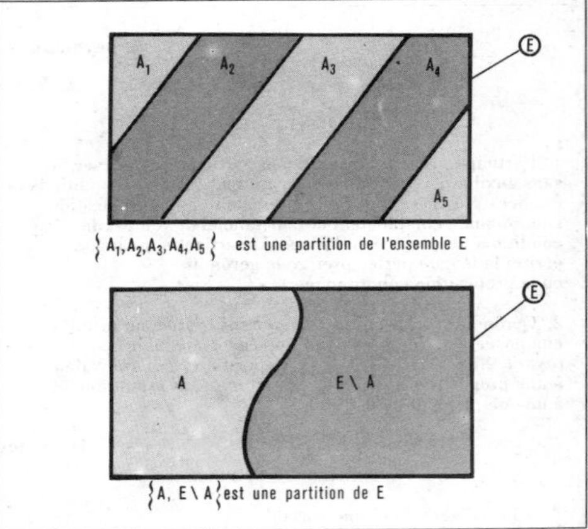

— ENCYCL. *Exemples de partition :* Une partie A et son complémentaire dans E, $\complement_E A$, forment une partition de l'ensemble E; l'ensemble des classes d'équivalence d'un ensemble E, déterminé par une relation* d'équivalence, forme une partition de E.

3. PARTITION [partisjɔ̃] n. f. (même étym.). Partage politique d'un pays : *La partition de l'Inde.*

PARTOUT [partu] adv. *(par,* et *tout).* En tout lieu, n'importe où : *C'est une plante qui ne pousse pas partout. Partout se manifestaient des signes de reprise économique* (= dans tous les domaines).

PARTURITION [partyrisjɔ̃] n. f. (du lat. *parturire*, accoucher). **1.** Accouchement. — **2.** Mise bas des animaux. ◆ **parturiente** n. f. *Méd.* Femme qui accouche.

PARURE n. f. ⟶ PARER 1.

PARUTION n. f. ⟶ PARAÎTRE 3.

PARVENIR [parvənir] v. i. (lat. *pervenire*). [Conj. **22.**] **1.** (sujet nom de personne ou de chose) Arriver à un certain point, à un certain degré : *Au bout de deux heures d'ascension, les alpinistes étaient parvenus au refuge. La lettre ne lui est pas parvenue en temps utile. Des fruits qui ne parviennent pas à maturité* (syn. VENIR). — **2.** (sujet nom de personne) *Parvenir à* (et l'infin.), réussir au prix d'un certain effort : *Je ne parviens pas à déchiffrer son écriture* (syn. ARRIVER). — **3.** (sujet nom de personne et sans compl.) S'élever socialement, faire fortune : *Il a mis vingt ans à parvenir* (syn. ARRIVER, RÉUSSIR). ◆ **parvenu, e** n. *Péjor.* Personne qui s'est enrichie, mais dont les manières, les mœurs manquent de distinction.

PARVIS [parvi] n. m. (du lat. *paradisus*, paradis). Place qui se trouve devant l'entrée principale d'une église.

1. PAS [pɑ] n. m. (lat. *passus*). **1.** Mouvement que fait l'homme en portant un pied devant l'autre pour marcher : *Faire un pas en arrière. Faire les cent pas* (= aller et venir dans un lieu déterminé). *Faire un faux pas* (= glisser en appuyant mal le pied sur le sol). *J'y vais de ce pas* (= sans délai, tout de suite). *La trace des pas dans la neige* (= trace laissée par les semelles, le pied). *Revenir sur ses pas* (= retourner en arrière). — **2.** Espace parcouru en une enjambée : *Dix pas plus loin on trouva le corps étendu, sans vie. C'est à deux pas d'ici* (= c'est très près). *Ne le quitte pas d'un pas* (= suis-le de près). — **3.** Manière de marcher des êtres humains et des animaux : *Aller à pas comptés* (= prudemment), *à pas de loup* (= très doucement et silencieusement), *à pas de géant* (= très vite). *Marcher d'un bon pas* (= vite). *Presser le pas* (syn. ALLURE). *Ralentir le pas* (= aller moins vite). *Je reconnais son pas dans l'entrée* (= le bruit de son pas). *Voiture qui roule au pas* (= à une vitesse réduite). *Le cheval va au pas* (= selon l'allure naturelle la plus lente, par oppos. au TROT, au GALOP). — **4.** En chorégraphie, mouvement qu'un danseur exécute avec ses pieds; fragment d'un ballet interprété par un ou plusieurs danseurs : *Pas de deux.* — **5.** *Avancer pas à pas*, lentement et avec précaution. ‖ *Avancer à grands pas*, faire de grands progrès. ‖ *Prendre le pas sur qq'un*, le devancer, le précéder; prendre le dessus, l'emporter. ‖ *Céder le pas*, laisser passer devant soi. ‖ *Sauter le pas*, se décider à surmonter un obstacle difficile. ‖ *Être dans un mauvais pas*, dans une situation critique. ‖ *Sortir, se tirer d'un mauvais pas*, se tirer d'une situation critique, dangereuse. ‖ *Faire un faux pas*, commettre une erreur. ‖ *Faire les premiers pas*, faire les premières avances; prendre l'initiative. ‖ *C'est le premier pas qui coûte*, c'est le début, le commencement qui est le plus difficile. ‖ *Mettre qq'un au pas*, le dresser, le réduire à l'obéissance. ‖ *Salle des pas perdus*, salle où les gens vont et viennent (syn. PASSAGE). — **6.** *Sur le pas de la porte*, devant la porte d'entrée.

2. PAS [pɑ] n. m. (même étym.). Détroit : *Le pas de Calais.*

3. PAS [pɑ] n. m. (même étym.). *Un pas d'hélice, de vis, d'écrou*, distance entre deux spires d'une hélice ou deux filets d'une vis, d'un écrou, mesurée parallèlement à l'axe de rotation.

4. PAS adv., **PAS UN** pron. et adj. indéf. ⟶ NON, AUCUN.

PASADENA, v. des États-Unis (Californie), près de Los Angeles; 116 400 hab. Centre de recherches spatiales. — À proximité, observatoire du Mont Wilson.

1. PASCAL [paskal] n. m. (de *Pascal*). *Phys.* Unité de pression et de contrainte (symb. : Pa). [⟶ MESURE, *unités de mesure.*]

2. PASCAL, E, ALS adj. → PÂQUES.

PASCAL (Blaise), mathématicien, physicien, philosophe et écrivain français (1623-1662). Doué d'un génie précoce, il s'initie seul, dès onze ans, à la géométrie. À seize ans, il publie son court *Essai sur les coniques* (1640), qui étonna Descartes. À dix-neuf ans, il imagine la première machine à calculer.

Jusqu'en 1652, il consacre ses loisirs à de nombreuses expériences scientifiques (lois de la pression atmosphérique, équilibre des liquides), au calcul des probabilités (dont il est avec Fermat l'un des fondateurs) et à l'arithmétique.

Dès 1646, Pascal était entré en relation avec les jansénistes. En 1652, sa sœur Jacqueline entre en religion à Port-Royal. Après une période consacrée à la vie mondaine, Pascal « se convertit » lui-même dans la nuit du 23 novembre 1654 et se retire à Port-Royal-des-Champs, où il vit dans l'ascétisme, prend parti pour les jansénistes et, dans les *Provinciales* (1656-1657), accable leurs adversaires, les jésuites, des traits les plus mordants. Il meurt avant d'avoir achevé une apologie de la religion chrétienne, dont les fragments ont été publiés sous le titre de *Pensées.*

Son œuvre a largement contribué, sur le plan littéraire, à faire de la prose française un moyen d'expression souple, clair et puissant; sur le plan moral, à orienter la pensée de son siècle vers l'étude psychologique et morale des imperfections et des vices humains. Ainsi Pascal prépare le classicisme.

PAS-DE-CALAIS (62), dép. du nord de la France (Région Nord-Pas-de-Calais); 6 671 km²; 1 412 400 hab. (213 au km²) [France : 100]. Ch.-l. *Arras.*
ADMINISTRATION. 7 arrond. (*Arras.* 296 600 hab.; *Béthune,* 277 200 hab.; *Boulogne-sur-Mer.* 158 200 hab.; *Calais,* 113 000 hab. ; *Lens,* 332 200 hab. ; *Montreuil,* 95 600 hab. ; *Saint-Omer,* 139 600 hab.). / 67 cant. / 898 comm.
→ carte page suivante.

LOCALITÉS PRINCIPALES	NOMBRE D'HAB.	LOCALITÉS PRINCIPALES	NOMBRE D'HAB.
Calais	76 900	Berck	15 700
Boulogne-sur-Mer	48 300	Saint-Omer	15 500
		Outreau	14 700
Arras	45 400	Harnes	14 000
Lens	38 300	Auchel	13 500
Liévin	33 300	Méricourt	13 300
Hénin-Beaumont	26 200	Nœux-les-Mines	13 200
Béthune	26 100	Courrières	12 600
Bruay-la-Buissière	23 200	Longuenesse	12 600
Avion	21 000	Bully-les-Mines	12 550
Carvin	16 200		

Ouvert sur la Manche et la mer du Nord, le département comprend une bande de plaines au N. (partie méridionale de la *Flandre*) et une zone de collines au S. (*collines de l'Artois*) où l'altitude oscille entre 100 et 200 m. Le climat est océanique avec des précipitations assez abondantes, également réparties sur l'ensemble de l'année.

La densité générale d'occupation, très élevée, est due à l'importance de l'*industrie.* Celle-ci emploie encore près de la moitié de la population active et, plus que le développement du *secteur tertiaire,* explique l'importance de l'urbanisation (25 communes dépassent 10 000 hab.). Au textile de tradition ancienne s'est ajoutée l'extraction houillère dans le quart nord-est du département (d'Auchel à Hénin-Beaumont) donnant naissance à la métallurgie et à la chimie. Aujourd'hui, l'extraction de la houille a disparu, le long déclin de l'industrie charbonnière entraînant une certaine stagnation démographique; le textile n'est plus non plus une branche dynamique.

L'*agriculture* occupe moins du dixième de la population active (en y englobant la pêche, importante, puisque Boulogne est le premier port français). Le littoral, au S., est animé par le tourisme balnéaire (Le Touquet-Paris-Plage et Berck).

PAS-DE-PORTE [pɑdpɔrt] n. m. inv. (*pas, de,* et *porte*). **1.** Ensemble des éléments d'un fonds commercial (maison de commerce) faisant l'objet d'un prix spécial lors de la vente. — **2.** Somme demandée illégalement par le vendeur à l'acheteur d'un appartement, d'un fonds de commerce, pour entrer dans les lieux.

PASIPHAÉ. *Myth. gr.* Femme de Minos, mère d'Androgée, d'Ariane, de Phèdre et du Minotaure.

PASKIEVITCH (Ivan), maréchal russe (1782-1856). Il écrasa l'insurrection polonaise de 1831 et la révolution magyare de 1849.

PASOLINI (Pier Paolo), écrivain et cinéaste italien (1922-1975). Poète, auteur de romans sur la vie misérable de la banlieue romaine (*Une vie violente,* 1959), il a également réalisé plusieurs films en tant que scénariste et metteur en scène (*Accattone,* 1960 ; *l'Évangile selon saint Matthieu,* 1964; *Œdipe-Roi,* 1967; *Théorème,* 1969; *le Décaméron,* 1971).

PASSABLE [pasabl] adj. (de *passer*). Qui est d'une qualité acceptable, suffisante sans être bonne : *Un devoir passable* (syn. MOYEN). ◆ **passablement** adv. : *Élève qui travaille passablement* (syn. MOYENNEMENT).

PASSACAILLE [pasakaj] n. f. (esp. *pasacalle*). À partir de 1640 environ, terme qui désigne, le plus souvent, une danse de cour lente à trois temps.

PASSADE [pasad] n. f. (it. *passata*). Aventure amoureuse de très courte durée; caprice passager.

1. PASSAGE n. m. ⟶ PASSER 1.

2. PASSAGE [pasaʒ] n. m. (de *passer*). Fragment bref d'un ouvrage que l'on cite, d'une œuvre écrite, musicale : *Lire un passage des « Mémoires d'outre-tombe »* (syn. EXTRAIT). *Un passage de la Ve symphonie de Beethoven* (syn. MORCEAU).

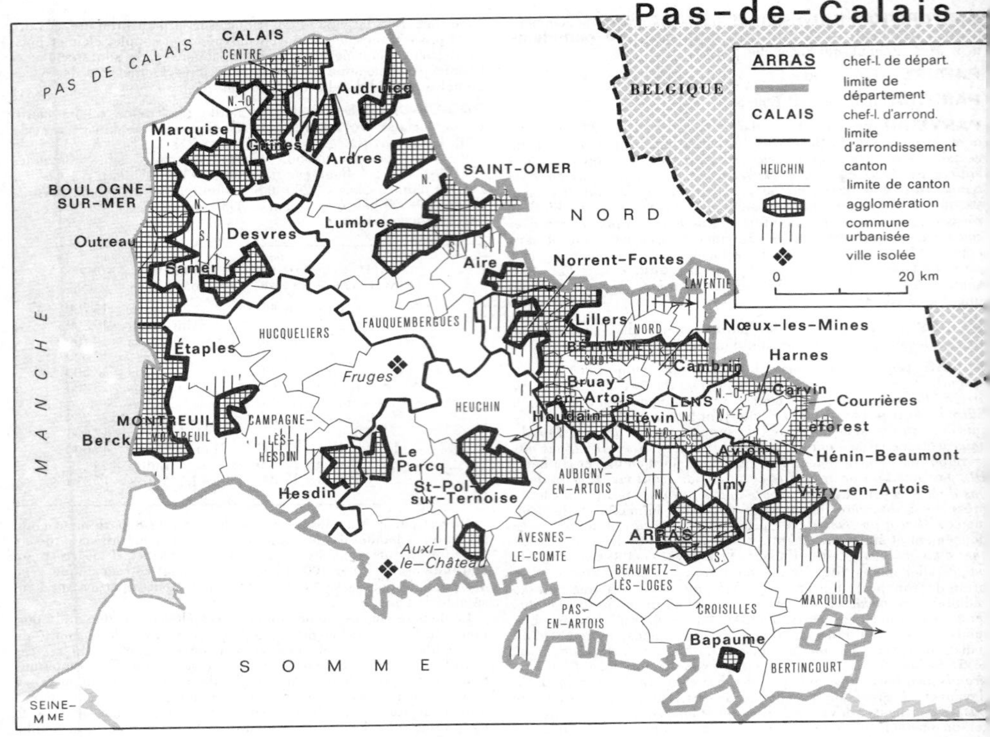

PASSAGE (Le), comm. de Lot-et-Garonne, dans la banlieue ouest d'Agen; 8 600 hab.

PASSAGER, ÈRE adj. et n., **PASSAGÈREMENT** adv., **PASSANT, E** adj. et n. → PASSER 1.

PASSAMAQUODDY *(baie de),* golfe de la côte orientale des États-Unis (Maine) et du Canada (Nouveau-Brunswick). Projet de construction d'une usine marémotrice.

PASSAROWITZ, auj. **Požarevac,** v. de Serbie (Yougoslavie), près de la Morava; 20 000 hab. Là fut signé en 1718 un traité entre l'Empereur, Venise et la Turquie.

PASSATION n. f. → PASSER 1.

PASSAVANT [pasavɑ̃] n. m. (de *passer,* et *avant*). **1.** *Mar.* Partie du pont supérieur d'un navire, servant de passage entre l'avant et l'arrière. — **2.** Permis de circulation délivré par l'administration des douanes ou des contributions indirectes, pour autoriser le transport d'objets qui sont exemptés de droits, ainsi que des alcools ayant déjà donné lieu à la perception de droits.

1. PASSE n. f. → PASSER 1.

2. PASSE [pas] n. f. (de *passer*). Travail exécuté par un outil sur une machine-outil, en un seul cycle mécanique.

PASSÉ prép., **PASSÉ, E** adj. et n. m. → PASSER 2.

PASSE-CRASSANE [paskrasan] n. f. inv. (de *passer,* et *crassane*). Variété de poire d'hiver.

PASSE-DROIT [pasdrwa] n. m. (de *passer,* et *droit*). Faveur accordée à l'encontre de ce qui est juste, légitime : *Ces avancements sont des passe-droits inadmissibles* (syn. PRIVILÈGE).

PASSÉISME n. m., **PASSÉISTE** adj. et n. → PASSER 2.

PASSE-LACET [paslasɛ] n. m. (de *passer,* et *lacet*). Grosse aiguille servant à introduire un lacet dans un ourlet. ‖ Pl. des *passe-lacets.*

PASSEMENTERIE [pasmɑ̃tri] n. f. (de *passer*). Commerce de bandes de tissus, de dentelles, de galons, etc., dont on orne des meubles, des tentures, des habits, etc.; marchandises de cette nature.

PASSE-MONTAGNE [pasmɔ̃taɲ] n. m. (de *passer,* et *montagne*). Sorte de cagoule en laine qui couvre le cou et les oreilles en laissant le visage découvert. ‖ Pl. des *passe-montagnes.*

PASSE-PARTOUT [paspartu] n. m. et adj. inv. (de *passer,* et *partout*). **1.** Clef qui permet d'ouvrir plusieurs serrures : *Ouvrir la porte d'une chambre d'hôtel avec un passe-partout* (abrév. fam. PASSE). — **2.** Grande scie à lame large, munie à chaque extrémité d'une poignée. — **3.** Ce qui convient à tout : *Des expressions passe-partout* (= des clichés).

PASSE-PASSE [pɑspɑs] n. m. inv. (de *passer*). **1.** *Tour de passe-passe,* tour d'adresse des prestidigitateurs, consistant à faire disparaître ou changer de place un objet devant des spectateurs. — **2.** Habileté visant à tromper adroitement quelqu'un.

PASSEPOIL [paspwal] n. m. (de *passer,* et *poil*). **1.** Liséré qui borde la couture de l'uniforme de certaines armes, dont il constitue le signe distinctif. — **2.** Bande de tissu ou de cuir prise en double dans une couture, pour former une garniture en relief : *Poche à passepoil.*

PASSEPORT [paspɔr] n. m. (de *passer,* et *port*). Document délivré à ses ressortissants par une autorité administrative nationale en vue de certifier leur identité au regard des autorités étrangères. En 1985 a été créé un passeport européen.

1. PASSER [pase] v. i. (du lat. *passus,* pas). **1.** (sujet nom d'être animé ou d'objet en mouvement) Aller d'un lieu à un autre : *Les voitures ne cessent de passer dans la rue* (syn. CIRCULER). *Il passe sur le pont* (= il traverse). *Il est passé à Paris* (= il est venu quelques instants). *Passez à la caisse* (syn. ALLER, SE RENDRE). *Le facteur est passé* (= il a déposé les lettres). *Il m'est passé devant* (= il m'a dépassé). *Le camion lui est passé dessus* (= l'a écrasé). *Le courant ne passe plus* (= il n'y a plus de courant électrique). *Il passe en seconde* (= il change de vitesse, en parlant d'un automobiliste). *Ces garnitures empêchent l'air de passer sous la porte* (syn. FILTRER). *Je suis passé voir Paul à l'hôpital* (= je suis allé). *Je passe te prendre en voiture* (= je viens); avec un nom de chose : *La* oute passe par Étampes. Cette idée m'est passée par la tête = m'est venue à l'esprit). — **2.** (sujet nom de personne ou de hose) Aller d'un lieu à un autre en franchissant une limite : *Les nnemis ne passeront pas* (= ne briseront pas la ligne de combat). *aissez-le passer* (syn. ENTRER, VENIR). *Le déjeuner ne passe pas* = je ne le digère pas). *Cette réplique ne passe pas* (= n'atteint pas s spectateurs). *Le jupon passe sous la jupe* (= dépasse la jupe). - **3.** (sujet nom de personne) Être appelé, convoqué : *Passer aux rdres,* aller prendre les ordres d'un supérieur. ‖ *Passer à la radio, la visite médicale,* subir un examen médical. — **4.** Être accepté, dmis : *Il est passé une loi réprimant ce genre de délit* (= l'Assemlée nationale a voté une loi qui...). *Le candidat a passé à l'écrit, ais a échoué à l'oral de son examen* (syn. ÊTRE ADMIS). *L'élève est assé en classe de première* (= il a été admis en première). *Ce mot a assé dans la langue* (= est devenu usuel). — **5.** Changer d'état, de tuation : *Il est* (ou *a*) *passé capitaine.* — **6.** Être transmis par uccession : *À sa mort, cette propriété passera à son fils* (syn. EVENIR À). — **7.** (sujet nom désignant un film, une émission de idio, de télévision) Être projeté, retransmis : *Ce film passe dans ne salle de quartier.* — **8.** *Il faut en passer par là* (= il faut subir ette épreuve). ‖ *Y passer,* subir une épreuve : *Tout le monde y asse* (= ce sont des difficultés que tout le monde a connues); iourir : *Si tu conduis aussi vite, nous allons tous y passer;* être lapidé : *Tout son capital y a passé.* ‖ *Passer aux aveux,* avouer. v. t. **1.** Faire aller d'un lieu à un autre : *Passer le bras par la ortière* (syn. TENDRE). *Je lui ai passé mon stylo* (syn. PRÊTER). *Il a assé sa grippe à toute la famille* (syn. TRANSMETTRE). *Passe-moi appareil, je vais lui répondre* (= donne-moi le téléphone). — Franchir une limite, la dépasser : *Il passe la frontière. Il passe pont rapidement* (syn. TRAVERSER). *Les marchandises ont passé la ouane* (syn. FRANCHIR). ‖ *Passer la radio, la visite médicale, oral,* subir un examen radiologique, médical, oral. — **3.** Retransettre : *Passer un film* (= le projeter). ‖ *Passer une pièce,* la présenter. ‖ *Passer un disque,* l'écouter sur un électrophone. — Transmettre : *Passer commande à un fournisseur* (= lui faire ne commande). ‖ *Passer ses ordres à qq'un,* les lui donner. — *Passer un vêtement, un veston,* le mettre sur soi. ‖ *Passer un ondamné par les armes,* le fusiller. ‖ *Passer en revue,* examiner n détail. — **6.** Soumettre à une action : *Passer sa seconde, sa oisième* (= changer de vitesse [en parlant d'un automobiliste]). *asser un parquet à la cire* (= le cirer). *Il passe sa colère sur les utres* (= la contente, la satisfait). — **7.** Provoquer une modificaon qui peut aller jusqu'à la disparition : *Le soleil passe les ouleurs* (= fait pâlir). ◆ **se passer** v. pr. *Se passer les mains ans l'eau,* se les laver. ◆ **passage** n. m. **1.** Action de passer . i.) : *Le passage des hirondelles dans le ciel. Le passage de équateur par un navire* (syn. FRANCHISSEMENT). *Le passage de la erezina* (syn. TRAVERSÉE). *Attendre le passage de l'autobus* (syn. RRIVÉE). *Il prenait au passage un journal* (= en passant). *Un hôte passage* (= qui ne reste que peu de temps). *Guetter le passage qq'un* (syn. VENUE). *Un lieu de passage* (= où l'on passe beauoup). *Le passage du jour à la nuit, de la crainte à l'espoir.* — Traversée d'un voyageur sur un navire : *Payer son passage squ'à Alexandrie.* — **3.** Lieu où l'on passe nécessairement pour ler d'un endroit à un autre (v. t. et i.) : *Les passages à travers les lpes* (syn. COL, TROUÉE). *Barrer le passage à qq'un* (syn. ACCÈS). *'obstruez pas le passage. Les gens se découvraient sur le passage u cortège* (= au lieu où passait). *Se frayer un passage* (syn. HEMIN). *Un passage à niveau* (= endroit où une voie ferrée est oupée par une route au même niveau). *Un passage protégé* = croisement où la priorité est enlevée à la voie de droite au énéfice de la voie principale). *Un passage souterrain* (= tunnel ervant de voie de communication). *Un passage clouté* (= chemin élimité par des clous et que les piétons doivent suivre pour averser une rue). — **4.** *Avoir un passage à vide,* se dit d'une ersonne très fatiguée qui a une défaillance de courte durée. **passager, ère** n. Personne qui emprunte un moyen de transort, bateau ou voiture, sans faire partie de l'équipage ou sans en ssurer la marche : *Un passager clandestin* (= qui n'a pas payé la aversée). ◆ adj. **1.** Se dit de ce dont la durée est bien brève : *n malaise passager* (syn. COURT). *Un bonheur passager* (syn. PHÉMÈRE, FUGITIF). *Une averse passagère* (syn. MOMENTANÉ). — Se dit de quelqu'un qui ne fait que passer : *Un hôte passager.* - **3.** *Rue passagère,* très fréquentée. ◆ **passagèrement** adv. : *ésider passagèrement dans un hôtel* (syn. PROVISOIREMENT). **passant, e** adj. : *Une rue passante* (= où il y a beaucoup de rculation) [syn. FRÉQUENTÉ, PASSAGER]. ‖ *En passant,* au premier oup d'œil et sans approfondir : *Il a relevé quelques erreurs en assant* (syn. INCIDEMMENT). ◆ **passant, e** n. Qui circule à pied ans une agglomération : *Les passants s'arrêtaient pour regarder la trine* (syn. PIÉTON). ◆ **passation** n. f. *Passation des pouvoirs,* tion de transmettre les pouvoirs administratifs, politiques à son ıccesseur. ‖ *Passation d'un contrat,* action de signer un contrat. **passe** [pas] n. f. **1.** Action de passer, d'envoyer le ballon à un artenaire dans un jeu d'équipe (football, rugby, basket, etc.) : *aire une belle passe à l'avant-centre.* — **2.** En escrime, action 'avancer sur l'adversaire; en tauromachie, mouvement par lequel matador fait passer le taureau près de lui. — **3.** Mouvement de la main que fait un magnétiseur pour endormir son sujet : *Faire des passes (magnétiques).* — **4.** *Mot de passe,* formule ou mot convenu grâce auxquels on se fait reconnaître et on passe librement. ‖ *Une passe d'armes,* une dispute entre deux personnes échangeant de vives répliques. ‖ *Maison de passe,* de prostitution. ‖ *Être dans une bonne, une mauvaise passe,* être dans une bonne, une mauvaise période. ‖ *Être en passe de* (suivi d'un infin.), être sur le point de, être en état, en situation de. ‖ *Livre (exemplaire) de passe,* en plus du chiffre normal du tirage. — **5.** Chenal étroit ouvert à la navigation entre des écueils, des bancs de sable, etc. ◆ **passeur** n. m. **1.** Celui qui conduit un bac. — **2.** Celui qui fait passer une frontière dans des conditions illégales. ◆ **repasser** v. i. **1.** Passer de nouveau : *Je repasserai vous voir ces jours-ci.* — **2.** *Repasser derrière qq'un,* contrôler, corriger son travail. ◆ v. t. **1.** Franchir de nouveau : *Repasser une rivière.* — **2.** *Repasser un plat,* le présenter de nouveau.

2. PASSER [pase] v. i. (même étym.). **1.** S'écouler (en parlant d'un mouvement dans le temps et relativement à un moment déterminé) : *Les jours passent* (syn. S'ÉCOULER). *Le temps a passé où il était capable d'un réel enthousiasme* (= est fini). — **2.** Avoir une durée limitée; disparaître : *La jeunesse passe* (= ne dure qu'un moment). *La douleur va passer* (syn. FINIR). *Cette étoffe a passé de mode* (= n'est plus de mode). *Ces cachets m'ont fait passer mon mal de tête* (= ont mis fin à). ◆ v. t. Faire s'écouler : *Il passe ses journées à ne rien faire. Il passe son temps à taquiner sa sœur* (= il ne cesse de). [⟶ aussi PASSE-TEMPS.] ◆ ***se passer*** v. pr. **1.** S'écouler : *La journée se passe bien.* — **2.** Avoir lieu : *La scène se passe en Italie. Que se passe-t-il?* (syn. SE PRODUIRE). ◆ **passé, e** adj. Qui se rapporte à ce qui est déjà écoulé : *Les événements passés. Il est onze heures passées.* ◆ **passé** prép. (avant le substantif). Après : *Passé dix heures, il ne faut pas faire de bruit.* ◆ n. m. **1.** Événement appartenant au temps écoulé, partie de ce temps : *Songer avec regret au passé* (contr. AVENIR). *Tout ça, c'est du passé* (syn. fam. DE L'HISTOIRE ANCIENNE). *Dans le plus lointain passé* (= autrefois). — **2.** Vie écoulée antérieurement au moment présent : *Le passé de cet homme m'est inconnu. Se pencher sur son passé* (= sur ses souvenirs). — **3.** *Gramm.* Système de formes verbales situant l'action ou l'énoncé dans un moment avant l'instant présent. ‖ *Passé simple, passé défini,* forme verbale qui exprime un fait qui s'est passé à un moment précis. ‖ *Passé composé, passé indéfini,* forme verbale qui exprime le résultat d'une action terminée. ‖ *Passé antérieur,* forme verbale qui exprime un fait qui s'est passé immédiatement avant un autre, également passé. (Ex. : *Dès qu'il eut fini de boire, il tomba mort.*) ◆ **passéisme** n. m. Goût exagéré pour le passé, les choses du passé. ◆ **passéiste** adj. et n. Partisan du passé; qui exalte le passé.

3. PASSER [pase] v. t. et i. (même étym.). **1.** Omettre quelque chose : *Passer une page* (syn. SAUTER). *Je passe sur les détails* (= je ne les mentionne pas). *Après les trois carreaux de mon adversaire, je passe* (terme de bridge indiquant que l'on ne fait aucune annonce). *Passer son tour* (= ne pas parler à son tour). ‖ *Passer outre à qqch.,* n'en pas tenir compte. — **2.** *Passer qqch. à qq'un,* ne pas le lui reprocher, admettre de sa part quelque chose de blâmable : *Il passe tous leurs caprices à ses enfants.* (⟶ aussi PASSADE.) — **3.** *Passe encore de* (et l'infin.), indique une concession : *Passe encore de n'être pas à l'heure, mais il aurait dû nous prévenir.* ◆ **se passer** v. pr. *Se passer de qqch.,* ne pas l'utiliser, ne pas en user : *Il essaie de se passer de tabac* (syn. S'ABSTENIR). ‖ *Cela se passe de commentaires,* cela parle de soi-même, cela n'a pas besoin de commentaires.

4. PASSER [pase] v. t. et i. (même étym.). Filtrer, tamiser : *Passer le café, les légumes. Le thé passe.* ◆ **passoire** n. f. Ustensile de cuisine percé de petits trous, destiné à égoutter des légumes, à filtrer grossièrement certains liquides.

5. PASSER [pase] v. i. (même étym.). **1.** *Passer pour* (et un substantif attribut), être considéré comme : *Passer pour un imbécile.* — **2.** (et un adj. attribut) Rester dans un état défini : *Passer inaperçu* (= rester).

PASSEREAUX [pasro] n. m. pl. (du lat. *passer,* moineau). Super-ordre d'oiseaux comprenant à lui seul la majorité des espèces (plus de 12 000) et rassemblant des espèces terrestres généralement percheuses et de petite taille, chanteuses, bâtisseuses de nids. ‖ Sing. un *passereau.* ◆ **passériformes** n. m. pl. Ordre principal du groupe des oiseaux passereaux comprenant toutes les petites espèces arboricoles chanteuses.

— ENCYCL. Outre l'ordre des *passériformes,* qui sont de beaucoup les plus nombreux (corbeau, moineau, alouette, merle, rouge-gorge, fauvette, hirondelle), le groupe des *passereaux* comprend quatre ordres moins riches en espèces : les *micropodiformes* (martinet, colibri), les *mésomyodés* (fournier), les *oligomyodés* (tyran) et les *coraciadiformes* (huppe, martin-pêcheur).

PASSERELLE [pasrɛl] n. f. (de *passer*). **1.** Pont étroit réservé aux piétons : *Une passerelle passe au-dessus de la voie de chemin* *de fer.* — **2.** Petit plan incliné, escalier mobile par lequel on peut accéder à un navire, à un avion. — **3.** *Une passerelle entre deux choses,* un passage, une relation entre elles : *La réforme de l'enseignement s'efforçait de ménager des passerelles entre les diverses disciplines.*

PASSÉRIFORMES n. m. pl. → PASSEREAUX.

PASSE-TEMPS [pastɑ̃] n. m. inv. (de *passer,* et *temps*). Occupation sans importance qui divertit, qui fait passer le temps : *Un passe-temps agréable* (syn. AMUSEMENT). *Chercher en vacances un passe-temps pour les jours de pluie* (syn. DISTRACTION).

PASSEUR n. m. → PASSER 1.

PASSIBLE [pasibl] adj. (du lat. *pati,* souffrir). *Être passible d'une peine,* avoir mérité de la subir : *Il est passible de la peine de mort* (= il encourt). ‖ *Être passible de l'impôt,* y être assujetti.

1. PASSIF, IVE [pasif, -iv] adj. (du lat. *pati,* subir). **1.** Se dit de quelqu'un (ou de son attitude) qui subit sans réagir, qui manque d'énergie, qui ne manifeste aucune activité personnelle : *Il reste passif devant les événements* (syn. INDIFFÉRENT). *Un élève passif en classe* (syn. ↑APATHIQUE; contr. ACTIF). *Faire de la résistance passive* (= non violente). — **2.** *Défense passive,* ensemble des moyens ou des actions militaires mis en œuvre pour défendre la population civile. ◆ **passivement** adv. : *Obéir passivement.* ◆ **passivité** n. f. : *Sa passivité en classe est cause de ses mauvais résultats* (syn. APATHIE, INERTIE; contr. INITIATIVE).

2. PASSIF [pasif] n. m. (même étym.). Ensemble des dettes et des charges qui pèsent sur une entreprise industrielle ou commerciale : *Le lourd passif de l'année passée;* d'un patrimoine : *Le passif d'une succession.*

3. PASSIF, IVE [pasif, -iv] adj. et n. m. (même étym.). *Gramm.* Se dit de l'ensemble des formes verbales qui traduisent la transformation de la phrase active (sujet—verbe actif—objet direct) en une autre phrase où l'objet direct devient le sujet et le sujet devient le complément d'agent. (Ex. : *La voiture a renversé le piéton; le piéton a été renversé par la voiture;* la forme *a été renversé* est dite *forme passive.* L'ensemble des formes passives est appelé *voix passive.*) [→VERBE.]

PASSIFLORE [pasiflɔr] n. f. (du lat. *passio,* passion, et *flos, floris,* fleur). Genre de plantes, dites aussi GRENADILLES ou FLEURS DE LA PASSION, de l'Amérique tropicale et de l'Asie, et qui doivent leur nom à la forme de leurs fleurs, dont les organes représentent les instruments de la Passion du Christ (couronne d'épines, clous, marteaux, etc.).

PASSIM [pasim] loc. adv. (mot lat. signif. *çà et là*). Formule indiquant qu'on trouvera dans un ouvrage donné de nombreuses références à ce sujet.

PASSION [pasjɔ̃] n. f. (lat. *passio,* souffrance). **1.** Mouvement très vif qui pousse quelqu'un vers ce qu'il désire de toutes ses forces, vers ce qu'il aime avec violence, avec intensité, en aveugle : *La passion qu'il ressentait pour cette femme* (syn. ↓AMOUR). *Une passion subite, irrésistible* (syn. EMBALLEMENT). *La passion du jeu* (syn. ↑FRÉNÉSIE). *Une œuvre pleine de passion* (syn. ↓ÉMOTION, FLAMME; contr. CALME, SÉRÉNITÉ). *Se laisser emporter par la passion* (syn. COLÈRE). — **2.** Récit, qui est fait dans l'Évangile, de la condamnation, de l'agonie et de la mort de Jésus-Christ. (En ce sens, prend une majusc.) — **3.** Composition musicale, évoquant la passion du Christ, écrite dans le style de l'oratorio : *Les Passions de J.-S. Bach.* ◆ **passionnant, e** adj. Capable de susciter un vif intérêt : *Une histoire passionnante* (syn. ↓INTÉRESSANT). ◆ **passionné, e** adj. **1.** Se dit d'une personne animée par la passion : *Une femme passionnée* (syn. EXALTÉ). *Un jugement passionné* (syn. PARTIAL). — **2.** *Être passionné d'une chose,* avoir pour elle un vif intérêt. ◆ n. Personne qui agit avec passion : *C'est un passionné qui est incapable d'agir avec calme et objectivité.* ◆ **passionnel, elle** adj. Inspiré par la passion amoureuse : *Un crime passionnel.* ◆ **passionner** v. t. **1.** *Passionner qq'un,* éveiller chez lui un intérêt puissant, exclusif : *Ce roman m'a passionné* (syn. ↓INTÉRESSER). *Cette lutte passionnait les spectateurs* (syn. ↑ENTHOUSIASMER). — **2.** *Passionner un débat, une discussion,* lui donner un caractère violent, animé; attiser les passions dans une discussion. ◆ ***se passionner*** v. pr. *Se passionner pour qqch.,* y prendre un très vif intérêt, s'y attacher avec passion : *Il se passionnait pour les courses de chevaux. Ne vous passionnez pas pour une affaire sans importance* (syn. ↑S'EMBALLER). ◆ **dépassionner** v. t. *Dépassionner un débat, une discussion,* lui ôter son caractère passionné.

PASSIVEMENT adv., **PASSIVITÉ** n. f. → PASSIF 1.

PASSOIRE n. f. → PASSER 4.

PASSY, comm. de l'anc. banlieue de Paris, annexée en 1860 (XVIe arrond.).

PASSY, comm. de la Haute-Savoie, à 5 km au N.-O. de Saint-Gervais: 9 200 hab. Centrale hydro-électrique sur l'Arve. Station climatique au *plateau d'Assy.*

PASTEL [pastɛl] n. m. (it. *pastello*). **1.** Bâtonnet fait d'une pâte pigmentée de diverses couleurs : *Peindre au pastel.* — **2.** Dessin en couleurs exécuté avec des crayons de pastel : *Les pastels des peintres de portraits du XVIIIe siècle.* ◆ **pastelliste** n. Artiste qui fait du dessin au pastel.

PASTÈQUE [pastɛk] n. f. (portug. *pateca,* empr. à une langue de l'Inde). **1.** Plante cultivée dans les pays méditerranéens pour ses gros fruits allongés à pulpe rouge rafraîchissante. (Famille des cucurbitacées.) — **2.** Son fruit (syn. MELON D'EAU).

PASTERNAK (Boris Leonidovitch), écrivain soviétique (1890-1960). Ses recueils *Ma sœur, la vie* (1922) et *la Seconde Naissance* (1931) le classèrent parmi les premiers poètes russes. Mais, en désaccord avec la poésie officielle, il vécut à l'écart de la vie publique à partir de 1935 et se consacra à la traduction d'auteurs français, allemands et anglais. Son roman *le Docteur Jivago,* dont la publication avait été interdite en U. R. S. S., parut en Italie en 1957. Pasternak déclina le prix Nobel de littérature qui lui fut décerné en 1958. Exclu de l'Union des écrivains d'U. R. S. S. en 1958, il a été réhabilité en 1987.

1. PASTEUR [pastœr] n. m. (lat. *pastor*). Celui qui garde les troupeaux (littér.) [syn. usuel BERGER]. ◆ **pastoral, e, aux** adj. Qui évoque les bergers, la campagne : *La vie pastorale* (= celle des bergers). *Un roman pastoral* (syn. CHAMPÊTRE). ◆ **pastorale** n. f. Ouvrage littéraire ou musical évoquant la vie champêtre. ◆ **pastoureau, elle** n. Jeune berger, jeune bergère (littér.).

2. PASTEUR [pastœr] n. m. (même étym.). Ministre du culte protestant : *Un prêtre catholique et un pasteur protestant.* ◆ **pastoral, e, aux** adj. Qui relève des pasteurs (protestants) ou des évêques (catholiques). ◆ **pastorale** n. f. Action évangélique tendant vers une liturgie adaptée à ceux auxquels elle s'adresse : *La nouvelle pastorale du baptême.*

PASTEUR (Louis), chimiste et biologiste français (1822-1895), créateur de la microbiologie.

- *1857-1863. Pasteur publie ses découvertes sur les fermentations lactiques, alcooliques, butyriques.*

Il révèle que les fermentations sont dues à l'action d'un micro-organisme (= petit organisme) vivant, le ferment, et qu'à chaque fermentation répond un ferment spécifique, réfutant ainsi la théorie de la génération* spontanée des germes microbiens, admise jusqu'alors. Trois grandes fermentations devaient bénéficier de ses travaux : celle qui concerne la formation du *vinaigre* (rôle du mycoderme); du *vin* (ce sont des levures apportées par les poussières de l'air qui transforment le sucre de raisin en alcool); enfin de la *bière.* Il met au point la façon de conserver le vin et la bière par un chauffage rapide *(pasteurisation).*

- *1870-1886. Découverte de la cause des maladies contagieuses.*

Pasteur démontre que les maladies contagieuses sont dues à des organismes vivants qui, comme dans les fermentations, viennent toujours de l'extérieur. C'est ainsi qu'il isole un certain nombre de microbes pathogènes : le vibrion septique (1877), le staphylocoque (1880), le streptocoque (1880), le bacille du choléra des poules (1880), le pneumocoque (1881).

- *1879. Découverte du principe de la vaccination préventive par inoculation de microbes atténués dans leur virulence.*
- *1885. La mise au point du vaccin contre la rage consacre sa gloire.*

En 1888, Pasteur est placé à la tête de l'Institut qui porte son nom. Son œuvre fit faire à la médecine, à la chirurgie et à la chimie des progrès considérables.

Pasteur *(Institut),* établissement scientifique, fondé en 1888, qui poursuit l'œuvre de Pasteur dans le domaine des sciences biologiques (bactériologie, virologie, immunologie, biochimie, etc.) et qui prépare et vend des vaccins et sérums contre toutes les affections justiciables de ces traitements, à titre préventif ou curatif.

PASTEURISATION [pastørizasjɔ̃] n. f. (de *Pasteur*). Opération consistant à porter à une température de 75 à 85 °C certaines substances alimentaires fermentescibles (lait, bière), pour tuer les microbes sans altérer le goût ni détruire les vitamines. ◆ **pasteuriser** v. t. Opérer la pasteurisation. ‖ *Lait pasteurisé,* lait qui a été débarrassé de tous les germes pathogènes et de la plupart de ses germes banals par chauffage.

PASTEUR VALLERY-RADOT (Louis), médecin et écrivain français (1886-1970). Petit-fils de Louis Pasteur, il a porté ses recherches sur l'anaphylaxie, l'allergie et les affections des reins.

PASTICHE [pastiʃ] n. m. (it. *pasticcio,* pâté). Imitation de la manière d'écrire, du style d'un écrivain, de la façon de parler, de jouer, etc., d'un artiste. ◆ **pasticher** v. t. : *Pasticher un romancier à la mode* (syn. CONTREFAIRE).

PASTILLE [pastij] n. f. (esp. *pastilla*). Bonbon de sucre, de chocolat, etc., pâte pharmaceutique ou médicamenteuse ayant la forme d'un petit disque plat : *Des pastilles de menthe.*

PASTIS [pastis] n. m. (mot de l'anc. prov. signif. *pâté*). Boisson alcoolisée, parfumée à l'anis et prise comme apéritif.

PASTO ou **SAN JUAN DE PASTO,** v. de la Colombie méridionale; 112 900 hab.

PASTORAL, E, AUX adj. et n. f. ⟶ PASTEUR 1 et 2.

PASTOUREAU, ELLE n. ⟶ PASTEUR 1.

PATACHON [pataʃɔ̃] n. m. (de l'esp. *patache*, bateau). Fam. *Mener une vie de patachon*, avoir une vie désordonnée.

PATAGONIE, plateau aride et froid du sud de l'Argentine. Région traditionnelle de l'élevage ovin, la Patagonie a vu son importance se renforcer grâce à la découverte de gisements de pétrole et à l'exploitation des possibilités hydro-électriques.

PATAN, v. et anc. capit. du Népal; 135 000 hab. Temples.

PATAQUÈS [patakɛs] n. m. (d'après la fausse liaison : [*je ne sais*] *pas-t-à qu'est-ce*). **1.** Faute de langage qui consiste à substituer, dans la prononciation, une lettre à une autre, à faire de fausses liaisons : *Les «quatre-z-enfants»* (au lieu de : *les quatre enfants*) *est un pataquès.* — **2.** Discours confus, inintelligible.

patarins, nom donné, aux XIe et XIIe s., aux membres de différentes sectes hérétiques (cathares notamment), particulièrement dans l'Italie du Nord.

PATATE [patat] n. f. (esp. *batate*). **1.** Plante dicotylédone vivace, à tiges rampantes, cultivée depuis des millénaires en Amérique tropicale et en Chine pour ses tubercules riches en amidon et en sucre. — **2.** *Fam.* Pomme de terre.

PATATI [patati] interj. (onomat.). *Et patati et patata*, onomat. employée pour résumer des bavardages incessants ou des propos insignifiants.

PATAUD, E [pato, -od] adj. et n. (de *patte*). **1.** Jeune chien ou jeune chienne qui a de grosses pattes. — **2.** Personne à la démarche ou à l'allure lourde et grossière.

PATAUGER [patoʒe] v. i. (de *patte*). **1.** Marcher sur un sol bourbeux, détrempé par la pluie, dans l'eau. — **2.** S'embarrasser dans des difficultés : *Patauger dans un raisonnement.* ◆ **pataugeage** n. m.

PATAY, ch.-l. de cant. du Loiret, à 25 km au N.-O. d'Orléans; 1 900 hab.

- *18 juin 1429. Victoire de Jeanne d'Arc sur les Anglais.*
- *2 déc. 1870. Défaite de la Ire armée de la Loire par les Allemands.*

PATCH (Alexander), général américain (1889-1945). Il commanda la VIIe armée américaine, qui débarqua en Provence en août 1944.

PATCHOULI [patʃuli] n. m. (de l'angl. *patch-leaf*). Parfum très fort extrait d'une plante aromatique de même nom d'Asie et d'Océanie.

1. PÂTE [pɑt] n. f. (lat. *pasta*). **1.** Préparation alimentaire, à base de farine délayée dans l'eau et pétrie : *Une pâte à crêpes, à tarte.* — **2.** Substance plus ou moins consistante entrant dans des produits alimentaires, pharmaceutiques, techniques : *Un fromage à pâte dure. De la pâte d'amandes. Un tube de pâte dentifrice. De la pâte à papier. De la pâte à modeler. Une pâte de fruits* (confiserie de fruits séchés). *La pâte de coings* (= gelée). — **3.** *Mettre la main à la pâte*, faire un travail soi-même. ‖ *Une bonne pâte*, un homme bon, accommodant. ‖ *Être comme un coq en pâte*, mener une vie très heureuse, être choyé chez soi. ◆ **pâteux, euse** adj. **1.** Qui a la consistance épaisse de la pâte : *Encre pâteuse* (contr. FLUIDE). *Une poire pâteuse* (syn. COTONNEUX; contr. JUTEUX). — **2.** *Avoir la bouche, la langue pâteuse*, avoir une salive épaisse, une langue comme empâtée. (⟶ aussi EMPÂTER, PÂTES.)

2. PÂTE [pɑt] n. f. (même étym.). *Géol.* Dans les roches volcaniques microlitiques*, substance entourant les cristaux, faite de microlites noyés dans une matière vitreuse.

1. PÂTÉ [pɑte] n. m. (de *pâte*). Hachis de viande, de poisson, de volaille, enveloppé dans une pâte feuilletée ou conservé dans une terrine.

2. PÂTÉ [pɑte] n. m. (même étym.). Grosse tache d'encre sur du papier.

3. PÂTÉ [pɑte] n. m. (même étym.). **1.** *Pâté de maisons*, groupe de maisons formant un bloc, que ne traverse aucune rue. — **2.** *Pâté (de sable)*, petite masse de sable humide que les enfants tassent dans des seaux et qu'ils démoulent.

PÂTÉE [pɑte] n. f. (de *pâte*). Nourriture préparée pour les animaux domestiques au moyen de divers aliments réduits en une sorte de bouillie (pain, son, pommes de terre, éventuellement viande, etc.).

1. PATELIN [patlɛ̃] n. m. (de l'anc. fr. *pastiz*, pacage). *Fam.* Petit pays ou village.

2. PATELIN, E [patlɛ̃, -in] adj. (de *Maître Pathelin*, personnage de fable). *Fam.* et *péjor.* Se dit d'une personne (ou de son comportement) qui est d'une douceur affectée, qui cherche à séduire hypocritement.

PATELLE [patɛl] n. f. (lat. *patella*, écuelle). *Zool.* Mollusque gastropode, comestible, à coquille conique, très abondant sur les rochers à marée basse. (Nom usuel BERNIQUE.)

PATÈNE [patɛn] n. f. (lat. *patena*). Vase sacré en forme d'assiette, utilisé par le prêtre pour recevoir l'hostie.

PATENÔTRES [patnotr] n. f. pl. (du lat. *Pater Noster*). *Fam.* et *péjor.* **1.** Prières. — **2.** Paroles marmonnées, peu intelligibles.

PATENT, E [patɑ̃, -ɑ̃t] adj. (du lat. *patere*, être ouvert, manifeste). **1.** Se dit de ce qui apparaît avec évidence, qui ne prête à aucune contestation : *C'est un fait patent* (syn. ÉVIDENT, MANIFESTE). — **2.** *Lettres patentes*, lettres royales revêtues du grand sceau de l'État, que le roi adressait ouvertes aux parlements.

PATENTE [patɑ̃t] n. f. (de *patent*). Impôt direct qui servait de base à l'établissement de certaines taxes dues par les commerçants, les industriels et quelques professions libérales : *La patente a été remplacée par la taxe professionnelle.* ◆ **patenté, e** adj. **1.** *Commerçant patenté* (= qui paie patente). — **2.** *Fam.* Qui, par habitude, a reçu le titre de quelque chose : *Le défenseur patenté des nobles causes* (syn. ATTITRÉ).

PATER [patɛr] n. m. inv. (mot lat. signif. *père*). Mot qui commence l'oraison dominicale en latin et dont on se sert pour nommer cette prière : *Dire deux Pater.*

PATÈRE [patɛr] n. f. (lat. *patera*, coupe). Support fixé à un mur pour accrocher des vêtements.

PATERNALISME [patɛrnalism] n. m. (de l'angl. *paternalism*). Type de rapports, entre un patron et son personnel, reposant sur les règles de la vie familiale, c'est-à-dire l'affection réciproque, l'autorité, le respect et l'obéissance. ◆ **paternaliste** adj. : *Une gestion paternaliste. Une entreprise paternaliste.*

PATERNE [patɛrn] adj. (lat. *paternus*, paternel). *Ton, air paterne, paroles paternes*, d'une bienveillance doucereuse.

PATERNEL, ELLE adj., **PATERNELLEMENT** adv., **PATERNITÉ** n. f. ⟶ PÈRE.

PATERSON, v. des États-Unis (New Jersey); 1 358 800 hab. Soieries.

PÂTES [pɑt] n. f. pl. (de *pâte*). *Pâtes alimentaires*, produits à base de semoule de blé dur, préparés par pétrissage, tréfilage, séchage, et prêts à l'emploi culinaire pour des potages et des plats (vermicelle, nouilles, macaronis, etc.).

PÂTEUX, EUSE adj. ⟶ PÂTE 1.

PATHÉ *(les frères)*, ÉMILE (1860-1937) et CHARLES (1863-1957), ingénieurs français. Avec Henri Lioret, ils furent les véritables fondateurs de l'industrie phonographique française. Charles créa le premier journal d'actualités cinématographiques, *Pathé-Journal*, en 1909.

Pathelin ou **Patelin** *(la Farce de Maître Pierre)*, farce du XVe s., écrite v. 1464.

PATHÉTIQUE [patetik] adj. (gr. *pathêtikos*, relatif à la passion). Se dit de ce qui émeut fortement, d'une œuvre dont l'intensité dramatique provoque une forte émotion : *Lancer un appel pathétique en faveur des sinistrés. Un film pathétique.* ◆ n. m. : *Une scène d'un pathétique sobre.*

PATHOGÈNE [patɔʒɛn] adj. (du gr. *pathos*, maladie, et *gennân*, engendrer). Se dit, dans la langue de la biologie, de ce qui provoque une maladie : *Des microbes pathogènes. Le bacille de Koch est l'agent pathogène de la tuberculose.*

PATHOLOGIE [patɔlɔʒi] n. f. (du gr. *pathos*, maladie, et *logos*, science). Science des causes et des symptômes des maladies. ◆ **pathologique** adj.

PATHOS [patos] n. m. (mot gr. signif. *passion*). *Fam.* et *péjor.* Propos pleins d'emphase et plus ou moins incompréhensibles.

PATIBULAIRE [patibylɛr] adj. (du lat. *patibulum*, gibet). *Mine, air patibulaires*, qui inspirent la défiance, qui dénotent un individu peu recommandable.

1. PATIENCE [pasjɑ̃s] n. f. (du lat. *pati*, supporter). **1.** Vertu d'une personne qui supporte avec calme des maux, des incommodités, des injures ou des critiques, etc. ‖ *Prendre son mal en patience*, le supporter sans se plaindre. — **2.** Qualité de quelqu'un qui persévère sans se lasser : *On admire la patience de l'artiste qui a exécuté cette tapisserie* (syn. PERSÉVÉRANCE). ◆ **patient, e** adj. (après ou, au sens 2 de PATIENCE, avant le nom) : *Une enquête patiente. Au prix d'un patient travail, des savants ont réussi à déchiffrer cette inscription.* ◆ n. *Méd.* Celui, celle qui subit un traitement médical, une opération chirurgicale. ◆ **patiemment** [pasjamɑ̃] adv. Avec patience. ◆ **patienter** v. i. Attendre sans irritation : *Prier un visiteur de patienter un instant.* ◆ **impatience** n. f. Incapacité de supporter une attente, de se contenir : *Brûler d'impatience* (syn. HÂTE). *Attendre avec impatience* (syn. ↑FIÈVRE). *Maîtriser son impatience* (syn. ÉNERVEMENT, ↑IRRITATION). ◆ **impatient, e** adj. Contr. de PATIENT adj. ◆ **impatiemment** adv. ◆ **impatienter** v. t. *Impatienter qq'un,* lui faire perdre patience (souvent au passif). ◆ ***s'impatienter*** v. pr. Perdre patience : *Ne vous impatientez pas; il va revenir.*

2. PATIENCE [pasjɑ̃s] n. f. (de *patience* 1). Combinaison de cartes à jouer (syn. RÉUSSITE).

PATIN [patɛ̃] n. m. (de *patte*). **1.** Semelle munie d'une lame métallique, que l'on fixe sous la chaussure pour glisser sur la glace. — **2.** *Patin à roulettes,* semelle munie de roulettes, qui s'adapte à la chaussure. — **3.** Partie d'un organe de machine ou d'un mécanisme, destinée à frotter sur une surface soit pour servir d'appui à un ensemble en mouvement (guidage), soit pour absorber de la puissance en excédent (freinage) : *Patin de frein.* ◆ **patinage** n. m. **1.** Action de patiner (sens 1 du v.). ⟶ ENCYCL. — **2.** Glissement d'un ensemble mécanique sur une surface, par défaut d'adhérence. ◆ **patiner** v. i. **1.** (sujet nom de personne) Évoluer avec des patins à glace ou à roulettes. — **2.** (sujet nom d'objet, de roue ou de véhicule) Glisser par manque d'adhérence : *Les disques de l'embrayage patinent l'un sur l'autre avant de se solidariser* (= ont leurs surfaces de frottement qui glissent l'une contre l'autre). *Les roues arrière de la voiture patinent sur le verglas* (= tournent sans avancer). ◆ **patineur, euse** n. : *Les patineurs évoluent avec grâce sur l'étang gelé.* ◆ **patinoire** n. f. Lieu spécialement aménagé pour patiner sur glace.

— ENCYCL. En tant que sport, le *patinage* se divise en patinage de vitesse et patinage artistique. Le *patinage de vitesse* est une course, comportant cinq épreuves classiques : le 500 m, le 1 000 m, le 1 500 m, le 5 000 m et le 10 000 m. (Existent aussi des épreuves sur piste courte [*short track*].) Après la suppression des figures imposées (1990), le *patinage artistique* comprend la réalisation de figures* libres et d'un libre-imposé (programme court), notés par un jury. À cette discipline est associée la *danse sur glace,* par couple.

PATINE [patin] n. f. (it. *patina*). **1.** Oxydation naturelle ou artificielle du bronze, qui se recouvre d'une couche verte de carbonate de cuivre, ou vert-de-gris. — **2.** Sorte de coloration que prennent certains objets avec le temps. ◆ **patiner** v. t. *Patiner un meuble, un objet,* le foncer, lui donner l'aspect de l'ancien.

PATINER v. i. et t. ⟶ PATIN et PATINE.

PATINETTE [patinɛt] n. f. (de *patiner*). Jouet composé d'un guidon et d'une planchette montée sur deux roues, sur laquelle l'enfant pose un pied, l'autre pied servant à pousser l'engin.

PATINEUR, EUSE n., **PATINOIRE** n. f. ⟶ PATIN.

PATIO [patjo] n. m. (mot esp.). Cour intérieure d'une maison (surtout dans le Midi).

PÂTIR [pɑtir] v. i. (du lat. *pati*, subir) [sujet nom de personne]. Éprouver un dommage, une souffrance (littér.) : *Je ne veux pas avoir à pâtir de ses négligences* (syn. SOUFFRIR).

PÂTISSERIE [pɑtisri] n. f. (du lat. *pasta*, pâte). **1.** Pâte sucrée cuite au four et souvent garnie de crème, de fruits, etc. : *La pâtisserie se mange spécialement au dessert.* — **2.** (au plur.) Gâteaux divers. — **3.** Art de préparer les gâteaux : *Apprendre la pâtisserie.* — **4.** Magasin où l'on fabrique, où l'on vend des gâteaux. ◆ **pâtissier, ère** n. Personne qui fabrique, qui vend de la pâtisserie. ◆ **pâtissière** adj. f. *Crème pâtissière*, crème que l'on met dans certaines pâtisseries (choux, tartes, etc.).

PATMOS ou **PATHMOS,** île grecque de la mer Égée (Sporades), où saint Jean écrivit l'Apocalypse.

PATNA, v. de l'Inde, capit. de l'État du Bihār, sur le Gange; 916 000 hab. Université. Centre commercial et artisanal.

PATOIS [patwa] n. m. (de *patte*). Parler propre à une région rurale : *Le patois d'Auvergne, le patois savoyard.* ◆ **patois, e** adj. : *Une expression patoise.*

PATRAQUE [patrak] adj. (prov. *patraco*). *Fam.* De santé fragile, faible : *Je me sens un peu patraque.*

PATRAS, v. de Grèce (Péloponnèse), sur le *golfe de Patras,* formé par la mer ionienne; 111 200 hab. Pneumatiques.

PÂTRE [pɑtr] n. m. (lat. *pastor*). Syn. littér. de BERGER.

PATRIARCHE [patrijarʃ] n. m. (gr. *patriarkhês*). **1.** Titre des chefs de l'Église grecque et de quelques communautés orthodoxes. — **2.** Vieillard respectable entouré d'une nombreuse famille (littér.). ◆ **patriarcal, e, aux** adj. **1.** *Une vie patriarcale,* qui rappelle des mœurs paisibles, rustiques et simples. — **2.** *Une société patriarcale*, organisée selon le patriarcat (sens 3). ◆ **patriarcat** n. m. **1.** Dignité, fonctions de patriarche (sens 1). — **2.** Territoire soumis à la juridiction d'un patriarche : *Le patriarcat d'Antioche.* — **3.** Type familial caractérisé par la prépondérance du père sur tous les autres membres de la tribu.

PATRICIEN, ENNE [patrisjɛ̃, -ɛn] n. (du lat. *patricius*). Citoyen romain issu des plus anciennes familles de Rome. ◆ adj. Noble : *Famille patricienne.* ◆ **patriciat** n. m. **1.** Dignité de patricien. — **2.** La classe privilégiée chez les Romains.

PATRICK *(saint)*, apôtre de l'Irlande (v. 390-v. 461).

PATRIE [patri] n. f. (lat. *patria*). **1.** Pays où l'on est né ou auquel on appartient comme citoyen. ‖ *Patrie d'adoption,* pays d'où l'on n'est pas originaire, mais où l'on s'est fixé. ‖ *La mère patrie,* la métropole, par rapport aux territoires d'outre-mer. — **2.** Ville, village, région d'où l'on est originaire : *Rouen était la patrie de Corneille.* ◆ **patriote** adj. et n. Se dit de quelqu'un qui est très attaché à sa patrie (sens 1). ◆ **patriotisme** n. m. Amour de la patrie : *Un patriotisme chauvin* (= chauvinisme, nationalisme). ◆ **patriotard, e** n. et adj. *Fam.* et *péjor.* Se dit de quelqu'un ou de quelque chose qui manifeste un patriotisme trop voyant. ◆ **patriotique** adj. : *Des chants patriotiques.* ◆ **apatride** n. et adj. Personne qui a perdu sa nationalité, sans en acquérir légalement une autre : *Nombre d'exilés politiques sont devenus des apatrides.* ◆ **expatrier** [ɛkspatrije] v. t. *Expatrier des capitaux,* les transférer à l'étranger. ◆ ***s'expatrier*** v. pr. Quitter sa patrie (syn. S'EXILER). ◆ **expatriation** n. f. : *Il a choisi l'expatriation pour échapper à la justice de son pays* (syn. EXIL). ◆ **rapatrier** [rapatrije] v. t. *Rapatrier qq'un*, le faire revenir dans sa patrie : *Après la signature du traité de paix, les prisonniers ont été rapatriés.* ◆ **rapatrié, e** adj. et n. : *Fournir des secours à des rapatriés.* ◆ **rapatriement** n. m. : *Organiser le rapatriement de prisonniers de guerre.*

PATRIMOINE [patrimwan] n. m. (lat. *patrimonium;* de *pater*, père). **1.** Ensemble des biens de famille reçus en héritage : *Dilapider le patrimoine maternel.* — **2.** Bien commun d'une collectivité, d'un groupe humain, de l'humanité, considéré comme un héritage transmis par les ancêtres : *Les œuvres littéraires sont le patrimoine de l'univers.* ‖ Biol. *Patrimoine génétique*, ensemble des caractères héréditaires inscrits dans les chromosomes des cellules d'un individu animal ou végétal et pouvant éventuellement se transmettre à sa descendance (syn. GÉNOME, GÉNOTYPE). ◆ **patrimonial, e, aux** adj. (sens 1) : *Biens patrimoniaux.*

PATRIOTARD, E adj. et n., **PATRIOTE** adj. et n., **PATRIOTIQUE** adj., **PATRIOTISME** n. m. ⟶ PATRIE.

1. PATRON, ONNE [patrɔ̃, -ɔn] n. (lat. *patronus*, protecteur). Saint, sainte dont on porte le nom ou qui sont désignés comme protecteurs d'une paroisse, d'une ville, etc. : *Sainte Geneviève est la patronne de Paris.* ◆ **patronage** n. m. Protection d'un saint ou d'une sainte : *Une église sous le patronage de saint Étienne.* ◆ **patronner** v. t. Apporter sa protection, son appui à quelqu'un, quelque chose : *Patronner une candidature* (syn. DÉFENDRE, RECOMMANDER). ◆ **patronnesse** adj. f. *Dame patronnesse*, femme qui patronne une œuvre de bienfaisance.

2. PATRON, ONNE [patrɔ̃, -ɔn] n. (même étym.). **1.** Personne qui dirige une entreprise industrielle ou commerciale : *Le patron d'une usine* (syn. CHEF D'ENTREPRISE, DIRECTEUR). — **2.** Maître, professeur sous la direction de qui on travaille : *Médecins assistants groupés autour de leur patron.* ◆ **patronal, e, aux** adj. Se dit de ce qui concerne le patron, les patrons : *Un syndicat patronal.* ◆ **patronat** n. m. Ensemble des patrons : *La Confédération nationale du patronat français.*

3. PATRON [patrɔ̃] n. m. (de *patron* 2). Modèle, généralement en papier, sur lequel on taille un vêtement ou toute autre chose en tissu, en bois, etc.

1. PATRONAGE n. m. → PATRON 1.

2. PATRONAGE [patrɔnaʒ] n. m. (de *patron*). *Patronage scolaire, paroissial,* organisation visant à donner aux enfants un complément de formation morale, ainsi que des distractions les jours de congé; lieu où cette organisation a son siège.

PATRONAL, E, AUX adj., **PATRONAT** n. m. ⟶ PATRON 2.

PATRONNER v. t., **PATRONNESSE** adj. f. ⟶ PATRON 1.

PATRONYME [patrɔnim] n. m. (du gr. *patêr*, père, et *onoma*, nom). Nom de famille, par oppos. au PRÉNOM. (On dit aussi NOM PATRONYMIQUE.) ◆ **patronymique** [patrɔnimik] adj. **1.** *Nom*

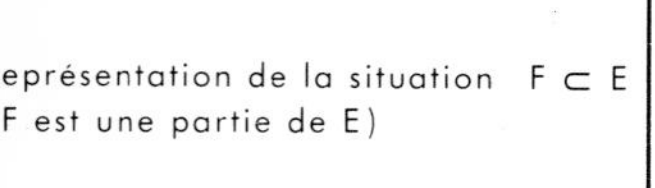
eprésentation de la situation F ⊂ E
F est une partie de E)

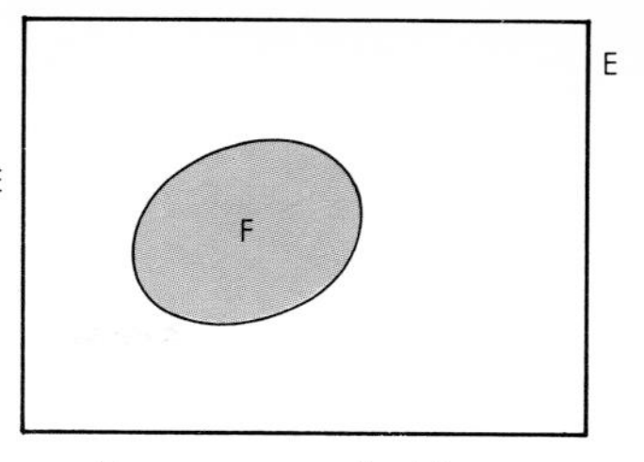

diagramme de Venn

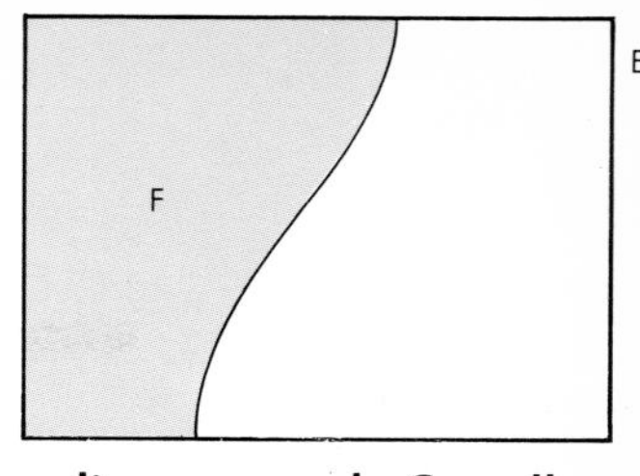

diagramme de Carroll

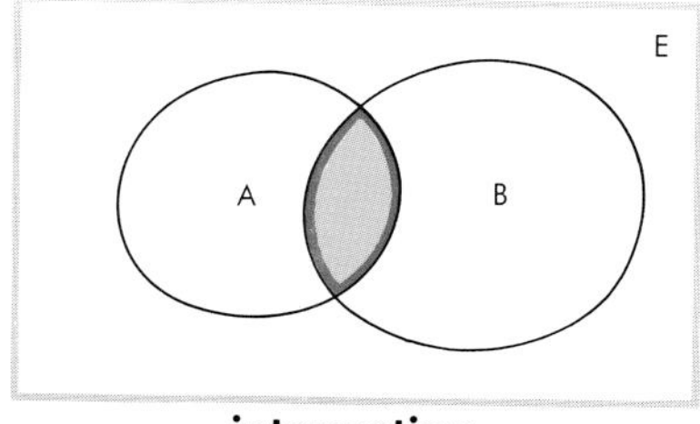

intersection
de deux parties A et B
$A \cap B$

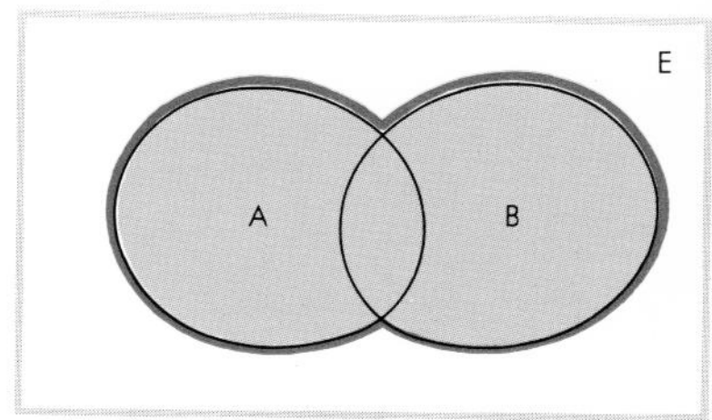

réunion
de deux parties A et B
$A \cup B$

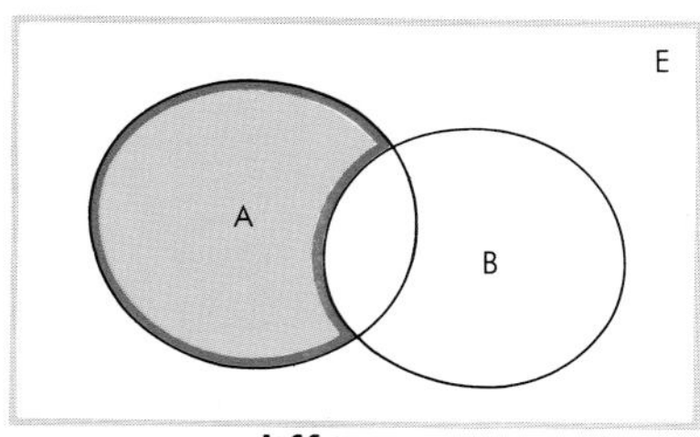

différence
de deux parties A et B
$A \setminus B$

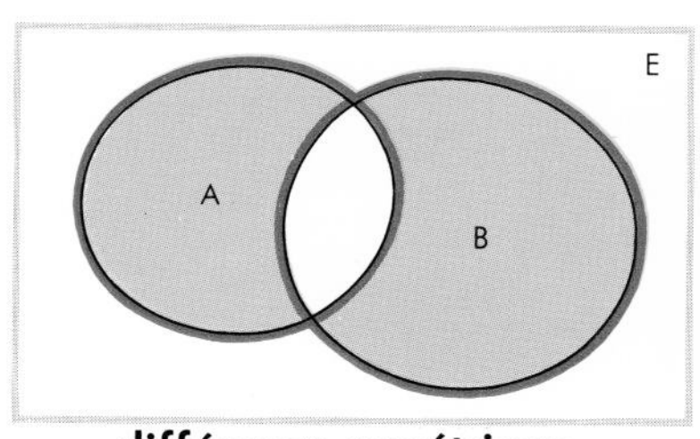

différence symétrique
de deux parties A et B
$A \triangle B$

omplémentaire de A dans E

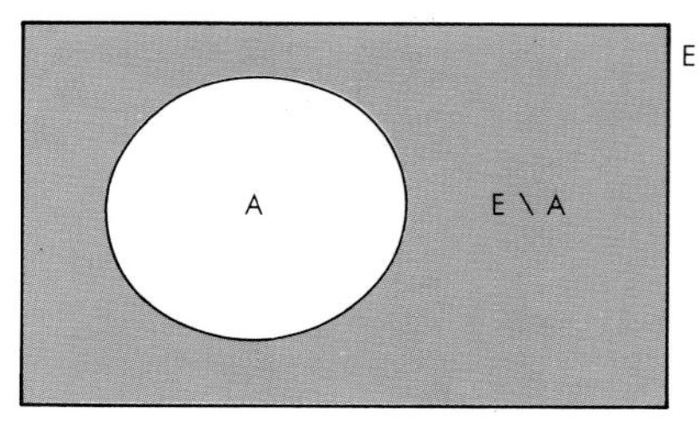

$\complement_E A = E \setminus A$

illustration des **lois de Morgan**

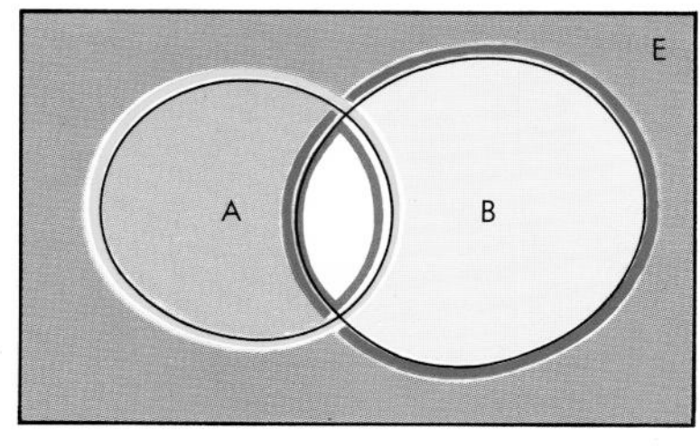

$\complement_E (A \cap B) = \complement_E (A) \cup \complement_E (B)$

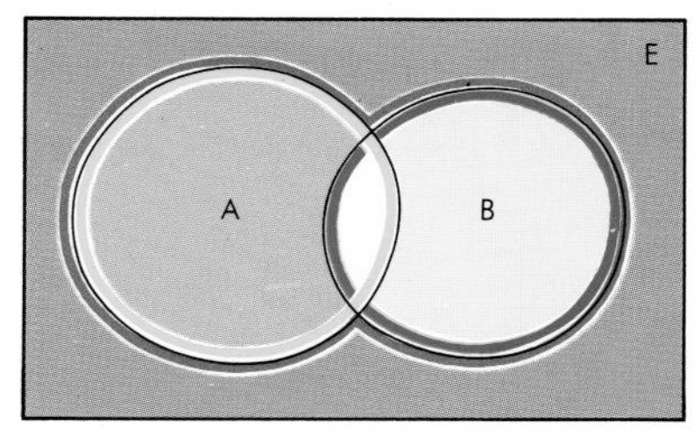

$\complement_E (A \cup B) = \complement_E (A) \cap \complement_E (B)$

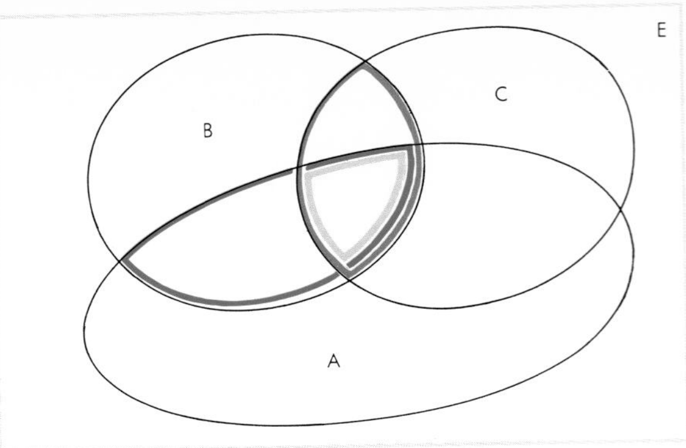

illustration de l'associativité
de l' **intersection :**

A ∩ (B ∩ C) = (A ∩ B) ∩ C

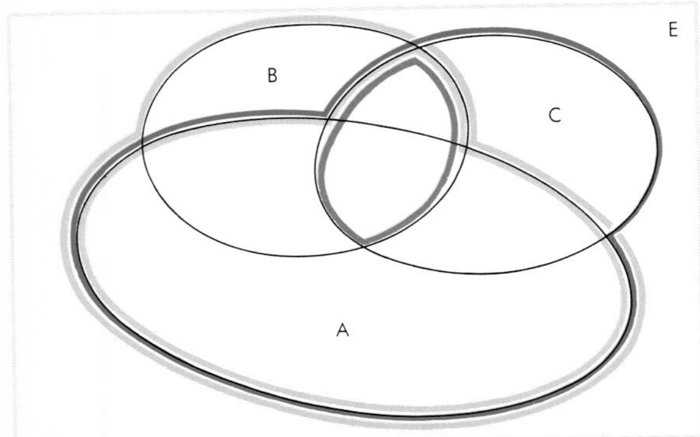

illustration de la distributivité
de la **réunion** par rapport
à l'intersection :

A∪ (B ∩ C) = (A∪B) ∩ (A∪C)

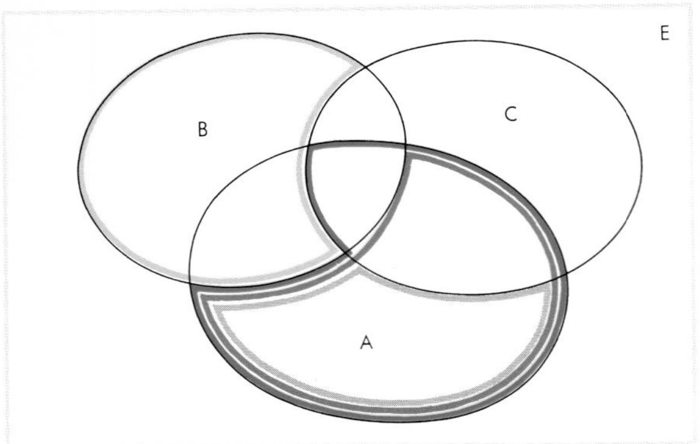

illustration de la non-associativité
de la **différence :**

A \ (B \ C) ≠ (A \ B) \ C

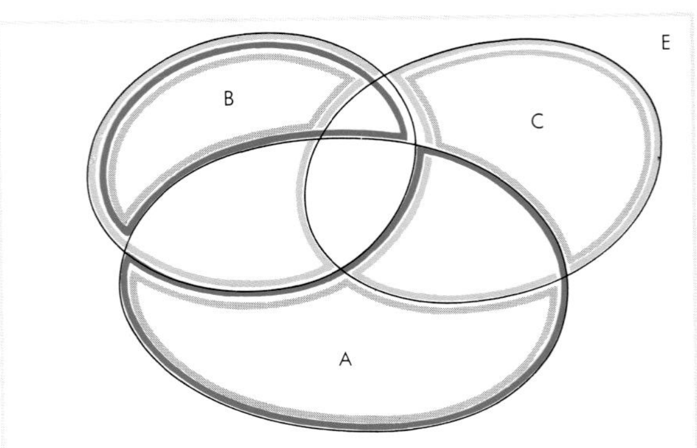

illustration de l'associativité
de la **différence symétrique :**

A Δ (B Δ C) = (A Δ B) Δ C

patronymique, nom commun à tous les descendants d'une race et tiré de celui qui en est le père, comme les mots « Mérovingiens », « Carolingiens », « Héraclides ». — **2.** *Nom patronymique*, syn. de PATRONYME.

PATROUILLE [patruj] n. f. (de *patte*). **1.** Groupe de soldats, d'avions ou de navires qui ont pour mission de surveiller les actions ennemies; ronde d'agents, de gendarmes chargés d'une surveillance ou d'une garde. — **2.** Cette mission elle-même : *Être envoyé en patrouille.* ◆ **patrouiller** v. i. Parcourir un lieu en mission de surveillance, de garde : *De petits groupes en armes patrouillent dans les rues.* ◆ **patrouilleur** n. m. Navire, avion chargé de la surveillance (des côtes, d'un convoi, etc.).

1. PATTE [pat] n. f. (orig. obscure). **1.** Membre ou appendice des animaux, leur servant surtout à marcher, à grimper ou à sauter : *Les pattes des arthropodes et des vertébrés.* — **2.** Syn. fam. de JAMBE, PIED, dans quelques express. : *Traîner la patte après une longue marche.* — **3.** *Marcher à quatre pattes*, en posant les mains et les pieds par terre. ‖ Fam. *Tirer dans les pattes de qq'un*, lui causer des ennuis, quelques difficultés. ‖ Fam. *Bas les pattes!*, restez tranquille! ‖ *Avoir un fil à la patte*, être lié à quelqu'un qui vous est une charge pénible. ‖ *Mouton à cinq pattes*, un animal rare; une personne exceptionnelle (ironiq.). ‖ *Faire patte de velours*, mettre une douceur habile dans ses manières d'agir. ‖ *Montrer patte blanche*, présenter toutes les garanties nécessaires pour pénétrer dans un lieu, pour être admis dans une société. ‖ *Pantalon à pattes d'éléphant*, pantalon qui suit de près la ligne de la jambe jusqu'au genou et qui s'évase ensuite pour flotter autour des chevilles. — **4.** Fam. *La patte d'un artiste*, son originalité, sa virtuosité. — **5.** *Pattes de mouche*, petite écriture fine et gribouillée.

2. PATTE [pat] n. f. (de *patte* 1). Languette de cuir à l'intérieur d'une chaussure, d'un portefeuille, petit morceau de tissu d'une poche de vêtement, servant à la fermeture. ‖ *Patte d'épaule*, syn. d'ÉPAULETTE.

PATTE-D'OIE [patdwa] n. f. (de *patte, de*, et *oie*). **1.** Point de réunion de deux routes qui coupent obliquement une voie principale (syn. CARREFOUR, CROISEMENT). — **2.** Petites rides divergentes à l'angle extérieur de l'œil. ‖ Pl. des *pattes-d'oie*.

PATTEMOUILLE [patmuj] n. f. (du germ. *paita*, morceau d'étoffe, et *mouiller*). Linge mouillé dont on se sert pour repasser un tissu à la vapeur.

PATTERN [patɛrn] n. m. (mot angl. signif. *modèle*). Modèle spécifique représentant d'une manière simplifiée la structure d'un phénomène humain.

PATTON (George), général américain (1885-1945). Spécialiste des blindés, il s'illustra en Tunisie (1943), puis commanda la IIIe armée américaine, qu'il conduisit d'Avranches à Metz (1944), et jusqu'en Bohême (1945).

PÂTURAGE [pɑtyraʒ] n. m. (du lat. *pascere*, paître). Lieu couvert d'herbe où les bestiaux prennent leur nourriture : *Les hauts pâturages des Alpes. Les verts pâturages de Normandie* (syn. HERBAGE). ◆ **pâture** n. f. **1.** Ce qui sert d'aliment aux animaux (langue soignée) : *Les oiseaux cherchent leur pâture.* — **2.** Syn. de PÂTURAGE : *Bœuf mis en pâture.* — **3.** Ce sur quoi on peut exercer une activité (dans quelques express.) : *Être offert en pâture à l'opinion publique* (= comme proie).

PATURON [patyrɔ̃] n. m. (de l'anc. fr. *empasturer*, entraver). Partie du bas de la jambe du cheval, entre le boulet et le sabot, correspondant aux deux premières phalanges.

PAU, ch.-l. des Pyrénées-Atlantiques, sur le *gave de Pau*, à 760 km au S.-O. de Paris; 85 900 hab. *(Palois).* L'anc. capit. du Béarn* s'est récemment industrialisée (constructions mécaniques, chimie, s'ajoutant au traditionnel travail du cuir) et a connu un essor spectaculaire, favorisé par la proximité de Lacq*; des gisements de gaz naturel sont exploités aussi aux portes de l'agglomération, dont la population dépasse 110 000 hab. Le rôle touristique se maintient (château des XIIe-XVIe s.), et la fonction universitaire est apparue récemment.

PAU *(gave de)*, riv. de France, descendue du cirque de Gavarnie, qui arrose Lourdes, Pau et rejoint l'Adour (r. g.); 120 km.

PAUILLAC, ch.-l. de cant. de la Gironde, à 8 km au N.-E. de Saint-Laurent-de-Médoc, sur la Gironde; 6 400 hab. Vins (château-lafite, château-latour, etc.).

PAUL *(saint)*, dit **l'Apôtre des gentils** (= des païens), né à Tarse, martyrisé à Rome en 67. Il se convertit sur le chemin de Damas, évangélisa cette ville, et fut un des premiers organisateurs et propagateurs de la doctrine chrétienne. Il a laissé de nombreuses Épîtres.

PAUL, nom porté par six papes, parmi lesquels : PAUL III (Alexandre *Farnèse*) [1468-1549], pape de 1534 à 1549, qui convoqua le concile de Trente; PAUL V (Camille *Borghèse*) [1552-1621], pape de 1605 à 1621, sous le pontificat duquel fut achevée la construction de Saint-Pierre de Rome; PAUL VI (Giovanni Battista *Montini*) [1897-1978], pape en 1963, à la mort de Jean XXIII. Il fit un pèlerinage en Terre sainte (1964), où il rencontra le patriarche Athênagoras, et clôtura le IIe concile du Vatican en 1965. La même année, il parla aux membres de l'O. N. U. en faveur de la paix.

Paul et Virginie, roman de Bernardin de Saint-Pierre (1787).

PAUL ÉMILE, mort en 216 av. J.-C., consul en 219 av. J.-C. Il fut tué à la bataille de Cannes. — Son fils PAUL ÉMILE *le Macédonique* (v. 230-160 av. J.-C.), consul en 182 et en 168, fut vainqueur de Persée, roi de Macédoine, à Pydna.

PAULETTE [polɛt] n. f. (de *Paulet*). Droit annuel que les officiers de justice et de finance payaient au roi pour assurer la transmission de leur charge. (L'édit qui institua ce droit fut établi en 1604 sur l'initiative du financier Paulet et dura jusqu'à la Révolution.)

PAULI (Wolfgang), physicien suisse (1900-1958), prix Nobel en 1945 pour ses travaux sur les électrons des atomes.

PAULING (Linus Carl), chimiste américain, né en 1901. Il a précisé la structure des molécules et la nature des liaisons chimiques, notamment pour les composés complexes et macromoléculaires. (Prix Nobel de chimie, 1954, et prix Nobel de la paix, 1962.)

PAULOWNIA [polɔnja] n. m. (de Anna *Paulowna*, fille du tsar Paul Ier). Arbre originaire de l'Extrême-Orient, à fleurs mauves odorantes, parfois planté dans les parcs ou le long des rues. (Haut. jusqu'à 15 m; les feuilles peuvent mesurer 30 cm de long.) [Famille des scrofulariacées.]

1. PAUME [pom] n. f. (lat. *palma*). Le dedans de la main.

2. PAUME [pom] n. f. (même étym.). Jeu où l'on se renvoie une balle, avec une raquette ou une masse.

PAUMER [pome] v. t. (de *paume*). Pop. *Paumer qqch.*, le perdre. ◆ ***se paumer*** v. pr. *Pop.* Se perdre, se tromper. ◆ **paumé, e** n. et adj. *Pop.* Personne perdue ou misérable.

PAUPÉRISME [poperism] n. m. (mot angl.; du lat. *pauper*, pauvre). État permanent de grande pauvreté de la population d'un pays ou d'une partie de celle-ci. ◆ **paupérisation** n. f. Appauvrissement d'une population ou d'une classe sociale. (Selon Marx, le capitalisme provoque une paupérisation croissante de la classe ouvrière.)

PAUPIÈRE [popjɛr] n. f. (lat. *palpebra*). Membrane de peau mobile qui sert à protéger le globe oculaire.
— ENCYCL. Chez l'homme et les mammifères, il y a deux *paupières :* la supérieure et l'inférieure. Elles sont bordées de cils et tendues par une baguette fibreuse, ou tarse. La paupière supérieure, plus étendue, peut recouvrir la cornée et étaler les larmes. Chez les oiseaux, les lézards, les tortues, la paupière inférieure est plus grande, et il existe une troisième paupière, horizontale, dite nictitante. Chez les serpents, les paupières sont soudées et transparentes.

PAUPIETTE [popjɛt] n. f. (du lat. *pulpa*, viande). Tranche de viande de veau roulée et farcie.

PAUSE [poz] n. f. (lat. *pausa*). **1.** Interruption momentanée dans un travail, une marche, deux mi-temps d'un match, etc. : *Des manœuvres qui font cinq minutes de pause toutes les heures. Les points et les virgules, dans un texte, correspondent à des pauses* (syn. ARRÊT, SUSPENSION). — **2.** *Mus.* Signe de silence correspondant à la ronde.

1. PAUVRE [povr] adj. (lat. *pauper*) [après le nom]. **1.** Se dit de quelqu'un qui a peu de ressources, peu de biens : *Une famille pauvre* (syn. ↑INDIGENT, ↑MISÉREUX, NÉCESSITEUX; contr. ↓AISÉ, RICHE); et substantiv. : *Faire l'aumône à un pauvre.* — **2.** Se dit de ce qui contient une substance en faible quantité : *Un mélange pauvre en gaz d'essence.* — **3.** Se dit de ce qui produit peu : *Un sol pauvre* (syn. INGRAT, STÉRILE; contr. FERTILE). ◆ **pauvrement** adv. : *Un ouvrier pauvrement vêtu* (syn. ↑MISÉRABLEMENT). ◆ **pauvresse** n. f. Femme pauvre, mendiante. ◆ **pauvreté** n. f. **1.** État de quelqu'un ou de quelque chose qui est pauvre : *Sa pauvreté ne lui permettait pas de se nourrir convenablement* (syn. DÉNUEMENT, ↑INDIGENCE, ↑MISÈRE). *La pauvreté d'un terrain.* — **2.** (surtout au plur.) Chose médiocre, propos d'une grande banalité : *Dans son journal, il n'a noté que des pauvretés.* ◆ **appauvrir** [apovrir] v. t. **1.** *Appauvrir qq'un*, le rendre pauvre, diminuer ses ressources, le priver de l'argent nécessaire pour subvenir à ses besoins (souvent aux temps composés ou au passif) [contr. ENRICHIR]. — **2.** *Appauvrir qqch.*, en diminuer la production, l'énergie, la vigueur (souvent aux temps composés ou au passif) : *Ce mode de culture appauvrit la terre* (syn. ↑RENDRE

INFERTILE, ↑STÉRILISER). *Le pays est sorti appauvri de la guerre* (syn. ÉPUISER, ↑RUINER). ◆ ***s'appauvrir*** v. pr. Devenir pauvre : *Cette terre s'est appauvrie. Son inspiration s'appauvrit* (syn. S'ÉPUISER). ◆ **appauvrissement** n. m. : *L'appauvrissement d'un pays. L'appauvrissement de l'intelligence* (syn. ÉPUISEMENT, ↑RUINE).

2. PAUVRE [povr] adj. (de *pauvre* 1) [avant le nom]. **1.** Exprime la pitié, la commisération : *Le pauvre garçon était tout désemparé* (syn. MALHEUREUX; littér. INFORTUNÉ). — **2.** Se dit de ce qui est médiocre, de peu de valeur : *C'est un pauvre type!* ◆ **pauvret, ette** adj. et n. Diminutif de PAUVRE.

PAVAGE n. m. ⟶ PAVÉ.

PAVANE [pavan] n. f. (du lat. *pavo, -onis,* paon). Danse ancienne d'allure lente et majestueuse, ordinairement suivie d'une danse plus rapide, comme la gaillarde.

PAVANER (SE) [səpavane] v. pr. (du lat. *pavo, -onis,* paon) [sujet nom de personne]. Prendre des airs avantageux, faire l'important : *Il se pavanait au milieu d'un cercle d'admirateurs.*

PAVÉ [pave] n. m. (du lat. *pavire,* niveler le sol). **1.** Petit bloc de pierre dont on revêt le sol des rues : *Des pavés de grès.* ‖ *Battre le pavé,* marcher dans les rues, sans but précis. ‖ *Être sur le pavé,* être sans domicile (syn. ÊTRE À LA RUE); être sans emploi. ‖ *Tenir le haut du pavé,* être au plus haut rang social. ‖ *Un pavé dans la mare,* une vérité qui jette la perturbation. — **2.** Élément d'un carrelage (syn. CARREAU). ◆ **paver** v. t. : *On a pavé la rue, la cour.* ◆ **pavage** n. m. **1.** Action de paver. — **2.** Lieu pavé : *Un vase qui se casse en tombant sur le pavage de la pièce* (syn. CARRELAGE). [On dit plus rarement PAVEMENT.] ◆ **paveur** n. m. Ouvrier qui pave. ◆ **dépaver** v. t. Enlever les pavés de.

PAVIE, v. d'Italie (Lombardie), sur le Tessin; 87 600 hab. Cathédrale commencée en 1488. Églises lombardes du XIIe s. Célèbre chartreuse fondée en 1396, dont la façade, richement ornée (1480-1540), a fortement influencé le décor de la Renaissance française. Constructions mécaniques.

• *24 fév. 1525. François Ier y est battu et fait prisonnier par les Espagnols.*

1. PAVILLON [pavijɔ̃] n. m. (du lat. *papilio,* tente). Maison particulière de petite ou de moyenne dimension : *Il habite un modeste pavillon de banlieue. Un pavillon de chasse.*

2. PAVILLON [pavijɔ̃] n. m. (même étym.). **1.** Petit drapeau indiquant la nationalité, sur un navire en général, et le nom de la compagnie sur un navire commercial : *Un cuirassé battant pavillon anglais. Hisser son pavillon. Amener (le) pavillon* (= se rendre). — **2.** Fam. *Baisser pavillon,* céder, capituler devant quelqu'un. — **3.** *Pavillon de complaisance,* nationalité fictive qu'un armateur peut donner à un navire en vue d'échapper aux réglementations fiscales de son pays.

3. PAVILLON [pavijɔ̃] n. m. (même étym.). **1.** Extrémité évasée du tube d'un instrument de musique à vent. — **2.** *Pavillon de l'oreille,* la partie extérieure de l'oreille, où s'ouvre le conduit auditif.

Pavillons-Noirs, soldats irréguliers chinois, combattus par la France au Tonkin et en Chine (1883-1885).

PAVILLONS-SOUS-BOIS (Les), ch.-l. de cant. de la Seine-Saint-Denis, à 6 km au N.-E. de Paris; 17 200 hab.

PAVILLY, ch.-l. de cant. de la Seine-Maritime, à 19,5 km au N.-O. de Rouen; 5 600 hab. Abbatiale du XIIIe s. Château du XVe s. Textiles.

PAVIN *(lac),* lac volcanique d'Auvergne, de forme circulaire (Puy-de-Dôme).

PAVLOV (Ivan Petrovitch), physiologiste et médecin russe (1849-1936). En 1903, il définit pour la première fois le « réflexe* conditionné » en l'opposant au réflexe inné et inconditionné. La notion de réflexe conditionné, à laquelle l'avaient conduit ses recherches sur la sécrétion salivaire, montrait dans le fonctionnement du cerveau une activité réflexe s'exerçant dans le sens de l'adaptation de l'être au milieu. Puis Pavlov dégagea la loi fondamentale de la concentration et de l'irradiation du processus d'excitation dans l'écorce cérébrale, et posa la thèse de la transformation possible, au cours de l'évolution des espèces, de certains réflexes conditionnés (donc acquis) en réflexes inconditionnés, innés, héréditaires. En 1915, Pavlov publia les *Données sur la physiologie du sommeil,* théorie du sommeil. C'est sur cette théorie que les élèves de Pavlov ont fondé les travaux qui ont abouti à l'accouchement sans douleur.

PAVLOVA (Anna), ballerine russe (1882-1931), célèbre étoile des Ballets russes.

PAVOIS [pavwa] n. m. (it. *pavese,* de Pavie). *Mar.* Partie de la coque au-dessus du pont. ‖ *Grand pavois,* ensemble de tous les pavillons d'un navire hissés en signe de fête. ‖ *Petit pavois* ensemble des pavillons arborés par un navire de commerce à fin d'identification.

PAVOISER [pavwaze] v. t. (de *pavois*). Orner un édifice, un navire, etc., de drapeaux à l'occasion d'une fête, de la réception d'une personnalité, etc. ◆ v. i. Manifester une grande joie.

PAVOT [pavo] n. m. (du lat. *papaver*). Plante annuelle dicotylédone de la famille des papavéracées, dont une espèce, sauvage, est nuisible aux cultures *(coquelicot).* [D'autres espèces sont cultivées : le *pavot blanc* fournit l'opium, le *pavot noir* ou *œillette* fournit des graines dont on extrait une huile alimentaire.]

PAYER [peje] v. t. (du lat. *pacare,* apaiser). [Conj. **4.**] **1.** *Payer une somme,* la verser : *Il n'a pas encore payé sa cotisation* (syn. ACQUITTER); et absolum. : *Régalez-vous, c'est moi qui paie.* — **2.** *Payer qq'un,* lui donner (généralement en argent) ce qui lui est dû : *Préférez-vous être payé par chèque ou en espèces?* (syn. RÉGLER); et absolum. : *C'est une maison qui paie bien.* — **3.** *Payer qq'un de qqch.,* l'en récompenser : *Ce succès me paie de tous mes efforts.* — **4.** *Payer un travail, un service, une chose,* en acquitter le montant, verser une somme correspondante : *Il faut payer les réparations.* ‖ Fam. *Payer qqch. à qq'un,* le lui offrir en se chargeant de la dépense : *Il nous a payé l'apéritif.* ‖ *Payer cher qqch.,* l'obtenir au prix de grands efforts, ou en subissant des dommages : *Nos troupes ont payé cher cette victoire.* — **5.** *Payer une faute, un crime,* etc., les expier. ‖ *Tu me le paieras!,* je me vengerai (formule de menace). ◆ v. i. **1.** (sujet nom de chose) Être de bon rapport, être profitable : *C'est un métier qui paie. Des efforts qui paient.* — **2.** (sujet nom de personne) *Payer d'audace,* faire preuve d'audace, prendre un risque. ‖ *Payer de sa personne,* agir par soi-même, ne pas ménager ses efforts. ◆ ***se payer*** v. pr. *Se payer de mots, d'illusions,* etc., s'en contenter (par oppos. à l'action, à la réalité). ‖ Fam. *Se payer de culot,* agir hardiment, avec effronterie. ◆ **payable** adj. Se dit d'une somme, d'un article qu'il faut payer : *Acheter un téléviseur payable en dix mensualités.* ◆ **payant, e** adj. **1.** Se dit d'une personne qui paie : *Recevoir chez soi des hôtes payants.* — **2.** Se dit de ce qu'on obtient en payant : *Un spectacle payant.* — **3.** Se dit de ce qui rapporte, qui est profitable : *Une entreprise payante* (syn. RENTABLE). *La persévérance est payante.* ◆ **payeur, euse** adj. et n. : *Organisme payeur, bureau payeur. Mauvais payeur* (= celui qui paie mal ses dettes). ◆ **paie** [pɛ] ou **paye** [pɛj] n. f. **1.** Action de payer : *Le jour de la paye.* — **2.** Salaire : *Bulletin de paie.* ◆ **paiement** [pɛmɑ̃] n. m. **1.** Action de verser une somme d'argent pour s'acquitter d'une obligation : *Faire un paiement* (= payer). — **2.** Ce qu'on donne, somme payée : *Exiger le paiement immédiat en espèces* (= en argent). ◆ **non-paiement** n. m. : *Le non-paiement des traites entraîne la restitution de l'appareil.* ◆ **paierie** n. f. Bureau du trésorier-payeur. ◆ **impayé, e** adj. : *La facture est restée impayée.*

1. PAYS [pei] n. m. (du lat. *pagus,* canton). **1.** Territoire d'une nation : *Défendre son pays par les armes* (syn. PATRIE). ‖ *Avoir le mal du pays,* avoir une grande envie de revoir sa patrie. — **2.** Région, contrée : *La Savoie est un pays montagneux.* ‖ *Voir du pays,* voyager. — **3.** Village, agglomération : *Il passe ses vacances dans un petit pays des Alpes.* — **4.** Ensemble des habitants, des forces économiques et sociales d'une nation : *Les pays qui ont signé le pacte.* — **5.** Fam. *En pays de connaissance,* parmi des gens connus, dans une situation connue. ◆ **arrière-pays** n. m. inv. L'intérieur d'une région (par oppos. au bord de la mer, au port) : *Le port a été construit pour servir de débouché à l'arrière-pays, très riche.*

2. PAYS, E [pei, -iz] n. (de *pays* 1). *Fam.* Personne qui est du même pays, de la même région.

PAYSAGE [peizaʒ] n. m. (de *pays*). **1.** Vue d'ensemble d'une région, d'un site : *Arrivé au sommet, on découvre un paysage magnifique* (syn. PANORAMA). *Cette maison nous masque le paysage* (syn. VUE). — **2.** Tableau représentant un site généralement champêtre : *Les paysages de Corot.* ◆ **paysagiste** n. **1.** Artiste qui peint des paysages. — **2.** Décorateur qui compose des plans de parcs, jardins, paysages.

PAYSAN, ANNE [peizɑ̃, -an] n. (de *pays*). Personne de la campagne, qui cultive le sol : *Les citadins connaissent souvent mal la vie des paysans* (syn. AGRICULTEUR, CULTIVATEUR). *Des manières de paysan* (= peu raffinées). ◆ adj. : *La vie paysanne.* ◆ **paysannat** n. m. Ensemble des agriculteurs d'une région, d'un État; condition paysanne. ◆ **paysannerie** n. f. Ensemble des paysans : *Comparer le niveau de vie de la paysannerie française à celui des autres nations européennes.*

PAYSANDÚ, v. de l'Uruguay, sur le fl. Uruguay; 60 000 hab. Industries alimentaires. Cuir.

PAYSANNAT n. m., **PAYSANNERIE** n. f. → PAYSAN.

Paysans *(guerre des),* insurrection des paysans allemands, en 1524 et 1525. Provoquée par l'exploitation de ceux-ci par des seigneurs et des usuriers, et encouragée par certains prédicateurs, dont Th. Münzer, elle fut réprimée avec cruauté.

PAYS-BAS *(royaume des)*, en néerl. **Nederland**, État de l'Europe occidentale, sur la mer du Nord.

SUPERFICIE 34 000 km² (France : 550 000 km²).

POPULATION 14 900 000 hab. *(Néerlandais)*; 427 hab. au km² (France : 103); taux de natalité, 12,5 p. 1 000; taux de mortalité, 7,9 p. 100.

CAPITALE Amsterdam (1 038 000 hab.); résidence du gouvernement et de la cour, La Haye (715 000 hab.).

AGGLOMÉRATIONS PRINCIPALES Rotterdam (1 064 000 hab.); Utrecht (462 900 hab.); Eindhoven (345 400 hab.); Haarlem (222 000 hab.).

LANGUE néerlandais.

ÉCONOMIE produit national brut par hab., 9 190 dollars (France : 9 484); consommation d'énergie par hab., 5 650 kg d'équivalent charbon; 1 automobile pour 3 hab.

MONNAIE florin.

GÉOGRAPHIE

Extrémité occidentale de la grande plaine d'Europe du Nord, les Pays-Bas sont un pays très plat où les seuls reliefs notables sont, au S.-E., les collines du *Limbourg* et de la *Veluwe*. Le climat, océanique, est frais et humide.

	TEMPÉRATURES MOYENNES janv.	juil.	PLUIES
Utrecht	2,5 °C	19 °C	759 mm
Flessingue	3 °C	18 °C	684 mm

Une grande partie des terres a été gagnée, au cours des siècles, sur la mer ou sur des marécages, grâce à des travaux d'assèchement considérables (construction de digues, canaux de drainage, etc.) : ce sont les *polders*, terres situées au-dessous du niveau de la mer. L'assèchement partiel du Zuiderzee, en cours de réalisation, constitue l'opération la plus spectaculaire.

Les Pays-Bas connaissent une des plus fortes densités de population du monde. Celle-ci, de plus, se concentre dans un secteur restreint, compris entre le Rhin, le Zuiderzee et la mer du Nord, à tel point que l'on atteint presque le surpeuplement. Les ressources du pays sont cependant nombreuses.

L'*agriculture* représente un secteur important de l'économie. Pratiquée de façon intensive sur des terres exiguës mais enrichies grâce à l'emploi massif des engrais, elle fournit des produits variés : céréales, betterave à sucre, lin, pomme de terre, cultures maraîchères et florales. L'élevage bovin est orienté vers la production de lait, de beurre et de fromage. La *pêche* constitue également une des bases de l'alimentation (harengs).

sucre	1 million de t	fromage	500 000 t
lait	12 500 000 t	pêche	500 000 t

L'*industrie* est fondée surtout sur la présence de capitaux. Les activités traditionnelles (faïence, velours, drap, taille du diamant) voisinent avec des industries modernes (sidérurgie, chimie, raffineries de pétrole, constructions mécaniques et électriques, etc.), aux mains de puissantes sociétés d'importance internationale (Philips, Unilever). Elles se localisent surtout dans la région d'Amsterdam et de Rotterdam. L'exploitation d'importants gisements de gaz naturel en Groningue (Slochteren) augmente le degré d'indépendance énergétique du pays et alimente des exportations.

gaz naturel	75 milliards de m³
acier	6 millions de t
électricité	65 milliards de kWh
automobiles	110 000 unités

Les Pays-Bas, traditionnellement tournés vers la mer, ont une puissante flotte marchande et possèdent le premier port du monde, Rotterdam. Leur appartenance au Benelux et au Marché commun facilite leurs échanges commerciaux avec l'extérieur. Ceux-ci sont rendus indispensables par la structure de l'économie, fondée sur l'importation de matières premières et l'exportation de produits de qualité (produits manufacturés, produits alimentaires).

HISTOIRE

Avant 1830, date à laquelle ils forment véritablement une nation, les « Pays-Bas » ne sont qu'un ensemble géographique s'étendant des Ardennes à la mer du Nord et englobant les régions qui constitueront plus tard la Belgique et les Pays-Bas actuels. (→ BELGIQUE.)

- *57 av. J.-C. Habitée par les Frisons (au N.), des Germains et des Celtes, la région est conquise par César.*

L'œuvre romaine est détruite par les invasions françaises et saxonnes, mais au VIIIe s. les nombreux monastères participent à la renaissance carolingienne avant de subir les pillages normands.

- *843. Englobée dans l'éphémère Lotharingie, la région se divise en seigneuries féodales (Flandre, Hainaut, Hollande, etc.), relevant de la mouvance française et germanique.*

Progressivement réunis entre les mains des ducs de Bourgogne, les divers fiefs connaissent, surtout dans le Sud, autour des villes drapières et de Bruges, un remarquable essor économique.

- *1477. À la mort de Charles le Téméraire, les « Pays-Bas » sont rattachés aux États des Habsbourg.*

Tandis qu'Anvers s'enrichit grâce au commerce atlantique, Charles Quint érige les 17 provinces en cercle d'Empire (1548). Sous son successeur, Philippe II, les provinces septentrionales, gagnées au calvinisme* et dont le rôle maritime et commercial s'accroît, se soulèvent.

- *1579. L'indépendance de la république des Provinces-Unies est proclamée.*

Elle sera définitivement reconnue en 1648 (traité de Westphalie), les « Pays-Bas » méridionaux restant soumis à l'Espagne.

Le nouvel État devient une puissance maritime et se crée un empire colonial aux dépens des Portugais. Amsterdam, centre commercial et bancaire sous Jean de Witt (1653-1672), est aussi le siège d'une brillante civilisation (Rembrandt, Spinoza). Mais les guerres contre l'Angleterre et la France, et les luttes politiques qui entraînent l'arrivée au pouvoir de Guillaume III d'Orange (1672-1702), affaiblissent le pays. La relative décadence du XVIIIe s. provoque, en 1786, après une guerre malheureuse contre l'Angleterre, un soulèvement contre Guillaume V. Les insurgés, après leur échec, se réfugient en France, favorisant l'intervention française.

- *1795. Les Provinces-Unies deviennent la République batave, alliée de la République française.*

Transformé en royaume de Hollande en 1806, au profit de Louis Bonaparte, le pays est annexé au territoire français en 1810. Le Blocus continental, qui gêne son commerce, et la dureté de l'administration française entraînent une révolte en 1813.

- *1815. Le congrès de Vienne crée un royaume des Pays-Bas, intégrant la Belgique, qui est donnée à Guillaume Ier de Nassau.*

Cette union est fragile, et, après un soulèvement, l'indépendance belge est proclamée en 1830 (→ BELGIQUE). Les colonies, rendues en 1815 à l'exception du Cap, ne retrouvent pas leur ancienne prospérité, et l'économie des Pays-Bas reste traditionnelle pendant tout le XIXe s., même si Rotterdam se développe. Les luttes entre libéraux et conservateurs se doublent d'un conflit entre catholiques et protestants, et l'apparition du socialisme (1890) favorise l'évolution démocratique sous le règne de Wilhelmine (1890-1948).

• *10 mai 1940. Les Pays-Bas, restés neutres pendant la Première Guerre mondiale, sont occupés par les Allemands jusqu'en 1945.*

Après le règlement du problème de l'Indonésie, qui obtient l'indépendance en 1949, le pays se lance dans l'industrialisation, favorisée par la formation du Benelux, puis de la C. E. E. (1957).

• *1980. La reine Juliana abdique en faveur de sa fille Béatrice.*

PAYSE n. f. → PAYS 2.

PAZ (La), capit. de la Bolivie; 881 000 hab. Située à 3 658 m d'alt., à l'E. du lac Titicaca, La Paz est un grand centre administratif et commercial. Industries textiles.

P.-D. G. [pedeʒe] n. m. Abrév. de *président-directeur général.*

PÉAGE [peaʒ] n. m. (bas lat. *pedaticum,* droit de mettre le pied). Droit que l'on paie pour emprunter un pont, une autoroute, etc.; poste où l'on acquitte ce droit : *Une route à péage.*

PÉAGE-DE-ROUSSILLON (Le), comm. de l'Isère, à 19 km au S. de Vienne, près du Rhône; 6 200 hab. Industries chimiques.

PÉAN ou **PÆAN** [peɑ̃] n. m. (gr. *paian,* chant de victoire). *Antiq. gr.* **1.** Hymne en l'honneur d'Apollon. — **2.** Chant de guerre, de victoire, de fête.

PEANO (Giuseppe), logicien et mathématicien italien (1858-1932). Il développa l'utilisation de symboles en mathématiques et exposa un système d'axiomes qui sert de base à la construction de l'ensemble $\mathbb{N}$ des entiers naturels.

PEARL HARBOR, rade des îles Hawaii (île d'Oahu). Base américaine aéronavale créée en 1906, où la flotte américaine du Pacifique fut attaquée par surprise et détruite en deux heures par les Japonais le 7 décembre 1941. Cette attaque provoqua l'entrée des États-Unis dans la Seconde Guerre mondiale.

PEARSON (Lester Bowles), homme politique canadien (1897-1972). Libéral, il fut Premier ministre de 1963 à 1968. (Prix Nobel de la paix, 1957.)

PEARY (Robert), explorateur américain des régions arctiques (1856-1920). Il est arrivé le premier au pôle Nord, en 1909.

PEAU [po] n. f. (lat. *pellis*). **1.** Couche de tissu organique recouvrant le corps de l'homme et des animaux. → ENCYCL. — **2.** Cuir détaché du corps d'un animal et traité : *Un sac à main en peau de lézard* (on dit plus couramment *en lézard,* etc.). *Des livres reliés pleine peau* (= dont toute la couverture est revêtue de peau). — **3.** Fam. *Peau d'âne,* diplôme. ‖ *Faire peau neuve,* changer complètement de manières, d'aspect. ‖ *N'avoir que la peau et les os,* être très maigre. — **4.** Partie consistante qui recouvre un fruit : *Glisser sur une peau de banane* (syn. PELURE). — **5.** Couche consistante qui se forme à la surface d'un liquide : *La peau du lait bouilli.* — **6.** *Fam.* ou *pop.* Syn. de CORPS, VIE, dans quelques loc. : *Se mettre dans la peau de qq'un* (= se mettre à sa place). ‖ *Vendre cher sa peau,* se défendre vigoureusement. ‖ Fam. *Peau de vache,* personne très dure, très rigoureuse. ◆ **peaucier** adj. et n. m. Muscle qui prend au moins une de ses insertions à la peau et qui plisse celle-ci par ses contractions : *Les peauciers de la face.* ◆ **peaussier** n. et adj. m. Celui qui prépare les peaux (sens 2) ou en fait commerce. ◆ **peausserie** n. f. Commerce, travail des peaux (sens 2). (→ PELAGE, PELER, PELURE.)

— ENCYCL. Tissu recouvrant le corps de l'homme et des animaux, la *peau* se continue au niveau des orifices naturels par les muqueuses non kératinisées (= chargées de kératine). Au niveau des yeux, la peau devient fine et transparente et forme la *conjonctive.* La peau se compose de plusieurs types de tissus.

L'*épiderme,* couche superficielle, est un épithélium formé de plusieurs couches de cellules. La régénération de ces couches se fait de la profondeur vers la surface : les cellules superficielles s'aplatissent, meurent et desquament. C'est la couche protectrice, qui est kératinisée et qui renferme les cellules pigmentées.

Le *derme,* plus épais, est un tissu conjonctif qui renferme des vaisseaux nourriciers et surtout de nombreuses formations sensorielles (les corpuscules du tact) et sensitives. Il repose sur l'*hypoderme,* simple tissu graisseux.

Les *glandes sudoripares,* formées par l'épithélium de l'épiderme, produisent la sueur et éliminent des produits toxiques.

Les *poils* sont pourvus à leur base d'une *glande sébacée* qui produit un liquide qui lubrifie la peau.

▪ *Les fonctions de la peau.* La peau assure une *protection :* contre l'eau, les poussières, les microbes, les chocs, etc.; contre les variations de température (elle lutte contre la chaleur excessive par la production de sueur qui s'évapore, et contre le froid par la production de tissu protecteur, la graisse).

Elle respire, et a une fonction d'*excrétion :* elle aide le rein à éliminer des produits toxiques par la sueur.

L'un des rôles essentiels de la peau, chez l'enfant jeune surtout, est la *production de vitamine D,* indispensable à la croissance harmonieuse des os : les rayons ultraviolets du soleil transforment le cholestérol de la peau en vitamine D.

Enfin, la peau a un *rôle sensitif et sensoriel :* elle est le récepteur des impressions du tact, de la douleur superficielle, du froid et du chaud, par les terminaisons nerveuses du derme.

Peau-d'Âne, conte de Perrault, en vers (1715).

PEAUFINER [pofine] v. t. (de *peau,* et *fine*). **1.** Passer une peau de chamois sur une surface. — **2.** *Fam.* Fignoler : *Peaufiner un travail.*

PEAUSSERIE n. f., **PEAUSSIER** adj. et n. m. → PEAU.

PEAUX-ROUGES, nom donné parfois aux Indiens de l'Amérique du Nord.

PÉBRINE [pebrin] n. f. (du prov. *pebre,* poivre). Maladie des vers à soie, se manifestant par de petites taches noires comme des grains de poivre sur la peau de la chenille.

PÉCARI [pekari] n. m. (de *begare,* mot caraïbe). Petit sanglier qui vit en troupes dans les forêts d'Amérique.

PECCADILLE [pekadij] n. f. (esp. *pecadillo*). Faute légère.

PECHAWAR → PESHĀWAR.

PECHBLENDE [pɛʃblɛ̃d] n. f. (all. *Pech,* poix, et *Blende,* sulfure). Oxyde d'uranium naturel, le plus important des minerais d'uranium (40 à 90 p. 100), dont on extrait aussi le radium.

1. PÊCHE n. f. → PÊCHER 2.

2. PÊCHE [pɛʃ] n. f. (du lat. *Persica arbor,* arbre de Perse). Fruit juteux et à chair savoureuse, à noyau dur : *La peau duvetée de la pêche.* ◆ **pêcher** n. m. Arbre originaire d'Asie, dont le fruit est la pêche. (Famille des rosacées.)

PÉCHÉ [peʃe] n. m. (lat. *peccatum,* faute). **1.** Acte par lequel on se détourne volontairement de l'amour de Dieu : *Péché véniel* (= tous les petits manques d'amour envers Dieu). *Péché mortel* (= action de se couper totalement de l'amour de Dieu). *On appelle « péchés capitaux » ceux qui sont considérés comme la source de tous les autres.* — **2.** *Péché originel,* selon la Bible, faute du premier homme transmise à toute l'humanité. ‖ *Péché mignon,* petit défaut auquel on s'abandonne volontiers : *Il a un faible pour le bon vin, c'est son péché mignon.* ‖ *À tout péché miséricorde,* il faut savoir pardonner à quelqu'un qui se repent. ‖ *Laid comme les sept péchés capitaux,* très laid. ◆ **pécher** v. i. **1.** Désobéir à Dieu en le sachant et en le voulant. — **2.** Manquer à un devoir, se mettre en faute : *Pour rien au monde, il n'aurait voulu pécher contre l'hospitalité.* — **3.** (sujet nom de chose) Être en défaut : *Ce raisonnement pèche sur un point.* ◆ **pécheur, eresse** n. et adj. Personne qui commet des péchés.

1. PÊCHER n. m. → PÊCHE 2.

2. PÊCHER [peʃe] v. i. et t. (lat. *piscari*). **1.** Prendre ou essayer de prendre du poisson : *Il pêche à la ligne au bord de l'étang.* — **2.** *Fam.* Prendre, trouver : *Où est-ce qu'il est allé pêcher ce renseignement?* (syn. fam. DÉNICHER). — **3.** Fam. *Pêcher en eau trouble,* profiter du désordre pour en tirer un avantage. ◆ **pêche** [pɛʃ] n. f. **1.** Action ou manière de pêcher : *La pêche à la ligne est son passe-temps favori.* — **2.** Poisson pêché : *Une pêche abondante.* → ENCYCL. ◆ **pêcheur, euse** n. et adj. Personne qui pêche, qui a la profession de pêcher. ◆ **pêcherie** n. f. Lieu où l'on pêche : *Les pêcheries de Terre-Neuve.*

— ENCYCL. **pêche.** Les principaux pays producteurs sont :

Japon	11,8 millions de t
U. R. S. S.	10,5 millions de t
Chine	6,2 millions de t
États-Unis	4,7 millions de t
Chili	4,5 millions de t
Pérou	3 millions de t.

La production française est de 0,8 million de t.

PÉCHEUR, ERESSE adj. et n. → PÉCHÉ.

PÉCORE [pekɔr] n. f. (du lat. *pecus, -oris,* bétail). *Fam.* Femme stupide, prétentieuse (syn. PIMBÊCHE).

PECQ (Le), ch.-l. de cant. des Yvelines, sur la Seine; 17 200 hab.

PECQUENCOURT, comm. du Nord, à 11 km à l'E. de Douai, sur la Scarpe; 7 600 hab. *(Pecquencourtois).*

PÉCS, v. de la Hongrie méridionale; 165 000 hab. Université. Houille. Métallurgie.

PECTEN [pɛktɛn] n. m. (mot lat.). Nom scientif. des mollusques marins lamellibranches du genre peigne, ou coquille Saint-Jacques.

PECTINE [pɛktin] n. f. (du gr. *pêktos,* coagulé). Substance glucidique d'origine végétale, qu'on trouve dans certains fruits et qu'on peut extraire des pommes. (Son pouvoir gélifiant intervient dans la fabrication des confitures et est utilisé en pharmacie [pommades], en médecine et dans l'industrie.)

PECTORAL, E, AUX [pεktɔral, -ro] adj. (du lat. *pectus, pectoris*, poitrine). Qui concerne la poitrine. ‖ *Muscles pectoraux*, ou *pectoraux* n. m. pl., muscles, au nombre de deux de chaque côté, situés à la partie antérieure et latérale du thorax. ‖ *Nageoires pectorales*, nageoires antérieures des poissons, fixées non loin des ouïes et servant surtout à préserver l'équilibre de l'animal immobile. (Ces organes sont homologues des pattes de devant des vertébrés tétrapodes.)

PÉCULE [pekyl] n. m. (du lat. *pecus*, bétail). Somme d'argent, généralement faible, économisée par quelqu'un sur ce qu'il gagne par son travail : *Se constituer un modeste pécule.*

PÉCUNIAIRE [pekynjεr] adj. (du lat. *pecunia*, argent). Qui consiste en argent : *Il n'a tiré aucun avantage pécuniaire de ses travaux;* qui a rapport à l'argent : *Il a de sérieux ennuis pécuniaires* (syn. FINANCIER). ◆ **pécuniairement** adv. : *Il est pécuniairement dans une situation difficile* (syn. FINANCIÈREMENT).

PÉDAGOGIE [pedagɔʒi] n. f. (du gr. *pais, paidos*, enfant, et *agein*, conduire). Science ou méthode dont l'objet est l'instruction ou l'éducation des enfants : *Montaigne, Rousseau furent des précurseurs en matière de pédagogie.* ‖ *Pédagogie active* → ENCYCL. ◆ **pédagogue** n. Personne qui a les qualités d'un bon professeur, qui connaît la manière efficace d'instruire les enfants. ◆ **pédagogique** adj. **1.** Relatif à la pédagogie : *La formation pédagogique des futurs professeurs.* — **2.** Qui a les qualités d'un bon enseignement : *Cet exercice est bien peu pédagogique; il ne fait pas réfléchir les enfants.* ◆ **pédagogiquement** adv.

— ENCYCL. La *pédagogie active*, ou *pédagogie nouvelle*, tend à rendre l'enseignement vivant, non plus fondé sur l'acquisition pure et simple de connaissances, mais sur les centres d'intérêt des élèves, afin de développer le jugement et la réflexion personnelle de chacun.

Cette notion de centre d'intérêt — qui consiste à faire étudier à l'enfant un sujet très vaste sous des points de vue différents, et à lui montrer les liaisons entre les diverses notions qui le composent (histoire, géographie, droit, etc.) — a donné naissance à de nombreuses méthodes pédagogiques, dont celles d'Ovide Decroly en Belgique, Maria Montessori en Italie et, en France, de Célestin Freinet* qui préconisait notamment : les *enquêtes scolaires* en groupe dans les usines, chez des artisans, des agriculteurs...; les élèves rédigeant ensemble un rapport détaillé avec leurs observations; la *correspondance scolaire* entre écoles de régions au mode de vie différent, où chaque correspondant parle de la vie autour de lui, des problèmes journaliers; l'*imprimerie à l'école*, les élèves imprimant eux-mêmes des textes libres qu'ils ont choisis, pour composer un véritable « journal de classe » où le style et la grammaire trouvent leur place, semble-t-il, au hasard des idées exprimées sur le papier; les bienfaits d'un *travail d'équipe* qui permet aux élèves d'échanger leurs points de vue sur un sujet choisi.

L'introduction des moyens audiovisuels* (bandes magnétiques, films animés ou fixes, diapositives, disques, radio ou télévision) et, plus encore, de l'informatique a totalement renouvelé le champ de la recherche pédagogique.

PÉDALE [pedal] n. f. (it. *pedale;* du lat. *pes, pedis*, pied). **1.** Organe de transmission ou de commande d'un appareil, d'une machine, que l'on actionne avec le pied : *Appuyer sur la pédale de l'accélérateur* (d'une voiture). *Les pédales du piano assourdissent le son ou en prolongent la résonance. Les pédales d'une bicyclette.* — **2.** Fam. *Perdre les pédales*, perdre le fil de son discours, s'embarrasser dans ses explications, perdre son sang-froid. ◆ **pédaler** v. i. **1.** Actionner les pédales d'une bicyclette : *Il pédalait dans les descentes pour rattraper son retard.* — **2.** Rouler à bicyclette : *Le peloton des coureurs pédalait à toute allure vers l'arrivée de l'étape.* ◆ **pédalier** n. m. **1.** Mécanisme comprenant l'axe, les manivelles, les pédales et le plateau d'une bicyclette. — **2.** Ensemble des touches en bois placées sous le clavier d'un orgue; l'ensemble des deux pédales du piano qu'on actionne avec le pied.

PÉDANT, E [pedɑ̃, -ɑ̃t] n. et adj. (it. *pedante*). *Péjor.* Personne qui fait étalage de sa science, de son savoir, qui donne des leçons sur un ton prétentieux : *Un discours pédant* (syn. DOCTORAL, SUFFISANT). ◆ **pédantesque** adj. Syn. littér. de l'adj. PÉDANT. ◆ **pédantisme** n. m. Affectation propre au pédant ou à ce qui est pédant : *Le pédantisme de ses explications exaspère ses auditeurs* (syn. PRÉTENTION; contr. SIMPLICITÉ).

PÉDÉRASTE [pederast] n. m. (du gr. *pais, paidos*, enfant, et *erân*, aimer). Homme qui s'adonne à des pratiques homosexuelles. ◆ **pédérastie** n. f. Pratiques homosexuelles masculines.

PÉDESTRE [pedεstr] adj. (du lat. *pes, pedis*, pied). *Randonnée pédestre*, excursion qui se fait à pied. ◆ **pédestrement** adv. À pied.

PÉDIATRE [pedjatr] n. (du gr. *pais, paidos*, enfant, et *iatros*, médecin). Spécialiste des maladies de l'enfant. ◆ **pédiatrie** n. f. Médecine infantile.

PÉDICULE [pedikyl] n. m. (lat. *pediculus;* de *pes, pedis*, pied). Queue propre à certaines parties des plantes, et notamment aux champignons.

PÉDICURE [pedikyr] n. (du lat. *pes, pedis*, pied, et *curare*, soigner). Spécialiste traitant des affections de la peau (cors, durillons) et des ongles du pied.

PEDIGREE [pedigre] n. m. (mot angl.). Généalogie d'un animal de race (chien, chat, etc.).

PÉDIMENT [pedimɑ̃] n. m. (angl. *pediment*, fronton). *Géogr.* Dans les zones arides, grand glacis développé dans une roche dure (granite, gneiss) au pied d'un relief résiduel, essentiellement par désagrégation granulaire (arénisation*).

PÉDIPLAINE [pediplεn] n. f. (de *pédi[ment]*, et *plaine*). Étendue plane des régions arides, liée à l'extension de pédiments et qu'accidentent seuls quelques reliefs résiduels (inselbergs*).

PÉDOGENÈSE [pedɔʒənεz] n. f. (du gr. *pedon*, sol, et *genèse*). Mode de formation et d'évolution des sols.

PÉDOLOGIE [pedɔlɔʒi] n. f. (du gr. *pedon*, sol, et *logos*, science). Science qui étudie les caractères physiques, chimiques et biologiques des sols.

PÉDONCULE [pedɔ̃kyl] n. m. (du lat. *pes, pedis*, pied). Toute tige ou cordon reliant un organe animal ou végétal à son point d'insertion sur l'ensemble du corps : *Le pédoncule d'une fleur, d'un fruit.* ‖ Anat. *Pédoncules cérébraux*, région ventrale du mésencéphale, se prolongeant dans les hémisphères cérébraux, et formée de faisceaux conducteurs de substance blanche. ‖ *Pédoncules cérébelleux*, les trois paires de cordons blancs reliant le cervelet à l'axe de l'encéphale.

PEEL (*sir* Robert), homme politique anglais (1788-1850). Appartenant au groupe des tories réformateurs, il fut plusieurs fois Premier ministre. Il réorganisa le parti conservateur et accomplit des réformes nombreuses, dans un sens généralement libéral. Il rétablit l'impôt sur les revenus et fit voter la suppression des droits sur les blés, inaugurant une politique de libre-échange.

PEENEMÜNDE, port d'Allemagne, sur l'estuaire de la *Peene* (riv. tributaire de la Baltique; 180 km). De 1935 à 1945, Peenemünde fut le siège des ateliers de fabrication et d'essais des engins et missiles allemands (V1 et V2). La base était dirigée par l'ingénieur von Braun.

PÉGASE. *Myth. gr.* Cheval ailé, né du sang de Méduse, tuée par Persée. Il avait, d'un coup de sabot, fait jaillir la source Hippocrène, et on a fait de lui le symbole de l'inspiration poétique.

PEGMATITE [pεgmatit] n. f. (du gr. *pêgma*, concrétion). Variété de granite à gros éléments (quartz, feldspath, mica blanc, mica noir, tourmaline).

PÈGRE [pεgr] n. f. (de l'argot marseillais *pego*, voleur des quais). Ensemble des voleurs, escrocs, bandits, etc. : *La pègre des grandes villes.*

PÉGUY (Charles), écrivain français (1873-1914). Sa vie et son œuvre sont le témoignage d'un homme passionné : en 1900, il crée les *Cahiers de la Quinzaine* qui jouèrent un rôle de tout premier plan dans la vie intellectuelle du début du siècle; intraitable sur le chapitre de l'honneur, de la justice et de la vérité, il combat pour la révision du procès Dreyfus*; profondément mystique, il fait plusieurs pèlerinages à Notre-Dame de Chartres et écrit *le Mystère de la charité de Jeanne d'Arc* (1910), *le Porche du mystère de la deuxième vertu* (1911), *la Tapisserie de Notre-Dame* (1913), œuvres poétiques au rythme ample, vigoureux et prophétique. Patriote convaincu, il est tué dès le début de la bataille de la Marne.

1. PEIGNE [pεɲ] n. m. (lat. *pecten, -inis*). **1.** Instrument d'écaille, de matière plastique, etc., taillé en forme de dents et qui sert à démêler les cheveux, ou instrument incurvé analogue dont les femmes se servent pour retenir leurs cheveux : *Se donner un coup de peigne* (= se peigner rapidement). — **2.** *Passer au peigne fin*, examiner minutieusement afin de retrouver un objet égaré, une personne recherchée. — **3.** *Zool.* Poils formant peigne à l'extrémité de certains articles des pattes d'arthropodes (araignée, abeille); organe denté situé sur le deuxième anneau de l'abdomen chez les scorpions. (C'est un appendice sensoriel.) ◆ **peigner** v. t. *Peigner qq'un*, lui démêler et lui coiffer les cheveux avec un peigne. ◆ ***se peigner*** v. pr. ◆ **dépeigner** v. t. *Dépeigner qq'un*, déranger l'arrangement de ses cheveux (surtout au passif). ◆ **repeigner** v. t.

2. PEIGNE [pεɲ] n. m. (même étym.). Instrument à dents longues et acérées, dont on se sert pour apprêter la laine, le chanvre, etc. ◆ **peigner** v. t. (sujet nom désignant des matières textiles). Apprêter avec des peignes : *De la laine peignée.*

3. PEIGNE [pɛɲ] n. m. (même étym.). Genre de mollusques lamellibranches, dont certaines espèces, comme la *coquille Saint-Jacques*, sont comestibles (syn. PECTEN).

PEIGNOIR [pɛɲwar] n. m. (de *peigne*). **1.** Vêtement ample, en tissu-éponge, que l'on met au sortir du bain. — **2.** Robe d'intérieur ample et légère.

PEINARD, E [pɛnar, -ard] adj. et n. (de *peine*). *Pop.* Se dit d'une personne tranquille, à l'abri des risques, des tracas. ◆ adj. Se dit d'un travail, d'une existence qui ne fatiguent pas.

PEINDRE [pɛ̃dr] v. t. (lat. *pingere*). [Conj. **55.**] **1.** *Peindre une surface*, y appliquer une couche de couleur : *Peindre ses volets en vert.* — **2.** *Peindre un paysage, une personne*, etc., les représenter par des lignes, des couleurs : *Un portrait de François I*[er] *peint par Clouet.* — **3.** *Peindre une scène, une personne, un caractère*, etc., les décrire, les représenter par la parole ou l'écriture : *Balzac a peint des types variés de la société de son temps* (syn. DÉPEINDRE). ◆ **peintre** [pɛ̃tr] n. m. **1.** Ouvrier ou artisan qui a pour métier d'appliquer de la peinture sur des surfaces : *Un peintre en bâtiments.* — **2.** Personne qui représente ce qu'elle voit ou ce qu'elle imagine, au moyen de couleurs, de lignes, etc. : *Les peintres figuratifs. Un peintre cubiste.* — **3.** Se dit aussi d'un écrivain : *Balzac, le peintre de la société de son temps.* ◆ **peinture** n. f. **1.** Couche de couleur, matière colorante dont sont peints un objet, une surface, etc. : *La peinture s'écaille. Attention à la peinture* (= prenez garde, la peinture est fraîche). — **2.** Action de recouvrir d'une matière colorante : *La peinture au pistolet.* — **3.** Représentation faite par le peintre ou l'écrivain (sens 2 et 3) : *La peinture des mœurs* (syn. DESCRIPTION). *Exposition de peinture.* — **4.** *Ne pouvoir voir qq'un en peinture*, ne pouvoir le supporter, avoir une grande animosité à son égard. ◆ **peinturlurer** v. t. *Fam.* Peindre de couleurs criardes. ◆ **repeindre** v. t. Peindre à neuf. (→ PICTURAL.)

1. PEINE [pɛn] n. f. (lat. *poena*, châtiment). **1.** Douleur morale : *Cette mort a plongé toute une famille dans la peine* (syn. AFFLICTION). *Il me fait part de ses joies et de ses peines* (syn. CHAGRIN). *Faire de la peine* (= causer du chagrin). *Son air battu faisait peine à voir.* — **2.** *Être, se mettre en peine de*, avoir, se donner du souci, de l'inquiétude pour. ◆ **peiner** v. t. *Peiner qq'un*, lui causer de la peine (souvent au passif) : *Son ingratitude m'a beaucoup peiné* (syn. ATTRISTER, CHAGRINER). *Nous sommes peinés de ne pouvoir rien faire pour vous* (syn. DÉSOLER). ◆ **pénible** adj. (avant ou après le nom). Se dit de ce qui cause de la peine : *Une séparation pénible* (syn. DOULOUREUX). *J'ai appris une pénible nouvelle* (syn. TRISTE). ◆ **péniblement** adv.

2. PEINE [pɛn] n. f. (même étym.). **1.** Effort pour venir à bout d'une difficulté : *Cet élève a eu de la peine à atteindre la moyenne* (syn. MAL). *Un texte qui se comprend sans peine* (= aisément). — **2.** *Avoir peine à* (et l'infin.), parvenir difficilement à : *J'ai peine à croire qu'il n'y ait pas d'autre solution.* ‖ *C'est la peine de* (et l'infin.), *que* (et le subj.), il est utile, il y a lieu de, que (dans des phrases négatives ou interrogatives) : *Ce n'est pas la peine de me le répéter* (= il est inutile). *Ce n'était pas la peine que vous vous dérangiez, il suffisait d'envoyer une lettre.* ‖ *C'est peine perdue*, c'est inutile. ‖ *Donnez-vous la peine de*, formule d'invitation polie : *Donnez-vous la peine d'entrer* (= entrez, je vous prie). ‖ *Homme de peine*, celui qui fait les travaux les plus pénibles. ‖ *Valoir la peine*, avoir une certaine importance : *En procédant ainsi, on réalise une économie qui vaut la peine*; mériter, être digne : *Un film qui vaut la peine d'être vu.* — LOC. ADV. *À grand-peine*, avec beaucoup de difficultés. ◆ **peiner** v. i. Éprouver de la fatigue, de la difficulté : *Un cycliste qui peine en grimpant la côte. Il a peiné longtemps sur un problème de mathématiques.* ◆ **pénible** adj. Se dit de ce qui exige un effort, qui s'accompagne de fatigue, de souffrance : *Le travail des mineurs est pénible* (syn. FATIGANT, ↑HARASSANT). ◆ **péniblement** adv. : *Il gagne péniblement sa vie* (syn. DIFFICILEMENT).

3. PEINE [pɛn] n. f. (même étym.). **1.** Punition infligée à un coupable : *Les accusés ont été condamnés à des peines sévères* (syn. littér. CHÂTIMENT). *La peine de mort a été abolie dans de nombreux pays. Pour ta peine* (= pour te punir). ‖ *Peine afflictive et infamante*, peine criminelle qui prive de liberté et d'honneur celui qui en est frappé. (En France sont afflictives et infamantes les condamnations à la réclusion criminelle ou à la détention criminelle à perpétuité ou à temps. Le bannissement et la dégradation civique sont des peines infamantes.) — **2.** *Peines éternelles*, souffrances de l'enfer. — LOC. PRÉP. *Sous peine de*, sous menace de, en s'exposant à : *Sous peine de mort. Sous peine d'amende.* ◆ **pénal, e, aux** adj. Se dit de ce qui est relatif à la punition des infractions : *Le Code pénal* (= recueil de lois et règlements concernant les peines à appliquer aux personnes coupables d'infractions plus ou moins graves à la loi : contraventions, délits ou crimes). ◆ **pénalement** adv. : *Une infraction sanctionnée pénalement.* ◆ **pénaliser** v. t. *Pénaliser une personne, un acte*, les frapper d'une sanction : *Certaines infractions au Code de la route sont lourdement pénalisées.* ◆ **pénalisation** n. f. Désavantage infligé à un concurrent d'une épreuve sportive qui a commis une faute. ◆ **pénalité** n. f. **1.** Sanction qui frappe un délit, et spécialement un délit fiscal. — **2.** Dans certains sports (dont le rugby), sanction pour un manquement aux règles.

4. PEINE (À) [apɛn] loc. adv. (de *peine* 2). **1.** Très peu, de façon peu sensible : *Il est à peine plus âgé que moi.* — **2.** Indique une succession très rapide entre deux actions : *À peine entré, il se mit à sa table de travail* (syn. AUSSITÔT, SITÔT).

PEINER v. t. et i. → PEINE 1 et 2.

PEINTRE n. m., **PEINTURE** n. f., **PEINTURLURER** v. t. → PEINDRE.

PEÏPOUS *(lac)*, ou **lac des TCHOUDES,** lac d'Estonie et du nord-ouest de l'U. R. S. S. (R. S. F. S. de Russie), qui se déverse par la Narva dans le golfe de Finlande.

PEÏRA-CAVA, station d'altitude (1 450 m) et de sports d'hiver des Alpes-Maritimes (comm. de Lucéram).

PÉJORATIF, IVE [peʒɔratif, -iv] adj. (du lat. *pejus*, plus mauvais). *Mot péjoratif, expression péjorative*, etc., qui comporte une idée défavorable, qui déprécie : *Le suffixe « -ard » est péjoratif dans « chauffard », « criard », « pleurard ». Prendre un sens péjoratif* (contr. MÉLIORATIF). ◆ **péjorativement** adv. ◆ **péjoration** n. f. Addition d'une valeur dépréciative à un mot.

PÉKIN, capit. de la Chine; 9 830 000 hab. *(Pékinois).* Située dans la grande plaine de lœss, sur la route de la Mandchourie, Pékin est formée par la juxtaposition de deux cités fortifiées : la ville Extérieure ou ville Chinoise, et la ville Intérieure ou ville Tartare avec en son centre la Cité interdite autref. réservée à la famille impériale. Capit. politique et intellectuelle, Pékin est devenue un grand centre administratif, commercial et industriel.

Occupée en 1860 par les Franco-Anglais (incendie du palais d'Été) et en 1900 par un corps international, Pékin fut prise par les Japonais en 1937 et libérée en 1945.

- *1949. La ville est conquise par les communistes qui y proclament la république. Elle retrouve alors son ancien rôle de capitale.*

1. PÉKINOIS, E [pekinwa, -az] adj. et n. De Pékin. ◆ n. m. Dialecte chinois parlé dans le nord de la Chine et choisi pour devenir la langue nationale du pays.

2. PÉKINOIS [pekinwa] n. m. (de *Pékin*). Petit chien à poil long et à tête massive.

PELADE n. f. → PELER 2.

PELAGE [pəlaʒ] n. m. (du lat. *pilus*, poil). Ensemble des poils d'un animal : *Le pelage d'un renard* (syn. FOURRURE). *Le pelage lustré du vison* (syn. ROBE).

PÉLAGE, moine (v. 360-v. 422). Fixé à Rome, il y exposa des opinions personnelles sur la grâce, qui s'opposaient à celles de saint Augustin et qui furent condamnées.

PÉLAGIANISME [pelaʒjanism] n. m. (de *Pélage*). Doctrine du moine Pélage, qui niait la grâce divine. (Le pélagianisme fut condamné notamment par le concile d'Éphèse [431].) ◆ **pélagien, enne** adj. Relatif à Pélage ou à sa doctrine.

PÉLAGIQUE [pelaʒik] adj. (du gr. *pelagos*, mer). Relatif à la mer : *Faune pélagique.* ‖ *Dépôts pélagiques*, dépôts des mers profondes.

PÉLASGES, peuple qui, selon les Anciens, aurait occupé la Grèce, l'Archipel, le littoral de l'Asie Mineure et l'Italie. Il aurait été chassé ou réduit en esclavage par les Hellènes. Souvent confondus avec les Mycéniens, les Pélasges semblent, en fait, avoir été un peuple de Thessalie.

PELÉ, E adj. et n. → PELER 2.

PELÉ (Edson ARANTES DO NASCIMENTO, dit), footballeur brésilien, né en 1940.

PELÉE *(montagne)*, sommet volcanique (1 397 m) de la Martinique, dans la partie nord de l'île. L'éruption de 1902 s'accompagna d'une nuée ardente qui détruisit la ville de Saint-Pierre.

PÉLÉEN, ENNE [peleɛ̃, -ɛn] adj. (de la montagne *Pelée*). Se dit d'un type d'éruption volcanique caractérisée par l'émission de laves trop visqueuses pour couler et formant des aiguilles, ou des dômes, et par des explosions très violentes provoquant la formation de nuées ardentes.

PÊLE-MÊLE [pɛlmɛl] loc. adv. (de *mêler*). Dans le plus grand désordre : *Tous ses papiers sont pêle-mêle sur son bureau* (syn. EN VRAC). *Les gens s'entassaient pêle-mêle dans le métro.*

1. PELER [pəle] v. t. (lat. *pilare*, enlever le poil). [Conj. **5.**] Ôter la peau d'un fruit ou d'un légume : *Peler une pêche, des oignons.* ◆ ***se peler*** v. pr. : *Ce fruit se pèle facilement.* ◆ **pelure** n. f. Peau qu'on ôte à certains fruits, à certains légumes : *Pelures de pommes de terre.* ‖ *Papier pelure*, papier très fin et translucide.

2. PELER [pəle] v. i. (même étym.). [Conj. **5.**] Perdre son épiderme, de petites parcelles de peaux : *Peler après un coup de soleil.* ◆ **pelade** n. f. Maladie qui fait tomber par places les poils et les cheveux. ◆ **pelé, e** adj. et n. **1.** Qui a perdu ses poils; chauve. — **2.** Fam. *Il y a quatre pelés et un tondu*, un tout petit nombre de personnes.

1. PÈLERIN [pɛlrɛ̃] n. m. (lat. *peregrinus*, voyageur). Personne qui se rend seule ou avec d'autres en un lieu saint dans un esprit de piété. ◆ **pèlerinage** n. m. **1.** Voyage dans un lieu saint pour un motif religieux. — **2.** Visite faite à un lieu célèbre : *Faire un pèlerinage dans les lieux où vécut Ronsard.*

2. PÈLERIN [pɛlrɛ̃] n. m. (de *pèlerin* 1). **1.** Criquet migrateur dont les vols partent de l'Arabie et atteignent l'Inde, l'Égypte, l'Afrique du Nord. — **2.** Requin voyageur de grande taille (jusqu'à 13 m de long et 8 t), mais inoffensif pour l'homme. — **3.** Faucon réputé pour la rapidité de son vol en piqué (plus de 200 km à l'heure).

PÈLERINE [pɛlrin] n. f. (de *pèlerin*). Vêtement ample, sans manches, parfois muni d'un capuchon, que l'on met sur les épaules et qui descend plus ou moins bas.

PELETIER (Jacques), humaniste français (1517-1582), ami de Ronsard et membre de la Pléiade, auteur d'un *Art poétique français* (1555).

PÉLIADE [peljad] n. f. (du gr. *pelios*, noirâtre). Espèce de vipère à museau arrondi, vivant au N. de la Loire en France et dans les montagnes d'Europe.

PÉLICAN [pelikɑ̃] n. m. (lat. *pelicanus*). Oiseau palmipède blanc, dont le bec porte une poche ventrale extensible où sont emmagasinés les poissons destinés à la nourriture des jeunes : *Les pélicans vivent en troupes dans les régions chaudes, près des eaux douces ou salées.*

PELISSE [pəlis] n. f. (du lat. *pellis*, peau). **1.** Manteau ouatiné ou doublé de fourrure. — **2.** Vêtement militaire porté par les hussards et les artilleurs sous le premier Empire, et par les officiers de toutes armes jusqu'en 1914.

PÉLISSIER (Aimable), maréchal de France (1794-1864). Il se distingua au cours des campagnes d'Algérie et surtout pendant la guerre de Crimée, où il enleva Sébastopol' (septembre 1855), ce qui lui valut le titre de duc DE MALAKOFF.

PELLAGRE [pelagr] n. f. (du lat. *pellis*, peau, et gr. *agra*, chasse). Maladie grave, due à une carence en vitamine PP (ou B3), et se manifestant par des lésions cutanées et des troubles digestifs et nerveux.

PELLE [pɛl] n. f. (lat. *pala*). **1.** Outil formé d'une plaque de fer ou de bois plus ou moins concave, ajustée à un manche, et dont on se sert pour déplacer de la terre, du charbon, etc., ou pour prendre toute matière solide ou pâteuse : *Une pelle à charbon. L'enfant joue avec une pelle et un seau. Une pelle à tarte.* ‖ *Pelle mécanique*, engin mécanique de grande puissance pour l'exécution de terrassements. — **2.** Fam. *Ramasser une pelle*, faire une chute, tomber; essuyer un échec. ‖ *On en ramasse à la pelle*, on en trouve en abondance. ◆ **pelle-bêche** n. f. Petite pelle carrée à manche court. ‖ Pl. des *pelles-bêches*. ◆ **pelle-pioche** n. f. Outil portatif démontable, avec un fer en forme de pioche d'un côté et de houe de l'autre. ‖ Pl. des *pelles-pioches*. ◆ **pelletée** [pɛlte] n. f. Quantité de matière qu'on peut enlever d'un coup de pelle. ◆ **pelleter** v. t. (Conj. **8.**) Remuer avec la pelle : *Pelleter du sable.* ◆ **pelleteur** n. m. ou **pelleteuse** n. f. Engin automoteur constitué par une chaîne sans fin à godets racleurs assurant la reprise au tas, et par un transporteur à bande évacuant les matériaux.

Pelléas et Mélisande, drame lyrique en 5 actes, livret tiré de l'œuvre de Maurice Maeterlinck, musique de Claude Debussy (1902).

PELLE-BÊCHE n. f., **PELLE-PIOCHE** n. f., **PELLETÉE** n. f., **PELLETER** v. t., **PELLETEUR** n. m. ou **PELLETEUSE** n. f. → PELLE.

PELLETIER [pɛltje] n. m. (du lat. *pellis*, peau). Celui qui prépare, travaille ou vend des fourrures. ◆ **pelleterie** n. f. Préparation et commerce des fourrures.

PELLETIER (Joseph), chimiste et pharmacien français (1788-1842). En collaboration avec Caventou, il découvrit la strychnine (1818), la brucine (1819), la vératrine et la quinine (1820).

PELLICULE [pelikyl] n. f. (lat. *pellicula*, petite peau). **1.** Mince lamelle de peau qui se détache du cuir chevelu : *Son veston est parsemé de pellicules.* — **2.** Mince couche d'une matière solide : *De fines pellicules de boue.* — **3.** *Photogr.* Feuille cellulosique mince, recouverte d'un côté de gélatine sensibilisée, afin de recevoir les impressions de la lumière dans un appareil.

PÉLOPONNÈSE, presqu'île du sud de la Grèce, rattachée au continent par l'isthme de Corinthe; 1 096 000 hab. Découpée en plusieurs péninsules, elle correspond à l'Argolide, la Laconie, la Messénie, l'Achaïe, l'Élide et l'Arcadie. Le Péloponnèse est une région montagneuse au relief morcelé où les plaines n'occupent que de faibles surfaces. Aux productions méditerranéennes traditionnelles (céréales, oliviers, vigne, élevage ovin) s'ajoutent les cultures de tabac, d'agrumes et de légumes et le tourisme.

Péloponnèse *(guerre du)*, guerre qui opposa, de 431 à 404 av. J.-C., Athènes, au sommet de sa puissance, à une coalition dirigée par Sparte.

- *431-421. Athènes l'emporte sur mer, mais Sparte ravage l'Attique.*

Épuisés, les adversaires signent une paix de compromis.

- *415-413. Sous l'impulsion d'Alcibiade, Athènes se lance à la conquête de la Sicile, mais sa flotte est anéantie devant Syracuse.*

Il faudra à Sparte neuf ans et l'aide des Perses pour vaincre, sous la direction de Lysandre.

- *404. Après une victoire aux îles Arginuses (406), Athènes est battue définitivement à Aigos-Potamos.*

La guerre laisse Athènes appauvrie, sous le gouvernement des Trente, imposé par Sparte, qui recherche l'hégémonie. De plus, la Perse joue à nouveau un rôle en mer Égée.

PELOTARI n. m. → PELOTE.

PELOTAS, v. du Brésil (Rio Grande do Sul); 213 200 hab.

PELOTE [pəlɔt] n. f. (du lat. *pila*, balle). **1.** Boule formée avec de la laine, de la soie, du fil, etc., roulés sur eux-mêmes : *Le chat joue avec une pelote de laine.* — **2.** Petit coussinet où l'on fiche les épingles et les aiguilles : *Une pelote d'épingles.* — **3.** Fam. *Avoir les nerfs en pelote*, être très énervé. — **4.** *Pelote basque*, jeu des Basques dans lequel le joueur *(pelotari)* lance la balle *(pelote)* contre un fronton soit avec la main, soit avec une raquette de bois *(pala)*, ou encore avec un étroit panier recourbé *(chistera).* ◆ **pelotari** n. m. Joueur de pelote basque.

1. PELOTON [pəlɔtɔ̃] n. m. (de *pelote*). Petite boule de laine, de fil, etc. ◆ **pelotonner** v. t. *Pelotonner du fil*, le mettre en peloton.

2. PELOTON [pəlɔtɔ̃] n. m. (même étym.). **1.** Petite unité élémentaire constitutive de l'escadron, dans la cavalerie, l'arme blindée, la gendarmerie ou le train : *Le peloton est en principe commandé par un lieutenant.* ‖ *Peloton d'exécution*, groupe de soldats chargés de fusiller un condamné. — **2.** *Sports.* Groupe compact de concurrents dans une course (athlétisme, cyclisme, etc.) : *Les échappés sont rattrapés par le peloton.*

1. PELOTONNER (SE) [səp(ə)lɔtɔne] v. pr. (de *peloton* 1). Se blottir en repliant les jambes : *Se pelotonner dans son lit.*

2. PELOTONNER v. t. → PELOTON 1.

PELOUSE [pəluz] n. f. (du lat. *pilosus*, poilu). **1.** Terrain couvert d'une herbe courte et épaisse. — **2.** Partie d'un champ de courses située entre les pistes. — **3.** Terrain couvert de gazon où se disputent les matches de football, de rugby, etc.

PELTON (Lester Allen), ingénieur américain (1829-1908), inventeur d'une turbine hydraulique qui porte son nom.

PELUCHE [pəlyʃ] n. f. (de l'anc. fr. *pelucher*, éplucher). **1.** Étoffe ayant d'un côté de longs poils soyeux : *Un ours en peluche.* — **2.** Animal en peluche. ◆ **pelucher** v. i. (sujet nom désignant un tissu). Se couvrir de poils, de fils : *Une cotonnade qui peluche.* ◆ **pelucheux, euse** adj. Qui peluche.

PELURE n. f. → PELER 1.

PELVIEN, ENNE [pɛlvjɛ̃, -ɛn] adj. (du lat. *pelvis*, bassin). *Anat.* Relatif au bassin. ‖ *Ceinture pelvienne*, nom donné chez les mammifères à l'ensemble des os du bassin, composé des deux os iliaques et du sacrum. ‖ *Nageoires pelviennes*, nageoires abdominales des poissons.

PELVOUX (le), massif cristallin des Alpes dauphinoises, fermant à l'E. la vallée de l'Oisans; 4 102 m à la barre des Écrins. Parc national.

PEMBA, île de l'océan Indien (Tanzanie), au N. de Zanzibar; 205 800 hab. Principal centre mondial de la culture du giroflier.

PÉNAL, E, AUX adj., **PÉNALEMENT** adv., **PÉNALISATION** n. f., **PÉNALISER** v. t., **PÉNALITÉ** n. f. → PEINE 3.

PENALTY [penalti] n. m. (mot angl. signif. *pénalisation*). Au football, sanction prise contre une équipe pour une faute commise par un de ses joueurs dans sa surface de réparation. (Le but est tiré avec la seule protection du gardien de but.) ‖ Pl. des *penalties.*

PENANG, État de la Malaysia (Malaisie), comprenant l'*île de Penang* (ancienn. Prince-de-Galles); 911 000 hab. Capit. *George Town* (270 000 hab.).

PEÑARROYA-PUEBLONUEVO, v. d'Espagne (Andalousie); 24 200 hab. Sidérurgie. Métallurgie du plomb.

PÉNATES [penat] n. m. pl. (lat. *penates*). **1.** Divinités protectrices de la maison chez les Romains. — **2.** Fam. et ironiq. *Regagner ses pénates,* rentrer chez soi.

PENAUD, E [pəno, -od] adj. et n. (de *peine*). Se dit de quelqu'un qui est confus après avoir été pris en défaut, après avoir subi une mésaventure, etc.

PENCE n. m. pl. —→ PENNY.

PENCHANT [pɑ̃ʃɑ̃] n. m. (de *pencher*). **1.** Tendance qui porte quelqu'un à un certain comportement, qui l'attire vers quelque chose : *Lutter contre ses mauvais penchants* (syn. INSTINCT). *Avoir un penchant pour la musique classique* (syn. GOÛT). — **2.** *Le penchant d'une colline,* sa partie inclinée (vieilli) [syn. usuel FLANC, PENTE].

PENCHER [pɑ̃ʃe] v. t . (du lat. *pendere,* pendre). *Pencher qqch.,* l'incliner vers le bas : *Pencher une bouteille pour verser à boire.* ◆ v. i. **1.** (sujet nom de chose) Ne pas être d'aplomb, être incliné : *Le tableau penche un peu à gauche, il faut le redresser.* — **2.** (sujet nom de personne) Être porté à quelque chose : *Les deux explications sont plausibles, mais je penche plutôt pour la première* (syn. ADOPTER, SE PRONONCER POUR). ◆ ***se pencher*** v. pr. **1.** (sujet nom de personne) Incliner son corps : *Il se pencha pour regarder* (syn. SE BAISSER). — **2.** *Se pencher sur une question, sur un cas,* etc., les examiner avec attention, avec bienveillance.

PENDABLE [pɑ̃dabl] adj. (de *pendre*). *Tour pendable,* très mauvais tour joué à quelqu'un, mauvaise farce. ‖ *Cas pendable,* cas de quelqu'un qui a commis une faute grave; cette faute elle-même (surtout dans les phrases négatives) : *Il vous a prévenu un peu tard, c'est entendu, mais ce n'est tout de même pas un cas pendable!*

PENDAGE [pɑ̃daʒ] n. m. (de *pendre*). *Géol.* Valeur de l'inclinaison d'une couche sédimentaire.

PENDAISON n. f. —→ PENDRE.

1. PENDANT, E adj. et n. m. —→ PENDRE.

2. PENDANT [pɑ̃dɑ̃] n. m. (de *pendre*). **1.** Œuvre ou partie d'œuvre d'art, de mobilier, etc., qui est symétrique d'une autre : *Une comédie où les scènes entre valets font pendant aux scènes entre maîtres.* — **2.** Personne ou chose qui est dans une situation semblable à celle d'une autre : *Un directeur commercial qui est le pendant du directeur industriel.*

3. PENDANT prép. et adv. —→ DURANT.

PENDARD, E [pɑ̃dar, -ard] n. (de *pendre*). *Fam.* Vaurien, mauvais sujet (nuance de sympathie).

PENDELOQUE [pɑ̃dlɔk] n. f. (de l'anc. fr. *pendeler,* pendiller). Pierre précieuse en forme de poire, qui pend à une boucle d'oreille.

PENDENTIF [pɑ̃dɑ̃tif] n. m. (du lat. *pendens,* qui pend). Bijou suspendu à une chaînette portée autour du cou.

PENDERIE n. f., **PENDILLER** v. i. —→ PENDRE.

PENDJAB, en angl. **Punjab,** région de l'Asie méridionale, partagée depuis 1947 entre le Pākistān et l'Inde. Arrosé par les « cinq rivières » (Jhelum, Chenāb, Rāvi, Sutlej, Beās), le Pendjab est devenu, grâce à d'importants travaux d'irrigation, une grande région agricole. Il fournit blé, coton et canne à sucre. L'industrie moderne y supplante peu à peu l'artisanat traditionnel.

PENDRE [pɑ̃dr] v. t. (lat. *pendere*). [Conj. **50.**] **1.** (sujet nom de personne) *Pendre une chose,* l'attacher par un point ou une partie seulement, sa masse étant attirée vers le sol par gravité : *On a pendu le lustre au milieu du salon* (syn. SUSPENDRE). ‖ *Pendre la crémaillère* → CRÉMAILLÈRE. — **2.** *Pendre une personne, un animal,* l'étrangler en le suspendant par le cou. — **3.** (sujet nom de personne) *Être pendu aux lèvres, aux paroles de qq'un,* être très attentif à ce qu'il dit. ‖ Fam. *Être pendu au téléphone,* téléphoner sans cesse. — **4.** Fam. *Avoir la langue bien pendue,* être bavard, parler avec facilité. ‖ Fam. *Dire pis que pendre de qq'un,* dire beaucoup de mal de lui. ◆ v. i. **1.** Être suspendu : *Des fruits qui pendent aux branches.* — **2.** *Vêtement qui pend d'un côté,* qui tombe trop bas. — **3.** Fam. *Ça lui pend au nez,* c'est un danger, un risque qui le menace. ◆ ***se pendre*** v. pr. S'étrangler en se suspendant par le cou. ◆ **pendaison** n. f. Supplice d'une personne que l'on pend. ◆ **pendant, e** adj. Se dit de ce qui pend : *Un épagneul aux oreilles pendantes* (syn. TOMBANT). *Être assis les jambes pendantes* (syn. BALLANT). ◆ n. m. *Pendants d'oreilles,* boucles d'oreilles munies d'un ornement qui pend. ◆ **penderie** n. f. Placard, meuble ou petite pièce où l'on pend des vêtements. ◆ **pendiller** v. i. Être suspendu et agité d'oscillations. ◆ **pendouiller** v. i. *Fam.* Être suspendu mollement, sans grâce. ◆ **pendu, e** n. Personne qui s'est pendue ou qui a été pendue : *Villon a écrit la célèbre « Ballade des pendus ».* ◆ **dépendre** v. t. Détacher ce qui est pendu : *Dépendre des rideaux.*

1. PENDULE [pɑ̃dyl] n. m. (lat. *pendulus,* qui pend). Corps suspendu à un point fixe et pouvant osciller sous l'action de la pesanteur : *Le pendule d'un sourcier.* ◆ **pendulaire** adj. *Mouvement pendulaire,* mouvement d'oscillation propre au pendule.

2. PENDULE [pɑ̃dyl] n. f. (même étym.). Horloge dont le balancier est un pendule. ◆ **pendulette** n. f. Petite pendule.

PÊNE [pɛn] n. m. (du lat. *pessulus,* verrou). Pièce principale d'une serrure, qui, actionnée par la clef, ferme la porte en s'engageant dans la gâche.

PÉNÉLOPE. *Myth. gr.* Femme d'Ulysse et mère de Télémaque. Pendant les vingt ans que dura l'absence de son époux, elle repoussa les demandes de nombreux prétendants, leur objectant qu'elle ne se remarierait lorsque la toile qu'elle tissait serait achevée. Or elle défaisait la nuit ce qu'elle avait tissé le jour.

PÉNÉPLAINE [peneplɛn] n. f. (du lat. *paene,* presque, et *plaine*). Dans la théorie du cycle d'érosion*, stade final de l'évolution du relief, caractérisé par des pentes très douces et des vallées très évasées.

PÉNÉTRER [penetre] v. i. (lat. *penetrare*) [sujet nom d'être animé ou inanimé]. Entrer, s'avancer à l'intérieur de : *On pénètre dans le bureau par un petit couloir. La balle a pénétré profondément dans les chairs* (syn. S'INTRODUIRE). ◆ v. t. **1.** Entrer à l'intérieur de : *La pluie a pénétré ses vêtements.* — **2.** (sujet nom de personne) *Pénétrer les intentions, les idées de qq'un, pénétrer qq'un,* découvrir ses intentions cachées, comprendre sa pensée, ses mobiles secrets : *Je crois avoir pénétré son secret* (syn. DEVINER, PERCER). — **3.** (sujet nom désignant un sentiment) *Pénétrer le cœur,* le toucher profondément. ◆ ***se pénétrer*** v. pr. (sujet nom de personne). Se convaincre profondément : *Il s'est pénétré de cette vérité.* ◆ **pénétré, e** adj. *Être pénétré de qqch.,* en être très convaincu : *Il a l'air très pénétré de son importance.* ‖ *Parler d'un ton pénétré,* avec beaucoup de conviction. ◆ **pénétrable** adj. (surtout dans des phrases négatives ou restrictives) : *Les outils s'émoussent sur cette matière difficilement pénétrable. Une pensée difficilement pénétrable* (syn. COMPRÉHENSIBLE, INTELLIGIBLE). ◆ **impénétrable** adj. **1.** Que l'on ne peut pénétrer : *Une cuirasse impénétrable aux balles.* — **2.** Qu'il est difficile de connaître, d'expliquer : *Des desseins impénétrables.* — **3.** Qui ne laisse rien deviner de lui-même : *Cet homme est resté impénétrable.* ◆ **pénétrant, e** adj. : *Un regard pénétrant* (= qui découvre ce qui est caché). *Un parfum pénétrant* (= qui imprègne profondément). *Une analyse très pénétrante de la situation* (= qui fait preuve d'une grande intelligence). ◆ **pénétration** n. f. **1.** Action de pénétrer : *La pénétration de l'armée ennemie sur notre territoire* (syn. INVASION). *Le développement de la culture favorise la pénétration d'idées nouvelles. La pénétration de l'eau dans le sol.* — **2.** Faculté de comprendre des choses difficiles : *C'est un esprit d'une grande pénétration* (= d'une intelligence profonde). ◆ **interpénétrer (s')** v. pr. Se pénétrer réciproquement : *Le politique et l'économique s'interpénètrent.* ◆ **interpénétration** n. f. Pénétration mutuelle.

PÉNIBLE adj., **PÉNIBLEMENT** adv. —→ PEINE 1 et 2.

PÉNICHE [peniʃ] n. f. (de l'esp. *pino,* pin). Bateau à fond plat servant pour le transport fluvial : *Des péniches remontent la Seine. Une péniche de débarquement* (= utilisée pour mettre à terre troupes et matériel).

PÉNICILLINE [penisilin] n. f. (du lat. *penicillum,* pinceau). Substance antibiotique isolée des cultures de *Penicillium notatum,* et dont les propriétés bactériostatiques (= qui arrêtent le développement des bactéries sans les tuer) furent découvertes en 1928 par Fleming.

PÉNICILLIUM [penisiljɔm] n. m. (du lat. *penicillum,* pinceau). Moisissure verte se développant dans les fromages (veines du roquefort, du bleu d'Auvergne), sur des fruits (agrumes), sur les confitures, et dont une espèce, *Penicillium notatum,* fournit la pénicilline. (Il appartient aux champignons ascomycètes. Ses fructifications ont l'aspect de petits pinceaux.)

PÉNINSULE [penɛ̃syl] n. f. (lat. *paeninsula,* presqu'île). Terre qui s'avance dans les eaux. ‖ *Péninsule Ibérique,* ensemble géographique formé par l'Espagne et le Portugal. ◆ **péninsulaire** adj. Relatif à une péninsule ou à ses habitants.

PÉNIS [penis] n. m. (lat. *penis,* queue). *Anat.* Organe d'accouplement mâle (syn. VERGE).

PÉNITENCE [penitɑ̃s] n. f. (lat. *paenitentia*). **1.** Dans la religion catholique, repentir, regret d'avoir offensé Dieu. ‖ *Sacrement de pénitence*, signe visible du pardon de Dieu. — **2.** Peine, châtiment, punition qu'on inflige à quelqu'un en expiation d'une faute : *Mettre un enfant en pénitence* (= le punir). ◆ **pénitent, e** n. **1.** Personne qui se confesse auprès d'un prêtre des péchés qu'elle a commis. — **2.** *Confrérie de pénitents*, celle dont les membres pratiquent des œuvres de charité par expiation. ◆ **impénitent, e** adj. et n. **1.** *Pécheur impénitent*, qui ne se repent pas, endurci dans le péché. — **2.** Qui ne renonce pas à une habitude : *Un fumeur impénitent* (syn. INVÉTÉRÉ).

PÉNITENCIER [penitɑ̃sje] n. m. (de *pénitence*). Nom donné aux établissements où se purgeait, aux colonies, la peine des travaux forcés.

PÉNITENT, E n. ⟶ PÉNITENCE.

PÉNITENTIAIRE [penitɑ̃sjɛr] adj. (de *pénitence*). Qui a rapport aux détenus, aux prisons : *Régime pénitentiaire*.

PEN-K'I, v. de la Chine du Nord-Est; 530 000 hab. Centre charbonnier et sidérurgique.

PENMARCH, comm. du Finistère, à 11 km au S.-O. de Pont-l'Abbé, près de la *pointe de Penmarch*; 6 500 hab. Église du XVIe s. Conserves. Port de pêche à Kérity. À l'extrémité de la *pointe de Penmarch* se trouve le phare d'Eckmühl*.

PENN (William), quaker anglais, né à Londres (1644-1718). Fuyant la persécution, il obtint de Charles II, en 1681, la concession du territoire américain qui prit — en son honneur — le nom de *Pennsylvanie**. Sa législation servit de base à la constitution du futur État et devint le modèle, par son libéralisme, des institutions américaines.

PENNE [pɛn] n. f. (lat. *penna*, plume). Chez les oiseaux, longue plume garnissant l'aile *(rémige)* ou la queue *(rectrice)*. ◆ **penné, e** adj. *Bot.* Se dit des feuilles et des folioles disposées de l'un et de l'autre côté d'un pétiole commun, comme les barbes d'une plume.

PENNES-MIRABEAU (Les), comm. des Bouches-du-Rhône, à 15 km au N. de Marseille; 15 800 hab. Huilerie.

PENNINES (les), ligne de hauteurs d'Angleterre, s'allongeant du N. au S. entre les Cheviot et les Midlands. Le massif culmine au Cross Fell (881 m). Sur ses flancs s'étendent les bassins houillers du Lancashire à l'O., du Yorkshire et du Durham à l'E.

PENNSYLVANIE, État du nord-est des États-Unis, qui s'étend en majeure partie sur les Appalaches, entre le lac Érié et la Delaware; 117 412 km^2; 11 926 000 hab. Capit. *Harrisburg*. V. pr. *Philadelphie, Pittsburgh*. Le charbon appalachien a favorisé le développement d'une puissante industrie métallurgique.

PENNY [peni] n. m. (mot angl.). **1.** Monnaie de bronze anglaise valant, depuis 1971, le centième d'une livre sterling. ‖ Pl. des *pence* [pɛns]. — **2.** Pièce de cette valeur. ‖ Pl. des *pennies* [peniz].

PÉNOMBRE [penɔ̃br] n. f. (du lat. *paene*, presque, et *ombre*). **1.** *Phys.* État d'une surface incomplètement éclairée par une source lumineuse, dont un corps opaque intercepte en partie les rayons. — **2.** Zone intermédiaire entre l'ombre et la lumière; lumière faible : *La pénombre d'une pièce* (syn. CLAIR-OBSCUR).

PENSANT, E adj. ⟶ PENSER.

1. PENSÉE n. f. ⟶ PENSER.

2. PENSÉE [pɑ̃se] n. f. (de *penser*). Fleur ornementale multicolore, commune en France.

Pensées, de Pascal, titre sous lequel ont été publiées (1670), après sa mort, les notes qu'avait rédigées Pascal en vue d'un grand ouvrage consacré à l'*Apologie de la religion chrétienne*.

PENSER [pɑ̃se] v. i. (lat. *pensare*, peser). **1.** Former des idées dans son esprit, concevoir une chose par la réflexion : *Tout homme qui pense reconnaît la fausseté d'une telle affirmation* (syn. RÉFLÉCHIR). *Voilà un détail qui laisse à penser* (= qui suggère des réflexions importantes). *Il pense juste* (syn. RAISONNER). *Penser tout haut* (= exprimer ses pensées en paroles). — **2.** Avoir telle ou telle opinion : *Je ne pense pas comme vous sur cette question. Même s'il ne dit rien, il n'en pense pas moins* (= il a son idée). — **3.** Fam. *Penses-tu!, pensez-vous!*, expriment l'incrédulité, la dénégation énergique : *Lui, un adversaire dangereux? Pensez-vous!* (syn. ALLONS DONC!). ◆ v. t. **1.** *Penser qqch.*, l'avoir dans l'esprit, avoir une opinion : *Il ne dit pas tout ce qu'il pense. Que penses-tu de cette solution?* — **2.** *Penser du bien, du mal*, etc., *de qq'un, de qqch.*, avoir sur cette personne ou cette chose une opinion favorable, défavorable, etc. — **3.** *Penser que* (et l'indic.), *ne pas penser que* (et le subj.), considérer comme vrai (ou non), comme probable (ou non) que : *Il pense fermement que sa découverte est capitale* (syn. ÊTRE CONVAINCU, ÊTRE PERSUADÉ). *Il ne pense pas un instant qu'on puisse le tromper* (syn. IMAGINER). *Je ne pense pas que ce soit très difficile* (syn. CROIRE). — **4.** *Penser* (et l'infin. ayant même agent que lui), exprime soit une conviction, soit une supposition, un fait probable : *Il a agi ainsi parce qu'il pensait devoir le faire. Je pense avoir fini ce travail demain. Pensez-vous pouvoir agir tout seul?* — **5.** *Penser une entreprise, un projet, une question*, etc., y réfléchir longuement et en régler les détails, en résoudre les difficultés : *Un plan minutieusement pensé* (syn. CONCEVOIR). *Vous n'avez pas suffisamment pensé ce problème* (syn. APPROFONDIR, EXAMINER, MÛRIR). ◆ v. t. ind. **1.** *Penser à qqch.* (les pron. compl., sauf *y*, ont toujours la forme disjointe *à moi, à toi, à lui, à eux*, etc., et non la forme conjointe *me, te, lui, leur*, etc.), diriger sa pensée vers, avoir comme objet de réflexions : *Il faut penser à l'avenir. Pensez aux conséquences de vos actes* (syn. SONGER); ne pas oublier, ne pas omettre dans ses réflexions : *C'est le jour de ta fête, j'ai pensé à toi. C'est un procédé très simple, il suffisait d'y penser;* et avec un infin. compl. : *As-tu pensé à fermer le gaz avant de partir?* — **2.** *Sans penser à mal*, sans mauvaise intention. ◆ **pensant, e** adj. : *C'est une réaction indigne d'un être pensant.* (⟶ aussi BIEN-PENSANT.) ◆ **pensée** n. f. **1.** Faculté de combiner des idées, de raisonner : *La pensée fait la grandeur de l'homme.* — **2.** Acte particulier de l'esprit qui se porte sur un objet : *Une pensée ingénieuse lui traversa l'esprit* (syn. IDÉE). *Être assailli par de sombres pensées. Il est absorbé dans ses pensées* (syn. MÉDITATION, RÉFLEXION). — **3.** Jugement porté sur quelqu'un ou quelque chose : *Il a parlé franchement, sans déguiser sa pensée* (syn. AVIS). *Un philosophe dont la pensée est difficile à comprendre* (syn. DOCTRINE, SYSTÈME). — **4.** Sentence exprimée par quelqu'un : *Expliquer une pensée de La Rochefoucauld* (syn. MAXIME). ◆ **arrière-pensée** n. f. Intention, pensée qu'on ne manifeste pas, mais qui est à l'origine de l'action présente : *Il y avait dans toutes ses politesses des arrière-pensées* (syn. CALCUL); le plus souvent avec la prép. *sans* ou une négation : *Il a agi sans arrière-pensée* (= sans dessein malveillant). *Accepter une proposition sans arrière-pensée* (syn. RÉTICENCE). ‖ Pl. des *arrière-pensées*. ◆ **penseur** n. m. **1.** Personne qui réfléchit, qui émet des pensées profondes : *Socrate est un des plus célèbres penseurs de l'Antiquité.* — **2.** *Libre penseur* ⟶ LIBRE. ◆ **pensif, ive** adj. Se dit de quelqu'un (ou de son comportement) qui est absorbé dans ses pensées : *Il était accoudé à sa fenêtre, immobile et pensif* (syn. SONGEUR). ◆ **pensivement** adv. ◆ **impensable** adj. Qu'il est impossible d'imaginer, extraordinaire : *Il est impensable qu'il ait oublié notre rendez-vous.* ◆ **repenser** v. t. *Repenser une question, un problème*, les examiner d'un point de vue nouveau en leur donnant une nouvelle solution (syn. RECONSIDÉRER, REVOIR).

1. PENSION [pɑ̃sjɔ̃] n. f. (lat. *pensio*, paiement). **1.** Établissement d'enseignement privé où l'on peut être interne : *Une pension religieuse* (syn. INSTITUTION). *Il a mis ses enfants en pension* (= à l'internat). — **2.** *Pension de famille*, hôtel où le service est simple et où les repas sont généralement pris à une table commune. — **3.** Prix payé pour la nourriture, le logement et, éventuellement, l'entretien d'une personne. ◆ **pensionnaire** n. **1.** Enfant qui est nourri et logé dans un établissement d'enseignement : *Un lycée comprend souvent des externes, des demi-pensionnaires* (= qui prennent au lycée le repas de midi) *et des pensionnaires* (syn. INTERNE). — **2.** Personne qui est nourrie et logée pendant un certain temps dans un hôtel, chez une famille. ◆ **pensionnat** n. m. **1.** Syn. de PENSION (sens 1). — **2.** Ensemble des élèves de cet établissement. ◆ **demi-pension** n. f. Régime des élèves qui prennent le repas de midi dans l'établissement scolaire. ‖ Pl. des *demi-pensions*. ◆ **demi-pensionnaire** n. et adj. Élève qui suit le régime de la demi-pension. ‖ Pl. des *demi-pensionnaires*.

2. PENSION [pɑ̃sjɔ̃] n. f. (même étym.). Allocation versée par l'État à un fonctionnaire ou un militaire qui a un certain nombre d'années de service *(pension d'ancienneté, pension proportionnelle)*, qui est mutilé de guerre *(pension de guerre)*, qui est invalide *(pension d'invalidité)*, ou à la veuve de ce fonctionnaire ou de ce militaire; allocation destinée à assurer la subsistance du créancier et de sa famille *(pension alimentaire)*. ◆ **pensionné, e** adj. et n. Qui reçoit une pension.

PENSIVEMENT adv. ⟶ PENSER.

PENSUM [pɛ̃sɔm] n. m. (mot lat. signif. *tâche*). **1.** Devoir supplémentaire donné comme punition à un élève. — **2.** Besogne écrite, longue et ennuyeuse. ‖ Pl. des *pensums*.

PENTAGONE [pɛ̃tagɔn] n. m. (du gr. *pente*, cinq, et *gônia*, angle). *Géom.* Polygone* ayant cinq côtés.

Pentagone, aux États-Unis, nom donné au ministère et à l'état-major des forces armées.

PENTAMÈTRE [pɛ̃tamɛtr] n. m. (du gr. *pente*, cinq, et *metron*, mesure). Vers de cinq pieds dans la poésie grecque et latine.

Pentateuque (le), nom donné par les traducteurs grecs aux cinq premiers livres de la Bible : Genèse, Exode, Lévitique, Nombres et Deutéronome.

PENTATHLON [pɛ̃tatlɔ̃] n. m. (du gr. *pente*, cinq, et *athlos*, combat). En athlétisme féminin, ensemble de cinq épreuves (200 m, 1 500 m plat, saut en longueur, disque et javelot). Il a été remplacé en 1981 par l'*heptathlon* (sept épreuves).

PENTE [pɑ̃t] n. f. (de *pendre*). **1.** État, partie d'un terrain, d'une surface, qui est incliné par rapport à l'horizontale : *La pente d'une route* (syn. DÉCLIVITÉ). *Les pentes boisées de la montagne* (syn. VERSANT). — **2.** *Être sur une mauvaise pente*, se laisser entraîner par ses mauvais penchants. ‖ *Remonter la pente*, aller mieux (sur le plan moral ou physique). ◆ **contre-pente** n. f. **1.** Versant d'un mouvement de terrain caché aux vues de l'ennemi. — **2.** Versant le plus abrupt d'une montagne. — **3.** Interruption brusque de la pente d'un chemin dans le sens de la montée.

PENTECÔTE [pɑ̃tkot] n. f. (gr. *pentêkostê* [*hêmera*], cinquantième [jour]). **1.** Chez les juifs, fête célébrée le cinquantième jour après la pâque, en mémoire du jour où Dieu remit à Moïse les tables de la Loi. — **2.** Fête chrétienne qui se célèbre cinquante jours après Pâques, en mémoire de la descente du Saint-Esprit sur les Apôtres.

PENTÉLIQUE *(le)*, montagne de l'Attique, entre Athènes et Marathon, célèbre par ses carrières de marbre blanc.

PENTHIÈVRE (Louis DE BOURBON, *duc* DE) [1725-1793], fils du comte de Toulouse, et beau-père de Mme de Lamballe et de Philippe Égalité. Il se signala à Fontenoy et fut le protecteur de Florian.

PÉNULTIÈME [penyltjɛm] adj. et n. f. (du lat. *paene*, presque, et *ultimus*, dernier). Se dit de l'avant-dernière syllabe d'un mot.

PÉNURIE [penyri] n. f. (lat. *penuria*). Manque complet de ce qui est nécessaire à l'alimentation, à l'activité, etc. : *Une grave pénurie de main-d'œuvre* (syn. MANQUE).

PENZA, v. de l'U. R. S. S., au S.-E. de Moscou; 374 000 hab. Centre industriel.

PÉON [peɔ̃] ou [peɔn] n. m. (esp. *peón*). Paysan, ouvrier agricole de l'Amérique centrale et du Sud.

PÉPÈRE [pepɛr] n. m. (de *père*). **1.** *Fam.* Grand-père. — **2.** Fam. *Gros pépère*, homme ou enfant fort. ◆ adj. *Fam.* Tranquille.

PÉPIE [pepi] n. f. (lat. *pituita*, pituite). Fam. *Avoir la pépie*, avoir très soif.

PÉPIER [pepje] v. i. (lat. *pippare*) [sujet nom désignant des oiseaux, des moineaux]. Pousser de petits cris. ◆ **pépiement** n. m.

1. PÉPIN [pepɛ̃] n. m. (orig. obscure). Graine que l'on trouve dans certains fruits : *Les pépins d'une poire, d'une pomme, d'un melon.*

2. PÉPIN [pepɛ̃] n. m. (de *pépin* 1). *Pop.* Ennui.

3. PÉPIN [pepɛ̃] n. m. (de *Pépin*, n. pr.). Syn. fam. de PARAPLUIE.

PÉPIN l'Ancien ou **de Landen** (v. 580-640), maire du palais d'Austrasie sous Clotaire II, Dagobert Ier et Sigebert II.

PÉPIN le Jeune, dit **de Herstal** (v. 640-714). Maire du palais d'Austrasie en 680, il réussit à dominer les trois royaumes francs d'Austrasie, de Neustrie et de Bourgogne, et contribua à la fondation de l'évêché d'Utrecht (695). Son fils naturel, Charles Martel, lui succéda.

PÉPIN le Bref (v. 715-768), maire du palais (741-751), puis roi des Francs (751-768), fils de Charles Martel. Duc de Neustrie, de Bourgogne et de Provence, il reçut l'Austrasie après l'abdication de son frère Carloman (747). Il déposa alors le dernier roi mérovingien Childéric III, se fit élire roi des Francs avec l'accord du pape Zacharie et oindre par saint Boniface (751), fondant ainsi la dynastie carolingienne. Il obligea le roi des Lombards à céder au pape Étienne II l'exarchat de Ravenne et la Pentapole (756) et agrandit son royaume de la Septimanie, enlevée aux musulmans (752-759), et de l'Aquitaine (760-768). Avant de mourir, il partagea ses États entre ses fils Charlemagne et Carloman.

PÉPINIÈRE [pepinjɛr] n. f. (de *pépin* 1). **1.** Lieu où l'on fait pousser de jeunes arbres destinés à être transplantés. — **2.** *Une pépinière de*, se dit d'un lieu qui fournit des personnes propres à une profession, à une activité : *Le Conservatoire est une pépinière de jeunes talents.* ◆ **pépiniériste** n. et adj. Personne qui s'occupe d'une pépinière (sens 1).

PÉPITE [pepit] n. f. (esp. *pepita*, pépin). Masse de métal (principalement d'or) telle qu'on la trouve sous terre.

PÉPLUM [peplɔm] (lat. *peplum*) ou **PÉPLOS** [peplɔs] (gr. *peplos*) n. m. Chez les Anciens, tunique de femme sans manches, s'agrafant sur l'épaule.

PEPSINE [pɛpsin] n. f. (du gr. *pepsis*, digestion). Une des diastases du suc gastrique, qui, en milieu acide, commence la digestion des protéines.

PEPTONE [pɛptɔn] n. f. (de *pepsine*). Substance protidique soluble résultant de l'action de la pepsine sur les protéines (en partic. sur la viande).

PEPYS (Samuel), écrivain anglais (1633-1703). Son *Journal*, publié en 1825, donne une peinture très vivante de la vie de Londres entre 1660 et 1669 : les pages les plus saisissantes sont consacrées à la peste et à l'incendie de Londres.

PERAK, État de la Malaysia (Malaisie), sur le détroit de Malacca; 20 798 km²; 1 762 000 hab. Capit. *Ipoh.*

PERCALE [pɛrkal] n. f. (persan *pargāla*, toile très fine). Tissu de coton fin et serré. ◆ **percaline** n. f. Toile de coton légère et lustrée, dont on se sert pour les doublures.

PERÇANT, E adj., **PERCE** n. f., **PERCÉE** n. f., **PERCEMENT** n. m. ⟶ PERCER.

PERCE-NEIGE [pɛrsənɛj] n. f. inv. (de *percer*, et *neige*). Plante des prés et des bois à fleurs blanches, qui s'épanouit à l'époque des neiges.

PERCE-OREILLE [pɛrsɔrɛj] n. m. (de *percer*, et *oreille*). Nom usuel de la *forficule**. ‖ Pl. des *perce-oreilles.*

PERCEPTEUR n. m. ⟶ PERCEVOIR 2.

PERCEPTIBLE adj. ⟶ PERCEVOIR 1.

PERCEPTION n. f. ⟶ PERCEVOIR 1 et 2.

PERCER [pɛrse] v. t. (du lat. *pertundere*, trouer). **1.** *Percer qqch.*, le traverser de part en part, le marquer d'un trou : *La pointe du compas perce la feuille de papier* (syn. TROUER). *L'acide a percé la tôle* (syn. PERFORER). *Le médecin a percé l'abcès* (syn. CREVER, OUVRIR). *Une attaque qui a réussi à percer le front ennemi* (syn. ENFONCER). — **2.** *Percer un trou, une fenêtre*, etc., produire ce trou, ménager cette fenêtre, etc. : *Percer des trous avec une chignole* (syn. FORER). *On a percé une large baie sur la façade* (syn. OUVRIR). ‖ *Percer une rue, une avenue*, abattre des constructions pour établir cette rue, cette avenue. — **3.** *Percer la foule*, passer à travers (syn. FENDRE, TRAVERSER). ‖ *Le soleil perce les nuages*, ses rayons filtrent à travers eux. — **4.** *Percer un mystère, une énigme*, les comprendre, trouver la solution (syn. PÉNÉTRER). — **5.** *Un bruit qui perce les oreilles, le tympan*, qui produit une impression très désagréable par son caractère strident. ◆ v. i. **1.** (sujet nom de chose) Commencer à apparaître, à se manifester, à être perceptible : *L'aube allait percer à l'horizon* (syn. POINDRE). *L'ironie perce dans ses paroles* (syn. TRANSPARAÎTRE). — **2.** (sujet nom de personne) Se distinguer, acquérir de la célébrité : *Un artiste qui a mis longtemps à percer.* — **3.** *Abcès qui perce*, dont le pus se répand à l'extérieur (syn. CREVER). ◆ **perçant, e** adj. *Froid perçant*, qui pénètre, qui saisit. ‖ *Yeux perçants, regard perçant, esprit perçant*, qui ont une grande acuité, qui pénètrent (syn. PÉNÉTRANT, VIF). ‖ *Voix perçante, cri perçant*, dont le son est très aigu. ◆ **perce** n. f. *Mettre un tonneau en perce*, faire une ouverture dans un tonneau pour en tirer le vin. ◆ **percée** n. f. **1.** Ouverture, dégagement : *Abattre des arbres pour faire une percée dans la forêt.* — **2.** Pénétration dans les lignes de défense ennemies (mil.) ou la défense de l'équipe adverse (sports). ◆ **percement** n. m. : *Le percement d'une cloison.* (On dit plus rarement PERÇAGE.) *Le percement d'une rue, d'une fenêtre.* ◆ **perceur, euse** n. : *Un perceur de murailles* (= cambrioleur). ◆ **perceuse** n. f. Machine-outil qui sert à percer.

Perceval ou le conte du Graal, roman de Chrétien de Troyes (v. 1182).

1. PERCEVOIR [pɛrsəvwar] v. t. (lat. *percipere*). [Conj. **34.**] Saisir par les sens ou par l'esprit : *Percevoir des couleurs, des odeurs, des sons. On perçoit dans ce livre une évolution de la pensée de l'auteur* (syn. DISCERNER). ◆ **perceptible** adj. : *Certaines étoiles sont difficilement perceptibles à l'œil nu* (syn. VISIBLE). *Le bruit devenait nettement perceptible* (syn. AUDIBLE). *Une certaine amélioration de la situation est maintenant perceptible* (syn. SENSIBLE). ◆ **imperceptible** adj. : *Un déplacement imperceptible suffit à compromettre l'équilibre* (syn. INFIME, MINIME). ◆ **imperceptiblement** adv. : *Une plante qui pousse sans cesse imperceptiblement* (syn. INSENSIBLEMENT). ◆ **perception** n. f. : *La perception des couleurs, des odeurs, des sons* (= la faculté de les percevoir). *Il n'a pas une perception nette de la situation* (syn. REPRÉSENTATION, VUE).

2. PERCEVOIR [pɛrsəvwar] v. t. (même étym.). [Conj. **34.**] *Percevoir de l'argent*, le toucher, l'encaisser : *Vous pouvez percevoir une indemnité de déplacement.* ◆ **percepteur** n. m. Fonctionnaire chargé du recouvrement des impôts directs et des taxes pénales. ◆ **perception** n. f. **1.** Action de percevoir : *La perception d'un impôt, d'une amende* (syn. RECOUVREMENT). — **2.** Bureau du percepteur.

1. PERCHE [pɛrʃ] n. f. (lat. *perca*). Poisson osseux des lacs et des cours d'eau lents, dont la chair est estimée. (Ordre des perciformes.)

2. PERCHE [pɛrʃ] n. f. (lat. *pertica*). **1.** Pièce de bois, de métal, de fibre de verre, longue et mince, utilisée pour atteindre un objet au loin, pour faire avancer un bateau, pour les échafaudages, pour un saut en athlétisme *(saut à la perche)*. — **2.** Longue tige au bout de laquelle est suspendu le microphone que l'on tend au-dessus des acteurs au cinéma, à la télévision. — **3.** *Tendre la perche à qq'un*, lui venir en aide en lui fournissant l'occasion de se rattraper. ‖ Fam. *Une grande perche*, se dit d'une personne grande et maigre. ◆ **perchiste** n. **1.** Sauteur à la perche. — **2.** Personne chargée de tenir la perche portant le micro au cinéma, à la télévision. (Ce terme doit être, selon l'Administration, substitué à PERCHMAN.)

PERCHE (le), comté français réuni à la Couronne en 1525. Cette région du Bassin parisien est formée de collines humides et boisées. Autref. réputée pour ses chevaux *(percherons)*, elle se consacre surtout à l'élevage des bovins.

PERCHE *(col de la)*, col des Pyrénées-Orientales, entre le Conflent et la Cerdagne; 1579 m.

PERCHER [pɛrʃe] v. i. ou **SE PERCHER** v. pr. (de *perche* 2). **1.** (sujet nom désignant un oiseau) Se poser sur une branche, sur un support. — **2.** *Fam.* Loger, résider, se trouver : *Un petit village qui perche en Normandie.* ◆ v. t. Placer à un endroit élevé : *D'un bon coup de pied, il a perché le ballon sur la terrasse;* et au passif : *Un hameau perché dans la montagne.* ◆ **perchoir** n. m. **1.** Endroit où perchent les volailles. — **2.** Bâton muni de barres transversales où perchent les oiseaux domestiques.

PERCHERON, ONNE [pɛrʃərɔ̃, -ɔn] n. et adj. (de *Perche*). Cheval de trait lourd et puissant du Perche, dans l'ouest du Bassin parisien.

PERCHISTE n. ⟶ PERCHE 2.

PERCHOIR n. m. ⟶ PERCHER.

PERCIER (Charles), architecte français (1764-1838). Avec Fontaine, il fut le principal représentant du style Empire. Il éleva l'arc de triomphe du Carrousel et fut chargé, toujours avec Fontaine, de grands travaux au Louvre et aux Tuileries.

PERCLUS, E [pɛrkly, -yz] adj. (lat. *perclusus*, obstrué). Se dit d'une personne privée d'une manière permanente ou passagère de la faculté de mouvoir ses membres : *Le corps perclus de rhumatismes* (= rendu impotent).

PERCOLATEUR [perkɔlatœr] n. m. (du lat. *percolare*, filtrer). Grande cafetière à filtre que l'on emploie pour faire du café en grande quantité.

PERCUTER [pɛrkyte] v. t. et i. (lat. *percutere*, frapper) [sujet généralement nom de chose]. *Percuter qqch.*, le frapper fortement, le heurter : *Le chien de fusil percute l'amorce. Une voiture qui a percuté contre un pylône.* ◆ **percutant, e** adj. **1.** Qui produit une percussion. — **2.** *Projectile percutant*, qui n'explose qu'en percutant un obstacle. ‖ *Fam.* Qui fait une forte impression : *Un argument percutant.* ◆ **percuteur** n. m. Pièce métallique ayant pour fonction, dans une arme à feu, de frapper l'amorce pour provoquer le départ du projectile (balle, obus, etc.). ◆ **percussion** [pɛrkysjɔ̃] n. f. **1.** *Arme à percussion*, arme à feu qui fonctionne par choc du percuteur contre l'amorce. — **2.** Mus. *Instrument a* ou *de percussion*, terme général désignant les instruments de l'orchestre dont on tire le son en les frappant, tels la grosse caisse, le tambour, les cymbales, le triangle. — **3.** *Méd.* Méthode d'exploration qui consiste à frapper suivant certains règles telle ou telle partie du corps pour tirer des indices de la sonorité, des sensations douloureuses provoquées. ◆ **percussionniste** n. Musicien qui utilise les instruments à percussion.

PERDRE [perdr] v. t. (lat. *perdere*). [Conj. **52.**] **1.** (sujet nom de personne ou de chose) Cesser d'avoir (un bien, un avantage, une qualité); être privé, dépossédé de : *Il a été riche, mais il a perdu une partie de sa fortune* (contr. ACQUÉRIR, GAGNER). *Perdre sa place, sa réputation. Un argument qui a perdu toute valeur* (contr. PRENDRE). — **2.** (sujet nom d'être animé) Cesser d'avoir tel ou tel comportement, d'éprouver tel ou tel sentiment : *Il a perdu l'habitude de fumer* (syn. SE DÉFAIRE DE; contr. PRENDRE). *Perdre courage* (= désespérer). — **3.** (sujet nom d'être animé ou de chose) Laisser échapper une partie de soi-même : *Un arbre qui perd ses feuilles. Une fourrure qui perd ses poils. La carriole avait perdu une roue.* — **4.** (sujet nom d'être animé) Subir une mutilation; être privé de l'usage d'une faculté : *Il a perdu un bras à la guerre. Le malheureux a perdu la raison. Perdre l'appétit.* — **5.** (sujet nom d'être animé) Ne plus pouvoir trouver : *J'ai perdu mon stylo* (syn. ÉGARER). ‖ *Perdre de vue une chose, une personne*, cesser de les apercevoir, cesser de les avoir présentes à l'esprit. — **6.** (sujet nom de personne) Faire un mauvais usage de, dépenser inutilement : *Il perd son temps à des futilités au lieu de travailler. Cette recherche m'a fait perdre une heure* (contr. GAGNER). ‖ *Perdre une occasion*, ne pas en profiter. ‖ *Vous ne perdrez rien pour attendre*, votre punition n'est que différée. — **7.** (sujet nom de personne) Avoir le dessous dans une lutte, une compétition : *Perdre une bataille, une partie de cartes, un procès, un match* (contr. GAGNER). — **8.** *Perdre qq'un*, être séparé de lui par la mort : *Ces enfants ont perdu leur père à la guerre.* — **9.** (sujet nom d'être animé ou de chose) *Perdre qq'un*, lui faire subir un grave préjudice matériel ou moral, causer sa ruine ou même sa mort : *Il a eu recours à un procédé malhonnête pour perdre ses adversaires* (syn. DISCRÉDITER, RUINER). *Ce qui l'a perdu, c'est le témoignage accablant des voisins* (= ce qui l'a fait condamner) [contr. SAUVER]. ‖ *Perdre son âme*, la corrompre par des fautes, être damné. ◆ v. i. **1.** (sujet nom de personne) Ne pas obtenir le gain, le profit attendu, ne pas bénéficier d'un avantage : *Un commerçant qui perd sur un article. Tu as perdu en n'assistant pas à ce spectacle.* — **2.** (sujet nom de personne) Avoir le désavantage au jeu, ne pas gagner : *Il est très mauvais joueur, il ne peut pas supporter de perdre.* — **3.** (sujet nom de chose) Diminuer de valeur : *La Bourse n'est pas favorable, la plupart des actions ont encore perdu* (syn. BAISSER; contr. GAGNER, MONTER). — **4.** *Récipient qui perd*, qui laisse échapper son contenu (syn. FUIR). ◆ ***se perdre*** v. pr. **1.** (sujet nom d'être animé) Ne plus retrouver son chemin, ne plus pouvoir s'orienter (syn. S'ÉGARER). ‖ *Se perdre dans les détails*, s'y attarder outre mesure, au détriment de l'essentiel. ‖ *Je m'y perds*, je n'y comprends plus rien. ‖ *Se perdre en conjectures, en calculs, en explications*, etc., s'y livrer longuement. — **2.** (sujet nom d'être animé ou de chose) Disparaître, échapper aux sens : *Il s'éloigna et se perdit bientôt dans la foule.* — **3.** (sujet nom de chose) Rester inutilisé : *Le sous-sol de cette région offre beaucoup de ressources qui se perdent, faute d'être exploitées.* — **4.** (sujet nom de chose) Se gâter, s'avarier, être anéanti : *Avec cette chaleur, les fraises vont se perdre. Un bateau qui se perd en mer* (= qui fait naufrage). — **5.** (sujet nom de chose) Cesser d'être en usage, d'être connu : *Le sens original de cette expression s'est perdu.* ◆ **perdant, e** adj. et n. Qui perd au jeu, à une loterie, etc. : *Les perdants ont voulu prendre leur revanche* (contr. GAGNANT). ◆ **perdition** n. f. **1.** Corruption morale (langue soignée) : *Cette lecture ne risque pas de causer la perdition de votre âme.* ‖ *Lieu de perdition*, lieu mal fréquenté. — **2.** *Navire en perdition*, qui est exposé au naufrage (syn. EN DÉTRESSE). ◆ **perdu, e** adj. **1.** Se dit d'un être animé ou d'une chose dont le cas est désespéré : *Ce malade est perdu* (contr. SAUVÉ). *La partie est perdue* (= il n'y a plus rien à faire) [contr. GAGNÉ]. — **2.** *Être perdu dans ses réflexions, ses pensées*, s'y absorber. — **3.** *Pays perdu, région perdue*, endroit isolé, éloigné de toute agglomération. — **4.** *À temps perdu, à vos moments perdus*, à vos moments de loisir. ◆ n. m. Fam. *Courir, crier comme un perdu*, de toutes ses forces. ◆ **perte** n. f. **1.** Action de perdre : *Un blessé affaibli par une importante perte de sang. La perte de la mémoire, de l'appétit. La perte d'un document. Une perte de temps. La perte d'une bataille. La perte d'un parent* (syn. MORT). *Il court à sa perte* (syn. RUINE). — **2.** *Géogr.* Dans une région calcaire, disparition totale ou partielle d'un cours d'eau (par infiltration) qui réapparaît plus loin en formant une résurgence* : *La perte de la Loire.* — **3.** (souvent au plur.) Quantité perdue de biens matériels ou moraux : *Une perte sèche de mille francs* (= que rien ne compense). *Les pertes en hommes et en matériel ont été très lourdes durant cette bataille.* — **3.** *À perte*, en perdant de l'argent : *Il a dû revendre ces denrées à perte.* ‖ *En pure perte*, sans aucun profit; inutilement. ‖ Fam. *Avec pertes et fracas*, avec éclat, de façon exemplaire. ‖ *À perte de vue*, jusqu'au point le plus éloigné qu'on puisse voir. ‖ *Discuter à perte de vue*, sans fin, sans aboutir à aucune conclusion. ◆ **imperdable** adj. : *Avec le jeu que vous avez, la partie est imperdable* (= ne peut être perdue). ◆ **reperdre** v. t. Perdre à nouveau.

PERDRIX [pɛrdri] n. f. (lat. *perdix, -icis*). Oiseau gallinacé au plumage roux ou gris, vivant en « compagnies » dans les landes et les friches en France et qui est recherché comme gibier : *Les perdrix rouges, grises. Manger une perdrix aux choux.* ◆ **perdreau** n. m. Jeune perdrix de l'année.

PERDU, E adj. et n. m. → PERDRE.

PERDU *(mont)*, un des plus hauts sommets des Pyrénées (Espagne); 3355 m.

PÈRE [pɛr] n. m. (lat. *pater*). **1.** Celui qui a un ou plusieurs enfants. (→ PARENTÉ.) ‖ *De père en fils*, par transmission du père aux enfants : *Une famille où l'on est vigneron de père en fils.* — **2.** Créateur d'une œuvre, promoteur d'une doctrine, d'une technique, etc. : *Hérodote est parfois appelé « le Père de l'histoire », Auguste Comte, le « Père du positivisme ».* (→ PATERNITÉ.) — **3.** (précédant un nom propre) Appelation familière, généralement pour des personnes d'un certain âge : *Notre jardinier, le père Louis.* — **4.** Nom donné à certains religieux, ou à des prêtres exerçant une direction spirituelle. (On écrit en abrégé *P.* au sing., *PP.* au plur.) — **5.** Nom donné à Dieu, spécialement comme première personne de la Trinité : *Notre Père qui es aux cieux.* ‖

Le Père éternel, Dieu. — **6.** *Le Saint-Père,* le pape. ‖ *Les Pères de l'Église,* ou *les Pères,* les écrivains ecclésiastiques dont l'œuvre fait autorité en matière de foi. ‖ *Les Pères conciliaires,* les évêques qui participent à un concile. — **7.** (au plur.) *Nos (vos,* etc.) *pères,* nos (vos, etc.) ancêtres (littér.). ◆ **paternel, elle** adj. **1.** Se dit de ce qui concerne le père, de ce qui lui est propre (sens 1) : *Le domicile paternel. L'autorité paternelle.* ‖ *Oncle, cousin, grand-père,* etc., *paternel,* parent du côté du père. — **2.** Se dit d'un homme (ou de son comportement) qui manifeste une grande bonté, une grande indulgence : *Un professeur très paternel avec ses élèves.* ◆ **paternellement** adv. (sens 2 de l'adj.) : *Un vieil ouvrier qui conseille paternellement un apprenti.* ◆ **paternité** n. f. **1.** État, qualité de père (sens 1). — **2.** Qualité d'auteur, d'inventeur (sens 2 de PÈRE) : *Il revendique la paternité de ce projet.*

Père Goriot *(le),* roman d'H. de Balzac (1834-1835).

PÉRÉGRINATION [peregrinasjɔ̃] n. f. (du lat. *peregrinari,* voyager à l'étranger). **1.** Long voyage, en partic. à l'étranger. — **2.** (surtout au plur.) *Fam.* Série d'allées et venues.

PEREIRE, nom de deux frères : JACOB ÉMILE (1800-1875) et ISAAC (1806-1880), tous deux banquiers et parlementaires. Ils fondèrent en 1852 le Crédit mobilier, prototype des grandes sociétés financières modernes, et jouèrent un rôle important dans le développement des chemins de fer.

PEREKOP *(isthme de),* isthme, large de 8 km, qui unit la Crimée au continent.

Père-Lachaise *(cimetière du),* cimetière de Paris, ouvert en 1804, à Ménilmontant, sur l'emplacement d'un ancien domaine du P. de La Chaise, confesseur de Louis XIV.

PÉREMPTION [perɑ̃psjɔ̃] n. f. (du lat. *perimere,* détruire). *Dr.* Prescription qui anéantit, passé un certain délai, les actes de procédure non exécutés.

PÉREMPTOIRE [perɑ̃ptwar] adj. (du lat. *perimere,* détruire). *Ton, parole, réplique péremptoire,* qui n'admet pas la discussion, qui a un caractère décisif (syn. CATÉGORIQUE, TRANCHANT). ◆ **péremptoirement** adv.

PÉRENCHIES, comm. du Nord, à 7,5 km au N.-O. de Lille; 6 900 hab. Textiles.

PÉRENNITÉ [perenite] n. f. (du lat. *perennis,* qui dure toute l'année). Caractère de ce qui dure toujours, ou du moins très longtemps. ◆ **pérenniser** v. t. Rendre perpétuel : *La force de l'habitude a pérennisé cet abus.* ‖ *Pérenniser un fonctionnaire,* lui assurer un poste stable. ◆ **pérennisation** n. f.

PÉRÉQUATION [perekwasjɔ̃] n. f. (du lat. *peraequare,* égaliser). **1.** Répartition des charges financières proportionnellement aux possibilités de chaque personne, de chaque organisme concerné. — **2.** Rajustement des notes, ainsi que du montant des traitements et pensions des fonctionnaires.

PÉREZ GALDÓS (Benito), écrivain espagnol (1843-1920). Célèbre par ses romans de mœurs (*Doña Perfecta,* 1876; *Misericorde,* 1897), il a composé avec les quarante-trois volumes des *Épisodes nationaux* l'épopée romanesque de l'Espagne du XIXe s.

PERFECTIBILITÉ n. f., **PERFECTIBLE** adj. ⟶ PERFECTIONNER.

PERFECTION n. f. ⟶ PARFAIT 1.

PERFECTIONNER [pɛrfɛksjɔne] v. t. (de *perfection*). *Perfectionner qq'un, qqch.,* le rendre meilleur, plus proche du modèle idéal : *Il a suivi un stage professionnel qui l'a perfectionné.* ◆ **se perfectionner** v. pr. : *Faire un séjour en Allemagne pour se perfectionner en allemand. Ce nouveau modèle d'aspirateur a été perfectionné* (syn. AMÉLIORER). ◆ **perfectionnement** n. m. : *Les études entreprises pour le perfectionnement du réseau routier* (syn. AMÉLIORATION). ◆ **perfectible** adj. Se dit d'une personne, ou plus souvent d'une chose, susceptible d'être perfectionnée. ◆ **perfectibilité** n. f.

PERFECTIONNISME n. m., **PERFECTIONNISTE** adj. et n. ⟶ PARFAIT 1.

PERFIDE [pɛrfid] adj. (lat. *perfidus*) [avant ou plus souvent après le nom]. Se dit d'une personne (ou de son comportement) qui manque de loyauté, qui cherche à nuire sournoisement (langue soignée) : *Il fut trahi par cet allié perfide* (syn. DÉLOYAL). *Il se laissa prendre à ces perfides promesses* (syn. TRAÎTRE, ↓TROMPEUR). ◆ **perfidement** adv. ◆ **perfidie** n. f. : *On peut s'attendre de leur part à toutes les perfidies* (syn. DÉLOYAUTÉ, TRAHISON).

PERFORER [pɛrfɔre] v. t. (lat. *perforare*). *Perforer qqch.,* y faire un ou plusieurs trous en traversant : *Perforer un ticket de métro* (syn. POINÇONNER). *Les cartes et les bandes perforées permettent, sur des machines mécanographiques ou sur des ordinateurs, des classements automatiques, des calculs, etc.* ◆ **perforation** n. f. **1.** Action de perforer : *La perforation des cartes.* — **2.** Ouverture faite : *Les perforations d'une bande.* — **3.** *Méd.* Ouverture accidentelle des intestins, de l'estomac, etc. ◆ **perforateur, trice** adj. et n. Employé, dactylo qui perfore des cartes, des bandes, etc. ◆ **perforatrice** n. f. **1.** Machine servant à établir les cartes perforées. — **2.** Outil rotatif pour creuser des trous de mine. ◆ **perforeuse** n. f. Employée effectuant la perforation des bandes et cartes, en informatique.

PERFORMANCE [pɛrfɔrmɑ̃s] n. f. (mot angl.; de l'anc. fr. *parformer,* accomplir). **1.** Résultat obtenu par un athlète, une équipe dans une épreuve sportive ou dans un match, par un cheval dans une course. — **2.** Résultat obtenu au cours d'une épreuve, d'un test. — **3.** Exploit quelconque : *C'est une belle performance que cette réussite!* ◆ **contre-performance** n. f. En sport, et partic. au tennis, défaite subie par un joueur classé devant un joueur non classé ou devant un joueur moins bien classé que lui. ‖ Pl. des *contre-performances.*

PERFUSION [pɛrfyzjɔ̃] n. f. (lat. *perfusio*). Introduction lente et continue d'une substance médicamenteuse ou de sang dans un organisme ou un organe. (On pratique des perfusions intraveineuses, sous-cutanées, rectales, le plus souvent avec des dispositifs appelés GOUTTE-À-GOUTTE.)

PERGAME, auj. **Pergamos** ou **Bergama,** anc. v. d'Asie Mineure sur le Caïcos. C'était la capit. d'un État hellénistique, le royaume des Attalides ou *royaume de Pergame,* dont l'apogée se situe au IIe s. av. J.-C. Son dernier souverain, Attalos III, légua le royaume au sénat romain tout en réservant la liberté de la ville qui devint en 129 av. J.-C. la capit. de la province romaine d'Asie. Pergame, construite avec un souci inédit de l'urbanisme, était un brillant centre intellectuel et artistique qui possédait en particulier une bibliothèque fameuse.

PERGAUD (Louis), écrivain français (1882-1915). Son recueil de nouvelles sur les bêtes *De Goupil à Margot* (1910) lui valut le prix Goncourt. Il écrivit également des poèmes et un roman sur les enfants, *la Guerre des boutons : roman de ma douzième année* (1912).

PERGÉLISOL [pɛrʒelisɔl] n. m. (de *per*[*manent*], *gel,* et *sol*). Syn. de PERMAFROST*.

PERGOLA [pɛrgɔla] n. f. (mot it.). Tonnelle formée de colonnes et de poutrelles à claire-voie, servant de support à des plantes grimpantes.

PERGOLÈSE (Jean-Baptiste), compositeur italien de musique religieuse et dramatique (1710-1736), auteur de *la Servante maîtresse.*

PÉRIANDRE, tyran de Corinthe de 627 à 587 av. J.-C. La tradition en fit l'un des Sept Sages de la Grèce.

PÉRIANTHE [perjɑ̃t] n. m. (du gr. *peri,* autour, et *anthos,* fleur). *Bot.* Ensemble des enveloppes florales (calice et corolle).

PÉRIARTHRITE [periartrit] n. f. (du gr. *peri,* autour, et *arthron,* articulation). *Méd.* Inflammation autour d'une articulation : *Périarthrite scapulo-humérale* (autour de l'épaule).

PÉRICARDE [perikard] n. m. (du gr. *peri,* autour, et *kardia,* cœur). *Anat.* Séreuse entourant le cœur, formée de deux feuillets. ◆ **péricardite** n. f. *Méd.* Inflammation du péricarde.

PÉRICARPE [perikarp] n. m. (du gr. *peri,* autour, et *karpos,* fruit). *Bot.* Partie du fruit qui provient du développement des parois de l'ovaire ou du réceptacle floral, et qui entoure et protège la graine.

— ENCYCL. C'est le *péricarpe* qui constitue la partie comestible des fruits charnus. Dans les baies, il entoure directement les pépins (groseille); dans les drupes (abricot), sa paroi interne, ou *endocarpe,* constitue le noyau, et la graine prend le nom d'*amande.* La peau du fruit est appelée *épicarpe,* et la chair *mésocarpe.*

PÉRICLÈS, homme d'État athénien (495-429 av. J.-C.). Né dans la famille noble des Alcméonides, petit-neveu de Clisthène, le réformateur du VIe s., il s'impose par son éloquence, sa probité et sa franchise. Son rôle dans l'ascension de sa cité lui a valu de donner son nom au siècle le plus brillant de la Grèce classique.

- *463-443. Il lutte pour établir définitivement la démocratie (= gouvernement du peuple).*

Désormais, tous les citoyens peuvent participer à la vie de la cité grâce à des aides fournies aux plus pauvres; esclaves et étrangers (métèques) en sont cependant exclus.

- *443-429. Après avoir fait ostraciser (= bannir) son principal adversaire, il est élu stratège sans interruption.*

Il favorise la puissance navale et coloniale d'Athènes, et les arts et les lettres, dotant en particulier l'Acropole du Parthénon et des Propylées. Mais cette politique de prestige n'est possible que par l'exploitation de « l'empire athénien » et si en 440-439 la révolte de Samos est écrasée, en 431 la guerre du Péloponnèse est cause des premiers revers d'Athènes. La peste qui éclate à Athènes en 430 emporte Périclès.

PÉRICLITER [periklite] v. i. (du lat. *periculum*, péril). Être en péril, aller vers la ruine : *L'entreprise périclite.*

PÉRIDOT [perido] n. m. (orig. inc.). *Minér.* Nom désignant une famille de silicates naturels, dont le plus important est l'*olivine.*

PERIER (Casimir), banquier et homme politique français (1777-1832). Député de Paris et membre de l'opposition libérale sous la Restauration, il devint président du Conseil sous Louis-Philippe (1831). Il réprima énergiquement les insurrections de Paris et de Lyon, et favorisa l'indépendance belge.

PÉRIGÉE [periʒe] n. m. (du gr. *peri*, autour, et *gê*, terre). Point de l'orbite, réelle ou apparente, d'un astre le plus voisin de la Terre (par oppos. à APOGÉE).

PÉRIGLACIAIRE [periglasjɛr] adj. (du gr. *peri*, autour, et *glaciaire*). Se dit d'un système d'érosion caractérisé par l'importance du gel et du dégel qui font éclater les roches, la présence d'un sol gelé pendant au moins une partie de l'année, et la discontinuité de la végétation (absence de forêt) qui permet un écoulement en nappes. Tous ces facteurs d'érosion particuliers confèrent un modelé original aux régions périglaciaires, qui se situent aux hautes latitudes (zones de la toundra), ou, en altitude, à la périphérie des glaciers.

PÉRIGNON (*dom* Pierre), bénédictin français (1638-1715). Il aurait appliqué au champagne le procédé de fabrication des vins mousseux.

PÉRIGORD, comté français, constitué au XIe s., et qui fut réuni à la Couronne par Henri IV (1607). Région du nord-est du bassin d'Aquitaine, sur la bordure du Massif central, entre la vallée de la Dronne et celle de la Dordogne, il forme auj. la majeure partie du dép. de la Dordogne. (Hab. *Périgourdins.*) Le Périgord est constitué de plateaux calcaires couverts de forêts et de maigres cultures, tandis que les vallées (Isle, Dordogne, Vézère), aux alluvions fertiles, concentrent population et cultures.

PÉRIGUEUX, ch.-l. du dép. de la Dordogne, sur l'Isle, à 476 km au S.-O. de Paris; 35400 hab. *(Pétrocoriens* ou *Périgourdins).* Vestiges de la cité gallo-romaine (arènes). Cathédrale romano-byzantine (XIIe s.). Matériel ferroviaire. Industries alimentaires. Chaussures.

PÉRIHÉLIE [perieli] n. m. (du gr. *peri*, autour, et *hêlios*, soleil). Point de l'orbite d'une planète le plus voisin du Soleil (par oppos. à APHÉLIE).

PÉRIL [peril] n. m. (lat. *periculum*). **1.** Ce qui menace la sécurité, la vie d'une personne; ce qui fait courir de grands risques : *Son imprudence a mis en péril tous les passagers de la voiture* (syn. DANGER). *Au péril de sa vie* (= au risque de perdre la vie). — **2.** *À (ses) risques et périls*, en prenant sur soi toutes les responsabilités et en acceptant de subir les dommages éventuels. ◆ **périlleux, euse** adj. (avant ou plus souvent après le nom) : *Une entreprise périlleuse* (syn. DANGEREUX, HASARDEUX). *Aborder un sujet périlleux* (syn. DÉLICAT). ◆ **périlleusement** adv.

PÉRIMÉ, E [perime] adj. (du lat. *perimere*, détruire). **1.** Qui est annulé, qui perd sa valeur, une fois passé un certain délai : *Le billet est périmé.* — **2.** Qui appartient à un temps antérieur, auj. dépassé : *Une réglementation périmée* (syn. CADUC, DÉSUET). ◆ **périmer** v. i. (après *laisser*) et **se périmer** v. pr. Perdre sa valeur une fois passé un certain temps.

PÉRIMÈTRE [perimɛtr] n. m. (du gr. *peri*, autour, et *metron*, mesure). **1.** *Math.* Longueur de la ligne représentant le contour extérieur d'une figure plane : *Le périmètre d'un cercle de rayon R vaut $2\pi R$.* — **2.** Ligne qui délimite un espace : *À l'intérieur du périmètre de Paris, il est interdit de se servir de l'avertisseur sonore.*

PÉRINÉE [perine] n. m. (gr. *perineos*). *Anat.* Partie inférieure ou plancher du petit bassin, traversé chez l'homme par l'urètre et le rectum, chez la femme par l'urètre, le vagin et le rectum.

1. PÉRIODE [perjɔd] n. f. (du gr. *peri*, autour, et *hodos*, chemin). **1.** Espace de temps plus ou moins long (avec un adj. ou un compl. de nom) : *Une période de deux ans* (syn. DURÉE); marqué par un événement : *Une période d'expansion économique. Une période révolutionnaire* (syn. ÉPOQUE). *La période comprise entre les deux guerres* (syn. INTERVALLE). *La période électorale* (= celle qui s'écoule entre le début de la campagne électorale et le scrutin). — **2.** Chacune des grandes divisions des ères géologiques : *Ces périodes se subdivisent en âges.* — **3.** Chacune des phases d'une maladie. — **4.** *Mil.* Temps d'instruction de durée limitée, destiné à préparer le réserviste à son emploi lorsqu'il sera mobilisé. — **5.** *Phys.* Intervalle de temps constant après lequel une grandeur, dite « périodique », reprend la même valeur. ‖ *Période radio-active*, temps au bout duquel la moitié de la masse d'un corps radio-actif s'est désintégrée. ◆ **périodique** adj. Qui revient à intervalles fixes : *Les crises périodiques de l'économie. Le retour périodique des hirondelles* (syn. RÉGULIER). *Le mouvement périodique d'un pendule.* ◆ n. m. Journal, revue qui paraît chaque semaine, chaque mois, chaque trimestre, etc. ◆ **périodiquement** adv. ◆ **périodicité** n. f. Caractère de ce qui est périodique.

2. PÉRIODE [perjɔd] n. f. (même étym.). Phrase composée de plusieurs propositions présentant un enchaînement et un rythme harmonieux : *Les périodes d'un discours.* ◆ **périodique** adj. : *La phrase périodique de Bossuet.*

PÉRIOSTE [perjɔst] n. m. (du gr. *peri*, autour, et *osteon*, os). Membrane conjonctive qui entoure les os et assure leur croissance en épaisseur.

PÉRIPÉTIE [peripesi] n. f. (gr. *peripeteia*, événement imprévu). Événement particulier et imprévu d'un phénomène, d'un fait général : *Les péripéties de l'enquête policière* (syn. INCIDENT). *Les péripéties de la guerre* (syn. ÉPISODE).

PÉRIPHÉRIE [periferi] n. f. (gr. *periphereia*, circonférence). Ensemble des quartiers qui se trouvent loin du centre de la ville : *À la périphérie de Lyon* (= sur le pourtour de). *Les arrondissements de la périphérie de Paris.* ◆ **périphérique** adj. : *La banlieue périphérique* (syn. LIMITROPHE). *Les quartiers périphériques* (syn. EXCENTRIQUE). *Le boulevard périphérique.* ‖ Géogr. *Dépression périphérique*, dépression située à la périphérie d'un massif ancien, dans la zone de contact entre celui-ci et sa couverture sédimentaire. ‖ *Émetteur, poste, station périphérique*, émetteur de radiodiffusion d'expression française situé dans des pays limitrophes, près des frontières françaises.

PÉRIPHRASE [perifraz] n. f. (gr. *periphrasis*, circonlocution). Procédé qui consiste à exprimer en plusieurs mots ce que l'on aurait pu dire en un seul (ex. : *L'astre de la nuit*, pour la lune). ◆ **périphrastique** adj. : *Une tournure périphrastique, comme « l'auteur de Ruy Blas » pour V. Hugo.*

PÉRIPLE [peripl] n. m. (du gr. *peri*, autour, et *pleîn*, naviguer). Voyage touristique : *Un long périple nous mena à travers toute l'Afrique du Nord* (syn. RANDONNÉE).

PÉRIR [perir] v. i. (lat. *perire*) [sujet nom d'être animé ou de chose]. Syn. littér. de MOURIR : *Deux personnes ont péri dans l'incendie* (syn. SUCCOMBER). ◆ **périssable** adj.:Sujet à s'altérer, à se corrompre : *Les fruits sont des denrées périssables* (= qui se conservent mal). ◆ **impérissable** adj. : *Laisser après soi une gloire impérissable* (syn. ÉTERNEL, IMMORTEL).

PÉRISCOLAIRE [periskɔlɛr] adj. (du gr. *peri*, autour, et *scolaire*). Se dit, dans l'enseignement, d'activités qui, sans relever de l'instruction proprement dite, complètent l'éducation de l'élève sur le plan physique, moral ou intellectuel (colonies de vacances, foyers socio-éducatifs, etc.).

PÉRISCOPE [periskɔp] n. m. (du gr. *peri*, autour, et *skopein*, examiner). **1.** Instrument d'optique, formé de lentilles et de prismes à réflexion totale, qui permet de voir par-dessus un obstacle : *Périscope de tranchée.* — **2.** Tube métallique coulissant, équipé d'un système optique, qui permet à un sous-marin en plongée de voir ce qui se passe à la surface de l'eau : *Repérer le périscope d'un sous-marin.*

PÉRISSABLE adj. ⟶ PÉRIR.

PÉRISSOIRE [periswar] n. f. (de *périr*). Petite embarcation légère, longue et étroite, manœuvrée à la pagaie.

PÉRISTALTIQUE [peristaltik] adj. (du gr. *peri*, autour, et *stellein*, envelopper). Se dit des contractions qui font progresser les matières alimentaires dans le tube digestif.

PÉRISTYLE [peristil] n. m. (du gr. *peri*, autour, et *stulos*, colonne). **1.** *Archit.* Galerie à colonnes isolées, autour d'un édifice ou d'une cour : *Le péristyle de la Madeleine.* — **2.** Ensemble des colonnes d'une façade, d'un bâtiment : *Le péristyle du Panthéon.*

PÉRITOINE [peritwan] n. m. (gr. *peritonaion*, ce qui est tendu autour). *Anat.* Membrane séreuse qui tapisse la cavité de l'abdomen et les organes qui y sont contenus. ◆ **péritonite** n. f. *Méd.* Inflammation du péritoine : *La péritonite nécessite une intervention chirurgicale urgente.*

PERLE [pɛrl] n. f. (it. *perla*). **1.** Concrétion calcaire et nacrée à peu près sphérique, formée de couches concentriques qui lui donnent un éclat irisé. ⟶ ENCYCL. — **2.** Petite boule décorative en verre, en plastique, en métal, etc., percée d'un trou : *Un rideau de perles.* — **3.** Personne qui surpasse toutes les autres en son genre : *C'est la perle des domestiques.* — **4.** Erreur grossière et ridicule : *Relever des perles dans les copies d'élèves.* ◆ **perlé, e** adj. **1.** Orné de perles : *Tissu perlé.* — **2.** Qui a la forme d'une perle : *Riz perlé.* — **3.** *Travail perlé*, fait à la perfection (syn. fam. FIGNOLÉ).

— **4.** *Grève perlée* → GRÈVE 2. ◆ **perler** v. t. *Perler un ouvrage*, l'exécuter avec un grand soin. ◆ v. i. Tomber goutte à goutte : *La sueur lui perlait au front.* ◆ **perlier, ère** adj. : *Huître perlière* (= qui produit des perles).
— ENCYCL. La *perle* se développe entre le manteau et la coquille des huîtres dites *perlières*, en réaction contre la présence d'un grain de sable, d'un parasite ou d'un fragment de nacre introduit artificiellement. On distingue la *perle de culture*, obtenue artificiellement dans les parcs d'élevage (en introduisant un fragment de nacre dans l'huître), et la *perle fine* ou *perle d'Orient*, perle naturelle pêchée près des rives de l'océan Indien et du Pacifique.

PERM', de 1940 à 1957 **Molotov**, v. de l'U. R. S. S., dans l'Oural, sur la Kama; 850 300 hab. Métallurgie. Raffinage du pétrole. Industries chimiques.

PERMAFROST [pɛrmafrɔst] n. m. (mot. all.). Sous-sol gelé en permanence, dans les régions froides (syn. PERGÉLISOL, TJÄLE).

PERMANENT, E [pɛrmanɑ̃, -ɑ̃t] adj. (du lat. *permanere*, durer). **1.** Qui dure sans changer, qui reste dans le même état pendant un certain espace de temps : *Un des traits permanents de son caractère* (syn. CONSTANT; contr. ÉPHÉMÈRE). *Le cinéma est permanent* (= on y projette plusieurs fois de suite le même film). — **2.** Qui ne cesse pas; qui exerce une activité continuelle : *Maintenir un contrôle permanent sur les prix* (syn. CONTINU; contr. PROVISOIRE). *Une collaboration permanente* (syn. DURABLE; contr. PASSAGER). *Le correspondant permanent d'un journal à New York.* ◆ **permanent** n. m. Membre d'un syndicat, d'un parti, etc., qui est rémunéré par lui pour assurer des tâches administratives, politiques, etc. ◆ **permanente** n. f. Traitement appliqué aux cheveux pour leur assurer une ondulation durable. ◆ **permanence** n. f. **1.** Caractère de ce qui est permanent : *Assurer la permanence du pouvoir* (syn. CONTINUITÉ; contr. INTERRUPTION). — **2.** Service chargé d'assurer un fonctionnement permanent dans une administration, un service public; lieu où se tient ce service : *Des permanences fonctionneront dans les mairies pendant les fêtes. La permanence électorale d'un candidat aux élections* (= lieu où il se tient prêt à recevoir les électeurs). — **3.** Salle où les élèves travaillent sous surveillance pendant les moments où ils ne sont pas en classe. — LOC. ADV. *En permanence*, d'une manière constante, sans arrêt.

PERMANGANATE [pɛrmɑ̃ganat] n. m. (de *per-*, préf. exprimant un excès de la quantité normale, et *mangan*[*èse*]). Sel de l'acide permanganique $HMnO_4$: *Les permanganates de potassium et de calcium sont de puissants antiseptiques.*

PERMÉABLE [pɛrmeabl] adj. (du lat. *permeare*, passer au travers) [**à**]. **1.** Se dit des corps qui se laissent traverser par des fluides : *Le papier buvard est perméable à l'eau.* — **2.** Se dit de quelqu'un qui se laisse toucher par un conseil, une suggestion, etc. : *Un homme perméable à toutes les influences* (= influençable). ◆ **semi-perméable** adj. Se dit d'une membrane ou d'une cloison qui, séparant deux solutions, laisse passer les molécules du solvant, mais arrête celles des corps dissous. ◆ **perméabilité** n. f. Propriété des corps qui se laissent traverser par des liquides, des gaz. ◆ **imperméable** adj. : *Le terrain argileux est imperméable* (= ne se laisse pas traverser par l'eau). *Un joint imperméable* (syn. ÉTANCHE). *Il est imperméable à tout conseil* (= il ne se laisse pas influencer). ◆ **imperméable** ou, fam., **imper** n. m. Vêtement qui a été apprêté de manière à ne pas laisser passer l'eau. ◆ **imperméabiliser** v. t. Rendre imperméable à l'eau, à la pluie. ◆ **imperméabilisation** n. f. ◆ **imperméabilité** n. f. : *L'imperméabilité du sol.*

PERMEKE (Constant), peintre et sculpteur belge (1886-1952), un des maîtres de l'expressionnisme moderne. Par ses formes ramassées et puissantes, par ses coloris sombres, il exprime une vision âpre du monde. Il est l'auteur de paysages et de marines, de scènes de la vie des paysans et des pêcheurs.

PERMETTRE [pɛrmɛtr] v. t. (lat. *permittere*). [Conj. **57.**] **1.** *Permettre une chose, que* (et le subj.), accepter qu'une chose soit : *Les règlements ne permettent pas le stationnement en cet endroit* (syn. AUTORISER, TOLÉRER). *Il ne permet pas que ses enfants regardent la télévision le soir* (syn. ADMETTRE). — **2.** *Permettre à qq'un, qqch., de* (et l'infin.), lui donner la liberté d'en user, de le faire : *Son père lui permet d'utiliser sa voiture.* — **3.** *Permettre qqch. à qq'un*, lui en laisser la possibilité, le moyen de le faire, lui en donner l'occasion : *Ses occupations ne lui permettent pas de sortir le soir. Il se croit tout permis* (= il croit que rien ne limite sa liberté). — **4.** *Permettre qqch.*, le rendre possible : *Son succès lui permet les plus grands espoirs.* ◆ ***se permettre*** v. pr. Faire ou dire quelque chose en prenant la liberté de : *Je me permettrai de vous faire observer votre erreur.* ◆ **permis** n. m. Autorisation écrite qui est exigée pour exercer certaines activités : *Permis de conduire. Un permis de chasse, de pêche. Un permis de séjour pour des étrangers.* ◆ **permission** n. f. **1.** Action de permettre quelque chose à quelqu'un : *Demander la permission de sortir* (syn. AUTORISATION). *Agir sans la permission de ses supérieurs* (syn. CONSENTEMENT). — **2.** Congé de courte durée accordé à un militaire : *Une permission de minuit* (= autorisation de ne rentrer à la caserne qu'à minuit). ◆ **permissionnaire** n. m. Militaire qui a une autorisation écrite de s'absenter.

PERMIEN, ENNE [pɛrmjɛ̃, -ɛn] adj. et n. m. (de la ville de *Perm'*). *Géol.* Se dit de la dernière période de l'ère primaire, d'une durée approximative de 30 millions d'années. Le Permien est compris entre le Carbonifère et le Trias. Il va de —220 à —190 millions d'années.

PERMIS n. m., **PERMISSION** n. f., **PERMISSIONNAIRE** n. m. → PERMETTRE.

PERMUTER [pɛrmyte] v. t. (lat. *permutare*). Substituer une chose à une autre chose : *Permuter deux chiffres dans un nombre* (syn. INTERVERTIR, TRANSPOSER). ◆ v. i. *Permuter avec un collègue*, se dit de deux fonctionnaires qui échangent leur poste. ◆ **permutation** n. f. : *Procéder à une permutation de deux lettres pour faire un jeu de mots* (syn. INTERVERSION).

PERNAMBOUC, en portug. **Pernambuco**, État du nord-est du Brésil; 98 281 km²; 6 167 000 hab. Capit. *Recife* (ancienn. Pernambouc).

PERNES-LES-FONTAINES, ch.-l. de cant. du Vaucluse, à 6 km au S. de Carpentras, sur la Nesque; 7 000 hab.

PERNICIEUX, EUSE [pɛrnisjø, -øz] adj. (du lat. *pernicies*, destruction). Se dit de ce qui cause du mal, qui présente un grave danger pour la santé, pour la vie, pour la morale : *L'usage des tranquillisants est pernicieux* (syn. DANGEREUX, MAUVAIS; contr. SALUTAIRE). *Des habitudes pernicieuses* (syn. NUISIBLE). ◆ **pernicieusement** adv.

PERÓN (Juan), homme d'État argentin (1895-1974). Colonel, il participe au coup d'État de 1943, et devient en 1946 président de la République. Sa dictature est fondée sur le « justicialisme », doctrine qui prône des réformes sociales, le dirigisme économique et le nationalisme. Sa popularité est forte parmi les déshérités *(descamisados)* grâce à l'action de sa femme, EVA DUARTE (1919-1952).
En septembre 1955, il est chassé par l'armée après avoir perdu l'appui de l'Église et des classes moyennes. Réfugié en Espagne, il reste l'homme providentiel pour une classe ouvrière qui se rappelle les avantages sociaux des premiers temps de son régime. Revenu d'exil le 20 juin 1973 après le triomphe électoral de ses partisans, il se présente comme le « rassembleur » du peuple argentin. Le 23 septembre, il est réélu président de la République. À sa mort (1974), sa femme María Estela Martinez lui succède, mais elle est déposée par l'armée dès 1976.

PÉRONÉ [perɔne] n. m. (gr. *peronê*, cheville). *Anat.* Os long et grêle placé à la partie externe de la jambe : *Le péroné est placé parallèlement au tibia.*

PÉRONNE, ch.-l. d'arrond. de la Somme, à 28 km à l'O.-N.-O. de Saint-Quentin; 9 900 hab.

- *1468. Charles le Téméraire y retient prisonnier Louis XI et lui impose un humiliant traité.*

PÉRONNELLE [perɔnɛl] n. f. (d'un n. pr.). *Fam.* Femme ou fille sotte, bavarde et prétentieuse.

PÉRORAISON [perɔrɛzɔ̃] n. f. (de *pérorer*). Conclusion d'un discours : *La péroraison vise à achever de convaincre les esprits par le résumé des principales preuves ou à toucher les cœurs par l'appel aux sentiments.*

PÉRORER [perɔre] v. i. (lat. *perorare*, exposer jusqu'au bout). *Péjor.* Discourir longuement d'une manière prétentieuse et avec emphase.

PÉROU, république d'Amérique du Sud, sur l'océan Pacifique.

SUPERFICIE 1 285 000 km² (France : 550 000 km²).

POPULATION 21 400 000 hab. *(Péruviens)*; 17 hab. au km² (France : 103); taux de natalité, 34.4 p. 1 000; taux de mortalité, 9.1 p. 1 000.

CAPITALE Lima (3 969 000 hab.; agglomération 4 600 000 hab.).

VILLES PRINCIPALES Callao (441 300 hab.); Arequipa (447 400 hab.).

LANGUE espagnol.

ÉCONOMIE consommation d'énergie par hab., 600 kg d'équivalent charbon; 1 automobile pour 41 hab.

GÉOGRAPHIE

Le pays s'étend sur trois ensembles naturels. L'Est, portion de la cuvette amazonienne, couvert par la forêt équatoriale, est séparé

de l'étroite plaine côtière pacifique, quasi désertique, par la cordillère des Andes au climat tempéré par l'altitude.

	TEMPÉRATURES MOYENNES		PLUIES
	janv.	juil.	
Lima	20,8 °C	15,2 °C	23 mm

Quelques tribus d'Indiens habitent la forêt amazonienne, tandis que la récolte du guano et la culture irriguée du coton constituent les ressources essentielles de la côte, avec la *pêche* qui est très active (thon, anchois). Mais la majeure partie de la population habite les plateaux andins, entaillés de profondes vallées. L'*agriculture* s'étage en fonction de l'altitude : café, canne à sucre, fruits, céréales, pomme de terre. Des troupeaux (ovins, lamas, alpagas) parcourent les montagnes.

ovins	14 500 000 têtes
pêche	3 millions de t

Le sous-sol recèle des richesses nombreuses et variées : argent, or, plomb, cuivre, zinc, fer et pétrole. Mais celles-ci sont exportées brutes, surtout vers les États-Unis, et n'ont guère favorisé le développement de l'*industrie*. Les principales activités sont localisées à Chimbote (sidérurgie) et surtout dans l'agglomération de Lima (textiles, chimie, montage automobile...) qui englobe Callao, principal port du pays.

cuivre	360 000 t	fer	2 400 000 t
zinc	570 000 t	pétrole	9 millions de t

HISTOIRE

Le Pérou est le centre, dès 1500 avant notre ère, de nombreuses civilisations indiennes.

• *XIIe-XVIe s. apr. J.-C. La dynastie quechua des Incas soumet les autres peuples, fondant un empire autour de Cuzco.*

La civilisation inca, remarquable par son organisation sociale et ses monuments, marquera durablement les peuples soumis.

• *1533. Le conquérant espagnol Pizarro, profitant des luttes dynastiques et des rancunes des tribus dominées, s'empare de l'Empire et tue son chef Atahualpa.*

Après une révolte indienne et un conflit entre les conquérants, la colonie réorganisée par Charles Quint en vice-royauté du Pérou connaît une prospérité basée sur l'extraction de l'argent du Potosí et l'exploitation des communautés indigènes *(ayllus)*. Tandis que la population indigène, soumise à tribut et assujettie par l'« encomienda », diminue de moitié dès 1580, la société européenne de Lima s'enrichit grâce au commerce colonial jusqu'au milieu du XVIIe s. (date du déclin du Potosí).

• *XVIIIe s. Malgré une reprise démographique, les difficultés économiques affaiblissent la vice-royauté qui se réduit progressivement au territoire actuel.*

Les intérêts espagnols, restés puissants, rendent l'indépendance difficile, et ce n'est qu'en 1821 que San Martín prend Lima, avant de s'effacer devant Bolívar.

• *1824. La bataille d'Ayacucho rend l'indépendance définitive.*

L'échec des tentatives de regroupement et le départ de Bolívar marquent le début des coups d'État militaires, reflets des luttes de clans au sein de la société créole. La dictature de Ramón Castilla (1845-1851 et 1855-1870) modernise la structure sociale, alors que l'exportation de guano et de salpêtre ramène la prospérité.

• *1879-1883. Une guerre oppose le Chili au Pérou qui, battu, perd une partie du littoral méridional.*

Ruiné, le pays retrouve les dictatures militaires, mais celle de Leguía (1908-1930) bénéficie de l'essor des exploitations minières.

• *1941-1942. Conflit avec l'Équateur.*
• *1962-1968. Le réformiste F. Belaúnde Terry au pouvoir.*
• *1968-1980. Le régime, dominé par les militaires, effectue de nombreuses nationalisations.*
• *1980. Retour au pouvoir de Belaúnde Terry.*
• *1985. Le parti social-démocrate remporte les élections générales. Son leader, Alan García, devient président de la République.*

L'organisation du « Sentier lumineux » développe un mouvement d'extrême gauche dans la paysannerie des Andes et multiplie les opérations de guérilla dans l'ensemble du pays.

• *1990. Alberto Fujimori est élu président de la République.*

PÉROUSE, en it. **Perugia,** v. d'Italie (Ombrie); 132 900 hab. Industries alimentaires. Ruines étrusques et romaines. Palais et églises des XIIe et XIIIe s. La ville fut le centre d'une école de peinture au XVe s. (Caporali, Bonfigli, le Pérugin, Pinturicchio).

PEROXYDE [pɛrɔksid] n. m. (de *per-*, préf. exprimant un excès de la quantité normale, et *oxyde*). Oxyde qui contient plus d'oxygène que l'oxyde normal.

PERPENDICULAIRE [pɛrpɑ̃dikylɛr] adj. (du lat. *perpendiculum*, fil à plomb). *Math.* Qui fait un angle droit. ‖ *Droites perpendiculaires*, se dit de deux droites d'un plan euclidien si leurs directions sont orthogonales*. ‖ *Droite perpendiculaire à un plan*, se dit d'une droite si elle est orthogonale* à toute droite de ce plan. ‖ *Plans perpendiculaires*, se dit de plans si l'un contient une droite perpendiculaire à l'autre. ◆ **perpendiculairement** adv. ◆ **perpendicularité** n. f. État de ce qui est perpendiculaire.

PERPÉTRER [pɛrpetre] v. t. (lat. *perpetrare*, accomplir). *Perpétrer un crime, un attentat*, etc., l'exécuter (langue soignée) [syn. ACCOMPLIR, COMMETTRE]. ◆ **perpétration** n. f. : *La perpétration d'un crime.*

PERPÉTUATION n. f. → PERPÉTUER.

PERPÉTUEL, ELLE [pɛrpetɥɛl] adj. (lat. *perpetuus*) [avant ou après le nom]. Qui dure longtemps, qui se renouvelle constamment : *Une inquiétude perpétuelle* (syn. CONTINUEL; contr. MOMENTANÉ). *Être gêné par un murmure perpétuel* (syn. CONTINUEL, INCESSANT; contr. PASSAGER, TEMPORAIRE). *Le secrétaire perpétuel de l'Académie* (= qui est élu secrétaire à vie). ◆ **perpétuellement** adv. : *Il arrive perpétuellement en retard* (syn. CONTINUELLEMENT, CONSTAMMENT, TOUJOURS). ◆ **perpétuité (à)** loc. adv. **1.** *Concession à perpétuité*, terrain vendu définitivement pour servir de sépulture dans un cimetière. — **2.** Pour toute la vie : *Travaux forcés à perpétuité.*

PERPÉTUER [pɛrpetɥe] v. t. (du lat. *perpetuus*, perpétuel). *Perpétuer qqch.*, le faire durer très longtemps : *Perpétuer une tradition ancienne* (syn. MAINTENIR; contr. CESSER). ◆ ***se perpétuer*** v. pr. Durer : *Les abus se sont perpétués jusqu'à nos jours* (syn. SE CONTINUER; contr. FINIR). ◆ **perpétuation** n. f. : *La perpétuation de l'espèce par la reproduction.*

PERPÉTUITÉ (À) loc. adv. → PERPÉTUEL.

PERPIGNAN, ch.-l. du dép. des Pyrénées-Orientales, sur la Têt, à 915 km au S. de Paris; 113 600 hab. *(Perpignanais)*. À proximité de la Méditerranée, la capit. du Roussillon demeure principalement un centre commercial et touristique, insuffisamment industrialisé. Palais des rois de Majorque (XVe s.).

PERPLEXE [pɛrplɛks] adj. (lat. *perplexus*, embrouillé). Se dit de quelqu'un qui ne sait quelle décision prendre, quel jugement porter devant une situation embarrassante : *Cette attitude m'a laissé perplexe* (syn. INDÉCIS). ◆ **perplexité** n. f. : *Cette question nous plonge dans la perplexité* (syn. EMBARRAS, INCERTITUDE).

PERQUISITION [pɛrkizisjɔ̃] n. f. (du lat. *perquirere*, rechercher). Recherche faite par la police dans un lieu déterminé pour trouver des documents utiles à la manifestation de la vérité : *Les policiers ont opéré une perquisition au domicile de l'accusé.* ◆ **perquisitionner** v. i. et t. : *Les inspecteurs ont perquisitionné toutes les chambres de l'hôtel* (syn. FOUILLER).

PERRACHE (Michel), sculpteur français, né à Lyon (1686-1750), où il a exécuté un grand nombre de travaux. — Son fils ANTOINE MICHEL, né à Lyon (1726-1779), a conçu en 1765 le projet du quartier de Lyon qui porte son nom.

PERRAULT (Claude), médecin, physicien et architecte français (1613-1688). On lui attribue, en collaboration avec François d'Orbay, laColonnade du Louvre. Il a donné les plans de l'Observatoire de Paris.

PERRAULT (Charles), écrivain français (1628-1703). Élu en 1671 à l'Académie française, il contribua à établir les règlements de la compagnie. Son poème *le Siècle de Louis le Grand* (1687) réveilla la querelle des Anciens* et des Modernes. Perrault développa sa thèse dans les *Parallèles des Anciens et des Modernes* (1688-1698). Mais il doit sa célébrité aux contes qu'il recueillit pour l'amusement des enfants (*Contes de ma mère l'Oye*, 1697).

PERRET *(les frères)*, architectes français. AUGUSTE (1874-1954), le plus célèbre, GUSTAVE (1876-1952) et CLAUDE (1880-1960) comptent parmi les fondateurs de l'architecture moderne par l'usage qu'ils firent du béton armé. Ils surent en utiliser la technique pour la création d'une esthétique nouvelle.

PERREUX-SUR-MARNE (Le), ch.-l. de cant. du Val-de-Marne, à 12 km à l'E. de Paris, sur la Marne; 27 700 hab.

PERRIN (Jean), physicien français (1870-1942). En 1895, il montra que les rayons cathodiques étaient formés de particules d'électricité négative, puis il fit des recherches sur les émulsions, le mouvement brownien, les lames minces, pour obtenir plusieurs déterminations du nombre d'Avogadro et apporter une preuve décisive de l'existence des atomes. (Prix Nobel, 1926.) — Son fils FRANCIS, physicien français, né en 1901, spécialiste de physique nucléaire, a établi en 1939 la possibilité de réactions de fission en chaîne.

PERRON [perɔ̃] n. m. (de *pierre*). Escalier extérieur dont la dernière marche forme palier devant la porte d'entrée, légèrement élevée au-dessus du sol : *Le perron d'une église.*

PERRONET (Jean Rodolphe), ingénieur français (1708-1794). Il conçut et fit exécuter de nombreux ouvrages, notamment les ponts de Neuilly sur la Seine (1768-1774), de la Concorde à Paris (1787-1791).

1. PERROQUET [perɔkɛ] n. m. (orig. incert.). **1.** Nom donné aux oiseaux grimpeurs de grande taille (les espèces de petite taille étant les perruches), au plumage coloré, où domine le vert, capables d'imiter des sons articulés. (Famille des psittacidés.) — **2.** Personne qui répète les paroles d'autrui sans comprendre.

2. PERROQUET [perɔkɛ] n. m. (orig. incert.). *Mar.* Sur les grands voiliers, voile haute, carrée, s'établissant au-dessus des huniers.

PERROS-GUIREC, ch.-l. de cant. des Côtes-d'Armor, à 11 km au N. de Lannion; 7 500 hab. *(Perrosiens)*. Port de pêche. Plages de *Trestraou* et de *Trestrignel*.

PERRUCHE [peryʃ] n. f. (de *perroquet*). **1.** Femelle du perroquet. — **2.** Oiseau grimpeur de petite taille, à longue queue et au plumage coloré, mais qui ne parle pas. (Famille des psittacidés.)

PERRUQUE [peryk] n. f. (it. *parrucca*, chevelure). Coiffure de faux cheveux : *Porter une perruque.*

PERS [pɛr] adj. (bas lat. *persus*, persan). *Des yeux pers*, dont la couleur est intermédiaire entre le vert et le bleu.

PERSAN, E [pɛrsɑ̃, -an] adj. et n. De la Perse (depuis l'invasion arabe).

PERSAN, comm. du Val-d'Oise, à 7 km au N.-E. de L'Isle-Adam, sur l'Oise; 10 100 hab. Constructions mécaniques. Caoutchouc.

PERSE [pɛrs] adj. et n. De la Perse (avant l'invasion arabe). ◆ **persique** adj. De l'ancienne Perse. ‖ *Ordre persique*, ordre architectural dans lequel des caryatides tiennent lieu de colonnes.

PERSE, anc. royaume du sud-ouest de l'Asie, entre l'U. R. S. S. et la Caspienne au N., l'Afghānistān et le Pākistān à l'E., le golfe Persique au S., l'Iraq et la Turquie à l'O., qui, en 1935, a pris le nom d'IRAN. (→ IRAN.)

L'histoire de la Perse est celle des empires qui se sont succédé sur le plateau iranien depuis l'arrivée au IXe s. av. J.-C. de tribus d'origine indo-européenne, les Mèdes et les Perses.

• *558 av. J.-C. Cyrus le Grand, de la dynastie des Achéménides, fonde l'Empire perse, en se soulevant contre les Mèdes qui avaient, depuis le VIIe s., assujetti son peuple.*

En vingt-cinq ans, Cyrus et son fils Cambyse conquièrent un immense empire, intégrant l'Asie Mineure (guerre contre Crésus roi de Lydie, v. 546), la Mésopotamie (prise de Babylone, 539) et l'Egypte (525).

• *521-486. L'usurpateur Darios Ier étend l'Empire de la Thrace au bassin de l'Indus.*

Il le divise en provinces, les satrapies, liées par un réseau de routes royales et dirigées par des satrapes (= gouverneurs) contrôlés périodiquement par ses émissaires. La civilisation perse connaît alors son apogée avec les monuments de Suse et Persépolis, et la réforme de sa religion, le mazdéisme*, par Zarathoustra au VIe s. Mais les guerres médiques* mettent un frein à l'expansion perse même si l'« or du Grand Roi » favorise en 404 la défaite d'Athènes au cours de la guerre du Péloponnèse*. La faiblesse de l'Empire est révélée sous Artaxerxès II (404-358) par les luttes dynastiques et la révolte des satrapes.

• *331. Le dernier Achéménide, Darios III, est battu à Arbèles par Alexandre le Grand qui annexe ses États.*

Après la mort d'Alexandre (323), Séleucos, un de ses généraux, fonde la dynastie des Séleucides, qui règne de 305 à 64 sur un territoire bientôt réduit à la Syrie; mais les influences hellénistiques resteront profondes.

• *247 av. J.-C.-224 apr. J.-C. L'invasion des Parthes porte au pouvoir la dynastie des Arsacides.*

Imprégnés de culture gréco-romaine malgré les guerres contre Rome, ils sont éliminés par une réaction nationale.

• *224-642. Ardachêr fonde l'État sassanide qui, centralisé, hiérarchisé, est un adversaire redoutable pour Rome, puis Byzance dont il influence la civilisation.*

Au sommet de sa puissance sous Khosrô II (590-628), cet État est réduit en tutelle par Héraclius, puis conquis par les Arabes (Omeyyades) en 642. Soumise au califat de Bagdad, la Perse fait preuve de particularisme en adoptant l'islām chī'ite. Elle passe ensuite aux mains de dynasties iraniennes, puis turques (Seldjoukides, 1055-1194), et enfin mongoles du XIIIe au XVe s.

• *1502-1732. La dynastie séfévide s'appuie sur le chī'isme et le nationalisme persan.*

Menacée par les Ottomans, elle est à son apogée sous 'Abbās Ier (1587-1629). Malgré les querelles dynastiques, une civilisation originale se développe.

• *1786. La dynastie turque des Qādjārs monte sur le trône.*

Le pays, aux mains d'une aristocratie de type féodal, est divisé en zones d'influence russe au N., anglaise au S. (accords de 1844 et de 1907). En 1925, Reza khān Pahlavi renverse le dernier Qādjār. (→ IRAN.)

PERSÉCUTER [pɛrsekyte] v. t. (du lat. *persequi*, poursuivre). **1.** *Persécuter qq'un*, le tourmenter, l'opprimer d'une manière continuelle par des traitements cruels, injustes, tyranniques : *Néron persécuta les chrétiens* (syn. MARTYRISER). — **2.** *Persécuter qq'un*, s'acharner sur lui, l'importuner sans cesse (syn. HARCELER). ◆ **persécuté, e** n. et adj. : *Défendre les persécutés* (syn. OPPRIMÉ). ◆ **persécuteur, trice** n. et adj. Qui persécute. ◆ **persécution** n. f. (sens 1 du v.) : *Les sanglantes persécutions menées contre les chrétiens. Avoir le délire de la persécution* (= se croire attaqué par des ennemis imaginaires).

PERSÉE, héros grec, fils de Zeus et de Danaé. Il coupa la tête de Méduse, épousa Andromède, devint roi de Tirynthe et fonda Mycènes.

PERSÉE (v. 212-166 av. J.-C.), dernier roi de Macédoine (179 à 168 av. J.-C.), fils et successeur de Philippe V. Il fut vaincu à Pydna par Paul Émile et mourut captif en Italie.

PERSEIGNE *(forêt de)*, forêt située entre Mamers et Alençon, dans la Sarthe; 5 064 ha.

PERSÉPHONE ou **CORÉ.** *Myth. gr.* Reine des Enfers, fille de Zeus et de Déméter, identifiée avec la *Proserpine* des Romains.

PERSÉPOLIS, nom gr. de **Parsa**, anc. capit. de l'Empire perse achéménide, fondée par Darios, à l'E. de Chīrāz. Il reste des vestiges très importants de la cité royale (palais de Darios et de Xerxès, avec leur sculpture décorative).

Perses *(les)*, tragédie d'Eschyle (472 av. J.-C.).

PERSÉVÉRER [pɛrsevere] v. i. (lat. *perseverare*) [sujet nom de personne]. Demeurer constant dans une décision prise, mettre toute sa volonté à continuer ce qu'on a entrepris : *Persévérer dans son erreur* (syn. S'OBSTINER; contr. RENONCER À). *Il doit persévérer dans ses efforts* (syn. PERSISTER, POURSUIVRE). ◆ **persévérant, e** adj. : *Cet enfant est persévérant et ses efforts seront récompensés.* ◆ **persévérance** n. f. : *Travailler avec persévérance* (= avec une énergie soutenue) [syn. CONSTANCE, TÉNACITÉ].

PERSHING (John Joseph), général américain (1860-1948). Il fut placé à la tête des forces américaines engagées sur le front français en 1917-1918.

PERSIENNE [pɛrsjɛn] n. f. (de l'anc. fr. *persien*, de Perse). Panneau extérieur à claire-voie, qui sert à protéger une fenêtre du soleil ou de la pluie, tout en laissant pénétrer de l'air et de la lumière : *Ouvrir, fermer les persiennes* (syn. VOLET).

PERSIFLER [pɛrsifle] v. t. (de *siffler*). *Persifler qq'un* (ou *ses actes*), le tourner en ridicule par des paroles ironiques (littér.). ◆ **persiflage** n. m. ◆ **persifleur, euse** adj. et n. : *Prendre un ton persifleur.*

PERSIL [pɛrsi] n. m. (gr. *petroselinon*). Plante potagère dont on utilise les feuilles aromatiques, finement hachées, pour accompagner certains mets. (Famille des ombellifères.) ◆ **persillade** n. f. Persil haché, souvent additionné d'une quantité plus ou moins grande d'ail haché, et que l'on ajoute, en fin de cuisson, à certaines préparations.

PERSILLÉ, E [pɛrsije] adj. (de *persil*). *Viande persillée*, viande parsemée de petits filaments de graisse, signe de bonne qualité.

PERSIQUE adj. ⟶ PERSE.

PERSIQUE *(golfe)*, dépendance du nord-ouest de l'océan Indien, entre l'Arabie et l'Iran, reliée au golfe d'Oman par le détroit d'Ormuz. Il baigne les côtes des Émirats arabes unis, du Qatar, de l'Arabie Saoudite, du Koweït, de l'Iraq et de l'Iran. Importantes exploitations de pétrole.

PERSISTER [pɛrsiste] v. i. (lat. *persistere*). **1.** (sujet nom d'être animé) *Persister dans qqch.*, y demeurer attaché d'une manière inébranlable, en dépit des difficultés : *Il persiste dans son erreur* (syn. S'OBSTINER, PERSÉVÉRER); avec *à* et l'infin. : *Il persiste à soutenir le contraire* (syn. CONTINUER). — **2.** (sujet nom de chose) Continuer d'exister : *Cette mode n'a pas persisté* (syn. DURER, RESTER). ◆ **persistant, e** adj. : *Une humidité persistante* (= qui ne disparaît pas). *Un feuillage persistant* (= qui reste vert pendant l'hiver). *Une fièvre persistante* (syn. CONTINU). *Une odeur persistante* (syn. TENACE). ◆ **persistance** n. f. : *Sa persistance à croire l'invraisemblable est absurde* (syn. OBSTINATION, OPINIÂTRETÉ). *La persistance des grands froids* (syn. DURÉE; contr. CESSATION).

PERSONA GRATA [pɛrsɔnagrata] loc. adj. ou adv. (mots lat. signif. *personne bienvenue*). **1.** Se dit d'un diplomate lorsqu'il est agréé dans ses fonctions par le gouvernement étranger auprès duquel il va exercer. — **2.** Se dit d'une personne en faveur auprès de quelqu'un, du public (contr. PERSONA NON GRATA, personne indésirable).

PERSONNAGE [pɛrsɔnaʒ] n. m. (du lat. *persona*, rôle). **1.** Personne en vue, considérée du point de vue de son rôle social : *Les grands personnages de l'État* (= les hauts dignitaires). — **2.** Personne considérée du point de vue de son aspect extérieur ou moral : *Un singulier personnage.* — **3.** Personne mise en action dans une œuvre littéraire : *Pièce à trois personnages. Un personnage comique.* ‖ Fam. *Se mettre dans la peau de son personnage*, bien se pénétrer du rôle qu'on doit jouer. ‖ *Jouer un personnage*, ne pas être naturel, se conduire selon l'opinion d'autrui, etc.

PERSONNALISATION n. f., **PERSONNALISER** v. t. ⟶ PERSONNE 1.

PERSONNALITÉ [pɛrsɔnalite] n. f. (du lat. *personalis*, personnel). **1.** Ensemble des éléments qui constituent le comportement et les réactions d'une personne. ‖ *Dédoublement de la personnalité*, maladie dans laquelle le sujet se sent successivement être deux personnes différentes. — **2.** Énergie, originalité plus ou moins accusée du caractère d'une personne : *Avoir une forte personnalité. Il n'a pas de personnalité* (= il est effacé, il reste à l'écart, ses idées sont banales, etc.). ‖ *Culte de la personnalité*, exaltation excessive des qualités d'un dirigeant. — **3.** Personne ayant une haute fonction : *L'arrivée des personnalités au monument aux morts.*

1. PERSONNE [pɛrsɔn] n. f. (lat. *persona*). **1.** Être humain, sans distinction de sexe : *Il y a des personnes qui préfèrent le cinéma au théâtre* (syn. GENS). *Une belle, une jolie personne* (= une belle, une jolie femme ou jeune fille). *Une grande personne* (= un adulte, surtout par rapport aux enfants). ‖ *Par personne*, indique la distribution : *On a droit à trente kilos de bagages par personne.* ‖ *Par personne interposée*, par l'intermédiaire de quelqu'un. — **2.** Individu considéré en lui-même : *Toute sa personne respirait la joie de vivre* (= son être tout entier). *Le respect de la personne humaine* (= de chaque humain en tant qu'être moral). — **3.** Être humain considéré du point de vue de son corps : *Il est bien fait de sa personne* (= il a un physique agréable). *Être content de sa personne* (= de soi). *Le ministre viendra en personne* (= il ne se contentera pas de se faire représenter). *Payer de sa personne* (= se dépenser physiquement, ne pas craindre sa peine, le danger). ◆ **personnel, elle** adj. **1.** Se dit de ce qui appartient en propre à quelqu'un, qui le concerne spécialement : *Un livre où il raconte ses souvenirs personnels* (syn. INTIME). *Écrire sur une enveloppe la mention « personnelle » pour signifier qu'elle concerne uniquement le destinataire.* — **2.** Se dit de ce qui porte la marque nettement accusée du caractère, des idées, des goûts de quelqu'un : *Un appartement décoré de façon très personnelle* (contr. IMPERSONNEL). *Un devoir riche en idées personnelles* (syn. ORIGINAL; contr. BANAL). — **3.** *Péjor.* Se dit de quelqu'un qui songe surtout à lui-même, qui ne partage pas volontiers avec les autres ce qu'il possède : *Il est trop personnel pour prêter ses affaires aux voisins* (syn. ÉGOÏSTE). ◆ **impersonnel, elle** adj. Contr. du sens 2 de PERSONNEL : *Un style impersonnel* (syn. BANAL, PLAT). ◆ **personnellement** adv. : *Je le connais personnellement* (= pas seulement de réputation, de vue, etc.). *Je m'occuperai personnellement de votre affaire* (= moi-même). *Personnellement, je ne suis pas de cet avis* (syn. EN CE QUI ME CONCERNE, POUR MA PART, QUANT À MOI). ◆ **personnaliser** v. t. Donner un caractère original, personnel à un objet fabriqué en série : *Personnaliser sa voiture en y ajoutant des accessoires.* ◆ **personnalisation** n. f. ◆ **dépersonnaliser** v. t. Faire perdre son caractère personnel à quelqu'un ou à quelque chose. ◆ **dépersonnalisation** n. f.

2. PERSONNE [pɛrsɔn] n. f. (même étym.). Dr. *Personne morale* ou *personne civile* (par oppos. à la *personne physique*), groupement d'individus, établissement, auxquels la loi reconnaît une personnalité juridique, sans aucun rapport avec la personnalité de chacun de ses membres pris individuellement : *La commune est une personne morale car elle peut se défendre ou attaquer devant les tribunaux judiciaires, sans effet juridique pour la personne du maire ou des autres citoyens.*

3. PERSONNE [pɛrsɔn] n. f. (même étym.). *Gramm.* Forme que prend le verbe, le pronom pour distinguer l'individu qui parle, celui à qui l'on parle, celui de qui l'on parle. ‖ *Parler à qq'un à la troisième personne*, s'adresser à lui en employant la troisième personne par déférence (emploi réservé aux gens de maison ou ironiq.) [ex. : *Le dîner de Madame est servi*]. ◆ **personnel, elle** adj. **1.** Se dit des formes verbales qui reçoivent les flexions relatives aux trois personnes : *Temps personnel.* ‖ *Modes personnels*, modes du verbe dont les désinences marquent les différentes personnes grammaticales. — **2.** *Pronoms personnels*, pronoms qui désignent les êtres en marquant les personnes grammaticales (*je, tu, nous, vous, il, ils, elle, elles*, etc.). [⟶ JE, IL.] ◆ **impersonnel, elle** adj. *Verbe impersonnel*, verbe qui ne se conjugue qu'à la troisième personne du singulier, le pronom de conjugaison *(il, ça, cela)* ne représentant aucun nom (ex. : *Il pleut, il gèle, il faut*, etc.). ‖ *Construction impersonnelle*, construction du type : *Il manque deux livres* (= deux livres manquent). ‖ *Mode impersonnel*, mode qui n'exprime pas la personne grammaticale : *En français, l'infinitif et le participe sont les deux modes impersonnels.* ◆ **impersonnellement** adv. : *Dans la phrase « Il est arrivé une catastrophe », le verbe est employé impersonnellement.*

4. PERSONNE pron. indéf. ⟶ RIEN.

1. PERSONNEL [pɛrsɔnɛl] n. m. (peut-être de l'all. *Personal*). Ensemble des personnes employées par une entreprise, un service public ou un particulier.

2. PERSONNEL, ELLE adj. ⟶ PERSONNE 1 et 3.

PERSONNELLEMENT adv. ⟶ PERSONNE 1.

PERSONNIFIER [pɛrsɔnifje] v. t. (de *personne*). Représenter une notion abstraite ou une chose sous les traits d'une personne : *L'artiste peintre a voulu personnifier la patrie sous l'aspect d'une déesse guerrière.* ◆ **personnifié, e** adj. : *Cet élève, c'est la paresse personnifiée* (= il est le type même du paresseux). *Le courage personnifié* (syn. INCARNÉ). ◆ **personnification** n. f. : *La personnification de la mort dans les tableaux du Moyen Âge* (syn. INCARNATION, SYMBOLISATION).

PERSPECTIVE [pɛrspɛktiv] n. f. (du lat. *perspicere*, pénétrer par le regard). **1.** Art de représenter par le dessin sur un plan les objets tels qu'ils paraissent, vus à une certaine distance et dans une position donnée : *Les élèves des beaux-arts doivent apprendre les lois de la perspective.* — **2.** Aspect agréable de certaines choses considérées comme un tout (langue soignée) : *D'ici, on a une belle perspective* (syn. VUE). — **3.** Manière de voir, aspect sous lequel se présentent les choses : *Il faut envisager cette évolution sociale dans une perspective historique* (syn. ANGLE, OPTIQUE, POINT DE VUE). — **4.** Espérance ou crainte d'événements considérés comme probables, quoique éloignés : *Vous m'ouvrez, ici, des perspectives nouvelles!* (syn. HORIZONS). *Il était rempli de joie à la perspective de quitter la ville* (syn. À L'IDÉE). — LOC. ADV. *En perspective*, en espérance, dans l'avenir : *Il a une belle situation en perspective.*

PERSPICACE [pɛrspikas] adj. (lat. *perspicax*). Se dit d'une personne qui est douée d'un esprit pénétrant et subtil, qui voit ce qui échappe ordinairement aux gens. ◆ **perspicacité** n. f. : *Ce policier a fait preuve de perspicacité dans cette affaire* (syn. CLAIRVOYANCE, SAGACITÉ, SUBTILITÉ).

PERSUADER [pɛrsɥade] v. t. (lat. *persuadere*). **1.** *Persuader qq'un,* réussir à obtenir son adhésion en faisant valoir des arguments : *Vous avez très habilement présenté votre thèse, pourtant vous ne m'avez pas persuadé* (syn. CONVAINCRE). — **2.** *Persuader qq'un de qqch.* ou *que* (et l'indic.), plus rarement *persuader à qq'un que* (et l'indic.), le lui faire admettre comme vrai : *Il les a persuadés qu'ils n'avaient rien à craindre de ce côté-là.* — **3.** *Persuader qq'un de faire qqch.*, l'amener, à force d'exhortations, à le faire : *Tâche de persuader ton frère de se joindre à nous* (syn. DÉCIDER; contr. DISSUADER). ◆ **se persuader** v. pr. S'imaginer à tort, croire faussement : *Ils se sont persuadés* (ou *persuadé*) *qu'on les trompait. Elle s'est persuadée* (ou *persuadé*) *de la sincérité de ses amis.* ◆ **persuasif, ive** adj. **1.** Se dit de ce qui persuade, qui entraîne l'adhésion : *Un argument peu persuasif* (syn. CONVAINCANT). — **2.** Se dit d'une personne dont les discours, les arguments, etc., persuadent quelqu'un : *C'est un orateur très persuasif.* ◆ **persuasion** n. f. : *Avoir le don de persuasion.*

PERTE n. f. ⟶ PERDRE.

PERTH, v. d'Australie, capit. de l'État d'Australie-Occidentale, près de l'océan Indien; 949 000 hab. Métallurgie. Raffinage du pétrole.

PERTH, v. d'Écosse, ch.-l. d'un ancien comté, sur le Tay; 43 100 hab. Centre commercial.

PERTHUS *(col du)*, passage des Pyrénées-Orientales, à 290 m d'alt. à la frontière franco-espagnole. Il est dominé par la forteresse de Bellegarde.

PERTINENT, E [pɛrtinɑ̃, -ɑ̃t] adj. (du lat. *pertinere*, concerner). Se dit d'une chose qui se rapporte exactement à ce dont il est question, qui dénote un esprit précis et juste : *Faire une remarque pertinente* (syn. APPROPRIÉ, JUDICIEUX, JUSTIFIÉ). ◆ **pertinence** n. f. : *La pertinence de l'argument avait porté sur le jury* (syn. À-PROPOS, BIEN-FONDÉ). ◆ **pertinemment** [pɛrtinamɑ̃] adv. *Savoir pertinemment qqch.*, le savoir de manière indubitable, sans contestation possible.

PERTUIS [pɛrtɥi] n. m. (de l'anc. fr. *pertuisier*, percer). **1.** *Géogr.* Sur les côtes de l'ouest de la France, détroit entre une île et le continent : *Le pertuis Breton.* — **2.** *Géogr.* Passage étroit.

PERTUIS, ch.-l. de cant. du Vaucluse, à 20 km au N. d'Aix-en-Provence; 12 400 hab. *(Pertuisiens).*

PERTUISANE [pɛrtɥizan] n. f. (it. *partigiana*). Sorte de hallebarde à fer long (XVe-XVIIe s.).

PERTURBER [pɛrtyrbe] v. t. (lat. *perturbare*, troubler fortement). **1.** *Perturber une cérémonie, un programme,* etc., y mettre du désordre : *Cet incident a perturbé la séance* (syn. TROUBLER). *Les émissions radiophoniques ont été perturbées par le cyclone* (syn. BROUILLER). — **2.** *Perturber qq'un, son calme,* etc., lui causer un trouble moral. ◆ **perturbateur, trice** adj. et n. : *On chassa de la salle une poignée de perturbateurs.* ◆ **perturbation** n. f. : *Ce début d'incendie jeta une grande perturbation dans la fête* (syn. AGITATION, DÉSORDRE, TROUBLE). *Une perturbation atmosphérique qui amène de violentes averses.* ◆ **imperturbable** adj. Se dit d'une personne (ou de son comportement) que rien ne trouble, n'émeut : *Il est resté imperturbable dans le malheur* (syn. IMPASSIBLE, INÉBRANLABLE). ◆ **imperturbablement** adv. : *Il écoutait imperturbablement ces accusations* (syn. FROIDEMENT, PLACIDEMENT). ◆ **imperturbabilité** n. f. : *Un candidat qui fait preuve d'une rare imperturbabilité aux épreuves orales* (syn. CALME, SANG-FROID).

PÉRUGIN (Pietro VANNUCCI, dit **le**), peintre italien (1445-1523). Il travailla à la décoration de la chapelle Sixtine, à Rome *(la Remise des clefs à saint Pierre)*, et se fixa à Pérouse. Ses compositions, surtout religieuses *(le Mariage de la Vierge, saint Sébastien)*, montrent une grande maîtrise dans l'expression de l'espace. Symétriquement équilibrées, elles se caractérisent par la tendresse du sentiment et la finesse du coloris. Le Pérugin influença Raphaël.

PÉRUVIEN, ENNE [peryvjɛ̃, -ɛn] adj. et n. Du Pérou.

PERVENCHE [pɛrvɑ̃ʃ] n. f. (lat. *pervinca*). Plante herbacée des bois, aux fleurs d'un bleu-mauve particulier *(bleu pervenche)* et aux pétales incurvés. (Famille des apocynacées.)

PERVERS, E [pɛrvɛr, -ɛrs] adj. et n. (lat. *perversus*, retourné). **1.** Se dit de quelqu'un (ou de son comportement) qui se plaît à faire le mal : *Un piège si savamment dressé dénote une nature foncièrement perverse* (syn. ↑DIABOLIQUE). — **2.** Se dit de quelqu'un (ou de son comportement) qui recherche ce qui est contraire à la morale, spécialement à la morale sexuelle (syn. VICIEUX). ◆ **perversion** n. f. Corruption des mœurs : *L'état des mœurs était arrivé, à la fin de l'Empire romain, à la plus complète perversion.* ◆ **perversité** n. f. **1.** Caractère d'une personne ou d'une action perverse. — **2.** Acte pervers. ◆ **pervertir** v. t. **1.** *Pervertir qq'un,* le corrompre, l'inciter au désordre, à la débauche : *Les mauvais exemples pervertissent la jeunesse.* — **2.** *Pervertir le goût,* le corrompre. ◆ **pervertissement** n. m. : *Socrate fut accusé d'avoir, par ses idées, contribué au pervertissement de la jeunesse* (syn. CORRUPTION).

PESAGE n. m. ⟶ PESER 1.

PESAMMENT adv., **PESANT, E** adj. et n. m. ⟶ PESER 2.

1. PESANTEUR n. f. ⟶ PESER 2.

2. PESANTEUR [pəzɑ̃tœr] n. f. (de *peser*). Résultat des actions exercées sur les diverses parties d'un corps par l'attraction de la masse terrestre : *Étudier l'accélération d'un corps sous l'effet de la pesanteur.* ◆ **apesanteur** n. f. Absence ou annulation de la force de la pesanteur.

— ENCYCL. La *pesanteur*, conséquence de l'attraction universelle, se traduit par l'existence d'une force verticale, le *poids* du corps, appliquée au centre de gravité. Cette force est proportionnelle à la masse du corps, et leur quotient est dit *intensité de la pesanteur*. Cette grandeur, qui coïncide avec l'accélération de chute libre, généralement représentée par le symbole *g*, dépend de l'altitude et de la latitude; sa valeur à Paris est environ 9,81 m/s^{2}.

PESARO, v. d'Italie (Marches), sur l'Adriatique; 87 500 hab. Station balnéaire. Palais ducal (XVe s.).

PESCADORES, archipel chinois du détroit de Formose. Occupé par les Hollandais au XVIIe s. et par les Français en 1885, l'archipel fut possession japonaise de 1895 à 1945.

PESCARA, v. d'Italie (Abruzzes), sur l'Adriatique; 129 200 hab. Station balnéaire.

1. PESER [pəze] v. t. (du lat. *pensare*). **1.** Déterminer le poids d'un corps, par comparaison avec l'unité de poids : *Peser un paquet. Les colis que nous avons pesés.* — **2.** *Peser qqch.*, l'examiner attentivement : *Pèse bien tes mots* (syn. MESURER). — **3.** *Peser le pour et le contre,* évaluer les arguments favorables et défavorables. ◆ **pesage** n. m. **1.** Action de peser : *Le pesage des marchandises sur une bascule.* — **2.** Endroit réservé où l'on pèse les jockeys dans les champs de courses; enceinte publique située autour de cet endroit. ◆ **pèse-acide** n. m. Aréomètre pour mesurer la densité des solutions acides. ‖ Pl. des *pèse-acides* ou *-acide.* ◆ **pèse-bébé** n. m. Balance dont l'un des plateaux est disposé pour recevoir les tout jeunes enfants. ‖ Pl. des *pèse-bébés* ou *-bébé.* ◆ **pèse-lettre** n. m. Appareil pour déterminer le poids d'une lettre. ‖ Pl. des *pèse-lettres* ou *-lettre.* ◆ **pesé, e** adj. : *Toutes ses paroles sont soigneusement pesées* (= judicieusement choisies). ‖ *Tout bien pesé,* après mûre réflexion. ◆ **pesée** n. f. **1.** Action de peser; ce qu'on a pesé en une fois. — **2.** Morceau qu'on ajoute dans certains cas à un pain pour donner au client le poids exact demandé. (⟶ POIDS.)

2. PESER [pəze] v. i. et t. (même étym.). **1.** (sujet nom de chose ou de personne) Avoir un certain poids comparativement à autre chose : *Le platine pèse plus lourd que l'or. Les cinquante kilos qu'elle a pesés. Ce pain pèse un kilo.* — **2.** (sujet nom de chose) *Peser à qq'un,* lui donner le sentiment d'être pénible, l'impression d'être difficile à supporter, etc. : *Le climat lui pèse beaucoup* (= lui donne une impression physique d'oppression). *Son oisiveté commençait à lui peser* (= à lui être pénible). — **3.** (sujet nom de chose) *Peser sur qq'un,* constituer une charge, avoir une importance décisive : *Les soupçons pèsent sur lui* (= le concernent, le visent). *Les impôts qui pèsent sur les contribuables* (syn. ↑ACCABLER). *Des considérations qui pèsent fortement sur une décision* (syn. INFLUER SUR). — **4.** (sujet nom de personne) *Peser sur qqch.*, exercer une forte pression sur cette chose : *L'ouvrier se mit à peser de tout son poids sur le levier.* ◆ **pesamment** adv. : *Marcher pesamment* (= lourdement, sans grâce). ◆ **pesant, e** adj. : *Les valises lui semblèrent bien pesantes* (syn. LOURD; contr. LÉGER). *Sa présence était devenue pesante aux autres* (syn. IMPORTUN). *Avoir un sommeil pesant* (syn. LOURD). ◆ n. m. *Valoir son pesant d'or,* avoir une grande valeur. ◆ **pesanteur** n. f. : *Pesanteur d'esprit* (syn. LOURDEUR). *Après ce bon repas, il se sentait une certaine pesanteur d'estomac.* ◆ **pesée** n. f. Effort exercé sur un instrument dans un but déterminé : *Exercer une pesée sur une barre de fer.* (⟶ POIDS.)

PESETA [pezeta] n. f. (mot esp.). Unité monétaire principale de l'Espagne (symb. : PTA), divisée en 100 centimos.

PESHĀWAR ou **PECHAWAR,** v. du Pākistān, place forte à l'entrée de la passe de Khaybar, qui mène en Afghānistān; 555 000 hab.

PESO [pezo] n. m. (mot esp.). Unité monétaire de nombreux pays de l'Amérique latine.

PESSAC, ch.-l. de cant. de la Gironde, à 6 km au S.-O. de Bordeaux; 50 500 hab. Quartier moderne édifié par Le Corbusier. Vins rouges.

PESSIMISME [pesimism] n. m. (du lat. *pessimus*, très mauvais). Attitude d'esprit qui consiste à considérer toute chose par ses aspects les plus mauvais, à prévoir une issue fâcheuse aux événements, à penser que tout va mal (contr. OPTIMISME). ◆ **pessimiste** adj. et n. : *Il reste pessimiste sur la suite des négociations* (contr. OPTIMISTE).

PESSOA (Fernando), poète portugais (1888-1935). Il a exprimé, dans une œuvre écrite en anglais et en portugais, les contradictions de sa personnalité et de son siècle (*Ode maritime*, 1955; *le Gardeur de troupeaux*, 1960).

PESTE [pɛst] n. f. (lat. *pestis*, épidémie). **1.** Maladie infectieuse épidémique, contagieuse et transmissible à l'homme par certaines puces. ⟶ ENCYCL. — **2.** *Fuir qq'un comme la peste*, se garder de rencontrer cette personne. — **3.** *Une peste, une vraie peste*, une femme odieuse. ‖ *Une petite peste*, une petite fille insupportable. ◆ **pestiféré, e** adj. et n. **1.** Atteint de la peste : *Le peintre Gros a peint « les Pestiférés de Jaffa ».* — **2.** *Comme un pestiféré*, comme quelqu'un de nuisible, que tout le monde évite : *On le fuit comme un pestiféré.*
— ENCYCL. La *peste* a provoqué autrefois des pandémies (= extension de la maladie contagieuse à tout un continent) très meurtrières. L'historien grec Thucydide a relaté la « grande peste » d'Athènes qui sévit en 430-427 av. J.-C. Au XIVe s., de l'Inde, la peste se propagea jusqu'à la Méditerranée, faisant plusieurs millions de victimes en Europe. Elle causa de nombreux ravages aux XVIIe (peste de Londres de 1655) et XVIIIe s. (peste de Marseille en 1720). À la fin du XVIIIe s., l'armée de Bonaparte eut à souffrir de l'épidémie de la Méditerranée orientale (pestiférés de Jaffa). Actuellement, des foyers endémiques persistent en Inde et dans le Sud-Est asiatique. La surveillance des bateaux et des ports où pullulent les rats, leur destruction, la vaccination constituent les mesures préventives pour enrayer ce fléau.

Peste *(la)*, roman d'Albert Camus (1947).

PESTER [pɛste] v. i. (de *peste*). Protester, manifester son irritation contre l'attitude de quelqu'un, des événements contraires, etc. : *Il pestait contre le mauvais temps qui gâchait ses vacances.*

PESTICIDE [pɛstisid] adj. et n. m. (du lat. *pestis*, fléau, et *caedere*, tuer). Se dit de tout produit destiné à lutter contre des parasites animaux et végétaux des cultures.

PESTIFÉRÉ, E adj. et n. ⟶ PESTE.

PESTILENTIEL, ELLE [pɛstilɑ̃sjɛl] adj. (du lat. *pestilentia*, pestilence). Qui a une odeur infecte : *Un air pestilentiel* (syn. NAUSÉABOND). ◆ **pestilence** n. f. Odeur infecte.

PET [pɛ] n. m. (lat. *peditum*). Gaz intestinal qui sort de l'anus avec bruit. ◆ **péter** v. i. *Fam.* Faire un pet. ◆ **pétarade** n. f. Suite de pets que fait un cheval en ruant.

PÉTAIN (Philippe), maréchal de France (1856-1951).
Il se distingue pendant la Première Guerre mondiale et gagne la bataille de Verdun (1916). Commandant en chef des troupes françaises en 1917, il est nommé maréchal de France en 1918. Ministre de la Guerre en 1934, il succède à Paul Reynaud comme président du Conseil en juin 1940 et, la bataille perdue, refusant d'envisager la poursuite du combat, demande aussitôt l'armistice à l'Allemagne. Le 11 juillet, il reçoit de l'Assemblée nationale les pleins pouvoirs et devient chef de l'État français. Installé à Vichy, il pratique alors une politique d'entente avec l'Allemagne et établit un État hiérarchique et autoritaire, fondé sur les notions de « Travail, Famille, Patrie », et sur la fidélité à sa personne. Sa politique de collaboration avec les Allemands lui vaut d'être condamné à mort en 1945. Cette peine est commuée en détention perpétuelle à l'île d'Yeu, où il meurt.

PÉTALE [petal] n. m. (gr. *petalon*). Chacune des pièces florales, souvent colorées et soyeuses, dont l'ensemble forme la corolle des fleurs*, et qui entourent immédiatement les étamines.

PÉTANGE, v. du Luxembourg; 11 800 hab. Métallurgie.

PÉTANQUE [petɑ̃k] n. f. (prov. *ped tanco*, pied fixe). Jeu de boules tel qu'il est pratiqué dans le midi de la France.

1. PÉTARADE n. f. ⟶ PET.

2. PÉTARADE [petarad] n. f. (de *pet*). Suite de détonations : *Les pétarades d'un cyclomoteur.* ◆ **pétarader** v. i. : *Le moteur pétarade.* ◆ **pétaradant, e** adj.

PÉTARD [petar] n. m. (de *pet*). Petite charge explosive que l'on fait exploser surtout pour provoquer un bruit.

PÉTAUDIÈRE [petodjɛr] n. f. (de l'express. *la cour du roi Pétaud*, désignant l'absence d'autorité dans un État ou une maison). Groupement humain, organisme, bureau, etc., où règnent la confusion, le désordre et l'anarchie.

PETCHORA (la), fl. de l'U. R. S. S., originaire de l'Oural, tributaire de la mer de Barents; 1 790 km.

PET-DE-NONNE [pɛdənɔn] n. m. *(pet, de,* et *nonne).* Beignet soufflé très léger. ‖ Pl. des *pets-de-nonne.*

1. PÉTER v. i. ⟶ PET.

2. PÉTER [pete] v. i. (de *pet*) [sujet nom de chose]. **1.** *Pop.* Faire un bruit éclatant en explosant : *La grenade lui avait pété dans les mains.* — **2.** *Pop.* Casser brusquement : *Les mailles du filet ont pété.* — **3.** Pop. *Il pète le feu*, il déborde de dynamisme, d'ardeur. ◆ v. t. *Pop.* Casser.

PETERHOF, auj. **Petrodvorets,** v. de l'U. R. S. S., sur la baie de Kronchtadt; 40 000 hab. La ville, fondée en 1711 par Pierre le Grand, fut la résidence préférée des tsars.

Peter Pan, héros d'un conte (1902), puis d'une féerie (1904) de sir James M. Barrie.

PÉTILLER [petije] v. i. (de *péter*). **1.** Éclater en produisant de petits bruits secs et répétés : *Le bois vert pétillait dans la cheminée* (syn. ↑CRÉPITER). — **2.** (sujet nom désignant un liquide) Dégager de petites bulles de gaz qui, en éclatant, projettent des gouttelettes : *Le champagne pétille.* — **3.** Briller d'un vif éclat : *Des yeux qui pétillent.* — **4.** *Pétiller d'esprit*, manifester un esprit vif, éclatant, plein d'humour. ◆ **pétillant, e** adj. : *Une eau pétillante. Un discours pétillant d'esprit* (= très spirituel). ◆ **pétillement** n. m.

PÉTIOLE [pesjɔl] n. m. (lat. *petiolus*, petit pied). *Bot.* Partie rétrécie reliant le limbe d'une feuille à la tige, près de laquelle elle s'élargit souvent en une gaine.

PÉTION (Anne Alexandre SABÈS, dit), homme politique haïtien (1770-1818). Il fonda la république d'Haïti (1807) et lui donna sa constitution (1816).

PETIOT, E adj. et n. ⟶ PETIT.

PETIPA (Marius), chorégraphe français (1818-1910), l'un des créateurs de l'école russe de ballet.

PETIT, E [pəti, -it] adj. (orig. obscure) [normalement avant le nom]. **1.** Se dit de ce qui a peu de volume, d'étendue, de hauteur (contr. GRAND) : *Une petite voiture. Une femme de petite taille* (syn. ↑MINUSCULE). — **2.** Se dit de ce qui est peu important en nombre, en valeur, en intensité, en durée, etc. : *Une petite somme d'argent* (syn. FAIBLE). *Éprouver quelques petites difficultés* (syn. MENU). *Un petit bruit* (syn. LÉGER). *C'est un petit esprit* (= il est incapable d'idées élevées). *Un petit moment d'inattention* (syn. COURT; contr. LONG). — **3.** (après ou plus souvent avant le nom) Se dit d'un être vivant, et spécialement d'un humain qui n'a pas achevé sa croissance : *Un petit chat. Quand il était petit, il était très coléreux* (syn. ↓JEUNE). ‖ Fam. *Se faire tout petit*, s'efforcer de tenir le moins de place possible ou de passer inaperçu par peur de quelque chose. — **4.** S'emploie à propos des personnes, et souvent précédé d'un possessif, avec une idée d'affection ou de mépris : *Courage mon petit gars!* ‖ Fam. *Une petite amie*, une femme ou une jeune fille avec laquelle un homme est lié intimement. ‖ Fam. *Être aux petits soins pour qq'un*, avoir des attentions délicates à son égard. — **5.** (avant un nom désignant le rang social, la catégorie professionnelle) Se dit de quelqu'un dont l'importance est mineure : *Un petit fonctionnaire* (contr. HAUT). *Un petit commerçant* (contr. GROS). ‖ *Les petites gens*, les personnes qui ont des revenus modestes. — LOC. ADV. *En petit*, en raccourci : *Un monde en petit.* ‖ *Petit à petit*, peu à peu (syn. INSENSIBLEMENT, PROGRESSIVEMENT). ◆ n. **1.** (avec un art.) Petit enfant (du point de vue des parents, des adultes) : *Nous avons mis le petit à l'école* (= notre enfant). *Les tout-petits* (= les bébés). — **2.** (avec un possessif) Terme d'affection ou de mépris : *Mon petit, ma petite.* — **3.** Jeune animal : *La chatte et ses petits.* ◆ **petiot, e** adj. et n. *Fam.* Syn. affectueux de PETIT. ◆ **petitement** adv. **1.** De façon étroite, chichement : *Vivre petitement.* — **2.** Sans grandeur morale, bassement, mesquinement : *Se venger petitement.* ◆ **petitesse** n. f. **1.** Caractère de ce qui est petit : *La petitesse de sa taille. Sa petitesse d'esprit* (syn. ÉTROITESSE; contr. LARGEUR). — **2.** Manque de générosité, attitude d'esprit marquant un esprit bas, sans noblesse : *La petitesse de ses procédés* (syn. MESQUINERIE). ◆ **rapetisser** [raptise] v. t. **1.** Rendre plus petit : *Rapetisser une planche* (syn. DIMINUER, RÉDUIRE; contr. AGRANDIR). *Rapetisser un vêtement* (syn. DIMINUER, RACCOURCIR; contr. ALLONGER, ÉLARGIR). — **2.** Faire paraître plus petit : *La distance rapetisse les objets* (contr. GROSSIR). ◆ v. i. ou ***se rapetisser*** v. pr. Devenir plus petit, plus court : *Cette étoffe a rapetissé* ou *s'est rapetissée au lavage* (syn. RÉTRÉCIR). *Les jours rapetissent* (contr. ALLONGER). ◆ **rapetissement** n. m. : *Le rapetissement d'un tissu après lavage.*

PETIT-BEURRE [pətibœr] n. m. *(petit,* et *beurre).* Biscuit sec rectangulaire, comportant dans sa confection de la farine et du beurre. ‖ Pl. des *petits-beurre.*

PETIT-BOURGEOIS, E adj. et n. ⟶ BOURGEOISIE.

Petit Chaperon rouge *(le)*, personnage et titre d'un conte de Perrault.

Petit Chose *(le)*, roman d'A. Daudet (1868).

PETIT-COURONNE (Le), comm. de la Seine-Maritime, dans la banlieue sud de Rouen; 5 700 hab. *(Couronnais* ou *Petit-Couronniers).* Raffinerie de pétrole. Pétrochimie.

Petite Fadette *(la)*, roman de George Sand (1849).

PETITE-FILLE n. f. —→ PETIT-FILS.

PETITEMENT adv. —→ PETIT.

PETITE-ROSSELLE, comm. de la Moselle, à 5 km au N.-O. de Forbach; 7 200 hab. *(Rossellois).* Houille.

PETITESSE n. f. —→ PETIT.

PETITE-SYNTHE, anc. comm. du Nord, auj. rattachée à Dunkerque. Industries textiles (jute) et alimentaires.

PETIT-FILS [pətifis] n. m., **PETITE-FILLE** [pətitfij] n. f. *(petit,* et *fils; petite,* et *fille).* Fils, fille du fils ou de la fille par rapport au grand-père et à la grand-mère. (—→ PARENTÉ.) ‖ Pl. des *petits-fils;* des *petites-filles.*

PETIT-GRIS [pətigri] n. m. *(petit,* et *gris).* **1.** Variété d'écureuil de Sibérie fournissant une fourrure recherchée. — **2.** Nom usuel d'un escargot comestible. ‖ Pl. des *petits-gris.*

1. PÉTITION [petisjɔ̃] n. f. (du lat. *petere,* demander). Écrit adressé à une autorité quelconque (gouvernement, ministre, préfet, maire, etc.) pour formuler une plainte ou une demande. ◆ **pétitionnaire** n. Personne qui signe une pétition. ◆ **pétitionner** v. i. Adresser une pétition.

2. PÉTITION [petisjɔ̃] n. f. (même étym.). *Pétition de principe,* raisonnement faussé qui consiste à considérer comme vrai ou démontré ce qui est l'objet même de la question ou de la démonstration.

PETIT-LAIT n. m. —→ LAIT.

PETIT-NÈGRE [pətinɛgr] n. m. *(petit,* et *nègre). Parler en petit-nègre,* parler d'une manière incorrecte, sans utiliser convenablement les éléments grammaticaux (prépositions, conjonctions, désinences, etc.). ‖ *C'est du petit-nègre,* c'est incompréhensible.

PETIT-NEVEU [pətinəvø] n. m., **PETITE-NIÈCE** [pətitnjɛs] n. f. *(petit,* et *neveu; petite,* et *nièce).* Fils, fille du neveu ou de la nièce. (—→ PARENTÉ.) ‖ Pl. des *petits-neveux;* des *petites-nièces.*

Petit Poucet *(le)*, principal personnage et titre d'un conte de Perrault.

Petit Prince *(le)*, conte de Saint-Exupéry (1943).

PETIT-QUEVILLY (Le), ch.-l. de cant. de la Seine-Maritime, dans la banlieue ouest de Rouen, sur la Seine; 22 900 hab. *(Quevillais).* Métallurgie. Industries chimiques et textiles.

PETITS-ENFANTS [pətizɑ̃fɑ̃] n. m. pl. *(petit,* et *enfant).* Enfants du fils ou de la fille (—→ PARENTÉ) : *Les grands-parents et leurs petits-enfants.*

Petits Poèmes en prose, de Charles Baudelaire, écrits à partir de 1857.

PETIT-SUISSE [pətisɥis] n. m. *(petit,* et *suisse).* Fromage frais triple crème. ‖ Pl. des *petits-suisses.*

PETŐFI (Sándor), poète hongrois (1823-1849). Très tôt célèbre pour ses poésies d'inspiration populaire et patriotique (*le Marteau du village,* 1844), il déclencha la révolution hongroise, le 15 mars 1848, en enflammant la foule par son chant national *Debout, Magyar!* Tué à la bataille de Segesvár, il est resté la figure la plus pure du romantisme hongrois.

PETON n. m. —→ PIED 1.

PÉTONCLE [petɔ̃kl] n. m. (lat. *pectunculus,* petit peigne). Mollusque bivalve comestible, vivant sur les fonds sableux de toutes les côtes de l'Europe occidentale. (Famille des peignes.)

PÉTRARQUE, poète et humaniste italien (1304-1374). Il a contribué, par son érudition, à faire renaître l'étude de textes latins de l'Antiquité. Il écrivit, en latin, des études historiques et philosophiques (*les Hommes illustres,* 1338; *la Vie solitaire,* 1346-1356). Mais il doit sa gloire à son œuvre poétique (sonnets et chansons), écrite en italien, où il exprime son amour platonique* pour Laure de Noves, rencontrée en 1327 à Avignon.

PÉTREL [petrɛl] n. m. (orig. obscure). Oiseau palmipède, long de 20 cm, vivant au large dans les mers froides, et ne venant à terre que pour nicher.

1. PÉTRIFIER [petrifje] v. t. (du lat. *petra,* pierre). *Pétrifier qqch.,* le recouvrir d'une couche de pierre. ◆ **pétrification** n. f. **1.** Transformation de la substance d'un corps organique en une substance pierreuse : *La pétrification des bois.* — **2.** Incrustation phénomène par lequel les corps plongés dans certaines eaux très calcaires s'y couvrent d'une couche pierreuse.

2. PÉTRIFIER [petrifje] v. t. (même étym.). *Pétrifier qq'un,* le frapper de stupeur, l'immobiliser sous le coup d'une violente émotion (syn. FIGER, GLACER).

1. PÉTRIN n. m. —→ PÉTRIR.

2. PÉTRIN [petrɛ̃] n. m. (du lat. *pistrinum,* meule). *Fam.* Situation pénible à supporter et dont on sort difficilement : *Il est dans le pétrin.*

PÉTRIR [petrir] v. t. (du bas lat. *pistrire*). **1.** *Pétrir la pâte* (servant à faire le pain), dans une boulangerie ou une pâtisserie remuer en tous sens, avec les mains ou mécaniquement, de la farine détrempée avec de l'eau (syn. MALAXER). — **2.** *Pétrir de l'argile, de la cire,* etc., les presser afin de leur donner une forme (syn. FAÇONNER, MODELER). — **3.** *Pétrir qqch.,* le malaxer : *Nerveux et inquiet, il pétrissait sa serviette de table.* — **4.** *Être pétri d'orgueil, de contradictions,* etc., être plein d'orgueil, de contradictions. ◆ **pétrin** n. m. Coffre où l'on pétrit la pâte destinée à faire le pain. ◆ **pétrissage** n. m. Action de pétrir.

PÉTROCHIMIE n. f., **PÉTROCHIMIQUE** adj. —→ PÉTROLE.

PETROGRAD, nom donné de 1914 à 1924 à Saint-Pétersbourg.

PÉTROGRAPHIE [petrografi] n. f. (du gr. *petra,* pierre, et *graphein,* décrire). Branche de la géologie qui étudie la composition minéralogique des roches et leur mode de formation.

PÉTROLE [petrɔl] n. m. (lat. *petroleum,* huile de pierre). Huile minérale naturelle combustible, formée d'hydrocarbures, de couleur brun à noir, d'odeur caractéristique et dont la densité est voisine de 0,8 : *Des gisements de pétrole. Le raffinage du pétrole.* —→ ENCYCL. ◆ adj. *Bleu pétrole,* bleu tirant sur le gris-vert. ◆ **pétrolier, ère** adj. : *L'industrie pétrolière. Les pays pétroliers* (= producteurs de pétrole). *Les produits pétroliers* (= extraits du pétrole). ◆ n. m. **1.** Navire-citerne pour le transport du pétrole. — **2.** Technicien spécialiste de la prospection ou de l'exploitation du pétrole. ◆ **pétrolifère** adj. Qui contient du pétrole : *Champ, gisement pétrolifère.* ◆ **pétrochimie** n. f. Science, technique et industrie des produits chimiques dérivés du pétrole. —→ ENCYCL. ◆ **pétrochimique** adj. : *L'industrie pétrochimique.*

— ENCYCL. ***pétrole.*** Le pétrole se forme dans des lagunes peu profondes par décomposition de matières organiques (plancton) accumulées en milieu anaérobie. En raison de sa faible densité, il a ensuite tendance à migrer jusqu'à être piégé dans une couche poreuse *(roche-magasin)*, entre deux couches imperméables. C'est là que se trouvent les gisements. Les puits de pétrole sont forés par la rotation d'un outil appelé « trépan », mis en œuvre à partir d'un « derrick ». Après son extraction, le pétrole brut est acheminé, par oléoducs et pétroliers, vers les lieux de raffinage.

L'opération fondamentale du *raffinage* est la distillation fractionnée, qui permet de séparer les produits légers (gaz liquéfiables et essences), les produits intermédiaires (gasoils) et les résidus (fuels). Cette première distillation ne fournit que des produits à l'état brut, qui doivent presque tous être améliorés (craquage, reformage, hydrodésulfuration) avant d'être mis sur le marché. Les principaux pays producteurs sont :

Monde	2 800 millions de t
U. R. S. S.	597 millions de t
États-Unis	503 millions de t
Arabie Saoudite	170 millions de t
Mexique	150 millions de t
Grande-Bretagne	128 millions de t
Chine	125 millions de t
Iran	110 millions de t

La production de la France est de 3 millions de t.

pétrochimie. C'est l'ensemble des procédés et des opérations chimiques effectués dans les raffineries de pétrole ou les usines de traitement de gaz naturel fabriquant non plus des produits énergétiques, mais des produits chimiques ou des bases utilisées comme matière de départ par l'industrie chimique. Les principales fabrications de la pétrochimie sont les oléfines (éthylène, propylène), les carbures aromatiques (benzène, toluène) et l'ammoniac.

→ illustration en couleurs pp. 1056-1057.

PÉTRONE, en lat. **Caius Petronius Arbiter,** écrivain latin du Ier s. apr. J.-C., auteur du roman *Satiricon.*

PETROPAVLOVSK-KAMTCHATSKI, port de l'U. R. S. S., sur la côte sud-est de la presqu'île du Kamtchatka; 223 000 hab. Conserves de poissons et crustacés.

PETRÓPOLIS, v. du Brésil (Rio de Janeiro); 247 000 hab. Station estivale.

PETROZAVODSK, v. de l'U. R. S. S., capit. de la république autonome de Carélie; 220 000 hab. Industries du bois.

PETSAMO, en russe **Petchenga,** localité de Laponie, cédée par la Finlande à l'U. R. S. S. en 1944. Nickel.

PÉTULANT, E [petylɑ̃, -ɑ̃t] adj. (lat. *petulans*, querelleur). Se dit de quelqu'un qui manifeste un dynamisme exubérant, une impétuosité difficile à contenir. ◆ **pétulance** n. f.

PÉTUNIA [petynja] n. m. (du portug. *petum*). Plante ornementale aux fleurs blanches, violettes ou mauves. (Famille des solanacées.)

PEU [pø], **BEAUCOUP** [boku] adv. (bas lat. *paucum; beau*, et *coup*). Indiquent une quantité ou une intensité faible ou forte. → tableaux ci-dessous et page suivante.

PEUGEOT (Armand), industriel français (1849-1915). Il fonda en 1896 une importante usine de construction d'automobiles.

PEULS ou **FOULBÉS,** peuple africain dont les ancêtres sont venus du Sahara oriental vers le Soudan occidental, entre le IVe et le IIe millénaire av. J.-C. Installés au Fouta-Toro (Sénégal) au XIe s. apr. J.-C., ils se dispersent d'E. en O., atteignant le Macina (début du XVe s.), le Fouta-Djalon (XVIe s.) et l'Adamaoua (XVIIIe s.).
Au XVIIIe s., leur conversion à l'islām entraîne, après de véritables guerres saintes, la formation de royaumes, puis au XIXe s., d'empires peuls qui, bien qu'éphémères, islamisent le Soudan.
Nombreux aujourd'hui en Guinée, au Mali, au Niger et au Cameroun, ils sont durement touchés dans leur principale richesse, leurs troupeaux, du fait de la sécheresse persistante.

1. PEUPLE [pœpl] n. m. (lat. *populus*). **1.** Ensemble d'hommes habitant un même pays et constituant une nation : *Le peuple français.* — **2.** Ensemble d'hommes unis par leur origine, leur religion, mais appartenant à plusieurs nationalités et n'habitant pas le même pays : *Le peuple juif.* — **3.** Ensemble d'hommes appartenant à plusieurs nationalités et groupés dans le même État : *Les peuples de l'U. R. S. S.* ◆ **peuplade** n. f. Société humaine incomplètement organisée : *Apporter la civilisation et le progrès aux peuplades lointaines.*

EMPLOIS	peu	beaucoup
1. Après un verbe indiquant une petite ou une grande quantité ou intensité. (*Peu* est susceptible d'être modifié par *très, assez, trop, si,* au contraire de *beaucoup.*)	*Je l'ai peu vu ces temps derniers* (contr. FRÉQUEMMENT). *Il travaille peu, très peu, trop peu* (syn. FAIBLEMENT). *Il gagne trop peu, assez peu. La lampe éclaire peu* (contr. FORTEMENT). *Cela m'a peu coûté* (contr. CHER).	*Ce film m'a beaucoup déçu* (syn. FORTEMENT). *Il lit beaucoup* (syn. ↑ÉNORMÉMENT). *C'est un auteur qui produit beaucoup. Il boit beaucoup.*
2. *Peu de* (quantité faible), *beaucoup de* (quantité considérable), suivis d'un nom pluriel ou singulier. *Peu, beaucoup,* employés seuls (souvent comme sujets), indiquent un nombre de personnes très faible ou considérable.	*Il a peu d'amis. Il y a trop peu de neige pour pouvoir skier. J'ai peu de temps à vous consacrer.* *Peu s'en plaignent.*	*Il s'est produit cette année beaucoup d'accidents de la route. Il a beaucoup de temps à lui. Il dispose de beaucoup de temps.* *Beaucoup sont sensibles à cette augmentation.*
3. *Peu* modifie un adjectif ou un adverbe polysyllabique placé après lui. *Beaucoup* modifie les adverbes *trop, plus, moins, moindre, mieux.* Il peut modifier un adjectif si celui-ci, indiqué précédemment, est repris par le pronom *le.*	*C'est un individu peu, très peu, assez peu, fort peu recommandable* (syn. PAS TRÈS). *Ils sont peu nombreux.* (Avec un adj. monosyllabique, on emploie *pas très : Pas très fort.*) *Cela arrive trop peu souvent. Il est si peu scrupuleux. Il n'est pas peu satisfait de lui-même* (= il est très satisfait).	*Les enfants ont été beaucoup plus sages aujourd'hui* (syn. BIEN). *Il se porte beaucoup mieux depuis quelques jours* (syn. BIEN ; contr. UN PEU). *Sa manière de conduire est imprudente; elle l'est même beaucoup.*
4. *De peu, de beaucoup,* avec un superlatif relatif, un comparatif, après un verbe indiquant une différence faible ou considérable.	*Il est mon aîné de peu. C'est de peu le premier de la classe. Je l'ai manqué de peu* (= j'ai failli le rencontrer).	*Paul est de beaucoup le plus jeune de nous deux.*
5. Locutions.	*Il s'en faut de peu que, peu s'en faut que* (et le subj.), il a manqué peu de chose pour qu'un fait se produise : *Peu s'en faut qu'il n'ait tout perdu dans cette spéculation.* *C'est peu de, que,* c'est d'une faible importance : *C'est peu d'avoir des connaissances, encore faut-il s'en servir.* *C'est trop peu dire,* l'expression est insuffisante : *On a froid; c'est trop peu dire : on grelotte.* *Pour un peu,* il aurait suffi de peu de chose pour que : *Je l'aurais pour un peu confondu avec son frère. Pour un peu, il aurait tout abandonné.* *Être peu pour quelqu'un,* ne représenter pour lui aucun intérêt, n'être l'objet d'aucun attachement.	*Il s'en faut de beaucoup que* (et le subj.), il y a un trop grand écart pour qu'un fait se produise : *Il s'en faut de beaucoup que le marché soit saturé.* *C'est beaucoup de, que, si,* c'est un grand avantage, d'une grande importance : *C'est déjà beaucoup d'avoir conservé la santé à votre âge.* *C'est beaucoup dire,* l'expression est exagérée : *Il n'a rien fait, c'est beaucoup dire; disons qu'il ne s'est pas montré actif.* *À beaucoup près,* la différence restant considérable : *Il n'a pas à beaucoup près la personnalité de son père.* *Être beaucoup pour quelqu'un,* avoir une grande valeur, une grande importance affective à ses yeux.

6. Locutions.
Avec **peu :** Fam. *Très peu pour moi,* formule d'un refus poli : *Me baigner dans cette eau glaciale, très peu pour moi.* ‖ *Peu à peu,* d'une manière progressive, par petites étapes, par degrés : *Peu à peu, il se détachait de celle qu'il avait tant aimée.* ‖ *Homme de peu* (littér.), sans importance sociale ou intellectuelle. ‖ *Sous peu, avant peu,* dans un temps à venir relativement court : *Sous peu, nous serons fixés sur ses intentions. J'aurai avant peu terminé le roman que j'ai commencé il y a deux ans.* ‖ *Depuis peu,* depuis un temps très court : *Il a depuis peu déménagé.* ‖ *Peu de chose,* ce qui est insignifiant, sans valeur, sans importance : *Ne vous alarmez pas, c'est peu de chose.*
Avec **beaucoup :** Fam. *Un peu beaucoup,* formule pour atténuer la pensée : *Tu plaisantes un peu beaucoup sur sa timidité.* ‖ *Merci beaucoup,* renforcement de *merci* (acceptation polie).

▷

EMPLOIS PARTICULIERS DE **peu**	EXEMPLES
1. Précédé de l'article défini, du démonstratif, du possessif : *le peu, ce peu*, etc. (souvent en tête de phrase comme sujet).	*Le peu que j'en sais ne m'incite pas à poursuivre mon enquête. Son peu d'intelligence est la cause de tous ses malheurs. Le peu de confiance que vous m'accordez me blesse profondément. Ce peu de discrétion que nous lui trouvons est à l'origine de cette mésaventure. Malgré le peu de biens qu'il possède, il est très généreux.*
2. Précédé de l'article indéfini *un*, *un peu* (= dans une faible mesure) indique	
a) une petite quantité, intensité, durée (avec un verbe, un adj., un adv.)	*Donnez-moi un peu de sel. Ayez un peu de patience* (contr. BEAUCOUP). *Je vais prendre un peu l'air. On discute un peu après le repas. Il va un peu mieux. Attendez un peu. Un peu plus et l'eau débordait* (= s'il s'était ajouté encore une petite quantité). *Un peu au-dessus de la moyenne* (syn. LÉGÈREMENT). *On en voit un peu partout.*
b) atténue un ordre, une demande (souvent fam.)	*Écoute donc un peu ce que l'on dit. Viens donc un peu, si tu l'oses. Va donc voir un peu ce que fait ta sœur.*
c) au sens de *trop, bien, très* (fam.)	*C'est un peu fort* (syn. TROP). *Il exagère un peu. C'est un peu tiré par les cheveux.*
d) dans les exclamatives (fam.), au sens de « certainement ».	*« Tu en es sûr? — Un peu! »*
3. Précédé de *quelque* (syn. UN PEU).	*Il est quelque peu étourdi. Prenez quelque peu de repos. Il y a laissé quelque peu de sa fortune.*
LOC. CONJ. (et le subj.)	
Si peu [...] que, indique une concession, une opposition portant sur une quantité (syn. BIEN QUE... PEU, QUOIQUE).	*Si peu de tête qu'il ait, il doit avoir tout de même entrevu les conséquences de ses actes. Livrez-nous un peu de charbon, si peu que ce soit, cela sera suffisant.*
Pour peu [...] que, indique une hypothèse (syn. DÈS L'INSTANT OÙ, POURVU QUE).	*Pour peu qu'on ait réfléchi, la situation apparaît sérieusement compromise. Pour peu que le temps le permette, nous irons à la campagne.*

2. PEUPLE [pœpl] n. m. (même étym.). Ensemble des citoyens d'une nation par rapport aux gouvernants; ensemble de ceux qui appartiennent à la classe la plus pauvre : *La Révolution française a donné le pouvoir au peuple. Les gens du peuple.* ◆ adj. Péjor. *Faire peuple, avoir l'air peuple*, avoir des manières peu raffinées. ◆ **populace** n. f. Syn. péjor. de PEUPLE. ◆ **populo** n. m. Syn. pop. de PEUPLE. ◆ **populaire** adj. **1.** Se dit d'une chose issue du peuple dans le domaine politique : *Démocratie populaire* (= régime politique dirigé par un parti communiste). *Les classes populaires* (par oppos. à BOURGEOIS). — **2.** Se dit d'une chose qui est répandue dans le peuple : *La langue populaire* (contr. SAVANT). *Édition populaire d'un texte classique* (contr. ÉRUDIT, SAVANT). — **3.** Se dit d'une chose qui s'adresse aux classes les moins favorisées d'une nation : *Bal populaire* (syn. PUBLIC). *Soupe populaire* (= pour les indigents). ◆ **populisme** n. m. École littéraire de romanciers et de poètes qui dépeignent les milieux populaires dans le premier tiers du XXe s. ◆ **populiste** adj. et n. : *Un écrivain populiste.*

3. PEUPLE [pœpl] n. m. (même étym.). **1.** Masse indifférenciée de personnes habitant une région ou séjournant en un endroit : *Le peuple de Paris. Au mois d'août, les plages sont envahies par tout un peuple de vacanciers.* — **2.** *Fam.* Abondance de personnes dans un endroit : *Quel peuple!* ◆ **peupler** v. t. **1.** *Peupler un lieu*, y établir des habitants, une espèce animale : *Les grands conquérants ont cherché à peupler les régions désertiques. Il faut peupler l'étang d'alevins* (syn. GARNIR); s'y établir, y vivre en grand nombre : *Les premiers hommes qui ont peuplé la région ont laissé des traces archéologiques.* — **2.** *Peupler l'imagination, les rêves*, etc., les occuper (littér.) : *Les souvenirs passés sont venus peupler l'âme du poète* (syn. HANTER, REMPLIR). ◆ ***se peupler*** v. pr. *Fam.* Se remplir de monde. ◆ **peuplement** n. m. Action de peupler; état de ce qui est peuplé : *Le peuplement de la région s'est fait lentement.* ◆ **peuplé, e** adj. Qui a des habitants en plus ou moins grand nombre : *Une région très peuplée, peu peuplée.* ◆ **populeux, euse** adj. Très peuplé : *Un quartier populeux.* ◆ **dépeupler** v. t. *Dépeupler un pays, une région*, etc., en faire disparaître totalement ou partiellement les occupants : *Un exode vers les villes qui dépeuple les campagnes.* ◆ ***se dépeupler*** v. pr. Perdre de ses habitants. ◆ **dépeuplement** n. m. : *Le dépeuplement d'une région sous-développée.* ◆ **dépopulation** n. f. Diminution de la population d'un pays par excédent des décès sur les naissances. ◆ **repeupler** v. t. : *Repeupler une région désertée par ses habitants. Repeupler un étang.* ◆ **repeuplement** n. m. Action de repeupler. ◆ **repopulation** n. f. Syn. vieilli de REPEUPLEMENT. ◆ **surpeuplé, e** adj. Peuplé à l'excès. ◆ **surpeuplement** n. m. : *Le surpeuplement d'une région, d'un pays* (= le fait que le peuplement y soit excessif). ◆ **surpopulation** n. f. Population en excès : *La surpopulation de certains centres urbains.*

PEUPLIER [pøplije] n. m. (du lat. *populus*, peuplier). Arbre des régions tempérées, dont le tronc étroit peut s'élever à une grande hauteur et dont le bois blanc est utilisé, notamment, en ébénisterie, ainsi que pour la confection de pâte à papier. (Famille des salicacées.)

PEUR [pœr] n. f. (lat. *pavor, -oris*). **1.** Sentiment d'inquiétude éprouvé en présence ou à la pensée d'un danger : *Une peur bleue* (= une peur très intense) [syn. FRAYEUR]. *La peur du danger* (= éprouvée devant le danger). *La peur de traverser la rue* (syn. CRAINTE). — **2.** *Avoir peur*, éprouver de la peur (syn. fam. AVOIR LA FROUSSE). ‖ *Avoir peur de qqch., de qq'un, d'un animal*, le redouter, le craindre. ‖ *Avoir peur que... ne* (et le subj.), ou *de* (et l'infin.), redouter : *J'ai peur qu'il ne se mette à pleuvoir.* ‖ *Faire peur à qq'un, à un animal*, provoquer chez lui un sentiment d'inquiétude : *La vue du chien fit peur à l'enfant.* ‖ *Être laid à faire peur*, être très laid. ‖ *Mourir de peur*, avoir une crainte très vive. ‖ *Prendre peur*, commencer à ressentir une crainte, une inquiétude. ‖ *En être quitte pour la peur*, échapper complètement à un danger. — LOC. PRÉP. et CONJ. *De peur de* (et l'infin. ou un nom), *de peur que* (et le subj. souvent avec *ne*), par crainte de (que), pour éviter le risque de (que) : *Il n'est pas venu plus tôt, de peur de vous déranger. De peur que vous soyez surpris, je vous préviens à l'avance.* ◆ **peureux, euse** [pørø, -øz] adj. Qui manifeste un manque de courage devant un danger, un risque : *Un enfant peureux* (syn. POLTRON; fam. FROUSSARD; contr. COURAGEUX, HARDI). *Un regard peureux* (syn. CRAINTIF; contr. DÉTERMINÉ, ↑EFFRONTÉ). ◆ **peureusement** adv. ◆ **apeuré, e** adj. Saisi d'une peur très vive et dont la cause est généralement légère : *L'enfant apeuré se mit à pleurer.*

PEUT-ÊTRE [pœtɛtr] adv. (de *pouvoir*, et *être*). Indique que l'énoncé (proposition ou terme quelconque) est considéré comme une éventualité, une hypothèse, une probabilité, une possibilité (en tête de la phrase avec, le plus souvent, inversion du sujet, ou après le verbe ou son auxil.) : *Il viendra peut-être demain. Peut-être a-t-il oublié le rendez-vous* (syn. IL EST POSSIBLE QUE). *Il n'est peut-être pas très intelligent, mais il est consciencieux* (syn. SANS DOUTE).

PÉVÈLE, pays de la Flandre française, entre les vallées de la Deûle et de la Scarpe.

PEVSNER (Antoine), sculpteur et peintre français d'origine russe (1886-1962). Il est considéré comme un des maîtres de l'art abstrait.

PEYOTL [pejɔtl] n. m. (mot aztèque). Plante cactacée du Mexique, dont l'ingestion produit des hallucinations visuelles.

PÉZENAS, ch.-l. de cant. de l'Hérault, à 23 km au N.-E. de Béziers; 7800 hab. *(Piscénois).* Commerce des vins. Bauxite. — Aux environs, nécropole protohistorique.

PFASTATT, comm. du Haut-Rhin, à 4 km au N.-O. de Mulhouse; 6200 hab. Teinture.

PFENNIG [pfenig] n. m. (mot all.). Unité monétaire divisionnaire allemande, égale à 1/100 de mark. ‖ Pl. all. des *pfennige.*

p.g.c.d., abrév. de *plus grand commun diviseur.*
— ENCYCL. *Exemple de p.g.c.d. de deux nombres entiers naturels :*
{ 1, 2, 3, 4, 6, 8, 12, 24 } est l'ensemble des diviseurs de 24;
{ 1, 2, 3, 5, 6, 10, 15, 30 } est l'ensemble des diviseurs de 30;
{ 1, 2, 3, 6 } est l'ensemble des diviseurs communs à 24 et à 30;
6 est le plus grand des diviseurs communs à 24 et à 30; 6 sera le p.g.c.d. de 24 et de 30. On notera :

$$\text{p.g.c.d. } (24, 30) = 6 \text{ ou } 24 \wedge 30 = 6.$$

Propriétés du p.g.c.d. :
tout diviseur commun à deux nombres est un diviseur de leur p.g.c.d.;
deux nombres premiers entre eux ont un p.g.c.d. égal à 1.

pH n. m. (abrév. de *potentiel hydrogène*). Coefficient caractérisant l'acidité ou la basicité d'un milieu.

PHACOCHÈRE [fakɔʃɛr] n. m. (du gr. *phakos*, lentille, et *khoiros*, cochon). Mammifère ongulé voisin du sanglier, à défenses incurvées, abondant dans les savanes d'Afrique. (Famille des suidés.)

PHAÉTON. *Myth. gr.* Fils du Soleil et de Clymène. Ayant conduit durant une journée le char du Soleil, il faillit incendier l'Univers.

1. PHAÉTON [faetɔ̃] n. m. (de *Phaéton*). Voiture hippomobile (= tirée par des chevaux) haute, à quatre roues, légère et découverte, à deux sièges parallèles tournés vers l'avant.

2. PHAÉTON [faetɔ̃] n. m. (même étym.). Oiseau palmipède des mers tropicales, appelé usuellement PAILLE-EN-QUEUE.

PHAGOCYTOSE [fagositoz] n. f. (du gr. *phagein*, manger, et *kutos*, cellule). Propriété qu'ont certaines cellules d'absorber, par des expansions cytoplasmiques de leur corps (les pseudopodes), des micro-organismes ou d'autres cellules, de quelque origine que ce soit (microbes ou poussières souillant une plaie, ou cellules du corps humain détériorées ou détruites). ◆ **phagocytaire** adj. Relatif à la phagocytose ou aux phagocytes. ◆ **phagocyte** n. m. Cellule de l'organisme qui effectue la phagocytose.
— ENCYCL. Les plus importantes parmi les cellules douées de propriétés *phagocytaires* sont les *globules blancs* du sang. Ces globules blancs sont capables de quitter les vaisseaux sanguins pour se rendre au contact des éléments à absorber : microbes d'une plaie, cellules d'un tissu nécrosé, etc.
Le foie, la rate, les ganglions lymphatiques possèdent normalement des cellules capables de *phagocytose*. Ces organes appartiennent à un système chargé du « nettoyage » de tout l'organisme : lutte contre les microbes et cellules étrangères introduites dans notre corps, destruction des cellules usagées ou mortes (globules rouges, par ex.), destruction des déchets divers. Les propriétés phagocytaires des cellules conjonctives de la rate, du foie, des ganglions lymphatiques et des globules blancs jouent donc un grand rôle dans la défense de l'organisme contre l'infection ou l'intoxication.

1. PHALANGE [falɑ̃ʒ] n. f. (lat. *phalanx*, gros bâton). *Anat.* Chacun des petits os qui composent les doigts et les orteils. (Le pouce et le gros orteil ont deux phalanges, les autres doigts trois.)

2. PHALANGE [falɑ̃ʒ] n. f. (même étym.). **1.** Chez les anc. Grecs, formation de combat des hoplites, sur plusieurs rangs de profondeur. — **2.** Chez les anc. Macédoniens, formation analogue, réputée pour sa cohésion au combat. (Ce fut l'instrument des victoires de Philippe II et d'Alexandre le Grand.) — **3.** Troupe nombreuse : *La phalange des supporters.* — **4.** Groupement politique et paramilitaire, souvent d'idéologie fasciste : *La Phalange espagnole.* ◆ **phalangiste** adj. et n. Qui appartient à une phalange (sens 4) [en partic. à la Phalange espagnole].

PHALANSTÈRE [falɑ̃stɛr] n. m. (de *phalan[ge]*, et *mona]stère*). Vaste exploitation communautaire, imaginée par Fourier*.

PHALÈNE [falɛn] n. f. (gr. *phalaina*). Nom usuel des papillons dont la chenille est arpenteuse, et que l'on rassemble dans la famille des géométridés.

PHALLOÏDE [fallɔid] adj. (du lat. *phallus*). *Amanite phalloïde*, champignon mortellement toxique, très commun en France à la lisière des bois, caractérisé par un pied blanc ou chiné, assez long et grêle, porteur d'une grosse volve et d'une collerette, par un chapeau légèrement convexe, de couleur très variable, et par des lamelles blanches.

PHALLUS [falys] n. m. (gr. *phallos*). **1.** *Antiq.* Représentation figurée du membre viril en tant qu'image religieuse. — **2.** *Anat.* Le membre viril.

PHANÈRES [fanɛr] n. f. pl. (du gr. *phaneros*, apparent). Petits organes protecteurs recouvrant en grand nombre la peau des animaux vertébrés, tels que les poils des mammifères, les plumes des oiseaux, les écailles des poissons.

PHANÉROGAMES [fanerɔgam] n. f. pl. (du gr. *phaneros*, visible, et *gamos*, mariage). Embranchement du règne végétal renfermant les plantes se reproduisant par des fleurs et des graines (syn. SPERMAPHYTES). [On le divise en deux sous-embranchements : les *angiospermes* et les *gymnospermes.*] ◆ adj. : *Plante phanérogame.*

PHANTASME n. m. ⟶ FANTASME.

PHARAON [faraɔ̃] n. m. (de l'égypt. *per-aâ*, signif. le Palais). Désignation habituelle du roi de l'Égypte anc. (Considéré comme un dieu, le pharaon était le maître absolu des hommes et des richesses de l'Égypte.) ◆ **pharaonien, enne** adj. Qui concerne les pharaons et leur époque. (On dit aussi PHARAONIQUE.)

PHARE [far] n. m. (de *Pharos*). **1.** Tour élevée portant un puissant foyer lumineux pour guider les navires et les avions pendant la nuit : *Le phare d'Ouessant.* — **2.** Dispositif d'éclairage placé à l'avant d'un véhicule : *Faire un appel de phares.* (⟶ FEU 5, *feux de route.*)

PHARISIEN [farizjɛ̃] n. m. (gr. *pharisaios*). Homme orgueilleux et hypocrite (littér., par allus. à une anc. secte de Juifs qui vivaient dans la stricte observance des règles de la loi mosaïque et que les Évangiles accusent d'hypocrisie). ◆ **pharisaïsme** n. m. Attitude de quelqu'un qui affecte hypocritement d'être irréprochable (littér.). ◆ **pharisaïque** adj. : *Un orgueil pharisaïque.*

PHARMACIE [farmasi] n. f. (du gr. *pharmakon*, remède). **1.** Science d'application ayant pour objet la préparation rationnelle des médicaments, à laquelle concourent la chimie, la physiologie, la biologie, la physique, etc. : *Étudier la pharmacie.* — **2.** Profession du pharmacien : *Exercer la pharmacie.* — **3.** Lieu où l'on vend des médicaments (syn. OFFICINE). — **4.** Petit meuble où l'on range les médicaments usuels. ◆ **pharmacien, enne** n. Personne qui exerce la pharmacie. ◆ **pharmaceutique** adj. Qui concerne la pharmacie : *Un produit pharmaceutique. Une spécialité pharmaceutique.* ◆ **pharmacodynamie** n. f. Étude de l'action qu'exercent les médicaments sur un organisme normal ou malade. ◆ **pharmacologie** n. f. Étude descriptive des médicaments, de leur préparation, de leur emploi et de leurs indications.

PHARMACOPÉE [farmakɔpe] n. f. (du gr. *pharmakon*, remède, et *poiein*, faire). Livre officiel où se trouvent définis les médicaments d'usage courant. (La pharmacopée officielle, en France, a porté le nom de CODEX de 1748 à 1963.)

PHARNACE Ier, roi du Pont (v. 185-v. 169 av. J.-C.). — PHARNACE II (v. 97-47 av. J.-C.), roi du Bosphore Cimmérien (63-47), fils de Mithridate VII. Vaincu par César près de Zéla, il fut tué la même année par un de ses généraux.

PHAROS, île de l'Égypte anc., près d'Alexandrie, où fut érigée par Ptolémée Philadelphe une tour de 135 m (285 av. J.-C.) sur laquelle on allumait des feux pour guider les navigateurs; elle s'écroula en 1302.

PHARSALE, v. de Grèce (Thessalie). César y vainquit Pompée (48 av. J.-C.).

PHARYNX [farɛ̃ks] n. m. (gr. *pharunx*, gorge). Région située entre la bouche et l'œsophage, où les voies digestives croisent les voies respiratoires. ◆ **pharyngite** n. f. Inflammation du pharynx.

PHASE [fɑz] n. f. (gr. *phasis*). **1.** *Astron.* Chacune des apparences sous lesquelles une planète se présente successivement à nos regards pendant la durée de sa révolution : *Les phases de la Lune.* — **2.** *Chim.* Toute partie homogène d'un mélange. — **3.** Phys. et électr. *En phase*, se dit de deux phénomènes périodiques qui passent par leur maximum ou leur minimum au même instant. — **4.** Chacun des aspects successifs d'un phénomène, d'une chose en évolution, en modification : *Les diverses phases de la fabrication des livres* (syn. ÉTAPE, STADE). *Le plan entre dans sa dernière phase d'exécution* (syn. PÉRIODE). *Les phases d'une maladie.*

PHASIANIDÉS [fazjanide] n. m. pl. (du lat. *phasianus*, faisan). Famille d'oiseaux gallinacés, comprenant les *perdrix*, les *cailles*, les *faisans*, les *coqs*, les *paons*, les *pintades*, les *dindons.*

PHASME [fasm] n. m. (gr. *phasma*, fantôme). Nom donné aux insectes de l'ordre des orthoptères, qui, par l'aspect de leur corps et leur immobilité, ressemblent à des bouts de branches, à des lichens, à des fragments d'écorce ou de feuille.

Phédon, dialogue de Platon (IVe s. av. J.-C.), qui met en scène Socrate et ses disciples, le jour même de la mort de Socrate, et traite de l'immortalité de l'âme.

PHÈDRE. *Myth. gr.* Fille de Minos et de Pasiphaé, et femme de Thésée. Elle conçut une passion violente pour son beau-fils, Hippolyte. Celui-ci ayant repoussé ses avances, elle l'accusa auprès de Thésée qui voua son fils à la fureur de Poséidon. Désespérée, Phèdre se donna la mort.

Phèdre, tragédie de Racine (1677).

PHÈDRE, fabuliste latin (vers 15 av. J.-C.-50 apr. J.-C.). À l'imitation d'Ésope, il a écrit des fables en vers latins.

PHÉNICIE, anc. contrée du Proche-Orient, située entre la Méditerranée et le Liban.

Au IIIe millénaire, des populations sémitiques organisées en cités rivales, établies sur des sites portuaires (Tyr, Sidon, Byblos, Ougarit), s'installent en Phénicie.

• *Fin du XIIIe s. av. J.-C. Grâce à l'effondrement de l'Empire égyptien, ces cités obtiennent une brève indépendance, interrompue au IXe s. par la domination assyrienne.*

Bons agriculteurs, produisant blé et huile et exploitant les forêts du Liban, les Phéniciens complètent leurs ressources par la navigation et le commerce. Ils échangent des matières premières, cuivre et étain surtout, contre les produits de leur industrie (verrerie, céramique, étoffes teintes), et se font les intermédiaires entre l'Orient et l'Occident.

• *XIIe-VIIIe s. Excellents navigateurs, ils progressent vers l'O., jalonnant de comptoirs leur parcours jusqu'aux Colonnes d'Hercule (= détroit de Gibraltar).*

Si les Grecs leur disputent Chypre, puis la Sicile, ils sont sans rivaux en Sardaigne, Afrique du Nord et Espagne.

• *V. 825 av. J.-C. Carthage est fondée par des Tyriens et va succéder aux Phéniciens en Méditerranée occidentale.*

L'effacement des Phéniciens est lié à la conquête de leur pays par la Perse (VIe s.), à laquelle succèdent les Lagides et, en 64 av. J.-C., Rome. Leurs relations commerciales, puis leur intégration à des empires plus vastes, faciliteront la propagation de leurs cultes en Grèce et à Rome (Adonis), et surtout celle de leur invention fondamentale, l'alphabet.

PHÉNICIEN, ENNE [fenisjɛ̃, -ɛn] adj. et n. De la Phénicie. ◆ n. m. Langue sémitique anc. dont l'alphabet a servi, après modification, à transcrire le grec.

PHÉNIQUE adj. ⟶ PHÉNOL.

1. PHÉNIX [feniks] n. m. (gr. *phoinix*). **1.** *Myth. égypt.* Oiseau fabuleux qui était unique en son espèce, vivait plusieurs siècles au milieu des déserts de l'Arabie, se faisait périr sur un bûcher et renaissait de ses cendres. — **2.** Personne supérieure, unique en son genre : *Le phénix des beaux esprits.*

2. PHÉNIX n. m. ⟶ PHŒNIX.

PHÉNOL [fenɔl] n. m. (du gr. *phainein*, briller). Dérivé oxygéné (C_6H_5OH) du benzène, que l'on extrait des huiles fournies par le goudron de houille. ◆ n. m. pl. Nom générique de composés analogues au phénol et dérivant des hydrocarbures benzéniques. ◆ **phénique** adj. *Acide phénique*, syn. de PHÉNOL.
— ENCYCL. Le *phénol* est un désinfectant; il sert aussi à préparer divers colorants, des matières plastiques et certains médicaments. C'est un poison, dont l'antidote est le sucrate de chaux.

PHÉNOMÈNE [fenɔmɛn] n. m. (gr. *phainomenon*, ce qui apparaît). **1.** Fait scientifique, observable : *Les météores sont des phénomènes naturels. Aucun phénomène anormal ne s'est produit dans l'évolution de la maladie* (syn. MANIFESTATION). *Sa réaction est un phénomène tout à fait explicable.* — **2.** *Philos.* Ce qui apparaît au sujet conscient. — **3.** Chose, événement qui présente un aspect anormal, étonnant, qui sort de l'ordinaire. — **4.** *Fam.* Personne qui se signale aux autres par une originalité excessive : *C'est un phénomène, incapable de faire comme tout le monde.* ◆ **phénoménal, e, aux** adj. *Fam.* Qui sort de l'ordinaire par sa grandeur, son excentricité : *Une bêtise phénoménale* (syn. ÉNORME). *Il a un toupet phénoménal* (syn. PRODIGIEUX). ◆ **phénoménalement** adv. ◆ **phénoménologie** n. f. *Philos.* Étude descriptive d'un ensemble de phénomènes.⟶ ENCYCL.
— ENCYCL. Dans l'histoire de la pensée la *phénoménologie* a revêtu trois significations principales. D'abord synonyme de « théorie des apparences » (= qui distingue la manière dont les choses nous apparaissent et ce qu'elles sont en elles-mêmes), elle devient avec Hegel* dans la *Phénoménologie de l'esprit* description de la conscience humaine dans le mouvement qui l'élève du stade de la sensation et de la sensibilité individuelles à celui du savoir absolu, pour désigner aujourd'hui la pensée de Husserl* et de ceux qui s'en réclament. La phénoménologie husserlienne est une méditation sur la connaissance; elle considère que *ce* qui est donné à la conscience elle-même est le phénomène (= objet de connaissance immédiate). Or, ce dernier n'apparaît que dans une conscience; c'est donc cette conscience même qu'il faut questionner en « mettant entre parenthèses » tout ce qui lui est extérieur. Autrement dit, n'en point tenir compte. Mais la conscience n'est d'après Husserl qu'« intentionnelle », c'est-à-dire qu'elle n'est pas fermée sur elle-même, mais qu'elle se définit comme une certaine manière de « viser » ou d'appréhender le monde et ses objets. Cette intention est sa caractéristique dominante. Montrer les diverses manières dont la conscience vise ces objets et sous lesquelles ils lui apparaissent, ce que leur présence suppose, constitue l'essentiel de la tâche phénoménologique. La *Phénoménologie de la perception* de Merleau-Ponty et *l'Imaginaire* de J.-P. Sartre sont l'application de cette méthode à la conscience percevante et imaginaire.

PHÉNYLE [fenil] n. m. (du gr. *phainein*, briller). Radical C_6H_5 univalent, dérivé du benzène.

PHÉOPHYCÉES [feɔfise] n. f. pl. (du gr. *phaios*, brun, et *phukos*, algue). Classe d'algues marines appelées aussi ALGUES BRUNES, renfermant des végétaux pluricellulaires *(fucus, laminaire)* où la chlorophylle est masquée par un pigment brun.

PHIDIAS, sculpteur grec (v. 490-431 av. J.-C.). Chargé par Périclès de la décoration du Parthénon, dont il dirigea la construction, il exécuta notamment deux grandes statues d'or et d'ivoire de Zeus et d'Athéna, auj. disparues. Principal représentant de la sculpture grecque classique, il a su donner au marbre une souplesse et un mouvement encore inconnus.

PHILADELPHIE, port des États-Unis (Pennsylvanie), sur la Delaware; 1 688 200 hab. (agglomération 4 718 000 hab.). Troisième port des États-Unis, situé sur la côte est, Philadelphie est aussi un grand centre industriel et une place financière. Université.

PHILAE, île d'Égypte, en amont de la première cataracte du Nil, célèbre par ses temples, dont le plus grand était consacré à Isis. Condamnés par la construction du haut barrage d'Assouan, les vestiges ont été transférés sur l'île voisine d'Agilkia.

PHILANTHE [filɑ̃t] n. m. (du gr. *philos*, ami, et *anthos*, fleur). Insecte hyménoptère à abdomen noir et jaune, qui chasse les abeilles.

PHILANTHROPE [filɑ̃trɔp] adj. et n. (du gr. *philos*, ami, et *anthrôpos*, homme). Dont la générosité désintéressée est inspirée par le désir de venir en aide aux hommes en général plutôt qu'à un homme en particulier : *Un philanthrope a fondé cet institut scientifique.* ◆ **philanthropie** n. f. Sentiment désintéressé qui pousse à venir en aide aux autres. ◆ **philanthropique** adj. : *Une œuvre de caractère philanthropique.*

PHILATÉLIE [filateli] n. f. (du gr. *philos*, ami, et *ateleia* exemption d'impôts). Distraction consistant à collectionner les timbres-poste; activité commerciale en relation avec cette distraction. ◆ **philatéliste** n. Collectionneur de timbres-poste.

PHILÉMON et **BAUCIS,** époux légendaires de la mythologie. Ils accueillirent généreusement Zeus qui, en échange de leur hospitalité, leur accorda de mourir en même temps, après une longue vie. Philémon fut changé en chêne, et Baucis en tilleul. Leur nom est devenu le symbole de l'amour conjugal.

PHILHARMONIE [filarmɔni] n. f. (du gr. *philos*, ami, et *harmonie*). *Mus.* Association de concerts. ◆ **philharmonique** adj. *Association philharmonique.*

PHILIPE (Gérard), acteur français (1922-1959). Après avoir créé *Caligula* (1945) d'Albert Camus, il entra au Théâtre national populaire, où il interpréta notamment *le Cid* de Corneille, *le Prince de Hombourg* de Kleist (1951), *Lorenzaccio* de Musset (1953), tout en poursuivant une carrière cinématographique (*l'Idiot*, 1946; *le Diable au corps*, 1947; *Fanfan la Tulipe*, 1951; *le Rouge et le Noir* 1954; *Monsieur Ripois*, 1954; *les Grandes Manœuvres*, 1955; *les Liaisons dangereuses*, 1959).

PHILIPPE NERI *(saint)*, prêtre italien, fondateur d'une société sacerdotale dite « de l'Oratoire » (1515-1595).

PHILIPPE II (v. 382-336 av. J.-C.), régent (359), puis roi de Macédoine (356-336). Il assure son trône en éliminant les prétendants et en limitant le rôle de la noblesse. À la tête d'un vaste territoire en marge de la civilisation grecque, il en développe l'économie, et surtout crée une armée solide basée sur un corps d'infanterie, la phalange. Après avoir consolidé les frontières de son royaume, il annexe la Thrace et la Thessalie (353 av. J.-C.).

Athènes affaiblie, les cités divisées, il poursuit la conquête de la Chalcidique et de ses mines d'or. La menace qu'il fait peser sur les approvisionnements d'Athènes (prise de Byzance, 339) entraîne enfin celle-ci à suivre les conseils de Démosthène et à se préparer à la guerre.

• *338. Athènes et son alliée Thèbes, directement menacées, sont écrasées à Chéronée.*

Philippe, maître de la Grèce, réunit toutes les cités, sauf Sparte au sein de la ligue de Corinthe, dont il fait un instrument de lutte contre les Perses. Mais il est assassiné en 336. Ses projets seront repris par son fils Alexandre, qui lui succède.

PHILIPPE V (v. 237-179 av. J.-C.), roi de Macédoine à partir de 221. Il résiste d'abord victorieusement à Rome (première guerre de Macédoine, 216-205), puis est battu par les Romains à Cynoscé phales (197) pendant la seconde guerre de Macédoine. Son fils Persée lui succéda et poursuivit son œuvre de résistance à Rome.

PHILIPPE l'Arabe (v. 204-249), empereur romain (244-249); il succéda à Gordien III qu'il fit assassiner et célébra le millième anniversaire de la fondation de Rome.

PHILIPPE II le Hardi (1342-1404), fils du roi de France Jean II le Bon, duc de Bourgogne (1363-1404). Il combat vaillamment à Poitiers (1356) et reçoit en apanage le duché de Bourgogne (1363), devenant ainsi le chef de la deuxième maison de Bourgogne. En 1384, il hérite notamment de la Flandre et de l'Artois. Durant la minorité de Charles VI, il dirige la politique de la France dans l'intérêt du duché de Bourgogne.

PHILIPPE III le Bon (1396-1467), fils de Jean sans Peur, duc de Bourgogne (1419-1467). Un des plus puissants souverains d'Europe, il assura la grandeur de la maison de Bourgogne, en étendant sans cesse ses domaines.

- *1419. Après le meurtre de son père, il s'allie aux Anglais.*
- *1420. Il reconnaît Henri V d'Angleterre comme héritier du trône de France (traité de Troyes).*
- *1435. Au traité d'Arras, il se réconcilie avec Charles VII.*

Ayant pris le titre de grand-duc du Ponant, il créa l'ordre de la Toison d'or. Son fils Charles le Téméraire lui succéda.

PHILIPPE Ier le Beau (1478-1506), fils de l'empereur Maximilien de Habsbourg et de Marie de Bourgogne, archiduc d'Autriche et prince des Pays-Bas. Il épousa Jeanne la Folle et devint roi de Castille en 1504. Il fut le père de Charles Quint.

PHILIPPE II (1527-1598), roi d'Espagne et de ses colonies à l'abdication de son père Charles Quint (1556), il règne depuis l'Escorial (construit en 1563) sur un empire qui comprend les Pays-Bas, la Franche-Comté, le Milanais, Naples et la Sicile, et à partir de 1580 le Portugal et son empire. Mêlant les intérêts de l'Espagne et ceux de l'Église catholique, il poursuit la politique de son père, battant les Français à Saint-Quentin (1557).

- *Avril 1559. La paix du Cateau-Cambrésis marque cependant une tentative de rapprochement entre les deux royaumes.*

« Défenseur de la chrétienté », Philippe II persécute protestants, juifs et Morisques de Grenade, et fait participer l'Espagne à la lutte contre les Turcs (victoire de Lépante, octobre 1571). Sa politique maladroite et intolérante aux Pays-Bas entraîne dès 1557 une révolte, que la répression exercée par le duc d'Albe ne peut enrayer.

- *1579. Les provinces calvinistes du Nord (Union d'Utrecht) proclament la déchéance de Philippe II, et s'érigent en république des Provinces-Unies.*

Le soutien d'Élisabeth Ire aux révoltés, la rivalité maritime et l'opposition religieuse poussent Philippe II à attaquer l'Angleterre.

- *1588. Sa flotte, l'Invincible Armada, est détruite par la tempête et les corsaires anglais.*

En France, sa politique de soutien aux ligueurs (parti catholique) est aussi un échec.

- *1598. La paix de Vervins, qui reconnaît Henri IV comme roi de France, marque la fin de ses ambitions françaises.*

En Espagne même, s'il mène une politique de centralisation administrative, il doit faire face à une révolte en Aragon. De plus, la situation économique se dégrade, malgré l'arrivée des métaux précieux d'Amérique, du fait d'une politique trop ambitieuse et du poids des préjugés aristocratiques. Si l'Espagne s'épuise sous son règne, la civilisation espagnole connaît son siècle d'or, avec le Greco, Lope de Vega, Cervantès.

PHILIPPE IV (1605-1665), roi d'Espagne (1621-1665) et de Portugal (1621-1640). Il laisse gouverner son ministre Olivares; son intervention malheureuse dans la guerre de Trente Ans accélère le déclin de l'Espagne.

- *1648. Il doit reconnaître l'indépendance des Provinces-Unies.*
- *1659. Le traité des Pyrénées donne à la France le Roussillon, l'Artois et les places des Pays-Bas, à l'Angleterre Dunkerque et la Jamaïque.*

Philippe IV marie sa fille Marie-Thérèse à Louis XIV. Il laisse l'Espagne en pleine décadence.

PHILIPPE V (1683-1746), roi d'Espagne (1700-1746), petit-fils de Louis XIV. Duc d'Anjou, il est l'héritier testamentaire de Charles II, dernier Habsbourg d'Espagne. Son avènement provoque la guerre de la Succession d'Espagne, et il doit renoncer à la couronne de France.

PHILIPPE Ier (1052-1108), roi de France (1060-1108), fils et successeur d'Henri Ier. Il règne d'abord sous la tutelle de Baudouin V, comte de Flandre. Au détriment de Guillaume le Conquérant, il s'empare du Vermandois, du Gâtinais (1068), du Vexin français (1077).

PHILIPPE II Auguste (1165-1223), fils et successeur de Louis VII, roi de France (1180-1223). Il s'emploie à réduire la puissance des Plantagenêts d'Angleterre dans la France de l'Ouest. S'il participe à la 3e croisade aux côtés de Richard Cœur de Lion, il lutte ensuite sans succès contre lui.

- *1202. Ayant poussé, par son attitude humiliante, le nouveau roi d'Angleterre, Jean sans Terre, à refuser sa suzeraineté, il confisque ses fiefs français.*

De 1202 à 1206 il s'empare de ces fiefs (Normandie, Anjou, etc.) à l'exception de la Guyenne. Une coalition se forme contre lui entre le roi d'Angleterre, l'empereur d'Allemagne, Otton IV, et le comte de Flandre.

- *1214. La victoire de Bouvines contre l'Empereur cristallise le sentiment national français.*

Parallèlement, Philippe Auguste augmente le domaine royal en annexant l'Artois, le comté d'Amiens, l'Auvergne.

- *1219. Il engage le royaume dans la croisade contre les albigeois*.*

À sa mort, le domaine royal a quadruplé autour de sa capitale, Paris, qu'il entoure d'une muraille. Surtout, il a assuré sa succession et favorisé la centralisation monarchique par la création des baillis et sénéchaux et par le contrôle de la justice. Il a favorisé le mouvement communal par l'octroi de chartes, mais préparé, par son immixtion dans les affaires de l'Église, la crise entre la monarchie et la papauté sous Philippe le Bel.

PHILIPPE III le Hardi (1245-1285), roi de France (1270-1285), fils et successeur de Louis IX. Il réunit à la Couronne le comté de Toulouse (1271) et mena une guerre malheureuse contre l'Aragon.

PHILIPPE IV le Bel (1268-1314), fils de Philippe III le Hardi, roi de France (1285-1314).

Entouré de conseillers d'origine bourgeoise, les légistes, férus de droit romain (Pierre Flote, Guillaume de Nogaret, Enguerrand de Marigny), il se fait l'artisan du triomphe de la monarchie aux dépens de la féodalité. Mais, s'il agrandit le domaine royal (Champagne, Lyon, Barrois), il poursuit la politique des apanages, qu'il distribue aux membres de la famille royale. En Flandre, le soutien qu'il apporte au patriciat urbain contre le comte Gui de Dampierre entraîne une révolte en 1302, les « matines de Bruges ».

- *1302. L'armée royale est battue à Courtrai par les milices flamandes.*

Si ce désastre est effacé par la victoire de Mons-en-Pévèle (1304), l'opposition flamande persiste. La politique flamande accroît les besoins d'argent de la monarchie, tandis que le pays est touché par une crise économique; aussi Philippe le Bel dévalue-t-il la monnaie par des mutations frauduleuses qui entraînent des hausses de prix et une agitation sociale (Paris, 1306). Sa volonté de contrôler l'Église de France aboutit à un conflit avec la papauté (bulle *Ausculta, fili*, 1301).

- *1303. Le pape Boniface VIII est arrêté à Anagni par les envoyés du roi.*

Le conflit se résoudra sous Clément V qui, installé à Avignon, acceptera la politique royale. Philippe le Bel détourne le mécontentement croissant sur les Lombards et les juifs, puis, en 1307, les Templiers, qu'il fait arrêter en confisquant leurs biens.

- *1311. Il fait condamner l'ordre par Clément V et le concile de Vienne.*

Face aux difficultés, en particulier fiscales, il réunit en « états » les trois ordres, prélats, seigneurs et riches bourgeois, pour obtenir leur soutien tout en essayant de mettre les villes en tutelle et en développant les organes du pouvoir central (Cour des comptes, chancellerie, parlement). Les troubles qui suivent sa mort (1314) attestent l'ampleur de la crise et les contradictions d'un règne qui ne pouvait choisir entre l'appui de la bourgeoisie montante et la noblesse.

PHILIPPE V le Long (1293-1322), roi de France (1316-1322). Il monte sur le trône au détriment de Jeanne, fille de Louis le Hutin, qui renonce à ses droits et créa ainsi un précédent écartant les femmes du trône de France. Il organisa la Cour des comptes et réunit au domaine Lille, Douai et Orchies.

PHILIPPE VI DE VALOIS (1293-1350), roi de France (1328-1350), fils de Charles de Valois (frère de Philippe le Bel). À la mort du dernier Capétien direct, Charles IV le Bel, il devient roi de France en application de la loi salique, au détriment d'Isabelle, fille de Philippe le Bel, et de son fils, Édouard III d'Angleterre. Sa mésentente avec Édouard III à propos de la Guyenne provoque la guerre de Cent Ans dont les débuts sont désastreux pour la France. Le royaume est en même temps touché par une grave crise économique et par la peste noire (1347-1348). Pour faire face au déficit, Philippe VI crée la gabelle (1341). Son règne fut marqué par l'acquisition du Dauphiné (1343) et de Montpellier (1349).

PHILIPPE ÉGALITÉ → ORLÉANS.

PHILIPPEVILLE → SKIKDA.

PHILIPPINES, État insulaire de l'Asie du Sud-Est.

SUPERFICIE 300 000 km² (France : 550 000 km²).

POPULATION 64 900 000 hab. *(Philippins)*; 216 hab. au km² (France : 103); accroissement annuel de population, 3 p. 100.

CAPITALE Manille (1 600 000 hab.).

VILLE PRINCIPALE Quezón City (1 160 000 hab.).

LANGUE tagal.

ÉCONOMIE consommation d'énergie par hab., 350 kg d'équivalent charbon.

MONNAIE peso philippin.

GÉOGRAPHIE

Les Philippines forment un archipel de 7 000 îles ou îlots dont 11 grandes îles, les deux principales (Luçon et Mindanao) groupant les deux tiers de la superficie et de la population. Le relief, souvent d'origine volcanique, est très montagneux, et les plaines sont rares. Le climat de mousson explique la grande extension de la forêt dense.

	TEMPÉRATURES MOYENNES janv.	juil.	PLUIES
Manille	25 °C	27 °C	2 160 mm

L'*agriculture* occupe la majeure partie de la population active. Le riz constitue, avec le maïs et le manioc, la base de l'alimentation. Mais des cultures commerciales fournissent des produits pour l'exportation : canne à sucre, coprah, abaca ou chanvre de Manille...

riz	8 300 000 t	coprah	1 400 000 t
sucre de canne	2 400 000 t	pêche	2 100 000 t

Malgré quelques ressources minières (fer, chrome, cuivre et surtout or), l'*industrie* se limite à la transformation des produits agricoles, et le pays doit importer des produits manufacturés.

L'accroissement rapide de la population et l'exiguïté des terres cultivables entraînent un fréquent surpeuplement.

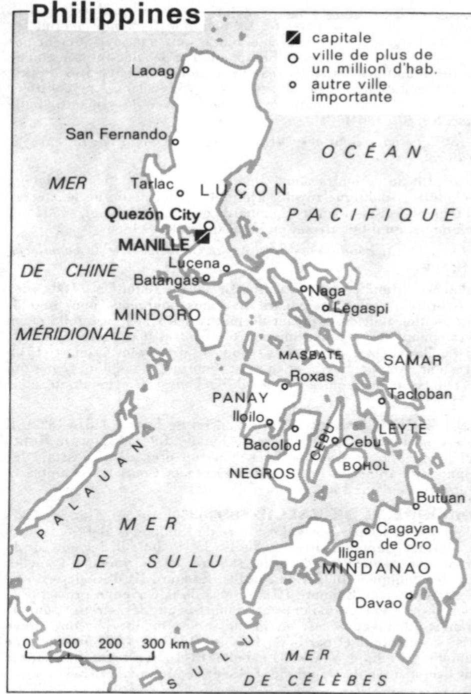

HISTOIRE

L'archipel des Philippines fait partie dès le Vᵉ s. de la zone d'influence javanaise, et le site de Manille abrite un comptoir commercial très fréquenté. Au XVᵉ s., les marchands arabes introduisent l'islām dans les îles du Sud.

- *1521. L'archipel est découvert par Magellan.*

Son nom lui est donné en 1543 en l'honneur du futur Philippe II, et la colonisation espagnole à partir de 1571 s'accompagne de la christianisation du pays. Le système social, basé sur la grande propriété, et la politique espagnole entraînent des révoltes périodiques qui, de 1888 à 1898, sous l'influence de José Rizal, débouchent sur une révolte nationale.

- *1898. La république est proclamée, mais les U. S. A., alliés aux insurgés, s'emparent de l'archipel à la faveur de la guerre hispano-américaine.*

La domination américaine entraîne une agitation nationaliste. Aussi, en 1935, dans le cadre du « Commonwealth des Philippines », est institué un gouvernement responsable sous la direction de Manuel Quezón qui mène une politique de réformes. L'occupation japonaise de 1941 à 1945 provoque un mouvement de résistance, dirigé par le parti communiste qui veut, après 1945, changer les structures sociales, mais est écrasé en 1954.

- *4 juil. 1946. L'indépendance est proclamée sous la protection des U. S. A. (traité d'alliance en 1951 et participation à l'O. T. A. S. E., 1954).*

La lutte entre le parti libéral et le parti nationaliste, au pouvoir depuis 1965, caractérise la vie politique, dominée par la corruption et la violence. À partir de 1965, le président Marcos doit affronter de nouveaux mouvements de guérilla (Nouvelle Armée populaire et musulmans de Mindanao). La proclamation de la loi martiale (1972) et une nouvelle constitution (1973) n'apportent pas de solution au problème principal, le problème agraire. À partir de 1983, le mouvement d'opposition se développe et se durcit.

- *Février 1986. À l'issue d'élections présidentielles très mouvementées, Marcos doit céder le pouvoir à Corazon Aquino, veuve du leader de l'opposition assassiné à son retour d'exil en 1983.*
- *Février 1987. Une nouvelle Constitution est approuvée par référendum mais la nouvelle présidente est confrontée à des difficultés croissantes (problèmes économiques, renforcement de la guérilla communiste, tentatives de putsch).*

PHILIPPINES *(mer des)*, partie de l'océan Pacifique, entre l'archipel des Philippines et les îles Mariannes (− 11 524 m dans la *fosse des Philippines*, dite aussi *fosse de Mindanao*).

Philippiques *(les)*, harangues politiques, prononcées par Démosthène contre Philippe de Macédoine (351-340 av. J.-C.). — Harangues prononcées par Cicéron contre Antoine (43-42 av. J.-C.).

PHILISTIN [filistɛ̃] n. m. (de l'all. *Philister*, petit bourgeois). Personne dont l'esprit est fermé aux lettres, aux arts, aux nouveautés (littér.) [syn. BÉOTIEN].

PHILISTINS, peuple de l'Antiquité qui a donné son nom à la Palestine, dont il occupa la côte sud. Ils opprimèrent les Juifs, mais furent vaincus par Saül et par David (Xᵉ s. av. J.-C.).

PHILODENDRON [filɔdɛ̃drɔ̃] n. m. (du gr. *philos*, ami, et *dendron*, arbre). Plante de plein air ou d'appartement aux feuilles digitées, très odorante. (Famille des aracées.)

PHILOLOGIE [filɔlɔʒi] n. f. (du gr. *philos*, ami, et *logos*, parole). Science qui étudie les documents écrits, en partic. les œuvres littéraires, du point de vue de l'établissement des textes, de leur authenticité, de leurs rapports avec la civilisation et l'auteur, et qui étudie aussi l'origine des mots et leur filiation. ◆ **philologique** adj. : *Études philologiques.* ◆ **philologiquement** adv. ◆ **philologue** n. Spécialiste de philologie.

PHILOSOPHALE [filɔzɔfal] adj. f. (de *philosophe*). *Pierre philosophale*, pierre qui, d'après les alchimistes, devait transmuer (= transformer) tous les métaux en or; chose impossible à trouver.

PHILOSOPHIE [filɔzɔfi] n. f. (du gr. *philos*, ami, et *sophia*, sagesse). **1.** Ensemble des considérations et des réflexions générales, constituées en doctrine ou en système, sur les principes fondamentaux de la connaissance, de la pensée et de l'action humaines. → ENCYCL. — **2.** Classe, cours où l'on enseigne la philosophie : *La classe de philosophie s'appelle « terminale A ».* — **3.** Conception que l'on se fait des problèmes de la vie : *Avoir une philosophie optimiste.* — **4.** Calme de celui qui fait face aux difficultés, aux imprévus de l'existence : *Il prend son mal avec philosophie* (syn. RÉSIGNATION). ◆ **philosophe** n. Personne qui étudie la philosophie, qui élabore une philosophie : *Sartre est un philosophe et un romancier.* ◆ adj. et n. Qui regarde la vie avec philosophie (sens 4) : *Il est resté philosophe devant les critiques les plus violentes* (syn. CALME). ◆ **philosopher** v. i. Tenir des considérations morales, philosophiques sur un événement. ◆ **philoso-**

phique adj. : *Réflexion philosophique sur l'univers.* ◆ **philosophiquement** adj. En philosophe (sens 4 du n.) : *Accepter philosophiquement son sort* (= avec calme).

— ENCYCL. Les significations que la *philosophie* a revêtues et revêt sont tributaires de son histoire et de l'histoire en général. D'abord synonyme de rationalité, dans la mesure où elle occupait le rôle aujourd'hui dévolu aux sciences de la nature et aux sciences humaines, elle a été et demeure la continuation de la politique par d'autres moyens. Ces moyens sont, d'une part, des concepts — distincts des concepts scientifiques — comme ceux de contrat social, d'État, de vertu, etc., que la philosophie élabore rigoureusement en les démarquant des opinions confuses, d'autre part, des méthodes comme la dialectique* (Platon, Hegel, Marx) ou l'« ordre géométrique » (Spinoza). Par ces moyens, la philosophie entend poser les vrais problèmes dans leur complexité et leur diversité afin de les résoudre.

À l'égard des sciences, du fait de leur développement, la philosophie a été bouleversée : appelée dans ce cas *épistémologie*, elle revêt deux aspects principaux. Selon le premier, elle consiste plus à soutenir des thèses (par ex. celle de la primauté de la matière sur l'esprit) qu'à proposer des réponses invérifiables, et à tracer une ligne de démarcation entre les différentes sciences et la philosophie. D'après le second, elle s'interroge sur les processus des connaissances scientifiques, sur la manière dont sont élaborés les concepts (par ex. celui de nombre entier naturel), sur leur mode d'emploi, sur les rapports qu'ils entretiennent entre eux et avec leur champ d'appartenance (par ex. le concept de nombre entier dans l'ensemble des entiers naturels, en mathématiques).

PHILTRE [filtr] n. m. (du gr. *philein*, aimer). Breuvage magique propre à inspirer l'amour ou quelque autre passion.

PHLÉBITE [flebit] n. f. (du gr. *phleps, phlebos*, veine). Inflammation d'une veine entraînant des troubles circulatoires.

PHLEGMON [flɛgmɔ̃] n. m. (du gr. *phlegein*, brûler). *Méd.* **1.** Inflammation du tissu cellulaire ou conjonctif : *Phlegmon généralisé.* (Avant la découverte des produits antimicrobiens modernes, les phlegmons étaient souvent graves, malgré la chirurgie, en raison de leur tendance diffusante.) — **2.** Inflammation d'une cavité ou d'un canal naturels : *Phlegmon des gaines synoviales.* (On écrit aussi FLEGMON.)

PHLOX [flɔks] n. m. (mot gr. signif. *flamme*). Plante originaire de l'Amérique du Nord, que l'on cultive pour ses fleurs aux couleurs vives.

PHNOM PENH, capit. du Cambodge, au confluent du Mékong et du Tonlé Sap; 400 000 hab. En 1975, les révolutionnaires évacuèrent vers les campagnes la population de la ville.

PHOBIE [fɔbi] n. f. (gr. *phobos*, effroi). Peur irraisonnée, obsédante, angoissante, que certains malades éprouvent dans des circonstances déterminées. (Ce mot entre comme composant dans les noms de diverses peurs maladives: *agoraphobie*, peur morbide du vide et de l'espace; *claustrophobie*, peur d'être enfermé.)

PHOCÉE, anc. v. d'Asie Mineure (Ionie), fondée par les Grecs. À leur tour, les Phocéens, dont la ville avait été prise par les Perses (546 av. J.-C.), fondèrent en Gaule *Massalia* (Marseille). ◆ **phocéen, enne** [fɔseɛ̃, -ɛn] adj. et n. De Phocée, de Marseille.

PHOCIDE, région de Grèce, entre la Thessalie et la Béotie, au N. du golfe de Corinthe. Le Parnasse, le temple de Delphes, l'oracle d'Apollon faisaient de la Phocide un territoire sacré. ◆ **phocidien, enne** [fɔsidjɛ̃, -ɛn] adj. De la Phocide.

PHŒNIX ou **PHÉNIX** [feniks] n. m. (du gr. *phoinix*, rouge). Genre de palmiers, souvent cultivés dans les régions tempérées comme plantes d'appartement.

PHOENIX *(îles)*, petit archipel de Polynésie, à l'E. des îles Kiribati; 1 200 hab. Il fait partie de l'État de Kiribati.

PHOENIX, v. des États-Unis, capit. de l'Arizona, dans une oasis du désert Salé; 581 600 hab. Électronique.

PHOLIOTE [fɔljɔt] n. f. (du gr. *pholis*, écaille). Champignon à lamelles jaunes ou brunes, croissant en touffes à la base des vieux arbres. (Famille des agaricacées.)

PHONATION [fɔnasjɔ̃] n. f. (du gr. *phônê*, voix). Ensemble des phénomènes qui concourent à la production de la voix : *Les cordes vocales sont le principal organe de la phonation.* ◆ **phonateur, trice** adj. Relatif à la production des sons vocaux : *Les organes phonateurs.* ◆ **phonique** adj. Relatif aux sons de la voix.

PHONÈME [fɔnɛm] n. m. (gr. *phônêma*, son de voix). Dans le langage humain, élément sonore produit par les organes de la parole : *Les phonèmes, voyelles ou consonnes, sont définis les uns par rapport aux autres par des traits caractéristiques (sonorité, nasalité,* etc.) [syn. SON]. ◆ **phonétique** adj. Qui concerne les sons du langage : *L'écriture phonétique essaie de transcrire tous les sons du langage par des signes graphiques.* ◆ n. f. Étude scientifique des sons composant le langage humain. ◆ **phonéticien, enne** n. Spécialiste de phonétique. ◆ **phonologie** n. f. Étude scientifique du fonctionnement des sons du langage dans une langue déterminée : *La phonologie est une discipline linguistique.* ◆ **phonologue** n. Spécialiste de phonologie.

PHONIQUE adj. ⟶ PHONATION.

PHONO [fono] ou **PHONOGRAPHE** [fɔnɔgraf] n. m. (du gr. *phônê*, voix, et *graphein*, écrire). Appareil utilisé pour reproduire des sons par des moyens mécaniques. (On dit ÉLECTROPHONE lorsque l'appareil est muni d'un dispositif électrique.) ◆ **phonothèque** n. f. Local où sont rassemblés les documents sonores, les disques, etc., constituant des archives de la parole.

— ENCYCL. C'est Edison, en 1878, qui a construit le premier *phonographe*, comprenant un récepteur, un enregistreur et un reproducteur. Le récepteur est une sorte de cornet acoustique fermé par un diaphragme métallique garni d'une pointe d'ivoire, qui vibre lorsqu'on parle devant l'appareil. L'enregistreur se compose d'un cylindre animé d'un mouvement hélicoïdal (= en forme d'hélice), et recouvert d'un manchon de cire sur lequel s'appuie la pointe. Le reproducteur est analogue au récepteur; il comporte un pavillon tronconique (= en forme de tronc de cône) et un diaphragme, dont la pointe suit la rainure formée par l'enregistreur sur la cire et reproduit les vibrations enregistrées.

Par la suite, on enregistra les vibrations du graveur sur un disque, l'inscription s'effectuant latéralement et non plus en profondeur. Actuellement, le phonographe est supplanté par l'électrophone*, où la reproduction des sons s'effectue par un procédé électromécanique.

PHONOLITE ou **PHONOLITHE** [fɔnɔlit] n. f. (du gr. *phônê*, voix, et *lithos*, pierre). Roche volcanique microlitique, contenant des feldspathoïdes, et qui se débite en dalles sonores.

PHONOLOGIE n. f., **PHONOLOGUE** n. ⟶ PHONÈME.

PHONOTHÈQUE n. f. ⟶ PHONO.

PHOQUE [fɔk] n. m. (gr. *phôkê*). Mammifère carnassier marin, caractérisé par son corps fusiforme (= en forme de fuseau), sa fourrure à poil ras, hydrofuge (= qui s'oppose au passage de l'eau), ses courtes pattes conformées en nageoires. (On chasse les phoques pour leur graisse et leur fourrure. La plupart des espèces se cantonnent dans les mers froides; leur régime est surtout piscivore, mais le phoque crabier se nourrit de crabes.) [Ordre des pinnipèdes.]

PHOSPHATE [fɔsfat] n. m. (du gr. *phôs*, lumière). Sel de l'acide phosphorique : *Les phosphates sont d'excellents engrais.*

PHOSPHORE [fɔsfɔr] n. m. (du gr. *phôs*, lumière, et *phoros*, qui porte). Corps simple (P), de numéro atomique 15, légèrement ambré, très inflammable, lumineux dans l'obscurité : *Le phosphore fut découvert par Brand en 1669.* ◆ **phosphoreux, euse** adj. Qui contient du phosphore. ‖ *Acide phosphoreux*, acide (H_3PO_3) correspondant à l'anhydride phosphoreux. ‖ *Anhydride phosphoreux*, composé (P_2O_3) formé par la combustion lente du phosphore. ◆ **phosphorique** adj. *Acide phosphorique*, se dit de plusieurs acides, dont H_3PO_4. ‖ *Anhydride phosphorique*, combinaison (P_2O_5) de phosphore et d'oxygène, formée par combustion vive.

PHOSPHORESCENCE [fɔsfɔrɛsɑ̃s] n. f. (du gr. *phôsphoros*, lumineux). Propriété qu'ont certains corps d'émettre de la lumière dans l'obscurité : *La phosphorescence de la mer est due à de petits animaux marins.* ◆ **phosphorescent, e** adj. : *Le ver luisant est phosphorescent.*

PHOSPHOREUX, EUSE adj., **PHOSPHORIQUE** adj. ⟶ PHOSPHORE.

1. PHOTO n. f. ⟶ PHOTOGRAPHIE.

---

2. PHOTO-, élément issu du gr. *phôs, phôtos*, lumière, qui entre comme préf. dans la composition de nombreux mots techniques.

PHOTOCOMPOSITION [fɔtokɔ̃pozisjɔ̃] n. f. *(photo-, et composition).* Dans l'imprimerie, ensemble des méthodes photographiques qui fournissent des textes composés sur film ou sur papier, destinés à la confection de clichés d'impression. ◆ **photocomposeuse** n. f. Machine de photocomposition.

PHOTOCONDUCTEUR, TRICE [fɔtokɔ̃dyktœr, -tris] adj. *(photo-, et conducteur).* Se dit d'un corps dont la conductibilité électrique varie avec l'éclairement.

PHOTOCOPIE [fɔtokɔpi] n. f. *(photo-, et copie).* **1.** Procédé de reproduction rapide d'un document par le développement instantané d'un négatif photographique. — **2.** Le document ainsi obtenu. ◆ **photocopier** v. t. Faire une photocopie. ◆ **photocopieur** n. m. ou **photocopieuse** n. f. Appareil de photocopie.

PHOTO-ÉLECTRICITÉ [fɔtoelɛktrisite] n. f. *(photo-, et électricité).* Production d'électricité par action de la lumière.

◆ **photo-électrique** adj. Se dit de tout phénomène électrique provoqué par l'intervention de radiations lumineuses. ‖ Photogr. *Cellule photo-électrique*, dispositif simple permettant d'obtenir des courants électriques par l'action d'un flux lumineux. ⟶ ENCYCL.
— ENCYCL. La *cellule photo-électrique* est utilisée pour calculer aussi exactement que possible le temps de pose d'une photographie. Elle fait intervenir la sensibilité de l'émulsion, l'ouverture de l'objectif et l'intensité lumineuse. Sur les appareils photographiques modernes, la cellule photo-électrique agit elle-même sur l'ouverture du diaphragme.

PHOTO-FINISH [fɔtofiniʃ] n. f. (de *photo-*, et angl. *to finish*, finir). Appareil enregistrant automatiquement l'ordre des concurrents à l'arrivée d'une course.

PHOTOGÉNIQUE [fɔtoʒenik] adj. (de *photo-*, et gr. *geneia*, production). Se dit d'une personne dont les traits du visage sont particulièrement expressifs en photo ou au cinéma.

PHOTOGRAMMÉTRIE [fɔtogrametri] n. f. (de *photo-*, gr. *gramma*, dessin, et *metron*, mesure). Utilisation de la photographie aérienne ou terrestre pour effectuer des levés de terrain.

PHOTOGRAPHIE [fɔtografi] ou **PHOTO** [fɔto] n. f. (de *photo-*, et gr. *graphein*, tracer). **1.** Action, art, manière de fixer par l'action de la lumière l'image des objets sur une surface sensible : *La photographie en couleurs.* ⟶ ENCYCL. — **2.** Reproduction de l'image ainsi obtenue : *Prendre une photo* (= photographier). *Une photo d'identité* (= photographie du visage utilisée pour les pièces d'identité). ◆ **photographier** v. t. Obtenir une image par la photographie : *Photographier un paysage.* ◆ **photographique** adj. : *Appareil photographique* (ou *appareil photo*). *Pellicule photographique.* ◆ **photographe** n. Personne qui photographie, qui fait métier de photographier. ◆ **photomontage** n. m. Assemblage de photographies reconstituant un sujet ou groupant plusieurs sujets. ◆ **photo-robot** n. f. Portrait reconstitué d'après des témoignages ‖ Pl. des *photos-robots*. ◆ **photothèque** n. f. Local où sont rassemblées les archives photographiques.
— ENCYCL. La *photographie*, découverte en 1829 par Niepce et Daguerre, fut d'abord appelée *daguerréotypie*. Elle est fondée sur la propriété que possèdent certains corps chimiques, particulièrement le bromure et le chlorure d'argent, d'être impressionnés par la lumière. Un support (plaque de verre, pellicule de Celluloïd, etc.), recouvert d'une émulsion de gélatino-bromure d'argent et exposé à la lumière pénétrant par un objectif dans une chambre noire, reçoit l'impression des objets sous la forme d'une image renversée, qu'un traitement chimique (développement) fait apparaître en noir et blanc.
De cette image négative (ou cliché, ou phototype), on tire des épreuves sur d'autres plaques (ou pellicules) ou papiers divers, en exposant à la lumière, sous le négatif, la surface sensible à impressionner. On fixe les images argentiques à l'aide de l'hyposulfite de sodium. Il existe, en outre, divers procédés de photographie des couleurs.
L'appareil photographique est une boîte close (chambre noire), pourvue à l'avant d'un système de lentilles (objectif) muni d'un obturateur et d'un diaphragme réglables, et, à l'arrière, d'un dispositif permettant d'introduire la plaque ou la pellicule.
→ illustration page ci-contre.

PHOTOGRAVURE [fɔtogravyr] n. f. *(photo-*, et *gravure)*. Procédé photographique permettant d'obtenir des planches gravées utilisables pour l'impression typographique.

PHOTOLUMINESCENCE [fɔtolyminesɑ̃s] n. f. *(photo-*, et *luminescence)*. *Phys.* Phénomène particulier de luminescence, qui consiste, pour une substance, à absorber une radiation et à la restituer sous une longueur d'onde différente.

PHOTOLYSE [fɔtoliz] n. f. (de *photo-*, et gr. *lusis*, dissolution). Décomposition chimique par la lumière.

PHOTOMÈTRE [fɔtomɛtr] n. m. (de *photo-*, et gr. *metron*, mesure). Instrument qui mesure l'intensité d'une source de lumière. ◆ **photométrie** n. f. Partie de la physique qui traite de la mesure des intensités lumineuses. ◆ **photométrique** adj. Qui concerne la photométrie : *Procédés photométriques.*

PHOTOMONTAGE n. m. ⟶ PHOTOGRAPHIE.

PHOTON [fɔtɔ̃] n. m. (du gr. *phôs*, *phôtos*, lumière). *Phys.* Particule d'énergie lumineuse, dans la théorie corpusculaire de la lumière.

PHOTOPILE [fɔtopil] n. f. *(photo-*, et *pile)*. Syn. de CELLULE PHOTOVOLTAÏQUE*.

PHOTO-ROBOT n. f. ⟶ PHOTOGRAPHIE.

PHOTOSENSIBLE [fɔtosɑ̃sibl] adj. *(photo-*, et *sensible)*. Sensible à la lumière.

PHOTOSYNTHÈSE [fɔtosɛ̃tɛz] n. f. *(photo-*, et *synthèse)*. Phénomène complexe ayant lieu dans les organes éclairés des végétaux « verts » (chlorophylliens), se traduisant extérieurement par une absorption de gaz carbonique et un rejet d'oxygène et, intérieurement, par l'apparition de substances organiques nutritives (syn. ASSIMILATION CHLOROPHYLLIENNE).
— ENCYCL. L'énergie solaire, utilisée dans les chloroplastes des cellules végétales, induit une chaîne de réactions qui ont pour effet la décomposition de l'eau puisée par les racines. L'hydrogène de cette eau réagit sur le gaz carbonique en élaborant des glucides, puis des lipides et, après réduction des nitrates, des protides. Toute notre énergie alimentaire provient directement (aliments végétaux) ou indirectement (aliments animaux) de la *photosynthèse.* Tous les combustibles non nucléaires (bois, charbon, pétrole) proviennent d'une assimilation chlorophyllienne actuelle ou ancienne. Sans soleil et sans chlorophylle, il n'est pas de vie possible sur terre.

PHOTOTHÈQUE n. f. ⟶ PHOTOGRAPHIE.

PHOTOVOLTAÏQUE [fɔtovɔltaik] adj. (de *photo-*, et *Volta*). Électron. *Cellule photovoltaïque*, sorte de pile électrique qui ne produit un courant que lorsqu'elle est éclairée (syn. PHOTOPILE).

PHRAGMITE [fragmit] n. f. (gr. *phragmitês*, qui sert à faire une clôture). **1.** *Bot.* Genre de graminacées comprenant le *roseau* commun. — **2.** Zool. *Phragmite des joncs*, fauvette vivant dans les roseaux des zones marécageuses.

PHRASE [fraz] n. f. (gr. *phrasis;* de *phrazein*, expliquer). **1.** Ensemble de termes *(énoncé)* qui, dans la parole, doivent être accompagnés d'une intonation et qui énoncent quelque chose *(prédicat)* à propos de quelqu'un ou de quelque chose *(thème)*, et qui constituent un tout par eux-mêmes : *La phrase simple, en français, est généralement composée d'un groupe nominal et d'un verbe* (ex. : *Les enfants jouent*). *La phrase nominale est réduite au seul groupe nominal* (ex. : *Silence!*). *Une phrase interrogative, exclamative.* — **2.** *Faire des phrases*, parler de manière prétentieuse, emphatique et vide. ‖ *Phrases toutes faites*, manière de parler conventionnelle, banale (syn. CLICHÉS, FORMULES). ◆ **phraseur, euse** n. Personne qui tient des discours prétentieux et vides de pensée. ◆ **phraséologie** n. f. **1.** Ensemble des expressions, des types de construction propres à une langue, à un milieu, à une science. — **2.** Emploi de formules qui, sous des apparences profondes, cachent le vide de la pensée : *Il masque son inactivité et sa faiblesse sous une phraséologie révolutionnaire.*

PHRATRIE [fratri] n. f. (gr. *phratria*). **1.** *Antiq. gr.* Dans la Grèce primitive, groupe de plusieurs clans. (À Athènes, la tribu comprenait trois phratries, et chaque phratrie, trente familles.) — **2.** En ethnologie, réunion de plusieurs clans, dans une société de type très archaïque, le plus souvent totémique. (L'union de deux phratries constitue la tribu.)

PHRÉATIQUE [freatik] adj. (du gr. *phreas*, *-atos*, puits). Géol. *Nappe phréatique*, nappe d'eau située à l'intérieur du sol et alimentant les sources.

PHRÉNOLOGIE [frenɔlɔʒi] n. f. (du gr. *phrên*, pensée, et *logos*, science). Étude du caractère et des fonctions intellectuelles de l'homme d'après la conformation du crâne. (Fondée par Gall, elle n'a plus qu'un intérêt historique.)

PHRYGANE [frigan] n. f. (du gr. *phruganon*, bois sec). Insecte névroptère dont la larve aquatique construit autour d'elle des fourreaux avec des végétaux, du sable, des coquilles (d'où ses noms usuels de PORTEFAIX, TRAÎNE-BÛCHES).

PHRYGIE, anc. région du nord-ouest de l'Asie Mineure, entre l'Égée et le Pont-Euxin, célèbre autref. par le culte de Cybèle.

PHRYGIEN, ENNE [friʒjɛ̃, -ɛn] adj. et n. De la Phrygie. ‖ *Bonnet phrygien*, bonnet rouge que portaient les anciens Phrygiens, et qui est devenu l'emblème de l'affranchissement et de la liberté.

PHTALÉINE [ftalein] n. f. (de *naphtaline*). *Chim.* Matière colorante, incolore en milieu acide ou neutre, et rouge pourpre en milieu basique.

PHTISIE [ftizi] n. f. (gr. *phthisis*, dépérissement). Syn. de TUBERCULOSE PULMONAIRE (vieilli). ◆ **phtisique** adj. et n. Atteint de phtisie (vieilli).

PHTISIOLOGIE [ftizjɔlɔʒi] n. f. (du gr. *phthisis*, dépérissement, et *logos*, science). Partie de la médecine qui étudie la tuberculose. ◆ **phtisiologue** n. Médecin spécialisé dans le traitement de la tuberculose, et spécialement de la tuberculose pulmonaire.

PHYLLOXÉRA [filɔksera] n. m. (du gr. *phullon*, feuille, et *xeros*, sec). Genre d'insectes hémiptères, très petits, voisins des pucerons, dont une espèce originaire d'Amérique s'attaque aux racines de la vigne : *Dans la seconde moitié du XIXe s., le phylloxéra a détruit presque tout le vignoble français, qui fut reconstitué en utilisant des porte-greffes américains résistant à cet insecte.*

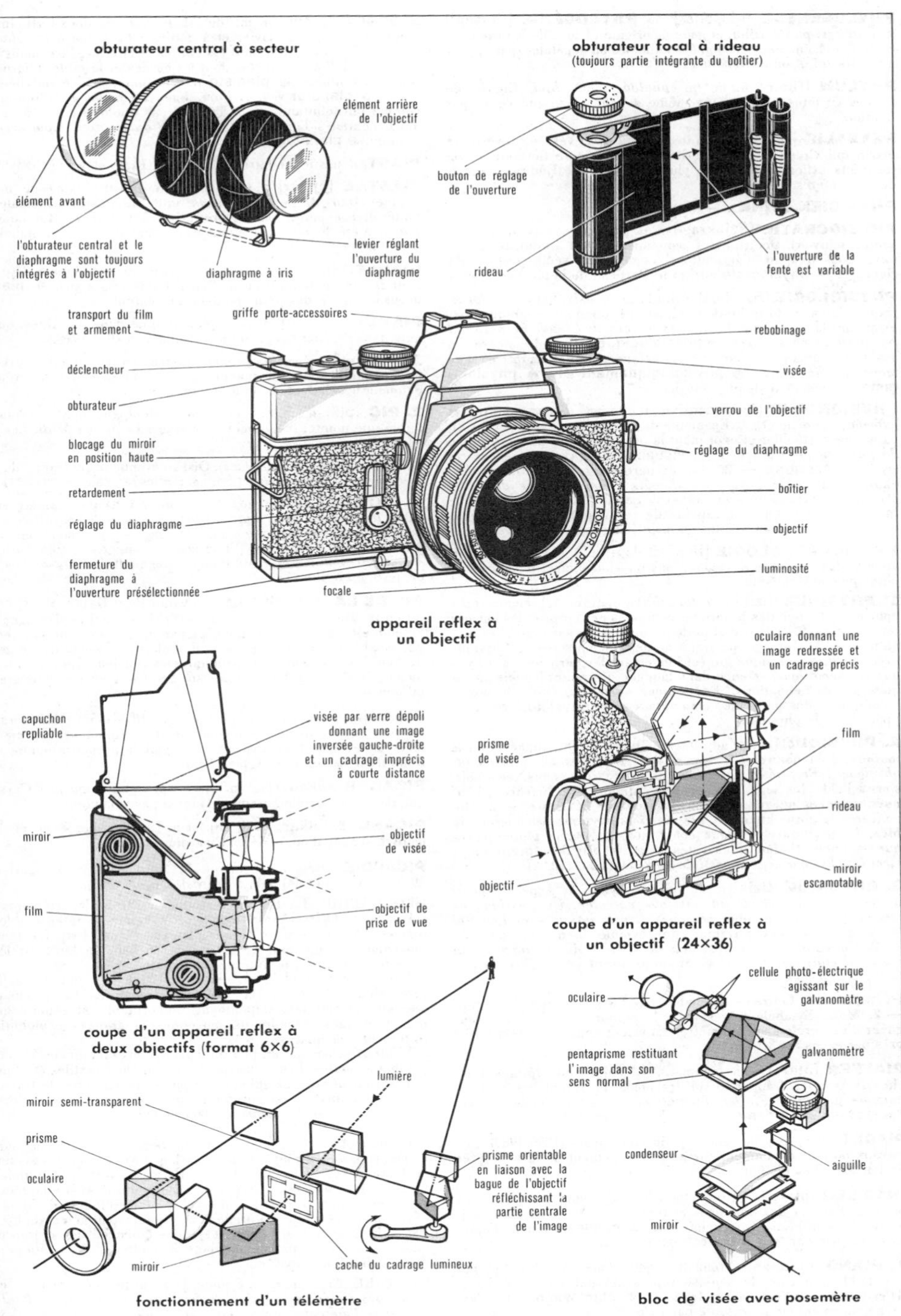

appareil reflex à un objectif

coupe d'un appareil reflex à deux objectifs (format 6×6)

coupe d'un appareil reflex à un objectif (24×36)

fonctionnement d'un télémètre

bloc de visée avec posemètre

PHYLOGENÈSE [filɔʒənɛz] ou **PHYLOGÉNIE** [filɔʒeni] n. f. (du gr. *phulê*, tribu, et *genesis*, origine). Étude de la formation et de l'enchaînement des lignées animales ou végétales (par oppos. à l'ONTOGENÈSE, ou ONTOGÉNIE).

PHYLUM [filɔm] n. m. (gr. *phulon*, race). *Biol.* Lignée de formes vivantes issues d'une même souche et se succédant par filiation.

PHYSALIE [fizali] n. f. (du gr. *phusalis*, vessie). Invertébré marin qui vit en colonies, formé d'une vésicule flottante et de filaments urticants longs de plusieurs mètres. (Embranchement des cœlentérés.)

PHYSICIEN, ENNE n. ⟶ PHYSIQUE 1.

PHYSIOCRATIE [fizjɔkrasi] n. f. (du gr. *phusis*, nature, et *kratos*, pouvoir). Doctrine des économistes (XVIIIe s.) qui, tel Quesnay, considéraient l'agriculture comme la seule source de richesse. ◆ **physiocrate** adj. et n. Partisan de la physiocratie.

PHYSIOLOGIE [fizjɔlɔʒi] n. f. (du gr. *phusis*, nature, et *logos*, traité). Science qui traite de la vie et des fonctions organiques par lesquelles la vie se manifeste : *Les travaux de Claude Bernard ont renouvelé la physiologie.* ◆ **physiologique** adj. Qui concerne la vie de l'organisme : *L'état physiologique est satisfaisant; c'est le moral qui ne va pas.* ◆ **physiologiquement** adv. ◆ **physiologiste** n. Spécialiste de physiologie.

PHYSIONOMIE [fizjɔnɔmi] n. f. (du gr. *phusis*, nature, et *gnômôn*, qui connaît). **1.** Ensemble des traits d'un visage ayant un caractère particulier et exprimant la personnalité, l'humeur, etc. : *Sa physionomie s'anima* (syn. FIGURE). *Une physionomie ouverte* (syn. EXPRESSION). — **2.** Aspect particulier qui distingue une chose d'une autre : *Au mois d'août, la physionomie de Paris change complètement* (syn. ASPECT, CARACTÈRE). ◆ **physionomiste** adj. et n. Qui est capable de reconnaître immédiatement une personne rencontrée plus ou moins longtemps auparavant.

PHYSIOPATHOLOGIE [fizjɔpatɔlɔʒi] n. f. (de *physio[logie]*, et *pathologie*). Étude des conditions physiologiques, physiques et chimiques des maladies.

1. PHYSIQUE [fizik] n. f. (gr. *phusis*, nature). **1.** Science qui a pour objet l'étude des propriétés générales des corps et les lois qui tendent à modifier leur état ou leur mouvement sans modifier leur nature. — **2.** Ouvrage qui traite de cette science. — **3.** *Physique expérimentale*, physique qui est fondée sur l'expérience. ‖ *Physique mathématique*, science dans laquelle on traduit les lois physiques par des équations. ‖ *Physique nucléaire*, étude du noyau atomique et des particules élémentaires. ◆ **physicien, enne** n. Spécialiste de physique.

2. PHYSIQUE [fizik] adj. (même étym.). **1.** Qui appartient à la matière, à la nature (par oppos. aux *êtres vivants*) : *Le monde physique.* ‖ *Propriétés physiques*, propriétés que nous reconnaissons à l'aide des sens (par oppos. à *chimique*). ‖ *Sciences physiques*, sciences qui ont pour objet l'étude de la nature. — **2.** Qui concerne le corps humain : *Les exercices physiques vous feront du bien. La souffrance physique* (contr. MORAL). *Amour, plaisir physique* (= amour charnel, plaisir des sens). ◆ **physiquement** adv. : *Ceci est physiquement impossible* (syn. MATÉRIELLEMENT).

3. PHYSIQUE [fizik] n. m. (même étym.). **1.** Aspect général d'une personne : *Avoir un physique agréable. Un physique de cinéma* (= séduisant, photogénique). *Il a le physique de l'emploi* (= il a un aspect physique qui évoque bien son activité). — **2.** Constitution du corps, état de santé : *Au physique et au moral, il était très atteint.* ◆ **physiquement** adv. : *Elle est très bien physiquement.*

PI [pi] n. m. **1.** Lettre de l'alphabet grec* (π), correspondant au *p*. — **2.** *Math.* Symbole représentant le rapport constant de la longueur d'un cercle à son diamètre. La valeur approchée de π à 10^{-4} près par excès est 3,141 6.

PIAFFER [pjafe] v. i. (onomat.). **1.** (sujet nom désignant un cheval) Avancer, frapper le sol des pieds de devant. — **2.** (sujet nom de personne) *Piaffer d'impatience*, s'agiter vivement (syn. TRÉPIGNER). ◆ **piaffement** n. m. : *Les piaffements d'un cheval.*

PIAGET (Jean), psychologue et pédagogue suisse (1896-1980). Ses travaux portent notamment sur le développement de la pensée et du langage chez l'enfant.

PIAILLER [pjaje] v. i. (onomat.). **1.** (sujet nom désignant des oiseaux) Pousser des cris aigus et répétés. — **2.** (sujet nom désignant un enfant) *Fam.* Crier sans cesse. ◆ **piaillement** n. m. Fam. : *Être exaspéré par les piaillements des enfants.*

1. PIANO [pjano] adv. (mot it. signif. *doux*). **1.** *Mus.* Indique une faible intensité de son (se représente par *P*). — **2.** Fam. *Allez-y piano*, agissez avec douceur. ◆ **pianissimo** adv. *Mus.* Très doucement (se représente par *PP*).

2. PIANO [pjano] n. m. (de l'it. *pianoforte*, doux-fort). Instrument de musique à clavier et à cordes : *Le piano a remplacé le clavecin.* ‖ *Piano droit*, dont les cordes et la table d'harmonie sont verticales. ‖ *Piano à queue*, dont les cordes et la table d'harmonie sont horizontales. ◆ **pianiste** n. Personne, artiste qui joue du piano. ◆ **pianoter** v. i. **1.** *Fam.* Jouer du piano maladroitement comme un débutant. — **2.** Tapoter sur quelque chose avec ses doigts comme si l'on jouait du piano : *Pianoter avec impatience sur la table.* ◆ **pianotage** n. m.

PIAST, dynastie fondatrice du premier État polonais (Xe-XIVe s.).

PIASTRE [pjastr] n. f. (esp. et it. *piastra*, lame de métal, plaque). Dans de nombreux pays, unité monétaire principale, ou unité divisionnaire, ou encore pièce déterminée. (Le nom de *piastre* a été donné à des monnaies espagnoles et surtout italiennes dès le XVIe s.)

PIAULER [pjole] v. i. (onomat.) [sujet nom désignant de petits poulets, des enfants (fam.)]. Pousser des cris aigus. ◆ **piaulement** n. m. Cri des petits poulets, des enfants.

PIAVE (la ou le), fl. d'Italie (Vénétie), né dans les Alpes, qui se jette dans l'Adriatique; 220 km. Combats en 1917-1918.

1. PIC [pik] n. m. (de *piquer*). Instrument de métal, courbé et pointu, muni d'un long manche et dont on se sert pour creuser, défoncer le sol, démolir un mur, etc.

2. PIC [pik] n. m. (même étym.). Montagne dont le sommet forme une pointe; le sommet lui-même : *Le pic du Midi. Les pics enneigés.*

3. PIC [pik] n. m. (lat. *picus*). Oiseau grimpeur qui frappe du bec l'écorce des arbres pour en faire sortir les larves (syn. PIVERT).

4. PIC (À) [apik] loc. adv. (de *piquer*). **1.** D'une manière verticale : *La falaise tombe à pic sur la mer. La route est taillée à pic dans la montagne. Le bateau a coulé à pic* (= rapidement, en allant droit au fond). — **2.** *Fam.* D'une manière opportune : *Vous arrivez à pic* (syn. À POINT NOMMÉ [langue soignée]). *Cet argent tombe à pic* (syn. À PROPOS).

PIC DE LA MIRANDOLE (Giovanni PICO DELLA MIRANDOLA, dit en fr. **Jean**), humaniste italien (1463-1494). Il se distingua par l'étendue de ses connaissances et par la hardiesse de ses thèses philosophiques et théologiques : il voulait prouver la convergence de tous les systèmes philosophiques et religieux vers le christianisme. Il se lia à Savonarole, sur lequel il exerça une grande influence.

PICABIA (Francis), peintre français (1879-1953). Il adhéra au cubisme (1911), avant de devenir un des promoteurs du mouvement dada et de l'art abstrait. Il peignit la première œuvre abstraite française en 1909, *Caoutchouc*.

PICADOR [pikadɔr] n. m. (mot esp. signif. *piqueur*). Cavalier qui, dans une corrida, attaque le taureau avec la pique.

PICARD, E [pikar, -ard] adj. et n. De Picardie. ◆ n. m. Dialecte de langue d'oïl, parlé en Picardie.

PICARDIE, Région occupant le nord du Bassin parisien; 19 399 km²; 1 740 300 hab. *(Picards).* Ch.-l. *Amiens.*

GÉOGRAPHIE. La Région regroupe les trois départements de l'*Aisne*, de l'*Oise* et de la *Somme*, et s'étend sur un ensemble de plaines (dans l'Ouest) et de bas plateaux (dans l'Est). La densité moyenne d'occupation, de l'ordre de 86 hab. au km², est légèrement inférieure à la moyenne nationale.

L'*agriculture* emploie environ 10 p. 100 de la population active, proportion voisine de la moyenne française. La production (céréales et betterave notamment), importante, est généralement organisée dans le cadre de moyennes et grandes exploitations fortement mécanisées.

L'*industrie* occupe un peu moins des deux cinquièmes de cette population active. Les industries traditionnelles, textiles et alimentaires, sont devancées aujourd'hui par la métallurgie de transformation. L'industrie est surtout représentée dans l'agglomération d'Amiens qui, seule, dépasse 100 000 hab. et dans la vallée de l'Oise.

Récemment, la population de la région s'est accrue sensiblement, grâce surtout à la progression d'Amiens et des secteurs de la vallée de l'Oise, proches de Paris. La forte diminution du nombre des personnes vivant de l'agriculture a été largement compensée par la création d'emplois dans l'industrie, dont le développement a été naturellement stimulé par la proximité de Paris. La région a été l'une des zones d'accueil des entreprises quittant la région parisienne dans le cadre de la politique de décentralisation industrielle.

HISTOIRE. Anc. prov. de France, la Picardie comprenait le *Vermandois*, l'*Amiénois*, le *Valois*, le *Santerre*, le *Ponthieu*, le *Boulonnais* et la *Thiérache*. Après avoir été l'enjeu des rivalités franco-anglaises pendant la guerre de Cent Ans, elle fut réunie à la Couronne en 1482.

PICARESQUE [pikarɛsk] adj. (de l'esp. *picaro*, vaurien). Se dit des romans et des pièces de théâtre dont le héros est un aventurier ou un vaurien : *Le roman picaresque naît en Espagne au XVIe s. avec « Lazarillo de Tormes » (1554).*

PICASSO (Pablo RUIZ BLASCO, dit **Pablo**), peintre, graveur et sculpteur espagnol (1881-1973). Il affirme très tôt ses dons remarquables pour le dessin, qui va tenir dans son œuvre un rôle capital. Pendant les premiers séjours qu'il effectue à Paris, il subit l'influence de Toulouse-Lautrec et de Steinlen, mais déjà sa personnalité, multiple et changeante, s'affirme. L'évolution artistique de ce créateur inépuisable, sans cesse à la recherche de formes nouvelles d'expression, apparaît comme une suite de métamorphoses où alternent les recherches les plus audacieuses et le retour à des œuvres plus classiques.

• *1901-1904. La « période bleue » est la première étape de cette longue évolution.*

Picasso peint alors un monde désespéré, éclairé d'une lumière glaciale, où des personnages pathétiques et résignés se détachent sur un arrière-plan neutre *(Maternité, Célestine).*

• *1904-1907. La « période rose » commence avec l'installation définitive du peintre à Paris.*

Elle correspond à une époque plus heureuse de sa vie; dans sa maison du Bateau-Lavoir se constitue l'avant-garde littéraire et artistique de l'époque, avec Max Jacob, Matisse, Apollinaire... Les tableaux, plus optimistes, représentent des acrobates légèrement stylisés *(Famille d'arlequins).*

• *1907. « Les Demoiselles d'Avignon » marquent la naissance du cubisme* dont Picasso est, avec Braque, le créateur.*

Par la simplification et la fragmentation géométrique des formes, cette œuvre, où se retrouve l'influence de Cézanne et de l'art nègre, marque une rupture avec le passé. *L'Usine* (1909), *le Joueur de cartes* (1913) appartiennent également à la période cubiste.

• *1917. Un retour au classicisme se manifeste alors par des formes plus amples et plus sereines, dont le calme et l'équilibre rappellent l'art grec.*

Pendant cette « période classique » (*Mère et enfant*, 1922; *la Flûte de Pan*, 1923), Picasso peint de nombreux portraits, où se reconnaît l'influence d'Ingres. À la même époque, il voyage à Rome et réalise des décors de théâtre pour les Ballets russes de Diaghilev *(Parade).*

À partir de 1926, il participe au mouvement surréaliste (*Jeu de ballon*, 1928), puis de 1929 à 1935 se tourne vers l'art abstrait, avant de s'engager dans l'expressionnisme (1936).

• *1937. La période expressionniste atteint son paroxysme avec « Guernica » et « la Femme qui pleure ».*

Dans ces deux tableaux, qui peignent les horreurs de la guerre civile espagnole, Picasso choisit résolument, suivant les principes de la peinture expressionniste, de peindre ce qu'il pense et non ce qu'il voit, et donne à son œuvre une dimension politique nouvelle.

• *1944. À la fin de la guerre, cet engagement politique se précise, avec l'adhésion du peintre au parti communiste français.*

Il participe alors à divers congrès pour la paix, dont celui de Paris, en 1949, à l'occasion duquel il dessine la célèbre colombe de la paix. C'est à cette époque également que Picasso quitte Paris pour le midi de la France. Élargissant ses activités à la gravure, à la sculpture et, surtout, à la céramique, il retrouve, avec des natures mortes et des thèmes mythologiques (plats en terre cuite peints, 1948), un style moins tendu, apaisé.

Ces aspects successifs (et souvent entremêlés) de son œuvre témoignent toujours d'un même refus des conventions, qui lui valut très tôt d'être le plus célèbre et le plus discuté des artistes de son temps. Il exerça une influence considérable sur l'art contemporain. (Grands musées à Barcelone et à Paris [hôtel Salé].)

PICCARD (Auguste), physicien suisse (1884-1962). Il effectua les premières ascensions stratosphériques dans un ballon à nacelle étanche de sa conception (1931), ainsi que des plongées dans les grandes profondeurs sous-marines, grâce à son bathyscaphe.

PICCINNI (Nicolo), compositeur italien (1728-1800). À partir de 1776, il vécut à Paris où ses admirateurs l'opposèrent à Gluck. Il est l'auteur de plus de cent opéras italiens ou français.

PICCOLO [pikɔlɔ] n. m. (mot it. signif. *petit*). Petite flûte accordée à l'octave supérieure de la flûte traversière.

PICHEGRU (Charles), général français (1761-1804). Commandant l'armée du Rhin, il conquit les Pays-Bas (1795), puis trahit la Révolution en prenant contact avec l'armée des émigrés. Il prit part au complot de Cadoudal. Arrêté, il fut trouvé étranglé dans sa prison.

PICHENETTE [piʃnɛt] n. f. (orig. incert.). *Fam.* Petit coup brusque appliqué avec le doigt : *D'une pichenette, il fit tomber la cendre de son cigare* (syn. CHIQUENAUDE).

PICHET [piʃɛ] n. m. (du gr. *bikos*, vase). Petit broc à vin, à cidre.

PICKLES [pikœls] n. m. pl. (mot angl.). Petits légumes, fruits confits dans du vinaigre aromatisé et utilisés comme condiments.

PICKPOCKET [pikpɔkɛt] n. m. (de l'angl. *to pick*, enlever, et *pocket*, poche). Voleur à la tire : *Se faire voler son sac par un pickpocket.*

PICK-UP [pikœp] n. m. inv. (de l'angl. *to pick up*, recueillir). **1.** Lecteur électrique de disques de phonographe, servant à traduire les vibrations acoustiques enregistrées par des tensions électriques correspondantes. — **2.** Ensemble comportant un pick-up, un amplificateur et un haut-parleur.

Pickwick *(les Aventures de M.)*, roman de Dickens (1837).

PICO- [piko], préf. (symb. : p) qui, placé devant une unité, la divise par un billion, soit par 10^{12} : *Picofarad.*

PICOLER [pikɔle] v. i. (de *piccolo*). *Fam.* Boire de l'alcool.

PICORER [pikɔre] v. t. et i. (de *piquer*) [sujet nom désignant des poules, des oiseaux, etc.]. Prendre sa nourriture çà et là.

PICOTER [pikɔte] v. t. (de *piquer*). Causer une sensation de piqûre légère, mais répétée : *La fumée picotait les yeux.* ◆ **picoté, e** adj. Marqué de trous minuscules, de points : *Visage picoté de rougeurs.* ◆ **picotement** n. m. : *J'ai des picotements aux pieds* (syn. FOURMILLEMENT).

PICOTIN [pikɔtɛ̃] n. m. (de l'anc. fr. *picot*, mesure de vin). Ration d'avoine donnée à un cheval.

PICQUIGNY, ch.-l. de cant. de la Somme, à 13 km au N.-O. d'Amiens, sur la Somme; 1 300 hab.

• *1475. Le traité de Picquigny entre Louis XI et Édouard IV met réellement fin à la guerre de Cent Ans.*

PICTES, peuple de l'Écosse anc., qui fut progressivement celtisé et assimilé par les Scots.

PICTOGRAMME [piktɔgram] n. m. Dessin schématique normalisé destiné à signifier, notamment dans les lieux publics, certaines indications simples (telles que direction de la sortie, interdiction de fumer, emplacement des toilettes, etc.).

PICTURAL, E, AUX [piktyral, -ro] adj. (du lat. *pictura*, peinture). Qui concerne la peinture : *La technique picturale* (= de la peinture).

PIDGIN [pidʒin] ou **PIDGIN-ENGLISH** [pidʒininglíʃ] n. m. (mot angl.). Anglais corrompu qu'emploient les Chinois dans leurs rapports avec les Européens.

1. PIE [pi] n. f. (lat. *pica*). Oiseau passereau à plumage noir bleuté et blanc et à longue queue, très commun en France, caractérisé par ses cris continuels : *La pie jacasse.*

2. PIE [pi] adj. inv. (même étym.). *Cheval, jument, vache pie*, à robe noir et blanc, ou roux et blanc.

3. PIE [pi] adj. f. (du lat. *pius*, pieux). *Faire œuvre pie*, accomplir un acte pieux (langue soignée).

PIE, nom porté par douze papes. PIE Ier *(saint)*, pape de 140 à 155. — PIE II (Enea Silvio PICCOLOMINI) [1405-1464], pape de 1458 à 1464. Humaniste, il a laissé une importante œuvre poétique et historique. — PIE V *(saint)* [Antonio GHISLIERI] (1504-1572), pape de 1566 à 1572. Il travailla énergiquement à la réforme de l'Église selon l'esprit du concile de Trente et forma contre les Turcs une ligue chrétienne qui fut victorieuse à Lépante (1571). — PIE VI (Giannangelo BRASCHI) [1717-1799], pape de 1775 à 1799. Il condamna la Constitution civile du clergé en France, et dut signer avec Bonaparte le traité de Tolentino (1797). Après la proclamation de la République romaine par les Français (1798), il fut arrêté sur l'ordre du Directoire et conduit en France, où il mourut. — PIE VII (Gregorio Luigi Barnaba CHIARAMONTI) [1742-1823], pape de 1800 à 1823. Il signa avec Bonaparte le Concordat (1801) et vint sacrer l'Empereur à Notre-Dame (1804); mais celui-ci annexa ses États à l'Empire français (1809) et le fit prisonnier, de 1812 à 1814. Les États pontificaux furent rétablis par le congrès de Vienne. — PIE IX (Giovanni Maria MASTAI FERRETTI) [1792-1878], pape de 1846 à 1878. Il proclama les dogmes de l'« Immaculée Conception » (1854) et de l'« infaillibilité pontificale » (1870) qui mettaient en relief l'importance croissante du rôle du pape dans l'Église. Adversaire du scientisme et du libéralisme, il se montra intransigeant à l'égard du monde moderne dans le *Syllabus* (1864). Il lutta contre l'emprise du Piémont, jusqu'à l'annexion des États pontificaux au royaume d'Italie (1870). Il se considéra alors comme prisonnier au Vatican. — PIE X *(saint)* [Giuseppe SARTO] (1835-1914), pape de 1903 à 1914. Il condamna le modernisme et restaura le chant sacré. Son pontificat a été marqué par le vote, en France, de la loi de séparation de l'Église et de l'État (1905). — PIE XI (Achille RATTI) [1857-1939], pape de 1922 à 1939. Il signa avec Mussolini les accords du Latran (1929), qui rendaient au Saint-Siège son indépendance territoriale en constituant l'État du Vatican. Il donna un vigoureux essor aux missions, condamna le fascisme, le nazisme et le communisme. — PIE XII (Eugenio PACELLI) [1876-1958], pape de 1939 à 1958; il condamna le marxisme et définit le dogme de l'Assomption (1950).

1. PIÈCE [pjɛs] n. f. (bas lat. *pettia*, morceau). **1.** Chaque partie séparée d'un tout, en rompant, en déchirant, en arrachant : *Le vase se brisa en mille pièces* (syn. FRAGMENT, MORCEAU). — **2.** Chaque objet, chaque élément faisant partie d'un ensemble, et considéré comme une unité (suivi souvent d'un compl. du nom) : *Une pièce de bétail* (= une tête de bétail). *Cela coûte dix francs pièce* (= chaque unité). *Les pièces d'un jeu d'échecs, de dames* (syn. PION). *Des pièces détachées, de rechange* (= parties d'un appareil, d'une machine, etc., qui servent à remplacer les pièces défectueuses). — **3.** Objet complet formant un tout par lui-même : *Le pêcheur a pris une belle pièce* (= un poisson). *Un maillot de bain deux pièces* (= en deux pièces). *Une pièce de drap* (= un coupon). *Une pièce de bois* (= une planche, une poutre). *Une pièce de terre* (= espace de terre cultivable). *Une pièce de vin* (= un fût de vin). *Une pièce d'eau* (= un étang, un bassin dans un parc, un jardin). *Une pièce d'artillerie* (= un canon). ‖ *Pièces buccales*, appendices avoisinant la bouche des arthropodes et servant à la capture et à la trituration des proies. ‖ *Pièce montée*, pâtisserie formée de petits choux montés en pyramide. — **4.** Élément, morceau réparant une déchirure : *Mettre une pièce à un pantalon* (= le raccommoder avec un bout de tissu). — **5.** Document servant à établir un droit, la réalité d'un fait, la preuve : *Les pièces d'identité* (= papiers établissant l'identité de quelqu'un). *Les pièces à conviction* (= les preuves du délit). *Juger avec pièces à l'appui* (= avec des preuves). — **6.** *Armé de toutes pièces*, entièrement protégé de la tête aux pieds (syn. DE PIED EN CAP). ‖ *Être tout d'une pièce*, sans détour, franc et direct. ‖ *Fait de pièces et de morceaux*, qui manque d'unité, d'homogénéité; fait de parties disparates. ‖ *Inventer, forger de toutes pièces*, inventer sans preuves, par un acte de pure imagination. ‖ *Tailler en pièces une armée*, la mettre en déroute. ◆ **rapiécer** v. t. (sens 4 du n.). Réparer des vêtements, du linge en y cousant des pièces (syn. RACCOMMODER). ◆ **rapiéçage** ou **rapiècement** n. m.

2. PIÈCE [pjɛs] n. f. (même étym.). Chaque partie d'un appartement, d'une maison, d'un logement d'une certaine superficie et ayant une ou plusieurs ouvertures vers l'extérieur : *La pièce où l'on couche* (= chambre), *où l'on mange* (= salle à manger). *Acheter un deux pièces, un trois pièces* (= un appartement de deux, de trois pièces).

3. PIÈCE [pjɛs] n. f. (même étym.). **1.** Morceau de métal plat servant de monnaie : *Une pièce d'argent, d'or. Une pièce de 1 franc. Donner la pièce à qq'un* (= lui verser un pourboire). — **2.** Fam. *Rendre à qq'un la monnaie de sa pièce*, lui faire subir la même mésaventure qu'il vous a occasionnée (= lui rendre la pareille). ◆ **piécette** n. f. Petite pièce de monnaie : *Une piécette de 10 centimes.*

4. PIÈCE [pjɛs] n. f. (même étym.). **1.** Ouvrage dramatique (comédie, tragédie, drame, etc.) : *Une pièce de Molière.* — **2.** Ouvrage littéraire ou musical : *Une pièce de vers. Une pièce de Schubert.*

1. PIED [pje] n. m. (lat. *pes, pedis*). **1.** *Anat.* Extrémité du membre inférieur, qui sert à l'homme à se tenir sur le sol et à marcher (→ ENCYCL.) : *La plante du pied. Aller pieds nus, nu-pieds. Donner un coup de pied.* ‖ *Pied plat*, anomalie du pied, dont la voûte plantaire est affaissée et qui repose sur le sol par toute la surface de la plante. ‖ *À pied*, en marchant : *Aller à pied à son bureau.* ‖ *Avoir pied*, pouvoir se tenir debout la tête hors de l'eau. ‖ *Course à pied* (par oppos. à *course cycliste, automobile*). ‖ *Être sur pied*, debout, réveillé : *Il est sur pied dès six heures;* guéri : *Il est maintenant sur pied après une longue grippe* (syn. RÉTABLI). ‖ *Portrait, statue en pied*, représentant de la tête aux pieds un personnage debout. ‖ Fam. *Faire du pied à qq'un*, frôler son pied avec le sien pour attirer son attention. ‖ *Mettre pied à terre*, descendre de cheval. ‖ *Mettre les pieds dehors*, sortir. ‖ *Mettre les pieds quelque part*, y aller. ‖ *Perdre pied*, couler; perdre le contrôle de soi-même, reculer; ne plus savoir que dire. — **2.** Extrémité du membre postérieur des mammifères, servant à la marche. — **3.** Organe musclé des mollusques, servant au déplacement. — **4.** Entre dans un certain nombre de loc. ‖ *Au pied levé*, sans préparation. ‖ *Avoir bon pied bon œil*, être en excellente santé; être vigilant. ‖ *Avoir le pied marin*, être capable de supporter les mouvements d'un bateau. ‖ *De pied ferme*, avec l'intention de résister énergiquement. ‖ Fam. *Cela lui fait les pieds*, cela lui donne une leçon, cela lui apprend à vivre. ‖ Fam. *Faire des pieds et des mains*, employer tous les moyens (syn. SE DÉMENER). ‖ Fam. *Mettre les pieds dans le plat*, faire une gaffe, parler avec une brutale franchise et avec indiscrétion d'une question délicate. ‖ *Pieds et poings liés*, réduit à une totale impuissance. ‖ Fam. *Se débrouiller comme un pied*, très mal. ‖ *Se jeter aux pieds de qq'un*, se prosterner devant lui. ‖ Fam. *Se lever du pied gauche*, être de mauvaise humeur. ‖ *Marcher sur les pieds de qq'un*, chercher à l'évincer, à prendre sa place, à empiéter sur son domaine. ‖ *Mettre à pied un ouvrier, un employé*, le réduire au chômage, le licencier. ‖ *Mettre sur pied qqch.*, l'organiser, le mettre en état. ‖ Fam. *Retomber sur ses pieds*, se tirer à son avantage d'une situation fâcheuse ou délicate. ‖ *Sur le pied de guerre*, prêt à combattre. — **5.** *Valet de pied*, domestique de grande maison chargé d'introduire les invités. ◆ **peton** [pətɔ̃] n. m. *Fam.* Petit pied. (→ PIÉTINER, PIÉTON.)

— ENCYCL. Le squelette du *pied* humain comprend le *tarse*, formé de sept os courts (astragale, calcanéum, scaphoïde, cuboïde et trois cunéiformes), le *métatarse*, formé des cinq métatarsiens, et les *phalanges*. Le tarse et le métatarse forment la voûte plantaire, concave en dedans et en bas, grâce à la tension exercée par les tendons de muscles situés dans la jambe. Le pied ne repose donc sur le sol que par ses parties antérieures (orteils), postérieure (talon) et externe (bord externe du pied). Le dessous du pied est la plante, et le dessus, le dos.

2. PIED [pje] n. m. (même étym.). **1.** Partie d'un objet servant à le soutenir, par laquelle il repose sur le sol, son emplacement : *Le pied d'une échelle. Le pied d'un verre. Les pieds de la table. Le pied de la falaise. Le pied du lit* (= la partie opposée au chevet). — **2.** Partie d'un végétal qui touche le sol; toute la plante : *Un pied de vigne. Un pied de salade* (= une salade). ‖ *Fruits, céréales vendus sur pied*, avant la récolte. — **3.** *Être à pied d'œuvre*, sur le chantier, prêt à travailler.

3. PIED [pje] n. m. (même étym.). **1.** Unité de mesure de longueur anglo-saxonne valant environ 30,47 cm et usitée anciennement en France (32,5 cm). — **2.** *Pied à coulisse*, instrument servant à mesurer le diamètre ou l'épaisseur de différents objets. — **3.** Entre dans des loc. diverses, au sens de « mesure de base ». ‖ *Au petit pied*, en raccourci, en plus petit (ironiq). ‖ *Au pied de la lettre*, en s'en tenant à la stricte signification de ce qui est écrit. ‖ *Pied à pied*, pas à pas, graduellement. ‖ Fam. *Souhaiter être à cent pieds sous terre*, avoir envie de se cacher par confusion. ‖ *Sur le même pied que*, sur le même plan. ‖ *Sur un pied d'égalité*, d'une manière parfaitement égale, sans distinction hiérarchique. ‖ *Vivre sur un grand pied*, dans le luxe.

4. PIED [pje] n. m. (même étym.). **1.** En versification grecque et latine, groupe de syllabes d'un type déterminé : *L'hexamètre, ou vers de six pieds.* — **2.** En versification française, désigne chaque syllabe prise en compte : *Les douze pieds d'un alexandrin.*

PIED-À-TERRE [pjetatɛr] n. m. inv. *(pied, à,* et *terre).* Logement qu'on occupe occasionnellement.

PIED-BOT [pjebo] n. m. (de *pied*, et germ. *butta*, émoussé). Personne qui a un pied difforme. ‖ Pl. des *pieds-bots.*

PIED-D'ALOUETTE [pjedalwɛt] n. m. *(pied, de,* et *alouette). Bot.* Nom usuel du DELPHINIUM. ‖ Pl. des *pieds-d'alouette.*

PIED-DE-BICHE [pjedbiʃ] n. m. *(pied, de,* et *biche).* **1.** Pied incurvé des meubles (fauteuil, secrétaire, etc.) de style Louis XV. — **2.** Petit levier métallique dont la tête, en biais, est fendue, et qui sert à arracher les clous. — **3.** Pièce de la machine à coudre prenant et guidant l'étoffe. ‖ Pl. des *pieds-de-biche.*

PIED-DE-POULE [pjedpul] n. m. et adj. *(pied, de,* et *poule).* Tissu de laine formé de deux couleurs en damiers. ‖ Pl. des *pieds-de-poule.*

PIÉDESTAL, AUX [pjedestal, -to] n. m. (de l'it. *piede*, pied, et *stallo*, support). **1.** Support isolé sur lequel on place une statue, un vase, etc. — **2.** *Mettre qq'un sur un piédestal*, lui témoigner une grande admiration. ‖ *Tomber de son piédestal*, perdre son prestige.

PIEDMONT n. m. → PIÉMONT.

PIED-NOIR [pjenwar] n. m. *(pied,* et *noir). Fam.* Habitant de l'Algérie, d'origine européenne, avant l'indépendance : *L'exode des pieds-noirs en 1963.*

PIÈGE [pjɛʒ] n. m. (lat. *pedica*, liens pour les pieds). **1.** Dispositif destiné à attraper des animaux, morts ou vifs : *Des pièges à rat.* — **2.** Moyen détourné que l'on emploie contre une personne pour la mettre dans une situation difficile ou dangereuse, pour la tromper : *Tendre un piège à un adversaire* (syn. EMBÛCHE [littér.], TRAQUENARD). *Les ennemis furent attirés dans un piège* (syn. GUET-APENS). ◆ **piéger** v. t. **1.** *Piéger un lieu, un objet*, etc., y disposer des pièges pour prendre un animal, y dissimuler des engins explo-

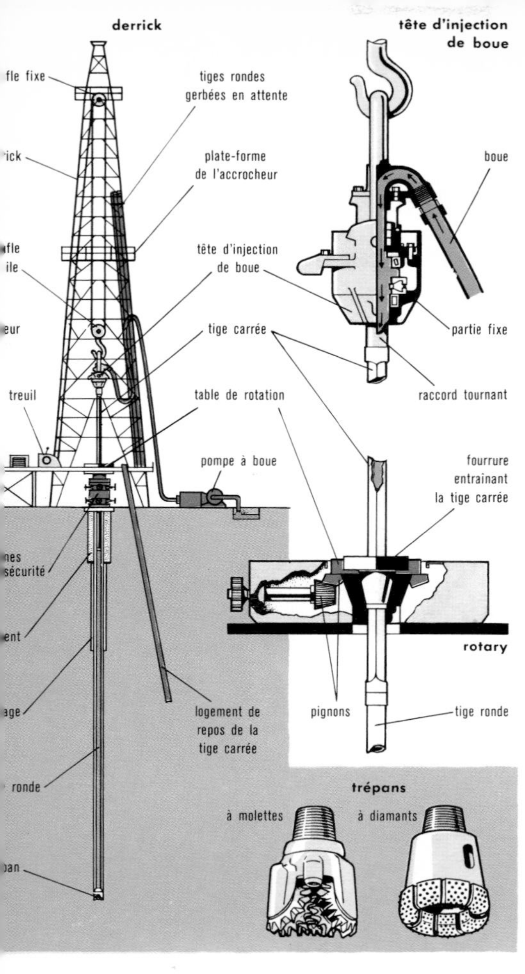
derrick
tête d'injection
de boue
tiges rondes
gerbées en attente
plate-forme
de l'accrocheur
tête d'injection
de boue
tige carrée
treuil
table de rotation
pompe à boue
boue
partie fixe
raccord tournant
fourrure
entraînant
la tige carrée
rotary
logement de
repos de la
tige carrée
pignons
tige ronde
trépans
à molettes
à diamants

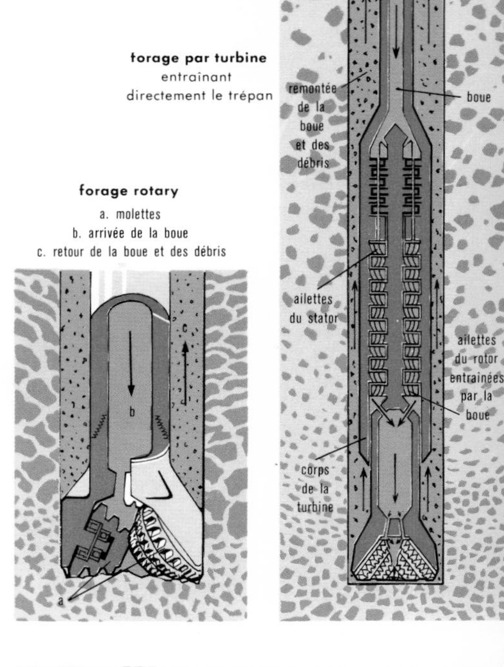
forage par turbine
entraînant
directement le trépan
forage rotary
a. molettes
b. arrivée de la boue
c. retour de la boue et des débris
remontée
de la
boue
et des
débris
boue
ailettes
du stator
ailettes
du rotor
entraînées
par la
boue
corps
de la
turbine

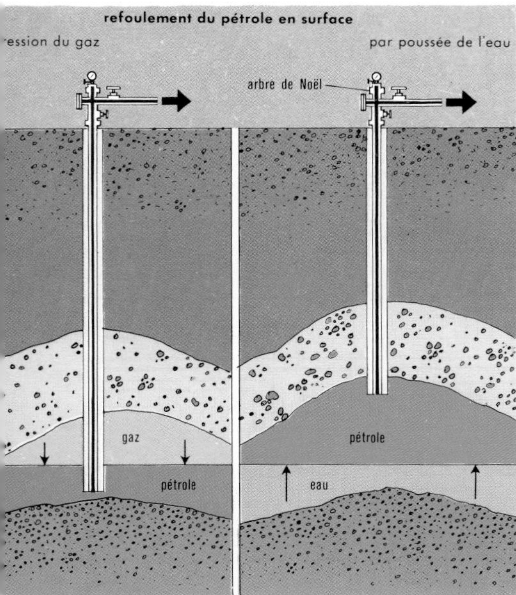
refoulement du pétrole en surface
par poussée de l'eau
arbre de Noël
gaz
pétrole
pétrole
eau

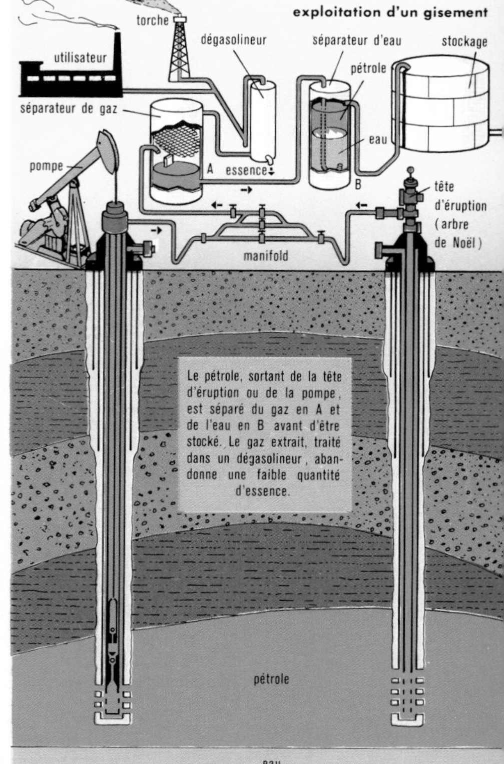
exploitation d'un gisement
torche
utilisateur
dégasolineur
séparateur d'eau
stockage
pétrole
séparateur de gaz
eau
pompe
A
essence
B
tête
d'éruption
(arbre
de Noël)
manifold
Le pétrole, sortant de la tête d'éruption ou de la pompe, est séparé du gaz en A et de l'eau en B avant d'être stocké. Le gaz extrait, traité dans un dégasolineur, abandonne une faible quantité d'essence.
pétrole
eau

PÉTROLE

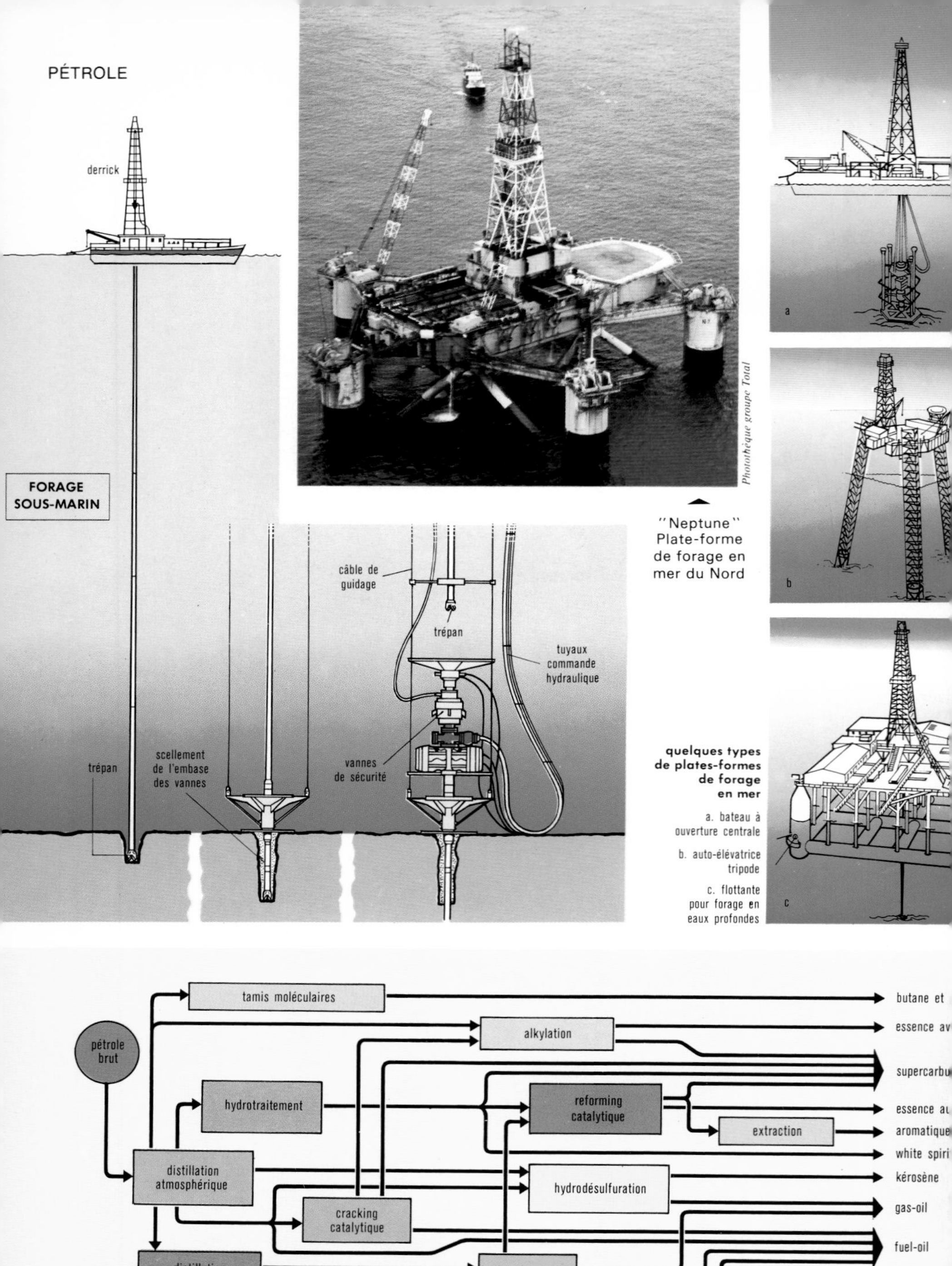

"Neptune" Plate-forme de forage en mer du Nord

quelques types de plates-formes de forage en mer

a. bateau à ouverture centrale

b. auto-élévatrice tripode

c. flottante pour forage en eaux profondes

SCHÉMA DE RAFFINAGE DU PÉTROLE

sifs (souvent au passif) : *La voiture a été piégée* (= munie d'un dispositif commandant l'éclatement d'une bombe). — **2.** *Piéger qq'un*, le prendre au piège. ◆ **piégeage** n. m.

PIE-GRIÈCHE [pigrijɛʃ] n. f. (de *pie*, et anc. fr. *grieche*, grecque). Oiseau passereau, à bec crochu, surtout insectivore, vivant dans les bois et les haies. (Famille des laniidés.) ‖ Pl. des *pies-grièches*.

PIE-MÈRE [pimɛr] n. f. (lat. *pia mater*). *Anat.* Membrane qui enveloppe immédiatement les centres nerveux. ‖ Pl. des *pies-mères*. (La pie-mère est un mince feuillet de tissu lâche, qui recouvre étroitement le tissu nerveux en s'enfonçant dans toutes les anfractuosités de sa surface. La pie-mère, l'arachnoïde et la dure-mère constituent les méninges.)

PIÉMONT ou **PIEDMONT** [pjemɔ̃] n. m. (de *Piémont*). *Géogr.* Plaine d'accumulation située au pied d'un massif montagneux, formée par la réunion des cônes de déjection des cours d'eau issus de la montagne, constituant un glacis à pente assez forte : *Le plateau du Lannemezan correspond au piémont pyrénéen.*

PIÉMONT, région du nord-ouest de l'Italie, correspondant aux provinces d'*Alexandrie, Asti, Cuneo, Novare, Turin* et *Verceil;* 4512300 hab. *(Piémontais).*

Le Piémont s'étend sur la majeure partie du bassin supérieur du Pô, au climat continental. La zone montagneuse, à l'O., est vouée à l'élevage, et le tourisme hivernal s'y développe. La zone basse, à l'E., est une région de culture · riz, seigle, maïs dans la plaine, vigne sur les collines (Asti). L'industrie, qui profite de l'hydro-électricité des Alpes, est localisée dans les petites villes qui jalonnent le pied de la montagne (textiles, métallurgie) et surtout à Turin, capitale italienne de l'automobile (Fiat), qui regroupe le quart des habitants du Piémont.

Son histoire, à partir des XIIIe et XIVe s., est liée à celle de la maison de Savoie*. (⟶ aussi ITALIE.)

PIÉRIDE [pjerid] n. f. (de *Piérides*, autre n. des neuf Muses). Papillon à ailes blanches, plus ou moins tachetées de noir suivant les espèces, et dont la chenille se nourrit de chou, de rave ou de navet.

PIERO DELLA FRANCESCA, peintre italien (v. 1410/1420-1492). Son œuvre, peu abondante, résume toutes les recherches du XVe s. italien sur l'espace et la lumière. Son chef-d'œuvre est l'ensemble des fresques de l'*Histoire de la Croix*, exécutées à San Francesco d'Arezzo.

PIERRE [pjɛr] n. f. (lat. *petra*). **1.** Matière minérale, dure et solide, dont on se sert pour la construction : *Un bloc de pierre* (syn. ROCHE). ‖ *Âge de la pierre taillée, de la pierre polie*, époques de la préhistoire où les instruments de l'homme furent en pierre taillée, polie. ‖ *Pierre à chaux*, carbonate de calcium naturel. ‖ *Pierre à plâtre*, gypse. — **2.** Morceau de cette matière, façonné ou non, plus ou moins grand : *Jeter une pierre dans l'eau* (syn. CAILLOU). *Une pierre tombale sur laquelle on a gravé une inscription. Pierre à briquet* (= matière qui sert à faire une étincelle pour allumer un briquet). ‖ *Pierre philosophale* ⟶ PHILOSOPHALE. ‖ *Pierre ponce*, roche volcanique poreuse, légère, très dure, dont on se sert pour polir. ‖ *Pierre de taille*, gros bloc de pierre spécialement façonné pour la construction d'une façade. — **3.** *Pierre précieuse* ou *pierre*, minéral de grande valeur à cause de sa rareté, de son éclat, etc. : *Les diamants, les émeraudes, les saphirs, les rubis sont des pierres précieuses. La topaze, l'améthyste sont des pierres fines.* — **4.** *Geler à pierre fendre*, geler très fort. ‖ *Un visage de pierre*, froid et immobile. ‖ *Une pierre de touche*, ce qui sert à connaître la valeur de quelqu'un ou de quelque chose. ‖ *Jeter une pierre dans le jardin de qq'un*, l'attaquer indirectement, d'une manière désobligeante. ‖ *Jeter la pierre à qq'un*, le blâmer, l'accuser. ‖ *Marquer un jour d'une pierre blanche, noire*, avoir un succès, un malheur qui marque dans la vie. ‖ *Malheureux comme les pierres*, très malheureux. ◆ **pierraille** n. f. Amas de petites pierres. ◆ **pierreries** n. f. pl. Pierres précieuses utilisées en bijouterie. ◆ **pierreux, euse** adj. Couvert de pierres, plein de pierres (sens 2) : *Un chemin pierreux* (syn. ROCAILLEUX). ◆ **épierrer** v. t. Ôter les pierres d'un terrain quelconque. ◆ **empierrer** [ɑ̃pjere] v. t. *Empierrer une route, une cour*, etc., la couvrir d'une couche de pierres. ◆ **empierrement** n. m.

PIERRE *(saint)*, né à Bethsaïde en Galilée (mort à Rome en 64), le premier des Apôtres et des papes. Le Christ changea son nom de *Simon* en celui de *Pierre* pour marquer qu'il le considérait comme le fondement de la future Église. Après la Pentecôte, il prêcha en Palestine et, après un assez long séjour à Antioche, il se fixa à Rome, où il mourut martyr sous Néron.

PIERRE Ier ALEKSEÏEVITCH le Grand (1672-1725), tsar de Russie (1682-1725).

Seul maître du pouvoir en 1694, après avoir écarté la régente, sa sœur Sophie, il écrase en 1698 la révolte des streltsy (milice de soldats de métier). S'inspirant de l'Europe occidentale, qu'il visite en 1697 et 1717, il essaie de moderniser son pays par la force et de lui donner accès à la Baltique et à la mer Noire. Battu par les Suédois à Narva (1700), il est vainqueur à Poltava (1709).

Dès 1703, il avait fondé Saint-Pétersbourg, qui devient capitale en 1714, donnant à la Russie une ouverture sur la Baltique. En 1710, sa tentative d'accès à la mer Noire échoue et il doit rendre Azov aux Turcs.

- *1721. Les hostilités avec la Suède se terminent par le traité de Nystad, qui cède à la Russie les possessions suédoises dans les pays baltes.*

Les dangers extérieurs écartés, il réorganise administrativement la Russie, met la noblesse au service de l'État, réforme la fiscalité, qui s'alourdit, et encourage l'industrie et le commerce. Ces réformes, qui occidentalisent la haute société, ne font cependant qu'assujettir la masse paysanne. Partiellement abandonnée après lui, son œuvre sera reprise par Catherine II.

PIERRE III FÉDOROVITCH (1728-1762), empereur de Russie de janvier à juin 1762. Successeur d'Élisabeth, il favorisa les sectes dissidentes au détriment de l'Église orthodoxe. Sa femme, Catherine II, le fit assassiner et lui succéda.

PIERRE Ier KARAGJORGJEVIĆ (1844-1921), roi de Serbie (1903-1918), puis des Serbes Croates et Slovènes (1918-1921). — PIERRE II KARAGJORGJEVIĆ (1923-1970), roi de Yougoslavie (1934-1945).

PIERRE Ier (1798-1834), empereur du Brésil (1822-1831), roi de Portugal en 1826 (sous le nom de Pierre IV). Prince régent du Brésil, il proclame en 1822 l'indépendance du pays, dont il devient empereur. En 1831, il doit abandonner ses pouvoirs à son fils, PIERRE II (1825-1891), qui est contraint d'abdiquer en 1889.

PIERRE le Cruel (1334-1369), roi de Castille et de León (1350-1369), tué par son frère Henri de Trastamare.

PIERRE l'Ermite, prédicateur français (v. 1050-1115). Il fut le principal prédicateur de la 1re croisade, dans laquelle il entraîna une foule inorganisée, qui fut décimée.

PIERRE de Montreuil, maître d'œuvre français (v. 1200-1266). Il fut le grand architecte du règne de Saint Louis. On lui doit notamment, à Paris, la façade sud du transept de Notre-Dame. On lui attribue la construction de la Sainte-Chapelle.

PIERRE-BÉNITE, comm. du Rhône, au S. de Lyon; 9500 hab. Métallurgie. Industries textiles et chimiques. Barrage sur le Rhône et usine hydro-électrique sur une dérivation.

PIERREFITTE-NESTALAS, comm. des Hautes-Pyrénées, à 6,5 km au S. d'Argelès-Gazost; 1600 hab. *(Pierrefittois).* Industries chimiques.

PIERREFITTE-SUR-SEINE, ch.-l. de cant. de la Seine-Saint-Denis, à 3 km au N. de Saint-Denis; 22400 hab. *(Pierrefittois).*

PIERREFONDS, comm. de l'Oise, à 21 km au S.-E. de Compiègne; 1700 hab. Château démantelé en 1617 et reconstitué par Viollet-le-Duc.

PIERRELATTE, ch.-l. de cant. de la Drôme, à 21 km au S. de Montélimar; 11700 hab. Canal de dérivation du Rhône. Usine de séparation isotopique de l'uranium.

PIERRERIES n. f. pl. ⟶ PIERRE.

PIERRE-SAINT-MARTIN (la), gouffre très profond (− 1358 m) des Pyrénées occidentales, à la frontière espagnole.

PIERREUX, EUSE adj. ⟶ PIERRE.

PIERROT [pjero] n. m. (de *Pierrot*). Nom usuel du MOINEAU.

Pierrot, personnage de la comédie italienne, valet naïf et ignorant; il passa ensuite sur la scène française et devint, au XIXe s., un personnage traditionnel du mime. (Il est habillé de blanc et a la figure enfarinée.)

PIETÀ [pjeta] n. f. (mot it. signif. *pitié*). Nom donné, au Moyen Âge, à des peintures ou à des sculptures représentant une Vierge en pleurs au pied de la Croix et tenant sur ses genoux le corps du Christ.

PIÉTAILLE [pjetaj] n. f. (du lat. *pes, pedis*, pied). **1.** *Fam.* et *péjor.* Les fantassins d'une armée. — **2.** *Fam.* et *péjor.* Ceux qui occupent des fonctions subalternes.

PIÉTÉ n. f. ⟶ PIEUX.

PIETERMARITZBURG, v. de l'Afrique du Sud, capit. du Natal; 160300 hab. Aluminium.

PIÉTINER [pjetine] v. i. (de *pied*). **1.** S'agiter en frappant vivement des pieds sur le sol : *Il piétinait d'impatience* (syn. PIAFFER, ↑TRÉPIGNER). — **2.** Avancer très peu ou même ne pas pouvoir avancer alors qu'on effectue les mouvements de la marche : *Le cortège avançait lentement et par moments piétinait sur place.* —

3. Ne pas marquer de progrès, ne pas avancer : *Les discussions piétinent; on est encore loin d'une solution.* ◆ v. t. *Piétiner qqch., qq'un,* le frapper avec les pieds de manière vive et répétée : *Piétiner le sol* (syn. ↓FOULER). *Dans la panique, plusieurs femmes furent piétinées.* ◆ **piétinement** n. m. **1.** Action de piétiner : *Le piétinement de la file d'attente devant le cinéma. Le piétinement de l'économie* (syn. STAGNATION). — **2.** Bruit fait en piétinant : *On entendait le piétinement des chevaux dans la cour pavée de la ferme.*

PIÉTISME [pjetism] n. m. (de *piété*). Mouvement religieux, né dans l'Église luthérienne allemande à la fin du XVIIe s., afin de développer la piété et le sentiment religieux de chacun.

PIÉTON [pjetɔ̃] n. m. (de *pied*). Personne qui circule à pied dans une ville, sur une route. ◆ **piéton, onne** ou **piétonnier, ère** adj. Réservé aux piétons : *Une rue piétonne. Un passage piétonnier.*

PIÈTRE [pjɛtr] adj. (du lat. *pedestris,* qui va à pied) [avant le nom]. D'une valeur très médiocre : *Avoir une piètre santé* (syn. ↑MAUVAIS). *C'est une piètre consolation* (syn. MINCE, TRISTE). *Être un piètre convive* (= ne pas faire honneur aux plats). ◆ **piètrement** adv. : *Une symphonie piètrement exécutée* (syn. MÉDIOCREMENT).

PIEU [pjø] n. m. (du lat. *palus*). Pièce de bois ou de métal, pointue à un bout et destinée à être enfoncée en terre : *Les pieux d'une clôture.*

PIEUSEMENT adv. ⟶ PIEUX.

PIEUVRE [pjœvr] n. f. (lat. *polypus*). Mollusque céphalopode portant huit bras garnis de ventouses, vivant dans les creux des rochers près des côtes, et se nourrissant de crustacés, de mollusques : *La pieuvre dépasse rarement 1 m de long* (syn. POULPE).

PIEUX, PIEUSE [pjø, pjøz] adj. (du lat. *pius*). **1.** (avant ou, plus souvent, après le nom) Animé par des sentiments de dévotion et de respect pour Dieu, pour les choses de la religion; qui manifeste de tels sentiments : *Des personnes pieuses* (syn. DÉVOT; péjor. BIGOT). *Une image pieuse* (contr. IMPIE, PROFANE). — **2.** (surtout avant le nom) Inspiré par un amour respectueux pour les morts, pour ses parents, pour tout ce qui est digne d'estime : *Garder le pieux souvenir de son père* (syn. RESPECTUEUX). *Un pieux mensonge* (syn. CHARITABLE). ◆ **pieusement** adv. Avec un sentiment pieux : *L'anniversaire de sa mort fut pieusement célébré.* ◆ **piété** n. f. : *Sa piété était grande* (syn. DÉVOTION). *La piété filiale* (= amour des parents) [syn. RESPECT]. *La piété envers les morts* (= le culte des morts). ◆ **impie** [ɛ̃pi] adj. et n. Qui marque du mépris à l'égard des croyances religieuses (littér. et relig.) : *Lutter contre les impies* (syn. ATHÉE). *L'Église a condamné ce livre impie* (syn. ↑SACRILÈGE; contr. PIEUX). ◆ **impiété** n. f. Mépris pour les choses religieuses.

PIÉZO-ÉLECTRICITÉ [pjezoelɛktrisite] n. f. (du gr. *piezein,* presser, et *électricité*). Ensemble des phénomènes électriques produits par des pressions ou des déformations exercées sur certains corps. ◆ **piézo-électrique** adj. Qui produit de l'électricité quand on le soumet à une pression ou une déformation : *Quartz piézo-électrique.*

PIGALLE (Jean-Baptiste), sculpteur français (1714-1785). Il a pratiqué un art équilibré, entre la tradition classique et le baroque (*Mausolée du maréchal de Saxe,* à Strasbourg; nombreux bustes).

1. PIGE [piʒ] n. f. (du lat. *pinsare,* fouler). *Travailler, être payé à la pige,* se dit d'un journaliste qui travaille, qui est payé à l'article (au nombre de lignes), ou d'un typographe qui exécute en un temps donné une quantité de travail qui sert de base à sa paye. ◆ **pigiste** n. Payé à la pige.

2. PIGE [piʒ] n. f. (du lat. *pes, pedis,* pied). Fam. *Faire la pige à qq'un,* faire mieux que lui, le surpasser.

PIGEON [piʒɔ̃] n. m. (bas lat. *pipio, -onis,* pigeonneau). **1.** Oiseau granivore, au bec muni d'une « cire » membraneuse à la base, aux ailes larges, au plumage varié, dont de nombreuses espèces sont domestiquées et comestibles : *Un pigeon ramier. Les pigeons voyageurs furent utilisés pendant le siège de Paris, en 1871, pour porter les messages. Le pigeon roucoule.* (Ordre des colombiformes.) — **2.** *Fam.* Homme qui se laisse tromper, naïf que l'on vole. ◆ **pigeonne** n. f. Femelle du pigeon. ◆ **pigeonneau** n. m. Jeune pigeon. ◆ **pigeonnier** n. m. **1.** Petit bâtiment ou local aménagé pour élever des pigeons domestiques (syn. COLOMBIER). — **2.** Petit logement haut situé sous les toits.

PIGER [piʒe] v. t. (du lat. *pes, pedis,* pied). *Très fam.* Syn. de COMPRENDRE : *Je ne pige rien aux mathématiques.*

PIGISTE n. ⟶ PIGE 1.

PIGMENT [pigmɑ̃] n. m. (lat. *pigmentum*). **1.** Substance colorée produite par un être vivant : *La chlorophylle, l'hémoglobine sont des pigments.* — **2.** Matière colorante de l'organisme : *Pigment biliaire, urinaire, etc.* ◆ **pigmentaire** adj. Relatif à un pigment *Tache pigmentaire.* ◆ **pigmentation** n. f. Coloration de la peau ou des phanères* d'un animal par des grains colorés microscopiques. ⟶ ENCYCL. ◆ **pigmenter** v. t. Colorer avec un pigment.

— ENCYCL. Presque toutes les espèces de vertébrés comprennent des individus qui diffèrent par leur *pigmentation.* Celle-ci peut dépendre de la race (Noirs et Blancs dans l'espèce humaine), d'une variation individuelle (albinos) ou d'une adaptation survenant au cours de la vie, soit de façon lente et durable (peau hâlée), soit de façon rapide et réversible (homochromie* du turbot ou du caméléon). Lorsqu'elle n'est pas due à l'action du milieu, la pigmentation se transmet héréditairement selon les lois de Mendel et se prête particulièrement bien à l'étude génétique. La pigmentation sombre est due à la mélanine*.

PIGNEROL, en it. **Pinerolo,** v. d'Italie (Piémont), au S.-O. de Turin; 37 900 hab. C'est une anc. ville forte au débouché des Alpes, qui fut française à plusieurs reprises. La forteresse servit de prison à Fouquet, à Lauzun, au Masque de fer.

PIGNOCHER [piɲɔʃe] v. i. (de l'anc. fr. *épinocher,* chicaner). *Fam.* Manger sans appétit, par petits morceaux.

1. PIGNON [piɲɔ̃] n. m. (du lat. *pinna,* pinacle). **1.** Partie supérieure d'un mur, terminée en triangle et supportant un toit à deux pentes : *Installer une antenne au pignon de la maison.* — **2.** *Avoir pignon sur rue,* être propriétaire d'une maison importante.

2. PIGNON [piɲɔ̃] n. m. (de *peigne*). *Mécan.* La plus petite des roues dentées d'un couple d'engrenages. ‖ *Pignon de renvoi,* pignon servant à communiquer le mouvement à une partie du mécanisme éloignée de cet organe.

3. PIGNON [piɲɔ̃] n. m. (du lat. *pinea nux,* pomme de pin). Graine comestible du pin parasol.

PILAF [pilaf] ou **PILAU** ou **PILAW** [pilo] n. m. (mot turc). **1.** En Orient, riz au gras avec du poivre rouge et de la viande. — **2.** Dans le midi de la France, riz cuit en risotto et servi avec de la volaille, du mouton ou du poisson, des coquillages ou des légumes.

PILASTRE [pilastr] n. m. (it. *pilastro*). *Constr.* Pilier de section carrée, à fonction décorative, faisant faiblement saillie sur le mur où il est engagé. (Ses différentes parties sont identiques à celles de la colonne.)

PILAT *(mont),* massif de la bordure orientale du Massif central; 1 432 m. Parc naturel régional.

PILATE (Ponce), procurateur romain (Ier s. apr. J.-C.). Procurateur de Judée de 26 à 36, il est surtout connu par son rôle dans le procès de Jésus : tout en déclarant qu'il ne trouvait en lui aucun motif de condamnation, il livra le Christ au supplice, pour ne pas mécontenter l'empereur et la foule, après s'être lavé les mains en signe d'irresponsabilité. Ce geste est passé dans l'histoire comme symbole de la lâcheté.

PILAT-PLAGE, station balnéaire de la Gironde (comm. de La Teste), au pied de la *dune de Pilat* (114 m).

PILÂTRE DE ROZIER (François), chimiste et aéronaute français (1754-1785). Avec le marquis d'Arlandes, il exécuta en 1783, au moyen d'une montgolfière, le premier voyage aérien, entre le château de la Muette et la Butte-aux-Cailles. Il mourut au cours d'une tentative de traversée de la Manche.

PILAU ou **PILAW** n. m. ⟶ PILAF.

PILCOMAYO (le), riv. de l'Amérique du Sud, née dans les Andes boliviennes, affl. du Paraguay (r. dr.); 2 500 km. Elle sépare l'Argentine du Paraguay.

1. PILE [pil] n. f. (orig. inc.). **1.** Côté d'une pièce (opposé à la FACE) où est indiquée la valeur de la monnaie. — **2.** *Jouer à pile ou face,* s'en remettre au hasard d'une décision à prendre (en lançant une pièce en l'air et en pariant sur le côté qu'elle présentera une fois retombée).

2. PILE [pil] adv. (de *pile* 1). Fam. *S'arrêter pile,* brusquement. ‖ *Tomber pile,* survenir au moment opportun. ‖ *À deux heures pile,* à deux heures exactement.

3. PILE [pil] n. f. (lat. *pila,* pilier, colonne). **1.** Amas d'objets entassés les uns sur les autres : *Des piles de livres* (syn. ENTASSEMENT, MONCEAU). — **2.** Massif de maçonnerie formant le pilier d'un pont. ◆ **empiler** [ɑ̃pile] v. t. Mettre en pile, en tas : *Empiler des assiettes.* ◆ ***s'empiler*** v. pr. S'amonceler : *Les livres s'empilent sur son bureau.* ◆ **empilage** ou **empilement** n. m. Action d'empiler; accumulation de choses empilées : *Son bureau est chargé d'un empilement de livres.*

4. PILE [pil] n. f. (même étym., la première pile ayant été faite de plaques métalliques entassées les unes sur les autres). Générateur transformant en courant électrique l'énergie développée dans

une réaction chimique : *Une pile électrique.* —→ ENCYCL. ‖ *Pile atomique* ou *réacteur nucléaire*, source d'énergie utilisant la fission*.
— ENCYCL. Une *pile électrique* est constituée par deux conducteurs de nature différente plongeant dans un électrolyte. Entre ces électrodes s'établit une différence de potentiel. Lorsque la pile débite, les surfaces des électrodes sont modifiées : c'est la polarisation qui gêne le fonctionnement; on évite ce phénomène en ajoutant un dépolarisant.

PILER [pile] v. t. (du lat. *pila*, mortier). *Piler une chose*, la réduire en fragments, la broyer en menus morceaux : *Piler des amandes dans un mortier.*

PILEUX, EUSE [pilø, -øz] adj. (du lat. *pilum*, poil). Relatif aux poils, aux cheveux : *Un système pileux très développé.* ◆ **pilosité** n. f. Revêtement de poils.

PILIER [pilje] n. m. (du lat. *pila*, colonne). **1.** Colonne de pierre, de bois, support vertical en métal sur lesquels repose une charpente ou un ouvrage de maçonnerie : *Les piliers du temple.* — **2.** Personne ou chose qui assure la stabilité de quelque chose : *Ces vieux militants sont les piliers du parti.* — **3.** Au rugby, un des avants de première ligne qui, dans la mêlée, soutient le talonneur. — **4.** *Un pilier de cabaret*, un habitué des cafés, un buveur invétéré.

PILLER [pije] v. t. (orig. incert.). **1.** *Piller un lieu*, emporter les biens d'autrui qui s'y trouvent, par la violence et en faisant des dégâts : *Les occupants pillèrent la ville* (syn. METTRE À SAC). — **2.** *Piller qq'un, qqch.*, le voler en faisant des détournements à son profit. — **3.** *Piller un auteur, son œuvre*, prendre dans l'œuvre littéraire ou artistique d'un autre pour faire soi-même un ouvrage (syn. PLAGIER). ◆ **pillage** n. m. : *Le pillage d'une ville, d'un magasin.* ◆ **pillard, e** n. et adj. Qui pille (sens 1 et 2). ◆ **pilleur, euse** n. et adj. Qui pille (sens 3).

PILLNITZ, village de Saxe, sur l'Elbe. Une convention y fut signée en 1791 entre Léopold II, empereur germanique, et Frédéric-Guillaume II, roi de Prusse, contre la Révolution qui menaçait le trône de Louis XVI.

PILON [pilɔ̃] n. m. (de *piler*). **1.** Instrument pour broyer dans un mortier, ou pour écraser, fouler, enfoncer. ‖ *Mettre un livre au pilon* (= en détruire les exemplaires invendus). — **2.** *Fam.* Jambe de bois. — **3.** Partie inférieure de la cuisse d'une volaille. ◆ **pilonner** v. t. **1.** Écraser avec un pilon : *Pilonner des légumes.* — **2.** Écraser sous les bombes : *L'artillerie pilonnait les positions ennemies.* ◆ **pilonnage** n. m. : *Le pilonnage d'une ville.*

PILON (Germain), sculpteur français (v. 1537-1590). Le plus grand sculpteur du XVIe s. en France avec Jean Goujon, il travailla au tombeau de François Ier, exécuta les *Trois Grâces* supportant le cœur d'Henri II (Louvre), décora la chapelle des Valois à Saint-Denis. Portraitiste, il sculpta la statue de *Birague* et le monument de *Valentine Balbiani* (Louvre). On lui doit d'admirables médailles.

PILONNAGE n. m., **PILONNER** v. t. —→ PILON.

PILORI [pilɔri] n. m. (orig. incert.). *Mettre, clouer au pilori*, signaler à l'indignation de tous. (Le pilori était un poteau où l'on attachait les condamnés, afin de les exposer à la risée du public.)

PILOSITÉ n. f. —→ PILEUX.

PILOTE [pilɔt] n. m. (du gr. *pedon*, gouvernail). **1.** Personne à qui est confiée la conduite d'un avion, d'un engin blindé, etc. : *Un pilote d'avion commercial.* ‖ *Pilote automatique*, dispositif, généralement gyroscopique, permettant la conduite momentanée d'un avion, sans intervention de l'équipage. ‖ *Pilote d'essai*, celui qui est chargé, au cours de vols souvent périlleux, de la vérification des performances et de la résistance d'un nouvel avion. ‖ *Pilote de ligne*, celui qui est chargé de la conduite d'un avion sur une ligne commerciale. — **2.** Personne à qui est confiée la manœuvre d'un navire dans un port ou dans des passages difficiles. — **3.** *Servir de pilote à qq'un*, le guider. ◆ adj. (en composition avec un nom). Qui ouvre la route, qui montre le chemin, sert d'exemple : *Une usine pilote* (= qui utilise des modes nouveaux de fabrication). *Une classe pilote* (= où les méthodes nouvelles de pédagogie sont utilisées). ◆ **copilote** n. m. Pilote auxiliaire. ◆ **piloter** v. t. **1.** *Piloter un avion, un navire, une voiture*, les conduire, les diriger. — **2.** *Piloter qq'un*, le guider à travers une ville, une exposition, etc. ◆ **pilotage** n. m. : *Le pilotage d'un avion. Le pilotage automatique.*

PILOTIS [pilɔti] n. m. (de *pile* 3). Ensemble de fortes pièces de bois taillées en pointe et constituant des pieux, que l'on enfonce dans le sol pour soutenir une construction, le plus souvent sur l'eau : *Maison élevée sur pilotis. Pont sur pilotis.*

PIŁSUDSKI (Józef), maréchal et homme d'État polonais (1867-1935). Il eut une part importante dans la restauration de l'État polonais après la Première Guerre mondiale, comme chef de l'État et chef de l'armée.

PILULE [pilyl] n. f. (lat. *pilula*, petite balle). **1.** Médicament en forme de petite boule, destiné à être avalé. — **2.** *Fam.* Médicament contraceptif. — **3.** Fam. *Avaler la pilule*, croire un mensonge; subir une chose désagréable sans protester. ‖ Fam. *Dorer la pilule à qq'un*, lui présenter sous des dehors séduisants une chose désagréable.

PIMBÊCHE [pɛ̃bɛʃ] n. f. et adj. (de *pincer*, et anc. fr. *bechier*, donner des coups de bec). Femme prétentieuse qui fait des manières.

PIMENT [pimɑ̃] n. m. (du lat. *pigmentum*, aromate). **1.** Plante dont le fruit est employé comme épice et dont une espèce, le piment rouge, a une saveur très piquante. (Famille des solanacées.) — **2.** *Mettre, trouver du piment à une chose*, y mettre, y trouver quelque chose qui lui donne un caractère piquant, licencieux. ◆ **pimenté, e** adj. : *Une sauce pimentée* (= assaisonnée avec des piments).

PIMPANT, E [pɛ̃pɑ̃, -ɑ̃t] adj. (de l'anc. fr. *pimper*, parer). D'une coquetterie pleine de fraîcheur et d'élégance (surtout au fém.) : *Une toilette pimpante.*

PIN [pɛ̃] n. m. (lat. *pinus*). Arbre résineux de l'ordre des conifères, à feuillage persistant et à feuilles en aiguilles, insérées le plus souvent par deux. ◆ **pinède** n. f. Plantation de pins.
— ENCYCL. Le fruit du *pin* est un cône d'écailles lignifiées à maturité (pomme de pin) et portant deux graines chacune à la face supérieure. Le *pin sylvestre* est cultivé dans les terrains siliceux; le *pin maritime*, qui fixe les dunes des Landes, fournit la térébenthine; le *pin d'Autriche*, à croissance rapide, est recherché pour les reboisements.

PINACLE [pinakl] n. m. (lat. *pinaculum*, faîte). **1.** *Archit.* Dans les édifices gothiques, élément de forme conique, plus ou moins ornementé, qui surmonte un contrefort et l'empêche, par son poids, de se déverser sous la poussée des arcs-boutants (syn. CIME, COMBLE, SOMMET). — **2.** *Mettre, être sur le pinacle*, mettre, être au plus haut degré des honneurs ou du pouvoir. ‖ *Porter qq'un au pinacle*, le louer d'une manière exceptionnelle.

PINACOTHÈQUE [pinakɔtɛk] n. f. (du gr. *pinax, -akos*, tableau, et *thêkê*, boîte). Musée de peinture : *La pinacothèque de Munich.*

PINAILLER [pinaje] v. i. (orig. incert.). Fam. *Pinailler sur une chose*, la critiquer en s'en prenant à de petits détails insignifiants. ◆ **pinailleur, euse** n. *Fam.* Personne qui pinaille, qui est trop minutieuse. ◆ **pinaillage** n. m. *Fam.* Minutie excessive.

PINARD [pinar] n. m. (de *pineau*). *Pop.* Vin.

PINAR DEL RÍO, v. de l'ouest de Cuba; 95 000 hab. Tabac.

PINASSE [pinas] n. f. (de *pin*). Petite embarcation de pêche à fond plat, utilisée dans le sud-ouest de la France.

PINCE n. f., **PINCÉ, E** adj. —→ PINCER.

PINCEAU [pɛ̃so] n. m. (lat. *peniculus*, petite queue). **1.** Instrument formé par la réunion de poils serrés à l'extrémité d'un manche, et servant à peindre, à coller. — **2.** *Pinceau lumineux*, faisceau lumineux de faible ouverture.

PINCÉE n. f., **PINCEMENT** n. m. —→ PINCER.

PINCE-MONSEIGNEUR [pɛ̃smɔ̃sɛɲœr] n. f. (*pince*, et *monseigneur*). Levier court, aux extrémités aplaties, dont se servent en partic. les cambrioleurs, pour forcer les portes. ‖ Pl. des *pinces-monseigneur.*

PINCER [pɛ̃se] v. t. (du lat. *punctus*, point, et *piccare*, piquer). **1.** (sujet nom de personne) *Pincer qqch., qq'un*, le serrer entre ses doigts : *Le maître d'école lui pinça la joue amicalement.* ‖ *Pincer les lèvres*, les rapprocher en les serrant. ‖ *Pincer un instrument de musique*, en faire vibrer les cordes en les tirant avec les doigts. — **2.** (sujet nom de chose) *Pincer qqch.*, le serrer étroitement : *La porte lui avait pincé le doigt* (syn. COINCER). — **3.** (sujet nom de personne) Fam. *Pincer qq'un*, le prendre, le surprendre, l'arrêter : *La police l'a pincé en flagrant délit.* ◆ **pince** n. f. **1.** Outil à branches articulées, dont les extrémités, plates ou rondes, servent à saisir un objet : *Pince de menuisier, de chirurgien.* — **2.** Barre de fer, aplatie à un bout, qui sert de levier. — **3.** Extrémité des grosses pattes des écrevisses et des homards. — **4.** *Pince à linge*, petit instrument à ressort, avec lequel on fixe du linge qui sèche sur une corde. ◆ **pincé, e** adj. Se dit d'une personne (ou de son attitude) qui manifeste du dédain, de la froideur : *Avoir un air pincé.* ◆ **pincée** n. f. Petite quantité d'une matière poudreuse ou granulée, qu'on peut prendre entre deux ou trois doigts : *Mettre une pincée de sel dans le potage.* ◆ **pincement** n. m. **1.** *Le pincement des cordes du violon.* — **2.** *Pincement au cœur*, impression douloureuse, à l'occasion d'une mauvaise nouvelle, d'un désagrément, etc. ◆ **pincettes** n. f. pl. **1.** Ustensile à deux branches, employé pour arranger le feu. — **2.** Petit instrument à deux branches, utilisé pour divers travaux minutieux : *Des pincettes d'horloger.* — **3.** Fam. *N'être pas à prendre avec des pincettes*, être d'une humeur massacrante. ◆ **pinçon** [pɛ̃sɔ̃] n. m. Marque qui reste sur la peau quand on l'a pincée.

PINCE-SANS-RIRE [pɛ̃sɑ̃rir] n. inv. *(pince, sans,* et *rire).* Personne qui en raille une autre, ou qui fait une chose drôle, en gardant son sérieux.

PINCETTES n. f. pl., **PINÇON** n. m. ⟶ PINCER.

PINDARE, poète lyrique grec (518-438 av. J.-C.), auteur d'*Odes triomphales* ou *Épinicies*, chef-d'œuvre du lyrisme grec.

PINDARIQUE [pɛ̃darik] adj. Selon la manière de Pindare : *Ode pindarique.*

PINDE (le), massif montagneux de la Grèce occidentale ; 2636 m.

PINEAU [pino] n. m. (de *pin*). Vin de liqueur préparé dans les Charentes à partir de moût de raisin additionné de cognac.

PINÈDE n. f. ⟶ PIN.

PINGOUIN [pɛ̃gwɛ̃] n. m. (angl. *penguin*). **1.** Oiseau des rivages de l'Atlantique nord, caractérisé par sa stature verticale, son plumage noir et blanc, son bec haut et étroit. (Il niche dans les rochers, pond un œuf, plonge à la poursuite des poissons et se montre capable de voler.) [Famille des alcidés.] — **2.** Nom donné improprement au MANCHOT* de l'Antarctique.

PING-PONG [piŋpɔ̃g] n. m. Sorte de jeu de tennis pratiqué sur une grande table. (Le jeu consiste à faire passer au-dessus d'un filet une petite balle de Celluloïd que l'on frappe avec une raquette en bois généralement recouverte de caoutchouc. Un set se dispute en 21 points.) [On dit aussi TENNIS DE TABLE.] ◆ **pongiste** n. Joueur de ping-pong.

PINGRE [pɛ̃gr] adj. et n. (orig. inc.). *Fam.* D'une avarice sordide et mesquine (syn. fam. RADIN). ◆ **pingrerie** n. f. Syn. LADRERIE.

PINNIPÈDES [pinipɛd] n. m. pl. (du lat. *pinna*, nageoire, et *pes, pedis*, pied). Sous-ordre de mammifères carnassiers, groupant presque toutes les espèces aquatiques de cet ordre : *phoque, otarie, morse*, etc.
— ENCYCL. Les *pinnipèdes* présentent diverses adaptations à la vie aquatique : forme lisse du corps, abondante graisse souscutanée, pattes conformées en nageoires, aptitude à la plongée. Cependant, leur denture, à fortes canines (défenses) et à molaires tranchantes, les rapproche beaucoup des carnassiers terrestres. Ils se déplacent maladroitement sur terre en utilisant leurs pattes.

Pinocchio, héros d'un roman pour la jeunesse (1883) de l'écrivain italien Collodi.

PINOCHET UGARTE (Augusto), général et homme politique chilien (Valparaiso 1915). Il prend la tête de la junte militaire qui renverse Allende (1973) et instaure un régime dictatorial. Il est à la tête de l'État jusqu'en 1990.

PINOT [pino] n. m. (de *pin*). Cépage cultivé surtout en Bourgogne et en Champagne, et dont les variétés principales sont le *pinot noir*, le *pinot meunier* et le *pinot blanc.* (On écrit aussi PINEAU.)

PINS *(île des)*, île française de la Mélanésie, au S. de la Nouvelle-Calédonie; 160 km^2; 600 hab.

PINSON [pɛ̃sɔ̃] n. m. (orig. gaul.). **1.** Oiseau passereau chanteur de l'Europe occidentale, à plumage bleu et verdâtre coupé de noir, et à la gorge rouge. (Famille des fringillidés.) — **2.** *Être gai comme un pinson*, être très gai.

PINTADE [pɛ̃tad] n. f. (portug. *pintada*, tachetée). Oiseau de basse-cour, au plumage gris perlé, originaire d'Afrique et acclimaté en Europe, élevé pour sa chair. (Famille des phasianidés.) ◆ **pintadeau** n. m. Jeune pintade.

PINTADINE [pɛ̃tadin] n. f. (de *pintade*). Nom usuel des huîtres perlières (syn. MÉLÉAGRINE).

PINTE [pɛ̃t] n. f. (lat. *pincta*, pourvu d'une marque). **1.** Anc. mesure française de capacité, valant 0,93 l à Paris, et mesure anglo-saxonne actuelle, valant 0,473 l aux États-Unis et 0,568 l en Grande-Bretagne. — **2.** Fam. *Se faire une pinte de bon sang*, s'amuser, rire beaucoup.

PINTER (Harold), acteur et auteur dramatique britannique, né en 1930. Son théâtre est dominé par le thème de l'absurde (*le Gardien*, 1960; *la Collection*, 1962; *l'Amant*, 1962; *le Retour*, 1965; *Trahisons*, 1978; *Un pour la route*, 1984).

PINTURICCHIO (Bernardino DI BETTO, dit **il**), peintre italien (v. 1454-1513). Il a travaillé à la chapelle Sixtine à Rome, décoré les appartements Borgia au Vatican et la Libreria Piccolomini à Sienne. Parmi ses tableaux, on peut citer la *Vierge* du Louvre et *le Couronnement de la Vierge* du Vatican.

PIN-UP [pinœp] n. f. inv. (mot angl.). Jeune femme au physique attirant.

PIOCHE [pjɔʃ] n. f. (de *pic*). Outil formé d'un fer de forme variable, muni d'un manche et servant à creuser la terre et à défoncer. ◆ **piocher** v. t. **1.** Creuser avec une pioche. — **2.** *Fam.* Travailler avec ardeur : *Piocher son programme d'histoire.* ◆ **piochage** n. m. ◆ **piocheur, euse** n. *Fam.* Travailleur assidu.

PIOLET [pjɔlɛ] n. m. (du piémontais *piola*, hache). Canne ferrée à un bout et munie d'une petite pioche à l'autre, dont les alpinistes se servent dans les ascensions glaciaires.

PIOMBINO, port d'Italie (Toscane), en face de l'île d'Elbe; 39 700 hab. Sidérurgie. Siège d'une principauté du XVIe au XIXe s.

1. PION [pjɔ̃] n. m. (du lat. *pes, pedis*, pied). **1.** Chacune des huit plus petites pièces du jeu d'échecs; chacune des pièces du jeu de dames : *Avancer un pion* (syn. PIÈCE). — **2.** *Damer le pion à qq'un*, le tenir en échec en le surpassant. ‖ (sujet nom désignant un pays) *Être un pion sur l'échiquier international*, dépendre étroitement pour son sort de pays plus puissants.

2. PION, PIONNE [pjɔ̃, pjɔn] n. (même étym.). *Fam.* et *péjor.* Surveillant dans un établissement d'enseignement.

PIONNIER [pjɔnje] n. m. (du lat. *pedo, -onis*, fantassin). **1.** Défricheur de contrées incultes : *Les pionniers américains du XIXe s.* — **2.** Personne qui s'engage dans une voie nouvelle, qui prépare le chemin à d'autres : *Les pionniers de l'espace.*

PIPE [pip] n. f. (de *piper*). **1.** Objet formé d'un fourneau et d'un tuyau, et servant à fumer : *Bourrer sa pipe. Une pipe bien culottée.* — **2.** Fam. *Casser sa pipe*, mourir.

PIPEAU [pipo] n. m. (de *pipe*). Flûte à bec, en matière plastique ou en bois.

PIPELET, ETTE [piplɛ, -ɛt] n. (de *Pipelet*, n. pr.). *Fam.* Personne bavarde.

PIPELINE [piplin] n. m. (mot angl.). Canalisation pour le transport à distance de gaz, de liquides (pétrole) ou de solides pulvérisés (syn. OLÉODUC).
— ENCYCL. Les *pipelines* sont constitués de tubes d'acier assemblés bout à bout par soudure et placés sur le sol ou dans une tranchée que l'on comble ensuite. Leur diamètre atteint couramment 1 m. Les réseaux les plus importants servent à transporter le pétrole aux États-Unis et au Moyen-Orient.

1. PIPER [pipe] v. t. (lat. *pipare*, glousser). *Ne pas piper mot, ne pas piper*, ne rien dire, garder le silence.

2. PIPER [pipe] v. t. (même étym.). *Piper les dés, piper les cartes*, les truquer. ◆ **pipé, e** adj. : *Les dés sont pipés.*

PIPÉRACÉES [piperase] n. f. pl. (du lat. *piper*, poivre). Famille de dicotylédones apétales, dont le *poivrier* est le type.

PIPERADE [piperad] n. f. (du lat. *piper*, poivre). Spécialité basquaise composée de tomates et de piments cuits, auxquels on ajoute des œufs battus en omelette.

PIPETTE [pipɛt] n. f. (de *pipe*). Petit tube pour prélever un liquide.

PIPI [pipi] n. m. (onomat.). Urine, surtout dans le langage des enfants : *Faire pipi* (= uriner).

PIPISTRELLE [pipistrɛl] n. f. (it. *pipistrello*). Petite chauve-souris insectivore, commune en France.

PIQUAGE n. m. ⟶ PIQUER 1.

PIQUANT, E adj. et n. m. → PIQUER 1 et 2.

1. PIQUE n. f. ⟶ PIQUER 2.

2. PIQUE [pik] n. f. (de *pic*). Arme ancienne, faite d'un fer plat et pointu placé au bout d'une hampe de bois.

3. PIQUE [pik] n. m. (de *pique* 2). Au jeu de cartes, une des deux couleurs noires, représentée par une figure qui rappelle un fer de pique : *Se défausser à pique.*

1. PIQUÉ, E adj. et n. m. ⟶ PIQUER 1, 3 et 5.

2. PIQUÉ, E [pike] adj. et n. (de *piquer*). *Fam.* Se dit d'une personne dont le comportement est original, bizarre, ou dont l'esprit est dérangé (syn. ↑FOU).

PIQUE-ASSIETTE [pikasjɛt] n. (de *piquer*, et *assiette*). *Fam.* Personne qui a l'habitude de prendre ses repas aux frais des autres : *Des pique-assiettes* (syn. PARASITE).

PIQUE-NIQUE [piknik] n. m. (de *piquer*, picorer, et anc. fr. *nique*, chose sans valeur). Repas pris en plein air, sur l'herbe. ‖ Pl. des *pique-niques.* ◆ **pique-niquer** v. i. Faire un pique-nique. ◆ **pique-niqueur, euse** n.

1. PIQUER [pike] v. t. (du lat. *piccus*, pic). **1.** Percer d'un ou de plusieurs petits trous : *Elle a piqué son frère avec une épingle.* — **2.** *Piquer une personne, un animal,* leur faire une injection de liquide, dans un but médical, au moyen d'une aiguille introduite dans les tissus : *Faire piquer un enfant contre la diphtérie.* ‖ *Faire piquer un chat, un chien,* etc., les faire tuer par le vétérinaire, au moyen d'une piqûre. — **3.** *Insecte, serpent,* etc., *qui pique une personne, un animal,* qui leur injecte un liquide corrosif, un venin, qui les mord : *Être piqué par une abeille.* ‖ Fam. *Quelle mouche le pique?,* pourquoi a-t-il ce mouvement soudain de colère, de mauvaise humeur? — **4.** *Piquer un objet dans un autre,* en planter l'extrémité dans cet objet : *Piquer une aiguille dans une pelote.* — **5.** *Piquer un tissu, un vêtement,* en coudre les parties l'une sur l'autre : *La robe est bâtie, il reste à la piquer à la machine.* ◆ **piquage** n. m. Action de piquer une étoffe. ◆ **piquant, e** adj. Surtout au sens 1 du v. : *La tige piquante d'un rosier.* ◆ n. m. Épine d'une plante : *Les piquants de l'aubépine.* ◆ **piqué, e** adj. **1.** Se dit d'une matière marquée de petits trous par les vers. — **2.** Fam. *Ce n'est pas piqué des vers,* ce n'est pas banal, médiocre. ◆ n. m. Étoffe de coton formée de deux tissus appliqués l'un sur l'autre et unis par des points qui forment des dessins. ◆ **piqueur, euse** adj. *Insecte piqueur,* dont les pièces buccales sont en forme de stylets et perforent les tissus animaux ou végétaux, pour absorber leur nourriture, sang ou sève (*ex.* : taons, moustiques, cigales, punaises). ◆ **piqûre** [pikyr] n. f. **1.** Petit trou fait avec une aiguille, une pointe, etc., ou par certains animaux : *Une piqûre de moustique.* — **2.** Introduction dans les tissus de l'organisme d'une aiguille creuse (pour injection sous-cutanée, intramusculaire, etc.) ou pleine (acupuncture) : *Une piqûre intraveineuse.* — **3.** Points de couture faits sur une étoffe : *Une piqûre à la machine.* ◆ **dépiquer** v. t. Défaire les piqûres d'une étoffe. ◆ **dépiquage** n. m.

2. PIQUER [pike] v. t. (même étym.). **1.** (sujet nom de chose) Produire une sensation âpre au goût, aiguë sur la peau, etc. : *Le poivre pique la langue. Une fumée qui pique les yeux.* — **2.** (sujet nom d'être animé ou de chose) *Piquer la curiosité, l'intérêt,* etc., *de qq'un,* exciter chez lui ces sentiments. ‖ *Piquer qq'un au vif,* provoquer chez lui une réaction d'amour-propre. ◆ **piquant, e** adj. : *Une sauce piquante* (syn. FORT). *Un détail piquant* (syn. AMUSANT, CURIEUX, ORIGINAL). ◆ n. m. : *Le piquant de l'affaire, c'est qu'il ne se doute de rien* (syn. COCASSE, DRÔLE). ◆ **pique** n. f. Fam. *Lancer des piques à qq'un,* prononcer intentionnellement des paroles qui peuvent le blesser.

3. PIQUER [pike] v. t. (même étym.). **1.** *Piquer une tête,* plonger la tête la première. — **2.** *Piquer un galop, un cent mètres,* s'élancer soudain. — **3.** *Piquer une crise, une colère,* avoir une crise, une colère subite. ‖ Fam. *Piquer un fard,* rougir soudain très vivement sous le coup d'une émotion. ◆ v. i. *Avion qui pique,* qui effectue brusquement une descente rapide. ◆ **piqué** n. m. *Bombardement en piqué,* ou *piqué,* méthode d'attaque d'un objectif, au terme d'une descente très rapide du bombardier, suivie d'une brusque remontée.

4. PIQUER [pike] v. t. (même étym.). **1.** Pop. *Piquer qq'un,* le prendre, l'arrêter : *Il s'est fait piquer la main dans le sac.* — **2.** Pop. *Piquer qqch.,* le voler : *On lui a piqué son portefeuille* (syn. fam. CHIPER).

5. PIQUER (SE) [səpike] v. pr. (même étym.). **1.** *Papier, linge qui se pique,* qui se couvre de petites taches, notamment sous l'effet de l'humidité. — **2.** *Vin qui se pique,* qui devient aigre. ◆ **piqué, e** adj. : *Du linge piqué de rouille.* ‖ *Vin piqué,* vin devenu aigre sous l'action de bactéries acétiques.

6. PIQUER (SE) [səpike] v. pr. (même étym.). **1.** (sujet nom de personne) *Se piquer de qqch., de faire qqch.,* avoir des prétentions à ce sujet, se flatter de faire cette chose : *Il se piquait d'obtenir rapidement une réponse du ministre.* — **2.** *Se piquer au jeu,* prendre intérêt à une chose qu'on avait entreprise sans ardeur.

1. PIQUET [pikɛ] n. m. (de *piquer*). Petit pieu destiné à être fiché en terre : *Planter un piquet.* ◆ **piquetage** n. m. : *Le piquetage d'une route* (= installation de piquets le long de celle-ci).

2. PIQUET [pikɛ] n. m. (même étym.). *Piquet de grève,* groupe de grévistes qui, à l'entrée du lieu de travail, veillent à l'exécution des consignes de grève. ‖ *Piquet d'incendie,* groupe de soldats désignés pour assurer une protection contre les incendies. ‖ *Mettre un enfant au piquet,* le punir en le mettant au coin dans une classe.

3. PIQUET [pikɛ] n. m. (même étym.). Jeu qui se joue avec trente-deux cartes (auj. vieilli).

PIQUETAGE n. m. ⟶ PIQUET 1.

PIQUETER [pikte] v. t. (de *piquer*). [Conj. **8.**] Parsemer quelque chose de points, de taches. ◆ **piqueté, e** adj. : *Ciel piqueté d'étoiles.*

PIQUETTE [pikɛt] n. f. (de *piquer*). **1.** Boisson que l'on obtient en jetant de l'eau sur du marc de raisin ou sur d'autres fruits sucrés, et en laissant fermenter. — **2.** Mauvais vin. — **3.** Fam. *Ramasser une piquette,* se faire battre honteusement.

1. PIQUEUR, EUSE adj. ⟶ PIQUER 1.

2. PIQUEUR [pikœr] ou **PIQUEUX** [pikø] n. m. (de *piquer*). Valet qui, dans une chasse à courre, s'occupe des chevaux ou des chiens.

PIQÛRE n. f. ⟶ PIQUER 1.

PIRANDELLO (Luigi), écrivain italien (1867-1936). Dans son théâtre étrange et tourmenté, il exprime la complexité de la personnalité humaine, sans cesse brisée en mille facettes, divisée en opinions contradictoires, et finalement insaisissable (*Chacun sa vérité,* 1917; *le Jeu des rôles,* 1918; *Six Personnages en quête d'auteur,* 1921; *Henri IV,* 1922; *Ce soir, on improvise,* 1930; *Se trouver,* 1932). [Prix Nobel, 1934.]

PIRANESI (Giambattista), en fr. **Piranèse,** graveur et architecte italien (1720-1778). Il a gravé à l'eau-forte plus de deux mille planches (dont celles des *Prisons*) qui contribuèrent à la propagation du goût néo-classique en Europe.

PIRANHA [pirana ou piraɲa] ou **PIRAYA** [piraja] n. m. (mot portug.). Poisson osseux des eaux douces d'Amazonie, réputé pour sa férocité : *Attirés par le sang, les piranhas, de leurs dents acérées, dépècent leurs proies avec une très grande rapidité.*

PIRATE [pirat] n. m. (lat. *pirata*). **1.** Bandit qui court les mers pour voler, piller. — **2.** *Pirate de l'air,* individu qui oblige, sous la menace, l'équipage d'un avion à détourner ce dernier de sa destination prévue. ◆ adj. *Poste, émetteur pirate,* poste, émetteur clandestin, fonctionnant sur une longueur d'onde qui ne lui a pas été attribuée. ◆ **pirater** v. t. Reproduire une œuvre sans payer de droits d'auteur. ◆ **piratage** n. m. Action de pirater. ◆ **piraterie** n. f. **1.** Crime commis en mer contre un navire, son équipage, ses passagers ou sa cargaison. — **2.** *Piraterie aérienne,* action de détourner des avions, commise par des pirates de l'air.

PIRAYA n. m. ⟶ PIRANHA.

PIRE [pir] adj. (lat. *pejor,* plus mauvais). **1.** Plus méchant, plus mauvais, plus nuisible : *Cet enfant est pire qu'il n'était.* — **2.** Précédé de l'art. déf. ou d'un possessif, sert de superl. à MAUVAIS : *La pire chose qui puisse vous arriver. Voici venir votre pire ennemi.* ◆ n. m. Ce qu'il y a de plus mauvais, de plus regrettable, etc. : *Le pire, c'est que tout cela aurait pu ne pas arriver. Les époux doivent être unis pour le meilleur et pour le pire* (= pour toutes les circonstances de la vie). ◆ **empirer** [ɑ̃pire] v. i. (sujet nom de chose). Devenir plus grave, plus mauvais : *L'état du malade a empiré* (syn. S'AGGRAVER). *On peut craindre que la situation n'empire* (syn. SE DÉTÉRIORER; contr. S'AMÉLIORER). ◆ v. t. Rendre pire (emploi rare) : *Le traitement n'a fait qu'empirer le mal* (syn. AUGMENTER).

PIRÉE (Le), ville de Grèce (187 000 hab.). Port d'Athènes, il forme avec elle une agglomération continue, regroupant des industries variées.

PIROGUE [pirɔg] n. f. (esp. *piragua*). Embarcation légère d'Afrique ou d'Océanie, généralement de forme allongée, et marchant à la voile ou à la pagaie. ◆ **piroguier** n. m. Celui qui conduit une pirogue.

PIROUETTE [pirwɛt] n. f. (orig. incert.). **1.** Tour entier qu'on fait sur la pointe ou sur le talon d'un seul pied, sans changer de place : *Les pirouettes des clowns.* — **2.** Figure de danse exécutée sur la pointe des pieds. — **3.** *Répondre par une pirouette,* éviter une question embarrassante en répondant à côté. ◆ **pirouetter** v. i. Tourner sur ses talons.

1. PIS [pi] n. m. (lat. *pectus,* poitrine). Mamelle de la vache, de la brebis, de la chèvre.

2. PIS [pi] adv. et adj. (lat. *pejus,* plus mauvais) [seulement dans des express. ou des loc. adv. de la langue soignée; souvent remplacé par PIRE]. *Faire pis,* faire plus mal. ‖ *C'est bien pis,* c'est plus mauvais. ‖ *Dire pis que pendre de qq'un,* dire beaucoup de mal de lui. ‖ *De mal en pis,* de plus en plus mal. ‖ *Qui pis est,* ce qui est plus fâcheux. ◆ **pis-aller** [pizale] n. m. inv. Solution à laquelle on a recours, faute de mieux. — LOC. ADV. *Au pis aller,* en supposant une situation plus mauvaise, plus préjudiciable, dans l'hypothèse la plus défavorable.

PISAN, E [pizɑ̃, -an] adj. et n. De Pise.

PISANELLO (Antonio PISANO, dit **il**), artiste italien (v. 1395-v. 1455). Il fut peintre (fresques à Vérone), dessinateur (nombreux dessins d'animaux) et surtout admirable portraitiste en médailles.

PISANO (Nicola), sculpteur italien (v. 1220-v. 1287). Il marque la fin de l'art roman et le début d'un art nouveau, inspiré de l'antique, et dont il fut l'initiateur (chaire du baptistère de Pise). —

Son fils, GIOVANNI, sculpteur et architecte (v. 1245-1314), accorda la sculpture antique et celle des cathédrales françaises (baptistère de Pise, chaires et statues de la cathédrale de Sienne et de la cathédrale de Pise).

PISANO (Andrea), sculpteur et architecte italien (v. 1295-1349). Ses deux œuvres essentielles sont la première porte du baptistère et la décoration du campanile de Florence.

PISCATOR (Erwin), metteur en scène et directeur de théâtre allemand (1893-1966). Il chercha à faire comprendre aux spectateurs l'imbrication des problèmes esthétiques, sociaux et politiques, et usa pour cela des innovations techniques les plus hardies (scène tournante, décor à étages, projections cinématographiques, apostrophes au public). Il mit en scène avec succès les *Aventures du brave soldat Švejk,* de Hašek.

PISCICULTURE [pisikyltyr] n. f. (du lat. *piscis,* poisson, et *culture*). Art de multiplier et d'élever les poissons : *La pisciculture a pour but de repeupler les rivières, les étangs et les lacs, et de produire des poissons de taille marchande et de races sélectionnées (truites et carpes notamment).* ◆ **pisciculteur** n. m. Spécialiste de pisciculture. ◆ **piscicole** adj. Relatif à la pisciculture.

PISCINE [pisin] n. f. (lat. *piscina*). Bassin artificiel pour la natation, et ensemble des installations qui l'entourent : *Une piscine olympique* (= conforme aux règlements olympiques).

PISCIVORE [pisivɔr] adj. et n. (du lat. *piscis,* poisson, et *vorare,* dévorer). Qui se nourrit de poissons : *Les phoques sont piscivores.*

PISE, en it. **Pisa,** v. d'Italie (Toscane), sur l'Arno; 103 400 hab. Archevêché. Université. La ville est célèbre pour sa fameuse Tour penchée qui fait partie d'un remarquable ensemble de constructions romanes comportant en outre une cathédrale (XIe s.), un baptistère, un « campo santo » (cimetière), décoré de fresques *(le Triomphe de la mort).*

PISÉ [pize] n. m. (du lat. *pinsare,* broyer). Maçonnerie faite avec de la terre argileuse que l'on façonne sur place : *Un mur en pisé.*

PISISTRATE, tyran d'Athènes (v. 600-527 av. J.-C.). Il s'empara en 560 de l'Acropole et du pouvoir et conserva celui-ci jusqu'à sa mort, à l'exception d'une ou de deux périodes d'exil. Sa politique despotique valut à Athènes une prospérité incontestable. Il prolongea l'œuvre sociale de Solon, amorça l'empire maritime d'Athènes (prise de Sigée), embellit la ville et l'Attique, fit rassembler et publier les textes homériques, célébra des fêtes somptueuses (panathénées, dionysies).

PISOLITE [pizɔlit] n. f. (du lat. *pisum,* pois, et gr. *lithos,* pierre). Grain, souvent calcaire, de la grosseur d'un pois. ◆ **pisolitique** ou **pisolithique** adj. Se dit d'une roche formée de pisolites : *Calcaire pisolitique.*

PISSALADIÈRE [pisaladjɛr] n. f. (prov. *pissaladiero*). Tarte niçoise garnie d'oignons, de filets d'anchois et d'olives noires.

PISSARRO (Camille), peintre français (1830-1903). Il fut l'un des maîtres du groupe des impressionnistes*, au sein duquel il exerça une réelle influence. Il dut sa vocation de paysagiste à Corot et fut attiré par l'art de Gauguin puis de Seurat. Sensible à l'atmosphère et aux nuances, il peignit des paysages de l'Île-de-France (*Bords de la Marne,* 1866; *Vue de Pontoise,* 1868; *les Toits rouges,* 1877), de Normandie et de Paris.

PISSE n. f., **PISSEMENT** n. m. ⟶ PISSER.

PISSENLIT [pisɑ̃li] n. m. (de *pisser*). **1.** Plante vivace à feuilles dentelées, que l'on mange en salade et qui est très commune en France. — **2.** Pop. *Manger les pissenlits par la racine,* être mort et enterré.

PISSER [pise] v. i. et t. (orig. inc.). *Fam.* Évacuer l'urine (syn. URINER). ◆ **pisse** n. f. *Fam.* Urine. ◆ **pissement** n. m. ◆ **pissotière** n. f. *Fam.* Urinoir public.

PISSETTE [pisɛt] n. f. (de *pisser*). Appareil de laboratoire projetant un jet liquide.

PISSOTIÈRE n. f. ⟶ PISSER.

PISTACHE [pistaʃ] n. f. (lat. *pistacium*). Graine du pistachier, utilisée en confiserie : *Une glace à la pistache.* ◆ **pistachier** n. m. Arbre des régions chaudes.

1. PISTE [pist] n. f. (du lat. *pistare,* piler). **1.** Trace laissée par un animal : *Les chasseurs avaient trouvé la piste d'un lion.* — **2.** Direction prise pour découvrir l'auteur d'un délit ou d'un crime : *Se lancer sur la piste d'un voleur.* — **3.** *Être sur la piste de qq'un,* être à sa recherche et près de le trouver. ◆ **pister** v. t. *Pister qq'un,* le suivre à la piste. ◆ **pistage** n. m.

2. PISTE [pist] n. f. (même étym.). **1.** Chemin rudimentaire, dans une forêt, une région peu habitée : *Ils s'étaient égarés, mais ils découvrirent une piste à peine tracée qui les conduisit à la route* (syn. SENTIER). — **2.** Parcours damé et balisé tracé sur la neige pour les skieurs. — **3.** *Piste cyclable,* chemin aménagé le long d'une route et destiné aux cyclistes. — **4.** Bande de terrain aménagée pour le décollage et l'atterrissage des avions : *Une piste d'envol.* — **5.** Partie de la bande d'un film ou d'une bande magnétique servant à l'enregistrement et à la reproduction des sons.

3. PISTE [pist] n. f. (même étym.). **1.** Terrain aménagé spécialement pour les courses de chevaux, pour les épreuves d'athlétisme, pour les compétitions cyclistes en vélodrome, etc. — **2.** Emplacement, généralement circulaire, servant de scène, dans un cirque, un lieu de spectacle. ◆ **pistard** n. m. *Fam.* Coureur cycliste spécialisé dans les épreuves sur piste.

PISTIL [pistil] n. m. (lat. *pistillus,* pilon). *Bot.* Ensemble des pièces femelles d'une fleur*. (Chez les angiospermes, le pistil est formé d'un ou de plusieurs carpelles séparés ou, plus souvent, soudés. On y distingue trois parties : à la base l'*ovaire,* renflé et creux, qui contient les ovules; le *style,* fin; et le ou les *stigmates,* où germent les grains de pollen.)

PISTOIA, v. d'Italie (Toscane); 93 200 hab. Cathédrale (XIIe-XVe s.). Chaussures. Dentelles.

PISTOLE [pistɔl] n. f. (du tchèque *pichtal*). **1.** Ancienne monnaie d'or, de valeur variable. — **2.** Monnaie de divers pays. (En France, autref., pièce de dix francs.)

PISTOLET [pistɔlɛ] n. m. (de *Pistoia,* où se fabriquait cette arme). **1.** Arme à feu individuelle, légère, au canon très court, et qui se tient avec une seule main. — **2.** *Pistolet mitrailleur,* arme automatique individuelle, pouvant effectuer des tirs par rafales, utilisée dans le combat rapproché. — **3.** Appareil qui sert à pulvériser la peinture.

1. PISTON [pistɔ̃] n. m. (it. *pistone*). **1.** Disque cylindrique se déplaçant dans le corps d'une pompe, ou dans le cylindre d'un moteur à explosion ou d'une machine à vapeur. — **2.** Dispositif permanent dans les instruments de musique de cuivre, qui permet à l'instrumentiste de produire tous les degrés de l'échelle chromatique en allongeant à volonté le tube de l'instrument.

2. PISTON [pistɔ̃] n. m. (de *piston* 1). *Fam.* Appui donné à quelqu'un ou recommandation visant à lui obtenir un avantage, une faveur : *Il est arrivé à cette situation par le piston.* ◆ **pistonner** v. t. Fam. : *Pistonner un ami auprès du directeur* (syn. RECOMMANDER).

PITANCE [pitɑ̃s] n. f. (de *pitié*). *Fam.* ou *ironiq.* Portion que l'on donne à un repas, nourriture : *Les prisonniers ne recevaient à midi qu'une maigre pitance.*

PITCHPIN [pitʃpɛ̃] n. m. (de l'angl. *pitch,* résine, et *pine,* pin). Arbre résineux d'Amérique du Nord, dont le bois jaune et rougeâtre est utilisé en ébénisterie.

PITEUX, EUSE [pitø, -øz] (bas lat. *pietosus,* digne de pitié). **1.** (avant le nom) Se dit d'une personne ou d'une chose qui excite une pitié où se mêlent raillerie et mépris : *Un chapeau en piteux état. Faire une piteuse mine* (= avoir un air confus ou triste). — **2.** (après le nom) Mauvais, médiocre : *Des résultats piteux* (syn. LAMENTABLE). ◆ **piteusement** adv. : *Échouer piteusement.*

PITHÉCANTHROPE [pitekɑ̃trɔp] n. m. (du gr. *pithêkos,* singe, et *anthrôpos,* homme). Nom d'un primate fossile ayant de nombreux caractères humains, dont on a retrouvé des ossements à Java, en Chine et en Tanzanie et qui aurait vécu entre — 1 million et — cent mille ans.

— ENCYCL. En 1889, le médecin néerlandais Dubois découvrit quelques ossements d'un fossile, qu'il décrivit en 1894 et nomma *Pithecanthropus erectus.* Les caractères simiens de ce fossile sont représentés par le front à peu près inexistant, les énormes arcades sourcilières, la face en museau et le menton fuyant; ses caractères hominiens sont la capacité crânienne très supérieure à celle des singes (900 cm^3), la structure des dents et la marche bipède. Selon l'opinion classique, le pithécanthrope se place entre les australopithèques et l'homme. On lui attribue l'usage du feu et la fabrication des premiers bifaces de pierre taillée.

PITHIVIERS, ch.-l. d'arrond. du Loiret, à 42 km au N.-E. d'Orléans, sur l'Œuf; 9 800 hab. *(Pithivériens).* Produits alimentaires (pâtés d'alouettes, gâteaux dits *pithiviers,* etc.).

PITIÉ [pitje] n. f. (du lat. *pietas, -atis,* piété). Sentiment de celui qui est touché par les souffrances d'autrui : *Avoir pitié d'un infirme.* ◆ **pitoyable** [pitwajabl] adj. (avant ou, plus souvent, après le nom). Se dit d'une personne ou d'une chose qui excite la pitié : *Un spectacle pitoyable* (syn. LAMENTABLE). ◆ **pitoyablement** adv. : *Une affaire bien commencée, mais qui s'achève pitoyablement* (syn. LAMENTABLEMENT, PITEUSEMENT). ◆ **impitoyable** adj. Qui n'a, ne manifeste aucune pitié : *Un jugement impitoyable* (= très dur) [syn. IMPLACABLE]. ◆ **impitoyablement** adv. ◆ **api-**

toyer v. t. (Conj. **3.**) *Apitoyer qq'un sur qq'un*, ou *sur qqch.*, appeler sur eux sa pitié, sa sympathie attendrie : *J'ai essayé de l'apitoyer sur le sort de ces malheureux* (syn. ATTENDRIR, ÉMOUVOIR, TOUCHER). ◆ ***s'apitoyer*** v. pr. *S'apitoyer sur qq'un, sur qqch.*, être pris d'un sentiment de pitié pour eux. ◆ **apitoiement** [apitwamɑ̃] n. m. (syn. COMPASSION, PITIÉ).

PITOËFF (Georges), comédien et directeur de théâtre français d'origine russe (1884-1939). Il a mis en scène et interprété avec sa femme LUDMILLA (1895-1951) nombre d'œuvres du théâtre contemporain. Leur fils SACHA (1920-1990), également comédien, avait fondé sa propre compagnie en 1949.

1. PITON [pitɔ̃] n. m. (orig. obscure). Clou dont la tête est en forme d'anneau ou de crochet, et dont la tige est à vis ou à pointe : *L'alpiniste plante des pitons dans la paroi rocheuse pour y accrocher sa corde.* ◆ **pitonner** v. i. Planter des pitons.

2. PITON [pitɔ̃] n. m. (orig. obscure). Pointe d'une montagne élevée : *Escalader le dernier piton d'un sommet.*

PITOYABLE adj., **PITOYABLEMENT** adv. ⟶ PITIÉ.

PITRE [pitr] n. m. (du lat. *pedestris*, piéton). Celui qui fait des facéties stupides, qui se signale par des bouffonneries : *Faire le pitre* (syn. fam. FAIRE LE CLOWN, LE ZOUAVE). ◆ **pitrerie** n. f. (syn. CLOWNERIE, FACÉTIE, FARCE).

PITT (William), 1er comte DE CHATHAM, dit **le Premier Pitt,** homme politique britannique (1708-1778). Après les premiers échecs de la guerre de Sept Ans, il fut choisi comme ministre de la Guerre (1756-1761); son action permit à l'Angleterre de vaincre la France, notamment en Inde et au Canada. En 1766, il fut nommé Premier ministre, mais sa santé chancelante l'obligea à démissionner dès 1768. — Son fils WILLIAM, dit **le Second Pitt,** homme d'État britannique (1759-1806), chancelier de l'Échiquier (1782-1783), puis Premier ministre (1783-1801), fut le chef de file du groupe « patriote », partisan d'un gouvernement fort. Il s'inquiéta bientôt de l'expansionnisme révolutionnaire français et anima la coalition contre la France à partir de 1793. En 1800, il rattacha l'Irlande au royaume britannique. Il démissionna quand le roi refusa d'émanciper les catholiques (1801). Revenu au pouvoir en 1804, il devint l'âme de la lutte contre Napoléon.

PITTI, famille florentine, rivale des Médicis. — Le *palais Pitti*, à Florence, est riche en tableaux et en objets d'art provenant en grande partie de la collection des Médicis.

PITTORESQUE [pitɔrɛsk] adj. (it. *pittoresco;* de *pittore*, peintre). **1.** Se dit d'un paysage, d'un objet, etc., qui, par sa disposition, son aspect, est éminemment propre à fournir un sujet de tableau : *Site, rue, maison pittoresque.* — **2.** Se dit d'une personne qu'on remarque à cause de son originalité : *Il est arrivé dans une tenue assez pittoresque* (syn. COCASSE). — **3.** Qui peint à l'esprit, qui fait image, a du relief, du piquant : *Une expression, un style pittoresque.* ◆ n. m. : *Aimer le pittoresque. Le goût du pittoresque.* ◆ **pittoresquement** adv.

PITTSBURGH, v. des États-Unis (Pennsylvanie), sur l'Ohio; 424 000 hab. Centre d'une agglomération de près de 2 300 000 hab., Pittsburgh est l'un des plus grands centres sidérurgiques et métallurgiques du monde.

PITUITAIRE [pitɥitɛr] adj. (du lat. *pituita*). *Glande pituitaire*, syn. de HYPOPHYSE. ‖ *Membrane pituitaire*, muqueuse qui tapisse les fosses nasales jusqu'au pharynx.

PIVERT [pivɛr] n. m. (de *pic*, oiseau, et *vert*). Oiseau commun en France, à plumage vert et jaune sur le corps et à tête rouge, de la famille des pics. (On écrit aussi PICVERT.)

PIVOINE [pivwan] n. f. (gr. *paiônia*). Plante à bulbe qui donne des fleurs rouges, roses ou blanches. (Famille des renonculacées.)

PIVOT [pivo] n. m. (orig. inc.). **1.** Pièce cylindrique ou conique, servant de support à une autre pièce en lui permettant de tourner sur elle-même : *Le pivot d'une boussole.* — **2.** Se dit d'une personne qui est au centre d'une entreprise, ou d'une chose qui en est l'élément principal : *C'était lui le pivot de la conspiration.* — **3.** *Bot.* Racine qui s'enfonce verticalement en terre. ◆ **pivoter** v. i. Tourner autour d'un pivot : *La porte pivote sur ses gonds. Le sergent pivota sur ses talons après avoir salué* (syn. TOURNER). ◆ **pivotant, e** adj. **1.** *Fauteuil pivotant.* — **2.** Bot. *Racine pivotante*, racine centrale qui s'enfonce verticalement dans la terre.

PIXERÉCOURT (René Charles GUILBERT DE), auteur dramatique français (1773-1844), « père du mélodrame ».

PIZARRO (Francisco), conquistador espagnol (v. 1475-1541). Accompagné de ses frères GONZALO (v. 1502-1548) et HERNANDO (v. 1508-1578), il conquit le Pérou en 1533; s'étant emparés de Cuzco par la ruse, les conquistadores se débarrassèrent du roi Atahualpa. Mais le désaccord éclata entre les conquérants, et Francisco fut assassiné.

PIZZA [pidza] n. f. (mot it.). Tarte garnie de tomates, d'anchois, d'olives, etc. (spécialité italienne). ◆ **pizzeria** [pidzerja] n. f. Restaurant de spécialités italiennes, et principalement de pizzas.

PIZZICATO [pidzikato] n. m. (mot it.). Passage de musique exécuté en pinçant les cordes d'un instrument à archet avec les doigts. ‖ Pl. des *pizzicati*.

PLACAGE n. m. ⟶ PLAQUE 1 et PLAQUER 2.

1. PLACARD [plakar] n. m. (de *plaquer*). Armoire ménagée dans un mur : *Placard à vêtements, à balais.*

2. PLACARD [plakar] n. m. (même étym.). **1.** Écrit qu'on affiche comme avis. — **2.** *Placard publicitaire*, dans un journal, annonce d'une certaine importance. ◆ **placarder** v. t. Afficher sur les murs un texte imprimé : *Placarder des affiches électorales.*

1. PLACE [plas] n. f. (du lat. *platus*, large). **1.** Espace qu'occupe ou que peut occuper une chose ou un être animé : *Ce meuble est encombrant, il tient beaucoup de place. Remettre un livre à sa place dans la bibliothèque. Un pêcheur qui s'installe toujours à la même place* (syn. ENDROIT). ‖ *Avoir sa place à tel endroit*, être naturellement désigné par ses qualités pour occuper un poste, pour figurer à un certain endroit : *Un écrivain qui a sa place à l'Académie.* ‖ *Être en place*, être à l'endroit prévu, être prêt à entrer en action : *D'importantes forces de police étaient déjà en place.* ‖ *Faire place à qq'un, à qqch.*, être remplacé par eux; s'effacer pour laisser passer : *Les vieilles masures du quartier ont fait place à de grands immeubles.* ‖ *Ne pas tenir en place*, être très actif, très agité. ‖ *Sur place*, à l'endroit même dont il est question : *La voiture accidentée est restée sur place deux jours* (syn. SUR LES LIEUX). — **2.** Emplacement réservé à un voyageur dans un moyen de transport, à un spectateur dans une salle, etc. : *Il y a une place vide dans ce compartiment* (= qui n'est pas occupée). ‖ *Prendre place*, s'installer : *Il a pris place dans l'avion.* — **3.** Rang obtenu dans un classement; rang social : *Les élèves qui ont toujours les premières places en composition. Il est discret, il sait rester à sa place.* — **4.** Charge, fonctions d'une personne : *Il a perdu sa place et cherche du travail* (syn. EMPLOI, SITUATION). — LOC. PRÉP. et ADV. *À la place de*, en remplacement de, en échange de, au lieu de. ‖ *À votre place* (suivi d'un verbe au conditionnel), si j'étais dans votre cas. ‖ *Mettez-vous à ma place*, imaginez que vous soyez dans ma situation. ◆ **demi-place** n. f. Place à demi-tarif dans un moyen de transport, une salle de spectacle, etc. ‖ Pl. des *demi-places*. ◆ **placer** v. t. **1.** *Placer qqch., qq'un*, les mettre à telle ou telle place : *Placer des pots de confitures sur une étagère* (syn. POSER). *Placer un poste d'observation sur la colline* (syn. ÉTABLIR, INSTALLER). *La maîtresse de maison place ses invités autour de la table* (syn. DISPOSER). ‖ *Ne pas pouvoir placer un mot*, ne pas pouvoir parler en raison de l'abondance des paroles de quelqu'un. — **2.** *Placer qq'un*, lui assigner un poste, lui procurer un emploi. — **3.** *Placer une marchandise, un article*, les vendre pour le compte d'autrui : *Placer des billets de loterie.* — **4.** *Placer de l'argent*, le confier à un organisme, à une personne en vue d'opérations financières, l'investir pour le faire fructifier : *Il a placé ses économies à la Caisse d'épargne* (syn. DÉPOSER). ◆ ***se placer*** v. pr. **1.** Prendre une place, un rang : *Placez-vous autour de moi. Un élève qui s'est placé second à la composition* (syn. SE CLASSER). — **2.** Entrer en fonctions, au service de quelqu'un : *Elle s'est placée comme cuisinière.* ◆ **placement** n. m. Sens 2, 3 et 4 du v. t. : *Bureau de placement* (= organisme qui permet à certaines catégories de salariés de trouver un emploi). *Il a fait un excellent placement en achetant ce terrain.* ◆ **placier** n. m. Représentant de commerce qui propose ses marchandises aux particuliers. ◆ **replacer** v. t. **1.** *Replacer qqch.*, le remettre en place : *Replacer des livres sur une étagère.* — **2.** *Replacer qq'un*, lui procurer un nouvel emploi. ◆ ***se replacer*** v. pr. (⟶ aussi SURPLACE.)

2. PLACE [plas] n. f. (même étym.). **1.** Large espace découvert où aboutissent plusieurs rues dans une agglomération : *La place de la Concorde à Paris.* — **2.** *Place forte*, ou simplem. *place*, agglomération défendue par des fortifications; ville de garnison : *Le général commandant la place.* — **3.** Ensemble des négociants, des banquiers d'une ville : *Un commerçant très connu sur la place de Paris.*

PLACEBO [plasebo] n. m. (mot lat. signif. *je plairai*). Substance qui a l'apparence d'un médicament, et que l'on administre aux malades pour les soulager en leur donnant l'illusion d'un vrai médicament.

PLACEMENT n. m. ⟶ PLACE 1.

PLACENTA [plasɛ̃ta] n. m. (mot lat. signif. *galette*). Chez les mammifères, organe reliant l'embryon à l'utérus maternel pendant la gestation. ◆ **placentaire** adj. Relatif au placenta.

PLACER v. t., **SE PLACER** v. pr. ⟶ PLACE 1.

PLACET [plasɛ] n. m. (mot lat. signif. *il plaît*). *Dr.* Demande par écrit pour obtenir justice, solliciter une grâce ou une faveur.

PLACIDE [plasid] adj. (lat. *placidus*). Se dit d'une personne douce, calme, ou de ses sentiments : *Rester placide sous les injures* (syn. IMPERTURBABLE). *Un sourire placide* (syn. SEREIN). ◆ **placidement** adv. ◆ **placidité** n. f. : *Il a appris cet échec avec sa placidité habituelle* (syn. CALME, SÉRÉNITÉ).

PLACIER n. m. ⟶ PLACE 1.

1. PLAFOND [plafɔ̃] n. m. (de *plat*, et *fond*). Surface horizontale, le plus souvent enduite de plâtre, qui forme la partie supérieure d'un lieu couvert, d'une pièce, d'un véhicule : *Un lustre pend au plafond.* ‖ *Faux plafond*, second plafond placé au-dessous d'un plafond ordinaire, afin de diminuer la hauteur primitive de la pièce. (On dit aussi PLAFOND SUSPENDU.) ◆ **plafonner** v. t. Garnir d'un plafond. ◆ **plafonnier** n. m. Appareil d'éclairage fixé au plafond : *Allumer le plafonnier dans sa voiture.*

2. PLAFOND [plafɔ̃] n. m. (de *plafond* 1). **1.** Vitesse maximale d'un véhicule. — **2.** Altitude maximale que peut atteindre un avion. — **3.** Limite supérieure d'un crédit, d'un prix, de la fraction d'un salaire soumise aux cotisations de Sécurité sociale. — **4.** Fam. *Crever le plafond*, dépasser la limite normale. ◆ **plafonner** v. i. Atteindre sa hauteur, sa vitesse, sa valeur maximale. ◆ **plafonnement** n. m.

1. PLAGE [plaʒ] n. f. (it. *piaggia*). Au bord de la mer, étendue plate couverte de sable ou de galets, soumise à l'action du déferlement de la houle. ◆ **plagiste** n. Personne qui a la charge d'une plage payante.

2. PLAGE [plaʒ] n. f. (même étym.). **1.** *Plage arrière*, partie plane et horizontale située à l'arrière d'un véhicule. — **2.** *Plage d'un disque*, ensemble d'un certain nombre de spires d'un sillon ininterrompu d'une même face de disque, supportant un enregistrement. — **3.** *Plage lumineuse*, surface lumineuse, par oppos. à *point lumineux*. — **4.** À la radio, tranche d'une durée délimitée correspondant à un programme précis.

PLAGIER [plaʒje] v. t. et i. (du lat. *plagium*, détournement). Piller les ouvrages des auteurs (écrivains, musiciens) en donnant pour siennes les parties ainsi copiées : *Plagier un roman* (syn. DÉMARQUER). *Plagier un écrivain* (syn. ↓IMITER). ◆ **plagiat** n. m. : *Accuser un auteur de plagiat* (syn. COPIE, ↓EMPRUNT). ◆ **plagiaire** n. m. : *Être victime d'un plagiaire* (syn. CONTREFACTEUR).

PLAGIOCLASE [plaʒjɔklaz] n. m. (du gr. *plagion*, oblique, et *klasis*, brisure). Nom donné aux feldspaths contenant du calcium et du sodium, mais pas de potassium.

PLAGISTE n. ⟶ PLAGE 1.

PLAGNE (La), station de sports d'hiver de Savoie (alt. 1 970-2 600 m), dans la Tarentaise.

1. PLAID [plɛd] n. m. (du lat. *placitum*, conforme à la volonté). Assemblée judiciaire ou politique, au temps des Mérovingiens et des Carolingiens.

2. PLAID [plɛd] n. m. (mot angl.). Couverture à carreaux.

PLAIDER [plɛde] v. i. (de *plaid* 1). **1.** Soutenir une cause devant quelqu'un : *Son avocat va plaider devant les juges.* — **2.** *Plaider contre qq'un*, soutenir contre lui une action judiciaire. ‖ *Plaider au fond*, faire porter sa/plaidoirie sur le fond du problème. ‖ *Plaider pour qq'un, en faveur de qq'un*, soutenir sa cause; (sujet nom de chose) Être à son avantage : *L'air désinvolte de ce candidat ne plaide pas en sa faveur.* ◆ v. t. **1.** *Plaider une cause*, la défendre : *Plaider la cause d'un accusé.* — **2.** *Plaider qqch.*, l'exposer dans sa plaidoirie, dans son argumentation : *Il a décidé de plaider coupable* (= de se défendre en admettant qu'il est coupable). — **3.** *Plaider le faux pour savoir le vrai*, dire à quelqu'un une chose qu'on sait fausse pour l'amener à dire la vérité. ◆ **plaideur, euse** n. Personne qui plaide en justice. ◆ **plaidoirie** n. f. Exposé visant à défendre un accusé, à soutenir une cause (langue jurid.). ◆ **plaidoyer** n. m. **1.** Discours prononcé devant un tribunal pour défendre une cause. — **2.** Défense en faveur d'une opinion, d'une personne : *Votre livre est un véritable plaidoyer contre la peine de mort.*

Plaideurs *(les)*, comédie en 3 actes et en vers de Racine (1668).

PLAIE [plɛ] n. f. (lat. *plaga*, coup). **1.** *Méd.* Déchirure causée dans les chairs par une blessure, un abcès ou une brûlure. — **2.** Source de douleur (langue soignée) : *Il avait perdu sa femme, et la plaie ne se cicatrisait que lentement.* — **3.** *Mettre le doigt sur la plaie*, trouver la cause de l'affliction, de la douleur d'un autre.

PLAIGNANT, E n. ⟶ PLAINDRE 2.

PLAIN-CHANT [plɛ̃ʃɑ̃] n. m. (du lat. *planus*, uni, et *chant*). Chant chrétien à une voix, de rythme libre, créé à partir du XIIe s., appelé aussi parfois CHANT GRÉGORIEN. ‖ Pl. des *plains-chants*.

1. PLAINDRE [plɛ̃dr] v. t. (lat. *plangere*). [Conj. **55.**] **1.** *Plaindre une personne, un animal*, avoir à leur égard des sentiments de compassion : *Je la plains d'avoir des enfants aussi difficiles.* — **2.** *Être à plaindre*, mériter la compassion, la commisération (souvent dans des phrases négatives) : *Avec ce qu'il gagne, il n'est pas à plaindre.*

2. PLAINDRE (SE) [səplɛ̃dr] v. pr. (même étym.). [Conj. **55.**] **1.** Exprimer sa souffrance : *Il se plaint de fréquents maux de tête.* — **2.** Exprimer son mécontentement : *Si vous ne m'échangez pas cet article, je vais me plaindre au chef de rayon* (syn. PROTESTER). *Elle se plaint que la vie est* (ou *soit*) *chère* (syn. SE LAMENTER). ◆ **plaignant, e** n. Personne qui a déposé une plainte contre une autre, qui fait un procès à quelqu'un. ◆ **plainte** n. f. **1.** Parole, cri, gémissement émis sous l'effet de la douleur physique ou morale : *Le blessé faisait entendre de faibles plaintes* (syn. GÉMISSEMENT). *Des plaintes continuelles* (syn. péjor. JÉRÉMIADE). — **2.** Dénonciation en justice d'une infraction par la personne qui en a été la victime : *Déposer une plainte.* ‖ *Porter plainte*, rédiger un procès-verbal de dénonciation et le déposer devant le magistrat compétent. ◆ **plaintif, ive** adj. : *Une voix plaintive* (syn. DOLENT, GÉMISSANT; péjor. GEIGNARD). *Une note plaintive* (syn. TRISTE). ◆ **plaintivement** adv.

PLAINE [plɛn] n. f. (du lat. *planus*, uni). Étendue plate, aux vallées peu enfoncées dans le sol : *La plaine du Pô, en Italie.*

PLAIN-PIED (DE) [dəplɛ̃pje] loc. adv. (du lat. *planus*, plan, et *pied*). Au même niveau : *Les deux pièces ne sont pas de plain-pied, on passe de l'une à l'autre par des marches. Se sentir de plain-pied avec son interlocuteur* (= sur un pied d'égalité). *Il est entré de plain-pied dans le sujet* (= directement, sans introduction).

PLAINTE n. f., **PLAINTIF, IVE** adj., **PLAINTIVEMENT** adv. ⟶ PLAINDRE 2.

1. PLAIRE [plɛr] v. t. ind. et i. (lat. *placere*). [Conj. **77.**] *Plaire à qq'un*, lui être agréable, exercer sur lui un attrait, un charme : *Votre lampe nous plaît, nous l'achetons* (syn. CONVENIR). *Cette région me plairait beaucoup à habiter* (= j'aurais plaisir à l'habiter). *Il ne fait que ce qui lui plaît* (= que ce qu'il veut). *Elle a tout pour plaire* (= se faire aimer). ◆ v. impers. : *Il lui plaît de croire que tout ira bien.* ◆ **se plaire** v. pr. **1.** (sujet nom de personne) *Se plaire à, dans*, etc. (et un nom), *à* (et l'infin.), y prendre du plaisir : *Il se plaît dans la débauche* (syn. SE COMPLAIRE). — **2.** (sujet nom d'être vivant) Se trouver bien en un lieu, y prospérer : *Alors, vous vous plaisez dans votre maison de campagne? Le muguet se plaît dans les sous-bois.* — **3.** Se convenir réciproquement : *Ces deux jeunes gens se plaisent.* ◆ **plaisant, e** adj. : *Un séjour très plaisant* (syn. AGRÉABLE). ◆ **déplaire** v. t. ind. et i. *Déplaire à qq'un*, lui être désagréable : *Cette allusion a profondément déplu* (syn. ↑IRRITER). *Les événements prennent une tournure qui me déplaît* (syn. CHAGRINER, CONTRARIER). ◆ v. impers. **1.** *Il me déplairait d'être obligé de vous punir.* — **2.** *N'en déplaise à*, même si cela doit contrarier (ironiq.) : *Je me permets de ne pas être de votre avis, ne vous en déplaise.* ◆ **se déplaire** v. pr. (sujet nom de personne). Ne pas se trouver bien : *Ils se sont déplu dans cette région.* ◆ **déplaisant, e** adj. : *Une remarque déplaisante* (syn. DÉSOBLIGEANT). *Des voisins déplaisants* (syn. DÉSAGRÉABLE).

2. PLAIRE [plɛr] v. impers. (même étym.). [Conj. **77.**] (Expressions usuelles.) *S'il te plaît, s'il vous plaît*, formules de politesse employées pour une demande, un conseil, un ordre. ‖ *Plaît-il?*, formule pour faire répéter ce qu'on a mal entendu. ‖ *Plût au ciel que, plaise au ciel que* (et le subj.), formules de regret ou de souhait (langue soignée) : *Plût au ciel que rien de tout cela ne fût arrivé! Plaise au ciel qu'il soit encore vivant!*

PLAISAMMENT adv. ⟶ PLAISANT 2.

PLAISANCE [plɛzɑ̃s] n. f. (de *plaisant*). *Navigation de plaisance*, navigation (à bord d'un voilier, d'un hors-bord, d'un canoë, etc.) que l'on effectue pour son agrément, à l'occasion des vacances. ◆ **plaisancier** n. m. Celui qui pratique la navigation de plaisance.

PLAISANCE, en it. **Piacenza,** v. d'Italie (Émilie), près du Pô; 108 200 hab. Palais communal (XIIIe s.). Palais Farnèse (XVIe s.). En 1545, elle constitua, avec Parme, un duché qui disparut au XIXe s.

PLAISANCIER n. m. ⟶ PLAISANCE.

1. PLAISANT, E adj. ⟶ PLAIRE 1.

2. PLAISANT, E [plɛzɑ̃, -ɑ̃t] adj. (de *plaire*) [avant ou après le nom]. Se dit d'une personne ou d'une chose qui fait rire : *Une plaisante aventure lui est récemment arrivée* (syn. AMUSANT, DIVERTISSANT, DRÔLE). ◆ n. m. *Mauvais plaisant*, personne qui joue de mauvais tours, de mauvaises farces. ◆ **plaisanter** v. i. **1.** Dire des choses drôles, ne pas parler sérieusement : *Je ne plaisante pas* (= je parle très sérieusement). — **2.** Faire des choses comiques ou qu'on ne prend pas au sérieux : *Il le mit en joue avec sa canne, pour plaisanter.* — **3.** Fam. *Il ne plaisante pas avec la discipline, l'exactitude*, etc., il est très strict sur ce chapitre (syn. BADINER). ‖

Il ne faut pas plaisanter avec cela, c'est sérieux, dangereux, etc. ◆ v. t. *Plaisanter qq'un*, se moquer gentiment de lui (syn. RAILLER, TAQUINER). ◆ **plaisanterie** n. f. **1.** Propos ou acte de quelqu'un qui plaisante : *Une plaisanterie de mauvais goût.* — **2.** *Mauvaise plaisanterie*, farce qui entraîne un désagrément considérable pour celui qui en est l'objet. ‖ *Comprendre la plaisanterie*, ne pas s'offenser de ce qui est dit en plaisantant. ◆ **plaisantin** n. m. Fam. et péjor. *C'est un plaisantin, un petit plaisantin*, on ne peut pas le prendre au sérieux. ◆ **plaisamment** adv. De façon à faire rire (contr. SÉRIEUSEMENT).

PLAISIR [plezir] n. m. (du lat. *placere*, plaire). **1.** Sensation ou sentiment agréable : *Boire avec plaisir un verre de bon vin* (syn. CONTENTEMENT, DÉLECTATION). *Ce film m'a donné beaucoup de plaisir* (syn. AGRÉMENT). *J'ai le plaisir de vous annoncer votre succès* (syn. JOIE, SATISFACTION). — **2.** *Le plaisir* (sans compl.), le plaisir physique, de la chair. — **3.** *Le bon plaisir de qq'un*, son caprice, sa fantaisie. ‖ *Faire plaisir à qq'un*, lui être agréable. ‖ *Se faire un plaisir de faire qqch.*, le faire très volontiers. ‖ *Je vous (leur, etc.) souhaite bien du plaisir!*, se dit par ironie à quelqu'un qui va faire quelque chose de difficile, de désagréable. ‖ *Avoir un malin plaisir à faire qqch.*, le faire en se réjouissant de l'inconvénient qui en résultera pour autrui. — LOC. ADV. *À plaisir*, par caprice, sans motif valable, sans fondement : *Se tourmenter à plaisir.* ‖ Fam. *Au plaisir (de vous revoir)!*, formule d'adieu. ◆ n. m. pl. Divertissements, agréments de la vie, notamment dans le domaine des sens : *Aimer les plaisirs de la vie.* (⟶ DÉPLAISIR, PLAIRE.)

1. PLAN [plɑ̃] n. m. (lat. *planus*). **1.** Surface unie comme celle d'un liquide au repos : *Si on pose une bille sur un plan bien horizontal, elle reste immobile. Un plan d'eau.* — **2.** *Math.* ⟶ ENCYCL. ◆ **plan, e** adj. Plat, uni, sans inégalité de niveau : *Miroir plan. Surface plane.* ◆ **coplanaire** adj. *Math.* Se dit de points, ou de droites, qui appartiennent à un même plan : *Deux droites sécantes sont coplanaires.* ◆ **demi-plan** n. m. *Math.* Une droite D étant incluse dans un plan P, on appelle *demi-plan* de bord D

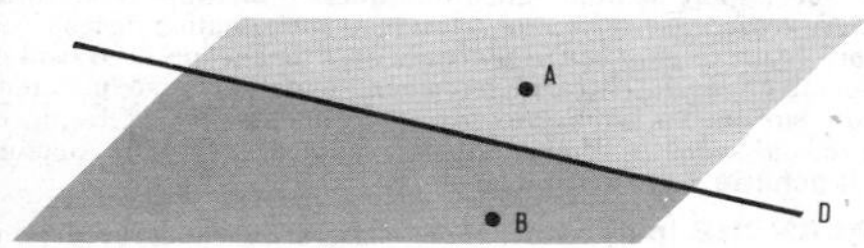

l'ensemble des points de P situés d'un même côté par rapport à D, ou appartenant à D. (Toute droite d'un plan définit deux demi-plans. Si A est un point n'appartenant pas à D, on note [D, A) le demi-plan de bord D contenant A.) ‖ Pl. des *demi-plans*.

— ENCYCL. La notion usuelle de *plan* dans le langage courant sous-entend certaines notions intuitives, comme :
les éléments d'un plan sont des points;
deux points distincts permettent de tracer une droite;
il existe des droites du plan qui n'ont aucun point commun.

On définit des notions précises en mathématiques, qui forment un modèle abstrait de cette notion physique.

■ *Plan affine.* Un plan affine réel P est un ensemble E, dont les éléments sont appelés les *points* du plan, satisfaisant à quatre axiomes* (trois axiomes dits axiomes d'incidence, et l'axiome de Thalès).

Axiomes d'incidence :

• Il existe des sous-ensembles de P, sur chacun desquels on peut définir une structure de droite* affine; on appelle *droite* du plan affine chacun de ces sous-ensembles; les points du plan n'appartiennent pas à une même droite.

• Deux points distincts de P appartiennent à une et une seule droite.

• Étant donnés dans P une droite D quelconque et un point A n'appartenant pas à D, il existe une droite D′ du plan et une seule contenant A et sans point commun avec D.

On déduit de ces axiomes que deux droites du plan :
ou bien n'ont aucun point commun:
ou bien ont un et un seul point commun;
ou bien sont confondues (car deux droites ayant deux points communs sont confondues d'après le 2ᵉ axiome).

Deux droites sont *sécantes* si elles ont un et un seul point commun. Deux droites sont *parallèles* si elles ne sont pas sécantes (si elles sont confondues ou si elles n'ont aucun point commun). Le parallélisme est une relation* d'équivalence dans l'ensemble des droites du plan. La classe d'équivalence d'une droite D (c'est-à-dire l'ensemble de toutes les droites qui lui sont parallèles) s'appelle la *direction* de la droite D.

Soit D et D′ deux droites quelconques du plan P et Δ une direction ne contenant ni D ni D′. On appelle *projection de D sur D′, parallèlement à Δ*, l'application bijective de D sur D′ qui, à un point M de D, associe le point M′ intersection de D′ avec la parallèle à Δ passant par M.

Axiome de Thalès : soient A, B et C trois points de D et A′, B′ et C′ leurs projections sur D′ parallèlement à Δ. On peut énoncer, si A et B sont distincts, que $\frac{\overline{A'C'}}{\overline{A'B'}} = \frac{\overline{AC}}{\overline{AB}}$. L'axiome de Thalès lie les structures affines des droites d'un plan affine puisque, si l'on connaît la structure affine d'une droite particulière, on en déduit, grâce à l'égalité des rapports, la structure affine de toute droite dont on ne connaît que le support.

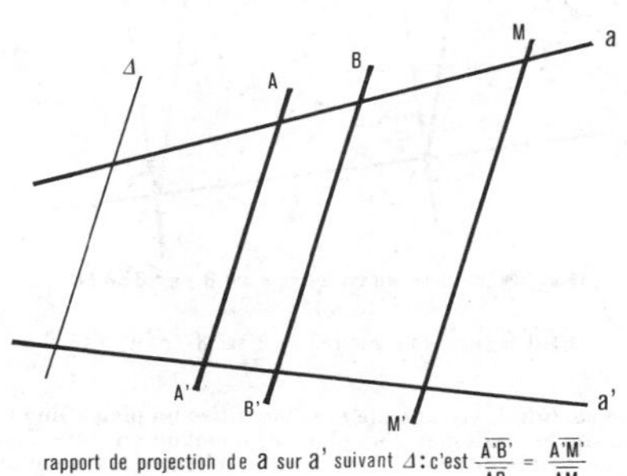

rapport de projection de a sur a′ suivant Δ : c'est $\frac{\overline{A'B'}}{\overline{AB}} = \frac{\overline{A'M'}}{\overline{AM}}$

Soient a et a′ deux axes portés respectivement par deux droites D et D′. Si A et M sont distincts, l'égalité $\frac{\overline{A'M'}}{\overline{A'B'}} = \frac{\overline{AM}}{\overline{AB}}$ provenant de l'axiome de Thalès peut s'écrire $\frac{\overline{A'B'}}{\overline{AB}} = \frac{\overline{A'M'}}{\overline{AM}}$. Pour tout point M de la droite D différent de A, le rapport $\frac{\overline{A'M'}}{\overline{AM}}$ est constant et égal à $\frac{\overline{A'B'}}{\overline{AB}} = a$. Ce rapport ne dépend que des axes considérés, puisqu'il est indépendant du point M considéré, du point A choisi, et des repères particuliers choisis sur les axes. *a* est le *rapport de projection de l'axe* a *sur l'axe* a′, *suivant la direction* Δ. Si a a pour direction Δ, la propriété précédente n'est pas utilisable : par définition, le rapport de projection est alors nul.

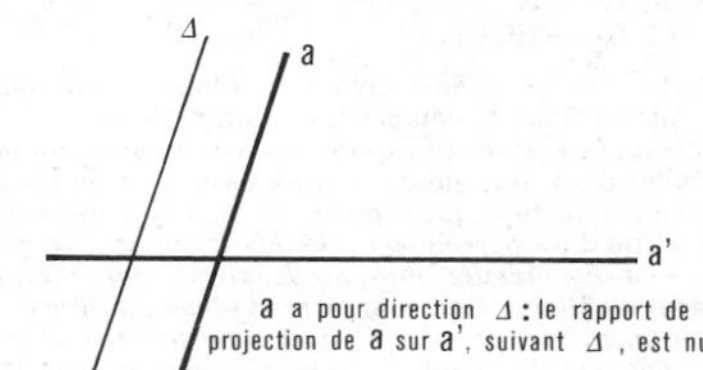

a a pour direction Δ : le rapport de projection de a sur a′, suivant Δ, est nul

On peut définir dans un plan affine P une relation d'orthogonalité* dans l'ensemble des directions du plan qui vérifie :
si la direction *d* est orthogonale à la direction *d′*, alors *d′* est orthogonale à *d*;
quelle que soit la direction *d*, il existe une direction *d′* et une seule qui lui soit orthogonale;
deux directions orthogonales sont toujours distinctes.

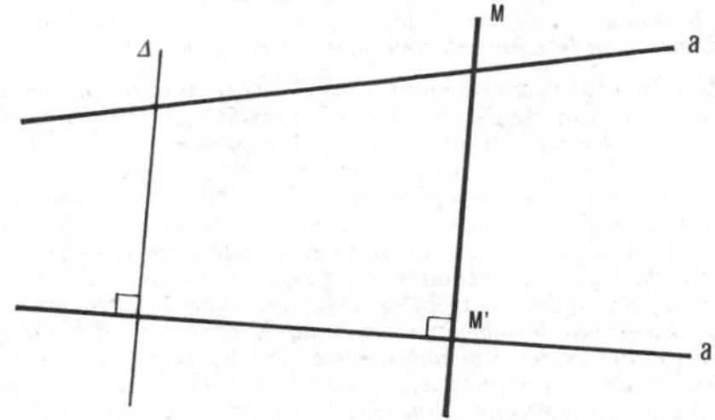

projection orthogonale de a sur a′

Si a et a′ sont deux axes du plan, on appelle *projection orthogonale de* a *sur* a′, la projection de a sur a′, parallèlement à la direction Δ qui est orthogonale à la direction de a′. Le rapport de projection est alors appelé *rapport de projection orthogonale de* a *sur* a'; il se note *r* (a', a).

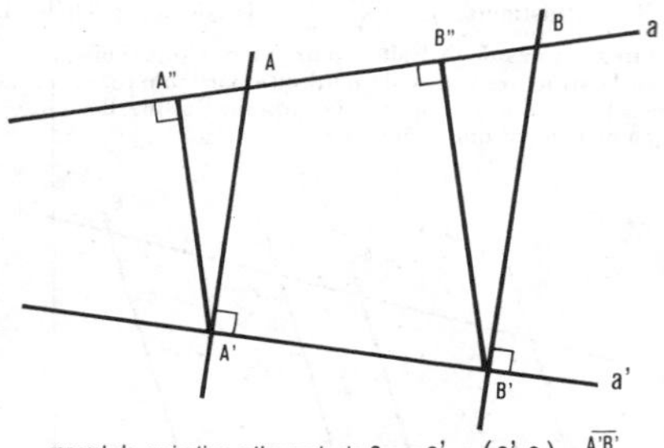

rapport de projection orthogonale de a sur a' $r(a', a) = \frac{\overline{A'B'}}{\overline{AB}}$

rapport de projection orthogonale de a' sur a $r(a, a') = \frac{\overline{A''B''}}{\overline{A'B'}}$

■ *Plan euclidien.* On appelle *plan euclidien* un plan affine P (donc satisfaisant aux axiomes d'un plan affine) tel qu'en outre :
dans l'ensemble des droites du plan a été fixée une relation d'orthogonalité;
chaque droite du plan est munie d'une structure euclidienne (⟶ DROITE* EUCLIDIENNE), chacune de ces droites portant deux axes;
l'orthogonalité et les structures euclidiennes sur les droites sont telles que, quels que soient deux axes a et a', le rapport de projection orthogonale de a sur a' est égal au rapport de projection orthogonal de a' sur a, *r*(a', a) = *r*(a, a').

Distance de deux points dans un plan euclidien. Soient deux points A et B d'un plan euclidien,
s'ils sont confondus, par définition leur distance est nulle;
s'ils sont distincts, ils appartiennent à une droite D (euclidienne); par définition, leur distance dans le plan est égale à leur distance (déjà définie) sur la droite D. (⟶ DROITE* EUCLIDIENNE.)

On note *d* (A, B) la distance de A à B qui est un nombre positif ou nul, et qui vérifie les propriétés d'une distance, à savoir :
$d(A, B) = 0 \Longleftrightarrow A = B$
$d(A, B) = d(B, A)$
$d(A, C) \leqslant d(A, B) + d(B, C)$.

2. PLAN [plɑ̃] n. m. (même étym.). **1.** Éloignement relatif des objets qui entrent dans la composition d'un tableau : *Au premier plan du tableau, la Vierge et l'Enfant; à l'arrière-plan, un paysage.* — **2.** Fragment d'un film qui est tourné en une seule fois. ‖ *Gros plan,* fragment d'un film qui représente un objet particulier, un détail, une partie d'un personnage : *Le héros apparut en gros plan sur l'écran.* — **3.** *Au premier plan, au deuxième plan,* etc., indique un classement d'objets, de personnes ou d'idées par ordre décroissant d'importance. ‖ *De premier plan, de tout premier plan,* se dit d'une personne ou d'une chose remarquable. ◆ **arrière-plan** n. m. **1.** Ce qui, dans la perspective, est le plus éloigné de l'œil du spectateur : *Les montagnes enneigées forment un arrière-plan où se détachent les chalets.* — **2.** Ce qui, dans une situation, reste dans l'ombre, ou a une importance secondaire : *Le projet de traité est passé à l'arrière-plan des préoccupations diplomatiques* (syn. SECOND PLAN). ‖ Pl. des *arrière-plans.*

3. PLAN [plɑ̃] n. m. (même étym.). **1.** Aspect sous lequel on considère quelqu'un ou quelque chose : *C'est une opération désastreuse sur tous les plans* (= à tous les égards). — **2.** *Sur le plan de,* dans le domaine de. ‖ *Sur le même plan* (en parlant de choses, de personnes), sur le même niveau, à un même degré, etc.

4. PLAN [plɑ̃] n. m. (même étym.). **1.** Ensemble de dispositions adoptées en vue de l'exécution d'un projet : *Faire des plans d'avenir.* ‖ *Dresser des plans,* faire des projets. ‖ *Plan de vol,* document rempli par un pilote, avant un voyage, et comportant des indications sur l'itinéraire, l'altitude, le nombre de personnes à bord, etc. — **2.** Ensemble des mesures gouvernementales ayant pour objet l'orientation économique et sociale d'un pays pour une période donnée, ou ensemble de mesures visant à l'expansion d'une région, d'une entreprise : *Le plan de modernisation et d'équipement fixe les objectifs économiques et sociaux des administrations et des entreprises publiques et privées au cours des quatre années suivant sa présentation.* ⟶ ENCYCL. — **3.** Disposition générale d'un ouvrage : *Le plan d'une tragédie.* ◆ **planifier** v. t. Organiser, régler le développement selon un plan : *Planifier la recherche scientifique. L'économie planifiée.* ◆ **planification** n. f. : *La planification détermine des objectifs économiques précis à atteindre dans un délai déterminé et les moyens concertés qui sont mis en œuvre pour y parvenir.* ⟶ ENCYCL. ◆ **planificateur, trice** adj. et n. : *Les mesures planificatrices tendent à assurer le plein-emploi.* ◆ **planning** n. m. **1.** Programme de fabrication dans une entreprise; plan de travail, de production. (L'Administration préconise PROGRAMME.) — **2.** *Planning familial,* contrôle* des naissances.

— ENCYCL. La *planification* est une organisation du volume et de la nature de la production dans un cadre régional, national ou international (par ex. le Comecon). Elle consiste à prévoir les besoins pour une période donnée (production à fournir dans les divers secteurs de la vie économique et sociale), à établir des priorités et à définir les moyens à mettre en œuvre pour atteindre les objectifs fixés. Les méthodes utilisées pour la planification font appel aux sciences économiques, aux mathématiques, à la sociologie, aux statistiques.

On distingue deux sortes de planifications entre lesquelles on trouve des formules intermédiaires : en U. R. S. S. et dans les démocraties populaires, la planification est impérative, un *plan* généralement quinquennal fixant de façon rigide les objectifs à atteindre; en Europe occidentale et notamment en France, la planification est dite indicative ou souple, le plan fournissant principalement les orientations souhaitées.

En France, le *Commissariat général du Plan,* créé en 1946, en accord avec les représentants des secteurs intéressés, détermine les objectifs à atteindre, l'ensemble du plan devant être approuvé par un vote parlementaire qui peut le modifier.

5. PLAN [plɑ̃] n. m. (même étym.). **1.** Dessin représentant un ouvrage en projet ou réalisé : *Acheter un appartement sur plan* (contr. CONSTRUIT, RÉALISÉ). — **2.** Fam. *En plan,* se dit d'une chose restée inachevée ou d'une personne laissée seule, abandonnée.

1. PLANCHE [plɑ̃ʃ] n. f. (bas lat. *planca*). **1.** Pièce de bois sciée, nettement plus large qu'épaisse : *Cabane en planches. Raboter une planche. Planche à repasser.* — **2.** *Planche à voile,* planche pourvue d'une dérive et d'un aileron immergés, et que l'on fait mouvoir sur l'eau à l'aide d'une articulation mât-voile orientable ; sport nautique ainsi pratiqué. — **3.** *Planche de salut,* dernière ressource, moyen de salut dans une situation désespérée. ‖ Fam. *Avoir du pain sur la planche,* avoir beaucoup de travail en perspective. — **4.** *Faire la planche,* en natation, se maintenir étendu sur le dos sans faire de mouvements. ◆ n. f. pl. Le théâtre, la scène : *Monter sur les planches* (= être acteur). ◆ **planchette** n. f. Petite planche.

2. PLANCHE [plɑ̃ʃ] n. f. (même étym.). Ensemble de dessins, d'illustrations, dans un livre : *Une planche de papillons dans un dictionnaire.*

3. PLANCHE [plɑ̃ʃ] n. f. (même étym.). Portion de jardin affectée à une culture spéciale : *Une planche de salades.*

PLANCHER [plɑ̃ʃe] n. m. (de *planche*). **1.** Séparation horizontale entre deux étages d'une maison. — **2.** Face supérieure de cette séparation, constituant le sol d'un appartement : *Couvrir le plancher d'une moquette* (syn. PARQUET). — **3.** Fam. *Débarrasser le plancher,* partir. — **4.** Limite minimale au-dessous de laquelle un prix, un cours ne peut descendre. ◆ **planchéier** v. t. *Planchéier une pièce,* revêtir son sol d'un plancher.

PLANCHETTE n. f. ⟶ PLANCHE 1.

PLANCK (Max), physicien allemand (1858-1947). Pour expliquer les lois du rayonnement, il formula une hypothèse sur la discontinuité de l'énergie et énonça en 1900 la théorie des quanta*, qui est à la base de la physique moderne. (Prix Nobel, 1918.)

PLANCOËT, ch.-l. de cant. des Côtes-d'Armor, à 17 km au N.-O. de Dinan; 2 500 hab.

PLANCTON [plɑ̃ktɔ̃] n. m. (du gr. *plagktos,* errant). Ensemble des êtres aquatiques animaux *(zooplancton)* ou végétaux *(phytoplancton),* généralement minuscules, qui constituent la masse principale de la matière organique dans les océans et les lacs où ils flottent.

PLAN-DE-CUQUES, comm. des Bouches-du-Rhône, à 10 km au N.-E. de Marseille; 8 100 hab.

1. PLANE adj. f. ⟶ PLAN 1.

2. PLANE [plan] n. f. (du lat. *planus,* plan). Outil à lame concave et biseautée, muni de deux poignées, pour dégrossir les pièces de bois.

PLANER [plane] v. i. (du lat. *planus,* qui est de niveau). **1.** (sujet nom désignant un oiseau) Se soutenir dans l'air, sans mouvement apparent; (sujet nom de chose) Flotter dans l'air : *L'aigle plane un moment au-dessus de sa proie. Une épaisse fumée planait dans la pièce.* — **2.** *Son regard plane sur* (*la campagne, la foule,* etc.), il considère de haut, il domine par le regard (littér.). — **3.** (sujet nom de personne) *Planer au-dessus de qqch.,* le dominer par la pensée, perdre le contact avec la réalité : *Il plane au-dessus de ces détails* *de la vie quotidienne.* — **4.** Être au-dessus de, suspendu sur : *Laisser planer un doute.* ◆ **plané, e** adj. *Vol plané,* vol d'un oiseau qui plane; vol d'un avion qui est en mouvement sans l'aide d'un moteur; fam., chute par-dessus un obstacle. ◆ **planeur** n. m. Avion sans moteur, qui vole mû par les courants aériens.

PLANÈTE [planɛt] n. f. (gr. *planêtês,* astre errant). Corps céleste non lumineux par lui-même qui tourne autour du Soleil. ⟶ ENCYCL. ◆ **planétaire** adj. **1.** Relatif aux planètes : *Corps planétaire.* — **2.** Relatif à toute notre planète (la Terre); mondial : *Une guerre planétaire.* ‖ *Système planétaire,* ensemble des planètes qui gravitent autour du Soleil. ◆ **planétarium** n. m. Installation représentant les mouvements des corps célestes sur une voûte. ◆ **interplanétaire** adj. Qui se trouve, a lieu entre les planètes : *Les espaces interplanétaires.* ‖ *Navigation interplanétaire,* syn. d'ASTRONAUTIQUE.

— ENCYCL. Les *planètes* principales actuellement connues sont, dans l'ordre de leurs distances au Soleil : *Mercure, Vénus,* la *Terre, Mars, Jupiter, Saturne, Uranus, Neptune* et *Pluton,* ces trois dernières n'étant visibles qu'à l'aide d'instruments. Sauf Mercure et Vénus, elles sont entourées d'astres secondaires, ou satellites, qui tournent autour d'elles et qu'elles entraînent dans leur révolution autour du Soleil. Leur diamètre apparent ne peut être observé qu'avec des instruments d'optique. Leur aspect, à l'œil nu, est celui d'étoiles d'autant plus brillantes que leur distance à la Terre se trouve plus proche. Ces planètes sont des astres froids, dont le rayonnement propre est infime. Leur température est inversement proportionnelle à la racine carrée de leur distance au Soleil.

PLANEUR n. m. ⟶ PLANER.

PLANÈZE [planɛz] n. f. (mot auvergnat). Plateau de basalte, de forme triangulaire, situé au flanc d'un appareil volcanique, et limité par des vallées qui convergent vers le sommet : *La planèze de Saint-Flour.*

PLANIFICATEUR, TRICE adj. et n., **PLANIFICATION** n. f., **PLANIFIER** v. t. → FLAN 4.

PLANISPHÈRE [planisfɛr] n. m. (du lat. *planus,* plan, et *sphère*). Carte représentant sur un même plan les deux hémisphères célestes ou terrestres.

PLANNING n. m. ⟶ PLAN 4.

PLANORBE [planɔrb] n. f. (du lat. *planus,* plan, et *orbis,* boule). Mollusque gastropode à coquille enroulée dans un plan, vivant dans les eaux douces et calmes.

PLANQUER [plɑ̃ke] v. t. (de *planter*). *Pop.* Mettre à l'abri en cachant : *Planquer de l'argent à l'étranger.* ◆ **se planquer** v. pr. *Pop.* Se mettre à l'abri d'un danger. ◆ **planque** n. f. **1.** *Pop.* Cachette. — **2.** *Pop.* Place où le travail est facile, où l'on est à l'abri des ennuis.

PLANT n. m. ⟶ PLANTE 1.

PLANTAGENÊT, surnom du comte d'Anjou Geoffroi V, employé souvent pour désigner sa descendance, constituée par la lignée des rois d'Angleterre de 1154 à 1485.

PLANTAIN [plɑ̃tɛ̃] n. m. (lat. *plantago*). Plante commune dont la semence sert de nourriture aux petits oiseaux.

PLANTAIRE adj. ⟶ PLANTE 2.

PLANTATION n. f. ⟶ PLANTER.

PLANTAUREL, nom donné aux crêtes qui s'allongent d'E. en O. sur la bordure septentrionale des Pyrénées (Ariège).

1. PLANTE [plɑ̃t] n. f. (de *planter*). Végétal terrestre fixé au sol en un seul point et susceptible d'être repiqué et planté : *Une plante vivace. Les plantes grasses* (comme le cactus). *Des plantes vertes* (= des plantes décoratives toujours vertes). *Des plantes textiles* (comme le lin). *Les plantes fourragères* (comme le trèfle). *Un jardin des plantes* (= un jardin où l'on cultive les plantes pour l'étude de la botanique). ◆ **plant** n. m. **1.** Jeune végétal au début de sa croissance, qui vient d'être planté ou qui est destiné à être repiqué : *Des plants de vigne. Des plants de salade.* — **2.** *Un plant de (carottes, asperges,* etc.), un ensemble de végétaux plantés dans le même endroit. ◆ **plantule** n. f. Jeune plante, en état de vie ralentie, enfermée dans la graine.

2. PLANTE [plɑ̃t] n. f. (même étym.). *Plante des pieds (du pied),* face inférieure du pied de l'homme et des animaux, qui, dans la marche, porte sur le sol. ◆ **plantaire** adj. : *Une verrue plantaire* (= à la plante du pied). ◆ **plantigrade** adj. et n. m. Qui marche sur la plante des pieds, au lieu de marcher seulement sur les doigts : *L'homme, l'ours sont plantigrades.*

PLANTER [plɑ̃te] v. t. (lat. *plantare*). **1.** *Planter un arbre, des légumes,* etc., mettre de jeunes végétaux en terre pour qu'ils prennent racine, pour qu'ils poussent. — **2.** *Planter un lieu,* le garnir d'arbres, de végétaux : *Une avenue plantée d'arbres.* — **3.** *Planter un clou, un pieu,* etc., les enfoncer dans une matière plus ou moins dure, dans le sol, afin de maintenir, de soutenir, etc. — **4.** *Planter une tente, un drapeau,* etc., les installer, les placer de manière qu'ils restent droits, fixés au sol, etc. : *Les campeurs plantèrent leur tente près de la rivière* (syn. DRESSER, MONTER). *Planter des décors* (= les installer). — **5.** (sujet nom de personne) *Rester planté devant une vitrine* (= immobile). ‖ *Planter son regard, ses yeux sur qq'un,* les fixer avec insistance. — **6.** Fam. *Planter là qq'un,* le quitter brusquement. ‖ *Planter là qqch.,* l'abandonner, cesser d'agir (syn. fam. LAISSER TOMBER, PLAQUER). ◆ **se planter** v. pr. **1.** Se fixer : *La balle vint se planter au milieu de la cible. Les arbres se plantent à l'automne.* — **2.** Se tenir immobile et debout : *Il se planta à l'écart pour observer la scène.* ◆ **plantation** n. f. **1.** Action de planter : *La plantation d'arbres. La plantation des décors.* — **2.** Ensemble de végétaux plantés en un endroit : *La grêle a détruit les plantations* (syn. CULTURE). — **3.** Exploitation agricole où l'on cultive des produits tropicaux : *Les plantations de canne à sucre.* ◆ **planté, e** adj. Qui croît d'une certaine façon : *Avoir les dents bien plantées* (= bien droites). ◆ **planteur** n. m. Propriétaire d'une plantation (sens 3). ◆ **plantoir** n. m. Outil dont se servent les jardiniers pour planter les légumes, etc. ◆ **déplanter** v. t. *Déplanter un arbre, un rosier,* etc., l'extraire du sol en vue de le replanter ailleurs (syn. DÉPIQUER). ◆ **replanter** v. t. Planter de nouveau (syn. REPIQUER).

PLANTIGRADE adj. et n. m. ⟶ PLANTE 2.

PLANTIN (Christophe), imprimeur français (v. 1520-1589). Il entreprit pour Philippe II l'édition scientifique des textes bibliques *(Biblia poliglotta).* Les très nombreux ouvrages qu'il publia le font considérer comme le premier des grands éditeurs industriels.

PLANTOIR n. m. ⟶ PLANTER.

PLANTON [plɑ̃tɔ̃] n. m. (de *plant*). **1.** Soldat assurant des liaisons entre divers services : *Le planton dépêcha les ordres du colonel.* — **2.** *Faire le planton,* attendre debout un long moment.

PLANTULE n. f. → PLANTE 1.

PLANTUREUX, EUSE [plɑ̃tyrø, -øz] adj. (de l'anc. fr. *plenté,* abondance). **1.** *Repas plantureux,* d'une grande abondance (syn. ↓COPIEUX). — **2.** *Fam.* Se dit d'une femme bien en chair, aux formes proéminentes. — **3.** *Région, terre plantureuse,* où les récoltes sont abondantes. ◆ **plantureusement** adv. En abondance (surtout sens 1 de l'adj.).

1. PLAQUE [plak] n. f. (de l'anc. néerl. *placken,* coller). **1.** Tablette, feuille large et peu épaisse d'une matière rigide : *Une plaque de cuivre. La plaque de marbre de la cheminée.* — **2.** Objet ayant la forme, l'aspect d'une plaque : *Plaque d'égout* (= couvercle au-dessus de l'entrée d'un égout). *Plaque de four. Plaque de blindage.* ‖ *Plaque tournante,* plate-forme servant à faire passer d'une voie à une autre des wagons, des locomotives, etc.; lieu d'où partent diverses voies, où s'ouvrent plusieurs possibilités : *Francfort est une des plaques tournantes du trafic aérien* (syn. CARREFOUR, CENTRE). — **3.** Une des électrodes du tube électronique, portée à un potentiel positif et servant à recueillir les électrons émis par la cathode. — **4.** Lamelle de peau, de sang coagulé, surface couverte d'excoriations, de boutons : *Des plaques d'eczéma.* — **5.** *Plaque dentaire,* substance visqueuse et collante qui se constitue à la surface des dents. ◆ **plaquer** v. t. Appliquer une feuille d'une matière rigide sur quelque chose : *Plaquer du métal sur du bois.* ◆ **plaqué, e** adj. Se dit d'un objet que l'on a recouvert d'une feuille de métal précieux : *Montre plaquée or* (= plaquée avec de l'or, recouverte d'une feuille d'or). ◆ **plaqué** n. m. Métal commun recouvert d'une feuille d'or ou d'argent : *Bijoux en plaqué.* ◆ **placage** [plakaʒ] n. m. Revêtement en bois précieux de la surface de certains meubles : *Un placage en acajou.* ◆ **plaquette** n. f. : *Une plaquette de chocolat.*

2. PLAQUE [plak] n. f. (même étym.). **1.** Pièce de métal qui porte diverses indications (identité, numéro signalétique, etc.) : *Plaque d'immatriculation* (= qui porte le numéro d'immatriculation d'une voiture). *Plaque d'identité.* — **2.** Insigne des hauts grades de certains ordres : *La plaque de grand officier de la Légion d'honneur.* ◆ **plaquette** n. f. Petite plaque métallique frappée en l'honneur d'un personnage : *Plaquette commémorative.*

3. PLAQUE [plak] n. f. (de *plaque* 1). *Tectonique des plaques,* théorie géophysique selon laquelle l'enveloppe externe de la Terre est constituée par des plaques rigides (lithosphère), de 100 à 150 km d'épaisseur, se déplaçant sur une zone partiellement fondue (asthénosphère) au sein de laquelle se produisent des mouvements de convection. (Le déplacement relatif des plaques permet d'expliquer les rides médio-océaniques, la dérive des continents, les fosses océaniques, l'érection des chaînes de montagnes et la distribution des zones volcaniques et séismiques à la surface du globe. En effet, les plaques se forment aux rides, se déplacent latéralement, entraînant avec elles les continents qui en font partie intégrante, et entrent en contact au niveau des fosses où l'une passe sous l'autre. Ces zones de contact sont le siège d'éruptions

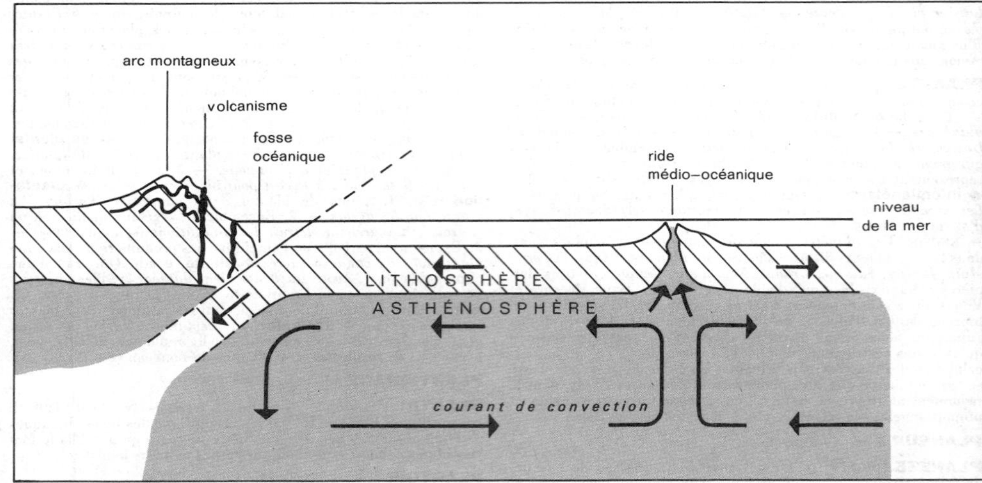

volcaniques et de tremblements de terre, et c'est là que s'édifient les chaînes de montagnes.) → illustration ci-dessus.

PLAQUÉ, E adj. et n. m. → PLAQUE 1.

PLAQUEMINIER [plakminje] n. m. (mot créole). Arbre ou arbuste des régions chaudes, voisin de l'ébénier, et dont une espèce, originaire d'Asie, fournit un fruit comestible appelé *plaquemine, kaki* ou *figue caque*. (Famille des ébénacées.) ◆ **plaquemine** n. f. Fruit du plaqueminier.

1. PLAQUER [plake] v. t. (anc. néerl. *placken*, coller). **1.** *Plaquer qqch.*, l'appliquer étroitement, en aplatissant : *Plaquer ses cheveux sur son front* (syn. COLLER). — **2.** Mus. *Plaquer un accord*, jouer simultanément toutes les notes d'un accord et les lâcher de même.

2. PLAQUER [plake] v. t. (même étym.). Au rugby, faire tomber un adversaire, pour lui prendre le ballon, en lui saisissant les jambes. ◆ **placage** [plakaʒ] n. m. : *Faire un placage.*

3. PLAQUER [plake] v. t. (même étym.). Pop. *Plaquer qq'un, qqch.*, l'abandonner soudain (syn. fam. LAISSER TOMBER).

4. PLAQUER v. t. → PLAQUE 1.

1. PLAQUETTE n. f. → PLAQUE 1 et 2.

2. PLAQUETTE [plakɛt] n. f. (de *plaque*). Petit livre de peu d'épaisseur : *Il a écrit quelques plaquettes de vers dans sa jeunesse.*

3. PLAQUETTE [plakɛt] n. f. (même étym.). *Plaquette sanguine*, élément figuré du sang, intervenant dans sa coagulation (syn. THROMBOCYTE).

PLASMA [plasma] n. m. (mot gr. signif. *ouvrage façonné*). **1.** Liquide clair où baignent les globules du sang et de la lymphe. — **2.** *Phys.* Nom donné aux gaz ionisés, obtenus à très haute température. — **3.** *Phys.* Milieu gazeux ionisé dans lequel les concentrations d'électrons libres et d'ions sont sensiblement égales, d'où résulte une charge spatiale presque nulle.

PLASMODIUM [plasmɔdjɔm] n. m. (de *plasma*). Syn. d'HÉMATOZOAIRE.

PLASTE [plast] n. m. (du gr. *plassein*, façonner). Corpuscule cellulaire propre aux végétaux et formant des grains dans le cytoplasme des cellules. (On distingue les *chloroplastes* ou grains de chlorophylle des parties vertes des plantes, les *amyloplastes* ou grains d'amidon des organes de réserve, les *chromoplastes* ou grains diversement colorés.)

PLASTIC [plastik] n. m. (mot angl. signif. *plastique*). Nom donné à l'explosif plastique. ◆ **plastique** adj. Se dit d'un explosif qui a la consistance du mastic et qui a besoin pour exploser d'un détonateur. ◆ **plasticage** ou **plastiquage** n. m. Action de se livrer à des attentats au plastic. ◆ **plastiquer** v. t. Détruire ou endommager par une explosion au plastic. ◆ **plastiqueur** n. m. Celui qui se livre à des attentats au plastic.

1. PLASTIQUE [plastik] adj. (gr. *plastikos*, qui concerne le modelage). **1.** Se dit de corps qui peuvent être façonnés, modelés, et qui conservent la forme qu'on leur donne : *Argile plastique.* — **2.** *Arts plastiques*, ensemble des arts du dessin, y compris la peinture, la sculpture et l'architecture. ◆ n. f. **1.** Modelage d'une substance molle telle que l'argile, la cire. — **2.** Toute espèce de sculpture : *La plastique grecque.* — **3.** Au XXe s., nom donné à l'effet esthétique de formes considérées en elles-mêmes : *La belle plastique d'un athlète.* — **4.** Ensemble des formes d'une personne : *Danseuse d'une plastique irréprochable.* ◆ **plasticité** n. f. Propriété d'un corps qui peut recevoir différentes formes.

2. PLASTIQUE [plastik] adj. (même étym.). *Matière plastique*, matière synthétique, que l'on peut transformer à volonté par un procédé de moulage, de formage, etc., en général à chaud et sous pression : *Un stylo en matière plastique.* ◆ n. m. Syn. de MATIÈRE PLASTIQUE. ◆ **plastifier** v. t. Ajouter à une matière un produit liquide ou solide pour qu'elle soit plus extensible.

3. PLASTIQUE adj. → PLASTIC.

PLASTIQUER v. t., **PLASTIQUEUR** n. m. → PLASTIC.

PLASTRON [plastrɔ̃] n. m. (it. *piastrone*, haubert). **1.** *Plastron d'une chemise*, le devant (empesé ou souple) d'une chemise. — **2.** Pièce de cuir ou de toile rembourrée que les escrimeurs mettent pour se protéger.

PLASTRONNER [plastrɔne] v. i. (de *plastron*). Avoir une attitude fière, en bombant le torse; faire l'avantageux : *Se sentant admiré, il plastronnait devant les invités* (syn. PARADER).

1. PLAT, E [pla, plat] adj. (bas lat. *plattus*) [le plus souvent après le nom]. **1.** Se dit d'une chose dont la surface est unie, qui manque de relief : *Terrain plat* (syn. HORIZONTAL, UNI). ‖ *Assiette plate*, dont la concavité est faible (contr. CREUX). ‖ *Pied plat*, pied dont la voûte plantaire est affaissée, trop large et trop aplatie. — **2.** Se dit d'une chose peu élevée : *Chaussure à talon plat* (contr. HAUT). — **3.** *À plat ventre*, étendu de tout son long sur le sol, le visage tourné vers la terre. ‖ Fam. *Se mettre à plat ventre devant qq'un*, se montrer servile à son égard (syn. S'APLATIR, RAMPER; fam. S'ÉCRASER). — LOC. ADV. et ADJ. *À plat*, sur la surface large : *Poser, mettre qqch. à plat* (syn. HORIZONTALEMENT). ‖ *Tomber à plat*, ne trouver aucun écho : *Sa remarque tomba à plat dans le brouhaha.* ‖ *Pneu à plat*, pneu dégonflé entièrement. ‖ *Rouler à plat*, rouler avec un véhicule dont les pneus sont à plat. ‖ (sujet nom de personne) Fam. *Être à plat*, n'être pas en bonne forme, par suite de fatigue, de maladie. ◆ n. m. Partie plate de quelque chose : *Le plat d'un sabre. Ce cheval fait une course de plat* (= sur un terrain plat). ‖ *Plat de côtes* (ou *plates côtes*), partie du bœuf qui comprend les côtes prises dans le milieu de leur longueur et les muscles. ‖ *Plat de la main*, paume de la main dont les doigts sont étendus. ◆ **aplatir** [aplatir] v. t. **1.** *Aplatir qqch.*, le rendre plat ou le briser par un choc : *Aplatir une tige de fer à coups de marteau. Aplatir sa voiture contre un platane* (syn. ÉCRASER). — **2.** Fam. *Aplatir qq'un*, le vaincre, le réduire au silence, à néant par la force. ◆ ***s'aplatir*** v. pr. **1.** (sujet nom d'être animé) Allonger son corps sur le sol : *S'aplatir derrière une haie* (syn. SE

PLAQUER). — **2.** (sujet nom de chose) Heurter avec violence, s'écraser : *L'auto vint s'aplatir contre le mur.* ◆ **aplatissement** n. m. : *L'aplatissement de la Terre aux deux pôles;* et fam. : *L'aplatissement des armées ennemies* (syn. DÉROUTE, ÉCRASEMENT).

2. PLAT, E [pla, plat] adj. (même étym.) [peut se placer avant le nom]. **1.** Se dit d'une personne qui manque de caractère, de personnalité, ou d'une chose qui manque d'attrait, d'élégance, de saveur : *Un plat personnage. Une comédie plate* (syn. BANAL, ↑FADE). ‖ *Eau plate*, eau non gazeuse. ‖ *Rimes plates* ou *suivies*, nom donné aux rimes quand deux rimes masculines alternent constamment avec deux rimes féminines. — **2.** *Faire de plates excuses*, faire des excuses veules, humiliantes. — **3.** *Calme plat*, état où rien de notable ne se produit : *Les affaires, la Bourse sont dans un calme plat.* ◆ n. m. Fam. *Faire du plat à qq'un*, le flatter. ◆ **platement** adv. : *Un texte platement traduit. S'exprimer platement* (= sans originalité, d'une manière banale). ◆ **platitude** n. f. **1.** Absence d'originalité, d'imprévu : *La platitude de son existence lui pesait* (syn. MÉDIOCRITÉ). *La platitude d'une œuvre musicale* (syn. BANALITÉ). — **2.** Parole, acte sans originalité : *Dire des platitudes* (syn. BANALITÉ, FADAISE). — **3.** Humilité excessive, manque de dignité : *La platitude de ce courtisan dépassait les bornes* (syn. AVILISSEMENT, BASSESSE). ◆ **aplatir (s')** v. pr. Fam. *S'aplatir devant qq'un*, s'humilier devant lui. ◆ **aplatissement** n. m. Syn. de PLATITUDE (sens 3).

3. PLAT [pla] n. m. (de *plat* 1). **1.** Pièce de vaisselle de table plus grande et plus creuse qu'une assiette. — **2.** Contenu d'un plat : *Manger un plat froid.* — **3.** Chacun des éléments d'un menu : *Le premier, le deuxième plat.* — **4.** Fam. *En faire tout un plat*, donner une importance exagérée à quelque chose. ‖ Fam. *Mettre les petits plats dans les grands*, servir un repas soigné, cérémonieux, qui impressionne les invités. ◆ **platée** n. f. Ce que contient un plat : *Une platée de pâtes.*

PLATA *(Río de la)*, large estuaire de l'Amérique méridionale, formé par les fleuves Paraná et Uruguay, séparant l'Argentine de l'Uruguay et sur les rives duquel sont établies Buenos Aires et Montevideo.

PLATA (La), v. de l'Argentine, ch.-l. de la province de Buenos Aires, près du *Río de La Plata;* 408 300 hab. Raffinage du pétrole. Conserveries de viande.

PLATA (La), v. de la Bolivie. (→ SUCRE.)

PLATANE [platan] n. m. (gr. *platanos*). Arbre dont l'écorce se détache par plaques et dont les petits fruits sont groupés en boules brunes pendantes, souvent planté en France le long des avenues, des routes. (Haut. jusqu'à 40 m; longévité 500 à 2 000 ans.)

1. PLATEAU [plato] n. m. (de *plat*). **1.** Support plat, servant à présenter les boissons, transporter des aliments, de la vaisselle, etc. — **2.** Disque d'une balance recevant les poids ou matières à peser. — **3.** Scène d'un théâtre; surface où sont plantés les décors d'un film et où évoluent les acteurs. — **4.** Pièce circulaire rotative, en métal recouvert d'une protection, sur laquelle on place le disque dans un tourne-disque. — **5.** *Plateau d'embrayage*, pièce circulaire sur laquelle prend appui le disque d'embrayage d'une automobile.

2. PLATEAU [plato] n. m. (même étym.). *Géogr.* **1.** Surface peu accidentée, mais entaillée de vallées encaissées, ce qui suppose une certaine altitude au-dessus du niveau de la mer : *Les plateaux de Picardie.* — **2.** *Plateau continental*, zone marine bordant les continents, d'une profondeur généralement inférieure à 200 m (syn. PLATE-FORME LITTORALE).

PLATEAU CENTRAL, nom souvent donné autrefois au MASSIF CENTRAL.

PLATE-BANDE [platbɑ̃d] n. f. (de *plat*, et *bande*). **1.** Espace de terre étroit entourant un carré de jardin, et destiné à recevoir des arbustes, des fleurs, etc. — **2.** Fam. *Marcher sur les plates-bandes de qq'un*, empiéter sur ses attributions.

PLATÉE n. f. → PLAT 3.

PLATÉES, anc. v. de Béotie (Grèce).

• *479 av. J.-C. Les Perses y sont vaincus par les Grecs d'Aristide et de Pausanias.*

1. PLATE-FORME [platfɔrm] n. f. (de *plat*, et *forme*). **1.** Partie d'un véhicule de transport en commun, généralement découverte, où les voyageurs peuvent se tenir debout : *La plate-forme d'un autobus.* — **2.** *Géogr.* Type de structure caractérisée par de légères déformations des couches (donc à faible pendage). ‖ *Plate-forme continentale* ou *littorale*, syn. de PLATEAU* CONTINENTAL. ‖ *Plate-forme structurale*, dans une région de structure géologique concordante*, surface due au dégagement d'une couche dure par déblaiement de la couche tendre supérieure. ‖ Pl. des *plates-formes.*

2. PLATE-FORME [platfɔrm] n. f. (angl. *platform*). Ensemble des idées sur lesquelles des syndicats, des partis s'appuient pour former un programme commune : *Une plate-forme revendicative commune.* ‖ Pl. *des plates-formes.*

PLATEMENT adv. → PLAT 2.

PLATHELMINTHES [platɛlmɛ̃t] n. m. pl. (du gr. *platus*, large, et *helmins*, ver). Embranchement du règne animal comprenant des vers à corps aplati, appelés aussi PLATODES. (On les divise en trois classes : turbellariés [*planaire*], trématodes [*douve*], cestodes [*ténia*].)

1. PLATINE [platin] n. f. (esp. *platina*). **1.** Autref., plaque reliant toutes les pièces concourant au départ du coup dans une arme à feu portative : *Platine à silex, à percussion;* ensemble de ces pièces. — **2.** Plaque qui soutient toutes les pièces du mouvement d'une montre. — **3.** Plaque de métal percée pour le passage de la clef d'une serrure, de l'aiguille d'une machine à coudre. — **4.** Lame mince sur laquelle est placé l'objet, dans un microscope. — **5.** Dans un tourne-disque, ensemble constitué par le plateau, sur lequel le disque est placé, le moteur qui l'actionne et le bras, muni de la tête de lecture.

2. PLATINE [platin] n. m. (même étym.). Métal précieux d'un blanc gris, très dense et inoxydable. → ENCYCL. ‖ *Mousse de platine*, masse grise, spongieuse, que l'on obtient dans la préparation du platine. ◆ **platiné, e** adj. **1.** *Cheveux blond platiné*, dont la couleur blonde est comparable à celle du platine. — **2.** *Vis platinée*, pièce de l'allumage d'une automobile.

— ENCYCL. Le *platine* (Pt), que l'on trouve allié à d'autres métaux dans des sables produits par la désagrégation de roches anciennes, est un métal assez dur, ductile, malléable, très tenace, de densité 21,5, et fondant à 1 775 °C. Il ne s'oxyde à aucune température et résiste à l'action de nombreux acides. Le platine pur est utilisé pour la confection de matériel de laboratoire et d'industrie chimique (creusets, électrodes). Ses alliages sont employés en bijouterie, joaillerie, chirurgie, matériel électrique, etc.

PLATITUDE n. f. → PLAT 2.

PLATODES n. m. pl. Syn. de PLATHELMINTHES.

PLATON, philosophe grec (428-v. 347 av. J.-C.). La condamnation de son maître, Socrate, le bouleverse et l'amène à poser le plus rigoureusement possible l'idée du Bien, qui empêchera une cité de condamner à mort les hommes les plus justes. Cela le conduit à distinguer l' « opinion » (qui correspond aux apparences) de la science (qui est mathématique), à s'interroger sur les principes de la connaissance nécessaire d'un ordre politique rationnel et juste. Cette connaissance passe par l'idée que le Mal ne provient que de l'ignorance des hommes (« Nul n'est méchant volontairement ») et qu'à la seule idée du Bien, fin suprême de l'homme, se subordonne toute valeur morale ou scientifique. Dès lors que l'homme connaît le Bien, il le veut. Il est ainsi capable d'en réaliser l'image dans sa vie individuelle et dans le gouvernement de la cité.

L'œuvre de Platon se caractérise par sa forme (ce sont des dialogues : *Ménon, la République, le Parménide, le Banquet, le Politique, les Lois*) et par sa méthode (il présente ses idées au moyen de mythes [mythe de la caverne] et amène son interlocuteur à découvrir par lui-même la vérité d'un problème).

PLATONICIEN, ENNE [platɔnisjɛ̃, -ɛn] adj. (de *Platon*). Qui a rapport à la philosophie de Platon. ◆ n. Partisan de cette doctrine. ◆ **platonisme** n. m. Doctrine philosophique issue de celle de Platon.

PLATONIQUE [platɔnik] adj. (lat. *platonicus*). **1.** Se dit, par allus. à la philosophie idéaliste de Platon, d'un amour, d'une passion chaste. — **2.** Qui reste sans effet : *Protestation platonique.*

PLÂTRE [plɑtr] n. m. (du gr. *emplastron*, modelé). **1.** Substance blanche et pulvérulente, obtenue par déshydratation partielle du gypse à la chaleur. (Mélangé à l'eau, le *plâtre* fait prise en formant une masse à la fois solide et tendre. On utilise cette propriété pour la reproduction de sculptures, l'immobilisation des membres fracturés, dans la construction, etc.) — **2.** Fam. *Battre qq'un comme plâtre*, le battre violemment. ‖ *Essuyer les plâtres*, pénétrer le premier dans un bâtiment neuf; et fam., subir les inconvénients d'une nouveauté encore insuffisamment au point, dont on est un des premiers utilisateurs. — **3.** Objet en plâtre (statue, motif décoratif, etc.) : *Avoir un plâtre sur la cheminée de son salon.* — **4.** Appareil destiné à immobiliser les parties d'un membre cassé, et consistant en un moulage de plâtre fait sur ce membre. ‖ *Être dans le plâtre*, avoir un membre ou une partie du corps immobilisés par cet appareil. ◆ **plâtrer** v. t. **1.** Couvrir de plâtre : *Plâtrer un mur.* — **2.** *Plâtrer un membre*, le mettre dans le plâtre, l'immobiliser par un appareil. ◆ **plâtrage** n. m. ◆ **plâtras** n. m. pl. Débris de matériaux de construction. ◆ **plâtrier** n. m. Ouvrier du bâtiment qui procède au plâtrage des murs et des plafonds. ◆ **déplâtrer** v. t. *Déplâtrer un membre*, ôter le plâtre dans lequel on l'avait immobilisé après une fracture. ‖ *Déplâtrer* *qq'un*, lui ôter son plâtre. ◆ **déplâtrage** n. m. ◆ **replâtrer** v. t. **1.** Enduire de nouveau avec du plâtre : *Replâtrer un mur.* — **2.** *Fam.* Remanier d'une manière sommaire. ◆ **replâtrage** n. m. **1.** Réparation superficielle faite avec du plâtre. — **2.** *Fam.* Remaniement superficiel et précaire.

PLAUSIBLE [plozibl] adj. (du lat. *plaudere*, applaudir). Se dit d'une chose qui mérite d'être prise en considération, d'être considérée comme vraie : *Ses excuses sont plausibles* (syn. ADMISSIBLE, VALABLE). *L'hypothèse est plausible* (syn. VRAISEMBLABLE).

PLAUTE, poète comique latin (254-184 av. J.-C.). Il a adapté au public romain des comédies imitées des Grecs : *Amphitryon, Aulularia, les Ménechmes, le Soldat fanfaron, le Carthaginois, le Fantôme.*

PLAY-BACK [plɛbak] n. m. (mot angl.). À la télévision, procédé qui consiste à séparer la réalisation du son et celle de l'image : *Chanter en play-back* (= faire semblant d'interpréter en direct une chanson dont le son a été préalablement enregistré). [L'Administration préconise le terme SURJEU.]

PLAY-BOY [plɛbɔj] n. m. (mot angl. signif. *viveur*). Homme élégant, au physique avantageux, qui recherche les succès féminins et la vie facile. ‖ Pl. des *play-boys.*

PLÈBE [plɛb] n. f. (lat. *plebs*). **1.** *Antiq. rom.* Classe populaire de la société romaine (par oppos. au PATRICIAT). — **2.** Péjor. *La plèbe*, le bas peuple (littér.). ◆ **plébéien, enne** n. **1.** De la plèbe (par oppos. à PATRICIEN). — **2.** Homme, femme du peuple.

PLÉBISCITE [plebisit] n. m. (lat. *plebiscitum*). **1.** À Rome, nom donné aux décisions prises, sur la proposition d'un tribun, par la plèbe, et qui acquirent force de véritable loi en 287-286 av. J.-C. — **2.** Procédé de démocratie directe qui consiste, pour un homme d'État, à demander au peuple sa confiance, et par lequel celui-ci vote par « oui » ou par « non » : *Le plébiscite de 1851 a légalisé le coup d'État de Louis Napoléon Bonaparte.* ⟶ ENCYCL. ◆ **plébisciter** v. t. **1.** Approuver par un plébiscite. — **2.** Élire à une forte majorité.
— ENCYCL. Le *plébiscite*, vote sur un homme, sur un nom, est différent du *référendum*, vote sur un problème, sur un texte. Mais les deux termes (qui, en Suisse, sont synonymes) sont souvent confondus : les votes des nations sur leur indépendance ou leurs frontières sont parfois à tort appelés plébiscites; ce sont en fait des référendums. (⟶ RÉFÉRENDUM.)

PLECTRE [plɛktr] n. m. (gr. *plektron*). Syn. de MÉDIATOR.

PLÉIADE [plejad] n. f. (du gr. *Pleias*, une des constellations). Groupe d'écrivains, d'artistes, de célébrités : *Une pléiade de jeunes talents.*

Pléiade, nom donné plusieurs fois, au cours de l'histoire de la poésie, à des écoles groupant sept poètes, et en particulier au groupe formé par Ronsard et ses six amis : du Bellay, Rémy Belleau, Jodelle, Dorat, Baïf et Pontus de Tyard.

PLÉIADES. *Myth. gr.* Les sept filles d'Atlas et de Pléion, qui, après leur suicide, furent changées en étoiles.

PLEIN, E [plɛ̃, -ɛn] adj. (lat. *plenus*). **1.** (avant ou plus souvent après le nom) Se dit d'une chose qui contient tout ce qu'elle peut contenir : *La valise est pleine, on ne peut rien ajouter* (contr. VIDE). *Le théâtre est plein* (syn. ↑COMBLE). ‖ *À plein(s)*, suivi d'un nom, indique l'abondance, l'intensité : *L'argent coulait à pleins bords* (= était dépensé avec largesse). *Ça sent le tabac à plein nez* (= fortement). *Crier à pleine gorge* (= de toutes ses forces). *Prendre qqch. à pleines mains* (= en le tenant franchement, fermement). — **2.** *Plein de*, se dit de ce qui contient en grande quantité des choses ou des êtres animés : *Un devoir plein de fautes* (syn. BOURRÉ, REMPLI). — **3.** *Plein de*, se dit de quelqu'un qui possède à un degré élevé une qualité, un trait de caractère, etc. : *Il est plein de bonne volonté* (syn. REMPLI). — **4.** Se dit d'une chose dont toute la masse est occupée par la matière : *Une paroi pleine* (contr. AJOURÉ, CREUX). *Une porte pleine* (par oppos. à *porte vitrée*). ‖ *Joues pleines*, joues bien rebondies. ‖ *Visage plein*, bien en chair. — **5.** Se dit d'une femelle qui porte des petits : *Une chatte pleine.* — **6.** Se dit d'une chose qui est complètement ce qu'elle est censée être, qui est portée à son maximum : *Donner pleine satisfaction* (syn. ENTIER, TOTAL). *Travailler à plein temps* (= pendant toutes les heures normales de travail, par oppos. à *temps partiel, mi-temps*). *Moteur qui tourne à plein régime. En plein jour, en pleine nuit* (= quand le jour, la nuit sont bien établis). *En plein soleil, en plein hiver* (= au plus fort du soleil, de l'hiver). *Vivre en plein air* (= à l'air libre). — **7.** *Pleine mer*, partie de la mer au large des côtes. ‖ *Plein pouvoir*, liberté d'agir. ‖ *Pleins pouvoirs*, délégation temporaire du pouvoir législatif accordée par le Parlement à un gouvernement; habilitation à négocier et à conclure un traité. ◆ n. m. **1.** *Faire le plein*, remplir entièrement un réservoir d'essence : *L'automobiliste fit le plein avant de partir.* — **2.** *Faire des pleins et des déliés*, en écriture manuscrite, tracer des traits appuyés et des traits plus fins. — **3.** *Battre son plein*, en parlant d'une fête, d'une manifestation, être au moment où il y a le plus d'animation, de bruit. — LOC. ADV. *À plein*, entièrement, totalement : *L'argument a porté à plein.* ‖ *Voiture, train*, etc., *qui roule à plein*, dont toutes les places sont occupées par des passagers, des marchandises (contr. À VIDE). ‖ *En plein*, précise une localisation : *Il s'est arrêté en plein au milieu de la chaussée* (syn. EXACTEMENT). *Marcher en plein dans la boue.* ◆ prép. et adv. Indique une grande quantité : *Il a des bonbons plein les poches. Je vous prêterai des livres, j'en ai plein* (syn. BEAUCOUP). ‖ Fam. *En avoir plein le dos*, être excédé. ‖ Fam. *En mettre plein la vue à qq'un*, l'impressionner fortement, l'éblouir. ◆ **pleinement** adv. Sens 6 de l'adj. : *Je suis pleinement satisfait de cette voiture* (syn. TOTALEMENT). *Je vous approuve pleinement* (syn. ENTIÈREMENT, SANS RÉSERVE). ◆ **plénier, ère** adj. **1.** *Assemblée, réunion plénière*, où tous les membres prévus sont présents. ‖ *Cour plénière*, assemblée que tenaient les souverains au Moyen Âge, dans des circonstances solennelles. — **2.** *Indulgence plénière*, rémission pleine et entière de toutes les peines dues aux péchés. ◆ **plénitude** n. f. Totalité, intégralité (surtout au sens 6 de l'adj.) : *Un vieillard qui a conservé la plénitude de ses facultés intellectuelles.*

PLEIN-EMPLOI ou **PLEIN EMPLOI** [plɛnɑ̃plwa] n. m. *(plein*, et *emploi)*. Situation réalisée lorsque la totalité de la main-d'œuvre disponible d'un pays a la possibilité de trouver un emploi (contr. CHÔMAGE, SOUS-EMPLOI).

PLEIN-TEMPS [plɛ̃tɑ̃] adj. inv. *(plein*, et *temps)*. Se dit du personnel hospitalier qui consacre tout son temps de travail à un service, et n'a pas de clientèle privée hors de l'hôpital : *Médecin plein-temps.*

PLÉISTOCÈNE [pleistɔsɛn] n. m. (du gr. *pleistos*, beaucoup, et *kainos*, nouveau). Première période — la plus longue — de l'ère quaternaire, correspondant à l'âge de la pierre taillée, ou paléolithique.

PLEKHANOV (Gheorghi Valentinovitch), philosophe russe (1856-1918). Théoricien du socialisme, il participe à la fondation de la IIe Internationale*.

- *1900. Il fonde avec Lénine l' « Iskra ».*

Mais, après 1903, il prend le parti des mencheviks.

- *1917. Rentré en Russie, il condamne la prise du pouvoir par les bolcheviks.*

PLÉNEUF-VAL-ANDRÉ, ch.-l. de cant. des Côtes-d'Armor, à 16,5 km au N. de Lamballe; 3 800 hab. Station balnéaire au *Val-André.* Gisement préhistorique.

PLÉNIER, ÈRE adj. ⟶ PLEIN.

PLÉNIPOTENTIAIRE [plenipɔtɑ̃sjɛr] n. m. et adj. (du lat. *plenus*, plein, et *potentia*, puissance). Agent diplomatique muni des pleins pouvoirs : *Le gouvernement envoya des plénipotentiaires discuter des conditions d'armistice.*

PLÉNITUDE n. f. ⟶ PLEIN.

PLÉNUM [plenɔm] n. m. (mot lat. signif. *plein*). Assemblée où tous les membres prévus sont présents : *Le plénum du Comité central du parti communiste de l'U. R. S. S.*

PLÉONASME [pleɔnasm] n. m. (gr. *pleonasmos*, surabondance). Expression ou mot qui répète, volontairement ou non, une idée déjà émise (ex. : *J'ai vu, de mes propres yeux vu, la scène. Il est descendu en bas*) [syn. REDONDANCE]. ◆ **pléonastique** adj. : *Un tour, un emploi pléonastique* (= qui constitue un pléonasme).

PLÉRIN, comm. des Côtes-d'Armor, à 4,5 km au N. de Saint-Brieuc; 10 800 hab. *(Plérinais).*

PLESSIS-ROBINSON (Le), ch.-l. de cant. des Hauts-de-Seine, à 5 km au S.-O. de Paris; 21 300 hab.

PLESSIS-TRÉVISE (Le), comm. du Val-de-Marne, à 3 km au N.-E. de Chennevières-sur-Marne; 13 600 hab.

PLÉTHORE [pletɔr] n. f. (gr. *plêthôrê*, plénitude). Abondance excessive de production, de denrées, de personnes, etc. : *Cette année, la pléthore de vin va entraîner une baisse des prix* (syn. SURABONDANCE). *Il y a pléthore de candidats à ce concours* (contr. PÉNURIE). ◆ **pléthorique** adj. Surabondant.

PLEUMEUR-BODOU, comm. des Côtes-d'Armor, à 7 km au N.-O. de Lannion; 3 500 hab. Centre de télécommunications spatiales.

PLEURAL, E, AUX adj. ⟶ PLÈVRE.

PLEURER [plœre] v. i. (lat. *plorare*, crier). **1.** Verser des larmes : *Cet enfant pleure toute la journée* (syn. PLEURNICHER). *À cette nouvelle, la femme se mit à pleurer* (syn. SANGLOTER). — **2.** *Pleurer comme une Madeleine*, pleurer avec abondance. ‖ *Triste, bête à pleurer*, se dit d'une chose très triste, très bête.

◆ v. t. **1.** *Pleurer qq'un, qqch.*, en déplorer la disparition, la perte. — **2.** *Pleurer ses fautes*, les regretter vivement. ◆ **pleurs** n. m. pl. Syn. littér. de LARMES : *Verser des pleurs.* ◆ **pleurard, e** adj. et n. *Fam.* et *péjor.* Se dit de quelqu'un qui pleure souvent. ◆ **pleureuse** n. f. Femme qu'on payait pour assister à des funérailles et pleurer le mort. ◆ **pleurnicher** v. i. Verser des larmes, pleurer souvent et sans raison, comme un enfant. ◆ **pleurnicheur, euse** n. et adj. : *Un enfant pleurnicheur* (syn. GROGNON, PLEURARD).

PLEURÉSIE n. f. ⟶ PLÈVRE.

PLEUREUR [plœrœr] adj. m. (de *pleurer*). Se dit de certains arbres dont les branches retombent vers le sol : *Un saule pleureur.*

PLEUREUSE n. f., **PLEURNICHER** v. i., **PLEURNICHEUR, EUSE** n. et adj. ⟶ PLEURER.

PLEUROTE [plørɔt] n. m. (du gr. *pleuron*, côté, et *ous, ôtos*, oreille). Genre de champignons basidiomycètes, à lamelles, à pied excentrique ou absent, poussant sur les troncs d'arbres ou sur les souches. (Plusieurs espèces sont comestibles.) [Famille des agaricacées.]

PLEURS n. m. pl. ⟶ PLEURER.

PLEUTRE [plœtr] n. m. et adj. (mot flamand). Homme sans courage, qui s'effraie même devant de petits dangers (syn. LÂCHE, POLTRON). ◆ **pleutrerie** n. f.

PLEUVASSER, PLEUVINER, PLEUVOIR, PLEUVOTER v. impers. ⟶ PLUIE.

PLÈVRE [plɛvr] n. f. (du gr. *pleura*, côtes). *Anat.* Membrane séreuse qui tapisse le thorax et enveloppe les poumons. ◆ **pleural, e, aux** adj. Qui appartient à la plèvre. ◆ **pleurésie** n. f. *Méd.* Inflammation de la plèvre.

PLEXIGLAS [plɛksiglas] n. m. (nom déposé). Résine synthétique incolore, transparente et flexible, employée comme verre de sécurité ainsi qu'à d'autres usages.

PLEXUS [plɛksys] n. m. inv. (mot lat. signif. *entrelacement*). *Anat.* Amas de filets nerveux enchevêtrés.
— ENCYCL. Les nerfs rachidiens constituent à leur sortie du canal rachidien une série de *plexus* échelonnés le long de la colonne vertébrale (plexus cervical, brachial, lombaire, sacré), d'où partent les nerfs qui innervent les membres et le tronc. Les nerfs du système neuro-végétatif forment également des plexus : plexus cardiaque, solaire, etc., qui constituent des centres nerveux.

PLEYBEN, ch.-l. de cant. du Finistère, à 10 km à l'E. de Châteaulin; 3 900 hab. Calvaire du XVIIe s.

PLEYEL (Ignaz), compositeur autrichien (1757-1831), fondateur d'une fabrique de pianos à Paris.

1. PLI n. m. ⟶ PLIER 1.

2. PLI [pli] n. m. (de *plier*). *Géol.* Ondulation des couches de terrain dont la partie en saillie est appelée *anticlinal*, et la partie en creux *synclinal*. → <ins>illustration</ins> ci-dessous.
— ENCYCL. La charnière d'un anticlinal ou d'un synclinal est la ligne joignant les points de courbure maximale : le flanc du *pli* unit deux charnières successives. On appelle *plan axial* le plan bissecteur (= qui divise en deux parties égales) des deux flancs d'un pli. Si le plan axial est vertical, le pli est *droit;* s'il fait un angle de moins de 45° avec la verticale, il est *déjeté;* s'il fait un angle de plus de 45°, il est *déversé;* s'il est horizontal, il est *couché*. Enfin si les couches de terrain présentent une rupture et un décalage au niveau du pli, c'est un *pli-faille*.

3. PLI [pli] n. m. (même étym.). **1.** Enveloppe d'une lettre : *Mettre deux lettres sous le même pli.* — **2.** Lettre (langue admin.) : *Envoyer un pli.*

4. PLI [pli] n. m. (même étym.). Levée qu'on fait à un jeu de cartes.

PLIABLE adj., **PLIAGE** n. m., **PLIANT, E** adj. et n. m. ⟶ PLIER 1.

PLIE [pli] n. f. (bas lat. *platessa*). Poisson osseux marin, à corps aplati, vivant couché sur un côté, à chair très estimée (syn. CARRELET).

1. PLIER [plije] v. t. (lat. *plicare*). **1.** *Plier une chose*, en rabattre une partie sur une autre : *Plier un papier en deux. Plier une nappe.* — **2.** *Plier un objet*, en rapprocher les parties les unes des

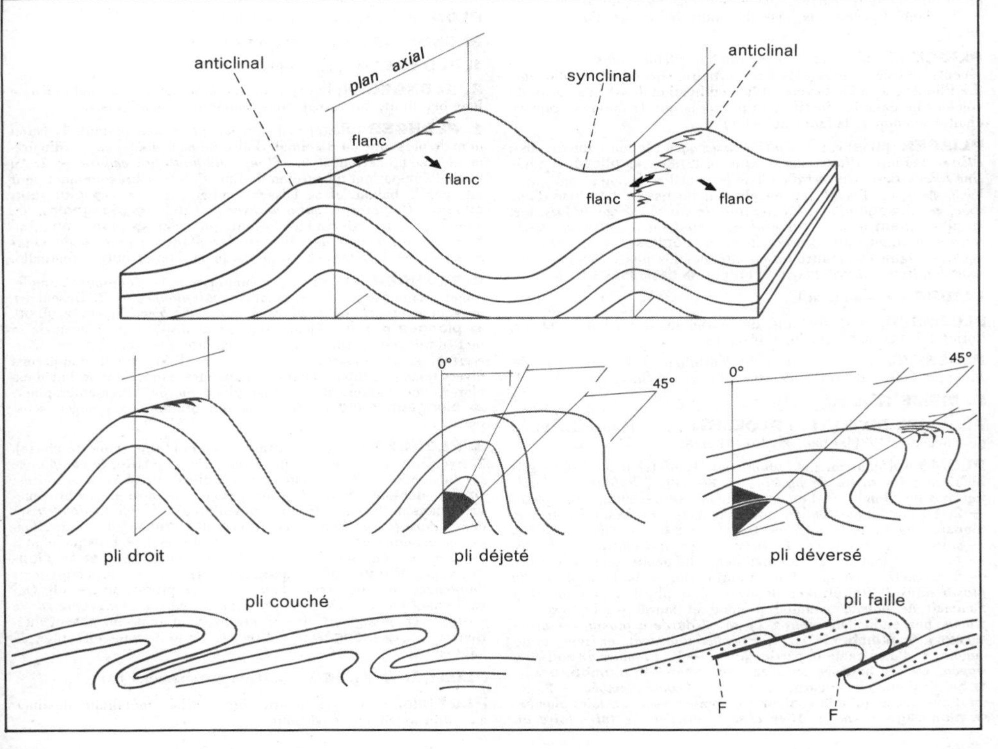

autres, en rassembler les éléments : *Plier une tente. Plier ses affaires* (= les ranger). — **3.** Fam. *Plier bagage*, s'apprêter à partir. ◆ **pli** n. m. **1.** Partie repliée d'une étoffe, d'un papier, etc. : *Les plis d'une jupe.* — **2.** Marque qui reste sur une chose pliée : *Repasser le pli d'un pantalon.* — **3.** *Fam.* Habitude : *Elle avait pris le pli de venir me voir tous les matins.* — **4.** *Faux pli*, pli à une étoffe là où il ne devrait pas y en avoir. ‖ *Mise en plis*, ondulation faite à froid, sur des cheveux mouillés, et séchés ensuite avec de l'air chaud. ‖ Fam. *Ça ne fait pas un pli*, cela ne présente aucune difficulté, c'est assuré. ◆ **pliable** adj. Facile à plier, flexible. ◆ **pliage** n. m. Action ou manière de plier; effet de cette action : *Le pliage du linge.* ◆ **pliant, e** adj. Se dit d'un objet qui peut être replié sur soi : *Un lit pliant.* ◆ n. m. Siège portatif, sans bras ni dossier, qu'on peut démonter pour le transport. ◆ **pliure** n. f. Endroit où une partie se plie sur elle-même; marque formée par un pli. ◆ **déplier** v. t. Étendre ce qui était plié : *Déplier une carte routière* (syn. DÉPLOYER). *Déplier un drap.* ◆ **dépliant** n. m. Carte ou prospectus qui se déplie en plusieurs volets. ◆ **dépliage** n. m. (→ REPLIER.)

2. PLIER [plije] v. t. (même étym.). **1.** *Plier qqch.*, lui faire prendre une forme courbe, une position infléchie : *Plier une branche d'arbre* (syn. COURBER). *Plier les genoux* (syn. FLÉCHIR). — **2.** *Plier qq'un*, le faire céder : *Plier un jeune garçon à une discipline* (syn. ASSUJETTIR); *plier qqch.*, le transformer à son gré : *Plier son caractère aux circonstances* (syn. FAÇONNER). ◆ v. i. **1.** (sujet nom de chose) Prendre une forme courbe : *Les soldats qui passaient faisaient plier la passerelle* (syn. S'AFFAISSER, PLOYER). — **2.** (sujet nom de personne) Se soumettre, reculer devant un adversaire, une force adverse : *Plier devant l'autorité du maître. L'armée pliait sous les coups de l'ennemi* (syn. CÉDER). ◆ ***se plier*** v. pr. *Se plier à qqch.*, s'y soumettre (syn. CÉDER).

PLINE l'Ancien, naturaliste et écrivain latin (23-79), auteur d'une vaste *Histoire naturelle*, encyclopédie de la science dans l'Antiquité. Il périt lors de l'éruption du Vésuve, qu'il venait observer.

PLINE le Jeune, écrivain latin, neveu du précédent (62-v. 114). Il est l'auteur d'un *Panégyrique de Trajan*, dont il était le protégé et l'ami, ainsi que de *Lettres*, d'un style très soigné, utiles pour la connaissance des mœurs de son époque.

PLINTHE [plɛ̃t] n. f. (gr. *plinthos*, brique). **1.** *Archit.* Membre en forme de tablette carrée, placé sous la base de la colonne. — **2.** Planche posée à la base des murs intérieurs d'un appartement.

PLIOCÈNE [plijɔsɛn] n. m. (du gr. *pleion*, plus, et *kainos*, récent). Dernière période de l'ère tertiaire, succédant au Miocène. (Le Pliocène a vu l'achèvement de l'édification des Alpes, la fin du volcanisme dans le Massif central, tandis que la faune se rapprochait beaucoup de la faune actuelle.)

PLISSER [plise] v. t. (de *pli*). *Plisser qqch.*, le marquer de plis : *Plisser une jupe. Plisser son front* (syn. RIDER). ◆ **plissé, e** adj. : *Une robe plissée. Un terrain plissé* (= dont les couches sont ondulées). ◆ n. m. Travail fait en plissant un tissu : *Le plissé d'une robe.* ◆ **plissage** n. m. : *Une teinturerie qui se charge du plissage.* ◆ **plissement** n. m. : *Les géologues étudient les plissements du terrain* (= ondulations des couches). ◆ **déplisser** v. t. *Déplisser qqch.*, en faire disparaître ou en atténuer les plis : *Déplisser une jupe. Déplisser son front* (syn. DÉRIDER). ◆ **déplissage** n. m.

PLIURE n. f. → PLIER 1.

PLOEMEUR, ch.-l. de cant. du Morbihan, à 5,5 km à l'O. de Lorient; 14 000 hab. Kaolin. Conserves.

PLOËRMEL, ch.-l. de cant. du Morbihan, à 12 km à l'E. de Josselin; 7 300 hab. *(Ploërmelais).* Anc. place forte.

PLOIEMENT n. m. → PLOYER.

PLOIEŞTI, PLOEŞTI ou **PLOESHTI,** v. de Roumanie, au N. de Bucarest; 199 000 hab. Hydrocarbures.

PLOMB [plɔ̃] n. m. (lat. *plumbum*). **1.** Métal dense, d'un gris bleuâtre : *Un tuyau de plomb.* → ENCYCL. ‖ *Soldat de plomb*, figurine de plomb ou d'un autre métal, représentant un soldat. — **2.** Fil métallique fusible intercalé dans un circuit électrique, fondant lorsque la tension est trop forte : *Les plombs ont sauté.* — **3.** Projectile de chasse : *Le lièvre a reçu la décharge de plombs.* — **4.** Poids dont on garnit une ligne de pêche pour l'alourdir. — **5.** Caractère, composition d'imprimerie. — **6.** Fam. *Avoir du plomb dans l'aile*, être en mauvais état physique ou moral. ‖ *Sommeil de plomb*, sommeil profond et lourd. — LOC. ADV. *À plomb*, perpendiculairement : *Le soleil darde à plomb.* (→ aussi APLOMB.) ◆ **plomber** v. t. **1.** *Plomber une dent*, en remplir de ciment ou d'amalgame la partie cariée. — **2.** *Plomber un colis, un wagon*, etc., y apposer un sceau de plomb. ◆ **plombé, e** adj. **1.** Se dit d'une chose garnie de plomb : *Canne plombée.* — **2.** Se dit d'une chose qui a la couleur du plomb : *Avoir un teint plombé.* ◆ **plombage** n. m. : *Aller chez le dentiste se faire faire un plombage.* ◆ **déplomber** v. t. : *Déplomber un envoi chargé. Une dent déplombée* (= dont le plombage est tombé).

— ENCYCL. Le *plomb* (Pb) est un métal mou et déformable, de densité 11,3, fondant à 327 °C. Il se recouvre à l'air de carbonate grisâtre. On le trouve dans la nature le plus souvent sous forme de sulfure *(galène).* Pur ou sous forme d'alliages, on l'utilise pour fabriquer des feuilles de revêtement, des tuyaux, des plaques d'accumulateur, des caractères d'imprimerie, des soudures, des plombs de chasse, des antifrictions, etc. Ses composés chimiques (minium, céruse, plomb tétraéthyle) ont d'importantes applications industrielles; leur emploi expose à des accidents graves, connus sous le nom de *saturnisme.*

La *production mondiale de plomb* ne progresse plus que lentement, mais régulièrement, depuis le début des années 1960. Elle est assurée pour plus de moitié par les quatre premiers pays producteurs :

Monde	3 400 milliers de t	États-Unis	330 milliers de t
U. R. S. S.	570 milliers de t	Canada	310 milliers de t
Australie	440 milliers de t		

PLOMB DU CANTAL, sommet volcanique d'Auvergne (Cantal), point culminant du massif du Cantal; 1 855 m.

PLOMBAGE n. m., **PLOMBÉ, E** adj., **PLOMBER** v. t. → PLOMB.

PLOMBAGINE [plɔ̃baʒin] n. f. (du lat. *plumbum*, plomb). Graphite* dont on fait des mines de crayon.

PLOMBIER [plɔ̃bje] n. m. (de *plomb*). Ouvrier qui établit et entretient les installations et les canalisations d'eau et de gaz. ◆ **plomberie** n. f. **1.** Travail du plombier. — **2.** Installations, canalisations : *La plomberie est en mauvais état.*

PLOMBIÈRES-LES-BAINS, ch.-l. de cant. des Vosges, à 14 km au S.-O. de Remiremont; 2 300 hab. Station thermale.

• *1858. Napoléon III y rencontre Cavour en vue d'une alliance destinée à réaliser l'unité italienne.*

PLONGE [plɔ̃ʒ] n. f. (de *plonger*). *Faire la plonge*, faire la vaisselle dans un restaurant. ◆ **plongeur, euse** n. Personne qui lave la vaisselle dans un restaurant.

PLONGEANT, E adj. → PLONGER 3.

PLONGÉE n. f. → PLONGER 2 et 3.

PLONGEOIR n. m. → PLONGER 1.

1. PLONGEON n. m. → PLONGER 1.

2. PLONGEON [plɔ̃ʒɔ̃] n. m. (de *plonger*). Oiseau palmipède à long bec droit, qui plonge pour rechercher les poissons.

1. PLONGER [plɔ̃ʒe] v. i. (du lat. *plumbum*, plomb). **1.** (sujet nom de personne ou d'animal) Faire un saut dans l'eau, ordinairement avec un certain style : *Plonger du haut du tremplin.* — **2.** Au football, en parlant du gardien de but, s'élancer brusquement pour attraper le ballon, et se laisser tomber par terre. ◆ **plongeur, euse** n. : *Un plongeur qui a un excellent style.* ◆ **plongeoir** n. m. Tremplin du haut duquel les nageurs plongent. ◆ **plongeon** n. m. **1.** Saut d'un nageur dans l'eau : *Un plongeon avec double saut périlleux.* — **2.** Détente horizontale du gardien de but, au football.

2. PLONGER [plɔ̃ʒe] v. i. (même étym.). **1.** S'enfoncer complètement dans l'eau : *Un sous-marin qui plonge.* — **2.** Descendre brusquement : *L'avion plongea sur son objectif* (syn. PIQUER). ◆ **plongée** n. f. **1.** Séjour prolongé au-dessous du niveau de la mer d'un sous-marin, d'un scaphandrier. — **2.** *Plongée sous-marine*, sport consistant à nager sous l'eau, muni d'appareils divers (masque, tuba, palmes, scaphandre, etc.), dans le but d'explorer, de chasser, de photographier ou de cinématographier. ◆ **plongeur, euse** n. Personne qui pratique la plongée sous-marine.

3. PLONGER [plɔ̃ʒe] v. i. (même étym.) [sujet nom de chose]. **1.** Avoir une direction de haut en bas : *De cette villa, la vue plonge sur la mer.* — **2.** *Regard qui plonge*, qui est dirigé vers ce qui est situé au-dessous. ◆ v. t. **1.** *Plonger qqch.*, le faire entrer brusquement dans un liquide, dans un milieu creux : *L'enfant plongea ses doigts dans la confiture* (syn. INTRODUIRE, TREMPER). — **2.** *Plonger qq'un dans un état, une situation*, l'y mettre brusquement : *Votre arrivée l'a plongé dans l'embarras* (syn. JETER). ◆ ***se plonger*** v. pr., ***être plongé*** v. passif. S'absorber dans une occupation : *Se plonger dans la lecture d'un roman.* ◆ **plongeant, e** adj. Qui va de haut en bas : *De sa maison, on a une vue plongeante sur le jardin.* ‖ *Tir plongeant*, tir exécuté avec un angle au niveau inférieur à 45°. ◆ **plongée** n. f. *Cinéma.* Prise de vues effectuée de haut en bas.

PLONGEUR, EUSE n. → PLONGE et PLONGER 1 et 2.

PLOT [plo] n. m. (orig. incert.). *Électr.* Pièce métallique destinée à assurer un contact électrique.

le pluriel

CATÉGORIES	VARIATIONS	EXEMPLES
1. **Substantifs** et **adjectifs :** a) *simples* (un mot)	Les mots simples prennent un *s* au pluriel, sauf ceux qui sont terminés en *-eau*, *-au* et *-eu*, qui prennent un *x*, et ceux qui se terminent par *-s*, *-x* et *-z*, qui restent invariables.	*ennui/ennuis; grand/grands; nouveau/nouveaux; beau/beaux; étau/étaux; pieu/pieux; hébreu/hébreux; bois/bois; voix/voix; nez/nez*
	• Quelques mots en *-au* et *-eu* ont un *s* au pluriel *(landau, sarrau, bleu, pneu).*	*landau/landaus; bleu/bleus*
	• Les substantifs et les adjectifs en *-al* ont le pluriel en *-aux*, sauf *bal, cal, carnaval, cérémonial, chacal, choral, festival, pal, récital, régal, santal,* et *banal, bancal, final, naval, natal, fatal, glacial, tonal.*	*festival/festivals; fatal/fatals*
	• Les substantifs *bail, corail, émail, soupirail, travail, vantail, vitrail* ont le pluriel en *-aux.*	*corail/coraux; travail/travaux*
	• Les substantifs *bijou, caillou, chou, genou, hibou, joujou* et *pou* prennent un *x.*	*hibou/hiboux*
	• Certains substantifs ont un double pluriel à fonction différente ou un pluriel irrégulier.	*ciel/cieux/ciels; aïeul/aïeux/aïeuls; œil/yeux/œils-de-bœuf*
	• Les substantifs employés comme adjectifs de couleur restent invariables (sauf *rose* et *pourpre*).	*chemises marron; rubans orange; soies roses*
b) *composés* (plusieurs mots)	• Les substantifs composés d'un adjectif et d'un nom ou de deux noms en apposition, les adjectifs composés formés de deux adjectifs prennent la marque du pluriel (*s* ou *x* suivant les cas) sur les deux éléments. (→ GRAND-MÈRE, GRAND-PÈRE à leur ordre.)	*un coffre-fort/des coffres-forts; un chou-fleur/des choux-fleurs; des enfants sourds-muets*
	• Les substantifs composés de deux verbes, et les adjectifs de couleur composés restent invariables.	*un laissez-passer/des laissez-passer; un va-et-vient/des va-et-vient; des gants gris perle; des costumes bleu foncé*
	• Les substantifs composés d'un nom et de son complément introduit ou non par *de* ne prennent la marque du pluriel que sur le premier élément.	*un chef-d'œuvre/des chefs-d'œuvre; un timbre-poste/des timbres-poste*
	• Lorsqu'ils sont formés d'une préposition et de son complément, ce dernier prend la marque du pluriel.	*un avant-poste/des avant-postes; un en-tête/des en-têtes*
	• Les substantifs composés d'un verbe et de son complément sont le plus souvent invariables : les exceptions sont nombreuses. La répartition des deux groupes n'obéit à aucune considération logique; il est utile, en ce cas, de se reporter au mot. (→ en particulier les composés de *garde-*, *essuie-*, etc.)	*un abat-jour/des abat-jour; un cache-col/des cache-col; un tire-bouchon/des tire-bouchons; un chauffe-bain/des chauffe-bains*
	• Les adjectifs composés d'une préposition, d'un adverbe ou d'un radical en *-i* ou *-o* et d'un adjectif ne comportent de marque du pluriel que sur le second élément. (→ aussi CI-JOINT, CI-INCLUS, NU, DEMI, FEU, EXCEPTÉ, PASSÉ, SUPPOSÉ, ATTENDU, VU, qui ont des accords particuliers.)	*un mot sous-entendu/des mots sous-entendus; un enfant nouveau-né/des enfants nouveau-nés* (mais *des enfants nouveaux-venus*); *une aventure tragi-comique/des aventures tragi-comiques; un traité franco-allemand/des accords franco-allemands*
2. **Déterminants** et **pronoms**	• Ils sont caractérisés par la présence d'un *s* à la forme du pluriel.	*le/les; un/des; mon/mes; ce/ces; quelqu'un/quelques-uns; tout/tous; il/ils; le, la/les*
	• Les pronoms personnels compléments indirects et toniques sont différents au singulier et au pluriel de la 3ᵉ personne.	*lui/leur; lui/eux*
	• Les pronoms *qui, que, dont, où* restent invariables.	
3. **Verbes**	• A la 3ᵉ personne, le pluriel se marque par la désinence *(e)nt.*	*il boit/ils boivent; il chante/ils chantent; il mentait/ils mentaient*
	• A la 1ʳᵉ et à la 2ᵉ personne du pluriel, les désinences sont *-ons* et *-ez*, et, au passé simple, *-mes* et *-tes.*	*nous chantons, vous chantez; nous vîmes, vous vîtes*

PLOTIN, philosophe grec, né en haute Égypte (v. 205-v. 270). Disciple de l'école d'Alexandrie. Sa philosophie, de style platonicien, considère tout ce qui existe comme *un* et associe à la vie de l'homme l'action ou la contemplation qu'il considère comme une seule et même chose. Elle est exprimée dans les *Ennéades.*

PLOUGASNOU, comm. du Finistère, à 17 km au N. de Morlaix: 3 400 hab. Station balnéaire à *Primel-Trégastel.*

PLOUGASTEL-DAOULAS, comm. du Finistère, à 11 km à l'E.-S.-E. de Brest, sur une presqu'île de la rade de Brest; 11 600 hab. Calvaire du XVIIᵉ s. Fraises.

PLOUGUERNEAU, comm. du Finistère, à 5.5 km au N. de Lannilis, dans le Léon: 5 300 hab.

PLOUHINEC, comm. du Finistère, à 4.5 km à l'E. d'Audierne: 5 100 hab. *(Plouhinéciens).*

PLOUMANAC'H, station balnéaire des Côtes-d'Armor (comm. de Perros-Guirec). Rochers granitiques pittoresques.

PLOUTOCRATIE [plutɔkrasi] n. f. (du gr. *ploutos*, richesse, et *kratein*, commander). Gouvernement où le pouvoir politique appartient aux classes riches. ◆ **ploutocratique** adj.

PLOVDIV, ancienn. **Philippopoli,** v. de Bulgarie, sur la Maritza; 367 200 hab. Centre commercial et industriel.

PLOYER [plwaje] v. t. (du lat. *plicare*). [Conj. **3.**] **1.** *Ployer qqch.*, lui donner une forme courbe, le faire fléchir (littér.) : *Ployer une tige de fer. Le vent ployait les cimes des arbres.* — **2.** *Ployer qq'un, qqch.*, en briser la résistance, les faire fléchir (littér.). ◆ v. i. (plus usuel) : *La branche ployait sous le poids des fruits* (syn. SE COURBER, PLIER). *Ses jambes ployèrent sous lui* (syn. FLÉCHIR). ◆ **ploiement** n. m. : *Le ploiement d'une barre de fer.*

PLUIE [plɥi] n. f. (lat. *pluvia*). **1.** Précipitation liquide qui tombe par suite de la condensation de l'humidité atmosphérique sous l'effet d'un refroidissement : *Un jour de pluie* (= où il pleut). *Des pluies continuelles* (syn. AVERSE, ONDÉE). ⟶ ENCYCL. — **2.** Chute d'objets, de matières qui tombent à la façon de la pluie : *Une pluie de projectiles.* — **3.** Ce qui est répandu en abondance : *Une pluie d'or* (= une grande quantité d'argent). *Une pluie de cadeaux* (syn. ↑AVALANCHE). — **4.** Fam. *Ennuyeux comme la pluie*, très ennuyeux. ‖ *Parler de la pluie et du beau temps*, dire des banalités. ‖ Fam. *Faire la pluie et le beau temps*, avoir une grosse influence. ◆ **pleuvoir** v. impers. (Conj. **47.**) *Il pleut*, la pluie tombe. ◆ v. i. Tomber en abondance : *Les coups pleuvent. Les critiques pleuvaient sur lui.* ◆ **pleuvasser, pleuviner, pleuvoter** v. impers. *Fam.* Pleuvoir légèrement. ◆ **pluvial, e, aux** adj. *Régime pluvial*, régime d'un cours d'eau où domine l'alimentation par les pluies : *La Seine a un régime pluvial.* ◆ **pluvieux, euse** adj. Caractérisé par l'abondance des pluies : *Un temps pluvieux.* ◆ **pluviomètre** n. m. Appareil servant à mesurer la quantité de pluie tombée en un lieu pendant un temps déterminé. ◆ **pluviométrie** n. f. Mesure de la quantité de pluie qui tombe en un endroit pendant une certaine période. ◆ **pluvio-nival, e, als** ou **aux** adj. Se dit d'un type de régime fluvial où l'alimentation en eau est caractérisée par la prédominance des pluies sur les neiges : *Sur son cours supérieur, la Loire a un régime pluvio-nival.* ◆ **pluviosité** n. f. Valeur moyenne de la quantité d'eau tombée. ◆ **repleuvoir** v. impers. Pleuvoir à nouveau.
— ENCYCL. On distingue différents types de *pluies* : les *pluies cycloniques* qui accompagnent les perturbations atmosphériques et sont dues au contact de l'air chaud et de l'air froid; les *pluies de convection* dues à la montée d'air chaud qui se refroidit en altitude; les *pluies orographiques* ou *de relief* dues à la montée des masses d'air au contact d'un obstacle dans la topographie (côte élevée, massif montagneux).

1. PLUME [plym] n. f. (lat. *pluma*). **1.** Organe produit par l'épiderme des oiseaux, riche en kératine, qui est formé d'une tige souple sur laquelle sont insérés des filaments, ou *barbes* : *Le gibier à plume* (= les oiseaux). ⟶ ENCYCL. — **2.** *Poids plume*, catégorie de boxeurs très légers. (⟶ BOXE.) — **3.** Fam. *Y laisser des plumes*, subir des pertes en une circonstance donnée. ◆ **plumage** n. m. Ensemble des plumes recouvrant le corps d'un oiseau : *Le plumage d'un faisan.* ◆ **plumeau** n. m. Ustensile de ménage fait de plumes assemblées autour d'un manche, et servant à épousseter. ◆ **plumer** v. t. **1.** Dépouiller de ses plumes : *Plumer un poulet pour le faire cuire.* — **2.** Fam. *Se faire plumer*, se faire dépouiller de son argent par escroquerie, tromperie. ◆ **plumet** n. m. Petit bouquet de plumes qui orne une coiffure militaire. ◆ **déplumer (se)** v. pr. Perdre ses plumes, et, fam., en parlant d'une personne, perdre ses cheveux. ◆ **déplumé, e** adj. Fam. : *Un crâne déjà bien déplumé* (syn. ↑CHAUVE).
— ENCYCL. On distingue plusieurs sortes de *plumes* : les plus grandes, ou *pennes*, qui ont des barbes maintenues parallèles entre elles par des crochets microscopiques, et qui servent au vol (rémiges de l'aile, rectrices de la queue); les *tectrices*, plus petites, qui recouvrent et protègent le corps de l'oiseau; le *duvet*, très court, qui assure la constance de la température centrale.

2. PLUME [plym] n. f. (de *plume* 1). **1.** Morceau de métal en forme de bec et qui sert à écrire : *Stylo à plume en or.* — **2.** *Vivre de sa plume*, faire métier d'écrire, vivre de la vente de ses livres. ◆ **plumier** n. m. Boîte longue dans laquelle l'écolier met ses crayons, sa gomme, etc. (généralement remplacé auj. par une trousse). ◆ **porte-plume** n. m. inv. Petit bâtonnet à l'extrémité duquel est insérée une plume servant à écrire ou à dessiner.

PLUPART (LA) [laplypar] loc. adv. (de *la plus part*). **1.** (suivi de la prép. *de* et d'un nom plur.) Indique une quantité très grande, formant presque la totalité de l'ensemble considéré : *La plupart des villes connaissent des difficultés de circulation* (syn. ↓LA MAJORITÉ). *Dans la plupart des cas* (syn. PRESQUE TOUS). — **2.** (sans compl.) Le plus grand nombre de personnes : *La plupart pensent que...* — **3.** *Pour la plupart*, quant au plus grand nombre : *Les employés de ce magasin bénéficient pour la plupart de quatre semaines de congé.* — **4.** *La plupart du temps*, d'une manière habituelle, courante.

1. PLURALITÉ n. f. ⟶ PLURIEL.

2. PLURALITÉ [plyralite] n. f. (du lat. *pluralis*, multiple). Fait d'exister à plusieurs : *La pluralité des dieux dans la mythologie grecque* (syn. DIVERSITÉ, MULTIPLICITÉ). ◆ **plural, e, aux** adj. **1.** Se dit de choses qui contiennent plusieurs unités. — **2.** *Vote plural*, système de suffrage qui attribue plusieurs voix à un même électeur. ◆ **pluralisme** n. m. **1.** Multiplicité. — **2.** Système qui admet la coexistence de plusieurs tendances différentes en matière politique, syndicale. ◆ **pluraliste** adj. : *L'organisation pluraliste de l'enseignement supérieur (universités, grandes écoles, etc.).*

PLURI-, élément issu du lat. *plures*, plusieurs, qui entre dans la composition d'un certain nombre de mots.

PLURICELLULAIRE [plyriselylɛr] adj. (*pluri-*, et *cellulaire*). Formé de plusieurs cellules (par oppos. à UNICELLULAIRE) : *Les animaux pluricellulaires sont appelés « métazoaires ». Les végétaux pluricellulaires sont des métaphytes.*

PLURIDISCIPLINAIRE [plyridisiplinɛr] adj. (de *pluri-*, et *discipline*). Qui englobe plusieurs disciplines (= domaines d'études) : *Un enseignement pluridisciplinaire.* ◆ **pluridisciplinarité** n. f.

PLURIEL [plyrjɛl] n. m. (du lat. *pluralis*, multiple). *Gramm.* Caractère particulier de la forme d'un mot correspondant à un nombre supérieur à un, et qui se traduit dans la langue écrite par une marque (le nom au pluriel reçoit le plus souvent la marque *-s*) par oppos. au SINGULIER : *Mettre le verbe au pluriel quand il y a plusieurs sujets.* ◆ **pluriel, elle** adj. : *Une finale plurielle.* ◆ **pluralité** n. f. : *La marque « -nt » est la marque de la pluralité du verbe à la troisième personne du pluriel.*
→ tableau page précédente.

1. PLUS [ply] adv. de négation (lat. *plus*, davantage). **1.** Accompagné de la particule *ne*, indique, avec un verbe, une loc. verbale, un adj. ou un adv., la cessation de l'état ou de l'action : *Je ne reviendrai plus dans cet hôtel. Tu n'as plus besoin de ce livre, rends-le moi. On ne le voit plus nulle part*; avec la prép. *de* suivie d'un nom au sing. ou au plur. : *Il n'y a plus de place dans le compartiment. Nous n'avons plus de pommes de terre.* — **2.** Sans la négation *ne*, est employé avec le même sens dans les réponses, avec la prép. *sans*, etc., et dans la langue fam. (⟶ NE) : *Plus une minute à perdre : nous allons être en retard. Je fais tout ce qu'on me dit, sans plus!* (= sans rien ajouter). — LOC. *Ne plus... que* indique que la cessation s'arrête à la restriction indiquée : *La décision ne tient plus qu'à vous* (= est désormais entre vos mains). *Il n'a plus que la peau et les os* (syn. SEULEMENT). *Il ne manque plus que ça* (= c'est le comble! [fam.]).

2. PLUS ([ply]; [plyz-] devant une voyelle ou un *h* muet; [plys] devant une pause et devant *que*), **MOINS** ([mwɛ̃]; [mwɛ̃z-] devant une voyelle ou un *h* muet) adv. de quantité (lat. *plus*, davantage; lat. *minus*). Indiquent soit une quantité supérieure, soit une quantité inférieure. → tableau ci-contre et p. suivante.

PLUSIEURS [plyzjœr] adj. indéf. pl. (du lat. *plures*, plus nombreux). Indique une pluralité de personnes ou de choses (le plus souvent épithète) : *Y avait-il une ou plusieurs personnes? À plusieurs reprises* (syn. MAINT). *Je pourrais vous citer plusieurs faits* (syn. PLUS D'UN). ◆ pron. indéf. pl. (ordinairement avec un compl.). Même sens : *Ils se sont mis à plusieurs pour produire ce livre*; comme sujet, il peut représenter, sans compl., un nom déjà exprimé : *Plusieurs m'ont déjà raconté cette histoire.*

PLUS-QUE-PARFAIT [plyskəparfɛ] n. m. (*plus, que* et *parfait*). *Gramm.* Temps du verbe exprimant une action passée, antérieure à une autre action passée. (Ex. : *J' « avais fini » mon devoir quand vous êtes arrivé.*)

PLUS-VALUE [plyvaly] n. f. (de *plus*, et *value*, anc. part. passé de *valoir*). **1.** Selon la doctrine marxiste, profit dont bénéficient les capitalistes, et qui est constitué par la différence entre la valeur des biens produits par les travailleurs et les salaires reçus par ces derniers. — **2.** Excédent des recettes sur les dépenses (syn. BÉNÉFICE). ‖ Pl. des *plus-values*.

PLUTARQUE, écrivain grec (v. 50-v. 125). Il composa un grand nombre de traités, que l'on divise depuis l'Antiquité en deux groupes : les *Œuvres morales* et les *Vies parallèles*. Il s'inspire le plus souvent du platonisme, critique le stoïcisme et l'épicurisme et veut surtout faire œuvre de moraliste par la peinture pittoresque des événements historiques ou légendaires.

PLUTON. *Myth. rom.* Roi des Enfers et dieu des Morts, fils de Saturne et de Rhéa, frère de Jupiter et de Neptune, époux de Proserpine. C'est l'*Hadès* grec.

PLUTON, planète du système solaire la plus éloignée du Soleil, bien au-delà de Neptune.

PLUTONIQUE [plytɔnik] adj. (de *Pluton*, dieu des Enfers). *Géol.* Se dit de roches éruptives qui se sont mises en place en

EMPLOIS	plus	moins
1. Devant un adjectif ou un adverbe (comparatif de supériorité ou d'infériorité); le complément du comparatif est introduit par la conj. *que*. **Pas plus... que, pas** et **non moins... que,** indiquent une égalité (syn. AUSSI QUE).	*Rien n'est plus dangereux que de traverser la rue en courant. Revenez plus tard. Allez beaucoup plus vite. Il est plus bête que méchant. Il fait plus froid aujourd'hui qu'hier. Relisez cet ouvrage plus souvent. La pluie tombe plus fort. La voiture n'est pas plus rapide que le train.*	*Rien n'est moins sûr que cette affirmation. L'hiver a été moins rude que l'année dernière. Parlez moins vite. Sortez moins souvent. Cette voiture va moins vite que la mienne. Cette façon de parler est plus rare, mais non moins correcte.*
2. Devant un adjectif ou un adverbe, avec l'article défini (**le plus, le moins,** superlatifs relatifs); le complément du superlatif est introduit par la prép. *de* suivie d'un nom, ou par la conj. *que*, ou suivi de *possible*.	*Expliquez le plus clairement que vous pourrez. Il est le plus généreux des hommes. Les jours les plus chauds de l'année. Cours le plus vite que tu pourras. Venez le plus souvent possible.*	*André est le moins ordonné de mes enfants. C'est lui qui a le moins de capacité pour ce travail. Le climat le moins humide du continent. Restez dans cette pièce glaciale le moins longtemps possible.*
3. Devant ou après un verbe qu'ils modifient (**plus, moins,** comparatifs; **le plus, le moins,** superlatifs). **Le moins** peut être renforcé par *du monde*.	*Il exige toujours plus* (syn. DAVANTAGE). *Cette étoffe me plaît plus que l'autre. Ce livre m'a plus intéressé que le précédent. On ne peut pas faire plus pour lui. Qui peut le plus peut le moins* (formule d'encouragement).	*Ce lustre éclaire moins que celui du salon. Le réfrigérateur consomme moins que je ne croyais. On ne peut pas faire moins à son égard. Je n'en suis pas le moins du monde choqué. Le moins que l'on puisse dire, c'est qu'il n'a pas raison. Il m'a remercié, c'est bien le moins!* (= c'est le minimum de ce qu'il pouvait faire).
4. Suivis de la préposition *de* et d'un nom **(plus de, moins de);** *plus* peut être modifié par *un peu, beaucoup*, etc., *moins* par *un peu, beaucoup*, etc.	*Voici plus de trois jours que j'attends sa réponse. Versez-moi un peu plus de thé. Il n'y avait pas plus de dix personnes à la réunion. J'ai beaucoup plus de motifs que lui d'être satisfait.*	*Il y a moins d'une semaine que je l'ai rencontré sur les Boulevards. Il n'y avait pas moins de dix mille personnes sur la place. Cela vous coûtera moins de cent francs. Je l'ai acheté pour moins de mille francs* (= pour une somme inférieure à).
5. **Plus que, moins que, pas plus que, pas moins que,** suivis d'un participe, d'un adverbe, d'un adjectif, indiquent que la quantité en question a été ou non dépassée.	*J'en ai plus qu'assez. Il est plus qu'ennuyeux.*	*Je suis bien moins que préoccupé* (= très peu).
6. Précédés d'un adverbe (*tellement, beaucoup*, etc.), d'un nom de nombre multiplicatif *(trois fois)* ou d'un mot désignant un espace (lieu, temps).	*Il lit beaucoup plus maintemant qu'il est à la retraite. Il y en a deux fois plus qu'il n'en faut. Il est dix ans plus vieux que moi.*	*Trois fois moins. Un peu plus ou un peu moins, finalement cela ne change rien. Il a reçu nettement moins que la dernière fois.*
7. **De plus, de moins,** précédés d'un nom et d'une indication de nombre. **En plus, en moins,** précédés ou suivis d'un nom et d'un numéral, indiquent une quantité qui s'ajoute ou se soustrait.	*Il a deux ans de plus que moi. Quelques heures de plus m'auraient permis d'achever. J'ai reçu treize bouteilles au lieu de douze; il y en a une en plus* (syn. EN TROP). *Cent francs, avec le port en plus. Il fait quelques petits travaux en plus de son métier.*	*Je touche cent francs de moins que lui par mois. Il y a un carreau en moins dans la cuisine. C'est une simple réédition, avec les illustrations en moins.*
8. Répétés pour exprimer une comparaison : **plus... plus, moins... moins, plus... moins, moins... plus.**	*Plus il parlait, et plus il s'enferrait dans ses explications. Plus il fait froid, moins le charbon arrive, car les canaux sont gelés.*	*Moins la pièce est éclairée, et plus vous vous faites mal aux yeux. Moins vous venez, et moins on pense à vous.*
9. Indiquent une addition ou une soustraction.	*Le signe plus* (+) *indique une addition. Six plus un égalent sept. J'avais invité les mêmes amis, plus le cousin de Georges. Il fut condamné à une lourde amende, plus les frais du procès.*	*Le signe moins* (—) *indique une soustraction. Sept moins un égalent six. Il est dix heures moins cinq* (au-delà de dix heures, on dit *dix heures cinq*). *Il est sorti à moins le quart* (= à l'heure indiquée, moins un quart d'heure). *Il était moins cinq, moins une, un peu plus il m'écrasait* (= le danger est passé tout près [loc. fam.]). *Le même modèle, moins quelques accessoires.*
10. **Des plus, des moins** (suivis d'un adj.), indiquent que l'on range ce qui est qualifié parmi ce qui est le plus..., le moins... (littér.).	*Elle est des plus heureuses au jeu.*	*C'est un roman des moins connus.*

LOC. FORMÉES AVEC « PLUS »	LOC. FORMÉES AVEC « MOINS »
Au plus (avec un numéral), indique la quantité supérieure d'une évaluation : *Il est sorti il y a au plus dix minutes. Ce vol leur a rapporté au plus cent francs.*	**Au moins** (avec un numéral), indique la quantité inférieure d'une évaluation : *L'appartement vaut au moins cinquante mille francs. Cela lui a rapporté au moins dix mille francs. Il est sorti il y a au moins une heure. Vous savez la nouvelle, au moins? Ne le gronde pas, au moins, il n'a rien fait.*
Tout au plus, exprime le degré maximal : *Ils étaient tout au plus une vingtaine.*	**Tout au moins,** indique une restriction ou une recommandation : *Il n'a pas besoin de vous, tout au moins il le prétend.*
De plus en plus, indique un accroissement, une augmentation par degrés : *Il a de plus en plus de raisons de se méfier.*	**De moins en moins,** indique une diminution par degrés : *Il a de moins en moins de ressources. On était de moins en moins sûr qu'il puisse rétablir sa santé.*
Rien de plus, aucune chose ne s'ajoutant : *Vous aurez cette indemnité, mais rien de plus.*	**Rien de moins,** aucune chose ne venant en diminution : *J'en veux dix mille francs, rien de moins.*
	Rien moins que, nullement : *Il est rien moins qu'un honnête homme* (= il n'est pas du tout honnête).
En mieux, en plus grand, en plus petit, etc., mieux, plus grand, plus petit par comparaison.	**En moins bien, en moins grand,** moins bien, moins grand par comparaison.
Bien plus, exprime un renchérissement sur l'affirmation précédente : *Cette comédie est médiocre, bien plus, elle n'a même pas le mérite de l'originalité* (syn. QUI PLUS EST).	**À moins,** pour un motif moins important, pour une quantité plus petite (en fin de phrase) : *On serait surpris à moins. Il ne l'aura pas à moins.*
De plus, en plus, indiquent une nouvelle considération : *Je suis fatigué et, de plus, découragé devant tant de difficultés* (syn. EN OUTRE). *Il est stupide et, en plus, il a une haute opinion de lui-même.*	**À tout le moins, pour le moins,** indiquent que l'affirmation est volontairement restreinte : *Vous auriez pu, à tout le moins, me prévenir de ce contretemps. Cette attitude est pour le moins désinvolte.*
Raison de plus, c'est un motif nouveau qui s'ajoute aux autres pour renforcer une conviction : *Vous ne connaissez rien du sujet; raison de plus pour vous taire.*	**Du moins,** indique une restriction : *La paix n'est pas menacée, du moins est-ce le sentiment des milieux bien informés* (syn. CEPENDANT, NÉANMOINS, POURTANT).
Sans plus, sans ajouter quoi que ce soit : *C'est un roman que je lis pour passer le temps, sans plus.*	**Si du moins,** indique une restriction dans une phrase hypothétique : *Donne-le-moi, si du moins tu n'en fais rien.*
	Moins que rien, négligeable : *Ce malaise est moins que rien, votre père sera vite rétabli.*
	En moins de rien, en très peu de temps : *Ne t'inquiète pas, en moins de rien j'aurai changé la roue.*
D'autant plus (... que), indique la proportion, la mesure : *Le regret fut d'autant plus vif que la personne était plus estimée. Je lui en suis d'autant plus reconnaissant, sachez-le bien.*	**D'autant moins (... que),** indique la proportion, la mesure : *On lui pardonne d'autant moins qu'il exerce des responsabilités plus lourdes.*

Ni plus ni moins, d'une manière exacte, juste : *Il est ni plus ni moins le meilleur joueur de tennis actuellement. C'est une escroquerie, ni plus ni moins.*

Plus ou moins, indique l'incertitude, l'hésitation : *« Vous pensez avoir réussi votre examen? — Plus ou moins. » Il est plus ou moins adroit.*

LOC. PRÉP. et LOC. CONJ. AVEC « MOINS ». (Indiquant une hypothèse restrictive.)

à moins de (suivi de l'infin. ou d'un nom)	**à moins que** (suivi du subj. et de *ne*)
S'emploie lorsque le sujet de l'infinitif est le même que le sujet du verbe principal : *Venez samedi, à moins de recevoir un contrordre.*	S'emploie lorsque le sujet de la subordonnée conjonctive est différent du sujet du verbe dont elle dépend : *Nous resterons dimanche chez nous, à moins que le temps ne s'améliore.*

profondeur : *Les roches plutoniques ont une structure grenue, où les cristaux sont visibles à l'œil nu. Le granite est la plus fréquente des roches plutoniques.*

PLUTONIUM [plytɔnjɔm] n. m. (de *Pluton*, dieu des Enfers). Métal (Pu), obtenu dans les piles à uranium, pouvant subir la fission, et parfois employé dans les bombes atomiques.

PLUTÔT [plyto] adv. (de *plus*, et *tôt*). **1.** De préférence à quelque chose (dans un choix entre deux possibilités) : *Ne prenez pas ce fruit qui n'est pas mûr, prenez plutôt celui-ci.* — **2.** Pour corriger une affirmation, pour améliorer une expression : *Il est gentil, ou plutôt il préfère ignorer la méchanceté d'autrui* (syn. EN RÉALITÉ, POUR MIEUX DIRE). — **3.** (devant un adj.) Passablement, assez : *Il est plutôt bavard.* — LOC. CONJ. et PRÉP. *Plutôt que, plutôt que de*, expriment une comparaison, un choix préférentiel : *Plutôt que de vous obstiner à nier, vous feriez mieux d'admettre votre erreur* (syn. AU LIEU DE). *Plutôt souffrir que mourir* (= mieux vaut).

PLUVIAL, E, AUX adj. → PLUIE.

PLUVIAN [plyvjɑ̃] n. m. (de *pluvier*). Oiseau échassier de l vallée du Nil, se nourrissant des parasites et insectes qu'il trouv dans la gueule des crocodiles.

PLUVIER [plyvje] n. m. (du lat. *pluere*, pleuvoir). Oiseau échas sier nichant surtout au bord des eaux et dans les régions froides apprécié comme gibier en France lors de ses passages.

PLUVIEUX, EUSE adj., **PLUVIOMÈTRE** n. m., **PLUVIO MÉTRIE** n. f., **PLUVIO-NIVAL, E, ALS** ou **AUX** adj → PLUIE.

PLUVIÔSE [plyvjoz] n. m. (du lat. *pluvia*, pluie). → CALEN DRIER* RÉPUBLICAIN.

PLUVIOSITÉ n. f. → PLUIE.

PLYMOUTH, grand port militaire d'Angleterre (Devon 239 300 hab.

PLZEŇ, en all. **Pilsen,** v. de Tchécoslovaquie (Bohême); 163 000 hab. Métallurgie. Brasserie.

p. m., abrév. de la loc. lat. *post meridiem* (après midi) et de *préparation militaire.*

1. PNEU [pnø] n. m. (abrév. de *pneumatique*). Enveloppe de toile et de caoutchouc recouvrant une chambre à air comprimé et que l'on adapte à la jante des roues de bicyclette, de voiture, etc. : *Vérifier la pression des pneus.* (On dit aussi PNEUMATIQUE.)

2. PNEU [pnø] n. m. (même étym.). Correspondance écrite sur un papier léger, de format déterminé, et expédié rapidement par le moyen de canalisations à air comprimé : *Envoyer un pneu.* (On dit aussi PNEUMATIQUE.) [Les P. T. T. ont abandonné ce système en 1984 et l'ont remplacé par un service de port rapide des plis.]

1. PNEUMATIQUE n. m. ⟶ PNEU 1 et 2.

2. PNEUMATIQUE [pnømatik] adj. (gr. *pneumatikos;* de *pneuma,* souffle). Qui utilise l'air comprimé ou qui fonctionne avec l'air : *Un marteau pneumatique. Canot pneumatique.* ‖ *Machine pneumatique,* machine qui fait le vide dans un récipient.

PNEUMOCONIOSE [pnømokɔnjoz] n. f. (du gr. *pneumôn,* poumon, et *konis,* poussière). *Méd.* Affection pulmonaire due aux poussières.

PNEUMOCOQUE [pnømɔkɔk] n. m. (du gr. *pneumôn,* poumon, et *kokkos,* grain). Bactérie du groupe des diplocoques, agent de la pneumonie et d'autres infections (péritonites).

PNEUMOGASTRIQUE [pnømogastrik] n. m. et adj. (du gr. *pneumôn,* poumon, et *gastros,* estomac). Nerf crânien pair qui naît du bulbe, descend dans le cou, le thorax et l'abdomen, innervant les bronches, l'œsophage, l'estomac et l'intestin : *Le pneumogastrique est le nerf le plus important du parasympathique**.

PNEUMONIE [pnømɔni] n. f. (du gr. *pneumôn,* poumon). *Méd.* Inflammation du parenchyme pulmonaire, le plus souvent localisée à un lobe et due au pneumocoque.

PNEUMOTHORAX [pnømotɔraks] n. m. (du gr. *pneumôn,* poumon, et *thorax*). **1.** *Méd.* Affection résultant d'une irruption d'air dans la cavité pleurale. — **2.** Méthode de traitement de la tuberculose pulmonaire, par introduction d'azote ou d'air dans la cavité pleurale.

PNOM PENH ⟶ PHNOM PENH.

PNYX (la), colline située à l'O. d'Athènes, où se tenait l'assemblée des citoyens.

PÔ, fleuve de l'Italie du Nord; 652 km. Né dans les Alpes, au pied du mont Viso, il quitte très vite la montagne et draine, avec ses affluents (Tessin, Adda), la vaste *plaine du Pô.* Il se jette dans l'Adriatique en un grand delta commun avec l'Adige. Il transporte d'énormes quantités d'alluvions et coule entre des levées.

La *plaine du Pô* s'étend sur les plaines du Piémont, de la Lombardie, de la Vénétie et de l'Émilie-Romagne, entre les Alpes, les Apennins et l'Adriatique. Elle est la partie vitale de l'Italie, dont elle concentre la majeure partie des ressources agricoles (céréales, fruits, vigne) et industrielles (dans les grandes villes qui la parsèment : Milan, Turin, Venise, Bologne...).

POCHADE [pɔʃad] n. f. (de *pocher*). **1.** Croquis en couleurs exécuté en quelques coups de pinceau. — **2.** Œuvre littéraire sans prétention et amusante, écrite rapidement.

1. POCHE [pɔʃ] n. f. (frq. *pokka*). **1.** Partie en forme de petit sac ménagée dans un vêtement, et où l'on peut mettre de menus objets : *La poche-revolver, derrière le pantalon.* ‖ Fam. *Faire les poches de qq'un,* fouiller dans ses poches. — **2.** *Argent de poche,* somme destinée à de petites dépenses personnelles. ‖ *Livre de poche,* livre de petit format et de prix modique, destiné à être largement diffusé. — **3.** Faux pli disgracieux d'un vêtement : *Son pantalon fait des poches aux genoux.* — **4.** Grande quantité de gaz, de liquide, contenue dans une cavité souterraine : *Une poche de gaz, d'eau.* ◆ **pochette** n. f. **1.** Petite poche placée en haut et à gauche d'un veston. — **2.** Petit mouchoir de fantaisie que l'on met dans cette poche. — **3.** Sachet de papier, d'étoffe dans lequel on met des photographies, des cartes, etc. ◆ **pochette-surprise** n. f. Sachet renfermant, avec des bonbons, un objet inattendu, que l'on achète ou qui est offert comme lot dans une tombola. ‖ Pl. des *pochettes-surprises.*

2. POCHE [pɔʃ] n. f. (de *poche* 1). Enflure de la paupière inférieure, rides du visage sous les yeux. ◆ **pocher** v. t. *Pocher l'œil à qq'un,* lui donner un coup qui occasionne une tuméfaction autour de l'œil (surtout au passif) : *Ils sortirent de la bagarre les yeux pochés.*

1. POCHER [pɔʃe] v. t. (de *poche*). *Pocher des œufs,* les faire cuire entiers, sans la coquille, dans un liquide bouillant.

2. POCHER v. t. ⟶ POCHE 2.

POCHETTE n. f., **POCHETTE-SURPRISE** n. f. ⟶ POCHE 1.

POCHOIR [pɔʃwar] n. m. (de *poche*). Feuille de carton ou de métal découpée, permettant de peindre facilement des lettres, des dessins, etc. : *On applique le pochoir sur une surface et on passe le pinceau dessus.*

PODESTAT [pɔdɛsta] n. m. (it. *podesta;* du lat. *potestas,* puissance). Premier magistrat des villes du centre et du nord de l'Italie aux XIIIe et XIVe s.

PODGORNY (Nikolaï Viktorovitch), homme d'État soviétique (1903-1983), chef de l'État de 1965 à 1977.

PODIUM [pɔdjɔm] n. m. (mot lat.; du gr. *podion,* petit pied). Estrade où se placent les vainqueurs d'une épreuve sportive : *Monter sur le podium.*

PODOLSK, v. de l'U. R. S. S., au S. de Moscou; 169 000 hab. Métallurgie. Cuir.

PODOMÈTRE [pɔdɔmɛtr] n. m. (du gr. *pous, podos,* pied, et *metron,* mesure). Appareil qui compte le nombre de pas faits par un piéton et indique ainsi, approximativement, la distance parcourue (syn. ODOMÈTRE).

PODZOL [pɔdzɔl] n. m. (mot russe signif. *cendreux*). Dans les régions humides à hiver froid, sol fortement lessivé, formé en surface par une couche brune, au centre par une couche grisâtre, cendreuse, et à la base par une couche sombre, imperméable, où s'accumule le fer.

POE (Edgar Allan), écrivain américain (1809-1849). Après avoir épousé sa jeune cousine Virginia Clemm (1836), qui mourra en 1847, il mène une vie de travail et de misère, cherchant dans l'alcool l'inspiration et l'oubli de la vie quotidienne.

- *1837. Publication des « Aventures d'Arthur Gordon Pym ».*
- *1840. Premier volume des « Histoires extraordinaires », recueil de nouvelles, qui sera suivi des « Nouvelles Histoires extraordinaires » (1845).*

Il applique dans ces nouvelles une technique de la sensation, du frisson d'épouvante, poussée jusqu'aux limites du morbide.

- *1845. Il publie « le Corbeau », poème que Mallarmé traduira en français.*

Mal comprise par ses compatriotes, l'œuvre de Poe a séduit Baudelaire qui l'a traduite et révélée à l'Europe.

1. POÊLE [pwal] n. m. (lat. *pensilis,* suspendu). Appareil de chauffage fonctionnant au bois, au charbon ou au mazout.

2. POÊLE [pwal] n. f. (lat. *patella*). Ustensile de cuisine en métal, rond et de faible profondeur, muni d'une queue : *Une poêle à frire.* ◆ **poêlon** n. m. Casserole en terre ou en cuivre, à bords étroits.

3. POÊLE [pwal] n. m. (lat. *pallium,* manteau). *Tenir les cordons du poêle,* tenir les cordons du drap mortuaire dont on couvre le cercueil, pendant la marche du cortège funèbre.

POÉSIE [pɔezi] n. f. (gr. *poiêsis,* action de faire). **1.** Art d'évoquer et de suggérer les sensations, les impressions, les émotions par un emploi particulier de la langue, utilisant les sonorités, les rythmes, les harmonies des mots et des phrases, les images, etc. : *Être sensible à la poésie.* — **2.** Texte en vers, généralement court (par oppos. à la PROSE) : *Apprendre par cœur une poésie.* — **3.** Caractère d'une chose qui parle à l'âme, qui touche le cœur, la sensibilité : *Clair de lune plein de poésie.* ◆ **poème** [pɔɛm] n. m. **1.** Ouvrage en vers ou en prose, ayant les caractères de la poésie : *« L'Énéide » est un poème épique. Les poèmes de Leconte de Lisle.* ‖ *Poème à forme fixe,* poème où le nombre des vers, l'arrangement des rimes, l'ordre général sont fixés : *Le rondeau, la ballade, le sonnet sont des poèmes à forme fixe.* — **2.** Mus. *Poème symphonique,* œuvre pour orchestre seul, de forme libre, construite sur un argument littéraire (poème, conte, légende) : *Liszt a créé le poème symphonique.* — **3.** Fam. *C'est un poème!,* c'est inénarrable, extravagant. ◆ **poète** n. m. **1.** Celui qui écrit en vers, qui s'exprime d'une manière poétique : *Victor Hugo, Corneille, Baudelaire sont des poètes très célèbres.* — **2.** *Fam.* Celui qui n'a guère le sens des réalités, qui manque d'ordre, de logique, etc. ◆ adj. m. et f. Qui écrit des poésies : *Une femme poète.* ◆ **poétesse** n. f. Femme poète. ◆ **poétique** adj. **1.** Relatif à la poésie : *Les œuvres poétiques de Victor Hugo* (= constituées par sa poésie). *Licence poétique* (= liberté grammaticale autorisée en poésie). — **2.** Se dit d'une chose qui touche, émeut : *Un coucher de soleil poétique.* ◆ n. f. Traité ou théorie sur la poésie d'un écrivain, d'une époque : *La poétique de Boileau, des Grecs.* ◆ **poétiquement** adv. De façon poétique. ◆ **poétiser** v. t. Rendre poétique : *Poétiser des souvenirs* (syn. EMBELLIR). ◆ **dépoétiser** v. t. Dépouiller de son caractère poétique : *Une explication qui dépoétise la légende.*

POGNON [pɔɲɔ̃] n. m. (de l'anc. *poigner*, empoigner). *Pop.* Argent.

POGROM [pogrom] n. m. (mot russe). Massacre de Juifs : *Les pogroms inspirés par les autorités tsaristes ont ensanglanté parfois des régions entières dans la Russie d'avant 1917.*

1. POIDS [pwa] n. m. (du lat. *pensum*, ce qui est pesé). **1.** Morceau de métal d'un poids déterminé, servant à peser certains corps : *Mettre un poids dans la balance. Poids de 500 g.* — **2.** *Sports.* Sphère métallique pesant 7,257 kg (4 kg pour les femmes), que l'on lance le plus loin possible dans les concours d'athlétisme. — **3.** Corps pesant suspendu aux chaînes d'une horloge, pour lui donner le mouvement.

2. POIDS [pwa] n. m. (de *poids* 1). **1.** Pression exercée par un corps sur ce qui le supporte, en raison de l'attraction terrestre; ce qui fait qu'une chose pèse, apparaît pesante : *Mesurer le poids d'un paquet sur une balance. Une branche qui plie sous le poids des fruits* (syn. CHARGE, MASSE). ‖ *Poids mort*, poids d'un appareil, d'un véhicule, qui absorbe une partie du travail utile; fardeau inutile. ‖ *Poids spécifique* ou *volumique*, quotient du poids d'un corps par son volume. (→ DENSITÉ.) ‖ *Poids et haltères* → HALTÉROPHILIE. — — **2.** *Poids lourd*, gros camion. ‖ *Avoir deux poids, deux mesures*, juger différemment selon la diversité des intérêts. ‖ *Vendre qqch. au poids*, le vendre d'après son poids, et non selon le nombre d'unités. — **3.** Caractère de ce qui est pénible à supporter (langue soignée) : *Les paysans ont été longtemps accablés sous le poids des impôts* (syn. FARDEAU). *Tout le poids de l'entreprise repose sur ses épaules* (syn. RESPONSABILITÉ). — **4.** Influence, autorité : *On ne peut pas méconnaître le poids d'un tel argument* (syn. IMPORTANCE, VALEUR). *C'est un homme de poids* (= on tient compte de ses avis). *Les découvertes récentes donnent du poids à cette hypothèse* (syn. CONSISTANCE). — **5.** (sujet nom de personne) Fam. *Faire le poids*, être en mesure de remplir un rôle, être compétent. (→ PESER.)

POIGNANT, E [pwaɲɑ̃, -ɑ̃t] adj. (de l'anc. fr. *poindre*, piquer). Se dit de ce qui cause ou manifeste une vive douleur, une angoisse : *Une douleur poignante* (syn. AIGU). *Faire des adieux poignants* (syn. DÉCHIRANT).

POIGNARD [pwaɲar] n. m. (du lat. *pugnus*, poing). **1.** Arme faite d'un manche et d'une lame courte, pointue et tranchante : *Donner un coup de poignard.* — **2.** *Coup de poignard*, ce qui cause une violente douleur morale (littér.). ◆ **poignarder** v. t. Frapper avec un poignard.

POIGNE [pwaɲ] n. f. (de *poing*). **1.** Force de la main : *Avoir une poigne de fer* (= beaucoup de force). — **2.** Énergie mise à se faire obéir : *Un homme à poigne.*

1. POIGNÉE [pwaɲe] n. f. (de *poing*). **1.** Quantité de choses qu'on peut saisir avec une main, que peut contenir la main fermée : *Jeter une poignée de sel dans la marmite.* — **2.** Petit nombre de personnes : *Il n'y avait qu'une poignée de spectateurs.* — **3.** *Poignée de main*, action de serrer la main à quelqu'un en guise de salutation, en signe d'accord. ‖ *À poignée, par poignées*, à pleine main, en grande quantité.

2. POIGNÉE [pwaɲe] n. f. (même étym.). Partie d'un objet par laquelle on le saisit avec la main : *La poignée d'une valise, d'une porte.*

POIGNET [pwaɲɛ] n. m. (de *poing*). **1.** Articulation qui joint la main à l'avant-bras : *Se casser le poignet.* — **2.** Extrémité de la manche d'un vêtement, d'une chemise en particulier.

POIL [pwal] n. m. (lat. *pilus*). **1.** Production de la peau en forme de fil, apparaissant sur le corps de certains animaux ou sur certaines parties du corps humain : *Les poils d'une fourrure. Avoir quelques poils au menton.* — **2.** Pelage : *Le poil d'un cheval.* — **3.** Fam. *Il s'en est fallu d'un poil*, de très peu. ‖ Fam. *À un poil près*, à peu de chose près. — **4.** Fam. *Avoir un poil dans la main*, être très paresseux. ‖ Fam. *Reprendre du poil de la bête*, se ressaisir. ‖ Fam. *Être de bon, de mauvais poil*, être de bonne, de mauvaise humeur. — LOC. ADJ. Fam. *À poil*, nu : *Être complètement à poil.* — LOC. ADV. et ADJ. Pop. *Au poil*, parfaitement, parfait : *Un travail au poil.* (On dit aussi *au quart de poil.*) ◆ **poilu, e** adj. Couvert de poils : *Il a les jambes poilues* (syn. VELU).

1. POILU, E adj. → POIL.

2. POILU [pwaly] n. m. (de *poil*). *Fam.* Surnom donné au soldat français de la Première Guerre mondiale.

POINCARÉ (Henri), mathématicien français (1854-1912). Il introduisit l'analyse mathématique en mécanique rationnelle, en physique et en astronomie. On lui doit aussi plusieurs ouvrages philosophiques sur la valeur de la science.

POINCARÉ (Raymond), homme d'État français (1860-1934), cousin du précédent. Président de la République de 1913 à 1920, il fut plusieurs fois président du Conseil et ministre des Affaires étrangères. Appelé à la tête d'un ministère d'Union nationale en juillet 1926, il prit le portefeuille des Finances et stabilisa le franc menacé *(franc Poincaré).*

POINÇON [pwɛ̃sɔ̃] n. m. (du lat. *punctio*, piqûre). **1.** Tige d'acier pointue, servant à graver ou à percer : *Le poinçon d'un graveur, d'un cordonnier.* — **2.** Morceau d'acier gravé en relief pour former les matrices des monnaies et médailles. — **3.** Marque de contrôle que l'on applique avec un outil d'acier trempé sur les ouvrages en métal précieux pour en garantir le titre : *Apposer un poinçon sur une montre en or.* ◆ **poinçonner** v. t. Marquer d'un poinçon.

1. POINÇONNER [pwɛ̃sɔne] v. t. (de *poinçon*). *Poinçonner un ticket*, le perforer pour l'annuler. ◆ **poinçonneur, euse** n. Personne qui poinçonne les tickets de métro, de chemin de fer.

2. POINÇONNER v. t. → POINÇON.

POINDRE [pwɛ̃dr] v. i. (lat. *pungere*, piquer). [Conj. **82.**] **1.** *Le jour point*, il commence à paraître (littér.). — **2.** *Plantes qui commencent à poindre*, à sortir de terre. ◆ **point** n. m. *Point du jour*, moment où le soleil commence à poindre, à paraître.

POING [pwɛ̃] n. m. (lat. *pugnus*). **1.** Main fermée : *Frapper du poing.* ‖ *Coup de poing*, coup porté avec le poing. — **2.** *Dormir à poings fermés*, dormir très profondément. ‖ *Pieds et poings liés* → PIED 1.

1. POINT n. m. → POINDRE.

2. POINT [pwɛ̃] n. m. (du lat. *punctus*, piqûre). **1.** Petite marque ronde qui fait partie de la graphie de certaines lettres : *Mettre un point sur un « i », un « j ».* ‖ Fam. *Mettre les points sur les « i »*, insister nettement, pour dissiper toute ambiguïté. — **2.** Signe de ponctuation. (→ PONCTUATION.) — **3.** *Mettre un point final à une discussion*, la clore définitivement. — **4.** *Mus.* Signe placé à droite d'une note ou d'un silence pour augmenter de moitié leur durée. ‖ *Point d'orgue*, signe (𝄐) placé sur une note de musique, pour en augmenter la durée pendant un temps indéfini.

3. POINT [pwɛ̃] n. m. (même étym.). **1.** *Math.* Lieu idéal dans l'espace, n'ayant aucune étendue : *Point d'intersection de deux droites.* — **2.** Portion de l'espace : *Les différents points de vente d'une grande firme.* ‖ *Points cardinaux*, le nord, le sud, l'est et l'ouest. ‖ *Point de côté*, douleur à la poitrine ou à l'abdomen, qui gêne la respiration. — **3.** Endroit, position déterminée. ‖ *Point d'appui*, ce sur quoi on s'appuie pour se tenir : *Il a trouvé un point d'appui sur le bord de la fenêtre pour placer son échelle.* ‖ *Point d'attache*, endroit où quelqu'un retourne habituellement : *Ce café est le point d'attache des étudiants.* ‖ *Point d'eau*, endroit, dans une région aride, où se trouve une source. ‖ *Point mort*, dans une voiture, position du levier de changement de vitesse où celui-ci n'est engagé dans aucune vitesse; fam. *Être au point mort*, se dit d'une affaire qui ne progresse plus, alors qu'elle n'est pas encore arrivée à sa conclusion. ‖ *Point de vue*, endroit d'où l'on domine un paysage, et spectacle qui s'offre à l'observateur; conception générale qu'on se fait d'un problème : *Votre point de vue sur la question n'est pas valable* (syn. FAÇON DE VOIR). *Du point de vue de la forme, ce texte est critiquable* (= en ce qui concerne). ‖ *Faire le point*, chercher à déterminer la position d'un bateau; chercher à savoir où l'on en est, à dominer la situation dans son ensemble. — LOC. ADV. et ADJ. *Au point*, bien réglé, qui fonctionne bien : *Le procédé est maintenant au point.* ‖ *Mettre au point*, établir avec précision, donner le dernier achèvement à quelque chose. — **4.** Partie déterminée d'une durée (dans des loc.). — LOC. ADV. *À point nommé* (langue soignée), au moment : *Vous êtes arrivé à point nommé pour sauver la situation.* — LOC. PRÉP. *Sur le point de* (avec l'infin.), indique un futur immédiat : *Sur le point de franchir le fossé, le cheval tomba* (= au moment où il allait le franchir).

4. POINT [pwɛ̃] n. m. (même étym.). **1.** Question particulière d'un sujet, élément d'un ensemble : *Revenir sur un point particulier* (= un aspect du problème). *Un discours en trois points* (syn. PARTIE). *Débattre une affaire point par point* (= méthodiquement sans rien omettre). — **2.** *Point de détail*, chose secondaire. ‖ *Point faible*, partie, aspect critiquable, médiocre de quelqu'un ou de quelque chose : *L'orthographe est son point faible.* ‖ *Point noir*, endroit où la circulation routière est particulièrement dangereuse ou embouteillée; source de difficultés. — **3.** Degré atteint par quelque chose : *La situation en est toujours au même point* (= elle n'a pas évolué). ‖ *Point de fusion, d'ébullition, de liquéfaction*, température à laquelle un corps entre en fusion, en ébullition ou se liquéfie. — LOC. ADV. et ADJ. *À point*, dans l'état qui convient (degré de cuisson d'un mets, maturité d'un fruit) : *Le rôt est cuit à point* (= ni trop cru ni trop cuit). — LOC. PRÉP. et CONJ. *À point de* (avec l'infin.), *au point que, à tel point que* (avec l'indic. ou parfois le subj.), marquent la conséquence réelle ou éventuelle : *Il ne fait pas froid au point de mettre un chandail* (= si froid qu'il faille le mettre). *Il s'est surmené à tel point qu'il est tombé malade.* — LOC. ADV. *En tout point*, entièrement, exactement : *Vous serez obéi en tout point.* — LOC. ADJ. INV. *Mal en point*, en piteux état, malade.

5. POINT [pwɛ̃] n. m. (même étym.). **1.** Unité de notation d'un travail scolaire, d'une épreuve de concours ou d'examen, etc. : *Il a été convenu que chaque faute d'orthographe retirerait un point.* — . Unité dans un jeu, un sport, mettant en compétition deux ou plusieurs personnes : *Jouer une partie en vingt points.* — **3.** *Marquer un point,* prendre un avantage sur son adversaire dans un combat, dans une discussion. ‖ *Rendre des points à qq'un,* lui concéder des avantages parce qu'on est le plus fort, le plus habile. ‖ *Vainqueur aux points,* se dit d'un boxeur dont le total des points qui lui ont été attribués au cours du combat est supérieur à celui de l'adversaire. — **4.** *Bon point, mauvais point,* témoignage de satisfaction ou de blâme décerné à un jeune élève; détail qui est à l'avantage ou au désavantage de quelqu'un ou de quelque chose.

. POINT [pwɛ̃] n. m. (même étym.). **1.** Piqûre faite dans l'étoffe avec une aiguille enfilée de soie, de laine, etc. : *Couture à petits points.* — **2.** (avec un compl. du nom) Appellation de certains travaux faits à l'aiguille : *Point de croix, point de tige, point de chaînette.*

'. POINT [pwɛ̃] adv. de négation (lat. *punctum,* point). Restreint à la langue littéraire ou de caractère dialectal. (Dans la langue usuelle, on emploie PAS.) [→ NE.]

POINTAGE n. m. → POINTER 1 et 2.

. POINTE [pwɛ̃t] n. f. (bas lat. *puncta;* de *pungere,* piquer). . Extrémité pointue ou étroite d'une chose qui va en s'amincissant : *La pointe d'une aiguille. La pointe d'un clocher* (= la partie extrême et la plus fine). *La pointe des pieds* (= les orteils). ‖ *Pointe d'asperge,* bourgeon terminal d'une asperge. — **2.** Clou de même grosseur sur toute sa longueur. — **3.** Langue de terre qui avance dans la mer en se rétrécissant. — **4.** Pièce d'étoffe taillée en forme allongée; fichu triangulaire. — **5.** *Pointe sèche,* outil de graveur. ◆ n. f. pl. Attitude de la danseuse dressée en équilibre sur l'extrémité de ses chaussons. (La *demi-pointe* utilise l'appui de la partie antérieure du pied, la voûte plantaire et le talon étant soulevés.) — LOC. ADJ. et ADV. *En pointe,* se dit d'une chose qui a la forme d'une pointe, dont l'extrémité va en s'amincissant : *Tailler la barbe en pointe.* ◆ **pointu, e** adj. (toujours après le nom). . Qui a une extrémité amincie ou formant un angle aigu : *Le clocher pointu d'une église. Le talon pointu d'une chaussure.* — . *Voix pointue, ton pointu,* qui a un timbre très élevé et désagréable (syn. non péjor. AIGU). ‖ *Accent pointu,* se dit, dans le Midi, de l'accent parisien. — **3.** Se dit de quelqu'un (ou de son comportement) qui manifeste de la susceptibilité ou de l'aigreur (littér.) : *Quand il parlait, il avait un petit air pointu* (syn. PINCÉ).

. POINTE [pwɛ̃t] n. f. (même étym.). *Faire, pousser une pointe jusqu'à un lieu,* faire un détour pour y aller.

. POINTE [pwɛ̃t] n. f. (même étym.). Trait d'esprit recherché : *Lancer une pointe.*

. POINTE [pwɛ̃t] n. f. (même étym.). *Une pointe de qqch.,* une petite quantité de cette chose : *Une pointe d'ail. Il parlait avec une pointe d'accent méridional. Elle mettait dans sa question une pointe de malice* (syn. UN RIEN DE, UN SOUPÇON DE).

. POINTE [pwɛ̃t] n. f. (même étym.). **1.** Moment où une activité, un phénomène atteint son maximum d'intensité : *Cette voiture fait du 180 en pointe. Vitesse de pointe* (par oppos. à VITESSE DE CROISIÈRE). — **2.** *Heure de pointe,* moment où la consommation d'électricité, de gaz, etc., est la plus forte, où le nombre des voyageurs est le plus grand, etc. — **3.** (sujet nom de personne) *Être à la pointe de qqch.,* être dans un secteur au premier rang par rapport aux autres, être très au courant : *Journaliste à la pointe de l'actualité.* — LOC. ADJ. *De pointe,* se dit d'une industrie, d'une collectivité, d'une technique à l'avant-garde du progrès.

. POINTE [pwɛ̃t] n. f. (même étym.). *La pointe du jour,* la première clarté du jour (syn. AUBE, AURORE).

POINTE-À-PITRE, v. de la Guadeloupe, dans l'île de la Grande-Terre; 25 300 hab. Principal débouché maritime de la Guadeloupe. Aéroport.

POINTEAU [pwɛ̃to] n. m. (de *pointe*). **1.** Poinçon en acier servant à marquer la place d'un trou à percer. — **2.** Tige conique qui règle l'arrivée d'un fluide à travers son orifice.

POINTE-NOIRE, port du Congo; 142 000 hab. Tête de ligne du chemin de fer Congo-Océan. Principal débouché maritime du pays.

. POINTER [pwɛ̃te] v. t. (de *point*) [sujet nom de personne]. . Marquer d'un signe des noms, des articles d'une liste, des mots d'un texte, afin de contrôler, de compter, etc. : *Pointer des noms sur une liste* (syn. COCHER). *Pointer tous les verbes dans une fable de La Fontaine* (syn. RELEVER). — **2.** Mus. *Pointer une note,* la marquer d'un point qui augmente de moitié sa valeur. (Le rythme pointé confère à la musique un caractère saccadé.) — **3.** *Pointer les employés, des ouvriers,* contrôler leurs heures d'arrivée et de départ dans l'entreprise. ◆ v. i. *Employé, ouvrier qui pointe,* qui est soumis au contrôle de ses heures d'arrivée et de départ dans l'entreprise. ◆ ***se pointer*** v. pr. *Fam.* Arriver, se présenter à un endroit. ◆ **pointage** n. m. : *Le pointage des électeurs inscrits sur la liste électorale. Le pointage du personnel d'une entreprise se fait souvent au moyen d'un appareil spécial, qui enregistre l'heure d'arrivée et de départ.*

2. POINTER [pwɛ̃te] v. t. (même étym.) [sujet nom de personne]. Diriger vers un but, orienter en direction de quelqu'un ou de quelque chose : *Pointer un canon sur l'objectif* (syn. BRAQUER). ◆ v. i. À la pétanque, lancer la boule aussi près que possible du but. ◆ **pointage** n. m. : *Le pointage d'un canon.* ◆ **pointeur** n. m. **1.** Celui qui est chargé de diriger une arme à feu sur un objectif. — **2.** Joueur de pétanque qui pointe.

3. POINTER [pwɛ̃te] v. i. (de *pointe*) [sujet nom de chose]. Se dresser verticalement, s'élever (langue soignée) : *Les flèches de la cathédrale pointent vers le ciel. Les jeunes pousses de pivoine qui pointent au printemps* (= qui sortent de terre).

POINTILLÉ [pwɛ̃tije] n. m. (de *point*). Ligne faite de petits points nombreux et rapprochés : *Indiquer la frontière entre deux pays, sur une carte, par un pointillé.* ◆ **pointillisme** n. m. En peinture, procédé de l'école impressionniste qui pousse à l'extrême la division des tons en juxtaposant des points multicolores.

POINTILLEUX, EUSE [pwɛ̃tijø, -øz] adj. et n. (it. *puntiglioso*). Se dit d'une personne (ou de son comportement) qui est exigeante ou susceptible dans ses rapports avec les autres : *Un examinateur pointilleux* (syn. fam. PINAILLEUR).

POINTILLISME n. m. → POINTILLÉ.

POINTU, E adj. → POINTE 1.

POINTURE [pwɛ̃tyr] n. f. (lat. *punctura,* piqûre). Dimension des chaussures, des gants, des chapeaux, etc., indiquée par un chiffre.

POINT-VIRGULE [pwɛ̃virgyl] n. m. *(point,* et *virgule).* Signe de ponctuation indiquant la fin d'une phrase qui forme l'articulation d'un énoncé complet. (→ PONCTUATION.) ‖ Pl. des *points-virgules.*

1. POIRE [pwar] n. f. (lat. *pira*). **1.** Fruit du poirier. — **2.** Nom de certains objets en forme de poire : *Poire électrique* (= commutateur électrique au bout d'un fil souple). — **3.** Fam. *Garder une poire pour la soif,* conserver quelques ressources en cas de besoin. ◆ **poirier** n. m. Arbre fruitier qui fournit la poire et dont le bois est employé en ébénisterie. (Famille des rosacées.)

2. POIRE [pwar] n. f. et adj. (de *poire* 1). *Fam.* Personne facilement dupe.

1. POIREAU [pwaro] n. m. (lat. *porrum*). Plante potagère dont on consomme la base des feuilles : *Une botte de poireaux.*

2. POIREAU [pwaro] n. m. (de *poireau* 1). Fam. *Faire le poireau,* attendre longuement. ◆ **poireauter** v. i. *Fam.* Faire le poireau.

POIRIER n. m. → POIRE 1.

POIS [pwa] n. m. (lat. *pisum*). **1.** Plante grimpante, dont une espèce est cultivée pour ses graines comestibles, une autre pour ses fleurs *(pois de senteur).* [Famille des papilionacées.] — **2.** (au plur.) Graines du pois, dites plus souvent *petits pois.* — **3.** *Pois cassés,* pois secs divisés en deux, qui se mangent en purée. ‖ *Pois chiche,* plante voisine du pois, dont la gousse contient deux graines comestibles. — LOC. ADJ. *À pois,* se dit de certains tissus décorés par des petits ronds d'une couleur différente de celle du fond, et diversement disposés : *Une cravate à pois.*

POISON [pwazɔ̃] n. m. (lat. *potio, -onis,* breuvage). **1.** Toute substance qui, introduite dans l'organisme, lui est nocive; et, plus partic., substance volontairement utilisée dans un dessein meurtrier : *Le tabac est un poison pour l'organisme* (syn. TOXIQUE). *Le curare, l'arsenic sont des poisons.* — **2.** *Fam.* Personne de caractère insupportable (syn. fam. PESTE). ◆ **empoisonner** v. t. **1.** *Empoisonner une personne, un animal,* les faire mourir ou les intoxiquer gravement par un poison : *Néron fit empoisonner Britannicus.* — **2.** *Empoisonner l'eau, l'atmosphère,* y répandre des éléments nocifs qui les rendent toxiques : *Des déchets industriels qui empoisonnent une rivière* (syn. POLLUER). — **3.** Fam. *Empoisonner qq'un,* lui causer un souci constant, l'importuner : *Il m'empoisonne avec ses réclamations* (syn. ENNUYER; fam. ASSOMMER). ◆ **empoisonnant, e** adj. Fam. : *Un travail empoisonnant* (syn. ENNUYEUX; fam. ASSOMMANT). *Un élève empoisonnant* (syn. INSUPPORTABLE). ◆ **empoisonnement** n. m. **1.** Intoxication pouvant causer la mort : *Un empoisonnement dû aux champignons.* — **2.** *Fam.* Ennui, souci, tracas : *Il a eu un tas d'empoisonnements avec sa voiture.* ◆ **empoisonneur, euse** n. : *La Brinvilliers est une empoisonneuse célèbre du XVIIᵉ s. Un écrivain qui a été traité d'empoisonneur public.* ◆ **contrepoison** n. m. Remède qui combat les effets d'un poison (syn. ANTIDOTE).

Poisons *(affaire des),* série de scandaleuses affaires d'empoisonnement, à Paris, de 1670 à 1680, qui nécessitèrent la création d'une Chambre* ardente dirigée par le lieutenant de police de

Paris La Reynie, et auxquelles furent mêlés la Brinvilliers, la Voisin, la Vigoureux, ainsi que de grands personnages de la Cour.

POISSARD, E [pwasar, -ard] adj. et n. f. (de *poix*). Se dit d'une personne au langage grossier.

POISSE [pwas] n. f. (de *poisser*). *Pop.* Malchance : *Quelle poisse!*

POISSER v. t., **POISSEUX, EUSE** adj. → POIX.

POISSON [pwasɔ̃] n. m. (du lat. *piscis*). **1.** Vertébré aquatique à respiration branchiale, à température variable, au corps souvent couvert d'écailles, muni d'un nombre variable de nageoires qui assurent son équilibre et sa propulsion. → ENCYCL. ‖ *Poisson-chat,* poisson d'eau douce à longs barbillons, très vorace à l'égard des alevins et des œufs d'autres espèces (syn. SILURE). ‖ *Poisson-épée* → ESPADON. ‖ *Poisson plat,* nom usuel des PLEURONECTIDÉS. ‖ *Poisson rouge,* nom usuel du CARASSIN DORÉ. ‖ *Poisson-scie,* sélacien des mers chaudes, qui peut atteindre 9 m, à long rostre dentelé. ‖ *Poisson volant,* poisson de mer à nageoires pectorales développées lui permettant de planer hors de l'eau (syn. EXOCET). — **2.** *Être heureux comme un poisson dans l'eau,* être très heureux. ‖ *Faire une queue de poisson,* en parlant d'un automobiliste, d'un cycliste, etc., doubler un véhicule et se rabattre brusquement devant lui. ‖ *Poisson d'avril,* farce qu'on fait le 1er avril. ◆ **poissonnerie** n. f. Commerce, magasin dans lequel se vendent les poissons et les produits de la mer. ◆ **poissonneux, euse** adj. Se dit d'une eau qui contient de nombreux poissons. ◆ **poissonnier, ère** n. Personne qui tient une poissonnerie.

— ENCYCL. Presque tous les *poissons* ont deux paires de « nageoires paires » : les *pectorales* (en avant) et les *pelviennes* (dans une position variable), auxquelles s'ajoutent au moins trois nageoires médianes : une *caudale* (« queue »), motrice, une *dorsale* et une *anale.* Leurs yeux sont adaptés pour voir dans l'eau. L'eau respiratoire entre par la bouche et ressort par les fentes branchiales (« ouïes » des poissons osseux). Beaucoup d'espèces ont une *vessie gazeuse,* dont les fonctions sont encore discutées. Les poissons sont souvent omnivores. La reproduction est généralement ovipare : la femelle pond dans l'eau d'innombrables œufs (parfois plusieurs millions); le mâle la suit et arrose les œufs de son sperme (laitance). Un classement sommaire des poissons reconnaît essentiellement deux groupes : les *téléostéens**, ou poissons osseux, et les *sélaciens**, ou poissons cartilagineux.

→ illustrations page ci-contre.

POISSON (Denis), mathématicien français (1781-1840). Il est l'auteur de travaux sur la physique mathématique, dont il est l'un des créateurs, le calcul des probabilités et la mécanique rationnelle.

POISSONNERIE n. f., **POISSONNEUX, EUSE** adj., **POISSONNIER, ÈRE** n. → POISSON.

POISSONS *(les),* constellation zodiacale dans laquelle les Anciens voyaient deux poissons reliés par un ruban. — Douzième et dernier signe du zodiaque, correspondant à la période du 19 février au 21 mars.

POISSY, ch.-l. de cant. des Yvelines, à 7,5 km au N.-O. de Saint-Germain-en-Laye, sur la Seine; 36600 hab. *(Pisciacais).* Constructions mécaniques (automobiles).

POITEVIN, E [pwatvɛ̃, -in] adj. et n. Habitant ou originaire du Poitou ou de Poitiers.

POITIERS, ch.-l. du dép. de la Vienne et de la Région Poitou-Charentes, sur le Clain, à 340 km au S.-O. de Paris; 82900 hab. *(Poitevins).* Cité historique, riche en monuments romans, Poitiers est un centre touristique, commercial et universitaire, où l'industrie (constructions mécaniques et électriques) est encore peu développée. L'agglomération compte environ 100000 hab. À 8 km au N. de Poitiers (comm. de Jaunay-Clan), parc d'attractions sur les technologies du futur *(Futuroscope),* en cours d'aménagement.

• *732. Charles Martel y arrête les Arabes.*

POITOU, anc. province de France. Capit. *Poitiers.* Duché du IXe au Xe s., la province passa aux Anglais avec l'Aquitaine au XIIe s. Reprise une première fois en 1205 par Philippe Auguste, elle fut définitivement annexée par Charles V en 1369. Le Poitou a formé les départements des *Deux-Sèvres,* de la *Vendée* et de la *Vienne.*

POITOU-CHARENTES, Région de l'ouest de la France; 25810 km²; 1568200 hab. Ch.-l. *Poitiers.*

La Région regroupe les quatre départements de la *Charente,* de la *Charente-Maritime,* des *Deux-Sèvres* et de la *Vienne.* Entre les estuaires de la Loire et de la Gironde, entre Nantes et Bordeaux, elle recouvre généralement des pays bas, voués, comme une grande partie de la façade occidentale de la France, à une vie surtout agricole. La densité moyenne d'occupation est faible, de 60 hab. au km² seulement.

L'*agriculture* emploie encore pratiquement le tiers de la population active. L'élevage bovin, pour la viande et les produits laitiers, a progressé aux dépens des cultures céréalières. Certaines spécia lisations se maintiennent, dont la vigne autour de Cogna (634300 hl), cependant que le littoral est localement voué à l pêche, à l'ostréiculture et plus généralement au tourisme estiva

L'*industrie* tient une place peu importante, occupant un pe plus de personnes que l'agriculture, grâce au bâtiment. Les indu tries agricoles et alimentaires sont la seule branche développé La population ne s'accroît que lentement. En effet, l'exode rura se poursuit alors que le nombre d'emplois nouveaux dans l'indu trie est en faible augmentation. Cette évolution est à mettre e rapport avec l'absence de grandes villes.

POITRAIL [pwatraj] n. m. (du lat. *pectus, -oris,* poitrine Devant du corps du cheval et de quelques animaux, entre l'enc lure et les épaules. ◆ **dépoitraillé, e** adj. *Fam.* Se dit d'un personne dont la tenue négligée laisse apparaître la poitrine.

POITRINE [pwatrin] n. f. (du lat. *pectus, -oris*). **1.** Partie d tronc, entre le cou et l'abdomen, qui contient les poumons et l cœur. — **2.** Seins de femme. ◆ **poitrinaire** adj. et n. Qui e atteint d'une maladie de poitrine (= pulmonaire) [vieilli].

POIVRE [pwavr] n. m. (lat. *piper*). Condiment de saveu piquante, formé par le fruit *(poivre noir)* ou la graine *(poivre blanc* habituellement pulvérisés, du poivrier : *Steak au poivre* (= reco vert de poivre concassé). ◆ adj. Fam. *Cheveux poivre et se* grisonnants. ◆ **poivrer** v. t. Assaisonner de poivre. ◆ **poivrad** n. f. Sauce vinaigrette au poivre. ◆ **poivrier** n. m. **1.** Plante de régions tropicales, produisant le poivre. (Famille des pipéracées — **2.** Ustensile de table pour le poivre. ◆ **poivrière** n. f. **1.** Sy de POIVRIER (sens 2). — **2.** *Toit en poivrière,* toit conique au-dessu d'une tour ou d'une tourelle.

POIVRON [pwavrɔ̃] n. m. (de *poivre*). Fruit du piment dou

POIVROT [pwavro] n. m. (de *poivre*). *Pop.* Ivrogne (parfois a fém. POIVROTE).

POIX [pwɑ] n. f. (lat *pix, picis*). Substance résineuse tirée du p et du sapin et qui a des propriétés agglutinantes (utilisée po l'encollage des papiers). ◆ **poisser** v. t. Salir, souiller, en lai sant des traces gluantes : *La confiture lui a poissé les doigt* ◆ **poisseux, euse** adj. : *Avoir les mains poisseuses.*

POKER [pɔkɛr] n. m. (mot angl.). **1.** Jeu de cartes d'origin américaine. — **2.** *Poker dice* ou *poker d'as,* sorte de jeu de dés.

POLABÍ, riche plaine de Tchécoslovaquie, en Bohême, de pa et d'autre du Labe (Elbe).

POLAIRE adj. → PÔLE.

POLAIRE *(la)* ou **ÉTOILE POLAIRE,** étoile située dans constellation de la Petite Ourse et ainsi nommée parce que, trouvant à 1°25′ environ de la direction du pôle, elle définit direction du nord.

POLAIRES *(régions),* nom donné aux régions limitées par l cercles polaires. Elles couvrent 43 millions de km², dont la pl grande partie est occupée par la mer dans l'Arctique* et par terre dans l'Antarctique*.

1. POLARISER [pɔlarize] v. t. (du gr. *poleîn,* tourner). So mettre à la polarisation optique : *Polariser des rayons lumineu* ◆ **polarisation** n. f. **1.** Propriété que présente un rayon lum neux, après réflexion ou réfraction, de transporter des vibratio inégalement réparties autour de ce rayon. — **2.** *Électr.* Établiss ment d'une différence de potentiel entre deux conducteurs. **3.** *Polarisation d'une pile,* diminution de la force électromotri d'une pile par suite de réactions chimiques intérieures. ◆ **pol risé, e** adj. **1.** *Électr.* Se dit d'un appareil présentant deux pôl de nature différente. — **2.** Qui a subi une polarisation : *Lumiè polarisée.*

2. POLARISER [pɔlarize] v. t. (de *polariser* 1). **1.** Concentr sur soi : *Un problème qui polarise toute l'activité de l'entreprise.* **2.** Fam. *Être polarisé sur une question,* y consacrer toutes s pensées, toute son action.

POLARITÉ n. f. → PÔLE.

POLDER [pɔldɛr] n. m. (mot néerl. signif. *terre endigué* Terrain conquis sur la mer et entouré de digues, pour éviter retour des eaux marines ou fluviales, puis drainé et mis en valeu *Les Néerlandais achèvent la transformation partielle de l'anci Zuiderzee en cinq polders.*

PÔLE [pol] n. m. (gr. *polos;* de *poleîn,* tourner). **1.** Chacune d deux extrémités de l'axe imaginaire autour duquel la sphè céleste semble tourner en 24 heures; les deux extrémités de l'a de la Terre : *Le pôle Nord, le pôle Sud.* — **2.** *Électr.* Chacune d extrémités d'un générateur ou d'un récepteur, utilisées pour l connexions au circuit extérieur : *Le pôle positif, le pôle négatif. Pôles d'un aimant,* extrémités de l'aimant où semble localisé magnétisme. — **3.** Chose qui est en opposition logique avec u autre : *Les deux pôles de la joie et de la tristesse.* — **4.** *Pô d'attraction,* chose qui retient l'attention, qui attire les regar

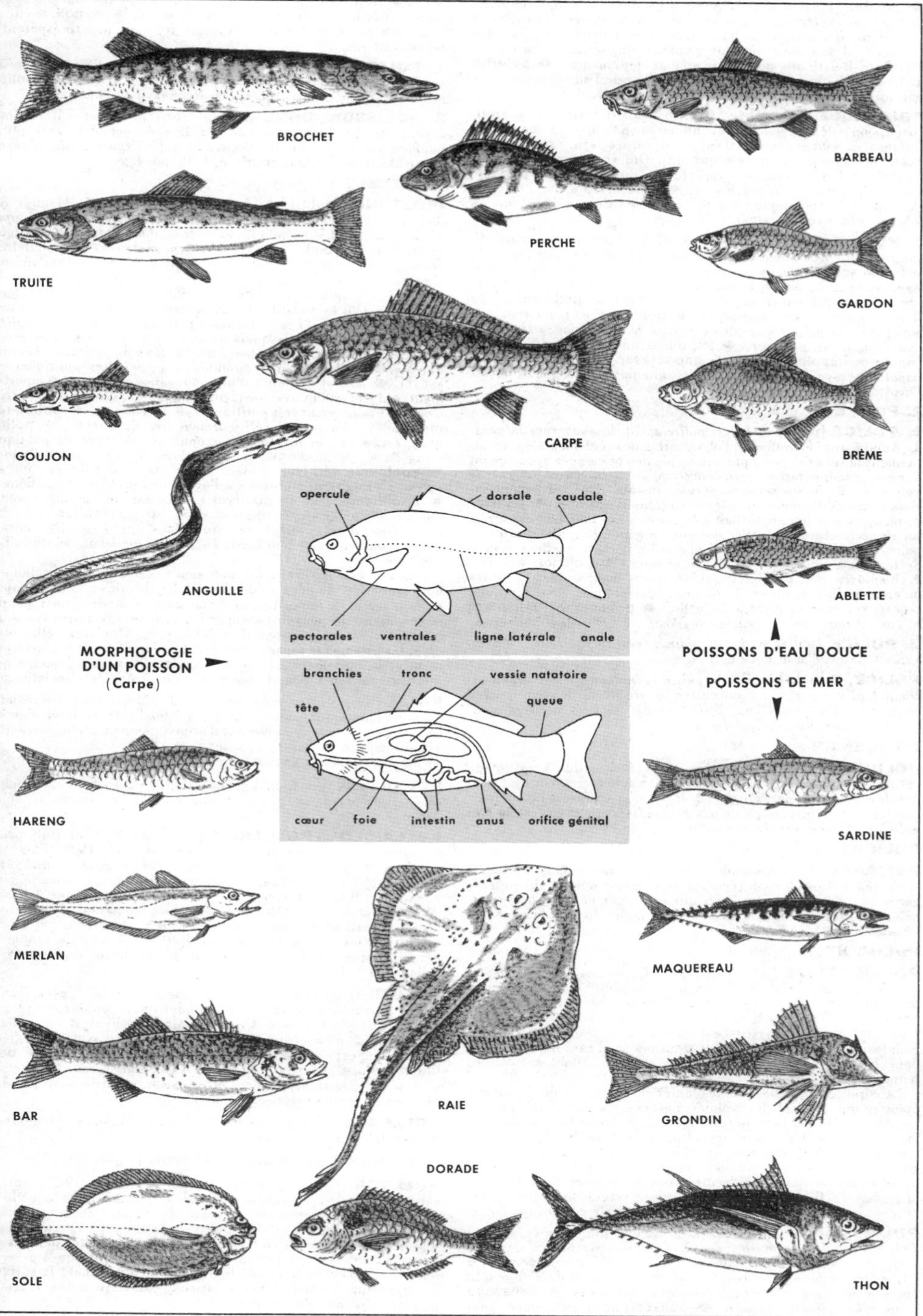

BROCHET
BARBEAU
PERCHE
TRUITE
GARDON
CARPE
GOUJON
BRÈME
ANGUILLE
opercule
dorsale
caudale
pectorales
ventrales
ligne latérale
anale
ABLETTE
MORPHOLOGIE
D'UN POISSON
(Carpe)
POISSONS D'EAU DOUCE
POISSONS DE MER
branchies
tronc
vessie natatoire
tête
queue
cœur
foie
intestin
anus
orifice génital
HARENG
SARDINE
MERLAN
MAQUEREAU
BAR
RAIE
GRONDIN
DORADE
SOLE
THON

◆ **polaire** [pɔlɛr] adj. **1.** Situé près des pôles; qui leur est propre : *Mers, terres polaires.* ‖ *Cercle polaire*, cercle parallèle à l'équateur, qui marque la limite des zones polaires, où, lors des solstices, il fait jour ou nuit pendant vingt-quatre heures. — **2.** *Électr.* Relatif aux pôles d'un aimant ou d'une pile. ◆ **polarité** n. f. Qualité qui permet de distinguer l'un de l'autre chacun des pôles d'un aimant ou d'un générateur électrique.

POLÉMIQUE [pɔlemik] n. f. (gr. *polemikos*, relatif à la guerre). Discussion, débat violent sur un sujet politique, scientifique, littéraire : *Soutenir une polémique acharnée* (syn. CONTROVERSE, DÉBAT, DISCUSSION). ◆ **polémique** adj. Qui vise à une discussion agressive : *Une attitude polémique* (contr. CONCILIANT). ◆ **polémiquer** v. i. Faire de la polémique. ◆ **polémiste** n. m. Personne qui fait de la polémique : *Un polémiste de talent écrivait dans le journal* (syn. PAMPHLÉTAIRE).

1. POLI, E [pɔli] adj. (de *polir*). Se dit d'une personne (ou de son comportement) dont les manières sont conformes aux règles de la bonne société, ou respectueuses d'autrui : *Un enfant très poli* (syn. BIEN ÉLEVÉ). *Être poli avec les dames* (syn. ↓CORRECT, ↑GALANT; contr. ↑GROSSIER, MALAPPRIS, MALOTRU, RUSTRE). ◆ **poliment** adv. : *Refuser poliment une invitation.* ◆ **politesse** n. f. : *Ce garçon manque de la politesse la plus élémentaire. Terminer sa lettre par une formule de politesse.* ◆ **impoli, e** adj. et n. : *Un visiteur impoli.* ◆ **impoliment** adv. ◆ **impolitesse** n. f. : *Répondre avec impolitesse* (syn. ↑GROSSIÈRETÉ). *C'est une impolitesse que de ne pas l'avoir remercié.*

2. POLI, E adj. et n. m. → POLIR.

1. POLICE [pɔlis] n. f. (gr. *politeia*, art de gouverner la cité). **1.** Administration veillant à l'observation des règlements qui maintiennent la sécurité publique; ensemble des personnes appartenant à cette administration : *Dénoncer qq'un à la police. Agent de police.* — **2.** *Police secours*, service installé dans les commissariats d'arrondissement et affecté aux cas d'urgence. ◆ **policier** n. m. Personne qui appartient à la police : *Les policiers ont arrêté un suspect.* (*Agent de police* désigne en général un membre de la police en uniforme; *policier* s'applique à n'importe quelle personne de la police, gradée, en uniforme ou non.) ◆ **policier, ère** adj. **1.** *Employer des méthodes policières* (= comparables à celles qu'emploie la police). — **2.** *Roman, film policier*, dont l'intrigue repose sur une enquête criminelle. ◆ **policeman** [pɔlisman] n. m. Agent de la police anglaise. ‖ Pl. des *policemen.*

2. POLICE [pɔlis] n. f. (it. *polizza*, certificat). *Police d'assurance*, contrat d'assurance écrit.

POLICÉ, E [pɔlise] adj. (de *police* 1, au sens anc. d'*organisation*). Qui est parvenu à un certain degré de civilisation (langue soignée) : *On parlait au XVIIIe s. des sociétés policées* (syn. CIVILISÉ; contr. BARBARE, SAUVAGE).

POLICEMAN n. m. → POLICE 1.

POLICHINELLE [pɔliʃinɛl] n. m. (it. *Pulcinella*). **1.** (avec une majusc.) Personnage comique des théâtres de marionnettes, bossu par-devant et par-derrière. — **2.** (avec une minusc.) Personnage bouffon et ridicule, en qui on n'a pas confiance, etc. : *C'est un vrai polichinelle* (syn. FANTOCHE, PANTIN).

POLICIER, ÈRE adj. et n. m. → POLICE 1.

POLIGNAC (Jules Armand, *prince* DE), homme politique français (1780-1847). Président du Conseil et ministre des Affaires étrangères en 1829, il prépara l'expédition d'Alger et signa les ordonnances qui amenèrent la révolution de juillet 1830 et la chute de Charles X.

POLIMENT adv. → POLI 1.

POLIOMYÉLITE [pɔljɔmjelit] n. f. (du gr. *polios*, gris, et *muelos*, moelle). Maladie contagieuse produite par un virus et provoquant des paralysies, souvent étendues. ◆ **poliomyélitique** adj. et n. Atteint de poliomyélite. (Abrév. fam. POLIO.)

— ENCYCL. La *poliomyélite* est due à un virus qui attaque les cellules nerveuses et qui semble transmis par l'eau; il est retrouvé dans les selles des malades. Cette maladie atteint surtout les jeunes enfants.

Le virus attaque les cornes antérieures grises de la moelle épinière qui contient des cellules motrices. La *paralysie* s'installe brutalement et est tout de suite globale, frappant les membres de façon très variable : tous les réflexes sont abolis, les muscles s'atrophient. Elle diminue ensuite, mais il reste souvent des séquelles graves : atrophie des muscles et arrêt de croissance du membre atteint que la *rééducation motrice* peut corriger de façon appréciable. Il existe actuellement une vaccination préventive efficace contre la poliomyélite, par voie buccale et par injection.

POLIR [pɔlir] v. t. (lat. *polire*). **1.** Rendre uni, lisse et luisant : *Polir une dalle de marbre.* — **2.** Travailler avec soin un texte écrit, le corriger (langue soignée) : *Polir un discours.* ◆ **poli, e** adj. : *Une surface polie* (syn. ↑LISSE). ◆ n. m. Éclat d'un objet qui, après avoir été poli, réfléchit les rayons lumineux. ◆ **polissage** n. m. : *Le polissage du verre.* ◆ **polissoir** n. m. Instrument pour polir. ◆ **dépolir** v. t. *Dépolir qqch.*, lui faire perdre son poli : *Une lente oxydation a dépoli la surface du métal.* ◆ **dépoli, e** adj. : *Une vitre de verre dépoli* (= translucide, mais non transparent). ◆ **repolir** v. t.

1. POLISSON, ONNE [pɔlisɔ̃, -ɔn] n. m. (de l'anc. arg. *polir*, vendre). Enfant espiègle : *Petit polisson* (syn. COQUIN). ◆ **polissonnerie** n. f. : *Faire des polissonneries* (syn. TOUR).

2. POLISSON, ONNE [pɔlisɔ̃, -ɔn] n. m. et adj. (même étym.). Se dit d'une personne (ou de son comportement) qui a quelque chose de coquin, licencieux : *Un regard polisson* (syn. ↑ÉGRILLARD). ◆ **polissonnerie** n. f. Propos licencieux.

POLITESSE n. f. → POLI 1.

POLITIQUE [pɔlitik] n. f. (du gr. *polis*, cité). **1.** Manière de diriger les affaires d'un État : *Une politique libérale. Une politique d'austérité.* — **2.** Ensemble des affaires d'un État : *La politique extérieure* (= la diplomatie). *La politique intérieure* (= les affaires économiques, sociales, etc.). — **3.** Activité de quelqu'un qui s'intéresse aux affaires de l'État : *Faire de la politique.* — **4.** Manière d'agir, de conduire une affaire : *Une bonne politique.* ◆ adj. **1.** Qui est relatif à l'organisation et au gouvernement des affaires publiques : *Les institutions politiques.* — **2.** *Droits politiques*, droits en vertu desquels un citoyen participe au gouvernement, directement ou par son vote. ‖ *Homme politique*, homme qui s'occupe des affaires publiques. ‖ *Sciences politiques* → ENCYCL. ◆ adj. et n. Se dit d'une personne (ou de son comportement) qui se conduit avec beaucoup d'habileté, d'une manière très avisée : *Un directeur très politique* (syn. DIPLOMATE). ◆ **politiquement** adv. : *Un scrutin politiquement très significatif.* ◆ **politicien, enne** adj. et n. *Péjor.* Personne qui s'occupe de politique (sens 3). ◆ **politicologue** n. Spécialiste de la science politique. ◆ **apolitique** adj. Qui se place en dehors de la politique, qui se refuse à prendre une position à l'égard des problèmes politiques. ◆ **apolitisme** n. m. ◆ **politiser** v. t. Donner un caractère politique à quelque chose : *Politiser un débat.* ◆ **politisation** n. f. : *La politisation d'un syndicat.* ◆ **dépolitiser** v. t. *Dépolitiser qqch.*, lui ôter tout caractère politique : *Dépolitiser un débat.* ◆ **dépolitisation** n. f.

— ENCYCL. Les *sciences politiques* sont l'ensemble des disciplines dont l'objet est de dégager des lois et des théories rendant compte de la place et de la position de l'État dans la société, ainsi que de la spécificité du pouvoir politique par rapport aux autres types de pouvoirs (économique, social, idéologique). À ce titre, elles étudient les principaux organes de l'État (essentiellement le gouvernement et le Parlement), de même que les divers groupements qui infléchissent son action (les partis, les syndicats, les associations).

POLJÉ [pɔlje] n. m. (mot slave signif. *plaine*). Dans les régions de relief karstique*, vaste dépression à fond plat, tapissée d'argile rouge imperméable et provenant d'affaissements tectoniques joints à la dissolution du calcaire par les eaux.

→ illustration RELIEF KARSTIQUE*.

POLKA [pɔlka] n. f. (mot polon.). Danse à deux temps, d'origine tchèque ou polonaise, très en vogue au XIXe s.; air sur lequel on la danse.

POLLAIOLO ou **POLLAIUOLO** (Antonio BENCI, dit **del**), peintre, sculpteur, graveur et orfèvre italien (v. 1432-1498). Élève de Ghiberti, il exécuta d'abord trois bas-reliefs d'argent pour l'autel du baptistère de Florence. Dessinateur vigoureux, passionné pour l'anatomie, il peignit avec son frère PIERO une suite des *Travaux d'Hercule* et des compositions où le paysage tient une grande place *(Saint Sébastien).* Il manifesta dans ses bronzes *(Hercule et Antée)* et ses gravures *(Combat d'hommes nus)* le même style souple et nerveux. Appelé à Rome, il y exécuta les tombeaux de Sixte IV et d'Innocent VIII.

POLLEN [pɔlɛn] n. m. (mot lat. signif. *farine*). Ensemble de grains formant une poudre jaune, produits par l'anthère des étamines des plantes à fleurs. (Chaque grain de pollen est une cellule reproductrice mâle destinée à la fécondation d'un ovule d'une fleur de la même espèce.) ◆ **pollinique** adj. Relatif au pollen. ◆ **pollinisation** n. f. Transport du pollen d'une étamine sur le stigmate d'un pistil. (Ce transport peut être réalisé par le vent ou par des insectes butineurs [papillons et abeilles].)

POLLENSA, port de pêche de l'île de Majorque (Baléares); 9 000 hab. Pêche. Station balnéaire.

POLLINIQUE adj., **POLLINISATION** n. f. → POLLEN.

POLLOCK (Jackson), peintre abstrait américain (1912-1956). Il est le principal représentant de l'*action painting*, dans laquelle la rapidité de l'exécution et le geste du peintre jouent un rôle déterminant : appliquant d'immenses toiles au mur ou par terre, il y projette des couleurs ou s'y promène avec des boîtes percées de trous, d'où s'écoule la peinture. Ces œuvres gigantesques présentent des enchevêtrements de lignes qui occupent toute la surface et suggèrent des mouvements furieux, caractéristiques de cette peinture abstraite dynamique.

›OLLUER [pɔlɥe] v. t. (lat. *polluere,* souiller). *Polluer un lieu, ıne rivière,* etc., les rendre dangereux en y répandant des matières oxiques : *Les usines polluent les rivières en y jetant des déchets.*)*e l'air pollué* (syn. EMPOISONNÉ, VICIÉ). ◆ **polluant, e** adj. : ·*'effet polluant du D. D. T.* ◆ **pollution** n. f. : *La pollution ıtmosphérique.* → ENCYCL.

- ENCYCL. La *pollution* est la dégradation nocive de l'environneıent (= le milieu naturel dans lequel nous vivons) par la société echnologique : produits de l'industrie et des sociétés urbaines qui es ont créées, des tonnes de substances nocives (détergents, nsecticides, résidus industriels, vapeurs d'échappement, fumées l'usines, retombées radioactives, etc.) sont déversées dans l'eau ue nous buvons et dans l'air que nous respirons. C'est ainsi que es rivières deviennent des « égouts à ciel ouvert », les mers des éversoirs (les fameuses « marées noires » sont provoquées par des ıappes de mazout larguées par les pétroliers).

La pollution pose le problème de la sauvegarde des espèces ınimales et végétales, ainsi que de celle de l'humanité elle-même. .es pays industrialisés s'efforcent de trouver des remèdes (consruction d'usines d'incinération des ordures, réglementation de la eneur en oxyde de carbone des moteurs, stations d'épuration des ·aux, protection des sites), mais surtout des campagnes d'informaion sont organisées pour faire prendre conscience à chacun que la ıature doit être protégée, faute de quoi l'humanité se détruira elleıême.

›OLLUX → CASTOR.

ı. POLO [polo] n. m. (mot angl.). Jeu pratiqué à cheval et qui onsiste à pousser une balle avec un maillet vers le but.

:. POLO [polo] n. m. (même étym.). Chemise de sport en tricot, col rabattu.

›OLO (Marco), voyageur vénitien (1254-1324). Il traversa toute 'Asie par la Mongolie et revint par Sumatra, après être resté seize ıns au service du Kūbīlāy khān. La relation de ses voyages *(le ·ivre des merveilles)* est une sorte d'encyclopédie géographique.

›OLOCHON [pɔlɔʃɔ̃] n. m. (orig. inc.). *Fam.* Traversin.

›OLOGNE, en polon. **Polska,** république de l'Europe orientale, ur la mer Baltique.

GÉOGRAPHIE

ı dehors de sa partie méridionale se rattachant à la chaîne des :arpates, la Pologne est une portion de la grande plaine d'Europe u Nord, portant les traces des glaciations quaternaires (moraines, ıcs). Le climat continental impose des hivers rigoureux et des tés chauds.

SUPERFICIE 313 000 km² (France 550 000 km²).

POPULATION 38 200 000 hab. *(Polonais);* 122 hab. au km² (France : 103); taux de natalité, 19,1 p. 1 000; taux de mortalité, 8,8 p. 1 000.

CAPITALE Varsovie (1 641 000 hab.).

VILLES PRINCIPALES Łódź (848 500 hab.); Cracovie (735 100 hab.); Wrocław (631 300 hab.); Poznań (570 900 hab.); Gdańsk (464 600 hab.); Szczecin (389 200 hab.).

LANGUE OFFICIELLE polonais.

ÉCONOMIE consommation d'énergie par hab., 4 500 kg d'équivalent charbon; 1 automobile pour 30 hab.

	TEMPÉRATURES MOYENNES		PLUIES
	janv.	juil.	
Varsovie	— 3 °C	18 °C	550 mm

L'institution d'un régime socialiste après la Seconde Guerre mondiale a transformé l'organisation économique et sociale du pays.

L'*agriculture* reste stationnaire en raison de conditions naturelles peu favorables. La réforme agraire avait fait disparaître la grande propriété au profit de fermes collectives, mais la petite propriété individuelle a subsisté (80 p. 100 environ des exploitations). Le pays produit des céréales, des pommes de terre, des betteraves à sucre. L'élevage bovin est en progression.

seigle	8 300 000 t	pomme de terre	40 millions de t
blé	6 100 000 t		
betterave à sucre	15 600 000 t	bovins	11 millions de têtes

L'*industrie* s'est beaucoup développée depuis la guerre. Le soussol recèle du plomb, du zinc, du fer, du pétrole, du sel et surtout du charbon. Le riche gisement houiller de haute Silésie alimente la sidérurgie implantée sur le charbon (Katowice, Bytom, près de Cracovie [Nowa Huta]) et sur les gisements de fer (Kielce, Czestochowa). La haute Silésie est aussi le siège d'une puissante industrie lourde (chimie, métallurgie). Les autres activités sont dispersées dans les grands foyers urbains : textile autour de Łódź; industries différenciées (chimie, constructions mécaniques, etc.) à Varsovie, Poznań, Lublin, Wrocław; constructions navales dans les ports de Szczecin et Gdańsk, principaux débouchés maritimes du pays.

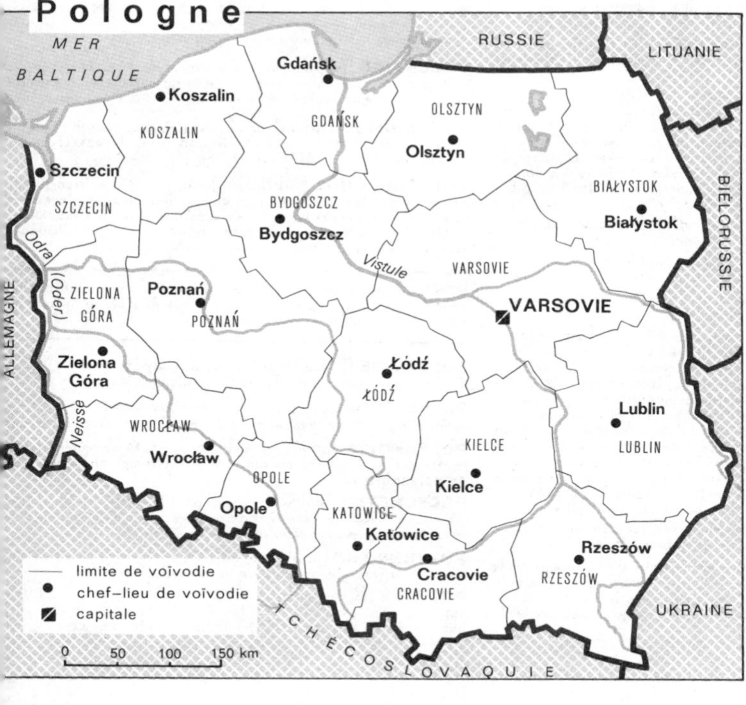

La Pologne exporte des produits agricoles et du charbon. Mais elle doit importer des matières premières nécessaires à son industrie, notamment du fer. Ses partenaires principaux sont l'U. R. S. S., l'Allemagne et la Tchécoslovaquie. Les nombreuses destructions de la guerre, puis l'accent mis sur l'industrie lourde et le système économique surtout expliquent la stagnation, voire le recul du niveau de vie des Polonais.

HISTOIRE

Les tribus slaves installées dès la fin du Vᵉ s. dans les bassins de l'Odra et de la Vistule se constituent en État au IXᵉ s.

- *966. Mieszko, premier chef connu de la dynastie des Piast, se convertit au christianisme, ouvrant la Pologne sur l'Occident.*

L'accroissement territorial se poursuit sous son fils, Boleslas le Vaillant, qui se fait couronner roi de Pologne en 1025. Mais les partages successoraux, le poids de la noblesse, la pression des peuples voisins compromettent l'unité, malgré les efforts de Casimir Iᵉʳ le Rénovateur (v. 1040-1058) et de Boleslas III Bouche-Torse (1102-1138).

Au XIIIᵉ s., la Pologne, divisée en duchés, ne peut résister à la poussée germanique. Les chevaliers Teutoniques l'isolent de la Baltique, alors que marchands de la Hanse et colons accaparent son commerce et ses terres, et sont assez puissants en 1300 pour imposer un roi de leur choix, Venceslas de Bohême.

- *1305-1370. L'unité est restaurée sous l'autorité d'un Piast, Ladislas Iᵉʳ, sacré en 1320, à qui succédera son fils, Casimir.*

Les coutumes sont codifiées, la paysannerie favorisée et l'université de Cracovie fondée en 1364. À sa mort, Casimir III lègue son royaume à Louis d'Anjou, roi de Hongrie, dont le règne est mis à profit par la noblesse pour accroître son pouvoir. Sa fille épouse, sous la pression des nobles, le grand-duc de Lituanie Jagellon (1386-1434) qui, converti, devient roi de Pologne (Ladislas II).

- *1410. La victoire de Ladislas II sur les Teutoniques à Grunwald va ruiner la puissance de ceux-ci (paix de Toruń, 1466) et permettre aux Jagellons de régner sur un État s'étendant de la Baltique à la mer Noire.*

Si la Diète, émanation de la noblesse, joue un rôle croissant qui affaiblit la monarchie, la Pologne connaît de 1492 à 1648 son siècle d'or, vivifiée par l'humanisme et la Réforme (Copernic).

- *1569. L'union de Lublin organise le gouvernement de la Pologne et de la Lituanie par une seule diète et un prince élu en commun.*

L'extinction des Jagellons ouvre une période de troubles politiques et religieux, qu'apaisent le triomphe de la Contre-Réforme catholique et l'élection comme roi en 1587 de Sigismond III Vasa. Le nouveau roi et son successeur Ladislas IV (1632-1648) repoussent les interventions russes et suédoises, mais l'asservissement de la paysannerie entraîne un soulèvement de Cosaques en Ukraine.

- *1648-1673. Suédois et Moscovites ravagent la Pologne qui perd la suzeraineté sur la Prusse, cède la Livonie à la Suède et l'Ukraine à la Russie.*

L'élection de Jean Sobieski (1674-1696), vainqueur des Turcs à Chocim (1673), ne peut enrayer le déclin, tandis que le système politique favorise les interventions étrangères. Russie et Autriche imposent leurs candidats, l'Électeur de Saxe Auguste II, puis Auguste III, après l'échec de Stanislas Leszczyński et la guerre de la Succession de Pologne (1733). Stanislas Poniatowski, élu en 1764, essaie de réformer l'État polonais pour limiter l'anarchie intérieure, favorisée par les pays voisins.

- *1772. Après s'être opposées aux réformes, Prusse, Russie et Autriche procèdent au premier partage.*

Un essai de réformes en 1788-1792 sous l'influence de la Révolution française entraîne un nouveau partage entre Russie et Prusse.

- *1794. L'insurrection nationale dirigée par Kościuszko est écrasée et la Pologne entièrement partagée.*

La fondation du grand-duché de Varsovie à la faveur des victoires napoléoniennes est éphémère (1807-1814). La Pologne, diminuée territorialement, est rattachée par le congrès de Vienne à la Russie, et des insurrections éclatent en 1830 et 1863-1864. Dès lors, Russes et Prussiens essaient de supprimer la nationalité polonaise, et seule la Galicie autrichienne obtient une large autonomie. Les Polonais luttent désormais dans le cadre des pays qui les ont annexés, tandis qu'apparaissent des organisations nationalistes et des groupes socialistes; aussi, en 1914, les légions polonaises combattent dans les deux camps jusqu'à ce qu'un comité national polonais installé à Paris en 1917 et soutenu par la France et ses alliés prenne la direction du mouvement nationaliste.

- *22 nov. 1918. La Pologne proclame son indépendance sous la direction de Piłsudski, puis d'un gouvernement unifié.*

Les frontières à l'O. sont définies par le traité de Versailles, et la Pologne obtient l'accès à la mer (couloir de Dantzig qui sépare en deux la Prusse). À l'E., après une guerre contre l'U. R. S. S., le traité de Riga (19 mai 1921) lui permet d'intégrer une partie de l'Ukraine et de la Biélorussie.

- *12 mai 1926. Piłsudski devient le seul maître du pays.*

Mais son régime devient autoritaire et, en 1934, se rapproche d[e] l'Allemagne nazie. Après sa mort (1935), les militaires au pouvoi[r] poursuivent sa politique et occupent même, en 1938, Teschen partie de la Tchécoslovaquie dépecée par Hitler. Les relations s[e] tendent avec le IIIᵉ Reich à propos de Dantzig, et les Polonai[s] sont isolés après le traité germano-soviétique (2 août 1939).

- *1ᵉʳ sept.-27 sept. 1939. Les Allemands, suivis par les Soviétique[s] à l'E., occupent la Pologne.*

Une résistance active s'organise contre l'Allemagne qui extermin[e] l'élite polonaise et la population juive; mais sa division entraîn[e] l'échec du soulèvement de Varsovie (août-octobre 1944), lancé pa[r] le comité de libération de Londres.

- *Janv. 1945. Le comité de Lublin, appuyé par les Soviétiques installe un gouvernement provisoire dans Varsovie libérée.*

Les frontières, fixées par la conférence de Yalta (Oder-Neisse [à] l'O., ligne Curzon à l'E.), sont approximativement celles de l[a] Pologne du XIᵉ s. Le nouveau régime, contrôlé par le parti ouvrie[r] unifié, s'aligne rigoureusement sur la politique de l'U. R. S. S. e[t] écarte en 1949 Gomułka, secrétaire du parti ouvrier.

- *1956. Le mécontentement entraîne des émeutes à Poznań et l[e] retour de Gomułka (« Octobre polonais »).*

Celui-ci va régler le problème des relations avec l'Église, mais e[n] 1968 l'intervention en Tchécoslovaquie amène des difficultés entr[e] le parti et ses intellectuels.

- *Déc. 1969-janv. 1970. Des mouvements sociaux dans les ports d[e] la Baltique provoquent le remplacement de Gomułka par Gierek*
- *1980. Les mouvements revendicatifs aboutissent à la création d[u] syndicat indépendant « Solidarité » (« Solidarność »), dirigé pa[r] Lech Wałęsa. Gierek est remplacé par Stanisław Kania.*
- *13 décembre 1981. Avec le général Jaruzelski, l'armée prend l[e] pouvoir et instaure l'état de guerre.*
- *1982. Interdiction de « Solidarité ». Suspension de l'état de guerr[e] et début de normalisation.*

Plusieurs mesures d'amnistie sont prises en faveur des prisonnier[s] politiques (1984, 1986), permettant une détente progressive de[s] relations du pouvoir avec l'Occident, mais — parallèlement — l[a] lutte contre les opposants au régime se poursuit.

- *1985. Jaruzelski devient président du Conseil d'État.*
- *1988. Nouvelles grèves massives.*
- *1989. Une concertation entre représentants du pouvoir et d[e] l'opposition aboutit au rétablissement du pluralisme syndical et [à] une démocratisation des institutions. Tadeusz Mazowiecki, u[n] des dirigeants de Solidarité, forme un gouvernement de coalitio[n] et le rôle dirigeant du parti est aboli.*
- *1990. Lech Wałęsa est élu président de la République. Le passag[e] à l'économie de marché et l'adoption d'un plan d'austérit[é] entraînent une augmentation du chômage.*

POLONAISE [pɔlɔnɛz] n. f. (de *Pologne*). Anc. danse de cou[r] polonaise, à trois temps, assez lente et de caractère grave, créé[e] au XVIᵉ s. : *Weber, Schubert, Chopin ont écrit des polonaises.*

POLONIUM [pɔlɔnjɔm] n. m. (de *Pologne*, pays d'origine d[e] Marie Curie). Premier corps radioactif (Po), découvert dans l[a] pechblende par P. et M. Curie (1898).

POLTRON, ONNE [pɔltrɔ̃, -ɔn] adj. et n. (it. *poltrone*). Qui [a] peur devant des dangers insignifiants, qui manque de courag[e] physique : *Il s'est enfui comme un poltron* (syn. COUARD, ↑LÂCHE, PEUREUX; contr. VAILLANT). ◆ **poltronnerie** n. f. : *Sa poltronneri[e] prête à rire* (syn. COUARDISE; contr. BRAVOURE).

POLY-, élément tiré du gr. *polus*, nombreux, et qui entre dans l[a] composition de nombreux mots pour indiquer l'idée de multipli[-] cité, de diversité. (→ aussi MULTI-, PLURI-.)

POLYACIDE [pɔliasid] adj. et n. m. *(poly-, et acide). Chim.* S[e] dit d'un corps possédant plusieurs fonctions acide.

POLYALCOOL [pɔlialkɔl] n. m. *(poly-, et alcool). Chim.* Corp[s] ayant plusieurs fonctions alcool : *La glycérine est un polyalcool.*

POLYANDRIE [pɔliɑ̃dri] n. f. (de *poly-*, et gr. *anêr, andros* homme). État d'une femme qui a en même temps plusieurs maris ◆ **polyandre** adj.

POLYCHÈTES [pɔlikɛt] n. m. pl. (de *poly-*, et gr. *khaite* crinière). Classe de vers marins annelés portant de nombreuse[s] soies sur le corps *(néréide, arénicole, spirographe, serpule).*

POLYCHROME [pɔlikrɔm] adj. (de *poly-*, et gr. *khrôma*, cou[-] leur). De diverses couleurs : *Un vitrail polychrome.*

POLYCLÈTE, sculpteur et architecte grec du Vᵉ s. av. J.-C. [Il] appliqua son « canon » (= théorie des proportions du corp[s] humain) à une statue, le *Doryphore*, modèle du classicisme grec.

ombre e faces	polyèdres	nombre d'arêtes	nature des faces	nombre de faces	polyèdres	nombre d'arêtes	nature des faces
4	**tétraèdre régulier** 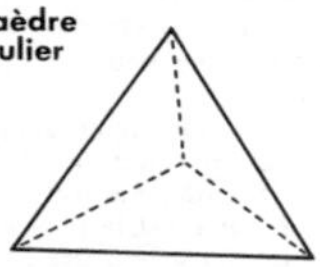	6	triangles équilatéraux	12	**dodécaèdre** 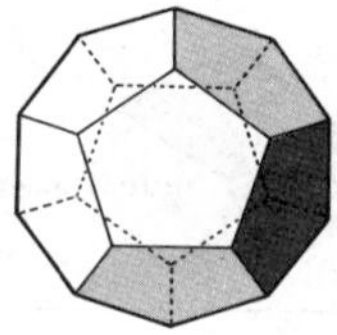	30	pentagones réguliers
6	**hexaèdre** 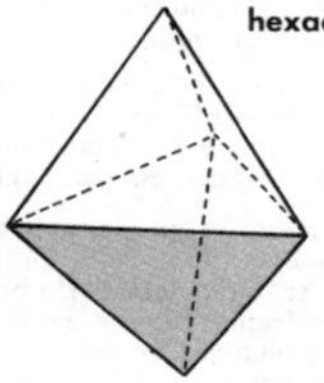	9	triangles équilatéraux	20	**icosaèdre** 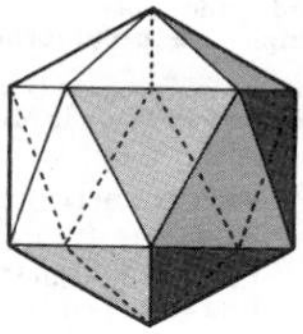	30	triangles équilatéraux
6	**cube** 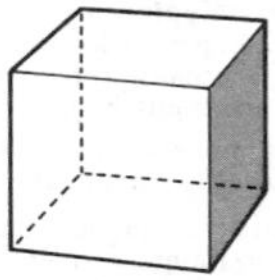	12	carrés				

OLYCOPIE [pɔlikɔpi] n. f. *(poly-,* et *copie).* Reproduction en usieurs exemplaires d'un texte écrit, par décalque ou par un ·océdé de même nature. ◆ **polycopier** v. t. : *Faire polycopier ·s cours.* ◆ **polycopié, e** adj. et n. m. Texte, cours reproduit ır polycopie.

OLYCULTURE [pɔlikyltyr] n. f. *(poly-,* et *culture).* Système exploitation du sol consistant à cultiver plusieurs sortes de ·oduits dans une même propriété ou une même région.

OLYÈDRE [pɔliɛdr] n. m. (de *poly-,* et gr. *hedra,* base). *éom.* Solide dont la surface est constituée par des polygones (les *ces*) : *Les prismes, les parallélépipèdes, les pyramides sont des ılyèdres.* (Chaque côté d'une face est commun à deux faces : est une *arête;* chaque sommet d'une face est commun à plusieurs ces : c'est un *sommet.*) ‖ *Polyèdres réguliers,* polyèdres dont les ces sont des polygones réguliers. → Figures ci-dessus.

POLYESTER [pɔliɛstɛr] n. m. *(poly-,* et *ester).* Matière plastique, formée de macromolécules, résultant de l'action d'acides sur des alcools.

Polyeucte, tragédie de Corneille (1641-1642).

POLYGAMIE [pɔligami] n. f. (de *poly-,* et gr. *gamos,* mariage). État d'un homme qui est marié à plusieurs femmes en même temps. ◆ **polygame** n. et adj. Qui vit en état de polygamie.

POLYGLOTTE [pɔliglɔt] adj. et n. (de *poly-,* et gr. *glôtta,* langue). Se dit d'une personne qui parle plusieurs langues.

POLYGONE [pɔligɔn] n. m. (de *poly-,* et gr. *gônia,* angle). *Géom.* Suite de segments consécutifs (appelés *côtés*) telle que toute extrémité d'un segment (appelée *sommet*) appartienne à deux segments : *Le polygone est une ligne fermée.* → ENCYCL. ‖ *Polygone régulier,* polygone convexe* dont tous les côtés ont des longueurs

nombre de côtés	nom	polygone quelconque	polygone régulier
3	triangle	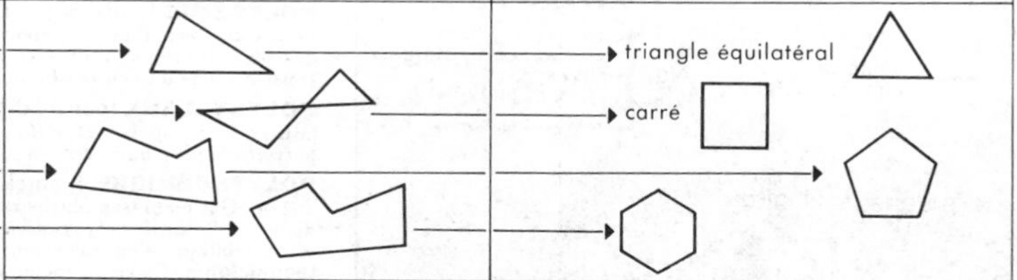	triangle équilatéral
4	quadrilatère		carré
5	pentagone		
6	hexagone		
7	heptagone	**exemples de polygones réguliers** 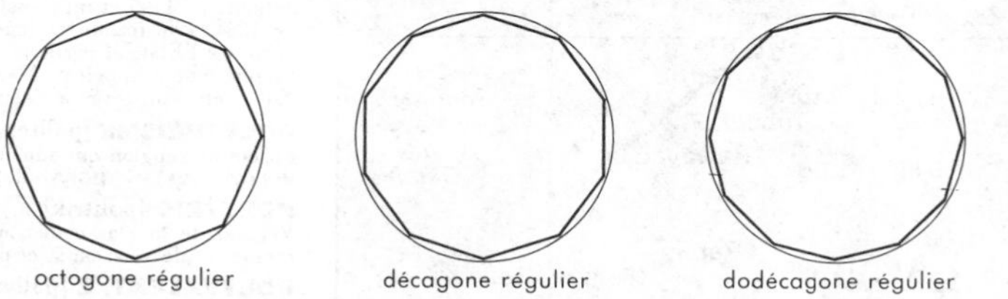	
8	octogone		
9	ennéagone		
10	décagone		
11	hendécagone		
12	dodécagone	octogone régulier / décagone régulier	dodécagone régulier

égales. (Il est inscriptible dans un cercle.) ◆ **polygonal, e, aux** adj. *Surface polygonale*, ensemble des points limités par un polygone.
— ENCYCL. Un *polygone* a autant de sommets que de côtés. Deux sommets, extrémités d'un même côté, sont dits *consécutifs*. Tout segment joignant deux sommets non consécutifs est une *diagonale*.

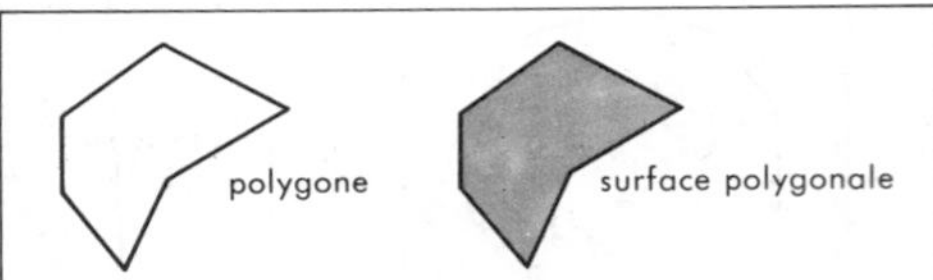

POLYMÈRE [pɔlimɛr] adj. et n. m. (de *poly-*, et gr. *meros*, partie). Se dit d'un corps chimique formé par polymérisation. ◆ **polymérisation** n. f. Union de plusieurs molécules identiques pour former une nouvelle molécule plus grosse.

POLYMORPHE [pɔlimɔrf] adj. (de *poly-*, et gr. *morphê*, forme). Qui prend des formes multiples. ◆ **polymorphisme** n. m.

POLYNÉSIE, division de l'Océanie, comprenant le vaste ensemble d'îles échelonnées dans le Pacifique à l'E. de la Micronésie, de la Mélanésie et de l'Australie.

ÎLES OU ARCHIPELS	STATUT POLITIQUE
Nouvelle-Zélande	État indépendant
Samoa	État indépendant
Nauru, Tonga, Tuvalu	États indépendants
Samoa orientales, Hawaii	Possessions des États-Unis
Cook	Territoire associé à la Nouvelle-Zélande
Phoenix	Partie de Kiribati
Sporades	Dépendances de Kiribati et des États-Unis
Polynésie française, Wallis-et-Futuna	Territoires français d'outre-mer

Ces îles, souvent volcaniques (Hawaii) et où les constructions coralliennes abondent (atolls, récifs-barrières), jouissent d'un climat tropical. En dehors de la Nouvelle-Zélande, elles sont peuplées essentiellement d'indigènes, vivant de la pêche et de la culture de tubercules et de cocotiers. Le tourisme s'y développe.

POLYNÉSIE FRANÇAISE, archipels du Pacifique sud, formant un territoire français d'outre-mer; 4 000 km²; 166 753 hab. (27 au km²) [*Polynésiens*]. Ch.-l. *Papeete* (île de Tahiti). Ce sont les *îles de la Société* (dont Tahiti), les *Marquises*, les *Tuamotu*, les *Gambier* et les *Tubuaï* (ou *îles Australes*).

POLYNÉVRITE [pɔlinevrit] n. f. (de *poly-*, et gr. *neuron*, nerf). Atteinte simultanée de plusieurs nerfs par une intoxication (alcoolisme, par exemple) ou par une infection (virus).

POLYNÔME [pɔlinom] n. m. (de *poly-*, et gr. *nomos*, division). Math. *Fonction polynôme*, fonction de ℝ vers ℝ telle que l'image d'un nombre x soit une somme de termes formés d'une puissance entière de x multipliée par un nombre réel.
— ENCYCL. *Exemples de fonctions polynômes :*

$$f : x \mapsto 4x^5 - 8x^3 + 3$$
$$f : x \mapsto 5x - 7.$$

Le nombre réel image de x par une telle fonction est un *polynôme*. Chaque terme du polynôme du type ax^n (a élément de ℝ, n élément de ℕ) est un *monôme*. L'entier naturel n est le *degré* du monôme ax^n. Le *degré d'un polynôme* est le plus grand degré des monômes qui le composent. (*Ex.* : 5 est le degré de $4x^5 - 8x^3 + 3$; 1 est le degré de $5x - 7$.)

L'ensemble des polynômes, muni de l'addition et de la multiplication, forme un anneau* commutatif et unitaire.

POLYNUCLÉAIRE [pɔlinykleɛr] adj. et n. m. (de *poly-*, et lat. *nucleus*, noyau). Se dit d'une cellule semblant contenir plusieurs noyaux. (Les leucocytes [globules blancs] polynucléaires n'ont qu'un seul noyau qui, par ses étranglements, en simule plusieurs.)

1. POLYPE [pɔlip] n. m. (de *poly-*, et gr. *pous, podos*, pied). *Zool.* Chez les cœlentérés, nom donné à l'individu, qu'il soit isolé ou groupé avec d'autres pour former une colonie. (Un polype isolé a la structure d'un sac aux rebords frangés de tentacules; il arrive qu'il sécrète un squelette calcaire [*fongie*]. Une colonie de polypes sécrète très souvent un squelette commun, branchu ou massif, percé de canaux complexes qui relient entre elles les cavités digestives des individus.) ◆ **polypier** n. m. Squelette calcaire sécrété par chaque polype, et séparant les individus d'une même colonie. (Les polypiers sont dits *constructeurs* quand leurs squelettes accumulés constituent des récifs ou des atolls.)

2. POLYPE [pɔlip] n. m. (même étym.). *Méd.* Tumeur molle, fibreuse, qui se développe dans les cavités d'une muqueuse.

POLYPEPTIDE [pɔlipɛptid] n. m. (de *poly-*, et gr. *pepsis*, digestion). *Chim.* Substance protidique formée par l'association de plusieurs molécules d'acides aminés.

POLYPHÈME. *Myth. gr.* L'un des Cyclopes, fils de Poséidon. Il eut son œil unique crevé par Ulysse, qu'il tenait enfermé dans son antre.

POLYPHONIE [pɔlifɔni] n. f. (de *poly-*, et gr. *phônê*, voix). *Mus.* Terme s'appliquant plus particulièrement à la musique vocale, et qui désigne l'assemblage des différentes voix, écrites en contrepoint. ◆ **polyphonique** adj.

POLYPIER n. m. → POLYPE 1.

POLYPODE [pɔlipɔd] n. m. (de *poly-*, et gr. *pous, podos*, pied). Fougère des rochers et des murs humides, à feuilles découpées.

POLYPORE [pɔlipɔr] n. m. (*poly-*, et *pore*). Champignon à pores, à chair coriace, vivant en console sur les arbres. (Classe des basidiomycètes.)

POLYPTYQUE [pɔliptik] n. m. (de *poly-*, et gr. *ptukhos*, pli). Tableau à plusieurs volets.

POLYSACCHARIDE [pɔlisakarid] n. m. (*poly-*, et *saccharide*). *Chim.* Glucide formé par l'union de nombreuses molécules d'oses, comme l'amidon, la cellulose, le glycogène.

POLYSÉMIE [pɔlisemi] n. f. (de *poly-*, et gr. *sêmainein*, signifier). Caractère d'un mot, considéré comme unique, qui recouvre des sens différents : *La polysémie du mot « acte » (un acte de loi, le troisième acte d'une comédie, un acte de courage).*

POLYSYLLABE [pɔlisillab] ou **POLYSYLLABIQUE** [-bik] adj. et n. m. (*poly-*, et *syllabe*). Qui a plusieurs syllabes : *Mot polysyllabique* (contr. MONOSYLLABE).

POLYTECHNIQUE [pɔlitɛknik] adj. (de *poly-*, et gr. *tekhnê*, art). **1.** Qui embrasse plusieurs sciences : *Enseignement polytechnique.* — **2.** *École polytechnique*, ou *Polytechnique* n. f., établissement militaire d'enseignement supérieur scientifique. ◆ **polytechnicien** n. Élève ou ancien élève de Polytechnique.
— ENCYCL. L'*École polytechnique*, fondée à Paris en 1794 sous le nom d'*École centrale des travaux publics*, reçut son appellation actuelle en 1795 et fut transformée en école militaire par Napoléon en 1804. Elle forme les ingénieurs civils et militaires des grands corps de l'État, et certains officiers. L'école, dont les élèves sont familièrement appelés « X », admet depuis 1972 des jeunes filles. Elle a été transférée à Palaiseau en 1976.

POLYTHÉISME [pɔliteism] n. m. (de *poly-*, et gr. *theos*, dieu). Forme de religion qui admet l'existence de plusieurs dieux (contr. MONOTHÉISME). ◆ **polythéiste** adj.

POLYTRIC [pɔlitrik] n. m. (de *poly-*, et gr. *trikhos*, cheveu). Végétal de la classe des mousses, caractérisé par l'absence de racines et de vaisseaux, et par la présence de chlorophylle.

POLYVALENT, E [pɔlivalɑ̃, -ɑ̃t] adj. (de *poly-*, et lat. *valere*, valoir). Qui a plusieurs fonctions différentes : *Mot polyvalent*

(= qui a plusieurs significations). *Un professeur polyvalent* (= qui enseigne plusieurs matières). ◆ adj. et n. m. *Inspecteur polyvalent* ou *polyvalent* (fam.), agent du fisc opérant des contrôles de toutes natures dans la comptabilité des entreprises.

POMARÉ, nom d'une dynastie qui régna à Tahiti à partir de 1793. La reine POMARÉ IV (1813-1877) dut accepter en 1847 le protectorat français. — Son fils, POMARÉ V (1842-1891), abdiqua en 1880.

POMBAL (Sebastião José DE CARVALHO E MELO, *marquis* DE), homme d'État portugais (1699-1782). Ministre de Joseph Ier (1750-1777), partisan des idées philosophiques, il fortifia le pouvoir royal, lutta contre les Jésuites et encouragea le commerce.

POMÉRANIE, anc. principauté située en bordure de la Baltique et dont les limites ont varié au cours de l'histoire. À la fin de la Seconde Guerre mondiale, la majeure partie de la Poméranie a été attribuée à la Pologne.

POMEROL, comm. de la Gironde, à 3 km au N.-E. de Libourne; 962 hab. Vins.

POMMADE [pɔmad] n. f. (it. *pomata,* cosmétique). **1.** Composition molle, grasse, parfumée ou médicamenteuse, utilisée soit pour les soins de la peau et des cheveux, soit pour un traitement médical externe. — **2.** Fam. *Passer de la pommade à qq'un,* le flatter exagérément ou avec des intentions hypocrites (syn. FLAGORNER). ◆ **pommadé, e** adj. Enduit de pommade.

POMMARD, comm. de la Côte-d'Or, à 4 km au S.-O. de Beaune; 606 hab. Vins rouges.

1. POMME [pɔm] n. f. (lat. *pomum,* fruit). **1.** Fruit comestible du pommier, contenant plusieurs graines ou pépins : *Le jus fermenté des pommes fournit le cidre.* — **2.** *Pomme de discorde,* sujet de division (littér.). ‖ Fam. *Tomber dans les pommes,* s'évanouir. ◆ **pommier** n. m. Arbre dont le fruit, ou pomme, est une drupe à pépins. (Famille des rosacées.)

2. POMME [pɔm] n. f. (de *pomme* 1). *Pomme d'arrosoir,* bout arrondi d'un arrosoir, percé de petits trous qui permettent de verser l'eau en pluie.

3. POMME [pɔm] n. f. (même étym.). Anat. *Pomme d'Adam,* saillie qui se trouve à la partie antérieure du cou de l'homme et qui est formée par le cartilage thyroïde.

4. POMME [pɔm] n. f. (du lat. *pomum,* fruit). **1.** *Pomme de pin,* fruit du pin, formé d'écailles lignifiées, entre lesquelles se trouvent les graines. — **2.** *Pomme de terre,* plante originaire de l'Amérique du Sud, à tubercules alimentaires riches en amidon, de la famille des solanacées. (La pomme de terre fut introduite en Europe dès 1550, mais son usage ne se répandit en France qu'au XVIIIe s., sous l'influence de Parmentier.) → ENCYCL.

— ENCYCL. La production mondiale de *pommes de terre* stagne autour de 300 millions de t depuis une dizaine d'années. Cette situation est en rapport avec la localisation de la production (provenant pour 70 à 75 p. 100 de l'Europe, U. R. S. S. comprise) et avec la croissance du niveau de vie (qui réduit cette consommation). La production s'est modérément accrue dans les autres continents. Les principaux pays producteurs sont :

U. R. S. S.	78 millions de t	États-Unis	15,8 millions de t
Pologne	32 millions de t	France	6,7 millions de t
Allemagne	17 millions de t		

POMMÉ, E [pɔme] adj. (de *pomme* 1). Se dit des plantes dont les feuilles sont serrées et recourbées comme une pomme : *Choux pommés.*

POMMEAU [pɔmo] n. m. (de l'anc. fr. *pom,* poignée d'épée). **1.** Petite boule au bout de la poignée d'une épée, d'un sabre, d'une canne, d'un parapluie. — **2.** Partie renflée, à l'avant d'une selle.

POMMELÉ, E [pɔmle] adj. (de *pomme* 1). **1.** Marqué de taches rondes mêlées de gris et de blanc : *Cheval pommelé.* — **2.** Marqué de petits nuages blancs ou grisâtres, de forme arrondie : *Ciel pommelé.*

POMMETTE [pɔmɛt] n. f. (de *pomme* 1). Partie la plus saillante de la joue, au-dessous de l'œil.

POMMIER n. m. → POMME 1.

POMONE, divinité romaine des Fruits et des Jardins.

POMPADOUR (Antoinette POISSON, *marquise* DE), favorite de Louis XV (1721-1764). Elle exerça une influence politique non négligeable et soutint notamment Bernis et Choiseul. Elle s'intéressa également aux écrivains et aux artistes de son temps, favorisant les encyclopédistes et les novateurs.

1. POMPAGE n. m. → POMPE 1.

2. POMPAGE [pɔ̃paʒ] n. m. (de *pomper*). *Pompage optique,* méthode expérimentale qui permet de modifier l'état des atomes de manière à faciliter l'étude de leurs propriétés : *L'invention de la méthode du pompage optique a valu à son auteur, Alfred Kastler, le prix Nobel de physique en 1966.*

1. POMPE [pɔ̃p] n. f. (orig. inc.). **1.** Appareil qui permet d'aspirer ou de refouler un liquide : *Amorcer une pompe à eau.* ‖ *Pompe aspirante,* pompe où le liquide monte dans le corps de pompe par l'effet de la pression atmosphérique, lorsque le piston s'élève. ‖ *Pompe aspirante et foulante,* pompe dans laquelle le liquide est d'abord aspiré, puis, par l'ascension du piston, refoulé dans un tuyau latéral. ‖ *Pompe à incendie,* pompe pour éteindre le feu au moyen d'un jet d'eau continu. — **2.** *Pompe à essence,* pompe qui amène l'essence d'un réservoir au véhicule qu'il doit alimenter; le distributeur d'essence. — **3.** *Pompe d'injection,* pompe qui, dans un moteur à combustion interne, introduit directement le combustible sous pression dans les cylindres. — **4.** Tout appareil qui déplace les fluides : *Une pompe de bicyclette sert à gonfler les chambres à air des pneus, en refoulant l'air.* — **5.** Fam. *Coup de pompe,* fatigue subite. ◆ **pomper** v. t. **1.** Aspirer un liquide à l'aide d'une pompe. — **2.** *Arg. scol.* Copier. ◆ **pompage** n. m. : *Le pompage des eaux d'égout. Station de pompage.* ◆ **pompier** n. m. Homme appartenant à un corps organisé pour combattre les incendies et les sinistres (syn. SAPEUR-POMPIER). ◆ **pompiste** n. m. Personne qui distribue l'essence dans une station-service.

2. POMPE [pɔ̃p] n. f. (de *pompe* 1). Très fam. *À toute pompe,* à toute vitesse.

3. POMPE [pɔ̃p] n. f. (lat. *pompa*). **1.** Solennité, éclat d'une cérémonie (langue soignée). — **2.** *En grande pompe,* avec beaucoup d'éclat et de magnificence : *Mariage célébré en grande pompe.* ◆ n. f. pl. *Service des pompes funèbres,* service assurant le transport des corps, ainsi que la décoration des tombes. ◆ **pompeux, euse,** adj. Se dit d'une personne (ou de son comportement) qui fait étalage d'une solennité désuète et ridicule : *Un discours pompeux* (syn. AMPOULÉ, EMPHATIQUE). ◆ **pompeusement** adv. ◆ **pompier, ère** adj. *Fam.* Se dit d'un artiste (ou de ses œuvres) qui traite des sujets conventionnels dans un style prétentieux.

4. POMPES [pɔ̃p] n. f. pl. (de *pompe* 1). *Pop.* Chaussures.

POMPÉE, en lat. **Cneius Pompeius Magnus,** général et homme d'État romain (106-48 av. J.-C.). Issu d'une famille d'aristocratie récente, il soutient Sylla contre Marius et le parti populaire.

- *77-71. Proconsul en Espagne, il réduit l'insurrection de Sertorius.*

Il accroît sa popularité en Italie en écrasant les dernières bandes d'esclaves révoltés autour de Spartacus (71) et en purgeant la Méditerranée de ses pirates (67). Au faîte de sa puissance après ses campagnes contre Mithridate en Asie, il cumule magistrature romaine et provinciale, voit s'étendre sa clientèle et s'oppose au sénat.

- ***60. Il forme un triumvirat avec César et Crassus, qui lui donne le contrôle de Rome et de l'Espagne.***

Consul unique en 52, il se rapproche du sénat qu'il défend contre César; mais, battu à Pharsale (août 48), il se replie en Égypte où il est assassiné.

Pompée *(la Mort de),* tragédie de P. Corneille (1643).

POMPÉI, v. anc. de Campanie, au pied du Vésuve, près de Naples. Lieu de plaisance pour les riches Romains, Pompéi fut ensevelie, lors de l'éruption de 79, sous des couches superposées de cendres et de lave. Les fouilles, commencées au XVIIIe s., ont permis de mettre au jour les deux tiers de la ville.

POMPER v. t. → POMPE 1.

POMPETTE [pɔ̃pɛt] adj. (orig. incert.). *Fam.* Un peu ivre.

POMPEUSEMENT adv., **POMPEUX, EUSE** adj. → POMPE 3.

POMPEY, ch.-l. de cant. de Meurthe-et-Moselle, à 9 km au N. de Nancy, près de la Moselle; 5 900 hab.

POMPIDOU (Georges), homme d'État français (1911-1974). Nommé Premier ministre par le général de Gaulle en 1962, il occupa cette fonction jusqu'en 1968. Il fut président de la République de 1969 à sa mort.

POMPIER, ÈRE adj. et n. m. → POMPE 1 et 3.

POMPISTE n. m. → POMPE 1.

POMPON [pɔ̃pɔ̃] n. m. (onomat.). **1.** Petite houppe qui sert d'ornement dans le costume, le mobilier, etc. : *Un pompon de laine rouge orne le béret des marins.* — **2.** Ironiq. *Avoir le pompon, tenir le pompon,* l'emporter sur les autres.

POMPONNER (SE) [səpɔ̃pɔne] v. pr. ou **ÊTRE POMPONNÉ** v. passif (de *pompon*). Arranger sa toilette avec recherche et coquetterie.

PONANT [pɔnɑ̃] n. m. (lat. *sol ponens,* soleil couchant). **1.** Syn. vieilli d'OCCIDENT. — **2.** Vent d'ouest dans le midi de la France.

PONCE [pɔ̃s] n. f. (lat. *pomex*). Roche volcanique poreuse très légère, de densité inférieure à l'eau, dont on se sert pour polir. ◆ adj. : *Pierre ponce.* ◆ **poncer** v. t. Polir, lisser, décaper avec la pierre ponce ou avec une substance abrasive. ◆ **ponçage** n. m. ◆ **ponceuse** n. f. Machine à polir.

PONCELET (Jean Victor), mathématicien et général français (1788-1867), auteur de travaux sur les propriétés projectives des figures et sur la mécanique appliquée.

PONCER v. t., **PONCEUSE** n f. → PONCE.

PONCHO [pɔ̃ʃo] ou [pɔnʃo] n. m. (mot esp.). Manteau de l'Amérique du Sud, fait d'une couverture ayant un trou au milieu pour y passer la tête.

PONCIF [pɔ̃sif] n. m. (de *ponce*). Œuvre littéraire, artistique, idée, etc., qui n'a aucune originalité (littér.) : *Sa prose est pleine de poncifs* (syn. CLICHÉ). *Toutes les idées qu'il croit originales ne sont que des poncifs* (syn. LIEU COMMUN).

PONCTION [pɔ̃ksjɔ̃] n. f. (lat. *punctio,* piqûre). **1.** Opération chirurgicale qui consiste à piquer une cavité remplie d'un liquide pour la vider ou y faire un prélèvement : *La ponction lombaire consiste à introduire une longue aiguille entre les vertèbres lombaires pour pénétrer dans le canal rachidien.* — **2.** *Fam.* Prélèvement d'argent.

PONCTUALITÉ n. f. → PONCTUEL 1.

PONCTUATION [pɔ̃ktɥasjɔ̃] n. f. (du lat. *punctuare,* mettre les points). Utilisation de signes graphiques pour noter les pauses et les variations d'intonation à l'intérieur d'un énoncé, ou pour rendre plus clairs les rapports qui existent entre chaque phrase. → tableau. ◆ **ponctuer** v. t. Mettre la ponctuation dans un texte.

1. PONCTUEL, ELLE [pɔ̃ktɥɛl] adj. (du lat. *punctum,* point). Se dit d'une personne (ou de son comportement) qui arrive à l'heure convenue, qui est habituellement exacte. ◆ **ponctuellement** adv. : *Arriver ponctuellement à un rendez-vous.* ◆ **ponctualité** n. f. : *Arriver à son travail avec ponctualité* (syn. EXACTITUDE, RÉGULARITÉ).

2. PONCTUEL, ELLE [pɔ̃ktɥɛl] adj. (même étym.). Se dit d'une chose qui est constituée par un point (techn. ou scientif.) : *Une image ponctuelle.*

1. PONCTUER v. t. → PONCTUATION.

2. PONCTUER [pɔ̃ktɥe] v. t. (lat. *punctuare,* mettre les points). Marquer, souligner ses mots ou ses phrases d'un geste, d'une exclamation, etc.

PONDAISON n. f. → PONDRE.

PONDÉRABLE [pɔ̃derabl] adj. (du lat. *ponderare,* peser). Qui peut être pesé (terme techn.) : *Un fluide pondérable.* ◆ **pondéreux, euse** adj. Très lourd : *Des produits pondéreux.*

1. PONDÉRATION [pɔ̃derasjɔ̃] n. f. (du lat. *ponderare,* peser). Maîtrise de soi : *Agir avec pondération* (syn. CALME, CIRCONSPECTION). *Faire preuve de pondération* (syn. MODÉRATION, PRUDENCE; contr. IMPULSIVITÉ, NERVOSITÉ). ◆ **pondéré, e** adj. Se dit d'une personne (ou de son comportement) qui manifeste une grande maîtrise de soi et qui ne se livre à aucun excès : *Un homme pondéré* (syn. CALME, RÉFLÉCHI).

ponctuation

SIGNES DE PONCTUATION	VALEUR ET EMPLOI	EXEMPLES
point (.)	Indique la fin d'une phrase énonciative (affirmative ou négative).	*Le petit prince fit l'ascension d'une haute montagne. Les seules montagnes qu'il eût jamais connues étaient les trois volcans qui lui arrivaient aux genoux. Et il se servait du volcan éteint comme d'un tabouret.* (Saint-Exupéry.)
point-virgule ou **point et virgule (;)**	Indique une pause entre deux unités distinctes d'un même énoncé.	*Mais je croirais volontiers qu'une des meilleurs garanties de longue vie est d'être insensible et incapable; voilà une cuirasse contre la mort.* (Montherlant.)
point d'interrogation (?)	Indique la fin d'une phrase interrogative.	*Le peuple attribue tous les maux aux personnes plus qu'aux choses. Il personnifie le Mal. Qu'est-ce que le Mal au Moyen Âge? C'est une personne, le Diable.* (Michelet.)
point d'exclamation (!)	Indique la fin d'une phrase exclamative; se place aussi après les interjections.	*Oh! non, s'écria vivement la jeune fille. Un homme doit être fort. C'est beau, le courage!* (Zola.)
virgule (,)	Sépare les groupes nominaux ou les groupes verbaux juxtaposés ou apposés, note une pause entre les divers éléments d'une phrase.	*Il y a une fête à Cordoue, je vais la voir, puis je saurai les gens qui s'en vont avec de l'argent, et je te le dirai.* (Mérimée.)
tiret (—)	Indique le début d'un dialogue ou le changement d'interlocuteur; met en valeur une réflexion; remplace une parenthèse.	*« Où est-il? — Je ne sais pas. — Parti, tout à fait? — Non... enfin je ne crois pas... — Bon, dit-il. Il a raison. »* (Ch. Rochefort.)
points de suspension (...)	Indiquent une rupture importante de l'énoncé.	*Tout changerait si l'acceptation me devenait possible. Mais il me faudrait recourir à la métaphysique. Et ça...* (R. Martin du Gard.)
deux-points (:)	Indique un développement explicatif ou précède une citation (entre guillemets).	*Hélène s'assit sur le tabouret de la coiffeuse et souleva, l'un après l'autre, pour les identifier, les objets éparpillés devant elle : la pince à épiler, la pince à ongles, la pince et la spatule pour couper et repousser la peau à la base de l'ongle.* (Vailland.)
guillemets (« »)	Indiquent que l'énoncé contenu entre eux n'appartient pas à celui qui écrit (citation, paroles d'un autre rapportées) : *Ouvrir, fermer les guillemets.*	*Mme Verdurin ne donnait pas de « dîners », mais elle avait des « mercredis ».* (Proust.) *Elle nous parle, et peu à peu nous distinguons le sens des paroles : « Ami, tant d'amour a touché mon cœur! me voici. »* (Claudel.)
parenthèses ( ) **crochets [ ]**	Indiquent une rupture de l'intonation, coïncidant avec une phrase incidente accessoire.	*Je savais aussi que je ne révélerais pas sa cachette, sauf s'ils me torturaient (mais ils n'avaient pas l'air d'y songer).* [Sartre.]

2. PONDÉRATION [pɔ̃derasjɔ̃] n. f. (même étym.). *Écon. polit.* Procédé d'élaboration d'un indice*, qui consiste à multiplier la valeur de chacun des éléments qui le composent par un coefficient* correspondant à son importance réelle.
— ENCYCL. Dans l'indice des prix de détail, sur une quantité donnée d'articles consommés couramment en France, le prix de chacun des articles est affecté d'un coefficient de *pondération* attribué en fonction de la place que cet article occupe réellement, c'est-à-dire en tenant compte du fait que le pain, par exemple, tient plus de place dans l'alimentation des Français que le poisson.

PONDÉREUX, EUSE adj. → PONDÉRABLE.

PONDEUSE adj. et n. f. → PONDRE.

PONDICHÉRY ou **PONDICHERRY,** v. de l'Inde, anc. ch.-l. de l'Inde française, sur la côte de Coromandel; 90600 hab. Textiles. — Le *territoire de Pondichéry* a 604000 hab.

PONDRE [pɔ̃dr] v. t. (du lat. *ponere*, poser). [Conj. **51.**] **1.** (sujet désignant un oiseau, un poisson femelle) Produire des œufs : *Les animaux qui pondent sont dits « ovipares ».* — **2.** (sujet nom de personne) *Fam.* Écrire, produire une œuvre littéraire : *Cet écrivain réussit à pondre un roman tous les six mois.* ◆ **pondaison** n. f. Époque de la ponte des oiseaux. ◆ **pondeuse** adj. et n. f. : *Une poule pondeuse.* ◆ **ponte** [pɔ̃t] n. f. Action de pondre; saison pendant laquelle se réalise cette fonction (sens 1 du v.).

PONEY [pɔnɛ] n. m. (angl. *pony*). Petit cheval. ◆ **ponette** n. f. Jument poney.

PONGISTE n. → PING-PONG.

PONIATOWSKI (Joseph, *prince*), général polonais (1763-1813). Il commanda l'armée polonaise en 1809, se distingua pendant la campagne de Russie et fut créé maréchal de France par Napoléon en octobre 1813, après Leipzig.

PONS, ch.-l. de cant. de la Charente-Maritime, à 21 km au S.-S.-E. de Saintes; 5400 hab. *(Pontois).* Église romane.

PONSON DU TERRAIL (Pierre Alexis, *vicomte*), écrivain français (1829-1871). Pendant vingt ans, il fournit les journaux de feuilletons très populaires (*les Exploits de Rocambole*, 1859).

1. PONT [pɔ̃] n. m. (lat. *pons, pontis*). **1.** Construction en pierre, en bois ou en métal, pour relier les deux rives d'un cours d'eau, pour franchir une voie ferrée, un estuaire ou un obstacle quelconque : *Les ponts sur la Seine. Un pont suspendu.* ‖ *Ponts et chaussées,* service public chargé de la construction et de l'entretien des routes et voies navigables. — **2.** Mil. *Tête de pont,* point où des éléments d'une armée s'installent dans une zone contrôlée par l'ennemi, après avoir débarqué ou franchi un cours d'eau, de façon à permettre au gros de l'armée de les rejoindre. — **3.** *Pont aérien,* liaison par avion au-dessus d'une zone dans laquelle tout autre moyen de communication est impossible ou trop lent : *Établir un pont aérien pour ravitailler d'urgence des sinistrés.* — **4.** *Couper les ponts,* supprimer les moyens de revenir en arrière; rompre avec quelqu'un. ‖ *Faire le pont,* ne pas travailler entre deux jours fériés quand la journée chômée est un jour ouvrable : *Le 14-Juillet tombait un mardi; on a fait le pont entre samedi et mercredi.* ‖ *Faire un pont d'or à qq'un,* lui offrir un gros salaire, une somme d'argent importante pour une tâche donnée. — **5.** *Pont aux ânes,* difficulté qui ne peut arrêter que des ignorants. ◆ **pontonnier** n. m. Militaire spécialisé dans la construction des ponts militaires.
→ illustrations pages suivantes.

2. PONT [pɔ̃] n. m. (de *pont* 1). Plancher fermant par en haut la coque d'un bateau : *Les passagers se promènent sur le pont.* ◆ **ponté, e** adj. *Embarcation pontée,* à un ou plusieurs ponts.

3. PONT [pɔ̃] n. m. (même étym.). **1.** *Pont roulant,* portique se déplaçant sur un chemin de roulement et muni d'un treuil, pour soulever et déplacer latéralement de lourdes charges. — **2.** *Pont arrière,* sur une automobile, ensemble constitué par un essieu et des organes de transmission du mouvement du moteur aux roues.

PONT, anc. royaume du nord-est de l'Asie Mineure, sur le Pont-Euxin. Proclamé indépendant des Perses en 301 av. J.-C., il fut très puissant sous Mithridate VI, connu par ses luttes contre les Romains, qui s'emparèrent du pays en 63 apr. J.-C.

PONTA DELGADA, port et ville principale des Açores, dans l'île de São Miguel; 22300 hab.

PONT-À-MOUSSON, ch.-l. de cant. de Meurthe-et-Moselle, à 28 km au N.-N.-O. de Nancy; 15700 hab. *(Mussipontains).* Sidérurgie. Tuyaux.

PONTARLIER, ch.-l. d'arrond. du Doubs, sur le Doubs; 18800 hab. *(Pontissaliens).* Industries alimentaires. Constructions mécaniques. Horlogerie.

PONT-AUDEMER, ch.-l. de cant. de l'Eure, à 24 km à l'E.-S.-E. d'Honfleur, sur la Risle; 10200 hab. *(Pontaudemériens).* Industries alimentaires. Produits chimiques.

PONTAULT-COMBAULT, ch.-l. de cant. de Seine-et-Marne, à 4 km au S.-E. de Chennevières-sur-Marne, dans la Brie; 19000 hab.

PONT-AVEN, ch.-l. de cant. du Finistère, à 15 km à l'E. de Concarneau; 3300 hab. Port de pêche. Industries alimentaires. — L'*école de Pont-Aven* réunit autour de Gauguin, qui en fut le maître, et d'Émile Bernard, le théoricien, des peintres comme Maurice Denis, Paul Sérusier, Maxime Maufra et Charles Laval.

PONTCHARRA, comm. de l'Isère, à 12 km au N.-O. d'Allevard, près du confluent de l'Isère et du Bréda; 5500 hab. Installation hydro-électrique.

PONTCHARTRAIN (Louis PHÉLYPEAUX, *comte* DE), homme politique français (1643-1727), contrôleur général des Finances (1689-1699), secrétaire d'État à la Marine et à la Maison du roi (1690-1699), chancelier (1699-1714).

PONTCHÂTEAU, ch.-l. de cant. de la Loire-Atlantique, à 19 km au N.-O. de Saint-Nazaire; 7300 hab. *(Pontchâtelais).* Calvaire.

PONT-DE-CLAIX (Le), comm. de l'Isère, à 8 km au S. de Grenoble, sur le Drac; 11900 hab. Industries chimiques.

PONT-DE-ROIDE, ch.-l. de cant. du Doubs, à 17 km au S. de Montbéliard, sur le Doubs; 5000 hab. *(Rudipontains).* Métallurgie.

1. PONTE n. f. → PONDRE.

2. PONTE [pɔ̃t] n. m. (abrév. de *pontife* 2). *Fam.* Personnage important, qui joue un rôle prééminent dans son domaine d'activité (scientifique, universitaire, etc.).

PONTÉ, E adj. → PONT 2.

PONTET (Le), comm. du Vaucluse, à 4 km au N.-E. d'Avignon; 13100 hab. *(Pontéliens).* Industries chimiques. Matériel agricole.

PONT-EUXIN, anc. nom de la MER NOIRE*.

PONTHIEU (le), région de Picardie, entre les basses vallées de la Somme et de l'Authie. V. pr. *Abbeville.*

PONTIANAK, port d'Indonésie (Bornéo); 217600 hab.

1. PONTIFE [pɔ̃tif] n. m. (lat. *pontifex*). *Le souverain pontife,* le pape. ◆ **pontifical, e, aux** adj. Syn. usuel de PAPAL : *Le siège pontifical.* ◆ **pontificat** n. m. **1.** Dignité de pape. — **2.** Période pendant laquelle s'exerce le pouvoir d'un pape.

2. PONTIFE [pɔ̃tif] n. m. (même étym.). *Fam.* Personnage gonflé de son importance, qui parle d'un ton doctoral. ◆ **pontifier** v. i. *Fam.* Parler avec solennité.

PONTIGNY, comm. de l'Yonne, à 19 km au N.-E. d'Auxerre; 825 hab. Restes d'une anc. abbaye cistercienne (XIIe s.). L'abbaye est occupée de nouveau par des religieux.

PONTINE *(plaine),* ancienn. **marais Pontins,** plaine d'Italie, dans le Latium. Région fertile dans l'Antiquité, puis abandonnée et devenue marécageuse, elle fut assainie à partir de 1928 et mise en culture intensive.

PONTIVY, ch.-l. d'arrond. du Morbihan, à 22 km au S.-O. de Loudéac, sur le Blavet; 14200 hab. *(Pontivyens).* Château du XVe s.

PONT-L'ABBÉ, ch.-l. de cant. du Finistère, à 19 km au S.-O. de Quimper; 7800 hab. (*Pont-l'Abbistes;* les femmes sont appelées *Bigoudens,* du nom de leur coiffure). Conserves.

PONT-L'ÉVÊQUE, ch.-l. de cant. du Calvados, à 11 km au S.-E. de Deauville; 3800 hab. *(Pontépiscopiens).* Fromages.

PONT-LEVIS [pɔ̃ləvi] n. m. (de *pont,* et l'anc. fr. *levis,* qui se lève). Pont qui, dans les constructions fortifiées du Moyen Âge, pouvait se lever ou s'abaisser. ‖ Pl. des *ponts-levis.*

PONTOISE, ch.-l. du Val-d'Oise, à 33 km au N.-O. de Paris, sur l'Oise; 29400 hab. *(Pontoisiens).* Cathédrale Saint-Maclou.

PONTON [pɔ̃tɔ̃] n. m. (lat. *ponto, -onis,* bac). **1.** *Mar.* Vieux vaisseau désarmé, servant de dépôt de matériel, de caserne ou de prison. — **2.** Cale flottante, servant d'appontement pour les bateaux qui transportent des voyageurs.

PONTONNIER n. m. → PONT 1.

PONT-SAINTE-MAXENCE, ch.-l. de cant. de l'Oise, à 12 km au N. de Senlis, sur l'Oise; 9400 hab. *(Pontois* ou *Maxipontins).* Métallurgie.

PONT-SAINT-ESPRIT, ch.-l. de cant. du Gard, à 9 km au S.-O. de Bollène; 8100 hab. *(Spiripontains).* Pont sur le Rhône, long de plus de 900 m, remanié. Verrerie.

PONTS-DE-CÉ (Les), ch.-l. de cant. de Maine-et-Loire, à 6 km au S. d'Angers, sur la Loire; 11100 hab.
● *1619. Victoire de Louis XIII sur les troupes de Marie de Médicis.*
● *1793. Défaite des vendéens.*

POOL [pul] n. m. (mot angl.). **1.** Groupement de producteurs. — **2.** Organisme international chargé de l'organisation d'un marché

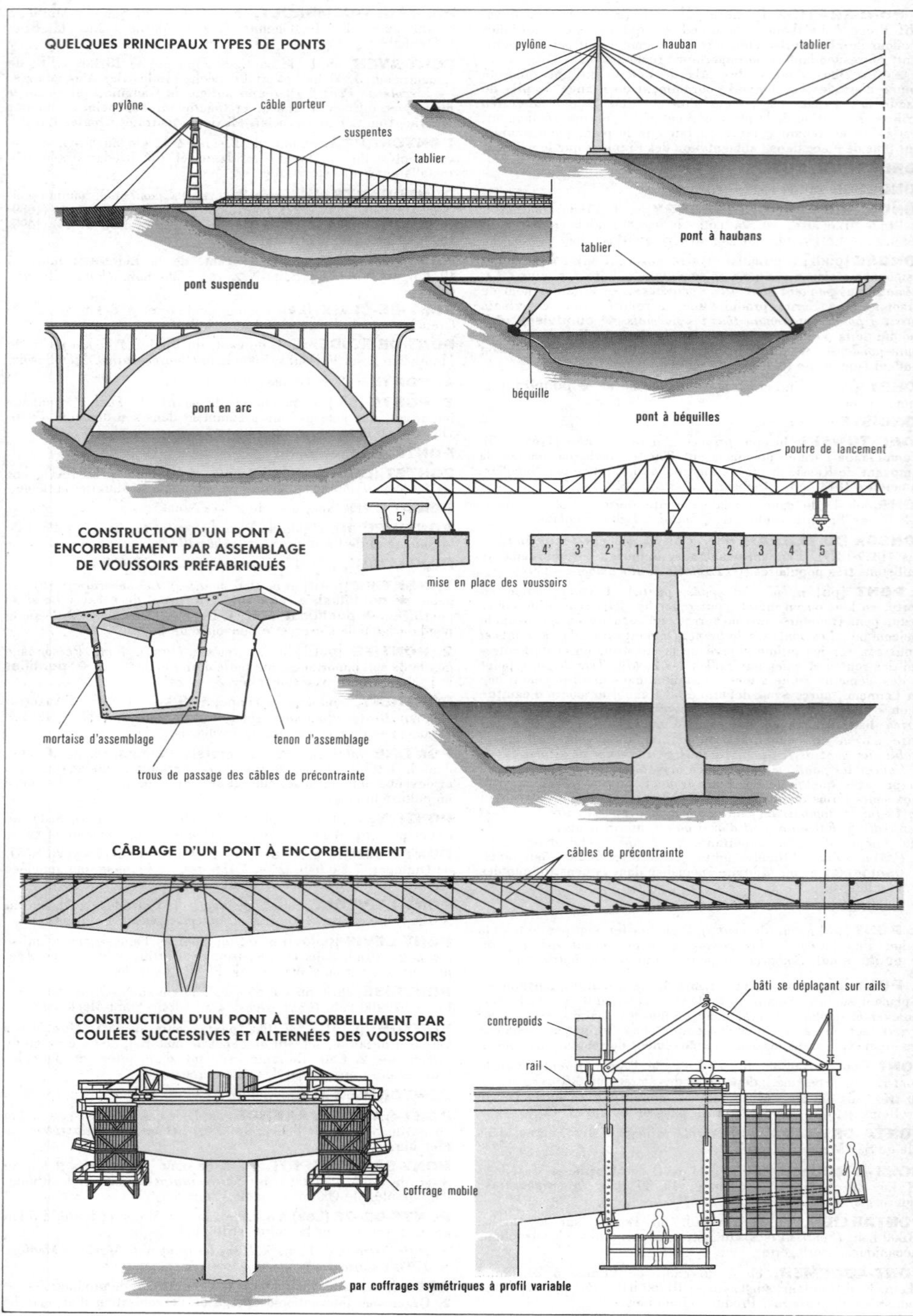
QUELQUES PRINCIPAUX TYPES DE PONTS
pylône
câble porteur
suspentes
tablier
pont suspendu
pylône
hauban
tablier
pont à haubans
tablier
béquille
pont à béquilles
pont en arc
CONSTRUCTION D'UN PONT À ENCORBELLEMENT PAR ASSEMBLAGE DE VOUSSOIRS PRÉFABRIQUÉS
poutre de lancement
5'
4'
3'
2'
1'
1
2
3
4
5
mise en place des voussoirs
mortaise d'assemblage
tenon d'assemblage
trous de passage des câbles de précontrainte
CÂBLAGE D'UN PONT À ENCORBELLEMENT
câbles de précontrainte
CONSTRUCTION D'UN PONT À ENCORBELLEMENT PAR COULÉES SUCCESSIVES ET ALTERNÉES DES VOUSSOIRS
bâti se déplaçant sur rails
contrepoids
rail
coffrage mobile
par coffrages symétriques à profil variable

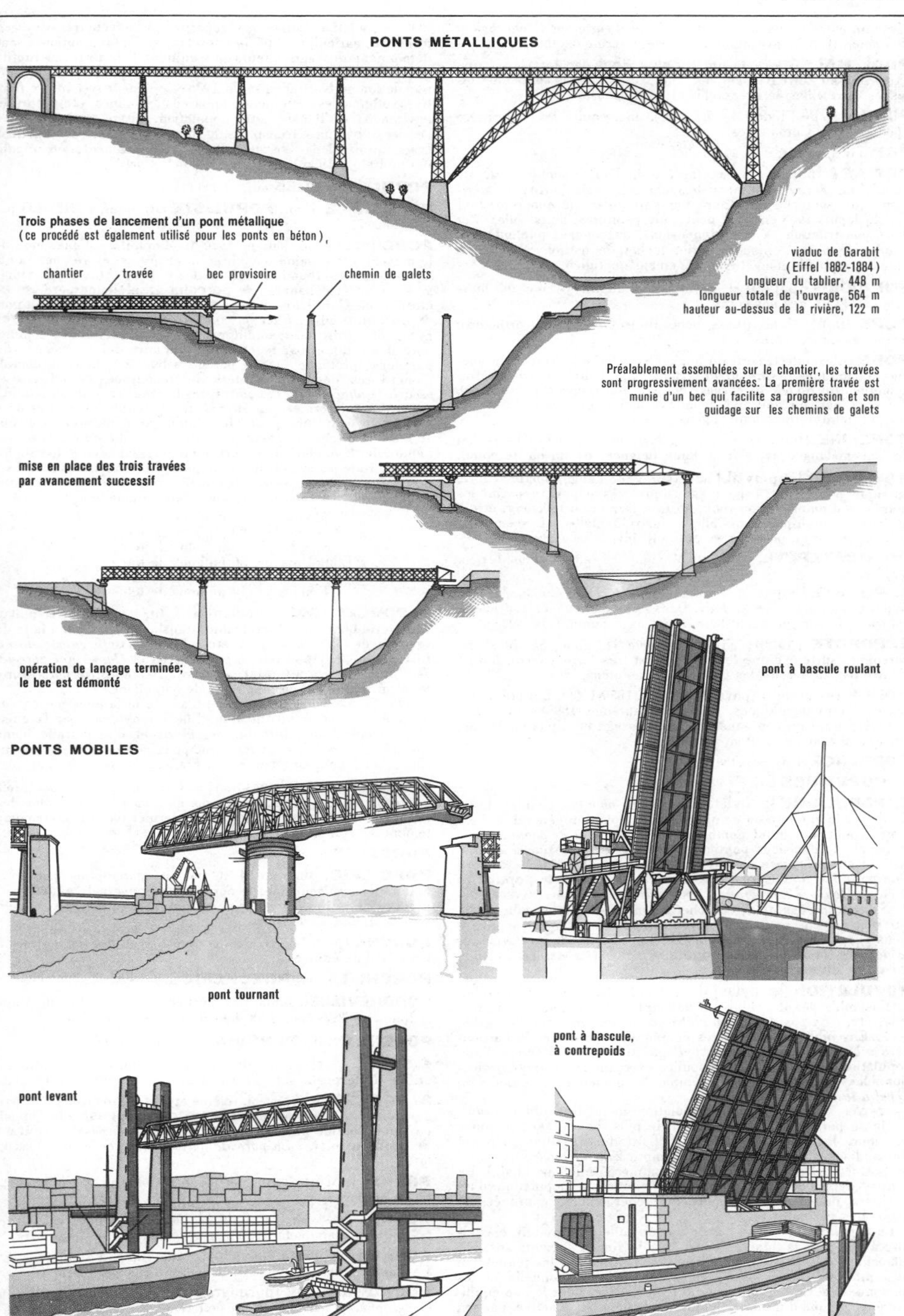
PONTS MÉTALLIQUES
viaduc de Garabit
(Eiffel 1882-1884)
longueur du tablier, 448 m
longueur totale de l'ouvrage, 564 m
hauteur au-dessus de la rivière, 122 m
Trois phases de lancement d'un pont métallique
(ce procédé est également utilisé pour les ponts en béton),
chantier
travée
bec provisoire
chemin de galets
Préalablement assemblées sur le chantier, les travées sont progressivement avancées. La première travée est munie d'un bec qui facilite sa progression et son guidage sur les chemins de galets
mise en place des trois travées par avancement successif
opération de lançage terminée; le bec est démonté
PONTS MOBILES
pont à bascule roulant
pont tournant
pont à bascule, à contrepoids
pont levant

commun entre les pays adhérents : *Le pool européen du charbon et de l'acier.* (L'Administration préconise le terme GROUPE.)

POOL MALEBO, ancienn. **Stanley Pool,** lac formé par une expansion du Zaïre (Congo); 450 km². Sur ses bords sont construites les deux villes de Brazzaville et de Kinshasa.

POONA, v. de l'Inde (Mahārāshtra), anc. capit. des Mahrāttes; 1 685 000 hab. Cotonnades.

POP adj. inv. et n. → POP MUSIC.

POP'ART [pɔpart] n. m. (abrév. de l'angl. *popular art,* art populaire). Terme servant à désigner le travail d'artistes américains qui, soucieux de rapprocher l'art de la vie concrète, font appel, depuis 1963 environ, pour leurs peintures, leurs collages et leurs constructions à trois dimensions, aux images publicitaires, bandes dessinées, objets de série, déchets industriels, etc., capables d'évoquer le nouvel environnement quotidien.

POP-CORN [pɔpkɔrn] n. m. (mot angl.). Graine de maïs éclatée. ‖ Pl. des *pop-corns.*

POPE [pɔp] n. m. (russe *pop*). Prêtre de l'Église orthodoxe (russe, grecque, etc.).

POPE (Alexander), écrivain anglais (1688-1744). Auteur de poèmes didactiques *(Essai sur la critique, Essai sur l'homme),* héroï-comiques *(la Boucle de cheveux enlevée),* satiriques *(la Dunciade),* il exerça, par son goût de la beauté formelle, une grande influence sur la littérature classique anglaise.

POPELINE [pɔplin] n. f. (de l'angl. *poplin*). Tissu lisse, fait de soie mélangée avec de la laine peignée, de lin ou de coton.

POP MUSIC [pɔpmyzik] n. f. (abrév. de l'angl. *popular music,* musique populaire). Type de musique très populaire parmi les jeunes, qui emprunte au rock, au free jazz et au folksong, et qui utilise de multiples possibilités instrumentales et scéniques. (Abrév. POP n. m. ou n. f.) ◆ **pop** adj. inv. : *Des rythmes pop.*

POPOCATEPETL, volcan du Mexique, au sud-ouest de Mexico; 5 452 m.

1. POPOTE [pɔpɔt] n. f. (mot d'arg.). **1.** *Fam.* Cuisine, préparation des aliments. — **2.** *Fam.* Dans l'armée, lieu où les officiers, les sous-officiers prennent leurs repas en commun (syn. MESS).

2. POPOTE [pɔpɔt] adj. (de *popote* 1). *Fam.* Se dit d'une personne, surtout d'une femme, qui est très terre à terre, qui ne s'élève pas au-dessus des préoccupations ménagères.

POPOV (Aleksandr), physicien russe (1859-1906), qui étudia les ondes électromagnétiques. Il inventa l'antenne (1895) et réalisa la première transmission sans fil d'un message en alphabet Morse, sur une distance de 250 m, en 1896.

POPULACE n. f. → PEUPLE 2.

1. POPULAIRE adj. → PEUPLE 2.

2. POPULAIRE [pɔpylɛr] adj. (du lat. *populus,* peuple). **1.** Se dit de quelque chose ou de quelqu'un qui plaît en général, qui est aimé, connu du grand nombre : *Un chanteur très populaire.* — **2.** Se dit de décisions politiques, de lois, etc., destinées à satisfaire la grande masse des citoyens (surtout à la forme négative) : *Une politique financière qui n'est guère populaire.* ◆ **popularité** n. f. **1.** *Jouir d'une grande popularité* (syn. littér. FAVEUR). — **2.** *Soigner sa popularité,* chercher à conserver la faveur du public par des moyens faciles. ◆ **populariser** v. t. Rendre populaire (sens 1) : *Victor Hugo a popularisé le type du gamin de Paris sous le nom de Gavroche.* ◆ **impopulaire** adj. : *Des mesures impopulaires.* ◆ **impopularité** n. f.

POPULATION [pɔpylasjɔ̃] n. f. (du lat. *populus,* peuple). **1.** Ensemble des individus qui habitent un pays, une région, une ville, etc. : *La population du globe est en constante augmentation.* — **2.** Ensemble des personnes composant une catégorie particulière : *La population rurale.* ‖ *Population active,* fraction d'une population, composée des personnes exerçant une activité professionnelle. → ENCYCL. — **3.** Ensemble des personnes d'un lieu : *Un appel à la population.*
— ENCYCL. Aujourd'hui, la population mondiale atteint 5 milliards de personnes. Elle s'accroît de plus de 200 000 personnes par jour. La Chine dépasse 1 milliard d'hab., l'Inde dépasse 750 millions d'hab., l'U. R. S. S. compte 278 millions d'hab., les États-Unis 239 millions (la France compte 55 millions d'hab.). La *densité de population* est le rapport entre la population d'un territoire donné et sa superficie (généralement exprimée en kilomètres carrés).

La *population active* est celle qui travaille, qui produit, c'est-à-dire à peu près la totalité des adultes de vingt à soixante ans, par opposition à la population inactive, constituée par les jeunes qui ne sont pas encore entrés dans la vie professionnelle et les personnes âgées, les retraités qui l'ont quittée. Pour le bon équilibre économique d'un pays, il faut que la population active, par son travail, apporte des ressources suffisantes pour permettre à la population inactive de vivre.

La population active est répartie en 3 secteurs. Le *secteur primaire* (agriculture, pêche, forêts) est en diminution à cause notamment des agriculteurs qui quittent leur terre au profit de l'industrie et des services et représente à peine 8 p. 100 de la population active française en 1986. Le *secteur secondaire* (industrie [automobiles, vêtements, appareils...], mines, etc.) représente environ 33 p. 100 de cette population. Le *secteur tertiaire* (les services : banques, transports, assurances, commerce, administrations, professions libérales...), est en augmentation régulière (60 p. 100 en 1986 contre 35 p. 100 en 1954).

POPULEUX, EUSE adj. → PEUPLE 3.

POPULISME n. m., **POPULISTE** adj. et n., **POPULO** n. m. → PEUPLE 2.

PORC [pɔr] n. m. (lat. *porcus*). **1.** Mammifère domestique dont le museau est terminé par un groin et qui est élevé pour sa chair (syn. COCHON). (Famille des suidés.) → ENCYCL. — **2.** Homme grossier, sale, débauché. ◆ **porcelet** n. m. Jeune porc. ◆ **porcher** n. m. Gardien de porcs. ◆ **porcherie** n. f. Étable à porcs. ◆ **porcin, e** adj. : *Race porcine* (= celle des porcs). ◆ **porcins** n. m. pl. Ordre de mammifères ongulés caractérisés, comme le porc domestique, par leurs pattes à quatre doigts, inégaux deux par deux, protégés chacun par un sabot, leur denture complète d'omnivores, des canines inférieures recourbées en défenses : *Le pécari, le phacochère, le babiroussa, le sanglier sont des porcins.*
— ENCYCL. Le *porc* est un animal utile : toutes les parties de son corps sont comestibles. Sa chair (qu'il faut consommer très cuite) se conserve dans la saumure. Sa graisse, adhérente à la peau, se nomme lard; fondue et conservée en pots, elle donne le saindoux. Le poil, rude *(soies),* est utilisé dans la fabrication des brosses. Le porc mâle se nomme *verrat,* la femelle *truie,* et les petits *porcelets.*

Les *porcins* se répartissent ainsi dans le monde :

Monde	780 millions de têtes
Chine	300 millions de têtes
U. R. S. S.	80 millions de têtes
États-Unis	56 millions de têtes
Brésil	33 millions de têtes
France	12 millions de têtes

1. PORCELAINE [pɔrsəlɛn] n. f. (it. *porcellana,* coquillage). **1.** Poterie blanche, imperméable, translucide, servant à faire de la vaisselle de table, des vases, etc. : *De la vaisselle en porcelaine de Limoges.* — **2.** Objet fait en cette matière : *Casser une porcelaine de Chine.* ◆ **porcelainier, ère** adj. : *L'industrie porcelainière.* ◆ n. m. Fabricant ou marchand de porcelaine.
— ENCYCL. La *porcelaine* se distingue de la faïence par sa demi-transparence et sa vitrification. Elle est obtenue par la cuisson d'un mélange de *feldspath,* de *quartz* et d'une argile blanche spéciale, le *kaolin,* dont les principaux gisements se trouvent en Chine, au Japon, en Saxe, et, en France, aux env. de Limoges.

2. PORCELAINE [pɔrsəlɛn] n. f. (même étym.). *Zool.* Mollusque gastéropode marin, assez commun dans les mers chaudes, à coquille vernissée et colorée dont le dernier tour recouvre complètement les spires précédentes.

PORCELET n. m. → PORC.

PORC-ÉPIC [pɔrkepik] n. m. (it. *porcospino,* porc-épine). Mammifère rongeur dont le corps est recouvert de piquants : *Les porcs-épics, qui vivent en Asie, en Europe et en Afrique, se nourrissent de racines et de fruits.*

PORCHE [pɔrʃ] n. m. (lat. *porticus*). Lieu couvert en avant de l'entrée d'un édifice.

PORCHER n. m., **PORCHERIE** n. f. → PORC.

PORCHEVILLE, comm. des Yvelines, à 5 km à l'E. de Mantes-la-Jolie, sur la Seine; 2 700 hab. Centrales thermiques.

PORCIN, E adj., **PORCINS** n. m. pl. → PORC.

1. PORE [pɔr] n. m. (lat. *porus,* conduit). *Anat.* Minuscule orifice de la peau, servant à évacuer les sécrétions glandulaires.

2. PORES [pɔr] n. m. pl. (même étym.). Petits trous, interstices dans une roche, dans une pierre. ◆ **poreux, euse** adj. Qui laisse passer le liquide par ses pores : *Un sol poreux* (syn. PERMÉABLE). ◆ **porosité** n. f. : *La porosité de la pierre ponce* (syn. PERMÉABILITÉ).

PORION [pɔrjɔ̃] n. m. (mot picard). Contremaître d'une exploitation minière.

PORNIC, ch.-l. de cant. de la Loire-Atlantique, à 23 km au S.-S.-O. de Paimbœuf; 8 700 hab. Port et station balnéaire.

PORNICHET, comm. de la Loire-Atlantique, à 4 km au S.-E. de La Baule; 7 300 hab. Station balnéaire. Thalassothérapie.

PORNOGRAPHIE [pɔrnɔgrafi] n. f. (du gr. *pornê,* prostituée, et *graphein,* écrire). Représentation de choses obscènes en matière littéraire ou artistique. ◆ **pornographe** n. Auteur d'écrits obscènes. ◆ **pornographique** adj.

POROSITÉ n. f. → PORES 2.

PORPHYRE [pɔrfir] n. m. (gr. *porphura*, pourpre). Nom donné à diverses roches éruptives qui contiennent de grands cristaux de feldspath contrastant avec un fond finement cristallisé, de couleur variée : *Le porphyre vert antique est une variété d'andésite.*

PORQUEROLLES, une des îles d'Hyères, en face de la côte des Maures; 12,5 km². Station balnéaire.

PORRIDGE [pɔridʒ] n. m. (mot angl.; du fr. *potage*). Plat populaire anglais, fait de bouillie de farine d'avoine non blutée, cuite à l'eau ou au lait et sucrée.

1. PORT [pɔr] n. m. (lat. *portus*). **1.** Abri naturel ou artificiel pour les navires, pourvu des installations nécessaires à l'embarquement et au débarquement de leur chargement : *Port maritime. Port fluvial.* ‖ *Port d'attache,* port d'immatriculation d'un navire, et dont le nom figure à la poupe de ce dernier. ‖ *Port franc,* port où les marchandises peuvent être déposées et transiter sans payer des droits de douane. — **2.** *Arriver à bon port,* arriver à destination sans accident. ◆ **portuaire** adj. *Installations portuaires,* équipements nécessaires à un port (quais, docks, hangars, grues, etc.). ◆ **arrière-port** n. m. Partie d'un port la plus éloignée de l'entrée. ‖ Pl. des *arrière-ports.* ◆ **avant-port** n. m. **1.** Entrée d'un port donnant accès aux divers bassins. — **2.** Nouveau port, en aval d'un port déjà existant, dont la création est liée, le plus souvent, à l'augmentation du tonnage des navires : *Saint-Nazaire est l'avant-port de Nantes.* ‖ Pl. des *avant-ports.*

2. PORT n. m. → PORTER 1 et 2.

PORT (Le), comm. de la Réunion, sur la côte nord-ouest; 30200 hab.

PORTABLE adj., **PORTAGE** n. m. → PORTER 1.

PORTAIL [pɔrtaj] n. m. (de *porte*). Entrée principale d'un édifice, d'un parc : *Le portail de la cathédrale.*

PORTAL, E, AUX, adj. → PORTE 3.

PORTALIS (Jean Étienne Marie), jurisconsulte et homme politique français (1746-1807). Il collabora à la rédaction du Code civil et fut ministre des Cultes sous l'Empire.

PORTANCE [pɔ̃rtɑ̃s] n. f. (de *porter*). Force perpendiculaire à la direction de la vitesse, résultant du mouvement d'un corps dans un fluide. (C'est la portance engendrée par le mouvement de l'air autour des ailes qui assure la sustentation [= équilibre] d'un avion.)

PORTANT [pɔrtɑ̃] adj. m. (de *porter*). *À bout portant,* le bout du canon touchant la personne sur laquelle on tire, ou étant tout près d'elle : *Tirer à bout portant.*

PORT-ARTHUR, en chin. **Liu-chouen,** en japon. **Ryūjun,** port de Chine (Leao-ning), à l'extrémité de la péninsule de Leao-tong; 137000 hab. Cédée à bail à la Russie en 1898, la ville fut, pendant la guerre russo-japonaise (1904-1905), défendue par les troupes russes du général Stoessel, mais dut capituler au bout d'un an de siège. Elle fut remise en 1945 à l'U. R. S. S., puis à la Chine en 1954.

PORTATIF, IVE adj. → PORTER 1.

PORT-AU-PRINCE, capit. et port de la république d'Haïti, sur la *baie de Port-au-Prince;* 684300 hab.

PORT-BOU, port d'Espagne (Catalogne); 2200 hab. Station frontière, en face du village français de Cerbère.

PORT-CROS, une des îles d'Hyères, en face de la côte des Maures; 6,4 km². Parc national.

PORT-DE-BOUC, comm. des Bouches-du-Rhône, à 5 km à l'O. de Martigues, à l'entrée de l'étang de Berre; 20100 hab. *(Port-de-Boucains).* Port. Chantiers navals. Industries chimiques.

---

1. PORTE-, élément issu du verbe *porter* et entrant dans la formation de nombreux mots composés.

---

2. PORTE [pɔrt] n. f. (lat. *porta*). **1.** Ouverture pour entrer et sortir d'une maison, d'une pièce, d'un jardin, d'un véhicule; panneau mobile qui sert à la fermer : *Condamner une porte* (= la murer). — **2.** Dans une ville, endroit d'un boulevard, d'un faubourg correspondant à une ouverture aménagée anciennement dans les murs d'enceinte : *Un embouteillage se forme à la porte d'Orléans.* — **3.** *Sports.* Espace marqué par deux piquets et dont le franchissement est obligatoire par le skieur en compétition dans un slalom. — **4.** *À ma (ta, sa, etc.) porte,* tout près de chez soi. ‖ Fam. *Enfoncer des portes ouvertes,* dire des banalités. ‖ Fam. *Entre deux portes,* en passant, rapidement. ‖ *Être aux portes de la mort,* près de mourir (littér.). ‖ *Forcer la porte de qq'un,* s'introduire chez quelqu'un en se passant de son consentement ‖ Fam. *Frapper à la bonne, à la mauvaise porte,* s'adresser à qui il convient, à qui il ne convient pas, pour obtenir ce qu'on cherche. ‖ *(Laisser) la porte ouverte à,* donner la possibilité de : *C'est la porte ouverte à tous les abus* (= cela justifiera...). ‖ *Mettre qq'un à la porte,* le chasser, le renvoyer. ‖ *Mettre la clef sous la porte,* partir furtivement. ‖ *Ouvrir la porte à qqch.,* lui donner accès, le permettre. ‖ *Prendre, gagner la porte,* sortir. ‖ *Refuser, fermer sa porte à qq'un,* refuser de le voir. ‖ Fam. *Se ménager une porte de sortie,* un moyen de sortir d'embarras. ‖ *Trouver porte close,* ne pas trouver quelqu'un chez lui. ◆ **porte-à-porte** n. m. Technique de vente à domicile : *Faire du porte-à-porte.* ◆ **porte-fenêtre** n. f. Ouverture qui descend jusqu'au niveau du sol ou du plancher, et qui sert en même temps de porte et de fenêtre. ‖ Pl. *des portes-fenêtres.* ◆ **portier** n. m. Personne qui garde l'entrée d'un établissement public, d'un immeuble : *Le portier de l'hôtel.* ◆ **portière** n. f. **1.** Porte qui ferme l'ouverture par laquelle on pénètre dans une voiture de chemin de fer, dans une automobile. — **2.** Rideau ou double porte capitonnée placés devant une porte. ◆ **portillon** n. m. **1.** Petite porte à claire-voie établie à côté de la barrière d'un passage à niveau. — **2.** *Portillon automatique,* dans le métro, petite porte d'accès au quai, qui se ferme automatiquement à l'arrivée du train.

3. PORTE [pɔrt] adj. (de *porte* 1). Anat. *Veine porte,* veine ramenant au foie le sang de l'intestin, du pancréas, de la rate et de l'estomac. ◆ **portal, e, aux** adj. Qui appartient au système de la veine porte ou se rapporte à cette veine : *La circulation portale.*

PORTÉ, E adj. → PORTER 3.

PORTE-À-FAUX [pɔrtafo] n. m. (de *porte-, à,* et *faux*). **1.** Partie d'une construction qui n'est pas directement soutenue par un appui. — **2.** *En porte à faux,* se dit de ce qui n'est pas d'aplomb, de ce qui est en équilibre instable. ‖ *Être en porte à faux,* être dans une situation fausse, dangereuse.

PORTE-À-PORTE n. m. → PORTE 2.

PORTE-AVIONS n. m. inv. → AVION. / **PORTE-BAGAGES** n. m. inv. → BAGAGE. / **PORTE-BONHEUR** n. m. inv. → BONHEUR. / **PORTE-BOUTEILLES** n. m. inv. → BOUTEILLE. / **PORTE-CARTES** n. m. inv. → CARTE 1. / **PORTE-CLEFS** ou **PORTE-CLÉS** n. m. inv. → CLEF 1. / **PORTE-DOCUMENTS** n. m. inv. → DOCUMENT. / **PORTE-DRAPEAU** n. m. → DRAPEAU.

1. PORTÉE n. f. → PORTER 1 et 3.

2. PORTÉE [pɔrte] n. f. (de *porter*). *Mus.* Ensemble des cinq lignes sur lesquelles ou entre lesquelles on porte les notes.

PORTEFAIX [pɔrtəfɛ] n. m. *(porte-,* et *faix).* Homme dont le métier est de porter des fardeaux.

PORTE-FENÊTRE n. f. → PORTE 2.

PORTEFEUILLE [pɔrtəfœj] n. m. *(porte-,* et *feuille).* **1.** Étui ou enveloppe de cuir qui se ferme comme un livre, et où l'on range des billets de banque, ses papiers, etc. — **2.** Ensemble des effets de commerce (titres, actions) détenus par une personne ou une entreprise. — **3.** Titre et fonction d'un ministre; département ministériel : *Le portefeuille des Affaires étrangères.* — **4.** *Faire* ou *mettre le lit en portefeuille,* par plaisanterie, replier le drap à mi-hauteur, de manière qu'il soit impossible d'allonger les jambes.

Porte-Glaive *(chevaliers),* ordre religieux et militaire, fondé en 1202 par l'évêque de Riga, Albert de Buxhövden. L'ordre fut sécularisé en 1561.

PORTEL (Le), comm. du Pas-de-Calais, dans la banlieue sud de Boulogne-sur-Mer, sur le pas de Calais; 11200 hab.

PORT ELIZABETH, port de l'Afrique du Sud (province du Cap); 469000 hab. Exportation de laines (mohair). Constructions mécaniques.

PORTEMANTEAU [pɔrtəmɑ̃to] n. m. *(porte-,* et *manteau).* Dispositif (barre fixée au mur ou pied muni de patères) pour suspendre des vêtements, des chapeaux.

PORTE-MINE n. m. inv. → MINE 3. / **PORTE-MONNAIE** n. m. inv. → MONNAIE.

PORT-EN-BESSIN-HUPPAIN, comm. du Calvados, à 9 km au N.-N.-O. de Bayeux; 2400 hab. Station balnéaire. Pêche.

PORTE-PARAPLUIES n. m. inv. → PARAPLUIE.

PORTE-PAROLE [pɔrtəparɔl] n. m. inv. *(porte-,* et *parole).* **1.** Personne qui parle au nom de plusieurs autres, d'un groupe : *Le porte-parole d'un groupe politique à l'Assemblée nationale.* — **2.** Journal, revue, etc., qui se fait l'interprète de quelqu'un : *Ce journal est le porte-parole de l'opposition* (syn. ORGANE).

PORTE-PLUME n. m. inv. → PLUME 2.

1. PORTER [pɔrte] v. t. (lat. *portare*). **1.** Soutenir un poids, une charge : *Une mère qui porte son enfant dans ses bras* (syn. TENIR). — **2.** Avoir sur soi comme vêtement, comme ornement, etc. : *Porter un corsage. Il porte la barbe.* — **3.** Tenir de telle ou telle façon : *Il porte la tête haute.* — **4.** (sujet nom de personne) Laisser paraître sur soi; (sujet nom de chose) présenter : *Il porte sur son visage un air de lassitude. La lettre ne porte aucune date.*

— **5.** Produire : *Un arbre qui porte beaucoup de fruits.* — **6.** Avec le sens de AVOIR, forme des loc. verbales : *Porter la responsabilité d'un fait.* ◆ v. t. et i. Qui est en état de gestation : *Femelle qui porte ses petits. La jument porte onze mois.* ◆ v. t. ind. **1.** *Porter sur,* reposer sur : *Tout le poids de l'édifice porte sur quatre piliers* (syn. REPOSER). *La querelle porte sur un point de détail;* heurter contre : *Il est tombé et sa tête a porté sur une pierre.* — **2.** *Porter à faux,* ne pas reposer sur des bases solides : *La planche porte à faux, elle va tomber* (syn. ÊTRE EN PORTE À FAUX). — **3.** Fam. *Porter sur les nerfs,* mettre dans un état de tension nerveuse, d'agacement. ◆ ***se porter*** v. pr. (sujet nom désignant un vêtement). Être porté, en parlant de la mode : *Cela ne se porte plus* (= cela n'est plus à la mode). ◆ **port** n. m. **1.** Fait de porter sur soi quelque chose : *Le port de la casquette.* ‖ *Port d'armes,* fait de pouvoir porter des armes sur soi. — **2.** Attitude, manière d'être, comportement : *Cette femme a un port majestueux.* ‖ *Port de tête,* manière de tenir sa tête. ◆ **portable** adj. : *Un paquet difficilement portable. Ce costume n'est pas neuf, mais il est encore très portable* (syn. CONVENABLE). ◆ **portage** n. m. : *Le portage des marchandises.* ◆ **portatif, ive** adj. Se dit de ce qui est aisé à porter, de ce qui est conçu pour être transporté : *Une radio portative.* ◆ **portée** n. f. Ensemble des petits que les femelles des mammifères mettent bas en une fois. ◆ **porteur** n. m. Personne dont le métier est de porter les bagages, les fardeaux.

2. PORTER [pɔrte] v. t. (même étym.). **1.** Faire aller, apporter d'un lieu à un autre : *Le facteur porte des lettres. Porter la main à son front* (syn. METTRE). *Porter un verre à ses lèvres. Porter la main sur qq'un* (= lui faire violence). — **2.** Inscrire : *Porter un nom sur un registre.* — **3.** Causer, faire, manifester : *Cette décision nous porte un tort considérable. Je lui porte une reconnaissance éternelle.* — **4.** *Porter un fait à la connaissance de qq'un,* l'en informer. ‖ *Porter un coup à qq'un,* le frapper; lui causer une émotion forte : *Cette nouvelle lui a porté un coup* (syn. DONNER). — **5.** Forme de nombreuses loc. avec des noms sans art. : *Porter amitié à qq'un* (= l'estimer). *Porter atteinte à qqch.* (= le toucher, le modifier dans un sens défavorable). *Porter bonheur, malheur* (= être cause de bonheur ou de malheur à venir). *La nuit porte conseil* (= vous jugerez mieux après une nuit de repos). *Porter plainte contre qq'un* (= déposer une plainte contre lui devant les tribunaux). *Porter secours à qq'un* (= le secourir). *Porter témoignage* (= témoigner). ◆ **port** n. m. Prix du transport d'une lettre, d'un colis : *Un colis expédié franco de port et d'emballage.* ◆ **porteur, euse** adj. et n. Qui porte, qui apporte : *Un messager porteur d'une bonne nouvelle. Les frères et sœurs du malade sont porteurs de germes* (= ils peuvent véhiculer des germes infectieux). ◆ n. m. **1.** Personne chargée de transmettre un message. — **2.** Celui qui détient une valeur mobilière, un titre qui n'indique pas le nom du titulaire : *Une action au porteur.*

3. PORTER [pɔrte] v. i. (même étym.) [sujet nom de chose]. *Porter juste,* atteindre, toucher le but : *Le coup de canon a porté juste. Sa remarque a porté juste* ou *a porté* (= elle a été pleinement comprise par l'intéressé). ‖ *Porter loin,* se dit d'une pièce d'artillerie dont le tir va loin. ◆ v. t. **1.** Diriger, mouvoir : *Porter son regard sur* (ou *vers*) *qq'un. Portez votre effort sur ce point.* — **2.** *Porter qq'un à qqch., à faire qqch.,* l'y pousser, l'y décider : *Cet échec le portera à plus de prudence* (syn. INCITER). *Tout cela me porte à croire qu'il a menti.* — **3.** *Porter qqch. à sa perfection, à son maximum,* etc., l'y amener : *Cette réponse porta sa colère à son paroxysme.* ◆ ***se porter*** v. pr. **1.** *Se porter* (et un attribut), se présenter comme tel ou tel : *Se porter candidat à une élection. Se porter garant de qqch.* (= le garantir). — **2.** *Les soupçons, les regards,* etc., *se portent sur lui,* on le soupçonne, on le regarde. ◆ **porté, e** adj. *Porté à qqch.,* se dit d'une personne qui est poussée, incitée à : *Il est porté à boire.* ‖ *Être porté sur,* avoir un goût très vif pour. ◆ **portée** n. f. **1.** Distance la plus grande à laquelle un projectile peut être lancé par une arme : *La portée d'un fusil, d'un canon.* — **2.** Distance jusqu'où la voix peut se faire entendre, jusqu'où l'on peut voir, jusqu'où l'on peut atteindre avec la main (surtout dans l'express. *à (la) portée*) : *La portée d'un cri. Ne laissez pas ces cachets à la portée des enfants.* — **3.** *Être à la portée de qq'un,* lui être accessible, pouvoir être fait par lui; *hors de portée,* inaccessible, qui n'est pas disponible : *Le spectacle est à la portée de toutes les bourses* (= tout le monde peut se le payer). — **4.** Capacité intellectuelle, force et étendue d'un esprit : *Mettez-vous à la portée de votre auditoire* (syn. NIVEAU). *Livre à la portée de tous.* — **5.** Importance, valeur de quelque chose : *Un argument sans portée* (syn. CONSÉQUENCE). *Fais attention à la portée de tes mots* (syn. EFFET).

4. PORTER (SE) [səpɔrte] v. pr. (même étym.) [sujet nom de personne]. Aller bien ou mal, avoir une santé bonne ou mauvaise : *Il se porte comme un charme, malgré son grand âge.*

PORTES DE FER, nom de plusieurs défilés, notamment celui du Danube, entre les Carpates (Roumanie) et les Balkans (Yougoslavie), qui est barré par un important aménagement hydroélectrique; ceux d'affluents de la Soummam, en Algérie, dans le massif des Bibans.

PORTES-LÈS-VALENCE, ch.-l. de cant. de la Drôme, à 6,5 km au S. de Valence; 7400 hab. Textiles artificiels.

PORT-ÉTIENNE, auj. **Nouadhibou** ou **Nuadibu,** port de Mauritanie, sur la baie du Lévrier; 12000 hab. Pêcheries.

PORTET-SUR-GARONNE, comm. de la Haute-Garonne, à 8 km au S. de Toulouse; 6900 hab.

PORTEUR, EUSE adj. et n. → PORTER 1 et 2.

PORTE-VOIX [pɔrtəvwa] n. m. inv. *(porte-,* et *voix).* Instrument en forme de cône évasé, destiné à porter la voix au loin.

PORT HARCOURT, port du Nigeria, sur le delta du Niger; 217000 hab. Pneumatiques. Raffinerie de pétrole.

PORTIER n. m., **PORTIÈRE** n. f., **PORTILLON** n. m. → PORTE 2.

PORTION [pɔrsjɔ̃] n. f. (lat. *portio*). **1.** Partie d'un tout divisé : *La portion d'une droite comprise entre deux points* (syn. SEGMENT). *Une portion de la route* (syn. PARTIE, TRONÇON). — **2.** Se dit d'une certaine quantité d'aliments : *Une portion de gâteau* (syn. PART). — **3.** Ironiq. *Portion congrue,* maigre quantité de nourriture, d'argent, etc. : *À son âge, il est réduit à la portion congrue.*

1. PORTIQUE [pɔrtik] n. m. (lat. *porticus*). *Archit.* Galerie couverte, devant une façade ou dans une cour intérieure, dont la voûte est soutenue par des colonnes ou par des arcades.

2. PORTIQUE [pɔrtik] n. m. (même étym.). Poutre horizontale soutenue par des poteaux, et à laquelle on accroche des agrès de gymnastique.

PORT-JÉRÔME, localité de la Seine-Maritime (comm. de Notre-Dame-de-Gravenchon), sur la basse Seine. Raffinerie de pétrole. Pétrochimie.

PORT-JOINVILLE, bourg de l'île d'Yeu (Vendée, arrond. des Sables-d'Olonne). C'est le principal centre de l'île. Pêche.

PORT KEMBLA, centre sidérurgique d'Australie, au S. de Sydney.

PORTLAND, péninsule anglaise de la Manche (Dorset). Calcaire argileux ayant donné son nom à une variété de ciment.

PORTLAND [pɔrtlɑ̃d] n. m. (par ressemblance avec la pierre grise de *Portland*). Ciment hydraulique fabriqué par calcination d'un mélange artificiel d'argile et de craie.

PORT-LA-NOUVELLE, ancienn. **La Nouvelle,** comm. de l'Aude, à 26 km au S. de Narbonne; 4500 hab. Port et station balnéaire. Industries chimiques.

PORT-LOUIS, capit. de l'île Maurice; 141100 hab.

PORT-LYAUTEY → KENITRA.

PORT MORESBY, capit. de la Papouasie-Nouvelle-Guinée, sur la mer de Corail; 122000 hab.

PORT-NAVALO, port et station balnéaire du Morbihan (comm. d'Arzon), à l'extrémité de la presqu'île de Rhuis.

PORTO *(golfe de),* golfe de la côte occidentale de la Corse. Station balnéaire.

PORTO, port du Portugal, à l'embouchure du Douro; 312000 hab. Deuxième ville du pays. Centre d'exportation des vins renommés de la vallée du Douro *(portos).* Industries mécaniques et textiles. Raffinerie de pétrole. (L'agglomération compte 1315000 hab.)

PORTO [pɔrto] n. m. (de *Porto*). Vin du Portugal très renommé.

PÔRTO ALEGRE, v. du Brésil, capit. du Rio Grande do Sul; 1126000 hab. Métropole économique du Brésil méridional.

PORT OF SPAIN, v. de l'île de la Trinité, capit. de l'État de Trinité-et-Tobago; 117000 hab.

PORTO-NOVO, capit. du Bénin, sur le golfe de Guinée; 104000 hab.

PORTO RICO, en esp. et en angl. **Puerto Rico,** une des Antilles, à l'E. d'Haïti; 8897 km²; 3950000 hab. (444 au km²) [*Portoricains*]. Capit. *San Juan* (485000 hab.).

Petite île montagneuse au climat tropical, Porto Rico vit surtout de son agriculture. Canne à sucre, bananes, tabac, ananas, café sont exportés vers les États-Unis. Quelques usines transforment les produits agricoles (distilleries de rhum, manufactures de cigarettes). Mais l'île, qui souffre du surpeuplement, entretient une constante émigration vers les États-Unis.

- *1493. Porto Rico est découverte par Christophe Colomb.*

Elle est exploitée par les Espagnols qui y font venir de nombreux esclaves africains.

- *1898. L'île est cédée par les Espagnols aux États-Unis.*
- *1917. Les Portoricains acquièrent la nationalité américaine et un régime représentatif.*

Mais le sentiment antiaméricain reste vif.

PORTO-VECCHIO, ch.-l. de la Corse-du-Sud. à 27 km au N.-N.-E. de Bonifacio. sur le *golfe de Porto-Vecchio;* 8 100 hab.

PORTRAIT [pɔrtrɛ] n. m. (de l'anc. fr. *portraire*, représenter). **1.** Représentation d'une personne par le dessin, la photographie ou la peinture. — **2.** *Portrait en pied,* qui représente la personne tout entière. ‖ *Portrait robot,* représentation par le dessin d'un suspect, d'après les témoignages oraux, qu'établit et publie la police pour le faire reconnaître. ‖ *Être le portrait de qq'un,* lui ressembler fortement. — **3.** Description orale ou écrite de quelqu'un : *Je vais vous faire son portrait en quelques mots.* ◆ **portraitiste** n. m. Artiste qui fait des portraits. ◆ **portraiturer** v. t. *Portraiturer qq'un,* faire son portrait (littér. ou ironiq.). ◆ **autoportrait** n. m. Portrait d'un artiste, d'un écrivain exécuté par lui-même.

PORT-ROYAL, abbaye de femmes, fondée en 1204 dans la vallée de Chevreuse et transportée à Paris par l'abbesse Angélique Arnauld (1625). À partir de 1635 elle devint le foyer du jansénisme. Elle fut un refuge de solitaires (les « messieurs de Port-Royal »), tels Antoine Arnauld, Nicole, Lancelot, qui y fondèrent des écoles. L'abbaye fut fermée en 1709 et rasée en 1710 par ordre du roi.

PORT-SAÏD, v. d'Égypte, sur la Méditerranée, à l'entrée du canal de Suez; 320 000 hab.

• *1956. La ville est l'objectif d'une action militaire franco-anglaise, à la suite de la nationalisation du canal.*

PORT-SAINT-LOUIS-DU-RHÔNE, ch.-l. de cant. des Bouches-du-Rhône, à 20 km à l'O. de Port-de-Bouc; 10 400 hab. Port.

PORT-SALUT [pɔrsaly] n. m. inv. (nom déposé). Fromage cuit, de lait de vache, à pâte pressée.

PORTSMOUTH, port militaire de Grande-Bretagne (Hampshire), dans l'île de Portsea; 197 000 hab.

PORT-SOUDAN, port du Soudan, sur la mer Rouge; 133 000 hab. Principal débouché maritime du pays.

PORTUAIRE adj. → PORT 1.

PORTUGAIS, E [pɔrtygɛ, -ɛz] adj. et n. Du Portugal. ◆ n. m. Langue romane parlée au Portugal et au Brésil.

PORTUGAISE [pɔrtygɛz] n. f. (de *Portugal*). Variété d'huître.

PORTUGAL, État de l'Europe méridionale, à l'O. de la péninsule Ibérique, sur l'Atlantique.

SUPERFICIE 92 000 km² (France : 550 000 km²).
POPULATION 10 400 000 hab. *(Portugais);* 113 hab. au km² (France : 103); taux de natalité, 13.6 p. 1 000; taux de mortalité, 10,5 p. 1 000.
CAPITALE Lisbonne (822 000 hab.) [agglomération de plus de 2 millions d'hab.].
VILLE PRINCIPALE Porto (312 000 hab.) [agglomération 1 315 000 hab.].
LANGUE portugais.
ÉCONOMIE produit national brut par hab., 2 055 dollars (France : 9 484); consommation d'énergie par hab., 1 250 kg d'équivalent charbon; 1 automobile pour 8 hab.
MONNAIE escudo.

GÉOGRAPHIE

Le Portugal s'étend sur le rebord occidental de la *Meseta* ibérique. Mais le nord du pays, soulevé et failllé, est montagneux *(Minho),* tandis qu'au S. du Tage, l'*Alentejo* est une région de plaines et de bas plateaux. Le climat méditerranéen qui affecte l'ensemble du pays est assez humide au N., mais devient aride dans le Sud.

	TEMPÉRATURES MOYENNES		PLUIES
	janv.		
Lisbonne	10 °C	22 °C	692 mm

L'*agriculture* reste le secteur primordial de l'économie. Mais deux types d'exploitations s'opposent. Dans le Sud, de grands domaines employant des ouvriers agricoles cultivent le blé, l'olivier, le chêne-liège, et l'élevage ovin est actif. Dans le Nord, une population très dense pratique une polyculture intensive dans le cadre de petites propriétés : céréales, cultures maraîchères et surtout vigne (le porto constituant un des principaux produits d'exportation).

La *pêche* (sardines, thons) est très active et alimente des conserveries de poisson.

vin 8 millions d'hl; ovins 5 millions de têtes; pêche 250 000 t.

L'*industrie* est peu développée : le textile. localisé autour de Lisbonne. est l'activité la plus notable.

électricité 18 milliards de kWh; coton (filés) 100 000 t.

En raison d'une population dense par rapport aux ressources limitées, les campagnes souffrent parfois du surpeuplement. Le niveau de vie des habitants reste l'un des plus bas d'Europe. Pour trouver du travail, de nombreux Portugais sont contraints d'émigrer dans les pays d'Europe occidentale, et notamment en France.

HISTOIRE

Au IIᵉ s. av. J.-C., l'ouest de la péninsule Ibérique tente de résister à la conquête romaine.

• *60-19 av. J.-C. La romanisation suit les progrès de la colonisation sous César, puis Auguste.*

Les invasions germaniques au Vᵉ s. apr. J.-C. (Suèves, Wisigoths) accentuent l'originalité des régions qui formeront le Portugal, jusqu'à la conquête musulmane de 711 qui marque la civilisation du pays aux Xᵉ et XIᵉ s. La reconquête de la péninsule par les chrétiens permet à une dynastie d'origine bourguignonne de s'émanciper de la tutelle des rois de Castille.

• *1139. Alphonse Iᵉʳ Henriques (1128-1185) se fait reconnaître comme roi par la Castille, puis par le pape et l'Empereur.*

La conquête du Sud, accélérée par la victoire de Las Navas de Tolosa (1212) et achevée en 1249, renforce l'indépendance. Pour assurer le repeuplement du pays, la monarchie accorde des avantages (chartes) à la paysannerie libre, et limite le rôle de la noblesse et des ordres religieux. Quant aux Juifs et aux morisques, malgré leur rôle économique, ils vivent en marge de la nation où ils ne subsisteront que jusqu'en 1496. Les derniers rois de la dynastie bourguignonne, en particulier Denis (1279-1325), favorisent l'essor économique du pays et l'orientent vers le commerce maritime.

• *1383-1385. Une crise dynastique est dénouée par la victoire de Jean Iᵉʳ d'Aviz, soutenu par la bourgeoisie, sur Jean Iᵉʳ de Castille, candidat de la noblesse.*

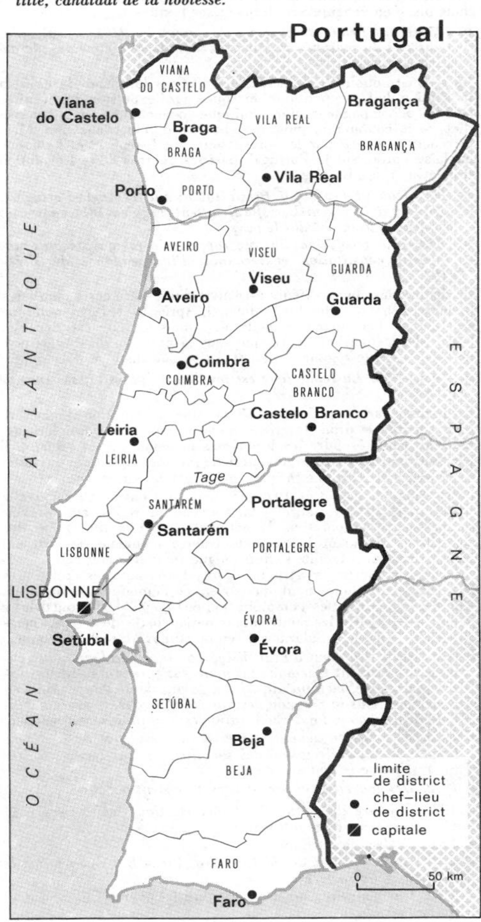

La nouvelle dynastie renforce l'autorité monarchique. Elle poursuit au Maroc une politique de conquête qui, après les prises de Ceuta, Tanger et Mazagan tourne court; elle favorise surtout l'expansion maritime et coloniale. Sous l'impulsion d'Henri le Navigateur (1415-1460) et des rois Jean II (1481-1495) et Manuel Ier (1495-1521), les marins portugais progressent sur les côtes d'Afrique, découvrent Madère, les Açores, les îles du Cap-Vert, et fondent, dans le golfe de Guinée, le fort São Jorge da Mina.

• ***1487. Bartolomeu Dias atteint le cap de Bonne-Espérance.***

Le voyage de Vasco de Gama en Inde (1497-1498) ouvre la voie à un empire* colonial qui s'étend de la Chine au Brésil. Le Portugal contrôle désormais le commerce des épices, du sucre et des esclaves. La période des découvertes est aussi celle de l'apogée artistique (art manuélin) et littéraire (Camoens).

• *1580. La crise dynastique ouverte par la mort de Sébastien permet à Philippe II d'Espagne de s'emparer du Portugal.*

Mais la politique du ministre espagnol Olivares et la perte de colonies au profit des Hollandais entraîne en 1640 une révolte qui donne le pouvoir au duc de Bragance, sous le nom de Jean IV. Les difficultés de l'Espagne et la guerre anglo-hollandaise (1652) lui permettent de reprendre le Brésil et les comptoirs africains.

• ***1668. L'Espagne reconnaît de nouveau l'indépendance portugaise (traité de Lisbonne).***

Le pouvoir monarchique se renforce sous Pierre II (1667-1706) et Jean V (1707-1750), aidé par l'or brésilien. Mais le traité de Methuen (1703) qui lie l'économie portugaise à celle de l'Angleterre favorise l'essor du vignoble plus que celui de l'industrie : désormais l'Angleterre achète exclusivement les vins portugais, mais place en échange ses draps et ses textiles.

• ***1750-1777. Pendant le règne de Joseph Ier, le Portugal, sous l'autorité du marquis de Pombal, connaît un régime de « despotisme éclairé ».***

La reconstruction de Lisbonne, détruite par le séisme de 1755, la laïcisation de la vie politique, marquée par l'expulsion des Jésuites (1759), accompagnent une politique économique qui favorise d'abord le commerce, puis une ébauche d'industrialisation. Mais la réaction menée par les successeurs de Joseph Ier et l'alliance anglaise entraînent le Portugal dans les guerres de la Révolution française et de l'Empire.

• ***1807. Jean VI s'enfuit au Brésil, tandis que les Anglo-Portugais, dirigés par le régent Beresford, luttent jusqu'en 1811 contre les Français qui ont envahi le pays.***

• ***1822. Une révolution libérale rappelle le roi qui accorde une nouvelle constitution et reconnaît l'indépendance du Brésil (1825).***

La défaite des conservateurs est suivie d'une lutte entre chartistes (modérés) et septembristes (radicaux). Après 1851, la vie politique se stabilise, l'économie se modernise, mais la dette extérieure et l'arrêt de l'expansion en Afrique sous la pression de l'Angleterre déconsidèrent le régime. Une opposition socialiste se développe.

• ***5 oct. 1910. La république est proclamée, après l'assassinat de Charles Ier.***

Le régime parlementaire, fondé sur une constitution démocratique, accorde le droit de grève, mène une politique anticléricale, mais ne peut résoudre les problèmes économiques et sociaux. Il s'ensuit une instabilité ministérielle et une agitation ouvrière.

• *28 mai 1926. Un putsch met fin au régime parlementaire.*

Le Dr Salazar devient en 1932 président du Conseil. Une nouvelle constitution (1933) instaure l'État nouveau qui repose sur l'organisation sociale corporative, le nationalisme et la répression des oppositions. Pendant la Seconde Guerre mondiale, le Portugal reste neutre, puis facilite l'effort de guerre anglo-américain.

Depuis la guerre, les structures sociales et agraires archaïques freinent le développement industriel, et l'émigration s'amplifie. Après avoir perdu ses comptoirs indiens (Goa), le Portugal lutte depuis 1961 contre les mouvements nationalistes de ses provinces africaines. En 1968, Salazar est remplacé par Marcelo Caetano.

• *Avril 1974. Un coup d'État dirigé par le général Spínola renverse le président Caetano. La junte entreprend une libéralisation du régime, mettant ainsi fin à 48 ans de dictature. Mais en septembre, sous la pression des forces de gauche, le général Spinola démissionne. La décolonisation est très rapidement réalisée.*

• *1976. Élection du général Eanes à la présidence de la République. Victoire électorale des socialistes : leur leader, Mário Soares, forme le gouvernement.*

• *1978. Des gouvernements centristes succèdent à Soares.*

• *1979. Victoire du centre droit aux élections législatives : Sá Carneiro forme le gouvernement.*

• *1980. Réélection de Eanes.*

• *1981. Après la mort de Sá Carneiro, Pinto Balsemão forme le nouveau gouvernement.*

• *1982. Une nouvelle Constitution réduit les pouvoirs du président de la République.*

• *1983. Après la victoire des socialistes aux élections, Soares revient au pouvoir à la tête d'une coalition centre-gauche.*

• *1985. Démission de Soares. Le social-démocrate Aníbal Cavaco Silva le remplace à la tête du gouvernement.*

• *1986. Entrée du Portugal dans la C. E. E. Élection de Mário Soares à la présidence de la République.*

• *1987. Les élections sont marquées par une large victoire du parti social-démocrate. A. Cavaco Silva est reconduit dans ses fonctions de Premier ministre.*

• *1991. Mário Soares est réélu à la présidence de la République.*

PORTULAN [pɔrtylɑ̃] n. m. (it. *portolano*, pilote). Carte marine de la fin du Moyen Âge et de la Renaissance, indiquant la position des ports d'une côte.

PORT-VENDRES, ch.-l. de cant. des Pyrénées-Orientales, à 10 km au S.-E. d'Argelès; 5300 hab. Port de pêche.

POSE n. f. → POSER 1, 2 et 4.

POSÉ, E [poze] adj. (de *poser*). Se dit d'une personne (ou de son comportement) calme, sérieuse : *Un homme posé* (syn. PONDÉRÉ). *Avoir un air posé* (syn. RÉFLÉCHI). ◆ **posément** adv. : *Parler posément* (syn. CALMEMENT, LENTEMENT).

POSÉIDON, dieu grec de la Mer, le *Neptune* des Romains.

POSÉMENT adv. → POSÉ.

POSEMÈTRE n. m. → POSER 4.

1. POSER [poze] v. t. (du lat. *pausa*, repos). **1.** (sujet nom de personne) *Poser un objet, qq'un,* les mettre quelque part en leur assurant un appui : *Poser un livre sur une table. Poser une échelle contre un mur* (syn. APPUYER, PLACER). *Poser ses valises à terre* (syn. DÉPOSER). *Poser un bébé sur un coussin.* — **2.** *Poser qqch.*, le placer, l'installer à l'endroit convenable : *Poser des rideaux* (= les accrocher au mur). *Poser une serrure* (= l'adapter à une porte et au montant). — **3.** (sujet nom de personne) *Poser qqch.*, l'établir, l'admettre, l'affirmer comme principe, comme hypothèse : *Posons que* $A + B = C$ (= admettons-le comme hypothèse, sans discussion). — **4.** Forme des loc. verbales : *Poser des jalons* (= placer des repères, donner des indications préliminaires sur quelque chose). ‖ *Poser sa candidature,* se présenter comme candidat à une fonction, à un poste (syn. DÉPOSER). ‖ *Poser une question à qq'un,* l'interroger, le questionner. ‖ (sujet nom de personne ou de chose) *Poser une question, un problème,* être un objet de préoccupations pour d'autres (personnes, collectivités, etc.) : *Votre cas pose un problème délicat* (syn. SOULEVER). ◆ **se poser** v. pr. : *L'oiseau s'est posé sur une branche. Une main se posa sur son épaule. L'avion s'est posé* (syn. ATTERRIR). ◆ **pose** n. f. Sens 2 du v. t. : *La pose d'un compteur d'électricité* (syn. INSTALLATION). ◆ **reposer** v. t. Poser de nouveau.

2. POSER [poze] v. t. (même étym.) [sujet nom de personne]. *Poser sa voix*, être capable de l'équilibrer. ◆ **pose** n. f. *Pose de la voix*, équilibre obtenu, après travail, par la voix humaine, dans son registre normal (surtout dans le chant).

3. POSER [poze] v. t. (même étym.) [sujet nom de chose]. *Poser qq'un,* lui donner de l'importance : *Le succès pose un auteur* (syn. METTRE EN VALEUR). ◆ ***se poser*** v. pr. S'attribuer le rôle de : *Il se pose en redresseur de torts* (syn. S'ÉRIGER).

4. POSER [poze] v. i. (même étym.) [sujet nom de personne]. Prendre une position, une attitude telle qu'on puisse faire un portrait, une photographie : *Vous allez poser sur ce canapé.* ◆ **pose** n. f. **1.** Attitude du corps, particulièrement en vue d'un portrait, d'une photographie : *Une pose très étudiée* (syn. POSITION). — **2.** Temps d'exposition d'une photographie (se dit surtout d'un temps supérieur à un dixième de seconde). ◆ **posemètre** n. m. Appareil servant à mesurer le temps de pose en photographie.

5. POSER [poze] v. i. (même étym.) [sujet nom de personne]. Avoir un comportement affecté et prétentieux : *Poser pour la galerie* (syn. CRÂNER, SE PAVANER). ◆ v. t. ind. Fam. *Poser à*, prétendre agir comme : *Poser à l'homme au courant de tout.* ◆ **poseur, euse** adj. et n. : *Quel poseur!* (syn. PRÉTENTIEUX, SNOB). *Elle est terriblement poseuse* (syn. ARTIFICIEL, MANIÉRÉ).

1. POSITIF, IVE [pozitif, -iv] adj. (bas lat. *positivus*, qui repose sur). **1.** Se dit d'une chose qui a un caractère certain, assuré, qui repose sur les faits : *C'est un fait positif* (syn. INCONTESTABLE, RÉEL). — **2.** Se dit d'une personne (ou de son comportement) qui fait preuve de réalisme, qui a le sens pratique : *C'est un esprit positif* (contr. CHIMÉRIQUE). ◆ **positivisme** n. m. Philosophie d'Auguste Comte qui se refuse à connaître de l'univers autre chose que ce qu'on en connaît par l'observation scientifique. ◆ **positiviste** adj. et n. : *Un philosophe positiviste.*

2. POSITIF, IVE [pozitif, -iv] adj. (même étym.). Se dit de ce qui apporte des éléments constructifs, efficaces (par oppos. à NÉGATIF) : *Le résultat des entretiens est positif* (= apporte des éléments nouveaux qui contribuent à un progrès). *Une réponse positive* (syn. AFFIRMATIF). ◆ **positivement** adv. : *Son action s'est développée positivement dans bien des secteurs* (syn. RÉELLEMENT).

3. POSITIF, IVE [pozitif, -iv] adj. (même étym.). **1.** Se dit de ce qui se produit, de ce qui est effectif (par oppos. à NÉGATIF) : *Une cuti-réaction positive* (= qui prouve que la réaction a bien eu lieu). ‖ *Électricité positive,* celle qu'on peut obtenir en frottant du verre avec un morceau de drap, et qu'on affecte du signe +. — **2.** Math. *Nombre positif,* nombre supérieur à 0 : *12 est positif, car 12 > 0.* (L'opposé d'un nombre positif est un *nombre négatif.*) — **3.** *Épreuve positive,* ou *positif* n. m., épreuve photographique qu'on obtient en exposant à la lumière une feuille de papier sensible appliquée sous un négatif, pellicule ou plaque. ◆ **positivement** adv. : *Un morceau d'ébonite chargé positivement* (= chargé d'électricité positive).

POSITION [pozisjɔ̃] n. f. (lat. *positio;* de *ponere,* placer). **1.** Manière dont se tient, dont est placée une personne ou une chose : *Dormir dans une position incommode* (syn. ATTITUDE, POSTURE). *Ranger un livre dans la position verticale* (= debout). — **2.** Situation d'un objet, d'une personne en fonction d'un ensemble : *Le policier étudia la position des personnes et des objets dans la pièce* (syn. EMPLACEMENT, LOCALISATION). *La position des mots dans la phrase* (syn. PLACE). *La position d'un navire, d'un avion,* etc. (= ses coordonnées sur la carte à un moment donné). *Le concurrent est arrivé en première, en deuxième,* etc., *position* (= il est arrivé le premier, le deuxième, etc., au but). — **3.** Emplacement occupé par une troupe, une armée : *Assiéger les positions ennemies.* — **4.** Opinion particulière d'une personne sur un problème : *On a demandé au directeur de définir sa position* (syn. POINT DE VUE). *La position de l'Église face au contrôle des naissances* (syn. ATTITUDE). ‖ *Prise de position,* opinion déclarée publiquement. ‖ *Prendre position,* prendre parti. ‖ *Rester sur ses positions,* ne faire aucune concession dans une discussion. — **5.** Situation sociale d'une personne : *Avoir une position élevée* (syn. RANG).

POSITIVEMENT adv. → POSITIF 2 et 3.

POSITIVISME n. m., **POSITIVISTE** adj. et n. → POSITIF 1.

POSITON [pozitɔ̃] n. m. (de *positif*). *Phys.* Électron positif.

POSNANIE ou **POZNANIE,** province de Pologne, rattachée progressivement à la Prusse de 1772 à 1795, et dont elle fut détachée en 1919 (moins sa partie occidentale, incorporée à la Prusse-Occidentale). La province fut entièrement restituée à la Pologne en 1945. Capit. *Poznań.*

POSOLOGIE [pozolɔʒi] n. f. (du gr. *posos,* combien, et *logos,* science). Étude des doses selon lesquelles on doit administrer les médicaments, en fonction de l'âge, du sexe, de l'état du malade.

POSSÉDÉ, E adj. et n. → POSSÉDER.

Possédés *(les),* roman de Dostoïevski (1870).

POSSÉDER [pɔsede] v. t. (du lat. *potis,* capable de, et *sedere,* être assis). **1.** *Posséder une chose,* l'avoir à soi, à sa disposition, en être maître : *Posséder une maison. Je te laisse deux francs, c'est tout ce que je possède* (= je n'ai rien d'autre). *Une nation qui possède une puissante armée.* — **2.** *Posséder qqch.,* en être pourvu, doté (simple syn. de AVOIR) : *Ce médecin possède une longue expérience* (syn. JOUIR DE). *Les propriétés que possèdent les corps simples varient en composition.* — **3.** (sujet nom de personne) *Posséder qqch.,* en avoir une bonne connaissance : *Il possède à fond sa grammaire française* (= il la sait parfaitement). — **4** *Posséder une femme,* avoir avec elle des rapports. — **5.** Fam. *Posséder qq'un,* le duper, le berner. ◆ **se posséder** v. pr. Se contenir, rester maître de soi : *Quand il se met en colère, il ne se possède plus* (syn. SE DOMINER, SE MAÎTRISER). ◆ **possédé, e** adj. Entièrement dominé : *Il est possédé de la passion du jeu.* ◆ n. Personne possédée du démon. ◆ **possessif, ive** adj. Se dit d'une personne qui a tendance à s'approprier l'amour, l'affection d'une autre, de façon exclusive. ◆ **possesseur** n. m. Celui qui possède (surtout sens 1 du v. t.). ◆ **possession** n. f. **1.** *Prendre possession d'un héritage. Les avantages que donne la possession d'une langue étrangère* (syn. CONNAISSANCE). — **2.** *Avoir qqch. en sa possession* ou *être en possession de qqch.,* le posséder : *Avoir des livres rares en sa possession.* ‖ *Rentrer en possession de qqch.,* le recouvrer. ‖ *Prendre possession de qqch.,* s'en emparer (par la force ou non); le recevoir, en prendre livraison : *Prendre possession de sa voiture.* ‖ (sujet nom de chose) *Être en la possession de qq'un,* lui appartenir. ‖ *Possession de soi,* maîtrise de soi-même. ◆ **déposséder** v. t. *Déposséder qq'un de qqch.,* lui en ôter la possession (syn. DÉPOUILLER, SPOLIER). ◆ **dépossession** n. f.

1. POSSESSIF adj. m. (de *posséder*). Gramm. *Adjectifs et pronoms possessifs,* qui expriment la possession. (→ CLASSE 4 et MON.)

2. POSSESSIF, IVE adj. → POSSÉDER.

POSSESSION n. f. → POSSÉDER.

POSSIBLE [pɔsibl] adj. (du lat. *posse,* pouvoir) [après le nom]. **1.** Se dit d'une chose qui peut se produire, qui peut être faite : *Votre entreprise est possible* (syn. RÉALISABLE). *Une hypothèse parfaitement possible* (syn. ADMISSIBLE). *Il a éprouvé tous les malheurs possibles.* (Se met toujours au sing. après les express. *le plus, le moins : Le moins de fautes possible,* c'est-à-dire « qu'il soit possible de faire » [*possible* est considéré comme attribut du sujet *il*].) ‖ *Matériellement possible,* se dit d'une chose à laquelle les conditions matérielles ne s'opposent pas. ‖ *Il est possible que* (suivi du subj.), indique une éventualité envisagée : *Il est possible qu'il ne vienne pas* (= il se peut que). — **2.** Se dit d'une chose qui peut éventuellement se produire, dont on pense qu'elle peut exister sous cette forme : *La chute possible du gouvernement* (syn. ÉVENTUEL). ‖ *Fam.* À propos d'une personne : *Les ministres possibles* (= ceux qui peuvent devenir ministres). ◆ n. m. *Faire (tout) son possible,* agir, travailler au mieux de ses possibilité. — LOC. ADV. *Au possible,* extrêmement : *Sa fille est gentille au possible.* ◆ **possibilité** n. f. : *Je ne vois pas la possibilité de réaliser ce projet.* ‖ *Avoir, trouver la possibilité,* syn. de POUVOIR (souvent avec négation) : *Je n'ai malheureusement pas la possibilité de vous venir en aide* (syn. IL N'EST PAS EN MON POUVOIR). ◆ n. f. pl. Moyens dont on dispose : *Cet élève ne manque pas de possibilités, mais il est très paresseux* (syn. RESSOURCES). ◆ **impossible** adj. **1.** Se dit d'une chose qui ne peut se produire, être réalisée : *Un projet impossible* (syn. IRRÉALISABLE). — **2.** Se dit d'une chose qui semble ne pas pouvoir exister : *C'est impossible!* — **3.** *Fam.* Se dit d'une personne difficile à supporter ou d'une chose difficile à imaginer : *Il nous rend la vie impossible* (syn. INSUPPORTABLE). *Une situation impossible. Il est vêtu d'une façon impossible* (syn. EXTRAVAGANT). ◆ n. m. Ce qui n'est pas possible : *À l'impossible nul n'est tenu.* ◆ **impossibilité** n. f. Contr. de POSSIBILITÉ.

POSTAGE n. m., **POSTAL, E, AUX** adj. → POSTE 1.

POSTCLASSIQUE adj. (du lat. *post,* après, et *classique*). Postérieur à l'époque classique : *La latinité postclassique.*

POSTCOMBUSTION [pɔstkɔ̃bystjɔ̃] n. f. (du lat. *post,* après, et *combustion*). Combustion supplémentaire effectuée dans un moteur à réaction pour en augmenter la poussée.

POSTDATER v. t. → DATE.

1. POSTE [pɔst] n. f. (it. *posta*). **1.** *Autref.* Relais de chevaux établi de distance en distance pour le transport des voyageurs et du courrier. — **2.** *Auj.* Services chargés du transport et de la distribution des correspondances (lettres, dépêches, colis) et de certaines activités bancaires spécifiques. → ENCYCL. — **3.** Local, bureau où le public effectue les opérations postales : *Aller à la poste toucher un mandat.* ‖ *Poste restante,* système qui permet à une personne de retirer son courrier à la poste au lieu de le recevoir à domicile. ◆ **postage** n. m. Action de poster, de mettre à la poste; expédition d'un courrier par la poste. ◆ **postal, e, aux** adj. : *Les colis postaux* (= adressés par la voie postale). *Une carte postale.* ‖ *Code postal,* numéro à cinq chiffres qui identifie le bureau distributeur figurant sur la dernière ligne d'une adresse. ◆ **poster** v. t. *Poster une lettre, le courrier,* les mettre à la poste. ◆ **postier, ère** n. Employé(e) du service des postes.
— ENCYCL. Relevant traditionnellement d'une Administration publique (l'Administration des Postes et Télécommunications et de la Télédiffusion, plus connue sous le sigle P. T. T., resté en usage), les opérations postales sont depuis le 1er janvier 1991 du ressort de La Poste, établissement autonome de droit public placé — comme France Télécom, son homologue pour les télécommunications — sous le contrôle du ministère chargé des postes et télécommunications.

2. POSTE [pɔst] n. m. (it. *posto*). **1.** Endroit, généralement protégé ou fortifié, où se trouvent des soldats : *Placer des postes le long de la frontière. Abandonner son poste* (= déserter). ‖ *Être à son poste, fidèle à son poste,* demeurer fidèlement là où l'on a été placé. ‖ *Poste de commandement,* emplacement où s'établit un chef pour exercer son commandement. (Abrév. : P. C.) — **2.** *Poste de police,* ou *poste,* lieu, local où se trouve un siège de la police, un commissariat de police. ◆ **poster** v. t. *Poster qq'un* (et un compl. de lieu), le placer quelque part pour qu'il guette ou qu'il surveille : *Poster des sentinelles.* ◆ **avant-poste** n. m. Détachement de troupes disposé devant une unité militaire pour la prémunir contre une attaque subite. ‖ Pl. des *avant-postes.*

3. POSTE [pɔst] n. m. (même étym.). **1.** Emplacement aménagé pour recevoir certaines installations techniques : *Poste d'incendie* (= installation hydraulique pour lutter contre l'incendie). *Poste d'aiguillage* (= cabine de commande pour l'aiguillage des trains). *Poste d'essence* (= distributeur d'essence). — **2.** *Poste de pilotage d'un avion, d'une fusée,* lieu où se tiennent le pilote, le commandant de bord, etc. (syn. CABINE, HABITACLE).

4. POSTE [pɔst] n. m. (même étym.). Emploi professionnel; lieu où s'exerce cette activité : *Occuper un poste élevé.*

5. POSTE [pɔst] n. m. (même étym.). *Poste de télévision, de radio,* ou *poste,* appareil de télévision, de radio : *Poste à transistors* (= appareil de radio fonctionnant avec des transistors).

POSTER v. t. → POSTE 1 et 2.

POSTER [pɔstɛr] n. m. (mot angl. signif. *affiche*). Grande affiche non publicitaire à sujet varié (portrait d'un personnage célèbre, photographie d'un objet ou d'une œuvre d'art).

1. POSTÉRIEUR, E [pɔsterjœr] adj. (lat. *posterior;* de *posterus,* qui vient après). **1.** Se dit d'une chose qui vient après une autre dans le temps : *Un testament postérieur annulait en partie les dispositions du premier* (syn. ULTÉRIEUR; contr. ANTÉRIEUR). — **2.** Se dit d'une chose qui est placée derrière : *La partie postérieure de la tête* (contr. ANTÉRIEUR). ◆ **postérieurement** adv. Après, dans un temps postérieur. ◆ **postériorité** n. f. : *Établir la postériorité d'un fait par rapport à un autre* (contr. ANTÉRIORITÉ).

2. POSTÉRIEUR [pɔsterjœr] n. m. (même étym.). *Fam.* Derrière de l'homme : *Tomber sur son postérieur* (syn. fam. ARRIÈRE-TRAIN).

POSTERIORI (A) loc. adv. → A POSTERIORI.

POSTÉRIORITÉ n. f. → POSTÉRIEUR 1.

POSTÉRITÉ [pɔsterite] n. f. (lat. *posteritas*). Ensemble des générations futures (langue soignée) : *Ce poète a laissé à la postérité un chef-d'œuvre admirable.*

POSTFACE [pɔstfas] n. f. (du lat. *post,* après, et [*pré*]*face*). Avertissement placé à la fin d'un livre : *Mettre une lettre au lecteur à la fin du livre comme postface* (par oppos. à PRÉFACE).

POSTGLACIAIRE [pɔstglasjɛr] adj. (du lat. *post,* après, et *glaciaire*). *Géol.* Qui a suivi la dernière glaciation quaternaire ou les derniers dépôts glaciaires en un lieu.

POSTHUME [pɔstym] adj. (du lat. *postumus,* dernier). **1.** Se dit d'un enfant qui est né après la mort de son père : *Un fils posthume.* — **2.** Se dit de l'œuvre d'un écrivain, d'un auteur, etc., qui est publiée après sa mort. — **3.** Se dit de tout ce qui concerne quelqu'un après son décès : *Décorer un héros à titre posthume.*

POSTICHE [pɔstiʃ] adj. (it. *posticcio*). Se dit de ce qu'on met pour remplacer artificiellement quelque chose qui manque : *Avoir des cheveux postiches* (contr. NATUREL). *L'espion portait une barbe postiche* (syn. FAUX). ◆ n. m. Faux cheveux.

POSTIER, ÈRE n. → POSTE 1.

1. POSTILLON [pɔstijɔ̃] n. m. (it. *postiglione*). *Autref.* Conducteur d'une voiture de la poste, tirée par des chevaux : *Le postillon d'une diligence.*

2. POSTILLON [pɔstijɔ̃] n. m. (même étym.). *Fam.* Parcelle de salive projetée en parlant : *Lancer des postillons.* ◆ **postillonner** v. i. *Fam.* Lancer des postillons en parlant.

POSTOPÉRATOIRE adj. → OPÉRER 1.

POSTPOSER [pɔstpoze] v. t. (du lat. *post,* après, et *poser*). *Gramm.* Mettre, placer après : *Postposer le pronom sujet dans les phrases interrogatives.* ◆ **postposition** n. f. **1.** Place d'un mot à la suite d'un autre avec lequel il forme groupe : *La postposition du pronom « il » dans « est-il? ».* — **2.** Particule placée après le mot auquel elle se rattache : *« Cum » dans « vobiscum » est une postposition.*

POST-SCRIPTUM [pɔstskriptɔm] n. m. inv. (mots lat. signif. *écrit après*). Ce qui s'ajoute à une lettre après sa signature. (Abrév. : P.-S.)

1. POSTULER [pɔstyle] v. t. (lat. *postulare,* demander). *Postuler un emploi,* le demander. ◆ **postulant, e** n. **1.** Personne qui demande une place, un emploi. — **2.** Personne qui demande à être reçue dans une maison religieuse.

2. POSTULER [pɔstyle] v. t. (même étym.). Poser comme principe, comme hypothèse initiale : *J.-J. Rousseau postule la bonté naturelle de l'homme.* ◆ **postulat** n. m. Principe premier, indémontrable ou non démontré, et qu'il faut admettre pour établir une démonstration : *Le postulat d'Euclide.* (Ce terme est remplacé en mathématiques par celui d'AXIOME.)

POSTURE [pɔstyr] n. f. (it. *postura*). **1.** Attitude particulière du corps (s'emploie surtout pour indiquer que cette attitude n'est pas naturelle, ni habituelle). — **2.** *Être en bonne, en mauvaise posture,* être dans une situation favorable, défavorable, difficile.

1. POT [po] n. m. (orig. incert.). **1.** Récipient en terre, en porcelaine, en métal, etc., destiné à divers usages domestiques : *Pot à lait. Pot de fleurs* (= pot où l'on met des fleurs). *Pot de chambre,* ou *pot* (= vase destiné aux besoins naturels). — **2.** *Pot d'échappement,* appareil où les gaz brûlés d'un moteur à explosion se détendent. (On dit aussi SILENCIEUX.) — **3.** Dans diverses loc. fam. : *À la fortune du pot* (= sans cérémonie, sans préparatifs) [syn. À LA BONNE FRANQUETTE]. ‖ *Découvrir le pot aux roses,* découvrir le secret d'une affaire (syn. LE FIN MOT DE L'HISTOIRE). ‖ *Être sourd comme un pot,* être complètement sourd. ‖ *Payer les pots cassés,* réparer les dommages qui ont été causés. ‖ *Prendre un pot,* aller au café avec quelqu'un et consommer avec lui. ‖ *Tourner autour du pot,* user de détours inutiles pour éviter d'aller droit au but. ◆ **dépoter** v. t. *Dépoter une plante,* la retirer d'un pot. ◆ **dépotage** n. m. ◆ **rempoter** v. t. *Rempoter une plante,* la changer de pot (syn. TRANSPLANTER).

2. POT [po] n. m. (de *pot* 1). Pop. *Avoir du pot,* avoir de la chance. ‖ Pop. *Un coup de pot,* un heureux effet du hasard. ‖ Pop. *Manquer de pot,* ne pas avoir de chance, échouer.

POTABLE [pɔtabl] adj. (du lat. *potare,* boire). **1.** Se dit d'un liquide qui peut être bu sans danger : *Attention, eau non potable.* — **2.** *Fam.* Se dit de ce qu'on peut admettre, de ce qui est passable : *Son livre est potable* (syn. ACCEPTABLE).

POTACHE [pɔtaʃ] n. m. (arg. scol.). *Fam.* Lycéen, collégien.

POTAGE [pɔtaʒ] n. m. (de *pot*). Bouillon préparé soit avec des légumes, soit avec de la viande.

POTAGER, ÈRE [pɔtaʒe, -ɛr] adj. (de *potage*). *Plantes potagères,* plantes réservées pour l'usage alimentaire. ‖ *Jardin potager,* ou *potager* n. m., jardin consacré à la culture des plantes potagères.

POTAMOCHÈRE [pɔtamɔʃɛr] n. m. (du gr. *potamos,* fleuve, et *khoiros,* petit cochon). Porc sauvage d'Afrique, à pelage acajou.

POTASSE [pɔtas] n. f. (de l'all. *Pot,* pot, et *Asche,* cendre). **1.** Hydroxyde de potassium (KOH). [Solide blanc, basique, très soluble dans l'eau, utilisé pour le blanchiment du linge, la fabrication du savon noir, etc.] (On l'appelle aussi POTASSE CAUSTIQUE.) — **2.** Nom commercial du chlorure de potassium, utilisé comme engrais, et du carbonate de potassium. ◆ **potassium** n. m. Métal alcalin (K), extrait de la potasse, mou, léger et très oxydable.

POTASSER [pɔtase] v. t. et i. (de *potasse*). *Fam.* Étudier avec ardeur (syn. fam. BÛCHER).

POTASSIUM n. m. → POTASSE.

POT-AU-FEU [pɔtofø] n. m. inv. (*pot, au,* et *feu*). Mets composé de viande de bœuf bouillie avec des carottes, des poireaux, des navets, etc.

POT-DE-VIN [podvɛ̃] n. m. (*pot, de* et *vin*). *Fam.* Somme qu'on verse en dehors du prix convenu, généralement pour obtenir illégalement un avantage ou pour remercier la personne par l'entremise de qui se conclut l'affaire. ‖ Pl. des *pots-de-vin.*

POTE [pɔt] n. m. (de *poteau*). *Arg.* Ami, camarade.

POTEAU [poto] n. m. (du lat. *postis,* jambage). **1.** Morceau de bois dressé verticalement pour servir de support, d'indicateur, etc. : *Un poteau télégraphique* (= portant des fils télégraphiques). *Un poteau indicateur se trouvait au croisement des chemins* (= indiquant la destination des chemins). — **2.** *Poteau d'exécution,* endroit où l'on attache parfois les condamnés avant de les fusiller. ‖ *Envoyer qq'un au poteau,* le faire exécuter. ‖ *Au poteau!,* à mort!

POTÉE [pɔte] n. f. (de *pot*). Plat composé de viande de porc, de choux, de carottes et de pommes de terre : *Une potée lorraine, auvergnate.*

POTELÉ, E [pɔtle] adj. (de l'anc. fr. [*main*] *pote,* [main] enflée). Se dit d'une personne (de son corps, de ses membres) qui a des formes rondes et pleines : *Un enfant potelé* (syn. DODU; fam. GRASSOUILLET; contr. MAIGRE).

POTEMKINE ou **POTIOMKINE** (Grigori Aleksandrovitch, *prince*), homme politique russe (1739-1791). Favori de Catherine II, il dirigea la mise en valeur de l'Ukraine méridionale et fonda Sébastopol'.

Potemkine ou **Potiomkine,** cuirassé de la flotte russe de la mer Noire, qui se mutina dans la nuit du 27 au 28 juin 1905. Les marins conduisirent le navire à Odessa, espérant un ralliement du reste de la flotte russe à leur cause, puis gagnèrent Constanţa, où ils se rendirent aux autorités roumaines. Cette révolte est le sujet d'un film d'Eisenstein, *le Cuirassé* « Potemkine »* (1925).

1. POTENCE [pɔtɑ̃s] n. f. (du lat. *potentia,* puissance). **1.** Instrument de supplice servant à la pendaison (syn. anc. GIBET). — **2.** *Gibier de potence,* personne peu recommandable (littér.).

2. POTENCE [pɔtɑ̃s] n. f. (même étym.). Assemblage de pièces de bois ou de fer, pour soutenir quelque chose : *Une enseigne pendue à une potence.*

POTENTAT [pɔtɑ̃ta] n. m. (du lat. *potens,* puissant). *Péjor.* Homme qui dirige de façon tyrannique, qui dispose d'une grande puissance : *Le patron dirige son entreprise en vrai potentat* (syn. DESPOTE).

1. POTENTIEL, ELLE [pɔtɑ̃sjɛl] adj. et n. m. (du lat. *potens, -entis,* puissant). **1.** *Gramm.* Se dit d'une tournure, d'un mode qui attribue à un événement la possibilité de se produire (ex. : *S'il se mettait à pleuvoir, nous serions obligés de prendre un parapluie*). *Le potentiel s'exprime en latin par le présent du subjonctif.* — **2.** Se dit d'une chose qui existe en puissance, virtuellement, mais non réellement. ◆ **potentialité** n. f. Sens 2 de l'adj.

2. POTENTIEL [pɔtɑ̃sjɛl] n. m. (même étym.). Capacité d'action, de production, de travail d'un pays, d'un important groupe humain : *Le potentiel militaire, humain d'une nation* (= la force militaire, la main-d'œuvre dont elle dispose).

3. POTENTIEL [pɔtɑ̃sjɛl] n. m. (même étym.). *Électr.* État électrique d'un conducteur par rapport à un autre. (Deux conducteurs électrisés sont dits avoir le *même potentiel* si, lorsqu'on les met en communication par un fil conducteur, il ne passe aucune quantité d'électricité d'un conducteur sur l'autre. Dans le cas contraire, on dit qu'ils sont à des *potentiels différents.*) ◆ **potentiomètre** n. m. *Électr.* Appareil pour la mesure des différences de potentiel et des forces électromotrices.

POTERIE [pɔtri] n. f. (de *pot*). **1.** Fabrication d'ustensiles de terre cuite et de grès : *La poterie est un art artisanal.* — **2.** Objets de ménage, ustensiles, etc., en terre cuite, en grès (spécialement les objets archéologiques) : *La poterie provençale du XVIII*[e] *s. est très recherchée par les amateurs.* ◆ **potier** n. m. Fabricant ou marchand de poteries.

POTERNE [pɔtɛrn] n. f. (du lat. *posterula,* porte dérobée). Passage sous un rempart, donnant sur le fossé.

POTICHE [pɔtiʃ] n. f. (de *pot*). Vase de porcelaine de forme ronde.

POTIER n. m. → POTERIE.

1. POTIN [pɔtɛ̃] n. m. (de *pot*). *Fam.* Commérage, bavardage sur le compte de quelqu'un : *Certains potins désobligeants couraient sur lui* (syn. fam. CANCAN, RAGOT). ◆ **potiner** v. i.

2. POTIN [pɔtɛ̃] n. m. (même étym.). *Fam.* Grand bruit (syn. VACARME).

POTIOMKINE → POTEMKINE.

POTION [posjɔ̃] n. f. (lat. *potio,* boisson). Remède à boire.

POTIRON [pɔtirɔ̃] n. m. (orig. incert.). Plante potagère voisine de la courge, dont les énormes fruits à chair orangée, pouvant peser parfois 100 kg, sont utilisés pour la préparation des potages et des confitures. (Famille des cucurbitacées.)

POTLATCH [pɔtlatʃ] n. m. (mot indien de l'Amérique du Nord). Fête religieuse des Indiens d'Amérique, consistant en échanges de dons.

POTOCKI, très ancienne famille polonaise qui comprit de nombreux hommes d'État et un écrivain, JAN (1761-1815), qui étudia l'origine des civilisations slaves et écrivit un récit fantastique : *Manuscrit trouvé à Saragosse.*

POTOMAC (le), fl. des États-Unis, qui se jette dans la baie de Chesapeake; 640 km.

POTOSÍ, v. de Bolivie, à 3 960 m d'alt.; 96 800 hab. Autref., célèbres mines d'argent.

POT-POURRI [popuri] n. m. (trad. de l'esp. *olla podrida*). Composition littéraire ou musicale formée de morceaux divers, assemblés de façon plaisante. ‖ Pl. des *pots-pourris.*

POTSDAM, v. d'Allemagne, capit. du Brandebourg, au S.-O. de Berlin; 138 000 hab. Palais des rois de Prusse.

● *17 juil.-2 août 1945. Une conférence groupe les représentants des trois grandes puissances (U. R. S. S., États-Unis et Grande-Bretagne) représentées par Staline, Truman et Churchill (remplacé par Attlee le 28 juil.) en vue de régler les questions posées par la victoire sur l'Allemagne : occupation militaire, désarmement, dénazification, jugement des criminels de guerre, préparation des traités.*

POTT (Percivall), chirurgien anglais (1714-1788). Il est surtout connu pour ses recherches célèbres sur la tuberculose des vertèbres, maladie qui porte son nom *(mal de Pott).*

POU, pl. **POUX** [pu] n. m. (lat. *pediculus*). **1.** Insecte sans ailes qui vit en parasite sur l'homme et sur certains animaux dont il suce le sang. — **2.** Fam. *Laid comme un pou,* très laid. ◆ **épouiller** [epuje] v. t. *Épouiller qq'un, un animal,* le débarrasser de ses poux, de ses parasites. ◆ **épouillage** n. m.

POUAH! [pwɑ] interj. (onomat.). Exprime le dégoût.

POUBELLE [pubɛl] n. f. (du n. du préfet de la Seine qui la rendit obligatoire). Récipient en tôle ou en matière plastique, destiné à recevoir les ordures ménagères.

POUCE [pus] n. m. (lat. *pollex, pollicis*). **1.** Le plus gros et le plus court des doigts, opposable aux autres doigts de la main chez l'homme et les primates. — **2.** Gros orteil du pied. — **3.** Mesure de longueur anglaise valant 25,4 mm. — **4.** Fam. *Donner un coup de pouce à qq'un,* faciliter sa réussite (syn. fam. PISTONNER). ‖ *Demander pouce,* lever le pouce pour indiquer, au cours d'une partie, qu'on se met un instant hors du jeu; interjectiv. : *Pouce!* ‖ Fam. *Se tourner les pouces,* rester sans rien faire. ‖ Fam. *Manger sur le pouce,* à la hâte, rapidement. ‖ *Ne pas reculer, avancer, céder d'un pouce,* rester sur ses positions, inébranlable.

POUCHKINE (Aleksandr Sergheïevitch), écrivain russe (1799-1837). Ses poèmes (*le Prisonnier du Caucase,* 1821), son roman en vers (*Eugène Onéguine,* 1823-1830), son drame historique (*Boris Godounov,* 1825), ses nouvelles (*la Dame de pique,* 1834; *la Fille du capitaine,* 1836) firent de lui le premier écrivain professionnel de la Russie, possédant à un rare degré le sens de la mesure, et le fondateur de la littérature russe moderne, qu'il orienta à la fois vers le lyrisme et le réalisme.

POUDING [puding] n. m. (angl. *pudding*). Gâteau anglais, composé de farine, de moelle de bœuf, de raisins de Corinthe, etc. (S'écrit aussi PUDDING.)

POUDINGUE [pudɛ̃g] n. m. (angl. *pudding*). Variété de conglomérat formée de cailloux ou de galets arrondis, réunis entre eux par un ciment naturel.

POUDOVKINE (Vsevolod), metteur en scène et acteur de cinéma soviétique (1893-1953). Après avoir joué dans plusieurs films, il tourna quelques longs métrages qui l'ont placé, avec Eisenstein et Dovjenko, parmi les plus grands cinéastes soviétiques : *la Mère* (1926), *la Fin de Saint-Pétersbourg* (1927), *Tempête sur l'Asie* (1928), *Minine et Pojarski* (1939).

1. POUDRE [pudr] n. f. (lat. *pulvis, pulveris,* poussière). **1.** Substance solide finement broyée ou pilée : *Du sucre en poudre* (par oppos. à SUCRE EN MORCEAUX). *Poudre à récurer* (= produit d'entretien en poudre). — **2.** *Jeter de la poudre aux yeux,* chercher à faire illusion. ◆ **poudreux, euse** adj. Qui a l'aspect et la consistance de la poudre : *La neige poudreuse* (ou *poudreuse* n. f.) *est de la neige fraîche, qui vient de tomber.*

2. POUDRE [pudr] n. f. (même étym.). Substance pulvérulente dont les femmes se saupoudrent le visage. (On dit aussi POUDRE DE RIZ.) ◆ **poudrier** n. m. Petite boîte pour mettre de la poudre. ◆ **poudrer (se)** v. pr. Se mettre de la poudre sur le visage. ◆ **poudré, e** adj. : *Un visage poudré.*

3. POUDRE [pudr] n. f. (même étym.) **1.** Substance explosive solide utilisée dans les armes à feu, les pétards, les feux d'artifice, etc. : *La charge de poudre d'une cartouche.* ‖ *Service des poudres,* organisme militaire chargé de la fabrication des poudres et des explosifs. — **2.** *Nouvelle qui se répand comme une traînée de poudre,* très rapidement. ‖ *Mettre le feu aux poudres,* déclencher un conflit, des incidents violents, la colère de quelqu'un. ‖ Fam. *Il n'a pas inventé la poudre,* se dit d'une personne peu intelligente. ◆ **poudrerie** n. f. Fabrique de substances explosives. ◆ **poudrière** n. f. Endroit dangereux, point où la guerre peut surgir : *La poudrière des Balkans au début du XX*[e] *siècle.*

Poudres *(conspiration des),* complot fomenté en Angleterre par certains catholiques contre Jacques Ier et le Parlement (1605). Il échoua.

POUDROYER [pudrwaje] v. i. (de *poudre*). [Conj. **3.**] **1.** Être couvert d'une poussière que soulève le vent ou le mouvement : *La route poudroie.* — **2.** En parlant du soleil, de la lumière, faire apparaître les poussières ou la brume : *Le soleil poudroie à travers les persiennes entrouvertes.* ◆ **poudroiement** n. m. Caractère de ce qui poudroie; diffusion d'une substance qui poudroie : *Un poudroiement de neige. Le poudroiement de la lumière.*

POUF [puf] n. m. (d'une onomat.). Siège bas, en cuir ou en tissu rembourré.

POUFFER [pufe] v. i. (de *pouf*). Éclater de rire involontairement et comme en se retenant. (On dit aussi POUFFER DE RIRE.)

POUFFIASSE [pufjas] n. f. (de *pouf*). *Pop.* Femme grosse et vulgaire.

POUGATCHEV ou **POUGATCHIOV** (Iemelian), aventurier russe (v. 1742-1775). Il souleva les Cosaques (1773) et se fit passer pour le tsar Pierre III. Il fut décapité sur l'ordre de Catherine II.

POUGUES-LES-EAUX, ch.-l. de cant. de la Nièvre, à 11 km au N.-N.-O. de Nevers; 2 300 hab. Station thermale.

POUILLES (les) ou **POUILLE** (la), ancienn. **Apulie,** région de l'Italie méridionale, comprise entre l'Apennin et l'Adriatique, correspondant aux provinces de *Bari, Brindisi, Foggia, Lecce* et *Tarente;* 3 856 000 hab. La population, très dense et groupée en gros villages (atteignant 50 000 hab.), pratique la culture traditionnelle (blé, vigne, olivier). L'aide au Mezzogiorno* a permis la création de quelques centres industriels (Tarente, Bari, Brindisi).

POUILLEUX, EUSE [pujø, -øz] adj. et n. (de *pou*). **1.** Se dit d'une personne qui est dans la plus grande misère. — **2.** Se dit d'un individu, d'un lieu qui est d'une saleté repoussante et plein de vermine : *Des mendiants pouilleux.* ◆ adj. : *Un bidonville pouilleux et misérable* (syn. SORDIDE).

POUILLY-SUR-LOIRE, ch.-l. de cant. de la Nièvre, à 15 km au S. de Cosne-sur-Loire, sur la Loire; 1 800 hab. Vins blancs renommés.

POUJADISME [puʒadism] n. m. (de Pierre *Poujade,* homme politique français). Nom donné à un comportement politique fondé sur la défense exclusive des intérêts des petits commerçants et des artisans. (Il peut également être caractérisé par une hostilité à l'égard des initiatives de l'État et de l'Administration, et par un nationalisme intransigeant.)

1. POULAILLER n. m. → POULE 1.

2. POULAILLER [pulaje] n. m. (de *poule*). Galerie supérieure d'un théâtre, où se trouvent les places les moins chères.

1. POULAIN [pulɛ̃] n. m., **POULICHE** [puliʃ] n. f. (du lat. *pullus*, petit d'un animal). Jeune cheval, jeune jument (jusqu'à trente mois).

2. POULAIN [pulɛ̃] n. m. (de *poulain* 1). Se dit d'un sportif, d'un écrivain débutant, d'un candidat qui est appuyé par une personnalité.

POULARDE n. f. → POULE 1.

POULBOT (Francisque), dessinateur français (1879-1946). Il a créé un type d'enfant de Paris en prenant modèle sur ceux de Montmartre, a dessiné de nombreuses affiches et laissé des peintures et des aquarelles.

POULDU (Le), station balnéaire du Finistère (arrond. de Quimper).

1. POULE [pul] n. f. (lat. *pulla*). **1.** Oiseau de basse-cour élevé pour sa chair et pour ses œufs : *La poule picore sur le sol graines et vermisseaux.* (Type de l'ordre des galliformes, ou gallinacés, et de la famille des phasianidés.) → ENCYCL. — **2.** *Poule d'eau*, oiseau échassier vivant dans les roseaux, près des eaux. ‖ *Poule faisane*, femelle du faisan. — **3.** Fam. *Avoir la chair de poule*, avoir des frissons (dus à la peur ou au froid). ‖ Fam. *Poule mouillée*, personne qui manque de courage. ‖ *Tuer la poule aux œufs d'or*, détruire, par un désir immodéré de gains immédiats, les profits à venir. ‖ *Une mère poule*, une mère qui a des attentions excessives à l'égard de ses enfants. ◆ **poularde** n. f. Jeune poule qu'on a engraissée. ◆ **poulailler** n. m. Local où l'on élève des poules, des poulets. ◆ **poulet** n. m. **1.** Petit de la poule : *Des poulets de grain* (= de six à huit mois). — **2.** Terme d'affection : *Mon poulet.* ◆ **poulette** n. f. Jeune poule.
— ENCYCL. Le terme de *poule* désigne plus spécialement la femelle adulte; le mâle est le *coq;* les jeunes sont à l'éclosion les *poussins*, les jeunes déjà revêtus d'un plumage complet les *poulets.*

2. POULE [pul] n. f. (orig. obscure). *Sports.* Combinaison de matches dans laquelle chaque équipe (ou chaque joueur) rencontre toutes (ou tous) les autres.

POULENC (Francis), compositeur de musique français (1899-1963). Auteur d'ouvrages lyriques (*les Mamelles de Tirésias*, 1947; *la Voix humaine*, 1958), instrumentaux et religieux. Il fit partie du groupe des Six*.

1. POULET n. m. → POULE 1.

2. POULET [pulɛ] n. m. (de *poulet* 1). *Pop.* Policier, particulièrement en civil.

POULETTE n. f. → POULE 1.

POULICHE n. f. → POULAIN 1.

POULIE [puli] n. f. (du gr. *polos*, pivot). *Technol.* Roue mobile portée par un axe, et dont la jante est creusée pour recevoir une corde, un câble.

POULIGUEN (Le), comm. de la Loire-Atlantique, à 4 km à l'O. de La Baule; 4300 hab. Station balnéaire.

POULPE [pulp] n. m. (du lat. *polypus*, polype). Mollusque céphalopode marin, sans coquille, à huit bras égaux : *Le poulpe vit dans les rochers. Il se nourrit surtout de petits crustacés. En cas de danger, il fuit à reculons en expulsant brutalement l'eau de sa cavité palléale* (syn. PIEUVRE).

POULS [pu] n. m. (lat. *pulsus*). **1.** Battement des artères dû à l'onde provoquée par chaque contraction cardiaque dans un vaisseau, et qui se perçoit, au toucher, sur la face interne du poignet notamment, par une sensation de soulèvement intermittent : *Prendre le pouls d'un malade* (= compter le nombre de pulsations* par minute). → ENCYCL. — **2.** Ce qui permet de juger de l'état, de sonder les intentions de : *Prendre le pouls de l'opinion.*
— ENCYCL. Le *pouls* est dû aux variations de pression du sang produites par les contractions des ventricules du cœur et par l'élasticité des artères. On compte en général 72 pulsations par minute chez l'homme, tandis que les femmes en ont en moyenne 80; mais il y a des variations individuelles. Le nombre des pulsations augmente avec la fièvre, au cours d'un effort et dans certaines affections du cœur.

POUMON [pumɔ̃] n. m. (lat. *pulmo, pulmonis*). **1.** *Anat.* Organe de la respiration chez l'homme, contenu dans la cavité thoracique, et où se font les échanges gazeux entre l'organisme et le milieu extérieur. → ENCYCL. ‖ *Poumon d'acier* ou *poumon artificiel*, appareil utilisé pour suppléer à la défaillance des nerfs moteurs des poumons (poliomyélite, comas, etc.) en obligeant ceux-ci à se gonfler et à se dégonfler au rythme de la respiration normale. (Le poumon d'acier est constitué par une coque étanche et indéformable dans laquelle est étendu le malade, dont la tête seule émerge.) — **2.** *Zool.* Organe respiratoire aérien de divers animaux, constitué par une cavité dont la paroi, riche en vaisseaux sanguins, absorbe l'oxygène et rejette le gaz carbonique. → ENCYCL.
— ENCYCL. ***le poumon chez l'homme.*** Il existe deux *poumons* qui ont chacun la forme d'un demi-cône. Ils sont situés de part et d'autre du cœur et des organes médians (trachée, bronches, œsophage) du thorax. Leur base repose sur le diaphragme qui sépare thorax et abdomen. Ils sont constitués par un tissu élastique.

L'air est amené dans chaque poumon par une *bronche*, et le sang veineux, venant du cœur droit, est apporté par une *artère pulmonaire.* Ce sang, chargé de gaz carbonique, ressort, purifié et enrichi en oxygène par les *veines pulmonaires* qui le ramènent au cœur gauche. Dans chaque poumon, les bronches se divisent et se terminent en bronchioles aboutissant à un *lobule pulmonaire*, qui groupe des petits sacs à paroi très fine et élastique : les *alvéoles*, dans lesquels s'effectuent les échanges gazeux de la respiration. Chaque poumon est divisé en segments et *lobes*, ceux-ci séparés par des *scissures* visibles à la surface (3 à droite et 2 à gauche), et enveloppé dans une double membrane séreuse qui délimite une cavité : la *plèvre.*

■ Les *maladies du poumon.* Elles sont variées; les plus fréquentes sont : les *pneumonies*, les *abcès*, la *tuberculose**, enfin le *cancer.* Il existe de nombreuses autres affections : *hémorragies* et *infarctus du poumon*, *emphysème* et *dilatation des bronches*, etc.

→ illustration en couleurs RESPIRATION pages 1216-1217.

le poumon chez les animaux. Le nombre des *poumons* est variable : quatre paires chez les scorpions, deux paires chez les mygales, une paire chez la plupart des vertébrés terrestres, un seul poumon chez les serpents, l'escargot, la limace, les gastéropodes d'eau douce (limée, planorbe).

POUND (Ezra Loomis), poète américain (1885-1972). Il a vécu à Londres, à Paris et surtout en Italie, où il s'est installé en 1959. À l'avant-garde de la poésie américaine, son œuvre réside essentiellement dans ses *Cantos*, poèmes d'une inspiration savante, chargés de symboles.

POUPARD, E [pupar, -ard] adj. et n. (du lat. *pupa*, petite fille). Se dit d'un enfant, d'un adulte gras et joufflu : *Une physionomie pouparde.*

POUPE [pup] n. f. (du lat. *puppis*). **1.** Arrière d'un navire (par oppos. à PROUE). — **2.** (sujet nom de personne) *Avoir le vent en poupe*, être dans une période favorable, réussir.

1. POUPÉE [pupe] n. f. (du lat. *pupa*, petite fille). **1.** Figurine humaine qui sert de jouet aux enfants : *La petite fille berçait sa poupée.* — **2.** *Fam.* Femme habillée joliment, mais un peu sotte.

2. POUPÉE [pupe] n. f. (de *poupée* 1). *Fam.* Pansement épais qui enveloppe un doigt blessé.

POUPIN, E [pupɛ̃, -in] adj. (du lat. *pupa*, petite fille). Se dit d'une personne (ou de son visage) qui a les traits rebondis, le visage rond.

POUPON [pupɔ̃] n. m. (du lat. *pupa*, petite fille). Enfant, bébé. ◆ **pouponnière** n. f. Dans une crèche, salle réservée aux tout petits enfants. ◆ **pouponner** v. i. Dorloter maternellement des bébés.

1. POUR [pur] n. m. (de *pour*, prép.). *Le pour*, le bon côté, ensemble de tout ce qui tend à prouver, à établir une chose (par oppos. à CONTRE) : *Peser le pour et le contre.*

2. POUR [pur] prép. (lat. *pro*). Suivi d'un nom ou d'un pronom, indique le but, la cause, l'échange, la réciprocité, etc. → tableau ci-contre.

3. POUR [pur] prép., **POUR QUE** [purkə] loc. conj. (même étym.). Indiquent le but, la conséquence, la cause, la concession. → tableau page 1102.

---

4. POUR-, préf. tiré du lat. *pro*, et qui indique que l'action notée par le verbe se prolonge (= jusqu'au bout, avec obstination). [Ce préfixe n'est plus productif en français.]

Pour qui sonne le glas, roman d'Ernest Hemingway (1940).

POURBOIRE [purbwar] n. m. (*pour*, et *boire*). Somme d'argent dont on gratifie certaines personnes, en plus de ce qui leur est dû, pour prix du service rendu.

POURBUS (Frans), peintre flamand (1569-1622). Renommé dans diverses cours d'Europe, il exécuta des portraits d'Henri IV et devint le peintre de Marie de Médicis.

POURCEAU [purso] n. m. (du lat. *porcus*, porc). **1.** Porc (littér.). — **2.** Personne malpropre. — **3.** *Donner des perles aux pourceaux*, donner quelque chose de raffiné à quelqu'un qui ne le mérite pas ou ne peut l'apprécier (littér.).

Pourceaugnac *(Monsieur de)* → MONSIEUR DE POURCEAUGNAC.

POURCENTAGE [pursɑ̃taʒ] n. m. (de *pour cent*). Proportion d'une quantité, d'une grandeur par rapport à une autre, évaluée en général sur la centaine. (Il s'exprime en % ou en p. 100.)

POURCHASSER [purʃase] v. t. *(pour-,* et *chasser).* Poursuivre, rechercher avec acharnement.

POURFENDRE [purfɑ̃dr] v. t. *(pour-,* et *fendre).* [Conj. **50.**] *Pourfendre des abus, des adversaires,* les attaquer avec impétuosité (littér.) [Le sens « fendre d'un coup de sabre » est sorti de l'usage.] ◆ **pourfendeur** adj. et n. m. : *Un pourfendeur d'abus* (nuance ironiq.).

POURLÉCHER (SE) [səpurleʃe] v. pr. *(pour-,* et *lécher). Fam.* Passer sa langue sur ses lèvres en signe de gourmandise, de satisfaction.

POURPARLERS [purparle] n. m. pl. de *(pour-,* et *parler).* Conversations, entretiens préalables à la conclusion d'une entente, ou en vue de régler une affaire (syn. DISCUSSIONS, NÉGOCIATIONS).

POURPOINT [purpwɛ̃] n. m. (de l'anc. fr. *pourpoindre,* piquer). Vêtement d'homme, en usage du XIIIe au XVIIe s., qui couvrait le corps du cou à la ceinture : *Le pourpoint fut d'abord un gilet collant, avec ou sans basques, ordinairement sans manches, très rembourré, lacé sur la poitrine. Sous Henri III, il se renforce de lames qui lui donnent la forme dite « en bosse de polichinelle ».*

1. POURPRE [purpr] n. f. (lat. *purpura*). *Zool.* Mollusque gastropode marin, qui se nourrit de moules.

2. POURPRE [purpr] n. f. (de *pourpre* 1). **1.** Matière colorante d'un rouge foncé que les Anciens tiraient de la pourpre. — **2.** Étoffe teinte en pourpre : *Un manteau de pourpre.* — **3.** Dignité souveraine, dont la pourpre était autrefois la marque : *La pourpre royale.* ‖ *La pourpre consulaire,* la dignité de consul, première magistrature romaine. ‖ *Pourpre romaine,* dignité de cardinal, par allus. à la robe rouge des cardinaux. ◆ adj. et n. m. D'un rouge foncé tirant sur le violet. ◆ **pourpré, e** adj. De couleur pourpre. ◆ **empourprer** [ɑ̃purpre] v. t. Colorer de rouge : *Le soleil couchant empourpre le ciel.* ◆ ***s'empourprer*** v. pr. Devenir rouge : *Son visage s'empourpra de colère.*

pour + un nom ou un pronom

EMPLOIS ET VALEURS	EXEMPLES
1. Avec un nom de lieu, indique la direction.	*Il est parti pour l'Espagne. Le train pour Lyon va entrer en gare. Pour où part-il?*
2. Avec un nom indiquant le temps, marque le terme d'un délai ou la durée. En ce sens, il peut être suivi d'une autre préposition.	*Je vous le promets pour la semaine prochaine, mais, pour l'instant, je ne peux vous le remettre. C'est pour aujourd'hui ou pour demain?* (formule d'impatience). *Il est parti pour toujours. Ce sera fait pour samedi. « Quand faut-il vous l'envoyer? — Pour dans huit jours, pour après les fêtes. »*
3. Avec un nom d'être animé, indique la personne qui est intéressée directement.	*Ce n'est pas un film pour les enfants. Sa haine pour elle est étonnante* (syn. ENVERS). *Mourir pour la patrie. Elle éprouve pour lui un tendre sentiment* (= à son égard). *Quêter pour les aveugles. J'ai pris la parole pour lui* (= pour sa défense) [contr. CONTRE].
4. Avec un nom de chose, indique la destination ou le but.	*On l'a fait pour son bien. Il travaille pour la gloire* (syn. EN VUE DE). *Je ne fais pas cela pour le plaisir* (syn. PAR). *Cette représentation a été donnée pour la fête du pays, pour son anniversaire* (syn. EN L'HONNEUR DE). *Des cachets pour la grippe* (syn. CONTRE). *Il est pour le vote obligatoire.*
5. Avec un pronom ou un nom d'être animé, indique le point de vue.	*Pour moi, la situation est dangereuse* (= à mes yeux). *Ce n'est un secret pour personne. Elle est tout pour moi. Pour trop de pays, le problème essentiel reste encore celui de la faim.*
6. Après un nom de chose, indique la conséquence de l'action marquée par le verbe principal.	*Pour son malheur, il n'avait pas vu le panneau d'interdiction.* (En ce sens, l'emploi est très limité [→ POUR suivi d'un infinitif].)
7. Avec un nom ou un pronom neutre, indique la cause d'une action.	*Le café est fermé pour réparations. Il a été puni pour sa paresse. Il m'a menti; je ne lui en veux pas pour ça.* Forme la loc. prép. **pour cause de :** *Maison fermée pour cause de décès. Il est furieux et pour cause!* (= et il a des raisons pour cela).
8. Dans quelques locutions figées, indique la concession ou l'opposition.	*Ne t'en fais pas pour si peu (de chose)* [= alors que la chose est si peu importante]. *Pour un étranger, il parle très bien le français.* **Pour autant, pour autant que** → AUTANT.
9. Avec un nom ou un pronom, indique une réciprocité, un échange, un remplacement, un rapport de comparaison.	*a)* Le nom est précédé d'un déterminatif ou d'un numéral : *Il prend les mots les uns pour les autres. Il a payé pour moi. J'étais enrhumé, il a parlé pour moi* (= à ma place). *Le commerçant m'a laissé le coupon de tissu pour trente francs. En avez-vous eu pour votre argent? Je l'ai acheté pour une bouchée de pain* (= pour rien). *Pour un d'intelligent, il y en a dix de sots. Il est assez fort pour son âge* (syn. PAR RAPPORT À). *Il fait froid pour la saison.* *b)* Le mot est répété avant et après *pour* (sans article) : *Il rend coup pour coup. Le fils est trait pour trait le portrait de son père. C'est mot pour mot la copie de son précédent article. Mourir pour mourir, autant que ce soit le plus tard possible* (= s'il faut mourir). *Dix ans après, jour pour jour, il mourait* (= exactement). *c)* Le mot est employé sans article : *Il a pris pour femme une véritable mégère. Il a pour principe de ne jamais préjuger des résultats. Il a eu pour maître un des meilleurs philosophes de son temps. Se faire passer pour médecin. Il passe pour habile.* *d)* Le mot est employé avec l'article indéfini : *Il passe pour un maître en la matière. Il passe pour un fou* (= on le considère comme un fou).
10. Sert à mettre en évidence un sujet, un attribut, un complément d'objet direct; il est l'équivalent de *quant à*. Il met aussi en évidence un infinitif ou une proposition.	*Pour moi, je le pense* (= en ce qui me concerne). *Pour un homme qui se dit incompétent, vous savez beaucoup de choses. Pour coléreux, il l'est vraiment. Pour des connaissances, il en a. Pour être naïf, il l'est. Pour ce qui est de la fortune, il n'est pas à plaindre* (syn. EU ÉGARD À [langue soignée]).

VALEURS	**pour** + infinitif	**pour que** + subjonctif
1. But ou simplement succession.	Lorsque l'infinitif et le verbe ou le nom dont il dépend ont le même sujet : *Va chercher une tenaille pour arracher ce clou* (syn. DANS LE BUT DE). *Je t'emprunte ce livre pour le lire* (syn. AFIN DE; dans la langue soignée DANS L'INTENTION DE, DANS LE DESSEIN DE). *Tout le monde s'accorde pour lui reconnaître de grandes qualités. Les skieurs descendent la piste pour remonter ensuite au sommet. Il cherche tous les prétextes pour ne pas travailler.*	Lorsque le verbe de la proposition subordonnée et celui de la proposition dont elle dépend ont des sujets différents : *Je vais porter la radio chez le marchand pour qu'il la répare* (syn. AFIN QUE). *Il vient de nous avertir par télégramme pour que nous ne nous dérangions pas en vain. Il fait tout ce qu'il peut pour que tout le monde soit content. Il s'est enfermé dans son bureau pour ne pas qu'on le dérange.*
2. Conséquence.	Lorsque le verbe de la principale est au conditionnel ou lorsqu'il y a un adverbe comme *assez, trop, suffisamment,* ou simplement un article ayant la valeur de *tel :* *Il aime assez cette femme pour tout lui sacrifier. Il y a des gens assez fous pour le croire. L'histoire est trop belle pour être vraie. Qu'avez-vous contre moi pour vous mettre ainsi en colère?*	Dans les mêmes conditions que ci-contre, lorsque la subordonnée a un sujet différent de celui de la proposition dont elle dépend : *Il est trop égoïste pour qu'on lui vienne maintenant en aide. Il suffit d'un peu de bonne volonté pour que tout s'arrange. Ma voiture est assez vaste pour que tout le monde puisse y tenir.*
3. Cause.	Presque uniquement suivi de l'infinitif passé : *Il s'est rendu malade pour avoir trop présumé de ses forces.*	
4. Concession ou opposition.	Il y a souvent dans la principale les adverbes *moins, toujours,* etc. : *Pour être roi, il n'en est pas moins homme. Pour être plus âgés, ils n'en sont pas toujours plus sages.*	*Pour... que* (suivi du subjonctif) : *Pour grands que soient les rois, ils sont ce que nous sommes. Pour peu que vous le vouliez, vous réussirez. Pour peu qu'il eût fait attention, il aurait évité l'accident. Pour si longue que soit l'entreprise, il faut la mener à bonne fin.*

Être pour + infinitif, sert d'auxiliaire de temps pour indiquer la proximité immédiate : *Il était pour partir, quand il se souvint de sa promesse* (syn. ÊTRE SUR LE POINT DE).

N'être pas pour + infinitif, n'être pas de nature à, propre à : *Voilà une suggestion qui n'est pas pour me déplaire. Ça n'est pas pour dire, mais...* (présentation polie, mais fam., d'une objection).

1. POURQUOI [purkwa] n. m. inv. *(pour,* et *quoi).* **1.** Raison pour laquelle un événement se produit : *Le pourquoi de toutes choses.* — **2.** Question par laquelle on demande une explication : *Être embarrassé par les pourquoi d'un enfant.*

2. POURQUOI [purkwa] adv. (même étym.). Interroge sur la cause qui est à l'origine de l'action exprimée dans la phrase ou qui la motive (dans les propositions interrogatives directes ou indirectes). → tableau ci-dessous.

POURRIR [purir] v. i. et **SE POURRIR** v. pr. (lat. *putrescere*). **1.** Se gâter, s'altérer sous l'effet de la décomposition : *Le cadavre pourrissait rapidement sous l'effet de la chaleur* (syn. SE PUTRÉFIER). — **2.** (sujet nom désignant une situation) Se détériorer, devenir de plus en plus mauvais : *La situation sociale pourrit.* ◆ v. t. **1.** *Pourrir qqch.,* en causer la putréfaction, la corruption : *L'eau pourrit le bois* (syn. ↓ALTÉRER, CORROMPRE). — **2.** *Pourrir qq'un,* le gâter d'une façon excessive : *La mère pourrissait son enfant.* ◆ **pourri, e** adj. **1.** *Une planche de bois toute pourrie. Un régime pourri par les scandales.* — **2.** *Un temps pourri,* se dit d'un temps continuellement pluvieux. ◆ **pourrissement** n. m. : *Le pourrissement d'un conflit* (syn. DÉGRADATION, DÉTÉRIORATION). ◆ **pourriture** n. f. : *Quand on entre dans cette cave, on est pris par l'odeur de pourriture qui y règne* (syn. PUTRÉFACTION). *La pourriture qui règne dans un milieu social* (syn. ↓CORRUPTION).

1. POURSUIVRE [pursɥivr] v. t. *(pour-,* et *suivre).* [Conj. **62.**] **1.** *Poursuivre un être animé, un objet en mouvement,* le suivre vivement pour l'atteindre : *Le chien poursuit le voleur en aboyant. Des gendarmes motocyclistes qui poursuivent une voiture* (syn. ↑POURCHASSER). — **2.** *Poursuivre qqch.,* chercher à l'obtenir : *Poursuivre un rêve impossible.* ◆ **poursuivant** n. m. : *Un malfaiteur qui réussit à distancer ses poursuivants.* ◆ **poursuite** n. f. **1.** Action de courir après quelqu'un ou quelque chose : *Se lancer à la poursuite d'un voleur. La poursuite du bonheur est parfois difficile.* — **2.** *Sports.* Course cycliste sur piste, dans laquelle deux coureurs ou deux équipes, qui prennent le départ à deux endroits de la piste diamétralement opposés, essaient de se rejoindre.

2. POURSUIVRE [pursɥivr] v. t. (même étym.). [Conj. **62.**] *Poursuivre qq'un en justice,* entamer contre lui des poursuites judiciaires : *Être poursuivi pour émission de chèques sans provision.* ◆ **poursuite** n. f. : *Un article de caractère diffamatoire expose son auteur à des poursuites.*

3. POURSUIVRE [pursɥivr] v. t. (même étym.). [Conj. **62.**] **1.** *Poursuivre un travail, une action,* etc., les continuer sans relâche : *Le commissaire a décidé de poursuivre son enquête jusqu'au bout* (syn. POUSSER). — **2.** Dans un récit, sert à indiquer qu'une personne continue à parler : *Après quelques instants de*

pourquoi

INTERROGATION DIRECTE	INTERROGATION INDIRECTE
Pourquoi veux-tu que j'aille en vacances en Corse? Pourquoi dis-tu cela? (syn. DANS QUELLE INTENTION). *Pourquoi se taire? « Êtes-vous heureux? — Moi? pourquoi pas? »* (= pour quelle raison ne le serais-je pas?). *Pourquoi ce long discours? Quelques mots auraient suffi.* Avec renforcement par *est-ce que : Pourquoi est-ce que vous n'y êtes pas allé?*	*Je ne vois pas pourquoi je n'irais pas le trouver. Puisque tu ne sais pas, demande pourquoi. Il vit mon embarras, il m'expliqua pourquoi cela était fait. Voici pourquoi il n'y est pas parvenu. Savez-vous pourquoi? Il faut que ça marche ou que ça dise pourquoi* (= il faut absolument que cela se fasse [fam.]). *Il agit sans savoir pourquoi.*

C'est pourquoi, loc. conj. de coordination amenant une explication : *Les fumées des usines se rabattent vers la ville, c'est pourquoi celle-ci est sale et noire* (syn. EN CONSÉQUENCE). *Ce n'est pas intéressant, c'est pourquoi vous devez refuser* (syn. AUSSI).

silence, l'orateur poursuivit : « À ce point de mon exposé, mesdames et messieurs,... » ◆ **poursuite** n. f. : *La poursuite de l'enquête* (contr. ARRÊT).

POURTALET *(col du)*, passage pyrénéen entre les vallées d'Ossau (France) et de Sallent (Espagne); 1 794 m.

POURTANT [purtɑ̃] adv. *(pour-*, et *tant)*. Marque une opposition très forte à ce qui vient d'être dit et joue le rôle d'une conjonction de coordination dont la place est variable dans la phrase (parfois en appui de *et*, de *mais*) : *Il n'est pas là, et pourtant nous sommes à l'heure* (syn. NÉANMOINS; en tête de phrase, MAIS, TOUTEFOIS). *Il n'est pourtant pas bête!* (syn. CEPENDANT).

POURTOUR [purtur] n. m. *(pour-*, et *tour)*. Ligne, partie qui fait le tour d'un lieu : *Le pourtour de la salle de théâtre était orné de fresques.*

1. POURVOIR [purvwar] v. t. (du lat. *providere*) [Conj. **43.**] **1.** (sujet nom de personne) *Pourvoir qq'un, qqch.*, le mettre en possession, l'équiper de ce qui lui est utile : *Pourvoir un soldat de munitions. Pourvoir sa maison de toutes les commodités.* — **2.** (sujet nom de chose) *La nature l'a pourvu des plus grandes qualités* (syn. DOTER). ◆ v. t. ind. *Pourvoir à qqch.*, y subvenir (langue soignée) : *Pourvoir aux besoins de sa famille.* ◆ ***se pourvoir*** v. pr. Se munir de ce qui est nécessaire, utile : *Se pourvoir d'argent.* ◆ **pourvoyeur, euse** n. Personne qui fournit, ravitaille (littér.). ◆ n. m. Artilleur chargé de ravitailler une arme à feu collective en munitions. ◆ **pourvu, e** adj. : *Il a été engagé, pourvu d'une recommandation. Les poissons sont généralement pourvus d'écailles.* ◆ **dépourvu, e** adj. *Dépourvu de qqch.*, se dit d'une personne ou d'une chose qui n'est pas pourvue, qui ne le possède pas, ne le contient pas : *Un homme dépourvu d'argent* (syn. DÉMUNI). *Un livre dépourvu d'intérêt* (syn. DÉNUÉ).

2. POURVOIR (SE) [səpurvwar] v. pr. (même étym.). [Conj. **43.**] *Dr.* Former un pourvoi : *L'accusé s'est pourvu en cassation.* ◆ **pourvoi** n. m. Acte par lequel un plaideur exerce un recours contre un jugement rendu en dernier ressort, contre une décision administrative : *Un pourvoi en cassation. Un pourvoi en Conseil d'État.*

POURVU QUE [purvykə] loc. conj. *(pourvu*, et *que)*. **1.** Introduit une proposition subordonnée au subj., exprimant la condition nécessaire et suffisante pour que l'action de la principale se réalise (souvent, la subordonnée est en tête de phrase) : *J'accepte les opinions des autres, pourvu qu'ils me laissent penser ce que je veux* (syn. À LA CONDITION QUE, DU MOMENT QUE). — **2.** En tête d'une phrase exclamative, indique un souhait, avec la crainte qu'il n'arrive le contraire : *Pourvu qu'il ne lui arrive aucun accident!* (= puisse-t-il ne lui arriver [littér.]).

POUSSAGE n. m. → POUSSER 1.

POUSSAH [pusa] n. m. (chinois *pou-sâ*). **1.** Homme petit et très gros. — **2.** Poupée grotesque, généralement ventrue, portée par une boule équilibrée de telle sorte que le jouet revienne toujours à la verticale.

POUSSE n. f. → POUSSER 4.

1. POUSSÉE n. f. → POUSSER 1.

2. POUSSÉE [puse] n. f. (de *pousser*). **1.** Manifestation soudaine d'un état pathologique : *Il a fait une brusque poussée de fièvre.* — **2.** Augmentation subite : *Les prix ont subi une brusque poussée* (syn. MONTÉE).

POUSSE-POUSSE [puspus] n. m. inv. (de *pousser*). En Extrême-Orient, voiture légère, tirée par un homme, pour le transport des personnes.

1. POUSSER [puse] v. t. (lat. *pulsare*). **1.** *Pousser qq'un, qqch.*, exercer une pression contre eux pour les déplacer : *Pousser son voisin* (syn. ↑BOUSCULER). *Le vent pousse les nuages* (syn. CHASSER). *Un courant poussait la barque vers le large* (syn. ENTRAÎNER). *Pousser la porte* (= l'ouvrir, la fermer). ‖ *Pousser qq'un du genou, du pied, du coude*, l'avertir par une légère pression. — **2.** (sujet nom de personne) *Pousser qq'un*, le faire aller devant soi d'une manière énergique, le faire avancer : *Pousser les visiteurs vers la sortie.* ◆ ***se pousser*** v. pr. (sujet nom de personne). Se retirer d'un endroit pour laisser la place : *Poussez-vous un peu pour que nous puissions nous asseoir.* ◆ **poussage** n. m. Technique de navigation fluviale consistant à faire pousser par un bateau à moteur *(pousseur)* un ensemble de chalands amarrés les uns aux autres. ◆ **poussée** n. f. **1.** *Sous la poussée, la barrière qui contenait les curieux s'effondra* (syn. PRESSION). — **2.** *Phys.* Force verticale de bas en haut à laquelle sont soumis les corps plongés dans un fluide. — **3.** *Aéron.* Force de propulsion que développe un moteur à réaction. — **4.** *Archit.* Action exercée de dedans en dehors par un arc ou une voûte sur leurs supports. ◆ **poussette** n. f. Petite voiture d'enfant que l'on pousse à la main. ◆ **pousseur** n. m. Bateau à moteur qui permet le *poussage.* ◆ **poussoir** n. m. Bouton qu'on pousse pour actionner un mécanisme, une sonnerie, etc.

2. POUSSER [puse] v. t. (même étym.). **1.** *Pousser qqch.*, le faire fonctionner plus vivement : *Pousser un moteur* (= le faire tourner fréquemment à son régime maximal). *Pousser une affaire* (= l'activer). *Pousser des recherches* (= les poursuivre en profondeur). — **2.** *Pousser qqch. à sa perfection*, le faire de manière parfaite. — **3.** *Pousser qqch.* (nom désignant une qualité morale, un sentiment, et un terme exprimant le degré atteint), faire aller jusqu'à : *Il a poussé la gentillesse jusqu'à nous raccompagner en voiture. Vous poussez un peu trop loin la plaisanterie.* — **4.** (sujet nom d'être animé) *Pousser un cri, un soupir*, etc., les faire entendre.

3. POUSSER [puse] v. t. (même étym.). **1.** *Pousser qq'un à faire qqch.*, l'y engager vivement : *Ses parents le poussent à sortir plus souvent* (syn. ↑EXHORTER; contr. FREINER). — **2.** *Pousser à bout qq'un*, le mettre dans un état d'exaspération complet. ‖ *Pousser un candidat, un protégé*, etc., l'aider à obtenir un résultat meilleur, à atteindre une place plus élevée. ‖ *Pousser qq'un en avant*, le mettre en vue, le faire valoir.

4. POUSSER [puse] v. i. (même étym.). **1.** (sujet nom désignant une plante, les cheveux, les dents, etc.) Se développer, grandir : *Le blé pousse au printemps. Ses cheveux poussent.* — **2.** Fam. *Un enfant qui pousse bien*, qui grandit, forcit. ◆ **repousser** v. i. Pousser de nouveau : *Les feuilles repoussent au printemps. On lui a rasé la tête pour que ses cheveux repoussent.* ◆ **pousse** n. f. **1.** Bourgeon qui est à son premier état de développement; jeune plante issue de la graine. — **2.** Jeune branche. — **3.** Développement des végétaux, des dents, etc. : *La chaleur active la pousse des plantes* (syn. CROISSANCE).

POUSSEUR (Henri), compositeur belge, né en 1929. Parti de la technique sérielle*, il s'est tourné vers l'électroacoustique.

POUSSIER [pusje] n. m. (forme masc. de *poussière*). Débris pulvérulents d'une matière quelconque, notamment de charbon.

POUSSIÈRE [pusjɛr] n. f. (lat *pulvis, pulveris*). **1.** Matière réduite en une poudre très fine : *Passer l'aspirateur pour ôter la poussière.* — **2.** Particule de cette matière : *Avoir une poussière dans l'œil. Les poussières de charbon.* — **3.** Fam. *Et des poussières*, se dit d'unités qui s'ajoutent à un chiffre rond : *Trois mille francs et des poussières* (syn. ET PLUS). ‖ *Réduire en poussière qqch.*, l'anéantir (syn. PULVÉRISER). ‖ (sujet nom de chose) *Tomber en poussière*, être extrêmement vétuste. ‖ (sujet nom de personne) *Mordre la poussière*, tomber par terre, être abattu (littér.). ◆ **poussiéreux, euse** adj. : *Une route poussiéreuse.* ◆ **dépoussiérer** v. t. Ôter la poussière déposée sur un objet. ◆ **dépoussiérage** n. m. ◆ **empoussiérer** v. t. : *Les chemins creux avaient empoussiéré ses chaussures.* ◆ ***s'empoussiérer*** v. pr. : *Des meubles qui se sont empoussiérés au grenier.* ◆ **épousseter** [epuste] v. t. (Conj. **8.**) Débarrasser de sa poussière : *Épousseter les meubles avec un plumeau.* ◆ **époussetage** n. m.

POUSSIF, IVE [pusif, -iv] adj. (de *pousser*). **1.** Se dit d'un animal qui manque de souffle, d'une personne qui respire difficilement : *Un cheval poussif.* — **2.** Fam. *Un moteur poussif*, à qui on demande un effort excessif, qui a des ratés. ◆ **poussivement** adv. Fam. : *La voiture avance poussivement.*

POUSSIN [pusɛ̃] n. m. (lat. *pullicenus*). Poulet qui vient d'éclore : *Élever des poussins dans la basse-cour.*

POUSSIN (Nicolas), peintre français (1594-1665). Bien qu'il ait, en fait, passé la plus grande partie de son existence à Rome, il est considéré comme le principal représentant du classicisme* français. Dans ses compositions, où se reflètent l'amour et la recherche de l'ordre, il s'est inspiré surtout des sculptures antiques et des fresques de Raphaël. Mais il s'est aussi efforcé de traduire la vérité des sentiments et de la nature qu'il étudia dans la campagne romaine, et sut éviter la froideur d'une peinture trop intellectuelle, ou trop soumise aux règles. Ses toiles d'inspiration mythologique ou biblique sont conservées au Louvre : *le Triomphe de Flore, les Bergers d'Arcadie, l'Enlèvement des Sabines, Moïse sauvé des eaux, les Saisons.*

POUSSIVEMENT adv. → POUSSIF.

POUSSOIR n. m. → POUSSER 1.

POUTRE [putr] n. f. (bas lat. *pullitra*). Pièce de charpente horizontale, supportant une construction : *Des poutres apparentes* (syn. SOLIVE). *Une poutre métallique.* ◆ **poutrelle** n. f. Petite poutre.

1. POUVOIR [puvwar] v. t. (du lat. *posse*). [Conj. **38.**] **1.** Suivi d'un infin. (ou, plus rarement, d'un pron., d'un adv. compl.), avoir la faculté, la possibilité matérielle de, être en état de : *Pouvez-vous soulever cette caisse?* (= êtes-vous capable de). *Vous pouvez beaucoup pour améliorer la situation;* et avec ellipse du compl. : *Venez me voir dès que vous pourrez.* ‖ *N'en pouvoir plus*, être épuisé. — **2.** (sujet nom de personne) Avoir la permission de : *Un débat où chacun peut s'exprimer librement.* — **3.** Indique une approximation, une probabilité, une éventualité : *Cela peut durer encore longtemps* (syn. RISQUER DE). ‖ Dans une interrogation, souligne la perplexité : *Où peut bien être ce livre?* — **4.** Au subj., avec inversion du sujet, exprime le souhait (langue soignée) : *Puissiez-vous réussir!* ◆ **se pouvoir** v. pr. impers. *Il (cela, ça) se peut,* il est (c'est) possible : *Il se peut que je me sois trompé.*

2. POUVOIR [puvwar] n. m. (de *pouvoir* 1). **1.** Possibilité d'action d'une personne, autorité ou influence dont elle dispose : *Il n'est pas en mon pouvoir de m'opposer à cela. Elle a beaucoup de pouvoir sur ses enfants.* ‖ *Pouvoir d'achat,* valeur réelle (en marchandises) que représente un salaire. — **2.** Autorité, gouvernement d'un pays : *Exercer, détenir le pouvoir* (= gouverner). — **3.** Autorité spéciale s'exerçant sur des matières d'une nature déterminée : *Pouvoir exécutif,* ou *gouvernemental* (= pouvoir chargé de veiller à l'exécution de la loi et à l'administration de l'État). ‖ *Pouvoir législatif,* pouvoir chargé d'élaborer et de voter les lois. ‖ *Pouvoir judiciaire,* ensemble de la magistrature chargée de rendre la justice. ‖ *Pouvoir spirituel,* qui n'appartient qu'à l'Église. ‖ *Pouvoir temporel,* gouvernement civil d'un État. — **4.** Document écrit par lequel une personne confie à une autre la possibilité de la représenter : *Donner un pouvoir par-devant notaire.* — **5.** *Phys.* Capacité d'une substance de produire certains effets : *Pouvoir calorifique.* ◆ n. m. pl. Droits d'exercer certaines fonctions : *Pouvoirs d'un ambassadeur.* ‖ *Pouvoirs exceptionnels,* en France, pouvoirs conférés au président de la République par la Constitution de 1958, lorsque les institutions, l'indépendance de la nation, l'intégrité de son territoire ou l'exécution de ses engagements internationaux sont menacés. ‖ *Pouvoirs publics,* ensemble des autorités qui détiennent le pouvoir dans l'État. ‖ *Séparation des pouvoirs,* principe de droit public selon lequel les pouvoirs législatif, exécutif (ou gouvernemental) et judiciaire doivent être exercés par des autorités distinctes collaborant entre elles sur un pied d'égalité. ◆ **contre-pouvoir** n. m. Pouvoir qui s'organise pour faire échec à une autorité établie. ‖ Pl. des *contre-pouvoirs.*

POUZZOLANE [puzɔlan] n. f. (de *Pouzzoles*). Roche volcanique siliceuse, à structure alvéolaire, recherchée en construction. (Elle isole de la chaleur et du bruit.)

POUZZOLES, en it. **Pozzuoli,** port d'Italie, sur le golfe de Naples; 68 000 hab. Amphithéâtre. Temple de Sérapis. Exportation de *pouzzolanes.* Électronique.

POWELL (Cecil Frank), physicien anglais (1903-1969). Il a imaginé l'emploi des émulsions photographiques pour étudier les réactions nucléaires. (Prix Nobel de physique, 1950.)

POZNAŃ, en all. **Posen,** v. de Pologne, sur la Warta; 570 900 hab. Métallurgie. Industries diverses.

POZNANIE → POSNANIE.

p. p. c. m., abrév. de *plus petit commun multiple.*
— ENCYCL. *Exemple de p. p. c. m. de deux entiers naturels :*
{6, 12, 18, 24, 30...} est l'ensemble (infini) des multiples de 6;
{9, 18, 27, 36, 45...} est l'ensemble (infini) des multiples de 9;
{18, 36, 54...} est l'ensemble (infini) des multiples communs à 6 et à 9.
18 est le plus petit multiple commun à 6 et à 9; 18 sera le p. p. c. m. de 6 et de 9. On notera :

p. p. c. m. (6, 9) = 18 ou 6 v 9 = 18.

■ *Propriétés du p. p. c. m. :*
tout multiple commun à deux nombres est un multiple commun de leur p. p. c. m.;
deux nombres premiers entre eux ont un p. p. c. m. égal à leur produit.

PRADES, ch.-l. d'arrond. des Pyrénées-Orientales, à 43 km à l'O.-S.-O. de Perpignan, sur la Têt; 6 500 hab. Vins. Miel.

PRADES (Jean DE), ecclésiastique et écrivain français (v. 1720-1782). Très lié avec les philosophes, il fut condamné par le Saint-Siège et le Parlement, et se réfugia auprès de Frédéric II.

PRADET (Le), comm. du Var, à 7 km à l'E. de Toulon; 8 000 hab.

PRADIER (Jean-Jacques, dit **James**), sculpteur français (1792-1852). Il connut un grand succès sous la monarchie de Juillet grâce à ses représentations féminines *(les Trois Grâces, Atalante, Vénus).* Il travailla aussi à l'arc de triomphe de l'Étoile, à Paris, et sculpta les douze Victoires qui ornent le tombeau de Napoléon Ier aux Invalides.

Prado *(musée national du),* un des plus importants musées d'Europe et le principal de Madrid.

Praesidium ou **Présidium,** nom donné en U. R. S. S. à l'organisme directeur du Conseil suprême des soviets, ou Soviet suprême.

PRAGA, v. de Pologne, auj. faubourg de Varsovie. Elle fut prise d'assaut par Souvorov en 1794; un épouvantable massacre suivit.

1. PRAGMATIQUE [pragmatik] adj. (gr. *pragmatikos,* relatif aux faits). Se dit d'une chose qui est susceptible d'application pratique; dont la valeur se mesure à l'efficacité pratique. ◆ **pragmatisme** n. m. : *Pour le pragmatisme, est vrai ce qui réussit.*

2. PRAGMATIQUE [pragmatik] adj. f. (même étym.). *Pragmatique sanction,* ou *pragmatique* n. f., ordonnance royale ou impériale.

pragmatique sanction de Bourges, acte promulgué par Charles VII en 1438. La pragmatique sanction régla unilatéralement la discipline générale de l'Église de France et ses rapports avec Rome. Elle consacra, sous réserve de la confirmation pontificale, le principe électif pour les dignités ecclésiastiques et porta interdiction des annates (= redevances payées au Saint-Siège par les titulaires d'un bénéfice). Le concordat de 1516 maintint les principales dispositions de la pragmatique, qui resta jusqu'en 1790 la charte de l'Église gallicane.

pragmatique sanction de 1713, acte par lequel l'empereur Charles VI aligna le mode de succession autrichien sur celui de la Hongrie, en décidant qu'un représentant mâle avait la primauté sur une femme, même la plus proche héritière, et qu'en cas d'absence d'héritier mâle la femme la plus proche du dernier souverain régnant lui succéderait. C'est en vertu de cette pragmatique que sa fille Marie-Thérèse lui succéda.

PRAGUE, en tchèque **Praha,** capit. de la Tchécoslovaquie et de la Bohême, sur la Vltava; 1 176 000 hab. Située à un carrefour de voies de communication, Prague devient dès le Moyen Âge un grand centre commercial. Des industries variées s'y développent à partir du XIXe s. et surtout après la guerre : sidérurgie, constructions automobiles, chimie. Sa fonction administrative est importante, mais c'est aussi un grand centre intellectuel et artistique, abritant de très beaux monuments : cathédrale, château du Hradčany, pont Charles (XIVe s.), monuments civils et religieux de style baroque, musée d'art moderne.

Praguerie, révolte qui éclata en France en 1440 contre les réformes de Charles VII, et que celui-ci étouffa.

PRAIRE [prɛr] n. f. (mot prov.). Mollusque bivalve comestible, dont la coquille porte de fortes côtes, et que l'on récolte en bêchant à marée basse les sables vaseux.

PRAIRIAL [prɛrjal] n. m. (de *prairie*). → CALENDRIER* RÉPUBLICAIN.

prairial an II *(loi du 22)* [10 juin 1794], loi inspirée par Robespierre, qui inaugura la Grande Terreur*.

prairial an III *(journée du 1er)* [20 mai 1795], tentative des terroristes pour ressaisir le pouvoir, et au cours de laquelle fut tué le député Féraud.

prairial an VII *(journée du 30)* [18 juin 1799], journée révolutionnaire marquée par la démission forcée des directeurs Merlin de Douai et La Révellière-Lépeaux au profit de Roger Ducos et du général Moulin.

PRAIRIE [preri] n. f. (du lat. *pratum,* pré). **1.** Étendue de terrain qui produit de l'herbe ou du foin. ‖ *Prairie artificielle,* prairie où l'on a semé du trèfle, du sainfoin, de la luzerne, etc. — **2.** Formation* végétale naturelle, herbacée, recouvrant de façon continue le sol.

PRAIRIE (la), nom donné aux grandes plaines du centre de l'Amérique du Nord autrefois couvertes d'herbe. Aujourd'hui la Prairie est une région de grande culture céréalière,

PRALINE [pralin] n. f. (du n. du maréchal du *Plessis-Praslin,* dont le cuisinier inventa ce bonbon). Confiserie faite d'une amande rissolée dans du sucre. ◆ **praliné, e** adj. Mélangé de pralines ou qui a un goût de praline.

PRALOGNAN-LA-VANOISE, comm. de Savoie, à 28 km au S.-E. de Moutiers; 634 hab. Sports d'hiver (alt. 1 410-2 265 m).

1. PRATICABLE [pratikabl] adj. (de *pratiquer*). Se dit d'un chemin, d'une route sur lesquels on peut circuler : *Toutes les routes de ce pays ne sont pas praticables en voiture* (syn. CARROSSABLE). ◆ **impraticable** adj. **1.** Se dit d'un chemin, d'une voie où l'on ne peut pas passer, où l'on passe très difficilement. — **2.** Qu'on ne peut mettre à exécution : *La méthode envisagée est impraticable* (syn. INAPPLICABLE, IRRÉALISABLE).

2. PRATICABLE [pratikabl] n. m. (même étym.). **1.** Partie d'un décor de théâtre où on peut se mouvoir. — **2.** Plate-forme amovible supportant la caméra et les projecteurs dans un studio de cinéma. — **3.** En gymnastique, carré de 12 m de côté sur lequel s'effectue l'exercice au sol.

PRATICIEN [pratisjɛ̃] n. m. (de *pratique*). Syn. de MÉDECIN.

PRATIQUANT, E adj. et n. → PRATIQUER 2.

1. PRATIQUE [pratik] adj. (bas lat. *practicus*). **1.** Se dit d'une chose qui est orientée vers l'action, qui est appliquée (par oppos. à THÉORIQUE) : *Il a acquis une connaissance pratique de l'anglais.* ‖ *Travaux pratiques,* exercices faits par des étudiants en application de cours théoriques. — **2.** Se dit d'une personne qui a le sens des réalités matérielles (par oppos. à ABSTRAIT, IDÉALISTE) : *C'est un esprit pratique* (syn. CONCRET, POSITIF).

2. PRATIQUE [pratik] adj. (même étym.). Se dit de ce qui est d'un usage commode, de ce qui est maniable : *Un appareil ménager très pratique.*

3. PRATIQUE n. f. → PRATIQUER 1 et 2.

PRATIQUEMENT [pratikmɑ̃] adv. (de *pratique*). **1.** En réalité, dans l'usage courant : *Théoriquement, on peut être reçu au concours la première année, mais pratiquement, il faut compter deux ou trois ans de préparation* (syn. EN FAIT, EN PRATIQUE). — **2.** À très peu de chose près : *La situation est pratiquement inchangée* (syn. À PEU PRÈS; fam. QUASIMENT). *Il ne peut pratiquement rien faire sans son adjoint* (syn. AUTANT DIRE, POUR AINSI DIRE).

1. PRATIQUER [pratike] v. t. (du gr. *prattein*, agir). *Pratiquer un métier, un art, une méthode, un sport*, etc., l'exercer, l'appliquer, s'y livrer : *Pratiquer la médecine. Pratiquer la photographie en couleurs, le football.* ◆ ***se pratiquer*** v. pr. (sujet nom de chose). Être en usage, à la mode : *Il fit venir un rebouteux, comme cela se pratique parfois encore dans les campagnes.* ◆ **pratique** n. f. **1.** Action, manière de pratiquer (souvent opposé à THÉORIE, PRINCIPE) : *Il a une longue pratique de la pédagogie* (syn. EXPÉRIENCE, HABITUDE). *Il y a loin de la théorie à la pratique.* — **2.** *Mettre en pratique une doctrine, un principe*, etc., les appliquer dans son action : *Un chrétien doit s'efforcer de mettre en pratique les préceptes de l'Évangile.* — **3.** Comportement habituel, usage, coutume : *Des peuplades où le troc est une pratique générale.* — LOC. ADV. *En pratique*, en réalité (souvent opposé à EN THÉORIE) : *Vous avez le choix entre deux itinéraires : en pratique, la durée du trajet est la même* (syn. PRATIQUEMENT).

2. PRATIQUER [pratike] v. t. (même étym.). *Pratiquer une religion*, se conformer d'une façon régulière à ses prescriptions (souvent intr.) : *Il a reçu une éducation religieuse, mais il a cessé de pratiquer.* ◆ **pratiquant, e** adj. et n. : *Un catholique pratiquant. Les pratiquants subviennent à l'entretien du clergé.* ◆ **pratique** n. f. Assiduité des fidèles dans l'observance des prescriptions religieuses.

3. PRATIQUER [pratike] v. t. (même étym.). *Pratiquer qqch.*, le faire, l'exécuter (langue soignée) : *Pratiquer une ouverture dans un mur* (syn. MÉNAGER). *Il a fallu pratiquer une piste dans la forêt* (syn. ÉTABLIR, TRACER).

PRATO, v. d'Italie (Toscane); 143 200 hab. Cathédrale romano-gothique.

PRATS-DE-MOLLO-LA-PRESTE, ch.-l. de cant. des Pyrénées-Orientales, à 31 km à l'O.-S.-O. de Céret, sur le Tech; 1 200 hab. Station thermale à *La Preste.*

PRAVDINSK → FRIEDLAND.

PRAXITÈLE, sculpteur grec (v. 390-v. 330 av. J.-C.). Il exécuta en marbre des effigies masculines dont il ne reste que des répliques *(Apollon Sauroctone)*, mais est surtout connu pour ses statues d'Aphrodite, dont *Aphrodite de Cnide*, la plus célèbre. L'art de Praxitèle orienta la statuaire grecque, jusqu'alors imprégnée d'une conception athlétique, dans une direction nouvelle, faite d'une grâce et d'une élégance un peu affectées.

1. PRÉ [pre] n. m. (lat. *pratum*). Petite prairie.

---

2. PRÉ-, préf. tiré du lat. *prae*, devant, en avant, et qui est utilisé pour indiquer ce qui précède.

PRÉALABLE [prealabl] adj. (de *pré-*, et *aller*). Se dit d'une chose qui doit normalement en précéder une autre, être faite avant elle : *Il ne pouvait entreprendre cette démarche qu'avec l'accord préalable de ses chefs. Sans avis préalable* (= sans préavis). ◆ n. m. Ensemble des conditions que met un parti, un pays, etc., avant de conclure un accord avec un autre parti, un autre pays : *Les propositions de paix contenaient un préalable jugé inacceptable.* — LOC. ADV. *Au préalable*, auparavant (syn. PRÉALABLEMENT). ◆ **préalablement** adv.

PRÉALPES, ensemble des massifs, généralement calcaires, bordant la partie centrale des Alpes*. Développées essentiellement sur le versant externe de l'axe alpin, d'une altitude généralement inférieure à 3 000 m, les Préalpes s'étendent principalement en France (→ ALPES FRANÇAISES) et en Autriche, séparées le plus souvent des Alpes centrales par de larges vallées (Sillon alpin, vallées de l'Inn, de la Salzach, de l'Enns).

PRÉAMBULE [preɑ̃byl] n. m. (bas lat. *praeambulus*, qui marche devant). **1.** Texte servant d'entrée en matière, d'avant-propos, d'introduction, et précédant un plus long développement : *Après un rapide préambule, le conférencier entra dans le vif du sujet.* — **2.** Ce qui prépare, annonce quelque chose : *Cette crise risque d'être le préambule à une crise beaucoup plus grave* (syn. PRÉLUDE).

PRÉAU [preo] n. m. (de *pré*). Partie couverte de la cour dans une école.

PRÉAVIS [preavi] n. m. *(pré-*, et *avis)*. Avis, avertissement préalable : *Il cherche à quitter son usine, mais il n'a pas encore donné son préavis.*

PRÉBENDE [prebɑ̃d] n. f. (lat. *praebendus*, qui doit être fourni). *Péjor.* Salaire élevé pour un poste purement honorifique.

PRÉCAIRE [prekɛr] adj. (lat. *precarius*, obtenu par prières). Se dit d'une chose dont l'existence n'est pas assurée, qui peut être remise en question : *Votre situation est précaire* (syn. INCERTAIN, INSTABLE). *Jouir d'un bonheur précaire* (syn. ÉPHÉMÈRE, PASSAGER). ◆ **précarité** n. f. Caractère de ce qui n'a rien de stable, d'assuré : *La précarité de ses ressources ne semble pas l'inquiéter.*

PRÉCAMBRIEN [prekɑ̃brijɛ̃] n. m. *(pré-*, et *Cambrien)*. Première période de l'histoire de la Terre, dont la durée est évaluée à 4 milliards d'années. ◆ **précambrien, enne** adj. : *Les roches précambriennes ont été fortement plissées et métamorphisées, et forment actuellement des socles ou boucliers; on n'y a trouvé que des vestiges rares et fragmentaires d'êtres vivants.*

PRÉCARITÉ n. f. → PRÉCAIRE.

PRÉCAUTION [prekosjɔ̃] n. f. (du lat. *prae*, devant, et *cavere*, prendre garde). **1.** Disposition prise par prévoyance pour éviter un mal; action de prendre garde (souvent au plur.) : *L'assurance est une précaution contre l'incendie. Il marchait avec précaution, de peur d'éveiller les enfants. Soulever le couvercle avec précaution* (syn. PRUDENCE). — **2.** *Précautions oratoires*, moyens plus ou moins adroits de se ménager la bienveillance de l'auditoire (souvent ironiq.). ◆ **précautionner (se)** v. pr. Prendre des précautions. ◆ **précautionneux, euse** adj. (langue soignée) : *Il se montre très attentif et très précautionneux.* ◆ **précautionneusement** adv. : *Agir précautionneusement.*

PRÉCÉDEMMENT adv. → PRÉCÉDER 1.

1. PRÉCÉDENT, E adj. → PRÉCÉDER 1.

2. PRÉCÉDENT [presedɑ̃] n. m. (de *précéder*). **1.** Fait, exemple qu'on invoque comme autorité, ou qui permet de comprendre un événement ultérieur : *Pour étayer son jugement, le tribunal s'est appuyé sur des précédents. Invoquer un précédent* (= l'alléguer comme excuse, comme prétexte). — **2.** *Créer un précédent*, faire une action qui sort de l'ordinaire, des habitudes, et qui servira de justification à d'autres actions analogues (généralement péjor.) : *Si vous laissez vos enfants jouer dans la cour de l'immeuble, cela créera un précédent, et tous les locataires réclameront le droit d'en faire autant.* — LOC. ADV. *Sans précédent*, unique : *Un drame sans précédent est survenu* (= dont on n'avait jamais eu d'exemple, extraordinaire).

1. PRÉCÉDER [presede] v. t. (lat. *praecedere*, marcher devant) [sujet nom de chose]. **1.** Avoir lieu, se produire avant : *La délibération précède la décision.* — **2.** Être placé immédiatement avant : *La définition précède l'exemple.* ◆ **précédent, e** adj. Se dit d'une chose qui a lieu juste avant une autre : *L'année précédente* (= immédiatement antérieure) [contr. SUIVANT]. *J'avais déjà montré l'insuffisance de cette théorie dans un article précédent* (= antérieur, paru il y a un certain temps). ◆ **précédemment** adv. : *Nous avions déjà précédemment traité de ce problème* (syn. NAGUÈRE).

2. PRÉCÉDER [presede] v. t. (même étym.) [sujet nom de personne]. **1.** Marcher devant quelqu'un, être avant lui : *Laissez-moi vous précéder, je vais vous montrer le chemin.* — **2.** Arriver à un endroit avant un autre : *Il m'a précédé de quelques minutes.* — **3.** L'emporter sur quelqu'un (langue soignée) : *Il le précède en âge et en mérite.*

PRÉCEPTE [presɛpt] n. m. (du lat. *praecipere*, enseigner). Règle à suivre dans un domaine particulier : *Les préceptes esthétiques du classicisme ont été formulés dans « l'Art poétique » de Boileau* (syn. PRINCIPES). *« Aimez-vous les uns les autres » est un précepte capital de l'Évangile* (syn. COMMANDEMENT).

PRÉCEPTEUR, TRICE [presɛptœr, -tris] n. (lat. *praeceptor*). Personne chargée d'assurer l'éducation et l'instruction d'un enfant d'une famille aisée, qui ne va pas à l'école. ◆ **préceptorat** n. m. Fonction de précepteur.

1. PRÊCHER [preʃe] v. t. (lat. *praedicare*). Annoncer la parole de Dieu (relig.) : *Les Apôtres sont partis prêcher l'Évangile.* ◆ v. i. (sujet nom désignant un prêtre, un pasteur). Prononcer un sermon. ◆ **prêche** n. m. *Fam.* Sermon d'un ministre protestant, prédication. ◆ **prêcheur** adj. m. : *Les Dominicains sont appelés aussi « Frères prêcheurs ».* (→ PRÉDICATEUR.)

2. PRÊCHER [preʃe] v. t. et i. (de *prêcher* 1). **1.** Dans la langue courante, conseiller quelque chose par des discours abondants, des exhortations pressantes, réitérées : *Il prêchait la patience à ses subordonnés qui se plaignaient* (syn. ↓RECOMMANDER). — **2.** Fam. *Prêcher pour son saint*, parler pour soi, dans son propre intérêt, sous des dehors désintéressés. ‖ *Prêcher d'exemple*, remplacer des exhortations inutiles par des actes dont on veut qu'ils soient imités. ‖ *Prêcher dans le désert*, parler pour rien, devant un auditoire inattentif. ◆ **prêchi-prêcha** n. m. inv. *Fam.* et *péjor.* Discours confus interminable; radotage.

PRÉCIEUSE n. f. → PRÉCIEUX 2.

PRÉCIEUSEMENT adv. → PRÉCIEUX 1 et 2.

Précieuses ridicules *(les),* comédie en 1 acte, en prose, de Molière (1659).

1. PRÉCIEUX, EUSE [presjø, -øz] adj. (du lat. *pretium,* prix). **1.** (après le nom) Se dit d'une chose qui a du prix, de la valeur : *Bijoux précieux. Pierres précieuses* (= émeraude, rubis, saphir, etc.). *Métaux précieux* (= platine, or, argent, palladium, etc.). — **2.** (avant ou plus souvent après le nom) Se dit d'une chose à laquelle on attache du prix, moralement ou sentimentalement : *Parmi les biens les plus précieux de l'homme figure la liberté. Elle a apporté une aide précieuse à son mari* (syn. ↓APPRÉCIABLE, ↑INAPPRÉCIABLE). — **3.** (avant le nom) Se dit d'une personne très utile : *Un précieux collaborateur* (= dont on aurait du mal à se passer, auquel on peut toujours se fier). ◆ **précieusement** adv. *Garder, conserver précieusement qqch.,* le conserver avec grand soin, avec précaution (syn. JALOUSEMENT, PIEUSEMENT).

2. PRÉCIEUX, EUSE [presjø, -øz] adj. (après le nom) et n. (même étym.). Se dit d'une personne qui cherche à donner un raffinement excessif et artificiel à son langage, ses manières : *Elle parle de façon précieuse* (= d'une façon recherchée). ◆ **précieuse** n. f. Dans la première moitié du XVIIe s., femme du monde qui se distinguait par l'élégance de ses manières et la pureté de son langage. ◆ **précieusement** adv. : *Parler précieusement.* ◆ **préciosité** n. f. **1.** *La préciosité de ses expressions fait sourire* (syn. AFFECTATION). — **2.** Tendance au raffinement des sentiments, des manières et de l'expression littéraire, qui se manifesta en France, dans certains salons, au début du XVIIe s. → ENCYCL.

— ENCYCL. La *préciosité* apparut en France au début du XVIIe s. en réaction contre la vulgarité et le négligé qui régnaient à la cour d'Henri IV : les courtisans épris de politesse, de conversations galantes et raffinées, prirent l'habitude de se réunir dans quelques hôtels aristocratiques où se tenaient des salons. Le plus célèbre de ces salons fut celui de la marquise de Rambouillet où les femmes du monde, les seigneurs à la mode, les écrivains (notamment Voiture) se rencontraient pour se livrer à des jeux de société, lire des poèmes, des romans *(l'Astrée),* faire des vers ou se lancer dans des conversations subtiles, des débats psychologiques («le mariage est-il compatible avec l'amour?»). Cependant la préciosité devint vite ridicule, aussi bien en ce qui concerne la politesse excessive, les costumes extravagants, le langage, dénoncés par Molière dans *les Précieuses ridicules,* que l'engouement pour la science et les choses de l'esprit, dénoncé dans *les Femmes savantes.* Déjà inaugurée par l'œuvre d'Honoré d'Urfé, la littérature précieuse fut représentée en particulier par Benserade, La Calprenède et surtout Mlle de Scudéry, auteur d'*Artamène ou le Grand Cyrus* et de *Clélie* (où figure la fameuse «carte du Tendre»).

Ce phénomène plus social que littéraire fit apparaître également une revendication des femmes en faveur d'une plus grande liberté vis-à-vis du mariage et d'une égalité des droits avec les hommes.

PRÉCIPICE [presipis] n. m. (lat. *praecipitium).* Lieu profond et escarpé : *À la vue du précipice, il fut pris de vertige* (syn. GOUFFRE, RAVIN).

PRÉCIPITAMMENT adv. → PRÉCIPITER 2.

1. PRÉCIPITATION n. f. → PRÉCIPITER 2 et 3.

2. PRÉCIPITATIONS [presipitasjɔ̃] n. f. pl. (de *précipiter).* Formes variées sous lesquelles l'eau solide ou liquide contenue dans l'atmosphère se dépose à la surface du globe (pluie, neige et grêle) : *La météo prévoit des passages nuageux pour demain, avec risques de précipitations atmosphériques.*

1. PRÉCIPITER [presipite] v. t. (lat. *praecipitare;* de *praeceps,* qui tombe la tête en avant). *Précipiter qq'un, qqch.,* le jeter de haut en bas. ◆ ***se précipiter*** v. pr. : *Il s'est précipité dans le vide, la tête la première.*

2. PRÉCIPITER [presipite] v. t. (même étym.). Hâter, accélérer beaucoup : *Sa venue a précipité notre départ.* ◆ ***se précipiter*** v. pr. **1.** (sujet nom de personne) S'élancer brusquement : *Il s'est précipité à la porte pour lui ouvrir.* — **2.** (sujet nom de chose) Prendre un cours rapide : *Soudain, les événements se précipitèrent* (syn. ↓S'ACCÉLÉRER). ◆ **précipité, e** adj. : *Des pas précipités* (syn. ↓ACCÉLÉRÉ, ↓RAPIDE). *Mon retour a été précipité* (syn. ↓HÂTÉ). ◆ **précipitation** n. f. : *Agir avec précipitation et sans discernement* (syn. ↓HÂTE, IRRÉFLEXION). ◆ **précipitamment** adv. Brusquement, à la hâte : *Entendant frapper à sa porte, il se leva précipitamment* (= avec fébrilité).

3. PRÉCIPITER [presipite] v. t. (même étym.). *Chim.* Transformer, par un réactif, un corps dissous en précipité. ◆ v. i. Former un précipité. ◆ **précipitation** n. f. *Chim.* Phénomène qui s'opère quand un corps insoluble se forme au sein d'un liquide et tombe au fond du récipient. ◆ **précipité** n. m. *Chim.* Dépôt formé dans un liquide par une précipitation.

1. PRÉCIS, E [presi, -iz] adj. (lat. *praecisus,* abrégé). **1.** Se dit d'une chose qui ne laisse aucune incertitude, qu'on connaît dans le détail : *Donner des instructions précises* (contr. VAGUE). *Calcul précis* (syn. JUSTE, RIGOUREUX). — **2.** Se dit d'une chose qui est exécutée d'une façon sûre : *Il a un geste précis.* — **3.** Se dit d'une chose rigoureusement déterminée, qui coïncide exactement avec une autre : *Arriver à 15 heures précises* (syn. SONNANT; fam. TAPANT). *Le train est arrivé au moment précis où ils faisaient leurs adieux* (= au moment même). ◆ **précisément** adv. **1.** Marque une correspondance précise : *Il est arrivé précisément comme on parlait de lui* (= au moment précis). *Ce n'est pas précisément ce que j'espérais* (syn. EXACTEMENT). — **2.** Souligne une opposition : *Il parlait devant elle des choses qu'il fallait précisément lui cacher.* — **3.** Dans une réponse affirmative, souligne l'affirmation : *«C'est vous qui avez écrit cela? — Précisément, et je m'en flatte»* (syn. JUSTEMENT). ◆ **précision** n. f. **1.** Caractère de ce qui est précis : *La précision du vocabulaire qu'il emploie montre une grande maîtrise de la langue* (syn. EXACTITUDE). *La précision d'un geste* (syn. SÛRETÉ). *La précision d'un calcul* (syn. RIGUEUR). *Instrument de précision* (= qui mesure avec rigueur). — **2.** Détail qui apporte une plus grande information : *J'ai encore une précision à ajouter.* ◆ **préciser** v. t. *Préciser qqch.,* l'indiquer avec précision : *Il faudrait que vous précisiez vos intentions* (syn. DÉFINIR). ◆ **imprécis, e** adj. : *Une évaluation imprécise* (syn. APPROXIMATIF). *Avoir des notions imprécises sur une question* (syn. VAGUE). ◆ **imprécision** n. f. : *Un projet qui reste d'une grande imprécision. Il y a plusieurs imprécisions dans ce compte rendu* (= plusieurs points imprécis).

2. PRÉCIS [presi] n. m. (de *précis* 1). Ouvrage qui expose brièvement l'essentiel d'une matière : *Un précis d'histoire* (syn. ABRÉGÉ).

PRÉCITÉ, E [presite] adj. *(pré-,* et *cité).* Cité antérieurement (admin.).

PRÉCOCE [prekɔs] adj. (du lat. *praecoquere,* mûrir hâtivement). **1.** Se dit d'une plante qui se développe ou d'un fruit qui est mûr avant le moment habituel : *Planter des fraisiers précoces* (syn. HÂTIF; contr. TARDIF). — **2.** Se dit de toute chose qui se produit avant le moment où on l'attendait : *Cette année, l'automne a été précoce, nous n'avons presque pas eu d'été.* — **3.** *Enfant précoce,* dont la maturité, le développement physique ou intellectuel correspondent à un âge supérieur au sien. ◆ **précocement** adv. : *Être précocement mûr. Enfant développé précocement.* ◆ **précocité** n. f. : *La précocité de l'automne. La précocité d'un enfant.*

PRÉCOLOMBIEN, ENNE [prekɔlɔ̃bjɛ̃, -ɛn] adj. (de *pré-,* et *Colomb*). Se dit, pour l'Amérique, de l'époque antérieure à la venue de Christophe Colomb : *Art précolombien.*

PRÉCONÇU, E [prekɔ̃sy] adj. *(pré-,* et *conçu). Péjor.* Se dit d'une idée, d'un jugement, etc., qui sont formulés antérieurement à toute expérience : *Un jugement préconçu* (syn. HÂTIF). *Lutter contre les idées préconçues* (= les préjugés, les idées reçues).

PRÉCONISER [prekɔnize] v. t. (du lat. *praeco, -onis,* crieur public). *Préconiser qqch.,* le recommander vivement : *Les remèdes que le médecin a préconisés se révèlent sans effet.*

PRÉCONTRAINT, E [prekɔ̃trɛ̃, -ɛ̃t] adj. *(pré-,* et *contraint). Béton précontraint* → BÉTON.

PRÉCURSEUR [prekyrsœr] n. m. (du lat. *praecurrere,* courir en avant). Personne qui annonce des idées, des actions, un mouvement qui suivront dans le temps : *Les poètes qui furent les précurseurs du romantisme.* ◆ adj. m. Se dit d'une chose qui en annonce une autre : *Les signes précurseurs de l'orage* (syn. AVANT-COUREUR).

PRÉDATION [predasjɔ̃] n. f. (du lat. *praeda,* proie). Mode d'alimentation des animaux *(prédateurs)* qui saisissent des *proies* animales ou végétales vivantes. ◆ **prédateur, trice** adj. et n. m. *Par opposition aux saprophages, qui se nourrissent de débris organiques morts, les prédateurs tuent et mangent leurs proies.*

PRÉDÉCESSEUR [predesesœr] n. m. (du lat. *prae,* en avant, et *decedere,* s'en aller). Personne qui en a précédé une autre dans une fonction, un emploi, etc.

PRÉDESTINER [predɛstine] v. t. (lat. *praedestinare,* réserver d'avance). **1.** *Théol.* En parlant de Dieu, fixer d'avance le destin de chaque homme : *Les calvinistes, les jansénistes pensaient que l'homme est prédestiné au salut ou à la damnation.* — **2.** *Prédestiner qq'un, qqch.,* le destiner d'avance à une action, à une situation particulière : *Ses origines ne le prédestinaient pas à jouer un grand rôle dans l'État.* ◆ **prédestiné, e** adj. et n. **1.** Que Dieu a élu pour être sauvé. — **2.** *Un homme qui semblait prédestiné au bonheur* (syn. VOUÉ). ◆ **prédestination** n. f. *Théol.* Acte par lequel Dieu assigne à chaque homme le sort qu'il aura après sa mort, quelle qu'aura été sa vie sur terre.

PRÉDÉTERMINER [predetɛrmine] v. t. *(pré-,* et *déterminer).* Déterminer à l'avance : *Sa conduite était prédéterminée par l'éducation qu'il avait reçue.* ◆ **prédétermination** n. f.

PRÉDICAT [predika] n. m. (lat. *praedicatum*, chose énoncée). *Gramm.* Un des deux termes de l'énoncé fondamental, exprimant ce qui est dit de l'autre terme appelé *thème* ou *sujet* : *Dans la phrase « Cette maison est grande », le prédicat est « est grande ».*

PRÉDICATEUR [predikatœr] n. m. (lat. *praedicator*). Celui qui prêche, qui prononce un sermon : *Bossuet fut un grand prédicateur.* ◆ **prédication** n. f. Action de prêcher; sermon.

PRÉDICTION n. f. → PRÉDIRE.

PRÉDILECTION [predilɛksjɔ̃] n. f. (du lat. *dilectio*, amour). **1.** Préférence marquée pour une personne, une chose. — **2.** *De prédilection*, se dit de choses qu'on préfère à toutes autres du même ordre : *Son livre de prédilection* (syn. FAVORI).

PRÉDIRE [predir] v. t. (du lat. *prae*, avant, et *dicere*, dire). [Conj. **72.**] *Prédire qqch.*, annoncer d'avance ce qui doit arriver : *Prédire l'avenir dans les lignes de la main* (syn. DEVINER; littér. AUGURER). *Prédire une crise économique* (syn. PRONOSTIQUER). ◆ **prédiction** n. f. : *Il avait annoncé que le temps se gâterait, mais sa prédiction s'est trouvée démentie.*

PRÉDISPOSER [predispoze] v. t. (*pré-*, et *disposer*) [sujet nom de chose]. *Prédisposer qq'un à qqch.*, le mettre par avance dans certaines dispositions (souvent au passif) : *Cet enfant a été prédisposé héréditairement à cette maladie.* ◆ **prédisposition** n. f. : *Même avant d'être nommé à ce poste, il a fait preuve d'une prédisposition certaine au commandement.*

PRÉDOMINER [predɔmine] v. i. (*pré-*, et *dominer*) [sujet nom de chose]. Avoir une importance prépondérante : *C'est la culture des céréales qui prédomine dans cette région* (syn. DOMINER). *Son avis a prédominé* (syn. PRÉVALOIR). ◆ **prédominant, e** adj. : *Le problème du logement est un souci prédominant.* ◆ **prédominance** n. f. : *La prédominance des tons bleus dans un tableau.*

PRÉÉLÉMENTAIRE [preelemɑ̃tɛr] adj. (*pré-*, et *élémentaire*). *Enseignement préélémentaire*, syn. d'ENSEIGNEMENT PRÉSCOLAIRE.

PRÉÉMINENCE [preeminɑ̃s] n. f. (du lat. *prae*, en avant, et *eminere*, s'élever). Supériorité absolue sur les autres : *Plusieurs nations se disputaient la prééminence économique dans ce continent sous-développé* (syn. SUPRÉMATIE). ◆ **prééminent, e** adj. : *Un rang prééminent* (syn. SUPÉRIEUR).

PRÉEMPTION [preɑ̃psjɔ̃] n. f. (de *pré-*, et lat. *emptio*, achat). Faculté d'acheter en priorité un bien : *Le droit de préemption est le droit conféré à une personne ou une administration, par la loi ou par contrat, d'acquérir un bien, de préférence à toute autre.*

PRÉÉTABLI, E adj. → ÉTABLIR. / **PRÉEXISTANT, E** adj., **PRÉEXISTER** v. i. → EXISTER. / **PRÉFABRICATION** n. f., **PRÉFABRIQUÉ, E** adj. → FABRIQUER.

PRÉFACE [prefas] n. f. (du lat. *praefari*, dire d'avance). Texte placé en tête d'un livre pour le présenter au lecteur (par oppos. à POSTFACE). ◆ **préfacer** v. t. *Préfacer un livre*, écrire un texte qui lui sert de préface. ◆ **préfacier** n. m. Auteur d'une préface.

PRÉFECTORAL, E, AUX adj., **PRÉFECTURE** n. f. → PRÉFET.

PRÉFÉRER [prefere] v. t. (du lat. *prae*, en avant, et *ferre*, porter). *Préférer une personne, une chose à une autre, préférer*, et l'inf.), *préférer que* (et le subj.), considérer cette personne avec plus de faveur qu'une autre, se déterminer en faveur de cette chose plutôt que d'une autre : *Elle préférait son fils aîné à ses autres enfants* (syn. AVOIR UNE PRÉFÉRENCE POUR). *Je préfère aller cette année en Espagne* (syn. AIMER MIEUX). *Si tu préfères, nous irons au cinéma* (= si cela te convient mieux). ◆ **préférable** adj. Qui mérite d'être préféré à cause de ses qualités, de ses avantages : *Ce projet est préférable à ceux que vous m'aviez présentés* (syn. MEILLEUR, MIEUX). ◆ **préférence** n. f. : *Il a une préférence marquée pour les discussions* (syn. PRÉDILECTION). *Donner la préférence à celui qui propose le prix le plus bas* (= se décider pour). *Par ordre de préférence* (= en classant chaque chose selon ses préférences). — LOC. ADV. et LOC. PRÉP. *De préférence (à)*, introduit une comparaison : *Choisissez ce tissu de préférence aux autres* (syn. PLUTÔT QUE). ◆ **préférentiel, elle** adj. : *Bénéficier d'un traitement préférentiel* (= de faveur). *Le vote préférentiel permet de placer en tête de liste le candidat de son choix.*

PRÉFET [prefɛ] n. m. (lat. *praefectus*, préposé). **1.** Fonctionnaire représentant l'État dans le département. — **2.** *Préfet des études*, dans les établissements d'enseignement confessionnel, prêtre, chargé de la discipline. ◆ **préfectoral, e, aux** adj. : *Un arrêté préfectoral* (= qui émane du préfet). ◆ **préfecture** n. f. **1.** Circonscription administrative d'un préfet, qui correspond à un département. — **2.** Services et administration du préfet. — **3.** Édifice où se trouvent ces services : *La préfecture est installée près de l'hôtel de ville.* — **4.** *Préfecture de police*, administration chargée de la police à Paris ainsi que dans les dép. des Hauts-de-Seine, de la Seine-Saint-Denis et du Val-de-Marne; ses bureaux à Paris. ◆ **sous-préfet** n. m. Fonctionnaire représentant l'État dans l'arrondissement. ◆ **sous-préfecture** n. f. Circonscription administrative d'un sous-préfet, correspondant à un arrondissement.
— ENCYCL. La fonction de *préfet* a été créée en 1800 par Bonaparte, sous le Consulat. Autrefois, le préfet était à la fois le représentant de l'État dans le département et l'organe exécutif de ce dernier. Depuis la loi du 2 mars 1982 sur la décentralisation, le préfet (commissaire de la République de 1982 à 1988) est toujours le représentant de l'État dans le département, mais c'est le président du conseil général* qui est l'organe exécutif du département (président du conseil régional pour la Région).

Nommé par décret du président de la République en conseil des ministres, le préfet est le chef et l'animateur de tous les services de l'État déconcentrés et exerce un contrôle de *tutelle* sur les collectivités décentralisées à l'intérieur du département. Il est investi des pouvoirs de police administrative et judiciaire. Ses décisions sont des *arrêtés préfectoraux.*

PRÉFIGURER [prefigyre] v. t. (*pré-*, et *figurer*). Présenter par avance le type, l'image, les caractéristiques de quelque chose qui va venir : *En Russie, les révoltes de 1905 préfiguraient la révolution de 1917* (syn. ANNONCER). ◆ **préfiguration** n. f. : *Cette secousse a été la préfiguration du tremblement de terre.*

PRÉFIXE [prefiks] n. m. (lat. *praefixus*, fixé devant). Élément qui se place devant le radical d'un mot pour en modifier le sens. (→ aussi SUFFIXE.) ◆ **préfixé, e** adj. *Les mots préfixés sont ceux auxquels on a ajouté un préfixe.* ◆ **préfixation** n. f. Moyen morphologique consistant à ajouter un préfixe à un mot pour en modifier le sens et créer ainsi un mot différent ou nouveau.

L'adjonction d'un préfixe à un terme simple ne modifie pas la catégorie grammaticale de ce dernier. Les préfixes peuvent être des particules qui n'existent pas indépendamment des mots préfixés :

• Préfixes des verbes portant sur l'action.

dé- (**dés-**)	privatif	*dépoétiser*, enlever le caractère poétique *déshabituer*, enlever l'habitude
en- **entre-**	factitif réciproque	*engraisser*, faire devenir gras *s'entr'égorger, s'entretuer*
re-, **ré-,** **r-**	réitératif, répétition	*refaire*, faire de nouveau, une seconde fois *réimprimer*, imprimer de nouveau *rajuster*, ajuster de nouveau

• Préfixes privatifs.

in- (il-, im-, ir-)	*inaltérable; illisible; immangeable; irréel*
a-, an-	*apolitique; anonyme*

Les préfixes peuvent être des unités autonomes, jouant ailleurs le rôle de préposition ou d'adverbe (contre, entre, sur, sous), ou des formes savantes empruntées au grec ou au latin (on parle alors d'*éléments*) [super-, multi-].

• Préfixes intensifs.

archi-	*archifou; archisot; archiprêtre*
extra-	*extra-fin; extra-souple*
hyper-	*hypersensible; hypertension*
super-	*supermarché; supercarburant*
sur-	*surabondant; suralimentation*
ultra-	*ultracolonialiste; ultra-court*

• Préfixes indiquant un rapport de position (espace ou temps).

après- **post-**	postérité	*après-demain; après-guerre* *postface; postscolaire*
avant- **pré-**	antériorité	*avant-hier; avant-guerre* *préétabli; préhistoire*
anté-	antériorité (géologie)	*antécambrien*
co-, con-	simultanéité, réunion	*coauteur; concitoyen*
entre-	position	*entre-deux; entre-deux-guerres*
inter-	au milieu	*interocéanique*
extra-	hors de	*extra-territorialité*
intra-	au-dedans de	*intramusculaire*
ex-	qui a cessé d'être	*ex-député; ex-sénateur*
trans-	à travers	*transsibérien; transocéanique*

• Préfixes indiquant l'hostilité, l'opposition ou la sympathie.

anti-	hostilité, opposition protection	*antidémocratique* *antituberculeux*
contre-	réaction	*contre-attaque*
pro-	partisan	*procommuniste*

PRÉHENSION [preɑ̃sjɔ̃] n. f. (du lat. *prehendere,* saisir). Acte de prendre matériellement quelque chose : *La trompe est, chez l'éléphant, un organe de préhension.* ◆ **préhensible** adj. Se dit d'un organe capable de saisir : *Certains singes ont une queue préhensible.*

PRÉHISTOIRE [preistwar] n. f. *(pré-,* et *histoire).* **1.** Période de l'histoire de l'humanité antérieure à l'apparition des documents écrits; science qui étudie cette période. → ENCYCL. — **2.** *Fam.* Ce qui appartient au passé : *Tout ce que tu racontes là, c'est de la préhistoire.* ◆ **préhistorien, enne** n. Spécialiste de la préhistoire. ◆ **préhistorique** adj. : *L'homme préhistorique.*

— ENCYCL. La chronologie de la *préhistoire* se répartit en trois périodes.

Le *paléolithique* (inférieur, moyen, supérieur) occupe l'essentiel du Quaternaire jusqu'à environ 8000 av. notre ère. Au paléolithique supérieur, les cultures se diversifient, avec des progrès décisifs dans l'outillage (silex éclaté et taillé), le travail de l'os et de l'ivoire, et l'apparition de l'art (Lascaux).

Le *mésolithique* (de 8000 à 3000) voit le passage de l'état de chasseur aux premières formes d'économie agraire au Moyen-Orient, et même l'apparition de la métallurgie.

Pendant le *néolithique* (de 3000 à 1500), l'usage de la pierre polie, de la poterie, du tissage et de l'agriculture se généralise en Europe, dans le bassin de l'Indus, en Chine du Nord et au Mexique. La métallurgie (or, cuivre, puis bronze) se développe dans certaines zones privilégiées du Moyen-Orient.

Le passage à la protohistoire en Europe se fait insensiblement, région après région, avec l'extension de l'utilisation du bronze vers 1500, et du fer vers 1000 av. J.-C.

PRÉHOMINIENS [preɔminjɛ̃] n. m. pl. *(pré-,* et *hominien).* Groupe de primates du début de l'ère quaternaire, intermédiaires entre les hommes et les singes anthropoïdes (pithécanthrope, sinanthrope, africanthrope).

PRÉJUDICE [preʒydis] n. m. (lat. *praejudicium,* opinion préconçue). Atteinte portée aux droits, aux intérêts de quelqu'un : *Subir un préjudice* (syn. DOMMAGE, TORT). ‖ *Préjudice moral,* préjudice qui atteint une personne dans sa réputation, son honorabilité. — LOC. PRÉP. *Au préjudice de,* contre les intérêts de. ‖ *Sans préjudice de,* sans porter atteinte à, sous réserve de. ◆ **préjudiciable** adj. Se dit de ce qui porte préjudice : *Une erreur très préjudiciable à vos intérêts.*

PRÉJUGER [preʒyʒe] v. t. ind. *(pré-,* et *juger). Préjuger de qqch.,* s'en faire une opinion avant d'avoir tous les éléments nécessaires : *Je ne peux pas préjuger de sa réaction, alors que je ne lui ai jamais adressé la parole.* ◆ **préjugé** n. m. **1.** Opinion préconçue, jugement favorable ou défavorable porté d'avance (souvent péjor.). — **2.** *Avoir un préjugé contre qqch., contre qq'un,* avoir une certaine hostilité contre eux (syn. PRÉVENTION).

PRÉLASSER (SE) [səprelase] v. pr. (de *prélat,* et *lasser)* [sujet nom d'être animé]. Se reposer nonchalamment, avec un air satisfait.

PRÉLAT [prela] n. m. (lat. *praelatus,* porté en avant). Dans l'Église catholique, dignitaire ecclésiastique. ◆ **prélature** n. f. Dignité de prélat.

PRÉLAVAGE n. m. → LAVER.

PRÈLE ou **PRÊLE** [prɛl] n. f. (du lat. *asper,* rude). Plante vivace par son rhizome souterrain, croissant dans les endroits humides en donnant des tiges creuses et articulées, dont certaines sont terminées par un épi d'écailles portant les sporanges. (Les spores sont apparemment semblables, mais fournissent des prothalles de deux sortes : mâles et femelles.)

PRÉLEVER [prelve] v. t. *(pré-,* et *lever). Prélever qqch.,* prendre une certaine portion d'une chose sur un total : *Il faut que le notaire prélève le montant de ses frais sur la succession* (syn. RETIRER). *Prélever du sang à un malade.* ◆ **prélèvement** n. m.

PRÉLIMINAIRE [preliminɛr] adj. (de *pré-,* et lat. *limen, liminis,* seuil). Se dit de ce qui précède et prépare quelque chose : *Avant l'ouverture de la séance, les délégués avaient eu des entretiens préliminaires.* ◆ n. m. pl. Ensemble des actes, des entretiens préparatoires à quelque chose : *Les préliminaires de la paix de Campoformio furent signés en 1797 à Leoben.*

1. PRÉLUDE [prelyd] n. m. (du lat. *praeludere,* se préparer à jouer). Pièce de musique, généralement courte et de forme libre : *Les préludes de Chopin.*

2. PRÉLUDE [prelyd] n. m. (même étym.). **1.** Suite de notes qu'on chante, qu'on joue pour essayer sa voix ou l'instrument avant un concert. — **2.** Chose qui en précède une autre, qui l'annonce, en constitue le début : *Cet incident n'était qu'un prélude à la suite de malheurs qui allaient s'abattre sur lui.* ◆ **préluder** v. t. et t. ind. *Préluder à qqch.* l'annoncer, en marquer le début.

PRÉMATURÉ, E [prematyre] adj. (du lat. *prae,* avant, et *maturus,* mûr). **1.** Se dit d'une chose qu'il n'est pas temps d'entreprendre encore, qui doit être différée : *Il serait prématuré d'annoncer la nouvelle maintenant* (= il est trop tôt). — **2.** Se dit d'une chose qui survient avant le temps ordinaire ou normal : *Une naissance prématurée.* ◆ n. m. Nouveau-né dont le poids de naissance est égal ou inférieur à 2,5 kg, ou qui naît avant les neuf mois de vie intra-utérine.

PRÉMÉDITER [premedite] v. t. *(pré-,* et *méditer). Préméditer qqch.,* y réfléchir longuement avant de l'accomplir, en mûrir le projet (souvent péjor.) : *Préméditer un complot.* ◆ **prémédité, e** adj. : *Un crime prémédité* (syn. MÛRI, PRÉPARÉ). ◆ **préméditation** n. f. (surtout dans la langue du dr.) : *Crime commis avec préméditation* (= avec l'intention de le commettre avant le moment où il est perpétré).

PRÉMERY, ch.-l. de cant. de la Nièvre, à 29 km au N.-E. de Nevers; 2800 hab. Abbatiale du XIIIe s. Château des évêques de Nevers (XIVe-XVIIe s.).

PRÉMICES [premis] n. f. pl. (du lat. *primus,* premier). **1.** Les premiers produits de la terre (littér.) : *Les prémices de la récolte.* — **2.** Ensemble de choses qui font pressentir un résultat important : *Les prémices d'un talent. Les prémices d'une révolution.*

1. PREMIER, ÈRE [prəmje, -ɛr] adj. (lat. *primarius)* [avant le nom]. **1.** Se dit d'une personne ou d'une chose qui est la plus ancienne dans l'ordre chronologique, qui précède les autres dans l'ordre, le temps : *Enfant d'un premier mariage* (par oppos. à *second). Le premier Empire* (= période de l'histoire de France qui va de 1804 à 1815, par oppos. au *second Empire). La première édition d'un livre.* ‖ *Le premier venu,* n'importe qui (généralement péjor.). — **2.** Se dit d'une personne ou d'une chose placée avant les autres dans un lieu : *Occuper un fauteuil au premier rang. Habiter au premier étage. Prenez la première rue sur votre droite;* et substantiv. : *Passez donc le premier. Tomber en avant la tête la première.* — **3.** Se dit d'une personne ou d'une chose qui passe avant toutes les autres dans un ordre d'importance, de valeur : *Acheter des livres du premier choix. Voyager en première classe. Avoir le premier prix de chimie. Elle est première danseuse à l'Opéra. Le Premier ministre* (= le chef du gouvernement). ◆ **premier** n. m. **1.** Premier étage d'un immeuble : *Habiter au premier.* — **2.** *Jeune premier,* acteur qui joue les rôles d'amoureux. ◆ **première** n. f. **1.** Première représentation d'une pièce de théâtre nouvelle, d'un tour de chant; première projection d'un film. — **2.** *Fam.* Se dit d'un événement artistique, technique, etc., qui paraît important, ou d'une performance nouvelle dont on signale la première manifestation : *La liaison télévision par « Telstar » a été en 1964 une véritable grande première.* — **3.** Place de la catégorie la plus chère (en avion, en chemin de fer, en bateau) : *Voyager en première* (abrév. usuelle de PREMIÈRE CLASSE). — **4.** Classe de l'enseignement secondaire, précédant la classe terminale. — **5.** Employée principale dans la mode ou dans la couture. ◆ **avant-première** n. f. Présentation d'un film, d'une pièce, réservée aux journalistes, avant la première représentation du spectacle. ◆ **premièrement** adv. En premier lieu, d'abord (dans une énumération). ◆ **premier-né** adj. et n. m. Se dit du premier enfant mâle d'une famille. ‖ Pl. des *premiers-nés.* (→ PRIMAUTÉ.)

2. PREMIER, ÈRE [prəmje, -ɛr] adj. (même étym.) [avant ou plus souvent après le nom]. **1.** Se dit d'une chose qui vient avant les autres et qui leur sert de fondement (langue philos.) : *La métaphysique s'occupe de déterminer les principes premiers de la connaissance* (syn. FONDAMENTAL). — **2.** Se dit pour insister sur l'état d'une chose tel qu'il était auparavant (langue soignée) : *On n'a jamais réussi à remettre « la Cène » de Léonard de Vinci dans son état premier* (syn. ORIGINAL, PRIMITIF). — **3.** *Matières premières,* productions naturelles qui n'ont pas encore été travaillées par l'homme, comme les minerais. — **4.** Math. *Nombre premier,* nombre entier qui n'admet pour seuls diviseurs que 1 et lui-même : *2, 5, 23 sont premiers; 8, 49 ne le sont pas.* ‖ *Nombres premiers entre eux,* nombres dont le seul diviseur commun est 1 : *8 et 49 sont premiers entre eux.*

PRÉMOLAIRE [premɔlɛr] n. f. *(pré-,* et *molaire).* Dent située entre la canine et les molaires. (Chez l'homme, il existe deux prémolaires par demi-maxillaire.)

PRÉMONITION [premɔnisjɔ̃] n. f. (de *pré-,* et lat. *monere,* avertir). Sentiment qu'un événement, généralement malheureux, va se produire. ◆ **prémonitoire** adj. : *Un songe prémonitoire* (= que l'on interprète comme un avertissement à un événement qui va se produire).

Prémontrés *(ordre des),* ordre de chanoines réguliers créé par saint Norbert en 1120, soumis à la règle de saint Augustin.

PRÉMUNIR [premynir] v. t. *(pré-,* et *munir). Prémunir qq'un,* le protéger contre un danger, notamment par des avertissements prodigués à l'avance (langue soignée). ◆ ***se prémunir*** v. pr. Prendre des précautions : *Il faut se prémunir contre le froid.*

PRENABLE adj., **PRENANT, E** adj. → PRENDRE 1.

PRÉNATAL, E, ALS adj. → NATAL.

1. PRENDRE [prɑ̃dr] v. t. (lat. *prehendere,* saisir). [Conj. **54.**] **I. Sujet nom d'être animé. 1.** *Prendre un objet, un être animé,* le saisir avec les mains ou avec un instrument, l'emporter avec soi : *Prendre son stylo pour écrire. Prendre des vêtements chauds pour le voyage* (syn. EMPORTER). *Prendre un enfant dans ses bras.* — **2.** *Prendre qqch.,* se procurer cette chose, se fournir de, en : *Prendre du pain chez le boulanger* (syn. ACHETER). *Prendre de l'essence.* — **3.** *Prendre qqch.* (nom désignant un lieu), s'en rendre maître, l'occuper : *Les Parisiens prirent la Bastille le 14 juillet 1789* (syn. S'EMPARER DE). *L'élève prit sa place au troisième rang dans la classe.* — **4.** *Prendre un aliment, une boisson,* l'absorber, l'avaler : *J'ai pris mon petit déjeuner à sept heures. Prendre ses repas au restaurant. Vous prendrez bien un apéritif? Prendre des comprimés contre la migraine.* — **5.** *Prendre qqch. à qq'un,* le lui ôter, le retenir pour soi : *Qui m'a pris mon couteau?* (syn. fam. CHIPER; contr. DONNER). *Les cambrioleurs lui ont pris tous ses bijoux* (syn. VOLER). — **6.** *Prendre qq'un,* l'engager à son service, en faire son collaborateur : *Prendre un associé* (syn. S'ADJOINDRE); aller le chercher pour l'emmener : *Je passerai te prendre à ton bureau.* — **7.** S'emparer d'une personne : *Prendre un malfaiteur* (= l'arrêter). *Prendre des ennemis,* les faire prisonniers. — **8.** Attraper à la chasse, à la pêche : *Prendre du gibier.* — **9.** *Prendre qq'un, qqch. sous sa protection,* s'en faire le protecteur. ‖ *Prendre qqch. sur soi, sous sa responsabilité,* en assumer la responsabilité ‖ *Prendre femme,* se marier. — **10.** Retenir pour soi, demander comme rémunération : *Le mécanicien m'a pris trente francs pour ces réparations,* et avec ellipse du deuxième compl. : *Un mécanicien qui prenait vingt francs de l'heure.* — **11.** Fam. *Je vous y prends,* je constate que vous êtes dans votre tort. ‖ *Se laisser prendre,* se laisser tromper. **II. Sujet nom de chose. 1.** (sujet nom désignant une occupation) *Prendre qq'un,* absorber son activité, son temps : *Son travail le prend beaucoup.* — **2.** *Prendre l'eau,* ne pas être étanche, se laisser imbiber : *Des chaussures qui prennent l'eau.* ◆ ***être pris*** v. passif. **1.** (sujet nom de personne) Être occupé par des tâches nombreuses : *Si vous n'êtes pas prise ce soir, je vous invite à dîner* (= si vous n'avez pas déjà un rendez-vous). — **2.** (sujet nom de chose) Être occupé : *La place est prise.* ◆ **pris, e** adj. **1.** (sujet nom désignant un organe) Atteint d'une affection : *Avoir le nez pris, la gorge prise* (= enrhumé, gagné par les microbes [grippe, etc.]). — **2.** *Taille bien prise,* qui a de justes proportions, avec une idée de minceur : *La taille bien prise dans son tailleur.* ◆ **prenable** adj. Qu'on peut prendre (s'emploie surtout dans des phrases négatives ou restrictives) : *Une citadelle difficilement prenable.* ◆ **imprenable** adj. **1.** Qui ne peut être pris ou qui est très difficile à prendre, en parlant de villes, de places fortes ou de positions. — **2.** *Vue imprenable,* vue qui ne peut pas être masquée par des constructions nouvelles. ◆ **prenant, e** adj. **1.** Se dit d'une chose très captivante qui intéresse profondément : *Un récit très prenant. Une voix chaude et prenante* (syn. CHARMEUR). — **2.** Dr. *Partie prenante,* personne qui reçoit de l'argent, une fourniture. ◆ **preneur, euse** n. **1.** Personne qui accepte d'acheter quelque chose à un certain prix, ou de prendre quelque chose qu'on lui offre : *Il a rapidement trouvé preneur pour son appartement. Il y a preneur* (= on peut trouver des gens intéressés par la proposition). — **2.** *Preneur de son,* technicien qui est chargé de la prise de son. ◆ **prise** n. f. **1.** Manière de prendre un adversaire au judo, au catch : *Il lui a fait une prise à la nuque.* — **2.** *Prise d'une ville, d'une place forte,* action de s'en emparer après un siège : *La prise de la Bastille.* — **3.** Personne qui a été faite prisonnière, chose dont on s'est emparé : *Ce lièvre est une belle prise.* ‖ Dr. *Prise de corps,* action de s'emparer de la personne de quelqu'un : *Décréter la prise de corps.* — **4.** Aspérité, creux où un alpiniste, un grimpeur peut se tenir pour avoir un point d'appui. — **5.** *Prise de sang,* opération par laquelle on prélève du sang à quelqu'un. ‖ *Prise de son, prise de vues,* enregistrement du son, de l'image, sur un film. — **6.** *Avoir prise sur qqch., sur qq'un,* avoir un moyen d'agir sur eux. — **7.** *Être aux prises avec qq'un, avec qqch.,* être en lutte avec eux : *Il est aux prises avec son propriétaire.* — **8.** *Donner prise à,* exposer à, autoriser : *Son comportement donne prise aux pires suppositions.* — **9.** *Lâcher prise,* ne plus pouvoir tenir un objet.

2. PRENDRE [prɑ̃dr] v. t. (même étym.). [Conj. **54.**] **1.** (sujet nom de personne) *Prendre un moyen de transport,* l'utiliser, l'emprunter : *Prendre un taxi, le métro, l'autobus, le train, le bateau, l'avion.* — **2.** (sujet nom d'être animé) *Prendre une route, une direction,* etc., s'y engager : *Prendre un raccourci pour éviter les encombrements.*

3. PRENDRE [prɑ̃dr] v. t. (même étym.). [Conj. **54.**] **1.** (sujet nom désignant un sentiment, un état, une sensation) *Prendre qq'un,* lui faire éprouver soudain ce sentiment (colère, désespoir, etc.) : *La colère l'a pris soudain* (syn. S'EMPARER DE, SAISIR). *La fièvre l'a pris hier soir* (= il est soudain devenu fiévreux). ‖ Fam. *Qu'est-ce qui te prend?,* pourquoi te conduis-tu ainsi? — **2.** (sujet nom désignant un événement) *Prendre qq'un,* survenir dans sa vie : *L'orage nous a pris sur la route* (syn. SURPRENDRE). ◆ ***être pris*** v. passif. Être subitement affecté par : *Être pris de fièvre, de remords.*

4. PRENDRE [prɑ̃dr] v. t. (même étym.). [Conj. **54.**] **1.** (sujet nom de personne) Marque un certain comportement dans une circonstance donnée : *Prendre une menace au sérieux. Prendre la vie du bon côté. Il a très mal pris cette critique* (= il en a été vexé, a été blessé dans son amour-propre). — **2.** (sujet nom de personne) Éprouver : *Prendre qq'un, qqch. en sympathie, en horreur, en grippe,* etc., se mettre à éprouver pour cette personne ou cette chose de la sympathie, de l'aversion, etc. ‖ *Prendre du plaisir, de l'intérêt,* etc., *à qqch.,* y éprouver du plaisir, de l'intérêt, etc. — **3.** (sujet nom de personne) Marque un certain comportement vis-à-vis d'autrui : *Prendre qq'un par la douceur, par son point faible,* le traiter avec douceur, flatter ses goûts, pour obtenir quelque chose de lui. ‖ *Prendre qq'un au mot,* accepter d'emblée sa proposition. — **4.** S'emploie dans un très grand nombre de loc. pour indiquer une action volontaire et correspond souvent à un verbe simple. *a)* [avec un art.] *Prendre un bain, une douche,* se baigner, se doucher. ‖ *Prendre un renseignement, des nouvelles,* s'informer. ‖ *Prendre un engagement,* s'engager (syn. CONTRACTER). ‖ *Prendre la mesure de qqch.,* le mesurer : *J'ai pris les mesures (les dimensions) de la vitre à remplacer.* ‖ *Prendre la relève de qq'un,* lui succéder dans une tâche. ‖ *Prendre une photographie, un calque,* etc., photographier, décalquer : *Les policiers ont pris les empreintes digitales* (syn. RELEVER). ‖ *Prendre la défense de qq'un,* le défendre. ‖ *Prendre la fuite,* s'enfuir. ‖ *Prendre un rendez-vous,* convenir du lieu et du moment où l'on se rencontrera. ‖ *Prendre le large,* s'éloigner. ‖ *Prendre l'air,* se détendre à l'extérieur. ‖ *Prendre le frais,* jouir de la fraîcheur du temps. ‖ *Prendre le temps de faire qqch.,* laisser ses autres occupations pour le faire, etc. *b)* [avec un possessif] *Prendre ses aises,* ne pas se gêner. ‖ *Prendre son temps,* ne pas se presser. — **5.** Se mettre à avoir, à être (indique une action involontaire) : *Prendre du poids. Prendre de l'âge* (= vieillir). *Une propriété qui prend de la valeur* (= qui se valorise). *À l'automne, les feuilles prennent une couleur dorée. Prendre le deuil* (= se mettre en deuil). *Navire qui prend la mer* (= qui quitte le port). — **6.** Commencer à : *Prendre courage, espoir, patience, peur,* etc. (= commencer à éprouver ces sentiments). *Prendre feu* (= s'enflammer). *Prendre froid* (= éprouver un refroidissement qui cause une maladie). *Prendre conscience* (= devenir conscient). *Prendre contact avec qq'un* (= entrer en relation avec lui). — **7.** *Fam.* Subir, recevoir : *Il a pris quelques coups de poing dans la bagarre.* ◆ **prise** n. f. **1.** (avec un compl. du nom indiquant une chose abstraite, et correspondant le plus souvent à une loc. avec le verbe *prendre*) *Prise de conscience,* fait de devenir conscient de quelque chose. ‖ *Prise de contact,* premier rendez-vous avec quelqu'un, première rencontre avec quelque chose. ‖ *Prise de position,* opinion particulière sur quelque chose : *Une prise de position définitive.* — **2.** *Prise d'armes,* cérémonie militaire à laquelle participe la troupe en armes. — **3.** Fam. *Prise de bec,* dispute verbale très dure entre deux personnes. — **4.** (avec un compl. précédé d'une prép. autre que *de* et correspondant le plus souvent à une loc. avec le verbe *prendre*) : *Prise à partie. Prise en considération.* ‖ *Prise en charge par un taxi,* paiement forfaitaire qui s'ajoute au prix de la course. ‖ *Prise en charge par la Sécurité sociale,* acceptation par cet organisme de rembourser les frais de maladie de l'assuré. ‖ *Prise en chasse,* vive poursuite.

5. PRENDRE [prɑ̃dr] v. t. ind. (même étym.) **[pour].** (Conj. **54.**) **1.** *Prendre qq'un, qqch. pour* (et un nom attribut de l'objet), le considérer comme, le croire... : *Je le prends pour un des plus grands écrivains actuels. On le prend souvent pour son frère* (= on le confond avec son frère). *Il prend les mots les uns pour les autres* (= il confond les mots). ‖ *Prendre qqch. pour prétexte, pour cible,* etc., l'utiliser comme prétexte, comme cible, etc. ‖ *Prendre qq'un à témoin,* lui demander l'appui de son témoignage. — **2.** *Se prendre pour* (et un nom, parfois un adj.), se croire : *Il se prend pour plus malheureux qu'il n'est.*

6. PRENDRE [prɑ̃dr] v. i. (même étym.). [Conj. **54.**] (Sujet nom de chose.) **1.** *Liquide, pâte qui prend,* qui s'épaissit, se fige : *La crème a pris. Du ciment qui prend en une journée* (syn. DURCIR). — **2.** *Bouture, greffe, semis, vaccin, etc., qui prend,* qui réussit. — **3.** *Plaisanterie, mensonge,* etc., *qui prend,* qui atteint son but, qui trompe, etc. : *Il a voulu me raconter des histoires pour expliquer son retard, mais ça n'a pas pris* (= je n'y ai pas cru) [syn. fam. MARCHER]. ‖ *Livre, spectacle qui prend,* qui a du succès. — **4.** *Le feu prend,* il commence à brûler. ◆ **pris, e** adj. : *Crème bien prise* (syn. DURCI).

7. PRENDRE (SE) [səprɑ̃dr] v. pr. (même étym.). [Conj. **54.**] **1.** S'accrocher : *Sa robe s'est prise dans les ronces.* — **2.** *Se prendre d'amitié pour qq'un,* éprouver soudain de l'amitié pour lui. — **3.** *Se prendre à* (et un infin.), commencer soudain à : *Elle s'est prise à espérer.* — **4.** *S'y prendre,* commencer à agir : *Il est trop tard pour greffer cet arbre, il aurait fallu s'y prendre plus tôt* (= le faire). ‖ *S'y prendre bien, mal,* etc., agir avec adresse, avec maladresse, etc. — **5.** *S'en prendre à qq'un, à qqch.,* l'attaquer, le critiquer, le rendre responsable.

PRENEUR, EUSE n. → PRENDRE 1.

PRÉNOM [prenɔ̃] n. m. (lat. *praenomen*). Nom précédant le nom de famille, et qui sert à distinguer les personnes d'un même groupe familial entre elles. ◆ **prénommer** v. t. : *Ils ont prénommé leur fils Laurent.* ◆ ***se prénommer*** v. pr. : *Comment se prénomme-t-il?* (= quel est son prénom?). [→ NOM, SURNOM.]

PRÉNUPTIAL, E, AUX adj. → NUPTIAL.

PRÉOCCUPER [preɔkype] v. t. (lat. *praeoccupare*, prendre d'avance) [sujet nom de chose et moins souvent nom de personne]. *Préoccuper qq'un*, lui causer du souci : *L'avenir de cet enfant me préoccupe* (syn. ↑INQUIÉTER). *Être préoccupé* (syn. ÊTRE SOUCIEUX). ◆ **préoccupant, e** adj. : *La situation devient préoccupante.* ◆ **préoccupation** n. f. (souvent au plur.) : *Partager les préoccupations d'un ami* (syn. ENNUI, SOUCI).

PRÉPARER [prepare] v. t. (lat. *praeparare*). **1.** (sujet nom de personne) *Préparer qqch.*, travailler d'avance à mettre en état quelque chose qui sera utilisable dans un temps plus ou moins lointain : *Préparer les chambres avant l'arrivée des invités* (= nettoyer, arranger). *Préparer le déjeuner. Préparer le terrain pour une affaire.* — **2.** (sujet nom de personne) *Préparer qqch.*, le créer, le constituer, l'organiser : *Préparer son trousseau* (syn. MONTER). *Préparer une surprise* (syn. RÉSERVER). *Préparer un voyage* (= rassembler des renseignements ou accomplir les formalités nécessaires). *Préparer un spectacle* (syn. MONTER, RÉPÉTER). *Préparer ses cours* (contr. IMPROVISER). *Préparer un complot* (syn. OURDIR). *Préparer une révolution* (syn. ORGANISER). *Préparer un examen* (= travailler en vue de). — **3.** (sujet nom de chose) *Préparer qqch.*, le réserver pour l'avenir, l'annoncer : *Ces querelles leur préparent un avenir difficile* (syn. PRÉSAGER). — **4.** *Préparer qq'un à une idée*, l'y amener doucement : *Préparer qq'un à une mauvaise nouvelle.* ◆ ***se préparer*** v. pr. **1.** (sujet nom de personne) *Se préparer à* (et un nom ou un infin.), se mettre en état de, se disposer à : *Prépare-toi à une mauvaise nouvelle. Préparez-vous à sortir* (syn. S'APPRÊTER). — **2.** (sujet nom de chose) Être proche : *Une bataille se prépare.* ◆ **préparateur, trice** n. *Préparateur en pharmacie*, celui qui, sans être pharmacien lui-même, aide le pharmacien dans ses tâches. ◆ **préparatifs** n. m. pl. Arrangements pris en vue d'une opération, d'un événement : *Les préparatifs de départ.* ◆ **préparation** n. f. **1.** Action de préparer : *La préparation du déjeuner. La préparation d'un voyage. La préparation des cours. La préparation des esprits.* ‖ *Classe de préparation aux grandes écoles*, dans les lycées ou certains établissements libres du second degré, classes destinées à préparer des candidats aux concours d'entrée des grandes écoles. (On dit aussi CLASSES PRÉPARATOIRES.) — **2.** Devoir fait sur un cahier, à la maison, par un élève : *Faire sa préparation latine.* — **3.** *Préparation militaire (P. M.)*, instruction militaire élémentaire donnée aux futurs appelés volontaires avant leur service militaire. (On distingue la *préparation militaire* [ancienn. *élémentaire (P. M. E.)* puis *technique (P. M. T.)*], sanctionnée par un brevet de préparation militaire et qui donne droit à certains avantages en matière de report d'incorporation, d'affectation ou d'avancement, la *préparation militaire parachutiste*, et la *préparation militaire supérieure [P. M. S.]* destinée à sélectionner et à former les futurs cadres de réserve des armées.) ◆ **préparatoire** adj. Se dit de ce qui prépare : *Les classes préparatoires aux grandes écoles.* ‖ *Classes préparatoires à l'apprentissage (C. P. A.)*, classes permettant aux élèves, sortant de cinquième et âgés de quatorze ou quinze ans, d'achever leur scolarité obligatoire en suivant des stages en entreprise et des cours dans un lycée professionnel, dans un collège ou dans un centre de formation des apprentis. ◆ **impréparation** n. f. Manque de préparation.

PRÉPONDÉRANT, E [prepɔ̃derɑ̃, -ɑ̃t] adj. (du lat. *praeponderare*, avoir le dessus). Se dit d'une personne (et surtout de son rôle, de sa place) qui a une autorité supérieure, un poids moral plus grand, dans une affaire, une action particulière : *Un savant dont les travaux ont joué un rôle prépondérant* (syn. CAPITAL, PRIMORDIAL). ‖ *Voix prépondérante*, voix qui l'emporte dans un vote en cas de partage égal des voix. ◆ **prépondérance** n. f. : *La prépondérance d'une nation.*

PRÉPOSER [prepoze] v. t. *(pré-*, et *poser). Préposer qq'un à une tâche*, lui assigner cette tâche, le placer à la garde, à la surveillance de quelque chose : *Il faudra préposer quelqu'un à la garde de l'immeuble.* ◆ **préposé, e** n. **1.** Personne affectée à une fonction particulière, généralement subalterne : *La préposée au vestiaire.* — **2.** Facteur dans la terminologie officielle des postes.

PRÉPOSITION [prepozisjɔ̃] n. f. *(pré-*, et *position).* Mot invariable indiquant une relation grammaticale entre deux éléments d'une phrase. (→ CLASSE 4 et À, DANS, DÈS, etc.) ◆ **prépositif, ive** adj. : *« À côté de », « en vue de », « près de » sont des locutions prépositives.*

PRÉPROFESSIONNEL, ELLE [preprɔfesjɔnɛl] adj. *(pré-*, et *professionnel). Classes préprofessionnelles de niveau*, classes d'orientation permettant aux élèves, sortant de cinquième et âgés de quatorze ans, d'atteindre le niveau d'entrée dans un lycée professionnel afin d'y préparer un C. A. P.

PRÉPUCE [prepys] n. m. (lat. *praeputium*). *Anat.* Repli de peau qui recouvre le gland de la verge.

PRÉRAPHAÉLISME [prerafaelism] n. m. (de *pré-*, et *Raphaël*). Nom donné à la doctrine esthétique qui s'inspira des prédécesseurs de Raphaël. (Apparue en Angleterre en 1849, elle eut pour chef Dante Gabriele Rossetti, et comme adeptes Everett Millais, Holman Hunt, Collinson, Burne-Jones. Elle fut soutenue par John Ruskin.) ◆ **préraphaélite** adj. et n. Qui appartient au préraphaélisme.

PRÉROGATIVE [prerɔgativ] n. f. (de *pré-*, et lat. *rogare*, demander). Honneur, dignité attachés à certaines fonctions, à certains titres : *Les prérogatives du pouvoir* (syn. PRIVILÈGE).

PRÈS [prɛ] adv. (du lat. *pressus*, serré). Indique la proximité, une distance courte (employé surtout avec *tout, très, si, trop*) : *Il vient de loin et j'habite près. Noël est tout près.* ◆ prép. Dans des formules admin. : *Il est ambassadeur près le Saint-Siège* (= auprès de). — LOC. ADV. *À beaucoup près*, il s'en faut de beaucoup. ‖ *À (cela) près*, marque l'exception : *Il manque l'acte de naissance, à cela près le dossier est complet* (= si l'on excepte cela). *À la douceur près, elle a toute les qualités;* indique un écart précis : *À un franc près, le compte y est;* indique que l'écart est sans conséquence : *Nous ne sommes pas à cinq minutes près.* ‖ *À peu près, à peu de chose près*, marquent l'approximation : *Il y a à peu près huit jours que je ne l'ai vu* (syn. ENVIRON). *Il gagne mille francs par mois, à peu de chose près.* ‖ *De près*, d'une manière très proche : *La voiture le suivait de près. Il est rasé de près;* d'une manière vigilante, attentive : *Surveiller de près. Ne connaître qq'un ni de près ni de loin* (= ne pas le connaître du tout). ◆ **à-peu-près** n. m. Ce qui s'approche d'une exactitude, d'une justesse, d'une perfection accessible : *Il se contente toujours d'à-peu-près.* ◆ **près de** loc. prép. **1.** Suivi d'un nom d'être animé ou de chose, indique la proximité (lieu ou temps) : *Il habite tout près d'ici* (= à proximité). *On est près des vacances. Il est près de onze heures.* — **2.** Suivi d'un infin., indique la proximité de l'action, l'imminence de la réalisation : *Il est près de partir* (= sur le point de partir). — **3.** Suivi d'un nom de chose, indique l'approximation, la limite supérieure : *Il a touché près de mille francs* (syn. PRESQUE).

PRÉSAGE [prezaʒ] n. m. (lat. *praesagium*). **1.** Signe par lequel on croit pouvoir connaître l'avenir : *Cet événement est un heureux présage.* — **2.** Supposition tirée de ce signe : *Tirer un présage d'un événement.* ◆ **présager** v. t. *Présager qqch., que* (et l'indic.), le prévoir : *Je ne présage rien de bon de ce que vous m'annoncez là* (syn. PREVOIR; littér. AUGURER). *Rien ne laissait présager qu'il en viendrait à cette fâcheuse extrémité.*

PRÉ-SAINT-GERVAIS (Le), comm. de la Seine-Saint-Denis, dans la banlieue nord-est de Paris; 13 500 hab. Métallurgie de transformation.

PRÉ-SALÉ [presale] n. m. *(pré-*, et *salé).* **1.** Mouton engraissé dans les prés salés, généralement voisins de la mer. — **2.** Viande de ce mouton. ‖ Pl. des *prés-salés.*

PRESBOURG, forme fr. de **Pressburg**, nom all. de BRATISLAVA* (Tchécoslovaquie).

- *26 déc. 1805. Traité signé entre la France et l'Autriche, après la victoire d'Austerlitz (2 décembre).*

François II cède à la France la Vénétie (annexée au royaume d'Italie), une partie de l'Istrie et la Dalmatie; à la Bavière, le Tyrol, le Vorarlberg et le Trentin; au Wurtemberg, les territoires autrichiens de Souabe. En échange de Würzburg, cédé par la Bavière, le duc de Toscane devient roi.

PRESBYTE [prɛsbit] adj. et n. (du gr. *presbutês*, vieillard). Se dit d'une personne atteinte de presbytie. ◆ **presbytie** [prɛsbisi] n. f. Diminution du pouvoir d'accommodation du cristallin de l'œil, qui empêche de voir les objets rapprochés : *La presbytie atteint souvent les personnes âgées.*

PRESBYTÈRE [prɛsbitɛr] n. m. (du gr. *presbuteros*, prêtre). Habitation du curé, du pasteur.

PRESBYTÉRIEN, ENNE [prɛsbiterjɛ̃, -ɛn] n. (de *presbytère*). Protestant issu du système ecclésiastique préconisé par Calvin. (L'Église est gouvernée par un conseil mixte [pasteurs et laïques].) ◆ adj. : *Les Églises presbytériennes.* ◆ **presbytérianisme** n. m.

PRESBYTIE n. f. → PRESBYTE.

PRESCIENCE [prɛsjɑ̃s] n. f. *(pré-*, et *science).* Connaissance de l'avenir.

PRÉSCOLAIRE [preskɔlɛr] adj. *(pré-*, et *scolaire). Enseignement préscolaire*, dispensé dans les écoles maternelles.

1. PRESCRIPTION n. f. → PRESCRIRE.

2. PRESCRIPTION [prɛskripsjɔ̃] n. f. (de *prescrire*). *Dr.* Délai au bout duquel l'action publique ne peut plus être entreprise contre un criminel ou un délinquant, le temps légalement prévu

-yant expiré : *En matière pénale, le délai de prescription est de dix -ns s'il s'agit d'un crime, trois ans s'il s'agit d'un délit, un an s'il -'agit d'une contravention de police.* ◆ **imprescriptible** adj. *Dr.* -)ui n'est pas susceptible de prescription : *En France, selon une loi -le 1964, les crimes de guerre sont imprescriptibles.*

-RESCRIRE [prɛskrir] v. t. (lat. *praescribere*). [Conj. **71.**] -*rescrire qqch. à qq'un*, le lui commander, lui donner un ordre -récis, à exécuter scrupuleusement (spécialem. en méd.) : *Le -médecin a prescrit un repos absolu* (syn. ORDONNER). ◆ **prescrip--ion** n. f. : *Suivre les prescriptions d'un médecin.* ◆ **prescrit, e** -dj. : *Dans les délais prescrits. Ne pas dépasser la dose prescrite.*

-RÉSÉANCE [preseɑ̃s] n. f. (du lat. *prae*, avant, et *sedere*, -'asseoir). Droit d'avoir une place plus honorifique qu'une autre -ersonne, ou de la précéder.

-RÉSÉLECTION n. f. → SÉLECTION.

-. PRÉSENT, E [prezɑ̃, -ɑ̃t] adj. (après le nom) et n. (lat. -raesens). **1.** Se dit d'une personne qui se trouve dans un lieu en -nême temps que la personne qui parle ou dont on parle, ou d'une -hose qui est actuellement dans un lieu (par oppos. à ABSENT) : *Il y -vait quinze présents à la réunion* (contr. ABSENT). *Les objets -résents dans la pièce.* — **2.** *Avoir une chose présente à l'esprit*, -'en souvenir clairement. ◆ **présence** n. f. **1.** Fait de se trouver -résent : *Le ministre a honoré la cérémonie de sa présence. La -résence de quelques milligrammes de cette poudre dans les ali--ments suffirait à empoisonner une famille.* ‖ *Faire acte de -résence*, se montrer quelque part pendant quelques instants. ‖ -'héol. *Présence réelle*, existence réelle du corps et du sang de -ésus-Christ dans l'eucharistie, sous les apparences du pain et du -in. — **2.** *Présence d'esprit*, promptitude à dire ou à faire ce qui -st le plus à propos dans une circonstance donnée. — **3.** *Acteur -ui a de la présence*, qui s'impose au public par sa forte personna--ité et la forme de son talent. — LOC. ADV. *En présence*, face à face : -*es deux armées étaient en présence.* — LOC. PRÉP. *En présence de -q'un, de qqch.*, alors que cette personne, cette chose sont pré--entes.

-. PRÉSENT, E [prezɑ̃, -ɑ̃t] adj. (même étym.). **1.** (après le -om) Se dit de ce qui a lieu, se situe dans le temps où l'on est, où -on parle (par oppos. à PASSÉ, FUTUR) : *Dans les circonstances -résentes* (syn. ACTUEL). *La minute présente* (= vécue en ce -noment). *Le temps présent* (= l'époque actuelle). *L'époque présente* -syn. MODERNE). — **2.** (avant le nom) Se dit d'une chose dont on -arle ou que l'on a sous les yeux dans le moment même (langue -dmin. ou commerciale) : *Dans la présente lettre, je vous rappelle -es termes de notre convention. La présente loi fait état des disposi--ions particulières prises antérieurement.* ◆ **présent** n. m. Partie -u temps située approximativement dans le moment, dans l'instant -ù l'on se place, par oppos. aux périodes qui sont avant (PASSÉ) ou -près (FUTUR) : *Le présent contient en germe l'avenir.* — LOC. ADV. *À -résent*, au moment où l'on parle : *À présent, causons un peu* (syn. -MAINTENANT). ‖ *Jusqu'à présent*, jusqu'au moment où l'on parle : *Il -'a encore rien produit jusqu'à présent* (syn. JUSQU'ICI). ‖ *Dès à -résent*, à partir de ce moment. ◆ **présente** n. f. Lettre qu'on est -n train d'écrire (langue commerciale). ◆ **présentement** adv. -)ans le moment présent : *Monsieur est présentement en voyage* -syn. ACTUELLEMENT). *Nous n'avons présentement plus rien à faire* -syn. MAINTENANT).

-. PRÉSENT [prezɑ̃] n. m. (du lat. *praesens*). *Gramm.* Forme -erbale qui indique que l'action marquée se passe actuellement, -u qu'elle est valable en tout temps. (Le présent peut aussi -narquer un futur proche : *Attends-moi, je viens* [= je vais venir -out de suite]; un passé récent : *Il sort à l'instant* [= il vient de -ortir]. Le présent est encore employé dans certaines propositions -onditionnelles introduites par *si*, indiquant une hypothèse très -raisemblable ou très réalisable : *Si tu viens, tu me feras plaisir en -pportant ton livre.* Dans le français littér., le présent est utilisé -our les récits [*présent historique*], surtout dans un enchaînement -'actions rapides.)

-. PRÉSENT [prezɑ̃] n. m. (de *présenter*). **1.** Cadeau qu'on fait -ans une circonstance particulière (littér.) : *Présent de noces.* — -. *Faire présent de qqch.*, en faire cadeau, l'offrir.

-RÉSENTER [prezɑ̃te] v. t. (du lat. *praesens*, présent). -. *Présenter qqch.* (terme concret), l'exposer aux regards ou à -attention de quelqu'un pour le lui offrir, le lui faire connaître : *Un -ibraire qui présente les nouveaux romans dans sa devanture* (syn. -XPOSER). *Un grand couturier qui présente sa collection d'été.* — -. *Présenter qqch.* (terme abstrait), l'exposer d'une certaine -nanière, l'exprimer : *Le conférencier a brillamment présenté ses -dées. Présenter une objection* (syn. OPPOSER). ‖ *Présenter ses -ompliments, ses condoléances, ses excuses, ses félicitations, ses -ommages*, etc., témoigner ces marques de politesse. ‖ *Présenter -ne thèse, une requête, sa candidature*, etc., les soumettre au -ugement d'un jury, à la décision de quelqu'un. — **3.** *Présenter -ne personne à qq'un*, la lui faire connaître en donnant son iden--ité, en indiquant ses fonctions, qualités, liens de parenté, etc. — -. *Présenter un artiste, un spectacle, une œuvre littéraire*, etc., les faire connaître au public par une causerie ou un texte d'introduction. — **5.** *Présenter un candidat à un examen, à un concours*, l'y faire inscrire. — **6.** *Présenter qq'un, qqch.*, le faire apparaître sous tel ou tel aspect : *Présenter une affaire sous son jour le plus avantageux.* — **7.** (sujet nom d'être animé ou de chose) *Présenter qqch.*, le laisser apparaître, l'avoir en soi, le comporter : *Un malade qui présente des symptômes de névrose. Cette solution présente un intérêt tout particulier* (syn. AVOIR, OFFRIR). — **8.** *Présenter les armes*, exécuter un mouvement réglementaire du maniement d'armes pour rendre les honneurs militaires. ◆ v. i. *Personne qui présente bien, mal*, dont l'aspect plaît, déplaît au premier abord. ◆ ***se présenter*** v. pr. **1.** (sujet nom de personne) Décliner son nom, ses titres, etc. : *Permettez-moi de me présenter.* — **2.** (sujet nom de personne) Paraître devant quelqu'un : *Tu ne peux pas te présenter chez ces gens-là dans cette tenue.* — **3.** (sujet nom de personne) Être candidat : *Se présenter aux élections, à un examen.* — **4.** (sujet nom de chose) Survenir, se produire : *Si une occasion se présente* (ou *s'il se présente une occasion*), *ne la laisse pas échapper;* apparaître sous tel ou tel aspect, prendre telle ou telle tournure : *L'affaire se présente bien.* ◆ **présentable** adj. Se dit de quelqu'un ou de quelque chose qu'on peut décemment présenter, qui n'a pas mauvais aspect : *C'est un spectacle très présentable.* ◆ **présentation** n. f. Action, manière de présenter : *La présentation de la mode chez un grand couturier. Un article vendu dans une présentation agréable* (= qui a bel aspect, qui est bien conditionné). *La présentation de la pièce était faite par l'auteur.* ◆ n. f. pl. Paroles par lesquelles quelqu'un présente une personne à une autre : *Faire les présentations.* ◆ **présentateur, trice** n. Personne qui présente au public un programme, une émission artistique. ◆ **présentoir** n. m. Élément publicitaire mobile permettant de mettre en évidence un objet de consommation, une marchandise.

PRÉSERVER [prezɛrve] v. t. (bas lat. *praeservare*). *Préserver qq'un, qqch.*, les garantir, les mettre à l'abri : *Son manteau la préservait mal de la pluie* (syn. PROTÉGER). *Une loi destinée à préserver les intérêts des enfants mineurs* (syn. SAUVEGARDER). ◆ **préservation** n. f. : *La préservation des récoltes.* ◆ **préservateur, trice** ou **préservatif, ive** adj. : *Des moyens préservatifs ont été employés.* ◆ **préservatif** n. m. Gaine protectrice employée comme moyen anticonceptionnel masculin.

1. PRÉSIDER [prezide] v. t. et i. (lat. *praesidere*, être assis en avant) [sujet nom de personne]. Diriger les débats, occuper la première place dans une assemblée : *Présider une séance.* ◆ **président** n. m. **1.** Celui qui dirige les délibérations d'une assemblée, d'un tribunal : *Président de séance. Président d'audience.* — **2.** Celui qui dirige certains organismes : *Président du Conseil* (= chef du gouvernement, en France, sous la IIIe et la IVe République; on dit auj. PREMIER MINISTRE). ‖ *Président de la République*, chef de l'État, dans certaines républiques. → ENCYCL. ‖ *Président-directeur général*, dans une société par actions, personne qui a la responsabilité de la gestion (s'abrège en P.-D. G.). ◆ **présidence** n. f. **1.** Fonction d'un président : *Briguer la présidence.* — **2.** Lieu où résident certains présidents. ◆ **présidentiel, elle** adj. **1.** Relatif au président de la République : *Élections présidentielles* (on dit aussi LES PRÉSIDENTIELLES n. f. pl.). *Fonctions présidentielles.* — **2.** Régime présidentiel → ENCYCL. ◆ **vice-président, e** n. Personne qui seconde ou qui remplace le président ou la présidente. ‖ Pl. des *vice-présidents.* ◆ **vice-présidence** n. f. Fonction, dignité de vice-président.

— ENCYCL. En France, le *président de la République* est élu pour sept ans au suffrage* universel direct. Il est chef de l'État et chef du pouvoir exécutif* (= il fait exécuter les lois qui sont votées par le pouvoir législatif, c'est-à-dire le Parlement*). Il nomme le Premier ministre, préside le conseil des ministres, promulgue les lois pour les faire appliquer après leur publication au *Journal officiel.* Il peut soumettre à référendum* tout projet de loi portant sur l'organisation des pouvoirs publics et, sous certaines conditions, prononcer la dissolution de l'Assemblée* nationale. En cas de circonstances extraordinaires, il peut user de pouvoirs exceptionnels (article 16 de la Constitution). Il est le chef des armées et le chef de la diplomatie (= il accrédite les ambassadeurs et les ambassadeurs étrangers sont accrédités auprès de lui). Il a le droit de grâce en matière judiciaire. Il n'est jamais responsable devant le Parlement, mais peut être mis en accusation devant la Haute Cour de justice pour les actes accomplis durant l'exercice de ses fonctions.

Le *régime présidentiel* est un régime politique qui se caractérise par trois traits essentiels : l'élection au suffrage universel du chef de l'État, qui remplit les fonctions de chef du gouvernement; l'absence d'instrument de pression de chacun des pouvoirs sur l'autre (le Parlement ne peut renverser le gouvernement qui, de son côté, ne peut dissoudre le Parlement); une stricte répartition des tâches entre le pouvoir exécutif et le pouvoir législatif.

2. PRÉSIDER [prezide] v. t. ind. (même étym.) [sujet nom de chose]. *Présider à qqch.*, être présent et influer sur le cours de cette chose : *L'esprit de coopération qui a présidé à tous ces entretiens* (syn. RÉGNER SUR).

PRÉSOMPTIF, IVE [prezɔ̃ptif, -iv] adj. (du lat. *praesumptus,* pris d'avance). *Héritier présomptif,* héritier désigné d'avance par la parenté ou par l'ordre de naissance.

1. PRÉSOMPTION [prezɔ̃psjɔ̃] n. f. (lat. *praesumptio,* conjecture). Supposition qui n'est fondée que sur des signes de vraisemblance : *Je n'ai que des présomptions* (= je n'ai aucune certitude). *Certaines présomptions pèsent contre lui* (syn. CHARGE, INDICE).

2. PRÉSOMPTION [prezɔ̃psjɔ̃] n. f. (même étym.). Opinion trop avantageuse que quelqu'un a de sa valeur, de ses capacités : *Un jeune homme plein de présomption* (syn. ↑ORGUEIL, OUTRECUIDANCE, SUFFISANCE). ◆ **présomptueux, euse** adj. et n. Qui présume trop de soi : *Un candidat présomptueux* (= qui a une trop haute opinion de lui). ◆ **présomptueusement** adv.

PRESQUE [prɛsk] adv. *(près,* et *que)* [ne s'élide que dans le mot *presqu'île*]. **1.** À peu de chose près, pas tout à fait (devant un adj. ou un adv.) : *Il est devenu presque sourd* (syn. QUASI; fam. QUASIMENT). *Il n'y avait presque personne;* après un verbe (ou l'auxil., aux formes composées) : *Il avait presque fini son travail.* — **2.** *Ou presque* (placé après une affirmation), sert à corriger : *Il n'y avait personne, ou presque.* ‖ *La presque totalité,* l'ensemble presque entier des personnes, des choses (syn. LA QUASI-TOTALITÉ).

PRESQU'ÎLE [prɛskil] n. f. *(presque,* et *île).* Portion de terre entourée d'eau, à l'exception d'une seule partie, par laquelle elle communique avec la terre ferme : *La presqu'île de Quiberon.* (→ PÉNINSULE.)

PRESSAGE n. m. → PRESSER 3.

PRESSANT, E adj. → PRESSER 4.

1. PRESSE n. f. → PRESSER 1 et 3.

2. PRESSE [prɛs] n. f. (de *presser*). **1.** Ensemble des périodiques (journaux, revues, etc.); activité, monde du journalisme : *Agence de presse. Presse quotidienne* (= journaux paraissant chaque jour). *Attaché de presse* (= personne chargée de dépouiller les journaux et d'assurer les communications avec la presse). *Coupures de presse* (= extraits de journaux). *Revue de presse* (= résumé de l'opinion des journaux). — **2.** *Avoir bonne, mauvaise presse,* avoir une bonne, une mauvaise réputation.

PRESSÉ, E adj. et n. m. → PRESSER 4.

PRESSE-CITRON n. m. inv. → PRESSER 2.

PRESSE-ÉTOUPE n. m. inv. → PRESSER 1.

1. PRESSENTIR [prɛsɑ̃tir] v. t. *(pré-,* et *sentir).* [Conj. **19.**] *Pressentir qqch., que* (et l'indic.), le prévoir vaguement, penser qu'il peut arriver : *J'ai pressenti votre arrivée.* ◆ **pressentiment** n. m. : *J'ai eu le pressentiment qu'un accident arriverait* (syn. PRÉMONITION).

2. PRESSENTIR [prɛsɑ̃tir] v. t. (même étym.). [Conj. **19.**] *Pressentir qq'un,* s'informer de ses dispositions avant de l'appeler à certaines fonctions : *Le Premier ministre a pressenti les futurs membres de son gouvernement, avant de les désigner officiellement.* ◆ **pressenti, e** adj. : *Les ministres pressentis après consultation.*

PRESSE-PAPIERS n. m. inv. → PRESSER 1.

PRESSE-PURÉE n. m. inv. → PRESSER 2.

1. PRESSER [prɛse] v. t. (lat. *pressare*) [sujet nom de personne]. **1.** *Presser qq'un, qqch.,* appuyer sur eux, les serrer avec plus ou moins de force : *Il pressa son enfant dans ses bras* (syn. SERRER). *Presser des gens les uns contre les autres* (syn. ENTASSER, TASSER). — **2.** Exercer une poussée sur : *Presser un bouton,* ou *sur un bouton* (= appuyer dessus). ◆ ***se presser*** v. pr. S'accumuler en une masse compacte : *Une foule nombreuse se pressait dans la salle* (syn. SE TASSER). ◆ **presse** n. f. Multitude de personnes réunies qui se pressent dans un même endroit : *Il y a presse pour écouter cet orateur.* ◆ **presse-étoupe** n. m. inv. Dispositif empêchant un fluide sous pression de fuir par un joint. ◆ **presse-papiers** n. m. inv. Objet lourd qu'on pose sur des papiers pour les empêcher de s'envoler. ◆ **pression** n. f. **1.** Action de presser ou de pousser avec effort : *Faire pression sur le couvercle d'une malle pour la fermer.* — **2.** *Phys.* Quotient de la force exercée par un fluide sur une surface par la valeur de cette surface. — **3.** *Pression atmosphérique,* pression que l'air exerce au niveau du sol et que l'on mesure en millimètres de mercure ou en millibars à l'aide d'un baromètre. — **4.** *Pression artérielle,* poussée produite par le sang sur la paroi des artères. — **5.** Bouton formé de deux parties, qu'on presse l'une sur l'autre. (On dit aussi BOUTON-PRESSION.)

2. PRESSER [prɛse] v. t. (même étym.). *Presser un fruit, une éponge,* les comprimer pour en extraire le liquide. ◆ **presse-citron** n. m. inv. Instrument servant à extraire le jus d'un citron, d'une orange ou d'un pamplemousse. ◆ **presse-purée** n. m. inv. Ustensile de cuisine servant à comprimer les pommes de terre pour les réduire en purée. ◆ **pressoir** n. m. Appareil servant à presser des fruits pour en recueillir le jus.

3. PRESSER [prɛse] v. i. (même étym.). Soumettre à l'action d'une presse. ◆ **pressage** n. m. Opération par laquelle on comprime avec une presse : *Le pressage en série des disques.* ◆ **presse** n. f. Machine composée de deux plateaux pouvant être rapprochés sous l'effet d'une commande pour comprimer ce qui est placé entre eux ou pour y laisser une empreinte quelconque : *Presse à imprimer. Presse hydraulique.* ‖ *Livre sous presse,* sur le point de paraître.

4. PRESSER [prɛse] v. t. (même étym.). **1.** (sujet nom de personne) *Presser qq'un de faire qqch.,* l'y inciter vivement : *Il le pressa d'avouer sa faute* (syn. EXHORTER, POUSSER). — **2.** *Presser une affaire,* l'accélérer. ‖ *Presser le pas,* marcher plus vite. ‖ *Presser l'allure, la cadence, le rythme,* accélérer. ◆ v. i. et t. (sujet nom de chose). Être urgent : *Le temps presse* (= il faut se dépêcher). *Rien ne presse* (= nous avons le temps). *Qu'est-ce-qui vous presse?* ◆ ***se presser*** v. pr. : *Pressez-vous de partir avant la pluie* (syn. SE HÂTER). ◆ **pressant, e** adj. : *Un travail pressant* (syn. URGENT). ◆ **pressé, e** adj. **1.** *Une besogne pressée.* — **2.** *Être pressé (de),* avoir hâte de : *Être pressé de partir.* — **3.** *N'avoir rien de plus pressé que,* se dépêcher de faire quelque chose (avec une nuance de désapprobation) : *Aussitôt qu'il eut touché son argent, il n'eut rien de plus pressé que de le dépenser.* ◆ n. m. *Aller, courir au plus pressé,* faire la chose la plus urgente.

PRESSING [presiŋ] n. m. (mot angl.). **1.** Repassage à la vapeur. — **2.** Établissement où s'exécute ce travail et où se fait le nettoyage des vêtements et du linge.

1. PRESSION n. f. → PRESSER 1.

2. PRESSION [prɛsjɔ̃] n. f. (lat. *pressio*). **1.** Action exercée sur quelqu'un pour l'influencer, le faire changer d'avis : *Faire pression sur qq'un pour le décider* (= l'intimider). *Se décider sous la pression des événements* (syn. CONTRAINTE). — **2.** *Groupe de pression,* association de personnes ayant des intérêts économiques ou politiques communs et qui réunissent des sommes importantes en vue d'engager une action simultanée sur l'opinion publique, les partis politiques, les administrations et les gouvernants (syn. LOBBY).

PRESSOIR n. m. → PRESSER 2.

PRESSURER [presyre] v. t. (de *presser*). *Pressurer des fruits* les presser pour en extraire le jus. ◆ **pressurage** n. m

PRESSURISÉ, E [presyrize] adj. (de l'angl. *to pressurize*). Se dit d'un lieu clos dans lequel on maintient une pression égale à la pression atmosphérique au niveau du sol : *Cabine d'avion pressurisée.* ◆ **pressuriser** v. t. ◆ **pressurisation** n. f.

PRESTANCE [prɛstɑ̃s] n. f. (lat. *praestantia,* supériorité). Aspect extérieur d'une personne; comportement qui en impose.

1. PRESTATION [prɛstasjɔ̃] n. f. (du lat. *praestere,* fournir). Somme d'argent *(allocation)* versée à quelqu'un en vertu d'une législation sociale : *Prestations familiales. Les prestations sociales sont versées par la Sécurité sociale en cas de maladie, d'accident. Prestations locatives* (= dépenses que le propriétaire se fait rembourser par le locataire).

2. PRESTATION [prɛstasjɔ̃] n. f. (même étym.). *Prestation de serment,* action de prêter serment.

PRESTE [prɛst] adj. (it. *presto*). Agile, rapide (langue soignée) *Avoir la main preste.* ◆ **prestement** adv. De façon rapide ◆ **prestesse** n. f. : *Agir avec prestesse* (syn. PROMPTITUDE).

PRESTIDIGITATION [prɛstidiʒitasjɔ̃] n. f. (de *preste,* et lat *digitus,* doigt). Art de produire des illusions, de faire apparaître ou disparaître des objets, etc., par des éclairages habiles, la rapidité des mains : *Des tours de prestidigitation.* ◆ **prestidigitateur trice** n. Personne qui fait de la prestidigitation.

PRESTIGE [prɛstiʒ] n. m. (lat. *praestigium,* illusion). Attrait séduction exercée par une personne (ou par son comportement sur autrui, ou par une chose : *Perdre tout prestige auprès des siens* (syn. ASCENDANT, ÉCLAT). *L'horlogerie suisse jouit d'un grand prestige* (syn. RÉPUTATION). *Le prestige de l'uniforme* (= effet impressionnant attribué à la tenue militaire). ◆ **prestigieux, euse** adj. Qui impressionne et séduit par son nom, sa grandeur, son éclat etc. : *Le label prestigieux de la qualité.*

PRESTO [prɛsto], **PRESTISSIMO** [prɛstisimo] adv. (mot it.). → MOUVEMENT, *mouvements musicaux.*

PRESTON, v. de Grande-Bretagne, ch.-l. du Lancashire 97400 hab. Textiles. Constructions aéronautiques.

• *1648. Les Écossais y sont battus par Cromwell.*

PRÉSUMER [prezyme] v. t. (lat. *praesumere,* prendre d'avance). *Présumer qqch., que* (et l'indic.), juger d'après certains indices, considérer comme probable que : *Je présume que vous n'êtes pas fâché d'être en vacances* (syn. SUPPOSER). ◆ v. t. ind. *Présumer trop de qqch.,* avoir une opinion excessivement optimiste, trop favorable de cette chose : *Il a trop présumé de ses forces. Trop présumer de son talent* (= en être trop persuadé). [→ PRÉSOMPTION, PRÉSOMPTUEUX.] ◆ **présumé, e** adj. Que l'on croit être tel : *Une tâche présumée facile.*

PRÉSUPPOSER [presypoze] v. t. *(pré-,* et *supposer)* [sujet nom de chose]. *Présupposer qqch.*, l'admettre préalablement. ◆ **présupposition** n. f. Supposition préalable.

PRÉSURE [presyr] n. f. (du lat. *prendere*, prendre). Enzyme du suc gastrique (sécrétée par la caillette chez les jeunes animaux ruminants) provoquant la coagulation du lait : *La présure est utilisée pour la fabrication de certains fromages.*

1. PRÊT [prɛ] n. m. (de *prêter*). Indemnité versée aux soldats et sous-officiers du contingent : *Toucher son prêt et ses cigarettes.*

2. PRÊT n. m. → PRÊTER 1.

3. PRÊT, E [prɛ, prɛt] adj. (du lat. *praesto*, à portée de la main). **1.** Se dit de quelqu'un qui est en état de faire quelque chose, qui y est disposé : *Nous devons partir tôt, soyez prêt dès cinq heures.* ‖ Fam. *Être fin prêt*, être en état, complètement disposé à quelque chose. ‖ *Prêt à qqch.*, en état de le faire : *Être prêt à partir. Prêt à toute éventualité* (syn. PARÉ). ‖ *Prêt à tout*, disposé à faire n'importe quoi pour réussir. — **2.** Se dit d'une chose qui a été préparée, mise en état pour l'usage : *Le dîner est prêt. Son fusil était prêt à partir* (= était armé).

PRÊT-À-PORTER [prɛtapɔrte] n. m. *(prêt, à,* et *porter).* Vêtements moins onéreux que ceux de la haute couture, et exécutés sur des tailles normalisées : *L'industrie du prêt-à-porter.* ‖ Pl. des *prêts-à-porter.*

PRÊTÉ n. m. → PRÊTER 1.

1. PRÉTENDRE [pretɑ̃dr] v. t. (lat. *praetendere*, mettre en avant). [Conj. **50.**] *Prétendre* (et l'infin.), affirmer quelque chose, soutenir que (souvent d'une façon fausse) : *Il prétend être célèbre.* ◆ **prétendu, e** adj. (avant le nom). Se dit d'une chose, d'une personne qui n'est pas ce qu'elle paraît être : *De prétendus droits.* ◆ **prétendument** adv. : *Un homme prétendument riche.*

2. PRÉTENDRE [pretɑ̃dr] v. t. ind. (même étym.). [Conj. **50.**] *Prétendre à qqch.*, aspirer à l'obtenir (littér.) : *Prétendre aux honneurs du trône.* ◆ v. t. Avoir l'intention de : *Que prétendez-vous faire?* ◆ **prétendant** n. m. **1.** Prince qui revendique un trône auquel il prétend avoir droit. — **2.** Celui qui aspire à épouser une femme. ◆ **prétention** n. f. **1.** (surtout au plur.) Le fait de revendiquer quelque chose, en vertu d'un droit : *Des prétentions à un héritage.* — **2.** Le fait de revendiquer quelque chose pour soi : *Avoir des prétentions* (= viser à une fonction plus importante). ‖ *J'ai la prétention de*, je peux me flatter de : *J'ai la prétention de connaître cette question.* ‖ *Sans prétention*, se dit d'une personne d'apparence réservée, d'une chose modeste.

PRÊTE-NOM [prɛtnɔ̃] n. m. (de *prêter*, et *nom*). *Dr.* Personne qui prête son nom dans un acte où le véritable contractant ne peut ou ne veut figurer. ‖ Pl. des *prête-noms.*

PRÉTENTIEUX, EUSE [pretɑ̃sjø, -øz] adj. et n. (de *prétendre*). Se dit de quelqu'un (ou de son comportement) qui cherche à en imposer, qui affiche un air de contentement de soi-même : *Un jeune prétentieux qui fait étalage de son savoir* (syn. FAT, POSEUR, VANITEUX; contr. SIMPLE). ◆ **prétentieusement** adv. : *Parler prétentieusement* (contr. NATURELLEMENT, SIMPLEMENT). ◆ **prétention** n. f. Trop grand contentement de soi-même, vanité excessive : *Parler avec prétention* (syn. FATUITÉ).

PRÉTENTION n. f. → PRÉTENDRE 2 et PRÉTENTIEUX.

1. PRÊTER [prete] v. t. (lat. *praestare*, fournir). *Prêter qqch. à qq'un*, le mettre à sa disposition pour un certain temps : *Prêter de l'argent à un ami. Prête-moi ton stylo.* ◆ **prêt** n. m. Action de prêter; somme d'argent prêtée : *Solliciter un prêt pour l'achat d'un appartement neuf.* ◆ **prêteur, euse** n. et adj. : *Chercher un prêteur de fonds.* ◆ **prêté** n. m. Fam. *C'est un prêté pour un rendu*, se dit pour marquer la réciprocité dans l'échange de services, ou pour souligner une riposte, etc.

2. PRÊTER [prete] v. t. (même étym.). Entre dans un grand nombre de loc., où l'on peut généralement le remplacer par des verbes comme DONNER, OFFRIR, FOURNIR, PRÉSENTER : *Prêter le flanc à la critique*, donner lieu à être critiqué. ‖ *Prêter de l'importance à qqch., à qq'un*, leur en donner. ‖ *Prêter serment*, jurer officiellement. ‖ *Prêter attention à qqch.*, y être attentif. ◆ v. i. *Prêter à*, donner matière à : *Une interprétation qui prête à discussion* (syn. ÊTRE SUJET À). ‖ *Prêter à rire*, être risible : *Il est d'une naïveté qui prête à rire.* ◆ ***se prêter*** v. pr. [**à**]. **1.** (sujet nom de personne) *Se prêter à qqch.*, y consentir : *Il se prêta de bonne grâce aux jeux des enfants.* — **2.** (sujet nom de chose) *Se prêter à qqch.*, s'y adapter : *Un sujet qui se prête bien à un film.*

3. PRÊTER [prete] v. t. (même étym.). Attribuer à quelqu'un une parole, un acte, etc., dont il n'est pas l'auteur : *Vous me prêtez des intentions que je n'ai pas* (syn. IMPUTER). *On ne prête qu'aux riches* (= il y a toujours un fondement aux interprétations qu'on donne du comportement de quelqu'un).

PRÉTÉRIT [preterit] n. m. (lat. *praeteritum* [*tempus*], [temps] passé). *Gramm.* Temps passé de l'anglais et de l'allemand, équivalant au passé simple et à l'imparfait en français.

PRÉTÉRITION [preterisjɔ̃] n. f. (du lat. *praeterire*, omettre). Procédé stylistique par lequel on affirme ne pas vouloir parler d'une chose dont on parle néanmoins par ce moyen. (Ex. : *Je n'ai pas à vous rappeler que...*)

PRÉTEUR [pretœr] n. m. (lat. *praetor*). Chez les Romains, magistrat chargé de rendre la justice. ‖ *Préteur urbain*, magistrat chargé de régler les litiges entre citoyens. ‖ *Préteur pérégrin*, magistrat chargé de juger les procès où intervient un étranger. ◆ **préture** n. f. Charge, fonction de préteur; durée de son exercice : *Créée en 389 av. J.-C., et d'abord réservée aux patriciens, la préture fut ouverte aux plébéiens en 327 av. J.-C.* ◆ **prétoire** n. m. **1.** Chez les Romains, tribunal où le préteur rendait la justice. — **2.** *Auj.* Salle d'audience d'un tribunal. ◆ **prétorien, enne** adj. Qui a rapport au prétoire, au préteur.

PRÊTEUR, EUSE adj. et n. → PRÊTER 1.

PRÉTEXTE [pretɛkst] n. m. (lat. *praetextus*, tissé par-devant). **1.** Raison apparente dont on se sert pour cacher le vrai motif de son action : *Prendre le premier prétexte venu pour ne pas se rendre à une invitation* (syn. ÉCHAPPATOIRE). — **2.** *Prendre prétexte de qqch.*, le présenter comme prétexte : *Il a pris prétexte de la pluie pour ne pas venir.* ‖ *Sous prétexte de qqch.*, en prenant cette chose comme prétexte : *Sous aucun prétexte vous ne devez accepter* (= en aucun cas). ◆ **prétexter** v. t. *Prétexter qqch.*, l'alléguer comme prétexte.

PRÉTOIRE n. m. → PRÉTEUR.

PRETORIA, capit. du Transvaal et siège du gouvernement de l'Afrique du Sud, au N. du Witwatersrand; 630 000 hab. Université. Centre ferroviaire. Métallurgie.

1. PRÉTORIEN, ENNE adj. → PRÉTEUR.

2. PRÉTORIEN, ENNE [pretɔrjɛ̃, -ɛn] adj. et n. m. (de *préteur*). Se disait des soldats commis à la garde des empereurs : *Cohorte prétorienne.*

PRÊTRE [prɛtr] n. m. (du lat. *presbyter*). **1.** Ministre d'un culte, en général : *Les prêtres du culte d'Orphée. Chez les Hébreux, le grand prêtre était le chef de la caste sacerdotale.* — **2.** *Relig. catholique.* Celui qui a reçu le sacrement de l'ordre. (Dans la religion protestante, on dit *pasteur;* dans la religion juive, *rabbin.*) ◆ **prêtresse** n. f. Femme attachée au culte d'une divinité païenne. ◆ **prêtrise** n. f. Caractère, dignité de prêtre (sens 2). ◆ **archiprêtre** n. m. Titre donné aux curés de certaines églises, et qui leur confère une prééminence honorifique sur les autres curés.

PRÉTURE n. f. → PRÉTEUR.

PREUVE n. f. → PROUVER.

PREUX [prø] adj. et n. m. inv. (lat. *prodis*). Brave, vaillant, courageux (vieilli).

1. PRÉVALOIR [prevalwar] v. i. (lat. *praevalere*, l'emporter sur). [Conj. **40.**] (Sujet nom de chose.) L'emporter sur quelque chose, lui être supérieur (littér.) : *Faire prévaloir ses droits* (= montrer qu'ils doivent être pris d'abord en considération).

2. PRÉVALOIR (SE) [səprevalwar] v. pr. (même étym.). [Conj. **40.**] (Sujet nom de personne.) *Se prévaloir de qqch.*, le mettre en avant pour en tirer des avantages : *Il se prévaut de sa carte d'étudiant pour obtenir des places à demi-tarif. Se prévaloir de sa fortune* (= en tirer vanité).

PRÉVARIQUER [prevarike] v. i. (lat. *praevaricari*, dévier). Manquer, par intérêt ou par mauvaise foi, aux devoirs de sa charge, de son ministère. ◆ **prévaricateur** adj. et n. m. : *Magistrat prévaricateur.* ◆ **prévarication** n. f. Action de prévariquer.

1. PRÉVENIR [prevnir] v. t. (lat. *praevenire*, aller au-devant). [Conj. **22.**] *Prévenir qq'un de qqch.*, l'en avertir, le lui faire savoir : *Je vous préviens que je serai absent cet après-midi* (syn. AVISER, INFORMER).

2. PRÉVENIR [prevnir] v. t. (même étym.). [Conj. **22.**] *Prévenir un malheur, un incident*, etc., prendre des dispositions pour l'empêcher de se produire. ◆ **préventif, ive** adj. Se dit d'une chose destinée à empêcher un événement fâcheux de se produire : *Prendre des mesures préventives. Médecine préventive* (= celle qui est destinée à éviter les maladies). ‖ *Détention préventive*, incarcération, avant leur jugement, des personnes inculpées de crime ou de délit. ◆ **préventivement** adv. : *Il a été incarcéré préventivement.* ◆ **prévention** n. f. **1.** *Prévention routière*, ensemble des mesures prises par un organisme spécial pour éviter les accidents de la route. ‖ *Prévention des accidents du travail*, ensemble des mesures prises pour éviter les accidents du travail. — **2.** Incarcération précédant un jugement. ◆ **prévenu, e** n. Personne qui doit répondre d'une infraction devant la justice pénale (syn. ACCUSÉ).

3. PRÉVENIR [prevnir] v. t. (même étym.). [Conj. **22.**] *Prévenir les désirs, les souhaits, les besoins*, etc., *de qq'un*, les satisfaire avant qu'ils ne se manifestent ouvertement, avant qu'ils ne soient exprimés (langue soignée). ◆ **prévenant, e** adj. Se dit d'une personne (ou de son comportement) pleine de sollicitude, d'attention à l'égard d'une autre. ◆ **prévenance** n. f. (surtout au plur.). Menus services, attentions délicates à l'égard de quelqu'un : *Entourer sa jeune femme de prévenances* (syn. DÉLICATESSES, PETITS SOINS).

PRÉVENTORIUM [prevɑ̃tɔrjɔm] n. m. (de *préventif;* sur le modèle de *sanatorium*). Établissement où l'on soigne préventivement les malades atteints de tuberculose non contagieuse.

1. PRÉVENU, E n. → PRÉVENIR 2.

2. PRÉVENU, E [prevny] adj. (de *prévenir*). *Être prévenu en faveur de qq'un, contre qq'un* ou *contre qqch.*, avoir d'avance une opinion favorable, défavorable de cette personne (langue soignée) : *Au début, j'étais un peu prévenu contre lui, mais j'ai appris à l'apprécier.* ◆ **prévention** n. f. Opinion, généralement défavorable, formée par quelqu'un sans examen : *Être plein de prévention contre un travail qu'on vous propose* (syn. ↓ PRÉJUGÉ).

PRÉVERBE [prevɛrb] n. m. *(pré-,* et *verbe).* Préfixe qui se place devant un verbe pour en modifier le sens.

PRÉVERT (Jacques), poète français (1900-1977). Ses poèmes allient les images insolites à la gouaille populaire (*Paroles,* 1948; *Spectacle,* 1951; *Fatras,* 1966). Plusieurs d'entre eux ont été mis en musique par Joseph Kosma. Il fut le scénariste de films de qualité comme *Drôle de drame* (1937), *les Visiteurs du soir* (1942), *les Enfants du paradis* (1944), de M. Carné; *le Crime de M. Lange* (1935), de J. Renoir; *Remorques* (1940) et *Lumière d'été* (1943), de J. Grémillon.

PRÉVOIR [prevwar] v. t. *(pré-,* et *voir).* [Conj. **42.**] **1.** Voir, comprendre, deviner à l'avance quelque chose : *Prévoir l'avenir* (syn. ↑PRESSENTIR). *Prévoir les conséquences d'un acte* (syn. CALCULER, ENVISAGER); et intransitiv. : *Gouverner, c'est prévoir.* — **2.** Organiser à l'avance quelque chose : *Tout prévoir pour un voyage* (syn. ENVISAGER). ◆ **prévisible** adj. : *Cette catastrophe était pourtant prévisible.* ◆ **imprévisible** adj. ◆ **prévision** n. f. : *Quelles sont les prévisions météorologiques?* (= l'évolution du temps prévue par la météorologie). *Ses prévisions se sont révélées exactes* (= ce qu'il avait prévu). — LOC. PRÉP. *En prévision de (qqch.),* en pensant que cette chose pourra se produire : *Prendre un parapluie en prévision de la pluie.* ◆ **prévisionnel, elle** adj. **1.** Qui est fait en prévision de quelque chose : *Des mesures prévisionnelles.* — **2.** Qui se fonde sur des calculs de prévision : *L'analyse prévisionnelle en économie.* ◆ **prévoyance** n. f. Qualité de celui qui sait prévoir : *Faire preuve d'une grande prévoyance.* ◆ **prévoyant, e** adj. : *Se montrer prévoyant* (contr. INSOUCIANT). ◆ **imprévoyance** n. f. Manque de prévoyance (syn. ÉTOURDERIE, INSOUCIANCE). ◆ **imprévoyant, e** adj. : *Un jeune homme imprévoyant.* ◆ **imprévu, e** adj. et n. Qui arrive sans avoir été prévu : *Survenir d'une manière imprévue* (syn. FORTUIT, INATTENDU, SOUDAIN). *Faire la part de l'imprévu.*

PRÉVÔT [prevo] n. m. (lat. *praepositus,* préposé). **1.** Nom de divers magistrats sous l'Ancien Régime. ‖ *Prévôt des marchands,* maire de Paris (et de Lyon à dater de 1575). ‖ *Prévôt de Paris,* officier royal placé à la tête du Châtelet de Paris, ayant les attributions d'un bailli (XIe s.). — **2.** Officier de gendarmerie dans les prévôtés. ◆ **prévôté** n. f. **1.** *Autref.* Fonction, juridiction, résidence de prévôt. — **2.** *Mil.* Détachement de gendarmerie affecté, en opérations, à une grande unité ou à une base, et chargé des missions de police générale et judiciaire.

PRÉVOYANCE n. f., **PRÉVOYANT, E** adj. → PRÉVOIR.

PRIAM. *Myth. gr.* Dernier roi de Troie, père d'Hector, Pâris, Cassandre, etc. Il fut tué par Pyrrhos, fils d'Achille, après la prise de Troie.

1. PRIER [prije] v. t. et i. (lat. *precari*). **1.** S'adresser à Dieu, à un dieu, à un saint. — **2.** *Priez pour eux* (= en leur faveur). *Aller prier sur la tombe de ses parents* (syn. SE RECUEILLIR). ◆ **prière** n. f. Acte religieux par lequel on s'adresse à Dieu pour l'adorer ou l'implorer, ou à un saint pour demander son intercession : *Être en prière* (= prier). ◆ **prie-Dieu** n. m. inv. Meuble muni d'un accoudoir, sur lequel on s'agenouille pour faire ses prières.

2. PRIER [prije] v. t. (de *prier* 1). **1.** *Prier qq'un de faire qqch.*, l'en supplier instamment, le lui demander : *Il a prié les médecins de faire tout ce qu'ils pouvaient pour sauver son enfant* (syn. IMPLORER, ↑SUPPLIER). ‖ *Se faire prier,* ne rien faire sans être longuement sollicité. ‖ *Ne pas se faire prier,* accepter avec empressement. — **2.** *Prier qq'un à déjeuner, à dîner,* l'inviter. — **3.** *Je vous prie, je vous en prie,* formules de politesse, ou formules exprimant un ordre. ◆ **prière** n. f. **1.** Demande instante : *Malgré vos prières, je ne vous donnerai rien.* — **2.** *Prière de* (et l'infin.), vous êtes prié de : *Prière de répondre.*

PRIESTLEY (Joseph), chimiste et philosophe anglais (1733-1804). Il étudia notamment le gaz carbonique et découvrit la respiration des végétaux. En 1774, il isola l'oxygène par chauffage de l'oxyde de mercure.

PRIEUR, E [prijœr] n. (lat. *prior,* le premier de deux). Supérieur, supérieure ecclésiastique dirigeant certaines communautés. ◆ **prieuré** n. m. **1.** Communauté religieuse catholique dirigée par un prieur ou par une prieure. — **2.** Église ou maison de cette communauté.

PRIEUR (Pierre Louis), dit **Prieur de la Marne,** homme politique français (1756-1827). Député d'extrême gauche à la Constituante puis à la Convention, il fut membre du Comité de salut public.

PRIEUR-DUVERNOIS (Claude Antoine, *comte*), dit **Prieur de la Côte-d'Or** (1763-1832). Député à la Législative et à la Convention, membre du Comité de salut public, il fit adopter l'unification des poids et mesures.

PRIEURÉ n. m. → PRIEUR.

PRIMA DONNA [primadɔna] n. f. (mots it. signif. *première dame*). Première chanteuse d'opéra.

1. PRIMAIRE [primɛr] adj. et n. m. (lat. *primarius;* de *primus,* premier). Qui appartient à l'enseignement élémentaire (ou de premier degré) [entre les classes préscolaires et la sixième].

2. PRIMAIRE [primɛr] adj. (même étym.). *Ère primaire,* ou *le Primaire* n. m., deuxième division des temps géologiques, succédant au Précambrien, d'une durée de 300 millions d'années, divisée en six périodes : Cambrien, Ordovicien, Silurien, Dévonien, Carbonifère et Permien. (La faune est caractérisée par des invertébrés marins puis terrestres, et, à la fin de l'ère, par l'apparition des premiers reptiles. La flore évolue depuis les algues jusqu'aux forêts du Carbonifère dont la décomposition donnera la houille.) [→ ÈRE.]

3. PRIMAIRE [primɛr] adj. (même étym.). *Secteur primaire,* ou *le primaire* n. m., ensemble des activités économiques productrices de matières premières.

— ENCYCL. Le *secteur primaire* groupe les industries extractives (que l'on incorpore de plus en plus dans le secteur secondaire) et l'agriculture (et plus ou moins accessoirement la pêche et la sylviculture). Il est très inégalement représenté à la surface du globe. Il emploie surtout plus de 50 et même 60 p. 100 de la population active dans le tiers monde, moins de 10 p. 100 dans les États au niveau économique le plus élevé. C'est un bon indicateur du degré de développement d'un pays. (→ POPULATION ACTIVE*.)

4. PRIMAIRE [primɛr] adj. (même étym.). *Péjor.* Se dit de quelqu'un (ou de son comportement) qui manque de culture, qui n'a que des connaissances superficielles : *Cette explication est un peu primaire, il faudrait approfondir la question* (syn. SIMPLISTE).

5. PRIMAIRE [primɛr] n. m. (même étym.). *Électr.* Circuit recevant le courant de la source d'énergie dans un transformateur ou une bobine d'induction.

1. PRIMAT [prima] n. m. (all. *Primat*). Priorité, supériorité (emploi restreint) : *Affirmer le primat de l'intelligence* (syn. PRIMAUTÉ).

2. PRIMAT [prima] n. m. (du lat. *primus,* premier). Prélat dont la juridiction domine celle des archevêques : *Le primat de Hongrie.*

PRIMATES [primat] n. m. pl. (du lat. *primus,* premier). Mammifères constituant le groupe animal le plus organisé.

— ENCYCL. Les *primates* sont des animaux arboricoles, grimpeurs et omnivores, aux membres longs terminés par cinq doigts munis d'ongles plats. Le pouce et l'index sont le plus souvent opposables. Les yeux sont rapprochés, situés sur le même plan et regardant en avant (vision binoculaire). L'encéphale est de plus en plus compliqué et volumineux au fur et à mesure qu'on monte dans la série, pour atteindre son complet développement chez l'homme.

On divise l'ordre des primates en quatre sous-ordres : les *tarsiens* (tarsier), les *lémuriens* ou *prosimiens* (galago, lémuriens malgaches), les *simiens* (ouistiti, atèle, colobe, macaque, babouin, drill, gibbon, orang-outang, chimpanzé, gorille), les *hominiens* (toutes les races humaines, primitives ou actuelles).

PRIMATICE (Francesco PRIMATICCIO, dit **le**), peintre, sculpteur et architecte italien (1504 ou 1505-1570). Élève de Jules Romain, il fut appelé en France (1531) par François Ier pour y décorer le château de Fontainebleau où il exécuta de nombreux travaux (fresques, stucs), mais son inspiration maniériste apparaît surtout dans ses dessins. Nommé surintendant des Bâtiments royaux (1559), il exerça une influence considérable sur l'art français de la Renaissance et particulièrement sur l'école de Fontainebleau.

PRIMAUTÉ [primote] n. f. (du lat. *primus,* premier). Supériorité, premier rang : *Les découvertes de ce savant ont la primauté sur toutes celles de son temps.*

1. PRIME [prim] n. f. (du lat. *praemium,* récompense). **1.** Objet qu'on donne à un client pour l'encourager à acheter un produit. — **2.** Somme donnée par un employeur à un employé en plus de son salaire, soit pour le rembourser de certains frais, soit pour l'intéresser au rendement : *Prime de transport. Prime de fin d'année.* — **3.** Somme payée par un assuré à un assureur en vertu d'un contrat d'assurance.

2. PRIME [prim] n. f. (même étym.). *Faire prime,* en parlant d'une personne ou d'une chose, être très recherché : *L'or fait prime sur le marché des monnaies.*

3. PRIME [prim] adj. (du lat. *primus,* premier). *La prime jeunesse,* le tout jeune âge. — LOC. ADV. *De prime abord,* tout d'abord, au premier abord.

4. PRIME [prim] adj. (même étym.). Se dit, en algèbre, d'une lettre affectée d'un seul accent : *a'* (se dit « *a* prime »).

PRIMEL-TRÉGASTEL, station balnéaire du Finistère (comm. de Plougasnou), sur la Manche.

1. PRIMER [prime] v. t. (de *prime* 1). Donner une récompense à l'issue d'un concours (surtout au passif) : *Une vache qui a été primée au concours agricole.*

2. PRIMER [prime] v. t. et i. (du lat. *primus,* premier). Surpasser quelqu'un, quelque chose : *La sagesse prime la richesse* (syn. L'EMPORTER SUR). *Chez lui, l'intelligence prime* (= est supérieure au reste).

PRIMESAUTIER, ÈRE [primsotje, -ɛr] adj. (de l'anc. fr. *prime,* premier, et *saut*). Se dit d'une personne qui agit suivant sa première impulsion, qui ne réfléchit pas avant d'agir : *Un esprit primesautier* (syn. ↑IRRÉFLÉCHI; contr. PONDÉRÉ, RÉFLÉCHI).

1. PRIMEUR [primœr] n. f. (de l'anc. fr. *prime,* premier). **1.** Caractère d'une chose qui vient d'apparaître, d'être faite, etc. — **2.** *Avoir la primeur d'une chose,* être le premier à la posséder, à en jouir, à la connaître.

2. PRIMEURS [primœr] n. f. pl. (même étym.). **1.** Produits horticoles qui paraissent sur le marché avant la saison normale. — **2.** *Marchand de primeurs,* marchand de légumes.

PRIMEVÈRE [primvɛr] n. f. (lat. *primo vere,* au début du printemps). Plante des prés et des bois, dont les fleurs jaunes apparaissent avec le printemps. (Famille des primulacées.)

PRIMIPARE [primipar] adj. et n. f. (du lat. *primus,* premier, et *parere,* enfanter). Se dit d'une femme qui enfante, d'une femelle qui met bas pour la première fois.

1. PRIMITIF, IVE [primitif, -iv] adj. (lat. *primitivus,* qui naît le premier). **1.** Se dit d'une chose qui est dans un état proche de celui de son origine : *L'Église primitive,* ou *la primitive Église* (= les premiers temps de l'Église chrétienne). *L'art primitif* (= celui qui existait à l'origine d'une civilisation). — **2.** *Couleurs primitives,* les sept couleurs conventionnelles du spectre solaire (rouge, orangé, jaune, vert, bleu, indigo et violet). — **3.** *Temps primitifs d'un verbe,* formes verbales servant de base pour conjuguer ce verbe. — **4.** Se dit d'une chose rudimentaire : *L'installation électrique est encore assez primitive, mais nous allons bientôt en changer* (syn. SOMMAIRE). ◆ **primitivement** adv. À l'origine, au début.

2. PRIMITIF, IVE [primitif, -iv] adj. et n. (même étym.). **1.** Se dit des sociétés humaines (et des hommes qui les composent) qui ignorent l'usage de l'écriture et qui sont restées à l'écart de la civilisation mécanique et industrielle. — **2.** Se dit d'une personne simple, frustre. ◆ **primitivité** n. f.

3. PRIMITIF [primitif] adj. et n. m. *Beaux-arts.* Se dit des peintres italiens des XIVe et XVe s., et des autres peintres européens de la fin du Moyen Âge (Flamands, Français, Allemands, Espagnols).

PRIMO [primo] adv. (mot lat.). Premièrement, d'abord. (Dans une classification, est généralement suivi par *secundo,* et éventuellement par *tertio.*) [→ NUMÉRATION.]

PRIMO DE RIVERA Y ORBANEJA (Miguel), général espagnol (1870-1930). Il établit, de 1923 à 1930, un régime dictatorial. — Son fils, JOSÉ ANTONIO (1903-1936), fonda la Phalange*.

PRIMO-INFECTION [primoɛ̃fɛksjɔ̃] n. f. *(primo,* et *infection).* Première atteinte d'un organisme par un germe infectieux (se dit surtout en parlant de la tuberculose).
— ENCYCL. La *primo-infection* tuberculeuse est due au bacille de Koch, germe infectieux contracté en respirant de minuscules gouttelettes de salive émises par le contaminateur ou en manipulant des objets souillés. Ce premier contact est suivi par une multiplication et une dissémination du bacille dans tout l'organisme.

La primo-infection est décelable huit semaines après le contact avec le bacille infectant. Elle peut être inapparente et se manifester seulement par une réaction allergique à la tuberculine : la cuti-réaction à la tuberculine devient positive, alors qu'elle était négative précédemment; on dit que la cuti-réaction *vire.*

Dans certains cas, la primo-infection se manifeste par des signes de tuberculose évidente : le plus souvent, sous la forme d'un *nodule* visible à la radiographie dans l'un des poumons, et d'une *adénopathie* (atteinte ganglionnaire) thoracique proche des bronches et de la trachée; parfois par une authentique *méningite* tuberculeuse; parfois par une *fièvre* proche de la fièvre typhoïde.

Le traitement par les antituberculeux en arrête l'évolution et assure la guérison. La primo-infection est évitée chez les sujets vaccinés par le B. C. G. et dont la cuti-réaction est devenue positive de ce fait.

PRIMORDIAL, E, AUX [primordjal, -djo] adj. (du lat. *primordium,* commencement). Se dit d'une chose jugée d'une très grande importance : *Il a joué un rôle primordial dans cette affaire. Il est primordial que vous partiez maintenant* (syn. CAPITAL, ESSENTIEL; contr. SECONDAIRE). ◆ **primordialement** adv.

PRIMULACÉES [primylase] n. f. pl. (du lat. *primula,* primevère). Famille de plantes dicotylédones gamopétales, à corolle régulière, comprenant notamment la *primevère,* le *cyclamen,* le *mouron rouge.*

PRINCE [prɛ̃s] n. m. (lat. *princeps,* premier). **1.** Personne qui possède une souveraineté ou qui appartient à une famille souveraine : *Le prince de Monaco.* ‖ *Princes du sang,* se disait, en France, des fils, des neveux et des frères du roi. — **2.** *Princes de l'Église,* les cardinaux, les archevêques, les évêques. — **3.** Titre de noblesse le plus élevé. — **4.** *Prince Noir* → ÉDOUARD, prince de Galles. — **5.** Fam. *Être bon prince,* faire preuve de générosité. ◆ **princesse** n. f. **1.** Fille d'un souverain ou femme d'un prince. — **2.** Fam. *Aux frais de la princesse,* aux frais de l'État, de l'Administration, du patron, sans sortir un sou de sa poche : *Voyager aux frais de la princesse.* ◆ **princier, ère** adj. **1.** De prince : *Famille princière.* — **2.** Digne d'un prince : *Un cadeau princier* (syn. ROYAL, SOMPTUEUX). ◆ **princièrement** adv. : *Il nous a reçus princièrement.* ◆ **principauté** n. f. Petit État indépendant dont le chef a le titre de prince : *La principauté de Monaco.*

Prince *(le),* ouvrage de Machiavel (1531).

Prince Igor' *(le),* opéra inachevé de Borodine, terminé par Glazounov et Rimski-Korsakov.

PRINCE-DE-GALLES [prɛ̃sdəgal] n. m. inv. (de *prince, de,* et *Galles*). Tissu présentant des effets de carreaux assez fondus et discrets, obtenus en utilisant, lors du tissage, les mêmes dispositions de couleur en chaîne et en trame.

PRINCE-DE-GALLES *(terre du),* île de l'archipel arctique canadien, à proximité de laquelle se trouve le pôle magnétique.

PRINCE-ÉDOUARD *(île du),* île et province du Canada, située dans le golfe du Saint-Laurent; 5657 km²; 118000 hab. Capit. *Charlottetown.* Céréales, plantes fourragères, pommes de terre. Élevage (bovins, porcs). Pêche. Parc national.

PRINCE RUPERT, port du Canada (Colombie britannique); 14700 hab. Terminus du Canadian National Railway.

PRINCESSE n. f. → PRINCE.

Princesse de Clèves *(la),* roman de Mme de La Fayette (1678), qui inaugure l'ère du roman psychologique moderne.

PRINCETON, v. des États-Unis (New Jersey); 12200 hab. Université fondée en 1746. Théâtre d'une sanglante bataille entre les Américains de Washington et les Anglais (1777).

PRINCIER, ÈRE adj., **PRINCIÈREMENT** adv. → PRINCE.

1. PRINCIPAL, E, AUX [prɛ̃sipal, -po] adj. (du lat. *princeps,* premier) [avant ou après le nom]. Se dit d'une personne, d'une chose qui est la plus importante : *Le principal personnage de l'histoire* (syn. DOMINANT). *La voie principale* (contr. SECONDAIRE). *L'élément principal* (syn. ↑CAPITAL, ESSENTIEL, PRIMORDIAL). ◆ n. m. : *Le principal, c'est d'agir vite* (= la chose principale) [syn. ESSENTIEL]. ◆ **principalement** adv. Avant toute chose, par-dessus tout (contr. ACCESSOIREMENT, SECONDAIREMENT).

2. PRINCIPAL, AUX [prɛ̃sipal, -po] n. m. (même étym.). Directeur d'un collège.

3. PRINCIPALE [prɛ̃sipal] adj. et n. f. (même étym.). *Gramm.* Se dit d'une proposition qui, dans une phrase, est complétée ou déterminée par une proposition subordonnée qui dépend d'elle, sans qu'elle-même dépende d'aucune autre proposition : *Dans la phrase « Il pleuvait quand nous sommes sortis », la proposition « il pleuvait » est une principale.*

PRINCIPAUTÉ n. f. → PRINCE.

PRINCIPE [prɛ̃sip] n. m. (lat. *principium,* commencement). **1.** Ce qui sert de base à une chose; cause première, origine, source : *Le principe du bien et le principe du mal.* — **2.** *Phys.* Loi à caractère général, régissant un ensemble de phénomènes, vérifiée par l'exactitude de ses conséquences : *Principe de l'équivalence.* — **3.** Loi fondamentale du développement, du fonctionnement d'une chose : *Je vais vous expliquer le principe de cette machine.* — **4.** Proposition admise comme base dans une discipline, une science particulière : *Les principes de la musique.* — **5.** (au plur.) Règles sociales, politiques ou morales de la conduite individuelle, du comportement collectif : *Les principes de 1789* (= le contenu de la Déclaration des droits de l'homme, faite en 1789). ‖ Fam. *Avoir des principes,* refuser d'accomplir certaines actions au nom d'idées morales ou religieuses. — **6.** Règle générale théorique, qui doit guider une activité, une action morale : *Le principe est bien joli, mais la pratique sera difficile.* ‖ *Poser en principe qqch.,* l'admettre à titre d'hypothèse, éventuellement démentie. ‖ *Partir du principe que,* admettre comme point de départ que. — LOC. ADV. *Par principe,* en vertu d'une décision *a priori.* ‖ *En principe,* en théorie, selon les prévisions : *Je viendrai en principe demain* (syn. NORMALEMENT, THÉORIQUEMENT).

PRINCIPE → SÃO TOMÉ.

PRINTEMPS [prɛ̃tɑ̃] n. m. (de l'anc. fr. *prin,* premier, et *temps*). **1.** Saison tempérée de l'année, qui va du 21 mars au 21 juin dans l'hémisphère Nord, du 23 septembre au 22 décembre dans l'hémisphère Sud, qui succède à l'hiver et précède l'été. — **2.** *Au printemps de la vie,* dans la jeunesse (littér.). ◆ **printanier, ère** adj. : *Un temps printanier* (= dont la température douce est celle des jours de printemps). *Une tenue printanière* (= des vêtements légers et clairs, qui conviennent au printemps).

PRIORI (A) loc. adv. → A PRIORI.

PRIORITÉ [prijɔrite] n. f. (du lat. *prior,* premier). **1.** Antériorité d'une chose par rapport à une autre : *Établir la priorité d'un événement.* — **2.** Importance préférentielle accordée à quelque chose : *Les questions sociales ont eu la priorité dans le débat à l'Assemblée.* — **3.** Droit légal de passer avant d'autres : *Priorité aux infirmes. Laisser la priorité aux conducteurs qui viennent de droite dans un carrefour.* — LOC. ADV. *En priorité,* avant tous les autres. ◆ **prioritaire** adj. et n. Bénéficiaire d'un droit de priorité : *Les personnes prioritaires doivent s'adresser à ce guichet directement. Les industries prioritaires* (= qui sont estimées plus importantes que les autres et pour lesquelles l'aide de l'État doit s'exercer en priorité).

PRIS, E adj. → PRENDRE 1 et 6.

1. PRISE n. f. → PRENDRE 1 et 4.

2. PRISE [priz] n. f. (de *prendre*). **1.** *Prise de courant,* dispositif permettant de brancher sur le secteur un appareil électrique. — **2.** *Prise directe,* dispositif d'un changement de vitesse dans lequel le mouvement initial est transmis sans démultiplication : *Être en prise directe* (abrév. usuelle ÊTRE EN PRISE). ‖ *Être en prise directe avec qqch.,* être directement relié à quelque chose : *Les propos de cet enseignant sont en prise directe avec les problèmes des jeunes.* — **3.** *Prise de terre,* conducteur reliant à la terre une installation électrique ou radio-électrique.

3. PRISE [priz] n. f. (même étym.). Pincée de tabac en poudre aspirée par le nez. ◆ **priser** v. t. Aspirer du tabac par le nez.

1. PRISER [prize] v. t. (du lat. *pretiare,* apprécier). Estimer (littér.) : *Il prise fort peu ce genre de plaisanterie* (syn. APPRÉCIER).

2. PRISER v. t. → PRISE 3.

PRISME [prism] n. m. (du gr. *prizeîn,* scier). **1.** *Math.* Polyèdre ayant deux faces (appelées *bases*) parallèles et formées par des polygones isométriques, et dont les faces latérales sont des parallélogrammes : *Un parallélépipède est un prisme dont les bases sont des parallélogrammes.* ‖ *Prisme droit,* prisme dont les arêtes latérales sont perpendiculaires aux bases. — **2.** *Phys.* Solide en forme de prisme triangulaire, en verre blanc ou en cristal, qui sert à dévier et à décomposer les rayons lumineux. ◆ **prismatique** adj. **1.** Qui a la forme d'un prisme : *Corps prismatique.* — **2.** *Couleurs prismatiques,* couleurs produites par le prisme (sens 2).

PRISON [prizɔ̃] n. f. (lat. *prehensio,* action de prendre). **1.** Lieu où l'on enferme les personnes frappées d'une peine privative de liberté ou en instance de jugement : *Mettre un voleur en prison.* — **2.** Peine de prison : *Faire un mois de prison préventive.* ◆ **prisonnier, ère** n. **1.** Personne qui est en prison : *Un prisonnier de droit commun.* — **2.** *Prisonnier de guerre,* militaire pris au combat. ◆ adj. Se dit de quelqu'un dont la liberté morale est entravée : *Elle est prisonnière de ses préjugés.* ◆ **emprisonner** v. t. **1.** Mettre en prison : *Emprisonner un voleur.* — **2.** Tenir à l'étroit, resserrer : *Avoir le cou emprisonné dans un col rigide.* ◆ **emprisonnement** n. m. : *Un délit passible d'un emprisonnement de deux ans.*

Prisons *(Mes),* récit de Silvio Pellico (1832).

PRIVAS, ch.-l. du dép. de l'Ardèche, sur l'Ouvèze, à 595 km au S.-E. de Paris; 10 600 hab. Confiserie (marrons glacés).

PRIVATIF, IVE adj., **PRIVATION** n. f. → PRIVER.

PRIVATISATION n. f., **PRIVATISER** v. t. → PRIVÉ.

PRIVAUTÉS [privote] n. f. pl. (de *privé*). Trop grandes familiarités.

PRIVÉ, E [prive] adj. (lat. *privatus*). **1.** Se dit d'un endroit où le public n'a généralement pas accès : *Une plage privée.* — **2.** Se dit de quelque chose qui n'appartient pas à la collectivité, à l'État, mais à des particuliers : *École privée. Enseignement privé* (contr. PUBLIC). *Secteur privé* (par oppos. à *secteur public et nationalisé*). — **3.** Se dit d'une chose strictement personnelle, qui n'intéresse pas les autres : *La vie privée* (contr. PROFESSIONNEL, PUBLIC). — **4.** *Droit privé,* droit qui règle les rapports entre les particuliers. ◆ n. m. **1.** *Être différent dans le public et dans le privé. Prendre un emploi dans le privé* (= dans le secteur privé). — **2.** *En privé,* à l'écart des autres. ◆ **privatiser** v. t. Céder au secteur privé une activité qui était du domaine du secteur public (de l'État) : *Privatiser la construction des autoroutes.* ◆ **privatisation** n. f.

PRIVER [prive] v. t. (lat. *privare*). *Priver qq'un de qqch.,* lui en ôter, lui en refuser la possession, la jouissance : *Priver un homme de ses droits civils. Priver un enfant de dessert.* ◆ **se priver** v. pr. S'ôter la jouissance de quelque chose : *Se priver de vin* (syn. S'ABSTENIR). *Il voudrait bien se priver de mes services* (syn. SE PASSER DE); et absolum. : *Elle a dû se priver pour élever ses enfants* (= s'imposer des privations). ◆ **privatif, ive** adj. **1.** *Peine privative de liberté,* qui ôte la liberté. — **2.** *Gramm.* Se dit des préfixes qui marquent l'absence, la privation, comme *in-* dans INsuccès, ou *a-* dans Anormal. ◆ **privation** n. f. **1.** Perte de la jouissance d'un bien : *La privation des droits civils.* — **2.** (au plur.) Action de se priver volontairement de quelque chose : *À force de privations, il avait économisé un petit capital* (syn. SACRIFICES).

PRIVILÈGE [privilɛʒ] n. m. (lat. *privilegium,* loi spéciale à un particulier). Avantage, droit particulier attaché à quelque chose ou possédé par quelqu'un, et que les autres n'ont pas : *La Révolution a aboli les privilèges attachés à la noblesse et au clergé. Il a désormais le privilège de la voir tous les jours* (syn. AVANTAGE, CHANCE); et ironiq. : *Il a le triste privilège d'être le dernier de sa classe.* ◆ **privilégié, e** adj. et n. **1.** *Un homme privilégié par la fortune* (syn. AVANTAGÉ, ↓FAVORISÉ). — **2.** *Les classes privilégiées,* les classes riches ayant des prérogatives sociales, économiques.

1. PRIX [pri] n. m. (lat. *pretium*). **1.** Valeur d'une chose, exprimable en monnaie, relativement à sa vente, à son achat : *Le prix de cet article est un franc. Prix courant* (= prix normal du marché). *Prix fixe* (= prix qu'il n'y a pas à débattre). ‖ *Prix de revient,* coût de production d'un bien, généralement calculé prévisionnellement. — **2.** *À prix d'or,* très cher : *Il a acheté cette propriété à prix d'or.* ‖ *N'avoir pas de prix,* être d'une très grande valeur : *Les œuvres de Rembrandt exposées n'ont pas de prix.* ‖ *Mettre qqch. à prix,* y attacher une valeur monétaire : *Le commissaire-priseur a mis à prix cette commode Louis XVI à trois mille francs. Le shérif avait mis à prix la tête du gangster en fuite* (= avait promis une récompense à celui qui permettrait de l'arrêter). ‖ *Hors de prix,* très cher : *Ce livre est hors de prix.* — **3.** *À aucun prix,* en aucun cas. ‖ *À tout prix,* quoi qu'il puisse coûter en fait d'argent, de peine : *Il faut rattraper cet homme à tout prix* (syn. ABSOLUMENT, COÛTE QUE COÛTE). — LOC. PRÉP. *Au prix de,* en échange de, moyennant : *Achever un travail au prix de grands efforts.*

2. PRIX [pri] n. m. (même étym.). **1.** Récompense accordée au plus méritant, dans un concours, à celui qui remporte une compétition, etc. : *Remporter le prix d'excellence* (= prix scolaire donné au meilleur élève). — **2.** Personne qui a reçu un prix.

PRO-, préf. issu du lat. *pro,* en faveur de, qui, joint à certains noms ou à certains adj., a le sens de « favorable à », « partisan » : *Proaméricain, prosoviétique.*

PROBABLE [prɔbabl] adj. (lat. *probabilis;* de *probare,* prouver). Se dit d'un événement qui a beaucoup de chances de se produire, mais dont la réalisation n'est pas certaine : *Il est probable que le temps va se gâter* (syn. ↓POSSIBLE, VRAISEMBLABLE). ◆ **improbable** adj. : *Un événement improbable.* ◆ **probablement** adv. : *Il ne viendra probablement pas* (syn. SANS DOUTE, VRAISEMBLABLEMENT). *« Est-ce lui qui est venu? — Probablement »* (= je le crois; réponse affirmative, mais nuancée). ◆ **probabilité** n. f. **1.** *La probabilité d'une hypothèse* (= les chances qu'elle a d'être vraie). *Rechercher la probabilité d'un événement* (= les chances qu'il a de se produire). — **2.** *Calcul des probabilités,* partie des mathématiques qui étudie les règles permettant d'établir le pourcentage des chances de réalisation d'un événement. ◆ **improbabilité** n. f. : *L'improbabilité d'un conflit armé.* ◆ **probabilisme** n. m. Système philosophique ou scientifique qui se présente comme un ensemble d'hypothèses vraisemblables, possibles ou probables, mais sans certitude. ◆ **probabiliste** n.

PROBANT, E [prɔbɑ̃, -ɑ̃t] adj. (du lat. *probare,* prouver). Se dit d'une chose qui emporte l'approbation, qui apporte une preuve décisive de l'existence ou de la valeur de quelque chose : *Un argument probant* (syn. CONCLUANT, CONVAINCANT). [→ PROUVER.]

PROBATOIRE [prɔbatwar] adj. (du lat. *probare,* prouver). Se dit d'un examen, d'un test, etc., par lequel on s'assure que le candidat a bien les connaissances nécessaires pour se présenter à un autre examen, accéder à un niveau supérieur, etc. (→ PROUVER.)

PROBITÉ [prɔbite] n. f. (lat. *probitas*). Observation rigoureuse des devoirs de la justice, de la morale : *Faire preuve de probité* (syn. DROITURE, ↓HONNÊTETÉ, INTÉGRITÉ). ◆ **probe** adj. : *Un homme probe* (emploi restreint) [syn. usuels DROIT, HONNÊTE, INTÈGRE].

1. PROBLÉMATIQUE n. f. → PROBLÈME.

2. PROBLÉMATIQUE [prɔblematik] adj. (de *problème*). Se dit d'une chose dont la solution, le résultat sont douteux : *Le succès de l'entreprise est très problématique* (syn. HASARDEUX, INCERTAIN; contr. CERTAIN, SÛR).

PROBLÈME [prɔblɛm] n. m. (gr. *problêma*). **1.** Dans le domaine scientifique, question qui appelle une solution d'ordre logique, rationnel : *Un problème mathématique.* — **2.** Tout ce qui est difficile à résoudre, à expliquer : *Chacun a ses problèmes* (syn. DIFFICULTÉ, ENNUI). ‖ Fam. *Il n'y a pas de problème*, il ne faut pas hésiter, c'est très simple. ◆ **problématique** n. f. Ensemble des questions que se pose un philosophe, et, plus généralement, ensemble des problèmes que pose une situation ou que se pose quelqu'un.

PROBOSCIDIENS [prɔbɔsidjɛ̃] n. m. pl. (du gr. *proboskis, -idos*, trompe d'éléphant). Ordre de mammifères ongulés à cinq doigts par patte, et munis d'une trompe, comme les *éléphants.* (Caractérisés, outre leur trompe, par leurs incisives développées en défenses et par leurs molaires à crêtes transversales, ces animaux sont surtout connus à l'état fossile par des formes aussi différentes que les *mastodontes*, le *dinotherium* et le *mammouth.*)

PROCÉDÉ [prɔsede] n. m. (de *procéder*). **1.** Méthode qui permet d'obtenir un certain résultat : *Un procédé de fabrication.* — **2.** Manière d'une personne de se comporter (souvent péjor.) : *Je n'aime pas son procédé* (= sa façon d'agir). ◆ **procédure** n. f. Ensemble de procédés; méthode scientifique.

1. PROCÉDER [prɔsede] v. t. ind. (lat. *procedere*, avancer). *Procéder à une tâche*, l'exécuter dans ses diverses phases (se dit généralement d'un ensemble d'opérations nécessitant du temps) : *Procéder au démontage d'un moteur. Procéder à l'établissement d'un dossier.* ◆ v. i. Agir de telle ou telle façon : *Procédons par ordre* (= agissons avec ordre).

2. PROCÉDER [prɔsede] v. t. ind. (même étym.). *Procéder de*, tirer son origine, découler de (langue soignée).

1. PROCÉDURE n. f. → PROCÉDÉ.

2. PROCÉDURE [prɔsedyr] n. f. (de *procéder*). **1.** *Dr.* Forme suivant laquelle les affaires sont instruites devant les tribunaux : *Le Code de procédure civile.* — **2.** *Dr.* Règles, formalités, etc., nécessaires pour arriver à une solution judiciaire : *Entamer la procédure de divorce.*

1. PROCÈS [prɔsɛ] n. m. (lat. *processus*, marche en avant). **1.** Querelle, litige porté devant un tribunal : *Intenter un procès.* — **2.** *Faire le procès de qqch., de qq'un*, le critiquer de façon systématique, en énumérant ses griefs. ‖ *Sans autre forme de procès*, sans plus de formalités (littér.).

2. PROCÈS [prɔsɛ] n. m. (même étym.). *Gramm.* Se dit d'un verbe transitif ou intransitif quand il exprime une action réalisée par le sujet de la phrase (par oppos. aux verbes qui indiquent un « état », comme les intransitifs *être, paraître, ressembler*, etc., ou les transitifs qui indiquent le résultat d'un procès, comme *savoir*) : *Dans « Pierre lit un livre », « Pierre mange », les verbes « lire », « manger » au présent indiquent un aspect non accompli du procès; dans « Pierre a lu un livre », « Pierre a mangé », les passés composés indiquent un aspect accompli du procès.*

PROCESSION [prɔsesjɔ̃] n. f. (du lat. *procedere*, avancer). **1.** Cortège, défilé religieux empreint de solennité. — **2.** *Fam.* Longue suite de personnes. ◆ **processionnel, elle** adj. : *Une marche processionnelle.* ◆ **processionnellement** adv. : *Marcher processionnellement* (= en procession).

PROCESSIONNAIRE [prɔsesjɔnɛr] adj. et n. f. (de *procession*). Se dit de chenilles très nuisibles, larves de papillons nocturnes, qui vivent par centaines dans un abri de soie commun et qui partent à la file indienne à la recherche de leur nourriture (feuilles de pin, de chêne).

PROCESSIONNEL, ELLE adj., **PROCESSIONNELLEMENT** adv. → PROCESSION.

PROCESSUS [prɔsesys] n. m. (mot lat. signif. *prolongement*). Marche, développement de quelque chose : *Étudier le processus de la croissance des végétaux.*

PROCÈS-VERBAL, AUX [prɔsɛvɛrbal, -bo] n. m. (*procès*, et *verbal*). **1.** Pièce établie par un fonctionnaire, un agent assermenté, et constatant un fait, un délit : *L'agent dressa un procès-verbal contre l'automobiliste qui n'avait pas de permis de conduire.* — **2.** Écrit résumant ce qui a été dit, fait dans une circonstance solennelle : *Établir le procès-verbal d'une séance* (syn. COMPTE RENDU).

1. PROCHAIN [prɔʃɛ̃] n. m. (du lat. *prope*, près). Dans la langue relig., tout être humain, considéré par rapport à soi-même : *Tu aimeras ton prochain comme toi-même.*

2. PROCHAIN, E [prɔʃɛ̃, -ɛn] adj. (même étym.) [avant ou après le nom]. **1.** Se dit de ce qui est rapproché dans le temps ou d'une période de temps, d'une date qui doit suivre immédiatement la période actuelle : *Le prochain départ de l'avion a lieu dans quarante-huit heures* (syn. SUIVANT). *La semaine prochaine.* — **2.** *La prochaine fois*, la première fois que tel ou tel événement se reproduira. — **3.** Qui est le plus proche dans l'espace : *Nous nous arrêterons au prochain village.* ◆ **prochaine** n. f. **1.** *Fam.* Station suivante, arrêt suivant, dans le métro, l'autobus, le train : *Vous descendez à la prochaine?* — **2.** Fam. *À la prochaine!*, à bientôt! ◆ **prochainement** adv. Dans un proche avenir, bientôt.

PROCHE [prɔʃ] adj. (de *prochain*). **1.** Se dit de quelque chose ou de quelqu'un qui n'est pas éloigné dans l'espace ou dans le temps : *Sa maison est proche de la nôtre* (syn. VOISIN). *La nuit est proche* (= elle va tomber). *La pauvre bête semblait sentir que sa mort était proche* (syn. ↑IMMINENT; contr. ÉLOIGNÉ). ‖ *Le proche avenir*, les moments qui vont suivre. ‖ *Un proche parent*, une personne avec laquelle les degrés de parenté sont en nombre peu élevés (syn. ↓IMMÉDIAT; contr. ÉLOIGNÉ). — **2.** Se dit d'une chose peu différente d'une autre : *Ses prévisions sont proches de la vérité* (syn. APPROCHANT, VOISIN). ◆ n. m. pl. Proches parents.

PROCHE-ORIENT, nom donné à l'ensemble des pays riverains de la Méditerranée orientale (Turquie, Syrie, Liban, Israël, Égypte et Libye).

PROCHINOIS, E [prɔʃinwa, -az] adj. et n. Se dit des partisans des thèses de Mao Tsö-tong.

PROCLAMER [prɔklame] v. t. (lat. *proclamare*). Annoncer à haute voix : *L'accusé a proclamé hautement son innocence* (syn. CLAMER, CRIER). *Proclamer l'état de siège* (= le faire annoncer officiellement). ◆ **proclamation** n. f. : *La proclamation des résultats d'un examen. La proclamation de la République eut lieu pour la première fois en France en 1793* (= l'annonce officielle de son existence légale).

PROCLITIQUE [prɔklitik] adj. et n. m. (du gr. *proklînein*, incliner en avant). *Gramm.* Se dit d'un mot privé d'accent ou d'intonation particulière, et qui fait corps avec le mot suivant : *L'article français est proclitique.*

PROCONSUL [prɔkɔ̃syl] n. m. (mot lat.). *Antiq. rom.* Consul dont le commandement était prolongé pour un an, en vue d'achever une campagne militaire ou pour gouverner une province.

PROCRÉER [prɔkree] v. t. (lat. *procreare*). Engendrer, en parlant de l'homme et de la femme : *Procréer de beaux enfants.* ◆ **procréation** n. f. : *Les notions relatives à la reproduction des mammifères et à la procréation humaine sont enseignées dans le premier cycle du secondaire.* ◆ **procréateur, trice** n. et adj.

PROCURATEUR [prɔkyratœr] n. m. (lat. *procurator*, mandataire). **1.** *Antiq. rom.* Titre de certains fonctionnaires de l'ordre équestre sous l'Empire romain. — **2.** Un des principaux magistrats, dans les anc. républiques de Venise et de Gênes.

PROCURATION [prɔkyrasjɔ̃] n. f. (de *procurer*). **1.** Pouvoir qu'une personne donne à une autre pour agir à sa place : *Pour que j'aille toucher le mandat à votre place, vous devez me signer une procuration.* — **2.** *Par procuration*, en remettant à un autre le soin d'agir à sa place : *Vote par procuration.*

PROCURER [prɔkyre] v. t. (lat. *procurare*, avoir soin de). *Procurer qqch. à qq'un*, le lui obtenir, le lui fournir : *Procurer un appartement à son fils. Le plaisir que lui procurait la lecture* (syn. APPORTER, OFFRIR). ◆ ***se procurer*** v. pr. : *Procurez-vous ce livre* (syn. ACQUÉRIR).

PROCUREUR [prɔkyrœr] n. m. (de *procurer*). *Procureur général*, magistrat qui exerce les fonctions du ministère public près la Cour de cassation, la Cour des comptes ou une cour d'appel. ‖ *Procureur de la République*, ou *procureur*, membre du parquet qui exerce les fonctions du ministère public près (= auprès de) certains tribunaux : *Il faut d'abord entendre le réquisitoire du procureur avant les plaidoiries des avocats.*

PRODIGALITÉ n. f. → PRODIGUE.

PRODIGE [prɔdiʒ] n. m. (lat. *prodigium*). **1.** Événement extraordinaire, qui est ou qui paraît en contradiction avec les lois de la nature : *Une éclipse de Soleil apparaissait comme un prodige aux Anciens* (syn. MIRACLE). — **2.** Action très difficile, dont la réalisation surprend : *L'achèvement de ce travail en si peu de temps est un vrai prodige* (syn. TOUR DE FORCE). — **3.** Personne exceptionnellement douée : *Cet enfant est un prodige* (= il est très intelligent et brillant pour son âge); et adjectiv. : *C'est un enfant prodige.* ◆ **prodigieux, euse** adj. Se dit d'une personne ou d'une chose qui surprend, qui paraît extraordinaire par ses qualités, par sa grandeur, sa rareté, etc. : *Une quantité prodigieuse* (syn. CONSIDÉRABLE). *Obtenir un succès prodigieux* (syn. INCROYABLE, INOUÏ). ◆ **prodigieusement** adv. : *Prodigieusement intelligent.*

PRODIGUE [prɔdig] adj. (lat. *prodigus*). **1.** Se dit de quelqu'un qui fait des dépenses excessives, inconsidérées : *Un héritier prodigue* (syn. ↓DÉPENSIER). ‖ *Le retour de l'enfant prodigue*, le retour auprès des siens d'un jeune homme, après une longue absence et une vie dissipée (par allus. à une parabole évangélique). — **2.** *Être prodigue de son temps, de conseils*, etc., ne pas ménager son temps, donner fréquemment des conseils, etc. ◆ **prodigalité** n. f. **1.** Caractère, conduite d'une personne prodigue : *Par sa prodigalité, il a dilapidé la plus grande partie de sa fortune.* — **2.** (surtout au plur.) Dépense excessive. ◆ **prodiguer** v. t. **1.** *Prodiguer son argent, ses biens*, les dépenser sans compter (syn. DILAPIDER, GASPILLER). — **2.** *Prodiguer des soins, des attentions, des recommandations*, etc., *à qq'un*, les lui accorder sans compter.

PRO DOMO [prɔdɔmo] loc. adv. (mots lat. signif. *pour sa maison*). Se dit du plaidoyer d'une personne qui se fait l'avocat de sa propre cause.

PRODROME [prodrom] n. m. (gr. *prodromos*, avant-coureur). Fait qui laisse présager un événement, qui l'annonce : *Les prodromes d'une crise économique* (syn. SIGNE AVANT-COUREUR).

PRODUCTEUR, TRICE adj. et n. → PRODUIRE 1 et 3.

PRODUCTIF, IVE adj., **PRODUCTIVITÉ** n. f. → PRODUIRE 1.

PRODUCTION n. f. → PRODUIRE 1, 3 et 4.

1. PRODUIRE [prɔdɥir] v. t. (lat. *producere*, faire avancer). [Conj. **70.**] **1.** Donner naissance naturellement : *Une vigne qui produit un excellent raisin;* et absolum. : *Certaines terres produisent moins que d'autres* (syn. RAPPORTER, RENDRE). — **2.** Donner naissance par une activité économique : *La France produit du blé.* ◆ **produit** n. m. **1.** Ce qui naît de la terre ou d'une activité de l'homme : *Les produits agricoles. Un produit fini* (= bien, richesse prêts à être vendus ou consommés). ‖ *Produit manufacturé*, marchandise obtenue après élaboration d'une matière première. — **2.** Objet manufacturé : *Un produit pour la vaisselle* (= poudre, liquide détergent). ‖ *Produit d'entretien*, substance utilisée par les ménagères pour entretenir, nettoyer. ‖ *Produits pharmaceutiques*, médicaments, drogues, vendus dans les pharmacies. — **3.** (avec en général un compl. du nom) Résultat, bénéfice retiré de quelque chose : *Le produit de la récolte.* ‖ *Produit national brut* (abrév. P. N. B.), ensemble de la production globale d'un pays et de ses achats à l'extérieur pendant l'année considérée. ◆ **sous-produit** n. m. Produit dérivé d'un autre produit : *La paraffine est un des nombreux sous-produits du pétrole.* ◆ **producteur, trice** adj. et n. : *Les pays producteurs de pétrole. Les grands producteurs de blé. Aller directement du producteur au consommateur* (= celui qui produit, par oppos. à celui qui consomme). ◆ **productif, ive** adj. : *Sol très peu productif* (= qui produit peu). ◆ **productivité** n. f. **1.** Quantité produite en considération du travail fourni et des dépenses engagées : *Accroître la productivité d'une entreprise.* — **2.** *Productivité de l'impôt*, montant de ce qu'il rapporte réellement à l'État, compte tenu des frais engagés pour le percevoir. ◆ **improductif, ive** adj. : *Des terres improductives* (syn. STÉRILE). ◆ **improductivité** n. f. : *Le faible niveau de vie qui résulte de l'improductivité du sol.* ◆ **production** n. f. **1.** Action de produire : *La production moyenne de cette entreprise est peu élevée* (syn. RENDEMENT). *Le secteur de la production au sein de l'économie* (par oppos. à la CONSOMMATION). *Les moyens de production* (= terres cultivables, machines, personnel qualifié, etc.). — **2.** Bien produit : *Les productions naturelles* (= les plantes, les fruits, etc., constituant une source de richesse). *Les productions du sol, du sous-sol* (syn. PRODUIT). ◆ **sous-production** n. f. Production inférieure aux besoins des consommateurs. ◆ **surproduction** n. f. Multiplication d'un produit, ou de l'ensemble des produits, au-delà de la demande ou des besoins des consommateurs.

2. PRODUIRE [prɔdɥir] v. t. (même étym.). [Conj. **70.**] **1.** Provoquer un événement; être la source, la cause d'un phénomène : *Produire un effet sur qq'un* (= faire impression sur lui). *Cette méthode a produit d'heureux résultats* (syn. DONNER). *L'eau calcaire produit un dépôt sur les parois* (syn. FORMER). *La guerre produit toutes sortes de maux* (syn. CAUSER, ENTRAÎNER). — **2.** *Produire une sensation*, la faire naître chez autrui, en soi : *Ce livre produit une étrange sensation* (syn. SUSCITER). ◆ ***se produire*** v. pr. (sujet nom de chose). Arriver, survenir au cours d'une succession d'événements : *Tout à coup, un vacarme se produisit* (syn. INTERVENIR); et impersonnellem. : *Il s'est produit un grand changement* (syn. S'ACCOMPLIR, AVOIR LIEU).

3. PRODUIRE [prɔdɥir] v. t. (même étym.). [Conj. **70.**] *Produire un film*, en assurer la réalisation. ◆ **producteur, trice** n. Personne qui a la responsabilité financière d'un film. ◆ **production** n. f. **1.** Organisme qui fournit les capitaux, engage le metteur en scène, assure la réalisation d'un film. — **2.** Le film lui-même. ◆ **coproduction** n. f. **1.** Production d'un film par plusieurs producteurs associés. — **2.** Le film lui-même : *Une coproduction franco-italienne.* ◆ **superproduction** n. f. Film à grand spectacle, dont le prix de fabrication est nettement supérieur à la moyenne.

4. PRODUIRE [prɔdɥir] v. t. (même étym.). [Conj. **70.**] Fournir, montrer (jurid. et admin.) : *Produire un document. Produire des témoins.* ◆ ***se produire*** v. pr. (sujet nom de personne). Se montrer, paraître en public (littér.). ◆ **production** n. f. : *La production de ce document devant le tribunal a fait un gros effet.*

1. PRODUIT n. m. → PRODUIRE 1.

2. PRODUIT [prɔdɥi] n. m. (de *produire*). Math. *Produit de deux nombres réels* a *et* b, c'est le nombre réel, noté $a \times b$ ou $a \cdot b$, obtenu en faisant la multiplication de a par b. (Ex. : $-\frac{6}{35}$ est le produit de $-\frac{2}{7}$ par $+\frac{3}{5}$.) ‖ *Produit cartésien de deux ensembles E et F*, c'est l'ensemble des couples (x, y) [x élément de E, y élément de F]. (On le note $E \times F = \{(x, y),\ x \in E,\ y \in F\}$ Si l'ensemble $\mathbb{R}$ des

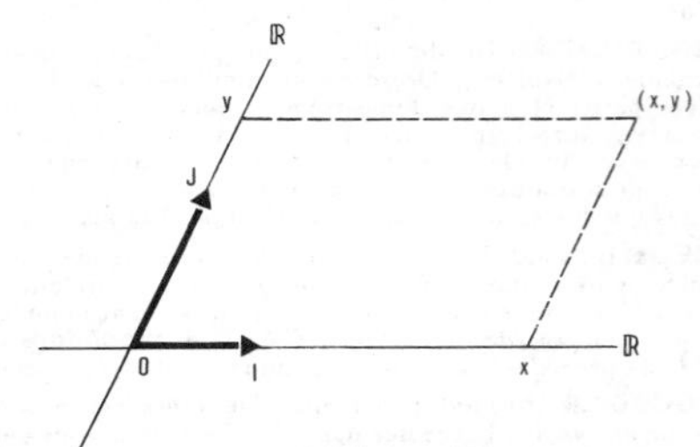

réels est représenté par une droite munie d'un repère, $\mathbb{R} \times \mathbb{R}$ est représenté par le plan muni d'un repère.)

PROÉMINENT, E [prɔeminɑ̃, -ɑ̃t] adj. (lat. *proeminens*). Se dit d'une chose qui dépasse notablement ce qui l'entoure, qui forme un relief : *Avoir un nez proéminent* (syn. SAILLANT). ◆ **proéminence** n. f. : *La proéminence du nez.*

PROFANATEUR, TRICE adj. et n., **PROFANATION** n. f. → PROFANER.

1. PROFANE [prɔfan] adj. et n. (du lat. *profanus*, hors du temple). Se dit de quelqu'un ou de quelque chose qui n'est pas religieux, qui est étranger à la religion : *L'art profane* (contr. RELIGIEUX, SACRÉ). *Le profane et le sacré.*

2. PROFANE [prɔfan] n. et adj. (de *profane* 1). Personne qui n'est pas initiée à quelque chose, qui l'ignore : *Aux yeux du profane, tout se vaut en peinture. Être profane en la matière* (syn. INCOMPÉTENT).

PROFANER [profane] v. t. (lat. *profanare*). *Profaner qqch.*, ne pas en respecter le caractère sacré : *Profaner une église.* ◆ **profanation** n. f. : *La profanation d'un temple* (syn. VIOLATION). ◆ **profanateur, trice** adj. et n.

PROFÉRER [prɔfere] v. t. (lat. *proferre*, porter en avant). *Proférer des paroles*, les articuler, les prononcer avec force et avec violence : *Proférer des injures.*

1. PROFESSER [prɔfɛse] v. t. (du lat. *profiteri*, déclarer). Avoir pour opinion, exprimer, déclarer quelque chose comme étant une opinion personnelle (littér.) : *Il professait un mépris profond pour la vie familiale.* ◆ **profession** n. f. *Faire profession de*, déclarer ouvertement une opinion personnelle (littér.) : *Il faisait profession d'athéisme.* ‖ *Profession de foi*, déclaration publique de sa foi religieuse ou de ses opinions politiques.

2. PROFESSER [prɔfɛse] v. t. et i. (même étym.). Enseigner en qualité de professeur. ◆ **professeur** n. m. Personne qui enseigne une discipline, un art, une technique (s'emploie pour désigner un homme ou une femme) : *Un professeur de latin.* ‖ *Professeur des écoles*, corps d'enseignants créé en 1990 et appelé à remplacer progressivement celui des instituteurs. ◆ **professoral, e, aux** adj. : *Le corps professoral* (= l'ensemble des professeurs). *Prendre un ton professoral* (= digne d'un professeur) [syn. DOCTORAL, GRAVE]. ◆ **professorat** n. m. : *Choisir le professorat comme métier.*

1. PROFESSION n. f. → PROFESSER 1.

2. PROFESSION [prɔfɛsjɔ̃] n. f. (lat. *professio;* de *profiteri*, déclarer). **1.** Activité habituellement exercée par une personne pour se procurer les ressources nécessaires à son existence (syn. MÉTIER) : *Exercer la profession de médecin.* — **2.** Ensemble de ceux qui exercent le même métier : *Défendre les intérêts de la profession.* ◆ **professionnel, elle** adj. **1.** Se dit de ce qui concerne une profession : *Déformation professionnelle* (= propre à une profession particulière). *Faute professionnelle* (= manquement à une obligation de la profession). ‖ *Formation professionnelle* → ENCYCL. ‖ *Secret professionnel*, obligation, pour certains corps de métiers, de ne pas révéler ce qu'un client est amené à dire : *Le médecin se retrancha derrière le secret professionnel.* — **2.** Se dit d'un sport qu'on pratique comme une profession et de ceux qui s'y adonnent : *Le cyclisme professionnel* (contr. AMATEUR). ◆ n. m. **1.** Se dit de quelqu'un qui réussit parfaitement quelque chose : *C'est un travail de professionnel* (contr. AMATEUR). — **2.** Sportif de profession : *Une compétition entre professionnels* (contr. AMATEUR). ◆ **professionnellement** adv. Du point de vue de la profession; au titre de la profession. ◆ **interprofessionnel, elle** adj. Relatif à plusieurs professions à la fois.

— ENCYCL. Les élèves du premier cycle de l'enseignement secondaire, non désireux de poursuivre des études, ont la possibilité de choisir avant la fin de leur scolarité obligatoire (seize ans), une voie de *formation professionnelle.*

À la fin de la cinquième, et s'ils ont quatorze ans, ils peuvent entrer dans une classe préprofessionnelle* de niveau qui leur permettra d'atteindre le niveau d'entrée dans un lycée professionnel et d'accéder à la préparation d'un C. A. P. (certificat d'aptitude professionnelle). Ils peuvent également, et dès quatorze ans, entrer directement dans une classe préparatoire à l'apprentissage où ils suivront des stages en milieu professionnel et prépareront un C. A. P. dans un centre de formation des apprentis dès qu'ils auront obtenu leur contrat d'apprentissage.

PROFESSORAL, E, AUX adj., **PROFESSORAT** n. m. → PROFESSER.

PROFIL [prɔfil] n. m. (it. *profilo*). **1.** Ensemble des traits du visage d'une personne vue de côté : *Avoir un profil grec* (= où le nez est dans le prolongement direct du front). — **2.** Aspect extérieur d'une chose : *Le profil d'une voiture* (syn. LIGNE). — **3.** *Topogr.* Coupe d'un terrain pour mettre en évidence les dénivellations. — **4.** Géogr. *Profil d'équilibre*, profil théorique, vers lequel tend une rivière qui érode son lit, à partir duquel elle cesserait de creuser. — **5.** *Profil psychologique*, représentation graphique des résultats de divers tests destinés à apprécier les aptitudes d'un individu. — **6.** Description des traits caractéristiques d'une chose, d'une catégorie de personnes : *Le profil sanitaire d'une région. Le profil type du jeune cadre* (syn. PORTRAIT). ◆ **profiler** v. t. Représenter quelque chose en profil. ◆ ***se profiler*** v. pr. Se présenter, se projeter de profil, en silhouette : *On voyait les arbres se profiler dans l'eau* (syn. SE DÉCOUPER, SE DESSINER, SE DÉTACHER). ◆ **profilé, e** adj. Auquel on a donné un profil bien déterminé : *Carrosserie bien profilée.* ◆ n. m. Barre de métal laminée suivant un profil particulier.

PROFIT [prɔfi] n. m. (du lat. *proficere*, progresser). **1.** Avantage matériel que l'on retire de quelque chose : *Il ne faut pas négliger les petits profits* (contr. PERTE). — **2.** Gain réalisé par une entreprise et dont l'origine se trouve dans la différence entre le prix de vente et le prix de revient : *La recherche du profit est l'objet même de l'entreprise privée.* — **3.** Avantage intellectuel ou moral : *Lire un ouvrage avec profit.* — **4.** *Au profit de (qq'un)*, se dit d'une chose faite pour qu'une personne en retire un avantage : *Donner de l'argent au profit des sinistrés* (syn. AU BÉNÉFICE DE). ‖ *Faire profit, faire son profit, tirer profit de qqch.*, en retirer un bénéfice : *Tirer profit des malheurs d'autrui.* ‖ *Mettre à profit*, utiliser, tirer parti de : *Vous auriez intérêt à mettre à profit ces observations.* ‖ (sujet nom de chose) *Faire du profit*, durer longtemps, être économique : *Ces chaussures n'ont pas fait beaucoup de profit.* ◆ **profiter** v. t. ind. **1.** *Profiter de qqch.*, en tirer un avantage : *Profiter de la première occasion pour s'enfuir.* — **2.** *Profiter à qq'un*, lui rapporter du profit, lui être utile : *Vos conseils lui ont profité* (syn. SERVIR). — **3.** *Profiter en qqch.*, s'améliorer dans un domaine particulier : *Profiter en sagesse et en savoir.* ◆ v. i. **1.** *Enfant qui profite bien*, qui grandit, grossit comme il convient. ‖ *Cette année, les arbres n'ont pas profité* (= n'ont pas donné beaucoup de fruits). — **2.** *Plat, vêtement*, etc., *qui profite*, qui fournit beaucoup, qui fait un long usage. ◆ **profitable** adj. Se dit d'une chose qui procure certains avantages : *Il te serait plus profitable d'écouter les conseils de tes parents* (= tu ferais mieux). *Son séjour à la campagne lui a été profitable* (syn. UTILE) ◆ **profiteur, euse** n. *Péjor.* Personne qui tire avantage du travail, du malheur, etc., d'autrui.

PROFITEROLE [prɔfitrɔl] n. f. (de *profit*). Petit chou fourré de glace ou de crème pâtissière, arrosé d'une crème au chocolat servie chaude.

PROFITEUR, EUSE n. → PROFIT.

1. PROFOND, E [prɔfɔ̃, -ɔ̃d] adj. (lat. *profundus*) [ordinairement après le nom]. **1.** Se dit d'une chose dont le fond est loin de la surface, de l'ouverture, ou qui pénètre fort avant : *Un sac très profond* (= long et étroit). *Il s'est fait une blessure profonde* (= qui pénètre fortement dans les chairs) [contr. LÉGER, SUPERFICIEL]. — **2.** Se dit d'une chose qui est ou qui descend loin de la surface : *Les couches de terrain les plus profondes* (contr. SUPERFICIEL). *Des racines profondes.* ◆ adv. : *Creuser profond.* ◆ n. m. *Au plus profond de*, dans la partie la plus basse, la plus retirée : *Se cacher au plus profond de la forêt* (syn. AU CŒUR). ◆ **profondément** adv. : *Pénétrer profondément sous la peau.* ◆ **profondeur** n. f. Qualité d'une chose profonde : *Profondeur d'un puits. Mesurer la hauteur, la largeur, la profondeur d'une armoire.* ◆ n. f. pl. Endroits très profonds : *Des spéléologues qui descendent dans les profondeurs de la terre.* ‖ *Les grandes profondeurs*, les grandes fosses marines. ◆ **approfondir** v. t. **1.** *Approfondir un trou, une cavité*, etc., les creuser afin de les rendre plus profonds. ◆ ***s'approfondir*** v. pr. Devenir plus profond : *Le fossé s'est approfondi.* ◆ **approfondissement** n. m. : *L'approfondissement d'un canal* (syn. CREUSEMENT).

2. PROFOND, E [prɔfɔ̃, -ɔ̃d] adj. (même étym.) [avant ou après le nom]. **1.** Se dit d'une chose cachée qui commande le comportement de quelqu'un, le cours des événements : *La nature profonde de l'homme* (= ce qui, en l'homme, est permanent) [syn. ÉTERNEL; contr. APPARENT, SUPERFICIEL]. *Il était poussé par un profond besoin de liberté* (syn. OBSCUR). — **2.** Se dit de quelqu'un qui réfléchit mûrement, qui fait preuve de pénétration, ou d'une phrase, d'une œuvre littéraire riche de substance, exprimant des pensées sérieuses : *Un esprit profond* (syn. PÉNÉTRANT; contr. SUPERFICIEL). *Tout cela est trop profond pour moi, je n'y comprends rien* (syn. DIFFICILE). — **3.** Se dit de ce qui est intense, porté à un degré élevé : *Un sommeil profond* (contr. LÉGER). *Éprouver une profonde tristesse* (syn. VIF). *J'ai pour lui le plus profond mépris* (syn. COMPLET, TOTAL). *Une différence profonde* (syn. EXTRÊME). *Un profond amour* (syn. ARDENT). — **4.** *Salutations profondes*, qui expriment une extrême déférence. ‖ *Prendre une inspiration profonde*, s'emplir d'air les poumons. ‖ *Voix profonde*, voix grave, bien timbrée, pleine de majesté. ◆ **profondément** adv. Le plus souvent au sens 3 de l'adj. : *Dormir profondément* (syn. À POINGS FERMÉS). *S'ennuyer profondément* (syn. FORTEMENT, PRODIGIEUSEMENT). *Profondément convaincu* (syn. INTIMEMENT). *Souhaiter profondément qqch.* (syn. ARDEMMENT). ◆ **profondeur** n. f. : *Rien n'est venu troubler la profondeur de son sommeil* (syn. INTENSITÉ). *La profondeur de son amour* (syn. VIVACITÉ). *Un changement en profondeur* (= radical). *Agir en profondeur* (contr. EN SURFACE). ◆ n. f. pl. Parties difficiles à pénétrer dans la psychologie humaine; mobiles profonds : *Les profondeurs de l'être.* ◆ **approfondir** v. t. **1.** *Approfondir qqch.*, pénétrer le plus avant possible dans la connaissance de quelque chose : *Il faut approfondir la question* (syn. ↓ÉTUDIER). *Approfondir le caractère de qq'un* (syn. PÉNÉTRER); et, sans compl. : *Il a regardé très vite, sans approfondir* (= superficiellement). — **2.** *Approfondir un désaccord, une haine, une amitié*, les rendre plus intenses, les accroître. ◆ ***s'approfondir*** v. pr. : *Le mystère s'approfondit* (syn. S'ÉPAISSIR). ◆ **approfondi, e** adj. : *Des connaissances approfondies* (syn. POUSSÉ; contr. SUPERFICIEL). *Procéder à une étude approfondie* (syn. MINUTIEUX). ◆ **approfondissement** n. m. : *L'approfondissement d'un problème* (syn. ↓ÉTUDE, EXAMEN). *L'approfondissement de leur désaccord.*

PROFUSION [prɔfyzjɔ̃] n. f. (lat. *profusio*). Grande abondance de choses : *Une profusion de lumière, de couleurs* (syn. SURABONDANCE). — LOC. ADV. *À profusion*, en abondance.

PROGÉNITURE [prɔʒenityr] n. f. (du lat. *progenitus*, engendré). **1.** Les enfants, par rapport à leurs parents. — **2.** Les petits, par rapport aux animaux.

PROGESTÉRONE [prɔʒɛsterɔn] n. f. (de *pro-*, et lat. *gestare*, porter un enfant). Hormone produite par le corps jaune de l'ovaire pendant la deuxième partie du cycle menstruel et pendant la grossesse (syn. vieilli LUTÉINE).

PROGNATHE [prɔɲat] adj. (du gr. *pro*, en avant, et *gnathos*, mâchoire). Qui a les os maxillaires proéminents. ◆ **prognathisme** [prɔɲatism] n. m. Disposition de la face, dans laquelle la ligne de profil, allant du front à la partie la plus saillante des maxillaires, forme un angle aigu par rapport au plan horizontal du crâne. (C'est un caractère de primitivité qu'on trouve dans les races mélano-africaine, mélanésienne, australienne, etc.)

PROGRAMMATEUR, TRICE n., **PROGRAMMATION** n. f. → PROGRAMME 2 et 4.

1. PROGRAMME [prɔgram] n. m. (gr. *programma*, affiche). Ensemble des matières, des questions sur lesquelles peuvent être interrogés les candidats à un examen ou à un concours, ou qu'on doit apprendre dans une classe déterminée : *Les sciences naturelles étaient au programme de la quatrième.*

2. PROGRAMME [prɔgram] n. m. (même étym.). **1.** Œuvres dont l'exécution ou la représentation sont prévues : *Jouer une sonate hors programme* (= qui n'est pas prévue ou annoncée). — **2.** Imprimé indiquant ce qui va être joué au théâtre, exécuté au concert, etc. : *Acheter le programme.* ◆ **programmer** v. t. *Programmer un film, une émission de radio, de télévision*, les inscrire à un programme (sens 1). ◆ **programmation** n. f. : *La programmation des salles de cinéma* (= manière dont les programmes sont répartis). ◆ **programmateur, trice** n. Personne qui établit un programme de radio, de cinéma, etc.

3. PROGRAMME [prɔgram] n. m. (même étym.). **1.** Exposé des intentions d'une personne, d'un groupe : *Se proposer un programme de travail très serré.* — **2.** *Programme politique*, objectifs politiques d'un candidat, d'un parti dans une circonstance particulière : *Les partis de gauche se sont mis d'accord sur un programme commun.* — **3.** Ensemble des projets d'une entreprise industrielle ou commerciale : *Programme de fabrication* (syn. PLANNING).

4. PROGRAMME [prɔgram] n. m. (même étym.). En informatique, ensemble d'instructions, de données ou d'expressions enregistrées sur cartes ou sur bande perforées, sur bande magnétique, etc., et nécessaires à l'exécution d'une suite d'opérations déterminées demandées à un calculateur, à un appareillage automatique ou à une machine-outil. ◆ **programmer** v. t. Fractionner le problème à résoudre par l'ordinateur ou le calculateur en instructions codifiées acceptables par la machine. ◆ **programmé** adj. m. **1.** *Enseignement programmé*, méthode d'enseignement consistant à adapter la matière à enseigner aux possibilités d'acquisition de chaque individu, selon un programme qui divise cette matière en éléments courts, facilement assimilables. → ENCYCL. — **2.** Se dit d'un appareil électro-ménager muni d'un système d'horlogerie qui le règle automatiquement. ◆ **programmateur** n. m. **1.** En informatique, appareil dont les signaux de sortie commandent l'exécution d'une suite d'opérations correspondant à un programme. — **2.** Système d'horlogerie qui règle automatiquement le fonctionnement d'un appareil électro-ménager. ◆ **programmation** n. f. En informatique, établissement d'un programme. ◆ **programmeur, euse** n. Technicien chargé de rédiger en langage machine un programme soumis à un calculateur électronique.
— ENCYCL. L'*enseignement programmé* se distingue de l'enseignement de type traditionnel par l'absence d'intervention directe d'un professeur, l'adaptation de l'enseignement au rythme d'acquisition de chaque élève, réalisée par le fait que le déroulement du programme, quelle qu'en soit la réalisation (livre ou « machine à apprendre »), est assuré par l'élève seul. La matière est divisée en *éléments* plus ou moins longs, constitués par des rappels de connaissances, des explications, une ou deux informations nouvelles, et une question à laquelle l'élève doit répondre pour passer à l'élément suivant.

Il existe principalement deux types de programmes. Dans le *programme linéaire*, chaque élément s'enchaîne au suivant dans un ordre unique; si une erreur est commise, l'élève doit recommencer la lecture de l'élément jusqu'à ce que la réponse soit bonne. Dans le *programme ramifié* (Crowder), chaque élément, nettement plus long, comporte plusieurs réponses possibles parmi lesquelles se trouve la réponse bonne; si celle-ci est choisie par l'élève, il est envoyé à un élément exposant un nouvel aspect du programme; si l'élève choisit une autre réponse, il est alors renvoyé à un élément (sous-programme) apportant une information secondaire, spécifique de l'erreur commise et permettant de la corriger. Ces programmes sont réalisés à l'aide de textes *(livres brouillés)* ou de machines électroniques. Celles-ci comportent des *terminaux* (écran visuel, casque d'écoute, manettes à position, machine à écrire) et un *organe central*, qui comprend le calculateur et son programme, ainsi que les mémoires enregistrant la manière dont l'élève suit.

PROGRAMMÉ adj. m., **PROGRAMMEUR, EUSE** n. → PROGRAMME 4.

PROGRAMMER v. t. → PROGRAMME 2 et 4.

1. PROGRESSER [prɔgrese] v. i. (du lat. *progredi*, avancer). Faire des progrès, avancer : *Un élève qui progresse lentement.* ◆ **progrès** [prɔgrɛ] n. m. **1.** Changement d'état d'un degré à un degré supérieur, d'une chose, allant dans le sens d'un accroissement, d'une extension, d'une amélioration : *Les progrès de la science, de la médecine* (syn. DÉVELOPPEMENT, PERFECTIONNEMENT). *Croire au progrès de l'humanité.* — **2.** Acquisition de connaissances, de capacités par une personne : *Un élève en progrès* (= qui s'améliore). ◆ **progressiste** adj. et n. **1.** Qui est partisan du progrès dans tous les domaines. — **2.** Qui a des idées politiques et sociales avancées (par oppos. à CONSERVATEUR, RÉACTIONNAIRE). ◆ **progressisme** n. m.

2. PROGRESSER [prɔgrese] v. i. (même étym.). Avancer, gagner du terrain : *Les troupes progressent lentement en direction de la frontière. La mal progresse chez le malade* (= envahit l'organisme) [syn. S'AGGRAVER, EMPIRER]. ◆ **progression** n. f. Mouvement en avant, accroissement : *La température a suivi une progression régulière. L'économie a connu une période de progression* (contr. RÉGRESSION). ◆ **progressif, ive** adj. Qui suit une progression : *Les intérêts suivent un taux progressif* (= qui va en croissant) [contr. DÉGRESSIF]. *L'amélioration progressive du rendement* (= qui se fait peu à peu). ◆ **progressivement** adv. : *Réduire progressivement sa vitesse* (syn. PETIT À PETIT, PEU À PEU). ◆ **progressivité** n. f. Caractère de ce qui est progressif.

PROHIBER [prɔibe] v. t. (lat. *prohibere*, tenir à distance). *Prohiber qqch.*, le défendre, l'interdire légalement : *La loi qui prohibe le commerce des stupéfiants* (contr. AUTORISER). ◆ **prohibé, e** adj. *Armes prohibées*, armes dont le port ou la détention sont interdits par la loi. ‖ *Temps prohibé*, temps pendant lequel certains actes sont légalement interdits : *Chasser en temps prohibé.* ◆ **prohibitif, ive** adj. : *Mesures prohibitives* (= mesures d'interdiction). ‖ *Prix prohibitifs*, se dit de prix si élevés qu'ils empêchent l'achat ou la vente. ◆ **prohibition** n. f. Interdiction d'importer certains produits : *Prendre des mesures de prohibition.* ‖ *Prohibition de l'alcool*, ou *prohibition*, aux États-Unis, interdiction de la fabrication et de la vente de l'alcool entre 1918 et 1933. ◆ **prohibitionnisme** n. m. Système économique fondé sur la prohibition de certains produits. ◆ **prohibitionniste** adj.

PROIE [prwa] n. f. (du lat. *praeda*). **1.** Être vivant dont un animal *(prédateur)* s'empare pour le dévorer : *Le tigre épiait sa proie.* ‖ *Oiseau de proie*, oiseau qui se nourrit d'autres animaux (syn. RAPACE); homme avide et cruel. — **2.** (sujet nom de chose ou de personne) *Être la proie de qq'un, de qqch.*, être entre les mains, au pouvoir d'une personne; être ruiné, ravagé par quelque chose : *Un homme aussi naïf était une proie facile pour des escrocs. La maison était la proie des flammes.* — **3.** (sujet nom de personne) *Être en proie à l'inquiétude, au doute*, etc., être sous l'emprise de ces sentiments, de ces maux.

1. PROJECTEUR [prɔʒɛktœr] n. m. (du lat. *projectus*, jeté en avant). Source lumineuse intense, dont les rayons sont groupés en faisceau : *Le projecteur balayait lentement l'entrée du camp.*

2. PROJECTEUR n. m. → PROJETER 2.

PROJECTILE [prɔʒɛktil] n. m. (du lat. *projectus*, jeté en avant). Corps lancé avec force, et en partic. corps lancé au moyen d'une arme à feu : *Toutes sortes de projectiles pleuvaient pendant la bagarre : carafes, soucoupes, chaises, etc. Il a été blessé à la jambe, et le projectile a été extrait* (= balle, éclat d'obus, de grenade, etc.).

PROJECTION n. f. → PROJETER 2 et 3.

1. PROJETER [prɔʒte] ou [prɔʃte] v. t. (du lat. *pro*, en avant, et *jeter*). [Conj. **8.**] *Projeter qqch.*, avoir l'intention de le faire : *Nous projetons un grand voyage* (syn. ↓ENVISAGER). ◆ **projet** n. m. **1.** Ce qu'on a l'intention de faire : *Faire des projets de vacances. Un projet irréalisable* (syn. IDÉE, PROGRAMME). *Faire des projets d'avenir* (= envisager quelque chose à long terme, en général sans portée pratique). ‖ *Avoir des projets sur qq'un*, avoir certaines intentions en ce qui le concerne. — **2.** Ébauche, première rédaction d'un texte : *Voici un projet de livre.* ‖ *Projet de loi*, texte rédigé par un ministre et déposé en vue de son adoption, en tant que loi, auprès du Parlement. — **3.** Étude, avec dessin et devis, d'une construction à réaliser. ◆ **avant-projet** n. m. Étude préparatoire d'un projet : *L'avant-projet d'un devis.* ‖ Pl. des *avant-projets.* ◆ **contre-projet** n. m. Projet qu'on oppose à un autre. ‖ Pl. des *contre-projets.*

2. PROJETER [prɔʒte] ou [prɔʃte] v. t. (même étym.). [Conj. **8.**] **1.** *Projeter une ombre*, la faire apparaître sur une surface qui forme écran : *La lampe projette sur le mur la silhouette des deux interlocuteurs.* — **2.** *Projeter un film, des photos, des dessins*, les faire apparaître sur l'écran grâce à un dispositif lumineux spécial. — **3.** *Math.* Effectuer une projection. ◆ **projecteur** n. m. Appareil destiné à projeter des films, des photos, etc. ◆ **projection** n. f. **1.** *La projection d'une ombre sur le sol.* — **2.** *La projection de ce film a été interdite par la commission de censure.* — **3.** *Math.* → ENCYCL.
— ENCYCL. Si D et Δ sont deux droites d'un même plan affine P n'ayant pas même direction, on appelle *projection sur la droite D, de direction* Δ, l'application surjective et non injective du plan P sur D qui, à tout point M de P, associe le point *m*, intersection de D et de la droite de direction Δ passant par M.

Si D′ est une autre droite de P n'appartenant pas à la direction Δ, on appelle *projection de D′ sur D, de direction* Δ, la restriction de la projection précédente à D′ : c'est une application bijective de D′ sur D.

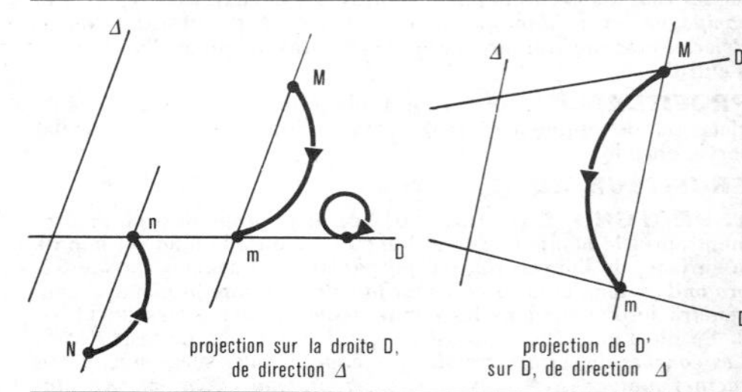

projection sur la droite D, de direction Δ

projection de D' sur D, de direction Δ

Si la direction de D est orthogonale à la direction Δ, la projection du plan sur D, parallèlement à Δ, s'appelle *projection orthogonale sur D.*

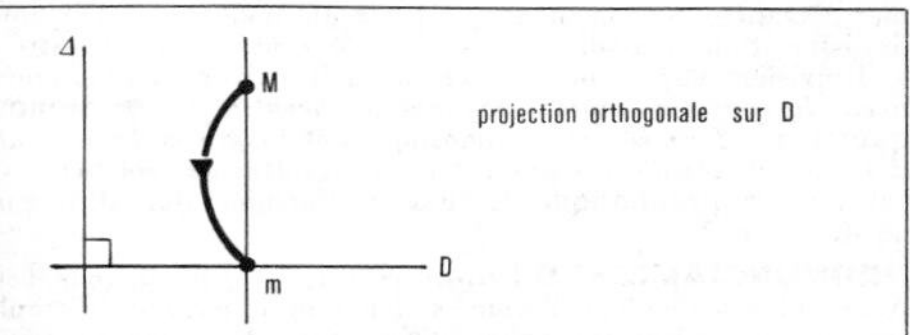

3. PROJETER [prɔʒte] ou [prɔʃte] v. t. (même étym.). [Conj. **8.**] Jeter avec force : *Des pneus de voiture qui projettent des gravillons.* ◆ **projection** n. f. : *Une projection de salive. Projection volcanique* (= matière volcanique projetée par un volcan).

PROKOFIEV (Sergheï), compositeur et pianiste russe (1891-1953). Dans ses compositions musicales, il a abordé tous les genres : opéra (*l'Amour des trois oranges,* 1919; *Guerre et Paix,* 1941-1942), ballets (*Roméo et Juliette,* 1935), suites d'orchestre (*Pierre et le Loup,* 1936), cantates (*Alexandre Nevski,* 1938), musiques de film (*Yvan le Terrible,* 1944-1946), symphonies, concertos, musique de chambre. Son œuvre se caractérise par la franchise et la simplicité des thèmes et la vigueur des rythmes énoncés dans un langage souvent polytonal (= qui utilise la superposition de mélodies d'une tonalité différant chacune).

PROKOPIEVSK, v. de l'U. R. S. S, dans le Kouzbass; 275 000 hab. Centre houiller et textile.

PROLAPSUS [prɔlapsys] n. m. (du lat. *pro,* en avant, et *labi,* tomber). *Méd.* Chute d'un organe.

PROLÉGOMÈNES [prɔlegɔmɛn] n. m. pl. (gr. *prolegomena,* choses dites avant). **1.** Longue introduction en tête d'un ouvrage. — **2.** Ensemble des notions préliminaires à une science.

PROLÉTAIRE [prɔletɛr] n. m. (lat. *proletarius*). Personne qui ne possède pour vivre que son salaire. (On l'oppose souvent à CAPITALISTE et à BOURGEOIS.) ◆ **prolétariat** n. m. Classe sociale des prolétaires. ◆ **prolétarien, enne** adj. : *Classe prolétarienne. Parti socialiste et prolétarien* (nom du parti socialiste dans certains pays). ◆ **prolétariser** v. t. Réduire des producteurs indépendants (exploitants agricoles, artisans, etc.) à la nécessité de mettre leur force de travail à la disposition de ceux qui détiennent les moyens de production. ◆ **prolétarisation** n. f. : *La prolétarisation des petits artisans des grandes villes.* ◆ **sous-prolétariat** n. m. Ensemble de ceux qui n'ont pas de profession régulière et qui forment la partie la plus pauvre du prolétariat dans les pays industrialisés.

PROLIFÉRER [prɔlifere] v. i. (du lat. *proles,* descendance, et *ferre,* porter). **1.** Se multiplier rapidement : *Dans le cancer, les cellules se mettent à proliférer* (= à se reproduire à une vitesse très grande). — **2.** Augmenter en nombre : *Les petits commerçants avaient proliféré dans ce site touristique.* ◆ **prolifération** n. f. : *La prolifération des armes nucléaires* (= l'augmentation de leur nombre).

PROLIFIQUE [prɔlifik] adj. (du lat. *proles,* descendance). **1.** Se dit d'animaux qui se multiplient rapidement : *Les lapins sont prolifiques.* — **2.** *Fam.* Se dit d'un artiste, d'un écrivain particulièrement fécond : *Un romancier prolifique.*

PROLIXE [prɔliks] adj. (lat. *prolixus,* étendu). Se dit d'une personne (ou de son comportement) qui parle ou qui écrit abondamment par rapport à ce qu'elle exprime : *Un écrivain prolixe* (syn. BAVARD). *Un style prolixe* (syn. DIFFUS). ◆ **prolixité** n. f. : *Faire preuve de prolixité* (contr. BRIÈVETÉ, CONCISION, ↑LACONISME).

PROLOGUE [prɔlɔg] n. m. (du gr. *pro,* avant, et *logos,* discours). **1.** Partie d'une œuvre littéraire ou musicale, notamment d'une pièce de théâtre, dans laquelle on expose des événements antérieurs à ceux qui font l'objet de l'œuvre elle-même : *Le prologue de l'« Amphitryon » de Molière met en scène le dieu Mercure.* — **2.** Introduction en général : *Je vous présente, en guise de prologue, mes meilleurs vœux pour le nouvel an.*

PROLONGATION n. f., **PROLONGÉ, E** adj. → PROLONGER 1.

1. PROLONGEMENT n. m. → PROLONGER 2.

2. PROLONGEMENTS [prɔlɔ̃ʒmɑ̃] n. m. pl. (de *prolonger*). Suites, conséquences d'un événement, d'une affaire : *Étudier les prolongements de la Révolution française dans l'Europe du XIXe s.* (= ses conséquences directes et indirectes).

1. PROLONGER [prɔlɔ̃ʒe] v. t. (du lat. *pro,* en avant, et *longus,* long). *Prolonger qqch.,* le faire durer plus longtemps : *Nous avons décidé de prolonger notre séjour* (syn. POURSUIVRE). *Prolonger le cessez-le-feu* (= reculer le moment où il devrait prendre fin). ◆ ***se prolonger*** v. pr. : *La séance se prolongeait* (syn. ↑S'ÉTERNISER). ◆ **prolongé, e** adj. : *Une sécheresse prolongée* (= qui dure très longtemps). ◆ **prolongation** n. f. **1.** *La prolongation de la soirée, d'un débat, d'un cessez-le-feu.* — **2.** *Sports.* Période accordée à deux équipes à égalité en fin de match, pour leur permettre de se départager : *Jouer les prolongations.*

2. PROLONGER [prɔlɔ̃ʒe] v. t. (même étym.). *Prolonger qqch.,* en étendre la longueur : *Prolonger le mur jusqu'au fond du jardin.* ◆ ***se prolonger*** v. pr. : *La route se prolonge par un chemin mal pavé.* ◆ **prolongement** n. m. : *Le prolongement d'une autoroute.*

PROMENER (SE) [səprɔmne] v. pr. (de *mener*) [sujet nom de personne]. Aller d'un endroit à un autre pour se distraire, se délasser, etc. : *Aller se promener dans les bois.* ◆ ***promener*** v. t. **1.** *Promener un être animé,* le conduire se promener : *Promener ses enfants au jardin* — **2.** Faire aller çà et là : *Promener son regard sur la foule.* ◆ v. i. Fam. *Envoyer promener qq'un,* le renvoyer brutalement, se débarrasser de lui. ‖ Fam. *Envoyer tout promener,* se dégoûter, se lasser de tout. ◆ **promenade** n. f. **1.** Action de se promener : *Partir en promenade* (syn. fam. BALADE). *Faire une promenade* (syn. fam. FAIRE UN TOUR). — **2.** Lieu aménagé dans une ville pour se promener (vieilli dans ce sens) : *Au-dessus des remparts, il y avait une promenade plantée d'arbres.* ◆ **promeneur, euse** n. Personne qui se promène. ◆ **promenoir** n. m. **1.** Lieu destiné à la promenade, dans un édifice clos (collège, lycée, prison, hôpital). — **2.** Partie d'un théâtre où les spectateurs restent debout.

PROMESSE n. f. → PROMETTRE.

PROMÉTHÉE. *Myth. gr.* Un des Titans. Selon la légende, il façonna lui-même l'homme avec de l'argile et l'anima avec une parcelle de feu dérobée aux dieux. En punition, il fut enchaîné par Zeus au sommet du Caucase où un aigle lui rongeait le foie qui repoussait sans cesse. Héraclès mit fin au supplice en tuant l'aigle. On disait aussi qu'il avait enseigné de nombreux arts utiles aux hommes. — Parmi les poètes que le mythe de Prométhée a inspirés, citons Eschyle *(Prométhée enchaîné),* Goethe, Byron et Shelley; ces deux derniers ont fait du personnage un héros romantique.

PROMETTRE [prɔmɛtr] v. t. (lat. *promittere*). [Conj. **57.**] **1.** *Promettre de* (et l'infin.), *promettre que* (et l'indic.), s'engager devant quelqu'un à faire quelque chose : *Je vous promets de venir vous voir. Il promet qu'il travaillera mieux.* — **2.** *Promettre qqch. à qq'un,* s'engager à le lui donner : *Promettre une sucette à un enfant.* — **3.** *Promettre monts et merveilles,* laisser espérer des choses merveilleuses. ‖ *Promettre le secret,* assurer à quelqu'un qu'on gardera le secret. ◆ v. t. et i. **1.** (sujet nom de chose) Laisser présager ce qui va suivre, annoncer l'avenir : *La saison promettait d'être belle.* — **2.** *Promettre beaucoup,* laisser naître de grands espoirs, permettre d'espérer une récolte, un profit abondant, etc. : *Les pommiers promettent beaucoup cette année* (= auront beaucoup de pommes). ‖ Fam. *Ça promet!,* ce début laisse prévoir une suite remarquable (en bien ou, plus souvent, en mal). ◆ ***se promettre*** v. pr. **1.** Prendre la résolution (de) : *Il se promettait bien de travailler pendant les vacances* (= il comptait bien). — **2.** *Se promettre du plaisir, du bon temps,* etc., envisager d'en avoir. ◆ **promis, e** adj. **1.** *Chose promise, chose due* (= on doit donner ce qu'on a promis). — **2.** *Terre promise,* terre, pays de Canaan que Dieu avait promis aux Hébreux; contrée très fertile. ‖ *Promis à qqch.,* se dit d'une personne qui est destinée à cette chose, à qui cette chose doit sûrement arriver : *Un jeune homme promis à un brillant avenir.* ◆ n. Fiancé, fiancée (vieilli). ◆ **promesse** n. f. Assurance qu'on donne de faire, de fournir, de dire quelque chose : *Tenir sa promesse* (= la réaliser). ◆ **prometteur, euse** adj. Se dit de ce qui laisse bien augurer de l'avenir : *Des débuts prometteurs.*

PROMISCUITÉ [prɔmiskɥite] n. f. (du lat. *promiscuus,* vulgaire). Proximité désagréable de personnes, ou de choses et de personnes : *Il vivait avec toute sa famille dans une seule pièce, dans une promiscuité dont chacun souffrait.*

PROMONTOIRE [prɔmɔ̃twar] n. m. (lat. *promontorium*). *Géogr.* Cap élevé, s'avançant dans la mer.

1. PROMOTEUR [prɔmɔtœr] n. m. (de *promouvoir*). Homme d'affaires qui assure la construction et le financement d'immeubles : *Promoteur immobilier.*

2. PROMOTEUR, TRICE n. → PROMOUVOIR 1.

1. PROMOTION n. f. → PROMOUVOIR 1 et 2.

2. PROMOTION [prɔmɔsjɔ̃] n. f. (du lat. *promovere,* promouvoir). Ensemble des élèves entrés la même année dans une grande école. (Abrév. fam. PROMO.)

1. PROMOUVOIR [prɔmuvwar] v. t. (lat. *promovere,* faire avancer). [Conj. **36.**] *Promouvoir qqch.,* le mettre en action, en œuvre : *Promouvoir une politique de progrès social.* ◆ **promo-**

teur, trice n. : *Le promoteur de cette réforme* (= celui qui en a eu l'idée) [syn. INSTIGATEUR]. ◆ **promotion** n. f. : *Promotion des ventes,* opération qui consiste à accroître les ventes d'un produit par des campagnes d'information et de publicité auprès du public; le service d'une entreprise qui en est chargé. ◆ **promotionnel, elle** adj. : *Des tarifs promotionnels* (= conçus pour favoriser la vente d'un produit).

2. PROMOUVOIR [prɔmuvwar] v. t. (même étym.). [Conj. **36.**] *Promouvoir qq'un,* l'élever à une fonction, à un grade supérieurs : *Il a été promu général de division.* ◆ **promotion** n. f. **1.** *Sa promotion au poste de directeur est récente.* — **2.** *Promotion ouvrière, sociale,* élévation du niveau de vie des classes défavorisées ou d'un individu à un niveau de vie supérieur. ◆ **promu** n. m. Personne qui a été élevée à une fonction, un grade supérieurs.

PROMPT, E [prɔ̃, -ɔ̃t] adj. (lat. *promptus*) [avant ou après le nom]. Se dit d'une chose qui se produit rapidement, ou d'une personne qui agit rapidement (employé dans la langue littér., comme syn. de RAPIDE, et dans quelques express. de la langue soignée) : *Je vous souhaite un prompt rétablissement. Un geste prompt* (syn. BRUSQUE). ◆ **promptement** adv. : *L'affaire a été promptement réglée.* ◆ **promptitude** n. f. : *La promptitude de l'intervention des pompiers a permis d'éviter une catastrophe* (syn. RAPIDITÉ).

PROMU n. m. → PROMOUVOIR 2.

PROMULGUER [prɔmylge] v. t. (lat. *promulgare*). *Promulguer une loi,* la publier officiellement et la rendre applicable quand elle a été régulièrement adoptée. ◆ **promulgation** n. f. : *La promulgation de la loi intervient parfois beaucoup plus tard que son adoption par le Parlement.*

PRONAOS [prɔnaɔs] n. m. (mot gr.). *Archit.* Partie antérieure d'un temple ancien. (Dans un temple égyptien, le pronaos précède la salle hypostyle [temple de Khonsou, à Karnak].)

PRÔNER [prone] v. t. (de *prône,* discours). Vanter, louer, recommander quelque chose : *Prôner la modération* (syn. PRÉCONISER, RECOMMANDER).

PRONOM [prɔnɔ̃] n. m. (du lat. *pro,* à la place de, et *nom*). → CLASSE 4. ‖ *Pronoms personnels* → JE, TU, IL, NOUS. ‖ *Pronoms possessifs* → MON. ‖ *Pronoms démonstratifs* → CE. ‖ *Pronoms indéfinis* → AUCUN, PERSONNE, RIEN, etc. ‖ *Pronoms relatifs* et *interrogatifs* → QUI. ◆ **pronominal, e, aux** adj. : *L'emploi pronominal de «tout»* (= en fonction de pronom).

1. PRONOMINAL, E, AUX [prɔnɔminal, -no] adj. et n. (de *pronom*). *Adjectifs pronominaux,* se dit parfois des adjectifs possessifs, démonstratifs, interrogatifs, relatifs, exclamatifs et indéfinis. ‖ *Verbe pronominal,* verbe qui se conjugue avec deux pronoms de la même personne. (Ex. : *Il se* flatte; *nous nous* avançons.) → ENCYCL. ◆ **pronominalement** adv. Comme verbe pronominal.

— ENCYCL. On distingue : le *verbe pronominal réfléchi,* quand le sujet fait l'action sur lui-même *(il se regarde dans la glace);* le *verbe pronominal réciproque,* quand plusieurs personnes font l'une sur l'autre l'action indiquée par le verbe *(ils se disent des injures);* le *verbe pronominal proprement dit,* quand le pronom de forme réfléchie n'a pas de fonction grammaticale *(il s'est emparé de la ville);* le *verbe pronominal à sens passif,* où le verbe a le sens d'un passif *(les fruits se vendent cher).*

2. PRONOMINAL, E, AUX adj. → PRONOM.

PRONONÇABLE adj. → PRONONCER 1.

1. PRONONCÉ, E adj. → PRONONCER 1.

2. PRONONCÉ, E [prɔnɔ̃se] adj. (de *prononcer*). Se dit d'une chose qui apparaît tout de suite, en raison de son importance ou de son caractère marqué : *Un visage aux traits prononcés* (syn. ACCENTUÉ, ACCUSÉ). *Manifester un goût prononcé pour la musique.*

1. PRONONCER [prɔnɔ̃se] v. t. et i. (lat. *pronuntiare,* proclamer). **1.** Articuler d'une manière particulière : *Comment prononcez-vous «think» en anglais? On écrit «paon» et on prononce* [pɑ̃]. — **2.** Syn. de DIRE (langue soignée) : *Dans son émotion, il n'a pas pu prononcer un seul mot* (syn. ARTICULER, ÉMETTRE). ◆ ***se prononcer*** v. pr. : *Comment cela se prononce-t-il?* ◆ **prononcé, e** adj. : *Mots à peine prononcés* (syn. ARTICULÉ). ◆ **prononciation** n. f. Façon de prononcer : *La prononciation phonétique des mots du dictionnaire est entre crochets* ◆ **prononçable** adj. : *Ce mot est à peine prononçable.* ◆ **imprononçable** adj. : *Une phrase comme «Un chasseur sachant chasser sans son chien» est-elle imprononçable?*

2. PRONONCER [prɔnɔ̃se] v. t. (même étym.). **1.** Dans la langue jurid., faire connaître une décision, un jugement, etc. : *Le juge a prononcé le huis clos. Prononcer la dissolution de l'Assemblée.* — **2.** *Prononcer des vœux,* entrer en religion, prendre des engagements religieux. ◆ ***se prononcer*** v. pr. Prendre une décision, prendre un parti dans un choix, une alternative : *Entre les deux candidats au poste, le directeur s'est prononcé en faveur du plus jeune* (syn. SE DÉCIDER, OPTER).

PRONOSTIC [prɔnɔstik] n. m. (du gr. *prognôstikein,* proclamer d'avance). **1.** Jugement que porte un médecin sur l'évolution probable d'une maladie : *Le docteur a réservé son pronostic.* — **2.** Prévision, supposition sur ce qui doit arriver : *Les pronostics avant la course donnaient gagnant le cheval nº 13.* ◆ **pronostiquer** v. t. : *Le médecin a pronostiqué une longue maladie. Aucun des journalistes n'avait pronostiqué le résultat des élections* (syn. PRÉVOIR). ◆ **pronostiqueur, euse,** n. Personne qui fait des pronostics (sens 2).

PRONUNCIAMIENTO [prɔnunsjamjɛnto] n. m. (mot esp.). Action illégale de chefs d'armée s'emparant du pouvoir. (S'emploie surtout en parlant de coups d'État dans les pays de langue espagnole.)

PROPAGANDE [prɔpagɑ̃d] n. f. (du lat. *propaganda fide* pour la propagation de la foi). Action concertée, organisée en vue de répandre une opinion, une religion, une doctrine. ◆ **propagandiste** adj. et n. : *Un zélé propagandiste du Marché commun européen* (= qui fait de la propagande).

PROPAGER [prɔpaʒe] v. t. (lat. *propagare*) [sujet nom de personne]. Répandre quelque chose dans le public : *Propager une nouvelle* (syn. COLPORTER). ◆ ***se propager*** v. pr. (sujet nom de chose). Se répandre, s'étendre : *L'incendie se propage. Les idées d'indépendance se propageaient rapidement.* ◆ **propagation** n. f. **1.** *La propagation des idées, de la foi* (syn. EXTENSION). — **2.** *Phys.* Mode de transmission des ondes sonores ou lumineuses : *Étudier la vitesse de propagation des électrons dans un tube.* ◆ **propagateur, trice** n. : *Les missionnaires ont été des propagateurs de la foi dans le monde.*

PROPANE [prɔpan] n. m. (du gr. *prôtos,* premier, et *piôn,* gras). Hydrocarbure saturé gazeux (C_3H_8), employé comme combustible. ◆ **propanier** n. m. Navire utilisé pour le transport du propane sous forme de gaz de pétrole liquéfiés.

PROPENSION [prɔpɑ̃sjɔ̃] n. f. (du lat. *propendere,* pencher). Inclination d'une personne vers quelque chose, tendance à faire cette chose : *Avoir une certaine propension à critiquer les autres* (syn. DISPOSITION, PENCHANT).

PROPERGOL [prɔpɛrgɔl] n. m. (mot all.). Nom générique des corps chimiques servant à la propulsion des fusées.

PROPHÈTE [prɔfɛt] n. m. (gr. *prophêtês,* qui dit d'avance). **1.** Personne qui, inspirée par Dieu, annonce aux hommes ce que Dieu lui a révélé en ce qui concerne les événements à venir : *Les prophètes de l'Ancien Testament.* — **2.** *Le Prophète,* Mahomet. — **3.** Personne qui prédit l'avenir : *Nul n'est prophète en son pays* (= on n'est jamais écouté par ceux qui vous connaissent trop bien). [Le fém. PROPHÉTESSE est rare.] ◆ **prophétie** [prɔfesi] n. f. Prédiction d'un événement futur : *Ses prophéties en matière politique ont été constamment démenties.* ◆ **prophétique** adj. : *Paroles prophétiques* (= qui annonçaient un événement qui s'est réalisé). ◆ **prophétiser** v. t. et i. : *Il prophétisait la chute de l'Empire et l'avènement des temps nouveaux.*

PROPHYLAXIE [prɔfilaksi] n. f. (du gr. *prophulatteîn,* veiller sur). Ensemble des précautions et des mesures destinées à empêcher l'apparition ou la propagation d'une ou de plusieurs maladies : *Prophylaxie des maladies contagieuses.* ◆ **prophylactique** adj. Relatif à la prophylaxie : *Mesures prophylactiques.*

PROPICE [prɔpis] adj. (lat. *propitius*). Se dit de ce qui convient bien, se prête bien à quelque chose (langue soignée) : *Une occasion propice* (= une bonne occasion, un bon moment). *Un temps propice à la pêche. Choisir le moment propice pour présenter une requête* (syn. FAVORABLE, OPPORTUN).

PROPONTIDE, anc. nom de la MER DE MARMARA*.

PROPORTION [prɔpɔrsjɔ̃] n. f. (lat. *proportio*). **1.** *Math.* Égalité de deux rapports de nombres (par ex. : $\frac{1}{3}=\frac{2}{6}$). — **2.** Rapport établi entre les parties d'un tout, entre des choses comparables, etc. : *L'incident est hors de proportion avec ce qui l'a causé* (= sans commune mesure avec). *Il n'y a aucune proportion entre le prix que tu demandes et le prix réel* (= aucune commune mesure). — **3.** *Toutes proportions gardées,* s'emploie pour limiter une comparaison : *Toutes proportions gardées, le mobilier vaut plus cher que la maison* (= si l'on se réfère à la valeur normale de l'un et de l'autre). — LOC. ADV. *En proportion,* selon des mesures appropriées, en rapport : *Il a une famille nombreuse et un appartement en proportion.* — LOC. PRÉP. *En proportion de,* suivant l'importance de : *Bénéfice faible en proportion de la dépense* (syn. EU ÉGARD À). ◆ n. f. pl. Importance matérielle ou morale de quelque chose : *Un pilier de très grandes proportions* (syn. DIMENSIONS). *L'affaire a pris des proportions considérables.* ◆ **proportionnel, elle** adj. **1.** Se dit d'une grandeur, d'une quantité qui est en proportion avec une autre, notamment en mathématiques : *Chacun doit toucher une rétribution proportionnelle au travail qu'il a effective-*

ment fourni. — **2.** *Représentation proportionnelle*, ou *proportionnelle* n. f., système électoral accordant aux divers partis des représentants en nombre proportionnel aux suffrages recueillis. ◆ **proportionnellement** adv. [à] : *Calculer ses dépenses proportionnellement à ses revenus.* ◆ **proportionnalité** n. f. **1.** Caractère des grandeurs proportionnelles entre elles. — **2.** *Proportionnalité de l'impôt*, système dans lequel le taux de l'impôt reste fixe, quel que soit le montant de la matière imposable (par oppos. à PROGRESSIVITÉ). ◆ **proportionner** v. t. : *Proportionner sa peine au gain qu'on en tire.* ◆ **proportionné, e** adj. *Bien proportionné*, dont les diverses parties sont dans un rapport harmonieux, surtout en parlant d'une personne : *Il est bien proportionné* (syn. BIEN FAIT; fam. BIEN BÂTI). ◆ **disproportion** n. f. Défaut de proportion : *La disproportion d'âge ne les empêche pas d'avoir les mêmes goûts* (syn. ↓DIFFÉRENCE, INÉGALITÉ). ◆ **disproportionné, e** adj. : *Mettre en œuvre des moyens disproportionnés avec le résultat recherché.*

1. PROPOS n. m. → PROPOSER 2.

2. PROPOS [prɔpo] n. m. pl. (de *proposer*). Paroles dites, mots échangés au cours d'une conversation (langue soignée) : *Tenir des propos d'une extrême banalité.*

3. PROPOS [prɔpo] n. m. (même étym.) [entre dans des loc.]. — LOC. PRÉP. *À propos de*, au sujet de : *Il fait des histoires à propos de tout* (= en toute occasion). *À propos de ce que vous disiez* (= relativement à ce que vous disiez). — LOC. ADV. *À tout propos*, constamment : *Il parle à tout propos de sa gloire passée* (syn. fam. À TOUT BOUT DE CHAMP). ‖ *À propos!*, sert à marquer une transition, dans un dialogue, entre deux idées différentes.

4. PROPOS (À) [aprɔpo] loc. adv. (même étym.). De façon opportune : *Ce mandat arriva fort à propos pour le tirer d'embarras* (syn. À POINT; fam. À PIC). *Vous tombez mal à propos* (= à un mauvais moment).

1. PROPOSER [prɔpoze] v. t. (du lat. *proponere*, placer devant). *Proposer qqch., une personne à qq'un*, les lui faire connaître, les lui présenter pour les soumettre à son choix : *Quel prix proposez-vous? Proposer une interprétation* (syn. PRÉSENTER, SOUMETTRE). *Je vous propose de venir me voir* (syn. INVITER). *Je propose que chacun donne son avis sur la question* (syn. SUGGÉRER). ◆ ***se proposer*** v. pr. Offrir ses services : *Il s'est proposé pour assurer la permanence.* ◆ **proposition** n. f. **1.** Le fait de proposer; ce qui est proposé : *Vos propositions ne sont pas raisonnables* (syn. OFFRE). — **2.** *Proposition de loi*, texte rédigé par un parlementaire et déposé auprès du Parlement en vue de son adoption en tant que loi. ◆ **contre-proposition** n. f. Proposition faite en opposition à une autre qu'on n'accepte pas.

2. PROPOSER (SE) [səprɔpoze] v. pr. (même étym.). *Se proposer de faire qqch.*, se l'assigner comme but : *Dans ce livre, l'auteur s'est proposé de traiter un sujet délicat.* ◆ **propos** n. m. **1.** Intention, but (langue soignée) : *Mon propos n'est pas de faire l'éloge d'un incapable* (= je ne cherche pas à le faire). — **2.** *Avoir le ferme propos de faire qqch.*, avoir la ferme intention de le faire. ◆ **avant-propos** n. m. inv. Toute préface d'un livre où l'auteur présente une idée préliminaire de ce qu'il s'est proposé de faire dans son ouvrage.

1. PROPOSITION n. f. → PROPOSER 1.

2. PROPOSITION [prɔpozisjɔ̃] n. f. (de *proposer*). *Gramm.* Unité constitutive d'un énoncé, composée en général d'un groupe nominal et d'un groupe verbal, et formant une partie d'une phrase, sinon la phrase tout entière : *L'énoncé «Il pleuvait quand nous sommes sortis. Heureusement, nous n'avions pas loin à aller.» est composé de deux phrases limitées par un point. La première phrase comporte deux propositions : «Il pleuvait» (proposition principale) et «quand nous sommes sortis» (proposition subordonnée).*

3. PROPOSITION [prɔpozisjɔ̃] n. f. (même étym.). *Math.* Phrase ou assemblage de symboles dont on peut dire sans ambiguïté s'ils sont vrais ou faux : *«8 est inférieur à 4» est une proposition (fausse). «12 est un nombre pair» est une proposition (vraie). «Pascal est blond» n'est pas une proposition (la couleur des cheveux est une notion imprécise).*

1. PROPRE [prɔpr] adj. (lat. *proprius*) [après le nom]. **1.** Se dit d'une chose nette, sans trace de souillure, de poussière ou d'ordure : *Des draps propres* (contr. SALE). — **2.** Se dit d'une personne qui se lave souvent : *Des enfants propres* (contr. MALPROPRE). — **3.** Se dit d'un tout petit qui ne se souille plus : *Cet enfant dort sans couche, car il est propre maintenant.* — **4.** Se dit d'une personne, d'une activité, d'un comportement moral honnête : *Toutes ces spéculations sur les appartements ne sont pas très propres* (contr. IMMORAL). ◆ n. m. *C'est du propre!*, se dit d'une chose qu'on désapprouve fortement. ‖ *Mettre au propre*, recopier un texte écrit au brouillon. ◆ **proprement** adv. : *Manger proprement.* ◆ **propreté** n. f. : *Aimer la propreté* (contr. SALETÉ). ◆ **malpropre** adj. **1.** Contr. de PROPRE : *Un enfant malpropre* (syn. ↑SALE). *Un travail malpropre* (= mal fait). — **2.** Qui n'est pas conforme à l'honnêteté, à la décence, à la délicatesse : *Un individu malpropre* (syn. MALHONNÊTE). *Un mot malpropre* (syn. GROSSIER). ◆ **malproprement** adv. : *Manger malproprement.* ◆ **malpropreté** n. f. : *La malpropreté de ses vêtements.*

2. PROPRE [prɔpr] adj. (même étym.). **1.** (après le nom, sans déterminatif, dans quelques express.) *En main propre*, à la personne même : *Remettre une lettre en main propre.* ‖ Gramm. *Nom propre*, nom qui ne peut s'appliquer qu'à un seul être, à un seul objet, ou à une catégorie d'êtres ou d'objets (par oppos. à *nom commun*) : *«Hugo», «Paris», la «Loire», les «Espagnols» sont des noms propres.* — **2.** (avant le nom, avec un possessif) Renforce l'idée possessive : *Je l'ai vu de mes propres yeux* (= moi-même, de mes yeux). *Le miroir lui renvoyait sa propre image. Ce sont là ses propres paroles* (= c'est exactement ce qu'il a dit) [syn. TEXTUEL]. — **3.** (après le nom, avec un déterminatif précédé de *à*) Renforce l'idée de ce qui appartient spécialement à quelqu'un, à quelque chose : *Les défauts propres à cet enfant* (= les défauts de cet enfant) [syn. PARTICULIER, SPÉCIFIQUE]. ◆ n. m. *Avoir en propre qqch.*, être seul à le posséder. ‖ *Le propre de qqch., de qq'un*, ce qui le différencie des autres : *Le rire est le propre de l'homme* (= n'appartient qu'à l'homme, à l'exclusion des autres êtres vivants).

3. PROPRE [prɔpr] adj. (même étym.) [après le nom]. **1.** Se dit d'un mot, d'une expression qui convient exactement à son objet : *Employer le mot propre* (syn. APPROPRIÉ, EXACT, JUSTE; contr. IMPROPRE). — **2.** *Sens propre d'un mot*, son sens premier, usuel, sans valeur stylistique particulière (par oppos. à *sens figuré*). ◆ n. m. : *Une pie est au propre un oiseau et au figuré une personne bavarde.* ◆ **proprement** adv. *Proprement dit*, au sens exact et restreint : *Les banlieusards et les Parisiens proprement dits.* ‖ *À proprement parler*, pour parler en termes exacts. ◆ **propriété** n. f. : *Discuter de la propriété des termes d'une phrase* (= de leur convenance par rapport à l'idée qu'on veut exprimer). ◆ **impropre** adj. : *Utiliser un terme impropre pour exprimer une idée* (syn. INADÉQUAT). ◆ **impropriété** n. f. : *Traduction pleine d'impropriétés.*

4. PROPRE [prɔpr] adj. (même étym.). *Propre à* (suivi d'un nom), se dit d'une personne apte à quelque chose (langue soignée) : *Un tempérament propre à la solitude;* suivi d'un infin., se dit d'une chose qui est de nature à produire tel ou tel effet, qui convient à tel ou tel usage (langue soignée) : *Des exercices propres à développer la mémoire.* ◆ **impropre** adj. : *Un ouvrier impropre à ce travail* (syn. INAPTE). *Un produit impropre à la consommation.* ◆ **propre-à-rien** n. m. Personne sans aucune capacité. ‖ Pl. des *propres-à-rien.*

PROPRÉTEUR [prɔpretœr] n. m. (lat. *propretor*). *Antiq. rom.* Magistrat (généralement anc. préteur) délégué au gouvernement d'une province.

PROPRIANO, comm. de la Corse-du-Sud, sur le golfe de Sartène; 3100 hab. Centre touristique.

1. PROPRIÉTÉ [prɔprijete] n. f. (du lat. *proprius*, propre). **1.** Droit d'user et de disposer d'un bien d'une façon exclusive et absolue, sous certaines réserves définies par la loi : *La Déclaration des droits de l'homme et du citoyen de 1789 considérait la propriété comme un droit naturel de l'homme.* ‖ *Propriété artistique et littéraire*, droit d'un artiste ou d'un écrivain (et de ses héritiers) de tirer un revenu de l'exploitation de son œuvre. ‖ *Propriété commerciale, propriété industrielle*, droit exclusif d'exploiter un nom commercial, un brevet, une marque de fabrique, etc. — **2.** Terre, maison qui appartient à quelqu'un : *Avoir une propriété à la campagne.* ‖ *La petite propriété, la grande propriété*, régimes économiques caractérisés par des terres de petite, de grande surface : *Au Brésil, c'est le régime de la grande propriété qui domine.* ◆ **propriétaire** n. **1.** Personne qui jouit du droit de propriété : *Propriétaire d'un lot d'actions, d'un chien.* — **2.** *Spécialem.* Personne qui possède une maison, un terrain, etc. : *Payer son terme au propriétaire.* ‖ *Faire le tour du propriétaire*, visiter un endroit, en inspecter toutes les parties. ‖ *Les grands propriétaires*, ceux qui ont de grandes propriétés, des terres nombreuses. ◆ **copropriété** n. f. Propriété (au sens 1) commune avec d'autres personnes : *Un immeuble en copropriété.* ◆ **copropriétaire** n. : *La réunion des copropriétaires a eu lieu à l'instigation du syndic.* ◆ **multipropriété** n. f. Formule de copropriété valable pour les résidences secondaires et dans laquelle chaque copropriétaire a l'usage du logement pendant une tranche de temps déterminée.

2. PROPRIÉTÉ [prɔprijete] n. f. (même étym.). Ce qui distingue un corps des autres, au point de vue physique, chimique, etc. : *Les propriétés des acides. Propriétés physiques* (= densité, température, etc., d'un corps). *Propriétés chimiques* (= ensemble des réactions, des combinaisons auxquelles un corps donne lieu en présence d'un autre).

3. PROPRIÉTÉ n. f. → PROPRE 3.

PROPULSER [prɔpylse] v. t. (du lat. *propellere*, pousser devant soi). Faire avancer à l'aide d'un propulseur : *Un moteur sert à propulser ce voilier quand le vent est insuffisant.* ◆ **propulseur** n. m. Organe, machine destinés à imprimer un mouvement de propulsion : *Un propulseur à hélice.* ◆ **propulsif, ive** adj. Qui produit la propulsion. ◆ **propulsion** n. f. Mouvement qui pousse en avant : *La propulsion par réaction remplace de plus en plus la propulsion à hélice.* ◆ **autopropulsé, e** adj. Se dit d'un mobile mû par ses propres moyens : *Fusée autopropulsée.*

PROPYLÉE [prɔpile] n. m. (gr. *propulaion*, ce qui est devant la porte). *Antiq. gr.* Porche monumental composé d'une façade à colonnade doublée d'un vestibule, et qui précédait généralement les grands sanctuaires grecs. (Les propylées les plus célèbres sont ceux de l'Acropole d'Athènes [437-432 av. J.-C.], par Mnésiclès.)

PRORATA [prɔrata] n. m. (lat. *pro rata [parte]*, suivant une [part] déterminée). Part proportionnelle : *Verser le prorata d'une quote-part.* — LOC. PRÉP. *Au prorata de*, en proportion de : *Avoir part à un bénéfice au prorata de la mise de fonds* (syn. PROPORTIONNELLEMENT À).

PROROGER [prɔrɔʒe] v. t. (lat. *prorogare*, prolonger). **1.** Prolonger l'existence légale de quelque chose (jurid.) : *Proroger le délai d'un paiement.* — **2.** *Proroger une assemblée*, suspendre ses séances et en remettre la continuation à un autre jour. ◆ **prorogation** n. f. : *Le Parlement avait voté une prorogation des pouvoirs spéciaux du président.*

PROSAÏQUE [prozaik] adj. (bas lat. *prosaicus*, plat). Se dit d'une chose ou d'une personne qui manque de noblesse, d'idéal, de ce qui lasse par sa monotonie : *Il a des goûts prosaïques* (syn. TERRE À TERRE). *Mener une vie prosaïque* (syn. BANAL, PLAT). ◆ **prosaïquement** adv. : *Vivre prosaïquement.* ◆ **prosaïsme** n. m. : *Le prosaïsme de ses remarques* (syn. ↓BANALITÉ, PLATITUDE).

PROSATEUR n. m. → PROSE.

PROSCENIUM [prɔsenjɔm] n. m. (gr. *proskênion*, devant de la scène d'un théâtre). Partie du théâtre ancien qui comprenait ce que nous appelons la *scène* et l'*avant-scène*.

PROSCRIRE [prɔskrir] v. t. (lat. *proscribere*). [Conj. **71.**] Interdire formellement : *Une doctrine qui proscrit le recours à la violence.* ◆ **proscrit, e** adj. : *Un usage proscrit.* ◆ n. m. Celui qui est illégalement frappé d'exil (littér.) : *Victor Hugo vécut en proscrit pendant une vingtaine d'années.* ◆ **proscription** n. f. : *La proscription d'un usage* (syn. INTERDICTION).

PROSE [proz] n. f. (lat. *prosa*). **1.** Forme ordinaire du discours parlé ou écrit, qui n'est pas assujettie aux règles de rythme, de musicalité, etc., propres à la poésie : *Faire de la prose* (par oppos. à *faire des vers*). *Poème en prose* (= qui ne contient pas de rimes). — **2.** Manière d'écrire particulière à quelqu'un, texte écrit par lui (ironiq.) : *Je n'ai pas eu l'occasion de lire de sa prose.* ◆ **prosateur** n. m. Écrivain qui s'exprime en prose : *Bossuet est un des plus grands prosateurs du XVIIe s.*

PROSÉLYTE [prɔzelit] n. m. (gr. *prosêlutos*, nouveau venu). Personne qui est gagnée à une opinion politique, à une foi philosophique ou religieuse. ◆ **prosélytisme** n. m. Zèle à faire des prosélytes : *Faire du prosélytisme politique, religieux.*

PROSERPINE. *Myth. rom.* Déesse de l'Agriculture et reine des Enfers, femme de Pluton, assimilée à la *Perséphone* grecque.

PROSIMIENS [prɔsimjɛ̃] n. m. pl. (du lat. *pro*, avant, et *simien*). Syn. de LÉMURIENS.

PROSODIE [prɔzɔdi] n. f. (gr. *prosôdia*, quantité relative aux vers). **1.** Ensemble des règles relatives à la longueur des syllabes (surtout en grec et en latin) : *La prosodie est la base de la métrique.* — **2.** *Prosodie musicale*, ensemble des règles nécessaires pour appliquer une musique à des paroles ou des paroles à une musique. — **3.** Ensemble des phénomènes linguistiques mélodiques (intonation, accents, etc.). ◆ **prosodique** adj. : *Les règles prosodiques.*

PROSOPOPÉE [prɔzɔpɔpe] n. f. (du gr. *prosôpon*, personne, et *poiein*, faire). Procédé par lequel l'orateur ou l'écrivain prête le sentiment et la parole à des être inanimés, à des morts ou à des absents : *Platon a fait parler les lois dans une belle prosopopée.*

PROSPECTER [prɔspɛkte] v. t. (de l'angl. *to prospect*, regarder devant). **1.** Étudier un terrain pour y rechercher les gisements de minéraux utilisables (or, diamant, pétrole, etc.). — **2.** Étudier les possibilités d'augmenter une clientèle : *Un assureur qui prospecte une région.* ◆ **prospection** n. f. : *La prospection et l'exploitation faites par une compagnie pétrolière. Faire de la prospection par sondages dans une région* (syn. ENQUÊTE, RECHERCHE). ◆ **prospecteur, trice** adj. et n. : *Un agent prospecteur.*

PROSPECTIVE [prɔspɛktiv] n. f. (du lat. *prospectivus*, qui concerne l'avenir). Science qui a pour objet l'étude des causes techniques, scientifiques, économiques et sociales qui accélèrent l'évolution du monde moderne, et la prévision des situations qui en découlent.

PROSPECTUS [prɔspɛktys] n. m. (mot lat. signif. *vue, aspect*). Feuille imprimée destinée à vanter un produit, une maison de commerce, à faire une annonce publicitaire, etc.

PROSPÈRE [prɔspɛr] adj. (lat. *prosperus*). **1.** Se dit de la situation d'une personne, d'un état de choses qui est dans une période de succès, de réussite : *Être dans une situation prospère* (= financièrement favorable). — **2.** Se dit d'une personne (ou de son comportement) qui est en bonne santé, qui a belle apparence : *Avoir une santé prospère* (syn. FLORISSANT). ◆ **prospérer** v. i. : *Son commerce prospère* (contr. PÉRICLITER). ◆ **prospérité** n. f. : *Souhaiter à qq'un bonheur et prospérité* (syn. RICHESSE, SUCCÈS). *L'état de prospérité des finances* (contr. MARASME).

PROSTATE [prɔstat] n. f. (gr. *prostatês*, qui se tient en avant). *Anat.* Corps glandulaire propre au sexe masculin, qui est situé au niveau de la partie initiale de l'urètre.

PROSTERNER (SE) [səprɔstɛrne] v. pr. (lat. *prosternere*). Se courber profondément, devant quelqu'un ou quelque chose, en signe d'humilité, de respect. ◆ **prosternation** n. f. ou **prosternement** n. m. : *Les prosternations des fidèles devant le saint sacrement.*

PROSTITUER [prɔstitɥe] v. t. (lat. *prostituere*, exposer en public). **1.** *Prostituer qq'un*, le livrer aux plaisirs sexuels d'autrui contre de l'argent. — **2.** *Prostituer son talent, un art*, etc., en faire un usage avilissant, dégradant. ◆ ***se prostituer*** v. pr. **1.** (sujet nom désignant un homme, une femme) Livrer son corps aux plaisirs sexuels d'autrui, contre de l'argent. — **2.** (sujet nom désignant un artiste, un écrivain) Avilir son talent. ◆ **prostituée** n. f. Femme qui se prostitue. ◆ **prostitution** n. f. **1.** Action de se prostituer. — **2.** Usage dégradant de ses dons, de son talent.

PROSTRATION [prɔstrasjɔ̃] n. f. (du lat. *prostratus*, renversé). État d'abattement complet, de faiblesse totale : *Tomber dans la prostration.* ◆ **prostré, e** adj. : *Il demeura prostré à l'annonce de cette catastrophe* (syn. ACCABLÉ, ANÉANTI, EFFONDRÉ).

PROSTYLE [prɔstil] n. m. et adj. (du gr. *pro*, en avant, et *stulos*, colonne). Temple comportant une rangée de colonnes sur sa façade principale seulement.

PROTAGONISTE [prɔtagɔnist] n. m. (gr. *prôtagônistês*, acteur chargé du premier rôle). Celui qui joue le rôle principal dans une affaire.

PROTAGORAS, sophiste grec (v. 485-v. 410 av. J.-C.). Il estimait que toutes nos connaissances viennent de la sensation et l'objet premier de son enseignement était « l'art de persuader ».

Protagoras, dialogue de Platon (vers 385 av. J.-C.), dirigé contre les sophistes, à propos de cette question : « La vertu peut-elle s'enseigner? »

PROTÉASE [prɔteaz] n. f. (du gr. *prôtos*, premier, et suff. *-ase*). Diastase des sucs digestifs, réalisant l'hydrolyse des protides et les transformant en peptones et acides aminés.

PROTECTEUR, TRICE adj. et n., **PROTECTION** n. f., **PROTECTIONNISME** n. m., **PROTECTIONNISTE** adj. et n. → PROTÉGER.

PROTECTORAT [prɔtɛktɔra] n. m. (de *protecteur*). Système juridique qui place un État sous la dépendance d'un autre, en ce qui concerne notamment sa politique étrangère et sa défense militaire; cet État lui-même : *La Tunisie et le Maroc ont été sous protectorat français.*

PROTÉE. *Myth. gr.* Dieu marin. Il avait reçu de Poséidon, son père, le don de prophétie, mais, pour échapper aux questions qu'on lui posait, il changeait sans cesse d'aspect.

PROTÉGER [prɔteʒe] v. t. (lat. *protegere*, couvrir). **1.** *Protéger qq'un, qqch.*, le mettre à l'abri des dangers éventuels, des incidents fâcheux : *Plusieurs policiers sont chargés de protéger le ministre dans ses déplacements* (syn. VEILLER SUR). *Protéger la veuve et l'orphelin* (= les défendre à cause de leur faiblesse). *Un imperméable qui protège de la pluie. Piqûres qui protègent contre certaines maladies* (syn. IMMUNISER). *Protéger ses yeux au moyen de lunettes de soleil* (= les mettre à l'abri, leur éviter de la fatigue, etc.). *L'étui sert à protéger les lunettes* (= à les préserver des chocs, etc.). — **2.** *Protéger qq'un*, lui assurer son patronage : *Le directeur protégeait spécialement son neveu* (syn. APPUYER). ‖ *Protéger les lettres, les arts*, favoriser leur développement en apportant une aide aux écrivains, aux artistes. ◆ **protège-cahier** n. m. Couverture de toile, de matière plastique, que les écoliers utilisent pour protéger leurs cahiers. ‖ Pl. des *protège-cahiers*. ◆ **protégé, e** n. (avec un adj. poss. ou un compl. du nom). *Fam.* Personne qui jouit de la faveur, du soutien de quelqu'un. ◆ **protection** n. f. **1.** *Se placer sous la protection de qq'un* (= lui demander secours et assistance). *Protection contre l'incendie* (syn. DÉFENSE). *Protection routière* (= mesures de police pour éviter les accidents). ‖ *Protection civile*, ensemble des mesures destinées à protéger la population en cas de sinistre généralisé (notamment incendie, inondation), ou, en temps de guerre, contre les bombardements aériens ou nucléaires. (On disait naguère DÉFENSE PASSIVE.) — **2.** *Obtenir une place par protection*, grâce à l'appui de personnes bien placées (syn. fam. PISTON). ◆ **protecteur, trice**

adj. et n. **1.** *Société protectrice des animaux* (= organisation qui a pour but de défendre les animaux contre les sévices, etc.). — **2.** Péjor. *Ton, air protecteur*, qui fait sentir sa supériorité vis-à-vis d'un inférieur. ◆ **protectionnisme** n. m. Système économique qui tend à protéger un pays de la concurrence étrangère par des mesures douanières (par oppos. à LIBRE-ÉCHANGE). ◆ **protectionniste** adj. et n. Relatif au protectionnisme; partisan de ce système.

PROTÉIDE [prɔteid] n. m. (du gr. *prôtos*, premier). *Chim.* Nom générique de protides de structure plus complexe que les polypeptides.

PROTÉINE [prɔtein] n. f. (du gr. *prôtos*, premier). *Chim.* Substance du groupe des protides, formée de chaînes d'acides aminés, et qui donne avec l'eau des solutions colloïdales caractéristiques de la matière vivante (syn. anc. ALBUMINE). [Les protéines correspondent au groupe des holoprotéides.] ◆ **protéinurie** [prɔteinyri] n. f. *Méd.* Présence anormale de protéines dans les urines.

PROTESTANT, E [prɔtɛstɑ̃, -ɑ̃t] adj. et n. (de *protester*, au sens anc. de déclarer). Qui appartient à la religion réformée : *Les pasteurs sont les ministres protestants.* ◆ **protestantisme** n. m. Ensemble des doctrines religieuses et des Églises issues de la Réforme*.

— ENCYCL. Les principales branches du *protestantisme* sont : le *luthéranisme* (professé en Allemagne, dans les pays scandinaves, etc.), le *calvinisme* (France, Suisse, Hollande, Écosse, États-Unis, etc.), l'*anglicanisme* (Grande-Bretagne, etc.), auxquels viennent s'adjoindre de nombreuses sectes sous d'autres dénominations.

Les diverses Églises du protestantisme diffèrent par certains points doctrinaux et par leurs institutions. Elles sont unies par la reconnaissance, en matière de foi, de l'autorité unique de la parole de Dieu, qui s'exprime par la Bible. De plus, ni les œuvres, ni les mérites n'ont de part dans l'acquisition du salut : le salut est donné par la seule grâce de Dieu, par l'intermédiaire de la foi. Si ces Églises admettent les dogmes généraux du christianisme (Création, Rédemption, Trinité, jugement des âmes), la liturgie et le décor du culte sont très simplifiés, l'autorité du pape et des conciles n'est pas reconnue, le culte de la Vierge et des saints n'est pas pratiqué, et en général les pasteurs n'ont pas l'obligation du célibat.

On compte actuellement plus de 350 millions de protestants dans le monde.

PROTESTER [prɔtɛste] v. i. et t. ind. (lat. *protestari*, déclarer publiquement). **1.** Déclarer avec force son opposition, son refus ou son hostilité : *Il a eu beau protester, il n'a pas obtenu satisfaction* (syn. ↓RÉCLAMER; fam. ↓ROUSPÉTER). *La presse protesta contre cet abus de pouvoir* (syn. ↑S'ÉLEVER, ↑S'INDIGNER). — **2.** *Protester de ses bons sentiments, de son innocence, de sa bonne foi*, etc., en donner l'assurance formelle. ◆ **protestataire** adj. et n. Qui proteste. ◆ **protestation** n. f. Action de protester (dans les deux sens) : *Élever une énergique protestation. Ses protestations d'amitié m'avaient ému* (syn. ASSURANCE, TÉMOIGNAGE).

PROTHALLE [prɔtal] n. m. (du gr. *pro*, en avant, et *thallos*, rameau). *Bot.* Petit thalle sans tige ni feuille, résultant de la germination d'une spore de fougère (ou de tout autre cryptogame vasculaire), et au sein duquel se différencient les organes reproducteurs mâles et femelles (ou d'un seul sexe chez les prèles et les lycopodes), de sorte que la jeune plante issue de la fécondation peut se nourrir des tissus du prothalle avant de mener une vie autonome.

PROTHÈSE [prɔtɛz] n. f. (gr. *prothesis*, addition). Remplacement partiel ou total d'un organe ou d'un membre par un appareil qui en reproduit la forme et en assume en partie la fonction : *Une prothèse dentaire. Un appareil de prothèse, comme une jambe ou un bras articulés.*

PROTHORAX [prɔtɔraks] n. m. (lat. *pro*, en avant, et *thorax*). Premier anneau du thorax des insectes, parfois appelé CORSELET.

PROTHROMBINE [prɔtrɔ̃bin] n. f. *(pro-,* et *thrombine).* Enzyme contenue dans le sang et qui joue un rôle important dans sa coagulation. ‖ *Taux de prothrombine*, quantité de prothrombine contenue dans le sang. (Le taux de prothrombine s'abaisse spontanément dans les maladies du foie; on le fait baisser artificiellement au cours des traitements anticoagulants.)

PROTIDES [prɔtid] n. m. pl. (de *protéine*). Nom générique des substances organiques azotées : acides aminés, polypeptides, protéines, protéides. ◆ **protidique** adj. Relatif aux protides.

— ENCYCL. Les constituants élémentaires des *protides* sont les aminoacides. Le groupement de plusieurs aminoacides constitue un polypeptide; celui d'un très grand nombre de ces mêmes éléments constitue un protéide. Les protides se trouvent dans tous les éléments vivants, mais ils sont plus abondants dans les viandes, les œufs et le poisson que dans les végétaux.

PROTOCOLE [prɔtɔkɔl] n. m. (gr. *prôtokollon*, ce qui est collé en premier). Ensemble des règles observées en matière d'étiquette, de préséance, etc., dans les cérémonies officielles : *Le chef du protocole au ministère des Relations extérieures.* ◆ **protocolaire** adj. : *Les questions protocolaires* (= touchant le cérémonial).

PROTOHISTOIRE [prɔtɔistwar] n. f. (du gr. *prôtos*, premier, et *histoire*). Époque de l'histoire de l'humanité, comprise entre la préhistoire et les premiers documents écrits : *Suivant les pays, les limites de la protohistoire varient : pour l'Occident, le début de l'âge du bronze est la limite la plus reculée; certains pays, comme l'Océanie, n'ont quitté la protohistoire que depuis peu de siècles.*

PROTON [prɔtɔ̃] n. m. (du gr. *prôtos*, premier). Noyau de l'atome d'hydrogène, corpuscule chargé d'électricité positive. ◆ **antiproton** n. m. Particule élémentaire de masse égale à celle du proton, mais de charge électrique négative, égale à celle de l'électron.

— ENCYCL. Le *proton* constitue, avec le neutron, l'un des deux éléments contenus dans les noyaux de tous les atomes. Le nombre des protons, égal à celui des électrons planétaires, définit le numéro atomique de l'élément chimique.

PROTOPHYTES [prɔtɔfit] n. m. pl. (du gr. *prôtos*, premier, et *phuton*, plante). Ensemble des végétaux unicellulaires.

PROTOPLASME [prɔtɔplasm] ou **PROTOPLASMA** [prɔtɔplasma] n. m. (du gr. *prôtos*, premier, et *plasma*). Ensemble du cytoplasme, du noyau et des autres organites vivants d'une cellule animale ou végétale.

PROTOTYPE [prɔtɔtip] n. m. (du gr. *prôtos*, premier, et *type*). Modèle original d'un appareil, d'une machine, destiné à être reproduit en série.

PROTOXYDE [prɔtɔksid] n. m. (du gr. *prôtos*, premier, et *oxyde*). *Chim.* Oxyde le moins oxygéné d'un élément : *Protoxyde d'azote* N_2O.

PROTOZOAIRES [prɔtɔzɔɛr] n. m. pl. (du gr. *prôtos*, premier, et *zôon*, animal). Ensemble des animaux unicellulaires comprenant les *ciliés* ou *infusoires* (paramécies), les *flagellés* (trypanosomes), les *rhizopodes* (amibes, foraminifères, radiolaires), l'*hématozoaire du paludisme.*

PROTUBÉRANT, E [prɔtyberɑ̃, -ɑ̃t] adj. (du lat. *pro*, en avant, et *tuber*, bosse). *Anat.* Se dit de ce qui forme saillie à la surface d'un os, de la peau, etc. : *Il a la pomme d'Adam protubérante.* ◆ **protubérance** n. f. *Anat.* Saillie en forme de bosse sur la surface d'un corps (syn. EXCROISSANCE). ‖ *Protubérance cérébrale*, ou *protubérance annulaire*, protubérance située au-dessus du bulbe, au-dessous des pédoncules cérébraux et en avant du cervelet. (C'est un large ruban en saillie, qui réunit le cerveau, le bulbe et le cervelet.)

PROU [pru] adv. (de l'anc. fr. *preu*, profit). *Peu ou prou*, plus ou moins, quelque peu (littér.).

PROUDHON (Pierre Joseph), théoricien socialiste français (1809-1865). Journaliste, député à la Constituante en 1848, il crée la Banque du peuple. Condamné plusieurs fois pour ses écrits, il s'exile à Bruxelles (1858-1862). Il a élaboré la théorie d'un système économique et social où l'entraide mutuelle serait de règle. Dans son premier ouvrage *Qu'est-ce que la propriété?* (1840), il proclame que « la propriété c'est le vol » afin de montrer que le travail est seul productif tandis que le profit du capitaliste est un véritable « droit d'aubaine ». Il espère faire disparaître ce profit grâce à l'instauration d'un système de crédit gratuit.

PROUE [pru] n. f. (du prov. *proa*). Partie avant d'un navire (contr. POUPE).

PROUESSE [pruɛs] n. f. (de *preux*). Action d'éclat (langue soignée) : *Le premier vol dans l'espace a été une belle prouesse* (syn. EXPLOIT, PERFORMANCE); souvent ironiq. : *Il aime à raconter ses prouesses au volant* (syn. EXPLOIT, HAUT FAIT). *Faire des prouesses pour obtenir qqch.* (syn. PRODIGE).

PROUSIAS ou **PRUSIAS Ier** (mort v. 182 av. J.-C.), roi de Bithynie (v. 229-v. 182 av. J.-C.). Il accueillit Hannibal. — PROUSIAS II, son fils (mort en 148 av. J.-C.), roi de Bithynie (v. 182-v. 149 av. J.-C.), se mit sous le protectorat de Rome.

PROUST (Marcel), écrivain français (1871-1922).

Après sa sortie du lycée, il fait des études de lettres et mène une vie apparemment oisive et mondaine. En fait, il observe ceux qui seront ses futurs personnages. Il publie dès lors quelques chroniques sur les salons aristocratiques et accumule les notes en vue d'un roman, *Jean Santeuil* (1896-1900). En même temps il prend une part active à la campagne de réhabilitation de Dreyfus (1898-1899).

- *1905. Profondément ébranlé par la mort de sa mère, il se consacre, dans la solitude, à l'évocation de ses souvenirs transposés en une longue suite romanesque.*
- *1913. Il publie, à ses frais, « Du côté de chez Swann ».*

Ce livre est le premier de six volumes qui seront réunis sous le titre collectif de *À la recherche du temps perdu.* Le second, *À*

l'ombre des jeunes filles en fleurs, obtient le prix Goncourt en 1919.
À la recherche de lui-même, Proust a transposé dans son œuvre son expérience du monde de l'enfance — exceptionnellement heureuse —, celle du monde des salons et des milieux aristocratiques et bourgeois de l'époque — jugés avec humour —, celle de la passion amoureuse — tragique et cruelle. Mais derrière ces expériences, se dessine l'obsession du temps, tyrannique, qui détruit les choses et les êtres aimés mais qui peut néanmoins être vaincu, lors de ces rares et fugitifs moments qui font, à partir d'une sensation présente, ressurgir de l'inconscient une sensation identique à celle autrefois éprouvée *(le Temps retrouvé).*

PROUT ou **PRUT** (le), affluent du Danube (r. g.), qui sépare la Roumanie de l'U. R. S. S.; 950 km.

PROUVER [pruve] v. t. (lat. *probare,* mettre à l'épreuve). **1.** *Prouver une chose,* démontrer qu'elle est vraie au moyen d'arguments, de faits incontestables : *Il cherche à prouver qu'il était parti au moment du crime* (syn. ÉTABLIR). *Il n'est pas prouvé que vous ayez raison* (= ce n'est pas évident). — **2.** *Prouver qqch.,* en faire apparaître l'existence, la réalité : *Comment vous prouver ma reconnaissance?* (syn. TÉMOIGNER). *Votre réponse prouve une certaine connaissance du sujet* (syn. DÉNOTER). ◆ ***se prouver*** v. pr. *Se prouver qqch. à soi-même,* s'en faire la preuve, se le montrer. ◆ **preuve** n. f. **1.** Ce qui établit la vérité, la réalité d'une chose : *Sa fuite précipitée semble être une preuve de sa culpabilité. Affirmer qqch. preuves en main* (= avec une certitude absolue). *La preuve de ce qu'il avance, c'est que...* (= ce qui prouve). — **2.** *Faire la preuve de qqch.,* le démontrer. ‖ *Faire preuve de qqch.,* témoigner cette chose par son comportement : *Faire preuve d'un grand courage* (syn. MONTRER). ‖ *Faire ses preuves,* montrer sa capacité, sa valeur. — LOC. ADV. Fam. *À preuve, la preuve,* appuient une affirmation. ◆ **prouvable** adj. Qu'on peut prouver (sens 1) : *Allégations difficilement prouvables.* ◆ **improuvable** adj. : *Voilà une hypothèse qui est improuvable.*

PROVENANCE n. f. → PROVENIR.

PROVENÇAL, E, AUX [prɔvɑ̃sal, -so] adj. et n. De la Provence. ◆ n. m. Langue romane parlée en Provence.

PROVENCE, anc. province du sud-est de la France.

GÉOGRAPHIE. Géographiquement, on rattache à la Provence historique le comtat Venaissin (région d'Avignon) et le comté de Nice. On distingue alors : la *Provence rhodanienne* (comtat Venaissin, Crau, Camargue); la *Provence intérieure,* au relief varié, formé de chaînons calcaires (Sainte-Victoire, Sainte-Baume), de massifs anciens (Maures, Esterel), des Plans de Provence, du plateau de Valensole et de l'ensemble des Préalpes du Sud; la *Provence maritime,* entre l'embouchure du Rhône et la frontière italienne.

HISTOIRE. Dès le Ve s. av. J.-C. se développe sur les côtes provençales, occupées très tôt par les Ligures, l'empire maritime de la ville phocéenne de Massalia (Marseille). Au IIe s. les Romains luttent avec les Massaliotes contre les Celto-Ligures qui ont formé une vaste confédération à l'intérieur du pays.

• *49 av. J.-C. Marseille est prise par César.*

De nombreuses colonies romaines se fondent alors dans la région qui devient (22 av. J.-C.) la province sénatoriale de la Narbonnaise. Très tôt la Provence est un foyer de christianisme qui rayonne sur la France.

• *476. À partir de cette date, Wisigoths, Burgondes, Ostrogoths envahissent successivement le pays.*
• *536. La Provence est incorporée au royaume des Francs.*

Lorsque les Arabes envahissent le Midi, Charles Martel doit soumettre les Provençaux qui ont pris leur parti (736-739). Dévasté, le pays connaît un net déclin sous les Carolingiens.

• *843. Un premier royaume de Provence est fondé.*

Au Xe s. se forme le royaume de Bourgogne-Provence, dont l'histoire est marquée par un grand développement démographique et économique.
Du XIe au XIIIe s., la Provence subit des partages féodaux, mais les croisades permettent le développement du commerce avec le Levant et l'enrichissement de la bourgeoisie.

• *1246. Le comté de Provence passe à la maison d'Anjou. Il connaît une période de prospérité, notamment sous le règne du roi René (1434-1480).*
• *1481. Les états d'Aix reconnaissent Louis XI comme comte de Provence.*

À partir de 1561, les guerres de Religion ensanglantent le pays.

• *1790. La Provence est divisée en 3 départements : Bouches-du-Rhône, Var et Basses-Alpes (auj. Alpes-de-Haute-Provence).*

PROVENCE-ALPES-CÔTE D'AZUR, Région du sud de la France, sur la Méditerranée; 31 400 km²; 3 965 200 hab. Ch.-l. *Marseille.* La Région regroupe les départements des *Alpes-de-Haute-Provence,* des *Hautes-Alpes,* des *Alpes-Maritimes,* des *Bouches-du-Rhône,* du *Var* et du *Vaucluse.*
Elle occupe l'extrémité sud-est du pays, entre le Rhône, la Méditerranée et la frontière italienne, insérant des milieux divers : la basse vallée du Rhône (avec les plaines du Comtat, de la Crau, de la Camargue), une partie des Préalpes du Sud et les massifs anciens des Maures et de l'Esterel, et la plus grande partie du littoral méditerranéen français. La densité générale d'occupation, dépassant 125 hab. au km², est notablement supérieure à la moyenne nationale, mais la population se répartit inégalement, des secteurs de forte concentration (région marseillaise, partie de la Côte d'Azur à l'E. de Cannes) s'opposant à des zones intérieures dépeuplées.
L'*agriculture* emploie à peine 8 p. 100 de la population active (proportion sensiblement inférieure à la moyenne nationale). L'élevage, extensif, domine dans la montagne, les cultures spécialisées (fruits et légumes) dans les secteurs irrigables (vallées du Rhône et de la Durance), cependant que la vigne est largement répandue.

vin 6 millions d'hl

L'*industrie* occupe moins des deux cinquièmes de cette population active, représentée surtout dans la région marseillaise, important site de la production énergétique (raffinage du pétrole), et zone de développement avec l'aménagement du golfe de Fos.

électricité	15	milliards de kWh
pétrole raffiné	18	millions de t
bauxite	1,4	million de t

La prédominance du *secteur tertiaire* (nettement plus de la moitié de la population active) est à relier à l'importance du tourisme et aussi à la forte urbanisation. Le dynamisme des villes explique, en priorité, le très net accroissement de population intervenu depuis 1962, époque où joua également l'arrivée massive de rapatriés d'Afrique du Nord. L'emploi industriel n'a guère progressé depuis, et le développement des branches de transformation est primordial pour l'équilibre de la Région.

Marseille	878 000 hab.	Avignon	93 000 hab.
Nice	338 000 hab.	Cannes	72 000 hab.
Toulon	181 000 hab.		

PROVENIR [prɔvnir] v. i. (lat. *provenire,* venir en avant). [Conj. **22.**] Tirer son origine de : *Cette race provient du croisement de deux espèces voisines* (= en est issue) [syn. DESCENDRE]. *Son genre de vie provient pour une large part de l'éducation qu'il a reçue* (= s'explique par elle) [syn. DÉCOULER, DÉRIVER, RÉSULTER]. ◆ **provenance** n. f. : *Ne pas savoir la provenance d'un colis* (= le lieu d'expédition). *Des armes de toutes provenances* (= de toutes origines). *Marchandises en provenance du Danemark* (= expédiées du Danemark).

PROVERBE [prɔvɛrb] n. m. (lat. *proverbium).* **1.** Sentence, maxime, exprimée souvent en peu de mots, traduisant une vérité générale et traditionnelle. — **2.** *Passer en proverbe,* devenir un exemple, une chose remarquable pour tous. ◆ **proverbial, e, aux** adj. **1.** Qui a le caractère d'un proverbe : *Une locution proverbiale.* — **2.** Se dit d'une chose exemplaire, remarquable : *L'habileté proverbiale d'un artisan.* ◆ **proverbialement** adv. : *On dit proverbialement que...* (= sous forme de proverbe).
→ liste des proverbes à la fin de l'ouvrage.

PROVIDENCE [prɔvidɑ̃s] n. f. (du lat. *providere,* pourvoir). **1.** Présence de Dieu dans le monde, qui ne cesse d'aimer les hommes; désigne souvent Dieu lui-même (avec une majusc.) : *La divine providence. Les desseins de la Providence sont impénétrables* (= il ne faut pas s'étonner des circonstances imprévisibles de la vie). — **2.** Personne qui veille, qui aide, qui protège : *Vous êtes ma providence.* ◆ **providentiel, elle** adj. Se dit d'un événement parfaitement opportun, de ce qui est un effet de la providence ou est inespéré : *Des secours providentiels* (syn. INESPÉRÉ). *Une issue providentielle* (syn. ↓INATTENDU). ◆ **providentiellement** adv. : *Il est arrivé providentiellement* (= au bon moment).

PROVINCE [prɔvɛ̃s] n. f. (lat. *provincia).* **1.** *Antiq. rom.* Pays conquis par Rome hors d'Italie et administré par un gouverneur romain. — **2.** Division administrative de l'anc. France, de certains pays : *Les provinces françaises sous l'Ancien Régime. Les provinces de l'Italie.* — **3.** L'ensemble de la France, par oppos. à la capitale : *Fonctionnaire qui est nommé en province* (par oppos. à PARIS). ◆ adj. inv. Péjor. *Il fait province,* son comportement dénote son origine provinciale. ◆ **provincial, e, aux** adj. Qui se rapporte à la province; qui a les caractères de la province : *La vie provinciale.* ◆ n. : *Un jeune provincial frais débarqué à Paris.* ◆ **provincialisme** n. m. Locution particulière à une province, à une contrée.

PROVINCES MARITIMES, nom donné à l'ensemble formé par les trois provinces canadiennes du *Nouveau-Brunswick,* de la *Nouvelle-Écosse* et de l'*île du Prince-Édouard.*

PROVINCES-UNIES, nom porté par la partie septentrionale des Pays-Bas* de 1579 à 1795.

PROVINCIAL, E, AUX adj. et n. → PROVINCE.

Provinciales *(les),* pamphlets (au nombre de 18), écrits par

Pascal en 1656-1657, pour défendre les jansénistes contre les jésuites.

PROVINCIALISME n. m. → PROVINCE.

PROVINS, ch.-l. d'arrond. de Seine-et-Marne, à 17 km au N.-O. de Nogent-sur-Seine; 12700 hab. *(Provinois).* Remparts des XIIe-XIVe s. Centre commercial.

PROVISEUR [prɔvizœr] n. m. (lat. *provisor,* qui pourvoit à). Fonctionnaire de l'enseignement chargé de l'administration d'un lycée. ◆ **provisorat** n. m. Fonction de proviseur.

PROVISION [prɔvizjɔ̃] n. f. (du lat. *providere,* pourvoir). **1.** Ensemble de choses nécessaires ou utiles, mises en réserve pour l'entretien, la dépense : *Faire provision de bois pour l'hiver.* ‖ *Une provision de,* une réunion de choses utiles, nécessaires, une forte quantité de : *J'ai apporté toute une provision de livres pour les vacances* (syn. RÉSERVE). — **2.** Somme déposée en banque pour couvrir les paiements que l'on est amené à faire : *Chèque sans provision.* — **3.** Somme versée à titre d'acompte (syn. AVANCE). ◆ n. f. pl. Produits alimentaires, produits d'entretien, etc., achetés : *Mettre ses provisions dans un placard. Un panier à provisions* (= où l'on met ses emplettes). ◆ **provisionnel, elle** adj. Qui se fait par provision (sens 3) en attendant le règlement définitif : *Verser le tiers provisionnel de l'impôt.* ◆ **approvisionner** [aprɔvizjɔne] v. t. *Approvisionner qq'un, qqch.,* le munir du nécessaire, en partic. de denrées alimentaires : *Les épiciers du quartier sont bien approvisionnés. Approvisionner son compte en banque* (= y mettre de l'argent). ◆ ***s'approvisionner*** v. pr. Faire ses provisions : *La ménagère s'approvisionne au marché.* ◆ **approvisionnement** n. m. : *Les approvisionnements en légumes sont abondants ce matin à Rungis.* ◆ **désapprovisionner** v. t. (surtout techn.) : *Après la chasse, il désapprovisionna son arme afin d'éviter tout accident.* ◆ **réapprovisionner** v. t. : *Les producteurs de lait, après une grève de vingt-quatre heures, ont commencé à réapprovisionner les marchés.* ◆ **réapprovisionnement** n. m. : *Le réapprovisionnement du pays en matières premières.*

PROVISOIRE [prɔvizwar] adj. (du lat. *providere,* pourvoir). Qui a lieu, qui se fait en attendant autre chose, qui doit être remplacé par quelque chose de définitif : *Le problème a reçu des solutions provisoires* (syn. TRANSITOIRE). *Un gouvernement provisoire* (= mis en place avant la constitution d'un régime stable). ◆ **provisoirement** adv. : *Loger provisoirement à l'hôtel en attendant un appartement* (syn. MOMENTANÉMENT).

PROVISORAT n. m. → PROVISEUR.

1. PROVOQUER [prɔvɔke] v. t. (lat. *provocare,* appeler dehors). *Provoquer qq'un,* le pousser à un acte blâmable ou violent, par une sorte d'appel ou de défi (souvent sans compl.) : *Tais-toi, ne le provoque pas* (syn. BRAVER). *Il chercha à le provoquer au combat* (syn. INCITER, POUSSER). ◆ **provocant, e** adj. : *Une attitude provocante* (syn. AGRESSIF). *Une femme provocante* (= dont l'attitude incite au désir). ◆ **provocation** n. f. : *Cet article est une véritable provocation au meurtre* (syn. APPEL, INCITATION). *Ne pas répondre à une provocation* (syn. DÉFI). ◆ **provocateur, trice** adj. et n. Qui cherche à susciter des actes de violence : *Des agents provocateurs se sont glissés dans les rangs des manifestants.*

2. PROVOQUER [prɔvɔke] v. t. (même étym.). *Provoquer qqch.,* en être la cause : *Ces paroles provoquèrent sa colère* (syn. AMENER). *Les bouleversements politiques provoqués par sa démission* (syn. CRÉER, OCCASIONNER, SUSCITER).

PROXÉNÈTE [prɔksenɛt] n. m. (gr. *proxenetês,* courtier). Personne qui fait le métier d'entremetteur, qui tire ses ressources des prostituées. ◆ **proxénétisme** n. m. : *Être condamné pour proxénétisme.*

PROXIMITÉ [prɔksimite] n. f. (du lat. *proximus,* proche). Situation d'une chose qui est à peu de distance d'une autre, qui est rapprochée dans le temps : *La proximité des commerçants est un des avantages de cette maison* (syn. VOISINAGE; contr. ÉLOIGNEMENT). *La proximité des vacances ne les incite pas à travailler* (syn. APPROCHE). — LOC. ADV. *À proximité,* aux environs immédiats. — LOC. PRÉP. *À proximité de,* tout près de (syn. PROCHE DE).

PRUDE [pryd] adj. et n. f. (de *preux*). Qui affecte une pudeur outrée ou hypocrite : *Faire la prude* (syn. ↑PUDIBONDE; fam. BÉGUEULE). ◆ **pruderie** n. f. (syn. ↑PUDIBONDERIE).

PRUDENT, E [prydɑ̃, -ɑ̃t] adj. et n. (lat. *prudens*). Se dit de quelqu'un qui agit en veillant à éviter les dangers, les dommages, les fautes; se dit aussi d'un acte accompli dans cet esprit : *Un automobiliste prudent. Il garde dans cette affaire difficile une conduite prudente* (syn. ↑AVISÉ). *Les gens prudents se munissent de provisions* (syn. AVERTI, PRÉVOYANT, SAGE). ◆ **prudemment** [prydamɑ̃] adv. : *Se risquer prudemment vers la sortie* (= avec circonspection). *Garder prudemment le silence* (syn. SAGEMENT). ◆ **prudence** n. f. : *Il a eu la prudence de se taire* (syn. SAGESSE). *Par mesure de prudence, mets ton chandail car il fait froid* (syn. PRÉCAUTION). ◆ **imprudent, e** adj. et n. : *Il est imprudent de se confier à lui* (syn. ↑DANGEREUX). *Un imprudent s'est fait happer par une voiture.* ◆ **imprudemment** adv. : *S'éloigner imprudemment du rivage* (syn. TÉMÉRAIREMENT). ◆ **imprudence** n. f. **1.** Défaut d'une personne qui ne prévoit pas les conséquences dangereuses de ses actes : *Accident dû à l'imprudence du conducteur.* — **2.** Action irréfléchie, d'une témérité dangereuse : *Ne faites pas d'imprudences.*

PRUD'HOMME [prydɔm] n. m. (de l'anc. fr. *prod,* preux, sage, et *homme*). *Conseil des prud'hommes,* tribunal composé de représentants des salariés et des employeurs, qui tranche les conflits professionnels individuels, entre patrons et ouvriers.

Prudhomme *(M. Joseph),* personnage caricatural créé par Henri Monnier. Il est le symbole du conformisme bourgeois, qu'il résume en des formules d'une solennelle niaiserie.

PRUD'HON (Pierre Paul), peintre français (1758-1823). Admirateur du Corrège et de Léonard de Vinci, à qui il doit ses éclairages mystérieux, il annonce le romantisme. Outre des compositions mythologiques ou allégoriques et de nombreux portraits *(la Justice et la Vengeance divine poursuivant le crime, l'Impératrice Joséphine),* il a laissé des dessins au fusain et à la craie blanche sur papier bleuté, qui sont sans doute le meilleur de son œuvre (portrait de Constance Mayer).

PRUNE [pryn] n. f. (lat. *prunum*). **1.** Fruit de forme ronde ou allongée, à chair sucrée et comestible. — **2.** Pop. *Pour des prunes,* pour rien, inutilement : *Il a travaillé pour des prunes.* ◆ **pruneau** n. m. Prune séchée, de couleur noirâtre : *Les pruneaux ont des propriétés laxatives.* ◆ **prunier** n. m. Arbre cultivé pour ses fruits *(prunes).* [Famille des rosacées.] ◆ **prunelle** n. f. Petite prune bleue, dont on fait de l'eau-de-vie; cette eau-de-vie, dite aussi LIQUEUR DE PRUNELLE. ◆ **prunus** n. m. Nom botanique du *prunier.*

1. PRUNELLE n. f. → PRUNE.

2. PRUNELLE [prynɛl] n. f. (de *prune*). **1.** Nom usuel de la pupille de l'œil. — **2.** *(Il y tient) comme à la prunelle de ses yeux,* il y est attaché par-dessus tout, il l'entoure d'un grand soin.

PRUNIER n. m., **PRUNUS** n. m. → PRUNE.

PRURIGO [pryrigo] n. m. (mot lat. signif. *démangeaison*). Nom de diverses affections cutanées caractérisées par des démangeaisons intenses. ◆ **prurigineux, euse** adj. Qui cause de la démangeaison : *Éruption prurigineuse.*

PRURIT [pryrit] n. m. (lat. *pruritus;* de *prurire,* démanger). Vive démangeaison.

PRUSIAS → PROUSIAS.

PRUSSE, anc. État de l'Allemagne du Nord.

Peuplée de Borusses, peuple balte païen, la Prusse est conquise au XIIIe s. par l'ordre des chevaliers Teutoniques, ce qui ouvre une période d'essor économique dont profitent des villes rattachées à la Hanse* (Dantzig, Toruń, etc.).

- *1466. Le traité de Toruń fait passer la Prusse, affaiblie depuis la défaite de Grunwald (1410), sous la suzeraineté de l'État polono-lithuanien, allié aux villes hanséatiques mécontentes de l'ordre Teutonique.*
- *1525. Le grand maître, Albert de Brandebourg, converti à la Réforme, sécularise les biens de l'ordre Teutonique.*

Les nouveaux ducs de Prusse doivent compter avec une noblesse qui s'enrichit et qui réduit au servage la paysannerie. Le duché passe en 1618 aux mains des Hohenzollern, princes-électeurs de Brandebourg qui, au cours de la guerre de Trente* Ans, louvoient entre la Suède et la Pologne.

- *1657. Frédéric-Guillaume (1640-1688) obtient l'affranchissement de la suzeraineté polonaise.*

Il crée une armée permanente, réforme l'administration, tandis que l'accueil des protestants victimes de la révocation de l'édit de Nantes renforce l'économie de ses États.

- *1700. Le duché est transformé en royaume en échange de l'aide qu'il apporte à l'Empereur au cours de la guerre de la Succession d'Espagne.*

De 1713 à 1740, Frédéric-Guillaume Ier, le Roi-Sergent, perfectionne son armée et son administration.

- *1740-1786. Frédéric II poursuit sa politique et agrandit son royaume de la Silésie et de la Prusse-Occidentale (partage de la Pologne, 1772).*

L'influence des idées philosophiques ne modifie pas cependant un absolutisme croissant, ni le statut servile de la paysannerie. L'œuvre de Frédéric II est compromise par ses successeurs qui, battus à Valmy (1792) puis Iéna (1806), perdent la moitié du territoire au traité de Tilsit (1807). Les réformes de Stein*, qui abolit le servage, font de la Prusse le foyer du nationalisme allemand et permettent la levée en masse de 1813 contre Napoléon.

- *1815. Le congrès de Vienne lui donne le nord de la Saxe, la*

Rhénanie et la Wesphalie où se trouve la Ruhr, base de sa puissance ultérieure.

Le Zollverein (1834), union économique de l'Allemagne du Nord, prépare l'unité politique, et la bourgeoisie montante obtient en 1847 un semblant de chambre législative (Landtag uni). Mais Frédéric-Guillaume IV (1840-1861), débordé par l'insurrection berlinoise de 1848, n'ose pas prendre la direction du mouvement unitaire.

• *1861-1888. Son successeur Guillaume Ier, aidé de Bismarck, renforce l'armée et l'autoritarisme du régime, préparant l'unité allemande « par le fer et par le sang ».*

La victoire sur les Autrichiens à Sadowa (1866), Sedan (1870) sont les étapes qui mènent au couronnement du roi de Prusse comme empereur d'Allemagne (Versailles, 1871). [→ ALLEMAGNE.]

PRUSSE-OCCIDENTALE, anc. province de l'Allemagne, dont la capit. était *Dantzig.* Provenant du partage de la Pologne en 1795, redevenue polonaise en 1919, réoccupée par l'Allemagne en 1939, elle fut attribuée de nouveau à la Pologne en 1945.

PRUSSE-ORIENTALE, anc. province de l'Allemagne, partagée en 1945 entre l'U. R. S. S. et la Pologne.

PRUSSE-RHÉNANE, région d'Allemagne qui a fait partie de la Prusse jusqu'en 1946 et qui est aujourd'hui partagée entre les États de Rhénanie-du-Nord-Westphalie et de Rhénanie-Palatinat. V. pr. *Coblence.*

PRUSSIEN, ENNE [prysjɛ̃, -ɛn] adj. et n. De la Prusse : *L'armée prussienne.*

PRUSSIQUE [prysik] adj. m. (de *Prussia,* Prusse). *Acide prussique* → CYANHYDRIQUE.

PRUT (le) → PROUT.

PRYTANÉE [pritane] n. m. (gr. *prutaneion*). Établissement militaire d'enseignement du second degré : *Le prytanée militaire de La Flèche.*

P.-S., abrév. de *post-scriptum.*

PSALLIOTE [psaljɔt] n. f. (du gr. *psalis,* voûte). Champignon comestible à lames et au pied muni d'un anneau (syn. AGARIC). [La psalliote des champs est cultivée sous le nom de *champignon de couche**.] (Classe des basidiomycètes; famille des agaricacées.)

PSALMODIER [psalmɔdje] v. t. et i. (du gr. *psalmos,* psaume, et *ôdê,* chant). Réciter d'une manière monotone, sur un ton uniforme : *Psalmodier une poésie.* (La *psalmodie* est une manière de dire les psaumes.)

PSAMMÉTIK Ier, fondateur de la XXVIe dynastie égyptienne, roi de 663 à 609 av. J.-C., restaurateur de la puissance militaire de l'Égypte. — PSAMMÉTIK II fut roi d'Égypte de 594 à 588 av. J.-C. — PSAMMÉTIK III, roi d'Égypte de 526 à 525 av. J.-C., fut détrôné par Cambyse, roi de Perse, et mis à mort.

PSAUME [psom] n. m. (gr. *psalmos*). Chant sacré, cantique, poème religieux de la liturgie chrétienne et juive : *Entonner, chanter, réciter un psaume.* ◆ **psautier** n. m. Recueil de psaumes.

PSCHENT [pskɛnt] n. m. (d'un mot égyptien). Coiffure des pharaons de l'Égypte anc., formée de deux couronnes emboîtées, symbolisant l'union de la Haute- et de la Basse-Égypte.

PSEUDO-, élément tiré du grec *pseudês,* menteur, et qui, placé comme préf. devant un adj. ou un substantif, a la valeur de « faux », « mensonger » : *Un pseudo-savant. Un pseudo-problème.*

PSEUDONYME [psødɔnim] n. m. (du gr. *pseudês,* menteur, et *onoma,* nom). Nom supposé sous lequel un auteur publie un ouvrage ou sous lequel certains personnages dissimulent leur véritable identité : *« Voltaire » est le pseudonyme de François-Marie Arouet.*

PSEUDOPODE [psødɔpɔd] n. m. (du gr. *pseudês,* menteur, et *pous, podos,* pied). Saillie du cytoplasme de certaines cellules (globules blancs, nombreux protozoaires), permettant leur déplacement et la préhension des aliments.

PSITTACIDÉS [psitaside] n. m. pl. (du gr. *psittakos,* perroquet). Famille d'oiseaux grimpeurs, comprenant les *perroquets,* les *perruches,* etc.

PSYCHANALYSE [psikanaliz] n. f. (du gr. *psukhê,* âme, et *analyse*). Méthode de traitement de maladies d'origine psychique, élaborée par Freud, et reposant sur des investigations (= recherches) psychologiques ayant pour but de ramener à la conscience des sentiments obscurs ou refoulés dans l'inconscient. ◆ **psychanalyser** v. t. Soumettre à une psychanalyse. ◆ **psychanalytique** adj. ◆ **psychanalyste** n. (souvent abrégé en ANALYSTE).
— ENCYCL. La *psychanalyse* freudienne est une méthode d'exploration des processus mentaux, qui recherche la signification inconsciente des paroles, des actes et des symptômes névrotiques. (→ NÉVROSE.) Elle utilise principalement l'association libre d'idées : le patient doit communiquer à son analyste, sans rien choisir et sans rien exclure volontairement, toutes les pensées qui lui viennent à l'esprit à propos d'événements de sa vie de tous les jours, de ses rêves, de ses lapsus ou actes manqués. L'analyste utilise surtout les résistances à l'association libre des idées (hésitations, impressions d'angoisse, de malaise, qui ont un sens psychologique) et le transfert* pour aider le patient à dégager leur signification inconsciente. Celui-ci peut ainsi ramener à sa conscience des souvenirs, principalement d'enfance, et des désirs jusque-là refoulés qui le perturbaient.

En cela la psychanalyse est également une technique de traitement de certaines maladies mentales, notamment des névroses.

D'autres écoles psychanalytiques interprètent la vie psychique selon d'autres critères, telle la psychologie analytique de Jung ou la psychologie individuelle d'Adler.

Psyché, tragi-comédie-ballet en 5 actes et en vers libres, avec un prologue et des intermèdes, de Molière, P. Corneille et Quinault, musique de Lully, chorégraphie de Beauchamp (1671).

PSYCHIATRE [psikjɑtr] n. m. (du gr. *psukhê,* âme, et *iatros,* médecin). Médecin spécialiste des maladies mentales. ◆ **psychiatrie** n. f. Partie de la médecine qui concerne les maladies mentales. ◆ **psychiatrique** adj. : *Hôpital psychiatrique.*
— ENCYCL. Pendant fort longtemps, on a considéré que les malades atteints d'affections mentales étaient sous le coup d'une action surnaturelle. Au Moyen Âge, ces états étaient considérés comme liés à la sorcellerie, à l'envoûtement, à la dépendance du démon. Les établissements spécialisés se multiplient au cours des XVIIe et XVIIIe s.; ils abritent les individus malades mentaux incapables de vivre en société (aliénés). Il faut attendre 1793 pour que ces malades soient confiés aux médecins sur l'initiative de Philippe Pinel (1745-1826), qui libère de leurs liens (ils étaient attachés) ses malades de l'hospice de la Salpêtrière. Cette date marque le début véritable de la *psychiatrie* qui, dès lors, va faire des progrès considérables.

La psychiatrie, qui distingue deux grands groupes d'affections, les névroses* et les psychoses*, comprend le traitement de maladies mentales provenant aussi bien de lésions du cerveau, donc d'origine physique, que d'origine purement mentale. Outre l'isolement du malade, la psychiatrie dispose de moyens d'actions thérapeutiques sans cesse améliorés : traitements physiques (électrochocs), médicamenteux (substances psychotropes), psychanalyse*. Enfin, la psychochirurgie a ouvert de nouveaux horizons dans le traitement des affections mentales.

PSYCHIQUE [psiʃik] adj. (du gr. *psukhê,* âme). Qui concerne les états de conscience, la vie mentale (= de l'esprit) : *Une maladie psychique* (syn. MENTAL). ◆ **psychisme** [psiʃism] n. m. Ensemble des caractères psychiques d'un individu.

PSYCHODRAME [psikodram] n. m. (du gr. *psukhê,* âme, et *drama,* action). Procédé psychanalytique de recherche, de diagnostic et de traitement de troubles psychiques, qui consiste à faire jouer par les malades leurs propres attitudes dans la vie.

PSYCHOLOGIE [psikɔlɔʒi] n. f. (du gr. *psukhê,* âme, et *logos,* science). **1.** Étude scientifique de la vie mentale (mémoire, raisonnement, intelligence, etc.), des sensations et des perceptions : *Psychologie expérimentale* (= fondée sur l'expérimentation). *Psychologie de l'enfant.* — **2.** Connaissance intuitive des sentiments d'autrui : *Manquer de psychologie.* — **3.** Analyse des sentiments, des états de conscience : *La fine psychologie de Racine.* ◆ **psychologique** adj. **1.** *Le vocabulaire psychologique* (= qui concerne la psychologie). *Un roman psychologique* (= qui s'attache à l'étude des sentiments). — **2.** *Guerre psychologique,* forme de propagande visant à vaincre l'adversaire en lui inculquant un sentiment de défaite, d'infériorité. ◆ **psychologiquement** adv. ◆ **psychologue** n. Spécialiste de psychologie. ◆ n. et adj. Personne qui a une connaissance intuitive des sentiments d'autrui.

PSYCHOMOTEUR, TRICE [psikomotœr, -tris] adj. (du gr. *psukhê,* âme, et *moteur*). Se dit de troubles dans la façon de se mouvoir, dus à une altération de la volonté commandant les mouvements.

PSYCHOPATHE [psikɔpat] n. (du gr. *psukhê,* âme, et *pathos,* souffrance). Malade mental et, plus particulièrement, personne qui souffre d'un déséquilibre du caractère et du comportement. ◆ **psychopathologie** n. f. Étude des maladies mentales.

PSYCHOPHYSIOLOGIE [psikofizjɔlɔʒi] n. f. (du gr. *psukhê,* âme, et *physiologie*). Étude scientifique des rapports entre les faits psychiques (= relatifs à l'esprit) et les faits physiologiques (= relatifs aux organes).

PSYCHOSE [psikoz] n. f. (du gr. *psukhê,* âme). **1.** Maladie mentale en général, à l'exception de la névrose*. → ENCYCL. — **2.** Idée fixe qui provoque des troubles divers chez un individu ou dans un groupe : *Une psychose collective.* ◆ **psychotique** adj. Relatif à une psychose (sens 1). ◆ n. Malade atteint d'une psychose.

— ENCYCL. La *psychose*, contrairement à la névrose*, est caractérisée par une conviction absolue du malade quant à la réalité et au caractère normal de ses pensées. Cette conviction témoigne d'une perturbation profonde de la personnalité. La manie, la mélancolie, la schizophrénie et la paranoïa* constituent les principales psychoses.

PSYCHOSOMATIQUE [psikosɔmatik] adj. (du gr. *psukhê*, âme, et *sôma*, corps). Qui concerne à la fois le corps et l'esprit. (La médecine psychosomatique attribue un rôle important aux facteurs psychiques pour expliquer l'apparition de certains troubles fonctionnels ou de certaines maladies organiques.)

PSYCHOTECHNIQUE [psikɔtɛknik] n. f. (du gr. *psukhê*, âme, et *technique*). Ensemble de méthodes élaborées par la psychologie et utilisées pour mesurer les aptitudes des individus, leurs réactions psychiques ou motrices : *La psychotechnique est utilisée pour l'orientation professionnelle.* ◆ **psychotechnicien, enne** n.

PSYCHOTHÉRAPIE [psikɔterapi] n. f. (du gr. *psukhê*, âme, et *therapeia*, soin). Forme de cure psychanalytique.

PSYCHOTIQUE n. → PSYCHOSE.

PSYCHOTROPE [psikotrɔp] adj. et n. m. (du gr. *psukhê*, âme, et *tropos*, direction). Se dit de substances médicamenteuses agissant sur le psychisme.

PTAH, dieu de l'Égypte ancienne, adoré à Memphis.

PTÉRIDOPHYTES [pteridɔfit] n. m. pl. (du gr. *pteris, pteridos*, fougère, et *phuton*, plante). Embranchement du règne végétal, groupant les plantes qui n'ont ni fleurs, ni graines, mais qui ont cependant des racines et des vaisseaux conducteurs de sève, comme les *fougères* (les prèles, les lycopodes). [Autref. appelés CRYPTOGAMES VASCULAIRES.]

PTÉRODACTYLE [pterɔdaktil] n. m. (du gr. *pteron*, aile, et *daktulos*, doigt). Genre de reptiles volants de l'ère secondaire.

PTÉROSAURIENS [pterɔsɔrjɛ̃] n. m. pl. (du gr. *pteron*, aile, et *saurien*). Ordre de reptiles fossiles de l'ère secondaire, adaptés au vol grâce à une large membrane soutenue par le cinquième doigt (très allongé) de la main.

PTOLÉMÉE, nom de seize rois d'Égypte de la dynastie grecque des Lagides. PTOLÉMÉE Ier *Sôter Ier* (av. 360-283 av. J.-C.), est le fondateur de la dynastie. Lieutenant d'Alexandre le Grand, il fut désigné comme satrape d'Égypte (323-305 av. J.-C.), puis prit le titre de roi (305-283 av. J.-C.). Il vainquit Antigonos Monophtalmos et gouverna l'Égypte et la Syrie. Il embellit Alexandrie et ouvrit la bibliothèque et le musée. — PTOLÉMÉE II *Philadelphe* (v. 309-246 av. J.-C.), roi d'Égypte de 283 à 246 av. J.-C. Il fit construire le phare d'Alexandrie. — PTOLÉMÉE XVI *Caesar*, dit *Césarion*, fils de César et Cléopâtre (47-30 av. J.-C.), roi nominal d'Égypte dès sa naissance, il fut exécuté sous l'ordre d'Octavien après la bataille d'Actium.

PTOLÉMÉE (Claude), astronome et mathématicien grec (IIe s. apr. J.-C.) qui vécut à Alexandrie. Dans son ouvrage principal, *Composition mathématique*, appelé aussi *Almageste*, il expose son système astronomique selon lequel la Terre est fixe et est le centre de l'univers, et donne un traité complet de trigonométrie. Il s'intéressa également à l'optique, à l'acoustique, et dressa des cartes qui ont fait autorité jusqu'à la fin du Moyen Âge. Il construisit différents instruments d'astronomie (astrolabes, globes célestes, etc.).

PTYALINE [ptjalin] n. f. (du gr. *ptualon*, crachat). Diastase contenue dans la salive et transformant l'amidon cuit en maltose (syn. AMYLASE SALIVAIRE).

1. PUANT, E adj. → PUER.

2. PUANT, E [pɥɑ̃, -ɑ̃t] adj. (de *puer*). *Très fam.* Se dit d'une personne que sa vanité rend insupportable.

PUANTEUR n. f. → PUER.

PUBERTÉ [pybɛrte] n. f. (lat. *pubertas*). Période de plusieurs années pendant laquelle se déroulent des transformations corporelles et psychiques qui font passer l'individu du stade de l'enfance à celui de l'adolescence. ◆ **pubère** adj. et n. Qui a atteint l'âge de la puberté, et dont, par conséquent, les fonctions sexuelles sont arrivées à maturation. ◆ **impubère** adj. Qui n'a pas encore atteint l'âge de la puberté.

— ENCYCL. *Chez le garçon*, la *puberté* débute en général vers treize ans, parfois plus tôt (dix-onze ans) ou plus tard (quinze ans). Le premier signe est l'augmentation des testicules, qui précède l'apparition des caractères sexuels secondaires : modification de la voix, modification de la silhouette corporelle (ralentissement de la croissance osseuse et augmentation des masses musculaires), croissance de la verge, apparition de la pilosité sur le pubis, le creux axillaire, les membres, le tronc, la face.

Chez la fille, la puberté s'annonce à dix-treize ans. Elle commence par le développement des glandes mammaires, la naissance d'une pilosité pubienne, la modification des organes génitaux externes et internes, une modification de la silhouette (élargissement du bassin). Puis les premières règles et les premiers cycles ovulatoires apparaissent vers douze-quatorze ans.

Sur le plan psychologique, la puberté marque l'entrée dans le monde de la sexualité adulte; c'est un moment parfois difficile où l'enfant peut souffrir de perturbations plus ou moins profondes.

PUBESCENCE [pybesɑ̃s] n. f. (du lat. *pubescens*, qui est couvert de poils). *Bot.* Duvet court, peu abondant, rencontré parfois sur des tiges, des feuilles.

PUBIS [pybis] n. m. (lat. *pubes*, poil). *Anat.* Partie inférieure médiane de la région hypogastrique, formant une éminence triangulaire, qui se couvre de poils à l'âge de la puberté.

PUBLIABLE adj. → PUBLIER.

1. PUBLIC, IQUE [pyblik] adj. (lat. *publicus*). **1.** Se dit d'une chose qui appartient à une collectivité, qui concerne un groupe pris dans son ensemble, qui en est l'expression, qui lui est accessible, etc. : *L'opinion publique* (= celle qui traduit les sentiments du plus grand nombre de personnes). *Un danger public* (= une personne qui constitue une menace pour tout le monde). *L'ennemi public nº 1* (= celui dont tout le monde doit en priorité se méfier). *Il est de notoriété publique que...* (= tout le monde sait bien que). — **2.** Se dit d'un lieu accessible à tous, d'une activité accessible à tous : *Jardin public* (contr. PRIVÉ). *Organiser une vente publique aux enchères* (= ouverte à tous). *Le procès a lieu en séance publique* (contr. À HUIS CLOS). ◆ **publiquement** adv. En présence de nombreuses personnes : *Déclarer publiquement qqch.* (syn. HAUTEMENT). ◆ **public** n. m. **1.** Ensemble des gens qui fréquentent un endroit : *Porte interdite au public.* — **2.** Ensemble des personnes qui lisent un livre, assistent à un spectacle, etc. : *Le public applaudit à la pièce de théâtre* (= les spectateurs). — LOC. ADV. *En public*, en présence de nombreuses personnes : *Parler en public.* ◆ **publicité** n. f. (langue soignée) : *La publicité des débats parlementaires* (= le fait qu'ils soient publics).

2. PUBLIC, IQUE [pyblik] adj. (même étym.). **1.** Dans la langue du dr. et de l'écon. polit., se dit d'une chose qui relève de l'État, de l'Administration d'un pays : *Entrer dans la fonction publique* (= devenir fonctionnaire). — **2.** *Autorité publique*, ensemble des personnes qui prennent part au gouvernement d'un pays. ‖ *Les affaires publiques*, la vie politique en général, l'intérêt de l'État. ‖ *La chose publique*, l'État (langue soignée). ‖ *Domaine public* → DOMAINE 1. ‖ *Droit public*, partie du droit qui règle les rapports de l'État, du gouvernement et des citoyens. ‖ *Secteur public* → SECTEUR 2. ‖ *Trésor public*, service du ministère des Finances qui assure à l'État les disponibilités financières dont il a besoin.

PUBLICAIN [pyblikɛ̃] n. m. (lat. *publicanus*). *Antiq. rom.* Membre de la classe équestre chargé de recouvrer les impôts. (Les exactions [= le fait d'exiger plus qu'il n'est dû] de leurs agents rendirent le nom de *publicain* très impopulaire.)

PUBLICATION n. f. → PUBLIER.

PUBLICISTE [pyblisist] n. m. (de *public*). Syn. littér. de JOURNALISTE.

1. PUBLICITÉ [pyblisite] n. f. (de *public*). Ensemble des moyens employés pour faire connaître une entreprise industrielle, commerciale, pour accroître la vente d'un produit : *Cette entreprise fait beaucoup de publicité* (syn. vieilli RÉCLAME). ◆ **publicitaire** adj. : *Annonce publicitaire* (= pour faire de la publicité). ◆ n. Personne qui s'occupe de publicité commerciale.

2. PUBLICITÉ n. f. → PUBLIC 1.

PUBLIER [pyblije] v. t. (lat. *publicare*). **1.** *Publier un livre, un écrit*, le faire paraître et le mettre en vente : *Cet écrivain a publié de nombreux romans.* — **2.** *Publier une nouvelle*, la répandre dans le public, la divulguer. ‖ *Publier les bans d'un mariage*, faire l'annonce légale de ce mariage. ◆ **publication** n. f. **1.** Action de publier : *Un incident technique a arrêté la publication de la revue. La publication des bans de mariage est obligatoire.* — **2.** Œuvre, texte publiés : *On trouvait dans la devanture du libraire des publications de toute sorte* (= livres, journaux, brochures, etc.). ◆ **publiable** adj. ◆ **impubliable** adj. : *Ce manuscrit est impubliable dans son état actuel.*

PUBLIQUEMENT adv. → PUBLIC 1.

PUCCINI (Giacomo), compositeur italien (1858-1924). Auteur de nombreux opéras (*la Bohême*, 1896; *la Tosca*, 1900; *Madame Butterfly*, 1904; *Turandot*, 1924) qui lui ont assuré une renommée mondiale, il possède un sens aigu du théâtre, des effets qui portent sur le public, et il utilise un langage d'un lyrisme parfois exacerbé.

PUCE [pys] n. f. (lat. *pulex, -icis*). **1.** Insecte sans ailes et à pattes postérieures sauteuses, qui se nourrit du sang puisé par piqûre dans le corps des mammifères. — **2.** Sorte de pastille, en général en silicium, qui supporte un ou plusieurs circuits intégrés et, en partic., un microprocesseur. — **3.** *Puce d'eau*, petit crustacé d'eau douce (syn. DAPHNIE). ‖ *Puce de mer,* petit crustacé marin (syn. TALITRE). — **4.** *Mettre la puce à l'oreille de qq'un,* éveiller ses doutes ou ses soupçons. ‖ *Marché aux puces* (ou *les puces*), marché où l'on vend des objets d'occasion. ◆ adj. inv. D'une couleur marron tirant sur le brun-rouge. ◆ **épucer** v. t. Débarrasser de ses puces.

PUCEAU [pyso] n. m. et adj., **PUCELLE** [pysɛl] n. f. et adj. (du bas lat. *pulicella*). *Fam.* Garçon, fille vierge.

PUCERON [pysrɔ̃] n. m. (de *puce*). Nom général donné aux petits insectes (long. moyenne 1 mm) de l'ordre des homoptères, qui pullulent souvent sur les végétaux dont ils puisent la sève, causant parfois de graves dégâts (cas du phylloxéra de la vigne).

PUDDING n. m. → POUDING.

PUDDLAGE [pydlaʒ] n. m. (de l'angl. *to puddle,* rouler). Procédé métallurgique utilisé autref. pour obtenir du fer ou un acier peu chargé en carbone, par contact d'une masse de fonte avec une scorie oxydante dans un four à réverbère. ◆ **puddler** v. t. Soumettre à l'opération du puddlage. ◆ **puddleur** n. et adj. m. Ouvrier employé au puddlage.

PUDEUR [pydœr] n. f. (lat. *pudor*). **1.** Discrétion, retenue qui empêche de dire ou de faire ce qui peut blesser la décence, spécialement en ce qui concerne les questions sexuelles : *Il a été arrêté pour outrage à la pudeur* (syn. DÉCENCE). — **2.** Réserve d'une personne qui évite tout ce qui risque de choquer le goût des autres, de leur causer une gêne morale : *Vous devriez avoir la pudeur de vous taire* (syn. DÉLICATESSE). *C'est manquer de pudeur que de montrer un tel luxe devant tant de misère* (syn. DISCRÉTION, RETENUE). ◆ **pudique** adj. **1.** Se dit d'une personne (ou de son comportement) qui montre beaucoup de retenue : *Elle ramenait sa robe sur ses genoux dans un mouvement pudique* (syn. CHASTE, DÉCENT). — **2.** Plein de réserve : *Il fit une allusion pudique à sa situation difficile* (syn. DISCRET) ◆ **pudiquement** adv. Avec pudeur. ◆ **pudicité** n. f. Caractère d'une personne pudique (peu usité). ◆ **impudeur** n. f. Manque de pudeur, de retenue (syn. INDÉCENCE). ◆ **impudique** adj. : *Un geste impudique* (syn. INDÉCENT, ↑OBSCÈNE). ◆ **impudicité** n. f. Ce qui est impudique.

PUDIBOND, E [pydibɔ̃, -ɔ̃d] adj. (lat. *pudibundus*). Se dit d'une personne qui a une pudeur exagérée (syn. PRUDE). ◆ **pudibonderie** n. f. : *Faire preuve d'une pudibonderie excessive.*

PUEBLA, v. du Mexique, au S. de Mexico; 401 600 hab. Cathédrale (XVIe-XVIIe s.). Métallurgie. Automobiles. Elle fut assiégée par les Français, en vain en 1862 et avec succès en 1863.

PUEBLOS, Indiens du sud-ouest des États-Unis, vivant dans des villages dont chacun forme une unité politique et religieuse. Ce sont des agriculteurs qui tissent le coton et dont les poteries, à dessins géométriques, sont remarquables. Ils vivent dans de grandes maisons à étages.

PUER [pye] ou [pɥe] v. i. et t. (lat. *putere*). Exhaler une odeur insupportable (terme souvent jugé bas, auquel on préfère l'express. SENTIR MAUVAIS). ◆ **puant, e** adj. Se dit d'une chose, d'un être vivant qui émet une odeur nauséabonde : *Une mare puante* (syn. FÉTIDE, ↑INFECT). ◆ **puanteur** n. f. : *Le cadavre de la bête dégageait une épouvantable puanteur.* ◆ **empuantir** v. t. Rendre puant : *Une odeur qui empuantit la pièce.* ◆ **empuantissement** n. m.

PUÉRICULTURE [pɥerikyltyr] n. f. (du lat. *puer,* enfant, et *culture*). Ensemble des connaissances et des techniques nécessaires aux soins des tout petits : *Suivre des cours de puériculture.* ◆ **puéricultrice** n. f. Spécialiste de puériculture.

PUÉRIL, E [pɥeril] adj. (du lat. *puer,* enfant). Se dit d'une chose qui n'est pas à sa place chez un adulte, d'une personne (ou de son comportement) qui agit comme un enfant (souvent péjor.) : *Vous êtes puéril de croire que je vais changer d'avis* (syn. NAÏF). *Avoir des amusements puérils* (syn. ENFANTIN). ◆ **puérilement** adv. D'une façon infantile. ◆ **puérilité** n. f. Caractère de ce qui est digne d'un enfant : *La puérilité d'un raisonnement.*

PUGET (Pierre), sculpteur français (1620-1694). Parti à dix-sept ans pour l'Italie, il y fut l'élève de Pierre de Cortone; il travailla en Provence et à Gênes. Fouquet lui passa des commandes pour le château de Vaux. Il sculpta pour Versailles *Milon de Crotone, Persée délivrant Andromède,* le bas relief *Alexandre et Diogène.* Mais son art, essentiellement baroque, lyrique, ne s'accordait pas avec le classicisme versaillais. À Toulon, il décora les vaisseaux royaux et sculpta les *Atlantes* de l'hôtel de ville.

PUGET-THÉNIERS, ch.-l. de cant. des Alpes-Maritimes, à 50 km au N.-E. de Castellane; 1 520 hab. Église romane restaurée. Monument Blanqui par Maillol *(l'Action enchaînée).*

PUGILAT [pyʒila] n. m. (lat. *pugilatus*). Bagarre à coups de poing : *La dispute dégénéra en pugilat* (syn. ↑RIXE). ◆ **pugiliste** n. m. Syn. de BOXEUR.

PUGNACITÉ [pygnasite] n. f. (lat. *pugnacitas,* de *pugnax,* combatif). Amour du combat, de la lutte, de la polémique (littér.).

PUIGCERDÁ, v. d'Espagne (Catalogne), près de la frontière, capit. de la Cerdagne espagnole; 4 300 hab. Centre touristique.

PUÎNÉ, E [pɥine] adj. et n. (de *puis,* après, et *né*). Se dit d'une personne qui est née après une autre (langue soignée et jurid.) : *Mon frère puîné* (syn. CADET) [peu usité].

PUIS [pɥi] adv. (bas lat. *postius,* après). **1.** Indique une succession dans le temps (toujours en tête de la proposition, souvent avec *et*) : *Une douleur d'abord faible, puis aiguë.* — **2.** *Et puis,* introduit une raison supplémentaire dans une série d'arguments : *Il ne voudra pas, et puis à quoi cela servirait-il?* (syn. D'AILLEURS). — **3.** *Et puis après? et puis quoi?,* expriment le peu d'importance que l'on attache à ce qui vient d'être fait et à ses conséquences : *Il n'est pas content, et puis après?*

PUISAGE n. m. → PUISER.

PUISARD [pɥizar] n. m. (de *puits*). Égout vertical fermé, où les eaux usées et les eaux de pluie s'écoulent peu à peu par infiltration.

PUISATIER n. m. → PUITS.

PUISAYE (la), région bocagère et humide du sud du Bassin parisien, au N. du Nivernais. Élevage.

PUISER [pɥize] v. t. (de *puits*). **1.** Prendre un liquide à l'aide d'un récipient : *Puiser de l'eau dans la rivière.* — **2.** Prendre quelque chose dans une réserve : *Puiser des exemples dans les meilleurs auteurs* (syn. EMPRUNTER, EXTRAIRE). ‖ *Puiser aux sources,* avoir recours aux documents originaux. ◆ **puisement, puisage** n. m. : *Le puisage dans la rivière. Droit de puisage.*

PUISQUE [pɥisk] conj. de subordination *(puis,* et *que)* [ne s'élide que devant *il, elle, en, on, un, une*]. Indique la cause d'une action exprimée dans la principale, la justification d'une affirmation ou d'une question exprimée par un verbe ou un substantif; ou introduit une subordonnée incidente justifiant le point de vue de celui qui parle (le plus souvent, la proposition introduite par *puisque* précède la principale) : *Puisque vous avez très souvent mal à la tête, faites-vous examiner les yeux* (syn. COMME, ÉTANT DONNÉ QUE). *Puisque vous êtes satisfait de votre emploi, je ne vous proposerai pas une nouvelle situation* (syn. DÈS L'INSTANT QUE); dans une proposition exclamative, sans principale exprimée : *Mais puisque je vous le dis! c'est un incapable!*

PUISSAMMENT adv. → PUISSANT.

1. PUISSANCE n. f. → PUISSANT.

2. PUISSANCE [pɥisɑ̃s] n. f. (de *puissant*). Math. *Puissance d'un nombre,* produit de plusieurs facteurs égaux à ce nombre. (*Ex.* : $\underbrace{a \times a \times a \ldots \times a}_{n \text{ terme}}$ se note a^n ; a est la base, et n l'exposant.) ‖ *Puissance négative d'un nombre,* le nombre $\frac{1}{a^n}$ se note a^{-n} si $a \neq 0$. (*Ex.* : $2^{-3} = \frac{1}{2^3}$. Par convention, pour tout nombre réel a, $a^0 = 1$; a^2 est le *carré* de a; a^3 est le *cube* de a; a^n est la puissance énième de a.)

— ENCYCL. *Propriété des puissances.* Quels que soient les nombres réels a et b, et les entiers relatifs m et n, on a :

$$a^{m+n} = a^m \times a^n ;$$
$$(a^m)^n = a^{mn} ;$$
$$(ab)^n = a^n \times b^n ;$$

Exemples : $2^3 \times 2^{-4} = 2^{3-4} = 2^{-1} = \frac{1}{2}$;

$(2^3)^{-4} = 2^{-12} = \frac{1}{2^{12}}$;

$2^3 \times 5^3 = (2 \times 5)^3 = 10^3$.

PUISSANT, E [pɥisɑ̃, -ɑ̃t] adj. (anc. part. prés. du v. *pouvoir*) [avant ou après le nom]. **1.** Se dit d'une personne, d'un groupe de personnes qui a beaucoup d'influence, de pouvoir : *Un syndicat très puissant.* — **2.** Se dit d'un pays qui a un important potentiel économique, industriel, militaire, d'une armée qui a de gros effectifs et dispose d'un matériel important : *Une nation puissante.* — **3.** Se dit d'un être animé (ou de son comportement) qui a une grande force physique : *Une puissante musculature.* — **4.** Se dit de ce qui peut fournir une énergie considérable, de ce qui agit avec force : *Un moteur puissant. Un puissant remède* (syn. ÉNERGIQUE). ◆ **puissamment** adv. D'une manière puissante (syn. FORTEMENT). ◆ **puissance** n. f. **1.** Pouvoir d'exercer une action importante, matérielle, morale, etc., sur les autres : *Personne qui donne une impression de puissance* (= de force). *User de sa puissance pour obtenir des avantages à ses amis* (syn. CRÉDIT, INFLUENCE, POUVOIR). — **2.** *Puissance paternelle,* autorité que la loi confère aux parents sur la personne et les biens de leurs enfants mineurs et non émancipés. — **3.** *Phys.* Énergie produite dans l'unité de temps (elle s'évalue en watts, puissance qui produit 1 joule par seconde). ‖ *Puissance fiscale,* puissance d'un moteur d'automobile ou de motocyclette évaluée en chevaux-vapeur. — **4.** Qualité de ce qui peut fournir de l'énergie, d'une personne ou d'une chose qui agit avec force : *La puissance d'un haut-parleur* (= l'intensité du son qu'il émet). *Sa puissance de travail est considérable* (syn. CAPACITÉ). — **5.** *Puissance d'une nation, d'une armée,* etc., son potentiel économique, industriel, militaire. — **6.** État souverain : *Les grandes puissances économiques.* — **7.** Au plur., entre dans certains loc. littér. : *Les puissances des ténèbres,* les démons. — LOC. ADV. et ADJ. *En puissance,* qui ne s'est pas encore réalisé : *L'avenir est déjà en puissance dans le présent. Exister en puissance* (contr. EFFECTIVEMENT, EN ACTE [philos.]). *Un criminel en puissance* (= celui qui est capable de commettre un crime). ◆ **impuissant, e** adj. Se dit d'une personne (ou de son comportement) qui manque de pouvoir, de la force nécessaire pour faire quelque chose : *Être impuissant devant une catastrophe.* ◆ adj. et n. Se dit d'une personne incapable d'accomplir l'acte sexuel. ◆ **impuissance** n. f. : *Son impuissance à résoudre la difficulté était évidente.*

PUITS [pɥi] n. m. (lat. *puteus*). **1.** Trou creusé dans le sol, souvent maçonné, pour tirer de l'eau. — **2.** *Puits de pétrole,* trou foré pour l'extraction du pétrole. — **3.** *Puits de science,* se dit d'un homme très savant. ◆ **puisatier** n. m. Terrassier spécialisé dans le forage des puits de faible diamètre.

PULL-OVER [pylɔvœr] ou [pylɔvɛr] n. m. (de l'angl. *to pull over,* tirer par-dessus [la tête]). Tricot, avec ou sans manches, qu'on met et enlève en le faisant passer par-dessus la tête. (Abrév. fréquente PULL.)

PULLULER [pylyle] v. i. (lat *pullulare*). *Péjor.* Croître, se multiplier : *Les erreurs pullulent dans ce livre* (syn. FOURMILLER). ◆ **pullulement** n. m. : *On voyait sur l'étang un pullulement d'insectes.*

PULMONAIRE [pylmɔnɛr] adj. (du lat. *pulmo, pulmonis,* poumon). Qui concerne le poumon. ‖ *Artère pulmonaire,* artère issue du ventricule droit du cœur et qui se divise en branches droite et gauche pour irriguer les deux poumons. ‖ *Congestion pulmonaire,* afflux sanguin dans les vaisseaux pulmonaires, dû soit à une infection, soit à un trouble circulatoire d'origine cardiaque. ‖ *Embolie pulmonaire,* oblitération d'une branche de l'artère pulmonaire par un caillot provenant le plus souvent d'une veine des membres inférieurs (phlébite). ‖ *Veines pulmonaires,* veines ramenant des poumons le sang oxygéné vers le cœur.

PULMONÉS [pylmɔne] n. m. pl. (du lat. *pulmo, -onis,* poumon). Sous-classe de mollusques gastropodes, comprenant les espèces terrestres ou d'eau douce munies d'un poumon : *escargot, limace, achatine, limnée, planorbe,* etc.

PULPE [pylp] n. f. (lat. *pulpa*). Nom donné à certains tissus mous des animaux (pulpe dentaire) ou des végétaux (pulpe sucrée des fruits charnus). ◆ **pulpeux, euse** adj. **1.** Formé de pulpe : *Tissu pulpeux.* — **2.** Qui ressemble à la pulpe.

PULSAR [pylsar] n. m. (de l'angl. *pulsating star*). Source de rayonnement radio-astronomique dont les émissions très brèves ont une période remarquablement définie, généralement voisine de la seconde.

PULSATION [pylsasjɔ̃] n. f. (du lat. *pulsus,* pouls). Battement du cœur ou des artères (pouls).

PULSION [pylsjɔ̃] n. f. (du lat. *pulsus,* poussé). Syn. d'IMPULSION, dans le vocabulaire de la psychanalyse.

PULVÉRISER [pylverize] v. t. (du lat. *pulvis, pulveris,* poussière). **1.** Réduire en poudre, en fines parcelles, en très petites parties : *Pulvériser de la craie dans un mortier.* — **2.** Projeter un liquide en fines gouttelettes. — **3.** *Fam.* Détruire complètement : *Pulvériser une armée* (= la mettre en pièces). ‖ *Pulvériser un record,* battre, dépasser très largement le record précédemment établi. ◆ **pulvérisation** n. f. : *Des pulvérisations de produits insecticides.* ◆ **pulvérisateur** n. m. Instrument permettant de projeter un liquide en fines gouttelettes.

PULVÉRULENT, E [pylverylɑ̃, -ɑ̃t] adj. (du lat. *pulvis, pulveris,* poussière). Qui est à l'état de poudre très fine, ou qui peut se réduire en parcelles très fines : *La chaux pulvérulente.*

PULVILLE [pylvil] n. m. (lat. *pulvillus,* coussinet). Lobe membraneux situé à l'extrémité du tarse, sous les ongles, chez certains insectes. → illustration INSECTES.

PUMA [pyma] n. m. (mot du Pérou). Mammifère carnassier d'Amérique.

1. PUNAISE [pynɛz] n. f. (du lat. *putere,* puer, et *nasus,* nez). **1.** Nom donné à plusieurs insectes de l'ordre des hétéroptères, à corps aplati et dégageant une odeur repoussante : *La punaise des lits pique l'homme pour se nourrir de son sang; la punaise des bois se nourrit de sève.* — **2.** Fam. *Une punaise de sacristie,* une bigote.

2. PUNAISE [pynɛz] n. f. (de *punaise* 1). Petit clou à tête large, à pointe courte, très fine.

1. PUNCH [pɔ̃ʃ] n. m. (mot angl.). Boisson alcoolisée à base de rhum accompagnée de citron et de sucre.

2. PUNCH [pœnʃ] n. m. (mot angl.). *Avoir du punch,* se dit d'un sportif (en partic. d'un boxeur) qui a de l'efficacité dans les attaques qu'il porte. ◆ **punching-ball** [pœnʃingbol] n. m. Ballon maintenu verticalement par des liens élastiques et servant à l'entraînement des boxeurs.

PUNI, E adj. et n. → PUNIR.

Puniques *(guerres),* conflit qui, de 264 à 146 av. J.-C., opposa Rome à Carthage et ruina celle-ci après trois guerres.

- *264-241. La première guerre punique a pour théâtre la Sicile, objet des ambitions romaines.*

Victorieux à Myles (260), les Romains échouent devant Carthage (255) et luttent avec difficulté en Sicile contre Hamilcar Barca. Mais la victoire navale des îles Aegates (241) leur permet d'imposer la paix et d'obtenir l'évacuation de la Sicile. Rome profite de la crise sociale qui éclate à Carthage pour s'établir en Sardaigne.

- *218-201. La volonté de revanche d'Hannibal, fils d'Hamilcar, qui s'empare de Sagonte (219), ville d'Espagne alliée à Rome, entraîne une nouvelle guerre.*

Hannibal marche sur Rome en passant par la Gaule et écrase les Romains sur le Tessin, sur la Trébie, au lac Trasimène et à Cannes (218-216). Son inaction et la destruction de renforts (Métaure, 207) permettent aux Romains de reprendre l'initiative en Italie, puis en Espagne sous le commandement de Scipion (210-206). Celui-ci, devenu consul, attaque en Afrique et triomphe d'Hannibal, rappelé d'Italie, à Zama (202). Carthage tombe sous la dependance de Rome.

- *149-146. Le réarmement de Carthage, face aux ambitions du roi numide Masinissa, allié de Rome, sert de prétexte à une nouvelle intervention.*

En fait, le relèvement économique de la ville, dénoncé par Caton, inquiétait le sénat. Prise en 146 après une résistance de trois ans, elle est rasée et son territoire devient la province d'Afrique.

PUNIR [pynir] v. t. (lat. *punire*). **1.** *Punir qq'un,* lui infliger une peine afin de lui faire expier une faute, de le corriger, etc. : *Le tribunal a sévèrement puni le délinquant* (syn. CONDAMNER). *Punir le coupable* (syn. CHÂTIER). — **2.** *Punir qq'un de qqch.,* lui faire subir un mal à cause de quelque chose (employé souvent au passif) : *Il a été puni de sa curiosité.* — **3.** *Punir une faute,* la frapper d'un châtiment, d'une sanction : *Punir une infraction* (syn. SANCTIONNER). ◆ **puni, e** adj. et n. : *Les punis resteront samedi soir au lycée.* ◆ **punissable** adj. : *Un crime punissable de la peine de mort* (syn. PASSIBLE). ◆ **punitif, ive,** adj. : *Expédition punitive* (= destinée à punir). ◆ **punition** n. f. **1.** Action de punir : *La punition du coupable* (syn. CHÂTIMENT). — **2.** Peine subie par un coupable : *Infliger une punition* (syn. SANCTION). *Une punition corporelle* (= peine physique, coups). — **3.** Conséquence pénible d'une action : *Son échec est la punition de son étourderie.* ◆ **impuni, e** adj. : *Un crime impuni.* ◆ **impunément** adv. : *Cet enfant ne se moquera pas impunément de son professeur* (= sans être puni). ◆ **impunité** n. f. Absence de punition, de châtiment : *L'impunité encourage le crime.*

PUNTA ARENAS, port du Chili, sur le détroit de Magellan; 76 000 hab. Ville la plus méridionale du monde (en dehors d'Ushuaia, dans la Terre de Feu).

1. PUPILLE [pypij] ou [pypil] n. f. (lat. *pupilla*). Orifice central de l'iris de l'œil, derrière lequel se trouve le cristallin : *La pupille peut se dilater ou se contracter selon l'intensité lumineuse, jouant ainsi le rôle de diaphragme; ce caractère est particulièrement développé chez les félidés.*

2. PUPILLE [pypij] ou [pypil] n. (lat. *pupillus*). **1.** Orphelin mineur, placé sous l'autorité d'un tuteur. — **2.** *Pupille de l'État,* enfant placé sous la tutelle de l'État. ‖ *Pupille de la nation,* enfant ayant perdu son père à la guerre, et bénéficiant de l'aide de l'État.

PUPITRE [pypitr] n. m. (lat. *pupitrum,* estrade). **1.** Petit meuble à plan incliné, sur lequel on peut écrire, dessiner, etc., en posant des cahiers, des feuilles, des livres : *Les pupitres d'une classe* (syn. TABLE). *Le pupitre d'un chef d'orchestre.* — **2.** En informatique, organe d'un ordinateur qui réunit toutes les commandes manuelles de fonctionnement. ◆ **pupitreur, euse** n. Personne chargée de contrôler le fonctionnement d'un ordinateur avec les commandes du pupitre.

1. PUR, E [pyr] adj. (lat. *purus*) [après le nom]. **1.** Se dit d'une chose qui est sans mélange avec une autre, qui ne contient rien d'étranger : *Alcool pur* (contr. ÉTENDU, MÉLANGÉ). *Boire du vin pur* (= sans eau). *Rendre un son pur* (= dont le timbre est net). *Corps à l'état pur* (= sans mélange avec un autre corps). ‖ *Race pure,* race qui ne s'est pas croisée avec une autre. ‖ *Ciel pur,* ciel sans nuages. ‖ *Voix pure,* voix au son clair, cristallin. — **2.** Se dit d'une chose limitée strictement à son objet : *Sciences pures* (= sciences théoriques, par oppos. à *sciences appliquées*). *Musique pure* (= musique qui ne vise qu'à être une composition proportionnée de sons, par oppos. à *musique descriptive,* etc.). — **3.** Se dit d'une personne (ou de son comportement) qui n'est pas corrompue, qui ignore le mal ou le péché : *Il n'avait pas que des intentions pures* (syn. DÉSINTÉRESSÉ; contr. TROUBLE). *Une femme au profil pur* (= dont le dessin se rapproche d'un modèle idéal). *Un regard pur* (syn. CANDIDE; contr. PERVERS). ‖ *Demeurer pur de tout soupçon*, au-dessus de tout soupçon. ◆ n. m. : *Les purs d'un parti* (= ceux qui sont les plus intransigeants sur la conduite, la doctrine du parti) : *Tout le monde avait abandonné, sauf une poignée de purs* (syn. péjor. FANATIQUE). ◆ **pureté** n. f. : *La pureté d'un métal. La pureté d'une eau. La pureté d'un son. Vouloir préserver la pureté de la langue* (= vouloir empêcher l'utilisation de formes, de tournures incorrectes et de termes d'origine étrangère). *La pureté de son regard frappait au premier abord* (syn. DROITURE, FRANCHISE, LIMPIDITÉ). *La pureté de l'enfance* (syn. INNOCENCE). ◆ **purifier** v. t. : *Purifier l'air* (syn. ASSAINIR). *Purifier de l'eau* (syn. FILTRER). *Purifier un métal* (syn. ÉPURER). ◆ **purification** n. f. ◆ **purificateur, trice** adj. et n. : *Un feu purificateur.* ◆ **purificatoire** adj. (langue relig.) : *Une cérémonie purificatoire* (= qui lave de la souillure du péché). ◆ **impur, e** adj. Contr. de PUR (surtout au sens 1) : *Eau impure. Des sentiments impurs* (syn. PERVERTI, TROUBLE). ◆ **impureté** n. f. : *Il reste encore quelques impuretés dans le métal* (syn. SCORIE). *Cette eau est pleine d'impuretés qui flottent à la surface* (syn. SALETÉ). *L'impureté des sentiments de qq'un* (= leur caractère trouble). *Le péché d'impureté* (= contre la morale sexuelle).

2. PUR, E [pyr] adj. (même étym.) [avant le nom]. A une valeur de renforcement : *Ce que vous dites est la pure vérité* (= est absolument vrai). *Un pur hasard* (= une coïncidence véritablement fortuite). *Une politesse de pure forme* (= une politesse tout extérieure). ‖ *En pure perte*, sans aucune compensation, pour rien : *Agir en pure perte.* ‖ *Pur et simple* (après un nom), sans condition ni restriction : *C'est une pure et simple formalité* (= ce n'est qu'une formalité). ◆ **purement** adv. Uniquement : *Il a agi purement par intérêt. Purement et simplement* (employé pour renforcer).

PURCELL (Henry), compositeur anglais (1659-1695). Auteur de musique instrumentale, de motets, d'odes et d'opéras (*Didon et Énée*, 1689).

PURÉE [pyre] n. f. (de l'anc. fr. *purer*, nettoyer). **1.** Mets consistant en une bouillie de légumes cuits, écrasés et passés : *Une purée de pommes de terre.* — **2.** Fam. *Purée de pois*, brouillard épais, rendant la visibilité presque nulle. — **3.** Fam. *Être dans la purée*, être dans la misère, dans la gêne.

PUREMENT adv. → PUR 2.

PURETÉ n. f. → PUR 1.

PURGATIF n. m. → PURGER 1.

PURGATOIRE [pyrgatwar] n. m. (du lat. *purgare*, purifier). *Relig. catholique.* Lieu où les pécheurs morts en état de grâce achèvent d'expier leurs péchés.

1. PURGER [pyrʒe] v. t. (lat. *purgare*, purifier). *Purger qq'un*, lui administrer un médicament qui facilite l'évacuation intestinale. ◆ **purgatif** n. m. : *Prendre un purgatif* (syn. LAXATIF). ◆ **purge** n. f. Syn. de PURGATIF.

2. PURGER [pyrʒe] v. t. (même étym.). *Purger une conduite, une installation*, la vidanger, la débarrasser de l'air qu'elle contient : *Purger un radiateur.* ◆ **purgeur** n. m. Appareil permettant d'éliminer d'une tuyauterie ou d'une installation un fluide qui, par sa présence ou par son excès, en troublerait le fonctionnement.

3. PURGER [pyrʒe] v. t. (même étym.). *Purger un pays, un groupe social*, en éliminer les individus jugés dangereux : *Purger une région des bandits qui l'infestent.* ◆ **purge** n. f. Élimination des individus jugés politiquement indésirables.

4. PURGER [pyrʒe] v. t. (même étym.). *Purger une peine, une condamnation*, subir cette peine.

PURIFICATEUR, TRICE adj. et n., **PURIFICATION** n. f., **PURIFICATOIRE** adj., **PURIFIER** v. t. → PUR 1.

PURIN [pyrɛ̃] n. m. (de l'anc. fr. *purer*, s'écouler). Liquide s'écoulant du fumier et servant d'engrais.

PURISME [pyrism] n. m. (de *pur*). Souci excessif de la pureté du langage, caractérisé par le désir de fixer la langue à un stade de son évolution, considéré comme un modèle idéal : *Molière a dénoncé le purisme exagéré des Précieuses.* ◆ **puriste** adj. et n. : *Grammairien puriste* (contr. LAXISTE, LIBÉRAL).

PURITAIN, E [pyritɛ̃, -ɛn] adj. et n. (angl. *puritan*; de *purity*, pureté). **1.** Membre d'une secte de presbytériens rigides, rigoureusement attachés à la pureté du dogme, que les Stuarts persécutèrent, et dont beaucoup émigrèrent en Amérique. (Les puritains jouèrent un rôle important dans la révolution anglaise de 1648.) — **2.** Se dit de quelqu'un qui affecte les principes d'une morale rigoureuse (syn. RIGORISTE). ◆ adj. Qui présente de tels caractères : *Éducation puritaine* (syn. AUSTÈRE; contr. LIBÉRAL). *Des mœurs puritaines* (syn. ↑PUDIBOND). ◆ **puritanisme** n. m. **1.** Doctrine des puritains. — **2.** *Un puritanisme étroit* (syn. RIGORISME).

PURPURA [pyrpyra] n. m. (mot lat. signif. *pourpre*). Éruption de taches rougeâtres sur la peau, dues à des ruptures de capillaires provoquant de petites hémorragies dans l'épaisseur du derme.

PURPURIN, E [pyrpyrɛ̃, -in] adj. (du lat. *purpura*, pourpre). Qui approche de la couleur pourpre : *Fleur purpurine.*

PUR-SANG [pyrsɑ̃] n. m. inv. (*pur*, et *sang*). Cheval de course dont les ascendants sont de race pure.

PURULENT, E adj. → PUS.

PURUS, riv. du Pérou et du Brésil, affl. de l'Amazone (r. dr.); 3200 km.

PUS [py] n. m. (lat. *pus, puris*). Liquide jaunâtre et visqueux, qui se forme aux points d'infection de l'organisme : *Un amas de pus* (= un abcès). ◆ **purulent, e** adj. Qui contient ou produit du pus. ◆ **suppurer** v. i. Produire du pus. ◆ **suppuration** n. f.

— ENCYCL. Le *pus* est constitué par des leucocytes en voie de destruction et par des microbes. Il est le résultat d'un processus de *suppuration*, ou inflammation des leucocytes. Les germes les plus souvent en cause sont le streptocoque et le staphylocoque. Une suppuration peut prendre l'aspect d'un *phlegmon** (inflammation suppurée en nappe, très extensive, souvent due au streptocoque); d'un *abcès** (collection de pus dans une cavité créée par la destruction du tissu normal, dû surtout au staphylocoque); d'un *empyème* (collection de pus dans une cavité préformée comme la plèvre, la vésicule biliaire, l'appendice, etc.).

Après guérison d'une inflammation leucocytaire, le pus peut être soit évacué vers l'extérieur, naturellement ou après un geste chirurgical, ou résorbé par *phagocytose** par les nécrophages, ou se transformer en calcifications qui resteront stables.

PUSAN, en japon. **Fusan,** v. de la Corée du Sud, sur le détroit de Corée; 3200000 hab. Deuxième ville et l'un des principaux ports de la Corée du Sud, c'est aussi un centre industriel (métallurgie, textiles).

PUSILLANIME [pyzilanim] adj. (lat. *pusillus animus*, esprit mesquin). Qui manque de courage, qui a peur des responsabilités; qui manifeste la lâcheté (littér.) : *Un esprit pusillanime* (syn. CRAINTIF, PEUREUX; contr. COURAGEUX). *Avoir une conduite pusillanime* (syn. ↓TIMORÉ; contr. ÉNERGIQUE, FERME). ◆ **pusillanimité** n. f. : *Faire preuve de pusillanimité* (syn. COUARDISE, LÂCHETÉ).

PUSTULE [pystyl] n. f. (lat. *pustula*). Lésion circonscrite de la peau, consistant en un soulèvement de l'épiderme qui contient un liquide purulent. ◆ **pustuleux, euse** adj. : *L'éruption pustuleuse de la varicelle* (= accompagnée de pustules).

PUSZTA (la), terme qui désignait la plaine autref. steppique de Hongrie, entre le Danube et les Carpates.

PUTAIN [pytɛ̃] n. f. (de l'anc. fr. *put*, puant, sale). *Pop.* Prostituée (abrév. pop. PUTE).

PUTATIF, IVE [pytatif, -iv] adj. (du lat. *putare*, compter). *Dr.* Qui est supposé avoir une existence légale : *Titre, mariage putatif.* ‖ *Père, enfant putatif*, père, enfant supposé.

PUTEAUX, ch.-l. de cant. des Hauts-de-Seine, à 2 km à l'O. de Paris, sur la Seine; 36100 hab. Industries diverses.

PUTIPHAR, officier du pharaon, dont la femme, selon la Bible, aurait voulu séduire Joseph et, repoussée par celui-ci, l'aurait accusé de lui avoir fait violence.

PUTOIS [pytwa] n. m. (de l'anc. fr. *put*, puant). Mammifère carnassier des bois, s'attaquant aux animaux de basse-cour et dont on recherche la fourrure brun foncé : *Le putois a une odeur nauséabonde.* (Famille des mustélidés.) ‖ *Crier comme un putois*, crier très fort, protester.

PUTRÉFIER [pytrefje] v. t. (lat. *putrefacere;* de *putris*, pourri) [sujet nom de chose]. *Putréfier qqch.*, le faire pourrir, l'amener à un état de décomposition : *La chaleur humide a putréfié la viande et les fruits.* ◆ ***se putréfier*** v. pr. et ***être putréfié*** v. passif : *Les cadavres se putréfiaient* (syn. SE DÉCOMPOSER, POURRIR). ◆ **putréfaction** n. f. : *Le corps était déjà en état de putréfaction avancée* (syn. DÉCOMPOSITION). ◆ **putrescible** adj. Susceptible de pourrir : *Une matière putrescible* (syn. CORRUPTIBLE). ◆ **imputrescible** adj. : *Du bambou imputrescible.*

PUTRIDE [pytrid] adj. (du lat. *putris*, pourri). Se dit d'une odeur infecte, produite par la décomposition : *Des odeurs putrides s'élèvent du marécage.*

PUTSCH [putʃ] n. m. (mot all. signif. *échauffourée*). Coup d'État ou soulèvement organisé par un groupe armé en vue de s'emparer du pouvoir : *Un putsch militaire.* ‖ Pl. des *putschs.*

PUVIS DE CHAVANNES (Pierre), peintre français (1824-1898). Il a surtout exécuté de vastes peintures murales, en tons retenus, soigneusement composées mais froides (Sorbonne, Panthéon).

PUY [pɥi] n. m. (lat. *podium*, tertre). Montagne, dans le Massif central : *Le puy de Sancy.*

PUY-EN-VELAY (Le), anc. capit. du Velay, ch.-l. de la Haute-Loire, sur la Borne, affl. de la Loire, à 514 km au S.-E. de Paris; 26 000 hab. *(Ponots* ou *Podots).* La ville, qui est située dans une dépression fertile, le *bassin du Puy,* est accidentée de pitons volcaniques (rocher Corneille, mont Aiguilhe) et très pittoresque. Cathédrale romane (fresques). Musées. Grand centre français de la dentelle, depuis le XVe s. Industries mécaniques et alimentaires.

PUY-DE-DÔME (63), dép. du Massif central (Région Auvergne); 7 970 km²; 594 400 hab. (75 au km²) [France : 103]. Ch.-l. *Clermont-Ferrand.*

ADMINISTRATION. 5 arrond. (*Ambert*, 30 900 hab.; *Clermont-Ferrand*, 338 100 hab.; *Issoire*, 60 000 hab.; *Riom*, 106 900 hab.; *Thiers*, 58 400 hab.). / 61 cant. / 470 comm.

Le département s'étend sur la majeure partie de l'Auvergne. En dehors de la vallée de l'Allier (la *Limagne*), élargie vers le N., l'altitude dépasse 500 m. Elle est même le plus souvent supérieure à 1 000 m dans l'Ouest, de la *chaîne des puys* au *mont Dore,* et se relève aussi aux extrémités méridionales (vers le *Livradois*) et orientale (partie des *monts du Forez*). Le climat est assez rude.

L'*agriculture* emploie le dixième de la population active. L'élevage, à la fois pour la viande et les produits laitiers, domine sur les hauteurs, cependant que les plaines de la Limagne portent des cultures céréalières et fruitières.

L'*industrie* occupe plus des deux cinquièmes de la population active. Cette prépondérance et le relatif développement du secteur *tertiaire* sont dus en priorité à la présence de l'agglomération de Clermont-Ferrand* qui regroupe près de 40 p. 100 de la population départementale.

LOCALITÉS PRINCIPALES	NOMBRE D'HAB.	LOCALITÉS PRINCIPALES	NOMBRE D'HAB.
Clermont-Ferrand	151 100	Issoire	15 400
Riom	18 900	Gerzat	8 900
Chamalières	17 900	Aubière	8 800
Cournon-d'Auvergne	17 000	Lempdes	8 800
Thiers	16 800	Ambert	8 000

PUYMORENS *(col de),* passage des Pyrénées, conduisant d'Ax-les-Thermes (Ariège) en Cerdagne; 1 915 m.

PUZZLE [pœzl] n. m. (de l'angl. [*to*] *puzzle,* embarrasser). Jeu composé de fragments découpés irrégulièrement, qu'il faut rassembler pour reconstituer un dessin, une carte.

PYGARGUE [pigarg] n. m. (du gr. *pugê,* croupion, et *argos,* blanc). Oiseau rapace diurne de grande taille, qui se nourrit surtout de poissons (syn. AIGLE DE MER) : *Le pygargue à tête blanche a été choisi comme emblème par les États-Unis d'Amérique.*

PYGMALION, sculpteur légendaire de Chypre, qui tomba amoureux de sa statue, obtint d'Aphrodite de la rendre vivante et l'épousa.

PYGMÉES, peuple vivant principalement dans la région équatoriale du centre de l'Afrique (Congo, Gabon, Cameroun), où ils sont au nombre d'env. 120 000. (On les appelle aussi NÉGRILLES.) Ils constituent un type racial particulier, caractérisé par leur taille inférieure à 1,50 m et leur teint qui varie du jaune au brun.

PYJAMA [piʒama] n. m. (angl. *pyjamas*). Vêtement de nuit, composé d'un pantalon et d'une veste.

PYLA-SUR-MER, station balnéaire de la Gironde (comm. de La Teste), en face du cap Ferret, au S. d'Arcachon.

PYLÔNE [pilon] n. m. (gr. *pulôn,* portail de porte). Poteau en ciment ou support métallique destiné à porter des câbles électriques aériens, des antennes, etc.

PYLORE [pilɔr] n. m. (gr. *pulôros,* qui garde la porte). *Anat.* Orifice fermé par un sphincter et faisant communiquer l'estomac et le duodénum. ◆ **pylorique** adj. Du pylore : *Orifice pylorique.*

PYOGÈNE [pjɔʒɛn] adj. (du gr. *puon,* pus, et *genos,* origine). Se dit des microbes (staphylocoques, streptocoques, pneumocoques, gonocoques, etc.) qui entraînent la formation du pus.

PYONGYANG, capit. de la Corée du Nord, dans l'ouest du pays; 1 800 000 hab. Centre administratif et industriel (métallurgie, textiles).

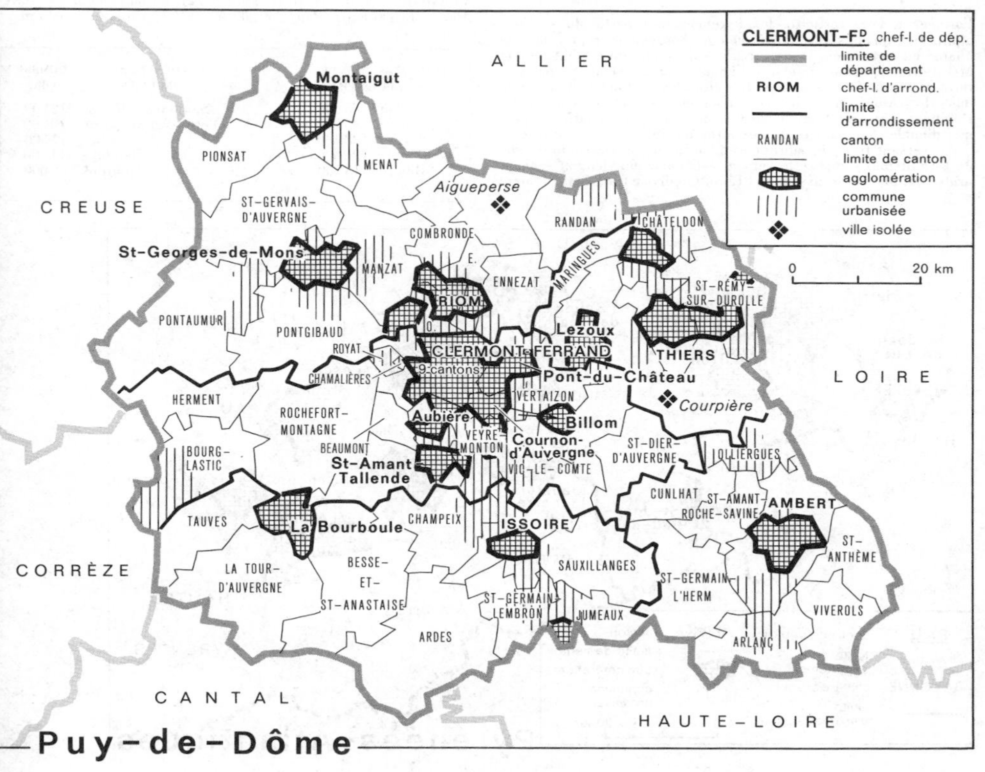

PYORRHÉE [pjɔre] n. f. (du gr. *puon*, pus, et *rhein*, couler). *Méd.* Écoulement de pus. ◆ **pyorrhéique** adj.

PYRALE [piral] n. f. (du gr. *pur*, feu). Nom donné à plusieurs papillons crépusculaires, dont les chenilles sont souvent nuisibles. (Celles de la pyrale de la vigne en consomment les feuilles et les pédoncules floraux.)

PYRAME. *Myth. gr.* Jeune Babylonien célèbre par ses amours tragiques avec Thisbé.

PYRAMIDE [piramid] n. f. (gr. *puramis, -idos*, monument égyptien). **1.** *Math.* Polyèdre ayant pour base un polygone quelconque et pour faces latérales des triangles qui ont un sommet commun, appelé *sommet* de la pyramide. ‖ *Pyramide régulière*, pyramide ayant pour base un polygone régulier et dont les faces sont des triangles isocèles égaux. — **2.** Monument ayant la forme d'une pyramide : *Il existe des pyramides en Égypte et au Mexique.* — **3.** Entassement d'objets, de corps, etc., disposés selon cette forme : *Une pyramide de livres.* — **4.** *Pyramide des âges*, représentation graphique de la population par âge, selon le nombre des hommes et des femmes séparément : *La base de la pyramide des âges est constituée par les enfants qui viennent de naître et le sommet par les vieillards centenaires.* ◆ **pyramidal, e, aux** adj. : *Un clocher pyramidal* (= en forme de pyramide). ◆ **pyramidion** n. m. Petite pyramide quadrangulaire qui surmonte un obélisque.

Pyramides, monuments de l'anc. Égypte qui servaient de sépultures royales. La première construite est la pyramide à degrés du roi Djoser à Saqqarah. Les plus célèbres sont celles de Guizèh (Chéops, Chéphren et Mykérinos). Celle de Chéops, de 138 m de hauteur et 227 m de côté, était placée parmi les Sept Merveilles du monde.

Pyramides *(bataille des)*, victoire que remporta Bonaparte sur les mamelouks de Murād bey, près des pyramides d'Égypte, le 21 juillet 1798.

PYRÉNÉEN, ENNE [pireneɛ̃, -ɛn] adj. et n. Des Pyrénées.

PYRÉNÉES, chaîne de montagnes du sud-ouest de l'Europe, partagée entre la France et l'Espagne, qui s'étend sur plus de 400 km du golfe de Gascogne au golfe du Lion; 3 404 m au pic d'Aneto.

■ GÉOGRAPHIE PHYSIQUE.

Formées à l'ère tertiaire, les Pyrénées font partie du système alpin. Des terrains cristallins anciens (hercyniens) repris dans la chaîne en constituent la zone axiale qui s'étend du pic d'Anie à la Méditerranée. Cette zone est flanquée au N. et au S. par des terrains sédimentaires plissés. Les altitudes sont moins hautes que dans les Alpes, mais les cols plus élevés, ce qui donne aux Pyrénées un aspect de barrière. En raison de la latitude plus méridionale, les glaciers quaternaires ont laissé moins de traces.

Au versant français, abrupt et arrosé, qui se dresse au-dessus de l'Aquitaine, s'oppose le versant espagnol, plus long et souvent aride, qui domine le bassin de l'Èbre. On divise traditionnellement les Pyrénées françaises en quatre secteurs disposés d'O. en E. : les *Pyrénées occidentales* ou *atlantiques*, de l'Océan au pic d'Anie, les plus basses et les plus arrosées; les *Pyrénées centrales*, du pic d'Anie au val d'Aran, qui regroupent les plus hauts sommets; les *Pyrénées ariégeoises*, du val d'Aran au col de Puymorens, précédées au N. par les chaînes calcaires des Petites Pyrénées; les *Pyrénées méditerranéennes*, du col de Puymorens à la Méditerranée, formées de massifs cristallins (Carlitte, Canigou) entaillés de dépressions intérieures (Cerdagne, Capcir, Conflent, Vallespir).

■ GÉOGRAPHIE HUMAINE.

Malgré leur aspect massif, les Pyrénées n'ont jamais été un obstacle à la circulation, notamment aux extrémités : le Pays basque à l'O. et la Catalogne à l'E. sont à cheval sur la frontière. Mais la circulation est à prépondérance méridienne, en raison de la disposition des cours d'eau tandis que longitudinalement, la chaîne est beaucoup plus cloisonnée.

L'économie a longtemps été caractérisée par l'autosubsistance : un peu de cultures, l'élevage transhumant principalement de moutons qui alimentait l'industrie de la laine, l'exploitation de la forêt et des ressources du sous-sol (fer, talc, marbre).

Le développement des moyens de communication a entraîné un fort courant d'exode rural, surtout sur le versant espagnol. Les hautes vallées vivent maintenant principalement du tourisme : thermalisme (Bagnères-de-Luchon, Cauterets, Amélie-les-Bains), sports d'hiver, villégiature d'été. Un parc national a été créé dans la partie occidentale.

Mais l'exploitation de l'hydro-électricité et la découverte de gisements de gaz naturel (Lacq principalement) ont favorisé le développement industriel du piémont, notamment autour de Tarbes et de Pau (électrochimie et électrométallurgie).

Pyrénées *(paix des)*, paix signée le 7 novembre 1659 et qui mit fin aux hostilités entre la France et l'Espagne. Le traité stipulait que Louis XIV épouserait la fille de Philippe IV, Marie-Thérèse, qui renonçait à ses droits sur la couronne d'Espagne moyennant une dot de 500 000 écus d'or.

PYRÉNÉES-ATLANTIQUES (64), dép. du sud-ouest de la France (Région Aquitaine); 7 645 km^2; 555 700 hab. (73 au km^2) [France : 103]. Ch.-l. *Pau*.

ADMINISTRATION. 3 arrond. (*Bayonne*. 221 100 hab.; *Oloron-Sainte-Marie*. 75 500 hab.; *Pau*. 259 000 hab.). / 52 cant. / 539 comm.

LOCALITÉS PRINCIPALES	NOMBRE D'HAB.	LOCALITÉS PRINCIPALES	NOMBRE D'HAB.
Pau	85 800	Saint-Jean-de-Luz	12 900
Bayonne	43 000	Oloron-Sainte-Marie	12 200
Anglet	30 400	Orthez	11 500
Biarritz	26 600	Hendaye	11 100
Billère	13 300	Mourenx	9 000

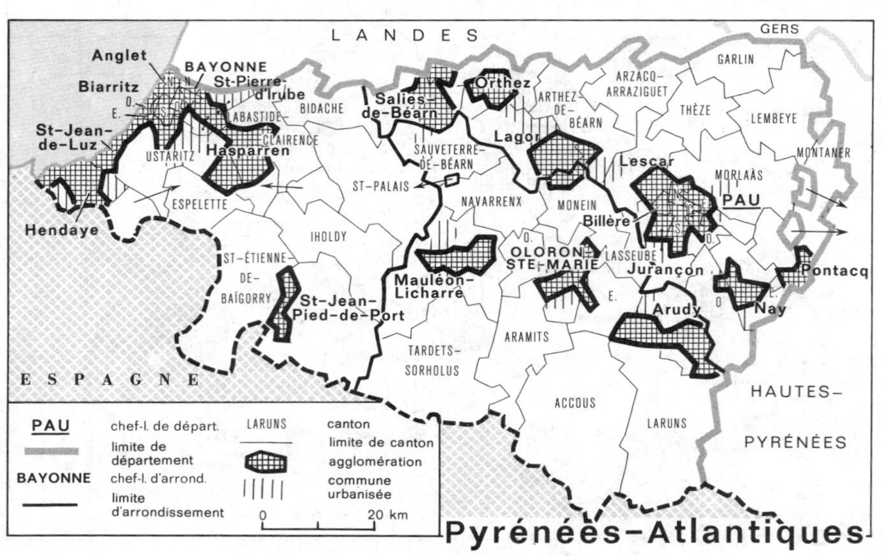

LOCALITÉS PRINCIPALES	NOMBRE D'HAB.
Tarbes	54 100
Lourdes	17 600
Bagnères-de-Bigorre	9 850
Aureilhan	7 800
Lannemezan	7 400
Vic-en-Bigorre	5 050
Séméac	5 000
Bordères-sur-l'Échez	3 800
Argelès-Gazost	3 450
Maubourguet	2 600

Le département s'étend aux confins des Pyrénées et du bassin d'Aquitaine. Dans le Sud, montagneux, l'altitude dépasse généralement 500 m et parfois 1 000 m, le long de la frontière espagnole. Elle est inférieure à 200 m dans le Nord, partie de l'ample bassin de l'Adour. Les températures sont douces, au moins dans les plaines et collines, les précipitations très abondantes, presque toujours supérieures à 1 m.

L'*agriculture* emploie environ 15 p. 100 de la population active. L'élevage domine dans les Pyrénées béarnaises à l'E., basquaises à l'O. Les cultures apparaissent sur les collines du Nord, parfois spécialisées (vignobles du Jurançon).

L'*industrie* occupe un peu plus du tiers de cette population active, ayant été enfin favorisée par la découverte du gaz naturel de Lacq et dans la région paloise. Elle est représentée principalement à Pau et dans l'agglomération de Bayonne. Ensemble, les agglomérations de Pau et de Bayonne regroupent plus des deux cinquièmes de la population totale.

Le littoral est animé par la *pêche* et surtout le *tourisme,* de Biarritz à Hendaye.

C'est le dynamisme démographique des deux agglomérations majeures qui explique en priorité la sensible croissance de la population intervenue récemment, cependant que la montagne a continué à se dépeupler.

PYRÉNÉES (Hautes-) [65], dép. du sud-ouest de la France (Région Midi-Pyrénées); 4 464 km²; 227 900 hab. (50 au km²) [France : 103]. Ch.-l. *Tarbes.*
ADMINISTRATION. 3 arrond. (*Argelès-Gazost,* 40 500 hab.; *Bagnères-de-Bigorre,* 47 100 hab.; *Tarbes,* 140 400 hab.). / 34 cant. / 475 comm.

La moitié méridionale du département s'étend sur la partie centrale, la plus élevée, des Pyrénées. L'altitude dépasse toujours 1 000 m et souvent même 2 000 m près de la frontière espagnole. Le Nord occupe la majeure partie du plateau de Lannemezan, s'ouvrant toutefois au N.-O. par la vallée de l'Adour. Les précipitations sont abondantes et les hivers rudes, dans la montagne. L'extension de celle-ci explique la relative faiblesse de la densité générale d'occupation.

L'*agriculture* emploie encore 15 p. 100 de la population active. L'élevage domine dans la montagne (animée aussi par le tourisme surtout hivernal et le thermalisme), les cultures (céréales, vergers) se concentrent dans la vallée de l'Adour.

L'*industrie* occupe le tiers de cette population active. Favorisées par les aménagements hydro-électriques, se sont développées surtout l'électrométallurgie et l'électrochimie. Les constructions mécaniques et électriques sont principalement représentées dans l'agglomération de Tarbes qui regroupe le tiers de la population du département.

Le dynamisme récent de Tarbes explique largement l'accroissement récent de population. Mais les deux arrondissements s'étendant sur les montagnes pyrénéennes (Argelès-Gazost et Bagnères-de-Bigorre) ont enregistré récemment une baisse de population. Le tourisme contribue à revivifier localement une montagne cependant en voie de dépeuplement depuis plusieurs décennies.

PYRÉNÉES-ORIENTALES (66), dép. du midi de la France (Région Languedoc-Roussillon); 4 116 km²; 334 600 hab. (82 hab. au km²) [France : 103]. Ch.-l. *Perpignan.*
ADMINISTRATION. 3 arrond. (*Céret,* 55 500 hab.; *Perpignan,* 242 200 hab.; *Prades,* 36 800 hab.). / 30 cant. / 221 comm.
→ carte page suivante.

En bordure de la Méditerranée, le département est formé de la plaine du Roussillon entaillée par les basses vallées de l'Agly, de la Têt et du Tech, entourées de hauteurs d'altitude moyenne *(Fenouillèdes, Aspres, Albères).* L'Ouest appartient à la chaîne pyrénéenne, élevée, aérée toutefois par quelques bassins *(Cerdagne, Conflent).* À l'abri de la montagne, la plaine est peu arrosée et chaude (en été).

L'*agriculture* emploie 15 p. 100 de la population active, développée surtout dans la plaine, où se juxtaposent vignes, cultures fruitières et maraîchères. L'élevage est répandu dans la montagne, également animée par le *tourisme.* Sur le littoral, celui-ci est devenu une activité plus importante que la pêche.

L'*industrie* est peu active, occupant encore moins de 30 p. 100 de cette population active, liée largement à la valorisation des produits de l'agriculture (conserveries, vinification). Elle est surtout représentée dans l'agglomération de Perpignan qui regroupe plus du tiers de la population départementale.

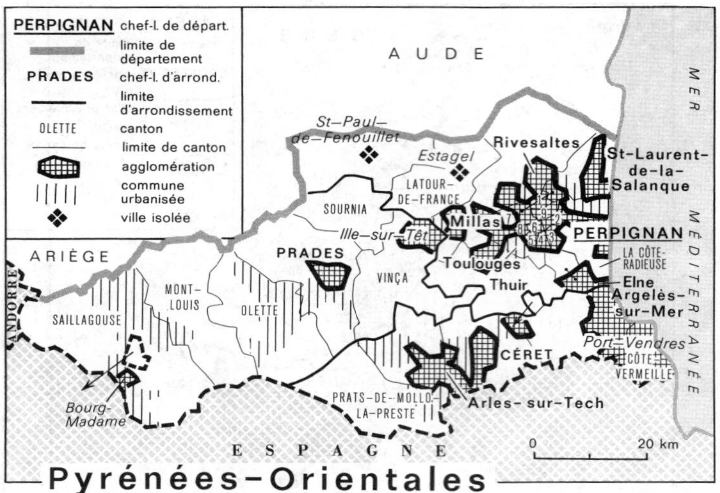

Pyrénées-Orientales

LOCALITÉS PRINCIPALES	NOMBRE D'HAB.
Perpignan	113 600
Saint-Estève	8 500
Rivesaltes	7 450
Canet-en-Roussillon	7 200
Céret	6 900
Prades	6 500
Thuir	6 350
Cabestany	6 200
Elne	6 200
Argelès-sur-Mer	5 800

La croissance de Perpignan explique en majeure partie l'importante augmentation de population intervenue depuis 1962, liée, par son ampleur, au retour de colons d'Algérie.

PYRÈTHRE [pirɛtr] n. m. (du gr. *pur*, feu). Plante du genre chrysanthème, connue aussi sous les noms de MATRICAIRE et de CAMOMILLE, et dont une espèce fournit une tisane et une autre une poudre insecticide classique. (Famille des composées.)

PYREX [pirɛks] n. m. (du gr. *pur*, feu). Nom déposé d'un verre peu fusible et très résistant.

PYRITE [pirit] n. f. (du gr. *puritês lithos*, pierre de feu). Sulfure naturel de fer (FeS_2) ou de cuivre (chalcopyrite) [$FeCuS_2$], donnant des cristaux à reflets dorés.

PYROMANIE [pirɔmani] n. f. (du gr. *pur*, feu, et *mania*, folie). Impulsion irrésistible qui pousse certains individus à allumer des incendies. ◆ **pyromane** n. Personne atteinte de pyromanie.

PYROMÈTRE [pirɔmɛtr] n. m. (du gr. *pur*, feu, et *metron*, mesure). Instrument pour la mesure des très hautes températures.

PYROTECHNIE [pirɔtɛkni] n. f. (du gr. *pur*, feu, et *tekhnê*, art). Fabrication et emploi de pièces servant dans les feux d'artifice. ◆ **pyrotechnique** adj. Qui concerne la pyrotechnie. ‖ *Compositions pyrotechniques*, mélanges qui servent à produire des artifices.

PYROXÈNE [pirɔksɛn] n. m. (du gr. *pur*, feu, et *xenos*, étranger). *Minér.* Silicate naturel de fer et de magnésium pouvant aussi contenir d'autres éléments. (Il en existe diverses variétés, que l'on trouve dans les roches éruptives ou métamorphiques.)

PYRRHOS II, en lat. **Pyrrhus** (319-272 av. J.-C.). Roi d'Épire (297-272). Après avoir essayé de conquérir la Macédoine, il intervient à l'appel de Tarente en Italie du Sud.

• *280. Il gagne la bataille d'Héraclée contre les Romains, surpris par ses éléphants.*

Héraclée est à l'origine de l'expression « victoire à la Pyrrhus », inventée par les annalistes romains pour minimiser leur lourde défaite.

Vainqueur à Ausculum (279), il subit une défaite à Bénévent (275). Une nouvelle intervention en Grèce entraîne sa mort pendant la prise d'Argos (272).

PYTHAGORE, mathématicien et philosophe grec, dont l'existence n'est pas prouvée, qui aurait vécu au VIe s. av. J.-C. et fondé la secte religieuse des *pythagoriciens.* Ceux-ci croyaient à la métempsycose (= migration des âmes d'un corps dans un autre) et à l'importance du rôle des nombres dans la nature. Ils eurent une influence politique et philosophique durable en Grèce et en Italie du Sud (Crotone). Ils ont joué un rôle décisif dans l'évolution scientifique de l'Antiquité : développement de l'arithmétique, découverte des nombres irrationnels (le rapport de la diagonale du carré au côté vaut $\sqrt{2}$), naissance de l'acoustique. On leur attribue la démonstration du *théorème* dit *de Pythagore*, qui était connu avant eux : « Dans un triangle rectangle, le carré de la longueur de l'hypothénuse est égal à la somme des carrés des longueurs des côtés de l'angle droit. »

PYTHAGORISME [pitagɔrism] n. m. Doctrine de Pythagore.

PYTHIE [piti] n. f. (gr. *puthia*). Prophétesse rendant des oracles au nom d'Apollon à Delphes.

PYTHIQUES [pitik] adj. m. pl. (de *pythie*). Antiq. gr. *Jeux Pythiques*, ceux qui se célébraient tous les quatre ans à Delphes, en l'honneur d'Apollon Pythien (= vainqueur du serpent Python).

PYTHON. *Myth. gr.* Serpent monstrueux qui rendait des oracles à Delphes. Il fut tué sur le mont Parnasse par Apollon qui, pour célébrer sa victoire, instaura les *jeux Pythiques.*

PYTHON [pitɔ̃] n. m. (gr. *Puthôn*). Serpent d'Asie et d'Afrique, non venimeux, qui étouffe ses proies dans ses anneaux. (Le python réticulé, ou *molure*, de la péninsule malaise, mesure de 7 à 10 m et atteint un poids de 100 kg; c'est le plus grand serpent actuellement vivant.)

PYTHONISSE [pitɔnis] n. f. (du gr. *Puthôn*, inspiré par Apollon Pythien). **1.** *Antiq. gr.* Femme douée du don de prophétie : *La pythonisse de Delphes.* — **2.** Toute femme qui prédit l'avenir (syn. VOYANTE).

Q n. m. **1.** Dix-septième lettre de l'alphabet et la treizième des consonnes. → introduction de l'ouvrage. — **2.** q, symbole du *quintal.* — **3.** *Math.* ℚ, lettre qui représente l'ensemble des nombres rationnels. (→ NOMBRE.) — **4.** *Q. G.*, abrév. de *quartier général.* ‖ *Q. I.*, abrév. de *quotient intellectuel.*

QACENTINA → CONSTANTINE.

QALA (El-) → CALLE *(La).*

QAṬAR (Al-) ou **KAṬAR,** sultanat indépendant de l'Arabie, occupant une péninsule de la côte sud du golfe Persique; 11 400 km²; 400 000 hab. (35 au km²). Capit. *Doha* (130 000 hab.). Cet État désertique vit presque uniquement de ses très importantes ressources en pétrole (15 millions de t).

QAZVĪN ou **KAZVIN,** v. d'Iran, au S. de l'Elbourz; 139 000 hab. Anc. capit. de la Perse.

QOLL (El-) → COLLO.

QUADRAGÉNAIRE [kwa- ou kadraʒenɛr] adj. et n. (lat. *quadragenarius*). Qui a quarante ans. (→ ÂGE.)

QUADRANGULAIRE [kwa- ou kadrɑ̃gylɛr] adj. (du lat. *quadrangulus*). Qui a quatre angles.

QUADRANT [kwa- ou kadrɑ̃] n. m. (du lat. *quadrare,* rendre carré). *Math.* Syn. de SECTEUR* ANGULAIRE SAILLANT DROIT.

QUADRATURE [kwa- ou kadratyr] n. f. (du lat. *quadrare,* rendre carré). *La quadrature du cercle,* un problème insoluble.

QUADRIENNAL, E, AUX [kwa- ou kadrijenal, -no] adj. (du lat. *quadri,* quatre, et *annus,* année). Qui dure quatre ans ou qui revient tous les quatre ans.

QUADRIGE [kwa- ou kadriʒ] n. m. (lat. *quadrigae*). Char antique à deux roues, attelé de quatre chevaux de front.

QUADRIJUMEAUX [kwa- ou kadriʒymo] adj. m. pl. (du lat. *quadri,* quatre, et *jumeaux*). Anat. *Tubercules quadrijumeaux,* les quatre mamelons situés sur la face dorsale du mésencéphale des mammifères, contenant des noyaux gris, relais des voies optiques et auditives.

QUADRILATÈRE [kwa- ou kadrilatɛr] n. m. (du lat. *quadri,* quatre, et *latus, lateris,* côté). *Géom.* Polygone ayant quatre côtés (et quatre sommets). → schémas ci-dessous.

QUADRILLAGE n. m. → QUADRILLER 1 et 2.

QUADRILLE [kadrij] n. m. (esp. *cuadrilla*). Groupe de quatre cavaliers effectuant une figure de carrousel, ou de quatre danseurs faisant une figure de danse; cette danse elle-même : *Le quadrille a été à la mode au XIXᵉ s.*

1. QUADRILLER [kadrije] v. t. (de l'esp. *cuadrillo*). Couvrir de lignes droites se coupant de façon à former des carrés : *Quadriller du papier.* ◆ **quadrillage** n. m. Système de lignes droites rectangulaires, régulièrement espacées, reporté sur les cartes, servant à préciser la position des points de la carte par rapport à l'origine des coordonnées de la projection utilisée. ◆ **quadrillé, e** adj. Disposé, divisé en carrés : *Papier quadrillé.*

2. QUADRILLER [kadrije] v. t. (de *quadriller* 1). *Quadriller une ville, une région, un quartier,* etc., la diviser en zones pour y répartir systématiquement des forces de sécurité, afin d'y maintenir l'ordre par un contrôle rigoureux. ◆ **quadrillage** n. m. : *La police a procédé au quadrillage du quartier.*

QUADRIMOTEUR n. m. [kwa- ou kadrimotœr] adj. m. (du lat. *quadri,* quatre, et *moteur*). Qui possède quatre moteurs. ◆ n. m. *Aéron.* Avion muni de quatre moteurs.

QUADRIPARTI, E ou **QUADRIPARTITE** [kwa- ou kadriparti, -it] adj. (du lat. *quadri,* quatre, et *partie*). *Polit.* Composé des représentants de quatre partis, de quatre pays, etc. : *Une conférence quadripartite.*

QUADRIPHONIE [kwa- ou kadrifɔni] n. f. (du lat. *quadri,* quatre, et gr. *phônê,* son). Technique issue de la stéréophonie, reproduisant un même ensemble sonore (musique, etc.) au moyen de quatre sources distinctes, visant ainsi à amplifier pour l'auditeur l'impression de volume sonore.

QUADRIRÉACTEUR [kwa- ou kadrireaktœr] adj. m. (du lat. *quadri,* quatre, et *réacteur*). Qui possède quatre moteurs à réaction. ◆ n. m. *Aéron.* Avion muni de quatre moteurs à réaction.

QUADRUMANE [kwadryman] adj. et n. m. (du lat. *quadru,* quatre, et *manus,* main). Qui a quatre mains : *Certains singes sont quadrumanes.*

QUADRUPÈDE [kwadrypɛd] adj. et n. m. (du lat. *quadru,* quatre, et *pes, pedis,* pied). Se dit d'un animal qui a quatre pieds (par oppos. aux BIPÈDES qui se tiennent sur deux pieds).

QUADRUPLE [kwa- ou kadrypl] adj. et n. m. (lat. *quadruplex*). → NUMÉRATION. ◆ **quadrupler** v. t. Multiplier par quatre : *La publicité a quadruplé le volume des ventes.* ◆ v. i. Être multiplié par quatre : *La production industrielle a quadruplé en vingt ans.* ◆ **quadruplés, ées** n. m. Ensemble de quatre enfants formés au cours d'une même grossesse. ◆ **quadruplet** n. m. *Math.* Ensemble ordonné ayant 4 éléments. On note (a, b, c, d) le quadruplet dont le premier élément est a, le second b, le troisième c et le quatrième d.) [Ne pas confondre le quadruplet (a, b, c, d) avec l'ensemble de quatre éléments $\{a, b, c, d\}$ qui n'est pas ordonné (et qu'on appelle *quatuor*).]

QUAI [ke] n. m. (gaul. *caio*). **1.** Ouvrage en maçonnerie qui, le long des cours d'eau, retient les berges, empêche les inondations

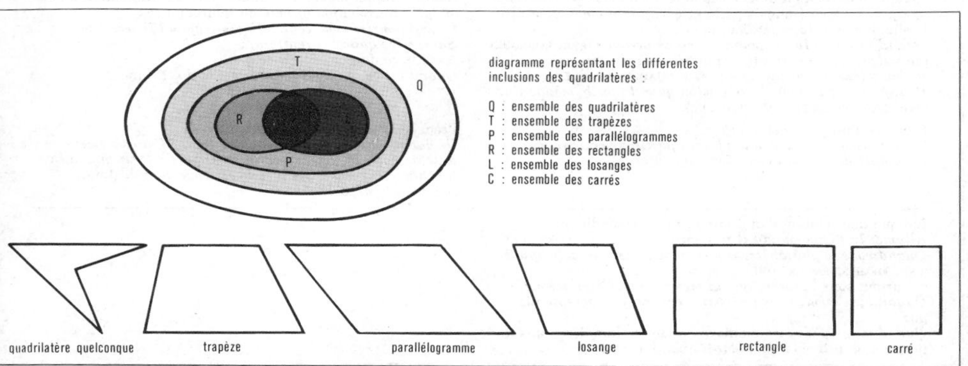

et sert à l'accostage, qui est utilisé dans les ports pour le chargement ou le déchargement des navires, et qui, dans les gares, s'étend le long des voies pour permettre l'embarquement ou le débarquement des voyageurs : *Le navire est, arrive à quai. Les voyageurs attendent sur le quai l'arrivée du train.* — **2.** Passage qui est aménagé, dans les villes, le long de la berge d'un fleuve : *Les bouquinistes installés sur les quais de Paris. Le quai des Orfèvres* (= à Paris, le siège de la police). *Le Quai d'Orsay* (= le ministère des Affaires étrangères).

QUAKER [kwekər], **QUAKERESSE** [kwekrɛs] n. (de l'angl. *quaker,* trembleur). Membre d'une secte religieuse protestante fondée au XVIIe s. → ENCYCL. ◆ **quakerisme** n. m. Doctrine des quakers.

— ENCYCL. Le terme *quaker* est un sobriquet donné aux membres du groupement religieux dit « Société des Amis », parce que ses membres étaient incités à trembler *(to quake)* devant Dieu. Le fondateur de la secte est le cordonnier George Fox (1647), son législateur William Penn, et son théologien Robert Barclay.

Répandu d'abord en Angleterre et en Écosse, le *quakerisme* gagne l'Amérique du Nord au XVIIe s. Il devient prépondérant en Pennsylvanie, territoire que W. Penn reçoit en toute propriété (1681). Pacifistes, les quakers ne chassent pas les Indiens mais traitent avec eux et, dès le début du XIXe s., prennent une part active à la lutte contre l'esclavage.

Ils fondent toute autorité sur la parole intérieure du Saint-Esprit, suppriment tous les sacrements, prônent le sacerdoce universel, étendu aux femmes; chez eux, les dogmes n'existent pas et le culte est facultatif. N'admettant sous aucun prétexte de tuer, ils sont objecteurs de conscience et ne veulent en aucun cas prêter serment.

On compte actuellement environ 250 000 quakers dans le monde.

QUALIFIER [kalifje] v. t. (de l'angl. *to qualify*). **1.** *Qualifier qq'un, qqch.,* les caractériser en leur donnant une qualité, un titre : *L'adjectif qualifie le nom auquel il se rapporte. Voilà une conduite qu'on ne saurait qualifier* (syn. DÉNOMMER). — **2.** *Qualifier qq'un (pour),* lui donner la qualité, la compétence (souvent au passif) : *Vous êtes parfaitement qualifié pour occuper cet emploi* (syn. ÊTRE CAPABLE). *Je ne suis pas qualifié pour lui faire des remontrances* (= je n'ai pas qualité pour). ◆ ***se qualifier*** v. pr. Passer avec succès des épreuves préliminaires : *Cet athlète s'est qualifié pour la finale.* ◆ **qualification** n. f. **1.** Attribution d'une qualité, d'un titre. — **2.** Valeur d'un ouvrier suivant sa formation, ses aptitudes professionnelles et son expérience. — **3.** Ensemble des conditions requises pour pouvoir participer à une épreuve sportive. ◆ **qualifiable** adj. : *Sa conduite n'est pas qualifiable.* ◆ **inqualifiable** adj. : *Avoir une attitude inqualifiable à l'égard de ses supérieurs* (syn. INNOMMABLE). ◆ **qualificatif** n. m. Terme qui exprime une qualité, bonne ou mauvaise, dont on se sert pour caractériser quelqu'un : *Employer des qualificatifs injurieux* (syn. ÉPITHÈTE). ◆ adj. *Adjectif qualificatif* → CLASSE 4.

QUALITÉ [kalite] n. f. (lat. *qualitas;* de *qualis,* quel). **1.** *Qualité de qqch.,* manière d'être bonne ou mauvaise; état caractéristique : *Ces fruits sont d'excellente qualité* (syn. DE PREMIER ORDRE). *Une marchandise de qualité* (= supérieure). *Voir un spectacle de haute qualité* (= excellent). — **2.** *Qualité de qq'un,* ce qui fait son mérite : *La qualité d'un artiste* (syn. VALEUR). *Il réunit un grand nombre de qualités* (syn. MÉRITE, VERTU; contr. DÉFAUT). — **3.** Condition sociale et juridique : *Sa qualité de fonctionnaire lui donne droit à la retraite à soixante ans* (syn. FONCTION). *Sa qualité d'ancien ministre lui facilite l'entrée partout* (syn. TITRE). — LOC. PRÉP. *En qualité de,* ayant tel ou tel titre juridique : *En qualité de tuteur* (syn. À TITRE DE, COMME). ◆ **qualitatif, ive** adj. : *Les changements qualitatifs intervenus dans la situation sociale* (= qui portent sur la qualité) [par oppos. à QUANTITATIF]. ◆ **qualitativement** adv.

QUAND [kɑ̃] conj. de subordination et adv. interr. (lat. *quando*). Indique une relation de temps et plus rarement d'opposition. → tableau ci-dessous.

QUANTA n. m. pl. → QUANTUM.

QUANT À [kɑ̃ta] loc. prép. (du lat. *quantum,* combien). Se place devant un terme de la proposition sur lequel on attire l'attention en l'isolant : *Il ne m'a rien dit quant à ses projets* (syn. DE). *Quant à sa proposition, il faut l'examiner* (syn EN CE QUI CONCERNE). *Quant à mon fils, je le crois capable de faire mieux* (syn. POUR CE QUI EST DE). *Quant à lui, il est d'accord pour nous rejoindre à huit heures près de la poste* (syn. DE SON CÔTÉ, POUR SA PART). ◆ **quant-à-soi** [kɑ̃taswa] n. m. inv. Attitude de réserve à l'égard de tout ce qui ne concerne pas directement la personne en question et de ce qui peut empiéter sur son domaine particulier (seulement dans quelques express.) : *Rester sur son quant-à-soi* (syn. usuel. RÉSERVE).

QUANTIÈME [kɑ̃tjɛm] n. m. (du lat. *quanti,* combien nombreux). Le jour du mois, d'après l'indication du chiffre (limité au langage admin.) : *Indiquez sur le procès-verbal le quantième du mois* (= le premier, le deux, etc.) [syn. fam. COMBIENTIÈME].

QUANTIQUE adj. → QUANTUM.

QUANTITÉ [kɑ̃tite] n. f. (lat. *quantitas;* de *quantus,* combien grand). **1.** Caractère de tout ce qui est susceptible d'être mesuré, qui peut être augmenté ou diminué : *La quantité de gaz débitée pendant cet hiver a été supérieure à la normale.* — **2.** *Quantité d'une syllabe, d'une voyelle,* etc., durée de la prononciation de cette syllabe, de cette voyelle, etc. (syn. LONGUEUR). ‖ *Adverbe de quantité,* qui modifie la valeur d'un adj., d'un verbe par l'adjonction d'une idée de quantité. (→ CLASSE 4.) — **3.** *Une quantité de* (et un nom plur.), un grand nombre de (syn. FOULE, MASSE, MULTITUDE). ◆ **quantitatif, ive** adj. Relatif à la quantité : *L'accumulation des changements quantitatifs entraîne des modifications qualitatives.* ◆ **quantifier** v. t. Donner à un phénomène une variation discontinue par quantités discrètes (terme scientif.) : *Il faut quantifier l'évolution générale d'un phénomène.* ◆ **quantification** n. f.

QUANTUM [kwɑ̃tɔm] n. m. (mot lat.). **1.** Montant d'une indemnisation : *Le tribunal fixera le quantum des dommages-intérêts à allouer.* — **2.** *Phys.* Quantité minimale d'énergie pouvant être émise, propagée ou absorbée : *La théorie des quanta a été créée par Planck en 1900.* ◆ **quantique** adj. Relatif aux quanta : *Mécanique quantique* (= ensemble des théories et des méthodes qui résultent de la théorie des quanta).

QUARANTE [karɑ̃t] adj. num. cardin. et n. m. (lat. *quadraginta*). → NUMÉRATION. ◆ n. m. Au tennis, troisième point marqué par le même joueur dans un jeu. ◆ **quarantième** [karɑ̃tjɛm] adj. num. ordin. et n. ◆ **quarantièmement** adv. → NUMÉRATION. ◆ **quarantaine** n. f. → NUMÉRATION et ÂGE. ‖ *Mettre en quarantaine un navire, un animal,* etc., l'isoler pendant un certain temps

CONJONCTION	**quand** ADVERBE INTERROGATIF
Indique une relation de correspondance dans le temps (conj. usuelle en français parlé et écrit); la nuance peut être la simultanéité, la répétition, la cause : *Quand tu auras lu ce roman, tu me le prêteras* (syn. LORSQUE) [en langue écrite surtout]. *Quand il écrit, il tire toujours légèrement la langue* (syn. CHAQUE FOIS QUE). *Pourquoi ne pas avoir la télévision quand tout le monde l'a?* (syn. DÈS LORS QUE, DU MOMENT QUE).	Indique à quel moment, à quelle date un événement a lieu (dans l'interrogation directe ou indirecte) : *Quand pourrez-vous venir? J'ignore quand il sera libre. Savez-vous quand il rentrera?* Avec le renforcement *est-ce que :* *Quand est-ce que vous pourrez me le dire?* (fam.).
Précédé d'une préposition (*fam.*) : *Cela nous servira pour quand nous partirons en voyage. Cela date de quand nous étions des enfants.*	Précédé d'une préposition : *De quand date cet événement?;* et *fam. : Cet événement date de quand? Depuis quand est-il parti? Pour quand la prochaine réunion? Cet article est pour quand?* (fam.). *À quand le départ?*
Indique une relation d'opposition, avec le conditionnel : *Allumer la lampe quand il fait encore jour* (syn. ALORS QUE). *Quand vous le plaindriez, il n'en serait pas pour cela sauvé* (syn. MÊME SI, ENCORE QUE); et surtout sous la forme *quand même, quand bien même :* *Quand bien même vous insisteriez encore, je n'accepterais pas.* *Quand même* peut être employé en langue familière dans une proposition principale : *Vient-il quand même?*	

lorsqu'il vient d'une région où règne une épidémie. ‖ *Mettre qq'un en quarantaine,* l'exclure d'un groupe, le priver de tout rapport avec les membres de ce groupe (syn. METTRE À L'INDEX).

1. QUART [kar] n. m. (lat. *quartus,* quatrième). **1.** Chacune des parties d'une unité divisée en quatre parties égales : *Trois est le quart de douze.* — **2.** Quantité correspondant à 250 g : *Donnez-moi un quart de beurre;* une bouteille, un gobelet d'un quart de litre : *Se faire servir un quart Vichy* (= le quart d'une bouteille d'eau de Vichy). — **3.** *Aux trois quarts,* indique une grande partie, une action réalisée presque complètement : *Les berges sont aux trois quarts inondées* (= presque complètement). ‖ *De trois quarts,* se dit de quelqu'un qui se tient de telle manière qu'on voit les trois quarts du visage (par oppos à *de face, de profil*). ‖ *Les trois quarts du temps,* presque toujours. ‖ Mus. *Quart de soupir,* silence d'une durée égale à la double croche.

2. QUART [kar] n. m. (même étym.). Chacune des périodes de quatre heures consécutives pendant lesquelles les hommes sont tour à tour de service ou de repos sur un navire : *Être de quart* (= assurer le service de veille). *Officier de quart* (= qui est chargé de contrôler la route suivie par le navire).

QUART D'HEURE [kardœr] n. m. (de *quart,* et *heure*). **1.** Durée de quinze minutes. — **2.** Bref espace de temps : *J'ai passé un mauvais quart d'heure* (syn. INSTANT, MOMENT).

QUARTE [kart] n. f. (de *quart*). **1.** Série de quatre cartes de même couleur. — **2.** *Mus.* Intervalle comprenant quatre degrés de l'échelle diatonique : *L'intervalle* do-fa *est une quarte.*

1. QUARTERON [kartərɔ̃] n. m. (de *quartier*). **1.** Le quart d'un cent, soit vingt-cinq : *Un quarteron d'œufs.* — **2.** *Péjor.* Petit nombre : *Un quarteron de protestataires, de mécontents.*

2. QUARTERON, ONNE [kartərɔ̃, -ɔn] n. (esp. *cuarterón;* de *cuarto,* quart). Métis possédant un quart de sang de couleur et trois quarts de sang blanc (syn. MÉTIS, SANG-MÊLÉ). [Désigne le plus souvent des individus issus du croisement des Blancs et des mulâtresses.]

1. QUARTIER [kartje] n. m. (du lat. *quartus,* quart). Division ou partie d'une ville; les gens qui y habitent : *J'habite ce quartier depuis vingt ans. La nouvelle mit tout le quartier en émoi.*

2. QUARTIER [kartje] n. m. (même étym.). **1.** Lieu où sont casernées des troupes : *Rentrer au quartier avant minuit.* — **2.** *Quartier général,* emplacement de l'état-major, des dirigeants, des chefs, etc. (En abrégé : Q. G.) ‖ *Avoir quartier libre,* être autorisé à sortir de la caserne. — **3.** *Quartiers d'hiver,* lieu où sont installées les troupes pendant l'hiver. ‖ *Prendre ses quartiers d'hiver,* aller s'installer à la campagne.

3. QUARTIER [kartje] n. m. (même étym.). Portion d'un objet divisé en quatre ou plus de quatre parties : *Un quartier de bœuf. La lune est dans son premier quartier* (= phase pendant laquelle on n'en aperçoit qu'une partie).

4. QUARTIER [kartje] n. m. (même étym.). *Demander, faire quartier,* demander grâce, avoir pitié : *Les assaillants ne firent pas de quartier* (= tirèrent sans pitié).

Quartier latin (le), partie de la rive gauche de Paris qui appartient au Ve arrondissement (Panthéon) et au VIe (Luxembourg), et où, depuis le XIIe s., se concentrent les activités universitaires.

QUARTIER-MAÎTRE [kartjemɛtr] n. m. (all. *Quartiermeister*). → GRADE 2. ‖ Pl. des *quartiers-maîtres.*

QUARTO [kwarto] adv. (mot lat.). → NUMÉRATION. ◆ **in-quarto** adj. et n. m. inv. → FORMAT.

QUARTZ [kwarts] n. m. (mot all.). *Minér.* Silice cristallisée, abondante dans les roches éruptives (granites) et métamorphiques, et que l'on trouve à l'état détritique dans les roches sédimentaires (sables, grès, etc.) : *Le quartz, le plus souvent incolore, peut être teinté en rose, en violet (améthyste), en brun (quartz enfumé), etc.* ◆ **quartzite** n. m. Grès siliceux, très dur, à grains jointifs intimement soudés entre eux : *Les quartzites sont parmi les roches les plus résistantes à l'érosion.*

QUASI [kazi] adv. (lat. *quasi,* comme si). Seulement comme préf. d'un substantif (avec trait d'union) ou d'un adj. (sans trait d'union), avec le sens de « presque » : *Il est quasi mort* (syn. POUR AINSI DIRE). *Être atteint d'une quasi-cécité.* ◆ **quasiment** [kasimɑ̃] adv. *Fam.* Indique une approximation : *Il est quasiment un père pour moi* (syn. EN QUELQUE SORTE). *J'ai quasiment fini mon travail* (syn. À PEU PRÈS).

Quasimodo, personnage de *Notre-Dame de Paris,* de Victor Hugo. C'est le sonneur de Notre-Dame, dans lequel se cache, sous l'aspect grotesque que lui donnent ses difformités physiques, une grande délicatesse de sentiment.

QUASIMODO (Salvatore), poète italien (1901-1968). Il est un des grands poètes de l'école hermétiste, qui s'est développée en Italie aux environs de 1920 : *Eau et Terres* (1930), *Jour après jour* (1946), *La Terre incomparable* (1958). [Prix Nobel, 1959.]

QUATERNAIRE [kwatɛrnɛr] adj. (du lat. *quaterni,* quatre par quatre). Géol. *Ère quaternaire,* ou *le Quaternaire* n. m., ère la plus récente et la plus courte de l'histoire de la Terre, qui a commencé il y a 2 à 3 millions d'années. (Elle est caractérisée par l'apparition de l'homme et par son évolution, qui permet de distinguer trois périodes, le paléolithique*, le mésolithique* et le néolithique*, auxquelles succède l'âge des métaux. Elle a été marquée aux latitudes tempérées par des glaciations successives [Pléistocène] précédant la période actuelle [Holocène].) [→ ÈRE.]

QUATORZE [katɔrz] adj. num. cardin. et n. m. (du lat. *quatuor,* quatre, et *decem,* dix). → NUMÉRATION. ◆ n. m. Le neuf d'atout à la belote. ◆ **quatorzième** [katɔrzjɛm] adj. num. ordin. et n. ◆ **quatorzièmement** adv. → NUMÉRATION.

QUATRE [katr] adj. num. cardin. et n. m. (lat. *quatuor*). **1.** → NUMÉRATION. — **2.** Nombre indéterminé : *Un de ces quatre (matins)* [= un jour]. *Il lui a dit ses quatre vérités.* — **3.** *Se mettre en quatre,* employer tout son pouvoir, toute son énergie ou tous ses moyens pour faire quelque chose. ‖ *Quatre à quatre,* en franchissant quatre marches à la fois : *Il descendit l'escalier quatre à quatre* (= très vite). ‖ *Comme quatre,* d'une manière qui dépasse la normale : *Il mange comme quatre* (syn. BEAUCOUP). ◆ **quatrième** adj. num. ordin. et n. ◆ **quatrièmement** adv. → NUMÉRATION. ◆ **quatrain** [katrɛ̃] n. m. Strophe de quatre vers.

QUATRE-CANTONS *(lac des),* en all. **Vierwaldstättersee** *(lac des Quatre-Communes forestières),* appelé parfois à tort LAC DE LUCERNE, lac de Suisse, entre les cantons de Lucerne, Schwyz, Uri, Unterwalden, au pied du Rigi*; 114 km². C'est un lac glaciaire, étranglé dans un tortueux sillon de montagne.

Quatre Fils Aymon *(les),* nom parfois donné à la chanson de geste *Renaut de Montauban* (XIIe s.).

QUATRE-HUIT [katrəwit] n. m. inv. *(quatre,* et *huit). Mus.* Mesure à quatre temps qui a la croche pour unité de temps.

Quatre-nations *(collège des),* fondé en 1661 par Mazarin qui lui légua sa bibliothèque, il est à l'origine de la *bibliothèque Mazarine.* Le collège des Quatre-Nations fut supprimé par la Révolution, puis, en 1806, affecté à l'Institut de France.

QUATRE-QUARTS [katrəkar] n. m. inv. *(quatre,* et *quarts).* Gâteau dans lequel la farine, le beurre, le sucre, les œufs sont à poids égal.

QUATRE-SAISONS [katrəsɛzɔ̃] n. f. inv. *(quatre,* et *saisons). Marchand, marchande de* (ou *des*) *quatre-saisons,* personne qui vend des fruits et des légumes dans une voiture à bras installée dans la rue.

QUATRE-VINGT(S) [katrəvɛ̃] adj. num. cardin. et n. m. *(quatre,* et *vingt).* → NUMÉRATION. ◆ **quatre-vingtième** [katrəvɛ̃tjɛm] adj. num. ordin. et n. → NUMÉRATION.

Quatrevingt-Treize, roman de Victor Hugo (1874).

QUATRIÈME adj. num. ordin. et n., **QUATRIÈMEMENT** adv. → QUATRE.

QUATTROCENTO [kwatroʃɛnto] n. m. (it. *quattro,* quatre, et *cento,* cent). Mot it. désignant le XVe s., et, plus précisément, le mouvement littéraire et artistique italien de ce siècle.

1. QUATUOR [kwatɥɔr] n. m. (lat. *quatuor*). Composition musicale à quatre parties; groupe de quatre voix ou de quatre instruments.

2. QUATUOR [kwatɥɔr] n. m. (même étym.). *Math.* Ensemble ayant quatre éléments. (On note $\{a, b, c, d\}$ le quatuor dont les éléments sont a, b, c, d.) [Il ne faut pas confondre le quatuor $\{a, b, c, d\}$ avec un ensemble ordonné ayant quatre éléments, qui se note (a, b, c, d) et qu'on appelle *quadruplet.*]

1. QUE [kə] conj. (lat. *quod*). **1.** Dépendant d'un verbe, d'une loc. verbale, d'un nom d'action ou d'état, introduit une proposition subordonnée (dite *complétive*) compl. d'objet, sujet ou attribut (cette proposition peut correspondre à un nom ou un infin. compl. du nom) : *On dit que l'hiver sera très froid* (proposition compl. d'objet direct). *L'espoir qu'on le retrouve vivant diminue chaque jour* (= de le retrouver). *Il est vrai que votre réussite est complète* (proposition sujet). *Notre intention est que l'appartement soit refait pour la fin du mois* (proposition attribut). *J'ai peur que le col ne soit fermé à la circulation des voitures.* — **2.** Dans les propositions subordonnées coordonnées par *et, ou,* il peut se substituer à toutes les conj. ou loc. conj. de subordination (lorsqu'il remplace *si,* la proposition est au subj.) : *Si vous avez quelques instants de libre et que le problème vous paraisse important, je me ferai un plaisir de vous l'exposer en détail.* — **3.** Après *plus, moins, tel, autre, autant, aussi,* il introduit une proposition subordonnée comparative, avec ou sans verbe : *Il semble plus préoccupé que d'habitude.* — **4.** Introduit une proposition subordonnée de condition (et le subj.), en général en tête de phrase et suivie d'une proposition coordonnée : *Qu'il pleuve ou non, nous sortirons cet après-midi.* — **5.** Introduit une proposition subordonnée de conséquence après les adv. *si, tant, tellement,* et après *tel* (négation *que... ne* + subj.

quelconque	quiconque
1. Adj. indéf. après un substantif, indique l'indétermination : *Si pour une raison quelconque, vous ne pouvez venir...* (syn. N'IMPORTE QUEL). *Regardez un point quelconque de l'horizon* (syn. QUEL QU'IL SOIT). 2. Adj. indéf. avant un substantif et après *un* ou *l'un* : *Être meublé d'un quelconque mobilier choisi sans goût. Présenter une quelconque observation sur le sujet. Interrogez l'un quelconque de ces élèves.* 3. Adj. qualificatif (peut être accompagné de *très, aussi, bien*, etc.), se dit de tout ce qui n'a pas de valeur ou de qualité digne d'intérêt : *C'est un film bien quelconque* (syn. INSIGNIFIANT, MÉDIOCRE; contr. ORIGINAL). *Un homme très quelconque, grossier même* (syn. ORDINAIRE).	1. Pron. rel. indéf., introduit une proposition relative sans antécédent, dont *quiconque* est le sujet indéterminé (*qui* étant le sujet déterminé). Il commence souvent une phrase sentencieuse et appartient à la langue soignée : *Quiconque a tué périra par l'épée* (syn. CELUI QUI, QUI, QUI QUE CE SOIT QUI). *Il sera critiqué par quiconque a un peu de connaissances en la matière.* 2. Pron. indéf. à l'intérieur d'une proposition et surtout après un comparatif, indique une personne indéterminée (syn. N'IMPORTE QUI) : *Je sais mieux que quiconque ce qui me reste à faire* (syn. PERSONNE).

après une proposition négative) : *Le feu prit si rapidement que tout était brûlé quand les pompiers arrivèrent.* — **6.** Introduit une proposition principale ou indépendante indiquant un ordre à la 3ᵉ personne, ou un souhait : *Qu'il se taise! Que m'importe, après tout.* (Rem. *Que* entre dans la composition de loc. conj. ou de conj. [*à moins que, bien que, lorsque, pourvu que, de telle sorte que*, etc.].)

2. QUE [kə] adv. (même étym.). **1.** Indique une grande quantité dans les phrases exclamatives avec un adj. ou un verbe : *Que tu es stupide, mon pauvre ami!* (= fam., ce que tu peux être). *Qu'il faut peu de temps pour tout changer!* (syn. COMBIEN, COMME); suivi de la prép. *de* et d'un substantif : *Que de patience représente cet ouvrage!* (syn. plus usuel QUEL). — **2.** Suivi de *ne* dans les phrases interrogatives ou exclamatives, indique un regret ou un étonnement (littér.) : *Que ne m'avez-vous prévenu?* (syn. plus usuel POURQUOI).

3. QUE pron. interr. → QUI 1.

4. QUE pron. rel. → QUI 2.

QUÉBEC, v. du Canada, capit. de la province du même nom, au-dessus du Saint-Laurent; 165 000 hab. (576 000 hab. avec les banlieues). Université. Centre administratif, intellectuel et commercial. La ville fut fondée par Champlain en 1608.

QUÉBEC (*province de* ou *du*), province de l'est du Canada; 1 540 680 km²; 6 478 000 hab. Capit. *Québec*. V. pr. *Montréal*.

GÉOGRAPHIE. Le Québec s'étend sur la partie sud (Laurentides) et est (Nouveau-Québec) du *bouclier canadien*, limité au S. par les *plaines du Saint-Laurent* et l'extrémité septentrionale des *Appalaches* (Gaspésie). Le climat continental, aux étés chauds, est marqué par des hivers rudes et un long enneigement (cinq à six mois).

La population se concentre dans la région du Saint-Laurent, où se situent les terres cultivables. À la production de céréales, plantes fourragères, légumes, est associé l'élevage bovin pour le lait. Le nord de la province, couvert par la forêt, fournit du bois et divers minerais (cuivre, fer, amiante, or). Ceux-ci alimentent une puissante industrie favorisée par l'abondance de l'hydro-électricité et par la grande voie de communication du Saint-Laurent. Les activités (papeteries, métallurgie des métaux non ferreux, constructions mécaniques...) se localisent surtout le long du fleuve, notamment dans les grandes villes (Montréal, Québec).

HISTOIRE. La province du Québec doit son originalité à son peuplement : elle regroupe en effet la majorité des descendants du premier « peuple fondateur » du pays (les Français), et 80 p. 100 de sa population est francophone (= de langue française). Face au peuplement anglais qui se développe au XIXᵉ s., les Québécois ont su conserver l'usage de leur langue et ils forment le principal groupe francophone en dehors de la France. Beaucoup pensent que la défense de leur peuple passe par une autonomie plus grande vis-à-vis du gouvernement central (= le gouvernement fédéral d'Ottawa), voire par une indépendance complète.

- *1976. Arrivée au pouvoir de l'indépendantiste René Levesque.*
- *1980. Un référendum repousse un projet, d'inspiration indépendantiste, sur une « souveraineté-association » avec le Canada.*
- *1985. Démission de René Levesque. Le libéral Robert Bourassa (déjà Premier ministre de 1970 à 1976) revient au pouvoir.*

Bien que confronté à la persistance des problèmes linguistiques, il est confirmé dans ses fonctions après les élections de 1989.

QUECHUAS ou **QUICHUAS,** peuple du Pérou, dont les Incas constituaient la classe dirigeante.

QUEENSLAND, État du nord-est de l'Australie; 1 736 394 km²; 2 247 000 hab. Capit. *Brisbane*.

QUEL, QUELLE [kɛl] adj. interr. ou exclam. (lat. *qualis*). Utilisé dans l'interrogation ou l'exclamation directes ou indirectes, indique qu'une question est posée sur la qualité, la nature ou l'identité d'une personne ou d'une chose. **1.** Suivi du verbe *être* et d'un substantif dont il est l'attribut : *Quelle a été la cause de cet accident de voiture? Quelle ne fut pas ma surprise en le voyant revenir!* — **2.** Suivi immédiatement d'un substantif dont il est l'épithète : *Quelle heure est-il? Quel talent chez cet écrivain!* ‖ *N'importe quel* → IMPORTER 2.

QUELCONQUE [kɛlkɔ̃k] adj. indéf. et adj., **QUICONQUE** [kikɔ̃k] pron. rel. indéf. et pron. indéf. (lat. *qualiscumque; quicumque*). Marquent une indétermination totale sur la qualité ou l'identité. → tableau ci-dessus.

QUEL QUE, QUELLE QUE [kɛlkə] adj. rel. *(quel, quelle,* et *que)*. Indique une concession, une opposition portant sur la qualité de telle ou telle personne ou chose (toujours suivi du subj. et d'un substantif, et sans négation) : *Quelles que soient vos raisons, votre attitude me chagrine.*

QUELQUE [kɛlk] adj. indéf. *(quel,* et *que)* [ne s'élide pas devant une voyelle]. Indique une indétermination plus grande que *un* (au sing.) et *des* (au plur.). **1.** Au sing., non précédé de l'art. : *À quelque distance, on apercevait un banc de pierre* (= à une petite distance). *J'ai quelque peine à me souvenir de ces événements lointains* (syn. ASSEZ DE). *Il m'a répondu avec quelque retard* (= avec un certain retard). — **2.** Au plur., sans art. : *Dites quelques mots à l'assistance. Quelques jours après, il partit pour l'Afrique.* — **3.** Au plur., précédé de l'art. ou d'un déterminatif, indique un petit nombre : *Les quelques milliers de francs que vous avez dépensés ne l'ont pas été en vain.* ◆ adv. **1.** Indique une approximation : *Il a quelque quarante ans* (syn. usuel DANS LES, ENVIRON, QUELQUE CHOSE COMME). — **2.** *Quelque part*, en un endroit indéterminé. ‖ *Quelque peu*, une petite quantité.

QUELQUE CHOSE pron. indéf. masc. → QUELQU'UN.

QUELQUE... QUE [kɛlkə... kə] adj. ou adv. rel. *(quelque,* et *que)* [et le subj.]. Indique une concession ou une opposition portant sur un substantif ou un adjectif. (*Quelque* ne s'élide pas devant une voyelle.) **1.** Avec un nom avec lequel il s'accorde : *De quelque manière qu'on examine la question, la solution est difficile* (syn. N'IMPORTE QUEL). — **2.** Avec un adj. (littér.) : *Quelque étrange que fût cette musique, elle m'était cependant agréable* (syn. BIEN QUE, QUOIQUE; littér. POUR, SI... QUE, TANT). *Quelque profondes que soient les réformes envisagées, elles ne feront que retarder l'échec final* (syn. POUR... QUE; langue soignée SI... QUE).

QUELQUEFOIS [kɛlkəfwa] adv. *(quelque,* et *fois)*. Indique que le fait se produit dans un nombre de cas relativement peu élevés ou à des moments espacés : *Il avait quelquefois un sourire désabusé* (syn. PARFOIS). *Quelquefois, on parlait de l'absent* (syn. DE TEMPS À AUTRE; contr. CONSTAMMENT, TOUJOURS). *Les cerisiers du jardin ne donnent que quelquefois des fruits* (syn. EXCEPTIONNELLEMENT, RAREMENT; contr. FRÉQUEMMENT, SOUVENT). [*Rem.* Ne pas confondre *quelquefois* et *quelques fois* qui marque la pluralité : *Il est venu me voir quelques fois cette année* (= plusieurs fois).]

QUELQU'UN [kɛlkœ̃] pron. indéf., **QUELQUE CHOSE** [kɛlkəʃoz] pron. indéf. masc. *(quelque,* et *un; quelque,* et *chose)*. Indiquent une personne ou une chose d'une manière vague. → tableau ci-contre.

QUELQUES-UNS, QUELQUES-UNES [kɛlkəzœ̃, -zyn] pron. indéf. pl. *(quelques,* et *uns, unes)*. Indique un nombre indéterminé mais limité de personnes, de choses : *Quelques-uns d'entre eux* (syn. CERTAINS, UN CERTAIN NOMBRE). *Tu veux des cerises? — Oui, quelques-unes* (syn. UN PETIT NOMBRE).

QUÉMANDER [kemɑ̃de] v. t. (de l'anc. fr. *caimand*, mendiant). *Quémander qqch.*, le demander avec un sentiment d'humilité, en importunant celui à qui on s'adresse : *Cet enfant est toujours à quémander des bonbons.* ◆ **quémandeur, euse** n.

QUEMOY, île chinoise du détroit de Formose; 60 000 hab.

QU'EN-DIRA-T-ON [kɑ̃diratɔ̃] n. m. inv. (de *qu'en dira-t-on?*). *Péjor.* Propos qui sont tenus sur quelqu'un (syn. CANCAN, COMMÉRAGE).

QUENEAU (Raymond), écrivain français (1903-1976). Mêlé d'abord au groupe surréaliste, il a fait de son œuvre romanesque (*Pierrot mon ami*, 1942; *Loin de Rueil*, 1945; *Zazie dans le métro*, 1959) et poétique (*le Chien à la mandoline*, 1965) une expérience continue sur le fonctionnement du langage.

QUENELLE [kənɛl] n. f. (all. *Knödel*, boule de pâte). Boulette de poisson ou de viande hachés.

QUENOTTE [kənɔt] n. f. (de l'anc. fr. *cane*, dent). *Fam.* Dent d'un tout jeune enfant.

QUENOUILLE [kənuj] n. f. (du lat. *colus*). Bâton entouré de fils destinés à être filés.

Quentin Durward, roman historique de Walter Scott (1823).

QUERCY (le), région du bassin d'Aquitaine, en bordure du Massif central, formée par le *bas Quercy*, autour de Montauban, et le *haut Quercy* (ou *Causses du Quercy*).

QUERELLE [kərɛl] n. f. (lat. *querela*, plainte). Opposition vive, discussion passionnée qui aboutit à un échange de paroles hostiles et parfois de coups : *De fréquentes querelles s'élèvent entre les deux époux* (syn. DISPUTE). *La querelle qui les oppose s'est aggravée* (syn. DÉSACCORD). *Il cherche querelle à tous ses voisins* (= il provoque). ◆ **quereller** v. t. *Quereller qq'un*, lui adresser des reproches. ◆ ***se quereller*** v. pr. : *Tu te querelles avec tout le monde* (syn. SE DISPUTER; fam. SE CHAMAILLER). ◆ **querelleur, euse** adj. et n. : *Un enfant querelleur, toujours à taquiner ses frères et sœurs* (syn. BATAILLEUR).

QUERÉTARO, v. du Mexique, au N. de Mexico; 176 000 hab. Métallurgie. L'empereur Maximilien y fut fusillé (1867).

QUÉRIR [kerir] v. t. (du lat. *quaerere*, chercher) [seulement à l'infin.]. *Aller, envoyer, faire, venir quérir qqch.* ou *qq'un*, aller (etc.) le chercher (langue soignée).

QUESNAY (François), médecin et économiste français (1694-1774). Il soutenait que la législation ne doit intervenir en rien dans l'ordre économique, qui a des lois naturelles, de là la maxime : « Laissez faire, laissez passer. » Il a exercé une grande influence sur les physiocrates*.

QUESNEL (Pasquier), théologien français (1634-1719). Oratorien, partisan du jansénisme, il passa pour le chef du parti à la mort d'Arnauld (1694). Emprisonné, il s'enfuit en Hollande. Ses *Réflexions morales* sur le Nouveau Testament furent condamnées par Clément XI et, en 1713, la bulle *Unigenitus* condamna cent une propositions tirées de son ouvrage.

QUESNOY (Le), ch.-l. de cant. du Nord, à 17 km au S.-E. de Valenciennes; 4 900 hab. *(Quercitains).* Textiles.

QUESTEUR [kɛstœr] n. m. (lat. *quaestor*). **1.** Magistrat romain surtout chargé de fonctions financières. — **2.** Nom donné en France à un membre d'une assemblée chargé d'en diriger les finances, l'administration intérieure et la sécurité matérielle : *L'assemblée nationale et le Sénat élisent chacun trois questeurs.* ◆ **questure** n. f. **1.** Charge de questeur. — **2.** Ensemble des services dirigés par les questeurs d'une assemblée. — **3.** Bureau des questeurs.

1. QUESTION [kɛstjɔ̃] n. f. (lat. *quaestio*, recherche). Demande adressée à quelqu'un : *Poser une question à un élève* (= interroger). *On le presse de questions* (syn. INTERROGATION). ‖ *Question de confiance* → CONFIANCE. ◆ **questionner** v. t. *Questionner qq'un*, lui poser une question ou des questions (syn. INTERROGER). ◆ **questionneur, euse** n. : *Un questionneur indiscret* (= qui cherche à vous embarrasser par ses demandes). ◆ **questionnaire** n. m. Liste de questions auxquelles on doit répondre par écrit (ou plus rarement par oral).

2. QUESTION [kɛstjɔ̃] n. f. (même étym.). **1.** Point sur lequel on a des connaissances imparfaites, qui est à examiner ou à discuter : *La question a été débattue* (syn. PROBLÈME). *C'est une vaste question à laquelle nous ne pouvons répondre tout de suite* (syn. SUJET). *Là est toute la question* (syn. DIFFICULTÉ). — **2.** *Être question de*, le sujet est : *Il n'est pas question de s'attarder plus longtemps* (syn. S'AGIR DE); on parle de : *Il est question de le nommer à un poste à l'étranger.* ‖ *Cela ne fait pas question*, cela n'est pas discutable. ‖ *En question*, qui pose un problème, ce qui est le sujet. ‖ *Mettre, remettre qqch. en question*, le soumettre à la discussion parce qu'il fait l'objet d'un doute (syn. REMETTRE EN CAUSE). ‖ Fam. *Question (de)* [et un substantif], quand il s'agit de : *Question d'argent, tout est réglé.*

3. QUESTION [kɛstjɔ̃] n. f. (même étym.). **1.** *Hist.* Torture appliquée aux accusés pour leur arracher des aveux. (L'emploi de la question fut codifié aux XIVᵉ-XVᵉ s. et aboli en 1780.) — **2.** *Mettre qq'un à la question*, le tourmenter.

QUESTURE n. f. → QUESTEUR.

QUÊTE [kɛt] n. f. (du lat. *quaerere*, demander). **1.** Action de demander, ou de recueillir des sommes d'argent, des aumônes, en général dans un but charitable, au nom de motifs religieux; somme recueillie : *Faire la quête* (syn. COLLECTE). — **2.** *En quête de*, à la recherche de : *Se mettre en quête d'un appartement* (= rechercher). ◆ **quêter** v. i. Recueillir des aumônes : *On a quêté à l'église pour les pauvres de la paroisse.* ◆ v. t. *Quêter qqch.*, le demander comme une faveur : *Quêter un regard approbateur* (syn. SOLLICITER). ◆ **quêteur, euse** n. : *La quêteuse passait dans les rangs en tendant sa corbeille.*

QUETSCHE [kwɛtʃ] n. f. (de l'all. *Zwetsche*). Grosse prune ovale et violette dont on fait une eau-de-vie.

QUETTA, v. du Pākistān, capit. de l'anc. Baloutchistan; 156 000 hab.

QUETZALCÓATL *(Serpent-Oiseau)*, divinité précolombienne du Mexique. Dieu de l'Air, de l'Eau, animateur de la nature, il était souvent représenté comme un serpent portant le plumage du quetzal (oiseau).

1. QUEUE [kø] n. f. (du lat. *cauda*). **1.** Extrémité postérieure du corps de certains animaux, de forme allongée et flexible, qui est en prolongement de la colonne vertébrale; plumes du croupion d'un oiseau. (L'adj. correspondant est *caudal*.) — **2.** Ce qui en a la forme : *La queue d'une poire. La queue d'une comète* (= longue traînée de lumière qui l'accompagne). *La queue d'une robe de mariée* (= partie qui traîne par-derrière). *La queue de cheval est une coiffure où les cheveux sont ramenés au sommet de la tête, puis attachés pour retomber ensuite sur la nuque.* — **3.** *Faire une queue de poisson*, rabattre brusquement après avoir doublé un véhicule. ‖ *Finir en queue de poisson*, se terminer d'une manière lamen-

quelqu'un	**quelque chose**
1. Employé seul ou suivi d'une relative : *Quelqu'un vous demande* (syn. ON). *On entend quelqu'un marcher dans le jardin. Je connais quelqu'un qui va être content* (= j'en connais un qui). *Si quelqu'un venait, tu lui dirais que j'ai été obligé de sortir. Y a-t-il quelqu'un qui pourrait me renseigner?* (ou, avec une négation : *Il n'y a personne qui pourrait me renseigner?*)	1. Employé seul ou suivi d'une relative (accord au masculin de l'adj. attribut) : *Tu attendais quelque chose?* (ou, avec une négation : *Tu n'attendais rien?*). *Quelque chose l'inquiète. Il espère quelque chose qui puisse le sortir d'embarras. Croyez-vous qu'il soit encore possible de faire quelque chose? S'il m'arrivait quelque chose* (= un malheur, généralement la mort). *Vous prendrez bien quelque chose* (= invitation à boire). *Il a quelque chose comme soixante ans* (= il a environ). *Quelque chose me paraît obscur dans son explication. Mange quelque chose avant de partir.*
2. Suivi de *de* et d'un adjectif masculin : *C'est quelqu'un de sûr, de franc, d'honnête, de stupide* (= c'est une personne...).	2. Suivi de *de* et d'un adjectif au masculin : *Il se passe quelque chose d'extraordinaire, d'insolite.*
3. *(Être) quelqu'un*, être un personnage important, avoir de grandes responsabilités : *Il se prend pour quelqu'un.*	3. *(Être) quelque chose*, avoir une situation sociale plus ou moins importante : *Il est quelque chose au ministère des Travaux publics. Il se croit quelque chose.*
4. Pop. et péjor. *C'est quelqu'un*, il est extraordinaire : *Il ne s'est même pas excusé, c'est quelqu'un, tout de même.*	4. Pop. et péjor. *C'est quelque chose*, c'est extraordinaire, étonnant, important : *Il n'est jamais là quand on a besoin de lui. C'est quelque chose, quand même!* (syn. C'EST UN PEU FORT). *Une somme pareille, c'est quelque chose.*

I. FORME SIMPLE désignant :	**qui?**	**que?**	**quoi?**
	I. INTERROGATION OU EXCLAMATION DIRECTE		
1. un être animé a) *sujet*	*Qui a téléphoné? Qui l'a dit? Qui va là? Qui donc a pu m'envoyer ce paquet? Qui êtes-vous? « Georges m'a écrit. — Qui ça? » Qui sont-ils? Qui parmi vous l'a vu?*		1. Avec une préposition : *De quoi n'est-il pas capable? De quoi se nourrit-il? En quoi puis-je vous être utile? De quoi se souviennent-ils? Par quoi commençons-nous? Vers quoi nous mène une telle politique? De quoi?* (pop.), expression de menace : *De quoi, de quoi? On se rebiffe?*
b) *complément* (avec ou sans inversion du sujet).	*À qui penses-tu? Qui as-tu rencontré? Qui demandez-vous? À qui voulez-vous parler? Avec qui est-elle sortie? Tu as téléphoné à qui? Tu as rencontré qui?*		2. Après un verbe : *J'ai rapporté quelque chose : devinez quoi?*
2. un nom de chose, une proposition, une phrase.		*Que se passe-t-il? Qu'y a-t-il? Que te faut-il? Qu'as-tu vu? Que gagne-t-il?* (syn. COMBIEN). *Que faites-vous? Qu'en dit-il? Que faut-il en penser? Que faire!*	3. Avec un infinitif : *Quoi faire?* 4. Suivi de la prép. *de* et d'un adjectif sans verbe : *Quoi de neuf?* (= quelles nouvelles). *Quoi de plus triste que cette histoire?* (syn. QU'EST-CE QU'IL Y A). 5. Isolé pour demander une explication (phrase mal comprise) ou pour indiquer une surprise, une indignation : *« Tu comprends ça, toi? — Quoi? » Quoi! vous le laissez faire sans protester. Je n'ai pas de repos, le dimanche seulement, quoi! Je vais au bureau à 9 heures, j'en sors à midi, puis de 14 à 18 h, une vie réglée et monotone, insipide quoi!*
II. FORME COMPOSÉE désignant :	**qui est-ce qui?** **qui est-ce que?** **qu'est-ce qui?** (fam.) **qu'est-ce que?** (fam.)	**qu'est-ce qui?** **qu'est-ce que?** **quoi est-ce que?**	
1. un être animé a) *sujet*	*Qui est-ce qui a dérangé mes affaires? Qu'est-ce qui se passe? Qu'est-ce qui a des allumettes?*		
b) *attribut du sujet*	*Dis-moi, qu'est ce qu'il est pour toi?*		
c) *complément* (sans inversion du sujet).	*À qui est-ce que tu penses? Pour qui est-ce qu'il travaille?*		
2. un nom de chose, une proposition, une phrase a) *sujet*		*Qu'est-ce qui est arrivé? Qu'est ce qui vous prend? Qu'est-ce qui est préférable?*	
b) *attribut du sujet*		*Qu'est-ce que c'est? Qu'est-ce que tu deviens?*	
c) *complément.*		*Qu'est-ce que tu fais cet après-midi? Qu'est-ce qu'il dit? Qu'est-ce que ça vaut?* (syn. COMBIEN). *À quoi est-ce que tu penses? De quoi est-ce qu'il vit?*	
III. FORME SURCOMPOSÉE		**Qu'est-ce que c'est que...** (pop.) *Qu'est-ce que c'est que ce livre? Qu'est-ce que c'est que ça?*	

Rem. Il existe une locution pronominale exclamative *ce que* au sens de *combien* (fam.) : *Ce que tu peux être bête! Ce que nous avons perdu de temps!*

II. INTERROGATION OU EXCLAMATION INDIRECTE

FORMES	nom d'être animé	nom de chose
Qui; ce qui (sujets ou précédés d'une prép.).	*Je me demande qui a téléphoné. Il ne sait à qui s'adresser.*	*Il ne sait pas ce qui se passe. Je me demande ce qui te faut encore* (fam.); en langue soignée : *ce qu'il te faut* [= ce que il]).
Ce que (objet direct).		*Je ne sais pas ce que tu veux, ni ce que tu penses. Il te demande ce que cela vaut* (syn. COMBIEN).
Quoi ou **que** (sans prép. avec l'infin.). **Quoi** (avec une prép.).		*Il ne sait quoi faire (ou que faire). Il insiste pour savoir de quoi il est question, sur quoi porte la discussion et en quoi il est directement intéressé.*
Qui est-ce que, qu'est-ce qui (fam.), **qu'est-ce que** (fam.), **[de] quoi est-ce que** (fam.).	*Je te demande avec qui est-ce que tu sors. Il ignore qui est-ce que tu as rencontré.*	*Il ne sait pas qu'est-ce qui se passe. Il ignore qu'est-ce qu'il faut apporter. Il ne sait pas de quoi est-ce que vous parlez.*

table, piteuse. ‖ *À la queue leu leu,* l'un derrière l'autre. ◆ **équeuter** v. t. Enlever la queue d'un fruit : *Équeuter des cerises.* ◆ **caudal, e, aux** adj. Relatif à la queue (sens 1).

2. QUEUE [kø] n. f. (de *queue* 1). **1.** Dernier rang d'un groupe de personnes : *La queue de la colonne suivait avec difficulté. Il est en queue de classe* (= parmi les derniers). — **2.** File de personnes qui attendent leur tour d'être servies, d'entrer, etc. ‖ *Sans queue ni tête,* désordonné, incohérent.

3. QUEUE [kø] n. f. (même étym.). Au billard, bâton garni d'un morceau de cuir *(procédé),* avec lequel on pousse les billes. ◆ **queuter** v. i. Au billard, au croquet, prolonger le choc en accompagnant la boule.

QUEUE-DE-PIE [kødpi] n. f. *(queue, de,* et *pie). Fam.* Habit de cérémonie. ‖ Pl. des *queues-de-pie.*

QUEUE-DE-RENARD [kødrənar] n. f. *(queue, de,* et *renard). Bot.* Nom usuel d'une espèce ornementale d'AMARANTE. ‖ Pl. des *queues-de-renard.*

QUEUTER v. i. → QUEUE 3.

QUEUX [kø] n. m. (lat. *coquus*). Cuisinier. (Usité seulement dans *maître queux.*)

QUEYRAS, région et vallée des Hautes-Alpes, qu'arrose le Guil, affl. de la Durance (r. g.). Parc naturel régional.

QUEZÓN CITY, v. des Philippines, à 16 km au N.-E. de Manille, fondée en 1948, capitale du pays jusqu'en 1976; 1 160 000 hab.

1. QUI [ki], **QUE** [kə], **QUOI** [kwa] pron. interr. (lat. *qui*). → tableaux ci-contre et ci-dessus.

2. QUI [ki], **QUE** [kə], **QUOI** [kwa], **DONT** [dɔ̃] pron. rel. (même étym.). Se substituent à un mot ou à une proposition qui précèdent en introduisant une nouvelle proposition. → tableaux pages suivantes.

QUIA (À) [akɥia] loc. adv. (lat. *quia,* parce que). *Réduire à quia,* mettre dans l'impossibilité de répliquer (souvent ironiq.). ‖ *Être réduit à quia,* ne plus avoir d'argent.

QUIBERON, ch.-l. de cant. du Morbihan, à l'extrémité de la presqu'île du même nom; 4 700 hab. Pêche. Station balnéaire. Thalassothérapie.

QUICHE [kiʃ] n. f. (all. *Kuchen*). Tarte garnie de petits morceaux de lard que l'on recouvre d'un mélange d'œufs battus en omelette : *Quiche lorraine.*

QUICHUAS → QUECHUAS.

QUICONQUE [kikɔ̃k] pron. rel. indéf. et pron. indéf. [→ QUELCONQUE et tableau.]

QUIDAM [kidam] n. m. (mot lat. signif. *un certain*). Personne dont on ignore le nom (légèrement péjor. ou plaisant).

QUIÉTISME [kjetism] n. m. (du lat. *quietus,* paisible). Forme de mysticisme qui soutient que l'âme peut, en se tenant dans une totale passivité, atteindre un état continuel d'amour et d'union avec Dieu : *Fénelon défendit le quiétisme.* ◆ **quiétiste** adj. et n. Partisan du quiétisme.

QUIÉTUDE [kjetyd] n. f. (du lat. *quietus,* tranquille). État d'une personne ou d'une chose qui jouit de la tranquillité, du repos, de la paix (littér.) : *Attendre en toute quiétude le résultat d'un examen* (syn. DANS LE CALME; contr. AGITATION).

QUIÉVRECHAIN, comm. du Nord, à 12 km au N.-E. de Valenciennes; 7 200 hab. Fonderie. Verrerie.

QUIGNON [kiɲɔ̃] n. m. (de *coin*). Fam. *Quignon de pain,* morceau de pain comprenant beaucoup de croûte (souvent l'extrémité arrondie d'un pain).

QUILLAN, ch.-l. de cant. de l'Aude, à 27 km au S. de Limoux, sur l'Aude; 4 600 hab. Panneaux d'ameublement. Feutre.

1. QUILLE [kij] n. f. (anc. haut. all. *kegel*). Morceau de bois long et rond, posé sur le sol verticalement, et que l'on doit abattre avec une boule : *Le jeu de quilles.*

2. QUILLE [kij] n. f. (peut-être de *quille* 1). *Arg.* Fin du service militaire.

3. QUILLE [kij] n. f. (all. *Kiel*). Partie inférieure de la coque d'un navire, sur laquelle repose toute la charpente : *La quille est prolongée à l'avant par l'étrave.*

QUIMPER, anciennt **Quimper-Corentin,** ch.-l. du Finistère, sur l'Odet, à 568 km à l'O. de Paris; 60 200 hab. Cathédrale (XIIIe-XVIe s.). Industries alimentaires. Faïences.

QUIMPERLÉ, ch.-l. de cant. du Finistère, à 17 km à l'E. de Pont-Aven, au confl. de l'Ellé et de l'Isole; 11 700 hab. Port.

QUINAULT (Philippe), poète dramatique français (1635-1688), auteur de tragédies romanesques et de livrets d'opéra.

QUINCAILLERIE [kɛ̃kajri] n. f. (altér. de *clinquaille*). Ensemble d'objets, d'ustensiles en métal; magasin où se fait le commerce de ces objets. ◆ **quincaillier, ère** n. Marchand ou fabricant de quincaillerie.

QUINCEY (DE) → DE QUINCEY.

QUINCONCE (EN) [ɑ̃kɛ̃kɔ̃s] loc. adj. ou adv. (lat. *quincunx,* pièce de monnaie valant cinq onces). Disposé en un groupe de cinq (quatre en carré et un au milieu).

QUINET (Edgar), historien français (1803-1875). Libéral, professeur au Collège de France, ses cours furent suspendus par Guizot en 1846. Député en 1848, il fut proscrit lors du coup d'État du 2 décembre 1851.

QUININE [kinin] n. f. (de l'esp. *quina,* ambre). Substance contenue dans le quinquina et que l'on emploie contre la fièvre (en partic. contre le paludisme).

QUINQUAGÉNAIRE [kɛ̃k(w)aʒenɛr] adj. et n. (lat. *quinquagenarius*). Qui a cinquante ans. (→ ÂGE.)

QUINQUENNAL, E, AUX [kɛ̃kenal, -no] adj. (du lat. *quinque,* cinq, et *annus,* année). Qui dure cinq ans ou qui revient tous les cinq ans : *Les plans quinquennaux ont donné à l'U. R. S. S. l'industrie lourde nécessaire.*

QUINQUINA [kɛ̃kina] n. m. (mot esp.). Arbre d'Amérique cultivé aussi en Asie et dont on extrait la quinine; vin préparé avec l'écorce de cet arbre et servi comme apéritif.

QUINTAL, AUX [kɛ̃tal, -to] n. m. (ar. *qintār,* poids de cent). Anc. unité de mesure de masse, équivalant à 100 kg (symb. : q). Il ne compte plus parmi les unités de mesure légales françaises.

1. QUINTE [kɛ̃t] n. f. (lat. *quintus,* cinquième). **1.** *Mus.* Intervalle comprenant cinq degrés de l'échelle diatonique : *L'intervalle* do-sol *est une quinte.* — **2.** *Jeux.* Série de cinq cartes se suivant.

2. QUINTE [kɛ̃t] n. f. (même étym.). *Quinte de toux,* ou *quinte,*

FONCTION	qui	que	dont
I. Renvoient à un substantif ou à un pronom, masculin ou féminin, singulier ou pluriel, animé ou inanimé (appelé *antécédent*), le plus souvent placé immédiatement avant le relatif.			
sujet	***J'ai remonté*** LA PENDULE QUI ***était arrêtée.*** TOI QUI ***es si compétent en la matière, tu trouveras fort bien la solution*** (accord du verbe de la relative avec la personne de l'antécédent). ***L'enfant se faufila entre*** LES BADAUDS QUI ***faisaient cercle autour de l'étalage. Je*** LE ***vis*** QUI ***ramassait un bout de ficelle.*** TEL ***est pris*** QUI ***croyait prendre.*** J'EN ***connais*** QUI ***ne seront pas surpris. Il y aura*** UN SPECTACLE ***nouveau et*** QUI ***vous amusera.***		
attribut du sujet		Ô FOU QUE ***vous êtes! Pour*** NAÏF QU'***il soit*** (antécédent adj.). QUELLE BELLE CHOSE QUE ***la télévision.***	
complément d'objet direct		***Il saisit*** LA MAIN QUE ***je lui tendais.*** LES MAISONS QUE ***tu aperçois sont celles du village.*** LES ENFANTS QUE ***tu vois jouer dans la cour sont ceux du voisin. Est-ce*** LUI QUE ***tu attends?*** LE SAC QU'***elle dit avoir perdu.***	
complément qui serait précédé de la prép. *de* s'il était substantif complément (du nom, de l'adj., d'objet indirect, de moyen, de manière, d'agent, d'origine, de cause)	remplaçant seulement des noms d'êtres animés L'HOMME ***sur l'aide*** DE QUI ***je comptais m'a fait défaut.*** L'AMI ***dans la maison*** DE QUI ***nous devons passer nos vacances.*** (Cet emploi appartient à la langue littér.; il est remplacé par *dont* ou *duquel, de laquelle*, dans la langue usuelle.)		remplaçant des noms d'êtres animés ou de choses LE PROJET DONT ***je vous ai entretenu.*** L'AMI DONT ***je vous ai parlé. C'est*** UNE AVENTURE DONT ***il se souvenait fort bien.*** CE CHANTEUR DONT ***les disques connaissent un si grand succès. Il se retourna vers*** CELUI DONT ***il se croyait méprisé.*** LA MALADIE DONT ***il souffre est purement imaginaire.*** LA FAMILLE DONT ***je descends est originaire de Lyon. Il se saisit d'***UNE PIERRE DONT ***il le frappa. Je possède plusieurs*** LIVRES ***de cette collection,*** DONT ***quelques-uns reliés. Il y avait plusieurs*** INVITÉS, DONT ***le général Untel*** (relative sans verbe). ***Il n'est*** RIEN DONT ***il puisse s'étonner.*** Mais on remplace *dont* par *duquel* si le substantif dont le relatif est complément du nom est lui-même précédé d'une préposition : ***Le maquis dans*** L'ÉPAISSEUR DUQUEL ***je m'enfonçais s'étendait très loin.*** On emploie *d'où* s'il s'agit d'un complément de lieu : ***La baie du*** RESTAURANT D'OÙ ***l'on découvre la vallée.*** LA FAMILLE D'OÙ ***je descends*** (vieilli).
complément qui serait précédé de la prép. *à* ou d'une autre préposition (*sans, pour, par*, etc.), si c'était un substantif	remplaçant seulement des noms d'êtres animés L'AMI SANS QUI ***la vie serait plus difficile.*** LA PERSONNE AVEC QUI ***elle parlait.*** LE CLOCHARD À QUI ***tu as donné une pièce.*** LE PASSANT À QUI ***vous avez demandé l'heure.*** LE PATRON POUR QUI ils travaillent. (Avec des choses, on emploie *lequel* : L'AIDE SANS LAQUELLE...)		

(ce) qui	(ce) que	(ce) dont	quoi
II. Renvoient à une phrase, à une proposition, à un syntagme entier, et en ce cas généralement précédés de *ce* (mêmes fonctions que ci-dessus); *quoi*, avec cette valeur, peut être employé sans *ce* ou sans aucun mot antécédent.			
1. Avec CE : *Elle a quarante ans, ce qui est un âge critique pour les femmes. Ce qui reste de la fortune de ta mère n'est pas suffisant pour que tu vives sans rien faire.* 2. Avec CHOSE : *On ne trouve pas les documents, chose qui entraînera de sérieux retards.* 3. Comme sujet de verbe impersonnel (en concurrence avec *ce qu'il*) : *Ce qui te plaît ne me convient pas. Ce qui t'arrive est bien fait. Ce qui se passe est grave.*	1. Avec CE : *Ce que tu me dis ne me surprend guère. Il est arrivé en retard, ce que, chez lui, je trouve extraordinaire. Fais ce que bon te semble* (comme sujet au lieu de *qui*). *Il sourit, ce qu'il ne fait presque jamais.* 2. Avec VOICI, IL Y A, remplace un complément circonstanciel de temps : *Voici huit jours qu'il est parti. Il y a cinq mois que j'attends son article de revue.*	1. Avec CE : *Il médit beaucoup sur moi, ce dont je ne me soucie guère. Voici ce dont il m'a plu de vous entretenir. C'est ce dont vous aviez parlé jadis. Ce dont tu désires la réalisation n'est pas pour demain.*	1. Avec RIEN, CHOSE, POINT (littér.; usuellement *dont* ou *lequel*) : *Il n'est rien de quoi il puisse se formaliser. Ce n'est pas une chose à quoi vous pouvez trouvez à redire. Il ne voyait rien à quoi il puisse se raccrocher.* 2. *Ce* + prép. + *quoi* : *Il me dit que sans doute il y aurait du verglas demain,* CE À QUOI *je n'avais pas songé. Il était malade,* CE POUR QUOI *il ne pouvait sortir. Vous ne m'avez pas prévenu,* CE EN QUOI *vous êtes fautif.*
Sans antécédent exprimé dans les expressions QUI PLUS EST, QUI MIEUX EST (= et en outre, à plus forte raison) : *Une panne d'électricité, quel ennui! Et qui plus est, nous n'avons pas de bougies.*	Sans antécédent exprimé dans quelques expressions, telle *que je sache* (= à ma connaissance) : *Il n'est pas venu hier que je sache;* avec les verbes *dire, croire*, etc., pour mettre en doute les paroles d'un autre : *« Je l'admire beaucoup. — Que tu dis! »*	*Dont acte* (= ce dont je vous donne acte) [expression juridique indiquant que l'on a pris acte de ce qui précède].	Prép. + *quoi* : *Prêtez-moi un peu d'argent,* SANS QUOI *je ne pourrai payer le taxi* (= faute de quoi). *Il prit la parole le premier;* APRÈS QUOI *il consentit à ce que les autres présentent leurs objections. Écoutez ses conseils,* MOYENNANT QUOI *vous vous en sortirez.*

qui	quoi
III. Sans antécédent, mais renvoyant à un substantif indéterminé.	
1. Comme équivalent de *quiconque, celui (celle) qui :* *La prenne qui voudra. Rira bien qui rira le dernier. Qui va à la chasse perd sa place. Il en parle à qui veut l'entendre. Cela vient de qui vous savez* (phrases proverbiales, sentencieuses ou figées). 2. *C'est à qui*, expression marquant la compétition, la rivalité : *C'était à qui ne parlerait pas le premier. C'est à qui des deux trompera l'autre.* 3. Avec la valeur d'une proposition conditionnelle : *Qui pourrait connaître sa pensée n'y trouverait sans doute rien de blâmable* (littér.). 4. *Qui..., qui* (répété) signifie « l'un... l'autre » (littér.) : *Tous prenaient comme arme l'objet qui lui tombait sous la main, qui une fourche, qui une bêche, qui un râteau.*	*De quoi* (après *voici, voilà, il y a*, etc.), ce qui suffit ou est nécessaire pour : *Voici de quoi payer le loyer. Il n'y a pas de quoi rire* (= il n'y a pas de raison pour rire). *« Vous m'avez rendu service. Je vous remercie. — Il n'y a pas de quoi »* (formule de politesse) [= cela n'en vaut pas la peine]; avec un infinitif : *Ils ont de quoi occuper leur dimanche* (= ils ont suffisamment de travail pour s'occuper). *Je n'ai pas de quoi m'amuser dans cette ville* (= je n'ai aucune occasion de distraction). *Avoir de quoi*, être aisé, riche : *Ce sont des boulangers retirés des affaires; ils ont de quoi.* *Avoir de quoi vivre*, avoir les ressources nécessaires pour vivre. *Comme quoi* (fam.), ce qui est bien la preuve que : *Il a retrouvé une place, comme quoi en cherchant bien...*

accès de toux violent et prolongé. ◆ **quinteux, euse** adj. **1.** Sujet à des quintes. — **2.** Se dit d'une personne sujette à des accès de mauvaise humeur (littér.) : *Un vieillard quinteux.*

QUINTE-CURCE, historien latin du Ier s. apr. J.-C., auteur d'une *Vie d'Alexandre.*

QUINTESSENCE [kɛ̃tɛsɑ̃s] n. f. (de *quinte*, cinquième, et *essence*). Ce qui résume l'essentiel, le meilleur d'une idée, d'une pensée (littér.) : *Il a tiré de ce livre massif et confus la quintessence du sujet.*

QUINTETTE [kɛ̃tɛt] ou [kɥɛ̃tɛt] n. f. (it. *quintetto;* de *quinto*, cinquième). *Mus.* Composition musicale à cinq parties; ensemble de cinq instruments ou de cinq voix.

QUINTEUX, EUSE adj. → QUINTE 2.

QUINTILIEN, en lat. **Marcus Fabius Quintilianus,** rhéteur romain du Ier s. apr. J.-C. Dans son ouvrage *Sur la formation de l'orateur*, il prépare progressivement l'enfant au métier d'orateur.

QUINTO [kɥɛ̃to] adv. (mot lat.). → NUMÉRATION.

QUINTOLET [kɛ̃tɔlɛ] n. m. (de *quinte*). *Mus.* Groupe de cinq notes surmonté du chiffre 5 et valant quatre ou six notes de la même valeur rythmique.

QUINTUPLE [kɛ̃typl] adj. et n. m. (lat. *quintuplex*). → NUMÉRATION. ◆ **quintupler** v. t. Multiplier par cinq : *Il a gagné aux courses et a quintuplé sa mise.* ◆ v. i. Être multiplié par cinq. ◆ **quintuplés, ées** n. pl. Jumeaux, jumelles nés au nombre de cinq.

QUINZAINE [kɛ̃zɛn] n. f. (de *quinze*). **1.** → NUMÉRATION. — **2.** Ensemble de deux semaines : *Revenez dans une quinzaine* (= dans quinze jours).

QUINZE [kɛ̃z] adj. num. cardin. et n. m. (du lat. *quinque*, cinq, et *decem*, dix). → NUMÉRATION ◆ n. m. **1.** Au tennis, premier point dans un jeu. — **2.** Équipe de rugby. ◆ **quinzième** [kɛ̃zjɛm] adj. num. ordin. et n. ◆ **quinzièmement** adv. → NUMÉRATION.

Quinze-Vingts (les), hospice fondé à Paris par Saint Louis pour les aveugles (auj. services hospitaliers d'ophtalmologie).

QUIPROQUO [kiprɔko] n. m. (du lat. *quid pro quod*, un *quid* pour un *quod*, ou une chose pour une autre). Erreur qui consiste à prendre une chose pour une autre ou une personne pour une autre (syn. MALENTENDU, MÉPRISE).

QUI QUE [kikə] loc. rel. (et le subj.) [*qui*, et *que*]. Indique une concession indéterminée (seulement dans *qui que vous soyez*, *qui que ce soit*, ailleurs, remplacé par *quel... que*) : *Qui que vous soyez en réalité, je resterai votre ami. Ne montre ce document à qui que ce soit* (syn. PERSONNE, QUICONQUE).

QUIRINAL *(mont)*, l'une des sept collines sur lesquelles fut bâtie Rome, au N.-O. de la ville.

QUITO, capit. de l'Équateur, située dans les Andes, à 2850 m d'alt., au pied du volcan Pichincha; 807600 hab. Centre administratif et commercial, Quito abrite également quelques industries (textile, industries alimentaires). Églises de style baroque.

QUITTANCE [kitɑ̃s] n. f. (de *quitte*). Écrit par lequel un créancier déclare que le débiteur s'est acquitté envers lui.

QUITTE [kit] adj. (lat. *quietus*, tranquille). **1.** Libéré d'une dette, d'une obligation juridique ou financière, d'un devoir moral : *Il en sera quitte pour payer dix francs* (syn. S'ACQUITTER DE). *On ne peut le tenir quitte de sa promesse* (syn. LIBRE). *Je ne l'en tiens pas quitte pour cela* (syn. DISPENSER). — **2.** *En être quitte pour*, n'avoir à supporter qu'un inconvénient très petit en regard de ce qu'on aurait pu subir : *En être quitte pour la peur.* ‖ *Quitte à*, en courant le risque de (et l'infin.) : *Il vaut mieux vérifier les comptes, quitte même à perdre du temps;* en admettant la possibilité de : *Nous déjeunerons à Moulins, quitte à nous arrêter plus tôt si la route est mauvaise.*

QUITTER [kite] v. t. (de *quitte*). **1.** *Quitter qqch., un endroit*, abandonner un lieu, une activité : *Ils ont quitté Paris définitivement* (syn. S'EN ALLER DE, PARTIR DE). *La voiture quitta la route* (syn. SORTIR DE). *Il vous faudra quitter vos fonctions* (syn. ↑ABANDONNER). — **2.** *Quitter qqch.* (ce que l'on porte sur soi), l'enlever. — **3.** *Quitter qq'un*, s'éloigner de lui provisoirement ou définitivement : *Je vous quitte quelques instants pour répondre à ce visiteur* (syn. ABANDONNER, LAISSER). *La toux ne le quitte pas.* — **4.** *Ne quittez pas*, continuez à écouter (au téléphone).

QUI-VIVE [kiviv] n. m. inv. (de *qui vive?*). *Être, se tenir sur le qui-vive*, être attentif à ce qui se passe autour de soi, en partic. dans l'attente d'un danger possible (syn. SUR SES GARDES).

QUMRÂN (QIRBET), site jordanien, sur la rive occidentale de l mer Morte, où, dans des grottes creusées dans le calcaire, ont ét découverts en 1947 les manuscrits de la mer Morte*.

QUOI pron. rel. et interr. → QUI 1 et 2.

QUOIQUE [kwakə] conj. (et le subj.) [*quoi*, et *que*] (s'élid devant *il*, *elle*, *un*, *une* et *on*). **1.** Indique la concession ou l'exis tence d'un fait qui aurait pu empêcher la réalisation de l'action o de l'état exprimé dans la principale (le syn. BIEN QUE appartient à l langue écrite; ENCORE QUE, MALGRÉ QUE, QUOIQUE sont plutôt de l langue parlée) : *Quoiqu'il se sente soutenu par tous ses amis, hésite encore à agir* (= malgré le soutien de tous ses amis); san verbe : *Il ressemblait beaucoup à son frère, quoique plus jeune.* — **2.** On convient encore d'écrire *quoi que* (en deux mots) dan certaines express. où l'on croit reconnaître la fonction anc. de *quo* relatif : *Quoi que vous disiez, je m'en tiendrai à ma premièr décision* (= quelle que soit la chose que vous disiez). ‖ *Quoi qu' en soit*, malgré l'obstacle que représente la situation telle qu'ell se présente (syn. EN TOUT ÉTAT DE CAUSE).

QUOLIBET [kɔlibɛ] n. m. (du lat. *quod libet*, ce qui plaît) Propos plaisant, ironique ou injurieux, lancé à quelqu'un (syn LAZZI, RAILLERIE).

QUORUM [k(w)orɔm] n. m. (mot lat. signif. *desquels*). Nombr des membres qu'une assemblée doit réunir pour que les décision prises soient valables : *Le quorum n'a pas été atteint.*

QUOTA [k(w)ɔta] n. m. (mot lat.). Pourcentage déterminé a préalable (langue admin.) : *Le gouvernement a fixé des quota d'importation pour certains produits.*

QUOTE-PART [kɔtpar] n. f. (lat. *quota pars*, quelle partie) Part que chacun doit payer ou recevoir quand on répartit un somme totale (au sing. seulement) : *Au moment de régler le consommations, chacun paie sa quote-part.* ◆ **quotité** n. f Somme fixe à laquelle se monte chaque quote-part.

QUOTIDIEN, ENNE [kɔtidjɛ̃, -ɛn] adj. (du lat. *quotidie*, cha que jour). Qui se fait ou qui revient tous les jours : *Les difficulté de la vie quotidienne* (= de chaque jour). *Le travail quotidien* (syn. JOURNALIER). ◆ n. m. Journal paraissant chaque jour de la semaine. ◆ **quotidiennement** adv. ◆ **quotidienneté** n. f. Caractère de ce qui est quotidien.

QUOTIENT [kɔsjɑ̃] n. m. (du lat. *quoties*, combien de fois) **1.** *Math.* Résultat d'une division : *18 : 2 = 9. 9 est le quotient de la division de 18 par 2.* — **2.** *Quotient intellectuel*, ou *Q. I.*, nombre obtenu en divisant l'âge mental d'un individu donné par l'âge réel et en multipliant le résultat par 100. — **3.** Physiol. *Quotien respiratoire*, rapport du volume de gaz carbonique expiré au volume d'oxygène absorbé pendant le même temps par un animal ou un végétal.

QUOTITÉ n. f. → QUOTE-PART.

R n. m. **1.** La dix-huitième lettre de l'alphabet et la quatorzième des consonnes. → introduction de l'ouvrage. — **2.** *Math.* ℝ, lettre qui représente l'ensemble des nombres réels. (→ NOMBRE.)

RÂ, divinité égyptienne. (→ RÊ.)

RABÂCHER [rabɑʃe] v. t. et i. (d'un rad. expressif *rabb-*). **1.** *Fam.* Redire, répéter sans cesse, de façon fastidieuse : *Il rabâche toujours les mêmes histoires* (syn. RESSASSER, SERINER). — **2.** Apprendre en répétant souvent : *Rabâcher une leçon.* ◆ **rabâchage** n. m. ◆ **rabâcheur, euse** adj. et n. : *En vieillissant, on devient facilement rabâcheur* (syn. RADOTEUR).

RABAIS [rabɛ] n. m. (de *rabaisser*). **1.** Diminution faite sur le prix d'une marchandise, sur le montant d'une facture : *Vendre des livres au rabais* (syn. RÉDUCTION, REMISE). — **2.** Fam. *Travailler au rabais,* à bon marché.

RABAISSER [rabɛse] v. t. (de *re-*, et *abaisser*). **1.** *Rabaisser qqch.* (nom abstrait), le ramener à un degré inférieur : *Rabaisser l'orgueil de qq'un* (syn. RABATTRE). — **2.** *Rabaisser qq'un, une chose,* les estimer au-dessous de leur valeur : *Certaines doctrines tendent à rabaisser l'homme au niveau de la bête* (syn. RAVALER; contr. ÉLEVER). *Rabaisser les mérites de ses collègues* (syn. DÉPRÉCIER; contr. EXALTER, VANTER). ◆ ***se rabaisser*** v. pr. (syn. S'HUMILIER).

RABANE [raban] n. f. (malgache *rebana*). Tissu de fibre de raphia.

1. RABAT n. m. → RABATTRE 1.

2. RABAT [raba] n. m. (de *rabattre*). Morceau d'étoffe blanche, noire ou bleue, que portent au cou les magistrats, les avocats, les ecclésiastiques, etc.

RABAT, capit. du Maroc, située sur l'Atlantique, à l'embouchure du Bou Regreg, en face de la ville de Salé; 519 000 hab. Centre politique, intellectuel (université) et administratif. La fonction industrielle joue encore un rôle secondaire (produits textiles et alimentaires).

RABAT-JOIE [rabaʒwa] n. et adj. inv. (de *rabattre*, et *joie*). *Fam.* Personne qui vient troubler la joie, le plaisir des autres (syn. TROUBLE-FÊTE).

RABATTAGE n. m., **RABATTEUR, EUSE** n. → RABATTRE 2.

1. RABATTRE [rabatr] v. t. (de *re-*, et *abattre*). [Conj. **56.**] **1.** *Rabattre qqch.,* le ramener à un niveau plus bas : *Le vent rabattait la fumée. Rabattre une balle au tennis.* — **2.** *Rabattre qqch.,* l'appliquer en le pliant : *Il a rabattu le col de son pardessus* (contr. RELEVER). *Rabattre une feuille de papier sur une autre* (syn. REPLIER). — **3.** *Rabattre une somme du prix d'une chose,* consentir un rabais : *Il n'a pas voulu rabattre un centime de la somme qu'il me demandait* (syn. DÉDUIRE, DIMINUER). — **4.** *Rabattre qqch.* (nom abstrait), le ramener à un degré inférieur : *Rabattre l'orgueil de qq'un* (syn. RABAISSER). — **5.** *En rabattre,* abandonner ses prétentions, perdre ses illusions (syn. DÉCHANTER). ◆ ***se rabattre*** v. pr. **1.** S'abaisser : *Une casquette dont les bords se rabattent.* — **2.** Quitter brusquement une direction pour en prendre une autre : *Avant de se rabattre, un automobiliste doit faire fonctionner son clignotant* (syn. DÉBOÎTER, OBLIQUER). — **3.** *Se rabattre sur qqch.,* y venir, faute de mieux : *Lorsque le bifteck est trop cher, on se rabat sur les bas morceaux.* ‖ *Se rabattre sur qq'un,* avoir recours à lui en dernier ressort, faute de mieux. ◆ **rabat** n. m. Partie d'une chose qui peut se replier.

2. RABATTRE [rabatr] v. t. (même étym.). [Conj. **56.**] *Rabattre le gibier,* le forcer à aller vers l'endroit où sont les chasseurs. ◆ **rabattage** n. m. : *Le rabattage du gibier vers les chasseurs.* ◆ **rabatteur, euse** n. **1.** Personne qui, à la chasse, est chargée de rabattre le gibier vers les chasseurs. — **2.** *Péjor.* Personne qui tâche, par différents moyens, d'amener des clients chez un commerçant, ou de recruter des adhérents pour un parti.

RABAUD (Henri), compositeur français (1873-1949). Auteur de musique symphonique (*la Procession nocturne,* 1899) et de plusieurs ouvrages pour le théâtre (*Mârouf,* 1914).

RABBIN [rabɛ̃] n. m. (de l'araméen *rabbi,* mon maître). Chef spirituel d'une communauté israélite : *Le rabbin se consacre à l'enseignement de la religion, préside aux cérémonies religieuses, bénit les mariages, prononce les divorces.* ◆ **rabbinique** adj. : *Des écoles rabbiniques.*

RABELAIS (François), écrivain français (v. 1494-1553).

Après avoir été moine bénédictin, il quitte son couvent et mène une vie de prêtre-étudiant à Paris, à Montpellier (où il s'inscrit à la faculté de médecine à trente-six ans), puis à Lyon où il devient médecin de grand renom.

• *1532. Publication des « Horribles et Épouvantables Faits et Prouesses du très renommé Pantagruel ».*

Ce livre a aussitôt un très grand succès et Rabelais décide de lui donner une suite, qui est en fait un retour sur le passé.

• *1534. La « Vie inestimable du grand Gargantua, père de Pantagruel ».*

Absous par le pape de la faute qu'il avait commise en abandonnant son couvent, Rabelais se livre pendant dix ans (1536-1546) à l'exercice de la médecine et obtient le grade de docteur.

• *1546. Il dédie à Marguerite de Navarre le « Tiers Livre des faicts et dicts héroïques du noble Pantagruel ».*

La Sorbonne trouve l'ouvrage « farci d'hérésies diverses » et le condamne, comme les précédents.

• *1548-1552. Publication du « Quart Livre de Pantagruel ».*

Dans les deux dernières années de sa vie, Rabelais devient, du fait de son protecteur de toujours, le cardinal Jean du Bellay, curé de Meudon.

• *1564. Onze ans après la mort de Rabelais, est publié le « Cinquième Livre de Pantagruel » dont l'authenticité est discutée.*

Rabelais possède l'insatiable appétit de savoir qui caractérise les humanistes de la première moitié du XVIe s. : son Gargantua et son Pantagruel lui sont un moyen, sous une forme parodique et bouffonne, d'évoquer tous les grands problèmes de son temps (la vie intellectuelle, la pédagogie, la religion, la justice, la guerre et la paix). Les personnages (Panurge, Picrochole, etc.) ne sont que des symboles de la société qu'il décrit.

Le vocabulaire de Rabelais est d'une très grande richesse, englobant aussi bien les termes techniques de la médecine, de la liturgie, du droit, de la navigation ou de la gastronomie, que les argots, les dialectes, les langues étrangères mortes ou vivantes, sans oublier les mots forgés. Rabelais utilise également tous les tons : le réalisme et la grossièreté, l'humour et le rire franc. Ses livres engendrent une gaieté qui repose sur un optimisme fondamental : la nature humaine est bonne pourvu qu'on la laisse s'épanouir, mais la vie n'est pas toujours facile et ce sont cet optimisme et cette gaieté qui permettent de surmonter les difficultés.

RABIBOCHER [rabibɔʃe] v. t. (du rad. *bib-*, désignant des choses sans importance). **1.** *Fam.* Raccommoder tant bien que mal : *Rabibocher un outil.* — **2.** *Fam.* Réconcilier : *Rabibocher deux camarades.*

RABIOT [rabjo] n. m. (du gascon *rabiot,* rebut de la pêche). **1.** *Fam.* Ensemble des vivres qui restent après une première distribution : *Les plus gourmands se partagent le rabiot* (syn. SURPLUS). — **2.** *Fam.* Temps de service actif supplémentaire qu'effectue un militaire par mesure disciplinaire : *Faire du rabiot.* ◆ **rabioter** v. t. *Fam.* Prendre pour soi le rabiot de quelque chose; prélever une part sur ce qui appartient à quelqu'un. ◆ v. i. Faire de petits profits supplémentaires.

RABIQUE adj. → RAGE 1.

RÂBLE [rɑbl] n. m. (lat. *rutabulum*). Partie de certains quadrupèdes, surtout du lièvre et du lapin, qui s'étend du bas des côtes à la queue. ◆ **râblé, e** adj. **1.** Se dit d'un animal qui a le râble épais et court, les reins vigoureux : *Un cheval bien râblé.* — **2.** *Homme bien râblé,* qui a le dos large et assez court (syn. TRAPU).

RABOT [rabo] n. m. (de l'anc. néerl. *robbe,* lapin). Outil de menuisier, servant à dresser et à aplanir le bois, et composé d'un fer, d'un contre-fer et d'un coin maintenus dans un fût. ◆ **raboter** v. t. Aplanir avec un rabot : *Raboter une planche.*

RABOTEUSE [rabɔtøz] n. f. (de *rabot*). Machine-outil de grandes dimensions, servant à usiner des surfaces parallèles.

RABOTEUX, EUSE [rabɔtø, -øz] adj. (de *rabot*). Dont la surface est inégale, couverte d'aspérités (langue soignée) : *Un sentier raboteux* (syn. ROCAILLEUX).

RABOUGRI, E [rabugri] adj. (de l'anc. fr. *abougrir*, affaiblir). **1.** Se dit d'un végétal qui ne s'est pas développé normalement pour une cause quelconque (mauvaise exposition, vent violent, etc.). — **2.** Se dit d'une personne qui a le corps petit et difforme (syn. ↓CHÉTIF, RACHITIQUE). ◆ **rabougrir (se)** v. pr. Se recroqueviller sous l'effet de la sécheresse, de l'âge, etc. ◆ **rabougrissement** n. m. État d'une personne ou d'une chose rabougrie.

Rabouilleuse ou le Ménage de garçon *(la)*, roman d'H. de Balzac (1842).

RABOUTER [rabute] v. t. (de *bout*). *Rabouter deux choses*, les assembler bout à bout : *Rabouter deux planches, deux tuyaux* (syn. JOINDRE, RACCORDER, RATTACHER).

RABROUER [rabrue] v. t. (de l'anc. fr. *brouer*, gronder). Repousser avec rudesse, avec dédain une personne qui tient des propos ou qui fait des propositions qu'on désapprouve.

RACAILLE [rakɑj] n. f. (du bas lat. *rasicare*, gratter). Ensemble des personnes considérées comme la partie la plus vile de la société (syn. CANAILLE, PÈGRE).

RACAN (Honorat DE BUEIL, *seigneur* DE), poète français (1589-1670), disciple de Malherbe (*Stances sur la retraite*, 1618; *les Bergeries*, 1625).

1. RACCOMMODER [rakɔmɔde] v. t. (de *re-*, et *accommoder*). *Raccommoder du linge*, le réparer à l'aide d'une aiguille : *Raccommoder des chaussettes* (syn. RAPIÉCER, REPRISER), *un vêtement déchiré* (syn. STOPPER), *des bas* (syn. REMMAILLER). ◆ **raccommodable** adj. ◆ **raccommodage** n. m. : *Le raccommodage des chaussettes.* ◆ **raccommodeur, euse** n. Personne qui raccommode.

2. RACCOMMODER [rakɔmɔde] v. t. (même étym.). *Raccommoder des personnes*, les réconcilier alors qu'elles sont brouillées (syn. fam. RABIBOCHER). ◆ **raccommodement** n. m.

RACCOMPAGNER v. t. → ACCOMPAGNER.

RACCORDER [rakɔrde] v. t. (de *re-*, et *accorder*). **1.** Relier entre elles les parties d'un ensemble : *Raccorder deux tuyaux, deux voies ferrées* (syn. RATTACHER, RELIER). — **2.** *Raccorder deux choses*, établir une communication entre elles : *Passerelle qui raccorde deux bâtiments* (syn. JOINDRE, RÉUNIR). ◆ ***se raccorder*** v. pr. Être relié à : *Ce chapitre se raccorde mal avec le précédent* (syn. SE RELIER). ◆ **raccord** n. m. **1.** Liaison que l'on établit entre deux parties disjointes : *Faire un raccord de peinture.* — **2.** Fam. *Faire un raccord*, en parlant d'une femme, refaire son maquillage. — **3.** Pièce d'acier, de caoutchouc, etc., servant à assembler deux parties d'objets qui doivent communiquer : *Un raccord de tuyau, de pompe.* ◆ **raccordement** n. m. **1.** Action d'unir par un raccord : *Le raccordement de deux routes.* — **2.** *Voie de raccordement*, voie de chemin de fer qui en relie deux autres.

RACCOURCI n. m., **RACCOURCIR** v. t. et i., **RACCOURCISSEMENT** n. m. → COURT 1.

RACCROCHER [rakrɔʃe] v. t. (de *re-*, et *accrocher*). **1.** *Raccrocher qqch.*, l'accrocher de nouveau, le remettre en place : *Raccrocher un tableau.* ‖ *Raccrocher une affaire*, renouer des pourparlers en vue de sa conclusion. — **2.** Relier une chose à une autre : *Raccrocher un article à un chapitre* (syn. RATTACHER). — **3.** *Raccrocher qq'un*, l'arrêter au passage : *Un camelot qui sait raccrocher les badauds.* ◆ v. i. Interrompre une communication téléphonique (en remettant l'écouteur à sa place) : *Il a raccroché trop vite; j'avais encore quelque chose à lui dire.* ◆ ***se raccrocher*** v. pr. **1.** *Se raccrocher à qqch.*, s'y retenir pour se sauver d'un danger, d'une situation difficile : *Se raccrocher à une branche pour ne pas tomber* (syn. SE CRAMPONNER). — **2.** *Se raccrocher avec qqch.*, y être relié : *Ce chapitre se raccroche mal avec le précédent* (syn. SE RACCORDER). — **3.** *Se raccrocher à qq'un*, s'attacher à lui, compter sur lui pour obtenir du secours dans une situation embarrassante. ◆ **raccrochage** n. m. ◆ **raccroc** [rakro] n. m. *Par raccroc*, grâce à un heureux hasard : *Il a réussi son examen par raccroc.*

RACE [ras] n. f. (it. *razza*). **1.** Groupe d'individus qui se distinguent des autres par un ensemble de caractères héréditaires physiques (couleur de la peau) et physiologiques (groupes sanguins, caractères génétiques). [→ ENCYCL. et aussi ETHNIE.] — **2.** Variété d'une même espèce animale réunissant des caractères communs qui se transmettent par la reproduction : *Les races bovines, chevalines, canines*, etc. — **3.** *De race*, se dit d'animaux domestiques non métissés (= de race pure) : *Un chien de race.* ‖ *Avoir de la race*, avoir une distinction, une élégance naturelle (syn. ÊTRE RACÉ). — **4.** Catégorie de personnes qui ont le même comportement, les mêmes goûts, les mêmes inclinations : *Quelle sale race que la race des usuriers!* (syn. ENGEANCE). ◆ **racé, e** [rase] adj. **1.** Se dit d'un animal qui possède les qualités propres à sa race : *Un chien racé* (contr. BÂTARD, CROISÉ, MÉTISSÉ). — **2.** Se dit d'une personne qui a de la distinction, de l'élégance, de la finesse physiquement et moralement. ◆ **racial, e, aux** adj. Qui se rapporte à la race (sens 1) : *Dans certains pays, les préjugés raciaux sont à l'origine de bien des troubles.* ◆ **racisme** n. m. Préjugé portant sur la supériorité d'une race (généralement celle à laquelle on appartient) sur toutes les autres, considérées comme inférieures. → ENCYCL. ◆ **raciste** adj. et n. : *L'idéologie raciste a servi à justifier l'antisémitisme des nazis.* ◆ **antiraciste** adj. et n. Opposé au racisme.

— ENCYCL. ***race.*** Il existe quatre grands groupes de *races* humaines : races blanches, races noires, races jaunes, races primitives.

Les *races noires* (ou mélanodermes) se caractérisent par une pigmentation très foncée de la peau, des cheveux crépus, un nez élargi, des lèvres épaisses. Elles se rencontrent surtout en Afrique et en Océanie.

Les *races jaunes* (ou xanthodermes) se caractérisent par une coloration jaunâtre de la peau, des pommettes très développées, des cheveux raides et fréquemment un groupe sanguin B. Elles se rencontrent surtout en Asie et en Amérique. On peut leur rattacher les races indonésiennes et polynésiennes, qui résultent de métissages plus ou moins complexes.

Les *races blanches* (ou leucodermes), du point de vue morphologique, se situent entre la race noire et la race jaune : peau blanche, cheveux droits, ondulés ou frisés (jamais crépus). Elles se rencontrent en Europe avec des prolongements en Amérique, en Afrique (Maghreb) et en Asie (Perse, Inde).

Les *races primitives*, de limites peu nettes, mais de morphologie archaïque (front bas, fuyant; arcades sourcilières épaisses), se rencontrent encore en Australie.

racisme. La doctrine de Gobineau *(Essai sur l'inégalité des races humaines)*, selon laquelle la seule race blanche pure, non métissée, la race aryenne, est supérieure aux autres, trouva à partir de 1870 une résonance particulière en Allemagne. Bien que cette « race » aryenne n'ait, en fait, jamais existé (les Aryens sont un peuple très ancien de l'Inde, disparu des siècles avant notre ère), on en détermina les caractères physiques (tête longue, cheveux blonds, yeux bleus).

Le nazisme*, devant l'impossibilité de prétendre que tous les Allemands étaient des Aryens, en vint à définir l'Aryen comme celui qui n'est pas juif et à créer un nouveau mythe, celui de la « race » juive. Cette théorie conduisit à l'antisémitisme*, aux déportations, aux camps de concentration et aux massacres de la Seconde Guerre mondiale : l'Allemagne devait préserver la pureté de sa race et exterminer tout élément de l'autre race, la « race » juive, impure. En fait, s'il existe une religion, une culture juives, aucun biologiste ne saurait parler de « race » juive. Le petit peuple hébreu se dispersa, il y a 2 000 ans, à travers le monde romain et l'Orient, et les caractères génétiques sont sans doute beaucoup plus proches entre Juifs et non-Juifs d'une même nation qu'entre Juifs de deux nations différentes.

Les théories racistes ne se sont pas limitées à l'Allemagne. Elles ont pris une grande ampleur aux États-Unis avec le problème noir. La république d'Afrique du Sud a fait de l'apartheid* le fondement même de ses institutions. Dans les pays industrialisés, les travailleurs immigrés, de plus en plus nombreux, sont trop souvent l'objet de manifestations racistes.

Le racisme n'est pas défendable du point de vue scientifique, car il n'y a dans le monde aucun peuple, aucune nation qui puisse se considérer de race pure, et on ne peut valablement parler de supériorité d'une race sur une autre. Du point de vue moral, le racisme est contraire aux idées de justice, de fraternité, d'égalité, de dignité et de respect de la personne humaine. Enfin, du point de vue psychologique et sociologique, on explique individuellement le racisme comme une haine provoquée par la peur de celui qui est différent et que, dès lors, on regarde non seulement comme un inférieur mais comme un ennemi, et collectivement par le besoin qu'éprouve tout corps social de renforcer son homogénéité en s'opposant à un autre groupe social.

RACHAT n. m. → ACHETER.

RACHEL (Élisabeth FÉLIX, dite Mlle), célèbre tragédienne française (1821-1858).

RACHETER v. t., **SE RACHETER** v. pr. → ACHETER.

RACHIS [raʃi] n. m. (gr. *rhakhis*). *Anat.* Colonne vertébrale ou épine dorsale. ◆ **rachidien, enne** adj. Qui a rapport au rachis, à la colonne vertébrale. ‖ *Bulbe rachidien*, partie antérieure de la moelle épinière, reliant la moelle épinière et l'encéphale. ‖ *Canal rachidien*, canal formé par la succession des vertèbres et contenant la moelle épinière. ‖ *Nerfs rachidiens*, nerfs qui prennent naissance dans la moelle épinière (31 paires chez l'homme).

RACHITIQUE [raʃitik] adj. et n. (du gr. *rhakhis*). **1.** Se dit d'une personne atteinte de rachitisme, dont la croissance n'est pas normale : *Un enfant rachitique* (syn. CHÉTIF, MALINGRE). — **2.** Se dit d'un végétal qui ne s'est pas développé normalement : *Un pommier* *rachitique* (syn. RABOUGRI). ◆ **rachitisme** n. m. Maladie propre à l'enfance, caractérisée par une insuffisance de l'os et des cartilages de croissance, due à un déficit en vitamine D, et entraînant des déformations du squelette.

RACHMANINOV (Sergheï), compositeur et pianiste russe (1873-1943), auteur de préludes et de concertos pour piano dont le style se rapproche de celui de Tchaïkovski.

RACIAL, E, AUX adj. → RACE.

RACINE [rasin] n. f. (du lat. *radix, -icis*). **1.** *Bot.* Organe propre aux végétaux supérieurs, dont la fonction est de fixer la plante au sol et de puiser, par les poils absorbants, l'eau et les sels minéraux dissous. — **2.** *Prendre racine,* commencer à se développer, en parlant d'un végétal récemment transplanté; en parlant d'une personne, rester longtemps debout au même endroit; s'installer chez quelqu'un. — **3.** Partie par laquelle un organe est implanté dans un tissu : *Les racines des dents, des ongles, des cheveux.* — **4.** Principe, origine d'une chose morale : *Attaquer, couper le mal dans sa racine* (syn. DÉTRUIRE, EXTIRPER). — **5.** Lien solide qui donne de la stabilité : *Ce parti a de profondes racines dans le pays* (syn. ATTACHE). — **6.** Math. *Racine carrée d'un nombre réel* a, c'est un nombre *b* tel que $b^2 = a$. ‖ *Racine cubique d'un nombre réel* a, c'est un nombre *b* tel que $b^3 = a$. → ENCYCL. — **7.** *Gramm.* Partie d'un mot que l'on détermine en enlevant les désinences et les suffixes ou préfixes : *La racine est l'élément qui sert de support au sens d'un mot : ainsi, la racine de « armer », « armement », « désarmer », « réarmer », « armature », etc., est « arm- » (ce qui sert à attaquer ou à se défendre).* ◆ **déraciner** v. t. **1.** *Déraciner un végétal,* l'arracher du sol avec ses racines : *Un grand nombre d'arbres ont été déracinés par la tornade* (syn. ↓ABATTRE). — **2.** *Déraciner qqch.* (mot abstrait), l'arracher de l'esprit ou du cœur : *Il n'est pas facile de déraciner une mauvaise habitude.* ◆ **déracinement** n. m. : *Le déracinement d'un arbre. Le déracinement d'un préjugé.* ◆ **déraciné, e** adj. et n. Personne qui a rompu les liens qui l'attachaient à son milieu, à son pays d'origine. ◆ **indéracinable** adj. : *Un vice indéracinable.* ◆ **enraciner** v. t. (surtout au passif). **1.** Fixer dans le sol par les racines : *Un arbuste qui a été mal enraciné ne se développe pas normalement* (syn. PLANTER). — **2.** Fixer dans l'esprit, le cœur : *Des préjugés qui sont enracinés dans cette société provinciale.* ◆ ***s'enraciner*** v. pr. **1.** (sujet nom de végétal) Prendre racine : *Les arbres fruitiers s'enracinent difficilement dans un mauvais terrain.* — **2.** (sujet nom de personne) S'installer chez quelqu'un, prolonger trop longtemps une visite (syn. S'IMPLANTER). — **3.** (sujet nom de chose abstraite) Se fixer dans l'esprit ou dans le cœur : *Les mauvaises habitudes s'enracinent facilement* (syn. S'ANCRER, S'IMPLANTER). ◆ **enracinement** n. m. : *L'enracinement d'un arbuste, d'un préjugé.*

— ENCYCL. Tout nombre réel positif *a*, a deux *racines* carrées opposées : celle qui est positive se note $\sqrt{a}$; l'autre est $-\sqrt{a}$.

Aucun nombre réel négatif n'a de racine carrée réelle.

Tout nombre réel *a* a une seule racine cubique, notée $\sqrt[3]{a}$, qui a même signe que *a*. (*Ex.* : -2 est la racine cubique de -8 car $(-2)^3 = -8$.)

RACINE (Jean), auteur dramatique français (1639-1699). Orphelin, il est recueilli à l'abbaye de Port-Royal, où, élève des Solitaires, il reçoit une culture humaniste, latine et surtout grecque. S'il tente (1661) d'obtenir un bénéfice ecclésiastique pour assurer ses moyens d'existence, c'est à la carrière poétique qu'il se destine, désavoué en cela par ses maîtres de Port-Royal avec lesquels il se brouillera. Deux tragédies, *la Thébaïde* (1664) et *Alexandre* (1665), le font connaître de la Cour et du public. Dès cette époque, il est l'ami de La Fontaine et de Boileau, mais il rompt très vite avec Molière.

- *1667. Il présente « Andromaque », qui inaugure la période de ses grandes tragédies.*
- *1668. Avec la comédie des « Plaideurs », il démontre son talent satirique.*

Malgré les partisans obstinés du vieux Corneille, il est considéré alors comme le premier poète de son temps. Il fait jouer successivement *Britannicus* (1669), une tragédie romaine, *Bérénice* (1670), devant laquelle s'efface le *Tite et Bérénice* de Corneille présenté en même temps, *Bajazet* (1672), *Mithridate* (1673) et *Iphigénie en Aulide* (1674). Il est alors au sommet de sa gloire.

- *1677. Après l'échec de « Phèdre » et sa réconciliation avec Port-Royal, Racine, nommé historiographe puis conseiller du roi, s'éloigne momentanément du théâtre.*

Ses dernières tragédies, *Esther* (1689) et *Athalie* (1690), écrites sur une commande de Mme de Maintenon, sont des tragédies sacrées d'où l'amour est entièrement banni.

Il vit dès lors en chrétien austère et sa fidélité aux jansénistes de Port-Royal lui vaut de finir sa vie dans une demi-disgrâce.

Se faisant surtout le peintre de l'amour-passion, Racine l'a décrit comme une force inexorable qui détruit celui qui en est possédé et le mène progressivement de la jalousie à la haine, au crime et à la mort. Auteur classique par excellence, il met les règles de la tragédie au service de son art. Toujours vraisemblables et logiques, ses intrigues sont simples et claires, même si plusieurs problèmes s'y mêlent, et les péripéties naissent non pas d'éléments extérieurs mais de la passion même des personnages.

Racine et Shakespeare, titre de deux opuscules de Stendhal (1823-1825). L'auteur y définit le romantisme et défend la tragédie en prose, libérée des règles classiques.

RACISME n. m., **RACISTE** adj. et n. → RACE.

RACKET [rakɛt] n. m. (mot amér.). Extorsion d'argent par intimidation et violence et qui peut aller jusqu'au crime. ◆ **racketteur** [rakɛtœr] n. m. Auteur de rackets.

RACLAGE n. m., **RACLE** n. f. → RACLER.

RACLÉE [rakle] n. f. (de *racler*). *Pop.* Volée de coups (syn. CORRECTION [langue soignée]).

RACLER [rakle] v. t. (anc. prov. *rasclar;* du lat. *rastrum,* râteau). **1.** *Racler qqch.,* le gratter de manière à nettoyer, à égaliser sa surface : *Racler le fond d'une casserole. Racler le sable d'une allée* (syn. RATISSER). ‖ Fam. *Racler les fonds de tiroir,* prendre tout l'argent qui s'y trouve. — **2.** Fam. *Racler un instrument à cordes,* en jouer maladroitement : *Racler un (du) violon.* — **3.** (sujet nom de boisson) Produire une sensation d'âpreté : *Ce vin racle le gosier.* ◆ ***se racler*** v. pr. : *Se racler la gorge* (syn. S'ÉCLAIRCIR LA VOIX). ◆ **raclage** ou **raclement** n. m. : *Un raclement de gorge.* ◆ **racle, raclette** n. f., ou **racloir** n. m. Outil servant à racler : *Une racle de boulanger. Une raclette de pâtissier.* ◆ **racleur** n. m. *Racleur de violon,* ou *racleur,* mauvais joueur de violon. ◆ **raclure** n. f. Parcelle que l'on enlève de la surface d'un corps en le raclant : *Des raclures de bois.*

RACOLER [rakɔle] v. t. (de *re-,* et *accoler*). Fam. **1.** *Racoler qq'un,* l'attirer par des moyens plus ou moins honnêtes : *Racoler des adhérents, des électeurs* (syn. RECRUTER). — **2.** En parlant d'un homme ou d'une femme, attirer ou accoster un passant en vue de se prostituer. ◆ **racolage** n. m. ◆ **racoleur, euse** n. *Fam.* Personne qui racole.

RACONTER [rakɔ̃te] v. t. (de *re-,* et l'anc. fr. *aconter,* conter). **1.** Faire le récit, de vive voix ou par écrit, de choses vraies ou fausses : *Raconter brièvement ce qu'on a vu* (syn. DIRE, RENDRE COMPTE). *On m'a raconté que vous aviez eu un accident* (syn. DIRE, RAPPORTER). *Les enfants aiment qu'on leur raconte des histoires* (syn. CONTER, NARRER, RELATER). — **2.** Dire à la légère des choses nuisibles aux autres ou absurdes : *On raconte beaucoup de choses sur le compte de cette femme* (syn. DÉBITER). *Qu'est-ce que vous me racontez là? Ce sont des blagues* (syn. fam. CHANTER). [→ RACONTAR.] — **3.** *En raconter,* faire des récits plus ou moins exagérés. ◆ ***se raconter*** v. pr. **1.** Parler de soi, faire le récit de sa vie : *Cet homme aime à se raconter.* — **2.** Être raconté : *Une histoire qui ne peut se raconter devant des enfants.* ◆ **racontable** adj. Qui peut être raconté. ◆ **inracontable** adj. : *Une série d'aventures inracontables.* ◆ **racontar** n. m. *Fam.* Nouvelle, récit qui ne repose sur rien de sérieux; le plus souvent, propos médisants : *Ce sont des racontars* (syn. CANCAN, COMMÉRAGE; fam. RAGOT). [→ CONTER.]

RACORNIR [rakɔrnir] v. t. (de *re-,* et *corne*). *Racornir une chose,* lui donner la consistance de la corne; la rendre dure et coriace : *La chaleur a racorni le cuir de mes souliers qui étaient mouillés* (syn. DESSÉCHER, ↓DURCIR). ◆ ***se racornir*** v. pr. Devenir dur et coriace : *La viande s'est racornie sur le gril.* ◆ **racorni, e** adj. *Fam.* Devenu sec, insensible : *Un homme dont le cœur est racorni.* ◆ **racornissement** n. m. : *Le racornissement des plantes par la sécheresse.*

RADAR [radar] n. m. (mot angl.). Dispositif permettant de déterminer la position et la distance d'un obstacle (avion, navire, etc.) par réflexion sur celui-ci d'ondes radio-électriques très courtes. ◆ **radariste** n. Spécialiste chargé de la mise en œuvre et de l'entretien des matériels électroniques de détection.

— ENCYCL. Le principe du *radar* consiste à émettre, en un faisceau étroit et pendant une durée très courte, des ondes radio-électriques qui, après réflexion contre un obstacle, retournent vers l'émetteur. La connaissance de la durée de l'aller et retour de ces ondes, qui se propagent à 300 000 km/s, permet de déterminer la distance de l'obstacle, la modification de leur fréquence donne sa vitesse, et sa direction est établie par l'orientation de l'antenne d'émission.

→ illustration page suivante.

RADCLIFFE (Anne), romancière anglaise (1764-1823), auteur de « romans noirs », récits fantastiques et terrifiants (*les Mystères d'Udolphe,* 1794).

1. RADE [rad] n. f. (de l'anc. angl. *rad*). Grand bassin naturel ou artificiel où les navires peuvent se mettre à l'abri.

2. RADE [rad] n. f. (même étym.). Fam. *Laisser qq'un* ou *qqch. en rade,* l'abandonner. ‖ Fam. *Rester en rade, être en rade,* être dans l'impossibilité de continuer; être en panne.

RADEAU [rado] n. m. (anc. prov. *radel*). Assemblage de pièces de bois liées ensemble et formant une sorte de plate-forme qui

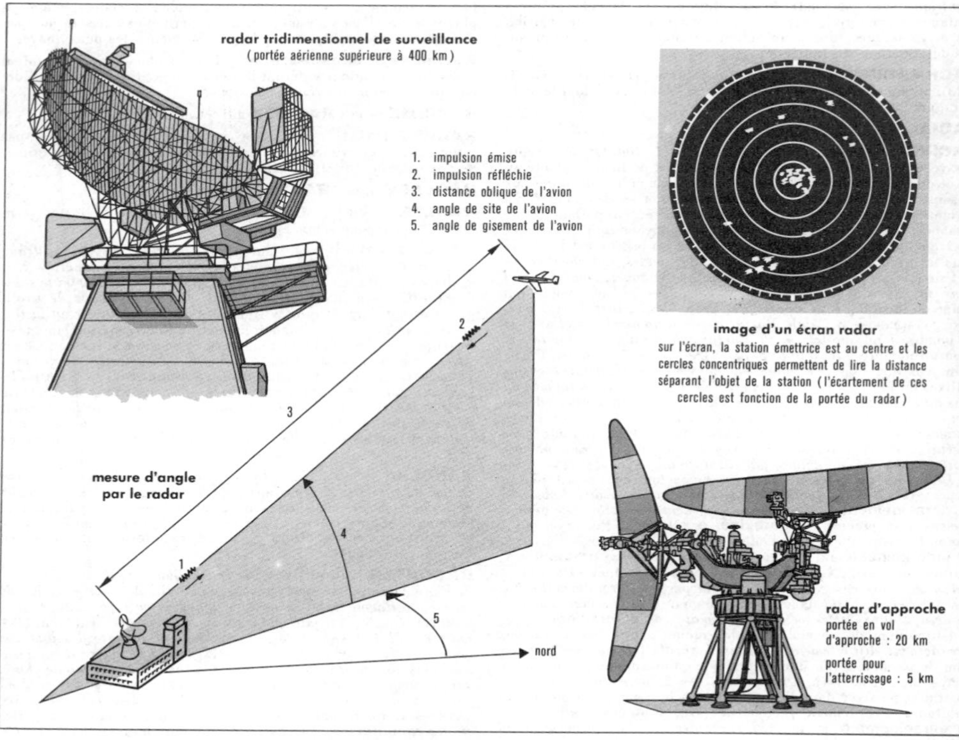

peut servir à la navigation : *Les radeaux sont utilisés soit pour porter sur l'eau des hommes, des marchandises, soit pour se sauver dans un naufrage.*

1. RADIAL, E, AUX adj. → RADIUS.

2. RADIAL, E, AUX [radjal, -djo] adj. (du lat. *radius*, rayon). Relatif à un rayon, disposé selon un rayon. ◆ **radiale** n. f. Route ou autoroute qui diverge autour d'une grande ville, à la façon des rayons d'une roue.

RADIAN [radjɑ̃] n. m. (du lat. *radius*, rayon). *Math.* Unité légale de mesure des angles géométriques et des arcs de cercle, telle qu'un angle géométrique plat et un demi-cercle aient une mesure de π radian (notée π rad).

RADIANCE [radjɑ̃s] n. f. (du lat. *radius*, rayon). *Phys.* Quotient du flux lumineux que rayonne une surface par son aire.

RADIANT, E adj. → RADIATION 1.

1. RADIATEUR [radjatœr] n. m. (du lat. *radius*, rayon). **1.** Appareil servant au chauffage des appartements : *Il y a des radiateurs à vapeur, à eau chaude, à gaz, électriques.* — **2.** Dispositif augmentant la surface de rayonnement d'un appareil de chauffage ou de refroidissement.

2. RADIATEUR [radjatœr] n. m. (même étym.). Réservoir dans lequel se refroidit l'eau chaude en provenance du moteur d'une automobile.

1. RADIATION [radjasjɔ̃] n. f. (du lat. *radius*). **1.** *Phys.* Émission de rayons, de particules. — **2.** *Phys.* Ensemble des éléments constitutifs d'une onde qui se transmet dans l'espace. ◆ **radiant, e** adj. Qui se propage par radiations : *Chaleur radiante.*
— ENCYCL. Le mot *radiation* évoque un ensemble de phénomènes physiques donnant lieu à une propagation rectiligne : lumière, rayons X, rayons infrarouges et aussi rayonnements corpusculaires dus à l'émission de particules par les atomes.

Jusqu'à la découverte de la radio-activité*, on ne connaissait que les radiations de nature électromagnétique* (lumière du jour, ultraviolets). Depuis, on a découvert les radiations corpusculaires, dues à des déplacements de particules souvent animées de grandes vitesses (électrons, protons, neutrons).

2. RADIATION n. f. → RADIER.

1. RADICAL [radikal] n. m. (du lat. *radix, -icis*, racine). **1.** *Gramm.* Partie d'un mot que l'on détermine en enlevant toutes les désinences qui constituent sa flexion, sa conjugaison ou sa déclinaison : *« Chant- » est le radical de « chanter ».* — **2.** *Math.* Symbole $\sqrt{\ }$ servant à exprimer les racines carrées. (Si a est un nombre positif, $\sqrt{a}$ désigne celle de ses deux racines carrées qui est positive. *Exemple :* $+2$ et -2 sont les deux racines carrées de $+4$, mais $\sqrt{4}=+2$. On note aussi $\sqrt{a}=a^{\frac{1}{2}}$.) — **3.** *Chim.* Corps composé qui se comporte comme un corps simple dans les combinaisons. ◆ **radicande** n. m. *Math.* Expression algébrique ou nombre se trouvant sous un radical : *Dans l'expression* $\sqrt{(x-1)^2}=|x-1|$, $(x-1)^2$ *est le radicande.*

2. RADICAL, E, AUX [radikal, -ko] adj. (même étym.). **1.** Qui concerne le fond de la nature d'une personne ou d'une chose : *Un changement radical* (syn. COMPLET, TOTAL). — **2.** Qui vise à attaquer un mal ou un défaut dans sa racine, dans ses causes profondes : *Prendre des mesures radicales* (syn. DRACONIEN, ↓STRICT). — **3.** D'une efficacité certaine : *Un moyen radical pour se débarrasser des importuns* (syn. INFAILLIBLE, SOUVERAIN). ◆ **radicalement** adv. : *Ce que vous me dites là est radicalement faux* (syn. ABSOLUMENT, TOTALEMENT). ◆ **radicalisation** n. f. Action de durcir une position politique, sociale, de devenir plus intransigeant; son résultat : *On assiste à une radicalisation de la frange extrémiste de ce mouvement.* ◆ **radicaliser** v. t.

3. RADICAL, E, AUX [radikal, -ko] n. et adj. (même étym.). *Hist.* Nom donné sous Louis-Philippe aux républicains partisans de réformes « radicales » dans le sens de la démocratie et de la laïcité : *Le parti radical, en France, a joué un rôle considérable dans l'histoire de la IIIe République* (abrév. de RADICAL-SOCIALISTE). [Après la Première Guerre mondiale, le parti radical s'est progressivement rapproché du centre, et, aujourd'hui, les radicaux, partisans de réformes modérées dans le cadre de la société actuelle, se situent au centre gauche des partis politiques.] ◆ **radicalisme** n. m. Doctrine politique du parti radical. ◆ **radical-socialiste** adj. *Parti républicain radical et radical-socialiste*, en France, titre officiel du parti radical fondé en 1901. ◆ n. Membre du parti radical-socialiste.

RADICALEMENT adv., **RADICALISATION** n. f., **RADICALISER** v. t. → RADICAL 2.

RADICALISME n. m., **RADICAL-SOCIALISTE** adj. et n. → RADICAL 3.

RADICANDE n. m. → RADICAL 1.

RADICANT, E [radikɑ̃, -ɑ̃t] adj. (du lat. *radix, -icis,* racine). *Bot.* Se dit d'une plante dont la tige produit des racines adventives (= sur différents points de sa longueur) : *Le lierre est une plante radicante.*

RADICELLE [radisɛl] n. f. (du lat. *radicula*). *Bot.* Racine secondaire, ramification de la racine principale.

RADICULE [radikyl] n. f. (lat. *radicula*). *Bot.* Partie de la plantule qui fournira la racine.

RADIÉ, E [radje] adj. (du lat. *radius,* rayon). Qui présente des rayons.

RADIER [radje] v. t. (du bas lat. *radiare*). *Radier qq'un,* rayer son nom sur un registre, sur une liste : *Cet avocat a été radié du barreau par mesure disciplinaire* (syn. EFFACER; contr. IMMATRICULER, INSCRIRE). ◆ **radiation** n. f. Action de radier.

RADIESTHÉSIE [radjɛstezi] n. f. (de *radiation,* et gr. *aisthêsis,* sensibilité). Faculté que posséderaient certaines personnes de capter les radiations émises par différents corps : *La radiesthésie, naguère utilisée pour déceler les nappes d'eau à l'aide d'un pendule, d'une baguette, est maintenant souvent employée par certains adeptes de cette méthode pour diagnostiquer le siège et la nature des maladies.* ◆ **radiesthésiste** n. m. Personne qui pratique la radiesthésie.

RADIEUX, EUSE [radjø, -øz] adj. (lat. *radiosus*). **1.** Qui émet des rayons lumineux d'un vif éclat (en parlant du soleil) : *Un soleil radieux* (syn. ÉCLATANT). — **2.** Très ensoleillé : *Un temps radieux* (contr. COUVERT, SOMBRE). — **3.** Se dit de quelqu'un qui est rayonnant de joie : *Une jeune femme radieuse* (contr. ASSOMBRI, TRISTE). — **4.** Qui exprime la satisfaction, le bonheur : *Un sourire radieux illumine son visage.*

RADIGUET (Raymond), écrivain français (1903-1923), auteur de romans psychologiques (*le Diable au corps,* 1923; *le Bal du comte d'Orgel,* 1924) qui, par la pureté du style et la finesse de l'analyse, se situent dans la tradition classique.

RADIN, E [radɛ̃, -in] adj. et n. (argot *radin,* gousset). *Pop.* Qui ne veut pas dépenser son argent (syn. AVARE, PINGRE; fam. GRIPPE-SOU).

---

1. RADIO, élément tiré du lat. *radius,* rayon, et qui entre comme préf. dans la formation de nombreux termes scientifiques, avec le sens de « rayonnement » ou « radiation ».

---

2. RADIO [radjo] n. f. Abrév. de **RADIODIFFUSION** [radjodifyzjɔ̃] n. f. *(radio-,* et *diffusion).* **1.** Transmission par ondes hertziennes de nouvelles, d'émissions, reçues par les possesseurs de postes récepteurs : *Les premières émissions de radiodiffusion réalisées en France eurent lieu en 1921 à partir de la tour Eiffel.* — **2.** Organisation qui assure un service régulier de diffusions radiophoniques. — **3.** *Radio libre,* organisme privé de radiodiffusion dont les émissions ne sont captées que dans un rayon de quelques kilomètres. ◆ **radiodiffuser** v. t. Retransmettre par radio : *Radiodiffuser un discours.* ◆ **radiocommunication** n. f. Échange de messages à distance, effectué à l'aide d'ondes électromagnétiques. ◆ **radiocompas** n. m. Radiogoniomètre de bord, qui permet à un avion ou à un navire de conserver une direction donnée, grâce aux indications fournies par une station émettrice au sol. ◆ **radio-électricité** ou **radioélectricité** n. f. **1.** Partie de la physique qui concerne les ondes hertziennes, ou ondes électromagnétiques, dont la longueur d'onde est comprise entre quelques millimètres et quelques kilomètres. — **2.** Technique permettant la transmission à distance de messages et de sons à l'aide des ondes électromagnétiques. ◆ **radio-électrique** ou **radioélectrique** adj. Qui concerne la radio-électricité. ◆ **radiogoniomètre** n. m. Appareil permettant à un avion ou à un navire de déterminer sa position, à l'aide d'ondes radio-électriques. ◆ **radiogoniométrie** n. f. **1.** Détermination de la direction et de la position d'un poste émetteur de radio. — **2.** Méthode de navigation utilisant le radiogoniomètre. ◆ **radioguider** v. t. Conduire ou piloter à distance au moyen d'ondes radio-électriques (ondes hertziennes). ◆ **radioguidage** n. m. **1.** *Le radioguidage d'une fusée* (syn. TÉLÉCOMMANDE). — **2.** Information radiophonique sur la circulation routière. ◆ **radionavigation** n. f. Technique de navigation faisant appel à des procédés radio-électriques (ondes hertziennes). ◆ **radionavigant** n. m. Opérateur de radio faisant partie de l'équipage d'un navire, d'un avion. ◆ **radiophare** n. m. Station émettrice permettant à un navire ou à un avion de connaître sa position et de suivre la route prévue. ◆ **radiophonie** n. f. Procédé de transmission de sons utilisant des ondes électromagnétiques. ◆ **radiophonique** adj. Relatif à la radiophonie : *Les jeux radiophoniques.* ◆ **radiorécepteur** n. m. ou **radio** n. f. Poste récepteur d'ondes : *Écouter la radio. Les anciens postes de radio sont peu à peu remplacés par des postes à transistors.* ◆ **radiosonde** n. f. Ballon-sonde équipé d'un émetteur transmettant au sol le résultat de mesures faites au cours de son ascension. ◆ **radiosondage** n. m. Exploration verticale de l'atmosphère à l'aide de la radiosonde. ◆ **radiotaxi** n. m. Taxi muni d'un récepteur radio. ◆ **radiotélégraphie** n. f. Système de télégraphie* utilisant les propriétés des ondes électromagnétiques pour la transmission de signaux. ◆ **radiotélévisé, e** adj. Transmis à la fois par la radiodiffusion et à la télévision : *Discours radiotélévisé.*

3. RADIO [radjo] n. f. Abrév. de **RADIOGRAPHIE** [radjografi] n. f. (de *radio-,* et *photographie*). **1.** Utilisation de la propriété qu'ont les rayons X de traverser certains corps opaques et d'impressionner une pellicule sensible. → ENCYCL. — **2.** Image ainsi obtenue. ◆ **radiographier** v. t. *Radiographier les poumons.* ◆ **radiologie** n. f. Application des rayons X à l'identification des maladies et à leur traitement. ◆ **radiologue** n. Médecin spécialiste de radiographie et de radioscopie. ◆ **radioscopie** ou **radio** n. f. Examen d'un corps ou d'un organe au moyen des rayons X et à l'aide d'un écran fluorescent : *Faire une radioscopie de l'estomac.* → ENCYCL. ◆ **radiothérapie** n. f. *Méd.* Méthode de traitement par les rayons X. → ENCYCL.

— ENCYCL. ***radiographie, radioscopie.*** Les rayons X sont capables de traverser l'organisme et d'impressionner une pellicule photographique ou un écran fluorescent. Comme les organes du corps, plus ou moins opaques aux rayons X, les arrêtent inégalement, on obtient une image contrastée sur la pellicule *(radiographie)* ou sur l'écran *(radioscopie);* cette image dessine les contours des différents organes ou objets traversés par les rayons X; dans certains organes creux (tube digestif, vaisseaux sanguins, canal rachidien, etc.), on peut injecter un liquide opaque aux rayons X dans la cavité et obtenir ainsi une image de cette cavité sous différents angles.

Les rayons X sont devenus l'une des méthodes les plus employées d'étude de nos organes internes : la *radioscopie* permet une étude de leur fonctionnement (mouvements, passage des produits opaques dans les conduits naturels, etc.); la *radiographie* permet de conserver des images d'un organe à un moment donné et de les comparer à des images plus anciennes du même organe ou à des images futures.

Actuellement l'on emploie de plus en plus l'enregistrement cinématographique et sa projection sur un écran : l'on peut ainsi, pendant une intervention chirurgicale, suivre le cheminement d'un instrument (sonde) dans un organe creux (artère par exemple) et injecter un liquide opaque à l'endroit choisi de cet organe.

radiothérapie. Certaines radiations (ultraviolets, radiations radioactives, etc.) ont une action sur la substance vivante et sur les cellules, qui permet de traiter certaines maladies, en particulier par la destruction des cellules des tumeurs malignes ou bénignes : c'est la *radiothérapie.* Toutes ces radiations étant nocives pour la substance vivante (l'organisme du malade et celui du médecin qui manipule la source de rayonnements), il faut protéger les manipulateurs et les parties indemnes du malade en utilisant des doses faibles pendant un temps très court et des tabliers de protection en plomb.

4. RADIO [radjo] n. f., abrév. de RADIORÉCEPTEUR (→ RADIO 2) et de RADIOSCOPIE (→ RADIO 3).

RADIO-ACTIVITÉ ou **RADIOACTIVITÉ** [radjoaktivite] n. f. *(radio-,* et *activité).* Propriété de certains éléments chimiques (radium, uranium, etc.) de désintégrer leurs noyaux atomiques en émettant des particules, des électrons et des ondes électromagnétiques : *Le phénomène de la radio-activité a été découvert en 1896 par le Français Henri Becquerel.* ◆ **radio-actif, ive** ou **radioactif, ive** adj. Doué de radio-activité : *Le plutonium est un minerai radio-actif. Des retombées radio-actives* (après l'explosion d'une bombe atomique). → ENCYCL. ◆ **radio-élément** ou **radioélément** n. m. Élément radio-actif, naturel ou artificiel.

— ENCYCL. On distingue les corps *radio-actifs naturels,* c'est-à-dire rencontrés dans la nature (radium, uranium) et les corps *radio-actifs artificiels* obtenus par « bombardement » d'un élément naturel par certaines radiations. Ces radiations peuvent être très dangereuses si toutes les précautions nécessaires ne sont pas prises lors des manipulations. L'on connaît également leur effet destructeur lors d'explosions atomiques. Les applications médicales des corps radio-actifs sont très importantes. Ils permettent le traitement efficace et la guérison d'un certain nombre de cancers, en raison de leur pouvoir destructeur des cellules à prolifération rapide. Le radium, longtemps utilisé à cet effet, est aujourd'hui remplacé par le cobalt 60, moins cher et beaucoup plus actif (bombe au cobalt).

RADIO-ASTRONOMIE ou **RADIOASTRONOMIE** [radjoastronɔmi] n. f. *(radio-,* et *astronomie).* Étude de l'univers au moyen, non pas de la lumière, mais des rayonnements radio-électriques émis par les étoiles, dont les longueurs d'onde vont de quelques millimètres à quelques mètres.

RADIOCOMMUNICATION n. f. → RADIO 2. / **RADIOCOMPAS** n. m. → RADIO 2. / **RADIODIFFUSER** v. t., **RADIODIFFUSION** n. f. → RADIO 2. / **RADIOÉLECTRICITÉ** n. f., **RADIOÉLECTRIQUE** adj. → RADIO 2.

RADIOÉLÉMENT n. m. → RADIO-ACTIVITÉ.

RADIOGONIOMÈTRE n. m., **RADIOGONIOMÉTRIE** n. f. → RADIO 2. / **RADIOGRAPHIE** n. f., **RADIOGRAPHIER** v. t. → RADIO 3. / **RADIOGUIDAGE** n. m., **RADIOGUIDER** v. t. → RADIO 2.

RADIOLAIRES [radjɔlɛr] n. m. pl. (du lat. *radius*, rayon). Classe de protozoaires des mers chaudes, formés d'un squelette siliceux autour duquel rayonnent de fins pseudopodes (d'où leur nom).

RADIOLOGIE n. f., **RADIOLOGUE** n. → RADIO 3. / **RADIONAVIGANT** n. m., **RADIONAVIGATION** n. f. → RADIO 2. / **RADIOPHARE** n. m. → RADIO 2. / **RADIOPHONIE** n. f., **RADIOPHONIQUE** adj. → RADIO 2. / **RADIORÉCEPTEUR** n. m. → RADIO 2. / **RADIOSCOPIE** n. f. → RADIO 3. / **RADIOSONDAGE** n. m., **RADIOSONDE** n. f., **RADIOTAXI** n. m. → RADIO 2. / **RADIOTÉLÉGRAPHIE** n. f. → RADIO 2.

RADIOTÉLESCOPE [radjoteleskɔp] n. m. (de *radio-*, et *télescope*). Récepteur utilisé en radio-astronomie, comportant en général un grand miroir parabolique en treillis métallique au foyer duquel est placée une antenne réceptrice.

RADIOTÉLÉVISÉ, E → RADIO 2. / **RADIOTHÉRAPIE** n. f. → RADIO 3.

RADIS [radi] n. m. (du lat. *radix, -icis*, racine). **1.** Plante potagère, à racine tuberculeuse comestible. (Familles des crucifères.) — **2.** Pop. *N'avoir pas un radis*, ne pas avoir d'argent.

RADIUM [radjɔm] n. m. (de *radio-*, et suff. *-ium* des métaux). *Phys.* Métal (Ra) découvert par Pierre et Marie Curie. (Il est doué d'une intense radio-activité.) ◆ **radiumthérapie** n. f. *Méd.* Traitement médical par le rayonnement du radium ou d'autres éléments radio-actifs.

RADIUS [radjys] n. m. (mot lat. signif. *rayon*). Le plus court des deux os de l'avant-bras : *Le déplacement du radius autour du cubitus permet les mouvements de rotation du poignet.* ◆ **radial, e, aux** adj. Relatif au radius : *Nerf radial.*

RADJAH → RĀJA.

RADJPOUTANA → RĀJPUTĀNA.

RADOM, v. de Pologne, au N. de Kielce; 180 000 hab. Industries métallurgiques et chimiques.

RADON [radɔ̃] n. m. (de *radium*). *Chim.* Élément gazeux radioactif (Rn), dit aussi ÉMANATION DU RADIUM.

RADOTER [radɔte] v. i. (de *re-*, et anc. néerl. *doten*, tomber en enfance). **1.** Tenir des propos décousus, dénués de sens : *Je l'ai trouvé bien vieilli, il se met à radoter* (syn. DÉRAISONNER, DIVAGUER). — **2.** Répéter sans cesse les mêmes choses : *Tu ne fais que radoter.* ◆ **radotage** n. m. : *Il est pénible d'écouter ses radotages* (syn. RABÂCHAGE). ◆ **radoteur, euse** n. et adj. Personne qui radote (syn. RABÂCHEUR).

RADOUB [radu] n. m. (de l'anc. fr. *adouber*, équiper). *Mar.* Réparation d'un vaisseau. ‖ *Bassin de radoub*, bassin aménagé pour exécuter les grosses réparations d'un navire. ◆ **radouber** v. t. *Mar.* Faire des réparations à : *Radouber un vaisseau, un filet.*

RADOUCIR v. t., **RADOUCISSEMENT** n. m. → DOUX.

RADULA [radyla] n. f. (mot lat. signif. *racloir*). Langue râpeuse existant chez les mollusques gastéropodes et céphalopodes (mais pas chez les mollusques lamellibranches).

RADZIWILL, nom d'une anc. famille polonaise, dont l'un des membres, KAROL-STANISŁAW (1734-1790), lutta pour empêcher l'annexion de son pays à la Russie.

R. A. E., sigle de *République arabe d'Égypte.*

RAEBURN (*sir* Henry), peintre anglais (1756-1823). Il exécuta de nombreux portraits des personnalités de son époque.

RAEDER (Erich), amiral allemand (1876-1960). Il commanda la flotte allemande de 1935 à 1943.

R. A. F. (abrév. des mots anglais *Royal Air Force*), nom donné depuis 1918 à l'armée de l'air britannique.

RAFALE [rafal] n. f. (de *affaler*). **1.** Coup de vent violent, mais de courte durée : *Le vent souffle par rafales* (syn. BOURRASQUE). — **2.** Succession rapide de décharges d'armes automatiques ou de pièces d'artillerie : *Des rafales de mitrailleuses.*

RAFFERMIR v. t., **RAFFERMISSEMENT** n. m. → FERME 5.

RAFFET (Denis Auguste Marie), peintre et dessinateur français (1804-1860). Ses lithographies illustrent les soldats de la Révolution et de l'Empire.

1. RAFFINER [rafine] v. t. (de *re-*, et *affiner*). *Raffiner une substance*, la débarrasser de ses impuretés : *Raffiner du sucre, du pétrole.* ◆ **raffinage** n. m. Action de purifier le sucre, le pétrole, les métaux, l'alcool, etc. → ENCYCL. ◆ **raffinerie** n. f. Usine où l'on effectue le raffinage.
— ENCYCL. Devenue l'une des plus importantes industries de transformation, le *raffinage du pétrole* permet d'obtenir une très grande variété de produits gazeux (butane et propane, éthylène, etc.), liquides (essences, gasoil et fuel, lubrifiants, etc.) et solides (goudrons). On peut répartir en trois grandes classes les opérations fondamentales auxquelles il fait appel : les *distillations* fractionnées ou atmosphériques, où les corps sont séparés d'après leur température d'ébullition, le *craquage* ou *cracking* permettant de casser de grosses molécules en molécules plus légères et le *reforming* (ou *reformage*) qui permet d'améliorer les essences en augmentant leur indice d'octane.
→ illustrations en couleurs PÉTROLE pages 1056-1057.

2. RAFFINER [rafine] v. t. (même étym.). *Raffiner qq'un, son comportement*, le rendre plus délicat, plus subtil : *Ce garçon aurait besoin de raffiner ses manières.* ◆ v. t. ind. *Raffiner sur qqch.*, mettre une recherche excessive en quelque chose : *Raffiner sur sa toilette.* ◆ **raffinement** n. m. **1.** Ce qui marque une grande recherche : *Le raffinement dans le langage* (syn. ↑PRÉCIOSITÉ), *dans les manières* (syn. AFFECTATION). — **2.** *Péjor.* Recherche poussée à un degré extrême : *Des raffinements de cruauté.* ◆ **raffiné, e** adj. **1.** Se dit de ce qui est d'une grande finesse, d'une grande délicatesse : *Une nourriture raffinée* (contr. FRUGAL, SIMPLE). *Des manières raffinées* (syn. ÉLÉGANT). ◆ adj. et n. Se dit d'une personne qui a une grande finesse de goût en art, en littérature, qui a un esprit, des sentiments très délicats : *Un homme raffiné* (contr. FRUSTE, GROSSIER, LOURD).

RAFFOLER [rafɔle] v. t. ind. (de *re-*, et *affoler*). **1.** *Raffoler de qq'un*, en être follement épris : *Cet acteur a un grand succès auprès des femmes, elles raffolent de lui* (syn. ADORER). — **2.** *Raffoler d'une chose*, avoir pour elle un goût très vif : *Raffoler de musique* (syn. ÊTRE FOU DE, ÊTRE PASSIONNÉ DE).

RAFFUT [rafy] n. m. (de *raffuter*, au sens dial. de gronder). *Fam.* Grand bruit produit par des personnes qui parlent fort, qui crient, qui se querellent : *Les voisins ont fait un raffut de tous les diables cette nuit* (syn. VACARME; fam. CHAHUT, TAPAGE, TINTAMARRE).

RAFIOT [rafjo] n. m. (orig. inc.). *Fam.* Petit bateau, mauvaise embarcation qui ne tient pas la mer.

RAFISTOLER [rafistɔle] v. t. (de *re-*, et anc. fr. *afistoler*, tromper). *Fam.* Réparer tant bien que mal un objet dont les parties sont disjointes ou usées (syn. RETAPER). ◆ **rafistolage** n. m.

RAFLER [rafle] v. t. (de l'all. *Raffel*). Emporter rapidement tout ce qui tombe sous la main : *Les cambrioleurs ont raflé tout ce qu'ils ont pu* (syn. VOLER). ◆ **rafle** n. f. **1.** *Fam.* Action de rafler : *Des voleurs ont fait une rafle importante dans une bijouterie.* — **2.** Arrestation en masse, faite par la police, d'individus qui se trouvent dans un quartier, dans une rue, dans un établissement.

RAFRAÎCHIR [rafrɛʃir] v. t. (de *re-*, et *fraîchir*). **1.** *Rafraîchir qqch.*, le rendre frais ou plus frais; lui donner de la fraîcheur : *Mettre une boisson dans un réfrigérateur pour la rafraîchir* (contr. CHAUFFER). — **2.** *Rafraîchir qq'un*, lui donner une sensation de fraîcheur : *Donnez-nous à boire quelque chose qui nous rafraîchisse.* — **3.** *Rafraîchir un objet*, le remettre en état : *Rafraîchir un tableau, une peinture* (= les nettoyer et en raviver les couleurs). *Rafraîchir les cheveux* (= les couper légèrement). — **4.** *Rafraîchir la mémoire à qq'un*, lui rappeler le souvenir d'une chose. ◆ v. i. Devenir plus frais : *Mettre du vin à rafraîchir.* ◆ ***se rafraîchir*** v. pr. **1.** Se donner de la fraîcheur : *Pendant l'arrêt du train, nous nous sommes rafraîchis à la fontaine de la gare.* — **2.** Prendre une boisson rafraîchissante. — **3.** Devenir plus frais : *La température s'est rafraîchie.* ◆ **rafraîchissant, e** adj. Qui donne de la fraîcheur : *Une boisson rafraîchissante* (= qui désaltère). ◆ **rafraîchissement** n. m. **1.** Action de rafraîchir : *Le rafraîchissement de la température, d'un tableau, de la mémoire.* — **2.** Boisson fraîche, fruits et autres mets semblables que l'on sert lors d'une réception : *Il y a des rafraîchissements au bar.*

RAGAILLARDIR [ragajardir] v. t. (de *re-*, et anc. fr. *gaillard*, vigoureux). Fam. *Ragaillardir qq'un*, lui redonner des forces, de l'entrain : *Depuis sa cure, il se sent tout ragaillardi.*

1. RAGE [raʒ] n. f. (lat. *rabies*). Maladie due à un virus filtrant, transmissible à l'homme par des animaux contaminés et provoquant des troubles nerveux se terminant par la mort : *Les travaux de Pasteur ont permis de réaliser un vaccin préventif, utilisé en cas de contact avec un animal atteint de rage.* → ENCYCL. ◆ **rabique** adj. : *Virus rabique.* ◆ **antirabique** adj. : *Vaccination antirabique* (= contre la rage). ◆ **enragé, e** adj. **1.** Se dit d'un animal malade de la rage : *Un chien enragé.* — **2.** Fam. *Manger de la vache enragée*, vivre dans les privations, faute de ressources.
— ENCYCL. La *rage* est transmise à l'homme le plus souvent par le chien mais aussi par le chat ou le renard. La contamination se fait

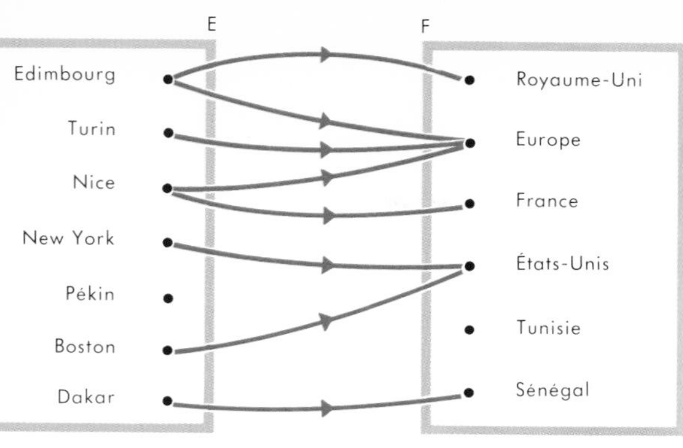

fig. 1
exemple de **relation binaire**

x $\mathcal{R}$ y se note par une flèche, de x vers y

fig. 2
relation réciproque

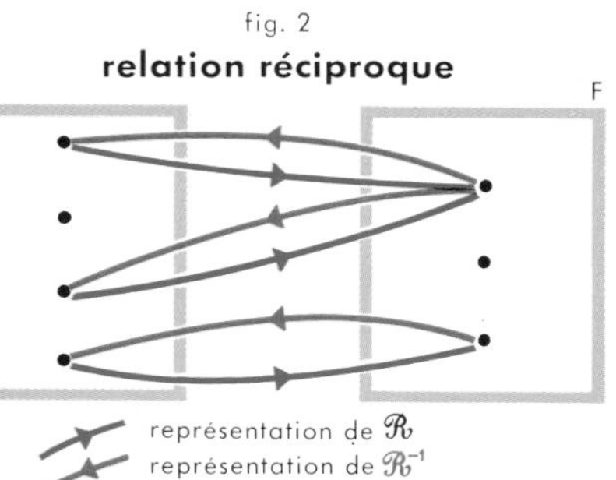

représentation de $\mathcal{R}$
représentation de $\mathcal{R}^{-1}$

fig. 3
exemple de
relation réciproque

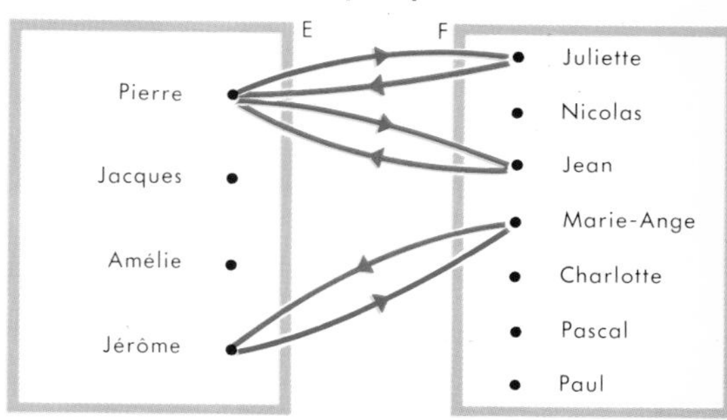

"Pierre est le père de Juliette" est équivalent à "Juliette a pour père Pierre"

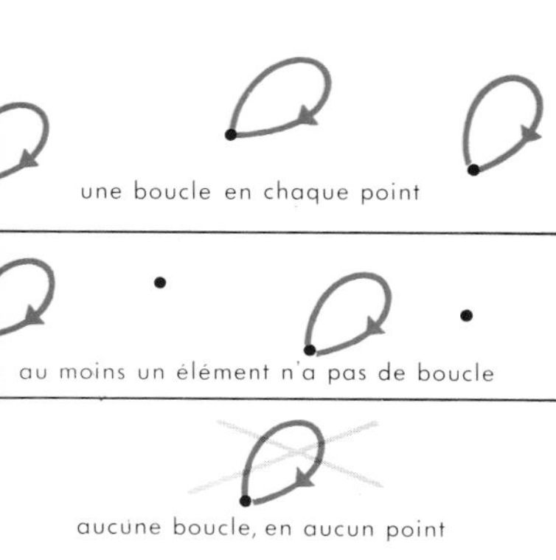

une boucle en chaque point — **relation réflexive**

au moins un élément n'a pas de boucle — **relation non réflexive**

aucune boucle, en aucun point — **relation antiréflexive**

fig. 4

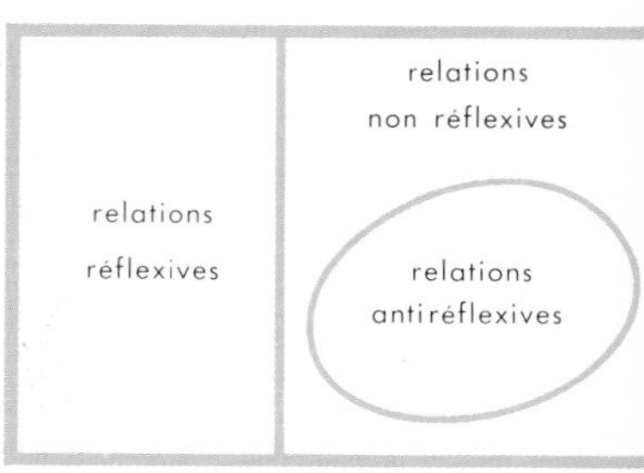

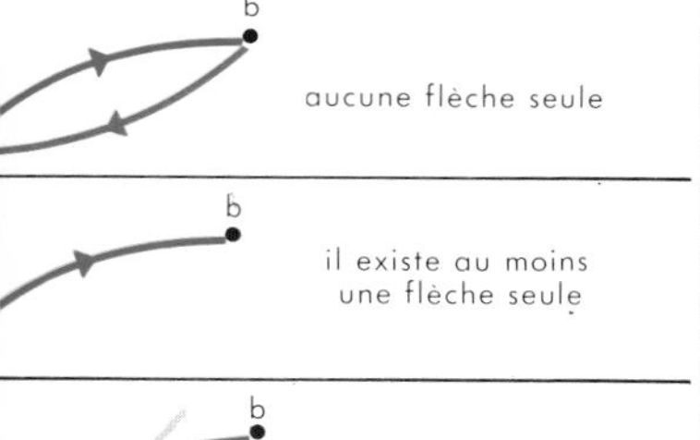

aucune flèche seule — **relation symétrique**

il existe au moins une flèche seule — **relation non symétrique**

relation antisymétrique

fig. 5

relations symétriques
relations non symétriques
relations antisymétriques

relation transitive

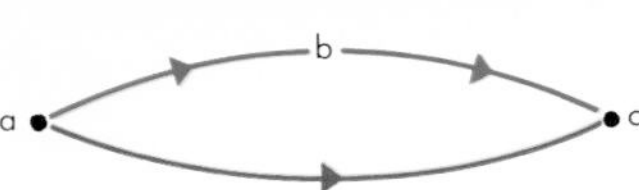

relation non transitive

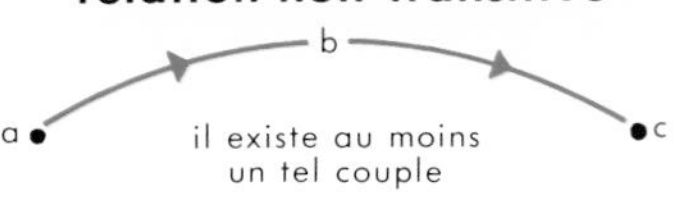

fig. 6

EXEMPLES DE GRAPHES DE RELATION

Jean Racine
Pierre Corneille
Jean de La Fontaine
Pierre Larousse
Pierre Loti
Jean Cocteau
Victor Hugo
Jules Vallès
Jules Ferry
Pierre Curie
Pierre Benoît

soit E cet ensemble d'hommes célèbres; la relation "a le même prénom que" est une relation d'équivalence sur E

relation d'équivalence

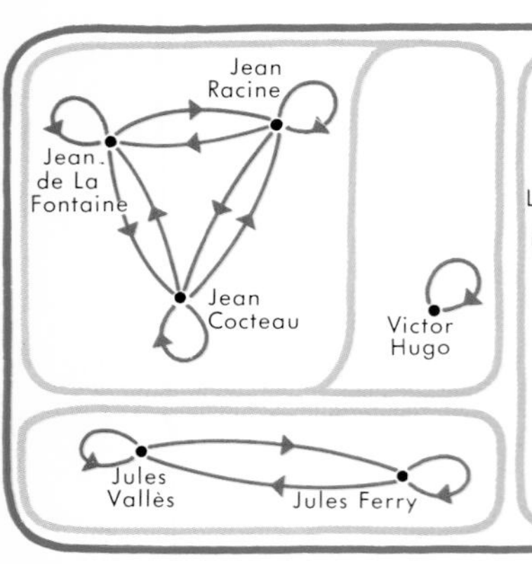

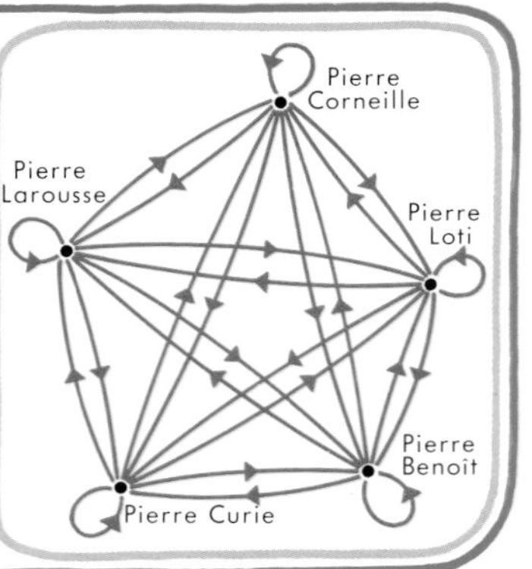

graphe et classes d'équivalence associées à la relation définie sur

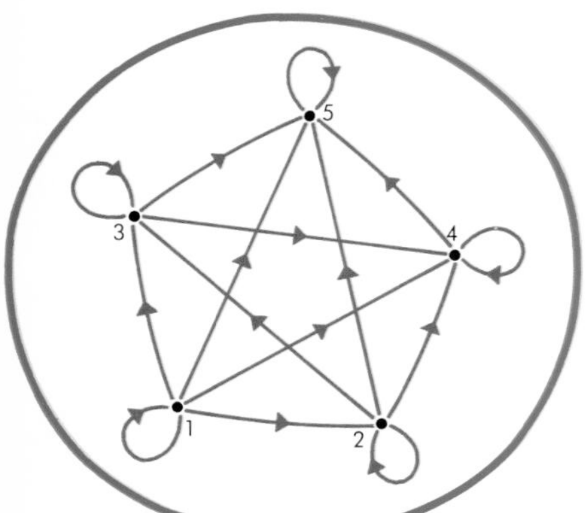

relation d'ordre total
dans l'ensemble des cinq premiers entiers naturels

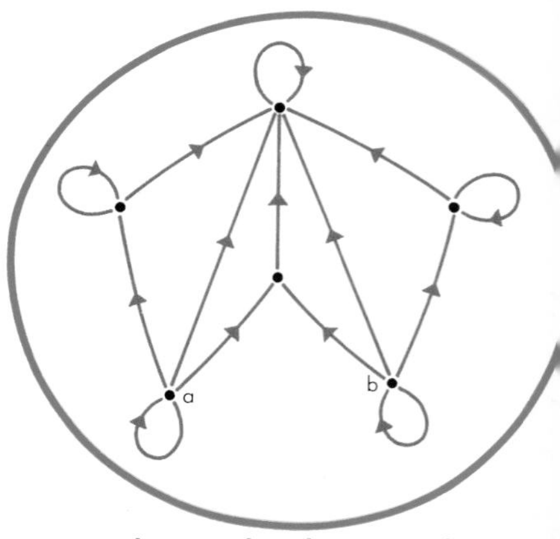

relation d'ordre partiel
dans un ensemble E (les éléments a et b ne sont pas comparables par la relation)

par morsure ou par griffure. L'incubation est généralement assez longue (de un à deux mois). La maladie se manifeste alors par une grande agitation (délire, contractions), par l'horreur de l'eau (hydrophobie) et par des paralysies qui aboutissent à la mort. Tout sujet mordu par un animal enragé ou suspect doit être immédiatement vacciné suivant la méthode de Pasteur.

2. RAGE [raʒ] n. f. (même étym.). **1.** Mouvement violent de dépit, d'irritation, de colère, de haine : *Entrer dans une rage folle.* — **2.** *Rage de dents,* mal de dents qui provoque de violentes douleurs. — **3.** (sujet nom de chose) *Faire rage,* atteindre une très grande violence : *La tempête a fait rage toute la nuit* (syn. SE DÉCHAÎNER). ◆ **rager** v. i. (sujet nom de personne). Être en proie à une violente irritation, à un vif sentiment de dépit, de mécontentement (syn. ÊTRE FURIEUX). ◆ **rageant, e** adj. Se dit de ce qui fait rager : *Échouer à un examen quand on l'a bien préparé, c'est rageant.* ◆ **rageur, euse** adj. **1.** Sujet à des accès de colère : *Un enfant rageur* (syn. COLÉREUX). — **2.** Qui dénote de la mauvaise humeur : *Répondre sur un ton rageur* (contr. CALME). ◆ **rageusement** adv. : *Il s'est précipité rageusement sur son camarade et a voulu le frapper.* ◆ **enrager** [ɑ̃raʒe] v. i. **1.** (sujet nom de personne) Éprouver un violent dépit : *J'enrageais de ne pas pouvoir fournir la preuve de mon innocence.* — **2.** (sujet de chose ou de personne) *Faire enrager qq'un,* le pousser à l'irritation; le taquiner. ◆ **enragé, e** adj. et n. Se dit d'une personne qui montre un grand acharnement, une grande ardeur : *C'est un chasseur enragé* (syn. ACHARNÉ). *Un enragé des courses automobiles* (syn. PASSIONNÉ; fam. MORDU). ◆ **enrageant, e** adj. *Fam.* Se dit de ce qui provoque la colère; qui cause un vif dépit.

RAGLAN [raglɑ̃] adj. inv. (du n. de lord *Raglan*). Se dit des manches d'un vêtement qui partent du col par des coutures en biais.

RAGONDIN [ragɔ̃dɛ̃] n. m. (orig. obscure). Mammifère rongeur, de mœurs aquatiques, originaire de l'Amérique du Sud.

RAGOT [rago] n. m. (de *ragoter,* grogner comme un sanglier). *Fam.* Bavardage généralement malveillant (souvent au plur.) [syn. CANCAN, COMMÉRAGE, RACONTAR].

RAGOÛT [ragu] n. m. (de l'anc. fr. *ragouter,* réveiller le goût). Plat de viande, de légumes ou de poisson, coupés en morceaux et cuits dans une sauce : *Un ragoût de veau, de mouton.*

RAGOÛTANT, E [ragutɑ̃, -ɑ̃t] (de l'anc. fr. *ragouter,* réveiller le goût). **1.** Qui excite l'appétit : *Ce plat est peu ragoûtant* (syn. APPÉTISSANT). — **2.** Qui est agréable, qui plaît (uniquement avec *pas, guère, peu*) : *Il m'a chargé d'un travail qui n'est guère* (ou *pas*) *ragoûtant* (syn. ATTRAYANT, PLAISANT).

RAGUSE, v. de la Sicile méridionale; 65000 hab. Extraction et raffinage du pétrole.

RAGUSE → DUBROVNIK.

RAGUSE (*duc* DE) → MARMONT.

RAHAT-LOUKOUM [raatlukum] n. m. (mot ar.). Confiserie orientale, faite d'une pâte de fécule sucrée et parfumée.

RAI [rɛ] n. m. (lat. *radius*). Rayon : *Un rai de lumière.*

RAID [rɛd] n. m. (mot angl.). **1.** Incursion rapide en territoire ennemi, exécutée par une troupe, des blindés, des avions, des navires, etc. pour recueillir des renseignements, capturer des prisonniers ou du matériel, etc. — **2.** *Raid aérien, automobile,* parcours de longue distance destiné à mettre en valeur la résistance du matériel et l'endurance des hommes.

RAIDE [rɛd] adj. (du lat. *rigidus*). **1.** Se dit d'une chose, et spécialement d'un membre, qui ne plie pas ou qui est difficile à plier : *Il a un bras tout-raide* (syn. ANKYLOSÉ). ‖ *Des cheveux raides* (= qui ne frisent pas). — **2.** Fortement tendu : *Une corde raide* (syn. RIGIDE; contr. ÉLASTIQUE, FLEXIBLE). ‖ *Être, danser sur la corde raide,* être dans une situation difficile, dangereuse. — **3.** Difficile à monter ou à descendre : *Une pente raide* (syn. ABRUPT). — **4.** Se dit de quelqu'un qui manque de souplesse, de grâce; qui a une gravité affectée : *Cet homme se tient raide comme un échalas* (syn. GUINDÉ). — **5.** *Fam.* Se dit d'une chose qui est difficile à croire, à accepter : *Cette histoire est un peu raide* (syn. ÉTONNANT, SURPRENANT). — **6.** Se dit d'un liquide alcoolique, qui est âpre au goût et fort : *Une eau-de-vie raide.* — **7.** Se dit d'un écrit, d'un spectacle, d'une parole qui choque la bienséance : *Il y a dans ce roman des passages un peu raides* (syn. HARDI, OSÉ). ◆ adv. **1.** D'une manière abrupte : *Un escalier qui grimpe raide.* — **2.** Tout d'un coup, brutalement : *Les soldats tombaient raides morts.* (L'adj. employé adverbialement s'accorde.) ◆ **raideur** n. f. **1.** État d'une chose raide : *La raideur d'un bras* (syn. ANKYLOSE, ENGOURDISSEMENT). *La raideur des membres après la mort* (syn. RIGIDITÉ). *La raideur d'une pente.* — **2.** Manque de souplesse, de grâce, de familiarité, en parlant de quelqu'un. ◆ **raidir** v. t. **1.** *Raidir qqch.,* le rendre raide, le tendre avec force, énergiquement : *Raidir ses muscles* (syn. BANDER, CONTRACTER). *Raidir un câble* (syn. ↓TIRER). — **2.** *Raidir qq'un,* le rendre obstiné, intransigeant : *Ces objections n'ont fait que le raidir dans une attitude purement négative.* ◆ ***se raidir*** v. pr. **1.** (sujet nom de chose) Devenir raide. — **2.** (sujet nom de personne) Montrer de la fermeté, du courage ou de l'intransigeance. ◆ **déraidir** v. t. Rendre moins raide : *Déraidir un câble. Déraidir ses membres engourdis.* ◆ **raidillon** n. m. Partie d'un chemin qui est en pente raide. ◆ **raidissement** n. m. **1.** Action de raidir : *Le raidissement des membres.* — **2.** Tension entre deux pays, entre deux groupes opposés; attitude d'intransigeance, de refus : *À la suite des propositions gouvernementales, il y a eu un raidissement très net des syndicats.*

1. RAIE [rɛ] n. f. (bas lat. *riga*). **1.** Ligne ou bande tracée sur quelque chose et d'une couleur différente du fond sur laquelle elle se trouve : *Un pantalon noir avec des raies blanches* (syn. RAYURE). *Un tissu à raies* (= rayé). — **2.** Ligne tracée sur une surface avec une substance colorante ou avec un instrument : *Faire une raie sur un mur avec de la craie* (syn. plus usuel TRAIT). — **3.** Phys. *Raies du spectre,* lignes obscures divisant transversalement le spectre de la lumière solaire, ou lignes brillantes composant le spectre lumineux d'un gaz incandescent. ◆ **rayé, e** adj. **1.** Qui porte des raies (sens 1) ou des rayures (sens 1) : *Un tissu rayé* (contr. UNI). — **2.** Qui porte des rayures (sens 3) : *Le canon rayé d'un fusil.* ◆ **rayer** v. t. **1.** *Rayer une chose,* en détériorer la surface polie par des rayures (sens 2) : *Rayer la carrosserie d'une voiture* (syn. ÉRAFLER). — **2.** *Rayer ce qui est écrit,* passer un trait dessus pour l'annuler : *Rayer un mot dans une phrase* (syn. BARRER, BIFFER). — **3.** *Rayer qq'un,* supprimer son nom d'un registre : *Rayer un officier des cadres de l'armée* (syn. ÉLIMINER, EXCLURE, RADIER). ◆ **rayure** [rejyr] n. f. **1.** Syn. de RAIE au sens 1 : *Certains animaux, tels que le tigre, le zèbre, ont des rayures sur leur pelage* (syn. ZÉBRURE). *Une étoffe à rayures.* — **2.** Trace laissée sur un objet par un corps rugueux, pointu ou coupant : *Faire des rayures sur un meuble.* — **3.** Rainure pratiquée à l'intérieur du canon d'une arme à feu, pour imprimer au projectile un mouvement de rotation qui en assure la précision : *Les rayures d'un fusil.*

2. RAIE [rɛ] n. f. (même étym.). Séparation des cheveux : *Porter la raie au milieu ou sur le côté.*

3. RAIE [rɛ] n. f. (lat. *raia*). Poisson cartilagineux marin à corps aplati, à nageoires pectorales très développées, se nourrissant de poissons, de crustacés, de mollusques, et dont la chair est estimée : *Manger de la raie au beurre noir.*

RAIFORT [rɛfɔr] n. m. (de l'anc. fr. *raiz fort,* racine forte). Plante dont on consomme, dans certains pays, la racine charnue, à odeur forte. (Famille des crucifères.)

RAIL [rɑj] n. m. (mot angl. signif. *barre*). **1.** Barre d'acier servant à supporter et à guider les roues d'un train : *Les rails sont posés et fixés sur des traverses.* — **2.** Transport par voie ferrée : *Le rail et la route.* (→ FERROVIAIRE.)

RAILLER [rɑje] v. t. (anc. prov. *ralhar,* plaisanter). *Railler qq'un, qqch.,* les tourner en ridicule d'une manière plus ou moins satirique : *Il ne peut supporter qu'on le raille* (syn. ↓SE MOQUER, RIDICULISER). ◆ **raillerie** n. f. : *Peu de gens supportent sans s'offenser les railleries dont ils sont l'objet* (syn. ↓MOQUERIE, PERSIFLAGE). ◆ **railleur, euse** adj. et n. **1.** Qui raille, qui aime à railler : *Un esprit railleur.* — **2.** Empreint de raillerie : *Parler sur un ton railleur.* ◆ **railleusement** adv.

RAIMOND, nom de sept comtes de Toulouse, parmi lesquels : RAIMOND IV (1042-1105), dit *Raimond de Saint-Gilles,* comte de Toulouse (1093-1105) et de Tripoli (1102-1105), l'un des chefs de la 1re croisade; RAIMOND VI (1156-1222), comte de Toulouse (1194-1222), protecteur des albigeois et adversaire de Simon de Montfort; RAIMOND VII (1197-1249), comte de Toulouse (1222-1249), qui arrêta les persécutions contre les cathares, mais fut battu par Louis VIII.

RAIMU (Jules MURAIRE, dit), acteur français (1883-1946). Rendu célèbre au théâtre par la création de *Marius* de Marcel Pagnol et du *Bourgeois gentilhomme* de Molière, il interpréta également avec succès de nombreux films.

RAINCY (Le), ch.-l. d'arrond. de la Seine-Saint-Denis, à 8 km à l'E. de Paris; 13400 hab.

RAINER v. t. → RAINURE.

RAINETTE [rɛnɛt] n. f. (du lat. *rana*). Batracien sans queue qui, à la différence des grenouilles, porte aux doigts et aux orteils des disques adhésifs lui permettant de grimper aux arbres : *La rainette se nourrit d'insectes.*

RAINIER *(mont),* un des sommets de la chaîne côtière du Pacifique, aux États-Unis; 4392 m.

RAINIER III, né en 1923, prince de Monaco depuis 1949.

RAINURE [rɛnyr] n. f. (de l'anc. fr. *roisne*). Entaille longue et étroite dans une pièce de bois, de métal ou à la surface d'un objet. ◆ **rainer** v. t. Pratiquer une rainure avec un bouvet.

RAIS, RAYS ou **RETZ** (Gilles DE), maréchal de France (v. 1400-1440). Il se livra sur des enfants à des expériences de sciences occultes et de magie noire et fut exécuté à la suite de ses nombreux crimes, qui inspirèrent en particulier un conte de Perrault où apparaît le personnage terrifiant de Barbe-Bleue.

RAISIN [rɛzɛ̃] n. m. (bas lat. *racemus*). **1.** Fruit charnu (baie) de la vigne. ‖ *Raisins de Corinthe*, raisins secs à petits grains qui viennent des îles Ioniennes. — **2.** *Raisin de mer*, nom usuel des œufs de seiche, fixés en grappes aux plantes marines.

RAISMES, comm. du Nord, à 5 km au N.-O. de Valenciennes; 15600 hab. Métallurgie.

1. RAISON [rɛzɔ̃] n. f. (lat. *ratio, -onis*). **1.** Faculté qui permet à l'homme de distinguer le vrai du faux, le bien du mal, et de déterminer sa conduite d'après cette connaissance : *Suivre la voix de la raison* (syn. BON SENS). *Ramener qq'un à la raison* (syn. SAGESSE). — **2.** *Âge de raison* → ÂGE. ‖ *Entendre raison, se rendre à la raison*, acquiescer à ce qui est raisonnable, juste. ‖ *Mariage de raison*, mariage dans lequel les considérations de situation sociale, de fortune l'emportent sur les sentiments. ‖ *Plus que de raison*, plus qu'il n'est convenable, d'une manière excessive : *Boire plus que de raison.* ‖ *Perdre la raison*, perdre la tête; devenir fou. ‖ *Recouvrer la raison*, retrouver sa lucidité. ◆ **raisonnable** adj. **1.** Se dit d'une personne qui est douée de raison, qui a la faculté de raisonner : *L'homme est un animal raisonnable.* — **2.** Qui pense, agit conformément au bon sens, à la sagesse; d'une manière réfléchie : *Ce jeune homme est enfin devenu raisonnable.* — **3.** Se dit de ce qui est conforme à la raison, à la sagesse, au devoir : *Il m'a tenu des propos très raisonnables* (syn. SENSÉ; contr. ABERRANT, ABSURDE). *Il n'est pas raisonnable de se conduire comme vous le faites* (syn. CONVENABLE, NORMAL). — **4.** Qui n'est pas exagéré; conforme à la moyenne : *Prêter de l'argent à un taux raisonnable* (syn. ACCEPTABLE, MODÉRÉ; contr. EXCESSIF, EXORBITANT). ◆ **raisonnablement** adv. : *Agir raisonnablement* (syn. BIEN, CONVENABLEMENT). *Manger, boire raisonnablement* (syn. MODÉRÉMENT; contr. EXAGÉRÉMENT). ◆ **raisonner** v. i. Passer d'un jugement à un autre pour aboutir à une conclusion : *Raisonner selon les règles de la logique* (syn. ARGUMENTER). ◆ **raisonné, e** adj. À quoi l'on applique les règles du raisonnement : *Un problème bien raisonné.* ◆ **raisonnement** n. m. : *Essayer de persuader qq'un par le raisonnement.* ◆ **déraison** n. f. État d'esprit contraire à la raison, au bon sens : *C'est le comble de la déraison.* ◆ **déraisonnable** adj. Contr. de RAISONNABLE : *Une conduite déraisonnable* (syn. ABSURDE, EXTRAVAGANT, INSENSÉ). ◆ **déraisonner** v. i. Tenir des propos dénués de bon sens : *Cet homme ne fait que déraisonner* (syn. DIVAGUER, RADOTER). ◆ **irraisonné, e** adj. : *Un geste, une crainte irraisonnés.*

2. RAISON [rɛzɔ̃] n. f. (même étym.). **1.** Explication d'un fait, d'un acte : *Faire connaître les raisons de sa conduite* (syn. MOBILE, MOTIF). *Une tristesse sans raison apparente* (syn. CAUSE, SUJET). *Pour quelle raison vous êtes-vous engagé dans cette affaire?* (syn. POURQUOI). — **2.** Argument destiné à prouver ou à justifier une chose : *Cet élève a toujours de bonnes raisons pour ne pas avoir appris ses leçons* (syn. EXCUSE, PRÉTEXTE). *Les raisons que vous me donnez ne sont pas valables* (syn. ALLÉGATION). — **3.** *À plus forte raison*, pour un motif d'autant plus fort. ‖ *Avec raison, avec juste raison*, en ayant un motif légitime, une raison valable (syn. À JUSTE TITRE). ‖ *Avoir raison*, être dans le vrai (contr. SE TROMPER). ‖ *Avoir raison de* (et l'infin.), agir ou parler de manière conforme à la vérité, à la justice, au bon sens : *Vous avez eu raison de prendre des vêtements chauds, car il fait froid* (contr. AVOIR TORT). ‖ *Avoir raison de qq'un* ou *de qqch.*, vaincre sa résistance, en venir à bout : *Avoir raison d'une difficulté.* ‖ *Cela n'a ni rime ni raison*, cela est dénué de tout bon sens. ‖ *Donner raison à qq'un*, décider qu'il est dans le vrai. ‖ *Se faire une raison*, se résigner à admettre ce qu'on ne peut changer (syn. PRENDRE SON PARTI). ‖ *Raison d'État*, motif, prétexte allégué pour justifier une action souvent illégale. ‖ *Raison d'être*, ce qui justifie l'existence d'une personne ou d'une chose : *Son fils est la seule raison d'être de cette veuve.* — LOC. PRÉP. *En raison de*, à cause de : *En raison des circonstances* (syn. ÉTANT DONNÉ, VU); en proportion de : *On ne reçoit qu'en raison de ce qu'on donne.* ◆ **raisonner** v. i. Chercher et employer des arguments pour démontrer, prouver une chose, pour convaincre quelqu'un : *Avoir la manie de raisonner* (syn. ↓DISCUTER). ◆ v. t. *Raisonner qq'un*, chercher à l'amener à reconnaître ce qui est raisonnable, juste : *J'ai eu beau le raisonner, il n'a rien voulu entendre.* ◆ **raisonnement** n. m. Suite d'arguments, de propositions qui s'enchaînent en vue d'une conclusion : *Je ne comprends pas votre raisonnement* (syn. ARGUMENTATION, DÉMONSTRATION). ◆ **raisonneur, euse** n. et adj. Personne qui veut raisonner sur tout, qui fatigue par ses longs raisonnements.

3. RAISON [rɛzɔ̃] loc. prép. (même étym.). *À raison de* (et un numéral), au prix de, à proportion de : *Acheter une étoffe à raison de vingt francs le mètre.*

RĀJA ou **RAJAH** [radʒa] n. m. (empr. à une langue de l'Inde). Prince indien. (On écrit aussi RADJAH.)

RĀJASTHĀN, État du nord-ouest de l'Inde; 342142 km²; 34102000 hab. Capit. *Jaipur.*

RAJEUNIR v. t. et i., **RAJEUNISSANT, E** adj., **RAJEUNISSEMENT** n. m. → JEUNE. / **RAJOUTER** v. t. → AJOUTER.

RĀJPUTĀNA ou **RADJPOUTANA,** région du nord-est de l'Inde, s'étendant sur l'État de Rājasthān.

RAJUSTEMENT n. m., **RAJUSTER** v. t. → AJUSTER 1.

RÁKÓCZI ou **RÁKÓCZY,** famille princière de Hongrie; l'un de ses membres, FRANÇOIS II (1676-1735), s'illustra par sa lutte contre l'Autriche.

1. RÂLE [rɑl] n. m. (de *râler*). Genre d'oiseaux échassiers vivant à proximité de l'eau ou dans la végétation aquatique, et qui constituent un gibier estimé.

2. RÂLE n. m. → RÂLER 1.

RALENTI n. m., **RALENTIR** v. t. et i., **RALENTISSEMENT** n. m. → LENT.

1. RÂLER [rɑle] v. i. (doublet de *racler*). Faire entendre un bruit rauque en respirant, en partic. au moment de l'agonie : *Le blessé est au plus mal, il commence à râler.* ◆ **râle** n. m. : *Avoir le souffle entrecoupé de râles.*

2. RÂLER [rɑle] v. i. (même étym.). *Fam.* Être de mauvaise humeur, en colère : *Pour le moindre ennui il se met à râler* (syn. GROGNER, PROTESTER). ◆ **râleur, euse** n. et adj. *Fam.* Personne qui proteste à propos de tout.

RALLIER [ralje] v. t. (de *re-*, et *allier*). **1.** Rassembler des personnes dispersées (langue mil.) : *Le général rallia ses soldats* (syn. REGROUPER, RÉUNIR). — **2.** Rejoindre l'unité militaire dont on a été séparé : *La patrouille rallia le gros de la troupe* (syn. REGAGNER). — **3.** (sujet nom de personne) *Rallier qq'un*, l'amener, le faire adhérer à une cause, à une opinion, à un parti : *L'orateur a rallié une partie de l'auditoire à sa proposition* (syn. GAGNER); [sujet nom de chose] Mettre d'accord : *Une proposition qui rallie tous les suffrages.* ◆ **se rallier** v. pr. *Se rallier à un avis, à un point de vue*, approuver, y croire. ◆ **ralliement** n. m. **1.** *Le ralliement des troupes* (syn. RASSEMBLEMENT). *Le ralliement à une cause, à une opinion* (syn. ADHÉSION). — **2.** *Point de ralliement*, endroit où des troupes, des groupes de personnes doivent se réunir; opinion sur laquelle s'accordent des personnes divisées sur d'autres points. ‖ *Mot, signe de ralliement*, mot, signe caractéristique qui sert aux membres d'une association à se reconnaître.

RALLONGE n. f., **RALLONGEMENT** n. m., **RALLONGER** v. t. et i. → LONG. / **RALLUMER** v. t. → ALLUMER 1 et 2.

RALLYE [rali] n. m. (mot angl.). Épreuve sportive dans laquelle les concurrents doivent rejoindre un endroit déterminé, souvent par des itinéraires différents : *Un rallye automobile.*

RĀMA. *Myth. hindoue.* Une des incarnations de Vishnu.

RAMADĀN [ramadɑ̃] n. m. (mot ar.). Neuvième mois de l'année lunaire musulmane, consacré au jeûne. (Pendant toute sa durée, les musulmans observent le jeûne le plus complet depuis le lever jusqu'au coucher du soleil.)

1. RAMAGE [ramaʒ] n. m. (de l'anc. fr. *raim*, rameau). Dessin représentant des rameaux, des fleurs sur une étoffe, un papier peint (surtout au plur.).

2. RAMAGE [ramaʒ] n. m. (même étym.). Chant des oiseaux dans les arbres : *Le ramage des pinsons, des rossignols.*

1. RAMASSER [ramase] v. t. (de *re-*, et *amasser*). **1.** *Ramasser des choses*, réunir des choses éparses en différents endroits : *Le professeur ramasse les copies des élèves* (contr. RENDRE). — **2.** Prendre des choses répandues par terre pour les réunir : *Ramasser du bois mort et en faire des fagots. Ramasser des champignons* (syn. CUEILLIR). — **3.** *Ramasser qq'un, qqch.*, les relever quand ils sont à terre : *Ramasser un gant.* — **4.** *Ramasser un être vivant*, l'emmener avec soi : *Une vieille dame qui ramasse tous les chats des alentours* (syn. RECUEILLIR). ◆ **ramasse-miettes** n. m. inv. Plateau ou appareil qui sert à ramasser les miettes sur la table. ◆ **ramassage** n. m. **1.** *Le ramassage des foins.* — **2.** *Ramassage scolaire*, transport des enfants de leur maison à l'école, effectué par un service municipal. ◆ **ramasseur, euse** n. : *Un ramasseur de balles de tennis.* ◆ **ramassis** n. m. Ensemble confus de choses de peu de valeur; réunion de personnes peu estimables : *Un ramassis de vieux livres dans un grenier. Ce bar est fréquenté par un ramassis de voyous.*

2. RAMASSER (SE) [səramase] v. pr. (même étym.). *Se replier sur soi pour se défendre ou attaquer* : *Le hérisson se ramasse dès qu'on le touche* (syn. SE PELOTONNER). ◆ **ramassé, e** adj. **1.** Court et gros (en parlant du corps de l'homme et des animaux) : *Un homme ramassé* (syn. TRAPU; contr. ÉLANCÉ, SVELTE). — **2.** Exprimé en peu de mots : *Un style ramassé* (syn. CONCIS; contr. DIFFUS, PROLIXE).

Rāmāyana, ensemble d'épopées sacrées hindoues, composées du Vᵉ s. av. J.-C. au XVᵉ s. apr. J.-C., et ayant pour sujet la vie de Rāma*.

RAMBARDE [rɑ̃bard] n. f. (de l'anc. it. *arrembar*, aborder un bateau). Rampe légère formant un garde-fou, autour des ponts supérieurs et des passerelles sur un navire.

RAMBERVILLERS, ch.-l. de cant. des Vosges, à 15 km au S.-O. de Baccarat, au N.-O. de la *forêt de Rambervillers;* 5800 hab. *(Rambuvetais)*. Industries textiles. Papeterie.

RAMBOUILLET, ch.-l. d'arrond. des Yvelines, à 28,5 km au S.-O. de Versailles, à la lisière sud de la *forêt de Rambouillet;* 22500 hab. *(Rambolitains)*. Anc. château royal (XIVe-XVIIIe s.).

Rambouillet *(hôtel de)*, hôtel construit à Paris, rue Saint-Thomas-du-Louvre, sur les plans de la marquise de Rambouillet (1588-1665) qui y reçut une société choisie, cherchant à généraliser l'élégance des manières et du langage. (→ PRÉCIOSITÉ.)

1. RAME [ram] n. f. (du lat. *remus*). Longue barre de bois aplatie à une extrémité, dont on se sert pour faire avancer et diriger une embarcation (syn. AVIRON). ◆ **ramer** v. i. Manœuvrer les rames pour faire avancer et diriger une embarcation. ◆ **rameur, euse** n. : *Un bateau à deux ou à quatre rameurs.*

2. RAME [ram] n. f. (du lat. *ramus*, branche). Petite branche que l'on plante en terre pour soutenir des plantes grimpantes. ◆ **ramer** v. t. Munir de rames : *Ramer des haricots.*

3. RAME [ram] n. f. (de l'ar. *rizma*, ballot). Réunion de 20 mains de 25 feuilles de papier : *La rame est l'unité adoptée pour la vente en gros du papier.*

4. RAME [ram] n. f. (même étym.). Ensemble de voitures ou de wagons attelés ensemble : *Une rame de métro.*

RAMEAU [ramo] n. m. (du lat. *ramus*, branche). **1.** Ramification des branches d'un arbre. — **2.** *Anat.* Ramification d'une artère, d'une veine, d'un nerf. — **3.** *Le dimanche des Rameaux*, le dimanche avant Pâques, qui commémore l'entrée triomphale de Jésus à Jérusalem avant sa Passion et où la foule jeta des rameaux d'olivier, de palmier sur son passage pour l'acclamer. ◆ **ramée** n. f. Branches coupées avec leurs feuilles vertes : *Un fagot de ramée.* ◆ **ramilles** n. f. pl. Petits rameaux. ◆ **ramure** n. f. **1.** Ensemble des branches d'un arbre : *Un chêne dont la ramure est épaisse.* — **2.** Ensemble des bois d'un cerf, d'un daim.

RAMEAU (Jean-Philippe), compositeur français (1683-1764). Claveciniste et organiste, grand théoricien de la musique, il est considéré comme un des créateurs de la théorie de l'harmonie *(Traité de l'harmonie)* et comme le plus grand musicien classique français avec Couperin. Il est l'auteur de nombreux opéras *(Hippolyte et Aricie, Castor et Pollux, les Indes galantes)*, et de pièces de clavecin.

RAMÉE n. f. → RAMEAU.

RAMENER [ramne] v. t. (de *re-*, et *amener*). **1.** *Ramener qq'un*, l'amener de nouveau dans un endroit : *Ramener un enfant chez le médecin.* — **2.** *Ramener un être animé*, le faire revenir avec soi à l'endroit qu'il avait quitté : *On m'a ramené chez moi en voiture* (syn. RACCOMPAGNER, RECONDUIRE). [Pour les choses, on emploie RAPPORTER : *Rapporter ses meubles à Paris.*] — **3.** (sujet nom de chose) Être cause du retour : *C'est la faim qui ramène le chien au logis* (syn. FAIRE REVENIR). — **4.** *Ramener une chose sur, dans, en, vers*, etc., *un lieu*, la mettre dans une certaine position : *Ramener ses cheveux sur le front* (syn. RABATTRE). *Ramener les bras en arrière* (syn. TIRER). — **5.** *Ramener qq'un à*, le faire revenir à un certain état, à certaines dispositions : *Ramener un noyé à la vie* (syn. RANIMER). *Votre exemple le ramènera à la raison* (syn. RAPPELER). — **6.** *Ramener qqch. à*, le porter à un point de simplification, d'unification, de diminution : *L'égoïste ramène tout à lui* (syn. CONCENTRER). *Ramener les prix à un niveau plus bas* (syn. DIMINUER). *Ramener un incident à ses justes proportions.* — **7.** *Ramener une chose*, la faire renaître : *Ramener l'ordre* (syn. RESTAURER, RÉTABLIR). ◆ ***se ramener*** v. pr. Être réduit à : *Ces deux questions se ramènent à une seule* (syn. SE RÉDUIRE).

RAMEQUIN [ramkɛ̃] n. m. (anc. all. *ramken*). Récipient en porcelaine ou en verre, utilisé pour des préparations nécessitant une cuisson au four.

RAMER v. t. et i. → RAME 1 et 2.

RAMEUR, EUSE n. → RAME 1.

RAMEUTER v. t. → AMEUTER.

RAMI [rami] n. m. (orig. obscure). Jeu de cartes qui se joue généralement à quatre avec un jeu de 52 cartes plus un joker.

RAMIE [rami] n. f. (du malais *rami*). Plante originaire d'Extrême-Orient, dont on tire une fibre textile. (Appelée aussi ORTIE DE CHINE.) [Famille des urticacées.]

RAMIER [ramje] n. m. et adj. (de l'anc. fr. *raim*, branche). Le plus grand des pigeons de l'Europe occidentale, long de 40 cm (syn. PALOMBE).

RAMIFIER (SE) [səramifje] v. pr. (bas lat. *ramificare*). Se diviser en plusieurs branches : *Les veines, les nerfs se ramifient.* ◆ **ramification** n. f. **1.** Division d'une branche de végétal, d'un organe, en parties plus petites : *Les ramifications d'une tige, d'une veine, d'un nerf.* — **2.** Subdivision d'une chose qui se partage dans des directions différentes : *Les ramifications d'une voie ferrée.* — **3.** Groupement secondaire relié à une organisation centrale : *Cette société a des ramifications dans les principales villes de province* (syn. SUCCURSALE).

RAMILLES n. f. pl. → RAMEAU.

Raminagrobis, personnage du *Pantagruel*, de Rabelais *(Tiers Livre)*, vieux poète dont Panurge prend conseil. Plus tard, nom donné à un vieux chat par Voiture, puis par La Fontaine (livre VII, fable XVI; livre XII, fable V).

RAMOLINO (Maria Letizia) → BONAPARTE.

RAMOLLIR v. t., **RAMOLLISSEMENT** n. m. → MOU 1.

RAMON (Gaston), biologiste et vétérinaire français (1886-1963). Il a continué l'œuvre de Pasteur et Roux, par sa découverte des anatoxines diphtérique et tétanique (vaccins contre la diphtérie et le tétanos).

RAMONER [ramɔne] v. t. (de l'anc. fr. *ramon*, balai). *Ramoner un conduit, un appareil*, le nettoyer de la suie qui s'y est déposée : *Ramoner une cheminée.* ◆ **ramonage** n. m. ◆ **ramoneur** n. m. Celui qui ramone les cheminées.

RAMPANT, E adj. et n. m. → RAMPER.

1. RAMPE [rɑ̃p] n. f. (de *ramper*, grimper). Plan incliné par lequel on monte et on descend : *Gravir la rampe d'un garage.* ‖ *Rampe de lancement*, dispositif fixe ou mobile, formé d'un bâti en plan incliné, destiné au lancement des avions catapultés, des roquettes et missiles, d'un engin spatial.

2. RAMPE [rɑ̃p] n. f. (même étym.). Balustrade de fer, de pierre, de bois, placée le long d'un escalier pour empêcher de tomber, pour servir d'appui à ceux qui montent ou qui descendent.

3. RAMPE [rɑ̃p] n. f. (même étym.). **1.** Rebord qui limite le devant de la scène d'un théâtre et où se trouve placée une rangée de lampes, de projecteurs : *Cet acteur joue trop près de la rampe.* ‖ (sujet nom de personne ou de chose) *Ne pas passer la rampe*, ne pas produire son effet, ne pas toucher le public. — **2.** Dispositif lumineux qui éclaire une façade, la devanture d'un magasin, etc.

RAMPER [rɑ̃pe] v. i. (du frq. *hrampon*, grimper avec ses griffes). **1.** (sujet nom désignant des reptiles et d'autres animaux) Avancer en se traînant sur le ventre : *Un fauve qui rampe vers sa proie.* — **2.** (sujet nom de personne) Avancer lentement, couché sur le sol, en s'aidant des mains et des pieds. — **3.** (sujet nom de chose) Se développer sur la terre ou s'attacher à un support comme la vigne, le lierre, etc., ou s'étendre sur une surface, comme le brouillard, la fumée, etc. — **4.** (sujet nom de personne) S'abaisser lâchement devant quelqu'un, le flatter bassement : *Il rampe devant ses supérieurs.* ◆ **rampant, e** adj. : *Animal rampant* (syn. REPTILE). *Plante rampante. Un homme vil et rampant* (syn. ABJECT, PLAT, SERVILE). ◆ n. m. *Fam.* Membre du personnel au sol dans l'aviation.

RAMSAY (*sir* William), chimiste anglais (1852-1916). Il expliqua en 1879 le mouvement brownien, découvrit l'argon (1894), l'hélium (1895), puis les autres gaz rares de l'air (1898). [Prix Nobel de chimie, 1904.]

RAMSÈS, nom porté par onze pharaons des XIXe et XXe dynasties égyptiennes. RAMSÈS Ier (v. 1314-1312 av. J.-C.) fut le fondateur de la XIXe dynastie. — RAMSÈS II *Méiamoun* (v. 1301-v. 1235 av. J.-C.), fils de Séthi Ier. Il combattit avec acharnement les Hittites (bataille de Kadesh) et multiplia les constructions (statues colossales, spéos d'Abou-Simbel, Ramesseum de Thèbes). — RAMSÈS III (v. 1198-1166 av. J.-C.). Il arrêta divers envahisseurs étrangers, fit construire le grand temple de Médinet Habou.

RAMURE n. f. → RAMEAU.

RAMUZ (Charles Ferdinand), écrivain suisse de langue française (1878-1947).

RANATRE [ranatr] n. f. (du lat. *rana*, grenouille). Insecte des eaux stagnantes, appelé aussi SCORPION D'EAU, au corps très allongé terminé par un tube respiratoire. (Il se nourrit de petits animaux aquatiques.) [Ordre des hétéroptères.]

RANAVALONA III (1862-1917), reine de Madagascar (1883-1897). Elle fut déposée et exilée par les Français en 1897.

RANCART [rɑ̃kar] n. m. (de *rencarter*, écarter des cartes au jeu). **1.** Fam. *Mettre, jeter au rancart*, se débarrasser d'une chose dont on ne se sert plus (syn. METTRE AU REBUT). — **2.** *Pop.* Rendez-vous : *Donner un rancart.*

RANCE [rɑ̃s] adj. (lat. *rancidus*). Se dit d'un corps gras qui a pris en vieillissant une odeur forte, une saveur âcre : *Du beurre rance.* ◆ n. m. Odeur, saveur d'un corps rance : *Cette graisse sent le rance.* ◆ **rancir** v. i. Devenir rance. ◆ **rancissement** n. m. ou **rancissure** n. f. État de ce qui est devenu rance.

RANCE (la), fleuve de Bretagne, qui passe à Dinan et se jette dans la Manche; 100 km. Usine marémotrice sur son estuaire.

RANCÉ (Armand DE), religieux français (1626-1700). Il réforma l'abbaye cistercienne de Notre-Dame-de-la-Trappe.

RANCH [rɑ̃ʃ] ou [rɑ̃tʃ], ou **RANCHO** [rɑ̃ʃo] ou [rɑ̃tʃo] n. m. (mot anglo-amér.; de l'esp. *rancho*, cabane). Ferme de la prairie américaine. ‖ Pl. des *ranches*, des *ranchos*.

RANCIR v. i., **RANCISSEMENT** n. m., **RANCISSURE** n. f. → RANCE.

RANCŒUR [rɑ̃kœr] n. f. (bas lat. *rancor*, état de ce qui est rance). Amertume profonde que l'on ressent après une mésaventure, une déception, une injustice : *Avoir de la rancœur contre qq'un* (syn. RESSENTIMENT).

RANÇON [rɑ̃sɔ̃] n. f. (du lat. *redemptio*, rachat). **1.** Somme d'argent exigée pour la délivrance d'une personne tenue en captivité : *Les ravisseurs ont demandé une forte rançon.* — **2.** Inconvénient au prix duquel on obtient un avantage, un plaisir, un honneur, etc. : *La rançon de la gloire* (syn. CONTREPARTIE). ◆ **rançonner** v. t. *Rançonner qq'un*, exiger de lui par la contrainte une somme d'argent, une chose qui n'est pas due.

RANCUNE [rɑ̃kyn] n. f. (du lat. *rancor*, état de ce qui est rance, et *cura*, souci). Souvenir vivace que l'on garde d'une offense, d'une injustice, et qui peut s'accompagner d'un désir de vengeance : *Garder de la rancune à qq'un pour le mal qu'il nous a fait* (syn. ↓RANCŒUR, RESSENTIMENT; contr. PARDON). ◆ **rancunier, ère** adj. et n. (syn. ↓VINDICATIF; contr. INDULGENT).

RANDONNÉE [rɑ̃dɔne] n. f. (de l'anc. fr. *randonner*, courir vite). Promenade assez longue et ininterrompue : *Faire une randonnée à bicyclette* (syn. fam. ↓BALADE).

RANDSTAD HOLLAND, région des Pays-Bas délimitée par les villes d'Amsterdam, d'Utrecht, de Rotterdam et de La Haye. La majeure partie des activités administratives, commerciales et industrielles du pays s'y concentre sur moins de 2000 km². Elle groupe plus de 4 millions d'hab.

1. RANG [rɑ̃] n. m. (frq. *hring*, cercle). **1.** Suite de personnes ou de choses placées sur une même ligne : *Se trouver au premier rang des spectateurs. Les élèves sont sortis en rangs. Un collier à quatre rangs de perles* (syn. RANGÉE). ‖ *En rang d'oignon*, en rang les uns derrière les autres. — **2.** Catégorie de personnes ayant les mêmes opinions, les mêmes goûts, les mêmes intérêts : *S'ils n'obtiennent pas satisfaction, ils iront grossir les rangs des mécontents* (syn. NOMBRE, PARTI). — **3.** *Être, se mettre sur les rangs*, être, se mettre au nombre des concurrents, des candidats qui prétendent à un poste. ‖ *Rentrer dans le rang*, redevenir simple citoyen après avoir exercé de hautes fonctions. ‖ *Serrer les rangs*, se rapprocher les uns des autres pour occuper moins de place. ‖ *Sorti du rang*, se dit d'un militaire promu officier sans être passé par une école militaire. — **4.** Suite de mailles constituant une ligne d'un ouvrage tricoté : *Un rang à l'endroit, un rang à l'envers.* ◆ **rangée** n. f. Suite de choses, et quelquefois de personnes, disposées sur une même ligne : *Une rangée d'arbres. Une rangée de soldats* (syn. FILE). ◆ **ranger** v. t. *Ranger des personnes, des choses*, les disposer en rangs ou en files : *Ranger des écoliers* (syn. ALIGNER). ◆ ***se ranger*** v. pr. Se mettre en rangs : *« Rangez-vous par quatre », dit le sergent aux soldats.*

2. RANG [rɑ̃] n. m. (même étym.). **1.** Place occupée par une personne dans la hiérarchie sociale et qui lui est attribuée en raison de sa naissance, de son emploi, de sa dignité, de son âge : *Traiter qq'un avec les honneurs dus à son rang* (syn. CONDITION, SITUATION). — **2.** Position d'une personne, d'une chose, dans un classement, dans l'estime des hommes : *Il est sorti de l'École polytechnique dans un bon rang. Ses travaux l'ont mis au premier rang des savants. Ce projet de voyage est au premier rang de ses préoccupations en ce moment.* — **3.** *Rang de taille*, disposition donnée à des personnes ou à des objets d'après leur taille respective.

RANGÉ, E adj. → RANGER 2.

RANGÉE n. f. → RANG 1.

RANGEMENT n. m. → RANGER 2.

1. RANGER v. t. → RANG 1.

2. RANGER [rɑ̃ʒe] v. t. (de *rang*). **1.** *Ranger des choses*, les placer dans un certain ordre, les mettre à une place convenable : *Ranger des dossiers. Dans un dictionnaire, les mots sont rangés par ordre alphabétique* (syn. CLASSER, GROUPER). — **2.** *Ranger un lieu, un meuble*, y mettre de l'ordre : *Ranger une armoire.* — **3.** Mettre de côté pour laisser la voie libre : *Ranger sa voiture* (syn. GARER). ◆ ***se ranger*** v. pr. **1.** Se placer, se disposer : *Se ranger autour d'une table.* — **2.** S'écarter pour laisser le passage : *Se ranger sur le bas-côté de la route.* — **3.** (sujet nom de personne) *Fam.* Adopter une manière de vivre plus régulière (syn. S'ASSAGIR). — **4.** *Se ranger à l'avis, à l'opinion de qq'un*, déclarer qu'on est de son avis. ◆ **rangé, e** adj. *Fam.* Qui mène une vie régulière (syn. SÉRIEUX; contr. DÉBAUCHÉ). ◆ **rangement** n. m. (sens 1 et 2 du v. t.) : *Le rangement du linge dans une armoire. Le rangement d'une chambre.*

RANGOON, capit. de la Birmanie, près de l'embouchure de l'Irrawaddy; 3662000 hab. Situé à proximité d'une grande région rizicole, Rangoon est un grand port d'exportation du riz et un centre industriel actif (raffinerie de pétrole, industries alimentaires, etc.).

RANI [rani] n. f. (empr. à une langue de l'Inde). Femme d'un rāja.

RANIDÉS [ranide] n. m. pl. (du lat. *rana*, grenouille). Famille de batraciens anoures, comprenant les *grenouilles.*

RANIMER v. t., **SE RANIMER** v. pr. → ANIMER.

RAON-L'ÉTAPE, ch.-l. de cant. des Vosges, à 9 km au S.-E. de Baccarat, sur la Meurthe; 7200 hab. *(Roannais).* Industries du bois. Textiles.

RAPA, île de la Polynésie française (îles Australes).

1. RAPACE [rapas] n. m. (du lat. *rapere*, saisir). Super-ordre d'oiseaux carnivores caractérisés par leurs griffes aiguës et recourbées (serres) ainsi que par la partie supérieure de leur bec rabattu en pointe. → ENCYCL. ◆ **rapacité** n. f. Avidité d'un animal qui se jette sur sa proie : *La rapacité du vautour, du tigre.*

— ENCYCL. Les *rapaces* sont répartis en deux ordres : les *falconiformes* ou *accipitriformes* (rapaces diurnes), et les *strigiformes* (rapaces nocturnes).

Parmi les rapaces diurnes, citons les vautours, les serpentaires, les aigles, les buses, les milans, les faucons, etc.; parmi les rapaces nocturnes, les chouettes et les hiboux. Considérés comme des oiseaux utiles (car ils se nourrissent de divers animaux nuisibles, serpents, mulots, rongeurs, etc.), les rapaces sont, en France, protégés.

2. RAPACE [rapas] adj. et n. m. (même étym.). Très avide de gain : *Un commerçant rapace* (syn. ÂPRE AU GAIN). ◆ **rapacité** n. f. : *La rapacité d'un usurier* (syn. AVIDITÉ, CUPIDITÉ).

RAPALLO, v. d'Italie (Ligurie); 24700 hab. Petit port et station balnéaire, à l'E. de Gênes.

- *12 nov. 1920. Traité entre l'Italie, qui conservait Zara, et le royaume des Serbes, Croates et Slovènes, qui acquérait la Dalmatie. Fiume devenait État libre.*

RAPATRIÉ, E adj. et n., **RAPATRIEMENT** n. m., **RAPATRIER** v. t. → PATRIE.

RÂPE [rɑp] n. f. (du germ. *raspôn*, rafler). **1.** Ustensile de cuisine hérissé d'aspérités et perforé de petits trous, servant à réduire une substance en poudre ou en petits morceaux : *Une râpe à fromage.* — **2.** Lime à grosses pointes utilisée pour le façonnage du bois et des métaux tendres (plomb, étain) : *Une râpe de menuisier, de plombier.* ◆ **râper** v. t. **1.** Mettre en poudre ou en petits morceaux avec une râpe : *Râper du gruyère.* — **2.** Gratter avec une râpe : *Râper un morceau de bois avant de le polir.* — **3.** Donner une sensation d'âpreté : *Ce vin râpe le gosier* (syn. GRATTER, RACLER). ◆ **râpé, e** adj. Se dit d'un vêtement usé jusqu'à la corde : *Un pardessus râpé* (syn. ÉLIMÉ). ◆ n. m. Fromage râpé (surtout du gruyère) : *Acheter cent grammes de râpé.* ◆ **râpeux, euse** adj. **1.** Rude au toucher comme une râpe : *La langue râpeuse du chat* (syn. RÊCHE, RUGUEUX). — **2.** Qui a une saveur âpre : *Du vin râpeux* (contr. MOELLEUX, VELOUTÉ).

RAPETASSER [raptase] v. t. (du prov. *petassar*, rapiécer). **1.** Fam. *Rapetasser un vêtement, des chaussures*, les réparer sommairement : *On ne peut plus rapetasser cette veste, c'est une loque* (syn. RACCOMMODER, RAPIÉCER). — **2.** Fam. *Rapetasser un texte*, le retoucher : *Rapetasser un manuscrit avant de le faire imprimer* (syn. REMANIER, REVOIR). ◆ **rapetassage** n. m.

RAPETISSEMENT n. m., **RAPETISSER** v. t. et i. → PETIT.

RÂPEUX, EUSE adj. → RÂPE.

RAPHAËL (Raffaello SANTI ou SANZIO, dit), peintre italien (1483-1520).

Élève du Pérugin, auquel il doit son sens de la grâce et de l'élégance (*le Mariage de la Vierge*, 1504), il part pour Florence où il étudie les œuvres de Léonard de Vinci qui lui inspirent une série de madones *(Belle Jardinière*, 1507; *la Vierge au chardonneret).* Appelé à Rome en 1508 par le pape Jules II qui lui confie la décoration de ses appartements, il exécute les fresques des Chambres *(chambre de la Signature, chambre d'Héliodore)* et des Loges du Vatican.

Parallèlement à son œuvre de peintre, Raphaël réalise d'importants travaux d'architecture (église Saint-Pierre de Rome), ainsi que des cartons de tapisseries *(Actes des apôtres).*

Ses dernières madones (*la Madone de Saint-Sixte*, 1513) expriment particulièrement bien son art, d'un classicisme serein, équilibré et harmonieux, où s'allient la précision du dessin et la délicatesse des coloris.

RAPHIA [rafja] n. m. (mot malgache). Palmier de Madagascar et de la côte occidentale d'Afrique, dont les feuilles fournissent des fibres textiles, servant à faire des liens, du tissu d'ameublement (rabane), etc.

RAPIAT, E [rapja, -at] adj. et n. (du lat. *rapere*, saisir). Qui dépense avec beaucoup de parcimonie (syn. AVARE, CUPIDE).

1. RAPIDE [rapid] adj. (lat. *rapidus*). **1.** Qui parcourt beaucoup d'espace en peu de temps : *Un cheval rapide.* — **2.** Se dit d'un cours d'eau qui coule avec une grande vitesse : *Le Rhône est plus rapide que la Garonne.* — **3.** Qui est très incliné : *Une descente rapide* (syn. RAIDE). — **4.** Se dit de quelqu'un qui agit avec promptitude : *Un homme rapide dans son travail* (syn. EXPÉDITIF; contr. LAMBIN, LENT, PARESSEUX). — **5.** Qui comprend très vite : *Un esprit rapide* (syn. VIF). — **6.** Exécuté avec une vitesse élevée : *Une allure rapide.* — **7.** Se dit de ce qui s'accomplit en peu de temps : *Une guérison rapide. Jeter un coup d'œil rapide sur un texte. Une décision trop rapide* (syn. EXPÉDITIF, HÂTIF). — **8.** *Acier rapide*, acier spécial permettant l'usinage rapide des métaux. ◆ **rapidement** adv. : *Marcher rapidement* (syn. BON TRAIN). *Faire rapidement un travail* (syn. PROMPTEMENT; contr. LENTEMENT). *Ce commerçant s'est enrichi rapidement* (syn. EN PEU DE TEMPS). ◆ **rapidité** n. f. : *La rapidité d'un coureur, d'un cheval, d'une voiture* (syn. VÉLOCITÉ, VITESSE). *Un homme remarquable par sa rapidité dans le travail* (syn. CÉLÉRITÉ, PROMPTITUDE; contr. LENTEUR).

2. RAPIDE [rapid] n. m. (même étym.). **1.** Partie d'un fleuve où, par suite de dénivellation, le courant est très fort et agité de tourbillons violents. — **2.** Train à vitesse élevée : *Un rapide s'arrête seulement à quelques gares importantes et un express à toutes les gares de bifurcation.*

RAPIÉÇAGE n. m., **RAPIÈCEMENT** n. m., **RAPIÉCER** v. t. → PIÈCE 1.

RAPIÈRE [rapjɛr] n. f. (de *râper*). Épée à lame fine et longue dont on se servait dans les duels.

RAPINE [rapin] n. f. (du lat. *rapere*, voler). Vol commis en abusant de ses fonctions, de l'emploi dont on est chargé.

1. RAPPELER [raple] v. t. (de *re-*, et *appeler*). [Conj. **6.**] **1.** Appeler de nouveau (se dit en partic. d'un appel téléphonique) : *Monsieur est sorti, veuillez le rappeler.* — **2.** Appeler pour faire revenir : *Rappeler un médecin auprès d'un malade. Rappeler des militaires sous les drapeaux* (syn. MOBILISER). *Ses affaires le rappellent à Paris.* — **3.** Faire revenir d'un pays étranger : *Rappeler un ambassadeur.* — **4.** *Rappeler un acteur*, le faire revenir sur la scène par des applaudissements nombreux. — **5.** *Rappeler qq'un à l'ordre*, le réprimander pour s'être écarté d'une règle. ‖ *Dieu l'a rappelé à lui*, il est mort. ◆ **rappel** n. m. **1.** Action de rappeler (dans tous les sens du v. t.) : *Le rappel des réservistes, d'un ambassadeur, d'un exilé, d'un acteur sur la scène.* ‖ *Rappel à l'ordre*, réprimande. ‖ *Battre le rappel*, faire appel activement à toutes les personnes, à toutes les choses dont on peut disposer. — **2.** Paiement d'une portion d'appointements demeurée en suspens : *Les salaires ayant été augmentés, les employés toucheront un rappel.* — **3.** En alpinisme, procédé de descente des passages difficiles : *Pour descendre en rappel, on fixe une corde double à une saillie naturelle ou à un piton, on la passe autour de son épaule et autour d'une de ses jambes et on utilise le frein provoqué par le frottement de la corde contre soi.* — **4.** *Injection de rappel*, injection de vaccin faite un an après une vaccination, puis tous les deux, trois ou cinq ans selon les vaccins.

2. RAPPELER [raple] v. t. (même étym.). [Conj. **6.**] **1.** *Rappeler qqch., qq'un*, le faire revenir à l'esprit, à la mémoire : *Il m'a rappelé sa promesse* (syn. REMÉMORER). — **2.** Présenter une certaine ressemblance : *Cet enfant me rappelle son grand-père* (syn. ÉVOQUER, FAIRE PENSER À). ◆ ***se rappeler*** v. pr. *Se rappeler qq'un, qqch.*, en garder le souvenir. → ENCYCL. ◆ **rappel** n. m. : *Le rappel d'un nom, d'une date.*

— ENCYCL. Le verbe pronominal *se rappeler* est suivi d'un complément direct : *On se rappelle quelque chose* et non *de quelque chose* (ex. : *Je me le rappelle parfaitement*). [*Se souvenir* se construit avec *de : Je m'en souviens* (= je me souviens de cela).]

RAPPORT n. m. → RAPPORTER 2, 4 et 5.

RAPPORTAGE n. m. → RAPPORTER 3.

1. RAPPORTER [rapɔrte] v. t. (de *re-*, et *apporter*). **1.** Apporter de nouveau : *Emporter un plat vide et le rapporter rempli.* — **2.** *Rapporter une chose*, la remettre à l'endroit où elle était auparavant; la rendre à son propriétaire : *Rapportez-moi les livres que je vous ai prêtés.* — **3.** Apporter avec soi en revenant : *De son voyage en Afrique il a rapporté divers objets.*

2. RAPPORTER [rapɔrte] v. t. (même étym.). *Rapporter ce qu'on a vu, entendu ou appris*, en faire le récit, le compte rendu : *On m'a rapporté qu'il a beaucoup été question de vous à la dernière réunion* (syn. RACONTER, RELATER, RÉPÉTER). ◆ **rapport** n. m. Exposé dans lequel on rend compte de ce qu'on a vu ou entendu : *Faire un rapport favorable* (syn. COMPTE RENDU). ◆ **rapporteur** n. m. Personne chargée de rendre compte d'une affaire, d'une question, de faire connaître l'avis d'un comité : *Le rapporteur d'un projet de loi devant l'Assemblée* (= celui qui en fait le rapport).

3. RAPPORTER [rapɔrte] v. t. (même étym.). *Rapporter qqch.*, le répéter par étourderie ou par malice : *On n'ose rien dire devant lui, il rapporte tout.* ◆ v. i. *Fam.* Être indiscret, médisant sur le compte d'autrui : *Les professeurs n'aiment pas les élèves qui rapportent* (syn. DÉNONCER; fam. CAFARDER, MOUCHARDER). ◆ **rapportage** n. m. *Fam.* (syn. fam. CAFARDAGE, MOUCHARDAGE). ◆ **rapporteur, euse** n. et adj. *Fam.* Personne qui a l'habitude de dénoncer : *Un enfant rapporteur.*

4. RAPPORTER [rapɔrte] v. t. (même étym.). *Rapporter qqch. à*, le rattacher à : *L'égoïste rapporte tout à lui* (syn. RAMENER). ◆ ***se rapporter*** v. pr. **1.** *Se rapporter à une chose*, avoir un lien logique avec elle : *La réponse ne se rapporte pas à la question* (syn. S'APPLIQUER À, CORRESPONDRE). *Le pronom relatif se rapporte à son antécédent* (= se rattache). — **2.** *S'en rapporter à qq'un*, lui faire confiance pour décider, pour agir (syn. S'EN REMETTRE À) ‖ *S'en rapporter au jugement, au témoignage de qq'un*, s'y fier. ◆ **rapport** n. m. **1.** Lien, liaison qui existe entre deux ou plusieurs choses : *Étudier les rapports du physique et du moral* (syn. RELATION). *Faire le rapport entre deux événements* (syn. RAPPROCHEMENT). — **2.** Élément commun que l'esprit constate entre certaines choses : *Il y a beaucoup de rapports entre la langue italienne et le latin* (syn. ANALOGIE). *Ce que vous me dites n'a aucun rapport avec ce que vous m'avez déjà raconté* (syn. LIEN, RESSEMBLANCE). — **3.** *Gramm.* Relation, lien qui existe entre des mots, des propositions : *Le rapport entre une principale et une subordonnée.* — **4.** *Math.* Quotient de deux grandeurs de même espèce, dont les mesures sont faites avec la même unité : *Le rapport du périmètre d'un cercle à son diamètre est π.* ‖ *Rapport de projection d'un axe sur un autre* → PLAN* AFFINE, EUCLIDIEN. — **5.** (au plur.) Relations entre des personnes, des groupes, des pays : *Entretenir de bons rapports avec ses voisins.* ‖ *Avoir des rapports avec une personne*, avoir des relations intimes avec elle. — **6.** *En rapport avec*, proportionné à : *Avoir une situation en rapport avec ses capacités.* ‖ *Mettre une personne en rapport avec une autre*, la lui faire connaître, les mettre en communication l'une avec l'autre. — LOC. ADV. et PRÉP. *Par rapport à*, par comparaison avec. ‖ *Sous le rapport de*, du point de vue de. ‖ *Sous tous les rapports*, à tous égards. ◆ **rapporteur** n. m. Demi-cercle gradué servant à mesurer des angles.

5. RAPPORTER [rapɔrte] v. t. (même étym.) [sujet nom de chose]. Produire, donner un certain revenu, un certain profit : *Il fait un métier qui lui rapporte beaucoup d'argent. Cette dénonciation ne rapportera rien à son auteur* (= il n'en tirera aucun avantage). ◆ **rapport** n. m. **1.** Revenu ou gain produit par un capital ou un travail : *Cette propriété est d'un bon rapport.* — **2.** *Maison, immeuble de rapport*, dont la location procure des revenus au propriétaire.

6. RAPPORTER [rapɔrte] v. t. (même étym.). Annuler : *Rapporter un décret* (syn. ABROGER).

RAPPORTEUR, EUSE n. et adj. → RAPPORTER 2, 3 et 4.

RAPPRENDRE v. t. → APPRENDRE.

RAPPROCHER [raprɔʃe] v. t. (de *re-*, et *approcher*) [dans plusieurs emplois, ce verbe a remplacé le v. APPROCHER]. **1.** Mettre plus près (sens 1 du v. APPROCHER) : *Rapproche la chaise de la table* (syn. AVANCER). — **2.** Rendre plus proche dans le temps : *Chaque heure nous rapproche de la mort.* — **3.** *Rapprocher des personnes*, les mettre en rapport : *Leurs opinions politiques les ont rapprochés* (syn. LIER; contr. SÉPARER). *Ils ont été rapprochés par le malheur.* — **4.** *Rapprocher des choses*, les associer, mettre en évidence leurs rapports : *Rapprocher deux passages d'un même roman* (syn. COMPARER). ◆ ***se rapprocher*** v. pr. **1.** Venir plus près; devenir plus proche : *Rapproche-toi, je ne t'entends pas* (contr. S'ÉLOIGNER). *Le bruit se rapprochait* (= devenait plus distinct). — **2.** Avoir des relations plus affectueuses, plus proches : *Après de longues années de brouille, les deux familles se sont rapprochées* (syn. SE RÉCONCILIER). — **3.** Avoir certaines ressemblances, certains rapports (et la prép. *de*) : *Il se rapproche de lui par sa manière de penser* (syn. RESSEMBLER). ◆ **rapprochement** n. m. **1.** Action de rapprocher, de se rapprocher (sens 1). — **2.** Rétablissement des relations entre des personnes, des peuples : *Travailler au rapprochement de deux nations* (syn. RÉCONCILIATION). — **3.** Action par laquelle l'esprit met en parallèle des idées, des faits : *Faire un rapprochement entre deux événements* (syn. RAPPORT), *entre deux textes* (syn. COMPARAISON).

RAPT n. m. → RAVIR 1.

1. RAQUETTE [rakɛt] n. f. (de l'ar. *rahât*, paume de la main). **1.** Instrument formé d'un cadre ovale, garni de boyaux, terminé par un manche et dont on se sert pour jouer au tennis. — **2.** *Raquette de ping-pong*, instrument formé d'un disque de contre-plaqué recouvert de caoutchouc, et terminé par un petit manche.

2. RAQUETTE [rakɛt] n. f. (même étym.). Large semelle, généralement à claire-voie, qu'on adapte à des chaussures pour marcher dans la neige.

RARE [rar] adj. (lat. *rarus*). **1.** (après le nom) Qui se rencontre peu souvent : *Un timbre rare* (syn. ↑INTROUVABLE). *Employer des mots rares* (contr. BANAL, ORDINAIRE). — **2.** En petit nombre (avec un plur.) : *Les beaux jours sont rares en hiver* (contr. NOMBREUX). — **3.** Peu fréquent : *Il est rare qu'il vienne sans prévenir* (contr. FRÉQUENT). — **4.** (en général avant le nom) Peu commun : *Un homme d'un rare mérite* (syn. EXCEPTIONNEL, REMARQUABLE; contr. BANAL, COMMUN). — **5.** *Fam.* Qui est surprenant : *C'est bien rare s'il ne vient pas nous voir le dimanche après-midi* (syn. ÉTONNANT, EXTRAORDINAIRE). — **6.** Peu dense, peu fourni : *Une chevelure, une barbe rare* (syn. CLAIRSEMÉ). ◆ **raréfier (se)** v. pr. Devenir rare ou plus rare : *Les espèces animales trop chassées se raréfient.* ◆ **raréfaction** n. f. : *La raréfaction d'une marchandise.* ◆ **rarement** adv. Peu souvent : *Il vient rarement nous voir* (syn. GUÈRE; contr. CONSTAMMENT, FRÉQUEMMENT). ◆ **rareté** n. f. **1.** *Certaines denrées alimentaires coûtent cher à cause de leur rareté* (syn. ↑MANQUE, PÉNURIE; contr. ABONDANCE, PROFUSION). *Vos parents se plaignent de la rareté de vos lettres.* — **2.** Objet rare, précieux : *Cette médaille est une rareté.* ◆ **rarissime** adj. Très rare : *Un livre rarissime* (syn. ↑INTROUVABLE).

RAROTONGA, île de Polynésie, dans l'archipel des îles Cook.

RAS, E adj. → RASER 1 et 4.

RAS adv. → RASER 4.

RASADE [razad] n. f. (de *ras*). Contenu d'un verre plein jusqu'au bord : *Boire une rasade de vin.*

RASAGE n. m. → RASER 1.

RASANT, E adj. → RASER 2 et 4.

RASCASSE [raskas] n. f. (prov. *rascasso;* de *rasco,* teigne). Poisson comestible de la Méditerranée, dont la tête est couverte d'épines. (La rascasse est souvent employée dans la bouillabaisse.)

RASE-MOTTES n. m. inv. → RASER 4.

1. RASER [raze] v. t. (lat. *radere*). Couper avec un rasoir les cheveux, la barbe d'une personne. ◆ ***se raser*** v. pr. Se couper la barbe : *Il s'écorche le visage en se rasant.* ◆ **ras, e** adj. **1.** Coupé tout près de la peau : *Porter les cheveux ras* (contr. LONG). — **2.** Se dit du poil des animaux naturellement très court : *Il y a des chiens à poil long et des chiens à poil ras.* — **3.** Tondu de près : *Une fourrure à poil ras.* ◆ **rasage** n. m. : *Employer une lotion avant et après le rasage.* ◆ **rasoir** n. m. Instrument servant à raser : *Rasoir électrique.*

2. RASER [raze] v. t. (même étym.). Fam. *Raser qq'un,* l'ennuyer par des propos sans intérêt, des visites importunes : *Un conférencier qui rase son auditoire* (syn. fam. ASSOMMER, BARBER). ◆ **rasant, e** adj. *Fam.* (syn. ENNUYEUX, FASTIDIEUX; fam. BARBANT, RASOIR). ◆ **raseur, euse** n. et adj. Fam. : *Un individu un peu raseur* (syn. fam. RASANT, RASOIR). ◆ **rasoir** adj. *Fam.* Qui ennuie : *Un roman rasoir.*

3. RASER [raze] v. t. (même étym.). *Raser qqch.,* l'abattre totalement, jusqu'au niveau du sol : *Raser une maison* (syn. ↓ABATTRE, DÉMOLIR).

4. RASER [raze] v. t. (même étym.). *Raser qq'un, un obstacle, une surface,* passer tout près d'eux : *Raser les murs en marchant* (syn. LONGER). *La balle a rasé le filet* (syn. EFFLEURER, FRÔLER). ◆ **ras, e** adj. *Rase campagne,* campagne qui n'est coupée ni de hauteurs, ni de vallées, ni de bois, ni de rivières : *L'armée a capitulé en rase campagne.* ‖ *Faire table rase,* rejeter les idées, les opinions qui avaient été admises précédemment. ◆ **ras** adv. et **à ras** loc. adv. De très près : *Avoir les ongles coupés ras* ou *à ras.* ‖ *À ras bord,* au niveau du bord : *Emplir un verre à ras bord.* — LOC. ADV. Très fam. *(En avoir) ras le bol,* en avoir plus qu'assez, être excédé. — LOC. PRÉP. *À ras de,* ou *ras de,* au niveau de : *Quand les hirondelles volent à ras de terre, c'est un signe d'orage.* ◆ **rasant, e** adj. : *Tir rasant.* ◆ **rase-mottes** n. m. inv. *Vol en rase-mottes,* vol effectué très près du sol.

RASEUR, EUSE adj. et n. → RASER 2.

RASMUSSEN (Knud), explorateur danois (1879-1933). Il dirigea plusieurs expéditions en Arctique, et étudia les Esquimaux.

RASOIR adj. et n. m. → RASER 1 et 2.

RASPAIL (François Vincent), chimiste et homme politique français (1794-1878). Républicain, il fonda le journal *le Réformateur* (1834-1835). Lors de la révolution de 1848, il proclama la république à l'Hôtel de Ville, créa *l'Ami du peuple* et anima le *club Raspail.*

RASPOUTINE (Grigori Iefimovitch), aventurier russe (1872-1916). Ayant gagné la confiance de la tsarine et de Nicolas II, il usa de son influence pour imposer à la Cour ses protégés et contribua à discréditer le régime. Il fut assassiné par le prince Ioussoupov.

RASPOUTITSA [rasputitsa] n. f. (mot russe signif. *chemin hors d'usage*). En automne et surtout au printemps, période de dégel qui, transformant la surface du sol en boue gluante, rend les chemins russes impraticables.

RASSASIER [rasazje] v. t. (de *re-,* et anc. fr. *assasier;* du lat. *satis,* assez). **1.** *Rassasier qq'un,* satisfaire entièrement sa faim : *Cet homme a un si gros appétit qu'on ne peut le rassasier* (syn. CONTENTER). — **2.** *Rassasier qq'un,* satisfaire ses désirs, ses passions (souvent au passif) : *Rassasier ses yeux d'un beau spectacle* (syn. ASSOUVIR).

RASSEMBLER [rasɑ̃ble] v. t. (de *re-,* et *assembler*). **1.** *Rassembler des êtres animés,* les faire venir en un même lieu : *Toute la famille est rassemblée autour de la table* (syn. RÉUNIR). *Le berger rassemble ses moutons* (syn. CONCENTRER, MASSER, REGROUPER). — **2.** *Rassembler des choses,* mettre ensemble des choses éparses : *Rassembler des documents pour écrire un ouvrage* (syn. ACCUMULER, AMASSER). *Rassembler des idées, des souvenirs.* ◆ ***se rassembler*** v. pr. : *Les manifestants se sont rassemblés avant de défiler.* ◆ **rassemblement** n. m. **1.** Réunion de personnes, de choses en un même endroit : *Disperser un rassemblement* (syn. ATTROUPEMENT). — **2.** Sonnerie de clairon ou de trompette pour opérer le rassemblement des troupes : *Faire sonner le rassemblement.* (→ ASSEMBLER.)

RASSEOIR v. t., **SE RASSEOIR** v. pr. → ASSEOIR 2.

RASSÉRÉNER (SE) [səraserene] v. pr. (de *re-,* et *serein*) [sujet nom de personne]. Retrouver le calme après un moment de trouble (littér.) : *À cette bonne nouvelle son visage s'est rasséréné* (syn. S'APAISER). ◆ v. t. Rendre le calme à : *Cette solution le rasséréna.*

1. RASSIS [rasi] adj. m. (de *rasseoir*). *Pain rassis,* qui n'est plus frais, presque dur. ◆ **rassir** v. i. (sujet nom désignant le pain). *Fam.* Durcir.

2. RASSIS, E [rasi, -iz] adj. (même étym.). Se dit d'une personne calme, pondérée : *Cet homme n'agit jamais à la légère, c'est un esprit rassis* (contr. FOUGUEUX).

RASSURER [rasyre] v. t. (de *re-,* et *assurer*). *Rassurer qq'un,* lui rendre confiance (syn. TRANQUILLISER). ◆ **rassurant, e** adj. : *Des nouvelles rassurantes* (contr. ALARMANT, ANGOISSANT). ◆ **rassuré, e** adj. : *Je ne suis pas très rassuré; allez plus doucement* (syn. TRANQUILLE).

RASTAQUOUÈRE [rastakwɛr] n. m. (de l'esp. *rastracuero,* parvenu). *Fam.* Étranger aux allures voyantes et dont l'activité est suspecte.

RASTATT ou **RASTADT,** v. d'Allemagne (Bade-Wurtemberg), sur la Murg; 41 000 hab. Électronique.

- *1714. Le traité de Rastatt met fin à la guerre de la Succession d'Espagne.*
- *1797-1799. Le congrès de Rastatt se termine par le massacre des plénipotentiaires français.*

Rastignac (Eugène DE), personnage créé par Balzac, type de l'arriviste élégant. Il apparaît dans de nombreux romans de *la Comédie humaine.*

1. RAT [ra] n. m., **RATE** [rat] n. f. (orig. obscure). Petit mammifère rongeur omnivore. → ENCYCL. ◆ **raton** n. m. Petit rat. ◆ **ratier** n. m. Chien qui chasse les rats. ◆ **ratière** n. f. Piège à rats. ◆ **dératisation** n. f. Destruction des rats. → ENCYCL. ◆ **dératiser** v. t.

— ENCYCL. Les *rats* proprement dits sont le *rat noir* et le *surmulot,* ou *rat d'égout.* Ces animaux dépendent strictement des provisions humaines pour se nourrir. Leur pouvoir reproducteur incomparable (en trois ans, un seul couple pourrait engendrer 20 millions de descendants si tous atteignaient la vieillesse), leur énorme appétit (ils mangent leur propre poids en trois jours), leur manie de ronger même ce qu'ils n'avalent pas (y compris le plomb des conduites d'eau et de gaz), leur aptitude à propager la peste et d'autres maladies épidémiques font d'eux des animaux particulièrement nuisibles. Des services publics de *dératisation* par pièges, poisons, gaz toxiques existent dans la plupart des pays, et une surveillance particulière est exercée sur les navires.

2. RAT [ra] n. m. (de *rat* 1). **1.** *Être fait comme un rat,* être pris, dupé. — **2.** Fam. *Rat de bibliothèque,* personne qui passe son temps à compulser des livres, à fureter dans les bibliothèques. — **3.** *Rat-de-cave,* bougie longue et mince, enroulée sur elle-même, dont on se sert pour s'éclairer dans une cave, dans un escalier. — **4.** *Rat d'hôtel,* personne qui s'introduit dans les hôtels pour dévaliser les voyageurs. — **5.** *Petit rat de l'Opéra,* élève de la classe de danse à l'Opéra, et que l'on emploie dans la figuration.

RATAFIA [ratafja] n. m. (mot créole). Liqueur faite d'eau-de-vie, de sucre et de certains fruits.

RATATINER (SE) [səratatine] v. pr. (de l'anc. fr. *tatin*, petite quantité) [sujet nom de personne]. *Fam.* Se déformer sous l'effet de l'âge ou de la maladie : *Une petite vieille qui paraît se ratatiner* (syn. RAPETISSER, SE TASSER). ◆ **ratatiné, e** adj. **1.** Fam. : *Un vieillard tout ratatiné* (syn. RABOUGRI, TASSÉ). — **2.** Se dit d'un fruit qui s'est flétri en se desséchant : *Une pomme ratatinée* (syn. RIDÉ).

RATATOUILLE [ratatuj] n. f. (forme expressive de *touiller*). **1.** *Fam.* Ragoût peu appétissant. — **2.** *Ratatouille niçoise*, mélange d'aubergines, de courgettes, de poivrons et de tomates cuits longuement dans de l'huile d'olive.

1. RATE n. f. → RAT 1.

2. RATE [rat] n. f. (du néerl. *râte*, rayon de miel). **1.** *Anat.* Organe situé dans l'abdomen, sous la partie gauche du diaphragme, au-dessus du rein gauche et en arrière de l'estomac : *La rate fabrique des globules blancs et tient en réserve des globules rouges.* — **2.** Fam. *Se dilater la rate*, rire, se réjouir.

RATÉ, E n. → RATER.

RÂTEAU [rɑto] n. m. (lat *rastellum*). Instrument d'agriculture ou de jardinage formé d'une traverse munie de dents et ajustée en son milieu à un manche. ◆ **râteler** v. t. (Conj. **6.**) Ramasser avec un râteau : *Je râtelle des feuilles mortes.* ◆ **râtelage** n. m. : *Le râtelage de la paille.* ◆ **ratisser** v. t. **1.** Nettoyer ou égaliser avec un râteau : *Ratisser les allées d'un jardin.* — **2.** Fouiller méthodiquement pour rechercher des malfaiteurs, des soldats ennemis : *La police a ratissé tout le quartier.* ◆ **ratissage** n. m. : *Le ratissage de l'herbe d'une pelouse. Une opération de ratissage.*

RATEAU (Auguste), ingénieur français (1863-1930). En 1901, il conçoit la turbine multicellulaire à action, à laquelle son nom est resté attaché. On lui doit aussi un turbocompresseur qui, actionné par les gaz d'échappement d'un moteur, permettait la suralimentation en air de celui-ci. Appliquée d'abord dans l'aviation, cette technique a été ensuite étendue à d'autres domaines d'utilisation des moteurs à combustion interne.

RÂTELAGE n. m., **RÂTELER** v. t. → RÂTEAU.

1. RÂTELIER [rɑtəlje] n. m. (de *râteau*). **1.** Assemblage à claire-voie de barres de bois, placé horizontalement au-dessus de la mangeoire et qui sert à mettre le fourrage qu'on donne aux animaux. — **2.** *Râtelier à pipes*, planchette percée de trous où l'on range les pipes.

2. RÂTELIER [rɑtəlje] n. m. (même étym.). *Fam.* Dentier.

RATER [rate] v. i. (de *rat*). **1.** (sujet nom désignant une arme) Ne pas partir : *Le coup de fusil a raté.* — **2.** (sujet nom de chose ou de personne) *Fam.* Ne pas réussir : *Son affaire a raté* (syn. ÉCHOUER, FAIRE FIASCO). ◆ v. t. **1.** Ne pas atteindre ce qu'on vise avec une arme : *Rater un lièvre;* ce qu'on cherche à obtenir, à réussir : *Rater un examen. Rater son train* (syn. MANQUER; fam. LOUPER). — **2.** Mal exécuter : *Rater un plat* — **3.** Fam. *Rater qq'un*, ne pas le rencontrer. ‖ Fam. *Ne pas rater qq'un*, le réprimander sévèrement, le punir; lui faire une réponse bien envoyée. ◆ **raté, e** n. Personne qui n'a pas réussi dans sa vie, dans une carrière. ◆ **raté** n. m. Légère détonation qui se produit à l'échappement d'un moteur à explosion lorsque l'allumage est défectueux.

RATHENAU (Walter), homme politique allemand (1867-1922). Ministre des Affaires étrangères en 1922, il signa avec les Russes le traité de Rapallo et fut assassiné par les pangermanistes*.

RATIBOISER [ratibwaze] v. t. (de *ratisser*, et anc. fr. *emboiser*, tromper). **1.** *Fam.* Prendre, rafler : *Ratiboiser l'argent de qq'un.* — **2.** *Fam.* Ruiner : *Il est complètement ratiboisé.*

RATIER n. m., **RATIÈRE** n. f. → RAT 1.

RATIFIER [ratifje] v. t. (du lat. *ratum*, ce qui est confirmé). **1.** *Ratifier qqch.*, confirmer, approuver dans la forme requise ce qui a été fait ou permis : *Ratifier un contrat, un traité* (syn. ENTÉRINER). — **2.** Approuver, reconnaître comme vrai : *Je ratifie tout ce qu'on vous a promis de ma part.* ◆ **ratification** n. f. : *La ratification d'un traité de paix, d'un projet.*

RATINE [ratin] n. f. (de l'anc. fr. *raster*, racler). Étoffe de laine croisée dont le poil est tiré en dehors et frisé : *Veste de ratine.*

RATIOCINER [rasjɔsine] v. i. (lat. *ratiocinari*). Raisonner avec une subtilité excessive (littér.) : *Perdre son temps à ratiociner.*

RATION [rasjɔ̃] n. f. (lat. *ratio*, compte, mesure). **1.** *Ration alimentaire*, quantité d'aliments qu'un individu normal doit absorber par jour pour se maintenir en bonne santé, sans perte ni gain de poids. → ENCYCL. — **2.** Dans l'armée, portion quotidienne : *Toucher sa ration de tabac.* — **3.** *Fam.* Ce qui est donné par le sort à quelqu'un : *Chaque jour lui apporte sa ration d'épreuves.* ◆ **rationner** v. t. **1.** *Rationner qqch.*, en réduire la consommation en le répartissant d'après des quantités limitées : *Rationner le charbon.* — **2.** *Rationner qq'un*, réduire sa consommation d'après la quantité limitée dont on dispose : *Rationner les habitants d'un pays occupé.* — **3.** *Rationner qq'un*, lui restreindre la quantité de nourriture. ◆ ***se rationner*** v. pr. Réduire sa nourriture soit par nécessité, soit par régime : *Elle se rationne pour ne pas grossir.* ◆ **rationnement** n. m. Mesure prise par les autorités publiques en vue de réduire la consommation de denrées ou de produits dont un pays ne dispose qu'en quantité limitée.

— ENCYCL. La *ration alimentaire* doit fournir une quantité d'énergie suffisante à l'organisme : 2 500 calories pour un adulte n'effectuant pas un travail de force. L'énergie est surtout apportée par les glucides : pour effectuer un travail physique important, l'on devra consommer plus de glucides (féculents, sucres).

La ration alimentaire doit compenser les pertes de l'organisme en eau, en sels minéraux (urines, sueur) et en azote.

Elle doit apporter diverses substances indispensables à l'organisme (vitamines, sels minéraux), et surtout être équilibrée, c'est-à-dire comporter divers types d'aliments en proportions définies. On compte environ pour un adulte 70 g de protides, 500 g de glucides, 70 g de lipides par jour.

RATIONALISATION n. f., **RATIONALISER** v. t. → RATIONNEL.

RATIONALISME [rasjɔnalism] n. m. (du lat. *ratio*, raison). **1.** Philosophie fondée sur la raison : *Le rationalisme cartésien.* — **2.** Doctrine d'après laquelle les idées viennent non pas de l'expérience, mais de la raison elle-même : *Le rationalisme de Kant s'oppose à l'empirisme de Hume.* — **3.** Doctrine qui rejette toute autre autorité que celle de la raison, et qui, en partic., refuse toute croyance religieuse. (Les représentants du rationalisme au XVIIIe s. furent Diderot, Voltaire, Helvétius, Holbach). ◆ **rationaliste** adj. et n. : *Un philosophe rationaliste.*

1. RATIONNEL, ELLE [rasjɔnɛl] adj. (du lat. *ratio*, raison). **1.** Qui provient de la raison; qui est déduit par le raisonnement : *Une certitude rationnelle.* — **2.** Fondé sur des calculs scientifiques : *Une méthode rationnelle pour augmenter la production d'une industrie* (contr. EMPIRIQUE). — **3.** Conforme à la raison, au bons sens : *Un esprit rationnel* (= qui raisonne avec justesse). ◆ **rationalisation** n. f. Méthode d'organisation de la production en vue de son meilleur rendement : *La rationalisation a pour but d'abaisser les prix, d'accroître la quantité ou d'améliorer la qualité des produits* (syn. NORMALISATION). ◆ **rationaliser** v. t. *Rationaliser une fabrication, un travail*, les organiser d'une manière rationnelle, selon des principes d'efficacité. ◆ **rationnellement** adv. : *Dans cette entreprise, tout est organisé rationnellement et rien n'est laissé au hasard.* ◆ **irrationalité** n. f. ◆ **irrationnel, elle** adj. Qui est contraire à la raison : *Conduite irrationnelle.*

2. RATIONNEL [rasjɔnɛl] adj. m. (même étym.). Math. *Nombre rationnel* → NOMBRE. ‖ *Nombre entier rationnel*, syn. d'ENTIER RELATIF. (→ NOMBRE.) ◆ **irrationnel** adj. m. *Nombre irrationnel*, nombre réel qui n'est pas rationnel, c'est-à-dire qui ne peut pas être écrit comme le rapport $\frac{p}{q}$ de deux nombres relatifs. (*Ex.* : π, $\sqrt{2}$ sont des nombres irrationnels.) [→ NOMBRE.]

RATIONNEMENT n. m., **RATIONNER** v. t. → RATION.

RATISBONNE, en all. **Regensburg,** v. d'Allemagne (Bavière), sur le Danube; 133 000 hab. Port fluvial. Métallurgie.

• *1809. Victoire de Napoléon sur les Autrichiens.*

RATISSAGE n. m., **RATISSER** v. t. → RÂTEAU.

RATITES [ratit] n. m. pl. (du lat. *ratis*, radeau). Sous-classe d'oiseaux à ailes réduites et à sternum sans bréchet (autruche, nandou, émeu, aptéryx).

RATON n. m. → RAT 1.

RATON LAVEUR [ratɔ̃lavœr] n. m. *(raton*, et *laveur).* Mammifère carnassier d'Amérique, aux pattes de devant terminées par des mains, qui se nourrit de proies capturées au bord des eaux et qu'il trempe dans l'eau, avant de les manger.

RATONNADE [ratɔnad] n. f. (de *raton*, terme d'injure). Brutalité répressive exercée indistinctement contre un groupe de personnes.

1. RATTACHER v. t. → ATTACHER 1.

2. RATTACHER [rataʃe] v. t. (de *re-*, et *attacher*). **1.** *Rattacher une chose à une autre*, la joindre à une chose principale dont elle doit dépendre : *Rattacher une commune à un canton* (syn. INCORPORER). — **2.** *Rattacher une chose à une autre*, établir un rapport entre deux choses, dont l'une dépend de l'autre ou lui est postérieure : *Rattacher un fait à une loi générale. Rattacher une question à une autre* (syn. RELIER). ◆ ***se rattacher*** v. pr. Être lié : *Ces deux questions se rattachent l'une à l'autre.* ◆ **rattachement** n. m. : *C'est en 1860 qu'eut lieu le rattachement de la Savoie à la France.*

1. RATTRAPER [ratrape] v. t. (de *re-*, et *attraper*). **1.** *Rattraper un être animé*, le saisir, le prendre de nouveau : *Rattraper un prisonnier évadé* (syn. REPRENDRE). — **2.** *Rattraper qq'un, qqch.*, les saisir afin de les empêcher de tomber : *Rattraper un enfant qui va tomber* (syn. RETENIR). — **3.** *Rattraper qq'un, qqch.*, les rejoindre alors qu'ils ont de l'avance : *Partez devant, je vous rattraperai bien* (syn. ATTEINDRE). ‖ *Rattraper le temps perdu*, compenser une perte de temps en redoublant d'activité. ◆ ***se rattraper*** v. pr. **1.** *Se rattraper à qqch.*, s'y retenir : *Se rattraper à une branche.* — **2.** Combler son retard : *Faire des devoirs de vacances pour se rattraper.* — **3.** Se dédommager d'une privation : *Il n'a pu manger à sa faim pendant plusieurs jours, mais maintenant il se rattrape.* ◆ **rattrapage** n. m. : *Cours de rattrapage* (= cours destiné à des élèves qui, pour des raisons quelconques, n'ont pu suivre régulièrement leurs études).

2. RATTRAPER [ratrape] v. t. (même étym.). *Rattraper qqch.*, atténuer, corriger une faute, une erreur, une maladresse : *Rattraper une parole malheureuse.* ◆ ***se rattraper*** v. pr. (sans compl.). Atténuer une erreur, une faute qu'on était en train de commettre : *Il allait commettre un impair, mais il s'est rattrapé à temps* (syn. SE REPRENDRE, SE RESSAISIR).

RATURE [ratyr] n. f. (du lat. *radere*, racler). Trait passé sur ce qu'on a écrit pour le rayer : *Une lettre chargée de ratures.* ◆ **raturer** v. t. : *Raturer un mot dans une phrase* (syn. BARRER, BIFFER, RAYER); intransitiv. : *Écrire sans raturer.*

RAUQUE [rok] adj. (lat. *raucus*, enroué). Se dit d'une voix rude dont le son est grave et voilé : *Parler d'une voix rauque* (syn. ÉRAILLÉ).

RAVACHOL (François Claudius KŒNIGSTEIN, dit), anarchiste français (1859-1892). Auteur de nombreux attentats, il fut guillotiné.

RAVAGE [ravaʒ] n. m. (de *ravir*). **1.** Dégât important causé, avec violence et rapidité, par la guerre, le feu, les eaux, les agents atmosphériques, etc. (surtout au plur.) : *La tempête et l'orage ont fait des ravages.* — **2.** (sujet nom désignant une maladie, une épidémie) *Faire des ravages*, causer la mort d'un grand nombre de personnes. ‖ (sujet nom de personne) *Faire des ravages*, avoir un grand pouvoir de séduction (syn. ÊTRE UN BOURREAU DES CŒURS). ◆ **ravager** v. t. Endommager gravement par une action violente : *Les bombardements ont ravagé une partie de la ville* (syn. DÉTRUIRE). *La grêle, les orages ont ravagé les vignobles* (syn. DÉVASTER). ◆ **ravagé, e** adj. *Visage ravagé*, qui porte des rides profondes, des traces de douleur, de fatigue, d'excès divers.

RAVAILLAC (François) [1578-1610], assassin d'Henri IV; il périt écartelé.

RAVALEMENT n. m. → RAVALER 3.

1. RAVALER v. t. → AVALER.

2. RAVALER [ravale] v. t. (de *re-*, et anc. fr. *avaler*, descendre). *Ravaler qq'un*, le mettre à un rang inférieur dans la hiérarchie morale ou sociale : *Ravaler l'homme au niveau de la brute* (syn. RABAISSER). ◆ ***se ravaler*** v. pr. (sujet nom de personne). Perdre sa dignité morale ou sociale : *Elle estime qu'elle se ravalerait en acceptant ce travail* (syn. S'AVILIR).

3. RAVALER [ravale] v. t. (même étym.). Remettre à neuf un ouvrage de maçonnerie en nettoyant la pierre, en grattant, en crépissant, etc. : *Ravaler une façade* (syn. RAGRÉER). ◆ **ravalement** n. m. : *Le ravalement des immeubles a lieu tous les dix ans.*

RAVAUDER [ravode] v. t. (de l'anc. fr. *ravault*, diminution de valeur). Racommoder, repriser : *Ravauder des bas.* ◆ **ravaudage** n. m. Racommodage de vêtements usés.

RAVE [rav] n. f. (lat. *rapa*). Plante potagère à racine ronde ou plate, voisine du navet.

RAVEL (Maurice), compositeur français (1875-1937). Élève de Fauré au conservatoire de Paris, influencé par Saint-Saëns, Liszt et les musiciens russes, Ravel a trouvé des sujets d'inspiration dans l'Espagne et dans l'Orient méditerranéen. Renouant avec la tradition classique par la clarté et la netteté de la ligne mélodique et par une construction rigoureuse, son œuvre témoigne aussi de ses découvertes dans le domaine musical et de ses audaces harmoniques, en particulier sa musique pour piano (*Jeux d'eau*, 1901; *Gaspard de la nuit, Ma mère l'Oye*, 1908; *le Tombeau de Couperin*, 1917; deux concertos, dont un pour la main gauche, 1931). Ravel a également écrit des œuvres symphoniques (*Rhapsodie espagnole*, 1907; *Boléro*, 1928) et dramatiques (*l'Enfant et les sortilèges*, 1920-1925; *Daphnis et Chloé*, 1909-1912).

RAVENNE, en it. **Ravenna,** v. d'Italie (Émilie); 139 000 hab. Exploitation de gaz naturel. Raffinage du pétrole et pétrochimie.

Ravenne devint en 402 la capitale de l'Empire romain d'Occident. Après un long siège, elle tomba aux mains de Théodoric (493), qui en fit à son tour sa capitale. Reprise en 540 par les Byzantins, elle devint, en 584, le siège d'un exarchat* qui groupait les possessions byzantines d'Italie. Prise par les Lombards (751), elle fut donnée au pape par Pépin le Bref.

La ville est riche en monuments byzantins des Vᵉ et VIIᵉ s., décorés de mosaïques : San Giovanni Evangelista (fresques de Giotto), Sant' Agata Maggiore, San Vitale, Sant'Apollinare Nuovo, Sant'Apollinare in Classe, mausolée de Galla Placidia, etc.

RAVENSBRÜCK, localité d'Allemagne (Brandebourg). Camp de déportation de 1934 à 1945, réservé aux femmes.

RAVI, E adj. → RAVIR 2.

RAVIER [ravje] n. m. (de *rave*). Petit plat dans lequel on sert des hors-d'œuvre.

RAVIGOTER [ravigɔte] v. t. (de *revigorer*). *Fam.* Redonner de la vigueur à une personne, à un animal qui semblait faible, exténué : *Prendre un cordial pour se ravigoter* (syn. REVIGORER).

RAVIN [ravɛ̃] n. m. (de *raviner*). Excavation étroite et profonde produite par des eaux de ruissellement, par un torrent : *La voiture est tombée dans le ravin.*

RAVINER [ravine] v. t. (de l'anc. fr. *raviner*, creuser le sol). Creuser des sillons profonds, des rides : *Les pluies d'orage ont raviné les chemins. Avoir le visage raviné.* ◆ **ravinement** n. m. *Le ravinement d'un terrain.*

RAVIOLI [ravjɔli] n. m. pl. (mot it.). Petits carrés de pâte farcis de viande hachée, que l'on sert avec une sauce tomate.

1. RAVIR [ravir] v. t. (du lat. *rapere*, saisir). **1.** *Ravir une personne*, l'enlever par force ou par ruse (littér.) : *Ravir un enfant à ses parents* (syn. ENLEVER, KIDNAPPER). — **2.** Arracher une personne à l'affection de ses parents, de ses amis : *La mort leur a ravi leur fille.* ◆ **rapt** n. m. Enlèvement d'une personne (syn. KIDNAPPING). ◆ **ravisseur, euse** n. Personne qui a commis un rapt.

2. RAVIR [ravir] v. t. (même étym.). **1.** *Ravir qq'un*, lui faire éprouver un vif sentiment d'admiration, d'enchantement : *Cette musique a ravi tous ceux qui l'ont entendue* (syn. CHARMER). — **2.** *Être ravi de* (avec un nom ou un infin.), *être ravi que* (et le subj.), éprouver un vif plaisir : *Je suis ravi de vous revoir* (syn. ENCHANTÉ). — LOC. ADV. *À ravir*, de façon admirable : *Cette femme chante à ravir.* ◆ **ravi, e** adj. Qui exprime une joie intense : *Avoir un air ravi* (syn. RADIEUX). ◆ **ravissant, e** adj. Se dit d'une personne ou d'une chose qui transporte d'admiration ou procure un plaisir extrême par sa grande beauté. ◆ **ravissement** n. m. : *Être plongé dans le ravissement en écoutant une symphonie* (syn. ENCHANTEMENT).

RAVISER (SE) [səravize] v. pr. (de *re-*, et *aviser*). Changer d'avis, revenir sur une résolution : *Il avait décidé de partir, puis il s'est ravisé.*

RAVISSANT, E adj., **RAVISSEMENT** n. m. → RAVIR 2.

RAVISSEUR, EUSE n. → RAVIR 1.

RAVITAILLER [ravitaje] v. t. (de l'anc. fr. *avitailler*; de *vitaille*, victuaille). **1.** *Ravitailler une population, une collectivité*, lui fournir des vivres, des munitions et toutes sortes de marchandises nécessaires pour ses besoins : *Ravitailler une armée* (syn. APPROVISIONNER). — **2.** *Ravitailler un véhicule*, lui fournir du carburant. ◆ ***se ravitailler*** v. pr. Se procurer ce qui est nécessaire à sa subsistance (syn. S'APPROVISIONNER). ◆ **ravitaillement** n. m. **1.** *Le ravitaillement d'une troupe, d'une ville.* — **2.** Denrées nécessaires à la consommation : *Aller au ravitaillement* (fam.) [= aller acheter des provisions]. ◆ **ravitailleur** n. et adj. m. Soldat, navire, avion préposé au ravitaillement (vivres, munitions, carburant).

RAVIVER [ravive] v. t. (de *re-*, et *aviver*). **1.** Rendre plus vif, plus actif : *Raviver une flamme.* — **2.** Redonner de l'éclat, de la fraîcheur : *Raviver des couleurs.* — **3.** Faire revivre, ranimer : *Ce spectacle a ravivé sa douleur.*

RAWALPINDI, v. du Pākistān, sur le piémont de l'Himalaya, à l'E. de l'Indus; 928 000 hab. Textiles et métallurgie.

RAYÉ, E adj., **RAYER** v. t. → RAIE 1.

RAY-GRASS [regras] n. m. (mot angl.). Nom donné à deux espèces d'ivraie utilisées pour la constitution des pelouses.

RAYLEIGH (John), physicien anglais (1842-1919). Il découvrit l'argon avec Ramsay et donna une valeur du nombre d'Avogadro. (Prix Nobel de physique, 1904.)

RAYOL-CANADEL-SUR-MER, comm. du Var, sur la côte des Maures; 850 hab. Stations balnéaires.

1. RAYON [rejɔ̃] n. m. (lat. *radius*). **1.** Trajectoire suivie par la lumière : *Rayon lumineux. Les rayons du soleil.* — **2.** Lueur, apparence : *Un rayon d'espérance.* — **3.** Math. *Rayon d'un cercle* → CERCLE 1. — **4.** *Dans un rayon de cinq, dix kilomètres*, dans un espace circulaire qui aurait cinq, dix kilomètres de rayon (syn. À LA RONDE). — **5.** *Rayon d'action*, distance maximale que peut parcourir un navire, un avion, sans être ravitaillé en combustible; espace, domaine où s'exerce une activité. — **6.** Pièce de bois ou de métal qui relie le moyeu à la jante d'une roue : *Les rayons d'une roue de bicyclette.* — **7.** *Rayons X*, radiations*, analogues à la lumière, que produisent les corps sous le choc de rayons cathodiques. — **8.** *Rayons cathodiques*, faisceau d'électrons émis par la cathode d'un tube à gaz raréfié. ◆ **rayonner** v. i. **1.** (sujet nom de personne) Se déplacer à partir d'un point donné dans diverses directions : *Pendant les vacances, nous avons rayonné dans les Alpes.* — **2.** Faire sentir au loin son influence : *La civilisation grecque a rayonné sur tout l'Occident* (syn. SE PROPAGER). ◆ **rayonnant, e** adj. *Chaleur rayonnante,* chaleur qui se transmet par rayonnement (c'est-à-dire par des rayons qui partent d'un corps chaud et qui sont analogues aux rayons lumineux). ◆ **rayonnement** n. m. **1.** Mode de propagation de l'énergie, sans support matériel, à partir d'un centre d'émission. — **2.** Ensemble des radiations émises par un corps : *Le rayonnement solaire.* — **3.** Renommée brillante, éclat qui exerce une grande attraction : *Le rayonnement d'un pays par sa culture* (syn. PRESTIGE). — **4.** Action, influence qui se propage : *Le rayonnement d'une civilisation.*

2. RAYON [rejɔ̃] n. m. (frq. *hrâta,* rayon de miel). **1.** Planche placée dans une bibliothèque, dans une armoire, etc., et qui sert à y poser des livres, du linge, etc. — **2.** Ensemble des comptoirs d'un magasin affectés à un même genre de marchandises : *Le rayon de l'alimentation. Chef de rayon.* — **3.** Gâteau de cire fait par les abeilles et constitué d'un grand nombre d'alvéoles : *Les rayons d'une ruche.* ◆ **rayonnage** n. m. Assemblage de planches constituant une bibliothèque, une vitrine, un meuble de rangement.

RAYONNANT, E adj. → RAYON 1 et RAYONNER 2.

RAYONNE [rejɔn] n. f. (de l'angl. *rayon*). Textile artificiel : *Le terme «rayonne» s'est substitué à la dénomination antérieure de «soie artificielle» pour éviter toute confusion avec la soie naturelle.*

RAYONNEMENT n. m. → RAYON 1 et RAYONNER 2.

1. RAYONNER v. i. → RAYON 1.

2. RAYONNER [rejɔne] v. i. (de *rayon*). S'éclairer sous l'effet d'une vive satisfaction : *Son visage rayonne de joie.* ◆ **rayonnant, e** adj. : *Être rayonnant de joie, de bonheur;* ou absolum. : *Être rayonnant, tout rayonnant,* se dit de quelqu'un dont le visage, les yeux expriment une vive satisfaction (syn. RADIEUX, RAVI). ◆ **rayonnement** n. m. Éclat qui se manifeste dans les traits sous l'effet d'une vive satisfaction.

Rayons et les Ombres *(les),* recueil poétique de V. Hugo (1840).

RAYS (Gilles DE) → RAIS.

RAYURE n. f. → RAIE 1.

RAZ *(pointe du),* promontoire granitique des côtes de la Bretagne (Finistère), à l'extrémité de la Cornouaille, en face de l'île de Sein. Passage dangereux pour la navigation.

RAZ DE MARÉE [radmare] n. m. inv. (de l'anc. scand. *rás,* courant d'eau). **1.** Soulèvement subit de la mer qui porte les vagues sur la terre à plusieurs mètres de hauteur : *Les raz de marée semblent dus à des éruptions volcaniques ou à des tremblements de terre; ils sont fréquents sur les côtes du Mexique et du Japon.* — **2.** Phénomène inattendu et massif qui apporte des changements dans une situation politique, sociale : *Le raz de marée gaulliste aux élections de 1962.*

RAZZIA [radzja] n. f. (de l'ar. *rhazāwa,* attaque). Action d'emporter par surprise ou par violence : *Les voleurs ont fait une razzia sur la basse-cour.* (Une *razzia* était une attaque lancée par des nomades d'Afrique du Nord afin d'enlever des troupeaux, des récoltes, etc.) ◆ **razzier** v. t. Exécuter une razzia sur quelque chose, piller.

R.D.A., sigle de la *République démocratique allemande* (ou *Allemagne de l'Est*).

RE- ou **RÉ-** (devant une consonne), **R-** ou plus souvent **RÉ-** (devant une voyelle), préf. (du lat. *re-,* indiquant le retour en arrière). **1.** Indique la répétition de l'action exprimée par le verbe ou le nom (= à nouveau) : *recuire, redemander, recoller, redire,* etc.; *réabonner, réhabiliter, réélire, rapprendre* ou *réapprendre, réinventer, raccorder* ou *réaccorder,* etc. (La conservation du son [s] de l'initiale des verbes simples est assurée soit par le redoublement du *s* [*ressaisir, ressortir*], soit par le *s* simple [*resaler*].) — **2.** Indique le renforcement de l'action accompagnant la répétition : *réaffirmer* (affirmer hautement une nouvelle fois); *repenser* (reprendre l'examen d'un problème en l'approfondissant); *relire* (reprendre la lecture pour relever quelque chose ou corriger).

— ENCYCL. Les verbes formés avec le préfixe *re-* peuvent remplacer totalement le verbe simple dans ses emplois *(raccourcir, rentrer, remplir)* ou prendre un sens différent du verbe simple *(réunir, ramasser, réajuster, rééduquer, recomposer, reconstituer).*

Les verbes formés avec le préfixe *re-* constituent souvent avec le verbe simple et le verbe formé avec *dé- (des-)* un groupe de mots de sens complémentaires : *chausser / déchausser / rechausser; charger / décharger / recharger; coudre / découdre / recoudre.*

RÉ [re] n. m. (première syllabe de *resonare* dans l'hymne latin à saint Jean-Baptiste). Note de musique, deuxième degré de la gamme de *do.*

RÉ *(île de),* île de l'océan Atlantique (Charente-Maritime), qui forme 2 cant., dont les ch.-l. sont *Ars-en-Ré* et *Saint-Martin-de-Ré;* 85,3 km²; 11 400 hab. *(Rhétais).* Cultures (primeurs, vigne). Ostréiculture. Tourisme. Elle est reliée au continent par un pont.

RÊ ou **RÂ,** dieu du Soleil chez les anciens Égyptiens, considéré comme le premier des pharaons.

RÉABONNER v. t., **SE RÉABONNER** v. pr. → ABONNEMENT. / **RÉABORDER** v. t. → ABORDER 2. / **RÉACCOUTUMER (SE)** v. pr. → ACCOUTUMER.

RÉACTEUR n. m., **RÉACTIF** n. m. → RÉAGIR.

1. RÉACTION n. f. → RÉAGIR.

2. RÉACTION [reaksjɔ̃] n. f. (de *réagir*). *Parti de réaction,* ou *la réaction,* parti politique qui s'oppose au progrès politique et social, ou vise à rétablir des institutions antérieures. ◆ **réactionnaire** adj. et n. *Péjor.* Qui s'oppose à toute évolution politique et sociale ou cherche à rétablir un régime, un état de choses tenu pour périmé : *Des opinions réactionnaires* (syn. ↓CONSERVATEUR, RÉTROGRADE; contr. PROGRESSISTE) [abrév. fam. RÉAC].

RÉACTIVITÉ n. f. → RÉAGIR.

RÉADAPTATION n. f., **RÉADAPTER** v. t. → ADAPTER.

READING, v. de Grande-Bretagne, ch.-l. du Berkshire, sur la Kennet; 132 000 hab. Université.

RÉADMETTRE v. t., **RÉADMISSION** n. f. → ADMETTRE 1. / **RÉAFFIRMATION** n. f., **RÉAFFIRMER** v. t. → AFFIRMER.

REAGAN (Ronald Wilson), homme d'État américain, né en 1911. Républicain, il a été président des États-Unis de 1981 à 1989.

RÉAGIR [reaʒir] v. t. ind. *(ré-,* et *agir).* **1.** (sujet nom de chose) *Réagir à qqch.,* présenter une modification en réponse à une action extérieure : *Organe qui réagit à une excitation.* — **2.** (sujet nom de personne) *Réagir à qqch.,* manifester un changement d'attitude, de comportement : *Réagir vivement à l'annonce d'une nouvelle* (syn. SURSAUTER). *Vous pouvez le traiter comme vous voulez, il ne réagit pas* (= il reste indifférent, impassible, imperturbable). — **3.** (sujet nom de chose ou de personne) *Réagir contre qq'un, contre qqch.,* s'opposer à eux par une action contraire : *Organisme qui réagit contre une maladie infectieuse. Réagir contre l'emprise d'une personne* (syn. SE DÉFENDRE, LUTTER, RÉSISTER). *Ne vous laissez pas abattre par le découragement, il faut réagir* (syn. REPRENDRE LE DESSUS; contr. SE LAISSER ALLER). — **4.** (sujet nom de chose ou de personne) *Réagir sur qq'un, sur qqch.,* exercer une action réciproque : *La mode agit sur les hommes et les hommes réagissent sur la mode* (syn. SE RÉPERCUTER). ◆ **réacteur** n. m. Propulseur aérien en forme de tube ouvert aux deux bouts, utilisant l'air ambiant comme comburant et fonctionnant par réaction directe sans entraîner d'hélice. ‖ *Réacteur nucléaire,* syn. de PILE ATOMIQUE. ◆ **réactif** n. m. Substance employée en chimie pour reconnaître la nature des corps, par suite des réactions qu'elle produit. ◆ **réaction** n. f. **1.** Modification d'un organe résultant de l'action d'une excitation extérieure *(stimulus);* modification de l'organisme produite par une cause interne ou externe : *Réaction au chaud, au froid.* ‖ *Réaction de défense,* manière dont l'organisme réagit à certaines situations ou agressions. — **2.** Attitude d'une personne en réponse à une action : *Je croyais qu'il serait heureux en apprenant cette bonne nouvelle, sa réaction a été presque nulle. Observer les réactions du public à un discours* (syn. COMPORTEMENT). — **3.** Mouvement d'opinion qui agit dans un sens opposé à celui qui a précédé : *Le réalisme apparaît en littérature, vers 1850, comme une réaction contre le lyrisme et les excès d'imagination du romantisme.* — **4.** Phénomène qui se produit entre des corps chimiques mis en présence et qui donne naissance à de nouvelles substances. — **5.** *Phys.* Détente progressive d'un fluide. ‖ *Moteur à réaction,* moteur éjectant un flux de gaz à très grande vitesse, qui, en vertu du principe de l'action et de la réaction, fait avancer un engin dans le sens opposé. (Dans ce mode de propulsion, l'air ne joue aucun rôle : il n'y a jamais réaction par appui sur l'air ambiant.) ‖ *Avion à réaction,* avion propulsé par un moteur à réaction. ◆ **réactivité** n. f. **1.** Aptitude d'un corps chimique à réagir. — **2.** Aptitude à réagir d'un sujet auquel on a administré certaines substances (vaccins, sérums, protéines, etc.).

RÉAJUSTEMENT n. m., **RÉAJUSTER** v. t. → AJUSTER 1.

RÉALISABLE adj., **RÉALISATEUR, TRICE** n., **RÉALISATION** n. f. → RÉALISER 2.

1. RÉALISER [realize] v. t. (de l'angl. *to realize,* se rendre compte). *Réaliser qqch., que* (et l'indic.), se représenter un fait dans sa réalité; se rendre compte avec exactitude que : *Réalisez-vous ce que vous dites?*

2. RÉALISER [realize] v. t. (du lat. *realis*, réel). **1.** *Réaliser qqch.*, donner une existence à ce qui n'était que dans l'esprit, le rendre réel : *Réaliser un rêve* (syn. CONCRÉTISER). *Réaliser un exploit* (syn. ACCOMPLIR). *Réaliser des bénéfices* (syn. EFFECTUER). ◆ ***se réaliser*** v. pr. Devenir réel : *Ses prévisions se sont réalisées.* ◆ **réalisable** adj. : *Un projet réalisable* (syn. EXÉCUTABLE). ◆ **réalisateur, trice** n. **1.** Personne qui a l'habitude de réaliser, de ne pas laisser à l'état de projet. — **2.** Personne qui est responsable de la réalisation d'un film (syn. METTEUR EN SCÈNE). — **3.** Personne qui dirige l'exécution d'une émission de radio ou de télévision (syn. METTEUR EN ONDES). ◆ **réalisation** n. f. **1.** Action de réaliser : *La réalisation d'un projet.* — **2.** Ce qui a été mis à exécution : *Les expositions internationales permettent de se rendre compte des réalisations des industries de chaque pays* (syn. PRODUCTION). — **3.** Ensemble des opérations nécessaires pour faire un film, une émission de radio ou de télévision. ◆ **irréalisable** adj. : *Projet irréalisable* (syn. UTOPIQUE).

RÉALISME n. m., **RÉALISTE** adj. et n., **RÉALITÉ** n. f. → RÉEL.

RÉANIMATION n. m., **RÉANIMER** v. t. → ANIMER. / **RÉAPPARAÎTRE** v. i., **RÉAPPARITION** n. f. → APPARAÎTRE 2. / **RÉAPPRENDRE** v. t. → APPRENDRE. / **RÉAPPROVISIONNEMENT** n. m., **RÉAPPROVISIONNER** v. t. → PROVISION. / **RÉARMEMENT** n. m. → ARME. / **RÉARMER** v. t. et i. → ARME et ARMER 2. / **RÉASSORTIMENT** n. m., **RÉASSORTIR** v. t. → ASSORTIR 2.

RÉAUMUR (René Antoine FERCHAULT DE), physicien et naturaliste français (1683-1757). Il a fait de nombreuses observations sur la vie et les mœurs des invertébrés et, le premier, a employé le microscope pour l'étude de la structure des métaux. Son nom a été popularisé par le thermomètre à alcool, qu'il fabriqua vers 1730.

RÉBARBATIF, IVE [rebarbatif, -iv] adj. (de l'anc. fr. *se rebarber*, tenir tête). **1.** Qui a un aspect rude et rebutant : *Un visage rébarbatif* (syn. REVÊCHE; contr. ENGAGEANT). — **2.** Qui manque d'attrait : *Un sujet de devoir rébarbatif* (syn. ENNUYEUX).

REBÂTIR v. t. → BÂTIR.

1. REBATTRE [rəbatr] v. t. (*re-*, et *battre*). [Conj. **56.**] **1.** Battre de nouveau : *Rebattre les cartes.* — **2.** *Rebattre un matelas*, le refaire en cardant de nouveau la laine ou le crin.

2. REBATTRE [rəbatr] v. t. (même étym.). [Conj. **56.**] *Rebattre les oreilles à qq'un de qqch.*, lui répéter sans cesse la même chose. ◆ **rebattu, e** adj. Répété à satiété, qui manque d'originalité : *Une plaisanterie cent fois rebattue* (syn. BANAL, COMMUN).

REBELLE [rəbɛl] adj. et n. (lat. *rebellis*; de *bellum*, guerre). **1.** Qui refuse de se soumettre à l'autorité d'un gouvernement, d'une personne : *Une armée de rebelles* (syn. DISSIDENT). *Un enfant rebelle à toute discipline* (syn. DÉSOBÉISSANT, INDOCILE). — **2.** Qui n'a pas de dispositions pour une chose : *Une personne rebelle à la musique* (syn. FERMÉ). — **3.** Se dit d'une chose qui ne se laisse pas facilement manier : *Une mèche de cheveux rebelle.* ◆ **rébellion** n. f. **1.** Refus d'obéissance aux ordres d'une autorité : *La rébellion a éclaté dans le pays* (syn. RÉVOLTE, SÉDITION). — **2.** Ensemble des rebelles : *La rébellion a été vaincue.* ◆ **rebeller (se)** v. pr. Se soulever contre l'autorité d'un gouvernement, d'une personne.

REBIFFER (SE) [sərəbife] v. pr. (orig. obscure). *Fam.* Refuser d'obéir avec brusquerie, en protestant : *Cet enfant se rebiffe toujours quand on lui commande qqch.* (syn. REGIMBER, RÉSISTER).

REBIQUER [rəbike] v. i. (de *re-*, et anc. fr. *bique*, corne). [En parlant des cheveux] *Fam.* Se dresser en formant des boucles : *Une mèche qui rebique.*

REBLOCHON [rəblɔʃɔ̃] n. m. (mot savoyard). Fromage de lait de vache, fabriqué en Haute-Savoie.

REBOISEMENT n. m., **REBOISER** v. t. → BOIS 2. / **REBOND** n. m. → BOND.

REBONDI, E [rəbɔ̃di] adj. (de *rebondir*). Se dit d'une partie du corps de forme pleine et ronde : *Des joues rebondies* (syn. JOUFFLU).

REBONDIR v. i., **REBONDISSEMENT** n. m. → BOND.

REBORD [rəbɔr] n. m. (*re-*, et *bord*). **1.** Bord en saillie : *Le rebord d'une fenêtre.* — **2.** Bord replié : *Le rebord d'un manteau.*

REBOUCHER v. t. → BOUCHER 1.

REBOURS (À) [arəbur] loc. adv. (du bas lat. *reburrus*, hérissé). **1.** Dans le sens opposé au sens de la marche, du fil des fibres, etc. : *Brosser à rebours un velours. Tourner les pages à rebours. Prendre l'ennemi à rebours* (= l'attaquer par-derrière). *Le compte à rebours* (avant le départ d'une fusée). — **2.** *Comprendre à rebours*, à contresens (syn. plus courant À L'ENVERS).

REBOUTEUX, EUSE [rəbutø, -øz] n. (de l'anc. fr. *rebouter*, remettre). *Fam.* Personne qui fait métier de guérir les fractures, foulures, douleurs, etc. (L'activité des rebouteux est interdite par la loi sur l'exercice de la médecine.)

REBOUTONNER v. t. → BOUTON 3.

REBROUSSER [rəbruse] v. t. (orig. obscure). **1.** Relever [...] sens contraire : *Rebrousser les poils d'une fourrure.* — **2.** *Rebrou[sser] chemin*, retourner en arrière. ◆ **rebrousse-poil (à)** loc. ad[v.] **1.** En relevant le poil dans le sens contraire à sa direction nat[u]relle. — **2.** Fam. *Prendre qq'un à rebrousse-poil*, agir avec lui maladroitement qu'il se vexe ou se met en colère.

REBUFFADE [rəbyfad] n. f. (it. *rebuffo*). Refus accompagné [de] paroles dures ou méprisantes : *Essuyer une rebuffade.*

RÉBUS [rebys] n. m. (du lat. *de rebus quae geruntur*, au su[jet] des choses qui se passent). Jeu d'esprit qui consiste à exprim[er] des mots ou des phrases par des dessins ou des signes dont le no[m] offre de l'analogie avec ce qu'on veut faire entendre, comme *G* *(j'ai grand appétit : g grand, a petit).*

REBUT [rəby] n. m. (de *rebuter*). **1.** *Marchandises de rebu[t]*, celles que l'on vend à bas prix. ‖ *Mettre, jeter au rebut*, [se] débarrasser d'une chose sans valeur ou inutilisable. — **2.** Ce qu[i] y a de plus vil dans un groupe de personnes : *Le rebut d'u[ne] population* (syn. RACAILLE).

REBUTER [rəbyte] v. t. (de *re-*, et *but*, écarter du bu[t]). **1.** *Rebuter qq'un*, le détourner d'une chose à cause des difficulté[s] des obstacles; intransitiv. : *Ce travail rebute* (syn. DÉCOURAGER). — **2.** *Rebuter qq'un*, lui inspirer de l'antipathie : *Sa figure, s[es] manières me rebutent* (syn. DÉPLAIRE). ◆ **rebutant, e** adj. **1.** Q[ui] répugne, ennuie : *Un travail rebutant* (syn. RÉBARBATIF). — **2.** Q[ui] inspire de l'antipathie : *Un visage rebutant* (contr. ATTIRANT, CHA[R]MANT, SÉDUISANT).

RECACHETER v. t. → CACHET 1.

RÉCALCITRANT, E [rekalsitrɑ̃, -ɑ̃t] adj. et n. (de l'anc. f[r.] *récalcitrer*, ruer). Qui résiste avec entêtement : *Un cheval récalc[i]trant* (syn. RÉTIF). *Un caractère récalcitrant* (syn. INDISCIPLIN[É], INDOCILE).

RECALER [rəkale] v. t. (*re-*, et *caler*). *Recaler qq'un*, le refuse[r] à un examen (surtout au passif) [syn. fam. COLLER]. ◆ **recalé,** adj. et n. : *Les recalés du baccalauréat.*

RÉCAMIER (Julie BERNARD, Mme) [1777-1849]. Dans son salon d[e] l'Abbaye-aux-Bois, elle réunit, sous la Restauration, Chateau[]briand et son groupe littéraire.

RÉCAPITULER [rekapitule] v. t. (du lat. *capitulum*, chapitre). **1.** Répéter en résumant ce qu'on a déjà dit : *Récapituler le[s] principaux points d'un discours.* — **2.** Rappeler en examinant d[e] nouveau : *Récapituler les événements d'une année* (syn. PASSER E[N] REVUE). ◆ **récapitulatif, ive** adj. Qui sert à récapituler : *Tablea[u] récapitulatif.* ◆ **récapitulation** n. f. Rappel sommaire de c[e] qu'on a dit ou écrit, de ce qui s'est passé.

RECELER [rəsəle] v. t. (*re-*, et *celer*, cacher). [Conj. 5.] **1.** *Receler qqch.*, garder et cacher une chose volée par une autr[e] personne : *Il recèle des objets provenant d'un cambriolage.* — **2.** *Receler qq'un*, le cacher pour le soustraire aux recherches de l[a] justice : *Receler un malfaiteur.* — **3.** (sujet nom de chose) *Recele[r] une chose*, la contenir en soi : *La mer recèle des trésors* (syn. ENFERMER). ◆ **recel** [rəsɛl] n. m. Sens 1 et 2 du v. ◆ **receleur, euse** n. : *Elle a été condamnée comme receleuse.*

RÉCEMMENT adv. → RÉCENT.

RECENSER [rəsɑ̃se] v. t. (lat. *recensere*). Faire le dénombre[]ment officiel d'une population, de moyens d'action, etc. : *Recense[r] les habitants d'un pays, les suffrages d'un vote.* ◆ **recensemen[t]** n. m. **1.** *En France, le recensement de la population se fait e[n] principe tous les six ans.* → ENCYCL. *Faire le recensement des livre[s] d'une bibliothèque.* — **2.** Dénombrement effectué par les mairie[s] des jeunes gens atteignant l'âge du service militaire l'année sui[]vante : *Le recensement de la classe 73.*

— ENCYCL. Le *recensement* est une opération administrative à laquelle procèdent régulièrement tous les pays. Il a pour but de déterminer le nombre d'habitants de chaque commune, de connaître la répartition de la population selon l'âge, la profession, la branche d'activité, d'analyser les migrations, la composition et l'équipement des immeubles et logements.

RÉCENT, E [resɑ̃, -ɑ̃t] adj. (lat. *recens, -entis*). Qui existe depuis peu de temps : *Une découverte récente* (syn. NOUVEAU). *Une nouvelle toute récente* (syn. FRAIS). ◆ **récemment** adv. Depuis peu de temps (syn. DERNIÈREMENT).

RÉCÉPISSÉ [resepise] n. m. (lat. *recepisse*, avoir reçu). Écrit par lequel on reconnaît avoir reçu un objet, une somme d'argent, etc. (syn. REÇU).

RÉCEPTACLE [resɛptakl] n. m. (du lat. *recipere*, recevoir). **1.** Lieu où se rassemblent des personnes ou des choses venues de plusieurs endroits. — **2.** Bassin où les eaux sont recueillies pour être ensuite distribuées par des conduites. — **3.** Bot. *Réceptacle floral*, extrémité plus ou moins élargie du pédoncule d'une fleur, sur laquelle s'insèrent les différentes pièces florales.

RÉCEPTEUR n. m., **RÉCEPTIF, IVE** adj., **RÉCEPTIONNAIRE** adj. et n., **RÉCEPTIONNER** v. t., **RÉCEPTIVITÉ** n. f. → RECEVOIR 1.

RÉCEPTION n. f. → RECEVOIR 1 et 2.

RÉCEPTIONNISTE n. m. → RECEVOIR 2.

RÉCESSIF, IVE [resesif, -iv] adj. (du lat. *recessio*, action de se retirer). Biol. *Caractère récessif*, caractère héréditaire, ou gène, qui ne se manifeste qu'en l'absence du gène contraire, dit *dominant.* ◆ **récessivité** n. f. Propriété des caractères héréditaires récessifs.

RÉCESSION [resesjɔ̃] n. f. (du lat. *recessio*, action de se retirer). Ralentissement de l'activité industrielle et commerciale : *La récession n'est pas la crise, mais elle est quelquefois le début d'une crise.*

RÉCESSIVITÉ n. f. → RÉCESSIF.

1. RECETTE [rəsɛt] n. f. (du lat. *receptus*, reçu). **1.** Manière de préparer un mets, un produit domestique : *Recette pour faire des confitures.* — **2.** Procédé pour réussir : *Donner à qq'un la recette du succès* (syn. SECRET).

2. RECETTE [rəsɛt] n. f. (même étym.). **1.** Total de ce qui est reçu en argent par un établissement commercial ou industriel : *La recette des ventes d'une journée.* ‖ *Faire recette*, avoir beaucoup de succès, en parlant d'un théâtre, d'un spectacle, etc. ‖ *Garçon de recette*, employé chargé d'encaisser les factures, les chèques, etc., dans une maison de commerce ou dans une banque. — **2.** Bureau d'un receveur des impôts directs ou indirects.

1. RECEVOIR [rəsəvwar] v. t. (lat. *recipere*). [Conj. **34.**] **1.** *Recevoir qqch.*, être en possession de ce qui est donné, envoyé ou transmis : *Recevoir un cadeau. Recevoir une prime* (syn. TOUCHER). *Recevoir des ordres.* — **2.** *Recevoir un sacrement*, se le voir conférer : *Recevoir l'absolution.* — **3.** (sujet nom de personne) Être l'objet d'une action que l'on subit : *Recevoir des coups, un affront* (syn. ESSUYER). — **4.** (sujet nom de chose) Être l'objet d'une action : *Le projet a reçu de nombreuses modifications.* ◆ **récepteur** n. m. Appareil permettant de capter et de reproduire les signaux transmis à l'aide des ondes électromagnétiques. → ENCYCL. ‖ *Récepteur de radio* (ou *radiophonique*), appareil permettant d'écouter une émission de radio (syn. POSTE). ‖ *Récepteur téléphonique*, syn. d'ÉCOUTEUR. ◆ **réception** n. f. : *La réception d'une émission radiophonique. Accuser réception d'une lettre.* ◆ **réceptionnaire** adj. et n. Qui est chargé de la réception des marchandises livrées par un fournisseur. ◆ **réceptionner** v. t. Vérifier une livraison lors de la réception : *Réceptionner des marchandises.* ◆ **réceptif, ive** adj. Susceptible de contracter certaines maladies et spécialement des maladies contagieuses : *Un organisme réceptif* (contr. IMMUNISÉ, RÉFRACTAIRE). ◆ **réceptivité** n. f. **1.** État d'un organisme réceptif : *La fatigue accroît la réceptivité* (contr. IMMUNITÉ, RÉSISTANCE). — **2.** *État de réceptivité*, état dans lequel une personne subit plus facilement l'influence d'une autre (suggestion, hypnotisme, etc.). ◆ **recevable** adj. Qui peut être reçu, admis : *Une excuse recevable* (syn. ADMISSIBLE, VALABLE). ◆ **irrecevable** adj. Non recevable, non acceptable : *Témoignage irrecevable.* ◆ **recevabilité** n. f. : *La recevabilité d'une excuse.* ◆ **irrecevabilité** n. f. : *L'irrecevabilité d'une demande.* ◆ **receveur, euse** n. **1.** Personne chargée du recouvrement des recettes publiques : *Receveur des contributions.* — **2.** Employé chargé de recevoir le coût du parcours dans les voitures des transports publics : *Une receveuse d'autobus.* ‖ *Receveur des postes*, administrateur d'un bureau de poste. — **3.** *Méd.* Malade qui reçoit un organe greffé (par oppos. au DONNEUR). ◆ **reçu** n. m. Écrit par lequel on reconnaît avoir reçu quelque chose : *L'Administration délivre un reçu pour un paquet recommandé* (syn. RÉCÉPISSÉ). ◆ **reçu, e** adj. Qui est admis, établi, consacré : *Une idée reçue.*

— ENCYCL. Un *récepteur* comporte avant tout un collecteur d'ondes (antenne ou cadre). La réception d'émissions locales peut être effectuée sans amplifier les faibles courants engendrés dans ce collecteur. Il suffit de les détecter au moyen, par exemple, d'un cristal de galène.

2. RECEVOIR [rəsəvwar] v. t. (même étym.). [Conj. **34.**] **1.** *Recevoir qq'un*, le laisser entrer chez soi, dans une compagnie : *Je me suis présenté chez lui, mais il n'a pas voulu me recevoir. Il est élu à l'Académie, mais il n'a pas encore été reçu.* (→ RÉCIPIENDAIRE.) — **2.** *Recevoir qq'un* (et un compl. de manière), l'accueillir de telle ou telle façon : *Recevoir un ami à bras ouverts.* ‖ *Être reçu chez qq'un*, être admis dans sa société : *Son éducation lui permet d'être reçu partout.* — **3.** (sans compl. d'objet) Inviter du monde chez soi : *Cette famille reçoit beaucoup;* avoir un jour de réception pour les visiteurs : *Madame la directrice reçoit trois fois par semaine.* — **4.** *Recevoir qq'un à*, l'admettre dans une école après avoir passé un concours, un examen, etc. : *Elle a été reçue au baccalauréat.* — **5.** (sujet nom de chose) *Recevoir une chose*, la laisser entrer : *Une gouttière qui reçoit les eaux du toit* (syn. RECUEILLIR). ◆ ***se recevoir*** v. pr. Toucher terre après un saut : *Il a bien franchi la barrière, mais il s'est mal reçu et s'est cassé la jambe.* ◆ **réception** n. f. **1.** Sens 2 du v. : *Faire une bonne, une mauvaise réception à qq'un* (syn. ACCUEIL). — **2.** Sens 3 du v. : *Donner une réception* (syn. COCKTAIL, THÉ). — **3.** Cérémonie par laquelle quelqu'un est reçu dans une compagnie : *Discours de réception à l'Académie.* — **4.** Dans un hôtel, dans une maison de commerce, etc., bureau où l'on accueille les voyageurs, les clients. ◆ **réceptionniste** n. Personne chargée d'accueillir les voyageurs, les clients.

RECHANGE (DE) loc. adj. → CHANGER.

RECHAPER [rəʃape] v. t. (de *re-*, et anc. fr. *chape*, capuchon). *Rechaper un pneu*, le réparer en rapportant à chaud sur une enveloppe usée une nouvelle couche de caoutchouc. ◆ **rechapage** n. m.

RÉCHAPPER [reʃape] v. t. ind. (de *re-*, et *échapper*). *Réchapper de, à qqch.*, échapper par chance à un danger menaçant : *Il a une grave maladie, je ne sais pas s'il en réchappera* (syn. GUÉRIR).

RECHARGE n. f. → CHARGER 2. / **RECHARGEMENT** n. m. → CHARGER 1. / **RECHARGER** v. t. → CHARGER 1 et 2.

RÉCHAUFFER [reʃofe] v. t. (*ré-*, et *chauffer*). **1.** Chauffer ce qui s'est refroidi : *Réchauffer un potage.* — **2.** Rendre de la chaleur au corps d'un être animé : *Réchauffer ses mains devant le feu.* — **3.** Exciter de nouveau : *Réchauffer le courage des soldats* (syn. RANIMER). ◆ ***se réchauffer*** v. pr. **1.** Redonner de la chaleur à son corps : *Il n'arrive pas à se réchauffer.* — **2.** Devenir plus chaud : *Le temps se réchauffe.* ◆ **réchauffage** n. m. : *Le réchauffage d'un plat.* ◆ **réchauffé** n. m. **1.** Ce qui est réchauffé : *Ce plat a un goût de réchauffé.* — **2.** Ce qui est connu et qu'on donne comme neuf : *Cette plaisanterie, ce n'est que du réchauffé.* ◆ **réchauffement** n. m. : *Le réchauffement de l'atmosphère* (contr. REFROIDISSEMENT). ◆ **réchaud** n. m. Ustensile, généralement portatif, servant à faire cuire les aliments ou à les réchauffer : *Un réchaud à gaz, à alcool, électrique.*

RECHAUSSER (SE) v. pr. → CHAUSSER.

RÊCHE [rɛʃ] adj. (frq. *rubisk*). **1.** Âpre au goût : *Une poire rêche* (contr. DOUX, SUCRÉ). — **2.** Rude au toucher : *Une étoffe rêche* (contr. DOUX, MOELLEUX). *La langue rêche du chat* (syn. RÂPEUX).

1. RECHERCHE n. f. → RECHERCHER 2.

2. RECHERCHE [rəʃɛrʃ] n. f. (de *rechercher*). Raffinement que l'on apporte dans certaines choses : *Mettre de la recherche dans sa toilette;* quelquefois péjor. : *Être habillé avec une extrême recherche* (syn. AFFECTATION). ◆ **recherché, e** adj. **1.** *Un style recherché* (syn. ÉTUDIÉ, TRAVAILLÉ). — **2.** *Péjor.* Qui manque de naturel : *Une attitude recherchée* (syn. MANIÉRÉ).

Recherche de l'absolu *(la)*, roman d'H. de Balzac (1834).

recherche scientifique *(Centre national de la)* **[C.N.R.S.]**, établissement public français, placé sous la tutelle du ministre dont relève la Recherche et chargé de développer et de coordonner les recherches scientifiques de tous ordres.

1. RECHERCHER v. t. → CHERCHER.

2. RECHERCHER [rəʃɛrʃe] v. t. (*re-*, et *chercher*). **1.** *Rechercher qq'un, qqch.*, chercher avec soin à les connaître, à les découvrir : *La police recherche les auteurs de l'attentat.* — **2.** *Rechercher qqch.*, tâcher de l'obtenir, de se le procurer : *Rechercher la perfection dans un travail* (syn. VISER À). *Rechercher l'amitié de qq'un.* — **3.** *Rechercher qq'un*, chercher vivement sa société, sa fréquentation : *C'est une personne agréable que tout le monde recherche* (contr. ÉVITER). ◆ **recherche** n. f. **1.** Action de rechercher : *La recherche d'un objet perdu, de documents, d'un coupable. La recherche de gisements* (syn. PROSPECTION). — **2.** Travaux destinés à approfondir une question en matière de science ou d'érudition : *Ce livre est le résultat de ses recherches sur ce point d'histoire. Faire de la recherche pure, appliquée.* (→ CHERCHEUR.) — LOC. PRÉP. *À la recherche de*, en recherchant : *Être à la recherche d'un appartement* (syn. EN QUÊTE DE). ◆ **recherché, e** adj. **1.** Se dit d'une chose à laquelle on attache du prix : *Un ouvrage recherché* (syn. RARE). — **2.** Que l'on cherche à voir, à fréquenter : *Une femme très recherchée* (syn. ENTOURÉ).

RECHIGNER [rəʃiɲe] v. i. ou t. ind. (de *re-*, et frq. *kînan*, tordre la bouche). Fam. *Rechigner à qqch.*, montrer, par sa mauvaise humeur, par un air maussade, sa répugnance à faire une chose : *Il obéit, mais c'est toujours en rechignant. Rechigner à la besogne* (syn. fam. RENÂCLER).

RECHUTE [rəʃyt] n. f. (*re-*, et *chute*). **1.** Réapparition d'une maladie, survenant au cours de la convalescence. — **2.** Le fait de retomber dans une faute dont on est insuffisamment corrigé. ◆ **rechuter** v. i. Faire une rechute.

RÉCIDIVE [residiv] n. f. (du lat. *recidivus*, qui revient). **1.** Le fait de commettre un crime, un délit pour lequel on a déjà été condamné. — **2.** Le fait de retomber dans la même faute. — **3.** Réapparition d'une maladie, d'un mal après un temps plus ou moins long de guérison. ◆ **récidiver** v. i. ◆ **récidiviste** n. et adj. Sens 1 du v. : *Il a déjà été condamné comme récidiviste.*

RÉCIF [resif] n. m. (ar. *ar-rasîf*, levée). Rocher ou chaîne de rochers à fleur d'eau, près des côtes : *Les récifs de la côte bretonne.* ‖ *Récif corallien*, récif formé par la croissance des coraux, dans les mers des régions tropicales. (Les récifs coralliens sont particulièrement abondants dans le Pacifique. Fixés à un rivage, les coraux forment des *récifs frangeants;* lorsque le plateau continental ne s'enfonce pas brusquement, on observe souvent l'établissement de *récifs-barrières*. Enfin, en pleine mer, les coraux peuvent former des *atolls**.)

RECIFE, ancienn. **Pernambouc,** port du Brésil, capit. de l'État de Pernambouc, sur l'Atlantique; 1 204 700 hab. Port d'exportation de produits tropicaux (cacao, coton et sucre). Textiles.

RÉCIPIENDAIRE [resipjɑ̃dɛr] n. m. (du lat. *recipiendus*, qui doit être reçu). Personne que l'on reçoit dans une compagnie, dans une société savante avec un certain cérémonial : *À l'Académie française, le récipiendaire prononce un discours et le directeur lui répond.*

RÉCIPIENT [resipjɑ̃] n. m. (du lat. *recipere*, recevoir). Objet creux servant à recevoir, à contenir un liquide, un gaz, etc. (syn. USTENSILE, VASE).

RÉCIPROQUE [resiprɔk] adj. (lat. *reciprocus*). **1.** Qui a lieu entre deux personnes, deux groupes, deux choses et qui marque une action équivalente à celle qui est reçue : *Les sentiments qu'ils ont l'un pour l'autre sont réciproques. Une confiance réciproque* (syn. MUTUEL, PARTAGÉ). — **2.** *Gramm.* Se dit d'un verbe pronominal qui exprime l'action de plusieurs sujets les uns sur les autres (ex. : *Pierre et Paul se battent*). — **3.** Math. *Relation réciproque* → RELATION* BINAIRE. ‖ *Théorème réciproque*, ou *réciproque d'un théorème donné*, théorème obtenu en prenant pour hypothèse la conclusion du premier, et pour conclusion l'hypothèse du premier théorème. → ENCYCL. ◆ n. f. : *Vous avez voulu vous moquer de moi, je vous rendrai la réciproque* (syn. LA PAREILLE). ◆ **réciprocité** n. f. : *La réciprocité de l'estime.* ◆ **réciproquement** adv. : *Ils se sont rendu réciproquement des services* (syn. MUTUELLEMENT). *Il faut qu'une femme soit fidèle à son mari et réciproquement* (syn. EN RETOUR, VICE VERSA).

— ENCYCL. *Math.* Exemple de *théorème réciproque.*

Théorème direct : ABCD étant un quadrilatère, si ABCD est un losange, alors ses diagonales sont perpendiculaires et se coupent en leur milieu.

Théorème réciproque : ABCD étant un quadrilatère, si ses diagonales se coupent en leur milieu et sont perpendiculaires, alors ABCD est un losange.

La réciproque d'un théorème (qui est une proposition vraie) n'est pas nécessairement un théorème.

RÉCIT [resi] n. m. (de *réciter*). Histoire racontée de vive voix ou par écrit d'événements réels ou imaginaires : *Il nous a touchés par le récit de ses malheurs* (syn. NARRATION, RELATION).

RÉCITAL, ALS [resital] n. m. (angl. *recital*). Séance artistique au cours de laquelle un seul musicien, chanteur, etc., se fait entendre, ou au cours de laquelle est présenté un même genre de spectacle : *Des récitals de piano.*

RÉCITER [resite] v. t. (lat. *recitare*). *Réciter qqch.*, dire à haute voix ce que l'on sait par cœur : *Réciter sa leçon.* ◆ **récitant, e** n. **1.** Personne qui commente l'action sur scène, au théâtre, au cinéma, dans une émission radiophonique. — **2.** *Mus.* Personne qui chante ou déclame le texte narratif d'un oratorio, d'une passion ou d'une œuvre symphonique. ◆ **récitation** n. f. **1.** Action de réciter : *Après la récitation des leçons, le professeur rend les devoirs.* — **2.** Texte à savoir par cœur et à réciter en classe : *Apprendre une récitation.* ◆ **récitatif** n. m. *Mus.* Texte chanté dans un oratorio, une cantate, un opéra, dont la conception se rapproche du langage parlé.

RECKLINGHAUSEN, v. d'Allemagne (Rhénanie-du-Nord-Westphalie), dans la Ruhr; 118 000 hab. Houille. Sidérurgie. Industrie chimique.

RÉCLAMATION n. f. → RÉCLAMER 2.

RÉCLAME [reklam] n. f. (de *réclamer*). **1.** Petit article inséré dans un journal, dans une publication et qui contient l'éloge d'un objet, d'un produit mis dans le commerce, etc. (vieilli). — **2.** Toute sorte de publicité faite au moyen d'affiches, de prospectus, etc. ‖ *Mettre un produit en réclame*, le vendre à prix réduit.

1. RÉCLAMER [reklame] v. t. (lat. *reclamare*, protester). **1.** *Réclamer qq'un, son aide*, etc., le demander avec insistance : *L'enfant réclame sa mère.* — **2.** (sujet nom de chose) *Réclamer qqch.*, en avoir besoin : *La culture de la vigne réclame beaucoup de soins* (syn. EXIGER, NÉCESSITER). ◆ ***se réclamer*** v. pr. *Se réclamer de qq'un*, déclarer qu'on est connu de lui ou protégé par lui; invoquer sa caution (syn. SE RECOMMANDER DE).

2. RÉCLAMER [reklame] v. t. (même étym.). *Réclamer qqch.*, demander une chose due ou juste : *Réclamer une augmentation de salaire* (syn. REVENDIQUER). ◆ **réclamation** n. f. Action de protester, de revendiquer pour faire reconnaître un droit : *Déposer une réclamation* (syn. PLAINTE).

RECLASSEMENT n. m., **RECLASSER** v. t. → CLASSER.

RECLUS, E [rəkly, -yz] adj. et n. (du bas lat. *recludere*, enfermer). Se dit d'une personne qui vit renfermée, retirée du monde : *Vivre comme un reclus* (syn. ISOLÉ, SOLITAIRE).

RECLUS (Élisée), géographe français (1830-1905), auteur d'une *Géographie universelle.*

RÉCLUSION [reklyzjɔ̃] n. f. (du bas lat. *recludere*, enfermer). *Dr.* Peine criminelle de droit commun, afflictive* et infamante, qui consiste dans une privation de liberté avec assujettissement au travail.

RECOIFFER (SE) v. pr. → COIFFER 1 et 2.

RECOIN [rekwɛ̃] n. m. (*re-*, et *coin*). **1.** Endroit le plus caché : *Connaître les coins et les recoins d'une maison.* — **2.** Partie la plus cachée : *Les recoins de la conscience* (syn. REPLI).

RECOLLAGE n. m. → COLLE 1.

RÉCOLLECTION [rekɔlɛksjɔ̃] n. f. (du lat. *recolligere*, recueillir). Retraite spirituelle de courte durée.

RECOLLEMENT n. m., **RECOLLER** v. t. → COLLE 1.

RÉCOLLET [rekɔlɛ] n. m. (du lat. *recolligere*, recueillir). Religieux franciscain réformé.

RÉCOLTE [rekɔlt] n. f. (it. *ricolta*). **1.** Action de recueillir les produits de la terre : *Récolte du blé* (syn. MOISSON), *des fourrages* (syn. FENAISON), *des fruits* (syn. CUEILLETTE), *du raisin* (syn. VENDANGE), *des pommes de terre* (syn. ARRACHAGE). — **2.** Produits ainsi recueillis : *La récolte de fruits a été abondante.* — **3.** Ce qu'on recueille ou rassemble à la suite de recherches : *Une ample récolte d'informations.* ◆ **récolter** v. t. : *Récolter du blé* (syn. MOISSONNER), *du raisin* (syn. VENDANGER), *des fruits* (syn. CUEILLIR, RAMASSER). *Dans cette affaire, il n'a récolté que des ennuis* (syn. RECUEILLIR).

RECOMMANDER [rəkɔmɑ̃de] v. t. (*re-*, et *commander*). **1.** *Recommander qqch.*, ou de (et l'infin.) *à qq'un*, le lui demander avec insistance : *Recommander la discrétion à un ami;* le lui conseiller vivement : *Le médecin lui a recommandé le repos* (syn. PRÉCONISER). — **2.** *Recommander qq'un*, le désigner à l'attention, à la bienveillance, à la protection de quelqu'un : *Recommander chaudement un employé à un directeur* (syn. APPUYER; fam. PISTONNER). — **3.** *Recommander son âme à Dieu*, implorer le secours de Dieu; se préparer à mourir. ‖ *Recommander qq'un aux prières des fidèles*, les inviter à prier pour lui. — **4.** *Recommander une lettre, un paquet*, etc., les faire enregistrer, moyennant une taxe spéciale, pour qu'ils soient remis au destinataire en main propre. ◆ ***se recommander*** v. pr. **1.** *Se recommander à qq'un*, demander son assistance. — **2.** *Se recommander de qq'un*, invoquer son appui, son témoignage (syn. SE RÉCLAMER DE). ◆ **recommandable** adj. Digne d'estime, de considération (surtout avec une négation) : *Un personnage peu recommandable.* ◆ **recommandation** n. f. **1.** Action de conseiller avec insistance : *Oublier les recommandations paternelles* (syn. AVERTISSEMENT, AVIS). — **2.** Action de recommander (sens 2, 4) : *Obtenir un emploi grâce à la recommandation de qq'un* (syn. APPUI, PROTECTION; fam. PISTON). *Envoyer une lettre de recommandation.* ◆ **recommandé, e** adj. Se dit d'un pli ou d'un paquet ayant fait l'objet d'une recommandation postale.

RECOMMENCEMENT n. m., **RECOMMENCER** v. t. et i. → COMMENCER.

RÉCOMPENSE [rekɔ̃pɑ̃s] n. f. (du lat. *recompensare*, compenser). **1.** Ce qui est donné à quelqu'un ou reçu par lui, pour une bonne action, un service rendu, un mérite particulier : *Si tu vas me faire cette course, tu auras une récompense* (syn. GRATIFICATION). — **2.** *Ironiq.* Châtiment d'une mauvaise action : *Il a désobéi et il a eu la récompense qu'il méritait.* ◆ **récompenser** v. t. : *Récompenser un bon élève.*

RECOMPTER v. t. → COMPTER 1.

RÉCONCILIER [rekɔ̃silje] v. t. (lat. *reconciliare*). **1.** *Réconcilier des personnes*, rétablir les liens d'affection, d'amitié entre des personnes qui s'étaient fâchées : *Réconcilier un père avec son fils* (syn. RACCOMMODER). — **2.** *Réconcilier qq'un avec qqch.*, lui inspirer des opinions plus favorables à propos d'une chose : *Ce film me réconcilie avec le cinéma.* ◆ ***se réconcilier*** v. pr. Se remettre d'accord : *Elle s'est réconciliée avec sa mère.* ◆ **réconciliation** n. f. ◆ **irréconciliable** adj. : *Des ennemis irréconciliables.*

1. RECONDUIRE [rəkɔ̃dɥir] v. t. (*re-*, et *conduire*). [Conj. **70.**] *Reconduire qq'un*, l'accompagner lorsqu'il s'en va, et spécialement lorsqu'on a reçu sa visite : *Reconduire un enfant chez ses parents* (syn. RACCOMPAGNER, RAMENER); faire accompagner une personne expulsée d'un territoire : *Le déserteur a été reconduit à la frontière entre deux gendarmes.*

2. RECONDUIRE [rəkɔ̃dɥir] v. t. (même étym.). [Conj. **70.**] *Reconduire qqch.*, continuer ce qui a été entrepris : *Reconduire la politique actuelle.* ◆ **reconduction** n. f. (syn. CONTINUATION, PROLONGATION).

RÉCONFORTER [rekɔ̃fɔrte] v. t. (*ré-*, et anc. fr. *conforter;* du lat. *fortis*, courageux). *Réconforter qq'un*, lui redonner des forces, de la vigueur : *Une boisson qui réconforte* (syn. REVIGORER; fam. REMONTER); lui redonner du courage, de l'espoir : *Vos paroles l'ont réconforté* (syn. CONSOLER). ◆ ***se réconforter*** v. pr. Se redonner des forces : *Se réconforter en prenant un bon repas* (syn. RÉCUPÉRER). ◆ **réconfort** n. m. Ce qui donne de la force, ranime le courage, ce qui apporte de la consolation : *Apporter du réconfort à un malheureux* (syn. APPUI, SECOURS, SOUTIEN). ◆ **réconfortant, e** adj. : *Un aliment réconfortant* (syn. STIMULANT, TONIQUE) *Des paroles réconfortantes* (syn. ENCOURAGEANT).

RECONNAISSABLE adj. → RECONNAÎTRE.

1. RECONNAISSANCE n. f. → RECONNAÎTRE.

2. RECONNAISSANCE [rəkɔnɛsɑ̃s] n. f. (de *reconnaître*). **1.** Souvenir d'un bienfait reçu : *Témoigner, manifester de la reconnaissance.* — **2.** Fam. *Avoir la reconnaissance du ventre*, manifester de la gratitude envers la personne qui vous a nourri, entretenu. ◆ **reconnaissant, e** adj. Qui témoigne de la gratitude : *Être, se montrer reconnaissant* (contr. INGRAT).

RECONNAÎTRE [rəkɔnɛtr] v. t. (lat. *recognoscere*). [Conj. **64.**] **1.** *Reconnaître qq'un, qqch.*, retrouver dans sa mémoire leur souvenir quand on les voit et qu'on les entend : *Le chien reconnaît la voix de son maître. Reconnaître une écriture* (syn. IDENTIFIER). — **2.** *Reconnaître qq'un*, le retrouver avec son véritable caractère : *Je reconnais sa façon d'agir, il n'a pas changé.* — **3.** *Reconnaître une personne, une chose à*, les distinguer à certains caractères, à certains signes : *Je l'ai reconnu au portrait que vous m'aviez fait de lui* (syn. IDENTIFIER). — **4.** *Reconnaître qqch.*, avouer un acte répréhensible : *Reconnaître ses torts* (syn. CONFESSER). — **5.** *Reconnaître une chose*, l'admettre comme vraie, réelle : *Reconnaître une qualité à qq'un* (syn. ACCORDER, ATTRIBUER). *Il a reconnu que vous aviez raison* (syn. CONVENIR). — **6.** Chercher à déterminer la situation d'un lieu, d'une contrée, d'un cours d'eau, etc. : *Reconnaître une île, une côte* (syn. EXPLORER). — **7.** *Reconnaître un enfant*, déclarer qu'on est le père ou la mère d'un enfant naturel. ‖ *Reconnaître un gouvernement*, admettre officiellement son existence juridique (après un coup d'État, une révolution). ‖ *Reconnaître qq'un pour*, l'admettre en telle qualité : *Reconnaître qq'un pour chef, pour maître.* ◆ ***se reconnaître*** v. pr. **1.** Retrouver son image, sa ressemblance dans un miroir, dans un portrait, dans une photographie. — **2.** Retrouver ses sentiments, sa manière d'être dans une autre personne : *Il se reconnaît dans son fils.* — **3.** Savoir où l'on est en se remettant dans l'esprit l'image d'un lieu qu'on revoit : *Il est difficile de se reconnaître dans ce dédale de rues* (syn. S'ORIENTER, SE RETROUVER). — **4.** *Se reconnaître coupable*, avouer son erreur, sa faute, son crime. ◆ **reconnaissable** adj. (sens 1 du v.) : *Il est si changé depuis sa maladie qu'il n'est pas reconnaissable.* ◆ **reconnaissance** n. f. **1.** Action de reconnaître comme vrai, comme légitime, comme sien : *La reconnaissance d'un droit, d'un gouvernement, d'un enfant.* ‖ *Reconnaissance de dette*, acte écrit par lequel on reconnaît que l'on doit de l'argent à quelqu'un. — **2.** Opération militaire ayant pour objet de recueillir des renseignements sur la situation ou les mouvements de l'ennemi : *Aviation de reconnaissance.* ‖ Fam. *Partir en reconnaissance*, partir à la recherche de quelqu'un, de quelque chose.

RECONQUÉRIR v. t., **RECONQUÊTE** n. f. → CONQUÉRIR.

Reconquista, mot esp. désignant la reconquête de la péninsule Ibérique par les chrétiens sur les musulmans (XIᵉ-XVᵉ s.).

RECONSIDÉRER v. t. → CONSIDÉRER 1.

RECONSTITUER [rəkɔ̃stitɥe] v. t. (*re-*, et *constituer*). **1.** Constituer, former de nouveau : *Reconstituer un parti.* — **2.** *Reconstituer une chose*, la rétablir dans sa forme primitive : *Reconstituer le plan d'une ville disparue.* — **3.** *Reconstituer un crime*, déterminer par les résultats d'une enquête les conditions dans lesquelles il a été commis. ◆ **reconstituant, e** adj. et n. m. Qui redonne des forces à un organisme fatigué : *Médicament reconstituant* (syn. FORTIFIANT). ◆ **reconstitution** n. f. : *La reconstitution d'un crime.*

RECONSTRUCTION n. f., **RECONSTRUIRE** v. t. → CONSTRUIRE. / **RECONVERSION** n. f., **RECONVERTIR** v. t. → CONVERTIR 2. / **RECOPIER** v. t. → COPIER.

RECORD [rəkɔr] n. m. (de l'angl. *record*, enregistrement). **1.** Exploit sportif qui surpasse ce qui a déjà été fait dans le même genre : *Battre un record.* — **2.** Résultat remarquable qui surpasse ce qui a été obtenu dans un genre quelconque : *Un record d'affluence;* et ironiq. : *Détenir le record de la bêtise.* ◆ adj. Qui atteint le maximum des possibilités : *Des vitesses records. En un temps record* (= en très peu de temps). ◆ **recordman** [rəkɔrdman] n. m., **recordwoman** [rəkɔrdwuman] n. f. Homme, femme qui détient un record.

RECOUCHER (SE) v. pr. → COUCHER 2. / **RECOUDRE** v. t. → COUDRE. / **RECOUPEMENT** n. m. → COUPER 2 et RECOUPER 2.

1. RECOUPER v. t., **SE RECOUPER** v. pr. → COUPER 1 et 2.

2. RECOUPER [rəkupe] v. t. (*re-*, et *couper*). Apporter une confirmation : *Témoignage qui en recoupe un autre.* ◆ ***se recouper*** v. pr. Correspondre en se conformant : *Cours, déclarations qui se recoupent.* ◆ **recoupement** n. m. Vérification d'un fait par des renseignements venant de sources différentes.

RECOURBER [rəkurbe] v. t. (*re-*, et *courber*). Courber en pliant l'extrémité. ◆ **recourbé, e** adj. Courbé à son extrémité : *Le bec recourbé d'un oiseau de proie* (syn. CROCHU). *Un nez recourbé* (syn. AQUILIN).

RECOURIR [rəkurir] v. t. ind. (*re-*, et *courir*). [Conj. **29.**] **1.** *Recourir à qq'un*, lui demander de l'aide (syn. S'ADRESSER, AVOIR RECOURS). — **2.** *Recourir à qqch.*, se servir de tels moyens dans une circonstance donnée : *Recourir à la force* (syn. FAIRE APPEL). *Recourir à un emprunt.* ◆ **recours** n. m. **1.** Personne ou chose à laquelle on recourt : *Vous êtes mon dernier recours. Le recours à la ruse est parfois nécessaire.* — **2.** *Avoir recours à qq'un*, lui demander du secours, de l'aide. ‖ *Avoir recours à qqch.*, s'en servir comme d'un moyen : *Le recours à la force pour maintenir l'ordre.* ‖ *Recours en grâce*, demande adressée au chef de l'État en vue d'une remise de peine.

RECOUVREMENT n. m. → COUVRIR 1 et RECOUVRER.

RECOUVRER [rəkuvre] v. t. (lat. *recuperare*). **1.** Rentrer en possession de ce qu'on avait perdu : *Recouvrer la parole, la raison, la liberté* (syn. RETROUVER). *Recouvrer la santé, ses forces* (= se rétablir, se guérir). — **2.** Opérer la perception de sommes dues : *Recouvrer les impôts.* ◆ **recouvrement** n. m. : *Le recouvrement des contributions* (syn. PERCEPTION).

RECOUVRIR v. t., **SE RECOUVRIR** v. pr. → COUVRIR 1. / **RECRACHER** v. t. → CRACHER. / **RECRÉATION** n. f. → CRÉER.

RÉCRÉATION [rekreasjɔ̃] n. f. (*ré-*, et *création*). **1.** Ce qui interrompt le travail et délasse : *La promenade est une agréable récréation* (syn. DÉTENTE). — **2.** Temps accordé à des élèves pour qu'ils puissent jouer, se délasser : *Aller en récréation.* ◆ **récréatif, ive** adj. Qui divertit : *Lecture, séance récréative* (syn. AMUSANT, DÉLASSANT). ◆ **récréer (se)** v. pr. Se délasser par le jeu, le repos, etc.

RECRÉER v. t. → CRÉER.

RÉCRÉER (SE) v. pr. → RÉCRÉATION.

RÉCRIER (SE) [sərekrije] v. pr. (de *re-*, et [*s'*]*écrier*). Pousser une exclamation de surprise, de mécontentement, de protestation, etc. (syn. S'EXCLAMER).

RÉCRIMINER [rekrimine] v. i. ou v. t. ind. (du lat. *crimen*, accusation). *Récriminer contre qq'un, qqch.*, élever des protestations contre eux, les critiquer amèrement (syn. PROTESTER, TROUVER À REDIRE). ◆ **récrimination** n. f. : *Il se répand en continuelles récriminations* (syn. PLAINTE).

RÉCRIRE v. t. → ÉCRIRE.

RECROQUEVILLER (SE) [sərəkrɔkvije] v. pr. (orig. obscure). **1.** (sujet nom de chose) Se rétracter, se tordre sous l'action de la chaleur, de la sécheresse, etc. : *Les feuilles brûlées par le gel se recroquevillent.* — **2.** (sujet nom d'être vivant) Se ramasser sur soi-même : *La douleur le faisait se recroqueviller dans son lit* (syn. SE PELOTONNER).

RECRU, E [rəkry] adj. (de l'anc. fr. *se recroire*, se rendre). *Recru de fatigue*, se dit d'une personne que la fatigue a épuisée ou brisée (littér.) [syn. HARASSÉ; fam. ÉREINTÉ, VANNÉ].

RECRUDESCENCE [rəkrydɛsɑ̃s] n. f. (du lat. *recrudescere*, devenir plus violent). **1.** Retour et accroissement des symptômes d'une maladie, des ravages d'une épidémie, après une rémission temporaire : *La recrudescence de la grippe.* — **2.** Réapparition et augmentation d'intensité : *Recrudescence des combats* (syn. REPRISE; contr. ACCALMIE). ◆ **recrudescent, e** adj. : *Une épidémie recrudescente.*

RECRUE [rəkry] n. f. (de *recroître*, accroître). **1.** Jeune homme appelé sous les drapeaux pour accomplir son service militaire. — **2.** Nouveau membre admis dans un groupe, dans une société : *Faire une nouvelle recrue.* ◆ **recruter** v. t. **1.** Appeler des hommes pour le service militaire (syn. ENGAGER, INCORPORER). — **2.** Engager du personnel pour tenir certains emplois : *Recruter des collaborateurs.* — **3.** *Recruter qq'un*, l'amener à faire partie d'une société, d'une association : *Recruter des adhérents* (syn. ENRÔLER). ◆ ***se recruter*** v. pr. S'accroître en nouvelles recrues : *Le personnel de cette administration se recrute sur titres.* ◆ **recrutement** n. m. : *Le service de recrutement, chargé au ministère de la Défense* *de réglementer les obligations des jeunes gens assujettis au service national, a pris en 1977 le nom de Direction du service national.* ◆ **recruteur** n. m. et adj. : *Chaque parti a ses recruteurs, ses agents recruteurs.*

RECTA [rɛkta] adv. (lat. *recta*, en droite ligne). *Fam.* Ponctuellement : *C'est un homme qui paie toujours recta.*

RECTAL, E, AUX adj. → RECTUM.

RECTANGLE [rɛktɑ̃gl] adj. et n. m. (du lat. *rectus*, droit, et *angulus*, angle). *Géom.* Parallélogramme ayant un angle droit. ‖ *Parallélépipède rectangle*, parallélépipède droit dont la base est un rectangle. ‖ *Trapèze rectangle*, trapèze dont un des côtés est perpendiculaire aux bases. ‖ *Triangle rectangle*, triangle qui a un angle droit. ◆ **rectangulaire** adj. Qui a la forme d'un rectangle. → illustration AIRE page 32.

RECTEUR [rɛktœr] n. m. (du lat. *regere*, diriger). **1.** Fonctionnaire de l'Éducation nationale placé à la tête d'une académie. — **2.** Chef d'un établissement libre d'enseignement supérieur : *Le recteur de l'Institut catholique de Paris.* ◆ **rectoral, e, aux** adj. : *Une décision rectorale.* ◆ **rectorat** n. m. **1.** Charge de recteur. — **2.** Local où sont installés les services du recteur.

RECTIFIER [rɛktifje] v. t. (bas lat. *rectificare*, rendre droit). **1.** Rendre droit, rendre plus conforme à l'usage, à la destination : *Rectifier le tracé d'une route.* — **2.** Modifier en corrigeant : *Rectifier une erreur.* — **3.** Régulariser par meulage la surface d'une pièce usinée. ◆ **rectifiable** adj. : *Une erreur rectifiable.* ◆ **rectificatif, ive** adj. Qui sert à rectifier : *Une note rectificative.* ◆ n. m. Article, document officiel qui rectifie ce qui a été annoncé, promulgué : *Envoyer un rectificatif à la presse.* ◆ **rectification** n. f. **1.** *La rectification d'un alignement, d'un compte.* — **2.** Modification apportée ultérieurement à un article de journal, à un passage d'une publication : *Insérer une rectification.* — **3.** *Industr.* Distillation fractionnée d'un liquide pour le purifier ou en séparer les constituants. — **4.** *Mécan.* Achèvement à la meule de précision d'une surface usinée. ◆ **rectifieuse** n. f. Machine-outil servant à rectifier.

RECTILIGNE [rɛktiliɲ] adj. (du lat. *rectus*, droit, et *linea*, ligne). **1.** En ligne droite : *Une allée rectiligne.* — **2.** Composé de lignes droites : *Figure rectiligne.*

RECTITUDE [rɛktityd] n. f. (du lat. *rectus*, droit). Conformité à la raison, à la justice : *La rectitude du jugement, d'un raisonnement* (syn. JUSTESSE, RIGUEUR).

RECTO [rɛkto] n. m. (du lat. *folio recto*, sur le feuillet qui est à l'endroit). Première page d'un feuillet (contr. VERSO).

RECTORAL, E, AUX adj., **RECTORAT** n. m. → RECTEUR.

RECTRICE [rɛktris] n. f. (du lat. *rectus*, droit). Grande plume ou penne de la queue des oiseaux, qui dirige le vol.

RECTUM [rɛktɔm] n. m. (lat. *rectum intestinum*, intestin droit). *Anat.* Dernière partie du gros intestin, qui aboutit à l'anus. ◆ **rectal, e, aux** adj. : *Température rectale* (= prise au rectum).

REÇU, E adj. et n. m. → RECEVOIR 1.

RECUEIL n. m. → RECUEILLIR 1.

RECUEILLEMENT n. m., **RECUEILLI, E** adj. → RECUEILLIR 2.

1. RECUEILLIR [rəkœjir] v. t. (*re-*, et *cueillir*). [Conj. **24.**] **1.** Rassembler en cueillant, en collectant : *Recueillir des dons.* — **2.** Réunir ce qui est dispersé : *Recueillir des documents pour un ouvrage* (syn. RASSEMBLER). — **3.** *Recueillir qqch.*, recevoir ce qui se répand : *Recueillir de l'eau de pluie dans une citerne.* — **4.** *Recueillir qq'un, un animal*, les accueillir chez soi : *Recueillir des chiens, des chats.* — **5.** Tirer profit : *Recueillir le fruit de ses travaux.* — **6.** Obtenir : *Recueillir des voix, des suffrages.* — **7.** Recevoir par voie d'héritage : *Recueillir une succession.* ◆ **recueil** n. m. Ouvrage où sont réunis des écrits, des documents, etc. : *Un recueil de morceaux choisis* (syn. ANTHOLOGIE).

2. RECUEILLIR (SE) [sərəkœjir] v. pr. (même étym.). [Conj. **24.**] **1.** Se replier sur soi-même, se concentrer : *Avoir besoin de se recueillir pour travailler.* — **2.** Se livrer à la méditation : *Se recueillir dans une église.* ◆ **recueillement** n. m. Sens 1 et 2 du v. : *Écouter de la musique avec recueillement. Prier dans un profond recueillement.* ◆ **recueilli, e** adj. **1.** Qui est dans le recueillement : *Une femme recueillie.* — **2.** Qui témoigne du recueillement : *Un air recueilli.*

1. RECUIRE v. t. → CUIRE.

2. RECUIRE [rəkɥir] v. t. (*re-*, et *cuire*). [Conj. **70.**] **1.** Améliorer les qualités d'un métal par le recuit. — **2.** Diminuer la fragilité d'un verre par le recuit. ◆ **recuit** n. m. Traitement thermique consistant en un chauffage suivi d'un refroidissement lent, et qui permet d'obtenir un métal plus malléable et plus ductile. (On utilise le recuit pour supprimer les effets de la trempe ou de l'écrouissage.)

RECUL n. m., **RECULADE** n. f., **RECULÉ, E** adj. → RECULER.

RECULÉE [rəkyle] n. f. (de *reculer*). Vallée jurassienne aux parois verticales, qui se termine en cul-de-sac au pied d'un escarpement calcaire, le « bout du monde » : *La reculée de la Seille à Baume-les-Messieurs.*

RECULER [rəkyle] v. i. (de *re-*, et *cul*). **1.** (sujet nom d'être animé) Aller, se porter en arrière : *Reculer d'un pas. On a forcé l'ennemi à reculer* (syn. BATTRE EN RETRAITE, SE REPLIER). — **2.** (sujet nom de personne) Renoncer, céder en présence d'une difficulté : *Reculer devant le danger* (syn. SE DÉROBER, FAIRE MARCHE ARRIÈRE). *Cet homme ne recule devant rien* (= il est prêt à tout faire, ni les difficultés ni les scrupules ne l'arrêtent). — **3.** (sujet nom de personne) Différer, éviter de faire une chose qui est exigée ou désirée : *C'est le moment de rendre des comptes, vous ne pouvez plus reculer* (syn. TEMPORISER). ‖ *Reculer pour mieux sauter*, hésiter devant une décision désagréable qu'il faudra prendre tôt ou tard. — **4.** (sujet nom de chose) Perdre du terrain : *La tuberculose recule devant les progrès de la médecine* (syn. RÉGRESSER). ◆ v. t. **1.** Ramener, pousser en arrière : *Reculer un meuble.* — **2.** Reporter plus loin : *Reculer les frontières d'un État* (= l'agrandir). — **3.** Remettre à plus tard : *Reculer la date d'un paiement* (syn. AJOURNER, DIFFÉRER). ◆ **recul** [rəkyl] n. m. **1.** Action, fait de reculer : *Avoir un mouvement de recul.* — **2.** Espace nécessaire pour reculer : *Ce court de tennis manque de recul.* — **3.** Éloignement dans le temps permettant de juger un événement : *Il faut un certain recul pour apprécier l'importance d'un fait historique.* — **4.** Mouvement en sens contraire du progrès : *Un recul de la civilisation.* ◆ **reculade** n. f. Action de celui qui, s'étant trop engagé dans une affaire, est obligé de revenir en arrière, de faire des concessions : *Une lâche reculade.* ◆ **reculé, e** adj. Éloigné dans le temps : *Les temps les plus reculés* (syn. ANCIEN, LOINTAIN). ◆ **reculons (à)** loc. adv. En allant en arrière : *Marcher, s'éloigner à reculons.*

RÉCUPÉRER [rekypere] v. t. (lat. *recuperare*). **1.** Rentrer en possession d'objets perdus ou confiés pour un temps : *Récupérer l'argent, les livres qu'on a prêtés.* — **2.** *Récupérer qqch.*, ramasser pour l'utiliser ce qui pourrait se perdre : *Récupérer de la ferraille.* — **3.** *Récupérer une journée, une heure de travail*, travailler une journée, une heure, en remplacement de celles qui ont été perdues. — **4.** *Récupérer qq'un, un groupe de personnes*, se les annexer en leur faisant abandonner leurs objectifs de départ, ou reprendre leurs revendications pour son propre compte. ◆ v. i. (sujet nom de personne). Retrouver ses forces après un effort : *Certains athlètes récupèrent très vite.* ◆ **récupération** n. f. : *La récupération de la ferraille. Ils voient dans la prochaine grève une tentative de récupération de leur mouvement par les syndicats.* ◆ **récupérable** adj. : *Une journée récupérable.* ◆ **irrécupérable** adj. : *Des outils rouillés, irrécupérables.*

RÉCURER [rekyre] v. t. (*ré-*, et *curer*). *Récurer un ustensile de cuisine*, le nettoyer en frottant. ◆ **récurage** n. m.

RÉCURRENT, E [rekyrɑ̃, -ɑ̃t] adj. (du lat. *recurrere*, courir en arrière). **1.** *Anat.* Qui revient en arrière : *Nerfs récurrents.* (Se détachant des deux nerfs pneumogastriques, ils vont innerver le larynx.) — **2.** *Fièvre récurrente*, maladie microbienne caractérisée par des accès de fièvre entrecoupés de périodes de rémission de quelques jours (syn. TYPHUS RÉCURRENT). — **3.** *Image récurrente*, image qui subsiste après que l'œil a été impressionné par un objet vivement éclairé (syn. IMAGE CONSÉCUTIVE).

RÉCUSER [rekyze] v. t. (lat. *recusare*). **1.** Refuser de reconnaître la compétence d'un tribunal, d'un juge, d'un expert (jurid.). — **2.** *Récuser qq'un, qqch.*, ne pas admettre leur autorité : *Il récuse votre témoignage.* ◆ ***se récuser*** v. pr. Se déclarer incompétent pour juger une cause, décider d'une question. ◆ **récusation** n. f. : *La récusation d'un témoin.* ◆ **récusable** adj. En qui ou en quoi l'on peut ne pas avoir confiance : *Témoignage récusable.* ◆ **irrécusable** adj. Que l'on ne peut récuser (sens 2) : *Des preuves irrécusables.* ◆ **irrécusablement** adv.

RECYCLAGE [rəsiklaʒ] n. m. (de *re-*, et *cycle*). **1.** Formation complémentaire donnée à des cadres, des techniciens, après interruption de leurs études, pour leur permettre de s'adapter aux techniques nouvelles, dans leur branche d'activité : *Stage de recyclage pour l'utilisation d'un matériel électronique déterminé, pour l'enseignement des mathématiques modernes.* (Ne pas confondre avec *reconversion* qui est l'acquisition d'une qualification professionnelle dans une branche d'activité différente.) — **2.** Changement de l'orientation d'un enfant vers un autre cycle d'études. ◆ **recycler** v. t. Sens 1 et 2 du substantif. ◆ ***se recycler*** v. pr. Acquérir une formation complémentaire.

RÉDACTEUR, TRICE n., **RÉDACTION** n. f. → RÉDIGER.

REDAN ou **REDENT** [rədɑ̃] n. m. (de *dent*). **1.** Ouvrage de fortification, composé de deux faces d'égale longueur formant un angle saillant. — **2.** *Archit.* Découpure de pierre en forme de dent, à l'intérieur des compartiments des fenêtres du Moyen Âge.

REDDITION n. f. → RENDRE 3.

RÉDEMPTEUR, TRICE [redɑ̃ptœr, -tris] adj. (du lat. *redimere,* racheter). Qui rachète (relig.). ◆ n. m. *Le Rédempteur,* Jésus-Christ qui, selon la doctrine chrétienne, par amour pour son Père et par amour pour tous les hommes, a donné sa vie pour les sauver. ◆ **Rédemption** n. f. : *Pour sauver les hommes (= les racheter de leurs péchés et leur donner la vie éternelle), Jésus-Christ a vécu par amour pour eux toute sa vie d'homme, jusqu'à la leur donner par sa mort et sa Résurrection; c'est le mystère de la Rédemption ou mystère du Salut.*

REDENT n. m. → REDAN.

REDESCENDRE v. i et t. → DESCENDRE 1.

REDEVABLE [rədəvabl] adj. (de *re-,* et *devoir*). **1.** Qui n'a pas tout payé, qui reste débiteur : *Je vous suis encore redevable de telle somme.* — **2.** Qui a une obligation envers quelqu'un : *Il vous est redevable de son avancement* (= c'est grâce à vous qu'il l'a obtenu).

REDEVANCE [rədəvɑ̃s] n. f. (de *re-,* et *devoir*). Somme due en contrepartie d'une utilisation, d'un service public : *Redevance téléphonique* (syn. TAXE).

RÉDHIBITION [redibisjɔ̃] n. f. (du lat. *redhibere,* rendre). *Dr.* Annulation d'une vente obtenue par l'acheteur, lorsque la chose vendue présente un défaut irrémédiable. ◆ **rédhibitoire** adj. *Vice rédhibitoire,* défaut irrémédiable qui peut motiver l'annulation d'une vente.

RÉDIGER [rediʒe] v. t. (du lat. *redigere,* ramener). Écrire un texte selon une forme et un ordre voulus : *Rédiger un article de journal.* ◆ **rédacteur, trice** n. **1.** Personne qui rédige un texte : *Le rédacteur d'un article de journal, de dictionnaire.* — **2.** Personne dont la fonction est de collaborer à la rédaction d'un journal, d'un livre. ◆ **rédaction** n. f. **1.** Action ou manière de rédiger : *Rédaction d'un contrat.* — **2.** Exercice scolaire élémentaire qui a pour but d'apprendre aux élèves à rédiger (syn. NARRATION). — **3.** Ensemble des rédacteurs d'un journal, d'une maison d'édition. — **4.** Bureau, salle où travaillent les rédacteurs.

REDINGOTE [rədɛ̃gɔt] n. f. (de l'angl. *riding-coat,* vêtement pour monter à cheval). **1.** Vêtement d'homme long et ample, qui enveloppe une partie des jambes : *D'origine anglaise, la redingote a été portée en France au XVIIIe* et au *XIXe s.* — **2.** Manteau de femme cintré à la taille.

1. REDIRE [rədir] v. t. (*re-,* et *dire*). [Conj. **72.**] **1.** Répéter ce qu'on a déjà dit à plusieurs reprises : *Il redit toujours la même chose* (syn. RESSASSER; fam. RABÂCHER). ‖ *Ne pas se le faire redire,* obéir immédiatement. — **2.** Répéter par indiscrétion : *Ne redis pas cela aux autres!* (syn. RAPPORTER). ◆ **redite** n. f. Répétition fréquente et souvent inutile : *Évitez les redites.*

2. REDIRE [rədir] v. i. ou t. (même étym.). [Conj. **72.**] Ne s'emploie que dans les express. *avoir à redire, trouver à redire* (= blâmer) : *Il n'y a rien à redire dans cet ouvrage* (syn. CRITIQUER).

REDISTRIBUER v. t., **REDISTRIBUTION** n. f. → DISTRIBUER.

REDITE n. f. → REDIRE 1.

REDON, ch.-l. d'arrond. d'Ille-et-Vilaine, à 33 km au N.-E. de La Roche-Bernard; 10 300 hab. *(Redonnais).* Usine de briquets. Matériel agricole.

REDON (Odilon), peintre, dessinateur et graveur français (1840-1916). Son œuvre, symboliste et visionnaire, décrit un monde de rêve qui inspirera les surréalistes *(Portrait de Gauguin, la Naissance de Vénus, Bouquet de fleurs).*

REDONDA → ANTIGUA ET BARBUDA.

REDONDANCE [rədɔ̃dɑ̃s] n. f. (du lat. *redundare,* regorger). Abondance excessive de mots dans un texte, dans un discours (syn. VERBIAGE). ◆ **redondant, e** adj. **1.** Superflu dans un écrit, un discours : *Des épithètes redondantes.* — **2.** Qui présente des redondances : *Un style redondant* (contr. CONCIS, SOBRE).

REDONNER v. t. → DONNER. / **REDOUBLANT, E** adj. et n., **REDOUBLÉ, E** adj., **REDOUBLEMENT** n. m., **REDOUBLER** v. t. et i. → DOUBLE.

REDOUTER [rədute] v. t. (*re-,* et *douter*). *Redouter qq'un, qqch.,* les craindre vivement : *Redouter l'avenir* (syn. ↓APPRÉHENDER). *Je redoute qu'il n'apprenne cette mauvaise nouvelle* (syn. ↑AVOIR PEUR). ◆ **redoutable** adj. **1.** Qui est à redouter : *Une maladie redoutable* (syn. DANGEREUX). — **2.** Propre à inspirer fortement la crainte : *Un air redoutable* (syn. ↑EFFRAYANT).

REDOUX [rədu] n. m. (*re-,* et *doux*). En hiver, radoucissement de la température.

1. REDRESSER [rədrɛse] v. t. (*re-,* et *dresser*). **1.** Remettre droit ce qui est penché, courbé : *Redresser un mât* (syn. RELEVER). *Redresser un essieu* (syn. RECTIFIER). ‖ *Redresser les roues d'un véhicule,* les remettre en ligne droite au moyen du volant : *Redressez!* (= redressez les roues). — **2.** *Redresser la situation d'un pays,* la rétablir dans son état primitif. ‖ *Redresser le jugement de qq'un,* le rectifier. ◆ ***se redresser*** v. pr. **1.** Se remettre droit : *Se redresser dans son lit.* — **2.** Retrouver son énergie, reprendre son essor : *Pays qui se redresse après une guerre* (syn. SE RELEVER). ◆ **redressement** n. m. **1.** *Le redressement d'une règle faussée. Le redressement de la situation financière d'un pays.* — **2.** *Maison de redressement,* établissement jadis chargé de la rééducation de jeunes délinquants. ◆ **redresseur** n. m. *Redresseur de torts,* celui qui répare les injustices (ironiq.) [syn. JUSTICIER].

2. REDRESSER [rədrɛse] v. t. (même étym.). *Électr.* Transformer un courant alternatif en un courant d'un seul sens. ◆ **redresseur** n. m. Appareil servant à redresser du courant alternatif.

RED RIVER, fl. des États-Unis, dont une branche rejoint le Mississippi (r. dr.) et une autre branche (la plus importante) se jette directement dans le golfe du Mexique; 2 000 km.

RÉDUCTEUR adj. et n. m. → RÉDUIRE 1.

RÉDUCTIBLE adj , **RÉDUCTION** n. f. → RÉDUIRE 1 et 2.

1. RÉDUIRE [redɥir] v. t. (du lat. *reducere,* ramener). [Conj. **70.**] **1.** *Réduire qqch.,* en diminuer les dimensions, l'importance : *Réduire ses dépenses* (syn. RESTREINDRE). *Réduire une amende, une peine. Réduire la consommation de certaines denrées* (syn. RATIONNER). — **2.** *Réduire qqch.,* le reproduire en petit, tout en conservant les mêmes proportions : *Réduire une photographie.* — **3.** *Réduire qqch. à,* le ramener à un état, à une forme plus simple : *Réduire un problème à sa plus simple expression.* — **4.** Math. *Réduire deux fractions au même dénominateur* (syn. SIMPLIFIER). — **5.** *Chim.* Enlever l'oxygène contenu dans un corps. — **6.** En cuisine, faire épaissir par évaporation : *Réduire une sauce.* — **7.** Transformer une chose en une autre : *Réduire du café en poudre* (syn. MOUDRE). *Réduire en miettes.* — **8.** *Réduire qq'un à,* l'amener dans tel état, dans telle situation par force, par autorité ou par persuasion : *Réduire au silence* (= faire taire). *Sa maladie l'a réduit à l'inaction* (syn. CONTRAINDRE, OBLIGER). ‖ *En être réduit à,* n'avoir plus d'autre ressource que de. ‖ *Réduire à rien,* anéantir complètement, ruiner : *Cet échec a réduit à rien ses projets* (syn. ANNIHILER). ‖ *Réduire en esclavage, en servitude,* amener dans un état de soumission. ◆ ***se réduire*** v. pr. **1.** *Se réduire à qqch.,* y être ramené : *Tout cela se réduit à une question de chiffres.* — **2.** *Se réduire en une chose,* être transformé en elle : *Ce vin s'est réduit en vinaigre.* ◆ **réduit, e** adj. *Prix, tarif réduit,* inférieur au prix, au tarif normal. ‖ *Modèle réduit,* jouet reproduisant le plus souvent une voiture aux dimensions très réduites. ◆ **réducteur** adj. et n. m. **1.** *Chim.* Se dit des corps qui ont la propriété de désoxyder : *Le carbone est un réducteur.* — **2.** *Mécan.* Mécanisme qui diminue la vitesse de rotation d'un arbre : *Engrenage réducteur.* ◆ **réduction** n. f. **1.** Action de réduire (sens 1) : *Réduction du personnel dans une entreprise* (syn. COMPRESSION, DIMINUTION). — **2.** Diminution de prix : *Obtenir une réduction pour des achats de livres* (syn. RABAIS, REMISE, RISTOURNE). — **3.** Action de réduire (sens 2) : *Réduction d'une carte, d'un tableau.* — **4.** *Chim.* Sens 5 du v. — **5.** *Math.* Sens 4 du v. — **6.** *Mus.* Transcription, pour un ou quelques instruments, d'une partition écrite à l'origine pour une formation instrumentale plus importante. ◆ **réductible** adj. Qu'on peut ramener à une forme plus simple : *Fraction réductible,* dont le numérateur et le dénominateur ont un diviseur commun : $\frac{5}{10}$ *est réductible.* ◆ **irréductible** adj. **1.** Qu'on ne peut ramener à une expression, à une forme simple : *Une fraction* $\frac{a}{b}$ *est irréductible, si son numérateur* a *et son dénominateur* b *n'ont aucun diviseur commun.* $\frac{5}{7}$ *est irréductible.* — **2.** Qu'on ne peut résoudre, faire cesser : *Antagonismes irréductibles.* — **3.** Qui ne transige pas, qu'on ne peut fléchir : *Ennemi irréductible.* ◆ **irréductibilité** n. f. : *L'irréductibilité d'une fraction. L'irréductibilité d'une opposition.*

2. RÉDUIRE [redɥir] v. t. (même étym.). [Conj. **70.**] Méd. *Réduire une fracture, une luxation,* remettre en place un os fracturé ou luxé. ◆ **réduction** n. f. : *La réduction d'une fracture.* ◆ **réductible** adj. Qui peut être remis en place : *Une luxation réductible.* ◆ **irréductible** adj. Contr. de RÉDUCTIBLE. ◆ **irréductibilité** n. f.

1. RÉDUIT [redɥi] n. m. (de *réduire* 1). Pièce de très petites dimensions (syn. SOUPENTE).

2. RÉDUIT, E adj. → RÉDUIRE 1.

RÉÉCRIRE v. t. → ÉCRIRE. / **RÉÉDITER** v. t., **RÉÉDITION** n. f. → ÉDITER. / **RÉÉDUCATION** n. f., **RÉÉDUQUER** v. t. → ÉDUQUER.

RÉEL, ELLE [reɛl] adj. (bas lat. *realis*). **1.** Qui existe effectivement : *Un fait réel* (syn. AUTHENTIQUE, HISTORIQUE). *Un personnage réel* (contr. IMAGINAIRE). *La présence réelle du corps de Jésus-Christ* *dans l'eucharistie* (syn. EFFECTIF). *Une réelle amélioration de l'état du malade* (syn. ÉVIDENT, VISIBLE). — **2.** Math. *Nombre réel* → NOMBRE ◆ n. m. Ce qui existe effectivement : *Perdre le contact avec le réel* (syn. RÉALITÉ). ◆ **réalisme** n. m. **1.** Tendance de certains artistes ou de certains écrivains à représenter la nature et la vie telles qu'elles sont, sans chercher à les embellir : *Le réalisme en peinture est surtout représenté par Gustave Courbet.* (→ aussi NÉO-RÉALISME.) — **2.** École littéraire française du milieu du XIXe s., qui vise à la reproduction intégrale de la réalité. → ENCYCL. — **3.** Tendance à peindre la réalité sous des aspects vulgaires, grossiers : *Le réalisme de Rabelais.* — **4.** Disposition à voir les choses comme elles sont et à agir en conséquence : *Faire preuve de réalisme et de bon sens.* — **5.** *Réalisme socialiste*, doctrine esthétique proclamée en 1934, en U. R. S. S., au Congrès littéraire pansoviétique. (Elle assigne à l'art la tâche de décrire l'homme dans son travail et son combat social.) ◆ **réaliste** adj. **1.** Qui appartient au réalisme en art, en littérature : *Un roman réaliste.* — **2.** Qui dépeint les aspects vulgaires du réel : *Une chanson réaliste* (syn. CRU). ◆ adj. et n. Qui agit en tenant compte de la réalité : *Un homme d'État réaliste* (contr. UTOPISTE). ◆ **réalité** n. f. **1.** Caractère de ce qui est réel : *Douter de la réalité du monde extérieur* (syn. EXISTENCE). — **2.** Ce qui existe en fait, chose réelle : *Prendre ses désirs pour des réalités* (contr. CHIMÈRE, FICTION). — LOC. ADV. *En réalité*, en fait : *Il est heureux en apparence, mais il ne l'est pas en réalité* (syn. RÉELLEMENT). ◆ **réellement** adv. : *L'événement a réellement eu lieu* (syn. EFFECTIVEMENT). *Ce cheval est réellement le meilleur* (syn. VÉRITABLEMENT). *Pensez-vous réellement que vous avez raison?* (syn. OBJECTIVEMENT). ◆ **irréel, elle** adj. et n. m. **1.** Qui n'est pas réel : *Paysage irréel.* — **2.** *Gramm.* Forme verbale ou construction qui présente une action ou un état comme une hypothèse irréalisable. ◆ **irréalisme** n. m. Manque du sens du réel. ◆ **irréalité** n. f. ◆ **irréellement** adv.

— ENCYCL. Le *réalisme* est, au sens large, le caractère de toute œuvre qui donne une image exacte de la nature et des hommes, en faisant une large part aux détails communs de l'existence quotidienne, en reproduisant le langage de la vie courante. Mais on attribue particulièrement le nom de *réalisme* à un moment précis de l'histoire littéraire (après 1850), qui correspond à une réaction contre le romantisme et les excès du lyrisme.

Il s'incarne en littérature avec Champfleury, Duranty, Flaubert, les Goncourt, Maupassant, Daudet, Zola. Ces écrivains, influencés par le développement des sciences biologiques, veulent appliquer les méthodes scientifiques au roman, et représenter de façon intégrale et objective (le romancier doit se défier de sa propre sensibilité, qui ne peut lui communiquer une image exacte du réel) la réalité la plus banale. Pour eux, le réalisme se trouve dans le souci de l'information : Flaubert s'appuie sur de nombreux documents pour reconstituer la localisation dans le temps et dans l'espace de ses romans; les Goncourt, dont les personnages sont empruntés à la réalité, notent dans leur *Journal* une foule d'observations vécues.

Au théâtre, le réalisme préside à la création du drame bourgeois et de la comédie de mœurs avec E. Augier et Alexandre Dumas fils. Peu à peu, le réalisme devient une doctrine consciente qui, poussée à l'extrême, en particulier par Zola, s'achève dans le naturalisme*.

RÉÉLECTION n. f., **RÉÉLIGIBILITÉ** n. f., **RÉÉLIGIBLE** adj., **RÉÉLIRE** v. t. → ÉLIRE.

RÉELLEMENT adv. → RÉEL.

RÉÉMETTEUR [reemetœr] n. m. *(ré-*, et *émetteur).* Émetteur de faible puissance, servant à retransmettre les programmes transmis par un émetteur principal.

RÉESCOMPTE [reɛskɔ̃t] n. m. *(ré-*, et *escompte).* Opération par laquelle la banque centrale (en France, la Banque de France) achète à une banque ou à un organisme financier un effet de commerce déjà escompté*. La banque centrale remet alors à l'établissement qui détenait l'effet le montant de la créance, déduction faite d'un intérêt (= *taux d'escompte*) officiel, fixé par la banque centrale. (Principal mode d'intervention utilisé jusqu'en 1971 par la Banque de France pour subvenir au refinancement des banques, le réescompte a ensuite été délaissé, la Banque de France intervenant sur le marché monétaire.)

RÉÉVALUATION n. f., **RÉÉVALUER** v. t. → ÉVALUER.

REFAIRE [rəfɛr] v. t. *(re-*, et *faire).* [Conj. **76.**] **1.** Faire de nouveau : *Refaire un voyage.* — **2.** Faire quelque chose en imitant quelqu'un : *Ce qu'ont fait nos ancêtres, nous le refaisons.* — **3.** Recommencer en faisant quelque chose de différent, en transformant : *Ce devoir est à refaire.* — **4.** Remettre en état : *Refaire la toiture d'une maison* (syn. RÉPARER). — **5.** Fam. *Refaire qq'un*, le tromper, le duper : *Je suis refait!* (= on m'a eu). ◆ v. i. Redistribuer les cartes : *Vous avez mal donné, c'est à refaire.* ◆ ***se refaire*** v. pr. **1.** Reprendre des forces (syn. SE RÉTABLIR). — **2.** Changer de caractère, de manière d'être : *Il ne peut se refaire* (syn. SE TRANSFORMER). — **3.** *Se refaire à qqch.*, s'y réhabituer. ◆ **réfection** n. f. Action de remettre à neuf : *La réfection d'une maison.*

RÉFECTOIRE [refɛktwar] n. m. (du lat. *refectorius*, qui restaure). Salle où les membres d'une communauté, d'une collectivité (lycéens, soldats, etc.) prennent leurs repas.

RÉFÉRÉ [refere] n. m. (de *référer*). *Dr.* Procédure qui permet d'obtenir rapidement du juge une mesure qui se justifie par l'urgence, et qui ne saurait donc attendre l'issue de la procédure normale sans que cela nuise aux intérêts du demandeur; arrêt rendu selon cette procédure.

RÉFÉRENCE [referɑ̃s] n. f. (du lat. *referre*, rapporter). **1.** Indication du passage d'un texte (page, paragraphe, ligne, etc.) auquel on renvoie le lecteur : *Veuillez me fournir la référence de cette citation.* — **2.** *Ouvrage de référence*, ouvrage que l'on consulte : *Les dictionnaires sont des ouvrages de référence.* — **3.** Indication placée en tête d'une lettre et que le correspondant est prié de rappeler. — **4.** (au plur.) Attestations présentées par une personne qui cherche un emploi, qui propose une affaire, et qui sont destinées à servir de recommandation : *Fournir de sérieuses références.* ◆ **référencié, e** adj. Accompagné d'une référence : *Des citations référenciées.*

1. RÉFÉRENDAIRE adj. → RÉFÉRENDUM.

2. RÉFÉRENDAIRE [referɑ̃dɛr] adj. (du lat. *referre*, rapporter). *Conseiller référendaire à la Cour des comptes*, magistrat à la Cour des comptes, chargé d'examiner les pièces de la comptabilité publique, d'en faire un rapport et de rédiger les arrêts.

RÉFÉRENDUM [referɛ̃dɔm] n. m. (lat. *referendum*; de *referre*, rapporter). **1.** Procédé de démocratie directe, par lequel le peuple consulté à propos d'une décision gouvernementale, peut la ratifier ou la rejeter : *La constitution de 1958 a été soumise à l'approbation populaire par un référendum.* → ENCYCL. — **2.** Consultation des membres d'un groupe ou d'une collectivité : *Revue qui organise un référendum auprès de ses lecteurs.* ◆ **référendaire** [referɑ̃dɛr] adj. Relatif à un référendum : *Entamer la procédure référendaire.*

— ENCYCL. Une réforme soumise à l'approbation populaire par voie de *référendum* ne peut entrer en vigueur qu'après une réponse positive à ce référendum. Le référendum peut tourner au plébiscite si le peuple se détermine en fonction de la personnalité de l'homme politique qui s'adresse à lui. (→ PLÉBISCITE.)

RÉFÉRER [refere] v. t. ind. (lat. *referre*, rapporter). *En référer à qq'un*, lui soumettre une chose pour qu'il en décide. ◆ ***se référer*** v. pr. *Se référer à qq'un, à qqch.*, s'en rapporter à eux comme à une autorité : *Se référer à un ami, à son avis, à un texte* (syn. CONSULTER, RECOURIR À).

REFERMER v. t. → FERMER.

REFILER [rəfile] v. t. (orig. obscure). *Pop.* Donner, vendre, remettre à quelqu'un une chose dont on veut se débarrasser : *Refiler une fausse pièce, une vieille paire de chaussures.*

1. RÉFLÉCHIR [refleʃir] v. t. (lat. *reflectere*, faire tourner) [sujet nom désignant une surface]. Renvoyer dans une autre direction la lumière, le son : *Les miroirs réfléchissent les images des objets.* ◆ ***se réfléchir*** v. pr. Être renvoyé en retour : *Les arbres se réfléchissent dans l'eau.* ◆ **réfléchi** adj. m. **1.** *Pronom réfléchi*, pronom personnel qui désigne la même personne ou la même chose que le sujet et sert à former des verbes pronominaux réfléchis. — **2.** *Verbe pronominal réfléchi*, indique qu'une action revient sur le sujet de la proposition (ex. : *Je me regarde dans la glace; elle s'est blessée à la main*). ◆ **réfléchissant, e** adj. : *Une surface réfléchissante.* ◆ **réflecteur** n. m. Miroir qui renvoie la lumière sur l'espace qu'on veut éclairer. ◆ **réflectorisé, e** adj. Qui réfléchit la lumière : *Un panneau de signalisation routière réflectorisé.* ◆ **réflexion** n. f. *Réflexion de la lumière, du son*, changement de direction des ondes lumineuses, sonores, qui tombent sur une surface réfléchissante.

2. RÉFLÉCHIR [refleʃir] v. i. et t. ind. (lat. *reflectere mentem*, tourner son esprit vers). *Réfléchir à, sur qqch.*, y penser longuement pour l'approfondir : *Laissez-moi le temps de réfléchir à cette question* (syn. ÉTUDIER, EXAMINER). *Avant de parler, réfléchissez à ce que vous allez dire* (syn. PENSER). ◆ v. t. **1.** *Réfléchir que* (et l'indic.), songer après réflexion : *En acceptant votre invitation, je n'ai pas réfléchi que je ne pourrai m'y rendre* (syn. ↓ENVISAGER, PENSER). — **2.** *Tout (bien) réfléchi*, après avoir mûrement examiné : *Inutile d'insister, c'est tout réfléchi.* ◆ **réfléchi, e** adj. **1.** Dit ou fait avec réflexion : *Une action réfléchie* (syn. CALCULÉ, RAISONNÉ). — **2.** Qui agit avec réflexion : *Un jeune homme réfléchi* (syn. PONDÉRÉ, POSÉ, ↓SÉRIEUX; contr. ÉTOURDI, ÉVAPORÉ). ◆ **irréfléchi, e** adj. **1.** Fait ou dit sans réflexion : *Parole, action irréfléchie.* — **2.** Qui parle ou agit sans réflexion : *Homme irréfléchi.* ◆ **réflexion** n. f. **1.** Action de l'esprit qui examine et approfondit ses pensées : *Ce que vous me dites mérite réflexion.* — **2.** Jugement qui résulte de cette action : *Il m'a communiqué le fruit de ses réflexions sur mon travail* (syn. OBSERVATION, REMARQUE). ◆ **irréflexion** n. f. Manque, défaut de réflexion.

RÉFLECTEUR n. m., **RÉFLECTORISÉ, E** adj. → RÉFLÉCHIR 1.

REFLET [rəflɛ] n. m. (it. *riflesso*, retour en arrière). **1.** Rayon lumineux ou coloré, image d'un objet qui apparaissent sur une surface réfléchissante : *Le reflet du soleil sur une vitre.* — **2.** Teinte lumineuse qui se joue sur des fonds différents : *Une étoffe verte à reflets dorés.* — **3.** Image des tendances, des caractères, etc., d'un groupe, d'une personne : *La littérature est le reflet d'une société.* ◆ **refléter** v. t. **1.** Renvoyer la lumière, la couleur, l'image d'une chose, de façon affaiblie. — **2.** Reproduire, indiquer : *Son visage reflète la bonté* (syn. EXPRIMER). ◆ ***se refléter*** v. pr. Être reflété : *Les arbres se reflètent dans l'eau. La joie se reflète sur son visage* (syn. TRANSPARAÎTRE).

RÉFLEXE [reflɛks] adj. et n. m. (lat. *reflexus*, réfléchi). **1.** Se dit de tout mouvement ou de toute activité d'une partie de l'organisme, qui se produit en dehors du contrôle de la volonté chaque fois que l'on excite un organe des sens ou une terminaison nerveuse particulière de façon déterminée. → ENCYCL. — **2.** Réaction rapide en présence d'un événement soudain : *Avoir de bons réflexes.*

— ENCYCL. Il existe chez l'homme deux types de *réflexes* : les réflexes innés et les réflexes conditionnés.

Les *réflexes innés* existent dès la formation complète du système nerveux, en dehors de tout apprentissage. Il s'agit de réflexes *naturels*, liés à la nature du système nerveux; ce sont eux que l'on désigne sous le nom de *réflexes* (sens 1) et que le médecin étudie pour juger de l'état du système nerveux d'un individu (réflexe oculaire à la lumière, réflexe obtenu en percutant la rotule...).

Les *réflexes conditionnés* ou *acquis* sont des activités liées à un apprentissage et à une éducation : ce sont des actes que, à force d'habitude, on accomplit de façon automatique, sans réfléchir, chaque fois que l'on se trouve dans une situation précise (*ex.* : un conducteur d'automobile doit acquérir de bons réflexes pour parer aux situations dangereuses : freiner, rétrograder, etc.).

Chaque réflexe naturel met en jeu d'abord un *organe récepteur* de l'excitation (terminaison nerveuse ou organe des sens de cet organe : un influx nerveux emprunte un nerf sensitif jusqu'à un centre nerveux). Le centre nerveux analyse le message reçu et élabore une réponse traduite par un ordre d'acte à accomplir. L'ordre part par un nerf moteur vers l'*organe effecteur* (muscle, viscère, glande sécrétrice) qui accomplit l'acte commandé. Cet ensemble constitue l'*arc réflexe*.

De nombreuses activités de la vie courante de l'organisme sont liées à des réflexes : ainsi l'*activité digestive*. Le pancréas sécrète le suc gastrique quand l'aliment arrive dans l'estomac; la vue d'un plat agréable met « l'eau à la bouche » (déclenche la sécrétion salivaire). Ainsi aussi certains *réflexes de défense* : si l'on pince un dormeur sur le dos de la main, il retire son bras, sans se réveiller.

Tous ces réflexes ont lieu en dehors de la volonté : ils ne sont pas dus à une action consciente.

RÉFLEXIF, IVE [reflɛksif, -iv] adj. (lat. *reflexivus*). Math. *Relation réflexive*, se dit d'une relation* binaire $\mathcal{R}$ définie dans un ensemble E, si pour tout élément x de E on a $x \mathcal{R} x$: *L'égalité est une relation réflexive dans* $\mathbb{N}$. (Une relation binaire est non réflexive s'il existe au moins un élément x de E tel que l'on ait : non $x \mathcal{R} x$. Il ne faut pas confondre avec *antiréflexif*.) [→ RELATION* BINAIRE.]

RÉFLEXION n. f. → RÉFLÉCHIR 1 et 2.

REFLUX [rəfly] n. m. (*re-*, et *flux*). Mouvement de la mer qui s'éloigne du rivage (syn. MARÉE DESCENDANTE; contr. FLUX). ◆ **refluer** v. i. **1.** (sujet nom de liquide) Couler en sens contraire au cours normal. — **2.** (sujet nom désignant des personnes) Reculer ou se porter en un lieu parce qu'elles sont repoussées d'un autre : *La foule refluait sous les charges de la police.*

REFONDRE [rəfɔ̃dr] v. t. (*re-*, et *fondre*). [Conj. **51.**] Refaire un ouvrage (littéraire, scientifique, etc.) : *Refondre un dictionnaire.* ◆ **refonte** n. f. : *La refonte d'un texte.*

REFORMAGE [rəfɔrmaʒ] n. m. (trad. de l'angl. *reforming*). Procédé de raffinage qui consiste à modifier la composition d'une essence sous l'effet de la température et de la pression. (Ce terme doit être, selon l'Administration, substitué à REFORMING.)

RÉFORME [refɔrm] n. f. (du lat. *reformare*, réformer). **1.** Changement radical opéré en vue d'une amélioration des choses : *La réforme de l'enseignement.* — **2.** Retour à une observation plus stricte de la discipline dans un ordre religieux : *Une réforme monastique.* — **3.** Suppression des abus : *Apporter des réformes dans une administration.* — **4.** *Mil.* Position d'un jeune homme jugé inapte au service national ou d'un militaire mis hors de service. ◆ **réformer** v. t. **1.** Changer en mieux : *Réformer les institutions* (syn. AMÉLIORER, CORRIGER). — **2.** *Réformer un ordre religieux*, le rétablir dans sa forme primitive. — **3.** Prononcer la réforme (sens 4) d'un jeune homme, d'un militaire. ◆ **réformé, e** adj. et n. Sens 4 : *Les réformés du service national.* ◆ **réformateur, trice** n. et adj. Personne qui fait ou propose des réformes. ◆ **réformisme** n. m. Doctrine ou attitude politique de ceux qui préconisent des réformes pour faire évoluer les institutions existantes vers plus de justice sociale. ◆ **réformiste** adj. et n. : *Un socialisme réformiste* (par oppos. à RÉVOLUTIONNAIRE).

Réforme (la), mouvement religieux qui, au XVIe s., a donné naissance aux Églises protestantes.

La Réforme, crise spirituelle née d'une volonté de lutte contre les abus de l'Église (cumul des bénéfices*, indulgences*) et de la recherche d'une piété plus pure et plus individualiste par l'étude de la Bible, s'est accompagnée de considérations économiques et politiques qui ont favorisé son extension, mais aussi son morcellement.

• *31 oct. 1517. Un moine allemand, Martin Luther, affiche à Wittemberg 95 propositions de réforme de l'Église.*

Excommunié en 1520, il refuse de se soumettre. Il est suivi par des princes qui veulent séculariser les biens d'Église et affirmer leur indépendance face à l'Empereur, par certaines villes d'Empire et par la paysannerie (guerre des Paysans, 1524-1525). La nouvelle Église, dont l'influence s'étend en Allemagne et en Scandinavie, voit sa doctrine définie par la confession d'Augsbourg (1530), qui affirme le salut par la foi et la primauté de la Bible. En 1555, son existence légale en Allemagne est reconnue par la paix d'Augsbourg.

• *1536. Jean Calvin publie « l'Institution de la religion chrétienne » qui donne un nouvel élan à la Réforme.*

Influencé par le prédicateur suisse Zwingli, il proclame la prédestination de l'homme dont le salut ne peut venir que de Dieu et abolit la hiérarchie ecclésiastique maintenue par Luther. De Genève, où Calvin s'est réfugié en 1536, le calvinisme se répand en France, où vont se déchaîner les guerres de Religion*, en Suisse, aux Pays-Bas, malgré les persécutions de Philippe II, et en Écosse. En Angleterre, il imprègne l'anglicanisme, religion nationale fondée par l'acte de Suprématie de 1534, et organisée définitivement en 1559 par Élisabeth Ire.

La Réforme, qui divisait durablement la chrétienté, entraîna en réaction une réforme au sein de l'Église catholique. (→ CONTRE* RÉFORME.)

1. RÉFORMÉ, E adj. et n. → RÉFORME.

2. RÉFORMÉ, E [refɔrme] adj. (de *Réforme*). *Religion réformée*, le protestantisme. ◆ n. et adj. Protestant, et plus particulièrement calviniste.

RÉFORMER v. t. → RÉFORME.

REFORMING n. m. → REFORMAGE.

RÉFORMISME n. m., **RÉFORMISTE** adj. et n. → RÉFORME.

1. REFOULER [rəfule] v. t. (*re-*, et *fouler*). Faire reculer, empêcher de passer : *Refouler un envahisseur* (syn. FAIRE REFLUER, REPOUSSER). ◆ **refoulement** n. m. Action de refouler : *Le refoulement des ennemis.*

2. REFOULER [rəfule] v. t. (même étym.). **1.** Empêcher de se manifester, de s'extérioriser : *Refouler ses larmes* (syn. CONTENIR, ÉTOUFFER, RÉPRIMER). — **2.** *Psychanalyse.* Rejeter ses désirs, ses tendances dans l'inconscient*. ◆ **refoulement** n. m. *Psychanalyse.* Phénomène psychique (découvert par S. Freud) par lequel certains événements vécus ou certaines pensées, images, souvenirs liés à un désir sexuel, sont rejetés dans l'inconscient, allant dans certains cas jusqu'à susciter des maladies mentales (névroses, psychoses). [Un des buts de la psychanalyse est de provoquer le retour à l'état conscient des tendances ou des désirs refoulés, afin de guérir le malade.] ◆ **refoulé, e** adj. et n. : *Un désir refoulé. Un vieux garçon refoulé* (= qui a rejeté ses instincts sexuels).

1. RÉFRACTAIRE [refraktɛr] adj. (du lat. *refringere*, briser). **1.** *Réfractaire à qqch.*, qui refuse de s'y soumettre, d'y obéir : *Une personne réfractaire à toute discipline* (syn. REBELLE). — **2.** *Prêtre réfractaire*, prêtre qui, sous la Révolution, avait refusé de prêter serment à la Constitution civile du clergé. ◆ n. m. Citoyen qui refuse d'obéir à la loi ou de se soumettre à ses obligations militaires.

2. RÉFRACTAIRE [refraktɛr] adj. (même étym.). **1.** Qui résiste à de très hautes températures : *De l'argile réfractaire.* — **2.** *Biol.* Qui résiste à une infection microbienne : *Les oiseaux sont réfractaires au charbon.*

RÉFRACTION [refraksjɔ̃] n. f. (du lat. *refringere*, briser). *Phys.* Déviation que subit un rayon lumineux en passant d'un milieu transparent dans un autre. ◆ **réfracter** v. t. Produire la réfraction : *Ce prisme réfracte la lumière.* ◆ **réfrangibilité** n. f. Propriété de ce qui est réfrangible : *Chaque rayon coloré a son degré de réfrangibilité.* ◆ **réfrangible** adj. Susceptible de réfraction : *Ces rayons violets sont les plus réfrangibles.* ◆ **réfringence** n. f. Propriété de réfracter la lumière : *La réfringence du verre.* ◆ **réfringent, e** adj. Qui réfracte la lumière : *Milieu réfringent.*

REFRAIN [rəfrɛ̃] n. m. (de l'anc. fr. *refraindre*, moduler). **1.** Phrase mélodique reprise à la fin des couplets d'une chanson, d'une ballade, etc. — **2.** Ce qu'une personne répète sans cesse : *C'est toujours le même refrain* (syn. RENGAINE).

RÉFRANGIBILITÉ n. f., **RÉFRANGIBLE** adj. → RÉFRACTION.

REFRÉNER ou **RÉFRÉNER** [refrene] v. t. (du lat. *refrenare*, retenir par un frein). Mettre un frein à la violence de quelqu'un, à un sentiment trop vif, etc. : *Refréner ses désirs* (syn. CONTENIR, RÉPRIMER, RETENIR). ◆ **refrènement** n. m. : *Le refrènement des instincts.* ◆ **irréfrénable** adj. Qui ne peut être refréné.

RÉFRIGÉRATION [refriʒerasjɔ̃] n. f. (du lat. *refrigerare*, refroidir). Abaissement artificiel de la température d'un corps. ◆ **réfrigérer** v. t. **1.** Soumettre à la réfrigération : *Réfrigérer du poisson* (syn. CONGELER, FRIGORIFIER). — **2.** *Fam.* Refroidir fortement : *Il est complètement réfrigéré.* ◆ **réfrigérant, e** adj. **1.** Qui abaisse la température : *La glace pilée et mêlée au sel marin donne un mélange réfrigérant.* — **2.** *Fam.* Qui glace, qui témoigne de la froideur : *Un accueil réfrigérant* (syn. ↓FROID). ◆ **réfrigérateur** n. m. Appareil muni d'une source de froid artificielle et destiné à conserver des denrées périssables.

RÉFRINGENCE n. f., **RÉFRINGENT, E** adj. → RÉFRACTION.

REFROIDIR [rəfrwadir] v. t. (de *re-*, et *froid*). **1.** *Refroidir une chose*, la rendre froide ou plus froide : *Refroidir un potage.* — **2.** *Refroidir qqch.*, en diminuer la vivacité, l'intensité : *La vieillesse refroidit les passions.* — **3.** *Refroidir qq'un*, diminuer son ardeur, le décourager. ◆ v. i. Devenir froid, ou plus froid : *Laisser refroidir un moteur.* ◆ ***se refroidir*** v. pr. **1.** Prendre froid : *Il s'est refroidi à attendre l'autobus.* — **2.** Devenir plus froid : *Le temps se refroidit.* — **3.** Devenir moins vif : *Son ardeur au travail s'est refroidie.* ◆ **refroidissement** n. m. **1.** Abaissement de la température. — **2.** Indisposition causée par un froid subit : *Prendre un refroidissement en sortant du bain.* — **3.** Diminution d'affection : *Le refroidissement d'une amitié.*

REFUGE [rəfyʒ] n. m. (lat *refugium*). **1.** Lieu où l'on se retire pour échapper à un danger, pour se mettre à l'abri : *Autrefois, les églises étaient des lieux de refuge. Chercher, trouver refuge auprès d'un ami.* — **2.** Abri de haute montagne. — **3.** Petit trottoir pour piétons au milieu des rues à forte circulation. ◆ **réfugier (se)** v. pr. Se retirer en un lieu pour se mettre en sûreté, pour être à l'abri : *Se réfugier à l'étranger* (syn. ÉMIGRER, S'EXPATRIER). *Se réfugier sous un arbre* (syn. S'ABRITER). ◆ **réfugié, e** n. et adj. Personne qui a quitté son pays pour fuir une invasion ou pour des raisons politiques, raciales.

REFUSER [rəfyze] v. t. (du lat. *recusare*, refuser, et *refutare*, réfuter). **1.** *Refuser qqch.*, ne pas accepter ce qui est offert ou présenté : *Refuser une invitation* (syn. DÉCLINER); ne pas accorder ce qui est demandé ou désiré : *Refuser une permission;* ne pas accorder sans qu'il y ait eu demande : *La nature lui a refusé le don de l'éloquence;* ne pas reconnaître : *On lui refuse toute compétence en la matière* (syn. ↓CONTESTER). — **2.** *Refuser qq'un*, ne pas le laisser entrer : *On a refusé du monde à l'entrée du stade;* ne pas recevoir un candidat à un examen (syn. AJOURNER; fam. COLLER, RECALER). — **3.** *Refuser de* (et l'infin.), ne pas consentir à : *Il refuse d'admettre qu'il a tort;* ne pas vouloir faire ce qui est ordonné : *Il refuse d'obéir.* ◆ ***se refuser*** v. pr. **1.** *Se refuser qqch.*, s'en priver : *Elle ne se refuse rien.* — **2.** *Se refuser à* (et un infin. ou un nom), ne pas consentir à faire une chose, à l'admettre : *Il se refuse à nous secourir;* ne pas s'y livrer, y résister : *Se refuser à l'évidence.* — **3.** (sujet nom de chose) Ne pas être accepté, accordé : *Une telle offre ne se refuse pas.* ◆ **refus** n. m. **1.** *Opposer, essuyer un refus, s'attirer un refus* (contr. ACCEPTATION, ACQUIESCEMENT, APPROBATION). — **2.** Fam. *Ce n'est pas de refus*, j'accepte volontiers.

RÉFUTER [refyte] v. t. (lat. *refutare*). *Réfuter qqch.*, démontrer la fausseté d'une affirmation, d'un raisonnement (contr. APPROUVER, SOUTENIR). ◆ **réfutation** n. f. : *La réfutation d'un argument.* ◆ **réfutable** adj. : *Un raisonnement facilement réfutable.* ◆ **irréfutable** adj. : *Un fait irréfutable.* ◆ **irréfutablement** adv. ◆ **irréfuté, e** adj. : *Une argumentation irréfutée.*

1. REGAGNER [rəgaɲe] v. t. *(re-*, et *gagner)*. **1.** *Regagner de l'argent*, le retrouver après l'avoir perdu (syn. RECOUVRER, RÉCUPÉRER). — **2.** *Regagner une chose*, l'obtenir de nouveau : *Regagner l'amitié de qq'un. Regagner le temps perdu* (syn. RATTRAPER). ‖ *Regagner du terrain*, reprendre l'avantage.

2. REGAGNER [rəgaɲe] v. t. (même étym.). *Regagner un lieu*, y revenir : *Regagner son pays natal.*

1. REGAIN [rəgɛ̃] n. m. (de *re-*, et frq. *waida*, prairie). Herbes qui repoussent dans les prairies après qu'elles ont été fauchées.

2. REGAIN [rəgɛ̃] n. m. (même étym.). Retour d'une chose avantageuse qui paraissait perdue, finie : *Un regain d'activité* (syn. ↑RECRUDESCENCE, RENOUVEAU).

RÉGAL, ALS [regal] n. m. (de l'anc. fr. *gale*, réjouissance). **1.** Mets préféré de quelqu'un : *Son grand régal, c'est la langouste.* — **2.** Vif plaisir que l'on trouve à quelque chose : *Cette symphonie est pour lui un vrai régal.* ◆ **régaler** v. t. *Régaler qq'un*, lui offrir un bon repas : *Régaler ses amis.* ◆ ***se régaler*** v. pr. **1.** *Se régaler d'un plat* ou *se régaler*, manger un mets que l'on aime : *Se régaler avec du gigot.* — **2.** *Se régaler de qqch.*, s'offrir un gran[d] plaisir : *Se régaler de bonne musique* (syn. SE DÉLECTER, SAVOURER).

1. RÉGALE [regal] adj. f. (lat. *regalis*, royal). *Eau régal[e]*, mélange d'acide nitrique et d'acide chlorhydrique, qui dissout l'o[r] et le platine.

2. RÉGALE [regal] n. f. (lat. *regalia jura*, droits du roi). **1.** Droits particuliers du souverain — **2.** Droit qu'avaient les roi[s] de France de toucher les revenus des évêchés vacants et d'y fair[e] les nominations ecclésiastiques. (Ce droit fut l'occasion d'un con[-]flit entre Louis XIV et le pape Innocent XI, entre 1673 et 1693.) ◆ **régalien** adj. m. *Droits régaliens*, droits attachés à la souverai[-]neté royale : *La frappe des monnaies était, en principe, un droi[t] régalien.*

REGARDER [rəgarde] v. t. (*re-*, et anc. fr. *garder*, veiller sur). **1.** (sujet nom d'être animé) *Regarder qq'un, qqch.*, porter la vue, diriger les yeux sur eux : *Regarder fixement* (syn. DÉVISAGER, FIXER). *Regarder un livre de près* (syn. EXAMINER). *Regarder un paysag[e] avec admiration* (syn. CONTEMPLER). — **2.** Avoir en vue, considé[-]rer : *En toutes choses, il ne regarde que son intérêt* (syn. ENVISAGER). — **3.** (sujet nom de chose) Être tourné dans une direction, en fac[e] de : *Cette maison regarde le midi;* ou intransitiv. : *Cette maiso[n] regarde vers le midi.* — **4.** Intéresser, concerner : *Cela ne vou[s] regarde pas.* — **5.** *Regarder comme* (avec un attribut), considére[r] comme, tenir pour : *On le regarde comme un homme de bien* (syn. ESTIMER, JUGER). ◆ v. t. ind. *Regarder à qqch.*, y donner toute so[n] attention : *Quand il achète un vêtement, il regarde avant tout à l[a] qualité du tissu.* ‖ *Regarder à la dépense*, être très économe. (→ REGARDANT.) ‖ *Y regarder à deux fois*, réfléchir à ce qu'on va faire. ◆ ***se regarder*** v. pr. **1.** (sujet nom de personne) Examiner se[s] traits : *Se regarder dans un miroir.* — **2.** (sujet nom de chose) Êtr[e] placé l'un en face de l'autre : *Deux maisons qui se regardent.* ◆ **regardant, e** adj. *Fam.* Qui a peur de trop dépenser : *U[n] patron très regardant* (syn. PARCIMONIEUX). ◆ **regard** n. m. **1.** Action de regarder : *Sa beauté attire tous les regards. Parcouri[r] du regard* (syn. EXAMINER). *Soustraire au regard* (syn. CACHER). — **2.** Manière de regarder, expression des yeux : *Un regard vif, pénétrant, perçant.* — **3.** *Droit de regard*, possibilité d'exercer u[n] contrôle. — **4.** *Technol.* Ouverture pour faciliter la visite d'u[n] conduit. — LOC. PRÉP. *Au regard de*, par rapport à, aux termes de : *Être en règle au regard de la loi.* — LOC. ADV. *En regard*, en face, vis-à-vis : *Texte latin avec traduction en regard.*

REGARNIR v. t. → GARNIR.

RÉGATE [regat] n. f. (vénitien *regata*, défi). Course de bateaux à voile (surtout au plur.).

RÉGENCE [reʒɑ̃s] n. f. (du lat. *regere*, gouverner). **1.** Dignité, fonction de celui qui gouverne un État pendant l'absence ou la minorité du souverain; durée de cette dignité. ◆ adj. inv. Qu[i] rappelle les mœurs, le style de la régence de Philippe d'Orléans : *Un boudoir Régence.* ‖ *Style Régence*, style de transition entre le Louis XIV et le Louis XV. ◆ **régent, e** n. **1.** Personne qui gou[-]verne une monarchie pendant la minorité ou l'absence du souve[-]rain. — **2.** *Le Régent* (avec une majusc.), Philippe d'Orléans, régent de France de 1715 à 1723.

Régence (la), gouvernement de Philippe d'Orléans pendant la minorité de Louis XV (1715-1723).

Durant cette période, la France se rapproche de l'Angleterre (1716), des Provinces-Unies (Triple-Alliance, 1717), et de l'Autriche (Quadruple-Alliance, 1718). Une guerre avec l'Espagne (1720) contraint celle-ci, vaincue, à adhérer à la Quadruple-Alliance.

À l'intérieur, la situation financière, après une politique d'expédients, nécessite une réforme plus sérieuses, tentée par le banquier Law (1719). Mais son « système » (remplacer le numéraire par la monnaie de banque qui facilite le crédit et les échanges) est ruiné par les méfaits d'une spéculation à outrance. Néanmoins, l'activité économique (agriculture, commerce extérieur) est en pleine expansion et la prospérité permet de surmonter cette crise financière. Le Régent, établi au Palais-Royal, donne un grand éclat et une grande liberté de mœurs à la vie parisienne.

1. RÉGÉNÉRATION [reʒenerasjɔ̃] n. f. (du lat. *regenerare*, faire renaître). Fonction assurant chez certains animaux (hydre, lombric, astérie, lézard) la reconstitution de parties amputées ou lésées. ◆ **régénérateur, trice** adj.

2. RÉGÉNÉRATION [reʒenerasjɔ̃] n. f. (même étym.). Opération qui consiste à rétablir l'activité d'un catalyseur. ◆ **régénérateur** n. m. Appareil servant à régénérer un catalyseur.

REGENSBURG → RATISBONNE.

RÉGENT, E n. → RÉGENCE.

RÉGENTER [reʒɑ̃te] v. t. (de *régent*). Diriger de façon autori[-]taire et arbitraire : *Vouloir régenter tout le monde.*

REGGANE, poste du Sahara algérien, dans le sud du Touat. Centre d'expérimentation de missiles et d'armes nucléaires maintenu par la France jusqu'en 1967 à la suite des accords d'Évian

(1962). La première bombe atomique française y fut expérimentée en février 1960.

REGGIO DI CALABRIA, en fr. **Reggio-de-Calabre,** v. d'Italie (Calabre), sur le détroit de Messine; 179 000 hab. Anéantie par un séisme en 1908.

REGGIO NELL'EMILIA, v. d'Italie (Émilie); 128 800 hab.

RÉGICIDE [reʒisid] n. (du lat. *rex,* roi, et *caedere,* tuer). **1.** Assassin d'un roi. — **2.** Meurtre d'un roi : *Commettre un régicide.* — **3.** Chacun de ceux qui avaient voté la condamnation à mort de Charles Ier d'Angleterre, de Louis XVI.

RÉGIE [reʒi] n. f. (de *régir*). **1.** Administration chargée de la perception de certaines taxes : *La régie des tabacs.* — **2.** Entreprise industrielle et commerciale de caractère public : *Régie autonome des transports parisiens (R. A. T. P.).* — **3.** Administration chargée dans un théâtre, un studio de cinéma, de télévision, de l'organisation matérielle du spectacle. — **4.** *Travaux en régie,* travaux dont le règlement est fondé sur le nombre d'heures de main-d'œuvre passées et sur le remboursement du prix des matériaux utilisés.

REGIMBER [rəʒɛ̃be] v. i. (de l'anc. fr. *giber,* secouer). **1.** (sujet nom d'animal) Ruer au lieu d'avancer : *Un cheval qui regimbe.* — **2.** (sujet nom de personne) Se montrer récalcitrant, résister (syn. PROTESTER, SE REBIFFER).

1. RÉGIME [reʒim] n. m. (du lat. *regimen,* action de diriger). **1.** Forme de gouvernement d'un État : *Régime monarchique, républicain, démocratique* (syn. CONSTITUTION). ‖ *Ancien Régime,* gouvernement qui existait en France avant 1789. — **2.** Ensemble des dispositions légales concernant l'administration de certains établissements : *Le régime des prisons.* — **3.** *Régime matrimonial,* statut réglant les intérêts pécuniaires des époux.

2. RÉGIME [reʒim] n. m. (même étym.). Ensemble de prescriptions concernant l'alimentation : *Suivre un régime. Le régime des sujets sains comporte les notions de ration (c'est-à-dire de quantité) et d'équilibre (c'est-à-dire de variété dans les aliments).*

3. RÉGIME [reʒim] n. m. (même étym.). **1.** Vitesse de rotation d'un moteur. — **2.** Mode de fonctionnement normal d'une machine. ‖ *Régime de croisière,* régime d'une machine, d'un moteur tel que le rendement soit élevé et la consommation faible. — **3.** Variations du débit d'un cours d'eau pendant une année.

4. RÉGIME [reʒim] n. m. (même étym.). Assemblage de fruits formant une sorte de grappe à l'extrémité d'un rameau : *Un régime de bananes, de dattes.*

RÉGIMENT [reʒimɑ̃] n. m. (du lat. *regimentum,* direction). Unité militaire composée de plusieurs bataillons, escadrons ou groupes et commandée par un colonel : *Régiment d'infanterie, d'artillerie.* ◆ **enrégimenter** v. t. *Enrégimenter qq'un,* l'affecter à une unité militaire, le faire entrer dans un groupe ayant une discipline ferme.

RÉGION [reʒjɔ̃] n. f. (lat. *regio*). **1.** Étendue de pays qui doit son unité à des causes physiques (relief, climat, végétation) ou humaines (peuplement, économie) : *Une région industrielle, agricole. Les régions polaires, tempérées.* — **2.** Étendue de pays quelconque : *Visiter la région parisienne.* — **3.** Portion du territoire national groupant plusieurs départements et qui possède une certaine autonomie administrative. (Ce mot a été substitué à CIRCONSCRIPTION D'ACTION RÉGIONALE et à RÉGION DE PROGRAMME.) [Dans ce sens, s'écrit avec une majusc.] → ENCYCL. — **4.** Partie du corps plus ou moins bien délimitée : *La région du cœur.* ◆ **régional, e, aux** adj. Propre à une région : *Une coutume régionale.* ◆ **régionalisation** n. f. Fait d'établir des activités souvent industrielles dans une région pour en développer la vie économique, pour lui assurer des emplois, des ressources propres, au lieu de les regrouper dans la région parisienne ou autour de très grandes villes. (→ CENTRE 2, *décentralisation.*) ◆ **régionaliser** v. t. : *Régionaliser la France, c'est donner une plus grande autonomie aux régions par rapport au pouvoir central.* ◆ **régionalisme** n. m. **1.** Tendance à accorder une certaine autonomie aux régions, aux provinces et à leur conserver leurs caractères originaux. — **2.** Caractère de l'œuvre d'un régionaliste. — **3.** Mot, locution propres à une région. ◆ **régionaliste** adj. **1.** Qui concerne une région : *Politique régionaliste.* — **2.** Écrivain régionaliste, qui se consacre à la description d'une région et des mœurs locales : *George Sand est un écrivain régionaliste.*

— ENCYCL. Vingt-deux *Régions* ont été créées pour répondre aux besoins d'aménagement du territoire français, besoins qui dépassaient le cadre du département : résoudre des problèmes concernant le développement de l'industrie, de l'agriculture, des divers équipements, des transports; implanter des usines nouvelles de façon à apporter des emplois pour limiter notamment l'exode* rural vers les grandes villes et donner à chaque région une vie économique réelle.

Ancien *établissement public,* la Région est devenue, depuis la loi sur la décentralisation de 1982, une *collectivité territoriale.*

Le *conseil régional,* dont le président devient l'organe exécutif de la Région, administre cette dernière. Son élection a lieu pour la première fois au suffrage universel en mars 1986. Le conseil se réunit à l'initiative de son président ou à la demande du bureau ou du tiers de ses membres. Les délibérations et arrêtés pris par les autorités régionales sont exécutoires de plein droit. Comme pour les conseils municipaux et généraux, les actes administratifs et budgétaires de la Région sont soumis à un contrôle a posteriori de l'État. Responsable du développement économique et social de la Région, le conseil élabore un *plan régional* dans le cadre national et assure son exécution.

RÉGIR [reʒir] v. t. (lat. *regere,* diriger). **1.** Déterminer le mouvement, l'action de : *Connaître les lois qui régissent la chute des corps.* — **2.** *Gramm.* Avoir pour complément en parlant d'un verbe.

RÉGISSEUR [reʒisœr] n. m. (de *régir*). **1.** Personne chargée d'administrer, de gérer : *Le régisseur d'un domaine.* — **2.** Dans un théâtre, dans une production cinématographique, personne qui fait exécuter les ordres du metteur en scène (recrutement de figurants, fournitures d'accessoires, organisation du plateau) et qui porte la responsabilité du déroulement du spectacle devant la direction.

1. REGISTRE [rəʒistr] n. m. (du lat. *regestus,* inscrit). Tout livre public ou particulier où l'on inscrit des faits, des noms, et spécialement des renseignements administratifs, juridiques : *Registre de l'état civil, registre d'un hôtel.* (→ ENREGISTRER.)

2. REGISTRE [rəʒistr] n. m. (même étym.). **1.** Étendue de l'échelle musicale ou vocale : *Registre grave, médium, aigu.* — **2.** Boutons commandant les différents jeux d'un orgue. — **3.** Caractère d'un style, d'un discours : *Employer des mots du registre médical.*

3. REGISTRE [rəʒistr] n. m. (angl. *register*). Dans un calculateur électronique, dispositif de mémoire faisant partie des organes de calcul ou de commande.

RÉGLABLE adj., **RÉGLAGE** n. m. → RÈGLE 2.

1. RÈGLE [rɛgl] n. f. (lat. *regula*). Instrument allongé, à arêtes vives, avec ou sans graduation, qui sert à tracer des lignes droites. ‖ *Règle à calcul,* instrument utilisé pour les calculs rapides, relevant de l'emploi des logarithmes, et constitué par une réglette graduée mobile se déplaçant dans une autre règle munie d'autres graduations. ◆ **régler** v. t. *Régler du papier,* y tracer des lignes droites et parallèles. ◆ **réglé, e** adj. : *Papier réglé* (syn. RAYÉ). ◆ **réglette** n. f. Petite règle, employée notamment en topographie pour la mesure des angles. ◆ **réglure** n. f. Manière dont le papier est réglé : *Une réglure espacée.*

2. RÈGLE [rɛgl] n. f. (même étym.). **1.** Principe moral qui doit diriger la conduite : *Se plier à une règle* (syn. DISCIPLINE). — **2.** Ensemble des préceptes disciplinaires qui commandent la vie des religieux (syn. STATUT). — **3.** Principe, formule selon lesquels sont enseignés un art, une science : *Les règles de la grammaire.* — **4.** Ensemble des conventions propres à un jeu, à un sport : *Les règles du bridge.* — **5.** Ce qui se produit dans telle ou telle circonstance : *Phénomène qui n'échappe pas à la règle.* ‖ *En règle générale,* d'une façon habituelle, dans la plupart des cas. ‖ *En règle, dans les règles, selon les règles,* conforme aux prescriptions légales : *Avoir ses papiers d'identité en règle. Une demande faite dans les règles.* ‖ *Être, se mettre en règle,* être, se mettre dans la situation exigée par la loi, les convenances : *Se mettre en règle avec la Sécurité sociale.* ‖ *L'exception confirme la règle,* il n'y aurait pas d'exception s'il n'y avait pas de règle. — **6.** *Règle de trois,* calcul d'une grandeur inconnue à partir de trois autres connues, dont deux varient soit en proportion directe, soit en proportion inverse. ◆ **réglable** adj. Qui peut être réglé : *Un appareil à vitesse réglable.* ◆ **réglage** n. m. : *Le réglage d'un carburateur.* ◆ **régler** v. t. **1.** *Régler un mécanisme, une machine,* etc., en mettre au point le fonctionnement : *Régler une montre.* — **2.** *Régler qqch.,* le fixer, le déterminer d'une manière définitive : *Régler l'ordre d'une cérémonie* (syn. ÉTABLIR). — **3.** *Régler sa vie sur qq'un,* ou *se régler sur qq'un,* le prendre pour modèle. ◆ **réglé, e** adj. **1.** *Une vie réglée* (= qui est soumise à une discipline). — **2.** Se dit d'une personne qui mène une vie régulière, ordonnée. ◆ **régleur, euse** n. Personne chargée du réglage d'une machine. ◆ **dérégler** v. t. **1.** Troubler le fonctionnement, faire cesser l'exactitude de : *La panne d'électricité a déréglé les pendules.* — **2.** *Vie, imagination déréglée,* qui n'est pas contrôlée par des principes moraux, par la raison, etc. ◆ **dérèglement** n. m. : *Le dérèglement d'un appareil de mesure. Le dérèglement des mœurs* (syn. DÉSORDRE).

1. RÈGLEMENT n. m. → RÉGLER 2.

2. RÈGLEMENT [rɛgləmɑ̃] n. m. (de *régler*). **1.** Décision qui émane d'une autorité administrative : *Règlement de police municipale* (syn. ARRÊT, ORDONNANCE). — **2.** Ensemble des mesures prescrites auxquelles sont soumis les membres d'une société, d'un groupe : *Les règlements d'une association* (syn. STATUTS). *Le règle-*

ment intérieur d'un lycée. ◆ **réglementaire** adj. Conforme à un règlement : *La tenue réglementaire d'un soldat.* ◆ **réglementairement** adv. : *Une décision prise réglementairement.* ◆ **réglementer** v. t. Soumettre à un règlement : *Réglementer la circulation. Un commerce réglementé* (contr. LIBRE). ◆ **réglementation** n. f. Action de réglementer; ensemble des mesures légales régissant une question : *Réglementation des prix* (syn. FIXATION).

1. RÉGLER v. t. → RÈGLE 1 et 2.

2. RÉGLER [regle] v. t. (de *règle*). **1.** *Régler une chose,* la terminer, la résoudre : *Régler une affaire* (syn. ↓ARRANGER, CONCLURE). *Régler un différend* (syn. TRANCHER). — **2.** *Régler une dette, une personne,* les payer : *Régler une facture* (syn. ACQUITTER). ‖ Fam. *Régler son compte à qq'un,* le punir sévèrement, avec violence. ◆ **règlement** n. m. : *Règlement d'une affaire* (syn. ARRANGEMENT, CONCLUSION), *d'un conflit* (syn. ACCORD), *d'un compte* (syn. ACQUITTEMENT, PAIEMENT). ‖ *Règlement de compte(s),* action de faire justice soi-même.

RÈGLES [rɛgl] n. f. pl. (même étym.). Écoulement sanguin qui se produit chaque mois chez la femme (syn. MENSTRUATION, MENSTRUES). ◆ **réglée** adj. f. *Femme bien réglée,* qui a ses règles régulièrement.

RÉGLETTE n. f. → RÈGLE 1.

RÉGLEUR, EUSE n. → RÈGLE 2.

RÉGLISSE [reglis] n. f. (du gr. *glukurrhiza,* racine douce). Plante dont la racine est utilisée en pharmacie.

RÉGLURE n. f. → RÈGLE 1.

RÉGNANT, E adj. → RÈGNE.

REGNARD (Jean-François), poète comique français (1655-1709). Ses comédies les plus célèbres sont : *le Joueur,* 1696; *le Légataire universel,* 1708.

REGNAULT (Victor), physicien français (1810-1878), auteur de travaux sur la compressibilité des gaz, leur dilatation, leur densité et leur chaleur spécifique.

RÈGNE [rɛɲ] n. m. (lat. *regnum*). **1.** Gouvernement d'un roi, d'une reine, d'un prince souverain; période pendant laquelle s'exerce ce pouvoir : *Le règne de Louis XIV.* — **2.** Pouvoir absolu, domination d'une personne ou d'une chose : *Travailler à établir le règne de la paix.* — **3.** *Hist. nat.* Chacune des grandes divisions des corps de la nature : *Règne animal, végétal, minéral.* (On a récemment divisé le monde vivant en trois *règnes :* les *protistes* [êtres unicellulaires], les *métazoaires* [animaux pluricellulaires] et les *métaphytes* [végétaux pluricellulaires]. Chaque règne se divise en embranchements.) ◆ **régner** v. i. **1.** (sujet nom de personne) Exercer le pouvoir souverain dans un État : *Bonaparte régna sous le nom de Napoléon Ier* (syn. GOUVERNER). — **2.** (sujet nom de chose) Durer plus ou moins longtemps, exister : *Faire régner l'ordre et la paix. Le silence règne dans la salle.* ◆ **régnant, e** adj. : *Le prince régnant.*

REGONFLER v. t. → GONFLER.

REGORGER [rəgɔrʒe] v. i. (de *re-,* et *gorge*). *Regorger de qqch.,* en avoir en très grande abondance : *Cette région regorge de fruits.*

RÉGRESSER [regrese] v. i. (du lat. *regredi,* retourner en arrière) [sujet nom de chose]. Diminuer en nombre, en force ou en intensité : *La tuberculose régresse d'année en année* (syn. RECULER; contr. SE DÉVELOPPER, PROGRESSER). ◆ **régression** n. f. : *L'alcoolisme est en régression* (syn. RECUL; contr. PROGRÈS, PROGRESSION). ◆ **régressif, ive** adj. Qui va en arrière, qui diminue.

REGRET [rəgrɛ] n. m. (de l'anc. scand. *grâta,* pleurer). **1.** Peine causée par la perte d'une personne, l'absence d'une chose : *Le regret du pays natal* (syn. NOSTALGIE). *Quitter qq'un sans regrets.* — **2.** Chagrin, mécontentement d'avoir fait ou de ne pas avoir fait quelque chose : *Le regret d'avoir offensé Dieu* (syn. REPENTIR), *de ne pas avoir aidé son prochain* (syn. REMORDS). — **3.** Contrariété causée par la non-réalisation d'un désir, d'un souhait : *J'ai le regret de vous dire que je ne pourrai venir* (= je suis navré, désolé). — LOC. ADV. *À regret,* malgré soi, avec peine : *Quand il donne qqch., c'est toujours à regret* (syn. À CONTRECŒUR). ◆ **regretter** v. t. **1.** *Regretter qq'un,* avoir du chagrin, s'affliger au souvenir d'une personne qu'on a perdue, dont on est séparé. — **2.** *Regretter qqch.,* éprouver de la peine de ne plus l'avoir : *Regretter sa jeunesse.* — **3.** *Regretter qqch., regretter de* (et l'infin.), éprouver du mécontentement, de la contrariété d'avoir fait ou ne pas avoir fait quelque chose : *Je regrette de ne pas être venu. Regretter ses péchés* (syn. SE REPENTIR). — **4.** *Regretter qqch., regretter de* (et l'infin.), être fâché de ce qui s'oppose à un désir, à la réalisation d'une action : *Je regrette cette décision à mon égard* (syn. DÉPLORER). *Je regrette de ne pouvoir vous rendre ce service* (syn. ÊTRE AU REGRET, ÊTRE DÉSOLÉ, ÊTRE NAVRÉ). ◆ **regrettable** adj. Qui cause du regret : *Une erreur regrettable* (syn. ENNUYEUX, FÂCHEUX). *Il est regrettable que vous n'ayez pas mieux travaillé* (= c'est dommage, c'est malheureux).

Regrets *(les),* recueil poétique de J. Du Bellay (1558).

REGROUPEMENT n. m., **REGROUPER** v. t. → GROUPE.

RÉGULARISATION n. f. → RÉGULIER 2.

RÉGULARISER v. t., **RÉGULARITÉ** n. f. → RÉGULIER 1 et 2.

RÉGULATEUR, TRICE adj. et n. m. → RÉGULIER 1.

RÉGULATION [regylasjɔ̃] n. f. (du bas lat. *regulare,* régler). *Physiol.* Ensemble de mécanismes permettant le maintien de la constance d'une fonction : *Régulation thermique, glycémique.* ‖ *Régulation des naissances* → CONTRÔLE* DES NAISSANCES.

1. RÉGULIER, ÈRE [regylje, -ɛr] adj. (du lat. *regula,* règle). **1.** Caractérisé par un mouvement, une allure qui ne varie pas : *Une respiration régulière. Un travail régulier* (syn. CONSTANT; contr. INTERMITTENT). — **2.** Qui a lieu à jour, à date fixe : *De visites régulières.* — **3.** Qui a des proportions symétriques, harmonieuses : *Un visage régulier.* — **4.** Se dit d'une personne qui est exacte, ponctuelle : *Un employé régulier dans son travail.* — **5.** Math. *Polyèdre régulier* → POLYÈDRE. ‖ *Polygone régulier* → POLYGONE. — **6.** Conforme aux règles de la grammaire, de la versification : *Un sonnet régulier.* ◆ **régulièrement** adv. : *Ce moteur tourne régulièrement* (syn. UNIFORMÉMENT). *Payer régulièrement son loyer* (syn. PONCTUELLEMENT). ◆ **régulariser** v. t. Rendre régulier. ◆ **régulateur, trice** adj. et n. m. Appareil, mécanisme qui établit la régularité du mouvement, du fonctionnement d'une machine. ◆ **régularité** n. f. : *La régularité des battements du cœur. La régularité des traits du visage.* ◆ **irrégularité** n. f. Manque de régularité : *L'irrégularité de ses visites.* ◆ **irrégulier, ère** adj. **1.** Qui n'est pas régulier, symétrique. — **2.** *Gramm.* Se dit des mots dont la déclinaison ou la conjugaison s'écartent d'un type considéré comme normal. ◆ **irrégulièrement** adv.

2. RÉGULIER, ÈRE [regylje, -ɛr] adj. (même étym.). **1.** Se dit d'une chose conforme aux dispositions légales, constitutionnelles : *Être dans une situation régulière* (contr. ILLÉGAL). — **2.** Conforme aux règles de la morale : *Sa conduite a toujours été très régulière.* — **3.** *Fam.* Qui respecte les conventions, les usages d'une société : *Un homme régulier en affaires* (syn. CORRECT, LOYAL). — **5.** *Armée, troupes régulières,* celles qui sont recrutées et organisées par les pouvoirs publics pour constituer la force armée d'un État. ‖ *Clergé régulier,* ensemble des ordres religieux soumis à une règle monastique. ◆ **régulièrement** adv. : *Régulièrement, c'est celui qui perd qui paie* (syn. EN RÈGLE GÉNÉRALE, HABITUELLEMENT). ◆ **régulariser** v. t. Rendre conforme aux dispositions légales, aux règlements : *Faire régulariser un passeport.* ◆ **régularisation** n. f. ◆ **régularité** n. f. : *La régularité d'une situation.* ◆ **irrégularité** n. f. Chose, action irrégulière : *Les irrégularités d'une comptabilité* (= faites en violation des règlements). ◆ **irrégulier, ère** adj. Qui n'est pas conforme aux lois, aux règlements, à l'usage. ◆ **irrégulièrement** adv.

RÉGURGITATION [regyrʒitasjɔ̃] n. f. (du lat. *gurges,* gouffre). Retour dans la bouche, sans effort de vomissement, de matières contenues dans l'estomac ou l'œsophage. ◆ **régurgiter** v. t. Faire revenir dans la bouche : *Les mammifères ruminants régurgitent les aliments entassés dans la panse.*

RÉHABILITER [reabilite] v. t. *(ré-,* et *habiliter).* **1.** *Réhabiliter qq'un,* rendre ses droits, ses prérogatives à celui qui en était déchu par suite d'une condamnation : *Réhabiliter la victime d'une erreur judiciaire.* — **2.** Faire recouvrer l'estime, la considération à quelqu'un : *Cette action l'a réhabilité dans l'opinion publique.* ◆ ***se réhabiliter*** v. pr. Recouvrer l'estime d'autrui. ◆ **réhabilitation** n. f. : *Obtenir la réhabilitation d'un condamné après la révision de son procès.*

1. REHAUSSER [rəose] v. t. *(re-,* et *hausser).* Augmenter la hauteur de quelque chose, placer plus haut : *Rehausser un mur* (syn. SURÉLEVER). ◆ **rehaussement** n. m. : *Le rehaussement d'un plafond.*

2. REHAUSSER [rəose] v. t. (même étym.). Faire paraître davantage, donner plus de valeur, de force, en soulignant, en mettant en évidence : *Elle portait une robe qui rehaussait sa beauté* (syn. FAIRE RESSORTIR). *Rehausser le mérite de qq'un* (syn. FAIRE VALOIR, VANTER).

RÉHON, comm. de Meurthe-et-Moselle, à 4 km au S. de Longwy; 4650 hab. Métallurgie.

REICH (Wilhelm), psychanalyste et essayiste américain d'origine autrichienne (1897-1957). Il a tenté de faire une synthèse entre certains éléments de la psychanalyse (la répression) et de l'analyse marxiste de la société, et prône la libération sexuelle.

Reich (mot all. signif. *empire*). On distingue le Ier REICH (962-1806), le IIe REICH (1871-1918), réalisé par Bismarck, et le IIIe REICH (1933-1945), ou régime hitlérien.

REICHSHOFFEN, comm. du Bas-Rhin, à 17 km au N.-O. de Haguenau; 5000 hab. Pendant la bataille de Frœschwiller (6 août

1870), perdue par Mac-Mahon contre les Prussiens, les cuirassiers y exécutèrent une charge héroïque pour dégager le gros des troupes françaises.

Reichsrat, Parlement de l'anc. Empire austro-hongrois. — En Allemagne, Conseil d'Empire, ou Chambre haute, composé des représentants de chaque pays (1919-1934).

REICHSTADT (duc DE) → NAPOLÉON II.

Reichstag, Parlement de l'Empire allemand, siégeant à Berlin (1867-1945).

• *1933. Le bâtiment du Reichstag est incendié par les nazis qui accusent les communistes et en profitent pour exercer une politique de représailles à leurs égard.*

RÉIMPRESSION n. f., **RÉIMPRIMER** v. t. → IMPRIMER.

REIMS, ch.-l. d'arrond. de la Marne, sur la Vesle; 182000 hab. *(Rémois).* La capitale de la Champagne, cité historique, est de loin la première ville du département (la population de l'agglomération dépasse 202300 hab.). À la fonction commerciale, touristique, à la préparation traditionnelle des vins de Champagne (dont Reims est le centre avec Épernay) et aux activités annexes (verrerie) se sont récemment ajoutées d'autres industries (constructions mécaniques et électriques notamment), cependant que Reims est devenue une ville universitaire.

REIN [rɛ̃] n. m. (lat. *ren*). Organe pair de l'homme et des vertébrés, situé dans la cavité abdominale, faisant partie de l'appareil urinaire. → ENCYCL. ‖ *Rein artificiel,* appareil mécanique et physico-chimique qui permet de remplacer les reins dans leurs fonctions. → ENCYCL. ◆ n. m. pl. Partie inférieure du dos : *Avoir les reins cambrés. Se donner un tour de reins* (syn. LUMBAGO). ◆ **rénal, e, aux** adj. Relatif aux reins.

— ENCYCL. Organes pairs en forme de haricots, les deux *reins* se font face par leur flanc concave ou *hile,* occupé par une sorte d'entonnoir, le *bassinet,* qui recueille l'*urine* excrétée par les reins; deux tubes, les *uretères,* conduisent l'urine du bassinet à la *vessie**, d'où elle sera évacuée.

Le rein excrète l'*urine,* liquide qui élimine de nombreuses substances toxiques pour l'organisme : un arrêt du fonctionnement rénal entraîne la mort par excès d'*urée* dans le sang.

Le rein fonctionne comme un *filtre* complexe qui purifie le sang : il le débarrasse de ses déchets produits par l'organisme ou apportés par les aliments (médicaments, etc.); il récupère les substances utiles (albumine, sucre, eau en grande partie, et sels et bicarbonates ou acides) nécessaires au maintien de la normalité chimique du sang; il fabrique des pigments qu'il élimine dans l'urine, ainsi que certains acides qui n'étaient pas contenus dans le sang de l'artère rénale.

Le rein assure ainsi la purification du sang, la constance de la quantité d'eau dans le corps, la constance de la constitution du sang en sels minéraux et en acides; il règle l'harmonie de notre milieu intérieur (liquides internes) et contribue à régulariser la pression du sang ou tension artérielle.

Un certain nombre de maladies dues soit au rein (néphrites diverses), soit au retentissement sur le rein de maladies générales infectieuses ou métaboliques (diabète) et souvent d'intoxications (par le plomb, l'arsenic, etc.), s'accompagnent d'un blocage de la production d'urine ou *anurie* et doivent être traitées par une épuration artificielle du sang : c'est le *rein artificiel* qui permet d'attendre la reprise de la fonction rénale. Chez les vieillards, le rein peut être déficient : le taux d'urée monte dans le sang : c'est l'*urémie* mortelle après un certain taux d'urée sanguine.

→ illustration ci-dessous.

RÉINCARNATION n. f., **RÉINCARNER** v. t. → INCARNER.

1. REINE n. f. → ROI.

2. REINE [rɛn] n. f. (lat. *regina*). Femelle féconde chez les insectes sociaux (abeilles, fourmis, termites).

Reine morte *(la),* drame d'H. de Montherlant (1942).

REINE-CHARLOTTE *(archipel de la),* groupe d'îles canadiennes (Colombie britannique) du Pacifique.

REINE-CLAUDE [rɛnklod] n. f. (du n. de la *reine Claude,* épouse de François Ier). Variété de prune verte. ‖ Pl. des *reines-claudes.*

REINE-DES-PRÉS [rɛndepre] n. f. (de *reine, des,* et *prés).* Nom usuel de la SPIRÉE. ‖ Pl. des *reines-des-prés.*

REINE-MARGUERITE [rɛnmargərit] n. f. *(reine,* et *marguerite).* Plante voisine de la marguerite, originaire d'Asie, cultivée pour ses capitules à languettes blanches, rouges, bleues. ‖ Pl. des *reines-marguerites.*

REINETTE [rɛnɛt] n. f. (de *reine*). Nom donné à diverses variétés de pommes : *Reinette blanche, grise. Reinette du Canada.*

REINHARDT (Jean-Baptiste, dit **Django**), guitariste de jazz français (1910-1953). Il est le seul musicien de jazz européen à avoir fait école aux États-Unis.

RÉINSCRIPTION n. f., **RÉINSCRIRE** v. t. → INSCRIRE.

RÉINSÉRER [reɛ̃sere] v. t. *(ré-,* et *insérer). Réinserer un délin-*

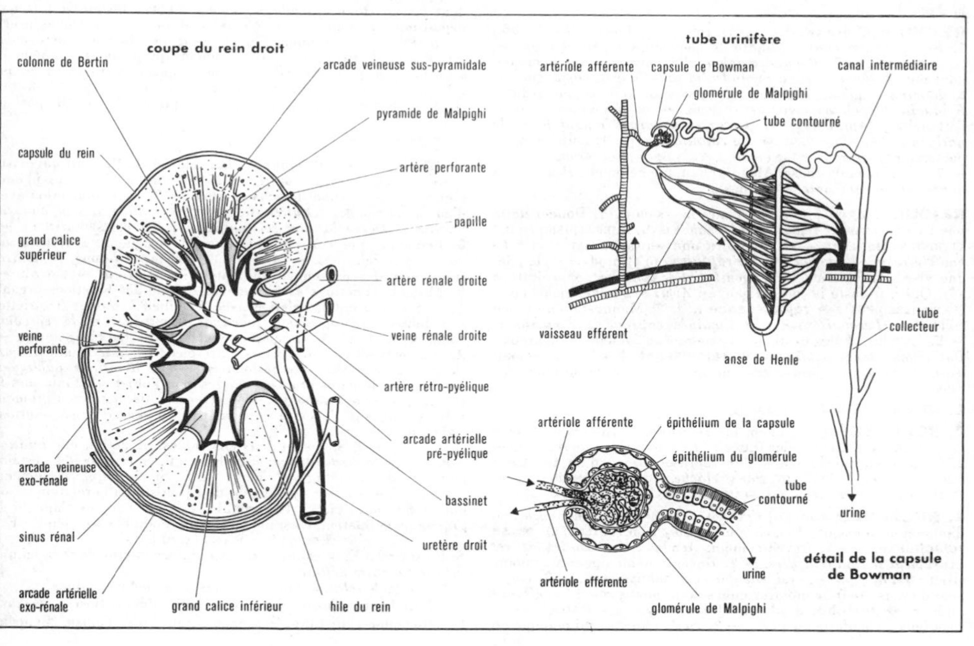

quant, un handicapé dans la vie sociale, lui permettre de s'y réadapter. ◆ **réinsertion** n. f.

RÉINSTALLATION n. f., **RÉINSTALLER** v. t. → INSTALLER.

RÉINTÉGRER [reɛ̃tegre] v. t. *(ré-,* et *intégrer).* **1.** *Réintégrer qq'un,* le rétablir dans son emploi. — **2.** *Réintégrer un lieu,* y revenir après l'avoir quitté : *Réintégrer le domicile conjugal.* ◆ **réintégration** n. f. Sens 1 et 2 du v.

RÉINVENTER v. t. → INVENTER. / **RÉINVESTIR** v. t. → INVESTIR 1.

RÉITÉRER [reitere] v. t. (du lat. *reiterare,* recommencer). *Réitérer qqch.,* faire de nouveau ce qu'on a déjà fait : *Réitérer une question* (syn. RENOUVELER, RÉPÉTER), *une démarche* (syn. RECOMMENCER). *Des attaques réitérées* (= fréquentes, répétées). ◆ **réitératif, ive** adj. Qui réitère. ◆ **réitération** n. f. : *La réitération des mêmes actes* (syn. RÉPÉTITION).

REJAILLIR [rəʒajir] v. i. *(re-,* et *jaillir).* **1.** (sujet nom désignant un liquide) Jaillir avec force, à la suite d'un choc, d'une pression : *L'eau du robinet lui a rejailli à la figure* (syn. GICLER). — **2.** (sujet nom de chose) Atteindre en retour : *Sa honte a rejailli sur vous tous* (syn. RETOMBER SUR). ◆ **rejaillissement** n. m.

REJETER [rəʒte] v. t. (lat. *rejectare*). [Conj. **8.**] **1.** Renvoyer à sa place antérieure, au point de départ, en lançant : *Rejeter dans l'eau un poisson trop petit.* — **2.** Jeter hors de soi, loin de soi : *Malade qui rejette les aliments* (syn. RENDRE, VOMIR). *Une épave rejetée par la mer.* — **3.** Mettre une chose en un autre endroit : *Rejeter des notes à la fin d'un volume* (syn. REPORTER). — **4.** *Rejeter qq'un, qqch.,* changer leur position : *Rejeter la tête en arrière.* — **5.** *Rejeter une chose,* ou plus rarement *une personne,* ne pas vouloir les recevoir, ne pas les admettre : *Il a rejeté les offres qu'on lui faisait* (syn. DÉCLINER; contr. ACCEPTER). *L'Assemblée a rejeté le projet de loi* (syn. REPOUSSER). — **6.** *Rejeter une faute, un tort, une erreur sur qq'un,* l'en rendre responsable. ◆ ***se rejeter*** v. pr. *Se rejeter sur une chose,* s'y reporter faute de mieux, y chercher une compensation : *Quand la viande manquait, on se rejetait sur le poisson* (syn. SE RABATTRE SUR). ◆ **rejet** n. m. **1.** Action de rejeter (sens 3 et 5) : *Le rejet d'une demande, d'un amendement.* — **2.** Renvoi au début du vers suivant d'un ou de plusieurs mots nécessaires au sens. (Ex. : *Même il m'est arrivé quelquefois de manger / Le berger* [La Fontaine].) — **3.** Nouvelle pousse d'une plante : *Cet arbre a donné de nombreux rejets cette année.* — **4.** *Méd.* Après une greffe*, réaction de défense et d'intolérance de l'organisme receveur qui fabrique des anticorps propres à détruire le greffon.

REJETON [rəʒtɔ̃] n. m. (de *rejeter*). **1.** *Bot.* Nouvelle pousse qui apparaît au niveau du pied d'une plante, d'un arbre (syn. REJET). — **2.** *Fam.* Enfant.

REJOINDRE [rəʒwɛ̃dr] v. t. *(re-,* et *joindre).* [Conj. **55.**] **1.** *Rejoindre des choses,* joindre de nouveau des parties séparées (syn. RÉUNIR). — **2.** *Rejoindre qq'un,* aller retrouver une personne dont on est séparé : *Il va rejoindre sa famille à la campagne.* — **3.** *Rejoindre qq'un,* atteindre une personne qui est en avant : *Rejoindre le peloton* (syn. RATTRAPER). — **4.** *Rejoindre un lieu,* l'atteindre : *Après un petit détour, nous avons rejoint la route nationale* (syn. REGAGNER). ◆ ***se rejoindre*** v. pr. **1.** (sujet nom de personne) Se retrouver ensemble : *Nous nous rejoindrons à Paris.* — **2.** (sujet nom de chose) Aboutir en un même point : *Deux routes qui se rejoignent* (contr. BIFURQUER).

RÉJOUIR [reʒwir] v. t. (de l'anc. fr. *esjouir*). **1.** Donner de la joie : *Cette nouvelle réjouit tout le monde* (syn. FAIRE PLAISIR; contr. ATTRISTER, DÉSOLER). — **2.** Produire une sensation agréable : *Le bon vin réjouit l'estomac.* ◆ ***se réjouir*** v. pr. Éprouver de la joie, une vive satisfaction : *Il se réjouit d'aller vous voir.* ◆ **réjoui, e** adj. Qui manifeste la joie, la gaieté : *Avoir une mine réjouie* (syn. ÉPANOUI, RADIEUX). ◆ **réjouissance** n. f. **1.** Manifestation de joie collective : *Les maisons étaient illuminées en signe de réjouissance.* — **2.** (au plur.) Fêtes destinées à célébrer un événement heureux : *Des réjouissances publiques.* ◆ **réjouissant, e** adj. Qui réjouit (surtout dans une proposition négative) : *Une perspective peu réjouissante.*

1. RELÂCHE n. f. → RELÂCHER 3.

2. RELÂCHE [rəlɑʃ] n. m. (de *relâcher*). **1.** Interruption dans un travail, dans un exercice (littér.) : *Prendre un peu de relâche.* — **2.** Suspension momentanée des représentations d'un théâtre : *Faire relâche.* — LOC. ADV. *Sans relâche,* sans interruption : *Travailler sans relâche* (syn. CONSTAMMENT, CONTINUELLEMENT).

1. RELÂCHER [rəlɑʃe] v. t. (lat. *relaxare*). *Relâcher qqch.,* en diminuer la tension : *Relâcher un ressort* (syn. DÉTENDRE). ◆ ***se relâcher*** v. pr. **1.** Devenir moins tendu : *Les cordes de cet instrument se sont relâchées.* — **2.** Devenir moins rigoureux, moins strict : *La discipline se relâche dans cet établissement.* — **3.** (sujet nom de personne) Se montrer moins actif, moins zélé : *Cet élève se relâche.* ◆ **relâché, e** adj. **1.** Qui n'est pas assez strict, assez rigoureux : *Conduite relâchée.* — **2.** *Style relâché,* qui manque de précision, de rigueur. ◆ **relâchement** n. m. **1.** État de ce qui est détendu : *Le relâchement des cordes d'un instrument de musique* (syn. DISTENSION). — **2.** Diminution d'activité, d'effort : *On constate un certain relâchement dans son travail* (syn. NÉGLIGENCE).

2. RELÂCHER [rəlɑʃe] v. t. (même étym.). *Relâcher qq'un,* le remettre en liberté.

3. RELÂCHER [rəlɑʃe] v. i. (même étym.) [sujet nom désignant un navire]. S'arrêter en un endroit pour une cause quelconque. ◆ **relâche** n. f. : *Le bateau fait relâche.*

RELAIS n. m. → RELAYER.

RELANCER [rəlɑ̃se] v. t. *(re-,* et *lancer).* **1.** Lancer de nouveau ou en sens contraire : *Relancer une balle.* — **2.** *Relancer qqch.,* lui donner un nouvel essor : *Relancer l'industrie d'un pays.* — **3.** Fam. *Relancer qq'un,* aller le trouver, l'importuner pour obtenir quelque chose de lui. ◆ **relance** n. f. Fait de donner une nouvelle activité, une nouvelle vigueur à une chose : *La relance de la politique économique d'un pays.*

RELAPS, E [rəlaps] adj. (lat. *relapsus*). Se dit d'une personne qui est retombée dans l'hérésie (relig.) : *Jeanne d'Arc fut condamnée comme relapse.*

RELATER [rəlate] v. t. (du lat. *referre,* rapporter). Raconter d'une manière précise, en détail (syn. RAPPORTER). ◆ **relation** n. f. : *Une relation fidèle* (syn. RÉCIT).

1. RELATIF, IVE [rəlatif, -iv] adj. (du lat. *referre,* rapporter). **1.** *Relatif à,* qui se rapporte à une chose, qui la concerne : *Des recherches relatives à une question.* — **2.** Qui n'a rien d'absolu, qui dépend d'une autre chose ou du sujet : *Les goûts, les plaisirs sont relatifs* (syn. SUBJECTIF; contr. OBJECTIF). — **3.** Qui est limité, approximatif : *Un silence, un calme relatif.* — **4.** Math. *Nombre entier relatif* → NOMBRE. — **5.** *Mus.* Se dit de deux gammes dont l'armure est la même et dont l'une est majeure et l'autre mineure. ◆ **relativement** adv. **1.** *Fam.* Par rapport aux circonstances : *Elle est relativement sérieuse* (= jusqu'à un certain point) [syn. PASSABLEMENT]. — **2.** *Relativement à,* par comparaison, par rapport à. ◆ **relativisme** n. m. Théorie philosophique, fondée sur la relativité de la connaissance : *La philosophie kantienne est un relativisme.* ◆ **relativiste** adj. et n. Partisan du relativisme. ◆ **relativité** n. f. Sens 2 de l'adj. : *La relativité des connaissances humaines.* ‖ Phys. *Théorie de la relativité,* théorie d'Einstein selon laquelle l'écoulement du temps n'est pas le même pour deux observateurs qui se déplacent l'un par rapport à l'autre.

2. RELATIF, IVE [rəlatif, -iv] adj. (même étym.). *Adjectifs relatifs,* adjectifs de même forme que les pronoms relatifs composés et qui se joignent à un nom pour indiquer que l'on rattache une proposition subordonnée à ce même nom exprimé comme antécédent (ex. : *On a entendu le témoin,* LEQUEL *témoin a fait une déposition*). [Les adj. rel. ne s'emploient que dans la langue jurid., ou parfois dans la langue littér. pour des besoins de clarté.] (→ LEQUEL.) ‖ *Pronoms relatifs,* pronoms qui joignent à un nom ou à un pronom qu'ils représentent une proposition subordonnée qui explique ou détermine ce nom ou ce pronom. (→ CLASSE 4 et QUI.) ‖ *Proposition relative,* subordonnée qui est introduite par un pronom relatif.

1. RELATION n. f. → RELATER.

2. RELATION [rəlasjɔ̃] n. f. (lat. *relatio*). **1.** Rapport qui existe entre une chose et une autre, entre deux grandeurs, deux phénomènes : *Une relation de cause à effet.* — **2.** Communication avec d'autres personnes : *Entrer, se mettre en relation avec qq'un* (syn. RAPPORT). *Des relations épistolaires* (syn. CORRESPONDANCE). — **3.** Personne que l'on connaît, que l'on fréquente : *Obtenir un emploi par relations.* — **4.** Fam. *Avoir des relations,* connaître, fréquenter des personnes influentes. — **5.** *Math.* → ENCYCL. — **6.** Physiol. *Fonctions de relation,* ensemble des fonctions organiques qui assurent la relation avec le milieu extérieur (motricité, sensibilité) [par oppos. aux *fonctions de nutrition et de reproduction*]. ◆ n. f. pl. **1.** Rapports sexuels entre deux personnes. — **2.** Rapports officiels des États entre eux : *On observe une détente dans les relations internationales.* — **3.** *Relations publiques,* ensemble d'activités professionnelles dont l'objet est d'informer le public sur les réalisations d'une entreprise, de manière à promouvoir la notoriété de cette entreprise : *Un conseiller en relations publiques.*

— ENCYCL. Si E et F sont deux ensembles, on définit une *relation binaire* (ou *correspondance*) $\mathcal{R}$ de E vers F, si on associe à certains éléments de E certains éléments de F. Si un couple d'éléments (x, y) [x élément de E, y élément de F] satisfait à la relation $\mathcal{R}$, on note $x \mathcal{R} y$ ou $\mathcal{R}(x, y)$. L'ensemble G de ces couples s'appelle le *graphe* de la relation; c'est une partie du produit* cartésien $E \times F$.

$$\mathcal{R}(x, y) \Leftrightarrow x \mathcal{R} y \Leftrightarrow (x, y) \in G.$$

Si F est égal à E, $\mathcal{R}$ est une *relation binaire interne dans E,* ou une *relation binaire définie sur E.*

Exemple de relation binaire : choisissons les ensembles :
E = {Édimbourg, Turin, Nice, New York, Pékin, Boston, Dakar};
F = {Royaume-Uni, Europe, France, États-Unis, Tunisie, Sénégal}

et la relation « être ville de »; celle-ci peut se représenter par un diagramme. Le graphe de la relation proposée sera l'ensemble des couples du type : (Édimbourg, Royaume-Uni); (Édimbourg, Europe); (Turin, Europe)...

On appelle *relation réciproque d'une relation binaire* $\mathcal{R}$ de E vers F, la relation binaire de F vers E, notée $\mathcal{R}^{-1}$ (dont le graphe est noté G^{-1}) telle que $x \mathcal{R} y$ si, et seulement si, $y \mathcal{R}^{-1} x$. (*Ex. :* Si, entre deux ensembles de personnes E et F, $\mathcal{R}$ est la relation de E vers F « est père de », $\mathcal{R}^{-1}$ est la relation de F vers E « a pour père ».)

▪ *Relations binaires particulières* → FONCTION, APPLICATION.

▪ *Propriétés d'une relation* $\mathcal{R}$ *définie dans un ensemble E.* Une telle relation peut être :

réflexive, si pour tout élément a de E, $a \mathcal{R} a$;
non réflexive, si elle n'est pas réflexive, c'est-à-dire s'il existe au moins un élément de E tel que (non $a \mathcal{R} a$);
antiréflexive, si, pour tout élément a de E, on a (non $a \mathcal{R} a$);
symétrique, si, quels que soient les éléments a et b de E, si $a \mathcal{R} b$, alors $b \mathcal{R} a$ (c'est-à-dire si $\mathcal{R} = \mathcal{R}^{-1}$ relation réciproque);
non symétrique, si elle n'est pas symétrique, c'est-à-dire s'il existe au moins un couple (a, b) tel que $a \mathcal{R} b$ et (non $b \mathcal{R} a$);
antisymétrique, si, pour tout couple (a, b) où a est distinct de b, on ne peut avoir simultanément $a \mathcal{R} b$ et $b \mathcal{R} a$;
transitive, si quels que soient les éléments a, b et c de E, si $a \mathcal{R} b$ et $b \mathcal{R} c$, alors $a \mathcal{R} c$;
non transitive, si elle n'est pas transitive, c'est-à-dire s'il existe au moins un triplet (a, b, c) tel que $a \mathcal{R} b$, $b \mathcal{R} c$ et (non $a \mathcal{R} c$).

▪ *Relation d'équivalence définie sur un ensemble E.* C'est une relation binaire interne dans E qui est à la fois réflexive, symétrique et transitive.

Deux éléments liés par la relation d'équivalence sont dits *équivalents.*

L'ensemble des éléments équivalents à un élément a est la *classe d'équivalence* de a pour la relation qu'on note parfois $\bar{a}$ ou $\dot{a}$.

Propriétés :

• tout élément de E appartient à une classe d'équivalence, la sienne;
• les classes d'équivalence sont deux à deux disjointes (car si deux classes X et Y ont en commun un élément a, alors $X = Y = \bar{a}$);
• les classes d'équivalence pour une relation d'équivalence forment donc une partition* de l'ensemble E.

On appelle *ensemble-quotient* de E par $\mathcal{R}$, noté $E/\mathcal{R}$, l'ensemble des classes d'équivalence pour une relation d'équivalence $\mathcal{R}$ sur un ensemble E.

Exemple 1 : Le parallélisme est une relation d'équivalence dans l'ensemble des droites d'un plan. La classe d'équivalence d'une droite D est l'ensemble de toutes les droites parallèles à D; cette classe s'appelle la *direction* de la droite D.

Exemple 2 : L'égalité est une relation d'équivalence dans l'ensemble $\mathbb{N}$ des nombres naturels. La classe d'équivalence d'un nombre n est l'ensemble $\{n\}$ réduit à n lui-même (un nombre n'est égal qu'à lui-même).

Exemple 3 : L'ensemble $\mathbb{Z}$ des entiers relatifs peut être défini comme l'ensemble des classes d'équivalence des couples d'entiers naturels pour une certaine relation d'équivalence.

▪ *Relation d'ordre définie sur un ensemble E.* C'est une relation binaire interne dans E qui est à la fois réflexive, antisymétrique et transitive.

Une relation $\mathcal{R}$ est d'*ordre total* si deux éléments quelconques de E sont comparables par $\mathcal{R}$. Elle est d'*ordre partiel* s'il existe au moins deux éléments de E qui ne sont pas comparables par $\mathcal{R}$.

Exemple 1 : La relation « inférieur ou égal à » (notée $\leqslant$) est une relation d'ordre total dans l'ensemble $\mathbb{R}$ des nombres réels, mais la relation « strictement inférieur » (notée $<$) n'en est pas une (elle n'est pas réflexive).

Exemple 2 : La relation d'inclusion (notée $\subset$) est une relation d'ordre partiel dans l'ensemble $\mathcal{P}$ (E) des parties d'un ensemble E (par ex., une partie A et son complémentaire $C_E(A) = E - A$ ne sont pas comparables par cette relation car aucune de ces parties n'est incluse dans l'autre).

→ illustrations en couleurs pp. 1152-1153.

RELATIVEMENT adv., **RELATIVISME** n. m., **RELATIVISTE** adj. et n., **RELATIVITÉ** n. f. → RELATIF 1.

1. RELAXER (SE) [sərəlakse] v. pr. (de l'angl. *to relax,* se détendre) [sujet nom de personne]. Se détendre. ◆ **relaxation** n. f. Relâchement volontaire du tonus des muscles d'une partie du corps ou de tout le corps : *La relaxation permet d'obtenir rapidement une sensation de repos.* ◆ **relaxant, e** adj.

2. RELAXER [rəlakse] v. t. (du lat. *relaxare,* relâcher). *Relaxer qq'un,* le remettre en liberté (jurid.) [syn. LIBÉRER, RELÂCHER]. ◆ **relaxe** n. f. Décision d'un tribunal de police, d'un tribunal correctionnel ou d'une cour d'appel qui déclare l'accusé ou le prévenu non coupable. (En cour d'assises, elle s'appelle *acquittement.*) ◆ **relaxation** n. f. Action de remettre un prisonnier en liberté.

RELAYER [rəlɛje] v. t. (de *re-,* et anc. fr. *laier,* laisser). **1.** *Relayer qq'un,* le remplacer dans un travail, dans une occupation qui ne souffre pas d'interruption. — **2.** Retransmettre par un émetteur de radio ou de télévision : *L'émission a été relayée par satellite.* ◆ ***se relayer*** v. pr. Se remplacer mutuellement : *Se relayer auprès d'un malade;* dans une course de relais : *Des coureurs qui se relaient.* ◆ **relais** n. m. **1.** *Course par relais, de relais,* ou *relais,* course dans laquelle les coureurs d'une même équipe se remplacent alternativement. — **2.** *Prendre le relais,* assurer la continuation de quelque chose. — **3.** Retransmission, par un émetteur de radio ou de télévision, des émissions reçues d'une autre station. — **4.** *Électr.* Dispositif électrique qui retransmet, en l'amplifiant, le signal qu'il a reçu. ◆ **relayeur** n. m. Participant d'une course de relais.

RELECQ-KERHUON (Le), comm. du Finistère, à 7,5 km à l'E. de Brest; 9 300 hab.

RELECTURE n. f. → LIRE 2.

RELÉGUER [rəlege] v. t. (lat *relegare,* bannir). **1.** *Reléguer qq'un, qqch.,* l'envoyer, le placer dans un endroit écarté : *Reléguer un tableau au grenier.* — **2.** *Reléguer qq'un,* le maintenir à l'écart : *Être relégué au second plan.*

RELENT [rəlɑ̃] n. m. (du lat. *lentus,* visqueux). **1.** Mauvaise odeur qui persiste : *Il flotte dans cette maison des relents de cuisine.* — **2.** Trace, reste : *Un relent d'hérésie.*

RELÈVE n. f. → RELEVER 3.

RELEVÉ, E adj. et n. m. → RELEVER 1 et 2.

RELÈVEMENT n. m. → RELEVER 1.

1. RELEVER [rəlve] v. t. *(re-,* et *lever).* **1.** *Relever qq'un, qqch.,* remettre une personne debout, une chose dans sa position naturelle : *Relever un enfant qui a fait une chute. Relever une chaise qui est par terre.* — **2.** *Relever une chose,* la diriger vers le haut, la remettre plus haut : *Relever la tête* (syn. REDRESSER). *Relever un store* (syn. REMONTER). *Relever ses manches* (syn. RETROUSSER). — **3.** *Relever qqch.,* lui rendre la dignité, la prospérité : *Relever les finances d'un pays.* ‖ *Relever le courage, le moral de qq'un,* lui redonner de l'énergie, de l'espoir (syn. RÉCONFORTER). — **4.** *Relever qqch.,* le porter à un degré, à un taux plus élevé : *Relever le niveau de vie des travailleurs* (syn. HAUSSER). *Relever les salaires* (syn. AUGMENTER, MAJORER). — **5.** *Relever un mets,* lui donner un goût plus prononcé, plus piquant. ◆ v. t. ind. *Relever de maladie,* en sortir, s'en remettre. ◆ ***se relever*** v. pr. **1.** (sujet nom de personne) Se remettre debout. — **2.** (sujet nom de personne ou de chose) Se remettre, sortir heureusement d'une situation pénible, difficile : *Se relever d'un chagrin* (syn. REPRENDRE LE DESSUS). *Pays qui s'est relevé de ses ruines.* — **3.** Sortir de nouveau de son lit : *Il a été malade cette nuit et a dû se relever plusieurs fois.* — **4.** (sujet nom de chose) Se redresser, remonter : *Des strapontins qui se relèvent.* ◆ **relevé, e** adj. **1.** Ramené vers le haut : *Un chapeau à bord relevé. Virage relevé* (= dont la partie extérieure est plus haute). — **2.** Qui a de l'élévation : *Un style relevé* (syn. ÉLEVÉ, NOBLE). — **3.** Bien assaisonné, piquant : *Une sauce relevée* (syn. ÉPICÉ; contr. FADE, INSIPIDE). ◆ **relèvement** n. m. : *Le relèvement de l'économie d'une nation. Le relèvement des salaires* (sens 4 du v.). ◆ **releveur** adj. et n. m. *Anat.* Se dit d'un muscle, antagoniste d'un muscle abaisseur : *Muscles releveurs de la mâchoire.*

2. RELEVER [rəlve] v. t. (même étym.). **1.** *Relever qqch.,* le faire remarquer : *Relever des fautes dans un devoir* (syn. SOULIGNER). — **2.** *Relever qqch.,* y prêter attention, l'apercevoir : *Les policiers ont relevé des empreintes sur l'arme qui a servi au criminel* (syn. CONSTATER, DÉCOUVRIR). — **3.** *Relever qqch.,* le noter par écrit : *Relever une adresse* (syn. COPIER, INSCRIRE). ‖ *Relever un compteur de gaz, d'électricité,* noter le chiffre indiqué. ◆ **relevé** n. m. Action de prendre par écrit; liste : *Faire un relevé des erreurs contenues dans un ouvrage. Le relevé d'un compteur.* ◆ **releveur** n. m. *Releveur de compteurs,* employé chargé de noter les chiffres indiquant la consommation d'eau, de gaz, d'électricité.

3. RELEVER [rəlve] v. t. (même étym.). **1.** *Relever qq'un,* le remplacer dans une occupation, dans un travail qui ne peuvent être interrompus : *Relever une sentinelle* (syn. RELAYER). — **2.** *Relever qq'un,* le libérer d'un engagement, d'une obligation : *Relever qq'un de ses fonctions* (syn. DESTITUER, LIMOGER, RÉVOQUER). ◆ **relève** n. f. Remplacement d'une troupe, d'une équipe par une autre : *La relève de la garde.* ‖ *Prendre la relève,* relayer.

4. RELEVER [rəlve] v. t. ind. (même étym.). **1.** *Relever de qq'un, de qqch.,* être dans leur dépendance : *Cette administration relève de telle autre.* — **2.** *Relever de qqch.,* être du ressort, de la compétence, du domaine de : *Cette affaire relève du tribunal correctionnel.*

RELEVEUR adj. et n. m. → RELEVER 1 et 2.

1. RELIEF [rəljɛf] n. m. (de *relever*). **1.** Ce qui fait saillie sur une surface : *On grave en creux ou en relief sur les métaux et sur les pierres.* — **2.** Ensemble des inégalités de la surface terrestre, de celles d'un pays : *Relief accidenté.*

2. RELIEF [rəljɛf] n. m. (même étym.). **1.** Apparence de saillies et de creux donnée à un tableau, à une photographie, par l'opposition des parties claires et des parties sombres. — **2.** Éclat qui naît de l'opposition, du contraste : *Certaines couleurs se donnent mutuellement du relief.* ‖ *Mettre en relief*, mettre en évidence. — **3.** *Relief acoustique*, perception auditive de l'espace : *Dans l'enregistrement des sons, le relief acoustique peut être obtenu par l'emploi de plusieurs microphones et, pour la restitution, par l'emploi de plusieurs haut-parleurs.*

3. RELIEFS [rəljɛf] n. m. pl. (même étym.). Ce qui reste d'un repas.

1. RELIER [rəlje] v. t. *(re-,* et *lier).* **1.** *Relier deux choses,* établir une communication entre elles : *Une route qui relie deux villes* (syn. UNIR). — **2.** *Relier une chose à une autre,* établir un lien entre elles : *Relier des idées* (syn. ENCHAÎNER, RÉUNIR).

2. RELIER [rəlje] v. t. (même étym.). Assembler et coudre ensemble les feuillets d'un livre, puis les couvrir d'un carton résistant sur lequel on colle une toile ou une peau. ◆ **reliure** n. f. **1.** Art de relier des livres; métier du relieur. — **2.** Couverture cartonnée, souvent ornée de cuir ou de toile, dont on habille un livre. ◆ **relieur, euse** n. Personne dont le métier est de relier les livres.

RELIGIEUSE [rəliʒjøz] n. f. (du lat. *religiosus*). Gâteau monté, au chocolat, au café, à la vanille, fait d'éclairs ou de choux réunis.

RELIGION [rəliʒjɔ̃] n. f. (du lat. *religare,* relier). Ensemble des croyances, des dogmes, des pratiques et des institutions qui instaurent une relation entre l'homme et une puissance divine : *La religion catholique, protestante. Un homme qui n'a pas de religion* (syn. ATHÉE, INCROYANT). — **2.** Culte à l'égard de certaines valeurs : *La religion de la science, du progrès.* ◆ **religieux, euse** adj. **1.** Qui se rapporte à la religion : *Un chant religieux* (syn. SACRÉ; contr. PROFANE). — **2.** Qui est conforme à une religion : *École religieuse* (par oppos. à LAÏQUE, PUBLIC). — **3.** Fait selon les rites d'une religion : *Un mariage religieux* (contr. CIVIL). — **4.** Qui appartient à un ordre monastique : *Une congrégation religieuse.* ◆ n. Personne qui s'est engagée par des vœux à suivre une règle autorisée par l'Église : *Les religieux de Saint-Benoît* (syn. MOINE). *Un couvent de religieuses* (syn. NONNE, SŒUR). ◆ **religieusement** adv. **1.** Avec un grand scrupule : *Garder religieusement un secret.* — **2.** Avec un recueillement admiratif : *Écouter religieusement un morceau de musique.* ◆ **religiosité** n. f. Attitude religieuse fondée sur la sensibilité, au détriment de la foi véritable. ◆ **antireligieux, euse** adj. : *Tenir des propos antireligieux.* ◆ **coreligionnaire** n. Personne qui est de la même religion. ◆ **irréligion** n. f. Manque de conviction religieuse. ◆ **irréligieux, euse** adj. **1.** Qui n'a pas de conviction religieuse : *Homme irréligieux.* — **2.** Qui blesse la religion : *Un comportement irréligieux.* ◆ **irréligieusement** adv. ◆ **irréligiosité** n. f. Caractère irréligieux.

Religion *(guerres de),* conflit entre catholiques et protestants, qui a ensanglanté la France de 1562 à 1598.

Les progrès du calvinisme en France dans diverses provinces sous le règne d'Henri II partagent le pays en deux confessions. Une série de guerres éclatent alors, qui ont pour motif autant l'ambition politique de grandes maisons (Guises, Bourbons), que le différend religieux proprement dit. Ces guerres civiles mettent en relief le manque de cohésion qui caractérise encore le royaume : l'esprit d'indépendance et d'insoumission des provinces, l'aptitude des grands à se révolter contre l'autorité royale et à se comporter en petits souverains, l'appel des deux côtés à l'intervention étrangère considérée comme normale.

Les épisodes les plus marquants de cette lutte, qui revêtent tout de suite un caractère atroce (ravages dans les campagnes, massacres), sont le massacre de la Saint-Barthélemy (24 août 1572), l'assassinat du duc de Guise (1588) et celui d'Henri III (1589). Converti au catholicisme en 1593, Henri IV met fin aux guerres de Religion par la paix de Vervins et l'édit de Nantes (1598).

RELIGIOSITÉ n. f. → RELIGION.

RELIQUAIRE n. m. → RELIQUE.

RELIQUAT [rəlika] n. m. (du lat. *reliquus,* qui reste). Ce qui reste à payer, à percevoir.

RELIQUE [rəlik] n. f. (lat. *reliquiae,* restes). **1.** Ce qui reste du corps d'un saint, ou objet lui ayant appartenu, ayant servi à son supplice, et que l'on conserve pieusement. — **2.** Objet que l'on garde en souvenir et auquel on attache beaucoup de prix. ◆ **reliquaire** n. m. Objet (boîte, coffret, cadre) dans lequel on enchâsse des reliques.

RELIRE v. t., **SE RELIRE** v. pr. → LIRE 2.

RELIURE n. f. → RELIER 2.

RELOGEMENT n. m., **RELOGER** v. t. → LOGER 1.

RELUIRE [rəlɥir] v. i. (lat. *relucere*). [Conj. **69.**] Briller en produisant des reflets : *Faire reluire des cuivres.* ◆ **reluisant, e** adj. **1.** Qui reluit : *Un mobilier reluisant.* — **2.** Qui a de l'éclat (généralement dans une proposition négative) : *Une situation pe ou pas très reluisante* (syn. BRILLANT).

RELUQUER [rəlyke] v. t. (de l'anc. néerl. *locken,* regarder *Très fam.* Regarder du coin de l'œil, avec curiosité ou convoitis (syn. LORGNER).

REMÂCHER v. t. → MÂCHER. / **REMAILLAGE** n. m **REMAILLER** v. t. → MAILLE 1.

REMAKE [rimɛk] n. m. (angl. *to remake,* refaire). Nouvell version d'un film ancien.

RÉMANENCE [remanɑ̃s] n. f. (du lat. *remanere,* rester). *Phy.* Persistance de l'aimantation d'un morceau d'acier qui a été soumi à l'action d'un champ magnétique.

REMANIER [rəmanje] v. t. *(re-,* et *manier).* **1.** *Remanier u ouvrage littéraire,* le modifier en y apportant des changement considérables (syn. CORRIGER, RETOUCHER, TRANSFORMER). – **2.** *Remanier un ministère,* en changer la composition. ◆ **remaniement** n. m.

REMARIAGE n. m., **REMARIER (SE)** v. pr. → MARIER.

REMARQUER [rəmarke] v. t. *(re-,* et *marquer).* **1.** *Remarque qqch., remarquer que* (et l'indic.), y faire attention : *Un enfant q remarque tout* (syn. OBSERVER). *Remarquer l'absence de qq'un* (syı CONSTATER). — **2.** *Remarquer qq'un, qqch.,* les distinguer parn d'autres personnes ou d'autres choses : *Assister à une réunion sar être remarqué.* ‖ *Se faire remarquer,* attirer l'attention, les regard sur soi (péjor.) [syn. SE SINGULARISER]. ◆ ***se remarquer*** v. p (sujet nom de chose). Être aperçu, constaté : *Une faute se rema que difficilement.* ◆ **remarquable** adj. **1.** Qui attire l'attentio digne d'être remarqué : *Un homme remarquable par sa taille. U événement remarquable* (syn. MARQUANT). *Un exploit remarquab* (syn. fam. ÉPATANT, FORMIDABLE). — **2.** Se dit de quelqu'un qui s distingue par ses qualités : *Un professeur remarquable* (syn. ÉMI RITE, ÉMINENT). ◆ **remarquablement** adv. : *Un pianiste qui jou remarquablement.* ◆ **remarque** n. f. **1.** Ce qu'on dit à quelqu'u pour attirer son attention : *Une remarque judicieuse* (syn. CRITIQU RÉFLEXION). — **2.** Observation écrite : *Un texte accompagné c remarques* (syn. COMMENTAIRE, NOTE).

REMBALLAGE n. m., **REMBALLER** v. t. → EMBALLER 1.

REMBARQUEMENT n. m., **REMBARQUER** v. t. et i. – EMBARQUER.

REMBARRER [rɑ̃bare] v. t. (de *re-,* et anc. fr. *embarre* enfoncer). Fam. *Rembarrer qq'un,* le reprendre vivement sur c qu'il dit ou ce qu'il fait (syn. RABROUER).

REMBLAI [rɑ̃blɛ] n. m. (de *re-,* et anc. fr. *emblayer*). Mass de terre rapportée pour surélever un terrain ou pour combler u creux : *Faire un remblai pour poser une voie ferrée.* ◆ **remblaye** v. t. Faire un remblai sur : *Remblayer une route, un fossé.*

REMBOÎTER [rɑ̃bwate] v. t. (de *re-,* et *emboîter*). *Remboîte qqch.,* remettre en place ce qui est déboîté : *Remboîter un os, un pièce de menuiserie.* ◆ **remboîtage** n. m.

REMBOURRER [rɑ̃bure] v. t. (de *re-,* et *bourrer*). Garnir d bourre, de crin, de laine : *Rembourrer un matelas. Rembourrer u fauteuil* (syn. CAPITONNER). ◆ **rembourrage** n. m. **1.** Action d rembourrer. — **2.** Matière servant à rembourrer. ◆ **rembourré e** adj. **1.** *Un siège rembourré.* — **2.** *Fam.* Se dit de quelqu'un qui un certain embonpoint, qui est grassouillet.

REMBOURSER [rɑ̃burse] v. t. (de *re-,* et *bourse*). *Rembours qq'un, qqch.,* rendre à une personne l'argent qu'elle a déboursé o avancé : *Je vous rembourserai la somme que vous m'avez prêté* ◆ **remboursement** n. m. : *Effectuer le remboursement d'u dette. Envoi contre remboursement* (= opération commerciale q consiste à expédier un objet que le destinataire doit payer à l livraison). ◆ **remboursable** adj. Qui peut, qui doit être rem boursé : *Un emprunt remboursable dans dix ans.* ◆ **irrembour sable** adj.

REMBRANDT (Rembrandt Harmenszoon VAN RIJN, dit), peintr et graveur néerlandais (1606-1669).

Appartenant à l'école hollandaise par un certain réalisme, Rem brandt se différencie nettement des autres peintres et les dépass par l'universalité des sentiments qu'il exprime. Son œuvre pein et son œuvre gravé sont parallèles quant aux sujets et à l'évolu tion du style. A travers ses autoportraits et ses portraits, il représenté la condition humaine; il s'est inspiré également de épisodes de l'Ancien et du Nouveau Testament. Par l'intens poésie créée par l'utilisation du clair*-obscur, par son incompara ble technique (sensible en particulier dans ses dessins), il a s rendre perceptible à travers le monde visible, le monde de la vi intérieure. Trois grands portraits collectifs jalonnent sa carrière *la Leçon d'anatomie du Docteur Tulp* (1632); *la Ronde de nu* (1642), mal accueillie par le public à cause de son grand réalism qui rompait avec la tradition du genre; *les Syndics des drapie* (1662).

Plusieurs centaines de ses peintures sont conservées dans le musées du monde entier, citons *le Philosophe en méditation* (1633), *les Pèlerins d'Emmaüs* (1648), *Bethsabée au bain* (1654), *la Fiancée juive* (1655). Il a laissé également un grand nombre de dessins et de gravures.

REMBRUNIR (SE) [sərɑ̃brynir] v. pr. (de *re-*, et *brun*). Devenir sombre, triste : *À cette nouvelle, son visage s'est rembruni* (contr. S'ÉPANOUIR, S'ILLUMINER).

REMÈDE [rəmɛd] n. m. (lat. *remedium*). **1.** Toute substance qui sert à prévenir ou à combattre une maladie (syn. MÉDICAMENT). — **2.** Tout ce qui sert à prévenir ou à combattre un mal quelconque : *Chercher un remède contre l'inflation monétaire* (syn. EXPEDIENT, PALLIATIF). *Un remède pour toutes sortes de maux* (= une panacée). ◆ **remédier** v. t. ind. *Remédier à qqch.*, y apporter un remède : *Remédier à un inconvénient* (syn. PALLIER, PARER). ◆ **remédiable** adj. À quoi l'on peut remédier. ◆ **irrémédiable** adj. À quoi l'on ne peut porter aucun remède : *Une perte irrémédiable.* ◆ **irrémédiablement** adv. : *Un malade irrémédiablement perdu.*

REMEMBREMENT [rəmɑ̃brəmɑ̃] n. m. (de *membre*). Réunion de différentes parcelles d'une exploitation agricole en un seul tenant. ◆ **remembrer** v. t. : *Remembrer une exploitation agricole.* (→ DÉMEMBRER.)
— ENCYCL. En France le *remembrement* est une opération collective par laquelle des échanges de parcelles sont effectués entre les différents propriétaires ou exploitants d'un territoire, le plus souvent d'une commune, en tenant compte des différences dans la fertilité naturelle des sols. En regroupant les parcelles en lots plus importants et moins dispersés, en prévoyant un accès indépendant pour chaque lot et en rapprochant des bâtiments d'exploitation les terres qui constituent l'exploitation rurale, le remembrement permet en particulier un emploi généralisé des machines et une meilleure organisation du travail.
L'initiative du remembrement appartient aux propriétaires fonciers, aux exploitants et à certains services publics. Une *commission communale de réorganisation foncière* décide ou refuse le remembrement. Si elle l'accepte, c'est elle qui prend en charge son organisation, ses décisions pouvant être contestées devant une commission départementale par les intéressés.

REMÉMORER (SE) v. pr. → MÉMOIRE 1.

1. REMERCIER [rəmɛrsje] v. t. (*re-*, et anc. fr. *mercier;* de merci). **1.** *Remercier qq'un de qqch.*, lui exprimer de la gratitude pour une chose qui nous a été utile ou agréable : *Remercier Dieu de ses bienfaits* (syn. RENDRE GRÂCE[S]). — **2.** *Je vous remercie*, expression de refus poli : *« Prendrez-vous l'apéritif? — Non, je vous remercie. »* ◆ **remerciement** n. m. (surtout au plur.) : *Recevez mes remerciements.*

2. REMERCIER [rəmɛrsje] v. t. (même étym.). *Remercier qq'un*, le priver de son emploi, le renvoyer (syn. CONGÉDIER).

1. REMETTRE v. t., **SE REMETTRE** v. pr. → METTRE 1 et 2.

2. REMETTRE [rəmɛtr] v. t. (lat. *remittere*). [Conj. **57.**] **1.** *Remettre qq'un, qqch. à qq'un*, les mettre entre les mains, en la possession, au pouvoir d'une autre personne : *Remettre un enfant à sa famille* (syn. RENDRE). *On lui a remis le portefeuille qu'on lui avait volé* (syn. RESTITUER). *Remettre un animal à la garde de qq'un* (syn. CONFIER). *Remettre un criminel à la justice* (syn. LIVRER). *Remettre sa démission* (syn. DONNER). — **2.** *Remettre à un condamné une partie de sa peine*, lui en faire grâce. — **3.** Fam. *Je ne vous remets pas*, je ne vous reconnais pas. ‖ *Remettre les péchés à qq'un*, lui donner l'absolution. (→ aussi RÉMISSION.) ◆ ***se remettre*** v. pr. **1.** *Se remettre qq'un* ou *qqch.*, s'en souvenir, les reconnaître. — **2.** *S'en remettre à qq'un, à sa décision, à son avis*, lui faire confiance : *Je m'en remets à vous* (syn. S'EN RAPPORTER À). ‖ *Se remettre entre les mains de qq'un*, se mettre à sa complète disposition. ◆ **remise** n. f. **1.** Action de remettre, de livrer, de déposer : *La remise d'un dossier, d'un colis.* — **2.** Diminution de prix accordée par un commerçant : *Obtenir une remise pour l'achat d'un livre* (syn. RABAIS, RÉDUCTION). ‖ *Remise de peine*, mesure d'indulgence dispensant un condamné de subir la totalité de sa peine.

3. REMETTRE [rəmɛtr] v. t. (même étym.). [Conj. **57.**] *Remettre une chose*, la renvoyer à un autre temps : *Il ne faut pas remettre au lendemain ce qu'on peut faire le jour même* (syn. AJOURNER, DIFFÉRER). *On a remis la partie à plus tard* (syn. REPORTER). ‖ *Remettre une partie*, la recommencer.

4. REMETTRE [rəmɛtr] v. t. (même étym.). [Conj. **57.**] *Remettre qq'un*, rétablir sa santé, lui redonner des forces : *Sa cure l'a tout à fait remis.* ◆ ***se remettre*** v. pr. **1.** (sujet nom de personne) Recouvrer la santé : *Il a eu du mal à se remettre de son accident.* — **2.** (sujet nom de personne) Retrouver le calme après un effort violent, une émotion : *Elle s'est remise avec peine de son chagrin.*

REMI ou **REMY** *(saint)*, évêque de Reims (v. 437-v. 533). Il décida Clovis à se convertir au catholicisme et le baptisa le 25 décembre 496.

RÉMIGE [remiʒ] n. f. (du lat. *remex, -migis*, rameur). Chacune des grandes plumes de l'aile d'un oiseau.

REMILITARISATION n. f., **REMILITARISER** v. t. → MILITAIRE.

RÉMINISCENCE [reminisɑ̃s] n. f. (du lat. *reminisci*, se souvenir). **1.** Souvenir imprécis : *Il n'a que de vagues réminiscences de son accident.* — **2.** Chose, expression dont on se souvient inconsciemment : *Un roman plein de réminiscences.*

REMIREMONT, ch.-l. de cant. des Vosges, à 14 km au N.-E. de Plombières-les-Bains, sur la Moselle; 10900 hab. *(Romarimontains).* Industries textiles (coton) et mécaniques.

1. REMISE n. f. → METTRE 1.

2. REMISE n. f. → REMETTRE 2.

3. REMISE [rəmiz] n. f. (de *remettre*). Local où l'on met à l'abri des voitures, des instruments agricoles. ◆ **remiser** v. t. Placer dans une remise : *Remiser un tracteur* (syn. GARER).

RÉMISSION [remisjɔ̃] n. f (lat. *remissio*). **1.** Action de remettre, de pardonner : *La rémission des péchés.* — **2.** *Sans rémission*, sans indulgence, sans nouveau délai accordé par faveur. — **3.** Atténuation momentanée des symptômes d'un mal : *Les rémissions de la douleur, de la fièvre* (syn. ACCALMIE, RÉPIT). ◆ **irrémission** n. f. Manque de pardon : *L'irrémission d'une faute.* ◆ **irrémissible** adj. **1.** Qui ne mérite point de rémission, de pardon : *Une faute irrémissible.* — **2.** Implacable, fatal : *Le cours irrémissible des événements.*

RÉMITTENT, E [remitɑ̃, -ɑ̃t] adj. (du lat. *remittere*, remettre). Méd. *Fièvre rémittente*, qui diminue d'intensité par intervalles.

REMMENER v. t. → EMMENER.

REMONTAGE n. m., **REMONTÉE** n. f., **REMONTE-PENTE** n. m. → REMONTER 2.

REMONTANT, E adj. et n. m. → REMONTER 3.

1. REMONTER v. i. et t. → MONTER 1.

2. REMONTER [rəmɔ̃te] v. i. et t. *(re-*, et *monter).* **1.** (sujet nom de chose) Revenir vers le haut : *Après cette descente, la route remonte vers un plateau. Le baromètre remonte* (= se dirige vers les hautes pressions). — **2.** Suivre une direction contraire à celle du courant : *Remonter le cours d'une rivière jusqu'à sa source* (syn. EN AMONT). — **3.** Aller vers l'origine : *Remonter dans le temps, dans le passé.* — **4.** (sujet nom de chose) *Remonter à, jusqu'à*, se reporter au commencement, à une date antérieure : *Remonter de l'effet à la cause;* tirer son origine de : *Sa famille remonte aux croisades.* ◆ v. t. **1.** Suivre une direction contraire à celle du courant ou de la pente d'un terrain : *Remonter un fleuve.* — **2.** Mettre à un niveau plus élevé : *Remonter son col* (syn. RELEVER). — **3.** *Remonter une montre, un mécanisme*, en tendre les ressorts pour les mettre en état de fonctionner. ◆ **remontage** n. m. : *Le remontage d'un mécanisme, d'une montre.* ◆ **remontée** n. f. Action de remonter : *La remontée des eaux d'une rivière. Les remontées mécaniques (téléskis, téléphériques, télécabines, télésièges) permettent aux skieurs d'atteindre les sommets.* ◆ **remontoir** n. m. Dispositif au moyen duquel on remonte un réveil, une montre, une pendule. ◆ **remonte-pente** n. m. Câble actionné par une machine, auquel les skieurs s'accrochent pour remonter une pente, en gardant leurs skis (syn. TÉLÉSKI). ‖ Pl. des *remonte-pentes.*

3. REMONTER [rəmɔ̃te] v. t. (même étym.). Redonner à une personne de la force, de la vigueur : *Ce médicament va vous remonter* (syn. fam. RETAPER). *Remonter le moral de qq'un* (= lui redonner du courage). *Remonter le courant, la pente* (= vaincre des difficultés, redresser une situation compromise). ◆ ***se remonter*** v. pr. Reprendre des forces : *Prendre des fortifiants pour se remonter.* ◆ **remontant, e** adj. et n. m. Qui redonne des forces : *Prendre un remontant.*

REMONTOIR n. m. → REMONTER 2.

REMONTRANCE [remɔ̃trɑ̃s] n. f. (de *remontrer*). Avertissement donné à quelqu'un pour lui montrer ses torts et l'engager à se corriger (syn. OBSERVATION, RÉPRIMANDE).

1. REMONTRER v. t. → MONTRER.

2. REMONTRER [remɔ̃tre] v. i. *(re-*, et *montrer). En remontrer à qq'un*, lui prouver qu'on lui est supérieur : *Il veut en remontrer à tout le monde.*

RÉMORA [remɔra] n. m. (lat. *remora*, retardement). Poisson marin ne dépassant pas 40 cm de long, possédant sur la tête un disque formant ventouse qui lui permet de se faire transporter par d'autres poissons, des cétacés et même des bateaux : *Les Anciens croyaient les rémoras capables d'arrêter ou de retarder les navires, d'où leur nom.*

REMORDS [rəmɔr] n. m. (de l'anc. fr. *remordre*, tourmenter).

Vive douleur morale causée par la conscience d'avoir mal agi : *Être bourrelé de remords* (syn. ↓REGRET, ↑REPENTIR).

REMORQUE [remɔrk] n. f. (de l'it. *rimorchiare*, remorquer). **1.** Entraînement d'un véhicule par un autre véhicule : *Prendre en remorque une voiture en panne.* — **2.** *Être, se mettre à la remorque de qq'un,* se laisser mener complètement par lui. (Dans le vocabulaire de la marine, une *remorque* est un câble utilisé pour le remorquage.) — **3.** Véhicule sans moteur tiré par une automobile : *Remorque de camping.* ◆ **remorquer** v. t. *Remorquer un véhicule,* le tirer au moyen d'un câble, d'une chaîne : *Remorquer une voiture.* ◆ **remorquage** n. m. Action de remorquer. ◆ **remorqueur, euse** adj. Qui remorque : *Un avion remorqueur.* ◆ n. m. Bateau à moteur très puissant, spécialement conçu pour remorquer d'autres bateaux.

RÉMOULADE [remulad] n. f. (orig. incert.). Sauce composée de mayonnaise, de moutarde, etc., qui est servie avec des légumes froids, des viandes froides ou du poisson cuit au court-bouillon.

RÉMOULEUR [remulœr] n. m. (de l'anc. fr. *rémoudre*, émoudre de nouveau). Ouvrier qui aiguise les outils et les instruments tranchants.

REMOUS [rəmu] n. m. (du lat. *revolvere*, retourner). **1.** Tourbillon qui se forme à l'arrière d'un bateau en marche. — **2.** Tourbillon provoqué par le refoulement de l'eau au contact d'un obstacle. — **3.** Mouvement en sens divers : *Être entraîné par le remous de la foule* (syn. AGITATION).

REMPAILLAGE n. m., **REMPAILLER** v. t., **REMPAILLEUR, EUSE** n. → PAILLE 1. / **REMPAQUETER** v. t. → PAQUET.

REMPART [rɑ̃par] n. m. (de l'anc. fr. *emparer*, fortifier). **1.** Muraille épaisse dont on entourait les villes fortifiées ou les châteaux forts (syn. ENCEINTE). — **2.** Espace compris entre le mur d'enceinte et les habitations les plus proches : *Se promener sur les remparts.*

REMPILER [rɑ̃pile] v. i. (de *re-*, et *empiler*). *Arg. mil.* Contracter un nouvel engagement (syn. RENGAGER).

REMPLACER [rɑ̃plase] v. t. (de *re-*, et anc. fr. *emplacer*, mettre en place). **1.** *Remplacer qq'un, qqch.*, le mettre à la place d'un autre : *Remplacer un employé.* — **2.** *Remplacer qq'un, qqch.*, tenir, prendre sa place d'une manière définitive ou temporaire : *C'est son fils qui le remplace au poste de directeur* (syn. SUCCÉDER). *Remplacer un professeur* (syn. SUPPLÉER). *Quand vous serez fatigué de conduire, je vous remplacerai* (syn. RELAYER). *Le miel remplace le sucre* (syn. SERVIR DE, TENIR LIEU DE). ◆ **remplacement** n. m. : *Assurer le remplacement d'un professeur absent* (syn. INTÉRIM, SUPPLÉANCE). *Produit de remplacement* (syn. ERSATZ, SUCCÉDANÉ). ◆ **remplaçant, e** n. Personne qui en remplace une autre : *Désigner un remplaçant pour un poste d'instituteur* (syn. SUPPLÉANT). *Être le remplaçant d'un acteur* (syn. DOUBLURE). ◆ **remplaçable** adj. Qui peut être remplacé. ◆ **irremplaçable** adj. : *Personne n'est irremplaçable.*

1. REMPLIR [rɑ̃plir] v. t. (de *re-*, et *emplir*). **1.** *Remplir qqch.*, mettre dans un récipient (ou contenant) un contenu : *Remplir une bouteille vide* (contr. VIDER). — **2.** *Remplir qqch. de*, mettre des choses dans une pièce, un lieu qui les contient : *Remplir un grenier de blé.* ‖ *Rempli de*, plein de : *Un devoir rempli de fautes* (contr. SANS). — **3.** *Remplir un lieu, un temps déterminé*, l'occuper entièrement : *Les fidèles remplissent l'église. Vous avez bien rempli votre journée* (syn. EMPLOYER). ‖ *Remplir un questionnaire, une fiche, un mandat, etc.*, inscrire les indications nécessaires dans les espaces laissés en blanc (syn. COMPLÉTER). — **4.** *Remplir qq'un, son esprit de qqch.*, occuper entièrement son cœur, ses pensées : *Cette nouvelle l'a rempli de joie* (syn. RÉJOUIR). *Cet échec l'a rempli de chagrin* (syn. ATTRISTER). *Remplir sa mémoire de toutes sortes de connaissances* (syn. CHARGER, SURCHARGER). ◆ ***se remplir*** v. pr. Devenir plein : *Le réservoir s'est rempli d'eau.* ◆ **remplissage** n. m. **1.** Action de remplir : *Le remplissage d'un tonneau.* — **2.** Développement inutile ou étranger au sujet : *Il n'y a que du remplissage dans cette dissertation* (syn. DÉLAYAGE, LONGUEURS).

2. REMPLIR [rɑ̃plir] v. t. (même étym.). **1.** (sujet nom de personne) *Remplir son devoir, ses obligations, ses promesses, une tâche,* les accomplir pleinement, les réaliser (syn. S'ACQUITTER DE). — **2.** *Remplir une fonction, un rôle,* les exercer. ‖ *Remplir une condition, une formalité,* faire en sorte qu'elle soit satisfaite.

REMPLUMER (SE) [sərɑ̃plyme] v. pr. (de *re-*, et *emplumer*). **1.** *Fam.* Rétablir sa situation financière. — **2.** *Fam.* Reprendre du poids après avoir maigri.

REMPORTER [rɑ̃pɔrte] v. t. (de *re-*, et *emporter*). **1.** Emporter ce qu'on avait apporté : *N'oubliez pas de remporter votre livre* (syn. REPRENDRE). — **2.** Gagner : *Remporter une victoire* (syn. OBTENIR).

REMPOTER v. t. → POT 1.

REMSCHEID, v. d'Allemagne, dans la Ruhr; 122 000 hab. Métallurgie. Chimie.

REMUER [rəmɥe] v. t. (*re-*, et *muer*). **1.** *Remuer un objet*, le changer de place : *Cette armoire est difficile à remuer* (syn. POUSSER, TIRER). — **2.** *Remuer une partie du corps*, la mouvoir : *Remuer les mains en parlant.* — **3.** Agiter, déplacer une chose formée de plusieurs parties : *Remuer la salade* (syn. RETOURNER, TOURNER). *Remuer son café.* ‖ *Remuer ciel et terre*, recourir à tous les moyens pour atteindre le but qu'on se propose. — **4.** *Remuer qq'un*, faire naître chez lui une émotion profonde : *Cet orateur sait trouver les mots qui remuent un auditoire* (syn. BOULEVERSER, TOUCHER). ◆ v. i. Faire un ou plusieurs mouvements : *Cet enfant ne peut rester en place, il remue sans cesse* (syn. BOUGER, GESTICULER). ◆ ***se remuer*** v. pr. **1.** Changer de position : *Il est si malade qu'il a beaucoup de peine à se remuer* (syn. SE MOUVOIR). — **2.** Faire des efforts, des démarches pour réussir : *Il s'est beaucoup remué pour cette affaire* (syn. SE DÉMENER). ◆ **remuant, e** adj. Sans cesse en mouvement : *Un enfant remuant* (syn. AGITÉ, TURBULENT). ◆ **remuement** n. m. : *Le remuement des lèvres.* ◆ **remue-ménage** n. m. inv. Déplacement bruyant de meubles, d'objets divers; agitation confuse (syn. BRANLE-BAS).

RÉMUNÉRER [remynere] v. t. (du lat. *munus, muneris*, gratification). *Rémunérer qq'un*, le payer pour un travail, pour un service (syn. RÉTRIBUER). ◆ **rémunération** n. f. Prix d'un travail, d'un service rendu : *Demander une juste rémunération de son travail* (syn. RÉTRIBUTION, SALAIRE). ◆ **rémunérateur, trice** adj. Qui procure un gain, un profit : *Un travail rémunérateur* (syn. LUCRATIF).

REMUS → ROMULUS.

RENÂCLER [rənɑkle] v. i. (de *re-*, et anc. fr. *naquer*, flairer, croisé avec *renifler*) [sujet nom d'animal]. Renifler bruyamment : *Les taureaux, les porcs, les chevaux renâclent.* ◆ v. i. ou v. t. ind. (sujet nom de personne). *Renâcler à une chose*, témoigner de la répugnance pour elle : *Renâcler à la besogne* (syn. RECHIGNER).

RENAISSANCE n. f. → NAÎTRE.

Renaissance, nom donné au renouveau littéraire, artistique et scientifique qui se produit en Europe au XVe et au XVIe s., particulièrement sous l'influence de la culture antique remise en honneur.

■ LA RENAISSANCE LITTÉRAIRE.

Elle est facilitée par la découverte de l'imprimerie qui permet à la culture de se répandre par le livre et non plus seulement oralement. Issue directement de l'humanisme*, elle est un réveil des littératures nationales : les écrivains abandonnent le latin pour écrire dans la langue de leur pays et atteindre ainsi un plus grand public.

Elle apparaît tout d'abord en Italie avec Machiavel (*le Prince*, 1513), l'Arioste (*le Roland furieux*, 1516) et le Tasse (*la Jérusalem délivrée*, 1581).

En France, Rabelais publie *Pantagruel* (1532) et *Gargantua* (1534), œuvres satiriques où, dans un style d'une grande verve, il expose sa conception d'un homme libre et heureux. Le groupe de la Pléiade, autour de Ronsard et de du Bellay, imite les Anciens et les Italiens; mais son propos est d'enrichir la langue française et de prouver qu'elle est une langue littéraire. Montaigne, dans ses *Essais*, dégage un nouvel art de vivre de l'idéal humaniste.

■ LA RENAISSANCE ARTISTIQUE.

Née en Italie, inspirée de l'Antiquité, une nouvelle expression artistique se dégage de l'art gothique et de la culture médiévale, se libérant également de la tutelle de l'Église. Les artistes s'appuient sur des connaissances théoriques, étudient l'anatomie, la perspective, les volumes et la lumière, tout en donnant libre cours à leur inspiration féconde. De nombreux mécènes protègent ces artistes et contribuent au développement d'un art profane en se faisant construire des palais, en achetant sculptures et peintures.

À Florence, au XVe s., l'architecture avec Brunelleschi revient à des formes simples et équilibrées, tandis que les sculpteurs Ghiberti, Donatello, Verrocchio, des peintres comme Mantegna, Piero Della Francesca, Botticelli apparaissent comme les vrais initiateurs de la Renaissance.

Au XVIe s., Léonard de Vinci, florentin d'origine, est l'exemple le plus parfait de ce que sont les artistes de cette période : génie universel, il est à la fois peintre, philosophe, architecte, ingénieur. À cette époque, Rome, par son prestige, attire de nombreux artistes. Bramante établit le premier projet de Saint-Pierre de Rome, Raphaël décore le palais du Vatican. Michel-Ange à la fois sculpteur, peintre et architecte, peint les fresques de la chapelle Sixtine du Vatican et achève la coupole de Saint-Pierre. Cependant, à Venise, triomphent des peintres comme le Titien, Véronèse, le Tintoret.

La Renaissance italienne avait été une redécouverte de l'Antiquité, la Renaissance française connaîtra l'Antiquité à travers l'art italien. Les guerres d'Italie sont à l'origine de ce mouvement en France : éblouis par la civilisation italienne, Charles VIII et surtout François Ier font venir en France de nombreuses œuvres et appellent des artistes pour décorer le château de Fontainebleau. Dès le début du XVIe s., l'influence italienne se remarque dans l'ornementation architecturale, mais c'est avec l'école de Fontainebleau et la construction des châteaux de la Loire que la Renais-

sance s'épanouit. Un nouveau style français se crée alors. Les architectes Pierre Lescot et Philibert De l'Orme, les sculpteurs Jean Goujon et Germain Pilon en sont les principaux représentants. En peinture, les portraits dessinés par Clouet inaugurent une tradition française tout à fait originale.
→ illustrations en couleurs pp. 1184-1185.

RENAISSANT, E adj., **RENAÎTRE** v. i. → NAÎTRE.

RÉNAL, E, AUX adj. → REIN.

RENAN (Ernest), écrivain français (1823-1892).
Après avoir renoncé à sa vocation ecclésiastique et s'être détaché de la foi catholique, il se consacre à l'histoire des langues et des religions. Il exprime ses convictions rationalistes dans *l'Avenir de la science* (publié en 1890) où il présente la science libérale comme seule capable de résoudre les grands problèmes sociaux. En 1862, il est nommé à la chaire d'hébreu au Collège de France, mais son cours, où il affirme le caractère humain du Christ, provoque un scandale qui aboutit à sa suppression. En 1863, il publie la *Vie de Jésus*, premier volume de l'*Histoire des origines du christianisme* (1863-1881) où il applique les méthodes de la critique historique. Nommé administrateur au Collège de France en 1883, Renan devient un personnage officiel de la République, relatant entre-temps ses *Souvenirs d'enfance et de jeunesse* (1883).

1. RENARD [rənar] n. m. (du frq. *Reginhart*, n. pr. donné au goupil dans le *Roman de Renart*). **1.** Mammifère carnassier, à queue velue et à museau pointu, grand destructeur d'oiseaux et de petits mammifères : *Le renard glapit.* (Famille des canidés.) — **2.** Fourrure faite d'une peau de renard : *Renard roux. Renard argenté.* — **3.** *Un vieux renard*, un homme fin et rusé. ◆ **renarde** n. f. Femelle du renard. ◆ **renardeau** n. m. Petit du renard. ◆ **renardière** n. f. Terrier du renard.

2. RENARD [rənar] n. m. (du *renard* 1). Fissure d'une canalisation, d'un barrage par où se produit une fuite : *Boucher un renard.*

RENARD (Jules), écrivain français (1864-1910). Auteur de romans et de nouvelles réalistes, où il manifeste un humour cruel (*Poil de carotte*, 1894 ; *Histoires naturelles*, 1896), il a aussi laissé un *Journal*, qui est une source précieuse sur la vie littéraire.

RENARDE n. f., **RENARDEAU** n. m., **RENARDIÈRE** n. f. → RENARD 1.

RENART (Jean) → JEAN RENART.

Renart *(Roman de)* → ROMAN DE RENART.

RENAUDOT (Théophraste), médecin et journaliste français (1586-1653). Son nom a été donné à un prix littéraire, fondé en 1925 et décerné chaque année en même temps que le prix Goncourt.

RENAULT (Louis), ingénieur et industriel français (1877-1944), un des pionniers de l'industrie automobile. En 1945, ses usines furent nationalisées. La Régie nationale des usines Renault est redevenue en 1990 une société anonyme, au capital détenu à 75 p. 100 par l'État.

1. RENCHÉRIR v. i. → CHER 2.

2. RENCHÉRIR [rɑ̃ʃerir] v. i. (de *re-*, et *enchérir*). Aller plus loin qu'une autre personne en actes ou en paroles : *Renchérir sur une proposition.*

RENCHÉRISSEMENT n. m. → CHER 2.

RENCONTRER [rɑ̃kɔ̃tre] v. t. (de *re-*, et anc. fr. *encontrer*, venir en face). **1.** *Rencontrer qq'un*, se trouver en sa présence par hasard ou d'une manière voulue : *Rencontrer un ami dans la rue* (syn. fam. TOMBER SUR). *Les dirigeants du syndicat ont rencontré le ministre du Travail* (syn. AVOIR UNE ENTREVUE AVEC). — **2.** Se trouver opposé en compétition : *L'équipe de France de football a rencontré l'équipe de Belgique.* — **3.** *Rencontrer qqch.*, le trouver sur son chemin : *Rencontrer plusieurs fois le même mot chez un auteur* (syn. TROUVER). *Ils ont rencontré beaucoup de difficultés dans leur entreprise* (syn. SE HEURTER À). ◆ ***se rencontrer*** v. pr. (sujet nom de chose). **1.** Se rejoindre : *La Seine et la Marne se rencontrent à Charenton.* — **2.** Entrer en collision : *Deux voitures se sont rencontrées à un croisement* (syn. SE HEURTER). — **3.** *Les grands esprits se rencontrent*, se dit de deux personnes qui ont les mêmes idées, les mêmes sentiments. ◆ **rencontre** n. f. **1.** Le fait pour des personnes de se trouver en présence : *Une rencontre entre deux chefs d'État* (syn. ENTREVUE). *Une rencontre internationale de médecins* (syn. CONGRÈS, RÉUNION). ‖ *Faire une mauvaise rencontre*, rencontrer une personne dangereuse. — **2.** Le fait pour des choses de se trouver en contact (sens 1 et 2 du v. pr.) : *La rencontre de deux cours d'eau* (syn. CONFLUENT). *Rencontre de deux trains* (syn. COLLISION); [sens 2 du v. t.] *Rencontre de deux équipes de football* (syn. MATCH). ‖ *Aller à la rencontre de qq'un*, aller au-devant de lui pour le rejoindre.

RENDEMENT n. m. → RENDRE 6.

RENDEZ-VOUS [rɑ̃devu] n. m. (de *rendre*). **1.** Rencontre entre deux ou plusieurs personnes qui décident de se trouver à une même heure dans un même endroit : *Fixer un rendez-vous à qq'un.* — **2.** Lieu où l'on doit se rencontrer : *Arriver le premier au rendez-vous.* — **3.** Tout lieu qui sert de point de rencontre, de réunion à des personnes : *Un rendez-vous de chasse.*

1. RENDRE [rɑ̃dr] v. t. (bas lat. *rendere*). [Conj. **50.**] **1.** *Rendre une chose*, la remettre à qui elle appartient : *Rendre des livres prêtés* (syn. REDONNER), *de l'argent emprunté* (syn. REMBOURSER). — **2.** S'acquitter de certaines obligations, de certains devoirs : *Rendre des comptes à qq'un. Rendre la justice. Rendre un arrêt, un jugement* (syn. PRONONCER). — **3.** Renvoyer, rapporter à quelqu'un ce qu'on refuse d'accepter de lui : *Elle lui a rendu sa bague de fiançailles.* — **4.** Faire rentrer en possession de ce qu'on avait perdu : *Rendre la liberté à un prisonnier. Ce remède lui a rendu la santé;* avec un compl. nom de personne : *Les ravisseurs ont rendu l'enfant à ses parents* (syn. REMETTRE). — **5.** Donner en retour, en échange : *Rendre vingt francs sur cent francs. Elle ne l'aime pas, mais il le lui rend bien.* — **6.** Rejeter par la bouche (parfois intr.) : *Rendre de la bile* (syn. VOMIR). — **7.** *Rendre l'âme, le dernier soupir*, mourir, expirer. — **8.** *Rendre compte, des comptes* → COMPTER 1. ‖ *Rendre grâce(s)*, remercier, être reconnaissant. ‖ *Rendre hommage*, reconnaître avec éloges, louer. ‖ *Rendre justice à qq'un*, reconnaître son mérite, sa valeur. ◆ **rendu** n. m. Fam. *Un prêté pour un rendu*, revanche d'un mauvais tour dont on a été victime.

2. RENDRE [rɑ̃dr] v. t. (même étym.). [Conj. **50.**] **1.** Faire entendre : *Ce violon rend de très beaux sons.* — **2.** Exprimer (une idée, un sentiment) par le langage, l'écriture; reproduire (un modèle) par le dessin, la peinture, la photographie : *Votre traduction rend bien la pensée de l'auteur* (syn. TRADUIRE). ◆ ***se rendre*** v. pr. Être traduit : *Cette expression ne peut se rendre en français.*

3. RENDRE [rɑ̃dr] v. t. (même étym.). [Conj. **50.**] *Rendre les armes*, cesser le combat, s'avouer vaincu. ◆ ***se rendre*** v. pr. **1.** Se soumettre en cessant le combat : *La garnison n'a pas voulu se rendre* (syn. CAPITULER). — **2.** *Se rendre à l'évidence*, admettre ce qui est incontestable. ◆ **reddition** n. f. Fait de se rendre : *La reddition d'une ville* (syn. CAPITULATION).

4. RENDRE [rɑ̃dr] v. t. (même étym.). [Conj. **50.**] *Rendre visite à qq'un*, aller le voir. ◆ ***se rendre*** v. pr. **1.** (sujet nom de personne) Aller dans un lieu : *Elle s'est rendue à l'étranger pendant les vacances.* — **2.** *Se rendre à l'appel de qq'un*, y répondre. ◆ **rendu, e** adj. **1.** Remis, arrivé à destination : *Encore quelques kilomètres et nous serons rendus chez nous.* — **2.** Extrêmement fatigué (syn. EXTÉNUÉ, FOURBU).

5. RENDRE [rɑ̃dr] v. t. (même étym.). [Conj. **50.**] (Avec un attribut du compl. d'objet.) Faire devenir, mettre dans tel ou tel état : *Cette nouvelle l'a rendu malade.* ◆ ***se rendre*** v. pr. (avec un attribut). Se montrer : *Se rendre utile.*

6. RENDRE [rɑ̃dr] v. i. (même étym.). [Conj. **50.**] Avoir un certain rendement, produire un certain revenu, une certaine quantité : *Les arbres fruitiers ont bien rendu cette année* (syn. RAPPORTER). ‖ *Ça n'a pas rendu*, le résultat escompté n'a pas été obtenu. ◆ **rendement** n. m. **1.** Production totale d'une terre évaluée par rapport à la surface : *Le rendement d'une exploitation agricole.* — **2.** Quantité de travail, d'objets fabriqués, fournie par des travailleurs en un temps déterminé : *Le rendement diminue quand les ouvriers sont fatigués.* — **3.** *Chim.* Dans la préparation d'un corps, rapport de la masse obtenue à celle qu'aurait fournie une réaction totale. — **4.** *Industr.* Rapport entre le travail utile obtenu et la quantité d'énergie dépensée : *Le rendement de toute machine est inférieur à l'unité.*

RENDU, E adj. et n. m. → RENDRE 1 et 4.

RÊNE [rɛn] n. f. (du lat. *retinere*, retenir). **1.** Courroie fixée au mors du cheval et que le cavalier tient en main. — **2.** *Tenir les rênes de l'État, du gouvernement, d'une affaire*, en avoir la direction.

RENÉ Ier le Bon (1409-1480), duc d'Anjou, de Bar (1430-1480) et de Lorraine (1431-1453), comte de Provence (1434-1480), roi effectif de Naples (1438-1442) et titulaire de Sicile (1434-1480). Malheureux en politique, il se retira dès 1471 en Provence, écrivit des poésies et des traités de morale, et s'entoura de gens de lettres et d'artistes.

RENÉ II (1451-1508), duc de Lorraine (1473-1508) et de Bar (1480-1508). Chassé de ses États par Charles le Téméraire, duc de Bourgogne, il le battit et le tua devant Nancy (1477). Frustré de l'héritage de son grand-père maternel par Louis XI, il ne put jamais rentrer dans ses droits.

René, roman publié par Chateaubriand en 1802, dans le *Génie du christianisme*, puis à part en 1805. L'auteur y décrit la maladie du siècle, c'est-à-dire le « vague des passions ».

RENÉE DE FRANCE (1510-v. 1575), fille de Louis XII et d'Anne de Bretagne. Elle épousa en 1528 le duc de Ferrare. Retirée à Montargis, elle soutint le parti protestant durant les guerres de Religion.

RENÉGAT, E [rənega, -at] n. (it. *rinnegato*). **1.** Personne qui a renié sa religion. — **2.** Personne qui abandonne ses opinions, qui trahit sa patrie, son parti.

RÉNETTE [renɛt] n. f. (de *rouanne*, compas servant à marquer le bois). Outil métallique en forme d'U, dont la pointe, recourbée et tranchante, sert à tracer des raies sur le cuir.

RENFERMER [rɑ̃fɛrme] v. t. (de *re-*, et *enfermer*). **1.** Enfermer de nouveau. — **2.** Contenir, avoir en soi : *Ce musée renferme quelques riches collections.* ◆ ***se renfermer*** v. pr. Fam. *Se renfermer en soi-même, dans sa coquille*, ne rien communiquer de ses sentiments, se replier sur soi. ◆ **renfermé, e** adj. Qui ne communique pas ses sentiments (contr. COMMUNICATIF, EXPANSIF, OUVERT). ◆ n. m. Odeur désagréable d'une pièce longtemps fermée : *Cette chambre sent le renfermé.*

RENFLÉ, E [rɑ̃fle] adj. (de *re-*, et *enfler*). Qui présente à certains endroits une augmentation de son diamètre : *La forme renflée d'un oignon* (syn. BOMBÉ). *Une colonne renflée* (syn. GALBÉ). ◆ **renflement** n. m. : *Le renflement d'une tige, d'une racine.*

RENFLOUER [rɑ̃flue] v. t. (de l'anglo-norm. *flot*, marée). **1.** Remettre en état de flotter : *Renflouer un bateau coulé.* — **2.** *Renflouer qq'un, une entreprise*, leur fournir les fonds nécessaires pour rétablir leur situation financière. ◆ **renflouement** n. m.

RENFONCER [rɑ̃fɔ̃se] v. t. (de *re-*, et *enfoncer*). Enfoncer plus avant : *Renfoncer son chapeau, le bouchon d'une bouteille.* ◆ **renfoncé, e** adj. Profondément enfoncé : *Avoir les yeux renfoncés.* ◆ **renfoncement** n. m. Endroit d'un mur, d'un ouvrage de construction qui présente un creux : *Se cacher dans le renfoncement d'une porte* (syn. ANFRACTUOSITÉ, RETRAIT).

RENFORCER [rɑ̃fɔrse] v. t. (de *re-*, et anc. fr. *enforcier*; de *force*). **1.** *Renforcer qqch.*, le rendre plus fort, plus solide : *Renforcer un mur* (syn. CONSOLIDER). — **2.** *Renforcer un groupe, des personnes*, les rendre plus puissants, plus nombreux : *Renforcer une équipe.* — **3.** Donner plus d'intensité, d'énergie : *Cet argument renforce ce que j'ai dit* (syn. APPUYER, CORROBORER). ◆ **renforcement** n. m. : *Le renforcement d'un mur, d'une troupe.* ◆ **renforcé, e** adj. Rendu plus résistant, plus épais : *Des bas renforcés.* ◆ **renfort** n. m. **1.** Effectif ou matériel supplémentaire destiné à augmenter la force d'une troupe, d'une équipe. — **2.** Surcroît d'épaisseur donné en un point d'un objet pour en augmenter la solidité ou la résistance à l'usure.

RENFROGNER (SE) [sərɑ̃frɔɲe] v. pr. (de l'anc. fr. *froigner*, froncer le nez) [sujet nom de personne]. Manifester sa mauvaise humeur en contractant son visage. ◆ **renfrogné, e** adj. : *Une mine renfrognée* (syn. BOURRU, MAUSSADE).

RENGAGEMENT n. m. **RENGAGER** v. i. → ENGAGER 1.

RENGAINE [rɑ̃gɛn] n. f. (de *rengainer*). **1.** *Fam.* Paroles répétées à satiété : *C'est toujours la même rengaine* (syn. REFRAIN). — **2.** *Fam.* Refrain banal : *Chanter une vieille rengaine.*

RENGAINER [rɑ̃gene] v. t. (de *re-*, et *engainer*). **1.** Remettre dans la gaine : *Rengainer son épée.* — **2.** *Fam.* Supprimer ou ne pas achever ce qu'on allait dire : *Rengainer son compliment.*

RENGORGER (SE) [sərɑ̃gɔrʒe] v. pr. (de *re-*, *en*, et *gorge*). **1.** (sujet nom d'oiseau) Avancer la gorge en ramenant la tête un peu en arrière : *Le paon se rengorge quand on le regarde.* — **2.** (sujet nom de personne) Prendre une attitude fière, arrogante; faire l'important (syn. SE PAVANER).

RENIER [rənje] v. t. (bas lat. *renegare*). **1.** *Renier qq'un*, déclarer faussement qu'on ne le connaît pas : *Saint Pierre renia Jésus-Christ.* — **2.** *Renier qq'un, qqch.*, ne plus le reconnaître comme sien : *Renier sa famille* (syn. DÉSAVOUER). — **3.** *Renier qqch.*, y renoncer entièrement : *Renier sa foi* (syn. ABJURER). ◆ **reniement** n. m. : *Le reniement de saint Pierre* (syn. TRAHISON).

RENIFLER [rənifle] v. i. (de *re-*, et anc. fr. *nifler*, aspirer par le nez). Aspirer fortement l'air qui est dans les narines. ◆ v. t. Aspirer par le nez : *Renifler du tabac.* ◆ **reniflement** n. m.

RENNE [rɛn] n. m. (all. *Reen*). Mammifère ruminant, sauvage ou domestique, des régions froides, aux cornes ramifiées présentes chez les deux sexes et dont l'élevage rend possible la vie humaine dans le Grand Nord (Alaska, Sibérie, Laponie, Labrador) : *Au Canada, le renne est appelé caribou.* (Famille des cervidés.)

RENNES, ch.-l. du dép. d'Ille-et-Vilaine, sur la Vilaine; 200 400 hab. *(Rennais).* Capitale de la Bretagne (et aussi de la Région portant ce nom), traditionnelle cité administrative, commerciale et universitaire, la ville s'est considérablement industrialisée depuis une vingtaine d'années, notamment avec l'implantation de la construction automobile, de l'électronique, qui se sont ajoutées à des industries plus anciennes (arsenal, imprimerie, presse). Dans cette période de temps, la population s'est accrue de plus de la moitié.

RENO, v. des États-Unis (Nevada); 51 500 hab. Les lois de l'État, qui accordent des divorces rapides, attirent de nombreux résidents temporaires. Centre touristique (jeux).

RENOIR (Auguste), peintre français (1841-1919).

Admirateur de Manet et de Delacroix, il se lie à Paris avec Monet, Sisley, Bazille, puis Cézanne et Pissarro. En 1874, il participe à la première exposition des impressionnistes *(la Loge).* Paysagiste et portraitiste, il puise ses sujets dans la vie contemporaine (*le Moulin de la Galette*, 1876; *le Déjeuner des canotiers*, 1881), mais s'intéresse bientôt davantage aux figures qu'aux paysages. Après son voyage en Italie (1882), où il étudie les peintures de la Renaissance, le nu féminin — dans lequel il s'attache à rendre le modelé des volumes — devient le thème principal de son œuvre (*les Grandes Baigneuses*, 1883-1885). Considéré comme un des maîtres de l'impressionnisme, Renoir traduit, dans sa peinture «douce et légère», aux couleurs riches et chaleureuses, son amour de la vie et de la lumière.

RENOIR (Jean), cinéaste français (1894-1979), fils du précédent. Son œuvre abondante et diverse le place parmi les plus grands cinéastes contemporains : *Une partie de campagne* (1937); *la Grande Illusion* (1937); *la Règle du jeu* (1939); *le Fleuve* (1951); *le Carrosse d'or* (1952); *le Caporal épinglé* (1962).

RENOM [rənɔ̃] n. m. (de *re-*, et *nommer*). Opinion, presque toujours favorable, largement répandue dans le public sur quelqu'un ou sur quelque chose : *Le renom d'une école* (syn. NOTORIÉTÉ, RÉPUTATION). *Un vin de grand renom.* ◆ **renommé, e** adj. : *Une région renommée pour ses vins* (syn. CÉLÈBRE, RÉPUTÉ). ◆ **renommée** n. f. Syn. de RENOM : *La renommée de ce savant a dépassé les frontières de son pays* (syn. RÉPUTATION). *La renommée des vins de France.*

RENONCER [rənɔ̃se] v. t. ind. (lat. *renuntiare*, annoncer en réponse). **1.** *Renoncer à qqch.*, en abandonner la possession; quitter la pratique d'une profession, l'exercice d'une fonction : *Renoncer à un droit, à une succession* (syn. SE DÉPARTIR, SE DÉSISTER). *Renoncer au pouvoir* (syn. ABDIQUER). — **2.** *Renoncer à qqch.*, n'en avoir plus le désir : *Renoncer à un voyage.* — **3.** *Renoncer à une chose*, n'avoir plus d'attachement pour elle : *Renoncer à une croyance* (syn. ABJURER). *Il ne veut pas renoncer à son idée* (syn. DÉMORDRE DE). *Renoncer aux biens, aux plaisirs du monde* (relig.) [syn. SE DÉTACHER DE]. — **4.** Au jeu de cartes, ne pas fournir de la couleur demandée : *Renoncer à trèfle.* — **5.** (avec l'infin.) Cesser par impossibilité de réussir : *Renoncer à concourir* (contr. CONTINUER, PERSÉVÉRER, PERSISTER). ◆ **renonce** n. f. Au jeu de cartes, fait de ne pas fournir la couleur demandée. ◆ **renoncement** n. m. Fait de se détacher volontairement, par ascétisme, des biens terrestres : *Le renoncement aux plaisirs du monde.* ◆ **renonciation** n. f. Acte par lequel on abandonne un droit, une charge, une fonction, etc. : *Renonciation à une succession.*

RENONCULACÉES [rənɔ̃kylase] n. f. pl. (de *renoncule*). Famille de plantes dicotylédones, comprenant des espèces aussi différentes que la *clématite*, le *bouton-d'or*, la *pivoine*, l'*hellébore*, l'*ancolie*, le *populage* et le *pied-d'alouette.* (Les renonculacées se caractérisent par leurs étamines tournées vers l'extérieur et par leurs carpelles indépendants.)

RENONCULE [rənɔ̃kyl] n. f. (lat. *ranunculus*, petite grenouille). Plante dont il existe de nombreuses espèces à fleurs jaunes, croissant dans les prés, les chemins, les endroits humides (syn. usuel BOUTON-D'OR).

RENOUER v. t. → NŒUD 1.

RENOUVELER [rənuvle] v. t. (de *re-*, et anc. fr. *novel*, nouveau). [Conj. **6.**] **1.** Remplacer par une ou des autres une ou des personnes qui ne conviennent plus : *Renouveler son personnel.* — **2.** *Renouveler une chose*, la remplacer quand elle a subi une altération, quand elle est usée : *Renouveler l'eau d'un bassin. Renouveler un pansement* (syn. CHANGER). *Renouveler sa garde-robe.* — **3.** *Renouveler qqch.*, lui apporter des transformations profondes : *Renouveler un usage, une mode* (= les faire revivre, en leur donnant une vie nouvelle) [syn. RÉNOVER]. *Renouveler un sujet, une question, une étude* (= les traiter d'une façon nouvelle). — **4.** Recommencer une action déjà faite : *Renouveler une demande, une promesse* (syn. REFAIRE, RÉITÉRER). — **5.** *Renouveler un passeport, un bail, un contrat*, en prolonger la validité (syn. PROROGER). ◆ ***se renouveler*** v. pr. **1.** (sujet nom de personne) Se reformer, être remplacé : *Les membres de cette assemblée se renouvellent chaque année.* — **2.** (sujet nom de personne) Changer de manière, de genre, dans une activité littéraire ou artistique : *Cet auteur ne se renouvelle pas assez.* — **3.** (sujet nom de chose) Se reproduire : *Espérons que cet incident ne se renouvellera pas* (syn. RECOMMENCER). ◆ **renouvelable** adj. Qui peut être renouvelé. ◆ **renouvellement** n. m. : *Le renouvellement des arts. Le renouvellement d'un bail* (syn. PROROGATION). *Le renouvellement des conseillers généraux.* ◆ **renouveau** n. m. Ce qui donne l'impression d'un renouvellement : *Cette mode connaît un renouveau de faveur* (syn. RETOUR).

RÉNOVER [renɔve] v. t. (lat. *renovare*). **1.** Remettre à neuf :

Rénover des tentures. — **2.** Transformer en donnant une nouvelle forme, une nouvelle vie : *Rénover des méthodes de travail* (syn. RENOUVELER). ◆ **rénovateur, trice** n. : *Le rénovateur d'une science.* ◆ **rénovation** n. f. Action de rénover : *La rénovation d'une salle de spectacle* (syn. MODERNISATION). *La rénovation des études de l'Antiquité* (syn. RAJEUNISSEMENT).

RENSEIGNER [rɑ̃seɲe] v. t. (de *re-*, et *enseigner*). *Renseigner qq'un*, lui donner des indications, des éclaircissements servant à faire connaître une personne ou une chose. ◆ ***se renseigner*** v. pr. Prendre des renseignements. ◆ **renseigné, e** adj. Qui a des renseignements : *Parlez-lui de cette affaire, il est bien renseigné.* ◆ **renseignement** n. m. : *Un renseignement exact* (syn. INFORMATION, PRÉCISION).

RENTABLE [rɑ̃tabl] adj. (de *rente*). Qui procure un revenu, un bénéfice satisfaisant : *Une affaire rentable.* ◆ **rentabiliser** v. t. Rendre une activité, une opération rentables. ◆ **rentabilisation** n. f. Action de rentabiliser. ◆ **rentabilité** n. f. : *La rentabilité d'une entreprise* (= son caractère rentable).

RENTE [rɑ̃t] n. f. (de *rendre*). **1.** Revenu fourni par un capital : *Vivre de ses rentes.* — **2.** Somme d'argent versée périodiquement à une personne. ‖ *Rente viagère*, pension payée à une personne sa vie durant. — **3.** Emprunt de l'État, représenté par un titre qui donne droit à un intérêt contre remise de coupons. ◆ **rentier, ère** n. Personne qui vit de ses rentes.

RENTRER [rɑ̃tre] v. i. (de *re-*, et *entrer*). **1.** (sujet nom de personne) Retourner dans un lieu d'où l'on est sorti : *Rentrer chez soi pour déjeuner* (syn. REVENIR). *Il vient de rentrer de promenade.* — **2.** Syn. usuel d'ENTRER (sans idée de retour, de répétition) : *Les ennemis sont rentrés dans la ville.* — **3.** Fam. *Rentrer dans qq'un, qqch.*, se jeter violemment dessus : *Il est rentré dans un arbre* (syn. PERCUTER). — **4.** (sujet nom de chose) Pénétrer l'un dans l'autre : *La clef rentre bien dans la serrure* (syn. S'ENFONCER). *Des tubes qui rentrent les uns dans les autres* (syn. S'EMBOÎTER). — **5.** (sujet nom de chose) Être contenu, inclus dans : *Cela ne rentre pas dans mes attributions* — **6.** (sujet nom désignant une somme d'argent) Être payé, perçu : *Faire rentrer des fonds.* — **7.** *Rentrer dans l'ordre, dans le calme*, retrouver l'ordre, le calme : *Tout est rentré dans l'ordre.* ‖ *Rentrer dans ses frais*, récupérer l'argent qu'on a dépensé ou son équivalent. ‖ *Rentrer en fonctions*, reprendre ses fonctions. ◆ v. t. **1.** *Rentrer une chose, un être animé*, les porter ou les reporter, les ramener à l'intérieur, à l'abri : *Rentrer les foins* (syn. ENGRANGER). *Rentrer sa voiture au garage.* — **2.** *Rentrer une chose*, la faire disparaître dans ou sous une autre : *Le chat rentre ses griffes.* — **3.** *Rentrer ses larmes, sa colère*, les cacher, les refouler. ‖ *Rentrer le ventre*, en contracter les muscles pour le rendre aussi plat que possible. ◆ **rentrant, e** adj. **1.** *Math.* Soit deux demi-droites de même sommet O et n'ayant pas même support, qui déterminent deux secteurs* angulaires, on appelle *secteur angulaire rentrant* celui des deux qui n'est pas un ensemble convexe* (c'est-à-dire tel qu'il existe un segment AB dont les extrémités appartiennent au secteur et qui n'est pas inclus dans le secteur). [→ SECTEUR 1.] — **2.** Qui peut être rentré : *Train d'atterrissage rentrant* (syn. ESCAMOTABLE). ◆ **rentré, e** adj. *Colère rentrée*, qui ne se manifeste pas extérieurement. ◆ **rentrée** n. f. **1.** Action de rentrer : *La rentrée des élèves au lycée.* — **2.** Reprise des activités, des travaux, des fonctions après les vacances ou après une absence : *La rentrée des classes.* — **3.** Période de retour après les vacances, les congés annuels : *Nous parlerons de cette affaire à la rentrée.* — **4.** Recouvrement de fonds : *Il attend des rentrées importantes.*

RENVERSER [rɑ̃vɛrse] v. t. (de *re-*, et anc. fr. *enverser*; de *envers*). **1.** *Renverser qqch.*, le mettre à l'envers : *Renverser un récipient* (syn. RETOURNER). — **2.** Pencher en arrière : *Renverser la tête.* — **3.** *Renverser une personne, une chose*, les faire tomber, les jeter par terre : *L'automobiliste a renversé un piéton* (syn. FAUCHER). *Le cheval, en se cabrant, a renversé son cavalier* (syn. DÉSARÇONNER). *Renverser du vin* (syn. RÉPANDRE). — **4.** *Renverser qqch.* (mot abstrait), bouleverser, détruire l'ordre des choses morales ou politiques : *La Révolution a renversé la royauté* (syn. CHASSER). *Renverser un ministère, un cabinet* (= obtenir la démission des ministres composant un gouvernement). — **5.** Disposer en sens inverse : *Renverser l'ordre des mots dans une phrase* (syn. INTERVERTIR). — **6.** *Fam.* Jeter dans une profonde stupéfaction : *Cette nouvelle me renverse.* — **7.** *Renverser la vapeur*, la faire agir sur l'autre face du piston pour changer le sens de la marche d'une machine à vapeur; changer totalement sa façon d'agir. ◆ ***se renverser*** v. pr. **1.** (sujet nom de personne) *Se renverser sur le dos*, se coucher sur le dos. ‖ *Se renverser sur sa chaise*, se pencher fortement en arrière. — **2.** (sujet nom de chose) Se retourner sens dessus dessous : *La voiture s'est renversée* (syn. CAPOTER). ◆ **renversant, e** adj. *Fam.* Qui étonne profondément : *Une nouvelle renversante* (syn. STUPÉFIANT). ◆ **renverse (à la)** loc. adv. Sur le dos : *Tomber à la renverse.* ◆ **renversé, e** adj. **1.** Étonné au plus haut point (syn. DÉCONCERTÉ, STUPÉFAIT). — **2.** Fam. *C'est le monde renversé*, tout est contraire à l'ordre naturel, à la raison. ‖ *Crème renversée*, crème aux œufs cuite dans un moule et que l'on renverse sur un plat après refroidissement. ◆ **renversement** n. m. **1.** *Le renversement d'une situation* (syn. RETOURNEMENT). — **2.** *Mus.* État d'un accord dont la fondamentale ne se trouve pas à la basse.

RENVOYER [rɑ̃vwaje] v. t. (de *re-*, et *envoyer*). **1.** *Renvoyer qq'un*, le faire retourner là où il est déjà allé, à son lieu de départ : *Renvoyer des soldats dans leurs foyers* (syn. DÉMOBILISER, LIBÉRER). — **2.** *Renvoyer qq'un*, le faire repartir en le congédiant : *Renvoyer un importun* (syn. CHASSER, ÉCONDUIRE). *Renvoyer un employé* (syn. CONGÉDIER, LICENCIER). *Renvoyer un élève d'un lycée* (syn. EXCLURE). — **3.** *Renvoyer qqch. à qq'un*, lui faire reporter, lui faire remettre une chose qu'il a envoyée, oubliée ou qu'on n'accepte pas : *Je vous renvoie le livre que vous m'avez prêté* (syn. RENDRE). — **4.** *Renvoyer une chose*, la lancer en sens contraire : *Renvoyer un ballon.* — **5.** (sujet nom désignant une surface) Réfléchir la lumière, le son : *L'écho renvoie les sons* (syn. RÉPERCUTER). — **6.** *Renvoyer qq'un à*, l'adresser à quelqu'un, l'obliger à se reporter à une chose qui puisse le renseigner : *Ces astérisques renvoient le lecteur à des notes placées en bas de la page.* — **7.** Adresser, transmettre à une juridiction, à une autorité plus compétente : *Renvoyer une affaire en Cour de cassation.* — **8.** *Renvoyer une affaire à un moment ultérieur*, la remettre à plus tard (syn. AJOURNER, DIFFÉRER). ◆ ***se renvoyer*** v. pr. (sujet nom de personne). *Se renvoyer la balle*, se décharger l'un sur l'autre d'une faute, d'une obligation, d'un travail. ◆ **renvoi** n. m. **1.** Action de renvoyer : *Le renvoi d'un élève, d'une lettre, d'une balle. Le renvoi d'un procès à huitaine.* — **2.** Marque indiquant à un lecteur l'endroit où il trouvera l'explication du passage qu'il a sous les yeux. — **3.** Rejet par la bouche de gaz provenant de l'estomac (syn. ÉRUCTATION). — **4.** *Mécan.* Mécanisme permettant, dans une transmission, de faire passer une courroie d'une poulie sur une autre, de changer la direction d'un mouvement. — **5.** *Mus.* Signe qui indique une reprise.

RÉOCCUPATION n. f., **RÉOCCUPER** v. t. → OCCUPER 1.

RÉOLE (La), ch.-l. de cant. de la Gironde, à 18 km à l'E. de Langon, sur la Garonne; 5 100 hab. *(Réolais).* Tabac. Vins.

RÉORGANISATION n. f., **RÉORGANISER** v. t. → ORGANISER. / **RÉOUVERTURE** n. f. → OUVRIR.

REPAIRE [rəpɛr] n. m. (de l'anc. fr. *repairier*, rentrer chez soi). **1.** Lieu qui sert de refuge à des bêtes sauvages (syn. ANTRE, TANIÈRE). — **2.** Lieu où se réunissent des malfaiteurs : *Un repaire de brigands.*

REPAÎTRE [rəpɛtr] v. t. *(re-*, et *paître).* [Conj. **80.**] *Repaître ses yeux d'un spectacle*, le regarder avec avidité. ◆ ***se repaître*** v. pr.

RÉPANDRE [repɑ̃dr] v. t. (de *re-*, et *épandre*). [Conj. **50.**] **1.** *Répandre un liquide* ou *d'autres substances*, les laisser tomber en les dispersant sur une surface : *Répandre de la sauce sur ses vêtements* (syn. RENVERSER). *Répandre du sable sur une allée* (syn. ÉTALER, ÉTENDRE). *Répandre des larmes* (= pleurer). *Répandre le sang* (= blesser ou tuer). — **2.** *Répandre de la clarté, une odeur*, etc., les envoyer hors de soi, en être la source : *Le soleil répand sa lumière* (syn. DIFFUSER). *Des fleurs qui répandent une odeur délicieuse* (syn. EXHALER). — **3.** *Répandre une doctrine, une nouvelle*, etc., les faire connaître : *Les Apôtres répandirent l'Évangile* (syn. PROPAGER). *Répandre des idées* (syn. DIFFUSER). *Répandre une nouvelle* (syn. COLPORTER). *Répandre une mode, un usage* (syn. LANCER). — **4.** *Répandre des dons*, les distribuer : *Dieu répand ses bienfaits* (syn. DISPENSER). — **5.** *Répandre une émotion, un sentiment*, les provoquer, les susciter : *L'assassin a répandu la terreur* (syn. JETER, SEMER). ◆ ***se répandre*** v. pr. **1.** (sujet nom de chose) S'écouler : *Le vin s'est répandu sur la table.* — **2.** Se dégager : *Une odeur infecte s'est répandue dans la salle.* — **3.** Se propager : *L'épidémie s'est répandue dans le pays* (syn. S'ÉTENDRE, GAGNER). *Un faux bruit se répand rapidement* (syn. CIRCULER, COURIR). — **4.** (sujet nom de personne) *Se répandre en injures, en invectives, en menaces, en compliments, en louanges*, dire beaucoup d'injures, proférer beaucoup de menaces, faire de longs compliments. — **5.** Occuper en grand nombre : *La foule se répand dans le stade* (syn. ENVAHIR, REMPLIR). ◆ **répandu, e** adj. : *Des papiers répandus sur une table* (= épars). *Une mode, une opinion très répandue* (= communément admise).

RÉPARABLE adj. → RÉPARER.

REPARAÎTRE v. i. → PARAÎTRE 1.

RÉPARER [repare] v. t. (lat. *reparare*). **1.** Remettre en état ce qui est détérioré : *Réparer une pendule* (syn. ARRANGER). *Réparer des objets d'art* (syn. RESTAURER). ‖ *Réparer ses forces*, se rétablir. — **2.** *Réparer un vêtement*, faire disparaître les dégâts qui lui ont été causés : *Réparer une déchirure* (syn. RACCOMMODER, RAPIÉCER, REPRISER, STOPPER). — **3.** Se racheter en agissant de manière à faire disparaître les conséquences d'une mauvaise action : *Réparer une faute* (syn. EFFACER). — **4.** Corriger en supprimant les fâcheuses conséquences : *Réparer une erreur* (syn. REMÉDIER À). ‖ *Réparer une perte*, la compenser, s'en dédommager. ◆ **réparable** adj. Qui peut être réparé : *Erreur, perte réparable* (contr. IRRÉMÉDIABLE, IRRÉPARABLE). ◆ **réparateur, trice** n. Personne qui répare des objets. ◆ adj. *Sommeil réparateur,* qui répare les forces. ◆ **réparation** n. f. **1.** Action de réparer : *La réparation d'une voiture. Demander à qq'un réparation d'une offense. Réparation par les armes* (syn. DUEL). ‖ *Surface de réparation,* au football, surface rectangulaire devant la ligne de but. — **2.** Travaux effectués en vue de l'entretien d'une maison, d'un immeuble : *Cette villa a besoin de grosses réparations.* ◆ **irréparable** adj. : *Dommage, faute irréparable.*

REPARLER v. i. → PARLER.

REPARTIE [rəparti] n. f. (de *repartir,* répliquer). Réponse vive, spirituelle : *Avoir de la repartie.*

REPARTIR v. i. → PARTIR.

RÉPARTIR [repartir] v. t. (de *ré-,* et anc. fr. *partir,* partager). **1.** Distribuer d'après certaines conventions, certaines règles : *Répartissez cette somme entre les associés.* — **2.** Distribuer dans un espace : *Répartir des troupes dans une ville* (syn. DISPERSER). ◆ **répartition** n. f. : *La répartition des tâches* (syn. DISTRIBUTION).

REPAS [rəpɑ] n. m. (de l'anc. fr. *past,* nourriture). Nourriture que l'on prend chaque jour et à des heures réglées : *Un repas de noces* (syn. BANQUET). *Un repas sur l'herbe* (syn. PIQUE-NIQUE).

1. REPASSER v. i. et t. → PASSER 1.

2. REPASSER [rəpɑse] v. t. (*re-,* et *passer*). **1.** *Repasser des ciseaux, des couteaux,* les aiguiser sur une meule, sur une pierre. — **2.** *Repasser du linge,* en faire disparaître les faux plis au moyen d'un fer chaud que l'on passe dessus. ◆ ***se repasser*** v. pr. Être repassé : *Certains tissus ne se repassent pas.* ◆ **repassage** n. m. Action de repasser. ◆ **repasseur** n. m. Personne qui repasse les couteaux, les ciseaux (syn. RÉMOULEUR). ◆ **repasseuse** n. f. Ouvrière, machine qui repasse le linge.

3. REPASSER [rəpɑse] v. t. (même étym.). *Repasser une leçon, une composition, un rôle,* relire, redire pour soi-même ce qu'on a appris par cœur, afin de s'assurer qu'on le sait (syn. RÉVISER, REVOIR).

REPÊCHER [rəpeʃe] v. t. (*re-,* et *pêcher*). **1.** Retirer de l'eau : *Repêcher un noyé.* — **2.** Fam. *Repêcher un candidat,* le recevoir à un examen, bien qu'il n'ait pas obtenu le nombre de points requis. ◆ **repêchage** n. m.

REPEIGNER v. t. → PEIGNE 1.

REPEINDRE v. t. → PEINDRE. / **REPENSER** v. t. → PENSER.

REPENTIR (SE) [sərəpɑ̃tir] v. pr. (du lat. *poenitere*). [Conj. **19.**] **1.** *Se repentir de qqch., de* (et l'infin.), ressentir le regret d'une faute avec le désir de la réparer ou de n'y plus retomber : *Se repentir du mal que l'on a fait à son prochain.* — **2.** Regretter vivement d'avoir fait ou de n'avoir pas fait une chose : *Elle se repent d'avoir été trop bavarde* (syn. SE REPROCHER, S'EN VOULOIR). ◆ **repentant, e** adj. Qui se repent (sens 1 du v.) : *Un pécheur repentant.* ◆ **repenti, e** adj. Qui s'est repenti. ◆ **repentir** n. m. Vif regret d'une faute avec le désir de n'y plus retomber (syn. ↓REGRET, REMORDS).

REPÉRABLE adj., **REPÉRAGE** n. m. → REPÈRE.

1. RÉPERCUTER [repɛrkyte] v. t. (lat. *repercutere*). Renvoyer et prolonger un son : *Un coup de fusil que l'écho répercute.* ◆ ***se répercuter*** v. pr. Être répercuté : *Le bruit du tonnerre se répercute dans la montagne.* ◆ **répercussion** n. f. : *La répercussion du son.*

2. RÉPERCUTER (SE) [sərepɛrkyte] v. pr. (même étym.). Avoir des conséquences directes. ◆ **répercussion** n. f. : *Cet événement aura des répercussions* (syn. CONSÉQUENCE, CONTRECOUP).

REPERDRE v. t. → PERDRE.

REPÈRE [rəpɛr] n. m. (du lat. *reperire,* retrouver). **1.** Marque faite à différentes pièces d'un assemblage pour les reconnaître et les ajuster. — **2.** Trait, sur un instrument de mesure, servant d'index pour effectuer une lecture sur une échelle graduée. — **3.** Marque faite sur un mur, sur un jalon, sur un terrain, etc., pour indiquer ou retrouver un alignement, une hauteur. — **4.** *Point de repère,* objet ou endroit déterminé qui permet de s'orienter; tout indice, détail qui permet de situer un événement dans le temps. — **5.** Math. *Repère sur une droite, repère dans un plan* → ENCYCL. ◆ **repérer** v. t. **1.** Indiquer par des repères : *Repérer un alignement.* — **2.** *Repérer qqch.,* en déterminer la position exacte : *Repérer un sous-marin.* — **3.** *Repérer qq'un* ou *qqch.,* l'apercevoir, le trouver parmi d'autres : *Repérer des fautes dans un texte* (syn. DÉCOUVRIR). ‖ *Se faire repérer,* attirer l'attention sur soi, être découvert. ◆ ***se repérer*** v. pr. (sujet nom de personne). S'orienter. ◆ **repérage** n. m. Action de repérer, de localiser. ◆ **repérable** adj.

— ENCYCL. ***repère sur une droite.*** Soit G une droite* affine, ou une droite* euclidienne, ou un axe*, et soit f une des graduations qui interviennent dans sa définition. On appelle *repère* de G correspondant à f le couple (O, I) de points de G défini par $f(O) = 0$ et $f(I) = 1$. Pour tout point M, le nombre x tel que $f(M) = x$ es l'*abscisse* de M dans le repère (O, I).

Si G est une droite affine, tout couple de points distincts (O, I est un repère sur cette droite [car il existe toujours une graduatio de la droite affine telle que $f(O) = 0$ et $f(I) = 1$].

Si G est une droite euclidienne et (O, I) un repère, alors l

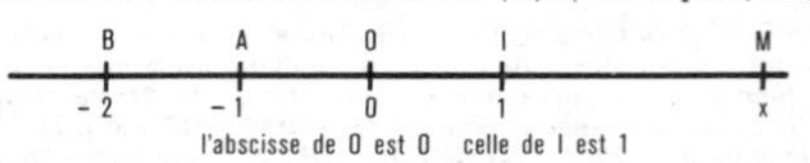

distance de O à I, $d(O, I)$, est égale à 1. Réciproquement, tout coupl (O, I) de points de la droite euclidienne tel que $d(O, I) = 1$ est un repère de la droite. Un tel repère est dit *normé.*

repère dans un plan. Dans un plan* affine P, on appelle *repère* du plan tout triplet $(O, \vec{i}, \vec{j})$ formé d'un point O (appelé *origine* d repère) du plan et de deux vecteurs $\vec{i}$ et $\vec{j}$ de direction

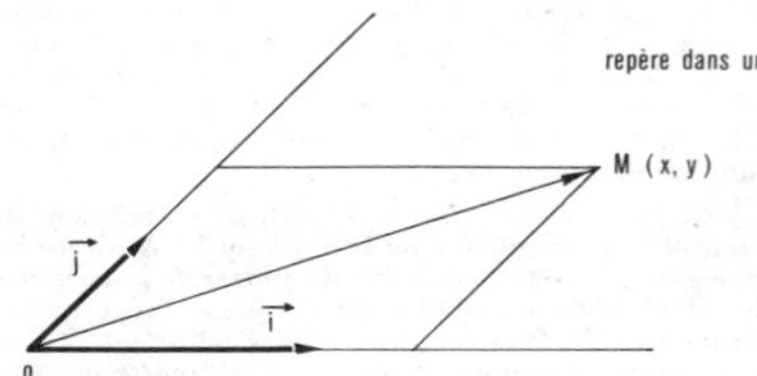

différentes (c'est-à-dire formant une base* de l'ensemble des vecteurs). À tout point M du plan, il correspond un couple unique (x, y) de réels tels que $\overline{OM} = x\vec{i} + y\vec{j}$; (x, y) est appelé *couple de coordonnées* de M dans le repère $(O, \vec{i}, \vec{j})$; x est l'*abscisse,* et y l'*ordonnée* de M.

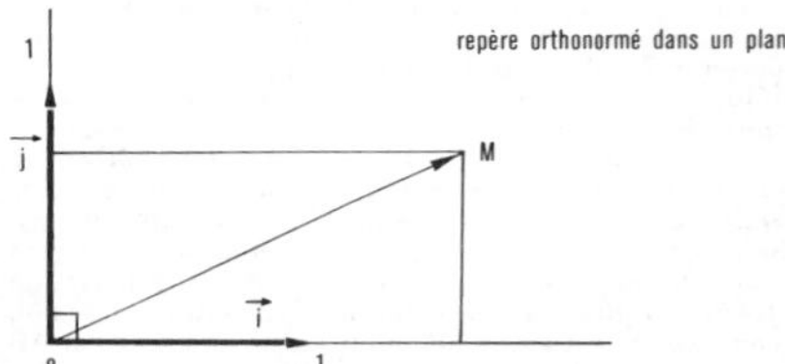

Si P est un plan* euclidien, un repère $(O, \vec{i}, \vec{j})$ est di *orthonormé* si et seulement si :

- $\|\vec{i}\| = \|\vec{j}\| = 1$ ($\vec{i}$ et $\vec{j}$ sont deux vecteurs de norme 1);
- $\vec{i}$ et $\vec{j}$ ont des directions orthogonales.

1. RÉPERTOIRE [repɛrtwar] n. m. (du lat. *reperire,* retrouver). **1.** Inventaire ou recueil dont les matières sont classées selon un certain ordre pour faciliter les recherches : *Un dictionnaire est un répertoire alphabétique des mots.* — **2.** Cahier ou carnet à l'extrémité des pages duquel ont été ménagés des onglets correspondant aux lettres de l'alphabet, pour faciliter la consultation des renseignements qui y ont été inscrits : *Un répertoire d'adresses* (syn. AGENDA, CARNET). ◆ **répertorier** v. t. Inscrire dans un répertoire : *Répertorier des livres.*

2. RÉPERTOIRE [repɛrtwar] n. m. (même étym.). **1.** Liste des pièces qui forment le fonds ordinaire d'un théâtre : *Cette pièce fait partie du répertoire du Théâtre-Français.* — **2.** Ensemble des œuvres qu'a l'habitude de faire entendre un acteur, un musicien, un chanteur. — **3.** *Fam.* Ensemble de tours, de mots, etc., que connaît une personne : *Avoir tout un répertoire d'injures.*

1. RÉPÉTER [repete] v. t. (lat. *repetere*). **1.** Redire ce qu'on a déjà dit soi-même : *Répéter une explication. Répéter toujours les mêmes choses* (syn. fam. RABÂCHER, RESSASSER); ce qu'un autre a dit : *Répéter un secret* (syn. RACONTER, RAPPORTER). — **2.** Refaire ce qu'on a déjà fait : *Répéter une tentative* (syn. RECOMMENCER, RENOUVELER). ◆ ***se répéter*** v. pr. **1.** (sujet nom de personne) Redire les mêmes choses : *C'est un conteur agréable, mais il se répète un peu trop.* — **2.** (sujet nom de chose) Être redit : *Un secret ne doit pas se répéter.* ◆ **répétiteur, trice** n. Personne qui explique à des élèves les leçons du professeur, qui leur donne des leçons supplémentaires (vieilli). ◆ **répétition** n. f. **1.** Retour de la même idée, du même mot : *Évitez les répétitions inutiles* (syn. REDITE). — **2.** Fait de recommencer une action. — **3.** Leçon articulière donnée par un maître à un ou plusieurs élèves. — **.** *Arme à répétition,* arme à feu dont la vitesse de tir est augmentée par le chargement automatique des munitions dans la hambre.

2. RÉPÉTER [repete] v. t. et i. (même étym.). Étudier une ièce, un morceau de musique, une danse, en vue de son exécution, de sa représentation en public. ◆ **répétition** n. f. Séance de ravail au cours de laquelle on étudie une œuvre musicale, dramatique, chorégraphique, etc.

REPEUPLEMENT n. m., **REPEUPLER** v. t. → PEUPLE 3.

REPIQUER [rəpike] v. t. *(re-,* et *piquer).* Transplanter de eunes plants provenant de semis : *Repiquer des salades, des oireaux.* ◆ **repiquage** n. m. : *Le repiquage du tabac.* ◆ **repiqueur, euse** n. : *Une repiqueuse de riz.*

RÉPIT [repi] n. m. (lat. *respectus,* regard en arrière). **1.** Arrêt 'une chose qui presse, accable, tourmente : *Il éprouve des douleurs qui ne lui laissent pas un instant de répit.* — **2.** Temps de epos, de détente : *S'accorder un peu de répit.* — **3.** *Sans répit,* ans cesse, sans interruption (syn. CONTINUELLEMENT).

REPLACER v. t., **SE REPLACER** v. pr. → PLACE 1. / **REPLANTER** v. t. → PLANTER.

REPLAT [rəpla] n. m. *(re-,* et *plat). Géogr.* Sur un versant, ente plus faible entre deux pentes plus fortes.

REPLÂTRAGE n. m. → PLÂTRE et REPLÂTRER 2.

1. REPLÂTRER v. t. → PLÂTRE.

2. REPLÂTRER [rəplɑtre] v. t. *(re-,* et *plâtrer). Fam.* Remanier d'une façon sommaire : *Replâtrer un ouvrage.* ◆ **replâtrage** n. m. **1.** Réconciliation éphémère. — **2.** *Replâtrage ministériel,* ction de reformer un même ministère avec quelques modifications dans la répartition des portefeuilles.

REPLET, ÈTE [rəplɛ, -ɛt] adj. (du lat. *repletus,* rempli). Qui a e l'embonpoint (syn. DODU, GRASSOUILLET).

REPLEUVOIR v. impers. → PLEUVOIR.

1. REPLIER [rəplije] v. t. *(re-,* et *plier).* **1.** Plier une chose qui avait été dépliée. — **2.** Ramener en pliant, en recourbant : *Replier e bas de son pantalon* (syn. RETROUSSER). *Oiseau qui replie ses iles.* ◆ ***se replier*** v. pr. Se courber une ou plusieurs fois : *Le hat s'était replié sur lui-même* (syn. SE PELOTONNER, SE RAMASSER, SE RECROQUEVILLER). ◆ **repli** n. m. **1.** Pli double, rabattu : *Faire un epli au bas d'un pantalon* (syn. REVERS). — **2.** (au plur.) Plis épétés : *Les replis d'un drapeau.* — **3.** *Les replis de l'âme, du œur, de la conscience,* ce qu'il y a de plus caché, de plus secret.

2. REPLIER [rəplije] v. t. (même étym.). Ramener vers une osition établie en arrière une troupe en contact avec l'ennemi. ◆ ***se replier*** v. pr. **1.** (sujet nom désignant une troupe) Se eporter sur une position établie en arrière : *L'armée se replia* (syn. BATTRE EN RETRAITE, RECULER). — **2.** (sujet nom désignant une personne) *Se replier sur soi-même,* s'isoler du monde extérieur pour éfléchir, méditer (syn. SE RENFERMER). ◆ **repli** n. m. Retraite olontaire d'un corps de troupes : *L'état-major a envoyé un ordre le repli aux avant-postes.* ◆ **repliement** n. m. : *Le repliement l'une troupe. Le repliement d'un individu sur lui-même.*

1. RÉPLIQUE [replik] n. f. (du lat. *replicare*). **1.** Réponse vive et brève : *Avoir la réplique facile* (syn. REPARTIE). ‖ *Argument ans réplique,* argument décisif. — **2.** Réponse faite avec brusquerie, avec impertinence : *Allons, pas de réplique* (syn. ↓DISCUSSION). — **3.** Ce qu'un acteur de théâtre doit dire au moment où un autre a fini de parler : *Il a oublié sa réplique.* ◆ **répliquer** v. t. et i. **1.** Répondre avec vivacité, avec à-propos : *Votre argument me atisfait, je n'ai rien à répliquer* (syn. OBJECTER). — **2.** Répondre avec impertinence : *Quand il donne un ordre, il ne souffre pas qu'on réplique.*

2. RÉPLIQUE [replik] n. f. (même étym.). Reproduction d'une œuvre d'art, souvent dans des dimensions différentes, faite par 'auteur lui-même.

REPOLIR v. t. → POLIR.

RÉPONDANT, E n. → RÉPONDRE 2.

RÉPONDEUR n. m. → RÉPONDRE 1.

1. RÉPONDRE [repɔ̃dr] v. t. ou i. (lat. *respondere*). [Conj. **51.**] *Répondre qqch. à qq'un,* lui faire connaître sa pensée, ses sentiments, oralement ou par écrit, à la suite d'une question, d'une emarque : *Il ne voyait rien à répondre à un tel argument* (syn. OBJECTER). *Vous me dites que j'ai tort, je vous réponds que non* (syn. RÉTORQUER); et intransitiv. : *Répondre du tac au tac* (syn. RÉPLIQUER, RIPOSTER). ◆ v. t. ind. ou i. **1.** *Répondre à qq'un, à une demande,* venir, se présenter à son appel : *Répondre à une convocation* (syn. SE RENDRE). — **2.** Envoyer une lettre en retour d'une autre : *Répondre par retour du courrier.* — **3.** (sujet nom de personne) Raisonner au lieu d'obéir : *Un enfant qui répond à ses parents* (syn. RÉPLIQUER). — **4.** (sujet nom de personne) Manifester à l'égard d'une personne une attitude semblable ou opposée à la sienne : *Répondre à l'amour de qq'un* (syn. PAYER DE RETOUR). *Répondre à un salut, à un sourire* (syn. RENDRE). — **5.** (sujet nom de chose) Produire l'effet attendu : *Organisme qui répond à une excitation* (syn. RÉAGIR). *Des freins qui répondent bien. Le numéro de téléphone ne répond pas.* — **6.** (sujet nom de chose) *Répondre à une chose,* être en accord avec elle, lui être conforme : *Le signalement de cet individu répond à celui qui est donné dans les journaux* (syn. CONCORDER, CORRESPONDRE). *Cet achat répond à un besoin* (syn. SATISFAIRE). ◆ ***se répondre*** v. pr. Faire entendre un son alternativement : *Dans un orchestre, les instruments se répondent.* ◆ **répondeur** n. m. Appareil de téléphone qui répond automatiquement par un message enregistré. ◆ **réponse** n. f. **1.** Ce qu'on dit ou ce qu'on écrit à la personne qui vous a posé une question, qui s'est adressée à vous : *Ma demande est restée sans réponse.* ‖ *Avoir réponse à tout,* n'être embarrassé par aucune objection, avoir de la repartie. ‖ *Une réponse de Normand,* une réponse équivoque, qui n'est ni oui ni non. — **2.** Réaction d'un organe, d'un organisme à une excitation : *Une réponse musculaire.*

2. RÉPONDRE [repɔ̃dr] v. t. ind. (même étym.). **1.** *Répondre d'une personne* (ou *répondre pour une personne*), accepter la responsabilité des actes qu'elle peut accomplir : *Vous pouvez engager cet employé, je réponds de lui.* — **2.** *Répondre d'une chose,* s'en porter garant : *Je ne réponds de rien* (= je ne garantis rien). ◆ **répondant, e** n. **1.** Personne qui se porte garante de quelqu'un : *Je vous servirai volontiers de répondant.* — **2.** Fam. *Avoir du répondant,* avoir des capitaux constituant une caution.

RÉPONSE n. f. → RÉPONDRE 1.

REPOPULATION n. f. → PEUPLE 3.

REPORT n. m. → REPORTER.

REPORTER [rəpɔrtœr ou -tɛr] n. m. (mot angl.; de *to report,* relater). Journaliste chargé de recueillir des informations qui sont diffusées par la presse, la radio, la télévision. ◆ **reportage** n. m. Ensemble d'informations retransmises par la presse, la radio, la télévision sur un sujet précis.

REPORTER [rəpɔrte] v. t. *(re-,* et *porter).* **1.** *Reporter une chose,* la porter à l'endroit où elle était auparavant : *Reporter un livre dans la bibliothèque.* — **2.** *Reporter une chose,* la placer à un autre endroit : *Reporter des notes à la fin d'un volume* (syn. REJETER). — **3.** Faire revenir par la pensée : *La rêverie nous reporte dans le passé.* — **4.** *Reporter qqch.,* le remettre à un autre moment : *Le match a été reporté* (syn. AJOURNER, DIFFÉRER, RENVOYER). — **5.** *Reporter une chose sur une personne,* lui accorder ce qui s'applique ou devrait s'appliquer à une autre : *Plusieurs électeurs ont reporté leur voix sur un autre candidat.* ◆ ***se reporter*** v. pr. **1.** (sujet nom de personne) Se transporter par la pensée à une époque antérieure. — **2.** Se référer à : *Se reporter au texte d'une loi.* ◆ **report** n. m. Action de reporter le total d'une colonne ou d'une page sur une autre : *Faire le report d'une somme.*

1. REPOSER v. t. → POSER 1.

2. REPOSER [rəpoze] v. i. (bas lat. *repausare*). **1.** (sujet nom de chose) *Reposer sur,* être posé sur : *La maison repose sur de solides fondations.* — **2.** (sujet nom de chose) *Reposer sur,* être établi sur : *Cette affirmation ne repose sur rien de sérieux* (syn. ÊTRE BASÉ, FONDÉ).

3. REPOSER [rəpoze] v. t. (même étym.). **1.** *Reposer un membre, une partie du corps,* les mettre dans une position pour les délasser : *Reposer sa jambe sur un tabouret* (syn. APPUYER). — **2.** *Reposer une partie de son corps,* lui procurer un certain délassement : *Cette lecture repose l'esprit. La couleur verte repose les yeux.* ◆ v. i. **1.** Être dans un état de repos (littér.) : *Ne faites pas de bruit, il repose* (syn. DORMIR). — **2.** Être enterré : *Ici repose* (= ci-gît). — **3.** *laisser reposer un liquide,* le laisser immobile afin qu'il se clarifie. — **4.** *Laisser reposer une terre,* la laisser en jachère. ◆ ***se reposer*** v. pr. **1.** Cesser de travailler, d'agir, d'être en mouvement pour faire disparaître la fatigue (syn. SE DÉLASSER, SE DÉTENDRE). — **2.** *Se reposer sur qq'un,* avoir confiance en lui; s'en remettre à lui pour un travail, pour la conduite d'une affaire. ◆ **repos** n. m. **1.** Absence, cessation de mouvement (surtout dans les express. : *Demeurer, rester, se tenir en repos*). — **2.** Cessation de travail, d'exercice : *Prenez un peu de repos* (syn. DÉLASSEMENT, DÉTENTE). *Après sa maladie, il a obtenu un mois de repos* (syn. CONVALESCENCE). — **3.** Sommeil : *Il dort, ne troublez pas son repos.* — **4.** Absence d'inquiétude, de trouble; tranquillité d'esprit (littér.) : *Avoir la conscience en repos.* — LOC. ADJ. *De tout repos,* qui procure une complète tranquillité : *Une situation de tout repos.* ◆ **reposant, e** adj. Qui procure du repos : *Des vacances reposantes.* ◆ **reposé, e** adj. **1.** Qui a pris du repos. — **2.** Qui n'a plus de traces de fatigue : *Un visage reposé.* — LOC. ADV. *À tête reposée,* à loisir, avec réflexion.

1. REPOUSSER v. i. → POUSSER 4.

2. REPOUSSER [rəpuse] v. t. *(re-,* et *pousser).* **1.** *Repousser une personne* ou *un groupe de personnes,* les pousser en arrière, les faire reculer, ne pas céder à leur pression : *Repousser un envahisseur* (syn. REFOULER, REJETER). *Repousser un assaut, une attaque, une invasion* (syn. RÉSISTER À). — **2.** *Repousser qq'un,* refuser de l'accueillir ou lui faire un mauvais accueil (syn. ÉCARTER, ÉVINCER). — **3.** *Repousser une chose,* la pousser en arrière, en sens contraire : *Repousser la table contre le mur* (syn. RECULER). — **4.** *Repousser qqch.,* refuser de l'accepter, de l'agréer : *Repousser une demande en mariage. Repousser une tentation* (= la rejeter de son esprit). ◆ v. i. Exercer une pression qui tend à écarter, à éloigner : *Ce ressort repousse trop.* ◆ **repoussant, e** adj. Qui inspire du dégoût, de la répulsion : *Une figure repoussante* (syn. ANTIPATHIQUE; contr. ATTIRANT, ATTRAYANT). *Une laideur repoussante* (syn. HIDEUX). ◆ **repoussoir** n. m. **1.** Fam. *Servir de repoussoir,* se dit d'une personne ou d'une chose qui en fait valoir une autre par opposition. — **2.** *Fam.* Personne très laide.

3. REPOUSSER [rəpuse] v. t. (même étym.). *Technol.* Réaliser une pièce métallique par une opération de repoussage. ◆ **repoussage** n. m. Opération de formage à froid de pièce métallique à paroi mince, ayant un axe de révolution, et qui est réalisée à la main sur un « tour à repousser ». ◆ **repoussé** adj. et n. m. : *Statue en argent repoussé.* ◆ **repoussoir** n. m. Petit ciseau dont se servent les ouvriers qui travaillent au repoussage des métaux.

RÉPRÉHENSIBLE adj. → REPRENDRE 3.

1. REPRENDRE [rəprɑ̃dr] v. t. *(re-,* et *prendre).* [Conj. **54.**] **1.** (sujet nom de personne ou de chose) *Reprendre qq'un, qqch.,* les prendre de nouveau (→ PRENDRE 1) : *Reprendre du pain, reprendre les armes, une ville. Reprendre un ancien employé. Reprendre un malfaiteur. Reprendre du poids. Être repris par un accès de toux.* — **2.** *Reprendre une chose,* rentrer en possession de ce qu'on avait donné ou perdu : *Reprenez votre cadeau* (syn. REMPORTER). *Il commence à reprendre des forces* (syn. RECOUVRER). *Reprendre courage, son souffle, son sang-froid* (syn. RETROUVER). ‖ *Reprendre connaissance,* revenir à soi, reprendre conscience après un évanouissement. ‖ *Reprendre haleine,* se reposer pour se mettre en état de recommencer à parler, à marcher, à travailler, etc. ‖ *Reprendre le dessus,* se rétablir physiquement ou moralement après une maladie, une période d'abattement. — **3.** Racheter à un client un objet usagé : *La maison reprend les vieux postes de radio.* ‖ *Reprendre une marchandise,* accepter qu'on la rende et en annuler la vente : *Les articles soldés ne sont pas repris.* — **4.** *Reprendre une chose interrompue,* la continuer : *Reprendre ses études* (syn. RECOMMENCER, SE REMETTRE À). — **5.** *Reprendre qqch.,* le redire, le répéter : *Reprendre un refrain en chœur.* ‖ *Reprendre une pièce de théâtre,* la jouer de nouveau. — **6.** (sujet nom de personne; le plus souvent intransitiv.) Prendre à nouveau la parole pour faire remarquer : *Après avoir longuement réfléchi, il reprit : « Vous avez raison... »;* en incise : *« C'est moi, reprit-il, qui suis le responsable. »* — **7.** *Reprendre qqch.,* lui apporter des modifications, des transformations : *Reprendre un article avant de le faire imprimer* (syn. RÉCRIRE, RÉVISER). *Reprendre un tableau* (syn. RETOUCHER). ‖ *Reprendre sa parole,* annuler une promesse qu'on avait faite. — **8.** *On ne m'y reprendra plus,* je ne m'exposerai plus à pareil désagrément; je ne me laisserai plus duper. ‖ *Que je ne vous y reprenne plus!,* ne recommencez pas, sinon gare à vous! ◆ v. i. **1.** Recommencer : *Les cours vont reprendre. Le froid a repris* (syn. REVENIR). — **2.** *Les affaires reprennent en ce moment,* l'industrie, le commerce redeviennent plus actifs. ◆ ***se reprendre*** v. pr. **1.** Corriger, rectifier ce qu'on a dit par erreur ou par imprudence. — **2.** *Se reprendre à, pour* (et l'infin.), recommencer : *S'y reprendre à deux fois pour soulever un fardeau.* ◆ **repris** n. m. *Repris de justice,* personne qui a déjà subi une condamnation pénale. ◆ **reprise** n. f. **1.** Action de reprendre, de s'emparer de nouveau (→ PRISE) : *La reprise d'une ville.* — **2.** Continuation de ce qui a été interrompu : *La reprise des travaux sur un chantier.* ‖ *Reprise d'une pièce de théâtre,* la remise de cette pièce à la scène. — **3.** Objets mobiliers, installations qu'un nouveau locataire rachète à celui qui l'a précédé dans un appartement; somme d'argent correspondant ou non à ces meubles et versée pour entrer dans un appartement. — **4.** *Mus.* Partie d'un morceau de musique destinée à être exécutée deux fois de suite. — **5.** *Reprise des affaires,* renouveau des transactions commerciales (syn. RELANCE; contr. RÉCESSION). — LOC. ADV. *À deux, trois, plusieurs, maintes reprises,* plusieurs fois successivement.

2. REPRENDRE [rəprɑ̃dr] v. i. (même étym.). [Conj. **54.**] **1.** Retrouver de la vigueur : *Il a bien repris depuis son opération* (syn. SE RÉTABLIR). — **2.** (sujet nom de plante) Reprendre racine : *Depuis qu'on l'a replanté, ce pommier reprend lentement.*

3. REPRENDRE [rəprɑ̃dr] v. t. (lat. *reprehendere*). [Conj. **54.**] *Reprendre qq'un,* lui faire une remarque, une critique sur la manière dont il a parlé ou agi : *Reprendre un élève qui a fait une faute de grammaire.* ◆ **répréhensible** adj. Qui mérite d'être blâmé : *Un acte répréhensible* (syn. BLÂMABLE).◆ **irrépréhensible** adj. Qu'on ne saurait blâmer; où il n'y a rien à reprendre : *Conduite irrépréhensible.*

REPRÉSAILLES [rəprezaj] n. f. pl. (de l'it. *riprendere,* reprendre). **1.** Mesures de violence qu'un État prend à l'égard d'un autre État pour répondre à un acte illicite dont celui-ci s'est rendu coupable. — **2.** Action par laquelle on riposte aux mauvais procédés de quelqu'un, on lui rend le mal qu'il nous a fait : *Exercer de sanglantes représailles* (syn. VENGEANCE).

REPRÉSENTER [rəprezɑ̃te] v. t. (du lat. *repraesentare,* rendre présent). **1.** *Représenter qqch.,* faire apparaître d'une manière concrète l'image d'une chose abstraite : *Représenter la justice par une balance* (syn. SYMBOLISER). *Ces commerçants représentent la moyenne bourgeoisie* (syn. INCARNER, PERSONNIFIER). — **2.** (sujet nom de personne ou de chose) *Représenter une chose, une personne,* les rendre présentes à la vue au moyen du dessin, de la peinture, de la sculpture, de la photographie : *Ce tableau représente la Nativité* (syn. REPRODUIRE). — **3.** (sujet nom de personne) *Représenter une pièce,* la jouer sur une scène. — **4.** *Représenter qq'un, des personnes,* tenir leur place; agir en leur nom pour l'exercice de leurs droits ou la défense de leurs intérêts : *Les ambassadeurs représentent leur pays auprès du chef de l'État.* — **5.** *Représenter une maison de commerce,* faire des affaires pour le compte de cette maison. — **6.** (sujet nom de chose) Correspondre à : *L'achat d'une maison représente une somme importante.* ◆ v. i. (sujet nom de personne). *Fam.* Avoir un certain maintien, une certaine prestance : *Cet homme représente bien* (syn. plus usuel PRÉSENTER). ◆ ***se représenter*** v. pr. **1.** (sujet nom de personne) *Se représenter qq'un, qqch.,* en former l'image dans son esprit : *Qu'on se représente leur joie en apprenant cette bonne nouvelle* (syn. SE FIGURER, S'IMAGINER). — **2.** Se présenter de nouveau : *Se représenter à un examen.* ◆ **représentant, e** n. **1.** Celui, celle qui a reçu le pouvoir d'agir au nom d'une ou de plusieurs personnes : *Les représentants d'un syndicat.* — **2.** Personne désignée pour représenter un État, un gouvernement auprès d'un autre : *Le représentant de la France en Grande-Bretagne* (syn. AMBASSADEUR). *Le représentant du Saint-Siège* (syn. LÉGAT, NONCE). — **3.** *Représentant de commerce,* employé attaché à une ou plusieurs entreprises commerciales et chargé de visiter pour leur compte, dans un secteur déterminé, les acheteurs éventuels. — **4.** Personne ou animal pris comme le type d'une classe, d'une catégorie d'individus. ◆ **représentation** n. f. **1.** Sens 1 et 2 du v. t. : *Représentation d'une chose abstraite par une allégorie, un emblème, un symbole.* — **2.** Sens 3 du v. t. : *Cette pièce en est à sa centième représentation.* — **3.** Fait de représenter des électeurs dans une assemblée : *Le Parlement assure la représentation du peuple.* — **4.** *Faire de la représentation,* exercer le métier de représentant de commerce. — **5.** (au plur.) Protestations qu'un gouvernement adresse à un autre gouvernement. ◆ **représentatif, ive** adj. **1.** Considéré comme le modèle, le type d'une catégorie de personnes : *Un écrivain représentatif des jeunes romanciers.* — **2.** *Gouvernement, système représentatif,* forme de gouvernement selon laquelle la nation délègue à un Parlement l'exercice du pouvoir législatif. ◆ **représentativité** n. f. Qualité reconnue à un homme, à un organisme mandaté officiellement par une personne ou un groupe de personnes pour défendre leurs intérêts : *La représentativité d'une assemblée.*

RÉPRESSIF, IVE adj., **RÉPRESSION** n. f. → RÉPRIMER 2.

RÉPRIMANDE [reprimɑ̃d] n. f. (du lat. *reprimenda [culpa]* [faute] qui doit être réprimée). Remontrance que l'on fait à quelqu'un sur qui on a autorité pour le rappeler à l'ordre : *Adresser une sévère réprimande à un écolier* (syn. ↓OBSERVATION, SEMONCE). ◆ **réprimander** v. t. : *Réprimander un enfant sur sa conduite* (syn. ADMONESTER, GRONDER).

1. RÉPRIMER [reprime] v. t. (du lat. *reprimere,* refouler). *Réprimer un sentiment, une tendance,* faire en sorte qu'ils ne s'expriment pas, ne se développent pas : *Réprimer ses désirs* (syn. CONTENIR, REFOULER). ◆ **irrépressible** adj. Que l'on ne peut arrêter, retenir dans son expansion : *Une colère irrépressible.* ◆ **irréprimable** adj. Impossible à réprimer : *Un mouvement irréprimable.*

2. RÉPRIMER [reprime] v. t. (même étym.). Faire en sorte qu'une chose jugée dangereuse pour la société ne se développe pas; l'empêcher : *Réprimer une révolte* (syn. ÉTOUFFER). ◆ **répressif, ive** adj. Qui réprime : *Des lois répressives.* ◆ **répression** n. f. : *La répression des crimes* (syn. CHÂTIMENT, PUNITION).

REPRIS n. m. → REPRENDRE 1.

1. REPRISE n. f. → REPRENDRE 1.

2. REPRISE [rəpriz] n. f. (de *reprendre*). **1.** Accélération rapide de la vitesse de rotation d'un moteur en vue d'obtenir un accroissement de puissance en un temps très bref : *Cette voiture a de bonnes reprises.* — **2.** Chacune des parties d'un combat de boxe (syn. ROUND). — **3.** Groupe de cavaliers s'exerçant dans un manège sous la conduite d'un moniteur.

3. REPRISE [rəpriz] n. f. (même étym.). Réparation d'une étoffe déchirée : *Faire une reprise à un veston* (syn. RACCOMMODAGE, STOPPAGE). ◆ **repriser** v. t. : *Repriser des chaussettes* (syn. RACCOMMODER). *Repriser un pantalon* (syn. STOPPER).

Albrecht Dürer (1471-1528), *Autoportrait* dit « au chardon ». Musée du Louvre, Paris.

Lauros-Giraudon

Giraudon-Garanger

Tempietto de San Pietro in Montorio (Rome), vue extérieure par Bramante (1503).

Giraudon

Léonard Limosin, *Portrait d'Anne de Montmorency* (1556), émail peint. Musée du Louvre, Paris.

Château de Blois : galerie Francois Ier (façade N.-O.). Fin XVe, début XVIe.

Lauros-Giraudon

Giraudon-Garanger

Raphaël, *l'École d'Athènes*, détail de la fresque de la chambre dite « de la Signature » (1509-1511). Musée du Vatican, Rome.

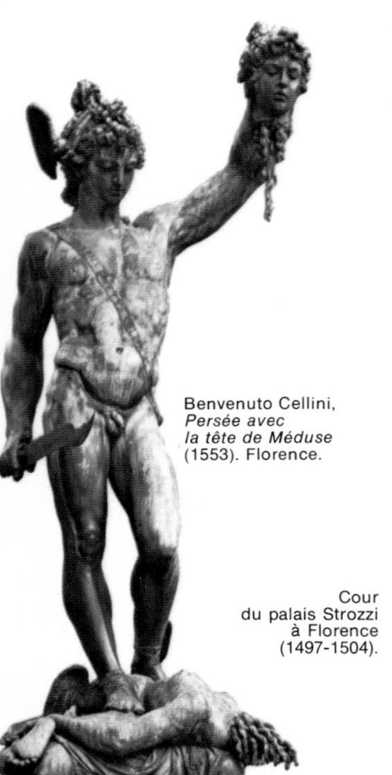

Benvenuto Cellini, *Persée avec la tête de Méduse* (1553). Florence.

Giraudon-Garanger

Cour du palais Strozzi à Florence (1497-1504).

Scala

RÉPROBATEUR, TRICE adj., **RÉPROBATION** n. f. → RÉPROUVER.

REPROCHE [rəprɔʃ] n. m. (du bas lat. *repropiare*, mettre sous les yeux). Blâme que l'on adresse à une personne pour lui exprimer son mécontentement ou pour lui faire honte (syn. ↓REMONTRANCE, RÉPRIMANDE, SEMONCE; contr. COMPLIMENT). ◆ **reprocher** v. t. *Reprocher qqch. à qq'un*, lui adresser un blâme pour cela : *Reprocher sa paresse à un écolier* (syn. BLÂMER). *Reprocher à qq'un sa richesse* (syn. FAIRE GRIEF DE). ◆ ***se reprocher*** v. pr. Se blâmer, se considérer comme responsable d'une chose : *Il se reproche de n'avoir pas été plus courageux* (syn. S'EN VOULOIR DE). ◆ **irréprochable** adj. Qui ne mérite aucun reproche : *Une conduite irréprochable.* ◆ **irréprochablement** adv.

REPRODUCTEUR, TRICE adj. et n. m. → REPRODUIRE 1.

REPRODUCTION n. f. → REPRODUIRE 1 et 2.

1. REPRODUIRE [rəprɔdɥir] v. t. *(re-*, et *produire).* [Conj. **70.**] *Reproduire un être*, donner la vie à un être de même espèce (syn. ENGENDRER). ◆ ***se reproduire*** v. pr. Donner naissance à des êtres de son espèce : *Le mulet ne se reproduit pas* (= est stérile). ◆ **reproduction** n. f. Capacité qu'ont tous les organismes vivants de pouvoir fabriquer d'autres organismes vivants de la même espèce et capables de mener une vie autonome. → ENCYCL. ◆ **reproducteur, trice** adj. Destiné à la reproduction : *Les organes reproducteurs. Un cheval reproducteur* (syn. ÉTALON). ◆ n. m. Animal destiné à la reproduction.
— ENCYCL. Les deux grands types de *reproduction* sont la reproduction sexuée et la reproduction asexuée.
La *reproduction sexuée* (homme, animal) se caractérise par son déroulement : elle est l'œuvre de deux cellules reproductrices différentes selon le sexe, le gamète mâle et le gamète femelle, contenant chacune *n* chromosome, soit la moitié de chromosomes de chaque cellule de l'organisme, de telle sorte que leur assemblage reconstitue le stock chromosomique (2 *n*). [→ FÉCONDATION.]
La *reproduction asexuée* (protozoaires, invertébrés) présente deux aspects : reproduction par bourgeonnement, ou *gemmiparité*, et reproduction par division, ou *scissiparité.* Dans les deux cas, le germe qui est à l'origine du nouvel individu est un fragment pluricellulaire de l'animal souche (alors que dans la reproduction sexuée, le germe est une cellule unique, l'œuf).
Pour les végétaux, on parle de *multiplication végétative.*

2. REPRODUIRE [rəprɔdɥir] v. t. (même étym.). [Conj. **70.**] **1.** *Reproduire qqch.*, en donner l'image exacte, l'équivalent : *Cet électrophone reproduit les sons avec une grande fidélité* (syn. COPIER, IMITER, RENDRE). — **2.** *Reproduire une œuvre*, faire paraître une œuvre (littéraire ou artistique) déjà existante par des procédés mécaniques (imprimerie, polycopie, gravure, etc.) ou manuels (dessin) : *Reproduire une conférence dans un journal.* ◆ ***se reproduire*** v. pr. (sujet nom de chose). Arriver, avoir lieu de nouveau : *Les mêmes erreurs se reproduisent souvent* (syn. SE RÉPÉTER). ◆ **reproduction** n. f. **1.** Action de reproduire un texte, une illustration : *Autoriser la reproduction d'un article dans une revue.* ‖ *Droit de reproduction*, droit que possède l'auteur d'une œuvre littéraire ou artistique d'en autoriser la diffusion. — **2.** Copie ou imitation d'une œuvre artistique.

REPROGRAPHIE [rəprɔgrafi] n. f. (de *repro[duction]*, et du gr. *graphein*, écrire). *Arts graphiques.* Ensemble des techniques permettant de reproduire un document.

RÉPROUVER [repruve] v. t. (du lat. *reprobare*, reprocher). **1.** *Réprouver qqch.*, rejeter et condamner ce qui révolte, ce qui paraît odieux : *Des actes que la morale réprouve.* — **2.** *Réprouver un comportement*, le blâmer, le critiquer sévèrement (syn. DÉSAVOUER). ◆ **réprouvé, e** adj. et n. Personne rejetée par la société : *Vivre en réprouvé.* ◆ **réprobateur, trice** adj. Qui exprime la réprobation : *Un regard réprobateur.* ◆ **réprobation** n. f. Blâme très sévère : *Encourir la réprobation des honnêtes gens.*

REPTATION [rɛptasjɔ̃] n. f. (du lat. *repere*, ramper). Mode de locomotion animale dans lequel le corps rampe, c'est-à-dire avance sur le sol sans l'aide de pattes.

REPTILES [rɛptil] n. m. pl. (du lat. *repere*, ramper). Classe de vertébrés terrestres, généralement ovipares, respirant par des poumons, ne présentant ni poils ni plumes, mais des plaques ou écailles à la surface de la peau, et dont la température interne du corps est variable. → ENCYCL. ◆ n. m. sing. : *Un reptile.*
— ENCYCL. On divise la classe des *reptiles* en quatre ordres : les serpents ou ophidiens, les lézards ou sauriens, les tortues ou chéloniens, les crocodiles ou crocodiliens.
→ illustration page suivante.

REPU, E [rəpy] adj. (de *repaître*). Qui a mangé à satiété (syn. GAVÉ).

RÉPUBLIQUE [repyblik] n. f. (du lat. *res publica*, la chose publique). Forme de gouvernement dans lequel le peuple exerce sa souveraineté par l'intermédiaire de délégués élus qui exercent le pouvoir législatif, et dans lequel le président est élu soit directement par le peuple, soit par ses représentants : *Une république fédérale, socialiste. La devise de la République française est « Liberté, égalité, fraternité ».* → ENCYCL. ◆ **républicain, e** adj. **1.** *Une constitution républicaine.* — **2.** *Parti républicain*, un des deux grands partis aux États-Unis (par oppos. à *parti démocrate).* ‖ *Calendrier républicain* → CALENDRIER. ◆ adj. et n. Partisan de la république, qui lui est favorable : *Avoir des sentiments républicains* (syn. DÉMOCRATE; contr. MONARCHISTE). ◆ **républicanisme** n. m. Attachement à la république et aux opinions démocratiques.
— ENCYCL. La *république* est apparue pour la première fois en France en 1792. Son interruption à plusieurs reprises par l'installation d'autres régimes (premier et second Empires, Restauration, État français de Vichy) a divisé son histoire en plusieurs périodes.

La **Ire République** (21 septembre 1792 - 18 mai 1804) va de l'abolition de la royauté à la proclamation de l'Empire. Pendant cette période se succèdent la Convention*, le Directoire*, le Consulat*. [→ RÉVOLUTION FRANÇAISE.]

La **IIe République** (25 février 1848 - 2 décembre 1852) est issue de la Révolution de 1848 qui met fin à la monarchie de Juillet. Elle est proclamée par un gouvernement provisoire élu le 24 février 1848, qui instaure le suffrage universel et s'oriente d'abord vers des réformes sociales (organisation des Ateliers nationaux). Mais l'Assemblée constituante élue le 23 avril se montre bientôt très modérée sur le plan social.

- *Juin 1848. La fermeture des Ateliers nationaux provoque une grande insurrection populaire.*

Un fossé profond est creusé entre la bourgeoisie et les ouvriers; la République s'engage désormais dans la voie de la réaction.

- *Décembre 1848. Le prince Louis Napoléon est élu à la présidence de la République.*

L'Assemblée législative élue le 28 mai est dominée par le parti de l'Ordre et organise « la République sans les républicains » (Thiers). Après avoir éliminé la gauche (juin 1849), la droite monarchiste toute-puissante promulgue une série de lois réactionnaires.

- *15 mars 1850. La loi Falloux, qui proclame la liberté de l'enseignement, met fin au monopole universitaire de l'État et avantage l'enseignement catholique.*
- *31 mai 1850. Une loi électorale restreint le suffrage universel et prive la majorité des ouvriers du droit de vote.*

La liberté de la presse est atteinte également. La Constitution, adoptée en novembre 1848, créait deux pouvoirs rivaux, le législatif s'opposant à un exécutif fort. Ce conflit s'aggrave bientôt entre l'Assemblée, décidée à une restauration monarchique, et le prince-président qui se désolidarise d'elle.

- *2 déc. 1851. Le coup d'État de Louis Napoléon Bonaparte dissout l'Assemblée et rétablit le suffrage universel.*

Il est ratifié, le 20 décembre, par un plébiscite.

- *14 janv. 1852. Une nouvelle Constitution prépare le rétablissement de l'Empire.*

La **IIIe République** (4 septembre 1870 - 10 juillet 1940). Elle est proclamée après la capitulation de Sedan qui entraîne la chute du second Empire*, tandis que se constitue le gouvernement de la Défense* nationale. Celui-ci ne peut éviter la défaite.

- *8 fév. 1871. Une Assemblée nationale à majorité royaliste est élue.*

Thiers, élu chef du pouvoir exécutif, négocie la paix avec l'Allemagne. La décision de l'Assemblée de s'installer à Versailles et les maladresses du gouvernement provoquent l'insurrection de la Commune* de Paris.
Après la démission de Thiers (1873), remplacé par Mac-Mahon à la présidence de la République, l'Assemblée nationale échoue dans sa tentative de restauration royaliste.

- *Fév.-mars 1876. Elle est remplacée par une Chambre des députés à forte majorité républicaine.*

Après la démission de Mac-Mahon (1879), remplacé par Jules Grévy, les républicains, malgré leur division (modérés et radicaux), s'unissent pour consolider la République. Ils doivent faire face à de graves crises : boulangisme* (1887-1889), scandale de Panamá* (1892-1893), affaire Dreyfus* (1897-1899).

- *1899. L'affaire Dreyfus détermine un glissement vers la gauche et l'accession au pouvoir des radicaux*.*

Avec Combes (1902-1905), ceux-ci pratiquent une politique anticléricale (la séparation de l'Église et de l'État est votée en 1905). La vie politique est dominée par les problèmes sociaux, l'essor du syndicalisme et la renaissance du socialisme. Sur le plan extérieur, l'Entente cordiale avec l'Angleterre (1904) est élargie à une Triple-Entente avec la Russie.

- *1914-1918. La Première Guerre mondiale réalise l'« Union sacrée » entre tous les partis.*
- *1919. Les élections donnent le pouvoir à la droite qui forme la « Chambre bleu horizon ».*

crochet
glande venimeuse
VIPÈRE
crochet
glande venimeuse
COULEUVRE
VIPÈRE ASPIC
COULEUVRE À COLLIER
COULEUVRE VERT ET JAUNE
VIPÈRE PÉLIADE
COULEUVRE DE MONTPELLIER
ORVET
SEPS
LÉZARD OCELLÉ
LÉZARD DES MURAILLES
LÉZARD VERT
TORTUE CISTUDE
TORTUE LUTH
GECKO

- *1920. Au congrès de Tours, la scission entre socialistes et communistes entraîne la création du parti communiste français.*
- *1924. La droite est battue aux élections par l'opposition, regroupée dans le Cartel des gauches.*

La crise économique mondiale atteint la France vers 1931-1932. L'instabilité ministérielle s'aggrave et l'opposition (extrême droite et communistes) se renforce.

- *1936. Les partis de gauche s'unissent en un Front* populaire qui l'emporte aux élections de mai.*
- *Avril 1938. L'expérience du Front populaire s'interrompt par la chute du second gouvernement Blum.*
- *Septembre 1938. Les accords de Munich n'arrêtent pas la politique d'expansion de Hitler.*

En septembre 1939, la France déclare la guerre à l'Allemagne qui a envahi la Pologne.

- *Juin 1940. La victoire allemande entraîne la chute de la IIIe République et l'établissement de l'État français, dirigé par le maréchal Pétain.*

La **IVe République** (3 juin 1944 - 4 octobre 1958). À la libération*, le « Gouvernement provisoire de la République » succède à l'État* français.

- *13 oct. 1946. Nouvelle Constitution adoptée par référendum.*

Les débuts du régime sont marqués par des nationalisations (banques, houillères, industries du gaz et de l'électricité), la création de comités d'entreprise, la généralisation de la Sécurité sociale.

- *1947. Vincent Auriol est élu président de la République.*

Le régime, caractérisé par l'instabilité ministérielle, voit se succéder des gouvernements dits de « Troisième Force », regroupant M. R. P. (Mouvement républicain populaire des démocrates-chrétiens), socialistes et libéraux, qui sont combattus par l'opposition communiste et gaulliste.

Ils doivent affronter de graves problèmes intérieurs (inflation monétaire) et extérieurs (guerre d'Indochine) et faire appel à l'aide américaine, nécessitée par le développement économique du pays (plan Marshall, juin 1947). La signature du pacte de l'Atlantique consolide les relations avec l'Ouest (avril 1949).

- *1951. Le R. P. F. (Rassemblement du peuple français) gaulliste remporte une nette victoire électorale.*

Les socialistes sont exclus du gouvernement.

- *1953. René Coty devient président de la République.*
- *1954. Début de la guerre d'Algérie.*
- *1956. Le Front républicain créé par les radicaux et les socialistes triomphe aux élections.*

Le gouvernement Guy Mollet qui est alors constitué (1956-1957) applique un programme de réformes sociales et de décolonisation; il ratifie le traité de Rome qui institue le Marché commun (1957), mais échoue dans l'expédition de Suez* et en Algérie.

- *1958. L'aggravation de la situation en Algérie provoque la chute du régime et l'appel au général de Gaulle.*

La **Ve République** s'instaure en juin 1958 avec le rappel au pouvoir du général de Gaulle, comme président du Conseil, à la suite de la crise du 13 mai*. Investi des pleins pouvoirs, il établit une Constitution, approuvée par référendum le 28 septembre.

L'assemblée nationale élue en novembre est dominée par l'U. N. R. (Union pour la Nouvelle République).

- *21 déc. 1958. De Gaulle est élu président de la République.*

Le nouveau régime s'emploie à lutter contre l'inflation et à rétablir la stabilité monétaire (dévaluation, création d'un nouveau franc).

Mais, de 1958 à 1962, la vie politique est dominée par la guerre d'Algérie. La politique d'« autodétermination » conduit à des négociations qui aboutissent aux accords d'Évian (15 mars 1962) et à l'indépendance de l'Algérie.

Cette période voit le renforcement du pouvoir présidentiel (pouvoirs exceptionnels, recours fréquents au référendum).

- *28 août 1962. Un amendement constitutionnel approuvé par référendum prévoit l'élection du président de la République au suffrage universel.*

À l'extérieur, le gouvernement pratique une politique d'indépendance et poursuit la création d'une force de frappe atomique. Les difficultés économiques et sociales provoquent la montée de l'opposition de gauche, redoutable lors des élections présidentielles (1965) et législatives (1967).

- *1965. De Gaulle est réélu à la présidence de la République au suffrage universel.*

Après la crise de mai 1968, les élections législatives de juin marquent un net recul de l'opposition au profit de l'U. D. R.

- *27 avril 1969. Un projet sur la régionalisation et la réforme du Sénat est repoussé par référendum. De Gaulle démissionne.*
- *Juin 1969. Georges Pompidou est élu président de la République.*

Après sa mort (avril 1974), de nouvelles élections sont organisées.

- *Mai 1974. Valéry Giscard d'Estaing succède à Pompidou.*
- *Mai 1981. François Mitterrand est élu président de la République.*
- *Juin 1981. Les élections législatives donnent la majorité absolue au parti socialiste.*

Des réformes fondamentales sont mises en œuvre sur les plans juridique (abolition de la peine de mort), institutionnel (décentralisation), économique (nationalisations de banques et de grands groupes industriels) et social (droit du travail). Mais, à partir de 1983, des mesures de rigueur économique doivent être adoptées pour tenter de réduire l'inflation et le déficit commercial.

- *Mars 1986. L'opposition remporte les élections législatives et régionales. F. Mitterrand nomme J. Chirac Premier ministre (premier gouvernement de « cohabitation » de la Ve République).*
- *Mai 1988. F. Mitterrand est réélu président de la République.*
- *Juin 1988. Les élections législatives redonnent la majorité (relative) au parti socialiste.*

République *(la)*, traité politique de Platon.

RÉPUDIER [repydje] v. t. (lat. *repudiare*). *Répudier sa femme*, dans certaines sociétés, la renvoyer selon les formes fixées par la coutume, la loi. ◆ **répudiation** n. f.

RÉPUGNANCE [repyɲɑ̃s] n. f. (lat. *repugnantia*). **1.** Vive sensation de dégoût pour une chose : *Avoir de la répugnance pour un aliment.* — **2.** Vif sentiment de mépris pour une personne : *Elle n'a pas pu surmonter la répugnance qu'elle avait pour lui* (syn. ANTIPATHIE, AVERSION). — **3.** Manque d'ardeur, d'enthousiasme pour une chose : *Se livrer à une besogne avec répugnance* (syn. À CONTRECŒUR, DE MAUVAISE GRÂCE). ◆ **répugnant, e** adj. Qui inspire de la répugnance physiquement ou moralement : *Une odeur répugnante* (syn. ↑FÉTIDE, INFECTE). *Un individu répugnant* (syn. ABJECT). ◆ **répugner** v. t. ind. **1.** (sujet nom de personne) *Répugner à qqch., à* (et l'infin.), éprouver de la répugnance à : *Il répugne à faire ce travail* (syn. RECHIGNER, RENÂCLER). — **2.** (sujet nom de chose) *Répugner à qq'un*, lui inspirer de la répugnance : *Cette nourriture lui répugne* (syn. DÉGOÛTER, ÉCŒURER). — **3.** (impers.) *Répugner de*, gêner vivement, déplaire : *Il me répugne de vous entretenir d'un pareil sujet.*

RÉPULSION [repylsjɔ̃] n. f. (du lat. *repellere*, repousser). **1.** Résultat des forces qui tendent à éloigner deux corps l'un de l'autre (contr. ATTRACTION). — **2.** Aversion pour qqn ou qqch. (contr. ATTIRANCE). ◆ **répulsif, ive** adj. : *Force répulsive.*

RÉPUTATION [repytasjɔ̃] n. f. (du lat. *reputatio*, évaluation). **1.** (avec une épithète) Opinion favorable ou défavorable que le public a d'une personne ou d'une chose : *Jouir d'une bonne réputation* (syn. ESTIME, RENOM, RENOMMÉE). — **2.** (avec la prép. *de*) Fait d'être considéré comme : *Il a la réputation d'être avare* (= il passe pour être avare). — **3.** (sans épithète) Bonne opinion que le public a d'une personne ou d'une chose : *Soutenir sa réputation* (syn. CÉLÉBRITÉ, ↑NOTORIÉTÉ, RENOMMÉE). *Perdre sa réputation* (syn. POPULARITÉ). — **4.** *Connaître qq'un, qqch. de réputation*, les connaître seulement par ouï-dire. ◆ **réputé, e** adj. **1.** Qui jouit d'une grande réputation : *Un médecin réputé* (syn. CÉLÈBRE, CONNU). *Un des vins les plus réputés* (syn. RENOMMÉ). — **2.** *Être réputé pour*, être considéré comme, passer pour.

REQUÉRIR [rəkerir] v. t. (du lat. *requirere*). [Conj. **21.**] **1.** (sujet nom de personne) *Requérir la troupe, la force publique*, en réclamer, au nom de la loi, l'intervention. — **2.** *Requérir une peine*, la demander en justice (jurid.). — **3.** (sujet nom de chose) Demander, exiger comme nécessaire : *Des travaux qui requièrent une grande application* (syn. RÉCLAMER). ◆ **requête** n. f. **1.** Demande écrite présentée au président d'un tribunal : *Une requête en divorce.* — **2.** Demande instante, écrite ou verbale : *Adresser une requête pour obtenir une grâce* (syn. SOLLICITATION, ↑SUPPLIQUE). ‖ *Maître des requêtes*, magistrat qui fait office de rapporteur* au Conseil d'État. ◆ **requis, e** adj. Exigé comme nécessaire : *Avoir les diplômes requis pour occuper un poste.* ◆ **réquisitoire** [rekizitwar] n. m. **1.** Discours par lequel le procureur de la République (ou son substitut) demande au juge d'appliquer la loi à un inculpé. — **2.** Discours ou écrit qui contient une série d'accusations, de reproches contre quelqu'un : *Prononcer un violent réquisitoire contre la politique du gouvernement.*

REQUIEM [rekɥijɛm] n. m. (mot lat. signif. *repos*). **1.** Messe de l'Église catholique pour les morts. — **2.** Musique composée sur le texte de cette messe : *De nombreux musiciens ont écrit des messes de requiem : Mozart, Berlioz, Verdi, Fauré.*

REQUIN [rəkɛ̃] n. m. (orig. obscure). Poisson cartilagineux, carnivore, caractérisé par son corps allongé, ses dents tranchantes et sa nage rapide à la surface de la mer (syn. SQUALE).

REQUINQUER [rəkɛ̃ke] v. t. (de l'anc. fr. *reclinquer*, redonner du clinquant). *Fam.* Redonner des forces, de l'entrain (syn. fam. RAGAILLARDIR, REMONTER). ◆ ***se requinquer*** v. pr. *Fam.* Retrouver la santé, la bonne humeur.

REQUIS, E adj. → REQUÉRIR.

RÉQUISITION [rekizisjɔ̃] n. f. (du lat. *requirere*, requérir). Demande faite par l'État ou l'Administration de mettre des personnes, des biens à sa disposition pour un service public. ◆ **réquisitionner** v. t. *Réquisitionner qqch., qq'un,* se procurer cette chose, utiliser les services de cette personne par voie de réquisition.

RÉQUISITOIRE n. m. → REQUÉRIR.

RESCAPÉ, E [rɛskape] n. et adj. (forme picarde de *réchappé*). Personne sortie vivante, indemne d'un danger, d'un accident, d'une catastrophe.

RESCOUSSE (À LA) [alarɛskus] loc. adv. (de l'anc. fr. *escourre,* recouvrer). À l'aide, au secours (seulement avec les verbes *accourir, aller, appeler, venir*).

RÉSEAU [rezo] n. m. (dimin. de *rets*). **1.** Ensemble de personnes qui sont en liaison les unes avec les autres pour une action clandestine : *Réseau de résistance, d'espionnage, de contre-espionnage.* — **2.** *Réseau ferroviaire (ferré, de chemin de fer), réseau routier,* ensemble des voies ferrées, des routes d'un pays, d'une région. — **3.** *Réseau télégraphique, téléphonique,* ensemble des lignes aboutissant à un même central télégraphique, téléphonique. — **4.** *Réseau hydrographique,* ensemble constitué par les fleuves et leurs affluents drainant une région plus ou moins étendue. — **5.** *Phys.* Ensemble de traits fins, parallèles et très rapprochés, qui diffractent la lumière.

RÉSECTION [resɛksjɔ̃] n. f. (du lat. *resecare,* retrancher). *Chir.* Action de couper, de retrancher une portion d'organe, en rétablissant la continuité de sa fonction : *Pratiquer la résection d'un nerf.* ◆ **réséquer** v. t. Faire une résection.

RÉSÉDA [rezeda] n. m. (du lat. *resedare,* calmer). Plante dicotylédone dialypétale, dont on cultive une espèce originaire d'Afrique, pour ses fleurs odorantes.

RÉSERVATION n. f. → RÉSERVER.

1. RÉSERVE [rezɛrv] n. f. (de *réserver*). **1.** Chose que l'on a mise de côté, que l'on garde pour l'utiliser dans des occasions prévues ou imprévisibles : *Des réserves de denrées alimentaires* (syn. PROVISIONS). *Avoir une grande réserve d'énergie.* — **2.** Local où l'on entrepose des marchandises (syn. ARRIÈRE-BOUTIQUE). — **3.** Ensemble des citoyens soumis aux obligations militaires et qui ne sont pas en service actif : *Officier, sous-officier de réserve.* ◆ n. f. pl. *Physiol.* Substances entreposées dans un organe en vue de leur utilisation ultérieure. — LOC. ADJ. *De réserve,* destiné à être utilisé en temps opportun. — LOC. ADV. *En réserve,* de côté : *Il a toujours de l'argent en réserve.* ◆ **réserviste** n. m. Celui qui appartient à la réserve (sens 3) des forces armées.

2. RÉSERVE [rezɛrv] n. f. (même étym.). **1.** Aux États-Unis, territoire réservé aux Indiens. — **2.** *Réserve de chasse* ou *de pêche,* territoire réservé au repeuplement des animaux (gibier, poisson). — **3.** *Réserve naturelle,* territoire délimité et réglementé pour la sauvegarde des espèces animales et végétales qui s'y trouvent.

3. RÉSERVE [rezɛrv] n. f. (même étym.). Attitude d'une personne qui évite tout excès dans ses paroles et dans ses actes, qui agit avec prudence : *Parler avec beaucoup de réserve* (syn. RETENUE). ‖ *Être, demeurer, se tenir sur la réserve,* ne pas se livrer. ‖ *Faire des réserves sur,* ne pas donner son approbation, son adhésion pleine et entière. ‖ *Sous toutes réserves,* sans garantie, sans engagement formel. — LOC. ADJ. et ADV. *Sans réserve,* complet, total : *Une admiration sans réserve;* entièrement, sans restriction : *Être dévoué à qq'un sans réserve.* ◆ **réservé, e** adj. Qui fait preuve de réserve : *Il est très réservé dans ses jugements* (syn. CIRCONSPECT, DISCRET).

RÉSERVER [rezɛrve] v. t. (lat. *reservare*). **1.** Mettre de côté quelque chose d'un tout : *Réserver le meilleur pour la fin* (syn. GARDER). — **2.** Faire mettre à part : *Réserver une chambre dans un hôtel* (syn. RETENIR). — **3.** Garder une chose pour un autre temps : *Je lui réserve une surprise pour son retour. Réserver son opinion.* ‖ *Réserver un accueil à qq'un,* le recevoir de telle ou telle manière : *On lui a réservé un accueil chaleureux* (syn. MÉNAGER). — **4.** (sujet nom de chose) Destiner une chose à quelqu'un : *Personne ne sait ce que l'avenir lui réserve.* ◆ **se réserver** v. pr. **1.** *Se réserver qqch.,* le garder pour soi : *Il a loué sa maison, mais il s'est réservé deux pièces.* — **2.** *Se réserver de faire une chose,* se proposer de la faire en temps opportun : *Je me réserve de lui donner mon opinion.* — **3.** *Se réserver pour une chose,* ne pas s'engager immédiatement : *Il n'a pas accepté votre invitation, il se réserve pour plus tard;* s'abstenir ou se retenir de manger afin de garder son appétit pour un autre plat : *Se réserver pour le dessert.* — **4.** *Réservé à, pour,* attribué, destiné exclusivement à une personne, à un usage : *Des places réservées aux mutilés.* ◆ **réservation** n. f. Action de retenir une place dans un moyen de transport, une salle de spectacle, une chambre dans un hôtel (sens 2 du v. t.).

RÉSERVISTE n. m. → RÉSERVE 1.

RÉSERVOIR [rezɛrvwar] n. m. (de *réserver*). **1.** Bassin naturel ou artificiel, bâtiment, cavité d'un appareil où sont accumulées et conservées des substances en réserve, en général des liquides, du gaz, etc. : *Un réservoir pour les eaux de pluie* (syn. CITERNE). — **2.** Récipient destiné à contenir un liquide : *Réservoir d'essence.*

RÉSIDER [rezide] v. i. (lat. *residere*). **1.** *Résider à, en, dans un lieu,* avoir son domicile dans tel endroit (langue admin.) : *Il travaille à Paris, mais il réside à Versailles* (syn. DEMEURER, HABITER). — **2.** *Résider dans qqch.,* y trouver sa base, le principe de son existence : *Le principe de la souveraineté réside dans le peuple;* consister en : *C'est là que réside la difficulté* (syn. SE TROUVER). ◆ **résidence** n. f. **1.** Demeure habituelle en un lieu déterminé (langue admin.) : *Un certificat de résidence* (syn. DOMICILE). ‖ *Résidence secondaire,* maison où l'on passe ses week-ends, ses vacances. — **2.** Groupe d'habitations d'un certain luxe : *Plusieurs résidences ont été construites aux alentours de Paris.* ◆ **résident** n. m. Personne qui réside dans un autre endroit que son pays d'origine. ◆ **résidentiel, elle** adj. *Quartiers résidentiels,* réservés aux maisons d'habitation (par oppos. à ceux où dominent les magasins, les bureaux, les usines).

RÉSIDU [rezidy] n. m. (lat. *residuum*). Matière qui reste après une opération physique ou chimique : *Les cendres sont le résidu de la combustion du bois.* ◆ **résiduel, elle** adj. Qui provient d'un reste. ‖ *Relief résiduel,* massif qui a été préservé de l'érosion.

1. RÉSIGNER [reziɲe] v. t. (lat. *resignare,* annuler). *Résigner une fonction, un emploi,* y renoncer volontairement en adressant sa démission (syn. DÉMISSIONNER).

2. RÉSIGNER (SE) [sərezine] v. pr. (même étym.). *Se résigner à qqch.,* supporter sans protester une chose pénible, désagréable, mais qui apparaît inévitable (syn. SE SOUMETTRE, SUBIR). ◆ **résigné, e** adj. et n. : *Un malade calme et résigné.* ◆ **résignation** n. f. (contr. PROTESTATION, RÉVOLTE).

RÉSILIER [rezilje] v. t. (lat. *resilire,* sauter en arrière). *Résilier une convention, un contrat,* y mettre fin en usant d'une clause qui prévoyait cette rupture (syn. ANNULER). ◆ **résiliable** adj. : *Un bail résiliable au bout de six ans.* ◆ **résiliation** n. f. : *La résiliation d'un contrat.*

RÉSILLE n. f. (de *réseau*). Filet dont on enveloppe les cheveux.

RÉSINE [rezin] n. f. (lat. *resina*). **1.** Substance visqueuse, insoluble dans l'eau, soluble dans l'alcool, à forte odeur particulière, produite notamment par les conifères. — **2.** *Résine synthétique,* produit artificiel, doué des mêmes propriétés que la résine naturelle. ◆ **résineux, euse** adj. Qui produit de la résine : *Les bois résineux sont le pin, le sapin, l'épicéa, le mélèze, le cèdre, etc.* ◆ n. m. Catégorie de bois appartenant au sous-embranchement des gymnospermes.

RÉSISTANCE n. f. → RÉSISTER.

Résistance (la), nom donné à l'action clandestine menée, au cours de la Seconde Guerre mondiale, par les organisations civiles et militaires de plusieurs pays d'Europe, qui se sont opposées à l'occupation de leur territoire par l'Allemagne. ◆ **résistant, e** n. Membre des organisations de la Résistance.

— ENCYCL. En France, les mouvements de la Résistance furent fédérés en 1943 par le Conseil national de la Résistance (C. N. R.), dirigé par Jean Moulin, puis par Georges Bidault. Les Forces françaises de l'intérieur (F. F. I.) furent placés en 1944 sous les ordres du général Kœnig. Quand aux Francs-tireurs et Partisans (F. T. P.), composés pour une large part de communistes, ils pratiquèrent une tactique de harcèlement constant de l'adversaire. Par son activité (informations transmises aux Alliés, constitution de maquis, sabotages, etc.), la Résistance a largement contribué en 1944 à la libération du territoire.

RÉSISTANT, E adj. et n. → RÉSISTANCE et RÉSISTER.

RÉSISTER [reziste] v. t. ind. (lat. *resistere*). **1.** (sujet nom de personne) *Résister à un assaut,* s'y opposer par le moyen des armes (syn. SE DÉFENDRE, TENIR BON). — **2.** *Résister à qq'un,* s'opposer à sa volonté, à ses desseins, à ses désirs. — **3.** *Résister à l'effort, aux privations, à la souffrance physique* ou *morale,* les supporter sans faiblir. — **4.** *Résister à qqch.,* lutter contre ce qui attire, ce qui est jugé mauvais : *Résister à la tentation* (syn. REPOUSSER; contr. CÉDER). — **5.** (sujet nom de chose) *Résister à qqch.,* ne pas céder, ne pas être détruit sous l'effet d'une chose, d'une pression, d'une force quelconque : *La toiture a résisté à la violence du vent. Un tissu qui résiste à l'eau* (= qui ne se laisse pas pénétrer par l'eau). ◆ **résistance** n. f. **1.** Action de résister (sens 1, 2, 3 et 5) : *Opposer aux attaques une résistance acharnée. Obéir sans résistance. La résistance aux maladies. La résistance des matériaux.* ‖ *Résistance de l'air,* force que l'air, même immobile, oppose aux déplacements d'un corps et particulièrement à un projectile. — **2.** *Phys.* Difficulté plus ou moins grande qu'un conducteur oppose au passage d'un courant : *Une résistance électrique est un fil, une plaque de métal qui transforme l'énergie électrique en chaleur.* (La résistance se définit comme le quotient de la différence de potentiel par l'intensité du courant.) — **3.** *Plat de résistance,* mets principal d'un repas. ◆ **résistant, e** adj. **1.** Se dit d'un être animé qui résiste à l'effort, à la maladie, etc. :

Cet homme est très résistant, il n'est jamais fatigué (syn. FORT, ROBUSTE; contr. DÉBILE, FAIBLE). — **2.** Se dit d'une chose qui offre de la résistance : *Un tissu résistant* (contr. FRAGILE). ◆ **irrésistible** adj. **1.** À quoi l'on ne peut résister : *Une force irrésistible.* — **2.** À qui l'on ne peut résister : *Elle est irrésistible.* ◆ **irrésistiblement** adv.

RESNAIS (Alain), cinéaste français, né en 1922, auteur de *Hiroshima mon amour* (1959), qui marqua un renouvellement dans le cinéma français, *l'Année dernière à Marienbad* (1961), *La guerre est finie* (1965), *Providence* (1977), *Mon oncle d'Amérique* (1978), *La vie est un roman* (1983), *l'Amour à mort* (1984), *Mélo* (1986), *I Want to Go Home* (1989).

RÉSOLU, E adj., **RÉSOLUMENT** adv., **RÉSOLUTION** n. f. → RÉSOUDRE 2.

RÉSONNER [rezɔne] v. i. (lat. *resonare*). **1.** Produire un son : *La voix du prédicateur résonne sous la voûte de la cathédrale* (syn. RETENTIR). — **2.** Renvoyer le son en augmentant son intensité ou sa durée : *Cette salle résonne trop, il faudrait l'insonoriser.* ◆ **résonance** n. f. **1.** Propriété d'accroître la durée ou l'intensité du son que possèdent certains objets ou certains milieux : *Atténuer la résonance d'une salle* (syn. SONORITÉ). — **2.** Effet, écho, produit dans l'esprit ou dans le cœur par une œuvre littéraire : *Ce poème éveille en nous des résonances profondes.* ◆ **résonateur** n. m. Appareil qui fait résonner : *Un résonateur acoustique.*

RÉSORBER [rezɔrbe] v. t. (lat. *resorbere*). **1.** Opérer la résorption d'une tumeur, d'un abcès, etc. : *L'épanchement du pus a été rapidement résorbé.* — **2.** Faire disparaître peu à peu : *Résorber le chômage.* ◆ ***se résorber*** v. pr. Disparaître par résorption. ◆ **résorption** n. f. **1.** Disparition totale ou partielle d'éléments physiologiques ou pathologiques absorbés dans les cavités de l'organisme ou dans les tissus. — **2.** *La résorption de l'inflation.*

1. RÉSOUDRE [rezudr] v. t. (lat. *resolvere*, délier). [Conj. **61.**] **1.** Trouver la solution d'une question, d'un cas embarrassant : *Résoudre un problème. Je ne sais s'il résoudra cette énigme* (syn. DEVINER). — **2.** *Résoudre une équation,* trouver l'ensemble des solutions de cette équation.

2. RÉSOUDRE [rezudr] v. t. ind. (même étym.). [Conj. **61.**] *Résoudre de* (et l'infin.), prendre la détermination de : *On a résolu d'agir sans plus tarder* (syn. DÉCIDER). ◆ ***se résoudre*** v. pr. *Se résoudre à qqch., à* (et l'infin.), prendre la détermination de : *Se résoudre à partir.* ◆ **résolution** n. f. Décision prise avec la volonté de s'y tenir fermement : *Former la résolution de mieux travailler* (syn. DÉTERMINATION, FERMETÉ). ◆ **résolument** adv. **1.** Avec une ferme résolution : *Il s'est mis résolument au travail.* — **2.** Avec courage : *Marcher résolument au combat.* ◆ **résolu, e** adj. Se dit d'une personne qui est décidée et ferme dans ce qu'elle se propose ou entreprend. ◆ **irrésolu, e** adj. Qui a de la peine à se résoudre, à prendre un parti : *Caractère irrésolu* (syn. HÉSITANT, INDÉCIS). ◆ **irrésolution** n. f. État d'incertitude, d'indécision.

RESPECT [rɛspɛ] n. m. (lat. *respectus*, considération). **1.** Sentiment qui porte à traiter quelqu'un avec déférence en raison de son âge, de sa supériorité, de son mérite (syn. DÉFÉRENCE). — **2.** Sentiment de vénération que l'on rend à Dieu, aux saints, à ce qui est sacré : *Le respect pour les morts.* — **3.** Attitude qui consiste à ne pas porter atteinte à quelque chose : *Le respect des libertés individuelles.* — **4.** *Respect* [rɛspɛk] *humain*, crainte qu'on a du jugement des autres. ◆ n. m. pl. Marques de respect : *Présenter ses respects à qq'un* (syn. HOMMAGES). ◆ **respectable** adj. **1.** Qui mérite du respect : *Une vieille dame respectable.* — **2.** Se dit d'une chose assez importante : *Un âge respectable. Une somme respectable.* ◆ **respectabilité** n. f. Qualité, condition d'une personne jugée respectable. ◆ **respecter** v. t. **1.** *Respecter qq'un*, avoir du respect pour lui : *Respecter ses parents.* — **2.** *Respecter qqch.*, ne lui porter aucune atteinte : *Respecter les convenances. Les enfants n'ont rien respecté dans le jardin, tout est saccagé.* ‖ *Respecter le sommeil d'autrui*, ne pas le troubler. ‖ *Faire respecter*, ne tolérer aucune atteinte à : *Faire respecter ses droits.* ◆ ***se respecter*** v. pr. Avoir le souci de sa dignité : *Une conduite indigne d'un homme qui se respecte.* ◆ **respectueux, euse** adj. **1.** Qui témoigne du respect : *Un enfant respectueux envers ses parents* (contr. IMPERTINENT, INSOLENT). — **2.** Qui marque du respect : *Un silence respectueux;* dans le langage de la politesse : *Présenter ses respectueuses salutations, ses hommages, ses sentiments respectueux.* ‖ *Distance respectueuse*, distance convenable, commandée par la situation : *Se tenir, s'asseoir à une distance respectueuse.* ◆ **respectueusement** adv. ◆ **irrespect** n. m. Manque de respect. ◆ **irrespectueux, euse** adj. Qui manque au respect. ◆ **irrespectueusement** adv.

RESPECTIF, IVE [rɛspɛktif, -iv] adj. (du lat. *respectus*, respect). Qui concerne chaque personne, chaque chose par rapport aux autres : *Les droits respectifs des époux.* ◆ **respectivement** adv. Chacun en ce qui le concerne.

RESPECTUEUSEMENT adv., **RESPECTUEUX, EUSE** adj. → RESPECT.

1. RESPIRER [rɛspire] v. i. (lat. *respirare*). **1.** Aspirer et rejeter l'air pour renouveler l'oxygène de l'organisme : *Respirer par le nez, par la bouche. Il est asthmatique, il a de la peine à respirer.* — **2.** Reprendre haleine, avoir un moment de répit : *Laissez-moi le temps de respirer.* ◆ v. t. Absorber par les voies respiratoires : *Respirer une odeur, un parfum* (syn. HUMER). ◆ **respirable** adj. Que l'on peut respirer : *Un air respirable* (contr. IRRESPIRABLE). ◆ **irrespirable** adj. : *Atmosphère irrespirable.* ◆ **respiration** n. f. Fonction commune à tous les êtres vivants, qui consiste à absorber de l'oxygène et à rejeter du gaz carbonique et de l'eau. → ENCYCL. ‖ *Respiration artificielle*, ensemble des techniques utilisées pour réanimer un asphyxié ou suppléer à la ventilation déficiente de certains malades souffrant de troubles respiratoires. → ENCYCL. ◆ **respiratoire** adj. Qui se rapporte, qui sert à la respiration : *Avoir des troubles respiratoires.* ‖ *Appareil respiratoire*, ensemble des organes servant à la respiration. → ENCYCL. ‖ *Quotient respiratoire*, rapport du volume de gaz carbonique expiré au volume d'oxygène absorbé pendant un temps donné, pour un animal ou un végétal.

— ENCYCL. ***respiration chez l'homme.*** L'*appareil respiratoire*, composé des *voies respiratoires* (qui amènent l'air dans les poumons et sont constituées par les fosses nasales, la partie supérieure du pharynx, le larynx, la trachée et les bronches) et des *poumons* (dans lesquels se produisent les échanges gazeux), permet le prélèvement de l'oxygène de l'air et son transport vers les tissus, et l'évacuation du gaz carbonique des tissus vers l'extérieur par l'intermédiaire du sang. L'acte respiratoire comporte des phénomènes mécaniques (ventilation pulmonaire assurée par l'alternance des inspirations et des expirations) et des phénomènes physico-chimiques (échanges gazeux).

▪ *Échanges gazeux au niveau des poumons.* Par l'intermédiaire de l'alvéole pulmonaire, petit sac élastique à paroi extrêmement mince, le sang veineux (chargé de gaz carbonique), qui circule dans un réseau très dense de fins capillaires, capte l'oxygène de l'air, lequel est constamment renouvelé par les mouvements respiratoires. Cette opération a pour résultat de débarrasser le sang veineux (bleu) du gaz carbonique, et de l'enrichir en oxygène (sang rouge). Les vaisseaux qui partent des poumons (veines pulmonaires) contiennent du sang rouge (riche en oxyhémoglobine).

▪ *Échanges gazeux au niveau des tissus.* Les veines pulmonaires ramènent au cœur gauche (oreillette gauche) ce sang oxygéné qui, après passage dans le ventricule gauche, repart par l'aorte vers les organes. Au niveau des organes, le système artériel se divise en un fin réseau de capillaires. Au niveau des tissus, le sang oxygéné est en contact avec les liquides cellulaires. Ceux-ci sont riches en gaz carbonique provenant de la dégradation des aliments dans la cellule. Le plasma capte alors le gaz carbonique cédé par la cellule.

Le sang qui repart des tissus chargé de gaz carbonique devient rouge sombre (sang veineux). Un réseau de capillaires veineux puis de veines le conduit à l'oreillette droite d'où il passe dans le ventricule droit. Il en repart, toujours aussi chargé de gaz carbonique, par les artères pulmonaires vers les deux poumons où le cycle recommence.

La respiration a donc pour effet d'approvisionner les cellules en oxygène, et de les débarrasser du gaz carbonique.

▪ *Les phénomènes physico-chimiques au niveau de la cellule.* L'oxygène sert à la dégradation des substances alimentaires. La cellule, par divers mécanismes, oxyde les aliments qui lui sont apportés par le sang. Ceux-ci se rompent, se divisent en parties plus petites, utilisables à des synthèses diverses : celles des protéines, des hormones, des glucides et des lipides. Cette oxydation, ou combustion, dégage du gaz carbonique et produit la chaleur nécessaire pour maintenir constante notre température et l'énergie utile pour les diverses synthèses suivantes et le travail des muscles. Donc, la respiration est un acte vital pour nos tissus. Si la respiration s'arrête (asphyxie*) le tissu meurt. Chez l'homme, cinq à six minutes sans respirer sont fatales pour le tissu nerveux, par exemple.

→ illustration en couleurs pages 1216-1217.

respiration artificielle. On peut pratiquer plusieurs méthodes manuelles pour réanimer un asphyxié.

La *méthode de Sylvester :* la victime étant allongée sur le dos, le sauveteur s'agenouille derrière sa tête, saisit ses bras à hauteur des coudes et les lui croise sur la poitrine; il porte son propre corps en avant pour appuyer, réalisant ainsi une expiration forcée. Puis il se redresse et vient s'asseoir sur ses talons en écartant les bras de la victime jusqu'à leur faire toucher le sol derrière la tête. Il reprend la première séquence, au rythme de sa propre respiration, en comptant 1, 2 puis 3, 4. Toujours, il faut commencer par une expiration.

La *méthode de Nielsen :* l'asphyxié étant couché sur le ventre, la tête légèrement de côté posée sur les avant-bras repliés, le sauveteur s'agenouille devant sa tête, pose ses mains sur ses omoplates, doigts écartés et pouces parallèles. Il se porte en avant, bras tendus, et appuie de tout son poids sur le thorax de la victime : c'est une expiration. Il se redresse ensuite, prend les coudes de la victime et les soulève sans bouger mains et tête : c'est l'inspiration. Il laisse retomber les coudes et réalise une nouvelle expiration en se portant en avant.

La *méthode* dite *du bouche-à-bouche* présente un grand intérêt en raison de son efficacité et de son exécution simple et rapide. La victime est allongée sur le dos, la tête en arrière, grâce à un coussin sous les épaules. Le sauveteur lui ouvre la bouche en empoignant son menton et en pinçant ses narines, place sa bouche sur la sienne et lui insuffle de l'air. Sans bouger les mains, il vérifie que la poitrine de la victime s'est soulevée. Quand d'elle-même elle s'est affaissée, il lui insuffle à nouveau de l'air.

respiration chez les animaux et les végétaux. Chez les animaux, la respiration représente les échanges d'oxygène et de gaz carbonique qui se font entre le milieu extérieur (l'air ou l'eau) et le milieu intérieur (le sang) au niveau des poumons, des branchies ou par l'intermédiaire des trachées. La respiration peut être cutanée (amphibiens).

Chez les végétaux, la respiration consiste également en échanges gazeux d'oxygène et de gaz carbonique par les stomates.

2. RESPIRER [rɛspire] v. t. (de *respirer* 1). Faire paraître au-dehors, manifester vivement : *Dans cette maison, tout respire le calme. Ce visage respire la santé.*

RESPLENDIR [rɛsplɑ̃dir] v. i. (lat. *resplendere*). **1.** Briller d'un vif éclat (littér.) : *La ville resplendit sous le soleil* (syn. LUIRE). — **2.** Briller sous l'effet d'un sentiment agréable : *Son visage resplendit de joie* (syn. S'ILLUMINER, RAYONNER). ◆ **resplendissant, e** adj. : *Une mine resplendissante.*

RESPONSABLE [rɛspɔ̃sabl] adj. (du lat. *respondere*, se porter garant). Qui doit rendre compte de ses actes ou de ceux d'autrui et en accepter les conséquences. ◆ n. Personne qui a la charge d'une fonction, qui prend des décisions dans une organisation, dans un mouvement, mais qui doit en rendre compte à une autorité supérieure ou à ses mandats : *Un responsable syndical.* ◆ **responsabilité** n. f. **1.** Obligation de réparer une faute, de remplir une charge, un engagement : *Décliner toute responsabilité en cas d'accident.* — **2.** *Responsabilité civile*, obligation de réparer les dommages causés à autrui par soi-même, par une personne qui dépend de soi, par un animal ou une chose que l'on a sous sa garde. — **3.** *Responsabilité pénale*, obligation de supporter le châtiment prévu pour l'infraction que l'on a commise : *En droit pénal, on n'est responsable que de sa propre faute.* — **4.** *Responsabilité morale*, obligation de s'acquitter de ses devoirs envers ceux dont on a la charge : *Les parents ont la responsabilité morale de l'éducation de leurs enfants.* ◆ **irresponsable** adj. et n. Qui n'est pas capable de répondre de ses actes, de sa conduite. ◆ **irresponsabilité** n. f. : *Plaider l'irresponsabilité d'un accusé.*

RESQUILLER [rɛskije] v. i. (du prov. *resquilia*, glisser). *Fam.* Se faufiler dans une salle de spectacle, dans un moyen de transport, etc., sans attendre son tour ou sans payer sa place. ◆ **resquille** n. f. Fam. : *Ce garçon est un spécialiste de la resquille.* ◆ **resquilleur, euse** n. et adj.

RESSAC [rəsak] n. m. (esp. *resaca*, action de tirer en arrière). *Mar.* Retour violent des vagues sur elles-mêmes, lorsqu'elles se brisent contre un obstacle.

1. RESSAISIR v. t. → SAISIR 1.

2. RESSAISIR (SE) [sərəsɛzir] v. pr. (de *re-*, et *saisir*) [sujet nom de personne]. Reprendre son calme, son sang-froid; redevenir maître de soi.

RESSASSER [rəsase] v. t. (de *re-*, et *sas*, tamis). **1.** *Ressasser qqch.*, le répéter sans cesse (syn. RABÂCHER). — **2.** Faire repasser dans son esprit : *Ressasser des souvenirs* (syn. REMÂCHER).

RESSEMBLER [rəsɑ̃ble] v. t. ind. (de *re-*, et *sembler*). **1.** Offrir une certaine conformité d'aspect, de caractère avec quelqu'un, quelque chose : *Ce buste ne ressemble guère à son modèle.* — **2.** *Cela ne vous ressemble pas*, cela n'est pas conforme à votre caractère, à votre manière de penser et d'agir. ‖ Fam. *Cela ne ressemble à rien*, se dit d'une chose informe, d'un goût bizarre et mauvais, d'une chose dépourvue de bon sens. ◆ ***se ressembler*** v. pr. Offrir une certaine similitude mutuelle : *Ces deux frères se ressemblent* (contr. DIFFÉRER). ◆ **ressemblance** n. f. **1.** Ensemble de traits, de caractères physiques ou moraux communs à des êtres animés : *Il y a une ressemblance frappante entre cet enfant et son père.* — **2.** Degré plus ou moins grand de conformité entre des choses : *Saisir les ressemblances entre deux ou plusieurs choses* (syn. ANALOGIE, CORRESPONDANCE, RAPPORT). ◆ **ressemblant, e** adj. Qui a de la ressemblance (sens 2) avec le modèle : *Un portrait très ressemblant.*

RESSEMELAGE n. m., **RESSEMELER** v. t. → SEMELLE.

RESSENTIMENT [rəsɑ̃timɑ̃] n. m. (de *ressentir*). Souvenir que l'on garde d'un mal, d'une injustice, d'une injure que l'on a subis, avec le désir de se venger (syn. RANCŒUR, RANCUNE).

RESSENTIR [rəsɑ̃tir] v. t. (de *re-*, et *sentir*). [Conj. **19.**] **1.** Éprouver une sensation agréable ou pénible : *Ressentir du bien-être, un malaise.* — **2.** Éprouver tel ou tel sentiment : *Ressentir de la haine.* ◆ ***se ressentir*** v. pr. **1.** *Se ressentir d'un mal, d'une douleur*, en sentir les effets : *Il se ressent de son ancienne blessure.* — **2.** *Se ressentir de qqch.*, en éprouver les suites, les conséquences : *Le pays se ressent de la guerre.*

RESSERRE [rəsɛr] n. f. (de *resserrer*). Endroit où l'on met à l'abri, où l'on range certaines choses : *Mettre des fruits, des outils dans une resserre.*

1. RESSERRER v. t. → SERRER 1.

2. RESSERRER [rəsere] v. t. (de *re-*, et *serrer*). Rendre plus étroit : *Resserrer les liens de l'amitié.* ◆ ***se resserrer*** v. pr. Devenir plus étroit : *Un cercle de métal chauffé se resserre en se refroidissant* (contr. SE DILATER). ◆ **resserré, e** adj. Enfermé dans des limites étroites : *Vallée resserrée* (syn. ENCAISSÉ). ◆ **resserrement** n. m. : *Le resserrement d'un lien.*

RESSERVIR v. t. → SERVIR 2.

1. RESSORT n. m. → RESSORTIR 1.

2. RESSORT [rəsɔr] n. m. (de *ressortir*). Organe élastique susceptible de supporter d'importantes déformations et destiné à réagir après avoir été plié, tordu, tendu ou comprimé : *Les ressorts fonctionnent soit en absorbant de l'énergie (ressort de suspension d'une voiture), soit en restituant l'énergie emmagasinée lors de leur déformation (spiral d'une montre).* ‖ *Ressort à boudin*, ressort formé par un fil métallique enroulé en hélice.

3. RESSORT [rəsɔr] n. m. (de *ressort* 2). **1.** Force morale, énergie : *Cet homme manque de ressort, il se laisse facilement abattre* (syn. fam. CRAN). — **2.** Ce qui meut, fait agir : *Le ressort de l'action d'un film.*

1. RESSORTIR [rəsɔrtir] v. t. ind. (de *re-*, et *sortir*). [Conj. sur *finir.*] *Ressortir à une juridiction*, être de sa compétence : *Votre affaire ressortissait au tribunal de première instance* (syn. DÉPENDRE). ◆ **ressort** n. m. **1.** Compétence d'un tribunal, d'une juridiction : *Cette affaire est du ressort de la cour d'appel.* — **2.** *Juger en dernier ressort*, juger sans recourir à une juridiction supérieure; dans la langue courante, juger, décider d'une manière définitive. ‖ *Être du ressort de qq'un*, être de sa compétence, lui appartenir de s'en occuper : *Ce n'est pas de mon ressort* (syn. ATTRIBUTION, DOMAINE). ◆ **ressortissant, e** n. Personne qui réside à l'étranger et qui est protégée par les représentants diplomatiques ou consulaires de son pays.

2. RESSORTIR [rəsɔrtir] v. i. (même étym.). [Conj. **28.**] **1.** Apparaître nettement, souvent par un effet de contraste : *Cette broderie rouge ressort bien sur ce fond vert* (syn. SE DÉTACHER, TRANCHER). — **2.** *Faire ressortir*, mettre en relief : *Faire ressortir les beautés d'un ouvrage* (syn. METTRE EN ÉVIDENCE, SOULIGNER). ‖ *Il ressort de qqch.*, il apparaît comme conséquence.

3. RESSORTIR v. i. → SORTIR 1.

RESSOUDER v. t. → SOUDER.

RESSOURCE [rəsurs] n. f. (de l'anc. fr. *resourdre*, rejaillir). Personne ou chose qui peut fournir le moyen de se tirer d'embarras : *Il n'avait d'autre ressource que la fuite* (syn. RECOURS). ◆ n. f. pl. **1.** Moyens pécuniaires dont on dispose pour vivre : *Il n'a que de maigres ressources* (syn. ARGENT, FORTUNE). — **2.** Réserves d'habileté, d'ingéniosité, etc. : *Déployer toutes ses ressources pour remporter le succès.* — **3.** Moyens matériels, hommes, réserves d'énergie dont dispose un pays, une région (syn. RICHESSES).

RESSUSCITER [resysite] v. t. (lat. *ressuscitare*, ranimer). **1.** *Ressusciter une personne*, la ramener de la mort à la vie : *Jésus, selon l'Évangile, ressuscita Lazare.* — **2.** Produire un effet énergique : *Ce médicament l'a ressuscité.* — **3.** *Ressusciter une chose*, la faire renaître, la faire réapparaître : *Ressusciter une mode* (syn. ↓RENOUVELER). ◆ v. i. Revenir de la mort à la vie : *Jésus-Christ est ressuscité le troisième jour après sa mort.* ◆ **résurrection** n. f. **1.** Retour de la mort à la vie : *La résurrection de Jésus-Christ.* — **2.** *Résurrection des morts au jugement dernier*, dogme de la foi chrétienne selon lequel tous les hommes ressusciteront à la fois et seront jugés par Dieu.

RESTANT, E adj. et n. m. → RESTER 1.

RESTAURANT [rɛstɔrɑ̃] n. m. (de *restaurer*). Établissement où l'on sert des repas moyennant paiement. ◆ **restaurateur** n. m. Personne qui tient un restaurant. ◆ **restauration** n. f. Métier de restaurateur.

RESTAURATEUR, TRICE n., **RESTAURATION** n. f. → RESTAURANT et RESTAURER 1.

Restauration, période de l'histoire de France, du retour des Bourbons en 1814 jusqu'à leur chute en 1830 (règnes de Louis XVIII et Charles X).

- *Avril 1814. Après l'effondrement du premier Empire la monarchie est rétablie en faveur des Bourbons.*

À son retour d'Angleterre, Louis XVIII s'engage à pratiquer un gouvernement constitutionnel.

- *30 mai 1814. Le premier traité de Paris rétablit la paix.*
- *4 juin. Le roi octroie une charte constitutionnelle.*

La Restauration, d'abord acceptée, apparaît rapidement comme une tentative de retour à l'Ancien Régime (adoption du drapeau blanc, rétablissement dans leurs charges des émigrés). Les maladresses des partisans de Louis XVIII (en particulier le licenciement d'officiers mis en demi-solde) rendent le régime impopulaire et favorisent le retour de Napoléon, qui débarque en France le 1er mars 1815 (Cent-Jours*). Louis XVIII doit quitter Paris.

- *8 juil. 1815. L'échec des Cent-Jours* permet le retour des Bourbons.*
- *20 nov. 1815. Louis XVIII doit ratifier le second traité de Paris.*
- *Août 1815. Les ultraroyalistes triomphent aux élections et forment la « Chambre introuvable ».*

Leurs partisans se livrent à des massacres contre les bonapartistes, c'est la Terreur* blanche (juillet-octobre 1815).

La politique modérée de Richelieu et de Decazes est suivie, après l'assassinat du duc de Berry (1820) et l'avènement de Charles X (1824), d'un retour à une politique ultra, notamment sous Villèle (1821-1828) et Polignac (1829-1830).

L'emprise grandissante du clergé sur le roi et sur l'université accentue l'opposition de la bourgeoisie qui n'admet pas d'être écartée du pouvoir alors qu'elle joue un rôle économique important.

- *1830. Après la dissolution de la Chambre par le roi, de nouvelles élections entraînent la victoire d'une majorité d'opposants.*

Charles X tente alors de résoudre ce conflit par un coup d'État : le 25 juillet, il signe quatre ordonnances suspendant le régime constitutionnel et la liberté de la presse, dissout la nouvelle Chambre et modifie la loi électorale en faveur des grands propriétaires. Ces mesures provoquent la révolte de juillet* 1830. Charles X abdique et doit s'exiler.

1. RESTAURER [rɛstɔre] v. t. (lat. *restaurare*). **1.** *Restaurer un édifice, un monument, un objet d'art,* etc., les remettre en bon état. — **2.** *Restaurer qqch.* (mot abstrait), le rétablir dans son état ancien, le remettre en vigueur : *Restaurer l'ordre.* — **3.** *Restaurer une dynastie,* la remettre sur le trône. ◆ **restaurateur, trice** n. : *Un restaurateur de tableaux.* ◆ **restauration** n. f. **1.** Action de restaurer : *La restauration d'un monument, d'un tableau* (syn. RÉFECTION). *La restauration des finances de l'État.* — **2.** Rétablissement sur le trône d'une dynastie déchue : *La restauration des Bourbons.*

2. RESTAURER (SE) [sərɛstɔre] v. pr. (même étym.). Reprendre des forces en prenant de la nourriture (syn. MANGER).

1. RESTER [rɛste] v. t. ind. (lat. *restare,* s'arrêter) [sujet nom de personne ou de chose]. *Rester à qq'un,* demeurer en sa possession : *Ce surnom lui est resté;* impersonnellem. : *Il lui reste encore assez d'argent.* ◆ v. i. **1.** (sujet nom de personne ou de chose) Demeurer, subsister après disparition ou élimination de personnes ou de choses : *Voilà tout ce qui reste de son héritage;* impersonnellem. : *Il ne reste presque plus de vin;* avec la prép. *à* et l'infin. : *Personne ne sait le temps qu'il* (ou *qui*) *lui reste à vivre. Dites-moi ce qu'il* (ou *qui*) *reste à faire. Il reste à savoir si vous réussirez.* (On dit aussi : *Reste à prouver..., reste à savoir...*) — **2.** *Il reste que* (et l'indic.), il est vrai néanmoins que. ◆ **reste** n. m. **1.** Ce qui demeure, subsiste d'un tout dont on a retranché une ou plusieurs parties : *Il a fait son repas d'un peu de pain et d'un reste de fromage.* — **2.** *Math.* Si a et b sont deux entiers naturels et si l'on fait la division* euclidienne de a par b, on trouve deux nombres uniques q et r tels que $a = bq + r$ et $0 \leqslant r < b$; q est le *quotient* et r le *reste* de la division euclidienne. — **3.** Ce qui est encore à faire, à dire : *J'ai fait une partie de mon travail ce matin, je terminerai le reste ce soir.* — **4.** Petite quantité, faible trace d'une chose : *Un reste d'espoir.* — **5.** *Le reste des hommes, le reste du monde,* les autres hommes. — **6.** *Demeurer, être en reste avec qq'un,* lui devoir quelque chose. ‖ *Ne pas demander son reste,* se retirer promptement et sans rien dire. ◆ n. m. pl. **1.** Ce qui subsiste dans les plats après un repas : *L'art d'accommoder les restes.* — **2.** *Restes mortels,* ou simplem. *restes,* le cadavre, les ossements d'une personne : *On a transféré les restes de ce grand homme au Panthéon* (syn. CENDRES). — LOC. ADV. *Au reste, du reste,* au surplus, d'ailleurs. ‖ *De reste,* plus qu'il n'est nécessaire, plus qu'il n'en faut. ◆ **restant, e** adj. *Poste restante* → POSTE 1. ◆ n. m. Ce qui reste d'une somme, d'une quantité : *Je vous paierai le restant de ma dette avec les intérêts. C'est là tout le restant de sa fortune.* (On dit plus souvent LE RESTE.)

2. RESTER [rɛste] v. i. (même étym.). **1.** (sujet nom de personne ou de chose et avec un compl. de lieu) Continuer à être dans un endroit : *Il est resté plusieurs années à l'étranger* (syn. SÉJOURNER). *Restez ici, je vous rejoindrai tout à l'heure* (syn. ATTENDRE). — **2.** (avec un compl. de manière ou un attribut) Demeurer dans une position, dans un état : *Cet enfant ne peut rester en place. Rester les bras croisés. Il est resté fidèle à ses amis;* (avec *à* et l'infin.) : *Il reste des heures entières à bavarder.* — **3.** (sujet nom de chose) Subsister, demeurer dans la mémoire des hommes : *Les noms de ces deux poètes resteront.* — **4.** *En rester à,* s'arrêter dans l'accomplissement d'une chose : *Reprenons notre lecture là où nous en étions restés.* — **5.** *En rester là,* ne pas aller plus avant, ne pas progresser (syn. SE BORNER À). — **6.** *Rester en route,* ne pas achever ce qu'on avait commencé. ‖ *Rester sur sa faim,* ne pas manger à satiété; être déçu par quelque chose. ‖ *Rester sur le cœur,* garder du ressentiment. ‖ *Rester sur une impression,* en conserver un souvenir durable.

RESTIF (ou **RÉTIF**) **DE LA BRETONNE** (Nicolas), écrivain français (1734-1806). Dans ses nombreux romans, il décrit avec acuité les mœurs de son époque : *Le Paysan perverti* (1775), *Monsieur Nicolas* (1794-1797).

RESTITUER [rɛstitɥe] v. t. (lat. *restituere*). **1.** *Restituer un objet,* le rendre alors qu'il a été pris ou possédé indûment : *Restituer un objet volé* (syn. REDONNER, REMETTRE). — **2.** *Restituer un monument, un édifice,* reconstituer par un dessin, par une maquette l'aspect d'un monument, d'un édifice dont il ne reste que des vestiges. ◆ **restitution** n. f.

RESTREINDRE [rɛstrɛ̃dr] v. t. (lat. *restringere,* resserrer). [Conj. **55.**] Ramener à des limites plus étroites : *Restreindre ses dépenses* (syn. DIMINUER, RÉDUIRE). ◆ ***se restreindre*** v. pr. (sujet nom de personne). Réduire ses dépenses, son train de vie. ◆ **restreint, e** adj. Resserré limité : *Occuper un espace restreint. Une édition à tirage restreint.* ◆ **restrictif, ive** adj. *Expression, épithète restrictive,* qui limite la signification, l'emploi d'un mot. ◆ **restriction** n. f. **1.** Condition, modification qui restreint, qui limite : *Cette mesure a été adoptée avec certaines restrictions.* — **2.** Action de limiter, de réduire le nombre, l'importance des choses : *Restriction des crédits* (syn. COMPRESSION, DIMINUTION). — **3.** *Faire des restrictions,* faire des critiques, émettre des doutes au sujet de. — LOC. ADV. *Sans restriction,* sans condition, entièrement. ◆ n. f. pl. Mesures de rationnement en période de pénurie, et spécialement privations qui en résultent.

RÉSULTAT [rezylta] n. m. (du lat. *resultare,* résulter). **1.** Ce qui arrive, se produit à la suite d'une action, d'un événement, de l'application d'un principe, d'une opération mathématique : *Le résultat d'une démarche* (syn. CONCLUSION, DÉNOUEMENT, EFFET). *Des résultats positifs, satisfaisants* (syn. RÉUSSITE, SUCCÈS). *Le résultat d'une addition* (syn. SOMME), *d'une soustraction* (syn. RESTE), *d'une multiplication* (syn. PRODUIT), *d'une division* (syn. QUOTIENT). — **2.** Réussite ou échec à un concours, à un examen, à une compétition; liste des candidats qui ont réussi : *Commenter les résultats d'un match.* ◆ **résultante** n. f. **1.** Résultat de l'action conjuguée de plusieurs facteurs : *Cette crise est la résultante des erreurs du gouvernement précédent* (syn. CONSÉQUENCE). — **2.** *Mécan.* Force qui, du point de vue de l'effet, équivaut à deux ou plusieurs forces appliquées à un point ou à un solide donné. ◆ **résulter** v. i. (sujet nom de chose). Être la conséquence, l'effet d'une cause : *Son état de santé résulte d'un excès de travail* (syn. PROVENIR); impersonnellem. : *Que résultera-t-il de toutes ces démarches?* (syn. ADVENIR, ARRIVER).

RÉSUMER [rezyme] v. t. (lat. *resumere,* reprendre). Rendre en moins de mots ce qui a été dit ou écrit : *Résumer un discours.* ◆ ***se résumer*** v. pr. **1.** (sujet nom de personne) Reprendre en peu de mots ce qu'on a dit. — **2.** (sujet nom de chose) Être résumé : *Un discours qui se résume difficilement.* ◆ **résumé** n. m. **1.** Ce qui présente l'essentiel de ce qui a été dit ou écrit : *Le résumé d'un livre* (syn. ANALYSE, SOMMAIRE). — **2.** Ouvrage succinct : *Un résumé d'histoire* (syn. ABRÉGÉ, AIDE-MÉMOIRE, MÉMENTO, PRÉCIS). — LOC. ADV. *En résumé,* en récapitulant, en un mot (syn. EN BREF).

RÉSURGENCE [rezyrʒɑ̃s] n. f. (du lat. *resurgere,* renaître). Réapparition à l'air libre, sous forme de grosse source, d'une nappe d'eau souterraine.

RÉSURRECTION n. f. → RESSUSCITER.

RETABLE [rətabl] n. m. (de l'esp. *tabla,* planche). Panneau contre lequel s'appuie un autel et qui est le plus souvent orné d'un tableau, d'une sculpture.

RÉTABLIR [retablir] v. t. (de *re-,* et *établir*). **1.** *Rétablir qqch.,* le remettre en son état premier, en bon état : *La panne d'électricité est terminée, on a rétabli le courant.* ‖ *Rétablir un fait, la vérité,* les présenter sous un jour véritable. — **2.** *Rétablir qq'un,* le ramener à un état normal de santé : *Ce médicament l'a vite rétabli* (syn. GUÉRIR). — **3.** *Rétablir qq'un,* le remettre dans son rang, dans son emploi : *Rétablir une personne dans ses droits* (syn. RÉHABILITER), *dans ses fonctions.* — **4.** *Rétablir qqch.,* le faire exister de nouveau : *Rétablir l'ordre* (syn. RAMENER). ◆ ***se rétablir*** v. pr. **1.** (sujet nom de personne) Recouvrer la santé : *Il a besoin d'aller à la montagne pour se rétablir* (syn. SE REMETTRE). — **2.** (sujet nom de chose) Renaître : *Petit à petit, le calme s'est rétabli* (syn. REVENIR). ◆ **rétablissement** n. m. **1.** Action de rétablir : *Le rétablissement des finances d'une nation.* — **2.** Retour à la santé :

Nous faisons des vœux pour votre rétablissement. — **3.** Mouvement de gymnastique qui permet de s'élever en prenant un point d'appui sur chaque poignet, après une traction sur les bras.

RÉTAMER v. t. → ÉTAIN.

RETAPER [rətape] v. t. *(re-, et taper).* **1.** *Fam.* Remettre sommairement en état : *Retaper une vieille voiture* (syn. RÉPARER). — **2.** *Fam.* Arranger sommairement : *Retaper un lit.* ◆ ***se retaper*** v. pr. (sujet nom de personne). *Fam.* Retrouver la santé.

RETARDER [rətarde] v. t. (lat. *retardare;* de *tardus,* tard). **1.** (sujet nom de personne ou de chose) *Retarder qq'un, qqch.,* l'empêcher de partir, d'arriver, d'avoir lieu au moment fixé ou prévu : *Un contretemps a retardé la parution de ce livre.* — **2.** *Retarder qq'un,* le faire agir plus lentement qu'il ne faudrait : *Plusieurs maladies l'ont retardé dans ses études.* — **3.** *Retarder qqch.,* le remettre à plus tard : *Retarder son départ* (syn. AJOURNER, DIFFÉRER, REPOUSSER). *On a retardé la date des examens* (syn. RECULER, REPORTER). — **4.** *Retarder une montre, une pendule,* mettre les aiguilles sur une heure moins avancée. ◆ v. i. **1.** (sujet nom désignant une montre, une pendule) Marquer une heure moins avancée que l'heure réelle : *Ma montre retarde de cinq minutes* (fam. : *Je retarde de cinq minutes*). — **2.** *Retarder sur son temps, sur son siècle,* ne pas avoir les idées, les goûts de son temps. ◆ **retard** n. m. **1.** Le fait d'arriver trop tard, après le moment fixé : *Vous êtes en retard, nous vous attendons depuis une demi-heure.* — **2.** Fait d'agir tard : *Être en retard pour payer son loyer.* — **3.** Temps ou distance qui sépare un coureur d'un autre coureur, un véhicule d'un autre véhicule, etc. : *Rattraper son retard.* — **4.** État d'une personne, d'une collectivité dont le développement est moins avancé que celui des autres : *Un enfant qui est en retard pour son âge.* ◆ adj. inv. Se dit d'un médicament dont la durée de transit dans l'organisme est assez longue pour permettre l'administration de doses relativement élevées, mais espacées. ◆ **retardataire** adj. et n. Qui arrive ou agit en retard : *Un élève retardataire.* ◆ **retardement (à)** loc. adj. *Engin à retardement,* engin muni d'un mécanisme spécial qui ne provoque son explosion qu'après un temps déterminé. — LOC. ADV. *Fam.* Après qu'il est trop tard, longtemps après : *Comprendre à retardement.*

RETENIR [rətnir] v. t. (lat. *retinere*). [Conj. **22.**] **1.** *Retenir qq'un,* l'empêcher de partir, le faire rester avec soi : *Je vous retiens à dîner* (syn. GARDER). — **2.** *Retenir un être animé, une chose,* les saisir, les maintenir pour les empêcher de tomber, de faire une mauvaise action, pour modérer leur allure : *Il serait tombé dans le ravin si je ne l'avais retenu* (syn. ARRÊTER); (avec *de* et l'infin.) : *Je ne sais ce qui m'a retenu de l'injurier.* — **3.** *Retenir qqch.,* le maintenir en place : *Retenir ses cheveux avec une barrette* (syn. FIXER). — **4.** Ne pas laisser passer, s'écouler : *Le barrage retient l'eau du lac.* — **5.** Empêcher de se manifester : *Retenir son souffle, ses larmes, sa colère,* les contenir. — **6.** Garder dans sa mémoire : *Il retient difficilement les dates* (syn. SE SOUVENIR). — **7.** *Retenir une suggestion, une proposition, un projet, une solution,* etc., les estimer dignes d'attention, de réflexion, d'étude. — **8.** *Retenir qq'un,* l'engager à l'avance : *Retenir une femme de ménage.* ‖ Fam. *Je vous retiens,* se dit à quelqu'un qui vous a joué un mauvais tour dont on lui promet de se souvenir. — **9.** *Retenir une place, une chambre,* etc., les faire réserver par précaution. — **10.** Garder ce qui appartient à quelqu'un : *Retenir la paie d'un ouvrier.* — **11.** *Retenir un chiffre,* le réserver pour le joindre aux chiffres de la colonne suivante (dans une addition, une soustraction, une multiplication) : *7 et 8 font 15, je pose 5 et je retiens 1.* ◆ ***se retenir*** v. pr. **1.** (sujet nom de personne) *Se retenir à qqch.,* s'y accrocher pour ne pas tomber : *Se retenir à des broussailles* (syn. SE CRAMPONNER, SE RATTRAPER). — **2.** *Se retenir de* (et l'infin.), se contenir pour ne pas céder à un mouvement instinctif : *Se retenir de pleurer.* — **3.** *Intr.* et *fam.* Différer la satisfaction de ses besoins naturels. — **4.** (sujet nom de chose) Être gardé dans la mémoire : *La poésie se retient plus facilement que la prose.* ◆ **retenue** n. f. **1.** Action de retenir, de garder : *Retenue de marchandises par la douane.* — **2.** Somme qu'un employeur retient sur le salaire de ses employés : *Retenue pour la Sécurité sociale.* — **3.** Dans une opération arithmétique, chiffre réservé pour être joint aux chiffres de la colonne suivante : *Vous avez oublié la retenue.* — **4.** Privation de récréation ou de sortie, dans les établissements scolaires (syn. fam. COLLE). — **5.** Attitude, qualité d'une personne qui sait se maîtriser, contenir ses sentiments, éviter les excès : *Perdre toute retenue.*

RÉTENTION [retɑ̃sjɔ̃] n. f. (lat. *retentio*). **1.** *Géogr.* Immobilisation de l'eau sous forme de neige *(rétention nivale)* ou de glace *(rétention glaciaire).* — **2.** *Méd.* Fait qu'un liquide destiné à être évacué du corps y est conservé dans une cavité.

RETENTIR [rətɑ̃tir] v. i. (du lat. *tinnire,* résonner). **1.** Renvoyer un son éclatant, puissant : *Toute la salle retentissait des applaudissements des spectateurs* (syn. RÉSONNER). — **2.** Produire un son qui se prolonge : *Un coup de tonnerre a retenti dans la vallée* (syn. ÉCLATER). ◆ **retentissant, e** adj. **1.** Qui s'entend bien, qui rend un son puissant : *Une voix retentissante* (syn. SONORE, VIBRANT). — **2.** Qui attire l'attention du public : *Un succès retentissant* (syn. ÉCLATANT). ◆ **retentissement** n. m. **1.** Son prolongé avec plus ou moins d'éclat : *Le retentissement d'un coup de tonnerre.* — **2.** Effet qui se propage dans le public : *Ce discours a eu un profond retentissement* (syn. RÉPERCUSSION).

RETENUE n. f. → RETENIR.

RETHEL, ch.-l. d'arrond. du dép. des Ardennes, à 38 km au N.-E. de Reims, sur l'Aisne; 9 100 hab. Textiles.

RETHONDES, comm. de l'Oise, à 9,5 km à l'E. de Compiègne, sur l'Aisne; 458 hab.

• *11 nov. 1918 et 22 juin 1940. Signature des armistices.*

RÉTICENCE [retisɑ̃s] n. f. (lat. *reticentia,* obstination à se taire). Attitude d'une personne qui hésite à dire expressément sa pensée, à prendre une décision : *C'est sans aucune réticence qu'il a prêté sa voiture* (syn. HÉSITATION). ◆ **réticent, e** adj. Qui manifeste de la réticence : *Quand nous avons parlé de notre projet, il s'est montré réticent* (syn. HÉSITANT, INDÉCIS).

RÉTIF, IVE [retif, -iv] adj. (du lat. *restare,* s'arrêter). **1.** Se dit d'une monture qui s'arrête ou recule au lieu d'avancer : *Un cheval rétif.* — **2.** Se dit d'une personne qui est difficile à diriger, à persuader, qui regimbe : *Un enfant rétif* (syn. INDOCILE, RÉCALCITRANT).

RÉTINE [retin] n. f. (du lat. *rete,* filet). Membrane mince et transparente, située au fond de l'œil, et sur laquelle se forment les images des objets : *Souffrir d'un décollement de la rétine.* ◆ **rétinien, enne** adj.

— ENCYCL. La *rétine* est une membrane à plusieurs couches de cellules.

La couche cellulaire *visuelle* est celle qui touche directement la membrane pigmentée (choroïde), située à l'extérieur de la rétine. Cette couche comprend une zone particulièrement sensible, la *fovéa,* constituée de corps cellulaires en forme de *cônes* reliés chacun par un axone au cerveau; c'est sur la fovéa que se forme l'image de ce que l'on fixe (chaque cellule est reliée au cerveau par un neurone particulier). Les cônes permettent la vision des couleurs.

La périphérie de la rétine contient des cellules, dites *bâtonnets,* reliées entre elles et groupées pour transmettre leur message par un seul axone; elles ne permettent pas la vision des couleurs mais sont très sensibles à la moindre variation de la lumière.

La naissance du nerf optique correspond à une zone sans cellules visuelles, la *tache aveugle.*

RETIRER [rətire] v. t. *(re-,* et *tirer).* **1.** *Retirer qq'un, qqch.,* le faire sortir de l'endroit où il est : *Retirer des provisions d'un sac* (syn. ENLEVER). *Retirer de l'argent de la banque* (syn. PRÉLEVER). — **2.** Ramener en arrière : *Retirer sa main pour éviter un coup.* — **3.** Enlever ce qui couvre, protège : *Retirer son chapeau, son pardessus.* — **4.** *Retirer qqch. à qq'un,* lui enlever ce qu'on lui avait accordé, donné : *À la suite de son accident, on lui a retiré son permis de conduire.* — **5.** Renoncer à présenter, à faire, à poursuivre ou à soutenir : *Retirer sa candidature à une élection. Retirer une plainte.* ‖ *Retirer sa promesse,* se dégager de la promesse qu'on avait faite. ‖ *Retirer ce qu'on a dit,* changer d'opinion, revenir sur un jugement (syn. SE RÉTRACTER). — **6.** Obtenir pour soi : *Retirer un bénéfice important d'une affaire* (syn. PERCEVOIR). ◆ ***se retirer*** v. pr. **1.** (sujet nom de personne) S'éloigner d'un lieu; rentrer chez soi : *La cérémonie terminée, la foule se retira en silence* (syn. SE DISPERSER). — **2.** Quitter une profession, un genre de vie et, sans compl., prendre sa retraite : *Se retirer des affaires.* — **3.** Aller dans un lieu pour y trouver un refuge, pour y prendre sa retraite : *Se retirer en province.* — **4.** (sujet nom désignant des eaux) *La mer se retire,* elle reflue. ◆ **retiré, e** adj. **1.** Se dit d'une personne qui a cessé toute activité professionnelle : *Un commerçant retiré.* — **2.** *Vivre retiré, mener une vie retirée,* vivre à l'écart de la société. — **3.** Se dit d'un lieu qui est peu fréquenté : *Un village retiré* (syn. ÉCARTÉ, ISOLÉ). ◆ **retrait** n. m. **1.** Action de se retirer d'un lieu : *Le retrait des troupes d'occupation* (syn. ÉVACUATION). *Le retrait de la mer* (syn. REFLUX). — **2.** Action de retirer, de prendre : *Le retrait d'une somme d'argent à la banque. Retrait du permis de conduire.* — **3.** Diminution de volume subie par un corps qui se contracte, se resserre : *Le retrait du mortier, de l'argile, de l'acier* (contr. DILATATION). — LOC. ADJ. et ADV. *En retrait,* en arrière d'un alignement, d'une ligne déterminée : *Un immeuble en retrait.*

RETOMBÉE n. f., **RETOMBER** v. i. → TOMBER 1 et 2.

RETORDRE v. t. → TORDRE 1.

RÉTORQUER [retɔrke] v. t. (lat. *retorquere*). *Rétorquer qqch. à qq'un,* lui répondre en retournant contre lui les arguments dont il s'est servi (syn. OBJECTER).

RETORS, E [rətɔr, -ɔrs] adj. (de *retordre*). Qui sait trouver des moyens compliqués pour dissimuler, pour se tirer d'affaire : *Un politicien retors* (syn. MALIN, RUSÉ).

RÉTORSION [retɔrsjɔ̃] n. f. (du lat. *retorquere,* rétorquer).

Acte juridique qui consiste, pour un État, à employer à l'égard d'un autre les mesures dont ce dernier s'est servi contre lui : *La rétorsion diffère des représailles en ce qu'elle ne constitue pas un acte de violence.*

RETOUCHER [rətuʃe] v. t. *(re-,* et *toucher).* **1.** *Retoucher un travail, une œuvre littéraire, artistique,* lui apporter des modifications partielles, des corrections : *Retoucher un texte, une photo* (syn. CORRIGER, REMANIER). — **2.** *Retoucher un vêtement,* le rectifier quand il est terminé, spécialement en parlant d'un vêtement de confection. ◆ **retouche** n. f. **1.** Modification apportée en vue d'une amélioration. — **2.** Rectification d'un vêtement terminé. ◆ **retoucheur, euse** n.

1. RETOURNER [rəturne] v. t. *(re-,* et *tourner).* **1.** *Retourner qqch.,* le tourner en sens contraire, de manière à mettre dessus ce qui était dessous, en bas ce qui était en haut, etc. : *Retourner un seau* (syn. RENVERSER). ‖ *Retourner un mot, une phrase,* changer l'ordre d'un mot, des éléments d'une phrase. ‖ Fam. *Retourner sa veste,* changer d'opinion, de parti. ‖ Fam. *Retourner qq'un,* le faire changer d'avis sans difficulté. — **2.** Fam. *Retourner une personne,* l'émouvoir profondément (syn. BOULEVERSER). ‖ *Retourner le couteau dans la plaie,* raviver un chagrin. ◆ v. impers. Fam. *Savoir de quoi il retourne,* savoir quelle est la situation, ce qui se passe. ◆ ***se retourner*** v. pr. **1.** (sujet nom de personne ou de chose) Se tourner dans un autre sens, dans un sens contraire : *Se retourner sur le ventre. La voiture s'est retournée* (syn. CAPOTER, FAIRE UN TONNEAU). — **2.** (sujet nom de personne) Tourner la tête en arrière : *Partir sans se retourner.* — **3.** Fam. *Laisser à qq'un le temps de se retourner,* lui laisser le temps d'apprécier exactement une situation et de prendre des dispositions appropriées. — **4.** (sujet nom de chose ou de personne) *Se retourner contre qq'un,* lui devenir contraire, lui être néfaste : *Son ambition démesurée s'est retournée contre lui.* ◆ **retournement** n. m. Changement brusque et complet : *Un retournement de la situation* (syn. RENVERSEMENT).

2. RETOURNER [rəturne] v. i. (même étym.). **1.** Aller de nouveau en un lieu où l'on est déjà allé : *Il faut qu'il retourne chez le médecin.* — **2.** Revenir à l'endroit d'où l'on est parti, où l'on habite : *Elle est retournée dans son pays natal* (syn. REGAGNER). ‖ *Retourner en arrière, sur ses pas,* revenir en arrière, faire demi-tour, rebrousser chemin. — **3.** Revenir à un état antérieur : *Un chat abandonné retourne facilement à l'état sauvage.* — **4.** Reprendre une activité qu'on avait interrompue : *Retourner à son travail.* ◆ v. t. ind. (sujet nom de chose). *Retourner à qq'un,* lui être restitué : *La maison est retournée à son ancien propriétaire* (syn. REVENIR). ◆ v. t. (sujet nom de personne). *Retourner une lettre, un paquet, une marchandise,* les renvoyer à l'expéditeur. ‖ Ironiq. *Retourner à qq'un son compliment,* lui adresser la même critique. ◆ ***se retourner*** v. pr. *S'en retourner,* se diriger, repartir vers le lieu d'où l'on est venu : *Il ne songe qu'à s'en retourner chez lui.* ‖ *S'en retourner comme on (était) venu,* repartir sans avoir rien fait, rien obtenu. ◆ **retour** n. m. **1.** Action de revenir : *Il est parti sans espoir de retour.* — **2.** Voyage que l'on fait pour revenir à l'endroit d'où l'on est parti : *Prendre un billet d'aller et retour* (ou *un aller et un retour*). — **3.** Moment où l'on revient à son point de départ : *J'irai vous voir à votre retour.* ‖ *Être de retour,* être revenu : *Nous vous inviterons quand nous serons de retour.* — **4.** Action de retourner quelque chose à quelqu'un : *Retour d'un paquet à l'envoyeur.* — **5.** Fait de se reproduire, de se manifester de nouveau : *Le retour du printemps.* — **6.** Changement brusque et total : *Par un juste retour des choses, il n'a pu échapper, cette fois, à la justice.* — **7.** *Payer qq'un de retour,* manifester à son égard les mêmes sentiments qu'il a eus envers vous. ‖ Fam. *Cheval de retour* → CHEVAL. — **8.** *Faire un retour sur soi-même,* examiner sa conduite passée. ‖ *Retour de flamme,* phénomène qui se traduit par l'accès de la flamme de l'explosion dans le carburateur d'un moteur; renouveau d'activité, de jeunesse, après une période d'accalmie. ‖ *Retour de manivelle,* choc produit, au moment de la mise en marche à la manivelle, par un moteur qui se met à tourner à l'envers. ‖ *Par retour du courrier,* immédiatement après la réception du courrier. — LOC. ADV. *En retour,* en échange, réciproquement. ‖ *Choc en retour,* effet produit par la foudre en un lieu éloigné de celui où elle est tombée; contrecoup.

RETRACER [rətrase] v. t. *(re-,* et *tracer).* Raconter d'une manière vive, pittoresque les choses passées : *Retracer les exploits d'un héros.*

1. RÉTRACTER [retrakte] v. t. (du lat. *retractare,* retirer). *Rétracter un tissu, un organe,* le tirer en arrière par un effet de rétraction : *L'escargot rétracte ses cornes* (syn. CONTRACTER). ◆ ***se rétracter*** v. pr. Subir une rétraction : *Un muscle qui s'est rétracté.* ◆ **rétractile** adj. *Ongles, griffes rétractiles,* ongles, griffes qu'un animal peut rentrer en dedans. ◆ **rétraction** n. f. Raccourcissement que présentent certains tissus ou certains organes : *Rétraction musculaire* (syn. CONTRACTION).

2. RÉTRACTER [retrakte] v. t. (même étym.). *Rétracter une affirmation,* déclarer que l'on n'a plus l'opinion que l'on avait avancée : *Rétracter ce qu'on a dit* (syn. DÉMENTIR, RETIRER). ◆ ***se rétracter*** v. pr. Reconnaître formellement la fausseté de ce qu'on a dit (syn. SE DÉDIRE, SE DÉSAVOUER). ◆ **rétractation** n. f. (syn. DÉSAVEU).

RETRAIT n. m. → RETIRER.

1. RETRAITE [rətrɛt] n. f. (de l'anc. fr. *retraire,* se retirer). **1.** Marche en arrière d'une armée : *Protéger, couvrir la retraite d'un bataillon* (syn. REPLI). — **2.** *Battre en retraite,* reculer devant l'ennemi; cesser de soutenir une opinion, abandonner certaines prétentions. — **3.** *Retraite aux flambeaux,* défilé nocturne qui a lieu à l'occasion d'une fête publique.

2. RETRAITE [rətrɛt] n. f. (même étym.). **1.** État d'une personne (employé, fonctionnaire civil ou militaire) qui a cessé son activité professionnelle et reçoit une pension : *Prendre sa retraite* (= cesser l'exercice de sa profession). — **2.** Pension versée à un salarié admis à la retraite. ◆ **retraité, e** n. et adj. Personne qui est à la retraite, qui touche une retraite.

3. RETRAITE [rətrɛt] n. f. (même étym.). Éloignement momentané de la société pour se recueillir, pour se préparer à un acte religieux : *Faire une retraite.*

RETRANCHEMENT [rətrɑ̃ʃmɑ̃] n. m. (de *retrancher).* **1.** Obstacle naturel ou artificiel qui sert à protéger contre les attaques de l'ennemi. — **2.** *Attaquer, forcer, poursuivre qq'un dans ses derniers retranchements,* l'attaquer violemment, essayer de triompher de sa résistance. ◆ **retrancher (se)** v. pr. **1.** Se mettre à l'abri, et spécialement se défendre par des retranchements : *L'ennemi s'était retranché derrière le fleuve.* — **2.** *Se retrancher derrière le secret professionnel, derrière l'autorité de qq'un,* etc., les invoquer comme moyens de défense contre des accusations, des reproches. ◆ **retranché, e** adj. *Camp retranché,* camp défendu par des retranchements.

1. RETRANCHER (SE) v. pr. → RETRANCHEMENT.

2. RETRANCHER [rətrɑ̃ʃe] v. t. *(re-,* et *trancher).* **1.** *Retrancher une partie d'un texte,* la supprimer. — **2.** *Retrancher une partie d'une quantité,* l'ôter, l'enlever : *Retrancher un nombre d'un autre* (syn. SOUSTRAIRE). *Retrancher d'un salaire une certaine somme pour la retraite* (syn. DÉCOMPTER, DÉDUIRE, RETENIR).

RETRANSMETTRE [rətrɑ̃smɛtr] v. t. *(re-,* et *transmettre).* [Conj. **57.**] Diffuser directement ou par relais une émission radiophonique ou télévisée : *Retransmettre un concert.* ◆ **retransmission** n. f. Action de retransmettre; émission diffusée : *Assister à la retransmission d'un match de football.*

RÉTRÉCIR [retresir] v. t. (du lat. *strictus,* étroit). *Rétrécir un objet, un vêtement,* le rendre plus étroit, moins large (contr. ÉLARGIR). ◆ v. i. ou ***se rétrécir*** v. pr. Devenir plus étroit, diminuer de surface, de volume : *La rue va en se rétrécissant. Ce tissu rétrécit au lavage.* ◆ **rétrécissement** n. m. **1.** Fait de se rétrécir : *Le rétrécissement d'un tissu.* — **2.** *Méd.* Diminution des dimensions d'un conduit organique, de l'orifice d'un organe : *Rétrécissement du pylore, de l'aorte* (contr. DILATATION).

1. RETREMPER v. t. → TREMPER 1 et 2.

2. RETREMPER (SE) [sərətrɑ̃pe] v. pr. *(re-,* et *tremper)* [sujet nom de personne]. Reprendre contact avec : *Se retremper dans le milieu familial.*

RÉTRIBUER [retribɥe] v. t. (du lat. *retribuere,* attribuer en retour). **1.** *Rétribuer qq'un,* le payer pour un travail, pour un service (syn. RÉMUNÉRER). — **2.** *Rétribuer qqch.,* donner de l'argent en échange d'un travail, d'un service : *Rétribuer un travail au mois.* ◆ **rétribution** n. f. Somme d'argent donnée en échange d'un travail (syn. APPOINTEMENTS, RÉMUNÉRATION, SALAIRE, TRAITEMENT).

RÉTROACTIF, IVE [retroaktif, -iv] adj. (du lat. *retroagere,* ramener en arrière). Se dit d'une mesure légale qui a une conséquence, des implications sur des faits antérieurs : *Les lois n'ont pas, en principe, d'effet rétroactif.* ◆ **rétroactivité** n. f. : *La rétroactivité d'une mesure.*

RÉTROCÉDER [retrosede] v. t. (lat. *retrocedere,* reculer). **1.** Céder ce qui nous a été cédé auparavant. — **2.** Céder une chose achetée pour soi-même. ◆ **rétrocession** n. f. Acte par lequel on rétrocède un droit acquis : *Faire rétrocession d'une terre.*

RÉTROFUSÉE [retrofyze] n. f. (du lat. *retro,* en arrière, et *fusée*). Fusée de freinage des engins cosmiques.

RÉTROGRADER [retrograde] v. i. (lat. *retrogradare).* **1.** Revenir en arrière : *L'armée a été contrainte de rétrograder* (syn. RECULER). — **2.** Perdre ce qu'on a acquis (son rang dans un classement, les améliorations apportées par une évolution politique et sociale, etc.) [syn. RÉGRESSER]. — **3.** En automobile, passer la vitesse inférieure à celle où l'on est : *Rétrograder de troisième en seconde.* ◆ v. t. Soumettre quelqu'un à la rétrogradation : *Rétrograder un militaire.* ◆ **rétrogradation** n. f. Mesure disciplinaire par laquelle un fonctionnaire ou un militaire est placé dans une situation hiérarchique inférieure à celle qu'il occupait. ◆ **rétrograde** adj. **1.** Qui va, qui se fait en arrière. — **2.** Opposé au progrès, qui voudrait rétablir les institutions du passé : *Une politique économique rétrograde* (syn. ↑RÉACTIONNAIRE).

RÉTROSPECTIF, IVE [retrospɛktif, -iv] adj. (du lat. *retro*, en arrière, et *spectare*, regarder). Qui se rapporte au passé : *Une étude rétrospective.* ◆ **rétrospective** n. f. Exposition où l'on présente les œuvres d'un artiste, d'une école, d'une époque. ◆ **rétrospectivement** adv. En regardant vers le passé; après coup.

RETROUSSER [rətruse] v. t. *(re-, et trousser). Retrousser un vêtement, une partie d'un vêtement,* les ramener, les replier vers le haut : *Retrousser ses manches* (syn. RELEVER). ◆ **retroussé, e** adj. *Nez retroussé,* nez dont le bout est un peu relevé.

RETROUVER [rətruve] v. t. *(re-, et trouver).* **1.** *Retrouver une personne, un animal,* les découvrir, les rattraper quand ils se sont échappés : *Les gendarmes ont retrouvé le malfaiteur.* — **2.** *Retrouver qq'un,* le reconnaître, soit à sa manière d'agir habituelle, soit à sa ressemblance avec une autre personne : *Retrouver chez un enfant l'expression de sa mère.* — **3.** *Retrouver qqch.,* être de nouveau en possession de ce qu'on avait perdu, égaré, oublié : *Retrouver ses clefs* (syn. RÉCUPÉRER). *Retrouver la santé* (syn. RECOUVRER). *Retrouver du travail. Je n'arrive pas à retrouver son nom.* ‖ *Retrouver son chemin,* savoir s'orienter. — **4.** *Retrouver qq'un, qqch.,* être de nouveau en leur présence, après une séparation : *Retrouver sa famille après une absence* (syn. REVOIR). ‖ *Aller retrouver qq'un,* retourner près de lui (syn. REJOINDRE). ‖ *Je saurai vous retrouver, nous nous retrouverons,* je saurai prendre ma revanche. ◆ ***se retrouver*** v. pr. **1.** (sujet nom de chose) Être trouvé de nouveau : *Un tel avantage ne se retrouve pas facilement.* — **2.** (sujet nom de personne) Être de nouveau ou subitement dans tel état : *À la mort de ses parents, il s'est retrouvé seul.* — **3.** Être de nouveau réunis ensemble. — **4.** Reconnaître son chemin : *C'est un quartier où je ne suis pas sûr de me retrouver.* — **5.** Éclaircir une situation embrouillée, confuse : *Il n'arrive pas à se retrouver dans ses calculs.* — **6.** Fam. *S'y retrouver,* compenser ses dépenses par des bénéfices, des avantages. ◆ **retrouvailles** n. f. pl. Moment où des personnes, qui avaient été séparées, se retrouvent.

RÉTROVISEUR [retrovizœr] n. m. (du lat. *retro*, en arrière, et *viseur*). Petit miroir qui permet au conducteur d'un véhicule d'apercevoir, par réflexion, ce qui se passe derrière lui.

RETS [rɛ] n. m. (lat. *retis*). **1.** Filet pour prendre des oiseaux, des poissons. — **2.** *Tomber dans les rets de qq'un,* se laisser prendre à un piège (syn. EMBÛCHE, RUSE).

RETZ, pays de Bretagne, au S. de la Loire.

RETZ (Gilles DE) → RAIS.

RETZ (Paul DE GONDI, *cardinal* DE), homme politique et écrivain français (1613-1679), coadjuteur de l'archevêque de Paris. Il joua un rôle important dans les troubles de la Fronde, contribua à l'exil de Mazarin. Il a laissé des *Mémoires* intéressants.

REUBELL → REWBELL.

RÉUNION n. f. → RÉUNIR.

RÉUNION *(île de la),* autref. **île Bourbon,** île de l'océan Indien, à l'E. de Madagascar, formant un département français d'outre-mer; 2510 km²; 518400 hab. (206 au km²). Ch.-l. *Saint-Denis* (109600 hab.).

GÉOGRAPHIE. Cette île montagneuse au relief tourmenté correspond à un grand massif volcanique (3069 m au piton des Neiges). Les plaines côtières sont occupées par de grandes plantations de canne à sucre, tandis que plus haut poussent la vanille et les plantes à parfum. Le sucre et le rhum sont les principaux produits d'exportation, mais l'île doit importer des produits manufacturés. L'accroissement rapide de la population (2,5 p. 100 par an) aggrave le surpeuplement.

HISTOIRE. Les Français s'emparent de l'île en 1638. Elle prend le nom d'*île Bourbon* qu'elle échange en 1793 pour son nom actuel.

- *1664. L'île devient une concession de la Compagnie des Indes orientales.*

La colonisation de l'île par les Français et des Européens débute alors, tandis qu'une main-d'œuvre nombreuse est assurée par la traite des esclaves. La Compagnie introduit la culture du caféier et celle des épices, mais sa régie donne lieu à de nombreux abus.

- *1764. L'État rachète l'île à la Compagnie des Indes.*

Malgré la Révolution, la traite ne sera abolie définitivement qu'en 1817 et l'esclavage en 1848, tandis que la culture de la canne à sucre, introduite après 1815, assure une relative prospérité à l'île.

- *1946. La Réunion devient département français d'outre-mer.*
- *1983. Dans le cadre de la loi sur la décentralisation, un conseil régional est élu.*

RÉUNIFIER [reynifje] v. t. *(ré-, et unifier).* Rendre l'unité à un pays, à un parti, à un syndicat, etc. ◆ **réunification** n. f.

RÉUNIR [reynir] v. t. *(ré-, et unir).* **1.** *Réunir des choses,* les rapprocher, les mettre en contact : *Réunir les deux bouts d'une corde* (syn. RACCORDER, RELIER). — **2.** *Réunir une chose à une autre,* les faire communiquer : *Une passerelle réunit les deux bords de la rivière.* — **3.** *Réunir des choses,* les mettre ensemble pour former un tout : *Réunir des documents pour un dossier* (syn. RASSEMBLER). *Réunir des fonds pour offrir un cadeau* (syn. COLLECTER, RECUEILLIR). — **4.** *Réunir des personnes,* les rassembler : *Réunir des amis chez soi* (syn. INVITER). ◆ ***se réunir*** v. pr. **1.** (sujet nom de personne) Se trouver ensemble : *Se réunir entre amis.* — **2.** (sujet nom de chose) Se joindre : *La Seine et l'Yonne se réunissent à Montereau* (syn. CONFLUER). ◆ **réunion** n. f. **1.** Action de réunir des choses : *La réunion des différentes pièces d'un mécanisme* (syn. ASSEMBLAGE). *Réunion de documents* (syn. RASSEMBLEMENT). — **2.** Fait de rassembler des personnes : *Organiser une réunion.* — **3.** Groupe de personnes rassemblées : *Une réunion de savants* (syn. CONGRÈS). *Une réunion politique, syndicale* (syn. MEETING). ‖ *Réunion publique,* réunion où tout le monde peut se rendre et où l'on discute de questions d'ordre politique, moral, économique, etc. — **4.** Temps pendant lequel on se réunit : *La réunion a été très longue.* — **5.** Math. *Réunion de deux parties d'un ensemble* → PARTIE* D'UN ENSEMBLE.

REUSS (la), riv. de Suisse, qui traverse le lac des Quatre-Cantons et se jette dans l'Aar (r. dr.); 160 km.

RÉUSSIR [reysir] v. i. (it. *riuscire*, ressortir). **1.** (sujet nom de chose) Avoir un heureux résultat : *Projet qui réussit* (syn. ABOUTIR, SE RÉALISER). *Son entreprise n'a pas réussi* (= a échoué). — **2.** (sujet nom de personne) Obtenir un bon résultat : *Il a réussi dans tout ce qu'il a entrepris* (= il a eu du succès). ◆ v. t. ind. **1.** (sujet nom de personne) *Réussir à qqch., à faire qqch.,* y obtenir des succès, parvenir à : *Je me demande si vous réussirez à le convaincre.* — **2.** (sujet nom de chose) *Réussir à qq'un,* lui être bénéfique : *L'air de la mer lui réussit.* ◆ v. t. *Réussir qqch.,* le faire, l'exécuter avec succès : *Réussir un plat. Réussir un but, un essai* (syn. MARQUER). ◆ **réussi, e** adj. **1.** Exécuté avec succès : *Une photographie réussie.* — **2.** Parfait en son genre : *Une soirée réussie* (syn. BRILLANT). ◆ **réussite** n. f. **1.** Résultat favorable : *La réussite d'une affaire* (syn. SUCCÈS; contr. ÉCHEC). — **2.** *Fam.* Œuvre parfaite en son genre : *Roman, film qui est une réussite.* — **3.** Jeu de cartes auquel ne participe qu'une personne (syn. PATIENCE).

REVALOIR [rəvalwar] v. t. *(re-, et valoir).* [Conj. **40.**] Fam. *Revaloir qqch. à qq'un,* lui rendre la pareille, en bien ou en mal (surtout au futur) : *Vous m'avez rendu service, je vous revaudrai cela.*

REVALORISATION n. f., **REVALORISER** v. t. → VALEUR 1.

REVANCHE [rəvɑ̃ʃ] n. f. (de l'anc. fr. *revancher;* de *venger).* **1.** Action de rendre la pareille pour un mal que l'on a reçu : *Il a pris sa revanche* (= s'est vengé). — **2.** Seconde partie que l'on joue pour donner au perdant la possibilité de regagner ce qu'il a perdu. — LOC. ADV. *À charge de revanche,* à condition qu'on rendra la pareille. ‖ *En revanche* (syn. EN CONTREPARTIE, PAR CONTRE). ◆ **revanchard, e** adj. et n. Se dit d'une personne, d'un pays qui désire fortement prendre une revanche (surtout en parlant d'une revanche militaire).

RÊVASSER v. i., **RÊVE** n. m. → RÊVER.

REVÊCHE [rəvɛʃ] adj. (orig. incert.). Se dit d'une personne (ou de son comportement) peu accommodante, peu maniable : *Ton revêche* (syn. ACARIÂTRE, HARGNEUX).

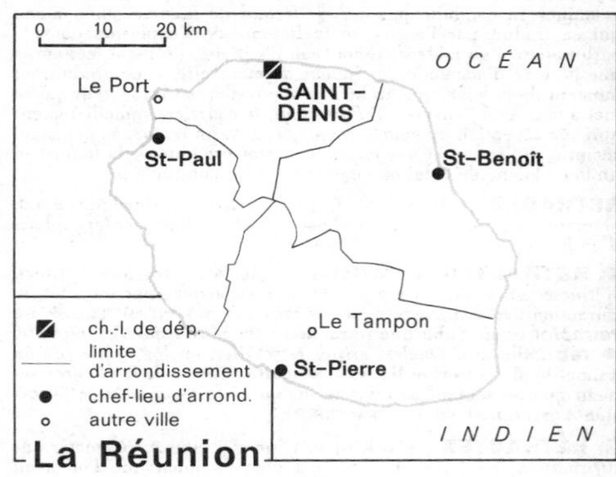

RÉVEILLER [revɛje] v. t. (de *re-*, et *éveiller*). **1.** *Réveiller qq'un*, le tirer du sommeil : *Le moindre bruit le réveille;* le ramener à l'activité : *Ce jeune homme est paresseux, il a besoin qu'on le réveille.* — **2.** *Réveiller qqch.*, le faire renaître, le susciter de nouveau : *Réveiller l'appétit* (syn. EXCITER); le remettre en mémoire : *Réveiller des souvenirs pénibles* (syn. RANIMER, RAVIVER). ◆ ***se réveiller*** v. pr. **1.** (sujet nom de personne) Sortir du sommeil : *Il se réveille de bonne heure.* — **2.** (sujet nom de personne) *Se réveiller de son assoupissement, de sa léthargie, de sa torpeur,* cesser d'être assoupi, sortir de son indolence, de son inaction (syn. SE REMUER, SE SECOUER). — **3.** (sujet nom de chose) Se ranimer, se raviver : *Il sent ses douleurs se réveiller* (syn. RENAÎTRE). ◆ **réveil** n. m. **1.** Action de se réveiller; passage du sommeil à l'état de veille : *Sauter du lit dès son réveil.* — **2.** *Sonner le réveil*, sonner le clairon pour réveiller les soldats. — **3.** Retour à l'activité : *Le réveil de la nature au printemps.* ◆ **réveille-matin** n. m. inv. ou **réveil** n. m. Petite pendule à sonnerie, pour réveiller à une heure déterminée à l'avance.

RÉVEILLON [revɛjɔ̃] n. m. (de *réveiller*). Repas qui se fait au cours de la nuit de Noël ou du Jour de l'an. ◆ **réveillonner** v. i. : *Réveillonner après la messe de minuit.*

REVEL, ch.-l. de cant. de la Haute-Garonne, à 19 km au N.-N.-E. de Castelnaudary; 7 700 hab. Bonneterie.

RÉVÉLER [revele] v. t. (lat. *revelare*, découvrir). **1.** (sujet nom de personne) *Révéler qqch.*, faire connaître ce qui était caché ou inconnu : *Révéler des secrets d'État* (syn. COMMUNIQUER, DIVULGUER). *Révéler ses projets* (syn. DÉVOILER). — **2.** (sujet nom de chose) *Révéler qqch.*, le laisser voir, en être l'indice : *Ce roman révèle un grand talent.* — **3.** (sujet nom désignant Dieu) *Révéler qqch.*, le faire connaître : *Les vérités que Dieu a révélées à son peuple.* ◆ ***se révéler*** v. pr. (sujet nom de personne ou de chose). Se manifester, se faire connaître comme : *Il s'est révélé comme un joueur de grande classe* (syn. APPARAÎTRE). ◆ **révélateur, trice** adj. Se dit d'une chose qui en révèle, en indique une autre. ◆ n. m. Composition chimique qui permet de transformer l'image latente d'une photographie en image visible. ◆ **révélation** n. f. **1.** Action de révéler ce qui était caché, secret. — **2.** Information écrite ou orale qui explique des événements obscurs ou fait connaître des éléments nouveaux : *Il a fait d'étranges révélations à la police.* — **3.** Fait qui apparaît subitement ou qui, une fois connu, en explique d'autres : *La déposition de ce témoin a été une révélation pour les jurés.* — **4.** Personne qui manifeste tout à coup de grandes qualités, un grand talent : *Ce joueur de tennis a été la révélation de l'année.* — **5.** Action de Dieu faisant connaître aux hommes ses mystères, sa volonté, que leur raison ne saurait découvrir. (Prend une majusc.) ◆ **révélé, e** adj. Fondé sur une révélation divine : *Religion révélée.*

REVENANT n. m. → REVENIR 1.

REVENDEUR, EUSE n. → VENDRE 1.

REVENDIQUER [rəvɑ̃dike] v. t. (du lat. *vindicare*, réclamer). **1.** (sujet nom de personne) *Revendiquer qqch.*, réclamer une chose qui nous appartient, qui nous revient légitimement : *Revendiquer sa part d'héritage.* — **2.** (sujet nom désignant une collectivité) Réclamer l'exercice d'un droit politique ou social, une amélioration des conditions de vie ou de travail : *Les ouvriers revendiquent une augmentation de salaire.* — **3.** *Revendiquer la responsabilité de ses actes*, assumer l'entière responsabilité de ce qu'on a fait. ◆ **revendicatif, ive** adj. Qui exprime une revendication : *Un programme revendicatif.* ◆ **revendication** n. f. : *Le ministre du Travail a reçu une délégation d'ouvriers imprimeurs qui lui ont exposé leurs revendications* (syn. RÉCLAMATION).

REVENDRE v. t. → VENDRE 1.

REVENEZ-Y n. m. inv. → REVENIR 1.

1. REVENIR [rəvnir] v. i. (*re-*, et *venir*). [Conj. **22.**] **I. Sujet nom d'être animé. 1.** Venir de nouveau, venir une autre fois : *Les hirondelles reviendront au printemps.* — **2.** Venir à l'endroit d'où l'on est parti : *Revenir à Paris* (syn. RENTRER). *Revenir d'une promenade.* ‖ *Revenir sur ses pas*, faire en sens inverse le chemin qu'on a déjà fait (syn. REBROUSSER CHEMIN). — **3.** *Revenir à une chose*, reprendre, continuer une chose qu'on a abandonnée : *Revenir à ses études* (syn. SE REMETTRE À). *Revenir à ses premières amours* (syn. RETOURNER À). ‖ *J'en reviens toujours là*, je persiste à penser, à dire. ‖ *Revenir à la charge* → CHARGER 3. ‖ *N'y revenez pas*, ne recommencez pas la même faute, la même erreur (formule d'avertissement). — **4.** Passer de nouveau à un état (physique ou moral) antérieur : *Revenir à la vie* (= recouvrer la santé, se rétablir). *Revenir à soi* (= reprendre conscience après un évanouissement). *Revenir à de meilleurs sentiments à l'égard de qq'un.* — **5.** *Revenir d'une chose*, quitter un état physique ou moral : *Revenir de loin*, ou *en revenir*, guérir d'une grave maladie, échapper à un grand danger. ‖ *N'en pas revenir*, être profondément surpris : *Je n'en reviens pas qu'il ait réussi à son examen.* ‖ *Revenir d'une illusion, d'une idée fausse, de ses prétentions*, les abandonner, cesser de les avoir : *Il est revenu de tout* (= tout lui est désormais indifférent). — **6.** *Revenir sur une affaire, sur une question, sur un sujet, sur un chapitre*, les examiner, les traiter de nouveau. ‖ *Revenir sur le passé*, reparler de ce qui a été dit ou fait. ‖ *Revenir sur ce qu'on a dit* ou *promis, sur ses engagements*, changer d'opinion, de sentiments, ne pas tenir sa parole (syn. SE DÉDIRE, SE RÉTRACTER). **II. Sujet nom de chose. 1.** Paraître, se montrer, se présenter, arriver de nouveau : *Un tel événement ne revient pas tous les ans* (syn. AVOIR LIEU). — **2.** Retourner au point de départ : *Comme l'adresse était fausse, la lettre est revenue* ou *lui est revenue* (syn. ÊTRE RENVOYÉ). — **3.** *Revenir à qq'un*, lui être dit, rapporté : *Certains propos qu'on avait tenus sur sa conduite lui sont revenus* (syn. VENIR AUX OREILLES). — **4.** *Revenir à qq'un*, se présenter de nouveau à son esprit : *Son nom me revient maintenant.* — **5.** Être retrouvé, en parlant d'une fonction, d'une faculté, d'un état physique ou moral : *La vue lui est revenue* (syn. ÊTRE RECOUVRÉ). *L'appétit ne lui revient pas.* — **6.** Être dévolu, échoir légitimement à quelqu'un : *Cette place lui revient de droit* (syn. APPARTENIR); avec un infin. : *C'est à vous qu'il revient de diriger cette affaire* (syn. INCOMBER). — **7.** *Fam.* Inspirer confiance, plaire (surtout négativement) : *Il a un air, des manières qui ne me reviennent pas.* — **8.** *Revenir à qqch.*, se résumer à cette chose, y aboutir en définitive : *Cela reviendrait au même* (= ce serait la même chose). *Cela revient à dire que vous acceptez* (= équivaut). — **9.** Fam. *Revenir sur le tapis*, être de nouveau un sujet de conversation. ◆ ***s'en revenir*** v. pr. (sujet nom d'être animé). *Fam.* Revenir de quelque lieu : *Je l'ai rencontré au moment où il s'en revenait du marché.* ◆ **revenant** n. m. Esprit, âme d'un mort qu'on suppose revenir de l'autre monde. ◆ **revenez-y** n. m. inv. Fam. *Avoir un goût de revenez-y*, avoir un goût agréable qui incite à en reprendre : *Ce fromage a un goût de revenez-y.*

2. REVENIR [rəvnir] v. i. (même étym.). [Conj. **22.**] *Faire revenir de la viande, des légumes*, leur faire subir un début de cuisson dans du beurre ou de la graisse.

3. REVENIR [rəvnir] v. i. (même étym.). [Conj. **22.**] Coûter une certaine somme d'argent : *Ce vêtement lui revient à bon marché.* ◆ **revient** n. m. *Prix de revient*, coût total d'une marchandise, d'un produit.

REVENTE n. f. → VENDRE 1.

REVENU [rəvny] n. m. (de *revenir*). **1.** Somme annuelle perçue par une personne ou par une collectivité, soit à titre de rente, soit à titre de rémunération de son activité : *Les revenus d'un domaine agricole.* — **2.** *Impôt sur le revenu*, impôt calculé d'après le revenu des contribuables. ‖ *Revenu national*, ensemble des revenus tirés de l'activité productrice de la nation au cours de l'année.

RÊVER [rɛve] v. i. (du bas lat. *exvagus*, errant). **1.** (sujet nom désignant une personne endormie) Faire des rêves. — **2.** (sujet nom désignant une personne éveillée) Laisser aller son imagination sur des choses vagues : *Au lieu d'écouter en classe, cet élève ne fait que rêver* (syn. ÊTRE DISTRAIT, RÊVASSER). — **3.** (sujet nom de personne) Tenir des propos déraisonnables, extravagants : *Vous rêvez!* ◆ v. t. **1.** *Rêver qqch., rêver que* (et l'indic.), voir en rêve en dormant : *J'ai rêvé que nous partions en voyage.* — **2.** Désirer vivement : *Il n'a pas la situation qu'il avait rêvée.* ◆ v. t. ind. **1.** *Rêver d'une personne, d'une chose*, les voir en rêve. — **2.** *Rêver d'une chose, rêver de* (et l'infin.), souhaiter ardemment cette chose, souhaiter de : *Il a toujours rêvé de faire des voyages.* — **3.** *Rêver à*, y penser, y réfléchir (syn. SONGER); s'abandonner à la rêverie : *À quoi rêvez-vous?* ◆ **rêve** n. m. **1.** Suite d'images qui se présentent à l'esprit pendant le sommeil : *Faire de beaux rêves. Des rêves pénibles* (syn. ↑CAUCHEMAR). — **2.** Idée plus ou moins imaginaire, irréalisable : *Réaliser son rêve.* — **3.** Objet d'un désir : *Il a trouvé la maison de ses rêves.* ◆ **rêverie** n. f. Etat de l'esprit qui s'abandonne à des idées, des images vagues : *Il est perdu dans de continuelles rêveries.* ◆ **rêveur, euse** adj. et n. **1.** Qui se laisse aller à la rêverie : *Une jeune fille rêveuse* (syn. ROMANESQUE). — **2.** Qui indique la rêverie : *Un air rêveur.* ◆ **rêveusement** adv. ◆ **rêvasser** v. i. Se laisser aller à la rêverie.

RÉVERBÉRATION n. f. → RÉVERBÉRER.

RÉVERBÈRE [revɛrbɛr] n. m. (de *réverbérer*). Appareil destiné à l'éclairage des rues, des places publiques : *Réverbère à gaz* (syn. BEC DE GAZ).

RÉVERBÉRER [revɛrbere] v. t. (du lat. *reverberare*, repousser). Renvoyer la lumière, la chaleur : *Les murs réverbèrent la chaleur du soleil.* ◆ **réverbération** n. f. Réflexion et diffusion de la lumière, de la chaleur.

REVERDIR v. i. → VERT 1.

REVERDY (Pierre), poète français (1889-1960). Son œuvre annonce le surréalisme* (*la Guitare endormie*, 1919; *Écumes de la mer*, 1926).

1. RÉVÉRENCE [reverɑ̃s] n. f. (du lat. *revereri*, révérer). Respect profond : *Traiter qq'un avec révérence* (syn VÉNÉRATION). ‖ *Révérence parler*, se dit pour excuser un propos jugé inconvenant. ◆ **révérencieux, euse** adj. Qui traite les gens avec révérence ou qui marque de la révérence (syn. POLI, RESPECTUEUX; contr. IMPOLI, IRRÉVÉRENCIEUX). ◆ **révérencieusement** adv. Avec respect (contr. IRRÉVÉRENCIEUSEMENT). ◆ **révérer** v. t. Honorer, traiter avec un profond respect : *Révérer Dieu, les saints. Révérer la mémoire de qq'un.* ◆ **irrévérence** n. f. **1.** Manque de respect : *S'excuser de son irrévérence.* — **2.** Parole, action irrespectueuse : *Cet article est rempli d'irrévérences à l'égard du pouvoir.* ◆ **irrévérencieux, euse** adj. Qui manque de respect. ◆ **irrévérencieusement** adv.

2. RÉVÉRENCE [reverɑ̃s] n. f. (même étym.). **1.** Mouvement du corps que l'on fait pour saluer, soit en s'inclinant, soit en pliant les genoux : *Faire la révérence.* — **2.** *Tirer sa révérence,* s'en aller d'une façon en général peu polie.

RÉVÉREND, E [reverɑ̃, -ɑ̃d] adj. et n. (du lat. *reverendus,* digne de vénération). Titre d'honneur donné aux religieux, aux religieuses : *La révérende mère supérieure.* ◆ **révérendissime** adj. Titre honorifique donné aux archevêques, aux évêques, aux généraux d'ordres religieux.

RÉVÉRER v. t. → RÉVÉRENCE 1.

RÊVERIE n. f. → RÊVER.

Rêveries du promeneur solitaire, le dernier ouvrage écrit par J.-J. Rousseau (publié en 1782).

1. REVERS [rəvɛr] n. m. (du lat. *reversus,* retourné). **1.** Côté d'une chose opposé au côté principal ou à celui qui se présente d'abord : *Le revers d'une feuille* (syn. DOS, VERSO). *Le revers d'une étoffe* (syn. ENVERS). *Revers de la main* (= dos de la main, opposé à la paume). — **2.** Au tennis, au ping-pong, renvoi de la balle effectué du côté opposé au côté habituel (contr. COUP DROIT). — **3.** Côté d'une médaille, d'une monnaie opposé à celui où est la figure : *Le revers d'une pièce* (syn. PILE; contr. AVERS, FACE). ‖ *Le revers de la médaille,* l'aspect désagréable d'une chose. — **4.** Chacune des deux parties symétriques d'un vêtement repliées sur la poitrine, dans le prolongement du col : *Les revers d'un veston.* ◆ **réversible** adj. Se dit d'un tissu, d'un vêtement qui peut être porté sur l'envers comme sur l'endroit.

2. REVERS [rəvɛr] n. m. (même étym.). Événement malheureux qui transforme une situation (en mal) : *Revers de fortune* (syn. ÉCHEC). *Il a essuyé de cruels revers* (syn. ÉPREUVE).

REVERSER v. t. → VERSER 2 et 4.

1. RÉVERSIBLE [revɛrsibl] adj. (du lat. *reversus,* retourné). **1.** Qui peut revenir en arrière, en sens inverse : *L'histoire n'est pas réversible.* — **2.** Se dit d'une transformation mécanique, physique ou chimique qui peut, à un instant quelconque, changer de sens sous l'influence d'une modification infinitésimale dans les conditions de production du phénomène. ◆ **réversibilité** n. f. : *La réversibilité d'un mouvement.* ◆ **irréversible** adj. **1.** Qui n'agit que dans un sens et ne peut revenir en arrière. — **2.** *Chim.* Se dit d'une réaction qui se poursuit jusqu'à son achèvement et qui n'est pas limitée par la réaction inverse. ◆ **irréversibilité** n. f. : *L'irréversibilité d'une réaction chimique.*

2. RÉVERSIBLE adj. → REVERS 1.

1. REVÊTIR [rəvetir] v. t. *(re-,* et *vêtir).* [Conj. **27.**] **1.** Mettre sur soi un vêtement particulier : *Revêtir l'uniforme.* — **2.** (sujet nom de chose) Prendre telle ou telle apparence : *Le langage est l'une des formes que revêt la pensée pour s'exprimer.* ◆ **revêtu, e** adj. *Être revêtu d'un pouvoir, d'une dignité, d'une autorité,* en être investi (syn. DOTÉ, POURVU).

2. REVÊTIR [rəvetir] v. t. (même étym.). [Conj. **27.**] Garnir d'un revêtement (sens 1) : *Revêtir un mur de boiseries.* ◆ **revêtement** n. m. **1.** Matériau dont on recouvre une construction pour la consolider, la protéger ou la décorer : *Le revêtement est tantôt un simple enduit de ciment, de plâtre ou de stuc, tantôt une marqueterie de marbre ou de mosaïque.* — **2.** Partie supérieure d'une chaussée, constituée par une couche de matériaux présentant une surface continue. — **3.** Tout ce qui sert à recouvrir pour protéger, consolider : *Garnir les tuyaux d'un chauffage central d'un revêtement qui empêche la déperdition de la chaleur* (syn. ENVELOPPE).

3. REVÊTIR [rəvetir] v. t. (même étym.). [Conj. **27.**] Pourvoir un acte, un document des formes nécessaires pour qu'il soit valide : *Revêtir un passeport d'un visa.*

RÊVEUR, EUSE adj. et n., **RÊVEUSEMENT** adv. → RÊVER.

REVIENT n. m. → REVENIR 3.

REVIGORER [rəvigɔre] v. t. (de *re-,* et lat. *vigor,* vigueur). *Revigorer qq'un,* lui redonner des forces, de la vigueur : *Prenez ce verre de vin, cela va vous revigorer* (syn. REMONTER).

REVIN, ch.-l. de cant. des Ardennes, à 9 km au S.-O. de Fumay; 10 600 hab. Métallurgie. Centrale hydraulique.

REVIREMENT [rəvirmɑ̃] n. m. (de *re-,* et *virer*). Changement brusque et complet dans les opinions, dans la manière d'agir d'une personne ou d'une collectivité (syn. RETOURNEMENT, VOLTE-FACE).

RÉVISER [revize] v. t. (lat. *revisere,* revenir voir). **1.** *Réviser qqch.,* l'examiner de nouveau pour le corriger, le modifier s'il y a lieu : *Réviser un procès.* — **2.** Étudier de nouveau ou relire ce qu'on a déjà étudié en vue d'une composition, d'un examen ou d'une interrogation : *Réviser sa leçon.* — **3.** *Réviser une machine, une installation,* etc., leur faire subir les vérifications et les réparations nécessaires pour les remettre en état : *Réviser une voiture, un moteur.* ◆ **révision** n. f. **1.** Action de réviser, d'examiner de nouveau : *La révision d'un procès, d'une machine.* — **2.** Modification d'un texte juridique en vue de l'adapter à une situation nouvelle : *Révision de statuts d'un contrat, d'une constitution.* — **3.** Action de revoir son programme d'études. — **4.** *Conseil de révision,* ancienne juridiction administrative qui jugeait de l'aptitude des jeunes gens au service militaire.

RÉVISIONNISME [revizjɔnism] n. m. (de *réviser*). **1.** Attitude de ceux qui remettent en cause les bases fondamentales d'une doctrine. — **2.** Attitude de certains partis communistes, violemment critiquée par d'autres (notamment par la tendance maoïste), qui seraient favorables à une révision idéologique. ◆ **révisionniste** adj. et n. Qui est partisan de la révision d'une constitution, d'une doctrine politique.

REVIVISCENCE [rəvivisɑ̃s] n. f. (du lat. *reviviscere,* revenir à la vie). **1.** Propriété de certains animaux ou végétaux qui peuvent, après avoir été desséchés, reprendre vie quand on leur rend l'eau nécessaire. — **2.** *Psychol.* Réapparition d'un état de conscience déjà éprouvé : *La reviviscence d'une émotion.*

REVIVRE [rəvivr] v. i. (lat. *revivere*). [Conj. **63.**] **1.** Revenir à la vie : *Jésus-Christ fit revivre Lazare* (syn. RESSUSCITER). — **2.** *Revivre dans qq'un,* se continuer dans une personne : *Les parents revivent dans leurs enfants.* — **3.** Reprendre des forces, de l'énergie : *Il se sent revivre quand il est à la montagne.* — **4.** *Faire revivre une chose,* la remettre en usage, en vogue, en honneur : *Faire revivre une mode.* — **5.** *Faire revivre un personnage, une époque,* leur redonner une sorte de vie par l'imagination, par l'art : *Cet historien sait faire revivre les personnages du passé.* ◆ v. t. Repasser dans son esprit : *Revivre ses jeunes années.*

RÉVOCABLE adj., **RÉVOCATION** n. f. → RÉVOQUER 1 et 2.

REVOICI, REVOILÀ particules présentatives → VOICI.

REVOIR [rəvwar] v. t. *(re-,* et *voir).* [Conj. **41.**] **1.** *Revoir une personne, une chose,* la voir de nouveau : *Cela me fait plaisir de vous revoir.* — **2.** *Revoir un lieu,* y revenir : *Il n'a pas revu son pays natal depuis de nombreuses années.* — **3.** Regarder de nouveau : *Aller dans un musée revoir les tableaux que l'on aime.* — **4.** *Revoir un texte,* l'examiner de nouveau pour le corriger, pour le mettre au point (syn. RÉVISER). — **5.** *Revoir une matière intellectuelle,* l'étudier de nouveau ou la relire pour se la rappeler : *Revoir sa leçon* (syn. RÉVISER). — **6.** *Revoir qq'un, qqch.,* se les représenter par la mémoire : *Je vous revois encore.* ◆ ***se revoir*** v. pr. **1.** Se voir soi-même en imagination : *Je me revois, le jour de la rentrée, à l'école.* — **2.** (sujet nom de personne) Être de nouveau en présence l'un de l'autre : *Ils ne se sont pas revus depuis longtemps.* ◆ n. m. *Au revoir,* formule de politesse pour prendre congé de quelqu'un. ◆ **revue** n. f. **1.** Action d'examiner avec soin : *Faire la revue de ses livres.* — **2.** *Revue de presse,* compte rendu des articles de journaux parus dans la semaine, et reflétant des opinions politiques différentes.

1. RÉVOLTER [revɔlte] v. t. (it. *rivoltare,* retourner). *Révolter qq'un,* le remplir d'indignation, le choquer vivement : *Une telle injustice vous révolte* (syn. ÉCŒURER, INDIGNER). ◆ **révoltant, e** adj. Se dit de ce qui révolte : *Des abus révoltants.* ◆ **révolté, e** adj. Rempli d'indignation.

2. RÉVOLTER (SE) [sərevɔlte] v. pr. (même étym.). **1.** *Se révolter contre l'autorité établie,* se soulever contre elle. — **2.** *Se révolter contre qq'un,* refuser de lui obéir (syn. SE REBELLER). ◆ **révolté, e** adj. et n. En état de révolte (syn. INSURGÉ, MUTIN, REBELLE). ◆ **révolte** n. f. **1.** Soulèvement contre l'autorité établie : *Fomenter une révolte* (syn. INSURRECTION, SÉDITION). *Une révolte de paysans* (= une jacquerie), *de soldats* (= une mutinerie). — **2.** Refus d'obéissance, opposition violente à une autorité quelconque (syn. RÉBELLION).

RÉVOLU, E [revɔly] adj. (du lat. *revolutus,* qui a achevé son circuit). Se dit d'une période de temps qui est écoulée, terminée : *Il a quarante ans révolus* (syn. ACCOMPLI).

1. RÉVOLUTION [revɔlysjɔ̃] n. f. (lat. *revolutio,* retour). Mouvement circulaire par lequel une planète, un astre revient à son point de départ (terme d'astronomie) : *La révolution de la Terre autour du Soleil.*

2. RÉVOLUTION [revɔlysjɔ̃] n. f. (même étym.). **1.** Renversement d'un régime politique qui amène de profondes transformations dans les institutions d'une nation : *La révolution de 1830, de 1848. La Révolution* (= celle de 1789). — **2.** Changement important dans l'ordre économique, social, moral d'une société : *Une profonde révolution industrielle s'est opérée au cours du XVIIIe s.*

— **3.** *Fam.* Agitation vive, mais passagère : *On vient de cambrioler une boutique, tout le quartier est en révolution* (syn. EFFERVESCENCE). ◆ **révolutionnaire** adj. **1.** Relatif à une révolution politique : *Une période révolutionnaire.* — **2.** Issu d'une révolution politique : *Un tribunal révolutionnaire.* — **3.** Qui favorise ou provoque un changement radical : *Théorie scientifique révolutionnaire.* ◆ n. Partisan d'une révolution : *Les révolutionnaires de 1848.* ◆ **révolutionner** v. t. **1.** Mettre en état de révolution, agiter par l'introduction de principes révolutionnaires : *Une théorie qui a révolutionné la science.* — **2.** *Fam.* Provoquer chez quelqu'un le trouble, une vive émotion : *Cette nouvelle l'a révolutionné* (syn. BOULEVERSER). ◆ **contre-révolution** n. f. Mouvement politique et social tendant à détruire les effets d'une révolution précédente et à restaurer les institutions et les privilèges antérieurs. ‖ Pl. des *contre-révolutions.*

Révolution d'Angleterre *(première),* révolution (1642-1649) qui mit fin au règne de Charles Ier et établit la république sous le protectorat de Cromwell.

Elle eut pour principale origine les progrès de l'absolutisme royal des Stuarts et opposa les royalistes aux partisans du Parlement, désireux de limiter les pouvoirs du roi. Après la victoire des parlementaires (1644), le chef de l'armée, Cromwell, soumit le Parlement à son autorité (1648) et prit la direction du pays. Charles Ier fut exécuté en 1649.

Révolution d'Angleterre *(seconde),* révolution pacifique (1688-1689) qui substitua Guillaume III de Nassau à Jacques II Stuart. Elle fut provoquée par la crainte de voir s'établir une dynastie catholique, après la conversion de Jacques II au catholicisme. Son gendre Guillaume d'Orange fut reconnu roi par le Parlement, conjointement avec sa femme (Marie II). Jacques II s'enfuit en France.

Révolution culturelle prolétarienne *(grande),* mouvement révolutionnaire chinois, commencé officiellement en août 1966 et dont la phase active s'est terminée en 1969. Ce mouvement, soutenu par le président Mao Tsö-tong, lancé au sein de la jeunesse étudiante (les gardes rouges) puis des masses ouvrières et paysannes, visait à dégager une nouvelle génération de révolutionnaires, et à éliminer de l'appareil d'État et du parti communiste les éléments « révisionnistes », accusés de vouloir restaurer le capitalisme en s'inspirant du modèle soviétique. Marquée par des luttes de factions dans lesquelles l'armée joua un rôle conciliateur, la révolution culturelle a provoqué, en fait, des excès répressifs très graves et une anarchie généralisée qui désorganisa l'économie chinoise. Après la mort de Mao Tsö-tong (1976), ce mouvement sera totalement abandonné.

Révolution française, ensemble des mouvements révolutionnaires qui ont mis fin en France à l'Ancien Régime.

À la fin du XVIIIe s. le régime féodal est affaibli; la bourgeoisie, enrichie grâce à l'essor du commerce, accède à la propriété foncière et désire désormais une part du pouvoir; les idées des philosophes comme Montesquieu, Voltaire, Diderot, Rousseau, qui combattent l'absolutisme et montrent la nécessité des réformes, se propagent rapidement. D'autre part, l'augmentation des prix à la suite de mauvaises récoltes accroît la misère déjà existante, tandis que le déficit de l'État ne cesse de s'aggraver.

- *1787. Une assemblée de notables convoquée par Calonne refuse un impôt foncier qui pèserait sur les aristocrates.*

Les notables demandent la convocation des états* généraux tandis que partout éclate une révolte aristocratique.

- *5 mai 1789. Les états généraux sont réunis après l'établissement, dans toute la France, de cahiers de doléances.*

La bourgeoisie, prend alors le relais de l'aristocratie. Ses buts sont de détruire les privilèges et d'obtenir l'égalité fiscale et politique dans une société sans ordres*.

- *9 juil. 1789. Les états généraux se proclament Assemblée* nationale constituante, après que de nombreux ecclésiastiques et nobles se soient ralliés à la cause du tiers état.*

Mais la nouvelle du renvoi de Necker suscite la colère du peuple de Paris qui craint par ailleurs un coup de force du roi contre l'Assemblée constituante.

- *14 juil. 1789. Les masses populaires se soulèvent et prennent la Bastille, symbole de l'absolutisme.*

Louis XVI rappelle alors Necker, reconnaît la souveraineté du peuple et adopte la cocarde tricolore. Dans les campagnes la Grande Peur entraîne un début de révolution paysanne.

- *4 août 1789. Les députés, pour calmer l'agitation paysanne, abolissent le régime féodal.*

Mais si les paysans eux-mêmes sont libérés des contraintes féodales, ils doivent encore payer l'affranchissement de leurs terres.

- *26 août 1789. L'Assemblée vote la Déclaration des droits de l'homme et du citoyen.*

Une série de lois (réunies dans la Constitution de 1791) instaure la monarchie constitutionnelle, organise l'administration locale, la justice, les finances (création des assignats). De même, la Constitution civile du clergé est votée. Mais ces transformations ne sont acceptées par le roi que sous la pression du peuple de Paris (journées des 5 et 6 octobre*), et la fuite à Varennes démontre déjà l'impossibilité d'un compromis.

- *1er oct. 1791. La Constituante ayant achevé ses travaux, l'Assemblée législative se réunit.*

Dès le début de son mandat, elle prend une série de décrets contre les émigrés et les prêtres réfractaires.

- *20 avril 1792. La France déclare la guerre à l'Autriche.*

Cette décision a été prise sous l'impulsion des Girondins* qui formeront un ministère le 25 avril. Ils veulent en effet en finir avec les contre-révolutionnaires installés hors de France et qui pensent que les armées étrangères viendront à bout de la Révolution française.

Mais les premiers échecs de la guerre et la politique trop modérée des Girondins, issus pour la plupart de la bourgeoisie d'affaires, creusent un fossé entre ceux-ci et les sans-culottes parisiens.

- *10 août 1792. L'insurrection qui renverse la royauté se fait sans les Girondins.*

Après cette insurrection, la réalité du pouvoir passe aux mains de la Commune de Paris. Par l'institution du suffrage universel et l'armement de tous les citoyens, l'insurrection du 10 août marque l'avènement de la démocratie. Parallèlement, le mouvement révolutionnaire s'amplifie, marqué en particulier par les massacres de Septembre* et la première Terreur, qui prend fin quelques mois après la victoire de Valmy (20 septembre 1792) et la réunion de la Convention* (21 septembre).

- *21 sept. 1792. La Convention abolit la royauté.*
- *6 nov. 1792. La victoire de Jemmapes permet la conquête de la Belgique.*
- *21 janv. 1793. Louis XVI est exécuté.*

Cette exécution consomme la rupture entre les Montagnards* et les Girondins* qui n'ont pas voté la mort du roi. D'autre part elle provoque la formation de la première coalition* européenne contre la France.

- *Mars 1793. Les armées révolutionnaires vaincues refluent vers la frontière française, tandis que Dumouriez, leur général en chef, passe à l'ennemi.*

Ces échecs ainsi que la révolte des vendéens entraînent la chute des Girondins (31 mai - 2 juin). Sous leur gouvernement le tribunal révolutionnaire (10 mars 1792), le Comité de sûreté générale (20 octobre 1792) et le Comité de salut public (6 avril 1793) ont été mis en place. Ils seront les instruments essentiels de gouvernement des Montagnards. Pendant la Convention montagnarde, le pouvoir passe aux mains du Comité de salut public animé par Danton puis par Robespierre. Sous la pression des sans-culottes et devant les difficultés créées par la guerre, le Comité prend une série de mesures dites « de salut public » : levée en masse, mise de la Terreur* à l'ordre du jour, loi contre les suspects, loi du maximum des prix et des salaires, impôts sur les riches, lois de Ventôse.

Mais faisant passer la défense nationale avant tout, le Comité ne veut céder ni aux revendications des sans-culottes, ni aux tentatives modératrices de la bourgeoisie.

- *Mars-avril 1794. Hébert, Danton et leurs partisans sont exécutés.*

La Terreur permet alors d'arrêter les révoltes intérieures de Vendée et de Provence et d'assurer l'exécution des mesures de salut public nécessaires à la défense nationale et à l'enrayement de la crise économique. Mais les premières victoires sur la coalition (Fleurus, 26 juin 1794) semblent prouver que la Terreur est devenue inutile.

- *9 thermidor an II (27 juil. 1794). Le Comité de salut public privé de tout appui dans le pays, est renversé par la Convention. Le lendemain, Robespierre et ses partisans sont exécutés.*

La Convention thermidorienne abolit rapidement la loi du maximum des prix et des salaires et les lois sociales. Une crise économique terrible éclate alors. La Terreur blanche se développe, écrasant en particulier les émeutes de germinal et de prairial tandis que la Vendée est pacifiée.

- *27 déc. 1795. Les Français envahissent les Provinces-Unies.*
- *6 avril 1795. Au traité de Bâle, la France fait reconnaître par la Prusse ses conquêtes de la rive gauche du Rhin.*
- *26 oct. 1795. La Convention thermidorienne se sépare, laissant la place au Directoire*.*

La Convention thermidorienne met fin en fait à l'espoir d'une démocratie égalitaire que la Convention montagnarde avait esquissée par ses mesures révolutionnaires. Cependant l'ancienne société a été détruite irréversiblement par la Révolution et la bourgeoisie est désormais au pouvoir.

révolution française de 1830 → JUILLET 1830 *(journées de).*

révolution française de 1848, mouvement révolutionnaire

qui mit fin à la monarchie de Juillet et établit la IIe République. L'interdiction d'un banquet prévu par l'opposition libérale déclencha un soulèvement populaire qui entraîna l'abdication de Louis-Philippe (23-24 février). La république fut proclamée par un gouvernement provisoire.

Révolution russe de 1905, mouvement révolutionnaire qui suit l'annonce de la défaite russe devant le Japon.

- *22 janv. [9 janv., calendrier julien] 1905. Une manifestation populaire est noyée dans le sang (Dimanche rouge).*

Le mouvement s'amplifie, touchant l'armée (mutinerie du cuirassé *Potemkine*), tandis que les ouvriers s'organisent en soviets. Le tsar fait des concessions à l'opposition libérale et accorde l'élection d'une douma (= assemblée parlementaire). Puis son gouvernement s'attaque à l'opposition ouvrière et aux bolcheviks.

- *15 [2] janv. 1906. Après avoir fait arrêter les membres du soviet de Saint-Pétersbourg, Nicolas II fait réprimer par l'armée la grève générale déclenchée à Moscou le 20 [7] décembre.*

La révolution est brisée, mais elle a été pour les révolutionnaires une « répétition générale ».

Révolution russe de 1917, ensemble du processus révolutionnaire qui mène la Russie du tsarisme à l'U. R. S. S. en deux phases : la révolution de Février (mars suivant le calendrier julien) et celle d'Octobre (novembre). Les troubles de l'année 1917, communs à toute l'Europe en guerre, prennent en Russie une forme insurrectionnelle du fait de l'incapacité du tsarisme à mener une guerre longue, des pertes humaines élevées et de la misère populaire.

- *8-15 mars. Les grèves sont suivies d'émeutes antigouvernementales qui, après la défection d'une partie de l'armée, entraînent la démission de Nicolas II.*

Un gouvernement provisoire se forme à partir de la douma*, gouvernement dont la politique modérée va se heurter à l'opposition croissante d'un pouvoir de fait, le soviet des ouvriers et soldats de Petrograd. Les bolcheviks, seul parti à s'opposer au gouvernement de coalition à partir de mai et à soutenir les revendications populaires (arrêt de la guerre et distribution de la terre aux paysans), voient leur influence s'accroître.

- *17 juillet. Les bolcheviks sont mis hors la loi et leur chef, Lénine, doit s'enfuir en Finlande.*

Le gouvernement sous la direction de Kerenski devient dictatorial, mais la tentative manquée de coup d'État du général Kornilov montre son isolement.

- *6-7 novembre [24 et 25 octobre du calendrier julien]. Les bolcheviks appuyés par la garnison de Petrograd s'emparent de la ville sans grande résistance.*

Puis ils font ratifier l'insurrection par le IIe Congrès des soviets après avoir occupé Moscou et prennent les premières mesures pour modifier le régime social et obtenir la paix.

RÉVOLUTIONNAIRE adj. et n., **RÉVOLUTIONNER** v. t. → RÉVOLUTION 2.

REVOLVER [revɔlvɛr] n. m. (mot angl.; de *to revolve*, retourner). Arme à feu portative, de petite taille, dont l'approvisionnement est automatique.

1. RÉVOQUER [revɔke] v. t. (lat. *revocare*, rappeler). *Révoquer un fonctionnaire*, lui ôter pour des raisons de mécontentement les fonctions, les pouvoirs qu'on lui avait confiés : *Révoquer un magistrat* (syn. CASSER, DESTITUER). ◆ **révocable** adj. Qui peut être révoqué. ◆ **révocation** n. f. : *La révocation d'un professeur.*

2. RÉVOQUER [revɔke] v. t. (même étym.). *Révoquer un arrêt, un contrat, une donation*, etc., les annuler. ◆ **révocable** adj. *Un choix révocable.* ◆ **révocation** n. f. : *La révocation de l'édit de Nantes en 1685* (syn. ANNULATION). ◆ **irrévocable** adj. Sur quoi il est impossible de revenir : *Une décision irrévocable* (syn. DÉFINITIF). ◆ **irrévocablement** adv. : *Date irrévocablement fixée.*

1. REVUE n. f. → REVOIR.

2. REVUE [rəvy] n. f. (de *revoir*). Cérémonie militaire au cours de laquelle les troupes en grande tenue sont présentées à des personnalités civiles ou militaires et défilent : *La revue du 14-Juillet.* ‖ *Passer des troupes en revue*, inspecter des militaires rassemblés en un endroit.

3. REVUE [rəvy] n. f. (même étym.). Publication périodique où sont traitées des questions variées (politiques, littéraires, scientifiques, etc.).

4. REVUE [rəvy] n. f. (même étym.). **1.** Pièce comique ou satirique qui met en scène des personnages connus, des événements de l'actualité : *Une revue de chansonniers.* — **2.** Spectacle de music-hall à grand déploiement de mise en scène.

RÉVULSÉ, E [revylse] adj. (du lat. *revulsus*, arraché). *Yeux révulsés*, tournés de telle sorte qu'on ne voit presque plus la pupille (sous l'effet d'une émotion violente).

RÉVULSIF [revylsif] n. m. (du lat. *revulsus*, arraché). Se dit des médicaments qui produisent une révulsion : *Les sinapismes, les ventouses sont des révulsifs.* ◆ **révulsion** n. f. Irritation locale provoquée pour faire cesser un état congestif ou inflammatoire.

REWBELL ou **REUBELL** (Jean-François), homme politique français (1747-1807). Conventionnel, président des Cinq-Cents, puis directeur de 1796 à 1799, il fit organiser le coup d'État du 18 fructidor* contre les royalistes.

REYKJAVIK, capit. de l'Islande, sur le littoral sud-ouest de l'île; 120 000 hab. Principal port et ville du pays, elle concentre plus de 40 p. 100 de la population totale. Pêche et conserveries.

REYNAUD (Émile), inventeur français (1844-1918), l'un des pionniers du dessin animé.

REYNAUD (Paul), homme politique français (1878-1966). Président du Conseil et ministre des Affaires étrangères en 1940, il démissionne le 16 juin. Interné par le gouvernement de Vichy (1940-1942), il fut déporté par les Allemands (1942-1945).

REYNOLDS (Joshua), peintre anglais (1723-1792), l'un des plus grands portraitistes du XVIIIe s.

REZA CHĀH PAHLAVI → PAHLAVI (Reza chāh).

REZ-DE-CHAUSSÉE [redʃose] n. m. inv. (de l'anc. fr. *rez*, ras, *de*, et *chaussée*). Partie d'une habitation située au niveau du sol.

REZÉ, ch.-l. de cant. de la Loire-Atlantique, au S. de Nantes; 33 900 hab. *(Rezéens).*

R. F. A., sigle de la *République fédérale allemande.* (→ ALLEMAGNE.)

1. RHABILLER v. t. → HABILLER.

2. RHABILLER [rabije] v. t. (de *re-*, et *habiller*). *Rhabiller une montre, une pendule*, les remettre en état (techn.) [syn. RÉPARER].

RHADAMANTHE. *Myth. gr.* Un des trois juges des Enfers, fils de Zeus et frère de Minos.

RHAMNACÉES [ramnase] n. f. pl. (du gr. *rhamnos*, nerprun). Famille de plantes dialypétales, comprenant le *nerprun*, le *jujubier*.

RHAPSODIE [rapsɔdi] n. f. (du gr. *rhaptein*, coudre, et *ôdê*, chant). Composition musicale de forme libre et construite sur des thèmes folkloriques : *Les « Rhapsodies hongroises » de Liszt.*

RHEE (REE SYN MAN, dit **Syngman**), homme d'État coréen (1875-1965), président de la république de Corée du Sud de 1948 à 1960.

RHÉNAN, E [renɑ̃, -an] adj. (de *Rhin*). Relatif au Rhin; situé aux bords du Rhin : *Les pays rhénans.*

RHÉNAN (Massif schisteux), massif ancien d'Allemagne, situé dans le prolongement de l'Ardenne et entaillé par la vallée du Rhin. V. pr. *Coblence.*

Les plateaux, froids, en partie couverts par la forêt, se dépeuplent. La vie se concentre dans les vallées (Rhin, Moselle, Lahn), au climat plus doux, dont la vigne et le tourisme constituent les principales ressources.

RHÉNANIE, en all. **Rheinland,** région de l'Allemagne, sur le Rhin, de la frontière française à la frontière néerlandaise.

RHÉNANIE-DU-NORD-WESTPHALIE, en all. **Nordrhein-Westfalen,** État d'Allemagne; 34 044 km²; 17 193 000 hab. (505 au km²). Capit. *Düsseldorf.*

L'État s'étend au S. sur une partie du Massif schisteux rhénan et le bassin d'Aix-la-Chapelle, au centre sur la région de la Ruhr et au N. sur le bassin de Münster. C'est l'État le plus peuplé d'Allemagne et il joue un rôle prépondérant dans son économie grâce aux bassins houillers d'Aix-la-Chapelle et surtout de la Ruhr* qui ont donné naissance à une puissante industrie où figurent tous les secteurs d'activité.

RHÉNANIE-PALATINAT, en all. **Rheinland-Pfalz,** État d'Allemagne, s'étendant sur le Massif schisteux rhénan; 19 837 km²; 3 690 000 hab. (186 au km²). Capit. *Mayence.*

C'est un État essentiellement agricole. L'élevage se développe sur les plateaux tandis que les vallées, abritées, portent de beaux vignobles. L'industrie se concentre dans les grandes villes sur le Rhin : Mayence et Ludwigshafen (chimie).

RHÉOSTAT [reɔsta] n. m. (du gr. *rheos*, courant, et lat. *stare*, rester immobile). *Électr.* Résistance variable qui, placée dans un circuit, permet de modifier l'intensité du courant.

RHÉSUS [rezys] n. m. (de *Rhêsos*, roi légendaire de Thrace). Singe du genre macaque vivant dans le nord de l'Inde, utilisé pour les recherches de laboratoire. ‖ *Facteur Rhésus* → FACTEUR 3.

RHÉTORIQUE [retɔrik] n. f. (gr. *rhêtorikê*). **1.** Ensemble de

LOCALITÉS PRINCIPALES	NOMBRE D'HAB.
Strasbourg	252 300
Haguenau	29 700
Schiltigheim	29 700
Illkirch-Graffenstaden	21 100
Bischheim	16 200
Sélestat	15 500
Lingolsheim	14 700
Bischwiller	10 800
Saverne	10 500
Hœnheim	10 400

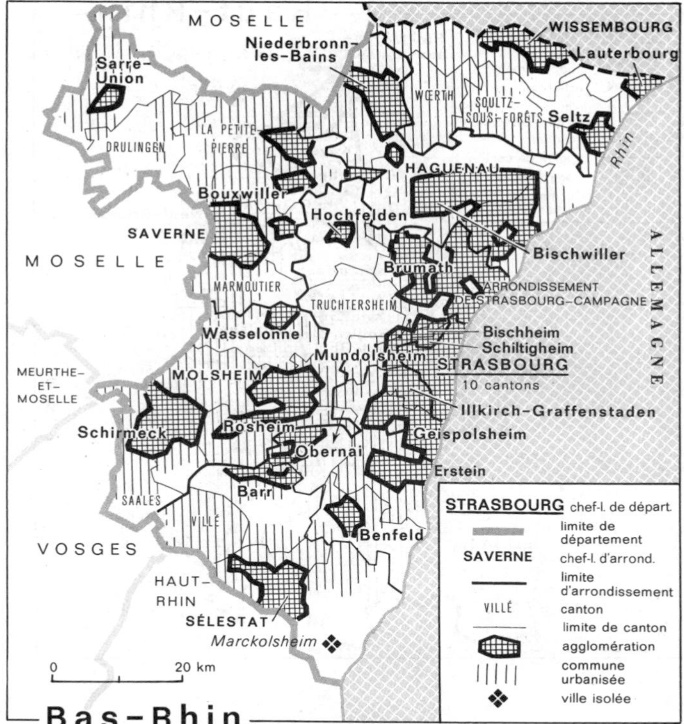

Bas-Rhin

procédés constituant l'art de bien parler. ‖ *Figure de rhétorique,* tournure de style qui rend plus vive l'expression de la pensée : *L'allégorie, la métaphore, l'inversion, l'hyperbole sont des figures de rhétorique.* — **2.** *Péjor.* Discours pompeux, mais vide d'idées, de faits : *Le sermon que nous avons entendu n'est que de la rhétorique.* ◆ **rhéteur** n. m. **1.** Celui qui, chez les Anciens, enseignait l'art de l'éloquence. — **2.** *Péjor.* Homme dont l'éloquence est emphatique et déclamatoire. ◆ **rhétoriqueur** n. m. Nom que se donnaient les poètes de cour en France, en Bourgogne, en Flandre et en Bretagne au XVe s. et dont les ouvrages (chroniques, poèmes historiques ou moraux) se caractérisent par l'enflure et la prétention du style.

RHEYDT, v. d'Allemagne (Rhénanie-du-Nord-Westphalie), dans la Ruhr; 100 100 hab. Métallurgie. Textiles.

RHIN (le), en all. **Rhein,** en néerl. **Rijn,** fl. d'Europe occidentale; 1 320 km. Né en Suisse, le Rhin est formé par la réunion de deux torrents alpins : le *Rhin antérieur,* issu du massif du Saint-Gothard, et le *Rhin postérieur,* issu du massif de l'Adula. Son cours est torrentiel jusqu'au lac de Constance qui le régularise. Il traverse le Jura en une étroite vallée (chutes de Schaffhouse), puis s'étale dans la plaine du Rhin, formée par le fossé d'effondrement d'Alsace et de Bade, où il reçoit l'Ill (r. g.), le Neckar et le Main (r. dr.). Au-delà de Mayence, il traverse le Massif schisteux rhénan par la « Trouée héroïque », où il se grossit de la Moselle (r. g.) et de la Lahn (r. dr.). À partir de Cologne, il coule définitivement en plaine, reçoit la Ruhr (r. dr.) et, passé la frontière des Pays-Bas, se divise en deux bras principaux, le *Waal* et le *Lek,* qui se ramifient avant de se jeter dans la mer du Nord en un grand delta.

Son régime, aux basses eaux d'hiver et de printemps dans son cours supérieur, se régularise à partir de Bâle grâce à ses affluents.

Le Rhin joue un rôle économique considérable. Reliant la Suisse, l'est de la France, l'Allemagne (Ruhr) et les Pays-Bas, il constitue la plus grande voie navigable d'Europe occidentale. Accessible aux chalands de 2 000 t jusqu'à Bâle, il est jalonné par des ports fluviaux actifs : Bâle, Strasbourg, Ludwigshafen-Mannheim, Duisburg-Ruhrort, Rotterdam. Le Rhin est enfin une importante source d'hydro-électricité : centrales suisses et allemandes du Jura, centrales françaises du grand canal d'Alsace.

RHIN (Bas-) [67], dép. formé d'une partie de l'Alsace (Région Alsace); 4 755 km²; 915 700 hab. (191 au km²) [France : 103]. Ch.-l. *Strasbourg.*

ADMINISTRATION. 7 arrond. (*Haguenau,* 108 600 hab.; *Molsheim,* 75 900 hab.; *Saverne,* 85 000 hab.; *Sélestat-Erstein,* 119 600 hab.; *Strasbourg-Campagne,* 219 800 hab.; *Strasbourg-Ville,* 248 700 hab.; *Wissembourg,* 58 100 hab.). / 44 cant. / 519 comm.

Le département s'étend au N.-O. sur l'extrémité septentrionale du *plateau lorrain* (région de Sarre-Union), à l'O. sur la moitié nord (la moins élevée) de la chaîne des *Vosges.* Sa partie centrale correspond à la *plaine du Rhin* (particulièrement dans la région du confluent de l'Ill). L'éloignement de la mer, l'abri partiel des Vosges expliquent la continentalité du climat, marqué par une certaine rigueur des hivers, qui n'empêche pas une densité générale d'occupation élevée.

L'*agriculture* n'emploie que 5 p. 100 de la population active. Cependant la production est importante dans la plaine, où se juxtaposent céréales et cultures industrielles (tabac, houblon).

L'*industrie* occupe plus des deux cinquièmes de la population active, et dispose aujourd'hui d'une importante base énergétique (hydro-électricité et raffinage du pétrole). Elle est surtout représentée dans l'agglomération de Strasbourg.

La prépondérance du *secteur tertiaire* est liée également à l'importance de Strasbourg, capitale régionale dont le dynamisme démographique entre pour beaucoup dans l'accroissement de population du département.

RHIN (Haut-) [68], dép. formé d'une partie de l'Alsace (Région Alsace); 3 525 km²; 650 400 hab. (185 au km²) [France : 103]. Ch.-l. *Colmar.*

ADMINISTRATION. 6 arrond. (*Altkirch,* 53 900 hab.; *Colmar,* 125 800 hab.; *Guebwiller,* 67 400 hab.; *Mulhouse,* 284 700 hab.; *Ribeauvillé,* 46 500 hab.; *Thann,* 72 100 hab.). / 31 cant. / 377 comm.

L'ouest du département correspond à la partie méridionale (la plus haute) du massif des Vosges; l'altitude y dépasse généralement 500 m et parfois 1 000 m. L'Est, traversé par le Rhin et l'Ill, appartient à la large plaine d'Alsace. Le climat est caractérisé par des précipitations réduites et des hivers rudes. La densité générale d'occupation est élevée.

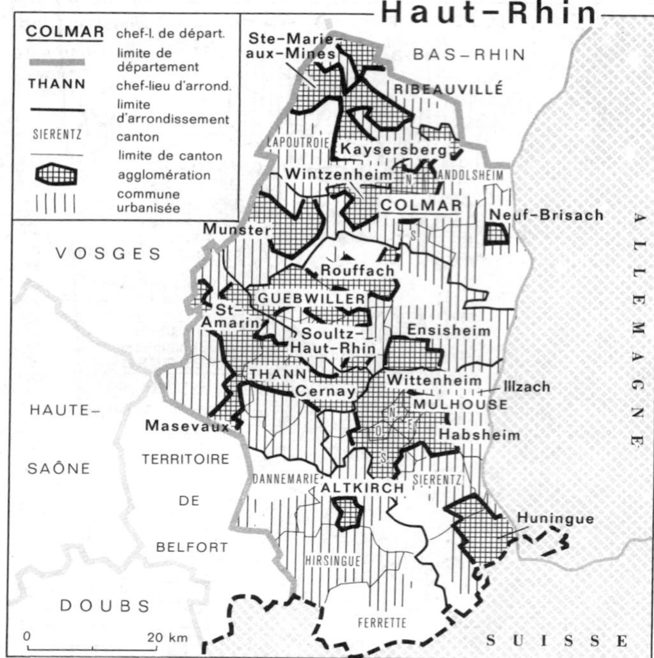

LOCALITÉS PRINCIPALES	NOMBRE D'HAB.
Mulhouse	113800
Colmar	63800
Saint-Louis	18800
Illzach	15600
Wittenheim	13400
Riedisheim	12300
Guebwiller	11100
Rixheim	10800
Cernay	10300
Wittelsheim	10200

L'*agriculture* emploie moins de 5 p. 100 de la population active. La production n'est cependant pas négligeable, illustrée surtout par les vins des collines sous-vosgiennes.

L'*industrie*, très développée, occupe la moitié de cette population active. Elle est surtout représentée à Mulhouse. À côté d'activités extractives (potasse), de fournitures d'électricité (hydraulique et bientôt nucléaire) s'est développé le textile, partiellement relayé par les constructions mécaniques et électriques. La croissance de Mulhouse, dont l'agglomération regroupe plus du tiers de la population départementale, et de Colmar explique l'accroissement de population intervenu récemment.

Rhin *(ligue du)*, ligue formée en 1658 à l'instigation de Mazarin et de l'Électeur de Mayence, par plusieurs princes allemands pour garantir les clauses du traité de Westphalie contre les ambitions de l'empereur germanique. Louis XIV en fut le protecteur.

RHINANTHE [rinɑ̃t] n. m. (du gr. *rhis, rhinos,* nez, et *anthos,* fleur). Plante des prairies, parasite d'autres plantes par ses racines. (Famille des scrofulariacées.)

RHINAU, comm. du Bas-Rhin, à 17 km au S.-E. d'Erstein; 2200 hab. Centrale hydraulique sur le grand canal d'Alsace.

RHINITE [rinit] n. f. (du gr. *rhis, rhinos,* nez). *Méd.* Inflammation de la muqueuse nasale.

RHINOCÉROS [rinɔserɔs] n. m. (du gr. *rhis, rhinos,* nez, et *keras,* corne). Gros mammifère ongulé d'Afrique et d'Asie, caractérisé par une peau épaisse et plissée, des pattes à trois doigts égaux et par la présence sur le nez d'une ou deux cornes de nature fibreuse.

RHINO-PHARYNX [rinɔfarɛ̃ks] n. m. (du gr. *rhis, rhinos,* nez, et *pharynx*). Partie du pharynx située en arrière des fosses nasales. ◆ **rhino-pharyngite** n. f. *Méd.* Inflammation du rhinopharynx.

RHIZOBIUM [rizɔbjɔm] n. m. (du gr. *rhiza,* racine, et *bios,* vie). Bactérie du sol qui vit en symbiose sur les racines de légumineuses et fixe l'azote* atmosphérique qu'elle transmet à la plante.

RHIZOME [rizom] n. m. (du gr. *rhiza,* racine). *Bot.* Tige souterraine horizontale vivace, portant des racines adventives et des pousses feuillues : *L'iris se développe par rhizomes.*

RHIZOPODES n. m. pl. (du gr. *rhiza,* racine, et *pous, podos,* pied). Embranchement de protozoaires possédant des pseudopodes, et comprenant les *amibes,* les *foraminifères,* les *radiolaires.*

RHÔ [ro] n. m. Lettre de l'alphabet grec* (ρ) correspondant au *r* français.

RHODANIEN *(Sillon* ou *Couloir),* région déprimée, correspondant à la vallée du Rhône, entre le Massif central et les Préalpes.

RHODE ISLAND, État du nord-est des États-Unis, en Nouvelle-Angleterre; 3144 km^2; 968000 hab. Capit. *Providence.*

RHODES, île grecque de la mer Égée (Dodécanèse); 61800 hab. Ch.-l. *Rhodes* (32000 hab.). Tabac. Vin. Pêche des éponges. Tourisme.

L'île connut une grande prospérité à l'époque hellénistique. Devenue italienne en 1912, elle redevint grecque en 1947.

Rhodes *(le Colosse de),* une des Sept Merveilles* du monde.

RHODES (Cecil), homme d'affaires et administrateur colonial anglais (1853-1902). Il s'enrichit dans la prospection du diamant et entreprit la colonisation de la région appelée ultérieurement *Rhodésie.* Premier ministre du Cap, il fut le champion de la politique impérialiste.

RHODÉSIE, région de l'Afrique orientale, dans le bassin du Zambèze. Elle constitua deux territoires du Commonwealth*, la *Rhodésie du Nord* (actuelle *Zambie**) et la *Rhodésie du Sud* (auj. *Zimbabwe* [→ art. suivant]), qui furent intégrés, avec le Nyassaland, en une fédération (1953-1963).

RHODÉSIE, auj. **Zimbabwe,** État du sud-est de l'Afrique; 390000 km^2; 10100000 hab. (26 au km^2). Capit. *Harare* (545000 hab.). Langue : *anglais* → cartes AFRIQUE pp. 48-49.

GÉOGRAPHIE

Le pays s'étend sur des plateaux cristallins, couverts de savane et de forêt claire, s'abaissant au N. vers le Zambèze.

Les Blancs, qui représentent à peine 5 p. 100 de la population, contrôlent encore en partie l'économie. L'*agriculture* associe la production de maïs et de tabac à l'élevage bovin.

Mais la richesse du pays vient de ses ressources minières, principaux produits d'exportation : chrome, charbon et surtout or et amiante. L'*industrie* (textiles, constructions mécaniques, alimentation) se développe grâce à l'hydro-électricité fournie par le barrage de Kariba, sur le Zambèze.

or	14000 kg	chrome	235000 t
amiante	250000 t	charbon	3 millions de t

HISTOIRE

À partir du IVe s., les hauts plateaux rhodésiens connaissent une civilisation de « mineurs », qui exploitent l'or, le cuivre et l'étain.

Au XIe s., l'arrivée des Bantous, qui forment une aristocratie dirigeante, marque le début de la civilisation des « bâtisseurs ».

Le pays se couvre d'édifices en pierre (ruines de Zimbabwe). Au XVe s., il est unifié sous le nom de *royaume de Monomotapa,* qui passera, au XVIe s., sous l'influence portugaise.

À la fin du XIXe s., Cecil Rhodes et les Anglais, alliés au sein de la British South Africa Chartered Company, exploitent le pays après avoir éliminé les Portugais et réprimé des révoltes.

Colonie en 1911, la Rhodésie du Sud est membre de la Fédération de Rhodésie et Nyassaland de 1953 à 1963.

- *1965. La minorité blanche, pour maintenir ses privilèges, proclame l'indépendance.*
- *1970. Le gouvernement de Ian Smith instaure la république.*
- *1978. Ian Smith conclut un accord avec les dirigeants noirs modérés pour l'élection d'un parlement à majorité noire.*
- *1979. Un Noir, Abel Muzorewa, devient chef du gouvernement, mais il s'oppose, comme son prédécesseur, à des insurgés noirs.*
- *1980. Des élections portent au pouvoir R. Mugabe, leader nationaliste noir. L'indépendance du Zimbabwe est proclamée.*

Le nouveau pouvoir, qui doit faire face à des rebellions en partie d'origine tribale, s'engage à partir de 1984 sur la voie d'une « révolution socialiste » et d'un régime de parti unique.

- *1987. À la faveur d'un amendement constitutionnel établissant un régime présidentiel, R. Mugabe devient chef de l'État.*

RHODIUM [rɔdjɔm] n. m. (mot angl.; du gr. *rhodon,* rose). Métal (Rh) de numéro atomique 45, de densité 12,4, fusible vers 2000 °C, ayant des analogies avec le chrome et le cobalt.

RHODODENDRON [rɔdɔdɛ̃drɔ̃] n. m. (du gr. *rhodon,* rose, et *dendron,* arbre). Arbrisseau de montagne, cultivé pour ses fleurs ornementales. (Famille des éricacées.)

RHODOPE, massif de Bulgarie et de Grèce; 2925 m.

RHODOPHYCÉES [rɔdɔfise] n. f. pl. (du gr. *rhodon,* rose, et *phucos,* algue). Nom scientif. de la classe des ALGUES ROUGES chez lesquelles la chlorophylle est masquée par un pigment rouge.

RHOMBOÈDRE [rɔ̃bɔɛdr] n. m. Parallélépipède dont les six faces sont des losanges isométriques. ◆ **rhomboédrique** adj.

RHÔNE (le), fl. de Suisse et de France; 812 km (dont 522 en France). Né à 1750 m d'alt., au glacier de la Furka, dans le massif du Saint-Gothard, le Rhône draine le couloir du Valais, puis entre dans le lac Léman où ses eaux se décantent. Au sortir du lac, il reçoit l'Arve (r. g.), entre en France, traverse le Jura par des défilés (Bellegarde), remonte vers le N.-O., se grossit de l'Ain (r. dr.), puis vient se heurter, à Lyon (au confluent de la Saône [r. dr.]), au Massif central. Il coule alors du N. au S. entre le Massif central et les Alpes et reçoit l'Isère (r. g.). À partir d'Arles commence le delta.

Le fleuve pose des problèmes difficiles à la navigation. La *Compagnie nationale du Rhône,* créée en 1934, a déjà accompli une œuvre considérable, surtout dans le domaine des aménagements hydro-électriques (Génissiat, Pierre-Bénite, Saint-Vallier, Bourg-lès-Valence, Beauchastel, Baix-le-Logis-Neuf, Montélimar, Donzère-Mondragon, Caderousse, Avignon, Vallabrègues et Arles). Elle vise encore à améliorer les conditions de navigation et à développer l'irrigation. Le fleuve alimente les canaux d'irrigation du Languedoc*. Ses eaux sont encore utilisées pour le refroidissement de grandes centrales thermiques (Loire-sur-Rhône et Aramon) et nucléaires (Bugey, Creys-Malville, Cruas).

RHÔNE *(Côtes du),* coteaux de la vallée du Rhône, au S. de Lyon. Vignobles.

RHÔNE (69), dép. de la bordure orientale du Massif central (Région Rhône-Alpes); 3249 km²; 1445200 hab. (450 au km²) [France : 103]. Ch.-l. *Lyon.*

ADMINISTRATION. 2 arrond. (*Lyon,* 1290300 hab.; *Villefranche-sur-Saône,* 154900 hab.). / 51 cant. / 293 comm.

La majeure partie du département s'étend sur la bordure orientale du Massif central (extrémité méridionale du *Mâconnais* au N., partie des monts du *Beaujolais* à l'O., du *Lyonnais* au S.-O.). Mais l'axe vital, constitué par la *vallée du Rhône,* est situé à l'E., autour de l'importante agglomération lyonnaise, dont la présence explique la très forte densité de population.

L'*agriculture* n'emploie que 3 p. 100 de la population active, engagée pour plus de 40 p. 100 dans le secteur secondaire et pour plus de la moitié dans le tertiaire.

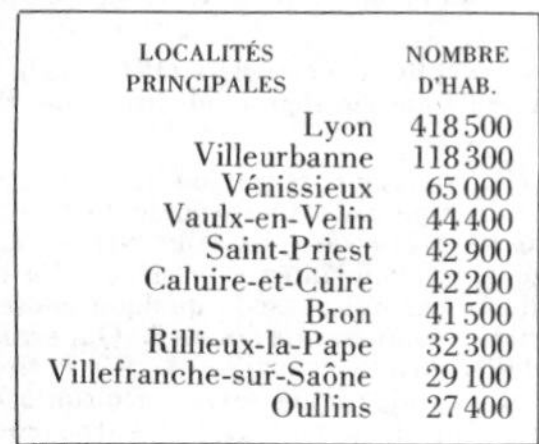

LOCALITÉS PRINCIPALES	NOMBRE D'HAB.
Lyon	418500
Villeurbanne	118300
Vénissieux	65000
Vaulx-en-Velin	44400
Saint-Priest	42900
Caluire-et-Cuire	42200
Bron	41500
Rillieux-la-Pape	32300
Villefranche-sur-Saône	29100
Oullins	27400

RHÔNE-ALPES, Région du sud-est de la France; 43 698 km²; 5 015 900 hab. Ch.-l. *Lyon.*

La Région regroupe huit départements : *Ain, Ardèche, Drôme, Isère, Loire, Rhône, Savoie* et *Haute-Savoie.* Deuxième Région française à la fois par sa superficie (après la Région Midi-Pyrénées) et sa population (après la Région Île-de-France), c'est aussi l'une des plus importantes au point de vue économique. La densité générale d'occupation, de l'ordre de 109 hab. au km², est un peu supérieure à la moyenne nationale. Mais la population se répartit très inégalement, souvent en liaison avec la variété des milieux naturels. Le relief oppose une partie fortement montagneuse (départements savoyards et Isère sud-orientale, Ain oriental, Loire occidentale) à des régions basses (Bresse et Dombes, bas Dauphiné et la majeure partie de la vallée du Rhône).

L'*agriculture* emploie environ 12 p. 100 de la population active. L'élevage bovin domine, surtout dans les Alpes, les cultures se regroupant dans les parties basses ou quelques vallées montagnardes abritées (Grésivaudan).

L'*industrie,* qui occupe plus de 45 p. 100 de la population active, est l'activité dominante : bâtiment, métallurgie de transformation (de l'électrométallurgie à la construction automobile), textile, chimie. Le développement de l'industrie et celui du *secteur tertiaire* sont à rapprocher de l'importance de l'urbanisation.

pétrole raffiné	4,5	millions de t
électricité	88	milliards de kWh

L'agglomération lyonnaise seule regroupe près du quart de la population régionale totale. C'est au dynamisme de ses principales agglomérations que la Région doit un sensible accroissement démographique depuis 1968. Le recul de l'emploi dans l'agriculture a été compensé par la progression dans l'industrie et surtout dans le secteur tertiaire.

Lyon	418 500 hab.	Saint-Étienne	206 700 hab.
Grenoble	159 500 hab.		

Rhône au Rhin *(canal du),* canal de l'est de la France, joignant les deux fleuves par les vallées du Doubs et de l'Ill; 320 km.

RHUBARBE [rybarb] n. f. (lat. *rheubarbarum*). Plante herbacée vivace, à grandes feuilles, dont les racines et les tiges sont laxatives. (Famille des polygonacées.)

RHUM [rɔm] n. m. (angl. *rum*). Eau-de-vie obtenue par la fermentation et la distillation du jus de la canne à sucre et des mélasses des sucres de canne. ◆ **rhumerie** n. f. Usine où l'on fabrique le rhum.

RHUMATISME [rymatism] n. m. (gr. *rheumatismos,* écoulement d'humeurs). Maladie aiguë ou chronique caractérisée par des douleurs dans les muscles ou dans les articulations. ◆ **rhumatisant, e** adj. et n. Atteint de rhumatisme : *Un vieillard rhumatisant.* ◆ **rhumatismal, e, aux** adj. Qui est causé par le rhumatisme : *Une douleur rhumatismale.* ◆ **rhumatologie** n. f. Partie de la médecine qui traite des affections rhumatismales. ◆ **rhumatologue** n. Spécialiste de rhumatologie.

RHUME [rym] n. m. (gr. *rheuma,* écoulement). Affection caractérisée par une inflammation de la muqueuse du nez, de la gorge et des bronches. ‖ *Rhume de cerveau,* inflammation de la muqueuse du nez (syn. CORYZA). ‖ *Rhume des foins,* irritation de la muqueuse des yeux et du nez, produite par une allergie au pollen de graminacées, à la poussière, etc. ◆ **enrhumer** v. t. *Enrhumer qq'un,* lui causer un rhume. ◆ ***s'enrhumer*** v. pr. (sujet nom de personne). Attraper un rhume.

RHUMEL (le) → RUMMEL.

RHUMERIE n. f. → RHUM.

RHUYS *(presqu'île de),* presqu'île fermant le golfe du Morbihan vers le S.

RHYNCHOTES [rɛ̃kɔt] n. m. pl. (du gr. *rhynkhos,* groin). Ordre d'insectes à métamorphoses incomplètes, porteurs d'un rostre contenant des stylets qui leur permettent de se nourrir en aspirant le sang (animaux) ou la sève (végétaux). [Cet ordre était anciennement connu sous le nom d'HÉMIPTÈRES*.]

RHYOLITE [rjɔlit] n. f. (du gr. *rhein,* couler). *Géol.* Roche éruptive voisine du granite.

RHYTIDOME [ritidɔm] n. m. (gr. *rhutidôma,* ride). *Bot.* Ensemble des tissus extérieurs au liège d'une racine ou d'une tige âgée, qui se crevassent ou s'exfolient, et forment ce qu'on appelle usuellement l'ÉCORCE d'un tronc.

RIA [rja] n. f. (mot esp.). Partie aval d'une vallée encaissée envahie par la mer : *Les rias de la côte bretonne.*

RIAD → RIYĀḌ.

RIANT, E adj. → RIRE.

RIAZAN, v. de l'U. R. S. S., au S.-E. de Moscou; 442 000 hab. Raffinage du pétrole. Métallurgie.

RIBAMBELLE [ribɑ̃bɛl] n. f. (orig. incert.). *Fam.* Longue suite de personnes ou d'animaux : *Une ribambelle d'enfants.*

RIBBENTROP (Joachim VON), homme politique allemand (1893-1946). Ministre des Affaires étrangères du IIIᵉ Reich (1938-1945) et l'un des agents les plus efficaces de la politique nazie, il fut condamné à mort par le tribunal de Nuremberg.

RIBEAUVILLÉ, ch.-l. d'arrond. du Haut-Rhin, à 15 km au N.-N.-O. de Colmar; 4 600 hab. *(Ribeauvilléens).* Textiles. Vins.

RIBEIRÃO PRETO, v. du Brésil (État de São Paulo); 218 600 hab.

RIBERA (José DE), dit **l'Espagnolet,** peintre espagnol (v. 1588-1652). Il se fixa à Naples, où son art, puissamment réaliste, fit école. Il travailla de 1637 à 1651 à un ensemble capital, la décoration de la chartreuse de San Martino à Naples. De son œuvre abondante, citons *le Pied-Bot* et *l'Adoration des bergers.*

RIBONUCLÉIQUE [ribonykleik] adj. (de *ribo-,* rad. chimique, et *nucléique*). Se dit d'un groupe d'acides nucléiques, localisés dans le cytoplasme et le nucléole, et qui jouent un grand rôle dans la synthèse des protéines.

RICAMARIE (La), comm. de la Loire, à 5 km au S. de Saint-Étienne; 9 600 hab. Métallurgie. Textiles.

RICANER [rikane] v. i. (de l'anc. fr. *rechaner,* braire). Rire sottement, avec une intention moqueuse, méprisante. ◆ **ricanement** n. m. ◆ **ricaneur, euse** adj. et n. Se dit de quelqu'un (ou de son comportement) qui se plaît à ricaner : *Un air ricaneur.*

RICARDO (David), économiste anglais (1772-1823). Un des premiers théoriciens de l'économie politique classique, il établit notamment la loi de la rente foncière.

RICHARD, E n. → RICHE.

RICHARD Iᵉʳ Cœur de Lion (1157-1199), roi d'Angleterre (1189-1199), troisième fils d'Henri II. Il s'allia à Philippe Auguste contre son père. Devenu roi, il prit une part importante à la 3ᵉ croisade et, au retour, fut retenu en captivité par l'empereur Henri VI, qui en tira une énorme rançon. Remis en liberté, il fit la guerre à Philippe Auguste (1194) et périt devant le château de Châlus. — RICHARD II (1367-1400), roi d'Angleterre (1377-1399), fils d'Édouard, le Prince Noir. Il soutint de longues luttes contre le Parlement anglais et contre son cousin Henri de Lancastre, qui le fit prisonnier. Il mourut en prison. — RICHARD III (1452-1485), roi d'Angleterre (1483-1485) à la suite du meurtre des enfants d'Édouard IV, dont il était le tuteur. Il régna par la terreur et fut tué à Bosworth par Henri Tudor.

Richard II, Richard III, drames historiques de Shakespeare (v. 1595; 1592-1593).

RICHARD (François), dit **Richard-Lenoir,** industriel français (1765-1839). Avec son associé LENOIR, il fonda la première filature de coton en France.

RICHARDSON (Samuel), écrivain anglais (1689-1761), auteur de romans (*Pamela,* 1740; *Clarisse Harlowe,* 1747-1748) qui, par leur réalisme mêlé de sentimentalité, ont renouvelé le genre romanesque.

RICHARDSON (*sir* Owen), physicien anglais (1879-1959), qui découvrit en 1901 les lois de l'émission thermo-électronique. (Prix Nobel de physique, 1928.)

RICHE [riʃ] adj. (frq. *rîki,* puissant) [avant ou après le nom]. **1.** Se dit d'une personne qui possède une grande fortune, de nombreux biens : *Une famille très riche* (syn. FORTUNÉ). **— 2.** Se dit de ce qui a des ressources abondantes et variées : *Un pays riche* (syn. FERTILE). ‖ *Riche en,* qui possède quelque chose en abondance : *Un sous-sol riche en minerai de fer.* **— 3.** Qui est d'un grand prix : *Un riche mobilier* (syn. LUXUEUX). **— 4.** *Rimes riches,* rimes qui ont plus de deux sons identiques (ex. : *battu/qu'as-tu*). ◆ n. m. Personne qui possède de nombreux biens (souvent au plur.) : *Les pauvres et les riches.* ‖ *Nouveau riche,* personne récemment enrichie et qui n'a pas eu le temps de s'adapter à sa nouvelle situation de fortune (syn. PARVENU). ◆ **richard, e** n. *Fam.* et *péjor.* Personne qui a une grande fortune. ◆ **richement** adv. De manière riche (sens 3) : *Être meublé richement* (syn. LUXUEUSEMENT, MAGNIFIQUEMENT). ◆ **richesse** n. f. **1.** Abondance de biens : *Faire étalage de sa richesse* (syn. FORTUNE; contr. DÉNUEMENT, MISÈRE, PAUVRETÉ). *C'est le commerce qui fait la richesse de ce pays* (syn. PROSPÉRITÉ). **— 2.** Abondance de productions naturelles : *La richesse du sol* (syn. FERTILITÉ), *du sous-sol.* **— 3.** Qualité d'une matière fournissant un rendement abondant : *La richesse d'un minerai.* **— 4.** Qualité de ce qui est luxueux ou en a l'aspect : *La richesse d'un décor.* **— 5.** *La richesse du coloris d'un tableau,* l'éclat et la variété des couleurs d'un tableau. **— 6.** *La richesse d'une langue,* l'abondance de termes et de locutions dans cette langue. ◆ n. f. pl. Produits de l'activité économique d'un pays; ressources naturelles. ◆ **richissime** adj. *Fam.* Extrêmement riche. ◆ **enrichir** v. t. **1.** *Enrichir qq'un, une société,* augmenter sa richesse, sa fortune : *Ce commerce l'a rapidement* enrichi (contr. APPAUVRIR). — **2.** *Enrichir qqch.*, l'embellir, le rendre plus abondant, plus varié : *Un livre enrichi de gravures. Des écrivains qui ont enrichi la langue* (= qui y ont fait entrer des mots ou des sens nouveaux) [contr. APPAUVRIR]. *Enrichir son esprit de nouvelles connaissances* (= en étendre le domaine). ◆ ***s'enrichir*** v. pr. Devenir riche; accroître sa richesse. ◆ **enrichi, e** adj. et n. Dont la fortune est récente. ◆ **enrichissant, e** adj. Qui enrichit l'esprit : *Une conversation enrichissante.* ◆ **enrichissement** n. m. : *La culture est un enrichissement de l'esprit* (contr. APPAUVRISSEMENT).

RICHE (La), comm. d'Indre-et-Loire, dans la banlieue ouest de Tours; 7 300 hab. Château de Plessis-lez-Tours.

RICHELET (Pierre), lexicographe français (1626-1698), auteur d'un *Dictionnaire français* (1680).

RICHELIEU (Armand Jean DU PLESSIS, *cardinal* DE), homme d'État français (1585-1642). Cadet d'une famille de petite noblesse, il devient évêque de Luçon, et, à ce titre, participe aux états généraux de 1614 où il défend le « parti dévôt ».

• *1616. Remarqué par Marie de Médicis, il est nommé secrétaire d'État à la Guerre.*

Il réconcilie Louis XIII et sa mère (1620), et obtient la dignité de cardinal en 1622.

• *1624. Il devient le principal conseiller du roi.*

Partisan de l'absolutisme royal, il veut « rabaisser l'orgueil des grands »; aussi il interdit les duels (édits de 1626), fait exécuter ceux qui lui résistent (Montmorency, Cinq-Mars) et contrôle la vie provinciale grâce aux intendants. Voulant « ruiner le parti huguenot », il assiège La Rochelle, principale place forte protestante, qui est prise en 1628, et rase Privas.

• *1629. Par la « paix » (ou « grâce ») d'Alès, il ôte leurs privilèges politiques aux protestants, mais maintient la liberté de culte.*

À l'extérieur, il lutte contre la maison d'Autriche, mais son alliance avec les princes protestants allemands contre les Habsbourg scandalise les « dévôts », dont il triomphe au cours de la *Journée des Dupes* (10 nov. 1630). L'alliance avec Gustave-Adolphe de Suède lui permet de régler la question de la Valteline (traité de Cherasco, 1631) et d'intervenir dans les affaires de l'Empire.

• *1635-1642. La lutte contre l'Espagne lui donne le contrôle de l'Alsace (prise de Brisach, 1638) et du Roussillon (1642).*

Sa politique économique, destinée à renforcer le pouvoir royal (colonisation du Canada et des Antilles, création de compagnies de commerce à monopole), donnant des résultats médiocres, il doit alourdir les impôts pour financer la guerre, ce qui entraîne des soulèvements populaires (croquants du Limousin, 1636-1637, et va-nu-pieds de Normandie, 1639). Malgré l'utilisation d'une propagande favorable à son œuvre politique (*la Gazette* de Renaudot, Académie française qu'il fonde en 1635), sa mort est accueillie avec soulagement, tandis que de nouveaux troubles remettent en cause son œuvre.

RICHELIEU (Armand DE VIGNEROT DU PLESSIS, *duc* DE) [1696-1788], maréchal de France, petit-neveu du précédent. Il se distingua à Fontenoy (1745) et fut gouverneur de Gascogne et de Guyenne.

RICHELIEU (Armand Emmanuel DU PLESSIS, *duc* DE), homme politique français (1766-1822). Premier ministre sous la Restauration (1815-1818 et 1820-1821), il signa le second traité de Paris et représenta la France au congrès d'Aix-la-Chapelle, où il obtint la libération du territoire.

RICHEMENT adv. → RICHE.

RICHEMONT, comm. de la Moselle, à 9,5 km au S. de Thionville; 1 800 hab. Centrale thermique.

RICHESSE n. f. → RICHE.

RICHIER (Ligier), sculpteur lorrain (v. 1500-1567). Par le caractère pathétique et réaliste de ses œuvres, il est plus lié à la tradition médiévale qu'à celle de la Renaissance. Son chef-d'œuvre est la *Statue funéraire de René de Chalon* (Bar-le-Duc).

RICHISSIME adj. → RICHE.

RICHMOND, v. des États-Unis, capit. de la Virginie, sur la James River; 249 600 hab. Industries chimiques. Tabac. Capitale des sudistes pendant la guerre de Sécession, elle fut prise par les nordistes après un siège difficile (1865).

RICHTER *(échelle de),* graduation (de 1 à 9) mesurant l'intensité des séismes.

RICHTER (Johann Paul Friedrich), dit **Jean-Paul,** écrivain allemand (1763-1825). Après la publication d'*Hesperus* (1795), de *Siebenkäs* (1796), il abandonne l'enseignement pour se consacrer à la littérature. Dans ses romans et ses idylles, il unit l'idéalisme sentimental à une ironie qui fait de son œuvre baroque l'une des plus originales du romantisme allemand (*le Titan,* 1800-1803; *les Années de gourme,* 1804-1805).

RICIN [risɛ̃] n. m. (lat. *ricinus*). Plante dicotylédone vivace des régions chaudes, dont les graines fournissent une huile employée comme purgatif ou comme lubrifiant.

RICOCHET [rikɔʃɛ] n. m. (orig. obscure). **1.** Rebond que fait une pierre jetée obliquement sur la surface de l'eau ou un projectile rencontrant un obstacle : *La balle a fait un ricochet sur le mur.* — **2.** *Par ricochet,* d'une manière indirecte, par contrecoup. ◆ **ricocher** v. i. Faire ricochet : *Le projectile a ricoché sur le mur* (syn. REBONDIR).

RICTUS [riktys] n. m. (mot lat.). Contraction de la bouche qui donne au visage l'expression d'un rire forcé, grimaçant : *Un rictus moqueur, sarcastique.*

RIDE [rid] n. f. (de l'anc. all. *rîden,* tordre). **1.** Pli de la peau sur le visage, le cou, les mains, et qui est ordinairement l'effet de l'âge : *Se faire des rides en plissant le front.* — **2.** Légère ondulation ou sillon sur une surface quelconque : *Le vent forme des rides sur l'eau, sur le sable, sur la neige.* ◆ **rider** v. t. Produire des rides sur. ◆ ***se rider*** v. pr. Se couvrir de rides : *Son front se ride à la moindre contrariété.* ◆ **ridé, e** adj. Couvert de rides : *Un visage tout ridé.* (→ aussi DÉRIDER.)

RIDEAU [rido] n. m. (de *rider*). **1.** Pièce d'étoffe qu'on étend devant une ouverture pour intercepter la vue ou le jour, pour cacher ou préserver quelque chose : *Mettre des rideaux à une fenêtre.* — **2.** Grande draperie placée devant la scène d'une salle de spectacle : *Lever, baisser le rideau.* ‖ *Un lever de rideau,* une petite pièce jouée avant la pièce principale. — **3.** Ensemble, suite de choses susceptibles de former un obstacle à la vue : *Un rideau de peupliers.* ‖ *Rideau de fer,* assemblage de feuilles de tôle, de lames de fer, qui sert à fermer ou à protéger la devanture d'un magasin; rideau métallique pouvant séparer la scène et la salle d'un théâtre en cas d'incendie; expression servant à désigner la frontière qui sépara (de 1946/1949 à 1989) les républiques populaires d'Europe orientale des pays de l'Europe occidentale.

RIDER v. t., **SE RIDER** v. pr. → RIDE.

RIDICULE [ridikyl] adj. (lat. *ridiculus*). **1.** Qui excite le rire, la moquerie : *Vous êtes ridicule de vous habiller de cette façon* (syn. GROTESQUE). — **2.** *Fam.* Se dit d'une personne ou d'une chose qui est déraisonnable : *C'est ridicule de s'entasser à cinq dans cette petite voiture* (syn. ABSURDE, SAUGRENU). — **3.** *Une somme, une quantité ridicule,* une somme, une quantité insignifiante, minime (syn. DÉRISOIRE). ◆ n. m. Ce qui excite le rire, la moquerie dans quelqu'un ou dans quelque chose : *Molière a peint les ridicules de son temps* (syn. TRAVERS). *Il n'a aucun sens du ridicule.* ‖ *Tourner une personne* ou *une chose en ridicule,* se moquer d'une personne ou d'une chose (syn. TOURNER EN DÉRISION). ◆ **ridiculement** adv. **1.** *Marcher ridiculement.* — **2.** Dans des proportions insignifiantes : *Un salaire ridiculement bas* (syn. DÉRISOIREMENT). ◆ **ridiculiser** v. t. *Ridiculiser qq'un, qqch.*, faire rire d'eux, à leurs dépens (syn. PERSIFLER, RAILLER). ◆ ***se ridiculiser*** v. pr. Se couvrir de ridicule.

RIEC-SUR-BELON, comm. du Finistère, à 4,5 km à l'E.-S.-E. de Pont-Aven; 4 200 hab. *(Riécois).* Ostréiculture.

RIEDISHEIM, comm. du Haut-Rhin (dans la banlieue sud-est de Mulhouse); 12 500 hab.

RIEMANN (Bernhard), mathématicien allemand (1826-1866). Il a été l'un des premiers à envisager une géométrie non euclidienne fondée sur l'hypothèse selon laquelle, par un point n'appartenant pas à une droite, on ne peut mener aucune parallèle à cette droite. Ses travaux ont eu un retentissement considérable sur les mathématiques du XIXe siècle.

RIEMENSCHNEIDER (Tilman), sculpteur allemand (v. 1460-1531). Un des maîtres de la sculpture allemande de la Renaissance, il a travaillé sur pierre et sur bois.

RIEN [rjɛ̃] (du lat. *rem,* chose), **PERSONNE** [pɛrsɔn] (lat. *persona*) pron. indéf. Expriment en général la négation ou l'absence, le premier, d'une chose ou d'un animal, le second, d'un être humain. → tableau page suivante.

RIESENER (Jean-Henri), ébéniste français (1734-1806), le principal maître du style Louis XVI.

RIESLING [rislinɡ] n. m. (nom de lieu). Cépage blanc à petits fruits en grappes compactes, cultivé principalement dans les vallées du Rhin et de la Moselle.

RIEUR, EUSE adj. et n. → RIRE.

RIF, chaîne de montagnes du Maroc septentrional, bordant la côte méditerranéenne, de Tanger à l'embouchure de la Moulouya.

De 1921 à 1926, les cultivateurs sédentaires du Rif, dirigés par Abd el-Krim, opposèrent une résistance acharnée à la conquête franco-espagnole.

RIFLE [rifl] n. m. (mot angl.). *Carabine 22 long rifle,* carabine à long canon, ainsi appelée en raison de son diamètre (22/100 de pouce, soit 5,58 mm).

EMPLOI	rien	personne
1. Accompagnés de *ne*, ils expriment la négation ou l'absence d'une chose ou d'un animal *(rien)*, d'un être humain *(personne)*.	*Je ne vois rien dans ce brouillard. Rien n'a pu le décider à venir. Il n'y a rien qui puisse être blâmé dans sa conduite. N'avait-il donc rien à dire? Ça ne vaut rien* (= cela n'a aucune valeur). *On ne peut plus rien pour lui* (= son cas est désespéré).	*Personne ne l'a retrouvé. Il n'y a personne dans la rue. Il n'y a personne parmi nous pour le critiquer* (syn. AUCUN). *Ce n'est la faute de personne* (contr. QUELQU'UN). *Il n'y a personne qui connaisse l'allemand parmi vous? Je n'y suis pour personne.*
Personne et *rien* sont suivis de *de* lorsqu'ils sont accompagnés d'un adjectif ou d'un participe passé.	*Il n'y a rien de perdu : il ne faut pas désespérer. Je n'ai rien d'autre à vous dire pour l'instant.*	*Je ne connais personne de plus heureux que lui ou qu'elle* (*personne* est masculin). *Personne d'autre que lui ne pourra vous renseigner.*
2. *Rien* et *personne* peuvent être renforcés.	*Je ne voudrais pour rien au monde être à sa place. Je n'ai plus rien du tout à faire* (= absolument rien).	*Personne au monde ne sait combien je lui suis attaché.*
3. Non accompagnés de *ne*, ils expriment la négation dans les réponses et les phrases sans verbes.	*« Avez-vous trouvé quelque chose? — Rien. » Rien que son sourire me déplaisait.*	*« Quelqu'un m'a-t-il demandé? — Personne. » « Personne de blessé? — Non. »*
4. Non accompagnés de *ne*, *rien* a le sens de *quelque chose*, et *personne* le sens de *quelqu'un* dans les subordonnées dépendant d'une principale négative, dans une comparative et après *avant que, sans que, sans trop pour.*	*Il s'en est tiré sans rien de grave. Y a-t-il rien de plus stupide que cet accident-là?* (syn. QUELQUE CHOSE). *Il vit presque sans rien* (= sans fortune). *Il est mort subitement, sans que rien le laisse prévoir.*	*Ne pensez pas que vous blesserez personne* (syn. QUELQU'UN). *Je suis parti sans que personne s'en aperçoive. Il le sait mieux que personne* (syn. QUICONQUE).

Rien s'emploie dans un grand nombre de locutions :

1. Avec ÊTRE : *N'être rien,* n'avoir aucune valeur, aucune situation : *Il n'est rien comparativement à son père.* ‖ *N'être rien à qq'un,* n'être ni son parent ni son allié : *Il prétend me connaître, mais il ne m'est rien.* ‖ *Comme si de rien n'était,* comme si l'événement n'avait pas eu lieu. ‖ Fam. *Ça n'est pas rien,* c'est important. ‖ *Il n'en est rien,* c'est absolument faux.

2. Avec FAIRE : *Ça (cela) ne fait rien,* cela n'a aucune importance. ‖ (sujet nom de chose) *Ne faire rien à qq'un,* lui importer peu, ne pas le toucher : *Il semble que tout ceci ne lui fasse rien, il est insensible.* ‖ (sujet nom de personne) *Ne faire rien,* ne pas travailler : *Il passe ses journées au café à ne rien faire.* ‖ *Ne plus rien faire,* n'avoir plus de travail : *Il ne fait plus rien en ce moment; pouvez-vous lui donner du travail?* ‖ (sujet nom de personne) *Ne rien faire à qq'un,* ne lui faire aucun mal : *Je ne lui ai rien fait, je ne sais pas pourquoi elle pleure.* ‖ *Ne faire semblant de rien,* se conduire comme si l'on ne s'intéressait pas à ce qui se passe.

3. Avec AVOIR : *N'avoir rien,* ne posséder aucune fortune. ‖ *N'avoir rien contre qq'un,* n'avoir aucun grief, aucune raison de ressentiment contre lui.

4. *Ne dire rien* (littéralement : *rien qui vaille*), ne provoquer aucun désir, aucune attirance : *Ça ne me dit vraiment rien de sortir aujourd'hui.* ‖ *En moins de rien,* en très peu de temps. ‖ (sujet nom de chose) *Se réduire à rien,* disparaître. ‖ *Ne servir à rien,* n'avoir aucune efficacité, aucun résultat : *Ça ne sert à rien de protester sans cesse.* ‖ *Sortir de rien,* être d'humble origine. ‖ *Ne ressembler à rien,* n'avoir aucune forme, aucun sens. ‖ (sujet nom de personne) *Ne tenir à rien,* n'avoir aucun désir, aucun attachement : *Il ne tient à rien dans la vie.*

5. *De rien, de rien du tout,* sans importance : *C'est un tout petit accident de rien du tout.* ‖ *Pour rien,* gratuitement : *Il me l'a donné pour rien;* pour une somme modique : *J'ai eu cette voiture d'occasion pour rien.* ‖ *Rien que,* seulement.

RIGA, capit. de la Lettonie, port actif sur la Baltique, au fond du *golfe de Riga;* 816 000 hab. Centre industriel : constructions navales.

RIGAUD (Hyacinthe RIGAU Y ROS, dit **Hyacinthe**), peintre français (1659-1743). Il fit de nombreux portraits de personnages officiels en costume d'apparat (*Le Brun, Philippe V d'Espagne, Louis XIV, Bossuet, Louis XV,* etc.).

RIGAUDON ou **RIGODON** [rigɔdɔ̃] n. m. (orig. incert.). Air et danse vive à deux temps, d'origine provençale, qui apparaît dans les ballets et les suites françaises à la fin du XVIIe s.

RIGIDE [riʒid] adj. (lat. *rigidus*). **1.** Se dit d'une chose qui ne fléchit pas ou qui ne plie que difficilement : *Une tige rigide* (contr. FLEXIBLE, SOUPLE). — **2.** Se dit d'une personne (ou de son attitude) d'une sévérité morale rigoureuse. ◆ **rigidité** n. f. **1.** Résistance qu'oppose une substance solide aux efforts de torsion ou de cisaillement : *La rigidité d'une barre de fer.* — **2.** *La rigidité d'un magistrat* (syn. RIGORISME, RIGUEUR). — **3.** *La rigidité cadavérique,* durcissement qui, après la mort, rend les membres rigides.

RIGODON n. m. → RIGAUDON.

RIGOLADE n. f. → RIGOLER.

RIGOLE [rigɔl] n. f. (du lat. *regula,* règle). Petit fossé creusé dans le sol pour l'écoulement des eaux.

RIGOLER [rigɔle] v. i. (orig. incert.). *Fam.* **1.** S'amuser, rire : *On a bien rigolé!* — **2.** Ne pas parler sérieusement : *J'ai dit ça pour rigoler* (syn. PLAISANTER). ◆ **rigolade** n. f. *Fam.* **1.** Plaisanterie, amusement : *Aimer la rigolade.* — **2.** Propos peu sérieux, fantaisiste : *Ce que tu nous dis là, c'est de la rigolade.* — **3.** Chose faite sans effort, comme par jeu : *Pour lui, c'est une rigolade de soulever une caisse de cent kilos.* ◆ **rigolo, ote** adj. *Fam.* Amusant, plaisant. ◆ n. Personne qui aime plaisanter, s'amuser : *Un petit rigolo.*

Rigoletto, opéra de Verdi.

RIGOLO, OTE adj. et n. → RIGOLER.

RIGORISME [rigɔrism] n. m. (du lat. *rigor,* rigueur). Sévérité extrême dans l'interprétation et l'application des règles de la morale ou de la religion (syn. AUSTÉRITÉ, PURITANISME). ◆ **rigoriste** adj. et n. (syn. AUSTÈRE, INTRANSIGEANT, RIGOUREUX, SÉVÈRE).

RIGUEUR [rigœr] n. f. (lat. *rigor*). **1.** Sévérité, dureté extrême : *La rigueur d'une condamnation.* ‖ *Tenir rigueur à qq'un d'une chose,* ne pas la lui pardonner. — **2.** Dureté, âpreté de la température extérieure : *La rigueur de l'hiver.* — **3.** Exactitude, précision dans l'ordre intellectuel : *La rigueur d'un raisonnement.* — **4.** (sujet nom de chose) *Être de rigueur,* être exigé, imposé par les usages : *La tenue de soirée est de rigueur.* ‖ *Terme, délai de rigueur,* terme, délai au-delà duquel aucune prolongation ne sera accordée. — Loc. adv. *À la rigueur*, en cas de nécessité absolue : *À la rigueur, on pourrait lui confier ce travail* (syn. AU PIS ALLER). ◆ **rigoureux, euse** adj. **1.** Se dit d'une personne qui est d'une sévérité inflexible dans sa conduite, dans ses jugements à l'égard des autres (contr. INDULGENT). — **2.** Se dit d'une chose qui est dure, difficile à supporter : *Une discipline rigoureuse* (syn. ↑DRACONIEN). *Un hiver rigoureux* (syn. RUDE). — **3.** Se dit d'une chose qui est d'une exactitude inflexible : *Une observation rigoureuse des règles de la politesse* (syn. STRICT). *Une démonstration rigoureuse* (syn. ↓PRÉCIS). ◆ **rigoureusement** adv. **1.** Avec exactitude, minutie : *Accomplir rigoureusement son devoir* (syn. SCRUPULEUSEMENT). — **2.** Absolument, totalement : *Un fait rigoureusement exact.*

RIJEKA, ancienn. **Fiume,** principal port de Yougoslavie (Croatie), sur l'Adriatique; 132 900 hab. Pétrochimie.

RILKE (Rainer Maria), écrivain autrichien (1875-1926).

Renonçant à une carrière militaire, il fréquente les milieux littéraires de Prague. De cette époque datent ses premiers recueils poétiques d'inspiration romantique (*Couronné de rêve*, 1897). Puis, influencé par les symbolistes, notamment Maeterlinck (*Légende d'amour et de mort du cornette Christophe Rilke*, 1899; *le Livre des images*, 1902), il mène une existence vagabonde, signe de l'inquiétude profonde qui anime son œuvre et de son désir de participer plus concrètement à la réalité de la vie. Cette période voit l'épanouissement de son génie (*le Livre d'heures*, 1905).

• *1923. Publication des « Élégies de Duino » et des « Sonnets à Orphée ».*

Ces recueils de poèmes marquent le sommet de son œuvre : l'amour de la vie s'y exprime avec un accent pathétique qui tente de surmonter l'angoisse de la mort.

RILLE → RISLE.

RILLETTES [rijɛt] n. f. pl. (de l'anc. fr. *rille*, morceau de porc). Viande de porc ou d'oie hachée menu et cuite dans la graisse.

RIMAILHO (Émile), officier et ingénieur français (1864-1954). Il mit au point la construction du canon de 75 et un matériel d'artillerie lourde à tir rapide.

RIMAILLER v. i., **RIMAILLEUR, EUSE** n. → RIME.

RIMAYE [rimaj] n. f. (du lat. *rima*, fente). Crevasse profonde qui se forme au contact entre un glacier et ses parois rocheuses.

RIMBAUD (Arthur), poète français (1854-1891). Ouvertement révolté contre son milieu familial, les convenances, la morale et la religion, il porte cette révolte au cœur même de la poésie en s'en prenant à tous ses aspects. Dans ses premières œuvres, il retrouve inconsciemment les formes traditionnelles de la poésie, mais en même temps il les dénonce en affirmant de nouveaux principes esthétiques, qui caractériseront sa poésie future. Il critique également la religion *(Soleils et Chair)*, le pouvoir politique *(Rages de Césars)*, l'ordre social *(les Assis, À la musique)*.

Selon Rimbaud, la beauté d'un poème ne doit rien au caractère idéal de l'objet représenté, mais tout au langage qui est l'objet même de la poésie. Ainsi la poésie est d'abord un travail sur la langue et les effets qu'elle engendre *(Voyelles, Alchimie du verbe)*. Les *Illuminations* élaborent ce langage nouveau « résumant tout, parfums, sons, couleurs » et fixent de nouveaux « vertiges ». Dans ces poèmes en prose, Rimbaud tente d'accéder à la vision d'une réalité autre. Mû par ses propres vertiges (« on me pense »), il découvre que « Je est un autre » et que cet autre est l'idéologie de son temps : la culture occidentale. Avec *Une saison en enfer*, la poésie nouvelle attaque l'ensemble de cette culture occidentale : celle-ci est l'« enfer » dont on ne pourra sortir que par la poésie.

RIME [rim] n. f. (du frq. *rim*, série). **1.** Retour du même son à la fin de deux ou plusieurs vers. → ENCYCL. — **2.** *N'avoir ni rime ni raison*, être dépourvu de tout bon sens. ◆ **rimer** v. i. **1.** (sujet nom désignant des mots) Finir par les mêmes sons : *« Étude » rime avec « solitude ».* → ENCYCL. — **2.** *Ne rimer à rien*, être dépourvu de sens, de raison. ◆ **rimeur, euse** n. *Péjor.* Personne qui fait des vers, mais qui manque d'inspiration. ◆ **rimailler** v. i. *Fam.* Faire de mauvais vers. ◆ **rimailleur, euse** n. Poète sans talent.
— ENCYCL. Deux mots *riment* ensemble lorsque leur dernière voyelle sonore et éventuellement les consonnes qui la suivent ont le même timbre. (L'*assonance* consiste dans la simple identité de la dernière voyelle sonore, les éléments qui la suivent pouvant être différents [*ex.* « vis*age*/*âme* »].)

Au point de vue du son, on distingue les *rimes masculines* dont la dernière syllabe sonore ne contient pas d'*e* muet (« enfant », « fleur », « aimer ») et les *rimes féminines* dont la dernière voyelle sonore est suivie d'un *e* muet ou d'une syllabe muette (« bénie/finie », « tête/fête »).

Au point de vue de la valeur (ou de la qualité), on les partage en *rimes pauvres* qui ne portent que sur une voyelle (« am*i*/déf*i* »), *rimes suffisantes* qui portent sur l'identité de son de la dernière voyelle et de la consonne qui précède ou qui suit (« é*té*/bon*té* ») et les *rimes riches* qui portent sur l'identité de plus de deux sons (« éter*nel*/solen*nel* »).

RIMINI, v. d'Italie (Émilie), sur l'Adriatique; 122 100 hab. Station balnéaire.

RIMSKI-KORSAKOV (Nikolaï), compositeur russe (1844-1908). Il est l'auteur de nombreux opéras *(Sadko, Tsar Saltan, le Coq d'or)* et d'œuvres symphoniques *(Capriccio espagnol, Schéhérazade, la Grande Pâque russe)*. Il a fait partie du groupe des Cinq.

RINÇAGE n. m. → RINCER.

RINCEAU [rɛ̃so] n. m. (lat. *ramusculus*, petit rameau). *Archit.* Ornement en forme de feuillages disposés en enroulement.

RINCER [rɛ̃se] v. t. (du bas lat. *recentiare*, rafraîchir). **1.** Nettoyer en lavant et frottant : *Rincer des verres.* — **2.** Passer dans une eau nouvelle ce qui a déjà été lavé pour retirer toute trace des produits de lavage : *Après la lessive, on rince le linge dans plusieurs eaux.* ◆ ***se rincer*** v. pr. *Se rincer la bouche*, se laver la bouche avec un liquide que l'on recrache. ◆ **rinçage** n. m. : *Le rinçage de la vaisselle.* ◆ **rince-bouteilles** n. m. inv. → BOUTEILLE. ◆ **rince-doigts** n. m. inv. Bol contenant de l'eau qui sert à se rincer les doigts à table. ◆ **rinçure** n. f. *Fam.* Eau qui a servi à rincer quelque chose.

RING [riŋ] n. m. (mot angl. signif. *cercle*). Estrade entourée de cordes où se disputent les combats de boxe ou de lutte.

RIO DE JANEIRO, État du Brésil; 44 268 km²; 11 300 000 hab. Capit. *Rio de Janeiro.*

RIO DE JANEIRO, v. du Brésil, capit. de l'État du même nom; 5 093 000 hab. *(Cariocas).*

Rio est établi sur le célèbre site de la baie de Guanabara, accidenté de pitons abrupts (Pain de Sucre) et enserré par la forêt tropicale. Principal débouché maritime du pays, c'est un grand centre commercial, industriel et touristique (carnaval), mais la ville a perdu sa fonction administrative depuis le transfert de la capitale à Brasília*. Le chômage y sévit et aux gratte-ciel modernes du centre s'opposent les bidonvilles misérables.

RIO DE ORO, anc. protectorat espagnol du Sahara, sur l'Atlantique. V. pr. *Villa Cisneros.* Auj. sud du Sahara occidental.

RIO GRANDE DO NORTE, État du nord-est du Brésil; 53 015 km²; 1 900 000 hab. Capit. *Natal.*

RIO GRANDE DO SUL, État du Brésil méridional; 282 184 km²; 7 777 000 hab. Capit. *Pôrto Alegre.*

RIOJA, région d'Espagne, correspondant à la prov. de Logroño; 5 034 m²; 254 000 hab. Capit. *Logroño.* Vignobles.

RIOM, ch.-l. d'arrond. du Puy-de-Dôme, à 15 km au N. de Clermont-Ferrand; 18 900 hab. Tabac.

RIO MUNI, auj. **Mbini,** partie continentale de la Guinée équatoriale; 26 017 km²; 183 400 hab. Ch.-l. *Bata.*

RIORGES, comm. de la Loire, à 4 km à l'O. de Roanne; 9 000 hab.

RIPAGE n. m. → RIPER.

RIPAILLE [ripɑj] n. f. (de l'anc. fr. *riper*, gratter). *Fam.* Excès de table : *Faire ripaille* (syn. BOMBANCE).

RIPER [ripe] v. t. (de l'anc. néerl. *rippen*, racler). **1.** Travailler à la ripe : *Riper une sculpture.* — **2.** *Mar.* Faire glisser : *Riper une chaîne.* — **3.** *Riper une voie de chemin de fer*, la déplacer, la dresser sans la démonter. ◆ v. i. Glisser, déraper. ◆ **ripage** ou **ripement** n. m. Action de riper. ◆ **ripe** n. f. Outil qui sert à gratter une figure sculptée, une pierre, un enduit.

RIPOSTER [ripɔste] v. t. ind. ou v. i. (de l'it. *rispondere*, répondre). *Riposter à une attaque, à un coup, à une raillerie, à qq'un*, lui répondre avec vivacité, avec agressivité. ◆ **riposte** n. f. : *Avoir la riposte rapide* (syn. REPARTIE). *Gare à la riposte* (syn. REPRÉSAILLES).

RIPUAIRE [ripɥɛr] adj. (du lat. *ripa*, rive). Se dit des anciens peuples des bords du Rhin : *Francs Ripuaires.*

RIQUET (Pierre-Paul DE), ingénieur français (1604-1680). Il construisit le canal du Midi (1666-1681), qui réunit la Méditerranée à l'Atlantique.

Riquet à la houppe, conte de Perrault.

RIQUEWIHR, comm. du Haut-Rhin, à 4,5 km au S.-S.-O. de Ribeauvillé; 1 000 hab. Vins blancs.

RIRE [rir] v. i. (lat. *ridere*). [Conj. **67.**] **1.** Marquer un sentiment de gaieté par un mouvement des lèvres, de la bouche et souvent avec bruit : *Rire aux éclats, à gorge déployée* (= très fort). ‖ *Rire du bout des lèvres*, ne pas rire franchement. ‖ *Rire jaune*, avoir un rire forcé qui dissimule la gêne. ‖ *Rire dans sa barbe, sous cape*, éprouver une satisfaction malicieuse qu'on cherche à dissimuler. ‖ *Rire aux anges*, se dit d'un petit enfant qui rit en dormant. ‖ *Avoir toujours le mot pour rire*, faire à tout propos des remarques comiques, plaisantes; se montrer spirituel. — **2.** S'amuser, prendre du bon temps : *C'est un garçon qui aime bien rire* (syn. SE

DIVERTIR). ‖ *Rire aux dépens de qq'un,* s'en moquer. ‖ *Rire au nez, à la barbe de qq'un,* se moquer de lui en face. — **3.** Ne pas parler, ne pas agir sérieusement : *Il a dit cela pour rire* (syn. PLAISANTER). ‖ *Vous voulez rire,* se dit à quelqu'un qui tient des propos ridicules, peu croyables. ◆ v. t. ind. *Rire de qq'un, de qqch.,* se moquer de quelqu'un, de quelque chose. ◆ **riant, e** adj. Qui exprime la gaieté : *Des yeux riants.* ◆ **rieur, euse** n. Personne qui rit. ‖ *Avoir, mettre les rieurs de son côté,* faire rire aux dépens de son adversaire. ◆ adj. **1.** Qui aime à rire, à plaisanter : *Cette jeune fille est très rieuse* (syn. ENJOUÉ, GAI; contr. TRISTE). — **2.** Qui indique la gaieté : *Avoir des yeux rieurs.* ◆ **rire** n. m. Action de rire : *Éclater, pouffer de rire. Exciter le rire* (syn. HILARITÉ). ‖ *Fou rire,* rire qu'on ne peut retenir. ◆ **risible** adj. Se dit d'une chose qui est propre à faire rire : *Une aventure risible* (syn. COMIQUE, DRÔLE).

1. RIS [ri] n. m. (orig. inc.). Nom vulgaire du THYMUS du veau et de l'agneau, placé sous la gorge, et qui est un mets délicat.

2. RIS [ri] n. m. (anc. scand. *rif*). *Mar.* Partie d'une voile où passent les garcettes qui permettent de la serrer sur la vergue, lorsqu'on veut en diminuer la surface : *Prendre un ris.*

1. RISÉE [rize] n. f. (du lat. *risus;* de *ridere,* rire). Moquerie collective : *S'exposer à la risée du public.* ‖ *Être, devenir la risée de,* être, devenir un objet de moquerie.

2. RISÉE [rize] n. f. (de *ris* 2). *Mar.* Augmentation subite du vent, qui dure plus longtemps qu'une rafale.

RISETTE [rizɛt] n. f. (du lat. *risus;* de *ridere,* rire). Sourire d'un enfant : *Faire risette, des risettes.*

RISIBLE adj. → RIRE.

RISLE ou **RILLE** (la), riv. de Normandie, affl. de la Seine (r. g.); 140 km.

RIS-ORANGIS, ch.-l. de cant. de l'Essonne, à 7,5 km au N.-O. de Corbeil-Essonnes; 25 100 hab.

Risorgimento, terme it. signif. *Renaissance,* et par lequel les Italiens ont désigné le réveil de la culture italienne dans la seconde moitié du XVIIIe s., et le mouvement idéologique et politique qui a abouti à la libération et à l'unification de l'Italie au XIXe s.

RISOTTO [rizɔto] n. m. (mot it.). Plat italien, fait de riz coloré au safran, avec du beurre et du parmesan.

RISQUER [riske] v. t. (de l'anc. it. *risco*). **1.** *Risquer qqch.,* l'exposer à un danger, à un inconvénient possible : *Risquer sa vie. Risquer une grosse somme dans une affaire* (syn. ↓ENGAGER, HASARDER). ‖ *Risquer le coup,* tenter une chose douteuse. ‖ *Risquer le tout pour le tout,* s'exposer à beaucoup perdre en cherchant à gagner beaucoup. ‖ *Risquer une allusion, une comparaison, une question,* s'enhardir à les faire, à les poser, au risque d'être mal accueilli ou incompris. — **2.** *Risquer qqch., que* (et le subj.), s'exposer à quelque danger : *Risquer les pires ennuis.* ◆ v. t. ind. (sujet nom de personne ou de chose). *Risquer de,* être exposé à : *Ne vous penchez pas par la fenêtre, vous risquez de tomber.* ◆ **se risquer** v. pr. S'exposer à un risque : *N'allez pas vous risquer dans cette affaire* (syn. S'AVENTURER). ‖ *Se risquer à,* se hasarder à dire ou à faire : *Je ne me risquerais pas à lui faire des observations.* ◆ **risque** n. m. **1.** Danger, inconvénient plus ou moins prévisible : *Courir un risque. Avoir le goût du risque. Les risques du métier.* ‖ *Prendre un risque, des risques,* agir dangereusement pour soi. — **2.** Préjudice, sinistre éventuel que les compagnies d'assurances garantissent moyennant le paiement d'une prime : *Prendre une assurance tous risques pour sa voiture.* ‖ *À ses risques et périls,* en assumant sur soi la responsabilité d'une chose. — LOC. PRÉP. *Au risque de,* en s'exposant au danger de, au hasard de. ◆ **risqué, e** adj. Qui comporte des risques : *Une entreprise risquée* (syn. DANGEREUX, HASARDEUX). ◆ **risque-tout** n. inv. *Fam.* Personne qui affronte tous les risques, qui est audacieuse jusqu'à l'imprudence (syn. CASSE-COU, TÉMÉRAIRE).

RISSOLER [risɔle] v. t. et i. (du lat. *russeolus,* rougeâtre). *Rissoler de la viande, des légumes,* les faire cuire de manière à ce qu'ils prennent une couleur dorée.

RISTOURNE [risturn] n. f. (it. *ristorno*). Réduction accordée par un commerçant à un client (syn. REMISE).

RITE [rit] n. m. (lat. *ritus*). **1.** Ensemble des règles et des cérémonies concernant la pratique d'une religion suivant une liturgie établie : *Le rite romain. Le rite oriental.* — **2.** Cérémonial quelconque : *Dans les sociétés secrètes, les rites accompagnent les passages aux différents degrés d'initiation.* — **3.** Ce qui se fait, s'accomplit selon une coutume traditionnelle : *Les rites de la vie quotidienne.* ◆ **rituel, elle** adj. **1.** Qui se rapporte aux rites : *Des pratiques rituelles.* — **2.** Exécuté d'une manière précise et habituelle : *Des gestes rituels.* ◆ n. m. **1.** Livre énumérant les cérémonies que l'on doit observer dans l'administration des sacrements et pour la célébration des offices. — **2.** Ensemble des règles que l'on suit : *Le rituel d'une cérémonie.* ◆ **rituellement** adv. Sens 2 de l'adj. : *Chaque fois qu'il vous aborde, il prononce rituellement la même phrase : « Alors, comment va? »* (syn. INVARIABLEMENT, TRADITIONNELLEMENT).

RITOURNELLE [riturnɛl] n. m. (de l'it. *ritorno,* retour). **1.** Courte phrase musicale qui précède ou suit un chant. — **2.** *Fam.* Ce que l'on répète souvent : *C'est toujours la même ritournelle* (syn. REFRAIN).

RITUEL, ELLE adj. et n. m., **RITUELLEMENT** adv. → RITE.

RIVA-BELLA, plage d'Ouistreham* (Calvados). Embarcadère de la ligne maritime Caen-Portsmouth.

RIVAGE [rivaʒ] n. m. (de *rive*). Bande de terre qui borde la mer : *La tempête a rejeté une épave sur le rivage* (syn. CÔTE, PLAGE).

RIVAL, E, AUX [rival, -vo] adj. et n. (du lat. *rivalis,* riverain). Qui dispute quelque chose à un autre, qui désire l'égaler ou le surpasser : *Deux nations rivales* (contr. ALLIÉ). *L'emporter sur ses rivaux* (syn. ADVERSAIRE, CONCURRENT). ‖ *Sans rival,* inégalable. ◆ **rivaliser** v. i. *Rivaliser avec qq'un,* chercher à l'égaler ou à le surpasser. ◆ **rivalité** n. f. État de deux ou plusieurs personnes, de deux ou plusieurs nations, qui prétendent aux mêmes avantages, aux mêmes succès : *Rivalités politiques* (syn. ANTAGONISME). *Rivalité commerciale* (syn. CONCURRENCE).

RIVAROL (Antoine DE), écrivain et journaliste français (1753-1801), auteur d'un *Discours sur l'universalité de la langue française* (1784).

RIVE [riv] n. f. (lat. *ripa*). **1.** Bande de terre qui borde un cours d'eau, un lac, un étang : *Les rives de la Loire.* ‖ *Rive droite, rive gauche,* bord d'un cours d'eau qu'on a à sa droite, à sa gauche quand on regarde le sens du courant. — **2.** Quartier d'une ville qui borde un fleuve : *Habiter la rive gauche de la Seine.* ◆ **riverain, e** n. et adj. Personne qui habite, qui possède un terrain le long d'un cours d'eau, d'une voie de communication : *Les riverains de la Loire. Les propriétaires riverains d'une route.* ◆ **riveraineté** n. f. Droits que possèdent les propriétaires riverains d'un cours d'eau non navigable sur les eaux de celui-ci et sur leur utilisation.

RIVÉ, E adj. → RIVER.

RIVE-DE-GIER, ch.-l. de cant. de la Loire, à 10 km au N.-E. de Saint-Chamond; 15 850 hab. *(Ripagériens).* Aciérie. Verrerie.

RIVER [rive] v. t. (de *rive*). **1.** *River un clou, un rivet, une goupille,* rabattre et aplatir à coups de marteau leur pointe sur l'autre côté de l'objet qu'ils traversent. — **2.** *River des plaques de métal,* les assujettir, les fixer au moyen de rivets, de clous, de chevilles. — **3.** Fam. *River son clou à qq'un,* le réduire au silence par une réplique qui le laisse sans réponse. ◆ **rivé, e** adj. Fixé, attaché étroitement. ◆ **rivet** n. m. *Technol.* Broche métallique qui sert à assembler de manière inamovible deux pièces, et qui est constituée par une tige métallique cylindrique munie d'une tête à une extrémité, et dont l'autre extrémité est martelée au moment de la mise en place.

RIVERAIN, E adj. et n., **RIVERAINETÉ** n. f. → RIVE.

RIVESALTES, ch.-l. de cant. des Pyrénées-Orientales, à 8,5 km au N. de Perpignan; 7 450 hab. Vins liquoreux.

RIVET n. m. → RIVER.

RIVIERA (la), nom donné au littoral italien du golfe de Gênes, de la frontière française à La Spezia. (Le nom de *Riviera* a parfois été étendu à la Côte d'Azur française.)

RIVIÈRE [rivjɛr] n. f. (du lat. *ripa,* rive). **1.** Cours d'eau naturel, de faible ou moyenne importance, qui se jette dans un autre cours d'eau. — **2.** *Rivière de diamants,* collier aux chaînons duquel sont enchâssés des diamants.

RIVOLI, comm. d'Italie (Vénétie), sur l'Adige.

• *1797. Victoire de Bonaparte sur les Autrichiens.*

RIXE [riks] n. f. (lat. *rixa*). Querelle violente entre deux ou plusieurs personnes, accompagnée de menaces et de coups : *Une rixe sanglante* (syn. BAGARRE).

RIXHEIM, comm. du Haut-Rhin, à 5 km à l'E. de Mulhouse; 10 800 hab. Papiers peints.

RIYĀḌ ou **RIAD,** capit. de l'Arabie Saoudite et de l'émirat du Nadjd; 1 million d'hab.

RIZ [ri] n. m. (it. *riso*). Graminacée cultivée dans les terrains humides des pays chauds et dont le grain farineux est un aliment nutritif. → ENCYCL. ◆ **rizerie** n. f. Usine où l'on traite le riz pour le rendre propre à la consommation. ◆ **riziculture** n. f. Culture du riz. ◆ **rizière** n. f. Terrain où l'on cultive le riz.

— ENCYCL. Largement répandue en Asie, la culture du *riz* a gagné l'Afrique, l'Amérique du Nord, l'Espagne, l'Italie et, plus récemment, la France (Camargue). Le riz est la céréale alimentaire qui nourrit le plus grand nombre d'individus à la surface du globe. Le grain, imbibé d'eau, est semé à la volée en bonne terre; quand le plant atteint 15 cm, on le repique en rizière, abondamment irriguée. La récolte a lieu quatre à cinq mois après le semis. L'Asie néridionale et orientale fournit plus de 90 p. 100 de la production nondiale (environ 470 millions de t). La quasi-totalité de la production, à la différence du blé, est consommée sur place.

Chine	180 millions de t	Bangladesh	22 millions de t
Inde	90 millions de t	Thaïlande	20 millions de t
Indonésie	40 millions de t	Viêt-nam	15 millions de t

ROANNE, ch.-l. d'arrond. de la Loire, dans la *plaine du Roannais*, sur la Loire, à 78 km à l'O.-N.-O. de Lyon; 49600 hab. Textiles. Métallurgie.

ROBBE-GRILLET (Alain), écrivain français, né en 1922. Théoricien (*Pour un nouveau roman*, 1964) de la nouvelle école du roman, il s'est efforcé de modifier profondément la technique de ce genre en refusant les héros et la psychologie traditionnels. Ses romans opposent l'homme à une réalité impénétrable (*les Gommes*, 1953; *le Voyeur*, 1955; *la Jalousie*, 1957; *Dans le labyrinthe*, 1959; *Topologie d'une cité fantôme*, 1976). Il s'est livré ensuite à une sorte d'autobiographie imaginaire avec le *Miroir qui revient* (1985) et *Angélique ou l'Enchantement* (1988). Il s'est également intéressé au cinéma en tant que scénariste (*l'Année dernière à Marienbad*, d'A. Resnais), puis réalisateur (*l'Immortelle*, 1963; *Trans-Europ-Express*, 1966; *l'Eden et après*, 1969; *la Belle Captive*, 1982).

ROBBIA (DELLA) → DELLA ROBBIA.

ROBE [rɔb] n. f. (germ. *rauba*, butin). **1.** Vêtement féminin d'un seul tenant. — **2.** Vêtement long et ample que portent les juges, les avocats dans l'exercice de leurs fonctions, les professeurs dans certaines cérémonies officielles. ‖ *Les gens de robe*, la magistrature. — **3.** *Robe de chambre*, vêtement d'intérieur tombant jusqu'aux pieds. ‖ *Pommes de terre en robe de chambre*, cuites dans leur peau. — **4.** Ensemble des poils d'un animal au point de vue de la couleur (syn. PELAGE).

ROBERT le Fort, mort en 866, comte d'Anjou et de Blois, marquis de Neustrie. Il résista aux Bretons, puis aux Normands.

ROBERT Ier, second fils du précédent (v. 865-923), roi de France à partir de 922. Il fut tué à Soissons en combattant Charles III le Simple. — ROBERT II *le Pieux* (v. 970-1031), fils et successeur d'Hugues Capet, roi de France à partir de 996. Il lutta contre l'anarchie féodale et annexa divers fiefs au domaine royal.

ROBERT II Courteheuse (v. 1054-1134), duc de Normandie (1087-1106). Il participa à la première croisade.

ROBERT Ier le Vaillant (1216-1250), comte d'Artois, frère de Saint Louis. Il fut tué à Mansourah. — ROBERT III (1287-1342), comte d'Artois (1302-1309). Il disputa le comté d'Artois à sa tante Mahaut, et se heurta au roi de France Philippe VI, contre lequel il poussa l'Angleterre.

ROBERT Ier BRUCE (1274-1329), roi d'Écosse (1306-1329). En 1314, il anéantit l'armée anglaise à Bannockburn.

ROBERT DE COURTENAY, empereur latin d'Orient de la maison capétienne (1221-1228).

ROBERT GUISCARD (v. 1015-1085), duc des Pouilles et de Calabre (1057-1085), fondateur de l'État normand d'Italie du Sud.

ROBERT (Hubert), peintre et graveur français (1733-1808). Ses paysages, où des vestiges antiques contrastent souvent avec des scènes familières, sont empreints d'une sensibilité caractéristique de la fin du XVIIIe s. (*l'Arc de triomphe d'Orange, le Temple de Jupiter à Rome*). Il a aménagé les *Bains d'Apollon* à Versailles (1777-1781).

ROBERT-HOUDIN (Jean), prestidigitateur français (1805-1871).

ROBERVAL (Gilles PERSONNE ou PERSONNIER DE), mathématicien et physicien français (1602-1675). Il imagina un système de balance (1670), auquel son nom est resté attaché.

ROBESPIERRE (Maximilien DE), homme politique français (1758-1794), surnommé «l'Incorruptible».

Avril 1789. Avocat, il est élu député du tiers état aux états généraux et rejoint les démocrates à l'Assemblée constituante.

Inéligible à la Législative, il renforce son influence au club des Jacobins en s'opposant à la politique des Girondins, conciliatrice à l'égard du roi, et belliciste à l'extérieur.

Septembre 1792. Député de Paris à la Convention, il est un des principaux orateurs montagnards.

Le 26 mai 1793, il appelle le peuple à l'insurrection contre les Girondins incapables de conjurer le péril intérieur (Vendée) et extérieur (défaites en Belgique).

27 juil. 1793. Nommé au Comité de salut public, il favorise une centralisation des pouvoirs («despotisme de la liberté») afin de rétablir la situation économique et militaire.

Les divergences d'intérêts au sein de la Convention et la pression du mouvement populaire (sans-culottes) entraînent la formation de factions dont Robespierre se débarrasse en mars 1794 (hébertistes), et en avril (dantonistes). Son pouvoir renforcé, il impose le culte de l'Être suprême et renforce la Terreur (loi du 22 prairial). Mais la loi du maximum et l'élimination des hébertistes l'isolent des sans-culottes, tandis que la victoire de Fleurus rend la Terreur moins justifiable.

• *9 thermidor an II (27 juil. 1794). Une coalition de modérés et de corrompus met Robespierre en accusation à la Convention.*

Délivré par la Commune de Paris, il est arrêté à nouveau et guillotiné avec Saint-Just, Couthon, et de nombreux Montagnards.

ROBESPIERRE (Augustin DE), frère du précédent (1763-1794). Conventionnel, il mourut sur l'échafaud avec son frère.

Robin des Bois, héros de romans d'aventures, dont le modèle est *Robin Hood*, personnage de la légende anglaise, qui symbolise la résistance des Saxons à la conquête normande.

ROBINET [rɔbinɛ] n. m. (de *robin*, surnom du mouton au Moyen Âge). Appareil placé sur le tuyau d'une canalisation et qui permet d'établir ou de suspendre l'écoulement d'un liquide ou d'un gaz. ◆ **robinetterie** n. f. Ensemble des robinets d'une installation d'eau.

Robinson Crusoé *(la Vie et les étranges aventures de)*, roman de Daniel Defoe (1719).

ROBOAM, roi de Juda (v. 930-v. 913 av. J.-C.), fils et successeur de Salomon. Sa tyrannie provoqua la révolte d'une partie du royaume; les dix tribus du Nord, révoltées, constituèrent le royaume d'Israël.

ROBOT [rɔbo] n. m. (du tchèque *robota*, corvée). **1.** Appareil automatique pouvant se substituer à l'homme pour exécuter diverses actions. — **2.** Homme agissant comme un automate. (→ aussi PHOTO-ROBOT.)

ROBUSTE [rɔbyst] adj. (lat. *robustus*). **1.** Se dit d'un être animé solidement constitué : *La femme est moins robuste que l'homme* (syn. FORT, RÉSISTANT, VIGOUREUX; contr. CHÉTIF, DÉLICAT, FRÊLE). — **2.** Se dit d'une plante, d'une chose matérielle résistante, solide : *Un moteur robuste.* ◆ **robustesse** n. f. : *La robustesse de son tempérament lui a permis de guérir de cette maladie* (syn. RÉSISTANCE, VIGUEUR). *La robustesse d'une machine* (syn. SOLIDITÉ; contr. FRAGILITÉ).

ROC [rɔk] n. m. (de *roche*). **1.** Masse de pierre très dure qui est profondément enfoncée dans la terre : *Des fossés taillés dans le roc.* — **2.** *Dur, ferme comme un roc*, se dit de ce qui est très résistant, d'une personne inébranlable.

ROCADE [rɔkad] n. f. (de *roquer*). **1.** *Mil.* Voie de communication parallèle à la ligne de combat. — **2.** Voie destinée à contourner une agglomération afin d'en dégager la circulation : *Les rocades autoroutières permettent de relier les banlieues entre elles, détournant ainsi les véhicules des grands centres urbains.*

ROCAILLE [rɔkaj] n. f. (de *roc*). **1.** Terrain rempli de cailloux. — **2.** *Archit.* Ouvrage ornemental imitant les rochers et les pierres naturelles. ◆ adj. *Style rocaille*, style en vogue sous Louis XV, et caractérisé par la fantaisie des lignes contournées et des ornements représentant des grottes, des rochers, des coquillages (syn. ROCOCO). ◆ **rocailleux, euse** adj. **1.** Couvert, rempli de rocaille : *Un chemin rocailleux* (syn. CAILLOUTEUX). — **2.** *Un style rocailleux*, désagréable à l'oreille (syn. DUR, HEURTÉ, RABOTEUX, RUDE). ‖ *Voix rocailleuse*, rauque.

ROCAMADOUR, comm. du Lot, à 9 km au N.-O. de Gramat; 795 hab. Ancienne étape sur la route de Saint-Jacques-de-Compostelle et centre touristique du Quercy.

Rocambole, personnage aux aventures incroyables, qui est le héros d'une trentaine de romans de Ponson du Terrail.

ROCAMBOLESQUE [rɔkɑ̃bɔlɛsk] adj. (de *Rocambole*). Rempli de péripéties extraordinaires, invraisemblables : *Une aventure rocambolesque* (syn. FANTASTIQUE).

ROCARD (Michel), homme politique français (né en 1930). Secrétaire général du parti socialiste unifié (P.S.U.) de 1967 à 1973, il adhère au parti socialiste en 1974. Il est Premier ministre de 1988 à 1991.

ROCHAMBEAU (Jean-Baptiste DE VIMEUR, *comte* DE) [1725-1807], maréchal de France. Commandant des troupes françaises envoyées au secours des Américains, il contribua à la victoire de Yorktown (1781).

ROCHE [rɔʃ] n. f. (it. *rocca*). **1.** *Géol.* Matériau constitutif de l'écorce terrestre, correspondant à une masse minérale présentant une homogénéité dans sa composition, sa structure et son origine. → ENCYCL. ‖ *Roche magasin*, couche géologique, site de gisements d'hydrocarbures. ‖ *Roche mère*, roche dont la décomposition a donné un sol, ou couche géologique où se sont formés les hydrocarbures. — **2.** *Clair comme de l'eau de roche*, très clair, évident. ‖ *Il y a anguille sous roche* → ANGUILLE. ◆ **rocher** n. m. **1.** Grande masse de pierre dure, escarpée : *Une caverne creusée dans un rocher. Il y a des rochers sous l'eau* (syn. ÉCUEIL). — **2.** *Faire du rocher*, escalader des rochers (syn. FAIRE DE LA

VARAPPE). ◆ **rocheux, euse** adj. Couvert, formé de roches, de rochers. ◆ **dérocher** v. i. Tomber au cours d'une ascension en montagne (syn. DÉVISSER).

— ENCYCL. Le plus souvent solide, une *roche* peut être liquide ou même gazeuse (pétrole et gaz naturel). Selon leur origine, on classe les roches en trois grands groupes. Les *roches sédimentaires* ou *exogènes* se forment à la surface de la terre. Les *roches éruptives,* ou *magmatiques,* ou *endogènes* sont issues de l'intérieur de la terre et cristallisent en profondeur (roches *plutoniques*) ou en surface (roches *volcaniques*). Les *roches métamorphiques* ou *cristallophyliennes* sont des roches d'origine externe ou interne qui ont subi une transformation (le métamorphisme*). Les roches éruptives et métamorphiques constituent les *roches cristallines.*

ROCHECHOUART, ch.-l. d'arrond. de la Haute-Vienne, à 10 km au S.-O. de Saint-Junien; 4200 hab. Chaussures. Ganterie.

ROCHEFORT, ch.-l. d'arrond. de la Charente-Maritime, sur la Charente, à 30 km au S.-S.-E. de La Rochelle; 27700 hab. Constructions aéronautiques et mécaniques.

ROCHEFORT (Henri, *marquis* DE ROCHEFORT-LUÇAY, dit **Henri**), journaliste politique français (1831-1913), fondateur de *la Lanterne* (1868), violent pamphlet hebdomadaire dirigé contre l'Empire.

ROCHEFOUCAULD (LA) → LA ROCHEFOUCAULD.

ROCHE-LA-MOLIÈRE, comm. de la Loire, à 6 km à l'O. de Saint-Étienne; 9200 hab. Houille. Industrie chimique.

ROCHELLE (La), ch.-l. du dép. de la Charente-Maritime, sur l'Atlantique, à 447 km au S.-O. de Paris; 78200 hab. *(Rochelais).* Centre d'une agglomération de près de 90000 hab., La Rochelle, cité historique, touristique, est aussi le principal port de pêche français au S. de la Bretagne. Elle s'est récemment industrialisée (construction automobile dans la banlieue).

Devenue dès 1554 un des foyers du protestantisme, la ville fut assiégée et prise par les troupes catholiques en 1627-1628.

1. ROCHER n. m. → ROCHE.

2. ROCHER [rɔʃe] n. m. (de *roche*). *Anat.* Partie massive de l'os temporal, qui renferme l'oreille moyenne et l'oreille interne.

ROCHESTER, v. des États-Unis (État de New York), au S. du lac Ontario; 296200 hab. Produits et appareils photographiques.

ROCHE-SUR-FORON (La), ch.-l. de cant. de la Haute-Savoie, à 8 km à l'O. de Bonneville; 7400 hab. *(Rochois).*

ROCHE-SUR-YON (La), ch.-l. du dép. de la Vendée, à 429 km au S.-O. de Paris; 48100 hab. *(Yonnais).* Constructions mécaniques.

ROCHEUSES *(montagnes),* système montagneux de l'ouest de l'Amérique du Nord, s'étendant de l'Alaska au Mexique. Les Rocheuses comprennent deux ensembles de chaînes : à l'E., les Rocheuses proprement dites dominent les Grandes Plaines; à l'O., la chaîne de l'Alaska, la chaîne côtière canadienne, la chaîne des Cascades, la sierra Nevada et la chaîne côtière américaine longent le Pacifique. Elles enserrent des hauts plateaux, particulièrement étendus aux États-Unis (Columbia, Grand Bassin, Colorado); 6187 m au mont McKinley (Alaska).

ROCHEUX, EUSE adj. → ROCHE.

ROCK [rɔk] ou **ROCK AND ROLL** [rɔkɛnrɔl] n. m. (de l'angl. *to rock,* balancer). Style musical rythmé à prédominance vocale, d'origine américaine, très en vogue autour des années 1950 : *Le rock connaît aujourd'hui un regain d'activité sous l'appellation de « rock revival ».*

ROCKEFELLER (John Davison), industriel américain (1839-1937). Pionnier de l'industrie du pétrole, il fonda la Standard Oil (1882) et acquit une des plus grosses fortunes du monde.

ROCKING-CHAIR [rɔkiŋtʃɛr] n. m. (mot angl.). Fauteuil à bascule que l'on peut faire osciller par un simple mouvement du corps. ‖ Pl. des *rocking-chairs.*

ROCOCO [rɔkoko] adj. inv. (de *rocaille*). **1.** Genre d'ornementation en vogue en Europe au XVIIIe s., et caractérisant plus particulièrement une variété du baroque germanique d'une grande exubérance. — **2.** *Fam.* Passé de mode et légèrement ridicule (syn. DÉMODÉ). ◆ n. m. : *Aimer le rococo.*

ROCROI, ch.-l. de cant. du dép. des Ardennes, à 12 km à l'O. de Revin; 2900 hab. *(Rocroyens).*

• *1643. Condé y écrase l'infanterie espagnole.*

RODAGE n. m. → RODER.

RODENBACH (Georges), écrivain belge d'expression française (1855-1898). Ami d'Émile Verhaeren et avocat comme lui, il collabore à *la Jeune Belgique,* puis, attiré par le mouvement symboliste, vient vivre à Paris. Ses recueils de poèmes (*la Jeunesse blanche,* 1886; *le Règne du silence,* 1891) et ses romans (*Bruges-la-Morte,* 1892) ont introduit la poésie de la Flandre dans la littérature contemporaine.

RODÉO [rɔdeo] n. m. (mot esp. signif. *entourage*). **1.** Fête donnée à l'occasion du marquage des jeunes animaux, dans certaines régions d'Amérique. — **2.** Jeu américain qui consiste, pour un cavalier, à maîtriser un cheval sauvage.

RODER [rode] v. t. (du lat. *rodere,* ronger). **1.** *Roder un moteur, une voiture,* faire fonctionner un moteur neuf, utiliser une voiture neuve à vitesse réduite, de telle manière que les pièces puissent s'user régulièrement et ainsi s'ajuster les unes aux autres. — **2.** (sujet nom de personne ou de chose) *Être rodé,* avoir acquis de l'expérience, être au point. ◆ **rodage** n. m. **1.** *Rodage d'un moteur, d'une voiture,* opération qui consiste à les roder; temps pendant lequel on les rode. — **2.** *Après une période de rodage, la télévision en couleurs est aujourd'hui au point.*

RÔDER [rode] v. i. (lat. *rotare,* tourner). **1.** (sujet nom d'être animé) Errer çà et là à l'aventure. — **2.** (sujet nom de personne) Tourner autour d'un endroit ou d'une personne en épiant, le plus souvent avec de mauvaises intentions. ◆ **rôdeur, euse** n. Personne qui rôde, qui aime à rôder dans les rues.

RODEZ, ch.-l. du dép. de l'Aveyron, à 610 km au S. de Paris, sur l'Aveyron; 26300 hab. *(Ruthénois).* Cathédrale des XIIIe-XVIe s. Ganterie.

RODIN (Auguste), sculpteur français (1840-1917).

Après des débuts longs et difficiles, son *Âge d'airain* (1877) déclenche le premier des scandales que ses œuvres provoqueront (on crut que cette statue était moulée d'après nature, tant le modelé du bronze était sensible).

• *1879. Rodin entreprend ce qui sera le chef-d'œuvre de sa vie, la « Porte de l'Enfer ».*

Il s'agissait, au départ, de la porte en bronze d'un musée qui n'a jamais été construit : Rodin en réalisa ainsi de nombreux motifs exécutés isolément *(le Penseur, l'Enfant prodigue).*

• *1884-1889. Il travaille au monument des « Bourgeois de Calais ».*

Ce groupe statique tressaille d'un drame intérieur qui se reflète dans les lourdes attitudes contractées des personnages. On y voit la méthode de Rodin : il étudie chaque corps nu, puis le dote d'un vêtement. Portraitiste, Rodin a sculpté de nombreux bustes dont celui de *Hugo* et celui de *Balzac* qui souleva de violentes polémiques.

Contemporain des peintres impressionnistes, Rodin s'est attaché à traduire avec réalisme la sensation de la vie. Son art, soutenu par une science profonde de l'anatomie, a toujours cherché l'expression frémissante, autant que la beauté formelle.

Rodogune, tragédie de Corneille (1644-1645).

RODOLPHE *(lac)* → TURKANA *(lac).*

RODOLPHE Ier DE HABSBOURG (1218-1291), roi* des Romains à partir de 1273, fondateur de la maison d'Autriche. Son élection mit fin au Grand Interrègne. — RODOLPHE II (1552-1612), empereur germanique à partir de 1576, fils de Maximilien II.

RODOMONTADE [rɔdɔmɔ̃tad] n. f. (de *Rodomont,* personnage du *Roland furieux* de l'Arioste). Attitude, langage extravagants d'un fanfaron, d'un vantard (syn. ↓VANTARDISE).

ROGATOIRE [rɔgatwar] adj. (du lat. *rogatus,* interrogé). *Commission rogatoire,* commission qu'un tribunal adresse à un autre pour l'inviter à faire, dans l'étendue de son ressort, un acte de procédure ou d'instruction qu'il ne peut faire lui-même.

ROGER Ier (1031-1101), comte de Sicile (1062-1101), fils de Tancrède de Hauteville. Avec son frère Robert Guiscard, il conquit l'Italie et la Sicile. — ROGER II (v. 1095-1154), fils du précédent, fut le premier roi de Sicile (1130-1154).

ROGNE [rɔɲ] n. f. (de *rogner,* grommeler). *Fam.* Mauvaise humeur, colère : *Se mettre en rogne.*

ROGNER [rɔɲe] v. t. (bas lat. *rotundiare,* couper en rond). **1.** *Rogner une chose,* la couper à ses extrémités, sur ses bords : *Rogner la marge d'un livre broché* (syn. ÉMARGER). — **2.** *Rogner une chose à qq'un* ou *sur une chose de qq'un,* lui retrancher une partie de ce qui lui revient : *Rogner (sur) les appointements d'un employé.* ◆ **rognure** n. f. Ce qui tombe, se détache d'une chose que l'on rogne : *Des rognures de papier, de viande* (syn. DÉCHETS).

ROGNON [rɔɲɔ̃] n. m. (du lat. *ren,* rein). **1.** Rein d'un animal (terme de boucherie et de cuisine) : *Des rognons de mouton.* — **2.** *Géol.* Masse minérale arrondie : *Rognon de silex.*

ROGNURE n. f. → ROGNER.

ROGUE [rɔg] adj. (orig. incert.). Se dit d'une personne (ou de son attitude) qui est d'une raideur hautaine et déplaisante : *Un ton rogue.*

ROHAN (Henri, *duc* DE), général français (1579-1638), chef des calvinistes sous Louis XIII.

ROHAN (Édouard, *prince* DE), cardinal français (1734-1803), évêque de Strasbourg, grand aumônier de France. Il fut compromis dans l'affaire du Collier.

ROI [rwa] n. m. (lat. *rex, regis*). **1.** Personne qui, en vertu de l'élection ou de l'hérédité, exerce, d'ordinaire à vie, ou a le droit d'exercer le pouvoir souverain : *Couronner, sacrer un roi.* (Le roi groupe en sa seule personne tous les pouvoirs de chef d'État.) ‖ *Roi des rois,* titre du roi des Parthes, des Perses et de l'Éthiopie. ‖ *Roi des Romains,* titre que portait, dans l'Empire germanique, le successeur désigné de l'empereur régnant. ‖ *Roi de Rome,* titre donné par Napoléon Ier à son fils et héritier. ‖ *Roi Très Chrétien,* titre officiel du roi de France aux XVIIe et XVIIIe s. ‖ *Rois Catholiques,* Isabelle Ire, reine de Castille, et Ferdinand II, roi d'Aragon. ‖ *Les Rois mages,* les trois personnages qui vinrent de l'Orient à Bethléem pour adorer l'Enfant Jésus. ‖ *Le jour des Rois,* l'Épiphanie. — **2.** Chacune des quatre figures principales d'un jeu de cartes qui représente un roi. — **3.** Aux échecs, pièce principale, dont la prise décide du gain de la partie. — **4.** Le plus important producteur dans un secteur industriel ou commercial : *Le roi du pétrole.* — **5.** *Le roi des animaux,* le lion (littér.). ‖ *Heureux comme un roi,* très heureux. ‖ *Morceau de roi,* mets exquis et délicieux. ‖ *Travailler pour le roi de Prusse,* se laisser ravir par d'autres le profit de ses efforts; travailler pour rien. ◆ **reine** n. f. **1.** Femme d'un roi : *La reine Marie-Antoinette.* — **2.** Souveraine d'un royaume : *La reine Élisabeth d'Angleterre.* — **3.** Femme qui l'emporte en beauté, en esprit, en valeur sur les autres : *La reine de la fête.* — **4.** *Avoir un port de reine,* avoir une attitude majestueuse. — **5.** Femelle féconde chez les insectes sociaux : *La reine des abeilles.* ◆ **royal, e, aux,** adj. **1.** Qui appartient, qui a rapport à un roi : *La puissance royale.* — **2.** Digne d'un roi : *Un cadeau royal* (syn. MAGNIFIQUE). *Une demeure royale* (syn. SOMPTUEUX). — **3.** Fam. *Une paix, une indifférence royale,* parfaite. ‖ Fam. *Un mépris royal,* extrême. ◆ **royalement** adv. **1.** Avec magnificence : *Il nous a traités royalement.* — **2.** Fam. *Se moquer d'une chose royalement,* parfaitement, éperdument. ◆ **royalisme** n. m. Attachement à la monarchie. ◆ **royaliste** adj. Qui concerne le régime monarchique, qui lui est favorable. ‖ *Être plus royaliste que le roi* (= défendre les intérêts de quelqu'un, d'un parti plus qu'il ne le fait lui-même). ◆ n. Partisan de la royauté (syn. MONARCHISTE). ◆ **royaume** n. m. **1.** État, pays gouverné par un roi. — **2.** *Le royaume des cieux,* le paradis. ◆ **royauté** n. f. **1.** Dignité de roi : *Renoncer à la royauté.* — **2.** Régime monarchique : *Les luttes de la royauté et de la papauté* (syn. MONARCHIE).

Roi Lear *(le),* drame en 5 actes, de Shakespeare (v. 1606).

ROI-GUILLAUME *(terre du),* île de l'archipel arctique canadien.

Rois *(Livres des),* livres de l'Ancien Testament (Bible), contenant l'histoire du peuple juif depuis Samuel jusqu'à la destruction du Temple de Jérusalem.

ROIS *(vallée des),* vallon d'Égypte, sur le versant ouest de la vallée du Nil, en face de Louxor. Site choisi comme lieu de sépulture par les souverains du Nouvel Empire.

ROISSY-EN-FRANCE, comm. du Val-d'Oise, à 6 km à l'E.-N.-E. de Gonesse; 1400 hab. Aéroport Charles-de-Gaulle.
→ illustration AÉRONAUTIQUE pp. 16-17.

ROITELET [rwatlɛ] n. m. (de l'anc. fr. *roitel;* de *roi*). Petit oiseau passereau insectivore, reconnaissable à la huppe orange ou jaune qu'il porte sur la tête.

Roland, héros légendaire, un des douze pairs de Charlemagne, illustré par *la Chanson de Roland.*

ROLAND (Manon PHLIPON, plus tard Mme) [1754-1793]. Elle assura la carrière de son époux par les relations qu'elle noua en son salon de la rue Guénégaud, que fréquentaient les Girondins. Elle fut arrêtée avec ceux-ci et exécutée.

Roland furieux, poème héroï-comique de l'Arioste, en quarante-six chants (1516-1532).

1. RÔLE [rol] n. m. (bas lat. *rotulus,* rouleau). **1.** Ce que doit dire et faire un acteur (au théâtre et au cinéma) : *Savoir son rôle.* — **2.** Le personnage lui-même représenté par l'acteur : *Interpréter un rôle comique.* — **3.** Manière dont une personne agit dans la vie ordinaire, dans certaines occasions : *Jouer un vilain rôle.* ‖ *Avoir le beau rôle,* se montrer à son avantage dans telle situation; avoir la tâche facile. — **4.** Fonction, influence que l'on exerce : *Avoir un rôle important dans une affaire. Ce n'est pas son rôle* (syn. ATTRIBUTION). — **5.** Fonction assurée par un organisme, une force, un élément quelconque : *Étudier le rôle de l'article dans une phrase.* — LOC. ADV. *À tour de rôle,* chacun à son tour.

2. RÔLE [rol] n. m. (même étym.). **1.** *Dr.* Feuillet sur lequel sont transmis certains actes juridiques. — **2.** Cahiers portant le nom des contribuables d'une commune avec mention du montant de leur impôt.

ROLLAND (Romain), écrivain français (1866-1944).
Sa passion pour les hommes d'action et les artistes qui se sont consacrés tout entiers à leur idéal lui dicte une suite d'ouvrages biographiques *(Beethoven, Michel-Ange, Haendel, Tolstoï).*

• *1904-1912. Publication des dix volumes de « Jean-Christophe ».*

Biographie fictive, ce « roman-fleuve » (l'expression est de l'auteur lui-même) conte la vie tourmentée d'un grand musicien et évoque les problèmes qui se posent à l'homme du XXe s.
Son appel à la lucidité et à la justice, au cours de la Première Guerre mondiale (*Au-dessus de la mêlée,* 1915), lui attire des haines violentes.

• *1919. Il publie « Colas Breugnon », récit de la vie et des aventures d'un paysan nivernais sous Louis XIII.*

Esprit humanitaire autant que mystique, il consacre plusieurs études aux penseurs de l'Inde, entreprend la publication d'un nouveau roman-fleuve *(l'Âme enchantée).*
Par sa vie et son œuvre, Romain Rolland a cherché à orienter l'énergie des hommes non vers la violence et la guerre, mais vers un idéal de beauté, de paix et de liberté. (Prix Nobel, 1915.)

ROLLMOPS [rɔlmɔps] n. m. (mot all.). Hareng fendu, roulé sur une brochette de bois et mariné au vin blanc.

ROLLON, chef normand, mort en 927. Il se fit céder par Charles III le Simple une partie de la Neustrie qui prit le nom de *Normandie* (911).

ROMAGNE, anc. province d'Italie, sur l'Adriatique, et qui fit partie de l'État pontifical. Elle forme auj., avec l'Émilie, la région d'*Émilie*-Romagne.*

ROMAIN, E [rɔmɛ̃, -ɛn] adj. et n. (lat. *romanus*). **1.** Qui appartient à la Rome ancienne : *Étudier l'histoire romaine.* ‖ *Travail de Romain,* travail difficile et pénible. — **2.** *Chiffres romains,* lettres numérales I, V, X, L, C, D, M, qui valent respectivement 1, 5, 10, 50, 100, 500, 1000 et qui, diversement combinées, servaient aux Romains à former tous les nombres. — **3.** Qui appartient à la Rome moderne : *La campagne romaine.* — **4.** *Caractère romain,* ou *romain* n. m., caractère d'origine italienne dont les traits sont perpendiculaires à la ligne : *Dans ce dictionnaire, les définitions sont imprimées en romain, les exemples en italique.* — **5.** Qui se rapporte à l'Église catholique, dont Rome est le siège principal : *L'Église catholique, apostolique et romaine.*

ROMAIN *(Empire)* → ROME.

1. ROMAINE [rɔmɛn] n. f. (de *romain*). Variété de laitue à feuilles allongées.

2. ROMAINE [rɔmɛn] n. f. (ar. *rommâna,* balance). Balance formée d'un fléau à bras inégaux (sur le bras le plus long, qui est gradué, peut coulisser un poids qui sert à équilibrer l'objet suspendu à l'autre bras).

ROMAINS (Jules), écrivain français (1885-1972). Promoteur de la doctrine unanimiste (qui se propose de traduire les sentiments et les impressions de groupes d'individus), il s'est efforcé de l'illustrer dans des poèmes et des récits en prose (*les Copains,* 1913).

• *1923. « Knock ou le Triomphe de la médecine », comédie satirique mise en scène par Louis Jouvet, est un succès au théâtre.*
• *1932-1947. Publication des vingt-sept volumes des « Hommes de bonne volonté ».*

Cette vaste fresque de la société française peint la complexité de la vie sociale moderne au cours de la période 1908-1933.

ROMAINVILLE, ch.-l. de cant. de la Seine-Saint-Denis, dans la banlieue est de Paris; 25400 hab. Industries mécaniques, chimiques et alimentaires.

1. ROMAN, E [rɔmɑ̃, -an] adj. (lat. *romanus,* de Rome). **1.** *Langues romanes,* langues dérivées du latin : *Les principales langues romanes sont le français, l'italien, l'espagnol, le portugais, le roumain.* — **2.** *Art roman,* ou *roman* n. m., art qui s'est épanoui dans les pays latins au XIe et au XIIe s. → ENCYCL. ◆ **romaniste** n. Spécialiste des langues romanes.
— ENCYCL. L'*art roman* représente l'ensemble de la production artistique depuis la fin du Xe s. jusque dans le cours du XIIIe s. Il englobe tous les pays de l'Occident latin relevant de la Rome pontificale. Art universel, il découle à la fois de l'art romain, de l'art des Barbares (Goths, Wisigoths, Francs) et des arts orientaux (byzantins et arabes).
C'est à la faveur de la renaissance économique, politique et spirituelle du XIe s. que l'art roman se développe, et l'Europe se couvre alors d'églises. Tout l'art roman est subordonné à l'architecture. Le plan le plus fréquent des églises romanes est le plan en croix. Il comprend une nef rectangulaire, flanquée de deux nefs latérales ou bas-côtés, traversée par le transept. L'abside (= extrémité arrondie de l'église) comprend le chœur entouré d'un déambulatoire sur lequel s'ouvrent des chapelles dites rayonnantes ou absidales.
La réinvention de la taille et de l'appareillage de la pierre constitue un progrès capital permettant de construire arcades et voûtes. La voûte romane par excellence est la voûte en berceau plein cintre (= en demi-cercle) ou brisé. Mais on trouve aussi des voûtes d'arêtes ou encore des coupoles couvrant le carré du transept (= lieu de rencontre de la nef et du transept) ou l'étage

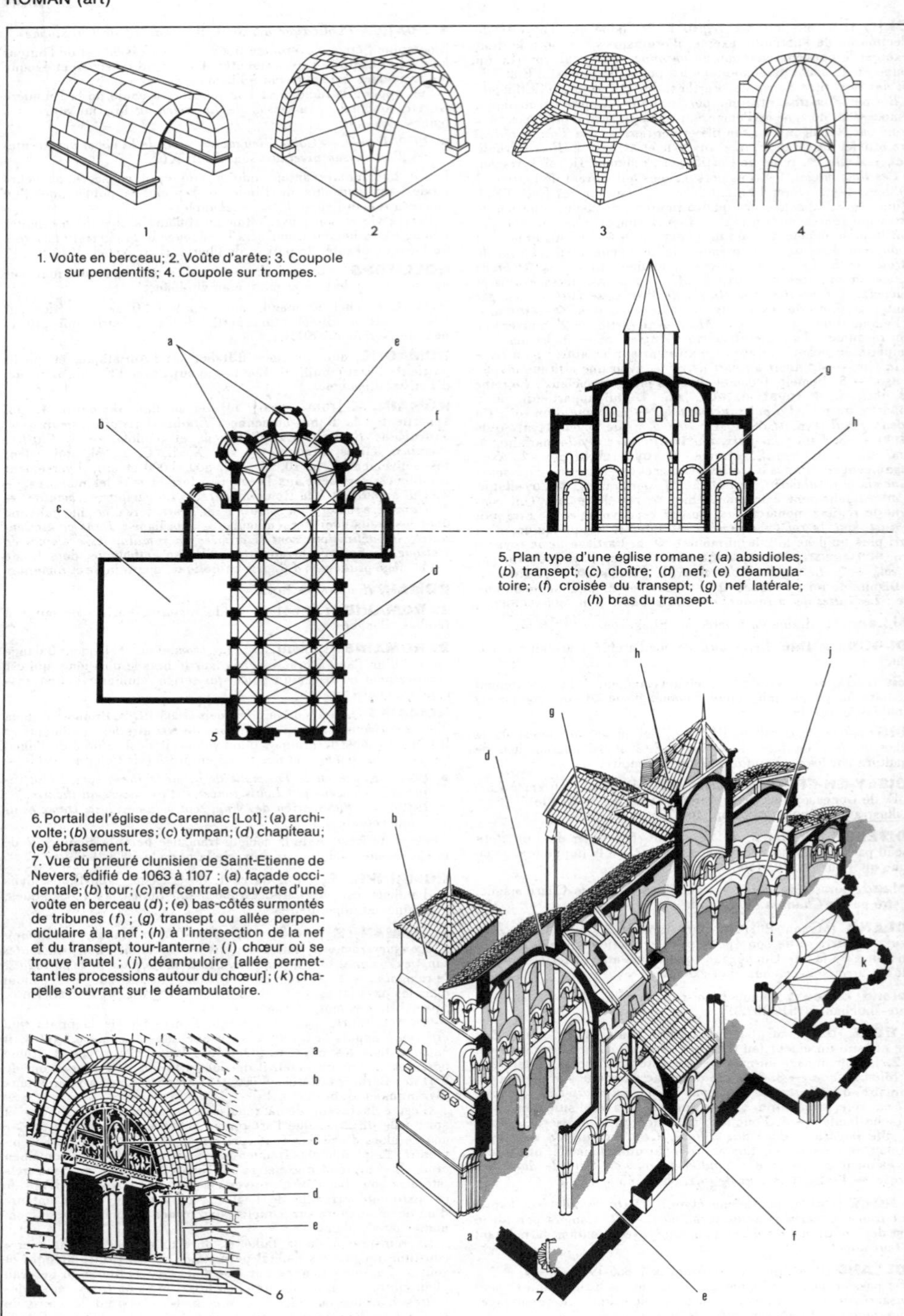

1. Voûte en berceau; 2. Voûte d'arête; 3. Coupole sur pendentifs; 4. Coupole sur trompes.

5. Plan type d'une église romane : (*a*) absidioles; (*b*) transept; (*c*) cloître; (*d*) nef; (*e*) déambulatoire; (*f*) croisée du transept; (*g*) nef latérale; (*h*) bras du transept.

6. Portail de l'église de Carennac [Lot] : (*a*) archivolte; (*b*) voussures; (*c*) tympan; (*d*) chapiteau; (*e*) ébrasement.

7. Vue du prieuré clunisien de Saint-Etienne de Nevers, édifié de 1063 à 1107 : (*a*) façade occidentale; (*b*) tour; (*c*) nef centrale couverte d'une voûte en berceau (*d*) ; (*e*) bas-côtés surmontés de tribunes (*f*) ; (*g*) transept ou allée perpendiculaire à la nef ; (*h*) à l'intersection de la nef et du transept, tour-lanterne ; (*i*) chœur où se trouve l'autel ; (*j*) déambuloire [allée permettant les processions autour du chœur] ; (*k*) chapelle s'ouvrant sur le déambulatoire.

nférieur du clocher. Pour soutenir ces voûtes, il a fallu inventer les piliers, carrés ou cylindriques, contre lesquels sont appuyées les colonnes, et à l'extérieur, multiplier les contreforts.

Cependant chaque région a trouvé son style personnel, apportant des variantes dans le plan des églises et trouvant les solutions propres à ses problèmes architecturaux. En France, on distingue es écoles bourguignonne (Autun, Paray-le-Monial), poitevine Notre-Dame-la-Grande à Poitiers), languedocienne (Saint-Sernin le Toulouse), provençale (Sainte-Trophime d'Arles), normande abbaye aux Dames et abbaye aux Hommes de Caen).

La décoration romane dépend étroitement de l'architecture. La sculpture monumentale, très variée selon les époques et les égions, est souvent déformée volontairement afin de s'adapter au adre des tympans, des voussures ou des chapiteaux. Surabondante, elle s'inspire de thèmes antiques ou orientaux : motifs éométriques, animaux fantastiques (dragons, sphynx, etc.), exoiques ou religieux (Bible, Apocalypse, vies de saints).

La plupart des sculptures étaient rehaussées de couleurs. Les murs étaient parfois peints de fresques (Catalogne, Saint-Savin-ur-Gartempe). L'art du vitrail annonce, par de magnifiques errières aux tons éclatants (Poitiers, Angers, Le Mans), les mereilles de l'art gothique. Des trésors comme celui de Sainte-Foy de Conques étaient remplis d'orfèvreries, d'ivoires, ou d'émaux, où la ichesse de la matière égalait celle des sujets figurés.

→ illustration page ci-contre.

2. ROMAN [rɔmɑ̃] n. m. (de *roman*, langue vulgaire [par apport à la langue savante qu'était le latin] dans laquelle étaient crits les anciens récits). **1.** *Autref.* Œuvre narrative, en prose ou n vers, écrite en langue romane, c'est-à-dire en français : *Le Roman de la Rose*». — **2.** Œuvre d'imagination en prose dont intérêt est dans la narration d'aventures, l'étude de mœurs ou de aractères, l'analyse de sentiments ou de passions. ‖ *Roman d'anticipation*, récit d'aventures fantastiques placées dans un aveir imaginé d'après les découvertes ou les hypothèses scientifiques es plus récentes (syn. ROMAN DE SCIENCE-FICTION). ‖ *Roman de ape et d'épée*, récit qui met en scène des personnages d'un aractère batailleur et chevaleresque, comme les aventuriers 'autrefois portant la cape et l'épée. ‖ *Roman noir*, dont l'action st jalonnée de crimes terrifiants et dont les personnages sont ominés par le vice et la démence. ‖ *Roman policier*, dans lequel auteur expose les efforts d'un détective pour éclaircir une affaire nystérieuse. ◆ **roman-feuilleton** n. m. Roman destiné à paraître ous forme de feuilletons dans un journal. ‖ Pl. des *romans-feuilletons*. ◆ **roman-fleuve** n. m. Roman très long dont l'action se éroule sur un vaste espace de temps et donne souvent une large ue de la société d'une époque : *«Jean-Christophe», de Romain Rolland, «les Hommes de bonne volonté», de J. Romains, «les Thibault», de R. Martin du Gard, sont des romans-fleuves.* ◆ **roman-photo** n. m. Récit sous forme de photographies accompagnées de légendes. ‖ Pl. des *romans-photos.* ◆ **romancer** v. t. Présenter sous la forme d'un roman; agrémenter de détails nventés : *Une biographie romancée.* ◆ **romancier, ère** n. Auteur e romans. ◆ **romanesque** adj. **1.** Qui a les caractères propres u roman : *La littérature romanesque.* — **2.** Qui tient du roman : *Une histoire romanesque* (syn. FABULEUX, INCROYABLE, INIMAGINABLE, INVRAISEMBLABLE). *Une jeune fille romanesque* (syn. RÊVEUR, SENTIMENTAL). ◆ n. m. : *Aimer le romanesque.*

— ENCYCL. Œuvre d'imagination constituée par un récit en prose, 'une certaine longueur (par rapport à l'essai, la nouvelle), le *roman* ne s'est pas imposé d'un coup en tant que genre littéraire.

Il s'est défini d'abord comme un phénomène de langue : est roman» ce qui est écrit en langue romane, c'est-à-dire dans la angue parlée par le peuple, le français (par opposition à la langue crite, le latin). Au Moyen Âge, le *roman de chevalerie* n'en a que e nom : il tient plutôt du poème épique qu'il met à la portée d'un ublic plus vaste. Le *fabliau*, lui, par la peinture de la réalité uotidienne, des caractères, des conditions sociales et des mœurs, nnonce un des traits fondamentaux du roman. Au XVIe s., parodie ostalgique du roman de chevalerie, le *Don Quichotte* de Cervantès ouvre l'ère du roman moderne. Au XVIIe s., le *roman précieux*, par son idéalisation des personnages, son goût pour les sentiments affinés et leur analyse, prépare le public à la tragédie classique, nais devient vite illisible. Le premier chef-d'œuvre du *roman d'analyse* fut *la Princesse de Clèves* de Mme de Lafayette qui, par on dépouillement, son observation pénétrante des sentiments, uvre la voie aux *Liaisons dangereuses* de Laclos (1782), à l'*Adolhe* de Benjamin Constant (1816).

Au XVIIIe s., on voit apparaître de nouvelles formes de roman : le *roman d'aventures* (illustré par le *Robinson Crusoé* de Daniel Defoe), le *roman philosophique* (illustré par Voltaire).

Au XIXe s., toutes les tendances que recelait le roman sont parvenues à maturité. Elles aboutissent aux chefs-d'œuvre de Balzac, Flaubert, Stendhal, Tolstoï, Dostoïevski, Zola.

La première moitié du XXe s. a vu l'apparition du *roman policier* et du *roman d'anticipation* (ou de *science-fiction*) préfiguré par Jules Verne. Mais dans la seconde moitié du XXe s., certains écrivains ont refusé le schéma du roman traditionnel, ordonné autour d'un personnage dont le mécanisme de la conscience était démonté en suivant un ordre logique d'événements. Par réaction s'est créé le *nouveau roman* (illustré par Nathalie Sarraute, Marguerite Duras, Claude Simon [prix Nobel de littérature 1985], Alain Robbe-Grillet, Michel Butor), qui, ayant éliminé intrigue et personnages, s'ordonne autour des choses, des objets, dont le romancier enregistre les contours et qui semblent seuls avoir une existence véritable. Depuis, à côté du roman de type traditionnel, qui fleurit toujours (prix littéraires), le genre romanesque semble plutôt s'orienter vers une recherche sur le langage.

Roman bourgeois *(le)*, de Furetière (1666).

Roman comique *(le)*, de Scarron (1651-1657).

Roman de Renart, suite de récits en vers (XIIe et XIIIe s.), dont le personnage central est le goupil, Renart. L'ensemble se compose de 27 «branches» (ou récits), dont les épisodes composent une satire parfois cruelle de la société féodale.

Roman de la Rose, poème de Guillaume de Lorris (4000 vers, composés vers 1235), auquel Jean de Meung ajouta une seconde partie (18000 vers, composés vers 1280).

ROMANCE [rɔmɑ̃s] n. f. (mot esp.). Chanson sentimentale.

ROMANCER v. t. → ROMAN 2.

ROMANCERO [rɔmɑ̃sero] n. m. (mot esp.). **1.** Recueil de poèmes ou «romances» espagnols, soit relatifs à une même légende, soit écrits à une même époque. — **2.** Ensemble de tous les «romances», considéré comme un genre propre à la littérature espagnole.

ROMANCHE [rɔmɑ̃ʃ] n. m. (du lat. *romanicum*, romain). Langue parlée dans les Grisons et devenue depuis 1938 la quatrième langue nationale de la Confédération suisse.

ROMANCHE (la), riv. des Alpes du Nord, affl. du Drac (r. dr.); 78 km.

ROMANCIER, ÈRE n. → ROMAN 2.

ROMAND, E [rɔ̃mɑ̃, -ɑ̃d] adj. (de *roman* 1). Se dit de la partie de la Suisse où l'on parle le français : *La Suisse romande.*

ROMANESQUE adj. et n. m., **ROMAN-FEUILLETON** n. m., **ROMAN-FLEUVE** n. m. → ROMAN 2.

ROMANICHEL, ELLE [rɔmaniʃɛl] n. (du tzigane *rom*, tzigane). **1.** *Péjor.* Tzigane nomade (syn. BOHÉMIEN). — **2.** *Péjor.* Vagabond.

ROMANISTE n. → ROMAN 1.

ROMANOV, famille russe originaire de Lituanie, qui s'établit en Russie au XVIe s. et régna sur ce pays de 1613 à 1917.

ROMAN-PHOTO n. m. → ROMAN 2.

ROMANS-SUR-ISÈRE, ch.-l. de cant. de la Drôme, à 18 km au N.-E. de Valence, sur l'Isère; 33900 hab. *(Romanais)*. Importante industrie de la chaussure.

ROMANTISME [rɔmɑ̃tism] n. m. (de l'angl. *romance*, roman). Mouvement littéraire et artistique qui, à partir de la fin du XVIIIe s., fit prévaloir le sentiment sur la raison et l'imagination sur l'analyse critique. → ENCYCL. ◆ **romantique** adj. **1.** Qui se rapporte au romantisme : *Le drame romantique.* — **2.** Qui évoque les attitudes, le caractère d'une personne chez qui prédominent la sensibilité, la rêverie : *Un tempérament romantique* (syn. ROMANESQUE).

— ENCYCL. Le *romantisme littéraire* se manifeste dès la fin du XVIIIe s. en Angleterre et en Allemagne, puis au XIXe s. en France, en Italie et en Espagne. Il se caractérise par une réaction du sentiment contre la raison. Cherchant l'évasion dans le rêve, dans l'exotisme ou le passé, il exalte le goût du mystère et du fantastique. Il réclame la libre expression de la sensibilité et, prônant le culte du «moi», affirme son opposition à l'idéal classique. La littérature romantique se dessine dès les romans anglais de Richardson (milieu du XVIIIe s.) et les poèmes d'Ossian, et prend forme avec Goethe (*Werther*, 1774) et Hölderlin en Allemagne, Southey et Wordsworth (*Ballades lyriques*, 1798) en Grande-Bretagne. Plus tardif dans le reste de l'Europe, le romantisme triomphe en France avec Lamartine, Hugo, Vigny, Musset. Son influence dépasse les genres littéraires proprement dits; c'est à lui qu'est dû le développement de l'histoire au XIXe s. (A. Thierry, Michelet) et de la critique (Sainte-Beuve). À partir du milieu du XIXe s., le romantisme survit à travers la poésie de V. Hugo et les œuvres des écrivains scandinaves, tandis que les littératures occidentales voient l'apparition du réalisme.

Parallèlement au romantisme littéraire, le *romantisme artistique* est une réaction contre le néo-classicisme de l'école de David. Il oppose à la rigueur classique (dessin, composition), le mouvement et la couleur, l'abandon de thèmes antiques au profit de visions orientales et moyenâgeuses. Ce mouvement est représenté en particulier par les peintres Gros et Géricault, Delacroix, Devéria, le sculpteur David d'Angers.

→ illustration en couleurs pages 1248-1249.

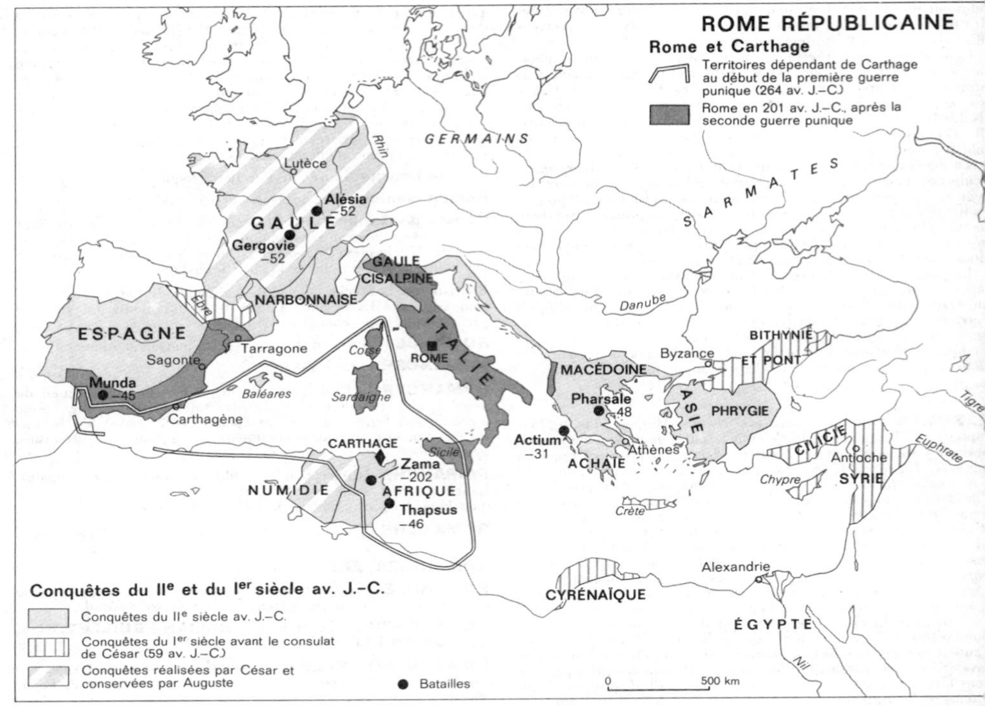

Le *romantisme musical* est représenté notamment par Weber, Schubert, Schumann, Berlioz, Chopin, Liszt.

ROMARIN [rɔmarɛ̃] n. m. (lat. *rosmarinus*, rosée de mer). Genre de labiacées comprenant de petits arbrisseaux aromatiques, à fleurs douées de propriétés stimulantes.

ROMBAS, ch.-l. de cant. de la Moselle, à 4 km à l'E. de Moyeuvre-Grande; 11 700 hab. *(Rombasiens)*. Mines de fer. Sidérurgie. Cimenterie.

ROME, capit. de l'Italie, sur le Tibre; 2 898 000 hab. La ville, dont le centre, établi sur des collines de tuf volcanique, est enserré par la muraille d'Aurélien, possède d'importants monuments qui témoignent de la richesse de son passé. Avec l'enclave de la *Cité du Vatican*, résidence du pape, elle attire chaque année des millions de touristes et pèlerins venus du monde entier. Centre administratif et culturel, l'industrie y est peu représentée (bâtiment, produits pharmaceutiques, cinéma) et la population, qui s'accroît à un rythme très rapide, a parfois du mal à trouver un emploi.

HISTOIRE. Rome est née de la réunion d'un groupe de villages latins et sabins établis sur quelques-unes de ses collines. Les Étrusques contribuèrent largement (VIIe - VIe s. av. J.-C.) à faire de Rome une ville grâce à l'apport de leurs techniques. Rome devint bientôt la capitale d'un empire immense; sous les empereurs, elle compta un million d'habitants; elle était alors couverte de monuments magnifiques. L'apparition des Barbares amena la ville à organiser sa défense (IIIe s.), ce qui ne l'empêcha pas d'être dévastée plusieurs fois (Ve s.). Le choix de Constantinople comme capitale orientale et la fin de l'Empire d'Occident précipitèrent la décadence de Rome, réduite au rang de capitale religieuse, et dépeuplée. Les papes de la Renaissance lui rendirent une partie de sa splendeur, mais ce ne fut qu'à partir de 1870 (Rome, capitale du royaume d'Italie) qu'elle prit un essor démographique et économique qui en fit la digne capitale de l'Italie moderne. Elle profita aussi du prestige renouvelé de la papauté.

BEAUX-ARTS. Les différentes civilisations qui se sont succédé à Rome ont laissé de très nombreux monuments qui subsistent dans la ville moderne.

Mis à part ceux du Forum* romain construits à l'époque républicaine, la plupart des monuments de l'Antiquité datent de l'époqu impériale : ainsi le Panthéon, le Colisée, amphithéâtre qui pouvai contenir plus de 100 000 spectateurs (80 apr. J.-C.), les therme (de Dioclétien, de Caracalla), les temples de Mars et de Vesta. Le arcs de triomphe les plus célèbres sont ceux d'Auguste, de Titus de Trajan. Ils rappellent que la puissance romaine était d'abor fondée sur ses armées.

Après l'édit de Constantin, qui autorise le culte chrétien à Rom (313), des églises sont édifiées. Les premières grandes construc tions de la Rome chrétienne sont les basiliques de Saint-Jean-de Latran, Sainte-Marie-Majeure, Saint-Paul-hors-les-Murs, somp tueusement décorées de mosaïques et de fresques. Au VIe s. l style byzantin s'impose à Rome : Sainte-Prudentienne, Sainte Praxède, Sainte-Marie-Antique sont des églises romano-byzant nes.

L'époque gothique laisse peu de témoignages à Rome, mais l Renaissance y prend un magnifique essor. Le pape Jules II (1503 1513) fait faire des travaux d'urbanisme dans la ville, créant de rues droites, reliant les grands édifices les uns aux autres par d longues perspectives. De cette époque date la reconstruction de l basilique Saint-Pierre, commencée par Bramante, achevée pa Raphaël, et dont le chef-d'œuvre demeure la coupole de Miche Ange.

Du XVIIe s. au XVIIIe s., Rome voit naître et s'épanouir un styl nouveau qui rayonnera sur toute l'Europe : le baroque. Le Berni (1598-1680) et Borromini (1599-1667) sont les maîtres de ce nou veau style. Des églises à coupoles, au plan complexe, aux façade tourmentées, apparaissent, dont celle du Gesù est l'exemple l plus parfait.

À la Renaissance comme à l'époque baroque, les villa entourées de jardins rivalisent avec les palais (palais de Venise Barberini, Farnèse) tandis que de nombreuses fontaines contri buent au charme de la ville.

Le XIXe s. n'a à peu près rien produit à Rome qui soit comparabl à la qualité des monuments anciens. Au XXe s. la gare central (*Stazione Termini*, 1952) est considérée comme un des chefs d'œuvre de l'architecture moderne.

ROME, capit. d'un des principaux empires de l'Antiquité à qu elle donna son nom. Les villages latins et sabins qui occupaien son site se transforment en cité sous la domination des Étrusque

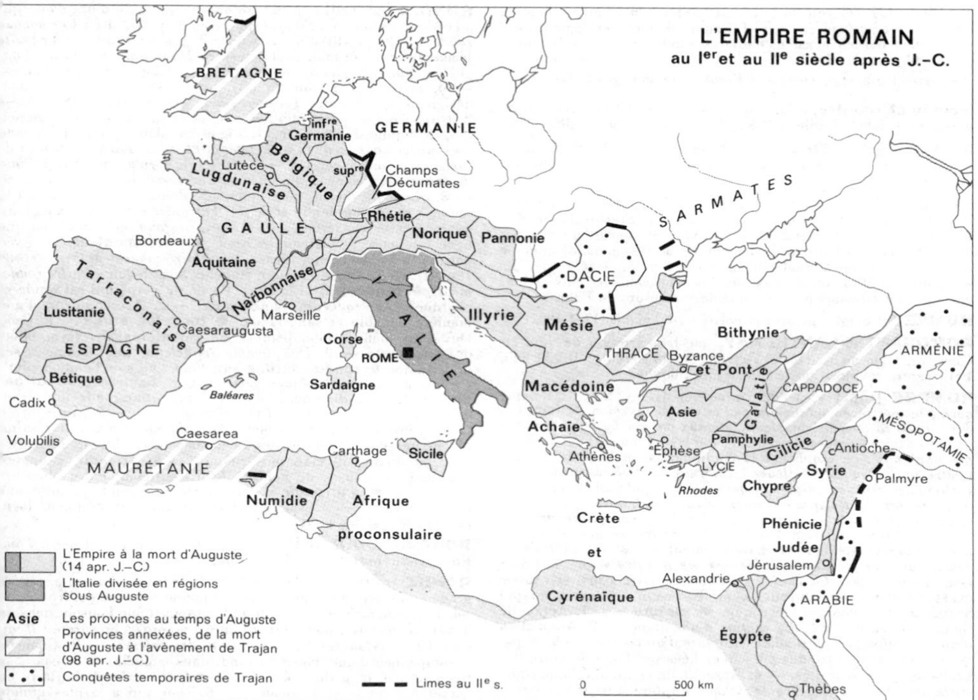

VIIe - VIe s. av. J.-C.) bien que la légende fixe la création de la ville n 753 av. J.-C. La royauté étrusque disparaît après une révolte es populations soumises (510, date légendaire).

Ve s. av. J.-C. Rome, modeste cité rurale, connaît un régime patricien fondé sur les « gentes » (grandes familles possédant la terre).

'élaboration progressive du *régime républicain* se fait au travers e magistratures, généralement collégiales (préture, consulat, cenure), tandis que le sénat, composé des chefs patriciens, assure la ontinuité de la république. Le reste de la population, la plèbe, n'a i droits politiques, ni statut juridique. Les nécessités de la guerre conquête du Latium) favorisent la lutte des plébéiens qui obtienent l'égalité juridique et la désignation de nouveaux magistrats, s tribuns de la plèbe.

Milieu du IVe s. av. J.-C. Les Romains, maîtres du Latium, commencent la conquête de l'Italie, qu'ils achèvent en 272.

IIIe s. av. J.-C. Après plusieurs siècles de lutte, les plébéiens obtiennent l'égalité avec les patriciens, y compris l'accès au sénat.

'apparence démocratique des assemblées du peuple (comices) ache cependant une prédominance des riches (plébéiens ou patriiens) aussi effective qu'au sénat.

264 av. J.-C. Le début de la première guerre punique ouvre une période de conquêtes, dont les grandes étapes vont de la destruction de Carthage (146) à l'annexion de l'Égypte (30), après celle de l'Asie Mineure (133), de l'Espagne (133), de la Gaule (52).*

a conquête va faire de Rome l'héritière des civilisations du bassin éditerranéen, et transformer la société romaine : la noblesse énatoriale et les chevaliers s'enrichissent, tandis que le déclin de petite propriété entraîne l'essor d'une nouvelle plèbe qui forme « clientèle » des riches. L'échec des tentatives de réformes des racques (133-123) permet à des généraux ambitieux d'utiliser les ittes sociales pour établir leur dictature (Marius, Sulla, Pompée, ésar et Octavien).

- *27 av. J.-C. Après sa victoire sur Antoine à Actium (31 av. J.-C.) Octavien s'arroge tous les pouvoirs sous des apparences républicaines.*

ous le titre d'*Auguste*, il dispose du pouvoir militaire (*imperium* proconsulaire), civil (puissance tribunicienne et magistratures) et religieux (grand pontife). Il réorganise l'armée, l'administration centrale et celle des provinces, et fixe les frontières de l'Empire au Rhin et au Danube.

- *14-68 apr. J.-C. Les Julio-Claudiens poursuivent son œuvre.*

Sous Tibère l'Empire s'étend par la conquête de la Bretagne, mais les relations entre l'empereur et le sénat sont difficiles. Elles vont se dégrader sous Caligula et sous Néron, tentés par la monarchie orientale.

- *69-96. Les Flaviens (Vespasien, Titus, Domitien) consolident le pouvoir impérial, stabilisent les frontières, tandis que se dessine une unité de civilisation.*
- *96-235. L'Empire est à son apogée territoriale, économique et culturelle sous les Antonins (96-192) et les premiers Sévères.*

La stabilité politique assurée par les Antonins (Nerva, Trajan, Hadrien, Antonin, Marc-Aurèle et Commode) favorise la prospérité agricole, industrielle et commerciale. Une classe dirigeante où se mêlent sénateurs, chevaliers et bourgeoisie municipale s'enrichit, tandis que les villes, foyers de romanisation, se couvrent de monuments.

Sous Caracalla, en 212, l'octroi du droit de cité à tous les habitants de l'Empire montre les progrès de la romanisation. Cependant les cultes traditionnels sont concurrencés par les cultes orientaux (culte de Mithra ou de Cybèle) et par le christianisme.

- *IIIe s. La crise commencée sous les Sévères s'aggrave après 235.*

Elle est marquée par la ruine de la paysannerie devant l'essor des grands domaines, l'appauvrissement des villes, l'arrêt des conquêtes profitables, et la menace extérieure. Le poids croissant de l'armée entraîne une période d'anarchie militaire (235-268), puis l'arrivée au pouvoir des empereurs illyriens (268-284), qui vont restaurer provisoirement l'ordre romain avec Aurélien, puis Dioclétien (284-305). Celui-ci, pour faciliter l'administration et la défense de l'Empire, crée la tétrarchie : deux empereurs (Augustes) sont assistés de deux Césars.

- *313-337. Constantin reconstitue l'unité de l'Empire, dont la capitale est transférée à Byzance, et qui se transforme en monarchie orientale.*

Ses successeurs ne peuvent maintenir son œuvre, et après

Théodose (379-395), qui fait du christianisme la religion officielle, l'Empire est partagé en deux. L'Empire d'Occident disparaît dès 476, balayé par les invasions barbares, tandis que celui d'Orient se maintient jusqu'en 1453.

→ cartes ROME RÉPUBLICAINE et EMPIRE ROMAIN pages 1212-1213.

Roméo et Juliette, drame de Shakespeare (1594), qui a inspiré un opéra d'Hector Berlioz (1839), et un de Ch. Gounod (1867).

ROMILLY-SUR-SEINE, ch.-l. de cant. de l'Aube, à 20 km à l'E. de Nogent-sur-Seine; 16300 hab. *(Romillons).* Industries mécaniques.

ROMMEL (Erwin), maréchal allemand (1891-1944). Il commande la 7e division blindée pendant la campagne de France (1940). À la tête de l'Afrikakorps (1941-1943) en Lybie, il menace un moment l'Égypte, mais est battu à El-Alamein (1942). Il commande quelque temps le front occidental (1944), mais, blessé, il se retire. La sympathie qu'il manifeste aux membres du complot contre Hitler entraîne son arrestation et son suicide sur l'ordre du Führer.

ROMNEY (George), peintre et portraitiste anglais (1734-1802).

ROMORANTIN-LANTHENAY, ch.-l. d'arrond. de Loir-et-Cher, à 33 km au N.-O. de Vierzon, sur la Sauldre; 18200 hab. Petit centre textile. Constructions mécaniques.

ROMPRE [rɔ̃pr] v. t. (lat. *rumpere*). [Conj. **53.**] **1.** *Rompre qqch.,* le mettre en morceaux par effort ou pression, le faire céder : *Dans la tempête, plusieurs bateaux ont rompu leurs amarres* (= ont cassé les câbles, les chaînes qui les retenaient). — **2.** *Rompre une chose,* en empêcher la continuation ou la réalisation; y mettre fin : *Rompre le silence* (syn. TROUBLER). *Rompre des fiançailles, des relations diplomatiques.* — **3.** *Applaudir à tout rompre,* très fort. ‖ *Rompez les rangs!,* ou *rompez!,* ordre donné à une troupe en rangs de se disperser; ordre donné de partir. ◆ v. i. Cesser d'être en relation d'amitié : *Ils ont rompu* (syn. SE BROUILLER); renoncer soudain et définitivement à : *Il est difficile de rompre avec de vieilles habitudes.* ◆ ***se rompre*** v. pr. Se briser (sens 1 du v. t.) : *La chaîne s'est rompue* (syn. usuel SE CASSER, CÉDER, CRAQUER). ◆ **rupteur** n. m. Dispositif servant à rompre brutalement un courant électrique. ◆ **rupture** n. f. **1.** Action de rompre, de se rompre : *La rupture d'une digue.* — **2.** Annulation d'un acte public ou particulier : *Rupture d'un contrat.* — **3.** Séparation, désunion entre des personnes liées par l'amitié, entre des États liés par des traités. — **4.** Absence de continuité, opposition entre des choses : *Rupture de rythme. Rupture entre le passé et le présent.*

ROMPU, E [rɔ̃py] adj. (de *rompre*). **1.** *Être rompu de fatigue, avoir les jambes rompues,* être extrêmement fatigué (syn. ÉREINTÉ, EXTÉNUÉ, FOURBU, HARASSÉ, RECRU). — **2.** *Être rompu à une chose,* être très exercé à une chose : *Être rompu aux affaires* (syn. EXPÉRIMENTÉ, EXPERT EN). — **3.** *À bâtons rompus* → BÂTON.

ROMSTECK ou **RUMSTECK** [rɔmstɛk] n. m. (de l'angl. *rump,* croupe, et *steak,* grillade). Partie du bœuf de boucherie correspondant à la croupe.

ROMULUS, frère jumeau de Remus, fondateur et premier roi légendaire de Rome. Selon la légende la plus répandue, il était fils de Mars et de la vestale Rhea Silvia. Il fut exposé à sa naissance avec son frère, dans une corbeille abandonnée sur les eaux du Tibre. Les enfants furent recueillis par une louve qui les allaita. Après une vie de brigandage, ils fondèrent la future Rome sur le Palatin. Au cours de la fondation, Romulus tua Remus qui par dérision avait franchi le sillon symbolique qui marquait la limite de la ville.

ROMULUS AUGUSTULE, né v. 461, dernier empereur romain d'Occident (475-476), déposé par Odoacre.

RONCE [rɔ̃s] n. f. (lat. *rumex, -icis,* dard). Arbuste épineux dont les fruits (mûres sauvages) sont comestibles. ◆ **ronceraie** n. f. Terrain encombré de ronces.

RONCEVAUX, en esp. **Roncesvalles,** bourg espagnol de Navarre (province de Pampelune), à proximité du col d'Ibañeta (ou *de Roncevaux*); alt. 1057 m.

C'est au passage de ce col que, selon la tradition, l'arrière-garde de l'armée de Charlemagne fut taillée en pièces par les Basques (Vascons) [778] et que Roland fut tué. Cet épisode est à l'origine de *la Chanson de Roland.*

RONCHAMP, comm. de la Haute-Saône, à 12 km à l'E. de Lure; 3100 hab. Chapelle Notre-Dame-du-Haut, édifiée par Le Corbusier en 1955.

RONCHIN, comm. du Nord, à 6 km au S.-E. de Lille; 17600 hab. *(Ronchinois).* Fonderie. Brasserie.

RONCHONNER [rɔ̃ʃɔne] v. i. (du lat. *roncare,* ronfler). *Fam.* Manifester sa mauvaise humeur, son mécontentement, en murmurant entre ses dents (syn. BOUGONNER, GROGNER, MAUGRÉER). ◆ **ronchonnement** n. m. Fam. ◆ **ronchonneur, euse** ou **ronchon** adj. et n. *Fam.* Qui a l'habitude de ronchonner.

ROND, E [rɔ̃, rɔ̃d] adj. (lat. *rotundus*). **1.** Se dit d'une chose qui a la forme d'un cercle, d'une sphère ou d'un cylindre : *Une pomme ronde.* — **2.** Se dit d'un être animé gros et court : *Une petite femme ronde* (syn. fam. BOULOT). — **3.** *Un compte, un chiffre rond* qui ne comporte pas de fraction; dont on supprime les décimales. — **4.** *Fam.* Qui a trop bu (syn. IVRE). ◆ adv. **1.** (sujet nom désignant un moteur) *Tourner rond,* tourner régulièrement. — **2.** (sujet nom de personne) Fam. *Ne pas tourner rond,* être un peu fou, déséquilibré. ◆ n. m. **1.** Ligne circulaire : *Tracer un rond avec un compas* (syn. CERCLE, CIRCONFÉRENCE). *Faire des ronds de fumée avec une cigarette.* — **2.** Objet de forme circulaire : *Rond de serviette* (= anneau qui enserre une serviette de table roulée). — **3.** *Rond de jambe,* mouvement de danse au cours duquel la jambe exécute un demi-cercle. ‖ *Faire des ronds de jambe,* faire des politesses exagérées. — LOC. ADV. *En rond,* en cercle, sur une ligne circulaire : *S'asseoir en rond.* ◆ **rondement** adv. **1.** Avec entrain, avec décision : *Mener une affaire rondement* (syn. PROMPTEMENT). — **2.** D'une manière franche, sans façon : *Parler rondement.* ◆ **rondeur** n. f. **1.** *Fam.* Partie du corps qui est ronde et charnue : *Les rondeurs d'une femme.* — **2.** *Avec rondeur,* d'une manière aimable et sans façon. ◆ **rondelet, ette** adj. **1.** *Fam.* Qui a un peu d'embonpoint : *Un enfant rondelet* (syn. DODU, GRASSOUILLET). — **2.** *Une somme rondelette,* une somme assez importante. ◆ **rondouillard, e** adj. *Fam.* Qui a de l'embonpoint : *Un homme rondouillard* (syn. GRASSOUILLET, ↓RONDELET). ◆ **arrondir** v. t. **1.** *Arrondir qqch.,* lui donner une forme ronde ou courbe, en supprimant les angles : *Des galets arrondis.* — **2.** Agrandir de façon à former un tout complet : *Arrondir une somme, un résultat* (= ajouter des unités ou des décimales pour obtenir un chiffre rond, approximatif, mais plus simple). — **3.** *Arrondir les angles,* diminuer les causes de conflit, de dissentiment entre plusieurs personnes. ◆ ***s'arrondir*** v. pr. **1.** Devenir rond, prendre une forme courbe. — **2.** Augmenter de volume, de grandeur (syn. PRENDRE DE L'EMBONPOINT).

ROND-DE-CUIR [rɔ̃dkɥir] n. m. (de *rond, de,* et *cuir*). *Fam.* Employé de bureau. ‖ Pl. des *ronds-de-cuir.*

RONDE [rɔ̃d] n. f. (de *rond*). **1.** *Mil.* Inspection faite par un gradé ou un officier pour s'assurer que tout est dans l'ordre : *Faire une ronde de nuit.* — **2.** Visite faite autour d'une maison, dans un appartement, etc., pour voir si tout est en ordre, en sûreté : *Il fait tous les soirs sa ronde, par crainte des voleurs.* — **3.** Chanson accompagnée d'une danse en rond, dans laquelle les danseurs se tiennent par la main : *Une ronde enfantine.* — **4.** Écriture en caractères ronds et verticaux. — **5.** Note qui a la plus grande valeur dans le système de la musique moderne : *La ronde vaut deux blanches, quatre noires.* — LOC. ADV. *À la ronde,* aux environs : *Être connu à vingt lieues à la ronde* (= dans une étendue ayant vingt lieues de rayon).

RONDEAU [rɔ̃do] n. m. (de *rond*). **1.** Poème à forme fixe, en vogue au XVIe s. — **2.** *Mus.* Forme instrumentale ou vocale caractérisée par l'alternance d'un même refrain et de couplets différents et en nombre variable.

RONDE-BOSSE [rɔ̃dbɔs] n. f. (de *ronde,* et *bosse*). Ouvrage de sculpture en plein relief, dont les volumes se développent dans les trois dimensions (par oppos. à la *demi-bosse* et au *bas-relief*). [On écrit sans trait d'union la loc. *en ronde bosse.*] ‖ Pl. des *rondes bosses.*

RONDELET, ETTE adj. → ROND.

RONDELLE [rɔ̃dɛl] n. f. (de *rond*). **1.** *Technol.* Petit disque percé que l'on place entre un écrou et la pièce à serrer. — **2.** Tranche ronde de viande, de fruit, etc. : *Des rondelles de saucisson, de citron.*

RONDEMENT adv., **RONDEUR** n. f. → ROND.

RONDIN [rɔ̃dɛ̃] n. m. (de *rond*). Morceau de bois de chauffage, de forme cylindrique.

RONDOUILLARD, E adj. → ROND.

ROND-POINT [rɔ̃pwɛ̃] n. m. *(rond,* et *point).* Place circulaire ou carrefour où aboutissent plusieurs rues, avenues ou routes. ‖ Pl. des *ronds-points.*

RONFLER [rɔ̃fle] v. i. (de l'anc. fr. *ronchier,* et *souffler*). **1.** (sujet nom de personne) Faire un certain bruit de la gorge et des narines en respirant pendant le sommeil. — **2.** (sujet nom de chose) Produire un bruit sourd et prolongé : *Un poêle, un moteur qui ronfle.* ◆ **ronflant, e** adj. **1.** Plein d'emphase et creux : *Des phrases ronflantes* (syn. DÉCLAMATOIRE, GRANDILOQUENT, POMPEUX). — **2.** *Des promesses ronflantes,* magnifiques, mais mensongères. ◆ **ronflement** n. m. **1.** Respiration bruyante que fait entendre une personne pendant son sommeil. — **2.** Sonorité sourde et prolongée : *Le ronflement d'un orgue.* ◆ **ronfleur, euse** n. Personne qui a l'habitude de ronfler.

RONGER [rɔ̃ʒe] v. t. (du lat. *rumigare,* ruminer). **1.** (sujet nom d'être animé) *Ronger qqch.,* le manger, le déchiqueter à petits coups de dents, de bec : *Les rats ont rongé plusieurs livres. Ronge* *ses ongles.* — **2.** (sujet nom d'animaux qui n'ont pas de dents) Attaquer, détruire : *Les chenilles rongent les feuilles des arbres.* — **3.** (sujet nom désignant un cheval) Serrer, mordiller avec les dents : *Ronger son mors, son frein* (syn. MÂCHER). — **4.** (sujet nom de chose) User lentement, entamer : *La rouille ronge le fer* (syn. ATTAQUER, CORRODER). — **5.** *Ronger qq'un,* le tourmenter, le consumer à force de soucis, d'inquiétudes, de regrets : *Le chagrin ronge cet homme* (syn. MINER). *Ronger son frein* → FREIN. ◆ **se ronger** v. pr. : *Se ronger les ongles.* ‖ *Se ronger d'inquiétude, de souci,* etc., être tourmenté, dévoré par les inquiétudes, les soucis, etc. ◆ **rongeur, euse** adj. Qui ronge, qui a l'habitude de ronger : *Un mammifère rongeur.* ◆ **rongeurs** n. m. pl. Ordre de mammifères comprenant ceux qui présentent des incisives à croissance continue faites pour ronger, tels que le *lapin,* le *rat,* l'*écureuil* et le *porc-épic.* → ENCYCL.

— ENCYCL. Les *rongeurs* forment, de tous les ordres de mammifères, le plus nombreux en espèces (environ 1 500) et en individus. La plupart ont un régime alimentaire végétal, mais certains d'entre eux sont omnivores. Leur mode de vie est variable : souterrain, terrestre, arboricole, semi-aquatique, selon les groupes. Certains, tels les rats, peuvent être des vecteurs de maladies (peste, typhus). Un petit nombre d'espèces est utilisé dans l'alimentation humaine (surtout les léporidés). Certains rongeurs ont une importance dans l'industrie de la fourrure (petit gris, chinchilla, ragondin, castor, rat musqué, etc.). Enfin, on utilise pour des travaux de laboratoire le lapin, le hamster, le cobaye, la souris, le rat.

RONRONNER [rɔ̃rɔne] v. i. (d'une onomat.). **1.** (sujet nom désignant un chat) Faire entendre un ronflement sourd et continu. — **2.** (sujet nom de personne) Manifester un sentiment de satisfaction par un bruit imitant le ronron du chat : *Ronronner de satisfaction.* ◆ **ronron** ou **ronronnement** n. m. **1.** Bruit par lequel le chat manifeste son contentement. — **2.** Bruit sourd et continu : *Le ronronnement d'un moteur.*

RONSARD (Pierre DE), poète français (1524-1585). Il s'adonne à l'étude des lettres latines et grecques, et se propose, avec ses amis de la Pléiade, de renouveler l'inspiration et la forme de la poésie française. Après ses *Odes* (1550), imitées de Pindare, il en vient à une poésie plus personnelle et moins savante dans les *Amours* (1552-1555). Il trouve ensuite dans les *Hymnes* (1555-1556) le ton de l'épopée. Poète de la cour de Charles IX, il prend parti, dans les *Discours* (1562-1563), contre la Réforme; son épopée *la Franciade* (1572) reste inachevée. Au début du XVIIe s., les critiques de Malherbe et de Boileau ruinent la réputation du poète, dont l'œuvre va connaître un oubli de deux siècles. À l'époque romantique, Sainte-Beuve réhabilitera Ronsard et la Pléiade dans son *Tableau historique et critique de la poésie française au XVIe siècle* (1828).

RÖNTGEN (Wilhelm Conrad), physicien allemand (1845-1923). En 1895, il découvrit les rayons X et étudia leurs principales propriétés. (Prix Nobel de physique, 1901.)

RÖNTGEN [røntgɛn] n. m. (de *Röntgen*). Unité de quantité de rayonnement X ou γ (symb. : R).

ROOSEVELT (Theodore), homme d'État américain (1858-1919). Républicain, il devient vice-président des États-Unis en 1900, puis président (1901) après la mort de McKinley; il sera réélu en 1904. Il est intervenu comme médiateur dans la guerre russo-japonaise (1905). [Prix Nobel de la paix, 1906.]

ROOSEVELT (Franklin Delano), homme d'État américain (1882-1945), cousin du précédent. Gouverneur de New York (1929-1933), candidat des démocrates, il est élu à la présidence des États-Unis (novembre 1932). Pour résoudre la crise économique, il fait voter les lois du New Deal, réforme les banques, supprime la prohibition, abandonne l'étalon-or (1933), dévalue le dollar (1934) et favorise le crédit. Sa politique de grands travaux remédie au chômage. Il s'efforce de réglementer les conditions de travail et les salaires (1935-1938). Il s'inquiète des progrès du fascisme et du nazisme; persuadé que les États-Unis ne pourront rester à l'écart d'une guerre européenne, il y prépare progressivement l'opinion et, en 1939, fait voter une loi autorisant la vente d'armes aux belligérants. Après l'attaque de Pearl Harbor*, il décide les États-Unis à participer à la Seconde Guerre mondiale (1941). Il participe aux accords de Téhéran (1943) et de Yalta (1945) et fait élaborer le plan de l'Organisation des nations unies (O. N. U.).

ROQUEBRUNE-CAP-MARTIN, comm. des Alpes-Maritimes, à 3 km au S.-O. de Menton; 12 600 hab. Station balnéaire.

ROQUEFORT [rɔkfɔr] n. m. (du nom de la v. de *Roquefort*). Fromage à moisissures bleues internes, fabriqué avec du lait de brebis.

ROQUEFORT-SUR-SOULZON, comm. de l'Aveyron, à 13.5 km à l'E.-N.-E. de Saint-Affrique; 880 hab. Fromages.

ROQUER [rɔke] v. i. (de *roc,* anc. n. de la tour aux échecs). Au jeu d'échecs, placer l'une de ses tours auprès de son roi et faire passer le roi de l'autre côté de la tour en un seul mouvement.

ROQUET [rɔkɛ] n. m. (orig. obscure). Petit chien hargneux.

ROQUETTE [rɔkɛt] n. f. (de l'angl. *rocket,* fusée). Terme désignant les projectiles tactiques autopropulsés, utilisés comme armes antichars et à bord des avions de combat.

Roquette (la), anc. prison de Paris (1830-1900). — La *Petite-Roquette,* construite en 1832 et aujourd'hui démolie, était une prison de femmes.

RORQUAL, ALS [rɔrkwal] n. m. (de l'anc. norv. *raudh-hwalz*). Mammifère cétacé, syn. de BALÉNOPTÈRE.

ROSACE [rozas] n. f. (de *rose*). **1.** Ornement d'architecture en forme de rose épanouie inscrite dans un cercle : *Les rosaces sont surtout employées dans la décoration des plafonds.* — **2.** Grand vitrail d'église de forme circulaire (syn. ROSE).

ROSACÉES [rozase] n. f. pl. (de *rose*). Famille de plantes à fleurs comprenant de nombreuses espèces fruitières (*pommier, poirier, pêcher, abricotier, prunier, framboisier, fraisier,* etc.) et des espèces ornementales *(rosier).*

ROSAIRE [rozɛr] n. m. (du lat. *rosa,* rose). **1.** Grand chapelet composé de quinze dizaines de petits grains, que séparent des grains un peu plus gros. — **2.** Prières que l'on récite en égrenant le rosaire : *Dire son rosaire.*

ROSALBA (Rosa Alba CARRIERA, dite), portraitiste vénitienne (1675-1757), une des premières pastellistes du XVIIIe s.

ROSANILINE [rozanilin] n. f. (de *rose,* et *aniline*). Base azotée dont les dérivés (fuchsine, bleu de Lyon, violet de Paris, etc.) sont des couleurs teignant directement la fibre animale.

ROSARIO, v. d'Argentine (province de Santa Fe), sur le Paraná; 957 300 hab. Port actif. Centre ferroviaire. Industries alimentaires.

ROSAS (Juan Manuel DE), homme d'État argentin (1793-1877). Il s'imposa comme dictateur (1829-1831 et 1835-1852) et fut renversé par une coalition sud-américaine.

ROSÂTRE adj. → ROSE 3.

ROSBIF [rɔsbif] n. m. (de l'angl. *roast,* rôti, et *beef,* bœuf). Morceau de viande de bœuf destiné à être rôti.

ROSCOFF, comm. du Finistère, à 5 km au N. de Saint-Pol-de-Léon; 3 700 hab. *(Roscovites).* Port de pêche et station balnéaire. Centre de thalassothérapie. Laboratoire de biologie marine. Cultures de primeurs.

1. ROSE [roz] n. f. (lat. *rosa*). **1.** Fleur du rosier. — **2.** *Découvrir le pot aux roses,* découvrir une intrigue cachée, un secret. ‖ *Eau de rose,* eau de toilette obtenue par la distillation des pétales de rose. ‖ *Un roman, un film à l'eau de rose,* sentimental et mièvre, dont le dénouement est toujours heureux. ◆ **roseraie** n. f. Terrain planté de rosiers. ◆ **rosier** n. m. Arbuste épineux cultivé pour ses fleurs odorantes et dont on connaît de très nombreuses variétés.

2. ROSE [roz] n. f. (même étym.). **1.** Dans les églises gothiques, grande fenêtre circulaire garnie de vitraux en compartiments, au-dessus du portail. (→ ROSACE.) — **2.** *Rose des sables,* agglomération de cristaux de gypse, jaune ou rose, qu'on trouve dans certains déserts. ‖ *Rose des vents,* étoile à trente-deux divisions correspondant aux trente-deux directions du vent sur le cadran de la boussole. ◆ **rosette** n. f. Nœud de ruban, en forme de petite rose, porté à la boutonnière par les officiers et les dignitaires de certains ordres civils ou militaires : *La rosette de la Légion d'honneur.*

3. ROSE [roz] adj. (même étym.). Qui a une couleur rouge pâle, semblable à celle d'une rose : *Porter des robes rose clair.* ◆ n. m. La couleur rose : *Aimer le rose.* ‖ *Voir tout en rose,* voir tout en beau, d'une façon optimiste. ◆ **rosâtre** adj. Qui a une teinte rose sale. ◆ **rosé, e** adj. Légèrement teinté de rose. ◆ n. m. **1.** Vin rouge clair. — **2.** Nom usuel de la PSALLIOTE, champignon comestible de couleur rose. ◆ **rosir** v. i. Prendre une teinte rose.

Rose *(Roman de la)* → ROMAN DE LA ROSE.

ROSE *(mont),* en it. **Monte Rosa,** montagne située dans le *massif du Mont-Rose,* massif des Alpes-Pennines, partagé entre la Suisse (cant. du Valais) et l'Italie; 4 638 m à la pointe Dufour.

ROSÉ, E adj. et n. m. → ROSE 3.

ROSEAU [rozo] n. m. (de l'anc. *ros,* roseau). Plante aquatique dont la tige, lisse et droite, est ordinairement creuse.

ROSE-CROIX, ordre non religieux dont l'enseignement constitue une philosophie métaphysique et physique fondée sur l'application des lois cosmiques et naturelles.

ROSÉE [roze] n. f. (du lat. *ros, rosis*). Ensemble de fines gouttelettes d'eau qui se déposent, le matin et le soir, sur les plantes et les objets exposés à l'air libre : *La rosée est produite par la condensation de la vapeur d'eau atmosphérique.*

ROSENDAËL, agglomération de la banlieue est de Dunkerque; Station balnéaire. Brasserie.

ROSÉOLE n. f. (de *rosé*). *Méd.* Éruption cutanée, caractérisée par des taches rouges (ne pas confondre avec *rubéole*).

ROSERAIE n. f. → ROSE 1.

ROSETTE n. f. → ROSE 2.

ROSETTE, en ar. **Rachīd,** port d'Égypte, en basse Égypte (province de Béhéra), à l'embouchure du bras occidental du Nil; 32 800 hab. — Un fragment de stèle (daté de 196 av. J.-C.), en basalte noir, dit *pierre de Rosette,* y fut découvert en 1799 et conservé au British Museum. Il porte des inscriptions en caractères grecs et hiéroglyphiques, qui ont permis à Champollion de déchiffrer l'écriture hiéroglyphique d'Égypte.

ROSHEIM, ch.-l. de cant. du Bas-Rhin, à 6,5 km au S. de Molsheim; 3 800 hab. Tissage du coton.

ROSI (Francesco), cinéaste italien, né en 1922, auteur de *Salvatore Giuliano* (1961), *Main basse sur la ville* (1963), *l'Affaire Mattei* (1971), *Lucky Luciano* (1973), *Il Contesto* (1975), *Le Christ s'est arrêté à Éboli* (1979), *Trois Frères* (1981), *Carmen* (1984), *Chronique d'une mort annoncée* (1987), *Oublier Palerme* (1990).

ROSIER n. m. → ROSE 1.

ROSIÈRE [rozjɛr] n. f. (de *rose*). Jeune fille vertueuse à laquelle, dans certaines localités, on décerne solennellement une couronne de roses accompagnée d'une récompense en argent.

ROSIR v. i. → ROSE 3.

ROSKILDE, v. du Danemark, dans l'île de Sjaelland; 50 400 hab. Capitale du Danemark jusqu'au milieu du XVe s.

ROSNY-SOUS-BOIS, ch.-l. de cant. de la Seine-Saint-Denis, à 6 km à l'E. de Paris; 37 100 hab. *(Rosnéens).* Industries diverses.

ROSPORDEN, ch.-l. de cant. du Finistère, à 13 km au N.-E. de Concarneau; 6 800 hab. *(Rospordinois).* Conserverie.

ROSS (*sir* John), marin britannique (1777-1856), explorateur des régions arctiques. Il localisa le pôle magnétique Nord. — Son neveu, *sir* JAMES CLARKE (1800-1862), découvrit la terre Victoria.

ROSS (*sir* Ronald), médecin anglais (1857-1932). Ses recherches sur la malaria permirent d'en mettre au point la prophylaxie. (Prix Nobel, 1902.)

ROSSBACH, village d'Allemagne (Saxe), au N.-O. de Weissenfels.

• *1757. Victoire de Frédéric II de Prusse sur les Français et les Impériaux.*

1. ROSSE [rɔs] n. f. (all. *Ross,* coursier). *Fam.* Cheval sans force, sans vigueur.

2. ROSSE [rɔs] n. f. (de *rosse* 1). *Fam.* Personne méchante, qui aime à tourmenter, à harceler (syn. HARPIE, MÉGÈRE.). ◆ adj. *Fam.* **1.** Qui est d'une ironie mordante : *Une chanson rosse* (syn. SATIRIQUE). — **2.** Très exigeant, qui note sévèrement : *Un professeur rosse.* ◆ **rosserie** n. f. *Fam.* Petite méchanceté : *Faire des rosseries.*

ROSSELLINI (Roberto), cinéaste italien (1906-1977). L'un des grands metteurs en scène néo-réalistes (*Rome, ville ouverte,* 1945; *le Général della Rovere,* 1959; *la Prise de pouvoir par Louis XIV,* 1965; *le Messie,* 1975).

ROSSER [rɔse] v. t. (du bas lat. *rustia,* gaule). Fam. *Rosser qq'un,* le battre violemment (syn. ↓FRAPPER, ↑ROUER DE COUPS).

ROSSERIE n. f. → ROSSE 2.

ROSSETTI (Dante Gabriel), peintre et poète anglais (1828-1882), un des initiateurs du mouvement préraphaélite*. Ses tableaux et ses poèmes s'inspirent des légendes médiévales, de la poésie italienne primitive et des vieilles ballades anglaises.

1. ROSSIGNOL [rɔsiɲɔl] n. m. (anc. prov. *rossinhol*). Petit oiseau passereau insectivore, à plumage brun, séjournant l'été dans les bois, et dont le mâle est un chanteur remarquable. (Famille des turdidés.)

2. ROSSIGNOL [rɔsiɲɔl] n. m. (de *rossignol* 1). Crochet dont on se sert pour ouvrir toutes sortes de serrures.

3. ROSSIGNOL [rɔsiɲɔl] n. m. (même étym.). *Fam.* Livre sans valeur, marchandise défraîchie, démodée, difficile à vendre.

ROSSINI (Gioacchino), compositeur de musique italien (1792-1868). Il est l'auteur de plus de trente ouvrages lyriques d'un style alerte, plein de vie et d'humour *(le Barbier de Séville, la Pie voleuse, le Comte Ory, Guillaume Tell).*

ROSSO (Giovanni Battista DI IACOPO DE' ROSSI, dit **le**), peintre maniériste florentin (1494-1540), l'un des fondateurs de l'école de Fontainebleau. (→ RENAISSANCE.)

ROSTAND (Edmond), écrivain français (1868-1918), auteur de *Cyrano de Bergerac* (1897), *l'Aiglon* (1900), *Chantecler* (1910).

ROSTAND (Jean), biologiste français (1894-1977), fils du précédent, auteur d'importants travaux d'expérimentation scientifique sur les grenouilles et les crapauds principalement (reproduction à partir d'un ovule non fécondé, anomalies héréditaires ou acquises) et d'ouvrages sur la biologie moderne.

ROSTOCK, port d'Allemagne, sur l'estuaire de la Warnow; 207 300 hab. Rostock est, avec son avant-port *Warnemünde,* sur la Baltique, le principal débouché maritime du pays.

ROSTOPCHINE (*comte* Fedor), général et homme politique russe (1763-1826). Gouverneur de Moscou en 1812, il fit évacuer la ville devant les Français.

ROSTOV-SUR-LE-DON, v. de l'U. R. S. S., près de la mer d'Azov; 921 000 hab. Port fluvial. Métallurgie. Raffinage du pétrole.

ROSTRE [rɔstr] n. m. (lat. *rostrum,* éperon). **1.** *Antiq. rom.* Proue de navire de guerre, effilée en éperon pour éventrer les navires ennemis. — **2.** Pièces buccales, allongées et piqueuses de certains insectes (punaises, pucerons, moustiques) leur permettant d'absorber leur nourriture (sève, sang). — **3.** Pointe antérieure de la carapace de certains crustacés (crevette, homard, langouste, etc.). ◆ **rostral, e, aux** adj. **1.** En forme d'éperon de navire. — **2.** *Colonne rostrale,* colonne ornée de proues de navires, élevée en souvenir d'une victoire navale.

ROT [ro] n. m. (du lat. *ructare*). Émission bruyante par la bouche de gaz venant de l'estomac. ◆ **roter** [rɔte] v. i. *Pop.* Faire des rots (syn. ÉRUCTER).

ROTATION [rɔtasjɔ̃] n. f. (du lat. *rotare,* tourner). **1.** Mouvement d'un corps autour d'un axe fixe, matériel ou non : *La rotation de la Terre.* — **2.** Fréquence des voyages effectués par un moyen de transport affecté à une ligne régulière. ◆ **rotateur** adj. m. Se dit des muscles qui produisent le mouvement de rotation des os sur leur axe : *Muscles rotateurs de l'épaule, du fémur,* etc. ◆ **rotatif, ive** adj. Qui agit en tournant : *Une pompe rotative.* ◆ **rotative** n. f. Presse à imprimer dont la forme est cylindrique et dont le mouvement rotatif continu permet une très grande vitesse d'impression. ◆ **rotatoire** adj. *Mouvement rotatoire,* mouvement circulaire autour d'un axe.

ROTE [rɔt] n. f. (lat. *rota,* roue). Juridiction ecclésiastique de Rome.

ROTER v. i. → ROT.

ROTHÉNEUF, station balnéaire d'Ille-et-Vilaine (comm. de Saint-Malo).

ROTHSCHILD (Meyer Amschel), banquier israélite d'origine allemande (1743-1812), ancêtre d'une puissante famille de financiers.

RÔTI n. m., **RÔTIE** n. f. → RÔTIR.

ROTIN [rɔtɛ̃] n. m. (malais *rotan*). Partie de la tige des branches du *rotang* (palmier d'Inde et de Malaisie) dont on se sert pour faire des cannes, des chaises ou des fauteuils.

RÔTIR [rotir] v. t. (frq. *raustjan,* griller). *Rôtir de la viande, du pain,* les faire cuire au four, à la broche, sur le gril. ◆ v. i. **1.** Cuire à feu vif : *Mettre un poulet à rôtir* (syn. GRILLER). — **2.** *Fam.* Recevoir une chaleur très vive : *Rôtir au soleil.* ◆ **se rôtir** v. pr. (sujet nom de personne). S'exposer à un feu vif, à un soleil ardent : *Se rôtir sur la plage.* ◆ **rôti** n. m. Viande cuite à la broche ou au four. ◆ **rôtie** n. f. Tranche de pain qu'on a fait rôtir. ◆ **rôtisserie** n. f. **1.** Boutique de rôtisseur. — **2.** Appellation donnée à certains restaurants. ◆ **rôtisseur, euse** n. Personne qui fait rôtir des viandes pour les vendre. ◆ **rôtissoire** n. f. Ustensile de cuisine qui sert à faire rôtir de la viande.

ROTONDE [rɔtɔ̃d] n. f. (it. *rotonda*). Édifice de forme circulaire surmonté d'une coupole.

ROTONDITÉ [rɔtɔ̃dite] n. f. (lat. *rotunditas*). État de ce qui est rond : *La rotondité de la Terre.*

ROTOR [rɔtɔr] n. m. (mot angl.). **1.** *Aéron.* Voilure tournante d'un hélicoptère. — **2.** *Mécan.* Partie tournante d'un moteur électrique, d'une turbine, etc. (par oppos. à STATOR).

ROTROU (Jean DE), poète dramatique français (1609-1650), auteur de comédies dans la tradition de Plaute et des Italiens (*la Sœur,* 1647), de tragi-comédies et de tragédies, dans lesquelles il s'inspire du théâtre espagnol (*Bélisaire,* 1643; *Saint Genest,* 1646; *Venceslas,* 1647).

ROTTERDAM, port des Pays-Bas (Hollande-Méridionale), sur une branche du delta commun au Rhin et à la Meuse; 635 900 hab. (agglomération 1 064 000 hab.). Situé sur la mer du Nord au débouché du Rhin, Rotterdam est le premier port du monde (230 millions de t). Il dessert les Pays-Bas, la Ruhr, la France de l'Est et la Suisse. Les entrées, qui forment plus de 75 p. 100 de son trafic, sont constituées essentiellement d'hydrocarbures, minerais, céréales. L'industrie s'est développée parallèlement au port (raffineries de pétrole, métallurgie, chimie, etc.), localisée

Système RESPIRATOIRE

projection sur la cage thoracique des poumons, de la plèvre et du diaphragme

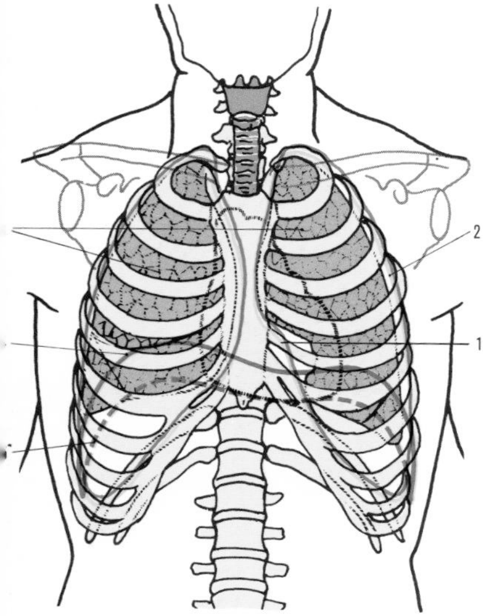

2

1

1. Incisure cardiaque ; 2. Plèvre ; 3. Poumons ; 4. Projection du diaphragme en expiration ; 5. Projection du diaphragme en inspiration.

voies aériennes respiratoires supérieures

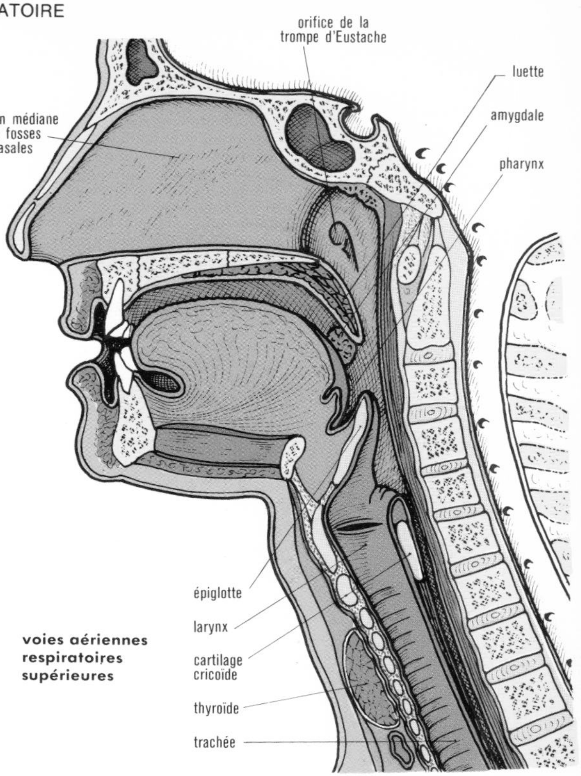

orifice de la trompe d'Eustache

luette

amygdale

pharynx

cloison médiane des fosses nasales

épiglotte

larynx

cartilage cricoïde

thyroïde

trachée

principaux muscles inspirateurs et expirateurs de la cage thoracique

(i) muscle inspirateur (e) muscle expirateur

vue postérieure

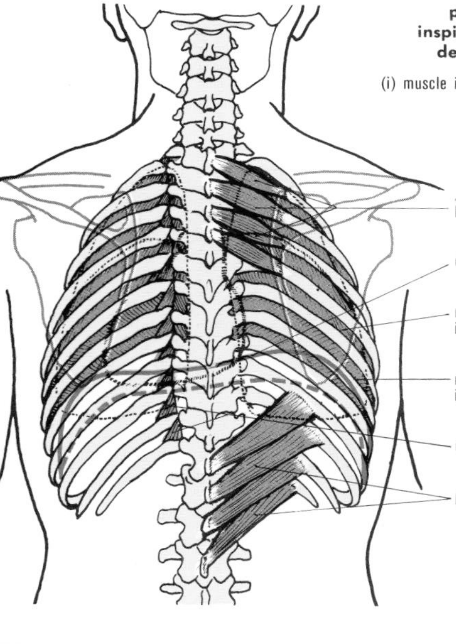

petits dentelés supérieurs (i)

diaphragme (i)

muscles intercostaux externes (i)

muscles intercostaux internes (e)

muscles surcostaux (i)

petits dentelés inférieurs (e)

vue latérale gauche

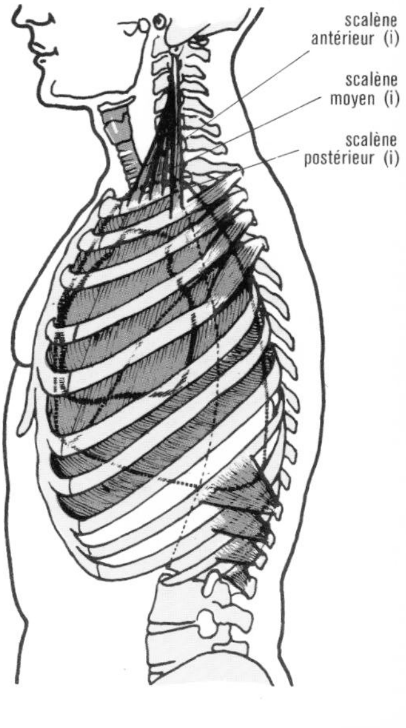

scalène antérieur (i)

scalène moyen (i)

scalène postérieur (i)

rapport de l'arbre bronchique avec les artères et veines pulmonaires

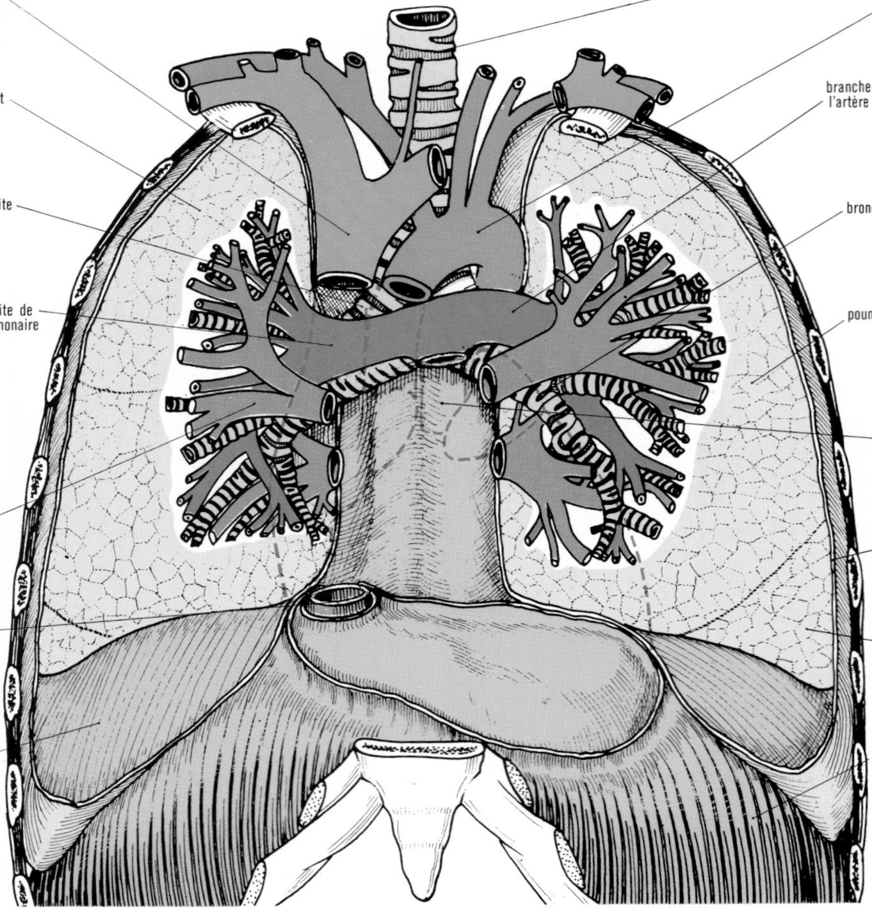

veine cave supérieure
trachée
aort
poumon droit
branche gauche d
l'artère pulmonai
bronche droite
bronche gauch
branche droite de
l'artère pulmonaire
poumon gauch
artè
pulmonai
veine
pulmonaire
plèv
veine cave
inférieure
lobu
cul-de-sac
pleural
diaphragm

schéma du principe de l'échange gazeux du sang au niveau des alvéoles

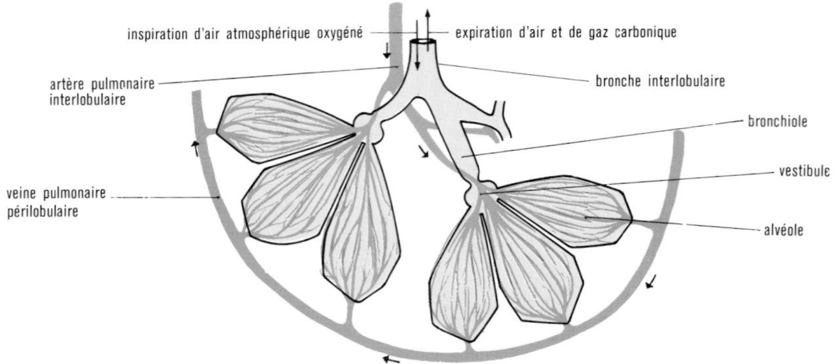

notamment dans l'avant-port d'Europoort* et à Pernis*. La ville, qui a dû être en partie reconstruite après les destructions de la dernière guerre, offre un exemple d'urbanisme moderne.

ROTULE [rɔtyl] n. f. (du lat. *rota*, roue). **1.** *Anat.* Os triangulaire plat et mobile, placé en avant de l'articulation du genou et qui limite le mouvement de la jambe vers l'avant. — **2.** *Mécan.* Articulation sphérique. ◆ **rotulien, enne** adj. Qui appartient, qui se rapporte à la rotule. ‖ *Ligament rotulien,* tendon terminal du muscle quadriceps, qui va du sommet de la rotule à la tubérosité antérieure du tibia.

ROTURE [rɔtyr] n. f. (du lat. *ruptura,* terre brisée). Sous l'Ancien Régime, état d'une personne qui n'est pas noble. ◆ **roturier, ère** adj. et n. : *Sous l'Ancien Régime, seuls les roturiers payaient la taille et étaient soumis à la corvée.*

ROUAGE [rwaʒ] n. m. (de *roue*). **1.** Chacune des pièces d'un mécanisme : *Les rouages d'une montre, d'une horloge.* — **2.** Chacun des éléments, des services d'une administration, d'une entreprise : *Les rouages de l'État.*

ROUAULT (Georges), peintre français (1871-1958). Il fit son apprentissage de peintre verrier avant d'entrer à l'École des beaux-arts. Par ses sujets (filles, miséreux, clowns) comme par sa technique (cernes noirs), Rouault appartient davantage à l'expressionnisme* qu'au fauvisme*. Il s'est intéressé également à la tapisserie, à la céramique et surtout au vitrail (église d'Assy). Il est représenté dans la plupart des grandes collections et au musée national d'Art moderne (*Tête de Christ,* 1905; *Fille au miroir,* 1906; *Christ aux outrages,* 1932).

ROUBAIX, ch.-l. de cant. du Nord, à 13 km au N.-E. de Lille, près de la frontière belge; 101 900 hab. *(Roubaisiens).* La ville forme une conurbation avec Lille et Tourcoing. C'est un important centre textile, où le travail de la laine prédomine, par rapport à l'industrie du coton, la bonneterie, la confection.

ROUBLARD, E [rublar, -ard] adj. et n. (de *rouble*). *Fam.* Se dit d'une personne capable d'user de moyens peu délicats : *Méfiez-vous de lui, c'est un roublard* (syn. MALIN, RUSÉ). ◆ **roublardise** n. f. *Fam.* Caractère d'une personne roublarde.

ROUBLE [rubl] n. m. (mot russe). Unité monétaire de l'U. R. S. S.

ROUBLIOV (Andreï), peintre russe (v. 1360-1430). Il est l'auteur de la fresque du *Jugement dernier* (cathédrale de la Dormition à Vladimir) et de plusieurs icônes, dont la plus célèbre est celle de *la Trinité* (Moscou).

ROUCOULER [rukule] v. i. (onomat.). **1.** (sujet nom désignant le pigeon, la tourterelle) Faire entendre un cri tendre et monotone. — **2.** (sujet nom de personne) *Fam.* Tenir des propos tendres, langoureux. ◆ **roucoulade** n. f. Murmure tendre. ◆ **roucoulement** n. m. Cri du pigeon, de la tourterelle.

ROUE [ru] n. f. (lat. *rota*). **1.** Organe de forme circulaire qui, tournant autour d'un axe, permet à un véhicule de rouler, ou qui, entrant dans la constitution d'une machine, en transmet le mouvement grâce aux dents dont son pourtour est garni : *Les roues d'une voiture. Les roues d'un engrenage* (syn. ROUAGE). ‖ *Roue libre,* dispositif permettant à un organe moteur d'entraîner un mécanisme sans être entraîné par lui. ‖ *Roue motrice,* roue entraînée par le moteur et qui assure la traction du véhicule. ‖ *Roue de secours,* roue d'automobile supplémentaire, destinée à remplacer une roue dont le pneu est crevé. — **2.** *Cinquième roue d'un carrosse,* personne inutile. ‖ *Faire la roue,* en parlant d'un oiseau, déployer les plumes de sa queue en éventail : *Les paons font la roue;* en parlant d'une personne, tourner latéralement sur soi-même en s'appuyant successivement sur les mains et sur les pieds; faire l'avantageux, se pavaner. ‖ *Mettre des bâtons dans les roues,* susciter des obstacles à la réussite de quelque chose. ‖ *Pousser à la roue,* aider à la réussite.

ROUÉ, E [rwe] adj. et n. (de *rouer*). *Péjor.* Se dit d'une personne très rusée, hypocrite et sans scrupule (syn. ↓FUTÉ, MALICIEUX; fam. ROUBLARD). ◆ **rouerie** n. f. : *On vous a mis en garde contre les roueries de cet individu.*

ROUELLE [rwɛl] n. f. (bas lat. *robella,* petite roue). *Rouelle de veau,* partie de la cuisse de veau coupée en rondelles.

ROUEN, ch.-l. du dép. de la Seine-Maritime, sur la Seine, à 123 km au N.-O. de Paris; 105 100 hab. *(Rouennais).* Capitale historique de la Normandie (et capitale actuelle de la Région Haute-Normandie), la ville est le centre d'une agglomération cinq fois plus peuplée, étirée sur les bords du fleuve. Le port est aujourd'hui éclipsé par celui du Havre, mais son trafic n'est pas négligeable, se situant autour de 20 millions de t. L'industrie, partiellement liée au port, est active : métallurgie, textile, alimentation, chimie. La ville est toujours un centre administratif, commercial, touristique et auj. universitaire.

ROUER [rwe] v. t. (de *roue*). *Rouer de coups,* battre avec violence (syn. fam. ROSSER).

ROUERGUE, anc. pays du midi de la France, correspondant approximativement à l'actuel département de l'Aveyron*. Capit. *Rodez.* Le Rouergue a été réuni à la couronne en 1607 par Henri IV.

ROUERIE n. f. → ROUÉ.

ROUET [rwɛ] n. m. (de *roue*). Petite machine à roue, mise en mouvement au moyen d'une pédale et qui servait à filer le chanvre et le lin.

ROUF [ruf] n. m. (néerl. *roef*). *Mar.* Construction établie sur le pont supérieur d'un navire et qui ne s'étend pas sur toute la largeur de ce pont.

ROUFFACH, ch.-l. de cant. du Haut-Rhin, à 10 km au N.-E. de Guebwiller; 4 900 hab.

1. ROUGE [ruʒ] adj. et n. m. (lat. *rubeus*). Se dit de l'une des couleurs fondamentales du spectre de la lumière, de ce qui a la couleur du sang, du feu, etc. : *Du vin rouge.* ◆ adj. **1.** Qui a la figure fortement colorée par quelque émotion : *Être rouge de honte, de colère.* — **2.** Qui a pris, par l'élévation de la température, la couleur du feu : *Un fer rouge.* ◆ n. m. *Le rouge lui monte au visage,* se dit d'une personne dont le visage devient rouge de pudeur, de honte, de colère. ◆ adv. *Se fâcher tout rouge, voir rouge,* avoir un violent accès de colère. ◆ **rougeâtre** adj. Qui est légèrement rouge : *Les lueurs rougeâtres du soleil couchant.* ◆ **rougeaud, e** adj. et n. *Fam.* Qui a le teint trop rouge (syn. RUBICOND). ◆ **rougeur** n. f. **1.** Couleur rouge : *La rougeur du soleil couchant* — **2.** Teinte rouge passagère qui apparaît sur le visage et qui révèle une émotion : *Sa rougeur trahit son mensonge.* ◆ n. f. pl. Taches rouges sur la peau. ◆ **rougeoyer** v. i. Prendre une teinte rougeâtre. ◆ **rougeoiement** n. m. ◆ **rougir** v. t. *Rougir qqch.,* lui donner la couleur rouge : *L'automne rougit les feuilles des arbres* ◆ v. i. **1.** Devenir rouge : *Les écrevisses rougissent à la cuisson.* — **2.** Devenir rouge par l'effet d'une émotion, d'un sentiment : *Cette jeune fille rougit aussitôt qu'on lui parle.* — **3.** Éprouver de la honte, de la confusion : *Il devrait rougir de sa mauvaise conduite.* ◆ **rougissant, e** adj. : *Une jeune fille rougissante.*

2. ROUGE [ruʒ] adj. et n. (même étym.). Se dit des communistes, des partisans de l'action révolutionnaire. ‖ *Drapeau rouge,* emblème révolutionnaire.

3. ROUGE [ruʒ] n. m. (même étym.). **1.** Couleur rouge caractéristique des signaux d'arrêt ou de danger : *Le feu est au rouge.* — **2.** *Fam.* Vin rouge : *Un litre de rouge.* — **3.** Fard rouge : *Un bâton de rouge à lèvres.*

ROUGE *(fleuve),* en vietnamien **Sông Koi** (le), fleuve du nord du Viêt-nam; 1 200 km. Issu du Yun-nan (Chine), il arrose Hanoi avant de se jeter dans la mer de Chine méridionale en formant le vaste delta du Tonkin*.

ROUGE *(mer),* ancienn. **golfe Arabique** ou **mer Érythrée,** long golfe situé entre l'Afrique et l'Arabie, communiquant au S. avec l'océan Indien par le golfe d'Aden, et au N. avec la Méditerranée par le canal de Suez*. C'est un fossé d'effondrement envahi par les eaux.

Rouge *(place),* place principale de Moscou*, en bordure du Kremlin*. Mausolée de Lénine.

Rouge et le Noir *(le),* roman de Stendhal (1830).

ROUGEÂTRE adj., **ROUGEAUD, E** adj. et n. → ROUGE 1.

ROUGE-GORGE [ruʒgɔrʒ] n. m. *(rouge,* et *gorge).* Petit oiseau passereau, insectivore, à plumage brun et poitrine rouge. (Famille des turdidés.) ‖ Pl. des *rouges-gorges.*

ROUGEOIEMENT n. m. → ROUGE 1.

ROUGEOLE [ruʒɔl] n. f. (du lat. *rubeolus;* de *rubeus,* rouge). Maladie contagieuse, due à un virus, caractérisée par une éruption de taches rouges sur la peau : *La rougeole atteint surtout les enfants.*

ROUGEOYER v. i. → ROUGE 1.

ROUGE-QUEUE [ruʒkø] n. m. *(rouge,* et *queue).* Petit passereau insectivore, qui niche volontiers dans les murailles ou au voisinage des habitations et qui se reconnaît à sa queue rousse (syn. ROSSIGNOL DES MURAILLES). [Famille des turdidés.] ‖ Pl. des *rouges-queues.*

ROUGET [ruʒe] n. m. (de *rouge*). Nom donné à deux sortes de poissons osseux marins des côtes de la Méditerranée et de l'Atlantique : le *rouget-barbet,* ou *mulet,* et le *rouget-grondin.*

ROUGET DE LISLE (Claude), officier français (1760-1836), auteur du *Chant de guerre pour l'armée du Rhin* (1792) qui devint *la Marseillaise.*

ROUGEUR n. f., **ROUGIR** v. t. et i., **ROUGISSANT, E** adj. → ROUGE 1.

Rougon-Macquart *(les),* série de 20 romans d'É. Zola, publiés de 1871 à 1893, consacrés à l'étude de la société du second Empire.

ROUHER (Eugène), homme politique français (1814-1884), ministre de Napoléon III (1863-1869).

ROUILLE [ruj] n. f. (du lat. *robigo, -inis*). Oxyde de fer hydraté (de couleur rougeâtre) dont se couvrent les objets en fer exposés à l'air humide. ◆ **antirouille** adj. et n. m. inv. Qui protège contre la rouille : *Le minium est un protecteur antirouille.* ◆ **rouiller** v. t. **1.** *Rouiller qqch.*, produire de la rouille à sa surface : *L'humidité rouille les métaux.* — **2.** *Rouiller qq'un, qqch.*, l'affaiblir, l'engourdir, faute d'exercice : *La paresse finit par rouiller l'esprit.* ◆ v. i. ou ***se rouiller*** v. pr. **1.** Se couvrir de rouille : *Mettre du minium ou un produit antirouille sur un métal pour l'empêcher de rouiller.* — **2.** (sujet nom de personne) *Fam.* Perdre ses forces, ses facultés, par manque d'activité : *Sportif qui se rouille, faute d'entraînement* (syn. ↑SE SCLÉROSER). ◆ **rouillé, e** adj. **1.** Attaqué par la rouille. — **2.** *Fam.* Devenu moins habile à faire quelque chose, par manque d'exercice. ◆ **dérouiller** v. t. Débarrasser de sa rouille : *Dérouiller une clef à la toile émeri.*

ROUIR [rwir] v. t. (frq. *rotjan*). *Rouir du lin, du chanvre*, les immerger dans l'eau pour en isoler les fibres textiles. ◆ **rouissage** n. m.

ROULAGE n. m. → ROULER 1.

1. ROULANT, E adj. → ROULER 1 et 4.

2. ROULANT, E [rulɑ̃, -ɑ̃t] adj. (de *rouler*). *Fam.* Qui fait rire à se tordre : *Une histoire roulante* (syn. ↓COMIQUE, ↓DRÔLE).

ROULEAU n. m. → ROULER 1.

ROULEMENT n. m. → ROULER 1 et 3.

1. ROULER [rule] v. t. (de l'anc. fr. *rouelle*, roue). **1.** *Rouler qqch.*, le faire avancer en le faisant tourner sur lui-même : *Rouler un tonneau.* — **2.** *Rouler une chose*, la faire tourner autour d'une tige cylindrique ou sur elle-même : *Rouler un tapis.* ‖ *Rouler une cigarette*, faire tourner une feuille de papier spécial autour du tabac pressé qu'elle contient pour l'enrouler. — **3.** *Rouler sa bosse*, voyager beaucoup, faire toutes sortes de métiers. ‖ *Rouler les yeux*, les porter rapidement de côté et d'autre. — **5.** *Rouler une surface*, l'aplanir avec un rouleau : *Rouler de la pâte, un court de tennis.* ◆ v. i. **1.** (sujet nom d'être animé) Tomber et tourner sur soi-même : *Il a roulé de haut en bas de l'escalier* (syn. DÉGRINGOLER, DÉVALER). — **2.** (sujet nom de chose) Avancer en tournant sur soi-même : *Une bille qui roule.* — **3.** (sujet nom désignant une conversation, un discours) *Rouler sur une question*, avoir pour objet : *Avec lui, les discussions roulent souvent sur l'argent.* ◆ ***se rouler*** v. pr. **1.** *Se rouler dans, sur une chose*, se tourner de côté et d'autre, se retourner dans, sur elle : *Se rouler sur le gazon, dans la poussière.* — **2.** *Se rouler dans qqch.*, s'en envelopper : *Se rouler dans une couverture* (syn. S'ENROULER). ◆ **roulant, e** adj. **1.** Se dit d'un objet muni de roulettes : *Fauteuil roulant.* — **2.** *Escalier roulant, tapis roulant*, escalier, tapis animés d'un mouvement continu de translation autour de rouleaux actionnés mécaniquement, et qui servent à faire gravir un étage ou à le descendre. ◆ **rouleau** n. m. **1.** Cylindre de bois, de métal, etc., servant à différents usages : *Rouleau à pâtisserie* (= bâton cylindrique employé pour étendre la pâte). *Rouleau de peintre en bâtiment* (= instrument servant à appliquer la peinture). — **2.** Instrument employé pour briser les mottes de terre, pour aplanir un terrain : *Rouleau pour terrain de tennis. Rouleau compresseur* (= engin automoteur composé d'un ou de plusieurs cylindres métalliques formant des roues et utilisé à la construction et à l'entretien des routes). — **3.** Pièce de bois cylindrique que l'on glisse sous des objets très lourds pour les déplacer : *Transporter des blocs de marbre à l'aide de rouleaux.* — **4.** Bande de papier, d'étoffe, de métal, etc., enroulée sur elle-même ou sur une tige cylindrique : *Un rouleau de tissu. Un rouleau de pellicules photographiques.* — **5.** Ensemble d'objets roulés en forme de cylindre : *Un rouleau de pièces de vingt centimes.* — **6.** Saut en hauteur au cours duquel le corps roule au-dessus de la barre. — **7.** Fam. *Être au bout de son (du) rouleau* n'avoir plus rien à dire; être à bout de ressources; être près de mourir. ◆ **roulement** n. m. **1.** Action de rouler : *Le roulement d'une bille.* ‖ *Roulement d'yeux*, mouvement des yeux qui se portent rapidement de côté et d'autre. ‖ *Roulement à billes*, mécanisme constitué d'un anneau de billes d'acier et destiné à diminuer le frottement de pièces les unes sur les autres. — **2.** Action de se remplacer alternativement dans certaines fonctions : *Dans cette usine, les équipes travaillent par roulement.* ◆ **roulage** n. m. Opération qui consiste à faire passer un rouleau sur un champ pour briser les mottes. ◆ **roulette** n. f. **1.** Petite roue tournant en tous sens, fixée sous le pied d'un meuble : *Un fauteuil à roulettes.* ‖ (sujet nom désignant une affaire, un travail) Fam. *Aller, marcher comme sur des roulettes*, ne rencontrer aucun obstacle. — **2.** Instrument formé d'un petit disque et d'un manche à l'usage des graveurs, des cordonniers, des pâtissiers. ‖ Fam. *Roulette de dentiste*, syn. de FRAISE. — **3.** Jeu de hasard dans lequel le gagnant est désigné par l'arrêt d'une bille d'ivoire sur l'un des numéros d'un plateau tournant divisé en 37 cases rouges ou noires. ◆ **rouleur** n. m. Cycliste capable d'effectuer une longue course et à un train rapide.

2. ROULER [rule] v. i. (même étym.) [sujet nom désignant un navire]. S'incliner d'un bord sur l'autre : *La mer était démontée et le bateau ne faisait que tanguer et rouler.* ◆ **roulis** n. m. Balancement d'un navire d'un côté sur l'autre.

3. ROULER [rule] v. i. (même étym.) [sujet nom de chose]. **1.** Produire un bruit sourd et prolongé : *Le tonnerre roule sur nos têtes.* — **2.** *Rouler les «r»*, les prononcer en les faisant vibrer fortement. ◆ **roulement** n. m. **1.** Bruit sourd et prolongé : *Le roulement du tonnerre.* — **2.** Batterie militaire de tambour.

4. ROULER [rule] v. i. (même étym.). **1.** (sujet nom de véhicule) Fonctionner de telle manière, avancer à telle vitesse : *Cette voiture roule bien* (syn. MARCHER). — **2.** (sujet nom de personne) Se déplacer, voyager dans un véhicule : *Cet automobiliste roule trop à gauche.* — **3.** *Rouler sur l'or*, être très riche. ◆ **roulant, e** adj. **1.** *Matériel roulant*, ensemble des voitures, des wagons, des locomotives employés dans une exploitation de chemin de fer. — **2.** *Personnel roulant*, personnes employées à bord des locomotives, des trains (on dit aussi AGENTS DE CONDUITE).

5. ROULER [rule] v. t. (même étym.). Fam. *Rouler qq'un*, le tromper : *Je me suis fait rouler* (syn. DUPER).

ROULETTE n. f., **ROULEUR** n. m. → ROULER 1.

ROULIS n. m. → ROULER 2.

ROULOTTE [rulɔt] n. f. (de *rouler*). **1.** Grande voiture où logent les forains, les nomades. — **2.** Voiture automobile ou remorque aménagée en logement (syn. CARAVANE).

ROUMANIE, en roum. **România**, république de l'Europe orientale, sur la mer Noire.

SUPERFICIE 237 500 km² (France : 550 000 km²).

POPULATION 23 200 000 hab. *(Roumains)*; 98 hab. au km² (France : 103); taux de natalité, 13,1 p. 1 000; taux de mortalité, 9,6 p. 1 000.

CAPITALE Bucarest (2 082 000 hab.).

VILLES PRINCIPALES Cluj-Napoca (283 000 hab.); Timişoara (269 000 hab.).

LANGUE roumain.

ÉCONOMIE consommation d'énergie par hab., 4 400 kg d'équivalent charbon ; 1 automobile pour 500 hab.

MONNAIE leu.

GÉOGRAPHIE

L'arc montagneux des *Carpates* (2 559 m) isole les plaines de *Moldavie* à l'E. et *Valachie* (drainée par le Danube) au S. du bassin de *Transylvanie*, que le *massif du Bihor* sépare de l'extrémité orientale de la *plaine pannonienne.* Un climat continental affecte l'ensemble du pays.

	TEMPÉRATURES MOYENNES janv.	juil.	PLUIES
Bucarest	− 2,5 °C	22,5 °C	588 mm

L'*agriculture*, pratiquée dans le cadre d'exploitations collectives, occupe plus de la moitié de la population active. Les plaines fournissent céréales et betteraves; les basses pentes sont couvertes de vigne. Volailles et ovins sont les principaux produits de l'élevage.

maïs	12 millions de t	vin	9 millions d'hl
blé	7 millions de t	ovins	18 500 000 têtes
betterave à sucre	7 millions de t	volailles	65 millions de têtes

L'*industrie* est récente, mais favorisée par des ressources naturelles nombreuses et variées : pétrole (Ploieşti), gaz naturel (Tîrgu-Mureş), charbon, lignite, fer et métaux non ferreux (manganèse, bauxite). Les possibilités hydro-électriques commencent à être exploitées. L'industrie lourde (sidérurgie) est surtout implantée dans l'ouest du pays : Reşiţa, Hunedoara. Des activités variées (constructions mécaniques, textile, chimie) sont dispersées dans les grands centres urbains : Ploieşti, Cluj-Napoca, Timişoara et surtout Bucarest.

pétrole	12 millions de t
gaz naturel	40 milliards de m³
lignite	36 millions de t
électricité	72 milliards de kWh
acier	14 millions de t

Malgré des échanges intensifiés avec les pays d'Europe occidentale, l'U. R. S. S. reste encore le partenaire principal de la Roumanie pour le commerce extérieur.

HISTOIRE

Si la Roumanie en tant que nation indépendante n'apparaît qu'au XIXe s., la formation de son peuple et de sa langue est liée à la romanisation de l'État dace après sa conquête par Trajan, et sa transformation en province de Dacie (107 apr. J.-C.).

- *270-275. La province est évacuée par Aurélien, mais ses habitants (colons romains et Daces romanisés) vont garder une langue d'origine latine, malgré la domination de peuples barbares qui, à l'exception des Slaves, laissent peu de traces durables.*

Du Xe au XIIIe s., de petites principautés roumaines se forment, converties à l'orthodoxie, tandis que la poussée hongroise refoule une partie de la population vers les plaines danubiennes où se constituent la Moldavie et la Valachie.

- *XIVe s. La Valachie et la Moldavie s'émancipent de la tutelle hongroise qui ne subsiste qu'en Transylvanie.*

Mais les deux principautés, sous la direction d'un *voïévode* (ou *hospodar*), émanation de la noblesse, sont convoitées par de puissants voisins (Hongrie, Pologne et Empire ottoman) qui attisent les luttes dynastiques. Elles vont passer progressivement sous la suzeraineté turque.

- *1593-1601. Michel le Brave chasse les Turcs, unifie les terres roumaines, mais ce sursaut est sans lendemain.*

Vassales des Ottomans, les principautés voient se succéder des hospodars sans pouvoir qui, à partir de 1711, sont d'origine étrangère (Grecs de Constantinople appelés *phanariotes*). La Transylvanie, elle, est occupée par l'Autriche. L'assujettissement politique s'accompagne cependant d'un essor de la culture nationale, que favorise l'abandon du slavon au profit du roumain dans la liturgie. Mais l'affaiblissement des Ottomans, sanctionné par le traité de Kutchuk-Kaïnardji (1774), s'il place les privilèges roumains sous la garantie de la Russie, ouvre aussi une période de dispersion des terres roumaines (l'Autriche annexe la Bucovine en 1775, et la Russie la Bessarabie en 1812).

- *XIXe s. Ce siècle voit l'éveil du nationalisme roumain qui obtient, après une révolte, la fin du régime phanariote (1821), et, au traité de Paris (1856), l'autonomie des deux principautés sous la garantie des grandes puissances.*

L'élection en 1859 d'un prince unique, Alexandre Cuza, remplacé en 1866 par le candidat de la noblesse, Charles de Hohenzollern, permet leur réunification. La Transylvanie, cependant, est annexée par l'Autriche (1867).

- *1878. Par le traité de Berlin, la Roumanie obtient sa totale indépendance et s'agrandit de la Dobroudja.*

Sa participation à la deuxième guerre balkanique (1913) entraîne l'annexion de territoires bulgares.

- *Août 1916. L'entrée en guerre aux côtés des Alliés, suivie d'abord de revers militaires, lui permet après la victoire de doubler sa superficie en annexant la Bessarabie, la Transylvanie, la Bucovine et le Banat.*

Entre les deux guerres, l'existence de fortes minorités nationales, l'importance de la grande propriété et le poids des capitaux étrangers compliquent la vie politique et révèlent l'inadaptation du régime parlementaire. La crise économique de 1929 accentue les difficultés, et sous Charles II (1930-1940), le régime devient dictatorial. Cette évolution est suivie, en politique étrangère, d'un rapprochement avec l'Allemagne nazie, dont l'influence succède à celle de la France, rapprochement dommageable à la Roumanie, qui doit céder de nombreux territoires à ses voisins.

- *1940-1944. Sous Michel Ier et le général Antonescu, la Roumanie participe à l'effort de guerre allemand.*

Après le coup d'État qui renverse le régime fasciste d'Antonescu en août 1944, des gouvernements de coalition sont formés, au sein desquels les communistes jouent un rôle de plus en plus important.

- *30 décembre 1947. Michel Ier abdique et la république populaire de Roumanie est proclamée.*

Le nouveau régime nationalise les industries, collectivise les terres. De 1955 à 1965, la vie politique est dominée par Gheorghiu-Dej puis dirigée par Nicolae Ceaușescu. La Roumanie (devenue république socialiste en 1965) mène une politique étrangère indépendante. Mais le pays connaît des difficultés économiques qui engendrent un climat social d'autant plus sombre que le régime est centralisé et répressif. La minorité hongroise de Transylvanie subit une politique d'assimilation forcée.

- *Déc. 1989. Une insurrection chasse Ceaușescu du pouvoir. Ce dernier et sa femme sont arrêtés et exécutés. Un Front de salut national est mis en place. Le pays prend le nom de « république de Roumanie ».*
- *1990. Le Front de salut national remporte les premières élections libres et Ion Iliescu est élu à la présidence de la République.*

Mais le nouveau régime se heurte à une forte contestation.

- *1991. Une nouvelle Constitution est adoptée.*

ROUMANILLE (Joseph), écrivain provençal (1818-1891), un des créateurs du félibrige*.

ROUMÉLIE, nom donné par les Ottomans aux provinces de Thrace et de Macédoine, conquises au XIVe s. sur l'Empire byzantin.

ROUMI [rumi] n. m. (de *Rome*). Nom par lequel les Arabes désignent les chrétiens.

ROUMOIS, pays de Normandie, entre la Seine et la Risle.

ROUND [rawnd] ou [rund] n. (mot angl. signif. *tour*). Reprise, dans un combat de boxe.

1. ROUPIE [rupi] n. f. (d'une langue de l'Inde *rūpya*, argent). Unité monétaire dans divers pays asiatiques (Inde, Pākistān).

2. ROUPIE [rupi] n. f. (orig. incert.). Fam. *Ce n'est pas de la roupie de singe, de sansonnet,* c'est une chose importante, qui a de la valeur.

ROUPILLER [rupije] v. i. (orig. obscure). *Pop.* Dormir. ◆ **roupillon** n. m. *Pop.* Petit somme : *Piquer un roupillon.*

ROUQUIN, E adj. et n. → ROUX.

ROUSPÉTER [ruspete] v. i. (orig. incert.). [Conj. **10.**] *Fam.* Opposer de la résistance, surtout en paroles : *Quoi qu'on dise, il rouspète toujours* (syn. GROGNER, MAUGRÉER, PROTESTER). ◆ **rouspétance** n. f. Fam. : *Prenez ça, et pas de rouspétance.* ◆ **rouspéteur, euse** n. et adj. *Fam.* (syn. GRINCHEUX).

ROUSSÂTRE adj. → ROUX.

ROUSSEAU (Jean-Jacques), écrivain et philosophe de langue française (1712-1778). Orphelin de mère dès sa naissance, délaissé par son père à dix ans, il mène une vie errante, de Paris à Annecy et Genève, à travers le Jura. Il exerce différents métiers et rencontre des personnes, telle Mme de Warens, qui marqueront profondément sa sensibilité et son œuvre.

De cette vie mouvementée va naître sa philosophie de l'existence dont le *Discours sur les sciences et les arts* (1750) est la première étape : alors que les techniques et, plus généralement, la culture, auraient dû rapprocher les hommes les uns des autres, elles n'ont fait qu'aliéner l'homme et rendre impossible la communication avec ses semblables. L'homme y a perdu son humanité parce qu'une rupture s'est instaurée entre le bien et le mal, la nature et la société, l'homme et Dieu.

La philosophie de Rousseau se propose de connaître le monde afin d'établir un ordre conforme à la nature de l'homme. Le *Discours sur l'origine et les fondements de l'inégalité parmi les hommes* (1755) montre que si la société moderne a corrompu l'homme, ce dernier est néanmoins perfectible. Encore faut-il pour cela revenir à l'homme véritable, à l'homme dont la faculté principale n'est pas la raison, mais le cœur, tel qu'il existait à l'état de nature, c'est-à-dire l'homme « oisif et seul », en relation avec son environnement et non avec les autres hommes.

Le *Contrat social* (1762) établit le principe et les conditions du passage de l'état de nature à l'état de société. Sur le plan individuel, la pédagogie doit s'efforcer de restituer sa véritable nature à l'enfant corrompu par la société (*Émile*, 1762).

Si la communication et la vie en communauté sont si délicates, les causes en sont d'une part l'ignorance et le mauvais usage que l'on fait du langage, et d'autre part la perversion de l'homme par la société. Le mal est donc à la fois linguistique et politique *(Essai sur l'origine des langues).*

À côté de son œuvre philosophique (qui influença Kant notamment), politique (qui, en allant plus loin que Montesquieu et Voltaire dans la défense de la liberté et de l'égalité, exerça une grande influence sur la Révolution française et inspira, en particulier, la Déclaration des droits de l'homme), Rousseau a laissé une œuvre littéraire (*Julie ou la Nouvelle Héloïse*, 1761; *Rêveries du promeneur solitaire,* 1782; *Confessions,* 1782-1789) dont la sensibilité exprimée en une prose musicale imprégnera des romantiques tels que Chateaubriand en France, Hölderlin en Allemagne, et musicale (*le Devin du village,* opéra écrit en 1752).

ROUSSEAU (Théodore), peintre français (1812-1867), un des principaux représentants de l'école de Barbizon*. Ses paysages, à la fois réalistes et de sentiment romantique, le font aussi considérer comme un précurseur de l'impressionnisme.

ROUSSEAU (Henri, dit **le Douanier**), peintre français (1844-1910). Parisien, modeste fonctionnaire des douanes, le « douanier Rousseau » est l'un des premiers peintres naïfs qui, avec application et parfois beaucoup de science, représentent tous les détails de la réalité. Mais Rousseau dépasse ses successeurs par son sens du fantastique et l'éclat de ses coloris, comme on le voit sur les tableaux du Louvre *(la Guerre, la Charmeuse de serpents).*

ROUSSEL (Ker Xavier), peintre français (1867-1944). Ami de Vuillard, il fit partie du groupe des nabis*.

ROUSSEL (Albert), compositeur de musique français (1869-1937). Attaché aux formes traditionnelles, son style se caractérise par la sensibilité et le lyrisme de la ligne mélodique, la richesse et la variété des rythmes. De son œuvre, citons : *Padmâvatî* (1914-1918), opéra-ballet; *le Festin de l'araignée* (1912), ballet; des symphonies *(Suite en « fa », Bacchus et Ariane).*

ROUSSEL (Raymond), écrivain français (1877-1933), considéré comme l'un des précurseurs du surréalisme.

ROUSSEROLLE [rusrɔl] n. f. (de *roux*). Oiseau passereau qui suspend son nid aux plantes aquatiques.

ROUSSES (Les), comm. du Jura, à 8.5 km au S.-E. de Morez, au S.-O. du *lac des Rousses;* 2600 hab. Centre de sports d'hiver.

ROUSSETTE [rusɛt] n. f. (de *roux*). **1.** Chauve-souris de grande taille des régions tropicales d'Afrique et d'Asie, à régime essentiellement frugivore. — **2.** Squale de petite taille des côtes d'Europe, à peau tachetée.

ROUSSEUR n. f., **ROUSSI** n. m. → ROUX.

ROUSSILLON, anc. province française correspondant à la majeure partie du dép. des *Pyrénées-Orientales.* Les cultures irriguées de fruits et légumes, le vignoble et le tourisme constituent les principales ressources de la région.

● *1659. Par le traité des Pyrénées le Roussillon, province espagnole, est rattaché définitivement à la France.*

ROUSSILLON, ch.-l. de cant. de l'Isère, en face du *Péage-de-Roussillon:* 7200 hab. Industries chimiques.

ROUSSIN [rusɛ̃] n. m. (de l'anc. fr. *roncin,* cheval de charge). **1.** Cheval de forte taille, qu'on utilisait surtout à la chasse et à la guerre. — **2.** *Un roussin d'Arcadie,* un âne.

ROUSSIR v. t. et i. → ROUX.

ROUTAGE n. m. → ROUTER.

ROUTE [rut] n. f. (du lat. [*via*] *rupta,* voie ouverte). **1.** Voie de communication terrestre construite pour le passage des véhicules : *Une route nationale (N.) est une voie à grande circulation entretenue par l'État. La route départementale (D.) dépend du budget des départements;* (avec un compl. de lieu) *La route d'Orléans* (= qui mène à Orléans). — **2.** Ligne de communication maritime et aérienne : *Un navire suit sa route.* — **3.** Espace à parcourir, direction d'un lieu à un autre, sans référence à un type particulier de voie de communication (les expressions sont parfois les mêmes qu'avec *chemin*) : *La route est longue* (syn. PARCOURS, TRAJET). *Souhaiter une bonne route* (syn. VOYAGE). *S'écarter de sa route* (= modifier sa direction). *En route, en cours de route,* pendant le trajet, pendant le temps du voyage, du transport; en marche : *Allons! en route!* (= partons). ‖ *Code de la route,* ensemble des réglementations concernant la circulation routière. ‖ *Faire route (vers),* se déplacer (vers). ‖ *Feuille de route,* titre délivré par les autorités militaires à un militaire qui se déplace isolément. — **4.** Ligne de conduite suivie par quelqu'un, manière de se comporter : *Barrer la route à qq'un* (= l'empêcher de continuer). *Faire fausse route* (= se tromper). ◆ **routier, ère** adj. Relatif aux routes : *Réseau routier. Circulation routière.* ‖ *Carte routière,* carte où les routes sont indiquées. ‖ *Gare routière,* gare spécialement aménagée pour les services d'autocars. ‖ *Signalisation routière* → SIGNAL. ‖ *Transport routier,* transport effectué par la route. ◆ **routier** n. m. **1.** Chauffeur spécialisé dans la conduite des camions sur de longues distances. — **2.** Cycliste dont la spécialité est de disputer des épreuves sur route (par oppos. à PISTARD). ◆ **routière** n. f. *Une bonne routière,* voiture permettant de réaliser dans les meilleures conditions de longs itinéraires.
→ illustration page ci-contre.

ROUTER [rute] v. t. (de *route*). Grouper, selon sa destination, un envoi postal : *Router des journaux, des colis.* ◆ **routage** n. m. : *Le routage d'imprimés.*

1. ROUTIER [rutje] n. m. (de l'anc. fr. *route,* troupe). *Un vieux routier,* un homme qui a beaucoup d'expérience et, assez souvent, qui est rusé.

2. ROUTIER, ÈRE adj. et n. → ROUTE.

ROUTINE [rutin] n. f. (de *route*). Habitude d'agir toujours de la même manière. — LOC. ADJ. *De routine,* banal, courant : *Une visite de routine chez le médecin.* ◆ **routinier, ère** adj. et n. Qui se conforme à la routine, qui agit par routine : *Un esprit routinier. Un procédé routinier.*

ROUVRAIE n. f. → ROUVRE.

ROUVRAY *(forêt domaniale du),* forêt de la rive gauche de la Seine, dans sa boucle en face de Rouen; 3240 ha.

ROUVRE [ruvr] n. m. et adj. (du lat. *robur, roboris*). Chêne qui se plaît sur les coteaux, en terrains sains, peu argileux ou même sablonneux. (Il se distingue par ses feuilles pétiolées et ses glands sans pédoncule.) [On dit aussi CHÊNE ROUVRE.] ◆ **rouvraie** n. f. Lieu planté de rouvres.

ROUVRIR v. t. → OUVRIR.

ROUX, ROUSSE [ru, rus] adj. et n. (lat. *russus*). D'une couleur entre le jaune et le rouge. ◆ adj. et n. Qui a les cheveux roux. ◆ n. m. Sauce faite avec de la farine roussie dans du beurre. ◆ **rouquin, e** adj. et n. *Fam.* Qui a les cheveux roux. ◆ **roussâtre** adj. Qui tire sur le roux : *Une chevelure roussâtre.* ◆ **rousseur** n. f. **1.** Qualité de ce qui est roux : *La rousseur de la barbe.* — **2.** *Tache de rousseur,* tache rousse qui apparaît sur la peau, surtout au visage et aux mains. ◆ **roussir** v. t. *Roussir qqch.,* le faire devenir roux, et spécialement en brûlant légèrement, superficiellement : *Roussir du linge en le repassant.* ◆ v. i. Devenir roux.

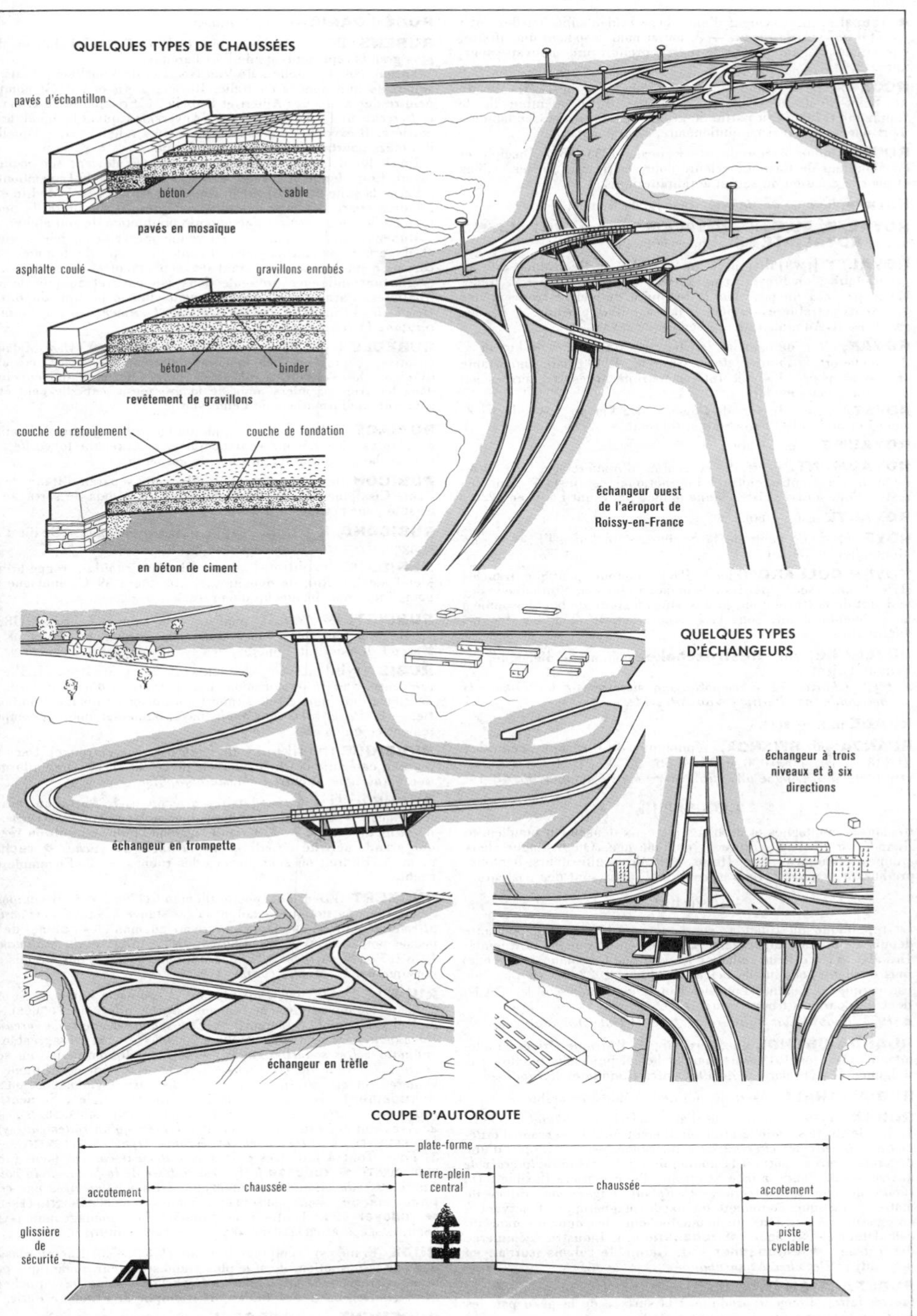
QUELQUES TYPES DE CHAUSSÉES
pavés d'échantillon
béton
sable
pavés en mosaïque
asphalte coulé
gravillons enrobés
béton
binder
revêtement de gravillons
couche de refoulement
couche de fondation
en béton de ciment
échangeur ouest
de l'aéroport de
Roissy-en-France
QUELQUES TYPES
D'ÉCHANGEURS
échangeur à trois
niveaux et à six
directions
échangeur en trompette
échangeur en trèfle
COUPE D'AUTOROUTE
plate-forme
terre-plein
central
accotement
chaussée
chaussée
accotement
glissière
de
sécurité
piste
cyclable

◆ **roussi** n. m. **1.** Odeur d'une chose brûlée superficiellement : *Un plat qui sent le roussi.* — **2.** (sujet nom désignant une affaire, une situation) Fam. *Sentir le roussi,* prendre une mauvaise tournure.

ROUX (Jacques), homme politique français (1752-1794). Vicaire de Saint-Nicolas-des-Champs, à Paris, il fut membre de la Commune (1791) et fit partie du groupe des enragés. Condamné à mort par le Tribunal révolutionnaire, il se poignarda.

ROUX (Émile), bactériologiste français (1853-1933). Disciple et collaborateur de Pasteur, célèbre pour ses travaux sur les toxines et pour la création du sérum antidiphtérique.

Roxane, héroïne de *Bajazet,* tragédie de Racine.

ROYAL, E, AUX adj., **ROYALEMENT** adv., **ROYALISME** n. m., **ROYALISTE** adj. et n. → ROI.

ROYALTY [rwajalti] n. f. (mot angl.). **1.** Redevance due au propriétaire d'un brevet, à un auteur, à un éditeur. — **2.** Redevance payée à un pays sur le territoire duquel se trouvent des gisements pétrolifères ou pour le passage d'un pipeline. ‖ Pl. des *royalties.* (L'Administration préconise REDEVANCE.)

ROYAN, ch.-l. de cant. de la Charente-Maritime, à 40 km au S. de Rochefort, à l'entrée de la Gironde; 18 100 hab. Importante station balnéaire. La ville fut reconstruite après la guerre selon des conceptions modernes.

ROYAT, comm. du Puy-de-Dôme, à 4,5 km au S.-O. de Clermont-Ferrand; 4 100 hab. Station thermale.

ROYAUME n. m. → ROI.

ROYAUMONT, écart de la comm. d'Asnières-sur-Oise (Val-d'Oise). Un Centre culturel international est installé dans les restes d'une abbaye cistercienne fondée par Saint Louis en 1228.

ROYAUTÉ n. f. → ROI.

ROYE, ch.-l. de cant. de la Somme, à 18 km à l'E.-N.-E. de Montdidier; 6 700 hab.

ROYER-COLLARD (Pierre Paul), homme politique français (1763-1845). Avocat, partisan de la monarchie constitutionnelle dès le début de la Révolution, professeur d'histoire de la philosophie à la Sorbonne, il fut, sous la Restauration, le chef des députés doctrinaires.

ROZEBEKE, auj. **Westrozebeke,** comm. de Belgique, en Flandre-Orientale.
• *1382. Charles VI y remporte une victoire sur les Flamands commandés par Philippe Van Artevelde.*

RUADE n. f. → RUER 1.

RUANDA ou **RWANDA,** république de l'Afrique centrale; 26 338 km^2; 7 000 000 hab. (266 au km^2). Capit. *Kigali* (160 000 hab.). Langue off. : *français* → cartes AFRIQUE pp. 48-49.

GÉOGRAPHIE

Région de montagnes et de hauts plateaux densément peuplés, le Ruanda vit de l'agriculture et de l'élevage. On distingue deux groupes ethniques : les Hutus sont des cultivateurs bantous, produisant manioc, sorgho et café; les Tutsis sont des pasteurs.

HISTOIRE

La république du Ruanda, constituée en 1961 et indépendante depuis 1962, était auparavant la partie septentrionale du Ruanda-Urundi, anc. colonie allemande (Afrique-Orientale allemande) puis territoire sous tutelle belge à partir de 1922. La vie politique est marquée par la lutte entre les Hutus, majoritaires, et les Tutsis, dont une partie a trouvé refuge en Ouganda.
• *1973. Coup d'État militaire de Juvénal Habyarimana.*

RUANDA-URUNDI, anc. territoire de l'Afrique-Orientale allemande, placé en 1919 sous mandat belge, puis sous tutelle de la Belgique. Il a été partagé en 1961 entre *Ruanda* et *Burundi.*

RUB'AL-KHĀLĪ, désert du sud de la péninsule arabique.

RUBAN [rybɑ̃] n. m. (de l'anc. néerl. *ringhband,* collier). **1.** Bande de tissu mince et généralement étroite, servant d'ornement : *Retenir ses cheveux avec un ruban.* — **2.** Marque d'une décoration qui se porte à la boutonnière : *Le ruban de la croix de guerre.* — **3.** Bande mince et étroite d'une matière flexible : *Un ruban de machine à écrire.* ‖ *Ruban magnétique,* ruban de matière plastique contenant un oxyde magnétique et servant à enregistrer le son dans un magnétophone, les données dans un calculateur électronique. ◆ **rubanerie** n. f. Industrie, commerce des rubans. ◆ **enrubanner** v. t. Garnir de rubans (surtout au part. adj.) : *Des cheveux enrubannés.*

RUBÉFACTION [rybefaksjɔ̃] n. f. (du lat. *ruber,* rouge, et *facere,* faire). Rougeur produite à la surface de la peau par des médicaments irritants ou par une maladie.

RUBÉN DARÍO → DARÍO *(Rubén).*

RUBENS (Petrus Paulus), peintre flamand (1577-1640), un des plus grands représentants de l'art baroque.

Formé dans les ateliers de Van Noort et de Van Veen, il fait un séjour de huit années en Italie. Revenu à Anvers, il est nommé peintre des archiducs Albert et Isabelle. L'*Érection de la Croix* et la *Descente de Croix* (cathédrale d'Anvers) marquent le début de sa carrière. Il exécute de nombreuses œuvres religieuses, auxquelles il préfère pourtant les sujets mythologiques.

En 1630, il épouse Hélène Fourment qui devient son modèle favori. Entre-temps il voyage, peint pour le palais du Luxembourg, à Paris, la suite de l'*Histoire de Marie de Médicis,* va à Madrid et à Londres chargé de missions diplomatiques. Il s'entoure de nombreux aides pour assurer l'abondante production de son atelier.

Rubens manifeste dans son œuvre une merveilleuse joie de vivre et de créer, aimant modeler d'opulents corps de femme à la carnation lumineuse, s'enivrant de mouvement et de couleurs. Il exerça une influence profonde dans son pays et au-delà de ses frontières. Parmi ses œuvres, on peut citer le portrait du *Baron Henri de Vicq,* la *Kermesse, Hélène Fourment et ses enfants, Suzanne Fourment.*

RUBÉOLE [rybeɔl] n. f. (du lat. *rubeus,* rouge). *Méd.* Maladie éruptive, contagieuse et épidémique, analogue à la rougeole. (Bénigne chez l'enfant, la *rubéole* est grave chez la femme enceinte dans les trois premiers mois de la grossesse, car elle peut être cause de malformations de l'embryon.)

RUBIACÉES [rybjase] n. f. pl. (du lat. *rubia,* garance). Famille de plantes dicotylédones gamopétales, comprenant le *gaillet,* le *caféier,* le *quinquina,* la *garance,* le *gardénia.*

RUBICON (le). *Géogr. anc.* Rivière qui séparait l'Italie de la Gaule Cisalpine. César le franchit quand il décida de sortir de la légalité pour marcher sur Rome.

RUBICOND, E [rybikɔ̃, -ɔ̃d] adj. (lat. *rubicundus*). Se dit d'un visage qui est très rouge (syn. ROUGEAUD, VERMEIL).

RUBIDIUM [rybidjɔm] n. m. (du lat. *rubidus,* rouge-brun). Métal alcalin (Rb), de densité 1,52, fusible à 39 °C, analogue au potassium, mais beaucoup plus rare.

RUBINSTEIN (Anton), pianiste et compositeur russe (1829-1894), fondateur des conservatoires de Saint-Pétersbourg et de Moscou. Il a écrit des opéras, des symphonies et des concertos.

RUBIS [rybi] n. m. (du lat. *rubeus,* rougeâtre). **1.** Pierre précieuse, variété de corindon, transparente et d'un rouge vif. — **2.** Pierre dure qui sert de support à un pivot de rouage d'horlogerie. — **3.** *Payer rubis sur l'ongle,* payer immédiatement et complètement ce qu'on doit.

RUBRIQUE [rybrik] n. f. (lat. *rubrica,* titre en rouge). Dans un journal, catégorie d'articles dans laquelle est classée une information : *Rubrique littéraire, cinématographique.*

RUCHE [ryʃ] n. f. (bas lat. *rusca,* écorce). **1.** Abri d'un essaim d'abeilles. — **2.** Essaim habitant une ruche : *Dans une ruche, il n'y a qu'une reine.* — **3.** Grande agglomération, endroit où règne une grande activité : *Cette usine est une vraie ruche.* ◆ **rucher** n. m. **1.** Endroit où sont placées des ruches. — **2.** Ensemble de ruches.

RÜCKERT (Friedrich), poète allemand (1788-1866). Il composa des poèmes patriotiques exaltant la résistance à Napoléon (*Poésies allemandes,* 1814), et adapta au lyrisme allemand les rythmes de la poésie persane (*les Roses d'Orient,* 1822; *Sagesse du brahmane,* 1836-1839). Ses *Kindertotenlieder* (publiés en 1872) ont été mis en musique par G. Mahler (1902).

RUDE [ryd] adj. (lat. *rudis*) [avant ou après le nom]. **1.** Se dit d'une chose qui est dure au toucher : *Barbe rude* (contr. DOUCE). — **2.** Qui est pénible à supporter : *Être soumis à une rude épreuve. Un climat rude* (syn. DUR, FROID, RIGOUREUX). — **3.** Désagréable à entendre : *Des sonorités rudes.* — **4.** *Fam.* Remarquable en son genre : *Un rude appétit* (syn. FAMEUX). — **5.** Qui est difficile à vaincre : *Avoir affaire à un rude adversaire* (syn. REDOUTABLE). ◆ **rudement** adv. **1.** D'une manière rude, brutale : *Se heurter rudement contre un mur* (contr. DOUCEMENT, MOLLEMENT). — **2.** Avec dureté, sans ménagement : *Traiter qq'un rudement* (syn. ↓SÈCHEMENT). ‖ *Être rudement éprouvé* (syn. CRUELLEMENT). — **3.** *Fam.* Tout à fait, très : *Je suis rudement content* (syn. fam. DRÔLEMENT). ◆ **rudesse** n. f. : *La rudesse de la peau, de la voix. La rudesse du climat* (syn. RIGUEUR). *Traiter qq'un avec une certaine rudesse* (syn. BRUSQUERIE; contr. DOUCEUR, GENTILLESSE). ◆ **rudoyer** v. t. Traiter avec rudesse, sans ménagement (syn. ↑BRUTALISER, HOUSPILLER, MALMENER). ◆ **rudoiement** n. m.

RUDE (François), sculpteur français (1784-1855). Encore classique par sa formation, il est le plus grand sculpteur romantique par le mouvement qu'il sut donner au *Départ des volontaires* (appelé *la Marseillaise*), bas-relief de l'arc de triomphe de l'Étoile à Paris.

RUDEMENT adv., **RUDESSE** n. f. → RUDE.

RUDIMENTS [rydimɑ̃] n. m. pl. (lat. *rudimentum,* commencement). Premières notions d'une science, d'un art (syn. ÉLÉMENTS). ◆ **rudimentaire** adj. Qui n'est pas très développé : *Avoir des connaissances rudimentaires en cuisine* (syn. ÉLÉMENTAIRE, IMPARFAIT).

RUDISTES [rydist] n. m. pl. (du lat. *rudis,* rude). Mollusques bivalves fossiles en forme de cornets, caractéristiques des terrains secondaires.

RUDOIEMENT n. m., **RUDOYER** v. t. → RUDE.

RUE [ry] n. f. (du lat. *ruga,* ride). **1.** Voie bordée de maisons dans une ville, dans un bourg : *Une rue passante. Manifester, descendre dans la rue.* — **2.** Les habitants des maisons qui bordent une rue : *Toute la rue commentait la nouvelle.* — **3.** *Courir les rues,* être su de tout le monde : *Un air qui court les rues.* ‖ *Être à la rue,* ne pas avoir de domicile. ‖ *L'homme de la rue,* le citoyen moyen, le premier venu. ◆ **grand-rue** [grɑ̃ry] n. f. Rue principale d'un village ou d'une bourgade. ‖ Pl. des *grand-rues.* ◆ **ruelle** n. f. Petite rue étroite.

RUÉE n. f. → RUER 2.

RUEIL-MALMAISON, ch.-l. de cant. des Hauts-de-Seine, au pied du mont Valérien; 64 400 hab. Ce fut le séjour préféré de Bonaparte, premier consul, puis de l'impératrice Joséphine après leur divorce.

1. RUELLE n. f. → RUE.

2. RUELLE [rɥɛl] n. f. (de *rue*). Espace laissé libre entre un lit et le mur ou entre deux lits.

RUELLE, ch.-l. de cant. de la Charente, à 6,5 km au N.-E. d'Angoulême, sur la Touvre; 8 350 hab.

1. RUER [rɥe] v. i. (du lat. *ruere,* pousser). **1.** (sujet nom désignant un cheval, un âne, un mulet) Lancer vivement en arrière les membres postérieurs. — **2.** (sujet nom de personne) Fam. *Ruer dans les brancards,* opposer une vive résistance (syn. PROTESTER, REGIMBER). ◆ **ruade** n. f. : *Ce cheval lui a cassé la jambe d'une ruade.*

2. RUER (SE) [sərɥe] v. pr. (même étym.) [sujet nom d'être animé]. Se lancer impétueusement, se précipiter sur quelqu'un ou sur quelque chose : *Se ruer sur l'ennemi* (syn. ↓SE JETER SUR). *La foule des invités au cocktail s'est ruée sur le buffet.* ◆ **ruée** n. f. Mouvement rapide d'un grand nombre de personnes dans une même direction : *À la descente des trains, c'est la ruée des banlieusards vers le métro.*

RUFISQUE, v. du Sénégal (région du Cap-Vert), sur l'Atlantique, à l'E. de Dakar; 50 000 hab. Centre commercial et industriel.

RUGBY [rygbi] n. m. (de *Rugby,* n. d'une ville anglaise). Sport pratiqué avec un ballon ovale, opposant deux équipes de quinze joueurs, chacune cherchant à marquer plus de points que l'autre. → ENCYCL. ‖ *Rugby à treize,* sport dérivé du rugby, dont certaines règles ont été modifiées, et qui est pratiqué par deux équipes de treize joueurs. (Le *rugby à treize,* ou, plus communément aujourd'hui, *jeu à treize,* est, à la différence du rugby à quinze, un sport où existe le professionnalisme.) ◆ **rugbyman** n. m. Joueur de rugby. ‖ Pl. des *rugbymen.*

— ENCYCL. Le match de *rugby* est dirigé par un arbitre assisté de deux juges de touche. Il dure quatre-vingts minutes (deux mi-temps de quarante minutes chacune). Le ballon est joué au pied ou à la main, chaque équipier devant se tenir en retrait du possesseur du ballon sous peine d'être hors jeu. Certaines fautes, comme la passe à la main en avant, donnent lieu à une *mêlée* où les huit avants s'arc-boutent les uns contre les autres et essaient, en poussant et talonnant, de gagner le ballon lancé sur le sol par le *demi de mêlée* qui peut le transmettre (s'il le récupère) au *demi d'ouverture* qui a la possibilité de lancer ses *trois-quarts* ou même l'*arrière,* intercalé. Pour s'opposer aux attaques, les joueurs ont le droit de « plaquer » l'adversaire porteur du ballon. Les points s'obtiennent par l'essai (4 points), la transformation de l'essai (2 points supplémentaires), le but (3 points), réussi à la suite d'un coup de pied de pénalité, et le drop-goal (3 points).

Chaque année, le tournoi des Cinq Nations oppose les équipes d'Angleterre, d'Écosse, d'Irlande, du pays de Galles et de France.

RÜGEN, île allemande de la Baltique; 926 km²; 89 000 hab. Ch.-l. *Bergen.*

RUGIR [ryʒir] v. i. (lat. *rugire*). **1.** (En parlant des lions, des tigres, des panthères) Pousser le cri propre à leur espèce. — **2.** (sujet nom de personne) Pousser des cris rauques et violents : *Rugir de fureur* (syn. HURLER). — **3.** (sujet nom de chose) Produire des bruits rauques et terribles : *Toute la nuit on a entendu le vent rugir.* ◆ v. t. *Rugir des menaces,* les proférer en rugissant. ◆ **rugissement** n. m. : *Pousser des rugissements de colère. Le rugissement de la tempête.*

RUGUEUX, EUSE [rygø, -øz] adj. (lat. *rugosus,* ridé). Qui a de petites aspérités sur sa surface : *Une peau rugueuse* (syn. RÂPEUX, RÊCHE, RUDE). ◆ **rugosité** n. f. : *Les rugosités d'une planche qui n'est pas rabotée.*

RUHR (la), riv. d'Allemagne, affl. du Rhin (r. dr.) qu'elle rejoint à Duisburg; 232 km. Elle a donné son nom au riche bassin houiller qu'elle traverse. — Le *bassin de la Ruhr* fournit environ 80 millions de t de charbon par an. Il a favorisé le développement d'une des plus importantes régions industrielles du monde. L'industrie lourde y est prépondérante (sidérurgie, métallurgie lourde, carbochimie), mais toutes les branches industrielles sont représentées, ainsi que les services. La proximité du Rhin facilite les échanges avec les pays d'Europe occidentale, et le port fluvial de Duisburg est le premier du monde. Près de six millions d'habitants se concentrent sur environ 4 500 km² où mines, usines, zones d'habitat et voies de communication s'enchevêtrent en une vaste conurbation dont les principaux centres sont Essen, Dortmund, Duisburg, Wuppertal et Düsseldorf, qui joue le rôle de capitale commerciale et financière de la Ruhr.

1. RUINE [rɥin] n. f. (lat. *ruina*). Chute, naturelle ou non, d'une construction : *Une maison qui tombe, qui est en ruine* (syn. ÉCROULEMENT, EFFONDREMENT). ‖ *Une ruine,* une maison délabrée. ◆ n. f. pl. Débris, restes d'un édifice abattu, écroulé. ◆ **ruiniforme** adj. **1.** Type de relief, évoquant des ruines, que l'érosion

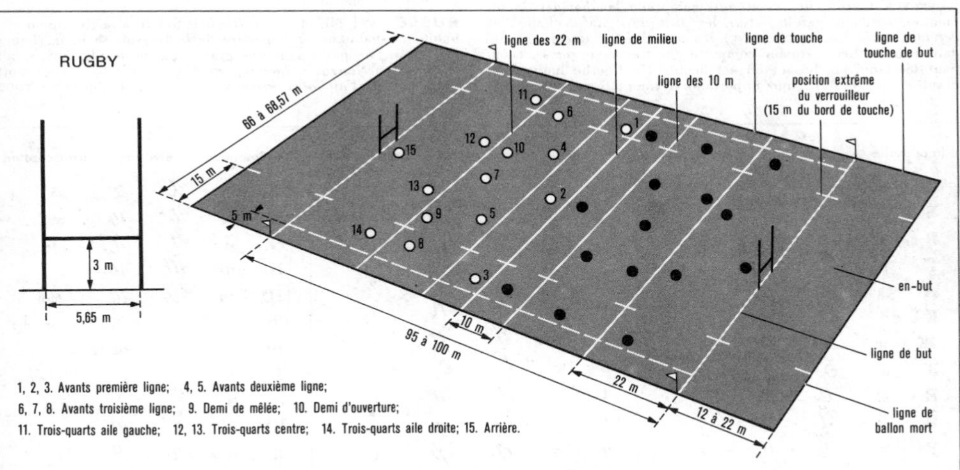

développe dans certaines roches, notamment les calcaires dolomitiques : *Les reliefs ruiniformes de Montpellier-le-Vieux.* — **2.** Nom donné à la roche dans laquelle se développent ces reliefs.

2. RUINE [rɥin] n. f. (de *ruine* 1). **1.** Perte, fin : *La ruine de ses espérances.* — **2.** Perte des biens, de la fortune : *Une maison de commerce qui court à sa ruine.* — **3.** Ce qui entraîne une grande dépense : *L'entretien de cette voiture est une ruine.* ◆ **ruiner** v. t. **1.** *Ruiner qq'un,* détériorer gravement sa santé : *Les excès de toute sorte ont ruiné ses forces.* — **2.** *Ruiner une personne, une collectivité,* causer la perte des biens, de la fortune : *La guerre l'a ruiné.* ◆ ***se ruiner*** v. pr. Perdre son argent : *Il s'est ruiné au jeu.* ◆ **ruiné e** adj. Qui a perdu sa fortune : *Une famille ruinée.* ◆ **ruineux, euse** adj. Qui provoque des dépenses excessives : *Un luxe ruineux.*

RUISDAEL (Jacob VAN) → RUYSDAEL.

RUISSEAU [rɥiso] n. m. (du lat. *rivus*). **1.** Petit cours d'eau. — **2.** Tout ce qui coule en abondance : *Des ruisseaux de larmes* (syn. ↑TORRENT). — **3.** Petit canal, caniveau ménagé dans une rue pour recevoir les eaux de pluie et les eaux ménagères. ◆ **ruisseler** v. i. (Conj. **6.**) **1.** Couler, se répandre sans arrêt : *L'eau ruisselle sur la chaussée.* — **2.** Être inondé d'un liquide qui coule : *Son visage ruisselait de sueur.* — **3.** *Ruisseler de lumière,* répandre à profusion de vives lumières. ◆ **ruissellement** n. m. **1.** Émission de jets de lumière chatoyante : *Un ruissellement de pierreries.* — **2.** *Géogr.* Écoulement rapide des eaux de pluie sur les versants : *Dans les roches tendres et imperméables comme les argiles, le ruissellement ravine et crée des bad-lands*.* ‖ *Ruissellement en nappe,* dans les régions arides où la végétation ne protège pas le sol et où les pluies sont violentes, écoulement rapide des eaux en lames minces qui couvrent toute la surface des pentes : *Le ruissellement en nappe est un agent du façonnement des glacis*.*

RUIZ *(Nevado del),* volcan des Andes de Colombie; 5400 m. Son éruption, en 1985, a fait plusieurs milliers de victimes.

RUMBA [rumba] n. f. (mot africain). Danse cubaine d'origine africaine.

RUMEN [rymɛn] n. m. (mot lat. signif. *mamelle*). *Zool.* Premier compartiment, le plus vaste, de l'estomac des ruminants (syn. PANSE).

RUMEUR [rymœr] n. f. (lat. *rumor, -oris*). **1.** Bruit confus de voix (syn. BOURDONNEMENT, BROUHAHA). — **2.** Nouvelle qui se répand dans le public : *Selon la rumeur publique, on procéderait à des élections anticipées.*

RUMFORD *(sir* Benjamin THOMPSON, *comte),* physicien américain (1753-1814), auteur de recherches sur la chaleur et la lumière.

RUMILLY, ch.-l. de cant. de la Haute-Savoie, à 17 km à l'O.-S.-O. d'Annecy; 9200 hab. Lait concentré.

RUMINER [rymine] v. t. et i. (lat. *ruminare*). **1.** (sujet nom désignant certains mammifères herbivores) Mâcher de nouveau les aliments ramenés de l'estomac dans la bouche. — **2.** (sujet nom d'être animé) Tourner et retourner dans son esprit : *Ruminer son chagrin, sa vengeance.* ◆ **ruminant, e** adj. Qui rumine. ◆ n. m. pl. Ordre de mammifères ongulés, comprenant des espèces herbivores, pourvus d'une panse et capables de ruminer. → ENCYCL. ◆ **rumination** n. f. Mode de digestion propre aux ruminants.
— ENCYCL. L'ordre des *ruminants* comprend les *bovidés* (bœuf, mouton, antilope, gazelle, etc.), les *girafidés* (girafe, okapi), les *cervidés* (cerf, daim, renne, etc.), les *camélidés* (chameau, dromadaire, lama). Leur estomac comporte une très vaste *panse,* occupant le flanc gauche, et où est accumulée l'herbe hâtivement broutée, qui y subit une importante fermentation bactérienne, mais sans digestion proprement dite. L'animal au repos *rumine :* une poche spéciale, le *bonnet,* forme des boulettes alimentaires et les renvoie à la bouche, où les molaires les broient soigneusement. Le broyat est ravalé et dirigé par une *gouttière œsophagienne* vers les estomacs digestifs : *feuillet* et *caillette,* auxquels fait suite un intestin très long (50 m chez la vache).

RUMMEL ou **RHUMEL** (le), fl. de l'Algérie, dont les gorges entourent Constantine et qui prend plus en aval le nom d'*oued el-Kebir.*

RUMSTECK n. m. → ROMSTECK.

RUNDSTEDT (Gerd VON), maréchal allemand (1875-1953). Il commanda un groupe d'armées en Pologne, en France et en Russie (1939-1941). À la fin de la guerre, il dirigea l'ultime contre-offensive des Ardennes (fin 1944).

RUNGIS, comm. du Val-de-Marne, à 7 km au S. de Paris, sur la bordure nord-ouest de l'aéroport d'Orly; 2700 hab. Sur le territoire de cette commune est installé depuis 1969 le *marché-gare de Rungis* qui remplace les Halles de Paris.

RUOLZ (*comte* Henri DE), savant français (1811-1887). Avec l'Anglais Henry Elkington, il découvrit le procédé de l'argenture des métaux par la galvanoplastie, auquel son nom est resté attaché en France (1840).

RUOLZ [rɥɔls] n. m. (du nom de l'inventeur). Alliage utilisé en orfèvrerie, de couleur claire et blanche se rapprochant de celle de l'argent, et composé de cuivre, de nickel et d'argent.

RUPESTRE [rypɛstr] adj. (du lat. *rupes,* rocher). **1.** Qui croît dans les rochers : *Une plante rupestre.* — **2.** Exécuté dans les grottes, sur la paroi des roches : *Les peintures rupestres de la préhistoire.*

RUPTEUR n. m., **RUPTURE** n. f. → ROMPRE.

RURAL, E, AUX [ryral, -ro] adj. (du lat. *rus, ruris,* campagne). Qui se rapporte à la campagne : *Une commune rurale* (contr. URBAIN). ◆ **ruraux** n. m. pl. Habitants de la campagne.

RUSE [ryz] n. f. (du lat. *recusare,* repousser). Moyen habile que l'on emploie pour tromper; habileté de celui qui agit ainsi : *Recourir à la ruse pour triompher d'un ennemi* (syn. STRATAGÈME, SUBTERFUGE). ◆ **ruser** v. i. Agir avec ruse; employer des moyens détournés : *Savoir ruser pour arriver à ses fins.* ◆ **rusé, e** adj. et n. Qui a de la ruse : *Cet homme est rusé comme un vieux renard* (syn. MADRÉ, MATOIS; fam. ROUBLARD, ROUÉ). ◆ adj. Qui annonce la ruse : *Un air rusé.*

RUSH [rœʃ] n. m. (mot angl.). **1.** Effort final pour tenter de s'assurer la victoire dans une course. — **2.** Afflux d'une foule de personnes : *Le rush des citadins vers la mer* (syn. RUÉE).

RUSHES [rœʃ] n. m. pl. (mot angl.). Ensemble des prises de vues telles qu'elles apparaissent après le développement et avant le montage d'un film. (L'Administration préconise ÉPREUVES [*de tournage*].)

RUSKIN (John), critique d'art, sociologue et écrivain anglais (1819-1900). Défenseur des peintres préraphaélites, il développa ses idées concernant l'art, alliant la critique esthétique à la prédication et analysant les problèmes sociaux et moraux nés de la civilisation moderne.

RUSSE [rys] adj. et n. (de *Russie*). Relatif à la Russie ou à ses habitants; habitant ou originaire de la Russie. ◆ n. m. Langue slave que l'on parle dans une grande partie de l'U. R. S. S. : *Le russe est une langue indo-européenne, écrite dès la seconde moitié du IXᵉ s. dans l'alphabet cyrillique.* → ENCYCL. et tableau. ◆ **russi-**

imprimerie		écriture		transcription
А	а	А	а	a
Б	б	Б	б	b
В	в	В	в	v
Г	г	Г	г	g, gh
Д	д	Д	д	d
Е Ё	е ё	Е	е	é ie io
Ж	ж	Ж	ж	j
З	з	З	з	z
И	и	И	и	i
Й	й	Й	й	ï
К	к	К	к	k
Л	л	Л	л	l
М	м	М	м	m
Н	н	Н	н	n
О	о	О	о	o
П	п	П	п	p
Р	р	Р	р	r
С	с	С	с	s, ss
Т	т	Т	т	t
У	у	У	у	ou
Ф	ф	Ф	ф	f
Х	х	Х	х	kh
Ц	ц	Ц	ц	ts
Ч	ч	Ч	ч	tch
Ш	ш	Ш	ш	ch
Щ	щ	Щ	щ	chtch
Ъ	ъ		ъ	signe dur
Ы	ы		ы	y
Ь	ь		ь	signe mou
Э	э	Э	э	é
Ю	ю	Ю	ю	iou
Я	я	Я	я	ia

ier v. t. Faire adopter les institutions, les coutumes de la Russie. ◆ **russification** n. f.

— ENCYCL. *L'enseignement du russe en France dans l'ensemble des établissements publics du second degré :* le russe ne tient encore qu'une place modeste dans l'enseignement des langues vivantes (la cinquième après l'anglais, l'allemand, l'italien et l'espagnol). Pratiquement inexistant en première langue, il est essentiellement étudié dans le second cycle en deuxième langue (où il rassemble moins de 1 p. 100 des élèves étudiant une deuxième langue) et surtout en troisième langue (où il représente près de 8 p. 100 des élèves étudiant une troisième langue), dans certains lycées uniquement. *Débouchés* → LANGUES VIVANTES.

RUSSELL (*lord* John), homme politique anglais (1792-1878), chef du parti whig, deux fois Premier ministre.

RUSSELL (Bertrand, 3ᵉ *comte*), mathématicien, philosophe et sociologue britannique (1872-1970). Russell fut l'un des promoteurs de la logique moderne. Il a mis son autorité au service du pacifisme et de l'objection de conscience.

RUSSIE, État d'Europe orientale et d'Asie, s'étendant des rives de la Baltique au Pacifique. Héritière du vaste Empire des tsars, la Russie a constitué de 1922 à 1991 l'une des républiques fédératives de l'Union soviétique (R. S. F. S. R.); 17 075 400 km^2; 147 400 000 hab. Capit. *Moscou.* V. pr. *Saint-Pétersbourg, Nijni Novgorod, Novossibirsk, Samara, Iekaterinbourg, Tcheliabinsk, Perm', Volgograd.* La Russie regroupait la moitié de la population de l'U. R. S. S. sur près des 4/5 de son territoire.

À partir du vᵉ s. apr. J.-C., des tribus slaves s'installent sur le Dniepr. Elles entrent en contact avec les Varègues scandinaves, mi-pillards mi-marchands, qui vont les dominer et, au IXᵉ s., fonder les principautés dont les chefs sont semi-légendaires (Askold à Kiev, Riourik à Novgorod).

• *882. Oleg le Sage unifie les terres russes autour de Kiev.*

L'État kiévien, qui dure jusqu'en 1240, contrôle le commerce de la Baltique à la mer Noire. La pénétration du christianisme y est suivie du baptême de Vladimir Iᵉʳ en 988.

• *1019-1054. Sous le règne de Iaroslav le Sage, la Russie voit se développer une civilisation urbaine influencée par Byzance.*

• *1169. Un second État russe est fondé dans le Nord-Est (région de Vladimir-Souzdal).*

• *1238-1240. Les Mongols (Tatars) conquièrent presque tout le pays.*

Les principautés russes vont être dominées, pendant plus de deux siècles, par les Mongols de la Horde d'Or.

• *1242. Le grand-prince de Novgorod, Alexandre Nevski (1236-1263), élimine à l'O. la menace germanique en battant les chevaliers Porte-Glaive.*

Tandis que le commerce de Novgorod passe sous le contrôle des marchands de la Hanse*, s'affirme progressivement la prééminence de Moscou, qui devient capitale politique et religieuse. Mais les princes moscovites, qui ont obtenu des Mongols en 1328 le titre de « grand-prince », doivent disputer l'hégémonie à l'État lituanien en pleine expansion.

• *1380. Dimitri Donskoï (1362-1389) se dresse contre les Mongols et les bat à Koulikovo.*

Cette victoire n'est pas décisive, mais l'affranchissement de la Moscovie va être facilité par le déclin de la Horde d'Or.

• *1480. Ivan III (1462-1505) se proclame autocrate (= qui gouverne par lui-même, indépendant).*

Il se fait reconnaître « souverain de toutes les Russies » et, mettant à profit la chute de Constantinople (1453), il proclame Moscou héritière de celle-ci, et donc « troisième Rome ».

• *1533-1584. Ivan IV le Terrible, qui prend le titre de tsar, essaie de moderniser le pays en recourant à la terreur.*

Il lutte contre la noblesse traditionnelle, les boyards, au profit d'une aristocratie de fonctionnaires, et entreprend de fixer les paysans à la terre en leur interdisant de se déplacer, mesure qui est à l'origine du servage (1581). Il reconquiert sur les Tatars la vallée de la Volga (Kazan, Astrakhan) et lance la conquête de la Sibérie.

• *1598-1613. Des troubles politiques et sociaux, liés à la famine, se produisent dès le règne de Boris Godounov (1598-1605). Après sa mort, l'anarchie se développe, mise à profit par les Suédois et les Polonais qui font couronner leur candidat au trône de Russie (1610).*

• *1613. Une assemblée nationale (Zemski Sobor) dénoue la crise en élisant Michel III Romanov.*

Ses successeurs luttent contre leurs puissants voisins (Pologne, Suède) et affrontent révoltes paysannes et troubles religieux (*raskol,* ou schisme des vieux-croyants).

• *1682-1725. Pierre le Grand mène de façon autoritaire une politique de réformes inspirée de l'Occident.*

Il renforce son pouvoir, réorganise l'armée et les Finances, crée Saint-Pétersbourg et fonde l'Empire russe (1721).

Mais son œuvre, qui ne touche qu'une minorité de la population, est partiellement abandonnée par ses successeurs, sous le règne desquels se suivent révolutions de palais et ministres allemands.

• *1740-1762. Sous le règne d'Élisabeth (fille de Pierre le Grand), la Russie, alliée de la France et de l'Autriche pendant la guerre de Sept Ans, bat Frédéric de Prusse, qui est sauvé de la défaite par l'avènement de Pierre III.*

• *1762-1796. Catherine II, après avoir éliminé son mari Pierre III, règne en despote éclairé.*

Liée aux philosophes (Voltaire, etc.), la « Grande Catherine » fait des réformes qui visent essentiellement au renforcement du pouvoir impérial, centralisant l'Administration et favorisant le développement économique. S'appuyant sur la noblesse, elle renforce le servage, ce qui provoque des révoltes (révolte de Pougatchev, 1773). Enfin elle agrandit la Russie aux dépens de la Turquie (1768-1792), et de la Pologne (partages de 1772, 1793 et 1795).

• *1796-1815. La Russie joue un rôle actif en Europe.*

Paul Iᵉʳ (1796-1801) participe aux coalitions contre la France, puis s'oppose à l'Angleterre. Alexandre Iᵉʳ (1801-1825), vaincu par Napoléon, s'allie avec lui (Tilsit, 1807), puis prend une part active à sa chute (campagne de Russie, 1812). Arbitre de l'Europe au congrès de Vienne (1815), il va être, dans la Sainte-Alliance, gardien de l'ordre rétabli.

• *1825-1855. Nicolas Iᵉʳ mène une politique autoritaire en matant la conspiration « décabriste » (1825) et la révolte polonaise (1831). Il poursuit l'expansion russe dans le Caucase.*

Mais les ambitions russes devant la faiblesse ottomane inquiètent l'Angleterre, et la guerre de Crimée est un échec pour la Russie.

• *1855-1881. Alexandre II modernise son Empire : il abolit le servage (1861), crée des assemblées élues, les « zemstvos », et réforme la justice. Il aide les peuples des Balkans à se libérer des Turcs et commence la conquête de l'Asie centrale.*

Ses réformes sont jugées insuffisantes et les libéraux se tournent vers l'action révolutionnaire. Le tsar est assassiné.

• *1881-1894. Alexandre III mène une politique de réaction autocratique qui accentue le divorce avec un pays en pleine évolution économique et sociale.*

Il impose une russification systématique et traque les opposants. Si l'industrie progresse, la misère paysanne s'accroît, sauf pour une minorité : les *koulaks.*

• *1894-1917. La même politique est poursuivie par Nicolas II, mais les oppositions s'amplifient (particulièrement parmi les ouvriers, touchés par le marxisme).*

La défaite militaire contre le Japon favorise la révolution* de 1905. Après avoir fait des concessions libérales, Nicolas revient à l'autocratisme. La participation de la Russie à la guerre en 1914 et les difficultés qui en découlent accroissent le mécontentement et entraînent la révolution* de 1917. Le succès de celle-ci est suivi de la chute du tsarisme, de la création en 1918 de la république socialiste soviétique de Russie et de la fondation en 1922 de l'U. R. S. S.* À partir de ce moment et jusqu'en 1991, la Russie constitue le centre de l'U. R. S. S.

• *1991. Boris Eltsine, élu président de la république de Russie, s'oppose au putsch tenté contre Gorbatchev (août). La Russie négocie avec dix républiques qui ont proclamé leur indépendance la dissolution de l'U. R. S. S. et la création d'une Communauté d'États indépendants (déc.).*

Russie *(campagne de),* expédition menée en 1812 par les armées de Napoléon contre le tsar Alexandre Iᵉʳ. Elle se termina par la *retraite de Russie.*

RUSSIE BLANCHE → BIÉLORUSSIE.

RUSSIFICATION n. f., **RUSSIFIER** v. t. → RUSSE.

russo-japonaise *(guerre),* guerre entre le Japon et la Russie (février 1904-septembre 1905), marquée par le siège de Port-Arthur et les défaites russes de Moukden et de Tsushima. Le traité de Portsmouth qui mit fin à la guerre permit au Japon d'établir son protectorat sur la Corée et obligea les Russes à évacuer la Mandchourie.

RUSSULE [rysyl] n. f. (lat. *russulus,* rougeâtre). Champignon à lamelles, à chapeau diversement coloré : *On trouve les russules en été et en automne dans les bois.* (Classe des basidiomycètes; famille des agaricacées.)

RUSTAUD, E [rysto, -od] adj. et n. (de *rustre*). Qui est lourd, gauche dans ses manières : *Un garçon un peu rustaud.*

1. RUSTIQUE [rystik] adj. (du lat. *rus, ruris,* campagne). *Mobilier rustique,* taillé, façonné à la campagne avec une sorte de simplicité primitive.

2. RUSTIQUE [rystik] adj. (même étym.). Se dit d'une plante robuste, peu sensible aux intempéries : *Le chou est une plante rustique.* ◆ **rusticité** n. f. : *La rusticité du chêne.*

RUSTRE [rystr] n. m. (du lat. *rusticus,* rustique). Homme qui manque d'éducation : *Il s'est conduit comme un rustre* (syn. BUTOR, GOUJAT, MALOTRU). ◆ **rustrerie** n. f. (syn. GROSSIÈRETÉ).

RUT [ryt] n. m. (lat. *rugitus,* rugissement). État physiologique des animaux, spécialement des mammifères, qui les pousse à rechercher l'accouplement : *Un cerf en rut* (= en chaleur).

RUTABAGA [rytabaga] n. m. (du suédois *rotabaggar,* chou-navet). Variété de navet à chair jaunâtre.

RUTACÉES [rytase] n. f. pl. (du lat. *ruta*). Famille de plantes dicotylédones dialypétales, renfermant notamment les *agrumes* (orange, citron, pamplemousse).

RUTEBEUF, poète français, mort v. 1285. Auteur d'un des plus anciens « miracles* de Notre-Dame » (*le Miracle de Théophile,* v. 1261).

RUTH, belle-fille de Noémi, femme de Booz. (Bible.)

RUTHÉNIE ou **UKRAINE SUBCARPATIQUE,** anc. région orientale de la Tchécoslovaquie, annexée par la Hongrie en 1939 et cédée à l'U. R. S. S. (Ukraine) en 1945.

RUTHÉNIUM [rytenjɔm] n. m. (du bas lat. *Ruthenia,* Russie). Métal (Ru) appartenant au groupe du platine.

RUTHERFORD OF NELSON (Ernest, *lord*), physicien anglais (1871-1937). Auteur de travaux sur la radioactivité, il réalisa la première transmutation d'atome (1919). [Prix Nobel de chimie, 1908.]

RUTILANT, E [rytilɑ̃, -ɑ̃t] adj. (du lat. *rutilare,* rendre rouge). Qui brille d'un vif éclat : *Des cuivres rutilants* (syn. ÉTINCELANT, FLAMBOYANT). ◆ **rutiler** v. i. Briller d'un vif éclat : *Les toits rutilent dans le soleil.* ◆ **rutilement** n. m. : *Un rutilement de pierreries.*

RUWENZORI, massif montagneux de l'Afrique orientale, entre l'Ouganda et le Zaïre; 5 119 m au pic Marguerite.

Ruy Blas, drame de V. Hugo (1838).

RUYSDAEL ou **RUISDAEL** (Jacob VAN), peintre hollandais (1628 ou 1629-1682), un des grands paysagistes hollandais. Il exprime dans ses paysages un sentiment vrai de la nature et, par les jeux de la lumière, un lyrisme presque romantique (*le Buisson, le Coup de soleil*).

RUZ [ry] n. m. (mot jurassien). Dans le Jura, vallée creusée sur le flanc d'un anticlinal.

RWANDA → RUANDA.

RYBINSK, v. de l'U. R. S. S., sur la Volga supérieure; 249 000 hab. Industries diverses. Importante centrale hydro-électrique.

RYSWICK, auj. **Rijswijk,** v. des Pays-Bas; 54 000 hab.

• *1697. Signature du traité qui met fin à la guerre de la ligue d'Augsbourg.*

La France conserve Strasbourg, mais reconnaît l'accession de Guillaume III au trône d'Angleterre.

RYTHME [ritm] n. m. (gr. *rhuthmos*). **1.** Retour à intervalles réguliers d'un son plus fort (ou temps fort) qui alterne avec des sons ou temps plus faibles dans un vers, dans une phrase musicale. — **2.** En prose, retour périodique des syllabes accentuées; disposition symétrique des divers membres de la phrase : *Le rythme de la période de Bossuet, de la prose de Chateaubriand* (syn. CADENCE, HARMONIE). — **3.** Alternance, succession plus ou moins régulière que présentent certains événements : *Le rythme des saisons. Le rythme précipité de la vie moderne.* — **4.** *Rythme cardiaque,* succession régulière des contractions (systoles) et des relâchements (diastoles) du muscle cardiaque. (→ CŒUR.) ◆ **rythmer** v. t. Soumettre à un rythme : *Rythmer sa marche au son du tambour.* ◆ **rythmé, e** adj. Qui a du rythme : *Une période bien rythmée* (syn. CADENCÉ, HARMONIEUX). ◆ **rythmique** adj. **1.** *Versification rythmique,* versification fondée non pas sur le nombre et la quantité des syllabes, mais sur la coïncidence des temps marqués du vers avec les accents des mots : *Le vers allemand et le vers anglais sont des vers rythmiques.* — **2.** *Danse rythmique,* ou *rythmique* n. f., danse intermédiaire entre la danse classique et la gymnastique. ◆ n. f. Science des rythmes appliquée à la prose et surtout à la poésie.

RYŪ KYŪ, archipel japonais du Pacifique occidental, entre Kyūshū et Formose; 2 196 km²; 1 140 000 hab. V. pr. *Naha* (dans l'île d'Okinawa).

S n. m. **1.** Dix-neuvième lettre de l'alphabet et la quinzième des consonnes. → introduction de l'ouvrage. — **2.** *Un s,* succession de virages en forme d'S. — **3.** s, symbole de la *seconde* de temps.

SA adj. poss. → MON.

S.A. (abrév. de *Sturmabteilung,* section d'assaut), formation paramilitaire du parti national-socialiste allemand. Elle joua un rôle essentiel dans l'accession au pouvoir de Hitler en 1933.

SAALE (la), riv. d'Allemagne, affl. de l'Elbe (r. g.); 427 km.

SAARINEN (Eero), architecte finlandais (1910-1961). Avec son père ELIEL **Saarinen** (1873-1950), il joua un rôle important dans l'évolution de l'architecture aux États-Unis.

SAAS FEE, station d'été et de sports d'hiver de Suisse (Valais) (alt. 1800-2870 m).

SABA, en ar. **Saba',** anc. État de l'Arabie du Sud-Ouest (Yémen), qui étendit sa domination jusqu'en Abyssinie (VIIIe s. av. J.-C.) et qui tomba en 570 sous la domination perse. L'une de ses souveraines (légendaire), la *reine de Saba,* dont il est question dans l'Ancien Testament, vint voir le roi Salomon en Israël, attirée par sa réputation.

SABAH, anciennt **Bornéo-Septentrional,** État de la fédération de Malaysia, occupant l'extrémité nord de l'île de Bornéo; 76100 km^2; 1002000 hab. Capit. *Kota Kinabalu.* Plantations d'hévéas.

SABATIER (Paul), chimiste français (1854-1941). En collaboration avec Senderens, il a découvert l'action catalytique du nickel réduit, dans les hydrogénations, et réalisé, grâce à elle, la synthèse de nombreux hydrocarbures. (Prix Nobel de chimie, 1912.)

1. SABBAT [saba] n. m. (hébr. *schabbat,* repos). Repos que les Juifs doivent observer le septième jour de la semaine : *Le samedi est le jour du sabbat.* ◆ **sabbatique** adj. **1.** Qui se rapporte au sabbat : *Le repos sabbatique.* — **2.** *Année sabbatique,* chez les Juifs, chaque septième année pendant laquelle on devait laisser reposer la terre.

2. SABBAT [saba] n. m. (de *sabbat* 1). Au Moyen Âge, assemblée nocturne et bruyante de sorciers et sorcières.

SABELLE [sabɛl] n. f. (lat. *sabella*). Ver marin vivant dans un tube enfoncé dans la vase, et portant deux lobes de branchies filamenteuses.

SABINE [sabin] n. f. (lat. *sabina* [*herba*], herbe des Sabins). Genévrier de l'Europe méridionale, dont les feuilles ont des propriétés médicinales.

SABINS, anc. peuple de l'Italie centrale (Sabine), entre le Latium et l'Ombrie, célèbre par l'épisode de l'enlèvement des femmes sabines par les Romains.

SABIR [sabir] n. m. (de l'esp. *saber,* savoir). **1.** Jargon mêlé d'arabe, de français, d'italien, qui était en usage dans les ports méditerranéens. — **2.** Toute langue formée d'éléments disparates.

SABLE [sabl] n. m. (du lat. *sabulo,* gravier). **1.** Roche meuble constituée de grains ou de fragments de minéraux, de roches ou de coquilles, dont la taille varie de 0,02 à 2 mm : *On parle de sable quartzeux, de sable coquillier, etc., selon la nature des fragments qui le composent.* — **2.** (au plur.) *Sables mouvants,* sable humide, peu consistant, où l'on risque de s'enfoncer jusqu'à l'enlisement. — **3.** *Le marchand de sable est passé,* se dit aux enfants lorsqu'on les voit, le soir, sur le point de s'endormir. ◆ **sabler** v. t. **1.** *Sabler qqch.,* le couvrir de sable : *Sabler les allées d'un jardin.* — **2.** Nettoyer une pièce métallique par un violent jet de sable fin ou de grenaille métallique. ◆ **sablage** n. m. : *Le sablage d'une chaussée verglacée.* ◆ **sableux, euse** adj. Qui contient du sable : *Une eau sableuse.* ◆ **sableuse** n. f. Machine à sabler. ◆ **sablier** n. m. Petit appareil constitué de deux récipients de verre communiquant par un étroit conduit où s'écoule du sable et qui sert à mesurer le temps. ◆ **sablière** ou **sablonnière** n. f. Carrière d'où l'on extrait du sable. ◆ **sablonneux, euse** adj. Où il y a beaucoup de sable : *Une terre sablonneuse.* ◆ **ensabler** v. t. **1.** *Ensabler qqch.,* le couvrir, l'engorger de sable : *La marée a partiellement ensablé l'épave. Une canalisation ensablée.* — **2.** *Ensabler un bateau, une embarcation,* les échouer sur le sable. ◆ ***s'ensabler*** v. pr. S'enfoncer dans le sable : *La barque s'est ensablée.* ◆ **ensablement** n. m. : *L'ensablement d'une crique. L'ensablement d'un bateau.* ◆ **désensabler** v. t.

SABLÉ [sable] n. m. (de *sable*). Sorte de gâteau sec. ‖ *Pâte sablée,* pâte dans laquelle il entre une forte proportion de beurre.

1. SABLER v. t. → SABLE.

2. SABLER [sable] v. t. (de *sable*). *Sabler le champagne,* boire du champagne à l'occasion d'une réjouissance.

SABLES-D'OLONNE (Les), ch.-l. d'arrond. de la Vendée, sur l'océan Atlantique; 16700 hab. *(Sablais).* Station balnéaire et port de pêche.

SABLÉ-SUR-SARTHE, ch.-l. de cant. de la Sarthe, à 26 km au N.-O. de La Flèche, sur la Sarthe; 12700 hab. *(Saboliens).* Métallurgie.

SABLEUX, EUSE adj. et n. f., **SABLIER** n. m., **SABLIÈRE** n. f. → SABLE.

SABLIÈRE (Marguerite DE LA) → LA SABLIÈRE.

SABLONNEUX, EUSE adj., **SABLONNIÈRE** n. f. → SABLE.

SABORD [sabɔr] n. m. (de *bord*). *Mar.* Ouverture quadrangulaire pratiquée dans la muraille d'un navire.

SABORDER [sabɔrde] v. t. (de *sabord*). **1.** *Saborder son navire,* le couler volontairement. — **2.** *Saborder son entreprise,* mettre fin volontairement à l'activité de son entreprise commerciale, financière (surtout à la forme pron.). ◆ ***se saborder*** v. pr. ◆ **sabordage** n. m. : *Le sabordage de la flotte française à Toulon en 1942. Le sabordage d'une entreprise.*

1. SABOT [sabo] n. m. (de *savate,* et *botte*). **1.** Chaussure faite d'une seule pièce de bois, ou d'une semelle de bois et d'un dessus de cuir. ‖ *Je vous vois venir avec vos gros sabots,* se dit à une personne dont on devine les intentions. — **2.** Petite baignoire en forme de sabot. ◆ **saboterie** n. f. Fabrique de sabots. ◆ **sabotier** n. m. Ouvrier qui fabrique des sabots.

2. SABOT [sabo] n. m. (même étym.). Ongle développé entourant l'extrémité des doigts des mammifères ongulés (cheval, bœuf, porc, etc.).

3. SABOT [sabo] n. m. (même étym.). **1.** Partie d'un frein qui presse sur la circonférence extérieure du bandage d'une roue. — **2.** *Sabot de Denver,* grosse pince à l'aide de laquelle la police bloque une roue de voiture en stationnement interdit.

SABOTER [sabɔte] v. t. (de *sabot*). **1.** Fam. *Saboter qqch.,* l'exécuter vite et mal : *Saboter un travail* (syn. fam. ↓BÂCLER). — **2.** Détériorer ou détruire volontairement un outillage, du matériel commercial ou industriel; désorganiser une entreprise ou un service; gâcher une situation : *Saboter un avion. Saboter une négociation.* ◆ **sabotage** n. m. : *Le sabotage d'une machine, d'une voie ferrée.* ◆ **saboteur, euse** n.

SABOTERIE n. f., **SABOTIER** n. m. → SABOT 1.

SABOTEUR, EUSE n. → SABOTER.

SABRE [sabr] n. m. (all. *Säbel*). Arme blanche, droite ou recourbée, qui ne tranche que d'un côté : *Sabre de cavalerie, d'infanterie.* ‖ *Faire du sabre,* pratiquer l'escrime au sabre. ◆ **sabrer** v. t. Frapper à coups de sabre.

1. SABRER v. t. → SABRE.

2. SABRER [sabre] v. t. (de *sabre*). *Fam.* Faire vite et mal : *Sabrer un travail.* ◆ v. t. et i. Faire des coupures importantes dans un texte : *Sabrer un article* (syn. ↓RÉDUIRE).

1. SAC [sak] n. m. (lat. *saccus*). **1.** Objet ouvert seulement par le haut, fait de toile, de papier, de cuir, etc., et servant à mettre, à transporter, à ranger différentes choses : *Un sac de ciment* (= contenant du ciment). *Un sac à provisions* (= servant à mettre des provisions). — **2.** *Sac à main,* ou *sac,* sac où les femmes mettent les menus objets dont elles peuvent avoir besoin. ‖ *Sac à dos,* sac de toile muni de bretelles et utilisé par les alpinistes ou les campeurs. ‖ *Sac de couchage,* grand sac de toile, de Nylon, de coton, garni de duvet, dans lequel le campeur se glisse pour dormir (syn. DUVET). — **3.** *L'affaire est dans le sac,* on peut en tenir le succès pour assuré. ‖ *Avoir plus d'un tour dans son sac,* être plein d'habileté, de ruse. ‖ *Mettre dans le même sac,* confondre dans le même mépris, réunir dans la même réprobation : *Je les mets tous dans le même sac.* ‖ Fam. *Vider son sac,* dire tout ce que l'on a sur le cœur. ◆ **sachet** n. m. **1.** Petit sac : *Un sachet de bonbons.* — **2.** Petit sac ou coussin contenant des parfums : *Des sachets de lavande.* ◆ **sacoche** n. f. **1.** Sac de cuir retenu par une courroie et qui se porte au côté ou en bandoulière : *La sacoche du facteur.* — **2.** Sac de formes diverses : *Sacoche de bicyclette.* ◆ **ensacher** v. t. Mettre en sac : *Ensacher des bonbons.* ◆ **ensachage** n. m. : *L'ensachage du blé.*

2. SAC [sak] n. m. (même étym.). *Sac aérien,* chez les oiseaux, cavité pleine d'air en relation avec l'appareil respiratoire et les os pneumatiques.

3. SAC n. m. → SACCAGER.

SACCADE [sakad] n. f. (de l'anc. fr. *saquer,* tirer). Mouvement brusque et irrégulier : *Par saccades* (syn. À-COUP, SECOUSSE). ◆ **saccadé, e** adj. Qui se fait par saccades : *Des gestes saccadés. Style saccadé* (= dont les phrases sont courtes, hachées).

SACCAGER [sakaʒe] v. t. (de l'it. *sacco,* pillage). **1.** *Saccager un pays, une région,* les livrer au pillage, les mettre à sac : *Les ennemis ont saccagé la ville* (syn. PILLER, RAVAGER). — **2.** *Saccager un lieu,* le mettre en désordre : *Les cambrioleurs ont saccagé la maison* (syn. ↑DÉVASTER). ◆ **sac** n. m. *Mettre à sac,* piller, saccager (sens 1). ◆ **saccage** n. m. Action de saccager (sens 2). ◆ **saccageur, euse** n.

SACCHARASE [sakarɑz] n. f. (du gr. *sakkharon,* sucre). Diastase* du suc intestinal, intervenant par hydrolyse* pour transformer le saccharose, non directement assimilable, en glucose assimilable (syn. INVERTINE, SUCRASE).

SACCHARIFÈRE [sakarifɛr] adj. (du gr. *sakkharon,* sucre). Qui contient du sucre : *La canne à sucre, la betterave sont des plantes saccharifères.*

SACCHARIFICATION [sakarifikasjɔ̃] n. f. (du gr. *sakkharon,* sucre). Transformation des glucides à haut poids moléculaire (amidon, cellulose) en sucres fermentescibles (maltose, glucose) sous l'action de certaines enzymes.

SACCHARINE [sakarin] n. f. (du gr. *sakkharon,* sucre). Substance chimique blanche donnant une saveur sucrée et utilisée dans le régime des diabétiques.

SACCHAROSE [sakaroz] n. m. (du gr. *sakkharon,* sucre). Glucide (= sucre), contenu dans la canne à sucre, la betterave : *Le saccharose n'est pas directement assimilable et subit dans l'appareil digestif une hydrolyse sous l'influence de diastases qui le transforment en glucose et fructose, sucres assimilables.*

Sacco et Vanzetti *(affaire),* affaire judiciaire américaine. L'exécution, en 1927, de deux anarchistes italiens immigrés, condamnés à mort (1921) sans preuves pour un double assassinat, provoqua de violentes protestations dans le monde.

SACERDOCE [sasɛrdɔs] n. m. (du lat. *sacerdos,* qui remplit une fonction sacrée). Dignité et fonction du prêtre, dans toutes les religions (syn. PRÊTRISE). ◆ **sacerdotal, e, aux** adj. : *Les habits sacerdotaux.*

Sacerdoce et de l'Empire *(lutte du),* conflit qui oppose de 1154 à 1250 le pouvoir spirituel (la papauté) et le pouvoir temporel (l'Empereur).

Commencé par la querelle des Investitures* (= nomination des évêques) et apaisé par un compromis en 1122, le conflit reprend après l'élection de Frédéric Ier Barberousse (1152-1190), décidé à restaurer le pouvoir impérial. Après une lutte indécise, Frédéric rétablit son autorité sur l'Italie, divisée entre ses partisans et ceux du pape, gibelins* et guelfes*. Le désaccord va renaître sous Frédéric II, dont la politique méditerranéenne déplaît au pape Innocent III, qui le fait déposer au concile de Lyon (1245). À la mort de Frédéric, les prétentions temporelles de la papauté triomphent, provisoirement d'ailleurs.

SACERDOTAL, E, AUX adj. → SACERDOCE.

SACHER-MASOCH (Leopold, *chevalier* VON), écrivain autrichien (1836-1895), auteur de contes et de romans passionnels, où se révèle l'obsession maladive qu'on a appelée *masochisme.*

SACHET n. m. → SAC 1.

SACHS (Hans), poète allemand (1494-1576). Ce cordonnier fut reçut maître chanteur et composa plus de six mille poèmes qui se rattachent à la tradition médiévale. Il consacra également un hymne à Luther (*le Rossignol de Wittenberg,* 1523). R. Wagner en a fait le héros de ses *Maîtres chanteurs de Nuremberg.*

SACHS (Nelly), femme de lettres suédoise, d'origine allemand (1891-1970), auteur de poèmes inspirés de la tradition biblique juive. (Prix Nobel, 1966.)

SACLAY, comm. de l'Essonne, dans la banlieue sud de Paris 1 860 hab. Centre d'études nucléaires.

SACOCHE n. f. → SAC 1.

SACQUER ou **SAQUER** [sake] v. t. (de *sac*). Pop. *Sacquer qq'un à un examen,* le refuser.

SACRALISATION n. f., **SACRALISER** v. t. → SACRÉ 1.

SACRAMENTEL, ELLE adj. → SACREMENT.

SACRAMENTO, v. des États-Unis, capit. de l'État de Californie, sur l'American River, à son confluent avec le *Sacramento* 254 400 hab.

SACRE n. m. → SACRER 1.

Sacre du printemps *(le),* ballet d'I. Stravinski (1913).

1. SACRÉ, E [sakre] adj. (lat. *sacer*) [après le nom]. **1.** Qui appartient à la religion, qui concerne le culte : *L'art sacré. La musique sacrée* (syn. RELIGIEUX; contr. PROFANE). ‖ *Le Sacré Collège,* le collège des cardinaux, à Rome. — **2.** Digne d'un respect absolu; qui ne doit pas être enfreint, violé : *Un secret est une chose sacrée* (syn. INVIOLABLE). ‖ *Feu sacré* → FEU 2. ◆ **sacraliser** v. t. *Sacraliser qq'un, qqch.,* leur attribuer un caractère sacré. ◆ **sacralisation** n. f. ◆ **désacraliser** v. t. Retirer à quelque chose ou à quelqu'un son caractère sacré. ◆ **désacralisation** n. f. ◆ **sacro-saint, e** adj. *Ironiq.* Qui est l'objet d'un respect quasi religieux, excessif : *Avoir des habitudes sacro-saintes.*

2. SACRÉ, E [sakre] adj. (même étym.) [avant le nom]. *Fam.* Sert à renforcer un terme injurieux : *Sacré menteur;* à manifester son admiration ou sa colère : *Un sacré talent* (syn. EXTRAORDINAIRE).

3. SACRÉ, E adj. → SACRUM.

SACRÉ *(mont). Antiq. rom.* Colline des environs de Rome, où se retira, en 494 av. J.-C., l'armée romaine pour protester contre les dettes et la famine tandis que la plèbe de Rome s'installait sur l'Aventin, en menaçant de faire sécession.

Sacré-Cœur *(basilique du),* basilique construite à Paris (1876-1910), sur la butte Montmartre, selon les plans de Paul Abadie.

SACREMENT [sakrəmɑ̃] n. m. (lat. *sacramentum,* serment). *Relig.* Signe visible de la présence de Jésus-Christ au milieu des hommes et signe invisible de la grâce (= vie de Dieu) en leurs cœurs : *Pour les catholiques les sept sacrements (baptême, confirmation, eucharistie, pénitence, extrême-onction, ordre, mariage) ont été institués par Jésus-Christ. La majorité des protestants n'admettent que deux sacrements : le baptême et la cène.* ◆ **sacramentel, elle** adj. : *Les paroles, les formules sacramentelles.*

1. SACRER [sakre] v. t. (lat. *sacrare;* de *sacer,* sacré). **1.** *Sacrer qq'un,* lui conférer un caractère sacré, inviolable : *Napoléon se fit sacrer par le pape.* — **2.** *Sacrer qq'un* (et un attribut), le déclarer solennellement tel ou tel : *Il a été sacré le plus grand peintre de son époque.* ◆ **sacre** n. m. Cérémonie religieuse au cours de laquelle on consacre un évêque, un souverain : *Le sacre des rois de France se faisait dans la cathédrale de Reims.*

2. SACRER [sakre] v. i. (de *sacrer* 1). Proférer des imprécations (syn. BLASPHÉMER, JURER).

1. SACRIFICE [sakrifis] n. m. (lat. *sacrificium*). **1.** Offrande faite à une divinité, accompagnée de certains rites : *Les païens faisaient des sacrifices aux dieux.* — **2.** *Sacrifice de la croix,* mort du Christ sur la croix pour la rédemption du genre humain. ◆ **sacrifier** v. t. *Sacrifier qq'un,* l'offrir comme victime d'un sacrifice : *Abraham consentit à sacrifier son fils à Dieu.*

2. SACRIFICE [sakrifis] n. m. (même étym.). **1.** Renoncement volontaire ou forcé à quelque chose : *Faire le sacrifice de sa vie à la patrie. Avoir l'esprit de sacrifice* (syn. ABNÉGATION, DÉSINTÉRESSEMENT). — **2.** (au plur.) Privations, notamment financières, que l'on s'impose : *Faire des sacrifices pour ses enfants.* ◆ **sacrifier** v. t. **1.** *Sacrifier une personne, une chose,* l'abandonner, la négliger volontairement au profit d'une autre : *Il a tout sacrifié pour sa famille. Sacrifier ses loisirs à l'entretien de sa maison.* — **2.** *Sacrifier qqch.,* le négliger complètement : *L'auteur a sacrifié ce rôle.* ◆ v. t. ind. *Sacrifier à la mode, aux préjugés, aux goûts du jour,* s'y conformer. ◆ ***se sacrifier*** v. pr. **1.** Faire le sacrifice de sa vie : *Se sacrifier pour la patrie.* — **2.** Se dévouer sans réserve pour quelqu'un ou pour quelque chose : *Se sacrifier à une noble cause.* ◆ **sacrifié, e** adj. *Marchandises sacrifiées,* marchandises vendues à très bas prix.

SACRILÈGE [sakrilɛʒ] n. m. (lat. *sacrilegium,* vol d'objets sacrés). **1.** Profanation d'une chose sacrée, ou personne qui a commis cet acte. — **2.** Action qui porte atteinte à quelque chose de respectable, de vénérable : *Ce serait un sacrilège de retoucher ce tableau.* ◆ adj. Qui a le caractère d'un sacrilège.

SACRIPANT [sakripɑ̃] n. m. (de *Sacripante*, personnage de l'Arioste). Mauvais sujet (syn. CHENAPAN, FRIPOUILLE, VAURIEN).

SACRISTAIN n. m. → SACRISTIE.

SACRISTI! interj. → SAPRISTI!

SACRISTIE [sakristi] n. f. (lat. *sacristia*). Partie d'une église où sont déposés les objets du culte et où les prêtres revêtent leurs habits sacerdotaux. ◆ **sacristain** n. m. Celui qui est préposé à la garde d'une sacristie, à l'entretien d'une église. ◆ **sacristine** n. f. Religieuse qui, dans un couvent, a soin de la sacristie.

SACRO-SAINT, E adj. → SACRÉ 1.

SACRUM [sakrɔm] n. m. (lat. *os sacrum*, os sacré). *Anat.* Chez l'homme, os formé par la soudure des 25ᵉ, 26ᵉ, 27ᵉ, 28ᵉ et 29ᵉ vertèbres (vertèbres sacrées) et s'articulant avec les os iliaques pour former le bassin : *Le sacrum est situé entre les vertèbres lombaires et le coccyx.* ◆ **sacré, e** adj. *Vertèbres sacrées*, vertèbres du sacrum.

SADATE (Anouar el-), homme d'État égyptien (1918-1981), président de la République depuis 1970. En 1979, il signe un traité de paix avec Israël. Il est assassiné. (Prix Nobel de la paix, 1978.)

SADDUCÉEN, ENNE adj. → SADUCÉEN.

SADE (Donatien Alphonse François, *marquis* DE), écrivain français (1740-1814). Écrite en prison où il passa la majeure partie de sa vie, son œuvre n'a été reconnue que depuis les surréalistes. Le mépris où elle demeura et le silence où l'on tenta de l'enfermer a sa raison dans les interdits sociaux, moraux et politiques qu'elle transgresse perpétuellement. Le libertinage, la négation de l'existence de Dieu et la reconnaissance du caractère destructeur de la nature humaine sont les thèmes principaux de sa philosophie et de sa littérature. Ils s'expriment notamment dans *Aline et Valcour* (1788), *la Philosophie dans le boudoir* (1795) et *Justine*.

SADISME [sadism] n. m. (de *Sade*). Goût pervers de faire souffrir. ◆ **sadique** adj. et n. Qui prend plaisir à faire souffrir. ◆ **sadomasochisme** n. m. Goût pervers de faire souffrir les autres et de tirer jouissance de sa propre souffrance.

SADOWA, en tchèque **Sadová**, bourg de Bohême orientale.

- *3 juil. 1866. La victoire remportée par les Prussiens sur les Autrichiens eut un grand retentissement en Europe, où elle révéla l'efficacité de l'armée prussienne.*

SADUCÉEN ou **SADDUCÉEN, ENNE** [sadyseɛ̃, -ɛn] n. (orig. inc.). Membre d'une secte juive opposée aux pharisiens, et qui se recrutait surtout parmi les riches.

SAFAWIDES → SÉFÉVIDES.

SAFARI [safari] n. m. (de l'ar. *safora*, voyager). Expédition de chasse, en Afrique noire. ‖ *Safari-photo*, expédition au cours de laquelle on photographie les animaux au lieu de les chasser.

SAFI, port du Maroc, sur l'Atlantique; 129 100 hab. Pêche et conserveries. Exportation de phosphates.

SAFRAN [safrɑ̃] n. m. (ar. *za'farān*). Colorant jaune, aromatique, d'usage culinaire, extrait des stigmates du crocus.

SAGA [saga] n. f. (mot scand.). Terme général désignant d'anciens récits et légendes épiques ou mythologiques scandinaves, ou des récits épiques ou légendaires d'autres civilisations.

SAGACITÉ [sagasite] n. f. (du lat. *sagax, -acis*, qui a l'odorat fin). Pénétration d'esprit qui fait découvrir et comprendre les choses les plus difficiles : *Il a fallu beaucoup de sagacité pour deviner cette énigme* (syn. FINESSE, PERSPICACITÉ, SUBTILITÉ). ◆ **sagace** adj. Doué de sagacité.

SAGAIE [sagɛ] n. f. (esp. *azagaya*). Javelot composé d'une perche terminée par un fer de lance ou une arête de poisson.

SAGE [saʒ] adj. et n. (bas lat. *sapius*). Se dit d'une personne réfléchie et modérée dans sa conduite : *Agir en homme sage* (syn. AVISÉ; contr. ÉTOURDI). *Vous avez été sage de ne pas vous aventurer dans cette affaire* (syn. CIRCONSPECT; contr. IMPRUDENT). *Le sage sait rester maître de lui-même.* ◆ adj. **1.** Doux et obéissant : *Un enfant sage* (syn. DOCILE; contr. DÉSOBÉISSANT, INSUPPORTABLE). ‖ Fam. *Sage comme une image*, extrêmement calme, silencieux. — **2.** Se dit de ce qui est conforme aux règles de la raison et de la morale : *Un sage conseil* (syn. JUDICIEUX, SENSÉ). ◆ **sagement** adv. : *Agir, parler, vivre sagement* (syn. RAISONNABLEMENT). ◆ **sagesse** n. f. : *La sagesse est d'attendre le moment favorable* (syn. BON SENS). *Un enfant d'une sagesse exemplaire* (syn. DOCILITÉ, OBÉISSANCE). *La sagesse d'une réponse.* ‖ *La sagesse des nations*, morale courante; conseils de bon sens exprimés en proverbes. ◆ **assagir** v. t. *Assagir une personne, un sentiment*, les rendre sages, les apaiser : *Les épreuves l'ont assagi* (syn. CALMER, MODÉRER). *Les années assagissent les passions* (syn. CONTENIR, DIMINUER, TEMPÉRER; contr. DÉCHAÎNER, EXASPÉRER). ◆ ***s'assagir*** v. pr. Devenir sage, modéré (plus fréquent que le v. t.) : *Peu à peu, avec l'âge, il s'assagit* (syn. SE RANGER; contr. SE DISSIPER). ◆ **assagissement** n. m. : *L'assagissement des esprits* (syn. APAISEMENT).

SAGE-FEMME [saʒfam] n. f. *(sage*, au sens anc. de savant, et *femme)*. Auxiliaire médicale qui pratique les accouchements et la surveillance des femmes enceintes. ‖ Pl. des *sages-femmes*.

SAGEMENT adv., **SAGESSE** n. f. → SAGE.

SAGITTAIRE n. f. (du lat. *sagitta*, flèche). *Bot.* Plante des eaux douces calmes, à feuilles aériennes en forme de fer de flèche.

SAGITTAIRE (le), constellation de l'hémisphère austral. — Neuvième signe du zodiaque, qui correspond à la période du 22 novembre au 22 décembre.

SAGITTAL, E, AUX [saʒital, -to] adj. (du lat. *sagitta*, flèche). **1.** En forme de flèche. — **2.** Qui est disposé dans un plan vertical antéropostérieur (c'est-à-dire suivant le trajet que fait une flèche traversant le corps d'avant en arrière) : *Coupe sagittale.*

SAGONTE, v. de l'Espagne anc., prise par Hannibal en 219 av. J.-C.; ce fut l'origine de la seconde guerre punique.

SAGOUIN [sagwɛ̃] n. m. (du portug. *sagui*). **1.** Petit singe d'Amérique du Sud. — **2.** *Fam.* Homme, enfant malpropre.

SAHARA (le), le plus vaste désert du monde, en Afrique. Il s'étend sur près de 5 000 km de l'Atlantique à la mer Rouge, et sur près de 2 000 km de sa bordure septentrionale, constituée par l'Atlas et la côte de la Méditerranée orientale, jusqu'à sa limite sud correspondant à peu près au 15ᵉ degré de latitude nord.

GÉOGRAPHIE. Le Sahara est partagé entre le Maroc, l'Algérie, la Tunisie, la Libye, l'Égypte, le Soudan, le Tchad, le Niger, le Mali et la Mauritanie. C'est un ensemble de régions, de part et d'autre du tropique du Cancer, où les précipitations sont inférieures à 110 mm par an, c'est-à-dire où la culture est impossible en dehors des oasis. En raison de la sécheresse, les écarts de température sont très marqués (le gel n'est pas absent). L'écoulement est temporaire (oueds) et n'arrive pas jusqu'à la mer. La végétation est inexistante, sauf dans les oasis, grâce à l'irrigation (palmiers-dattiers). Mais le relief est varié : aux grandes étendues sableuses couvertes de dunes (erg), s'opposent les plateaux rocheux (hamada) ou couverts de cailloux (reg) et surtout les massifs montagneux du Centre et de l'Est (Hoggar, Aïr, Tibesti). En dehors des oasis, le Sahara n'est peuplé que par des nomades éleveurs de chameaux (Touaregs, Maures).

Les ressources du sous-sol sont nombreuses (fer de Mauritanie, pétrole et gaz naturel d'Algérie et de Libye), mais leur exploitation n'a guère modifié la vie du désert.

HISTOIRE. Le Sahara, qui a connu son maximum d'humidité entre 8 000 et 6 000 av. J.-C., a vu se succéder au paléolithique et surtout au néolithique plusieurs civilisations qui ont laissé un art rupestre original (Tassili des Ajjer).

- *Iᵉʳ-VIᵉ s. La « révolution du chameau », qui s'étend sur plusieurs siècles, transforme la vie des nomades berbères.*

En facilitant le commerce transsaharien sur les anciennes « routes des chars », elle permet le développement du royaume de Ghāna.

- *VIIᵉ-VIIIᵉ s. L'infiltration de tribus arabes est suivie de l'islamisation des tribus berbères.*

Désormais, le Sahara joue un grand rôle dans la diffusion de l'islām en Afrique noire et, grâce au commerce, dans la formation des royaumes médiévaux soudanais; par ses nomades enfin, il influe sur la vie politique de l'Afrique du Nord, comme le montre la conquête almoravide*.

- *Fin du XIXᵉ s.-début du XXᵉ s. Les Européens, principalement les Français, le contrôlent progressivement, non sans difficultés.*

La décolonisation (1958-1962) entraîne le partage du Sahara français entre la Mauritanie, le Mali, le Niger, et pour sa plus grande partie l'Algérie. Quant au Sahara espagnol, il sera revendiqué par la Mauritanie et le Maroc.

SAHARA OCCIDENTAL, territoire correspondant à l'ancien Sahara espagnol; 266 000 km²; 76 400 hab. (0,3 au km²).

La population de cette région quasi désertique vit de l'élevage nomade (chameaux, ovins). Gisements de phosphate.

- *1975. Le Maroc annexe tout le nord de la région tandis que le sud est occupé par la Mauritanie. Mais une résistance nationaliste (Front Polisario) se développe, appuyée par l'Algérie.*
- *1976. Le Front Polisario proclame la République arabe sahraouie démocratique (R. A. S. D.).*
- *1979. La Mauritanie renonce à sa zone.*
- *1982. La R. A. S. D. devient membre de l'O. U. A. (admission effective en 1984).*
- *1988. Un plan de paix est proposé par l'O. N. U., favorisé par le rétablissement des relations diplomatiques entre le Maroc et l'Algérie.*

1. SAHARIEN, ENNE [saarjɛ̃, -ɛn] adj. Du Sahara.

2. SAHARIENNE [saarjɛn] n. f. (de *Sahara*). Veste de toile.

SAHEL (le) [mot ar. signif. *bordure, littoral*]. En Afrique du Nord, collines littorales, au climat méditerranéen, intensément cultivées (vigne, olivier, cultures maraîchères) [ex. : *le Sahel d'Alger*]. — Au S. du Sahara, terme désignant la zone de transition entre le climat désertique et le climat soudanais, plus humide. Le Sahel est couvert par une steppe à épineux avec, localement, des acacias et des baobabs.

SAHRAOUI, E adj. et n. Du Sahara occidental.

SAÏDA → SAYDĀ.

SAIGNER [seɲe] v. i. (du lat. *sanguis, -inis,* sang) [sujet nom d'être animé]. Perdre du sang : *Saigner du nez.* ◆ v. t. **1.** *Saigner qq'un,* lui tirer du sang en lui ouvrant une veine : *Saigner une personne au bras.* — **2.** *Saigner un animal,* le tuer en le vidant de son sang. — **3.** *Saigner qq'un,* exiger de lui une somme considérable à payer. ◆ ***se saigner*** v. pr. *Se saigner aux quatre veines,* s'imposer de lourdes dépenses. ◆ **saignant, e** adj. **1.** Qui dégoutte de sang : *Une blessure saignante.* — **2.** *Viande saignante,* viande peu cuite (syn. ↑BLEU). — **3.** *Plaie encore saignante,* douleur morale toute récente. ◆ **saignée** n. f. **1.** Évacuation de sang provoquée à des fins médicales : *Pratiquer une saignée* (syn. ↓PRISE DE SANG). — **2.** Sang tiré par cette ouverture : *Une saignée abondante.* — **3.** Creux entre le bras et l'avant-bras. ◆ **saignement** n. m. *Saignement de nez,* écoulement de sang par le nez. ‖ *Temps de saignement,* temps pendant lequel saigne une petite plaie faite au lobule de l'oreille et qui renseigne sur la défense de l'organisme contre les hémorragies.

SAIGON, depuis 1975 **Hô Chi Minh-Ville,** v. du Viêt-nam méridional, sur la *rivière de Saigon;* 3 500 000 hab. Centre administratif, commercial (premier port du pays) et industriel.

1. SAILLIR [sajir] v. i. (du lat. *salire,* sauter). [Conj. **33;** seulement à l'infin. et aux 3es pers.] S'avancer en dehors, dépasser l'alignement; être en relief : *Un auvent qui saille* (syn. DÉBORDER). *Le boxeur faisait saillir ses muscles.* ◆ **saillant, e** adj. **1.** Qui avance, qui sort en dehors : *Les parties saillantes d'une construction. Avoir des pommettes saillantes.* ‖ Math. *Secteur angulaire saillant* → ENCYCL. — **2.** Qui ressort sur le reste, qui attire l'attention : *Raconter les faits les plus saillants d'une journée* (syn. MARQUANT). ◆ **saillie** n. f. Partie qui est en relief sur une surface, qui avance : *Les saillies d'un os, d'une falaise.*
— ENCYCL. Deux demi-droites de même sommet O et n'ayant pas même support déterminent deux secteurs* angulaires. On appelle *secteur angulaire saillant,* celui des deux qui est un ensemble convexe* (c'est-à-dire tel que tout segment dont les extrémités appartiennent au secteur est inclus dans le secteur). [→ SECTEUR 1.]

2. SAILLIR [sajir] v. t. (même étym.). [Conj. sur *bénir,* conj. **15.**] (Sujet nom désignant un cheval, un bovin.) S'accoupler avec une femelle : *Étalon qui saillit une jument* (syn. COUVRIR). ◆ **saillie** n. f. : *La saillie d'une vache par un taureau* (syn. ACCOUPLEMENT).

1. SAIN, E [sɛ̃, sɛn] adj. (lat. *sanus*). **1.** Se dit d'un être animé dont l'organisme est bien constitué : *Un enfant sain* (contr. MALADE). ‖ *Sain et sauf,* se dit d'une personne qui est en bon état physique après un danger : *Ils sont sortis sains et saufs de leur accident* (syn. INDEMNE). — **2.** Se dit d'une partie du corps, d'un fruit, d'une chose, qui est en bon état, qui n'est pas gâté : *Des dents saines.* — **3.** Qui contribue à la santé : *Un climat sain* (syn. SALUBRE). ◆ **sainement** adv. ◆ **malsain, e** adv. Qui nuit à la santé physique : *Habiter un logement malsain* (syn. INSALUBRE). *Faire un métier malsain* (= dangereux pour la santé). ◆ **assainir** v. t. *Assainir qqch.,* le rendre sain : *Assainir un quartier en détruisant des îlots insalubres. Assainir une pièce* (syn. plus usuels DÉSINFECTER, NETTOYER). *Assainir l'eau* (syn. PURIFIER). ◆ **assainissement** n. m.

2. SAIN, E [sɛ̃, sɛn] adj. (même étym.). Conforme à la raison, à l'équilibre intellectuel, à la morale : *Un homme sain de corps et d'esprit* (contr. DÉSÉQUILIBRÉ, DÉTRAQUÉ). *De saines lectures.* ◆ **sainement** adv. *Penser, juger sainement,* selon la raison (syn. JUDICIEUSEMENT, RAISONNABLEMENT). ◆ **malsain, e** adj. Qui nuit à la santé morale : *Exercer une influence malsaine* (syn. FUNESTE). *Une curiosité malsaine pour la vie privée des autres* (syn. ↑MORBIDE).

SAINDOUX [sɛ̃du] n. m. (du lat. *sagina,* graisse, et *doux*). Graisse de porc fondue.

SAINEMENT adv. → SAIN 1 et 2.

SAINFOIN [sɛ̃fwɛ̃] n. m. *(sain,* et *foin).* Plante vivace fournissant un excellent fourrage. (Famille des papilionacées.)

SAINT, E [sɛ̃, sɛ̃t] adj. et n. (lat. *sanctus*). **1.** Se dit d'une personne qui, par ses mérites et ses vertus, est reconnue, après sa mort, par l'Église catholique comme digne d'un culte public. — **2.** Personne d'une piété, d'une bonté, d'une vie exemplaire : *Une sainte femme.* — **3.** *La communion des saints,* l'union spirituelle qui existe entre tous les membres de l'Église, vivants et morts. ‖ *Ne savoir à quel saint se vouer,* ne pas savoir à qui recourir. ‖ *Prêcher pour son saint,* conseiller, louer quelque chose en vue de son intérêt. ‖ *Le saint des saints,* partie du temple de Jérusale[m] où se trouvait l'arche d'alliance. ◆ adj. Qui est dédié, consacré [à] Dieu; qui appartient à la religion; qui sert à un usage sacré : *L'Écriture sainte. Le saint chrême.* ‖ *Les lieux saints, la Ter[re] sainte,* la Palestine. ‖ *Ville sainte,* ville sacrée pour les croyants : *Jérusalem, La Mecque, Bénarès sont des villes saintes.* (Re[m.] L'adj. *saint* prend une majusc. quand il désigne une localité, un[e] rue, une fête, etc. : *La ville de Saint-Étienne. La rue Saint-Deni[s]. La Saint-Jean* [dans tous ces cas, il se joint au mot suivant par u[n] trait d'union].) ◆ **saintement** adv. : *Vivre, mourir saintemen[t].* ◆ **sainteté** n. f. : *Cet homme a donné des preuves de sa saintet[é]. Mourir en odeur de sainteté* (= en état de perfection chrétienne). ‖ *Sa Sainteté,* titre d'honneur et de respect donné au pape. (→ SANCTIFIER.)

SAINT-ACHEUL, faubourg d'Amiens (Somme), situé à l'empla[cement] d'une anc. abbaye et où ont été découverts des vestige[s] préhistoriques (période acheuléenne).

SAINT-AFFRIQUE, ch.-l. de cant. de l'Aveyron, à 27 km a[u] S.-O. de Millau, sur la Sorgue; 9 200 hab.

SAINT ALBANS, v. de Grande-Bretagne (Hertfordshire) 50 300 hab. Pendant la guerre des Deux-Roses, une bataille y fu[t] gagnée par le parti d'York (1455), une autre par le parti d[e] Lancastre (1461).

SAINT-AMAND-LES-EAUX, ch.-l. de cant. du Nord, à 13 km au N.-O. de Valenciennes, sur la Scarpe; 16 400 hab. Métallurgie. Confection. Station thermale.

SAINT-AMAND-MONTROND, ch.-l. d'arrond. du Cher, sur l[e] Cher, à 44 km au S. de Bourges; 12 800 hab. *(Saint-Amandois.)* Métallurgie. Bonneterie. Aux environs, anc. abbaye de Noirlac e[t] château de Meillant (XIVe-XVIe s.).

SAINT-AMANT (Marc Antoine GIRARD, *sieur* DE), poète françai[s] (1594-1661), auteur de poèmes réalistes *(le Melon),* satiriques e[t] lyriques *(la Solitude).*

SAINT-ANDRÉ, comm. du Nord, dans la banlieue nord de Lille sur la Deûle; 10 800 hab. Industries textiles et chimiques.

SAINT-ANDRÉ-LES-VERGERS, comm. de l'Aube, dans l[a] banlieue sud de Troyes; 10 700 hab. Bonneterie.

Saint-Ange *(château),* édifice construit à Rome par Hadrien pour servir de mausolée, terminé en 139. Il fut le lieu de sépulture des empereurs jusqu'à Caracalla, devint refuge pour les papes, puis prison d'État.

SAINT-ARNAUD (ARNAUD, dit **Achille Leroy de**), maréchal de France (1798-1854). Après s'être distingué en Algérie, il organisa le coup d'État de Louis Napoléon Bonaparte (2 décembre 1851). Commandant des troupes de Crimée, il battit les Russes à l'Alma (1854).

SAINT-AUBIN (Charles DE), graveur et aquarelliste français (1721-1786), auteur de dessins et d'aquarelles de fleurs. — Son frère GABRIEL (1724-1780) peignit de charmants tableaux de genre et fut, par ses dessins, le chroniqueur spirituel de la vie parisienne.

SAINT-AUBIN-LÈS-ELBEUF, comm. de la Seine-Maritime, sur la Seine, en face d'Elbeuf; 9 400 hab. Produits pharmaceutiques. Textiles.

SAINT-AVOLD, ch.-l. de cant. de la Moselle, à 19,5 km à l'O. de Forbach, sur la Rosselle; 17 000 hab. Grand cimetière américain. Complexe industriel dit « de Carling* ».

SAINT-AYGULF, station balnéaire du Var (comm. de Fréjus), sur la côte des Maures.

SAINT-BARTHÉLEMY, une des Antilles françaises, dépendant de la Guadeloupe; 3 100 hab. Ch.-l. *Gustavia.* Elle fut suédoise de 1784 à 1876.

Saint-Barthélemy (la), nom donné au massacre général des protestants, exécuté sur l'ordre de Charles IX à l'instigation de Catherine de Médicis et des Guises, dans la nuit du 23 août 1572. Les victimes, dont Coligny, furent au nombre de 3 000. La conséquence directe de la Saint-Barthélemy fut la reprise de la guerre religieuse.

SAINT-BENOÎT-SUR-LOIRE, comm. du Loiret, sur la Loire, à 10 km au S.-E. de Châteauneuf-sur-Loire; 1 900 hab. Abbaye fondée vers 651, où fut déposé le corps de saint Benoît. Église romane (XIe-XIIIe s.).

SAINT-BERNARD [sɛ̃bɛrnar] n. m. inv. (du n. du col du *Grand-Saint-Bernard*). Chien de montagne de forte taille, à poil long et doux, renommé pour ses qualités de sauveteur.

SAINT-BERNARD (Grand-), col des Alpes Pennines, entre la Suisse (Valais) et l'Italie (vallée d'Aoste), franchi par une route carrossable; 2 469 m. Hospice et couvent fondés au Xe s. par *saint Bernard* de Menthon, au sommet du col. Tunnel routier à 1 915 m d'alt.

SAINT-BERNARD (Petit-), col des Alpes françaises, entre la France et l'Italie, au S.-O. du Grand-Saint-Bernard; 2 188 m. Il met en communication la Tarentaise et le val d'Aoste. Hospice fondé au Xe s. par *saint-Bernard* de Menthon.

SAINT-BERTRAND-DE-COMMINGES, comm. de la Haute-Garonne, à 17 km au S.-O. de Saint-Gaudens. Importants vestiges gallo-romains. Enceinte. Cathédrale (XIIe s.-XIVe s.) avec stalles du XVIe s. Cloître roman.

SAINT-BRÉVIN-LES-PINS, comm. de la Loire-Atlantique, à 16 km au N. de Pornic; 8 600 hab. *(Brévinois).* Station balnéaire.

SAINT-BRIAC-SUR-MER, comm. d'Ille-et-Vilaine, à 7 km à l'O. de Dinard; 1 600 hab. Station balnéaire.

SAINT-BRIEUC, ch.-l. du dép. des Côtes-d'Armor, à 460 km à l'O. de Paris; 51 400 hab. *(Briochins).* Cathédrale des XIIIe-XIVe s. Métallurgie.

SAINT-CAST-LE-GUILDO, comm. des Côtes-d'Armor, à 26 km à l'O. de Dinard; 3 250 hab. *(Castins).* Station balnéaire.

SAINT-CÉRÉ, ch.-l. de cant. du Lot, à 45 km au N. de Figeac; 4 350 hab. *(Céréens).* Centre de tourisme.

SAINT-CERGUES, comm. de la Haute-Savoie, à 9 km au N.-E. d'Annemasse; 2 100 hab. Station estivale.

SAINT-CERNIN, ch.-l. de cant. du Cantal, à 22 km au N. d'Aurillac; 1 350 hab. Église romane.

SAINT-CHAMAS, comm. des Bouches-du-Rhône, à 14 km au S. de Salon-de-Provence; 5 050 hab. Centrale hydraulique sur la Durance canalisée.

SAINT-CHAMOND, ch.-l. de cant. de la Loire, à 12 km au N.-E. de Saint-Étienne, sur le Gier; 40 550 hab. *(Saint-Chamonais ou Couramiauds).* Centre industriel.

SAINT-CHÉLY-D'APCHER, ch.-l. de cant. de la Lozère, à 35 km au S. de Saint-Flour; 5 550 hab. *(Barrabans).* Métallurgie.

SAINT-CHRISTOPHE, en angl. **Saint Christopher** ou **Saint Kitts,** île des Petites Antilles. Elle forme, avec Nevis, un État indépendant, depuis 1983, dans le cadre du Commonwealth; 261 km^2; 50 000 hab. Capit. *Basseterre.*

SAINT-CLAUDE, ch.-l. d'arrond. du Jura, sur la Bienne; 13 200 hab. *(Sanclaudiens).* Centre français de la fabrication des pipes.

SAINT-CLOUD, ch.-l. de cant. des Hauts-de-Seine, sur la Seine; 28 800 hab. *(Clodoaldiens).* Champ de courses.

SAINT-CYRAN *(abbé* DE) → DU VERGIER DE HAURANNE.

SAINT-CYRIEN [sɛ̃sirjɛ̃] n. m. (de *Saint-Cyr*). Élève officier de l'École spéciale militaire de Saint-Cyr (située auj. à Coëtquidan). ‖ Pl. des *saint-cyriens.*

SAINT-CYR-L'ÉCOLE, ch.-l. de cant. des Yvelines, près de Versailles; 16 400 hab. *(Saint-Cyriens).* L'école spéciale militaire, installée depuis 1808, a été transférée à Coëtquidan en 1946.

SAINT-CYR-SUR-LOIRE, ch.-l. de cant. d'Indre-et-Loire (faubourg nord de Tours); 14 400 hab. *(Saint-Cyriens).* Vins. Mécanique de précision.

SAINT-DENIS, ch.-l. de cant. de la Seine-Saint-Denis, dans la banlieue nord de Paris; 91 300 hab. *(Dionysiens).* Siège des très anciennes foires du lendit. Saint-Denis est devenu un grand centre industriel. Université.

V. 630, Dagobert Ier y construisit une église abbatiale dans laquelle furent placés les corps de saint Denis et de ses compagnons. Sous la direction de l'abbé Suger (v. 1122), l'élargissement de l'église, devenue basilique, marque le début d'une rénovation architecturale. (→ GOTHIQUE [*art*].) Les tombeaux des rois de France, violés en 1793, comptent parmi les chefs-d'œuvre de la sculpture.

SAINT-DENIS, ch.-l. de la Réunion, sur la côte nord de l'île; 109 600 hab.

SAINT-DENIS-DU-SIG → SIG.

SAINT-DIÉ, ch.-l. d'arrond. des Vosges, dans le *bassin de Saint-Dié,* sur la Meurthe; 24 800 hab. *(Déodatiens).* Textiles.

SAINT-DIZIER, ch.-l. d'arrond. de la Haute-Marne, sur la Marne; 37 400 hab. *(Bragards).* Matériel agricole.

SAINT-DOMINGUE, anc. nom de l'île d'HAÏTI*.

SAINT-DOMINGUE, anciennn. **Ciudad Trujillo,** capit. de la république Dominicaine; 1 318 000 hab. Centre administratif et commencial. Port actif.

SAINT-DOULCHARD, ch.-l. de cant. du Cher, au N.-O. de Bourges; 7 900 hab. Caoutchouc.

SAINTE-ADRESSE, comm. de la Seine-Maritime, dans la banlieue ouest du Havre; 8 200 hab. Station balnéaire.

SAINTE-BAUME *(montagne de la),* massif calcaire de Provence, à l'E. de Marseille, culminant à 1 147 m.

SAINTE-BEUVE (Charles Augustin), écrivain français (1804-1869). Il fait d'abord partie du cénacle romantique. Son premier ouvrage (*Tableau historique et critique de la poésie française au XVIe siècle,* 1828) remet en honneur les poètes de la Pléiade. Il publie ensuite des recueils de poésies (*Vie, poésies et pensées de Joseph Delorme,* 1829) et un roman (*Volupté,* 1834), puis se consacre entièrement à la critique et à l'histoire littéraires. Il publie alors des séries d'articles ou d'essais, qu'il réunit ensuite en volumes : *Port-Royal* (1840-1859), *Portraits littéraires, Causeries du lundi, Nouveaux Lundis,* etc. Sa méthode, fondée sur une importante documentation historique, tend à reconstituer le génie propre de chaque écrivain que l'on peut classer dans une « famille d'esprit ».

Sainte-Chapelle, bâtie à Paris sous Saint Louis (1242-1248), auj. dans l'enceinte du Palais de justice. Chef-d'œuvre d'architecture gothique.

SAINTE-CROIX *(île),* en angl. **Saint Croix,** en esp. **Santa Cruz,** la plus grande île de l'archipel des îles Vierges, appartenant aux États-Unis; 218 km^2; 31 800 hab.

SAINTE-ÉNIMIE, ch.-l. de cant. de la Lozère, à 27 km à l'O.-N.-O. de Florac; 500 hab. Centre touristique dans les gorges du Tarn.

SAINTE-FOY-LÈS-LYON, ch.-l. de cant. du Rhône (arrond. de Lyon), près de la Saône; 21 800 hab.

Sainte-Geneviève *(abbaye),* anc. abbaye parisienne, sur la montagne du même nom. En 1802, les bâtiments de l'abbaye furent affectés au lycée Henri-IV. La tour Clovis (XIIe-XVe s.) est le seul vestige de l'édifice antérieur.

SAINTE-GENEVIÈVE-DES-BOIS, ch.-l. de cant. de l'Essonne, à 5 km au S.-O. de Juvisy; 30 400 hab. Agglomération résidentielle.

SAINT-ÉGRÈVE, ch.-l. de cant. de l'Isère, à 5 km au N.-O. de Grenoble; 14 300 hab. Électronique.

SAINTE-HÉLÈNE, île et colonie britannique de l'Atlantique sud, à 1 900 km des côtes d'Afrique; 122 km^2; 5 000 hab. Ch.-l. *Jamestown.*

L'île est célèbre du fait de la captivité de Napoléon Ier, de 1815 à sa mort (1821).

SAINT ELIAS *(chaîne de),* en fr. **Saint-Élie,** massif des montagnes Rocheuses, aux confins de l'Alaska et du Canada; 6 050 m au mont Logan, point culminant du Canada.

SAINTE-LIVRADE-SUR-LOT, ch.-l. de cant. de Lot-et-Garonne, à 9,5 km à l'O. de Villeneuve-sur-Lot; 6 000 hab.

SAINT-ÉLOY-LES-MINES, comm. du Puy-de-Dôme, à 21,5 km au S.-E. de Commentry; 5 700 hab.

SAINTE-LUCIE, une des Antilles, indépendante dans le cadre du Commonwealth depuis 1979; 616 km^2; 130 000 hab. Capit. *Castries* (40 000 hab.).

SAINTE-MARIE-AUX-MINES, ch.-l. de cant. du Haut-Rhin, à 19 km au N.-O. de Ribeauvillé; 6 500 hab. Textiles (coton, laine).

SAINTE-MAXIME ou **SAINTE-MAXIME-SUR-MER,** comm. du Var, à 14 km au N. de Saint-Tropez; 6 600 hab. Station blanéaire.

SAINTE-MENEHOULD ou **SAINTE-MÉNEHOULD,** ch.-l. d'arrond. de la Marne, à 42 km à l'E.-N.-E. de Châlons-sur-Marne; 7 400 hab. Anc. place forte. Mécanique de précision.

SAINTEMENT adv. → SAINT.

SAINTE-MÈRE-ÉGLISE, ch.-l. de cant. de la Manche, à 18 km au N.-N.-O. de Carentan; 1 500 hab.

● *6 juin 1944. Parachutage de troupes américaines.*

SAINT-ÉMILION, comm. de la Gironde, à 6.5 km au S.-E. de Libourne; 3 000 hab. Vins rouges renommés.

SAINT EMPIRE ROMAIN GERMANIQUE, désignation officielle de l'empire fondé par Otton Ier le Grand en 962 et dissous en 1806, à la suite de la renonciation de François II à la couronne d'Allemagne. [→ ALLEMAGNE et PRUSSE.]

SAINTE NITOUCHE [sɛ̃tnituʃ] n. f. (de *saint,* et *n'y touche pas*). Personne qui cache ses défauts, ses fautes sous une apparence de sagesse, de dévotion : *Prendre des airs de sainte nitouche* (syn. HYPOCRITE). ‖ Pl. des *saintes nitouches.*

SAINT-ÉNOGAT, station balnéaire d'Ille-et-Vilaine (comm. de Dinard).

SAINTES, ch.-l. d'arrond. de la Charente-Maritime, sur la Charente; 27 500 hab. *(Saintais).* Monuments romains. Ateliers ferroviaires.

● *1242. Victoire de Saint Louis sur Henri III, roi d'Angleterre.*

SAINTES (les), îlots des Antilles françaises, dépendant de la Guadeloupe; 2800 hab. Ch.-l. *Terre-de-Haut.*

SAINTE-SAVINE, ch.-l. de cant. de l'Aube, dans la banlieue ouest de Troyes; 9700 hab. Bonneterie.

SAINTES-MARIES-DE-LA-MER, ch.-l. de cant. des Bouches-du-Rhône, à 38 km au S.-O. d'Arles, sur la côte de Camargue; 2100 hab. *(Saintois).* Importants pèlerinages (celui des gitans a lieu en mai).

Sainte-Sophie, église byzantine de Constantinople que Justinien fit construire en 532. L'intérieur est d'une extrême richesse (mosaïques). Les Turcs ont ajouté à l'édifice primitif quatre minarets, le transformant en mosquée. C'est auj. un musée.

SAINT-ESPRIT [sɛ̃tɛspri] n. m. *(saint,* et *esprit).* Dieu comme troisième personne de la Trinité.

SAINT-ESTÈPHE, comm. de la Gironde, à 10 km au N. de Pauillac; 2100 hab. Vins rouges renommés.

SAINT-ESTÈVE-JANSON, comm. des Bouches-du-Rhône, à 22 km au N.-N.-O. d'Aix-en-Provence; 202 hab. Centrale hydroélectrique sur la Durance.

SAINTETÉ n. f. → SAINT.

SAINT-ÉTIENNE, ch.-l. du dép. de la Loire, à 462 km au S.-E. de Paris; 206700 hab. *(Stéphanois).* Entre les vallées du Rhône et de la Loire, sur le Furan, Saint-Étienne est le centre d'une agglomération dépassant 320000 hab. dont le développement a été lié à l'extraction de la houille permettant l'essor de l'industrie (métallurgie de transformation surtout). L'extraction houillère s'éteint et la ville souffre du faible dynamisme de ses activités principales.

SAINT-ÉTIENNE-DU-ROUVRAY, ch.-l. de cant. de la Seine-Maritime, dans la banlieue sud de Rouen; 32700 hab. Industries textiles et métallurgiques.

SAINTE-VICTOIRE *(chaîne de la),* massif calcaire de Provence, à l'E. d'Aix-en-Provence; 1011 m.

SAINT-EXUPÉRY (Antoine DE), aviateur et écrivain français (1900-1944). Ses romans (*Courrier-Sud,* 1929; *Vol de nuit,* 1931; *Terre des hommes,* 1939; *Pilote de guerre,* 1942) célèbrent l'esprit d'équipe, la solidarité exaltante dans l'accomplissement d'un métier dangereux. *Le Petit Prince* (1943), conte accessible aux enfants par son charme poétique et source de méditation par ses symboles mystérieux pour le lecteur adulte, lui a valu une renommée mondiale.

SAINT-FARGEAU-PONTHIERRY, comm. de Seine-et-Marne, à 9 km au S.-E. de Corbeil-Essonnes, sur la Seine (r. g.); 9700 hab.

SAINT-FAUST, comm. des Pyrénées-Atlantiques, à 12 km au S.-O. de Pau; 580 hab. Gaz naturel.

SAINT-FERRÉOL, écart de la comm. de Revel (Haute-Garonne). Centre touristique sur le *lac de Saint-Ferréol.*

SAINT-FLORENTIN, ch.-l. de cant. de l'Yonne, à 30 km au N.-E. d'Auxerre; 6800 hab. *(Florentinois).* Église du XIVe s. Métallurgie.

SAINT-FLORENT-SUR-CHER, comm. du Cher, à 15 km au S.-O. de Bourges; 7800 hab. *(Saint-Florentais).* Château (XVe-XVIe s.).

SAINT-FLOUR, ch.-l. d'arrond. du Cantal, dans le sud de l'Auvergne; 9100 hab. *(Sanflorains).* Cathédrale (XIVe-XVe s.).

SAINT-FONS, ch.-l. de cant. du Rhône, dans la banlieue sud de Lyon; 15300 hab. *(Saint-Foniards).* Produits chimiques.

SAINT-GALL, en all. **Sankt Gallen,** v. de Suisse, ch.-l. du cant. du même nom; 80900 hab. *(Saint-Gallois).* Broderie. Célèbre abbaye bénédictine qui connut un grand essor littéraire et artistique du Xe au XIIe s.

SAINT-GAUDENS, ch.-l. d'arrond. de la Haute-Garonne, sur la Garonne; 12200 hab. *(Saint-Gaudinois).* Industries du bois.

SAINT-GENEST-LERPT, comm. de la Loire, à 4 km à l'O. de Saint-Étienne; 5400 hab.

SAINT-GENIS-LAVAL, ch.-l. de cant. du Rhône, à 8 km au S.-O. de Lyon; 14700 hab.

• *1944. 120 personnes y sont massacrées par les Allemands.*

SAINT-GEORGES-DE-DIDONNE, comm. de la Charente-Maritime, à 5 km au S.-S.-E. de Royan; 4300 hab. Station balnéaire.

SAINT-GERMAIN-DES-FOSSÉS, comm. de l'Allier, à 12 km au N. de Vichy; 3600 hab. Carrefour ferroviaire. Constructions électriques.

Saint-Germain-des-Prés *(église),* anc. abbaye parisienne fondée v. 555, par Childebert Ier. Seule l'église subsiste auj.; construite au XIe s., elle a été remaniée et agrandie au XIIe et au XIXe s. Elle a donné son nom au quartier de Paris qui l'entoure et qui a été rendu célèbre par son animation culturelle et artistique après la Seconde Guerre mondiale.

SAINT-GERMAIN-EN-LAYE, ch.-l. d'arrond. des Yvelines, à 23 km à l'O. de Paris, sur la Seine (r. g.); 40800 hab. *(Saint-Germinois).* Château du XVIe s. Forêt de 3560 ha bordée par la terrasse de Le Nôtre. Musée des Antiquités nationales.

Saint-Germain-l'Auxerrois, église de Paris, en face de la colonnade du Louvre. Brûlée par les Normands, reconstruite du XIIe au XVIe s., elle fut ravagée lors d'une insurrection en 1831, puis restaurée.

SAINT-GERVAIS-LES-BAINS, ch.-l. de cant. de la Haute-Savoie, à 7 km au S.-E. de Sallanches; 4800 hab. *(Saint-Gervelins).* Station thermale et de sports d'hiver.

SAINT-GILDAS *(pointe),* cap de la côte du pays de Retz (Loire-Atlantique), limitant au N. la baie de Bourgneuf.

SAINT-GILLES, ch.-l. de cant. du Gard, à 19 km au S. de Nîmes, sur la *Costière de Saint-Gilles;* 10800 hab. *(Saint-Gillois).* Église romane.

SAINT-GILLES-CROIX-DE-VIE, ch.-l. de cant. de la Vendée, à 30 km à l'O.-N.-O. des Sables-d'Olonne; 6300 hab. Station balnéaire.

SAINT-GIRONS, ch.-l. d'arrond. de l'Ariège, sur le Salat; 7700 hab. *(Saint-Gironnais).* Papeteries. Fromages.

SAINT-GLINGLIN (À LA) [alasɛ̃glɛ̃glɛ̃] loc. adv. (orig. obscure). *Fam.* et *ironiq.* En un temps ou jusqu'à un moment très éloigné et imprécis : *Il te paiera à la saint-glinglin* (= il ne te paiera jamais).

SAINT-GOBAIN, comm. de l'Aisne, à 20,5 km à l'O. de Laon, dans la *forêt de Saint-Gobain;* 2300 hab. Importante société, fondée en 1665, fabriquant des glaces, et spécialisée aussi, aujourd'hui, dans les produits chimiques.

SAINT-GOTHARD ou **GOTHARD,** en all. **Sankt Gothard,** massif des Alpes suisses. Le *col du Saint-Gothard* (2112 m) fait communiquer la haute vallée de la Reuss et la vallée du Tessin. Il est utilisé par une route touristique fréquentée en été. Le massif a été percé par un tunnel ferroviaire long de 14997 m emprunté par la ligne Bâle-Milan et par un tunnel routier long de 16285 m.

SAINT-GRATIEN, ch.-l. de cant. du Val-d'Oise, à 2 km à l'O. d'Enghien; 20350 hab. *(Saint-Gratiennois).*

SAINT-GUÉNOLÉ, écart de la comm. de Penmarch (Finistère). Station balnéaire et port de pêche.

SAINT-GUILHEM-LE-DÉSERT, comm. de l'Hérault, à 43 km à l'O.-N.-O. de Montpellier; 236 hab. Anc. église abbatiale (XIe-XVe s.).

SAINT HELENS, v. de Grande-Bretagne (Lancashire); 104200 hab. Grand centre de la verrerie.

SAINT-HÉLIER, v. des îles Anglo-Normandes, capit. de Jersey; 28100 hab. Port de pêche et centre touristique.

SAINT-HERBLAIN, ch.-l. de cant. de la Loire-Atlantique, à 8 km à l'O. de Nantes; 42700 hab. *(Herblinois).*

SAINT-HILAIRE-DU-HARCOUËT, ch.-l. de cant. de la Manche, à 27 km au S.-E. d'Avranches; 5700 hab. *(Saint-Hilairiens).*

SAINT-HONORÉ [sɛ̃tɔnɔre] n. m. inv. (de la rue *Saint-Honoré,* à Paris). Gâteau garni de crèmes et de petits choux glacés au sucre.

SAINT-JACQUES-DE-COMPOSTELLE, en esp. **Santiago de Compostela,** v. d'Espagne (Galice); 93700 hab. L'un des pèlerinages les plus fréquentés de la chrétienté occidentale, la légende voulant que le corps de saint Jacques le Majeur, apôtre de l'Espagne, y ait été déposé miraculeusement.

SAINT-JACQUES-DE-LA-LANDE, comm. d'Ille-et-Vilaine, à 6 km au S.-O. de Rennes; 6700 hab. Aérodrome de Rennes. Station météorologique.

SAINT-JACUT-DE-LA-MER, comm. des Côtes-d'Armor, à 15 km à l'O.-S.-O. de Dinard; 893 hab. Station balnéaire.

SAINT-JEAN, en angl. **Saint John,** v. du Canada (Nouveau-Brunswick), au fond de la baie de Fundy; 106700 hab. Port de pêche et centre industriel.

SAINT-JEAN, en angl. **Saint John's,** v. du Canada, capit. de l'île et de la prov. de Terre-Neuve; 131800 hab. Port actif.

SAINT-JEAN-CAP-FERRAT, comm. des Alpes-Maritimes, à 10 km à l'E. de Nice, sur la Côte d'Azur; 2300 hab. *(Saint-Jeannois).* Station balnéaire.

SAINT-JEAN-D'ACRE, nom donné par les croisés à la ville d'ACRE*, auj. AKKO (Israël). Tombée au pouvoir des croisés en

1104, la ville fit partie du royaume de Jérusalem. Prise une première fois par Saladin en 1187, elle retomba définitivement aux mains des musulmans en 1291.

SAINT-JEAN-D'ANGÉLY, ch.-l. d'arrond. de la Charente-Maritime, à 26 km au N.-N.-E. de Saintes, sur la Boutonne; 9500 hab. Centre commercial (eau-de-vie).

SAINT-JEAN-DE-BRAYE, ch.-l. de cant. du Loiret, faubourg d'Orléans; 13600 hab. Électronique.

SAINT-JEAN-DE-LA-RUELLE, ch.-l. de cant. du Loiret, faubourg d'Orléans; 17400 hab.

SAINT-JEAN-DE-LUZ, ch.-l. de cant. des Pyrénées-Atlantiques, à 11 km au N.-E. d'Hendaye; 12900 hab. *(Luziens).* Port de pêche. Station balnéaire.

SAINT-JEAN-DE-MAURIENNE, ch.-l. d'arrond. de la Savoie, sur l'Arc, dans la *Maurienne:* 10100 hab. Aluminium.

SAINT-JEAN-DE-MONTS, ch.-l. de cant. de la Vendée, à 16 km à l'O.-S.-O. de Challans; 5600 hab. *(Montois).* Station balnéaire.

SAINT-JEAN-PIED-DE-PORT, ch.-l. de cant. des Pyrénées-Atlantiques, à 54 km au S.-E. de Bayonne; 1800 hab. *(Saint-Jeannais).* Tourisme.

SAINT-JOHN PERSE (Alexis SAINT-LÉGER LÉGER, dit), diplomate et poète français (1887-1975). Ses œuvres poétiques *(Éloges,* 1911; *Anabase,* 1924; *Exil,* 1945; *Vents,* 1946; *Amers,* 1957; *Chronique,* 1960; *Oiseaux,* 1963) évoquent en un lyrisme foisonnant d'images le domaine enchanté de l'enfance, la tristesse de l'exil, les forces naturelles. (Prix Nobel, 1960.)

SAINT-JUÉRY, comm. du Tarn, à 6 km à l'E.-N.-E. d'Albi; 6700 hab. Aciers spéciaux et constructions mécaniques au Saut-du-Tarn.

SAINT-JULIEN-EN-GENEVOIS, ch.-l. d'arrond. de la Haute-Savoie, à 9 km au S.-S.-O. de Genève; 6900 hab.

SAINT-JUNIEN, ch.-l. de cant. de la Haute-Vienne, à 10 km au N.-E. de Rochechouart; 11200 hab. Ganterie. Mégisserie. Église romane.

SAINT-JUST (Louis DE), homme politique français (1767-1794). Membre du Comité de salut public, il fut le théoricien du gouvernement révolutionnaire et de la Terreur (1793-1794). Chargé de mission aux armées, il fit une œuvre utile de réorganisation. Il fut exécuté avec Robespierre.

SAINT KITTS → SAINT-CHRISTOPHE.

SAINT-LARY-SOULAN, comm. des Hautes-Pyrénées, à 12 km au S.-S.-O. d'Arreau; 921 hab. Sports d'hiver.

SAINT-LAURENT (le), grand fleuve de l'Amérique du Nord, servant partiellement de frontière entre le Canada et les États-Unis; 3800 km depuis le lac Supérieur (1140 km de sa sortie du lac Ontario à l'Océan). Le Saint-Laurent traverse le sud-est du Canada en arrosant Montréal et Québec et se jette dans l'Atlantique en un vaste estuaire. Grâce à des travaux d'aménagement, il est accessible aux navires de mer et constitue la plus grande voie navigable intérieure du monde. Mais il n'est utilisable que huit mois par an car il est pris par les glaces en hiver.

SAINT-LAURENT (Louis Stephen), homme politique canadien (1882-1973). Premier ministre de 1948 à 1957, il se fit le champion de la souveraineté nationale.

SAINT-LAURENT ou **SAINT-LAURENT-DU-MARONI,** port de la Guyane française, sur le *Maroni;* 7000 hab. Anc. établissement pénitentiaire.

SAINT-LAURENT-DU-VAR, ch.-l. de cant. des Alpes-Maritimes, à 4,5 km à l'E. de Cagnes-sur-Mer; 20700 hab.

SAINT-LAURENT-NOUAN, comm. de Loir-et-Cher, à 9,5 km au S.-S.-O. de Beaugency; 3200 hab. Centrale nucléaire.

SAINT-LÉONARD-DE-NOBLAT, ch.-l. de cant. de la Haute-Vienne, à 22 km à l'E. de Limoges; 5300 hab. Tannerie. Chaussures. Porcelaine.

SAINT-LEU-LA FORÊT, ch.-l. de cant. du Val-d'Oise, à 15 km env. au S.-E. de Pontoise; 11600 hab.

SAINT-LÔ, ch.-l. du dép. de la Manche, sur la Vire, à 283 km à l'O. de Paris; 25000 hab. *(Saint-Lois* ou *Laudiens).*

SAINT LOUIS, v. des États-Unis (Missouri), sur le Mississippi, près de son confluent avec le Missouri; 622200 hab. Métallurgie. Siège des jeux Olympiques en 1904.

SAINT-LOUIS, port du Sénégal, près de l'embouchure du fleuve Sénégal; 48800 hab.

SAINT-LOUIS, comm. du Haut-Rhin, à 29 km au S.-E. de Mulhouse; 18800 hab. *(Ludoviciens).* Industries mécaniques, chimiques et textiles.

SAINT-LOUIS, comm. de la Réunion; 32000 hab.

Saint-Louis *(île),* île de la Seine, à Paris, en amont de l'île de la Cité*.

SAINT-LUNAIRE, comm. d'Ille-et-Vilaine, à 4,5 km à l'O. de Dinard; 2000 hab. *(Lunairiens).* Station balnéaire.

SAINT-MAIXENT-L'ÉCOLE, ch.-l. de cant. des Deux-Sèvres, à 23 km au N.-E. de Niort, sur la Sèvre Niortaise; 9400 hab. *(Saint-Maixentais).* École militaire.

SAINT-MALO, ch.-l. d'arrond. d'Ille-et-Vilaine, à l'embouchure de la Rance, à 69 km au N. de Rennes; 47300 hab. (avec les anciennes communes de Saint-Servan et de Paramé) [*Malouins*]. Célèbre du XVIe au XIXe s. par les luttes de ses corsaires contre les Anglais, important port de pêche au XIXe s. et au début du XXe s., Saint-Malo est surtout, aujourd'hui, un grand centre touristique. La ville, reconstruite après les destructions de la Seconde Guerre mondiale, conserve de magnifiques remparts.

SAINT-MANDÉ, ch.-l. de cant. du Val-de-Marne, dans la banlieue sud-est de Paris; 18900 hab.

SAINT-MANDRIER-SUR-MER, ch.-l. de cant. du Var, à 17 km au S. de Toulon, sur la rade de Toulon; 7100 hab. Base aéronavale.

SAINT-MARCELLIN, ch.-l. de cant. de l'Isère, à 25 km au N.-E. de Bourg-de-Péage; 6900 hab. Fromages.

SAINT-MARIN, en it. **San Marino,** petite république enclavée dans la république d'Italie, au S. de Rimini; 61 km^2; 20000 hab. Capit. *San Marino.* Tourisme.

SAINT-MARTIN, île de l'archipel des Petites Antilles, partagée entre la France et les Pays-Bas. La partie française, au N., a 52 km^2 et 8000 hab.; ch.-l. *Le Marigot.* La partie néerlandaise a 34 km^2 et 6900 hab.; ch.-l. *Philipsburg.*

Saint-Martin *(canal),* canal traversant Paris, de la Villette à la Seine.

SAINT-MARTIN-BOULOGNE, comm. du Pas-de-Calais, dans la banlieue est de Boulogne-sur-Mer; 11800 hab.

SAINT-MARTIN-DE-BELLEVILLE, comm. de la Savoie, en Tarentaise; 1800 hab. Sports d'hiver.

SAINT-MARTIN-DE-RÉ, ch.-l. de cant. de la Charente-Maritime, sur la côte nord de l'île de Ré; 2400 hab. *(Martinais).* Pêche. Station balnéaire. Pénitencier.

SAINT-MARTIN-D'HÈRES, ch.-l. de cant. de l'Isère, dans la banlieue sud-est de Grenoble; 35200 hab.

SAINT-MARTIN-VÉSUBIE, ch.-l. de cant. des Alpes-Maritimes, à 64 km au N. de Nice, dans la vallée de la *Vésubie;* 1200 hab. Station touristique.

SAINT-MATHIEU *(pointe),* cap de l'extrémité ouest du Finistère.

SAINT-MAUR-DES-FOSSÉS, ch.-l. de cant. du Val-de-Marne, sur la Marne, dans la banlieue sud-est de Paris; 81000 hab.

SAINT-MAURICE, comm. du Val-de-Marne, dans la banlieue sud-est de Paris, sur la Marne; 9600 hab. Hôpital psychiatrique, dit souvent « de Charenton ». Studios de cinéma.

SAINT-MAX, ch.-l. de cant. de Meurthe-et-Moselle, dans la banlieue nord-est de Nancy; 11700 hab. Bonneterie.

SAINT-MAXIMIN-LA-SAINTE-BAUME, ch.-l. de cant. du Var, à 38 km à l'E. d'Aix-en-Provence; 5600 hab. Abbatiale (XIIIe-XVIe s.).

SAINT-MÉDARD-EN-JALLES, comm. de la Gironde, à 14,5 km au N.-O. de Bordeaux; 18700 hab. *(Saint-Médardais).* Vins rouges de Médoc. Poudrerie. Électronique.

SAINT-MICHEL-CHEF-CHEF, comm. de la Loire-Atlantique, à 8 km au N.-O. de Pornic; 2500 hab. Station balnéaire.

SAINT-MICHEL-L'OBSERVATOIRE ou **SAINT-MICHEL-DE-PROVENCE,** comm. des Alpes-de-Haute-Provence, à 11 km au S.-O. de Forcalquier; 713 hab. Observatoire national d'astrophysique.

SAINT-MICHEL-SUR-ORGE, ch.-l. de cant. de l'Essonne, à 10 km au S.-S.-E. de Palaiseau; 20100 hab.

SAINT-MIHIEL, ch.-l. de cant. de la Meuse, sur la Meuse, à 35 km au S. de Verdun; 5600 hab. *(Sammiellois).* Lunetterie. Métallurgie.

SAINT-MORITZ, comm. de Suisse (cant. des Grisons), dans la haute Engadine, au bord du *lac de Saint-Moritz,* à 1800 m d'alt. env.; 5700 hab. Importante station touristique.

SAINT-NAZAIRE, ch.-l. d'arrond. de la Loire-Atlantique, à l'embouchure de la Loire, à 61 km à l'O. de Nantes; 68900 hab. *(Nazairiens).* Avant-port de Nantes et principal centre français de constructions navales. Constructions aéronautiques.

SAINT-NECTAIRE, comm. du Puy-de-Dôme, à 43 km au S. de Clermont-Ferrand; 650 hab. Station thermale. Fromages. L'église (XIIe s.) est l'une des plus belles de l'art roman auvergnat.

SAINT-NICOLAS, en néerl. **Sint-Niklaas,** v. de Belgique (Flandre-Orientale); 67 800 hab. Textiles.

SAINT-NICOLAS-DE-PORT, ch.-l. de cant. de Meurthe-et-Moselle, à 12 km au S.-E. de Nancy, sur la Meurthe; 7 550 hab. *(Portois).* Sel gemme. Brasserie. Église de style flamboyant.

SAINT-OFFICE [sɛ̃tɔfis] n. m. *(saint,* et *office).* Congrégation romaine chargée de veiller à la pureté de la foi catholique. (Depuis 1965, le Saint-Office s'appelle *Congrégation pour la doctrine de la foi.*)

SAINT-OMER, ch.-l. d'arrond. du Pas-de-Calais, sur l'Aa, à 40 km au S.-E. de Calais; 15 500 hab. *(Audomarois).* Métallurgie. Textiles.

SAINTONGE, anc. province de l'ouest de la France (capit. *Saintes*), constituant auj. le sud du dép. de la *Charente-Maritime.* Elle fut réunie à la Couronne en 1375.

SAINT-OUEN, ch.-l. de cant. de la Seine-Saint-Denis, dans la banlieue nord de Paris; 43 700 hab. *(Audoniens).* Centrale thermique.

SAINT-OUEN-L'AUMÔNE, ch.-l. de cant. du Val-d'Oise, en face de Pontoise; 17 200 hab. *(Saint-Ouennais).*

SAINT-PAIR-SUR-MER, comm. de la Manche, sur la Manche, à 3,5 km au S. de Granville; 2 500 hab. Station balnéaire.

SAINT-PALAIS-SUR-MER, comm. de la Charente-Maritime, à 5,5 km au N.-O. de Royan; 2 400 hab. Station balnéaire.

SAINT-PAUL *(île),* île française inhabitée de l'océan Indien, au S. de la Nouvelle-Amsterdam.

SAINT-PAUL ou **SAINT-PAUL-DE-VENCE,** comm. des Alpes-Maritimes, à 21 km au N.-O. de Nice; 2 600 hab. Centre touristique et artistique.

SAINT PAUL, v. des États-Unis, capit. de l'État du Minnesota, sur le Mississippi; 310 000 hab. Port fluvial. Industries mécaniques et alimentaires.

SAINT-PAUL, comm. de la Réunion; 58 500 hab.

SAINT-PAUL-DE-LOANDA → LUANDA.

SAINT-PAUL-LÈS-DAX, comm. des Landes, dans la banlieue nord de Dax; 9 000 hab. *(Saint-Paulois).*

SAINT-PÈRE [sɛ̃pɛr] n. m. *(saint,* et *père).* Nom par lequel les catholiques désignent le pape.

SAINT-PÉTERSBOURG → LENINGRAD.

SAINT-PIERRE [sɛ̃pjɛr] n. m. inv. *(saint,* et *pierre).* Poisson marin à corps haut et comprimé, comestible, commun dans toutes les mers tempérées.

SAINT-PIERRE, comm. de la Martinique, près de la mer des Antilles, où s'élevait la ville la plus peuplée de l'île. Elle fut détruite le 8 mai 1902 par une « nuée ardente » lors de l'éruption de la montagne Pelée. On compta environ 26 000 victimes.

SAINT-PIERRE, v. de la Réunion, sur la côte sud-ouest de l'île; 50 400 hab.

Saint-Pierre de Rome, église de Rome (Vatican), élevée en 326 par Constantin, elle fut reconstruite à la Renaissance, notamment par Michel-Ange.

SAINT-PIERRE-DES-CORPS, ch.-l. de cant. d'Indre-et-Loire, dans la banlieue est de Tours; 18 450 hab. *(Corpopétrussiens).* Centre ferroviaire et industriel.

SAINT-PIERRE-D'OLÉRON, ch.-l. de cant. de la Charente-Maritime, au centre de l'*île d'Oléron;* 4 800 hab.

SAINT-PIERRE-ET-MIQUELON, archipel français de l'Atlantique, au S. de Terre-Neuve; 242 km²; 6 000 hab. Ch.-l. *Saint-Pierre* (5 400 hab.), sur l'*île Saint-Pierre.* Pêche à la morue.
Les îles furent occupées trois fois par les Anglais (de 1713 à 1814), avant d'être rendues à la France. Département français d'outre-mer depuis 1976, l'archipel devient en 1985 une collectivité territoriale à statut particulier.

SAINT-POL-DE-LÉON, ch.-l. de cant. du Finistère, à 23 km au N.-O. de Morlaix, à 5 km au S. de Roscoff; 8 000 hab. Cultures maraîchères; primeurs. Ancienne cathédrale (XIIIe-XVIe s.) et chapelle du Kreisker (XIVe-XVe s.).

SAINT-POL-SUR-MER, comm. du Nord, dans la banlieue ouest de Dunkerque; 23 100 hab. Industrie du jute.

SAINT-POL-SUR-TERNOISE, ch.-l. de cant. du Pas-de-Calais, à 20 km au S.-O. de Bruay-en-Artois; 6 300 hab. *(Saint-Polais* ou *Paulopolitains).*

SAINT-POURÇAIN-SUR-SIOULE, ch.-l. de cant. de l'Allier, à 31 km au S. de Moulins; 5 400 hab. *(Saint-Pourcinois* ou *Sanpourcinois).* Vignobles.

Saint-Preux, héros de *la Nouvelle Héloïse* de J.-J. Rousseau.

SAINT-PRIEST, ch.-l. de cant. du Rhône, à 12 km au S.-E. de Lyon ; 42 900 hab.

SAINT-QUAY-PORTRIEUX, comm. des Côtes-d'Armor, à 20 km au N. de Saint-Brieuc; 3 400 hab. Station balnéaire.

SAINT-QUENTIN, ch.-l. d'arrond. de l'Aisne, sur la Somme, à 73 km à l'E. d'Amiens; 65 100 hab. *(Saint-Quentinois).* Grande église collégiale (XIIIe-XIVe s.). Musée (collection des pastels de La Tour). Centre textile important. Métallurgie de transformation (cycles, matériel électrique).
La ville subit le siège des Espagnols en 1557, celui des Prussiens en octobre 1870 et fut vaillamment défendue par Faidherbe en 1871.

Saint-Quentin *(canal de),* un des canaux les plus fréquentés de France, unissant l'Escaut à l'Oise, de Cambrai à Fargniers; 92 km.

SAINT-QUENTIN-EN-YVELINES, nom donné à la ville nouvelle de la région parisienne, aménagée entre Trappes et Saint-Cyr-l'École.

SAINTRAILLES (Jean POTON DE) → XAINTRAILLES.

SAINT-RAPHAËL, ch.-l. de cant. du Var, à 3 km à l'E. de Fréjus; 24 300 hab. Importante station balnéaire.
• *15 août 1944. Débarquement franco-américain.*

SAINT-RÉMY-DE-PROVENCE, ch.-l. de cant. des Bouches-du-Rhône, à 23 km au S. d'Avignon; 8 400 hab. Vestiges du centre romain de Glanum*.

SAINT-SAËNS (Camille), compositeur, pianiste et organiste français (1835-1921), auteur de *Samson et Dalila, Henri VIII,* d'une symphonie avec orgue, de poèmes symphoniques *(la Danse macabre),* de nombreux concertos et morceaux de musique de chambre.

SAINT-SAULVE, comm. du Nord, à 2 km au N.-E. de Valenciennes; 10 700 hab.

SAINT-SAVIN, ch.-l. de cant. de la Vienne, à 19 km au S.-O. du Blanc, sur la Gartempe; 1 100 hab. Anc. église abbatiale qui conserve un des plus beaux ensembles de fresques romanes, représentant des scènes de l'Ancien et du Nouveau Testament.

SAINT-SÉBASTIEN, en esp. **San Sebastián,** v. d'Espagne, ch.-l. de la province basque de Guipúzcoa; 170 000 hab. Port et station balnéaire. Industries chimiques.

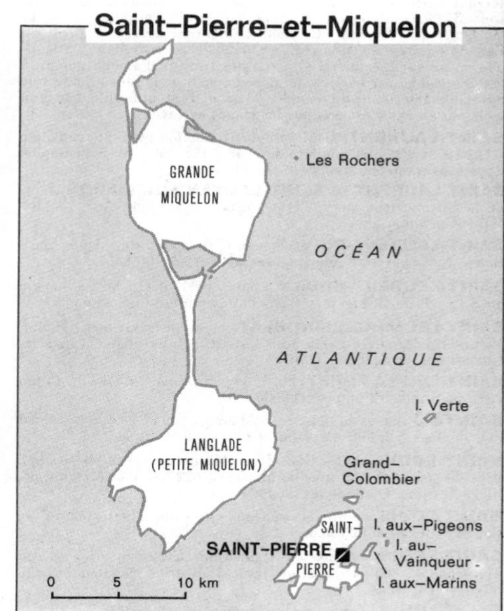

SAINT-SÉBASTIEN-SUR-LOIRE, comm. de la Loire-Atlantique, à 4 km au S.-E. de Nantes; 18400 hab.

Saint-Sépulcre, nom donné aux constructions élevées à Jérusalem à l'emplacement où, selon la tradition, Jésus fut enseveli. Basilique conservant des éléments de l'époque des croisés.

Saint-Sépulcre *(ordre du),* le plus ancien des ordres de chevalerie pontificaux (XVe s.).

SAINT-SERVAN-SUR-MER, anc. ch.-l. de cant. d'Ille-et-Vilaine, rattaché à Saint-Malo en 1967. Port sur la Rance. Station balnéaire.

SAINT-SIÈGE [sɛ̃sjɛʒ] n. m. *(saint,* et *siège).* Gouvernement du pape (avec des majusc.) : *Une décision du Saint-Siège.*

SAINT-SIMON (Louis DE ROUVROY, *duc* DE), écrivain français (1675-1755). Il est l'auteur de *Mémoires* célèbres, qui vont de 1694 à 1723. Persuadé que le caractère des grands hommes détermine le cours des choses, il note les mille incidents de la vie à la Cour et fait le portrait des grands personnages de son temps.

SAINT-SIMON (Claude Henri, *comte* DE), philosophe et économiste français, de la famille du précédent (1760-1825), chef de l'école politique et sociale des *saint-simoniens.*

SAINT-SIMONISME [sɛ̃simɔnism] n. m. (de *Saint-Simon*). Doctrine du comte de Saint-Simon et de ses disciples. ◆ **saint-simonien, enne** adj. Qui a rapport à Saint-Simon et à sa doctrine. ◆ n. Disciple de Saint-Simon.
— ENCYCL. La doctrine des *saint-simoniens* préconise le collectivisme, abolissant la propriété privée, et une organisation hiérarchisée de la société, où chacun doit trouver sa place suivant ses capacités intellectuelles et ses moyens financiers. Ses principaux disciples, Enfantin et Bazard, développèrent une religion et un socialisme condamnant la propriété privée qui permet l'exploitation des travailleurs. Cette pensée a marqué notamment Auguste Comte, Laffitte, Michel Chevalier, Hippolyte Carnot, Ferdinand de Lesseps.

SAINT-SYNODE [sɛ̃sinɔd] n. m. *(saint,* et *synode).* Conseil suprême de l'Église russe, depuis Pierre le Grand.

SAINT-THOMAS, île de l'archipel des îles Vierges (Antilles), appartenant aux États-Unis; 29000 hab. Ch.-l. *Charlotte Amalie.*

SAINT-TROPEZ, ch.-l. de cant. du Var, sur le *golfe de Saint-Tropez;* 6200 hab. Tourisme.

SAINT-VAAST-LA-HOUGUE, comm. de la Manche, à 17 km au N.-E. de Valognes; 2300 hab. Station balnéaire. Ostréiculture.

SAINT-VALERY-EN-CAUX, ch.-l. de cant. de la Seine-Maritime, à 32 km à l'O. de Dieppe; 5800 hab. Port de pêche et plage.

SAINT-VALERY-SUR-SOMME, ch.-l. de cant. de la Somme, à 19 km au N.-O. d'Abbeville; 2900 hab. *(Valéricains).* Port et station balnéaire.

SAINT-VALLIER, ch.-l. de cant. de la Drôme, à 23 km au N. de Tournon; 4600 hab.

SAINT-VALLIER, comm. de Saône-et-Loire, à 3 km au S. de Monceau-les-Mines ; 10200 hab.

SAINT-VÉRAN, comm. des Hautes-Alpes, à 32 km au N.-E. de Guillestre, dans le Queyras; 275 hab. C'est une des plus hautes communes d'Europe (entre 1990 et 2040 m d'alt.).

SAINT-VINCENT ET GRENADINES, État des Antilles, indépendant depuis 1979 dans le cadre du Commonwealth, formé de l'île de Saint-Vincent et d'une partie des Grenadines; 388 km²; 125000 hab. Capit. *Kingstown.*

SAINT-VULBAS, comm. de l'Ain, à 17 km au S. d'Ambérieu-en-Bugey, sur le Rhône; 464 hab. Centrales nucléaires dites « de Bugey ».

SAINT-WANDRILLE-RANÇON, comm. de la Seine-Maritime, à 3 km à l'E. de Caudebec; 1200 hab. Abbaye fondée en 649; bâtiments des XIIe-XVIIIe s.

SAINT-YORRE, comm. de l'Allier, à 8 km au S.-S.-E. de Vichy; 3100 hab. Eaux minérales.

SAINT-YRIEIX-LA-PERCHE, ch.-l. de cant. de la Haute-Vienne, à 41 km au S. de Limoges; 8000 hab. *(Arédiens).* Porcelaine. Imprimerie.

SAÏS. *Géogr. anc.* L'une des plus vieilles cités de l'anc. Égypte, située dans le Delta. Ce furent des princes saïtes qui gouvernèrent l'Égypte sous la XXIVe, la XXVIe, puis sous les XXVIIIe-XXXe dynasties; Saïs fut alors un foyer de civilisation brillant.

SAISIE n. f. → SAISIR 2.

1. SAISIR [sezir] v. t. (bas lat. *sacire,* prendre possession). **1.** (sujet nom de personne) *Saisir un être animé, une chose,* mettre la main sur eux rapidement et avec rigueur : *Pour se débarrasser de son agresseur, il l'avait saisi à la gorge* (syn. EMPOIGNER). *Saisir la rampe pour ne pas tomber* (syn. S'ACCROCHER À, S'AGRIPPER À). — **2.** *Saisir une chose,* la prendre de manière à pouvoir la tenir, la porter : *Saisir une tasse par l'anse.* — **3.** *Saisir qqch.* (mot abstrait), le mettre à profit : *Saisir une occasion.* — **4.** *Saisir qqch.,* percevoir par les sens, par l'esprit, par l'intuition ou par le raisonnement : *Vous n'avez pas bien saisi le sens de ses paroles* (syn. COMPRENDRE). — **5.** (sujet nom de chose) *Saisir qq'un,* faire une impression vive et forte sur ses sens, sur son esprit (souvent au passif) : *Le froid l'a saisi au sortir de l'eau.* — **6.** (sujet nom de personne) *Être, rester saisi,* être ému, frappé subitement d'étonnement, de douleur. — **7.** Exposer à une forte chaleur (terme de cuisine) : *Saisir une côtelette.* ◆ ***se saisir*** v. pr. *Se saisir d'une personne,* s'en rendre maître : *Les agents se sont saisis des voleurs.* ◆ **saisissant, e** adj. **1.** *Un froid saisissant,* qui surprend tout d'un coup. — **2.** Qui émeut vivement : *Un récit saisissant.* ◆ **saisissement** n. m. **1.** Impression subite et violente causée par le froid. — **2.** Émotion vive et soudaine : *Un saisissement de surprise.* ◆ **dessaisir (se)** v. pr. *Se dessaisir de qqch.,* renoncer à sa possession, l'abandonner : *Je n'ai pas voulu me dessaisir de ces papiers* (syn. SE DÉFAIRE). ◆ **dessaisissement** n. m. ◆ **ressaisir** v. t. : *La peur l'avait ressaisi* (syn. REPRENDRE). ◆ **insaisissable** adj. **1.** Que l'on ne peut saisir, appréhender : *Voleur insaisissable.* — **2.** Qui ne peut être compris, perçu : *Une nuance insaisissable.*

2. SAISIR [sezir] v. t. (même étym.). **1.** Opérer une saisie : *Saisir les meubles d'une personne.* — **2.** *Saisir qq'un,* faire la saisie de ses biens. — **3.** *Saisir un tribunal d'une affaire,* soumettre à un juge la solution d'un différend. ◆ **saisie** n. f. Mesure par laquelle la justice ou une autorité administrative (douanes, contributions indirectes) retire à une personne l'usage ou la possibilité de disposer d'un bien dont elle est propriétaire ou détentrice : *La saisie d'un journal* (= l'interdiction de sa diffusion et de sa vente). ◆ **dessaisir** v. t. *Dessaisir un tribunal d'une affaire,* etc., lui en retirer la charge. ◆ **insaisissable** adj. *Dr.* Que la loi interdit de saisir.

SAISISSANT, E adj., **SAISISSEMENT** n. m. → SAISIR 1.

SAISON [sezɔ̃] n. f. (lat. *satio, -onis*). **1.** Chacune des quatre divisions de l'année : *Les saisons sont le printemps, l'été, l'automne et l'hiver.* → ENCYCL. — **2.** Moment de l'année où dominent certains états de l'atmosphère : *La saison des pluies.* ‖ *La belle saison,* la fin du printemps et l'été. ‖ *La mauvaise saison,* la fin de l'automne et l'hiver. — **3.** Époque de l'année où paraissent certains produits de la terre, où l'on a coutume de faire certains travaux agricoles : *La saison des semailles.* — **4.** Époque de l'année caractérisée par telle ou telle activité : *La saison des prix littéraires.* — **5.** Période (été ou hiver) où certaines localités reçoivent les touristes, les vacanciers : *La saison a été bonne pour les hôteliers.* — **6.** *Être de saison,* être opportun. ‖ *Être hors de saison,* être inopportun. ◆ **saisonnier, ère** adj. **1.** Propre à une saison : *Des produits saisonniers.* — **2.** Qui ne dure qu'une saison : *Un travail saisonnier.* ◆ n. m. Ouvrier qui loue ses services pour des travaux saisonniers (moisson, vendanges, récolte de fruits, etc.). ◆ **demi-saison** n. f. *Vêtement de demi-saison,* vêtement destiné à être porté plus spécialement au printemps et en automne.
— ENCYCL. De tout temps, les hommes ont divisé l'année en *saisons,* suivant les variations de la température moyenne. Or, l'élément essentiel qui conditionne cette température est la hauteur à laquelle le Soleil s'élève au-dessus de l'horizon pendant la journée. On a donc réparti les saisons à partir de l'instant des deux équinoxes et à partir des instants intermédiaires des deux solstices : le *printemps* commence à l'équinoxe de printemps et se termine au solstice d'été; viennent ensuite l'*été,* l'*automne* et l'*hiver,* qui se terminent respectivement à l'équinoxe d'automne, au solstice d'hiver et à l'équinoxe de printemps.

SAJOU [saʒu] ou **SAPAJOU** [sapaʒu] n. m. (d'une langue de l'Amérique du Sud). Singe de l'Amérique tropicale, à longue queue prenante, appelé aussi CAPUCIN.

SAKAI, v. du Japon (Honshū); 810000 hab.

SAKARYA (le), fl. de Turquie, tributaire de la mer Noire; 650 km.

• *1921. Mustapha Kemal y bat les Grecs.*

SAKÉ [sake] n. m. (mot japon.). Boisson japonaise à base de riz fermenté.

SAKHALINE *(île),* grande île montagneuse appartenant à l'U. R. S. S., à l'E. de l'Asie, entre la mer d'Okhotsk et la mer du Japon; 87100 km²; 615700 hab. Pêche et industrie du bois. Houille et pétrole.

SAKKARAH → SAQQARAH.

SALACE [salas] adj. (lat. *salax*). Grossier, lubrique : *Des propos salaces.*

SALADE [salad] n. f. (prov. *salada,* mets salé). **1.** Mets composé de certaines herbes potagères crues ou de certains légumes, assaisonnés avec du sel, de l'huile, du vinaigre : *Salade de* *tomates.* ‖ *Salade russe,* légumes coupés en petits morceaux et assaisonnés de mayonnaise. — **2.** Plante potagère avec laquelle on fait la salade (laitue, scarole, etc.) : *Cueillir une salade.* ‖ *Panier à salade* → PANIER 1. ‖ *Salade de fruits,* mélange de divers fruits accommodés avec du sucre. — **3.** *Fam.* Mélange confus d'idées, de notions. ◆ **saladier** n. m. Récipient dans lequel on assaisonne et on présente la salade; son contenu.

SALADIN Ier, en ar. **Salāḥ al-Dīn Yūsuf** (1138-1193), sultan d'Égypte (1171-1193) et de Syrie (1174-1193). Il lutta contre les croisés; vainqueur à Ḥaṭṭīn (1187), il prit Jérusalem, provoquant la troisième croisade.

SALAGE n. m. → SEL 1.

SALAIRE [salɛr] n. m. (lat. *salarium,* argent pour acheter le sel). Somme d'argent versée régulièrement par un employeur à un ouvrier, en contrepartie d'un travail : *Obtenir une augmentation de salaire.* ‖ *Éventail des salaires,* état comparatif des salaires versés aux travailleurs d'un établissement, d'une entreprise ou d'une branche industrielle, et allant du plus bas au plus élevé. ‖ *Salaire de base,* rémunération mensuelle utilisée pour le calcul des prestations de l'assurance contre les accidents du travail, de l'assurance en cas de chômage, des assurances sociales. ‖ *Salaire minimum interprofessionnel de croissance (S. M. I. C.),* salaire minimal au-dessous duquel la loi interdit de rémunérer un travailleur. ◆ **salarial, e, aux** adj. *Masse salariale,* somme des rémunérations, directes et indirectes, perçues par l'ensemble des travailleurs salariés d'un pays. ◆ **salariat** n. m. **1.** État, condition de salarié. — **2.** Mode de rémunération du travail par le salaire. — **3.** Ensemble des salariés (par oppos. à PATRONAT). ◆ **salarié, e** adj. et n. Qui reçoit un salaire.

SALAISON n. f. → SEL 1.

SALAMALECS [salamalɛk] n. m. pl. (ar. *salām 'alaïk,* paix sur toi). *Fam.* Politesses exagérées : *Faire de grands salamalecs.*

SALAMANDRE [salamɑ̃dr] n. f. (lat *salamandra*). Amphibien urodèle vivipare, assez commun dans les lieux humides et porteur de belles taches jaunes sur fond noir.

SALAMANQUE, en esp. **Salamanca,** v. d'Espagne (Castille-León), sur le Tormes; 134000 hab. Salamanque devint, au XIIIe s., le siège d'une université qui fut surtout célèbre au XVIe s. C'est une des villes d'Espagne les plus riches en monuments.

SALAMI [salami] n. m. (de l'it. *salame,* chose salée). Gros saucisson sec italien, fait de viande de porc et parfois de bœuf.

SALAMINE, île grecque du golfe d'Égine, à l'O. du Pirée; 17800 hab.

• *480 av. J.-C. La flotte athénienne détruit devant Salamine celle de Xerxès au cours de la seconde guerre médique.*

Salammbô, roman de G. Flaubert (1862).

SALANGANE [salɑ̃gan] n. f. (mot des Philippines). Oiseau passereau de l'Asie et de l'Océanie, dont on consomme, sous le nom de *nids d'hirondelles,* les nids, faits d'algues et de salive.

SALANT adj. m. → MARAIS et SEL 1.

SALARIAL, E, AUX adj., **SALARIAT** n. m., **SALARIÉ, E** adj. et n. → SALAIRE.

SALAT (le), riv. des Pyrénées, affl. de la Garonne (r. dr.); 75 km.

SALAUD [salo] n. m. (de *sale*). *Pop.* Personne moralement répugnante.

SALAZAR (Antonio DE OLIVEIRA), homme d'État portugais (1889-1970). Ministre des Finances dès 1928, président du Conseil de 1932 à 1968, et, en outre, ministre de la Guerre et des Affaires étrangères, il forma un « État nouveau », national et chrétien, d'inspiration corporatiste, sur lequel il exerça l'autorité suprême.

SALBRIS, ch.-l. de cant. de Loir-et-Cher, à 23 km au N. de Vierzon; 6200 hab. *(Salbrisiens).* Constructions mécaniques.

SALDJŪQIDES → SELDJOUKIDES.

SALE [sal] adj. (de l'anc. all. *salo,* trouble). **1.** (après le nom) Se dit d'une personne ou d'une chose couverte de crasse, de poussière, de taches : *Avoir les mains sales* (contr. PROPRE). — **2.** Se dit d'une couleur qui manque de fraîcheur, de netteté : *Des murs d'un blanc sale.* — **3.** (avant le nom) *Fam.* Se dit d'une personne qui est méprisable : *Un sale individu.* — **4.** *Fam.* Se dit d'une chose qui cause des désagréments : *Il fait un sale temps* (syn. VILAIN). *Jouer un sale tour à qq'un.* ◆ **salement** adv. : *Manger salement* (syn. MALPROPREMENT). ◆ **saleté** n. f. **1.** État d'une personne ou d'une chose sale : *La saleté d'une maison* (syn. MALPROPRETÉ). — **2.** Ce qui est sale; chose malpropre : *Il se plaît à vivre dans la saleté* (syn. CRASSE). *Le chat a fait des saletés dans le salon* (syn. EXCRÉMENTS). — **3.** Parole indécente, image obscène : *Dire des saletés* (syn. OBSCÉNITÉ). — **4.** *Fam.* Action vile, basse : *Faire une saleté à qq'un.* ◆ **salir** v. t. **1.** *Salir qqch.,* le rendre sale, en altérer la netteté : *Salir ses vêtements* (syn. MACULER, TACHER). — **2.** *Salir qq'un, la réputation de qq'un,* le déshonorer par des propos malveillants (syn. CALOMNIER, DIFFAMER). ◆ **se salir** v. pr. **1.** (sujet nom de personne ou de chose) Devenir sale : *Il s'est sali en tombant.* — **2.** (sujet nom de personne) Faire une chose nuisible à son honneur et à sa respectabilité : *Il s'est sali en trempant dans cette affaire.* ◆ **salissant, e** adj. **1.** Qui salit : *Un travail salissant.* — **2.** Se dit d'une chose qui se salit facilement : *Une étoffe salissante.* ◆ **salissure** n. f. Ce qui rend une chose sale : *Un meuble couvert de salissures.*

SALÉ adv. et n. m. → SEL 1.

SALÉ, E adj. → SEL 1 et 2.

SALÉ, v. du Maroc, à l'embouchure de l'oued Bou Regreg, en face de Rabat; 155600 hab.

SALEM, v. de l'Inde (Tamil Nadu); 515000 hab. Textiles.

SALEMENT adv. → SALE.

SALER v. t. → SEL 1.

SALERNE, port d'Italie (Campanie), au S.-E. de Naples, sur le *golfe de Salerne;* 162000 hab. École de médecine célèbre au Moyen Âge.

SALERON n. m. → SEL 1.

SALERS, ch.-l. de cant. du Cantal, à 22 km au S.-E. de Mauriac, sur la *planèze de Salers;* 470 hab. Race de bœufs renommée.

SALETÉ n. f. → SALE.

SALETTE-FALLAVAUX (La), comm. de l'Isère, à 30 km au S.-E. de La Mure. Lieu de pèlerinage.

SALFORD, v. de Grande-Bretagne (Lancashire); 130600 hab. Industries mécaniques, textiles et chimiques.

SALICORNE [salikɔrn] n. f. (de l'ar. *salcoran*). Nom donné à plusieurs espèces de plantes de petite taille, croissant dans les zones marécageuses salées et dont on extrait parfois de la soude.

SALIENS, tribu franque des bords de l'IJsel.

SALIÈRE n. f. → SEL 1.

SALIES-DE-BÉARN, ch.-l. de cant. des Pyrénées-Atlantiques, à 16 km à l'O. d'Orthez; 5200 hab. Station hydrominérale.

SALIM Ier le cruel → SELIM.

SALIN, E adj. → SEL 1.

SALIN-DE-GIRAUD, écart de la comm. d'Arles, dans le sud de la Camargue; 2400 hab. Salines et industries chimiques.

SALINE n. f., **SALINITÉ** n. f. → SEL 1.

SALINS-LES-BAINS, ch.-l. de cant. du Jura, à 14 km au N.-E. d'Arbois; 4200 hab. *(Salinois).* Station thermale. Salines.

SALIQUE [salik] adj. (du nom des *Francs Saliens*). Qui se rapporte aux Francs* Saliens. ‖ *Loi salique,* recueil de lois des anciens Francs Saliens. (Une disposition de cette loi, excluant les femmes de la succession à la terre, a été interprétée plus tard de façon à les évincer de l'accession au trône de France.)

SALIR v. t., **SE SALIR** v. pr. → SALE.

SALISBURY, v. d'Angleterre (Wiltshire); 36000 h.

SALISBURY → HARARE.

SALISBURY (Robert CECIL, *marquis* DE), homme politique anglais (1830-1903). Chef du parti conservateur, ministre des Affaires étrangères, puis Premier ministre (1885-1892, 1895-1902), il combattit le nationalisme irlandais et eut une forte influence sur la politique étrangère et coloniale britannique.

SALISSANT, E adj., **SALISSURE** n. f. → SALE.

SALIVE [saliv] n. f. (lat. *saliva*). Suc digestif produit par les glandes salivaires situées dans les parois de la cavité buccale. → ENCYCL. ◆ **salivaire** adj. *Glandes salivaires,* glandes qui sécrètent la salive. → ENCYCL. ‖ *Amylase salivaire* (ou *ptyaline*), enzyme contenue dans la salive et qui transforme, par hydrolyse, les sucres complexes en sucres plus simples. ◆ **saliver** v. i. Sécréter de la salive. ◆ **salivation** n. f. Sécrétion de salive. ◆ **insalivation** n. f. Imprégnation des aliments par la salive.

— ENCYCL. La *salive* joue un rôle important dans la formation du bol alimentaire, en imprégnant les aliments dans la bouche pour faciliter leur cheminement le long du tube digestif. La salive est sécrétée par 3 paires de *glandes salivaires :* les parotides, les sous-maxillaires et les sublinguales.

La sécrétion de salive est déclenchée par un *mécanisme réflexe :* tout produit ou objet introduit dans la bouche déclenche une sécrétion de salive. De plus, la vue d'un plat agréable ou son évocation peuvent déclencher une sécrétion de salive par *réflexe conditionné.*

Mais la salive a d'autres fonctions, variables d'un groupe à l'autre : salive engluante de certains animaux insectivores (fourmilier, caméléon) qui lèchent leurs proies; salive irritante et anticoagulante des suceurs de sang (sangsue, moustique, puce); venin des serpents; salive liquéfiante des araignées; soie salivaire du cocon de certaines chenilles; salive permettant l'édification des termitières, la construction du nid des guêpes, etc.

SALLANCHES, ch.-l. de cant. de la Haute-Savoie, à 7 km au N.-O. de Saint-Gervais-les-Bains; 10500 hab. *(Sallanchards* ou *Sallanchoix).* Centre touristique. Industries textiles et alimentaires.

SALLAUMINES, comm. du Pas-de-Calais, à 5 km à l'E. de Lens; 12100 hab.

SALLE [sal] n. f. (frq. *sal*). **1.** Dans une maison, dans un appartement, pièce destinée à un usage particulier (indiqué par un compl. du nom) : *Salle à manger* (= pièce dans laquelle on prend les repas). *Salle de séjour* (= pièce servant à la fois de salle à manger et de salon). *Salle de bains* (= local aménagé pour la toilette et comprenant une baignoire ou une douche, un lavabo, etc.). *Salle d'eau* (= local spécialement aménagé pour la toilette et le lavage du linge). — **2.** Dans un établissement public ou ouvert au public, local aménagé suivant sa destination : *Salle de bal. Salle de spectacle* (= théâtre, cinéma, music-hall). *Salle des ventes* (= lieu où se font les ventes judiciaires). *Salle d'attente d'une gare. Salle des pas perdus* (= hall qui précède l'ensemble des chambres d'un tribunal, l'accès aux quais d'une gare). — **3.** Public qui remplit une salle de spectacle : *Une salle enthousiaste.* ‖ *Faire salle comble,* se dit d'un théâtre dont toutes les places ont été vendues; se dit aussi de la pièce qui permet au théâtre d'être rempli.

SALLUSTE, historien latin (86-35 av. J.-C.), auteur de la *Guerre de Jugurtha,* de la *Conjuration de Catilina* et des *Histoires.*

SALMANASAR, nom de plusieurs rois d'Assyrie (du XIIIe au VIIIe s. av. J.-C.).

SALMIGONDIS [salmigɔ̃di] n. m. (de *sel,* et de l'anc. fr. *condir,* assaisonner). Écrit, discours fait de parties disparates.

SALMIS [salmi] n. m. (de *salmigondis*). Ragoût fait de pièces de gibier ou de volaille déjà rôties : *Un salmis de pintade.*

SALMONELLOSE [salmɔnɛloz] n. f. (du n. d'un médecin américain). Maladie infectieuse de divers animaux (porc, volaille, etc.), transmissible à l'homme.

SALMONIDÉS [salmɔnide] n. m. pl. (du lat. *salmo, -onis,* saumon). Importante famille de poissons des eaux douces froides et oxygénées, tels que la *truite,* le *saumon,* l'*omble.*

SALOIR n. m. → SEL 1.

SALOMÉ, morte v. 72 apr. J.-C., princesse juive, fille d'Hérode Philippe et d'Hérodiade. Elle obtint de son oncle, Hérode Antipas, la tête de saint Jean-Baptiste.

SALOMON *(îles),* en angl. **Solomon Islands,** archipel de la Mélanésie. La partie sud est indépendante dans le cadre du Commonwealth depuis 1978 (30000 km^2; 300000 hab.; capit. *Honiara)* et les deux îles septentrionales sont rattachées à la Papouasie-Nouvelle-Guinée (10600 km^2; 50000 hab.).

SALOMON, fils et successeur de David, roi d'Israël de 970 à 931 av. J.-C. Il s'assura d'utiles alliances, construisit des forteresses et une flotte, équipa son armée de chars. Il édifia le splendide temple de Jérusalem. Sa sagesse resta légendaire dans tout l'Orient et dans la Bible. Son faste et ses constructions mécontentèrent le peuple, favorisant, après sa mort, la scission de son royaume. Il composa des œuvres poétiques, et certains livres de l'Ancien Testament portent son nom.

1. SALON [salɔ̃] n. m. (it. *salone*). **1.** Dans un appartement, dans une maison, pièce destinée à recevoir les visiteurs. — **2.** Ensemble du mobilier de cette pièce : *Un salon Louis XVI.* — **3.** (au plur.) Société mondaine : *Fréquenter les salons.* ◆ **salonnard, e** adj. et n. *Fam.* et *péjor.* Habitué des salons mondains.

2. SALON [salɔ̃] n. m. (même étym.). *Salon de coiffure,* établissement commercial où l'on coiffe les clients. ‖ *Salon de thé,* pâtisserie où l'on sert du thé, des gâteaux, des jus de fruits, etc.

3. SALON [salɔ̃] n. m. (même étym.) [avec une majusc.]. **1.** Exposition annuelle d'œuvres d'artistes vivants : *Le Salon des indépendants.* — **2.** Exposition annuelle de diverses industries où sont présentés des objets de toutes sortes : *Le Salon de l'automobile.*

SALON-DE-PROVENCE, ch.-l. de cant. des Bouches-du-Rhône, à 34 km à l'O. d'Aix-en-Provence; 35800 hab. École de l'Air. Centrale hydraulique sur la Durance canalisée.

SALONE ou **SALONA,** auj. **Solin,** anc. capit. de la Dalmatie, dans la banlieue de l'actuelle Split. Ruines importantes.

SALONIQUE → THESSALONIQUE.

SALONNARD, E adj. et n. → SALON 1.

SALOPETTE [salɔpɛt] n. f. (de *sale*). **1.** Vêtement de travail que l'on met par-dessus les autres pour éviter de les salir (syn. BLEU, COMBINAISON). — **2.** Vêtement composé d'un pantalon et d'un plastron attaché par des bretelles.

SALOUEN (le ou la), fl. de l'Asie du Sud-Est; 2500 km. Né au Tibet, il sépare la Birmanie de la Thaïlande, avant de rejoindre l'océan Indien.

SALPÊTRE [salpɛtr] n. m. (bas lat. *salpetrae,* sel de pierre). Matière pulvérulente qui se forme sur les vieux murs, les plâtres.

SALSIFIS [salsifi] n. m. (it. *salsefica*). Plante potagère cultivée pour sa racine comestible. (Famille des composées.)

SALTATION [saltasjɔ̃] n. f. (du lat. *saltare,* sauter). *Géol.* Sur un versant, déplacement par bonds successifs des particules du sol, entraînées par l'eau ou par l'air : *La saltation conduit à une lente érosion du versant.*

SALTILLO, v. du nord-est du Mexique; 322000 hab. Métallurgie.

SALTIMBANQUE [saltɛ̃bɑ̃k] n. m. (it. *saltimbanco,* qui saute sur l'estrade). Personne qui fait des tours d'adresse, des acrobaties sur les places publiques, dans les foires.

SALT LAKE CITY, v. de l'ouest des États-Unis, capit. de l'Utah, au S.-E. du Grand Lac Salé; 175900 hab. Fondée en 1847, la ville devint la capitale des mormons*. Centre commercial et industriel.

SALTYKOV (Mikhaïl), écrivain russe, connu sous le nom de SALTYKOV-CHTCHEDRINE (1826-1889), auteur de romans réalistes (*la Famille Golovliov,* 1880).

SALUBRE [salybr] adj. (du lat. *salus,* santé). Favorable à la santé : *Un climat salubre* (syn. SAIN). ◆ **salubrité** n. f. : *La salubrité de l'air marin. Mesures de salubrité* (= édictées par l'Administration en matière d'hygiène). ◆ **insalubre** adj. Malsain, nuisible à la santé : *Un logement insalubre.* ◆ **insalubrité** n. f.

SALUER [salɥe] v. t. (lat. *salutare,* souhaiter la santé). **1.** (sujet nom de personne) *Saluer qq'un,* lui donner une marque extérieure de politesse, d'honneur, de respect : *Saluer en ôtant son chapeau.* — **2.** *Saluer qqch.,* lui donner des marques de respect : *Saluer le drapeau.* — **3.** *Saluer une personne,* l'accueillir par des marques d'approbation ou d'hostilité : *Son arrivée fut saluée par un tonnerre d'applaudissements.* — **4.** *Saluer qq'un, qqch.,* lui manifester de l'estime, de l'admiration, l'acclamer : *Saluer le courage des sauveteurs.* ◆ ***se saluer*** v. pr. Se donner mutuellement un salut : *Ils ne se saluent plus depuis longtemps.* ◆ **salut** n. m. : *Répondre au salut de quelqu'un. Salut militaire* (= acte réglementaire par lequel un militaire exprime son respect au drapeau, à un supérieur, etc.). ◆ interj. *Fam.* Formule dont on se sert en abordant une personne, un groupe, ou en les quittant : *Salut les copains!* ◆ **salutation** n. f. **1.** Manière de saluer exagérée, obséquieuse : *Il m'a fait de grandes salutations.* — **2.** Formule de politesse dont on se sert pour terminer une lettre : *Recevez mes salutations distinguées.*

1. SALUT n. m. et interj. → SALUER.

2. SALUT [saly] n. m. (lat. *salus, -utis,* santé). **1.** Fait d'échapper à un danger, à un malheur : *Ne devoir son salut qu'à la fuite.* — **2.** Bonheur éternel qui résulte du fait d'être sauvé de l'état de péché (relig.) : *Le salut des âmes.* — **3.** *Armée du salut,* association protestante destinée à la propagande religieuse et à l'action philanthropique. ◆ **salutiste** n. Membre de l'Armée du salut.

SALUT *(îles du),* archipel des côtes de la Guyane française, comprenant les îles Royale, Saint-Joseph et du Diable. Ancien établissement pénitentiaire.

SALUTAIRE [salytɛr] adj. (lat. *salutaris*). Se dit de ce qui est propre à conserver ou à rétablir la santé physique ou morale, qui profite à quelqu'un : *Un remède salutaire. Un avis salutaire* (syn. PROFITABLE).

SALUTATION n. f. → SALUER.

SALUTISTE n. → SALUT 2.

SALVADOR (El), république de l'Amérique centrale, sur le Pacifique; 21000 km^2; 5200000 hab. (248 au km^2). Capit. *San Salvador* (1 million d'hab.). Langue : *espagnole.*
→ cartes AMÉRIQUE pp. 48-49.

GÉOGRAPHIE

Les plateaux et massifs volcaniques qui s'étendent sur la majeure partie du pays sont coupés au centre par la vallée du Lempa. Le climat tropical permet des cultures commerciales de coton et surtout de café (150000 t) tandis que riz et maïs constituent la base de l'alimentation.

HISTOIRE

Le pays est conquis par les Espagnols à partir de 1524.

• *1821. Les créoles proclament l'indépendance.*

L'essai d'unité ébauché en 1823 avec les Provinces-Unies d'Amérique centrale échoue en 1838.

L'étroite oligarchie qui contrôle l'économie se maintient au pouvoir, à travers l'opposition entre conservateurs et libéraux, et la succession de gouvernements autoritaires (Martinez, 1931-1944), ou plus libéraux (Sánchez Hernández, 1967-1972).

• *Juillet 1969. Guerre avec le Honduras.*
• *1972. Les militaires imposent à la tête de l'État leur candidat, face à celui de l'opposition, le démocrate-chrétien José Napoleón Duarte.*

Dès lors, des conflits sanglants opposent les diverses factions du pays.

• *1984. Duarte (déjà porté au pouvoir par une junte entre 1980 et 1982) est élu président de la République.*
• *1989. Le candidat de l'extrême droite, Alfredo Cristiani, lui succède à la tête de l'État.*

SALVADOR, ancienn. **Bahia,** v. du Brésil, capit. de l'État de Bahia; 1 506 600 hab. Centre commercial. Églises baroques.

SALVATRICE adj. f. → SAUVER 1.

SALVE [salv] n. f. (lat. *salve,* salut). **1.** Décharge simultanée d'armes à feu au combat ou en l'honneur de quelqu'un, en signe de réjouissance : *Une salve de vingt coups de canon.* — **2.** *Salve d'applaudissements,* applaudissements forts et unanimes.

SALVIATI (Francesco DE' ROSSI, dit **Cecchino**), peintre italien (1510-1563). Formé sous l'influence d'Andrea Del Sarto et des maniéristes, il composa des fresques au Palazzo Vecchio de Florence (1544), puis travailla à Fontainebleau et à Dampierre.

SALZBOURG, en all. **Salzburg,** v. d'Autriche, sur la Salzach; 137 000 hab. Festival de musique annuel, consacré à Mozart. Centre touristique et industriel.

SALZGITTER, v. d'Allemagne (Basse-Saxe), au S.-O. de Brunswick; 118 200 hab. Métallurgie.

SALZKAMMERGUT, région montagneuse de Haute-Autriche et de Styrie, sur le cours supérieur de la Traun. Riches salines.

SAM *(Oncle)* ou **UNCLE SAM,** express. plaisante, désignant le citoyen ou le gouvernement américain, formée par les initiales « U. S. Am. » *(United States of America).*

SAMAIN (Albert), poète français (1858-1900). Une très grande sensibilité s'exprime dans ses recueils lyriques (*Au jardin de l'infante,* 1893; *Aux flancs du vase,* 1898; *le Chariot d'or,* 1901).

SĀMĀNIDES, dynastie iranienne, qui régna en Transoxiane et en Perse de 902 à 1004.

SAMAR, île des Philippines; 1 019 400 hab.

SAMARA → KOUÏBYCHEV.

SAMARE [samar] n. f. (lat. *samarum,* semence d'orme). *Bot.* Fruit sec du type akène, muni d'une aile membraneuse comme chez l'orme, l'érable.

SAMARIE, région du centre de la Palestine, entre la Galilée au N. et la Judée au S. (Hab. *Samaritains.*) Sa capitale, *Samarie,* fut celle du royaume d'Israël à partir de 880 av. J.-C.

SAMARKAND, v. de l'U. R. S. S. (Ouzbékistan), en Asie centrale; 489 000 hab. La ville connut un grand éclat sous les Sāmānides, puis sous Tīmūr Lang, qui en fit sa capitale. Elle devint le centre intellectuel de toute l'Asie musulmane.

SAMBA [sɑ̃ba] n. f. (mot brésilien). Danse populaire brésilienne.

SAMBRE (la), riv. de France et de Belgique, affl. de la Meuse (r. g.), qu'elle rejoint à Namur; 190 km. Elle arrose Maubeuge et Charleroi.

SAMEDI [samdi] n. m. (lat. *sabbati dies,* jour du sabbat). Sixième jour de la semaine. (→ SEMAINE.)

SAMMARTINI (Giovanni Battista), compositeur italien (1698-1775). Il a contribué au développement de l'art instrumental classique (sonates, symphonies, concertos) et a fortement influencé Mozart et Gluck.

SAMNITES, peuple italique de race sabine, qui fut absorbé par Rome au IIIe s. av. J.-C.

SAMNIUM. *Géogr. anc.* Région montagneuse de l'Italie centrale.

SAMOA *(îles),* archipel d'Océanie, partagé entre l'*État des Samoa* ou *Samoa occidentales,* anciennement sous la tutelle de la Nouvelle-Zélande et indépendant depuis 1962 (2 842 km^2; 170 000 hab.; capit. *Apia*) et les *Samoa orientales* ou *Samoa américaines,* qui appartiennent aux États-Unis depuis 1900 (197 km^2; 32 000 hab.; ch.-l. *Fagatogo*). Cultures tropicales.

SAMOËNS, ch.-l. de cant. de la Haute-Savoie, à 21 km à l'E.-N.-E. de Cluses; 2 000 hab. *(Septimontains).* Tourisme.

SAMORY TOURÉ, souverain soudanais (v. 1837-1900). Il se constitua à partir de 1870 un empire à l'E. du Niger, mais fut battu par les Français en 1887. Fait prisonnier en 1898, il fut déporté au Gabon.

SAMOS, île grecque de la mer Égée, dans les Sporades; 41 700 hab. *(Samiens* ou *Samiotes).* Ch.-l. *Bathy.* Vins muscats.

SAMOTHRACE, île grecque de la mer Égée, au S. des côtes de la Thrace; 3 000 hab. En 1863 y fut découverte la célèbre *Victoire de Samothrace* (auj. conservée au Louvre), statue en marbre érigée en mémoire d'une victoire navale de Démétrios Ier Poliorcète sur la flotte égyptienne.

SAMOURAÏ ou **SAMURAI** [samuraj] n. m. (mot japon.). Membre de la classe des guerriers, dans l'organisation shōgunale du Japon avant 1868.

SAMOVAR [samɔvar] n. m. (mot russe). Bouilloire à cheminée intérieure centrale, utilisée en Russie.

SAMOYÈDES, population mongole, rattachée par la langue au groupe finno-ougrien, habitant les régions du cours inférieur de l'Ob' et de la presqu'île de Taïmyr. Ce sont des éleveurs de rennes.

SAMURAI n. m. → SAMOURAÏ.

SAMPAN [sɑ̃pɑ̃] n. m. (mot chinois). En Extrême-Orient, sorte de longue barque, marchant à la godille et à l'aviron.

SAMSON, juge des Hébreux, d'une force hors du commun (XIIe s. av. J.-C.). Dalila, dont il était épris, lui coupa pendant son sommeil ses cheveux, dans lesquels résidait sa force.

Samson et Dalila, opéra biblique en trois actes, musique de Saint-Saëns (1877).

SAMSUN, port de Turquie, ch.-l. de province, sur la mer Noire; 198 000 hab.

SAMUEL, prophète et dernier juge d'Israël (XIe s. av. J.-C.). Cherchant un chef pour conduire Israël et repousser les Philistins, il fit proclamer Saül roi de tout le peuple, et plus tard David.

SANA n. m. → SANATORIUM.

SANA ou **SANA'A,** capit. du Yémen; 448 000 hab.

SAN ANTONIO, v. des États-Unis (Texas); 654 150 hab. Centre d'exploitation et de raffinage du pétrole.

SANARY-SUR-MER, comm. du Var, à 12 km à l'O. de Toulon; 11 700 hab. *(Sanaryens).* Station balnéaire.

SANATORIUM [sanatɔrjɔm] ou fam. **SANA** [sana] n. m. (du lat. *sanatorius,* qui guérit). Établissement médical spécialisé dans le traitement de toutes les formes de la tuberculose. ‖ Pl. des *sanatoriums.*

SAN BERNARDINO *(col de),* col des Alpes suisses, entre la haute vallée du Rhin postérieur et celle de la Moesa (affl. du Tessin); 2 060 m. Tunnel routier à 1 600 m d'alt.

SANCERRE, ch.-l. de cant. du Cher, à 14 km au S.-O. de Cosne-sur-Loire; 2 300 hab. *(Sancerrois).* Vin blanc.

SANCERROIS, région de collines s'étendant à l'O. de Sancerre. Vignobles.

SANCHE, nom porté par de nombreux souverains d'Aragon, de León, de Castille, de Navarre et de Portugal.

Sancho Pança, écuyer de Don Quichotte, dans le roman de Cervantès; monté sur un âne, il oppose sans cesse son bon sens à l'imagination déréglée de son maître.

SAN CRISTÓBAL, v. du Venezuela; 156 600 hab. Cimenterie.

SANCTIFIER [sɑ̃ktifje] v. t. (du lat. *sanctus,* saint, et *facere,* faire). **1.** *Sanctifier qq'un,* le rendre saint, favoriser son salut : *La grâce nous sanctifie.* — **2.** *Sanctifier une journée, une cérémonie,* la célébrer selon les rites religieux : *Sanctifier le dimanche.* — **3.** *Que ton nom soit sanctifié,* que ton nom soit loué, honoré, comme sa sainteté l'exige (paroles du « Notre-Père »). ◆ **sanctifiant, e** adj. Sens 1 du v. : *La grâce sanctifiante.* ◆ **sanctification** n. f.

SANCTION [sɑ̃ksjɔ̃] n. f. (lat. *sanctio;* de *sancire,* établir une loi). **1.** Approbation considérée comme nécessaire : *Projet qui obtient les sanctions du Parlement. Mot qui a reçu la sanction de l'usage* (syn. RATIFICATION). — **2.** Conséquence naturelle d'un acte : *L'échec est la sanction de la paresse.* — **3.** Mesure répressive infligée par une autorité pour l'inexécution d'un ordre, l'inobservation d'un règlement : *Prendre des sanctions. Des sanctions scolaires à l'égard d'un élève* (syn. PUNITION). ◆ **sanctionner** v. t. **1.** Confirmer par une sanction (sens 1) : *Sanctionner une loi, un décret* (syn. ENTÉRINER). *Sanctionner une décision* (syn. APPROUVER, RATIFIER). — **2.** Infliger un châtiment (sens déconseillé par quelques lexicographes) : *Sanctionner une faute, un délit* (syn. PUNIR, RÉPRIMER).

SANCTUAIRE [sɑ̃ktɥɛr] n. m. (du lat. *sanctus,* saint). **1.** Édifice consacré aux cérémonies d'une religion; lieu saint en général : *Lourdes est un sanctuaire très fréquenté.* — **2.** Partie d'une église située autour de l'autel.

SANCY *(puy de)*, sommet volcanique d'Auvergne (Puy-de-Dôme), point culminant du Massif central; 1 885 m. Téléphérique.

SAND (Aurore DUPIN, *baronne* DUDEVANT, dite **George**), femme de lettres française (1804-1876). Après avoir passé la majeure partie de son enfance à Nohant, dans le Berry, elle épouse (1822) le baron Dudevant dont elle se sépare en 1830. Dès lors, voulant affirmer les droits de la femme à l'indépendance, elle mène une vie libre et passionnée qui à l'époque fait scandale.

L'écrivain Jules Sandeau avec qui elle publie *Rose et Blanche* lui fait prendre conscience de sa vocation littéraire.

Ses premiers romans (*Indiana*, 1832; *Lélia*, 1833) sont des œuvres pleines de passion où elle rejette les préjugés sociaux, la morale traditionnelle et revendique la liberté pour les femmes. Dans les *Lettres d'un voyageur* (1834-1836) écrites pour Alfred de Musset après la fin de leur liaison, elle mêle les souvenirs de leur voyage en Italie à des méditations sur des sujets variés.

- *1836. À partir de cette date, influencée par ses amis (La Mennais notamment), elle s'oriente vers un socialisme idéaliste.*

Elle publie alors des romans comme *le Compagnon du tour de France* (1841), *le Meunier d'Angibault* (1845) qui reflètent ses nouvelles préoccupations. *Consuelo* (1842) est plutôt d'inspiration mystique, et sa longue liaison avec Chopin lui donne un regain d'inspiration romantique.

- *1848. Elle publie des écrits politiques et se jette dans l'action directe avec Ledru-Rollin.*

Après les journées de juin 1848, elle se retire de la vie politique et s'installe définitivement à Nohant. Désormais, elle exalte dans ses romans la vie et le travail des paysans ainsi que l'amour de la nature, à travers des descriptions d'une grande précision (*la Mare au diable*, 1846; *François le Champi*, 1847-1848; *la Petite Fadette*, 1849; *les Maîtres sonneurs*, 1853). Elle se consacre ensuite au récit de ses souvenirs (*Histoire de ma vie*, 1854; *Elle et Lui*, 1859).

SANDALE [sɑ̃dal] n. f. (gr. *sandalion*). Chaussure formée d'une simple semelle qui s'attache au pied par des cordons ou des lanières. ◆ **sandalette** n. f. Petite sandale.

SANDARAQUE [sɑ̃darak] n. f. (gr. *sandarakhê*). Résine naturelle utilisée pour la fabrication de vernis, et qui provient soit de l'Afrique du Nord, soit de l'Australie.

SAN DIEGO, port des États-Unis (Californie), sur la *baie de San Diego;* 696 800 hab. Importante base navale et aéronavale. Constructions aéronautiques. Port de pêche (thon).

SANDWICH [sɑ̃dwitʃ] n. m. (de lord *Sandwich*, qui se faisait servir ce mets à sa table de jeu). Tranches minces de pain entre lesquelles on a mis une tranche de viande, un morceau de fromage, etc. ‖ Pl. à la française des *sandwichs*, ou à l'anglaise des *sandwiches*.

SANDWICH *(îles)*, anc. nom des îles HAWAII*.

SAN FERNANDO, port d'Espagne (Andalousie, province de Cadix); 57 200 hab. Arsenal maritime.

SAN FRANCISCO, v. des États-Unis (Californie), sur la *baie de San Francisco* qui communique avec l'océan Pacifique par la Golden Gate; 679 000 hab. (agglomération 3 250 000 hab.). San Francisco est un grand port qui dessert tout l'ouest des États-Unis. L'industrie s'est ajoutée à la fonction commerciale : raffinage du pétrole, industries chimiques et mécaniques.

SANG [sɑ̃] n. m. (lat. *sanguis, -inis*). **1.** Chez les vertébrés, liquide rouge circulant par les artères et les veines, qui apporte les éléments nutritifs à toutes les parties du corps et en évacue les déchets : *Faire une prise de sang. Faire une transfusion de sang.* → ENCYCL. — **2.** Race, famille : *Un prince de sang royal.* ‖ *Cheval (de) pur sang* → PUR-SANG. — **3.** *Avoir le sang chaud*, être ardent, fougueux, irascible. ‖ Fam. *Avoir une chose dans le sang*, y être porté par nature : *Il a la passion du jeu dans le sang.* ‖ *Avoir du sang bleu*, être d'origine noble. ‖ Fam. *Coup de sang*, hémorragie cérébrale. ‖ *Le sang a coulé*, il y a eu des personnes tuées ou blessées. ‖ *Liens du sang, voix du sang*, sentiment d'affection instinctive qui règne entre les membres d'une même famille. ‖ Fam. *Se faire du mauvais sang*, s'inquiéter. ‖ Fam. *Suer sang et eau*, faire de grands efforts, se donner beaucoup de peine. ‖ Fam. *Mon sang n'a fait qu'un tour*, j'ai été fortement et subitement bouleversé. ◆ n. m. pl. Fam. *Se ronger les sangs*, être très inquiet. ◆ **sanglant, e** adj. **1.** Taché, couvert de sang : *Avoir les mains sanglantes* (syn. ENSANGLANTÉ). — **2.** Qui occasionne une grande effusion de sang : *Un combat sanglant* (syn. MEURTRIER). — **3.** Qui blesse, qui outrage profondément : *Un affront sanglant* (syn. OFFENSANT). ◆ **sanguin, e** adj. Relatif au sang, à la circulation du sang : *Les canaux, les vaisseaux sanguins.* ‖ *Groupe sanguin* → GROUPE. ◆ **sanguinaire** adj. **1.** Qui se plaît à répandre le sang : *Un homme sanguinaire* (syn. CRUEL, FÉROCE). — **2.** *Lutte sanguinaire*, où il y a beaucoup de sang versé (syn. SANGLANT). ◆ **sanguinolent, e** adj. Se dit d'humeurs, de matières mêlées de sang : *Des crachats sanguinolents.* ◆ **sang-mêlé** n. inv. Métis, métisse. ◆ **ensanglanter** v. t. **1.** *Ensanglanter qqch.*, le tacher, le couvrir de sang. — **2.** Déshonorer, souiller par des actes sanglants (littér.) : *Les guerres qui ont ensanglanté cette période de l'histoire.*

— ENCYCL. Le *sang* se compose de deux parties, le plasma et les éléments figurés (des cellules).

Le *plasma* renferme des protéines de divers types : *globulines* du sang, qui contiennent les nombreux anticorps* élaborés par notre organisme pour se défendre contre les agressions extérieures (microbes, etc.); *albumines*, réserve de protéines et facteur de stabilité dans la répartition de l'eau entre les cellules, les espaces intercellulaires et les liquides circulants. Il contient également des *sels minéraux* (bicarbonates, chlorure de sodium, phosphates) et des *métaux* (fer, potassium, calcium), des substances nutritives et les déchets du fonctionnement cellulaire. Le plasma transporte les *hormones* produites par les glandes endocrines. Tous ces constituants normaux du sang peuvent être dosés et contribuent à l'étude des anomalies de l'organisme malade.

Les *éléments figurés* sont : les *hématies**, ou *globules rouges*, qui transportent l'oxygène grâce à l'hémoglobine qu'ils contiennent; les *globules blancs*, ou *leucocytes**, chargés de la défense contre les infections; les *plaquettes*, ou *thrombocytes*, qui sont les plus petites cellules du sang, responsables des premiers temps de l'hémostase* (arrêt du saignement) et de la coagulation. Tous ces éléments sont étudiés quand on pratique une numération-formule sanguine (= dénombrement des éléments figurés du sang) dont les chiffres normaux sont, chez l'adulte, par mm^3 de sang : 5 000 000 pour les globules rouges, 7 500 à 8 000 pour les globules blancs, 200 000 à 300 000 pour les plaquettes sanguines.

Le sang total (5 à 6 l chez l'adulte) contient 45 p. 100 de cellules et 55 p. 100 de plasma, soit 45 mm^3 de cellules et 55 mm^3 de liquide pour 100 mm^3.

▪ *Les fonctions du sang.* Il a une *fonction respiratoire*, assurant le transport de l'oxygène des poumons aux tissus et l'évacuation du gaz carbonique produit par les cellules. Il a une *fonction digestive*, recueillant les déchets inutiles ou nuisibles du métabolisme cellulaire, pour les emporter vers les organismes qui les éliminent (reins, poumons, peau, etc.).

▪ *La vie du sang.* Le sang se renouvelle sans cesse : les globules blancs sont détruits par les microbes lors des infections locales ou générales, ou meurent de vieillesse; les globules rouges vivent environ quatre mois, mais meurent après les chocs subis lors de la circulation sanguine qui se fait à très grande vitesse; les globulines sont détruites et sans cesse renouvelées.

Il faut donc une fabrication d'éléments nouveaux : la *moelle rouge* des os est l'organe essentiel de la fabrication des cellules du sang (là sont produits globules rouges, globules blancs, plaquettes, à partir de *cellules souches* spéciales pour chaque type de cellules, capables de se transformer en cellules sanguines); la rate, les ganglions, grâce aux cellules du *système réticulo-endothélial*, produisent en cas de besoin les globules blancs et parfois des *macrophages**, cellules capables de détruire les cellules mortes de l'organisme, véritables fossoyeurs du corps; le système réticulo-endothélial fabrique les globulines ou anticorps.

▪ Les *maladies du sang* peuvent être : des troubles de la formation des éléments nouveaux, produits insuffisamment (anémies ou défaut de globules rouges) ou en excès (polyglobulie ou excès de globules rouges, leucémies*); des troubles de la coagulation*; des troubles des vaisseaux capillaires, responsables des purpuras*.

→ illustration en couleurs CIRCULATION pp. 272-273.

SANGALLO (Giuliano GIAMBERTI, dit **Giuliano da**), architecte et sculpteur florentin (v. 1445-1516). Il assista Raphaël dans la direction des travaux de Saint-Pierre de Rome et construisit d'importants ouvrages en Toscane. — Son neveu ANTONIO (1483-1546), dit *le jeune*, s'inspira du style de Bramante et de Raphaël. Il construisit des églises et de nombreux palais (palais Farnèse à Rome). Il fut également ingénieur militaire.

SANG-FROID [sɑ̃frwa] n. m. *(sang*, et *froid)*. **1.** État de calme, de maîtrise de soi : *Garder son sang-froid dans le danger* (syn. IMPASSIBILITÉ). *Il lui a répondu avec son sang-froid ordinaire* (syn. ASSURANCE, FLEGME). — **2.** *Faire qqch. de sang-froid*, commettre un acte généralement violent de façon délibérée, avec pleine conscience de ce qu'on fait.

SAN GIMIGNANO, v. d'Italie (Toscane, province de Sienne); 10 000 hab. La cité, qui a conservé treize de ses tours, garde un aspect médiéval. Dans l'église Sant'Agostino (XIIIe s.) se trouvent d'admirables fresques de Benozzo Gozzoli.

SANGLANT, E adj. → SANG.

SANGLE [sɑ̃gl] n. f. (lat. *cingula;* de *cingere*, ceindre). **1.** Bande de cuir, de tissu, de jute, etc., large et plate, qui sert à serrer, à lier, à soutenir : *La sangle d'une selle.* — **2.** *Lit de sangle*, lit composé de deux châssis croisés en X, sur lesquels sont tendues des sangles ou une toile. ◆ **sangler** v. t. **1.** *Sangler un animal de trait*, le serrer avec une sangle pour maintenir une selle, un bât : *Sangler un cheval.* — **2.** *Sangler qq'un*, le serrer fortement à la taille : *Être sanglé dans un uniforme.*

SANGLIER [sɑ̃glije] n. m. (lat. *singularis* [*porcus*], [porc] qui vit seul). Mammifère ongulé sauvage d'Europe : *Le sanglier établit sa bauge dans les fourrés. La femelle du sanglier est la laie et ses petits les marcassins. Le sanglier grommelle, nasille.*

SANGLOT [sɑ̃glo] n. m. (bas lat. *singluttus;* de *gluttire,* avaler). Contraction convulsive du diaphragme sous l'effet de la douleur, suivie de l'émission brusque et bruyante de l'air contenu dans la poitrine et le plus souvent accompagnée de pleurs : *Éclater en sanglots.* ◆ **sangloter** v. i. Pousser des sanglots (syn. ↓PLEURER).

SANG-MÊLÉ n. inv. → SANG.

SANGNIER (Marc), journaliste et homme politique français (1873-1950). Il développe dans *le Sillon,* créé en 1894, les idées d'un christianisme démocratique et social.

SANGSUE [sɑ̃sy] n. f. (du lat. *sanguis,* sang, et *sugere,* sucer). Animal invertébré de l'embranchement des vers annélides, qui vit dans l'eau douce, dont le corps est terminé à chaque extrémité par une ventouse et qui se nourrit du sang des vertébrés sur lesquels il se fixe : *On a longtemps utilisé les sangsues pour les saignées.*

SANGUIN, E adj., **SANGUINAIRE** adj. → SANG.

SANGUINAIRES *(îles),* îlots granitiques de la côte occidentale de la Corse, à l'entrée du golfe d'Ajaccio.

1. SANGUINE [sɑ̃gin] n. f. (de *sanguin*). **1.** Crayon fait avec de l'ocre rouge : *Portrait à la sanguine.* — **2.** Dessin exécuté avec ce crayon : *Une sanguine de Watteau, de Boucher.*

2. SANGUINE [sɑ̃gin] n. f. (même étym.). Variété d'orange dont la pulpe est plus ou moins rouge.

SANGUINOLENT, E adj. → SANG.

SANHÉDRIN [sanedrɛ̃] n. m. (mot araméen). Tribunal des anciens Juifs, à Jérusalem, composé des prêtres, des anciens et des scribes, qui jugeait les affaires criminelles et administratives. ‖ *Grand sanhédrin,* tribunal, conseil suprême qui siégeait à Jérusalem.

1. SANITAIRE adj. → SANTÉ.

2. SANITAIRE [sanitɛr] adj. et n. m. (du lat. *sanus,* sain). *Installation, appareil sanitaire,* ou *sanitaire,* ensemble des installations de propreté (lavabos, W.-C., etc.) d'une habitation, d'un camping, etc.

SAN JOSE, v. des États-Unis (Californie); 445 800 hab.

SAN JOSÉ, capit. du Costa Rica; 128 000 hab.

SAN JUAN, capit. de l'île de Porto Rico; 485 000 hab. Centre touristique, commercial et industriel.

SANKT ANTON AM ARLBERG, en fr. **Saint-Anton,** station de sports d'hiver d'Autriche (Tyrol) [alt. 1 304-2 811 m].

SANKT PÖLTEN, v. d'Autriche, capit. de la Basse-Autriche, à l'O. de Vienne; 51 000 hab. Monuments baroques.

SANLÚCAR ou **SANLÚCAR DE BARRAMEDA,** port et station balnéaire d'Espagne (Andalousie, province de Cadix); 40 300 hab. Vins. Point de départ de Colomb pour son troisième voyage vers le Nouveau Monde (1498), et de Magellan pour le premier voyage autour du monde (1519).

SAN LUIS POTOSÍ, v. du Mexique, capit. d'État, sur le plateau intérieur; 407 000 hab. Métallurgie.

SAN MARTÍN (José DE), général et homme politique argentin (1778-1850), libérateur du Chili et du Pérou.

SAN MIGUEL, v. du Salvador; 111 000 hab.

SANNAZZARO (Iacopo), en fr. **Sannazar,** poète et humaniste italien (v. 1456-1530). Son roman *l'Arcadie,* mélange de prose et de vers (1502-1504), eut une influence considérable sur le roman pastoral en Europe.

SANNOIS, ch.-l. de cant. du Val-d'Oise, à 2 km au N. d'Argenteuil; 21 900 hab.

SAN PEDRO, port du sud-ouest de la Côte-d'Ivoire.

SAN REMO ou **SANREMO,** v. d'Italie (Ligurie), sur la Riviera; 64 700 hab. Station balnéaire.

SANS prép. → AVEC.

SANS-ABRI n. inv. → ABRI.

SAN SALVADOR, capit. du Salvador; 1 million d'hab. Située au pied du volcan *San Salvador,* la ville a été ravagée à plusieurs reprises par des séismes. Centre commercial et industriel.

SANSCRIT, E adj. et n. m. → SANSKRIT.

SANS-CŒUR adj. et n. inv. → CŒUR 3.

SANS-CULOTTE [sɑ̃kylɔt] n. m. *(sans,* et *culotte).* Nom par lequel, sous la Convention, les aristocrates désignaient les révolutionnaires qui avaient remplacé la culotte (qui passait pour aristocratique) par le pantalon (porté par les gens du peuple). ‖ Pl. des *sans-culottes.*

SANS-FAÇON [sɑ̃fasɔ̃] n. m. inv. *(sans,* et *façon).* Manière d'agir simple et sans retenue.

SANS-GÊNE n. inv. → GÊNE.

SANSKRIT, E ou **SANSCRIT, E** [sɑ̃skri, -it] adj. et n. m. (mot sanskrit). Se dit d'une langue indo-aryenne ancienne, dans laquelle sont composés notamment les textes sacrés de l'hindouisme. (C'était une langue savante réservée aux prêtres et aux lettrés. On la trouve le plus anciennement dans les Veda. Sa découverte, à la fin du XVIIIe s., a donné naissance à la linguistique indo-européenne.)

SANS-LE-SOU n. inv. → SOU. / **SANS-LOGIS** n. inv. → LOGER 1.

SANSON (Charles), bourreau de Paris (1740-1806), qui exécuta Louis XVI. — Son fils, HENRI (1767-1840), exécuta la reine, Mme Élisabeth, et le duc d'Orléans.

SANSONNET [sɑ̃sɔnɛ] n. m. (de *Samson*). Syn. d'ÉTOURNEAU.

SANSOVINO (Andrea CONTUCCI, dit **il**), sculpteur italien (1460-1529), d'un classicisme très pur. Il travailla plusieurs années au Portugal. — Son fils adoptif, Iacopo TATTI, dit aussi *il Sansovino* (1486-1570), travailla surtout à Venise, où son œuvre la plus célèbre est la *loggetta* du campanile de Saint-Marc.

SANS-PARTI n. inv. → PARTI 3. / **SANS-SOIN** n. inv. → SOIN 1. / **SANS-SOUCI** adj. et n. inv. → SOUCI 2.

SAN STEFANO, auj. **Yeşilköy,** village de la Turquie d'Europe, près d'Istanbul.

● *1878. La Russie impose à la Turquie un traité qui marque son triomphe dans les Balkans.*

SANTA ANA, v. du Salvador, au pied du volcan *Santa Ana;* 172 000 hab. Textiles.

SANTA ANNA (Antonio LÓPEZ DE), général et homme politique mexicain (1795-1876). Il reconnut l'indépendance du Texas et signa le traité de Guadalupe Hidalgo (1848) consacrant la perte du Nouveau-Mexique et de la Californie.

SANTA CATARINA, État du Brésil méridional; 3 629 000 hab. Capit. *Florianópolis.*

SANTA CRUZ, port de l'île de Tenerife (Canaries); 190 000 hab. Raffinerie de pétrole.

SANTA CRUZ, v. de Bolivie, à l'E. des Andes; 377 000 hab.

SANTA FE, v. d'Argentine, sur un affl. du Paraná; 244 600 hab.

SANTA FE, v. des États-Unis, capit. de l'État du Nouveau-Mexique; 45 000 hab.

SANTA FE DE BOGOTÁ, anc. nom de BOGOTÁ*.

SANTA ISABEL → MALABO.

SANTAL [sɑ̃tal] n. m. (ar. *sandal*). Arbuste d'Asie, dont le bois parfumé est utilisé en ébénisterie, en parfumerie et en pharmacie.

SANTA MONICA, v. des États-Unis (Californie), sur le Pacifique; 88 000 hab. Station balnéaire. Constructions aéronautiques.

SANTANDER, port d'Espagne (Région cantabrique); 167 000 hab. Station balnéaire. Constructions mécaniques (automobiles).

SANTÉ [sɑ̃te] n. f. (lat. *sanitas, -atis*). **1.** État d'une personne dont l'organisme fonctionne régulièrement : *Être resplendissant de santé. Ménager sa santé.* — **2.** État de l'organisme, bon ou mauvais : *Avoir une santé délicate.* ‖ *Boire à la santé de qq'un,* en faisant un vœu pour la santé d'une personne. — **3.** *Santé mentale,* développement équilibré ou non de la personnalité. ‖ *Santé publique,* ensemble des services administratifs chargés de maintenir et d'améliorer l'état sanitaire d'un pays. ‖ *Maison de santé,* établissement où l'on soigne, et plus particulièrement, où l'on traite les maladies nerveuses ou mentales. ◆ **sanitaire** [sanitɛr] adj. Relatif à la santé, à l'hygiène publique : *Les services sanitaires ont secouru les sinistrés.* ‖ *L'action sanitaire et sociale.*

SANTERRE (le), région de Picardie (Somme), au S.-E. d'Amiens, entre Montdidier et Péronne.

SANTERRE (Antoine), révolutionnaire français (1752-1809). Il commanda la garde nationale de Paris en 1792 et 1793, et fut général en Vendée.

SANTIAGO, capit. du Chili, dans la grande vallée centrale; 3 700 000 hab. L'agglomération compte 4 200 000 hab. La ville, qui s'accroît à un rythme rapide, groupe plus du tiers des habitants du pays. Centre administratif et commercial, relié au port de Valparaíso, elle rassemble la moitié des activités industrielles du Chili. Université.

SANTIAGO ou **SANTIAGO DE LOS CABALLEROS,** v. de la république Dominicaine; 279 000 hab.

SANTIAGO DE CUBA, port de Cuba; 345 300 hab. Industries alimentaires.

SANTILLANA (Iñigo LÓPEZ DE MENDOZA, *marquis* DE), homme de guerre et écrivain espagnol (1398-1458). Il introduisit le sonnet dans la poésie espagnole.

SANTON [sɑ̃tɔ̃] n. m. (prov. *santoun*, petit saint). Nom donné, en Provence, à de petites figurines en plâtre colorié, qui servent à la décoration des crèches de Noël.

SANTORIN, archipel grec de la partie méridionale des Cyclades, formé par les îles Santorin, Thêrasía et Kaïméni; 15 700 hab. Volcan actif. Importants vestiges antiques.

SANTOS, v. du Brésil (État de São Paulo), dans l'île de São Vicente; 425 000 hab. Premier port mondial d'exportation de café. Sidérurgie.

SANTOS-DUMONT (Alberto), ingénieur et aéronaute brésilien (1873-1932), pionnier de l'aérostation et de l'aviation en France.

SANVE [sɑ̃v] n. f. (lat. *sinapi*, moutarde). Plante herbacée dicotylédone annuelle (syn. MOUTARDE DES CHAMPS). [Famille des crucifères.]

SANVIGNES-LES-MINES, comm. de Saône-et-Loire, à 5 km à l'O. de Montceau-les-Mines : 5 700 hab.

SÃO FRANCISCO (le), fl. du Brésil, tributaire de l'Atlantique; 2 624 km.

SÃO LUÍS ou **SÃO LUÍS DO MARANHÃO,** v. du Brésil septentrional, capit. de l'État du *Maranhão*, sur l'Atlantique : 450 000 hab. Port actif et centre textile.

SÃO MIGUEL, la plus grande des Açores; 184 800 hab. Ch.-l. *Ponta Delgada*.

SAÔNE (la), riv. de l'est de la France, née dans le dép. des Vosges, à Viioménil. Elle passe à Chalon-sur-Saône et Mâcon et se jette dans le Rhône (r. dr.), à Lyon; 480 km. Elle régularise le régime du Rhône, grâce à ses hautes eaux hivernales, et a un rôle économique réduit.

SAÔNE (Haute-) [70], dép. formé d'une partie de la Franche-Comté (Région Franche-Comté); 5 360 km²; 232 000 hab. (43 au km²) [France : 103]. Ch.-l. *Vesoul*.
ADMINISTRATION. 2 arrond. (*Lure*, 109 700 hab.; *Vesoul*, 122 300 hab.). / 32 cant. / 545 comm.

Formé principalement de plaines et de plateaux encadrant la vallée supérieure de la Saône, le département atteint au N. l'extrémité méridionale des Vosges. L'altitude généralement comprise entre 200 et 300 m à l'O. entre 300 et 500 m dans l'Est dépasse alors parfois 500 m. Les précipitations sont assez abondantes et l'hiver déjà marqué.

L'*agriculture* emploie encore près de 15 p. 100 de la population active. Une polyculture à base céréalière est fréquemment associée à l'élevage.

L'*industrie* occupe environ 45 p. 100 de la population active, proportion plus élevée que la moyenne française, mais la production (constructions mécaniques, textiles, travail du bois) est modeste. La faiblesse du secteur tertiaire (moins du tiers de la population active) est à relier à celle de l'urbanisation. Vesoul, la préfecture, est la seule localité dépassant 12 000 hab.

La faible augmentation récente de la population est essentiellement due à l'accroissement de quelques villes : Vesoul, Luxeuil-les-Bains, Lure, Gray. Mais le dépeuplement de la plus grande partie des cantons ruraux est très notable.

SAÔNE-ET-LOIRE (71), dép. formé d'une partie de la Bourgogne (Région Bourgogne); 8 575 km²; 571 900 hab. (67 au km²) [France : 103]. Ch.-l. *Mâcon*.
ADMINISTRATION. 5 arrond. (*Autun*, 105 400 hab.; *Chalon-sur-Saône*, 193 200 hab.; *Charolles*, 115 900 hab.; *Louhans*, 51 000 hab.; *Mâcon*, 106 300 hab.). / 57 cant. / 573 comm.
→ carte page suivante.

LOCALITÉS PRINCIPALES	NOMBRE D'HAB.	LOCALITÉS PRINCIPALES	NOMBRE D'HAB.
Chalon-sur-Saône	58 000	Digoin	11 300
Mâcon	40 000	Paray-le-Monial	11 300
Le Creusot	32 300	Gueugnon	10 500
Montceau-les-Mines	26 900	Saint-Vallier	10 200
Autun	22 200	Tournus	7 300

Ce vaste département juxtapose des régions variées : plaines et petites collines de la *Bresse* septentrionale à l'E. de la *vallée de la Saône*, nombreux massifs de la bordure orientale du Massif central à l'O. (monts du *Mâconnais*, du *Charolais*, de l'*Autunois*, séparés par des dépressions empruntées par les vallées de la Grosne, de la Dheune, de la Bourbince). L'altitude est généralement inférieure à 200 m à l'E. de la Saône mais, à l'O., elle s'élève le plus souvent au-dessus de 300 m.

L'*agriculture* emploie près de 15 p. 100 de la population active. La production est variée : polyculture dans l'Est et la vallée de la Saône, vignoble sur les côteaux du Mâconnais, élevage dominant dans le Charolais.

L'*industrie* occupe un peu plus des deux cinquièmes de cette population active. La métallurgie a été favorisée initialement par une exploitation houillère (région de Blanzy-Montceau-les-Mines), aujourd'hui déclinante. Le textile a été aussi largement représenté. L'industrie est principalement localisée dans les deux agglomérations de Chalon-sur-Saône et Montceau-les-Mines (de taille tout de même modeste, ce qui explique la faiblesse du *secteur tertiaire*, le tiers de la population active), ainsi qu'au Creusot.

LOCALITÉS PRINCIPALES	NOMBRE D'HAB.
Vesoul	20 300
Lure	10 500
Luxeuil-les-Bains	10 500
Héricourt	10 100
Gray	8 300
Saint-Loup-sur-Semouse	4 900
Fougerolles	4 300
Champagney	3 300
Arc-lès-Gray	3 200
Ronchamp	3 100

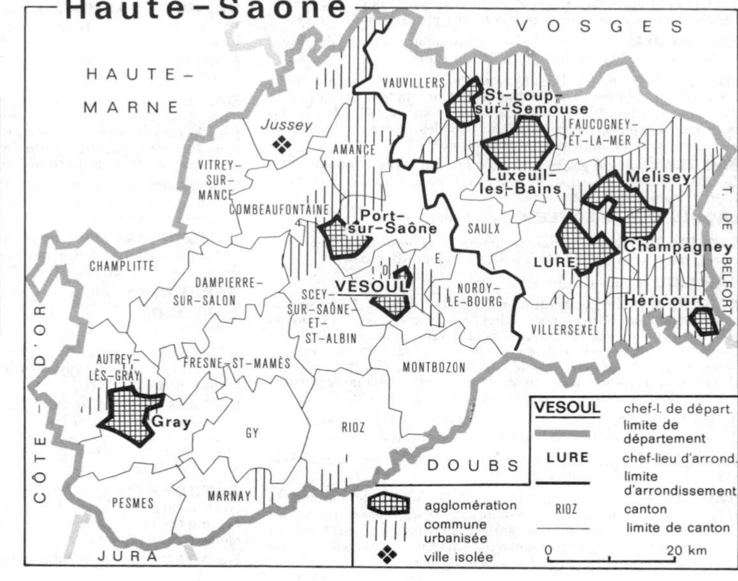

Saône-et-Loire

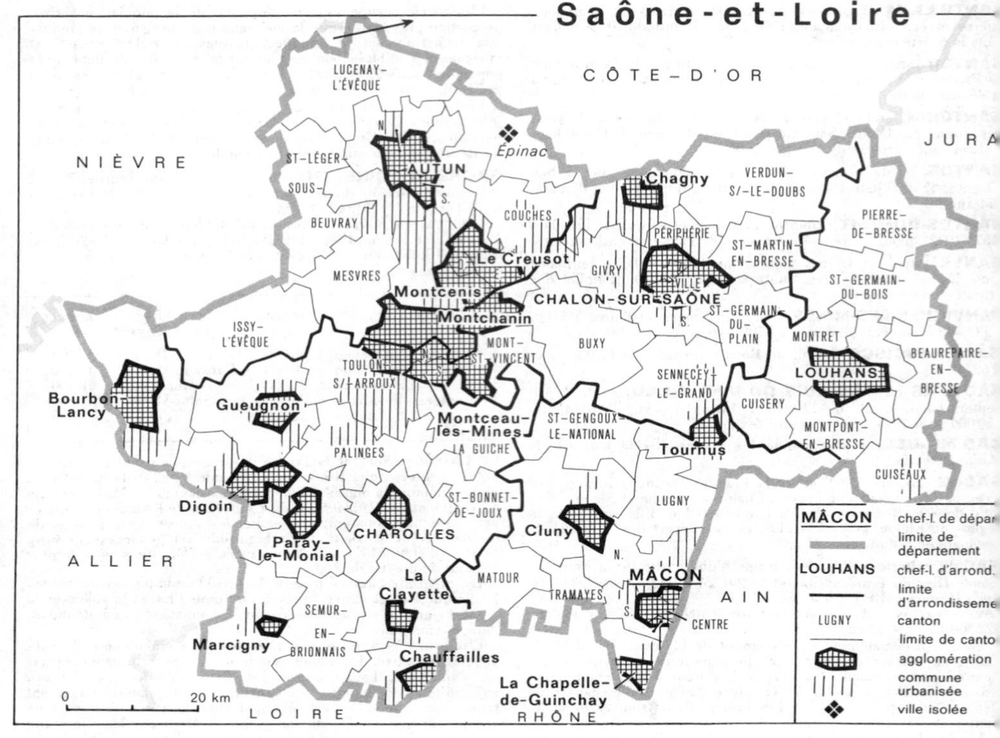

Récemment, la population n'a connu qu'une augmentation médiocre. Cette faible progression est essentiellement liée au dynamisme de Chalon et de Mâcon contrastant avec la stagnation (Le Creusot) ou même le recul (Montceau-les-Mines) des vieilles agglomérations industrielles aux activités plus ou moins en crise.

SÃO PAULO, État du Brésil méridional, sur l'Atlantique; 247 900 km²; 25 041 000 hab. Capit. *São Paulo.*

SÃO PAULO, v. du Brésil, capit. de l'État du même nom; 8 494 000 hab. Située dans un État grand producteur de café, São Paulo est la première ville du Brésil par sa population; elle en est aussi la métropole économique (textiles, métallurgie, industries chimiques et alimentaires). Université.

SÃO TOMÉ, île du golfe de Guinée formant avec Príncipe l'État de *São Tomé e Príncipe*, indépendant depuis 1975; 964 km²; 120 000 hab. Capit. *São Tomé.*

SAOUL, E adj., **SAOULER** v. t. → SOÛL.

SAOURA (la), oued du Sahara algérien, jalonné de palmeraies, autref. ch.-l. du dép. de *Béchar* (anc. Colomb-Béchar).

SAPAJOU n. m. → SAJOU.

1. SAPER [sape] v. t. (de l'anc. fr. *sape*, boyau). **1.** *Saper une construction*, en détruire les fondements avec le pic, la pioche ou par tout autre moyen mécanique, pour la faire tomber. — **2.** (sujet nom désignant des eaux) Creuser, user à la base en causant des détériorations : *La mer sape les falaises.* — **3.** *Saper qqch.* (mot abstrait), détruire sournoisement, ébranler en attaquant les principes : *Saper le moral de la troupe* (syn. ABATTRE, MINER).

2. SAPER (SE) [səsape] v. pr., **ÊTRE SAPÉ** v. passif (mot d'arg.). *Pop.* S'habiller, être habillé de telle ou telle façon.

SAPERLIPOPETTE! [sapɛrlipɔpɛt] interj. (de *sacré*). Syn. atténué et souvent ironique de SAPRISTI!

SAPEUR [sapœr] n. m. (de *saper*). **1.** Soldat de l'armée du génie : *Sapeur aéroporté, pontonnier.* — **2.** *Fumer comme un sapeur*, fumer beaucoup. ◆ **sapeur-pompier** n. m. Civil ou militaire chargé de porter secours en cas de sinistre et en particulier d'incendie. ‖ Pl. des *sapeurs-pompiers.*

SAPHIR [safir] n. m. (gr. *sappheiros*). **1.** Pierre précieuse bleue et transparente. — **2.** Pointe de lecture en saphir des disques microsillons, fixée à l'extrémité du bras d'un électrophone.

SAPHO ou **SAPPHO,** poétesse grecque de Lesbos (VIe s. av. J.-C.). Son œuvre lyrique comprenait des élégies, des odes, des hymnes.

SAPIDE [sapid] adj. (lat. *sapidus*). Qui a de la saveur : *Un corps sapide* (contr. INSIPIDE).

SAPIN [sapɛ̃] n. m. (lat. *sappinus*). **1.** Arbre résineux, commun dans les montagnes d'Europe occidentale, entre 500 et 1 500 m, à feuilles persistantes : *Le bois de sapin est utilisé en menuiserie et pour la pâte à papier.* (Ordre des conifères.) ◆ **sapineau** n. m. Jeune sapin. ◆ **sapinière** n. f. Lieu planté de sapins.

SAPONAIRE [sapɔnɛr] n. f. (du lat. *sapo, -onis*, savon). Plante à fleurs roses, dont la tige et les racines donnent à l'eau la propriété de mousser comme du savon.

SAPONIFICATION [sapɔnifikasjɔ̃] n. f. (du lat. *sapo, -onis* savon). Transformation d'une matière grasse en savon par action d'une base telle que la soude. ◆ **saponifier** v. t.

SAPPHO → SAPHO.

SAPPORO, v. du Japon, ch.-l. de l'île d'Hokkaidō 1 400 000 hab. Textiles.

SAPRISTI! [sapristi] ou **SACRISTI!** [sakristi] interj. (de *sacré*). *Fam.* Jurons exprimant le désappointement, la perplexité, la déception, la colère.

SAPROPHAGE [saprɔfaʒ] adj. et n. m. (du gr. *sapros*, pourri et *phagein*, manger). Se dit d'un animal qui se nourrit de matières organiques en décomposition : *Le scarabée sacré est un saprophage.* (Opposé à PRÉDATEUR, qui se nourrit de proies animales ou végétales vivantes.)

SAPROPHYTE [saprɔfit] n. m. et adj. (du gr. *sapros*, pourri, et *phuton*, plante). Végétal qui tire sa nourriture de substances organiques en décomposition : *Les amanites, les bolets sont des champignons saprophytes.*

SAQQARAH ou **SAKKARAH,** village d'Égypte, situé à

l'emplacement d'un anc. faubourg de Memphis. Immense nécropole, riche de nombreuses pyramides.

SAQUER v. t. → SACQUER.

SARA ou **SARAH,** épouse d'Abraham et mère d'Isaac. (Bible.)

SARABANDE [sarabɑ̃d] n. f. (esp. *zarabanda*). *Mus.* Danse à trois temps, en vogue aux XVIIe et XVIIIe s.; composition musicale, dans le temps et le caractère de cette danse, faisant partie intégrante de la suite*.

SARAGAT (Giuseppe), homme d'État italien (1898-1988). Fondateur du parti socialiste démocratique (1947), il a été président de la République de 1964 à 1971.

SARAGOSSE, en esp. **Zaragoza,** v. d'Espagne, anc. capit. du royaume d'Aragon, sur l'Èbre; 590 000 hab. Métallurgie. Un des plus grands centres d'art mudéjar. La ville a soutenu des sièges héroïques contre les Français en 1808 et 1809.

SARAH → SARA.

SARAJEVO, v. de Yougoslavie, capit. de la république de Bosnie-Herzégovine, sur la Miljacka; 447 000 hab. Université.

- *28 juin 1914. L'archiduc autrichien François-Ferdinand y est assassiné. Cet acte déclenche la Première Guerre mondiale.*

SARAKOLLÉS ou **SONINKÉS,** importante ethnie, fortement islamisée, vivant au Mali, en Guinée, au Burkina et au Sénégal.

SARATOGA SPRINGS ou **SARATOGA,** v. des États-Unis (New York); 16 600 hab. Centre touristique. Eaux minérales.

- *1777. La capitulation du général anglais Burgoyne, cerné par les Américains, y assure l'indépendance des États-Unis.*

SARATOV, v. de l'U. R. S. S., sur la Volga; 873 000 hab. Port fluvial. Centrale hydro-électrique. Verrerie. Raffinerie de pétrole.

SARAWAK, État de la fédération de Malaysia, sur la côte nord-ouest de l'île de Bornéo; 125 200 km^2; 1 116 000 hab. Capit. *Kuching.* La culture du riz et l'exploitation de la forêt (caoutchouc) constituent, avec l'extraction de bauxite et de pétrole, les principales ressources de l'État.

SARAZIN ou **SARRAZIN** (Jacques), sculpteur français (1588-1660), à la fois classique et baroque, auteur des *Caryatides* du pavillon de l'Horloge au Louvre.

SARBACANE [sarbakan] n. f. (esp. *zerbatana*). Tuyau à l'aide duquel on lance, en soufflant, de petits projectiles.

SARCASME [sarkasm] n. m. (du gr. *sarkazein,* mordre la chair). Raillerie acerbe, mordante : *Accabler qq'un de ses sarcasmes* (syn. MOQUERIE). ◆ **sarcastique** adj. **1.** Qui tient du sarcasme : *Un ton, un rire sarcastique* (syn. SARDONIQUE). — **2.** Qui emploie le sarcasme : *Un écrivain sarcastique* (contr. BIENVEILLANT, ÉLOGIEUX). ◆ **sarcastiquement** adv.

SARCELLE [sarsɛl] n. f. (bas lat. *cercedula*). Canard sauvage de petite taille, qui niche souvent en France.

SARCELLES, ch.-l. de cant. du Val-d'Oise, à 11 km au N. de Paris; 53 700 hab. Vaste ensemble résidentiel.

SARCEY (Francisque), critique littéraire français (1827-1899); il tint pendant trente-trois ans la chronique dramatique du journal *le Temps.*

SARCLER [sarkle] v. t. (lat. *sarculare*). **1.** *Sarcler un terrain,* en enlever les mauvaises herbes : *Sarcler un jardin.* — **2.** *Sarcler des pommes de terre, des haricots,* etc., les débarrasser des herbes nuisibles. ◆ **sarclage** n. m. : *Le sarclage d'une vigne.*

SARCOME [sarkom] n. m. (gr. *sarkôma;* de *sarx,* chair). *Méd.* Tumeur maligne ayant pour point de départ un tissu conjonctif.

SARCOPHAGE [sarkɔfaʒ] n. m. (du gr. *sarx, sarkos,* chair, et *phagein,* manger). Tombeau dans lequel les Anciens mettaient les corps qu'ils ne voulaient pas brûler : *Des sarcophages grecs, étrusques, romains, égyptiens.*

SARCOPTE [sarkɔpt] n. m. (du gr. *sarx, sarkos,* chair, et *koptein,* couper). Animal microscopique parasite de l'homme et de certains vertébrés. (La femelle détermine la gale en creusant dans l'épiderme des galeries où elle dépose ses œufs.)

SARDAIGNE, île italienne de la Méditerranée, au S. de la Corse; 24 100 km^2; 1 582 000 hab. (65 au km^2) [*Sardes*]. V. pr. *Cagliari.*

GÉOGRAPHIE. L'île, montagneuse et massive, correspond à un socle hercynien recouvert au centre de sédiments, et affecté de grandes cassures qui ont permis à l'O. des épanchements volcaniques et créé des fossés tectoniques (Campidano). Le climat, méditerranéen, est relativement humide, et un maquis épais couvre une grande partie de l'île.

Des troupeaux d'ovins parcourent les montagnes, tandis que la culture est concentrée au N.-O. de l'île et surtout dans le Campidano (céréales, vigne, olivier). Les ressources minérales de l'Iglesiente (charbon, plomb, zinc), au S.-E., pour la plupart exportées brutes, n'ont guère favorisé le développement de l'industrie.

Île isolée, aux conditions naturelles peu favorables, la Sardaigne est depuis longtemps une terre d'émigration. Le développement rapide du tourisme pourrait apporter de nouvelles ressources.

HISTOIRE. La Sardaigne joue un grand rôle dans la Méditerranée antique par la richesse de ses mines, exploitées dès le VIIe s. av. J.-C. par les Phéniciens, puis par Carthage.

- *IIIe s. av. J.-C. Conquise par Rome, elle reste mal contrôlée.*

Byzance et les Vandales se la disputent ensuite, puis, au Moyen Âge, Gênes et Pise.

- *1322-1420. Après un siècle de lutte, elle est annexée par le royaume d'Aragon.*

La domination espagnole, qui dure jusqu'au XVIIe s., y implante la féodalité et marque la civilisation de l'île.

- *1718. Donnée à la famille de Savoie, elle fait partie des « États sardes » aux côtés du Piémont et de la Savoie.*

Son histoire se confond désormais avec celle du royaume de Piémont et, en 1861, elle est intégrée au royaume d'Italie.

- *1948. Constitution de l'île en région autonome.*

SARDANAPALE, personnage légendaire d'Assyrie; la tradition en a fait le type du prince débauché. Il aurait péri sur un bûcher avec ses femmes et ses trésors.

SARDANE [sardan] n. f. (mot catalan). Danse populaire de Catalogne.

SARDES, anc. v. d'Asie Mineure, au pied du Tmolos, sur le Pactole. Anc. capit. de la Lydie, célèbre pour ses richesses. Important centre de fouilles archéologiques.

SARDINE [sardin] n. f. (lat. *sardina,* de Sardaigne). Poisson osseux marin vivant en bancs sur le littoral européen : *La sardine se nourrit de plancton, elle fait l'objet d'une industrie alimentaire importante.* (Famille des clupéidés.) ◆ **sardinerie** n. f. Usine où l'on prépare les conserves de sardines. ◆ **sardinier, ère** n. **1.** Pêcheur de sardines. — **2.** Ouvrier, ouvrière travaillant à la mise en conserve de la sardine.

SARDOINE [sardwan] n. f. (gr. *sardonyx,* onyx de Sardaigne). Variété de calcédoine brune.

SARDONIQUE [sardɔnik] adj. (du lat. *Sardonia herba,* renoncule de Sardaigne qui provoquait le rire). *Rire sardonique,* d'une ironie méchante.

SARDOU (Victorien), auteur dramatique français (1831-1908), auteur de *Madame Sans-Gêne* (1893).

SAREMA, en estonien **Saarema,** en suéd. **Ösel,** île d'Estonie, fermant au N.-O. le golfe de Riga; 2 714 km^2; 40 000 hab.

SARGASSE [sargas] n. f. (esp. *sargazo,* sorte de varech). Algue brune flottante, dont l'accumulation forme, au large des côtes de Floride *(mer des Sargasses),* une véritable prairie où pondent les anguilles.

SARGON l'Ancien, fondateur du royaume sémitique d'Akkad v. 2600 av. J.-C.

SARGON Ier, roi d'Assyrie (v. 2048-2030 av. J.-C.). — SARGON II, mort en 705 av. J.-C., roi d'Assyrie de 722 à 705 av. J.-C., successeur de Salmanasar V. Il conquit le royaume d'Israël, fit plusieurs expéditions en Égypte, en Arménie et en Chaldée et se rendit maître de la Babylonie. Il édifia près de Ninive le palais de Dour-Sharroukîn (auj. Khursabād).

SĀRĪ [sari] n. m. (mot indien). En Inde, costume national des femmes, composé d'une pièce de coton ou de soie, drapée et ajustée sans coutures ni épingles.

SARIGUE [sarig] n. f. (mot du Brésil). Petit mammifère d'Amérique, dont la femelle possède une longue queue préhensile à laquelle s'accrochent les petits montés sur son dos.

SARLAT-LA-CANÉDA, anc. **Sarlat,** ch.-l. d'arrond. de la Dordogne, dans le Périgord, sur la Cuze; 10 600 hab. *(Sarladais).* Centre commercial. Industries alimentaires.

SARMATES, peuple nomade venu de l'Asie centrale, qui occupa le pays des Scythes, atteignit le Danube (Ier s. apr. J.-C.), puis se mêla aux Germains.

SARMENT [sarmɑ̃] n. m. (lat. *sarmentum*). Jeune branche de vigne ou de toute autre plante ligneuse grimpante.

SARRASIN, E [sarazɛ̃, -in] n. et adj. (lat. *Sarracenus*). Nom donné, au Moyen Âge, par les Occidentaux aux musulmans en général.

SARRASIN [sarazɛ̃] n. m. (de *Sarrasin*). Plante herbacée annuelle dicotylédone, dont la graine ou *blé noir* donne une farine alimentaire. (Famille des polygonacées.)

SARRASINE [sarazin] n. f. (de *Sarrasin*). Herse placée entre le pont-levis et la porte d'une ville, d'un château fort, etc.

SARRAU [saro] n. m. (anc. all. *sarrok*). **1.** Tablier porté par les enfants et boutonné par-derrière. — **2.** Longue blouse de femme. ‖ Pl. des *sarraus* ou des *sarraux.*

SARRAUTE (Nathalie), femme de lettres française, née en 1900. Représentative du nouveau roman, elle a voulu saisir dans le roman (*Tropismes,* 1939; *Portrait d'un inconnu,* 1949; *l'Ère du soupçon,* 1956; *le Planétarium,* 1959; *Enfance,* 1983; *Tu ne t'aimes pas,* 1989), le théâtre (*Elle est là,* 1980) et le cinéma (*Nathalie Granger,* 1973) la réalité profonde des êtres, à travers l'apparence qu'est la conversation, échange banal d'idées reçues.

SARRAZIN (Jacques) → SARAZIN.

SARRE (la), en all. **Saar,** riv. de France et d'Allemagne, née dans les Vosges, au pied du Donon. Elle arrose Sarreguemines, Sarrebruck et Sarrelouis avant de se jeter dans la Moselle (r. dr.); 246 km.

SARRE, en all. **Saarland,** État d'Allemagne; 2 570 km²; 1 051 000 hab. *(Sarrois).* Capit. *Sarrebruck.* Le bassin houiller alimente une puissante industrie lourde.

La Sarre, construction politique, a connu depuis quatre siècles plusieurs changements de souveraineté. Acquise en majeure partie par Louis XIV (politique des « réunions »), elle est annexée par la Prusse en 1814.

- *1919. Le traité de Versailles la confie à la Société des Nations pour quinze ans, et donne ses mines de charbon à la France.*

Un plébiscite décide, en 1935, son retour à l'Allemagne.

- *1945-1948. Administrativement autonome, elle est rattachée économiquement à la France jusqu'en 1959.*

Elle redevient territoire allemand le 1er janvier 1957.

SARREBOURG, ch.-l. d'arrond. de la Moselle, à 27 km à l'O. de Saverne, sur la *Sarre;* 15 150 hab. Verrerie. Brasserie.

SARREBRUCK, en all. **Saarbrücken,** v. d'Allemagne, capit. de la Sarre; 189 000 hab. Université. Centre houiller, métallurgie, chimique et textile.

SARREGUEMINES, ch.-l. d'arrond. de la Moselle, à 16 km au S.-S.-E. de Sarrebruck, sur la Sarre; 25 200 hab. Faïencerie. Pneumatiques.

SARRELOUIS, en all. **Saarlouis,** ancienn. **Saarlautern,** v. d'Allemagne (Sarre); 40 000 hab. Métallurgie. Brasserie.

SARRIETTE [sarjɛt] n. f. (lat. *satureja*). Labiacée aromatique qui sert d'assaisonnement.

SARTÈNE, ch.-l. d'arrond. de la Corse-du-Sud; 3 184 hab. Vins. Centre commercial.

SARTHE (la), riv. de l'ouest de la France. Née dans les collines du Perche, elle arrose Alençon, Le Mans et Sablé et se joint à la Mayenne pour former le Maine; 285 km.

SARTHE (72), dép. de l'ouest du Bassin parisien (Région Pays de la Loire); 6 206 km²; 504 800 hab. (81 au km²) [France 103] Ch. l. *Le Mans.*

ADMINISTRATION. 3 arrond. (*La Flèche,* 81 900 hab.; *Mamers,* 76 700 hab.; *Le Mans,* 344 200 hab.). / 40 cant. / 376 comm.

Le département correspond à la partie orientale du Maine, le *haut Maine,* extrémité occidentale du Bassin parisien qui, en dépit de son nom, est une région basse. L'altitude est généralement inférieure à 100 m dans le Sud-Ouest et le Centre, ne dépassant 200 m qu'aux confins occidentaux *(Coëvrons)* et septentrionaux, dernières avancées du Massif armoricain.

L'*agriculture* emploie encore plus de 15 p. 100 de la population active. L'élevage bovin progresse aujourd'hui aux dépens des cultures céréalières longtemps dominantes.

L'*industrie* occupe un peu plus du tiers de cette population active. En dehors du textile, dispersé, elle se concentre essentiellement dans l'agglomération du Mans qui groupe plus du tiers de la population de la Sarthe.

C'est la croissance du Mans qui explique le relatif développement du *secteur tertiaire* et l'augmentation notable de population intervenue récemment. L'exode rural se poursuit dans nombre de cantons et doit continuer, compte tenu de l'important effectif encore engagé dans le secteur primaire.

SARTRE (Jean-Paul), écrivain et philosophe français (1905-1980). Sa critique phénoménologique* de la psychologie, entreprise dans *l'Imagination* (1936) et *l'Imaginaire* (1940), définit la conscience comme négative, comme négation de la réalité des objets du monde *(en-soi)* dans la mesure où elle leur impose un sens. Or la totalité de l'*en-soi* ne se réduit pas à la conscience humaine, un écart demeure entre cet *en-soi* et le *pour-soi* qu'est la conscience. C'est pourquoi l'homme est angoissé et vit une situation absurde

LOCALITÉS PRINCIPALES	NOMBRE D'HAB.
Le Mans	150 300
La Flèche	16 400
Allonnes	15 600
Sablé-sur-Sarthe	12 700
La Ferté-Bernard	10 100
Coulaines	7 300
Mamers	6 700
Château-du-Loir	5 900
Arnage	5 500
Saint-Calais	4 800

l'Être et le Néant, 1943). Il n'en sort que par ce pouvoir de donner un sens au monde et ce pouvoir est sa liberté. Mais cette liberté est celle d'un être « en situation » dans l'histoire, soumis à ses contraintes. Il doit surmonter sans cesse ces obstacles de l'histoire pour assumer son propre être, car l'idéal de l'homme existant est de vivre en conférant son sens au monde et à sa propre vie. Ceci conduit la philosophie sartrienne vers une sorte de synthèse de l'existentialisme* et du marxisme* (*Critique de la raison dialectique*, tome I, 1960; tome II, inachevé, 1985).

Cet itinéraire philosophique s'exprime de façon vivante dans son œuvre littéraire (*la Nausée*, 1937; *le Mur*, 1939), théâtrale (*Huis clos*, 1944; *les Mains sales*, 1948; *le Diable et le Bon Dieu*, 1951), autobiographique (*les Mots*, 1964), critique (sur Baudelaire et surtout sur Flaubert, avec l'*Idiot de la famille*), dans ses réflexions politiques (*Réflexion sur la question juive*, 1947) et son propre engagement politique.

SARTROUVILLE, ch.-l. de cant. des Yvelines, à 12 km au N.-O. de Paris; 46 200 hab.

SAS [sas] n. m. (orig. obscure). **1.** Partie d'un canal comprise entre les deux portes d'une écluse. — **2.** Petite chambre munie de deux portes étanches permettant de mettre en communication deux milieux dans lesquels les pressions sont différentes.

SASKATCHEWAN (la), rivière de la Prairie canadienne, formée par la réunion de la *Saskatchewan du Nord* et de la *Saskatchewan de Sud*, issues des Rocheuses, et qui se jette dans le lac Winnipeg; 560 km.

SASKATCHEWAN, province du centre du Canada; 651 900 km²; 968 300 hab. Capit. *Regina*. Portion de la Prairie, c'est un État de grande culture du blé, où l'élevage laitier se développe. Le sous-sol recèle d'importants gisements de pétrole et gaz naturel, d'uranium, de potasse et de métaux non ferreux.

SASSANIDES, dynastie qui régna en Perse de 226 à 651.

SASSARI, v. d'Italie, en Sardaigne, ch.-l. de province, dans le nord-ouest de l'île; 111 000 hab. Université. Centre commercial.

SASSENAGE, comm. de l'Isère, à 6 km au N.-O. de Grenoble; 9 300 hab. Fromages. cimenterie. Grottes connues sous le nom de *cuves de Sassenage*.

SATAN, le chef des démons. (Bible.)

SATANÉ, E [satane] adj. (de *Satan*) [avant le nom]. *Fam.* Sert à former un superl. péjor. : *Un satané farceur* (syn. fam. MAUDIT, SACRÉ).

SATANIQUE [satanik] adj. (de *Satan*). Qui évoque le diable, qui est digne de Satan : *Une méchanceté satanique* (syn. DIABOLIQUE). *Une ruse satanique* (syn. DÉMONIAQUE).

1. SATELLITE [satɛllit] n. m. (du lat. *satelles, -itis*, garde du corps). **1.** *Astron.* Planète secondaire qui tourne autour d'une planète principale et l'accompagne dans sa révolution : *La Lune est le satellite de la Terre.* — **2.** *Satellite artificiel*, engin placé par une fusée sur une orbite elliptique autour de la Terre ou d'un autre corps céleste : *Le premier satellite artificiel, le « Spoutnik », a été lancé par l'U. R. S. S. en 1957.* (→ ASTRONAUTIQUE.) ◆ **satelliser** v. t. Placer un satellite artificiel sur une orbite. ◆ **satellisation** n. f.

2. SATELLITE [satɛllit] n. m. (de *satellite* 1). **1.** *Pays satellite*, ou *satellite* n. m., pays qui dépend d'un autre sur le plan politique ou économique. — **2.** Bâtiment relié à une aérogare par un couloir souterrain qui est la propriété des compagnies aériennes et qui sert à l'embarquement et au débarquement des voyageurs et de leurs bagages. — **3.** *Mécan.* Pignon d'engrenage dont l'axe n'est pas fixe et tourne avec la roue qui l'entraîne.

SATIE (Erik), compositeur français (1866-1925). Sa musique, pleine d'ironie, est simple et représente un peu l'antithèse de celle de Wagner ou de Debussy. Son œuvre a surtout marqué l'engagement de la musique, au début du XXᵉ s., dans une voie nouvelle : celle de l'humour et du non-conformisme. Ses pièces pour piano (*Pièces froides* [*Airs à faire fuir*], *Morceaux en forme de poire*, 1903; *les Gymnopédies*, 1887), comportent des harmonies nouvelles et audacieuses pour l'époque, que l'orchestration réalisée par Debussy accentue encore. Le ballet *Parade* (1913) fut écrit pour les ballets russes de Serge Diaghilev, sur un argument de Cocteau.

SATIÉTÉ [sasjete] n. f. (lat. *satietas*). **1.** État d'une personne complètement rassasiée (s'emploie surtout dans les express. *à satiété, jusqu'à satiété*) : *Manger, boire à satiété.* ‖ *Avoir d'une chose à satiété*, en avoir en surabondance, à l'excès (syn. ÊTRE SATURÉ). — **2.** Dégoût produit par l'usage immodéré d'une chose : *L'abus des plaisirs finit par provoquer la satiété.* ‖ *Rabâcher, répéter une chose à satiété*, jusqu'à fatiguer. ◆ **insatiable** adj. Se dit de la faim, d'un désir, d'une passion qui ne peuvent être assouvis : *Appétit insatiable* (syn. VORACE). *Curiosité insatiable* (syn. AVIDE).

SATIN [satɛ̃] n. m. (du nom de la v. de *Zaytūn*, en Chine). **1.** Étoffe de soie, de laine ou de coton, fine, moelleuse et brillante. — **2.** *Peau de satin*, peau douce et unie. ◆ **satiné, e** adj. **1.** Qui a l'apparence, le brillant du satin : *Un tissu satiné* (syn. LUSTRÉ). — **2.** *Peau satinée*, peau douce comme du satin. ◆ **satinette** n. f. Étoffe de coton et de soie, ou de coton seul, présentant l'aspect du satin.

SATIRE [satir] n. f. (du lat. *satura*, mélange de vers et de prose). **1.** Pièce de vers dans laquelle l'auteur attaque les vices et les ridicules de son temps : *Les satires d'Horace, de Boileau.* — **2.** Écrit ou discours dans lequel on tourne une personne ou une chose en ridicule : *Une satire virulente* (syn. LIBELLE, PAMPHLET). ◆ **satirique** adj. **1.** Se dit d'un écrit, de paroles qui appartiennent à la satire, qui tiennent de la satire : *Des propos satiriques* (syn. MORDANT, PIQUANT). — **2.** Porté à la satire, à la raillerie : *Un esprit satirique* (syn. CAUSTIQUE). ◆ adj. et n. m. Qui écrit des satires : *Un poète satirique.*

Satire Ménippée, pamphlet politique (1594) contre la Ligue.

Satires de Boileau, au nombre de douze (1660-1668; 1694-1705). Leurs sujets touchent à la fois à la morale et à la littérature.

Satiricon, roman de Pétrone (Iᵉʳ s. apr. J.-C.), peinture des mœurs romaines au début de l'époque impériale.

SATIRIQUE adj. et n. m. → SATIRE.

SATISFAIRE [satisfɛr] v. t. (lat. *satisfacere*, s'acquitter). [Conj. **76.**] **1.** (sujet nom de personne ou de chose) *Satisfaire qq'un*, accomplir ce qu'il attend, lui accorder ce qu'il désire, ce qu'il souhaite (syn. CONTENTER). — **2.** *Satisfaire un désir*, le contenter, l'assouvir : *Satisfaire sa soif* (syn. APAISER, CALMER). ‖ *Satisfaire l'envie, les caprices de qq'un*, lui donner ce dont il a envie. ◆ v. t. ind. *Satisfaire à une chose*, faire ce qui est exigé par cette chose : *Satisfaire à ses obligations, à un engagement* (syn. ACCOMPLIR, EXÉCUTER). ◆ **satisfaction** n. f. **1.** Action de satisfaire (sens 2 du v. t.) : *La satisfaction d'un besoin* (syn. ASSOUVISSEMENT). — **2.** État qui résulte de l'accomplissement de ce qu'on demandait ou désirait : *Éprouver de la satisfaction* (syn. CONTENTEMENT). *La satisfaction du devoir accompli. Nous avons appris avec satisfaction votre succès* (syn. PLAISIR). ◆ **satisfaisant, e** adj. Qui satisfait, qui est propre à satisfaire : *Une réponse satisfaisante* (syn. ↓CORRECT). *Un travail satisfaisant* (syn. ↓CONVENABLE). *Un résultat satisfaisant* (syn. ↓HONORABLE). ◆ **satisfait, e** adj. **1.** Se dit de quelqu'un qui a ce qui lui suffit, qui est content de ce qu'il possède ou de ce qu'il est : *Votre professeur est satisfait de votre travail* (syn. CONTENT). *Il est très satisfait de lui* (= orgueilleux, vaniteux). — **2.** Se dit d'une chose qui a été assouvie, contentée : *Un désir satisfait.* ◆ **autosatisfaction** n. f. Fait d'être satisfait de soi-même. ◆ **insatisfaction** n. f. Manque de contentement, de satisfaction. ◆ **insatisfait, e** adj. Qui n'est pas satisfait. ◆ n. m. *Un éternel insatisfait*, un homme toujours mécontent. ◆ **satisfecit** [satisfesit] n. m. inv. Attestation donnée par un supérieur en témoignage de satisfaction.

SATLEDJ → SUTLEJ.

SATO (Eisaku), homme politique japonais (1901-1975). Conservateur, il a été Premier ministre de 1964 à 1972.

SATORY *(plateau de)*, plateau dominant Versailles au S., entre la voie ferrée et le vallon de la Bièvre où des chefs communards furent fusillés (1871). Établissement militaire d'expérience de la section technique de l'armée.

SATRAPE [satrap] n. m. (gr. *satrapês*). Dans l'anc. Perse (achéménide et séleucide), gouverneur d'une province. ◆ **satrapie** n. f. Province gouvernée par un satrape.

SATURATEUR [satyratœr] n. m. (du lat. *saturare*, rassasier). Petit appareil placé entre les éléments d'un radiateur de chauffage central et dans lequel on met de l'eau dont l'évaporation humidifie l'air de l'atmosphère.

1. SATURÉ, E [satyre] adj. (du lat. *saturare*, rassasier). *Chim.* Se dit d'une solution qui ne peut pas dissoudre une quantité supplémentaire de solide : *Solution saturée de sel.*

2. SATURÉ, E (ÊTRE) [ɛtrəsatyre] v. passif (de *saturer* 1). **1.** (sujet nom de personne) Être pleinement rassasié : *Le public est saturé de romans.* — **2.** (sujet nom de chose) Avoir en surabondance, à l'excès : *Le marché est saturé de produits* (syn. ÊTRE ENCOMBRÉ, REMPLI; REGORGER). ◆ **sursaturé, e** adj. Saturé à l'extrême. ◆ **saturation** n. f. : *Avoir d'une chose jusqu'à saturation* (syn. SATIÉTÉ).

SATURNALES [satyrnal] n. f. pl. (lat. *saturnalia;* de *Saturnus*, Saturne). *Antiq. rom.* Fêtes en l'honneur de Saturne qui avaient lieu en décembre, et donnaient, à l'époque impériale, l'occasion d'échanger des cadeaux et d'accorder aux esclaves quelques jours de vraie liberté.

SATURNE, très anc. divinité italique et romaine, assimilée au *Cronos* des Grecs. Chassé du ciel par Jupiter, Saturne se réfugia dans le Latium, où il fit fleurir la paix et l'abondance, et enseigna aux hommes l'agriculture. C'est son règne que les poètes ont appelé l'*âge d'or.*

SATURNE, planète qui, dans l'ordre des distances au Soleil, est la sixième de notre système.

SATURNISME [satyrnism] n. m. (de *saturne*, nom donné au plomb par les alchimistes). *Méd.* Intoxication par le plomb.

1. SATYRE [satir] n. m. (lat. *satyrus*, empr. au gr.). Divinité secondaire, compagnon de Bacchus, représentée avec une chevelure hérissée, des oreilles pointues, deux petites cornes et des jambes de bouc, tenant une coupe, un thyrse ou un instrument de musique.

2. SATYRE [satir] n. m. (de *satyre* 1). *Fam.* Individu qui se livre à des manifestations lubriques, à des attentats contre la pudeur.

SAUCE [sos] n. f. (du lat. *salsus*, salé). **1.** Assaisonnement liquide que l'on sert avec certains mets : *Une sauce blanche. De la sauce tomate.* — **2.** *Employer, mettre qq'un à toutes les sauces*, lui faire exécuter toutes sortes de travaux. ◆ **saucer** v. t. **1.** Tremper dans la sauce : *Saucer son pain dans de la vinaigrette.* — **2.** (sujet nom de personne) Fam. *Être saucé, se faire saucer*, être mouillé par une pluie abondante. ◆ **saucière** n. f. Récipient dans lequel on sert la sauce à table.

SAUCISSE [sosis] n. f. (du lat. *salsicuis*, assaisonné de sel). Boyau de porc ou d'autre animal rempli de viande crue, hachée et assaisonnée : *Des saucisses de Strasbourg, de Francfort.* ◆ **saucisson** n. m. Grosse saucisse crue ou cuite, plus ou moins assaisonnée.

SAUCISSONNER [sosisɔne] v. t. (de *saucisson*). *Fam.* Prendre un repas froid, sur le pouce (syn. PIQUE-NIQUER).

1. SAUF, SAUVE [sof, sov] adj. (lat. *salvus*, intact). **1.** Qui a échappé à un grave danger; s'emploie surtout dans des express. : *Avoir la vie sauve.* ‖ *Être sain et sauf* → SAIN 1. — **2.** Qui n'a reçu aucune atteinte : *L'honneur est sauf* (syn. INTACT).

2. SAUF [sof] prép. (même étym.). **1.** Sans porter atteinte à : *Sauf le respect que je vous dois.* — **2.** À l'exclusion de : *Avoir tous les exemplaires d'une revue, sauf deux numéros* (syn. À L'EXCEPTION DE, EXCEPTÉ, HORMIS). — **3.** Excepté le cas de : *Venez demain, sauf avis contraire. Sauf erreur* (syn. À MOINS DE). — LOC. CONJ. *Sauf que*, excepté que, si ce n'est que.

SAUF-CONDUIT [sofkɔ̃dɥi] n. m. (*sauf* 1, et *conduit*). Permission donnée par une autorité (surtout l'autorité militaire) d'aller en un endroit, d'y séjourner pendant quelque temps et d'en revenir librement, sans crainte d'être arrêté. ‖ Pl. des *sauf-conduits.*

SAUGE [soʒ] n. f. (du lat. *salvus*, sauf). Plante herbacée dicotylédone annuelle. (Il existe une variété ornementale à fleurs rouges et une variété officinale à fleurs violettes.) [Famille des labiacées.]

SAUGRENU, E [sogrəny] adj. (du lat. *sal*, sel, et *grain*). Se dit d'une chose qui est d'une bizarrerie ridicule : *Une question, une réponse saugrenue* (syn. ABSURDE, INATTENDU).

SAÜL, premier roi des Hébreux (v. 1035-1015 av. J.-C.). Désigné par Samuel, il affermit la royauté, battit les Philistins et les Amalécites. Mais Samuel le remplaça par David, son gendre. Battu par les Philistins à Gelboé, il se donna la mort.

SAULE [sol] n. m. (frq. *sahla*). Arbre dicotylédone qui croît ordinairement dans les lieux humides. ◆ **saulaie** ou **saussaie** n. f. Lieu planté de saules.

SAULIEU, ch.-l. de cant. de la Côte-d'Or, à 39 km au S.-E. d'Avallon; 3 200 hab. *(Sédélociens).*

SAULT-SAINTE-MARIE, nom de deux villes jumelles : l'une canadienne, sur l'Ontario (80 300 hab.), l'autre des États-Unis (Michigan) [19 000 hab.], situées de part et d'autre de la *rivière Sainte-Marie.* Métallurgie.

SAUMÂTRE [somɑtr] adj. (du lat. *salmacidus*). Qui a une saveur amère et salée comme celle de l'eau de mer : *Eau saumâtre. Goût saumâtre.*

SAUMON [somɔ̃] n. m. (lat. *salmo, -onis*). Poisson osseux qui vit dans la mer, mais qui remonte les fleuves pour pondre près des sources : *La chair du saumon est fine et délicate.* ◆ adj. inv. D'une couleur rosée comme celle de la chair du saumon : *Des rubans saumon.* ◆ **saumoné, e** adj. Qui a une chair rose comme celle du saumon : *Une truite saumonée.* ◆ **saumoneau** n. m. Jeune saumon.

SAUMUR, ch.-l. d'arrond. de Maine-et-Loire, en Anjou, sur la Loire; 34 000 hab. Vins blancs mousseux. École d'application de l'arme blindée et de la cavalerie, dont les cadets défendirent la ville en 1940.

SAUMURE [somyr] n. f. (du lat. *sal*, sel, et *muria*, saumure). Préparation liquide salée, dans laquelle on conserve des viandes, des poissons, des légumes : *Saumure de harengs, d'anchois.*

SAUNA [sona] n. m. (mot finlandais). Bain de vapeur en usage dans les pays froids, spécialement en Finlande.

SAUPIQUET [sopikɛ] n. m. (du lat. *sal*, sel, et *piquer*). Sauce piquante.

SAUPOUDRER [sopudre] v. t. (du lat. *sal*, sel, et *poudrer*). *Saupoudrer une chose de qqch.*, répandre sur elle une substance pulvérisée : *Saupoudrer un gâteau de sucre.* ◆ **saupoudreuse** n. f. Flacon dont le couvercle est percé de trous et qui sert à saupoudrer.

SAUR [sɔr] adj. m. (anc. néerl. *soor*). *Hareng saur*, hareng salé et séché à la fumée.

SAURIENS [sɔrjɛ̃] n. m. pl. (du gr. *saura*, lézard). Ordre de reptiles comprenant les *lézards*, les *orvets*, les *caméléons.*

SAUSSAIE n. f. → SAULE.

SAUSSURE (Ferdinand DE), linguiste suisse (1857-1913). Il est l'auteur d'un *Cours de linguistique générale* qui a joué un rôle déterminant dans l'évolution de la linguistique moderne.

SAUT n. m. → SAUTER 1.

SAUT-DE-LOUP [sodəlu] n. m. (*saut, de*, et *loup*). Fossé profond pour défendre l'entrée d'une propriété. ‖ Pl. des *sauts-de-loup.*

SAUT-DE-MOUTON [sodəmutɔ̃] n. m. (*saut, de*, et *mouton*). Passage d'une voie ferrée, d'une route au-dessus d'une autre pour éviter les traversées à niveau dans un croisement. ‖ Pl. des *sauts-de-mouton.*

SAUTE n. f., **SAUTE-MOUTON** n. m. inv. → SAUTER 1.

SAUTÉ n. m. → SAUTER 3.

1. SAUTER [sote] v. i. (lat. *saltare*, danser). **1.** (sujet nom d'être animé) S'élever de terre ou s'élancer d'un lieu à un autre par un ensemble de mouvements : *Sauter à pieds joints, à cloche-pied. Sauter en parachute.* ‖ *Sauter à bas de son lit*, descendre vivement de son lit. ‖ *Sauter à la corde*, sauter par-dessus une corde que l'on fait tourner. — **2.** S'élancer vivement pour saisir une personne ou une chose : *Sauter à la gorge de qq'un* (syn. ASSAILLIR, ATTAQUER). ‖ *Sauter au cou de qq'un*, l'embrasser avec empressement. ‖ *Sauter aux yeux*, être aperçu sans peine, être évident, manifeste. — **3.** Éprouver un sentiment qui se traduit par des mouvements brusques : *Sauter de joie.* ‖ *Sauter au plafond*, bondir sous le coup d'une surprise, d'une colère soudaine. — **4.** Parvenir d'une classe inférieure à une plus élevée sans passer par la classe intermédiaire : *Un élève qui saute de quatrième en seconde.* — **5.** Passer brusquement d'une chose à une autre, sans liaison : *Sauter d'un sujet à un autre sans transition* (= passer du coq à l'âne). ◆ v. t. **1.** *Sauter un obstacle*, le franchir en faisant un saut. — **2.** *Sauter qqch.*, le passer, l'omettre, soit en lisant, soit en écrivant : *Sauter un mot.* — **3.** *Sauter une classe*, passer d'une classe à une classe supérieure sans avoir suivi les cours de la classe intermédiaire. ◆ **saut** n. m. **1.** Mouvement brusque, avec détente musculaire, par lequel le corps quitte le sol pour franchir un certain espace ou retomber à la même place : *Saut en longueur, en hauteur. Saut à la perche.* ‖ *Saut en parachute*, action de s'élancer en parachute à partir d'un avion. — **2.** *Au saut du lit*, au sortir du lit. ‖ *Faire un saut chez qq'un, dans un endroit*, y aller rapidement, sans y rester. ‖ *Saut de carpe* → CARPE 1. ‖ *Saut périlleux*, saut dans lequel le corps fait un ou plusieurs tours sur lui-même avant que les pieds ne retouchent le sol. ◆ **saute** n. f. Changement brusque : *Saute de température. Avoir des sautes d'humeur* (= être capricieux). ◆ **saute-mouton** n. m. inv. Jeu dans lequel les joueurs sautent alternativement les uns par-dessus les autres. ◆ **sauteur, euse** n. Athlète spécialisé dans les épreuves de saut : *Sauteur en hauteur, en longueur, à la perche.* ◆ adj. *Insecte sauteur*, qui a les pattes postérieures propres au saut. ◆ **sautiller** v. i. **1.** Avancer par petits sauts. — **2.** Faire de petits pas en dansant. ◆ **sautillement** n. m. Action de sautiller. ◆ **sautillant, e** adj. *Style sautillant*, style formé de phrases courtes, hachées.

2. SAUTER [sote] v. i. (même étym.). **1.** Être projeté, arraché avec une certaine violence : *Le bouchon de la bouteille a sauté. Faire sauter un bouton* (= l'arracher en se boutonnant). ‖ Fam. *Faire sauter un plomb*, faire fondre le fusible d'un coupe-circuit. ‖ *Faire sauter une serrure*, la forcer. ‖ Fam. *Se faire sauter la cervelle*, se tuer d'un coup de feu dans la tête. — **2.** Être détruit par une explosion : *Bateau qui saute sur une mine. Faire sauter un pont.*

3. SAUTER [sote] v. i. (même étym.). *Faire sauter*, en termes de cuisine, faire cuire à feu vif un aliment en le remuant de temps en temps. ◆ **sauté** n. m. Viande que l'on fait cuire à feu vif dans un corps gras : *Un sauté de lapin.*

SAUTERELLE [sotrɛl] n. f. (de *sauter*). Insecte orthoptère, ordinairement de couleur verte, à pièces buccales de type broyeur, à antennes longues, à pattes postérieures sauteuses : *Les sauterel-*

es sont souvent confondues avec les criquets. (Les femelles portent l'extrémité de l'abdomen un oviscapte, sorte de tarière servant à placer les œufs dans le sol.)

SAUTERIE [sotri] n. f. (de *sauter*). *Fam.* Petite réunion où l'on danse entre amis (syn. SURPRISE-PARTIE).

SAUTERNES, comm. de la Gironde, à 7 km à l'O.-S.-O. de Langon; 578 hab. *(Sauternais).* Vins blancs réputés.

SAUTEUR, EUSE adj. et n., **SAUTILLANT, E** adj., **SAUTILLEMENT** n. m., **SAUTILLER** v. i. → SAUTER 1.

SAUTOIR (EN) [ɑ̃sotwar] loc. adv. (de *sauter*). De manière à former un X ou une croix de Saint-André : *Deux épées étaient placées en sautoir sur le cercueil.* ‖ *Porter une décoration en sautoir,* en porter le ruban ou le cordon en forme de collier tombant en pointe sur la poitrine : *Le grand cordon de la Légion d'honneur se porte en sautoir.* ‖ *Porter un objet en sautoir,* le porter sur le dos au moyen de deux bretelles se croisant sur la poitrine, ou bien en employant une seule courroie, que l'on fait passer de droite à gauche ou de gauche à droite.

1. SAUVAGE [sovaʒ] adj. et n. (du lat. *silva,* forêt) [en parlant de l'homme et des groupes humains]. **1.** Qui vit en dehors des sociétés civilisées : *Une peuplade sauvage* (syn. PRIMITIF). — **2.** Qui fuit la société des hommes; qui aime à vivre seul : *Avoir un caractère sauvage* (syn. FAROUCHE, INSOCIABLE). — **3.** Qui est d'une nature rude, grossière, inhumaine : *Il a quelque chose de sauvage dans ses manières* (syn. FRUSTE). *Les ennemis se sont conduits comme des sauvages avec leurs prisonniers* (syn. BARBARE, CRUEL). ◆ **sauvagement** adv. : *Faire souffrir sauvagement une personne* (syn. CRUELLEMENT). ◆ **sauvageon, onne,** n. Enfant qui a grandi sans famille, sans instruction ni éducation. ◆ **sauvagerie** n. f. (sens 2 et 3 de l'adj. : *Ce garçon est d'une sauvagerie peu commune* (syn. INSOCIABILITÉ, MISANTHROPIE). *Les occupants se sont montrés d'une grande sauvagerie avec les habitants du pays* (syn. BARBARIE, BRUTALITÉ, FÉROCITÉ).

2. SAUVAGE [sovaʒ] adj. (même étym.) [en parlant d'un animal]. Qui vit en liberté dans la nature, qui n'est pas apprivoisé : *Les tigres, les lions sont des animaux sauvages* (syn. FAUVE). *Un chat sauvage* (contr. DOMESTIQUE). ◆ **sauvagine** n. f. Nom donné aux peaux des bêtes vivant en France à l'état sauvage (renards, fouines, blaireaux) et servant à faire des fourrures communes.

3. SAUVAGE [sovaʒ] adj. (même étym.) [en parlant d'une plante]. Qui pousse naturellement, sans culture : *Un pommier, un poirier, un rosier sauvage.* ◆ **sauvageon** n. m. Jeune arbre qui a poussé sans être cultivé.

4. SAUVAGE [sovaʒ] adj. (même étym.) [en parlant d'un lieu]. Qui est inculte, peu accessible; qui a le caractère de la nature vierge : *Un site sauvage* (syn. DÉSERT, INHABITÉ).

5. SAUVAGE [sovaʒ] adj. (même étym.) [en parlant de choses]. Qui se développe en dehors d'une règle, d'un usage établi : *Le camping sauvage. Une grève sauvage.*

SAUVAGEMENT adv., **SAUVAGERIE** n. f. → SAUVAGE 1.

SAUVAGEON, ONNE n. → SAUVAGE 1 et 3.

SAUVAGINE n. f. → SAUVAGE 2.

SAUVEGARDE [sovgard] n. f. (de *sauf,* et *garde*). **1.** Garantie, protection accordée par une autorité : *Se mettre sous la sauvegarde de la justice.* — **2.** Personne ou chose servant de défense, de protection : *Les lois sont la sauvegarde de la liberté.* ◆ **sauvegarder** v. t. *Sauvegarder une chose,* en assurer la protection, la mettre hors de danger : *Sauvegarder ses intérêts* (syn. DÉFENDRE, PRÉSERVER, PROTÉGER).

1. SAUVER [sove] v. t. (lat. *salvare,* sauver). **1.** *Sauver qq'un,* le tirer d'un danger, de la mort, d'un malheur : *Se jeter à l'eau pour sauver un enfant qui se noie. Son médecin l'a sauvé* (syn. GUÉRIR). — **2.** Procurer le salut éternel (relig.) : *Dieu a envoyé son Fils pour sauver le genre humain* (syn. RACHETER). — **3.** *Sauver qqch.,* le préserver de la perte, de la destruction : *Sauver un navire en perdition.* — **4.** Masquer ce qui est défectueux : *Dans ce roman, la forme sauve le fond.* ‖ *Sauver les apparences,* ne rien laisser paraître qui puisse nuire à la réputation. ◆ **sauvetage** n. m. **1.** Action de tirer quelqu'un ou quelque chose d'un danger, d'une situation critique : *Le sauvetage d'un alpiniste.* — **2.** *Gilet, ceinture de sauvetage,* gilet, ceinture de caoutchouc gonflé, qui permettent de flotter sur l'eau. ◆ **sauveteur** n. m. Personne qui participe à un sauvetage. ◆ **sauveur** n. m. *Le Sauveur* (avec une majusc.), nom donné à Jésus-Christ, venu sauver les hommes du péché. ◆ **salvatrice** adj. f. Qui sauve : *Des mesures salvatrices.*

2. SAUVER (SE) [səsove] v. pr. (même étym.). **1.** S'enfuir précipitamment : *Se sauver à toutes jambes.* — **2.** *Fam.* S'en aller vivement : *Il se fait tard, je me sauve.* — **3.** *Sauve qui peut!,* se tire du danger qui pourra! ◆ **sauve-qui-peut** n. m. inv. Fuite où chacun se sauve comme il peut; panique : *Le navire commençait à prendre feu, ce fut un sauve-qui-peut général.*

SAUVETTE (À LA) [alasovɛt] loc. adv. et adj. (de *sauver*). **1.** Avec une hâte excessive, pour échapper à l'attention : *C'est une décision prise à la sauvette* (syn. À LA VA-VITE). — **2.** Fam. *(Vente) à la sauvette,* vente sur la voie publique, sans autorisation.

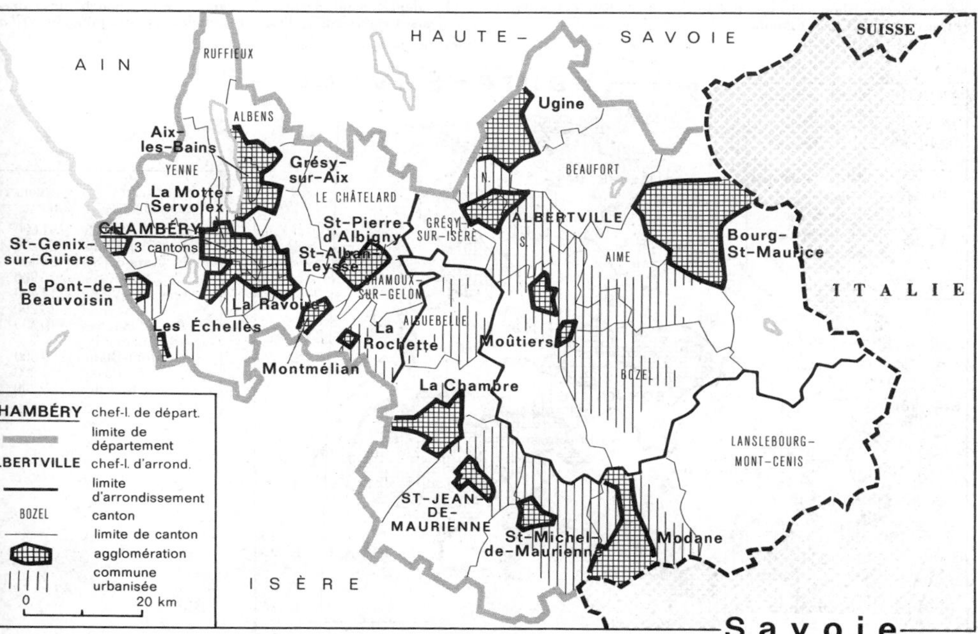

Savoie

SAUVEUR n. m. → SAUVER 1.

SAVAII, île la plus vaste des Samoa*.

SAVAMMENT adv. → SAVOIR.

SAVANE [savan] n. f. (esp. *sabana*). Formation végétale, particulière à l'Afrique tropicale, surtout herbacée, avec souvent quelques arbres.

SAVANNAH, port des États-Unis (Géorgie), sur l'estuaire de la *Savannah;* 149 200 hab. Exportation et industrie du coton.

SAVANT, E adj. et n. → SAVOIR.

SAVARIN [savarɛ̃] n. m. (du nom de *Brillat-Savarin*). Gâteau en forme de couronne, imbibé de rhum ou de kirsch.

SAVATE [savat] n. f. (de l'ar. *sabbat*). Vieille chaussure ou vieille pantoufle.

SAVE (la), riv. du bassin d'Aquitaine, née sur le plateau de Lannemezan, affl. de la Garonne (r. g.); 150 km.

SAVE (la), riv. de Yougoslavie, affl. du Danube (r. dr.), qu'elle rejoint à Belgrade; 945 km.

SAVERNE, ch.-l. d'arrond. du Bas-Rhin, à 39 km au N.-O. de Strasbourg, sur la Zorn et le canal de la Marne au Rhin; 10 450 hab. *(Savernois).* Constructions mécaniques et électriques.

SAVERNE *(trouée de),* dépression de la partie septentrionale des Vosges (Bas-Rhin), faisant communiquer le plateau lorrain et la plaine d'Alsace; alt. 410 m.

SAVEUR [savœr] n. f. (lat. *sapor, -oris*). **1.** Sensation produite par certains corps sur l'organe du goût : *Une saveur douce. Sans saveur* (= fade, insipide). — **2.** Sorte de charme, de piquant : *La saveur d'un bon mot* (syn. ↑PIMENT). ◆ **savourer** v. t. **1.** *Savourer un mets, une boisson,* etc., le manger, la boire lentement en goûtant : *Savourer un vin* (syn. DÉGUSTER). — **2.** *Savourer qqch.*, en jouir avec délices : *Savourer son bonheur.* ◆ **savoureux, euse** adj. **1.** Se dit de ce qui a une saveur agréable : *Un morceau de viande savoureux* (syn. DÉLICIEUX, SUCCULENT). — **2.** Se dit de ce que l'on goûte avec plaisir, de ce qui a du piquant : *Une anecdote savoureuse.* ◆ **savoureusement** adv. Avec beaucoup de charme.

SAVIGNY-SUR-ORGE, ch.-l. de cant. de l'Essonne, à 2 km au S.-O. de Juvisy; 32 500 hab. *(Saviniens).*

SAVOIE, région du sud-est de la France, anc. province des États sardes. Au XIIe s., elle fut intégrée aux États de la maison de Savoie. Annexée par la France de 1792 à 1813, elle devint définitivement française en 1860.

SAVOIE (73), dép. des Alpes, formé de la partie sud du duché de Savoie (Région Rhône-Alpes); 6 028 km²; 323 700 hab. (54 au km²) [France : 103]. Ch.-l. *Chambéry.*

ADMINISTRATION. 3 arrond. (*Albertville,* 89 900 hab.; *Chambéry,* 191 500 hab.; *Saint-Jean-de-Maurienne,* 42 300 hab.). / 37 cant. / 304 comm.

→ carte page précédente.

LOCALITÉS PRINCIPALES	NOMBRE D'HAB.	LOCALITÉS PRINCIPALES	NOMBRE D'HAB.
Chambéry	54 900	Ugine	7 700
Aix-les-Bains	23 500	La Ravoire	7 100
Albertville	17 500	Bourg-Saint-Maurice	6 700
Saint-Jean-de-Maurienne	10 100	Cognin	6 400
La Motte-Servolex	7 800	Modane	4 900

Occupant une grande partie des Alpes françaises du Nord, le département est très montagneux. Il s'étend à l'O. de l'Isère sur une partie des Préalpes *(Bauges),* atteignant la vallée du Rhône. Il se développe largement à l'E., sur une partie de la zone des massifs centraux *(Beaufortin, Vanoise, Grandes Rousses)* aérée par les vallées de la *Tarentaise* (Isère supérieure) et de la *Maurienne* (vallée de l'Arc). L'altitude, en dehors de la région du Sillon alpin *(Combe de Savoie* et *Val d'Arly),* dépasse le plus souvent 1 000 m, moins fréquemment 2 000 m dans l'Est. Les hivers sont alors rudes et les précipitations abondantes, tombant en bonne part sous forme de neige.

L'*agriculture* emploie près de 10 p. 100 de la population active. Hors du Sillon alpin (cultures céréalières et fruitières, tabac), l'élevage bovin domine largement.

L'*industrie* occupe près des deux cinquièmes de cette population active. Favorisées par les nombreux aménagements hydroélectriques (dont celui de La Bâthie-Roselend), se sont développées l'électrométallurgie et l'électrochimie, à côté d'industries alimentaires et du travail du bois.

Le *secteur tertiaire* est aujourd'hui prédominant, partiellement lié à l'expansion du tourisme (sports d'hiver dans l'Est, tourisme estival et thermal dans l'Ouest). Chambéry, la préfecture, est la seule ville importante. Mais de nombreuses autres localités sont actives, et la population s'est sensiblement accrue récemment.

SAVOIE (Haute-) [74], dép. des Alpes, formé de la partie nord du duché de Savoie (Région Rhône-Alpes); 4 388 km²; 494 500 hab. (112 au km²) [France : 103]. Ch.-l. *Annecy.*

ADMINISTRATION. 4 arrond. (*Annecy,* 180 600 hab.; *Bonneville,* 126 500 hab.; *Saint-Julien-en-Genevois,* 102 800 hab.; *Thonon-les-Bains,* 84 600 hab.). / 33 cant. / 290 comm.

Le département occupe l'extrémité septentrionale des Alpes françaises du Nord. À l'O., ce sont les massifs préalpins *(Cha-*

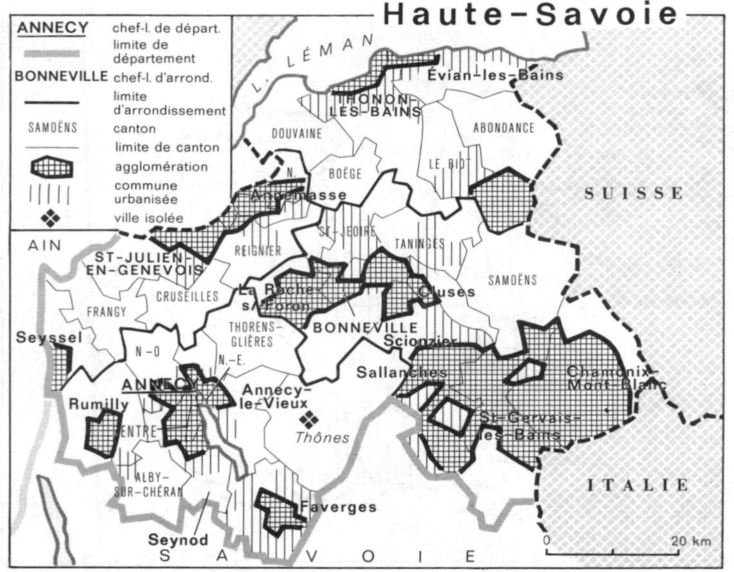

LOCALITÉS PRINCIPALES	NOMBRE D'HAB.
Annecy	51 600
Thonon-les-Bains	28 200
Annemasse	26 400
Cluses	15 900
Annecy-le-Vieux	14 400
Seynod	13 200
Sallanches	10 500
Chamonix-Mont-Blanc	9 300
Passy	9 200
Rumilly	9 200

François Rude, *la Marseillaise* (1833-1836).
Arc de triomphe de l'Étoile, Paris.

Lauros-Giraudon

Eugène Delacroix, *Scènes des massacres de Scio.*
Salon de 1824. Musée du Louvre, Paris.

Théodore Géricault, *le Radeau de la « Méduse »* (1818-1819). Musée du Louvre, Paris.

Joan Miró,
Personnages et chien devant le soleil.
Musée de Bâle (Suisse).

Held

René Magritte,
le Modèle rouge (1937).
Galerie A. Iolas, Paris.

Galerie A. Iolas

Guillemot - Connaissance des arts

SURRÉALISME

Giraudon

Salvador Dali,
la Girafe enflammée
(1935). Musée de Bâle (Suisse).

Paul Delvaux,
le Sacrifice d'Iphigénie
(1968). Coll. part.

blais, Bornes ou *Genevois),* à l'E., quelques-uns des plus hauts massifs de la chaîne (dont le *massif du Mont-Blanc*). Quelques vallées (Dranse, Arve, Fier) aèrent l'ensemble. L'altitude est souvent supérieure à 1 000 m, parfois à 2 000 m; les précipitations sont abondantes (en partie sous forme de neige).

L'*agriculture* emploie 7 p. 100 de la population active. L'élevage bovin (pour le lait surtout) domine, les cultures (céréales, vergers) se réfugiant dans les vallées.

L'*industrie* est très développée, occupant 45 p. 100 de cette population active, fondée sur des activités de précision (constructions mécaniques et électriques).

La relative importance du *secteur tertiaire* est liée en partie à l'essor du tourisme dans la montagne même (vers Chamonix), sur les rives des lacs subalpins (vers Annecy et Thonon notamment). Si le département ne compte qu'une ville de plus de 25 000 hab. (Annecy), nombreuses sont les localités d'importance moyenne (Thonon, Cluses, Annemasse, etc.). Récemment le département a connu un net essor démographique.

SAVOIE *(maison de),* famille qui posséda longtemps la Savoie à titre de comté (XIe s.), puis de duché (1416), gouverna le Piémont, la Sardaigne et régna sur l'Italie jusqu'en 1946 (abdication de Victor-Emmanuel III).

SAVOIR [savwar] v. t. (lat. *sapere*). [Conj. **39.**] **1.** *Savoir qqch.,* le connaître complètement : *Savoir un secret* (syn. ÊTRE INFORMÉ DE). *Il sait tout ce qui se passe autour de lui* (syn. ÊTRE AU COURANT DE). *Sachez que je ne suis pas content de vous. C'est un garçon très gentil, vous savez.* — **2.** Avoir une chose dans sa mémoire, de manière à pouvoir la réciter, la répéter : *Savoir sa leçon.* — **3.** *Savoir une science, un art, savoir* (et l'infin.), posséder une science, un art, être capable d'une activité dont on a acquis la pratique par l'exercice, l'habitude : *Savoir le grec. Savoir nager.* — **4.** *Savoir* (et l'infin.), avoir le talent, la force, le pouvoir, l'adresse, l'habileté de faire une chose : *C'est un homme qui sait parler aux foules. Je saurai le faire obéir. Il ne sait pas refuser un service. Il faut savoir se contenter de peu.* — **5.** *À savoir, savoir,* express. en usage dans les inventaires, dans les énumérations : *Il y a différents meubles, à savoir une armoire, un bureau, une bibliothèque, etc.* ‖ Fam. *Dieu sait, Dieu sait comme, Dieu sait quand,* etc., expriment notre ignorance sur un point quelconque : *Dieu sait s'il réussira. Il reviendra Dieu sait quand.* ‖ *Faire savoir,* informer par lettre ou par message : *Il m'a fait savoir qu'il était bien arrivé* (syn. ANNONCER, APPRENDRE, PRÉVENIR). ‖ *Ne pas savoir ce qu'on fait, ce qu'on dit,* être ignorant ou troublé au point de ne pas avoir la conscience exacte de ses actes, de ses paroles. ‖ *Ne pas savoir où se mettre,* éprouver un embarras, une confusion extrême. ‖ *Ne rien vouloir savoir,* refuser énergiquement de faire une chose, de tenir compte d'une observation, d'une objection. ‖ *Qui vous savez, que vous savez,* s'emploie quand on ne veut pas désigner une personne ou une chose à quelqu'un qui la connaît bien : *N'en dites rien à qui vous savez. L'affaire que vous savez prend mauvaise tournure.* ‖ *Un je-ne-sais-quoi,* quelque chose d'indéfinissable. — LOC. CONJ. *À savoir que,* introduit une explication. ◆ v. i. **1.** Avoir de l'expérience : *Si jeunesse savait, si vieillesse pouvait.* — **2.** Être sûr : *Si je savais, je partirais.* ◆ ***se savoir*** v. pr. **1.** (sujet nom de personne) Avoir la connaissance de son état : *Depuis qu'il se sait incurable, il est désespéré.* — **2.** (sujet nom de chose) Être connu : *Tout se sait. Tout finit par se savoir.* — Rem. *a)* Les express. *que je sache, qu'on sache* indiquent que l'on ignore si le fait avancé est vrai ou faux : *Il n'est venu personne, que je sache. b)* Le conditionnel de *savoir* employé à la forme négative est l'équivalent atténué de POUVOIR : *Je ne saurais vous dire. On ne saurait mieux dire. Tout cela ne saurait faire notre bonheur.* ◆ **savoir** n. m. Ensemble des connaissances acquises par l'étude : *Un homme de grand savoir* (syn. CULTURE, ÉRUDITION, INSTRUCTION). ◆ **savoir-faire** n. m. inv. Habileté acquise par l'expérience dans l'exercice d'une profession : *Avoir beaucoup de savoir-faire* (syn. ADRESSE). ◆ **savoir-vivre** n. m. inv. Connaissance et pratique des règles de la politesse, des usages du monde : *Manquer de savoir-vivre* (syn. ÉDUCATION). ◆ **savamment** adv. **1.** De manière savante : *Discuter savamment d'une question.* — **2.** Avec habileté : *Une enquête savamment menée.* — **3.** *Parler savamment d'une chose,* en parler en connaissance de cause, pour l'avoir expérimentée (syn. SCIEMMENT). ◆ **savant, e** adj. et n. **1.** Se dit d'une personne qui possède des connaissances étendues dans les sciences physiques et humaines : *Un homme savant* (syn. ÉRUDIT, INSTRUIT). — **2.** Se dit d'une personne qui connaît très bien telle ou telle discipline : *Être savant en histoire* (syn. VERSÉ DANS; fam. CALÉ, FORT). ◆ adj. **1.** Se dit d'une chose, d'un ouvrage où il y a de la science, de l'érudition : *De savants travaux d'histoire. Société savante* (= société dont les membres rendent compte de leurs travaux, de leurs recherches et en discutent). — **2.** Se dit de ce qui dénote du talent, de l'habileté : *Faire une savante démonstration.* — **3.** Se dit de ce qui est difficile à comprendre : *Ce problème de géométrie est trop savant pour moi* (syn. ARDU, COMPLIQUÉ). — **4.** *Animal savant,* animal dressé à faire des tours, des exercices. ◆ **su** n. m. *Au vu et au su de tout le monde,* de manière que personne ne l'ignore.

1. SAVON [savɔ̃] n. m. (lat. *sapo, -onis*). **1.** Substance obtenue par action d'une base comme la soude sur un corps gras, et servant au nettoyage ainsi qu'au blanchissage; morceau de ce produit dur. — **2.** *Bulle de savon,* bulle transparente, irisée, que l'on produit en soufflant dans de l'eau chargée de savon. ◆ **savonner** v. t. Nettoyer avec du savon : *Savonner du linge.* ◆ ***se savonner*** v. pr. Se laver avec du savon. ◆ **savonnage** n. m. ◆ **savonnerie** n. f. Établissement industriel où l'on fabrique du savon. ◆ **savonnette** n. f. Savon parfumé pour la toilette. ◆ **savonneux, euse** adj. Qui contient du savon : *De l'eau savonneuse.*

2. SAVON [savɔ̃] n. m. (de *savon* 1). *Fam.* Verte réprimande : *Passer un savon à qq'un.*

SAVONAROLE (Jérôme), en it. **Girolamo Savonarola,** dominicain italien (1452-1498). Ses prédications prophétiques et enflammées rencontrent à Florence, à partir de 1491, la faveur d'un vaste public dont l'inquiétude spirituelle est attisée par les guerres et les bouleversements de l'économie et des connaissances. Sa volonté de réformer une Église trop riche s'accompagne de réformes politiques, dans un sens démocratique.

- *1494-1498. La Seigneurie suit les conseils de Savonarole qui bénéficie de l'appui populaire et du soutien de Charles VIII (le roi de France a envahi l'Italie).*

Mais, excommunié par le pape Alexandre VI, il voit croître le nombre des opposants (regroupés autour des Médicis) du fait de ses excès dans la réforme des mœurs et dans le mysticisme. Arrêté en 1498, il est condamné à mort et brûlé.

SAVONE, en it. **Savona,** v. d'Italie (en Ligurie), sur le golfe de Gênes; 80 200 hab. Port commercial et centre sidérurgique.

SAVONNAGE n. m., **SAVONNER** v. t., **SAVONNERIE** n. f. → SAVON 1.

Savonnerie *(la),* manufacture de tapis, installée dans une savonnerie de Chaillot en 1627 et annexée aux Gobelins en 1826.

SAVONNETTE n. f., **SAVONNEUX, EUSE** adj. → SAVON 1.

SAVORGNAN DE BRAZZA → BRAZZA.

SAVOURER v. t., **SAVOUREUSEMENT** adv., **SAVOUREUX, EUSE** adj. → SAVEUR.

SAVOYARD, E [savwajar, -ard] adj. et n. (de *Savoie*). De la Savoie.

SAXE, État d'Allemagne, s'étendant sur le versant nord-ouest de l'Erzgebirge et sur son avant-pays; 17 000 km²; 4 900 000 hab. (288 au km²). Capit. *Dresde.*

GÉOGRAPHIE. Les gisements de houille, de métaux non ferreux, de potasse et de lignite ont permis le développement précoce d'une *industrie* active dans les grandes villes commerçantes échelonnées au pied de la montagne (Dresde, Chemnitz, Zwickau, Leipzig) : textiles, puis métallurgie et chimie et récemment industrie lourde.

L'*agriculture* reste cependant prospère : céréales, betterave à sucre, cultures maraîchères associées à l'élevage bovin.

HISTOIRE. Vaste duché dès le IXe s., la Saxe donne des monarques au Saint Empire de 962 à 1024. Elle est partagée en 1260, puis en 1485.

- *XVe s. La Saxe adhère au luthéranisme.*
- *1697-1763. Les Électeurs de Saxe sont aussi rois de Pologne.*

De 1806 à 1813, la Saxe devenue royaume fait partie de la Confédération du Rhin, alliée de Napoléon. Opposée à la Prusse dans la Confédération germanique, elle en accepte l'hégémonie en adhérant en 1866 à la Confédération d'Allemagne du Nord.

- *1871. Le royaume de Saxe est intégré dans l'Empire allemand.*
- *1918. La République est proclamée.*
- *1949-1990. La Saxe est intégrée à la R. D. A. et répartie à partir de 1952 entre différents districts.*

SAXE (Basse-), État d'Allemagne, sur la mer du Nord; 47 400 km²; 7 216 000 hab. (152 au km²). Capit. *Hanovre.* Malgré la présence de gisements de fer, de pétrole et de potasse, c'est un État à prépondérance agricole.

SAXE [saks] n. m. (de *Saxe*). Porcelaine de Saxe.

SAXE-ANHALT, État d'Allemagne; 25 000 km²; 3 millions d'hab. (120 au km²). Capit. *Magdeburg.*

SAXE-COBOURG (Frédéric Josias, *duc* DE), feld-maréchal d'Autriche (1737-1815), vainqueur de Dumouriez à Neerwinden (1793), mais vaincu par Jourdan à Fleurus (1794).

SAXE-WEIMAR (Bernard, *duc* DE), général allemand (1604-1639). Pendant la guerre de Trente* Ans, il succéda à Gustave-Adolphe à la tête de l'armée suédoise; vaincu à Nördlingen (1634), il s'allia à la France.

SAXHORN [saksɔrn] n. m. (de *Sax,* n. de l'inventeur, et de l'all. *Horn,* cornet). Famille d'instruments de musique à vent, en cuivre, à embouchure et à pistons, comprenant les *bugles,* le *tuba,* le *bombardon.*

SAXICOLE [saksikɔl] adj. (du lat. *saxum,* rocher, et *colere,* habiter). Qui vit ou croît parmi les rochers : *Plante saxicole.*

SAXIFRAGACÉES [saksifragase] n. f. pl. (de *saxifrage*). Famille de plantes dicotylédones dialypétales, comprenant les *saxifrages,* les *hortensias,* les *seringas.*

SAXIFRAGE [saksifraʒ] n. f. (du lat. *saxum,* rocher, et *frangere,* briser). Genre de plantes herbacées, qui poussent au milieu des pierres, et dont on cultive certaines espèces ornementales.

SAXONS, peuples germaniques qui habitaient la Frise et les pays de l'embouchure de l'Elbe. Au Ve s., ils entreprirent la colonisation du sud de l'île de Bretagne. Charlemagne les soumit définitivement en 797 et leur imposa le christianisme.

SAXOPHONE [saksɔfɔn] n. m. (de *Sax,* nom de l'inventeur, et gr. *phônê,* voix). Famille d'instruments de musique à vent, en cuivre, à anche simple, munis d'un bec de clarinette et d'un mécanisme de clefs semblable à celui du hautbois. ◆ **saxophoniste** ou **saxo** n. Personne qui joue du saxophone.

SAY (Jean-Baptiste), économiste français (1767-1832), un des maîtres de la doctrine du libre-échange*. Il publia un *Traité d'économie politique.*

SAYDĀ ou **SAÏDA,** anciennement **Sidon***, port du Liban, sur la Méditerranée; 22 000 hab. Port de pêche. La ville fut très endommagée lors de l'invasion israélienne de 1982.

SAYNÈTE [senɛt] n. f. (esp. *sainete*). Petite pièce comique, très courte (généralement une scène), à deux ou trois personnages.

SBIRE [sbir] n. m. (it. *sbirro*). *Péjor.* Policier; homme de main capable d'exécuter de basses besognes.

SCABREUX, EUSE [skabrø, -øz] adj. (du lat. *scaber,* rude). Qui risque de choquer la décence : *Une histoire scabreuse* (syn. INDÉCENT, LICENCIEUX).

SCAEVOLA (Mucius) → MUCIUS SCAEVOLA.

SCALA (DELLA) ou **SCALIGERI,** illustre famille italienne, dont plusieurs membres furent seigneurs ou podestats de Vérone. Le plus fameux, CANGRANDE Ier (1291-1329), un des chefs du parti gibelin, offrit asile à Dante exilé.

Scala *(théâtre de la),* un des plus célèbres théâtres d'opéras, qui se trouve à Milan (Italie).

SCALP [skalp] n. m. (mot angl. signif. *cuir chevelu*). Chevelure détachée du crâne avec la peau, que les Indiens d'Amérique conservaient comme trophée. ◆ **scalper** v. t. Détacher la peau du crâne avec un instrument tranchant.

SCALPEL [skalpɛl] n. m. (lat. *scalpellum;* de *scalpere,* inciser). Petit couteau à manche étroit, à lame fixe, ayant un ou deux tranchants, qui sert pour inciser et disséquer.

SCANDALE [skɑ̃dal] n. m. (lat. *scandalum,* obstacle). **1.** Action, paroles qui choquent les lois, la morale établie : *Son attitude a fait scandale.* ‖ *C'est un scandale,* c'est une chose qui indigne, qui révolte. — **2.** Querelle bruyante, tapage : *Faire un scandale dans un lieu public* (syn. ESCLANDRE). — **3.** Affaire malhonnête, immorale, qui émeut l'opinion publique : *Un scandale financier.* ◆ **scandaleux, euse** adj. Se dit de ce qui cause ou est capable de causer du scandale : *Une conduite scandaleuse* (syn. ↓DÉPLORABLE, HONTEUX, RÉVOLTANT). ◆ **scandaleusement** adv. De façon scandaleuse. ◆ **scandaliser** v. t. (sujet nom de personne ou de chose). *Scandaliser qq'un,* susciter son indignation, causer du scandale : *Sa conduite scandalise tout le monde* (syn. CHOQUER). ◆ ***se scandaliser*** v. pr. (sujet nom de personne). *Se scandaliser de qqch.,* en ressentir de l'indignation (syn. SE CHOQUER, S'INDIGNER).

SCANDER [skɑ̃de] v. t. (lat. *scandere,* battre la mesure avec le pied). Prononcer un vers en le rythmant, c'est-à-dire en faisant sentir l'alternance des longues et des brèves. ◆ **scansion** n. f.

SCANDINAVIE, région de l'Europe septentrionale, qui comprend la Suède* et la Norvège* dans la *péninsule scandinave* (presqu'île située entre la mer de Norvège, la mer du Nord et la Baltique), ainsi que le Danemark*. L'unité de cet ensemble est due à l'origine commune de ses populations. (Hab. *Scandinaves.*)

SCANIE (la), extrémité méridionale et partie la plus fertile de la Suède. V. pr. *Malmö.*

SCANNER [skanɛr] n. m. (mot angl.). *Méd.* Appareil de radiographie qui, à l'aide d'un ordinateur, reconstitue les images des diverses parties du corps en coupes fines.

SCANSION n. f. → SCANDER.

SCAPA FLOW, vaste rade de l'archipel britannique des Orcades, au N. de l'Ecosse. Base principale de la flotte britannique pendant la Première Guerre mondiale, où la flotte allemande se saborda le 21 juin 1919, avant la signature du traité de paix. La base fut démantelée en 1956.

SCAPHANDRE [skafɑ̃dr] n. m. (du gr. *skaphê,* barque, et *anêr, andros,* homme). **1.** Appareil hermétiquement clos, dans lequel est assurée une circulation d'air au moyen d'une pompe et dont se revêtent les plongeurs pour travailler sous l'eau. — **2.** *Scaphandre autonome,* équipement composé essentiellement d'un appareil respiratoire, de bouteilles d'air comprimé, d'un masque, et qui permet au plongeur d'évoluer sous l'eau jusqu'à une certaine profondeur. ◆ **scaphandrier** n. m. Plongeur muni d'un scaphandre.

Scapin, valet de la comédie italienne, rusé et intrigant. Molière en a fait le principal personnage d'une de ses comédies (*les Fourberies de Scapin,* 1671).

1. SCAPULAIRE [skapylɛr] n. m. (du lat. *scapula,* épaule). Pièce d'étoffe, couvrant les épaules et descendant sur le dos et la poitrine, que certains religieux portent sur leurs habits.

2. SCAPULAIRE [skapylɛr] adj. (même étym.). Anat. **1.** *Ceinture scapulaire,* squelette des épaules constituant la partie fixe des membres antérieurs ou supérieurs. — **2.** *Artère et veine scapulaires,* vaisseaux sanguins passant par l'épaule.

SCARABÉE [skarabe] n. m. (lat. *scarabaeus*). Nom donné à divers insectes coléoptères voisins du hanneton.

SCARABÉIDÉS [skarabeide] n. m. pl. (de *scarabée*). Famille d'insectes coléoptères à antennes en lamelles, comprenant notamment le *hanneton,* la *cétoine,* le *scarabée sacré.*

Scaramouche, l'un des personnages de l'ancien théâtre italien, créé par Tiberio Fiorilli (1608-1694). Le nom resta à l'emploi, qui tenait du capitan et de l'arlequin.

SCARIFIER [skarifje] v. t. (du gr. *skariphasthai,* inciser). *Scarifier la peau,* y faire des incisions. ◆ **scarification** n. f. Incision superficielle faite sur la peau, pour provoquer l'écoulement d'un peu de sang ou de sérosité.

SCARLATINE [skarlatin] n. f. (du lat. *scarlatum,* écarlate). Maladie fébrile contagieuse, caractérisée par l'existence de plaques écarlates sur la peau et les muqueuses.

— ENCYCL. La *scarlatine* est une maladie infectieuse éruptive due au streptocoque hémolytique. Elle s'observe à tout âge mais surtout chez les enfants, laissant une immunité définitive le plus souvent. Après une incubation de trois à quatre jours, une angine, accompagnée d'une fièvre intense, se déclare. L'éruption apparaît vingt-quatre ou quarante-huit heures plus tard; elle atteint les muqueuses (la gorge et la langue deviennent rouges) et la peau (petits points rouges au niveau des plis cutanés d'abord, puis tout le corps sauf nez, lèvre supérieure et menton qui restent blancs). Vers le septième ou le huitième jour, lorsque l'éruption a disparu, la peau desquame, surtout au niveau des extrémités (pieds et mains). L'isolement du malade, qui était autrefois de quarante jours, est maintenant réduit à quinze jours si un traitement par les antibiotiques est mis en œuvre.

SCARLATTI (Alessandro), compositeur italien (1660-1725), auteur d'opéras, d'oratorios, de cantates; il est le musicien le plus représentatif de l'opéra napolitain. — Son fils, DOMENICO (1685-1757), claveciniste réputé et compositeur, écrivit, outre des opéras, plus de 600 « exercices » ou sonates pour clavecin.

SCAROLE [skarɔl] n. f. (bas lat. *escariola,* endive). Variété de salade.

SCARPE (la), riv. du nord de la France partiellement canalisée, affl. de l'Escaut (r. g.), qui arrose Arras et Douai; 100 km.

SCARRON (Paul), écrivain français (1610-1660), auteur de poésies burlesques, de comédies (*Jodelet ou le Maître valet,* 1645; *Don Japhet d'Arménie,* 1652) et du *Roman comique* (1662).

SCATOLOGIE [skatɔlɔʒi] n. f. (du gr. *skôr, skatos,* excrément, et *logos,* discours). Genre de plaisanterie, de littérature, où il est question d'excréments. ◆ **scatologique** adj. : *Des propos scatologiques* (syn. GROSSIER, ORDURIER).

SCEAU [so] n. m. (du lat. *signum,* marque). **1.** Cachet officiel sur lequel sont gravées les armes, l'effigie ou la devise d'un État, d'un souverain, d'une communauté, et dont on applique l'empreinte sur des actes ou des objets pour les authentifier, pour les clore d'une manière inviolable. — **2.** Empreinte de ce cachet sur de la cire : *Apposer son sceau.* — **3.** Ce qui donne une marque particulière, éminente; signe manifeste : *Ouvrage qui porte le sceau du génie.* — **4.** *Confier une chose sous le sceau du secret,* à condition que le secret en soit bien gardé. ◆ **sceller** v. t. **1.** *Sceller un acte officiel,* le marquer d'un sceau. — **2.** *Sceller une lettre,* la cacheter. — **3.** *Sceller un pacte, un engagement, une amitié,* les confirmer solennellement. ◆ **scellés** n. m. pl. Bandes de papier ou d'étoffe que fixe, aux deux bouts, un cachet de cire revêtu d'un sceau officiel : *Les scellés sont apposés par autorité de justice sur les portes d'appartements, de meubles, pour empêcher qu'on ne les ouvre. Lever les scellés* (= les enlever).

SCEAUX, ch.-l. de cant. des Hauts-de-Seine, à 6 km au S. de Paris; 18600 hab. *(Scéens).* Parc.

SCÉLÉRAT, E [selera, -at] adj. et n. (du lat. *scelus, -eris,* crime). **1.** Qui a commis ou est capable de commettre un crime (littér.) : *Mettre des scélérats dans l'impossibilité de nuire* (syn. BANDIT, CRIMINEL). — **2.** *Petit scélérat!,* apostrophe à l'adresse d'un enfant auquel on reproche une peccadille (syn. COQUIN). ◆ **scélératesse** n. f. (syn. MÉCHANCETÉ, PERFIDIE).

1. SCELLER v. t. → SCEAU.

2. SCELLER [sele] v. t. (lat. *sigillare*). Fixer l'extrémité d'une pièce de bois ou de métal dans un mur, dans la pierre ou le marbre, avec du plâtre, du ciment, du mortier, etc. : *Sceller des crochets dans une muraille.* ◆ **scellement** n. m. Action de fixer une pièce dans un trou, à l'aide d'un liant qui s'y durcit : *Faire un scellement au plâtre.* ◆ **desceller** [desele] v. t. Défaire ce qui est scellé : *Desceller une pierre d'un mur, les gonds d'un portail.* ◆ ***se desceller*** v. pr. : *Une balustrade qui s'est descellée.* ◆ **descellement** n. m. : *Le choc a provoqué le descellement de la grille.*

SCELLÉS n. m. pl. → SCEAU.

SCÉNARIO [senarjo] n. m. (de l'it. *scena,* scène). **1.** Rédaction des divers épisodes d'un film, sans aucune indication technique. — **2.** Déroulement programmé d'une action : *Les gangsters ont attaqué un fourgon postal selon le scénario classique.* ◆ **scénariste** n. Auteur d'un scénario (sens 1).

SCÈNE [sɛn] n. f. (gr. *skênê*). **1.** Partie d'un théâtre où jouent les acteurs : *Entrer en scène.* — **2.** Ensemble des décors : *La scène représente un palais.* — **3.** Lieu où se passe l'action qu'on représente : *La scène est à Rome.* — **4.** Chacune des parties d'un acte : *Une pièce de théâtre se divise en actes, les actes en scènes.* — **5.** Art dramatique : *Une vedette de la scène et de l'écran.* ‖ *Mise en scène,* organisation matérielle de la représentation d'une pièce : *Régler la mise en scène.* — **6.** Événement auquel on assiste en simple spectateur : *Être témoin d'une scène attendrissante* (syn. SPECTACLE). — **7.** Emportement auquel on se livre : *Scène de ménage* (= querelle entre époux). ◆ **scénique** adj. Relatif à la scène, au théâtre : *Un effet scénique.* ◆ **avant-scène** [avɑ̃sɛn] n. f. **1.** Partie de la scène qui est en avant du rideau : *Les acteurs viennent sur l'avant-scène saluer le public.* — **2.** Chacune des loges établies au balcon, de chaque côté de cette partie de la scène (ou LOGES D'AVANT-SCÈNE). ‖ Pl. des *avant-scènes.*

SCEPTIQUE [sɛptik] adj. et n. (gr. *skeptikos,* qui observe). Qui doute de tout ce qui n'est pas prouvé d'une manière évidente, incontestable : *Cette nouvelle l'a laissé sceptique.* ◆ **scepticisme** n. m. **1.** *Philos.* Doctrine qui affirme qu'aucun jugement ne peut être porté sur quoi que ce soit, parce qu'aucun critère pour le faire n'est sûr. — **2.** Attitude de celui qui se refuse à croire d'emblée une affirmation : *Accueillir une nouvelle avec scepticisme.*

SCEPTRE [sɛptr] n. m. (gr. *skêptron,* bâton). Bâton de commandement qui a été l'un des insignes de la royauté, après avoir été l'attribut de plusieurs divinités grecques, dont Zeus.

SCÈVE (Maurice), poète français (1501 - v. 1560). Il est resté célèbre grâce à son recueil des 449 dizains de la *Délie* (1544), dont ses contemporains critiquèrent l'hermétisme. Il composa aussi le *Microcosme* (1562), épopée qui chante la chute de l'homme et la reconquête de sa dignité.

SCHACHT (Hjalmar), financier et homme politique allemand (1877-1970). Président de la Banque d'Allemagne de 1924 à 1929, puis de 1933 à 1939, et ministre de l'Économie du Reich (1934-1937), il rétablit la balance commerciale et stimula l'industrie. Interné par Hitler en 1944, il fut acquitté par le tribunal de Nuremberg (1946).

SCHAEFFER (Pierre), musicien français, né en 1910. Il est l'auteur de nombreux morceaux de musique concrète.

SCHAERBEEK, comm. de Belgique (Brabant), faubourg industriel le plus peuplé de Bruxelles; 118950 hab.

SCHAFFHOUSE, en all. **Schaffhausen,** v. de Suisse, ch.-l. du cant. du même nom, au confluent du Rhin et de la Durach; 36200 hab.

SCHARNHORST (Gerhard VON), général prussien (1755-1813); il reconstitua l'armée prussienne après Tilsit.

SCHEELE (Carl Wilhelm), chimiste suédois (1742-1786); il découvrit le chlore, le manganèse et la glycérine.

Schéhérazade, poème symphonique composé en 1888 par Rimski-Korsakov, sur des thèmes des contes des *Mille et Une Nuits.*

SCHELER (Max), philosophe allemand (1874-1928), auteur d'importantes analyses phénoménologiques (*Nature et Forme de la sympathie,* 1923).

SCHELLING (Friedrich Wilhelm Joseph VON), philosophe allemand (1775-1854). Sa philosophie n'est pas un système mais une recherche permanente pour réduire la distance qui sépare, depuis Kant, la réalité de son apparence ou « phénomène », et ce qui appartient en propre au sujet de la connaissance de ce qui lui est extérieur. Il a notamment écrit : *Système de l'idéalisme transcendantal* (1800), *Recherches philosophiques sur l'essence de la liberté humaine* (1809).

SCHÉMA [ʃema] n. m. (lat. *schema,* manière d'être). **1.** Dessin donnant une représentation simplifiée d'un objet, d'un phénomène. — **2.** Plan d'un ouvrage, d'un projet. ‖ *Schéma directeur,* programme d'aménagement des villes ou des régions en voie d'urbanisation. ◆ **schématique** adj. **1.** Qui est relatif à un schéma; qui est de la nature du schéma : *Une coupe schématique de l'oreille.* — **2.** Qui est réduit aux caractères essentiels : *Un plan schématique* (syn. SIMPLIFIÉ; contr. DÉTAILLÉ). ◆ **schématiquement** adv. : *Il nous a indiqué schématiquement son affaire* (= en gros, dans les grandes lignes). ◆ **schématiser** v. t. Représenter, exposer d'une manière schématique : *Il a trop schématisé son exposé* (syn. SIMPLIFIER).

SCHERER (Barthélemy), général français (1747-1804). À la tête de l'armée d'Italie, il gagna la bataille de Loano (24 novembre 1795). Il fut ministre de la Guerre de juillet 1797 à février 1799.

SCHERZANDO [skɛrzɑ̃do], **SCHERZO** [skɛrzo] adv. et n. (mots it.). → MOUVEMENT, *mouvements musicaux.*

SCHEVENINGEN, quartier de La Haye, en bordure de la mer du Nord. Station balnéaire et port de pêche.

SCHIAPARELLI (Giovanni), astronome italien (1835-1910). Il est surtout connu par ses études de la planète Mars et par la découverte de ses « canaux ».

SCHIEDAM, port des Pays-Bas (Hollande-Méridionale); 83000 hab. Distilleries.

SCHILLER (Friedrich VON), écrivain allemand (1759-1805). Tout en étudiant le droit et la médecine, il s'adonne à la poésie lyrique.

- *1782. « Les Brigands », son premier drame historique, est un succès.*

Il poursuit sa dénonciation de la tyrannie (*la Conjuration de Fiesque,* 1783; *Don Carlos,* 1787) et des préjugés sociaux (*Intrigue et Amour,* 1784). Nommé professeur d'histoire, il écrit une *Histoire de la guerre de Trente Ans* (1791-1793), puis s'initie à la philosophie de Kant, et allie dans ses essais sur l'esthétique la recherche du beau à la perfection morale. Déçu par l'évolution de la France après 1789, et peu sensible au titre de « citoyen d'honneur » que lui décerne la République en 1792, il pense que les progrès de l'humanité ne peuvent être déterminés par les transformations politiques et sociales, mais seulement par l'effort individuel vers la beauté et vers le bien.

Schiller revient à la poésie lyrique, quelque peu délaissée depuis l'*Hymne à la joie* (1785), utilisé par Beethoven dans sa *IXe Symphonie.*

- *1797. Publication des « Ballades » dont les plus connues sont « le Plongeur », « les Grues d'Ibycus », « l'Anneau de Polycrate », suivies du « Chant de la cloche » (1799).*

Il entreprend, cependant, de comprendre les événements de l'histoire et de montrer les grandes idées incarnées par les personnages historiques (la trilogie de *Wallenstein,* 1796-1799; *Marie Stuart,* 1800; *la Pucelle d'Orléans,* 1801; *la Fiancée de Messine,* 1803). Sa dernière œuvre, *Guillaume Tell* (1804), marque le retour à une forme de théâtre plus populaire qui a permis à l'œuvre dramatique de Schiller de conserver son succès jusqu'à nos jours. À côté de Goethe, à qui il était très lié, il a également contribué à donner à la poésie allemande ses chefs-d'œuvre classiques.

SCHILLING [ʃiliŋ] n. m. (mot all.). Unité monétaire principale de l'Autriche (symb. : SCH), divisée en 100 groschen.

SCHILTIGHEIM, ch.-l. de cant. du Bas-Rhin, dans la banlieue nord de Strasbourg; 29700 hab. *(Schilikois).* Brasseries. Métallurgie.

SCHISME [ʃism] n. m. (gr. *skhisma,* division). **1.** Rupture au sein d'une Église. → ENCYCL. — **2.** Division dans un groupement, dans un parti : *Un schisme politique* (syn. DISSIDENCE, SCISSION). ◆ **schismatique** adj. et n. Qui se sépare de la communion des fidèles de son Église.

— ENCYCL. Le **schisme d'Orient** sépara, au XIe s., l'Église byzantine et l'Église romaine. Cette séparation fut amorcée dès le partage de l'Empire* au IVe s., par l'antagonisme de plus en plus affirmé entre Latins et Grecs, par la volonté des empereurs grecs de diriger l'Église grecque, l'isolant de l'Occident, et l'ambition de l'évêque de Constantinople, qui se considérait comme l'égal de l'évêque de Rome.

- *863-867. Une première rupture a lieu sous le patriarche Photios.*
- *1054. Le pape Léon IX et le patriarche Keroularios provoquent, en s'excommuniant mutuellement, la rupture définitive.*

Ces excommunications furent levées de part et d'autre en 1966.

Le **grand schisme d'Occident** divisa l'Église catholique de 1378 à 1417.

- *1378. Certains cardinaux contestent la validité de l'élection d'Urbain VI et élisent le pape Clément VII, qui s'installe à Avignon.*

La situation se prolonge après la mort des deux papes, auxquels leurs partisans ont choisi des successeurs.

- *1409. Le concile de Pise dépose les deux papes (qui refusent de se démettre) et en nomme un troisième.*
- *1417. Après la déposition de Jean XXIII par le concile de Constance (1414-1415) et l'abdication de Grégoire XII, l'unité est rétablie par l'élection de Martin V.*

Le grand schisme d'Occident contribua à déconsidérer l'Église romaine, à développer l'esprit gallican*, et prépara la Réforme*.

SCHISTE [ʃist] n. m. (gr. *skhistos*, qui peut être fendu). Nom général des roches à texture feuilletée, comme l'ardoise, pouvant se diviser mécaniquement en lames. (Ce sont d'anciennes argiles comprimées, devenues feuilletées sous l'effet de la pression.) ◆ **schisteux, euse** adj. De la nature du schiste : *Terrain schisteux.*

SCHISTOSITÉ [ʃistɔzite] n. f. (de *schiste*). Débit en feuillets parallèles dont la direction ne dépend pas de la stratification : *La schistosité caractérise un grand nombre de roches métamorphiques.*

SCHIZOPHRÉNIE [skizofreni] n. f. (du gr. *skhizein*, fendre, et *phrên, phrênos*, pensée). Maladie mentale survenant surtout chez les sujets jeunes, et caractérisée par une sorte de dislocation de la personnalité, une perte de contact avec la réalité et un repli dans un monde intérieur imaginaire, des idées incohérentes, des propos et des actes étranges. ◆ **schizophrène** adj. et n. Atteint de schizophrénie.

SCHLAGUE [ʃlag] n. f. (all. *Schlag*, coup). Punition militaire longtemps en usage en Allemagne, consistant dans l'application de coups de baguette.

SCHLEGEL (August Wilhelm VON), écrivain allemand (1767-1845), un des fondateurs, avec son frère Friedrich (1772-1829), du premier groupe romantique.

SCHLESWIG-HOLSTEIN, État du nord de l'Allemagne, occupant la partie méridionale de la péninsule du Jylland, et formé par les anciens duchés de *Holstein* et de *Schleswig;* 15 720 km²; 2 614 000 hab. Capit. *Kiel.*

Le duché de Schleswig devint propriété personnelle du roi de Danemark en 1460. Les tentatives faites à partir de 1846 par le Danemark pour l'annexer, ainsi que le duché de Holstein, aboutirent à la guerre des Duchés* (1864), puis à la guerre austro-prussienne (1866). La Prusse, victorieuse, annexa les duchés. En 1920, le nord du Schleswig fut rendu au Danemark.

SCHLIEFFEN (Alfred, *comte* VON), maréchal allemand (1833-1913). Chef de l'état-major de 1891 à 1906, il donna son nom au plan de campagne appliqué par l'Allemagne en 1914.

SCHLIEMANN (Heinrich), archéologue et helléniste allemand (1822-1890). Il découvrit les ruines de Troie et de Mycènes.

SCHLITTE [ʃlit] n. f. (de l'all. *Schlitten*, traîneau). Traîneau servant à descendre le bois des montagnes, notamment dans les Vosges, et glissant sur une voie faite de troncs d'arbres. ◆ **schlittage** n. m. Descente, au moyen de la schlitte, des bois coupés dans la forêt.

SCHLUCHT *(col de la)*, col des Vosges, aux confins des départements des Vosges et du Haut-Rhin; 1 139 m.

SCHMITT (Florent), compositeur français (1870-1958), auteur de la *Tragédie de Salomé*, du *Psaume XLVII*, de nombreuses compositions pour orchestre et pour piano, de pièces de musique vocale, ou de musique de chambre d'un grand lyrisme.

SCHNEIDER (Eugène), industriel et homme politique français (1805-1875), créateur avec son frère ADOLPHE des usines du Creusot (1836-1875); il fut président du Corps législatif sous le second Empire.

SCHNORCHEL [ʃnɔrkɛl] n. m. (mot all.). Dispositif permettant à un sous-marin de rester longtemps en plongée grâce à un double tube rabattable qui, affleurant la surface de la mer, l'alimente en air frais tout en évacuant les gaz de combustion de ses moteurs.

SCHŒLCHER (Victor), homme politique français (1804-1893). Député de la Martinique et de la Guadeloupe, il prépara le décret d'abolition de l'esclavage (1848).

Schola Cantorum, école de musique, créée en 1894 à Paris par Ch. Bordes, A. Guilmant et V. d'Indy.

SCHÖNBERG (Arnold), compositeur de musique autrichien (1874-1951), l'un des théoriciens du dodécaphonisme*. Il est l'auteur de *Pierrot lunaire* (1912), des *Gurrelieder* (1900), de musique de chambre, d'opéras (*Erwartung*, 1909).

Schönbrunn, château impérial de la banlieue de Vienne. Résidence d'été des Habsbourg. Les traités de Schönbrunn (décembre 1805), de Presbourg (décembre 1805) et de Vienne (octobre 1809) y furent signés. Le duc de Reichstadt y mourut (1832).

SCHONGAUER (Martin), graveur et peintre alsacien (v. 1445-1491), un des maîtres de la gravure. Il exerça une grande influence sur Dürer.

SCHOPENHAUER (Arthur), philosophe allemand (1788-1860). Selon *le Monde comme volonté et comme représentation* (1818), on ne connaît du monde que ce que l'on s'en représente par l'esprit, c'est-à-dire ses apparences. L'essence du monde ne se révèle qu'à travers notre propre désir qui a pour principe unique le vouloir-vivre ou volonté de reproduction de l'espèce humaine. Mais ce principe est, d'après Shopenhauer, celui du monde, et l'homme n'en est qu'une particularisation. L'homme est désir insatisfait, et ainsi il oscille perpétuellement entre la souffrance et l'ennui. Seule la philosophie qui comprend ce vouloir-vivre peut sortir de ce cycle infernal et tendre vers une sorte de « nirvāna ».

Schopenhauer a contribué à diffuser la philosophie indienne en Occident. Il a influencé Nietzsche.

SCHRÖDINGER (Erwin), physicien autrichien (1887-1961). Il appliqua à l'atome la mécanique ondulatoire. (Prix Nobel de physique, 1933.)

SCHUBERT (Franz), compositeur autrichien (1797-1828). Il doit sa célébrité à plus de 800 lieder, dont l'inspiration spontanée et profonde est proche de la veine populaire. Il est l'auteur de *la Jeune Fille et la Mort, la Truite, le Roi des aulnes*, de huit symphonies *(la Symphonie inachevée)* et d'un opéra *(Rosamonde).*

SCHUMAN (Robert), homme politique français (1886-1963). Député démocrate-populaire (1919-1940), puis M. R. P. (1945-1962), il a été plusieurs fois président du Conseil et ministre des Affaires étrangères. Il est l'auteur du plan de la Communauté européenne du charbon et de l'acier (1952). Il fut président du Parlement européen (1958-1960).

SCHUMANN (Robert), compositeur allemand (1810-1856), auteur de lieder d'une inspiration émouvante *(Les Amours du poète)*, d'œuvres pour piano qui ont rénové le style propre à l'instrument *(Études symphoniques, Scènes d'enfants, Carnaval, Novelettes)*, de symphonies, de *Manfred*, de pages célèbres de musique de chambre, d'un *Concerto pour piano*, etc.

SCHUSCHNIGG (Kurt VON), homme politique autrichien (1897-1977), chancelier d'Autriche après l'assassinat de Dollfuss (1934), jusqu'à l'Anschluss, en 1938.

SCHUSS [ʃus] n. m. (mot all. signif. *élan*). À ski, descente directe dans le sens de la plus grande pente.

SCHÜTZ (Heinrich), compositeur de musique allemand (1585-1672), attaché à la cour de Dresde. Il est l'un des plus grands maîtres de l'école allemande. On lui doit de nombreuses œuvres religieuses *(Psaumes de David, les Sept Paroles du Christ*, trois *Passions, la Résurrection)*, encore très influencées par l'art de Monteverdi.

SCHWARZ (Berthold), moine et inventeur allemand (v. 1310-1384). On lui a attribué, à tort, l'invention de la poudre à canon, mais il parvint le premier à fondre les canons de bronze que les Vénitiens utilisèrent en 1379 au siège de Chioggia.

SCHWARZENBERG (Karl Philipp, *prince* VON), général et diplomate allemand (1771-1820). Il combattit contre Napoléon en 1813 et en 1814. — FELIX, son neveu (1800-1852), chancelier d'Autriche à partir de 1848, réprima l'insurrection hongroise et contraignit la Prusse à la reculade d'Olmütz. Partout, et particulièrement en Italie, il rétablit l'autorité des Habsbourg un moment ébranlée par la révolution de 1848.

SCHWEITZER (Albert), pasteur et médecin français (1875-1965). Fondateur de l'hôpital de Lambaréné, au Gabon. On lui doit de nombreux ouvrages de religion, de musique, de sociologie et de philosophie. (Prix Nobel de la paix, 1952.)

SCHWERIN, v. d'Allemagne, capit. du Mecklembourg-Poméranie-Occidentale, sur le *lac de Schwerin* (63 km²); 125 000 hab.

SCHWYZ *(canton de)*, cant. de Suisse, l'un des quatre *Waldstätte*, dont l'union fut à l'origine de la Confédération (le nom de la *Suisse* est tiré du sien); 908 km²; 93 500 hab. Ch.-l. *Schwyz.*

SCIAGE n. m. → SCIE.

SCIATIQUE [sjatik] adj. (du gr. *iskhion*, hanche). Qui se rapporte à la hanche. ‖ *Nerf sciatique*, nom donné à deux nerfs du membre inférieur. ◆ n. f. *Méd.* Affection du nerf sciatique caractérisée par une douleur qui se fait sentir principalement aux hanches et le long des jambes.

SCIE [si] n. f. (du lat. *secare*, couper). **1.** Outil, machine composés d'une lame, d'un ruban ou d'un disque d'acier, portant une série de dents tranchantes et servant à débiter le bois, la pierre, les métaux, etc. : *Affûter une scie.* ‖ *Scie circulaire,* scie constituée par un disque d'acier à bord denté. ‖ *Scie à ruban,* scie dont la lame est une sorte de courroie dentée tendue sur deux poulies. — **2.** *Scie musicale,* instrument constitué par une lame d'un acier spécial, vibrant sous l'attaque d'un archet ou d'un marteau feutré. — **3.** *Fam.* Répétition ennuyeuse : *Toujours le même refrain, ça commence à devenir une scie.* ◆ **scier** v. t. Couper avec une scie : *Scier du bois.* ◆ **sciage** n. m. : *Il a dû payer une forte somme pour le sciage de ce tas de bois.* ◆ **scierie** n. f. Usine où l'on débite le bois en planches à l'aide de scies mécaniques (scie circulaire, scie à ruban). ◆ **scieur** n. m. Ouvrier dont le métier est de scier. ◆ **sciure** n. f. Déchet en poussière qui tombe d'une matière que l'on scie : *De la sciure de bois,* ou simplem., *de la sciure.*

SCIEMMENT [sjamɑ̃] adv. (du lat. *scire,* savoir). Avec pleine connaissance de ce qu'on fait : *Il n'a pas commis cette faute sciemment, mais par mégarde* (syn. EXPRÈS, VOLONTAIREMENT).

SCIENCE [sjɑ̃s] n. f. (du lat. *scire,* savoir). **1.** Connaissance exacte et raisonnée de certaines choses déterminées. ‖ Fam. *Il croit qu'il a la science infuse,* il se croit savant sans avoir étudié. ‖ *Un puits de science,* un homme qui a des connaissances en toutes matières. — **2.** (avec un art. indéf.) Système de connaissances ayant un objet déterminé et une méthode propre : *Posséder une science à fond. La linguistique est devenue une science.* — **3.** (avec un art. déf.) Ensemble des connaissances humaines sur la nature, l'homme, la société, la pensée, etc., acquises par la découverte des lois objectives des phénomènes : *Les découvertes de la science.* ◆ n. f. pl. **1.** Ensemble de disciplines ayant trait à un même ordre de connaissances : *Les sciences physiques, mathématiques, naturelles.* — **2.** Par oppos. aux LETTRES, disciplines où le calcul et l'observation ont une grande part (mathématiques, physique, chimie, sciences naturelles, astronomie, etc.) : *Un élève doué pour les sciences.* — **3.** *Sciences appliquées,* recherches visant à utiliser les résultats scientifiques en vue d'applications techniques. ‖ *Sciences exactes,* les mathématiques et les sciences qui reposent sur le calcul. ‖ *Sciences expérimentales,* sciences dont la méthode comporte le recours à l'expérience. ‖ *Sciences humaines,* sciences qui ont pour objet de connaissance les différents aspects de l'homme et de la société (psychologie, sociologie, ethnologie, histoire, etc.). ‖ *Sciences naturelles,* sciences basées sur l'observation et l'expérimentation. ◆ **scientifique** adj. **1.** Relatif à une science ou à la science : *Un ouvrage scientifique. La recherche scientifique.* — **2.** Qui a l'objectivité, la précision de la science : *Une méthode scientifique.* ◆ adj. et n. Qui étudie les sciences physiques ou naturelles : *Une discussion entre des littéraires et des scientifiques.* ◆ **scientifiquement** adv. : *Aborder scientifiquement l'étude d'une question.* ◆ **scientisme** n. m. Doctrine positiviste* selon laquelle la science fait connaître la nature profonde des choses et permet de résoudre les problèmes philosophiques tels que l'existence de l'âme, etc. ◆ **scientiste** adj. Relatif au scientisme : *Une explication scientiste.* ◆ n. Partisan du scientisme.

SCIENCE-FICTION [sjɑ̃sfiksjɔ̃] n. f. *(science,* et *fiction).* Roman, nouvelle, film qui, imaginant des techniques scientifiques nouvelles, fait la description de mondes futurs ou extra-terrestres.
— ENCYCL. La *science-fiction* prend ses origines à la fois dans la littérature fantastique* et dans les récits irréels et satiriques, tels *les Voyages de Samuel Gulliver* de J. Swift. Mais ses ancêtres les plus directs en sont Jules Verne (1828-1905) qui a prévu, entre autres, le sous-marin et l'hélicoptère, et H. G. Wells (1866-1946) qui, dans *le Monde libéré* (1913), annonçait la bombe atomique.

En effet, la science-fiction, qui a souvent une valeur de vulgarisation, mais qui exige, en principe, un rigoureux respect des lois fondamentales du monde physique, a prédit la plupart des réalisations scientifiques ou techniques actuelles : le terme même de science-fiction a été créé en 1926 par Hugo Gernsback, auteur d'un classique du genre : *Ralph 124 C 41+* (1911).

La science-fiction traite de thèmes qui lui sont propres, destinés à donner au lecteur une sensation de dépaysement total. L'action se déroule généralement dans un univers situé soit dans le futur (l'auteur imagine alors l'évolution de l'humanité et, en particulier, les conséquences de ses découvertes scientifiques), soit existant parallèlement au nôtre, soit les deux à la fois : F. Brown dans *Univers en folie* suppose que tous les univers concevables existent et que l'on peut passer des uns aux autres. Ce dépaysement dans l'espace ou dans le temps permet alors d'exploiter d'autres thèmes : voyages spatio-temporels, rencontres avec des êtres venus d'ailleurs (Martiens, etc.), apparitions de « mutants » qui peuvent avoir des pouvoirs extra-humains (télépathie...). De nouvelles manières de raisonner apparaissent : Van Vogt *(le Monde des Ā)* imagine de nouveaux systèmes philosophiques et Clifford Simak dans *Demain les chiens* invente une philosophie martienne qui règle les conflits entre individus par une technique de compréhension mutuelle. Parfois enfin, comme chez Lovecraft, des éléments du passé surgissent dans une atmosphère d'épouvante.

L'Amérique du Nord, avec entre autres R. Bradbury, E. Hamilton, Stapledon, Abraham Meritt, Campbell et sa revue *Astounding Science Fiction,* est la terre d'élection de la science-fiction. Cependant l'Angleterre (avec C. Lewis, J. Wyndham) et la France (avec R. Barjavel, J. Sternberg, J. Hougron) ont produit des œuvres intéressantes. En U. R. S. S. la science-fiction, très populaire, a un caractère nettement pédagogique et des auteurs comme Iefremov *(les Navires stellaires)* ou Kazantzeff sont lus jusqu'aux États-Unis. Il faut noter enfin que des savants authentiques comme le biologiste Isaac Asimov ou l'astronome Richardson sont eux-mêmes des auteurs de science-fiction réputés.

SCIENTIFIQUE adj. et n., **SCIENTIFIQUEMENT** adv., **SCIENTISME** n. m., **SCIENTISTE** adj. et n. → SCIENCE.

SCIER v. t., **SCIERIE** n. f., **SCIEUR** n. m. → SCIE.

SCILLY ou **SORLINGUES** *(îles),* îles anglaises, au S.-O. de la Grande-Bretagne; 2 000 hab.

SCINDER [sɛ̃de] v. t. (lat. *scindere,* fendre). *Scinder une chose* (nom désignant une collectivité, une chose abstraite), la diviser, la fractionner. ◆ ***se scinder*** v. pr. (sujet nom de collectivité, nom abstrait). Se diviser : *Parti qui se scinde en deux groupes* (syn. SE SÉPARER). ◆ **scission** n. f. Division, séparation survenue entre des personnes qui formaient une association, un parti, un syndicat, une communauté religieuse. ◆ **scissionniste** adj. et n. : *Un groupe scissionniste.*

SCINTILLER [sɛ̃tije] v. i. (lat. *scintillare*). Briller en jetant des éclats par intervalles : *Les étoiles, les diamants scintillent* (syn. ÉTINCELER). ◆ **scintillation** n. f. Tremblement qu'on observe dans la lumière des étoiles. ◆ **scintillement** n. m. Éclat de ce qui scintille : *Le scintillement des pierres précieuses.*

SCION [sjɔ̃] n. m. (frq. *kīth,* rejeton). **1.** Pousse de l'année, petit rejeton tendre et flexible d'un arbre. — **2.** Partie terminale, la plus fine, d'une canne à pêche.

SCIPION, en lat. **Scipio,** surnom d'une famille de la Rome antique, de la *gens Cornelia.* — SCIPION *l'Africain* (253-183 av. J.-C.), désigné comme proconsul en Espagne, en 211, enlève l'Andalousie à Carthage, avec l'aide des Celtibères, et fonde Italica (Séville).

- *202. Consul depuis 205 en Sicile, il passe en Afrique et vainc les Carthaginois à Zama.*

Son prestige auprès de la plèbe entraîne des oppositions au Sénat et, mis en accusation, il se retire sur ses terres.

— SCIPION ÉMILIEN (185-129 av. J.-C.), petit-fils adoptif du précédent, est consul en 148.

- *147-146. Au cours de la troisième guerre punique, il détruit Carthage.*
- *134. Consul en Espagne, il fait capituler Numance révolté contre Rome.*

Son opposition aux réformes des Gracques est interrompue, en 129, par sa mort dans des conditions mystérieuses.

SCISSION n. f., **SCISSIONNISTE** adj. et n. → SCINDER.

SCISSIPARITÉ [sisiparite] n. f. (du lat. *scindere,* diviser, et *parere,* engendrer). Forme de multiplication ou de génération dans laquelle l'organisme se divise en deux parties égales : *La scissiparité existe chez les protozoaires.*

SCIURE n. f. → SCIE.

SCLÉROPHYLLE [sklerofil] adj. (du gr. *sklêros,* dur, et *phullon,* feuille). *Bot.* Qui a des feuilles dures, à cuticule épaisse, et ainsi bien adaptées à la sécheresse.

SCLÉROSE [skleroz] n. f. (du gr. *sklêros,* dur). **1.** *Méd.* Durcissement d'un tissu ou d'un organe, qu'il soit le signe d'une maladie ou l'une de ses séquelles. ‖ *Sclérose artérielle* (syn. ARTÉRIOSCLÉROSE). — **2.** Incapacité d'évoluer, de s'adapter à une situation nouvelle, par suite d'inactivité, d'immobilisme : *Sclérose d'un parti.* ◆ **sclérosé, e** adj. Atteint de sclérose : *Tissu sclérosé. Institution sclérosée.* ◆ **scléroser (se)** v. pr. **1.** Se durcir : *Organe qui se sclérose.* — **2.** (sujet nom de personne, de collectivité) Perdre toute souplesse, se laisser aller à l'inertie, à l'immobilisme : *Se scléroser dans ses habitudes* (syn. SE FIGER).

SCLÉROTIQUE [sklerotik] n. f. (du gr. *sklêrotês,* dureté). *Anat.* Membrane externe du globe oculaire, résistante, de nature conjonctive, formant le blanc de l'œil : *C'est sur la sclérotique que sont fixés les muscles moteurs de l'œil.*

SCOLAIRE [skɔlɛr] adj. (du lat. *schola,* école). Relatif à l'école, à la vie des écoles, à l'enseignement qu'on y donne : *Année scolaire. Manuels scolaires.* ◆ **scolairement** adv. À la manière d'un écolier : *Traduire un texte un peu trop scolairement.* ◆ **scolariser** v. t. Pourvoir d'établissements scolaires : *Scolariser une région.* ◆ **scolarisation** n. f. **1.** Action de scolariser : *La scolarisation des pays en voie de développement.* — **2.** Fréquentation des écoles : *Taux de scolarisation* (= pourcentage d'enfants qui suivent les cours d'un établissement scolaire par rapport à la population totale de même âge). ◆ **scolarité** n. f. **1.** Fait de suivre régulièrement les cours dans un établissement d'enseignement :

La scolarité est obligatoire en France pour les enfants de six à seize ans. Certificat de scolarité (= attestation donnée par le chef d'un établissement à un élève qui en suit régulièrement les cours). — **2.** Durée des études : *Le gouvernement a décidé de prolonger la scolarité.*

SCOLASTIQUE [skɔlastik] adj. (gr. *skholastikos,* relatif à l'école). **1.** Qui se rapporte aux écoles du Moyen Âge et à leur méthode d'enseignement fondée sur la tradition et l'emploi du syllogisme* : *La philosophie de Descartes rompt avec la tradition scolastique.* — **2.** *Péjor.* Se dit de toute doctrine considérée comme dogmatique et sclérosée. ◆ n. f. Enseignement philosophique propre au Moyen Âge.

SCOLEX [skɔlɛks] n. m. (gr. *skôlêx,* ver). Extrémité antérieure du ténia, ver plat parasite, portant des ventouses.

SCOLIOSE [skɔljoz] n. f. (du gr. *skolios,* oblique). *Méd.* Déviation latérale de la colonne vertébrale.
— ENCYCL. Dans la *scoliose,* la colonne vertébrale prend la forme d'un S allongé. Cette anomalie peut s'accompagner ou non d'autres déformations (cyphose, lordose).
Les *causes de la scoliose* sont essentiellement les mauvaises habitudes scolaires (position incorrecte sur les bancs de l'école, parfois entraînée par un mauvais éclairage). Pour la corriger on a recours aux semelles orthopédiques, à la gymnastique et surtout à la natation.

SCOLOPENDRE [skɔlɔpɑ̃dr] n. f. (lat. *scolopendra*). **1.** *Bot.* Fougère à feuilles non découpées, croissant dans les lieux humides. — **2.** *Zool.* Mille-pattes du midi de la France et des régions chaudes, à morsure dangereuse pour l'homme.

SCOLYTE [skɔlit] n. m. (du gr. *skôlêx,* ver). Insecte coléoptère nuisible qui creuse des galeries dans les arbres forestiers.

SCONSE ou **SKUNS** [skɔ̃s] n. m. (angl. *skunks*). Fourrure d'un petit mammifère d'Amérique. (On écrit aussi SCONS, SCONCE, SKUNKS.)

SCOOP [skup] n. m. (mot angl.). Nouvelle donnée en exclusivité ou en primeur par une agence de presse.

SCOOTER [skutɛr] n. m. (mot angl.). Petite motocyclette à cadre ouvert. ◆ **scootériste** n. Personne qui conduit un scooter.

SCOPAS, sculpteur grec (v. 420 - v. 350 av. J.-C.), contemporain de Praxitèle* et de Lysippe*. Il contribua à la construction du mausolée d'Halicarnasse et à la décoration de l'Artémision (= temple d'Artémise) d'Éphèse.

SCORBUT [skɔrbyt] n. m. (lat. *scorbutus*). Maladie causée par une carence en vitamine C. ◆ **scorbutique** adj. De la nature du scorbut : *Affection scorbutique.* ◆ adj. et n. Atteint de scorbut. ◆ **antiscorbutique** adj. et n. m. Qui combat ou guérit le scorbut : *Un médicament antiscorbutique.*

SCORE [skɔr] n. m. (mot angl. signif. *compte*). **1.** Nombre de points obtenus par chaque équipe ou chaque adversaire dans un match. — **2.** Nombre de voix obtenues par chaque candidat ou chaque parti dans une élection. — **3.** Nombre de points obtenus dans un test.

SCORIE [skɔri] n. f. (gr. *skôria*). **1.** Résidu provenant de la fusion de minerais métalliques, de métaux (syn. MÂCHEFER). — **2.** Matière volcanique rugueuse au toucher, se formant à la surface des coulées par refroidissement rapide au contact de l'air.

SCORPION [skɔrpjɔ̃] n. m. (gr. *skorpiôn*). Arthropode de la classe des arachnides, à respiration pulmonaire (quatre paires de poumons), possédant quatre paires de pattes : *Les scorpions vivant en régions chaudes et arides sont carnassiers; ils tuent leurs proies avec un aiguillon venimeux situé à l'extrémité de l'abdomen et les maintiennent avec leurs pinces.*

SCORPION (le), constellation zodiacale de l'hémisphère austral. — Huitième signe du zodiaque, correspondant à la période du 24 octobre au 23 novembre.

SCOT (John DUNS). → DUNS SCOT.

1. SCOTCH [skɔtʃ] n. m. (mot angl. signif. *écossais*). Whisky écossais. ‖ Pl. des *scotches.*

2. SCOTCH [skɔtʃ] n. m. (n. déposé). Ruban adhésif transparent. ◆ **scotcher** v. t. Fixer avec du Scotch.

SCOT ERIGÈNE (Jean), philosophe et théologien écossais du IXe s.

SCOTLAND, nom angl. de l'ÉCOSSE.

SCOTS, nom des colons irlandais établis en Écosse au VIe s. et qui donnèrent leur nom au pays *(Scotland).*

SCOTT (*sir* Walter), écrivain écossais (1771-1832), auteur de poésies et de romans historiques (*Waverley,* 1814; *la Fiancée de Lammermoor,* 1819; *Ivanhoé,* 1820; *Kenilworth,* 1821; *Quentin Durward,* 1823; *la Jolie Fille de Perth,* 1828), qui ont eu une large influence sur le roman français à l'époque romantique.

SCOTT (Robert Falcon), explorateur britannique (1868-1912). Il dirigea deux expéditions dans l'Antarctique (1901-1904 et 1910-1912). Il trouva la mort au cours de la dernière, après avoir atteint le pôle, après Amundsen.

SCOTTISH-TERRIER [skɔtiʃterje] n. m. (de l'angl. *scottish,* écossais, et *terrier*). Chien basset à poil dur. ‖ Pl. des *scottish-terriers.*

SCOUT [skut] n. (mot angl.). Jeune garçon faisant partie d'une association de scoutisme (on a d'abord dit BOY-SCOUT). [Pour les jeunes filles, on dit GUIDE.] ◆ adj. : *L'esprit scout.* ◆ **scoutisme** n. m. Organisation créée en 1909 par Baden-Powell, ayant pour but le développement des qualités physiques et morales des jeunes garçons.

SCRABBLE [skrab(ə)l] n. m. (n. déposé). Jeu de société consistant à remplir une grille au moyen de jetons portant des lettres, de façon à former des mots. ◆ **scrabbleur, euse** n. Joueur, joueuse de Scrabble.

SCRIBE [skrib] n. m. (lat. *scriba;* de *scribere,* écrire). **1.** *Antiq.* Personnage important, à la fois écrivain et fonctionnaire. — **2.** Chez les Juifs, docteur qui interprétait la loi. — **3.** *Péjor.* Homme employé à faire des écritures. ◆ **scribouillard** n. m. *Fam.* et *péjor.* Syn. de SCRIBE (sens 3).

SCRIBE (Eugène), auteur dramatique français (1791-1861), auteur de comédies (*l'Ours et le pacha,* 1820; *le Verre d'eau,* 1840) et de nombreux livrets d'opéras.

SCRIBOUILLARD n. m. → SCRIBE.

1. SCRIPT [skript] adj. et n. m. (du lat. *scribere,* écrire). Type d'écriture composé de lettres réduites à des traits et des cercles, proches des caractères d'imprimerie : *Écrire en script; écriture script.*

2. SCRIPT [skript] n. m. (même étym.). Scénario de film découpé en scènes et accompagné de dialogues. (L'Administration préconise TEXTE.)

SCRIPTE [skript] n. m. ou f. (angl. *script*). Collaborateur ou collaboratrice d'un metteur en scène de cinéma, ou d'un réalisateur de télévision, chargé de noter tous les détails techniques et artistiques de chaque prise de vues.

SCRIPTURAL, E, AUX [skriptyral, -ro] adj. (du lat. *scribere,* écrire). *Monnaie scripturale,* dénomination des moyens de paiement autres que les billets de banque et les pièces de monnaie (chèques, effets de commerce, etc.).

SCROFULAIRE [skrɔfylɛr] n. f. (de *scrofule*). Plante qui vit au bord des eaux et qui servait à soigner la scrofule (syn. HERBE AUX ÉCROUELLES).

SCROFULE [skrɔfyl] n. f. (lat. *scrofula*). Affection due à des troubles nutritifs qui prédisposent à la tuberculose (syn. anc. ÉCROUELLES). ◆ **scrofuleux, euse** adj. Qui cause ou accompagne les scrofules : *Tumeur scrofuleuse.*

SCROTUM [skrɔtɔm] n. m. (mot lat.). *Anat.* Petit sac qui renferme les testicules (syn. BOURSES).

SCRUPULE [skrypyl] n. m. (lat. *scrupulus,* petit caillou). **1.** Grande délicatesse de conscience, soit dans la vie morale, soit dans la vie professionnelle : *Un employé d'une exactitude poussée jusqu'au scrupule.* — **2.** Doute, hésitation qui empêche d'agir par crainte de commettre une faute : *Avoir des scrupules.* — **3.** *Se faire un scrupule d'une chose,* hésiter à la faire par délicatesse de conscience. ◆ **scrupuleux, euse** adj. **1.** Se dit d'une personne qui a des scrupules, qui respecte strictement les règles morales : *Un juge scrupuleux* (syn. ↓CONSCIENCIEUX, HONNÊTE). — **2.** Se dit d'une chose qui manifeste, prouve du scrupule : *Des soins scrupuleux* (syn. MÉTICULEUX). *Une attention scrupuleuse* (syn. MINUTIEUX). ◆ **scrupuleusement** adv. : *Vérifier scrupuleusement un compte* (syn. ↓MINUTIEUSEMENT).

SCRUTATEUR, TRICE adj. et n. m. → SCRUTER et SCRUTIN.

SCRUTER [skryte] v. t. (lat. *scrutari,* fouiller). **1.** *Scruter un comportement* (mot abstrait), chercher à le pénétrer, à le comprendre dans les détails : *Scruter les intentions de qq'un* (syn. SONDER). — **2.** *Scruter une chose* (mot concret), l'examiner attentivement en parcourant du regard : *Scruter l'horizon* (syn. EXPLORER, INSPECTER, OBSERVER). ◆ **scrutateur, trice** adj. : *Un œil scrutateur.*

SCRUTIN [skrytɛ̃] n. m. (lat. *scrutinium,* examen). **1.** Vote émis au moyen de bulletins déposés dans une urne et comptés ensuite : *Scrutin secret. Scrutin public.* — **2.** Ensemble des opérations qui constituent un vote ou une élection : *Un scrutin à deux tours.* — **3.** Mode de votation : *Scrutin de liste,* celui où l'on vote pour plusieurs candidats choisis sur une seule liste si le panachage* est interdit, ou sur plusieurs listes, si le panachage est autorisé. (Ce mode de scrutin est utilisé pour les élections municipales et l'a été pour les élections législatives et régionales de 1986.) ‖ *Scrutin uninominal,* celui où l'électeur ne doit élire qu'une seule personne (le bulletin ne comprend qu'un seul nom). [Ce mode de scrutin est utilisé pour l'élection du président de la République, des députés de l'Assemblée nationale, des conseillers généraux.] || *Scrutin majoritaire,* celui dans lequel est élu le candidat ayant obtenu le plus grand nombre de voix; il peut alors être élu à la majorité absolue, au premier tour de scrutin, ou à la majorité relative au second tour. || *Scrutin avec représentation proportionnelle,* celui dans lequel le nombre de candidats élus, sur chaque liste, est calculé par rapport au nombre de voix réunies. ◆ **scrutateur** n. m. Personne qui participe au dépouillement ou à la vérification d'un scrutin.

SCUDÉRY (Madeleine DE), femme de lettres française (1607-1701), auteur de romans précieux, très goûtés à l'époque : *Artamène ou le Grand Cyrus* (1649-1653), *Clélie* (1654-1660). — GEORGES, son frère, écrivain français (1601-1667), fit paraître sous son nom des romans qui sont presque entièrement dus à sa sœur. Auteur de pièces de théâtre, il fut un adversaire de Corneille.

SCULL [skœl] n. m. (mot angl.). **1.** En aviron, rame de couple. — **2.** Embarcation à un rameur de couple, ou *skiff.*

SCULPTER [skylte] v. t. (lat. *sculpere*). *Sculpter une œuvre d'art,* la façonner en la taillant avec le ciseau dans le marbre, la pierre, le bois, le métal, etc. ◆ **sculpté, e** adj. Orné de sculptures : *Une armoire sculptée.* ◆ **sculpteur** n. m. Artiste qui sculpte. (On dit UNE FEMME SCULPTEUR.) ◆ **sculptural, e, aux** adj. **1.** Relatif à la sculpture : *Une décoration sculpturale.* — **2.** Digne d'être sculpté : *Une beauté sculpturale.* ◆ **sculpture** n. f. **1.** Art de sculpter : *Pratiquer la sculpture sur pierre.* — **2.** Œuvre du sculpteur.

SCUTARI → SHKODËR.

SCYLLA, écueil du détroit de Messine, en face de Charybde*.

SCYROS → SKÝROS.

SCYTHES, population d'origine iranienne qui habitait la Scythie (au N. de la mer Noire). Au VIIe s. av. J.-C., ils firent avec les Assyriens une expédition jusqu'en Égypte. Au IIe s. av. J.-C., ils constituèrent un État assez fort, qui se dissocia peu à peu.

S. D. N., sigle de la *Société* des Nations.*

SE pron. pers. → IL.

SEABORG (Glenn), chimiste américain, né en 1912. Il a découvert le plutonium. (Prix Nobel, 1951.)

SÉANCE [seɑ̃s] n. f. (de l'anc. fr. *seoir,* être assis). **1.** Réunion des membres d'une assemblée qui délibèrent ou travaillent : *La séance est ouverte, est levée* (= formules par lesquelles le président annonce que la séance est commencée, finie). — **2.** Durée de cette réunion : *Cette affaire a occupé le Sénat pendant deux séances.* — **3.** Temps que l'on passe à une occupation non interrompue, à un travail, avec d'autres personnes : *Une séance de culture physique.* — **4.** Réunion où l'on assiste à un concert, à un divertissement, à un spectacle : *Séance musicale. Séance récréative* (syn. REPRÉSENTATION). — LOC. ADV. *Séance tenante,* immédiatement, sans délai : *Régler une affaire séance tenante.*

SÉANT [seɑ̃] n. m. (de l'anc. fr. *seoir,* être assis). Posture d'une personne assise (ne s'emploie qu'avec l'adj. poss. et la prép. *sur*) : *Être, se mettre sur son séant* (syn. fam. DERRIÈRE).

SEATTLE, port des États-Unis (Washington), sur la baie Elliott; 530 850 hab. Constructions navales, mécaniques et aéronautiques.

SEAU [so] n. m. (bas lat. *sitellus*). **1.** Récipient cylindrique qui sert à recueillir et à transporter des liquides ou toutes sortes de matières : *Un seau à glace.* — **2.** Contenu d'un seau : *Vider un seau d'eau.*

SÉBACÉ, E [sebase] adj. (du lat. *sebum,* suif). *Glande sébacée,* glande cutanée, annexée à un poil et sécrétant un produit gras ou *sébum.*

SÉBASTIEN *(saint),* officier romain, martyrisé à Rome au IIIe s.

SÉBASTIEN (1554-1578), roi de Portugal à partir de 1557; il fut tué à Alcaçar-Quivir (Maroc) dans un combat contre les Maures.

SÉBASTOPOL', port de l'U. R. S. S. (Ukraine), sur la côte sud de la Crimée; 315 000 hab.

- *1855. Après un long siège, la ville est prise par les troupes franco-anglaises, pendant la guerre de Crimée.*

En 1942, elle résiste également plusieurs mois, avant d'être occupée par les Allemands, jusqu'en 1944.

SÉBILE [sebil] n. f. (orig. obscure). Petite coupe ronde, peu profonde : *La sébile d'un mendiant.*

SEBILLET (Thomas), poète français (v. 1512-1589), auteur d'un *Art poétique* (1548), conforme aux théories de Marot et des rhétoriqueurs.

SEBKHA [sɛbka] n. f. (mot ar.). Dans les régions arides, lac salé temporaire sans écoulement vers la mer, alimenté par les oueds.

SÉBUM [sebɔm] n. m. (lat. *sebum,* suif). Sécrétion grasse produite par les glandes sébacées. ◆ **séborrhée** n. f. *Méd.* Trop grande sécrétion de sébum.

1. SEC, SÈCHE [sɛk, sɛʃ] adj. (lat. *siccus*). **1.** Dépourvu d'eau : *Un terrain sec* (syn. ARIDE). — **2.** Qui n'a pas ou qui a peu d'humidité : *Un temps sec. Un froid sec.* || *Saison sèche,* période de l'année où il ne pleut pas ou pendant laquelle les pluies sont rares. — **3.** Qui a perdu son humidité, sa fraîcheur, qui a atteint une certaine consistance : *Du bois sec* (contr. VERT). *Des feuilles sèches. De la peinture qui n'est pas sèche. Du pain qui est devenu sec* (syn. RASSIS; contr. FRAIS). — **4.** Se dit d'un organe, d'une partie du corps dépourvus de sécrétions : *Avoir les mains sèches* (contr. HUMIDE, MOITE). — **5.** Se dit d'une substance alimentaire qui a été débarrassée de son humidité pour être conservée : *Des raisins secs. Gâteaux secs* (= fabriqués industriellement, sans crème). — **6.** Où l'on ne met pas d'eau : *Un apéritif sec.* — **7.** *À pied sec,* sans se mouiller les pieds : *Passer un ruisseau à pied sec.* || *À sec,* sans eau : *Un puits à sec.* || Fam. *Avoir le gosier sec,* avoir soif. || *Garder l'œil sec,* ne pas se laisser émouvoir. — **8.** Dépourvu du liquide ou par extension de l'élément auquel il est en général associé : *Être au pain sec,* avoir du pain pour tout aliment. || *Carte sèche,* carte qui n'est pas accompagnée d'une autre de la même couleur : *Avoir un atout sec.* || *Mur de pierres sèches,* fait de pierres placées les unes sur les autres, sans mortier ni ciment. || *Orage sec,* qui n'est pas accompagné de pluie. || *Panne sèche,* panne d'essence. || *Partie sèche,* au jeu, partie unique qui ne comporte pas de seconde manche. || *Perte sèche,* perte sans compensation. || *Toux sèche,* toux sans expectoration. ◆ n. m. **1.** Endroit sec : *Tenir des fruits au sec.* — **2.** Nourriture que l'on donne aux bestiaux après l'avoir fait dessécher (fourrage, paille) : *Mettre des chevaux au sec.* ◆ adv. *Boire sec,* boire beaucoup et sans atténuer la force de l'alcool par de l'eau. ◆ **sécher** v. t. **1.** Rendre sec (sens 3, 5) : *Sécher ses vêtements. Le soleil a séché le ruisseau* (syn. ASSÉCHER, METTRE À SEC). *Sécher des raisins.* — **2.** *Sécher les larmes, les pleurs de qq'un,* le consoler. ◆ v. i. **1.** Devenir sec, être privé d'eau, d'humidité. — **2.** *Sécher sur pied,* dépérir par manque d'humidité : *Arbre qui sèche sur pied.* ◆ **séchage** n. m. Action de sécher ou de faire sécher. ◆ **sécheresse** n. f. **1.** État de ce qui est sec : *La sécheresse de la terre nuit à la végétation.* — **2.** Absence de pluie : *Une période de grande sécheresse.* ◆ **séchoir** n. m. Appareil servant à faire sécher le linge ou à sécher les cheveux. ◆ **assécher** v. t. *Assécher un terrain, un lac,* etc., les mettre à sec, en ôter l'eau (syn. DRAINER). *Assécher un bassin* (syn. VIDER). ◆ ***s'assécher*** v. pr. Devenir sec : *La rivière s'assèche l'été* (syn. SE TARIR). ◆ **assèchement** n. m. : *L'assèchement des marais.* ◆ **dessécher** v. t. Rendre sec en faisant disparaître l'humidité naturelle : *Le soleil a desséché la terre. Cette chaleur nous desséchait la gorge.* ◆ ***se dessécher*** v. pr. Devenir sec : *Une plante qui se dessèche, faute d'être arrosée.* ◆ **desséchant, e** adj. : *Un climat desséchant.* ◆ **dessèchement** n. m. Action de dessécher ou état d'une chose desséchée. ◆ **dessiccation** n. f. Traitement par lequel on ôte des corps leur humidité naturelle : *Conserver des fruits par dessiccation.*

2. SEC, SÈCHE [sɛk, sɛʃ] adj. (même étym.). **1.** Qui est comme desséché, sans graisse, décharné : *Un homme grand et sec* (syn. MAIGRE). — **2.** Qui manque de douceur, d'harmonie : *Bruit sec,* qui n'a pas de résonance, de prolongement. || *Coup sec,* coup frappé vivement, en retirant aussitôt la main ou l'instrument. || *Vin sec,* vin blanc peu sucré. — **3.** Qui manque de sensibilité, qui ne se laisse pas attendrir : *Un cœur sec* (syn. DUR, FROID, INDIFFÉRENT). *Un ton sec* (syn. AUTORITAIRE, CASSANT; contr. AIMABLE). *Un refus tout sec* (syn. DÉSOBLIGEANT). *Des manières sèches* (syn. BRUSQUE). — **4.** Qui manque d'agrément, d'ornements : *Une narration bien sèche.* ◆ adv. Fam. *Démarrer sec,* démarrer rapidement. — LOC. ADV. Fam. *À sec,* sans argent : *Être à sec.* || Pop. *Aussi sec,* immédiatement, sans hésiter. ◆ **sèchement** adv. D'une façon brève et dure : *Répliquer sèchement.* ◆ **sécheresse** n. f. Brusquerie, froideur : *Répondre avec sécheresse. La sécheresse du cœur* (syn. INSENSIBILITÉ). ◆ **dessécher** v. t. Rendre insensible : *Les malheurs l'ont desséché.* ◆ ***se dessécher*** v. pr. : *Un vieillard qui se dessèche* (= qui maigrit beaucoup). ◆ **desséchant, e** adj. Qui rend insensible. ◆ **dessèchement** n. m.

3. SEC [sɛk] adv. (de *sec* 1). Arg. scol. *Rester sec,* ne rien trouver à répondre aux questions du professeur. ◆ **sécher** v. i. Être incapable de répondre à une question du professeur, de faire un devoir. ◆ v. t. *Sécher un cours,* ne pas y assister.

SECANT, E [sekɑ̃, ɑ̃t] adj. (du lat. *secare,* couper). Math. *Droites sécantes,* se dit de deux droites d'un plan si elles ont un et un seul point commun : *Deux droites non sécantes sont parallèles.*

SÉCATEUR [sekatœr] n. m. (du lat. *secare,* couper). Gros ciseaux servant à tailler les arbustes, à découper les volailles.

SÉCESSION [sesesjɔ̃] n. f. (du lat. *secedere,* se retirer). Action de se séparer d'une collectivité à laquelle on appartenait (syn. DISSIDENCE, SÉPARATION). [Se dit surtout d'une population qui se sépare d'une collectivité nationale.] ◆ **sécessionniste** adj. et n.

Sécession *(guerre de),* guerre civile qui, aux États-Unis, opposa, de 1861 à 1865, les États confédérés du Sud aux États du Nord et se termina par la victoire de ces derniers.

Dès 1850, la vie politique de l'Union est dominée par la question de l'esclavage des Noirs, qui oppose aux intérêts des planteurs du Sud ceux des industriels du Nord et des colons des nouveaux États de l'Ouest.

- *1860. L'élection à la présidence de l'antiesclavagiste Abraham Lincoln entraîne la sécession (= départ de l'Union) du Sud.*

Onze États sudistes s'organisent, avec un président, Jefferson Davis, et une capitale, Richmond.

- *Avril 1861. Les « sudistes » ou « confédérés », commandés par Lee, prennent l'offensive; celle-ci est enrayée à Gettysburg en juillet 1863.*

Dépendant de l'extérieur pour son approvisionnement, le Sud est gêné par le blocus qu'exerce la flotte nordiste. À l'O., le général nordiste Grant est vainqueur à Vicksburg (juillet 1863); son successeur Sherman prend Atlanta (novembre 1864), puis Savannah, sur la côte atlantique.

- *Avril 1865. Grant fait capituler Lee à Appomattox.*

SÉCESSIONNISTE adj. et n. → SÉCESSION.

SÉCHAGE n. m. → SEC 1.

SÈCHEMENT adv. → SEC 2.

SÉCHER v. t. et i. → SEC 1, 2 et 3. / **SÉCHERESSE** n. f. → SEC 1 et 2.

SÉCHOIR n. m. → SEC 1.

SECLIN, ch.-l. de cant. du Nord, à 11 km au S. de Lille; 9900 hab. Textiles.

1. SECOND, E [səgɔ̃, -ɔ̃d] adj. (lat. *secundus*) [avant le nom, excepté avec *livre, tome*]. **1.** Se dit d'une chose qui vient immédiatement après la première dans l'ordre de l'espace, du temps : *Prendre la seconde rue à droite. Faire une chose pour la seconde fois.* — **2.** Se dit d'une personne ou d'une chose qui vient après la première dans l'ordre du rang, de la hiérarchie, de la valeur : *Enseigne de seconde classe, second maître* (grades de la marine). *Un homme de second plan. Billet de seconde classe. Ouvrage de second ordre* (syn. MINEUR). *Objet de second choix* (= défraîchi). — **3.** Se dit d'une chose qui s'ajoute à une autre : *Une seconde jeunesse* (syn. NOUVEAU). ‖ *Seconde vue,* faculté dont certaines personnes seraient douées et qui leur permettrait de connaître des faits, des événements dont elles ne sont pas les témoins. ‖ *État second,* état anormal et transitoire, caractérisé par la substitution à l'activité mentale normale d'une activité automatique et dont la personne ne se souvient pas lorsque cet état cesse : *Les somnambules sont dans un état second.* — **4.** Se dit d'une personne qui, dans l'exécution d'une composition vocale ou instrumentale, chante ou joue la partie la plus basse : *Un second ténor. Un second violon.* — LOC. ADJ. ou ADV. *De seconde main,* qui vient d'un intermédiaire, indirectement : *Savoir une nouvelle de seconde main.* ◆ n. Personne ou chose qui est au second rang : *Être la seconde de sa classe.* ◆ **second** n. m. **1.** Deuxième étage d'une maison : *Habiter au second.* — **2.** *Mon second,* seconde syllabe d'un mot dans une charade. ◆ **seconde** n. f. **1.** Classe qui précède la première dans l'enseignement du second degré : *Un élève de seconde.* — **2.** Abrév. de SECONDE CLASSE dans les véhicules de transport public : *Voyager en seconde.* ◆ **secondement** adv. En second lieu, dans une énumération (syn. DEUXIÈMEMENT). ◆ **secondaire** adj. **1.** Qui vient au second rang pour l'importance, l'intérêt, etc. : *Un personnage secondaire. Ce que vous me dites là, c'est secondaire* (= cela a peu d'importance). — **2.** *Enseignement secondaire,* ou *secondaire* n. m., enseignement destiné aux enfants sortant de l'enseignement du premier degré. (On dit aussi ENSEIGNEMENT DU SECOND DEGRÉ.) — **3.** *Méd.* Se dit de phénomènes consécutifs à d'autres, et qui sont provoqués par ceux-ci et non par une cause propre : *Hémorragie secondaire à un ulcère.* ◆ **secondairement** adv. De façon secondaire, accessoire.

2. SECOND [səgɔ̃] n. m. (même étym.). Personne qui en aide une autre dans un travail, une affaire (syn. AUXILIAIRE, COLLABORATEUR). — LOC. ADV. ou ADJ. *En second,* sous les ordres d'un autre : *Commander en second.* ‖ *Capitaine en second,* ou *second,* officier venant immédiatement après le commandant sur un navire de commerce. ◆ **seconder** v. t. *Seconder qq'un,* l'aider dans un travail, dans une affaire : *Un directeur qui est bien secondé par ses collaborateurs* (syn. ASSISTER).

1. SECONDAIRE adj. et n. m. → SECOND 1.

2. SECONDAIRE [səgɔ̃dɛr] adj. et n. m. (de *second*). *Secteur secondaire,* ou *secondaire* n. m., ensemble des activités économiques d'un pays, correspondant à la transformation des matières premières en biens productifs (d'équipement) ou en biens de consommation (par oppos. à *primaire, tertiaire*).

— ENCYCL. Le *secteur secondaire* correspond au secteur industriel (avec le plus souvent, aujourd'hui, les activités extractives). Son développement, mesuré par la population active qu'il emploie ou par sa contribution à la formation du produit national brut, est un bon indice du niveau économique d'un pays. Un taux d'activité dans le secteur secondaire inférieur à 25 p. 100 traduit une sous-industrialisation, un taux supérieur à 40 p. 100 correspond au contraire à un haut degré d'industrialisation.

3. SECONDAIRE [səgɔ̃dɛr] adj. et n. m. (même étym.). *Ère secondaire,* ou *Secondaire* n. m., troisième division des temps géologiques, succédant au Primaire, d'une durée de 160 millions d'années environ (syn. MÉSOZOÏQUE). [L'ère secondaire est caractérisée par le grand développement des ammonites et des grands reptiles (dinosaures, brontosaures, etc.), dont la disparition constitue la limite avec le Tertiaire. En Europe, c'est une grande période de sédimentation, précédant l'orogenèse alpine.]

4. SECONDAIRE [səgɔ̃dɛr] n. m. (de *second*). *Électr.* Enroulement relié au circuit d'utilisation dans un transformateur.

SECONDAIREMENT adv. → SECOND 1.

1. SECONDE n. f. → SECOND 1.

2. SECONDE [səgɔd] n. f. (lat. *minuta secunda*). **1.** Unité de mesure de temps (symb. : s), dont la valeur est liée à la fréquence d'oscillation de l'atome de cæsium : *Une seconde est la soixantième partie d'une minute.* — **2.** Temps très court : *Une seconde, et je suis à vous.* — **3.** Unité d'angle et d'arc (symb. : ″), égale au soixantième de minute.

3. SECONDE [səgɔ̃d] n. f. (même étym.). *Mus.* Intervalle compris entre deux degrés conjoints de la gamme : *L'intervalle « do-ré » est une seconde.*

SECONDEMENT adv. → SECOND 1.

SECONDER v. t. → SECOND 2.

SECOUER [səkwe] v. t. (lat. *succutere*). **1.** *Secouer qqch., qq'un,* le remuer fortement et à plusieurs reprises : *Secouer un tapis pour en ôter la poussière. Être secoué sur un bateau* (syn. BALLOTTER), *dans une voiture* (syn. CAHOTER). *Secouer la tête* (= la remuer en signe de doute, de refus) [syn. HOCHER]. — **2.** *Secouer qq'un,* le remuer physiquement ou moralement : *La maladie, les mauvaises nouvelles qu'il a reçues l'ont bien secoué* (syn. ÉBRANLER). — **3.** Fam. *Secouer qq'un,* le réprimander, l'inciter au travail, à l'effort : *Il faut toujours le secouer, autrement il ne ferait rien* (syn. BOUSCULER). ◆ ***se secouer*** v. pr. **1.** (sujet nom d'être animé) S'agiter fortement pour se débarrasser de quelque chose qui incommode : *Les chiens se secouent quand ils sont mouillés* (syn. S'ÉBROUER). — **2.** (sujet nom de personne) *Fam.* Ne pas se laisser aller à l'inertie, au découragement : *Allons, secouez-vous pour terminer votre ouvrage à temps.* ◆ **secouement** n. m. Fait de secouer : *Un secouement de tête.* ◆ **secousse** n. f. **1.** Mouvement brusque qui agite un corps : *Une violente secousse* (syn. CHOC, ÉBRANLEMENT). — **2.** Chacune des oscillations du sol dans un tremblement de terre : *Au cours de ce séisme, on a ressenti plusieurs secousses.* (On dit aussi SECOUSSE SISMIQUE.) — **3.** Brusque et vive émotion qui ébranle les nerfs : *Ce deuil lui a causé une grande secousse.*

SECOURIR [səkurir] v. t. (lat. *succurrere*). [Conj. **29.**] *Secourir qq'un,* aider une personne en danger ou dans le besoin : *Secourir un blessé* (syn. ASSISTER, PORTER SECOURS À). *Secourir les malheureux.* ◆ **secourable** adj. Qui aime à secourir les autres : *Un homme secourable* (syn. BON, HUMAIN, OBLIGEANT). ◆ **secourisme** n. m. Ensemble des moyens qui peuvent être mis en œuvre pour porter secours aux personnes en danger et leur donner les premiers soins. → ENCYCL. ◆ **secouriste** n. Membre d'une organisation de secours pour les victimes d'un accident, d'une catastrophe. ◆ **secours** n. m. **1.** Action de secourir une personne en danger, dans le besoin : *Porter secours.* ‖ *Au secours!,* cri par lequel on appelle à l'aide en cas de danger. — **2.** Aide financière, matérielle, fournie à une personne dans le besoin : *Distribuer des secours aux sinistrés.* — **3.** Moyens, méthodes à employer pour porter aide et assistance à une victime ou à une personne en danger : *Secours à donner en cas d'urgence.* — **4.** Ce qui est utile dans une circonstance : *Sa mémoire lui a été d'un grand secours en cette occasion.* — LOC. ADJ. *De secours,* qui est destiné à servir en cas de nécessité : *Sortie de secours* (= issue supplémentaire prévue pour l'évacuation rapide d'une salle de spectacle, d'un véhicule de transport public, en cas d'incendie ou d'accident). ‖ *Roue de secours* → ROUE.

— ENCYCL. Le *secourisme* consiste à porter secours à toute personne en danger, ce qui est une obligation légale : s'y soustraire expose à des poursuites.

Les *premiers secours* sont les gestes à effectuer immédiatement pour soulager la personne en danger et parer au plus pressé. Il faut appeler les secours (police, pompiers, ambulance), et éviter certains gestes (déplacer le blessé, le faire boire...).

Les premiers soins à apporter, si l'on est expérimenté, sont la *respiration artificielle,* lorsque la personne est asphyxiée, le *massage cardiaque externe,* les mesures permettant de stopper provisoirement une hémorragie.

Un enseignement, assuré par les membres de la Protection civile, est accessible aux jeunes gens de plus de quatorze ans. La Croix-Rouge française assure aussi par ses postes de secours et ses équipes de secouristes l'enseignement du secourisme et la mise en place de postes de secours.

SECOUSSE n. f. → SECOUER.

1. SECRET, ÈTE [səkrɛ, -ɛt] adj. (lat. *secretus*, séparé). **1.** (généralement après le nom) Se dit d'une chose que l'on tient cachée, qui n'est connue que d'un petit nombre de personnes : *Des documents secrets* (syn. CONFIDENTIEL). *Un agent secret* (= un espion). *La police secrète* (= la Sûreté nationale). — **2.** (après ou quelquefois avant le nom) Qui ne se manifeste pas, n'est pas apparent : *Notre vie secrète* (syn. INTÉRIEUR, INTIME). *Un secret pressentiment.* — **3.** Placé de façon à ne pas être vu : *Un escalier secret* (syn. DÉROBÉ). ◆ **secrètement** adv. *Avertir qq'un secrètement* (syn. CONFIDENTIELLEMENT). *Voyager secrètement* (syn. INCOGNITO). *Agir secrètement* (syn. CLANDESTINEMENT).

2. SECRET, ÈTE [səkrɛ, -ɛt] adj. (même étym.). Se dit d'une personne qui ne fait pas de confidences : *Cet homme ne parle à personne, il est très secret* (syn. RENFERMÉ).

3. SECRET [səkrɛ] n. m. (lat. *secretum*). **1.** Ce qui doit être tenu caché, ce qu'il ne faut dire à personne : *Garder un secret.* ‖ *Ne pas avoir de secret pour qq'un,* ne rien lui cacher. ‖ *Le secret de Polichinelle,* ce qui est connu de tous et dont on veut faire un secret. ‖ *Secret d'État* → ÉTAT 4. — **2.** Discrétion, silence sur une chose confiée : *Les négociations ont été menées dans le plus grand secret.* ‖ *Annoncer, confier, dire une chose sous le sceau du secret,* la confier en recommandant de ne la divulguer à personne. ‖ *Être dans le secret, être dans le secret des dieux* (fam.), être dans la confidence d'une affaire. ‖ *Secret professionnel,* interdiction légale de divulguer un secret dont on a eu connaissance dans l'exercice de ses fonctions : *Les médecins sont liés par le secret professionnel, même devant les tribunaux.* — **3.** Ce qu'il y a de plus caché, de plus intime : *Pénétrer dans le secret des cœurs, des consciences* (syn. REPLIS, TRÉFONDS). — **4.** Moyen caché, ou connu d'un petit nombre de personnes, pour réussir quelque chose, pour atteindre un but : *Le secret pour plaire* (syn. RECETTE). *Un secret de fabrication* (syn. PROCÉDÉ). — **5.** Mécanisme caché qu'il faut manœuvrer d'une certaine manière, ou combinaison qu'il faut connaître : *Connaître le secret d'un coffre-fort.* — **6.** Lieu isolé dans une prison : *Mettre un prisonnier au secret.* — LOC. ADV. *En secret,* sans témoin (syn. EN CACHETTE, EN CATIMINI).

1. SECRÉTAIRE [səkretɛr] n. (de *secret*). **1.** Personne capable d'écrire sous la dictée de quelqu'un, ou de rédiger, de classer la correspondance, de répondre au téléphone : *Une secrétaire sténodactylo.* — **2.** Personne qui assiste le président d'une assemblée et qui éventuellement rédige les procès-verbaux des séances : *Secrétaire perpétuel* (= élu à vie) *de l'Académie française.* — **3.** *Secrétaire d'État* → ÉTAT 4. — **4.** *Secrétaire général,* personne chargée de la direction, de l'organisation des services de certaines assemblées, d'organismes publics ou privés, de sociétés : *Le secrétaire général de l'Organisation des Nations unies.* — **5.** *Secrétaire de mairie,* personne chargée, sous la responsabilité du maire, des tâches administratives de la commune. — **6.** *Secrétaire de rédaction* (d'un journal, d'une revue), auxiliaire du rédacteur en chef, qui revoit les articles, assure la mise en pages. ◆ **secrétairerie** n. f. *Secrétairerie d'État,* organisme administratif que dirige le cardinal secrétaire d'État (= chargé des rapports extérieurs), au Vatican. ◆ **secrétariat** n. m. **1.** Profession, emploi de secrétaire : *École de secrétariat.* — **2.** Bureau où travaillent des secrétaires : *S'adresser au secrétariat.* ◆ **sous-secrétaire** n. *Sous-secrétaire d'État,* membre d'un gouvernement, adjoint à un secrétaire d'État. ‖ Pl. des *sous-secrétaires.* ◆ **sous-secrétariat** n. m.

2. SECRÉTAIRE [səkretɛr] n. m. (même étym.). Meuble à tiroirs où l'on range des papiers, et ordinairement pourvu d'un panneau qui, rabattu, sert de table à écrire.

3. SECRÉTAIRE [səkretɛr] n. m. (orig. obscure). Rapace diurne des régions chaudes, se nourrissant surtout de serpents (syn. SERPENTAIRE).

SECRÈTEMENT adv. → SECRET 1.

SÉCRÉTER [sekrete] v. t. (du lat. *secretio*, séparation) [sujet nom désignant un organe]. Produire une sécrétion : *Le foie sécrète la bile.* ◆ **sécréteur, trice** adj. Qui produit une sécrétion; qui sert à une sécrétion : *Glande sécrétrice. Canal sécréteur.* ◆ **sécrétion** n. f. Substance élaborée et excrétée par une glande.
— ENCYCL. On distingue les *sécrétions externes* et les *sécrétions internes* (ou *hormones*).

Les *sécrétions externes* sont produites par les glandes endocrines : elles sont déversées hors de l'organe producteur, dans une cavité naturelle, ou à l'extérieur du corps par un canal excréteur; ainsi, les sucs digestifs (bile, suc gastrique, salive, suc pancréatique, suc intestinal) sont déversés dans le tube digestif; la sueur est excrétée par les glandes sudoripares; le lait est excrété par les acini des glandes mammaires et les canaux galactophores.

Les *sécrétions internes,* ou hormones, sont déversées directement dans le sang, sans canal excréteur, par les cellules des glandes endocrines. Ces hormones jouent un très grand rôle dans la régulation et la mise en jeu de nos diverses fonctions, ainsi que dans la croissance harmonieuse de notre organisme (hormones hypophysaires, thyroïdiennes, surrénales, pancréatiques, sexuelles).

SECTAIRE [sɛktɛr] n. et adj. (de *secte*). Personne qui fait preuve d'intolérance et d'étroitesse d'esprit à l'égard des opinions religieuses ou politiques des autres : *Un esprit sectaire* (syn. INTOLÉRANT). ◆ **sectarisme** n. m. (syn. INTOLÉRANCE).

SECTE [sɛkt] n. f. (lat. *secta;* de *sequi*, suivre). **1.** Ensemble de personnes qui se sont détachées d'une communauté religieuse : *La secte des mormons.* — **2.** Petit groupe de personnes animé par une même idéologie.

1. SECTEUR [sɛktœr] n. m. (lat. *sector*, qui coupe). Math. *Secteur angulaire* → ENCYCL.
— ENCYCL. Soit Ox et Oy deux demi-droites de même sommet O et de supports distincts $x'x$ et $y'y$. Le *secteur angulaire saillant* $\widehat{xOy}$ est l'intersection du demi-plan de bord $x'x$ et contenant Oy, et du demi-plan de bord $y'y$ et contenant Ox. C'est un ensemble convexe*.

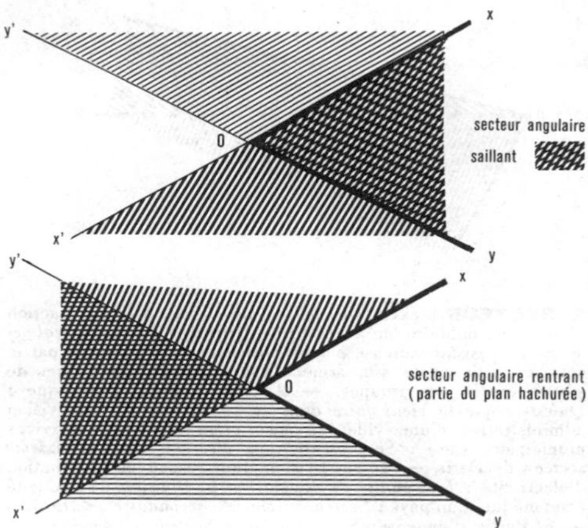

Le *secteur angulaire rentrant* $\widecheck{xOy}$ est la réunion du demi-plan de bord $x'x$ et contenant Ox' et du demi-plan de bord $y'y$ et contenant Ox'. Ce n'est pas un ensemble convexe*. O est le *sommet* des secteurs angulaires déterminés; Ox et Oy en sont les *côtés.*

Soit Ox et Oy deux demi-droites de même support : si elles sont confondues, le *secteur angulaire nul* est l'ensemble des points des deux demi-droites confondues et le *secteur angulaire plan* est l'ensemble de tous les points du plan; si elles sont opposées, elles déterminent deux *secteurs angulaires plats* qui sont les deux semi-plans de bord xy.

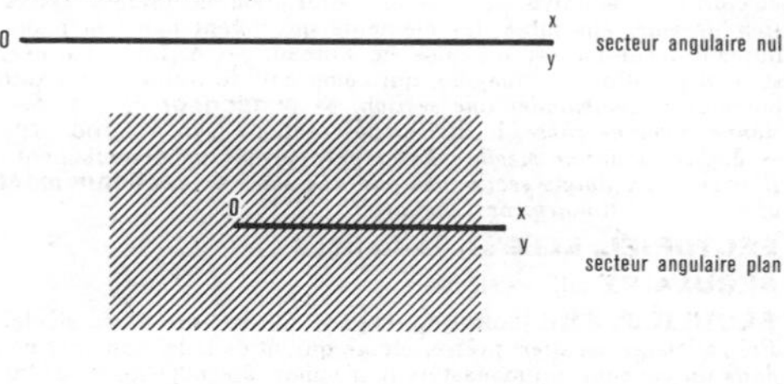

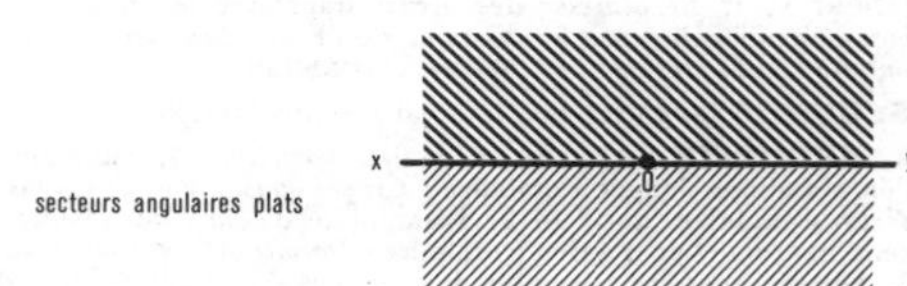

Cas particulier : On a un *secteur angulaire saillant droit* $\widehat{xOy}$ si Ox et Oy sont perpendiculaires.

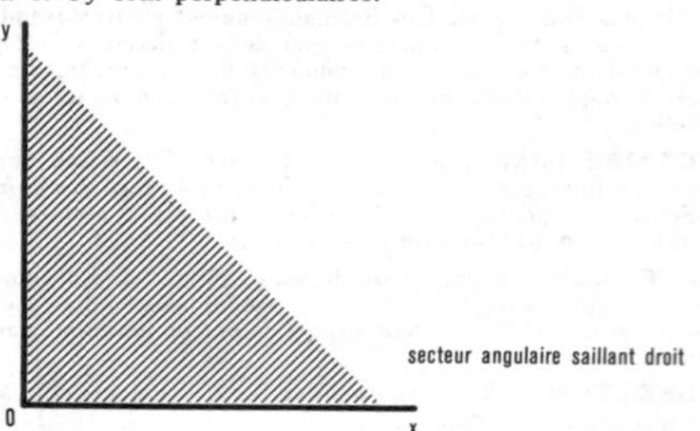

Deux secteurs angulaires $\widehat{xOy}$ *et* $\widehat{xOz}$ sont dits *adjacents* s'ils ont même sommet O, un côté commun Ox et s'ils sont situés de part et d'autre de ce côté commun.

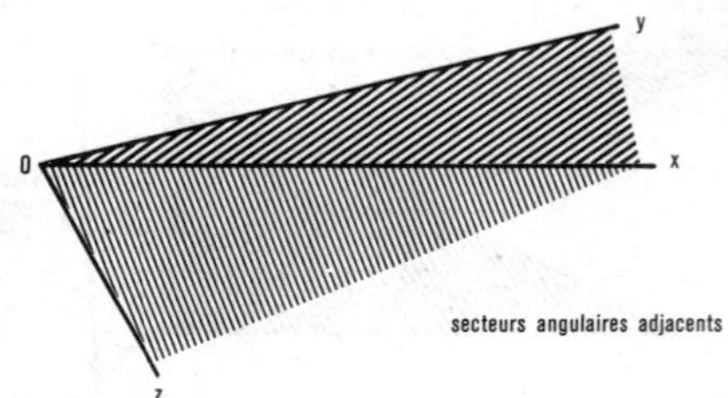

2. SECTEUR [sɛktœr] n. m. (même étym.). **1.** Zone d'action d'une unité militaire (en général une division) : *Un secteur calme.* ‖ *Secteur postal,* adresse postale conventionnelle, donnée par le service de la poste aux armées pour conserver le secret de stationnement des troupes. — **2.** *Fam.* Endroit quelconque : *Qu'est-ce que tu viens faire dans ce secteur?* — **3.** Subdivision administrative d'une ville (circonscription électorale, services municipaux, etc.) : *Se présenter aux élections dans le sixième secteur de Paris.* — **4.** Subdivision d'un réseau de distribution d'électricité : *Une panne de secteur.* — **5.** Division de l'activité économique d'un pays : *Secteur primaire*, secondaire*, tertiaire*.* — **6.** Partie d'un ensemble; domaine : *Secteur économique.* ‖ *Secteur privé,* ensemble des entreprises appartenant à des propriétaires, à des sociétés. ‖ *Secteur public,* ensemble des entreprises dépendant de l'État. ◆ **sectoriel, elle** adj. Relatif à un secteur (sens 6), à une catégorie professionnelle : *Des revendications sectorielles.*

SECTION [sɛksjɔ̃] n. f. (lat. *sectio, -onis*). **1.** Action de couper; endroit où une chose est coupée : *La section d'un os, d'un tendon, d'une tige.* — **2.** Division du parcours d'une ligne de transports en commun (autobus, métro) : *Un trajet de quatre sections.* — **3.** Division administrative d'une ville, d'un tribunal, d'un établissement d'enseignement, etc. : *Sections littéraire et scientifique. Section électorale* (= subdivision d'une circonscription électorale). ‖ *Section de vote,* ensemble des électeurs qui votent dans un même bureau; local où est organisé ce bureau. — **4.** Dans l'armée, subdivision d'une compagnie, qui comprend de trente à quarante hommes : *Commander une section.* ◆ **sectionner** v. t. **1.** *Sectionner quelque chose,* le diviser par sections (syn. FRACTIONNER). — **2.** *Sectionner un membre,* le couper, surtout accidentellement : *Il a eu deux doigts sectionnés par une scie.* ◆ **sectionnement** n. m. : *Le sectionnement d'une artère.*

SECTORIEL, ELLE adj. → SECTEUR 2.

SÉCULAIRE adj. → SIÈCLE.

SÉCULIER, ÈRE [sekylje, -ɛr] adj. (du lat. *saeculum,* siècle). *Prêtre, clergé séculier,* prêtre, clergé qui vit dans le monde et non dans un couvent, un monastère (par oppos. à RÉGULIER). ◆ **séculariser** v. t. *Séculariser des biens,* transférer les biens d'une communauté religieuse au domaine de l'État : *Les biens du clergé ont été sécularisés en 1789.* ◆ **sécularisation** n. f.

SECUNDO [səgɔ̃do] adv. (mot lat.) → NUMÉRATION.

1. SÉCURITÉ [sekyrite] n. f. (lat. *securitas*). **1.** Situation où l'on n'a aucun danger à craindre : *Croyez-vous que nous soyons en sécurité dans cet abri?* — **2.** Tranquillité d'esprit qui résulte du sentiment que l'on n'a rien à craindre : *Dormir en toute sécurité.* — **3.** *Sécurité routière,* ensemble des services visant à la sécurité des usagers de la route. — **4.** *Sécurité sociale* → SOCIAL 1. — LOC. AD *De sécurité,* se dit d'un objet, d'un appareil destiné à empêche un accident ou à en atténuer les conséquences : *Ceinture de sécu rité.* ◆ **insécurité** n. f. : *L'insécurité des zones montagneuses* ◆ **sécuriser** v. t. Donner un sentiment de sécurité. ◆ **sécuri sant, e** adj. Qui rassure.

2. SÉCURITÉ [sekyrite] n. f. (même étym.). Dispositif blo quant la détente d'une arme à feu pour empêcher tout dépa inopiné du coup.

SEDAINE (Michel-Jean), auteur dramatique français (1719-1797) Auteur de drames historiques et de livrets d'opéras-comique *(Richard Cœur de Lion),* ainsi que du chef-d'œuvre de la comédi sérieuse telle que la définit Diderot, *le Philosophe sans le savoi* (1765).

SEDAN, ch.-l. de cant. des Ardennes, sur la Meuse, à 20 km l'E.-S.-E. de Mézières; 24 500 hab. Textiles. Métallurgie.

- *2 sept. 1870. Napoléon III, vaincu, y capitule.*
- *Mai 1940. C'est le point principal de la percée allemand vers l'ouest.*

SÉDATIF, IVE [sedatif, -iv] adj. (du lat. *sedare,* calmer). Qu calme la douleur : *Médicament sédatif.*

SÉDENTAIRE [sedɑ̃tɛr] adj. et n. (du lat. *sedere,* être assis) **1.** Qui demeure ordinairement assis : *Vous ne prenez pas asse d'exercice, vous êtes trop sédentaire.* — **2.** Qui se tient presqu toujours chez soi, qui sort ou voyage peu : *En vieillissant, o devient sédentaire* (syn. CASANIER; fam. PANTOUFLARD). — **3.** Se di d'une population dont l'habitat est fixe (par oppos. à NOMADE) ◆ adj. Qui ne comporte ou n'exige pas de déplacements : *Une vi sédentaire.* ◆ **sédentariser** v. t. Rendre sédentaire (sens 3).

SÉDIMENT [sedimɑ̃] n. m. (lat. *sedimentum,* affaissement) Dépôt laissé par les eaux, le vent et les autres agents externe (d'après leur origine, ils peuvent être marins, fluviatiles, lacustres glaciaires, etc.). ◆ **sédimentaire** adj. *Roches sédimentaires* roches formées à la surface de la Terre : *Le calcaire, le grès l'argile sont des roches sédimentaires* (syn. ROCHES EXOGÈNES) → ENCYCL. ◆ **sédimentation** n. f. Dépôt d'un sédiment. ◆ **sédimentologie** n. f. *Géol.* Science qui se consacre à l'étude des sédiments pour reconstituer le milieu dans lequel ils se son déposés.

— ENCYCL. Les *roches sédimentaires* proviennent de la destructio des reliefs existants, du transport et de la sédimentation des débri produits. Les particules transportées peuvent être solides : elles se déposent alors quand l'agent de transport (rivières, vent...) n'es plus capable de les évacuer. Elles peuvent être en solution dan l'eau : le dépôt a alors lieu par précipitation chimique (roches salines) ou par l'intermédiaire d'organismes vivants (coraux coquillages) qui les fixent. Les sédiments ainsi déposés se transforment en roches sous l'effet de la diagenèse (= l'ensemble des phénomènes assurant la transformation d'une roche meuble en une roche cohérente).

1. SÉDIMENTATION n. f. → SÉDIMENT.

2. SÉDIMENTATION [sedimɑ̃tasjɔ̃] n. f. (de *sédiment*). *Vitesse de sédimentation,* méthode d'examen du sang qui permet de mesurer la vitesse de chute des hématies, dans le sang rendu incoagulable, selon des conditions bien définies.

SÉDIMENTOLOGIE n. f. → SÉDIMENT.

SÉDITION [sedisjɔ̃] n. f. (lat *seditio*). Révolte contre l'autorité établie : *Fomenter une sédition* (syn. INSURRECTION, SOULÈVEMENT). ◆ **séditieux, euse** n. et adj. Personne qui prend part à une sédition : *Un attroupement de séditieux* (syn. FACTIEUX). ◆ adj. **1.** En révolte contre l'autorité : *Un journal séditieux.* — **2.** Qui tend à provoquer la sédition : *Des écrits séditieux.*

SÉDUIRE [sedɥir] v. t. (lat. *seducere,* conduire à l'écart). [Conj. **70.**] *Séduire qq'un,* l'attirer, le gagner d'une façon irrésistible : *Ses manières, le charme de sa parole ont séduit le public* (syn. CHARMER, ↑FASCINER). *Cette vie de bureaucrate ne le séduisait guère* (syn. PLAIRE, TENTER). *Séduire une femme.* ◆ **séducteur, trice** adj. Qui séduit, attire d'une façon irrésistible. ◆ n. m. Homme qui séduit des femmes ou des jeunes filles (syn. DON JUAN). ◆ **séduction** n. f. **1.** Action de séduire : *Employer le charme et la séduction.* — **2.** Agrément, attrait irrésistible pour quelque chose : *La séduction des richesses.* ◆ **séduisant, e** adj. **1.** Se dit d'une personne qui plaît, qui attire par sa beauté, son charme : *Un homme séduisant* (syn. BEAU, CHARMANT). — **2.** Se dit d'une chose qui est propre à attirer : *Une proposition séduisante* (syn. ATTRAYANT).

SEEBECK (Thomas Johann), physicien allemand (1770-1831). Il découvrit la thermo-électricité (1821).

SEELAND → SJAELLAND.

SEFARDI [sefardi] ou **SEFARADDI** [sefaradi] n. et adj. (de l'hébr. *Sefarad,* Espagne). Nom donné aux juifs d'Espagne et du Portugal au Moyen Âge et, depuis, à la majorité des communautés juives des pays méditerranéens.

SEFÉRIS (Gheórghios SEFERIÁDHIS, dit **Georges**), diplomate et poète grec (1900-1971). Il unit dans ses poèmes l'évocation des mythes antiques à la peinture de la vie quotidienne de la Grèce moderne (*Strophe*, 1931; *Mythologie*, 1935; *Journal de bord*, 1940-1955). [Prix Nobel, 1963.]

SÉFÉVIDES ou **SAFAWIDES,** dynastie persane, qui régna de 1502 à 1736 et qui fut renversée par Nādir chāh.

SEGAILA (le) [*pays du seigle*], plateaux cristallins du sud-ouest du Massif central, autref. très pauvres.

SÉGESTE, v. de la Sicile antique, entre Palerme et Trapani. Détruite par Agathocle, en 307 av. J.-C., elle retrouva sa prospérité sous les Romains. Restes d'un temple dorique de Déméter et d'un théâtre.

SEGMENT [sɛgmɑ̃] n. m. (lat. *segmentum*, morceau coupé). **1.** *Math.* A et B étant deux points d'une droite D, on appelle *segment d'extrémité A et B*, l'ensemble des points compris entre A et B. (Le segment est *fermé* et se note [A,B] ou AB si A et B lui appartiennent. Le segment est *ouvert* et se note]A,B[si A et B ne lui appartiennent pas.) — **2.** *Mécan.* Anneau métallique coupé qui assure l'étanchéité du piston d'un moteur. — **3.** Portion bien délimitée, détachée d'un ensemble. ◆ **segmenter** v. t. Partager en segments : *Segmenter une barre de fer* (syn. COUPER, DIVISER). ◆ **segmentation** n. f. (syn. FRACTIONNEMENT).

1. SEGMENTATION n. f. → SEGMENT.

2. SEGMENTATION [sɛgmɑ̃tasjɔ̃] n. f. (de *segment*). *Biol.* Première étape du développement de l'œuf chez les animaux, consistant en une suite de divisions cellulaires rapides sans augmentation de la masse totale.

SEGMENTER v. t. → SEGMENT.

SEGONZAC (André DUNOYER DE) → DUNOYER DE SEGONZAC.

SÉGOVIE, en esp. **Segovia,** v. d'Espagne (Castille-León); 48 000 hab. La ville est très riche en monuments anciens.

SEGRÉ, ch.-l. d'arrond. de Maine-et-Loire, à 21 km au S.-O. de Château-Gontier, sur l'Oudon; 7 200 hab. Mine de fer.

1. SÉGRÉGATION [segregasjɔ̃] n. f. (lat. *segregatio;* de *grex, gregis*, troupeau). *Ségrégation raciale,* fait de séparer les personnes d'origines, de races différentes, à l'intérieur d'un même pays : *La ségrégation raciale a pris une forme officielle et systématique en Afrique du Sud* (syn. DISCRIMINATION RACIALE, APARTHEID). ◆ **ségrégationnisme** n. m. Politique de ségrégation raciale. ◆ **ségrégationniste** adj. Relatif à la séparation : *Des mesures ségrégationnistes.*

2. SÉGRÉGATION [segregasjɔ̃] n. f. (de *ségrégation* 1). Fait de séparer les personnes selon leur condition socioculturelle, leur sexe, leur âge, etc., à l'intérieur d'un même groupe. ◆ **ségrégatif, ive** adj. : *Un système scolaire ségrégatif.*

SÉGUEDILLE [segədij] n. f. (de l'esp. *seguida*, suite). Danse rapide d'Andalousie, toujours chantée et accompagnée de castagnettes et de guitare.

SÉGUIER (Pierre), chancelier sous Louis XIII et sous Louis XIV (1588-1672), un des protecteurs de l'Académie française. Il soutint Mazarin pendant la Fronde. En 1661, il accabla Fouquet mis en accusation.

SEGUIN (Marc), ingénieur français (1786-1875), constructeur du premier pont suspendu sur le Rhône entre Tain-l'Hermitage et Tournon (1824); il inventa la chaudière tubulaire pour locomotive (1827). En 1827, il construisit avec son frère le chemin de fer de Saint-Étienne à Lyon et fit creuser les premiers tunnels ferroviaires.

SÉGUR (Sophie ROSTOPCHINE, *comtesse* DE), femme de lettres française (1799-1874). Fille du comte Rostopchine*, gouverneur de Moscou, elle épousa le comte Eugène de Ségur. Elle est l'auteur de récits pour enfants (*Mémoires d'un âne,* 1860; *les Malheurs de Sophie,* 1864; *le Général Dourakine,* 1866).

SEICHE [sɛʃ] n. f. (lat. *sepia*). Mollusque céphalopode, caractérisé par sa coquille dorsale interne (os), qui lui sert de flotteur, et par l'encre noire (sépia) qu'elle rejette lorsqu'elle s'enfuit.

— ENCYCL. La *seiche* présente dix tentacules, dont deux seulement, longs et terminés en raquettes, servent à capturer les proies, les huit autres se bornant à les maintenir. Les œufs, volumineux et noirs, forment le « raisin de mer ».

SÉIDE [seid] n. m. (de *Séide*, affranchi de Mahomet). Homme aveuglément dévoué à un chef (syn. FANATIQUE, PARTISAN).

SEIGLE [sɛgl] n. m. (lat. *secale*, ce qu'on coupe). **1.** Céréale originaire du sud de l'Europe et de l'Asie centrale, cultivée dans les régions nordiques, dans les montagnes et sur les terrains pauvres. (Famille des graminacées.) → ENCYCL. — **2.** Grain de cette plante et farine qu'on en tire : *Manger du pain de seigle avec des huîtres.*

— ENCYCL. Le *seigle* est une plante annuelle monocotylédone, à épis barbus portant des grains allongés, cultivée pour son grain, pour sa paille et comme fourrage vert. L'*ergot*, maladie cryptogamique du seigle, rend la farine inconsommable.

La production mondiale, de l'ordre de 28 millions de t, provient surtout de l'U. R. S. S. (9,6 millions), de la Pologne (7,7 millions) et de l'Allemagne (4 millions). La production française, en baisse, est inférieure à 350 000 t.

SEIGNELAY (Jean-Baptiste COLBERT, *marquis* DE), fils de Colbert (1651-1690); il fut secrétaire d'État à la Marine et devint ministre d'État en 1689.

SEIGNEUR [sɛɲœr] n. m. (du lat. *senior*, plus âgé). **1.** Au Moyen Âge et sous l'Ancien Régime, propriétaire féodal; personne noble, de haut rang. — **2.** (avec une majusc.) Nom donné à Dieu. ‖ *Notre-Seigneur*, Jésus-Christ. — **3.** *Faire le grand seigneur, se donner des airs de grand seigneur, vivre en grand seigneur,* se montrer très généreux, dépenser sans compter. ‖ Fam. et ironiq. *Son seigneur et maître*, le mari d'une femme. ◆ **seigneurial, e, aux** adj. Qui appartenait à un seigneur; qui donnait des droits de seigneur : *Terre seigneuriale.* ◆ **seigneurie** n. f. **1.** Autorité d'un seigneur. — **2.** Territoire sur lequel s'étendait cette autorité. ‖ *Votre Seigneurie*, titre d'honneur des anciens pairs de France et des membres de la Chambre des lords en Angleterre.

SEILLE (la), riv. de la Bresse, affl. de la Saône (r. g.); 110 km.

SEILLE LORRAINE (la), riv. de Lorraine, affl. de la Moselle (r. dr.), à Metz; 130 km.

SEIN [sɛ̃] n. m. (du lat. *sinus*, pli). **1.** Chacune des mamelles de la femme, formée de la glande mammaire et de ses conduits excréteurs qui aboutissent au mamelon : *Donner le sein à un enfant* (= lui donner à têter) [syn. ALLAITER]. → ENCYCL. — **2.** Partie du corps qui s'étend depuis le bas du cou jusqu'au creux de l'estomac (littér.) : *Presser qq'un sur son sein* (syn. POITRINE). — **3.** Partie interne de quelque chose : *Le sein de la terre.* — LOC. PRÉP. *Au sein de*, au milieu de.

— ENCYCL. Glandes qui sécrètent le lait, les *seins* reposent sur les muscles pectoraux.

Ils se développent, chez la jeune fille, dès le début de la puberté*, sous l'influence des hormones sexuelles, alors produites en abondance. Quinze à vingt glandes, groupées en amas séparés par un tissu conjonctif de soutien, déversent leur sécrétion à l'extérieur par un réseau de canaux qui aboutissent tous au *mamelon*, partie saillante et colorée du sein, entourée par l'*aréole*, sorte de disque de tissu élastique. La glande mammaire ne se développe totalement que pendant la grossesse. Après l'accouchement, une hormone hypophysaire déclenche la sécrétion du lait.

SEIN *(île de)*, île et comm. du Finistère, arrond. de Quimper; 504 hab. Pêche.

SEINE (la), fl. de France, drainant une partie du Bassin parisien; 776 km. Née sur le plateau de Langres, à 471 m d'alt., la Seine traverse la Champagne humide, puis la Champagne pouilleuse, passant à Troyes. Entre son confluent avec l'Aube (r. dr.) et l'Yonne (r. g.), [à Montereau], elle longe la côte de l'Île-de-France. Peu en amont de Paris, le fleuve reçoit son affluent le plus long, la Marne (r. dr.). Il décrit alors de très grands méandres et se grossit de l'Oise (r. dr.). Après le confluent de l'Eure (r. g.), il forme de nouveau des méandres très allongés, arrose Rouen et rejoint la Manche par un vaste estuaire sur lequel est établi Le Havre. Dans l'ensemble, le fleuve a un régime régulier avec de modestes écarts de débit. Toutefois des crues redoutables peuvent se produire par suite de pluies exceptionnelles sur les terrains de son bassin supérieur, gorgés d'eau, et ne jouant plus leur rôle de réservoirs (aujourd'hui la réalisation du réservoir « Seine » en limite l'intensité). La Seine demeure une excellente voie navigable, utilisée essentiellement entre la Manche et Paris.

SEINE *(basse)*, région située de part et d'autre de la Seine, en aval de Rouen, caractérisée par une navigation intense sur le fleuve et la présence de nombreuses industries dans la vallée (raffineries de pétrole et industries chimiques, usines métallurgiques et textiles).

SEINE *(dép. de la)*, anc. dép. du Bassin parisien, correspondant à la ville de Paris et à sa proche banlieue. La loi de 1964 a ventilé ses communes parmi les quatre nouveaux dép. des *Hauts-de-Seine*, de *Paris*, de la *Seine-Saint-Denis* et du *Val-de-Marne.*

SEINE-ET-MARNE (77), dép. du Bassin parisien (Région Île-de-France); 5 915 km²; 887 100 hab. (150 au km²) [France : 103]. Ch.-l. *Melun.*

ADMINISTRATION. 4 arrond. (*Fontainebleau*, 121 000 hab.; *Meaux*, 375 200 hab.; *Melun*, 292 700 hab.; *Provins*, 98 200 hab.). / 40 cant. / 514 comm.

Le département s'étend essentiellement sur la *Brie*, entre les vallées de la Seine au S. et de la Marne au N., où l'altitude se situe généralement un peu au-dessus de 100 m. Le Nord-Ouest appartient à l'Île-de-France *(Multien)*, le Sud déborde sur les sables de la *forêt de Fontainebleau* et le *Gâtinais.*

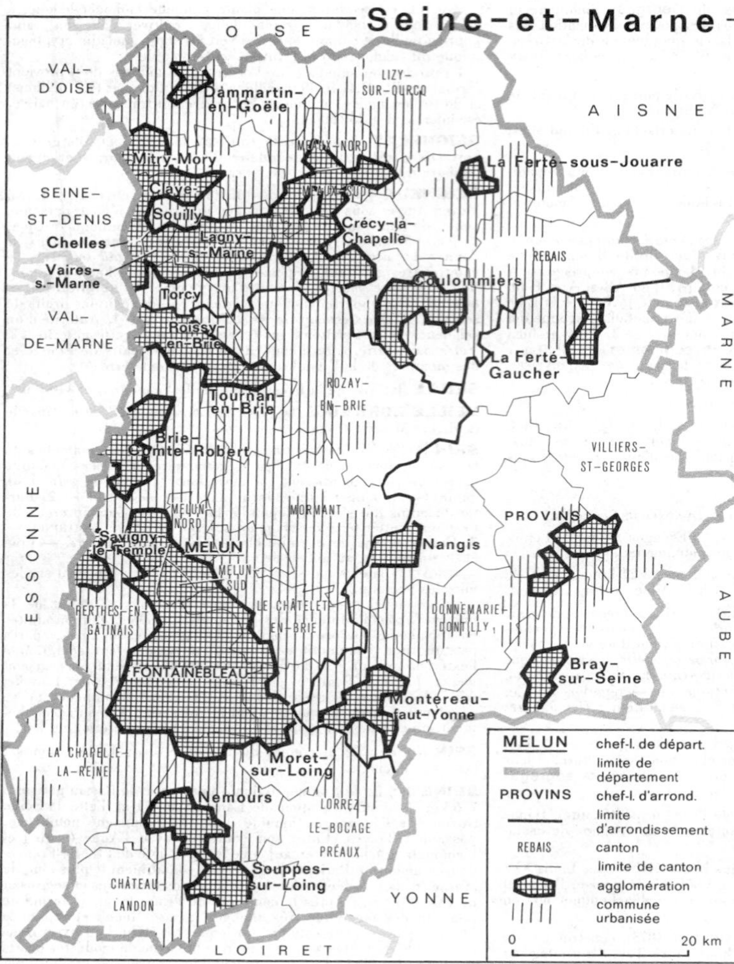

LOCALITÉS PRINCIPALES	NOMBRE D'HAB.
Meaux	45 900
Chelles	41 900
Melun	36 200
Dammarie-les-Lys	19 900
Montereau-Fault-Yonne	19 600
Pontault-Combault	19 000
Fontainebleau	18 800
Lagny-sur-Marne	18 300
Champs-sur-Marne	16 900
Villeparisis	16 750

L'*agriculture* emploie moins de 5 p. 100 de la population active. Pourtant la production est abondante et variée, souvent dans le cadre de grandes exploitations mécanisées : céréales (blé, maïs), important élevage bovin, stimulé par la proximité de Paris.

Industries (constructions mécaniques et électriques, chimie, alimentation) et *secteur tertiaire* se partagent à peu près également le reste de la population active, se concentrant dans les villes établies dans les vallées. Aucune n'est très importante, ni près de Paris, mais Melun et Meaux dépassent 30 000 hab.

Comme la quasi-totalité des départements proches de Paris, la Seine-et-Marne a enregistré récemment une très nette croissance de sa population.

SEINE-ET-OISE, anc. dép. du Bassin parisien, partagé par la loi de 1964 entre les trois départements de l'*Essonne,* du *Val-d'Oise* et des *Yvelines,* principalement.

SEINE-MARITIME (76), dép. du Bassin parisien, en Normandie (Région Haute-Normandie): 6 278 km²; 1 193 000 hab. (191 au km²) [France : 103]. Ch.-l. *Rouen.*

ADMINISTRATION. 3 arrond. (*Dieppe.* 220 000 hab.; *Le Havre.* 396 000 hab.; *Rouen.* 577 000 hab.). / 70 cant. / 745 comm.

S'étendant sur la majeure partie de la Normandie septentrionale, largement ouvert aux influences maritimes, le département est principalement formé de plateaux dont l'altitude oscille généralement entre 100 et 200 m. Au *pays de Caux,* succède à l'E. le *pays de Bray,* cependant que le Nord touche à la *Picardie.*

L'*agriculture* n'emploie plus guère que 7 p. 100 de la population active. Elle est fondée sur l'élevage bovin dans le pays de Bray argileux et une importante production céréalière sur le limon recouvrant la craie du pays de Caux. Le littoral (en dehors de l'estuaire de la Seine) est localement animé par la *pêche* et le *commerce* (Dieppe), le *tourisme* (Le Tréport).

L'*industrie* occupe un peu plus des deux cinquièmes de cette population active. Le textile et l'industrie alimentaire sont aujourd'hui moins importants que la métallurgie et la chimie, celle-ci étant stimulée par la présence du plus grand complexe

LOCALITÉS PRINCIPALES	NOMBRE D'HAB.	LOCALITÉS PRINCIPALES	NOMBRE D'HAB.
Le Havre	200 400	Sotteville-lès-Rouen	30 600
Rouen	105 100	Le Petit Quevilly	22 900
Dieppe	36 500	Fécamp	21 700
Saint-Étienne-du-Rouvray	32 700	Mont-Saint-Aignan	20 000
Le Grand-Quevilly	31 800	Elbeuf	17 400

français de raffinage pétrolier : l'industrie se concentre surtout dans la vallée de la Seine, notamment à Rouen et au Havre, les deux agglomérations majeures. Celles-ci regroupent ensemble plus de la moitié de la population du département. Ainsi s'expliquent la forte densité générale de ce dernier et le grand développement du *secteur tertiaire*, qui emploie près de la moitié de la population active.

C'est encore l'essor de ces deux agglomérations majeures qui explique en priorité le sensible accroissement de population intervenu récemment. En réalité, la basse vallée de la Seine est de plus en plus l'axe vital du département dont les cantons ruraux des plateaux continuent souvent à se dépeupler.

SEINE-SAINT-DENIS (93), dép. créé par la loi de 1964 et s'étendant sur le nord-est de l'anc. dép. de la Seine et sur des comm. de l'anc. Seine-et-Oise (Région Île-de-France); 236 km^2; 1 324 000 hab. (5 602 au km^2) [France : 103]. Ch.-l. *Bobigny*.
ADMINISTRATION. 2 arrond. (*Bobigny*, 875 500 hab.; *Le Raincy*, 448 800 hab.). / 40 cant. / 40 comm.
→ carte page suivante.

Le département occupe le quart nord-est de l'agglomération parisienne, limité par la vallée de la Seine à l'O., atteignant la Marne au S. La proximité de Paris explique naturellement l'énorme densité de population, plus de 50 fois la moyenne nationale.

L'*agriculture* emploie une part très faible de cette population active. Quelques cultures se maintiennent dans le Nord-Est, plus éloigné et moins urbanisé.

L'*industrie* est très développée, occupant plus de 40 p. 100 de la population active (c'est le département le plus industrialisé de la région parisienne), représentée surtout en bordure de la Seine (de Saint-Ouen à Saint-Denis - La Courneuve) et le long du canal de l'Ourcq (de Bondy à Pantin). La métallurgie de transformation est la branche nettement dominante.

Récemment, la population du département s'est accrue sensiblement. Les communes les plus proches de Paris, anciennement développées, stagnent presque (Saint-Denis) ou même régressent (Saint-Ouen). En revanche, le Sud-Est et l'Est, plus résidentiels, voient leur population s'accroître plus rapidement. De proche en proche, l'urbanisation gagne, freinée peut-être au N. par la proximité de l'aéroport Charles-de-Gaulle.

SEING [sɛ̃] n. m. (lat. *signum*, signe). **1.** *Autref.* Signe tenant lieu de signature. — **2.** *Auj.* La signature elle-même qu'une personne appose sur un acte pour en attester l'authenticité : *Le seing des témoins.* ‖ *Seing privé*, signature d'un acte qui n'a pas été reçu par un officier public : *Acte sous seing privé.* (→ aussi BLANC-SEING.)

SÉISME [seism] n. m. (gr. *seismos*, tremblement de terre). Secousse plus ou moins violente qui ébranle le sol, se propageant à partir d'un point situé en profondeur, l'*épicentre* : *Les séismes sont fréquents dans les zones orogéniques et peuvent avoir des conséquences catastrophiques pour la population* (syn. TREMBLEMENT DE TERRE). ◆ **séismique** ou **sismique** adj. Qui a rapport aux tremblements de terre. ◆ **séismographe** ou **sismographe** n. m. Instrument très sensible, destiné à enregistrer l'heure, la durée et l'amplitude des tremblements de terre. ◆ **séismologie** ou **sismologie** n. f. Science des tremblements de terre.

SEIZE [sɛz] adj. num. cardin. et n. m. (lat. *sedecim*). → NUMÉRATION. ◆ **seizième** adj. num. ordin. et n. ◆ **seizièmement** adv.

SÉJOURNER [seʒurne] v. i. (bas lat. *subdiurnare*, durer un certain temps) [sujet nom de personne ou de chose]. Rester pendant un certain temps dans un endroit, dans un espace : *Il a séjourné quelques années en Angleterre* (syn. HABITER). ◆ **séjour** n. m. Fait, pour une personne, de séjourner dans un endroit; temps qu'elle y passe : *Faire un bref séjour à la campagne.*

1. SEL [sɛl] n. m. (lat. *sal*). **1.** Substance incolore, cristallisée, friable, soluble et d'un goût acre, employée comme assaisonnement. ‖ *Sel gemme*, chlorure de sodium cristallisé dans la terre. → ENCYCL. — **2.** *Chim.* Composé formé par l'action d'un acide sur une base. ◆ n. m. pl. Ce que l'on fait respirer pour ranimer quelqu'un : *Un flacon de sels.* ◆ **saler** v. t. **1.** *Saler un mets*, l'assaisonner avec du sel. — **2.** *Saler une denrée* (viande, poisson, etc.), l'imprégner de sel pour la conserver : *Saler du porc, des harengs, des sardines.* ◆ **salage** n. m. : *Le salage d'un jambon.* ◆ **salaison** n. f. Action de saler les denrées alimentaires pour les conserver : *La salaison du porc frais.* ◆ n. f. pl. Denrées alimentaires qui ont été salées pour être conservées : *Manger des salaisons.* ◆ **salant** adj. m. *Marais salant* → MARAIS. ◆ **salé, e** adj. **1.** Imprégné de sel : *Du beurre salé.* — **2.** Qui a ou qui évoque le goût du sel : *Avoir les lèvres salées.* ◆ **salé** adv. : *Manger salé.* ◆ n. m. **1.** Mets salé : *Aimer le salé.* — **2.** Chair du porc salée : *Un morceau de salé.* ‖ *Petit salé*, viande de porc nouvellement salée. ◆ **saleron** n. m. **1.** Partie creuse d'une salière, où l'on met le sel. — **2.** Petite salière individuelle. ◆ **salière** n. f. **1.** Pièce de vaisselle qui sert à mettre le sel sur la table. — **2.** *Fam.* Creux en arrière des clavicules, chez les personnes maigres. ◆ **salin, e** adj. Qui contient du sel; propre au sel : *De l'eau saline. Un goût salin.* ◆ **saline** n. f. Syn. de MARAIS SALANT. ◆ **salinité** n. f. : *La salinité de l'eau de mer.* ◆ **saloir**

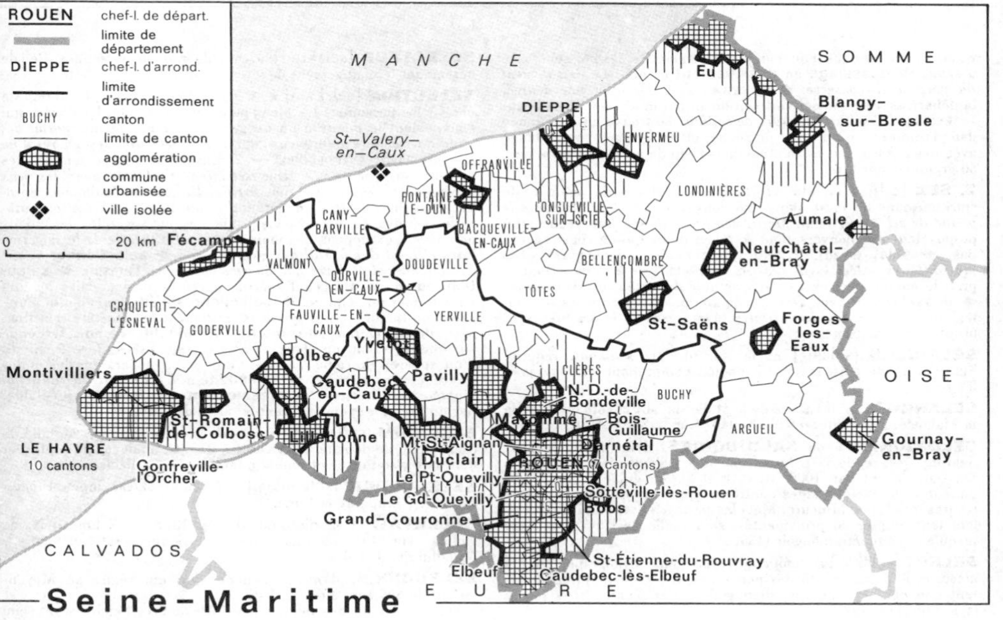

Seine-Maritime

Seine-Saint-Denis

LOCALITÉS PRINCIPALES	NOMBRE D'HAB.
Montreuil	93 400
Saint-Denis	91 300
Aulnay-sous-Bois	76 000
Aubervilliers	67 800
Drancy	60 200
Épinay-sur-Seine	50 300
Le Blanc-Mesnil	47 100
Bondy	44 300
Saint-Ouen	43 700
Pantin	43 600
Bobigny	42 700

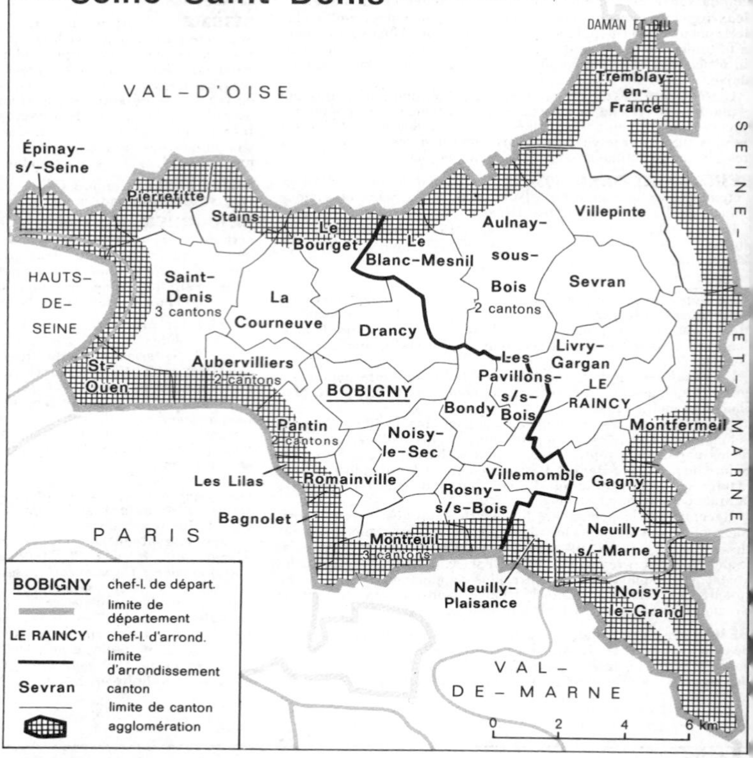

n. m. Récipient dans lequel on place les viandes, les poissons, etc. à saler. ◆ **dessalage** ou **dessalement** n. m. : *Le dessalement du poisson en conserve.* ◆ **dessaler** v. t. *Dessaler une denrée,* la débarrasser de son sel, ordinairement par immersion dans l'eau. — ENCYCL. Le *sel,* ou *chlorure de sodium,* se trouve en abondance dans la nature, soit à l'état de roche, ou *sel gemme,* soit mélangé avec des argiles, soit en solution dans l'eau de mer (*sel marin,* env. 30 grammes par litre).

2. SEL [sɛl] n. m. (de *sel* 1). **1.** Ce qu'il y a de piquant, de spirituel dans un écrit, dans une conversation : *Une plaisanterie pleine de sel.* — **2.** Fam. *Mettre son grain de sel,* intervenir mal à propos dans une conversation, se mêler de ce qui ne vous regarde pas. ◆ **salé, e** adj. **1.** Qui est très libre, licencieux : *Des plaisanteries salées* (syn. GRIVOIS, GROSSIER). — **2.** *Fam.* Dont le prix, le montant est excessif : *Une note de restaurant assez salée.* ◆ **dessaler** v. t. Fam. *Dessaler qq'un,* lui faire perdre ses scrupules, sa réserve : *La vie militaire se chargera de le dessaler* (syn. DÉGOURDIR, DÉNIAISER).

SÉLACIENS [selasjɛ̃] n. m. pl. (du gr. *selakhos,* requin). Super-ordre de poissons cartilagineux, comprenant les *requins* et les *raies.*

SELANGOR, un des États de la Malaysia, sur la côte ouest de la la Malaisie; 8 158 km²; 1 629 400 hab. Capit. *Shah Alam.*

SELDJOUKIDES ou **SALDJŪQIDES,** dynastie fondée par Saldjūq, prince de la tribu turque des Oghouz, installée sur le Syr-Daria avant l'an 1000. Aux XIe et XIIe s., grâce à une armée puissante, les Seldjoukides contrôlent un territoire qui s'étend du Khurāsān à l'Asie Mineure. Mais les partages dynastiques morcellent leur empire en principautés; seule celle de Rūm subsistera jusqu'à la conquête mongole (1302).

SELECT [selɛkt] adj. (mot angl.) [une même orthographe pour le masc. et le fém.]. Se dit des personnes, des milieux qui n'admettent que des gens choisis, distingués : *Des réunions très selects* (syn. CHIC, ÉLÉGANT).

SÉLECTEUR [selɛktœr] n. m. (du rad. de *sélection*). Pédale actionnant le changement de vitesse sur une motocyclette.

SÉLECTION [selɛksjɔ̃] n. f. (lat *selectio,* choix). **1.** Action de choisir les personnes les plus aptes à une fonction, les choses qui conviennent le mieux à un usage : *Faire une sélection parmi des candidats à un emploi* (syn. CHOIX). *Une sélection des œuvres d'un écrivain* (syn. ANTHOLOGIE). — **2.** Ensemble des personnes, des choses ainsi choisies : *Une sélection d'athlètes pour les jeux Olympiques.* — **3.** *Sélection artificielle,* choix d'animaux reproducteurs en vue de l'amélioration d'une race. ‖ *Sélection naturelle,* survivance des espèces animales ou végétales les mieux adaptées, aux dépens des moins aptes : *La théorie de la sélection naturelle est due à Malthus et à Darwin.* ◆ **sélectionner** v. t. : *Sélectionner des élèves par un concours* (syn. CHOISIR). ◆ **sélectionneur** n. m. Dirigeant sportif chargé de désigner des joueurs pour former une équipe. ◆ **sélectionniste** adj. Qui aboutit à une sélection (péjor.) : *Les syndicats critiquent le caractère sélectionniste de la réforme universitaire.* ◆ **sélectif, ive** adj. **1.** Fondé sur une sélection, un choix : *Un recrutement sélectif.* — **2.** Se dit d'un appareil de radio qui opère une bonne séparation des ondes de fréquences voisines. ◆ **sélectivité** n. f. : *Un poste de radio qui manque de sélectivité.* ◆ **présélection** n. f. Sélection préalable, par un premier examen, avant le choix définitif.

SÉLÉNIUM [selenjɔm] n. m. (du gr. *selênê,* lune). Métalloïde (Se) solide, de densité 4,8, fusible à 217 °C, analogue au soufre, et dont la résistance électrique diminue lorsqu'on l'éclaire.

SÉLÉNOLOGIE [selenolɔʒi] n. f. (du gr. *selênê,* lune, et *logos,* discours). Étude de la Lune.

SÉLESTAT, ch.-l. d'arrond. du Bas-Rhin, à 22 km au N. de Colmar, sur l'Ill; 15 500 hab. Restes de remparts (XIVe et XVIIe s.). Métallurgie. Textiles.

SÉLEUCIDES, dynastie hellénistique qui régna au Moyen-Orient de 305 env. à 63 av. J.-C.

Fondée par un des lieutenants d'Alexandre, Séleucos* Ier, elle domina un territoire qui s'étendait de l'Asie Mineure à l'Indus, mais son pouvoir s'exerça surtout en Syrie (d'où le nom de *royaume de Syrie**), autour de sa capitale Antioche. L'unification politique favorisa la prospérité économique, tandis que la fondation de villes nouvelles créait des foyers d'hellénisme. Inversement, le monde grec s'ouvrait aux religions orientales (Cybèle, Attis), et à des coutumes royales qui se perpétueront jusqu'à Byzance.

L'État séleucide, qui s'appuyait sur les Grecs, peu nombreux au sein des populations indigènes, vit ses possessions se restreindre (malgré les efforts d'Antiochos III vers 205), du fait des guerres, des usurpations et des soulèvements locaux. En Asie Mineure, le royaume de Pergame s'étendit à ses dépens, tandis qu'à l'E., les Parthes s'emparèrent du plateau iranien. L'affaiblissement progressif et les luttes dynastiques favorisèrent l'intervention des Romains qui firent de la Syrie, en 64-63 av. J.-C., une province romaine.

SÉLEUCOS Ier Nikatôr *(le Vainqueur)*, général macédonien (v. 355-280 av. J.-C.), fondateur de la dynastie des Séleucides. Lieutenant d'Alexandre, il est, à partir de 321, satrape (= gouverneur) de Babylonie.

• *305. Il prend le titre de roi et conquiert, aux dépens d'autres officiers macédoniens, de vastes territoires (victoire du Couropédion, 281), après avoir mené une expédition jusqu'à l'Indus.*

Il meurt assassiné, comme plusieurs de ses successeurs séleucides.

SELF-INDUCTANCE [sɛlfɛ̃dyktɑ̃s] ou **SELF** [sɛlf] n. f. (de l'angl. *self*, soi-même, et *inductance*). *Phys.* Coefficient d'auto-induction ou inductance. (→ INDUIRE 1.)

SELF-MADE MAN [sɛlfmedman] n. m. Express. angl. signif. *homme qui s'est fait lui-même.* ‖ Pl. des *self-made men.*

SELF-SERVICE [sɛlfsɛrvis] ou **SELF** [sɛlf] n. m. (de l'angl. *self*, soi-même, et *service*). Syn. de LIBRE-SERVICE. ‖ Pl. des *self-services.*

SELIM ou **SALIM Ier le Cruel** (1467-1520), sultan ottoman (1512-1520). Ses conquêtes le menèrent jusqu'en Égypte. — SELIM II (1524-1574), sultan ottoman (1566-1574), vaincu à Lépante par les chrétiens (1571).

SÉLINONTE, v. de la Sicile antique, colonie grecque fondée par Mégare sur la côte méridionale. Ruines de sept temples grecs.

1. SELLE [sɛl] n. f. (lat. *sella*, siège). **1.** Siège que l'on met sur le dos d'un cheval, d'un mulet, d'un âne, pour la commodité du cavalier : *Sauter en selle.* ‖ *Cheval de selle*, cheval propre à être monté par un cavalier. — **2.** Petit siège de cuir en forme de triangle, muni de ressorts et adapté à une bicyclette, à une motocyclette. — **3.** Escabeau surmonté d'un plateau tournant, sur lequel le sculpteur pose le bloc qu'il modèle. ◆ **seller** v. t. *Seller une monture*, mettre une selle sur le dos d'un cheval, d'un mulet, etc. ◆ **sellerie** n. f. **1.** Lieu où l'on range les selles et les harnais. — **2.** Fabrication ou commerce des selles et des harnais. ◆ **sellier** n. m. Fabricant ou marchand de selles et de tout ce qui concerne l'équipement des chevaux. ◆ **desseller** v. t. *Desseller un cheval*, lui ôter sa selle.

2. SELLE [sɛl] n. f. (de *selle* 1). *Aller à la selle*, aller aux cabinets. ◆ n. f. pl. Excréments humains.

SELLETTE [selɛt] n. f. (de *selle* 1). **1.** Petit siège de bois sur lequel on faisait asseoir un accusé pour un dernier interrogatoire avant l'application de la peine. — **2.** *Être sur la sellette*, être la personne dont on parle, dont on juge les paroles ou les actions. ‖ *Mettre qq'un sur la sellette*, le presser de questions pour lui faire dire ce qu'il veut tenir secret. — **3.** Petit siège suspendu à une corde, à l'usage de certains ouvriers du bâtiment.

SELLIER n. m. → SELLE 1.

SELON [səlɔ̃] prép. (bas lat. *sublongum*, le long de). **1.** Conformément à : *Il a agi selon vos désirs* (syn. SUIVANT). — **2.** En proportion de, eu égard à : *Traiter les gens selon leur mérite* (syn. D'APRÈS). — **3.** Suivant l'opinion de, au jugement de : *Selon moi* (= d'après ce que je pense). — **4.** Du point de vue de : *Selon toute vraisemblance.* — **5.** En fonction de : *Selon les circonstances* (syn. SUIVANT). ‖ Fam. *C'est selon*, cela dépend des circonstances, des dispositions des personnes. — LOC. CONJ. *Selon que*, suivant que : *Certains produits peuvent être nuisibles ou bénéfiques selon qu'ils sont bien ou mal utilisés.*

SELONCOURT, comm. du Doubs, à 3 km au S. d'Audincourt; 5 500 hab. Métallurgie.

SEM, fils aîné de Noé et l'ancêtre d'un des trois groupes composant le genre humain (les *Sémites*). [Bible.]

SEMAILLES n. f. pl. → SEMER 1.

SEMAINE [səmɛn] n. f. (lat. *septimana;* de *septem*, sept). **1.** Ensemble de sept jours dans l'ordre du calendrier. → ENCYCL. — **2.** Ensemble des jours ouvrables pendant cette période : *La semaine légale est de quarante heures. Avoir une semaine chargée* (= avoir beaucoup de travail pendant cette durée). — **3.** *En semaine*, pendant la période des six jours de la semaine, sans compter le dimanche. ‖ *Prêter à la petite semaine*, prêter à taux élevé une somme remboursable à court terme. ‖ *Semaine sainte*, semaine qui précède Pâques.

— ENCYCL. Les jours de la *semaine* (lundi, mardi, mercredi, jeudi, vendredi, samedi, dimanche) se définissent les uns par rapport aux autres, le dimanche étant considéré comme le dernier jour de la semaine et jour de repos (consacré au Seigneur, dans la religion chrétienne).

SÉMANTIQUE [semɑ̃tik] n. f. (gr. *sêmantikos*, qui signifie). Étude du sens (ou contenu) des mots et des énoncés, par opposition à l'étude des formes (MORPHOLOGIE) et à celle des rapports entre les termes dans la phrase (SYNTAXE). ◆ adj. : *L'analyse sémantique.* ◆ **sémanticien, enne** n. : *Le sémanticien est un linguiste spécialisé dans l'étude du sens.*

SÉMAPHORE [semafɔr] n. m. (du gr. *sêma*, signe, et *phoros*, qui porte). **1.** *Ch. de f.* Signal muni de bras indiquant par leurs positions si la ligne est libre ou occupée. — **2.** *Mar.* Mât établi sur la côte ou dans les ports, pour faire des signaux.

SEMARANG, v. d'Indonésie, sur la côte nord de Java; 1 030 000 hab. Métallurgie. Textiles.

SEMBLABLE [sɑ̃blabl] adj. (lat. *similis*). **1.** (après le nom) Se dit d'êtres animés ou de choses qui se ressemblent par la nature, la qualité, l'apparence : *Que faire dans un cas semblable?* (syn. ANALOGUE). *Rester semblable à soi-même* (= ne pas changer). *On n'a jamais rien vu de semblable* (syn. IDENTIQUE, PAREIL). — **2.** (avant le nom) De cette nature : *Pourquoi tenir de semblables propos?* (= de tels). ◆ n. m. (avec un adj. poss.). Être animé, considéré par rapport aux autres : *Aimer ses semblables.* ◆ **semblablement** adv. : *Des êtres semblablement organisés* (syn. PAREILLEMENT). ◆ **dissemblable** adj. Qui n'est pas semblable : *Deux frères aussi dissemblables que possible* (syn. DIFFÉRENT). ◆ **dissemblance** n. f. : *Je note de légères dissemblances entre les deux récits* (syn. DIFFÉRENCE, DISSIMILITUDE).

SEMBLANÇAY (Jacques DE BEAUNE, *baron* DE) [v. 1457-1527], ministre de Louis XII et de François Ier. Accusé de malversations, il fut pendu à Montfaucon.

SEMBLER [sɑ̃ble] v. i. (bas lat. *similare*). **1.** (sujet nom de personne ou de chose) Avoir une certaine apparence, une certaine manière d'être : *Vous me semblez fatigué* (syn. AVOIR L'AIR). — **2.** *Sembler* (et l'infin.), donner l'impression de : *Chaque minute lui semblait durer une heure* (syn. PARAÎTRE). ◆ v. impers. **1.** *Il semble* (et un attribut) : *Il me semble inutile de vous en dire davantage.* ‖ *Sembler bon*, être agréable, plaire : *Il travaille si (comme, quand) bon lui semble* (= si cela lui plaît, ou *fam.*, lui chante). — **2.** *Il semble* (et un infin.) : *Il me semble voir son père quand je vois ce garçon* (= je crois voir...). — **3.** *Ce me semble, me semble-t-il, à ce qu'il me semble*, à mon avis, selon moi : *Que vous semble-t-il de?* (= que pensez-vous [de]?). — **4.** *Il me (te, nous vous, lui, leur) semble que*, je crois, j'ai l'impression que : *Il me semble que vous vous trompez. (Rem. :* Après *il (me, te, etc.) semble que*, le verbe qui suit se met à l'indic. [rarement au subj.] ou au conditionnel quand la proposition principale est affirmative et qu'elle exprime une idée de certitude; quand la proposition principale est négative ou interrogative, on emploie le subj. : *Il semble qu'il fait plus chaud aujourd'hui qu'hier. Il semble qu'il vaudrait mieux changer de méthode. Il semble que la chose soit facile. Il ne me semble pas qu'on puisse agir autrement.)* ◆ **semblant** n. m. **1.** *Un semblant de*, une apparence de : *Un semblant de vérité.* — **2.** *Faire semblant (de)*, donner l'apparence (de) : *Il faisait semblant d'écouter* (syn. FEINDRE, SIMULER).

SÉMÉAC, ch.-l. de cant. des Hautes-Pyrénées, à 1 km à l'E. de Tarbes; 5 000 hab. Électromécanique.

SEMELLE [səmɛl] n. f. (orig. obscure). **1.** Ensemble des pièces (cuir, caoutchouc, corde, feutre, etc.) qui forment le dessous d'une chaussure : *Remettre des semelles à des chaussures* (= ressemeler). — **2.** Pièce de feutre, de liège, etc., que l'on place à l'intérieur d'une chaussure. — **3.** *Battre la semelle*, frapper en cadence ses pieds sur le sol, pour les réchauffer. ‖ *Ne pas quitter qq'un d'une semelle*, le suivre partout. ‖ *Ne pas avancer d'une semelle*, rester sur place; ne faire aucun progrès. ‖ *Ne pas reculer d'une semelle*, demeurer ferme, ne pas transiger. ◆ **ressemeler** v. t. [Conj. **6.**] *Ressemeler les chaussures*, y mettre des semelles neuves. ◆ **ressemelage** n. m. Action de ressemeler; son résultat.

1. SEMER [səme] v. t. (lat. *seminare*). *Semer des graines*, les mettre en terre afin qu'elles germent : *Semer du blé.* ◆ **semailles** n. f. pl. **1.** Action de semer : *Les semailles se font au printemps ou en automne pour le blé, l'orge, l'avoine.* — **2.** Époque où l'on sème : *Les semailles précèdent la moisson.* ◆ **semence** n. f. **1.** Graine, fruit ou partie de fruit que l'on sème : *Du blé de semence* (= réservé à la semence). — **2.** Syn. de SPERME. ◆ **semeur, euse** n. Personne qui sème. ◆ **semis** n. m.

1. Action ou manière de semer : *Les plantes annuelles ne se multiplient guère que par semis.* — **2.** Terrain ensemencé : *Marcher dans un semis.* — **3.** Plants de fleurs, d'arbrisseaux, qui proviennent de graines : *Un semis d'œillets.* ◆ **semoir** n. m. **1.** Sac où le semeur met son grain dans les semis à la main. — **2.** Machine agricole qui distribue le grain sur le sol. ◆ **ensemencer** v. t. : *Ensemencer un champ, une terre,* etc., y mettre de la semence. ◆ **ensemencement** n. m.

2. SEMER [səme] v. t. (de *semer* 1). **1.** *Semer qqch.* (nom concret), jeter çà et là : *Des gens malveillants avaient semé des clous sur la chaussée.* ‖ *Semer son argent,* le dépenser sans compter, à tort et à travers. — **2.** *Semer qqch.* (nom abstrait), répandre çà et là : *Semer la terreur.* ◆ **semeur, euse** n. : *Un semeur de fausses nouvelles.*

3. SEMER [səme] v. t. (même étym.). Fam. *Semer qq'un,* se débarrasser de lui, lui fausser compagnie, spécialement en le devançant.

SEMESTRE [səmɛstr] n. m. (du lat. *sex,* six, et *mensis,* mois). Période de six mois consécutifs, et en particulier chacune des deux périodes de six mois qui composent l'année. ◆ **semestriel, elle** adj. Qui a lieu, qui paraît chaque semestre : *Un bulletin semestriel.* ◆ **semestriellement** adv. Tous les six mois.

SEMEUR, EUSE n. → SEMER 1 et 2.

SEMI-, élément issu du lat. *semi,* à moitié, préfixé à un mot suivi d'un trait d'union, pour exprimer que le composant principal est pris à moitié *(semi-voyelle);* indiquer ce qui est très proche, ce qui ressemble beaucoup (il a la valeur de « presque » [*semi-aride*]); définir ce qui, appartenant à la même espèce, au même genre, en diverge sur un point (il a la valeur de « partiel », « partiellement » [*semi-remorque*]). *Semi-*, est en concurrence avec *demi-*, qui signifie plus précisément « la moitié », et *hémi-*, qui entre en composition avec des éléments savants d'origine grecque.

SEMI-ARIDE adj. → ARIDE 1.

SEMI-AUTOMATIQUE adj. → AUTOMATIQUE 1.

SEMI-CIRCULAIRE [səmisirkylɛr] adj. *(semi-,* et *circulaire).* Qui est en demi-cercle. ‖ *Canaux semi-circulaires,* tubes recourbés en fer à cheval, situés dans l'oreille interne.

SEMI-CONDUCTEUR [səmikɔ̃dyktœr] n. m. *(semi-,* et *conducteur). Phys.* Conducteur électrique dont la résistance diminue fortement sous l'effet d'une élévation de la température, d'une augmentation de l'éclairage ou de la présence d'impuretés : *Les semi-conducteurs les plus utilisés sont le germanium et le silicium.*

SEMI-CONSONNE n. f. → CONSONNE.

SÉMILLANT, E [semijɑ̃, -ɑ̃t] adj. (de l'anc. fr. *semiller,* s'agiter). Se dit d'une personne (de son esprit, de son allure) très vive et gaie.

1. SÉMINAIRE [seminɛr] n. m. (lat. *seminarium,* pépinière). Établissement religieux où l'on instruit les jeunes gens qui se destinent à l'état ecclésiastique : *Entrer au séminaire.* ◆ **séminariste** n. m. Celui qui se prépare, dans un séminaire, à la réception des ordres sacrés.

2. SÉMINAIRE [seminɛr] n. m. (même étym.). Série de conférences, de travaux consacrés à une branche spéciale de connaissances : *Un séminaire de sociologie.*

SÉMINAL, E, AUX [seminal, -no] adj. (du lat. *semen, -inis,* semence). Qui a rapport à la semence. ‖ *Vésicules séminales,* organes glandulaires pairs propres à l'homme, situés au-dessus de la prostate, et dont les canaux excréteurs se jettent dans l'urètre.

SÉMINARISTE n. m. → SÉMINAIRE 1.

SEMI-NOMADE adj. et n., **SEMI-NOMADISME** n. m. → NOMADE.

SÉMIOLOGIE [semjɔlɔʒi] n. f. (du gr. *sêmeion,* signe, et *logos* discours). Partie de la médecine qui s'occupe des signes et symptômes, dont le groupement et l'étude considérés comme un système permettent d'établir le *diagnostic* et le *pronostic* des maladies.

SÉMIOTIQUE [semjɔtik] n. f. (gr. *sêmeiôtikê*). Étude des signes, c'est-à-dire des moyens de communication auditifs ou visuels, tels que le langage, entre les êtres vivants.

SEMI-PERMÉABLE adj. → PERMÉABLE.

SÉMIRAMIS, reine légendaire d'Assyrie et de Babylonie, à laquelle on attribuait la construction de palais et de jardins suspendus à Babylone.

SEMI-REMORQUE [səmirəmɔrk] n. m. ou f. *(semi-,* et *remorque).* Ensemble formé par un tracteur routier et une remorque qui peut être désolidarisée du premier. ‖ Pl. des *semi-remorques.*

SEMIS n. m. → SEMER 1.

SÉMITE [semit] adj. et n. (de *Sem,* fils de Noé). Personne appartenant au peuple issu de Sem et au groupe linguistique sémitique. ◆ **sémitique** adj. *Langues sémitiques,* groupe de langues parlées dans un vaste domaine de l'Asie sud-occidentale et de l'Afrique du Nord : *L'hébreu, l'arabe, l'égyptien sont des langues sémitiques.*

SEMI-VOYELLE n. f. → CONSONNE et VOYELLE.

SEMMERING, col des Alpes autrichiennes, emprunté par la voie ferrée de Vienne à Trieste et Zagreb; 986 m.

SEMOIR n. m. → SEMER 1.

SEMOIS (la) → SEMOY.

SEMONCE [səmɔ̃s] n. f. (du lat. *submonere,* avertir en secret). **1.** Avertissement mêlé de reproches, donné par un supérieur (syn. RÉPRIMANDE). — **2.** *Coup de semonce,* coup de canon à blanc donné par un navire armé, ordonnant à un autre navire de montrer ses couleurs et de s'arrêter.

SEMOULE [səmul] n. f. (du lat. *simila,* fleur de farine). Produit alimentaire plus ou moins granuleux, tiré du blé dur, de la pomme de terre, du maïs, du riz.

SEMOY ou **SEMOIS** (la), riv. de Belgique et de France, née dans le Luxembourg belge, affl. de la Meuse (r. dr.); 198 km.

SEMPITERNEL, ELLE [sɑ̃pitɛrnɛl] adj. (du lat. *semper,* toujours, et *aeternus,* éternel). Se dit d'une chose qui ne cesse pas, qui se répète continuellement : *Des plaintes sempiternelles* (syn. CONTINUEL, PERPÉTUEL). ◆ **sempiternellement** adv. Sans cesse (syn. CONTINUELLEMENT, INVARIABLEMENT).

SEMUR-EN-AUXOIS, ch.-l. de cant. de la Côte-d'Or, à 18 km au S. de Montbard; 5400 hab. *(Semurois).* Machines agricoles.

SEN [sɛn] n. m. (mot japon.). Unité monétaire dans divers pays d'Extrême-Orient.

SENANCOUR (Étienne PIVERT DE), écrivain français (1770-1846), auteur d'*Obermann* (1804), roman dont le héros est atteint d'une inquiétude indicible liée à une absence de foi religieuse.

Sénanque *(abbaye de),* église et monastère cisterciens du XIIe s. (comm. de Gordes, Vaucluse).

Sénart, forêt occupant l'extrémité nord-est du dép. de l'Essonne.

SÉNAT [sena] n. m. (lat. *senatus;* de *senex,* vieux). **1.** Chez les Romains, notamment sous la République, assemblée politique qui était la plus haute autorité de l'État. → ENCYCL. — **2.** Nom donné, dans un certain nombre de pays, à une assemblée politique composée de personnalités désignées ou élues en fonction de leur âge et de leur notabilité (s'écrit avec une majusc.) : *Le Sénat des États-Unis d'Amérique.* — **3.** En France, assemblée élue qui forme, avec l'Assemblée nationale, le Parlement (s'écrit avec une majusc.) → ENCYCL. — **4.** Lieu de réunion de cette assemblée : *Aller au Sénat.* ◆ **sénateur** n. m. **1.** Membre d'un Sénat : *En France, les sénateurs sont élus pour neuf ans au suffrage indirect et renouvelable par tiers tous les trois ans.* — **2.** Fam. *Train de sénateur,* démarche lente, grave. ◆ **sénatorial, e, aux** adj. Relatif à un Sénat, aux sénateurs. ◆ **senatus-consulte** n. m. **1.** Décision du sénat romain. — **2.** Acte voté par le Sénat conservateur, pendant le premier et le second Empire, et ayant la valeur d'une loi.

— ENCYCL. ***le sénat romain.*** Sous les rois, le sénat était un conseil de vieillards, composé des chefs des grandes familles, les pères conscrits. Sous la République, le sénat devint la plus haute autorité de l'État : il gérait les finances, dirigeait la politique extérieure, contrôlait les provinces et veillait au respect de la religion nationale. L'Empire marqua la décadence du sénat romain, dont le rôle tendit à devenir purement honorifique. Au Bas-Empire, il devint simple conseil municipal de Rome.

le Sénat en France. Sous le Consulat, le Sénat, créé par la Constitution de l'an VIII (1800), était composé de soixante membres, nommés à vie et inamovibles. Constamment augmenté sous l'Empire il favorisa la dictature de Napoléon, qui anoblit les sénateurs. Ceux-ci, en tant que gardiens de la constitution, pouvaient la modifier, en accord avec le gouvernement, par voie de *sénatus-consulte.* Le Sénat disparut en 1814. Recréé par la Constitution de 1852, il joua un rôle semblable sous le second Empire.

En 1875, fut créé un Sénat formé de 75 sénateurs inamovibles (supprimés en 1884) et de 225 sénateurs élus et renouvelables par tiers tous les trois ans par un collège électoral essentiellement composé de délégués des communes. Le Sénat, sous la IIIe République, fut réellement une seconde Chambre qui pouvait être constituée en Haute Cour de justice. Le président du Sénat était le deuxième personnage de l'État. Sous la IVe République, le Sénat fut remplacé par un *Conseil de la République.*

Sous la Ve République, le Sénat siège au palais du Luxembourg à Paris; il est composé de sénateurs (321 en 1989) élus pour neuf ans au suffrage indirect, c'est-à-dire par des représentants des collectivités locales (députés, conseillers généraux, municipaux et régionaux). Des élections partielles ont lieu tous les trois ans. Le président est élu après chaque renouvellement partiel. En cas de vacance de la présidence de la République, pour quelque cause que ce soit, les fonctions de président de la République sont provisoirement exercées par le président du Sénat. Le Sénat a un rôle comparable à celui de l'Assemblée nationale. Les deux assemblées (ou chambres), quoique indépendantes, travaillent ensemble ou successivement aux projets de lois. Ceux-ci sont examinés par les sénateurs après les députés et leur avis peut entraîner la modification des textes rédigés par l'Assemblée nationale. En cas de désaccord entre les deux chambres, le Sénat doit finalement s'incliner devant l'avis de l'Assemblée nationale.

SENDAI, v. du Japon, dans l'île de Honshū; 665 000 hab.

SÉNÉCHAL, AUX [seneʃal, -ʃo] n. m. (du frq. *siniskalk*, serviteur le plus âgé). **1.** Sous les Mérovingiens, chef des officiers du palais royal. — **2.** Sous les premiers Capétiens, le premier des officiers royaux. — **3.** Dans la France méridionale d'Ancien Régime, officier royal ayant un rôle administratif et judiciaire analogue à celui du bailli. ◆ **sénéchaussée** n. f. **1.** Étendue de la juridiction d'un sénéchal. — **2.** Tribunal d'un sénéchal.

SENEFELDER (Aloys), inventeur allemand (1771-1834). On lui doit la technique de la lithographie.

SÉNÉGAL (le), fl. de l'Afrique occidentale; 1 700 km. Né en Guinée, dans le sud du massif du Fouta-Djalon, il arrose le Mali, passe à Kayes et forme la frontière entre la Mauritanie et l'État du Sénégal, il se jette dans l'Atlantique à Saint-Louis.

SÉNÉGAL *(république du)*, État de l'Afrique occidentale, au S. du fleuve Sénégal.

SUPERFICIE 197 000 km² (France : 550 000 km²).
POPULATION 7 200 000 hab. *(Sénégalais)*; 37 hab. au km² (France : 103); accroissement annuel de la population, 2,4 p. 100.
CAPITALE Dakar (980 000 hab.).
LANGUE OFFICIELLE français.
ÉCONOMIE consommation d'énergie par hab., 200 kg d'équivalent charbon; 1 automobile pour 100 hab.

GÉOGRAPHIE

Pays plat ouvert sur l'Atlantique, le Sénégal connaît un climat tropical avec une saison sèche.

	TEMPÉRATURES MOYENNES		PLUIES
	janv.	juil.	
Dakar	22°C	28°C	572 mm

La population se concentre dans la vallée du Sénégal et le long de la côte. Elle pratique la culture du mil et surtout de l'arachide qui est traitée à Dakar (huileries) avant d'être exportée. Malgré les ressources en phosphates, l'industrie est très peu développée.

arachides 800 000 t ; phosphates 1 600 000 t.

HISTOIRE

- *IXe s. La formation du royaume de Tekrour (ou Toucouleur) est suivie de son islamisation (contacts avec les Almoravides).*

Il voit s'étendre, à ses dépens, le royaume du Djolof au XIVe s. Les deux royaumes passent sous la suzeraineté de l'empire du Mali.

- *XVIe s. Le Djolof, ébranlé, se morcelle en royaumes de Oualo, Baol, Cayor, Sine et Saloum.*

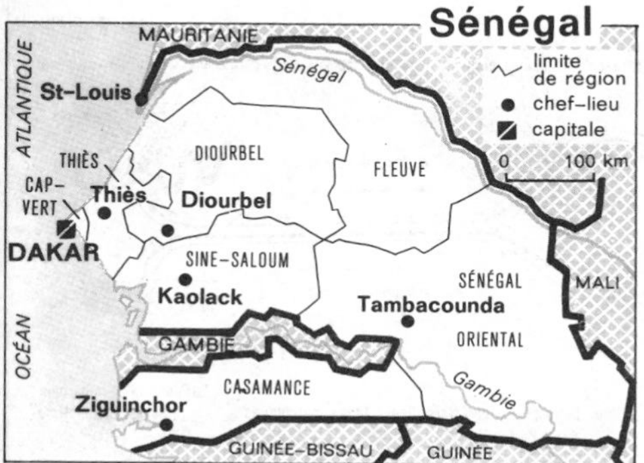

Le Fouta-Toro (centre de l'ancien Tekrour) est contrôlé par la dynastie païenne des Déniankés, mais, au XVIIIe s., la population se soulève et se donne des chefs féodaux musulmans.

- *1659. Les Français fondent Saint-Louis, puis s'installent en 1677 à Gorée, enlevé aux Hollandais.*

Ils se livrent au trafic des esclaves et de la gomme arabique, mais les comptoirs végètent.

- *1854-1891. Faidherbe* et ses successeurs font la conquête du pays malgré la résistance des Toucouleurs.*

La conquête du Sénégal ouvre celle de l'Afrique occidentale, dont Dakar (fondée en 1857) est la capitale. La colonisation favorise la production de l'arachide et l'assimilation des « élites » urbaines.

- *25 nov. 1958. L'indépendance est proclamée.*
- *1959-1960. Échec de la fédération avec le Mali.*

Président de la république du Sénégal en 1960, Senghor instaure un régime présidentiel en 1962.

- *1981. Abdou Diouf succède à Senghor, démissionnaire, à la tête de l'État.*
- *1982-1989. Confédération unissant le Sénégal et la Gambie.*
- *1983. La fonction de A. Diouf est confirmée par une élection présidentielle. Suppression de la fonction de Premier ministre.*
- *1988. A. Diouf est réélu à la présidence.*

En 1989, de graves affrontements interethniques provoquent une vive tension avec la Mauritanie.

SÉNÈQUE (Lucius Annaeus SENECA, en fr.), philosophe latin (4 av. J.-C.-65). Écrite de façon plus rhétorique que philosophique, son œuvre a pour thème principal le souverain bien de l'homme c'est-à-dire la vie morale telle que l'entendaient les stoïciens. On lui doit des tragédies *(Médée, Phèdre)*, et des traités (*De la tranquillité de l'âme, Questions naturelles*, etc.).

SÉNESCENCE [senesɑ̃s] n. f. (du lat. *senescere*, vieillir). Phénomène biologique normal de vieillissement des tissus et de l'organisme, chez tous les individus.

SÉNEVÉ n. m. (lat. *sinapi*). Nom usuel de la MOUTARDE NOIRE.

SENGHOR (Léopold Sédar), homme d'État et écrivain sénégalais, né en 1906. Président de la république du Sénégal depuis 1960, il quitte volontairement ses fonctions en 1980 (déc.). Il a publié des essais, où il définit la notion de *négritude*, et des recueils de poésie (*Éthiopiques*, 1956; *Nocturnes*, 1961).

SÉNILE [senil] adj. (du lat. *senex*, vieillard). Dû à la vieillesse, qui s'y rapporte : *Un tremblement sénile.* ◆ **sénilité** n. f. Affaiblissement du corps et de l'esprit dû à l'âge ou à une altération prématurée des tissus : *Être atteint de sénilité précoce.*

SENIOR [senjɔr] adj. et n. (mot lat. signif. *plus âgé*). Se dit d'un sportif âgé de vingt ans ou plus (les limites d'âge varient avec les sports). [→ JUNIOR.]

SENLIS, ch.-l. d'arrond. de l'Oise, à 38 km au N.-N.-E. de Paris; 15 300 hab. Enceinte gallo-romaine. L'ancienne cathédrale Notre-Dame, commencée en 1155, est un des chefs-d'œuvre du premier âge gothique. Constructions mécaniques.

SENNACHÉRIB, mort en 681 av. J.-C., roi d'Assyrie de 705 à 681 av. J.-C., fils et successeur de Sargon II. Il fit des expéditions en Chaldée (destruction de Babylone, 689), en Judée, en Arménie, en Médie, en Arabie, et s'occupa de l'administration et de l'embellissement de son empire (jardins de Ninive).

SENNE (la), riv. de Belgique, qui arrose Bruxelles, affl. de la Dyle (r. g.); 103 km.

SENNETT (Michael SINNOTT, dit **Mack**), cinéaste américain (1884-1960). Créateur du comique burlesque, il réalisa de très nombreux courts métrages avec Buster Keaton, Harold Lloyd, Charlie Chaplin.

SENOUSIS, membres d'une confrérie musulmane fondée en 1837, près de La Mecque. Dissoute en 1930, elle a retrouvé de l'importance avec l'indépendance de la Libye*.

SÉNOUSRET ou **SÉSOSTRIS,** nom porté par trois pharaons de la XIIe dynastie égyptienne (XXe - XIXe s. av. J.-C.).

1. SENS [sɑ̃s] n. m. (lat. *sensus*, action de sentir). **1.** Fonction par laquelle l'homme et les animaux reçoivent les impressions des objets extérieurs : *La vue, l'ouïe, l'odorat, le toucher, le goût sont les cinq sens. Les organes des sens* (= les parties réceptrices des voies nerveuses conduisant aux centres nerveux supérieurs). → illustration page suivante. — **2.** (sujet nom de chose) *Tomber sous le sens*, être clair, évident. ◆ **sensation** n. f. Impression perçue par l'intermédiaire des organes des sens : *Une sensation visuelle, auditive, olfactive, tactile, gustative. Une sensation de bien-être.* ◆ **sensitif, ive** adj. Qui transmet les sensations : *Les nerfs sensitifs.* ◆ **sensoriel, elle** adj. Qui concerne les sens, les organes des sens, et spécialement l'œil et l'oreille : *L'éducation sensorielle.*

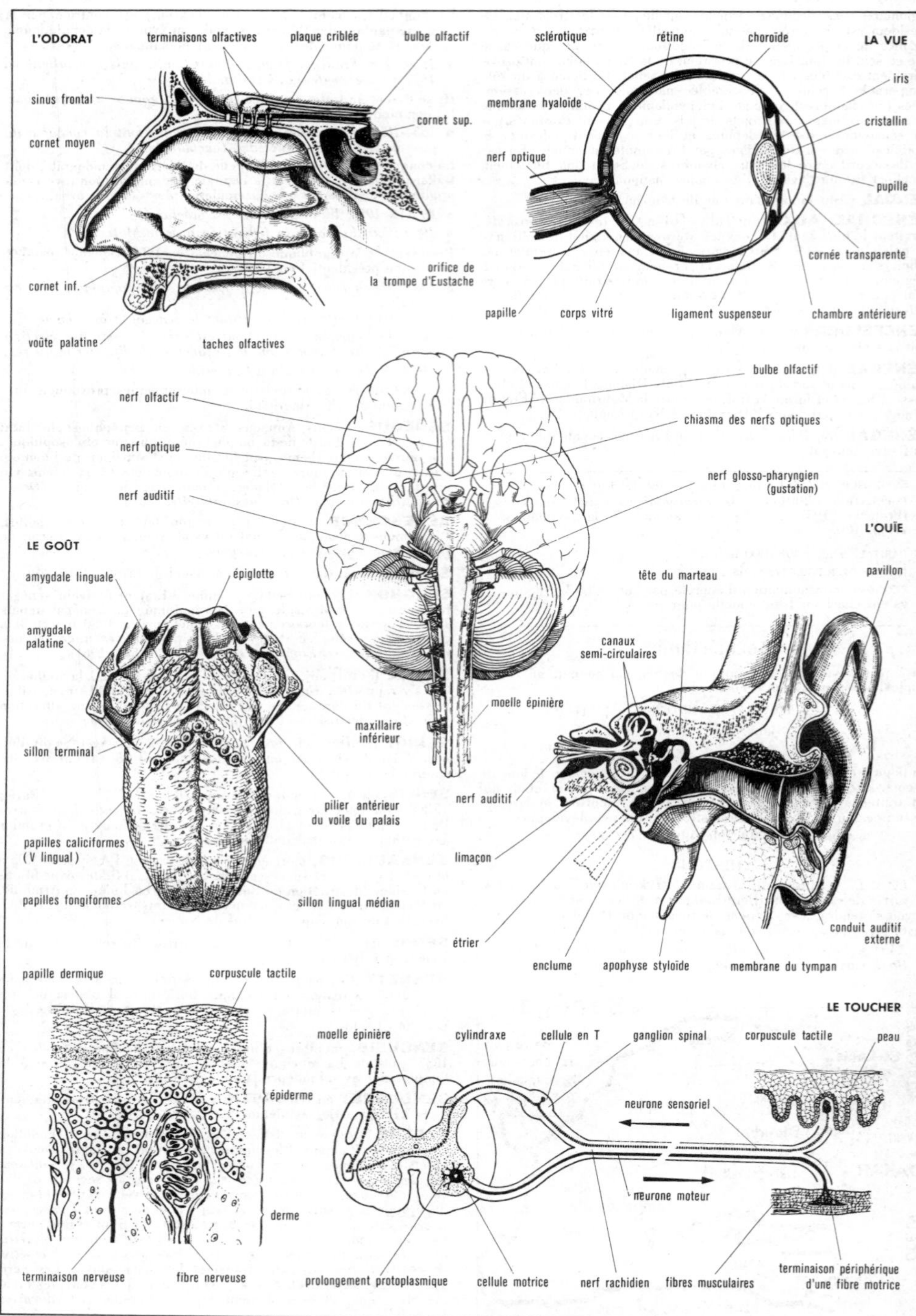

L'ODORAT
terminaisons olfactives
plaque criblée
bulbe olfactif
sinus frontal
cornet sup.
cornet moyen
cornet inf.
orifice de
la trompe d'Eustache
voûte palatine
taches olfactives
sclérotique
rétine
choroïde
LA VUE
iris
membrane hyaloïde
cristallin
nerf optique
pupille
cornée transparente
papille
corps vitré
ligament suspenseur
chambre antérieure
bulbe olfactif
nerf olfactif
chiasma des nerfs optiques
nerf optique
nerf glosso-pharyngien
(gustation)
nerf auditif
LE GOÛT
L'OUÏE
amygdale linguale
épiglotte
tête du marteau
pavillon
amygdale
palatine
canaux
semi-circulaires
moelle épinière
maxillaire
inférieur
sillon terminal
pilier antérieur
du voile du palais
nerf auditif
papilles caliciformes
(V lingual)
limaçon
papilles fongiformes
sillon lingual médian
conduit auditif
externe
étrier
enclume
apophyse styloïde
membrane du tympan
papille dermique
corpuscule tactile
LE TOUCHER
moelle épinière
cylindraxe
cellule en T
ganglion spinal
corpuscule tactile
peau
épiderme
neurone sensoriel
neurone moteur
derme
terminaison périphérique
d'une fibre motrice
terminaison nerveuse
fibre nerveuse
prolongement protoplasmique
cellule motrice
nerf rachidien
fibres musculaires

2. SENS [sɑ̃s] n. m. pl. (même étym.). *Les plaisirs des sens,* les plaisirs sexuels, la sensualité. ◆ **sensualité** n. f. **1.** Recherche des plaisirs des sens. — **2.** Tempérament d'une personne sensuelle. ◆ **sensuel, elle** adj. **1.** Qui se rapporte aux sens considérés comme moyens de jouissance : *Les désirs sensuels.* — **2.** Qui dénote de la sensualité : *Un regard sensuel* (syn. LASCIF). ◆ adj. et n. Attaché aux plaisirs des sens. ◆ **sensuellement** adv. Avec sensualité.

3. SENS [sɑ̃s] n. m. (même étym.). **1.** Faculté de discerner les choses d'une manière intuitive : *Avoir le sens de l'humour. Avoir le sens des affaires. Avoir le sens pratique* (= savoir discerner ce qui est utile). ‖ *Bon sens,* capacité de juger sainement : *Un homme de bon sens* (syn. RAISON). *Agir en dépit du bon sens.* ‖ *Sens commun,* capacité de juger, d'agir raisonnablement, commune à tous les hommes. — **2.** Manière de comprendre, de juger : *Abonder dans le sens de qq'un* (syn. OPINION, SENTIMENT). *A mon sens* (= à mon avis). *En un sens, en un certain sens, vous avez peut-être raison* (syn. POINT DE VUE). — **3.** Manière dont une chose est comprise, interprétée : *Le sens d'un texte* (syn. SIGNIFICATION). *Chercher le sens d'un mot dans un dictionnaire. Des paroles, des mots à double sens.* ‖ *Sens figuré* → FIGURE 2. ‖ *Sens propre,* sens premier d'un mot. — **4.** Raison d'être, signification : *Donner un sens à son existence.* ◆ **sensé, e** adj. **1.** Qui a du bon sens : *Un homme sensé.* — **2.** Conforme au bon sens, à la raison : *Dire des choses sensées* (syn. JUDICIEUX, RAISONNABLE; contr. ABSURDE, EXTRAVAGANT). ◆ **contresens** n. m. → ce mot. ◆ **faux-sens** n. m. Erreur consistant à interpréter d'une manière erronée le sens précis d'un mot dans un texte. ◆ **insensé, e** adj. et n. Contraire au bon sens; extravagant : *Propos insensés.* ◆ **non-sens** n. m. Ce qui, dans une attitude, un raisonnement, une phrase, un texte est dépourvu de sens ou de signification, ou ce qui va à l'encontre de ce qui est rationnel (syn. ABSURDITÉ).

4. SENS [sɑ̃s] n. m. (du germ. *sinno,* direction). **1.** Direction dans laquelle se fait un mouvement, une action : *Tourner dans le sens des aiguilles d'une montre. Courir dans tous les sens.* ‖ *Voie à sens unique,* voie sur laquelle la circulation ne s'effectue que dans une seule direction. — **2.** Chacun des côtés d'une chose : *Scier une planche dans le sens de la longueur. Retourner un objet dans tous les sens* (syn. POSITION). — LOC. ADV. *Sens* [sɑ̃] *dessus dessous,* de façon que ce qui devrait être dessus ou en haut se trouve dessous ou en bas : *Renverser un objet sens dessus dessous;* fam., dans un grand désordre, dans un bouleversement complet : *Sa bibliothèque est sens dessus dessous;* fam., dans un grand trouble : *Cet accident l'a mis sens dessus dessous.*

SENS, ch.-l. d'arrond. de l'Yonne, sur l'Yonne (r. dr.); 27 500 hab. *(Sénonais).* Archevêché. La ville possède l'une des plus anciennes cathédrales gothiques (1140-1168).

1. SENSATION n. f. → SENS 1.

2. SENSATION [sɑ̃sasjɔ̃] n. f. (bas lat. *sensatio,* compréhension) [sujet nom de personne ou de chose]. *Faire sensation,* se faire remarquer; produire une impression marquée d'intérêt, de surprise, d'admiration. — LOC. ADV. *À sensation,* de nature à causer de l'émotion, à attirer l'attention : *Une nouvelle à sensation.* ◆ **sensationnel, elle** adj. **1.** Qui produit un grand effet, de la surprise, de l'admiration dans le public : *Une nouvelle sensationnelle.* — **2.** *Fam.* Excellent en son genre : *Un film qui n'a rien de sensationnel* (syn. EXTRAORDINAIRE). ◆ n. m. : *Rechercher le sensationnel* (= ce qui fait impression).

SENSÉ, E adj. → SENS 3.

SENSIBILISATION n. f., **SENSIBILISER** v. t. → SENSIBLE 1 et 2.

SENSIBILITÉ n. f. → SENSIBLE 1, 2 et 3.

1. SENSIBLE [sɑ̃sibl] adj. (du lat. *sentire,* sentir). **1.** (sans compl.) Se dit d'une personne qui est facilement émue, touchée par la tendresse, la pitié : *Un homme, une femme sensible* (syn. ÉMOTIF, IMPRESSIONNABLE). — **2.** *Sensible à qqch.,* se dit d'une personne qui est accessible à certains sentiments, aux plaisirs esthétiques : *Un homme sensible aux malheurs d'autrui* (syn. COMPATISSANT, HUMAIN). *Être sensible à la musique.* ◆ **sensibiliser** v. t. Rendre capable de réactions, de sensibilité : *Sensibiliser l'opinion publique à la lutte contre la faim.* ◆ **sensibilisation** n. f. : *La sensibilisation de l'opinion.* ◆ **sensibilité** n. f. Caractère d'une personne qui s'émeut facilement, qui éprouve des sentiments d'humanité, de pitié pour autrui : *Un enfant d'une grande sensibilité* (syn. ÉMOTIVITÉ). *Un homme dépourvu de sensibilité* (syn. HUMANITÉ). ◆ **sensiblerie** n. f. Sensibilité fausse ou excessive. ◆ **insensible** adj. Qui n'éprouve pas certaines émotions, qui reste indifférent : *Un homme insensible* (syn. ↑DUR). ◆ **insensibiliser** v. t. : *Les malheurs l'avaient insensibilisé* (= rendu insensible).

2. SENSIBLE [sɑ̃sibl] adj. (même étym.). **1.** Se dit des êtres animés qui ressentent facilement la douleur : *Être sensible de la gorge* (syn. DÉLICAT, FRAGILE); se dit aussi des parties du corps : *Avoir les pieds sensibles. Un point sensible* (= légèrement douloureux). — **2.** *Sensible à,* se dit des êtres animés, des organes des sens capables de ressentir, de percevoir une impression physique : *Être sensible au froid;* (sans compl.) *Avoir l'oreille très sensible* (syn. FIN). — **3.** Se dit des choses qui sont facilement perçues, remarquées par les sens ou par l'esprit : *Une différence à peine sensible* (syn. PERCEPTIBLE). *Cet élève a fait des progrès sensibles* (syn. NOTABLE). ◆ **sensibiliser** v. t. Provoquer la sensibilisation chez un être vivant, dans un organisme. ◆ **sensibilisation** n. f. État d'un organisme qui, après avoir été au contact de certaines substances étrangères, acquiert à leur égard des propriétés de réaction produites même par de faibles doses. (→ ALLERGIE, ANAPHYLAXIE, IMMUNITÉ.) ◆ **sensibilité** n. f. Faculté de recevoir, transmettre et analyser des sensations venues de l'extérieur ou de l'intérieur, grâce aux organes des sens. → ENCYCL. ◆ **sensiblement** adv. **1.** D'une manière appréciable, notable : *L'état du malade s'est sensiblement amélioré.* — **2.** *Fam.* À peu de chose près : *Ces deux garçons ont sensiblement la même taille.* ◆ **désensibiliser** v. t. Rendre moins sensible. ◆ **désensibilisation** n. f. ◆ **insensible** adj. **1.** Qui n'éprouve pas certaines sensations physiques : *Être insensible au froid. Un membre insensible.* — **2.** Qu'on ne sent pas, imperceptible : *Progrès insensible* (syn. ↑LÉGER). ◆ **insensiblement** adv. : *Il va insensiblement à sa perte* (syn. PEU A PEU). ◆ **insensibiliser** v. t. Rendre insensible. ◆ **insensibilisation** n. f. Abolition de la sensibilité, anesthésie.

— ENCYCL. On distingue la *sensibilité externe* et la *sensibilité interne.*

La sensibilité externe nous permet de communiquer avec le monde extérieur grâce à nos cinq sens (le goût, l'odorat, le toucher, l'ouïe et la vue). Ces sens ont une importance inégale : l'*ouïe* et la *vue* sont les plus importants, ils nous permettent de nous diriger, de communiquer avec nos semblables. Le *toucher* se divise en *contact* proprement dit, superficiel ou profond, grâce aux corpuscules du tact situés dans le derme, en *douleur* et en *chaleur.* Le *goût* et l'*odorat* sont peu développés dans l'espèce humaine : on ne distingue que deux saveurs, amer ou sucré; c'est l'odorat qui différencie plus finement le goût des aliments, par exemple. Ces deux sens permettent de comprendre le rôle des centres nerveux supérieurs : il n'y a pas d'odeur mauvaise en soi, et c'est notre éducation qui nous permet de différencier bonnes odeurs ou odeurs désagréables. Nos sens sont très imparfaits : même la *vue* peut être trompée dans la perception du monde extérieur (il existe un certain nombre d'illusions d'optique). Le rôle du cerveau dans l'analyse de l'information reçue par la cellule sensorielle et transmise par le nerf sensitif est donc capital.

La *sensibilité interne* nous permet de connaître notre corps, sa situation, ses mouvements, indépendamment des sens extérieurs : on peut marcher, rester debout quand on a les yeux fermés. Ainsi, l'*équilibre* dépend du fonctionnement d'organes complexes situés dans l'*oreille interne :* nous savons comment est placée notre tête, même les yeux fermés. Les *mouvements* sont contrôlés par des récepteurs sensibles à l'étirement, situés dans les tendons, les muscles : nous savons, même les yeux fermés, dans quelle position est notre main. Dans une certaine mesure, on sent fonctionner certains organes : estomac, intestin, etc. Et la douleur nous avertit parfois de leur atteinte. Mais la plus grande partie des sensations concernant notre vie interne reste totalement inconnue de notre conscience.

3. SENSIBLE [sɑ̃sibl] adj. (même étym.). **1.** *Phys.* Se dit d'un instrument de mesure qui réagit aux plus légères variations. — **2.** *Photogr.* Se dit de la qualité d'une couche noircissant sous l'action de la lumière. ◆ **sensibilité** n. f. : *La sensibilité d'une balance, d'un baromètre, d'une pellicule photographique.*

SENSIBLEMENT adv. → SENSIBLE 2.

SENSIBLERIE n. f. → SENSIBLE 1.

1. SENSITIF, IVE adj. → SENS 1.

2. SENSITIVE [sɑ̃sitiv] n. f. (de *sensitif*). Légumineuse dont les feuilles se replient si on les touche. (On l'appelle aussi MIMOSA*.)

SENSORIEL, ELLE adj. → SENS 1.

SENSUALITÉ n. f., **SENSUEL, ELLE** adj., **SENSUELLEMENT** adv. → SENS 2.

1. SENTENCE [sɑ̃tɑ̃s] n. f. (lat. *sententia*). Pensée courte, d'une portée générale et à valeur morale (syn. MAXIME, PRÉCEPTE). ◆ **sentencieux, euse** adj. **1.** Qui parle ordinairement par sentences : *Un homme sentencieux.* — **2.** Qui contient des sentences : *Un discours sentencieux.* — **3.** Qui a la forme d'une sentence : *Une phrase sentencieuse.* — **4.** Qui affecte la gravité : *Un ton sentencieux* (syn. DOGMATIQUE, EMPHATIQUE). ◆ **sentencieusement** adv. : *S'exprimer sentencieusement.*

2. SENTENCE [sɑ̃tɑ̃s] n. f. (même étym.). Décision d'un juge, d'un arbitre : *Prononcer une sentence* (syn. JUGEMENT, VERDICT).

SENTEUR n. f. → SENTIR 2.

SENTI, E adj. → SENTIR 1.

SENTIER [sɑ̃tje] n. m. (du lat. *semita*, sente). **1.** Chemin étroit à travers la campagne, les bois. — **2.** Voie morale souvent difficile (littér.) : *Suivre les sentiers de la sagesse.* ‖ *Suivre les sentiers battus,* faire comme tout le monde.

1. SENTIMENT [sɑ̃timɑ̃] n. m. (de *sentir*). **1.** Connaissance plus ou moins claire, obtenue d'une manière immédiate : *Avoir le sentiment de sa force, de sa faiblesse* (syn. CONSCIENCE). *J'ai le sentiment que je me trompe* (syn. IMPRESSION). — **2.** Manière de penser, d'apprécier, point de vue (littér.) : *Exprimer son sentiment* (syn. AVIS, OPINION).

2. SENTIMENT [sɑ̃timɑ̃] n. m. (même étym.). **1.** État affectif qui est la manifestation d'une tendance, d'un penchant : *Faire connaître ses sentiments. Avoir des sentiments élevés, généreux. Un sentiment de pitié.* — **2.** Disposition à être ému, touché : *Être capable, incapable de sentiment* (syn. SENSIBILITÉ, TENDRESSE). — **3.** (au plur.) Entre dans des formules de politesse employées à la fin des lettres : *Recevez mes meilleurs sentiments, mes sentiments distingués, dévoués, respectueux.* ◆ **sentimental, e, aux** adj. Qui se rapporte aux sentiments tendres, à l'amour : *La vie sentimentale d'une personne* (syn. AMOUREUX). *Une chanson sentimentale.* ◆ adj. et n. Qui a ou qui affecte une sensibilité un peu romanesque, exagérée : *Cette femme est une sentimentale.* ◆ **sentimentalement** adv. : *Être sentimentalement attaché à la maison de son enfance.* ◆ **sentimentalité** n. f. : *Une sentimentalité excessive.*

SENTINELLE [sɑ̃tinɛl] n. f. (it. *sentinella*). **1.** Soldat placé en faction pour alerter la garde, rendre les honneurs, contrôler les entrées d'un établissement militaire, protéger un lieu public : *Relever une sentinelle.* — **2.** Personne qui fait le guet pour surveiller, pour épier : *Mettre un observateur en sentinelle.*

1. SENTIR [sɑ̃tir] v. t. (lat. *sentire*). [Conj. **19.**] **1.** *Sentir qqch.* (nom concret), recevoir une impression physique par l'intermédiaire des sens (sauf par la vue ou par l'ouïe) : *La porte ferme mal et l'on sent un courant d'air. Il a tellement marché qu'il ne sent plus ses jambes* (= il est éreinté, fourbu). *Sentir la différence entre un bon vin et un vin médiocre* (syn. PERCEVOIR). — **2.** *Sentir une chose* (mot abstrait), en avoir conscience, la connaître par intuition : *Il ne sent pas sa force. Il a senti par avance les difficultés de l'entreprise* (syn. PRESSENTIR). *Il sentait bien que ses amis allaient l'abandonner* (syn. DEVINER, DISCERNER). — **3.** *Sentir qqch.* (mot indiquant un sentiment esthétique), éprouver ce sentiment : *Sentir la beauté d'un paysage, d'une œuvre musicale* (syn. APPRÉCIER, GOÛTER). — **4.** *Faire sentir une chose à qq'un,* la lui faire éprouver, comprendre : *Il a l'intention de lui faire sentir son autorité.* ‖ (sujet nom de chose) *Se faire sentir,* devenir sensible, se manifester : *Une douleur qui se fait sentir. Le froid commence à se faire sentir.* ◆ ***se sentir*** v. pr. **1.** (sujet nom de personne) *Se sentir* (et un attribut ou infin.), connaître dans quelle disposition physique ou morale on se trouve : *Se sentir fatigué. Ne pas se sentir bien* (= éprouver un malaise). *Se sentir capable de faire un travail* (syn. S'ESTIMER, SE JUGER). — **2.** (sujet nom de personne) Reconnaître en soi : *Il ne se sent pas la force de le punir.* ◆ **senti, e** adj. *Bien senti,* exprimé avec force et sincérité : *Un discours bien senti.*

2. SENTIR [sɑ̃tir] v. t. (même étym.). [Conj. **19.**] **1.** (sujet nom de personne) *Sentir qqch.* (mot concret), le percevoir par l'odorat : *On sent une odeur de roussi.* — **2.** (sujet nom de chose) Répandre une odeur : *Ces roses sentent très bon;* (intransitiv.) Exhaler une mauvaise odeur : *Ce poisson commence à sentir.* — **3.** Avoir le goût, la saveur de : *Du cidre qui sent le moisi.* — **4.** Indiquer, révéler sa qualité : *Une réflexion qui sent le pédantisme.* — **5.** Fam. *Ne pas pouvoir sentir qq'un,* avoir pour lui une grande antipathie (syn. DÉTESTER, HAÏR). ◆ **senteur** n. f. Odeur agréable (littér.) : *Des roses qui exhalent une fraîche senteur* (syn. PARFUM).

SEO DE URGEL ou **URGEL,** v. d'Espagne (Catalogne), au S. d'Andorre; 7 200 hab. L'évêque d'Urgel partage avec le chef de l'État français la souveraineté sur la principauté d'Andorre.

SEOIR [swar] v. i. (lat. *sedere*). [Conj. **46.**] (Sujet nom de chose.) Aller bien, convenir à une personne (spécialement en parlant de l'habillement) : *La toilette de cette femme lui seyait à merveille.* ◆ v. impers. *Il sied à qq'un de* (et l'infin.) : *Il ne sied pas à un enfant de contredire ses parents* (syn. APPARTENIR). ◆ **seyant, e** adj. Qui s'accorde bien à l'extérieur d'une personne : *Une coiffure seyante* (syn. AVANTAGEUX).

SÉOUL ou **KYŎNGSONG,** capit. de la Corée du Sud, dans le nord-ouest du pays; 8 400 000 hab. Université. Centre commercial. Métallurgie. Textiles.

SEP [sɛp] n. m. (lat. *cippus,* pieu). Pièce où s'emboîte le soc de la charrue.

SÉPALE [sepal] n. m. (de *séparer,* et *pétale*). *Bot.* Pièce florale, habituellement verte, située au-dessous de la corolle : *L'ensemble des sépales forme le calice.*

SÉPARER [separe] v. t. (lat. *separare*). **1.** (sujet nom de personne) *Séparer des êtres, des choses,* les mettre à part, les éloigner les uns des autres : *La mort seule pourra les séparer. Séparer le bon grain du mauvais* (syn. TRIER). ‖ *Séparer deux hommes, deux animaux qui se battent,* interrompre leur combat en les éloignant l'un de l'autre. — **2.** Disjoindre les parties d'un tout : *Séparer une substance d'un composé* (syn. EXTRAIRE). *Séparer ses cheveux par une raie* (syn. PARTAGER). — **3.** Diviser un espace : *Séparer une chambre en deux avec une cloison* (syn. PARTAGER). — **4.** *Séparer qqch.* (mot abstrait), le considérer à part : *Séparer les problèmes pour mieux les résoudre.* — **5.** (sujet nom désignant une chose, un espace, une durée) Être placé entre des personnes, entre des choses : *Un mur sépare les deux jardins* (syn. DIVISER). *Des milliers de kilomètres nous séparent de l'Amérique. Plusieurs siècles nous séparent de l'Antiquité.* ◆ ***se séparer*** v. pr. **1.** (sujet nom de personne) Se quitter mutuellement : *Ils se sont séparés bons amis.* — **2.** Cesser de vivre ensemble : *Époux qui se séparent.* — **3.** (sujet nom de chose) Se diviser en plusieurs éléments : *Une tige qui se sépare du tronc. Une œuvre ne peut se séparer de son époque.* ◆ **séparable** adj. Qui peut être séparé : *Deux affaires facilement séparables* (contr. INSÉPARABLE). ◆ **séparation** n. f. **1.** *La séparation du bon grain du mauvais. Séparation entre deux amis* (syn. BROUILLE). *Une séparation difficile à supporter* (syn. ÉLOIGNEMENT). — **2.** Objet qui sépare un espace d'un autre (mur, cloison, etc.) : *Établir une séparation entre deux terrains.* — **3.** *Séparation de biens,* régime matrimonial dans lequel chacun des époux conserve la propriété et la gestion de ses biens. ‖ *Séparation de corps,* situation légale des époux qui ont obtenu une décision judiciaire les déliant de l'obligation de vivre en commun. ◆ **séparateur, trice** adj. Phys. *Pouvoir séparateur,* qualité de l'œil ou d'un instrument d'optique qui permet de distinguer deux points rapprochés. ◆ **séparatisme** n. m. Tendance des habitants d'un territoire à séparer celui-ci de l'État dont il fait partie : *Le séparatisme basque.* ◆ **séparatiste** adj. et n. Qui cherche à se séparer d'un État : *Mouvement séparatiste* (syn. AUTONOMISTE). ◆ **séparé, e** adj. Isolé d'un tout, d'un groupe : *Vivre séparé du reste des hommes.* ◆ **séparément** adv. : *Interroger les témoins séparément* (syn. À PART, L'UN APRÈS L'AUTRE). *Traiter deux questions séparément* (contr. SIMULTANÉMENT). ◆ **inséparable** adj. Qui ne peut être séparé; intimement uni : *Deux amis inséparables.* ◆ **inséparablement** adv. De façon à ne pouvoir être séparés.

SÉPIA [sepja] n. f. (it. *seppia*). Nom scientifique de la SEICHE. (C'est également le nom donné au liquide produit par la glande à encre de la seiche et qu'on utilise en peinture.)

SEPT [sɛt] adj. num. cardin. et n. m. (lat. *septem*). → NUMÉRATION. ◆ **septante** adj. num. cardin. Soixante-dix (en Belgique, en Suisse et dans quelques parlers régionaux). ◆ **septième** adj. num. ordin. et n. → NUMÉRATION. ◆ **septièmement** adv. ◆ **septimo** adv. → NUMÉRATION. ◆ **septennat** [sɛptena] n. m. Durée du mandat du président de la République française (sept ans). ◆ **septennal, e, aux** adj. Qui dure sept ans; qui arrive tous les sept ans.

Sept Ans *(guerre de),* guerre qui vit s'affronter, de 1756 à 1763, l'Angleterre et la Prusse d'un côté, l'Autriche, la France et leurs alliés (Russie, Suède, Espagne) de l'autre. Ses causes résident dans la volonté de Marie-Thérèse d'Autriche de récupérer la Silésie cédée à la Prusse (1742), et la rivalité franco-anglaise sur mer et dans les colonies. Aussi, les opérations se déroulèrent-elles dans les colonies et en Allemagne.

- *1757. Frédéric II de Prusse écrase les Français à Rossbach et les Autrichiens à Leuthen.*

Une offensive russe permet cependant aux coalisés de s'emparer de Berlin, mais Frédéric est sauvé par la mort de la tsarine Élisabeth.

- *1760-1761. Les Français sont défaits par les Anglais au Canada (prise de Québec) et en Inde (prise de Pondichéry).*

Les traités de Paris* et d'Hubertsbourg (1763) consacrent l'hégémonie anglaise sur mer, et prussienne en Europe. La France, elle, sort affaiblie de cette guerre, après avoir cédé la majeure partie de ses colonies.

SEPTANTE adj. num. cardin. → SEPT.

SEPTEMBRE [sɛptɑ̃br] n. m. (lat. *septembris*). Neuvième mois de l'année. (→ MOIS.)

Septembre *(massacres de),* massacres de prisonniers politiques, qui eurent lieu dans les prisons de Paris, particulièrement à l'Abbaye, à la Force, aux Carmes, au Châtelet, du 2 au 6 septembre 1792. Ils furent en partie provoqués par la nouvelle de l'invasion prussienne.

Septembre 1870 *(révolution du 4),* révolution parisienne qui amena la chute du second Empire après la capitulation de Sedan (1er septembre 1870).

SEPTÈMES-LES-VALLONS, comm. des Bouches-du-Rhône, à 10 km au N. de Marseille; 10 700 hab.

SEPTENNAL, E, AUX adj., **SEPTENNAT** n. m. → SEPT.

SEPTENTRION [sɛptɑ̃trijɔ̃] n. m. (lat. *septemtriones,* les sept bœufs [les sept étoiles de la Grande Ourse]). Syn. vieilli et littér. de NORD. ◆ **septentrional, e, aux** adj. Qui est du côté du nord : *La partie septentrionale de la France* (syn. NORDIQUE; contr. MÉRIDIONAL).

SEPTICÉMIE [sɛptisemi] n. f. (du gr. *sêptikos,* pourri, et *haima,* sang). Infection généralisée de l'organisme, caractérisée par la présence dans le sang de germes pathogènes.
— ENCYCL. La *septicémie* ne survient pas d'emblée, elle est un stade de l'évolution d'une maladie infectieuse. Le microbe a pénétré dans l'organisme et s'est installé en un endroit déterminé, s'il a réussi à passer les défenses immédiates (globules blancs et anticorps) : c'est la porte d'entrée ou *foyer local* (plaie infectée, abcès de toutes natures, en particulier dentaires ou cutanés). Si le germe est très virulent et résistant, les microbes se multiplient et peuvent essaimer, s'installant dans de nouveaux territoires, ou *foyers infectieux secondaires,* ou *métastases** : de là, ils passent aussi dans le sang (c'est le stade avancé de l'infection ou septicémie).

L'hémoculture permet d'identifier le germe responsable de la maladie : streptocoque, staphylocoque, pneumocoque, colibacille, etc. Un traitement sera alors mis en route, après l'antibiogramme*, utilisant les antibiotiques les plus nocifs pour le germe.

SEPTIÈME adj. num. ordin. et n., **SEPTIÈMEMENT** adv. → NUMÉRATION et SEPT.

SEPT-ÎLES, port du Canada (Québec), sur le Saint-Laurent, au débouché de la voie ferrée desservant les mines de fer du Nouveau-Québec; 30 600 hab.

SEPTIME SÉVÈRE (146-211), empereur romain (193-211), originaire d'Afrique du Nord.

- *193-197. Proclamé empereur par l'armée d'Illyrie, il impose son pouvoir en éliminant ses rivaux (Pescennius Niger, Clodius Albinus).*

Il favorise les progrès d'une monarchie absolutiste en s'appuyant sur les forces armées d'origine provinciale.

- *197-202. Il lutte avec succès contre les Parthes.*

Les difficultés de l'Empire le poussent à s'opposer au sénat, et à mener, sous l'influence de juristes stoïciens (Ulpien, Papinien), une politique plus égalitaire. S'il restaure la religion officielle, il favorise les cultes orientaux (à l'exception du christianisme).

SEPTIMO adv. → NUMÉRATION.

SEPTIQUE [sɛptik] adj. (gr. *sêptikos,* pourri). *Fosse septique,* fosse d'aisances où les matières fécales subissent une fermentation qui les liquéfie.

SEPTUAGÉNAIRE [sɛptɥaʒenɛr] adj. et n. (du lat. *septuageni,* soixante-dix). Qui a atteint soixante-dix ans. (→ ÂGE.)

SÉPULTURE [sepyltyr] n. f. (lat. *sepultura*). **1.** Action de déposer un mort en terre : *Les frais de sépulture* (syn. INHUMATION). — **2.** Lieu où un mort est enterré : *La basilique de Saint-Denis est la sépulture des rois de France.* ◆ **sépulcre** n. m. *Le saint sépulcre,* le tombeau du Christ à Jérusalem. ◆ **sépulcral, e, aux** adj. *Voix sépulcrale,* voix sourde, qui semble sortir d'un tombeau (syn. CAVERNEUX).

SÉQUANAIS, SÉQUANES ou **SÉQUANIENS,** peuple de la Gaule celtique, qui habitait le pays baigné par la Saône.

SÉQUELLE [sekɛl] n. f. (lat. *sequela,* suite) [le mot est le plus souvent employé au plur.]. **1.** Troubles qui persistent après une maladie ou une intervention chirurgicale. — **2.** Suite de choses fâcheuses, qui résultent d'un événement, d'une situation.

SÉQUENCE [sekɑ̃s] n. f. (bas lat. *sequentia,* suite). **1.** À certains jeux, suite de trois cartes au moins de la même couleur et dans l'ordre que le jeu leur donne : *Une séquence au roi de carreau comprend le roi, la dame et le valet de carreau.* — **2.** Au cinéma, suite d'images qui forment un ensemble, même si elles ne se présentent pas dans le même décor. — **3.** *Mus.* Reproduction d'un motif mélodique ou rythmique sur différents degrés de la gamme. ◆ **séquentiel, elle** adj. Relatif à une suite, à une séquence.

1. SÉQUESTRER [sekɛstre] v. t. (lat. *sequestrare*). Tenir arbitrairement, illégalement, une personne enfermée : *Des malfaiteurs ont enlevé, puis séquestré un enfant.* ◆ **séquestration** n. f. Action de séquestrer; crime ou délit commis par ceux qui privent une personne de la liberté.

2. SÉQUESTRER [sekɛstre] v. t. (du lat. *sequester,* arbitre). Mettre sous séquestre (jurid.) : *Séquestrer des biens.* ◆ **séquestre** n. m. Dépôt provisoire entre les mains d'un tiers, d'une chose dont la possession est discutée (jurid.).

SEQUIN [səkɛ̃] n. m. (it. *zecchino*). Monnaie d'or, en usage autrefois dans divers États italiens et du Levant.

SÉQUOIA [sekɔja] n. m. (nom indien). Conifère qui atteint 140 m de haut et peut vivre plus de deux mille ans : *Des séquoias majestueux se trouvent en Californie.*

SÉRAC [serak] n. m. (mot savoyard). Amas chaotique de glaces aux endroits où la pente du lit glaciaire s'accentue et où l'adhérence du glacier demeure.

SÉRAIL [seraj] n. m. (turc *serâï,* palais). Nom donné, dans les pays de civilisation turque, à la partie du palais où les femmes étaient enfermées.

SERAING, comm. de Belgique (Liège), sur la Meuse; 67 100 hab. Sidérurgie.

SERAPEUM [serapeɔm] n. m. (gr. *Serapeion,* Sérapis, divinité grecque). **1.** En Égypte, nécropole des taureaux Apis. — **2.** En Grèce, temple de Sérapis.

SERBE [sɛrb] adj. et n. De la Serbie. ◆ n. m. Langue parlée par les Serbes. ◆ **serbo-croate** n. m. et adj. Langue slave du Sud, parlée en Yougoslavie.

SERBIE, anc. royaume de l'Europe méridionale, sur le Danube (r. dr.), qui constitue auj. l'une des républiques fédérées de la Yougoslavie; 55 968 km^2; 5 320 000 hab. *(Serbes).* Capit. *Belgrade.*

HISTOIRE. Les Serbes organisés en principautés dès le VIIIe s. sont successivement vassaux des Byzantins et des Bulgares.

- *1180. La Serbie est unifiée et devient indépendante sous Étienne Nemanja (1170-1195).*

Le pays s'enrichit grâce à ses mines et au commerce de Raguse*. Sa civilisation subit l'influence de Byzance et l'Église orthodoxe y joue un grand rôle. L'apogée territoriale est atteinte sous Étienne IX (1331-1355).

- *1389. Par la victoire de Kosovo, les Turcs soumettent la Serbie.*

Elle reste sous domination turque jusqu'en 1815, mais de nombreux soulèvements et le brigandage des *haïdouks* attestent la permanence d'un patriotisme serbe.

- *1815. Miloš Obrenović prend la tête d'un soulèvement victorieux et fait de la Serbie une principauté autonome (1830), sous suzeraineté ottomane.*

Les privilèges de la Serbie sont garantis par les grandes puissances (traité de Paris, 1856). La prise de conscience d'une solidarité entre Slaves du Sud l'entraîne, en 1876, à soutenir sans succès un soulèvement en Bosnie.

- *1878. Par le traité de Berlin elle obtient l'indépendance.*

La dynastie des Obrenović est remplacée en 1903 par celle des Karagjorgjević (Pierre Ier). Les guerres balkaniques (1912-1913) permettent à la Serbie de s'étendre aux dépens de la Turquie et de la Bulgarie. Mais l'attirance qu'elle exerce sur les Slaves d'Autriche-Hongrie entraîne l'attentat de Sarajevo et déclenche la Première Guerre mondiale.

- *Nov.-déc. 1915. Ses armées sont évacuées à travers l'Albanie avant de participer, en Macédoine, au front d'Orient.*

Considérablement agrandie en 1918, elle devient le royaume des Serbes, Croates et Slovènes, qui prend le nom de *Yougoslavie** en 1929.

SERBO-CROATE n. m. et adj. → SERBE.

SERCQ, en angl. **Sark,** une des îles Anglo-Normandes, à l'E. de Guernesey; 518 ha; 556 hab.

1. SEREIN, E [sərɛ̃, -ɛn] adj. (lat. *serenus*). **1.** Se dit de l'atmosphère, du temps qui est clair, pur et calme (littér.) : *Une nuit sereine.* — **2.** *Des jours sereins,* des jours paisibles, heureux.

2. SEREIN, E [sərɛ̃, -ɛn] adj. (même étym.). Se dit de l'attitude d'une personne calme, exempte de trouble, d'agitation (littér.) : *Un visage serein* (syn. PLACIDE). ◆ **sereinement** adv. : *Attendre sereinement les résultats d'un examen* (syn. TRANQUILLEMENT). ◆ **sérénité** n. f. : *Envisager l'issue d'une affaire avec beaucoup de sérénité* (syn. CALME, PLACIDITÉ; contr. AGITATION).

SEREIN (le), riv. de Bourgogne, qui passe à Chablis, affl. de l'Yonne (r. dr.); 186 km.

SEREINEMENT adv. → SEREIN 2.

SÉRÉMANGE-ERZANGE, comm. de la Moselle, à 8 km au S.-O. de Thionville; 4 600 hab. Sidérurgie. Constructions électriques.

SÉRÉNADE [serenad] n. f. (it. *serenata,* ciel serein). **1.** Concert donné sous les fenêtres de quelqu'un et spécialement d'une femme. — **2.** Pièce de musique vocale ou instrumentale : *Une sérénade de Mozart.* — **3.** *Fam.* Tapage nocturne.

SÉRÉNISSIME [serenisim] adj. (it. *serenissimo,* très serein). **1.** Titre donné à quelques hauts personnages : *Votre Altesse sérénissime.* — **2.** Aux XVe et XVIe s., qualificatif attribué à la république de Venise.

SÉRÉNITÉ n. f. → SEREIN 2.

SÉREUX, EUSE [serø, -øz] adj. (du lat. *serum,* petit-lait). Qui sécrète des sérosités : *Les cavités séreuses.* ◆ **séreuse** n. f. Membrane qui recouvre certains organes mobiles et cavités du corps, et qui sécrète une sérosité : *Les principales séreuses sont la plèvre, le péritoine, le péricarde.* ◆ **sérosité** n. f. Liquide analogue au sérum sanguin, sécrété et contenu dans les cavités séreuses.

SERF, SERVE [sɛrf, sɛrv] adj. (lat. *servus*, esclave). Relatif à l'état des serfs : *Des hommes de condition serve.* ◆ n. Dans la société féodale, personne attachée à la terre qu'elle devait cultiver, et dépendant d'un seigneur. → ENCYCL. ◆ **servage** n. m. **1.** État de serf : *Réduire en servage. Tirer du servage.* — **2.** État de dépendance : *Un peuple incapable de supporter le servage.*
— ENCYCL. Jusqu'au XIe s., le *serf* était la propriété d'un maître, à l'égal de l'esclave antique; il ne pouvait se marier sans autorisation, ses biens ne lui appartenaient qu'à titre précaire et sa condition, distincte de celle des paysans libres, était héréditaire. Ensuite, son sort s'améliora; certains serfs devinrent des tenanciers, ce qui leur donnait au moins une part de liberté économique, et les rapprochait des paysans libres, eux-mêmes astreints aux obligations féodales. L'ensemble de la paysannerie fut donc soumise pratiquement à un même statut. (→ FÉODALITÉ.) Le servage, implanté au Moyen Âge dans tous les pays d'Europe occidentale, suivit partout une évolution analogue. En France, il survécut, sous certaines formes et selon les régions, jusqu'en 1789.

SERGE [sɛrʒ] n. f. (lat. *serica*, de soie). Tissu léger, ordinairement de laine, qui présente de fines côtes obliques : *Un costume de serge.*

SERGENT [sɛrʒɑ̃] n. m. (lat. *serviens*, serviteur). **1.** Premier grade de la hiérarchie des sous-officiers, dans l'armée de terre et de l'air : *Une patrouille commandée par un sergent.* ‖ *Sergent-chef, sergent-major,* grades successifs de la hiérarchie des sous-officiers, entre ceux de sergent et d'adjudant, dans les armées de terre et de l'air. ‖ Pl. des *sergents-chefs*, des *sergents-majors.* (→ GRADE 2). — **2.** *Sergent de ville,* syn. anc. de GARDIEN DE LA PAIX.

SERIAL, ALS [serjal] n. m. (mot angl. signif. *publication périodique*). Film à épisodes.

SÉRICICULTURE [serisikyltyr] n. f. (du lat. *sericum*, soie, et *culture*). Élevage du ver à soie et production de la soie.

SÉRIE [seri] n. f. (lat. *series*). **1.** Suite, succession de choses de même nature : *Il a été victime d'une série d'accidents* (syn. CASCADE). *Poser une série de questions.* — **2.** Ensemble d'objets de même sorte, rangés dans un certain ordre : *Une série de clefs* (syn. JEU). — **3.** *Fabrication en série,* fabrication d'un grand nombre d'objets identiques, selon des méthodes qui permettent d'abaisser le prix de revient. ‖ *Voiture de série,* d'un type répété à un grand nombre d'exemplaires et dont le montage est fait à la chaîne. ‖ *Hors série,* qui n'est pas commun : *Un homme hors série.* — **4.** *Sports.* Catégorie de classement : *Un joueur de tennis de première, de deuxième série.* — **6.** Électr. *En série,* se dit de conducteurs, générateurs, récepteurs, etc., branchés de façon telle qu'ils sont traversés par le même courant. ◆ **sériel, elle** adj. *Musique sérielle,* emploi systématique, dans la musique atonale, de la série des douze tons de la gamme chromatique, à l'exclusion de tout autre son. (→ aussi DODÉCAPHONISME.) ◆ **sérier** v. t. *Sérier des questions, des difficultés, des problèmes,* les classer, les ranger d'après leur nature ou leur importance.

SÉRIEUX, EUSE [serjø, -øz] adj. (bas lat. *seriosus*) [après le nom]. **1.** Se dit d'une personne qui agit avec réflexion, en attachant de l'importance à ce qu'elle fait : *Un employé sérieux dans son travail* (syn. APPLIQUÉ; contr. FANTAISISTE). — **2.** En qui l'on peut avoir confiance : *Une maison de commerce sérieuse* (syn. SÛR). — **3.** Se dit d'une personne (ou de son attitude) qui ne plaisante pas : *Un air, un visage sérieux* (syn. GRAVE, SÉVÈRE). — **4.** Qui ne fait pas d'écarts de conduite : *Un jeune homme sérieux* (syn. fam. RANGÉ). — **5.** Qui peut avoir des suites fâcheuses : *Une maladie sérieuse* (syn. GRAVE). — **6.** (avant le nom) Qui est important par la quantité ou la qualité : *Cette affaire lui a rapporté de sérieux bénéfices* (syn. GROS). *Avoir de sérieuses raisons* (syn. BON, FONDÉ, VALABLE). ◆ n. m. **1.** Attitude d'une personne grave, qui ne plaisante pas : *Garder, perdre son sérieux.* — **2.** Qualité d'une personne réfléchie, appliquée dans son travail : *Un élève qui se fait remarquer par son sérieux.* — **3.** *Prendre une chose au sérieux,* y attacher de l'importance. ‖ *Prendre qq'un au sérieux,* considérer ses actes ou ses propos comme dignes d'être crus, comme importants. ‖ *Se prendre au sérieux,* attribuer une importance exagérée à ses actions et à ses paroles. ◆ **sérieusement** adv. **1.** D'une manière sérieuse, sans rire : *Il ne parle jamais sérieusement, il veut toujours ironiser.* — **2.** Réellement, véritablement : *Il songe sérieusement à quitter la France* (syn. POUR DE BON). — **3.** Dangereusement : *Il est sérieusement malade* (syn. GRAVEMENT). — **4.** Avec application, avec ardeur : *S'occuper sérieusement d'une affaire* (syn. ACTIVEMENT).

SÉRIGRAPHIE [serigrafi] n. f. (du lat. *sericum*, soie, et gr. *graphein*, écrire). Procédé d'impression à l'aide d'un écran que l'on applique directement sur l'objet à décorer.
→ illustration IMPRIMERIE page 700.

SERIN, E [sərɛ̃, -in] n. (orig. incert.). Petit passereau, à plumage jaune, des îles Canaries. ◆ n. m. *Fam.* Homme niais, qui croit tout ce qu'on lui dit. ◆ **seriner** v. t. Fam. *Seriner une chose à qq'un,* la lui répéter souvent.

SERINGA ou **SERINGAT** [sərɛ̃ga] n. m. (lat. *syringa*, seringue). Arbuste cultivé pour ses fleurs blanches, odorantes.

SERINGUE [sərɛ̃g] n. f. (lat. *syringa*). Instrument utilisé pour injecter ou prélever des liquides dans les tissus ou dans les cavités naturelles du corps : *La seringue se compose d'un corps cylindrique dans lequel coulisse un piston, et d'une aiguille qui permet au liquide chassé par le piston de passer dans l'organe choisi.*

SERLIO (Sebastiano), architecte italien (1475-1554). Il travailla à Fontainebleau et construisit le château d'Ancy-le-Franc.

SERMENT [sɛrmɑ̃] n. m. (lat. *sacramentum*). **1.** Affirmation par laquelle une personne atteste la vérité d'un fait, la sincérité d'une promesse, prend l'engagement de bien remplir les devoirs de son état ou de sa fonction : *Prêter serment devant un tribunal* (= jurer). *Faire le serment de se venger.* — **2.** *Serment d'Hippocrate,* texte qui définit les devoirs et les obligations des médecins envers leurs maîtres, leurs confrères, leurs malades et envers la société. ◆ **assermenté, e** adj. et n. Qui a prêté serment pour l'exercice de fonctions publiques (gardes champêtres, certains membres de la police, etc.) ou devant un tribunal avant de témoigner. ‖ *Prêtre, évêque assermentés,* ceux qui en 1790 avaient prêté serment à la Constitution civile du clergé (par oppos. à RÉFRACTAIRE).

1. SERMON [sɛrmɔ̃] n. m. (lat. *sermo*, discours). Discours religieux prononcé dans une église pour instruire les fidèles (syn. HOMÉLIE).

2. SERMON [sɛrmɔ̃] n. m. (de *sermon* 1). *Fam.* Remontrance longue et ennuyeuse : *Il a la manie de faire des sermons à tout le monde.* ◆ **sermonner** v. t. Fam. *Sermonner qq'un,* lui faire des remontrances. ◆ **sermonneur, euse** n. Fam.

SÉRODIAGNOSTIC n. m., **SÉROLOGIE** n. f., **SÉROTHÉRAPIE** n. f. → SÉRUM.

SÉROSITÉ n. f. → SÉREUX.

SERPA PINTO (Alexandre Alberto DA ROCHA), explorateur portugais (1846-1900). Il voyagea dans les régions du cours supérieur du Zambèze et développa la colonisation dans le Mozambique et en Angola.

SERPE [sɛrp] n. f. (du lat. *sarpere*, tailler). Outil tranchant, à lame recourbée, servant à couper du bois, à tailler des arbres. ◆ **serpette** n. f. Petite serpe.

SERPENT [sɛrpɑ̃] n. m. (lat. *serpens, -entis*). Reptile de forme extrêmement allongée, totalement dépourvu de pattes, qui se déplace en rampant.
— ENCYCL. Les *serpents* ont le corps couvert d'écailles. Ils respirent par un poumon unique, leur température est variable. Certains serpents possèdent des crochets venimeux leur permettant de tuer leurs proies. On rassemble dans l'ordre des ophidiens*, ou serpents, 2 300 espèces vivantes de reptiles.
→ illustration REPTILES page 1186.

SERPENTAIRE [sɛrpɑ̃tɛr] n. m. (de *serpent*). Oiseau rapace diurne d'Afrique se nourrissant surtout de serpents (syn. SECRÉTAIRE).

SERPENTER [sɛrpɑ̃te] v. i. (de *serpent*) [sujet nom de chose]. Suivre une direction sinueuse : *Un sentier serpente dans la montagne* (= fait des tours et des détours).

SERPENTIN [sɛrpɑ̃tɛ̃] n. m. (lat. *serpentinus*). Petit ruban de papier coloré, enroulé sur lui-même, et qui se déroule brusquement quand on le lance.

SERPENTINE [sɛrpɑ̃tin] n. f. (de *serpentin*). **1.** *Minér.* Silicate de magnésium hydraté. — **2.** Nom donné à une roche verte essentiellement composée de ce minéral.

SERPETTE n. f. → SERPE.

SERPILLIÈRE [sɛrpijɛr] n. f. (orig. obscure). Grosse toile servant à laver par terre.

SERPOLET [sɛrpɔlɛ] n. m. (mot prov.). Autre nom du THYM.

SERPOLLET (Léon), industriel français (1858-1907). On lui doit la conception de la première chaudière à vaporisation instantanée (1881), ainsi que la création d'un tricycle à vapeur (1887) qui peut être considéré comme l'ancêtre de la voiture automobile.

SERPOUKHOV, v. de l'U.R.S.S., au S. de Moscou; 124 300 hab. Métallurgie. Textiles. Radiotélescope.

SERPULE [sɛrpyl] n. f. (lat. *serpullum*). Invertébré marin de l'embranchement des vers annelés ou annélides : *Les serpules, sédentaires, vivent dans un tube calcaire qu'elles sécrètent, sur des coquilles de mollusques notamment.*

SERRAGE n. m. → SERRER 1.

SERRAN [sɛrɑ̃] n. m. (du lat. *serra*, scie). Poisson des côtes rocheuses, voisin du mérou.

SERRE n. f. → SERRER 2.

SERRÉ, E adj., **SERRÉ** adv. → SERRER 1.

SERRE-CHEVALIER, station de sports d'hiver des Hautes-Alpes, au N.-O. de Briançon (alt. 1 350 m-2 575 m).

SERRE-JOINT n. m. inv., **SERRE-LIVRES** n. m. inv., **SERREMENT** n. m. → SERRER 1.

Serre-Ponçon *(barrage de)*, grande digue édifiée sur la Durance, à 2 km en aval du confluent de l'Ubaye, destinée à assurer sa régularisation et formant un lac.

1. SERRER [sere] v. t. (bas lat. *serrare*, fermer avec une barre). **1.** (sujet nom de personne) *Serrer qqch., qq'un*, le maintenir fermement, vigoureusement : *Serrer un morceau de fer dans un étau* (syn. COINCER). *Serrer qq'un à la gorge* (syn. ÉTRANGLER). ‖ *Serrer qq'un dans ses bras, contre son cœur*, le tenir entre ses bras, contre soi (syn. EMBRASSER, ÉTREINDRE). ‖ *Serrer la main à qq'un*, lui prendre la main en l'abordant, en le quittant. — **2.** (sujet nom de chose) *Serrer la gorge, le cœur*, etc., causer de l'angoisse, une vive émotion (souvent au passif) : *L'annonce de ce malheur lui serra le cœur. Avoir le cœur, la gorge serrés* (= éprouver du chagrin, de l'anxiété). — **3.** (sujet nom de personne) *Serrer des personnes* ou *des choses*, les rapprocher les unes des autres : *Serrer les rangs. Vous êtes trop serrés à cette table. Serrer les dents* (= presser fortement l'une contre l'autre ses deux mâchoires). — **4.** *Serrer une chose*, tirer sur ses extrémités, en réduire le volume : *Serrer les lacets de ses chaussures.* — **5.** (sujet nom désignant un vêtement) Épouser étroitement la forme du corps : *Robe qui serre la taille* (syn. MOULER). *Avoir des chaussures qui serrent le pied* (syn. COMPRIMER, GÊNER). — **6.** (sujet nom de personne) *Serrer un organe de fixation*, exercer sur lui une pression, de manière à rapprocher deux pièces l'une de l'autre, à fermer un mécanisme : *Serrer un frein* (syn. BLOQUER). *Serrer un écrou avec une clef.* — **7.** *Serrer de près une question, un problème*, l'analyser, l'examiner avec attention. ‖ *Serrer sa droite, sa gauche*, ou, intransitiv., *serrer sur sa droite, sur sa gauche*, conduire un véhicule en suivant tout près le côté droit ou gauche de la route. ◆ ***se serrer*** v. pr. **1.** Comprimer sa taille. — **2.** *Se serrer contre qq'un*, se placer tout près de lui : *Un enfant qui se serre contre sa mère* (syn. SE BLOTTIR). *Serrez-vous davantage pour que tout le monde soit assis* (syn. SE RAPPROCHER). ‖ *Se serrer les coudes*, se soutenir mutuellement (syn. S'ENTRAIDER). — **3.** Fam. *Se serrer la ceinture*, s'imposer des privations, réduire son train de vie. ◆ **serrage** n. m. : *Le serrage d'un frein, d'une vis.* ◆ **serré, e** adj. **1.** Se dit d'une chose dont les éléments sont très rapprochés : *Une écriture serrée.* — **2.** *Une lutte serrée, une partie serrée, un match serré*, où les adversaires sont de force à peu près égale et jouent avec acharnement. ‖ *Une discussion serrée*, où les interlocuteurs se défendent vigoureusement. ◆ **serré** adv. *Jouer serré*, jouer avec application, en faisant attention à ne pas commettre de fautes; agir avec prudence, avec circonspection. ‖ *Écrire serré*, en rapprochant les lettres. ◆ **serre-joint** ou **serre-joints** n. m. inv. *Technol.* Instrument pour maintenir serrées l'une contre l'autre deux pièces de bois. ◆ **serre-livres** n. m. inv. Objet qui sert à maintenir serrés des livres les uns contre les autres. ◆ **serre-tête** n. m. inv. Bandeau qui maintient les cheveux serrés. ◆ **serrement** n. m. *Serrement de main*, action de serrer (sens 1) la main de quelqu'un. ‖ *Serrement de cœur*, oppression causée par une vive émotion. ◆ **desserrer** v. t. **1.** Relâcher ce qui est serré : *Desserrer les poings. Desserrer sa ceinture, un écrou.* — **2.** *Ne pas desserrer les dents*, ne pas prononcer une parole. ◆ ***se desserrer*** v. pr. : *Le nœud s'est desserré.* ◆ **desserrage** n. m. ◆ **resserrer** v. t. Serrer davantage ou à nouveau ce qui s'est desserré : *Resserrer un écrou.*

2. SERRER [sere] v. t. (même étym.). *Serrer des choses, des objets*, les mettre en place, en lieu sûr, à l'abri : *Serrer du linge dans une armoire* (syn. RANGER). ◆ **serre** n. f. Local clos et vitré, destiné à abriter du froid certaines plantes et à leur fournir, au besoin, de la chaleur : *Mettre des fleurs dans une serre.*

SERRES [ser] n. f. pl. (de *serrer* 1). Griffes des oiseaux de proie : *Les serres de l'aigle, du vautour, de l'épervier.*

SERRES (Olivier DE), agronome français (1539-1619). Il réforma l'agriculture en faisant connaître la pratique méthodique de l'assolement.

SERRE-TÊTE n. m. inv. → SERRER 1.

SERRURE [seryr] n. f. (de *serrer*). Appareil fixé à une porte, à un tiroir, etc., qui sert à les fermer ou à les ouvrir, et qu'on manœuvre à l'aide d'une clef. ◆ **serrurerie** n. f. Métier, ouvrage du serrurier. ◆ **serrurier** n. m. Celui qui fait ou qui répare des serrures, des clefs, des ouvrages de fer forgé.

SERTIR [sɛrtir] v. t. (du lat. *sarcire*, réparer). *Sertir une pierre précieuse*, l'enchâsser dans la monture, dans le chaton d'une bague : *Sertir un diamant* (syn. ENCASTRER, FIXER). ◆ **sertissage** n. m. : *Le sertissage d'une pierre.* ◆ **sertisseur, euse** n. ◆ **sertissure** n. f. Manière dont une pierre est sertie.

SERTORIUS (Quintus), général romain, né à Nursia (v. 123-72 av. J.-C.). Anc. lieutenant de Marius, révolté contre Sulla, il organisa une partie de l'Espagne en pays indépendant, battit Metellus et Pompée, s'allia à Mithridate, mais fut assassiné à l'instigation de son lieutenant Perpenna.

Sertorius, tragédie de P. Corneille (1662).

SÉRUM [serɔm] n. m. (lat. *serum*, petit-lait). **1.** *Sérum sanguin*, liquide jaune, surnageant au-dessus du caillot après la coagulation, de même composition que le plasma, mais sans fibrinogène. — **2.** Préparation à base de sérum extrait du sang d'un animal (habituellement le cheval), vacciné contre une maladie microbienne ou contre une substance toxique : *On utilise surtout le sérum antidiphtérique* (= contre la diphtérie), *le sérum antitétanique* (= contre le tétanos), *les sérums antivenimeux* (= contre les morsures de serpents), *etc.* → ENCYCL. ‖ *Sérum physiologique*, solution saline employée en perfusion pour les malades incapables de s'alimenter ou de boire suffisamment par eux-mêmes. ◆ **séro-diagnostic** n. m. Méthode de diagnostic des infections, fondée sur la propriété que possède le sérum de sujets vaccinés ou présentant l'infection considérée, d'agglutiner les microbes spécifiques. ◆ **sérologie** n. f. Étude des sérums, de leurs propriétés et de leurs applications. ◆ **sérothérapie** n. f. Méthode thérapeutique fondée sur l'emploi de sérums humains ou animaux immunisants, pour lutter contre des infections ou des intoxications, ou pour les prévenir.

— ENCYCL. Les *sérums* sont destinés à apporter à un malade ou à un sujet contaminé récemment les anticorps nécessaires pour lutter contre l'agent contaminant (toxines de certains microbes [tétanos, botulisme], venins, etc.). Le sérum injecté (contenant les anticorps spécifiques des antigènes de la maladie, développés dans le sang du donneur) ne provoque pas la formation d'anticorps par le receveur (puisqu'il n'agit que par ceux du donneur) et ne confère qu'une *immunité passive;* il a l'avantage d'être immédiatement *efficace*.

Par contre, les *vaccins* administrés à un sujet provoquent la formation d'anticorps capables de s'opposer à l'infection de l'organisme par un germe infectieux donné. Ils confèrent donc une *immunité spécifique active* qui n'apparaît toutefois qu'après un certains délai; il s'agit là d'une méthode essentiellement *préventive.*

SÉRUSIER (Paul), peintre français (1865-1927). Sous la direction de Gauguin, il exécuta sur une boîte à cigares une peinture intitulée *Paysage du Bois d'Amour.* Rebaptisée le *Talisman*, elle est à l'origine du groupe des nabis*.

SERVAGE n. m. → SERF.

SERVAL, ALS [sɛrval] n. m. (du portug. *cerval*, cervier). Mammifère carnivore particulier aux régions de savanes d'Afrique noire, recherché pour sa fourrure.

SERVANCE *(ballon de)*, sommet des Vosges méridionales; 1 216 m.

SERVANDONI (Giovanni Niccolo), architecte et peintre italien (1695-1766). Il participa à la construction de l'église Saint-Sulpice à Paris et fut l'un des maîtres du style rocaille.

1. SERVANT n. m. → SERVIR 1 et 2.

2. SERVANT [sɛrvɑ̃] n. m. (de *servir*). *Servant d'une arme à feu*, militaire chargé d'approvisionner en munitions un canon, une mitrailleuse, etc.

SERVANTE n. f. → SERVIR 2.

SERVET (Michel), médecin et théologien espagnol (1511-1553), brûlé à Genève sur l'accusation de Calvin.

SERVEUR, EUSE n. → SERVIR 2.

SERVIABILITÉ n. f., **SERVIABLE** adj. → SERVIR 3.

1. SERVICE n. m. → SERVIR 1, 2 et 3.

2. SERVICES [sɛrvis] n. m. pl. (de *servir*). Produits de l'activité de l'homme qui ne se présentent pas sous l'aspect d'un bien matériel et qui constituent le secteur tertiaire de l'économie : *La santé, les transports, les hôtels, etc., sont des services répondant à un besoin social.*

SERVIEN (Abel), diplomate français (1593-1659), un des négociateurs des traités de Westphalie (1648).

1. SERVIETTE [sɛrvjɛt] n. f. (de *servir*). **1.** Pièce de linge dont on se sert à table ou pour la toilette. — **2.** *Serviette hygiénique*, bande absorbante de ouate, de cellulose, que les femmes utilisent pendant leurs règles. ◆ **serviette-éponge** n. f. Serviette de toilette en tissu bouclé. ‖ Pl. des *serviettes-éponges.*

2. SERVIETTE [sɛrvjɛt] n. f. (même étym.). Sac de cuir

souple, utilisé pour le transport de livres, de documents, etc. : *Une serviette d'écolier* (syn. CARTABLE).

1. SERVILE [sɛrvil] adj. (du lat. *servus*, esclave). Qui concerne les esclaves et les serfs : *Une révolte servile.*

2. SERVILE [sɛrvil] adj. (de *servile* 1). **1.** Se dit d'une personne (ou de son attitude) qui a un caractère de soumission excessive : *Une obéissance, une flatterie servile* (syn. OBSÉQUIEUX, VIL). — **2.** Se dit d'un ouvrage qui imite de trop près un modèle : *Une traduction servile.* ◆ **servilement** adv. : *Flatter servilement un supérieur* (syn. BASSEMENT). ◆ **servilité** n. f. : *Exécuter les ordres d'un supérieur avec servilité.*

1. SERVIR [sɛrvir] v. t. (lat. *servire*, être esclave). [Conj. **20.**] **1.** *Servir qq'un, une collectivité,* s'acquitter envers eux de certaines obligations, de certains devoirs : *Servir son pays.* — **2.** *Servir la messe,* être auprès du prêtre qui célèbre la messe, pour dire les réponses, présenter le vin, l'eau, etc. ◆ **servant** n. m. Clerc ou laïque qui assiste le prêtre pendant une messe basse. ◆ **service** n. m. **1.** Ensemble des obligations, des devoirs d'une personne envers quelqu'un ou envers une collectivité : *Se consacrer au service de Dieu* (= être prêtre, religieux). — **2.** *Service funèbre,* célébration de la messe, prières qui se disent pour un mort. — **3.** Organisation chargée d'une fonction administrative; ensemble des bureaux assurant cette fonction : *Le service des transports. Les services d'un ministère.* ‖ *Service public,* entreprise gérée par l'Administration et destinée à remplir une fonction d'intérêt collectif (transport des correspondances, fourniture de l'électricité, du gaz, etc.). — **4.** Organisation chargée d'une branche d'activité dans un établissement public ou privé : *Le service de la Sûreté au ministère de l'Intérieur. Le service de presse d'une entreprise* (= les personnes chargées des relations avec la presse, c'est-à-dire de la mise en forme de l'information à donner aux journalistes). — **5.** Emploi, activité professionnelle d'une personne dans une administration : *Obtenir sa retraite après trente ans de service.* — **6.** *Service national,* ou *service militaire,* obligation légale imposée aux citoyens pour contribuer à la défense du pays; temps pendant lequel on remplit ses obligations militaires. → ENCYCL. — **7.** Fonctionnement d'une machine, d'un appareil, d'un transport, pour un usage public : *Mettre en service une nouvelle locomotive. Service d'été, d'hiver* (= ensemble des relations ferroviaires assurées pendant ces saisons). — **8.** *Service d'ordre,* personnes chargées du maintien de l'ordre au cours d'une cérémonie, d'une manifestation. ‖ *Service social,* organisme public ou privé, chargé de l'hygiène, de la santé, de l'aide sociale, etc. ◆ **serviteur** n. m. Personne au service d'une collectivité, d'une divinité : *Un serviteur de l'État* (syn. FONCTIONNAIRE). *Dieu a rappelé à lui son fidèle serviteur.*

— ENCYCL. Le *service national* comprend un service militaire proprement dit, un service de la coopération, un service de l'aide technique, un service de défense (protection civile), un service dans la police nationale et un service des objecteurs de conscience.

La durée du service national est en principe de douze mois, seize mois pour les volontaires désirant servir à l'étranger ou dans les départements et territoires d'outre-mer au titre de la coopération ou de l'aide technique, vingt-quatre mois pour les objecteurs de conscience. Depuis 1983, les jeunes gens sont autorisés à prolonger leur service actif pour une période de 4 à 12 mois.

La période pendant laquelle tout jeune Français peut choisir de plein droit sa date d'incorporation s'étend de dix-huit à vingt-deux ans pour ceux qui continuent des études ou une formation professionnelle. (La limite est portée à vingt-deux ans et dix mois de façon à ne pas interrompre une scolarité en cours.) Un report supplémentaire de deux ou trois années peut être accordé aux jeunes gens titulaires respectivement d'un brevet de préparation militaire ou d'un brevet de préparation militaire supérieure. Enfin, les jeunes gens poursuivant des études de médecin, de vétérinaire, de pharmacien ou de chirurgien-dentiste peuvent bénéficier d'un report spécial, venant à échéance au plus tard le 31 décembre de l'année civile où ils atteignent 27 ans.

Au cours du premier trimestre de l'année civile de ses dix-huit ans, chacun doit obligatoirement se faire *recenser* (état civil, profession, situation de famille) à la mairie de son domicile.

Sont dispensés du service, les pupilles de la nation et les jeunes gens dont le père, la mère, un frère ou une sœur a été déclaré « mort pour la France », ceux qui sont déclarés « soutiens de famille », c'est-à-dire qui ont à charge une ou plusieurs personnes ne disposant pas de ressources pécuniaires suffisantes.

Les Françaises volontaires ont accès aux différentes formes du service national dans des conditions fixées par décret.

2. SERVIR [sɛrvir] v. t. (même étym.). [Conj. **20.**] **1.** (sujet nom de personne) *Servir qq'un,* s'acquitter de certaines tâches envers une personne dont on dépend, dont on est le subordonné : *Servir une personne comme valet de chambre.* — **2.** (sujet nom désignant un commerçant) *Servir qq'un, servir qqch. (à qq'un),* lui fournir des marchandises contre de l'argent : *Servir un client. Le boucher nous a bien servis.* ‖ *Servir qq'un à table,* lui présenter les plats, lui garnir son assiette, lui verser à boire. — **3.** Placer les plats sur la table : *Servir à déjeuner à qq'un* (= lui donner de quoi déjeuner). — **4.** *Servir la balle* (ou, intransitiv, *servir*), la mettre en jeu, au tennis. — **5.** *Servir une rente, une pension, des intérêts,* les payer à terme fixe. ◆ ***se servir*** v. pr. **1.** *Se servir de qqch.,* prendre de ce qui est sur la table : *Se servir de vin.* — **2.** *Se servir chez qq'un,* s'approvisionner chez lui : *Se servir chez les meilleurs fournisseurs.* ◆ **servant** ou **serveur** n. m. Au tennis, celui qui met la balle en jeu. ◆ **serveur, euse** n. Personne qui sert des repas, des consommations, dans un restaurant, dans un bar (syn. masc. BARMAN, GARÇON). ◆ **service** n. m. **1.** Action ou manière de servir un maître, un client, dans une maison de commerce, dans un hôtel, etc. : *Un service rapide. Restaurant, magasin en libre service* (= où les clients se servent eux-mêmes). *Premier, second service* (= première, seconde série de repas servis dans un wagon-restaurant, une collectivité). — **2.** Pourcentage d'une note d'hôtel, de restaurant spécialement affecté au personnel : *Un repas à dix francs, service compris.* — **3.** Assortiment de vaisselle ou de linge pour la table : *Un service à café.* — **4.** Au tennis, action ou manière de mettre la balle en jeu : *Un changement de service.* — **5.** *Porte, escalier de service,* endroit par où passent les domestiques, les fournisseurs. ◆ n. m. pl. Travail rémunéré, effectué pour un employeur : *Le directeur de l'entreprise lui a fait savoir que dorénavant il se passerait de ses services.* ◆ **servante** n. f. Syn. vieilli de BONNE. ◆ **serviteur** n. m. Personne au service d'un particulier (syn. DOMESTIQUE). ◆ **desservir** v. t. Ôter ce qui est servi : *Après le repas, on se hâta de desservir la table.* ◆ **resservir** v. t. Servir de nouveau.

3. SERVIR [sɛrvir] v. t. (même étym.) [Conj. **20.**] **1.** (sujet nom de personne) *Servir qq'un, qqch.* (nom abstrait), leur apporter son aide, son appui : *Il est toujours prêt à servir ses amis* (syn. AIDER, RENDRE SERVICE À). *Servir les passions, les intérêts de qq'un* (= lui fournir les moyens de les satisfaire). — **2.** (sujet nom de chose) *Servir qq'un,* lui être utile : *Il a été bien servi par les circonstances* (syn. FAVORISER). ◆ **serviable** adj. Qui aime à rendre service. ◆ **serviabilité** n. f. ◆ **service** n. m. **1.** Ce que l'on fait pour être utile à quelqu'un : *Demander un service à un ami* (syn. AIDE, APPUI). — **2.** *Rendre un mauvais service à qq'un,* lui nuire, lui susciter des difficultés. ‖ *Qu'y a-t-il pour votre service?,* que puis-je faire pour vous?, que voulez-vous? ◆ **desservir** v. t. *Desservir qq'un,* lui rendre un mauvais service, lui nuire : *Sa brusquerie le dessert souvent.*

4. SERVIR [sɛrvir] v. t. ind. et i. (même étym.). [Conj. **20.**] **1.** (sujet nom de chose) *Servir à qq'un,* lui être utile : *Ces livres m'ont servi à préparer mon examen;* et impersonnellem. : *À quoi cela vous servirait-il de mentir?* — **2.** (sujet nom de chose) *Servir à qqch.,* être bon, propre à quelque chose : *Un meuble qui ne sert pas à grand-chose;* et impersonnellem. : *À quoi cela sert-il de se mettre en colère?* ◆ **resservir** v. t. ind. et i. : *Gardez ce vieux sac, il peut resservir.*

5. SERVIR [sɛrvir] v. t. ind. (même étym.). [Conj. **20.**] (Sujet nom de personne ou de chose.) *Servir à qq'un de,* être utilisé par lui à titre de, en guise de : *Elle lui a servi d'interprète* (syn. FAIRE FONCTION DE, TENIR LA PLACE DE). *Mon manteau me servira de couverture* (syn. TENIR LIEU DE). *Cela vous servira de leçon* (= cela vous sera un enseignement).

6. SERVIR (SE) [səsɛrvir] v. pr. (même étym.). [Conj. **20.**] *Se servir d'une personne, d'une chose,* l'employer en vue d'un résultat : *Se servir de ses relations pour obtenir une place. Cet écrivain se sert trop souvent des mêmes mots* (syn. USER DE). *Se servir de sa voiture pour aller à son travail* (syn. UTILISER).

SERVITEUR n. m. → SERVIR 1 et 2.

SERVITUDE [sɛrvityd] n. f. (du lat. *servire*, être esclave). **1.** État d'une personne, d'une nation privée de son indépendance : *Un mari qui tient sa femme dans la servitude* (syn. SOUMISSION, SUJÉTION). *Délivrer un peuple tombé dans la servitude* (syn. ASSERVISSEMENT, ESCLAVAGE). — **2.** Contrainte, assujettissement à des occupations habituelles, à des obligations : *Il n'est pas de métier qui n'ait ses servitudes.*

Servitude et grandeur militaires, ouvrage d'A. de Vigny (1835).

SERVIUS TULLIUS, sixième roi de Rome (traditionnellement, 578-535 av. J.-C.). On lui attribue la division du peuple romain en centuries. Il serait d'origine étrusque.

SERVOCOMMANDE [sɛrvokɔmɑ̃d] n. f. (de *servir,* et *commande*). Mécanisme auxiliaire ayant pour objet de suppléer la force musculaire de l'homme en assurant automatiquement, par amplification, la force nécessaire au fonctionnement d'un ensemble.

SERVOFREIN [sɛrvofrɛ̃] n. m. (de *servir,* et *frein*). Servocommande destinée à assurer le fonctionnement des freins.

SERVOMÉCANISME [sɛrvomekanism] n. m. (de *servir,* et *mécanisme*). Mécanisme conçu pour réaliser seul un certain proramme d'action, à la suite d'une comparaison entre les consignes ui lui sont données et le travail qu'il exécute.

SERVOMOTEUR [sɛrvomɔtœr] n. m. (de *servir*, et *moteur*).)rgane de commande dont l'énergie de manœuvre est empruntée une source extérieure, en vue de réduire les efforts à mettre en ›uvre ou de faciliter la commande à distance.

SES adj. poss. → MON.

SÉSOSTRIS → SÉNOUSRET.

SESSILE [sesil] adj. (lat. *sessilis;* de *sedere*, être assis). Se dit e tout organe, animal ou végétal, inséré sur l'axe, directement et ans support : *Fleur sessile.*

SESSION [sesjɔ̃] n. f. (mot angl.; du lat. *sessio*, séance). . Période pendant laquelle une assemblée, un tribunal exercent ›urs fonctions : *Le Parlement a siégé en session extraordinaire.* — . Période pendant laquelle a lieu un examen : *Il a été refusé à la remière session.*

SESTERCE [sɛstɛrs] n. m. (lat. *sestertium*). Monnaie d'argent es Romains.

SESTRIÈRES, en it. **Sestriere**, station de sports d'hiver d'Itae (Piémont), à l'E. du col du Mont-Genèvre (2033 m).

SET [sɛt] n. m. (mot angl.). **1.** Une manche, aux tennis, tennis de ıble et volley-ball : *Jouer une partie en cinq sets.* — **2.** Ensemble e napperons qui remplace la nappe dans le service de table.

SÈTE, ch.-l. de cant. de l'Hérault, à 29 km au S.-O. de Iontpellier; 40500 hab. *(Sétois).* Port actif sur la Méditerranée et étang de Thau (vin). Industries chimiques.

SETH, troisième fils d'Adam et Ève. (Bible.)

SÉTHI ou **SÉTI Ier**, roi égyptien de la XIXe dynastie (1312-1298 v. J.-C.), dont le tombeau, aux magnifiques reliefs polychromes, été découvert près de Thèbes.

SÉTIF, auj. **Stif**, v. de l'Algérie orientale, ch.-l. du dép. du même om; 98500 hab. Marché agricole.

SETTER [setɛr] n. m. (mot angl.). Race de chiens d'arrêt, à poil ›ng.

SETTONS *(lac des)*, lac artificiel du Morvan, créé par le barrage e la vallée de la Cure. Tourisme.

SETÚBAL, port du Portugal; 49700 hab. Pêche. Conserves de oissons.

SEUDRE (la), fl. côtier de la Charente-Maritime; 69 km. Ostréiulture. Salines.

SEUIL [sœj] n. m. (orig. incert.). **1.** Dalle de pierre ou pièce de ois recouvrant la partie inférieure de l'ouverture d'une porte. – **2.** *Géogr.* Couloir de basses terres qui fait communiquer deux égions entre elles et qui sert de voie de passage. — **3.** Début ittér.) : *Le seuil de la vieillesse* (syn. COMMENCEMENT, ENTRÉE). — . Limite extrême : *Le seuil de surpeuplement a été atteint.* — . *Seuil d'excitation*, intensité minimale d'un excitant appliqué à n nerf pour provoquer une réaction.

SEUL, E [sœl] adj. et n. (lat. *solus*). → tableau ci-dessous.

SEULEMENT [sœlmɑ̃] adv. (de *seul*). **1.** Pas davantage; sans une personne ou une chose de plus : *Nous étions trois seulement* (syn. RIEN QUE). *Dites-lui seulement un mot* (syn. UNIQUEMENT). — **2.** Exclusivement : *Il travaille seulement pour l'argent.* — **3.** Pas plus tôt que : *Le courrier vient seulement d'être distribué* (syn. JUSTE). — **4.** *Pas seulement*, pas même. ‖ *Sans seulement*, sans même. ‖ *Si seulement*, si au (du) moins. — **5.** En tête de proposition, marque l'opposition ou la restriction : *Vous me dites que c'est vrai, seulement je ne le crois pas* (syn. MAIS, TOUTEFOIS). — LOC. ADV. *Non seulement* (ordinairement suivi de *mais* ou de *mais encore*), introduit le premier de deux groupes, dont le second marque une insistance, une addition : *Non seulement on le respecte, mais encore on l'aime.*

SEURAT (Georges), peintre français (1859-1891). L'un des fondateurs du Salon des indépendants (1884), il s'intéressa aux théories optiques, évitant les mélanges de couleurs et peignant par petites touches séparées. Il exerça une forte influence sur les pointillistes et les néo-impressionnistes. Il a laissé des dessins aux dégradés d'ombre et de lumière saisissants. Ses peintures les plus élaborées sont : *la Baignade, Un dimanche d'été à la Grande Jatte, les Poseuses* et *le Cirque.*

SEU-TCH'OUAN → SSEU-TCH'OUAN.

SÈVE [sɛv] n. f. (du lat. *sapa*, vin cuit). Liquide circulant dans les vaisseaux des plantes supérieures terrestres.
— ENCYCL. La *sève brute*, puisée dans le sol par les poils absorbants des racines, composée d'eau et de sels minéraux en solution, s'enrichit en carbone par la photosynthèse* et devient la *sève élaborée* ou *nourricière* dont le rôle est d'assurer la croissance de la plante et la constitution de réserves (fruits, racines, tiges).

SÉVÈRE [sevɛr] adj. (lat. *severus*). **1.** Se dit d'une personne sans indulgence : *Un magistrat sévère* (syn. IMPITOYABLE, IMPLACABLE). *Un père sévère envers ses enfants* (syn. AUTORITAIRE, DUR). *On est porté à être sévère pour les autres et indulgent pour soi-même* (syn. INTRANSIGEANT, RIGOUREUX). — **2.** Se dit d'une personne dont l'attitude exprime la rigueur : *Un visage sévère.* — **3.** Qui juge, blâme durement, qui condamne sans indulgence : *La critique de ce film est un peu sévère.* — **4.** Se dit d'une chose dépourvue d'ornements : *Une architecture sévère* (syn. AUSTÈRE, DÉPOUILLÉ). — **5.** Qui est grave par son importance : *L'ennemi a subi des pertes sévères.* ◆ **sévèrement** adv. : *Élever ses enfants sévèrement* (syn. DUREMENT). ◆ **sévérité** n. f. : *La sévérité d'un juge* (contr. CLÉMENCE), *d'un professeur* (contr. INDULGENCE). *La sévérité d'une architecture, d'un style* (syn. AUSTÉRITÉ, FROIDEUR).

SÉVÈRE ALEXANDRE (205 ou 208-235), empereur romain (222-235). Il toléra le christianisme. Après une campagne heureuse contre la Perse, il fut tué dans une sédition militaire.

SÉVÈREMENT adv. → SÉVÈRE.

SÉVÈRES (les), dynastie romaine (193-235), qui compta les empereurs Septime Sévère, Caracalla, Geta, Élagabal et Sévère Alexandre.

SÉVÉRITÉ n. f. → SÉVÈRE.

SEVERN (la), fl. de Grande-Bretagne, qui se jette dans le canal de Bristol (Atlantique); 338 km.

seul

ÉPITHÈTE

Un seul..., le seul..., entre l'article, un déterminatif ou un possessif et le nom.

Se dit d'une personne ou d'une chose qui est unique (« à l'exclusion de tout autre ») :

Adorer un seul dieu. Elle n'a pas une seule amie. Nous ne l'avons vu qu'une seule fois. C'est le seul exemplaire qui restait chez le libraire. Dans le seul but de lui plaire (syn. SIMPLE, UNIQUE).

Sans article : *Vous êtes seul juge. À seule fin de vous rencontrer.*

NOM

Un seul, une seule, le seul, la seule, une seule, la seule personne :

On ne peut se fier à l'opinion d'un seul. Elle croit qu'elle est la seule à pouvoir faire ce travail.

ATTRIBUT

Se dit d'une personne ou d'une chose qui n'est pas avec d'autres :

Il vit seul dans une grande maison (syn. SOLITAIRE). *Après le mariage de leur fils, ils se sont trouvés bien seuls.*
‖ *Être seul (tout seul) dans le monde, dans la vie*, ne pas avoir de famille, d'amis, vivre dans l'isolement.

Seul à seul, en tête à tête : *Elle était heureuse de pouvoir lui parler seule à seul.* (Accord facultatif.)

VALEUR ADVERBIALE

En tête de proposition, ou après un nom ou un pronom accentué.

Se dit d'une personne ou d'une chose qui réalise l'action à l'exclusion des autres :

Seul un alpiniste aussi fort qui lui peut faire cette ascension (syn. UNIQUEMENT). *Seul le hasard peut lui permettre de réussir* (= il n'y a que). *Le hasard seul peut le favoriser* (syn. SEULEMENT). *Vous seul êtes capable de le faire obéir* (syn. EXCLUSIVEMENT).

Tout seul, sans aide, sans secours *Il a retrouvé tout seul son chemin* ou *il a retrouvé son chemin tout seul* (= de lui-même). ‖ Fam. *Cela va tout seul*, il n'y a pas de difficulté.

SEVERNAÏA ZEMLIA *(Terre du Nord)*, archipel arctique de l'U. R. S. S., entre la mer de Kara et la mer des Laptev.

SÉVICES [sevis] n. m. pl. (du lat. *saevitia*, violence). Mauvais traitements exercés sur une personne (syn. BRUTALITÉ, VIOLENCE).

SÉVIGNÉ (Marie DE RABUTIN-CHANTAL, *marquise* DE), femme de lettres française (1626-1696); sa correspondance adressée à sa fille, Mme de Grignan, et à ses amis apporte un précieux témoignage sur la vie et les événements de son temps, et vaut par la sincérité et la spontanéité de son style.

SÉVILLE, en esp. **Sevilla,** v. d'Espagne (Andalousie), sur le Guadalquivir; 653 000 hab. Industries textiles et chimiques. La vieille ville a conservé de nombreux monuments, dont beaucoup d'art musulman : cathédrale (XVe s.) et minaret de la Giralda (XIIe s.); alcázar (XII-XVIe s.); tour de l'Or (XIIIe s.); etc.

Conquise par César, l'ancienne Hispalis romaine fut une des villes les plus florissantes de l'Espagne arabe.

- *712-1031. La ville dépend du califat omeyyade.*
- *1248. Séville est reconquise par Ferdinand III de Castille.*

Elle devient alors la base de la reconquête du royaume de Grenade.

SÉVIR [sevir] v. i. ou t. ind. (lat. *saevire*, être violent). **1.** (sujet nom de personne) *Sévir contre qq'un* ou *contre qqch.* (mot abstrait), agir contre eux avec rigueur : *Sévir contre des coupables* (syn. CHÂTIER, PUNIR). *Il faut sévir contre certains abus* (syn. RÉPRIMER). — **2.** (sujet nom de chose et sans compl.) Exercer des ravages : *Une grave épidémie de grippe a sévi cet hiver.*

SEVRAGE n. m. → SEVRER.

SEVRAN, ch.-l. de cant. de la Seine-Saint-Denis, à 12 km au N.-E. de Paris; 41 800 hab. Poudrerie nationale.

SÈVRE NANTAISE (la), riv. de France, qui rejoint la Loire (r. g.) à Nantes; 126 km.

SÈVRE NIORTAISE (la), fl. de France, qui prend sa source dans les Deux-Sèvres, passe à Niort et rejoint l'Atlantique; 150 km.

SEVRER [səvre] v. t. (du lat. *separare*, séparer). **1.** *Sevrer un enfant, un animal*, cesser de l'allaiter pour lui donner une alimentation plus solide. — **2.** *Sevrer qq'un de qqch.*, l'en priver : *Sevrer un enfant de caresses.* ◆ **sevrage** n. m. Sens 1 du v.

SÈVRES, ch.-l. de cant. des Hauts-de-Seine, à 2 km au S.-O. de Paris; 20 300 hab. *(Sévriens)*. Manufacture nationale de porcelaine ancienne. Pavillon de Breteuil, siège du Bureau international des poids et mesures.

- *10 août 1920. Le traité signé entre la Turquie et les Alliés réduit considérablement la superficie de l'Empire turc.*

SÈVRES [sɛvr] n. m. (de *Sèvres*). Porcelaine fabriquée à la manufacture de Sèvres : *Un service de vieux sèvres.*

SÈVRES (Deux-) [79], dép. de l'ouest de la France (Région Poitou-Charentes); 5 999 km²; 342 800 hab. (57 au km²) [France 103]. Ch.-l. *Niort.*
ADMINISTRATION. 3 arrond. (*Bressuire*, 92 200 hab.; *Niort*, 184 100 hab.; *Parthenay*, 66 500 hab.). / 33 cant. / 303 comm.

Le nord du département, extrémité sud-orientale du Massif armoricain, formé de plateaux dont l'altitude dépasse fréquemment 200 m *(hauteurs de Gâtine)*, s'oppose à la partie méridionale (autour de *Niort*), plus basse (souvent au-dessous de 100 m), où les rochers calcaires dominent.

L'*agriculture* emploie encore environ 20 p. 100 de la population active (plus du double de la moyenne nationale). L'élevage bovin (lait et viande) domine dans le Nord; les cultures (céréales principalement) se maintiennent dans le Sud.

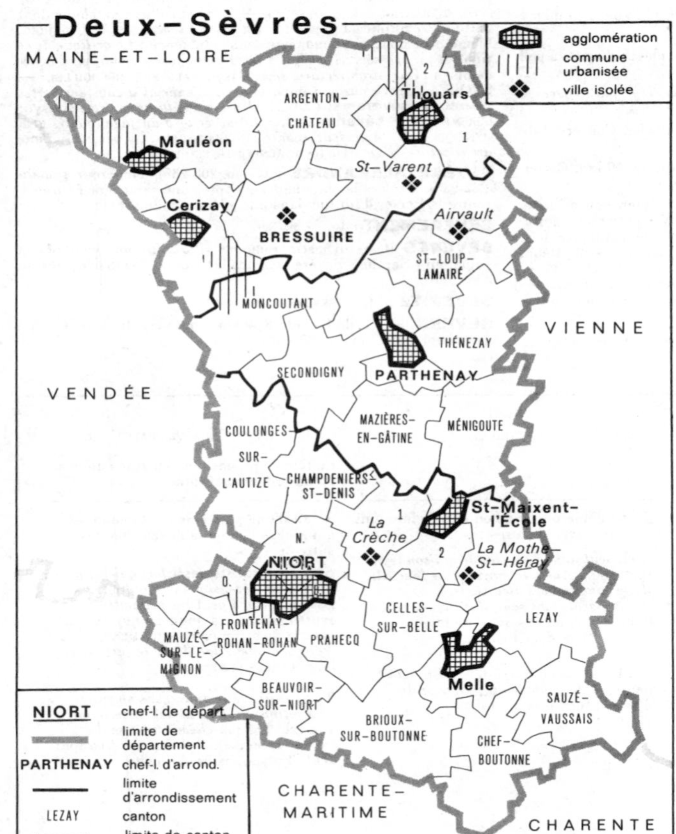

LOCALITÉS PRINCIPALES	NOMBRE D'HAB.
Niort	60 200
Bressuire	19 500
Thouars	11 900
Parthenay	11 700
Saint-Maixent-l'École	9 400
Mauléon	8 500
Cerizay	4 900
Melle	4 600
La Crèche	4 200
Airvault	3 800

L'*industrie*, peu développée, occupe à peine le tiers de la opulation active (usines alimentaires et textiles, constructions iécaniques).

La faiblesse du *secteur tertiaire* et celle de l'industrie sont liées l'insuffisance de l'urbanisation et expliquent la persistance de émigration.

EXAGÉNAIRE [sɛksaʒenɛr] adj. et n. (du lat. *sexaginta*, oixante). Qui a atteint soixante ans. (→ ÂGE.)

EXAGIMAL, E, AUX [sɛksaʒimal, -mo] adj. (du lat. *sexagesimus*, soixantième). Math. *Numération sexagimale*, système de umération qui utilise soixante chiffres (c'est le système babylonien, bandonné depuis longtemps, et dont il ne subsiste plus que le rincipe de mesure des durées [heures, minutes, secondes]).

EX-APPEAL [sɛksapil] n. m. (mot angl.). Attraits, charme hysique particulier, qui rendent une femme désirable.

EXE [sɛks] n. m. (lat. *sexus*; de *secare*, couper). **1.** Ensemble es faits anatomiques et biologiques qui permettent de distinguer mâle de la femelle et, dans l'espèce humaine, l'homme de la emme. → ENCYCL. — **2.** Ensemble des personnes du même sexe : *e sexe faible* (fam.) [= les femmes]. *Le sexe fort* (= les hommes). — **3.** Organes de la génération : *Beaucoup de mollusques ont les leux sexes* (= sont hermaphrodites). ◆ **sexisme** n. m. Attitude iscriminatoire à l'égard du sexe féminin. ◆ **sexiste** adj. et n. ◆ **sexologie** n. f. Étude scientifique des problèmes de la exualité. ◆ **sexologue** n. Spécialiste de la sexologie. ◆ **sexualité** n. f. Ensemble des phénomènes physiologiques et psychiques elatifs à l'instinct sexuel. ◆ **sexué, e** adj. Pourvu d'organes exuels différenciés : *Les végétaux et les animaux supérieurs sont exués* (contr. ASEXUÉ). ◆ **sexuel, elle** adj. Relatif au sexe, au approchement des sexes : *Les organes sexuels. Des relations exuelles. On distingue l'information sexuelle dispensée en classe lans le cadre des programmes de biologie (notions relatives à la eproduction des mammifères et à la procréation humaine, analyse les problèmes de la fécondation) et l'éducation de la responsabilité exuelle, organisée en dehors des heures de classe, sous la esponsabilité des chefs d'établissement, à la demande des familles u des élèves, afin d'aider les parents dans leur tâche éducatrice.* ◆ **sexy** adj. inv. *Fam.* Qui inspire ou favorise le désir sexuel.

— ENCYCL. Le *sexe* d'un individu est déterminé dès l'union des ellules sexuelles, *ovule** et *spermatozoïde**, par l'héritage chromoomique de la nouvelle cellule : le sexe génétique dépend, dans espèce humaine, de deux chromosomes sexuels; chez la femme, ls sont tous deux identiques (X et X); chez l'homme, ils sont l'un lentique à ceux de la femme, l'autre différent (X et Y).

Lors de la formation des cellules reproductrices *(gamètes*)*, l'une es divisions cellulaires s'accompagne du passage de 2*n* chromoomes à *n* chromosome : les ovules auront donc chacun un X; les permatozoïdes se partageront XY, et auront l'un X et l'autre Y.

Lors de la *fécondation**, on aura un X venu de l'ovule et, soit un venu du spermatozoïde (donc une première cellule XX pour le ouvel organisme, qui sera de sexe génétique femelle), soit l'Y du permatozoïde (donc la formule mâle XY).

Pendant la vie intra-utérine, lors de la formation des organes, le exe génétique détermine le type de la future glande sexuelle : *vaire** si XX, *testicule** si XY. Une fois formée, chaque glande exuelle influence par ses hormones le développement des organes exuels externes correspondants : *vagin* ou *pénis*.

Une fois les organes génitaux externes formés, les différences ntre sexes s'accentueront encore, en particulier à la *puberté**, par acquisition des caractères sexuels secondaires : carrure plus thlétique, pilosité plus abondante, voix plus grave chez l'homme; ormes plus arrondies, développement des seins, pilosité pubienne hez la femme. Enfin, l'éducation va jouer un grand rôle dans l'acuisition de ce que l'on appelle les traits psychologiques sexuels.

EXTANT [sɛkstɑ̃] n. m. (lat *sextans*, sixième partie). Instruent comportant un sixième de cercle gradué de 0° à 60° et qui ermet de mesurer des hauteurs d'astres à partir d'un navire ou 'un aéronef. (En mesurant avec le sextant la hauteur du Soleil, on étermine la latitude.)

EXTO adv. → NUMÉRATION.

EXTOLET [sɛkstɔlɛ] n. m. (du lat. *sextus*, six, et [*trio*]*let*). *lus.* Groupe de six notes, d'égale valeur, surmontées du chiffre 6, exécuter dans le même temps que quatre notes de même figure.

EXTUOR [sɛkstɥɔr] n. m. (du lat. *sex*, six, et [*qua*]*tuor*). *Mus.* omposition à six parties vocales ou instrumentales.

EXTUPLE [sɛkstypl] adj. (du lat. *sextus*, six). Qui vaut six fois ıtant. ◆ n. m. Nombre sextuple : *Douze est le sextuple de deux.*

EXTUS Empiricus, astronome, mathématicien et philosophe ·ec du IIIe s. Avec Pyrrhon et Ænésidème, il fut le principal ·présentant du scepticisme.

EXUALITÉ n. f., **SEXUÉ, E** adj., **SEXUEL, ELLE** adj., **EXY** adj. → SEXE.

EYANT, E adj. → SEOIR.

SEYCHELLES (îles), État de l'océan Indien, au N.-E. de Madagascar; 410 km²; 70 000 hab. Capit. *Victoria*, dans l'île Mahé.

Découvertes par les Portugais (XVIe s.), ces îles furent cédées à la Compagnie des Indes (1756), puis à la Grande-Bretagne.

• *1976. Les îles deviennent une république indépendante, membre du Commonwealth.*

SEYMOUR (Edward), duc DE SOMERSET (v. 1506-1552). « Protecteur d'Angleterre » sous le règne d'Édouard VI, il fut renversé par Dudley qui le fit exécuter. Il avait utilisé sa toute-puissance pour entreprendre une politique religieuse et sociale généreuse.

SEYNE-SUR-MER (La), ch.-l. de cant. du Var, sur la rade de Toulon; 58 100 hab. Chantiers navals.

SEYSSEL, ch.-l. de cant. de la Haute-Savoie, à 25 km au S. de Bellegarde, sur le Rhône; 1 550 hab. Barrage et installation hydroélectrique.

SÉZANNE, ch.-l. de cant. de la Marne, à 44 km au S.-S.-O. d'Épernay; 6 200 hab. Optique et produits réfractaires.

SFAX, port de Tunisie, sur le golfe de Gabès; 250 000 hab. Exportation de phosphates. Engrais.

S. F. I. O., sigle de *Section française de l'Internationale ouvrière*, qui a désigné le parti socialiste* français.

SFORZA, famille milanaise issue de MUZIO (ou GIACOMO) ATTENDOLO (1369-1424), condottiere italien qui fut au service de Milan, puis de Florence, de Ferrare et de Naples. — Son fils FRANÇOIS Ier (1401-1466) fut proclamé duc de Milan en 1450.

SFORZANDO [sfɔrtsɑ̃do] adv. (mot it.). *Mus.* En renforçant progressivement l'intensité du son. (Indique une nuance moins prolongée que *crescendo*.)

Sganarelle, personnage de Molière, personnifiant le bon sens vulgaire. Il apparaît en des rôles assez différents : mari jaloux *(Sganarelle ou le Cocu imaginaire)*, tuteur *(l'École des maris)*, valet *(Dom Juan)*, père *(l'Amour médecin)*.

S. G. D. G., sigle de la formule *sans garantie du gouvernement*, par laquelle les pouvoirs publics dégagent leur responsabilité quant à la valeur des inventions brevetées en France.

'S GRAVENHAGE, nom néerlandais de La HAYE.

SHABA, ancienn. **Katanga**, région du sud du Zaïre. V. pr. *Lubumbashi*. Les abondantes ressources minières font la richesse de cette région : zinc, étain, manganèse, uranium et surtout cuivre. Jointes à l'hydro-électricité, elles ont permis la création de grands centres industriels, notamment à Lubumbashi, et font de la région la partie vitale du pays. [→ZAÏRE.]

SHAFTESBURY (Anthony, *comte* DE), homme politique anglais. (1621-1683). Chef de l'opposition protestante, il fit voter le bill de l'*Habeas corpus*, assurant la liberté individuelle (1679).

SHĀH n. m. → CHĀH.

SHAKER [ʃekœr] n. m. (de l'angl. *to shake*, secouer). Appareil formé de deux gobelets s'emboîtant l'un dans l'autre, dans lequel on agite, avec de la glace, les éléments d'un cocktail.

SHAKESPEARE (William), poète dramatique anglais (1564-1616). Acteur, auteur et actionnaire du théâtre du Globe, il devient rapidement célèbre. En 1613, il se retire à Stratford. Son œuvre immense est extraordinaire par sa richesse et sa diversité. Auteur de poèmes et d'un recueil de *Sonnets*, Shakespeare a surtout composé pour la scène. Son théâtre, extrêmement varié, comprend des pièces historiques, des comédies, des tragi-comédies, des tragédies. On peut y distinguer trois époques.

• *1590-1600. L'enthousiasme de la jeunesse.*

Cette période est marquée par des comédies légères et de grandes fresques historiques qui flattent l'orgueil national du public élisabéthain *(Henri VI, Richard III, la Mégère apprivoisée, Roméo et Juliette, le Songe d'une nuit d'été, le Marchand de Venise, les Joyeuses Commères de Windsor, la Nuit des rois)*.

• *1600-1608. Les désillusions personnelles et politiques.*

Sous l'effet des déceptions liées à la fin du règne d'Élisabeth et du début de celui de Jacques Ier, sous l'effet également de l'évolution du goût du public, cette période correspond aux grandes tragédies qui alternent avec des comédies amères *(Hamlet*, 1600; *Othello; Macbeth*, 1605; *le Roi Lear; Antoine et Cléopâtre; Coriolan)*.

• *1608-1612. La vieillesse paisible.*

Cette période est conforme à la vision plus paisible et tolérante des choses du poète vieillissant *(Cymbeline, le Conte d'hiver, la Tempête, Henri VIII)*.

Écrite pour un public londonien composé d'hommes du peuple et d'aristocrates, l'œuvre de Shakespeare étonne par la variété et la vigueur du style, par le foisonnement des personnages et leur diversité, par la maîtrise de la construction dramatique.

SHAKO [ʃako] n. m. (mot hongr.). Coiffure militaire rigide en forme de tronc de cône : *Les saint-cyriens portent le shako.*

SHAMPOOING [ʃɑ̃pwɛ̃] n. m. (mot angl. signif. *massage*). **1.** Liquide moussant ou poudre servant au lavage des cheveux. — **2.** Lavage des cheveux au moyen de ce liquide ou cette poudre. ◆ **shampouiner** v. t. Faire un shampooing.

SHANGHAI, nom. angl. de CHANG-HAI*.

SHANNON (le), fl. d'Irlande, tributaire de l'Atlantique; 368 km. Il forme plusieurs lacs.

Shape (abrév. de *S*upreme *H*eadquarters *o*f *A*llied *P*owers *in E*urope), quartier général européen des forces alliées du pacte de l'Atlantique nord, installé en 1951 à Rocquencourt (Yvelines) et depuis 1967 à Mons (Belgique).

SHAW (George Bernard), écrivain irlandais (1856-1950), dont les comédies raillent avec humour les préjugés moraux et sociaux (*Candida*, 1897; *César et Cléopâtre*, 1900; *le Héros et le Soldat*, 1904; *Pygmalion*, 1912; *Sainte Jeanne*, 1923). [Prix Nobel de littérature, 1925.]

SHAWINIGAN, v. du Canada (Québec), sur le Saint-Maurice; 43 000 hab. Hydro-électricité. Aluminium.

SHEFFIELD, v. d'Angleterre (Yorkshire); 519 700 hab. Centre métallurgique (aciers spéciaux, coutellerie, etc.).

SHELLEY (Percy Bysshe), poète anglais (1792-1822), auteur de *Prométhée délivré* (1819), tragédie allégorique sur le thème de la liberté, et d'admirables poèmes lyriques, tels *l'Ode au vent d'ouest* (où il exprime à la fois son pessimisme et son espérance), *l'Ode à l'alouette* (où il chante son idéal de liberté et de beauté), et *la Sensitive*. La mort du poète anglais Keats lui inspira également une belle élégie, *Adonaïs*.

SHERBROOKE, v. du Canada (Québec); 80 700 hab. Université.

SHERIDAN (Richard), auteur dramatique et homme politique anglais (1751-1816). Auteur de comédies (*l'Ecole de la médisance*, 1777; *les Rivaux*), il fit partie de plusieurs ministères whigs.

SHERIDAN (Philip Henry), général américain (1831-1888). Il se distingua pendant la guerre de Sécession dans les rangs nordistes.

SHÉRIF [ʃerif] n. m. (angl. *sheriff*). **1.** Officier d'administration qui représente la Couronne dans chaque comté d'Angleterre. — **2.** Aux États-Unis, officier d'administration élu, ayant un pouvoir judiciaire limité.

Sherlock Holmes → HOLMES.

SHERMAN (William), général américain (1820-1891). Un des meilleurs chefs nordistes de la guerre de Sécession, il dirigea la Grande Marche à la mer, d'Atlanta à Savannah (1864).

SHERPAS, peuple montagnard du Népal.

SHETLAND [ʃɛtlɑ̃d] n. m. (de *Shetland*). Tricot fabriqué avec la laine des moutons d'Écosse.

SHETLAND ou **ZETLAND,** archipel britannique, au N. de l'Écosse; 19 000 hab. Ch.-l. *Lerwick* (5 900 hab.), dans la principale île Mainland.

SHIKOKU ou **SIKOK,** île du Japon, au S. de Honshū; 18 757 km²; 4 244 000 hab. V. pr. *Matsuyama, Takamatsu, Kōchi.*

SHILLING [ʃiliŋ] n. m. (mot angl.). **1.** Ancienne unité monétaire divisionnaire anglaise (symb. : s) du système livre sterling, qui valait 1/20 de livre. — **2.** Unité monétaire principale du Kenya, de la Somalie et de la Tanzanie.

SHILLONG, v. de l'Inde, capit. du Meghalaya, sur le *plateau de Shillong;* 121 400 hab.

SHIMMY [ʃimi] n. m. (mot angl.). Mouvement d'oscillations latérales qui peut affecter les roues directrices d'une automobile.

SHIMONOSEKI ou **SIMONOSEKI,** port du Japon (Honshū), sur le *détroit de Shimonoseki*, qui sépare Honshū de Kyū shū; 258 400 hab. Industries chimiques et métallurgiques. Traité qui mit fin à la guerre sino-japonaise (1894-1895) et par lequel la Chine se voyait dans l'obligation de céder l'île de Formose (1895).

SHINTŌ [ʃinto] ou **SHINTOÏSME** [ʃintɔism] n. m. (mot japon.). Religion nationale du Japon, antérieure à l'introduction du bouddhisme. Elle honore les ancêtres et les forces de la nature.

SHIRLEY (James), auteur dramatique anglais (1596-1666). Héritier du théâtre élisabéthain, il est l'auteur de comédies de mœurs (*le Traître*).

SHIZUOKA ou **SIZUOKA,** v. du Japon (Honshū); 458 000 hab.

SHKIRRA (La) → SKHIRA (LA).

SHKODËR ou **SHKODRA,** en it. **Scutari,** en serbo-croate **Skadar,** v. de l'Albanie septentrionale, sur la rive sud-est du *lac de Shkodër*, ou *Shkodra*, ou *Scutari*, ou *Skadar;* 59 100 hab.

SHOGOUN ou **SHŌGUN** [ʃɔgun] n. m. (mot japon.). Nom donné aux dictateurs militaires du Japon de 1192 à 1867.

SHOLĀPUR, v. de l'Inde (Mahārāshtra), au S.-E. de Bombay; 514 000 hab. Filatures de coton.

SHOOT [ʃut] n. m. (de l'angl. *to shoot*, lancer). Au football, coup de pied vif et sec pour lancer le ballon (syn. TIR). ◆ **shooter** v. i. Exécuter un shoot : *Shooter directement au but* (syn. TIRER).

SHOPPING [ʃɔpiŋ] n. m. (mot angl.). Action d'aller d'un magasin à l'autre pour faire des achats, regarder les vitrines.

SHORT [ʃɔrt] n. m. (mot angl. signif. *court*). Culotte courte portée pour faire du sport, pendant les vacances, etc.

SHOW [ʃo] n. m. (mot angl.). Spectacle de variétés assuré par un seul artiste sur scène. (On dit aussi ONE MAN SHOW.) [L'Administration préconise SPECTACLE SOLO.] ◆ **show(-)business** [ʃobiznɛs] n. m. Industrie du spectacle : *Les vedettes du show-business.* (Cette expression doit être, selon l'Administration, substituée au terme anglais.)

SHRAPNELL ou **SHRAPNEL** [ʃrapnɛl] n. m. (du n. de l'inventeur, le général anglais *Shrapnel*). Obus chargé intérieurement de balles.

SHUNT [ʃœt] n. m. (angl. *to shunt*, dériver). **1.** *Électr.* Dispositif dérivant une partie du courant d'un circuit électrique. — **2.** *Méd.* Dérivation du courant sanguin.

1. SI adv. interr. → EST-CE QUE.

2. SI adv. d'affirmation et n. m. inv. → OUI.

3. SI [si] adv. de quantité (lat. *sic*, ainsi). **1.** Marque l'intensité : *C'est une femme si bonne* (syn. TELLEMENT). — **2.** En corrélation avec *que*, *si* annonce une subordonnée consécutive (indicatif ou conditionnel) : *Il marchait si vite qu'il était difficile de le suivre.* — **3.** *Si... que*, encadrant un adj. et un adv. et suivi du subj. introduit une subordonnée concessive : *Si intelligent qu'il soit, il ne doit pas cesser de travailler* (= quelque... que). [*Rem.* Au lieu de *si... qu'il soit (qu'elle soit)*, etc., on peut employer *si... soit-il (soit-elle) : Si intelligent soit-il.*] — **4.** *Si* peut s'employer au lieu de *aussi* pour marquer une comparaison d'égalité dans une proposition négative ou interrogative : *Avez-vous jamais rien vu de si beau!* — LOC. CONJ. *Si bien que, tant et si bien que*, de sorte que.

4. SI [si] conj. (lat. *si*). → tableau ci-contre.

5. SI [si] n. m. inv. (initiales des mots lat. *Sanctus Iohannes*, saint Jean). Note de musique, septième degré de la gamme de *do*.

SIAL [sjal] n. m. (de *si*[*licium*] et *al*[*uminium*]). Partie superficielle de l'écorce terrestre, d'une épaisseur de 10 à 15 km, formée principalement de roches cristallines (granite, gneiss), où dominent les silicates d'aluminium.

SIAM → THAÏLANDE.

SIAM *(golfe de)*, golfe formé par la mer de Chine méridionale, au S. de la péninsule indochinoise.

SIAMOIS, E [sjamwa, -waz] adj. (de *Siam*). *Frères siamois, sœurs siamoises*, jumeaux réunis par une membrane située à la hauteur de la poitrine.

SIBELIUS (Jean), compositeur finlandais (1865-1957). Chef de l'école finnoise, ses nombreuses compositions reflètent l'esprit des légendes de la Finlande. On lui doit notamment un concerto pour violon, sept symphonies, des poèmes symphoniques (*Finlandia*, 1899), des pièces pour piano, des valses (*Valse triste*, 1903).

SIBÉRIE, partie septentrionale de l'Asie, appartenant à l'U. R. S. S.

Comprise entre l'Oural et le Pacifique, l'océan Arctique et les chaînes de l'Asie centrale, la Sibérie couvre une superficie triple de celle de l'Europe (U. R. S. S. exclue). Elle s'étend sur trois grands ensembles de relief : la *Sibérie occidentale*, basse et marécageuse, limitée à l'E. par l'Ienisseï; les plateaux de *Sibérie centrale;* enfin, au-delà de la vallée de la Lena, les chaînes de *Sibérie orientale* de plus en plus récentes vers l'E.

Le climat est fortement marqué par la continentalité. Les hivers, très froids et très longs, sont de plus en plus rigoureux vers l'E. et vers le N., tandis que les étés sont orageux. La végétation est disposée en zones en fonction de la latitude : steppe au S., taïga au centre, toundra au N.

En raison du climat qui limite les possibilités agricoles, la Sibérie est une région peu peuplée. L'exploitation de la taïga et la culture de céréales dans les steppes du Sud-Ouest sont les seules activités rurales. Mais la construction du Transsibérien* a permis une amorce de mise en valeur. Les ressources naturelles très abondantes commencent à être exploitées : charbon du Kouzbass et de Tcheremkhovo, centrales hydro-électriques de Krasnoïarsk, Bratsk, Irkoutsk. Elles ont permis la création d'industries actives mais qui restent localisées (métallurgie).

SIBYLLE [sibil] n. f. (lat. *sibylla*). Chez les Anciens, femme qui prédisait l'avenir : *La sibylle de Cumes.*

SI conj.

SUBORDONNÉES CONDITIONNELLES

1. Avec l'indicatif présent ou passé, *si* marque le caractère certain du lien établi entre la condition et la conséquence :

Si vous admettez cette opinion, vous avez raison (syn. AU CAS OÙ). *Si vous continuez à bien travailler, vous avez des chances de réussir* (syn. À CONDITION QUE). *S'il est parti, revenez plus tard.*

2. Avec l'indicatif imparfait (et le conditionnel dans la principale), *si* marque une hypothèse irréalisable dans le présent ou réalisable dans l'avenir :

Si nous avions cette maison en ce moment, nous serions contents.

On trouve quelquefois l'imparfait dans les deux propositions : *Il m'a dit que s'il réussissait dans son affaire il prenait un commerce plus important.*

3. Avec l'indicatif plus-que-parfait ou le subjonctif plus-que-parfait (et le conditionnel ou le subjonctif plus-que-parfait dans la principale), *si* marque une hypothèse qui n'a pu se réaliser dans le passé :

Si je vous avais vu (ou *si je vous eusse vu*), *je vous aurais prévenu* (ou *je vous eusse prévenu*).

On trouve quelquefois l'imparfait au lieu du conditionnel : *Si nous étions partis plus tard, nous manquions le train.*

PROPOSITIONS NON CONDITIONNELLES

1. Avec l'indicatif imparfait ou plus-que-parfait dans la subordonnée et l'indicatif imparfait dans la principale, *si* a le sens de « toutes les fois que » :

S'il se trompait, s'il s'était trompé, on corrigeait ses erreurs.

2. Avec l'indicatif présent ou passé, *si* marque l'opposition, la concession :

Si mes dépenses restent les mêmes, mes ressources diminuent.

3. Avec une proposition principale introduite par *c'est que* et suivie d'une complétive commençant par *que*, *si* indique l'action dont *c'est que* marque la cause :

Si je ne vous ai pas salué, c'est que je ne vous ai pas vu (= je ne vous ai pas salué parce que je ne vous ai pas VU).

4. *Si* introduit la proposition sujet ou complément d'objet de certains verbes ou de quelques locutions verbales :

C'est un miracle si nous avons survécu à cette catastrophe. Pardonnez-moi si je ne vous ai pas encore répondu.

5. Dans une proposition exclamative, *si* exprime le souhait : *Si j'osais! Si je pouvais parler!*; le regret : *Si seulement vous étiez venu plus tôt!*; une suggestion : *Si nous allions nous promener?*

PROPOSITIONS CONCESSIVES

Si ce n'est (expression figée), **si ce n'étai(en)t, si ce n'eût été, si ce n'eussent été** loc. prép. (devant un nom ou un pronom). Indiquent la concession :

Qui a pu commettre cette erreur, si ce n'est lui! (syn. SINON). *Si ce n'était la crainte de vous déplaire, je vous parlerais librement.*

Au lieu de *si ce n'étai(en)t, si ce n'eût été, si ce n'eussent été*, on peut dire *n'étai(en)t, n'eût été, etc.* : *N'était la crainte de vous déplaire...*

Si ce n'est que, si ce n'était que, si ce n'eût été que loc. conj. Indiquent une réserve :

Il vous ressemble, si ce n'est qu'il est plus petit que vous (syn. EXCEPTÉ QUE). *Si ce n'était qu'il est plus grand, on le prendrait pour vous.* On peut dire aussi *n'était qu'il est...*

Si tant est que loc. conj. S'il est vrai que, en admettant que :

Il a l'intention de préparer le concours de l'agrégation, si tant est qu'il soit capable de le faire.

Si... ne, dans des expressions plus ou moins figées, indique une réserve :

Si je ne me trompe. Si je ne m'abuse (syn. À MOINS QUE).

SIBYLLIN, E [sibilɛ̃, -in] adj. (lat. *sybillinus*). Difficile à comprendre : *Un langage sibyllin* (syn. ÉNIGMATIQUE, OBSCUR).

SIC [sik] adv. Mot lat. signif. *ainsi* que l'on met entre parenthèses après un mot, une expression, pour indiquer que l'on cite textuellement.

SICCATIF, IVE [sikatif, -iv] adj. (du lat. *siccare*, sécher). Se dit d'une substance qui a la propriété d'activer le séchage des peintures : *Une huile siccative.* ◆ n. m. : *Ajouter du siccatif à de la peinture.*

SICHEM, anc. capit. de la Samarie. Détruite par les Romains, elle fut remplacée par Naplouse.

SICILE, grande île italienne de la Méditerranée; 25 708 km²; 4 936 000 hab. *(Siciliens).*

GÉOGRAPHIE. Le Nord, prolongement de l'Apennin, et l'Est, dominé par le massif volcanique actif de l'Etna (3 345 m), s'opposent au fouillis de collines marneuses dénudées qui couvre le reste de l'île. De rares plaines jalonnent le littoral et ont servi de site aux principales villes : Palerme, Catane, Messine.

L'*agriculture* reste le secteur primordial de l'économie. Blé, vin, olives et agrumes en sont les principaux produits. L'*industrie* est peu développée. Les habitants quittent les campagnes surpeuplées, aux structures archaïques. Le *tourisme* apporte une part appréciable de ressources.

HISTOIRE. La Sicile est occupée par les Phéniciens, puis par les Grecs au VIIIe s. av. J.-C., qui y installent des colonies de peuplement (Agrigente, Syracuse, Sélinonte) et soumettent les populations indigènes. Carthage, héritière des Phéniciens, contrôle progressivement la moitié de l'île.

• *212. Rome s'empare de l'île au cours de la première guerre punique.*

Grenier à blé de Rome, la Sicile connaît des révoltes d'esclaves et subit une relative décadence sous l'Empire. Occupée par les Vandales et les Ostrogoths (Ve s. apr. J.-C.), puis par Byzance (VIe s.), elle est conquise par les Arabes de 827 à 878.

• *1061-1091. La conquête normande crée un État tolérant, à la civilisation composite.*

Unie au duché de Pouilles (sud de l'Italie), la Sicile passe sous la tutelle des Hohenstaufen puis de la maison d'Anjou (1266). À la suite des Vêpres siciliennes (1282), elle est séparée à nouveau de l'Italie méridionale.

• *1442-1458. Alphonse V d'Aragon les réunit sous le nom de « royaume des Deux-Siciles ».*

Après une nouvelle scission, la Sicile passe sous le contrôle de la maison de Savoie (1714), des Habsbourg (1720), puis des Bourbons (1738), qui recréent le royaume des Deux-Siciles.

• *1860. Après l'expédition des Mille (Garibaldi), la Sicile est rattachée au royaume d'Italie.*

Sa situation économique continue à se dégrader et, en 1948, comme la Sardaigne, elle reçoit un statut d'autonomie.

SICILES (Deux-) → DEUX-SICILES.

SICULES, peuple primitif de l'est de la Sicile, venu sans doute d'Italie au IIe millénaire av. J.-C.

SIDA [sida] n. m. (abrév. de *syndrome immuno-déficitaire acquis*). Affection grave, transmissible par voie sexuelle ou sanguine et caractérisée par la disparition des réactions immunitaires de l'organisme.

SIDE-CAR [sidkar] n. m. (mot angl.). Véhicule formé par la réunion d'une motocyclette et d'une caisse carrossée, montée sur une roue et pourvue d'un siège. ‖ Pl. des *sides-cars.*

SIDÉRAL, E, AUX [sideral, -ro] adj. (du lat. *sidus, sideris*, astre). Qui a rapport aux astres.

SIDÉRER [sidere] v. t. (lat. *siderari*, subir l'influence funeste des astres) [surtout au part. passé et aux temps composés] (sujet nom de chose). Fam. *Sidérer qq'un*, le frapper de stupeur (surtout au passif) : *Cette nouvelle a sidéré tout le monde* (syn. ABASOURDIR, STUPÉFIER). *Il est resté sidéré quand il a appris la catastrophe* (syn. ANÉANTIR).

SIDÉROLITHIQUE [siderɔlitik] adj. et n. m. (du gr. *sidêros*, fer, et *lithos*, pierre). Se dit de formations tertiaires riches en fer, répandues en placages ou en poches autour du Massif central.

SIDÉROSE [sideroz] n. f. (du gr. *sidêros*, fer). Carbonate naturel de fer.

SIDÉRURGIE [sideryrʒi] n. f. (du gr. *sidêros,* fer, et *ergon,* travail). *Industr.* Ensemble des procédés d'extraction, de production et de travail du fer, de la fonte et de l'acier. ◆ **sidérurgique** adj. : *Une usine sidérurgique.*
→ illustrations en couleurs pages 1280-1281.

SIDI-BEL-ABBÈS, v. d'Algérie, au S. d'Oran; 105 400 hab. Anc. ville-garnison de la Légion étrangère française.

Sidi-Brahim *(combats de),* combats qui ont opposé, près du marabout de Sidi-Brahim (Algérie occidentale), les cavaliers d'Abd el-Kader aux Français (23, 24, 25 septembre 1845).

SIDOBRE (le), région granitique de l'extrémité sud-ouest du Massif central (Tarn), à l'E. de Castres.

SIDOINE APOLLINAIRE *(saint),* évêque de Clermont-Ferrand (v. 430-v. 487). Il défendit l'Auvergne contre les Wisigoths. Il a laissé des poèmes et des lettres qui contiennent de précieux renseignements sur l'histoire du Vᵉ s.

SIDON. *Géogr. anc.* V. de Phénicie, sur la Méditerranée auj. SAYDA, Liban). Bâtie en partie sur une île, elle fut le grand port de la Phénicie au IIᵉ millénaire av. J.-C. Vers 1200 av. J.-C. elle fut supplantée par Tyr.

SIÈCLE [sjɛkl] n. m. (lat. *saeculum*). **1.** Période de cent ans : *Certains arbres vivent plusieurs siècles.* — **2.** Période de cent ans comptés à partir d'une ère donnée, spécialement de l'ère chrétienne : *Le troisième siècle avant Jésus-Christ. Le vingtième siècle a commencé le premier jour de l'année 1901 et finira le dernier jour de l'année 2000.* — **3.** Temps où l'on vit : *Partager les idées de son siècle. Le mal du siècle* (= attitude d'esprit pessimiste qui appartient à une époque déterminée). — **4.** *Le siècle de,* époque rendue célèbre par les actions, les œuvres d'un grand homme, par une grande découverte : *Le siècle de Louis XIV.* — **5.** *Fam.* Temps que l'on trouve très long : *Il y a un siècle que nous ne vous avons vu.* ◆ **séculaire** adj. **1.** Qui a lieu tous les cent ans. — **2.** Qui date, qui existe depuis un ou plusieurs siècles : *Un arbre séculaire* (syn. CENTENAIRE). *Une coutume séculaire.*

Siècle de Louis XIV *(le),* ouvrage historique de Voltaire (1751) où l'on trouve la critique du despotisme et du fanatisme.

SIEGBAHN (Manne), physicien suédois (1886-1978). Il a découvert, en 1925, la réfraction des rayons X. (Prix Nobel de physique, 1924.)

1. SIÈGE [sjɛʒ] n. m. (du lat. *sedere,* être assis). **1.** Meuble ou autre objet disposé pour qu'on puisse s'y asseoir : *Un siège pliant. Les sièges d'une voiture.* — **2.** Partie horizontale de ce meuble ou de cet objet sur laquelle on s'assied. — **3.** Postérieur : *Prendre un bain de siège.*

2. SIÈGE [sjɛʒ] n. m. (même étym.). **1.** Endroit où réside une autorité, où se réunit un Parlement, où fonctionne une société commerciale ou industrielle : *Le palais Bourbon est le siège de l'Assemblée nationale.* ‖ *Siège d'un tribunal,* endroit où il réside et se réunit pour rendre la justice. ‖ *Siège épiscopal,* évêché et sa juridiction. ‖ *Siège pontifical* → SAINT-SIÈGE. ‖ *Siège social,* endroit où une société commerciale a son principal établissement. — **2.** Place occupée par un membre d'une assemblée délibérante : *Ce parti a gagné un grand nombre de sièges aux dernières élections.* — **3.** Endroit où naît et se développe un phénomène : *Le siège d'une maladie. Le cerveau est le siège de la parole* (syn. CENTRE). ◆ **siéger** v. i. **1.** (sujet nom de personne) Faire partie d'une assemblée, d'un tribunal : *Siéger au Sénat.* — **2.** (sujet nom désignant une assemblée, un tribunal, etc.) Tenir ses séances : *La Cour de cassation siège à Paris.*

3. SIÈGE [sjɛʒ] n. m. (même étym.). **1.** Ensemble des opérations militaires exécutées pour s'emparer d'une place forte, d'une ville : *Le siège de Paris en 1870.* — **2.** *Lever le siège,* ramener en arrière l'armée assiégeante; *fam.,* s'en aller, se retirer. ‖ *État de siège,* mesure prise par les pouvoirs publics en cas de troubles, et qui place les pouvoirs civils sous les ordres du commandement militaire. ◆ **assiéger** v. t. (Conj. **10.**) **1.** (sujet nom de personne, d'un groupe de personnes) *Assiéger un lieu,* l'entourer en s'efforçant d'y pénétrer : *César assiégea la place forte d'Alésia* (syn. FAIRE LE SIÈGE DE). *Les voyageurs assiègent le guichet de la gare* (= se pressent devant). — **2.** *Assiéger qq'un dans un lieu,* l'y tenir enfermé sous l'effet d'une menace, d'un danger : *Les ouvriers ont assiégé le bureau du directeur de l'usine.* — **3.** *Assiéger qq'un,* le harceler de demandes, lui causer des désagréments (souvent au passif) : *Il est assiégé de coups de téléphone* (syn. ASSAILLIR). ◆ **assiégeant, e** n. et adj. : *Les assiégeants ont pris la ville d'assaut.* ◆ **assiégé, e** adj. et n. : *Les assiégés ont tenté de s'échapper.*

Siegfried, drame musical de R. Wagner qui fait partie de la *Tétralogie, l'Anneau du Nibelung.*

Siegfried *(ligne),* nom donné au système fortifié élevé de 1937 à 1940 par l'Allemagne sur sa frontière occidentale de Bâle à Clèves.

SIEMENS (Werner VON), ingénieur allemand (1816-1892). On lui doit la première grande ligne télégraphique européenne entre Berlin et Francfort (1848-1849) et la première locomotive électrique (1879). — Son frère *sir* WILLIAM, naturalisé anglais (1823-1883), mit au point le four Martin-Siemens, pour la fabrication de l'acier.

SIEN, SIENNE adj. et pron. poss. → MON.

SIENKIEWICZ (Henryk), écrivain polonais (1846-1916). Journaliste, il voyage puis publie des romans sur l'histoire de son pays. Il est l'auteur de *Quo Vadis?* (1895), roman sur les persécutions subies par les chrétiens du Iᵉʳ s., à Rome. (Prix Nobel de littérature, 1905.)

SIENNE, en it. **Siena,** v. d'Italie (Toscane); 65 600 hab. *(Siennois).* Archevêché.

HISTOIRE. Après les invasions barbares, la ville prend de l'importance grâce à sa situation au S. du carrefour des routes de France et de Venise à Rome. Elle devient une place bancaire de premier ordre. Hostile à Florence, contre qui elle lutte pendant tout le XIIIᵉ s., Sienne, prenant parti pour le pouvoir de l'Empereur contre celui du pape, devient gibeline*. La puissance florentine et la peste noire (XIVᵉ s.) provoquent sa décadence économique, mais son rayonnement artistique reste très grand. Au XVIᵉ s., Sienne est absorbée par le grand-duché de Toscane.

BEAUX-ARTS. Sienne est une ville d'art très riche (Piazza del Campo, cathédrale romane et gothique, baptistère, église San Francesco, pinacothèque, etc.).

SIERRA [sjera] n. f. (mot esp. signif. *scie*). Chaîne de montagnes dans les pays de langue espagnole.

SIERRA LEONE, État d'Afrique occidentale, membre du Commonwealth; 72 000 km²; 4 100 000 hab. (57 au km²). Capit. *Freetown* (316 000 hab.). Langue : *anglais.*
→ cartes AFRIQUE pp. 48-49.

GÉOGRAPHIE

Un plateau entaillé de nombreuses vallées (rivière Sierra Leone) domine la plaine côtière marécageuse. Le climat tropical permet la culture de palmiers à huile, café, cacao pour l'exportation, tandis que riz et manioc constituent les bases de l'alimentation. Les richesses du sous-sol (diamants, fer, chrome, bauxite), pour la plupart exportées brutes, fournissent la part essentielle des revenus du pays.

HISTOIRE

La côte de la Sierra Leone est explorée dès le milieu du XVᵉ s. par les Portugais qui s'y livrent au commerce (or, esclaves). Ils sont concurrencés par les Hollandais, les Français, puis les Anglais qui prédominent au XVIIIᵉ s.

• *1808. La côte devient colonie britannique.*

L'instauration du régime colonial permet à une expérience commencée en 1787 (l'installation d'esclaves libérés) de se poursuivre avec succès jusqu'en 1860, malgré l'opposition des tribus de l'intérieur. Celles-ci passent progressivement sous le contrôle des Anglais, qui établissent un protectorat en 1896.

• *1961. La Sierra Leone (colonie et protectorat unifiés depuis 1956) reçoit son indépendance dans le cadre du Commonwealth.*

SIESTE [sjɛst] n. f. (lat. *sexta* [*hora*], sixième [heure], c'est-à-dire midi). Repos pris après le repas de midi.

SIEUR [sjœr] n. m. (anc. cas régime de *sire*). Qualification dont on fait précéder un nom propre d'homme, en langage juridique.

SIEYÈS (*abbé* Emmanuel Joseph), homme politique français (1748-1836). En 1789, il publie une brochure célèbre : *Qu'est-ce que le tiers état?* Successivement député à la Constituante, à la Convention, et au Conseil des Cinq-Cents, il devient membre du Directoire et favorise le coup d'État du 18 brumaire. Consul provisoire en novembre 1799, avec Bonaparte et Roger Ducos, il est rapidement écarté du pouvoir.

SIFFLER [sifle] v. i. (lat. *sibilare*). **1.** (sujet nom d'être animé) Produire un son aigu en chassant l'air entre ses lèvres, entre ses dents, ou à l'aide d'un instrument (sifflet, clef forée, etc.) : *Savoir siffler.* — **2.** (sujet désignant certains oiseaux) Produire le cri propre à l'espèce : *Le merle, le loriot, la grive sifflent.* (Se dit aussi des serpents, des oies, des cygnes quand ils sont en colère.) — **3.** (sujet désignant des choses, certains phénomènes, des projectiles) Produire un son aigu et prolongé : *Le train siffle pour annoncer son arrivée en gare. Le vent siffle dans les cordages. Les balles sifflaient aux oreilles des combattants.* ◆ v. t. **1.** *Siffler un air,* le reproduire en sifflant. — **2.** *Siffler un animal, une personne,* l'appeler en sifflant. — **3.** *Siffler qq'un, qqch.,* l'accueillir par des sifflets, en signe de mécontentement : *Siffler un acteur* (syn. CONSPUER, HUER). — **4.** *Siffler qqch.* (au cours d'un jeu, d'une épreuve), le signaler en sifflant : *L'arbitre a sifflé la fin de la partie.* ◆ **sifflant, e** adj. Qui produit un sifflement. ◆ **sifflante** adj. et n. f. Se dit d'une consonne caractérisée par un bruit de sifflement : *Les consonnes « s » et « z » sont des sifflantes.* ◆ **sifflement** n. m. Son ou bruit aigu fait en sifflant. ◆ **sifflet** n. m. **1.** Petit instrument de bois ou de métal, etc., formé d'un tuyau étroit et terminé par une embouchure taillée en biseau. — **2.** *E* *sifflet*, se dit d'une coupe, d'une section en biseau : *Une branche taillée en sifflet.* ◆ n. m. pl. Désapprobation manifestée par un bruit de sifflets : *La pièce a été accueillie par des sifflets.* ◆ **siffleur, euse** n. Personne qui siffle, qui a l'habitude de siffler. ◆ **siffloter** v. i. et t. Siffler légèrement, négligemment : *Siffloter en travaillant.* ◆ **sifflotement** n. m.

SIG, ancienn. **Saint-Denis-du-Sig,** comm. de l'Algérie occidentale, dans la *plaine du Sig*, région marécageuse, où se termine le Sig (220 km); 27 700 hab.

SIGEBERT Ier (535-575), roi d'Austrasie (561-575), fils de Clotaire Ier et époux de Brunehaut, fille du roi des Wisigoths. Il s'empara du royaume de son demi-frère Chilpéric Ier, mais mourut assassiné. — SIGEBERT II (v. 601-613), roi de Bourgogne et d'Austrasie. — SIGEBERT III (631-656), roi d'Austrasie, fils de Dagobert Ier. Il abandonna pratiquement le pouvoir au maire du palais Grimoald.

SIGISMOND DE LUXEMBOURG (1368-1437), roi de Hongrie (1387-1437), roi des Romains (1411-1433), empereur germanique (1433-1437) et roi de Bohême (1419-1437), fils cadet de l'empereur Charles IV. Il attaqua les Turcs, mais fut battu par eux à Nicopolis (1396). Il convoqua le concile de Constance pour mettre fin au schisme qui divisait la papauté (1414). La condamnation de Jan Hus par le concile souleva les Tchèques contre Sigismond, qui se rendit difficilement maître du royaume de Bohême, dont il hérita à la mort de son frère Venceslas (1419).

SIGISMOND Ier JAGELLON le Vieux (1467-1548). Il soutint de longues guerres contre les Moscovites contre lesquels il s'allia aux Habsbourg (1515). Il occupa la Prusse (1520) et contint les chevaliers Teutoniques en conférant au grand maître de l'ordre le titre de duc héréditaire en Prusse, en échange de la reconnaissance de sa suzeraineté. — SIGISMOND II AUGUSTE JAGELLON (1520-1572), roi de Pologne et grand-duc de Lituanie (1548-1572), fils du précédent. Par le traité de Wilno (1561), il annexa la Livonie. Pour résister aux Moscovites, il proclama l'union de Lublin (1569), qui fit de la Pologne et de la Lituanie une seule république. Sa tolérance religieuse permit aux calvinistes de s'implanter en Pologne. Avec lui s'éteignit la dynastie des Jagellons.

SIGLE [sigl] n. m. (bas lat. *sigla*, signes abréviatifs). Groupe de lettres initiales constituant l'abréviation de termes fréquemment employés (ex. : *O. N. U., Unesco, Benelux*).

SIGMA [sigma] n. m. (mot gr.). → GREC *(alphabet)*.

SIGMARINGEN, v. d'Allemagne (Bade-Wurtemberg), au S. de Stuttgart; 16 000 hab. Capit. de l'anc. principauté de Hohenzollern. Refuge de membres du gouvernement de Pétain (1944-1945).

SIGMOÏDE [sigmɔid] adj. (de *sigma*). Anat. *Valvules sigmoïdes*, les trois valvules situées à l'entrée de l'artère aorte (qui part du ventricule gauche du cœur) et les trois valvules situées à l'entrée de l'artère pulmonaire partant du ventricule droit.

SIGNAC (Paul), peintre français (1863-1935), un des maîtres du néo-impressionnisme.

SIGNAL [siɲal] n. m. (lat. *signalis;* de *signum*, signe). **1.** Signe convenu pour avertir, annoncer, donner un ordre : *Donner le signal du départ. Un signal sonore* (= sirène, avertisseur, Klaxon, etc.). *Tirer le signal d'alarme.* — **2.** Ce qui annonce et provoque une action : *La prise de la Bastille a été le signal de la Révolution.* — **3.** Appareil disposé sur le bord d'une voie de communication pour régler la marche des véhicules : *Un signal d'arrêt* (syn. STOP). ◆ **signaler** v. t. (sujet nom de personne ou de chose). **1.** *Signaler qqch.*, l'indiquer, l'annoncer par un signal : *Le train est signalé* (= il va entrer en gare). — **2.** *Signaler qq'un, qqch.*, les faire connaître en attirant l'attention sur eux : *Signaler un espion à la police* (syn. DÉNONCER). *Je vous signale que, si vous ne travaillez pas mieux, vous ne réussirez pas à votre examen* (syn. FAIRE OBSERVER, FAIRE REMARQUER). ◆ **signalement** n. m. Description de l'extérieur d'une personne, d'un animal, destinée à les faire reconnaître. ◆ **signalétique** adj. Qui donne le signalement propre à faire reconnaître un individu : *Une fiche signalétique.* ◆ **signalisation** n. f. **1.** Installation, disposition de signaux sur une voie de communication, à l'entrée d'un port, sur un aérodrome, etc. : *La signalisation routière* (= l'ensemble des divers panneaux destinés à régler la circulation automobile). → illustrations sur la dernière page de garde du dictionnaire. — **2.** Emploi de divers signaux pour donner à distance des renseignements d'un ordre particulier : *Les appareils de signalisation sont des phares, des fusées, des drapeaux, des sirènes, etc.*

1. SIGNALER v. t. → SIGNAL.

2. SIGNALER (SE) [səsiɲale] v. pr. (de *signal*) [sujet nom de personne]. **1.** Acquérir une certaine réputation (en bien ou en mal) : *Se signaler par sa bravoure* (syn. SE FAIRE REMARQUER, S'ILLUSTRER). — **2.** *Se signaler à l'attention de qq'un*, se faire remarquer de lui.

SIGNALÉTIQUE adj., **SIGNALISATION** n. f. → SIGNAL.

SIGNATAIRE n., **SIGNATURE** n. f. → SIGNER 1.

SIGNE [siɲ] n. m. (lat. *signum*). **1.** Ce qui permet de connaître ou de reconnaître, de deviner ou de prévoir quelque chose : *Un signe distinctif* (syn. MARQUE). *Quand les hirondelles volent bas, c'est signe de pluie* (syn. INDICATION). *Il n'y a dans l'état de ce malade aucun signe d'amélioration* (syn. SYMPTÔME). — **2.** Élément du langage, geste ou mimique qui permet de faire connaître une pensée ou de manifester un ordre, un désir : *Les sourds-muets se parlent par signes. Faire un signe de la tête. Il lui tendit la main en signe de réconciliation.* ‖ *Signe de croix* → CROIX 1. ‖ *Ne pas donner signe de vie*, ne pas donner de ses nouvelles. — **3.** Représentation matérielle d'une chose, dessin, figure ou son ayant un caractère conventionnel : *Les signes orthographiques, typographiques, algébriques, musicaux. Les signes de ponctuation.* ‖ *Signe du zodiaque*, chacune des douze divisions du zodiaque*. ◆ n. m. pl. *Signes extérieurs de richesse*, mode de vie d'un contribuable.

1. SIGNER [siɲe] v. t. (lat. *signare*). **1.** *Signer un écrit*, le revêtir de sa signature : *Signer une pétition.* — **2.** *Signer une alliance, un contrat*, etc., les conclure et les confirmer par un acte signé : *Signer un armistice, la paix.* — **3.** *Signer une œuvre*, attester par sa marque ou sa signature qu'on en est l'auteur : *Signer un tableau. Une œuvre non signée* (= anonyme). ◆ **signature** n. f. **1.** Nom ou marque que l'on met au bas d'un écrit pour attester qu'on en est l'auteur ou qu'on en approuve le contenu : *Apposer sa signature* (syn. GRIFFE, PARAPHE). — **2.** Action de signer : *La signature d'une déposition.* ◆ **signataire** n. Personne qui a signé. ◆ **cosignataire** adj. et n. Personne qui signe en commun un acte : *Les cosignataires d'un traité.* ◆ **contresigner** v. t. Signer après quelqu'un un acte, un texte, en témoignage d'accord.

2. SIGNER (SE) [səsiɲe] v. pr. (même étym.). Faire le signe de croix (relig. chrétienne).

SIGNET [siɲɛ] n. m. (de *signe*). Ruban ou morceau de carton qui sert à marquer une page dans un livre.

1. SIGNIFIER [siɲifje] v. t. (du lat. *signum*, signe). **1.** (sujet nom de chose) *Signifier qqch.*, l'indiquer, le manifester par des signes, avoir comme sens : *Il ne comprenait pas ce que signifiait ce geste* (syn. DÉNOTER). ‖ *Ne rien signifier, ne pas signifier grand-chose*, n'avoir pas, avoir peu de sens. — **2.** *Signifier qqch.*, avoir un sens déterminé : *Le mot « work » en anglais signifie « travail »* (syn. VOULOIR DIRE). ◆ **significatif, ive** adj. Se dit d'une chose qui exprime nettement la pensée, l'intention de quelqu'un : *Un geste significatif* (syn. ÉLOQUENT, EXPRESSIF). ◆ **signification** n. f. **1.** Ce que signifie, représente un signe, un système de signes, un geste : *La signification d'un symbole.* — **2.** Sens, valeur d'un mot : *Les dictionnaires donnent les différentes significations des mots* (syn. ACCEPTION). ◆ **insignifiant, e** adj. **1.** Qui ne signifie pas grand-chose, d'importance minime : *Un détail insignifiant.* — **2.** (en parlant de personne) Qui est sans grand mérite particulier, sans originalité : *Un homme insignifiant.*

2. SIGNIFIER [siɲifje] v. t. (même étym.). *Signifier qqch. à qq'un*, le lui faire connaître d'une manière expresse ou par voie de justice : *Signifier ses intentions à qq'un. Signifier son congé à un employé* (syn. NOTIFIER). ◆ **signification** n. f. : *La signification d'un jugement.*

SIGNORELLI (Luca), peintre italien (v. 1445-1523). Il a peint de grandes fresques à la chapelle Sixtine, au cloître de Monte Oliveto, et à la chapelle Saint-Brice de la cathédrale d'Orvieto.

SIHANOUK → NORODOM SIHANOUK.

SIHANOUKVILLE, nom porté par le port cambodgien de Kompong Som jusqu'en 1970.

SIKH [sik] adj. et n. m. (du sanskrit *çishya*, disciple). Adepte d'une religion de l'Inde comportant env. six millions de membres.

SI-KIANG (le), fl. de la Chine du Sud, aboutissant au golfe de Canton; 2 000 km.

SIKKIM, État de l'Inde, entre le Népal et le Bhoutan; 7 107 km^2; 315 000 hab. (44 au km^2). Capit. *Gangtok.* Le Sikkim est intégré à l'Inde depuis 1975.

SIKOK → SHIKOKU.

SIKORSKI (Władysław), général et homme politique polonais (1881-1943). Après s'être distingué pendant la guerre polono-soviétique (1920), il devient chef de gouvernement (1922-1923) et ministre de la Guerre (1924-1925). Après la défaite de 1939, il devient chef du gouvernement polonais réfugié en France, puis à Londres, mais meurt dans un accident d'avion.

SILENCE [silɑ̃s] n. m. (lat. *silentium*). **1.** État d'une personne qui s'abstient de parler ou d'écrire, d'exprimer son opinion, de manifester ses sentiments : *Garder, observer le silence* (= se taire). *Un silence approbateur* (syn. MUTISME). *Passer qqch. sous silence* (= éviter d'en parler). — **2.** Absence de bruit, d'agitation : *Le silence de la nuit.* — **3.** *Mus.* Interruption plus ou moins longue du son; signe qui indique cette interruption. ◆ **silencieux, euse**

adj. **1.** Se dit d'une personne qui s'abstient de parler, qui est peu communicative : *On lui a posé plusieurs questions, il est resté silencieux* (syn. MUET). *Un garçon calme et silencieux* (syn. ↑TACITURNE). — **2.** Se dit d'une chose qui se fait sans bruit, d'un appareil, d'un véhicule qui fonctionne avec un faible bruit : *À pas silencieux* (syn. FEUTRÉ). *Un moteur silencieux* (contr. BRUYANT). ◆ n. m. Dispositif qui, dans un moteur à explosion, amortit le bruit consécutif à l'expulsion des gaz brûlés. ◆ **silencieusement** adv. : *L'assistance écoutait silencieusement.*

SILÉSIE, région du sud de la Pologne, à la frontière tchécoslovaque. À l'E., la *haute Silésie,* grâce à son riche bassin houiller, est devenue une grande région d'industrie lourde : sidérurgie, métallurgie. L'activité se répartit dans de grandes agglomérations (Katowice, Chorzów, Zabrze, Bytom, Gliwice, Sosnowiec) formant une conurbation industrielle. À l'O., la *basse Silésie* a une vocation plutôt agricole (céréales, betteraves), l'industrie se concentrant dans les deux villes principales, Wrocław et Wałbrzych.

SILEX [silɛks] n. m. (mot lat. signif. *caillou*). Roche siliceuse très dure, composée de calcédoine et d'opale, de couleur variable : *La cassure du silex, à arêtes tranchantes, l'a fait utiliser par les hommes préhistoriques commer arme et comme outil.*

SILHOUETTE [silwɛt] n. f. (du nom de *Silhouette,* impopulaire contrôleur général des finances du XVIIIe s.). **1.** Aspect, ligne générale d'un corps : *Cette femme a une silhouette élégante.* — **2.** Forme d'un objet dont les contours se profilent sur un fond.

SILICE [silis] n. f. (lat. *silex, silicis*). Oxyde de silicium. ◆ **siliceux, euse** adj. **1.** Qui contient beaucoup de silice : *Sol siliceux.* — **2.** *Roches siliceuses,* roches sédimentaires dures, riches en silice, comme le sable, le grès, le silex, la meulière. ◆ **silicique** adj. *Acide silicique,* acide dérivé de la silice. ◆ **silicate** n. m. Sel de l'acide silicique.

SILICIUM [silisjɔm] n. m. (de *silice*). Métalloïde (Si), de numéro atomique 14, de densité 2,35, qui, à l'état amorphe, est d'une couleur brune, et qui, à l'état cristallisé, est d'un gris de plomb : *Le silicium fond vers 2000°C et se volatilise au four électrique.*

SILICONE [silikon] n. f. (de *silice*). Terme général désignant des substances analogues aux corps organiques (= composés chimiques du carbone), dans lesquelles le silicium remplace le carbone.

SILICOSE [silikoz] n. f. (de *silice*). Maladie des poumons, due à l'inhalation de poussière de silice : *La silicose est une maladie professionnelle des mineurs.*

SILIQUE [silik] n. f. (lat. *siliqua*). Type de fruit sec déhiscent (= qui s'ouvre naturellement à sa maturité), propre aux plantes de la famille des crucifères, comprenant deux valves et une cloison médiane portant les graines.

SILLAGE [sijaʒ] n. m. (de *sillon*). **1.** Trace d'eau écumante qu'un bateau laisse derrière lui. — **2.** *Marcher dans le sillage de qq'un,* suivre sa trace, son exemple.

SILLON [sijɔ̃] n. m. (orig. gaul.). **1.** Longue fente faite dans le sol par le soc de la charrue. — **2.** Rainure que présente la surface d'un disque.

SILLON ALPIN, dépression située au cœur des Alpes françaises, allongée du N.-E. au S.-O., du bassin de Sallanches au col de la Croix-Haute, entre les Préalpes à l'O. et les massifs centraux à l'E.

SILLONNER [sijɔne] v. t. (de *sillon*) [sujet nom de chose]. **1.** Parcourir dans tous les sens : *Des avions ont sillonné le ciel toute la matinée.* — **2.** Traverser dans toutes les directions : *Des routes nombreuses sillonnent la France.*

SILO [silo] n. m. (mot esp.; du gr. *seiros,* fosse à blé). Cavité creusée dans le sol ou réservoir de grande taille que l'on emplit par le haut et qui sont destinés à la conservation des produits végétaux. ◆ **ensilage** n. m. Méthode de conservation des produits agricoles (surtout fourrages verts, mais aussi grains, racines, tubercules) dans des silos; le produit conservé par cette méthode. ◆ **ensiler** v. t. Mettre dans un silo.

SILURE [silyr] n. m. (lat. *silurus*). Poisson osseux d'eau douce, portant six longs barbillons autour de la bouche : *Le poisson-chat est un silure.*

SILURIEN, ENNE [silyrjɛ̃, -ɛn] adj. et n. m. Se dit de la période de l'ère primaire située entre l'Ordovicien et le Dévonien.

SILVESTRE DE SACY (Isaac), orientaliste français (1758-1838), initiateur des études arabes en France.

SIMA [sima] n. m. (de *si[licium],* et *ma[gnésium]*). Dans l'ancien schéma que l'on se faisait de la structure interne de la Terre, couche moyenne entre le nife et le sial, constituée essentiellement de silicate de magnésium.

SIMAGRÉES [simagre] n. f. pl. (orig. inc.). *Fam.* Manières affectées, destinées à tromper : *Ne faites pas tant de simagrées* (syn. FAÇONS; fam. CHICHIS).

SIMANCAS, v. d'Espagne, au sud-ouest de Valladolid (Castille-León); 1 500 hab. Le château (XIIIe-XIVe s.) conserve les archives générales du royaume d'Espagne.

SIMARRE [simar] n. f. (it. *cimarra*). Vêtement ample porté par les deux sexes aux XVe et XVIe s.

SIMENON (Georges), écrivain belge de langue française (1903-1989), auteur de récits, de nouvelles, de pièces de théâtre et de nombreux romans policiers animés par le personnage du commissaire Maigret.

SIMÉON Ier le Grand, mort en 927, khān des Bulgares (893-927), fondateur d'un grand empire. Il obtint de Rome le titre de tsar et la création d'une Église bulgare indépendante de Byzance.

SIMÉON II, tsar de Bulgarie, né en 1937, fils et successeur de Boris III. Il régna de 1943 à 1946, assisté d'un conseil de régence.

SIMÉON le Superbe (1316-1353), grand-prince de Moscovie de 1340 à 1353.

SIMFEROPOL, v. de l'U. R. S. S. (Ukraine), en Crimée; 314 000 hab.

SIMIEN, ENNE [simjɛ̃, -ɛn] adj. (du lat. *simius,* singe). Relatif au singe. ◆ **simiens** n. m. pl. Sous-ordre de mammifères primates comprenant les singes.

SIMIESQUE [simjɛsk] adj. (du lat. *simius,* singe). Se dit de ce qui rappelle le singe : *Un visage, une grimace simiesque.*

SIMILAIRE [similɛr] adj. (du lat. *similis,* semblable). Se dit d'une chose qui peut, à certains points de vue, être assimilée à une autre (syn. ANALOGUE, SEMBLABLE).

SIMILI [simili] n. m. (lat. *similis,* semblable). Toute chose qui imite une matière précieuse : *Une chaîne de montre en simili.*

SIMILIGRAVURE [similigravyr] n. f. (du lat. *similis,* semblable, et *gravure*). *Arts graphiques.* Procédé d'obtention de clichés tramés à partir d'originaux à modelé continu.

SIMILITUDE [similityd] n. f. (lat. *similitudo*). Ressemblance parfaite entre deux ou plusieurs choses (syn. AFFINITÉ, ANALOGIE). ◆ **dissimilitude** n. f. : *Relever des dissimilitudes entre le tableau original et une copie* (syn. DIFFÉRENCE).

SIMLA, v. de l'Inde, capit. de l'Himāchal Pradesh, dans l'Himalaya; 55 300 hab.

SIMMENTAL, vallée de Suisse, dans les Alpes bernoises, drainée par la Simme (53 km).

SIMON (Jules François Simon SUISSE, dit **Jules**), homme politique français (1814-1896). Député de l'opposition sous l'Empire (1863-1870), puis ministre de l'Instruction publique de 1870 à 1873, il fut nommé président du Conseil par Mac-Mahon en décembre 1876.

SIMONIE [simɔni] n. f. (du n. de *Simon le Magicien,* qui voulut acheter à saint Pierre le don de faire des miracles). Trafic des choses saintes; vente des biens spirituels (terme relig.).

SIMONOSEKI → SHIMONOSEKI.

SIMONOV (Konstantine), écrivain soviétique (1915-1979), auteur de poèmes, de romans *(les Jours et les nuits)* et de pièces de théâtre où il célèbre l'héroïsme des combattants de la Seconde Guerre mondiale.

SIMOUN [simun] n. m. (mot angl.; de l'ar. *samūm*). Vent chaud et sec particulier aux régions désertiques du Sahara, de l'Arabie, de l'Égypte.

1. SIMPLE [sɛ̃pl] adj. (lat. *simplex*) [en parlant de chose]. **1.** (après le nom) Se dit de ce qui n'est pas composé de plusieurs éléments : *Un mot simple* (contr. COMPOSÉ). — **2.** Chim. *Corps simple,* corps qui n'est susceptible d'aucune décomposition chimique : *L'oxygène, le fer sont des corps simples.* — **3.** (avant ou après le nom) Qui n'est pas double ou multiple : *Un nœud simple,* substantiv. : *Une somme qui varie du simple au double.* — **4.** (après le nom) Qui n'est pas compliqué; qui est facile à employer, à comprendre : *L'intrigue de cette pièce est fort simple. Un moyen bien simple* (syn. ÉLÉMENTAIRE; contr. COMPLIQUÉ). ‖ Fam. *Simple comme bonjour,* extrêmement simple (contr. DIFFICILE). ‖ *C'est bien simple,* en conclusion, en conséquence. ◆ n. m. Partie de tennis entre deux joueurs seulement (par oppos. à DOUBLE). ◆ **simplifier** v. t. *Simplifier qqch.,* le rendre plus simple, moins compliqué, moins complexe : *Simplifier un problème* (contr. COMPLIQUER). *Simplifier une fraction* (= en réduire également les deux termes). ◆ **simplification** n. f. ◆ **simplifié, e** adj. : *Formules simplifiées.*

2. SIMPLE [sɛ̃pl] adj. (même étym.). **I. En parlant de choses. 1.** (après le nom) Qui est sans recherche, sans apprêt, sans ornement : *Une robe toute simple. Un mobilier simple et de bon goût* (contr. FASTUEUX, LUXUEUX). *Un auteur qui écrit dans un style*

Heurtey.

ıminoir.

Lacheroy.

Four à arc,
coulée de l'acier.

Lacheroy.

Convertisseur Thomas
en soufflage.

J. Guillard-Scope

Complexe sidérurgique
de Fos-sur-Mer

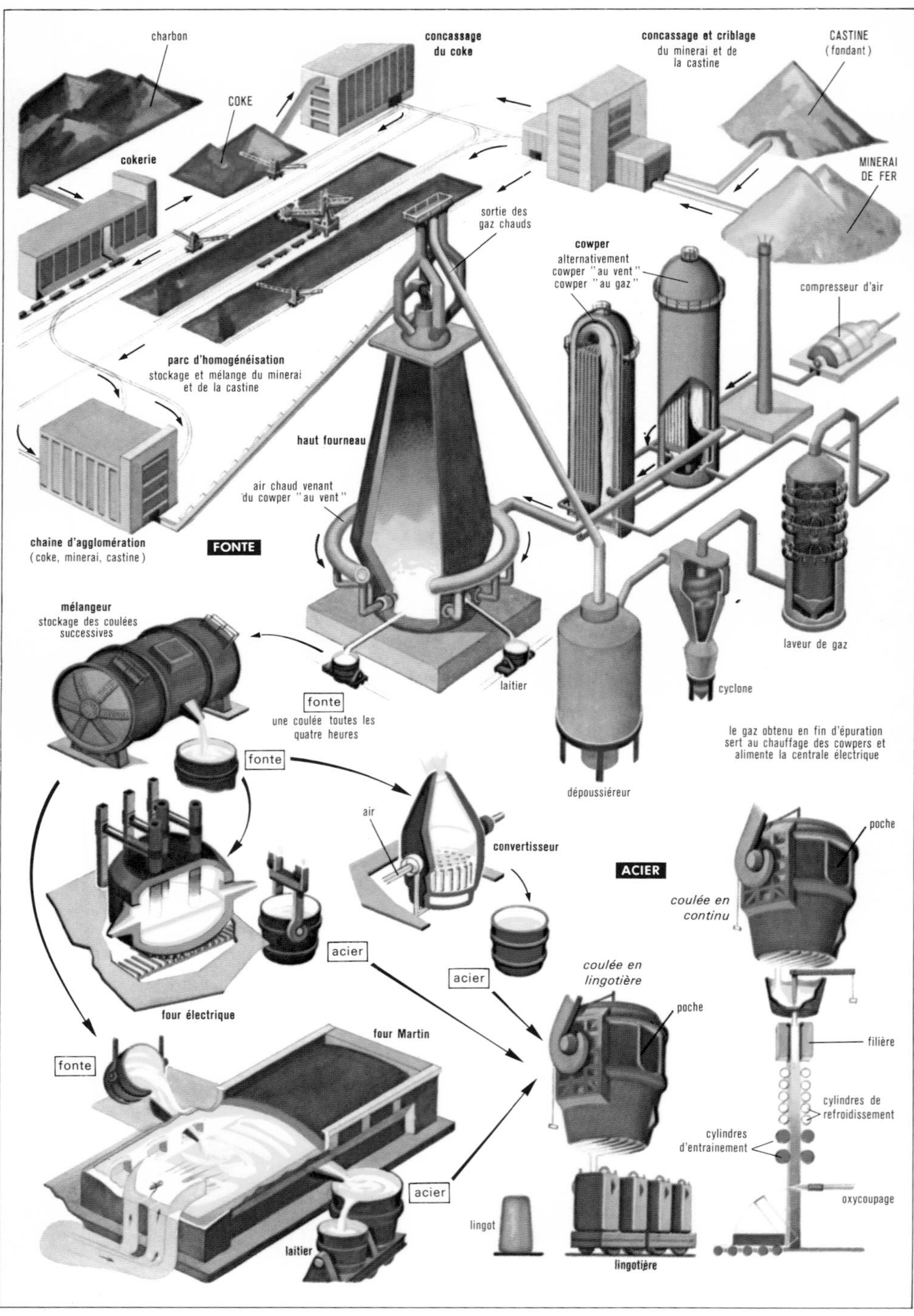
charbon
concassage du coke
concassage et criblage
du minerai et de la castine
CASTINE (fondant)
COKE
cokerie
MINERAI DE FER
sortie des gaz chauds
cowper
alternativement cowper "au vent" cowper "au gaz"
compresseur d'air
parc d'homogénéisation
stockage et mélange du minerai et de la castine
haut fourneau
air chaud venant du cowper "au vent"
chaine d'agglomération
(coke, minerai, castine)
FONTE
mélangeur
stockage des coulées successives
laveur de gaz
laitier
cyclone
fonte
une coulée toutes les quatre heures
fonte
le gaz obtenu en fin d'épuration sert au chauffage des cowpers et alimente la centrale électrique
dépoussiéreur
air
convertisseur
poche
ACIER
coulée en continu
acier
acier
coulée en lingotière
poche
four électrique
four Martin
filière
fonte
cylindres de refroidissement
cylindres d'entrainement
acier
oxycoupage
lingot
laitier
lingotière

simple (syn. DÉPOUILLÉ; contr. AMPOULÉ, EMPHATIQUE). — **2.** (avant le nom) Qui suffit à lui seul, sans rien de plus : *Il fit un simple geste et il obtint le silence. Ce n'est qu'une simple formalité.* ‖ *Pur et simple,* sans restriction ni modification : *Un refus pur et simple.* **II. En parlant de personnes. 1.** (après le nom) Se dit d'une personne (ou de son attitude) qui évite le luxe, l'affectation, la vanité, l'ostentation : *Malgré sa brillante situation, il a su rester simple* (syn. MODESTE, SANS FAÇON; contr. FIER, ORGUEILLEUX). — **2.** (avant le nom) Qui est seulement ce que le nom indique : *Un simple salarié. Un simple employé. Un simple soldat* (= militaire qui n'a pas de grade). ◆ **simplement** adv. : *Un homme vêtu simplement* (= sans recherche). *Recevoir simplement* (syn. À LA BONNE FRANQUETTE). *Il a simplement voulu vous faire peur* (syn. SEULEMENT). ‖ *Purement et simplement,* uniquement. ◆ **simplicité** n. f. Caractère d'une personne ou d'une chose simple : *La simplicité d'un vêtement. La simplicité du style* (contr. EMPHASE). *Recevoir des invités avec simplicité* (= sans cérémonie).

3. SIMPLE [sɛ̃pl] adj. (même étym.) [en parlant de personnes] (après le nom). *Péjor.* Qui a peu de finesse, d'intelligence, qui se laisse facilement tromper : *Il faudrait être bien simple pour croire à...* (syn. CRÉDULE, NAÏF). ‖ *Simple d'esprit,* personne dépourvue d'intelligence, atteinte de débilité mentale (syn. INNOCENT). ◆ **simplet, ette** adj. Se dit d'une personne un peu simple d'esprit (syn. NAÏF, NIAIS). ◆ **simpliste** adj. Se dit d'une personne (ou de son attitude) qui simplifie d'une façon exagérée, qui ne considère qu'un aspect des choses : *Un raisonnement simpliste.* ◆ **simplisme** n. m. Marque d'un esprit simpliste.

SIMPLES [sɛ̃pl] n. m. pl. (de *simple*). *Bot.* Plantes médicinales.

SIMPLET, ETTE adj. → SIMPLE 3.

SIMPLICITÉ n. f. → SIMPLE 2.

SIMPLIFICATION n. f., **SIMPLIFIÉ, E** adj., **SIMPLIFIER** v. t. → SIMPLE 1.

SIMPLISME n. m., **SIMPLISTE** adj. → SIMPLE 3.

SIMPLON (le), passage des Alpes suisses, entre le Valais et le Piémont, à 2 009 m d'alt., utilisé par une route. Au N.-E. ont été construits deux tunnels ferroviaires à voie unique (l'un de 19 801 m, l'autre de 19 821 m), utilisés par les lignes Paris-Milan.

SIMULACRE [simylakr] n. m. (lat. *simulacrum,* représentation). **1.** Action par laquelle on fait semblant d'exécuter une chose : *Un simulacre de combat.* — **2.** Fausse apparence, illusion : *Un simulacre de gouvernement* (syn. SEMBLANT).

1. SIMULATEUR, TRICE adj. et n. → SIMULER.

2. SIMULATEUR [simylatœr] n. m. (de *simuler*). Dispositif capable de reproduire le comportement d'un appareil dont on désire étudier le fonctionnement, ou d'un corps dont on veut suivre l'évolution. ‖ *Simulateur de vol,* simulateur conçu spécialement pour faciliter l'étude des conditions de pilotage d'un avion.

SIMULER [simyle] v. t. (lat. *simulare*). Faire paraître comme réelle une chose qui ne l'est pas : *Simuler la douleur* (syn. CONTREFAIRE, FEINDRE). *Simuler la fatigue* (= faire semblant d'être fatigué). ◆ **simulateur, trice** n. et adj. Personne qui simule un sentiment, une maladie. ◆ **simulation** n. f. Action de simuler. ◆ **simulé, e** adj. Qui n'est pas réel : *Une amabilité simulée* (syn. FAUX). *Une attaque simulée* (syn. FEINT).

SIMULTANÉ, E [simyltane] adj. (du lat. *simul,* en même temps). Se dit d'une chose qui a lieu en même temps qu'une autre : *Des événements simultanés* (syn. CONCOMITANT). ◆ **simultanément** adv. En même temps : *Deux coups de fusil sont partis simultanément* (syn. ENSEMBLE; contr. SUCCESSIVEMENT). ◆ **simultanéité** n. f. : *La simultanéité de deux actions* (syn. COÏNCIDENCE).

SINAÏ (le), péninsule montagneuse et désertique d'Égypte, sur la Méditerranée et la mer Rouge (qui y forme les golfes de Suez et d'‘Aqaba). D'après la Bible, Moïse reçut la loi de Dieu, sur le *mont Sinaï.* Enjeu de violents combats pendant les guerres israélo-arabes de 1967 et de 1973, le Sinaï a été, en 1982, définitivement restitué à l'Égypte par Israël.

SINANTHROPE [sinɑ̃trɔp] n. m. (du lat. *Sina,* Chine, et gr. *anthrôpos,* homme). Fossile présentant à la fois des caractères primitifs simiens et des caractères évolués hominiens. (Le gisement se trouve près de Pékin.)

SINAPISME [sinapism] n. m. (du lat. *sinapi,* moutarde). Cataplasme à base de farine de moutarde.

SINCÈRE [sɛ̃sɛr] adj. (lat. *sincerus*). **1.** Se dit d'une personne qui fait connaître sa pensée, ses sentiments sans les déguiser : *Un homme sincère* (syn. FRANC). — **2.** Se dit de ce qui est pensé ou senti réellement : *Une opinion sincère* (syn. AUTHENTIQUE, VRAI). *Une amitié sincère* (syn. FIDÈLE). ◆ **sincèrement** adv. : *Il regrette sincèrement de n'avoir pas pu vous aider;* en tête de proposition : *Sincèrement, vous ne voulez pas venir avec nous?* ◆ **sincérité** n. f. : *Personne ne doute de la sincérité de ses paroles* (syn. FRANCHISE, LOYAUTÉ).

SINCIPUT [sɛ̃sipyt] n. m. (du lat. *semi,* demi, et *caput,* tête). *Anat.* La partie supérieure de la tête (son opposé est l'OCCIPUT).

SINCLAIR (Upton), écrivain américain (1878-1968). Ses romans critiquent la société moderne et le capitalisme : *la Jungle* (1906); *la Métropole* (1908); *le Roi Charbon* (1917); *le Pétrole* (1927); *les Romans de Lanny Budd* (1940-1947).

SIND, extrémité sud-est du Pākistān. Région très chaude et aride, le Sind commence à être mis en valeur grâce à la construction de barrages sur l'Indus permettant l'irrigation (blé, riz, coton).

SIND (le), anc. nom de l'INDUS*.

SINDELFINGEN, v. d'Allemagne (Bade-Wurtemberg); 54 000 hab. Grande usine d'automobiles.

SINÉCURE [sinekyr] n. f. (angl. *sinecure;* du lat. *sine,* sans, et *cura,* souci). **1.** Emploi, fonction où l'on est payé sans avoir rien ou presque rien à faire : *Il lui a trouvé un poste qui est une vraie sinécure.* — **2.** Fam. *Ce n'est pas une sinécure,* c'est un travail pénible et absorbant.

SINE DIE [sinedje] loc. adv. (mots lat. signif. *sans jour fixé*). Express. employée dans la langue parlementaire ou diplomatique et signifiant « sans fixer de jour » : *Renvoyer un débat « sine die ».*

SINE QUA NON [sinekwanɔn] loc. adv. (mots lat. signif. littéral. *sans quoi non*). Se dit d'une condition absolue, indispensable : *Une clause « sine qua non ».*

SI-NGAN ou **SIAN,** v. de Chine, capit. du Chen-si; 1 368 000 hab. Industries textiles (coton).

SINGAPOUR, en angl. **Singapore,** île de l'Asie du Sud-Est, à l'extrémité méridionale de la péninsule malaise formant un État membre du Commonwealth; 618 km^2; 2 700 000 hab. (dont 1 750 000 Chinois) [4 370 au km^2]. Capit. *Singapour.* Langues : *anglais, chinois et malais.*

GÉOGRAPHIE

Base navale et aérienne, la ville de Singapour, qui regroupe plus de 95 p. 100 de la population de l'île, est aussi un grand port de transit, assurant les trois quarts du commerce de la Malaisie (caoutchouc, étain). L'industrie s'y est développée : textiles, constructions navales et électriques.

HISTOIRE

L'île, anglaise à partir de 1819, fut occupée par les Japonais de 1942 à 1945. En 1946, le port et ses environs constituèrent une colonie britannique séparée, qui se transforma en 1959 en État autonome, membre du Commonwealth. Celui-ci s'intégra à la Malaysia de 1963 à 1965. Il constitue, depuis 1965, une république indépendante.

SINGE [sɛ̃ʒ] n. m. (lat. *simius*). **1.** Nom donné aux mammifères primates du sous-ordre des simiens. → ENCYCL. — **2.** Celui qui imite les actions, les gestes d'un autre. — **3.** *Arg. mil.* Bœuf de conserve : *Une boîte de singe.* — **4.** *Payer en monnaie de singe,* adresser de belles paroles, faire de vaines promesses à celui à qui l'on doit de l'argent, au lieu de le rembourser. ◆ **singerie** n. f. Cage, endroit où sont groupés les singes dans une ménagerie, dans un jardin zoologique.

— ENCYCL. Les *singes* ont une face plate et des yeux moins gros que ceux des lémuriens*, des mains et des pieds préhensiles (= capables de saisir les objets) terminés par des ongles. Ils se nourrissent principalement de fruits. Il y a cependant de grandes différences entre les espèces. Les singes d'Amérique ont 36 dents, une épaisse cloison entre les deux narines et la queue parfois préhensile *(ouistiti, atèle).* Les singes d'Afrique et d'Asie n'ont que 32 dents et n'ont ni une épaisse cloison entre les narines ni la queue préhensile (principaux types : *macaque, babouin, mandrill*). On met à part le petit groupe des anthropoïdes *(gorille, orang-outan, chimpanzé, gibbon),* sans queue, très doués psychiquement.

SINGER [sɛ̃ʒe] v. t. (de *singe*). Fam. *Singer qq'un,* l'imiter maladroitement ou pour se moquer de lui : *Singer un camarade.* ◆ **singerie** n. f. **1.** Grimace, geste comique (syn. PITRERIE). — **2.** (au plur.) Manières affectées et ridicules : *Personne n'a été dupe de ses singeries* (syn. SIMAGRÉES).

SINGER (Isaac Merrit), inventeur américain (1811-1875). Il perfectionna la machine à coudre (1851).

SINGERIE n. f. → SINGE et SINGER.

1. SINGLETON ou **SINGLET** [sɛ̃glətɔ̃] ou [sɛ̃glɛ] n. m. (de l'angl. *single,* seul). *Math.* Ensemble n'ayant qu'un seul élément : *Si* a *est cet élément, on note* {a} *le singleton.*

2. SINGLETON [sɛ̃glətɔ̃] n. m. (même étym.). Au bridge, carte qui est seule de sa couleur dans la main d'un joueur après la distribution.

1. SINGULIER, ÈRE [sɛ̃gylje, -ɛr] adj. (lat. *singularis,* seul) [après ou avant le nom]. Se dit d'une chose ou quelquefois d'une personne qui se fait remarquer par quelque trait peu commun, extraordinaire : *Une aventure singulière* (syn. ÉTRANGE). *Ce qu'il y a de singulier, c'est qu'il ne nous ait pas averti plus tôt de son départ* (syn. ÉTONNANT, SURPRENANT). ◆ **singulièrement** adv. : *S'habiller singulièrement* (syn. BIZARREMENT, ÉTRANGEMENT). *Tout le monde a souffert de la crise économique et singulièrement les salariés* (syn. PARTICULIÈREMENT, PRINCIPALEMENT). ◆ **singulariser (se)** v. pr. (sujet nom de personne). *Péjor.* Se faire remarquer par quelque chose d'étrange, d'extravagant : *Se singulariser par sa toilette.* ◆ **singularité** n. f. : *La singularité d'un fait* (syn. ÉTRANGETÉ). *La singularité d'une toilette* (syn. BIZARRERIE).

2. SINGULIER [sɛ̃gylje] n. m. et adj. (même étym.). *Gramm.* Caractère particulier d'une forme de la langue qui exprime en général une unité ou un ensemble, par oppos. au PLURIEL, qui représente deux ou plusieurs unités : *Le singulier s'oppose au pluriel par son absence de marque distinctive.*

SI-NING, v. de Chine, capit. du Ts'ing-hai; 300 000 hab.

1. SINISTRE [sinistr] adj. (lat. *sinister,* à gauche, défavorable). **1.** (avant ou plus souvent après le nom) Se dit d'une chose de mauvais augure, qui laisse prévoir un malheur : *Un présage sinistre* (syn. FUNESTE). — **2.** Qui, par son aspect, semble triste, lugubre : *Un appartement sinistre.* — **3.** (après le nom) Se dit d'une personne qui a une apparence sombre, inquiétante : *Un air sinistre.* — **4.** (avant le nom) Prend une valeur de superlatif : *Un sinistre imbécile.*

2. SINISTRE [sinistr] n. m. (it. *sinistro*). **1.** Événement catastrophique (inondation, tremblement de terre, etc.) qui entraîne de grandes pertes matérielles : *Les pompiers ont réussi à maîtriser le sinistre* (syn. INCENDIE). — **2.** Pertes et dommages subis par des objets assurés (en termes d'assurances) : *On n'a pas encore pu évaluer l'importance du sinistre.* ◆ **sinistré, e** adj. et n. Qui a été l'objet d'un sinistre : *Une région sinistrée. Reloger des sinistrés.*

SIN-K'IANG, anciennement **Turkestan chinois,** région autonome de la Chine occidentale, en Asie centrale; 1 646 800 km^2; 13 millions d'hab. (7,8 au km^2). Capit. *Ouroumtsi* (947 000 hab.).

Limité au N. par la chaîne de l'Altaï, à l'O. par le Pamir et au S. par les Kouen-louen, le Sin-k'iang couvre une superficie triple de celle de la France. Le climat continental y est très rude : les hivers sont glacials, les étés torrides. La chaîne du T'ien-chan sépare le plateau désertique du Takla-makan au S., de la cuvette de Dzoungarie au N. En dehors des nomades éleveurs de chameaux et de moutons qui parcourent le désert, la population se concentre dans les oasis jalonnant le pied de la montagne (Ouroumtsi, Kachgar, Khotan). L'exploitation des richesses du sous-sol (charbon, pétrole, fer et divers métaux non ferreux) est encore limitée à cause de l'éloignement des centres industriels de Chine orientale.

SIN-LE-NOBLE, comm. du Nord, à 3 km à l'E. de Douai; 18 100 hab.

Sinn Féin (express. gaél. signif. *nous-mêmes*), mouvement nationaliste et républicain irlandais. Fondé au début du XXe s., il joue un rôle prémordial dans l'accession de l'Irlande à l'indépendance avant de disparaître vers 1927. Réactivé après la Seconde Guerre mondiale, il connaît un regain d'importance à partir de 1968, à la faveur des troubles en Irlande du Nord.

SINOLOGUE [sinɔlɔg] n. (du lat. *Sina,* Chine, et *logos,* science). Spécialiste de la langue, de l'histoire, de la civilisation de la Chine.

SINON [sinɔ̃] conj. *(si,* et *non).* **1.** Introduit une idée de condition négative : *Mettez-vous au travail tout de suite, sinon vous n'aurez pas terminé à temps* (syn. FAUTE DE QUOI, SANS QUOI). — **2.** Marque une restriction : *Il ne se préoccupe de rien, sinon de lui-même* (syn. EXCEPTÉ, SAUF). — **3.** Introduit une concession : *Que faire, sinon attendre?* — LOC. CONJ. *Sinon que,* si ce n'est que.

SINOP, anciennement **Sinope,** port de Turquie, sur la mer Noire; 15 100 hab.

• *1853. Une défaite navale est infligée aux Turcs par les Russes.*

SINUEUX, EUSE [sinɥø, -øz] adj. (du lat. *sinus,* pli). **1.** Se dit de ce qui se développe en courbes et en replis : *Le cours sinueux de la Seine* (contr. DROIT). — **2.** Se dit de l'attitude d'une personne qui ne va pas droit à l'objet, qui se dérobe : *Une pensée sinueuse* (syn. TORTUEUX). ◆ **sinuosité** n. f. **1.** Ligne sinueuse : *Les sinuosités d'une route de montagne* (syn. COURBE, LACET). *Les sinuosités d'une rivière* (syn. MÉANDRE). — **2.** Démarches qui ne vont pas droit au but : *Les sinuosités d'un esprit biscornu.*

SINUIJU, v. de la Corée du Nord, à la frontière chinoise; 165 000 hab.

SINUOSITÉ n. f. → SINUEUX.

1. SINUS [sinys] n. m. (mot lat. signif. *pli*). *Anat.* Nom de diverses cavités creusées dans les os de la face. ◆ **sinusite** n. f. *Méd.* Inflammation d'un sinus osseux.

2. SINUS [sinys] n. m. (même étym.). Math. *Sinus d'un nombre* → TRIGONOMÉTRIE.

SION, une des collines de Jérusalem, souvent prise comme symbole de Jérusalem.

SION, en all. **Sitten,** v. de Suisse, ch.-l. du cant. du Valais, sur le Rhône; 21 900 hab. Évêché catholique. Vins.

SIONISME [sjɔnism] n. m. (de *Sion,* montagne de Jérusalem). Mouvement qui eut pour objet la constitution, en Palestine, d'un État juif autonome et qui, depuis la fondation de l'État d'Israël (1948), vise à regrouper un nombre croissant de Juifs dans cet État. (Des villages de pionniers furent créés en Palestine dès 1882, mais c'est T. Herzl* qui, dans son livre *l'État juif* [1895], proposa pour la première fois une solution mondiale au problème juif.) [→ ISRAËL.] ◆ **sioniste** n. Partisan du sionisme. ◆ adj. Qui se rapporte au sionisme.

SIOULE (la), riv. d'Auvergne et du Bourbonnais, née au N.-O. du Mont-Dore, affl. de l'Allier (r. g.); 150 km.

SIOUX, ensemble de peuples indiens de l'Amérique du Nord, divisés en sept tribus, qui vivaient dans les grandes plaines de l'Ouest, dans la région atlantique et dans le bas Mississippi. La plus grande bataille qui les opposa aux Blancs pour la sauvegarde de leurs territoires fut celle de Wounded Knee (1890). Ils sont aujourd'hui retirés dans les réserves du Minnesota et du Dakota notamment.

SIPHOMYCÈTES [sifɔmisɛt] n. m. pl. (de *siphon,* et gr. *mukês,* champignon). Classe de champignons inférieurs comprenant des moisissures saprophytes ou parasites : *Les siphomycètes sont caractérisés par leur mycélium formé de filaments continus.*

SIPHON [sifɔ̃] n. m. (gr. *siphôn*). **1.** Tube en forme d'U renversé, pour transvaser les liquides d'un niveau à un autre plus bas. — **2.** Tube recourbé deux fois, dont la courbure inférieure est remplie d'eau, et qui sert à évacuer les eaux usées tout en empêchant le dégagement de mauvaises odeurs. — **3.** Appareil employé pour faire franchir un obstacle à des eaux d'alimentation ou d'évacuation. — **4.** Carafe en verre épais, fermée par une soupape commandée par un levier, pour obtenir l'écoulement d'un liquide sous pression.

SIQUEIROS (David Alfaro), peintre mexicain (1896-1974). Il est l'auteur d'immenses fresques murales, d'inspiration sociale, traduisant un idéalisme passionné (*Histoire de l'humanité* [plus de 6 000 m^2], 1966).

SIRDĀR [sirdar] n. m. (persan *serdar*). Nom donné, de 1882 à 1925, au général anglais commandant l'armée égyptienne : *Le sirdār Kitchener.*

SIRE [sir] n. m. (lat. *senior,* plus âgé). **1.** Au Moyen Âge, titre de certains seigneurs : *Le sire de Joinville.* — **2.** Titre que l'on donnait au souverain en France, quand on s'adressait à lui. — **3.** *Triste sire,* individu peu recommandable.

1. SIRÈNE [sirɛn] n. f. (gr. *seirên*). *Myth. gr.* Génie féminin ayant une tête et une poitrine de femme et une queue de poisson : *Les sirènes attiraient les navigateurs par la douceur de leur chant et les faisaient périr.*

2. SIRÈNE [sirɛn] n. f. (de *sirène* 1). Appareil avertisseur de grande puissance destiné à émettre différents signaux : *Les mugissements de la sirène d'un bateau.*

SIRÉNIENS [sirenjɛ̃] n. m. pl. (de *sirène*). Ordre de mammifères, voisins des cétacés, comprenant les *dugongs,* les *lamantins.* (Les siréniens, ou « vaches marines », sont de grands animaux en voie de disparition.)

SIRET (le), riv. de Roumanie, née dans les Carpates, affl. du Danube (r. g.); 726 km.

SIREX [sirɛks] n. m. (mot lat.). Insecte hyménoptère dont la larve vit dans le bois des conifères.

SIRIUS, étoile la plus brillante du ciel, appartenant à la constellation du Grand Chien.

SIROCCO [siroko] n. m. (it. *scirocco*). Vent très chaud et très sec, chargé de poussières, qui souffle du Sahara vers l'Algérie lorsque des basses pressions règnent sur la Méditerranée.

SIROP [siro] n. m. (de l'ar. *charāb,* boisson). Liquide formé d'une forte proportion de sucre et de substances aromatiques ou médicamenteuses : *Du sirop de cassis. Un sirop contre la toux.* ◆ **sirupeux, euse** adj. Qui a la consistance du sirop : *Un liquide sirupeux* (syn. ÉPAIS, VISQUEUX).

SIROTER [sirote] v. t. (de *sirop*). *Fam.* Boire à petits coups, en savourant.

SIRUPEUX, EUSE adj. → SIROP.

SIS, E [si, siz] adj. (du v. *seoir*). Situé en tel endroit (langue admin. et jurid.) : *Vente d'une maison sise à Versailles.*

SISAL [sizal] n. m. (de *Sisal,* port du Yucatán). Variété d'agave du Mexique, dont les feuilles ont des fibres qu'on utilise pour faire des sacs, des cordes.

SISLEY (Alfred), peintre anglais de l'école française (1839-1899), un des maîtres du paysage impressionniste. Il s'attacha surtout à peindre les bords de rivière et les sites de l'Île-de-France (Moret-sur-Loing) dont il sut admirablement traduire la lumière.

SISMIQUE adj., **SISMOGRAPHE** n. m., **SISMOLOGIE** n. f. → SÉISME.

SISMONDI (Léonard SIMONDE DE), historien et économiste suisse (1773-1842), auteur de *Nouveaux Principes d'économie politique* (1819). Il défendit l'intervention de l'État dans les mécanismes économiques. Ses idées ont influencé les socialistes.

SISSONNE, ch.-l. de cant. de l'Aisne, à 18 km à l'E. de Laon; 3500 hab. Camp militaire d'instruction.

SISTERON, ch.-l. de cant. des Alpes-de-Haute-Provence, sur la Durance, à 39 km au N.-O. de Digne; 6600 hab. Beaux monuments du XIIe et XIIIe s.

SISTRE [sistr] n. m. (gr. *seistron*). Anc. instrument de musique en usage chez les Égyptiens.

SISYPHE. *Myth. gr.* Fils d'Éole et roi de Corinthe, condamné après sa mort à pousser éternellement sur la pente d'une montagne un énorme rocher qui toujours retombe avant d'atteindre le sommet. — Le *mythe de Sisyphe* symbolise l'absurde condition de l'homme, dépendante de la volonté aveugle des dieux.

SITE [sit] n. m. (lat. *situs*). **1.** Paysage considéré du point de vue de son aspect pittoresque : *Un site grandiose.* — **2.** *Géogr.* Configuration propre du lieu occupé par une ville, fournissant à l'homme les éléments nécessaires à son installation et à sa vie matérielle (ravitaillement en eau, nature du sol, matériaux de construction, possibilités de communications et d'extension, etc.) : *Le site de Laon est une butte.*

SITÔT adv. et prép., **SITÔT QUE** loc. conj. → AUSSITÔT.

1. SITUATION [sitɥasjɔ̃] n. f. (du lat. *situs*, site). Position géographique d'une localité, emplacement d'un édifice, d'un terrain, etc. : *La situation de Paris au carrefour de grands axes a été favorable à son développement. La situation d'un immeuble exposé au midi* (syn. ORIENTATION). ◆ **situer** v. t. *Situer une ville, un personnage, un événement,* déterminer leur place dans l'espace ou dans le temps : *Situer par erreur Angers sur la Loire* (syn. LOCALISER). *On situe la naissance de Pythagore vers 570 av. J.-C.* ◆ ***se situer*** v. pr. Se placer dans l'espace ou dans le temps. ◆ **situé, e** adj. Se dit d'une localité, d'un édifice, d'un terrain placés en un endroit par rapport aux environs, à l'exposition : *Un pavillon situé dans une banlieue agréable. Un terrain de sport mal situé* (syn. EXPOSÉ, ORIENTÉ).

2. SITUATION [sitɥasjɔ̃] n. f. (même étym.). **1.** État d'une personne par rapport à son milieu social, à son rang, à sa fortune, à ses intérêts : *Se trouver dans une situation délicate* (syn. POSITION). *Améliorer sa situation matérielle* (syn. CONDITION). — **2.** Emploi rémunéré : *Perdre sa situation* (syn. PLACE). — **3.** État des affaires politiques, diplomatiques, financières d'une nation : *Les dirigeants de ce pays sont restés maîtres de la situation. La situation internationale s'est améliorée* (syn. CONJONCTURE). — **4.** État caractéristique des personnages d'un récit, d'un drame : *Une situation comique.* — **5.** Bilan d'une entreprise à une date donnée : *Vérifier la situation d'un magasin.*

SIU-TCHEOU, v. de Chine (Kiang-sou); 700000 hab.

SIWĀLIK, montagnes de l'Inde, avant-monts de l'Himalaya.

SIX ([si] devant une consonne; [siz] devant une voyelle ou un *h* muet; [sis] en fin de phrase) adj. num. cardin. et n. (lat. *sex*). → NUMÉRATION. ◆ **sixième** [sizjɛm] adj. num. ordin. et n. ◆ **sixièmement** adv. → NUMÉRATION. ◆ **six-huit** n. m. *Mus.* Mesure à deux temps qui a la noire pointée pour unité; morceau qui a cette mesure.

Six *(groupe des)*, groupement formé en 1918 par six compositeurs de musique français, décidés à se dégager des influences de Debussy, Fauré et Ravel; il comprenait L. Durey, A. Honegger, D. Milhaud, F. Poulenc, G. Auric et Germaine Tailleferre.

SIX-FOURS-LES-PLAGES, ch.-l. de cant. du Var, à 10 km au S.-O. de Toulon; 25600 hab.

SIX-HUIT n. m. → SIX.

SIXIÈME adj. num. ordin. et n., **SIXIÈMEMENT** adv. → NUMÉRATION et SIX.

SIX-QUATRE-DEUX (À LA) [alasiskatdœ] loc. adv. *(six, quatre, et deux). Fam.* Avec précipitation, sans soin : *Un devoir fait à la six-quatre-deux* (syn. À LA HÂTE, NÉGLIGEMMENT).

SIXTE [sikst] n. f. (anc. fr. *sixte*, sixième). *Mus.* Intervalle de six degrés.

SIXTE, nom de plusieurs papes, parmi lesquels : SIXTE IV *(saint)* [1414-1484], pape de 1471 à 1484. Il fit construire la chapelle Sixtine*. — SIXTE V ou SIXTE QUINT (1520-1590), pape de 1585 à 1590, successeur de Grégoire XIII. Il travailla à la réforme des ordres religieux, et intervint, lors de l'avènement de Henri IV, dans les querelles religieuses de la France.

Sixtine *(chapelle)*, chapelle du Vatican, construite sur l'ordre de Sixte IV et décorée de fresques par Signorelli, Botticelli, Ghirlandaio, le Pérugin, Michel-Ange.

SIZUOKA → SHIZUOKA.

SJAELLAND, en all. **Seeland,** la plus grande et la plus peuplée des îles danoises, dans la Baltique; 7543 km²; 2160600 hab. V. pr. *Copenhague.*

SKAGERRAK ou **SKAGERAK,** détroit qui unit la mer du Nord au Cattégat.

SKETCH [skɛtʃ] n. m. (mot angl. signif. *esquisse*). Courte scène, généralement gaie, jouée dans une réunion privée, dans une revue de music-hall, à la radio, etc. ‖ Pl. des *sketches.*

SKHIRA (La) ou **LA SHKIRRA,** port pétrolier de Tunisie, sur le golfe de Gabès.

SKI [ski] n. m. (mot norv.). **1.** Latte de bois, de métal, etc., de longueur variable, employée pour glisser sur la neige ou sur l'eau. — **2.** Sport pratiqué à l'aide de ces lattes sur la neige : *Faire du ski.* ‖ *Ski de fond,* randonnée à skis sur de longues distances. → ENCYCL. — **3.** *Ski nautique,* sport dans lequel l'exécutant, tiré rapidement à l'aide d'une corde par un bateau à moteur, glisse sur l'eau en se maintenant sur un ski *(mono)* ou deux. ◆ **skier** v. i. Pratiquer le ski. ◆ **skiable** adj. Où l'on peut skier : *Une piste skiable.* ◆ **skieur, euse** n. Personne qui pratique le ski.

— ENCYCL. En tant que sport, le *ski* naquit à la fin du XIXe s. dans les pays nordiques *(courses de fond* et *saut)* et au début du XXe s. dans les Alpes (la première compétition de *descente* date de 1911, et le premier *slalom* de 1922). Les premiers jeux Olympiques d'hiver eurent lieu à Chamonix en 1924.

Aujourd'hui, sur le plan sportif, le ski alpin* comprend quatre épreuves, masculines et féminines : la *descente,* qui est une course de vitesse pure, le *slalom spécial,* descente consistant en une succession de virages délimités par des piquets, formant des « portes » qu'il faut franchir, le *slalom géant,* qui tient à la fois de la descente et du slalom spécial, le *Super-G,* institué au début des années 1980, qui est un compromis entre la descente et le slalom géant. Le *combiné alpin* est un classement établi par addition des points obtenus dans des épreuves de descente et de slalom.

SKIFF [skif] n. m. (mot angl.). Long bateau de course (8,50 m env.), extrêmement étroit et léger, à un seul rameur.

SKIKDA, ancienn. **Philippeville,** port de l'Algérie orientale; 72800 hab. Débouché maritime du Constantinois. Usine de liquéfaction du gaz naturel.

SKINNER (Burrhus Frederic), psychologue américain (1904-1990), auteur d'importants travaux sur l'apprentissage et l'enseignement programmé.

SKIPPER [skipœr] n. m. (mot angl.). **1.** Barreur d'un bateau à voile de régate. — **2.** Commandant de bord d'un yacht.

SKOPJE ou **SKOPLJE,** v. de Yougoslavie, capit. de la Macédoine, sur le Vardar; 312100 hab. Université. Sidérurgie. Détruite en 1963 par un tremblement de terre, elle a été reconstruite.

SKRIABINE (Aleksandr Nikolaïevitch), pianiste et compositeur russe (1872-1915). Ses œuvres pour piano et pour orchestre utilisent une harmonie originale *(le Poème de l'extase, le Poème du feu).*

SKUNS ou **SKUNKS** n. m. → SCONSE.

SKYE, une des îles Hébrides; 8300 hab.

SKÝROS ou **SCYROS,** île grecque de la mer Égée; 4100 hab.

SLALOM [slalɔm] n. m. (mot norv.). **1.** Descente à skis consistant en une succession de virages. — **2.** Course de ski* disputée sur un parcours en pente jalonné de « portes » qu'il faut franchir : *Slalom géant. Slalom spécial. Slalom Super-G(éant).*

SLAVE [slav] adj. et n. (bas lat. *slavus,* esclave). Qui appartient au groupe ethnique habitant le domaine de langues parlées dans l'Europe orientale et centrale. ◆ **slavisant, e** ou **slaviste** n. Spécialiste des langues slaves. ◆ **slavophile** adj. et n. Se disait, au XIXe s., en Russie, des membres de l'*intelligentsia* qui prônaient les valeurs traditionnelles et qui s'opposaient aux occidentalistes.

SLAVES, populations qui occupent un vaste domaine en Europe centrale et orientale, et qui parlent des langues issues d'un tronc commun, le slavon. Sans unité linguistique du fait de différenciations, elles n'ont pas d'unité ethnique, religieuse ou politique.

- *VIe s. Organisées en tribus, les populations de langue slave, originaires du nord des Carpathes, déferlent à la suite d'autres peuples barbares vers l'O. et le S. de l'Europe, où elles vont se différencier.*

Les unes s'enracinent et s'hellénisent en Grèce, les autres absorbent les Bulgares. D'autres encore (Slovènes et Serbo-Croates) vont imposer leur marque durable aux régions illyriennes; ceux-là sont les Yougoslaves ou Slaves du Sud. Au N., occupant des territoires abandonnés par les populations germaniques, elles arrivent jusqu'à l'Elbe, mais là seuls les Polanes et les Tchèques vont créer des États durables. (→ POLOGNE et BOHÊME.)

• *À partir du Xe s. La poussée germanique vers l'E. entraîne l'extermination ou l'assimilation des Sorabes, Polabes et Poméraniens, tandis que l'invasion hongroise divise le domaine slave.*

La conversion des Slaves au christianisme introduit une nouvelle division entre catholiques à l'O. et orthodoxes, évangélisés par Cyrille et Méthode, à l'E. Les Slaves orientaux, qui ont formé à leur tour les Etats russes de Kiev, Novgorod puis Moscou, tombent sous la domination mongole (XIVe-XVe s.), alors que les Slaves du Sud sont intégrés à l'Empire ottoman et ceux du Nord menacés d'une germanisation complète.

La Russie, redevenue indépendante et en plein essor, se désintéresse, malgré des velléités de panslavisme*, du sort des peuples slaves, quand elle n'opprime pas elle-même les Polonais.

• *XIXe s. Les mutations économiques et les progrès culturels favorisent le mouvement des nationalités.*

L'indépendance, sauf pour la Bulgarie (1885) et la Serbie (1878), ne sera possible qu'après la défaite austro-hongroise de 1918, qui permet de reconstituer la Pologne et de créer une Tchécoslovaquie et une Yougoslavie. La défaite allemande de 1945 enraye définitivement les velléités orientales de l'Allemagne, tandis que l'U. R. S. S. fait entrer les États slaves dans sa zone d'influence.

SLAVISANT, E ou **SLAVISTE** n. → SLAVE.

SLAVON [slavɔ̃] n. m. (de *Slavonie*). Langue littéraire et religieuse des Slaves au Moyen Âge.

SLAVONIE, région de Croatie, entre la Save et la Drave.

SLAVOPHILE adj. et n. → SLAVE.

SLESVIG → SCHLESWIG.

SLIP [slip] n. m. (mot angl.). Culotte courte.

SLOCHTEREN, localité des Pays-Bas (province de Groningue). Important gisement de gaz naturel.

SLOGAN [slɔgɑ̃] n. m. (mot angl.). Brève formule destinée à retenir l'attention par son caractère imagé, par son originalité, etc., et utilisée par la publicité, la propagande politique.

SLOOP [slup] n. m. (mot angl.). Navire à voile à un mât, n'ayant qu'un seul foc à l'avant.

SLOVAQUIE, partie orientale de la Tchécoslovaquie; 49 000 km²; 4 815 000 hab.

GÉOGRAPHIE. S'étendant sur la partie nord-ouest des Carpates (2 663 m dans les Tatras), la Slovaquie est une région montagneuse couverte de forêts. Sur les hauteurs on pratique l'élevage bovin, tandis que les cultures se concentrent dans les vallées. L'industrialisation a été entreprise grâce à l'hydro-électricité, à de petits gisements métallifères et à l'exploitation de la forêt : constructions mécaniques, textile, pâte à papier. Elle se localise dans les centres urbains, notamment à Bratislava et Košice.

HISTOIRE. La tribu slave des Slovaques s'installe dans le pays au VIIe s. Soumis par les Magyars* au XIe s., les Slovaques prennent conscience, au XIXe s., de leur identité nationale et réclament leur autonomie linguistique et politique à l'intérieur de la Hongrie*. Ils se heurtent à une violente hostilité des Hongrois.

• *1918. À la chute de l'Empire austro-hongrois, les efforts de rapprochement entre Tchèques et Slovaques, menés par T. Masaryk, aboutissent à l'union de la Slovaquie au pays tchèque.* (→ TCHÉCOSLOVAQUIE.)

SLOVÉNIE, État de l'Europe balkanique; 20 250 km²; 1 891 000 hab. *(Slovènes)*. Capit. *Ljubljana*.

Sous le premier Empire l'administration française des territoires slovènes, jusque-là soumis aux Habsbourg, favorise l'éveil d'une conscience nationale. Rattachée à la Yougoslavie en 1918, démantelée durant la Seconde Guerre mondiale, la Slovénie devient une république fédérée yougoslave en 1946. En 1991, la Slovénie proclame son indépendance, qui est reconnue par la Communauté internationale, en même temps que celle de la Croatie, en 1992.

SLOW [slo] n. m. (mot angl. signif. *lent*). Danse lente.

SLUTER (Claus), sculpteur français d'origine hollandaise (v. 1345-1405 ou 1406). Fixé à Dijon dès 1383, il eut par son réalisme et l'ampleur monumentale de son style une profonde influence sur la sculpture française (*Puits de Moïse*, tombeau de Philippe le Hardi).

SMALA ou **SMALAH** [smala] n. f. (mot ar.). **1.** Ensemble de la maison d'un chef arabe, avec ses tentes, ses serviteurs, ses troupeaux, etc. (La plus célèbre est celle d'Abd el-Kader, prise par les Français en 1843.) — **2.** *Fam.* Famille nombreuse.

SMASH [smatʃ] n. m. (mot angl.). Au tennis, au ping-pong, au volley-ball, coup qui rabat violemment une balle haute. ‖ Pl. des *smashes*. ◆ **smasher** v. i.

SMETANA (Bedřich), compositeur et pianiste tchèque (1824-1884), auteur de l'opéra *la Fiancée vendue* (1866) et de poèmes symphoniques. Il est le père de la musique moderne en Bohême.

S. M. I. C. → SALAIRE.

SMITH (Adam), économiste écossais (1723-1790), auteur des *Recherches sur la nature et les causes de la richesse des nations*. Ayant posé comme principe essentiel que le travail est la source de toute richesse, il organise ses réflexions à partir d'un second principe : une heureuse organisation de l'économie se réalise spontanément, par la loi de l'offre et de la demande, dans toute société où l'homme peut se conduire librement en fonction de son intérêt personnel, celui-ci rejoignant l'intérêt général. En conséquence, A. Smith prône la non-intervention de l'État en matière économique et le libre-échange.

SMITH (Ian Douglas), homme politique du Zimbabwe, né en 1919. Premier ministre de Rhodésie (1964), il proclama unilatéralement l'indépendance de son pays (1965), provoquant ainsi une rupture avec Londres. En 1969, il fait approuver par référendum une constitution instituant la république. Il pratique une politique d'apartheid (= maintien des Noirs dans une situation subordonnée). Mais, en 1978, il en vient à accepter le principe de l'élection d'un parlement à majorité noire et, en 1979, abandonne son poste de Premier ministre après des élections qui placent un Noir, Abel Muzorewa, à la tête du gouvernement.

SMOCKS [smɔks] n. m. pl. (mot angl.). Fronces rebrodées sur l'endroit, servant de garniture aux vêtements d'enfants.

SMOKING [smɔkiŋ] n. m. (de l'angl. *smoking-jacket*, jaquette que l'on met après le dîner pour fumer). Costume de soirée dont la veste est à revers de soie et le pantalon orné sur le côté d'une bande de soie.

SMOLENSK, v. de l'U. R. S. S., sur le Dniepr; 311 000 hab. Textiles. Pendant la Seconde Guerre mondiale, la ville fut prise par les Allemands (1941) et reconquise par les Soviétiques (1943).

SMUTS (Jan Christiaan), homme politique et maréchal d'Afrique du Sud (1870-1950), Premier ministre (1919-1924 et 1939-1948).

SMYRNE → IZMIR.

SNACK-BAR [snakbar] ou **SNACK** [snak] n. m. (de l'angl. *snack*, portion, et *bar*). Restaurant où l'on sert rapidement des repas à toute heure. ‖ Pl. des *snack-bars*.

S. N. C. F., abrév. de *Société nationale des chemins* de fer français*.

SNELL VAN ROYEN (Willebrord), dit **Willebrordus Snellius,** astronome et mathématicien hollandais (1580 ou 1591-1626). Il découvrit en 1620 la loi de réfraction de la lumière.

SNIJDERS (Frans) → SNYDERS.

SNOB [snɔb] n. et adj. (mot angl.). Personne qui admire et adopte les manières, les opinions qui sont en vogue dans les milieux qui passent pour distingués. ◆ **snober** v. t. Fam. *Snober qq'un*, le traiter de haut, le tenir à l'écart par mépris. ◆ **snobinard, e** adj. et n. *Fam.* Personne prétentieuse et snob. ◆ **snobisme** n. m. : *Suivre la mode par snobisme* (syn. AFFECTATION).

SNOW-BOOT [snobut] n. m. (de l'angl. *snow*, neige, et *boot*, bottine). Chaussure caoutchoutée et fourrée que l'on met pour marcher dans la neige. ‖ Pl. des *snow-boots*.

SNOWDON, massif de Grande-Bretagne, dans le pays de Galles, portant le point culminant de la région (1 085 m).

SNYDERS ou **SNIJDERS** (Frans), peintre flamand (1579-1657). Collaborateur de Rubens et de Jordaens, il peignit des scènes de chasse et des natures mortes d'un bel effet décoratif.

SOBIESKI (Jean) → JEAN* III SOBIESKI.

SOBRE [sɔbr] adj. (lat. *sobrius*). **1.** Se dit d'une personne qui mange et, spécialement, qui boit modérément (contr. GOINFRE, IVROGNE). — **2.** Se dit d'une personne qui garde la mesure, la modération en quelque chose : *Un homme sobre en paroles* (syn. CONCIS; contr. BAVARD). — **3.** Se dit de ce qui est simple, sans surcharge d'ornements : *Un vêtement d'une élégance sobre* (syn. DISCRET; contr. TAPAGEUR). *Un style sobre* (syn. DÉPOUILLÉ; contr. EMPHATIQUE). ◆ **sobrement** adv. : *Boire, vivre sobrement.* ◆ **sobriété** n. f. **1.** Comportement d'une personne sobre. — **2.** Caractère de ce qui est sobre (en termes de littérature, de beaux-arts) : *La sobriété du style* (contr. PROLIXITÉ). *Une architecture d'une heureuse sobriété.*

SOBRIQUET [sɔbrikɛ] n. m. (orig. inc.). Surnom donné par dérision à une personne à cause d'une singularité physique, morale ou pour tout autre motif.

SOC [sɔk] n. m. (gaul. *soccus*). Fer large et pointu de la charrue, servant à labourer la terre.

SOCHAUX, ch.-l. de cant. du Doubs, à 3 km au N.-E. de Montbéliard; 5 300 hab. *(Sochaliens).* Grande usine d'automobiles.

SOCIABLE [sɔsjabl] adj. (du lat. *sociare*, associer). **1.** Se dit d'une personne qui recherche la compagnie de ses semblables : *On a dit de l'homme qu'il est un animal sociable* (syn. LIANT; contr. MISANTHROPE, SOLITAIRE). — **2.** Se dit d'une personne (ou de son comportement) avec qui il est facile et agréable de vivre : *En vieillissant, on devient quelquefois moins sociable* (syn. ACCOMMODANT, AIMABLE; contr. ACARIÂTRE, BOURRU). ◆ **sociabilité** n. f. Caractère d'une personne sociable. ◆ **insociable** adj. Avec qui il est difficile de vivre. ◆ **insociabilité** n. f.

1. SOCIAL, E, AUX [sɔsjal, -sjo] adj. (lat. *socialis*, fait pour la société). **1.** Qui concerne la société dans son ensemble : *Les classes sociales.* ‖ *Corps social*, ensemble des citoyens d'une nation. ‖ *Sciences sociales*, sciences (sociologie, économie, etc.) ayant pour objet l'étude de l'homme dans son environnement et dans ses relations avec les autres hommes. — **2.** Qui concerne les rapports des classes ou qui vise à les modifier. ‖ *Climat social*, caractère des rapports, à un moment donné, entre les salariés et les syndicats d'une part, le patronat ou l'État employeur d'autre part : *Un climat social tendu.* — **3.** Qui concerne l'amélioration du niveau de vie et qui vise à créer une solidarité entre tous les membres d'une société : *Parmi les avantages sociaux, on compte les allocations familiales. Les assistantes sociales sont chargées d'apporter une aide morale et matérielle à ceux qui viennent les consulter.* ‖ *Les assurances sociales* → ASSURER 3. ‖ *La Sécurité sociale* → ENCYCL. ◆ **social** n. m. Ensemble des problèmes intéressant les rapports entre les classes sociales et les besoins des individus dans une collectivité nationale. ◆ **socialement** adv. ◆ **antisocial, e, aux** adj. : *Prendre des mesures antisociales* (= qui vont à l'encontre du bien-être du peuple). ◆ **asocial, e, aux** adj. Se dit de quelqu'un qui par son comportement se met en marge de la société.

— ENCYCL. La *Sécurité sociale* est un organisme, créé en 1945, pour assurer aux individus et à leur famille un certain nombre de garanties (en cas de maladie, d'accident, de chômage, de maternité, de vieillesse). Elle a remplacé les Assurances sociales, apparues en 1930. La réforme de la Sécurité sociale, en 1967, lui a permis d'étendre son champ d'application à d'autres catégories de travailleurs (agriculteurs, professions libérales, commerçants, artisans, par ex.) qui ont chacun leur propre caisse.

2. SOCIAL, E, AUX [sɔsjal, -sjo] adj. (même étym.). Qui concerne une société commerciale ou industrielle : *Le siège social d'une banque.*

SOCIAL-DÉMOCRATIE [sɔsjaldemokrasi] n. f. (de *social*, et *démocratie*). **1.** Dénomination du parti socialiste dans certains pays étrangers, notamment en Allemagne et en Scandinavie. → ENCYCL. — **2.** Ensemble des organisations et des hommes politiques qui se rattachent au socialisme parlementaire et réformiste. ◆ **social-démocrate** adj. et n.

— ENCYCL. La *social-démocratie allemande*, fondée en 1875, tire son origine de la fusion des courants socialistes dirigés par Lassalle* et Marx*. À partir de 1896, sous l'impulsion de Bernstein, elle s'écarte progressivement du marxisme et s'impose à la vie politique allemande. Ayant, en majorité, rallié la politique belliciste de Guillaume II en 1914, les sociaux-démocrates se montrent très modérés après la défaite de 1918, éliminant le spartakisme* et se montrant plus tard incapables de s'opposer à l'avènement de Hitler (1933). Le parti s'est reconstitué en 1945 et joue un rôle essentiel dans la vie politique allemande.

En *Scandinavie*, les partis sociaux-démocrates, créés entre 1878 et 1889, dominent la vie politique et sociale depuis la fin de la Première Guerre mondiale.

SOCIALEMENT adv. → SOCIAL 1.

SOCIALISME [sɔsjalism] n. m. (de *social*). **1.** Doctrine qui rejette l'exploitation de l'homme par l'homme, la propriété individuelle des entreprises industrielles, agricoles, commerciales, et qui fonde le bonheur de l'homme sur la mise en commun de toutes les richesses. → ENCYCL. — **2.** Situation d'une société caractérisée par l'abolition des classes sociales (et la fin de la lutte des classes), par la collectivisation des moyens de production et de répartition des biens et des services, et par la prise en charge, directe et effective, par les hommes, de toutes les décisions relatives à la vie de la société. ◆ **socialiste** adj. Relatif au socialisme : *Parti socialiste.* ◆ adj. et n. Partisan du socialisme; membre d'un parti qui se réclame du socialisme. ◆ **socialiser** v. t. Déposséder au profit de l'État, par rachat, expropriation ou réquisition, les propriétaires de certains moyens de production. ◆ **socialisation** n. f. Mise en commun des moyens de production.

— ENCYCL. Le *socialisme*, comme théorie, remonte peut-être aux thèses de Platon sur la « République », où tous les biens étaient mis en commun, plus certainement aux cités imaginaires égalitaires et communautaires rêvées par les penseurs de la Renaissance, Thomas More (1478-1535) et Thomas Campanella (1568-1639), baptisées depuis utopistes, parce que ces auteurs n'envisageaient pas le moyen de les réaliser.

J.-J. Rousseau et certains hommes de la Révolution française donnent au courant d'idées socialistes une impulsion décisive, marquée, sur le plan théorique, par le journal *le Tribun du peuple*, où Gracchus Babeuf (1760-1797) préconise la suppression de la propriété individuelle et la mise en commun des terres, et, sur le plan pratique, par les décrets de ventôse, bien qu'inappliqués (1794), où Saint-Just fait dresser la liste des indigents à qui devaient être remises les terres des ennemis de la République.

Trois noms précèdent le socialisme préconisé par Marx sous le nom de *communisme.* (→ MARXISME.) Saint-Simon (1760-1825) définit l'idée de classe sociale comme critère par rapport à la manière dont la propriété privée est utilisée pour améliorer le sort de tous : c'est au nom de cette idée qu'il rejette les classes parasitaires (nobles, prêtres, militaires, légistes) et préconise une société hiérarchisée à la tête de laquelle sont les savants et surtout les industriels. Charles Fourier (1772-1837) dénonce au contraire la grande industrie qui a pour conséquence le salariat, et préconise l'association libre (phalanstère) où chacun coopérera librement en fonction de ses dons naturels. Enfin Robert Owen (1771-1858) réalise avec des colons une expérience communiste aux États-Unis, en 1825; son échec le pousse à considérer la classe ouvrière comme moteur de l'histoire. C'est pourquoi il est l'un des fondateurs d'une forme d'organisation syndicale ouvrière, le trade*-unionisme. Ces formes de socialisme ont été baptisées utopistes par Marx parce qu'elles ne considéraient pas la lutte des classes (et donc l'action révolutionnaire) comme centrale.

C'est en fonction du marxisme que se situent les autres courants socialistes, et leurs idées ont des prolongements jusque dans les partis politiques socialistes contemporains. Proudhon (1809-1865) critique la propriété privée. Il préconise une banque mutualiste faisant des prêts gratuits, des associations de travailleurs contrôlant directement la production et l'échange des biens (d'où son succès auprès des partisans actuels de l'autogestion*). Lassalle (1825-1864) défend une forme de socialisme d'État. Enfin Bakounine (1814-1876) dénonce toutes les formes de pouvoir et réclame « l'organisation de la société et de la propriété collective ou sociale de bas en haut par la voie de la libre association, et non de haut en bas par le moyen de quelque autorité que ce soit ».

1. SOCIÉTÉ [sɔsjete] n. f. (lat. *societas;* de *socius*, compagnon). **1.** Réunion d'hommes, d'animaux, vivant en groupes organisés (syn. COLLECTIVITÉ, GROUPE). — **2.** Chacun des divers stades de l'évolution du genre humain : *Société primitive, féodale, capitaliste.* — **3.** *La société*, le milieu humain dans lequel une personne est intégrée : *Chaque individu a des devoirs envers la société.* ‖ *Société de consommation* → CONSOMMER.

2. SOCIÉTÉ [sɔsjete] n. f. (même étym.). **1.** Réunion de personnes qui se rassemblent pour converser, pour jouer, etc., qui ont une vie mondaine : *Connaître les usages de la bonne société.* ‖ *La haute société*, l'ensemble des personnes les plus marquantes par leur éducation, leur rang, leur fortune. — **2.** Relations habituelles avec certaines personnes : *Rechercher la société des gens cultivés* (syn. COMPAGNIE, FRÉQUENTATION).

3. SOCIÉTÉ [sɔsjete] n. f. (même étym.). **1.** Association de personnes réunies pour une activité commune ou pour la défense de leurs intérêts : *Une société savante* (= dont le but est de cultiver les sciences). *La Société des auteurs.* — **2.** Nom donné à des associations religieuses : *La Société de Jésus, de Marie.* ◆ **sociétaire** n. **1.** Personne qui fait partie d'une société d'acteurs, d'une société littéraire, artistique. — **2.** *Sociétaire de la Comédie-Française*, acteur qui possède un certain nombre de parts dans la distribution des bénéfices de ce théâtre. ◆ **sociétariat** n. m. Qualité de sociétaire de la Comédie-Française.

4. SOCIÉTÉ [sɔsjete] n. f. (même étym.). *Dr.* Groupement de plusieurs personnes ayant mis quelque chose en commun en vue de partager le bénéfice qui pourra en résulter, et auquel la loi reconnaît une personnalité morale : *Fonder une société.* ‖ *Société anonyme*, société commerciale qui n'est désignée par le nom d'aucun des associés.

SOCIÉTÉ *(îles de la)*, principal archipel de la Polynésie française (Océanie); 1 647 km^2; 117 700 hab. (71 au km^2). Ch.-l. *Papeete*, à Tahiti. On distingue les îles du Vent (avec Tahiti et Mooréa) et les îles Sous-le-Vent (avec Bora Bora). La population de ces îles montagneuses et d'origine volcanique vit essentiellement de la pêche et du tourisme.

Société des Nations (S. D. N.), organisme créé en 1920 entre les États signataires du traité de Versailles et ayant pour objet de développer la coopération entre les nations et de garantir la paix et la sécurité. Elle a été remplacée en 1946 par l'O. N. U.

SOCIOCULTUREL, ELLE [sɔsjokyltyrɛl] adj. (de *social*, et *culturel*). Relatif à la culture d'un groupe social : *Les maisons des jeunes et de la culture font partie des équipements socioculturels d'une région.*

SOCIOÉDUCATIF, IVE [sɔsjoedykatif, -iv] adj. (de *social*, et *éducatif*). Relatif à l'éducation d'un groupe social : *Les activités socioéducatives du lycée.*

SOCIOGRAMME n. m. → SOCIOMÉTRIE.

SOCIOLOGIE [sɔsjɔlɔʒi] n. f. (de *société*, et gr. *logos*, science). Science qui étudie les sociétés humaines, les groupes humains ou les phénomènes sociaux. ◆ **sociologique** adj. ◆ **sociologue** n. Spécialiste de sociologie.

— ENCYCL. En tant qu'étude des sociétés ou des phénomènes sociaux, la *sociologie* paraît fort ancienne (Platon, Aristote, saint Augustin, puis plus tard Machiavel et Rousseau...) bien qu'elle n'ait été baptisée qu'en 1836 par Auguste Comte. Elle devait constituer selon lui « une étude positive de l'ensemble des lois fondamentales propres aux phénomènes sociaux ». L'ambition du fondateur était par conséquent très vaste. À cet égard, il se situait dans la tradition inaugurée par Montesquieu avec *l'Esprit des lois.*

Un grand pas sera franchi en 1894 avec la parution du livre sur les *Règles de la méthode sociologique* : Émile Durkheim engage pour la première fois la jeune discipline dans la voie de la rigueur scientifique. Considérant que les faits sociaux doivent « être traités comme des choses », le sociologue milite pour une plus grande objectivité dans l'observation de la réalité sociale.

Comme toutes les disciplines qui se veulent scientifiques, la sociologie est devenue aujourd'hui soucieuse d'analyse et de chiffres. L'introduction des statistiques et la multiplication des enquêtes par sondages ne doivent plus rien aux grands systèmes sociologiques du siècle dernier, ceux de Comte ou de Marx, soucieux de synthèse et de prophétie. Désormais, le sociologue semble engagé dans deux voies distinctes : d'un côté, une sociologie d'observation, fondée sur des enquêtes plus ou moins vastes, et de l'autre une sociologie critique ou globale, soucieuse avant tout d'expliquer l'agencement social et de dégager les lois de l'évolution historique.

SOCIOMÉTRIE [sɔsjɔmetri] n. f. (de *société*, et gr. *metron*, mesure). Technique d'observation des relations à l'intérieur des groupes humains. ◆ **sociométrique** adj. ◆ **sociogramme** n. m. Représentation graphique des relations au sein d'un groupe, établie à partir de la méthode sociométrique.

— ENCYCL. C'est Jacob Moreno, psychosociologue américain d'origine roumaine qui, vers 1925, donna le nom de *sociométrie* à une méthode capable de mesurer les rapports de sympathie et d'antipathie pouvant exister au sein d'un groupe. Cette technique consiste à demander à chaque membre du groupe de désigner ceux qu'il choisirait comme amis, comme voisins ou comme collaborateurs. Une fois recueillies, les données permettent d'établir un sociogramme qui récapitule sur une figure les relations existant au sein du groupe. Ainsi sont représentés les rejets, les divisions ou les conflits qui marquent la dynamique interne de ce groupe.

SOCIOPROFESSIONNEL, ELLE [sɔsjoprɔfɛsjɔnɛl] adj. (de *social*, et *professionnel*). Relatif aux catégories professionnelles et sociales qui caractérisent un milieu économique : *L'I.N.S.E.E. distingue en France neuf grandes catégories socioprofessionnelles, auxquelles s'ajoute le groupe des inactifs.*

SOCLE [sɔkl] n. m. (it. *zoccolo*, sabot). **1.** Soubassement sur lequel s'élève une colonne, un motif d'architecture, une pendule, etc. — **2.** *Géogr.* Ensemble de terrains anciens, souvent cristallins, aplanis par l'érosion, recouverts ou non par des sédiments plus récents.

SOCOTORA ou **SOCOTRA,** en ar. **Suqutra**, île de l'océan Indien, à l'E.-N.-E. du cap Guardafui, dépendance du Yémen; 3 580 km²; 15 000 hab. Capit. *Tamridah.*

SOCQUE [sɔk] n. m. (lat. *soccus*, sandale). **1.** Dans l'Antiquité, chaussure basse employée par les acteurs comiques. — **2.** Chaussure à semelle de bois.

SOCQUETTE [sɔkɛt] n. f. (de l'angl. *sock*, bas). Chaussette basse s'arrêtant à la cheville.

SOCRATE, philosophe grec (v. 469-399 av. J.-C.). On ne le connaît qu'à travers les jugements et témoignages (notamment Platon) qui, malgré leurs divergences, s'accordent pour reconnaître le principe de son activité philosophique : aller parmi la foule des Athéniens et les questionner sur leurs activités, afin qu'ils parviennent eux-mêmes à définir l'essence de leurs actes ou de leurs idées (= maïeutique). Cette pratique de la philosophie lui valut d'être condamné à boire la ciguë.

SODA [sɔda] n. m. (de l'angl. *soda-water*, eau de soude). Boisson à base d'eau gazeuse, additionnée de sirop de fruit.

SODDY (*sir* Frederick), chimiste et physicien anglais (1877-1956). Il donna la loi de filiation des éléments radio-actifs (1902) et découvrit le phénomène d'isotopie (1903). [Prix Nobel 1921.]

SODÉ, E adj. → SOUDE.

SODIUM [sɔdjɔm] n. m. (de *soude*). Métal (Na) de densité 0,97, fondant à 98 °C, très répandu dans la nature sous forme de chlorure (sel gemme et sel marin) et de nitrate : *Gris clair et mou, le sodium s'altère rapidement à l'air humide en donnant de la soude caustique.* (Comme il réagit violemment sur l'eau, on le conserve dans du pétrole.) ◆ **sodique** adj. Qui a rapport au sodium ou qui en contient.

SODOMA (Giovanni Antonio BAZZI, dit **le**), peintre italien (1477-1549). Son art se rattache à celui de Léonard de Vinci. Fixé à Sienne, il orna une des chapelles de l'église San Domenico de fresques illustrant la vie de sainte Catherine.

SODOME, anc. v. de Palestine, près de la mer Morte, qui fut détruite par le feu du ciel en raison de sa dépravation. (Bible.)

SOERABAYA → SURABAYA.

SOERAKARTA → SURAKARTA.

SŒUR [sœr] n. f. (lat. *soror*). **1.** Fille née du même père et de la même mère qu'une autre personne : *Une sœur aînée. Une sœur cadette.* (→ PARENTÉ.) — **2.** Se dit de deux choses qui ont beaucoup de rapport ou qui sont liées entre elles : *La poésie et la peinture sont sœurs.* — **3.** Nom donné, en général, à une femme qui a fait des vœux religieux : *Les petites sœurs des pauvres.* (On dit fam. BONNE SŒUR.) ◆ **sœurette** n. f. Petite sœur (terme d'affection). ◆ **demi-sœur** n. f. Sœur du même père ou de la même mère seulement. ‖ Pl. des *demi-sœurs.*

SOFA [sɔfa] n. m. (ar. *suffa*, coussin). Lit de repos, à trois dossiers et à coussins, sans bois apparent.

SOFIA, capit. de la Bulgarie, située dans une petite plaine fertile, au pied du mont Vitoša; 1 082 300 hab. Centre administratif, Sofia est devenue depuis la fin de la guerre une ville industrielle (constructions mécaniques, textiles).

SOFTWARE [sɔftwɛr] n. m. (mot angl. formé d'après [*hard*]*ware* signif. matériel en informatique, et *soft*, doux). Ensemble des activités qui ont pour objet la conception et l'emploi des calculateurs électroniques (codification, organisation, analyse, programmation, etc.). [L'Administration préconise le terme LOGICIEL.]

SOI pron. pers. → IL.

SOI-DISANT [swadizɑ̃] adj. inv. (*soi*, et *disant*). Qui se dit, qui prétend être tel ou telle : *Des soi-disant philosophes. Des travaux soi-disant difficiles.* — LOC. ADV. À ce qu'on prétend : *Il voyage de nuit soi-disant pour gagner du temps* (syn. PRÉTENDUMENT).

1. SOIE [swa] n. f. (lat. *saeta*, poil rude). Substance filamenteuse et textile sécrétée par certaines chenilles, et spécialement par le bombyx du mûrier, appelé communément *ver à soie;* étoffe fabriquée avec cette matière : *Des bas de soie.* ◆ **soierie** n. f. **1.** Étoffe de soie. — **2.** Industrie, commerce de la soie. ◆ **soyeux, euse** adj. **1.** Qui est de la nature de la soie; qui contient de la soie : *Une étoffe soyeuse.* — **2.** Qui a l'apparence de la soie; qui est fin et doux au toucher comme de la soie : *Des cheveux soyeux.* ◆ n. m. *Fam.* Fabricant ou négociant en soierie : *Les soyeux de Lyon.*

2. SOIE [swa] n. f. (même étym.). Poil long et rude du porc, du sanglier : *Une brosse en soies de sanglier.*

SOIF [swaf] n. f. (lat. *sitis*). **1.** Besoin de boire et sensation produite par ce besoin : *Étancher sa soif.* — **2.** Désir ardent, passionné : *La soif des honneurs.* ◆ **assoiffer** v. t. **1.** *Assoiffer qq'un*, provoquer sa soif (surtout au passif) : *Cette longue marche nous a assoiffés* (syn. ALTÉRER). — **2.** *Être assoiffé de qqch.*, en être avide, le désirer vivement : *Assoiffé de vengeance* (= désireux de se venger).

1. SOIN [swɛ̃] n. m. (du frq. *sunnjôn*, s'occuper de). **1.** Application à faire quelque chose : *Les devoirs de cet élève sont faits avec soin* (syn. ATTENTION, SÉRIEUX). *Un travail exécuté avec soin* (= fignolé). — **2.** Charge, devoir de veiller à une chose : *Je vous laisse le soin de régler mes affaires* (syn. RESPONSABILITÉ). ‖ *Avoir soin, prendre soin d'un être animé, d'une chose*, veiller à leur bien-être, à leur bon état : *Avoir soin de sa personne. Prendre soin de ses vêtements.* ‖ *Avoir soin, prendre soin* (et l'infin.), faire en sorte de, penser à : *Avant de quitter la maison, prenez soin de bien fermer la porte* (syn. VEILLER À). ◆ n. m. pl. **1.** Actions par lesquelles on veille au bien-être d'un être animé, au bon état d'une chose : *Confier un enfant aux soins d'un ami.* — **2.** *Aux bons soins de*, formule inscrite sur une correspondance pour demander à un premier destinataire de le faire parvenir à un second. ‖ Fam. *Être aux petits soins pour qq'un*, l'entourer d'attentions délicates, veiller à ce que rien ne lui manque. ◆ **soigner** v. t. **1.** *Soigner un être animé, une chose*, s'en occuper avec sollicitude (= avec des soins attentifs) : *Soigner des invités. Soigner sa tenue.* — **2.** *Soigner qqch.*, y apporter de l'application : *Soigner une traduction.* ◆ **soigné, e** adj. **1.** Qui prend soin de sa personne, de sa mise : *Un garçon très soigné* (syn. ÉLÉGANT; contr. NÉGLIGÉ, SALE). — **2.** Qui est exécuté avec soin : *Un travail soigné* (syn. CONSCIENCIEUX, MINUTIEUX; contr. BÂCLÉ). ◆ **soigneux, euse** adj. **1.** Se dit d'une personne qui apporte du soin (sens 1) à ce qu'elle fait : *Un ouvrier soigneux dans son travail* (syn. APPLIQUÉ, MINUTIEUX). ‖ *Soigneux de*, qui prend soin de : *Une femme soigneuse de sa personne.* —

2. Se dit de ce qui est fait avec soin : *De soigneuses recherches* (syn. MINUTIEUX). ◆ **soigneusement** adv. : *Examiner soigneusement une affaire.* ◆ **sans-soin** n. inv. *Fam.* Personne qui n'est pas soigneuse (syn. NÉGLIGENT).

2. SOINS [swɛ̃] n. m. pl. (même étym.). Ensemble des moyens hygiéniques, diététiques et thérapeutiques mis en œuvre pour conserver ou rétablir la santé : *Des soins de beauté. Donner les premiers soins à un blessé.* ◆ **soigner** v. t. *Soigner un malade,* s'occuper de rétablir sa santé. ‖ *Soigner une maladie, un organe,* travailler à leur guérison : *Soigner son foie.* ◆ ***se soigner*** v. pr. **1.** (sujet nom de personne) S'occuper de son bien-être, de rétablir sa santé quand on est malade : *Cet homme vivra vieux, car il se soigne bien.* — **2.** (sujet nom de maladie) Pouvoir être soigné : *Certains cancers se soignent difficilement.* ◆ **soigneur** n. m. Celui qui s'occupe des soins à donner à un sportif.

SOIR [swar] n. m. (lat. *sero,* tard). Dernière partie du jour (entre le coucher du soleil et minuit) : *À onze heures du soir. La veille au soir.* ‖ *Le soir de la vie,* la vieillesse. ◆ **soirée** [sware] n. f. **1.** Temps compris entre le déclin du jour et le moment où l'on s'endort : *Les longues soirées d'hiver.* — **2.** Spectacle, réunion qui a lieu en général après dîner : *Une soirée dansante. La Comédie-Française donne « le Misanthrope » en soirée* (par oppos. à MATINÉE).

SOISSONS, ch.-l. d'arrond. de l'Aisne, sur l'Aisne, dans le *Soissonnais;* 32 200 hab. *(Soissonnais).* Évêché. Marché agricole. Constructions mécaniques. Caoutchouc.

• *486. Clovis y bat Syagrius, victoire qui est à l'origine de l'anecdote célèbre dite « du vase de Soissons ».*

SOISY-SOUS-MONTMORENCY, ch.-l. de cant. du Val-d'Oise, à 2 km à l'O. de Montmorency; 15 900 hab.

SOIT ([swa] devant une consonne; [swat] devant une voyelle ou quand le mot est employé adverbialement) conj. (lat. *sit*). **1.** *Soit..., soit...,* marque une alternative : *Soit lui, soit un autre* (syn. OU BIEN). — **2.** *Soit* (non répété), marque une supposition : *Soit 4 à multiplier par 2;* une explication : *Il a perdu une forte somme, soit un million* (syn. C'EST-À-DIRE). — LOC. CONJ. *Soit que..., soit que* (suivi du subj.), marque une alternative : *Soit que vous partiez, soit que vous restiez, pour moi je partirai.* (Quelquefois, le second *soit* est remplacé par *ou.*) ◆ adv. Marque un acquiescement (a la valeur d'un OUI affaibli) : *Vous le voulez? Soit, j'irai avec vous* (= admettons, je le veux bien).

SOIXANTE [swasɑ̃t] adj. num. cardin. et n. (lat. *sexaginta*). → NUMÉRATION. ◆ **soixantaine** n. f. ◆ **soixantième** adj. num. ordin. et n. ◆ **soixante-dix** adj. num. cardin. et n. ◆ **soixante-dixième** adj. num. ordin. et n. → NUMÉRATION.

SOJA [sɔʒa] ou **SOYA** [sɔja] n. m. (mot mandchou). Plante alimentaire cultivée, en Chine et aux États-Unis, pour ses graines, dont on extrait de l'huile et de la farine.

1. SOL [sɔl] n. m. (première syllabe de *solve,* dans l'hymne de saint Jean-Baptiste). Note de musique, cinquième degré de la gamme de *do.*

2. SOL [sɔl] n. m. (lat. *solum*). **1.** Partie superficielle de la croûte terrestre, altérée et ameublée par l'infiltration des eaux de pluie, la pénétration des racines végétales et le travail des animaux (insectes, rongeurs, etc.) : *La nature d'un sol dépend de la roche dans laquelle il se développe et du climat qui influe sur la végétation.* — **2.** Face de la terre où l'on se tient, où l'on marche, sur laquelle on construit : *Un sol ferme. Le sol natal* (= le pays où l'on est né). ◆ **sous-sol** n. m. Couche immédiatement au-dessous de la terre végétale : *Des sous-sols sablonneux.*

SOLAIRE adj. → SOLEIL.

SOLANACÉES [sɔlanase] n. f. pl. (du lat. *solanum,* morelle). Famille de plantes dicotylédones gamopétales, comprenant la *pomme de terre,* la *tomate,* la *belladone,* le *tabac,* le *pétunia.*

SOLARIUM n. m. → SOLEIL.

SOLDAT [sɔlda] n. m. (it. *soldato;* de *soldare,* payer une solde). **1.** Homme équipé et instruit par l'État pour la défense du pays. ‖ *Simple soldat,* ou *soldat,* militaire non gradé : *Les officiers, sous-officiers, caporaux et soldats.* — **2.** *Soldat de plomb,* jouet d'enfant, en plomb, représentant un soldat. ◆ **soldatesque** adj. Qui est propre aux soldats : *Des manières soldatesques.* ◆ n. f. Troupe de soldats indisciplinés : *La ville a été en proie à la violence de la soldatesque.*

Soldat inconnu *(le),* soldat français d'identité inconnue, mort pendant la guerre de 1914-1918 et inhumé en 1921 sous l'Arc de triomphe, à Paris, pour rappeler les 1 400 000 morts français de la Première Guerre mondiale.

SOLDATESQUE adj. et n. f. → SOLDAT.

1. SOLDE [sɔld] n. f. (it. *soldo,* pièce de monnaie). **1.** Traitement des militaires : *Toucher sa solde.* — **2.** *Être à la solde de qq'un, d'un parti,* être payé pour défendre ses intérêts, sa cause.

2. SOLDE [sɔld] n. m. (même étym.). **1.** Reliquat d'une somme à payer : *Le solde d'une facture.* — **2.** En comptabilité, différence entre le total du débit et le total du crédit d'un compte. (On dit que le compte est *débiteur* quand le total des sommes inscrites au débit du compte est supérieur à celui des sommes figurant au crédit. Le solde est *créditeur* dans le cas inverse.)

3. SOLDES [sɔld] n. m. pl. (de *solde* 2). Marchandises vendues au rabais : *Des soldes intéressants.* ◆ **solder** v. t. *Solder des marchandises,* les vendre au rabais.

1. SOLE [sɔl] n. f. (anc. prov. *sola*). Poisson plat, ovale, très recherché pour sa chair. (Ordre des pleuronectes.)

2. SOLE [sɔl] n. f. (bas lat. *sola*). Chaque partie d'une terre alternativement soumise aux différentes cultures pendant telle ou telle année de l'assolement*.

SOLÉCISME [sɔlesism] n. m. (de *Soles,* colonie grecque de Cilicie où l'on parlait très mal le grec). *Gramm.* Faute de syntaxe (ex. : *Je veux qu'il vient,* au lieu de : *Je veux qu'il vienne*). [→ BARBARISME.]

SOLEIL [sɔlɛj] n. m. (lat. *sol, solis*). **1.** Astre lumineux autour duquel gravitent la Terre et les autres planètes : *Le lever du Soleil* (= le moment où il paraît au-dessus de l'horizon). *Le coucher du Soleil* (= le moment où il disparaît pour nous). → ENCYCL. — **2.** Lumière, chaleur du soleil; endroit éclairé, chauffé par le soleil : *Prendre un bain de soleil* (= exposer son corps aux rayons du soleil). ‖ *Coup de soleil,* brûlure de la peau causée par les rayons solaires. — **3.** *Avoir un bien au soleil,* être propriétaire de terres, de maisons. ‖ *Le Roi-Soleil,* Louis XIV. ◆ **solaire** adj. Relatif au soleil : *Les rayons solaires.* ‖ *Cadran solaire,* surface plane portant des lignes sur lesquelles l'ombre d'une tige convenablement inclinée indique l'heure solaire. ‖ *Four solaire,* miroir qui concentre les rayons solaires et permet d'obtenir des températures élevées. ◆ **solarium** n. m. **1.** Établissement aménagé pour soigner certaines maladies par la lumière solaire. — **2.** Emplacement où l'on prend des bains de soleil. ◆ **ensoleiller** v. t. **1.** Éclairer de la lumière solaire (surtout au passif) : *Se promener dans la campagne ensoleillée.* — **2.** *Ensoleiller le visage, le cœur, la vie,* etc., y faire paraître, y mettre de la douceur, de la joie (littér.) : *Un sourire ensoleillait son visage* (syn. ÉCLAIRER, ILLUMINER). ◆ **ensoleillement** n. m.

— ENCYCL. Le *Soleil* est une étoile qui rayonne de l'énergie provenant d'une réaction de fusion nucléaire transformant de l'hydrogène en hélium. Sa surface lumineuse, ou photosphère, dont la température est voisine de 6 000 °C, comporte une multitude de points brillants et un nombre variable de taches sombres, de formes et d'étendues très diverses. Elle est entourée d'une atmosphère, ou chromosphère, siège des protubérances, elle-même entourée d'une couronne rayonnante. Le rayon du globe solaire vaut 696 000 km (109 fois le rayon de la Terre) et sa masse est 333 000 fois celle de la Terre. Le Soleil tourne sur lui-même, dans le sens direct, autour d'un axe incliné de 82° 45' sur l'écliptique, avec une période de 25.38 jours à l'équateur (rotation sidérale). La distance moyenne de la Terre au Soleil est de l'ordre de 150 millions de km (23 400 rayons terrestres). Sa lumière met 8 mn 18 s à nous parvenir. Il arrive que le Soleil soit soumis à des éclipses*, partielles ou totales.

L'âge du Soleil a été évalué à 5 milliards d'années environ.

SOLEN [sɔlɛn] n. m. (gr. *sôlên,* canal). Mollusque bivalve, à coquille allongée, appelé usuellement COUTEAU, et qui vit enfoncé dans le sable des plages.

SOLENNEL, ELLE [sɔlanɛl] adj. (lat. *solemnis*). **1.** Qui est célébré par des cérémonies religieuses et avec une certaine pompe : *Des obsèques solennelles. La communion solennelle.* — **2.** Qui est fait avec apparat : *L'entrée solennelle d'un chef d'État.* — **3.** Se dit d'une personne (ou de son attitude) qui a un air d'importance : *Un air solennel* (syn. MAJESTUEUX, POMPEUX). ◆ **solennellement** adv. : *Un mariage célébré solennellement.* ◆ **solennité** n. f. **1.** Cérémonie célébrée avec apparat : *La solennité d'une fête.* — **2.** Caractère d'une chose ou d'une personne solennelle : *La solennité d'un serment. Parler avec solennité* (syn. EMPHASE).

SOLÉNOÏDE [sɔlenɔid] n. m. (du gr. *sôlên,* canal, et *eidos,* forme). *Électr.* Fil conducteur enroulé en hélice sur un cylindre et qui, parcouru par un courant, crée un champ magnétique analogue à celui d'un aimant droit. ◆ **solénoïdal, e, aux** adj. : *Champ solénoïdal.*

SOLESMES, ch.-l. de cant. du Nord, à 19 km à l'E. de Cambrai; 5 500 hab. Métallurgie. Textiles.

SOLESMES, comm. de la Sarthe, à 2 km au N.-E. de Sablé; 1 200 hab. Abbaye bénédictine fondée au XIe s. Célèbres sculptures du XVIe s.

SOLEURE, en all. **Solothurn,** v. de Suisse, ch.-l. du cant. du même nom, sur l'Aar; 17 700 hab. *(Soleurois).* Constructions mécaniques. Textiles.

SOLFATARE [sɔlfatar] n. f. (it. *solfatara,* soufrière). Dépôt de soufre engendré par les vapeurs s'échappant d'un volcan en repos : *La solfatare de Pouzzoles* (syn. SOUFRIÈRE).

SOLFÈGE n. m. → SOLFIER.

SOLFERINO, village d'Italie (Lombardie), près du Mincio.

• *24 juin 1859. Victoire des troupes franco-piémontaises de Napoléon III sur les troupes autrichiennes de François-Joseph.*

SOLFIER [sɔlfje] v. t. (de l'it. *solfa,* gamme). *Solfier un morceau de musique,* le chanter en nommant les notes. ◆ **solfège** n. m. **1.** Action de solfier : *Étudier le solfège.* — **2.** Recueil gradué de leçons de musique vocale.

SOLIDAIRE [sɔlidɛr] adj. (du lat. *in solidum,* pour le tout). **1.** Se dit d'une personne liée à une ou plusieurs autres par des intérêts communs : *Les cadres de l'entreprise ne sont pas tous solidaires des ouvriers en grève.* — **2.** Se dit de choses qui dépendent l'une de l'autre dans leur fonctionnement : *La bielle est solidaire du vilebrequin.* ◆ **solidairement** adv. : *Ils se sentent solidairement tenus de réparer cette injustice.* ◆ **solidarité** n. f. Dépendance réciproque; sentiment qui pousse les hommes à s'accorder une aide mutuelle : *La solidarité professionnelle.* ◆ **solidariser (se)** v. pr. Se déclarer solidaire. ◆ **désolidariser** v. t. Séparer ce qui était solidaire : *En débrayant, on désolidarise le moteur de la transmission.* ◆ ***se désolidariser*** v. pr. *Se désolidariser de qq'un, de qqch.,* cesser d'en être solidaire.

1. SOLIDE [sɔlid] adj. (lat. *solidus,* massif). **1.** Se dit d'une chose capable, par sa consistance, de durer, de résister à l'usure : *Des meubles solides* (contr. FRAGILE). *Une étoffe solide* (syn. ↑INUSABLE). — **2.** Ce sur quoi l'on peut s'appuyer, compter : *Des arguments solides* (syn. SÉRIEUX). *Une amitié solide* (syn. DURABLE, ↑INDÉFECTIBLE). — **3.** Se dit d'une personne fortement constituée, qui a de la vigueur, de l'endurance : *Un solide paysan* (syn. ROBUSTE). *Avoir le cœur solide.* — **4.** Se dit d'une personne ferme dans ses opinions, ses sentiments, qui est stable, sérieuse : *Un solide partisan* (syn. FIDÈLE). ◆ **solidement** adv. De façon solide. ◆ **solidité** n. f. : *La solidité d'un vêtement, d'un raisonnement.*

2. SOLIDE [sɔlid] n. m. (même étym.). **1.** *Phys.* Corps dont les différents points sont à des distances invariables, de sorte que sa forme et son volume sont déterminés. — **2.** Math. *Solide de révolution,* solide dont la surface est une surface* de révolution. ◆ **solidification** n. f. Passage d'un corps de l'état liquide à l'état solide (phénomène inverse de la fusion). ◆ **solidifier** v. t. Faire passer à l'état solide : *Solidifier de l'eau en la congelant.* ◆ ***se solidifier*** v. pr. Passer à l'état solide : *Le ciment se solidifie en séchant* (syn. DURCIR; contr. SE LIQUÉFIER).

SOLIFLUXION ou **SOLIFLUCTION** [sɔliflyksjɔ̃] n. f. (de *sol,* et lat. *fluere,* couler). *Géogr.* Déplacement en masse du sol superficiel gorgé d'eau, sous l'action du gel et du dégel.

SOLILOQUE [sɔlilɔk] n. m. (du lat. *solus,* seul, et *loqui,* parler). Entretien d'une personne avec elle-même (syn. MONOLOGUE). ◆ **soliloquer** v. i. Se parler à soi-même.

SOLIMAN ou **SÜLEYMAN Ier,** mort en 1411, sultan des Turcs de 1403 à 1411, fils de Bāyazīd Ier. — SOLIMAN II *le Magnifique* (1494-1566), sultan ottoman (1520-1566). Il fut l'allié de François Ier contre Charles Quint; il envahit la Hongrie, mais échoua devant Vienne. Il fut un grand bâtisseur et un grand législateur.

SOLIN → SALONE.

SOLINGEN, v. d'Allemagne (Rhénanie-du-Nord-Westphalie), dans le sud de la Ruhr; 158 000 hab. Coutellerie.

SOLIPÈDE [sɔlipɛd] adj. et n. m. (du lat. *solidus,* massif, et *pes, pedis,* pied). *Zool.* Dont le pied ne présente qu'un doigt terminé par un sabot. ◆ n. m. pl. Autre nom des ÉQUIDÉS.

SOLISTE n. → SOLO.

1. SOLITAIRE [sɔlitɛr] adj. (lat. *solitarius;* de *solus,* seul). **1.** Se dit d'une personne qui est seule, qui aime à être seule. — **2.** Se dit d'un endroit situé à l'écart : *Un hameau solitaire* (syn. RETIRÉ). ◆ n. Personne qui vit retirée du monde. ◆ **solitairement** adv. : *Se promener solitairement.* ◆ **solitude** n. f. État d'une personne qui est seule habituellement ou momentanément : *Troubler la solitude de qq'un* (syn. ISOLEMENT).

2. SOLITAIRE [sɔlitɛr] n. m. (de *solitaire* 1). **1.** Vieux sanglier mâle, qui vit seul. — **2.** Diamant monté seul sur une bague.

SOLIVE [sɔliv] n. f. (du bas lat. *sola,* pièce de charpente). Pièce de charpente reposant par ses extrémités sur les murs et soutenant le plancher.

SOLJENITSYNE (Aleksandr), écrivain soviétique, né en 1918. Il a dénoncé le régime stalinien et revendiqué les libertés littéraires et politiques (*Une journée d'Ivan Denissovitch,* 1962; *la Maison de Matriona,* 1966; *le Pavillon des cancéreux,* 1968, *l'Archipel du Goulag,* 1973-1974). Banni de son pays en 1974, il vit aujourd'hui aux États-Unis (*la Roue rouge,* 1984). [Prix Nobel, 1970.]

SOLLICITER [sɔlisite] v. t. (lat. *sollicitare,* agiter avec force). **1.** *Solliciter une chose,* la demander (le plus souvent à une autorité ou à une personne influente) : *Solliciter une audience. Solliciter un emploi* (syn. POSTULER). — **2.** Attirer, provoquer : *Solliciter l'attention des spectateurs.* ◆ **sollicitation** n. f. Demande instante : *Ne pas répondre aux sollicitations d'un quémandeur* (syn. INSTANCE, PRIÈRE, REQUÊTE). ◆ **solliciteur, euse** n. Personne qui sollicite une grâce, une faveur.

SOLLICITUDE [sɔlisityd] n. f. (lat. *sollicitudo*). Attention affectueuse, soins attentifs à l'égard d'une personne.

SOLO [sɔlo] n. m. (mot it. signif. *seul*). Morceau de musique joué ou chanté par un seul exécutant, avec ou sans accompagnement : *Un solo de violon, de piano.* ◆ adj. Qui joue seul : *Violon solo.* ◆ **soliste** n. Musicien ou chanteur qui exécute un solo.

SOLOGNE (la), région sableuse et argileuse du sud du Bassin parisien, dans la boucle de la Loire. Le sol, souvent marécageux, a été partiellement drainé et amendé, et porte quelques cultures limitées par l'extension des grands domaines de chasse.

SOLON, homme politique athénien (v. 640-v. 558 av. J.-C.). Devenu archonte* (v. 590), il fit des réformes en faveur du peuple et réduisit la puissance des clans. Il encouragea le développement économique par une législation favorable. Sur le plan politique, il favorisa la démocratisation, créa le sénat, ou *boulê,* et le tribunal populaire de l'*héliée.*

SOLSTICE [sɔlstis] n. m. (du lat. *sol,* soleil, et *stare,* s'arrêter). Chacune des deux époques de l'année où le Soleil atteint son plus grand éloignement de l'équateur : *Solstice d'été* (= 21 juin, le jour le plus long de l'année). *Solstice d'hiver* (= 21 décembre, le jour le plus court de l'année).

SOLUBLE [sɔlybl] adj. (du lat. *solvere,* dissoudre). **1.** Qui peut se dissoudre dans un solvant : *Le sucre est soluble dans l'eau.* — **2.** Qui peut être résolu : *Un problème soluble.* ◆ **solubilisé, e** adj. Rendre soluble (sens 1) : *Du café solubilisé.*

1. SOLUTION [sɔlysjɔ̃] n. f. (lat. *solutio,* action de dissoudre). Liquide contenant un corps dissous : *Solution de sucre.* ◆ **soluté** n. m. Préparation liquide résultant de la dissolution d'une ou plusieurs substances dans un liquide *(solvant).*

2. SOLUTION [sɔlysjɔ̃] n. f. (même étym.). **1.** Réponse à un problème théorique ou pratique; dénouement d'une difficulté : *Une situation inextricable pour laquelle on ne voit pas de solution* (syn. ISSUE). — **2.** Math. *Solution d'une équation* $f(x) = g(x)$, tout nombre réel a tel que $f(a) = g(a)$. [→ ÉQUATION.] ◆ **solutionner** v. t. *Solutionner un problème, une difficulté,* leur donner une solution (syn. RÉSOUDRE). [Ce verbe est critiqué par certains grammairiens.]

SOLUTRÉ-POUILLY, comm. de Saône-et-Loire, à 11 km env. à l'O. de Mâcon. Vins blancs renommés. Station préhistorique *(solutréen).*

SOLVABLE [sɔlvabl] adj. (du lat. *solvere,* payer). Qui est en état de payer ce qu'il doit : *Un débiteur solvable* (contr. INSOLVABLE). ◆ **solvabilité** n. f. État d'une personne solvable. ◆ **insolvable** adj. : *Débiteur insolvable* (= qui n'a pas de quoi payer). ◆ **insolvabilité** n. f. État de la personne ou de la société qui n'a pas les moyens de faire face à ses engagements.

SOLVANT [sɔlvɑ̃] n. m. (du lat. *solvere,* dissoudre). Substance, généralement liquide, capable de dissoudre d'autres substances.

SOLVAY (Ernest), chimiste et industriel belge (1838-1922), inventeur d'un procédé de fabrication du carbonate de sodium.

SOMA [sɔma] n. m. (gr. *sôma,* corps). Ensemble des cellules non reproductrices des êtres vivants (par oppos. au GERMEN, qui comprend les cellules reproductrices).

SOMAIN, comm. du Nord, à 10,5 km au N.-O. de Denain; 12 600 hab. Centre ferroviaire.

SOMALIE *(république de),* État de l'Afrique orientale, sur l'océan Indien, formé en 1960 par l'union des anciennes *Somalies britannique* et *italienne;* 638 000 km²; 8 200 000 hab. (13 au km²). Capit. *Muqdisho (Mogadishu)* [600 000 hab.]. Langue : *somali.*

GÉOGRAPHIE

Pays de plateaux au climat désertique, limité au N. par le golfe d'Aden et à l'E. par l'océan Indien, la Somalie vit en grande partie de l'élevage ovin. Des plantations, créées dans le Sud par les Italiens, fournissent quelques produits pour l'exportation (bananes, canne à sucre, coton). L'industrie se limite à la transformation des produits agricoles (sucreries; tanneries...).

HISTOIRE

La région s'islamise à partir du XIIIe s. sous l'influence d'immigrants venus d'Arabie.

• *XIVe-XVe s. Les royaumes musulmans s'affranchissent de la tutelle de l'Éthiopie et tentent même sa conquête.*

Ayant repris une existence indépendante, les tribus nomades de

Somalis et d'Afars glissent vers l'O. et le S., se mêlant aux populations noires.

• *XIXe s. Les Anglais et les Français en 1884, les Italiens en 1889 établissent leur protectorat sur les côtes.*

La Somalie italienne, colonie depuis 1905, est occupée en 1941 par les Anglais puis remise sous tutelle italienne par l'O. N. U.

• *1960. Les Somalies britannique et italienne reçoivent l'indépendance et s'unissent pour former la république de Somalie.*

À partir de 1969, le pays est dirigé par le général Siyad Barre, qui instaure un régime socialiste.

• *1977-1988. Conflit avec l'Éthiopie.*
• *1991. Siyad Barre est chassé du pouvoir.*

SOMALIS *(Côte française des)*, anc. nom du **Territoire français des Afars* et des Issas**, auj. **république de Djibouti,** région de l'Afrique du Nord-Est.

Les Français occupent Obock en 1884, créent Djibouti en 1888 et construisent le chemin de fer reliant la ville à l'Éthiopie (1897-1917). Territoire d'outre-mer depuis 1946, la Côte des Somalis prend, en 1967, le nom de *Territoire français des Afars et des Issas* à la suite d'un référendum favorable au maintien du Territoire au sein de la République française. En 1977, il devient indépendant sous le nom de *république de Djibouti**.

SOMATIQUE [sɔmatik] adj. (du gr. *sôma, sômatos,* corps). Qui concerne le corps : *Affection somatique.*

SOMATOTROPE [sɔmatotrɔp] adj. (du gr. *sôma,* corps, et *tropos,* direction). *Hormone somatotrope,* l'une des hormones de l'hypophyse agissant sur la croissance.

SOMBRE [sɔ̃br] adj. (du lat. *umbra,* ombre). **1.** (après le nom) Se dit d'un lieu peu éclairé : *Un appartement sombre* (syn. OBSCUR). ‖ *Il fait sombre,* le ciel est obscurci, il y a peu de lumière. — **2.** (après le nom) Se dit d'une couleur qui tire sur le noir : *Des vêtements sombres* (syn. FONCÉ; contr. CLAIR). — **3.** Se dit d'une personne dont l'attitude exprime la tristesse, la mélancolie, l'inquiétude : *Vous me semblez bien sombre aujourd'hui* (syn. MOROSE). *Un regard, une humeur sombre* (syn. CHAGRIN; contr. GAI, JOYEUX). — **4.** (avant ou après le nom) Se dit de ce qui est inquiétant, menaçant : *Un avenir sombre. Les heures sombres de la guerre* (syn. TRAGIQUE). ‖ Fam. *Une sombre histoire,* une histoire lamentable, déplorable. — **5.** Avec une valeur de superl. : *Un sombre imbécile.*
◆ **assombrir** v. t. **1.** *Assombrir un lieu,* le rendre obscur : *Les nuages assombrissent le ciel* (syn. OBSCURCIR; contr. ÉCLAIRCIR). — **2.** *Assombrir qq'un,* le rendre triste, sombre : *La mort de son fils a assombri ses dernières années* (syn. ATTRISTER). ◆ ***s'assombrir*** v. pr. Devenir sombre : *Le ciel s'assombrit, il y aura bientôt de l'orage. En apprenant la nouvelle, son visage s'est assombri* (syn. SE RENFROGNER). ◆ **assombrissement** n. m.

SOMBRER [sɔ̃bre] v. i. (orig. incert.). **1.** (sujet nom désignant un bateau) Être englouti dans l'eau (syn. COULER, FAIRE NAUFRAGE). — **2.** (sujet nom de personne) S'enfoncer profondément : *Sombrer dans le désespoir.*

SOMBRERO [sɔ̃brero] n. m. (mot esp.). Chapeau à larges bords, dans les pays hispaniques.

SOMERS (*lord* John), homme d'État et écrivain anglais (1651-1716), un des chefs du parti whig.

SOMERSET, comté du sud-ouest de l'Angleterre; 401 700 hab. Ch.-l. *Taunton.*

SOMMAIRE [sɔmmɛr] adj. (lat. *summarium,* abrégé). **1.** Se dit de ce qui est exposé en peu de mots : *Une explication sommaire* (syn. SUCCINCT). *Une réponse sommaire* (syn. BREF, CONCIS). — **2.** Réduit à sa forme la plus simple : *Un repas sommaire.* ‖ *Exécution sommaire,* celle qui est faite sans jugement préalable. ◆ n. m. Abrégé, résumé d'un livre ou d'une de ses parties. ◆ **sommairement** adv. : *Examiner sommairement une question* (syn. BRIÈVEMENT). *Être sommairement vêtu* (syn. PEU).

SOMMATION n. f. → SOMMER.

1. SOMME [sɔm] n. f. (lat. *summa,* partie la plus haute). **1.** Math. *Somme de deux nombres réels* a *et* b, c'est le nombre réel, noté $a+b$, obtenu en faisant l'addition de a et de b : *(+ 12) est la somme de + 7 et de + 5.* (→ ADDITION 2.) — **2.** Certaine quantité d'argent : *Une grosse somme.* — **3.** Total de choses mises ou considérées ensemble : *Cet homme fournit une somme énorme de travail* (syn. QUANTITÉ). — LOC. ADV. *En somme, somme toute,* en définitive, tout compte fait : *En somme, tout s'est bien passé* (syn. AU FOND, EN CONCLUSION).

2. SOMME [sɔm] n. f. (du lat. *sagma,* bât). *Bête de somme,* animal employé à porter des fardeaux.

3. SOMME n. m. → SOMMEIL.

SOMME (la), fl. côtier du Bassin parisien, en Picardie, tributaire de la Manche *(baie de la Somme);* 245 km. La Somme, au régime très régulier, arrose Saint-Quentin, Péronne, Amiens et Abbeville.

SOMME (80), dép. du Bassin parisien, formé d'une partie de la Picardie (Région Picardie); 6 170 km²; 544 600 hab. (88 au km²) [France : 103]. Ch.-l. : *Amiens.*
ADMINISTRATION : 4 arrond. (*Abbeville,* 126 800 hab.; *Amiens,* 288 000 hab.; *Montdidier,* 48 300 hab.; *Péronne,* 81 500 hab.). / 46 cant. / 783 comm. → tableau page suivante.

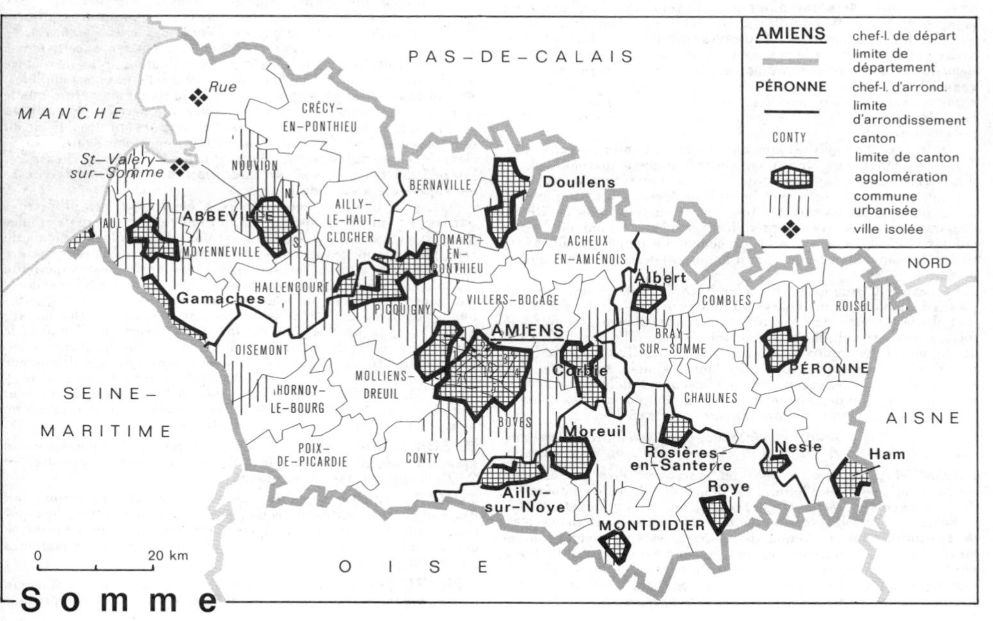

Somme

LOCALITÉS PRINCIPALES	NOMBRE D'HAB.	LOCALITÉS PRINCIPALES	NOMBRE D'HAB.
Amiens	136400	Roye	6700
Abbeville	26000	Ham	6400
Albert	11500	Montdidier	6300
Péronne	9900	Corbie	6300
Doullens	7900	Longueau	5300

Le département s'étend principalement sur le plateau limoneux de *Picardie*, entaillé par la vallée de la Somme et bordé à l'O. par des régions basses *(Bas-Champs)*. L'altitude est modeste, souvent inférieure à 100 m. Sur la Manche, le département a un climat océanique, où les précipitations relativement abondantes sont bien réparties sur l'ensemble de l'année.

L'*agriculture* emploie environ 12 p. 100 de la population active. Céréales et plantes industrielles (betterave) dominent sur le plateau, fréquemment cultivées dans le cadre de grandes exploitations. L'élevage bovin y est aussi présent, mais plus développé dans les Bas-Champs. La vallée de la Somme, aménagée, porte des cultures maraîchères.

L'*industrie* occupe un peu plus des deux cinquièmes de la population active; parfois liée à l'agriculture (sucreries), elle est surtout représentée par le textile et les constructions mécaniques.

Son importance et celle (plus relative) du *secteur tertiaire* sont liées en partie à la présence de l'agglomération d'Amiens qui regroupe plus du quart de la population départementale, et dont le dynamisme démographique explique un relatif accroissement de population depuis 1968.

Somme théologique, ouvrage de saint Thomas d'Aquin, où l'auteur discute, sous la forme syllogistique, les principales questions de la théologie, de la philosophie et de la morale.

SOMMEIL [sɔmɛj] n. m. (lat. *somnus*). **1.** État que présentent à intervalles réguliers l'homme, les animaux et quelques plantes et qui est caractérisé par l'inactivité extérieure, une diminution de certaines formes de la sensibilité et un ralentissement de certains processus physiologiques : *Le sommeil est une fonction physiologique aussi nécessaire que l'alimentation.* → ENCYCL. — **2.** Besoin, grande envie de dormir : *Avoir sommeil.* — **3.** *Maladie du sommeil,* maladie contagieuse due à un protozoaire flagellé, le *trypanosome,* transmis d'homme malade à homme sain par la piqûre de la mouche tsé-tsé : *La maladie du sommeil existe en Afrique tropicale et équatoriale.* — **4.** État de ce qui est provisoirement inactif : *Le sommeil de la nature. Une entreprise en sommeil.* ◆ **somme** n. m. Fam. *Faire un somme, un petit somme,* dormir un petit moment. ‖ *Ne faire qu'un somme,* dormir toute la nuit sans s'éveiller. ◆ **sommeiller** v. i. Dormir d'un sommeil léger (syn. SOMNOLER). ◆ **somnifère** adj. et n. m. Qui provoque le sommeil (syn. NARCOTIQUE). ◆ **demi-sommeil** n. m. État intermédiaire entre la veille et le sommeil : *Il écoutait le discours dans un demi-sommeil.* ◆ **ensommeillé, e** adj. **1.** Se dit d'une personne gagnée par le sommeil; se dit aussi de son visage, de son air : *Des enfants aux yeux ensommeillés.* — **2.** Se dit de ce dont l'activité est ralentie (littér.) : *Traverser à l'aube une ville ensommeillée.* (→ aussi INSOMNIE.)

— ENCYCL. Le *sommeil* est commandé par un centre nerveux situé dans l'hypothalamus. Il est en général précédé par une phase d'endormissement, au cours de laquelle l'attention diminue et certains muscles se relâchent (muscles releveurs des paupières et de la nuque), tandis que les fonctions visuelles, puis auditives, disparaissent. Des rêves se produisent pendant le sommeil dont le sujet ne se souvient que s'ils précèdent de peu le réveil. Cette phase du sommeil se traduit par d'importantes rotations des globes oculaires.

Le besoin de sommeil varie selon l'âge, le type de vie, l'activité professionnelle : le nourrisson dort à peu près vingt heures par jour, l'adulte entre six et neuf heures. Normalement, on dort une fois par jour, la nuit; mais ceci semble être un réflexe conditionné, et dépendre de l'activité exercée, de la civilisation, etc. Des expériences de vie sous terre, pendant des mois, sans possibilité de connaître l'heure, ont montré que le sommeil dépend surtout du rythme biologique de chacun, et que l'on peut dormir aussi bien le jour que la nuit, et un nombre d'heures très variable.

SOMMELIER [sɔməlje] n. m. (anc. prov. *saumalier*). Personne chargée du service des vins et des liqueurs dans un restaurant.

SOMMER [sɔme] v. t. (bas lat. *summare,* dire en résumé). *Sommer qq'un de* (et l'infin.), lui demander de façon impérative de : *Sommer des rebelles de se rendre* (syn. METTRE EN DEMEURE DE, SIGNIFIER À). *Je vous somme de dire la vérité* (syn. ORDONNER). ◆ **sommation** n. f. Action de sommer, et spécialement appel lancé par une sentinelle ou par un représentant de la force publique ordonnant à une ou plusieurs personnes de s'arrêter, à une foule de se disperser : *Trois sommations doivent précéder l'emploi de la force armée contre des attroupements.*

SOMMET [sɔmɛ] n. m. (du lat. *summus,* le plus haut). **1.** Partie la plus élevée de certaines choses : *Le sommet d'une montagne, d'un arbre* (syn. CIME). — **2.** *Math.* Point commun à deux côtés consécutifs d'un polygone plan ou à deux arêtes adjacentes d'un polyèdre : *Un pentagone a cinq sommets, un cube a huit sommets.* ‖ *Sommet d'une pyramide,* point commun aux faces latérales triangulaires de la pyramide. — **3.** Degré le plus élevé : *Le sommet de la gloire, de la perfection, de la hiérarchie.* — **4.** *Conférence au sommet,* à laquelle participent les chefs d'État ou de gouvernement.

SOMMIER [sɔmje] n. m. (du bas lat. *sagma,* bât). Partie d'un lit constituée d'un cadre en bois ou en métal muni de ressorts ou de lamelles et destiné à soutenir le matelas.

SOMMITÉ [sɔmmite] n. f. (bas lat. *summitas,* sommet). Personne éminente dans une science, dans un art, etc. : *Les sommités de la médecine.*

SOMNAMBULE [sɔmnɑ̃byl] n. et adj. (du lat. *somnus,* sommeil, et *ambulare,* marcher). Personne qui marche, agit, parle pendant son sommeil. ◆ **somnambulisme** n. m. Activité motrice qui se produit pendant le sommeil et dont la personne ne conserve aucun souvenir à son réveil.

SOMNIFÈRE adj. et n. m. → SOMMEIL.

SOMNOLENCE [sɔmnɔlɑ̃s] n. f. (du lat. *somnus,* sommeil). État de demi-sommeil. ◆ **somnolent, e** adj. Qui est dans un état de somnolence. ◆ **somnoler** v. i. Dormir à demi : *Après les repas, il s'assied dans son fauteuil et somnole un peu* (syn. S'ASSOUPIR).

SOMPORT *(col de),* ou **COL DE CANFRANC,** col routier des Pyrénées-Atlantiques, entre la vallée de l'Aragón et la vallée d'Aspe, à 1 632 m d'alt., percé par un tunnel ferroviaire (ligne Pau-Saragosse), hors de service depuis 1970.

SOMPTUAIRE [sɔ̃ptɥɛr] adj. (du lat. *sumptus,* dépense). *Lois, réformes somptuaires,* celles qui ont pour objet de restreindre et de réglementer les dépenses. ‖ *Dépense somptuaire,* dépense excessive, purement destinée au luxe. (Cette express. est condamnée par certains grammairiens.)

SOMPTUEUX, EUSE [sɔ̃ptɥø, -øz] adj. (lat. *sumptuosus;* de *sumptus,* dépense). Se dit de ce qui est d'une grande richesse : *Un festin somptueux* (syn. MAGNIFIQUE). *Des vêtements somptueux* (syn. LUXUEUX). ◆ **somptuosité** n. f. Caractère de ce qui est somptueux : *La somptuosité d'un palais* (syn. MAGNIFICENCE, SPLENDEUR). ◆ **somptueusement** adv. : *Être habillé somptueusement* (syn. LUXUEUSEMENT).

1. SON adj. poss. → MON.

2. SON [sɔ̃] n. m. (lat. *sonus*). **1.** Sensation auditive produite par les vibrations des corps, propagées dans l'air : *Son aigu. Son grave. On distingue trois qualités dans le son : la hauteur, l'intensité et le timbre. L'acoustique est l'étude des sons.* → ENCYCL. — **2.** Émission de voix, simple ou articulée : *Un son ouvert, fermé, nasal.* ◆ **infrason** ou **infra-son** n. m. Vibration de même nature que le son, mais de fréquence inférieure à celle des sons audibles. ◆ **ultrason** ou **ultra-son** n. m. Vibration de même nature que le son, mais de fréquence trop élevée pour être perçue. ◆ **sonique** adj. Relatif au son : *Vitesse sonique.* ◆ **hypersonique** adj. Se dit des vitesses correspondant à un nombre de Mach égal ou supérieur à 5. ◆ **subsonique** [sypsɔnik] adj. Dont la vitesse est inférieure à celle du son. ◆ **supersonique** adj. Dont la vitesse est supérieure à celle du son.

— ENCYCL. Quand un corps sonore a été frappé, ses différentes parties entrent en vibration; l'air qui l'environne forme des ondes qui parviennent à l'oreille. L'air est donc le principal véhicule du *son,* qui s'y propage avec une vitesse de 340 m/s, à la température ordinaire. La vitesse du son dans les liquides est supérieure (1425 m/s dans l'eau); elle est encore plus grande dans les solides; par contre le son ne se transmet pas dans le vide. Lorsque les ondes sonores rencontrent un obstacle fixe, elles se réfléchissent; c'est sur cette propriété qu'est fondée la théorie de l'écho et le sonar. Les sons perceptibles par l'oreille ont une fréquence comprise entre 16 et 15000 Hz. Les *infrasons* ont une fréquence inférieure à 16, et les *ultrasons* une fréquence supérieure à 15000 Hz. Ces derniers se propagent en ligne droite et donnent des échos sur les obstacles, d'où leur emploi pour le sondage en mer, la détection des sous-marins, etc.

3. SON [sɔ̃] n. m. (de l'anc. fr. *seon,* rebut). **1.** Enveloppe des grains de céréales lorsqu'elle a été séparée par la mouture. — **2.** *Tache de son,* tache de rousseur.

SONAR [sɔnar] n. m. (abrév. de l'angl. *so[und] na[vigation] and r[anging]*). Appareil de détection par le son, permettant le repérage d'objets sous-marins : *Le sonar est fondé sur le même principe que le radar, mais les ondes électromagnétiques sont remplacées par des ultrasons.*

SONATE [sɔnat] n. f. (it. *sonata*). Composition de musique instrumentale écrite pour un ou deux instruments et comprenant trois ou quatre mouvements : *Sonates pour piano de Beethoven.* ◆ **sonatine** n. f. Petite sonate, facile d'exécution : *Sonatines de Clementi.*

SONDAGE n. m. → SONDER 1 et 2.

SONDE n. f. → SONDER 1.

SONDE *(archipel de la),* îles d'Indonésie, prolongeant la presqu'île de Malacca jusqu'aux Moluques. Les principales sont *Sumatra* et *Java.*

1. SONDER [sɔ̃de] v. t. (de l'anglo-saxon *sundgyrd,* sonde). **1.** Reconnaître au moyen d'une sonde la profondeur de l'eau, la nature d'un terrain, etc. : *Sonder un port.* — **2.** *Méd.* Explorer avec une sonde : *Sonder une plaie.* ◆ **sondage** n. m. Action de sonder : *Le sondage d'un terrain.* ◆ **sonde** n. f. **1.** Appareil servant à déterminer la profondeur de l'eau et la nature du fond. — **2.** *Méd.* Instrument que l'on introduit dans un trajet ou une cavité pour l'explorer, évacuer le liquide qui s'y trouve contenu, ou y introduire une substance médicamenteuse. ◆ **sondeur** n. m. Celui qui pratique des forages au moyen de machines perforatrices. ◆ **sondeuse** n. f. Machine destinée au forage des puits de faible profondeur. ◆ **insondable** adj. Dont on ne peut connaître la profondeur : *Abîmes insondables.*

2. SONDER [sɔ̃de] v. t. (de *sonder* 1). *Sonder une personne, un groupe de personnes,* chercher à connaître leurs opinions, leurs intentions : *Il faudrait sonder le directeur au sujet de ses projets* (syn. INTERROGER). ‖ *Sonder le terrain,* s'assurer par avance de l'état des choses, des esprits. ◆ **sondage** n. m. *Sondage d'opinion,* procédé d'enquête ayant pour objet de déterminer l'opinion d'une population concernant un fait social, en interrogeant un petit nombre de personnes considérées comme représentatives de cette population. ◆ **insondable** adj. : *Bêtise insondable* (= très grande).

Sonderbund (le), association séparatiste des sept cantons suisses catholiques, formée en 1844 contre le gouvernement fédéral. Elle fut dissoute par le général Dufour à la suite d'une guerre civile (1847).

SONDEUR n. m., **SONDEUSE** n. f. → SONDER 1.

SONG, dynastie chinoise, qui régna de 960 à 1280.

SONGE [sɔ̃ʒ] n. m. (lat. *somnium*). Syn. littér. et vieilli de RÊVE.

Songe d'une nuit d'été *(le),* comédie-féerie de Shakespeare (v. 1595).

SONGER [sɔ̃ʒe] v. t. ind. (lat. *somniare*). **1.** *Songer à une chose,* l'avoir dans l'esprit, dans la mémoire, dans l'imagination : *Ne songer qu'à s'amuser.* — **2.** *Songer à qq'un, à qqch.,* penser à une personne, à une chose qui mérite attention : *Avant de songer à soi, il faut songer aux autres* (syn. S'OCCUPER DE). *Il ne songe nullement au mariage* (syn. ENVISAGER). ‖ *Songer à mal* (surtout négativement), avoir quelque mauvaise intention. ‖ *Vous n'y songez pas, à quoi songez-vous?,* se dit d'une personne qui dit, fait quelque chose de peu raisonnable. ◆ v. t. *Songer que,* avoir présent à l'esprit : *Songez qu'il y va de votre intérêt* (syn. RÉFLÉCHIR). ◆ **songeur, euse** adj. Absorbé dans une rêverie mêlée de préoccupations : *Il a souvent un air songeur* (syn. PENSIF).

SONGHAÏS ou **SONRHAÏS,** peuple de l'Afrique occidentale, habitant le moyen Niger. Ils constituèrent un empire, qui eut Gao pour capitale, au début du XIe s. Ils furent alors islamisés. Cet empire atteignit son apogée au XVe s., en s'étendant sur le Mali et le Sénégal. Il fut détruit par les Marocains au début du XVIe s.

SONINKÉS → SARAKOLLÉS.

SONIQUE adj. → SON 2.

SONNANT, E adj. → SONNER.

SONNÉ, E [sɔne] adj. (de *sonner*). **1.** *Fam.* Révolu, accompli : *Il a cinquante ans bien sonnés* (= il a atteint l'âge de cinquante ans). — **2.** *Fam.* Qui a perdu la raison (syn. FOU).

SONNER [sɔne] v. i. (lat. *sonare*). **1.** Mettre une cloche en branle, faire retentir une sonnerie : *Avez-vous entendu le réveil sonner?* — **2.** Être annoncé par une sonnerie : *Quatre heures vont bientôt sonner. Il est midi sonné.* — **3.** Jouer d'un instrument à vent : *Sonner du clairon, de la trompette, du cor, de la trompe.* — **4.** Arriver, en parlant d'un moment, d'une époque : *Il a échappé à un grave accident, sa dernière heure n'avait pas encore sonné.* — **5.** *Sonner faux,* rendre un son qui est faux : *Un violon qui sonne faux;* donner une impression de fausseté, de manque de sincérité : *Un rire qui sonne faux.* ◆ v. t. **1.** *Sonner une cloche,* la mettre en branle, en tirer des sons. — **2.** *Sonner qq'un,* l'appeler, l'avertir au moyen d'une sonnette ou d'une sonnerie : *Sonner un domestique.* — **3.** *Sonner qqch.,* l'annoncer par une sonnerie de cloches, par un timbre ou par des instruments à vent : *Sonner le tocsin. La pendule vient de sonner sept heures.* — **4.** Fam. *Sonner qq'un,* le frapper violemment à la tête : *Un boxeur qui a été sonné* (syn. ASSOMMER, ÉTOURDIR). ◆ **sonnant, e** adj. Juste, précis, en parlant de l'heure : *À huit heures sonnantes* (syn. fam. TAPANT). ◆ **sonnerie** n. f. **1.** Son de plusieurs cloches; ensemble des cloches d'une église. — **2.** Mécanisme qui sert à faire sonner une horloge, une pendule, etc. : *Remonter la sonnerie d'un réveil.* ‖ *Sonnerie électrique,* mécanisme d'appel, d'alarme ou de contrôle, actionné par un courant électrique. — **3.** Air joué par un clairon, une trompette, etc. ◆ **sonnette** n. f. **1.** Clochette dont on se sert pour appeler ou pour avertir. — **2.** Appareil avertisseur actionné par le courant électrique : *Appuyer sur le bouton de la sonnette.* ◆ **sonneur** n. m. Personne qui sonne les cloches d'une église, qui joue d'un instrument à vent.

SONNET [sɔnɛ] n. m. (it. *sonnetto*). Poème à forme fixe composé de deux quatrains et de deux tercets.

— ENCYCL. D'Italie, où il fut illustré notamment par Pétrarque, le *sonnet* passa, au début du XVIe s., en France où il eut la faveur de Marot puis des poètes de la Pléiade (du Bellay : *Antiquités de Rome, Regrets;* Ronsard : *les Amours*). Il resta en vogue au XVIIe s., fut délaissé au XVIIIe, reparut avec le romantisme et fut très utilisé par Th. Gautier, Baudelaire, les parnassiens (Heredia), Verlaine, Mallarmé, etc.

Sous sa forme classique, le sonnet est constitué par deux quatrains à rimes embrassées identiques, et deux tercets présentant deux vers à rimes plates suivis de quatre vers à rimes croisées ou embrassées, selon le schéma ABBA — ABBA — CCD — EDE ou EED. Le dernier vers, la « chute », se distingue généralement par un trait d'esprit.

SONNETTE n. f., **SONNEUR** n. m. → SONNER.

SONO [sɔno] n. f. *Fam.* Abrév. de *sonorisation**.

SONORE [sɔnɔr] adj. (lat. *sonorus*). **1.** Qui produit des sons : *Un métal sonore.* — **2.** Qui a un son éclatant : *Une voix sonore* (syn. RETENTISSANT). — **3.** Qui renvoie bien le son : *Une salle sonore.* — **4.** *Film sonore,* film dans lequel l'image est accompagnée de sons (paroles, musique, bruits, etc.). ◆ adj. et n. f. En phonétique, se dit d'une consonne pour l'articulation de laquelle les cordes vocales entrent en action : *Les consonnes* b, d, g *sont des sonores* (contr. SOURDE). ◆ **sonoriser** v. t. **1.** *Sonoriser un film,* ajouter des éléments sonores à l'image. — **2.** *Sonoriser une salle, un édifice,* les munir d'une installation destinée à l'amplification du son (musique, paroles). ◆ **sonorisation** n. f. **1.** Action de sonoriser. — **2.** Appareils destinés à amplifier le son dans une salle (abrév. SONO). ◆ **sonorité** n. f. **1.** Caractère de ce qui est sonore : *La sonorité d'une salle, d'une voix.* — **2.** Qualité de ce qui rend un son agréable : *La sonorité d'un violon.* ◆ **insonore** adj. Qui transmet très peu de sons d'un point à un autre : *Cloison insonore.* ◆ **insonoriser** v. t. Aménager des habitations, des locaux pour les soustraire aux bruits. ◆ **insonorisation** n. f.

SONRHAÏS → SONGHAÏS.

SOPHISME [sɔfism] n. m. (gr. *sophisma*). Argument, raisonnement fallacieux, conçu en vue de faire diversion et qui cause des illusions sur autrui et sur soi-même : *Un sophisme peut n'être faux qu'en partie; s'il part d'une proposition vraie, c'est la conclusion qu'on en tire qui est erronée.* ◆ **sophiste** n. **1.** Chez les Grecs, personne qui enseignait l'art de défendre par des raisonnements habiles (sophismes) n'importe quelle thèse. — **2.** Personne qui use de raisonnements faux.

SOPHISTIQUÉ, E [sɔfistike] adj. (angl. *sophisticated*). **1.** Qui manque de naturel par excès de recherche : *Une femme, une coiffure sophistiquée.* — **2.** Se dit d'une chose élaborée, perfectionnée : *Une arme sophistiquée.*

SOPHOCLE, poète tragique grec (entre 496 et 494-406 av. J.-C.). Il ne nous reste de lui que sept pièces *(Antigone, Électre, les Trachiniennes, Œdipe roi, Ajax, Philoctète* et *Œdipe à Colone)* et un fragment des *Limiers.* Il fit faire de grands progrès à la tragédie grecque en diminuant le rôle du chœur et en introduisant un troisième acteur dans l'action. Surtout, il modifia le sens du tragique en approfondissant l'étude des caractères et fit de la psychologie des personnages le ressort essentiel de l'action.

SOPORIFIQUE [sɔpɔrifik] adj. (du lat. *sopor,* sommeil, et *facere,* faire). **1.** Qui provoque le sommeil : *Un médicament soporifique* (syn. DORMITIF). — **2.** Ennuyeux au point d'endormir : *Un discours soporifique.* ◆ n. m. Médicament qui provoque le sommeil.

SOPRANO [sɔprano] n. m. (mot it. signif. *qui est au-dessus*). **1.** Catégorie de voix la plus élevée chez les femmes et les jeunes garçons. — **2.** Personne qui a cette voix : *Des sopranos* (ou *des soprani*).

SORABES, Slaves de Lusace, tombés au IXe s. sous la domination des Allemands, qui les appelaient les WENDES.

SORBET [sɔrbɛ] n. m. (it. *sorbetto*). Glace sans crème, à base de sucre et de jus de fruits. ◆ **sorbetière** n. f. Récipient de métal servant à préparer les sorbets.

SORBIER [sɔrbje] n. m. (du lat. *sorbum*). Arbre de la famille des rosacées, dont certaines espèces *(alisier, cormier)* produisent des fruits comestibles.

SORBON (Robert DE), théologien français (1201-1274), fondateur de la *Sorbonne* à Paris.

Sorbonne (la), créée en 1257 par Robert de Sorbon, à qui elle doit son nom, cette université fut célèbre dès le Moyen Âge (enseignement de la théologie). Ses décisions jouissaient d'une autorité exceptionnelle : elle intervenait en tant que tribunal ecclésiastique pour censurer les ouvrages contraires à l'orthodoxie. Hostile aux Jésuites, au XVIe s., elle condamna le jansénisme au XVIIe s. Les bâtiments furent reconstruits par Richelieu à partir de 1626, et remaniés au XIXe s.

SORCELLERIE n. f., **SORCIER, ÈRE** adj. m. et n. → SORT 2.

SORDIDE [sɔrdid] adj. (du lat. *sordes*, saleté). **1.** Qui est d'une saleté repoussante : *Un logement sordide.* — **2.** En parlant de l'argent, se dit de ce qui atteint un degré honteux : *Une avarice sordide* (syn. RÉPUGNANT). ◆ **sordidement** adv.

SORE [sɔr] n. m. (gr. *sôros*, tas). *Bot.* Groupe de sporanges chez les fougères.

SOREL (Agnès) [v. 1422-1450], surnommée *la Dame de Beauté*, du nom de la seigneurie de Beauté-sur-Marne, que Charles VII lui avait donnée. Favorite de ce dernier, elle exerça sur lui une grande influence.

SOREL (Georges), sociologue français (1847-1922), auteur de *Réflexions sur la violence* (1908) et d'ouvrages sur des problèmes philosophiques, économiques et moraux.

Sorel (Julien), héros du roman *le Rouge et le Noir*, de Stendhal.

SØRENSEN (Søren), chimiste danois (1868-1939). En 1909, il définit le pH, qui caractérise l'acidité d'un milieu.

SORGHO [sɔrgo] n. m. (it. *sorgo*). Graminacée de grande taille, des régions chaudes, cultivée principalement pour ses grains comestibles.

SORGUE DE VAUCLUSE (la), riv. de France, affl. du Rhône (r. g.); 36 km. Elle sort de la fontaine de Vaucluse.

SORGUES, comm. du Vaucluse, à 9,5 km au N.-E. d'Avignon, sur l'Ouvèze; 17 100 hab. Célèbres fresques du XIVe s., en partie transférées au Louvre. Poudrerie. Constructions mécaniques.

SORLINGUES *(îles)* → SCILLY.

SORNETTES [sɔrnɛt] n. f. pl. (de l'anc. fr. *sorne*, raillerie). Propos frivoles, extravagants : *Débiter des sornettes* (syn. BALIVERNES, FADAISES).

SORRENTE, v. d'Italie (Campanie), sur le golfe de Naples; 13 900 hab.

1. SORT [sɔr] n. m. (lat. *sors, sortis*). **1.** Puissance qui est supposée fixer le cours des événements dont la cause ne peut être déterminée (littér.) : *Supporter les coups du sort* (syn. DESTIN). *Conjurer le mauvais sort* (= l'adversité, la fatalité). — **2.** Condition d'une personne résultant des événements heureux ou malheureux : *Peu de gens sont satisfaits de leur sort. Améliorer le sort des travailleurs* (syn. SITUATION). — **3.** Fam. *Faire un sort à une chose*, l'utiliser à son profit : *Faire un sort à un pâté* (= le manger), *à une bouteille* (= la boire). — **4.** Hasard auquel on se rapporte pour décider d'un choix, d'une affaire : *Tirer au sort.* ‖ *Le sort en est jeté*, c'est une chose décidée, advienne que pourra.

2. SORT [sɔr] n. m. (même étym.). Effet malfaisant qui atteint un être animé, une chose, et qui, selon une croyance superstitieuse, résulte de pratiques de sorcellerie : *Le fermier prétendait que ses animaux étaient malades parce qu'on avait jeté un sort sur eux.* ◆ **sortilège** n. m. Action de jeter un sort; action qui semble magique. ◆ **sorcellerie** n. f. Une des branches de la magie qui met en œuvre des puissances surnaturelles et emploie toutes sortes de procédés (pacte avec Satan, envoûtements, messes noires, sortilèges, sorts, etc.) dans le but de faire le mal. ◆ **sorcier, ère** n. **1.** Personne qui pratique la sorcellerie (syn. DEVIN, MAGICIEN). — **2.** *Apprenti sorcier* → APPRENTI. ◆ **sorcier** adj. m. Fam. *Ce n'est pas sorcier*, ce n'est pas difficile à comprendre, à résoudre, à faire.

SORTABLE adj. → SORTIR 1.

SORTANT, E adj. et n. m. → SORTIR 1 et 2.

SORTE [sɔrt] n. f. (lat. *sors, sortis*). **1.** Espèce, catégorie d'êtres animés ou de choses : *Il élève toutes sortes d'oiseaux et cultive toutes sortes de plantes* (syn. VARIÉTÉ). — **2.** *Une sorte de*, se dit d'une chose et quelquefois d'une personne qu'on ne peut désigner exactement, qui ressemble à une autre par quelque détail : *Elle portait sur la tête une sorte de coiffe* (syn. ESPÈCE, GENRE). — LOC. ADV. *De la sorte*, de cette façon : *Qui vous a autorisé à agir de la sorte?* (syn. AINSI). ‖ *En quelque sorte*, pour ainsi dire. — LOC. CONJ. *De sorte que, de telle sorte que, en sorte que*, si bien que, de telle façon que (avec l'indic., pour marquer la conséquence, un fait acquis, ou le subj. pour marquer le but à atteindre) : *Faites en sorte que tout soit prêt à l'heure.* — LOC. PRÉP. *En sorte de*, de manière à : *Faites en sorte d'arriver à temps pour le dîner.*

SORTIE n. f. → SORTIR 1 et 3.

SORTILÈGE n. m. → SORT 2.

1. SORTIR [sɔrtir] v. i. (orig. incert.). [Conj. **28.**] **1.** (sujet nom d'être animé) Aller hors d'un lieu : *Sortir de sa maison* (syn. QUITTER). *L'arbitre a fait sortir un joueur du terrain* (syn. EXPULSER). — **2.** Quitter le lieu d'une réunion, d'une occupation, l'endroit où l'on a séjourné quelque temps : *Sortir de table. Sortir de l'école.* — **3.** Aller hors de chez soi pour se promener, aller au spectacle, faire des visites : *Il va mieux et le médecin l'a autorisé à sortir un peu* (syn. ALLER DEHORS). *Un ménage qui sort beaucoup.* — **4.** Passer d'un temps, d'une époque, d'une condition dans une autre : *Sortir de l'enfance. Sortir d'apprentissage.* — **5.** Cesser d'être dans tel état physique ou moral : *Sortir de maladie* (syn. GUÉRIR). *Sortir sain et sauf d'un accident* (syn. RÉCHAPPER). *Sortir d'un mauvais pas, sortir d'affaire* (syn. SE TIRER). *Sortir de son calme* (syn. SE DÉPARTIR). *Sortir des limites de la bienséance* (syn. S'ÉCARTER, S'ÉLOIGNER). ‖ *Sortir de ses gonds*, se mettre en colère. — **6.** Ne pas se tenir exactement à ce qui est fixé : *Dans une discussion, il sort toujours du sujet, de la question* (= il fait des digressions). *Sortir de la légalité* (= transgresser la loi). — **7.** Être issu de : *Sortir d'une famille honorable* (syn. ÊTRE NÉ DE). ‖ *Se croire sorti de la cuisse de Jupiter*, se croire issu d'une famille illustre; être très orgueilleux. ‖ *Sortir d'une école*, y avoir fait ses études : *Ce garçon sort de Polytechnique.* — **8.** (sujet nom de chose) Franchir une limite : *Le ballon est sorti du terrain. La rivière est sortie de son lit* (syn. DÉBORDER). — **9.** Se répandre au-dehors : *Une épaisse fumée sortait de la cheminée* (syn. S'ÉCHAPPER). — **10.** Dépasser à l'extérieur : *Une pierre qui sort du mur* (syn. FAIRE SAILLIE). — **11.** Commencer à paraître, à pousser : *Les blés sortent de terre* (syn. LEVER). *Chez les bébés, les canines sortent vers le dixième mois* (syn. PERCER). — **12.** Fam. *En sortir* → plus loin S'EN SORTIR. ‖ *Ne pas vouloir sortir de là*, soutenir avec obstination ce qu'on a avancé, ne pas vouloir en démordre. ‖ Fam. *Sortir de la mémoire, de l'esprit*, être oublié. ◆ v. t. **1.** *Sortir une personne*, l'emmener dehors, l'accompagner au spectacle. ‖ Fam. *Sortir qq'un d'un lieu, d'une réunion*, etc., le mettre violemment à la porte, l'expulser. ‖ *Sortir un animal*, le mener dehors : *Sortir un cheval de l'écurie.* — **2.** *Sortir une chose*, la mettre, la tirer dehors : *Sortir sa voiture du garage* (contr. RENTRER). *Sortir les mains de ses poches* (syn. ENLEVER, ÔTER). ◆ ***s'en sortir*** v. pr. ou ***en sortir*** v. i. *Fam.* Venir à bout d'une situation pénible, embarrassante, se tirer d'affaire. — LOC. PRÉP. *Au sortir de*, au moment où l'on sort de : *Au sortir du cinéma, nous sommes allés au café* (syn. À LA SORTIE DE). ◆ **ressortir** [rəsɔrtir] v. i. Sortir de nouveau; sortir tout de suite après être entré : *Tu viens d'entrer dans le magasin et tu veux déjà en ressortir?* ◆ **sortable** adj. *Fam.* Se dit d'une personne que l'on peut présenter en société (surtout négativement) : *Un jeune homme qui n'est guère sortable.* ◆ **sortant, e** adj. Se dit de quelqu'un qui cesse de faire partie d'une association, d'une assemblée : *Président, député sortant.* ◆ n. m. Personne qui sort d'un lieu (presque toujours au plur.) : *Les entrants et les sortants.* ◆ **sortie** n. f. **1.** (en parlant d'un être animé) Action de sortir, d'aller se promener; moment où l'on sort : *Depuis sa maladie, c'est sa première sortie. Attendre un enfant à la sortie de l'école.* — **2.** Endroit par où l'on sort : *Cette maison a deux sorties, une sur la rue et une autre sur le jardin* (syn. ISSUE). ‖ *Sortie de secours* → SECOURIR. ‖ *Se ménager une porte de sortie ou une sortie*, s'assurer un moyen de se tirer d'embarras (syn. ÉCHAPPATOIRE). — **3.** *Fam.* Brusque emportement contre quelqu'un ou quelque chose; réplique inattendue : *Je ne m'attendais pas à cette sortie de sa part* (syn. INVECTIVE). — **4.** Mission de combat accomplie par un avion militaire : *Le 6 juin 1944, l'aviation alliée effectua plus de douze mille sorties.* — **5.** (en parlant d'une chose) Action de s'échapper, de s'écouler : *La sortie des gaz d'un moteur à explosion. La sortie des eaux d'une source.* — **6.** Transport des marchandises hors du lieu où elles étaient : *Payer des droits pour la sortie de certains produits.* — **7.** *Sortie de bain*, peignoir, grande serviette dont on s'enveloppe à la sortie du bain. — LOC. PRÉP. *À la sortie de*, au moment où l'on sort de, à l'endroit où quelque chose s'écoule, etc. : *Nous nous verrons à la sortie du théâtre.* ◆ **insortable** adj. *Fam.* Contr. de SORTABLE.

2. SORTIR [sɔrtir] v. i. (même étym.). [Conj. **28.**] **1.** *Numéro qui sort à la loterie*, numéro qui est gagnant. — **2.** Avoir tel résultat (emploi impers.) : *Que sortira-t-il de toutes ces recherches?* ◆ **sortant, e** adj. *Numéro sortant*, numéro gagnant (à une loterie, à une tombola).

3. SORTIR [sɔrtir] v. i. (même étym.). [Conj. **28.**] Être présenté au public, être publié, être mis en vente : *Son dernier film vient de sortir en exclusivité. Un dictionnaire qui sort par fascicules* (syn. PARAÎTRE). ◆ v. t. Mettre en vente : *Sortir un livre* (syn. PUBLIER). *Un constructeur d'automobiles qui sort une nouvelle voiture.* ◆ **sortie** n. f. Mise en vente d'un objet commercial : *La sortie d'une nouvelle voiture. La sortie d'un roman* (syn. PARUTION, PUBLICATION).

S.O.S. [ɛsoɛs] n. m. (lettres de l'alphabet Morse, choisies pour leur facilité de perception). Signal de détresse émis par un navire ou par un avion en danger et transmis par radio ou par des signaux lumineux.

Sosie, valet d'Amphitryon, dans la comédie de Plaute et dans celle de Molière.

SOSIE [sɔzi] n. m. (de *Sosie*). Personne qui ressemble parfaitement à une autre : *Avoir un sosie.*

SOSIGÈNE, astronome et mathématicien grec d'Alexandrie (Ier s. av. J.-C.). Il fut chargé par Jules César de réformer le calendrier romain et introduisit le calendrier julien (46 av. J.-C.).

SOT, SOTTE [so, sɔt] adj. et n. (orig. inc.). Qui manque d'esprit, de jugement : *Il n'est pas si sot qu'il en a l'air* (syn. BÊTE, IDIOT, STUPIDE). *Taisez-vous et ne riez pas comme une sotte* (syn. PÉRONNELLE). ◆ adj. (avant ou après le nom). **1.** Qui est embarrassé, confus : *Il est resté tout sot quand on lui a prouvé qu'il avait menti* (syn. PENAUD). — **2.** (avant ou après le nom) Qui dénote un manque d'esprit, de jugement : *Une sotte réponse* (syn. ABSURDE, INEPTE). ◆ **sottement** adv. ◆ **sottise** n. f. **1.** Manque d'intelligence, de jugement : *Un homme d'une sottise incroyable* (syn. BÊTISE, IDIOTIE, STUPIDITÉ). — **2.** Action ou parole d'une personne sotte : *Faire, dire une sottise* (syn. BÊTISE, BOURDE). ◆ n. f. pl. Paroles injurieuses : *Accabler qq'un de sottises* (syn. INJURES, INVECTIVES). ◆ **sottisier** n. m. Recueil de phrases sottes relevées dans les écrits ou les propos de quelqu'un.

SOTCH [sɔtʃ] n. m. (mot dial.). Dans le relief karstique des Grands Causses, dépression fermée (syn. DOLINE).

SOTCHI, v. de l'U. R. S. S., sur la mer Noire; 295 000 hab. Centre touristique.

SOTIE n. f. → SOTTIE.

SOT-L'Y-LAISSE [solilɛs] n. m. inv. (de [*le*] *sot l'y laisse*). Morceau délicat au-dessus du croupion d'une volaille.

SOTTEMENT adv. → SOT.

SOTTEVILLE-LÈS-ROUEN, ch.-l. de cant. de la Seine-Maritime, dans la banlieue sud-est de Rouen, sur la Seine (r. g.); 30 600 hab. Métallurgie.

SOTTIE ou **SOTIE** [sɔti] n. f. (de *sot*). Genre dramatique des XIVe, XVe et XVIe s., qui relève de la satire sociale ou politique.

SOTTISE n. f., **SOTTISIER** n. m. → SOT.

SOU [su] n. m. (lat. *solidus*). **1.** Argent en général (ne s'emploie plus que dans quelques express.) : *Compter ses sous* (= compter son argent). *Être près de ses sous* (= dépenser avec parcimonie). *Être sans le sou, n'avoir pas le sou* (= être totalement dépourvu d'argent). ‖ *Sou à sou, sou par sou,* par toutes petites sommes : *Amasser une fortune sou à sou.* — **2.** *N'avoir pas un sou de, pas pour un sou de,* être complètement dépourvu de : *Il n'a pas pour un sou de bon sens.* ‖ Fam. *S'ennuyer, s'embêter à cent sous de l'heure,* au plus haut degré. (Le *sou* était une pièce de monnaie valant la vingtième partie du franc, ou cinq centimes.) ◆ **sans-le-sou** n. inv. *Fam.* Personne qui n'a pas d'argent.

SOUABE, en all. **Schwaben,** anc. duché d'Allemagne, auj. division administrative, au S.-O. de la Bavière. Capit. *Augsbourg.*
Les Hohenstaufen furent maîtres de la Souabe de 1079 à 1268. Le pays, tombé dans l'anarchie, fut définitivement démantelé par le traité de Westphalie (1648).

SOUABE ET FRANCONIE *(bassin de),* bassin sédimentaire d'Allemagne (englobant le *Jura souabe et franconien*), au N. du Danube, entre la Forêt-Noire et le massif de Bohême, partagé entre la Bavière, le Bade-Wurtemberg et la Hesse.

SOUAHÉLI, E ou **SWAHILI, E** [swaeli ou -ili] adj. et n. m. (de l'ar. *sawāḥil*). Se dit d'une langue bantoue écrite en caractères arabes depuis le XVIe s. et diffusée dans l'Afrique orientale.

SOUBASSEMENT [subasmɑ̃] n. m. (de *bas*). Partie inférieure d'une construction, qui repose elle-même sur la fondation.

SOUBISE (Benjamin DE ROHAN, *seigneur* DE), homme de guerre français (1583-1642). Chef du parti protestant sous Louis XIII, il défendit La Rochelle contre les troupes royales.

Soubise *(hôtel de),* anc. résidence historique, construite en 1709, située dans le Marais, à Paris. Archives nationales.

SOUBRESAUT [subrəso] n. m. (esp. *sobresalto*). **1.** Saut brusque, subit : *Le cheval eut un soubresaut.* — **2.** Mouvement brusque et involontaire du corps : *À ce bruit soudain, il eut un soubresaut* (syn. SURSAUT).

SOUBRETTE [subrɛt] n. f. (prov. *soubreto*). **1.** Servante de comédie. — **2.** *Fam.* Femme de chambre.

SOUCHE [suʃ] n. f. (gaul. *tsukka*). **1.** Partie inférieure du tronc d'un arbre, qui reste dans la terre quand l'arbre a été coupé; cette même partie arrachée avec des racines. ‖ *Être, rester comme une souche,* demeurer dans une immobilité complète. — **2.** Personne qui est à l'origine d'une suite de descendants : *La souche d'une dynastie.* — **3.** Origine, source : *De la souche indo-européenne sont sorties un grand nombre de langues.* — **4.** Partie qui reste des feuilles d'un registre, d'un carnet et qui sert à vérifier l'authenticité de la partie détachée : *Un carnet à souches.*

1. SOUCI [susi] n. m. (bas lat. *solsequia,* tournesol). Plante cultivée pour ses fleurs jaunes ornementales. (Famille des composées.)

2. SOUCI [susi] n. m. (du lat. *sollicitare,* inquiéter). **1.** Préoccupation relative à une personne ou à une chose à laquelle on porte intérêt : *Cette affaire lui donne bien du souci* (syn. TOURMENT). ‖ *Se faire du souci,* s'inquiéter. — **2.** Personne ou chose qui occupe l'esprit au point de l'inquiéter : *Cet enfant est un souci perpétuel pour ses parents.* ◆ **soucier (se)** v. pr. *Se soucier de qq'un, de qqch.,* s'en inquiéter, se mettre en peine à leur sujet : *Il ne se soucie de personne ni de rien* (syn. SE PRÉOCCUPER). ◆ **soucieux, euse** adj. Se dit d'une personne (ou de son attitude) qui a du souci : *Votre ami nous a paru bien soucieux, il doit avoir des ennuis* (syn. INQUIET, PRÉOCCUPÉ). *Un air soucieux* (syn. PENSIF, SONGEUR). ‖ *Soucieux de qqch.,* qui se préoccupe de quelque chose, de faire quelque chose : *Un homme soucieux de sa dignité* (syn. ATTENTIF À). ◆ **insouciance** n. f. Caractère, état de celui qui est insouciant : *L'insouciance de la jeunesse.* ◆ **insouciant, e** adj. et n. Qui ne s'inquiète de rien : *Un enfant insouciant.* ◆ **sans-souci** adj. et n. inv. Qui ne s'inquiète de rien.

SOUCOUPE [sukup] n. f. (it. *sotto-coppa*). **1.** Petite assiette qui se place sous une tasse. — **2.** *Soucoupe volante,* engin de forme généralement circulaire auquel on attribue souvent une origine extra-terrestre.

SOUDAGE n. m. → SOUDER.

SOUDAIN, E [sudɛ̃, -ɛn] adj. (lat. *subitaneus*). Se dit de ce qui se produit, arrive tout à coup : *Une douleur soudaine* (syn. BRUSQUE). *Une mort soudaine* (syn. SUBIT). ◆ **soudain** adv. Dans le même instant, tout à coup : *Il reçut un ordre, et soudain il partit* (syn. AUSSITÔT). ◆ **soudainement** adv. : *Un mal qui apparaît soudainement* (syn. BRUSQUEMENT, SUBITEMENT). ◆ **soudaineté** n. f. Caractère de ce qui est soudain : *La soudaineté de cet événement a surpris tout le monde* (syn. RAPIDITÉ).

SOUDAN *(république du),* État du nord-est de l'Afrique, occupant la région du haut Nil.

SUPERFICIE 2 506 000 km² (France : 550 000 km²).
POPULATION 24 500 000 hab. *(Soudanais);* 10 hab. au km² (France : 103); accroissement annuel de population, 2,5 p. 100.
CAPITALE Khartoum (650 000 hab.).
LANGUE arabe.
ÉCONOMIE consommation d'énergie par hab., 190 kg d'équivalent charbon; 1 automobile pour 500 hab.

GÉOGRAPHIE

Le Soudan s'étend sur un ensemble de plaines et de plateaux drainés par le Nil et ses affluents. Le climat s'assèche progressivement du S. au N., jusqu'à devenir aride dans le désert de Nubie.

TEMPÉRATURES MOYENNES

	janv.	juil.	
Khartoum	23 °C	31 °C	161 mm

La population est constituée par des Noirs dans le Sud et des Arabes dans le Centre et le Nord. La zone la plus peuplée est la région centrale (Gezireh), au confluent du Nil Blanc et du Nil Bleu. L'irrigation y permet la culture du coton, principal produit d'exportation. C'est là que se situent les villes principales, reliées par chemin de fer à Port-Soudan, débouché maritime du pays. Le reste du territoire est le domaine de l'élevage extensif.

coton 220 000 t; ovins 20 100 000 têtes; bovins 20 100 000 têtes.

HISTOIRE

Le Soudan a eu très tôt une civilisation influencée par l'Égypte pharaonique, et qui s'est étendue de la Nubie, au N., vers le S.

- *Début du IIe millénaire av. J.-C. Le royaume noir de Couch commerce avec l'Égypte.*

Conquis par les pharaons du Nouvel Empire, il donnera même une dynastie à l'Égypte, la XXVe (VIIIe-VIIe s.), et est à l'origine du royaume de Napata-Méroé.

- *V. 660 av. J.-C.-v. 350 apr. J.-C. Celui-ci développe une civilisation originale à partir des apports égyptiens.*

Détruit à la suite d'une poussée nomade, il donne naissance à trois royaumes qui adoptent le christianisme (VIe s.).

- *Xe s. Les royaumes nubiens chrétiens sont à leur apogée.*

Mais l'immigration arabe et l'islamisation du Nord entraînent, en 1315, la chute de l'un d'eux, le Dongola. Le dernier royaume chrétien, celui d'Aloa, subsiste isolé jusqu'en 1504, puis devient le royaume musulman du Sennar.

- *1820. Les luttes entre royaumes musulmans favorisent la conquête de la région par l'Égypte de Méhémet Ali.*

Contrôlé au nom de l'Égypte par des aventuriers européens, le Soudan voit se développer la traite des Noirs.

- *1881-1898. La domination anglo-égyptienne est éliminée par un soulèvement politico-religieux islamique, le mahdisme.*

La reconquête par le général anglais Kitchener est suivie de l'instauration d'un condominium anglo-égyptien (1899).

- *1956. L'indépendance du Soudan est proclamée après une longue agitation autonomiste.*

Le nouvel État affronte un soulèvement des populations animistes et chrétiennes du Sud jusqu'à la signature d'un compromis en février 1972.

- *1969. Coup d'État militaire du général Nemeiry.*
- *1983. Reprise de la rébellion du Sud.*
- *1985. Nemeiry est renversé par un coup d'État.*
- *1986. Le pouvoir est remis aux civils.*
- *1989. Les militaires reprennent la direction du pays.*

Depuis la fin des années 80, le pouvoir accentue l'orientation islamiste de sa politique.

SOUDAN FRANÇAIS, nom du MALI avant son indépendance.

SOUDARD [sudar] n. m. (de *solde*). **1.** *Autref.* Soldat de métier. — **2.** *Auj.* Individu grossier et brutal.

SOUDE [sud] n. f. (ar. *suwwād*). **1.** Nom commercial du carbonate de sodium Na_2CO_3. — **2.** *Soude caustique,* hydroxyde de sodium (NaOH), solide blanc très soluble, dont la solution est une base forte ayant de nombreux usages. ◆ **sodé, e** adj. Qui contient de la soude.

SOUDER [sude] v. t. (lat. *solidare,* affermir). Effectuer une soudure : *Souder deux tuyaux.* ◆ ***être soudé*** v. passif. Être uni, lié étroitement : *Ils étaient soudés autour de leur chef.* ◆ **soudage** n. m. Opération qui consiste à faire une soudure. ◆ **soudure** n. f. **1.** *Technol.* Mode d'assemblage permanent de deux pièces métalliques ou de certains produits synthétiques, sous l'action de la chaleur, au moyen d'un alliage à faible point de fusion : *Faire une soudure.* ‖ *Soudure autogène,* soudure de deux pièces d'un même métal, sans apport de métal étranger, par fusion partielle des deux pièces au moyen d'un chalumeau. ‖ *Soudure à l'arc,* soudure par fusion du métal au moyen de l'arc électrique. — **2.** Endroit soudé : *Le tuyau est crevé à la soudure.* — **3.** Alliage fusible à basse température, utilisé pour réaliser l'assemblage de deux métaux. — **4.** *Assurer, faire la soudure,* satisfaire aux besoins des consommateurs ou d'une entreprise à la fin d'une période comprise entre deux récoltes, entre deux rentrées financières, etc. ◆ **soudeur** n. m. Ouvrier qui soude. ◆ **dessouder** v. t. Séparer ce qui était soudé : *Le choc a dessoudé la pièce.* ◆ **ressouder** v. t.

SOUDOYER [sudwaje] v. t. (de l'anc. fr. *sold,* sou). *Péjor.* S'assurer à prix d'argent le concours d'individus sans scrupule : *Soudoyer des faux témoins.*

SOUDURE n. f. → SOUDER.

1. SOUFFLER [sufle] v. i. (lat. *sufflare*). **1.** (sujet nom désignant le vent) Agiter, déplacer l'air : *Le mistral souffle en rafales.* ‖ *Observer de quel côté souffle le vent,* observer quelle direction vont prendre les événements. — **2.** (sujet nom d'être animé) Envoyer de l'air par la bouche : *Souffler sur une bougie pour l'éteindre.* — **3.** Respirer avec peine : *Il ne peut monter quelques marches sans souffler* (syn. HALETER). — **4.** *Laisser souffler une personne, un animal,* les laisser reprendre haleine : *Laissez-nous le temps de souffler.* ◆ v. t. **1.** *Souffler qqch.,* diriger, envoyer de l'air dessus pour activer sa combustion : *Souffler le feu;* pour l'éteindre : *Souffler une bougie.* — **2.** Envoyer, chasser au moyen du souffle : *Souffler de la fumée au nez.* — **3.** Détruire par l'effet du souffle : *La maison a été soufflée par l'explosion.* ◆ **souffle** n. m. **1.** Agitation de l'air dans l'atmosphère : *Il n'y a pas un souffle de vent.* — **2.** Air chassé du poumon et passant par la bouche; le fait de rejeter cet air : *Retenir son souffle* (syn. RESPIRATION). ‖ *Avoir du souffle,* avoir une respiration régulière qui permet de courir ou de parler longtemps. ‖ *Être à bout de souffle,* ne pas pouvoir poursuivre un effort; être incapable d'achever un ouvrage. ‖ Fam. *Couper le souffle, en avoir le souffle coupé,* étonner vivement, être étonné au point d'en perdre la respiration ‖ *Trouver, retrouver un (son) second souffle,* retrouver son dynamisme en parlant d'une chose abstraite, d'une collectivité. ‖ *Souffle créateur,* force par laquelle Dieu a animé les êtres vivants; inspiration de l'écrivain, de l'artiste, du savant. — **3.** Déplacement d'air extrêmement brutal, produit par une explosion : *Le souffle d'une bombe.* — **4.** *Méd.* Bruit anormal produit par un organe malade et perceptible à l'auscultation : *Un souffle cardiaque.* ◆ **soufflé, e** adj. **1.** *Avoir la figure soufflée* (= bouffie). — **2.** *Omelette soufflée,* omelette légère, obtenue en battant séparément les blancs d'œufs en neige. ◆ n. m. Se dit d'un plat auquel l'addition de blancs d'œufs donne à la cuisson une augmentation de volume caractéristique. ◆ **soufflerie** n. f. **1.** Machine destinée à produire le vent nécessaire à la marche d'une installation métallurgique, à l'aération d'une mine, etc. ‖ *Soufflerie aérodynamique,* installation permettant l'étude de maquettes ou de prototypes d'avions dans un courant d'air à très grande vitesse. — **2.** Ensemble des soufflets d'un orgue, d'une forge, etc. ◆ **soufflet** n. m. **1.** Instrument servant à souffler (sens 1 du v. t.) : *Un soufflet de forge.* — **2.** Couloir flexible de communication entre deux voitures de chemin de fer.

2. SOUFFLER [sufle] v. t. (même étym.). *Souffler le verre,* donner une forme à un objet en verre en envoyant de l'air sur le verre amolli par la chaleur, à l'aide d'une tige. ◆ **soufflage** n. m. : *Le soufflage du verre.* ◆ **souffleur** n. m. Ouvrier façonnant le verre à chaud pour lui donner sa forme définitive.

3. SOUFFLER [sufle] v. t. et i. (même étym.). **1.** Fam. *Souffler une chose à qq'un,* la lui enlever : *Souffler un pion, une dame à un adversaire* (= les lui enlever quand il ne s'en est pas servi pour prendre); et intransitiv. : *Souffler n'est pas jouer* (= le fait de souffler ne compte pas pour un coup). — **2.** Étonner profondément : *Tous ses amis ont été soufflés en apprenant son divorce.* ◆ **soufflé, e** adj. Fam. *Rester soufflé,* se dit d'une personne qui est étonnée au point d'en perdre le souffle.

4. SOUFFLER [sufle] v. t. (même étym.). *Souffler une leçon, un rôle à qq'un,* lui dire tout bas les mots qui échappent à sa mémoire. ‖ *Ne pas souffler mot,* ne rien dire. ◆ **souffleur** n. m. *Théâtre.* Celui qui est chargé de souffler leur rôle aux acteurs.

1. SOUFFLET n. m. → SOUFFLER 1.

2. SOUFFLET [suflɛ] n. m. (de *souffler*). Coup du plat ou du revers de la main appliqué sur la joue (littér.) [syn. CLAQUE, GIFLE]. ◆ **souffleter** v. t. (Conj. **8.**) Donner un soufflet à quelqu'un (syn. GIFLER).

SOUFFLEUR n. m. → SOUFFLER 2 et 4.

SOUFFLOT (Germain), architecte français (1713-1780). Représentant du classicisme sous le règne de Louis XVI, il accomplit de nombreux travaux à Lyon (théâtre, hôtel-Dieu) et à Paris, où il entreprit la construction de Sainte-Geneviève (le Panthéon).

1. SOUFFRANCE n. f. → SOUFFRIR 1.

2. SOUFFRANCE [sufrɑ̃s] n. f. (de *souffrir*). *Laisser une affaire en souffrance,* la laisser en suspens. ‖ *Colis en souffrance,* colis qui n'a pas été retiré ou réclamé par le destinataire.

1. SOUFFRIR [sufrir] v. t. (lat. *sufferre*). [Conj. **16.**] **1.** (sujet nom de personne) Supporter quelque chose de pénible : *Souffrir la torture sans se plaindre* (syn. ENDURER, SUBIR). ‖ *Souffrir le martyre* (littér.), éprouver de grandes douleurs. ◆ v. i. **1.** (sujet nom de personne) Éprouver une douleur physique ou morale : *Ses rhumatismes le font beaucoup souffrir.* — **2.** (sujet nom de chose) Éprouver un dommage : *Il a fait froid cet hiver et les arbres ont beaucoup* *souffert.* — **3.** (sujet nom de personne ou de chose) *Souffrir de* (et un compl. indiquant l'origine ou la cause) : *Souffrir des dents, de la gorge* (= avoir mal aux dents, à la gorge). *Cette ville a souffert des bombardements* (= a été endommagée); [et un infin.] *Il souffre d'être incompris* (= il en éprouve du chagrin). ◆ **souffrance** n. f. Douleur physique ou morale. ◆ **souffrant, e** adj. **1.** Qui est plus ou moins gravement malade. — **2.** Qui marque la souffrance : *Un air souffrant.* ◆ **souffre-douleur** n. m. inv. Personne en butte aux mauvais traitements, aux tracasseries des autres. ◆ **souffreteux, euse** adj. Se dit d'une personne qui est habituellement souffrante, de santé délicate : *Un enfant souffreteux* (syn. CHÉTIF, MALINGRE).

2. SOUFFRIR [sufrir] v. t. (même étym.). [Conj. **16.**] **1.** *Ne pas pouvoir souffrir une personne, une chose,* avoir pour elle de l'antipathie, de l'aversion, de la répulsion : *Il ne peut pas souffrir ses voisins* (syn. fam. SENTIR). *Il ne peut souffrir le mensonge* (syn. SUPPORTER). — **2.** *Souffrir que* (et le subj.) [littér.], permettre, consentir : *Souffrez que je vous fasse une remarque.* — **3.** (sujet nom de chose) Admettre, être susceptible de : *Cette affaire ne peut souffrir de retard.* ◆ ***se souffrir*** v. pr. Se supporter mutuellement : *Ces deux collègues ne peuvent se souffrir.*

SOUFRE [sufr] n. m. (lat. *sulphur*). Métalloïde solide (S), d'une couleur jaune citron, inodore et insipide. ‖ *Fleur de soufre,* soufre en poudre. → ENCYCL. ◆ **soufrer** v. t. Enduire de soufre.
— ENCYCL. Le *soufre,* de densité 1,95, fond vers 115 °C et bout à 444,6 °C. Insoluble dans l'eau, il est soluble dans le benzène et le sulfure de carbone. Mauvais conducteur de la chaleur et de l'électricité, il brûle dans l'air en donnant du dioxyde de soufre (SO_2) ou gaz sulfureux, d'odeur suffocante. Le soufre est très répandu dans la nature, sous forme de sulfure ou de sulfate, et même à l'état natif au voisinage des anciens volcans; en France, on l'extrait du gaz de Lacq.

SOUFRIÈRE (la), volcan actif de la Guadeloupe, portant le point culminant de l'île; 1 467 m.

SOUHAITER [swɛte] v. t. (du lat. *subtus,* sous, et frq. *haitan,* promettre). **1.** Désirer pour autrui ou pour soi la possession, l'accomplissement d'une chose : *Je souhaiterais pouvoir vous rendre service.* — **2.** S'emploie dans des formules de politesse lorsqu'on fait des vœux pour quelqu'un : *Souhaiter bon voyage.* ◆ **souhait** n. m. Désir que quelque chose s'accomplisse : *Formuler des souhaits de bonheur.* ‖ Fam. *À vos souhaits!,* se dit à une personne qui éternue. — LOC. ADV. *À souhait,* comme on le souhaite, autant qu'on le désire : *Avoir tout à souhait.* ◆ **souhaitable** adj. Qui peut être souhaité : *Il a toutes les qualités souhaitables* (syn. DÉSIRABLE).

SOUILLAC, ch.-l. de cant. du Lot, à 29 km à l'E. de Sarlat, près de la Dordogne; 4 050 hab. L'église Sainte-Marie (XIIe s.), couverte de coupoles, possède de remarquables sculptures romanes.

SOUILLER [suje] v. t. (du lat. *suculus,* porcelet). **1.** *Souiller qqch.,* le couvrir de boue, d'ordure, de saleté (littér.) : *Souiller ses vêtements* (syn. plus usuel SALIR). — **2.** Flétrir par quelque chose de déshonnête : *Souiller la mémoire de qq'un* (syn. DÉSHONORER, ENTACHER). ◆ **souillure** n. f. Tache morale : *Se garder pur de toute souillure* (syn. CORRUPTION).

SOUILLON [sujɔ̃] n. (de *souiller*). *Fam.* Femme, fille malpropre, sale.

SOUILLURE n. f. → SOUILLER.

SOUK [suk] n. m. (mot ar.). Marché, dans les pays arabes; endroit où se tient ce marché.

SOUKHOUMI, v. de l'U. R. S. S. (Géorgie), capit. de la république autonome d'Abkhazie, sur la mer Noire; 120 000 hab.

SOÛL, E [su, sul] adj. (bas lat. *satullus,* rassasié). **1.** Se dit d'une personne qui est ivre. — **2.** *Être soûl de qqch.,* en être repu ou grisé : *Être soûl de paroles.* (On écrit aussi SAOUL, E.) ◆ **soûl** n. m. (avec un adj. poss.). *Tout mon, ton, son, leur soûl,* autant qu'on veut : *Dormir tout son soûl* (syn. TOUT MON [TON...] CONTENT). ◆ **soûler** v. t. **1.** Pop. *Soûler qq'un,* le faire trop boire. — **2.** Pop. *Soûler qq'un,* l'importuner par du bavardage, du bruit, de l'agitation. (On écrit aussi SAOULER.) ◆ ***se soûler*** v. pr. *Fam.* S'enivrer. ◆ **soûlant, e** adj. *Pop.* Qui donne une impression d'enivrement à force de paroles, de bruit, d'agitation : *Un bavardage soûlant.* ◆ **soûlaud, e** ou **soûlot, e** n. Ivrogne. ◆ **dessoûler** ou **dessouler** v. t. Fam. *Dessoûler qq'un,* faire cesser son ivresse : *Le grand air l'a dessoûlé.* ◆ v. i. *Fam.* Cesser d'être ivre (surtout à la forme négative) : *Depuis hier, il n'a pas dessoûlé.*

SOULAGER [sulaʒe] v. t. (du lat. *solacium,* consolation). **1.** *Soulager un être animé,* le débarrasser d'un fardeau : *Soulager un porteur trop chargé.* — **2.** *Soulager une poutre, une planche,* diminuer la charge qui pèse dessus. — **3.** Diminuer une souffrance physique ou morale : *Soulager une douleur* (syn. APAISER, CALMER). *Cela soulage de pleurer quand on a de la peine* (syn. APAISER). ◆ ***se soulager*** v. pr. *Très fam.* Satisfaire un besoin naturel (syn. URINER). ◆ **soulagement** n. m. : *Procurer un soulagement* (syn. ADOUCISSEMENT). *Éprouver du soulagement* (syn. APAISEMENT; contr. EXCITATION).

SOÛLANT, E adj., **SOÛLAUD, E** ou **SOÛLOT, E** n., **SOÛLER** v. t. → SOÛL.

1. SOULEVER [sulve] v. t. (de *sous,* et *lever*). *Soulever un être animé, une chose,* les lever à une faible hauteur : *Ce bureau est si lourd qu'on ne peut le soulever.* ◆ ***se soulever*** v. pr. Se lever, se déplacer légèrement : *Il est si faible qu'il ne peut se soulever de sa chaise.* ◆ **soulèvement** n. m. Mouvement de ce qui se soulève : *Le soulèvement des flots.*

2. SOULEVER [sulve] v. t. (de *soulever* 1). **1.** Provoquer la colère, l'indignation de : *Sa déloyauté a soulevé tout le monde contre lui.* — **2.** Pousser à la révolte, à la rébellion : *Soulever le peuple.* — **3.** Exciter fortement : *Soulever l'enthousiasme, l'indignation* (syn. PROVOQUER). *Soulever des applaudissements, des protestations* (syn. DÉCLENCHER). *Soulever des difficultés* (= les susciter). — **4.** *Soulever une question, un problème, un débat,* les faire naître, en provoquer la discussion. ◆ ***se soulever*** v. pr. Se révolter : *Une province qui se soulève.* ◆ **soulèvement** n. m. Mouvement de révolte collective : *Réprimer un soulèvement* (syn. INSURRECTION).

3. SOULEVER [sulve] v. t. (même étym.). *Soulever le cœur,* donner envie de vomir, causer un profond dégoût. ◆ **soulèvement** n. m. *Soulèvement de cœur,* mal au cœur (syn. NAUSÉE).

SOULIER [sulje] n. m. (du bas lat. *subtel,* creux sous la plante du pied). **1.** Chaussure à semelle rigide, qui couvre le pied. — **2.** Fam. *Être dans ses petits souliers,* être dans une situation embarrassante.

Soulier de satin *(le),* pièce de P. Claudel (1929).

SOULIGNER [suliɲe] v. t. (de *sous,* et *ligne*). **1.** *Souligner un mot, une phrase,* tirer un trait, une ligne en dessous. — **2.** *Souligner qqch.,* le faire ressortir, le mettre en valeur : *Cette jupe vous souligne la taille* (syn. ACCENTUER). — **3.** *Souligner qqch.,* attirer l'attention dessus en insistant : *Souligner l'importance d'une découverte* (syn. FAIRE REMARQUER). ◆ **soulignage** ou **soulignement** n. m. (sens 1 du v.) : *Le soulignage d'un texte au crayon.*

SOULOU → SULU.

SOULOUQUE (Faustin) [1782-1867], empereur d'Haïti (1849-1859), sous le nom de FAUSTIN Ier. Son despotisme provoqua sa chute.

SOULT (Nicolas), duc DE DALMATIE, maréchal de France (1769-1851); il s'illustre à Austerlitz, en Espagne et à la bataille de Toulouse qui freine la marche victorieuse de Wellington (1814). Rallié à Louis XVIII, il se range cependant aux côtés de Napoléon durant les Cent-Jours. Pendant la monarchie de Juillet, il est ministre de la Guerre (1830-1832) et plusieurs fois Premier ministre.

SOUMETTRE [sumɛtr] v. t. (lat. *submittere*). [Conj. **57.**] **1.** Mettre dans un état de dépendance, ramener à l'obéissance : *Soumettre des rebelles* (syn. ASSUJETTIR, DOMPTER). — **2.** Astreindre à une loi, à un règlement (surtout au passif) : *Un revenu soumis à l'impôt.* — **3.** *Soumettre qqch. à une personne, à un groupe de personnes,* le présenter à son examen, à sa critique : *Soumettre un problème à un spécialiste* (syn. PROPOSER). — **4.** *Soumettre un produit à une analyse,* le faire analyser pour en connaître les éléments. — **5.** *Soumettre qq'un à un traitement, à une épreuve,* lui faire subir un traitement, une épreuve. ◆ ***se soumettre*** v. pr. **1.** Abandonner la lutte : *Après une courte résistance, les insurgés se sont soumis.* — **2.** Se conduire conformément à : *Se soumettre à un arbitrage, à des formalités* (= y consentir, s'y plier). ◆ **soumis, e** adj. Se dit de quelqu'un (ou de son attitude) qui est obéissant : *Un fils respectueux et soumis* (syn. DOCILE; contr. INDISCIPLINÉ, RÉCALCITRANT). *Un air soumis* (contr. DOMINATEUR). ◆ **soumission** n. f. **1.** Action de se soumettre : *Les rebelles ont fait leur soumission.* — **2.** Disposition à obéir : *Une soumission aveugle à un parti* (syn. DOCILITÉ, OBÉISSANCE). ◆ **insoumis, e** adj. et n. : *Un soldat insoumis* (= qui refuse de satisfaire à ses obligations militaires). ◆ **insoumission** n. f. **1.** Fait de ne pas se soumettre. — **2.** Manque de soumission. — **3.** Situation de celui qui ne répond pas à une convocation régulière de l'autorité militaire.

SOUNGARI (le), riv. de la Chine du Nord-Est, affl. de l'Amour (r. dr.); 1 800 km.

SOUNION ou **COLONNE** *(cap),* promontoire de l'extrémité sud-est de l'Attique (Grèce). Ruines monumentales du temple de Poséidon.

SOUPAPE [supap] n. f. (de *sous,* et *pape,* mâchoire). Obturateur sous tension utilisé pour régler le mouvement d'un fluide. ‖ *Soupape de sûreté,* soupape qui, disposée sur un récipient contenant un fluide sous forte pression, s'ouvre d'elle-même lorsque cette pression dépasse une certaine valeur et prévient ainsi les risques d'explosion.

SOUPÇONNER [supsɔne] v. t. (du lat. *suspicere*, regarder). **1.** *Soupçonner qq'un de* (et un nom ou l'infin.), lui attribuer, d'après certaines apparences, des actes ou des pensées plus ou moins condamnables : *Soupçonner quelqu'un de mensonge* (syn. SUSPECTER). — **2.** *Soupçonner qqch., soupçonner que* (et l'indic. ou le subj.), présumer l'existence, la présence de quelque chose : *Soupçonner un piège.* ◆ **soupçon** n. m. **1.** Opinion désavantageuse formée sur une personne, mais sans certitude : *Un soupçon mal fondé. Les soupçons se sont portés sur lui* (= il est suspect). *Une conduite exempte de tout soupçon* (syn. SUSPICION). — **2.** Très petite quantité d'une chose : *Une tasse de thé avec un soupçon de lait* (= un nuage). ◆ **soupçonnable** adj. Qui peut être soupçonné : *Sa conduite n'est pas soupçonnable* (contr. INSOUPÇONNABLE). ◆ **soupçonneux, euse** adj. Se dit d'une personne (ou de son comportement) qui soupçonne facilement : *Un homme soupçonneux* (syn. DÉFIANT, MÉFIANT). ◆ **insoupçonnable** adj. Qui ne peut être soupçonné : *Un homme insoupçonnable.* ◆ **insoupçonné, e** adj. Qui n'est pas soupçonné : *Un trésor d'une valeur insoupçonnée.*

SOUPE [sup] n. f. (frq. *suppa*). **1.** Aliment composé de bouillon et de tranches de pain. — **2.** Potage aux légumes. — **3.** Fam. *À la soupe*, à table. ‖ Fam. *Être soupe au lait*, être sujet à de brusques colères. ◆ **soupière** n. f. Récipient creux et large, dans lequel on sert la soupe, le potage.

SOUPENTE [supɑ̃t] n. f. (du lat. *suspendere*, suspendre). Réduit aménagé dans la partie haute d'une pièce, sous un escalier.

SOUPER [supe] n. m. (de *soupe*). Repas que l'on prend dans la nuit, à la sortie d'un spectacle, d'une soirée. ◆ **souper** v. i. **1.** Prendre un souper : *Aller souper au sortir du théâtre.* — **2.** Fam. *Avoir soupé d'une chose*, en avoir assez, en être excédé.

SOUPESER [supəze] v. t. (de *sous*, et *peser*). *Soupeser un être animé, une chose*, les soulever avec la main pour juger de leur poids.

SOUPIÈRE n. f. → SOUPE.

SOUPIR n. m. → SOUPIRER 1.

SOUPIRAIL, AUX [supiraj, -ro] n. m. (de *soupirer*). Ouverture pratiquée à la partie inférieure d'un bâtiment pour donner de l'air et de la lumière aux caves et aux sous-sols.

1. SOUPIRER [supire] v. i. (lat. *suspirare*). Pousser des soupirs. ◆ **soupir** n. m. **1.** Respiration forte et prolongée, occasionnée par un état généralement pénible : *Un soupir de soulagement.* — **2.** *Rendre le dernier soupir*, mourir (syn. EXPIRER). — **3.** *Mus.* Figure de silence qui correspond à une noire.

2. SOUPIRER [supire] v. t. ind. (de *soupirer* 1). **1.** *Soupirer pour une femme*, en être amoureux (littér.). — **2.** *Soupirer après qqch.*, le désirer ardemment. ◆ **soupirant** n. m. Celui qui est amoureux d'une femme, qui lui fait la cour.

SOUPLE [supl] adj. (lat. *supplex*, qui plie les genoux pour implorer). **1.** Se dit d'une chose qui se plie aisément : *Une tige souple* (syn. FLEXIBLE). *Un cuir souple.* — **2.** Se dit d'une personne dont les membres ont une grande facilité à se mouvoir, à se plier : *Souple comme un chat* (syn. AGILE). — **3.** Se dit d'une personne accommodante, qui s'adapte aisément aux volontés d'autrui, aux circonstances : *Avoir un caractère souple* (syn. DOCILE). ◆ **souplesse** n. f. **1.** *La souplesse du jonc* (syn. FLEXIBILITÉ). *La souplesse d'un acrobate* (syn. AGILITÉ). *La souplesse d'un diplomate* (syn. HABILETÉ). — **2.** Fam. *En souplesse*, avec aisance : *Sauter en souplesse.* ◆ **assouplir** v. t. **1.** Rendre plus souple, moins rigide : *Assouplir ses articulations en faisant de la gymnastique.* — **2.** Rendre moins dur, moins sévère : *Assouplir un règlement* (syn. ATTÉNUER; contr. DURCIR). ◆ ***s'assouplir*** v. pr. Devenir souple. ◆ **assouplissement** n. m. : *Les exercices d'assouplissement détendent les muscles. Un assouplissement du règlement intérieur dans les lycées* (syn. ADOUCISSEMENT; contr. DURCISSEMENT).

SOURATE n. f. → SURATE.

SOURCE [surs] n. f. (de *sourdre*). **1.** Eau qui sort de terre; endroit d'où elle sort : *Eau de source* (= qui vient d'une source). — **2.** Principe, origine d'une chose : *Cet événement est la source de tous nos maux* (syn. CAUSE, POINT DE DÉPART). — **3.** Origine d'une information, d'un renseignement : *Tenir une nouvelle de bonne source* (= de personnes bien informées). — **4.** (au plur.) Documents, textes originaux auxquels on se réfère (en littérature, en histoire, etc.) : *Cet historien a utilisé toutes les sources.* — **5.** *Couler de source*, se produire d'une manière aisée, naturelle. ‖ *Remonter à la source, aux sources*, suivre une enquête, diriger des recherches, de manière à retrouver l'origine d'une affaire. ‖ *Source d'énergie, de chaleur, de lumière*, système naturel ou artificiel qui fournit de l'énergie, de la chaleur, de la lumière. ◆ **sourcier, ère** n. Personne qui possède ou prétend posséder le talent de découvrir les sources à l'aide d'une baguette ou d'un pendule.

SOURCIL [sursi] n. m. (lat. *supercilium*). **1.** Saillie arquée, revêtue de poils, qui s'étend au-dessus de l'orbite de l'œil : *S'épiler les sourcils.* — **2.** *Froncer les sourcils*, témoigner du mécontentement ou de la mauvaise humeur. ◆ **sourcilière** [sursiljɛr] adj. f. *Arcade sourcilière*, saillie arquée que présente l'os frontal au-dessus des orbites.

SOURCILLER [sursije] v. i. (de *sourcil*) [s'emploie négativement]. *Ne pas sourciller, sans sourciller*, demeurer impassible dans une circonstance critique, ne pas laisser paraître sur son visage la plus légère émotion : *Il a écouté sans sourciller la décision des juges.*

1. SOURD, E [sur, surd] adj. et n. (lat. *surdus*). **1.** Se dit d'une personne qui ne perçoit pas ou perçoit difficilement les sons : *Être sourd comme un pot* (fam.) [= être extrêmement sourd]. — **2.** *Crier, frapper comme un sourd*, de toutes ses forces. ‖ *Être sourd à qqch.*, ne pas vouloir l'entendre : *Être sourd aux prières de qq'un* ‖ *Faire la sourde oreille*, faire semblant de ne pas entendre. ◆ **surdité** n. f. : *Être atteint d'une surdité totale.* ◆ **sourd-muet** adj. et n. m., **sourde-muette** adj. et n. f. Personne privée de l'ouïe et de la parole : *Le langage des sourds-muets.* ◆ **surdimutité** n. f. État d'une personne sourde-muette. ◆ **assourdir** v. t. *Assourdir qq'un*, le faire devenir comme sourd en le fatiguant par l'excès de bruit (syn. ↑ABASOURDIR). ◆ **assourdissant, e** adj. : *Le bruit assourdissant de la rue.* ◆ **assourdissement** n. m. : *Mon assourdissement a duré plusieurs heures après le voyage en avion.*

2. SOURD, E [sur, surd] adj. (même étym.). Se dit d'une chose peu sonore, dont le son est étouffé : *Un bruit sourd* (contr. ÉCLATANT, RETENTISSANT). ◆ adj. et n. f. En phonétique, se dit d'une consonne dont le son ne comporte pas de vibrations des cordes vocales : *Les consonnes* k, t, p *sont des sourdes* (contr. SONORE). ◆ **sourdement** adv. : *Le tonnerre grondait sourdement.* ◆ **assourdir** v. t. *Assourdir qqch.*, le rendre moins sonore : *La moquette assourdit le bruit des pas* (syn. AMORTIR; contr. AMPLIFIER). ◆ ***s'assourdir*** v. pr. Devenir indistinct : *Le bruit des voitures s'assourdissait* (syn. S'ATTÉNUER). ◆ **assourdissement** n. m. : *L'assourdissement des pas.*

3. SOURD, E [sur, surd] adj. (même étym.). **1.** Qui ne se manifeste pas nettement : *Une douleur sourde* (contr. AIGU). — **2.** Qui se fait secrètement : *De sourdes machinations* (syn. CACHÉ, CLANDESTIN, SECRET). ◆ **sourdement** adv. : *Intriguer sourdement* (syn. SECRÈTEMENT).

SOURDINE [surdin] n. f. (it. *sordina*). **1.** Petit appareil qui s'adapte à certains instruments de musique afin d'en assourdir la sonorité. — **2.** Fam. *Mettre une sourdine à qqch.*, le modérer, l'atténuer : *Mettre une sourdine à son enthousiasme.* — LOC. ADV. *En sourdine*, sans bruit : *Protester en sourdine;* secrètement : *Négocier une affaire en sourdine.*

SOURD-MUET, SOURDE-MUETTE adj. et n. → SOURD 1.

SOURDRE [surdr] v. i. (lat. *surgere*, jaillir). [Conj. **84.**] **1.** (sujet nom désignant l'eau) Sortir de terre (syn. JAILLIR). — **2.** (sujet nom abstrait) Se manifester, s'élever (littér.) : *Le mécontentement sourd lentement* (syn. SURGIR).

SOURIANT, E adj. → SOURIRE.

SOURICEAU n. m., **SOURICIÈRE** n. f. → SOURIS.

SOURIRE [surir] v. i. (lat. *subridere*). [Conj. **67.**] Rire sans éclat, et seulement par un léger mouvement de la bouche et des yeux : *Sourire malicieusement.* ◆ v. t. ind. **1.** (sujet nom de personne) *Sourire à qq'un*, lui témoigner par un sourire de l'affection, de la sympathie. — **2.** (sujet nom de chose) *Sourire à qq'un*, lui être agréable, favorable : *Ce projet ne lui sourit guère* (syn. PLAIRE). *La chance me sourit enfin.* ◆ n. m. **1.** Action de sourire. — **2.** Fam. *Avoir le sourire*, laisser paraître sa satisfaction, être content de ce qui est arrivé. ◆ **souriant, e** adj. Se dit de quelqu'un (ou de son attitude) qui sourit : *Un visage souriant* (syn. GAI).

1. SOURIS [suri] n. f. (lat. *sorex, -icis*). **1.** Rongeur de petite taille, vivant souvent au voisinage de l'homme. (Très prolifique, elle cause d'importants dégâts dans les maisons.) — **2.** *Jouer au chat et à la souris*, se dit de deux personnes dont l'une cherche vainement à joindre l'autre. ◆ **souriceau** n. m. Petit d'une souris. ◆ **souricière** n. f. **1.** Piège pour prendre des souris. — **2.** Piège tendu par la police qui poste des policiers à l'endroit où elle sait que des malfaiteurs doivent se rendre.

2. SOURIS [suri] n. f. (même étym.). Muscle charnu qui tient à l'os du gigot, près de la jointure (terme de boucherie).

SOURNOIS, E [surnwa, -az] adj. et n. (de l'anc. prov. *sorn*, sombre). Se dit d'une personne (ou de son attitude) qui agit en dessous : *Un enfant sournois* (syn. DISSIMULÉ). *Un air sournois* (contr. FRANC). ◆ **sournoisement** adv. : *Attaquer quelqu'un sournoisement* (syn. INSIDIEUSEMENT). ◆ **sournoiserie** n. f. : *Un enfant d'une sournoiserie inquiétante* (syn. DISSIMULATION).

1. SOUS [su], **SUR** [syr] prép. (lat. *subtus*, dessous; lat. *super*). Indiquent une situation inférieure ou supérieure à une autre. → tableau page ci-contre.

sous	sur
1. Indique la position par rapport à ce qui est plus haut ou à ce qui enveloppe, qu'il y ait contact ou non : *Mettre un oreiller sous sa tête. Porter un paquet sous son bras. S'asseoir sous un arbre. Passer sous la fenêtre de qq'un. Mettre une lettre sous enveloppe. À cent mètres sous terre. Avoir quelque chose sous la main* (= à sa portée). *Être sous clef* (= dans un endroit fermé à clef).	1. Indique la position par rapport à ce qui est plus bas, par rapport à un objet considéré comme une surface, qu'il y ait contact ou non : *Porter un fardeau sur son dos. Monter sur une bicyclette. Un oiseau perché sur un arbre. S'appuyer sur un bâton. S'asseoir sur une chaise. Appuyer, presser sur un bouton. Avoir de l'argent sur soi* (= dans sa poche). *La clef est sur la porte. Un appartement qui donne sur la rue.*
2.	2. Indique la direction par rapport à un point : *Tourner sur la droite. Se précipiter sur qq'un. Diriger, fixer, tourner son regard sur une personne. Tirer sur du gibier. Revenir sur ses pas. Fermer la porte sur soi* (syn. DERRIÈRE).
3. Indique le temps («dans le temps de») : *Cela se passait sous Louis XIV, sous la IVe République. Il reviendra sous peu, sous peu de temps, sous huitaine, sous quinzaine.*	3. Indique le temps (proximité, approximation temporelle) : *Être sur son départ. Il est parti sur les onze heures du soir* (syn. VERS). Loc. **sur ce,** cela étant dit ou fait : *Sur ce, nous vous quittons.* ‖ **Sur-le-champ** → à son ordre alphab. ‖ **Sur l'heure,** à l'instant même : *La décision fut prise sur l'heure* (syn. AUSSITÔT, IMMÉDIATEMENT, SUR-LE-CHAMP).
4. Indique la cause («sous l'action de», «sous l'influence de») : *Une branche qui plie sous le poids des fruits. Être sous le coup d'une émotion. Être né sous une mauvaise étoile.*	4. Indique la cause («en se fondant sur quelqu'un» [ou sur son comportement] ou «sur quelque chose») : *Juger les gens sur la mine, sur les apparences* (syn. D'APRÈS). *Croire quelqu'un sur parole. Prêter sur gages.*
5. Indique le moyen : *Écrire sous un faux nom. Passer une chose sous silence* (= ne pas en parler). *Défense d'afficher, sous peine d'amende. Confier quelque chose sous le sceau du secret.*	5. Indique le moyen : *Jurer sur l'Évangile. Affirmer sur son honneur.*
6. Indique la manière : *Sous ce rapport, il vous est inférieur. Regarder un objet sous toutes ses faces.*	6. Indique la manière, l'état : *Il n'aime pas qu'on le prenne sur ce ton. Prendre exemple, modèle sur quelqu'un. Un vêtement sur mesure. Rester sur la défensive. Être sur ses gardes.*
7.	7. Indique la matière, le sujet : *Réfléchir sur un problème. Questionner qq'un sur ses projets. S'expliquer sur qqch. Apprendre qqch. sur qq'un. Un cours sur la tragédie au XVIIe s.*
8.	8. Indique le nombre (rapport de proportion), la répétition : *Sur deux cents candidats, cent vingt ont été reçus. Il a quatre-vingt-dix chances sur cent de réussir. Un terrain de cent mètres de long sur cinquante de large. Faire bêtise sur bêtise.*
9. Indique la subordination, la dépendance d'une personne : *Avoir des hommes sous ses ordres. Se mettre sous la protection d'une personne.*	9. Indique la supériorité, l'influence d'une personne ou d'une chose : *L'emporter sur qq'un. Elle ne peut rien sur lui. Le climat influe sur la santé.*

2. SOUS-, préf. (contr. de SUR) indiquant : **1.** Celui qui est placé hiérarchiquement après un autre, qui occupe un poste inférieur à un autre (ce dernier est indiqué par le mot de base) : *Sous-brigadier, sous-directeur, sous-lieutenant, sous-préfet.* (Cet emploi est très développé dans le vocabulaire des métiers, avec des noms.) — **2.** Ce qui est insuffisant : *Sous-alimenté, sous-développé.* (Cet emploi est développé surtout dans le vocabulaire économique et technique, avec des noms, des verbes, des participes.) — **3.** Ce qui est placé en dessous d'une autre chose : *Sous-verre, sous-vêtement.* — **4.** Ce qui est à un deuxième degré par rapport à une autre chose (subdivision) : *Sous-genre.* (*Rem.* Les noms composés avec *sous* sont variables en nombre, les adjectifs en genre et en nombre.)

SOUS-ALIMENTATION n. f., **SOUS-ALIMENTER** v. t. → ALIMENT.

SOUS-BOIS [subwa] n. m. *(sous-,* et *bois).* Végétation qui pousse sous les arbres d'une forêt.

SOUS-BRIGADIER n. m. → BRIGADE. / **SOUS-CHEF** n. m. → CHEF 1.

SOUSCRIRE [suskrir] v. t. ind. (du lat. *sub,* sous, et *scribere,* écrire). [Conj. **71.**] **1.** *Souscrire à une entreprise, à un emprunt,* etc., s'engager à fournir une certaine somme pour la mener à bien, pour le couvrir : *Souscrire à la construction d'une église. Souscrire à une publication* (= prendre l'engagement d'acheter, moyennant un prix convenu, un ouvrage qui doit être publié). — **2.** *Souscrire à qqch.,* y donner son adhésion : *Je souscris à votre proposition* (syn. APPROUVER, CONSENTIR). ◆ **souscripteur** n. m. : *Publier la liste des souscripteurs.* ◆ **souscription** n. f. **1.** Engagement pris de fournir une somme pour contribuer à une dépense, à une entreprise : *Ouvrir une souscription.* — **2.** Somme fournie par les souscripteurs : *Les souscriptions sont reçues jusqu'au 31 décembre.*

SOUS-CUTANÉ, E adj. → CUTANÉ. / **SOUS-DÉVELOPPÉ, E** adj., **SOUS-DÉVELOPPEMENT** n. m. → DÉVELOPPER 2. / **SOUS-DIACONAT** n. m., **SOUS-DIACRE** n. m. → DIACRE. / **SOUS-DIRECTEUR, TRICE** n. → DIRECTEUR.

SOUS-DOMINANTE [sudɔminɑ̃t] n. f. *(sous-,* et *dominante). Mus.* Quatrième degré de la gamme, placé sous le cinquième, appelé dominante : *Dans la gamme de «do», «fa» est la sous-dominante.* ‖ Pl. des *sous-dominantes.*

SOUS-EMPLOI n. m. → EMPLOYER.

SOUS-ENSEMBLE [suzɑ̃sɑ̃bl] n. m. *(sous-,* et *ensemble). Math.* Syn. de PARTIE. (→ PARTIE 1.) ‖ Pl. des *sous-ensembles.*

SOUS-ENTENDRE [suzɑ̃tɑ̃dr] v. t. *(sous-,* et *entendre).* [Conj. **50.**] *Sous-entendre qqch.,* le faire comprendre sans le dire, ne pas exprimer franchement sa pensée. *Cette clause est sous-entendue dans le contrat* (= n'est pas exprimée explicitement). ◆ **sous-entendu, e** adj. *Gramm.* Se dit d'un mot qui n'est pas exprimé : *Un verbe, un complément sous-entendu.* ◆ n. m. Ce qu'on fait comprendre sans le dire : *Une lettre pleine de sous-entendus.*

SOUS-ÉQUIPÉ, E adj., **SOUS-ÉQUIPEMENT** n. m. → ÉQUIPER. / **SOUS-ESTIMATION** n. f., **SOUS-ESTIMER** v. t.

→ ESTIMER 2. / **SOUS-ÉVALUATION** n. f., **SOUS-ÉVALUER** v. t. → ÉVALUER.

SOUS-FIFRE [sufifr] n. m. *(sous-,* et *fifre). Fam.* Individu qui occupe, dans une organisation ou une administration, un emploi tout à fait secondaire. ‖ Pl. des *sous-fifres.*

SOUS-JACENT, E [suʒasɑ̃, -ɑ̃t] adj. (de *sous-,* et lat. *jacens,* étendu). **1.** Se dit d'une chose placée au-dessous d'une autre : *Des roches sous-jacentes.* — **2.** Qui ne se manifeste pas clairement : *Une idée sous-jacente.*

SOUS-LE-VENT *(îles),* chapelet d'îles des Antilles, s'étendant le long de la côte du Venezuela et comprenant l'île de *Curaçao* (Pays-Bas). — Les Anglais appellent *îles Sous-le-Vent (Leeward Islands)* la partie septentrionale des îles du Vent* *(Antigua, Montserrat, îles Vierges).*

SOUS-LE-VENT *(îles),* partie de l'archipel de la Société* (Polynésie française), au N. de Tahiti, comprenant les îles *Bora Bora, Huahine, Maupiti, Mopelia, Raïatea et Tahaa.*

SOUS-LIEUTENANT n. m. → LIEUTENANT et GRADE 2. / **SOUS-LOCATAIRE** n. m., **SOUS-LOCATION** n. f., **SOUS-LOUER** v. t. → LOUER 1.

1. SOUS-MAIN [sumɛ̃] n. m. inv. *(sous-,* et *main).* Accessoire de bureau sur lequel on place son papier pour écrire.

2. SOUS-MAIN (EN) [ɑ̃sumɛ̃] loc. adv. (même étym.). En cachette : *Il cherchait à lui nuire en sous-main* (syn. CLANDESTINEMENT, SECRÈTEMENT).

1. SOUS-MARIN, E [sumarɛ̃, -in] adj. *(sous-,* et *marin).* **1.** Qui vit, qui est sous la mer : *Des plantes sous-marines.* — **2.** Qui s'effectue sous la mer : *La chasse sous-marine.*

2. SOUS-MARIN [sumarɛ̃] n. m. (même étym.). Bâtiment de guerre conçu pour naviguer et combattre en plongée : *Des sous-marins nucléaires.* ◆ **sous-marinier** n. m. Membre de l'équipage d'un sous-marin.

SOUS-MAXILLAIRE adj. → MAXILLAIRE.

SOUS-MULTIPLE [sumyltipl] n. m. *(sous-,* et *multiple). Math.* Pour des nombres entiers, syn. de DIVISEUR. (→ DIVISER.)

SOUS-ŒUVRE [suzøvr] n. m. *(sous-,* et *œuvre).* Fondement d'une construction. ‖ *En sous-œuvre,* par-dessous les fondations. ‖ Pl. des *sous-œuvres.*

SOUS-OFFICIER n. m. → OFFICIER 3 et GRADE 2.

SOUS-ORDRE [suzɔrdr] n. m. *(sous-,* et *ordre).* Personne qui est sous les ordres d'une autre (syn. SUBALTERNE).

SOUS-PRÉFECTURE n. f., **SOUS-PRÉFET** n. m. → PRÉFET. / **SOUS-PRODUCTION** n. f., **SOUS-PRODUIT** n. m. → PRODUIRE 1. / **SOUS-PROLÉTARIAT** n. m. → PROLÉTAIRE.

SOUSSE, port de Tunisie, sur le golfe de Hammamet; 82 700 hab. Musée riche en mosaïques. Textiles. Exportation de phosphates.

SOUS-SECRÉTAIRE n. → SECRÉTAIRE 1.

SOUSSIGNÉ, E [susiɲe] adj. et n. (de *sous,* et *signer*). Se dit d'une personne qui a mis sa signature au bas d'un acte. (Ne s'emploie que dans des formules comme : *Je soussigné, je soussignée déclare... Le soussigné, la soussignée.*)

1. SOUS-SOL n. m. → SOL 2.

2. SOUS-SOL [susɔl] n. m. *(sous-,* et *sol).* Partie d'une construction située au-dessous du rez-de-chaussée.

SOUS-TENSION n. f. → TENDRE 1 (v. t.). / **SOUS-TITRE** n. m., **SOUS-TITRER** v. t. → TITRE 2.

1. SOUSTRAIRE [sustrɛr] v. t. (lat. *subtrahere,* retirer). [Conj. 79.] **1.** *Soustraire qqch.,* l'enlever par ruse, par tromperie : *Soustraire les pièces d'un dossier* (syn. DÉROBER, DÉTOURNER). *Soustraire de l'argent à qq'un* (syn. VOLER). — **2.** *Soustraire qq'un à,* le faire échapper à : *Soustraire qq'un au danger.* ◆ ***se soustraire*** v. pr. Se dérober à : *Se soustraire à une obligation* (syn. ÉCHAPPER), *à un devoir* (syn. ESQUIVER). ◆ **soustraction** n. f. Action de soustraire : *Être accusé de soustraction de documents.*

2. SOUSTRAIRE [sustrɛr] v. t. (même étym.). [Conj. **79.**] *Math.* Effectuer une soustraction (syn. RETRANCHER). ◆ **soustraction** n. f. Loi de composition interne (ou opération) dans certains ensembles de nombres.

— ENCYCL. La *soustraction,* symbolisée par le signe −, est l'opération qui à deux nombres a et b fait correspondre le nombre c, noté $a - b$, appelé *différence* de a et de b, tel que $a = b + c$. [*Ex. :* $-3 = (+8) - (+11)$.]

La soustraction n'est pas commutative. [*Ex. :* $(+5) - (+2) = +3$; $(+2) - (+5) = -3$.]

SOUS-TRAITANCE [sutrɛtɑ̃s] n. f. (de *sous-,* et *traiter*). Exécution d'un travail par une petite ou moyenne entreprise pour le compte d'une plus grosse. ◆ **sous-traitant** n. m.

SOUS-VERRE [suvɛr] n. m. inv. *(sous-,* et *verre).* Encadrement formé d'une plaque de verre et d'un carton, entre lesquels on place une gravure ou une photographie.

SOUS-VÊTEMENT n. m. → VÊTEMENT.

SOUS-VOLTAGE n. m. → VOLT.

SOUTANE [sutan] n. f. (it. *sottana*). **1.** Robe boutonnée par-devant, que portent les ecclésiastiques. — **2.** État ecclésiastique : *Prendre la soutane.*

SOU-TCHEOU, v. de Chine (Kiang-sou), port sur le canal Impérial; 650 000 hab. Constructions mécaniques. Textiles.

SOUTE [sut] n. f. (anc. prov. *sota*). Partie d'un bateau servant à contenir le matériel, les munitions, les vivres : *Soute à charbon.*

SOUTENABLE adj. → SOUTENIR 2.

SOUTENANCE n. f. → SOUTENIR 3.

SOUTÈNEMENT n. m. → SOUTENIR 1.

SOUTENEUR [sutnœr] n. m. (de *soutenir*). Individu qui vit aux dépens d'une prostituée, qu'il prétend protéger.

1. SOUTENIR [sutnir] v. t. (lat. *sustinere*). [Conj. **22.**] **1.** (sujet nom de personne ou de chose) *Soutenir une chose,* la tenir par-dessous, en portant une partie de son poids : *Des colonnes qui soutiennent une voûte* (syn. SUPPORTER). — **2.** *Soutenir une chose,* la maintenir en place en recevant sur le côté une partie de la poussée : *Des contreforts qui soutiennent une muraille* (syn. CONSOLIDER). — **3.** *Soutenir une personne,* l'empêcher de tomber : *Soutenir un malade.* — **4.** *Soutenir une personne,* l'empêcher de défaillir, lui redonner des forces : *Prenez un peu de nourriture, cela vous soutiendra* (syn. RÉCONFORTER, REMONTER). *Faire une piqûre pour soutenir le cœur.* — **5.** *Soutenir qq'un,* lui apporter de l'aide, du secours, du réconfort : *Vos amis vous ont bien soutenu dans votre épreuve* (syn. ASSISTER). *Soutenir la cause d'un parti* (syn. APPUYER). ‖ *Soutenir une famille, une entreprise, une affaire,* lui fournir de l'argent, des capitaux. ‖ *Soutenir une personne contre une autre,* prendre son parti, la défendre. — **6.** (sujet nom de personne) Résister sans fléchir à une attaque : *Soutenir l'assaut des ennemis.* — **7.** *Soutenir l'attention, l'intérêt de qq'un,* ne pas les laisser fléchir. ‖ *Soutenir la comparaison avec qq'un, avec qqch.,* s'en montrer l'égal. ‖ *Soutenir la conversation,* l'animer, l'entretenir. ‖ *Soutenir le regard de qq'un,* le regarder sans baisser les yeux. ◆ ***se soutenir*** v. pr. **1.** (sujet nom d'être vivant) Se tenir debout, se tenir droit : *Il est si faible qu'il se soutient difficilement sur ses jambes.* — **2.** Se maintenir en position d'équilibre : *Se soutenir sur l'eau.* — **3.** Se prêter une mutuelle assistance : *Les membres de cette famille sont très unis, ils se soutiennent les uns les autres.* — **4.** (sujet nom de chose) Être défendu : *Un pareil point de vue ne peut se soutenir.* — **5.** Se maintenir, ne pas diminuer : *L'intérêt d'un bon roman se soutient jusqu'à la fin.* ◆ **soutènement** n. m. *Mur de soutènement,* mur destiné à contenir la poussée des terres ou des eaux. ◆ **soutenu, e** adj. Qui ne se relâche pas : *Une attention soutenue* (syn. CONSTANT). *Un travail soutenu* (syn. ASSIDU). ‖ *Style soutenu,* constamment élevé et noble (syn. SOIGNÉ; contr. FAMILIER). ‖ *Couleur soutenue,* couleur d'un ton assez intense. ◆ **soutien** n. m. **1.** Ce qui sert à soutenir (sens 1) : *Ce pilier est le soutien de toute la salle* (syn. SUPPORT). — **2.** Personne ou chose qui aide, défend, protège : *Cette mère n'a d'autre soutien que son fils. Accorder son soutien à une juste revendication* (syn. AIDE, APPUI). ‖ *Soutien de famille,* personne qui assure, grâce à son activité, la subsistance de sa famille. ◆ **soutien-gorge** n. m. Sous-vêtement féminin servant à maintenir la poitrine. ‖ Pl. des *soutiens-gorge.*

2. SOUTENIR [sutnir] v. t. (même étym.), [Conj. **22.**] Affirmer avec force qu'une chose est vraie : *Il soutient toujours le contraire de ce que vous dites.* ‖ *Soutenir une controverse, une opinion, une doctrine, un point de vue,* les défendre par des arguments contre des contradicteurs, des adversaires. ◆ **soutenable** adj. Qui peut être défendu, appuyé par des raisons valables : *Une cause soutenable.* ◆ **insoutenable** adj. Qu'on ne peut soutenir, défendre : *Une opinion insoutenable.*

3. SOUTENIR [sutnir] v. t. (même étym.). [Conj. **22.**] *Soutenir une thèse de doctorat,* l'exposer et répondre aux questions d'un jury de professeurs. ◆ **soutenance** n. f. : *Assister à une brillante soutenance.*

SOUTERRAIN, E [suterɛ̃, -ɛn] adj. (de *sous,* et *terre*). **1.** Qui est sous terre : *Un abri souterrain* (contr. AÉRIEN). — **2.** Qui se fait sous terre : *Une explosion souterraine.* ◆ **souterrain** n. m. Passage creusé sous la terre.

SOUTERRAINE (La), ch.-l. de cant. de la Creuse, à 35 km au N.-O. de Guéret; 5 850 hab. Textiles (laines). Chaussures.

SOUTHAMPTON, port d'Angleterre (Hampshire), sur la Manche; 214 800 hab. Constructions navales et aéronautiques.

;OUTIEN n. m., **SOUTIEN-GORGE** n. m. → SOUTENIR 1.

;OUTINE (Chaïm), peintre français d'origine lituanienne (1894-943). Arrivé en 1911 à Paris, il y suivit les cours de l'École ationale supérieure des beaux-arts. Coloriste subtil, il a peint, ans un style expressionniste et violent, des paysages, des porraits et des natures mortes tragiques *(le Bœuf écorché).*

.. SOUTIRER [sutire] v. t. (de *sous,* et *tirer*). *Soutirer du vin, 'u cidre,* etc., les transvaser d'un récipient dans un autre, de nanière que la lie reste dans le premier. ◆ **soutirage** n. m. : *Le outirage clarifie le vin.*

2. SOUTIRER [sutire] v. t. (même étym.). *Soutirer qqch. à q'un,* l'obtenir de lui par une adroite insistance, par ruse, par hantage : *Soutirer de l'argent* (syn. ESCROQUER, ↑EXTORQUER).

;OUVENIR (SE) [səsuvnir] v. pr. (lat. *subvenire,* venir à 'esprit). [Conj. **22.**] *Se souvenir d'une personne, d'une chose, que* et l'indic.), *de* (et l'infin.), avoir dans l'esprit l'image d'une peronne, une image présente rattachée au passé : *Après sa mort, on e souviendra longtemps de lui* (= on pensera à lui). *Il n'arrivait as à se souvenir de vous* (syn. RECONNAÎTRE, REMETTRE). *Souvenezous de vos promesses* (syn. SE RAPPELER). ‖ *Fam.* (et avec ressentinent) *Je m'en souviendrai,* je me vengerai. ‖ *Il s'en souviendra,* il 'en repentira. ‖ *Impers.* (littér.) : *Il ne me souvient pas de vous voir rencontré.* (*Rem.* → aussi SE RAPPELER 2 pour la construction rammaticale de ces deux verbes.) ◆ **souvenir** n. m. **1.** Retour à esprit d'un fait rapporté à un moment déterminé du passé : *Un ouvenir vague, confus* (syn. RÉMINISCENCE). *Raconter des souvenirs l'enfance. Évoquer le souvenir d'une personne* (= l'image que l'on arde d'elle). ‖ *Ce n'est plus qu'un mauvais souvenir,* se dit d'une hose désagréable qu'on a cessé de subir. — **2.** Ce qui rappelle la némoire d'une personne, d'un événement : *Ses blessures sont des ouvenirs de sa chute en montagne.* — **3.** Objet vendu aux touistes : *Une boutique de souvenirs.*

SOUVENT [suvɑ̃] adv. (lat. *subinde*). Plusieurs fois en peu de emps; d'une manière répétée : *Ils sortent souvent ensemble* (syn. 'RÉQUEMMENT). ‖ *Le plus souvent,* la plupart du temps.

SOUVERAIN, E [suvrɛ̃, -ɛn] adj. (du lat. *super,* au-dessus). **1.** Se dit de ce qui atteint le plus haut degré : *Le souverain bien* syn. SUPRÊME). *Une habileté souveraine* (syn. MAGISTRAL). *Un souveain mépris* (péjor.) [syn. EXTRÊME]. *Un remède souverain* (syn. EFFICACE). — **2.** Qui exerce un pouvoir suprême, sans contrôle : *Dans les démocraties, le peuple est souverain.* ‖ *Cour souveraine,* ribunal qui juge en dernier ressort. — **3.** *État souverain,* État dont le gouvernement n'est pas soumis au contrôle ou à la tutelle l'un autre gouvernement. ◆ n. Personne qui, dans un État, exerce le pouvoir suprême (syn. MONARQUE, ROI). ◆ **souverainenent** adv. **1.** Au plus haut point : *Un garçon souverainement ntelligent* (syn. EXTRÊMEMENT). — **2.** Avec un pouvoir souverain : *Décider souverainement.* ◆ **souveraineté** n. f. **1.** Autorité suprême : *La souveraineté populaire.* — **2.** *Principe de la souveaineté nationale,* principe du droit public français, selon lequel la souveraineté est exercée par le peuple, personnifié dans la nation.

SOUVIGNY, ch.-l. de cant. de l'Allier, à 12 km à l'O. de Moulins; 1 900 hab. Belle église des XIe-XIIe s. qui conserve encore es tombeaux de deux ducs de Bourbon et de leurs épouses (XVe s.).

SOUVOROV (Aleksandr Vassilievitch, *comte,* puis *prince*), généal russe (1729-1800). Il réprima l'insurrection polonaise de 1794, utta contre les armées de la Révolution en Italie et fut arrêté par a victoire de Masséna à Zurich.

SOVIET [sɔvjɛt] n. m. (mot russe signif. *conseil*). **1.** En U. R. S. S., conseil des délégués des ouvriers, des paysans et des soldats. → ENCYCL. — **2.** *Soviet suprême,* organe principal de l'État soviétique, composé de deux assemblées élues (Soviet de l'Union et Soviet des nationalités), qui détiennent le pouvoir législatif et élisent le Praesidium ainsi que le Conseil des ministres, la Cour suprême et le procureur général. ◆ **soviétiser** v. t. Soumettre au régime des soviets.

— ENCYCL. Création spontanée de la révolution russe de 1905, les *soviets* d'ouvriers et de soldats, réapparus en février 1917, jouent un rôle fondamental de février à octobre, tandis que les bolcheviks y progressent jusqu'à obtenir la majorité. La Constitution de 1918 sanctionne ce rôle en donnant en principe le pouvoir au Congrès panrusse des soviets, constitué par les représentants des conseils locaux d'ouvriers, paysans et soldats. Si l'organisation en soviets, qui donne son nom à l'Union des républiques socialistes soviétiques, se maintient dans les constitutions ultérieures, elle n'a plus d'existence réelle à partir de 1921.

SOVIÉTIQUE [sɔvjetik] adj. (de *soviet*). Qui se rapporte à l'U. R. S. S. : *Le gouvernement soviétique.* ◆ n. Citoyen de l'U. R. S. S.

SOVKHOZE [sɔvkoz] n. m. (mot russe). En U. R. S. S., exploitation agricole d'État servant de ferme modèle ou expérimentale.

SOWETO, banlieue de Johannesburg (Afrique du Sud), peuplée de plus d'un million de Noirs. Graves émeutes en 1976.

SOYA n. m. → SOJA.

SOYAUX, ch.-l. de cant. de la Charente, dans la banlieue est d'Angoulême; 11 100 hab.

SOYEUX, EUSE adj. et n. m. → SOIE 1.

SPA, comm. de Belgique, à 17 km au S. de Verviers; 9 600 hab. Eaux minérales renommées.

SPAAK (Paul Henri), homme politique belge (1899-1972). Socialiste, il a été ministre des Affaires étrangères et Premier ministre à plusieurs reprises, président de l'Assemblée consultative du Conseil de l'Europe (1949-1951) et secrétaire général de l'O. T. A. N. (1957-1961).

SPACIEUX, EUSE [spasjø, -øz] adj. (lat. *spatium,* espace). Qui a une grande étendue : *Un appartement spacieux* (syn. GRAND, VASTE). ◆ **spacieusement** adv. : *Être logé spacieusement* (contr. À L'ÉTROIT).

SPAGHETTI [spageti] n. m. pl. (mot it.). Pâtes alimentaires de semoule de blé dur, présentées sous forme de longs bâtonnets pleins.

SPAHI [spai] n. m. (du turc *sipahi*). **1.** Cavalier turc. — **2.** En Afrique du Nord, cavalier appartenant à un corps créé en 1834 (dissous en 1962, au lendemain de la guerre d'Algérie), et recruté en principe chez les autochtones.

SPALLANZANI (Lazzaro), biologiste italien (1729-1799). Il réfuta les théories régnantes sur la génération spontanée, ce qui fit de lui un précurseur de Pasteur.

SPARADRAP [sparadra] n. m. (orig. obscure). Tissu enduit, sur une de ses faces, d'une composition médicamenteuse et adhésive, employé en application directe sur la peau.

SPART ou **SPARTE** [spart] n. m. (gr. *sparton*). Nom de plusieurs herbes, entre autres l'*alfa,* dont les feuilles sont utilisées en sparterie. ◆ **sparterie** [spartri] n. f. Ouvrage (corde, natte, tapis, panier, etc.) tressé en alfa, en spart ou en crin végétal.

SPARTACUS, chef de la plus grande révolte d'esclaves contre Rome, tué en 71 av. J.-C., après avoir, pendant deux ans, à la tête de plus de cent mille hommes, tenu tête aux légions.

SPARTAKISME [spartakism] n. m. (de *Spartacus*). Mouvement socialiste, puis communiste, allemand, dirigé par Karl Liebknecht et Rosa Luxemburg de 1916 à 1919. ◆ **spartakiste** adj. et n. Membre de ce mouvement.

— ENCYCL. Le groupe *spartakiste* (dont le nom apparaît en 1916 par référence à Spartacus) regroupe autour de Karl Liebknecht et Rosa Luxemburg la gauche révolutionnaire du parti social*-démocrate allemand, qui refuse la politique favorable à la guerre de la majorité du parti. Après octobre 1917, il s'oppose aux majoritaires, mais aussi aux pacifistes, en soutenant la révolution russe et en préconisant l'exemple des soviets. Après la fondation du parti communiste allemand (30 décembre 1918), les spartakistes sont entraînés dans une épreuve de force prématurée avec le gouvernement issu de la défaite; le soulèvement de Berlin (5-11 janvier 1919) échoue, et Karl Liebknecht et Rosa Luxemburg sont assassinés par l'armée.

SPARTE n. m. → SPART.

SPARTE ou **LACÉDÉMONE,** v. de la Grèce antique, située dans le sud du Péloponnèse.

- *IXe s. av. J.-C. Sparte est constituée par la fusion de quatre villages doriens.*

La soumission de la Laconie ouvre une politique de conquête qui détermine la structure sociale de la cité : les citoyens (ou *égaux*) forment une caste de guerriers, et l'État attribue à chacun un lot de terre (le *kléros*) que cultivent les vaincus asservis ou *hilotes**; une catégorie sociale intermédiaire, les *périèques,* peut posséder des terres, mais n'a pas de droits politiques.

- *VIIIe s. Une crise sociale (manque de terres) entraîne la conquête de la Messénie.*

Les institutions, attribuées au légendaire Lycurgue, sont fondées sur l'équilibre entre deux rois, l'assemblée aristocratique *(gerousia)* et celle des citoyens *(apella).* Mais dès le début du VIIe s. elles sont dominées par l'aristocratie, qui contrôle les rois grâce à des magistrats, les *éphores.* La cité connaît une civilisation brillante et entretient des rapports étroits avec l'Orient.

- *V. 640. La révolte des hilotes de Messénie (qui dure trente ans) limite les interventions hors du Péloponnèse, tandis que les institutions se figent.*

Sparte, la cité invincible qui a affermi sa domination sur le Péloponnèse à cause de l'égoïsme de sa politique extérieure, laisse à Athènes la défense de l'hellénisme pendant les guerres médiques*. Puis après avoir réprimé une nouvelle révolte en Messénie (464-458), elle conduit la coalition contre l'Empire athénien.

- *433-404. La guerre du Péloponnèse se termine par le triomphe de Sparte qui prend la succession d'Athènes.*

Mais affaiblie par la guerre, elle voit se dresser contre son despotisme une coalition animée par Athènes (394) et doit accepter l'arbitrage perse (« paix du Roi », 387-386).

• *371. Sa défaite à Leuctres, devant les Thébains, marque la fin de sa puissance.*

Réduite à la Laconie après les victoires de Philippe de Macédoine, elle décline après l'échec de tentatives de réformes.

• *146. Sparte est intégrée à l'Empire romain.*

Les invasions barbares du IVe s. apr. J.-C. la ramènent au rang d'une simple bourgade.

SPARTERIE n. f. → SPART.

1. SPARTIATE [sparsjat] adj. (de *Sparte*). Qui se rapporte à Sparte ou à ses habitants. ◆ n. Habitant de Sparte. — LOC. ADV. *À la spartiate,* sévèrement : *Élever son fils à la spartiate* (syn. À LA DURE). ◆ n. m. Homme d'une grande rigidité de mœurs.

2. SPARTIATE [sparsjat] n. f. (de *Sparte*). Sandale faite de lanières de cuir.

SPASME [spasm] n. m. (gr. *spasmos*). Contraction brusque et involontaire des muscles. ◆ **spasmodique** adj. Provoqué par le spasme : *Rire spasmodique* (syn. CONVULSIF).

SPATH [spat] n. m. (all. *Spath*). Nom de divers minerais pierreux à structure lamelleuse. ‖ *Spath d'Islande,* variété de calcite cristallisée et transparente, présentant le phénomène de double réfraction.

SPATIAL, E, AUX [spasjal, -sjo] adj. (du lat. *spatium,* espace). Relatif à l'espace interplanétaire : *Un engin spatial. Des recherches spatiales.*

SPATIO-TEMPOREL, ELLE [spasjotɑ̃porɛl] adj. (du lat. *spatium,* espace, et *tempus, -oris,* temps), qui se rapporte à la fois à l'espace et au temps : *L'univers spatio-temporel.*

1. SPATULE [spatyl] n. f. (lat. *spathula*). Instrument de métal, de bois, etc., en forme de petite pelle aplatie : *Une spatule sert à manipuler ou à étaler les corps gras ou pâteux, en cuisine, en peinture.*

2. SPATULE [spatyl] n. f. (même étym.). Oiseau échassier, à plumage blanc, à bec élargi en spatule.

SPEAKER, INE [spikœr, spikrin] n. (mot angl. signif. *celui qui parle*). Personne qui annonce les programmes, les nouvelles, à la radio et à la télévision.

SPÉCIAL, E, AUX [spesjal, -sjo] adj. **1.** Se dit de ce qui est particulier à une personne, approprié à une chose : *Un papier spécial pour écrire à la machine. Pour occuper cet emploi, il fait des études spéciales.* — **2.** Qui constitue une exception : *Un cas spécial* (= un cas d'espèce). *Une faveur spéciale* (syn. EXTRAORDINAIRE). *Le gouvernement a demandé des pouvoirs spéciaux. Avoir des goûts spéciaux* (= peu communs). ◆ **spécialement** adv. : *Il est venu spécialement pour vous voir* (syn. EXPRÈS). *Il s'intéresse spécialement à la géologie* (syn. PARTICULIÈREMENT). ◆ **spécialisation** n. f. : *La recherche scientifique moderne exige la spécialisation.* ◆ **spécialisé, e** adj. Qui est limité à une spécialité, qui est affecté à un travail déterminé : *Un juriste spécialisé dans le droit international.* ‖ *Ouvrier spécialisé* → OUVRIER. ◆ **spécialiser** v. t. *Spécialiser qq'un,* le rendre apte à une science, à une technique particulière, à un travail déterminé : *Spécialiser des chercheurs.* ◆ ***se spécialiser*** v. pr. Se consacrer à une branche de connaissance, à une production, à un travail déterminés : *Beaucoup de médecins se spécialisent dans telle ou telle partie de la médecine.* ◆ **spécialiste** n. **1.** Personne qui a des connaissances dans un domaine précis : *Faire venir un spécialiste pour réparer un poste de télévision.* — **2.** Médecin qui ne soigne qu'une catégorie déterminée de maladies. ◆ **spécialité** n. f. **1.** Activité à laquelle on se consacre particulièrement; ensemble de connaissances approfondies dans un domaine déterminé : *L'histoire est sa spécialité.* — **2.** Produit qu'on ne trouve que sous telle marque, dans telle maison; mets originaire d'une région ou qu'on y consomme particulièrement : *Le cassoulet est une spécialité toulousaine.* — **3.** *Fam.* Manie particulière à une personne et qui est agaçante : *Il a la spécialité de vous interrompre à tout instant.*

SPÉCIEUX, EUSE [spesjø, -øz] adj. (lat. *species,* aspect brillant). Se dit de ce qui n'a que l'apparence de la vérité, et qui est en réalité sans valeur : *Un argument spécieux.*

SPÉCIFICATION n. f. → SPÉCIFIER.

SPÉCIFICITÉ n. f. → SPÉCIFIQUE.

SPÉCIFIER [spesifje] v. t. (bas lat. *specificare*). *Spécifier qqch.,* le déterminer, l'exprimer d'une manière précise : *Veuillez spécifier le numéro du département sur votre enveloppe* (syn. INDIQUER, ↓MENTIONNER). ◆ **spécification** n. f. : *Sans spécification d'heure ou de lieu* (syn. PRÉCISION).

SPÉCIFIQUE [spesifik] adj. (bas lat. *specificus;* de *species,* espèce). Se dit de ce qui est propre à une espèce, à une chose, à l'exclusion de toute autre : *Le poids spécifique d'un corps. Ode spécifique* (syn. CARACTÉRISTIQUE). ◆ **spécificité** n. f. : *Spécifici d'un symptôme.*

SPÉCIMEN [spesimɛn] n. m. (mot lat. signif. *échantillon*). **1.** Être ou objet qui donne une idée de l'espèce, de la catégor dont il fait partie : *Ce cheval est un spécimen de la race normand* — **2.** Partie d'un ouvrage, exemplaire d'un livre, d'une revu offerts gratuitement. ◆ adj. : *Des numéros spécimens.*

SPECTACLE [spɛktakl] n. m. (du lat. *spectare,* regarder **1.** Ce qui se présente au regard et qui est capable d'éveiller u sentiment : *Le quartier bombardé offrait un spectacle de désolation.* — **2.** Représentation théâtrale, cinématographique, lyrique etc. : *Aller au spectacle.* ‖ *Revue à grand spectacle,* à grande mis en scène. ‖ *Spectacle solo,* syn. préconisé par l'Administration d ONE MAN SHOW. — **3.** *Se donner, s'offrir en spectacle,* se montrer e public avec ostentation (syn. ↓S'AFFICHER). ‖ *Au spectacle o qqch.,* à sa vue. ◆ **spectaculaire** adj. Qui est digne de constitue un spectacle; qui fait sensation : *Un accident spectaculaire* (syn IMPRESSIONNANT). *Des résultats spectaculaires* (syn. SENSATIONNEL ◆ **spectateur, trice** n. **1.** Personne qui est témoin d'un événement, d'une action quelconque. — **2.** Personne qui assiste à u spectacle artistique : *Les applaudissements des spectateurs* (syn ASSISTANT).

1. SPECTRE [spɛktr] n. m. (lat. *spectrum*). **1.** Apparition présentant les formes d'une personne morte (syn. FANTÔME, REVENANT — **2.** Personne maigre et pâle : *Cet homme a l'air d'un spectre.* — **3.** Ce qui épouvante : *Le spectre de la famine, de la guerre* ◆ **spectral, e, aux** adj. : *Une pâleur spectrale.*

2. SPECTRE [spɛktr] n. m. (même étym.). *Phys.* Ensembl des rayons colorés résultant de la décomposition d'une lumièr complexe. (La décomposition de la lumière solaire donne un image appelée *spectre solaire,* qui comprend les couleurs de l'arc en-ciel.) ◆ **spectral, e, aux** adj. : *Analyse spectrale.* ◆ **spectroscope** n. m. Appareil destiné à étudier les différents spectre lumineux, particulièrement dans la disposition des raies qu'il présentent. ◆ **spectrographe** n. m. Spectroscope à plaque photographique.

1. SPÉCULATION [spekylasjɔ̃] n. f. (du lat. *speculari,* observer). Étude, recherche n'ayant pour objet que la connaissance pure, désintéressée : *Les spéculations des métaphysiciens.* ◆ **spéculatif, ive** adj. Se dit d'une personne (ou de ses idées) qu s'attache à la théorie sans se préoccuper de la pratique : *Un espri spéculatif.*

2. SPÉCULATION [spekylasjɔ̃] n. f. (même étym.). Opération financière ou commerciale, dont on espère tirer un bénéfice par le seul fait de la variation des cours et des prix : *Se livrer à de spéculations hasardeuses.* ◆ **spéculatif, ive** adj. : *Des manœuvre spéculatives.* ◆ **spéculateur, trice** n. : *Des spéculateurs e Bourse.* ◆ **spéculer** v. i. Effectuer des spéculations financières ou commerciales : *Spéculer à la Bourse.* ◆ v. t. ind. *Spéculer su qqch.,* compter sur qqch. pour en tirer un avantage : *Spéculer su la naïveté d'un concurrent* (syn. TABLER SUR).

SPÉCULUM [spekylɔm] n. m. (mot lat. signif. *miroir*). Instrument dont se sert le médecin ou le chirurgien pour élargir certaines cavités du corps et en faciliter l'examen. ‖ Pl. des *spéculums.*

SPEECH [spitʃ] n. m. (mot angl.). *Fam.* Discours de circonstance : *Prononcer un speech à la fin d'un banquet* (syn. ALLOCUTION). ‖ Pl. des *speeches.*

SPEKE (John Hanning), voyageur anglais (1827-1864). Il explora le centre de l'Afrique, où il découvrit le lac qu'il nomma *Victoria.*

SPÉLÉOLOGIE [speleɔlɔʒi] n. f. (du gr. *spêlaion,* caverne, et *logos,* science). Science et activité sportive qui ont pour objet l'exploration et l'étude des cavités naturelles du sol (gouffres, grottes, cavernes). ◆ **spéléologue** n.

SPENCER (Herbert), philosophe anglais (1820-1903), fondateur de la philosophie évolutionniste*. Il étudia surtout le processus de différenciation, ou le passage de l'homogène à l'hétérogène, qui est la loi de tout développement organique.

SPENSER (Edmund), poète anglais (1552-1599), auteur du *Calendrier du berger* (1579) et de *la Reine des fées* (1590-1596).

SPERMAPHYTES [spɛrmafit] n. f. pl. (du gr. *sperma,* semence, et *phuton,* plante). Nom actuel de l'embranchement des plantes à graines, appelées autref. PHANÉROGAMES.

— ENCYCL. Les *spermaphytes* se divisent en *angiospermes* (graines cachées dans un fruit : dicotylédones, monocotylédones) et en *gymnospermes* (graines nues : conifères).

SPERME [spɛrm] n. m. (du gr. *sperma,* semence). Liquide émis par les glandes reproductrices mâles et contenant les spermatozoïdes (syn. SEMENCE). ◆ **spermatozoïde** [spɛrmatɔzɔid] n. m. Cellule reproductrice mâle. ◆ **spermatogenèse** n. f. Élaboration des spermatozoïdes par les testicules.

— ENCYCL. Dans l'espèce humaine, le gamète (= cellule sexuelle mâle), ou *spermatozoïde*, est une cellule longue et mobile, formée d'un noyau ou tête et d'un corps plus petit terminé par une très longue queue (flagelle).

Le spermatozoïde est fabriqué par les glandes sexuelles mâles *(testicules*)* après la puberté*. Arrivé à maturation, il quitte ces glandes et gagne les *vésicules séminales*, en arrière de la vessie, où il séjourne dans un liquide sécrété par la prostate et les vésicules séminales : le *sperme*.

Au cours de l'accouplement, le sperme est émis dans les voies génitales de la femme par une forte contraction musculaire lors de l'éjaculation. Le spermatozoïde utilise alors sa mobilité pour gagner l'utérus et même les trompes utérines, grâce aux mouvements du flagelle; si alors il rencontre un *ovule**, sa tête perce la membrane ovulaire et pénètre dans l'ovule : c'est la *fécondation* (par laquelle la nouvelle cellule formée reconstitue le patrimoine génétique des deux organismes d'origine : l'homme et la femme).

Chaque éjaculation contient environ 4 à 8 millions de spermatozoïdes. Un seul sera peut-être fécondant.

SPEZIA (La), v. d'Italie (Ligurie), sur le *golfe de La Spezia;* 123 500 hab. Port commercial et base navale. Chantiers navals. Raffinage du pétrole.

SPHACTÉRIE, île de la Grèce, dans la mer Ionienne.
• *425 av. J.-C. La garnison spartiate y capitule devant les Athéniens.*

SPHAIGNE [sfɛɲ] n. f. (gr. *sphagnos*). Plante de l'embranchement des mousses ou briophytes, vivant dans les zones marécageuses et dont la décomposition constitue la tourbe.

SPHÉNOÏDE [sfenɔid] adj. et n. m. (du gr. *sphên*, coin, et *eidos*, aspect). *Os sphénoïde*, ou *sphénoïde*, un des os de la tête, à la base du crâne.

1. SPHÈRE [sfɛr] n. f. (gr. *sphaira*). *Math.* Ensemble des points de l'espace qui sont à la même distance (appelée *rayon*) d'un point fixe (appelé *centre*). → ENCYCL. ◆ **sphérique** adj. Qui a la forme d'une sphère : *Un ballon sphérique.*
— ENCYCL. Si R est le rayon, la mesure de la surface de la *sphère* est $4\pi R^2$; le volume de la boule limitée par la sphère est $\frac{4}{3}\pi R^3$.

2. SPHÈRE [sfɛr] n. f. (de *sphère* 1). Domaine dans lequel s'exerce l'action de quelqu'un : *Étendre, agrandir sa sphère d'activité. Les hautes sphères de la politique. La sphère des connaissances humaines* (= l'ensemble des connaissances que les hommes possèdent).

SPHINCTER [sfɛ̃ktɛr] n. m. (du gr. *sphingein*, serrer). *Anat.* Muscle servant à fermer ou à resserrer un orifice ou un canal naturel.

1. SPHINX [sfɛ̃ks] n. m. (mot gr.). **1.** Monstre fabuleux, chez les Égyptiens et les Grecs de l'Antiquité. → ENCYCL. — **2.** Personne énigmatique, qui ne laisse pas deviner sa pensée.
— ENCYCL. Le *sphinx* semble être, à l'origine, essentiellement égyptien. C'est un lion couché, les pattes avant parallèles, dont la tête, la plupart du temps humaine, représente le visage du pharaon de l'époque.

À l'époque classique, les sphinx bordent l'allée d'accès aux pylônes (= portes monumentales) des temples. Au Nouvel Empire, sous une influence peut-être asiatique, on voit apparaître l'image de la *sphinge* (sphinx à buste de femme), debout sur ses pattes, dont le visage évoque celui des reines de la fin de la XVIIIe dynastie. Le plus célèbre de tous les sphinx est celui de Guizèh, situé à droite de la rampe d'accès à la pyramide de Chéphren*. Taillé dans un rocher, il mesure 17 m de haut et 39 m de large.

Les Grecs firent du sphinx un animal mystérieux et l'introduisirent dans leur mythologie. Établi aux environs de Thèbes, il arrêtait les passants, leur proposait des énigmes, et dévorait ceux qui ne pouvaient pas répondre.

2. SPHINX [sfɛ̃ks] n. m. (de *sphinx* 1). Papillon crépusculaire et nocturne dont la chenille est nuisible et dont on connaît de nombreuses espèces.

SPINAL, E, AUX [spinal, -no] adj. (du lat. *spina*, épine). Relatif à l'épine dorsale de la colonne vertébrale.

SPINELLO ARETINO (Spinello di Luca SPINELLI, dit), peintre italien (v. 1350-1410). Il est l'auteur de fresques dans la tradition de Giotto à Florence, Pise, Sienne.

SPINOZA (Baruch DE), philosophe hollandais (1632-1677). D'après lui, tant que l'homme demeure prisonnier de ses illusions, religieuses par exemple, il est incapable d'accéder à la liberté et à la joie. Le philosophe doit donc commencer par analyser les raisons de l'illusion et de l'erreur (*Traité de la réforme de l'entendement*, v. 1661). Or il n'existe d'illusion et d'erreur que par rapport à une vérité qui est elle-même vérité de quelque chose. Cette vérité est celle de la nature conçue comme un tout actif producteur de l'infinité des êtres et de leurs modes respectifs d'existence. L'homme n'est qu'un de ces êtres, il se caractérise par son désir, et ce désir engendre la tristesse ou la joie *(l'Éthique)* : la joie, si l'homme connaît ses passions et affects (= manière particulière dont sont vécues les passions) et les maîtrise, car alors il est libre; la tristesse, si l'homme demeure en proie à des illusions, et sa vie est alors servitude et non liberté. Mais liberté et joie ne peuvent exister que sous les conditions d'une authentique démocratie *(Traité politique)* qui exige le rejet du pouvoir institutionnalisé des Églises *(Traité théologico-politique)*. Subversion radicale de toutes les valeurs, la philosophie de Spinoza exerça une très profonde influence sur la pensée occidentale et valut à son auteur de multiples interdictions.

SPIRAL [spiral] n. m. (de *spire*). Petit ressort d'horlogerie, en forme de spirale, qui actionne un balancier circulaire.

SPIRALE [spiral] n. f. (de *spiral*). Courbe qui tourne autour d'un axe, d'un point : *Les spirales d'un tire-bouchon.* — LOC. ADJ. ou ADV. *En spirale*, se dit d'un objet, d'une chose qui fait une suite de circonvolutions : *Un escalier en spirale* (syn. EN HÉLICE). *La fumée monte en spirale* (syn. EN VOLUTES).

SPIRE [spir] n. f. (gr. *speira*, enroulement). Partie élémentaire d'un enroulement électrique dont les extrémités sont très rapprochées l'une de l'autre.

SPIRE, en all. **Speyer**, v. d'Allemagne (Rhénanie-Palatinat), sur le Rhin; 44 000 hab. Constructions aéronautiques. Raffinage du pétrole.

SPIRILLE [spirij] n. m. (de *spire*). Bactérie en forme de filament allongé et contourné en spirale, agent de graves maladies.

SPIRITISME [spiritism] n. m. (de l'angl. *spirit-rapper*, esprit frappeur). Science occulte qui a pour objet de provoquer la manifestation d'êtres immatériels ou « esprits », en particulier celle des âmes de personnes défuntes, et à faire entrer en communication avec eux. ◆ **spirite** n. Personne qui prétend communiquer avec les esprits par l'intermédiaire d'un médium.

SPIRITUALISER v. t. → SPIRITUEL 2.

SPIRITUALISME [spiritɥalism] n. m. (de *spirituel*). Doctrine philosophique qui admet l'existence de l'esprit comme une réalité indépendante (contr. MATÉRIALISME). ◆ **spiritualiste** adj. et n. : *Une philosophie spiritualiste.*

1. SPIRITUEL, ELLE [spiritɥɛl] adj. (du lat. *spiritus*, esprit). **1.** Qui se rapporte à l'âme : *La vie spirituelle* (= de l'âme). *Des exercices spirituels* (= des pratiques de dévotion). *Les biens spirituels* (contr. MATÉRIEL). — **2.** Qui se rapporte à la religion, à l'Église : *Le pouvoir spirituel du pape* (contr. TEMPOREL). *Concert spirituel* (= concert de musique religieuse). ◆ n. m. Pouvoir spirituel : *Le spirituel et le temporel.* ◆ **spiritualité** n. f. **1.** Caractère de ce qui est spirituel : *La spiritualité de l'âme.* — **2.** Tout ce qui a pour objet la vie spirituelle, le mysticisme religieux : *Un livre de spiritualité.*

2. SPIRITUEL, ELLE [spiritɥɛl] adj. (même étym.). Qui se rapporte au domaine de l'esprit, de l'intelligence : *Les valeurs spirituelles d'une civilisation* (contr. MATÉRIEL). *Une parenté spirituelle* (syn. INTELLECTUEL). ◆ **spiritualiser** v. t. *Spiritualiser une chose*, lui donner un caractère noble, élevé.

3. SPIRITUEL, ELLE [spiritɥɛl] adj. (même étym.). Se dit d'une personne (ou de son attitude) qui manifeste de la vivacité d'esprit, de la finesse : *Une répartie spirituelle.* ◆ **spirituellement** adv. : *Répondre spirituellement.*

SPIRITUEUX [spiritɥø] n. m. (du lat. *spiritus*, esprit de vin). Boisson qui contient de l'alcool (surtout commercial et admin.) : *Commerce de vins et spiritueux.*

SPIROCHÈTE [spirɔkɛt] n. m. (de *spire*, et du gr. *kaitê*, chevelure longue). Protozoaire très grêle, dont le corps, entouré d'une membrane ondulante et contourné en spirale, est dépourvu de noyau et de flagelle : *Les spirochètes sont les agents d'affections fiévreuses de l'homme et des animaux, en pays chauds.*

SPIROGRAPHE [spirɔgraf] n. m. (de *spire*, et du gr. *graphein*, écrire). Ver marin vivant dans le sable vaseux et construisant un tube assez souple, d'où sort son panache branchial en hélice.

SPITZBERG ou **SPITSBERG** → SVALBARD.

SPLEEN [splin] n. m. (mot angl.). Mélancolie passagère d'une personne blasée de tout (littér.).

SPLENDEUR [splɑ̃dœr] n. f. (lat. *splendor*). **1.** Moment de prospérité, de gloire (littér.) : *Ce pays a retrouvé son ancienne splendeur* (syn. MAGNIFICENCE). — **2.** Chose magnifique : *Les splendeurs de l'art grec.* ◆ **splendide** adj. **1.** D'un grand éclat lumineux : *Un temps splendide* (syn. MAGNIFIQUE). — **2.** Qui est d'une grande beauté : *Un paysage splendide* (contr. AFFREUX). ◆ **splendidement** adv. : *Une maison splendidement décorée.*

Splendeurs et misères des courtisanes, roman d'H. de Balzac (1839-1847).

SPLIT, en it. **Spalato**, port de Yougoslavie (Croatie), sur l'Adriatique; 151 900 hab. Constructions navales.

SPLÜGEN (le), col des Alpes, entre Coire et le lac de Côme; 2 117 m.

SPOKANE, v. des États-Unis (Washington); 181 600 hab. Constructions aéronautiques.

SPOLÈTE, en it. **Spoleto,** v. d'Italie (Ombrie); 23 000 hab. Cathédrale (XIIe-XVIe s.) avec fresques de Filippo Lippi. Sidérurgie. Siège d'un duché puissant du VIIe au Xe s.

SPOLIER [spɔlje] v. t. (lat. *spoliare,* dépouiller). *Spolier qq'un,* le déposséder par la force ou par la ruse : *Spolier un orphelin de son héritage.* ◆ **spoliateur, trice** n. ◆ **spoliation** n. f.

SPONDE (Jean DE), humaniste et poète français (1557-1595). Ses sonnets sont un modèle de poésie baroque.

SPONDÉE [spɔ̃de] n. m. (gr. *spondeion*). *Versification gr.* et *lat.* Pied composé de deux syllabes longues (——) : *Les dactyles et les spondées.*

SPONGIAIRES [spɔ̃ʒjɛr] n. m. pl. (du lat. *spongia,* éponge). Embranchement d'animaux pluricellulaires extrêmement primitifs, qui vivent fixés au fond de la mer (syn. ÉPONGES).

SPONGIEUX, EUSE [spɔ̃ʒjø, -øz] adj. (du lat. *spongia,* éponge). Se dit de ce qui est poreux ou de ce qui s'imbibe de liquide comme une éponge : *Le sol spongieux d'un marécage.*

SPONSOR [spɔ̃sɔr] n. m. (mot angl.). Commanditaire qui soutient financièrement un sportif, une manifestation à des fins publicitaires.

SPONTANÉ, E [spɔ̃tane] adj. (du lat. *sponte,* de son plein gré). **1.** Se dit de ce que l'on fait de soi-même, sans y être poussé ni forcé : *Un geste spontané* (syn. INSTINCTIF, NATUREL; contr. DICTÉ, IMPOSÉ). — **2.** Se dit d'une personne qui agit sans calcul, sans arrière-pensée : *Un garçon spontané* (syn. FRANC, SINCÈRE). ◆ **spontanément** adv. ◆ **spontanéité** n. f. : *La spontanéité d'une réponse* (syn. NATUREL; contr. CALCUL).

SPORADES, îles grecques de la mer Égée. On distingue les *Sporades du Nord,* voisines de l'île d'Eubée, et les *Sporades du Sud,* ou Dodécanèse, proches de l'Asie Mineure.

SPORADES ÉQUATORIALES, ou **LINE ISLANDS** (*îles de la ligne* [= l'équateur]), archipel du Pacifique central, de part et d'autre de l'équateur, partagé entre l'État de Kiribati et les États-Unis.

SPORADIQUE [spɔradik] adj. (gr. *sporadikos,* dispersé). **1.** Se dit de ce qui existe çà et là, de temps en temps : *Des mouvements sporadiques de grève* (syn. ISOLÉ; contr. CONCERTÉ, CONSTANT). — **2.** *Maladie sporadique,* celle qui atteint des individus isolément (par oppos. à *épidémique*). ◆ **sporadiquement** adv.

SPORANGE [spɔrɑ̃ʒ] n. m. (de *spore,* et gr. *angeion,* réceptacle). *Bot.* Organe végétal au sein duquel mûrissent les spores et qu'elles quittent pour se disperser.

SPORE [spɔr] n. f. (du gr. *spora,* semence). *Bot.* Cellule végétale qui, en germant, donnera un prothalle unisexué ou bisexué : *On rencontre une reproduction par spores chez les champignons, les mousses, les fougères.*

SPOROGONE [spɔrɔgɔn] n. m. (de *spore,* et gr. *gônos,* action d'engendrer). *Bot.* Chez les mousses, ensemble du sporange en urne et de la soie qui le porte.

SPORT [spɔr] n. m. (mot angl.; de l'anc. fr. *desport,* jeu). Activité physique pratiquée sous forme de jeux individuels ou collectifs, en observant certaines règles : *Le sport a pour but de développer non seulement la force musculaire, l'agilité, mais encore des qualités telles que l'énergie, la persévérance. Sports d'hiver* (= ceux qui sont pratiqués dans des stations d'altitude [ski, patinage, etc.]). *Sports nautiques* (la natation, l'aviron, etc.). → ENCYCL. — LOC. ADJ. *De sport,* ou *sport,* se dit d'un habillement pratique, adapté au sport, à la promenade, etc. : *Un costume sport;* se dit de ce qui convient à une activité sportive : *Voiture de sport* (= dont la conception est proche de celle des voitures de course). ◆ **sportif, ive** adj. : *L'esprit sportif. Une attitude sportive* (= conforme à l'esprit loyal du sport). ◆ n. Personne qui pratique un sport, des sports. ◆ **sportivement** adv. : *Reconnaître sportivement sa défaite* (syn. LOYALEMENT). ◆ **sportivité** n. f. Caractère loyal; sens de l'impartialité dans le jeu.

— ENCYCL. Pratique méthodique des activités physiques, le *sport* peut être un moyen d'acquérir, d'entretenir et de conserver une bonne santé.

Il faut distinguer la compétition sportive, réservée à quelques sujets doués et très entraînés, spécialement surveillés sur le plan médical, de la pratique régulière d'un sport, voire même d'un mode de vie incluant bon nombre d'activités physiques : vacances, montagne, vie au plein air. Le choix d'un sport se fait en fonction de nombreux facteurs : l'âge (certains sports sont à déconseiller [parachutisme, karaté, etc.] au-delà d'un certain âge, alors que d'autres conviennent à tous les âges : marche, natation, gymnastique; en fait, tout est question de mesure); la constitution (un sujet léger, longiligne, pratiquera plutôt la course qu'un sujet lourd qui préférera le lancer du poids, etc.); le sexe (on déconseill à la femme certains sports violents ou développant trop musculature).

Certaines affections contre-indiquent le sport : les affection cardiaques graves, l'hémophilie, le diabète, les maladies des rein s'accompagnant d'albuminurie, glycosurie, l'asthme, etc.

SPORTULE [spɔrtyl] n. f. (du lat. *sporta,* corbeille). *Antiq rom.* Don que les riches romains faisaient distribuer chaque jour leurs clients*.

SPOT [spɔt] n. m. (mot angl.). **1.** Tache lumineuse projetée su l'écran fluorescent d'un tube cathodique et qui est produite par u faisceau d'électrons. — **2.** Syn. déconseillé par l'Administratio de MESSAGE PUBLICITAIRE.

SPOUTNIK [sputnik] n. m. (mot russe). Satellite artificiel lanc par l'U. R. S. S. (→ ASTRONAUTIQUE.)

SPRAT [sprat] n. m. (mot angl.). Poisson abondant dans l Manche et la mer du Nord, voisin du hareng, mais plus petit.

SPRÉE (la), en all. **Spree,** riv. d'Allemagne, qui passe à Berlin et se jette dans la Havel (r. dr.); 403 km.

SPRINGFIELD, v. des États-Unis, capit. de l'État de l'Illinois 91 750 hab. Métallurgie. Textiles.

SPRINT [sprint] n. m. (mot angl.). Dans une course de fond ou de demi-fond, accélération d'un coureur approchant du but : *Se faire battre au sprint.* ◆ **sprinter** [sprinte] v. i. Accélérer l'allure en arrivant près du but. ◆ **sprinter** [sprintœr] n. m. Coureur de vitesse sur petites distances ou capable de pointes de vitesse en fin d'une longue course.

SQUALE [skwal] n. m. (du lat. *squalus*). Nom donné aux requins, aux roussettes.

SQUAME [skwam] n. f. (lat. *squama,* écaille). Lamelle qui se détache de la partie superficielle de l'épiderme. ◆ **desquamer** v. i. ou **se desquamer** v. pr. S'enlever par lamelles : *La peau (se) desquame.* ◆ **desquamation** n. f. Chute de la partie superficielle de l'épiderme par squames.

SQUARE [skwar] n. m. (mot angl. signif. *carré*). Petit jardin public entouré d'une grille.

SQUATTER [skwatœr] n. m. (mot angl.). Personne sans abri qui, de sa propre autorité, s'installe avec sa famille dans un logement inoccupé.

SQUAW [skwo] n. f. (mot angl.). Femme d'un Indien.

SQUELETTE [skəlɛt] n. m. (gr. *skeletos,* desséché). **1.** Charpente du corps des vertébrés, constituée d'os reliés entre eux par des articulations. → ENCYCL. — **2.** Ensemble des parties des arthropodes. → ENCYCL. — **3.** Ensemble formé par les os dépouillés des parties molles de l'organisme, après la mort (syn. OSSEMENTS). — **4.** *Fam.* Personne d'une extrême maigreur. ◆ **squelettique** adj. **1.** Qui a l'aspect d'un squelette : *Des arbres squelettiques.* — **2.** Qui est réduit à sa plus simple expression : *Un exposé squelettique.*

— ENCYCL. Le *squelette* de l'homme se compose de la *tête,* supportée par la *colonne vertébrale* (formée de 33 vertèbres). Les 12 vertèbres dorsales sont complétées par les *côtes,* qui se réunissent en avant au sternum pour constituer la cage thoracique. Les *membres supérieurs* sont rattachés au thorax par la ceinture scapulaire (clavicule et omoplate), les *membres inférieurs* à la colonne vertébrale par la ceinture pelvienne au niveau du sacrum. → illustration ci-contre.

Les animaux vertébrés se caractérisent par leur *squelette interne* qui comporte toujours une colonne vertébrale, une tête osseuse avec crâne et mâchoires, des côtes, très souvent deux paires de membres (nageoires ou pattes), une cage thoracique (chez les homéothermes). Chez les oiseaux, les os sont creux; chez les requins et les raies, les pièces du squelette sont cartilagineuses. Certains vertébrés (tortue) ajoutent à cette charpente interne un *squelette externe* (carapace). Chez les arthropodes, le squelette est externe, formé de segments chitineux articulés. On appelle parfois *squelette* la charpente des animaux marins (polypiers) et de certaines éponges.

SRI LANKA (*république de*), anciennement **Ceylan,** île située au S. de l'Inde, dont elle est séparée par le détroit de Palk, formant un État membre du Commonwealth.

GÉOGRAPHIE

L'île est formée de vastes plateaux encadrant, au centre, un massif montagneux dépassant 2 500 m. Un climat de mousson, chaud et surtout humide au S., affecte l'ensemble de l'île en grande partie couverte par la jungle.

	TEMPÉRATURE MOYENNE	PLUIES
Colombo	26 °C	2 360 mm

La population, inégalement répartie, atteint des densités de

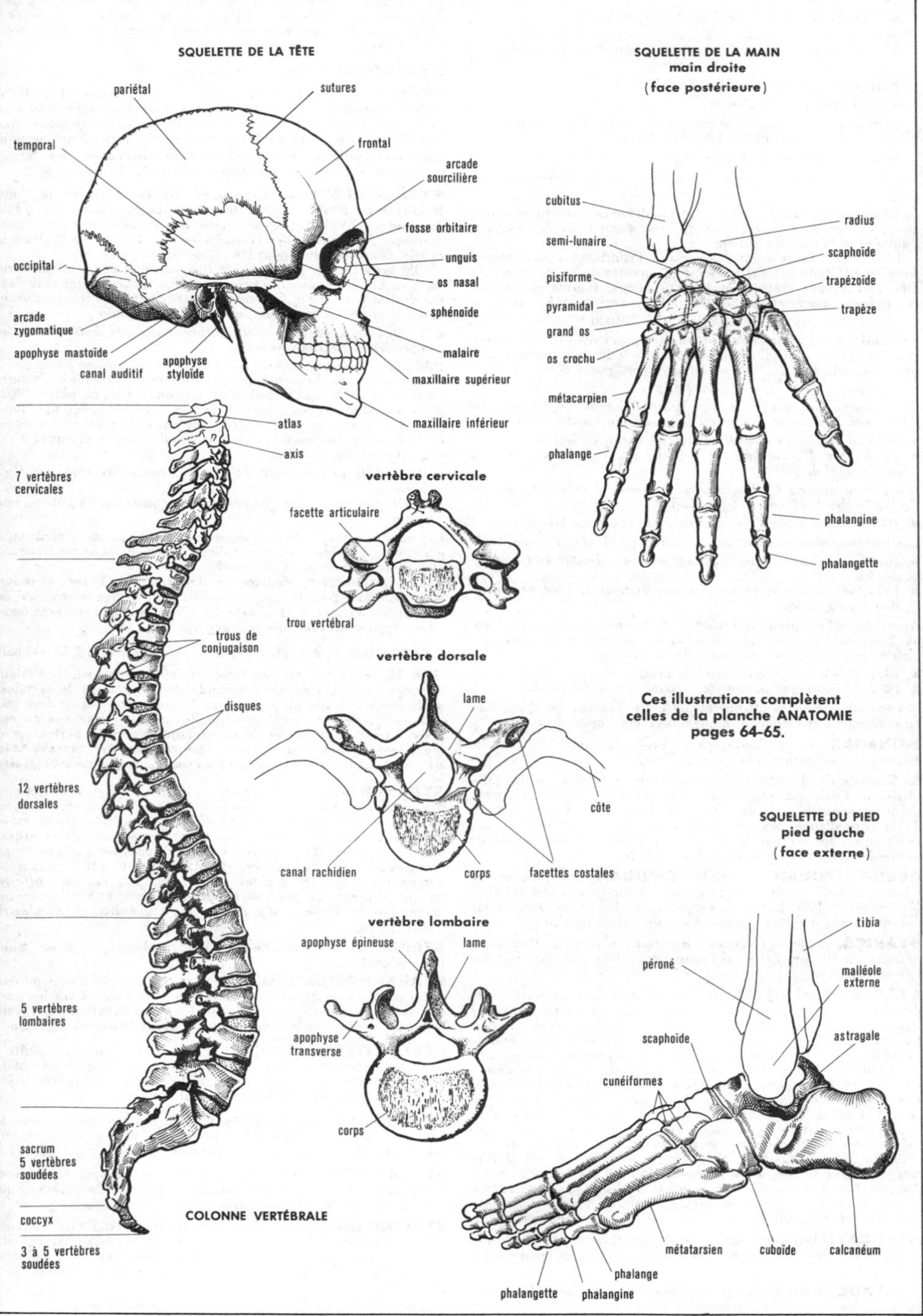
SQUELETTE DE LA TÊTE
pariétal
sutures
temporal
frontal
arcade sourcilière
fosse orbitaire
unguis
occipital
os nasal
sphénoïde
arcade zygomatique
apophyse mastoïde
canal auditif
apophyse styloïde
malaire
maxillaire supérieur
maxillaire inférieur
atlas
axis
7 vertèbres cervicales
vertèbre cervicale
facette articulaire
trou vertébral
trous de conjugaison
vertèbre dorsale
disques
lame
12 vertèbres dorsales
côte
canal rachidien
corps
facettes costales
vertèbre lombaire
apophyse épineuse
lame
apophyse transverse
5 vertèbres lombaires
corps
sacrum 5 vertèbres soudées
coccyx
3 à 5 vertèbres soudées
COLONNE VERTÉBRALE
SQUELETTE DE LA MAIN
main droite
(face postérieure)
cubitus
radius
semi-lunaire
scaphoïde
pisiforme
trapézoïde
pyramidal
trapèze
grand os
os crochu
métacarpien
phalange
phalangine
phalangette
Ces illustrations complètent celles de la planche ANATOMIE pages 64-65.
SQUELETTE DU PIED
pied gauche
(face externe)
tibia
péroné
malléole externe
scaphoïde
astragale
cunéiformes
métatarsien
cuboïde
calcanéum
phalange
phalangette
phalangine

SUPERFICIE 66 000 km² (France : 550 000 km²).
POPULATION 16 900 000 hab. *(Sri Lankais);* 256 hab. au km² (France : 103); accroissement annuel de population, 2,3 p. 100.
CAPITALE Colombo (1 million d'hab.).
LANGUE OFFICIELLE cinghalais.
ÉCONOMIE consommation d'énergie par hab., 110 kg d'équivalent charbon; 1 automobile pour 150 hab.
MONNAIE roupie cinghalaise.

500 hab. au km² au S. de l'île. Un problème de surpeuplement se pose, qui ne peut être résolu que par l'extension des surfaces cultivées et l'industrialisation.

Les rizières fournissent des récoltes insuffisantes pour nourrir tous les habitants, et Sri Lanka doit importer du riz de Birmanie. Des plantations, créées par les Européens, fournissent épices, caoutchouc, cacao et surtout thé dans la région de Kandy.

riz 2,3 millions de t; thé 230 000 t.

Sri Lanka possède des mines de pierres précieuses (rubis, saphir) et de graphite, mais l'industrie se limite à la transformation de produits agricoles. Les villes ne fournissent guère d'emplois.

HISTOIRE

Les Veddas constituent la population indigène de Ceylan. De l'Antiquité à l'époque moderne l'île a subi l'influence de l'Inde.

- *IIIᵉ s. av. J.-C. Le bouddhisme est introduit à Ceylan.*
- *XIᵉ-XIVᵉ s. L'invasion des Tamouls, venus de l'Inde, ruine la partie nord de l'île.*

Du XVIᵉ au XIXᵉ s., Ceylan est successivement colonisée par les Portugais, les Hollandais et les Anglais.

- *1802. Ceylan devient une colonie de la couronne britannique.*

Les Britanniques installent une économie de plantation (café, thé).

- *1948. Ceylan devient un État indépendant, membre du Commonwealth.*
- *1956-1965. Un gouvernement nationaliste et de tendance socialiste est au pouvoir.*

Après une interruption de 1965 à 1970, la gauche socialiste revient au pouvoir. Elle doit faire face à des difficultés économiques, aggravées par la forte croissance démographique.

- *1971. Une insurrection d'extrême gauche est réprimée.*
- *1972. L'État prend le nom de « république de Sri Lanka ».*

À partir de 1983, les affrontements entre Tamouls et Cinghalais se multiplient et menacent dangereusement l'unité du pays.

SRĪNAGAR, v. de l'Inde, capit. (avec Jammu) de l'État de Jammu-et-Cachemire; 588 000 hab. Textiles.

S. S. (sigle de *S*[*chutz*]*s*[*taffel*], groupe de protection), police militarisée de l'Allemagne nationale-socialiste. Créés dès 1925 comme garde personnelle de Hitler, les S. S. furent par la suite chargés de la surveillance des camps de concentration et de celle des territoires occupés par le Reich. En 1940 ils constituèrent de véritables unités militaires, les *Waffen-S. S.*

SSEU-TCH'OUAN ou **SEU-TCH'OUAN,** province de la Chine centrale, drainée par le Yang-tseu; 569 000 km²; 99 millions d'hab. Capit. *Tch'eng-tou.* Riche région agricole du Bassin rouge, dominée par les *Alpes du Sseu-tch'ouan.*

STABIES, v. de la Campanie ancienne, voisine de Pompéi et détruite en 79 apr. J.-C. par l'éruption du Vésuve. (Auj. CASTELLAMMARE DI STABIA.)

STABLE [stabl] adj. (lat. *stabilis;* de *stare,* être debout). **1.** Se dit de ce qui a une base solide, qui ne risque pas de tomber : *Être dans une position stable* (syn. FERME). *Une chaise stable* (contr. BRANLANT). — **2.** Qui se maintient, qui reste dans le même état de façon durable : *Un gouvernement stable* (= qui ne change pas). *Une paix stable* (syn. DURABLE). *Une monnaie stable* (= qui ne se déprécie pas). *Un composé chimique stable* (= qui résiste à la décomposition). ◆ **instable** adj. : *Un temps instable* (= sujet à changer) [syn. VARIABLE]. *Une personne, un caractère instable* (= qui n'est pas constant dans sa conduite, dans ses idées, dans ses sentiments). *Un métal instable.* ◆ **stabiliser** v. t. Rendre stable : *Stabiliser un échafaudage. Stabiliser la monnaie.* ◆ ***se stabiliser*** v. pr. Devenir stable. ◆ **stabilisation** n. f. ◆ **stabilité** n. f. : *La stabilité d'un meuble. La stabilité ministérielle* (syn. PERMANENCE). *La stabilité des sentiments. La stabilité d'une combinaison chimique.* ◆ **instabilité** n. f. : *L'instabilité d'un meuble, des prix.*

STACCATO [stakato] adv. (mot it. signif. *détaché*). *Mus.* Indique que les notes doivent être jouées très détachées les unes des autres.

1. STADE [stad] n. m. (gr. *stadion*). Terrain pourvu des installations nécessaires à la pratique des sports.

2. STADE [stad] n. m. (même étym.). Période, degré qui, dar une évolution, forme une partie distincte : *Étudier les principau stades d'un développement* (syn. PHASE). *Dépasser un certain stac* (syn. NIVEAU).

STADHOUDER n. m. → STATHOUDER.

STAEL (Nicolas DE), peintre français d'origine russe (1914-1955 Attiré d'abord par l'abstrait, il peint des masses géométrique placées verticalement et agencées en groupements élégants, ain que des paysages schématiques. Il en vient ensuite à une sorte d figuration, utilisant les possibilités de l'évocation des forme réelles par des taches lumineuses. Dépressif, il se suicida.

STAËL-HOLSTEIN (Germaine NECKER, *baronne* DE, di **Madame de Staël**), femme de lettres française (1766-1817). Fill du banquier Necker, elle est admise très jeune dans le salon de s mère que fréquentent des écrivains comme Diderot ou d'Alembe et elle s'enthousiasme pour les philosophes.

Elle accueille favorablement la Révolution et ouvre un salon ru du Bac, qui devient un des principaux centres politiques et littérai res de Paris. Elle doit cependant s'exiler par deux fois en Suisse après la chute de la royauté, et pendant Thermidor.

- *1800. Elle publie « De la littérature considérée dans ses rappor avec les institutions sociales ».*

Elle y affirme ses tendances romantiques et y exprime l'idée que l climat est la cause essentielle des différences entre les littérature du Nord et du Midi. Elle publie ensuite un roman, *Delphine* (1802 Mais marquée par ses opinions libérales, elle est exilée par Napo léon. Elle partage alors son existence entre de nombreux voyage en Italie et en Allemagne et son château de Coppet en Suisse où s succèdent d'illustres visiteurs.

- *1807. Elle fait paraître « Corinne », roman de tendance fémi niste.*
- *1810. Son livre « De l'Allemagne » est saisi par la police impé riale.*

Cet ouvrage, dont le but est de révéler aux Français la civilisatio germanique, oppose, en particulier, la poésie classique français et la poésie romantique allemande.

À la Restauration, Madame de Staël rentre en France et rouvr son salon pour peu de temps avant de mourir. Son œuvre, qui es un appel constant à la liberté de l'inspiration et au lyrisme, ouvert la voie au romantisme français.

STAFFORD, v. d'Angleterre, ch.-l. du Staffordshire; 54 900 hab.

STAGE [staʒ] n. m. (de l'anc. fr. *estage,* séjour). **1.** Périod d'études pratiques exigée des candidats à l'exercice de certaine professions libérales ou publiques : *Le stage des avocats dure troi ans.* — **2.** Période pendant laquelle une personne exerce un activité temporaire en vue de sa formation ou de son perfectionne ment professionnels : *Les futurs ingénieurs font des stages dans le usines.* ◆ **stagiaire** adj. et n. : *Un avocat, un professeur stagiaire.*

STAGNER [stagne] v. i. (du lat. *stagnum,* étang). **1.** (sujet nom désignant un liquide ou un fluide) Ne pas s'écouler, rester immobile : *À la suite des inondations, l'eau stagnait dans les caves.* — **2.** (sujet nom de personne ou de chose) Rester inerte, ne marque aucune activité : *Les affaires ont stagné pendant quelque temps, maintenant c'est la relance.* ◆ **stagnant, e** adj. : *Des eau stagnantes* (= qui ne coulent pas). *L'état stagnant des affaires* (= qui ne progresse pas). ◆ **stagnation** n. f. **1.** État de ce qui stagne. — **2.** Absence d'activité : *La stagnation de l'industrie* (contr. ESSOR).

STAINS, ch.-l. de cant. de la Seine-Saint-Denis, au N. de Saint-Denis; 36 300 hab.

STAKHANOVISME [stakanɔvism] n. m. (du n. du mineur russe *Stakhanov* qui créa cette méthode vers 1935). Dans les pays d'économie socialiste, méthode fondée sur l'initiative du travailleur pour augmenter le rendement. ◆ **stakhanoviste** adj. et n.

STALACTITE [stalaktit] n. f. (gr. *stalaktos,* qui coule goutte à goutte). Concrétion calcaire en forme de colonne qui orne la voûte des grottes de régions karstiques. (Elle est due à la précipitation du calcaire contenu dans les eaux d'infiltration.)

STALAG [stalag] n. m. (abrév. de l'all. *Sta*[*mm*]*lag*[*er*], camp de base). Camp de prisonniers reservé aux sous-officiers et aux soldats, pendant la Seconde Guerre mondiale.

STALAGMITE [stalagmit] n. f. (gr. *stalagmos,* écoulement goutte à goutte). Concrétion calcaire, en forme de colonne, qui s'élève à partir du sol des grottes.

STALINE (Joseph Vissarionovitch DJOUGATCHVILI, dit). Homme d'État soviétique d'origine géorgienne (1879-1953). Expulsé du séminaire pour propagande marxiste, il mène une vie de révolutionnaire professionnel, qui entraînera sa déportation en Sibérie à plusieurs reprises.

- *1904. Il rejoint Lénine au sein du groupe bolchevique.*

Après avoir organisé les ouvriers du pétrole à Bakou (1909), il est membre du Comité central bolchevique en 1912, responsable du journal la *Pravda* (fonction qu'il reprendra en 1917 à son retour de déportation). En octobre 1917, il soutient les thèses de Lénine sur la prise immédiate du pouvoir. Pendant la guerre civile, il dirige l'Armée rouge en Ukraine, puis est responsable de la question des nationalités minoritaires de l'Empire russe.

• *1922. Nommé secrétaire général du parti communiste, il s'y assure des appuis.*

La mort de Lénine (1924) lui permet d'accroître ses pouvoirs en s'appuyant sur les partisans du « socialisme dans un seul pays » et en jouant le rôle d'arbitre entre les factions du parti. Il élimine Trotski avec l'appui de Zinoviev et Kamenev, puis ceux-ci lorsqu'ils passent à l'opposition (1927) et enfin Boukharine et les communistes de droite (1929).

• *1928. Staline lance le premier plan quinquennal (1928) et la collectivisation de l'agriculture, afin de développer l'économie.*

Il renforce la stabilité du régime en exaltant le patriotisme russe et engage une épuration du parti communiste qui culmine avec les procès de 1936-1937; la bureaucratisation s'accroît.

• *1939. Après l'échec d'un rapprochement avec les démocraties occidentales face aux ambitions nazies, il signe le pacte germano-soviétique.*

Celui-ci, qui permet une extension de l'influence russe vers les États baltes, ne fait que reculer la guerre, par laquelle, de 1941 à 1945, l'U. R. S. S. va précipiter la défaite allemande.

• *Février 1945. La rencontre de Staline avec Roosevelt et Churchill à Yalta décide du sort de l'Europe de l'après-guerre.*

Mais l'accroissement de l'influence soviétique en Europe de l'Est, où Staline favorise l'arrivée de gouvernements socialistes, entraîne l'opposition des États-Unis (guerre froide). Un durcissement du régime s'ensuit de 1948 à 1953.

Staline fut, de son vivant, adulé ou haï, en tant que symbole de la révolution et de l'antifascisme. Mais les aspects les plus autoritaires de sa politique et le culte de la personnalité dont il fut l'objet furent condamnés par ses successeurs (XXe Congrès, 1956).

STALINGRAD, ancienn. **Tsaritsyne** et depuis 1961 **Volgograd*,** v. de l'U. R. S. S., sur la Volga. Pendant l'hiver 1942-1943, l'armée allemande de Paulus, qui attaquait la ville, fut encerclée et contrainte à la capitulation le 31 janvier 1943, par les armées russes de Rokossovski et de Ieremenko. Cette défaite marqua le début de la contre-offensive générale et victorieuse des forces soviétiques, et un tournant capital dans l'histoire de la Seconde Guerre mondiale.

STALINISME [stalinism] n. m. (de *Staline*). Ensemble des théories et des méthodes de Staline. ◆ **staliniste** ou **stalinien, enne** adj. Qui soutient les théories et les méthodes de Staline.

STALINO → DONETSK.

STALINOGORSK → NOVOMOSKOVSK.

STALINSK → NOVO-KOUZNETSK.

STALLE [stal] n. f. (it. *stallo*). **1.** Siège de bois à dossier élevé, occupant les deux côtés du chœur d'une église. — **2.** Dans une écurie, emplacement réservé à chaque cheval (syn. BOX). — **3.** Garage pour une voiture particulière (syn. préconisé par l'Administration de BOX).

STAMITZ (Johann), compositeur de musique allemand (1717-1757), chef de l'école de Mannheim, un des foyers de l'art symphonique en Europe. Il est l'auteur de sonates pour violon seul, de cent cinquante symphonies, de concertos.

STANCE [stɑ̃s] n. f. (it. *stanza*, strophe). Groupe de vers offrant un sens complet et suivi d'un repos : *Le mot « stance » s'est restreint au domaine de la poésie religieuse ou élégiaque* (syn. STROPHE). ◆ n. f. pl. Poème lyrique composé d'un certain nombre de strophes : *Les stances du « Cid ».*

STAND [stɑ̃d] n. m. (de l'angl. *to stand*, se tenir debout). **1.** Espace réservé à chacun des participants ou à chaque catégorie de produits, dans une exposition. — **2.** *Stand de ravitaillement*, dans une course automobile, emplacement, en bordure de la piste, affecté à un concurrent et où celui-ci peut s'approvisionner en carburant, faire réparer sa voiture, etc. — **3.** *Stand de tir*, ou *stand*, endroit clos, aménagé pour permettre le tir de précision à la cible avec des armes à feu.

1. STANDARD [stɑ̃dar] adj. (mot angl. signif. *type*) [sans forme du fém.]. **1.** Se dit de ce qui est conforme à une norme de fabrication, à un modèle, à un type : *Des pneus standards.* — **2.** *Échange standard*, échange d'une pièce usée contre une autre du même modèle, rénovée. ◆ n. m. *Standard de vie*, niveau de vie. ◆ **standardiser** v. t. Unifier des types d'objets fabriqués pour en faciliter et en simplifier le montage et l'entretien. ◆ **standardisation** n. f. : *La standardisation a abouti à la fabrication en série.*

2. STANDARD [stɑ̃dar] n. m. (même étym.). Dispositif employé dans une administration, dans une entreprise pour établir les communications téléphoniques entre le réseau urbain et les divers postes intérieurs. ◆ **standardiste** n. Personne affectée au service d'un standard téléphonique.

STANDING [stɑ̃diŋ] n. m. (mot angl. signif. *niveau*). **1.** Position sociale et économique d'une personne, prestige qu'elle en tire auprès des autres : *Augmenter son standing.* — **2.** Niveau d'une habitation au point de vue de son aspect et de son confort : *Un immeuble de grand standing.* (L'Administration préconise CLASSE.)

STANHOPE (James, *comte* DE), général et homme d'État anglais (1673-1721). Il dirigea la politique étrangère à partir de 1714.

STANILAS Ier LESZCZYŃSKI (1677-1766), roi de Pologne en titre de 1704 à 1766, en fait de 1704 à 1714 et de 1733 à 1736. Chassé de Pologne par les armées austro-russes, il fut contraint d'abdiquer par son gendre Louis XV qui, par le traité de Vienne (1738), lui donna la souveraineté sur le Barrois et la Lorraine. Il constitua une cour brillante dans ses capitales, Lunéville et Nancy, qu'il embellit considérablement.

STANLEY (John ROWLANDS, *sir* Henry MORTON) [1841-1904]. Explorateur de l'Afrique centrale, où il retrouva Livingstone, il traversa l'Afrique équatoriale d'E. en O. Il se mit au service du roi des Belges Léopold II pour créer un État libre du Congo.

STANLEY POOL, anc. nom du POOL* MALEBO.

STANLEYVILLE → KISANGANI.

STANOVOÏ *(monts)*, chaîne de montagnes de la Sibérie orientale; 2412 m.

STAPHYLOCOQUE [stafilokɔk] n. m. (du gr. *staphulê*, grain de raisin, et *kokkos*, graine). Bactérie formée de corps sphériques *(cocci)* réunis en grappe de raisin, responsable des staphylococcies. ◆ **staphylococcie** n. f. Infection par le staphylocoque.

— ENCYCL. Les *staphylocoques* abondent dans la nature, sur la peau et sur les muqueuses de l'homme sain. Une espèce, le staphylocoque doré, provoque chez l'homme des infections variées : les *staphylococcies* peuvent être cutanées et provoquer furoncle, anthrax, impétigo. Parmi elles, celles qui surviennent sur la face (furoncle de la lèvre supérieure ou de l'aile du nez) peuvent avoir de graves conséquences en l'absence de traitement énergique. Les staphylocoques peuvent également être la conséquence d'une infection générale : *septicémie* à staphylocoques à partir d'un foyer de staphylocoques mal traité ou négligé.

Le traitement de ces infections fait appel aux antibiotiques, mais beaucoup de staphylocoques actuellement rencontrés sont ou deviennent résistants aux antibiotiques.

STAR [star] n. f. (mot angl. signif. *étoile*). Vedette de cinéma ou de music-hall. ◆ **starlette** n. f. Jeune débutante, au cinéma.

STARA PLANINA, nom bulgare du BALKAN*.

STARK (Johannes), physicien allemand (1874-1957). Il observa le dédoublement des raies spectrales sous l'action d'un champ électrique. (Prix Nobel de physique, 1919.)

STARTER [startɛr] n. m. (de l'angl. *to start*, faire partir). **1.** Celui qui, dans les courses, donne le signal du départ. — **2.** *Mécan.* Dispositif d'un carburateur qui, en augmentant la richesse en carburant du mélange gazeux, facilite le départ à froid d'un moteur à explosion.

STARTING-BLOCK [startiŋblɔk] n. m. (mot angl.). Cale de départ pour les coureurs à pied. ‖ Pl. des *starting-blocks.*

STASE [staz] n. f. (gr. *stasis*, arrêt). *Méd.* Arrêt ou ralentissement de la circulation du sang ou de tout autre liquide organique.

STATHOUDER ou **STADHOUDER** [statudɛr, -dudɛr] n. m. (mot néerl. signif. *gouverneur*). Dans les Pays-Bas, titre porté d'abord par le gouverneur de chaque province, puis par les chefs militaires de l'Union, notamment par les princes d'Orange.

1. STATION [stasjɔ̃] n. f. (lat. *statio;* de *stare*, se tenir debout). **1.** Arrêt, de durée variable, au cours d'une promenade, d'un voyage (syn. HALTE, PAUSE). — **2.** Endroit où s'arrêtent les voitures de transport urbain : *Une station de métro, de taxis.* ◆ **stationner** v. i. (sujet nom de personne ou de véhicule). S'arrêter momentanément en un lieu : *Voitures qui stationnent dans la rue.* ◆ **stationnement** n. m. Fait de stationner : *Un parc de stationnement* (syn. PARKING).

2. STATION [stasjɔ̃] n. f. (même étym.). Lieu de séjour pour faire une cure, pour se reposer, pour pratiquer certains sports : *Une station thermale* (syn. VILLE D'EAUX). *Une station balnéaire.*

STATIONNAIRE [stasjɔnɛr] adj. (lat. *stationarius*). Se dit de ce qui demeure au même point, sans avancer ni reculer : *Malade (maladie) dans un état stationnaire* (= dont l'évolution est insensible).

STATIONNEMENT n. m., **STATIONNER** v. i. → STATION 1.

STATION-SERVICE [stasjɔ̃sɛrvis] n. f. (de l'angl. *service-station*). Endroit où sont aménagées des pompes à essence, et qui permet aux automobilistes de faire le plein, d'effectuer des réparations et, au besoin, de se reposer.

1. STATIQUE [statik] adj. (gr. *statikos*, relatif à l'équilibre). Se dit d'une personne ou d'une chose qui n'évolue pas, ne progresse pas (contr. DYNAMIQUE).

2. STATIQUE [statik] n. f. (même étym.). Branche de la mécanique qui a pour objet l'équilibre des forces. ◆ adj. Qui a rapport à l'équilibre des forces.

STATISTIQUE [statistik] n. f. (du lat. *status*, état). **1.** Branche des mathématiques appliquées, dont les principes découlent de la théorie des probabilités et qui a pour objet le groupement méthodique ainsi que l'étude de séries de faits ou de données numériques. — **2.** Ensemble de données numériques relatives à une catégorie de faits : *Une statistique sociologique, économique, linguistique.* ◆ adj. : *Des rapports statistiques.* ◆ **statisticien, enne** n. Spécialiste de la statistique. ◆ **statistiquement** adv. : *Une étude établie statistiquement* (= par le moyen de la statistique).

STATOR [statɔr] n. m. (du lat. *status*, fixé). *Technol.* Partie fixe d'une machine tournante (alternateur, moteur, turbine, etc.), par oppos. à la partie mobile, ou *rotor*.

STATORÉACTEUR [statɔreaktœr] n. m. (du lat. *status*, fixé, et *réacteur*). Propulseur à réaction sans organe mobile.

STATUE [staty] n. f. (lat. *statua*; de *stare*, être debout). Ouvrage de sculpture représentant un être humain, un animal, etc. : *Une statue de marbre. Ériger une statue.* ◆ **statuaire** n. m. Artiste qui fait des statues (syn. SCULPTEUR). ◆ n. f. Art de faire des statues. ◆ **statuette** n. f. Petite statue. ◆ **statufier** v. t. Fam. *Statufier qq'un*, lui élever une statue.

STATUER [statɥe] v. t. ind. et i. (lat. *statuere*, établir). *Statuer sur qqch.*, le régler avec l'autorité que confère la loi : *Le tribunal statue en dernier ressort.*

STATUETTE n. f., **STATUFIER** v. t. → STATUE.

STATU QUO [statykwɔ ou -ko] n. m. (du lat. *in statu quo ante*, dans l'état où les choses étaient auparavant). État actuel des choses : *Maintenir le « statu quo ».*

STATURE [statyr] n. f. (lat. *statura*). **1.** Hauteur du corps d'une personne : *Un homme d'une stature moyenne* (syn. TAILLE). — **2.** Importance d'une personne : *Un chef d'État d'une stature exceptionnelle* (= d'une personnalité au-dessus des autres).

STATUT [staty] n. m. (du lat. *statuere*, établir). Ensemble des dispositions législatives ou réglementaires qui fixent les garanties fondamentales accordées à une collectivité : *Le statut des fonctionnaires.* ◆ n. m. pl. Suite d'articles qui définissent les règles du fonctionnement d'une société, d'une association. ◆ **statutaire** adj. Conforme aux statuts.

STAUFFENBERG (Claus SCHENK, *comte* VON), officier allemand (1907-1944). Il prépara et exécuta l'attentat du 20 juillet 1944 auquel échappa Hitler. Il fut fusillé.

STAVANGER, port de Norvège, sur l'Atlantique; 84 300 hab. Pêche. Métallurgie. Constructions navales. Centre pétrolier.

STAVROPOL, ancienn. **Vorochilovsk,** v. de l'U. R. S. S., au N. du Caucase; 271 000 hab. Métallurgie.

STEAK [stɛk] n. m. (mot angl.). Syn. de BIFTECK.

STEAMER [stimœr] n. m. (mot angl.; de *steam*, vapeur). Navire à vapeur.

STÉARINE [stearin] n. f. (du gr. *stear*, graisse). Corps gras, principal constituant des graisses animales. ◆ **stéarique** adj. Se dit d'un acide contenu dans les graisses animales et servant surtout à fabriquer des bougies.

STEEPLE-CHASE [stipəlʃɛz] ou **STEEPLE** [stipl] n. m. (de l'angl. *steeple*, clocher, et *chase*, course). Course à pied (3 000 m) ou à cheval, comportant des obstacles. ‖ Pl. des *steeple-chases.*

STÉGOMYIE [stegɔmii] n. f. (lat. *stegomya*). Moustique des pays chauds qui propage la fièvre jaune par ses piqûres.

STÉGOSAURE [stegozɔr] n. m. (du gr. *stegein*, couvrir, et *sauros*, reptile). Reptile fossile du Jurassique des États-Unis, mesurant 6 m de long environ, et portant des plaques osseuses le long de l'épine dorsale.

STEIN (Karl, *baron* VON), homme politique allemand (1757-1831). Ministre d'État (1804-1808), il proposa d'importantes réformes libérales après le traité de Tilsit et incarna, avec Scharnhorst, la résistance germanique à Napoléon.

STEIN (Gertrude), femme de lettres américaine (1874-1946). Établie à Paris elle encouragea le mouvement pictural d'avant-garde. Son œuvre a eu une grande influence sur le roman américain contemporain et sur l'œuvre d'Hemingway en particulier *(Américains d'Amérique,* 1925; *Autobiographie d'Alice B. Toklas).*

STEINBECK (John), écrivain américain (1902-1968). Pour poursuivre ses études universitaires, il exerce divers métiers (ouvrier agricole, maçon). Ces expériences, ainsi que la connaissance des milieux populaires de Californie où il est né, lui fourniront la matière de ses œuvres. Son œuvre très diverse (romans, nouvelles, pièces de théâtre, reportages) est une dénonciation de l'injustice et de la misère : *En un combat douteux* (1936) est un roman sur la grève d'un groupe de journaliers agricoles californiens; *les Raisins de la colère*, considéré comme son chef-d'œuvre, est le récit de l'exode en Californie de paysans de l'Oklahoma ruinés par les banques. Dans la même veine, où l'on trouve toujours présents les thèmes de la terre et du peuple, il a écrit notamment *Tortilla Flat* (1935), *Des souris et des hommes* (1937), tandis qu'*À l'est d'Éden* (1952) marque une évolution vers une écriture plus symbolique. (Prix Nobel, 1962.)

STÈLE [stɛl] n. f. (gr. *stêlê*). Pierre, plaque de pierre ou colonne brisée placée debout et destinée à porter une inscription, le plus souvent funéraire.

STELLAIRE [stelɛr] adj. (du lat. *stella*, étoile). *Astron.* Relatif aux étoiles. ◆ **interstellaire** adj. Qui est situé entre les étoiles.

STELVIO *(col du)*, col des Alpes italiennes, près de la frontière suisse, débouché de la Valteline; 2 757 m.

STENDHAL (Henri BEYLE, dit), écrivain français (1783-1842). Les guerres de la Révolution et de l'Empire, auxquelles il participe comme officier de dragons, puis comme intendant militaire, lui font découvrir l'Italie, qui marque profondément sa sensibilité. À la chute de l'Empire, il va vivre à Milan et commence à écrire des opuscules sur la musique et la peinture. Le récit de voyage *Rome, Naples et Florence* (1817-1826) est le premier ouvrage qu'il signe du nom de *Stendhal*. Il publie ensuite un essai psychologique, *De l'amour* (1822), où il analyse l'une des phases (qui deviendra célèbre) de l'amour naissant, la « cristallisation », et s'engage dans la bataille romantique, prenant parti pour l'école nouvelle (*Racine et Shakespeare*, 1823-1825).

● *1830. « Le Rouge et le Noir » paraît.*

Cette « chronique » de la société française sous la Restauration déconcerte les lecteurs. Quittant Paris, Stendhal entame une carrière de diplomate, retourne en Italie comme consul à Trieste, puis à Civitavecchia. En 1834, il commence un nouveau roman *Lucien Leuwen* qui restera inachevé.

● *1836-1839. De retour à Paris, il écrit « la Chartreuse de Parme » (1839) et des « Chroniques italiennes ».*

Son œuvre posthume (*Lucien Leuwen*, 1855; *Lamiel*, 1899; *la Vie de Henri Brulard*, 1890; *Souvenirs d'égotisme*, 1892) consacre sa gloire.

Lorsqu'elle ne les a pas choqués, l'œuvre de Stendhal a laissés indifférents ses contemporains (hormis Balzac). Mais lui-même déclarait, dédiant *la Chartreuse de Parme* aux « happy few », qu'il ne serait pas compris avant 1880.

On distingue dans l'œuvre de Stendhal deux conceptions de la vie, liées l'une à l'autre : le culte de l'énergie (la *virtù*) qui anime ses héros dans leur lutte contre les obstacles à leur amour ou à leur ambition, les préjugés, la morale, et la recherche passionnée du bonheur. Il a su, en un style précis et dépouillé (« L'idéal c'est la sécheresse du Code civil »), faire vivre des héros passionnés semblables à lui, qui dissimulent leur sensibilité sous un apparent cynisme, et que l'auteur regarde d'un œil ironique, son humour, teinté de sympathie, étant toujours sous-jacent.

STÉNODACTYLO [stenodaktilo] ou **STÉNO** n. f. (de *sténographe*, et *dactylographe*). Dactylo capable d'assurer, au moyen de signes écrits, l'enregistrement d'une dictée, d'une conversation, d'un discours.

STÉNOGRAPHIE [stenografi] n. f. (du gr. *stenos*, serré, et *graphein*, écrire). Procédé d'écriture, formée de signes abréviatifs et conventionnels, qui sert à transcrire la parole aussi rapidement qu'elle est prononcée. ◆ **sténographe** n. Personne qui connaît ou pratique la sténographie. ◆ **sténographier** v. t. Écrire au moyen de la sténographie : *Sténographier un discours.* ◆ **sténographique** adj. : *Des signes sténographiques.* ◆ **sténotypie** n. f. Sténographie mécanique. ◆ **sténotypiste** n.

STENTOR [stɑ̃tɔr] n. m. (de *Stentor*, héros de la guerre de Troie, doué d'une forte voix). *Voix de stentor*, voix forte et retentissante.

STEPHENSON (George), ingénieur anglais (1781-1848). Il construisit en 1813 la première locomotive à vapeur utilisable, ainsi que de nombreuses lignes de chemin de fer en Grande-Bretagne.

STEPPE [stɛp] n. f. (russe *step*). Grande plaine semi-aride, couverte d'une végétation pauvre et discontinue. ◆ **steppique** adj. Formé de steppes.

STÈRE [stɛr] n. m. (gr. *stereos*, solide). Anc. unité de volume (symb. : st), équivalant au mètre cube, et utilisée pour mesurer le volume du bois de chauffage empilé.

STÉRÉOPHONIE [stereofɔni] ou **STÉRÉO** [stereo] n. f. (du gr. *stereos,* solide, et *phônê,* son). Technique de la reproduction des sons enregistrés ou transmis par radio, caractérisée par la reconstitution spatiale des sources sonores. ◆ **stéréophonique** adj. : *Une audition stéréophonique.*

STÉRÉOSCOPE [stereɔskɔp] n. m. (du gr. *stereos,* solide, et *skopein,* observer). Instrument d'optique dans lequel deux images planes donnent l'impression d'une seule image en relief. ◆ **stéréoscopique** adj. : *Une vue stéréoscopique* (= qui donne l'impression du relief).

STÉRÉOTYPÉ, E [stereotipe] adj. (du gr. *stereos,* solide, et *tupos,* caractère). Se dit de ce qui se présente toujours sous une même forme et qui ne comporte que peu ou pas de sens : *Une phrase stéréotypée* (= toute faite). *Un sourire stéréotypé.*

1. STÉRILE [steril] adj. (lat. *sterilis*). **1.** Se dit d'un végétal qui ne porte pas de fruits, d'un sol qui ne produit pas : *Une terre stérile* (syn. IMPRODUCTIF; contr. FERTILE). — **2.** Se dit d'un organisme animal ou végétal, qui est impropre à la reproduction : *Un homme, une femme stérile.* — **3.** *Un esprit, un auteur stérile,* qui manque d'invention, d'imagination. — **4.** Se dit de ce qui ne produit rien d'efficace, de fructueux : *Un effort stérile* (syn. VAIN). *Une discussion stérile* (syn. INUTILE, OISEUX). ◆ **stériliser** v. t. *Stériliser qqch.,* le rendre stérile : *Une grande sécheresse stérilise les terres.* — **2.** *Stériliser un être vivant,* le rendre inapte à la reproduction. ◆ **stérilité** n. f. : *Stérilité d'une femme* (contr. FÉCONDITÉ). *La stérilité du sol* (contr. FERTILITÉ).

2. STÉRILE [steril] adj. (même étym.). *Un milieu stérile,* qui est exempt de tout germe microbien. ◆ **stériliser** v. t. *Stériliser une plaie, un instrument, une substance,* les débarrasser des ferments ou des microbes qu'ils contiennent (syn. ASEPTISER, DÉSINFECTER). ◆ **stérilisation** n. f. : *La stérilisation des instruments de chirurgie, des pansements, des boissons.* ◆ **stérilisé, e** adj. Se dit d'un produit, d'une substance, débarrassés des microbes, des ferments qu'ils contiennent, en vue de leur conservation : *Du lait stérilisé* (syn. PASTEURISÉ).

STÉRILET [sterilɛ] n. m. (de *stérile*). Dispositif intra-utérin utilisé pour la contraception.

STÉRILISATION n. f., **STÉRILISÉ, E** adj. → STÉRILE 2.

STÉRILISER v. t. → STÉRILE 1 et 2.

STÉRILITÉ n. f. → STÉRILE 1.

STERLING [stɛrliŋ] adj. et n. m. inv. (mot angl.). **1.** Qualificatif donné en Angleterre, au commencement du règne d'Henri II, à l'étalon monétaire *(standard),* principale monnaie d'argent. — **2.** *Livre sterling,* unité monétaire anglaise, composée de cent pence (symb. : £).

STERM (Otto), physicien américain (1888-1969), prix Nobel de physique en 1943 pour l'ensemble de ses travaux sur l'atome.

STERNBERG (Joseph VON), cinéaste américain d'origine autrichienne (1894-1969). Après *les Nuits de Chicago* (1927) et *les Damnés de l'Océan* (1928) tournés aux Etats-Unis, il revient en Allemagne et réalise avec Marlène Dietrich *l'Ange bleu* (1930). De retour aux États-Unis, il tourne *l'Impératrice rouge* (1934), *la Femme et le pantin* (1935), *The Shanghai Gesture* (1941).

STERNE [stɛrn] n. f. (mot angl.). Oiseau palmipède marin, appelé usuellement HIRONDELLE DE MER.

STERNE (Laurence), écrivain anglais (1713-1768), auteur de *la Vie et les opinions de Tristram Shandy* (1759) et du *Voyage sentimental* (1768). Sa désinvolture et son humour ont exercé sur Diderot une influence notable.

STERNUM [stɛrnɔm] n. m. (mot lat.). Os plat situé à la partie antérieure de la cage thoracique chez la plupart des vertébrés. — ENCYCL. C'est sur le *sternum* que viennent se rattacher les côtes, articulées d'autre part sur les vertèbres. Chez les oiseaux, le sternum porte une lame osseuse perpendiculaire, le *bréchet.* Il permet l'insertion des puissants muscles pectoraux servant au vol.

STÉROL [sterɔl] n. m. (de [*chole*]*stérol*). *Chim.* Substance organique à plusieurs cycles d'atomes de carbone et à fonction alcool : *Le cholestérol est le type des stérols.*

STÉTHOSCOPE [stetɔskɔp] n. m. (du gr. *stêthos,* poitrine, et *skopein,* examiner). Instrument dont se sert le médecin pour ausculter les malades : *Laennec inventa le stéthoscope.*

STETTIN → SZCZECIN.

STEVENSON (Robert Louis BALFOUR), écrivain britannique (1850-1894). En 1833, il connaît le succès avec son roman d'aventures *l'Île au trésor.* Il a également publié des romans historiques (*le Maître de Ballantrae,* 1889), des romans de terreur et de mystère (*Docteur Jekyll et M. Hyde,* 1886), et des récits pour les enfants (*la Flèche noire,* 1888).

STEWARD [stjuward] ou [stiward] n. m. (mot. angl.). Garçon à bord des paquebots, des avions.

STIF → SÉTIF.

1. STIGMATE [stigmat] n. m. (du lat. *stigma,* marque de flétrissure). *Bot.* Partie supérieure du pistil ou organe femelle, sur lequel se dépose le pollen.

2. STIGMATE [stigmat] n. m. (même étym.). *Zool.* Orifice respiratoire des trachées chez les insectes, les arachnides.

3. STIGMATES [stigmat] n. m. pl. (même étym.). Marques semblables à celles des cinq plaies de Jésus crucifié, constatées sur le corps de certains saints de l'Église catholique.

STIGMATISER [stigmatize] v. t. (de *stigmate*). *Stigmatiser qq'un, qqch.,* les critiquer, les blâmer publiquement : *Stigmatiser la conduite de qq'un* (syn. CONDAMNER, FLÉTRIR).

STIMULER [stimyle] v. t. (du lat. *stimulus,* aiguillon). **1.** (sujet nom de personne ou de chose) *Stimuler qq'un,* l'inciter, le pousser à agir : *Cet enfant est mou, il faut continuellement le stimuler* (syn. AIGUILLONNER). *Ses succès l'ont stimulé* (syn. ENCOURAGER). — **2.** (sujet nom de chose) *Méd.* Accroître les fonctions d'un organe : *Une boisson qui stimule l'appétit* (syn. AIGUISER). ◆ **stimulant, e** adj. Se dit de ce qui est propre à accroître l'ardeur de quelqu'un, de ce qui augmente l'activité des fonctions organiques : *La réussite est stimulante* (syn. ENCOURAGEANT). *Une potion stimulante* (syn. EXCITANT). ◆ n. m. : *L'émulation est un stimulant. Employer des stimulants* (syn. EXCITANT, FORTIFIANT; contr. CALMANT, TRANQUILLISANT). ◆ **stimulation** n. f. : *Avoir besoin de stimulation pour achever un travail.* ◆ **stimulateur** n. m. *Stimulateur cardiaque,* appareil permettant de rétablir ou faciliter le rythme cardiaque.

STIMULUS [stimylys] n. m. (mot lat.). *Physiol.* Excitation brève d'un organe, susceptible de provoquer une réaction réflexe ou de déclencher un comportement instinctif. ‖ Pl. des *stimuli.*

STIPE [stip] n. m. (lat. *stipes,* tige). *Bot.* Tronc non ramifié recouvert par les cicatrices des feuilles, comme chez les palmiers, l'aloès.

STIPENDIÉ, E [stipɑ̃dje] adj. et n. (du lat. *stipendium,* solde militaire). *Péjor.* Se dit d'une personne qui a été payée pour exécuter de basses besognes (syn. ACHETÉ, SOUDOYÉ).

STIPULER [stipyle] v. t. (lat. *stipulari*). *Stipuler qqch., que* (et l'indic.), énoncer une condition dans un contrat, dans une convention; faire savoir expressément : *Il est bien stipulé que le prix de cet article est sujet à variations.* ◆ **stipulation** n. f.

STIRING-WENDEL, comm. de la Moselle, dans la banlieue de Forbach; 13 600 hab. Houille. Métallurgie.

STOCK [stɔk] n. m. (mot angl. signif. *provision*). **1.** Ensemble de marchandises disponibles sur un marché, dans un magasin : *Renouveler son stock* (syn. APPROVISIONNEMENT, ASSORTIMENT). **2.** *Fam.* Ensemble de choses, concrètes ou non, gardées en réserve : *Avoir un stock de chemises dans son armoire. Il a toujours un stock d'histoires à raconter.* — **3.** Fonds existant en numéraire : *Le stock d'or de la Banque de France* (syn. RÉSERVE). ◆ **stocker** v. t. Mettre en stock : *Stocker des produits alimentaires* (syn. EMMAGASINER). ◆ **stockage** n. m. : *Le stockage des marchandises en magasin.* ◆ **stockiste** n. m. Commerçant ou industriel qui détient en magasin le stock d'un fabricant, les pièces détachées d'un constructeur.

STOCKHAUSEN (Karlheinz), compositeur allemand, né en 1928, adepte du système sériel et de la musique électronique.

STOCKHOLM, capit. de la Suède; 661 000 hab. Résidence du roi et des administrations centrales. Bâtie sur un ensemble d'îles et de presqu'îles dans le lac Mälar et la Baltique, Stockholm est un grand port de commerce (7 millions de t). C'est aussi le premier centre industriel du pays (sidérurgie, constructions mécaniques, centrales nucléaires, etc.). Les plans d'urbanisme en ont fait une ville très aérée, coupée de voies d'eau et de parcs, dont le centre, ancien, avec ses monuments et ses musées, attire de nombreux touristes. L'agglomération compte 1 364 000 hab.

STOCKISTE n. m. → STOCK.

STOCKPORT, v. d'Angleterre (Cheshire), sur la Mersey; 139 600 hab. Textiles.

STOCKTON-ON-TEES, port d'Angleterre (Durham), sur le Tees; 83 200 hab. Métallurgie.

1. STOÏCISME [stɔicism] n. m. (du gr. *stoa,* portique [parce que les philosophes stoïciens se rassemblaient sous le Portique, à Athènes]). Philosophie et art de vivre, qui prit naissance à la fin du IVe s. av. J.-C. en Grèce. ◆ **stoïcien, enne** adj. et n. Adepte du stoïcisme, qui s'y rapporte.
— ENCYCL. Fondé par Zénon de Cition, le *stoïcisme* est non seulement une morale mais encore une conception du monde (ou physique) et une logique.

Longtemps méconnue la logique stoïcienne se définit par son caractère rhétorique et dialectique : rhétorique comme art du bien dire, dialectique dans la mesure où elle élabore les règles et conditions de la validité formelle du raisonnement* sans se référer d'aucune façon au contenu des propositions. Ce contenu, ou matière, est l'objet de la « physique ». Pour les stoïciens les seuls êtres de la nature sont les corps. Mais en chacun d'eux la matière est inséparable de la force, ou principe dynamique de leur évolution, et la force qui lie les corps du monde entre eux confère à ce dernier son harmonie.

L'harmonie étant le but de la vertu, le souverain bien de l'homme consiste à vivre en harmonie avec ses semblables, lui-même et la nature. L'harmonie est ainsi la clef de voûte de la doctrine stoïcienne, dont les figures les plus représentatives sont Chrysippe, Sénèque, Épictète et Marc Aurèle. L'influence du stoïcisme sur la tradition morale de l'Occident a été très importante.

2. STOÏCISME [stɔisism] n. m. (de *stoïcisme* 1). Courage pour supporter la douleur, le malheur : *Il a fait preuve d'un stoïcisme admirable dans son malheur.* ◆ **stoïque** adj. Se dit d'une personne (ou de son comportement) qui supporte la douleur, le malheur avec courage : *Se montrer stoïque devant l'adversité* (syn. IMPASSIBLE, IMPERTURBABLE). ◆ **stoïquement** adv. : *Supporter stoïquement l'adversité* (syn. COURAGEUSEMENT, ↑HÉROÏQUEMENT).

STOKE-ON-TRENT, v. d'Angleterre (Staffordshire), près de Manchester; 265 200 hab. Poteries et porcelaines. Sidérurgie.

STOLON [stɔlɔ̃] n. m. (lat. *stolo,* rejeton). *Bot.* Tige aérienne rampante, terminée par un bourgeon qui, de place en place, produit des racines adventives, point de départ de nouveaux pieds (par ex. chez le fraisier).

STOLYPINE (Piotr Arkadievitch), homme d'État russe (1862-1911). Ministre de l'Intérieur en 1904, puis président du Conseil (1906), il favorisa l'émancipation des paysans. Il fut assassiné par un révolutionnaire.

STOMACAL, E, AUX adj. → ESTOMAC.

STOMATE [stɔmat] n. m. (du gr. *stoma, -atos,* bouche). *Bot.* Ouvertures, particulièrement nombreuses sur l'épiderme de la face inférieure des feuilles, et qui permettent les échanges gazeux avec l'atmosphère.

STOMATITE [stɔmatit] n. f. (du gr. *stoma, -atos,* bouche). Inflammation de la muqueuse de la bouche et des gencives.

STOMATOLOGIE [stɔmatɔlɔʒi] n. f. (du gr. *stoma, -atos,* bouche). Partie de la médecine consacrée à l'étude et aux soins des maladies de la bouche et des dents. ◆ **stomatologiste** ou **stomatologue** n. Spécialiste de stomatologie.

STOP! [stɔp] interj. (mot angl. signif. *arrête!*). **1.** Ordre d'arrêter, de cesser toute manœuvre. — **2.** Mot utilisé dans les messages télégraphiques et téléphoniques pour séparer nettement les phrases. ◆ n. m. **1.** Panneau de signalisation* routière qui exige impérativement un arrêt. — **2.** Signal lumineux placé à l'arrière d'une voiture, d'une motocyclette, et qui s'allume quand on freine. — **3.** *Fam.* Syn. d'AUTO-STOP : *Voyager en faisant du stop.* ◆ **stopper** v. t. **1.** *Stopper un véhicule,* en arrêter la marche. — **2.** *Stopper qq'un, un groupe, une chose* (en mouvement), les empêcher d'avancer, de continuer : *Stopper une attaque.* ◆ v. i. S'arrêter net : *Voiture qui stoppe au feu rouge.*

1. STOPPER v. t. → STOP!

2. STOPPER [stɔpe] v. t. (néerl. *stoppen*). *Stopper un vêtement,* réparer une déchirure en refaisant la trame et la chaîne du tissu. ◆ **stoppage** n. m. : *Faire un stoppage à un pantalon déchiré.*

STORE [stɔr] n. m. (it. *stora,* natte). Rideau de tissu ou panneau de lattes, de lamelles de bois orientables, fixé sur un rouleau horizontal et qui se lève et s'abaisse devant une fenêtre, une porte-fenêtre, etc. : *Baisser un store pour se protéger du soleil.*

STRABISME [strabism] n. m. (gr. *strabismos*). Anomalie de la vision qui consiste dans l'impossibilité de fixer un même point avec les deux yeux : *Être atteint de strabisme* (= loucher).

STRABON, géographe grec (v. 58 av. J.-C. - entre 21 et 25 apr. J.-C.), auteur de *Mémoires historiques* et d'une *Géographie.*

STRADIVARIUS (Antonio), luthier italien (v. 1644-1737). Il a fabriqué plus de mille violons, dont 400 existent encore.

STRAFFORD (Thomas WENTWORTH, *comte* DE), homme d'État anglais (1593-1641). Avec l'archevêque Laud, il seconda la politique autoritaire de Charles Ier, qui, plus tard, l'abandonna et le fit exécuter.

STRALSUND, port d'Allemagne, sur la Baltique; 75 000 hab. Port de pêche. Charles XII y soutint un siège en 1713-1715 contre les Danois alliés aux Prussiens et aux Saxons.

STRANGULATION [strɑ̃gylasjɔ̃] n. f. (du lat. *strangulare,* étrangler). Action d'étrangler : *Périr par strangulation* (syn. ÉTRANGLEMENT).

STRAPONTIN [strapɔ̃tɛ̃] n. m. (it. *strapontino*). Siège repliable, utilisé dans les cars, les salles publiques, etc.

STRASBOURG, ch.-l. du dép. du Bas-Rhin, sur l'Ill et le Rhi 252 300 hab. *(Strasbourgeois).*

Capitale historique et actuelle de la Région Alsace, Strasbou est le centre d'une agglomération de près de 400 000 hab. (débo dant la frontière), promue au rang de métropole d'équilibre. L trafic du port sur le Rhin est important, dépassant 10 millions de La ville est un centre administratif, commercial, touristiqu (églises et vieux quartiers pittoresques) et universitaire. L'indu trie y est principalement représentée par la métallurgie d transformation et l'alimentation. Cette industrie transform aujourd'hui d'importantes disponibilités en énergie (pétrole, élec tricité, gaz, s'ajoutant au charbon importé).

Strasbourg *(serments de),* traité d'alliance conclu entre Louis Germanique et Charles le Chauve en 842. Le texte des sermen représente le premier écrit d'ancien français que nous possédions

STRATAGÈME [strataʒɛm] n. m. (gr. *stratêgêma*). Ruse mis en œuvre pour obtenir un avantage, triompher d'un adversair

STRATE n. f. → STRATIFICATION.

1. STRATÈGE n. m. → STRATÉGIE.

2. STRATÈGE [stratɛʒ] n. m. (gr. *stratêgos*). Principal magis trat à Athènes.

STRATÉGIE [strateʒi] n. f. (gr. *stratêgia*). **1.** Art de coordon ner l'action des forces militaires, politiques et morales impliquée dans la conduite d'une guerre ou dans la préparation de la défens d'une nation : *La stratégie est de la compétence du gouvernement de celle du haut commandement des forces armées.* — **2.** Art d coordonner des actions et de manœuvrer pour atteindre un but *La stratégie électorale, politique.* ◆ **stratégique** adj. Se dit d tout ce qui intéresse directement la guerre, qui présente un intér du point de vue militaire : *Une position stratégique.* ◆ **stratèg** n. m. **1.** Spécialiste ou praticien de la stratégie. — **2.** Personn qui dirige avec compétence un certain nombre d'opérations, qui s tire avec habileté des embûches de la politique.

STRATFORD-ON-AVON, v. d'Angleterre (Warwickshire) 24 000 hab. Patrie de Shakespeare; une église (XIIIe-XVe s.) abrit son tombeau.

STRATIFICATION [stratifikasjɔ̃] n. f. (du lat. *stratum,* chos étendue). *Géol.* Disposition des roches par couches superposées ◆ **stratifié, e** adj. Qui se présente en couches superposées ◆ **strate** n. f. Chacune des couches géologiques, formée par de roches sédimentaires, d'un terrain stratifié.

STRATIGRAPHIE [stratigrafi] n. f. (du lat. *stratum,* chos étendue, et gr. *graphein,* décrire). Partie de la géologie qui étudi la disposition des couches en vue d'établir leur ordre normal d superposition et leur âge relatif. ◆ **stratigraphique** adj. *Échell stratigraphique,* chronologie relative des temps géologiques don les diverses divisions (ères, périodes, étages) sont caractérisée par une faune et une flore particulières.

STRATO-CUMULUS [stratokymylys] n. m. (du lat. *stratum* chose étendue, et *cumulus*). Nuage sombre, à la base ondulée, situé à 2 000 m env.

STRATOSPHÈRE [stratɔsfɛr] n. f. (du lat. *stratum,* chose étendue, et *sphère*). Partie de la haute atmosphère, épaisse d'une trentaine de kilomètres, où la température est sensiblement constante. ◆ **stratosphérique** adj. *Avion stratosphérique,* avion conçu pour voler dans la stratosphère.

STRATUS [stratys] n. m. (mot lat. signif. *qui est étendu*). Nuage inférieur qui se présente en couche uniforme grise formant un voile continu.

STRAUSS (Johann II), compositeur autrichien (1825-1899), auteur de valses. Il succéda à son père JOHANN Ier (1804-1849) comme chef d'orchestre des bals de la cour de Vienne.

STRAUSS (Richard), chef d'orchestre et compositeur allemand (1864-1949). Il dirigea l'orchestre des opéras de Munich, de Berlin, celui du Théâtre de la cour de Weimar et fut directeur de l'Opéra de Vienne. Sa musique est brillante, vigoureuse, somptueusement orchestrée. Il est l'auteur de huit poèmes symphoniques *(Till Eulenspiegel),* de ballets, de quinze opéras *(le Chevalier à la rose, Salomé)* et de musique instrumentale.

STRAVINSKI (Igor'), compositeur russe naturalisé français (1882-1971). Il est l'un des plus grands créateurs de l'époque contemporaine dans le domaine du rythme, de l'orchestre, de la mélodie et des musiques écrites pour formations réduites. Auteur de *l'Oiseau de feu* (1910), de *Renard,* de *Mavra,* des *Noces* (1917), d'*Œdipus rex,* de la *Symphonie des psaumes* et de symphonies, sonates, concertos, il a touché à différentes esthétiques, du néo-classicisme au dodécaphonisme.

STREPTOCOQUE [strɛptɔkɔk] n. m. (du gr. *streptos,* arrondi, et *kokkos,* graine). Microbe se présentant sous forme d'éléments arrondis, groupés en chaînettes plus ou moins longues. ◆ **streptococcie** n. f. Infection causée par le streptocoque.

STREPTOMYCINE [strɛptɔmisin] n. f. (du gr. *streptos,* arrondi, et *mukês,* champignon). Antibiotique extrait d'une moisissure du sol, et utilisé pour lutter contre certaines infections microbiennes.

STRESA, v. d'Italie, sur le lac Majeur; 5000 hab. Centre touristique.

1935. Une conférence entre la France, l'Angleterre et l'Italie, à la suite du rétablissement en Allemagne du service militaire obligatoire, affirme le maintien de l'indépendance et de l'intégrité de l'Autriche.

STRESEMANN (Gustav), homme politique allemand (1878-1929). Ministre des Affaires étrangères (1923-1929) et partisan d'une politique pacifique avec la France, il signa les accords de Locarno avec Briand (1925) et le pacte Briand-Kellogg (1928). [Prix Nobel de la paix avec Briand, 1926.]

STRESS [strɛs] n. m. (mot angl.). Ensemble des répercussions sur l'organisme et l'esprit de toutes les agressions de la vie moderne (bruits, émotions, surmenage, etc.).

STRICT, E [strikt] adj. (lat. *strictus,* serré). **1.** Se dit d'une chose qui ne laisse aucune liberté d'action, qui est rigoureusement conforme à une règle : *La stricte exécution d'un règlement* (syn. RIGOUREUX). *Ce que je vous dis là, c'est la stricte vérité* (syn. EXACT; contr. APPROXIMATIF). — **2.** *Son droit strict, le plus strict,* ce qu'il peut exiger en vertu d'une loi. ‖ *Le strict nécessaire, le strict minimum,* celui au-dessous duquel on ne peut descendre. ‖ *Dans la plus stricte intimité,* les intimes seuls étant présents. ‖ *Au sens strict du mot,* au sens le plus exact, le plus précis (syn. LITTÉRAL; contr. LARGE). — **3.** Se dit d'une personne qui exige l'application rigoureuse d'une règle, d'un règlement, qui ne tolère aucune négligence : *Un professeur strict* (syn. DUR, SÉVÈRE). *Un homme strict en affaires.* ◆ **strictement** adv. : *Remplir strictement ses obligations* (syn. RIGOUREUSEMENT).

STRIDENT, E [stridɑ̃, -ɑ̃t] adj. (lat. *stridens*). Se dit d'un son perçant et vibrant : *Le cri strident des cigales.* ◆ **stridence** n. f. (littér.) : *La stridence d'une voix.*

STRIDULATION [stridylasjɔ̃] n. f. (du lat. *stridulus,* sifflant). Crissement aigu que font entendre certains insectes (criquets, grillons, cigales).

STRIE [stri] n. f. (lat. *stria*). Chacun des petits sillons, chacune des petites lignes parallèles que présente une surface : *Les stries d'une coquille, de la tige d'une plante.* ◆ **strié, e** adj. **1.** Se dit d'une chose dont la surface présente des stries, des raies : *Roche striée.* — **2.** *Muscle strié,* constitué de parties claires et de parties foncées alternées (syn. MUSCLE ROUGE).

STRIGIDÉS [striʒide] n. m. pl. (du lat. *strix, strigis,* chouette). Famille d'oiseaux rapaces nocturnes comprenant les *hiboux,* les *chouettes.*

STRINDBERG (August), écrivain suédois (1849-1912).

La publication de *la Chambre rouge* (1879), premier roman naturaliste suédois, lui apporte la célébrité. En 1883, il s'établit à Paris, puis en Suisse, et publie des nouvelles (*Mariés,* 1884), et des récits autobiographiques (*Plaidoyer d'un fou,* 1887-1888), qui sont le reflet de son existence mouvementée. Mais c'est dans son œuvre dramatique que Strindberg s'exprime le plus complètement (*Père* [1887], et surtout *Mademoiselle Julie* [1888], chef-d'œuvre du drame naturaliste). Son déséquilibre nerveux touche à la folie au cours de la grave crise qu'il relate dans l'*Inferno* (1897). Il est alors gagné par un mysticisme qui s'exprimera dans *le Songe,* drame écrit en 1902. De retour en Suède, il écrit une série de pièces historiques (*Éric XIV,* 1889; *Christine,* 1903), et, dans la ligne naturaliste, *la Danse de la mort* (1900). Dirigeant le Théâtre-Intime à Stockholm, il y fait jouer notamment la *Sonate des spectres* (1907). Son œuvre violente et complexe est une des plus importantes de la littérature suédoise et du théâtre moderne, sur lequel elle eut une grande influence. Sa technique et son style ont profondément marqué l'expressionnisme.

STRIP-TEASE [striptiz] n. m. inv. (de l'angl. *to strip,* déshabiller, et *to tease,* agacer). Déshabillage lent et suggestif avec accompagnement de musique, exécuté en public. ◆ **strip-teaseuse** n. f. Femme qui exécute un numéro de strip-tease. ‖ Pl. des *strip-teaseuses.*

STROBOSCOPE [strɔbɔskɔp] n. m. (du gr. *strobos,* tourniquet, et *skopein,* regarder). Appareil permettant d'illuminer, par des éclairs brefs et réguliers, un corps animé d'un mouvement périodique, et d'étudier ainsi son comportement.

STROHEIM (Eric VON), acteur et cinéaste autrichien (1885-1957), naturalisé américain. Une des plus fortes personnalités du cinéma contemporain, il réalisa notamment *Folies de femmes* (1921), *les Rapaces* (1923), *Symphonie nuptiale* (1927), *Queen Kelly* (1928), avant de se consacrer à l'interprétation (*la Grande Illusion,* 1937; *Boulevard du Crépuscule,* 1950).

STROMBOLI (le), volcan d'Italie (îles Éoliennes); 926 m.

STROMBOLIEN, ENNE [strɔ̃bɔljɛ̃, -ɛn] adj. (de *Stromboli*). Se dit d'un type de volcan dont l'éruption est caractérisée par des émissions de laves fluides accompagnées de projections de cendres, lapilli et bombes, qui s'intercalent entre les coulées.

STRONTIUM [strɔ̃tjɔm] n. m. (de *Strontian,* en Écosse, où il fut découvert). Métal jaune (Sr), analogue au calcium.

STROPHE [strɔf] n. f. (lat. *stropha*). Division d'un poème, d'une pièce lyrique, formée d'un nombre déterminé de vers (syn. COUPLET).

STROZZI, famille florentine rivale de celle des Médicis (XVe s.). Elle passa au service de la France.

STRUCTURE [stryktyr] n. f. (lat. *structura*). **1.** Manière dont les différentes parties d'un ensemble, concret ou abstrait, sont disposées entre elles; ensemble dont les parties sont solidaires : *La structure du corps humain* (syn. CONSTITUTION, CONTEXTURE). *La structure d'un roman. La structure d'une société* (syn. FORME, ORGANISATION). — **2.** *Géol.* Disposition des couches les unes par rapport aux autres : *Une structure plissée;* agencement des différentes parties constituant une roche : *Une structure schisteuse.* — **3.** Math. *Structure algébrique,* se dit d'un ensemble s'il est muni d'une (ou plusieurs) loi* de composition vérifiant certaines relations. (*Ex.* : groupe, anneau, corps.) — **4.** *Réforme de structure,* réforme législative qui modifie profondément l'organisation administrative, économique ou sociale d'une collectivité. ◆ n. f. pl. *Structures d'accueil,* ensemble des installations nécessaires aux besoins d'un public déterminé : *La ville nouvelle dispose de structures d'accueil (stade, foyer socioculturel, cinémas, centre commercial, etc.) permettant d'assurer des services variés* (syn. INFRASTRUCTURE). ◆ **structural, e, aux** adj. Relatif à une structure. ‖ Géol. *Surface structurale,* surface constituée par la partie supérieure d'une couche dure, dégagée par l'érosion d'une couche tendre se trouvant au-dessus. ◆ **structuralisme** n. m. Théorie, commune à plusieurs sciences humaines, selon laquelle un fait humain doit être étudié en considérant un ensemble organisé, structuré, et à rendre compte de ce dernier à l'aide de modèles. → ENCYCL. ◆ **structuraliste** adj. et n. Qui appartient au structuralisme. ◆ **structurer** v. t. Donner une structure à : *Structurer une administration.* ◆ **structuré, e** adj. Se dit de ce qui a telle ou telle structure : *Un ensemble fortement structuré.* ◆ **structuration** n. f. ◆ **infrastructure** n. f. **1.** Base économique d'une société. — **2.** Ensemble des installations et équipements nécessaires à une activité : *Infrastructure commerciale. Infrastructure aérienne* (= ensemble des installations au sol servant de base aux avions [aérodrome]). — **3.** *Infrastructure des routes, des voies ferrées,* etc., ensemble des travaux et des ouvrages constituant les fondations d'une route, la plate-forme (remblai) d'une voie de chemin de fer. ◆ **superstructure** n. f. **1.** Partie d'une construction située au-dessus du sol. — **2.** Système d'idées, ensemble d'institutions politiques dépendant de l'infrastructure économique.

— ENCYCL. Né avec la linguistique, le *structuralisme* s'est développé avec l'anthropologie, la sociologie et la philosophie. C'est la linguistique, avec les travaux de F. de Saussure et de R. Jakobson qui, la première, l'a formulé de façon scientifique : le structuralisme est une méthode qui considère la langue comme un système de structures, c'est-à-dire un ensemble formé d'éléments solidaires (de sons, de formes linguistiques) dans lequel tout se tient (un son par ex., n'acquiert sa signification que par rapport à d'autres sons). Ce type de recherche a influencé la sociologie qui s'efforce d'étudier chaque société comme un ensemble de fonctions (économique, religieuse, etc.) dont l'agencement constitue le système de la société. Prenant appui sur ces travaux, Claude Lévi-Strauss a mis en évidence une nouvelle manière de concevoir l'interdépendance des phénomènes humains. Il explique, d'une part, la manière dont les termes de parenté (oncle, neveu, mère, fils, etc.) s'organisent eux aussi en une structure qui assure la cohésion et l'équilibre d'un groupe social, et, d'autre part, comment les éléments d'un mythe en s'articulant d'une façon particulière confèrent une signification à ce mythe.

Le structuralisme est donc une démarche scientifique — et non une doctrine — qui s'efforce de rendre intelligibles des faits humains, sociaux et culturels. Exerçant une profonde influence depuis les années 1960, il a, en philosophie, suscité de nouveaux travaux, mais également fait l'objet de critiques.

STRUENSEE (Johann Friedrich, *comte* DE), homme politique danois (1737-1772). Médecin du roi Christian VII, puis conseiller d'État, il inspira d'importantes réformes (abolition du servage, de la torture, de la prison pour dettes, des corporations). Inculpé de complot contre le roi, il fut décapité.

STRUTHOF, village d'Alsace (comm. de Natzwiller, Bas-Rhin), à 43,5 km au N.-E. de Saint-Dié. Camp d'extermination allemand pendant la Seconde Guerre mondiale.

STRYCHNINE [striknin] n. f. (du gr. *strukhnos,* plante qui a des propriétés vomitives). Poison extrait de la noix vomique, employé à très petite dose comme médicament.

STUART, grande famille d'Écosse. À partir de 1371 elle fournit à l'Écosse ses rois, qui furent également rois d'Angleterre de 1603 à 1688.

STUC [styk] n. m. (it. *stucco*). Enduit imitant le marbre et composé ordinairement de poussière de marbre, de chaux éteinte et de craie.

STUDIEUX, EUSE [stydjø, -øz] adj. (du lat. *studium*, étude). **1.** Se dit d'une personne qui aime l'étude : *Un élève studieux* (syn. APPLIQUÉ; contr. PARESSEUX). — **2.** Se dit de ce qui est consacré à l'étude : *Des vacances studieuses* (contr. OISIF). ◆ **studieusement** adv. : *Occuper studieusement ses loisirs* (= en étudiant).

STUDIO [stydjo] n. m. (mot angl.). **1.** Petit logement composé d'une pièce principale et de pièces accessoires (salle de bains, cuisine, etc.). — **2.** Atelier d'artiste, de photographe. — **3.** Local aménagé pour des prises de vues cinématographiques ou pour des émissions radiodiffusées ou télévisées.

STUPÉFACTION [stypefaksjɔ̃] n. f. (bas lat. *stupefactio*). Étonnement profond, qui empêche toute réaction : *Être frappé de stupéfaction* (syn. STUPEUR). ◆ **stupéfait, e** adj. Frappé de stupéfaction : *Il est resté stupéfait devant une telle audace* (syn. ABASOURDI; fam. RENVERSÉ). (*Rem.* L'adj. *stupéfait* est souvent employé à la place du part. passé *stupéfié : Cet événement nous a stupéfaits*, et comme équivalent de *stupéfie* [3ᵉ pers. du sing. de l'indic. prés.] : *Ce que vous me dites là me stupéfait* [emplois généralement condamnés].) ◆ **stupéfier** v. t. *Stupéfier qq'un*, lui causer un grand étonnement : *Ce que vous me dites au sujet de notre ami me stupéfie* (syn. ATTERRER, CONSTERNER). ◆ **stupéfiant, e** adj. Qui étonne au plus haut point : *Une nouvelle stupéfiante.*

1. STUPÉFIANT, E adj. → STUPÉFACTION.

2. STUPÉFIANT [stypefjɑ̃] n. m. (de *stupéfier*). Substance toxique dont l'action sur le système nerveux se manifeste par un engourdissement du corps et de l'esprit : *Les stupéfiants (cocaïne, morphine, etc.) sont utilisés à faible dose pour le traitement des douleurs violentes, mais leur abus aboutit à la toxicomanie. Le trafic des stupéfiants* (syn. DROGUE).

STUPÉFIER v. t. → STUPÉFACTION.

STUPEUR [stypœr] n. f. (lat. *stupor*). Étonnement profond causé par une vive émotion.

STUPIDE [stypid] adj. (lat. *stupidus*, frappé de stupeur). Se dit d'une personne (ou de son comportement) qui manque totalement d'intelligence, de sensibilité : *Il est si stupide qu'on ne peut rien faire de lui* (syn. BÊTE, CRÉTIN, IDIOT, SOT). ◆ **stupidement** adv. : *Répondre stupidement.* ◆ **stupidité** n. f. **1.** Caractère d'une personne, d'une chose stupide : *Ce garçon est d'une stupidité incroyable* (syn. BÊTISE, IDIOTIE). — **2.** Action, parole d'une personne stupide : *Dire des stupidités* (syn. ÂNERIE, SOTTISE).

Sturm und Drang *(tempête et élan)*, mouvement littéraire créé en Allemagne vers 1770 par réaction contre le rationalisme et le classicisme *(Aufklärung)*. Goethe et Schiller, à leurs débuts, y participèrent.

STUTTGART, v. d'Allemagne, capit. du Bade-Wurtemberg, sur le Neckar; 562 000 hab. Carrefour routier et ferroviaire, port fluvial, Stuttgart est également un grand centre commercial et industriel.

STWOSZ (Wit), en all. **Veit Stoss,** sculpteur polonais (v. 1440-1533). Il est l'auteur du retable en bois de la *Dormition de la Vierge* (église Notre-Dame à Cracovie), chef-d'œuvre de la sculpture gothique.

1. STYLE [stil] n. m. (lat. *stilus*, poinçon). **1.** Poinçon de métal dont se servaient les Anciens pour écrire sur des tablettes enduites de cire. — **2.** *Technol.* Aiguille pointue servant à l'inscription sur un appareil enregistreur.

2. STYLE [stil] n. m. (même étym.). *Bot.* Partie moyenne du pistil d'une fleur, située entre l'ovaire et le stigmate.

3. STYLE [stil] n. m. (même étym.). **1.** Façon particulière dont chaque individu exprime sa pensée, ses sentiments : *Soigner son style.* ‖ *Ne pas avoir de style*, écrire d'une manière commune, banale. — **2.** Forme de langage usitée dans certains cas particuliers, dans une activité, dans une collectivité : *Style du palais* (= formules d'après lesquelles on dresse les actes judiciaires). *Style administratif.* ◆ **stylisme** n. m. Recherche du style, soin extrême que l'on donne à son style. ◆ **styliste** n. Écrivain qui brille surtout par son style. ◆ **stylistique** adj. Qui se rapporte au style : *Une analyse stylistique.* ◆ n. f. Étude scientifique du style. ◆ **stylisticien, enne** n. Spécialiste de stylistique.

4. STYLE [stil] n. m. (même étym.). **1.** Manière d'exécuter une œuvre, propre à un artiste, à un genre, à une époque, à un pays : *Le style byzantin, roman, gothique. Le style Louis XIII, Empire.* — **2.** Caractère d'une œuvre présentant des qualités artistiques qui la rend originale : *Maison qui a du style.* — LOC. ADJ. *De style*, se dit d'un objet appartenant à un style bien caractérisé : *Un meuble de style.* ◆ **styliser** v. t. *Styliser un objet*, le représenter en simplifiant, en vue de lui donner un aspect décoratif, ornementa ◆ **stylisation** n. f. ◆ **styliste** n. Personne dont le métier est d concevoir des formes nouvelles dans le domaine de l'habillemen de l'ameublement, etc.

5. STYLE [stil] n. m. (même étym.). **1.** Façon personnelle de s comporter : *Avoir un certain style de vie.* — **2.** *Sports.* Manièr d'exécuter un mouvement, un geste avec une certaine efficacité o une certaine aisance : *Le style d'un joueur de tennis.* — LOC. AD *De grand style*, qui est entrepris avec des moyens puissants *Offensive de grand style.* ◆ **styler** v. t. *Styler qq'un*, l'habituer exécuter dans les règles certains gestes, à prendre certaine attitudes (surtout au part. passé) : *Un maître d'hôtel stylé.*

1. STYLET [stilɛ] n. m. (de l'it. *stilo*, poignard). Petit poignar à lame très effilée.

2. STYLET [stilɛ] n. m. (même étym.). Organe pointu, servant perforer, propre à certains invertébrés (stylet du dard abdomina de l'abeille, stylet des pièces buccales des moustiques, des rhyn chotes).

STYLISATION n. f., **STYLISER** v. t. → STYLE 4.

STYLISME n. m., **STYLISTICIEN, ENNE** n., **STYLISTIQUE** adj. et n. f. → STYLE 3.

STYLISTE n. → STYLE 3 et 4.

STYLOGRAPHE [stilograf] ou par abrév. **STYLO** [stilo n. m. (du gr. *stulos*, poinçon, et *graphein*, écrire). Porte-plume réservoir d'encre. ‖ *Stylo à bille* ou *stylo bille*, stylo dont l plume est remplacée par une bille d'acier en contact avec un encre spéciale. (On dit aussi CRAYON À BILLE.)

STYRIE, en all. **Steiermark,** province du sud-est de l'Autriche. 1 192 100 hab. Capit. *Graz.*

STYX (le). *Myth.* Fl. des Enfers, dont il faisait sept fois le tour. Ses eaux rendaient invulnérable.

SU n. m. → SAVOIR.

SUAIRE [sɥɛr] n. m. (lat. *sudarium*, linge pour essuyer la sueur). Syn. de LINCEUL. ‖ *Le saint Suaire*, linceul qui servit à ensevelir Jésus-Christ. (En 1988, le suaire de Turin a été définitivement daté des XIIIᵉ-XIVᵉ s.)

SUÁREZ (Francisco), jésuite et théologien espagnol (1548-1617), auteur de la *Défense de la foi* (1613), où il place le pouvoir spirituel au-dessus du pouvoir temporel.

SUAVE [sɥav] adj. (lat. *suavis*). Se dit de ce qui est d'une douceur agréable à l'odorat, à l'ouïe, à la vue : *Un parfum, une odeur suave* (syn. DÉLICIEUX, EXQUIS). *Une voix suave* (syn. HARMONIEUX). *Un coloris suave* (syn. DÉLICAT). ◆ **suavité** n. f.

SUB-, préf. issu du lat. *sub*, sous, qui indique la position en-dessous, la subordination ou un degré légèrement inférieur à la normale.

SUBALPIN, E adj. → ALPIN.

SUBALTERNE [sybaltɛrn] adj. et n. (du lat. *sub*, sous, et *alter*, autre). Se dit d'une personne qui dépend d'une autre : *Il vaut souvent mieux avoir affaire à un chef qu'à un subalterne* (syn. SECOND, SUBORDONNÉ). ◆ adj. Se dit de ce qui est hiérarchiquement inférieur : *Un emploi subalterne* (syn. INFÉRIEUR, SECONDAIRE).

SUBCONSCIENT n. m. → CONSCIENCE 1.

SUBDIVISER [sybdivize] v. t. (du lat. *sub*, sous, et *dividere*, diviser). Diviser en de nouvelles parties ce qui a déjà été divisé : *Subdiviser un chapitre en paragraphes.* ◆ **subdivision** n. f. **1.** Action de subdiviser : *Procéder par divisions et subdivisions successives.* — **2.** Partie de ce qui a été divisé : *Les cantons sont des subdivisions des arrondissements.*

SUBER [sybɛr] n. m. (lat. *suber*, liège). *Bot.* Nom du tissu végétal qui forme le liège chez certains végétaux ligneux.

SUBIR [sybir] v. t. (lat. *subire*, aller sous). **1.** (sujet nom d'être animé) *Subir qqch.*, supporter malgré soi ou volontairement ce qui est imposé, ordonné, prescrit : *Subir des tortures* (syn. ENDURER). *Subir les conséquences d'une imprudence* (syn. PAYER). *Subir une intervention chirurgicale.* — **2.** Fam. *Subir qq'un*, supporter la présence d'une personne qui déplaît. — **3.** (sujet nom de chose) *Subir qqch.*, en être l'objet : *Un projet de loi qui a subi des modifications.*

SUBIT, E [sybi, -it] adj. (lat. *subitus*). Se dit de ce qui se produit, se présente tout à coup : *Une mort subite* (syn. INSTANTANÉ). *Un froid subit* (syn. BRUSQUE). *Une subite inspiration* (syn. SOUDAIN). ◆ **subitement** adv. : *Partir subitement* (syn. BRUSQUEMENT). ◆ **subito** adv. Syn. fam. de SUBITEMENT.

SUBJECTIF, IVE [sybʒɛktif, -iv] adj. (du lat. *subjicere*, mettre sous). Qui varie avec les jugements, les goûts, les habitudes, les ésirs de chacun: *Un jugement subjectif* (contr. OBJECTIF). *Critique, pinion subjective* (= personnelle et partiale). ◆ **subjectivement** dv. : *Raisonner subjectivement.* ◆ **subjectivisme** n. m. ou **subjectivité** n. f. Attitude d'une personne qui juge et raisonne uniquement d'après ses opinions, ses sentiments (contr. OBJECTIVITÉ).

SUBJONCTIF [sybʒɔ̃ktif] n. m. (lat. *subjonctivus*, subordonné). *Gramm.* Mode du verbe qui, en français, dans les propositions indépendantes, traduit un souhait *(Puisse-t-il venir)* ou un ordre à la 3e personne *(Qu'il vienne)*, et qui s'emploie obligatoirement dans les subordonnées pour marquer certaines relations de dépendance grammaticale ou, par oppos. à l'indicatif, lorsque l'action marquée par le verbe est l'objet d'un jugement, d'un sentiment... : *On distingue le subjonctif présent, imparfait, passé et plus-que-parfait.*

SUBJUGUER [sybʒyge] v. t. (bas lat. *subjugare*, mettre sous le joug). *Subjuguer qq'un*, opérer sur lui une vive séduction : *Un orateur qui subjugue ses auditeurs* (syn. ENVOÛTER).

1. SUBLIMATION [syblimasjɔ̃] n. f. (du lat. *sublimare*, élever). Transformation directe d'un solide en vapeur, sans passer par l'état liquide, et transformation inverse. ◆ **sublimer** v. t. Faire passer directement de l'état solide à l'état vapeur ou inversement.

2. SUBLIMATION [syblimasjɔ̃] n. f. (même étym.). En psychanalyse, transformation d'une pulsion* (le plus souvent sexuelle) inconsciente, en une tendance acceptable par le « moi » du sujet et par la société qui l'entoure. ◆ **sublimé, e** adj. : *La pulsion sublimée est dirigée vers un but non sexuel en apparence, notamment une activité de nature religieuse, artistique.*

SUBLIME [syblim] adj. (lat. *sublimis*, élevé). **1.** Se dit de ce qui est le plus élevé dans l'ordre moral, intellectuel, esthétique : *Un paysage sublime* (syn. EXTRAORDINAIRE). — **2.** Se dit d'une personne dont les sentiments et la conduite atteignent une grande valeur morale : *Un homme sublime de dévouement.* ◆ n. m. Caractère de ce qui est sublime : *Une éloquence qui atteint au sublime.*

SUBLIMÉ, E adj. → SUBLIMATION 2.

SUBLIMER v. t., **SE SUBLIMER** v. pr. → SUBLIMATION 1 et 2.

SUBMERGER [sybmɛrʒe] v. t. (du lat. *sub*, sous, et *mergere*, plonger). **1.** (sujet nom désignant des eaux) Recouvrir complètement : *Un fleuve qui submerge toute une vallée* (syn. INONDER). — **2.** *Être submergé de travail, d'occupations* (= être accablé, surchargé de travail) [syn. ÊTRE DÉBORDÉ]. ◆ **submersion** n. f. (seulement techn.) : *La submersion d'une terre* (syn. INONDATION). *Une mort par submersion* (syn. NOYADE). ◆ **submersible** n. m. Syn. de SOUS-MARIN. ◆ **insubmersible** adj. Qui ne peut couler.

SUBODORER [sybɔdɔre] v. t. (lat. *subodorari*, flairer). Fam. *Subodorer qqch.*, le pressentir, le deviner (syn. SE DOUTER DE, FLAIRER, SOUPÇONNER).

SUBORDONNER [sybɔrdɔne] v. t. (bas lat. *subordinare*). **1.** *Subordonner une personne à une autre*, établir un ordre de dépendance entre elles : *L'organisation militaire subordonne le capitaine au commandant.* — **2.** *Subordonner une chose à une autre*, l'en faire dépendre (surtout au passif) : *Son départ est subordonné aux conditions météorologiques.* ◆ **subordination** n. f. **1.** Ordre établi entre des personnes et qui les rend dépendantes les unes des autres : *Maintenir la subordination dans une armée* (syn. HIÉRARCHIE). — **2.** Dépendance d'une chose par rapport à une autre : *La subordination des intérêts privés à l'intérêt public.* ◆ **subordonné, e** n. Personne placée sous l'autorité d'une autre : *Être bon à l'égard de ses subordonnés* (syn. SUBALTERNE). ◆ **insubordonné, e** adj. Indiscipliné. ◆ **insubordination** n. f. Indiscipline.

1. SUBORDINATION n. f. → SUBORDONNER.

2. SUBORDINATION [sybɔrdinasjɔ̃] n. f. (de *subordonner*). *Gramm.* Mode de groupement des propositions consistant à rattacher une proposition à une autre dont elle dépend : *Une conjonction de subordination.* ◆ **subordonnée** adj. et n. f. Se dit d'une proposition qui, dans une phrase, dépend d'une autre proposition qu'elle complète ou détermine.

— ENCYCL. Les *propositions subordonnées* peuvent être introduites par un pronom relatif *(subordonnées relatives)*, un mot interrogatif *(subordonnées interrogatives indirectes)*, une conjonction de subordination *(subordonnées conjonctives)* ou, sans être liées par un de ces termes, être à l'infinitif *(subordonnées infinitives)* ou au participe *(subordonnées participiales)*. Les subordonnées dépendent le plus souvent d'une proposition principale, comme dans la phrase « Il pleuvait quand nous sommes sortis », où « quand nous sommes sortis » est une subordonnée conjonctive.

SUBORNER [sybɔrne] v. t. (lat. *subornare*). *Suborner un témoin*, le payer pour qu'il porte un faux témoignage (littér.). ◆ **suborneur, euse** n.

SUBREPTICE [sybrɛptis] adj. (lat. *subrepticius*, clandestin). Se dit de ce qui se fait furtivement et d'une façon déloyale : *Une manœuvre subreptice.* ◆ **subrepticement** adv. : *Agir subrepticement* (= à la dérobée, par surprise). *Partir subrepticement* (= clandestinement).

SUBROGER [sybrɔʒe] v. t. (lat. *subrogare*, faire venir à la place de). **1.** *Dr.* Désigner une personne pour remplir les fonctions ou exercer les droits d'une autre. — **2.** *Dr.* Substituer une chose à une autre pour en être l'équivalent et lui faire subir le même rôle. ◆ **subrogation** n. f.

SUBSÉQUEMMENT [sypsekamɑ̃] adv. (du lat. *subsequi*, suivre de près). En conséquence.

SUBSÉQUENT, E [sypsekɑ̃, -ɑ̃t] adj. (lat. *subsequens*, qui suit immédiatement). *Géogr.* Se dit d'un cours d'eau ou d'une dépression qui suivent le pied d'un relief de côte.

SUBSIDE [sypsid] n. m. (lat. *subsidium*, secours). Somme d'argent versée à titre de secours : *Vivre des subsides de l'État* (syn. SUBVENTION).

SUBSIDIAIRE [sypsidjɛr] adj. (lat. *subsidiarus*, en réserve). *Question subsidiaire*, question supplémentaire destinée à départager des concurrents classés *ex aequo.*

1. SUBSISTER [sybziste] v. i. (lat. *subsistere*, rester) [sujet nom de chose]. Exister encore : *Une erreur qui subsiste* (syn. DEMEURER, PERSISTER); et impers. : *Il subsiste seulement quelques ruines de ce vieux château.*

2. SUBSISTER [sybziste] v. i. (même étym.) [sujet nom de personne]. Pourvoir à ses besoins, à son entretien : *Il travaillait pour subsister* (syn. VIVRE). ◆ **subsistance** n. f. Nourriture et entretien.

SUBSONIQUE adj. → SON 2.

SUBSTANCE [sypstɑ̃s] n. f. (lat. *substantia*, ce qui se tient en dessous). **1.** Matière dont une chose est formée : *Une substance solide, liquide, gazeuse.* — **2.** *Philos.* Ce qu'il y a de permanent dans les choses qui changent : *La substance pensante.* — **3.** *Relig.* Apparence sensible des choses : *Chez les catholiques, dans le sacrement de l'eucharistie, la substance* (= espèce) *du pain et du vin se change au corps et au sang* (= présence réelle) *de Jésus-Christ.* — **3.** Ce qu'il y a d'essentiel, de principal, dans un discours, dans un écrit, etc. : *La substance d'un livre. Voici brièvement la substance de notre entretien* (syn. SUJET). — LOC. ADV. *En substance*, en abrégé, en résumé : *Voici en substance ce qu'il a dit* (syn. EN GROS, SOMMAIREMENT). ◆ **substantiel, elle** adj. **1.** Se dit de ce qui est rempli de substance nutritive : *Un repas substantiel* (syn. NOURRISSANT, RICHE). — **2.** Essentiel, capital : *Extraire d'un livre ce qu'il contient de plus substantiel.* — **3.** *Fam.* Important, considérable : *Obtenir des avantages substantiels.*

SUBSTANTIF [sypstɑ̃tif] n. m. (lat. *subtantivum*). *Gramm.* Mot appartenant à une catégorie grammaticale qui peut porter les marques du genre et du nombre, et qui constitue avec le verbe un des deux éléments de la phrase (syn. NOM). [→ CLASSE 4.] ◆ **substantivé, e** adj. : *Dans la phrase « Le vrai peut quelquefois n'être pas vraisemblable », « vrai » est un adjectif substantivé.*

SUBSTITUER [sypstitɥe] v. t. (lat. *substituere*, placer sous). *Substituer un être animé à un autre, une chose à une autre*, mettre l'un ou l'une à la place de l'autre (syn. REMPLACER). ◆ ***se substituer*** v. pr. Prendre la place de : *Le sous-directeur s'est substitué au directeur pour prendre certaines décisions.* ◆ **substitution** n. f. Action, intentionnelle ou non, de substituer : *Substitution de vêtements. La substitution d'une biche à Iphigénie au moment du sacrifice.*

SUBSTITUT [sypstity] n. m. (lat. *substitutus*). Magistrat chargé de remplacer, au parquet, le procureur général ou le procureur de la République.

SUBSTITUTION n. f. → SUBSTITUER.

1. SUBSTRAT [sypstra] n. m. (du lat. *sub*, sous, et *stratum*, étendu). Langue parlée dans un pays et considérée dans son influence sur une langue différente parlée ensuite dans le même pays : *Le substrat gaulois en France.*

2. SUBSTRAT [sypstra] ou **SUBSTRATUM** [sypstratɔm] n. m. (même étym.). *Géol.* Terrain situé en dessous de celui que l'on considère : *Le substratum d'une nappe alluviale.*

SUBTERFUGE [syptɛrfyʒ] n. m. (du lat. *subterfugere*, fuir secrètement). Moyen détourné, ruse pour se tirer d'embarras (syn. ÉCHAPPATOIRE, FAUX-FUYANT).

SUBTIL, E [syptil] adj. (lat. *subtilis*, fin). **1.** Se dit d'une personne qui a beaucoup de finesse, capable de percevoir des distinctions, des nuances délicates : *Un esprit subtil* (syn. DÉLIÉ, FIN, PÉNÉTRANT). — **2.** Se dit d'une chose qui manifeste de la finesse, de l'ingéniosité poussée quelquefois jusqu'au raffinement : *Une réponse subtile* (syn. INGÉNIEUX). ◆ **subtilement** adv. : *Raisonner subtilement* (syn. FINEMENT). *Se tirer subtilement d'une affaire difficile* (syn. HABILEMENT). ◆ **subtilité** n. f. **1.** Caractère d'une personne, d'une chose subtile : *La subtilité d'une réponse.*

— **2.** Pensée, parole d'une finesse excessive : *Discuter sur des subtilités* (syn. ARGUTIE).

SUBTILISER [syptilize] v. t. (de *subtil*). Fam. *Subtiliser qqch.*, le dérober adroitement : *Subtiliser une montre.* ◆ **subtilisation** n. f. : *La subtilisation d'un portefeuille* (syn. VOL).

SUBTILITÉ n. f. → SUBTIL.

SUBTROPICAL, E, AUX [syptrɔpikal, -ko] adj. *(sub-,* et *tropical).* Situé près des tropiques, mais à une latitude plus élevée : *Les régions subtropicales.* ‖ *Climat subtropical*, se dit du climat des régions au contact entre la circulation tempérée et la circulation tropicale, caractérisé par des étés chauds et secs et des hivers doux et pluvieux : *Le climat méditerranéen est un climat subtropical.*

SUBURBAIN, E [sybyrbɛ̃, -ɛn] adj. (lat. *suburbanus*, sous la ville). **1.** Qui est tout près d'une grande ville : *Les communes suburbaines de Paris.* — **2.** *Transports suburbains, réseau d'autobus suburbain, chemin de fer suburbain*, qui desservent les environs d'une ville, sa banlieue.

SUBVENIR [sybvənir] v. t. ind. (lat. *subvenire*). [Conj. **22**; auxil. *avoir.*] *Subvenir aux besoins de qq'un*, lui procurer ce qui lui est nécessaire (syn. POURVOIR, SUFFIRE).

SUBVENTION [sybvɑ̃sjɔ̃] n. f. (bas lat. *subventio*, aide). Somme d'argent versée par l'État, par une collectivité locale, par une société, par un mécène, etc., à une entreprise, à une association, à une personne : *Les théâtres nationaux reçoivent une subvention de l'État* (syn. SUBSIDE). ◆ **subventionner** v. t. *Subventionner une collectivité, une personne*, etc., leur fournir une subvention. ‖ *Théâtres subventionnés*, théâtres nationaux qui reçoivent de l'État une partie de leurs ressources et ont un statut particulier.

SUBVERSION [sybvɛrsjɔ̃] n. f. (du lat. *subvertere*, renverser). Action de troubler, de renverser l'ordre établi, les lois, les principes : *Déjouer une tentative de subversion.* ◆ **subversif, ive** adj. Se dit de ce qui est propre à bouleverser, à renverser l'ordre établi : *Des menées subversives. Guerre subversive* (= action concertée, dirigée contre les autorités d'un pays par des organisations clandestines, disposant ou non de l'appui d'une partie de la population).

SUC [syk] n. m. (lat. *sucus*, sève). **1.** Sécrétion de certains organes, animaux ou végétaux : *Suc gastrique. Suc intestinal.* — **2.** *Littér.* Le meilleur d'une chose (syn. QUINTESSENCE).

SUCCÉDANÉ [syksedane] n. m. (du lat. *succedere*, remplacer). **1.** Produit qui peut en remplacer un autre : *Un succédané de café* (syn. ERSATZ). — **2.** Ce qui peut remplacer une chose.

SUCCÉDER [syksede] v. t. ind. (lat. *succedere*). **1.** (sujet nom de personne) *Succéder à qq'un*, parvenir après lui à une dignité, à une charge, à un emploi : *Louis XIII a succédé à Henri IV.* — **2.** (sujet nom de chose) Venir après, à la suite de (dans le temps ou dans l'espace) : *La nuit succède au jour* (syn. SUIVRE). *Dans le bocage, les prairies succèdent aux champs cultivés* (syn. ALTERNER [avec]). ◆ ***se succéder*** v. pr. Venir, arriver, se produire l'un après l'autre (syn. SE SUIVRE). ◆ **successeur** n. m. Personne qui prend la suite d'une autre dans certaines fonctions, dans une profession, dans un art, dans une science, etc. : *Nommer, désigner son successeur* (syn. REMPLAÇANT). ◆ **succession** n. f. Série de personnes ou de choses qui se suivent sans interruption ou à peu d'intervalle : *Une succession d'hommes illustres* (syn. SUITE). *La succession des saisons* (syn. ALTERNANCE). *Une succession d'incidents* (syn. CASCADE, SÉRIE). ◆ **successif, ive** adj. Se dit de choses qui se succèdent. ◆ **successivement** adv. : *Ces événements se produisirent successivement* (= l'un après l'autre). *Passer successivement de la joie à la tristesse* (syn. TOUR À TOUR).

SUCCÈS [syksɛ] n. m. (lat. *successus*). **1.** Résultat heureux obtenu dans une entreprise, dans une affaire, dans un travail : *Son succès est dû à son mérite et à sa persévérance* (syn. RÉUSSITE; contr. ÉCHEC). *Un succès militaire, sportif* (syn. ↑EXPLOIT, VICTOIRE). — **2.** Approbation du public : *Film qui obtient un brillant succès* (syn. ↑TRIOMPHE). *Une pièce, un film à succès* (= qui plaît au public). — **3.** *Avoir du succès auprès des hommes, des femmes*, leur plaire. ◆ **insuccès** n. m. Contr. de SUCCÈS (sens 1) : *Son insuccès est dû à sa paresse* (syn. ÉCHEC).

SUCCESSEUR n. m., **SUCCESSIF, IVE** adj. → SUCCÉDER.

1. SUCCESSION n. f. → SUCCÉDER.

2. SUCCESSION [syksesjɔ̃] n. f. (lat. *successio*). Transmission légale, à une ou plusieurs personnes vivantes, des biens d'une personne décédée; ensemble des biens transmis : *Partager une succession* (syn. HÉRITAGE).

Succession d'Autriche *(guerre de la)* [1740-1748], guerre provoquée par les ambitions de la Prusse et de l'Espagne, qui, alliées à la France, songent à dépecer l'Autriche à la mort de l'empereur Charles VI (1740). Marie-Thérèse d'Autriche résiste à cette coalition, s'allie à l'Angleterre inquiète de l'essor colonial français, puis divise ses adversaires en cédant la Silésie à la Prusse (1742). La France continue la guerre avec succès (victoire de Fontenoy 1745), mais, à la paix d'Aix-la-Chapelle (1748), Louis XV restitue ses conquêtes (Savoie et Pays-Bas).

Succession d'Espagne *(guerre de la)* [1701-1714], conflit qui oppose la France à une coalition formée par l'Autriche, l'Angleterre et les Provinces-Unies, qui refusent l'accession au trône d'Espagne de Philippe V, petit-fils de Louis XIV.

- *1707-1708. Après une série de défaites des Franco-Espagnols l'Espagne, puis le nord de la France sont envahis.*

La France, épuisée, demande la paix mais ne peut accepter les conditions exigées (Louis XIV doit chasser lui-même son petit fils), aussi la lutte reprend-elle.

- *1709-1712. Les victoires du maréchal de Villars libèrent le royaume.*

La paix est finalement signée à Utrecht (1713) et à Rastatt (1714). Elle marque la fin de la prépondérance française en Europe L'Espagne garde son roi, mais perd ses possessions aux Pays-Bas et en Italie, ainsi que Gibraltar.

Succession de Pologne *(guerre de la)* [1733-1738], guerre qui oppose la France à la Russie et à l'Autriche.

- *Septembre 1733. La réélection au trône de Pologne de Stanislas Leszczyński, beau-père de Louis XV, entraîne une intervention austro-russe au profit d'Auguste III.*

Stanislas fait appel à la France qui, après quelques succès en Italie et sur le Rhin, cherche, sous l'influence du ministre Fleury, un compromis avec l'Autriche.

- *1738. La paix est signée à Vienne.*

Stanislas renonce à la Pologne et reçoit la Lorraine qui, à sa mort, doit revenir au roi de France. Quant aux Bourbons d'Espagne, alliés de la France, ils obtiennent pour leur fils le royaume des Deux-Siciles.

SUCCESSIVEMENT adv. → SUCCÉDER.

SUCCINCT, E [syksɛ̃, -ɛ̃t] adj. (lat. *succinctus*, court-vêtu). **1.** Se dit de ce qui est énoncé en peu de mots : *Un récit succinct* (syn. COURT, SOMMAIRE). — **2.** Se dit d'une personne qui s'exprime en peu de mots : *Un auteur succinct* (syn. BREF, CONCIS). — **3.** Fam. *Un repas succinct*, peu abondant. ◆ **succinctement** adv. : *Dites-nous succinctement ce qui s'est passé* (syn. BRIÈVEMENT, SOMMAIREMENT).

SUCCION n. f. → SUCER.

SUCCOMBER [sykɔ̃be] v. i. (lat. *succumbere*, tomber sous). **1.** Mourir, périr : *Le blessé a succombé à son arrivée à l'hôpital.* — **2.** (sujet nom de personne) Céder à la séduction. ◆ v. t. ind. *Succomber à qqch.*, ne pas y résister : *Succomber à la tentation* (syn. CÉDER À; contr. RÉSISTER À).

SUCCULENT, E [sykylɑ̃, -ɑ̃t] adj. (du lat. *succus*, suc). Qui a une saveur délicieuse : *Un repas succulent* (syn. EXCELLENT, SAVOUREUX). ◆ **succulence** n. f. : *La succulence d'un aliment.*

SUCCURSALE [sykyrsal] n. f. (du lat. *succurrere*, aider). Établissement commercial ou financier qui dépend d'un autre, tout en jouissant d'une certaine autonomie : *Les succursales d'une banque.*

SUCER [syse] v. t. (du lat. *succus*, suc). **1.** *Sucer qqch.*, l'attirer dans sa bouche par aspiration : *Sucer la moelle d'un os.* — **2.** Exercer une pression avec la langue, les lèvres sur une chose qu'on a dans la bouche : *Sucer un bonbon, son pouce.* ◆ **succion** [syksjɔ̃] n. f. : *Un bruit de succion.* ◆ **sucement** n. m. : *Le sucement du pouce.* ◆ **suceur, euse** adj. et n. Qui suce : *Insectes suceurs.* ◆ **suçoir** n. m. **1.** *Bot.* Organe fixant une plante parasite à son hôte et y prélevant la sève. — **2.** *Zool.* Pièces buccales de certains insectes suceurs (mouche, papillon, etc.). ◆ **suçoter** v. t. *Fam.* Sucer en léchant du bout des lèvres : *Suçoter un bonbon.*

SUCETTE [sysɛt] n. f. (de *sucer*). Bonbon de forme allongée, fixé à l'extrémité d'un bâtonnet.

SUCEUR, EUSE adj. et n. → SUCER.

SUCHET (Louis), duc D'ALBUFERA, maréchal de France (1770-1826). Il combattit à Austerlitz, à Iéna et en Espagne.

SUÇOIR n. m., **SUÇOTER** v. t. → SUCER.

SUCRASE [sykraz] n. f. (de *sucre*). Syn. de SACCHARASE*.

SUCRE [sykr] n. m. (it. *zucchero*). **1.** Glucide soluble dans l'eau, à saveur sucrée, existant dans de nombreux végétaux dont il est extrait : *Le sucre de la betterave et de la canne à sucre est le saccharose. Le sucre des fruits est le glucose.* → ENCYCL. — **2.** *Fam.* Morceau de sucre : *Mettre deux sucres dans son café.* — **3.** *Être tout sucre et tout miel*, être très doucereux. ‖ *Pain de sucre*, masse de sucre blanc coulée dans des moules coniques. ‖ *En pain de sucre*, de forme conique : *Un sommet en pain de sucre.* ‖ *Sucre d'orge, sucre de pomme*, bonbons préparés avec du sucre et

de l'eau d'orge ou du jus de pomme, et vendus sous forme de bâtons cylindriques. ◆ **sucrer** v. t. et i. Ajouter du sucre à un aliment ou à une boisson. ◆ **sucré, e** adj. **1.** Qui a le goût du sucre : *Des raisins sucrés.* — **2.** Se dit de quelqu'un (ou de son attitude) qui affecte une douceur extrême : *Prendre un air sucré.* ◆ **sucrerie** n. f. Usine où l'on fabrique le sucre. ◆ n. f. pl. Friandises préparées avec du sucre : *Aimer les sucreries.* ◆ **sucrier, ère** adj. Relatif à la fabrication du sucre : *L'industrie sucrière. Départements sucriers* (= ceux où l'on produit des betteraves à sucre). ◆ n. m. **1.** Fabricant de sucre : *Un grand sucrier du Nord.* — **2.** Récipient dans lequel on met du sucre.
— ENCYCL. Le *sucre*, obtenu autrefois uniquement à partir de la canne à sucre, s'extrait également de la betterave. La matière première, pressée ou râpée, fournit un suc, qui est successivement purifié au moyen de la chaux, concentré, filtré et cristallisé. Un dernier raffinage le rend propre à la consommation.

Le *sucre* constitue la source d'énergie la plus puissante de l'alimentation, la plus facilement assimilée, la plus rapidement utilisable et la plus riche en calories : 1 morceau de sucre du commerce de format habituel correspond à 3,84 ou 3,87 calories selon qu'il est ou non raffiné. Cependant, le sucre n'est pas un aliment complet : il est dépourvu de vitamines, ne peut servir à la fabrication de matière vivante comme les protéines. Il permet seulement le travail de nos cellules et une restauration rapide de nos réserves énergétiques épuisées par l'effort, la maladie... De nombreux médicaments utilisent le sucre comme véhicule du produit actif (sirops).

SUCRE, ancienn. **Chuquisaca** et **La Plata,** capit. constitutionnelle de la Bolivie, dans les Andes, à plus de 2 700 m d'alt.; 63 000 hab.

SUCRE (Antonio José DE), patriote vénézuélien (1795-1830), lieutenant de Bolívar. Il participa à la libération de l'Amérique du Sud, remporta la victoire d'Ayacucho (1824) et devint président de la République bolivienne (1826).

SUCRÉ, E adj., **SUCRER** v. t. et i., **SUCRERIE** n. f., **SUCRIER, ÈRE** adj. et n. m. → SUCRE.

SUCY-EN-BRIE, ch.-l. de cant. du Val-de-Marne, dans la banlieue sud-est de Paris; 23 400 hab. Verrerie.

SUD [syd] n. m. (de l'anc. angl. *suth*). **1.** Un des quatre points cardinaux, celui qui est opposé au nord : *Un immeuble exposé au sud* (syn. MIDI). — **2.** Ensemble des régions d'un pays qui se trouvent le plus au sud relativement aux autres parties : *La France du Sud.* — **3.** *Au sud de,* dans une région située plus près du sud, relativement à une autre : *On annonce des orages au sud de la Loire.* ◆ adj. inv. : *La côte sud de l'Italie. Le pôle Sud.* ◆ **sud-est** n. m. Point de l'horizon situé entre le sud et l'est; partie d'un pays située dans cette direction : *Un vent du sud-est. Le sud-est de l'Espagne.* ◆ adj. : *La côte sud-est de l'Italie.* ◆ **sud-ouest** n. m. Point de l'horizon situé entre le sud et l'ouest; partie d'un pays située dans cette direction. ◆ adj. : *La région sud-ouest de l'Allemagne.* ◆ **sud-africain, e** adj. et n. D'Afrique du Sud. ◆ **sud-américain, e** adj. et n. D'Amérique du Sud. ◆ **sudiste** adj. et n. Partisan des États du Sud, dans la guerre de Sécession (1861-1865) aux États-Unis.

SUD-AFRICAIN, E adj. et n. → SUD.

SUD-AFRICAINE *(Union)* → AFRIQUE DU SUD.

SUD-AMÉRICAIN, E adj. et n. → SUD.

SUDATION n. f. → SUER.

SUDBURY, v. du Canada (Ontario); 97 600 hab. Centre minier (nickel).

SUD-EST adj. et n. m. → SUD.

SUDÈTES *(monts des),* bordure nord-est de la Bohême, en Tchécoslovaquie. — Sur le plan historique, le nom de *Sudètes* s'est appliqué à toute la bordure de la Bohême où les Allemands constituaient une partie importante du peuplement. La *région des Sudètes* fut annexée par l'Allemagne de 1938 à 1945; rendue à la Tchécoslovaquie, elle a été le théâtre d'un vaste transfert de la population d'origine allemande vers l'Allemagne.

SUDISTE adj. et n. → SUD.

SUDORIFIQUE adj., **SUDORIPARE** adj. → SUER.

SUD-OUEST adj. et n. m. → SUD.

SUD-OUEST AFRICAIN → NAMIBIE.

SUD VIÊT-NAM, autre nom du Viêt-nam du Sud, État constitué de 1954 à 1976 (→ VIÊT-NAM).

SUE (Marie-Joseph, dit **Eugène**), écrivain français (1804-1857). Ses romans (*les Mystères de Paris,* 1842-1843; *le Juif errant,* 1844-1845), parus en feuilletons dans les journaux de l'époque, remportèrent un grand succès. D'inspiration sociale et humanitaire, ils décrivent la misère des bas-fonds parisiens.

SUÈDE, en suéd. **Sverige,** État de l'Europe du Nord.

SUPERFICIE 450 000 km² (France : 550 000 km²).
POPULATION 8 500 000 hab. *(Suédois);* 19 hab. au km² (France : 103); taux de natalité, 11,6 p. 1 000; taux de mortalité, 10,7 p. 1 000.
CAPITALE Stockholm (661 000 hab.).
VILLES PRINCIPALES Göteborg (445 700 hab.); Malmö (246 600 hab.).
LANGUE suédois.
ÉCONOMIE produit national brut par hab., 11 029 dollars (France : 9 484); consommation d'énergie par hab., 5 150 kg d'équivalent charbon; 1 automobile pour 3 hab.
MONNAIE couronne suédoise.

GÉOGRAPHIE

À l'exception de son extrémité méridionale, formée de plaines et de plateaux sédimentaires, la Suède correspond à un socle cristallin ancien, arasé puis soulevé de nouveau au Tertiaire. Les glaciers quaternaires ont marqué le paysage en élargissant les vallées, déposant des moraines, creusant des cuvettes aujourd'hui occupées par des lacs. Le littoral, très découpé, est bordé par un archipel côtier, le Skjärgård. La barrière montagneuse empêche la pénétration des vents d'ouest et le pays connaît un climat conti-

nental, de plus en plus froid du S. *(Götaland)* au N. *(Norrland)*, en passant par la région centrale *(Svealand)* où se situe la capitale.

	TEMPÉRATURES MOYENNES		PLUIES
	janv.	juil.	
Stockholm	−2,5 °C	17 °C	535 mm

La population, peu dense, se concentre dans le Sud et notamment sur les côtes. La rudesse des conditions naturelles explique la faible extension des surfaces cultivables. Mais le caractère intensif de l'*agriculture* permet de gros rendements. L'élevage laitier joue un rôle primordial, associé à la culture de céréales, pomme de terre et betterave à sucre. La *pêche* est très active (morue, hareng).

blé	1 800 000 t	pomme de terre	1 300 000 t
orge	2 800 000 t	bovins	1 875 000 têtes
avoine	1 900 000 t	pêche	280 000 t

L'exploitation des forêts qui couvrent une grande partie du territoire a permis le développement d'une *industrie* liée au bois, très prospère : pâte à papier, allumettes, cellulose... Mais c'est à ses gisements miniers, joints à l'exploitation de l'hydro-électricité, que la Suède doit son essor industriel. Le fer de Kiruna, de Gällivare et du Bergslag alimente la sidérurgie spécialisée dans les aciers spéciaux. La chimie et la métallurgie de transformation (automobiles, constructions navales...) occupent une place prépondérante, le textile n'étant qu'une activité secondaire.

papier	7 millions de t	électricité	120 milliards de kWh
fer	11 300 000 t	automobiles	300 000 unités
acier	4,5 millions de t		

L'industrie est répartie dans les centres urbains et notamment à Stockholm, Göteborg et Malmö qui sont aussi les principaux ports. En effet, l'économie est liée aux échanges : le pays exporte du bois, du fer et des produits manufacturés; il importe des matières premières (pétrole, coton...). La Suède possède le plus haut niveau de vie d'Europe (avec la Suisse).

HISTOIRE

Unifiée par la tribu des Svears, qui impose sa suzeraineté sur les petits royaumes goths du Sud, la Suède participe aux IXe et Xe s. aux expéditions vikings (→ NORMANDS), et commerce avec les pays de la mer Noire et de la Caspienne.

• *XIe s. La christianisation du pays progresse après le baptême du roi Olof Skötkonung (1008).*

L'extinction de la dynastie crée une anarchie politique qui dure jusqu'en 1222, et favorise l'émancipation de l'Église. Celle-ci, qui obtient d'importants privilèges, pousse Erik IX le Saint à entreprendre une croisade contre les Finnois païens, prélude à la conquête de la Finlande (1157).

• *1250. Birger Jarl fonde la dynastie des Folkung (1250-1363) qui fait de Stockholm sa capitale.*

Les institutions féodales s'introduisent dans le pays. La monarchie s'affaiblit au profit de la noblesse, tandis que la Hanse*, à partir de Visby, renforce son rôle commercial.

• *1319. Le prestige monarchique est rétabli sous Magnus VII Eriksson, qui devient roi de Suède, Norvège et Scanie.*

Mais la peste de 1346, la sécession de la Norvège, la mainmise de Lübeck sur le commerce et les luttes dynastiques affaiblissent le pays dont s'empare Marguerite, régente de Norvège et du Danemark, en 1389.

• *1397. Par l'union de Kalmar, son héritier, Erik de Poméranie, reçoit les trois couronnes.*

L'opposition nationale suédoise crée une régence, confiée à partir de 1470 à la famille des Sture. En 1520, Christian II de Danemark triomphe de cette opposition, mais le « bain de sang de Stockholm » suscite un soulèvement général dirigé par Gustave Vasa.

• *1523-1560. Celui-ci proclame l'indépendance, favorise la réforme luthérienne et développe le commerce suédois en supprimant les privilèges de la Hanse.*

Son successeur, Erik XIV, tente de contrôler le commerce russe, mais, battu au cours d'une guerre de sept ans (1563-1570), il est déposé par la noblesse au profit de son frère Jean III qui continue une politique de conquête à l'E. Sigismond Vasa, roi de Pologne, qui veut rétablir le catholicisme, est évincé à son tour.

• *1611-1632. Gustave Adolphe pose les bases de la puissance suédoise.*

Il réorganise les institutions et l'armée, développe l'économie (mines et métallurgie), poursuit la conquête de la côte baltique russe, puis occupe la Prusse polonaise et intervient victorieusement en Allemagne (guerre de Trente* Ans). Le régent Oxenstierna, puis la reine Christine (1632-1654) poursuivent la même politique, et la Suède obtient le contrôle de la Baltique après les traités de Brömsebro (1645), Westphalie (1648) et Roskilde (1658).

• *1697-1718. Charles XII gouverne en souverain absolu, mais ses défaites (Poltava*) épuisent le pays.*

Le Parlement *(Riksdag)*, contrôlé par la noblesse, s'empare du pouvoir. L'industrie se développe, alors que pénètrent les idées nouvelles. La victoire du parti des « Chapeaux » soutenu par la France, sur le parti pacifiste des « Bonnets » entraîne la Suède dans la guerre de Sept* Ans et dans une guerre contre la Russie, qui lui fait perdre le sud-est de la Finlande.

• *1771-1792. Gustave III restaure l'absolutisme, tandis que la vie culturelle atteint son apogée avec Celsius, Linné, Swedenborg.*

Gustave IV perd la Finlande (1808) et est renversé (1809).

En 1810, le général français Bernadotte, désigné comme régent, engage la lutte contre Napoléon, ce qui permet à la Suède d'annexer la Norvège.

• *1818-1844. Roi sous le nom de Charles XIV, Bernadotte mène une politique absolutiste et doit accepter des réformes libérales en 1840.*

L'évolution libérale se poursuit pendant tout le XIXe s., en même temps que la modernisation économique du pays, accélérée par l'adoption du libre-échange. Le développement de l'industrie, s'il favorise l'apparition du parti social-démocrate (1889), ne peut absorber l'excédent de population rurale, qui émigre vers les États-Unis.

• *1905. L'union avec la Norvège est dissoute.*

Les progrès de la social-démocratie entraînent l'adoption du suffrage universel (1907) et des réformes sociales (assurance vieillesse, journée de huit heures, vote des femmes) qui s'amplifient à partir de 1920 (premier gouvernement social-démocrate, dirigé par Branting). Monarchie constitutionnelle, la Suède a été, de 1932 à 1976, gouvernée sans interruption par le parti social-démocrate.

• *1976-1982. Gouvernements centristes et libéral.*

• *1982. Retour des sociaux-démocrates au pouvoir, avec Olof Palme.*

• *1986. Olof Palme est assassiné. Le social-démocrate Ingvar Carlsson lui succède au poste de Premier ministre.*

• *1991. Échec des sociaux-démocrates aux élections. Le conservateur Carl Bildt forme un gouvernement de centre-droit.*

SUER [sɥe] v. i. (lat. *sudare*). **1.** (sujet nom de personne) Éliminer par les pores de la peau un liquide appelé *sueur : Suer à grosses gouttes* (syn. TRANSPIRER). — **2.** (sujet nom de chose) Dégager de l'humidité : *Les murs suent pendant le dégel* (syn. SUINTER). — **3.** Fam. *Suer sang et eau*, se donner beaucoup de peine. ◆ **sudation** n. f. Production de sueur : *Les bains de sudation sont utilisés pour éliminer les toxines, retrouver une bonne forme physique* (syn. TRANSPIRATION). ◆ **sudorifique** adj. Qui provoque la sudation : *Une tisane sudorifique.* ◆ **sudoripare** adj. *Glandes sudoripares*, qui sécrètent la sueur. ◆ **suée** n. f. *Fam.* Transpiration abondante, à la suite d'un effort, d'un travail pénible, d'une émotion. ◆ **sueur** n. f. **1.** Liquide incolore, salé, d'une odeur particulière, qui suinte par les pores de la peau : *La sueur lui dégouttait du front* (syn. TRANSPIRATION). — **2.** *Gagner son pain à la sueur de son front*, se donner beaucoup de peine pour gagner sa vie. ‖ *Sueur froide*, vif sentiment de peur, d'inquiétude.
— ENCYCL. La *sueur* est un liquide sécrété par les glandes sudoripares formées par l'épithélium de la peau, et qui est éliminé à l'extérieur de notre corps en s'évaporant. La sécrétion de sueur est sous la dépendance du système nerveux végétatif; elle a plusieurs rôles : elle élimine les déchets; elle sert à maintenir constante la température du corps (quand il fait chaud, lors d'une fièvre, ou pendant un travail physique intense, l'évaporation de la sueur sur la peau élimine un grand nombre de calories, et refroidit donc l'organisme); enfin, elle élimine de l'eau (cette élimination varie selon l'activité, le climat, l'état physiologique de l'organisme).

SUÉTONE, historien latin (v. 69 apr. J.-C. - v. 125). Il écrivit les *Vies des douze Césars* (de César à Domitien); recueil d'anecdotes où se révèlent ses opinions favorables à la classe sénatoriale.

SUEUR n. f. → SUER.

SUÈVES, peuple de Germanie qui, d'abord nomade, se fixa en Souabe, au IIIe s. apr. J.-C. À l'époque des invasions, les Suèves fondèrent un royaume éphémère en Galice (409-585).

SUEZ *(isthme de)*, isthme séparant la mer Rouge de la Méditerranée, traversé par un canal (long de 161 km de Port-Saïd à Suez) dont Ferdinand de Lesseps fut le promoteur et qui fut inauguré en 1869. En 1875, l'Angleterre devint le principal actionnaire de la Compagnie du canal de Suez. La nationalisation du canal (jusque-là sous statut international) par le colonel Nasser provoqua un conflit avec Israël, la France et l'Angleterre (1956). L'action militaire de ces puissances contre l'Égypte fut arrêtée par l'intervention des États-Unis et de l'O. N. U. La plus grande partie du trafic du canal était représentée par le pétrole du Moyen-Orient. Le conflit de juin 1967, entre Israël et les pays arabes, amena la fermeture du canal jusqu'en 1975. Son étroitesse ne permet d'ailleurs pas aux grands navires pétroliers de l'utiliser.

SUEZ, port d'Égypte, sur la mer Rouge, au fond du *golfe de Suez*, à l'entrée sud du *canal de Suez;* 264 100 hab. Raffinage du pétrole.

SUFFÈTE [syfɛt] n. m. (lat. *suffes, suffetis*). Nom des magistrats suprêmes de l'anc. Carthage.

SUFFIRE [syfir] v. i. et t. ind. (lat. *sufficere*, pourvoir). [Conj. 72.] **1.** (sujet nom de chose) Être en quantité assez grande, avoir la quantité nécessaire pour : *Cette somme suffira à payer vos dettes. Un rien suffit pour le contrarier. À chaque jour suffit sa peine* (= il ne faut pas se tourmenter inutilement sur l'avenir). ‖ Fam. *Cela* ou *ça suffit* (ou simplem. *suffit*), *ça suffit comme ça*, en voilà assez, n'en parlons plus. ‖ *Il suffit de* (suivi d'un nom ou d'un infin.), *il suffit que* (et le subj.), il est besoin de, que : *Il suffit d'un rien pour le mettre en colère.* — **2.** (sujet nom de personne) Être capable de fournir ce qui est nécessaire : *Il lui est difficile de suffire à toutes ses obligations. Sa famille lui suffit, il n'a pas d'amis* (= il n'a pas besoin d'autres personnes). ◆ ***se suffire*** v. pr. Ne pas avoir besoin de l'aide des autres : *Un pays qui se suffit à lui-même.* ◆ **suffisamment** adv. : *Avoir suffisamment travaillé* (syn. ASSEZ). ◆ **insuffisamment** adv. : *Travailler insuffisamment.* ◆ **suffisance** n. f. Quantité assez grande : *Il ne souhaite pas plus d'argent, il en a sa suffisance* (= son content). — LOC. ADV. *En suffisance*, suffisamment. ◆ **insuffisance** n. f. **1.** *L'insuffisance de la récolte, de la production industrielle.* — **2.** *Méd.* État dans lequel se trouve un tissu ou un organe incapable de remplir l'intégralité de ses fonctions. (L'*insuffisance cardiaque*, l'*insuffisance respiratoire* chronique, l'*insuffisance rénale* sont la conséquence de nombreuses lésions pouvant atteindre ces organes.) ◆ **suffisant, e** adj. Se dit d'une chose qui suffit (sens 1) : *Avoir des ressources suffisantes pour vivre. Obtenir des résultats suffisants* (syn. HONORABLE, SATISFAISANT). ◆ **insuffisant, e** adj. : *Des ressources insuffisantes.*

SUFFISANCE n. f. → SUFFIRE et SUFFISANT 2.

1. SUFFISANT, E adj. → SUFFIRE.

2. SUFFISANT, E [syfizɑ̃, -ɑ̃t] adj. et n. (de *suffire*). *Péjor.* Se dit d'une personne qui manifeste dans son attitude une excessive satisfaction de soi : *Avoir un air suffisant* (syn. PRÉTENTIEUX, VANITEUX). *Faire le suffisant* (syn. FAT). ◆ **suffisance** n. f. (syn. PRÉTENTION, VANITÉ; contr. MODESTIE).

SUFFIXE [syfiks] n. m. (lat. *suffixus*, fixé sous). Élément qui se place à la fin d'un mot ou d'un radical pour en modifier la forme et le sens : *Les suffixes servent à former des substantifs et des adjectifs, des verbes, des adverbes.* ◆ **suffixé, e** adj. : *Les mots suffixés sont ceux auxquels on a ajouté un suffixe.* ◆ **suffixation** n. f. Moyen morphologique consistant à ajouter un suffixe à un mot pour en modifier la forme (marques de genre et de nombre des substantifs) ou le sens, et créer ainsi un nouveau terme à partir du radical : *La dérivation par suffixe.* (→ PRÉFIXE et tableau ci-dessous.)

SUFFOCANT, E adj., **SUFFOCATION** n. f. → SUFFOQUER.

SUFFOLK, comté de l'Angleterre, baigné par la mer du Nord; 570 000 hab. Ch.-l. *Ipswich.*

SUFFOQUER [syfɔke] v. t. (lat. *suffocare*, étouffer) [sujet nom de chose]. **1.** *Suffoquer qq'un*, lui rendre la respiration difficile : *Il fait une chaleur qui vous suffoque* (syn. ÉTOUFFER). *Les sanglots la suffoquaient* (syn. OPPRESSER). — **2.** Causer une violente émotion : *Cette nouvelle nous a tous suffoqués.* ◆ v. i. (sujet nom de personne). **1.** Respirer avec peine, perdre le souffle. — **2.** Ressentir une vive émotion au point de perdre la respiration : *Suffoquer de colère.* ◆ **suffocant, e** adj. **1.** Qui gêne ou fait perdre la respiration : *Une chaleur suffocante* (syn. ÉTOUFFANT). *Une fumée suffocante* (syn. ASPHYXIANT). — **2.** Qui saisit et stupéfie : *Des révélations suffocantes* (syn. ↓ÉTONNANT). ◆ **suffocation** n. f. Sensation d'oppression produite par la suspension ou la gêne de la respiration.

SUFFRAGE [syfraʒ] n. m. (lat. *suffragium*, tesson avec lequel on votait). **1.** Vote par lequel quelqu'un exprime son choix, dans une délibération, une élection, etc. : *Le président sortant a obtenu la majorité des suffrages exprimés* (syn. VOIX). ‖ *Droit de suffrage*, droit d'exprimer légalement son opinion en votant. — **2.** Mode de votation (→ ÉLIRE, *encycl.*) : *Suffrage direct*, système dans lequel l'électeur vote lui-même pour la personne à élire (conseillers municipaux, généraux et régionaux, députés, président de la République). ‖ *Suffrage indirect*, système dans lequel l'électeur désigne un délégué chargé de désigner les gouvernants (élection à deux degrés [sénateurs]. ‖ *Suffrage universel*, système dans lequel le corps électoral est constitué par tous les citoyens (en France, les hommes et les femmes justifiant de la nationalité française et d'une résidence dans la commune à l'exclusion de ceux qui ont été privés de leurs droits politiques). ‖ *Suffrage censitaire* → CENS. — **3.** Opinion favorable : *Cette pièce a remporté tous les suffrages.*

SUFFRAGETTE [syfraʒɛt] n. f. (de *suffrage*). Nom donné en Angleterre aux militantes qui réclamaient pour les femmes le droit de vote.

SUFFREN DE SAINT-TROPEZ (Pierre André DE), dit **le bailli de Suffren,** marin français (1729-1788). Il combattit aux Indes contre les Anglais.

SUGER, moine français (v. 1081-1151). Habile diplomate, il fut abbé de Saint-Denis et conseiller du roi. Pendant la deuxième croisade, il fut régent du royaume. Il enrichit son abbaye et écrivit plusieurs ouvrages historiques, notamment une *Vie de Louis VI.*

SUGGÉRER [sygʒere] v. t. (lat. *suggerere*, porter sous). **1.** (sujet nom de personne) *Suggérer qqch. à qq'un*, le lui inspirer pour qu'il l'adopte : *Suggérer une solution* (syn. CONSEILLER, SOUFFLER). — **2.** (sujet nom de chose) Faire naître une idée, une image : *Un poème qui suggère des sentiments nobles* (syn. ÉVOQUER, FAIRE PENSER À). ◆ **suggestion** n. f. : *Ce que je vous ai dit est une simple suggestion* (syn. CONSEIL). ◆ **suggestif, ive** adj. Qui suggère des idées, des sentiments, des images : *Une musique suggestive* (syn. ÉVOCATEUR).

SUHARTO, homme politique indonésien, né en 1921, président de la République depuis 1968.

SUI, localité du Pākistān, au S.-O. de Multān. Gaz naturel.

SUICIDE [sɥisid] n. m. (du lat. *sui*, de soi, et *caedere*, tuer). Fait de se donner la mort : *Une tentative de suicide.* ◆ **suicidé, e** n.

suffixes

L'adjonction d'un suffixe à un terme simple modifie la catégorie grammaticale de ce dernier. Les suffixes n'existent pas indépendamment des mots suffixés.

1. Transformation d'un verbe en un substantif (nom d'action ou d'état).

-age	*arroser le jardin*	*l'arrosage du jardin*
-issage	*l'avion atterrit*	*l'atterrissage de l'avion*
-ment	*remembrer une propriété*	*le remembrement de la propriété*
-issement	*ses enfants s'assagissent*	*l'assagissement de ses enfants*
-(i)tion	*punir un coupable*	*la punition du coupable*
-(a)tion	*les prix augmentent*	*l'augmentation des prix*
-ure	*lire un roman*	*la lecture d'un roman*
suffixe zéro	*reporter un rendez-vous*	*le report d'un rendez-vous*
(déverbal)	*la troupe marche*	*la marche de la troupe*

2. Transformation d'un adjectif en un substantif (nom de qualité, de système, d'état).

-(i)té	*le malade est fatigable*	*la fatigabilité du malade*
-(e)té	*la pièce est propre*	*la propreté de la pièce*
-ie	*les hommes sont fous*	*la folie des hommes*
-erie	*le procédé est fourbe*	*la fourberie du procédé*
	son discours est pédant	*le pédantisme de son discours*
-isme	*cette construction est archaïque*	*l'archaïsme de cette construction*
	ses conceptions sont pessimistes	*le pessimisme de ses conceptions*
-eur	*ses joues sont pâles*	*la pâleur de ses joues*
(féminin)	*cette analyse est profonde*	*la profondeur de cette analyse*
-ance	*sa tenue est élégante*	*l'élégance de sa tenue*
-ence	*ses propos sont incohérents*	*l'incohérence de ses propos*
-ise	*cet homme est sot*	*la sottise de cet homme*
-esse	*sa constitution est robuste*	*la robustesse de sa constitution*
-itude	*les parents sont inquiets*	*l'inquiétude des parents*

▷

3. Transformation d'un verbe (et de son sujet) en un substantif (nom d'agent ou d'instrument; nom de personne exerçant un métier).

-eur	*personne qui moissonne*	*un moissonneur*
(masculin)	*appareil qui bat (les mélanges)*	*un batteur*
-ateur	*personne qui décore (les appartements)*	*un décorateur*
-trice	*machine qui perfore (les cartes)*	*une perforatrice*
-euse	*machine qui arrose (les rues)*	*une arroseuse*
-ier (-ière)	*personne qui cuisine*	*un (une) cuisinier (-ère)*
	avion qui bombarde	*un bombardier*
-ant	*personne qui milite*	*un militant*
-ante	*machine qui imprime*	*une imprimante*
-aire	*personne qui signe une lettre*	*le signataire d'une lettre*
-oir	*appareil qui ferme (un sac)*	*un fermoir*
-oire	*ustensile qui passe une substance*	*une passoire*
-iste	*personne qui anesthésie*	*un anesthésiste*

4. Transformation d'un substantif en un adjectif (dans les types de phrases : nom + complément de nom; *avoir* + nom; etc.).

-al, -ale	*une douleur de (à) l'abdomen*	*une douleur abdominale*
-el, -elle	*le voyage du président*	*le voyage présidentiel*
-ien, -ienne	*la politique de l'Autriche*	*la politique autrichienne*
-ais, -aise	*le vin des Charentes*	*le vin charentais*
-in, -ine	*les poètes d'Alexandrie*	*les poètes alexandrins*
-ois, -oise	*l'industrie de Grenoble*	*l'industrie grenobloise*
-ain, -aine	*le commerce de l'Amérique*	*le commerce américain*
-if, -ive	*une manœuvre de la spéculation*	*une manœuvre spéculative*
-oire	*le choc de l'opération*	*le choc opératoire*
-aire	*le budget a un déficit*	*le budget est déficitaire*
-eux, -euse	*il a le cafard*	*il est cafardeux*
-ant, -ante	*elle a du charme*	*elle est charmante*
-ier, -ière	*il fait des dépenses*	*il est dépensier*
-ique	*il a de l'ironie*	*il est ironique*
-u, -ue	*il a une barbe*	*il est barbu*
-é, -ée	*il a son domicile à Paris*	*il est domicilié à Paris*
-esque	*une œuvre de titan*	*une œuvre titanesque*

5. Transformation d'un verbe en un adjectif (équivalence entre un groupe verbal avec *pouvoir* et le verbe *être* suivi d'un adjectif).

-able	*cette proposition peut être acceptée*	*cette proposition est acceptable*
in[...]able	*on ne peut croire cette histoire*	*cette histoire est incroyable*
-ible	*l'issue peut être prévue*	*l'issue est prévisible*

6. Transformation d'un adjectif en un verbe (équivalence entre *rendre, faire,* suivis d'un adjectif, et le verbe).

-iser	*rendre uniformes les tarifs*	*uniformiser les tarifs*
-ifier	*faire plus simple un exposé*	*simplifier un exposé*
suffixe zéro	*rendre une feuille noire*	*noircir une feuille*
	rendre épais un mélange	*épaissir un mélange*

Cette transformation peut se faire au moyen de préfixes.

a...	*rendre plus grande une pièce*	*agrandir une pièce*
é...	*faire plus large un trou*	*élargir un trou*

7. Transformation d'un adjectif en adverbe.

-ment	*une expression vulgaire*	*s'exprimer vulgairement*
même forme	*une voix fausse*	*chanter faux*

8. Transformation d'un substantif en un autre substantif, d'un adjectif en un autre adjectif, avec variation de sens (elle se fait dans les deux sens).

zéro / **-ier**	groupe / personne	*il fait partie d'une équipe*	*un équipier*
-eur / **-orat**	personne / métier	*il est professeur*	*exercer le professorat*
zéro / **-at**		*il est interprète*	*interprétariat*
-ie / **-ien**		*il fait de la chirurgie*	*il est chirurgien*
zéro / **-ien**		*il fait de l'électronique*	*il est électronicien*
-erie / **-ier**		*il tient une charcuterie*	*il est charcutier*
zéro / **-aire**	objet / commerce	*il vend des disques*	*il est disquaire*
zéro / **-iste**		*il fait des affiches*	*il est affichiste*
zéro / **-ier**		*il fait des adresses*	*il est adressier*
zéro / **-ier**	fruit / arbre	*arbre qui porte des abricots*	*abricotier*
zéro / **-aie**	arbre / collection d'arbres	*groupe de chênes*	*une chênaie*
zéro / **-ée**	objet / contenu	*le contenu d'une assiette*	*une assiettée*
zéro / **-iste**	nom / disciple	*disciple d'Hébert*	*hébertiste*
zéro / **-ette (-et)**	terme neutre / plus petit	*une petite maison*	*une maisonnette*
-eur / **-ard**	terme neutre / péjoratif	*un mauvais chauffeur*	*un chauffard*
zéro / **-aud**		*un homme lourd*	*un lourdaud*
zéro / **-âtre**	terme neutre / atténuatif	*une lueur rouge*	*rougeâtre*

9. Certains suffixes peuvent être des formes savantes empruntées au grec.

-logie	science	*lexicologie; dermatologie; neurologie*
-logue, -logiste	celui qui pratique cette science	*lexicologue; dermatologue; neurologiste*
-mètre	appareil ou personne qui mesure	*anémomètre; télémètre; géomètre*
-métrie	science ou description	*géométrie; audiométrie*
-graphie	description, enregistrement	*géographie; démographie; cartographie*
-graphe	appareil ou personne qui décrit ou enregistre	*sismographe; géographe; typographe*
-technie	technique	*pyrotechnie; zootechnie*
-technicien	savant ou technicien	*pyrotechnicien; zootechnicien*

Personne qui s'est donné la mort. ◆ **suicider (se)** v. pr. Se donner volontairement la mort.

SUIDÉS [sɥide] n. m. pl. (du lat. *sus*, porc). Famille de mammifères ongulés, présentant quatre doigts à chaque patte, terminés chacun par un petit sabot (onglon).
— ENCYCL. Seuls les deux doigts médians des *suidés* prennent appui sur le sol. Le museau se termine par un groin. Les canines sont développées en défenses. Le régime des suidés est omnivore. Le sanglier et le porc qui en est issu vivent en Europe. On rencontre en régions tropicales d'autres suidés : potamochère, phacochère, pécari, babiroussa.

SUIE [sɥi] n. f. (gaul. *sudia*). Matière noire, que la fumée dépose à la surface d'un corps mis en contact avec elle.

SUIF [sɥif] n. m. (lat. *sebum*, graisse). Nom donné, en boucherie, à une partie de la graisse des ruminants : *Du suif de bœuf.*

SUI GENERIS [sɥiʒeneris] loc. (mots lat. signif. *de son espèce*). S'emploie parfois ironiquement en parlant de ce qui caractérise une chose, une personne : *Une odeur sui generis* (= particulière, spéciale).

SUINT [sɥɛ̃] n. m. (de *suer*). Matière grasse qui imprègne la toison des moutons, dans le poids de laquelle elle entre pour 25 à 60 p. 100 selon les races.

SUINTER [sɥɛ̃te] v. i. (de *suint*). **1.** (sujet nom désignant un liquide) S'écouler d'une manière presque imperceptible : *L'eau suinte à travers les rochers.* — **2.** (sujet nom de chose) Laisser s'écouler un liquide : *Un mur qui suinte.* ◆ **suintement** n. m. : *Le suintement d'une muraille.*

SUIPPES, ch.-l. de cant. de la Marne, à 29 km au N.-E. de Châlons-sur-Marne; 5200 hab. Camp militaire (15000 ha) en prolongement du camp de Mourmelon.

1. SUISSE [sɥis] adj. et n. (de *Suisse*). De la Suisse. (Le fém. est parfois *Suissesse.*)

2. SUISSE [sɥis] n. m. (même étym.). Employé d'église en uniforme, dont le rôle est de précéder le clergé dans les cortèges et de veiller au bon ordre durant les offices.

3. SUISSE [sɥis] n. m. (même étym.). *Boire, manger en suisse,* tout seul, sans inviter ses amis.

SUISSE ou **CONFÉDÉRATION SUISSE,** république fédérale de l'Europe centrale.
→ carte page suivante.

SUPERFICIE 41 293 km² (France : 550 000 km²).

POPULATION 6 600 000 hab. *(Suisses);* 160 hab. au km² (France : 103); taux de natalité, 11.5 p. 1 000; taux de mortalité, 8.7 p. 1 000.

CAPITALE Berne (141 300 hab., agglomération 373 400 hab.).

VILLES PRINCIPALES Zurich (422 600 hab., agglomération 715 300 hab.); Bâle (212 900 hab.); Genève (173 600 hab.); Lausanne (137 500 hab.).

LANGUES allemand, français, italien, romanche.

ÉCONOMIE produit national brut par hab., 14 930 dollars (France : 9 484); consommation d'énergie par hab., 3 300 kg d'équivalent charbon; 1 automobile pour 3 hab.

MONNAIE franc suisse.

GÉOGRAPHIE

Une vaste dépression occupée par des collines mollassiques, le *Mittelland* (« pays du milieu »), qui s'étend du lac Léman au lac de Constance, sépare le *Jura,* au N.-O., région de plis et de plateaux, des *Alpes,* au S.-E., qui occupent la moitié de la superficie du pays. Les glaciers quaternaires ont élargi les vallées (Rhône, Rhin, Inn) et laissé de nombreux lacs et dépôts morainiques.

Le climat, humide dans l'ensemble, est fortement tributaire de l'altitude et de l'exposition.

	TEMPÉRATURES MOYENNES janv.	juil.	PLUIES
Lausanne	0 °C	19 °C	1 040 mm
Davos (alt. 1 588 m)	− 7,5 °C	12,5 °C	152 mm

La population, très dense pour un pays en grande partie montagnard, est divisée en quatre groupes linguistiques : allemand (70 p. 100 de la population), français (20 p. 100), italien, romanche. Elle se concentre dans la région centrale, basse et abritée, qui constitue la partie vitale du pays. L'agriculture souffre de l'exiguïté des surfaces cultivables, mais elle est intensive et ses rendements sont élevés. Elle fournit des céréales, des pommes de terre et, dans certains secteurs privilégiés, des fruits et du vin. Mais l'élevage, orienté vers la production laitière, constitue la principale activité, notamment dans les montagnes où il est associé à l'exploitation de la forêt.

blé	600 000 t	lait	3 800 000 t
pomme de terre	900 000 t	beurre	40 000 t
bovins	1 900 000 têtes	fromage	130 000 t

Mais la Suisse est surtout un puissant pays industriel. En raison de la faiblesse des ressources naturelles, elle s'est spécialisée dans la production de qualité, qui requiert une main-d'œuvre habile. L'horlogerie, les industries textiles et alimentaires (chocolat), le travail du bois sont des activités traditionnelles. Mais c'est l'exploitation de l'hydro-électricité, jointe à d'abondants capitaux, qui a permis la création d'industries modernes : chimie, constructions mécaniques, électrométallurgie. Elles se localisent dans les villes du Mittelland (Zurich, métropole économique du pays, Berne, Lausanne, Genève) et à Bâle, grand port fluvial sur le Rhin.

électricité 50 milliards de kWh; aluminium 80 000 t.

Carrefour international, la Suisse rétablit le déficit de sa balance commerciale grâce au tourisme et surtout grâce aux bénéfices des capitaux investis à l'étranger, ainsi qu'à ceux des banques où sont placés des capitaux venus de toute l'Europe occidentale, en raison de la stabilité du pays. Elle possède, avec la Suède, le plus haut niveau de vie d'Europe.

HISTOIRE

Habité par des Celtes, les Helvètes, le pays est conquis par César (58 av. J.-C.) et romanisé.

Les invasions barbares du Vᵉ s., en particulier celle des Alamans, germanisent le Nord et le Centre en refoulant les parlers romans qui se diversifient (français à l'O., italien au S. et romanche à l'E.).

- *XIᵉ s. Le commerce et la vie urbaine renaissent dans le cadre du Saint Empire romain germanique.*

Mais l'affaiblissement du pouvoir impérial facilite la naissance de principautés féodales comme celle des Zähringen, dont les possessions tombent par héritage, après 1218, aux mains des Habsbourg. Ceux-ci étendent leur influence et menacent par l'intermédiaire de leurs baillis les libertés traditionnelles des communautés paysannes, en particulier lorsque Rodolphe de Habsbourg est élu en 1273 au trône impérial.

- *1ᵉʳ août 1291. À la mort de Rodolphe, trois cantons alpins (Uri, Schwyz, Unterwald) se lient par un pacte perpétuel de défense, qui est à l'origine de la Confédération suisse.*

Leurs droits confirmés par l'Empereur (1305), ils résistent aux Habsbourg qu'ils défont à Morgarten (1315). D'autres cantons les rejoignent (Lucerne, Zurich, Glaris, Zoug et Berne) dont l'indépendance est reconnue par les Habsbourg après de nouvelles défaites (Sempach, 1386, et Näfels, 1388). En 1415 la Confédération annexe l'Argovie et en 1460 la Thurgovie.

- *1474. Par la « paix perpétuelle », la Confédération est définitivement émancipée dans le cadre de l'Empire, dont elle ne s'affranchira qu'en 1499 après avoir battu Maximilien Iᵉʳ.*

L'atténuation de la menace autrichienne et l'affirmation de la valeur militaire des Suisses, après les victoires sur Charles le Téméraire (Grandson, Morat en 1476), laissent réapparaître des discussions entre cantons; un compromis permet le rattachement de Fribourg et Soleure (1481). Bâle et Schaffhouse (1501) puis Appenzell (1513) rejoignent la Confédération, dont les ambitions en Italie s'opposent à celles de François Iᵉʳ. Battus par celui-ci à Marignan, les Suisses signent la paix de Fribourg (1516) qui, transformée ensuite en alliance, va permettre aux rois de France de lever des mercenaires en Suisse jusqu'en 1789.

- *XVIᵉ s. La Réforme se répand grâce aux humanistes bâlois, puis à l'action de Zwingli (qui est tué en 1531 après une défaite contre les cantons catholiques) et enfin de Calvin qui fait de Genève, rattachée en 1536, la « Rome du protestantisme ».*

Les discordes liées à la Réforme affaiblissent la Confédération qui ne participe pas à la guerre de Trente Ans et dont la neutralité et l'indépendance sont reconnues par les puissances en 1648 (traité de Westphalie). L'immigration de protestants français stimule l'activité industrielle (textiles, horlogerie), tandis que le commerce et les activités bancaires se développent.

Aux XVIIᵉ et XVIIIᵉ s., cet essor économique profite aux classes privilégiées et accentue les tensions sociales.

- *1789. Le progrès des idées démocratiques (J.-J. Rousseau) entraîne une forte sympathie pour la Révolution française, à laquelle participe à Paris le club des Helvétiques.*

La France révolutionnaire annexe des territoires jurassiens puis, sous le Directoire, impose une *République helvétique* unitaire (1798). Devant la réaction fédéraliste, Bonaparte impose l'*acte de Médiation* (1803) qui lui laisse le contrôle du pays (jusqu'en 1813) tout en reconstituant l'organisation confédérale. Mais l'économie suisse souffre du Blocus continental.

- *1815. Un nouveau pacte confédéral entre 22 cantons est ratifié par le congrès de Vienne.*

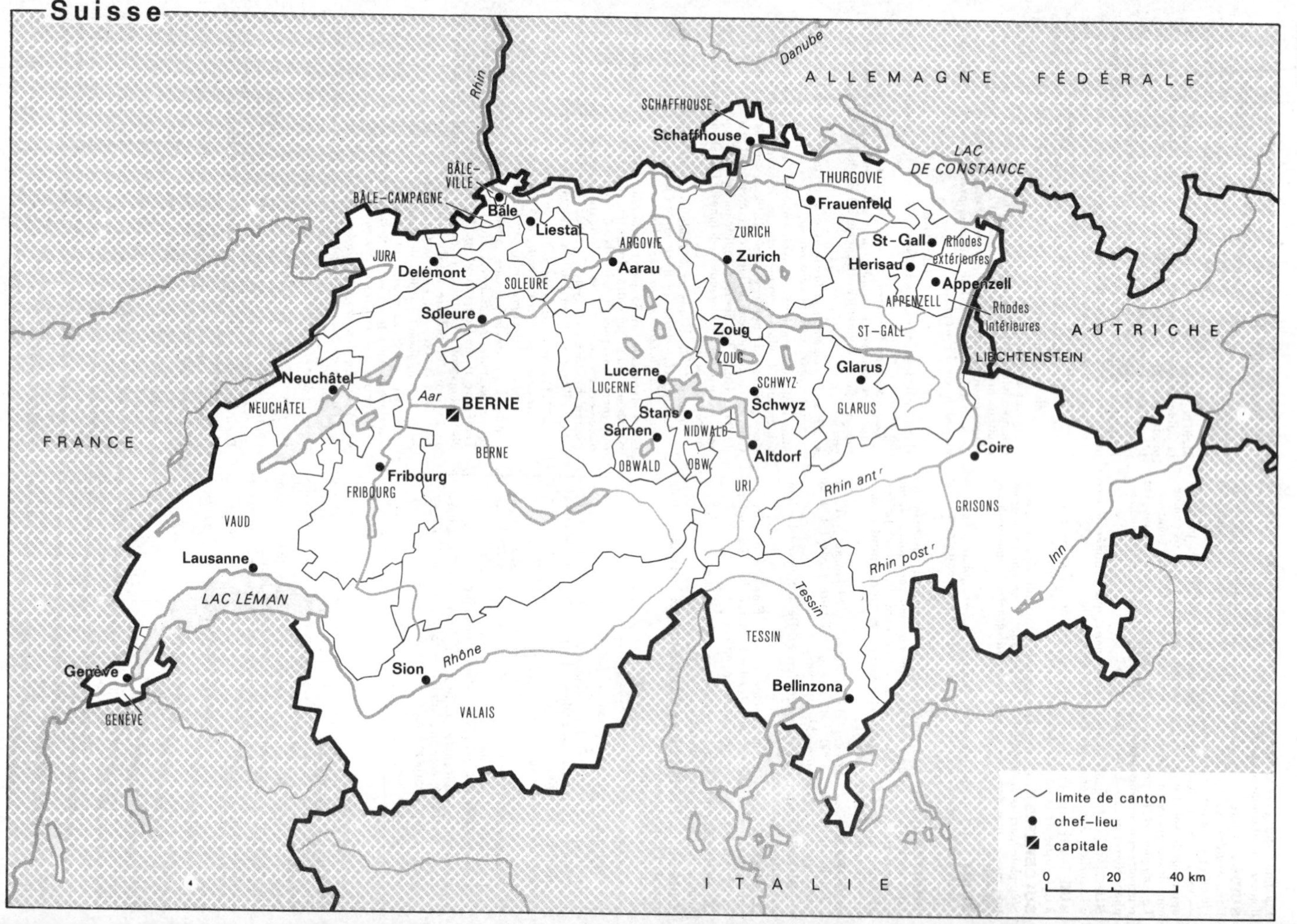
Suisse
ALLEMAGNE FÉDÉRALE
Danube
Rhin
SCHAFFHOUSE
Schaffhouse
LAC DE CONSTANCE
THURGOVIE
Frauenfeld
BÂLE-VILLE
BÂLE-CAMPAGNE
Bâle
Liestal
ARGOVIE
ZURICH
Zurich
St-Gall
Rhodes extérieures
Herisau
Appenzell
APPENZELL
Rhodes intérieures
JURA
Delémont
Aarau
SOLEURE
Soleure
Zoug
ZOUG
ST-GALL
AUTRICHE
LIECHTENSTEIN
Glarus
Lucerne
LUCERNE
SCHWYZ
Schwyz
GLARUS
Neuchâtel
NEUCHÂTEL
Aar
BERNE
Stans
Sarnen
NIDWALD
OBWALD
OBW
Altdorf
URI
FRANCE
Coire
Fribourg
FRIBOURG
Rhin ant^r
GRISONS
VAUD
Lausanne
Rhin post^r
Inn
LAC LÉMAN
Tessin
TESSIN
Genève
GENÈVE
Sion
Rhône
VALAIS
Bellinzona
limite de canton
chef-lieu
capitale
ITALIE
0
20
40 km

À partir de 1827, la bourgeoisie libérale impose des réformes à 12 cantons (suffrage universel, impôts directs), mais les cantons montagnards gardent des gouvernements conservateurs. L'essor du radicalisme anticlérical entraîne même les 7 cantons catholiques à signer un pacte, le Sonderbund* en 1845, mais ils sont vaincus deux ans après.

• *Septembre 1848. Une nouvelle constitution établit une union fédérale avec un gouvernement central établi à Berne.*

L'expansion économique est favorisée à la fin du XIXe s. par le percement de tunnels (Saint-Gothard, Simplon), et l'essor industriel s'accompagne du renforcement de la social-démocratie qui prend après 1918 une orientation très modérée. Neutre pendant les deux guerres mondiales, la Suisse est le siège de conférences pacifistes pendant la Première Guerre mondiale, et abrite, de 1920 à 1946, la Société des Nations.

Le tourisme et l'apport d'une nombreuse main-d'œuvre immigrée (italienne surtout) favorisent le développement économique après la Seconde Guerre mondiale.

• *1979. Création du nouveau canton du Jura, regroupant une partie des francophones de cette région.*

SUITE n. f. → SUIVRE.

1. SUIVANT, E adj. et n. → SUIVRE.

2. SUIVANT [sɥivɑ̃] prép. (de *suivre*). **1.** Conformément à : *Suivant son habitude, il arrivera à temps.* — **2.** En proportion de : *Traiter les gens suivant leurs mérites.* — **3.** En fonction de : *Suivant les cas.* — LOC. CONJ. *Suivant que,* dans la mesure où.

SUIVRE [sɥivr] v. t. (bas lat. *sequere*). [Conj. **62.**] **1.** Aller derrière un être animé ou une chose en mouvement : *Suivre quelqu'un de près* (= le talonner, lui emboîter le pas). *Faire suivre quelqu'un* (= le faire surveiller). *Suivre une voiture.* — **2.** Aller avec quelqu'un qui se déplace : *Sa femme le suit dans tous ses voyages* (syn. ACCOMPAGNER). ‖ *Suivre qq'un par la pensée, en pensée,* ne pas cesser de penser à lui, se représenter ce que fait celui qui est absent. ‖ (avec un sujet nom de chose) Venir en même temps, accompagner : *Son image me suit partout* (= est toujours présente à mes yeux) [syn. OBSÉDER]. — **3.** Aller dans une direction déterminée : *Suivre un chemin. Suivre une ligne de conduite. Suivre son idée* (= s'y tenir). *La route suit le canal* (= le longe). — **4.** Venir après par rapport au temps, au rang, au lieu, à la situation : *La nuit suit le jour. Lisez les notes qui suivent le texte.* — **5.** Penser, agir comme quelqu'un : *Il est un exemple à suivre* (syn. IMITER). ‖ Fam. *Suivre le mouvement,* faire comme les autres. — **6.** Se conformer à : *Suivre la mode. Suivre les conseils de qq'un* (syn. ÉCOUTER). *Suivre un traitement* (= prendre les remèdes prescrits par un médecin). — **7.** Être attentif, s'intéresser au comportement de quelqu'un, à l'évolution de quelque chose : *Suivre un élève* (= surveiller son travail pour le diriger). *Un médecin qui suit un malade. Suivre un match à la télévision. Suivre une affaire, l'actualité* (= en observer le déroulement) [syn. S'INTÉRESSER À]. — **8.** *Suivre un raisonnement,* le comprendre. (On dit aussi, en ce sens, *suivre quelqu'un,* l'écouter attentivement, le comprendre : *Vous parlez trop vite, il est difficile de vous suivre.*) ◆ v. i. **1.** (sujet nom de personne) Avoir les aptitudes nécessaires pour être au niveau : *Un élève qui ne suit pas en classe.* — **2.** (sujet nom de chose) Venir après : *Vous n'avez lu que le commencement de la lettre, voyez ce qui suit.* — **3.** *Faire suivre,* formule que l'on écrit sur l'enveloppe d'un envoi postal pour indiquer que, si le destinataire est absent, l'objet doit lui être renvoyé à sa nouvelle adresse. ◆ ***se suivre*** v. pr. **1.** (sujet nom d'être animé ou de chose) Aller les uns derrière les autres : *Des voitures qui se suivent à la file.* — **2.** (sujet nom de chose) Être placé les uns derrière les autres, dans un ordre donné : *Les jours se suivent et ne se ressemblent pas* (syn. SUCCÉDER). ◆ **suivant, e** adj. Se dit d'une chose qui vient après une autre dans une série : *Vous trouverez les renseignements à la page suivante.* ◆ adj. et n. Se dit de quelqu'un qui vient immédiatement après un autre : *Au suivant de ces messieurs, dit le coiffeur.* ◆ **suiveur** n. m. Personne qui escorte une course cycliste : *Les suiveurs du Tour de France.* ◆ **suivi, e** adj. **1.** Qui a lieu d'une manière continue : *Une correspondance suivie* (syn. RÉGULIER). *Un article suivi* (= dont la fabrication et la vente sont continues). — **2.** Fréquenté : *Un cours très suivi.* — **3.** Dont les parties s'enchaînent d'une façon logique : *Un raisonnement suivi* (syn. COHÉRENT). ◆ **suite** n. f. **1.** Ensemble des personnes qui accompagnent un haut personnage : *Le chef de l'État et sa suite* (syn. ESCORTE). — **2.** Ce qui vient après ce qui est connu, énoncé, arrivé : *Pour comprendre ce passage, il faut lire la suite. La suite au prochain numéro* (du journal, de la revue) [syn. CONTINUATION]. *Attendons la suite des événements* (= ce qui arrivera plus tard). — **3.** Ensemble de personnes ou de choses qui se suivent dans l'espace ou dans le temps : *Une longue suite de descendants* (syn. POSTÉRITÉ). *Une suite de maisons. La vie de cet homme n'est qu'une suite de succès* (syn. SÉRIE). ‖ *Prendre la suite de qq'un,* lui succéder : *Il a pris la suite de son père dans la boulangerie.* — **4.** *Mus.* Succession de pièces musicales écrites dans le même ton et destinées à être dansées. — **5.** Ce qui résulte d'une chose : *Ce qui lui arrive est la suite naturelle de sa mauvaise conduite* (syn. CONSÉQUENCE, RÉSULTAT). *Les suites d'une maladie* (syn. SÉQUELLES). *Donner suite à une commande* (= la satisfaire). *Projet qui n'a pas eu de suite* (= qui n'a pas eu d'exécution). — **6.** Ordre, liaison logique : *Il nous a tenu des propos sans suite* (= incohérents). ‖ *Avoir de la suite dans les idées,* être capable d'une attention continue, de persévérance dans le même ordre d'idées. — LOC. ADV. *De suite,* à la file, sans interruption : *Manger douze huîtres de suite* (syn. D'AFFILÉE). ‖ *Dans la suite, par la suite,* plus tard. ‖ *Et ainsi de suite,* et de même en continuant. ‖ *Par suite,* par une conséquence naturelle. ‖ *Tout de suite,* immédiatement, sans délai : *Répondez-moi tout de suite* (syn. SUR-LE-CHAMP). — LOC. PRÉP. *À la suite de,* après : *À la suite de cet accident, il a dû cesser toute activité.* ‖ *Par suite de,* en conséquence : *Par suite des pluies, la rivière a débordé.*

1. SUJET, ETTE [syʒɛ, -ɛt] n. (lat. *subjectus,* soumis). **1.** Personne soumise à l'autorité d'un souverain : *Les sujets du roi.* — **2.** Ressortissant d'un pays : *Un sujet britannique.*

2. SUJET, ETTE [syʒɛ, -ɛt] adj. (même étym.). **1.** *Sujet à,* se dit d'un être animé exposé à éprouver certaines maladies, certains inconvénients : *Être sujet au vertige, à de violentes colères.* — **2.** *Sujet à caution,* se dit d'une personne ou d'une chose à laquelle on ne peut se fier.

3. SUJET [syʒɛ] n. m. (lat. *subjectum,* ce qui est subordonné). **1.** Matière sur laquelle on parle, on écrit, on compose une œuvre littéraire, artistique, un travail scientifique : *Réfléchir sur un sujet de dissertation. Un sujet de tableau tiré de la mythologie.* — **2.** Ce qui est l'occasion, la cause d'une action, d'un sentiment (syn. MOTIF) : *Un sujet de mécontentement.* — **3.** *Avoir sujet de,* avoir un motif légitime de : *Vous n'avez pas sujet de vous plaindre* (syn. AVOIR LIEU DE). — LOC. PRÉP. *Au sujet de,* relativement à.

4. SUJET [syʒɛ] n. m. (même étym.). **1.** Être vivant sur lequel on fait des observations : *Un médecin qui voit beaucoup de sujets* (syn. MALADE, PATIENT). — **2.** *Un brillant sujet, un sujet d'élite,* un brillant élève. ‖ *Mauvais sujet,* personne dont la conduite est répréhensible.

5. SUJET [syʒɛ] n. m. (même étym.). Fonction grammaticale du groupe nominal qui donne ses marques de nombre, de personne et, éventuellement, de genre au verbe. (→ FONCTION 1.)

SUJÉTION [syʒesjɔ̃] n. f. (lat. *subjectio,* soumission). **1.** État d'une personne astreinte à quelque nécessité : *Certaines habitudes deviennent des sujétions* (syn. CONTRAINTE). — **2.** État d'une personne soumise à un pouvoir, à une domination : *Vivre dans la sujétion* (syn. ASSUJETISSEMENT).

SUKARNO (Achmed), homme politique indonésien (1901-1970 Président de la république d'Indonésie à partir de 1945, il a é contraint d'abandonner ses pouvoirs en 1967.

SULAWESI → CÉLÈBES.

SÜLEYMAN Ier → SOLIMAN.

SULFAMIDE [sylfamid] n. m. (du lat. *sulfur,* soufre). Term collectif désignant des médicaments fabriqués industriellemen dont le principe actif est le même, et qui sont doués du pouvoir de stopper la croissance des bactéries.

SULFATE [sylfat] n. m. (du lat. *sulfur,* soufre). *Chim.* Sel de l'acide sulfurique : *Sulfate de fer, de cuivre.* ◆ **sulfater** v. t. Opérer le sulfatage. ◆ **sulfatage** n. m. Épandage sur les végétaux de sulfate de cuivre ou de sulfate de fer pour les préserver des maladies cryptogamiques : *Le sulfatage de la vigne.*

SULFURE [sylfyr] n. m. (lat. *sulfur,* soufre). *Chim.* Combinaison du soufre et d'un élément.

SULFUREUX, EUSE [sylfyrø, -øz] adj. (du lat. *sulfur,* soufre). **1.** *Chim.* Qui a la nature du soufre, qui contient du soufre : *Eau sulfureuse.* — **2.** *Gaz* ou *anhydride sulfureux,* dioxyde de soufre (SO_2), gaz incolore et suffocant, utilisé comme décolorant et désinfectant.

SULFURIQUE [sylfyrik] adj. (du lat. *sulfur,* soufre). *Chim.* Se dit d'un acide oxygéné (H_2SO_4) dérivé du soufre, corrosif très violent, appelé dans le commerce HUILE DE VITRIOL. (Il sert à la fabrication de nombreux acides, des sulfates, d'explosifs et de colorants; on l'emploie aussi dans les accumulateurs au plomb.)

SULLA → SYLLA.

SULLY (Maximilien DE BÉTHUNE, *duc* DE) [1560-1641]. Noble protestant au service d'Henri de Navarre, il est nommé ministre par ce dernier, devenu roi de France.

• *1596. Appelé au conseil des Finances, il en devient surintendant général.*

Il lutte contre le gaspillage, réorganise les impôts en allégeant la taille et en augmentant les impôts indirects. L'institution de la « paulette » (1604), droit annuel payé par les détenteurs d'offices, accroît les revenus de la monarchie, mais augmente l'indépendance des officiers. Sa politique permet de financer les dépenses militaires (fortifications, artillerie) et la construction de routes et canaux indispensables au commerce. Sully s'efforce de protéger les paysans, et appuie les efforts d'Olivier de Serres pour moderniser l'agriculture.

- *Janvier 1611. La mort d'Henri IV et l'arrivée au pouvoir du parti catholique le contraignent à se retirer du Conseil.*

SULLY PRUDHOMME (René François Armand PRUDHOMME, dit), poète français (1839-1907). Ses poèmes traitent des problèmes posés à la conscience de l'homme par l'évolution du monde moderne *(les Solitudes, les Vaines Tendresses).* [Prix Nobel, 1901.]

SULLY-SUR-LOIRE, ch.-l. de cant. du Loiret, à 43 km au S.-E. d'Orléans, sur la Loire; 5800 hab. *(Sullylois).* Château (XIVe-XVIIe s.) ayant appartenu à Sully.

SULPICE SÉVÈRE, historien ecclésiastique (v. 360-v. 420), auteur d'une *Histoire sacrée* et d'une *Vie de saint Martin.*

SULTAN [syltɑ̃] n. m. (ar. *soltān*). Titre donné à certains princes musulmans. ◆ **sultanat** n. m. Dignité du sultan; règne d'un sultan.

SULU ou **SOULOU** *(îles),* archipel des Philippines, séparant la *mer de Sulu* de la mer des Célèbes.

SUMATRA, île d'Indonésie, la plus grande des îles de la Sonde, séparée de la péninsule malaise par le détroit de Malacca; 473600 km^2; 28016000 hab. V. pr. *Medan, Palembang.*
→ carte INDONÉSIE.
Un massif montagneux occupe le sud et l'ouest de l'île, tandis qu'au N.-E. s'étend une vaste plaine côtière marécageuse. Le climat équatorial explique l'extension de la forêt. Seuls quelques secteurs sont bien mis en valeur, fournissant du riz, du tabac, du café et du caoutchouc. Le sous-sol recèle du charbon et du pétrole. (Histoire → INDONÉSIE.)

ŠUMAVA, en all. **Böhmerwald,** massif montagneux de Tchécoslovaquie, formant le rebord sud-ouest de la Bohême; 1380 m.

SUMBAWA ou **SUMBAVA,** île de l'Indonésie, au S. des Célèbes; 315000 hab.

SUMER. *Géogr. anc.* Région de la basse Mésopotamie, près du golfe Persique.

SUMÉRIENS, peuple établi dès le IVe millénaire av. J.-C. dans la basse vallée de l'Euphrate.

- *V. 3200-v. 2470. Groupés en cités rivales (Ourouk, Lagash, Our), dont l'élément essentiel est le temple, les Sumériens connaissent l'irrigation, la terre cuite et les métaux (or, cuivre) dont ils font commerce.*

Conquis par des envahisseurs sémites (Sargon d'Akkad), ils retrouvent leur autonomie vers — 2100.

- *V. 2100-v. 1930. Une renaissance sumérienne accompagne un essai d'unification à partir de Lagash, puis d'Our.*

Cette civilisation, par son architecture (temples avec ziggourat*), son art, sa religion (pessimiste, aux nombreux dieux), et son écriture cunéiforme* va influencer pour trois mille ans la civilisation de la Mésopotamie.

SUMMUM [sɔmmɔm] n. m. (mot lat. signif. *le plus haut*). *Être au summum de,* être au plus haut degré de (langue soignée) : *Être au summum de la gloire.*

SUNDERLAND, port d'Angleterre (Durham), sur la mer du Nord; 216900 hab. Sidérurgie. Constructions navales.

SUNDERLAND (Robert SPENCER, *comte* DE), homme politique anglais (1640-1702), agent dévoué de la politique de Louis XIV.

SUNDGAU (le), pays du sud de l'Alsace.

SUNLIGHT [sœnlajt] n. m. (mot angl. signif. *lumière du soleil*). Projecteur de grande puissance, utilisé pour les prises de vues au cinéma.

SUNNITE [synit] n. m. (de l'ar. *sunna,* tradition). Nom donné dans l'islām aux musulmans orthodoxes (par oppos. aux *Chī'ites*).

SUN YAT-SEN, homme politique chinois d'origine cantonnaise (1866-1925). Médecin converti au protestantisme, il fonde en 1894, avec l'aide de sociétés secrètes antimandchoues et de Chinois émigrés, l'Association pour la régénération de la Chine, qui deviendra le Kouo-min-tang.

- *1911. Il inspire la révolution qui renverse la dynastie mandchoue et instaure la république.*

Le nouveau régime confisqué, en 1912, par Yuan Che-k'ai au profit des milieux féodaux, Sun Yat-sen installe un gouvernement républicain à Canton.

- *1923-1924. Il se rapproche de l'U. R. S. S. et réorganise le Kouo-min-tang, en lui faisant adopter les « trois principes » : indépendance nationale, démocratie, bien-être du peuple.*

Sa mort en 1925 l'empêche de voir la Chine réunifiée et ouvre une période de luttes au sein du Kouo-min-tang qui se termine par la victoire de l'aile droite et de Chang Kaï-chek.

SUOMI → FINLANDE.

---

1. SUPER-, préf. issu du lat. *super,* au-dessus, sur, qui entre dans la composition de substantifs et d'adjectifs pour indiquer la supériorité : *supercarburant, superproduction;* et dans la composition de substantifs et de verbes pour indiquer une position au-dessus d'une autre : *superstructure, superviser,* etc.

---

2. SUPER [sypɛr] n. m. Abrév. fam. de *supercarburant.*

SUPERBAGNÈRES, station de sports d'hiver (alt. 1800-2260 m), dans les Pyrénées (Haute-Garonne), à 17,5 km au S. de Bagnères-de-Luchon.

SUPERBE [sypɛrb] adj. (lat. *superbus,* orgueilleux) [après ou avant le nom]. Se dit d'un être animé ou d'une chose qui est d'une beauté éclatante : *Un superbe cavalier* (syn. MAGNIFIQUE). *Il fait un temps superbe* (syn. SPLENDIDE). ◆ **superbement** adv. : *Un appartement superbement meublé* (syn. MAGNIFIQUEMENT, SOMPTUEUSEMENT).

SUPERCARBURANT [sypɛrkarbyrɑ̃] n. m. *(super-,* et *carburant).* Essence de rendement supérieur. (Abrév. fam. SUPER.)

SUPERCHERIE [sypɛrʃəri] n. f. (it. *soperchieria,* excès). Tromperie faite avec une certaine finesse, surtout en matière de commerce, d'art, etc.

SUPERFÉTATOIRE [supɛrfetatwar] adj. (du lat. *superfetare,* concevoir de nouveau). Se dit d'une chose qui s'ajoute inutilement à une autre : *Une explication superfétatoire* (syn. SUPERFLU).

1. SUPERFICIE [sypɛrfisi] n. f. (du lat. *super,* sur, et *facies,* face). Mesure de la surface d'un terrain, d'une région, d'un appartement, etc.

2. SUPERFICIE [sypɛrfisi] n. f. (même étym.). Apparence, aspect extérieur : *S'en tenir à la superficie des choses* (syn. SURFACE; contr. FOND). ◆ **superficiel, elle** adj. **1.** Se dit de ce qui n'existe qu'en surface : *Une plaie superficielle.* — **2.** Se dit d'une personne qui se contente d'effleurer une matière, d'une chose qui n'est pas approfondie : *Un examen superficiel d'une question* (contr. EXHAUSTIF). *Des connaissances superficielles* (syn. SOMMAIRE). ◆ **superficiellement** adv. : *Traiter une question superficiellement.*

SUPERFLU, E [sypɛrfly] adj. (du lat. *superfluere,* couler par-dessus). Se dit d'une chose qui est en plus de ce qui est nécessaire : *Des détails superflus* (= qui sont de trop). *Une dépense superflue* (syn. INUTILE; contr. INDISPENSABLE). *Exprimer des regrets superflus* (syn. VAIN). ◆ n. m. Ce qui est au-delà du nécessaire. ◆ **superfluités** n. f. pl. Choses superflues.

1. SUPÉRIEUR, E [syperjœr] adj. (du lat. *superus,* qui est en haut). **1.** Se dit d'une chose située au-dessus d'une autre dans l'espace : *La mâchoire supérieure* (contr. INFÉRIEUR). — **2.** Se dit d'une chose qui atteint un degré, un niveau plus élevé qu'une autre : *Une température supérieure à la normale.* — **3.** Se dit d'une personne (ou de son comportement) qui surpasse les autres par ses connaissances, sa valeur, son mérite, sa force, etc. : *Être doué d'une intelligence supérieure* (syn. REMARQUABLE). *Prendre un air, un ton supérieur* (= qui indique un sentiment de supériorité) [syn. FIER]. — **4.** Se dit d'une chose qui l'emporte sur une autre par son importance, sa valeur, etc. : *Un produit de qualité supérieure* (syn. EXCELLENT; contr. MÉDIOCRE). — **5.** Se dit d'une personne ou d'une chose qui occupe un rang, un ordre plus élevé dans une hiérarchie administrative, sociale, etc. : *Les cadres supérieurs d'une entreprise.* ‖ *Les officiers supérieurs* → GRADE 2. ‖ *Enseignement supérieur,* celui qui est donné dans les facultés et les grandes écoles. ‖ *Écoles normales supérieures* → NORMAL 2. ◆ **supérieurement** adv. : *Être supérieurement doué* (syn. ÉMINEMMENT). ◆ **supériorité** n. f. Caractère d'une personne ou d'une chose supérieure : *Avoir conscience de sa supériorité. L'ennemi avait la supériorité du nombre.*

2. SUPÉRIEUR, E [syperjœr] n. (de *supérieur* 1). **1.** Personne qui a le droit de commander à d'autres en vertu de la hiérarchie : *Obéir à ses supérieurs.* — **2.** Celui ou celle qui est à la tête d'une communauté religieuse.

SUPÉRIEUR *(lac),* le plus vaste (82700 km^2) et le plus occidental des cinq grands lacs de l'Amérique du Nord, entre le Canada et les États-Unis, communiquant avec le lac Huron par la rivière Sainte-Marie. Long de 600 km, d'une largeur maximale de 260 km, il atteint une profondeur de 397 m. La navigation y est très active : les exportations de fer par Duluth et des grains canadiens par Port Arthur et Fort William constituent l'essentiel du trafic commercial.

SUPÉRIEUREMENT adv., **SUPÉRIORITÉ** n. f. → SUPÉRIEUR 1.

SUPERLATIF, IVE [sypɛrlatif, -iv] adj. (du lat. *superlatum,* porté au-dessus). Se dit d'un élément grammatical, d'un mot qui exprime la qualité (bonne ou mauvaise) portée au plus haut degré :

Un adverbe superlatif. ◆ n. m. **1.** Degré le plus élevé ou le moins élevé d'une qualité qu'un être ou une chose possède. — **2.** Adjectif ou adverbe au superlatif : *Abuser des superlatifs.* ‖ *Superlatif absolu,* celui qui exprime la qualité portée à un haut degré, sans comparaison avec d'autres personnes ou d'autres choses de même nature (ex. : *Il est très aimable*). ‖ *Superlatif relatif,* celui qui exprime une qualité portée au degré le plus élevé *(superlatif relatif de supériorité)* ou le moins élevé *(superlatif relatif d'infériorité),* par comparaison avec d'autres personnes ou d'autres choses de même nature (ex. : *C'est le plus, le moins aimable des hommes*).

SUPERMARCHÉ [sypɛrmarʃe] n. m. (de l'angl. *supermaket*). Magasin de grande surface offrant toutes sortes de produits vendus en libre service.

SUPERPHOSPHATE [sypɛrfɔsfat] n. m. *(super-,* et *phosphate).* Phosphate de calcium naturel, traité par l'acide sulfurique, et très utilisé comme engrais.

SUPERPOSER [sypɛrpoze] v. t. (lat. *superponere,* poser au-dessus). *Superposer des choses,* les placer l'une sur l'autre (syn. ENTASSER). ◆ ***se superposer*** v. pr. S'ajouter : *Des images qui se superposent.* ◆ **superposition** n. f. ◆ **superposable** adj.

SUPERPRODUCTION n. f. → PRODUIRE 3. / **SUPERSONIQUE** adj. → SON 2.

SUPERSTITION [sypɛrstisjɔ̃] n. f. (du lat. *superstare,* se tenir au-dessus). Fait de croire que certains actes (comme passer sous une échelle) ou certains signes (le nombre treize) entraînent des conséquences bonnes ou mauvaises. ◆ **superstitieux, euse** adj. et n. Se dit d'une personne qui a de la superstition : *Une femme superstitieuse.* ◆ adj. Se dit de ce qui est entaché de superstition : *Crainte superstitieuse.*

SUPERSTRUCTURE n. f. → STRUCTURE.

SUPERVIELLE (Jules), écrivain français (1884-1960). Tout en conservant la rime et le rythme, il a cherché à assouplir la versification traditionnelle (*Gravitations,* 1925). Son théâtre *(la Belle au bois)* et ses nouvelles *(le Voleur d'enfants, l'Homme de la Pampa)* révèlent une fantaisie ironique.

SUPERVISER [supɛrvize] v. t. *(super-,* et *viser).* Contrôler un travail sans entrer dans les détails : *Superviser la rédaction d'un ouvrage collectif.*

SUPERWELTER [sypɛrwɛltɛr] adj. et n. m. *(super-,* et *welter).* Catégorie de boxeurs. (→ BOXE.)

SUPIN [sypɛ̃] n. m. (lat. *supinus,* inerte). Forme nominale du verbe latin, qui joue le rôle d'un infinitif dans certaines constructions (ex. : *Venio auditum,* je viens écouter).

SUPPLANTER [syplɑ̃te] v. t. (lat. *supplantare,* renverser). **1.** (sujet nom de personne) *Supplanter qq'un,* prendre sa place auprès d'une personne : *Supplanter un rival* (syn. ÉVINCER). — **2.** (sujet nom de chose) *Supplanter qqch.,* l'éliminer : *Un mot qui en supplante un autre.*

SUPPLÉER [syplee] v. t. (du lat. *supplere,* compléter) [sujet nom de personne]. **1.** *Suppléer qqch.,* l'ajouter pour fournir ce qui manque (littér.) : *Si vous ne pouvez réunir toute la somme, nous suppléerons le reste.* — **2.** *Suppléer qq'un,* le remplacer dans ses fonctions (admin.) : *Suppléer un professeur.* ◆ v. t. ind. *Suppléer à qqch.,* y apporter ce qui manque, pour compenser une insuffisance, une déficience : *Sa bonne volonté suppléera à son manque d'initiative.* ◆ **suppléance** n. f. Remplacement temporaire d'un fonctionnaire, d'un membre d'une assemblée, d'un bureau, etc., par une personne désignée à cet effet. ◆ **suppléant, e** adj. et n. : *Un professeur suppléant.*

1. SUPPLÉMENT [syplemɑ̃] n. m. (lat. *supplementum*). **1.** Ce qui s'ajoute à une chose déjà complète : *Attendre un supplément d'information.* — **2.** Ce qui s'ajoute à un livre, à une publication pour les compléter : *Faire paraître le supplément d'un dictionnaire.* ◆ **supplémentaire** adj. **1.** Se dit de ce qui constitue un supplément, sert de supplément : *Demander des crédits supplémentaires.* ‖ *Heure supplémentaire,* heure de travail accomplie au-delà de la durée légale du travail et payée à un tarif plus élevé. — **2.** *Train, autocar, autobus,* etc., *supplémentaire,* mis en service en cas d'affluence. — **3.** Math. *Angles supplémentaires,* se dit de deux angles* géométriques, si la somme de leurs écarts* angulaires est l'écart angulaire de l'angle géométrique plat (π si l'unité de mesure choisie est le radian, unité légale, ou 180 si l'unité de mesure est le degré).

2. SUPPLÉMENT [syplemɑ̃] n. m. (même étym.). Dans un service de transports, au théâtre, somme payée en plus pour obtenir une place dans une classe, dans une catégorie supérieure; billet remis en échange de cette somme.

SUPPLIANT, E adj., **SUPPLICATION** n. f. → SUPPLIER.

SUPPLICE [syplis] n. m. (lat. *supplicium*). **1.** Peine corporelle entraînant ou non la mort : *Le supplice de la roue. Mener quelqu'un au supplice* (= au lieu de l'exécution). — **2.** Violente douleur physique : *Le mal de dents est un supplice.* — **3.** Ce qui cause une forte peine, une souffrance morale : *Sa vue est pour moi un supplice.* — **4.** *Être au supplice,* éprouver de l'inquiétude, de l'impatience, de l'agacement, etc. — **5.** *Supplice de Tantale,* situation très pénible d'une personne qui ne peut atteindre ce qu'elle désire. ◆ **supplicié, e** adj. et n. Se dit de quelqu'un à qui on a infligé un supplice, que l'on a torturé avant de le mettre à mort.

SUPPLIER [syplije] v. t. (lat. *supplicare,* se plier sur les genoux). **1.** *Supplier qq'un de* (et l'infin.), lui demander quelque chose avec humilité et insistance : *Je vous supplie de me croire* (syn. IMPLORER). — **2.** Demander quelque chose d'une manière pressante : *Laissez-moi partir, je vous en supplie* (syn. CONJURER). ◆ **suppliant, e** adj. Se dit d'une personne (ou de son attitude) qui supplie : *Une voix suppliante* (syn. IMPLORANT). ◆ **supplication** n. f. Prière faite avec instance et soumission (syn. ADJURATION). ◆ **supplique** n. f. Requête écrite pour demander une grâce, une faveur : *Adresser une supplique au juge d'instruction.*

1. SUPPORT n. m. → SUPPORTER 2.

2. SUPPORT [sypɔr] n. m. (de *supporter*). Math. *Support d'une demi-droite Ox,* c'est la droite *x'x* dans laquelle *Ox* est incluse.

1. SUPPORTER [sypɔrte] v. t. (lat. *supportare,* porter). **1.** (sujet nom de personne) *Supporter qqch.,* endurer avec courage, avec patience ce qui est pénible : *Supporter une épreuve* (syn. ACCEPTER). *Supporter les conséquences d'une mauvaise action* (syn. SUBIR). *On ne saurait supporter une telle insolence* (syn. ADMETTRE, TOLÉRER). ‖ *Supporter que* (et le subj.), *de* (et l'infin.) : *Elle ne supporte pas qu'on la taquine* (= elle ne tolère pas). — **2.** *Supporter qq'un,* tolérer sa présence, sa compagnie, son attitude : *Il est tellement mal élevé que personne ne peut le supporter.* — **3.** (sujet nom de personne ou de chose) Résister à une action physique, à une épreuve : *Elle supporte difficilement le froid.* ◆ **supportable** adj. **1.** Qui peut être supporté, enduré : *Une douleur supportable* (syn. TOLÉRABLE). — **2.** Qui peut être admis, excusé (surtout dans des phrases négatives) : *Une telle conduite n'est pas supportable.* ◆ **insupportable** adj. **1.** Se dit d'une chose qu'on ne peut supporter : *Une douleur insupportable* (syn. ATROCE, CRUEL, INTOLÉRABLE). — **2.** Se dit d'une personne de caractère difficile : *Un enfant insupportable* (syn. ↓DIABLE, ↓TURBULENT).

2. SUPPORTER [sypɔrte] v. t. (même étym.) [sujet nom de chose]. *Supporter qqch.,* en soutenir la charge de manière à l'empêcher de tomber : *Des colonnes qui supportent un édifice.* ◆ **support** n. m. Objet placé sous un autre pour le soutenir ou le consolider.

SUPPORTER [sypɔrtɛr] n. m. (mot angl. signif. *celui qui soutient*). Partisan d'un athlète ou d'une équipe, qu'il encourage exclusivement.

SUPPOSER [sypoze] v. t. (du lat. *supponere,* mettre sous). **1.** (sujet nom de personne) *Supposer qqch., supposer que* (et l'indic. ou le subj.), l'admettre comme vrai, ou simplement comme vraisemblable, sans en être certain : *Je suppose qu'il aura bientôt fini son travail* (syn. IMAGINER, PRÉSUMER). — **2.** *Supposer une chose à qq'un,* la lui attribuer : *Vous lui supposez des défauts qu'il n'a pas* (syn. PRÊTER). — **3.** (sujet nom de chose) *Supposer une chose,* exiger nécessairement, logiquement son existence : *Si vous acceptez ce travail, cela suppose que vous pensez pouvoir le faire* (syn. IMPLIQUER). ◆ **supposé, e** adj. : *Un nom supposé* (= donné comme vrai, bien que faux). — LOC. CONJ. *Supposé que,* dans la supposition que : *Supposé qu'il fasse beau, viendrez-vous avec nous en promenade?* ◆ **supposition** n. f. Fait d'admettre provisoirement, sans preuves positives : *Ce que vous dites est une pure supposition* (syn. HYPOTHÈSE).

SUPPOSITOIRE [sypozitwar] n. m. (lat. *suppositorius,* placé dessous). Préparation pharmaceutique de forme conique, de consistance solide, mais fusible à la température du corps, que l'on introduit dans la dernière partie du gros intestin (rectum).

SUPPÔT [sypo] n. m. (lat. *suppositus,* placé dessous). **1.** Complice d'une personne nuisible (littér.) : *Les suppôts d'un tyran* (syn. PARTISAN). — **2.** *Suppôt de Satan,* personne très méchante.

1. SUPPRIMER [syprime] v. t. (lat. *supprimere,* enfoncer) [sujet nom de personne ou de chose]. **1.** *Supprimer qqch.,* le faire disparaître : *Supprimer des quartiers insalubres* (syn. DÉTRUIRE). *Ce remède supprime la douleur* (= fait cesser). — **2.** *Supprimer une chose,* y mettre un terme : *Supprimer une loi, un décret* (syn. ABROGER, ANNULER). *Supprimer la liberté de la presse* (syn. ABOLIR). — **3.** *Supprimer une publication,* l'empêcher de paraître : *Supprimer un journal.* — **4.** *Supprimer qqch. à qq'un,* lui en enlever l'usage : *On lui a supprimé son permis de conduire* (syn. RETIRER). ◆ **supprimable** adj. : *Un détail facilement supprimable.* ◆ **suppression** n. f. : *Suppression d'un emploi, d'un mot dans une phrase.*

2. SUPPRIMER [syprime] v. t. (même étym.). *Supprimer qq'un,* se débarrasser de lui en le tuant : *Supprimer un témoin gênant.* ◆ **se supprimer** v. pr. Se donner la mort (syn. SE SUICIDER).

SUPPURATION n. f., **SUPPURER** v. i. → PUS.

SUPPUTER [sypyte] v. t. (lat. *supputare*, calculer). *Supputer qqch.*, l'évaluer à l'aide de certaines données (littér.) : *Supputer ses chances de gagner* (syn. CALCULER). ◆ **supputation** n. f. (syn. CALCUL, ESTIMATION).

SUPRA-, élément, issu du lat. *supra*, au-dessus, et qui est utilisé comme préf. pour indiquer une position au-dessus ou une supériorité.

SUPRACONDUCTEUR [syprakɔ̃dyktœr] n. m. *(supra-*, et *conducteur). Électr.* Conducteur dont la résistance est nulle à très basse température.

SUPRANATIONAL, E, AUX adj. → NATION.

SUPRÉMATIE [sypremasi] n. f. (angl. *supremacy;* de *suprême*). Situation qui permet de dominer dans quelque domaine : *Viser à la suprématie politique, militaire* (syn. HÉGÉMONIE).

SUPRÊME [syprɛm] adj. (lat. *supremus*) [après ou avant le nom]. **1.** Se dit d'une personne ou d'une chose qui est au-dessus de tous et de tout : *Le chef suprême de l'État. Le pouvoir suprême* (syn. SOUVERAIN). — **2.** Se dit de ce qui ne saurait être dépassé : *Une suprême habileté* (syn. EXTRÊME). — **3.** Qui vient après tout, qui est le dernier : *Un suprême effort* (syn. DÉSESPÉRÉ). — **4.** *Au suprême degré*, au plus haut point (syn. EXTRÊMEMENT). ‖ *Honneurs suprêmes*, funérailles. ◆ **suprêmement** adv. : *Un garçon suprêmement intelligent* (syn. ÉMINEMMENT, EXTRÊMEMENT).

---

1. SUR-, élément, issu du lat. *super*, qui entre comme préf. dans la composition de substantifs, d'adjectifs et de verbes pour indiquer une intensité jugée excessive, un développement exagéré : *surproduction, surfin;* une situation hiérarchiquement supérieure ou un état qui s'ajoute à un autre (il entre dans la composition de substantifs et de verbes) : *surintendant, surhausser, surimpression.*

---

2. SUR prép. → SOUS 1.

3. SUR, E [syr] adj. (frq. *sur*). D'un goût acide et aigre : *Des pommes sures.*

1. SÛR, E [syr] adj. (lat. *securus*). **1.** Se dit d'une personne qui sait quelque chose d'une manière certaine : *Êtes-vous sûr d'arriver à temps?* (syn. ASSURÉ, CERTAIN). ‖ *Être sûr de son fait, de son coup*, être certain du succès de ce qu'on a entrepris. — **2.** Se dit d'une personne ou d'une chose en laquelle on peut avoir confiance : *Un ami sûr* (syn. FIDÈLE). *Remettre une chose en mains sûres* (= à une personne digne de confiance). — **3.** *Être sûr de qq'un*, avoir la certitude qu'on peut compter sur lui. ‖ *Être sûr de soi*, être certain de ce qu'on fera dans telle circonstance. ‖ *Avoir la main sûre*, avoir une main ferme, qui ne tremble pas. ‖ *Avoir le goût sûr*, savoir discerner les qualités et les défauts d'une œuvre littéraire ou artistique. — **4.** Se dit d'une chose qui est considérée comme vraie, dont on ne peut douter : *Le renseignement qu'on vous a donné n'est peut-être pas absolument sûr* (syn. AUTHENTIQUE, EXACT). *Une chose est sûre, c'est que nous partirons avec vous* (syn. ÉVIDENT). — LOC. ADV. *À coup sûr*, avec la certitude de gagner : *Jouer à coup sûr;* sans aucun doute : *Il réussira à coup sûr* (syn. ASSURÉMENT). ‖ *Bien sûr, bien sûr que*, c'est évident. ‖ Fam. *Pour sûr*, certainement. ◆ **sûreté** n. f. : *La sûreté de la main, du goût.*

2. SÛR, E [syr] adj. (même étym.). **1.** Se dit d'un endroit qui n'offre aucun risque, d'une chose dont on peut se servir sans danger : *Ce quartier n'est pas sûr la nuit, il faut se méfier des rôdeurs.* — **2.** *En lieu sûr*, en un lieu où il n'y a rien à craindre : *Mettre de l'argent en lieu sûr;* en prison, en un lieu dont on ne peut s'échapper : *Mettre un malfaiteur en lieu sûr.* — **3.** *C'est plus sûr*, c'est plus prudent. ◆ **sûreté** n. f. **1.** État d'une personne ou d'une chose qui est à l'abri du danger : *Être en sûreté quelque part* (syn. SÉCURITÉ). ‖ *De sûreté*, se dit d'un objet muni d'un dispositif tel qu'il assure une protection : *Épingle, serrure, soupape, verrou de sûreté.* — **2.** *Crime contre la sûreté de l'État*, attentat, complot, etc., et autres infractions contre l'autorité de l'État, l'intégrité du territoire, la sécurité des personnes et des biens. — **3.** *Sûreté nationale*, ou *la Sûreté*, direction générale du ministère de l'Intérieur chargée de la police.

SURABAYA ou **SOERABAYA,** port d'Indonésie, sur la côte nord de l'île de Java, en face de Madura; 2028000 hab.

SURABONDAMMENT adv., **SURABONDANCE** n. f., **SURABONDANT, E** adj., **SURABONDER** v. i. → ABONDER 1. / **SURACTIVITÉ** n. f. → ACTIF 2. / **SURAIGU, Ë** adj. → AIGU 2. / **SURAJOUTER** v. t. → AJOUTER.

SURAKARTA ou **SOERAKARTA,** ancienn. **Solo**, v. d'Indonésie (Java); 414300 hab.

SURALIMENTATION n. f., **SURALIMENTER** v. t. → ALIMENT.

SURANNÉ, E [syrane] adj. (de *sur-*, et *an*). Se dit de ce qui n'est plus en usage : *Une mode surannée* (syn. ARCHAÏQUE, DÉMODÉ). *Des conceptions surannées* (syn. ARRIÉRÉ).

SURAT, v. de l'Inde (Gujerāt); 913000 hab. Port de commerce.

SURATE ou **SOURATE** [surat] n. f. (ar. *sūra*, chapitre). Chacun des chapitres du Coran.

SURBAISSÉ, E [syrbese] adj. *(sur-*, et *baissé). Archit.* Se dit d'un arc ou d'une voûte qui, depuis sa naissance jusqu'à son sommet, a une hauteur inférieure à sa largeur (contr. SURHAUSSÉ).

SURCHARGE n. f., **SURCHARGER** v. t. → CHARGER 1.

SURCHAUFFE [syrʃof] n. f. (de *surchauffer*). *Écon.* État d'une économie nationale qui est en expansion et qui est menacée d'inflation.

SURCHAUFFER v. t. → CHAUFFER 2.

SURCHOIX [syrʃwɑ] n. m. *(sur-*, et *choix).* Première qualité d'une marchandise.

SURCLASSER [syrklase] v. t. *(sur-*, et *classer). Surclasser un adversaire, un concurrent*, triompher de lui avec une incontestable supériorité.

SURCOMPOSÉ, E [syrkɔ̃poze] adj. *(sur-*, et *composé). Temps surcomposé*, temps des verbes conjugués avec un double auxiliaire *avoir.* (Ex. : *Après qu'il a eu compris. J'aurais eu fini.)*

SURCOUF (Robert), marin français (1773-1827). Il fit la course contre les Anglais dans l'océan Indien, puis s'installa comme armateur à Saint-Malo.

SURCOUPER [syrkupe] v. t. *(sur-*, et *couper).* Aux cartes, couper avec un atout supérieur à celui qui vient d'être joué. ◆ **surcoupe** n. f.

SURCROÎT [syrkrwɑ] n. m. (de *sur-*, et *croître*). Ce qui s'ajoute à quelque chose que l'on a déjà : *Un surcroît de travail* (syn. SUPPLÉMENT, SURPLUS). — LOC. ADV. *Par surcroît, de surcroît*, en plus : *Un livre utile et intéressant par surcroît* (syn. EN OUTRE, EN PLUS).

SURDI-MUTITÉ n. f., **SURDITÉ** n. f. → SOURD 1.

SÛRE (la), riv. née en Belgique, qui traverse le Luxembourg et sépare ce pays de l'Allemagne, avant de rejoindre la Moselle (r. g.); 173 km.

SUREAU [syro] n. m. (de l'anc. fr. *seureau*). Arbuste à fleurs blanches odorantes et à fruits rouges ou noirs. (Famille des caprifoliacées.)

SURÉLEVER [syrelve] v. t. *(sur-*, et *élever). Surélever un mur, une maison*, en accroître la hauteur (syn. SURHAUSSER). ◆ **surélévation** n. f. : *La surélévation d'un étage.*

SURENCHÈRE [syrɑ̃ʃɛr] n. f. *(sur-*, et *enchère).* **1.** Enchère plus élevée que la précédente. — **2.** Action de rivaliser de promesses : *La surenchère électorale.* ◆ **surenchérir** v. i. **1.** Faire une surenchère. — **2.** Promettre plus qu'un autre.

SURENTRAÎNEMENT [syrɑ̃trɛnmɑ̃] n. m. *(sur-*, et *entraînement).* Entraînement excessif d'un sportif. ◆ **surentraîné, e** adj.

SURESNES, ch.-l. de cant. des Hauts-de-Seine, dans la banlieue ouest de Paris, sur la Seine; 35700 hab. *(Suresnois).* Constructions aéronautiques. Cimetière américain. Fort du Mont-Valérien*.

SURESTIMATION n. f., **SURESTIMER** v. t. → ESTIMER 2.

SÛRETÉ n. f. → SÛR 1 et 2.

Sûreté générale *(loi de)*, loi votée après l'attentat d'Orsini (1858), et en vertu de laquelle le ministre de l'Intérieur avait la faculté d'interner ou de déporter tout citoyen condamné pour opposition au régime. Elle fut abrogée en 1870.

SURÉVALUATION n. f., **SURÉVALUER** v. t. → ÉVALUER. / **SUREXCITABLE** adj., **SUREXCITATION** n. f., **SUREXCITER** v. t. → EXCITER.

SUREXPOSER [syrɛkspoze] v. t. *(sur-*, et *exposer).* Exposer trop longtemps une pellicule, un papier photographique. ◆ **surexposition** n. f.

SURF [sœrf] n. m. (mot angl. signif. *ressac*). Exercice nautique qui consiste à se faire ramener au rivage sur une planche en utilisant une vague déferlante.

SURFACE [syrfas] n. f. (lat. *superficies*). **1.** Partie extérieure d'un corps; ensemble des points limitant une portion de l'espace : *La surface de la Terre.* — **2.** Étendue, mesure de la surface : *Calculer la surface d'un appartement* (syn. AIRE, SUPERFICIE). → illustration AIRE page 32. — **3.** *Surface de révolution*, surface engendrée par une courbe appartenant à un demi-plan lorsque celui-ci tourne autour de son bord : *Le bord du demi-plan est l'axe de la surface de révolution.* → ENCYCL. ‖ *Surface conique* → CÔNE 1. ‖ *Surface cylindrique* → CYLINDRE 1. — **4.** Apparence, aspect extérieur : *Ne considérer que la surface des choses* (syn. DEHORS). — **5.** *Faire surface*, émerger en parlant d'un sous-marin.

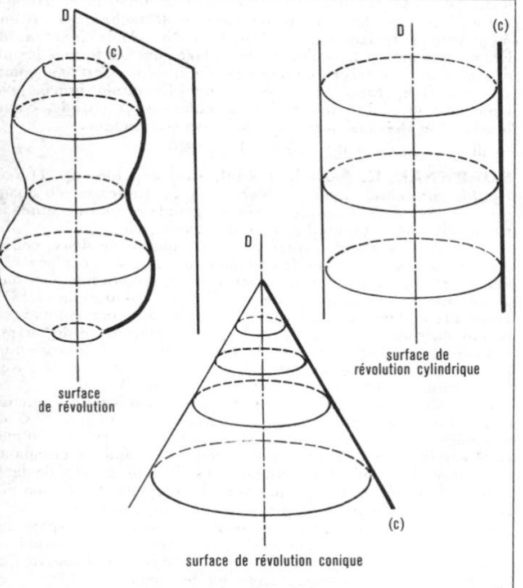

— ENCYCL. Si la courbe est une droite parallèle au bord du demi-plan et distincte de celui-ci, on obtient une *surface de révolution cylindrique;* si elle est une demi-droite dont le sommet appartient au bord du demi-plan et non perpendiculaire à ce bord, on obtient une *surface de révolution conique.*

Le solide déterminé par une surface de révolution cylindrique d'axe D et deux plans parallèles et perpendiculaires à D est un *cylindre de révolution* d'axe D; le solide déterminé par une surface de révolution conique d'axe D et un plan perpendiculaire à D est un *cône de révolution* d'axe D.

SURFAIRE [syrfɛr] v. t. *(sur-, et faire).* [Conj. **76.**] **1.** *Surfaire une marchandise,* en demander un prix trop élevé. — **2.** *Surfaire qq'un, un ouvrage,* les estimer, les vanter d'une manière exagérée (surtout au passif) : *La publicité du livre est surfaite.* ◆ **surfait, e** adj. Estimé au-dessus de sa valeur, de son mérite : *Une réputation surfaite.*

SURFILER [syrfile] v. t. *(sur-, et filer).* Faire un point de surfil. ◆ **surfil** n. m. Surjet très lâche exécuté par-dessus un bord coupé, et de gauche à droite.

SURFIN, E adj. → FIN 5.

SURFUSION [syrfyzjɔ̃] n. f. *(sur-, et fusion). Phys.* Phénomène par lequel un corps reste accidentellement liquide à une température inférieure à sa température de fusion.

SURGELER [syrʒəle] v. t. *(sur-, et geler).* [Conj. **5.**] *Surgeler des denrées alimentaires,* les congeler rapidement à très basse température. ◆ **surgelé, e** adj. et n. m. Se dit d'un produit alimentaire conservé à une température de l'ordre de − 25 °C, pour être consommé frais une fois remis à la température normale. ◆ **surgélation** n. f.

SURGÉNÉRATEUR [syrʒeneratœr] n. m. *(sur-, et générateur).* Réacteur nucléaire qui produit plus de combustible qu'il n'en consomme en brûlant l'uranium.

SURGEON [syrʒɔ̃] n. m. (de *surgir*). Rejeton qui sort au pied d'un arbre.

SURGÈRES, ch.-l. de cant. de la Charente-Maritime, à 26 km au N.-E. de Rochefort; 6500 hab. Église romane. Château du XVIe s. École de laiterie.

SURGIR [syrʒir] v. i. (lat. *surgere,* s'élever) [sujet nom de chose ou d'être animé]. Apparaître brusquement en s'élevant, en s'élançant, en sortant : *Une voiture surgit sur la gauche.* ◆ **surgissement** n. m.

SURHAUSSÉ, E [syrose] adj. *(sur-, et haussé). Archit.* Se dit d'une arcade ou d'une voûte dont la flèche ou la montée est plus grande que la moitié de son ouverture (contr. SURBAISSÉ).

SURHOMME n. m., **SURHUMAIN, E** adj. → HOMME 1.

SURIMPOSER v. t. → IMPOSER 4.

SURIMPOSITION [syrɛ̃pozisjɔ̃] n. f. (de *surimposer*). *Géogr.* Phénomène qui amène un cours d'eau à entailler, du fait de son enfoncement, des structures géologiques différentes de celles sur lesquelles il s'est installé.

SURIMPRESSION [syrɛ̃presjɔ̃] n. f. *(sur-, et impression). Photogr.* Impression de deux ou plusieurs images sur la même surface sensible.

SURINAME ou **SURINAM,** État de l'Amérique du Sud, correspondant à l'anc. **Guyane hollandaise** et qui doit son nom à un fleuve tributaire de l'Atlantique (350 km); 163265 km^2; 420000 hab. (3 au km^2). Capit. *Paramaribo* (152000 hab.).

GÉOGRAPHIE. Le pays s'étend sur une portion du plateau des Guyanes, bordée au N. par une plaine côtière marécageuse. Le climat équatorial explique la grande extension de la forêt, peuplée par des tribus d'Indiens. L'agriculture se concentre sur la côte (riz), mais c'est la bauxite (en moyenne 3000000 de t par an) qui fournit l'essentiel des ressources.

HISTOIRE. Le territoire fut cédé aux Hollandais par les Anglais à la paix de Breda (1667). L'esclavage y fut aboli en 1863 et la colonie se peupla d'Indiens (de l'Inde) et d'Indonésiens. Le Suriname est devenu pleinement indépendant en 1975.

SURINTENDANCE n. f., **SURINTENDANT** n. m. → INTENDANT.

SURINTENDANTE [syrɛ̃tɑ̃dɑ̃t] n. f. (de *surintendant*). **1.** Dame qui était placée à la tête de la maison de la reine. — **2.** Directrice de certains établissements d'éducation.

SURJECTION [syrʒɛksjɔ̃] n. f. (de *sur-,* et bas lat. *jectare,* jeter). *Math.* Application surjective. ◆ **surjectif, ive** adj. *Application surjective* → APPLIQUER 2, *encycl.*

SURJET [syrʒɛ] n. m. (de *sur-,* et *jeter*). Couture faite à deux morceaux d'étoffe appliqués l'un sur l'autre, bord à bord.

SUR-LE-CHAMP [syrləʃɑ̃] loc. adv. *(sur, le, et champ).* Aussitôt, immédiatement.

SURLENDEMAIN n. m. → LENDEMAIN.

SURMENER [syrməne] v. t. *(sur-, et mener). Surmener une personne,* lui imposer un travail physique ou intellectuel excessif. ◆ ***se surmener*** v. pr. Se fatiguer d'une façon excessive. ◆ **surmenage** n. m. État de l'organisme qui résulte d'une fatigue excessive.

SURMONTER [syrmɔ̃te] v. t. *(sur-, et monter).* **1.** (sujet nom de chose) *Surmonter une chose,* être placé au-dessus d'elle : *Un dôme qui surmonte un édifice.* — **2.** (sujet nom de personne) *Surmonter qqch.,* avoir le dessus, vaincre par un effort volontaire (syn. DOMINER) : *Surmonter son chagrin.* ◆ **surmontable** adj. Qu'on peut surmonter : *Un obstacle surmontable.* ◆ **insurmontable** adj. : *Une difficulté insurmontable.*

SURMULOT [syrmylo] n. m. *(sur-, et mulot).* Espèce de rat, appelé aussi RAT BRUN, nuisible par les déprédations qu'il cause aux récoltes, aux denrées entreposées, mais aussi par la transmission de germes de maladies contagieuses (peste).

SURMULTIPLIÉ, E [syrmyltiplije] adj. *(sur-, et multiplié). Mécan.* Se dit d'une combinaison d'engrenages, dans un changement de vitesse, donnant à l'arbre de transmission une vitesse supérieure à celle de l'arbre moteur.

SURNAGER [syrnaʒe] v. i. *(sur-, et nager)* [sujet nom de chose]. **1.** Rester à la surface d'un liquide : *Quand on verse de l'huile dans de l'eau, l'huile surnage.* — **2.** Durer, survivre, subsister : *De cette époque surnagent quelques souvenirs.*

SURNATUREL, ELLE adj. et n. m. → NATURE 2.

SURNOM [syrnɔ̃] n. m. *(sur-, et nom).* Nom ajouté ou substitué au nom de quelqu'un, et souvent issu d'un trait caractéristique de sa personne ou de sa vie : *« Le Bien-Aimé » est le surnom de Louis XV.* ◆ **surnommer** v. t. *Surnommer qq'un,* lui donner un surnom.

SURNOMBRE [syrnɔ̃br] n. m. *(sur-, et nombre). En surnombre,* en excédent, en trop. ◆ **surnuméraire** adj. Qui est en surnombre : *Le chromosome surnuméraire du mongolisme.*

SURNOMMER v. t. → SURNOM.

SUROÎT [syrwa] n. m. (forme normande de *sud-ouest*). **1.** Dans le langage des marins, vent soufflant du sud-ouest. — **2.** Chapeau de toile imperméable que portent les marins par mauvais temps.

SURPASSER [syrpase] v. t. *(sur-, et passer).* **1.** (sujet nom de personne) *Surpasser qq'un,* faire mieux que lui : *Il a surpassé ses concurrents au cent mètres* (syn. BATTRE, SURCLASSER). — **2.** (sujet nom de chose) Aller au-delà de : *Le résultat a surpassé les espérances* (syn. DÉPASSER). ◆ ***se surpasser*** v. pr. Faire mieux qu'à l'ordinaire : *Cet acteur s'est surpassé dans cette pièce.* ◆ **surpassement** n. m. : *Le surpassement de soi-même.*

SURPEUPLÉ, E adj., **SURPEUPLEMENT** n. m. → PEUPLE 3.

SURPLACE [syrplas] n. m. *(sur-, et place). Faire du surplace,* rester immobile, en équilibre, sur sa bicyclette; ne pas avancer, en voiture, quand la circulation est ralentie.

SURPLIS [syrpli] n. m. (lat. *superpellicium*, qui est sur la pelisse). Vêtement d'église fait de toile blanche et fine, qui se porte sur la soutane.

SURPLOMB [syrplɔ̃] n. m. *(sur-,* et *plomb).* État d'une paroi, d'un mur, d'un rocher, etc., dont la partie supérieure est en saillie par rapport à la base. — LOC. ADV. *En surplomb,* en dehors de l'aplomb : *Ce mur est en surplomb, il penche* (contr. D'APLOMB). ◆ **surplomber** v. i. Être hors de l'aplomb, être en surplomb : *Une falaise qui surplombe* (syn. AVANCER, DÉPASSER). ◆ v. t. Faire saillie, avancer au-dessus de : *Des rochers surplombent la route.* ◆ **surplombement** n. m. : *Le surplombement d'un mur.*

SURPLUS [syrply] n. m. *(sur-,* et *plus).* Ce qui est en plus : *Vendre le surplus de sa récolte* (syn. EXCÉDENT). ◆ n. m. pl. Produits, articles, matériel qui restent invendus ou inutilisés : *Les surplus américains.* — LOC. ADV. *Au surplus,* au reste (syn. D'AILLEURS).

SURPOPULATION n. f. → PEUPLE 3.

SURPRENDRE [syrprɑ̃dr] v. t. *(sur-,* et *prendre)* [Conj. **54.**] **1.** (sujet nom de personne) *Surprendre qq'un,* le prendre sur le fait, dans une situation où il ne croyait pas être vu : *Je l'ai surpris à lire mon courrier.* ‖ *Surprendre un secret,* le découvrir. — **2.** (sujet nom de personne ou de chose) Arriver auprès de quelqu'un à l'improviste, le prendre au dépourvu : *La pluie nous a surpris au retour de la promenade.* ‖ *Surprendre l'ennemi,* l'attaquer par surprise. — **3.** Frapper l'esprit par quelque chose d'inattendu : *Voilà une nouvelle qui va surprendre bien des gens* (syn. ÉTONNER). ◆ **surprenant, e** adj. Se dit de ce qui surprend (sens 3) : *Une nouvelle surprenante* (syn. ÉTONNANT). *Un résultat surprenant* (syn. INATTENDU). ◆ **surpris, e** adj. : *Il a été tout surpris d'apprendre que tout le monde connaissait la nouvelle* (syn. ÉBAHI, ÉTONNÉ). ◆ **surprise** n. f. **1.** Action de prendre ou d'être pris à l'improviste; chose imprévue qui surprend : *Ce mariage a causé une grande surprise* (syn. ÉTONNEMENT). *Rester muet de surprise* (syn. STUPÉFACTION). *Une grève surprise.* — **2.** Cadeau inattendu que l'on fait à quelqu'un : *Préparer une surprise à un enfant pour le jour de sa fête.* (→ POCHETTE-SURPRISE.)

SURPRISE-PARTIE [syrprizparti] n. f. (angl. *surprise party*). Réunion privée où l'on danse (syn. fam. SURBOUM). ‖ Pl. des *surprises-parties.*

SURPRODUCTION n. f. → PRODUIRE 1.

SURRÉALISME [syrrealism] n. m. *(sur-,* et *réalisme).* Mouvement politique, littéraire et artistique, défini en 1924 par André Breton et qui prônait le renouvellement de toutes les valeurs. ◆ **surréaliste** adj. : *Un poème surréaliste.* ◆ n. Partisan, adepte du surréalisme.

— ENCYCL. Mouvement de caractère international, le *surréalisme* s'est étendu depuis 1924 à plus de quinze pays. Il s'oppose de manière permanente à toute forme de pouvoir et s'étend à toute forme d'art : littérature, peinture, sculpture, cinéma, affiches, etc. Issu directement du mouvement dada*, il se réclame de la psychanalyse et de philosophes comme Hegel.

• *1924. Le groupe surréaliste fait paraître le « Manifeste du surréalisme ».*

Au sein de ce groupe, constitué autour d'André Breton, se rencontrent des écrivains comme Philippe Soupault, Louis Aragon, Paul Éluard, Benjamin Péret, des peintres comme Max Ernst, Francis Picabia, Joan Miró, Hans Arp, Man Ray. Pour eux, le surréalisme « se propose d'exprimer [...] le mécanisme réel de la pensée ». C'est une « dictée de la pensée, en l'absence de tout contrôle exercé par la raison, en dehors de toute préoccupation esthétique ou morale ». En fait, le surréalisme fait pénétrer dans l'art le domaine de l'inconscient et proclame la toute-puissance du rêve, de l'instinct, du désir, de la révolte et, surtout, du merveilleux.

Dès ses débuts, le groupe surréaliste se signale par des manifestations qui font scandale, par des publications (les revues *Littérature, la Révolution surréaliste*) et par des prises de position politiques (contre la guerre du Rif, l'exposition coloniale, le fascisme), tandis que de nouveaux membres viennent grossir les rangs.

• *1930. Breton, Éluard, Péret et Aragon adhèrent au parti communiste.*

Exclu de ce parti en 1935, Breton se déclare désormais en faveur d'un art qui porte en lui-même sa propre force révolutionnaire. Les scissions successives apparues sur des problèmes politiques depuis les débuts du groupe surréaliste font qu'après la guerre André Breton et Benjamin Péret se retrouvent isolés. Mais les valeurs surréalistes sont désormais admises dans tous les domaines de l'art et de la pensée.

En littérature, Rimbaud, Lautréamont, Nerval sont considérés comme les précurseurs du surréalisme dans lequel l'écriture automatique, le compte rendu des rêves jouent un rôle primordial. La poésie y est représentée par Eluard, Desnos, Prévert, Char, tandis que les œuvres de Breton, animateur et théoricien du groupe, d'Aragon et de Queneau caractérisent également le mouvement

Dans les arts, les surréalistes ont usé de techniques extrême ment variées, mêlant, comme Arp, Joan Miró, André Masson, Ma Ernst, la peinture, la sculpture, le collage sous les formes les plu diverses, afin de créer une impression d'insolite. Certains, comm Tanguy, Dali, Ernst se servent d'une figuration précise pou montrer une réalité imaginaire, semblant aller parfois, comm Magritte ou Delvaux, jusqu'à la peinture académique.

→ illustration en couleurs pages 1248-1249.

SURRÉNAL, E, AUX [syrrenal, -no] adj. (de *sur-,* et *rein*) *Glande surrénale,* glande endocrine située au-dessus de chaqu rein. → ENCYCL. ‖ *Capsule surrénale,* glande endocrine située à l partie supérieure du bord interne de chaque rein.

— ENCYCL. Les *glandes surrénales,* au nombre de deux, coiffen chacune le pôle supérieur de chaque rein. Elles sont composées d deux parties : l'une, interne, ou *médullaire,* produit une hormone action cardio-vasculaire : elle accélère le cœur, contracte le vaisseaux et augmente la tension artérielle. Elle augmente aussi l teneur du sang en sucre : c'est la première hormone découverte L'autre, la *corticale,* entoure la médullaire et fabrique de nom breuses hormones qui appartiennent toutes aux groupes des « co ticostéroïdes », du cholestérol et des vitamines A et D.

Les glandes surrénales remplissent de nombreuses fonction dans l'organisme (rôle dans les métabolismes des sucres, de protéines en particulier, mais aussi action de certaines d'entr elles sur les reins, l'équilibre biologique des liquides circulants On pense que, lors des traumatismes de tous ordres de la vi (stress), la glande surrénale participe à l'adaptation aux condition biologiques nouvelles et à la réponse de l'organisme.

Les maladies frappant les surrénales peuvent être responsable d'excès de fonctionnement (obésité, hypertension paroxystique) o de défaut de fonctionnement (maladie bronzée d'Addison) de l'un ou l'autre des parties de la glande, ou des deux.

SURREY, comté d'Angleterre, au S. de Londres; 1 007 000 hab Ch.-l. *Kingston upon Thames.*

SURSATURÉ, E adj. → SATURÉ 2.

SURSAUT [syrso] n. m. *(sur-,* et *saut).* **1.** Mouvement brusque occasionné par une sensation subite et violente : *La sonnerie d téléphone lui fit faire un sursaut.* — **2.** Action de se ressaisir de reprendre courage soudainement : *Un sursaut d'énergie.* — LOC. ADV. *En sursaut,* d'une manière brusque : *Se réveiller e sursaut.* ◆ **sursauter** v. i. Avoir un sursaut (sens 1).

SURSEOIR [syrswar] v. t. ind. (lat. *supersedere*). [Conj. **45** *Surseoir à une chose,* la remettre à plus tard (syn. DIFFÉRER) ◆ **sursis** n. m. Remise, suspension de l'exécution d'une peine *Le coupable a bénéficié d'un sursis.*

1. SURSIS n. m. → SURSEOIR.

2. SURSIS [syrsi] n. m. (de *surseoir*). *Sursis d'incorporation* possibilité accordée à certains jeunes gens de reculer la date d leur incorporation dans l'armée, pour leur permettre de termine leur apprentissage ou leurs études. (Depuis 1970, on dit REPOR D'INCORPORATION.) [→ SERVICE* NATIONAL.] ◆ **sursitaire** n. m Personne qui bénéficiait d'un sursis d'incorporation.

SURTAXE n. f., **SURTAXER** v. t. → TAXER 1. / **SURTENSION** n. f. → TENDRE 1 (v. t.).

SURTOUT [syrtu] adv. *(sur-,* et *tout).* Principalement, par dessus tout.

SURVEILLER [syrveje] v. t. *(sur-,* et *veiller).* **1.** *Surveiller une personne, une chose,* veiller avec attention et autorité sur elle *Surveiller des enfants qui jouent dans un square* (syn. GARDER) *Surveiller les études de ses enfants.* — **2.** *Surveiller une personne* observer attentivement ses faits et gestes : *Surveiller un prisonnier.* — **3.** *Surveiller une chose,* la contrôler de manière que tout se passe bien : *Surveiller la cuisson d'un gâteau. Surveiller son langage* (= observer la correction, la décence dans ses propos). ◆ ***se surveiller*** v. pr. Être attentif à ce qu'on dit, ce qu'on fait. ◆ **surveillance** n. f. **1.** Action de surveiller : *Tromper la surveillance d'un gardien.* — **2.** Fait d'être surveillé : *Un malade en surveillance à l'hôpital* (= en observation). ◆ **surveillant, e** n **1.** Personne qui surveille : *Les surveillants d'une prison* (syn. GARDIEN). — **2.** Personne chargée de la discipline dans un établissement scolaire : *Surveillant d'internat* (syn. PION [arg. scol.]). ‖ *Surveillant(e) général(e),* fonctionnaire adjoint au censeur pour l'organisation du service de la discipline dans un établissement d'enseignement. (Depuis 1970, on l'appelle CONSEILLER[ÈRE] PRINCIPAL[E] D'ÉDUCATION.)

SURVENIR [syrvənir] v. i. *(sur-,* et *venir).* [Conj. **22.**] (Sujet nom de personne ou de chose.) Arriver à l'improviste : *Nous serions arrivés à temps si un incident n'était survenu* (syn. ADVENIR, SE PRODUIRE). *Survenir au bon moment* (= arriver à temps, à l'instant souhaitable).

SURVÊTEMENT n. m. → VÊTEMENT.

SURVIVRE [syrvivr] v. t. *(sur-,* et *vivre).* [Conj. **63.**] **1.** (sujet nom de personne) *Survivre à qq'un,* demeurer en vie, subsister après lui : *C'est une tristesse que de survivre à ceux que l'on a aimés.* — **2.** *Survivre à un accident, à une catastrophe,* en réchapper. — **3.** (sujet nom de chose) *Survivre à qqch.,* demeurer après sa disparition : *Un régime politique qui a survécu aux attaques de ses adversaires.* ◆ v. i. (sujet nom de personne ou de chose). Continuer à vivre, à exister : *Après un tel malheur, aura-t-il la force de survivre?* ◆ **survie** n. f. **1.** Prolongement de l'existence au-delà d'un certain terme : *Accorder à un malade quelques mois de survie.* — **2.** Prolongement de l'existence au-delà de la mort : *Croire à la survie de l'homme* (syn. VIE FUTURE). ◆ **survivance** n. f. Ce qui subsiste d'un ancien état, d'une chose disparue : *Des survivances de l'Ancien Régime.* ◆ **survivant, e** n. Personne qui vit après la mort d'une autre, après un accident, une catastrophe.

SURVOLER [syrvɔle] v. t. *(sur-,* et *voler).* **1.** *Survoler un lieu,* voler, passer en avion au-dessus : *Survoler l'Atlantique.* — **2.** *Survoler un livre, un écrit,* les lire, les examiner rapidement. ◆ **survol** n. m. : *Le survol d'une ville.*

SURVOLTAGE n. m., **SURVOLTÉ, E** adj. → VOLT.

1. SUS [sys] adv. (du lat. *sursum,* en haut). *Courir sus à qq'un,* le poursuivre (littér.).

2. SUS (EN) [ɑ̃sys] loc. adv. (lat. *sus,* au-dessus). En plus.

1. SUSCEPTIBLE [sysɛptibl] adj. (du lat. *suscipere,* subir). **1.** *Susceptible de* (et un nom ou un infin.), se dit d'une chose capable de recevoir certaines qualités, de subir certaines modifications : *Un projet susceptible d'être amélioré.* — **2.** Se dit d'un être animé ou d'une chose capable éventuellement d'accomplir un acte, de produire un effet : *Un spectacle susceptible de plaire au public.* (Cet emploi est critiqué par certains grammairiens.)

2. SUSCEPTIBLE [sysɛptibl] adj. (même étym.). Se dit d'une personne qui se froisse, s'offense facilement : *Ce garçon est très susceptible, il ne supporte pas la moindre plaisanterie* (syn. CHATOUILLEUX, OMBRAGEUX). ◆ **susceptibilité** n. f. : *Ménager la susceptibilité d'un camarade.*

SUSCITER [sysite] v. t. (du lat. *suscitare*) [sujet nom de personne ou de chose]. **1.** *Susciter qqch. à qq'un,* faire naître quelque chose de fâcheux pour lui : *Susciter des ennuis* (syn. ATTIRER, OCCASIONNER). — **2.** Faire naître un sentiment : *Susciter l'intérêt* (syn. ÉVEILLER, EXCITER, SOULEVER).

SUSE. *Géogr. anc.* V. de l'Élam (auj. Iran). Capit. d'un royaume indépendant, détruite par Assurbanipal (v. 640 av. J.-C.), elle fut, au temps de l'Empire perse, la résidence de l'empereur achéménide Darios Ier et de ses successeurs. Les fouilles de Suse, commencées en 1884, ont mis au jour de riches vestiges. En 1973, on y a découvert une statue colossale de Darios.

SUSNOMMÉ, E adj. et n. → NOM.

SUSPECT, E [syspɛ-, -ɛkt] adj. (du lat. *suspicere,* regarder en haut). Qui prête au soupçon, qui inspire de la méfiance : *Arrêter un individu suspect* (syn. LOUCHE). *Une conduite, une attitude suspecte* (= sujette à caution). *Le témoignage de cet homme est suspect* (syn. DOUTEUX). ◆ n. Personne suspecte. ◆ **suspecter** v. t. *Suspecter qq'un, qqch.,* les tenir pour suspects : *On a reconnu qu'on l'avait suspecté à tort* (syn. SOUPÇONNER). ◆ **suspicion** n. f. Fait de tenir pour suspect : *Avoir de la suspicion* (syn. DÉFIANCE, MÉFIANCE).

Suspects *(loi des),* loi rendue par la Convention le 17 septembre 1793 et rapportée le 4 octobre 1795. Elle déclarait suspects « ceux qui, n'ayant rien fait contre la liberté, n'avaient cependant rien fait pour elle ». Cette loi fut à l'origine de la Terreur*.

1. SUSPENDRE [syspɑ̃dr] v. t. (lat. *suspendere*). [Conj. **50.**] **1.** *Suspendre une chose,* la fixer, l'accrocher de manière à ce qu'elle pende : *Suspendre des vêtements à un portemanteau.* — **2.** *Être suspendu aux lèvres de qq'un,* l'écouter avec une extrême attention. ◆ ***se suspendre*** v. pr. (sujet nom de personne). *Se suspendre à qqch.,* se maintenir en l'air en s'y tenant : *Se suspendre à une branche* (syn. S'ACCROCHER). ◆ **suspendu, e** adj. **1.** Se dit d'une chose attachée de manière à pendre : *Une croix suspendue à une chaîne.* — **2.** Se dit de ce qui surplombe ou domine d'une certaine hauteur : *Les jardins suspendus de Babylone.* — **3.** *Pont suspendu,* pont dont le tablier est soutenu par des câbles ou par des chaînes. ‖ *Voiture bien (mal) suspendue,* voiture dont la suspension est bonne (mauvaise). — **4.** Géogr. *Vallée suspendue,* vallée secondaire dont la confluence avec la vallée principale est marquée par une très forte accentuation de la pente. ◆ **suspension** n. f. **1.** État de ce qui est suspendu : *Vérifier la solidité d'une suspension.* — **2.** Ensemble des organes qui transmettent aux essieux le poids d'un véhicule, tout en amortissant les chocs dus aux inégalités du chemin de roulement. — **3.** Appareil d'éclairage accroché au plafond (syn. LUSTRE).

2. SUSPENDRE [syspɑ̃dr] v. t. (même étym.). [Conj. **50.**] **1.** *Suspendre qqch.,* l'interrompre pour quelque temps : *Suspendre une séance pendant un quart d'heure. Suspendre les hostilités* (syn. ARRÊTER). ‖ *Suspendre un journal, une revue,* les empêcher de paraître pendant un certain temps. ‖ *Suspendre ses paiements,* cesser de payer ses créanciers. — **2.** *Suspendre qq'un* (un prêtre, un fonctionnaire, un magistrat), lui interdire momentanément d'exercer ses fonctions. ◆ **suspension** n. f. **1.** Fait d'interrompre ou d'interdire temporairement : *Suspension d'armes* (= cessation locale et momentanée des hostilités) [syn. TRÊVE]. *Suspension de paiements.* — **2.** *Points de suspension,* signe de ponctuation indiquant que la phrase est incomplète, que la pensée est interrompue pour des raisons diverses. [→ PONCTUATION.] ◆ **suspens (en)** [ɑ̃syspɑ̃] loc. adv. Sans solution, sans décision, sans achèvement : *Laisser une affaire en suspens* (= non résolue). *Laisser un travail en suspens* (= inachevé).

SUSPENSE [syspɛns] n. m. (mot angl.). **1.** Moment d'un film, d'une œuvre où l'action tient le spectateur, l'auditeur ou le lecteur dans l'attente angoissée de ce qui va se produire. — **2.** Toute situation dont on attend impatiemment la suite.

SUSPENSION n. f. → SUSPENDRE 1 et 2.

SUSPICION n. f. → SUSPECT.

SUSSEX, comté d'Angleterre, sur la Manche, divisé en *Sussex oriental* (657 300 hab.; ch.-l. *Lewes*) et en *Sussex occidental* (623 100 hab.; ch.-l. *Chichester*). Le royaume saxon de Sussex fut indépendant du VIe au IXe s.

SUSTENTATION [systɑ̃tasjɔ̃] n. f. (du lat. *sustentare,* soutenir). **1.** *Polygone de sustentation,* polygone convexe contenant tous les points par lesquels un corps solide repose sur un plan. — **2.** *Plan de sustentation,* aile d'un avion.

SUSTENTER (SE) [səsystɑ̃te] v. pr. (lat. *sustentare,* soutenir) [sujet nom de personne]. *Fam.* Se nourrir.

SUSURRER [sysyre] v. t. et i. (lat. *susurrare*). Murmurer doucement : *Susurrer une confidence à qq'un* (syn. CHUCHOTER). ◆ **susurrement** n. m.

SUTLEJ ou **SATLEDJ** (la), riv. de l'Inde et du Pākistān, l'une des cinq rivières du Pendjab, affl. de l'Indus (r. g.); 1 600 km.

SUTURE [sytyr] n. f. (du lat. *suere,* coudre). Couture faite pour réunir, à l'aide de fil, les lèvres d'une plaie. ◆ **suturer** v. t.

SUVA, capit. des îles Fidji, sur la côte sud-ouest de l'île de Viti Levu; 63 000 hab.

SUZERAIN, E [syzrɛ̃, -ɛn] n. et adj. (de *sus-,* et *souverain*). Seigneur qui possédait un fief dont dépendaient d'autres fiefs confiés à des vassaux. (→ FÉODAL.) ◆ **suzeraineté** n. f. **1.** Qualité de suzerain. — **2.** Droit d'un État sur un autre.

SVALBARD, possession norvégienne de l'océan Arctique, au N.-E. du Groenland, comprenant notamment l'archipel du Spitzberg; 62 420 km²; 2 900 hab. V. pr. *Longyearbyen.*

SVELTE [svɛlt] adj. (it. *svelto*) [après le nom]. Se dit d'une personne (ou de sa taille) à la fois mince, légère et élégante (syn. ÉLANCÉ [avec idée de hauteur]; contr. ÉPAIS). ◆ **sveltesse** n. f. : *La sveltesse de sa taille* (syn. MINCEUR).

SVERDLOVSK, auj. **Iekaterinbourg,** v. de l'U. R. S. S., dans l'Oural; 1 187 000 hab. Centre métallurgique.

SVEVO (Ettore Schmitz, dit **Italo**), écrivain italien (1861-1928), un des maîtres de la littérature introspective et intimiste (*la Conscience de Zeno,* 1923).

S.V.P. Abrév. des mots *s'il vous plaît.*

SWAHILI, E adj. et n. → SOUAHÉLI.

SWANSEA, port de Grande-Bretagne (pays de Galles) sur le canal de Bristol; 172 600 hab. Métallurgie (cuivre).

SWAZILAND, État enclavé dans la république d'Afrique du Sud; 17 400 km²; 700 000 hab. (40 au km²). Capit. *Mbabane* (30 000 hab.).

Ce petit pays vit de l'élevage bovin, de la culture du coton, et de ses gisements miniers (amiante, fer). Royaume indépendant en 1815, le Swaziland passa en 1903 sous le protectorat du Transvaal, puis des Anglais (1907). Il est indépendant depuis 1968.

SWEAT-SHIRT [switʃœrt] n. m. (mots angl.). Pull en jersey de coton molletonné. ‖ Pl. des *sweat-shirts.*

SWEDENBORG (Emanuel), savant et visionnaire suédois (1688-1772). Ses expériences de communication avec les esprits sont consignées dans de nombreux ouvrages; il eut une grande influence sur la constitution de l'esprit romantique.

SWEEPSTAKE [swipstɛk] n. m. (de l'angl. *to sweep,* enlever, et *stake,* enjeu). Forme de loterie consistant à tirer au sort les chevaux engagés dans une course dont le résultat fixe le gain.

SWIFT (Jonathan), écrivain irlandais (1667-1745). Il entra dans le clergé anglican et prit parti dans les luttes religieuses *(le Conte du tonneau),* politiques *(Lettres de M. B., drapier)* et littéraires *(la Bataille des livres).* Ses ambitions déçues lui inspirèrent une violente satire de la société anglaise et de la civilisation de son époque (*les Voyages de Gulliver*, 1726).

SWINBURNE (Algernon Charles), poète anglais (1837-1909). Héritier de la tradition romantique *(Atalante en Calydon, Poèmes et Ballades)*, il évolua vers un idéal humanitaire *(Chants d'avant le lever du soleil)*.

SWING [swiŋ] n. m. (mot angl. signif. *balancement*). Dans la musique de jazz, balancement rythmique vivant et souple.

SYBARIS, anc. v. de l'Italie (Lucanie), colonie achéenne, détruite par Crotone en 510 av. J.-C., célèbre par la mollesse de ses habitants *(Sybarites)*.

SYBARITE [sibarit] n. (de *Sybaris*). Personne molle, efféminée : *Vivre en sybarite.*

SYCOMORE [sikɔmɔr] n. m. (gr. *sukomoros*). Variété d'érable appelé aussi FAUX PLATANE.

SYDNEY, v. d'Australie, capit. de la Nouvelle-Galles du Sud; 3310000 hab. Situé sur une baie du Pacifique, Sydney est un port au trafic important (14 millions de t), exportant notamment viande, laine et céréales. La fonction industrielle (automobiles, textiles) se développe parallèlement à la fonction commerciale.

SYDNEY, port du Canada (Nouvelle-Écosse); 32800 hab.

SYLLA ou **SULLA** (Lucius Cornelius), général et homme politique romain (138-78 av. J.-C.).

- *88. Noble ruiné au service de Marius*, il est nommé consul après avoir joué un rôle décisif pendant la guerre Sociale (révolte des Italiens).*

Il s'oppose au parti populaire et reprend Rome. Mais sa domination est précaire et après avoir essayé de rendre tous ses pouvoirs au sénat, il dirige avec succès les opérations militaires contre Mithridate* (87-85).

- *82. Revenu en Italie, il s'empare de Rome et se fait attribuer par le sénat la dictature et le titre de Felix (« lex Valeria »).*

Il fait proscrire les partisans de Marius et affranchit leurs esclaves. Il double les effectifs du sénat par l'adjonction de chevaliers, réorganise la justice, affaiblit les fonctions de consul et de tribun et uniformise l'administration de l'Italie.

- *79. Il abdique, mais garde une forte influence grâce à l'appui de ses vétérans.*

Son œuvre est controversée : tentative de réconciliation entre chevaliers et sénateurs, ou effort pour restaurer le prestige de la noblesse, elle a accentué l'évolution vers le pouvoir personnel.

SYLLABE [sillab] n. f. (gr. *sullabê*, assemblage). Voyelle ou groupe de lettres qui se prononcent d'une seule émission de voix : *Le mot « Paris » a deux syllabes.* ◆ **syllabique** adj. *Écriture syllabique*, écriture dans laquelle chaque syllabe est représentée par un caractère. ◆ **syllabisme** n. m. Système d'écriture syllabique. ◆ **syllabation** n. f. Division de mots en syllabes. ◆ **dissyllabe** n. m. Mot qui se compose de deux syllabes : *« Renard » est un dissyllabe.* ◆ **dissyllabique** adj. Qui a deux syllabes. (→ MONOSYLLABE.)

SYLLOGISME [sillɔʒism] n. m. (gr. *sullogismos*). Raisonnement qui contient trois propositions (la majeure, la mineure et la conclusion) et tel que la conclusion est déduite de la majeure par l'intermédiaire de la mineure. (Ex. : *Tous les hommes sont mortels* [majeure]; *or Pierre est un homme* [mineure]; *donc Pierre est mortel* [conclusion].)

SYLPHIDE [silfid] n. f. (de *sylphe*). Femme gracieuse, légère.

SYLVESTRE [silvɛstr] adj. (du lat. *silva*, forêt). Qui croît dans les forêts : *Le pin sylvestre.* ◆ **sylviculture** n. f. Science de la culture et de l'entretien des forêts. ◆ **sylvicole** adj. Relatif à la sylviculture. ◆ **sylviculteur, trice** n.

SYMBIOSE [sɛ̃bjoz] n. f. (gr. *sumbiôsis*, vie en commun). **1.** Association de deux (ou plus de deux) espèces animales ou végétales différentes, qui ont besoin l'une de l'autre pour vivre : *Un lichen est la symbiose d'une algue et d'un champignon.* — **2.** Union étroite entre des personnes ou des choses.

1. SYMBOLE [sɛ̃bɔl] n. m. (gr. *sumbolos*, signe). **1.** Ce qui représente une réalité abstraite : *La colombe est le symbole de la paix. La blancheur est le symbole de l'innocence. La balance est le symbole de la justice.* — **2.** Lettre ou signe qui, en vertu d'une convention, sert, dans de nombreuses sciences, à désigner une unité, une grandeur, une opération, un corps simple, etc. : *Les symboles mathématiques**. — **3.** *Chim.* Lettre ou groupe de lettres adoptées pour désigner la masse atomique d'un élément : *Pb est le symbole du plomb.* ◆ **symbolique** adj. **1.** Se dit de ce qui sert de symbole, repose sur un symbole : *Un langage symbolique.* — **2.** Se dit de ce qui n'a pas de valeur, d'efficacité en soi : *Un geste purement symbolique.* ◆ n. f. Ensemble de symboles particuliers à un peuple, à une époque, à une religion, etc. ◆ **symboliser** v. t. **1.** Exprimer par un symbole : *On symbolise la victoire par la palme et le laurier.* — **2.** Être le symbole de : *L'olivier symbolise la paix.* ◆ **symbolisme** n. m. **1.** Système de symboles destiné à interpréter des faits ou à exprimer des croyances : *Le symbolisme religieux.* — **2.** Mouvement littéraire de la fin du XIXᵉ s., dont les auteurs cherchent à suggérer, par la valeur musicale et symbolique des mots, les nuances les plus subtiles de la vie intérieure : *Les principaux représentants du symbolisme sont Rimbaud, Verlaine et Mallarmé.* ◆ **symboliste** adj. Relatif au symbolisme (sens 2) : *Un poète symboliste.* ◆ n. : *Les symbolistes se rallièrent autour de Mallarmé.*

2. SYMBOLE [sɛ̃bɔl] n. m. (même étym.) [avec une majusc.]. Résumé des vérités essentielles de la religion chrétienne : *Le Symbole des apôtres* (syn. CREDO).

SYMÉTRIE [simetri] n. f. (du gr. *sun*, avec, et *metron*, mesure). **1.** Correspondance exacte de grandeur, de forme et de position entre les éléments d'un ensemble, entre deux ou plusieurs ensembles : *La symétrie des fenêtres sur une façade.* — **2.** *Anat.* Constitution des organismes végétaux ou animaux présentant des parties semblables par rapport à un axe, à un plan : *Symétrie bilatérale externe de l'homme et des vertébrés, symétrie axiale de nombreux végétaux, symétrie rayonnée des échinodermes.* — **3.** Math. *Symétrie centrale de centre O* → ENCYCL. ‖ *Symétrie parallèle* → ENCYCL. — **4.** Harmonie et régularité résultant de certaines combinaisons, de certaines proportions : *Des vases rangés avec symétrie.* ◆ **symétrique** adj. **1.** Se dit de ce qui a de la symétrie : *Une façade symétrique.* — **2.** Se dit de deux parties d'une chose ou de deux choses semblables et opposées : *Deux constructions symétriques.* — **3.** Math. *Relation binaire symétrique*, une relation binaire $\mathcal{R}$ dans un ensemble E est symétrique si, pour tout couple (x, y) d'éléments de E vérifiant $x \mathcal{R} y$, ils vérifient aussi $y \mathcal{R} x$. (*Ex.* : L'égalité est une relation symétrique dans $\mathbb{N}$.) ‖ *Relation binaire non symétrique*, une relation binaire est non symétrique s'il existe au moins un couple (x, y) d'éléments de E tels que $x \mathcal{R} y$ et (non $y \mathcal{R} x$). [Ne pas confondre avec *antiréflexif* → RELATION* BINAIRE.] ◆ n. m. *Symétrique d'un élément pour une loi de composition interne définie dans un ensemble* → LOI* DE COMPOSITION INTERNE. ◆ **symétriquement** adv. : *Des fenêtres disposées symétriquement.* ◆ **antisymétrie** n. f. *Math.* → ENCYCL. ◆ **antisymétrique** adj. *Math.* → ENCYCL. ◆ **asymétrie** n. f. Absence totale de symétrie : *L'asymétrie des allées de son jardin le choquait.* ◆ **asymétrique** adj. : *Visage asymétrique.* ◆ **dissymétrie** n. f. Défaut de symétrie : *La dissymétrie d'une construction.* ◆ **dissymétrique** adj. : *Une maison dissymétrique.*

— ENCYCL. ***symétrie.*** On appelle *symétrie centrale de centre O*, l'application bijective du plan sur lui-même qui à tout point M du

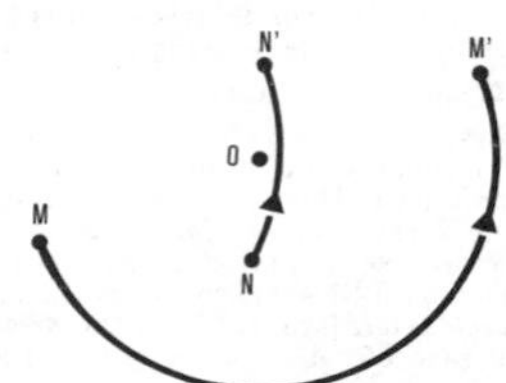

symétrie centrale de centre O

plan associe le point M' tel que O soit le milieu de (MM'). M' est le *symétrique* de M par rapport à O (de même M est le symétrique de M' par rapport à O). O est le seul point du plan qui soit son propre symétrique par rapport à O.

Deux droites D et D' d'un plan P étant sécantes, *la symétrie*

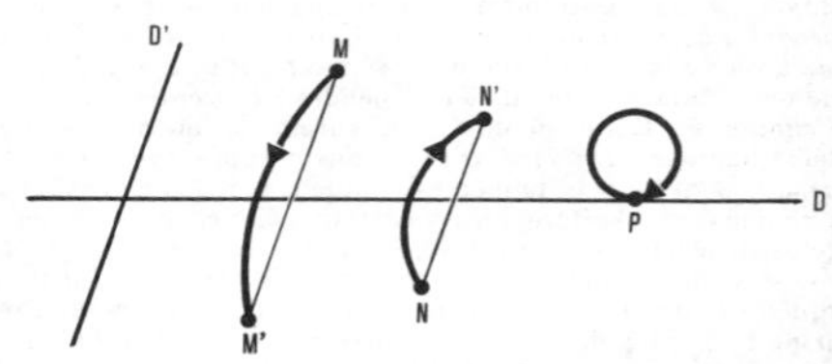

symétrie d'axe D parallèlement à D'

d'axe D parallèlement à D' est l'application du plan sur lui-même qui à tout point M associe le point M' tel que :
MM' soit parallèle à D';
le milieu de (M M') appartienne à D.

Les points de D sont leur propre symétrique dans cette symétrie. Si D et D' sont perpendiculaires, la symétrie est *orthogonale*.

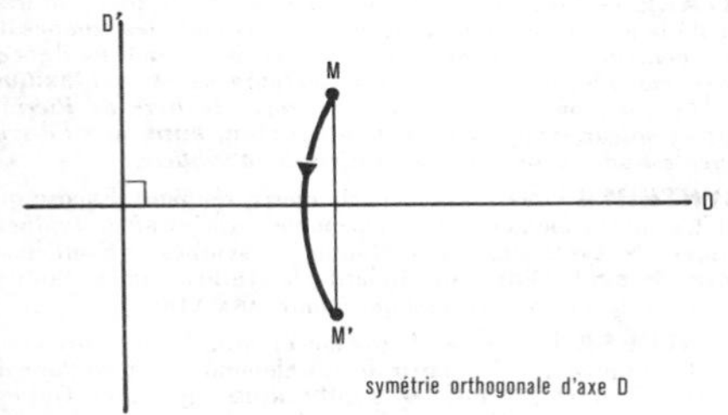

symétrie orthogonale d'axe D

Si F est une figure d'un plan, F a :
un *centre de symétrie* O, si F est globalement invariante par la symétrie centrale de centre O (c'est-à-dire si tout point de F a pour image un point de F par cette symétrie);
un axe de symétrie D, si F est globalement invariante par la symétrie orthogonale d'axe D (c'est-à-dire si tout point de F a pour image un point de F par cette symétrie).
antisymétrie. Une relation* binaire $\mathcal{R}$ définie dans un ensemble E est *antisymétrique* si deux éléments quelconques x et y de E vérifiant simultanément $x \mathcal{R} y$ et $y \mathcal{R} x$ sont nécessairement égaux. (*Ex.* : La relation « être inférieur ou égal à » (notée $\leq$) définie dans l'ensemble ℕ des entiers naturels est antisymétrique [car si $x \leq y$ et $y \leq x$, alors $x = y$]; toute relation d'ordre est antisymétrique [→ RELATION D'ORDRE].)

SYMPATHIE [sɛ̃pati] n. f. (gr. *sumpatheia,* conformité de sentiments). **1.** Penchant naturel, instinctif, qui attire deux personnes l'une vers l'autre : *Avoir de la sympathie pour qq'un* (syn. ATTIRANCE, INCLINATION). *Montrer, témoigner de la sympathie à une personne* (syn. AMITIÉ, BIENVEILLANCE). — **2.** Participation à la joie ou à la peine d'autrui : *Recevoir des témoignages de sympathie à l'occasion d'un deuil.* ◆ **sympathique** adj. **1.** Se dit d'une personne (ou de son attitude) qui inspire un sentiment de sympathie : *Un garçon sympathique* (syn. AGRÉABLE, AIMABLE). — **2.** Se dit de ce qui est agréable, plaisant : *Une réunion sympathique.* ◆ **sympathiser** v. i. *Sympathiser avec qq'un,* avoir de la sympathie pour lui, s'entendre avec lui. ◆ **sympathisant, e** n. et adj. Personne qui adopte les idées d'un parti.

1. SYMPATHIQUE adj. → SYMPATHIE.

2. SYMPATHIQUE [sɛ̃patik] adj. (de *sympathie*). *Encre sympathique,* liquide incolore pour écrire un texte secret, qui n'apparaît que sous l'action de la chaleur ou d'un réactif.

3. SYMPATHIQUE [sɛ̃patik] adj. (même étym.). Anat. *Système nerveux sympathique,* ou *sympathique* n. m., l'un des deux systèmes nerveux qui contrôle le fonctionnement automatique des organes internes (cœur et vaisseaux, respiration, fonction intestinale, etc.), et dont l'action échappe au contrôle volontaire (l'autre est le *parasympathique*). [→ NERF, *encycl.*]

SYMPATHISANT, E adj. et n., **SYMPATHISER** v. i. → SYMPATHIE.

SYMPHONIE [sɛ̃fɔni] n. f. (du gr. *sun,* avec, et *phônê,* son). **1.** Grande composition musicale pour orchestre en trois ou quatre parties ou mouvements : *La « Symphonie fantastique » de Berlioz.* → ENCYCL. — **2.** Ensemble de choses qui produisent un effet harmonieux : *Une symphonie de couleurs.* ◆ **symphonique** adj. : *Orchestre symphonique.*
— ENCYCL. La *symphonie* s'est développée en France, en Italie et en Allemagne au milieu du XVIIIe s. Elle s'est organisée progressivement sur le modèle de la sonate*, avec un allégro initial à deux thèmes, un andante, un menuet et un final souvent en forme de rondo.
Illustrée par Haydn, Mozart, Beethoven, Schubert, la symphonie a évolué, avec le romantisme, vers la musique* à programme (Berlioz, Liszt...) et reste toujours vivante au XXe s., avec Mahler, Roussel, Honegger...

SYMPHYSE [sɛ̃fiz] n. f. (gr. *sumphusis,* union naturelle). **1.** *Anat.* Articulation peu mobile, où les os sont reliés par du tissu conjonctif élastique : *La symphyse pubienne.* — **2.** *Méd.* Accolement de deux feuillets d'une séreuse : *Symphyse pleurale.*

SYMPOSIUM [sɛ̃pozjɔm] n. m. (gr. *sumposion,* banquet). Réunion, congrès.

SYMPTÔME [sɛ̃ptom] n. m. (gr. *sumptôma,* coïncidence). **1.** Phénomène particulier ressenti par une personne ou décelé par le médecin au niveau d'un ou plusieurs organes, et qui révèle un trouble de l'organisme ou une lésion : *C'est sur la connaissance des symptômes qu'est fondé le diagnostic.* (→ aussi SYNDROME.) — **2.** Ce qui révèle ou permet de prévoir autre chose : *Observer des symptômes de crise économique* (syn. INDICE, PRÉSAGE, SIGNE). ◆ **symptomatique** adj. **1.** Se dit d'un état qui est le signe de quelque maladie : *Une anémie symptomatique.* — **2.** Qui est le signe d'un état de choses ou d'un état d'esprit : *Cet incident est tout à fait symptomatique.*

SYNAGOGUE [sinagɔg] n. f. (gr. *sunagôgê,* réunion). Édifice où s'assemblent les juifs pour l'exercice de leur culte.

SYNAPSE [sinaps] n. f. (du gr. *sun,* avec, et *aptein,* joindre). Point de jonction entre deux cellules nerveuses (ou neurones) : *L'axone d'une cellule se raccorde au niveau de la synapse avec les dendrites de la cellule suivante.*

SYNCHRONE [sɛ̃kron] adj. (du gr. *sun,* avec, et *khronos,* temps). **1.** Se dit des mouvements qui se font dans un même temps. — **2.** Se dit d'une machine électrique dont la vitesse de rotation est fixée par la fréquence du courant : *Moteur synchrone.* ◆ **synchronisme** n. m. : *Le synchronisme de deux pendules.*

SYNCHRONIE [sɛ̃krɔni] n. f. (de *synchrone*). Caractère des phénomènes linguistiques observés à un moment donné de l'histoire (états de langue), indépendamment de leur évolution dans le temps (par oppos. à DIACHRONIE). ◆ **synchronique** adj. : *Linguistique synchronique* (par oppos. à DIACHRONIQUE).

SYNCHRONIQUE adj. → SYNCHRONIE et SYNCHRONISME.

SYNCHRONISER [sɛ̃krɔnize] v. t. (de *synchrone*). **1.** *Synchroniser un film,* rendre simultanées la projection de l'image et l'émission du son. — **2.** Faire se produire en même temps : *Synchroniser des mouvements* (syn. COORDONNER). ◆ **synchronisation** n. f. : *La synchronisation d'un film.*

1. SYNCHRONISME n. m. → SYNCHRONE.

2. SYNCHRONISME [sɛ̃krɔnism] n. m. (gr. *sugkhronismos*). Coïncidence de date, identité d'époques : *Le synchronisme de deux événements historiques.* ◆ **synchronique** adj. *Tableau synchronique,* tableau qui présente sur plusieurs colonnes les événements arrivés en même temps dans plusieurs pays.

SYNCLINAL, E, AUX [sɛ̃klinal, -no] adj. et n. m. (du gr. *sun,* avec, et *klineîn,* incliner). *Géol.* Partie en creux d'un pli : *Un synclinal perché est un synclinal mis en relief par l'érosion qui a évidé les anticlinaux adjacents* (ex. : *Les synclinaux perchés du Vercors*) [par oppos. à ANTICLINAL].
→ illustration PLI page 1071.

1. SYNCOPE [sɛ̃kɔp] n. f. (du gr. *kopteîn,* briser). *Méd.* Perte de connaissance subite et totale, avec arrêt du cœur et de la respiration.

2. SYNCOPE [sɛ̃kɔp] n. f. (même étym.). *Mus.* Note émise sur un temps faible ou sur la partie faible d'un temps et prolongée sur un temps fort. ◆ **syncopé, e** adj. : *Rythme syncopé.*

SYNCRÉTISME [sɛ̃kretism] n. m. (gr. *sugkrêtismos,* union des Crétois). Système philosophique ou religieux qui tend à fondre plusieurs doctrines différentes.

SYNDIC [sɛ̃dik] n. m. (gr. *sundikos,* celui qui assiste quelqu'un en justice). Celui qui a été désigné pour prendre soin des intérêts communs d'un groupe de personnes.

SYNDICAT [sɛ̃dika] n. m. (de *syndic*). **1.** Association de personnes exerçant la même profession en vue de la défense de leurs intérêts communs : *Un syndicat ouvrier.* — **2.** *Syndicat d'initiative,* organisme dont l'objet est de favoriser le tourisme dans une localité ou une région. ◆ **syndical, e, aux** adj. Relatif à un syndicat : *Des délégués syndicaux.* ◆ **syndicalisme** n. m. **1.** Mouvement qui a pour objet de grouper les personnes exerçant une même profession, en vue de la défense de leurs intérêts. → ENCYCL. — **2.** Activité exercée dans un syndicat : *Faire du syndicalisme.* ◆ **syndicaliste** adj. Relatif au syndicalisme. ◆ n. Militant, militante d'un syndicat. ◆ **syndiquer** v. t. Organiser en syndicat : *Syndiquer des ouvriers.* ◆ ***se syndiquer*** v. pr. S'affilier à un syndicat; s'organiser en syndicat. ◆ **intersyndical, e, aux** adj. : *Réunion intersyndicale pour décider une grève* (= entre divers syndicats).
— ENCYCL. Différent du système des corporations* de l'Ancien Régime qui regroupaient hiérarchiquement, à l'intérieur d'une même profession, ouvriers et patrons, le mouvement syndical qui se développe au XIXe s. a pour objectif essentiel la défense des intérêts des salariés face à ceux des employeurs.
Le *syndicalisme,* directement lié à l'ensemble du mouvement ouvrier, naît avec la révolution industrielle : la crainte du chômage, suscitée par l'apparition du machinisme, l'exploitation et la terrible misère, qui caractérisent les débuts du capitalisme, poussent les ouvriers des pays nouvellement industrialisés à s'unir en divers groupements de secours et de défense. Les associations étant interdites, notamment en Angleterre et en France (depuis la loi Le Chapelier, 1791), les ouvriers doivent d'abord lutter pour obtenir la reconnaissance légale de leur mouvement.

- *1825-1826. Les ouvriers britanniques reçoivent le droit d'association, ce qui permet le développement du chartisme* et du trade*-unionisme.*

À partir de ces modèles s'organisent alors en France les premiers syndicats dont l'action est renforcée par l'intense agitation sociale des années 1840-1848 et par la diffusion du socialisme*.

- *1864. Sous le second Empire, la reconnaissance tacite du droit de grève, principal moyen d'action des syndicats, permet aux ouvriers français d'élargir leurs conquêtes.*
- *1884. La législation de Waldeck-Rousseau, en espérant contrôler plus facilement l'action ouvrière, accorde au syndicalisme un statut légal.*

Dès lors le mouvement se développe rapidement et doit s'organiser plus rationnellement : les syndicats se regroupent sur le plan national en fédérations et confédérations centrales, qui orientent l'activité des groupements adhérents (création de la C. G. T. en 1895) et tentent même d'établir des relations internationales.

À la fin du XIXe s., avec le développement de l'industrialisation dans de nombreux pays, le syndicalisme devient un phénomène mondial.

Après la Première Guerre mondiale se précisent les caractéristiques essentielles du syndicalisme actuel. Concernant au départ une minorité d'ouvriers, le mouvement s'est étendu à d'autres catégories sociales : employés, techniciens, cadres, patrons, commerçants, etc.

Des divisions idéologiques sont apparues à l'intérieur des syndicats, aboutissant à des scissions et à la création de nouveaux syndicats (notamment, en France : C. F. T. C., 1919; C. G. T.-F. O., 1947; C. F. D. T., 1964).

D'autre part l'apparition de systèmes politiques nouveaux (U. R. S. S., pays de l'Est et du tiers monde) a créé une forme particulière de syndicalisme rattaché au pouvoir, qui défend à la fois les intérêts des travailleurs et ceux de l'entreprise dont il soutient la direction, ignorant en principe les revendications sociales et le recours à la grève, dans l'intérêt de la production.

Sous des formes variées et malgré ses divisions idéologiques, le syndicalisme joue un rôle très important dans la société actuelle. Les syndicats contribuent de plus en plus à l'élaboration de la politique économique et sociale de leur pays, non seulement au niveau de l'entreprise, où différentes institutions leur permettent de participer aux décisions, mais aussi au niveau gouvernemental où, siégeant dans divers organismes consultatifs (commissions, etc.), ils sont appelés à étudier certains projets.

SYNDROME [sɛ̃drom] n. m. (gr. *sundromê*, concours). Ensemble des symptômes qui caractérisent une maladie et qui, sans en indiquer la cause, orientent le diagnostic.

SYNESTHÉSIE [sinɛstezi] n. f. (du gr. *sun*, avec, et *aisthêsis*, sensation). Trouble dans la perception des sensations.

SYNGE (John Millington), auteur dramatique anglais (1871-1909). Il mêle, dans une langue très pure, les thèmes folkloriques de son pays et l'observation de la vie quotidienne de province (*le Baladin du monde occidental*, 1907).

SYNODE [sinɔd] n. m. (gr. *sunodos*, réunion). **1.** Assemblée d'ecclésiastiques convoquée pour les affaires de l'Église ou d'un diocèse : *Le synode des évêques.* — **2.** *Synode protestant*, assemblée régionale ou nationale, composée des délégués, pasteurs et laïques, des Églises locales. — **3.** *Synode israélite*, conseil composé de rabbins et de laïques, réunis pour délibérer sur des points de doctrine ou de pratique relatifs au judaïsme.

SYNONYME [sinɔnim] adj. et n. m. (du gr. *sun*, avec, et *onoma*, nom). Se dit de deux ou plusieurs mots de la même catégorie (substantifs, adjectifs ou verbes) qui ont à peu près le même sens : *Les synonymes sont précédés, s'il y a lieu, dans le dictionnaire, de flèches à valeur intensive* (↑) *ou diminutive* (↓). ◆ **synonymie** n. f.

SYNOPSIS [sinɔpsis] n. f. ou m. (du gr. *sun*, avec, et *opsis*, vue). Exposé très bref, qui constitue l'ébauche du scénario d'un film.

SYNOPTIQUE [sinɔptik] adj. (gr. *sunoptikos*, qui embrasse d'un coup d'œil). *Tableau synoptique*, tableau qui permet de saisir d'un même coup d'œil les diverses parties d'un ensemble : *Un tableau synoptique d'histoire, de géographie.*

SYNOVIE [sinɔvi] n. f. (orig. inc.). Liquide visqueux qui, dans une articulation entre deux os, facilite le glissement des cartilages articulaires : *Un épanchement de synovie.* ◆ **synovial, e, aux** adj. Relatif à la synovie.

SYNTACTICIEN, ENNE n. → SYNTAXE.

SYNTAGME [sɛ̃tagm] n. m. (gr. *suntagma*). *Gramm.* Élément constitutif de la phrase, comportant un ou plusieurs termes, et caractérisé par un système particulier de marques morphologiques : *Dans la phrase « Les feuilles jaunies des arbres tombent », on distingue un syntagme nominal, « les feuilles », et un syntagme verbal, « tombent »; le premier est caractérisé dans l'écriture par la marque « s » du pluriel, le second est caractérisé par la marque « -nt » du verbe.* ◆ **syntagmatique** adj.

SYNTAXE [sɛ̃taks] n. f. (du gr. *sun*, avec, et *taxis*, ordre). Partie de la grammaire qui étudie les rapports entre les groupes de termes constituant la phrase *(syntagmes)*, les membres de ces groupes *(mots)* ou les relations entre les phrases. ◆ **syntaxique** adj. : *La fonction du mot « Pierre » dans « le livre de Pierre » définit sa valeur syntaxique.* ◆ **syntacticien, enne** n. : *Le syntacticien est un grammairien spécialiste de la syntaxe.*

1. SYNTHÈSE [sɛ̃tɛz] n. f. (gr. *sunthesis*, réunion). Exposé qui réunit les divers éléments d'un ensemble : *Un essai de synthèse historique.* ◆ **synthétiser** v. t. Réunir par synthèse : *Synthétiser des faits.* ◆ **synthétique** adj. Relatif à la synthèse; qui se fait par synthèse : *Une méthode synthétique* (contr. ANALYTIQUE).

2. SYNTHÈSE [sɛ̃tɛz] n. f. (même étym.). *Chim.* Formation artificielle d'un composé à partir de ses éléments : *La synthèse de l'ammoniac* (contr. ANALYSE). ◆ **synthétique** adj. *Chim.* Qui est produit par synthèse : *Du caoutchouc synthétique.*

SYPHILIS [sifilis] n. f. (du n. de *Syphilus*, berger des *Métamorphoses* d'Ovide). Maladie infectieuse et contagieuse, le plus souvent d'origine vénérienne (c'est-à-dire consécutive à un rapport sexuel avec une personne porteuse de lésions virulentes), due à un germe, le tréponème. ◆ **syphilitique** adj. et n. Se dit d'une personne atteinte de syphilis.

SYRACUSE, port de Sicile, sur la côte est; 123 000 hab. Colonie corinthienne fondée v. 734 av. J.-C., Syracuse devint la première ville de Sicile, notamment sous les tyrans du Ve s. av. J.-C. Denys* l'Ancien (405-367 av. J.-C.) accrut encore sa puissance. Ayant pris le parti de Carthage, Syracuse fut difficilement vaincue par les Romains (213-212 av. J.-C.). D'importants vestiges de la ville antique subsistent (théâtre grec, latomies...).

SYR-DARIA (le), anciennement **Iaxarte**, fleuve d'U. R. S. S., en Asie; 3 019 km. Né au Kirghizistan, dans le T'ien-chan, il se jette dans la mer d'Aral. Ses eaux sont très utilisées pour l'irrigation, notamment dans la Ferghana*.

SYRIAQUE [sirjak] adj. et n. m. (gr. *suriakos*). Langue araméenne, encore employée dans la liturgie de certaines Églises syriennes.

SYRIE, État d'Asie occidentale, sur la Méditerranée.

> SUPERFICIE 185 000 km² (France : 550 000 km²).
> POPULATION 12 100 000 hab. *(Syriens)*; 65 hab. au km² (France : 103); accroissement annuel, 3.3 p. 100.
> CAPITALE Damas (1 251 000 hab.).
> VILLES PRINCIPALES Alep (976 700 hab.); Homs (354 500 hab.); Ḥamā (176 600 hab.).
> LANGUE arabe.

GÉOGRAPHIE

Une chaîne montagneuse (djebel Ansarieh, prolongé vers le S. par l'Anti-Liban et l'Hermon) sépare l'étroite plaine côtière au climat méditerranéen des vastes plateaux arides de l'E. du pays.

	TEMPÉRATURES MOYENNES janv.	juil.	PLUIES
Damas	7,5 °C	28 °C	227 mm

La population est très inégalement répartie : elle se concentre sur la côte, sur le piémont montagneux oriental, où se localisent les principales villes, dans la dépression du Ghab, drainée par l'Oronte, et dans les oasis.

Elle vit essentiellement de l'agriculture, qui produit céréales, vigne, olives, coton, tabac. En Syrie orientale, des troupeaux d'ovins parcourent les steppes. L'aménagement de l'Euphrate permet l'augmentation des surfaces cultivables par l'irrigation.

Le pétrole est devenu la principale ressource industrielle. Le niveau de vie du pays reste très bas.

blé	1,5 million de t	pétrole	9 millions de t
ovins	14 millions de têtes	coton	160 000 t

HISTOIRE

République indépendante depuis 1941, la Syrie (dans sa plus grande extension géographique, Liban compris) est depuis l'Antiquité le point de convergence de civilisations originaires d'Afrique, d'Europe et d'Asie.

- *IIe millénaire av. J.-C. Peuplé de Sémites, le pays est conquis par les Égyptiens (XVIe s.), par les Hittites (XIVe s.), puis partagé entre eux (XIIIe s.).*

Annexée par les Assyriens (VIIIe-VIIe s.), puis par Cyrus (VIe s.), la Syrie devient une satrapie de l'Empire perse* jusqu'à sa conquête par Alexandre (333-332).

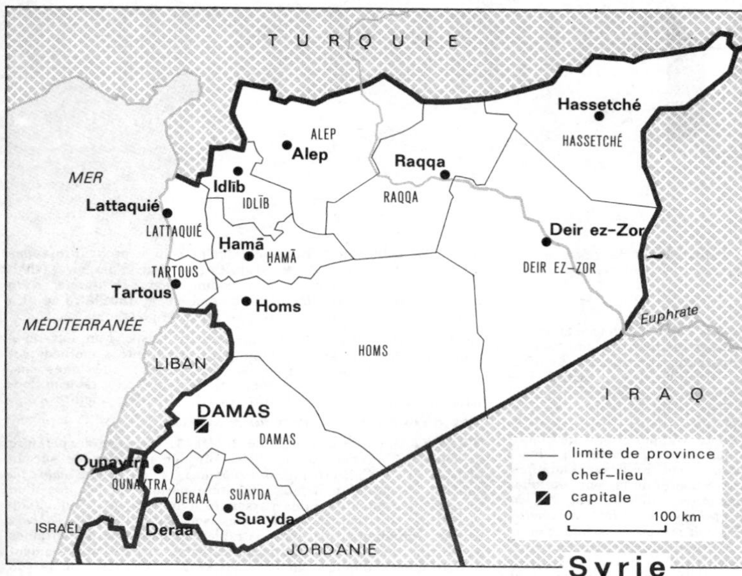

Syrie

• *305-64 av. J.-C. Gagnée par la civilisation hellénistique, la Syrie est le centre de l'État séleucide*.*

Province romaine à partir de 64, elle connaît un grand développement économique et culturel, tandis qu'Antioche devient un des principaux foyers du christianisme.

• *VII-VIIIe s. apr. J.-C. Une civilisation musulmane brillante s'élabore à Damas, où s'installe, après la conquête arabe (634-638), la dynastie des Omeyyades.*

Profitant de l'anarchie qui se généralise sous leurs successeurs 'abbāssides, les Francs fondent, à la suite de la première croisade, des États chrétiens (XIe-XIIe s.).

En 1517, les Turcs Ottomans* annexent le pays. Le déclin de leur Empire entraîne l'intervention de Bonaparte qui échoue devant Acre (1799), puis de Napoléon III en 1860, qui s'érige en protecteur des chrétiens et favorise la pénétration culturelle française.

• *1920. La Syrie (et le Liban) passent sous mandat français après l'effondrement de la domination ottomane.*

• *1941. L'essor du nationalisme entraîne la proclamation de l'indépendance, mais la Syrie n'est évacuée par les troupes franco-anglaises qu'en 1946.*

Membre fondateur de la Ligue arabe (1945), elle intervient en Palestine contre les Israéliens (mai 1948), et menacée par les projets d'annexion de ses voisins, soutenus par l'Angleterre, elle se rapproche de l'Égypte.

• *1958-1961. L'union avec celle-ci au sein de la République arabe unie (R. A. U.) est éphémère.*

Dès 1949, les coups d'État militaires se suivent jusqu'à la prise de pouvoir par le parti Baas en 1963. Se succèdent à la présidence : Amīn al-Ḥāfiz (1963-1966), Nūr al-Dīn al-Atāsī (1966-1970) et Ḥāfiz al-Asad (depuis 1970).

La Syrie, qui participe à la guerre des Six Jours (juin 1967), perd au profit d'Israël le territoire du Golan et se rapproche de l'U. R. S. S.

• *Octobre 1973. Une nouvelle guerre avec Israël pour reprendre les territoires occupés n'est pas décisive.*

• *1976. Début de l'intervention militaire de la Syrie au Liban où a éclaté la guerre civile.*

Le régime doit faire face, à l'intérieur, à l'opposition des religieux intégristes et, à l'extérieur, accentue à partir de 1985 sa tutelle sur le Liban.

• *1991. Lors de la guerre du Golfe*, la Syrie participe à la force multinationale qui s'oppose à l'Iraq pour la libération du Koweït.*

Cette prise de position contribue à une reprise des contacts avec les Occidentaux.

SYRIE *(désert de)*, région aride de l'Asie, aux confins de la Syrie, de l'Iraq et de la Jordanie.

SYRTES, nom antique de deux golfes, la *Grande Syrte* (terme encore employé auj. pour désigner une large échancrure de la côte de Libye) et la *Petite Syrte* (golfe de Gabès), sur la côte de Tunisie.

SYSTÈME [sistɛm] n. m. (gr. *sustêma*). **1.** Ensemble d'idées, de principes coordonnés de façon à former un tout scientifique ou une doctrine : *Le système astronomique de Copernic. Le système philosophique de Descartes.* — **2.** Combinaison d'éléments de même espèce réunis de manière à former un ensemble autour d'un centre : *Le système solaire* (= constitué par le Soleil, les planètes, leurs satellites, etc.). *Le système planétaire.* — **3.** Ensemble d'organes ou de tissus de même nature et destinés à des fonctions analogues : *Le système nerveux.* — **4.** *Système d'unités*, ensemble cohérent d'unités de mesure. ‖ *Système d'équations* ou *d'inéquations* → ÉQUATION, INÉQUATION. — **5.** *Géol.* Se dit des périodes qui divisent les ères : *Le système crétacé.* — **6.** Ensemble de méthodes, de procédés destinés à produire un résultat : *Un système d'éducation. Un système politique, économique, social. Un système de signalisation.* — **7.** *Fam.* Moyen employé pour réussir en quelque chose : *Un bon système pour faire fortune.* ‖ Fam. *Système D*, habileté à se tirer d'affaire, à sortir d'embarras, sans être toujours scrupuleux sur le choix des moyens. — **8.** Appareil ou dispositif formé par des éléments agencés d'une manière plus ou moins compliquée : *Un système d'éclairage, de fermeture automatique.* — **9.** *Esprit de système*, penchant à tout réduire en système, à penser, à agir en partant d'idées préconçues, d'après lesquelles on juge et classe les faits. ◆ **systématique** adj. **1.** Qui appartient à un système, qui est combiné d'après un système, un ordre déterminé : *Un classement systématique.* — **2.** *Péjor.* Se dit d'une personne (ou de son attitude) qui agit de façon rigide, sans tenir compte des circonstances : *Il est impossible de discuter avec lui, il est trop systématique* (syn. DOGMATIQUE, PÉREMPTOIRE). *Une opposition systématique* (syn. OBSTINÉ). ◆ **systématiquement** adv. : *Il s'abstient systématiquement de voter* (= de parti pris). ◆ **systématiser** v. t. Réunir en un système : *Systématiser des recherches.* ◆ v. i. *Péjor.* Juger à partir d'idées préconçues, agir de parti pris. ◆ **systématisation** n. f. : *Une systématisation excessive.*

SYSTOLE [sistɔl] n. f. (gr. *sustolê*, contraction). Période de contraction du muscle cardiaque, qui se fait simultanément pour les deux oreillettes, puis pour les deux ventricules (par oppos. à DIASTOLE).

SZCZECIN, en all. **Stettin,** v. de Pologne, sur l'Odra; 389 200 hab. Port de commerce actif. Chantiers navals.

SZEGED, v. de Hongrie, au confluent de la Tisza et du Mureş; 173 000 hab. Université. Textiles.

T n. m. **1.** Vingtième lettre de l'alphabet et la seizième des consonnes. → introduction de l'ouvrage. — **2.** t, symbole de la *tonne.*

TA adj. poss. → MON.

TABAC [taba] n. m. (esp. *tabaco*). **1.** Plante herbacée annuelle, originaire d'Amérique, cultivée pour ses feuilles, qui sont fumées, prisées ou mâchées après une préparation appropriée : *Le tabac contient un alcaloïde, la nicotine.* (Famille des solanacées.) — **2.** Produit manufacturé fait de feuilles de tabac séchées et préparées : *Un paquet de tabac.* — **3.** *Fam.* Débit de tabac : *Aller au tabac.* — **4.** Fam. *C'est toujours le même tabac,* c'est toujours la même chose. ‖ Fam. *Passer à tabac,* frapper, rouer de coups. ◆ adj. inv. D'une couleur brun roux, rappelant celle du tabac : *Un imperméable tabac.* ◆ **Tabacs** n. m. pl. En France, administration qui a le monopole de la préparation et de la vente du tabac (avec une majusc.). [La dénomination officielle est *Société d'exploitation industrielle des tabacs et des allumettes (S. E. I. T. A.).*] ◆ **tabagie** n. f. Endroit rempli de la fumée et de l'odeur du tabac. ◆ **tabatière** n. f. Petite boîte destinée à contenir du tabac à priser.

— ENCYCL. La production mondiale du *tabac* approche aujourd'hui 6 millions de tonnes, à peine freinée, globalement, dans sa croissance par la popularisation des dangers de sa consommation; cependant, la production américaine a reculé de plus de 20 p. 100 depuis 1962-1963.

Chine	1,5 million de t	Brésil	420 000 t
États-Unis	800 000 t	France	40 000 t
Inde	550 000 t		

TABAGO → TOBAGO.

TABASSER [tabase] v. t. (de *passer à tabac*). *Pop.* Battre violemment (souvent pron. réciproque) [syn. ROUER DE COUPS].

1. TABATIÈRE n. f. → TABAC.

2. TABATIÈRE [tabatjɛr] n. f. (de *tabac*). *Fenêtre à tabatière,* fenêtre qui a la même inclinaison que le toit sur lequel elle est adaptée.

TABELLION [tabeljɔ̃] n. m. (lat. *tabellio;* de *tabella,* tablette). Sorte d'écrivain public qui rédigeait spécialement les actes et les contrats.

TABERNACLE [tabɛrnakl] n. m. (lat. *tabernaculum,* tente). Petite armoire placée dans un mur, sur un pilier ou sur l'autel, et dans laquelle on conserve les hosties consacrées.

TABLATURE [tablatyr] n. f. (du lat. *tabula,* table). Autrefois, écriture musicale faite de lignes et de signes conventionnels (notes, chiffres, lettres) : *La tablature de luth pouvait être très compliquée.*

1. TABLE [tabl] n. f. (lat. *tabula*). **1.** Meuble composé d'un plateau horizontal, posé sur un ou plusieurs pieds : *Une table de travail.* — **2.** Meuble sur lequel on place les mets et les ustensiles nécessaires aux repas; ensemble de ces mets ou de ces objets : *Une table de douze couverts. Dresser, mettre la table* (= placer sur la table ce qui est nécessaire pour les repas). *Se mettre à table* (= s'asseoir à une table pour manger). *Être à table* (= en train de manger). *Se lever, sortir de table* (= avoir fini de manger). ‖ *À table!,* se dit familièrement pour inviter à se mettre à table. — **3.** Ensemble des personnes qui prennent un repas à la même table : *Une plaisanterie qui fait rire toute la table* (syn. TABLÉE). — **4.** *Sainte table* ou *table de communion,* enceinte basse qui entoure l'autel et devant laquelle les fidèles reçoivent la communion. ‖ *Table d'harmonie,* partie d'un instrument de musique sur laquelle les cordes sont tendues. ‖ *Table d'orientation,* table circulaire placée sur un endroit élevé, et indiquant par des flèches les détails d'un point de vue. ‖ *Table ronde,* réunion tenue par plusieurs personnes pour régler, sur un pied d'égalité, des questions qui touchent à leurs intérêts respectifs. ‖ *Table tournante,* table autour de laquelle prennent place plusieurs personnes qui y posent leurs mains, et dont les mouvements sont censés répondre aux questions posées aux esprits. ‖ *Tables de la Loi,* tables de pierre sur lesquelles, selon la Bible, était gravée la Loi que Dieu donna à Moïse. ◆ **tablée** n. f. Ensemble des personnes prenant un repas à la même table (sens 2). ◆ **attabler (s')** v. pr. S'asseoir à table, pour prendre un repas, une consommation : *S'attabler à la terrasse d'un café.* ◆ ***être attablé*** v. passif. ◆ **tabulaire** adj. En forme de table : *Relief tabulaire* (= relief de plateaux).

2. TABLE [tabl] n. f. (même étym.). Liste d'un ensemble d'informations, de données numériques, présentées méthodiquement : *Table des matières* (= liste des chapitres, des questions, traités dans un ouvrage). *Table de multiplication* (= tableau donnant les produits, l'un par l'autre, des dix premiers nombres).

Table ronde *(chevaliers de la)* → ARTHUR.

TABLEAU [tablo] n. m. (de *table*). **1.** Ouvrage de peinture exécuté sur un panneau de bois, sur une toile tendue sur un châssis, etc. : *Collectionner des tableaux.* ‖ *Il y a une ombre au tableau,* se dit d'un défaut qui altère parfois les beautés d'un ouvrage, les qualités d'une personne, d'un élément d'inquiétude dans une situation favorable dans son ensemble. ‖ *Tableau vivant,* reproduction de certains tableaux connus ou de certaines scènes de l'histoire à l'aide de personnages vivants, qui prennent les attitudes indiquées par le sujet. — **2.** Spectacle dont la vue produit certaines impressions : *Une mère et sa fille se battaient dans la rue, vous voyez d'ici le tableau* (fam.) [syn. SCÈNE]. — **3.** Évocation, description imagée d'une chose, soit de vive voix, soit par écrit : *Vous nous faites un tableau bien triste de la situation* (syn. PEINTURE, RÉCIT). — **4.** Panneau sur lequel on écrit à la craie, principalement en usage dans les écoles : *Aller au tableau.* — **5.** Support sur lequel sont groupés des objets, des appareils : *Accrocher une clef à un tableau.* ‖ *Tableau de bord d'un avion, d'une voiture,* ensemble d'appareils placés bien en vue du pilote ou du conducteur, et destinés à lui permettre de surveiller la marche de son véhicule. — **6.** Composition typographique qui comporte un certain nombre de colonnes divisées par des filets, des accolades. — **7.** Liste contenant des informations, des renseignements, disposés méthodiquement pour en faciliter la consultation : *Un tableau chronologique.* — **8.** Liste, dans l'ordre de leur réception, des membres d'un ordre professionnel : *Le tableau des avocats, des experts-comptables.* ‖ *Tableau d'avancement,* liste du personnel d'une administration jugé digne d'avancement. — **9.** *Tableau de chasse,* exposition sur le sol de toutes les pièces de gibier abattues, groupées par espèces. — **10.** *Jouer, miser sur les deux tableaux,* donner des garanties à deux partis opposés, pour être sûr d'obtenir des avantages quel que soit le vainqueur. — **11.** *Théâtre.* Subdivision d'un acte marquée par un changement de décor : *Un drame en trois actes et quinze tableaux.* ◆ **tableautin** n. m. Petit tableau (sens 1).

TABLÉE n. f. → TABLE 1.

TABLER [table] v. t. ind. (de *table*). *Tabler sur une chose,* compter sur elle.

1. TABLETTE [tablɛt] n. f. (de *table*). **1.** Planche posée horizontalement et destinée à recevoir divers objets. — **2.** Pièce de bois, de marbre, de pierre, de métal, etc., placée sur les montants d'une cheminée, sur l'appui d'une fenêtre, sur un radiateur. — **3.** Produit alimentaire de forme rectangulaire et aplatie : *Une tablette de chocolat.*

2. TABLETTES [tablɛt] n. f. pl. (de *tablette* 1). *Inscrire, mettre quelque chose sur ses tablettes,* en prendre bonne note, le graver dans sa mémoire (littér.). ‖ *Rayer une chose de ses tablettes,* ne plus compter sur elle. (Au XVIIe s., les tablettes étaient des feuilles d'ivoire, de parchemin, de papier, attachées ensemble et qui servaient d'agenda.)

1. TABLIER [tablije] n. m. (de *table*). **1.** Pièce d'étoffe, de cuir, de matière plastique, que l'on met devant soi pour préserver ses vêtements. — **2.** Fam. *Rendre son tablier,* se démettre de ses fonctions.

2. TABLIER [tablije] n. m. (même étym.). **1.** Dans un pont, plate-forme horizontale supportant la chaussée ou la voie ferrée. — **2.** Rideau en tôle, qui peut se baisser devant une cheminée pour permettre d'en régler le tirage.

TABOR *(mont)* → THABOR.

TABOU [tabu] n. m. (d'un mot polynésien). Interdit de caractère religieux, qui frappe un être, un objet, un acte qui sont considérés comme sacrés ou impurs. ◆ adj. **1.** Se dit d'une personne ou d'une chose interdite ou marquée d'un caractère sacré et interdit : *Un homme, un lieu tabou.* — **2.** *Fam.* Se dit d'une personne qu'on ne peut critiquer, d'une chose qu'on ne peut modifier : *Un règlement tabou.*

TABOURET [taburɛ] n. m. (de *tabour,* anc. forme de *tambour*). Petit siège à quatre pieds, sans dossier et sans bras.

TABRĪZ, ancienn. **Tauris,** v. de l'Iran (Azerbaïdjan); 599 000 hab. Centre commercial. Soieries. Tapis. Fonderie.

TABULAIRE adj. → TABLE 1.

TABULATEUR [tabylatœr] n. m. (du lat. *tabula,* table). Dispositif d'une machine à écrire permettant de retrouver automatiquement les mêmes zones d'arrêt à chaque ligne.

TABULATRICE [tabylatris] n. f. (du lat. *tabula,* table). Machine servant à compter des cartes perforées, lire leurs perforations, faire sur ces données des calculs, puis imprimer soit ce qui est lu sur la carte, soit le résultat des calculs.

TAC [tak] n. m. (onomat.). **1.** Bruit sec. — **2.** *Répondre du tac au tac,* répondre vivement; rendre coup pour coup.

1. TACHE [taʃ] n. f. (orig. incert.). **1.** Marque qui salit : *Une tache d'encre.* ‖ *Faire tache d'huile,* s'étendre largement de proche en proche. — **2.** Tout ce qui atteint l'honneur, la réputation : *Une vie sans tache.* ◆ **tacher** v. t. (sujet nom de personne). *Tacher une chose,* la salir en faisant des taches dessus : *Tacher un vêtement avec de l'encre.* ◆ v. i. (sujet nom de chose). Faire des taches : *Les fruits tachent.* ◆ ***se tacher*** v. pr. **1.** (sujet nom de personne) Faire des taches sur ses vêtements. — **2.** (sujet nom de chose) Se salir : *Un tissu qui se tache facilement.* ◆ **tachant, e** adj. Se dit d'une chose qui se tache facilement (syn. SALISSANT). ◆ **détacher** v. t. *Détacher une chose* (surtout un vêtement), en faire disparaître les taches : *Détacher un costume avec de la benzine.* ◆ **détachage** n. m. ◆ **détachant, e** adj. et n. m. : *Une poudre détachante. La mise en vente d'un nouveau détachant.* ◆ **entacher** v. t. **1.** *Entacher la gloire, la réputation, la mémoire,* etc. *de qq'un,* y porter atteinte, les souiller. — **2.** *Un acte entaché de nullité,* rendu nul par une irrégularité (jurid.). ‖ *Calcul entaché d'erreur,* qui comporte des erreurs (langue soignée) [syn. ERRONÉ, FAUX].

2. TACHE [taʃ] n. f. (même étym.). Marque naturelle sur la peau de l'homme, le pelage des animaux ou certaines parties des végétaux : *Avoir des taches de rousseur sur le visage. Un chien qui a des taches noires.* ◆ **tacheter** v. t. (Conj. **7.**) Marquer de petites taches : *Le soleil lui a tacheté le visage;* surtout au passif et au part. adj. : *Un chien blanc tacheté de noir.*

TÂCHE [tɑʃ] n. f. (du lat. *taxare,* taxer). **1.** Travail à faire dans un temps déterminé et dans certaines conditions : *Faciliter la tâche à quelqu'un. Travailler à la tâche* (= selon un prix convenu pour un travail fixé d'avance). — **2.** Ce qui doit être fait; obligation morale : *La tâche de l'éducateur est de former l'intelligence et le caractère.* ◆ **tâcheron** n. m. *Péjor.* Personne qui exécute une tâche ingrate et sans éclat.

TÂCHER [tɑʃe] v. t. ind. (de *tâche*). *Tâcher de* (et l'infin.), faire des efforts pour (syn. S'EFFORCER DE). ◆ v. t. *Tâcher que* (et le subj.), faire en sorte que : *Tâchez que cela ne se reproduise pas.*

TÂCHERON n. m. → TÂCHE.

TACHETER v. t. → TACHE 2.

TACHISME [taʃism] n. m. (de *tache*). Nom donné à une des tendances de la peinture abstraite, qui se caractérise par l'application de taches de couleur, traitées pour elles-mêmes, indépendamment du motif représenté.

TACHKENT, v. de l'U. R. S. S., capit. de l'Ouzbékistan, près du Syr-Daria; 1 858 000 hab. C'est la plus grande ville et la métropole intellectuelle et économique (métallurgie, industrie du coton) de l'Asie centrale soviétique.

TACHYCARDIE [takikardi] n. f. (du gr. *takhus,* rapide, et *kardia,* cœur). *Méd.* Augmentation du nombre des battements du cœur, pouvant aller de 90 à 200 pulsations par minute.

TACHYMÈTRE [takimɛtr] n. m. (du gr. *takhus,* rapide, et *metron,* mesure). Instrument employé pour la mesure des vitesses.

TACITE [tasit] adj. (lat. *tacitus,* qui se tait). Se dit de ce qui n'est pas exprimé formellement, qui peut être sous-entendu : *Approbation tacite.* ◆ **tacitement** adv. : *Approuver tacitement.*

TACITE, historien latin (vers 55-120). Issu d'une famille sénatoriale, il fit une carrière politique qui le mena jusqu'au proconsulat (v. 110-113). Orateur brillant, il se consacra ensuite à l'histoire. On lui doit : *la Germanie* (v. 98), description des mœurs des Germains; les *Histoires,* récit des événements de son temps, à partir de la mort de Néron; les *Annales,* écrites v. 115-117, illustrant la période antérieure, de Tibère à Néron. Dans cette œuvre, précieuse par la qualité et l'étendue de sa documentation, Tacite se montre un moraliste sévère, en évoquant les vertus antiques.

TACITURNE [tasityrn] adj. et n. (lat. *taciturnus*). Se dit d'une personne qui parle peu (syn. MOROSE, SILENCIEUX).

TACON [takɔ̃] n. m. (frq. *takko,* languette). Jeune saumon, avant sa descente en mer, mesurant au plus 15 cm.

TACOT [tako] n. m. (de *tac*). *Fam.* Vieille voiture défectueuse.

1. TACT [takt] n. m. (lat. *tactus,* toucher). Sensation produite par le contact d'un objet avec la peau : *Le tact n'est qu'une partie du toucher qui comprend aussi les sensations thermiques et douloureuses. Les corpuscules sensoriels du tact sont situés dans le derme.* ◆ **tactile** adj. Qui a rapport au tact ou, plus généralement, au toucher : *Corpuscules tactiles.*

2. TACT [takt] n. m. (de *tact* 1). Sentiment délicat de la mesure, des nuances, des convenances : *Agir avec tact* (syn. DÉLICATESSE, DISCRÉTION, DOIGTÉ; contr. GROSSIÈRETÉ).

TACTIQUE [taktik] n. f. (gr. *taktikê tekhnê,* art de ranger). **1.** Art de diriger une bataille terrestre, navale ou aérienne, en combinant, par la manœuvre, l'action des différents moyens de combat en vue d'obtenir le maximum d'efficacité. — **2.** Moyens qu'on emploie pour obtenir le résultat voulu. ◆ adj. Relatif à la tactique : *Des dispositions tactiques.* ◆ **tacticien, enne** n. Personne qui connaît la tactique (sens 1 et 2).

TADJIKISTAN ou **TADJIKIE,** république fédérée de l'U. R. S. S., en Asie centrale, à la frontière de la Chine et de l'Afghānistān : 143 000 km²; 5 100 000 hab. *(Tadjiks).* Capit. *Douchanbe.*

L'État s'étend sur le massif montagneux du Pamir, au climat continental très rude. De riches cultures (fruits, légumes et surtout coton) se développent dans les vallées et les bassins, grâce à l'irrigation.

TADORNE [tadɔrn] n. m. (du lat. *anas tadorna*). Genre de canard à bec rouge et à plumage multicolore, passant sur nos côtes et pouvant nicher dans des terriers de lapins.

TAEGU, v. de la Corée du Sud, au N. de Pusan; 1 608 000 hab.

TÆNIA n. m. → TÉNIA.

TAFFETAS [tafta] n. m. (it. *taffeta*). Toile légère de soie ou de fibres synthétiques.

TAFILALET ou **TAFILELT,** région du Sahara marocain, au S. du Haut Atlas. Nombreuses oasis.

TAFNA (la), fl. côtier d'Algérie (Tlemcen), qui a donné son nom au traité conclu en 1837 entre Bugeaud et Abd el-Kader.

TAGE (le), en esp. **Tajo,** en portug. **Tejo,** le plus long fleuve de la péninsule Ibérique; 1 120 km. Né en Espagne, il arrose Tolède, traverse le Portugal et rejoint l'Atlantique par un estuaire sur lequel est établi Lisbonne.

TAGLIATELLES [taglijatɛl] n. f. pl. (mot it.). Pâtes alimentaires découpées en minces lanières.

TAGORE (Rabindranāth THAKUR, dit), écrivain indien (1861-1941), auteur de poèmes d'inspiration mystique où patriotique *(Gitān jali,* traduit de l'anglais par Gide sous le titre de *l'Offrande lyrique),* de romans et de drames. (Prix Nobel, 1913.)

TAHITI, île principale de l'archipel de la Société (Polynésie française); 1 042 km²; 95 600 hab. *(Tahitiens).* Ch.-l. *Papeete.*

GÉOGRAPHIE. L'île, constituée de deux volcans éteints réunis par un isthme, vit essentiellement de la pêche, de la culture du coprah et du tourisme. La population, en majeure partie polynésienne, est métissée. Elle comprend des minorités chinoise et européenne, concentrées surtout à Papeete, qui regroupe plus de la moitié de la population totale de l'île.

HISTOIRE. L'île, explorée dans la seconde moitié du XVIIIe s. par les Français (Bougainville) et les Anglais (Cook), est partagée à cette époque entre des princes qui dominent les autres classes sociales (nobles, propriétaires plébéiens).

- *1815. Soutenu par les missionnaires protestants anglais, Pomaré II se rend maître de l'île.*

À la suite de l'expulsion des missionnaires catholiques français (1836), le capitaine de vaisseau Dupetit-Thouars exige réparation de la reine Pomaré IV.

- *1842. L'île est placée sous protectorat français.*
- *1880. À la mort de Pomaré V, la France annexe Tahiti et ses dépendances.*

Tahiti devient le centre des Établissements français d'Océanie (Polynésie française depuis 1956).

- *1963-1964. La France installe à Papeete le siège du Centre d'expérimentation du Pacifique chargé d'effectuer des expériences atomiques.*

TAÏAUT! ou **TAYAUT!** [tajo] interj. (onomat.). Cri du veneur à la vue du gibier, pour lancer les chiens à sa poursuite.

1. TAIE [tɛ] n. f. (lat. *theca,* étui). *Taie d'oreiller, de traversin,* enveloppe de linge dans laquelle on place un oreiller, un traversin.

2. TAIE [tɛ] n. f. (même étym.). *Anat.* Tache blanche, opaque, sur la cornée.

TAÏGA [taiga] n. f. (mot russe). Formation végétale du nord de l'Eurasie et de l'Amérique, constituée par la forêt de conifères à feuilles persistantes (mêlés parfois de bouleaux), caractéristique des régions froides à été court, mais encore sensible.

TAILLABLE adj. → TAILLE 4.

TAILLADE [tajad] n. f. (it. *tagliata,* coup qui entaille). Coupure en long : *Faire des taillades dans un arbre.* ◆ **taillader** v. t. Faire des taillades dans (surtout à la forme pron.) : *Se taillader le visage* (syn. COUPER, ENTAILLER).

1. TAILLE n. f. → TAILLER 1.

2. TAILLE [taj] n. f. (de *tailler*). **1.** Hauteur du corps humain : *Un homme de grande taille* (syn. STATURE). — **2.** Hauteur et grosseur des animaux : *Un cheval de petite taille.* — **3.** Dimension d'une chose : *Un plat de grande taille.* — LOC. ADJ. Fam. *De taille,* d'importance : *Une sottise de taille.* ‖ *Être de taille à faire qqch.,* être capable de le faire. ◆ **taillé, e** adj. **1.** Se dit d'une personne qui a une certaine taille : *Être taillé en hercule, en force* (= être fortement musclé). — **2.** *Taillé pour,* propre à faire quelque chose, par ses aptitudes, sa constitution.

3. TAILLE [taj] n. f. (même étym.). **1.** Partie rétrécie du corps humain comprise entre le bas de la cage thoracique et les hanches : *Un vêtement serré à la taille. Le tour de taille.* — **2.** Partie rétrécie du vêtement, qui dessine la taille d'une personne : *Un pantalon taille basse.*

4. TAILLE [taj] n. f. (même étym.). En France, impôt direct mis sur les roturiers jusqu'en 1789. ◆ **taillable** adj. Sujet à la taille : *Le serf était taillable et corvéable à merci.*

— ENCYCL. Levée seulement en temps de guerre sous Philippe le Bel, la *taille* devint permanente pendant la guerre de Cent Ans. Il y avait la taille *personnelle* (dans les pays d'élection), sorte d'impôt sur le revenu, et la taille *réelle* (dans les pays d'état), sorte d'impôt foncier. Elle était en fait l'impôt des paysans et disparut à la Révolution.

TAILLE-CRAYON n. m. → TAILLER 1.

TAILLE-DOUCE [tajdus] n. f. *(taille,* et *douce).* Gravure faite au burin seul (sans eau-forte), sur une planche de métal; estampe obtenue par ce procédé. ‖ Pl. des *tailles-douces.*

1. TAILLER [taje] v. t. (bas lat. *taliare;* de *talea,* bouture). **1.** *Tailler qqch.* (un arbre, etc.), en couper, en retrancher ce qu'il a de superflu, pour lui donner une certaine forme, pour le rendre propre à tel usage : *Tailler un diamant. Tailler des arbres fruitiers* (syn. ÉLAGUER, ÉMONDER). — **2.** Couper dans une étoffe ce qui est nécessaire pour confectionner une pièce de vêtement : *Tailler une robe.* ◆ ***se tailler*** v. pr. **1.** *Se tailler la part du lion,* se réserver la meilleure et la plus grosse part. — **2.** *Se tailler un succès,* se faire brillamment remarquer. ◆ **taille** n. f. **1.** Action ou manière de tailler : *La taille d'un arbre, d'un diamant.* — **2.** Tranchant, partie coupante d'une arme : *Frapper d'estoc et de taille.* (→ ESTOC.) — **3.** *Pierre de taille,* pierre que l'on emploie dans la construction après l'avoir taillée. ◆ **tailleur** n. m. **1.** Artisan qui fait des vêtements sur mesure. — **2.** Costume féminin comprenant une jupe et une veste de même tissu. ◆ **taillis** n. m. Bois que l'on coupe à intervalles rapprochés. ◆ **taille-crayon** n. m. Petit outil généralement conique, garni à l'intérieur d'une lame tranchante, dont on se sert pour tailler les crayons. ‖ Pl. des *taille-crayon(s).*

2. TAILLER (SE) [sətaje] v. pr. (de *tailler* 1). *Pop.* Se sauver, partir.

TAIN [tɛ̃] n. m. (de *étain*). Amalgame d'étain, que l'on applique derrière une glace pour la rendre réfléchissante.

TAINE (Hippolyte), philosophe, critique et historien français (1828-1893). Il a essayé d'expliquer par la triple influence de la race, du milieu et du temps les œuvres artistiques ainsi que les faits historiques (*Origines de la France contemporaine,* 1875-1893), et littéraires (*Essai sur les fables de La Fontaine,* 1853; *Philosophes français du XIXe siècle,* 1857; *Histoire de la littérature anglaise,* 1863; *Philosophie de l'art,* 1882).

TAIN-L'HERMITAGE, ch.-l. de cant. de la Drôme, à 18 km au N. de Valence; 5600 hab. Vignobles.

T'AI-PEI ou **TAIPEH,** capit. de T'ai-wan, dans le nord de l'île; 5 millions d'hab. Centre politique, commercial et industriel.

T'ai-p'ing, mouvement politique et religieux de la Chine qui, recrutant surtout dans la paysannerie mécontente, se manifesta à partir de 1851. Son chef fonda un État dont il se déclara l'empereur. Ce mouvement fut écrasé en 1864.

TAIRE [tɛr] v. t. (lat. *tacere*). [Conj. **78.**] *Taire qqch.,* ne pas le dire : *Taire les motifs d'une absence* (syn. CACHER, DISSIMULER, GARDER POUR SOI). ◆ ***se taire*** v. pr. **1.** (sujet nom de personne) S'abstenir ou cesser de parler. — **2.** (sujet nom d'animal ou de chose) Cesser de se faire entendre, de faire du bruit : *Les vents et la mer se sont tus* (syn. SE CALMER).

T'AI-WAN → FORMOSE.

T'AI-YUAN, ancienn. **Yang-ku,** v. de Chine, capit. du Chan-si; 1020000 hab. Métallurgie.

TAIZÉ, comm. de Saône-et-Loire (arrond. de Mâcon); 140 hab. Communauté de frères protestants groupés dans un esprit œcuménique.

TALANGE, comm. de la Moselle, sur la Moselle, au N. de Metz; 8600 hab.

TALAVERA DE LA REINA, v. d'Espagne (Castille-La Manche), sur le Tage; 31900 hab. Faïences réputées au XVIIe et au XVIIIe s.

• *1809. Les Français y sont vaincus par Wellington.*

TALBOT (William Henry), physicien anglais (1800-1877). Il a réalisé le premier, en 1834, la photographie sur papier *(talbotypie).*

TALC [talk] n. m. (ar. *talq*). Silicate naturel de magnésium, onctueux et tendre, de texture lamelleuse, qu'on rencontre dans les schistes cristallins : *La poudre de talc est employée pour les soins de la peau.* ◆ **talquer** v. t. *Talquer qqch.,* l'enduire de talc : *Talquer des gants.*

TALÉ, E [tale] adj. (empr. au germ.). Meurtri, en parlant des fruits : *Poires talées.*

TALENCE, ch.-l. de cant. de la Gironde, dans la banlieue de Bordeaux; 36400 hab. *(Talençais).*

1. TALENT [talɑ̃] n. m. (gr. *talanton,* plateau de balance). Unité de poids de l'Antiquité, représentant en principe ce qu'un homme peut porter.

2. TALENT [talɑ̃] n. m. (de *talent* 1, d'après la parabole des talents dans saint Matthieu). **1.** Aptitude, habileté naturelle ou acquise à faire une chose : *Il a des talents, mais il ne sait pas les faire valoir. Peintre de talent* (= qui a du talent). — **2.** Personne qui a un talent : *Encourager les jeunes talents.* ◆ **talentueux, euse** adj. *Fam.* Se dit d'une personne qui a du talent.

TALETH ou **TALLETH** [talɛt] n. m. (mot hébr.). Voile dont les juifs se couvrent les épaules, dans les synagogues, pour réciter les prières.

TA-LIEN, ancienn. **Dairen,** en russe **Dalni,** port de la Chine du Nord-Est (Leao-ning), russe jusqu'en 1905; 1590000 hab. Sidérurgie. Chantiers navals. Industries chimiques et textiles.

TALION [taljɔ̃] n. m. (lat. *talio;* de *talis,* tel). *Loi du talion,* loi selon laquelle une offense doit être réparée par une peine équivalente. (Dans la législation hébraïque qu'elle a inspirée, la loi du talion s'exprime par la formule célèbre : *Œil pour œil, dent pour dent.*)

TALISMAN [talismɑ̃] n. m. (du persan *ṭilismān,* figures magiques). Objet marqué de signes cabalistiques, auquel on attribue la vertu de protéger celui qui en est porteur ou de lui donner un pouvoir magique.

TALITRE [talitr] n. m. (lat. *talistrum,* chiquenaude). Genre de crustacé, long de 2 cm, fréquent dans le sable des plages et sous les algues en décomposition dont il se nourrit. (La facilité avec laquelle il saute lui a valu le nom vulgaire de PUCE DE MER.)

TALKIE-WALKIE n. m. → WALKIE-TALKIE.

TALLE [tal] n. f. (lat. *thallus*). *Bot.* Tige secondaire munie de racines adventives, apparaissant à partir du pied principal d'une plante. ◆ **tallage** n. m. Production de talles par une plante.

TALLETH n. m. → TALETH.

TALLEYRAND-PÉRIGORD (Charles Maurice DE), prélat et diplomate français (1754-1838).

• *1788. Entré sans vocation dans les ordres à cause d'une infirmité, il devient évêque d'Autun.*

Député aux États généraux (1789), il fait voter le décret mettant les biens du clergé à la disposition de la nation et prend la tête du clergé constitutionnel. Condamné par le pape, il quitte l'Église et est nommé, en 1792, diplomate à Londres, où il rejoint bientôt l'émigration.

• *1797-1807. Revenu en France, il prend part au complot du 18-Brumaire et devient ministre des Affaires étrangères.*

Bien que couvert d'honneurs (il est fait prince de Bénévent en 1806), il s'oppose à la politique impériale de conquête, et trahit Napoléon en incitant le tsar à ne pas le soutenir (entrevue d'Erfurt, 1808), ce qui lui vaut d'être disgracié (1809).

• *1814. Il constitue un gouvernement provisoire qui proclame la déchéance de Napoléon.*

Au congrès de Vienne (1814-1815), il redonne une place à la France en divisant les coalisés (il favorise l'annexion de la Ruhr par la Prusse). Passé ensuite à l'opposition orléaniste, il redevient ambassadeur à Londres de 1830 à 1835.

TALLIEN (Jean-Lambert), homme politique français (1767-1820). Député montagnard sous la Convention, représentant en mission à Bordeaux, il y commet des excès qui incitent Robespierre à le rappeler. Le 9 thermidor, il contribue à la chute de celui-ci. Personnalité de premier plan à l'époque thermidorienne, il devient ensuite membre des Cinq-Cents. — Sa femme, **Mme Tallien** (Thérésa CABARRUS) [1773-1835], marquise DE FONTENAY, plus tard princesse DE CHIMAY, fut une des merveilleuses* les plus originales.

TALLINN ou **TALLIN,** anciènn. **Reval** ou **Revel',** port et capit. de l'Estonie, sur le golfe de Finlande; 415000 hab. Métallurgie.

TALMA (François-Joseph), tragédien français (1763-1826); acteur préféré de Napoléon, il donna plus de vérité historique à la mise en scène et de naturel à la diction dans les tragédies classiques.

Talmud (mot hébr. signif. *étude*), vaste recueil de littérature religieuse juive, comportant des textes allant du IIIe s. av. J.-C. à la fin du Ve apr. J.-C. Le Talmud représente l'expression de la loi orale, complément de la Tora*, ou loi écrite, dont il est dans une certaine mesure le commentaire. Il comprend la Mishna* et la Gemârâ.

TALOCHE [talɔʃ] n. f. (de *taler*, meurtrir). *Fam.* Coup donné sur la figure avec le plat de la main (syn. GIFLE, ↓TAPE).

1. TALON [talɔ̃] n. m. (du lat. *talus*). **1.** Partie postérieure et inférieure du pied de l'homme, dont le squelette est le calcanéum : *S'asseoir sur les talons* (= s'accroupir). — **2.** Partie d'un bas, d'une chaussette, qui enveloppe le talon. — **3.** Partie saillante ajoutée à la semelle d'une chaussure, à l'endroit où repose le talon : *Des souliers à talons hauts.* — **4.** *Être, marcher sur les talons de qq'un,* le suivre de très près. ‖ *Tourner les talons,* partir. ‖ *Avoir l'estomac dans les talons,* avoir grand faim. ◆ **talonner** v. t. **1.** (sujet nom de personne) *Talonner qq'un,* le poursuivre de très près. — **2.** (sujet nom de personne) *Talonner un cheval,* le presser du talon ou de l'éperon. — **3.** (sujet nom de personne ou de chose) Presser vivement : *Ses créanciers le talonnent* (syn. HARCELER). *La faim le talonnait* (syn. TOURMENTER). ◆ v. i. Au rugby, faire sortir le ballon de la mêlée pour le diriger vers son camp. ◆ **talonnage** n. m. Au rugby, action de talonner. ◆ **talonneur** n. m. Au rugby, joueur chargé de talonner le ballon. ◆ **talonnette** n. f. **1.** Lame de liège ou de toute autre matière, taillée en biseau et placée sous le talon, à l'intérieur d'une chaussure. — **2.** Étroite bande de peau ou de tresse, cousue au bas d'un pantalon pour en éviter l'usure.

2. TALON [talɔ̃] n. m. (de *talon* 1). **1.** Ce qui reste des cartes ou des dominos après la distribution à chaque joueur. — **2.** Dernier morceau, reste d'une chose entamée : *Un talon de pain, de jambon.* — **3.** Partie non détachable d'un carnet à souches : *Inscrire le montant d'un chèque sur le talon.*

TALQUER v. t. → TALC.

TALUS [taly] n. m. (du gaul. *talo*, front). Terrain en pente, situé au bord d'une route, le long d'un fossé.

TALWEG ou **THALWEG** [talvɛg] n. m. (mot all.; de *Tal*, vallée, et *Weg*, chemin). *Géogr.* Ligne joignant les points les plus bas du fond d'une vallée.

TAMANOIR [tamanwar] n. m. (empr. à la langue des Caraïbes). Mammifère édenté de l'Amérique du Sud, atteignant 2,50 m de long (avec la queue) et appelé GRAND FOURMILIER, car il se nourrit d'insectes, capturés avec sa longue langue visqueuse.

TAMANRASSET, auj. **Tamenghest,** oasis du Sahara algérien (dép. des Oasis), dans le Hoggar. Le P. de Foucauld s'y établit en 1905 et y fut assassiné en 1916.

TAMARIS [tamaris] n. m. (bas lat. *tamariscus*). Arbrisseau à très petites feuilles et à grappes de fleurs roses, souvent planté dans le Midi.

TAMATAVE, auj. **Toamasina,** port de Madagascar; 60000 hab. Raffinage du pétrole.

TAMBOUILLE [tɑ̃buj] n. f. (de *pot-en-bouille*). *Pop.* Ragoût de qualité médiocre. ‖ *Faire la tambouille,* faire la cuisine.

1. TAMBOUR [tɑ̃bur] n. m. (persan *tabīr*). **1.** Cylindre, en bois ou en métal, sur lequel s'enroule le cable d'un treuil. — **2.** *Tambour de frein,* pièce circulaire solidaire de la pièce à freiner, et sur laquelle viennent frotter les segments de frein.

2. TAMBOUR [tɑ̃bur] n. m. (même étym.). **1.** Caisse cylindrique dont chaque fond est formé d'une peau tendue, sur laquelle on frappe avec des baguettes pour en tirer des sons : *Un roulement de tambour.* — **2.** Homme qui bat du tambour. — **3.** *Mener qq'un, qqch., tambour battant,* rudement. ‖ *Partir sans tambour ni trompette,* sans bruit, en secret. ◆ **tambourin** n. m. Tambour plus long et plus étroit que le tambour ordinaire, et que l'on bat avec une seule baguette. ◆ **tambourinaire** n. m. En Provence, joueur de tambourin. ◆ **tambouriner** v. i. (sujet nom de personne ou de chose). Imiter le bruit du tambour : *Il tambourinait nerveusement sur la table.* ◆ v. t. Battre sur un tambour : *Tambouriner une marche.* ◆ **tambourinage** ou **tambourinement** n. m. : *Son tambourinage sur la table est agaçant.*

TAMENGHEST → TAMANRASSET.

TAMERLAN → TĪMŪR LANG.

TAMIL NADU, anciènn. **État de Madras,** État de l'Inde méridionale, sur le golfe de Bengale; 130100 km²; 48297000 hab. Capit. *Madras.*

TAMILS → TAMOULS.

TAMIS [tami] n. m. (bas lat. *tamisium*). Instrument qui sert à passer des matières pulvérulentes ou des liquides épais. ◆ **tamiser** v. t. **1.** *Tamiser qqch.,* le passer au tamis. — **2.** *Tamiser la lumière,* la laisser passer en l'adoucissant : *Une lumière tamisée* (= douce, filtrée). ◆ **tamisage** n. m. : *Le tamisage du plâtre.*

TAMISE, en angl. **Thames,** fleuve d'Angleterre, issu des Cotswold Hills, qui arrose Oxford, Londres, et se jette dans la mer du Nord; 336 km. Son estuaire, siège du port de Londres, connaît un trafic maritime intense.

TAMISER v. t. → TAMIS.

TAMOULS ou **TAMILS,** groupe ethnique de l'Inde méridionale et de Sri Lanka.

TAMPA, port des États-Unis (Floride); 277800 hab.

TAMPERE, en suédois **Tammerfors,** v. de Finlande, à l'O. de la région des lacs; 167000 hab. Industries textiles et mécaniques.

TAMPICO, port du Mexique, sur l'Atlantique; 222000 hab. Exportation et raffinage du pétrole.

1. TAMPON [tɑ̃pɔ̃] n. m. (frq. *tappo*). **1.** Gros bouchon de matière quelconque, servant à obturer une ouverture. — **2.** *Tampon périodique,* petit rouleau comprimé d'ouate absorbante, dont les femmes se servent pendant leurs règles. — **3.** Étoffe ou autre matière roulée ou pressée, servant à frotter ou à imprégner.

2. TAMPON [tɑ̃pɔ̃] n. m. (même étym.). Cheville de bois ou de métal enfoncée dans un mur de maçonnerie, afin d'y placer une vis ou un clou. ◆ **tamponner** v. t. : *Tamponner un mur* (= le percer pour y introduire un tampon). ◆ **tamponnoir** n. m. Outil servant à percer un mur pour y placer des tampons.

3. TAMPON [tɑ̃pɔ̃] n. m. (même étym.). Plaque de métal ou de caoutchouc gravée, et qui, enduite d'encre, permet d'imprimer sur une lettre, sur un document le timbre d'une administration ou d'une société : *Apposer le tampon officiel sur un passeport.* ◆ **tamponner** v. t. : *Tamponner une lettre, un document* (= y apposer un cachet).

4. TAMPON [tɑ̃pɔ̃] n. m. (même étym.). **1.** Disque de métal placé à l'extrémité des voitures de chemin de fer ou des wagons, pour amortir les chocs. — **2.** *Servir de tampon,* amortir les coups, les heurts, chercher à apaiser : *Il a servi de tampon entre les deux adversaires.* ◆ **tamponner** v. t. Heurter violemment : *Un train qui en tamponne un autre* (syn. fam. EMBOUTIR, TÉLESCOPER). ◆ **tamponnement** n. m. Collision brutale entre deux trains ou deux véhicules. ◆ **tamponneur, euse** adj. *Autos tamponneuses,* divertissement de fête foraine qui consiste à conduire une petite voiture électrique afin de tamponner les autres voitures de la piste.

TAM-TAM [tamtam] n. m. (onomat.). **1.** Instrument de musique d'origine chinoise, composé d'une plaque circulaire de métal suspendue verticalement et qu'on frappe avec un maillet. — **2.** En Afrique centrale, tambour qu'on frappe avec la main. — **3.** *Fam.* Publicité tapageuse. ‖ Pl. des *tam-tams.*

TAN n. m. → TANNER 1.

TANA (la) ou **TENO** (le), fl. de Laponie, séparant la Finlande de la Norvège; 304 km.

TANAGRA, village de Grèce (Béotie). Dans l'Antiquité, surtout au IVe s. av. J.-C., centre de production d'élégantes statuettes de terre cuite (notamment jeunes femmes et enfants).

TANANARIVE, depuis 1976 **Antananarivo,** capit. de Madagascar, sur le plateau de l'Imérina, à 1400 m d'alt.; 1050000 hab. Archevêché. Université. Centre commercial.

TANCARVILLE, comm. de la Seine-Maritime, à 30 km à l'E. du Havre, sur l'estuaire de la Seine; 1130 hab. — Le *canal de Tancarville* aboutit à l'arrière-port du Havre (26 km). — Le *pont de Tancarville,* établi sur l'estuaire de la Seine (1955-1959) à Tancarville, est l'un des plus importants d'Europe. Il réduit de 102 km la distance entre Le Havre et Caen.

TANCER [tɑ̃se] v. t. (bas lat. *tentiare*, quereller). *Tancer qq'un,* le réprimander (littér.) [syn. ADMONESTER, GRONDER].

TANCHE [tɑ̃ʃ] n. f. (lat. *tinca*). Poisson des rivières, pouvant mesurer jusqu'à 50 cm et peser 5 kg, et qui se plaît sur les fonds vaseux. (Famille des cyprinidés.)

TANCRÈDE, mort en 1112, prince de Galilée (1099-1112), prince d'Antioche (1111-1112). Il se couvrit de gloire durant la première croisade. Le Tasse en a fait un des héros de sa *Jérusalem délivrée.*

TANDEM [tɑ̃dɛm] n. m. (mot angl.). **1.** Bicyclette pour deux personnes placées l'une derrière l'autre. — **2.** *Fam.* Association de deux personnes qui travaillent à une même œuvre.

TANDIS QUE [tɑ̃dikə] ou [tɑ̃diskə] loc. conj. (du lat. *tamdiu,* aussi longtemps, et *que*). **1.** Marque la simultanéité de deux actions : *Nous sommes arrivés tandis qu'il déjeunait* (syn. COMME, PENDANT QUE). — **2.** Marque la substitution d'une action à une autre, le contraste, l'opposition : *Vous reculez, tandis qu'il faudrait avancer* (syn. ALORS QUE).

TANEZROUFT *(Pays de la soif),* région très désertique du Sahara, à l'O. du Hoggar.

TANGAGE n. m. → TANGUER.

TANGANYIKA, grand lac occupant un fossé d'effondrement de l'Afrique orientale, entre le Zaïre et l'ancien Tanganyika, qui se déverse dans le Zaïre (r. dr.) par le Lukuga; 31 900 km².

TANGANYIKA → TANZANIE.

1. TANGENT, E [tɑ̃ʒɑ̃, -ɑ̃t] adj. (du lat. *tangere,* toucher). *Fam.* Se dit de ce qui approche de justesse d'un résultat : *S'il réussit à son examen, ce sera tangent.* ◆ **tangente** n. f. **1.** *Arg. scol.* À l'École polytechnique, épée d'uniforme. — **2.** Fam. *Prendre la tangente,* se sauver rapidement, se tirer d'affaire habilement (syn. S'ESQUIVER).

2. TANGENTE [tɑ̃ʒɑ̃t] adj. et n. f. (même étym.). *Math.* **1.** Une droite D est *tangente* à un cercle C en un point A de C (ou est la *tangente* en A à C) si D et C ont pour seul point commun A.

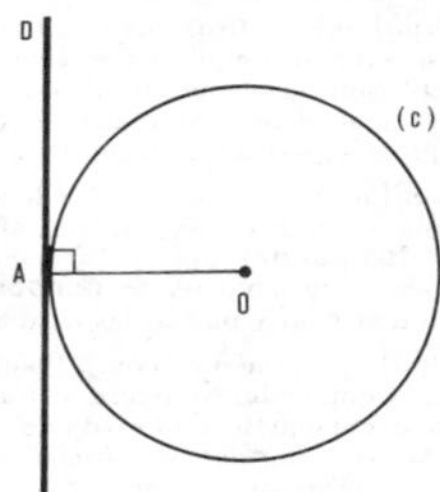

(*Propriété :* La tangente en A au cercle de centre O est perpendiculaire au rayon OA.) — **2.** *Tangente d'un nombre* → TRIGONOMÉTRIE.

TANGER, port du Maroc, sur le détroit de Gibraltar; 187 900 hab. Tanger fut ville internationale de 1923 à 1956, sauf pendant l'occupation espagnole (1940-1945). C'est un port franc depuis 1962.

TANGIBLE [tɑ̃ʒibl] adj. (du lat. *tangere,* toucher). **1.** Se dit d'une chose perceptible par le toucher : *Une réalité tangible.* — **2.** Se dit de ce qui est manifeste, réel, évident : *Une preuve tangible.*

1. TANGO [tɑ̃go] n. m. (mot hispano-amér.). Danse à deux temps, venue de l'Amérique latine, très en vogue en Europe à partir de 1910.

2. TANGO [tɑ̃go] adj. inv. (de *tango* 1, parce que cette couleur était à la mode à l'époque du tango). D'une couleur orange : *Des étoffes tango.*

TANGUER [tɑ̃ge] v. i. (frison *tängeln,* vaciller) [sujet nom désignant un bateau, une voiture de chemin de fer, un avion]. Être soumis à un balancement dans le sens de la longueur. ◆ **tangage** n. m. Balancement d'un véhicule dans le sens de la longueur (par oppos. à ROULIS).

TANGUY (Yves), peintre américain d'origine française (1900-1955). Il est l'un des principaux représentants du surréalisme.

TANIÈRE [tanjɛr] n. f. (du gaul. *taxo,* blaireau). Abri plus ou moins couvert ou souterrain d'un animal sauvage.

TANIN n. m. → TANNER 1.

TANIS, v. de l'Égypte anc., dans le Delta. Résidence des rois hyksos et berceau de la XXIe dynastie, elle fut peut-être la capitale de Ramsès II.

TANIZAKI (Junichirō), romancier et dramaturge japonais (1886-1965). Influencé par la culture occidentale, il incline vers le réalisme avant de retrouver les formes d'expression traditionnelles dans des romans où il peint les conflits du monde moderne et de la civilisation japonaise ancestrale (*Neige fine,* 1948; *la Confession impudique,* 1956).

TANJORE ou **THANJAVUR,** v. de l'Inde (Tamil Nadu); 140 000 hab. La ville fut pendant plusieurs siècles un des principaux centres politiques, religieux et artistiques de l'Inde.

TANK [tɑ̃k] n. m. (mot angl. signif. *réservoir*). Syn. vieilli de CHAR DE COMBAT.

TANKER [tɑ̃kœr] n. m. (mot angl.). Navire destiné au transport de produits pétroliers. (L'Administration préconise NAVIRE-CITERNE ou PÉTROLIER.)

TANNAGE n. m. → TANNER 1.

TANNENBERG, village de l'anc. Prusse-Orientale, auj. en Pologne.

- *1410. Victoire des Polonais et des Lituaniens sur les chevaliers Teutoniques et les Porte-Glaive.*
- *Août 1914. Victoire des Allemands sur les Russes.*

1. TANNER [tane] v. t. (du gaul. *tann,* chêne). *Tanner une peau d'animal,* la transformer en cuir sous l'action chimique de tanins ou d'autres produits, afin de lui conserver, à l'état sec, toute la souplesse désirable. ◆ **tan** [tɑ̃] n. m. Écorce de chêne, d'un brun roux, réduite en poudre, et qui servait anciennement à tanner les peaux. ◆ **tanné, e** adj. **1.** Préparé par le tannage : *Une peau tannée.* — **2.** De la couleur du tan : *Visage tanné par le soleil* (syn. BASANÉ). ◆ **tanin** ou **tannin** n. m. Substance existant dans plusieurs produits végétaux (écorce de chêne, de châtaignier, etc.), qui rend les peaux imputrescibles. ◆ **tannage** n. m. : *Le tannage est précédé d'une préparation des peaux.* ◆ **tannerie** n. f. Établissement où l'on tanne les cuirs; industrie du tannage. ◆ **tanneur** n. m. Personne qui tanne les cuirs, qui vend les cuirs tannés.

2. TANNER [tane] v. t. (de *tanner* 1). Fam. *Tanner qq'un,* l'importuner, le harceler.

Tannhäuser, drame musical de Richard Wagner (1845).

TANNIN n. m. → TANNER 1.

TANT adv. → AUTANT.

TANTALE [tɑ̃tal] n. m. (orig. inc.). Oiseau voisin de la cigogne, habitant l'Amérique, l'Afrique et l'Asie, à plumage blanc et noir.

TANTALE. *Myth. gr.* Roi légendaire de Lydie. Dans un festin, il servit son fils aux dieux qui, en châtiment, le précipitèrent aux Enfers et le condamnèrent à une soif et une faim perpétuelles.

TANTE [tɑ̃t] n. f. (du lat. *amita*). **1.** Sœur du père, de la mère, ou femme de l'oncle. — **2.** *Tante à la mode de Bretagne,* cousine germaine du père ou de la mère. ◆ **grand-tante** n. f. Sœur du grand-père ou de la grand-mère. ‖ Pl. des *grand(s)-tantes.* [→ PARENTÉ.]

TANTIÈME [tɑ̃tjɛm] adj. (de *tant*). Qui est représenté par le nombre tant : *Soit à trouver la tantième partie d'un tout.* ◆ n. m. Quote-part des bénéfices distribuables d'une société, versée aux administrateurs.

TANTINET (UN) [œ̃tɑ̃tinɛ] loc. adv. (de *tant*). *Fam.* Un peu : *Il est un tantinet malin.*

1. TANTÔT [tɑ̃to] adv. *(tant,* et *tôt). Fam.* Cet après-midi (avec le futur ou le passé) : *Je finirai ce travail tantôt.*

2. TANTÔT [tɑ̃to] adv. (même étym.). *Tantôt... tantôt...,* indique une opposition entre deux propositions; à tel moment, à un autre moment : *Tantôt gai, tantôt triste.*

TĀNTRISME [tɑ̃trism] n. m. (du sanskrit *tāntra,* doctrine). Forme religieuse issue d'un ensemble de doctrines tirées des *tāntra* (= livres de doctrine, dans l'Inde), à caractère ésotérique, et relevant de l'hindouisme et du bouddhisme ainsi que de cultes populaires.

TANZANIE, en angl. **Tanzania,** république fédérale de l'Afrique orientale, membre du Commonwealth, formée en 1964 par l'union du *Tanganyika* et de *Zanzibar.* → cartes AFRIQUE pp. 48-49.

SUPERFICIE 940 000 km² (France : 550 000 km²).
POPULATION 26 300 000 hab.; 28 hab. au km² (France : 103); accroissement annuel de population, 2,6 p. 100.
CAPITALE Dar es-Salaam (757 000 hab.) Fut. capit. *Dodoma.*
VILLE PRINCIPALE Zanzibar (68 400 hab.).
LANGUE souahéli.
ÉCONOMIE consommation d'énergie par hab., 50 kg d'équivalent charbon; 1 automobile pour 445 hab.

GÉOGRAPHIE

La partie continentale de l'État s'étend sur un vaste plateau cristallin, coupé de fossés d'effondrement occupés par des lacs

(lacs Malawi et Tanganyika à l'O.), limité par la plaine côtière à l'E. et dominé par de grands massifs volcaniques au N. (Kilimandjaro, auj. pic Uhuru, 5895 m). Le climat, chaud, est humide sur la côte et sec dans l'intérieur, qui est couvert de savanes.

	TEMPÉRATURES MOYENNES janv.	juil.	PLUIES
Tabora (1265 m)	22 °C	22 °C	864 mm

L'alimentation est basée sur la culture du mil et du maïs, tandis que les plantations fournissent café, coton, et surtout sisal pour l'exportation. La petite île de Zanzibar détient le quasi-monopole de la production du girofle. L'élevage bovin occupe une place importante dans l'économie. Le sous-sol recèle quelques gisements miniers (or), mais l'industrie se limite à la transformation des produits agricoles.

sisal	80000 t
coton	60000 t
café	55000 t
bovins	13 millions de têtes

HISTOIRE

Sur les plateaux intérieurs, une civilisation bantoue, dite « azanienne », connaît dès le Ve s. apr. J.-C. le travail du fer, l'irrigation et la culture en terrasses.

- *VIIe-VIIIe s. Les commerçants d'Arabie du Sud, après une longue fréquentation des côtes, y fondent des comptoirs.*

Suivis par les Persans, les Indiens, les Chinois (XIVe-XVe s.), ils font le commerce de l'or et de l'ivoire à partir de Kilwa et Zanzibar. Leur influence sur la société africaine crée la civilisation swahilie.

- *XVIe s. Les Portugais étendent leur domination sur la côte.*

Elle leur est disputée victorieusement au XVIIe s. par les sultans d'Oman et Mascate (qui s'établissent définitivement à Zanzibar en 1840), alors que se développe la traite des esclaves.

Mais la fin du XIXe s. voit les sultanats arabes passer sous tutelle anglaise, tandis que les Allemands conquièrent non sans difficultés l'intérieur du pays.

- *1890. Un accord avec l'Angleterre leur permet de fonder la colonie d'Afrique-Orientale allemande.*

Celle-ci devient en 1920 le territoire du Tanganyika sous mandat britannique. L'opposition nationaliste animée par le TANU et son président Nyerere se renforce après la Seconde Guerre mondiale.

- *8 déc. 1961. L'indépendance est proclamée, suivie de l'instauration de la république.*

À Zanzibar, un putsch en 1964 élimine la domination arabe.

- *Avril 1964. La fusion du Tanganyika et de Zanzibar crée la république de Tanzanie sous la présidence de Nyerere.*

Le nouvel État s'oriente vers un socialisme africain (déclaration d'Arusha, 1967) et soutient fermement les mouvements antiracistes d'Afrique australe.

- *1985. Nyerere abandonne le pouvoir. Ali Hassan Mwinyi, élu président de la République, lui succède.*

TAOÏSME [taɔism] n. m. (de *Tao*, mot chinois signif. voie). Système philosophique et religieux des Chinois. ◆ **taoïste** n. Personne qui pratique le taoïsme.
— ENCYCL. La fondation du *taoïsme* philosophique est attribuée à Lao*-tseu, auteur présumé du *Tao-tö king* (VIe s. av. J.-C.), livre de la Voie et de la Vertu. L'évolution du taoïsme vers un aspect religieux se produit sous les Han : Lao-tseu est divinisé. Le taoïste cherche par la méditation, la contemplation et l'extase, mais aussi par une discipline physique (exercices respiratoires, gymnastique) à atteindre la réalité suprême, la Voie; uni au Tao (grand principe de l'ordre universel), il obtient alors l'immortalité.

TAON [tɑ̃] n. m. (lat. *tabanus*). Mouche dont la femelle pique l'homme et les bestiaux, et leur suce le sang.

TAORMINA, v. d'Italie (Sicile). Ruines antiques (théâtre grec du IIIe s. av. J.-C., agrandi par les Romains) dans un site magnifique, près de l'Etna.

TAPAGE [tapaʒ] n. m. (de *taper*). Bruit accompagné généralement de cris (syn. VACARME; fam. RAFFUT, TINTAMARRE). ◆ **tapageur, euse** adj. **1.** Se dit d'une personne qui aime faire du tapage : *Un enfant tapageur* (syn. BRUYANT). — **2.** Se dit de ce qui cherche à attirer l'attention : *Une publicité tapageuse. Une toilette tapageuse* (= d'un éclat criard). ◆ **tapageusement** adv.

TAPAJÓS, riv. du Brésil, affl. de l'Amazone (r. dr.); 1980 km.

1. TAPER [tape] v. t. (onomat.). **1.** Fam. *Taper qq'un,* lui donner une tape (syn. BATTRE). — **2.** *Taper qqch.,* donner des coups dessus : *Taper la table à coups de poing.* — **3.** *Taper un texte,* l'écrire à la machine. ◆ v. i. **1.** Donner des coups, frapper : *Qui est-ce qui tape à la porte?* — **2.** Écrire au moyen de la machine à écrire. — **3.** Fam. *Taper sur qq'un,* dire du mal de lui (syn. CRITIQUER, MÉDIRE DE). — **4.** Fam. *Taper dans qqch.,* en consommer une grande partie : *Ils ont tapé dans les réserves de provisions.* — **5.** Fam. *Le soleil tape dur,* il fait très chaud. ‖ Fam. *Taper à côté,* se tromper, échouer. ‖ Fam. *Taper dans l'œil de qq'un,* lui plaire. ‖ Fam. *Taper sur les nerfs,* agacer vivement. ◆ ***se taper*** v. pr. **1.** Fam. *Se taper qqch.,* se l'offrir, s'en donner le plaisir : *Se taper un bon repas* (syn. fam. S'ENVOYER). — **2.** Fam. *Se taper qqch. de pénible,* le faire : *Il s'est tapé la corvée.* ◆ **tapant, e** adj. *À une, deux,* etc., *heures tapante(s),* au moment où sonnent une heure, deux heures. ◆ **tape** n. f. Coup donné avec le plat de la main (syn. CLAQUE, GIFLE). ◆ **tapement** n. m. **1.** Action de taper : *Des tapements de pieds.* — **2.** Bruit produit par un coup quelconque : *On a entendu un tapement sourd contre la porte.* ◆ **tapette** n. f. Petite tape : *Le premier de vous deux qui rira aura une tapette.* ◆ **tape-à-l'œil** n. m. inv. *Fam.* Ce qui est destiné à attirer l'attention, à éblouir. ◆ **tapoter** v. t. Donner à plusieurs reprises de petites tapes : *Tapoter la joue d'un enfant.* ◆ v. i. **1.** Frapper légèrement : *Tapoter de la main pour accompagner un air de musique.* — **2.** Fam. *Tapoter du piano,* en jouer mal ou négligemment. ◆ **tapotage** ou **tapotement** n. m.

2. TAPER [tape] v. t. (de *taper* 1). Fam. *Taper qq'un,* lui emprunter de l'argent. ◆ **tapeur, euse** n. *Fam.* Personne qui emprunte souvent de l'argent.

TAPINOIS (EN) [ɑ̃tapinwa] loc. adv. (de l'anc. fr. *tapin,* qui se dissimule). En cachette, sournoisement : *Agir en tapinois* (syn. EN CACHETTE, SECRÈTEMENT).

TAPIOCA [tapjɔka] n. m. (mot portug.). Fécule extraite de la racine du manioc.

1. TAPIR [tapir] n. m. (mot d'une langue du Brésil). Mammifère d'Asie tropicale et d'Amérique, dont le museau est allongé et forme une courte trompe.

2. TAPIR (SE) [sətapir] v. pr. ou **ÊTRE TAPI** v. passif (frq. *tappjan,* enfermer). **1.** (sujet nom d'animal) Se cacher en se blottissant : *Le chat s'était tapi dans le grenier.* — **2.** (sujet nom de personne) Se retirer, s'enfermer : *Se tapir dans sa maison.*

TAPIS [tapi] n. m. (du gr. *tapês, tapêtos*). **1.** Pièce d'étoffe dont on couvre un parquet, un meuble. — **2.** Ce qui forme comme un tapis : *Un tapis de verdure.* — **3.** *Aller au tapis,* dans un combat de boxe, être envoyé au sol. ‖ *Amuser le tapis,* distraire une assemblée en racontant des choses plaisantes. ‖ *Revenir sur le tapis,* être de nouveau un sujet de conversation. — **4.** *Tapis roulant,* sorte de tapis mobile pour transporter des personnes ou des marchandises. ◆ **tapis-brosse** n. m. Paillasson. ‖ Pl. des *tapis-brosses.*

TAPISSER [tapise] v. t. (de *tapis*). **1.** *Tapisser un mur, une chambre,* les couvrir d'une tapisserie ou d'un papier peint. — **2.** *Tapisser une surface,* la couvrir, la revêtir de choses destinées à l'orner : *Tapisser des murs de photos.* ◆ **tapisserie** n. f. **1.** Ouvrage fait à l'aiguille sur du canevas à points comptés, avec des laines de couleur, pour représenter un sujet décoratif. — **2.** Pièce de tissu tendant un mur ou couvrant un meuble, et dont le décor est fourni par sa trame même, sans broderie ultérieure. → ENCYCL. — **3.** Art du tapissier. — **4.** *Faire tapisserie,* assister à une réunion sans y prendre part; en parlant d'une femme, d'une jeune fille, ne pas être invitée à danser dans un bal. ◆ **tapissier, ère** n. Personne qui fabrique, vend, pose des tapis, des tentures.
— ENCYCL. La *tapisserie* est une étoffe dont les fils de trame sont si serrés qu'ils dissimulent les fils de chaîne. Le lissier (= fabricant de tapisserie) a devant lui des fils en lin, tendus sur un métier : ce sont les fils de chaîne. Entre chaque fil de chaîne, il fait passer les fils de trame qui sont en laine et peuvent être de toutes les couleurs. Ce sont les fils de trame qui forment le dessin. On distingue le métier vertical, dit de haute lisse, et le métier horizontal, dit de basse lisse, sur lequel le travail ne peut être vérifié qu'en faisant basculer l'appareil.

En Europe, la tapisserie se répand au XIVe s. En Flandre, Arras et Tournai ont une production importante, tandis qu'à Paris, dès 1379, les ateliers de Nicolas Bataille tissent l'immense et magnifique tenture de l'*Apocalypse* (aujourd'hui à Angers).

Au XVe s., les ateliers parisiens disparaissent lors de l'invasion anglaise, laissant les ateliers flamands inonder l'Europe de leur production jusqu'au XVIIe s. Les tentures, riches en couleurs, représentent des histoires religieuses (*Histoire de saint Piat et saint Éleuthère,* tissée à Arras en 1402, conservée à Tournai), des histoires laïques (*Histoire d'Alexandre,* 1459, conservée à Rome). Vers 1500, on tisse un grand nombre de *mille-fleurs :* tapisseries dont le fond bleu (ou plus rarement rouge) est parsemé de fleurettes, des motifs divers (personnages, animaux, armoiries) se détachant parfois sur ce fond. On a récemment découvert que ces pièces, que l'on croyait françaises, ont été tissées par des Flamands. *La Dame à la licorne* (sur fond rouge) du musée de Cluny à Paris en est le plus illustre exemple. À la même époque, des princes italiens font appel à des lissiers flamands et fondent des manufactures qui tissent d'après des cartons de peintres comme Léonard de Vinci ou Mantegna. En France, François Ier fonde (1531) une manufacture à Fontainebleau sous la direction du

Primatice. Mais à l'avènement d'Henri IV, la France ne produit presque plus de tapisseries. Elle les achète en Flandre où l'on tisse alors des *verdures*, tapisseries représentant des feuillages.

Pour éviter ces achats à l'extérieur, Henri IV installe deux lissiers flamands dans un atelier des Gobelins* sur la Bièvre, dont Colbert, en 1662, fera le noyau de la Manufacture royale des meubles de la Couronne. En outre, Colbert protège les manufactures de Beauvais* et les ateliers d'Aubusson*.

Au XVIIIe s., la tapisserie devient un art de pur décor. On tisse sur des cartons de Mignard, Oudry, Desportes *(les Indes)*, Pillement (les *Chinoiseries*), etc. Au XIXe s., apparaissent les teintures chimiques qui permettent d'obtenir des laines de toutes les teintes. Mais ces teintes, peu solides, pâlissent avec le temps. Ce n'est qu'au XXe s. que Jean Lurçat (1892-1966), suivi par Jean Picart le Doux (1902-1982) et Marc Saint-Saëns (1903-1979), revenant aux méthodes de teinture ancienne, a rendu une valeur artistique à la tapisserie, en particulier dans *le Chant du monde* (Angers).

TAPOTAGE ou **TAPOTEMENT** n. m., **TAPOTER** v. t. et i. → TAPER 1.

TAQUET [takɛ] n. m. (de *tac*). Petit coin de bois qui sert à caler un meuble, à maintenir provisoirement un objet en place.

TAQUIN, E [takɛ̃, -in] adj. et n. (it. *taccagno*, avare). Se dit d'une personne qui prend plaisir à contrarier pour agacer. ◆ **taquiner** v. t. (sujet nom de personne). Contrarier malicieusement : *Un frère qui taquine sa sœur* (syn. ↑FAIRE ENRAGER). ◆ **taquinerie** n. f. **1.** Habitude de taquiner. — **2.** Action, parole d'une personne taquine : *Cessez vos taquineries* (syn. AGACERIE).

TARABISCOTÉ, E [tarabiskɔte] adj. (de *tarabiscot*, rabot). Se dit de ce qui est chargé d'ornements excessifs, compliqués : *Un style tarabiscoté* (syn. MANIÉRÉ, PRÉTENTIEUX).

TARABUSTER [tarabyste] v. t. (de l'anc. prov. *tabustar*, faire du bruit) [sujet nom de personne ou de chose]. **1.** *Fam.* Malmener, traiter rudement. — **2.** *Fam.* Préoccuper vivement : *Cette idée m'a tarabusté toute la journée* (syn. TRACASSER).

TARARE [tarar] n. m. (orig. incert.). Appareil composé d'un ventilateur et de cribles, utilisé pour le nettoyage des grains après battage.

TARARE, ch.-l. de cant. du Rhône, à 44 km au N.-O. de Lyon, sur la Turdine; 10 900 hab. Textiles.

TARASCON, ch.-l. de cant. des Bouches-du-Rhône, à 17 km au N. d'Arles; 11 000 hab. Château fort (XIVe-XVe s.).

Tarass Boulba, récit de N. Gogol' (1835).

TARAUD [taro] n. m. (de l'anc. fr. *tarel*). Outil en acier trempé, servant à creuser les rainures d'un filetage. ◆ **tarauder** v. t. Exécuter un filetage à l'intérieur d'un trou à l'aide d'un taraud.

TARBES, ch.-l. du dép. des Hautes-Pyrénées, sur l'Adour, à 779 km au S.-O. de Paris; 54 000 hab. *(Tarbais)*. Au pied des Pyrénées, Tarbes, traditionnel centre commercial, s'est considérablement industrialisé (constructions électriques notamment), ce qui explique l'essor de son agglomération, qui dépasse 80 000 hab.

TARD [tar] adv. (lat. *tarde*, lentement). **1.** À un moment avancé de la journée, de la nuit, d'une période quelconque; après le moment habituel : *Se coucher tard.* ‖ *Il est tard, il se fait tard*, l'heure est avancée. — **2.** Après le temps fixé ou le moment convenable : *On l'a soigné trop tard, ce sera difficile de le guérir.* — **3.** *Plus tard*, à un moment de l'avenir par rapport au moment où l'on est : *Nous irons vous voir plus tard* (syn. ULTÉRIEUREMENT). ‖ *Au plus tard*, dans l'hypothèse (de temps) la plus éloignée. — **4.** *Tôt ou tard*, un jour ou l'autre (syn. INÉVITABLEMENT). ◆ n. m. *Sur le tard*, à une heure avancée de la journée : *Il est arrivé sur le tard;* vers la fin de sa vie : *Il s'est aperçu sur le tard qu'il aurait dû ménager sa santé.* ◆ **tarder** v. t. ind. et i. **1.** (sujet nom de personne) *Tarder à faire une chose*, attendre longtemps avant de la faire : *Ne tardez pas à donner votre réponse.* — **2.** (sujet nom de chose) Être lent à venir : *Le printemps tarde à se manifester.* ◆ v. impers. **1.** *Il me (te, lui,* etc.*) tarde de* (et l'infin.) ou *que* (et le subj.), j'attends (tu, il, etc.) avec impatience : *Il me tarde de vous voir revenir.* — **2.** *Sans tarder*, immédiatement : *Partez sans tarder* (syn. TOUT DE SUITE). ◆ v. i. (sujet nom de chose). Se faire attendre (surtout négativement) : *Taisez-vous, autrement vous allez être puni, ça ne va pas tarder.* ◆ **tardif, ive** adj. **1.** Qui vient tard : *Des regrets tardifs.* ‖ *Fruits tardifs*, qui mûrissent après les autres de la même espèce (contr. HÂTIF, PRÉCOCE). — **2.** Qui a lieu tard dans la journée : *Heure tardive.* ◆ **tardivement** adv. : *S'apercevoir tardivement d'une erreur.* (→ ATTARDER, RETARDER.)

1. TARE [tar] n. f. (it. *tara*, déchet). **1.** Poids de l'emballage d'une marchandise. — **2.** *Faire la tare*, placer dans un plateau d'une balance de quoi équilibrer exactement ce qui se trouve dans l'autre plateau.

2. TARE [tar] n. f. (même étym.). **1.** Défaut congénital d'une personne, d'un animal. — **2.** *Les tares d'une société, d'un régime*, etc., les vices inhérents à son origine, à sa formation. ◆ **taré, e** adj. **1.** Qui est atteint d'une tare physique : *Un cheval taré.* — **2.** Vicié, corrompu : *Un homme taré. Un régime taré.*

TARENTAISE, région des Alpes françaises, formée par la vallée supérieure de l'Isère. V. pr. *Bourg-Saint-Maurice* et *Moûtiers.* Élevage de bovins (race « tarine »). Aménagements hydro-électriques (Tignes, Malgovert).

TARENTE, port d'Italie (Pouilles), sur le golfe du même nom, formé par la mer Ionienne; 245 000 hab. Sidérurgie.

Fondée par des Spartiates (v. 708 av. J.-C.), Tarente devint la principale ville de la Grande-Grèce. Elle fut conquise par les Romains en 272 av. J.-C.

TARENTULE [tarɑ̃tyl] n. f. (it. *tarantola;* de *Tarente*, où abondent les tarentules). Grosse araignée carnassière de l'Europe du Sud. (Classe des arachnides.)

TARET [tarɛ] n. m. (orig. incert.). Mollusque bivalve marin qui creuse des galeries dans le bois des bateaux, des pilotis, à l'aide de sa coquille tranchante.

TARGETTE [tarʒɛt] n. f. (du frq. *targa*). Petit verrou plat, monté sur une plaque, et servant à fermer de l'intérieur une porte ou une fenêtre.

TARGUER (SE) [sətarge] v. pr. (de l'anc. it. *si targar*). *Se targuer de qqch.*, s'en vanter avec arrogance (littér.) : *Se targuer de ses relations* (syn. SE PRÉVALOIR).

TARGUI, E adj. et n. → TOUAREGS.

TARIÈRE [tarjɛr] n. f. (de l'anc. fr. *tarier*, forer). **1.** Grande vrille de charpentier pour faire des trous dans le bois. — **2.** *Zool.* Chez les femelles de certains insectes, organe terminant l'abdomen et permettant de creuser le sol pour y déposer les œufs.

TARIF [tarif] n. m. (ar. *ta'rīf*, notification). Prix fixé à l'avance et figurant sur une liste, sur un tableau : *Afficher le tarif des consommations dans un café.* ◆ **tarifaire** adj. : *Des dispositions tarifaires.* ◆ **tarifer** v. t. *Tarifer qqch.*, en fixer le prix : *Tarifer des marchandises* (syn. TAXER). ◆ **tarification** n. f. : *La tarification des droits à acquitter.*

TARIM (le), fl. de Chine, dans le Sin-kiang; 2 000 km. Il descend du Karakoram, s'appauvrit en s'éloignant de sa source et s'achève dans la dépression du Lob-nor.

TARIN [tarɛ̃] n. m. (onomat.). Oiseau passereau vivant dans les bois d'Europe occidentale l'hiver, à plumage jaune verdâtre rayé de noir. (Famille des fringillidés.)

TARIR [tarir] v. t. (frq. *tharrjan*, sécher). Mettre à sec : *Les grandes chaleurs ont tari les puits.* ◆ v. i. (sujet nom désignant des eaux). Cesser de couler, être mis à sec : *Une source qui ne tarit jamais.* ◆ v. t. ind. (sujet nom de personne et dans des phrases négatives). *Ne pas tarir de, sur*, ne pas cesser de dire : *Il ne tarit pas d'éloges sur vous.* ‖ *Ne pas tarir sur un sujet*, ne pas cesser d'en parler. ◆ **tarissable** adj. Qui peut être tari : *Une source tarissable.* ◆ **intarissable** adj. : *Une fontaine intarissable. Une bavarde intarissable.*

TARLATANE [tarlatan] n. f. (orig. obscure). Étoffe de coton claire, très légère et très apprêtée.

TARN (le), riv. du sud de la France; 375 km. Né au S. du mont Lozère, il traverse les Grands Causses en de pittoresques cañons (entre Sainte-Énimie et Peyreleau), arrose Millau, Albi, Gaillac, Montauban, Moissac, et se jette dans la Garonne (r. dr.).

TARN (81), dép. du sud-ouest de la France (Région Midi-Pyrénées); 5 758 km^2; 339 300 hab. (59 au km^2) [France : 103]. Ch.-l. *Albi.*

ADMINISTRATION : 2 arrond. (*Albi*, 161 100 hab.; *Castres*, 178 200 hab.). / 43 cant. / 324 comm.

Le département s'étend au N.-E. et à l'E. sur les confins du *Massif central*, le Centre et l'Ouest appartenant au *bassin d'Aquitaine.* L'altitude dépasse toujours 300 m à l'E., parfois 700 m notamment dans les monts de Lacaune. Elle s'abaisse vers l'O. dans l'Albigeois, dans les vallées du Tarn et de ses affluents. Les précipitations et la rigueur de l'hiver augmentent vers l'E.

L'*agriculture* emploie encore environ 15 p. 100 de la population active. La polyculture, assez extensive, domine sur les plateaux et collines. La mise en valeur s'intensifie avec quelques spécialisations (vignobles) dans les vallées.

L'*industrie* occupe un peu plus des deux cinquièmes de cette population active, proportion très voisine de la moyenne nationale. La métallurgie, la verrerie, la chimie ont été fondées à partir de l'extraction houillère, aujourd'hui déclinante. Le textile (Castres), le délainage des peaux (Mazamet) et la mégisserie (Graulhet) sont aussi représentés.

Il n'existe pas de très grandes agglomérations (ce qui explique le faible développement du *secteur tertiaire*) mais plusieurs villes d'importance non négligeable parmi lesquelles émergent Albi et Castres. Le récent accroissement de population dans les villes compense la poursuite de l'exode rural.

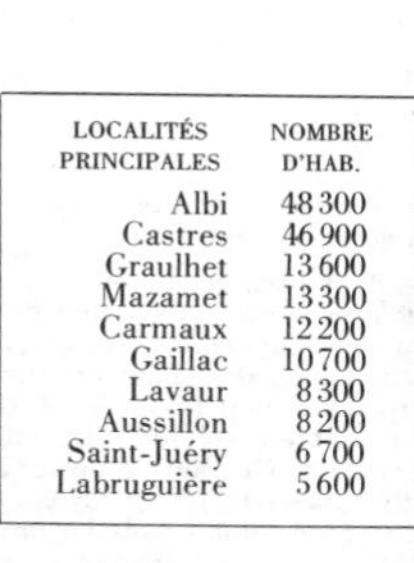

LOCALITÉS PRINCIPALES	NOMBRE D'HAB.
Albi	48 300
Castres	46 900
Graulhet	13 600
Mazamet	13 300
Carmaux	12 200
Gaillac	10 700
Lavaur	8 300
Aussillon	8 200
Saint-Juéry	6 700
Labruguière	5 600

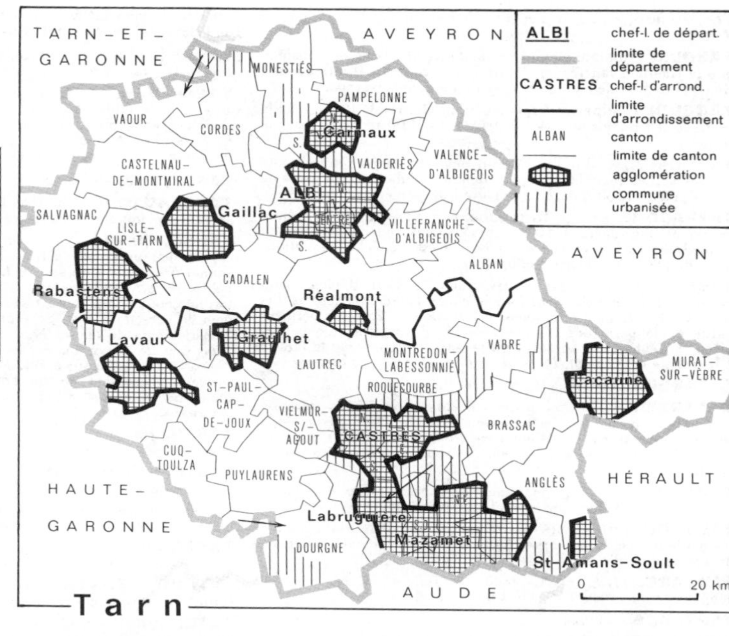

Tarn

TARN-ET-GARONNE (82), dép. du bassin d'Aquitaine (Région Midi-Pyrénées); 3 718 km²; 190 500 hab. (49 au km²) [France : 103]. Ch.-l. *Montauban*.

ADMINISTRATION. 2 arrond. (*Castelsarrasin*, 65 100 hab.; *Montauban*, 125 400 hab.). / 28 cant. / 195 comm.

Une large plaine alluviale formée par la confluence de la Garonne et du Tarn sépare les plateaux d'altitude modeste du *bas Quercy* au N., des côteaux de *Lomagne* au S.-O. Les précipitations sont modestes et les étés chauds et ensoleillés entrecoupés d'orages fréquents.

L'*agriculture* emploie encore nettement plus du cinquième de la population active. La plaine centrale est intensément mise en valeur (cultures céréalières, fruitières, légumières, prairies d'élevage). La polyculture est plus extensive sur les « hauteurs » de la Lomagne et du Quercy.

L'*industrie* est peu développée et n'occupe que le quart de la population active; parfois liée à l'agriculture (conserveries), elle est aussi représentée par quelques usines textiles ou mécaniques.

Sa faiblesse et celle du *secteur tertiaire* sont liées à l'absence de grandes villes. L'accroissement récent de population est assez modeste et a surtout profité à Montauban, dont l'agglomération rassemble plus du quart de la population départementale. De nombreux cantons ruraux ont enregistré au contraire une diminution de leur population.

TARNOS, comm. des Landes, à 6 km au N. de Bayonne; 8 200 hab. Industries chimiques (engrais).

TAROT [taro] n. m. ou **TAROTS** n. m. pl. (it. *tarocco*). **1.** Jeu de soixante-dix-huit cartes, plus longues que les cartes ordinaires et marquées d'autres figures. — **2.** Jeu qui se joue avec ces cartes.

Tarn-et-Garonne

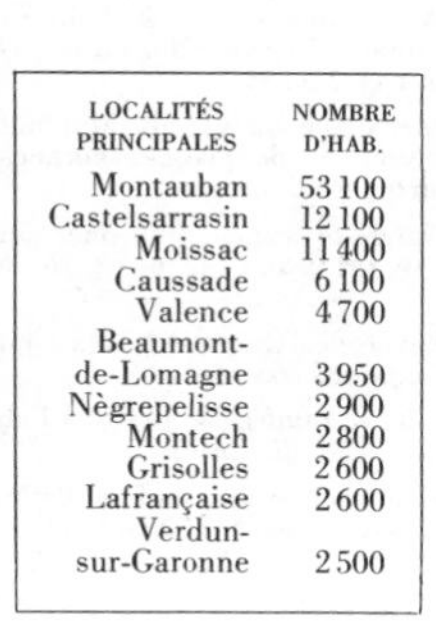

LOCALITÉS PRINCIPALES	NOMBRE D'HAB.
Montauban	53 100
Castelsarrasin	12 100
Moissac	11 400
Caussade	6 100
Valence	4 700
Beaumont-de-Lomagne	3 950
Nègrepelisse	2 900
Montech	2 800
Grisolles	2 600
Lafrançaise	2 600
Verdun-sur-Garonne	2 500

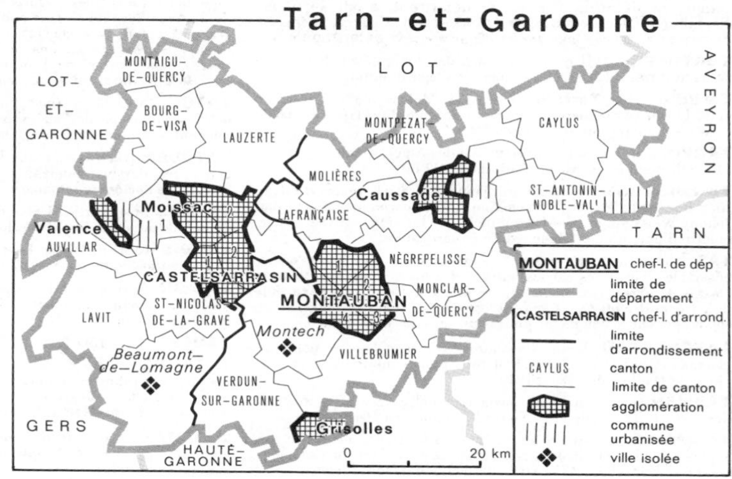

Tarpéienne *(roche)*, rocher d'où l'on précipitait les criminels à Rome.

TARQUIN l'Ancien, cinquième roi de Rome, d'origine étrusque, que la tradition fait régner de 616 à 579 av. J.-C. Il introduisit à Rome la culture hellénique et exécuta de grands travaux.

TARQUIN le Superbe, septième et dernier roi de Rome, que la tradition fait régner de 534 à 509 av. J.-C. Il fut renversé par une révolution.

TARQUINIA, v. d'Italie. Elle fut peut-être la plus grande cité étrusque. Il en reste la nécropole, dont les tombeaux sont ornés de remarquables peintures. Très important musée étrusque.

TARRAGONE, en esp. **Tarragona,** port d'Espagne (Catalogne), sur la Méditerranée; 104 000 hab. Vestiges romains (aqueduc). Cathédrale des XIIe et XIIIe s. Riche musée archéologique. Raffinerie de pétrole. Industries chimiques.

TARSE [tars] n. m. (gr. *tarsos,* claie). **1.** *Anat.* Région postérieure du squelette du pied, formée chez l'homme de sept os dits *tarsiens,* dont le plus volumineux est le talon. — **2.** *Zool.* Dernière partie de la patte des insectes, formée de deux à cinq petites pièces articulées. ◆ **tarsien, enne** adj. Qui concerne le tarse : *L'astragale et le calcanéum sont les deux plus gros os tarsiens.*

1. TARSIEN, ENNE adj. → TARSE.

2. TARSIENS [tarsjɛ̃] n. m. pl. (de *tarse*). Sous-ordre de mammifères primates voisins des lémuriens, et dont le type est le *tarsier.* ◆ **tarsier** n. m. Mammifère arboricole, nocturne et insectivore d'Indonésie, caractérisé par ses yeux énormes et sa longue queue.

TARTAN [tartɑ̃] n. m. (mot angl.; de *Tartares*). Étoffe de laine, à larges carreaux de diverses couleurs, très employée en Écosse.

TARTARE [tartar] adj. (de *Tartares*). *Steak tartare,* viande hachée que l'on mange crue, fortement assaisonnée et mélangée avec un jaune d'œuf.

TARTARE. *Myth. gr.* Le fond des Enfers, où les hommes coupables étaient châtiés selon leurs crimes.

TARTARES → TATARS.

TARTARIE *(détroit de),* bras de mer formé par l'océan Pacifique, entre l'Extrême-Orient soviétique et l'île de Sakhaline.

Tartarin de Tarascon *(les Aventures prodigieuses de),* roman d'A. Daudet (1872).

TARTE [tart] n. f. (orig. obscure). Pâtisserie formée d'un fond plat de pâte entouré d'un rebord et garni de fruits, de confitures, etc. ◆ **tartelette** n. f. Petite tarte.

TARTINE [tartin] n. f. (de *tarte*). **1.** Tranche de pain recouverte d'une substance alimentaire que l'on peut facilement étendre. — **2.** *Fam.* Long développement écrit. ◆ **tartiner** v. t. *Tartiner une tranche de pain,* étendre dessus du beurre, de la confiture, etc.

TARTRE [tartr] n. m. (orig. obscure). **1.** Dépôt que laisse le vin dans un récipient. — **2.** Croûte dure formée de calcaire qui se dépose sur les parois des chaudières, des canalisations d'eau, etc. — **3.** Croûte jaunâtre qui se forme sur les dents. ◆ **détartrer** v. t. Enlever le tartre (sens 2 et 3) : *Détartrer un radiateur de voiture.* ◆ **détartrage** n. m. ◆ **détartrant, e** adj. et n. m. Produit qui enlève le tartre. ◆ **entartrer** v. t. Couvrir, encrasser de tartre : *Cette eau entartre les chaudières.* ◆ **entartrage** n. m.

TARTUFE [tartyf] n. m. (de *Tartuffe*). Faux dévot, hypocrite. ◆ **tartuferie** n. f. Caractère, manière d'agir d'un tartufe.

Tartuffe (le) ou **Tartufe,** comédie de Molière, en 5 actes et en vers. Les deux premières versions furent interdites (1664 et 1667), et la pièce ne fut autorisée qu'en 1669.

TARVIS *(col de),* en it. **Tarvisio,** col des Alpes orientales, reliant l'Italie (Frioul) à l'Autriche (Carinthie); 812 m

Tarzan, personnage imaginaire, popularisé par le roman d'Edgar Rice Burroughs et par le cinéma où il fut incarné notamment par Johnny Weissmuller. Il est l'ami de toutes les bêtes sauvages et se montre d'une force et d'une agilité remarquables.

TAS [ta] n. m. (frq. *tass*). **1.** Accumulation de choses mises ensemble et les unes sur les autres : *Un tas de foin* (syn. MEULE). *Un tas de livres* (syn. MONCEAU). — **2.** Fam. *Un tas de,* beaucoup de : *Connaître un tas de gens.* ‖ *Être formé sur le tas,* apprendre son métier sur le lieu même du travail, sans passer par une école.

TASCHEREAU (Louis Alexandre), avocat et homme politique canadien (1867-1952). Libéral, il fut Premier ministre de la province de Québec de 1920 à 1936.

TASMAN (Abel Janszoon), navigateur hollandais (1603-1659). Il découvrit la Tasmanie et la Nouvelle-Zélande en 1642.

TASMANIE, île située au S.-E. de l'Australie, dont elle est séparée par le détroit de Bass, constituant un État du Commonwealth d'Australie; 68 332 km²; 403 000 hab. Capit. *Hobart.*

Cette île montagneuse, au climat tempéré doux et humide, vit de l'élevage de bovins et d'ovins, et de l'exploitation du cuivre.

TASSE [tas] n. f. (ar. *tāssa*). **1.** Vase à boire muni d'une anse : *Une tasse à thé.* — **2.** Contenu d'une tasse : *Boire une tasse de thé.*

TASSE (Torquato TASSO, en fr. **le**), poète italien (1544-1595), auteur de la fable pastorale *Aminta* et de la *Jérusalem délivrée* (1575), épopée où se mêlent des épisodes héroïques et romanesques. Ses *Lettres* sont un document capital sur l'esprit du temps et sur ses crises de conscience.

TASSÉ, E adj. → TASSER.

TASSEAU [taso] n. m. (bas lat. *tassellus*). Petite pièce de bois servant à maintenir, à soutenir, à caler une autre pièce.

TASSER [tase] v. t. (de *tas*). **1.** *Tasser qqch.,* en réduire le volume par pression : *Tasser du foin.* — **2.** (sujet nom de personne) *Être tassé,* être serré : *Les voyageurs étaient tassés dans le métro.* ◆ ***se tasser*** v. pr. **1.** (sujet nom désignant un mur, un terrain, etc.) S'affaisser : *Ces terrains se sont tassés.* — **2.** (sujet nom de personne) *Fam.* Se voûter, se ramasser sur soi-même. — **3.** (sujet nom de chose) *Fam.* Perdre son caractère de gravité : *Dans peu de temps, toutes ces dissensions se seront tassées* (syn. S'ARRANGER). ◆ **tassé, e** adj. *Fam.* Se dit d'une boisson forte ou servie copieusement. ◆ **tassement** n. m. Affaissement du sol ou d'une maçonnerie sous l'effet de la pression ou de la poussée des matériaux.

TASSILI [tasili] n. m. (mot berbère, signif. *plateau*). Au Sahara, plateau de grès, en particulier autour du Hoggar : *Tassili des Ajjer.*

TASSIN-LA-DEMI-LUNE, ch.-l. de cant. du Rhône, dans la banlieue ouest de Lyon; 15 000 hab. *(Tassilunois).*

TATA (Jamshedji Nasarwanji), industriel indien (1839-1904), principal promoteur de l'industrialisation de son pays.

TATARS *(république autonome des),* région de l'U. R. S. S., sur la Volga moyenne; 68 000 km²; 3 131 000 hab. Capit. *Kazan'.*

TATARS ou **TARTARES,** ensemble des populations d'origine turque et mongole qui envahirent l'Occident au XIIe s.

TÂTER [tɑte] v. t. (du lat. *taxare,* toucher). **1.** *Tâter qqch.,* le toucher avec la main pour l'examiner : *Tâter une étoffe* (syn. PALPER). *Tâter le pouls d'un malade.* — **2.** Fam. *Tâter qq'un,* l'interroger pour connaître ses intentions. — **3.** *Tâter le terrain,* s'informer par avance de l'état des esprits, de la situation. ◆ v. t. ind. Fam. *Tâter de qqch.,* en faire l'expérience : *Cet homme a tâté de tous les métiers.* ◆ ***se tâter*** v. pr. *Fam.* S'examiner, s'interroger avant de prendre une décision.

TATI (Jacques TATISCHEFF, dit **Jacques**), cinéaste français (1908-1982). Il a renouvelé le style du film comique français : *Jour de fête* (1947), *les Vacances de M. Hulot* (1953), *Mon oncle* (1958), *Play Time* (1967), *Trafic* (1971).

TATILLON, ONNE [tatijɔ̃, -ɔn] adj. et n. (de *tâter*). *Fam.* Se dit d'une personne trop minutieuse, qui s'attache aux moindres détails. ◆ **tatillonner** v. i. S'occuper avec minutie des moindres détails. ◆ **tatillonnage** n. m. : *Perdre son temps en tatillonnages.*

TÂTONS (À) [atatɔ̃] loc. adv. (de *tâter*). **1.** En tâtonnant pour chercher les obstacles : *Marcher à tâtons dans une pièce obscure.* — **2.** Avec hésitation, sans méthode : *Procéder à tâtons dans ses recherches* (syn. À L'AVEUGLETTE). ◆ **tâtonner** v. i. **1.** Chercher en tâtant : *S'avancer dans l'obscurité en tâtonnant.* — **2.** Faire différents essais pour arriver à un résultat : *Tâtonner dans une recherche.* ◆ **tâtonnement** n. m. Sens 1 et 2 du v.

TATOU [tatu] n. m. (mot d'une langue du Brésil). Mammifère d'Amérique tropicale, au corps couvert de plaques cornées et pouvant s'enrouler en boule. (Ordre des édentés.)

TATOUER [tatwe] v. t. (de l'angl. *to tattoo*). Imprimer sur le corps des dessins indélébiles. ◆ **tatouage** n. m. : *Un bras marqué de nombreux tatouages.*

TATRAS (les), partie la plus élevée des Carpates*, aux confins de la Pologne et de la Tchécoslovaquie; 2 663 m.

TAUDIS [todi] n. m. (de l'anc. fr. *se tauder,* se mettre à l'abri). Logement misérable ou mal tenu : *Un taudis insalubre.*

TAUERN (les), massif des Alpes autrichiennes, où l'on distingue les *Hohe Tauern* (culminant au Grossglockner*, 3 796 m), à l'O., et les *Niedere Tauern,* à l'E.

TAULE n. f. → TÔLE 2.

1. TAUPE [top] n. f. (lat. *talpa*). Mammifère à pattes antérieures larges et robustes, lui permettant de creuser des galeries dans le sol où il chasse des vers et des insectes : *La taupe est presque aveugle.* ◆ **taupinière** n. f. Monticule de terre fait par une taupe.

2. TAUPE [top] n. f. (de *taupe* 1). *Arg. scol.* Classe de mathématiques spéciales. ◆ **taupin** n. m. Élève d'une classe de mathématiques spéciales.

TAUPE-GRILLON [topgrijɔ̃] n. m. (*taupe*, et *grillon*). Nom usuel de la COURTILIÈRE*. ‖ Pl. des *taupes-grillons*.

1. TAUPIN n. m. → TAUPE 2.

2. TAUPIN [topɛ̃] n. m. (de *taupe*). Insecte coléoptère dont la larve, ou « ver fil de fer », est nuisible aux racines des céréales.

TAUPINIÈRE n. f. → TAUPE 1.

TAURE [tɔr] n. f. (lat. *taura*). Génisse.

TAUREAU [toro] n. m. (lat. *taurus*). **1.** Mâle reproducteur de l'espèce bovine. — **2.** *Prendre le taureau par les cornes*, affronter résolument une difficulté. ◆ **taurillon** n. m. Jeune taureau. ◆ **taurin, e** adj. Relatif aux taureaux. ◆ **tauromachie** n. f. Art de combattre les taureaux dans l'arène. ◆ **tauromachique** adj. Relatif à la tauromachie.
— ENCYCL. La *tauromachie* est surtout populaire en Espagne, dans les pays d'Amérique latine de langue espagnole et dans le sud de la France. Elle oppose un taureau de combat (âgé de quatre à sept ans) à un *matador**, aidé de *picadors** et de *banderilleros**, et qui, grâce à une petite cape (*muleta*), dévie les charges du taureau, avant de le mettre à mort par un coup d'épée (*estocade*).

TAUREAU, constellation zodiacale dont la principale étoile est Aldébaran. — Deuxième signe du zodiaque (20 avril-20 mai).

TAURILLON n. m., **TAURIN, E** adj., **TAUROMACHIE** n. f., **TAUROMACHIQUE** adj. → TAUREAU.

TAURUS, système montagneux de Turquie, dominant la Méditerranée; 3 734 m à l'Ala Dağ.

TAUTOLOGIE [totolɔʒi] n. f. (du gr. *tautos*, le même, et *logos*, discours). Répétition de la même idée sous une autre forme : *« Au jour d'aujourd'hui » est une tautologie* (syn. PLÉONASME).

TAUX [to] n. m. (de *taxer*). **1.** Montant de l'intérêt annuel produit par une somme de cent francs : *Prêter de l'argent au taux de cinq pour cent (5 %)*. — **2.** Montant d'un prix fixé par l'État ou par une convention : *Le taux de l'impôt. Le taux des salaires*. — **3.** Proportion dans laquelle intervient un facteur variable, un élément : *Le taux de la mortalité infantile diminue. Le taux d'urée dans le sang*. — **4.** *Taux de change*, valeur d'une monnaie étrangère par rapport à la monnaie nationale.

TAVANT, comm. d'Indre-et-Loire, à 14,5 km à l'E. de Chinon; 218 hab. Fresques romanes du XIIe s., dans la crypte de l'église.

TAVERNE [tavɛrn] n. f. (lat. *taberna*). **1.** *Autref.* Cabaret. — **2.** *Auj.* Café-restaurant plus ou moins luxueux.

TAVERNY, ch.-l. de cant. du Val-d'Oise, au S.-E. de Pontoise; 21 400 hab. (*Tabernaciens*). Centre de commandement de la défense aérienne.

1. TAXER [takse] v. t. (lat. *taxare*, évaluer). *Taxer un produit*, en fixer le prix officiel : *Le gouvernement a taxé certains produits alimentaires;* le frapper d'un impôt : *Taxer des objets de luxe*. ◆ **taxe** n. f. **1.** Prix officiellement fixé d'une denrée : *Vendre des marchandises à la taxe*. — **2.** Somme que doit payer l'usager d'un service public en contrepartie des avantages qu'il retire de ce service : *Taxe postale* (syn. REDEVANCE). — **3.** Dénomination de certains impôts : *La taxe sur la valeur ajoutée (ou T. V. A.) est une sorte d'impôt indirect payé par chaque consommateur*. ◆ **détaxer** v. t. *Détaxer qqch., qq'un*, alléger ou supprimer la taxe qui le frappe. ◆ **détaxation** n. f. : *Catégorie de produits qui bénéficie d'une détaxation*. ◆ **détaxe** n. f. Procédé d'aménagement des tarifs d'impôts indirects. ◆ **surtaxe** n. f. **1.** Majoration d'une taxe : *Surtaxe postale* (= taxe supplémentaire que doit payer le destinataire d'un envoi insuffisamment affranchi). — **2.** *Surtaxe progressive*, impôt sur le revenu net global, de caractère personnel. ◆ **surtaxer** v. t. *Surtaxer qqch.*, le frapper d'une surtaxe.

2. TAXER [takse] v. t. (de *taxer* 1). *Taxer qq'un de qqch.* (nom abstrait), l'en accuser : *Taxer quelqu'un de partialité*.

TAXI [taksi] n. m. (abrév. de *taximètre;* du gr. *taxis*, taxe, et *metron*, mesure). Voiture conduite par un chauffeur à son compte ou au compte d'une compagnie, et que l'on prend, moyennant paiement, pour se déplacer dans ou hors d'une agglomération. ◆ **taximètre** n. m. Compteur qui établit le prix d'un déplacement en taxi, en fonction du temps et de la distance parcourue.

TAXIDERMIE [taksidɛrmi] n. f. (du gr. *taxis*, arrangement, et *derma*, peau). Art d'empailler les animaux vertébrés.

TAXIPHONE [taksifɔn] n. m. (du gr. *taxis*, taxe, et *phônê*, voix). Cabine téléphonique d'où l'on peut obtenir une communication en y introduisant un jeton ou des pièces de monnaie.

TAYAUT ! interj. → TAÏAUT !

TAYGÈTE, montagne du sud du Péloponnèse (Grèce); 2 404 m.

TAYLOR (Frederick Winslow), ingénieur américain (1856-1915), inventeur des aciers à coupe rapide et créateur d'un système d'organisation rationnelle du travail, souvent dénommé *taylorisme*.

TAYLORISME [tɛlɔrism] n. m. (de *Taylor*). Système d'organisation du travail, dont l'une des principales caractéristiques est la spécialisation des exécutants dans leur tâche respective.

TAZA, v. du Maroc, entre le Rif et le Moyen Atlas; 55 200 hab. Zone de passage (*couloir de Taza*) entre le Maroc et l'Algérie.

TAZOULT → LAMBÈSE.

TBILISSI, ancienn. **Tiflis**, v. de l'U. R. S. S., capit. de la Géorgie; 1 140 000 hab. Centre administratif, universitaire et industriel.

TCHAD, grand lac de l'Afrique centrale, aux confins du Nigeria, du Niger, du Cameroun et du Tchad; 25 000 km².

TCHAD, république de l'Afrique centrale, à l'E. du lac Tchad. → cartes AFRIQUE pp. 48-49.

SUPERFICIE 1 284 000 km² (France : 550 000 km²).
POPULATION 5 200 000 hab. (*Tchadiens*); 4 hab. au km² (France : 103); accroissement annuel de la population, 2 p. 100.
CAPITALE N'Djamena (ancienn. Fort-Lamy) [303 000 hab.].
LANGUE OFFICIELLE français.

GÉOGRAPHIE

Le pays s'étend sur une vaste cuvette, dont le fond est occupé par le lac Tchad, dominée au N. et à l'E. par des massifs montagneux volcaniques (*Tibesti, Ennedi*).

Le Nord, désertique, correspond à la partie méridionale du Sahara. Il est peuplé de pasteurs qui élèvent ovins et bovins. Le Sud, plus humide, est couvert par la savane. Des agriculteurs, installés dans les bassins du Logone et du Chari, cultivent du coton, de l'arachide et du riz grâce à l'irrigation.

HISTOIRE

Le territoire de l'actuel État du Tchad connaît dès le néolithique une civilisation de pêcheurs, avant de devenir une zone de métissage entre nomades blancs et noirs et sédentaires noirs.

- *V. 800. Des nomades toubous fondent le royaume de Kanem.*

Le Kanem, dont les rois se convertissent à l'islām en 1085, est à son apogée au XIIIe s. grâce au commerce saharien. Au XIVe s., les révoltes se généralisent et une dynastie originaire du Kanem fonde au S.-O. du lac Tchad le royaume de Bornou.

- *1571-1603. Sous Idriss Alaoma, le Kanem est intégré au Bornou et s'enrichit par le commerce des esclaves.*

Ce commerce permet l'essor au XVIIe s. d'un autre royaume, le Baguirmi. Les deux royaumes sont en déclin à la fin du XIXe s., et le Baguirmi, face aux progrès de l'État esclavagiste que fonde Rabah de 1879 à 1900, fait appel aux Français.

- *1910. Soumis militairement, le Tchad est intégré à l'A.-É. F.*

En 1940, sous l'impulsion du gouvernement Éboué, il est la première colonie à rallier la France libre, mais dès 1946 apparaissent des tendances autonomistes.

- *1960. République depuis 1958, le Tchad devient indépendant.*

Sous le gouvernement du président Tombalbaye, le mécontentement social s'ajoute aux tensions entre sédentaires du Sud et nomades du Nord, et à partir de l'été 1968, malgré une intervention militaire française, certaines régions s'insurgent.

- *À partir de 1973. Interventions de la Libye.*
- *1975. Tombalbaye est assassiné lors d'un coup d'État.*
- *1979. Tout le pays est touché par la guerre civile.*
- *1982. Hissène Habré impose son autorité à l'ensemble du pays.*

La France apporte son soutien militaire à Hissène Habré contre Goukouni Oueddei, réfugié dans le Nord et protégé par la Libye.

- *1984. Retrait des troupes françaises.*
- *1986. Nouvelle intervention française. Ralliement d'une partie de l'opposition à Hissène Habré.*
- *1987. Les troupes d'Hissène Habré remportent d'importantes victoires sur les Libyens (reconquête de Faya-Largeau).*
- *1988. Rétablissement des relations diplomatiques avec la Libye.*
- *1990. H. Habré est renversé par Idriss Déby.*

TCHAÏKOVSKI (Piotr), compositeur russe (1840-1893). Il est l'auteur d'opéras (*Eugène Onéguine*, 1878; *la Dame de pique*, 1890), de ballets (*le Lac des cygnes*, 1876; *Casse-Noisette*, 1892), de symphonies (la *Pathétique*), d'ouvertures (*Roméo et Juliette*, 1812), de concertos pour piano, pour violon. Disciple spirituel de Berlioz et de Liszt, il reste un des maîtres de l'orchestration au XIXe s.

TCHAMPA → CHAMPA.

TCH'ANG-CHA, v. de la Chine centrale, capit. du Hou-nan; 703 000 hab. Port sur le Siang-kiang.

TCHANG KAÏ-CHEK → CHANG KAÏ-CHEK.

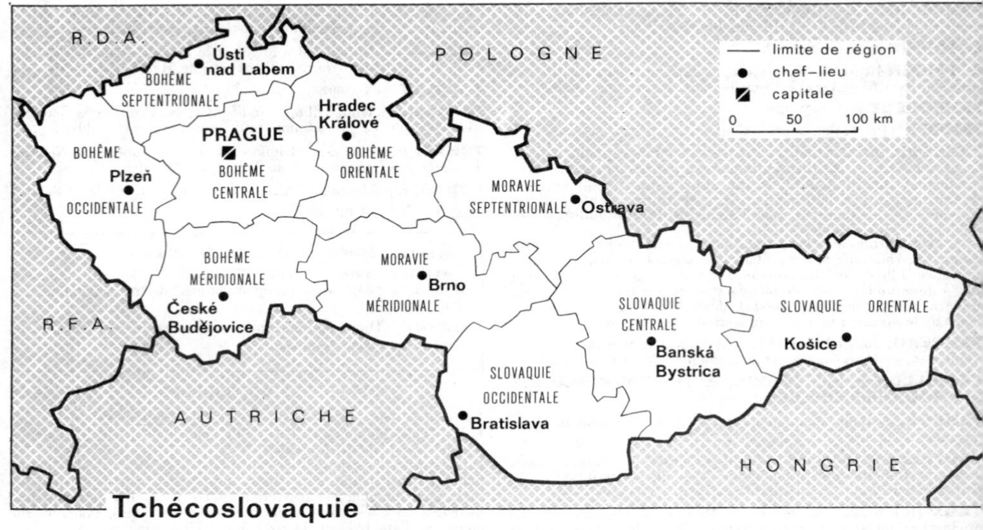

Tchécoslovaquie

TCHÉCOSLOVAQUIE, en tchèque **Československo,** république fédérale de l'Europe centrale.

SUPERFICIE 128 000 km² (France : 550 000 km²).

POPULATION 15 600 000 hab. *(Tchécoslovaques);* 122 hab. au km² (France : 103); taux de natalité, 14.7 p. 1 000; taux de mortalité, 11.5 p. 1 000.

CAPITALE Prague (1 176 000 hab.).

VILLES PRINCIPALES Brno (363 000 hab.); Bratislava (350 000 hab.); Ostrava (317 000 hab.); Plzeň (163 000 hab.).

LANGUES tchèque et slovaque.

MONNAIE couronne tchécoslovaque.

GÉOGRAPHIE

Le pays s'étend sur trois ensembles naturels : les bassins de *Moravie,* prolongés au N. par l'extrémité méridionale de la Silésie, séparant la *Bohême,* région de plateaux encadrés de massifs hercyniens (Erzgebirge, Šumava), de la *Slovaquie,* qui correspond à l'extrémité occidentale des Carpates. Le climat, continental, est marqué par des hivers rudes.

	TEMPÉRATURES	MOYENNES	PLUIES
	janv.	juil.	
Prague	0 °C	19 °C	499 mm

La population est composée essentiellement de Tchèques (65 p. 100) et de Slovaques (30 p. 100).

L'*agriculture,* collectivisée, fournit des céréales, des pommes de terre et des cultures industrielles (houblon, betterave à sucre). Dans les montagnes, l'élevage bovin domine.

L'*industrie* est ancienne, mais elle a pris un essor particulier après la Seconde Guerre mondiale, avec l'instauration d'un régime socialiste. Les sources d'énergie sont abondantes (charbon d'Ostrava, lignite de l'Erzgebirge), et le pays possède quelques gisements miniers (fer, cuivre, or). Aux activités traditionnelles (verrerie, travail du cuir, brasserie) sont venues s'ajouter des industries nouvelles. La sidérurgie alimente des constructions mécaniques variées. Le textile et l'industrie du papier sont actifs.

Ces activités sont surtout localisées en Bohême, où se situent plusieurs grandes villes du pays : Prague, Brno, Plzeň. Le gouvernement a entrepris un effort d'industrialisation de la Slovaquie, qui était restée essentiellement agricole, notamment en développant l'hydro-électricité. La Tchécoslovaquie, dont le principal partenaire commercial est l'U. R. S. S., possédait, avec l'Allemagne de l'Est, le plus haut niveau de vie des pays d'Europe de l'Est.

HISTOIRE

L'évolution séparée des Tchèques (→ BOHÊME) et des Slovaques depuis le Xᵉ s. est responsable, au XIXᵉ s., de profondes différences économiques, sociales et culturelles.

- *1848. L'idée de former une nation unique est émise au congrès panslave de Prague.*

Mais seul l'ébranlement causé par la Première Guerre mondiale va permettre son application. En 1915, un comité tchécoslovaque se forme autour de Tomáš Masaryk et prépare à Paris l'intervention d'une armée nationale aux côtés des Alliés (1917).

- *1918. La chute des Habsbourg permet à un comité national de prendre le pouvoir à Prague.*

Une république, dont le président va être Masaryk, est proclamée. Elle unit sous un régime parlementaire la Bohême industrialisée et la Slovaquie rurale. Ses frontières sont délimitées par les traités de Saint-Germain (1919) et de Trianon (1920), et garanties par un système d'alliances patronné par la France, comme la Petite-Entente avec la Yougoslavie et la Roumanie. Si la question agraire est partiellement résolue par une réforme (1919), le nouvel État doit affronter une vague d'agitation sociale (1920), le mécontentement des minorités (Allemands des Sudètes et Hongrois surtout) qui représentent près du tiers de la population, et les menées autonomistes slovaques.

De 1922 à 1938, les gouvernements sont de plus en plus conservateurs, tandis que Beneš succède à Masaryk (1935).

- *Septembre 1938. Par l'accord de Munich, la France et l'Angleterre acceptent que l'Allemagne hitlérienne annexe les Sudètes.*

La Pologne et la Hongrie suivent l'exemple allemand. Enfin, en 1939, Hitler occupe le reste de la Bohême qu'il érige en protectorat et favorise la sécession de la Slovaquie sous l'égide de Mgr Tiso.

- *1940. Beneš constitue un gouvernement provisoire à Londres.*

Le « protectorat de Bohême-Moravie » est soumis à une exploitation brutale et intensive sous l'autorité d'Heydrich, dont l'assassinat en 1942 est suivi des massacres de Lidice. En avril 1945, la libération d'une partie du pays par l'armée soviétique permet l'installation à Košice d'un gouvernement de coalition, qui prévoit l'expulsion des minorités et la nationalisation de la grande industrie. Une nouvelle réforme agraire est appliquée, tandis que croît l'influence du parti communiste dont le chef, Gottwald, forme le gouvernement en 1946.

- *Février 1948. La démission des ministres modérés entraîne la prise de pouvoir par les communistes, appuyés par les milices ouvrières, et le départ de Beneš.*

La nouvelle démocratie populaire (qui devient « République socialiste » en 1960) connaît en 1949 une crise marquée par des épurations au sein du parti. Le gouvernement autoritaire de Novotný se libéralise après 1960. La Slovaquie rattrape son retard.

- *Janvier 1968. Novotný est remplacé comme premier secrétaire du parti par Dubček (début du « printemps de Prague »).*

La libéralisation s'accentue ainsi que le désengagement économique à l'égard de l'U. R. S. S., mais celle-ci, refusant cette évolution, occupe le pays en août 1968.

- *Avril 1969. Dubček est remplacé par Gustáv Husák, qui engage le pays sur la voie de la normalisation.*

- *1987. Husák quitte la direction du parti.*
- *1989. Des manifestations massives réclamant la démocratisation du régime sont suivies d'une réforme fondamentale de la Constitution (fin du rôle dirigeant du parti communiste et abandon de la référence au marxisme-léninisme). Un gouvernement d'union nationale, à majorité non communiste, est mis en place. L'écrivain dissident Václav Havel est élu président de la République.*

Tandis que les membres du pacte de Varsovie reconnaissent « l'erreur » de l'intervention militaire de 1968, la Tchécoslovaquie ouvre sa frontière avec l'Autriche.

TCHEKHOV (Anton Pavlovitch), écrivain russe (1860-1904). D'abord auteur de contes et de nouvelles *(la Steppe, la Maison à mezzanine)*, il se tourna vers le théâtre où il entreprit de peindre la vie médiocre et absurde des hobereaux russes (*la Mouette*, 1896; *Oncle Vania*, 1897; *les Trois Sœurs*, 1901; *la Cerisaie*, 1904).

TCHELIABINSK, v. de l'U. R. S. S., dans l'Oural; 1 007 000 hab. Sidérurgie. Métallurgie.

TCHENG-TCHEOU, v. de Chine, capit. du Ho-nan, sur le Houang-ho; 1 million d'hab.

TCH'ENG-TOU, v. de Chine, capit. du Sseu-tch'ouan; 1 500 000 hab. Grand centre industriel.

TCHÈQUE [tʃɛk] n. et adj. **1.** Qui est de Tchécoslovaquie. — **2.** Qui est de Bohême, de Moravie, ou d'une partie de la Silésie. ◆ n. m. Langue slave parlée dans ces régions.

TCHERENKOV (Pavel Alexeïevitch), physicien soviétique, né en 1904. Il a découvert en 1934 l'émission de la lumière par des particules chargées, animées d'une vitesse supérieure à celle de la lumière. (Prix Nobel de physique, 1958.)

TCHERKESSES, peuple du Caucase septentrional, partiellement islamisé, habitant une région autonome de l'U. R. S. S.

TCHERNENKO (Konstantine Oustinovitch), homme d'État soviétique (1911-1985). Après la mort d'Andropov, il devient secrétaire général du parti communiste et président du Praesidium du Soviet suprême (1984).

TCHERNOBYL, localité de l'U. R. S. S., au N. de Kiev. Centrale nucléaire (grave accident dans un réacteur en 1986).

TCHERNOZIOM [tʃɛrnozjɔm] . m. (mot russe). Dans les steppes du sud de la partie européenne de l'U. R. S. S. (notamment en Ukraine), terres noires d'une fertilité exceptionnelle, propices à la grande culture céréalière et betteravière.

TCHIATOURA, v. de l'U. R. S. S. (Géorgie). Principal centre mondial de l'extraction du manganèse.

TCHÖ-KIANG, province de la Chine orientale, sur la mer de Chine; 101 000 km^2; 38 millions d'hab. Capit. *Hang-tcheou.*

TCHONG-K'ING, v. de Chine (Sseu-tch'ouan), sur le Yang-tseu-kiang; 2 765 000 hab. Métallurgie. Textiles. Quartier général de Chang Kaï-chek de 1938 à 1945.

TCHOUDES *(lac des)* → PEÏPOUS *(lac).*

TE pron. pers. → TU.

TÉ [te] n. m. (de la lettre *T*). **1.** Pièce quelconque ayant la forme d'un T. — **2.** Double règle employée par les dessinateurs, composée de deux branches, dont l'extrémité de la plus grande s'assemble au milieu de l'autre à angle droit.

TECH (le), fl. côtier des Pyrénées-Orientales; 82 km.

TECHNIQUE [tɛknik] adj. (du gr. *tekhnê,* art). **1.** Qui appartient à un art, à un métier, à une science : *Un terme, une expression technique* (contr. COURANT). — **2.** *Enseignement technique,* branche de l'enseignement qui donne une formation professionnelle destinée aux métiers et aux professions de l'industrie et du commerce. ◆ n. m. Enseignement technique. ◆ n. f. **1.** Ensemble des procédés d'un art, d'un métier, employés pour produire une œuvre ou pour obtenir un résultat déterminé : *La technique d'un peintre.* — **2.** *Fam.* Manière d'agir; méthode; moyen : *Ce n'est pas difficile, il suffit de trouver la bonne technique.* — **3.** Application pratique des connaissances scientifiques dans le domaine de la production : *Observer les progrès d'une technique.* ◆ **techniquement** adv. : *Un pays techniquement en avance sur les autres* (= sous le rapport de la technique). ◆ **technicien, enne** n. Personne qui connaît une technique déterminée : *Un technicien de la radio* (syn. SPÉCIALISTE). ◆ **technicité** n. f. Caractère technique : *Un travail d'une haute technicité.* ◆ **technico-,** élément qui marque la spécialité d'une personne dans un domaine technique : *Un cadre technico-commercial* (= hautement compétent dans le domaine du commerce). ◆ **technocrate** n. m. (souvent péjor.). Haut fonctionnaire qui utilise ses compétences techniques pour acquérir et exercer un pouvoir politique. ◆ **technocratie** [tɛknokrasi] n. f. Influence que prennent les hauts fonctionnaires, les techniciens dans la société industrielle. ◆ **technologie** n. f. Étude générale des techniques, de leurs méthodes, de leur efficacité et de leur évolution dans une société donnée. ◆ **technologique** adj. : *La civilisation technologique.*

TECK ou **TEK** [tɛk] n. m. (portug. *teca*). Arbre originaire d'Asie, cultivé en régions tropicales, et utilisé comme bois d'ébénisterie et pour les constructions navales.

TECKEL [tekɛl] n. m. (mot all.). Chien terrier allongé, bas sur pattes, musclé, à poil ras, dur, ou à poil long.

TECTONIQUE [tɛktɔnik] n. f. (du gr. *tektôn,* constructeur). Partie de la géologie qui étudie les déformations des terrains, sous l'effet des forces internes, postérieurement à leur mise en place. ◆ adj. Qui se rapporte à la tectonique : *Carte tectonique.*

TECTRICE [tɛktris] adj. et n. f. (du lat. *tectus,* couvert). Plume courte de l'aile des oiseaux, recouvrant la base d'une rémige : *Les tectrices sont disposées sur trois rangs réguliers.*

TE DEUM [tedeɔm] n. m. inv. Cantique latin d'action de grâces de l'Église catholique commençant par les mots *Te Deum laudamus,* « Seigneur, nous te louons ».

TEE [ti] n. m. (désignation anglaise de la lettre *t*). Au golf, petite cheville fixée en terre et servant, au départ d'un trou, à surélever la balle.

TEE-SHIRT ou **T-SHIRT** [tiʃœrt] n. m. (mot angl.; de *tee,* prononciation de *t* en angl., et *shirt,* chemise). Chemisette à manches courtes ou longues, ras du cou, et qui, posée à plat, rappelle la forme d'un T. ‖ Pl. des *tee-shirts.*

TÉGÉNAIRE [teʒenɛr] n. f. (bas lat. *tegenaria*). Araignée des maisons, tissant une toile irrégulière dans les angles des murs et derrière les meubles.

TÉGLATH-PHALASAR Ier, roi d'Assyrie (1112-1074 av. J.-C.). Il conquit la Commagène et fit campagne en Arménie. — TÉGLATH-PHALASAR III, roi d'Assyrie (745-727 av. J.-C.). Il fit de l'Assyrie un empire fortement organisé et établit sa domination sur l'Asie occidentale.

TÉGUMENT [tegymɑ̃] n. m. (lat. *tegumentum;* de *tegere,* couvrir). **1.** *Anat.* Ce qui couvre le corps de l'homme et des animaux (peau, poils, plumes, écailles). — **2.** *Bot.* Enveloppe de la graine.

TÉHÉRAN, capit. de l'Iran, située au S. de l'Elbourz; 5 734 000 hab. La ville abrite de beaux monuments (mosquée), des parcs et des jardins. Centre commercial, Téhéran est devenue une ville industrielle (métallurgie, textile), où l'artisanat traditionnel reste cependant vivant (tapis, cuivres).

TEHUANTEPEC, isthme du Mexique, large de 210 km, entre le golfe du Mexique et le Pacifique, traditionnelle limite entre l'Amérique du Nord et l'Amérique centrale.

1. TEIGNE [tɛɲ] n. f. (lat. *tinea*). **1.** Petit papillon, appelé aussi MITE, dont les chenilles vivent sur des plantes cultivées (pomme de terre, betterave, lilas), sur des denrées (farines, grains) ou sur des objets ménagers (vêtements, fourrures, tapis). — **2.** Maladie du cuir chevelu et des poils, produite par divers champignons microscopiques et entraînant des chutes de cheveux (alopécies).

2. TEIGNE [tɛɲ] n. f. (de *teigne* 1). *Fam.* Personne désagréable, méchante.

TEIL (Le), comm. de l'Ardèche (arrond. de Privas), sur le Rhône; 8 400 hab. Production de chaux et de ciment.

TEILHARD DE CHARDIN (Pierre), jésuite, philosophe, théologien et paléontologue français (1881-1955). Voulant faire concorder science et religion, il a élaboré une doctrine concluant à une évolution de l'univers qui aboutit à la fusion avec Dieu.

TEINDRE [tɛ̃dr] v. t. (lat. *tingere*). [Conj. **55.**] (Sujet nom de personne.) *Teindre qqch.,* l'imprégner d'une substance colorante : *Teindre des étoffes, ses cheveux.* ◆ ***se teindre*** v. pr. (sujet nom de personne). *Se teindre les cheveux,* ou *se teindre,* donner à ses cheveux une couleur artificielle. ◆ **teint** n. m. **1.** Couleur du visage : *Un teint hâlé, pâle* (syn. CARNATION). — **2.** Couleur donnée à une étoffe par la teinture (ne s'emploie que dans les express. *bon teint, grand teint,* teint solide à l'usage). ◆ **teinture** n. f. **1.** Action de teindre : *La teinture d'un textile.* — **2.** Liquide préparé pour teindre : *Plonger une étoffe dans de la teinture.* — **3.** Médicament liquide obtenu en faisant dissoudre une substance de nature végétale, animale ou minérale dans de l'alcool : *De la teinture d'iode.* ◆ **teinturier, ère** n. Personne qui se charge de la teinture ou du nettoyage des vêtements. ◆ **teinturerie** n. f. Atelier ou boutique du teinturier. ◆ **déteindre** v. t. Faire perdre sa couleur à : *Le soleil a déteint ce tissu.* ◆ v. i. **1.** Perdre sa couleur : *Tissu qui déteint au lavage.* — **2.** *Déteindre sur qqch.,* lui communiquer de sa couleur : *Le tricot rouge a déteint sur la chemise.* — **3.** (sujet nom de personne) *Déteindre sur qq'un,* l'influencer au point de lui faire adopter ses manières, ses idées.

TEINTE [tɛ̃t] n. f. (de *teindre*). **1.** Nuance résultant du mélange de plusieurs couleurs : *Une teinte violacée.* — **2.** *Une teinte de,* une nuance légère de : *Dans ce texte, il y a une teinte d'ironie.*

◆ **teinter** v. t. **1.** *Teinter qqch., un objet,* les couvrir d'une teinte légère : *Teinter un meuble avec du brou de noix.* — **2.** Colorer légèrement : *Des lunettes aux verres teintés.* ◆ ***se teinter*** v. pr. Se colorer légèrement : *Une remarque qui se teinte d'ironie.* ◆ **demi-teinte** n. f. Teinte intermédiaire entre le clair et le foncé. ‖ Pl. des *demi-teintes.*

TEINTURE n. f., **TEINTURIER, ÈRE** n., **TEINTURERIE** n. f. → TEINDRE.

TEK n. m. → TECK.

1. TEL, TELLE [tɛl] adj. (lat. *talis*). **1.** Marque la ressemblance, la similitude entre deux personnes, ou deux choses : *Tel père, tel fils* (syn. PAREIL). *On n'a jamais rien vu de tel* (syn. SEMBLABLE). — **2.** En tête de proposition, résume le contenu de ce qui précède ou indique une comparaison : *Telle est mon opinion. Il disparut rapidement, tel un éclair.* — **3.** Avec une valeur d'indéfini, indique que l'on ne désigne la personne ou la chose que d'une façon vague : *Nous arriverons tel jour, à telle heure.* — **4.** *Tel que* (suivi d'un nom ou d'un pronom, d'un verbe à l'indicatif), marque la comparaison : *Il est tel que son père* (= comme son père). *Tel que vous le voyez, il est capable de vivre encore longtemps* (= dans l'état où il est) [fam.]. — **5.** *Tel quel,* dans l'état où se trouve une chose : *Je vous rends vos livres tels quels.* (L'express. *tel que* est, dans ce cas, jugée incorrecte par certains grammairiens.) ◆ pron. indéf. **1.** (en corrélation avec un pron. rel.) Cette personne : *Tel est pris qui croyait prendre.* — **2.** *Un tel, Une telle,* remplace avec une valeur vague, un nom propre : *Monsieur Un tel.* (→ aussi UNTEL.)

2. TEL, TELLE [tɛl] adj. (même étym.). **1.** Marque l'intensité : *On n'a jamais vu une telle impudence* (= si grande). — **2.** *Tel... que,* introduit une proposition indiquant la conséquence : *Il a fait un tel bruit qu'il a réveillé toute la maison.* — **3.** *Tel* sert à former des loc. conj. *(de telle façon, de telle manière, de telle sorte que),* indiquant la conséquence ou le but. ◆ **tellement** adv. **1.** Marque l'intensité d'un adjectif, d'un adverbe, d'un verbe, d'une quantité, correspondant à une subordonnée de conséquence introduite par *que : Cette maison est tellement grande qu'il est difficile de la chauffer* (syn. SI). *Il a dépensé tellement d'argent qu'il s'est ruiné* (syn. TANT). — **2.** Sans *que,* il marque l'intensité affective ou la cause : *Il exaspère tout le monde, tellement il est bavard;* dans une proposition négative : *« Aimez-vous le champagne? — Pas tellement »* (fam.) [= pas beaucoup].

TEL-AVIV-JAFFA, v. d'Israël, sur la Méditerranée; 838 000 hab. avec les banlieues. Principale ville et métropole économique d'Israël, elle groupe plus de la moitié des industries du pays : métallurgie, chimie. Son développement date du XXe s., car elle a été le centre du mouvement d'immigration juive en Palestine.

---

1. TÉLÉ- [tele], élément issu du gr. *têle,* loin, qui sert à former de nombreux mots indiquant la notion d'éloignement, de distance : *Télécommandé.*

---

2. TÉLÉ [tele] n. f. Abrév. fam. de TÉLÉVISION. ◆ **télécinéma** n. m. Appareil qui permet la diffusion de films sur un écran de télévision. ◆ **télédiffusion** n. f. Diffusion par télévision. ◆ **télédistribution** n. f. Diffusion par câbles d'informations audiovisuelles. → ENCYCL. ◆ **téléenseignement** n. m. Enseignement par correspondance utilisant pour le compléter la télévision. ◆ **téléfilm** n. m. Film réalisé pour la télévision. ◆ **télégénique** adj. Qui fait un bel effet à la télévision : *Un visage télégénique.* ◆ **téléspectateur, trice** n. Personne qui regarde la télévision. ◆ **télévision** n. f. **1.** Transmission par voie électrique à distance d'images d'objets fixes ou mobiles, de scènes animées (syn. fam. PETIT ÉCRAN). ‖ *Télévision par câbles,* transmission des programmes de télévision par câbles (syn. TÉLÉDISTRIBUTION). → ENCYCL. — **2.** Ensemble des services assurant la transmission d'émissions, de reportages par télévision : *Un opérateur, un présentateur de télévision.* ◆ **téléviser** v. t. Transmettre par télévision. ◆ **téléviseur** n. m. Appareil récepteur de télévision.
— ENCYCL. Les émissions de *télévision* sont transmises par ondes hertziennes : un émetteur envoie dans l'espace des ondes radio-électriques qui sont reçues par des antennes collectives ou individuelles d'immeubles. Les signaux ainsi recueillis sont ensuite transformés en images par les récepteurs. Une image de télévision est analysée par lignes juxtaposées à la façon dont on lit une page de livre. Lorsque toutes les lignes d'une image ont été parcourues, l'analyse reprend à la première ligne. Si la totalité des points de l'image sont ainsi transmis en moins d'un sixième de seconde, on a l'impression d'une image continue.

La prise de vues est effectuée à l'aide de caméras dont le tube-image constitue l'élément essentiel. Le faisceau électronique balaie la plaque photosensible sous l'action des champs électriques ou magnétiques variables qui le font dévier de manière à lui faire parcourir toutes les lignes d'analyse successives, puis à le faire revenir rapidement à son point de départ. Le courant émanant du tube-image, dit « courant vidéo », traduit les variations de la luminosité des points successivement explorés de l'image.

Les émissions régulières de télévision ont débuté en France en 1936, sur 455 lignes. Aux trois chaînes nationales existantes *(Télévision française 1 [TF1], Antenne 2 [A2] et France Régions 3 [FR3])* est venue s'ajouter, en 1984, une chaîne financée par le recours à l'abonnement *(Canal Plus).* À partir de 1986, plusieurs chaînes privées sont mises en service. En 1987 TF1 est privatisée. Aux États-Unis, il y a environ 2 000 stations émettrices dont la moitié sont affiliées à l'un des trois grands réseaux (N. B. C., C. B. S., A. B. C.). Les téléspectateurs ont la possibilité de choisir entre près de 7 à 40 programmes différents. La plupart des émetteurs de télévision européens sont reliés entre eux par le réseau d'Eurovision. Depuis le lancement de satellites artificiels du type Telstar (dont le premier fut lancé en juillet 1962), on parvient à réaliser la Mondovision, où des images sont transmises de continent à continent.

La *télévision en couleurs* repose sur le principe de la trichromie, selon lequel une teinte peut être reproduite par la synthèse additive de trois couleurs : le bleu, le rouge et le vert. À la réception, les trois images monochromes s'imbriquent les unes dans les autres, restituant ainsi la couleur de l'image originale.

La *télévision par câbles* utilise le même procédé que le téléphone : les images télévisées contenant beaucoup plus d'informations qu'un message sonore, au lieu d'être transmises par ondes hertziennes, sont transmises par des fils plus élaborés et plus gros que les fils ordinaires : les câbles. En France jusqu'ici, la télévision par câbles est utilisée dans des régions (montagneuses, par ex.) où les obstacles naturels empêchent la propagation des ondes : une antenne générale de télédistribution reçoit les programmes nationaux et les envoie dans les habitations reliées par câbles, après qu'ils aient été amplifiés. Mais l'avenir de la *télédistribution* est tout autre : elle doit favoriser la réalisation et la diffusion de programmes d'intérêt local (petites villes, groupes d'immeubles, etc.). Chaque abonné sera relié par un câble à un « central » télévisuel, à l'aide duquel, comme pour le téléphone, en formant un numéro, il entrera directement en contact avec le centre d'émission sélectionné. Le nombre des chaînes serait alors infini. Aux États-Unis, on compte environ 2 800 réseaux de télédistribution; au Japon 10 000. La télédistribution existe déjà également en Belgique, au Canada, en Grande-Bretagne. En France, les réseaux de télédistribution sont mis en place progressivement.
→ illustration en couleurs pages 1344-1345.

TÉLÉCABINE [telekabin] n. f. *(télé-* 1, et *cabine).* Téléphérique à un seul câble, pour le transport de personnes par petites cabines fixées au câble à intervalles réguliers. (On dit aussi TÉLÉBENNE.)

TÉLÉCINÉMA n. m. → TÉLÉ 2.

TÉLÉCOMMANDE [telekɔmɑ̃d] n. f. *(télé-* 1, et *commande).* **1.** Système permettant de commander à distance une manœuvre : *Un poste de télévision avec télécommande.* — **2.** Appareil permettant de réaliser cette manœuvre. ◆ **télécommander** v. t. Commander à distance : *Télécommander un engin.*
— ENCYCL. La *Télécommande* peut être réalisée par un jeu de transmission mécanique ou par des courants électriques, des signaux lumineux, des ondes radio-électriques ou sonores.

TÉLÉCOMMUNICATION [telekɔmynikasjɔ̃] n. f. *(télé-* 1, et *communication).* Ensemble des moyens de communication à distance.
— ENCYCL. La part la plus importante des *télécommunications* est constituée par le téléphone. Son principe consiste à transmettre par une ligne à deux ou quatre fils de cuivre rassemblés dans un câble (câble coaxial) [chaque paire peut transmettre entre 900 et 2 700 communications] un courant électrique modulé par l'action des ondes sonores sur un microphone et à reconstituer ces ondes sonores à l'arrivée par l'action du courant sur un récepteur.

Pour la transmission des communications à grandes distances, les câbles sont munis d'amplificateurs à lampes ou à transistors. On utilise également des faisceaux hertziens qui font appel à une transmission radio-électrique dirigée.

Les liaisons à grandes distances, en particulier transocéaniques, sont assurées par les câbles sous-marins et par les satellites relais de télécommunication. Les transmissions de données entre ordinateurs utilisent de plus en plus les télécommunications.
→ illustration en couleurs pages 1344-1345.

TÉLÉDISTRIBUTION n. f., **TÉLÉENSEIGNEMENT** n. m., **TÉLÉFILM** n. m., **TÉLÉGÉNIQUE** adj. → TÉLÉ 2.

TÉLÉGRAPHE [telegraf] n. m. (de *(télé-* 1, et gr. *graphein,* écrire). Appareil permettant de transmettre des messages à longue distance au moyen d'impulsions électriques et de fils conducteurs. ◆ **télégraphier** v. t. Faire parvenir au moyen du télégraphe : *Télégraphier une nouvelle.* ◆ **télégraphie** n. f. Système de télécommunication assurant la transmission de messages par l'utilisation d'un code de signaux ou par d'autres moyens appropriés. ‖ *Télégraphie sans fil (T. S. F.),* transmission de messages par ondes électromagnétiques. ◆ **télégraphique** adj. **1.** Relatif à la télégraphie : *Des signes télégraphiques.* — **2.** Expédié par télégraphe :

Un message télégraphique. — **3.** *Langage, style télégraphique* (= réduit à des mots sans liaison, à l'imitation des correspondances télégraphiques). ◆ **télégraphiste** n. Employé chargé de la transmission, de la réception ou de la distribution des télégrammes. ◆ **télégramme** n. m. Message transmis au moyen du télégraphe.
— ENCYCL. La *télégraphie* est la forme la plus ancienne des télécommunications. Le premier système fut le télégraphe aérien de Chappe, dont l'installation commença en 1793. En 1843, les travaux de Morse permirent l'emploi de l'électricité pour la transmission des signaux. Puis apparurent des appareils plus perfectionnés, tel celui de Baudot. Ceux-ci ont auj. cédé la place aux téléscripteurs*, ou télétypes, qui équipent le réseau automatique télex*.

TÉLÉGUIDER [telegide] v. t. *(télé- 1, et guider).* Diriger à distance l'évolution d'un mobile (avion, char, engin, etc.). ◆ **téléguidage** n. m. : *Le téléguidage d'une fusée.*

TÉLÉIMPRIMEUR [teleɛ̃primœr] n. m. (de *télé-* 1, et *imprimer*). Appareil télégraphique permettant l'envoi direct d'un texte, au moyen d'un clavier dactylographique, et son inscription au poste de réception sous forme de caractères d'imprimerie. (→ TÉLEX.)

TELEMANN (Georg Philipp), compositeur de musique allemand (1681-1767). Son abondante production reflète une double influence, française et italienne. Il a laissé 40 opéras, 600 ouvertures à la française, 44 passions et d'innombrables partitions de musique de chambre et de musique symphonique. Il fut l'un des premiers représentants d'un genre intermédiaire entre l'opéra et l'opéra-comique *(Socrate patient).* Il éclipsa de son vivant la réputation de son ami J.-S. Bach.

TÉLÉMAQUE. *Myth. gr.* Fils d'Ulysse et de Pénélope. Encore enfant quand son père partit pour Troie, il alla plus tard à sa recherche, guidé par Athéna, sous les traits de Mentor.

TÉLÉMAQUE *(les Aventures de),* ouvrage de Fénelon (1699).

TÉLÉMATIQUE [telematik] n. f. (de *télé* 1, et *[infor]matique*). Ensemble des techniques et des services qui associent les télécommunications et l'informatique.

TÉLÉMESURE [teleməzyr] n. f. *(télé- 1, et mesure).* Transmission à distance de l'indication d'un appareil de mesure.

TÉLÉMÈTRE [telemɛtr] n. m. (de *télé-* 1, et gr. *metron,* mesure). Instrument servant à mesurer la distance qui sépare un observateur d'un point éloigné.

TÉLÉOBJECTIF [teleɔbʒɛktif] n. m. *(télé- 1, et objectif).* Objectif photographique dont la distance focale est relativement longue pour le format de l'appareil sur lequel il est monté, et qui sert à photographier de loin.

TÉLÉOSTÉENS [teleɔsteɛ̃] n. m. pl. (du gr. *teleios,* achevé, et *osteon,* os). Sous-classe de poissons osseux, comprenant tous ceux qui ont un squelette entièrement ossifié, soit les quatre cinquièmes du total des espèces actuelles (syn. POISSONS OSSEUX).

TÉLÉPATHIE [telepati] n. f. (de *télé-* 1, et gr. *pathos,* émotion). Phénomène de communication directe par la pensée entre deux personnes éloignées l'une de l'autre (syn. TRANSMISSION DE PENSÉE). ◆ **télépathique** adj.

TÉLÉPHÉRIQUE [teleferik] n. m. (de *télé-* 1, et gr. *pherein,* porter). Moyen de transport de personnes ou de marchandises, constitué par un ou plusieurs câbles qui supportent une cabine de voyageurs ou une benne de matériaux.

TÉLÉPHONE [telefɔn] n. m. (de *télé-* 1, et gr. *phônê,* voix). **1.** Ensemble de mécanismes électriques qui transmettent et reproduisent la parole à distance : *Le téléphone automatique, interurbain.* ‖ *Coup de téléphone,* communication téléphonique. — **2.** L'appareil lui-même qui permet une conversation entre deux personnes éloignées. ◆ **téléphoner** v. t. et i. Communiquer, transmettre par téléphone. ◆ **téléphonie** n. f. Système de télécommunication établi en vue de la transmission de la parole. ‖ *Téléphonie sans fil,* transmission de la parole par utilisation des propriétés des ondes électromagnétiques. ◆ **téléphonique** adj. Qui a lieu par téléphone : *Une communication téléphonique.* ◆ **téléphoniste** n. Personne chargée d'un service de téléphone public ou privé (syn. STANDARDISTE).
— ENCYCL. Après l'exposé tout théorique d'un *téléphone* électrique par le Français Bourseul en 1854, l'Américain Graham Bell réalise la première transmission de la voix en 1876. Mais le téléphone n'a pu vraiment se développer qu'après la mise au point du microphone à grenaille de charbon, encore utilisé actuellement.
Un réseau téléphonique comprend un certain nombre d'abonnés chez chacun desquels est installé un poste et qui sont reliés à un bureau central chargé d'établir entre eux les liaisons nécessaires. Le poste de chaque abonné comporte : un *microphone* et un *récepteur,* souvent assemblés dans un «combiné»; un *commutateur* qui établit au décrochage la communication avec le bureau central et y provoque le fonctionnement d'un relais qui prévient l'opératrice dans le cas d'un réseau manuel, ou les organes du bureau si le réseau est automatique; enfin une *sonnerie* qui permet au central d'appeler l'abonné lorsqu'il est demandé. Dans le cas, de plus en plus fréquent, d'un réseau automatique, l'appareil téléphonique comporte un *cadran d'appel* (ou un ensemble de dix touches) permettant de transmettre au central le numéro de l'abonné désiré. Les perfectionnements actuels portent sur l'automatisation des réseaux et la commutation électronique (= mise en relation automatique de l'abonné avec le correspondant désiré, au moyen de dispositifs électroniques).

TÉLESCOPAGE n. m. → TÉLESCOPER.

TÉLESCOPE [teleskɔp] n. m. (du gr. *têle,* loin, et *skopein,* examiner). Instrument d'observation astronomique dont l'objectif est un miroir concave. ‖ *Télescope électronique,* appareil analogue au télescope, dans lequel les faisceaux lumineux sont remplacés par des flux d'électrons.

TÉLESCOPER [teleskɔpe] v. t. (de l'angl. *to telescope*). *Télescoper un véhicule,* le heurter violemment : *Un train qui en télescope un autre.* ◆ **se télescoper** v. pr. (sujet nom désignant des véhicules). Entrer en collision : *Plusieurs voitures se sont télescopées* (syn. S'EMBOUTIR). ◆ **télescopage** n. m. : *Le télescopage de deux véhicules.*

TÉLESCOPIQUE [teleskɔpik] adj. (de *télescope*). Se dit d'un objet dont les éléments s'emboîtent les uns dans les autres : *Une antenne télescopique.*

TÉLÉSCRIPTEUR [teleskriptœr] n. m. (de *télé-* 1, et lat. *scribere,* écrire). Appareil de transmission électrique des dépêches : *Les téléscripteurs crépitent dans la salle de rédaction du journal.*

TÉLÉSIÈGE [telesjɛʒ] n. m. (de *télé [phérique],* et *siège*). Téléphérique constitué par une série de sièges suspendus à un câble aérien.

TÉLÉSKI [teleski] n. m. (de *télé [phérique],* et *ski*). Syn. de REMONTE-PENTE.

TÉLÉSPECTATEUR, TRICE n. → TÉLÉ 2.

TÉLÉTYPE [teletip] n. m. (de *télé-* 1, et gr. *tupos,* caractère). Syn. déconseillé par l'Administration de TÉLÉIMPRIMEUR.

TÉLÉVISER v. t., **TÉLÉVISEUR** n. m., **TÉLÉVISION** n. f. → TÉLÉ 2.

TÉLEX [telɛks] n. m. (de *télé-* 1). Service de dactylographie à distance, mis à la disposition des usagers au moyen de postes d'abonnement équipés de téléimprimeurs et permettant de transmettre des messages dactylographiés : *Le réseau télex fonctionne dans des conditions semblables à celles d'un service téléphonique.*

TELL (le), régions humides proches des côtes, en Afrique du Nord.

TELL (Guillaume) → GUILLAUME TELL.

TELLEMENT adv. → TEL 2.

TELLURIEN, ENNE [telyrjɛ̃, -ɛn] ou **TELLURIQUE** [telyrik] adj. (du lat. *tellus, -uris,* terre). Qui concerne ou qui provient de la terre : *Secousse tellurique.*

TELSON [tɛlsɔ̃] n. m. (mot gr. signif. *limite*). Chez les arthropodes de la classe des crustacés à abdomen long (crevette, écrevisse, homard, langouste), segment aplati, portant l'anus et terminant l'abdomen.

Telstar, premier satellite artificiel de télécommunications* spatiales, lancé le 10 juillet 1962 du cap Kennedy. (Il a pu assurer la retransmission des programmes de télévision entre les États-Unis et l'Europe.)

TEMA, nouveau port du Ghāna. Centre industriel (aluminium).

TÉMÉRAIRE [temerɛr] adj. et n. (lat. *temerarius,* inconsidéré). **1.** Se dit d'une personne qui est d'une hardiesse excessive, inconsidérée : *Un jeune téméraire* (syn. AUDACIEUX, CASSE-COU). — **2.** Se dit de ce qui est inspiré par une telle hardiesse : *Une entreprise téméraire* (syn. AVENTUREUX, HASARDEUX). — **3.** *Jugement téméraire,* porté à la légère et sans preuves suffisantes. ◆ **témérairement** adv. : *Se lancer témérairement dans une entreprise.* ◆ **témérité** n. f. Hardiesse inconsidérée : *Affronter un danger avec témérité* (syn. PRÉSOMPTION).

TÉMOIN [temwɛ̃] n. m. (lat. *testimonium,* témoignage). **1.** Personne qui a vu ou entendu quelque chose et qui peut le certifier : *Confronter les déclarations des témoins.* ‖ *Prendre des personnes à témoin* (inv. dans cet emploi), invoquer leur témoignage. ‖ *Faux témoin,* celui qui témoigne contre la vérité. — **2.** Personne qui atteste l'exactitude d'une déclaration (à propos d'un mariage, d'une signature) : *La loi requiert deux témoins pour la célébration d'un mariage.* — **3.** Personne qui voit ou entend quelque chose sans qu'elle soit amenée à le certifier : *Elle a été témoin d'une scène touchante.* — **4.** Bâtonnet que se transmettent les coureurs dans une course de relais. — **5.** Butte qu'on laisse dans un terrain déblayé, pour évaluer la quantité de matériaux enlevés. → ENCYCL. ◆ adj. Qui indique quelque chose : *Une lampe témoin.* → ENCYCL.

◆ **témoigner** v. i. Révéler, rapporter ce qu'on sait; faire une déposition en justice : *Témoigner en faveur d'un camarade.* ◆ v. t. **1.** (sujet nom de personne) *Témoigner qqch.*, le montrer manifestement par ses paroles ou ses actions : *Témoigner de la sympathie à qq'un* (syn. MARQUER). — **2.** (sujet nom de chose) *Témoigner qqch.*, en être le signe, la preuve : *Son attitude témoignait une vive surprise.* ◆ v. t. ind. *Témoigner d'une chose*, servir de preuve à cette chose : *Ce fait témoigne de l'importance qu'il attache à cette affaire.* ◆ **témoignage** n. m. **1.** Action de témoigner; relation faite par une personne pour éclairer la justice : *L'avocat a invoqué plusieurs témoignages.* — **2.** Marque extérieure : *Il a donné de nombreux témoignages de sa fidélité* (syn. PREUVE). — **3.** *Rendre témoignage à qqch.*, le reconnaître, lui rendre hommage : *Rendre témoignage au courage de qq'un.*

— ENCYCL. Employé sans déterminatif, *témoin* n'est variable que dans ces deux expressions : *Leur entrevue aura lieu sans témoins. Vous m'êtes tous témoins que.* Le mot est invariable dans les autres cas : *Je vous prends tous à témoin. Témoin les blessures qu'il a reçues.* Il n'a pas de féminin : *Elle est témoin.*

Témoins de Jéhovah → JÉHOVAH *(Témoins de).*

TEMPE [tɑ̃p] n. f. (du lat. *tempus, -oris*). Partie latérale de la tête, comprise entre l'œil, le front, l'oreille et la joue. ◆ **temporal, e, aux** adj. : *Os temporal*, ou *temporal* n. m., os de la partie inférieure et latérale du crâne.

TEMPELHOF, agglomération de la banlieue sud de Berlin. Aéroport.

1. TEMPÉRAMENT [tɑ̃peramɑ̃] n. m. (lat. *temperamentum*, juste proportion). **1.** Constitution physiologique du corps humain : *Avoir un tempérament robuste, faible, délicat* (syn. COMPLEXION). — **2.** Ensemble des tendances d'une personne qui conditionnent ses réactions, ses comportements : *Avoir un tempérament violent, nerveux* (syn. CARACTÈRE, NATURE).

2. TEMPÉRAMENT [tɑ̃peramɑ̃] n. m. (même étym.). *Vente à tempérament*, système de vente dans lequel le client dispose immédiatement de l'objet acheté, contre le paiement ultérieur du prix par des versements échelonnés et moyennant un intérêt.

TEMPÉRANCE [tɑ̃perɑ̃s] n. f. (du lat. *temperare*, tempérer). **1.** Vertu qui modèle les désirs, les passions (syn. MODÉRATION, RETENUE). — **2.** Sobriété dans l'usage des aliments, des boissons. ◆ **tempérant, e** adj. et n. Se dit d'une personne douée de tempérance (syn. SOBRE). ◆ **intempérant, e** adj. **1.** Qui n'est pas tempérant; qui ne se contient pas : *Un caractère intempérant.* — **2.** En parlant des choses, excessif : *Faire un usage intempérant de tabac.* ◆ **intempérance** n. f. Manque de tempérance, de modération. ‖ *Une intempérance de langage*, une liberté excessive dans l'expression.

TEMPÉRATURE [tɑ̃peratyr] n. f. (lat. *temperatura*). **1.** *Phys.* Grandeur physique qui caractérise de façon objective la sensation de chaleur ou de froid laissée par le contact d'un corps. ‖ *Température centésimale* ou *Celsius*, température évaluée dans une échelle où les valeurs 0 et 100 ont été assignées à la glace fondante et à l'eau bouillante, sous la pression atmosphérique normale. ‖ *Température absolue* ou *thermodynamique*, température dont la valeur est celle de l'échelle Celsius, augmentée de 273,15; elle se mesure en kelvins. — **2.** Degré de chaleur du corps humain : *La température de l'homme oscille autour de 37 °C.* ‖ Fam. *Avoir, faire de la température*, avoir de la fièvre. — **3.** *Animaux à température constante*, dont la température interne du corps ne suit pas les variations de l'air ambiant (mammifères, oiseaux). ‖ *Animaux à température variable*, dont la température interne du corps varie avec celle de l'air ambiant (reptiles, batraciens, poissons). — **4.** *Météorol.* Ensemble des conditions atmosphériques variables, traduites par nous en sensations relatives de chaud et de froid, et dont l'appréciation exacte est fournie par l'observation du thermomètre : *Constater un réchauffement de la température.*

TEMPÉRÉ, E [tɑ̃pere] adj. **1.** *Mus.* Se dit d'un instrument dans lequel l'espace entre les demi-tons est normalisé et égalisé : *Clavecin tempéré.* — **2.** *Climat tempéré*, se dit du climat affectant les régions aux latitudes moyennes, subissant alternativement l'influence de l'air polaire et de l'air subtropical. (La circulation générale se fait d'O. en E., ce qui explique l'opposition entre les façades occidentales des continents [climat océanique*] et le Centre et l'Est [climat continental*]. Le climat méditerranéen* fait la transition avec les régions tropicales.)

TEMPÉRER [tɑ̃pere] v. t. (lat. *temperare*). Adoucir, atténuer : *Tempérer l'agressivité de qq'un* (syn. CALMER, MODÉRER). ◆ ***se tempérer*** v. pr. (sujet nom de personne). Se modérer, se calmer : *Il faut savoir se tempérer.*

TEMPÊTE [tɑ̃pɛt] n. f. (bas lat. *tempesta*). **1.** Violente perturbation atmosphérique sur terre ou sur mer. — **2.** Action impétueuse; explosion subite et violente : *Une tempête d'injures.*

Tempête *(la)*, comédie-féerie en vers mêlés de prose, de W. Shakespeare (v. 1611).

TEMPÊTER [tɑ̃pɛte] v. i. (de *tempête*) [sujet nom de personne]. *Fam.* Manifester à grand bruit sa colère, son mécontentement : *Dès qu'il est furieux, il se met à tempêter* (syn. FULMINER, TONITRUER).

TEMPLE [tɑ̃pl] n. m. (lat. *templum*). **1.** Édifice consacré à une divinité : *Le temple d'Apollon à Delphes.* — **2.** Édifice dans lequel les protestants célèbrent leur culte.

TEMPLE (*sir* William), diplomate anglais (1628-1699). Il négocia les traités d'Aix-la-Chapelle et de Nimègue.

Templiers ou **chanceliers du Temple,** ordre militaire et religieux fondé en 1119 et dont les membres avaient à l'origine pour mission l'accueil et la protection des pèlerins en Terre sainte. Ils acquirent d'importantes richesses et devinrent les banquiers du pape et de nombreux princes. Philippe le Bel, désirant s'emparer de leurs richesses et détruire leur puissance, fit arrêter Jacques de Molay, grand maître de l'ordre, et tous les templiers qui se trouvaient en France (1307). À la suite d'un procès inique, il les fit périr sur le bûcher (1310-1314). Dès 1312, le pape Clément V avait, à l'instigation du roi de France, supprimé l'ordre des Templiers.

TEMPO [tɛmpo] ou [tɛ̃po] n. m. (mot it. signif. *temps*). Vitesse moyenne avec laquelle sont exécutés les différents mouvements d'un morceau de musique : *Tempo allegretto. Tempo moderato.*

TEMPORAIRE adj., **TEMPORAIREMENT** adv. → TEMPS 1.

TEMPORAL, E, AUX adj. → TEMPE.

1. TEMPOREL, ELLE [tɑ̃pɔrɛl] adj. (du lat. *tempus, temporis*, temps). **1.** Qui concerne les choses matérielles (par oppos. à SPIRITUEL) : *Les biens temporels.* — **2.** *Pouvoir temporel*, pouvoir des papes en tant que souverains de leur territoire, par oppos. à *pouvoir spirituel.* ◆ n. m. Pouvoir temporel : *La séparation du temporel et du spirituel.*

2. TEMPOREL, ELLE adj. → TEMPS 1.

TEMPORELLEMENT adv. → TEMPS 1.

TEMPORISER [tɑ̃pɔrize] v. i. (du lat. *tempus, -oris*, temps). Différer une action généralement dans l'attente d'un moment plus propice. ◆ **temporisateur, trice** adj. et n. Qui temporise : *Une politique temporisatrice.* ◆ **temporisation** n. f.

1. TEMPS [tɑ̃] n. m. (lat. *tempus, -oris*). **1.** Durée marquée par la succession des jours, des nuits, des saisons, des événements de la vie : *Il y a peu de temps* (= récemment). *En un rien de temps* (= rapidement). *Le temps presse* (= il faut agir rapidement). ‖ *En temps ordinaire*, dans les circonstances habituelles de la vie, dans l'état habituel des choses. ‖ *N'avoir qu'un temps*, avoir une courte durée : *La jeunesse n'a qu'un temps.* — **2.** Durée limitée, considérée par rapport à l'usage qu'on en fait : *Ce travail m'a pris beaucoup de temps.* ‖ *Avoir du temps de libre*, avoir des loisirs. ‖ *Avoir le temps*, avoir le temps nécessaire pour : *Je n'ai pas le temps de vous parler maintenant.* ‖ *Avoir fait son temps*, avoir terminé sa carrière, n'être plus en état d'occuper la situation qu'on avait (sujet nom de personne); être usé, hors de service (sujet nom de chose) : *Un vêtement qui a fait son temps.* ‖ *Faire son temps*, accomplir son service militaire. ‖ *Passer le temps*, se distraire en attendant l'heure marquée pour quelque chose. ‖ *Passer son temps à* (et l'infin.), l'employer à telle occupation : *Il passe son temps à jouer.* ‖ *Perdre son temps*, ne rien faire, ou employer son temps à des choses inutiles. ‖ *Prendre son temps*, faire une chose sans se presser. ‖ *Se donner du bon temps*, s'amuser, mener joyeuse vie. ‖ *Tuer le temps*, se livrer à certaines actions uniquement pour échapper à l'ennui. — **3.** Période considérée dans sa durée déterminée, époque précise, moment fixé : *Remettre un travail en temps voulu. Il vous demande encore un peu de temps pour vous payer* (syn. DÉLAI). *Chercher à gagner du temps.* ‖ *Il est temps de*, c'est le moment de : *Il est temps de partir.* ‖ *Il est temps que*, il est maintenant nécessaire que : *Il est temps que vous pensiez à votre avenir.* ‖ *Il n'est que temps*, il faut se dépêcher. ‖ *Il était temps*, il s'en est fallu de peu. — **4.** Époque considérée en fonction de la place qu'elle occupe dans le cours des événements (souvent au plur.) : *En temps de guerre. Cela n'est pas surprenant par le temps qui court* (= dans la conjoncture actuelle). *Les temps sont durs.* ‖ *Un signe des temps*, un trait caractéristique des mœurs de l'époque. ‖ *La nuit des temps*, les temps les plus éloignés. — **5.** Période de la vie d'un peuple, d'un individu : *Du temps de Napoléon. Dans mon jeune temps* (= quand j'étais jeune). *Les hommes de notre temps* (= de l'époque actuelle). ‖ *Être de son temps*, penser, agir selon les idées de son époque. — **6.** Moment favorable, occasion propice : *Chaque chose en son temps. Il y a un temps pour tout.* — **7.** Saison propre à telle ou telle chose : *Le temps des vacances.* — **8.** *Gramm.* Chacune des séries verbales personnelles de la conjugaison : *On dit que le présent, l'imparfait, etc., sont des temps du français.* → tableau EXPRESSIONS DU TEMPS* p. 1345. — LOC. ADV. *À temps*, assez tôt : *Arriver à temps.* ‖ *De temps en temps, de temps à autre*, quelquefois, parfois. ‖ *De tout temps*, toujours : *De tout temps, cela a existé.* ‖ *En*

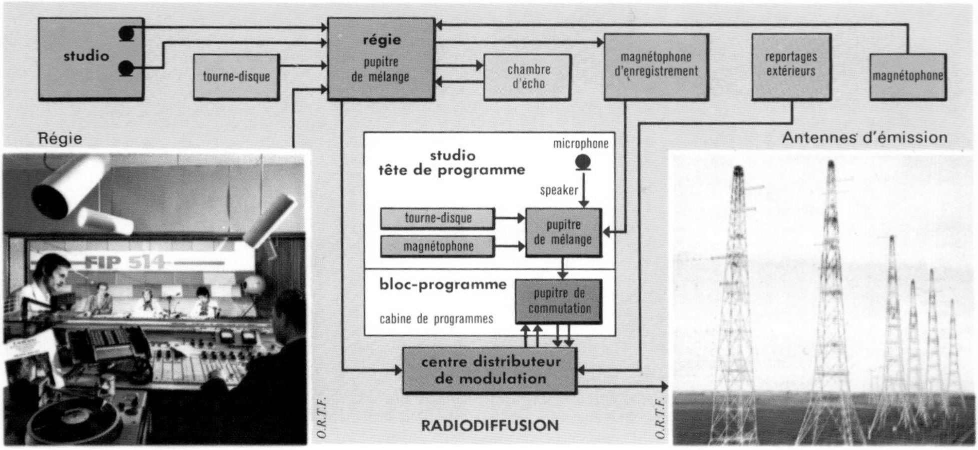

studio

tourne-disque

régie
pupitre de mélange

chambre d'écho

magnétophone d'enregistrement

reportages extérieurs

magnétophone

Régie

studio tête de programme

microphone

speaker

tourne-disque

magnétophone

pupitre de mélange

bloc-programme

cabine de programmes

pupitre de commutation

centre distributeur de modulation

Antennes d'émission

O.R.T.F.

RADIODIFFUSION

O.R.T.F.

TÉLÉSCRIPTEUR

téléimprimeur électronique

émetteur

récepteur

Le texte à transmettre est frappé sur un clavier dont chaque touche émet un signal codé qui déclenche la touche imprimante correspondante du récepteur. Le texte, lisible sur l'émetteur, peut être enregistré sur bande perforée, en vue d'une émission différée.

TÉLÉPHOTO

émetteur

La photo à transmettre se déplace en tournant devant un faisceau lumineux ponctuel, réfléchi sur une cellule photoélectrique; l'intensité lumineuse perçue, transformée en courant modulé, est transmise au récepteur. Le courant modulé fait varier l'intensité d'une source lumineuse ponctuelle impressionnant un papier sensible monté sur un cylindre qui se déplace dans les mêmes conditions que la photo.

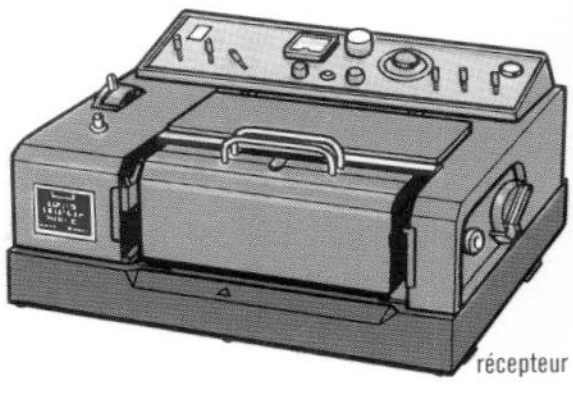

récepteur

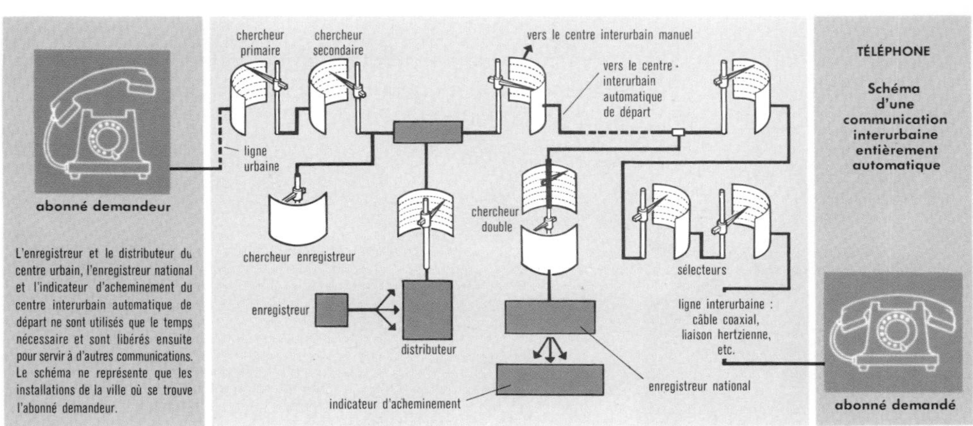

TÉLÉPHONE

Schéma d'une communication interurbaine entièrement automatique

L'enregistreur et le distributeur du centre urbain, l'enregistreur national et l'indicateur d'acheminement du centre interurbain automatique de départ ne sont utilisés que le temps nécessaire et sont libérés ensuite pour servir à d'autres communications. Le schéma ne représente que les installations de la ville où se trouve l'abonné demandeur.

O.R.T.F.

Régie

O.R.T.F.

Studio

O.R.T.F.

Magnétoscope

O.R.T.F.

Télécinéma

STUDIO
microphone
caméras T.V.
récepteur de contrôle
synchronisation des balayages
présélecteur
télécinéma
magnétoscope
analyseur images fixes
sélecteur
trucages
commande du présélecteur
commande du sélecteur
lignes extérieures
RÉGIE D'UN DES STUDIOS
speaker
tourne-disques magnétophone
opérateur du son
ampli
magnétoscope
kinescope
ampli
câble téléphonique
faisceau hertzien
ampli
ampli
CENTRE DE DISTRIBUTION (image, son)
RÉGIE (bloc-programme)
ÉMETTEUR (équipements)
sélecteur
magné-toscope
kines-cope
liaison internationale
liaison régionale
car de reportage
studio speaker
autre chaine
autres centres
Pleumeur-Bodou
tourne-disques magnétophone
chef de chaine
opérateur "son"
opérateur "image"
commande des sélecteurs
liaison par câbles coaxiaux
émetteur principal
relais
relais
relais
relais
émetteur régional
réseau hertzien
station de télécommunications spatiales de Pleumeur-Bodou
signal retransmis et amplifié par un satellite de télécommunications
émetteur de Lannion

TÉLÉVISION EN COULEURS EN CIRCUIT FERMÉ

même temps, dans le même instant : *Nous sommes arrivés en même temps* (syn. SIMULTANÉMENT). ‖ *En temps et lieu,* au moment et dans le lieu propices, convenables : *Nous vous avertirons en temps et lieu.* ‖ *La plupart du temps,* presque toujours. ‖ *Quelque temps,* pendant une certaine durée. ‖ *Tout le temps,* toujours, continuellement. — LOC. CONJ. *En même temps que,* au même moment que. ◆ **temporaire** adj. Qui ne dure, qui n'a lieu que pendant un certain temps : *Un emploi temporaire* (syn. MOMENTANÉ, PROVISOIRE). ◆ **temporairement** adv. : *Habiter Paris temporairement* (syn. MOMENTANÉMENT, PROVISOIREMENT). ◆ **temporel, elle** adj. **1.** Qui passe avec le temps (langue relig.) : *L'existence temporelle de l'homme* (contr. ÉTERNEL). — **2.** *Proposition subordonnée temporelle,* ou *temporelle* n. f., proposition commençant par une conjonction ou une locution conjonctive et indiquant le temps. ◆ **temporellement** adv. Durant un temps. ◆ **intemporel, elle** adj. Qui échappe au temps, éternel.

2. TEMPS [tɑ̃] n. m. (même étym.). **1.** Mesure de la durée des phénomènes : *On a calculé le temps que met la lumière du Soleil pour parvenir jusqu'à la Terre.* ‖ *Temps atomique,* temps dont la mesure est basée sur la fréquence de vibration d'un atome. ‖ *Temps civil,* temps moyen avancé de douze heures. ‖ *Temps universel (T. U.),* temps civil de Greenwich. (→ FUSEAU 4, MÉRIDIEN.) — **2.** *Mus.* Chacune des divisions de la mesure : *Une mesure à*

expressions du temps

Les expressions du temps (adverbes, substantifs, locutions) sont différentes selon qu'il s'agit de situer un événement par rapport au moment présent (**A**) ou de le situer dans le passé ou le futur par rapport à une date (**B**).

	A	B
PASSÉ	**lundi dernier, le mois dernier, l'année dernière, etc.** *Les classes ont repris lundi dernier.*	**le lundi d'avant, le mois d'avant, l'année d'avant, le lundi précédent, l'année précédente, etc.** *Le jeudi d'avant, il était allé au théâtre. La récolte du maïs avait été mauvaise l'année précédente.*
PASSÉ	**il y a trois, quatre jours; il y a une semaine, un mois, un an** *Il y a dix ans encore, on pouvait garer sa voiture facilement à Paris. Il y a eu huit jours lundi* (= huit jours avant lundi dernier).	**trois jours, quatre jours avant, une semaine, un mois, un an avant** *Un an avant, il était entré à l'hôpital*
PASSÉ	**avant-hier, il y a deux jours, il y a quarante-huit heures** *Je suis allé acheter ce livre avant-hier. Il y a deux jours, il n'y avait encore aucun bourgeon sur les arbres.*	**l'avant-veille, deux jours avant, quarante-huit heures avant** *L'avant-veille, il avait fait venir le médecin. Deux jours avant, il avait pris son billet à la gare.*
PASSÉ	**hier** *Hier, j'ai repeint le bureau* (adv.). *Il a eu tout hier pour réfléchir* (substantif). *Depuis hier, je ne l'ai pas vu.*	**la veille** *La veille de son arrivée, je préparai sa chambre.*
PRÉSENT	**aujourd'hui (le jour où l'on est)** *Aujourd'hui, le ciel est gris, il commence à pleuvoir.*	**le... (la date où s'est produit l'événement)** *Le 3 juillet 1962, il y eut un terrible accident.*
FUTUR	**demain, dans vingt-quatre heures** *Demain, nous irons lui rendre visite* (adv.). *Il aura tout demain pour se décider* (substantif). *À demain donc, puisque nous nous revoyons tous les jours.*	**le lendemain, vingt-quatre heures après** *Le lendemain, après une nuit de repos, il se crut guéri. Il différa sa décision jusqu'au lendemain.*
FUTUR	**après-demain, dans deux jours, dans quarante-huit heures** *Après-demain dimanche, nous nous reposerons. Dans deux jours nous aurons congé.*	**le surlendemain, deux jours après, quarante-huit heures après** *Le surlendemain de cette querelle, il disparut. Deux jours après, il avait tout oublié.*
FUTUR	**dans trois, quatre jours, une semaine, un mois, un an, etc.** *Dans une semaine, les travaux seront finis. Dans les quinze jours ou dans la quinzaine, vous me rendrez réponse* (= à l'intérieur des quinze jours qui viennent).	**trois jours, quatre jours, etc., après; une semaine, un mois, un an, deux ans après** *Dix ans après, il revint en France.*
FUTUR	**lundi prochain, la semaine prochaine, l'année prochaine, etc.** *La semaine prochaine, nous partirons en vacances.*	**le lundi d'après, le mercredi suivant, le mois suivant** *Il partit le mercredi, et le lundi d'après il arriva à destination. Il avait promis mercredi de revenir le vendredi suivant.*
FUTUR	**lundi en huit, mercredi en quinze** *Lundi en huit, le devoir devra m'être remis.*	**le lundi en huit, le mercredi en quinze** *Il déposa son livre le samedi 20 mars, et le lundi en huit (29 mars) il lui fut rendu.*

Rem. Dans la langue fam., on dit parfois *après après-demain,* pour *dans trois jours; avant avant-hier,* pour *il y a trois jours.*

deux, à trois, à quatre temps. — **3.** Chacune des phases dont l'ensemble constitue le cycle de fonctionnement d'un moteur : *Un moteur à deux, à quatre temps.* — **4.** En sport, durée d'une course : *Chronométrer le temps du vainqueur. Améliorer son temps* (= battre son record). — **5.** *Temps mort,* en sport, temps pendant lequel un match est interrompu; dans le langage courant, temps d'inactivité dans une profession, dans une industrie. — **6.** Informatique. *Travail en temps partagé,* se dit d'un ordinateur qui partage son temps à une vitesse si rapide qu'il semble répondre simultanément à chaque utilisateur. ‖ *Travail en temps réel,* se dit d'un ordinateur qui répond immédiatement aux ordres qui lui sont transmis.

3. TEMPS [tɑ̃] n. m. (même étym.). **1.** État de l'atmosphère en un lieu donné, à un moment donné : *Un temps chaud. Le temps se met au beau.* — **2.** (sujet nom de personne) *Faire la pluie et le beau temps,* être très puissant, très influent.

Temps modernes *(les),* film de Charlie Chaplin (1936).

TENABLE adj. → TENIR 1.

TENACE [tənas] adj. (lat. *tenax;* de *tenere,* tenir). **1.** Se dit d'une chose qui adhère fortement : *La glu, la poix sont tenaces.* — **2.** Se dit d'une chose qui est difficile à extirper, à détruire, dont on ne peut se débarrasser : *Les préjugés sont tenaces* (syn. ↓DURABLE; contr. FUGACE). — **3.** Se dit d'une personne très attachée à ses idées, à ses projets, à ses décisions (syn. OPINIÂTRE). ◆ **ténacité** n. f. : *Il a fait preuve de ténacité pour réaliser son projet* (syn. ACHARNEMENT, FERMETÉ, OPINIÂTRETÉ, PERSÉVÉRANCE).

TENAILLE [tənaj] n. f. ou **TENAILLES** n. f. pl. (du lat. *tenere,* tenir). Outil composé de deux pièces croisées, mobiles autour d'un axe, et terminées par des mors qu'on peut rapprocher pour saisir ou serrer certains objets.

TENAILLER [tənaje] v. t. (de *tenaille*) [sujet nom de chose]. *Tenailler qq'un,* le faire souffrir cruellement, le tourmenter : *La faim le tenaillait.*

TENANCIER, ÈRE [tənɑ̃sje, -ɛr] n. m. (de l'anc. fr. *tenance,* propriété). Personne qui dirige un établissement soumis à la réglementation ou à la surveillance des pouvoirs publics : *Tenancier d'un hôtel, d'une maison de jeu.*

TENANT, E adj. et n. m. → TENIR 1, 2 et 3.

TÉNARE → MATAPAN.

TENASSERIM (le), partie méridionale de la Birmanie.

TENCIN (Pierre GUÉRIN, *cardinal* DE), archevêque de Lyon et homme d'État français (1680-1758). Il lutta contre les jansénistes et fut ministre d'État. — Sa sœur, la marquise **de Tencin** (1682-1749), tint un salon célèbre et fut la mère de d'Alembert.

TENDANCE [tɑ̃dɑ̃s] n. f. (de *tendre*). **1.** Force qui oriente l'activité de l'homme vers certaines fins : *Avoir une tendance naturelle à faire le bien* (syn. INCLINATION, PENCHANT, PROPENSION). — **2.** Idées politiques, philosophiques, artistiques orientées dans telle ou telle direction : *Les tendances actuelles du cinéma, de la peinture.* ‖ *Procès de tendance,* accusation portée contre quelqu'un, non en raison de ce qu'il a dit ou fait, mais uniquement en raison des intentions qu'on lui suppose. — **3.** Fraction d'un parti politique, d'un syndicat. — **4.** Orientation indiquée par une série de faits : *Noter une tendance à la hausse (à la baisse) de certains produits agricoles.* — **5.** (sujet nom de personne ou de chose) *Avoir tendance à,* être porté à : *Cet homme a tendance à exagérer.* ◆ **tendancieux, euse** adj. Se dit de ce qui manifeste une orientation, un parti pris : *Un récit tendancieux* (contr. OBJECTIF). ◆ **tendancieusement** adv.

TENDE, ch.-l. de cant. des Alpes-Maritimes, à 60 km au N. de Menton, au S. du *col de Tende;* 2050 hab. Il a été cédé par l'Italie à la France en 1947 à la suite d'un référendum. — Le *col de Tende* est à 1870 m d'alt.; un tunnel, emprunté par la route de Nice à Turin, s'ouvre à 1279 m d'alt.

TENDER [tɑ̃dɛr] n. m. (mot angl.). *Ch. de f.* Wagon placé immédiatement après une locomotive à vapeur, et contenant l'eau et le combustible nécessaires à l'alimentation de la machine.

TENDEUR, EUSE n. → TENDRE 1 (v. t.).

TENDON [tɑ̃dɔ̃] n. m. (de *tendre*). **1.** Tissu élastique, fibreux et résistant, existant aux extrémités des muscles et permettant leur fixation sur les os. — **2.** *Tendon d'Achille,* gros tendon du talon. ◆ **tendineux, euse** adj. **1.** De la nature des tendons : *Membrane tendineuse.* — **2.** *Viande tendineuse,* qui contient des fibres coriaces. ◆ **tendinite** n. f. *Méd.* Inflammation des tendons.

1. TENDRE [tɑ̃dr] adj. (lat. *tener, -eri*) [après le nom, sauf au sens 3]. **1.** Se dit d'une chose qui se laisse facilement entamer, couper : *Du bois tendre.* — **2.** Qui ne résiste pas sous la dent, facile à mâcher : *Du pain tendre* (contr. RASSIS). *De la viande très tendre.* — **3.** *La tendre enfance, l'âge tendre,* la petite enfance, la première jeunesse. ◆ **tendreté** n. f. : *La tendreté d'une viande.* ◆ **attendrir** v. t. *Attendrir une viande,* la rendre moins dure. ◆ **attendrisseur** n. m. Appareil qui attendrit les viandes.

2. TENDRE [tɑ̃dr] adj. et n. (même étym.) [avant ou après le nom]. **1.** Se dit d'une personne accessible à l'amitié, à la compassion, à l'amour : *Une tendre mère* (syn. ↓AFFECTUEUX). — **2.** *Ne pas être tendre pour qq'un,* être sévère. ◆ adj. Qui manifeste de l'affection, de l'attachement : *Des paroles tendres* (syn. DOUX). ◆ n. m. *Carte du Tendre,* carte publiée en 1654 dans la *Clélie* de Mlle de Scudéry, qui traduit par un symbolisme géographique l'évolution d'une passion amoureuse, conduite selon les règles élaborées par les précieuses. ◆ **tendrement** adv. : *Aimer tendrement ses enfants.* ◆ **tendresse** n. f. : *La tendresse d'un père, d'une mère pour leurs enfants* (syn. AFFECTION, AMOUR). ◆ n. f. pl. Témoignages d'affection : *Défiez-vous de ses tendresses.* ◆ **attendrir** v. t. *Attendrir qq'un,* exciter en lui un sentiment de pitié, de compassion, provoquer son émotion. ◆ ***s'attendrir*** v. pr. Être touché : *Il s'attendrit devant tant de misère* (syn. S'APITOYER). ◆ **attendrissant, e** adj. : *Un spectacle attendrissant* (syn. ↑BOULEVERSANT, ÉMOUVANT). ◆ **attendrissement** n. m. : *Son attendrissement devant la souffrance témoigne de sa sensibilité* (syn. COMPASSION; contr. DURETÉ).

1. TENDRE [tɑ̃dr] v. t. (lat. *tendere*). [Conj. **50.**] **1.** *Tendre qqch.,* le tirer et le tenir dans un état d'allongement : *Tendre une corde. Tendre un arc.* — **2.** Étendre, déployer : *Tendre une voile.* — **3.** Disposer en étendant : *Tendre une tenture sur un mur.* ‖ *Tendre une pièce, un mur,* les couvrir d'une tapisserie, d'une étoffe. — **4.** *Tendre un piège, des collets, des filets,* etc., les disposer pour prendre du gibier. ‖ *Tendre un piège à qq'un,* chercher à le surprendre, à le tromper. — **5.** Porter en avant : *Tendre la main* (syn. ALLONGER, AVANCER). *Tendre la joue.* ‖ *Tendre la main, les bras à qq'un,* lui offrir son secours, l'aider. ‖ *Tendre la main,* demander l'aumône. ‖ *Tendre l'oreille,* s'efforcer d'écouter. ‖ *Tendre son esprit,* faire effort pour comprendre. — **6.** (sujet nom de personne) *Être tendu,* être irritable. ◆ **tendeur, euse** n. : *Un tendeur de pièges.* ◆ n. m. Appareil qui sert à tendre une courroie, un fil métallique, etc. ◆ **tendu, e** adj. **1.** *Avoir l'esprit tendu,* fortement appliqué à quelque chose. — **2.** *Rapports tendus,* rendus difficiles par suite d'un état de tension. ‖ *Situation tendue,* situation arrivée à un point critique, qui peut amener un conflit, une rupture. ‖ *Politique de la main tendue,* de réconciliation. ‖ *À bras tendus,* à bout de bras. ‖ *Poings tendus,* levés en signe d'hostilité. ◆ **tension** n. f. **1.** État de ce qui est tendu : *La tension d'un muscle* (syn. CONTRACTION, RAIDEUR). *La tension d'un ressort.* — **2.** Différence de potentiel électrique entre deux points d'un circuit : *Une tension de cent dix volts.* — **3.** Désaccord dans les rapports entre États, entre classes sociales, entre partis politiques, entre personnes. — **4.** *Tension d'esprit,* forte concentration de la pensée sur un sujet donné. ◆ **distendre** v. t. Tendre exagérément, au point de provoquer un relâchement du tissu organique, de la matière : *Muscle distendu. Distendre une attache en caoutchouc.* ◆ **distension** n. f. ◆ **sous-tension** n. f. Tension électrique inférieure à la normale. ◆ **surtension** n. f. Tension électrique anormale ou supérieure à la tension normale, pouvant exister en service normal entre deux parties conductrices. (On dit aussi, mais à tort, SURVOLTAGE.)

2. TENDRE [tɑ̃dr] v. t. ind. (même étym.). [Conj. **50.**] (Sujet nom de personne ou de chose.) *Tendre à une chose, à* (et l'infin.), avoir cette chose pour but : *Tendre à la perfection. Cette intervention tend à apaiser les esprits.*

TENDREMENT adv., **TENDRESSE** n. f. → TENDRE 2 (adj. et n.).

TENDRETÉ n. f. → TENDRE 1 (adj.).

1. TENDRON [tɑ̃drɔ̃] n. m. (de *tendre*). **1.** Petite pousse d'un arbre, d'une plante : *Les chèvres broutent les tendrons des ronces.* — **2.** Morceau du bœuf ou du veau, situé à l'extrémité de la poitrine et cartilagineux.

2. TENDRON [tɑ̃drɔ̃] n. m. (même étym.). *Fam.* Très jeune fille.

TENDU, E adj. → TENDRE 1 (v. t.).

TÈNE (La), site du canton de Neuchâtel (Suisse), qui a donné son nom à l'époque postérieure à celle de Hallstatt, s'étendant du Ve s. av. J.-C. à la conquête romaine.

TÉNÈBRES [tenɛbr] n. f. pl. (lat. *tenebrae*). **1.** Obscurité profonde : *Marcher à tâtons dans les ténèbres.* — **2.** Ce qui est obscur, difficile à connaître, à comprendre (littér.). ◆ **ténébreux, euse** adj. **1.** Plongé dans les ténèbres : *Une prison ténébreuse.* — **2.** Malaisé à connaître ou à comprendre (littér.) : *Ce procès est une ténébreuse affaire* (syn. MYSTÉRIEUX). ◆ adj. et n. Se dit d'une personne d'humeur sombre et mélancolique (littér.). ◆ **enténébré, e** adj. Se dit d'un lieu plongé dans les ténèbres (littér.) : *Un long couloir enténébré. (Rem.* Le verbe *enténébrer* est d'un emploi rare : *De gros nuages enténébraient le ciel.*

TÉNÉDOS, île turque de la mer Égée; 1750 hab.

TENERIFE ou **TÉNÉRIFFE,** la plus vaste et la plus peuplée des îles Canaries; 2352 km^2; 500400 hab. Ch.-l. *Santa Cruz de*

Tenerife. Cette île volcanique, au relief accidenté, produit des fruits (bananes, oranges, raisin) et du tabac.

TENERIFE ou **TÉNÉRIFFE** [tenerif] n. m. (de *Tenerife*). Variété de chien bichon, à poil frisé.

TENEUR [tənœr] n. f. (de *tenir*). **1.** Contenu exact d'un écrit : *La teneur d'une lettre.* — **2.** Ce qu'un corps contient d'une certaine substance : *La teneur d'un vin en alcool.*

TENEZ, deuxième pers. de l'impér. de *tenir* → TIENS.

TENG HSIAO-PING ou **TENG SIAO-P'ING,** homme d'État chinois (né en 1904), l'un des principaux dirigeants du pays.

TÉNIA ou **TÆNIA** [tenja] n. m. (lat. *taenia*, ruban). Ver plat qui vit en parasite dans le tube digestif des vertébrés. (On l'appelle aussi VER SOLITAIRE.)
— ENCYCL. Le *ténia du bœuf* et le *ténia du porc*, parasites de l'homme et d'autres mammifères, ont la forme d'un ruban blanc de plusieurs mètres de longueur (au maximum 10 à 12 m), constitué par un grand nombre d'anneaux (de 1 000 à 2 000) qui se détachent de la partie terminale du ver et quittent l'intestin de l'hôte par les selles. Celui-ci s'infeste en absorbant de la viande de bœuf ou de porc mal cuite (c'est là que se trouve l'embryon, ou *cysticerque*, du ténia). Les ténias provoquent des troubles nutritifs et nerveux.

1. TENIR [tənir] v. t. (lat. *tenere*). [Conj. **22.**] **I. Sujet nom de personne. 1.** *Tenir qq'un, qqch.*, l'avoir, le garder d'une certaine manière, dans une certaine position : *Tenir un enfant par le bras. Tenir un cheval par la bride. Tenir le gouvernail d'un navire. Tenir son chapeau à la main. Tenir la porte ouverte.* ‖ *Tenir qq'un*, le faire rester près de soi : *Ce vieux bavard m'a tenu pendant plus d'une heure* (syn. RETENIR). — **2.** De très nombreuses loc. verb. sont constituées par *tenir* et un compl. avec ou sans art. : *Tenir compagnie, tenir compte (de), tenir lieu (de), tenir rigueur, tenir tête*, etc. (loc. définies au nom compl.). ‖ Fam. *Tenir le bon bout*, être près de voir l'achèvement, la réalisation d'une chose; être dans la situation la plus avantageuse. ‖ *Tenir sa langue*, se taire. ‖ *Tenir un discours, des propos, un raisonnement*, parler, raisonner d'une certaine façon. **II. Sujet nom de chose. 1.** *Tenir une chose*, l'empêcher de s'en aller, de tomber, la retenir : *L'amarre qui tenait le bateau s'est rompue. Ce tableau est tenu par un crochet.* — **2.** *Tenir une personne*, la maintenir dans tel ou tel état : *Cette nouvelle nous a tenus en alerte. Un vêtement qui tient chaud. Sa maladie le tient au lit. Il y a longtemps que ce mal le tient* (= qu'il est atteint de ce mal). — **3.** *Tenir qq'un*, l'occuper un certain temps : *Ce travail l'a tenu beaucoup plus longtemps qu'il ne l'avait pensé* (syn. RETENIR). ◆ v. t. ind. (sujet nom de chose). *Tenir à une chose*, y être fixé, attaché : *Un tableau qui tient au mur.* ◆ v. i. **1.** (sujet nom de chose ou de personne). Être fixé solidement, être difficile à ôter, à déplacer : *Son chapeau ne tient pas sur sa tête. Il a du mal à marcher, il ne tient plus sur ses jambes* (= il chancelle). — **2.** (sujet nom de personne ou de chose) Ne pas céder, résister : *Le bataillon a tenu plusieurs jours malgré les bombardements. Tenir bon, tenir ferme. La température est étouffante, on ne peut pas tenir dans cette pièce.* ‖ *Ne plus pouvoir tenir*, n'être plus maître de soi, de ses sentiments, ne pouvoir se contenir. ‖ *Ne pas pouvoir tenir en place*, ne pas pouvoir rester sans remuer. — **3.** (sujet nom de chose) Demeurer, subsister sans aucun changement, sans aucune altération : *Leur union n'a pas tenu* (syn. DURER). *Le beau temps tiendra* (= le temps restera au beau). *Une couleur qui ne tient pas* (= qui s'altère). ◆ **se tenir** v. pr. (sujet nom de personne). **1.** Être uni l'un à l'autre : *Les enfants se tenaient par la main.* — **2.** Se maintenir à l'aide d'un point d'appui : *Il se tint à une branche pour ne pas tomber* (syn. S'ACCROCHER, SE CRAMPONNER, SE RETENIR). — **3.** *Ne pouvoir se tenir de*, ne pas pouvoir s'empêcher de. ‖ *Se le tenir pour dit*, ne pas insister, ne pas répliquer. ‖ *S'en tenir à qqch.*, ne faire, ne vouloir rien de plus : *Je m'en tiens aux propositions que vous m'avez faites. Tenons-nous-en là pour aujourd'hui à ce sujet, sur ce sujet* (= n'en parlons pas davantage). ‖ *Savoir à quoi s'en tenir*, être tout à fait fixé sur la conduite à suivre, être renseigné sur le compte de quelqu'un. ◆ **tenable** adj. Où l'on peut tenir, résister (s'emploie le plus souvent négativement) : *La situation n'est plus tenable* (syn. SUPPORTABLE). ◆ **intenable** adj. : *Une chaleur intenable* (syn. INSUPPORTABLE). *Un enfant intenable* (= turbulent, insupportable). ◆ **tenant, e** adj. **1.** *Chemise à col tenant*, dont le col n'est pas séparé. — **2.** *Séance tenante* → SÉANCE.

2. TENIR [tənir] v. t. (même étym.). [Conj. **22.**] **1.** (sujet nom de personne) Occuper, remplir de l'espace : *Serrez-vous un peu, vous tiendrez moins de place.* ‖ *Tenir sa droite*, circuler en suivant régulièrement le côté de la route qu'on a à sa droite. ‖ *Tenir la route*, en parlant d'une voiture, rouler sans se déporter aux grandes vitesses ou dans les virages. — **2.** (sujet nom de chose) Avoir une certaine étendue, une certaine capacité : *Une banderole tenait toute la largeur de la rue* (syn. OCCUPER). *Ces livres tiennent trop de place. Une salle qui peut tenir mille personnes* (syn. CONTENIR). ◆ v. i. **1.** (sujet nom de chose ou de personne) *Tenir dans* ou *à*, être compris, être contenu dans un certain espace : *Tous vos meubles ne pourront pas tenir dans cette pièce.* — **2.** (sujet nom de chose) Être limité à : *Ce qu'il a dit tient en peu de mots* (syn. SE RÉSUMER). ◆ **se tenir** v. pr. (sujet nom de chose). Être lié, cohérent : *Dans ce roman, tout se tient.* ◆ **tenant** n. m. *Les tenants et les aboutissants d'une affaire, d'une question*, leur origine et leurs conséquences, tout ce qui s'y rattache. — LOC. ADV. *D'un seul tenant*, d'un seul morceau : *Une propriété d'un seul tenant.* ◆ **tenue** n. f. *Tenue de route*, qualité d'une voiture qui se tient dans la ligne commandée par le conducteur.

3. TENIR [tənir] v. t. (même étym.). [Conj. **22.**] (Sujet nom de personne.) **1.** Avoir en sa possession, sous sa domination, sous son autorité : *Tenir les cordons de la bourse. Tenir le mot de l'énigme. On tient la preuve qu'il est coupable* (syn. POSSÉDER). *Tenir entre ses mains le sort de* (syn. DÉTENIR). *Un professeur qui sait tenir sa classe* (= la diriger avec maîtrise). — **2.** Exercer un emploi, une profession, certaines fonctions : *Tenir la caisse, la comptabilité dans un magasin. Tenir un rôle dans une pièce de théâtre, dans un film. Tenir un hôtel, un restaurant* (syn. GÉRER). *Tenir l'orgue à l'église* (= être organiste). ◆ v. t. ind. **1.** (sujet nom de chose) Avoir pour cause : *Sa mauvaise humeur tient à son état de santé* (syn. PROVENIR, RÉSULTER DE). — **2.** (sujet nom de personne) *Tenir d'une personne*, lui ressembler d'une certaine manière : *Cet enfant tient de son père.* ‖ *Avoir de qui tenir*, avoir les qualités, les défauts de ses parents. — **3.** (sujet nom d'être animé) *Tenir d'un être animé, d'une chose*, participer de leur nature, avoir quelque chose de commun avec eux : *Cet événement tient du prodige.* — **4.** *Tenir qqch. de qq'un*, l'avoir reçu, obtenu, appris de lui : *Tout ce qu'il possède, tout ce qu'il sait, c'est de vous qu'il le tient* (= il vous en est redevable). *Tenir un renseignement d'un ami bien informé, de bonne source. Tenir qqch. de ses parents* (= leur ressembler en cette chose, par ce côté). ◆ v. impers. *Il ne tient qu'à vous de, que*, cela dépend uniquement de vous : *Il ne tient qu'à vous que cela se fasse.* ‖ *Qu'à cela ne tienne*, que ce ne soit pas un empêchement : *Vous n'avez pas d'argent pour acheter vos livres, qu'à cela ne tienne, je vais vous en prêter.* ◆ **tenant** n. m. **1.** Celui qui se fait le défenseur d'une opinion, d'une doctrine, d'un parti : *Les tenants de l'existentialisme* (syn. PARTISAN). — **2.** *Le tenant du titre, de la coupe*, en sport, celui qui les détient (contr. CHALLENGER).

4. TENIR [tənir] v. t. (même étym.). [Conj. **22.**] (Sujet nom de personne.) *Tenir un être animé, une chose*, les garder, les maintenir dans un certain état : *Tenir sa maison propre* (syn. ENTRETENIR). *Tenir un plat au chaud* (syn. CONSERVER). ◆ **tenu, e** adj. Maintenu dans un certain état : *Des enfants bien tenus* (syn. SOIGNÉ). *Un jardin mal tenu* (syn. ENTRETENU). ◆ **tenue** n. f. Action, manière de tenir, d'entretenir, de diriger : *La tenue d'une maison.*

5. TENIR [tənir] v. t. (même étym.). [Conj. **22.**] (Sujet nom de personne.) Observer fidèlement : *Tenir ses promesses, ses engagements* (syn. REMPLIR). *Tenir sa parole, un pari.* ◆ v. t. ind. **1.** (sujet nom de personne) *Tenir à une personne, à une chose*, y être attaché par des sentiments d'affection, de reconnaissance, par l'intérêt, etc. : *Tenir à une femme. Tenir à la vie.* — **2.** *Tenir à* (et l'infin.), *à ce que* (et le subj.), avoir un extrême désir de, que : *Il tient à vous convaincre de son innocence, à ce que tout le monde sache qu'il n'est pas coupable.* ◆ **être tenu, e** v. passif (sujet nom de personne). *Être tenu de* (et l'infin.), *à* (et un nom), être dans l'obligation morale ou légale de : *On est tenu de porter secours à un blessé. Le médecin est tenu au secret professionnel.*

6. TENIR [tənir] v. t. ind. (même étym.) [**pour**]. (Conj. **22.**) *Tenir une personne, une chose pour* (avec un attribut), les considérer comme : *Je le tiens pour un honnête homme* (syn. REGARDER COMME). *Je tiens cela pour vrai.* ‖ *Tenir qq'un en estime*, l'estimer. ◆ **se tenir** v. pr. *Se tenir pour* (avec un attribut), se considérer comme : *Il ne se tient pas pour battu* (syn. S'ESTIMER).

7. TENIR (SE) [sətənir] v. pr. (même étym.). [Conj. **22.**] **I. Sujet nom de personne. 1.** Être, demeurer dans une certaine attitude, dans un certain état : *Se tenir debout. Se tenir prêt. Se tenir à la disposition de qq'un.* ‖ *Se tenir bien, se tenir mal*, avoir une bonne, une mauvaise attitude; se conduire en personne bien, mal élevée : *Un enfant qui se tient bien à table.* ‖ *Vous n'avez qu'à bien vous tenir*, se dit pour menacer ou pour avertir de faire attention. — **2.** Être, demeurer dans un certain lieu : *Se tenir à sa fenêtre pour regarder les passants.* **II. Sujet nom de chose.** Avoir lieu : *Un marché se tient plusieurs fois par semaine sur cette place.* ◆ **tenue** n. f. **1.** Manière de se conduire, au point de vue des convenances : *Manquer de tenue* (syn. CORRECTION). — **2.** Attitude du corps : *Un enfant qui a une mauvaise tenue* (syn. MAINTIEN).

TENNESSEE, rivière de l'est des État-Unis, issue des Appalaches, affl. de l'Ohio (r. g.); 1 600 km. Son bassin a été mis en valeur depuis 1933 par la *Tennessee Valley Authority* (TVA) : régularisation de son cours, lutte contre l'érosion, équipement hydro-électrique et développement de l'industrie.

TENNESSEE, État du centre-est des États-Unis, entre le Mississippi et les Appalaches; 109 412 km^2; 4 031 000 hab. Capit. *Nashville-Davidson.* V. pr. *Memphis.*

TENNIS [tenis] n. m. (abrév. de *lawn-tennis;* de l'angl. *lawn,* pelouse, et l'anc. fr. *tenetz,* tenez). **1.** Sport dans lequel deux ou quatre joueurs, munis de raquettes, se renvoient une balle par-dessus un filet, dans les limites d'un terrain appelé *court.* — **2.** Emplacement aménagé pour ce jeu : *Un tennis bien entretenu.* — **3.** *Tennis de table,* syn. de PING-PONG. ◆ n. m. pl. Chaussures de toile à semelles de caoutchouc. ◆ **tennisman** n. m. Joueur de tennis. ‖ Pl. des *tennismen.*
— ENCYCL. Le *tennis* se joue en simple (un contre un) ou en double (deux contre deux). Lorsqu'un joueur a gagné un premier point, on annonce 15 en sa faveur, au second point qu'il gagne 30, puis 40, et enfin jeu au quatrième. Cependant, si chacun des joueurs a marqué trois points (40 à 40), le premier point est ensuite nommé « avantage », le suivant donne le jeu; mais si celui qui a l'avantage perd le point, on revient à 40 à 40 (« égalité » ou « à deux »), et ainsi de suite jusqu'à ce qu'un joueur ait fait deux points de suite après une égalité. Le joueur qui, le premier, a gagné six jeux gagne la manche (ou *set*), mais si les deux joueurs sont à égalité à cinq partout, il faut que l'un ou l'autre, pour gagner la manche, fasse deux jeux de plus que son adversaire ou remporte le *tie-break* (de l'américain *tie,* match nul, et *break,* arrêt), jeu décisif disputé pour départager les joueurs à égalité à six partout.

leurs proies : *Les tentacules de la pieuvre.* ◆ **tentaculaire** adj. *Ville tentaculaire,* ville qui s'étend dans toutes les directions, à la manière des tentacules.

TENTANT, E adj., **TENTATEUR, TRICE** adj. et n., **TENTATION** n. f. → TENTER 2.

TENTATIVE n. f. → TENTER 1.

TENTE [tɑ̃t] n. f. (de *tendre*). Abri portatif, en toile serrée, que l'on dresse en plein air : *Coucher sous la tente.*

1. TENTER [tɑ̃te] v. t. (lat. *temptare,* chercher à atteindre). **1.** *Tenter une chose,* chercher à la faire réussir : *Tenter une démarche.* — **2.** *Tenter la fortune, la chance,* essayer quelque chose sans être certain de réussir. ◆ v. t. ind. *Tenter de* (et l'infin.), faire des efforts pour obtenir un résultat : *Tenter de battre un record* (syn. ESSAYER). ◆ **tentative** n. f. **1.** Action par laquelle on essaie de faire réussir une chose : *Ses tentatives pour battre le record du monde ont échoué.* — **2.** *Dr.* Commencement d'exécution sans résultat, d'un crime ou d'un délit, puni par la loi dès que l'échec est imputable à des circonstances extérieures à la volonté de l'auteur : *Une tentative de meurtre.*

2. TENTER [tɑ̃te] v. t. (même étym.). **1.** (sujet nom d'être animé) *Tenter qq'un,* chercher à le séduire, à le solliciter au mal :

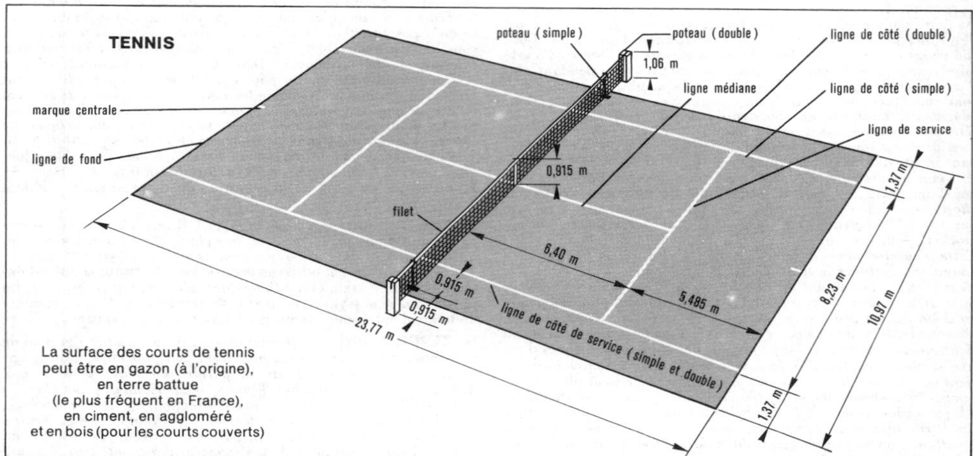

Le serpent tenta Ève. — **2.** (sujet nom de chose) *Tenter qq'un,* attirer, exciter le désir, l'envie de quelqu'un : *Cette robe me tente.* — **3.** Fam. *Être bien tenté de faire qqch.,* en avoir grande envie : *Par ce beau temps, je suis bien tenté d'aller me promener.* ◆ **tentation** n. f. **1.** Attrait vers une chose défendue : *Succomber à la tentation.* — **2.** Tout ce qui incite à faire une chose : *Résister à la tentation de voyager.* ◆ **tentant, e** adj. Se dit de ce qui fait naître un désir : *Une occasion tentante.* ◆ **tentateur, trice** adj. et n. Qui sollicite au mal : *Des propos tentateurs. Esprit tentateur* (= le démon).

TENNYSON (Alfred, *lord*), poète anglais (1809-1892), auteur des *Idylles du roi* (1859-1885) et d'*Enoch Arden* (1864). Sa poésie reflète à travers des mythes antiques et médiévaux, les grandes idées morales de l'époque victorienne.

TENO (le) → TANA (la).

TENOCHTITLÁN, capit. des Aztèques, fondée en 1325, rasée par les Espagnols (1521). Mexico est situé à son emplacement.

TENON [tənɔ̃] n. m. (de *tenir*). Extrémité d'une pièce de bois ou de métal, destinée à entrer dans une cavité, ou *mortaise,* avec laquelle elle doit être assemblée.

TÉNOR [tenɔr] n. m. (it. *tenore*). **1.** Voix d'homme la plus élevée. — **2.** Chanteur qui possède ce genre de voix. — **3.** *Fam.* Celui qui tient un rôle de premier plan, qui est l'animateur d'un parti, d'une doctrine.

TÊNOS ou **TINOS,** île grecque de l'archipel des Cyclades; 11 800 hab. Vin.

1. TENSION n. f. → TENDRE 1 (v. t.).

2. TENSION [tɑ̃sjɔ̃] n. f. (du lat. *tendere,* tendre). Méd. *Tension artérielle,* ensemble des forces de contrainte interne auxquelles sont soumises les parois des artères et des vaisseaux sous l'influence de la pression des liquides qu'ils contiennent : *La tension artérielle équilibre la pression du sang dans les artères.* ◆ **hypertension** n. f. Tension artérielle supérieure à la normale. ◆ **hypotension** n. f. Tension artérielle inférieure à la normale.

TENTACULE [tɑ̃takyl] n. m. (lat. *tentaculum*). Appendice mobile dont beaucoup d'animaux (mollusques céphalopodes, polypes) sont pourvus, et qui leur sert d'organe tactile ou pour capturer

TENTHRÈDE [tɑ̃trɛd] n. f. (gr. *tenthrêdôn*). Insecte hyménoptère symphyte, dit aussi MOUCHE À SCIE à cause de sa façon de voler, et qui se rend très nuisible en pondant ses œufs dans les jeunes pousses des arbres (peuplier, poirier).

TENTURE [tɑ̃tyr] n. f. (de *tendre*). Pièce d'étoffe, de papier, etc., qui sert à couvrir les murs d'un appartement ou que l'on met derrière une porte : *Une tenture de velours.*

TENU, E adj., **ÊTRE TENU** v. passif → TENIR 4 et 5.

TÉNU, E [teny] adj. (lat. *tenuis*). Se dit de ce qui est très fin, très mince : *Les fils ténus du ver à soie.* ◆ **ténuité** [tenɥite] n. f. (langue soignée) : *La ténuité des vaisseaux capillaires.*

1. TENUE n. f. → TENIR 2, 4 et 7.

2. TENUE [təny] n. f. (de *tenir*). **1.** Qualité d'une œuvre, d'un écrivain qui ne se laisse pas aller à la facilité ou la vulgarité : *Un roman d'une haute tenue.* — **2.** Manière dont une personne est habillée; ensemble des vêtements portés dans certaines circonstances : *Être en tenue de sport, de ville, de soirée. Être en tenue*

(= pour un militaire, être en uniforme). *Grande tenue* (= habit de parade).

TÉNUITÉ n. f. → TÉNU.

TEOTIHUACÁN, localité du Mexique, au N.-E. de Mexico, sur l'emplacement d'une métropole religieuse. Elle a donné son nom à une civilisation antérieure à celle des Toltèques et qui a produit un art original (300 av. J.-C.-1000 apr. J.-C.). Restes de nombreux monuments, dont les pyramides du Soleil et de la Lune.

TEPLICE, v. de Tchécoslovaquie (Bohême); 53 000 hab. Eaux thermales.

TER [tɛr] adv. (mot lat.). **1.** Trois fois. — **2.** Pour la troisième fois.

TÉRA- [tera], préf. (symb. : T) qui, placé devant une unité de mesure, la multiplie par un billion, soit 10^{12}.

TÉRATOLOGIE [teratɔlɔʒi] n. f. (du gr. *teras, teratos,* monstre, et *logos,* science). Étude biologique et médicale des déformations monstrueuses chez les êtres vivants. ◆ **tératologique** adj.

TERBORCH ou **TERBURG** (Gérard), peintre hollandais (1617-1681). Doué d'une grande habileté, excellent coloriste, il a peint des portraits d'une grande finesse psychologique et des scènes de genre dans des intérieurs clos *(la Leçon de musique, la Leçon de lecture).*

TERCEIRA, île des Açores; 102 400 hab. Ch.-l. *Angra do Heroísmo.* Base aérienne américaine.

TERCET [tɛrsɛ] n. m. (it. *terzetto;* de *terzo,* tiers). Groupe de trois vers : *Les tercets d'un sonnet.*

TÉRÉBENTHINE [terebɑ̃tin] n. f. (du gr. *terebinthinê*). *Essence de térébenthine,* ou *térébenthine,* essence fournie par la distillation de résines semi-liquides provenant de certains conifères, et utilisée pour la fabrication des vernis, pour dissoudre les corps gras, délayer les couleurs, etc.

TÉRÉBRANT, E [terebrɑ̃, -ɑ̃t] adj. (lat. *terebrans,* qui perce avec une tarière). *Zool.* Qui perce, qui creuse des galeries dans les corps durs (bois, pierre, etc.) : *Insectes térébrants.*

TÉRENCE, poète comique latin (v. 190-v. 159 av. J.-C.). Il composa six comédies *(l'Andrienne, l'Hécyre, l'Heautontimoroumenos, l'Eunuque, Phormion, les Adelphes),* dans lesquelles il imite les auteurs grecs, combinant souvent deux intrigues en une seule pièce (c'est le procédé de la « contamination »). S'attachant à l'équilibre de la construction et à l'analyse psychologique des personnages, il devint un modèle pour les classiques français, et notamment pour Molière.

TERGIVERSER [tɛrʒivɛrse] v. i. (lat. *tergiversari,* tourner le dos) [sujet nom de personne]. Retarder une décision, par faiblesse ou par mauvaise volonté : *Allons, cessez de tergiverser* (syn. ERGOTER, TEMPORISER). ◆ **tergiversation** n. f. (le plus souvent au plur.) : *Il n'a pas su se décider à temps et a perdu une bonne occasion par ses tergiversations* (syn. ATERMOIEMENT, FAUX-FUYANT, HÉSITATION).

TERGNIER, ch.-l. de cant. de l'Aisne, à 26,5 km au S. de Saint-Quentin, sur le canal de Saint-Quentin; 12 100 hab. Centre ferroviaire. Métallurgie.

1. TERME [tɛrm] n. m. (lat. *terminus,* borne). **1.** Limite fixée dans le temps : *Passé ce terme, les billets ne sont plus valables* (syn. DATE). *Les vacances touchent à leur terme* (syn. FIN). *Ce livre arrive à son terme* (syn. DÉNOUEMENT). *Un délai qui arrive à terme* (= qui expire). *Mener (qqch.) à terme,* le faire jusqu'au bout : *J'ai pu mener cette affaire à terme malgré de nombreuses difficultés* (syn. ACCOMPLIR). ‖ *Mettre un terme à,* faire cesser (souvent en parlant de choses mauvaises) : *Nous avons mis un terme à de tels agissements* (syn. COUPER COURT). ‖ *Marché, transactions à terme,* portant sur des valeurs boursières à date de liquidation imposée. ‖ *À court terme, à long terme,* portant sur une période brève, longue : *Faire des projets à long terme.* — **2.** Date, époque où l'on paie la location d'un lieu d'habitation : *Le jour du terme* (syn. ÉCHÉANCE). — **3.** Prix de la location trimestrielle : *Avoir un terme de retard.* — **4.** (sujet nom désignant une femme) *Être à (son) terme,* être sur le point d'accoucher. ‖ *Accoucher à terme,* à la date normale. ‖ *Naître avant terme,* prématurément.

2. TERME [tɛrm] n. m. (lat. *terminus,* définition). **1.** Mot, en tant que désignation de quelque chose : *Rechercher le terme propre, juste, exact, précis* (syn. VOCABLE). *Le terme de « réalisme » recouvre des conceptions très diverses.* — **2.** (avec un qualificatif désignant une technique intellectuelle précise) Mot qui a un sens strictement délimité à l'intérieur d'un système de notions donné : *Terme technique, philosophique, scientifique.* ◆ n. m. pl. Manière de dire quelque chose : *Il s'exprima en ces termes.* — LOC. PRÉP. *Aux termes de,* selon les termes de : *Aux termes du contrat, je ne dois plus rien.* ◆ **terminologie** n. f. **1.** Ensemble des termes propres à une technique, à une science : *La terminologie grammaticale, mathématique* (syn. NOMENCLATURE, VOCABULAIRE). — **2.** Ensemble des termes qui ont un sens particulier dans un domaine donné (philosophie, écrits de quelqu'un, etc.) : *La terminologie marxiste.*

3. TERME [tɛrm] n. m. (même étym.). *Gramm.* **1.** *Terme d'une proposition, d'une phrase,* élément simple d'une proposition ou d'une phrase : *Faire l'analyse logique des termes de la proposition.* — **2.** *Math.* Signe ou assemblage de signes représentant des objets mathématiques : *24 et 3 × 8 sont deux termes représentant le même objet, le nombre vingt-quatre.* — **3.** *Moyen terme,* attitude intermédiaire entre deux extrêmes : *Il n'y a pas de moyen terme* (syn. DEMI-MESURE, MILIEU).

4. TERMES [tɛrm] n. m. pl. (même étym.). *Être en bons termes, en mauvais termes, dans les meilleurs termes avec qq'un,* entretenir des relations bonnes, mauvaises ou excellentes avec quelqu'un.

TERMINAISON n. f. → TERMINER.

1. TERMINAL, AUX [tɛrminal, -no] n. m. (empr. à l'anglais). *Informatique.* Calculateur relié à distance à un ordinateur central et qui permet soit de lui envoyer des données (entrée), soit de recueillir des résultats (sortie), soit les deux (entrée-sortie) à la fois : *Les terminaux les plus usuels sont la machine à écrire électrique (entrée), l'imprimante rapide (sortie), l'écran cathodique (entrée et sortie).* → illustration INFORMATIQUE page 715.

2. TERMINAL, E, AUX adj. → TERMINER.

TERMINER [tɛrmine] v. t. (du lat. *terminus,* fin). **1.** (sujet nom de personne) *Terminer qqch.,* le faire jusqu'à la fin, alors qu'on est déjà près de la fin : *Je termine mon chapitre et je viens. Nous terminions notre repas quand vous avez sonné* (syn. ACHEVER, FINIR); et intransitiv. : *Pour terminer, laissez-moi vous raconter notre retour* (syn. FINIR). — **2.** (avec un compl. d'objet exprimant une durée) Passer la fin de : *Terminer la soirée au théâtre.* — **3.** *Terminer une chose par une autre,* faire cette dernière pour finir, la placer à la fin : *Terminer un repas par des fruits.* — **4.** *En avoir terminé avec qqch.,* l'avoir achevé, accompli : *J'en ai terminé avec le lavage.* ‖ *En avoir terminé avec qq'un,* cesser les relations avec lui. — **5.** (sujet nom de chose) *Terminer qqch.,* en constituer la fin : *Le dessert termine les repas.* ◆ ***se terminer*** v. pr. **1.** (sujet nom de chose) Arriver à sa fin : *La route se termine ici. Leur dispute s'est bien terminée.* — **2.** (sujet nom de chose) *Se terminer par,* comporter à la fin : *Les adjectifs qui se terminent par le suffixe « -âtre ».* ◆ **terminaison** n. f. **1.** Élément final d'un mot (du point de vue phonétique ou morphologique) : *Des adjectifs qui ont une terminaison identique* (syn. DÉSINENCE, FINALE, SUFFIXE). — **2.** *Terminaisons nerveuses,* extrémités des nerfs. ◆ **terminal, e, aux** adj. Qui marque la fin de quelque chose : *La phase terminale d'une évolution.* ‖ *Classe terminale,* syn. de TERMINALE. ◆ **terminale** n. f. Classe qui termine l'enseignement secondaire, à l'issue de laquelle on passe le baccalauréat. ◆ **interminable** adj. **1.** Qui ne saurait être terminé : *Ouvrage interminable.* — **2.** Qui dure longtemps : *Guerre interminable.*

TERMINOLOGIE n. f. → TERME 2.

TERMINUS [tɛrminys] n. m. (mot angl.; empr. au latin). Dernière station d'une ligne de transports en commun.

TERMITE [tɛrmit] n. m. (lat. *termes, -itis*). Insecte à métamorphose incomplète, vivant en société dans les régions chaudes où il construit des termitières : *Les termites détériorent les constructions et les objets en bois.* (Chaque société comprend une *femelle,* à abdomen énorme, un *mâle,* des *ouvriers* qui assurent construction et nutrition, des *soldats* chargés de la défense.) [Ordre des isoptères.] ◆ **termitière** n. f. Nid de termites : *Une termitière peut atteindre plusieurs mètres de haut et se poursuit dans le sol par de nombreuses galeries.*

TERNAIRE [tɛrnɛr] adj. (du lat. *terni,* trois). **1.** Relatif au nombre trois : *Nombre ternaire.* — **2.** *Chim.* Se dit de substances organiques, comme les glucides et les lipides, constituées de carbone, d'hydrogène et d'oxygène. — **3.** *Mus.* Se dit d'un rythme ou d'une mesure divisible par trois.

TERNE [tɛrn] adj. (orig. incert.). **1.** Se dit de ce qui manque d'éclat, de lumière et produit une impression désagréable : *Une couleur terne* (syn. MAT). *Un teint blanc et terne* (syn. BLAFARD, BLÊME). *Un œil, un regard terne* (syn. INEXPRESSIF). — **2.** Se dit de ce qui est monotone, sans intérêt, par manque de caractère, ou de quelqu'un qui manque de personnalité : *Un spectacle ennuyeux et terne* (syn. MORNE). *Une conversation, un style terne* (syn. INCOLORE). *Un personnage terne* (syn. INSIGNIFIANT). ◆ **ternir** v. t. **1.** *Ternir qqch.* (nom concret), lui enlever de l'éclat, de la fraîcheur, de la couleur : *Ces couverts d'argent sont ternis* (syn. ALTÉRER). *Le temps a terni cette robe* (syn. FANER). *L'humidité a terni cette glace* (syn. EMBUER). — **2.** *Ternir qqch.* (nom abstrait), y apporter un élément de dépréciation : *Ternir la mémoire, l'honneur, la réputation de qq'un* (syn. ENTACHER, FLÉTRIR, SALIR). ◆ ***se ternir*** v. pr. **1.** (sujet nom concret) Perdre sa fraîcheur, sa transparence ou son éclat. — **2.** (sujet nom abstrait) Perdre sa valeur. ◆ **ternissure** n. f. État de ce qui est terni; endroit terni : *Cette glace a de nombreuses ternissures.*

TERNEUZEN, port des Pays-Bas (Zélande), sur l'estuaire de l'Escaut occidental, à l'entrée du canal *Terneuzen-Gand;* 32 000 hab. Pétrochimie.

TERNI, v. d'Italie (Ombrie); 113 000 hab. Centre ferroviaire. Sidérurgie.

TERNIR v. t., **TERNISSURE** n. f. → TERNE.

TERPSICHORE, muse de la Danse et de la Poésie lyrique, représentée avec une lyre.

TERRAIN [terɛ̃] n. m. (lat. *terrenus,* formé de terre). **1.** Étendue de terre, le plus souvent considérée comme un bien : *Acheter un terrain* (syn. FONDS, PARCELLE, PROPRIÉTÉ). — **2.** Modelé de la surface terrestre : *Un accident de terrain* (syn. RELIEF, SOL). — **3.** (avec un verbe et précédé seulement de l'art. défini ou partitif) Lieu d'opérations militaires ou de toute activité, impliquant ou non une idée de concurrence. ‖ *Céder du terrain,* se replier sur ses positions, abandonner un espace conquis : *L'ennemi a cédé du terrain* (syn. BATTRE EN RETRAITE); faire des concessions : *Devant nos arguments, il a dû céder du terrain.* ‖ *Gagner du terrain,* arracher à l'ennemi l'espace qu'il tenait : *Les blindés ont gagné du terrain* (syn. AVANCER); distancer des concurrents. — **4.** (avec un démonstratif ou un possessif) *Se faire battre sur son terrain,* dans sa propre spécialité. ‖ *Je ne vous suivrai pas sur ce terrain,* se dit pour refuser d'aller au-delà de certaines limites, de se compromettre. — **5.** (avec un adj. ou un groupe prépositionnel déterminatif) Espace de terre considéré du point de vue de sa nature : *Un terrain argileux, calcaire, marécageux, volcanique;* espace de terre d'une certaine apparence : *Un terrain nu, boisé, couvert, découvert, plat, accidenté, vallonné;* espace de terre utilisé d'une certaine façon : *Un terrain militaire. Un terrain à bâtir. Un terrain de jeu, d'aviation.* ‖ *Terrain vague,* étendue sans cultures ni constructions, à proximité d'une agglomération. ‖ *Terrain d'aventure, pour l'aventure,* terrain vague, mais clos, qui sert d'espace de jeu pour les enfants : *Les terrains d'aventure permettent aux enfants de jouer à leur manière avec des matériaux qui les incitent à des activités créatrices (construire des cabanes, jardiner, faire du feu, élever des animaux, etc.), en présence d'un animateur.* — **6.** (avec un adj. ou un groupe prépositionnel de sens moral) Conditions, circonstances définies de telle ou telle façon : *Trouver un terrain d'entente.* ‖ *Terrain brûlant,* sujet d'actualité à éviter. ‖ *Se conduire comme en terrain conquis,* considérer que tout est à soi, se conduire brutalement. — **7.** Conditions de développement d'une maladie ou de quelque chose : *La maladie a trouvé en lui un terrain tout prêt.* (→ aussi TOUT-TERRAIN.)

TERRASSE [teras] n. f. (anc. prov. *terrassa;* de *terra,* terre). **1.** Sur les versants d'une vallée, replat recouvert d'alluvions correspondant à un ancien niveau du cours d'eau. ‖ *Cultures en terrasses,* cultures pratiquées sur des pentes décomposées en paliers juxtaposés, limités par des murettes. — **2.** Prolongement d'un café ou d'un restaurant sur une partie du trottoir : *S'installer à la terrasse.* — **3.** Plate-forme ne faisant pas saillie, à un étage ou sur le toit d'unne maison : *Un toit en terrasse. La maison a une terrasse où l'on peut disposer des parasols.*

1. TERRASSER [terase] v. i. (de *terrasse*). Faire des travaux de terrassement. ◆ **terrassement** n. m. **1.** Action de creuser un terrain et de déplacer la terre remuée : *Matériel de terrassement.* — **2.** (généralement au plur.) Masses de terre remuées pour des travaux : *Les terrassements d'une voie ferrée* (syn. REMBLAI). ◆ **terrassier** n. m. Ouvrier employé aux travaux de terrassement.

2. TERRASSER [terase] v. t. (de *terrasser* 1). **1.** *Terrasser qq'un,* le jeter à terre au cours d'une lutte : *Terrasser un adversaire.* ‖ *Terrasser un ennemi,* le vaincre complètement. — **2.** *Maladie, nouvelle, etc., qui terrasse qq'un,* qui lui ôte toute résistance, l'abat physiquement ou moralement : *Il a été terrassé par une attaque* (syn. FOUDROYER). *L'annonce de cette mort l'a terrassé* (syn. ATTERRER, CONSTERNER).

TERRASSON-LAVILLEDIEU, ch.-l. de cant. de la Dordogne, à 20 km à l'O. de Brive; 6 300 hab. *(Terrassonnais).* Église abbatiale (XVe s.). Machines-outils.

TERRAY (Joseph Marie), ecclésiastique et homme politique français (1715-1778). Contrôleur général des Finances (décembre 1769), il eut recours à de nombreux expédients et multiplia les taxes. Avec Maupeou et d'Aiguillon, il constitua un « triumvirat » de 1770 à 1774. Très impopulaire, il fut remplacé par Turgot.

1. TERRE [tɛr] n. f. (lat. *terra*). Planète du système solaire habitée par l'homme (avec une majusc.) : *La Terre tourne autour du Soleil.* → ENCYCL. ‖ *La terre entière,* tout le monde, tous les peuples. ◆ **terrestre** adj. Qui se rapporte à la planète Terre : *Le globe terrestre.* ◆ **terrien, enne** adj. et n. Habitant de la Terre, par opposition aux habitants éventuels des autres planètes.

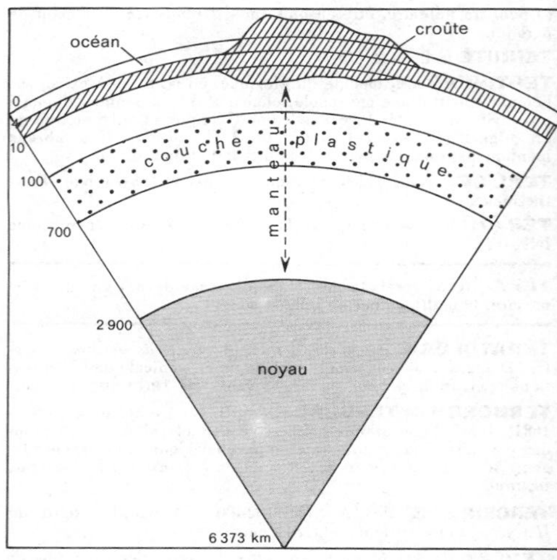

— ENCYCL. La *Terre* est une planète du système solaire, située en troisième position à partir du Soleil, entre Vénus et Mars. Elle tourne autour du Soleil en 365 jours 1/4, décrivant une orbite elliptique dans le plan appelé plan de l'écliptique, tout en tournant sur elle-même en 24 h autour d'un axe formant un angle de 66° 33′ avec le plan de l'écliptique. Sa rotation autour du Soleil détermine les saisons, sa rotation sur elle-même les jours et les nuits. La Terre a la forme d'un ellipsoïde de révolution, légèrement aplati aux pôles. Son rayon équatorial (= distance du centre à l'une de ses extrémités à l'horizontale) est de 6 373 km, sa densité moyenne de 5,5.

Les mesures géophysiques ont permis de se faire une idée de la structure interne du globe terrestre. La Terre est en majeure partie solide. Elle est constituée d'une croûte dont l'épaisseur atteint 6 km sous les océans, une trentaine de km sous les continents. En dessous s'étend le manteau et, à partir de 2 900 km de la surface, le noyau, partiellement liquide. Entre 100 et 700 km de profondeur environ, c'est-à-dire dans le manteau, se situe une couche plastique sur laquelle repose l'ensemble couche-manteau supérieur, qu'on appelle lithosphère. → schéma ci-dessus.

L'âge de la Terre a été évalué à 4,5 milliards d'années environ.

2. TERRE [tɛr] n. f. (même étym.). Par oppos. à CIEL et à AU-DELÀ (paradis), séjour des vivants (surtout dans des express.) : *Ils n'espéraient pas le bonheur sur la terre* (syn. ICI-BAS). ‖ *Revenir sur terre,* sortir d'une rêverie, revenir aux réalités. ‖ Fam. *Avoir les deux pieds sur terre,* avoir le sens des réalités. — LOC. ADJ. *Terre à terre,* sans élévation, simple : *Un esprit terre à terre* (syn. PROSAÏQUE). *Des considérations terre à terre* (syn. MATÉRIEL). ◆ **terrestre** adj. Qui concerne la vie matérielle sur terre (par oppos. à SPIRITUEL) : *Les joies terrestres.*

3. TERRE [tɛr] n. f. (même étym.). **1.** Continent, sol sur lequel on marche, par oppos. à la MER, ou parfois à l'AIR (souvent dans des loc. sans art.) : *La terre ferme* (= le continent, le sol). *L'armée de terre* (par oppos. à la marine ou à l'armée de l'air). *Un vent de terre* (= qui souffle de la côte vers la mer). ‖ *Transports par terre, par voie de terre,* effectués sur le sol, par oppos. à *par eau, par air.* — **2.** Pays, région, contrée : *Revoir sa terre natale.* ‖ *La Terre promise, la Terre sainte,* la Palestine. — **3.** Étendue de sol qui est la propriété de quelqu'un : *Un lopin de terre. Il vit retiré sur* (ou *dans) ses terres* (syn. DOMAINE). ◆ **terrestre** adj. Qui est habitué à vivre sur la terre : *Animaux, plantes terrestres* (= qui vivent sur la surface émergée du globe, par oppos. à AQUATIQUE, MARIN). ◆ **terrien, enne** adj. Qui possède des terres : *Un propriétaire terrien* (syn. FONCIER).

4. TERRE [tɛr] n. f. (même étym.). **1.** Couche superficielle du globe où poussent les végétaux : *Cultiver la terre.* ‖ *Terre de bruyère,* terre légère, chargée de feuilles de bruyère décomposées. ‖ *Le retour à la terre* (= à la campagne, pour y avoir une activité rurale). — **2.** Matière pulvérulente généralement formée d'argile : *Terre glaise. Une pipe en terre.* ‖ *Terre cuite,* argile façonnée et durcie au four; produits ainsi fabriqués : *Une cruche en terre cuite* (syn. CÉRAMIQUE). — **3.** Pigment minéral naturel utilisé en peinture : *Terre d'ombre, terre de Sienne* (= de couleur brun rougeâtre). — **4.** Chim. *Terres rares,* oxydes de métaux, dont la plupart sont très rares, et qui présentent des propriétés analogues à celles de l'aluminium; les quinze métaux correspondant à ces oxydes. — **5.** *À terre,* sur le sol : *Les débris du vase gisaient à terre* (syn. usuel PAR TERRE). ‖ *Par terre,* sur le sol : *Être assis par terre;* se dit de ce qui est anéanti, ruiné (fam.) : *Voilà tous nos projets par terre.* ‖ *Sous terre,* au-dessous du niveau du sol : *Une galerie qui s'enfonce à une vingtaine de mètres sous terre. Vouloir rentrer sous terre* (= éprouver une grande honte). ‖ Fam. *Ventre à terre,* en courant très vite. ◆ **terreau** n. m. Terre formée par la décomposition de matières animales et végétales. ◆ **terre-plein** n. m. Plate-forme faite de terres rapportées : *Les terre-pleins d'une terrasse.* ◆ **terreux, euse** adj. **1.** Souillé de terre : *Avoir des chaussures terreuses.* — **2.** Qui est d'une couleur de terre, brun grisâtre : *Avoir le teint terreux* (syn. BLAFARD, BLÊME). — **3.** Qui est propre à la terre, qui est de la nature de la terre : *Une odeur terreuse.* ◆ **terrien, enne** adj. et n. Qui tient à la terre, à la campagne : *Avoir une vieille ascendance terrienne* (syn. PAYSAN). ◆ **terrigène** adj. *Dépôt terrigène,* dépôt des fonds océaniques, d'origine continentale. ◆ **déterrer** v. t. **1.** Retirer de la terre : *Déterrer un trésor enfoui* (syn. EXHUMER). — **2.** *Fam.* Découvrir ce qui était profondément caché, inconnu de tous. ◆ **déterré, e** n. Fam. *Avoir une tête de déterré,* être pâle et défait, avoir très mauvaise mine. (→ ENTERRER.)

Terre *(la),* roman d'Émile Zola (1887), quinzième tome des *Rougon-Macquart.*

TERREAU n. m. → TERRE 4.

TERRE DE FEU, ancienn. **archipel de Magellan,** groupe d'îles, au S. de l'Amérique méridionale (Argentine et Chili), séparées du continent par le détroit de Magellan. On réserve parfois le nom de *Terre de Feu* à la principale île de l'archipel.

Terre des hommes, ouvrage d'A. de Saint-Exupéry (1939).

TERREFORT [tɛrfɔr] n. m. *(terre,* et *fort).* Dans le sud-ouest de la France, sol argileux formé sur la mollasse.

TERRE-NEUVAS [tɛrnœva] n. m. inv. ou **TERRE-NEUVIEN** [tɛrnœvjɛ̃] n. m. (de *Terre-Neuve*). **1.** Marin professionnel de la pêche à la morue sur les bancs de Terre-Neuve. — **2.** Bateau qui sert à cette pêche.

TERRE-NEUVE, en angl. **Newfoundland,** grande île d'Amérique (112 299 km²; hab. : *Terre-Neuviens*), située à l'embouchure du Saint-Laurent, qui constitue avec le nord-est du Labrador une des provinces du Canada; 406 000 km²; 568 000 hab. Capit. *Saint John's.*

GÉOGRAPHIE. La province, au climat continental rude, vit essentiellement de l'exploitation de la forêt et de la pêche (morue). La région continentale recèle d'importants gisements miniers, exploités à la frontière du Québec (fer).

HISTOIRE. L'île fut cédée à l'Angleterre par le traité d'Utrecht (1713), mais la France conserva le monopole de la pêche jusqu'en 1904, ainsi qu'un droit de débarquer sur les côtes nord-est et nord-ouest («French Shore») pour sécher le poisson. Elle constitua un dominion à partir de 1917 et se vit rattacher la côte nord-est du Labrador en 1927. Terre-Neuve est devenue la dixième province du Canada en 1949.

TERRE-NEUVE [tɛrnœv] n. m. inv. (de *Terre-Neuve*). Gros chien à poil long, originaire de Terre-Neuve.

TERRE-NEUVIEN n. m. → TERRE-NEUVAS.

TERRE-PLEIN n. m. → TERRE 4.

TERRER (SE) [sətere] v. pr. ou **ÊTRE TERRÉ** v. passif (de *terre*) [sujet nom d'être animé]. **1.** Se cacher complètement : *Des soldats terrés dans les tranchées.* — **2.** S'isoler pour ne plus voir personne : *Il se terre chez lui.*

TERRESTRE adj. → TERRE 1, 2 et 3.

TERREUR [tɛrœr] n. f. (lat. *terror*). **1.** Très grande peur. — **2.** Politique d'exception et de violence policière : *Gouverner par la terreur.* — **3.** (avec un compl. du nom ou un déterminatif) Personne ou chose qui donne une très grande peur : *Il est la terreur du quartier.* ◆ **terrifier** v. t. *Terrifier un être vivant,* le frapper momentanément de terreur : *Elle est terrifiée à l'idée de sortir seule la nuit.* ◆ **terrifiant, e** adj. : *Un cri terrifiant* (syn. EFFRAYANT, ÉPOUVANTABLE, TERRIBLE). ◆ **terroriser** v. t. *Terroriser qq'un, un groupe de personnes, un pays,* etc., les tenir durablement et méthodiquement dans la terreur : *La population terrorisée n'osait pas bouger.* ◆ **terrorisme** n. m. Ensemble d'attentats et de sabotages, commis par une organisation pour créer un climat d'insécurité et impressionner ou renverser le pouvoir établi. ◆ **terroriste** adj. et n. Qui participe à des actes de terrorisme. ◆ **contre-terrorisme** n. m. Ensemble d'actions terroristes répondant à d'autres actions terroristes. ◆ **contre-terroriste** adj. et n. : *Des attentats contre-terroristes.*

Terreur (la), période de la Révolution qui va du 5 septembre 1793 au 9-10 thermidor an II (27-28 juillet 1794). Sous l'impulsion des sans-culottes, «la Terreur est mise à l'ordre du jour» dès le 5 septembre 1793 par la Convention, afin de lutter contre les suspects définis par la loi du 17 septembre 1793. La Terreur s'étend jusqu'aux armées et s'instaure aussi bien en matière politique qu'économique (loi du maximum des prix et des salaires, 29 septembre 1793) ou morale (déchristianisation). Elle est marquée par l'influence du Comité de salut public à Paris, des représentants en mission dans la province et par la création du Tribunal révolutionnaire qui multiplie les exécutions. La Grande Terreur de juin-juillet 1794 envoie à l'échafaud près de 1 400 condamnés. Mais les victoires remportées par les armées révolutionnaires (Fleurus, 26 juin 1794) ne semblent plus justifier la contrainte de la Terreur à laquelle la chute de Robespierre met fin.

Terreur blanche (la), nom donné à deux mouvements contre-révolutionnaires dirigés par les royalistes dans le sud-est de la France. La *première Terreur blanche* se développa en mai 1795. La *seconde Terreur blanche* après Waterloo (18 juin 1815) fut plus violente et plus spontanée. Le succès des ultras aux élections (août 1815) entraîna l'institution d'une «terreur légale», à laquelle le roi Louis XVIII mit fin par la dissolution de la Chambre introuvable (5 septembre 1816).

TERREUX, EUSE adj. → TERRE 4.

TERRIBLE [teribl] adj. (lat. *terribilis*) [avant ou après le nom]. **1.** Se dit de ce qui cause une grande peur (syn. AFFREUX, EFFRAYANT, EFFROYABLE, TERRIFIANT). — **2.** Se dit de ce qui a une intensité très grande : *Un vent terrible* (syn. VIOLENT). ‖ *C'est (il est) terrible de* (et l'infin.), il est grave ou pénible de : *C'est terrible d'en arriver là.* — **3.** (surtout avant le nom) *Fam.* Qui est tel à un très haut degré : *Un terrible appétit* (syn. EXTRAORDINAIRE). — **4.** *Fam.* Qui sort de l'ordinaire, qui est irrésistible : *Une fille terrible. Un film terrible* (syn. SENSATIONNEL; fam. DU TONNERRE, FORMIDABLE). — **5.** *Péjor.* Se dit de quelqu'un qui est particulièrement désagréable : *Tu es terrible à la fin, avec ta manie de m'interrompre!* ‖ *Enfant terrible,* enfant turbulent; en parlant d'un adulte, personne qui ne ménage pas la vérité aux autres ou qui ne s'en tient pas à la discipline commune : *Les enfants terribles d'un parti politique.* ◆ n. m. *Le terrible de,* ce qui est terrible dans : *Le terrible de l'histoire, c'est qu'il n'a rien compris.* ◆ **terriblement** adv. *Fam.* Très, beaucoup : *Il est terriblement autoritaire* (syn. ÉNORMÉMENT, EXCESSIVEMENT, EXTRÊMEMENT).

TERRIEN, ENNE adj. et n. → TERRE 1, 3 et 4.

1. TERRIER [terje] n. m. (de *terre*). Trou, galerie que certains animaux creusent dans la terre pour s'y abriter : *Faire sortir un lapin de son terrier.*

2. TERRIER [terje] n. m. (de *terrier* 1). Chien de petite taille, propre à chasser les animaux qui vivent dans des terriers.

TERRIFIANT, E adj., **TERRIFIER** v. t. → TERREUR.

TERRIGÈNE adj. → TERRE 4.

TERRINE [terin] n. f. (de l'anc. fr. *terrin,* de terre). Récipient en terre vernissée, servant à cuire et à conserver; son contenu : *Le pâté est dans la terrine. Une terrine de pâté de campagne. La terrine du chef* (= un pâté de sa composition).

TERRITOIRE [teritwar] n. m. (lat. *territorium;* de *terra,* terre). **1.** Espace terrestre, maritime et aérien, sur lequel les organes politiques d'un État exercent leurs pouvoirs : *Être en territoire ennemi. La défense et la sécurité du territoire. La politique d'aménagement* du territoire.* — **2.** (avec un compl. du nom) Étendue de terre sur laquelle s'exerce la juridiction de : *Le territoire de la commune.* — **3.** *Zool.* Zone occupée par un animal ou un couple, et défendue contre l'accès d'autres individus de même espèce. — **4.** *Territoires d'outre-mer (T. O. M.),* collectivités locales de la République française, situées outre-mer et dotées d'un statut d'autonomie administrative plus large que celui des départements d'outre-mer (D. O. M.). → ENCYCL. ◆ **territorial, e, aux,** adj. **1.** Qui concerne le territoire : *Garantir l'intégrité territoriale.* — **2.** *Eaux territoriales, mer territoriale,* zone entre la côte et le large, dans laquelle s'exerce la souveraineté d'un État riverain. ◆ adj. et n. f. *Armée territoriale,* ou *la territoriale* n. f., appellation donnée de 1872 à 1914, à la fraction de l'armée mobilisée, fournie par les réservistes des classes anciennes. ◆ **territorial, aux** n. m. Soldat de l'armée territoriale. ◆ **territorialité** n. f. Zone de souveraineté d'un État. ◆ **exterritorialité** n. f. *Dr. international.* Immunité qui soustrait certaines personnes à la juridiction de l'État sur le territoire duquel elles se trouvent.

— ENCYCL. Les *territoires français d'outre-mer* sont dispersés à travers le monde : Wallis-et-Futuna, la Nouvelle-Calédonie et la Polynésie (en Océanie); les terres australes et antarctiques françaises (comprenant la terre Adélie et les îles Crozet, Saint-Paul, Kerguelen, la Nouvelle-Amsterdam).

TERROIR [terwar] n. m. (de *terre*). **1.** Province, campagne considérées comme le refuge d'habitudes, de goûts typiquement ruraux ou régionaux : *Un écrivain du terroir* (= régionaliste). *Employer des mots du terroir.* — **2.** *Vin qui a un goût de terroir, qui sent son (le) terroir,* qui a un goût particulier attribué à la nature du sol.

TERRORISER v. t., **TERRORISME** n. m., **TERRORISTE** adj. et n. → TERREUR.

1. TERTIAIRE [tɛrsjɛr] adj. et n. m. (du lat. *tertius*, troisième). *Secteur tertiaire*, ou *le tertiaire* n. m., ensemble des activités économiques d'un pays, autres que l'agriculture ou l'industrie, par oppos. aux *secteurs primaire, secondaire* : *Le secteur tertiaire juxtapose les activités de « services* », c'est-à-dire le commerce, les banques, l'administration, l'éducation, l'armée, etc.*

2. TERTIAIRE [tɛrsjɛr] adj. et n. m. (même étym.). *Ère tertiaire*, ou *le Tertiaire* n. m., quatrième division des temps géologiques, entre le Secondaire et le Quaternaire, d'une durée approximative de 65 millions d'années : *Le Tertiaire est caractérisé par le grand développement du groupe des mammifères et par le plissement alpin* (syn. CÉNOZOÏQUE).

TERTIO [tɛrsjo] adv. (mot lat.). → NUMÉRATION.

TERTRE [tɛrtr] n. m. (orig. incert.). Petite élévation de terre, isolée (syn. BUTTE, HAUTEUR, MONTICULE).

TERTULLIEN, apologiste chrétien (v. 155-v. 220). On le considère comme le créateur de la littérature théologique latine.

TERUEL, v. d'Espagne (Aragón); 24000 hab. Cathédrale (XIVe-XVIe s.). Enjeu de violents combats pendant la guerre civile de 1936-1939.

TERVILLE, comm. de la Moselle, faubourg sud-ouest de Thionville; 5200 hab.

TERZA RIMA [tɛrtsarima] n. f. (mot it. signif. *rime tiercée*). **1.** Nom donné, dans la versification italienne, aux rimes ordonnées par groupes de trois vers, de telle sorte que chaque groupe comprenne deux vers rimant ensemble, qui embrassent un troisième vers, lequel rime avec le premier et le troisième du groupe suivant. — **2.** Poème composé de tercets, dont la forme fut empruntée à l'Italie par la Pléiade et qui reparut au XIXe s. chez Vigny, Gautier, Heredia.

TES adj. poss. → MON.

TESSIN (le), en it. **Ticino,** riv. de Suisse et d'Italie, qui traverse le lac Majeur, passe à Pavie et se jette dans le Pô (r. g.); 248 km.

TESSIN, canton de Suisse, sur le versant méridional des Alpes, au débouché du Saint-Gothard; 2811 km²; 265500 hab. *(Tessinois).* Ch.-l. *Bellinzona.*

TESSITURE [tɛsityr] n. f. (it. *tessitura;* de *tessere*, tisser). **1.** *Mus.* Ensemble des sons qui conviennent le mieux à une voix : *Tessiture grave, aiguë.* — **2.** Ensemble des notes qui reviennent le plus souvent dans un morceau, constituant pour ainsi dire la texture, l'étendue moyenne dans laquelle il est écrit.

TESSON [tɛsɔ̃] n. m. (du lat. *testum*, vase en terre). Débris de verre ou de poterie : *Des tessons de bouteille.*

1. TEST [tɛst] n. m. (lat. *testum*). Enveloppe dure, calcaire ou siliceuse de certains animaux : coquille des mollusques, carapace des crustacés et des échinodermes, carapace des foraminifères, des radiolaires, etc.

2. TEST [tɛst] n. m. (mot angl. signif. *épreuve*). **1.** Épreuve servant à reconnaître et à mesurer les aptitudes, naturelles ou acquises, d'une personne, d'un groupe, etc. : *Soumettre un enfant à une série de tests.* — **2.** *Test biologique*, examen par prélèvement sur un tissu vivant (syn. BIOPSIE). — **3.** Épreuve qui permet de juger de quelque chose : *C'est un test de sa bonne volonté.* ◆ **tester** v. t. *Tester qq'un*, le soumettre à un ou plusieurs tests.

Test Act, loi promulguée en 1673 en Angleterre, imposant à tous les fonctionnaires l'appartenance à la foi anglicane. Elle fut abrogée en 1828-1829.

1. TESTAMENT [tɛstamɑ̃] n. m. (lat. *testamentum;* de *testari*, témoigner). **1.** Acte par lequel on déclare ses dernières volontés et on dispose de sa fortune pour le temps qui suivra sa mort : *Mettre qq'un sur son testament* (= l'y coucher). *Ajouter une clause, un codicille à son testament. Ceci est mon testament* (syn. DERNIÈRE VOLONTÉ). *Testament olographe* (= écrit, daté et signé par le testateur). *Testament authentique* (= dicté à un notaire, par le testateur, devant témoins). — **2.** Dernière œuvre d'un écrivain, d'un artiste, expression la plus achevée de son art : *Cette œuvre prend figure de testament.* ‖ *Testament politique*, exposé posthume des principes d'un homme d'État. ◆ **testamentaire** adj. *Dispositions testamentaires*, qui sont prises par testament. ‖ *Exécuteur testamentaire*, personne chargée de l'exécution d'un testament. ◆ **testateur, trice** n. Auteur d'un testament. ◆ **tester** v. i. Faire un testament.

2. TESTAMENT [tɛstamɑ̃] n. m. (même étym.) [avec une majusc.]. *Ancien Testament*, ensemble des livres saints antérieurs à Jésus-Christ. ‖ *Nouveau Testament*, ensemble des livres saints postérieurs à Jésus-Christ (Évangiles, Actes des Apôtres, Épîtres et Apocalypse). [→ BIBLE.]

Testament *(le)*, de F. Villon, dit *le Grand Testament* (1461).

Testament *(le Petit)*, nom donné ordinairement au *Lais*, poème de François Villon (1456).

TESTAMENTAIRE adj., **TESTATEUR, TRICE** n. → TESTAMENT 1.

TESTE (La), anciennement **La Teste-de-Buch,** ch.-l. de cant. de la Gironde, sur le bassin d'Arcachon, à 5 km au S. d'Arcachon; 19000 hab. Station balnéaire. Port de pêche et ostréiculture.

1. TESTER v. t. → TEST 2.

2. TESTER v. i. → TESTAMENT 1.

TESTICULE [tɛstikyl] n. m. (lat. *testiculus;* de *testis*, témoin). Glande génitale mâle, qui produit les spermatozoïdes et les hormones mâles : *Les deux testicules sont situés dans les bourses.* (→ ORGANES GÉNITAUX*.)

TET *(fêtes du)*, rites célébrés particulièrement au Viêt-nam le premier jour de l'année du calendrier lunaire (entre le 20 janvier et le 19 février).

TÊT [tɛ] n. m. (du lat. *testa*, vase en terre). Coupelle en terre réfractaire, utilisée dans les laboratoires pour chauffer les solides.

TÊT (la), fl. côtier des Pyrénées-Orientales, tributaire de la Méditerranée; 120 km. Elle arrose Prades et Perpignan.

TÉTANIE [tetani] n. f. (de *tétanos*). *Méd.* Contractions musculaires spasmodiques des extrémités des membres. ◆ **tétanique** adj. : *Accès, crise tétanique.*

TÉTANIQUE adj. → TÉTANIE et TÉTANOS.

TÉTANOS [tetanos] n. m. (gr. *tetanos*, rigidité des membres). Maladie infectieuse grave, caractérisée par des contractions involontaires et douloureuses de tous les muscles du corps. ◆ **tétanique** adj. Relatif au tétanos. ‖ *Bacillle tétanique*, agent causal du tétanos, découvert en 1885 par Nicolaier. ◆ **antitétanique** adj. *Vaccin antitétanique*, contre le tétanos.
— ENCYCL. Le *tétanos* est déterminé par le bacille de Nicolaier, qui vit dans la terre, et pénètre dans l'organisme par les plaies ouvertes, vastes ou minimes (piqûre par un clou, une écharde, une épine, etc.). C'est la toxine sécrétée par ce bacille qui, transportée par le sang, et se fixant sur le système nerveux, provoque d'abord des secousses musculaires, puis des contractions permanentes des muscles, qui surviennent par crises de plus en plus rapprochées et atteignent tout le corps, conférant au visage un masque spécial (« rire sardonique »). En l'absence de traitement, cette forme aiguë conduit rapidement à la mort par asphyxie ou syncope cardiaque. Le traitement utilise le sérum antitétanique à petites doses préventives en cas de plaies infectées, à doses massives en cas de tétanos déclaré. Pour prévenir le tétanos, la vaccination antitétanique (obligatoire en France) comporte trois injections espacées de quinze à trente jours, un rappel un an après, puis des injections de rappel régulières tous les cinq ans.

TÊTARD [tɛtar] n. m. (de *tête*). Larve des amphibiens anoures (grenouille, crapaud).
— ENCYCL. Les *têtards* sont des animaux aquatiques à respiration branchiale, sans pattes, à grosse tête fusionnée au tronc, munis d'une longue queue qui leur permet de nager par ondulation. Quatre mois environ après l'éclosion, ils subissent une métamorphose, à laquelle peu d'entre eux survivent, qui les mènera à la forme adulte.

TÊTE [tɛt] n. f. (bas lat. *testa*, pot de terre). **1.** Extrémité supérieure du corps de l'homme, qui contient le cerveau et la plupart des organes des sens; partie antérieure du corps de l'animal. → ENCYCL. ‖ *D'une tête*, en dépassant de la hauteur (ou en devançant de la longueur) d'une tête : *Ce cheval a gagné d'une tête. Il est plus grand d'une tête.* ‖ *Des pieds à la tête*, de bas en haut. ‖ *Tête baissée*, sans regarder, aveuglément : *Aller, donner, courir, foncer* (fam.) *tête baissée dans un obstacle.* ‖ *En avoir par-dessus la tête*, en avoir assez, être excédé. ‖ *Faire une tête*, au football, donner un coup dans le ballon avec le front. ‖ *Mettre la tête de qq'un à prix*, promettre une récompense pour sa capture. ‖ Fam. *Se payer la tête de qq'un*, se moquer de lui. — **2.** Crâne, cheveux : *Se faire une blessure à la tête. Se laver la tête.* ‖ *Avoir mal à la tête*, avoir la migraine. — **3.** L'esprit, les facultés mentales : *Avoir la tête ailleurs. N'avoir plus la tête à soi.* ‖ *C'est une tête en l'air, il est tête en l'air*, il est étourdi (syn. ÉCERVELÉ). ‖ *C'est, il a une tête d'oiseau, de linotte*, il ne réfléchit pas (syn. TÊTE EN L'AIR). ‖ *À tête reposée*, en prenant le temps de réfléchir (syn. À LOISIR). ‖ *Avoir une idée en tête, dans la tête, derrière la tête*, dans l'esprit. ‖ *N'avoir qu'une idée en tête*, avoir une préoccupation unique. ‖ *Avoir la tête dure*, comprendre difficilement. ‖ *Avoir toute sa tête*, être tout à fait lucide. ‖ Fam. *Se casser, se creuser la tête*, réfléchir profondément. ‖ *De tête*, dans son esprit, sans parler ni écrire : *Faire une opération de tête* (syn. MENTALEMENT). ‖ *Ne plus savoir où donner de la tête*, être surmené, avoir trop de choses à faire (syn. ÊTRE SUBMERGÉ). ‖ *Idée qui passe par la tête*, qui traverse l'esprit. ‖ *Se mettre dans la tête, en tête que...*, dans l'esprit que... (syn. S'IMAGINER). ‖ *Perdre la tête*, s'affoler (syn.

PERDRE SON SANG-FROID). || *Tourner la tête à qq'un,* lui faire perdre le sens des réalités; le rendre amoureux. — **4.** Caractère : *Un homme, une femme de tête,* qui a du caractère et de la décision. || *C'est une forte tête,* quelqu'un qui ne se plie pas à la discipline commune. || *Avoir la tête chaude,* se mettre facilement en colère. || *Avoir la tête froide,* rester calme en toute circonstance. || *Avoir la tête dure,* comprendre très difficilement. || Pop. *C'est, il a une tête de cochon, de mule,* il est têtu. || *N'en faire qu'à sa tête,* n'écouter personne et persévérer dans la voie qu'on a choisie. || *Tenir tête à qq'un,* s'opposer à sa volonté, lui résister. — **5.** Expression du visage : *Avoir une bonne tête,* inspirer confiance. || *Avoir, faire une drôle de tête,* avoir une expression dépitée. || *Avoir, être une tête à claques,* être déplaisant et irritant. || *Il en a une tête!* (ou *Quelle tête il a!*), se dit de quelqu'un qui a l'air fatigué (syn. MINE). || Fam. *Faire la tête,* être de mauvaise humeur (syn. BOUDER). — **6.** Personne : *Par tête* (= par personne). *C'est tant par tête. Une tête couronnée* (= un roi, une reine). — **7.** Personne qui tient un poste de commandement ou dont dépend l'organisation, la conception de quelque chose : *Il est la tête du mouvement* (syn. CHEF). *La tête de la classe* (= les meilleurs élèves). || *En tête (de), à la tête de,* au premier rang (en position ou en mérite) : *Il a passé en tête aux élections. Il est à la tête de sa classe.* || *Se trouver à la tête d'un héritage, d'une fortune,* en être possesseur. — **8.** *Tête de bétail,* animal compté dans un troupeau : *Un troupeau de cent têtes* (syn. BÊTE). — **9.** Partie supérieure d'une chose : *La tête d'un arbre* (syn. CIME, SOMMET). || *La tête du lit,* la partie du lit située à l'endroit où l'on pose la tête (syn. CHEVET). — **10.** Partie terminale arrondie ou plus grosse que le reste : *La tête du fémur. Une tête d'ail. Une tête d'épingle. La tête de lecture d'un électrophone* (= la partie située au bout du bras et qui porte le saphir ou le diamant). — **11.** Partie antérieure d'une chose orientée, celle qui se présente la première : *La tête d'une colonne de soldats. La tête du train. La tête du chapitre* (syn. DÉBUT). *Être en tête de liste. L'article de tête du journal* (= l'éditorial). || *Tête chercheuse,* partie antérieure d'un projectile, dotée d'un dispositif électronique, en vue de faire coïncider sa trajectoire avec celle de l'objectif à atteindre. || *Tête de ligne,* station, gare où commence une ligne de transports. — **12.** *Sans queue ni tête,* se dit de ce qui est extravagant et obscur : *Une histoire sans queue ni tête.* || *Voix de tête,* très aiguë (syn. VOIX DE FAUSSET).

TÊTE-À-QUEUE [tɛtakø] n. m. inv. *(tête, à,* et *queue).* Pivotement brusque d'un véhicule, généralement à la suite d'un fort coup de frein.

TÊTE À TÊTE [tɛtatɛt] loc. adv. *(tête, à,* et *tête).* Seul avec une autre personne : *On les a laissés tête à tête* (syn. SEUL À SEUL). *Je les ai trouvés en tête à tête.* ◆ **tête-à-tête** n. m. inv. Situation de deux personnes isolées ensemble : *Nous avons réussi à avoir un tête-à-tête* (syn. ENTREVUE).

TÊTE-BÊCHE [tɛtbɛʃ] loc. adv. (de l'anc. fr. *béchevet,* la tête de l'un aux pieds de l'autre). Dans la position de deux personnes ou de deux objets placés parallèlement, mais en sens inverse.

TÊTE-DE-NÈGRE [tɛtdənɛgr] adj. inv. *(tête, de,* et *nègre).* De couleur marron très foncé.

TÉTER [tete] v. t. (de *tette,* bout de mamelle) [sujet nom désignant un nouveau-né ou un jeune animal]. Sucer le lait au sein, au biberon ou à la mamelle. ◆ **tétée** n. f. Quantité de lait absorbée en une fois par un nouveau-né. ◆ **tétine** n. f. **1.** Mamelle de mammifère, surtout de la vache et de la truie (syn. PIS). — **2.** Embouchure en caoutchouc percée de trous, que l'on adapte au biberon : *Stériliser les tétines.*

TÉTHYS. *Myth. gr.* Déesse de la Mer, mère des Océanides.

TÉTINE n. f. → TÉTER.

TÉTON [tetɔ̃] n. m. (de *téter*). *Mécan.* Pièce en saillie pour maintenir une autre pièce.

TÉTOUAN, en esp. **Tetuán,** v. du Maroc, anc. capit. de la zone espagnole, près de la Méditerranée; 139 100 hab.

TÉTRAÈDRE [tetraɛdr] n. m. (du gr. *tettares,* quatre, et *hedra,* face). *Géom.* Polyèdre ayant quatre faces, celles-ci étant des triangles. || *Tétraèdre régulier,* tétraèdre ayant pour faces quatre triangles équilatéraux. (→ POLYÈDRE, VOLUME.)

TÉTRALOGIE [tetralɔʒi] n. f. (gr. *tetralogia*). Ensemble de quatre œuvres, littéraires ou musicales, liées par une même inspiration : *La « Tétralogie » de Richard Wagner.*

TÉTRARCHIE [tetrarʃi] n. f. (du gr. *tettares,* quatre, et *arkhein,* commander). Gouvernement de l'Empire romain, divisé par Dioclétien entre quatre empereurs. ◆ **tétrarque** n. m. Chef, gouverneur d'une tétrarchie. (Hérode était tétrarque de Galilée, une des quatre divisions romaines de la Palestine au début de l'Empire.)

TÉTRAS [tetras] n. m. (lat. *tetrax*). Oiseau gallinacé de grande taille, au vol lourd, gibier à chair estimée (syn. COQ DE BRUYÈRE).

TÊTU, E [tety] adj. (de *tête*). Se dit de quelqu'un (ou de son attitude) qui demeure très attaché à son opinion ou à sa décision, en dépit de tout : *Être têtu comme une mule* (syn. BUTÉ, ENTÊTÉ).

TEUTON, ONNE [tøtɔ̃, -ɔn] adj. et n. (de *Teutons*). Relatif à l'anc. Germanie; habitant de cette région. ◆ **teutonique** adj. Relatif aux Teutons.

Teutonique *(ordre),* ordre religieux et militaire, fondé en 1198 à Jérusalem. Recrutés parmi la noblesse allemande, les chevaliers Teutoniques interviennent en Prusse contre les païens du XIIIe s. et entreprennent la conquête du pays qui est colonisé et germanisé. (→ PRUSSE.) Renforcé par l'incorporation des chevaliers Porte-Glaive (1237), l'ordre constitue bientôt un État prospère qui devient la puissance prépondérante de l'Europe du Nord.

- *1410. Les chevaliers Teutoniques subissent une première défaite importante à la bataille de Grunwald (ou de Tannenberg) menée par les Polonais.*
- *1466. Le traité de Toruń réduit considérablement leur puissance.*

Ils doivent reconnaître la suzeraineté de la Pologne sur la Prusse.

- *1525. La conversion du grand maître Albert de Brandebourg au luthéranisme achève de ruiner l'ordre Teutonique.*

TEUTONS, peuple de l'anc. Germanie. Ils envahirent la Gaule avec les Cimbres et furent écrasés par Marius à Aix-en-Provence (102 av. J.-C.).

TEXAS, État du sud des États-Unis, sur le golfe du Mexique; 692 403 km²; 11 649 000 hab. *(Texans).* Capit. *Austin.* V. pr. *Houston, Dallas.*

C'est le plus vaste État de l'Union (en dehors de l'Alaska), sensiblement plus grand que la France. Sa partie occidentale, au climat sec, est le domaine de l'élevage bovin. Mais dans la partie orientale, le climat chaud et humide permet la culture de coton et de céréales (maïs, riz). Enfin le Texas est surtout le principal producteur de pétrole et de gaz naturel des États-Unis.

TEXTE [tɛkst] n. m. (lat. *textus,* tissu). **1.** Ensemble des termes mêmes qui constituent un écrit, une œuvre (par oppos. aux COMMENTAIRES ou aux TRADUCTIONS) : *Lire Shakespeare dans le texte* (syn. ORIGINAL). *Le texte d'une loi, d'un contrat* (syn. LIBELLÉ, TENEUR). — **2.** Les paroles d'une œuvre lyrique (par oppos. à la MUSIQUE) : *Le texte d'un opéra* (syn. LIVRET). — **3.** La page imprimée, écrite, dactylographiée (par oppos. aux MARGES, aux ILLUSTRATIONS) : *Il y a des illustrations dans le texte.* — **4.** (surtout au plur.) Œuvre ou document authentique qui constitue la source d'une discipline, d'une culture : *Les textes grecs et latins. Il connaît ses textes* (syn. CLASSIQUE). — **5.** Fragment détaché d'une œuvre : *Un recueil de textes choisis* (syn. MORCEAU). *Une explication de texte.* — **6.** *Le texte d'un devoir, d'une leçon,* ce qui en fait la matière (syn. ÉNONCÉ, SUJET). ◆ **textuel, elle** adj. Conforme au texte : *Citation textuelle* (syn. LITTÉRAL, MOT À MOT). || Fam. *Textuel!,* c'est exactement ainsi. ◆ **textuellement** adv. : *Répéter textuellement les paroles de qq'un* (= exactement). [→ CONTEXTE.]

TEXTILE [tɛkstil] adj. (lat. *textilis,* tissé). **1.** Qui peut être tissé, dont on peut faire un tissu : *Les matières textiles.* — **2.** *Industrie, usine textile,* qui se rapporte à la fabrication des tissus. ◆ n. m. **1.** Matière textile : *Les textiles synthétiques.* — **2.** *Le textile,* l'industrie textile : *Travailler dans le textile.*

TEXTUEL, ELLE adj., **TEXTUELLEMENT** adv. → TEXTE.

TEXTURE [tɛkstyr] n. f. (lat. *textura,* tissu). Disposition des parties de quelque chose : *La texture de la peau. La texture grenue d'une roche. La texture d'un roman* (syn. AGENCEMENT, STRUCTURE).

T. G. V. [teʒeve] n. m. (sigle de *Train à Grande Vitesse*). Train de voyageurs pouvant atteindre des vitesses de 270 km à 300 km/h en service commercial. (Le T. G. V. a atteint en 1990 515,3 km/h, record du monde de vitesse sur rail.)

THABOR ou **TABOR** *(mont),* sommet des Alpes françaises, au S.-O. de Modane (Savoie); 3 177 m.

THABOR ou **TABOR** *(mont),* montagne d'Israël, au S.-E. de Nazareth (588 m), où eut lieu la transfiguration du Christ.

THACKERAY (William MAKELPEACE), écrivain anglais (1811-1863). Auteur d'essais, de récits historiques et de romans qui font la satire des hypocrisies et des ridicules de la société britannique (*la Foire aux vanités,* 1847-1848).

THAÏ, THAÏE [taj] adj. De Thaïlande. ◆ n. m. Groupe de langues parlées au Laos et en Thaïlande.

THAÏLANDE, ancienn. **Siam,** royaume de l'Asie du Sud-Est, dans la partie occidentale de la péninsule indochinoise.
→ cartes ASIE pp. 96-97.

GÉOGRAPHIE

Des chaînes montagneuses à l'O. *(Tenasserim),* des plateaux gréseux à l'E. *(Korat)* encadrent la plaine alluviale centrale du *Ménam.* Un climat de mousson affecte l'ensemble du pays.

SUPERFICIE 514 000 km² (France : 550 000 km²).
POPULATION 55 600 000 hab. *(Thaïlandais);* 108 hab. au km² (France : 103); accroissement annuel de population, 2,8 p. 100.
CAPITALE Bangkok (4 870 000 hab.).
LANGUE thaï.
ÉCONOMIE consommation d'énergie par hab., 308 kg d'équivalent charbon; 1 automobile pour 180 hab.
MONNAIE baht.

	TEMPÉRATURES MOYENNES		PLUIES
	janv.	juil.	
Chiangmai	21,6 °C	27,7 °C	1 354 mm
Phuket	26,6 °C	27,6 °C	2 279 mm

Les forêts qui couvrent les parties montagneuses fournissent du bois (teck) et, dans la péninsule, du caoutchouc. Sur les plateaux, la culture du maïs, coton et tabac domine, associée à l'élevage bovin et porcin. Mais la partie vitale du pays est la région centrale qui produit, grâce à l'irrigation, de grosses quantités de riz (20 Mt, largement exportées). Longtemps limitée à la transformation de produits agricoles, l'industrie connaît un certain essor (textiles), tandis que le tourisme se développe rapidement.

HISTOIRE

Au VIIIe s., des peuples de langue thaïe sont installés au Yun-nan (Chine du Sud). À la suite d'une longue infiltration parmi les Môns, Khmers et Birmans, infiltration qui s'accélère au XIIIe s., ils forment des royaumes autour des villes de Sukho-thai, Chiangmai, où se généralise le bouddhisme.

- *XIVe s. Un royaume centré autour d'Ayuthia, sa capitale (fondée en 1347), et connu sous le nom de « Siam », s'étend aux dépens des autres principautés thaïes.*

En lutte incessante avec le Cambodge, il domine le nord de la péninsule malaise, et sa capitale devient un grand centre commercial. Le Siam se dote au XVe s. d'une administration centralisée. Mais, en 1564, les Birmans s'emparent d'Ayuthia.

- *1584. Une révolte dirigée par Phra Naret libère le pays.*

Devenu roi sous le nom de Naresuen (1590-1605), il étend sa suzeraineté sur Chiangmai et l'isthme malais. Au XVIIe s., les relations diplomatiques et commerciales sont actives avec la Chine, le Japon et l'Europe (ambassade siamoise auprès de Louis XIV). Mais une intervention militaire française, favorisée par un aventurier grec, Constantin Phaulkon, au service du roi Phra Narai, amène une réaction nationale (1688), et l'interruption des relations avec les pays européens.

- *1767. Ayuthia, affaiblie par des révoltes et les guerres perpétuelles contre le Cambodge, est brûlée par les Birmans.*

L'indépendance siamoise est sauvée par le général Taksin. Ses successeurs de la dynastie Chakri installent leur capitale à Bangkok, mènent une politique d'annexion au Cambodge, au Laos, et dans les États malais. Au XIXe s., dans une économie dominée par l'agriculture, les Chinois et le roi monopolisent le commerce.

- *1855-1868. Après une intervention anglaise, le roi Mongkut ouvre le pays aux occidentaux.*

La rivalité franco-anglaise permet au Siam de maintenir son indépendance malgré quelques pertes territoriales, tandis que le roi Chulalongkorn (1868-1910) et ses successeurs s'efforcent de moderniser le pays (suppression de l'esclavage).

- *24 juin 1932. Les éléments nationalistes organisent un coup d'État qui impose une onstitution, puis l'abdication de Râma VII (1935).*

Le nationalisme s'accentue sous le régime de Pibul Songgram (1938) qui donne au pays le nom de *Thaïlande* pour marquer sa volonté de rassembler tous les Thaïs, et s'allie avec le Japon.

- *1950. Avec l'aide de Pibul Songgram (revenu au pouvoir en 1948), Bhumibol Adulyadej devient roi sous le nom de Râma IX.*

Confronté au développement de guérillas communistes dans le Nord-Est et dans le Sud, le pouvoir, soutenu par les États-Unis, reste dominé par les militaires. Se succèdent notamment au poste de Premier ministre les généraux Sarit Thanarat (1957-1963), Thanom Kittikachorn (1963-1973), Prem Tinsulanond (1980-1988). Après un intermède civil (gouvernement de Chatichai Choonhavan, 1988-1991), les militaires reprennent le contrôle du pouvoir en 1991.

Le pays doit faire face au problème des réfugiés cambodgiens.

THAÏS, population de l'Asie du Sud-Est, dans le Viêt-nam septentrional, le Laos, la Thaïlande et quelques régions birmanes.

THALAMUS [talamys] n. m. (mot lat.). *Anat.* Partie de l'encéphale située à la base du cerveau (syn. COUCHES OPTIQUES). [C'est un relais sensitif, et il intervient dans l'humeur, l'expression des émotions, la conscience.]

THALASSOTHÉRAPIE [talasɔterapi] n. f. (du gr. *thalassa,* mer, et *therapeia,* traitement). Traitement par les bains d'eau de mer (froide ou réchauffée) et par les climats maritimes.

THALÈS, mathématicien et philosophe grec de l'école ionienne (fin du VIIe s.-début du VIe s. av. J.-C.). On ne connaît que peu de chose de ses travaux et on lui attribue, peut-être à tort, le théorème qui porte son nom : « Toute parallèle à un côté d'un triangle détermine sur les deux autres côtés des segments proportionnels. » Ce théorème, dans la présentation moderne de la géométrie, est un axiome*. (*Axiome de Thalès* → PLAN* AFFINE.)

THALLE [tal] n. m. (gr. *thallos,* branche). Appareil végétatif des végétaux inférieurs, où l'on ne peut distinguer ni racine, ni tige, ni feuilles.

THALLOPHYTES [tallɔfit] n. f. pl. (de *thalle*). Embranchement du règne végétal, comprenant des plantes pluricellulaires et différenciées, mais n'ayant ni tiges, ni feuilles, telles que les algues*, les champignons* et les lichens*.

THALWEG n. m. → TALWEG.

THANJAVUR → TANJORE.

THANN, ch.-l. d'arrond. du Haut-Rhin, sur la Thur, à 21 km au N.-O. de Mulhouse; 7 800 hab. Industries mécaniques, textiles et chimiques.

THANT (Sithu **U**), homme politique birman (1909-1974). Il fut secrétaire général de l'O. N. U. de 1961 à 1971.

THAON-LES-VOSGES, comm. des Vosges, à 9 km au N. d'Épinal; 7 500 hab. Textiles.

THAR *(désert de),* région aride du Pākistān et de l'Inde, entre l'Indus et les monts Aravalli.

THASOS, île grecque du nord de la mer Égée; 15 200 hab. V. pr. *Thasos.* Célèbre pour ses vignes, ses mines d'or et d'argent et ses carrières de marbre, l'île fit partie de la Confédération athénienne. Révoltée contre Athènes (465 av. J.-C.), elle fut châtiée par Cimon (463 av. J.-C.).

THATCHER (Margaret), femme politique britannique (née en 1925). Chef du parti conservateur à partir de 1975, elle devient Premier ministre à l'issue des élections de 1979 et applique une politique libérale visant à réduire l'intervention de l'État dans la vie économique. Reconduite à la tête du gouvernement après les élections de 1983 et 1987, elle quitte le pouvoir en 1990.

THAU *(étang de),* lagune de l'Hérault, communiquant par le canal de Sète avec la Méditerranée; 7 000 ha. Bassin industriel de Sète.

THAUMATURGE [tomatyrʒ] n. m. (du gr. *thauma, -atos,* miracle, et *ergon,* œuvre). Personne qui fait ou prétend faire des miracles (littér.) [syn. CHARLATAN, MAGICIEN].

THÉ [te] n. m. (malais *teh*). **1.** Feuilles de théier torréfiées après la cueillette (thé vert) ou après avoir subi une légère fermentation (thé noir). → ENCYCL. — **2.** Infusion de feuilles de thé : *Une tasse de thé. Un service à thé.* — **3.** Repas léger où l'on sert du thé et des pâtisseries, dans l'après-midi : *Prendre le thé. Un salon de thé.* — **4.** Réunion d'après-midi où l'on sert ce repas léger : *Être invité à un thé.* ◆ **théier** n. m. Arbrisseau originaire de la Chine méridionale et cultivé dans toute l'Asie du Sud-Est pour ses feuilles qui donnent le thé. ◆ **théière** n. f. Récipient pour faire infuser et servir le thé.

— ENCYCL. La production mondiale de *thé* (2 200 000 t) est presque exclusivement une production asiatique.

Inde	650 000 t
Chine	440 000 t
Sri Lanka	220 000 t
Indonésie	115 000 t
Japon	100 000 t

THÉÂTRE [teɑtr] n. m. (gr. *theatron*). **1.** Art de représenter une action dramatique devant un public : *Faire du théâtre. Une pièce de théâtre.* — **2.** Jeu forcé, attitude artificielle (par oppos. au naturel de la vie) : *C'est du théâtre* (syn. SIMAGRÉES). — **3.** Entreprise qui donne des spectacles dramatiques : *Une pièce qui fait partie du répertoire du Théâtre-Français.* — **4.** Édifice où un spectacle est joué par des acteurs, pour un public : *Aller au théâtre* (syn. SPECTACLE). → ENCYCL. — **5.** Ensemble des œuvres dramatiques d'un auteur, d'une époque, d'un genre, d'un pays : *Le théâtre de Corneille, de Racine. Le théâtre antique. Le théâtre du Boulevard* (= genre de pièces au comique facile). — **6.** Lieu où se passe un événement, le plus souvent dramatique : *Notre petite ville a été le théâtre d'événements peu habituels.* ‖ *Le théâtre des opérations,* la zone où se déroulent des opérations militaires. ◆ **théâtral, e, aux** adj. **1.** Qui concerne le théâtre : *Une représentation théâtrale.* ‖ *Saison théâtrale,* période d'ouverture des théâtres d'une ville. — **2.** Qui est artificiel et forcé : *Une attitude théâtrale.* ◆ **théâtralement** adv. Avec affectation.

— ENCYCL. Le *théâtre grec* est fort important dès le Ve s. av. J.-C. Les représentations ont lieu en plein air, les gradins étant creusés le long de collines dont le flanc a été aménagé. La scène, circulaire, se trouve dans le bas. Derrière la scène se dresse un mur percé de portes, et représentant un décor fixe. Les théâtres grecs d'Épidaure et de Pergame jouissent de vues exceptionnelles sur des paysages immenses.

Les *Romains* au Iᵉʳ s. av. J.-C. connaissent aussi le théâtre. Mais l'habitude veut que les réunions populaires aient lieu au Champ de Mars, quartier plat de Rome, et non plus au flanc d'une colline. Le théâtre est donc construit avec des gradins soutenus par des murs décorés de colonnades ou de pilastres, en demi-cercle autour de l'*orchestra.* La scène est close dans le fond par un mur, souvent orné de niches et de colonnes : des toiles y sont accrochées et font de l'ombre sur les spectateurs; le théâtre romain est un espace clos, au contraire du théâtre grec. Des théâtres ovales (amphithéâtres) servaient aux jeux du cirque. Le plus grand d'entre eux est celui de Rome, le Colisée, bâti à la fin du Iᵉʳ s. apr. J.-C.

Au Moyen Âge on ne connaît plus le théâtre. Lorsque l'on représente des « mystères (récits de la vie du Christ), on le fait sur la place de l'église. Les acteurs jouent les scènes les unes après les autres, en se déplaçant d'un coin à l'autre de la place : il n'y a pas de scène unique. C'est donc une reconquête de la *Renaissance* que la construction de théâtres fermés, dont le premier est le théâtre Olympique, dernière œuvre de Palladio (1508-1580) à Vicence en Italie.

Au XVIIᵉ s. la construction de théâtres « à l'italienne » se multiplie. Les pièces de Corneille, de Racine et de Molière sont vues par des spectateurs debout dans l'orchestre, ou bien assis sur la scène elle-même. Petit à petit l'usage d'installer des spectateurs sur la scène se perdra, ils seront assis au parterre (à partir du milieu du XVIIIᵉ s.), au balcon, dans les baignoires ou dans les loges. Mais l'éclairage se fait à la bougie et les incendies sont fréquents. À Bordeaux le théâtre construit par l'architecte Louis (1723-1792) est un bon exemple de ces théâtres.

Dans bien des théâtres du XVIIIᵉ et du XIXᵉ s., une grande partie des places n'ont pas vue sur la scène. C'est encore le cas de quelques places du théâtre des Champs-Élysées à Paris, construit par Auguste Perret (1911-1913) en béton, ce qui est alors une grande nouveauté et qui permet de concevoir des balcons en porte à faux (sans le soutien de colonnes qui cachent la scène) : l'ère des salles de spectacle totalement ouvertes vers la scène commence.

Une certaine tendance du théâtre contemporain serait de revenir à la conception médiévale du théâtre à scène multiples : certains metteurs en scène utilisent de vastes salles couvertes, sans sièges, pour que les spectateurs soient mêlés à l'action théâtrale qui se joue sur des tréteaux, au besoin mobiles. Mais cette conception n'a pas encore véritablement abouti à la construction de théâtres nouveaux.

THÉBAÏDE, une des trois divisions de l'Égypte anc., appelée aussi HAUTE-ÉGYPTE. Capit. *Thèbes.* Les premiers ermites chrétiens se retirèrent dans les déserts de cette région.

THÈBES, v. de l'Égypte anc., patrie du dieu *Amon,* dont l'importance en Égypte ne devint prépondérante qu'après l'accession au trône de princes thébains (XIᵉ dynastie). Capitale somptueuse sous le Nouvel Empire, la ville commença à décliner quand les Ramessides (XIXᵉ dynastie) transférèrent leur capitale dans le delta, et tomba peu à peu en ruine. De nombreux monuments subsistent à l'emplacement de la cité, dont les temples de Louxor et de Karnak, Médinet Habou, les colosses de Memnon, Gournah et Deir el Bahari.

THÈBES, auj. **Thíva,** v. de Grèce. Elle fut illustrée par une série de légendes, dont celle d'Œdipe. Bien située au carrefour principal de la Béotie, elle présida un moment la ligue Béotienne. Ennemie d'Athènes, elle s'allia aux Perses pendant les guerres médiques.

- *371 av. J.-C. La victoire de Leuctres sur les Spartiates assure à Thèbes une hégémonie passagère.*

Détruite par Alexandre en 336 av. J.-C., la ville fut ruinée à nouveau par les Romains (146 av. J.-C.).

THÉIER n. m., **THÉIÈRE** n. f. → THÉ.

THÉISME [teism] n. m. (du gr. *theos,* dieu). Croyance en un dieu personnel qui se manifeste sur le monde créé, par oppos. au DÉISME qui nie l'action de Dieu, et à l'ATHÉISME qui nie son existence même.

Thélème *(abbaye de),* sorte de communauté laïque imaginée par Rabelais dans son *Gargantua.* Elle est formée d'hommes et de femmes qui tiennent à cultiver toutes les formes du bonheur.

THÈME [tɛm] n. m. (gr. *thema,* sujet posé). **1.** Tout ce qui constitue le sujet d'un développement : *Un thème de méditation. Un thème musical* (syn. MOTIF). — **2.** Traduction d'un texte de la langue du sujet qui traduit dans une langue ancienne ou étrangère : *Un thème latin, anglais* (contr. VERSION). ‖ Fam. *Un fort en thème,* un élève plus travailleur et savant qu'intelligent. — **3.** *Gramm.* Dans un énoncé, constituant immédiat (syntagme nominal) au sujet duquel on va dire quelque chose (syntagme verbal ou prédicat) [syn. SUJET] : *Dans « Le livre est sur la table », le syntagme nominal « le livre » est le sujet (c'est-à-dire le thème de la phrase), et le syntagme verbal « est sur la table » est le prédicat (c'est-à-dire le commentaire du thème).* ◆ **thématique** adj. Qui se rapporte à un thème (sens 1). ◆ n. f. Ensemble des thèmes d'une œuvre, d'un programme, etc.

THÉMIS. *Myth. gr.* Déesse de la Justice, fille d'Ouranos et de Gaia.

THÉMISTOCLE, général et homme d'État athénien (v. 525-v. 460 av. J.-C). Chef du parti démocratique et partisan d'une politique d'expansion fondée sur la puissance navale, il orienta l'activité des Athéniens vers la mer, fit construire le port du Pirée et équiper une excellente flotte. En 480 av. J.-C., lors de l'invasion de la Grèce par Xerxès, il parvint à réunir la plupart des cités grecques contre l'ennemi commun et organisa la victoire de Salamine.

THENARD (Louis Jacques, *baron*), chimiste français (1777-1857). On lui doit une classification des métaux et la découverte de l'eau oxygénée (1818).

THÉOCRATIE [teɔkrasi] n. f. (du gr. *theos,* dieu, et *kratein,* commander). Gouvernement, société où l'autorité politique, regardée comme émanant de Dieu, est exercée par ceux qui le représentent sur la terre : *On a parlé de théocratie pontificale à propos des papes Grégoire VII, Innocent IV, Boniface VIII.* ◆ **théocratique** adj. : *Un pouvoir théocratique.*

THÉOCRITE, poète grec (v. 315-v. 250 av. J.-C.), auteur des *Idylles.* Créateur de la poésie bucolique, il exprime, au milieu d'une civilisation raffinée, le regret de l'« état de nature ».

THÉODORA, morte en 548, impératrice byzantine (527-548), épouse de Justinien*. Elle exerça une grande influence sur l'empereur, qui lui dut de conserver son trône lors de la sédition Nika (532).

THÉODORA, morte en 867, impératrice régente de Byzance (842-856) pendant la minorité de son fils Michel III. Elle convoqua un concile qui rétablit (février 843) le culte des images (supprimé par son époux, l'empereur iconoclaste Théophile).

THÉODORIC le Grand (v. 454-526), roi des Ostrogoths (v. 474-526). Élevé à Constantinople, imprégné de culture gréco-romaine, il succéda à son père Théodomir comme roi des Ostrogoths. Après avoir vaincu Odoacre (493), Théodoric, maître de l'Italie et des côtes dalmates, tenta sans succès la fusion des Romains et des Goths. Sous son règne, Ravenne fut une brillante capitale.

THÉODOSE Iᵉʳ le Grand (v. 347-395), empereur romain (379-395). Il hâta le triomphe du christianisme sur le paganisme et se soumit à la pénitence que lui imposa saint Ambroise à l'occasion du massacre des révoltés de Thessalonique (390). Il battit plusieurs fois les Barbares et sut retarder la chute de l'Empire romain. Avant de mourir, il partagea l'Empire entre ses deux fils, Honorius et Arcadius. — THÉODOSE II (401-450), empereur d'Orient de 408 à 450. Il est l'auteur du *Code théodosien* qui contient les constitutions impériales promulguées depuis Constantin Iᵉʳ le Grand.

THÉOGONIE [teɔgɔni] n. f. (du gr. *theos,* dieu, et *gonos,* génération). **1.** Ensemble de divinités formant la mythologie d'un peuple et se caractérisant par une origine analogue. — **2.** Doctrine relative à l'origine des dieux, dans une mythologie donnée. ◆ **théogonique** adj. Relatif à une théogonie.

THÉOLOGAL, E, AUX [teɔlɔgal, -go] adj. (du gr. *theos,* dieu). *Les vertus théologales,* la foi, l'espérance et la charité.

THÉOLOGIE [teɔlɔʒi] n. f. (du gr. *theos,* dieu, et *logos,* science). **1.** Étude des questions relatives à la religion : *Faire sa théologie. Un traité de théologie.* — **2.** (avec un compl. du nom) Doctrine particulière sur des problèmes de religion : *La théologie de saint Thomas.* ◆ **théologique** adj. : *Une discussion théologique.* ◆ **théologiquement** adv. ◆ **théologien** n. m. Qui s'occupe de théologie.

THÉOPHILE DE VIAU → VIAU (Théophile DE).

THÉOPHRASTE, philosophe grec (v. 372-v. 287 av. J.-C.). Il est l'auteur des *Caractères,* recueil d'études morales et de portraits pittoresques, que La Bruyère traduisit et dont il emprunta le titre.

THÉORÈME [teɔrɛm] n. m. (gr. *theôrêma,* objet d'études). Propriété ou relation vraie pour une théorie donnée : *Des axiomes de la géométrie classique (géométrie euclidienne), on déduit le théorème suivant : « Si deux droites sont parallèles, toute droite qui coupe l'une coupe l'autre. »*

1. THÉORIE [teɔri] n. f. (gr. *theôria,* action d'observer). **1.** Ensemble d'opinions, d'idées sur un sujet déterminé : *Théorie politique* (syn. DOCTRINE, SYSTÈME). — **2.** Système de règles, de lois qui donne une explication d'ensemble à un domaine de la connaissance : *La théorie atomique. La théorie des ensembles.* — **3.** Connaissance idéale, indépendante de ses applications pratiques : *C'est de la théorie et il faut voir ce que cela donnera en pratique* (syn. SPÉCULATION). *Mettre une théorie en pratique* (syn. IDÉE). ‖

En théorie, en spéculant de manière abstraite : *Cela n'est vrai qu'en théorie, dans la réalité il en va autrement* (syn. THÉORIQUEMENT). ◆ **théorique** adj. Se dit de ce qui n'a qu'une existence abstraite, sans rapport avec la réalité ou la pratique : *Une discussion qui n'offre qu'un intérêt théorique* (syn. SPÉCULATIF; contr. PRATIQUE). ◆ **théoriquement** adv. En raisonnant sans tenir compte de la réalité : *Théoriquement, cela n'aurait pas dû arriver.* ◆ **théoricien, enne** n. **1.** Personne spécialisée dans la recherche fondamentale, abstraite : *La recherche a besoin de théoriciens autant que d'ingénieurs et de techniciens.* — **2.** (avec un compl. du nom abstrait) Personne qui défend une théorie (sens 1) : *Un théoricien de la révolution.* — **3.** (avec un nom de science ou d'art) Personne qui connaît la théorie (sens 2) de quelque chose : *Un théoricien de la littérature* (contr. PRATICIEN).

2. THÉORIE [teɔri] n. f. (gr. *theôria,* procession). Longue suite d'êtres animés qui marchent l'un derrière l'autre (littér.) : *Une théorie de fourmis avance en travers du chemin.*

THÉOULE-SUR-MER, comm. des Alpes-Maritimes, à 10 km au S.-O. de Grasse; 1 000 hab. Station balnéaire.

THÉRAMÈNE, homme d'État athénien (av. 450-404 av. J.-C.). En 411, il contribua à renverser le régime démocratique à Athènes et fit partie des Trente.

THÉRAPEUTIQUE [terapøtik] adj. (du gr. *therapeueîn,* soigner). Qui se rapporte au traitement et à la guérison des maladies : *Substance qui a des indications thérapeutiques.* ◆ n. f. Partie de la médecine qui se rapporte au traitement des maladies : *L'emploi des antibiotiques a transformé la thérapeutique moderne.*

THÉRÈSE ou **THÉRÈSE d'Ávila** *(sainte),* religieuse espagnole, née à Ávila (1515-1582). Carmélite, elle entreprit, avec l'aide de saint Jean de la Croix, de réformer l'ordre du Carmel pour le ramener à plus d'austérité, et elle ouvrit une quinzaine de monastères réformés. Elle a écrit des ouvrages qui comptent parmi les plus beaux de la littérature mystique *(le Chemin de la perfection, Pensées sur l'amour de Dieu).*

THÉRÈSE de l'Enfant-Jésus *(sainte)* [Thérèse MARTIN], religieuse française (1873-1897), carmélite de Lisieux. Sa sainteté, malgré sa simplicité, fut si apparente qu'elle fut canonisée dès 1925. Son *Histoire d'une âme* (1897) est une autobiographie expliquant le chemin de la sainteté. Grâce à elle, Lisieux est devenu un grand centre de pèlerinage.

Thérèse Desqueyroux, roman de F. Mauriac (1927).

Thérèse Raquin, roman d'Émile Zola (1867).

THERMES [tɛrm] n. m. pl. (du gr. *thermos,* chaud). Établissement de bains public des Anciens : *Les thermes de Lutèce.* ◆ **thermal, e, aux** adj. *Établissement thermal, station thermale,* où l'on fait une cure, où l'on vient prendre des eaux ayant des vertus médicinales. ‖ *Eaux thermales,* eaux minérales chaudes ayant des vertus thérapeutiques.

THERMIDOR [tɛrmidɔr] n. m. (du gr. *thermos,* chaud, et *dôron,* don). → CALENDRIER* RÉPUBLICAIN.

thermidor an II *(journées des 9 et 10)* [27-28 juillet 1794], journées révolutionnaires qui entraînèrent la chute de Robespierre. Celui-ci fut arrêté au cours de la séance de la Convention (9 thermidor) à l'instigation de Collot d'Herbois, de Tallien et de Billaud-Varenne. Il fut guillotiné le lendemain avec vingt et un compagnons, dont Saint-Just.

THERMIDORIEN, ENNE [tɛrmidɔrjɛ̃, -ɛn] adj. (de *thermidor*). Qui a rapport aux événements des 9 et 10 thermidor an II. ◆ n. m. pl. Groupe de députés qui s'unirent pour mettre fin à la dictature de Robespierre.

THERMIE [tɛrmi] n. f. (du gr. *thermos,* chaud). Anc. unité de quantité de chaleur (symb. : th) valant 1 million de calories. (→ MESURE, *unités de mesure.*)

THERMIQUE [tɛrmik] adj. (du gr. *thermos,* chaud). Qui a rapport à la chaleur : *L'énergie thermique.* ‖ *Centrale thermique,* usine de production d'énergie électrique, à partir de l'énergie thermique de combustion.

THERMO-, élément issu du gr. *thermos,* chaud, qui entre comme préf. dans la composition de nombreux mots techniques pour indiquer le rôle de la chaleur.

THERMOCAUTÈRE [tɛrmokotɛr] n. m. (de *thermo-,* et gr. *kaiein,* brûler). Cautère de platine, maintenu incandescent par un courant d'air carburé : *Le thermocautère sert à cautériser les plaies, à assurer l'hémostase, à pratiquer des pointes de feu, etc.*

THERMODURCISSABLE [tɛrmodyrsisabl] adj. (de *thermo-,* et *durcir*). Se dit d'une matière plastique qui durcit par chauffage.

THERMODYNAMIQUE [tɛrmodinamik] n. f. (de *thermo-,* et gr. *dunamos,* force). Partie de la physique qui traite des relations entre les phénomènes mécaniques et calorifiques.

THERMO-ÉLECTRICITÉ [tɛrmoelɛktrisite] n. f. *(thermo-,* et *électricité).* Électricité produite par des variations de température. ◆ **thermo-électrique** adj. Qui a rapport à la thermo-électricité : *Couple thermo-électrique.* (→ ÉLECTRICITÉ.)

THERMOGRAPHE [tɛrmograf] n. m. (de *thermo-,* et gr. *graphein,* écrire). Instrument qui enregistre les variations de la température. → illustration MÉTÉOROLOGIE p. 883.

1. THERMOMÈTRE [tɛrmomɛtr] n. m. (de *thermo-,* et gr. *metron,* mesure). Instrument qui sert à la mesure des températures. ‖ *Thermomètre centésimal,* thermomètre qui comprend 100 divisions entre la division 0, correspondant à la température de la glace fondante, et la division 100, qui correspond à la température de l'eau bouillante sous la pression atmosphérique normale. ‖ *Thermomètre Fahrenheit,* thermomètre qui comprend 180 divisions entre la division 32, qui correspond à la température de la glace fondante, et la division 212, qui correspond à la température de l'eau bouillante. ‖ *Thermomètre à maximum et à minimum,* thermomètre qui enregistre les températures maximale et minimale au cours d'une certaine période de temps. ‖ *Thermomètre médical,* thermomètre ordinairement à mercure, servant à prendre la température de l'homme et dont la graduation est échelonnée par dixièmes de degré, de 32 °C à 44 °C. ◆ **thermométrie** n. f. Mesure de la température. ◆ **thermométrique** adj. Qui a rapport au thermomètre : *Échelle thermométrique.*

2. THERMOMÈTRE [tɛrmomɛtr] n. m. (de *thermomètre* 1) [avec un compl. du nom abstrait]. Ce qui permet d'évaluer quelque chose (littér.) : *Les cours de la Bourse sont le thermomètre de l'atmosphère politique* (syn. BAROMÈTRE, INDICE).

THERMONUCLÉAIRE [tɛrmonykleɛr] adj. *(thermo-,* et *nucléaire).* Se dit des réactions de fusion nucléaire entre éléments légers, rendues possibles par l'emploi de températures très élevées. (L'énergie solaire et celle des étoiles sont dues à de telles réactions, dans lesquelles l'hydrogène se transforme en hélium. Pour qu'une telle réaction puisse s'entretenir, il faut une température de départ de l'ordre de 15 millions de degrés.) ‖ *Bombe thermonucléaire* ou *bombe à hydrogène,* ou *bombe H,* type de projectile nucléaire mettant en jeu, grâce à l'obtention de très hautes températures, l'union d'une paire d'atomes légers pour former un noyau d'atome plus lourd, avec un dégagement considérable d'énergie. (La puissance des armes thermonucléaires s'exprime en mégatonnes de T.N.T.) [→ ATOME.]

THERMOPLASTIQUE [tɛrmoplastik] adj. *(thermo-,* et *plastique).* Qui a la propriété de se ramollir à chaud et de se durcir en refroidissant.

Thermopyles (les) [les *Portes chaudes*], défilé de Thessalie (Grèce).

• *480 av. J.-C. Un dur combat y oppose les Grecs dirigés par Léonidas, roi de Sparte, à l'armée perse de Xerxès.*

Les Spartiates sont finalement massacrés.

THERMOS [tɛrmos] n. m. ou f. (mot gr. signif. *chaud*). Nom déposé d'un récipient isolant, permettant de garder un liquide à sa température pendant plusieurs heures.

THERMOSTAT [tɛrmosta] n. m. (de *thermo-,* et gr. *istanai,* fixer). Appareil servant à maintenir une température constante : *Un four à thermostat.*

THÉSAURISER [tezorize] v. i. et t. (du gr. *thesauros,* trésor). **1.** Amasser de l'argent sans le faire fructifier : *L'avare thésaurise.* — **2.** Amasser et mettre de côté : *Il thésaurise les nouvelles pièces de dix francs* (syn. ACCUMULER, ENTASSER). ◆ **thésaurisation** n. f. ◆ **thésauriseur, euse** n. : *Le thésauriseur ne profite pas de son argent* (syn. AVARE).

THÈSE [tɛz] n. f. (gr. *thesis,* action de poser). **1.** Opinion dont on s'attache à démontrer la véracité : *Je citerai à l'appui de cette thèse...* — **2.** *Pièce, roman à thèse,* œuvres destinées à démontrer la vérité d'une théorie. — **3.** Ouvrage présenté pour l'obtention du grade de docteur : *Une thèse d'État, de troisième cycle.* — **4.** Premier terme d'un raisonnement dialectique, dont le second est l'*antithèse* (qui le contredit) et le troisième la *synthèse* (qui concilie la thèse et l'antithèse et les dépasse).

THÉSÉE. *Myth. gr.* Héros grec, fils d'Égée et roi d'Athènes. Guidé dans le Labyrinthe de Crète par le fil que lui avait remis Ariane, fille de Minos, il tua le Minotaure, monstre qui se nourrissait de chair humaine. Les historiens grecs attribuaient à Thésée la première organisation de l'Attique* et la législation primitive d'Athènes.

THESSALIE, région de la Grèce, au S. de l'Olympe, sur la mer Égée; 659 250 hab. V. pr. *Lárissa, Volo,* et, autref., *Pharsale, Phères.* (Hab. *Thessaliens.*)

La Thessalie était un pays réputé pour ses terres fertiles et ses chevaux. Elle fut conquise par les Doriens, puis par la Macédoine. Après avoir fait partie des Empires romain, byzantin et turc, elle fut incorporée à la Grèce en 1881.

THESSALONIQUE ou **SALONIQUE,** en gr. **Thessalonikê,** port de Grèce (Macédoine), au fond du *golfe de Thessalonique,* formé par la mer Égée; 345 800 hab. Industries textiles et alimentaires. Métallurgie. Raffinerie de pétrole. Chimie.
De 1204 à 1224, Thessalonique fut la capitale d'un royaume latin qui comprenait le nord de la Thessalie et la Macédoine. Prise par les Turcs en 1430, elle fut alors appelée *Salonique.* Elle redevint grecque en 1913 et reprit son ancien nom après la Seconde Guerre mondiale. La ville fut la base des opérations de l'armée alliée d'Orient sur le front des Balkans, de 1915 à 1918.

THÉTIS. *Myth. gr.* Divinité marine, fille de Nérée et mère d'Achille. Elle plongea son fils dans le Styx, en le tenant par le talon, pour le rendre invulnérable.

THIAIS, ch.-l. de cant. du Val-de-Marne, au S. de Paris; 26 900 hab. *(Thiaisiens).* Cimetière parisien.

THIBAUD, nom de plusieurs comtes de Champagne, dont Thibaud IV, né à Troyes (1201-1253), roi de Navarre en 1234 sous le nom de Thibaud Ier, ennemi, puis allié de Blanche de Castille, auteur de *Jeux partis* et de *Chansons.*

Thibault *(les),* roman de R. Martin du Gard, en 8 volumes (1922-1940).

THIÉRACHE, région formant l'extrémité nord-est du dép. de l'Aisne. V. pr. *Guise.*

THIERRY (Augustin), historien français (1795-1856). Il a écrit l'*Histoire de la conquête de l'Angleterre par les Normands* (1825) et les *Récits des temps mérovingiens* (1840). Ce dernier livre qui mêle l'érudition (retour aux sources originales pour les faits) à l'imagination (l'auteur reconstitue les sentiments de façon très vivante et plausible) reste un modèle d'histoire narrative.

THIERS, ch.-l. d'arrond. du Puy-de-Dôme, sur la Durolle, à 36 km au S. de Vichy; 16 800 hab. Grand centre français de la coutellerie.

THIERS (Adolphe), homme politique français (1797-1877). Il se fait connaître sous la Restauration par son *Histoire de la Révolution,* et fonde le journal libéral *le National* dont le rôle est décisif lors des journées de juillet 1830.

- *1830-1840. Après avoir favorisé l'accession au trône de Louis-Philippe, il joue un rôle politique de premier plan.*

Il est ministre de l'Intérieur de 1832 à 1834, chef du gouvernement et responsable des Affaires étrangères en 1836 puis en 1840. Mais sa politique extérieure belliqueuse est désavouée par Louis-Philippe qui le remplace par Guizot.

- *1848. Rappelé en février, mais trop tard, il est élu député sous la IIe République, et, à la tête du parti de l'ordre, soutient l'élection à la présidence de Louis Napoléon (10 décembre).*

Il favorise l'adoption par l'Assemblée législative des lois conservatrices de 1850. Mais son opposition au prince-président entraîne sa proscription le 2 décembre 1851.

- *Février 1864. Député royaliste depuis 1863, il réclame un régime parlementaire (« les libertés nécessaires »).*

Partisan d'une politique pacifiste, il est, après la chute de l'Empire, élu à l'Assemblée nationale.

- *Février 1871. Il est désigné à la tête du pouvoir exécutif, et après avoir fait ajourner le choix d'un régime définitif à cause des désaccords entre royalistes, il négocie la paix avec l'Allemagne et réprime brutalement la Commune de Paris.*

Président de la République en août, il reconstitue l'armée et, grâce à la confiance de la bourgeoisie, rétablit les finances, ce qui permet l'évacuation anticipée du territoire après paiement de l'indemnité de guerre (1873). Son évolution vers un républicanisme conservateur lui aliène les monarchistes et il démissionne (24 mai 1873). Il sera ensuite député de Paris jusqu'à sa mort.

THIÈS, v. du Sénégal, au N.-E. de Dakar; 69 150 hab.

THIMONNIER (Barthélemy), inventeur français (1793-1857). Établi tailleur à Amplepuis, il réalisa la première machine à coudre.

THIONVILLE, ch.-l. d'arrond. de la Moselle, sur la Moselle, à 28 km au N. de Metz; 41 400 hab. *(Thionvillois).* Important centre industriel (sidérurgie, métallurgie, chimie) en bordure du bassin ferrifère lorrain, principal centre d'une agglomération de 136 500 hab.

THISBÉ → PYRAME.

THOIRY, comm. des Yvelines, à 29 km à l'O. de Versailles; 713 hab. Réserve d'animaux vivant en semi-liberté.

THOMAS *(saint),* surnommé *Didyme,* un des douze Apôtres. Il refusa de croire à la Résurrection avant d'avoir « touché du doigt » les plaies du Christ.

THOMAS d'Aquin *(saint),* théologien italien (1225-1274). Dominicain, maître en théologie (1256), il enseigna surtout à Paris. L'essentiel de sa doctrine *(thomisme*)* se trouve dans la *Somme théologique* (1266-1273).

THOMAS BECKET *(saint),* prélat anglais (1117 ou 1118-1170), chancelier d'Angleterre, puis archevêque de Canterbury. Défenseur du clergé contre le roi, il se brouilla avec Henri II. Déclaré félon, il fut assassiné à l'instigation du roi.

THOMAS MORE ou **MORUS** *(saint),* homme politique et humaniste anglais (1478-1535). Chancelier du royaume d'Angleterre (1529), il s'opposa à la politique religieuse d'Henri VIII et désavoua le roi à propos de son divorce. Il démissionna en 1532, fut emprisonné, puis exécuté comme traître. Dans son ouvrage *Utopie** (1516), il expose un système idéal de gouvernement.

THOMAS A KEMPIS (Thomas HEMERKEN, dit), écrivain mystique allemand (1379 ou 1380-1471). On lui attribue l'*Imitation de Jésus-Christ.*

THOMAS d'Angleterre, trouvère anglo-normand du XIIe s., auteur d'un roman de *Tristan,* qui contient le récit de la mort du héros.

THOMAS (Sidney Gilchrist), métallurgiste britannique (1850-1885). Il découvrit, en collaboration avec son cousin Percy Gilchrist, le procédé d'affinage des fontes phosphoreuses (1876).

THOMAS (Dylan Marlais), poète britannique (1914-1953). Auteur de recueils où il se montre soucieux de recherches verbales et syntaxiques *(18 Poèmes; Morts et Initiations; Poèmes choisis, 1934-1952),* il a publié également des essais, des nouvelles et des romans.

THOMISME [tɔmism] n. m. (de *Thomas*). Doctrine de saint Thomas d'Aquin.
— ENCYCL. Saint Thomas a cherché à concilier foi et raison, notamment en empruntant chez Aristote un mode de raisonnement fondamental dans la logique de son temps, le syllogisme. Ainsi, l'homme, découvrant les mystères qu'il ne peut démontrer, en fait les prémisses de la « science théologique ». Bien que critiqué dès la Renaissance, le *thomisme* fut une doctrine fondamentale dans la pensée de l'Église catholique jusqu'au XXe s.

THOMSON (James), poète écossais (1700-1748). Ses *Saisons* exercèrent une profonde influence sur le lyrisme préromantique.

THOMSON (*sir* William), lord KELVIN, physicien anglais (1824-1907), auteur de recherches sur l'énergie solaire, l'électricité et le magnétisme. On lui doit un galvanomètre et un électromètre.

THOMSON (*sir* Joseph John), physicien anglais (1856-1940). Il étudia la structure de la matière et des électrons. (Prix Nobel, 1906.) — Son fils sir GEORGE PAGET, physicien (1892-1975), a découvert la diffraction des électrons rapides par les cristaux. (Prix Nobel, 1937.)

THON [tɔ̃] n. m. (gr. *thunnos*). Grand poisson marin migrateur de l'Atlantique et de la Méditerranée, pêché pour sa chair estimée. ◆ **thonier** n. m. Bateau pour la pêche au thon.

THONON-LES-BAINS, ch.-l. d'arrond. de la Haute-Savoie, sur le lac Léman, à 33 km au N.-E. de Genève; 28 200 hab. *(Thononais).* Station hydrominérale.

THORA → TORAH.

THORAX [tɔraks] n. m. (gr. *thôrax*). Partie du corps propre aux insectes et aux vertébrés, qui prend place entre la tête et l'abdomen. → ENCYCL. ◆ **thoracique** adj. Relatif au thorax (des vertébrés surtout) : *Cage, cavité thoracique* (= formée par le thorax). *Capacité thoracique* (= volume d'air maximal renfermé par les poumons).
— ENCYCL. C'est chez les insectes que le *thorax* est le plus nettement séparé des autres parties du corps (guêpe). Sa constitution est constante : trois anneaux portant chacun une paire de pattes, jamais d'ailes au premier anneau *(prothorax),* généralement des ailes ou des élytres au second anneau *(mésothorax),* des ailes ou des balanciers au troisième anneau *(métathorax).*
Chez les arachnides et les crustacés, le thorax est soudé à la tête en un céphalothorax, qui porte notamment les pattes marcheuses.
Chez les vertébrés, le thorax n'est bien délimité que lorsque son squelette forme une *cage thoracique* (cavité limitée par les vertèbres dorsales, les côtes et le sternum) abritant le cœur et les poumons. C'est le cas chez une partie des amphibiens et des reptiles, et chez tous les homéothermes (oiseaux et mammifères). → illustrations ANATOMIE pp. 80-81 et SQUELETTE page 1303.

THOREZ (Maurice), homme politique français (1900-1964). Membre du parti communiste dès 1920, il en devint secrétaire général en 1930 et fut constamment réélu député d'Ivry à partir de 1932. Il fut ministre d'État de novembre 1945 à janvier 1946, puis vice-président du Conseil jusqu'en mai 1947.

THORIGNY-SUR-MARNE, comm. de Seine-et-Marne, en face de Lagny; 7 700 hab.

THORIUM [tɔrjɔm] n. m. (de *Thor,* dieu des anc. Scandinaves).

Métal rare (Th), blanc, cristallin, de densité 12,1 et fondant vers 1 700 °C.

THOT, divinité égyptienne, habituellement représentée comme un homme à tête d'ibis ou un cynocéphale. Sous les Lagides, les Grecs l'identifièrent avec leur dieu *Hermès*.

THOUARS, ch.-l. de cant. des Deux-Sèvres, au-dessus du Thouet, à 34 km au S. de Saumur; 11 900 hab. Fortifications (XIIe-XIIIe s.). Château (XVIIe s.). Machines agricoles.

THOUET (le), riv. de l'ouest de la France, qui passe à Parthenay et rejoint la Loire (r. g.), près de Saumur; 140 km.

THOUROTTE, comm. de l'Oise, à 9 km au N.-E. de Compiègne; 5 000 hab. Importante verrerie.

THOUTMÈS ou **THOUTMÔSIS,** nom de quatre rois d'Égypte de la XVIIIe dynastie : THOUTMÈS Ier, pharaon (v. 1530-1520 av. J.-C.), qui conquit une partie de la Nubie; THOUTMÈS II, pharaon (1520-v. 1504 av. J.-C.), qui éleva des constructions à Karnak; THOUTMÈS III (v. 1504-1450 av. J.-C.), pharaon (1483-1450), qui dirigea plusieurs expéditions en Asie antérieure et créa entre l'isthme et l'Euphrate un véritable empire; THOUTMÈS IV, pharaon (v. 1425-1405 av. J.-C.), qui lutta contre les Nubiens.

THRACE, région d'Europe orientale, partagée entre la Grèce *(Thrace occidentale),* la Turquie *(Thrace orientale)* et la Bulgarie *(Thrace du Nord,* ou Roumélie orientale). Le partage eut lieu en 1919 et 1923.

THRASYBULE, général athénien (v. 445-388 av. J.-C.). Avec l'aide des Thébains, il chassa les Trente d'Athènes, puis s'efforça de reconstituer la confédération athénienne.

THRILLER [srilœr] n. m. (mot angl. signif. *qui fait frémir*). *Cinéma.* Film policier ou d'épouvante, fertile en suspense et en émotions.

THROMBINE [trɔ̃bin] n. f. (du gr. *thrombos,* caillot). Enzyme qui provoque la transformation du fibrinogène en fibrine au cours de la coagulation* du sang.

THROMBOCYTE [trɔ̃bɔsit] n. m. (du gr. *thrombos,* caillot, et *kutos,* cellule). Syn. de PLAQUETTE* SANGUINE.

THROMBOSE [trɔ̃boz] n. f. (du gr. *thrombos,* caillot). *Méd.* Formation d'un caillot de sang dans les cavités du cœur ou dans un vaisseau (artère ou veine).

THUCYDIDE, historien grec (v. 460-apr. 395 av. J.-C.). D'une grande famille athénienne, il fut élu stratège en 424 et eut pour mission de défendre la côte thrace. Ayant échoué, il fut condamné à l'exil et se fixa en Thrace, où il entreprit d'écrire son histoire de la guerre du Péloponnèse, qu'il poursuivit à Athènes après son amnistie (entre 406 et 403) et qu'il ne put achever. Son œuvre se distingue par son impartialité, son refus des détails merveilleux ou légendaires, l'analyse consciencieuse des causes des événements, la sobriété et le pathétique du style. Il est considéré comme un des créateurs de la science historique.

THUIR, ch.-l. de cant. des Pyrénées-Orientales, à 13,5 km au S.-O. de Perpignan; 6 350 hab. Vins.

THULÉ, station du nord-ouest du Groenland. Les États-Unis y ont aménagé depuis 1945, avec l'accord du Danemark, une base aérienne, dont les radars surveillent les bases soviétiques de la presqu'île de Kola.

THUR (la), riv. de Suisse, affl. du Rhin (r. g.); 130 km. — Riv. d'Alsace, affl. de l'Ill. (r. g.), qui arrose Thann; 60 km.

THURGOVIE, en all. **Thurgau,** cant. de Suisse, sur le lac de Constance; 187 000 hab. Ch.-l. *Frauenfeld.*

THURIFÉRAIRE [tyriferɛr] n. m. (du lat. *thus, thuris,* encens, et *ferre,* porter). Personne qui prodigue des flatteries exagérées à un personnage important (littér.) : *Un académicien entouré de ses thuriféraires. Les thuriféraires du pouvoir* (syn. FLAGORNEUR, FLATTEUR).

THURINGE, en all. **Thüringen,** État (Land) d'Allemagne, s'étendant sur le *Thüringerwald («forêt de Thuringe»)* et sur le *bassin de Thuringe;* 15 200 km^2; 2,5 millions d'hab. Capit. *Erfurt.* Érigée en duché au IXe s., la Thuringe fut peu à peu morcelée en principautés. L'État de Thuringe fut reconstitué en 1920. Son territoire appartint à la R. D. A. de 1949 à 1990.

THUYA [tyja] n. m. (gr. *thuia*). Arbre originaire d'Asie ou d'Amérique, cultivé dans les parcs pour son feuillage ornemental.

THYM [tɛ̃] n. m. (gr. *thumos*). Plante aromatique : *Mettre un bouquet de thym et de laurier dans un plat.* (Famille des labiacées.)

THYMUS [timys] n. m. (du gr. *thumos,* grosseur). Glande endocrine située devant la trachée et qui n'est développée que chez l'enfant et les jeunes animaux : *Le thymus du veau est couramment appelé « ris de veau ».*

THYROÏDE [tirɔid] adj. (du gr. *thuroeidês,* en forme de bouclier). Anat. *Glande thyroïde,* ou *la thyroïde* n. f., glande endocrine située à la partie antérieure et inférieure du cou. → ENCYCL. ‖ *Cartilage thyroïde,* le plus développé des cartilages du larynx, formant chez l'homme la saillie appelée *pomme d'Adam.* ◆ **thyroïdien, enne** adj. Relatif à la glande thyroïde. ◆ **hyperthyroïdie** n. f. *Méd.* Exagération de l'activité de la glande thyroïde, provoquant chez l'homme la maladie de Basedow, ou goitre exophtalmique. ◆ **hypothyroïdie** n. f. *Méd.* Insuffisance de fonctionnement de la glande thyroïde, provoquant chez l'homme le myxœdème, accompagné chez l'enfant de nanisme et de crétinisme. ◆ **thyroxine** n. f. Hormone présente dans la glande thyroïde. (→ GLANDE ENDOCRINE*.)

— ENCYCL. La *glande thyroïde,* formée par deux lobes latéraux réunis par un isthme, a une sécrétion exclusivement endocrine. Elle agit sur la croissance des os et des organes génitaux, ainsi que sur le métabolisme. La glande thyroïde peut sécréter trop (hyperthyroïdie, maladie de Basedow), pas assez (hypothyroïdie, myxœdème) ou être augmentée de volume sans troubles endocriniens (goitre simple); elle peut être altérée par des lésions inflammatoires ou être le siège d'un kyste, d'un adénome ou même d'un cancer.

THYSSEN (August), industriel allemand (1842-1926). Il fonda une société qui fut à l'origine d'un puissant konzern* d'entreprises sidérurgiques et minières.

TIAN'-CHAN' → T'IEN-CHAN.

TIARE [tjar] n. f. (lat. *tiara*). Mitre à trois couronnes, portée par le pape : *Ceindre, coiffer, recevoir la tiare* (= devenir pape).

TIARET, auj. **Tihert,** v. d'Algérie, ch.-l. de wilaya, au pied sud de l'Ouarsenis; 37 100 hab.

TIBÈRE (v. 42 av. J.-C.-37 apr. J.-C.), empereur romain (14-37 apr. J.-C.). Beau-fils d'Auguste, il exerce longtemps des fonctions civiles et militaires : consul (13 av. J.-C.), proconsul en Germanie (9-6 av. J.-C.).

- *4 apr. J.-C. Il est adopté par Auguste.*

Rappelé en Germanie, il y mène des campagnes militaires, aidé à partir de 11 par son neveu Germanicus qu'il a adopté.

- *14 apr. J.-C. À la mort d'Auguste, il lui succède en écartant les héritiers possibles.*

Il dirige l'Empire avec autorité tout en élargissant les pouvoirs du sénat. Il bénéficie de la popularité de Germanicus qui opère en Germanie (14-17) et en Orient (18-19). Mais la mort de celui-ci, dont l'opinion le tient pour responsable, sa méfiance maladive et son autoritarisme accroissent l'opposition et les complots se multiplient. Enfin il doit faire face à des révoltes en Gaule (21) et en Afrique (17-24), liées à l'alourdissement de la fiscalité.

- *27. Retiré à Capri, il abandonne une partie du pouvoir au préfet du prétoire, Séjan, qui projetait de le renverser.*

Découvert, Séjan est exécuté en 31 et la répression s'amplifie. Empereur détesté de son vivant, Tibère a cependant poursuivi l'œuvre d'Auguste et laissé un Empire pacifié et prospère.

TIBÉRIADE ou **GÉNÉSARETH** *(lac de),* lac de Palestine (Galilée), traversé par le Jourdain. Auj., le lac appartient entièrement à l'État d'Israël.

TIBESTI, massif montagneux (3 415 m) du Sahara, dans le nord du Tchad.

TIBET, région autonome de l'ouest de la Chine, au N. de l'Himalaya; 1 221 600 km^2; 1 892 000 hab. *(Tibétains).* Capit. *Lhassa* (70 000 hab.).

GÉOGRAPHIE. Le Tibet s'étend sur de hauts plateaux (d'altitude supérieure à 3 000 m), dominés par des chaînes montagneuses (Kouen-louen, Transhimalaya) orientées O.-E., dépassant 7 000 m. Le climat y est très rude en raison de l'altitude et de la continentalité. L'élevage (moutons, chèvres, yacks) constitue la principale activité.

HISTOIRE. Organisé en royaume guerrier, le Tibet s'ouvre au VIIe s. aux influences chinoises à la suite d'alliances avec la dynastie des T'ang.

- *VIIIe s. Le bouddhisme s'y répand, diffusé par des pèlerins chinois.*

Malgré la disparition de la monarchie au IXe s. au profit de la noblesse et des monastères lamaïstes, la puissance tibétaine s'affirme et menace les États voisins.

- *XIIIe s. Maîtres de la Chine, les Mongols pénètrent au Tibet (v. 1252) et vont favoriser le lamaïsme.*

Les luttes entre sectes s'apaisent à la suite d'une réforme du bouddhisme par Tsong-kha-pa à la fin du XIVe s., tandis que s'affirment le panchen-lama, chef spirituel, et le dalaï-lama, chef spirituel et temporel. Celui-ci s'installe à Lhassa vers 1642 sous le protectorat des Mongols Kochots.

- *XVIIIe s. La nouvelle dynastie mandchoue au pouvoir en Chine (1735) rétablit après plusieurs interventions un protectorat définitif (1751).*

Le Tibet va se fermer aux étrangers, malgré des essais de pénétration des Anglais installés au S. de l'Himalaya.

- *1911. Les Anglais mettent à profit la révolution chinoise pour contrôler, avec le dalaï-lama, le Tibet central et occidental.*

La suzeraineté chinoise est reconnue à nouveau en 1929, mais l'écroulement du Kouo-min-tang* (1949) entraîne sa dénonciation.

- *Octobre 1951. La Chine populaire fait entrer ses troupes au Tibet, «partie intégrante du territoire chinois», et lui accorde un statut d'autonomie.*

La lente mise en œuvre de réformes économiques et sociales est suivie en 1959 d'une révolte du dalaï-lama et de ses partisans. Elle est écrasée (le dalaï-lama s'exile) et l'évolution du Tibet s'accélère : le servage est enfin aboli, l'industrie introduite, ainsi que les communes populaires (1964). La Chine, après s'être appuyée sur le panchen-lama, favorise l'accession au pouvoir d'anciens serfs libérés. Mais la résistance tibétaine reste vive (jacquerie de 1970, émeutes de 1987 et 1988), tandis que les milieux tibétains en exil dénoncent les abus de la colonisation chinoise.

TIBIA [tibja] n. m. (mot lat. signif. *flûte*). *Anat.* Os long qui, chez les vertébrés, constitue, avec le péroné, le squelette de la jambe. → illustration SQUELETTE p. 1303.

TIBRE (le), en it. **Tevere,** fl. d'Italie; 396 km. Né dans l'Apennin, le Tibre traverse la Toscane, l'Ombrie et le Latium, arrosant Rome, et rejoint la mer Tyrrhénienne près d'Ostie.

TIBULLE, poète latin (v. 50-19 ou 18 av. J.-C.), ami d'Horace, Virgile, Properce et Ovide. Il composa trois livres d'*Élégies.*

TIC [tik] n. m. (onomat.). **1.** Contraction convulsive involontaire de certains muscles : *Il a un tic nerveux.* — **2.** Attitude, parole, tournure défectueuse ou ridicule à force d'être fréquente : *Savoir reconnaître les tics de qq'un* (syn. MANIE).

TICKET [tikɛ] n. m. (mot angl.). **1.** Billet attestant le paiement des droits d'entrée dans un établissement, un moyen de transport : *Un ticket de métro.* — **2.** *Ticket modérateur,* part des frais que la Sécurité sociale laisse à la charge de l'assuré. — **3.** *Arg.* Billet de dix francs : *Il se fait ses trois cents tickets par mois.*

TIC-TAC ou **TICTAC** [tiktak] n. m. (onomat.). Bruit sec et régulier d'un mouvement d'horlogerie.

1. TIÈDE [tjɛd] adj. (du lat. *tepidus*). Se dit de ce qui est d'une chaleur très atténuée : *De l'eau tiède.* ‖ *Il fait tiède,* l'air, la température est tiède. ◆ adv. *Boire tiède,* prendre une boisson tiède. ◆ **tiédeur** n. f. **1.** Température tiède : *La tiédeur de l'eau, d'un soir d'été.* — **2.** Douceur agréable : *La tiédeur d'un climat.* ◆ **tiédir** v. i. Devenir tiède : *Faire tiédir une compresse. L'eau tiédit.* ◆ v. t. Rendre tiède : *Un mur tiédi par le soleil.* ◆ **tiédissement** n. m. : *Attendre le tiédissement de l'eau du bain.* ◆ **attiédir** v. t. Rendre tiède : *Attiédir une soupe trop chaude.*

2. TIÈDE [tjɛd] adj. et n. (même étym.). Se dit de quelqu'un (ou de son comportement) qui manque d'ardeur, de passion : *Des sentiments tièdes* (syn. MOU). ◆ **tièdement** adv. Avec indifférence, sans ardeur, sans zèle : *Approuver tièdement. Être tièdement accueilli* (syn. MOLLEMENT). ◆ **tiédeur** n. f. Manque d'ardeur, de zèle : *Il y a beaucoup de tiédeur dans son accueil.* ◆ **attiédir** v. t. Diminuer l'ardeur : *Attiédir une amitié.*

TIEN, TIENNE adj. et pron. poss. → MON.

T'IEN-CHAN ou **TIAN'-CHAN',** hautes montagnes de Chine, dont le partie occidentale déborde largement sur l'U. R. S. S. (Kirghizistan); 7 439 m au pic Pobiedy.

TIENS [tjɛ̃], **TENEZ** [təne] (de *tenir*). Impératifs employés comme interj. et signifiant «prends», «prenez» : *Tiens, voilà de l'argent pour acheter du pain;* ils servent aussi à attirer l'attention, pour exprimer la surprise : *Tiens, le voilà qui passe! Tiens! c'est vous qui êtes ici. Tenez, je vais vous proposer une affaire; tiens* s'emploie souvent répété en langage familier : *Tiens! tiens! c'est vous qui dites cela.*

T'IEN-TSIN, port de Chine, dans le Ho-pei, sur le Hai-ho; 7 764 000 hab. Grand centre industriel.

- *1858. Un traité signé à T'ien-tsin ouvre la Chine aux Européens.*
- *1885. La Chine renonce, au profit de la France, à ses droits sur l'Annam et le Tonkin.*

TIEPOLO (Giambattista), peintre et graveur italien (1696-1770). Il a décoré de nombreux palais à Venise, à Würzburg, à Milan, et à Madrid où il passa les dernières années de sa vie et devint peintre attitré de Charles III. C'est l'un des plus grands maîtres de la peinture baroque vénitienne.

TIERCE [tjɛrs] n. f. (de *tiers*). **1.** À certains jeux de cartes, série de trois cartes consécutives de même couleur : *Une tierce à cœur, au roi.* — **2.** *Mus.* Intervalle entre deux notes séparées par une troisième : *L'intervalle* do-mi *est une tierce.*

TIERCÉ [tjɛrse] n. m. (de *tierce*). Pari dans lequel il faut prévoir les trois premiers chevaux dans une course.

TIERCELET [tjɛrsəlɛ] n. m. (du lat. *tertius,* tiers). Nom donné aux mâles de plusieurs espèces de rapaces diurnes, plus petits d'un tiers que la femelle.

TIERCERON [tjɛrsərɔ̃] n. m. (de *tiers*). *Archit.* Nervure supplémentaire dans une voûte d'ogives de style flamboyant.

1. TIERS [tjɛr] n. m. (du lat. *tertius,* troisième). **1.** Partie d'un tout divisé en trois parties égales : *Il a fait les deux tiers du travail.* — **2.** *Tiers provisionnel,* acompte sur les impôts à verser, fixé forfaitairement au tiers des impôts de l'année précédente.

2. TIERS [tjɛr] n. m. (même étym.). **1.** Personne étrangère à une affaire ou à un groupe : *L'assurance ne couvre pas les tiers. Apprendre quelque chose par un tiers.* — **2.** *Être en tiers,* être le troisième dans un groupe de trois (peu usuel).

3. TIERS, TIERCE [tjɛr, tjɛrs] adj. (même étym.). **1.** *Une tierce personne,* une personne étrangère à une affaire ou à un groupe : *Avoir affaire à une tierce personne* (syn. ÉTRANGER, INCONNU). — **2.** *Le tiers état,* le troisième ordre de la nation sous l'Ancien Régime, après la noblesse et le clergé, composé essentiellement par la bourgeoisie : *La Révolution abolit les distinctions de noblesse, de clergé et de tiers état.* — **3.** *Le tiers monde,* l'ensemble des pays (africains, asiatiques, latino-américains) appartenant au monde sous-développé (= peu développé économiquement) [syn. PAYS EN VOIE DE DÉVELOPPEMENT]. — **4.** *Tiers(-)temps pédagogique,* dans l'enseignement élémentaire et dans le premier cycle du secondaire, répartition de l'horaire hebdomadaire en trois parties : le matin, quinze heures de disciplines fondamentales (français et calcul pour l'élémentaire; français, mathématiques, langues vivantes, technologie pour le premier cycle), l'après-midi six heures d'activités d'éveil (histoire, géographie, instruction civique, dessin, musique, etc.) et six heures d'éducation physique et sportive. Institué en 1969, le tiers temps a disparu entre 1977 et 1980.

TIFLIS → TBILISSI.

1. TIGE [tiʒ] n. f. (lat. *tibia*). Chez les végétaux, axe portant les feuilles au niveau des nœuds. → ENCYCL. ◆ **tigelle** n. f. Partie de la plantule des graines qui fournira la tige de la plante. (La plantule comprend la radicule, la tigelle et la gemmule.)

— ENCYCL. On distingue les *tiges aériennes* (dressées [chaumes des céréales, troncs], grimpantes [liseron, lierre] ou rampantes [stolons du fraisier]), les *tiges souterraines* (rhizomes, tubercules) et les *tiges aquatiques* (nénuphar).

2. TIGE [tiʒ] n. f. (même étym.). **1.** Partie d'une chaussure, d'une botte qui enveloppe la jambe. — **2.** Partie allongée et fine de quelque chose : *La tige d'une colonne* (syn. FÛT). *Une tige de métal* (syn. BARRE, TRINGLE).

TIGNASSE [tiɲas] n. f. (de *teigne*). *Fam.* Chevelure rebelle et mal peignée.

TIGNES, comm. de la Savoie, à 9 km au N. de Val-d'Isère; 1 400 hab. *(Tignards).* Lors de l'aménagement hydro-électrique qui a formé le lac du Chevril, le village fut évacué en 1952 et reconstruit plus haut (station de sports d'hiver) [alt. 1 550-3 500 m].

TIGRE [tigr] n. m., **TIGRESSE** [tigrɛs] n. f. (lat. *tigris*). **1.** Mammifère carnivore caractérisé par une robe fauve rayée de noir. (Famille des félidés.) — **2.** *C'est une tigresse,* c'est une femme très jalouse, très cruelle. ◆ **tigré, e** adj. Tacheté ou marqué de raies : *Un chat tigré.*

TIGRE (le), fleuve d'Asie occidentale, qui arrose Bagdad et forme avec l'Euphrate le Chaṭṭ- al-'Arab qui se jette dans le golfe Persique: 1 950 km. Ses eaux sont utilisées pour l'irrigation.

TIGRÉ, E adj. → TIGRE.

TIHERT → TIARET.

TIJUANA, v. du Mexique (Basse-Californie); 600 000 hab.

TILBURG, v. des Pays-Bas (Brabant-Septentrional); 211 000 hab.

TILBURY [tilbyri] n. m. (mot angl.; du n. de l'inventeur). Léger cabriolet, tiré par des chevaux, et à deux places. ‖ Pl. des *tilburys.*

TILDE [tild] n. m. (mot esp.). Signe phonétique emprunté à l'espagnol, en forme de S couché (˜), et qui, placé au-dessus d'une voyelle, indique que ce phonème est nasalisé. (Par ex., *an* est représenté en phonétique par ɑ surmonté d'un tilde [ɑ̃].) ◆ **tildé, e** adj. Surmonté d'un tilde.

TILIMSEN → TLEMCEN.

TILLEUL [tijœl] n. m. (du lat. *tilia*). Grand arbre fournissant un bois blanc, facile à travailler, et dont les fleurs jaunâtres, odorantes, une fois séchées, servent à faire des infusions.

TILSIT, auj. **Sovietsk,** v. de l'U. R. S. S., sur le Niémen; 50 000 hab.

- *7 et 9 juil. 1807. Un traité entre Napoléon Ier et Alexandre Ier de Russie institue une alliance secrète contre l'Angleterre.*

Le 9 juillet, la Prusse doit accepter les conséquences de ce rapprochement : à Tilsit, elle perd la moitié de son territoire.

1. TIMBALE [tɛ̃bal] n. f. (de l'esp. *atabal*). **1.** Gobelet cylindrique en métal : *Une timbale en argent.* — **2.** Fam. *Décrocher la timbale*, obtenir un résultat important et difficile; avoir un ennui qu'on a tout fait pour s'attirer. — **3.** Moule de cuisine rond et haut; préparation cuite dans ce moule : *Une timbale de viande.*

2. TIMBALE [tɛ̃bal] n. f. (même étym.). Tambour formé d'un bassin demi-sphérique en cuivre, recouvert d'une peau tendue : *Des timbales d'orchestre.* ◆ **timbalier** n. m. Musicien qui bat des timbales.

1. TIMBRE [tɛ̃br] ou **TIMBRE-POSTE** [tɛ̃brəpɔst] n. m. (gr. *tumpanon*). Vignette adhésive, de valeur conventionnelle, émise par une administration postale et destinée à affranchir les envois confiés à la poste. → ENCYCL. ‖ Pl. des *timbres-poste.* ◆ **timbrer** v. t. *Timbrer une lettre*, y coller le ou les timbres qui en représentent l'affranchissement (syn. AFFRANCHIR).
— ENCYCL. Autrefois, le prix du transport de la lettre, fondé à la fois sur le poids et la distance parcourue, était acquitté par le destinataire. En 1653, Renouard de Villayer, lors de la création de la petite poste de Paris, eut le premier l'idée d'*affranchir* le destinataire de cette obligation en inventant le *billet de port payé*, sorte de préfiguration du timbre-poste; sa durée fut éphémère.
La substitution du *port payé* au *port dû* exigeait une double réforme : simplification des tarifs, établis désormais uniquement sur le poids, et création du *timbre-poste*, dont la présence sur la correspondance est la preuve de l'acquittement préalable du prix du port. Réalisée dès 1840 en Grande-Bretagne, cette réforme fut instaurée en France (Corse et Algérie comprises) par É. Arago, le 1er janvier 1849. Dès leur entrée dans le service, les timbres sont annulés par l'empreinte d'un cachet oblitérant.
L'Administration française imprime elle-même ses timbres-poste, dont la contrefaçon est punie. Les nouvelles émissions de timbres-poste, jadis rares, étaient provoquées par les changements de tarifs ou de régimes politiques. Vers 1900 apparut un souci esthétique. À partir de 1924, le timbre devint un support de propagande. Sa nature et son infinie variété en ont fait un objet idéal de collection.

2. TIMBRE [tɛ̃br] n. m. (même étym.). **1.** Marque ou vignette portée sur certains documents officiels et pour laquelle on paie un droit : *Les passeports sont soumis à l'obligation du timbre fiscal.* ‖ *Timbre de quittance* ou *timbre-quittance*, vignette apposée sur une quittance, un reçu. ‖ *Timbre humide*, qui est imprimé à l'encre (syn. CACHET, TAMPON). ‖ *Timbre sec*, qui est marqué sans encre : *La photo d'une carte d'identité est frappée d'un timbre sec.* — **2.** *Timbre de caoutchouc, timbre dateur*, instrument qui sert à imprimer une marque, une date. ◆ **timbré, e** adj. *Papier timbré*, marqué d'un timbre officiel et obligatoire pour la rédaction de certains actes.

3. TIMBRE [tɛ̃br] n. m. (même étym.). **1.** Qualité spécifique d'un son, indépendante de sa hauteur, de son intensité ou de sa durée : *Le timbre d'une voix, d'un instrument de musique. Une voix sans timbre* (= sans résonance) [syn. BLANC]. — **2.** Disque bombé qui émet un son quand il est frappé par un marteau : *Le timbre d'une pendule. Le timbre d'une bicyclette* (syn. SONNETTE). ◆ **timbré, e** adj. *Une voix bien timbrée*, qui résonne bien, qui a une sonorité pleine (syn. ↑CLAIRONNANT).

1. TIMBRÉ, E adj. → TIMBRE 2 et 3.

2. TIMBRÉ, E [tɛ̃bre] adj. et n. (de *timbre*). *Fam.* Un peu fou (syn. pop. DINGO, DINGUE).

TIMBRER v. t. → TIMBRE 1.

TIMGAD, cité romaine d'Afrique du Nord (Algérie), fondée en 100 apr. J.-C., ruinée par les Maures au VIe s. Importants vestiges.

TIMIDE [timid] adj. et n. (lat. *timidus;* de *timere*, craindre) [avant ou après le nom]. **1.** Se dit d'une personne (ou de son comportement) qui manque d'assurance en société : *Un air timide* (syn. CONFUS, EMBARRASSÉ, GAUCHE). *C'est un timide.* — **2.** Se dit d'une personne (ou de ses actes) qui manque de hardiesse dans la conception ou dans la réalisation : *Une réponse timide* (syn. ↓HÉSITANT, PRUDENT, TIMORÉ). ◆ **timidement** adv. : *Répondre timidement.* ◆ **timidité** n. f. **1.** Manque d'assurance en société : *Comment vaincre, surmonter sa timidité* (syn. CONFUSION, EMBARRAS, GAUCHERIE, GÊNE; contr. APLOMB, ASSURANCE, AUDACE, ↑OUTRECUIDANCE, ↑SANS-GÊNE.). — **2.** Manque de hardiesse d'un comportement, d'un écrit, etc. : *J'ai été surpris par la timidité de sa décision.*

TIMISOARA, en hongr. **Temesvár,** v. de Roumanie (Banat); 269 000 hab.

TIMOCHENKO (Semion), maréchal soviétique (1895-1970). Compagnon de Staline et de Vorochilov (1919), il devint commissaire à la Défense en 1940 et dirigea les opérations sur divers fronts, notamment en Ukraine (1943-1944).

TIMON [timɔ̃] n. m. (lat. *temo*). Longue pièce de bois à l'avant-train d'une voiture, d'une machine agricole, de chaque côté de laquelle on attelle les chevaux ou les bœufs.

1. TIMONERIE n. f. → TIMONIER.

2. TIMONERIE [timɔnri] n. f. (de *timon*). Ensemble des tringles, des barres qui commandent la direction, les freins, etc., dans un véhicule.

TIMONIER [timɔnje] n. m. (de *timon*). Matelot chargé, à bord d'un navire de guerre, des signaux et de la veille sur la passerelle. ◆ **timonerie** n. f. **1.** Partie du navire où sont les appareils de navigation. — **2.** Service des timoniers : *Le quartier-maître de timonerie.*

TIMOR, île de l'Insulinde, dans l'archipel de la Sonde, à l'E. de Flores et de Sumba, autref. partagée entre l'Indonésie (partie ouest : 19 000 km²; 500 000 hab.) et le Portugal (partie est : 14 925 km²; 609 500 hab.; ch.-l. *Dili*).
Découverte par les Portugais (1520), l'île est conquise au XVIIe s. en partie par eux, en partie par les Hollandais. En 1946, la partie hollandaise a été englobée dans la République indonésienne, qui a annexé depuis 1976 l'ancienne partie portugaise.

TIMORÉ, E [timɔre] adj. (du lat. *timor*, crainte). Se dit d'une personne (ou de son comportement) qui n'ose rien entreprendre, par crainte du risque, de la nouveauté, de la responsabilité : *Avoir un caractère timoré* (syn. CRAINTIF, PUSILLANIME).

TĪMŪR LANG, dit **Tamerlan** (1336-1405), roi de Transoxiane (1370-1405). À la fois guerrier intrépide, dévastateur sanguinaire, lettré, amateur d'art et musulman dévôt, il ravagea l'Iran et l'Asie, de Delhi à Bagdad. Il battit les Ottomans près d'Ancyre (Ankara) [1402]. À la veille de sa mort, il s'apprêtait à envahir la Chine.

TINOS → TÊNOS.

TINTAMARRE [tɛ̃tamar] n. m. (de *tinter*). *Fam.* Vacarme fait de toutes sortes de bruits discordants : *Le tintamarre des avertisseurs* (syn. TAPAGE).

TINTER [tɛ̃te] v. i. (du lat. *tinnire*, sonner). **1.** (sujet nom désignant une cloche, une horloge, etc.) Résonner lentement, par coups espacés, le battant ne frappant que d'un côté : *L'heure tinte au clocher de l'église.* — **2.** Produire des sons aigus : *Les verres qui s'entrechoquent tintent.* — **3.** *Les oreilles me tintent*, j'éprouve un bourdonnement d'oreilles. ◆ v. t. *Tinter une cloche*, la faire tinter. ◆ **tintement** n. m. **1.** Son de ce qui tinte : *Le tintement des cloches, d'un grelot.* — **2.** *Un tintement d'oreilles*, un bourdonnement d'oreilles donnant la sensation d'un son aigu.

TINTO *(río)*, fl. de l'Espagne du Sud, tributaire de l'Atlantique; 100 km. Il a donné son nom à d'importantes mines de cuivre.

TINTORET (Iacopo ROBUSTI, dit **le**), peintre vénitien (1518-1594).
Très influencé par le maniérisme, il aime les formes en mouvement, les contrastes lumineux (*Suzanne au bain*, v. 1560), les compositions dynamiques construites sur des obliques (les *Trois Miracles de saint Marc*, 1562-1566). Grand peintre religieux, il traduit la présence divine dans un tableau, en se servant de la lumière, qui frappe les personnages touchés par la grâce : ainsi dans son cycle de fresques représentant le Nouveau Testament et qui décore la Scuola di San Marco à Venise *(Adoration des Bergers, la Dernière Cène, la Grâce divine).* Il a laissé également de nombreux portraits de ses concitoyens, caractérisés par l'opposition entre le visage toujours clair et le fond toujours sombre. Ses dessins, nerveux et rudes, révèlent qu'il utilisait, en vue de l'élaboration de ses grandes toiles, de petits modèles vigoureusement éclairés. L'influence du Tintoret fut grande sur l'évolution du maniérisme européen et, en particulier, sur la formation du Gréco.

TINTOUIN [tɛ̃twɛ̃] n. m. (de *tinter*). **1.** *Fam.* Difficultés, soucis : *Cette affaire lui a donné du tintouin* (syn. DU FIL À RETORDRE). — **2.** *Pop.* Vacarme : *Il y en a un tintouin là-dedans.*

TIOUMEN, v. de l'U. R. S. S., en Sibérie; 378 000 hab.

TIPASA, localité de l'Algérie centrale; 9 300 hab. Il reste d'importants vestiges de la ville romaine.

TIPPERARY, v. de la république d'Irlande (Munster), au cœur de la *plaine de Tipperary* (le *Golden Vale*); 5 400 hab.

TIPPOO SAHIB ou **TIPPOU-SAÏB,** sultan du Mysore (v. 1749-1799), vaincu par les Anglais.

TIQUE [tik] n. f. (angl. *tick*). Parasite vivant sur la peau des ruminants, du chien et parfois de l'homme, où il puise le sang, et qui peut transmettre de nombreuses maladies. (Nom scientif. IXODE.) [Ordre des acariens.]

TIQUER [tike] v. i. (de *tic*). *Fam.* Manifester involontairement sa surprise, son mécontentement.

TIQUETÉ, E [tikte] adj. (du picard *taque*, tache). Marqué de petites taches : *Un chien, un oiseau tiqueté.*

TIR n. m. → TIRER 4.

TIRADE [tirad] n. f. (de *tirer*). **1.** Au théâtre, long monologue ininterrompu. — **2.** *Péjor.* Long développement, plus ou moins emphatique ou véhément : *Il a commencé à me faire toute une tirade sur son travail.*

1. TIRAGE n. m. → TIRER 1, 7 et 9.

2. TIRAGE [tiraʒ] n. m. (de *tirer*). Fam. *Il y a du tirage*, des difficultés : *Il y a du tirage entre eux en ce moment* (syn. FRICTIONS).

TIRAILLEMENT n. m., **TIRAILLERIE** n. f. → TIRER 1.

TIRAILLER v. t. et i → TIRER 1 et 4.

TIRAILLEUR n. m. → TIRER 4.

TIRANA ou **TIRANË,** capit. de l'Albanie; 192 000 hab. Centre administratif. Textiles. Verrerie.

TIRANT n. m. → TIRER 1 et 8.

TIRE [tir] n. f. (de *tirer*). Arg. *Vol à la tire*, vol qui consiste à tirer un objet de la poche ou du sac de quelqu'un. ‖ *Voleur à la tire*, voleur qui pratique ce genre de larcin (syn. PICKPOCKET).

TIRÉ, E adj. et n. m. → TIRER 1, 4, 5 et 6.

TIRE-AU-FLANC [tiroflɑ̃] n. m. inv. (de *tirer*, *au*, et *flanc*). *Fam.* Soldat qui cherche à échapper aux corvées; celui qui se soustrait au travail (syn. PARESSEUX).

TIRE-BOUCHON n. m., **TIRE-BOUCHONNER** v. t. → BOUCHER 1.

TIRE-D'AILE (À) [atirdɛl] loc. adv. (de *tirer*, *de*, et *aile*). Avec de vigoureux battements d'ailes, rapidement : *Des oiseaux s'enfuient à tire-d'aile.*

TIRE-LARIGOT (À) [atirlarigo] loc. adv. (orig. obscure). Fam. *Boire à tire-larigot*, boire beaucoup.

TIRE-LIGNE n. m. → TIRER 2.

TIRELIRE [tirlir] n. f. (onomat.). Récipient muni d'une fente où l'on introduit des pièces de monnaie pour les mettre de côté : *Mettre de l'argent dans une tirelire.*

1. TIRER [tire] v. t. (abrév. de l'anc. fr. *martirier*, martyriser). **1.** *Tirer qqch.*, l'amener vers soi, l'entraîner derrière soi : *Tirer la sonnette d'alarme. Tirer un tiroir* (= l'ouvrir). *Tirer un verrou* (= le fermer ou l'ouvrir). *Tirer ses chaussettes* (syn. TENDRE). *Cheval qui tire une charrette.* — **2.** Fam. *Tirer les ficelles*, être l'organisateur, l'inspirateur caché de quelque chose. ‖ Fam. *Tirer les oreilles à qq'un*, le réprimander. ‖ *Se faire tirer l'oreille*, se faire prier, n'accéder qu'à contrecœur aux désirs de quelqu'un. ‖ (sujet nom de chose) *Tirer l'œil*, attirer l'attention, se faire remarquer. ‖ *Tirer un texte à soi*, l'interpréter d'une façon avantageuse pour soi. ‖ Pop. *Tirer un an de prison, de service militaire*, etc., être en prison, au service militaire, etc., pendant cette durée. ◆ v. i. **1.** *Tirer sur qqch.*, exercer une traction sur cette chose : *Tirer sur les rênes pour arrêter un cheval.* — **2.** *Couleur qui tire sur* (ou *vers*) *une autre*, qui s'en rapproche : *Un vert qui tire sur le bleu.* — **3.** *Tirer à conséquence*, avoir des suites importantes, graves : *C'est une erreur de détail, qui ne tire pas à conséquence.* ‖ Fam. *Tirer au flanc*, se dérober au travail. ‖ (sujet nom de chose) *Tirer à sa fin*, approcher de sa fin. ◆ **tirage** n. m. *Cordon de tirage*, qui sert à tirer des rideaux, etc. ◆ **tirailler** v. t. **1.** Tirer fréquemment par petits coups et en plusieurs directions : *Tirailler sa moustache. L'enfant tiraille le tablier de sa mère.* — **2.** *Tirailler qq'un*, le solliciter de plusieurs côtés, de manière contradictoire : *Être tiraillé entre plusieurs possibilités* (syn. BALLOTTER). *Être tiraillé par des aspirations contradictoires* (syn. ↑DÉCHIRER, ÉCARTELER). ◆ **tiraillement** n. m. **1.** *Tiraillement d'estomac*, douleur spasmodique (syn. CRAMPE). — **2.** Déchirement moral (syn. ÉCARTÈLEMENT). — **3.** (au plur.) Conflits provenant d'un désaccord entre personnes ou d'une opposition d'idéologies : *On note des tiraillements à l'intérieur de ce parti.* ◆ **tiraillerie** n. f. Conflit continuel ou répété : *Ils s'épuisent en tirailleries mesquines.* ◆ **tirant** n. m. **1.** Lanière fixée à la tige d'une botte ou d'un brodequin pour aider à les mettre. — **2.** Partie qui porte les attaches d'une chaussure et où passent les lacets. ◆ **tiré, e** adj. **1.** *Avoir les traits tirés, le visage tiré*, amaigris et tendus par la fatigue. — **2.** Fam. *Être tiré à quatre épingles*, être habillé avec une élégance recherchée. ◆ **tirette** n. f. Petite tablette à glissière, pouvant sortir d'un meuble et y rentrer.

2. TIRER [tire] v. t. (même étym.). *Tirer une ligne, un trait*, les tracer. ‖ *Tirer un plan*, l'élaborer, le tracer. ◆ **tire-ligne** [tirliɲ] n. m. Instrument servant à tracer des lignes. ‖ Pl. des *tire-lignes*.

3. TIRER [tire] v. t. (même étym.). **1.** *Tirer une chose d'une autre chose*, l'en faire sortir, l'en extraire, l'obtenir : *Tirer un mouchoir de sa poche. Tirer une épée du fourreau. Tirer des sons d'une guitare. Les matières plastiques qu'on tire du pétrole. Tirer la morale d'une fable. Tirer sa force, son importance, son origine de qqch.* (syn. EMPRUNTER, PRENDRE). *Tirer parti d'une situation* (syn. PROFITER DE, UTILISER). *Tirer vanité de ses succès* (syn. RETIRER). — **2.** *Tirer la langue à qq'un*, la sortir de sa bouche en signe de dérision. ‖ Fam. *Tirer les vers du nez à qq'un*, le questionner habilement. ‖ *Tirer des larmes à qq'un*, le faire pleurer. ‖ *On ne peut rien en tirer*, on ne peut pas obtenir de lui les explications ou le comportement souhaités. — **3.** *Tirer qq'un d'embarras, d'affaire, de difficulté*, etc., le faire sortir d'une situation difficile. ‖ *Tirer qq'un du doute, du sommeil*, etc., faire cesser chez lui le doute, le sommeil, etc. ◆ ***se tirer*** v. pr. **1.** *Pop.* Se sauver : *Il y en a un qui s'est fait prendre, les autres ont réussi à se tirer* (syn. S'ENFUIR; littér. S'ESQUIVER). — **2.** (sujet nom désignant une durée qui semble longue, un travail pénible) *Fam.* Se passer peu à peu : *Ça se tire!* — **3.** *Se tirer de*, réussir à sortir d'une situation fâcheuse : *Se tirer des mains* (fam., *des pattes*) *de qq'un. Se tirer d'un mauvais pas, du pétrin* (fam.) [syn. SE SORTIR DE]; réussir à faire une chose difficile : *Il s'est tiré de cette tâche à merveille* (syn. S'ACQUITTER DE). ‖ Fam. *S'en tirer*, en réchapper : *Il s'en est tiré à bon compte;* réussir une chose difficile : *Il s'en est bien tiré;* se débrouiller avec ce que l'on a, vivre tant bien que mal : *Ils ne sont pas riches, ils ont tout juste de quoi s'en tirer.* ‖ Fam. *S'en tirer avec qqch.*, en être quitte pour, n'avoir que : *Il s'en est tiré avec trois mois de prison.*

4. TIRER [tire] v. i. et t. (même étym.). **1.** Lancer un projectile au moyen d'une arme, faire partir un coup (sujet nom de personne); envoyer des projectiles (sujet nom désignant une arme) : *Le chasseur guette le gibier, prêt à tirer. La police avait tiré sur le fuyard. Tirer à l'arc. Une mitrailleuse qui tire cinq cents coups à la minute.* — **2.** *Tirer un gibier*, faire feu sur lui. — **3.** *Tirer un feu d'artifice*, en faire partir les fusées, les pièces. ◆ **tir** n. m. **1.** Action de lancer un projectile au moyen d'une arme : *Le tir à l'arc, à la carabine, au fusil, au pistolet. Un tir de barrage, de harcèlement, par rafales. Concentrer, diriger, régler le tir* (= la direction, la visée des projectiles). — **2.** (comme compl. du nom) *Un concours, un champ, un exercice, un stand de tir*, où l'on tire avec une arme. ‖ *La ligne de tir*, la direction de l'axe d'une arme. ‖ *Le plan de tir*, le plan vertical passant par la ligne de tir. ‖ *La puissance de tir*, la quantité de projectiles lancés en un temps donné. — **3.** *Sports.* Syn. de SHOOT. ◆ **tirailler** v. i. Tirer avec une arme à feu, souvent et sans ordre; tirer à volonté : *On entend les chasseurs tirailler. La troupe tiraille en ordre dispersé.* ◆ **tirailleur** n. m. **1.** Soldat détaché qui tire à volonté : *Envoyer quelques tirailleurs en avant* (syn. ÉCLAIREUR, FRANC-TIREUR). ‖ *En tirailleurs*, dans la disposition de combat dite « ordre dispersé » : *La troupe se déploie en tirailleurs.* — **2.** Soldat indigène des anciens régiments d'infanterie coloniale : *Les tirailleurs algériens, marocains, sénégalais.* ◆ **tiré** n. m. Taillis maintenu à hauteur d'homme pour faciliter la chasse au fusil : *Les tirés de la forêt de Rambouillet.* ◆ **tireur, euse** n. Personne qui tire avec une arme : *Un tireur d'élite. Un tireur à l'arc.*

5. TIRER [tire] v. t. (même étym.). *Tirer un livre*, en exécuter l'impression : *Tirer un roman à dix mille exemplaires.* ‖ *Tirer une épreuve, une photo*, en faire un tirage. ◆ **tirage** n. m. **1.** *Le tirage d'un livre, d'un journal*, son impression : *Les corrections sont achevées, l'ouvrage est en cours de tirage;* l'ensemble, le nombre d'exemplaires, de numéros imprimés en une fois : *Un premier tirage de mille exemplaires* (syn. ÉDITION). *Des journaux à fort (à grand, à gros) tirage.* — **2.** *Un tirage* (ou *un tiré*) *à part*, une reproduction séparée d'un article de revue. — **3.** Série ou exemplaire appartenant à une série imprimée : *C'est un tirage sur vélin pur fil* (syn. IMPRESSION). — **4.** *Le tirage d'une photographie*, la reproduction sur positif d'un cliché photographique : *Demander le développement et le tirage d'une pellicule.* — **5.** *Le tirage d'une gravure*, sa reproduction définitive. ◆ **tiré** n. m. *Tiré à part*, reproduction séparée d'un article de revue : *La revue donne aux auteurs cinquante tirés à part de leur article* (syn. TIRAGE).

6. TIRER [tire] v. t. (même étym.). *Tirer un chèque*, l'émettre. ‖ *Tirer une lettre de change sur qq'un*, désigner cette personne comme devant l'acquitter. ◆ **tireur** n. m. Celui qui émet un chèque, une lettre de change. ◆ **tiré** n. m. Celui qui doit payer ce chèque, cette lettre de change.

7. TIRER [tire] v. t. (même étym.). **1.** *Tirer une carte, un numéro de loterie*, les choisir au hasard. ‖ *Tirer un bon, un mauvais numéro*, avoir choisi un billet gagnant, perdant. — **2.** *Tirer les cartes*, prédire l'avenir au moyen de cartes à jouer. ◆ v. i. *Tirer au sort*, s'en remettre au sort, selon un procédé convenu, pour tel ou tel choix. ◆ **tirage** n. m. : *Le tirage de la loterie. Le tirage au sort.* ◆ **tireuse** n. f. *Tireuse de cartes*, syn. de CARTOMANCIENNE.

8. TIRER [tire] v. t. (même étym.) [sujet nom désignant un navire]. Déplacer une quantité d'eau donnée : *Un paquebot qui tire six mètres* (= dont la quille pénètre dans l'eau à une profondeur de six mètres). ◆ **tirant** n. m. *Tirant d'eau*, distance verticale dont un navire s'enfonce dans l'eau : *Un paquebot chargé et d'un fort tirant d'eau.* ‖ *Tirant d'air*, hauteur libre du pont d'un navire au-dessus de l'eau.

9. TIRER [tire] v. i. (même étym.). *Cheminée, poêle qui tire*, qui a une bonne circulation d'air, facilitant la combustion. ◆ **tirage** n. m. : *Régler le tirage d'un poêle.*

TIRÉSIAS. *Myth. gr.* Devin de Thèbes, qui fut le conseiller d'Œdipe.

TIRET [tirɛ] n. m. (de *tirer*). → PONCTUATION.

TIRETTE n. f. → TIRER 1.

TIREUR, EUSE n. → TIRER 4, 6 et 7.

TIRLEMONT, en néerl. **Tienen,** v. de Belgique (Brabant); 32 800 hab. Constructions mécaniques.

TIROIR [tirwar] n. m. (de *tirer*). **1.** Petite caisse emboîtée dans une armoire, une table, et qu'on peut faire coulisser. — **2.** *Pièce, roman à tiroirs,* comportant des passages étrangers à l'action principale. ‖ Fam. *Nom à tiroirs,* nom très long, composé de plusieurs éléments reliés par des prépositions (syn. À RALLONGES).

TIROL → TYROL.

TIRPITZ (Alfred VON), amiral allemand (1849-1930). Ministre de la Marine (1898-1916), il créa la flotte de haute mer allemande et dirigea la guerre sous-marine contre les Alliés (1914-1916) avant de démissionner.

TIRSO DE MOLINA (Fray Gabriel TÉLLEZ, dit), auteur dramatique espagnol (v. 1583-1648). Admirateur de Lope de Vega, il créa le théâtre de mœurs espagnol en composant plus de trois cents pièces, comédies d'intrigue (*Don Gil aux chausses vertes,* 1617), drames romanesques (*les Amants de Teruel,* 1635). Mais il doit surtout sa gloire au *Trompeur de Séville* (v. 1625), où il fixe pour la première fois le type populaire de Don Juan et à un drame religieux, *le Dominé par manque de foi* (1635). Tirso de Molina est après Lope de Vega le plus varié des dramaturges espagnols. Observateur satirique, il possède une grande maîtrise du langage et la psychologie de ses personnages est souvent très subtile.

TIRUCHIRAPALLI, anciennement **Trichinopoly,** v. de l'Inde méridionale (Tamil Nadu); 608 000 hab. Textiles.

TIRYNTHE, anc. v. de l'Argolide, qui atteignit son apogée à l'époque créto-mycénienne. Restes de murailles cyclopéennes (= faites d'énormes blocs irréguliers entassés sans mortier).

TISANE [tizan] n. f. (du gr. *ptisanê,* tisane d'orge). Boisson obtenue par macération, infusion ou décoction de plantes médicinales dans l'eau.

TISON [tizɔ̃] n. m. (lat. *titio*). **1.** Reste d'un morceau de bois brûlé, encore rouge (syn. BRAISE, BRANDON). — **2.** *Allumette tison,* allumette dont la flamme résiste au vent. ◆ **tisonner** v. t. et i. *Tisonner le feu,* remuer les tisons d'un feu pour le raviver, l'attiser. ◆ **tisonnier** n. m. Tige de fer droite ou recourbée pour attiser le feu : *Arranger les bûches avec un tisonnier.*

TISSAGE n. m. → TISSER.

TISSANDIER (Gaston), aéronaute et savant français (1843-1899). Il créa le premier aérostat dirigeable, à moteur électrique (1883).

TISSER [tise] v. t. (du lat. *texere*). **1.** Entrelacer des fils de laine, de coton, etc., en longueur et en largeur pour fabriquer un tissu : *Un métier à tisser.* — **2.** *Araignée qui tisse sa toile,* qui la confectionne. — **3.** (en parlant de liens abstraits, de récits, d'intrigues, avec le part. passé *tissu,* littér., ou *tissé*) Constituer d'un réseau de : *Un récit tissé de mensonges* (syn. MÊLER). *Une existence tissue d'intrigues* (syn. FORMER). ◆ **tissage** n. m. Ensemble d'opérations constituant la fabrication des tissus : *Le tissage d'une tapisserie.* — **2.** Établissement industriel où l'on fabrique les tissus : *Un tissage mécanique.* ◆ **tisserand** n. m. Artisan qui fabrique des tissus sur un métier à bras. ◆ **tisseur, euse** n. Ouvrier sur métier à tisser. ◆ **tissu** n. m. **1.** Étoffe obtenue par l'assemblage de fils entrelacés (les uns, étendus en longueur, forment la *chaîne;* les autres, en travers, constituent la *trame*). — **2.** (avec un compl. du nom abstrait) *Péjor.* Suite enchevêtrée de choses : *Un tissu de mensonges.* ◆ **tissu-éponge** n. m. Étoffe bouclée et spongieuse : *Une serviette en tissu-éponge.* ‖ Pl. des *tissus-éponges.*

TISSERIN [tisrɛ̃] n. m. (de *tisser*). Oiseau passereau des régions chaudes construisant des nids « tissés » avec des éléments végétaux.

TISSEUR, EUSE n. → TISSER.

1. TISSU n. m. → TISSER.

2. TISSU [tisy] n. m. (même étym.). Ensemble de cellules biologiques de même structure et de même fonction. → ENCYCL. ◆ **tissulaire** adj. Relatif aux tissus biologiques.

— ENCYCL. Chez l'homme et les animaux, on distingue le *tissu* épithélial, conjonctif, cartilagineux, osseux, sanguin, musculaire, nerveux.

Le pouvoir de régénération des tissus est d'autant plus faible que les cellules qui les constituent sont plus hautement spécialisées (le tissu nerveux, par exemple, ne peut pas se régénérer). Chaque tissu est spécifique : c'est ainsi que lors d'une greffe ou d'une transplantation d'organe, le donneur et le receveur doivent posséder une compatibilité entre leurs groupes tissulaires.

Chez les végétaux, il existe des tissus vivants, ou parenchymes, et des tissus morts, ou de soutien (bois, liège).

TISSU-ÉPONGE n. m. → TISSER.

TISSULAIRE adj. → TISSU 2.

TISZA (la), en tchèque **Tisa,** en all. **Theiss,** riv. de l'Europe centrale, affl. du Danube (r. g.). Elle sert de frontière entre l'U. R. S. S. et la Roumanie avant de pénétrer en territoire hongrois, puis rejoint le Danube en Yougoslavie; 966 km.

TISZA (Kálmán), homme d'État hongrois (1830-1902). Chef du parti libéral hongrois, il gouverna le pays de 1875 à 1890. — Son fils ISTVÁN (1861-1918), chef du gouvernement de 1903 à 1905 et de 1913 à 1917, défendit la prépondérance magyare contre les aspirations des nationalistes serbes. Il fut assassiné.

TITAN [titɑ̃] n. m. (de *Titan*). Personne d'une puissance extraordinaire (littér.) : *Un travail de titan* (= colossal, gigantesque). ◆ **titanesque** adj. Surhumain, qui dépasse la mesure de l'homme.

TITANS. *Myth gr.* Fils d'Ouranos et de Gaia. Révoltés contre les dieux, ils tentèrent d'escalader le ciel en entassant montagne sur montagne; mais ils furent foudroyés par Zeus.

TITANE [titan] n. m. (lat. *titanium*). Métal (Ti) de couleur foncée, de densité 4,5, fusible vers 1 800 °C. (On l'utilise pour sa bonne tenue aux températures élevées.)

TITE-LIVE, historien latin (64 ou 59 av. J.-C.-17 apr. J.-C.), auteur d'une histoire romaine (des origines jusqu'à l'an 9 av. J.-C.) en 142 livres, dont 35 à peine sont conservés. Sincère, mais dépourvu d'esprit critique, il admire le passé de Rome et fait de l'histoire une œuvre patriotique.

TITI [titi] n. m. (orig. obscure). *Pop.* Gamin de Paris (syn. GAVROCHE).

TITICACA, grand lac des Andes, à 3 812 m d'alt., entre la Bolivie et le Pérou; 8 340 km^2.

TITIEN (Tiziano VECELLIO, dit), peintre italien (v. 1490-1576). Arrivé très jeune à Venise, il travaille dans l'atelier de Bellini et subit l'influence de Giorgione et des peintres du Nord.

● *1518. Sa personnalité s'affirme avec « l'Assomption » (Venise).*

Il est dès lors considéré comme le maître de l'école vénitienne. Jouissant d'une grande notoriété, il travaille pour les princes italiens, les papes, François Ier et surtout Charles Quint et son successeur Philippe II. Dans ses compositions religieuses ou mythologiques, dans les nombreux portraits qu'il a laissés, il allie la somptuosité au réalisme. Grand coloriste, aimant les effets de lumière, il peint par masses équilibrées. Vers 1540-1545, il est attiré par le maniérisme, les couleurs violentes et les figures étirées. Mais il s'en détache et se tourne vers un expressionnisme qui se traduit en particulier par des couleurs assombries. Après 1560, dans ses dernières œuvres, la lumière, répartie en plusieurs foyers, l'exécution plus hardie transfigurent le réel. Son ascendant s'est exercé en particulier sur Véronèse, et au siècle suivant, sur Velasquez et Rubens.

Parmi ses œuvres on peut citer : *l'Amour sacré et l'Amour profane* (v. 1514), *l'Homme au gant, la Présentation de la Vierge au Temple* (v. 1538), *la Vénus d'Urbino* (1538), le portrait de *l'Arétin* (1545), *le Martyre de saint Laurent* (v. 1570).

TITILLER [titije] v. t. (lat. *titillare,* chatouiller). Chatouiller légèrement et agréablement (littér.) : *Ce vin titille le palais.* ◆ **titillation** n. f. Chatouillement léger, agréable.

TITO (Josip BROZ, dit), maréchal et homme d'État yougoslave (1892-1980). Secrétaire général du parti communiste yougoslave à partir de 1937, il lutta contre l'occupation allemande (1941-1944). Chef du gouvernement de la république fédérale populaire de Yougoslavie (1945), président de la République depuis 1953 (il fut élu à vie en 1974), il pratiqua à l'égard de l'U. R. S. S. une politique d'indépendance et s'efforça d'accroître son influence auprès du tiers monde.

TITOGRAD, anciennement **Podgorica,** v. de Yougoslavie, capit. du Monténégro, sur la Morača; 54 500 hab.

TITRAGE n. m. → TITRE 4.

1. TITRE [titr] n. m. (lat. *titulus,* inscription). **1.** Nom, désignation d'une distinction, d'une dignité particulière à une personne, ou d'une charge, d'une fonction généralement élevée : *Le titre de comte, de pair de France, de maréchal. Le titre de président, de docteur, de professeur.* — **2.** *Le titre de* (suivi d'un nom désignant une qualité sociale, une qualification), le nom, la qualité de : *Le titre de père* (= la qualité de), *de champion du monde* (= la qualification). — **3.** (souvent au plur.) Qualité qui donne un droit moral à : *Des titres de reconnaissance* (syn. DROIT). — **4.** Qualité attestée par un diplôme, un grade, un poste particuliers : *Être admis sur titres.* — **5.** Qualité de champion dans une compétition sportive : *Mettre son titre en jeu.* — **6.** (en parlant d'une personne) *En titre,* qui a le titre (par oppos. à AUXILIAIRE, SUPPLÉANT) : *Professeur en titre* (syn. TITULAIRE); reconnu comme tel (par oppos. à OCCASIONNEL, TEMPORAIRE) : *C'est sa maîtresse en titre* (syn.

ATTITRÉ). || *À ce titre, à quel titre?, au même titre (que),* pour cette raison, pour quelle raison?, pour la même raison : *« À quel titre demandez-vous cette réduction? — Au même titre que vous. »* || *À titre* (avec un adj.), forme une loc. compl. de manière : *On lui a donné cela à titre exceptionnel.* — LOC. PRÉP. *À titre de,* en qualité de (avec un nom désignant une personne) : *À titre d'ami* (syn. EN TANT QUE); pour servir de, comme (avec un nom désignant une chose) : *À titre d'exemple.* ◆ **titré, e** adj. Se dit de quelqu'un qui possède un titre nobiliaire : *Les gens titrés.* ◆ **titulaire** adj. et n. **1.** Se dit de celui qui possède un emploi en vertu d'un titre qui lui a été personnellement donné : *Un professeur titulaire.* — **2.** Se dit de celui qui a le droit de posséder : *Les titulaires de la carte de famille nombreuse.* ◆ **titulariser** v. t. *Titulariser qq'un,* le rendre titulaire (sens 1) de son emploi : *Titulariser un professeur auxiliaire.* ◆ **titularisation** n. f. (→ aussi ATTITRÉ.)

2. TITRE [titr] n. m. (même étym.). **1.** Nom, désignation d'un livre, d'un chapitre : *Le livre a pour titre...* (→ INTITULER.) || *Faux titre,* titre imprimé en petits caractères sur la page précédant la page de titre d'un livre. || *Titre courant,* le titre imprimé en haut de chaque page d'un livre. — **2.** Dans les journaux, expression ou phrase présentant un article en gros caractères : *Les gros titres de la une* (syn. MANCHETTE). — **3.** (souvent suivi d'un numéro en chiffres romains) Subdivision d'un code, d'une section d'un recueil de règlements, d'une série de clauses d'un contrat : *Le titre IV du Code général des impôts.* ◆ **titrer** v. t. (sujet nom désignant un journal). Mettre pour titre : *Ce matin, le journal titre sur cinq colonnes « Catastrophe aérienne ».* ◆ **sous-titre** n. m. **1.** Titre placé après le titre principal d'un livre et destiné à le compléter. — **2.** Traduction résumée des paroles d'un film en version originale, placée au bas de l'image. ◆ **sous-titrer** v. t. (souvent au passif) : *Un film en version originale sous-titrée.*

3. TITRE [titr] n. m. (même étym.). **1.** Écrit, document par lequel un droit est juridiquement reconnu au propriétaire : *Un titre de propriété* (syn. CERTIFICAT). *Un titre de transport* (syn. BILLET, TICKET). — **2.** Certificat représentant une valeur mobilière (action, obligation, rente) : *Un titre peut être nominatif (il porte alors le nom de la personne qui en bénéficie), ou au porteur (le versement est fait à la personne qui le porte).*

4. TITRE [titr] n. m. (même étym.). **1.** Richesse d'un alliage en métal pur : *Le titre d'un alliage est le rapport de la masse de métal fin à la masse totale. Le titre de l'or.* — **2.** *Le titre d'une solution,* le rapport de la masse de corps dissous à la masse de la solution : *Le titre d'un alcool* (syn. DEGRÉ, TITRAGE). ◆ **titrer** v. t. **1.** Déterminer le titre d'une solution, d'un alliage : *Titrer un alcool.* — **2.** (sujet nom désignant une solution, généralement alcoolique) Avoir tant de degrés pour titre : *Une liqueur qui titre 35⁰.* ◆ **titrage** n. m. : *Le titrage d'un alcool.*

TITRÉ, E adj. → TITRE 1.

TITRER v. t. → TITRE 2 et 4.

TITUBER [titybe] v. i. (lat. *titubare*). Marcher d'un pas hésitant, en étant presque sur le point de tomber : *Un ivrogne qui avance en titubant sur la chaussée* (syn. CHANCELER, VACILLER). ◆ **titubant, e** adj. : *Un pas titubant.* ◆ **titubation** n. f.

TITULAIRE adj. et n., **TITULARISATION** n. f., **TITULARISER** v. t. → TITRE 1.

TITUS (39-81), fils de Vespasien, empereur romain de 79 à 81. Sous le règne de son père, avec lequel il partage le pouvoir dès 71, il prit Jérusalem (70). Sous son propre règne, Pompéi et Herculanum furent détruits par l'éruption du Vésuve. Il élargit les prérogatives du sénat et fit de grands travaux (Colisée, thermes).

TIVOLI, anciennement **Tibur,** v. d'Italie (province de Rome); 41 700 hab. Lieu de villégiature depuis l'Antiquité. Villa d'Este (célèbres jardins agrémentés de fontaines).

TIZI-OUZOU, v. d'Algérie, en Grande Kabylie; 26 000 hab.

TLEMCEN, auj. **Tilimsen,** v. d'Algérie; 71 000 hab. Important centre religieux.

T. N. T., abrév. de *trinitrotoluène.*

TOAMASINA → TAMATAVE.

1. TOAST [tost] n. m. (mot angl. signif. *pain grillé*). Tranche de pain de mie grillée (syn. vieilli RÔTIE).

2. TOAST [tost] n. m. (même étym.). Brève allocution invitant à boire à la santé de quelqu'un, au succès d'une entreprise : *Porter un toast* (= lever son verre en l'honneur de quelqu'un ou de quelque chose).

TOBAGO ou **TABAGO,** l'une des Petites Antilles, formant avec la Trinité un État membre du Commonwealth; 301 km²; 40 000 hab. (133 au km²). Ch.-l. *Scarborough.*

TOBIE, Israélite de la tribu de Nephtali, célèbre par sa piété. Devenu aveugle dans sa vieillesse, il fut guéri par son fils sur les conseils de l'ange Raphaël (VIIᵉ s. av. J.-C.). [Bible.]

TOBOGGAN [tɔbɔgɑ̃] n. m. (mot angl.). **1.** Piste glissante utilisée comme jeu pour les enfants. — **2.** Glissière en bois pour acheminer les marchandises d'un étage à l'autre. — **3.** Courte voie routière en viaduc permettant de franchir un carrefour.

TOBROUK, port de Libye; 15 900 hab. Théâtre d'importants combats entre les troupes britanniques et celles de l'Axe, en 1941-1942.

TOC [tɔk] n. et adj. (onomat.). **1.** Fam. *C'est du toc,* se dit d'un faux, d'une imitation d'un objet de valeur, particulièrement de bijoux. — **2.** Fam. *Ça fait toc, c'est toc,* se dit de ce qui paraît d'un goût prétentieux et ridicule.

TOCANTINS (le), fl. du Brésil, qui rejoint l'Atlantique en formant un estuaire commun avec un bras de l'Amazone; 2 700 km.

TOCCATA [tɔkata] n. f. (mot it. signif. *touche*). Composition musicale pour instrument à clavier (orgue, clavecin, piano) : *La toccata et fugue en « ré » de J.-S. Bach.* || Pl. des *toccatas* ou *toccate.*

TOCQUEVILLE (Charles Alexis CLÉREL DE), écrivain politique français (1805-1859).

Juge sous la Restauration, il est chargé d'étudier le système pénitentiaire aux États-Unis. Il en ramène la matière de son premier ouvrage, *la Démocratie en Amérique* (1835-1840). Député (1839), puis ministre des Affaires étrangères (1849), il renonce à la vie politique après le coup d'État du 2 décembre. Il se consacre alors à son livre, *l'Ancien Régime et la Révolution* (1856).

Tocqueville établit certaines lois de l'évolution historique à partir de faits précis. Ainsi, dans *la Démocratie en Amérique,* après avoir fait une analyse approfondie des institutions américaines, il définit les conditions du bon fonctionnement d'une démocratie. Avec *l'Ancien Régime et la Révolution,* il démontre que la Révolution française n'est que la suite logique de l'Ancien Régime, et qu'aucun événement ne saurait en limiter les conséquences.

TOCSIN [tɔksɛ̃] n. m. (anc. prov. *tocasenh,* touche-cloche). Sonnerie de cloche répétée et prolongée, en signe d'alarme.

TÖDI, sommet des Alpes suisses; 3 620 m.

TODLEBEN (Édouard Ivanovitch, *comte*) → TOTLEBEN.

TODT (Fritz), général et ingénieur allemand (1891-1942). Créateur des autostrades allemandes, ministre de l'Armement en 1940, il attacha son nom à une organisation de travaux d'équipement et de fortification (autoroutes, ligne Siegfried, mur de l'Atlantique, etc.).

TOEPFFER (Rodolphe), écrivain suisse d'expression française (1799-1846), auteur des *Voyages en zigzag,* des *Nouvelles genevoises* et d'albums de dessins comiques.

TOGE [tɔʒ] n. f. (lat. *toga*). **1.** Manteau ample et long des Romains. — **2.** Robe de cérémonie de certaines professions : *Une toge d'avocat, de magistrat.*

TOGLIATTI (Palmiro), homme politique italien (1893-1964), un des fondateurs et des dirigeants du parti communiste italien.

TOGO, république de l'Afrique occidentale, sur le golfe de Guinée; 56 600 km²; 3.4 millions d'hab. (60 au km²) [*Togolais*]. Capit. *Lomé* (200 100 hab.). → cartes AFRIQUE pp. 48-49.

GÉOGRAPHIE

Le pays s'étend sur une étroite bande de terres orientée N.-S., couverte en majeure partie par la savane. L'agriculture constitue le secteur primordial de l'économie et fournit huile de palme, café, cacao et coton. Le sous-sol recèle d'importants gisements de phosphates au *lac Togo.*

HISTOIRE

État créé par la colonisation, sans unité de peuplement, le Togo subit, dès le XVIIᵉ s., les effets du commerce des esclaves.

- *1860. Des missions allemandes s'installent en pays Éoué, dans une région déjà prospectée au XVIIIᵉ s. par des marchands du Brandebourg.*

Le protectorat allemand est reconnu en 1885 (conférence de Berlin) et les frontières définies par des traités avec la France et l'Angleterre qui occupent le pays en août 1914 et se font attribuer par mandat de la Société des Nations (1922) le contrôle du territoire. La France en reçoit la majeure partie avec la côte, l'Angleterre le tiers occidental.

- *1956. Le Togo britannique où dominent les Éoués vote son intégration à la Côte-de-l'Or (république du Ghāna en 1957).*
- *Avril 1960. Le Togo français, république autonome en 1956, obtient son indépendance.*

Son président S. Olympio est renversé en janvier 1963; son successeur, Grunitzky, l'est à son tour en janvier 1967 par un coup d'État qui permet au général Eyadéma de prendre le pouvoir.

TŌGŌ (Heihachiro), amiral japonais (1847-1934). Il vainquit les Russes à Port-Arthur et à Tsushima (1905).

TOHU-BOHU [tɔybɔy] n. m. inv. (mot hébr.). Grand désordre, avec une idée de mouvements et de bruits confus.

TOI pron. pers. → TU.

TOILE [twal] n. f. (lat. *tela*). **1.** Tissu de lin, de chanvre ou de coton : *Des draps de toile.* — **2.** Pièce de toile montée sur un châssis et préparée pour servir de support à une peinture; peinture exécutée sur ce support : *Peinture sur toile. Acheter des toiles.* — **3.** *Toile de fond,* toile sur laquelle sont représentés les derniers plans d'un décor de théâtre; contexte social, politique, etc., sur lequel se détache quelque chose. ◆ **toilerie** n. f. Fabrication, commerce de la toile; fabrique de toile. ◆ **entoiler** v. t. Recouvrir de toile : *Entoiler la carcasse d'un cerf-volant.* ◆ **entoilage** n. m.

1. TOILETTE [twalɛt] n. f. (de *toile*). **1.** Ensemble des soins de propreté du corps : *Faire sa toilette* (syn. ABLUTIONS). ‖ *Cabinet de toilette,* pièce aménagée pour se laver. — **2.** L'habillement et la parure, en parlant d'une femme : *Parler toilette.* — **3.** Tout costume féminin : *Une toilette de mariée.* ◆ **toiletter** v. t. *Toiletter un chien,* le laver, le tondre, etc. ◆ **toilettage** n. m.

2. TOILETTES [twalɛt] n. f. pl. (de *toilette* 1). *Fam.* Cabinets d'aisances : *Aller aux toilettes* (syn. LAVABOS, WATERS).

TOISE [twaz] n. f. (du lat. *tendere,* tendre). Tige verticale graduée, pour mesurer la taille humaine : *Les conscrits passent à la toise.* ◆ **toiser** v. t. *Toiser qq'un,* le mesurer à la toise.

1. TOISER v. t. → TOISE.

2. TOISER [twaze] v. t. (de *toise*). *Toiser qq'un,* le regarder de haut en bas avec mépris, ou avec défi.

TOISON [twazɔ̃] n. f. (du lat. *tondere,* tondre). **1.** Laine d'un mouton ou d'autres animaux au pelage épais. — **2.** Chevelure très abondante d'une personne : *Elle a une belle toison.*

Toison d'or. *Myth.* Toison du bélier ailé qui emporta dans les airs Phrixos et Hellê. Elle était gardée en Colchide par un dragon et fut enlevée par Jason et les Argonautes.

Toison d'or *(ordre de la),* ordre fondé en 1429 par Philippe le Bon, duc de Bourgogne. Il est passé à la maison d'Autriche après la mort de Charles le Téméraire, puis à l'Espagne avec Charles Quint.

TOIT [twa] n. m. (lat. *tectum*). **1.** Couverture d'une maison : *Un toit de tuile, d'ardoise.* ‖ *Habiter sous les toits,* dans une mansarde. ‖ Fam. *Crier qqch. sur les toits,* le dire à tout le monde, le divulguer. — **2.** Paroi supérieure d'un véhicule : *Le toit de la voiture.* — **3.** Maison, habitation : *Avoir un toit.* ‖ *Sous le toit de,* dans la maison de : *Vivre sous le toit de ses parents.* ◆ **toiture** n. f. Ensemble des pièces qui constituent la couverture d'un édifice : *L'orage a endommagé la toiture.*

TŌJŌ (Hideki), général et homme d'État japonais (1884-1948). Chef du gouvernement de 1941 à 1944, il dirigea la lutte de son pays contre les Alliés. Condamné à mort comme criminel de guerre par les Américains, il fut exécuté.

TOKUGAWA, famille japonaise de la branche des Minamoto. En 1603, un représentant de cette lignée s'empara du shōgunat, que sa famille conserva jusqu'en 1867.

TOKUSHIMA, v. du Japon (Shikoku); 225 000 hab. Textiles. Château et jardin du XVIe s.

TŌKYŌ, capit. du Japon, située au fond de la *baie de Tōkyō,* sur le Pacifique (île de Honshū); 8 841 000 hab. (agglomération 11 477 000 hab.). Première ville du monde par sa population, Tōkyō est un grand centre administratif et commercial, qui regroupe des industries variées. Elle est dotée d'un port important.

TOLBIAC, v. de l'anc. Gaule, près de Cologne. (Auj. ZÜLPICH.) Les Francs Ripuaires y remportèrent une victoire sur les Alamans à la fin du Ve s.

TOLBOUKHINE (Fédor), maréchal soviétique (1894-1949). Pendant la Seconde Guerre mondiale, il commanda à Stalingrad, libéra la Crimée et s'empara de Budapest.

1. TÔLE [tol] n. f. (forme dial. de *table*). Feuille de fer ou d'acier, obtenue par laminage : *Un toit recouvert de tôle ondulée.* ◆ **tôlerie** n. f. **1.** Fabrication de la tôle; atelier où l'on travaille la tôle. — **2.** Ensemble des tôles de quelque chose : *Un accident de voiture où il n'y a que la tôlerie d'abîmée.* ◆ **tôlier** n. et adj. m. Ouvrier qui travaille la tôle.

2. TÔLE ou **TAULE** [tol] n. f. (orig. obscure). **1.** *Pop.* Prison. — **2.** *Pop.* Chambre meublée. ◆ **tôlier** n. m. *Pop.* Propriétaire d'une chambre meublée mise en location. (Le fém. TÔLIÈRE est parfois usité.)

TOLEARA → TULÉAR.

TOLÈDE, en esp. **Toledo,** v. d'Espagne (Castille-La Manche), sur le Tage; 54 000 hab. Archevêché.

TOLEDO, v. des États-Unis (Ohio), sur le Maumee; 383 800 hab. Port fluvial. Métallurgie. Raffineries de pétrole. Pétrochimie.

TOLÉRER [tɔlere] v. t. (lat. *tolerare*). **1.** *Tolérer qq'un,* admettre sa présence à contrecœur, le supporter : *Ils se tolèrent l'un l'autre.* — **2.** *Tolérer qqch.,* le laisser subsister, le supporter : *Tolérer les abus.* ‖ *Tolérer que,* permettre (suivi du subj.) : *Vous tolérez qu'on vous dise cela?* — **3.** *Tolérer un médicament, un traitement,* le supporter. ◆ **tolérance** n. f. **1.** Respect de la liberté d'autrui, de ses manières de penser et de vivre, et particulièrement de ses opinions religieuses : *Faire preuve de tolérance à l'égard de qq'un* (syn. COMPRÉHENSION, LARGEUR D'ESPRIT). — **2.** Liberté limitée accordée sur un point particulier : *Une tolérance grammaticale, orthographique* (syn. LICENCE). — **3.** Excédent ou insuffisance de dimension ou de poids qu'on admet dans une fabrication : *Une tolérance de calibre pour une pièce mécanique, de poids, de titre pour une monnaie.* — **4.** Capacité de l'organisme de supporter sans mal certaines substances : *La tolérance aux barbituriques.* — **5.** *Maison de tolérance,* maison de prostitution anciennement tolérée par la loi (syn. MAISON CLOSE). ◆ **tolérant, e** adj. Qui fait preuve de tolérance : *Un caractère tolérant* (syn. COMPRÉHENSIF). ◆ **tolérable** adj. Se dit de ce que l'on peut tolérer : *Cette existence n'est plus tolérable* (syn. SUPPORTABLE). *Une négligence qui n'est guère tolérable* (syn. ADMISSIBLE, EXCUSABLE). ◆ **intolérable** adj. : *Un bruit intolérable. Des abus intolérables.* ◆ **intolérance** n. f. **1.** En matière politique, religieuse, attitude haineuse, agressive, à l'égard de ceux avec lesquels on diffère d'opinion, de croyance. — **2.** *Méd.* Impossibilité, pour l'organisme, de supporter certains médicaments, certains aliments ou certaines substances. ◆ **intolérant, e** adj. **1.** *Intolérant à qqch.,* qui ne le supporte pas : *Son organisme est intolérant à de tels médicaments.* — **2.** (sans compl.) Se dit d'une personne qui ne respecte pas la liberté de pensée (syn. FANATIQUE).

TÔLERIE n. f. → TÔLE 1.

TÔLIER adj. et n. m. → TÔLE 1 et 2.

TOLLÉ [tɔlle] n. m. (lat. *tolle,* enlève!). Clameur générale de protestation, de réprobation : *Soulever un tollé générale* (contr. ACCLAMATION).

TOLSTOÏ (Piotr, *comte*), diplomate russe (1645-1729), conseiller de Pierre le Grand.

TOLSTOÏ (Lev [en fr. Léon] Nikolaïevitch, *comte*), écrivain russe (1828-1910). Fils de riches propriétaires terriens, il commence dès 1847 un *Journal* où apparaît son désir de donner un sens et une justification à sa vie.

- *1852. Il obtient avec « Enfance », sa première nouvelle, un succès considérable.*

Engagé dans l'armée pendant la guerre de Crimée, il participe au siège de Sébastopol', et entreprend ensuite un voyage en Europe.

- *1862. Son mariage avec Sofia Andreïevna Bers constitue une des grandes étapes de sa vie.*

Dans le calme d'une vie familiale, il publie *les Cosaques* et rédige *Guerre et Paix* (1865-1869), tableau de la vie russe pendant les guerres de Napoléon Ier.

- *1873-1877. Son roman « Anna Karénine », où il dénonce l'absurdité de la vie et de la passion, témoigne du début d'une crise de conscience.*

Cette crise, racontée dans *Confession* (1882), est provoquée par l'obsession de la mort et le désir de donner un sens à sa vie. Elle aboutira à la conversion de Tolstoï. Cherchant à se rapprocher du christianisme primitif, il se montre partisan de la non-violence et de l'abolition de la propriété. Il écrit alors *la Sonate à Kreutzer* (1888), *la mort d'Ivan Ilitch* (1884-1886).

Son excommunication (1901) par le saint-synode pour son livre *Résurrection* (1899) ne fait qu'accroître sa popularité parmi la jeunesse intellectuelle. Excédé par cette gloire, il quitte secrètement sa famille, mais, pris de malaise, il meurt en cours de route.

TOLSTOÏ (Alekseï), écrivain soviétique (1883-1945), auteur de récits qui peignent la vie des intellectuels russes pendant la Révolution *(le Chemin des tourments)* et de romans historiques *(le Pain, Ivan le Terrible).*

TOLTÈQUES, peuple indien qui occupa le Mexique à partir du Xe s. Leur centre était Tula. Ils créèrent une remarquable civilisation.

TOLUCA, v. du Mexique, capit. de l'État de Mexico; 142 000 hab.

TOLUÈNE [tɔlɥɛn] n. m. (de *Tolu,* n. d'une ville de Colombie). Hydrocarbure liquide, analogue au benzène, utilisé comme solvant, ainsi que dans la préparation du T. N. T.

TOMAHAWK [tɔmaok] n. m. (mot algonquin). Hache de guerre des Indiens d'Amérique.

TOMAISON n. f. → TOME.

TOMATE [tɔmat] n. f. (esp. *tomata*). Fruit rouge, charnu et comestible d'une plante potagère, dite aussi *tomate.* (Famille des solanacées.)

TOMBALE adj. f. → TOMBE.

TOMBANT, E adj. → TOMBER 1.

TOMBE [tɔ̃b] n. f. (gr. *tumbos*). **1.** Fosse, recouverte ou non d'une dalle, où l'on enterre un mort : *Descendre le cercueil dans la tombe* (syn. FOSSE, SÉPULTURE). — **2.** Pierre tombale : *Un nom et deux dates gravés sur une tombe.* — **3.** *Se retourner dans sa tombe,* se dit d'un mort qu'on imagine bouleversé par ce qui vient d'être dit. ◆ **tombale** adj. f. *Pierre tombale,* qui recouvre une tombe.

TOMBEAU [tɔ̃bo] n. m. (de *tombe*). **1.** Monument funéraire élevé sur la tombe d'un ou plusieurs morts : *Les tombeaux des rois à Saint-Denis* (syn. SÉPULCRE). — **2.** Lieu où des hommes sont morts : *Stalingrad a été le tombeau de milliers d'hommes.* — **3.** *Rouler à tombeau ouvert,* à une vitesse propre à causer un accident mortel. — **4.** (avec une majusc.) Composition littéraire ou musicale en l'honneur d'un grand homme disparu : *« Le Tombeau de Charles Baudelaire » par Mallarmé.*

1. TOMBER [tɔ̃be] v. i. (de l'anc. fr. *tumber,* culbuter) [auxil. *être*]. **1.** (sujet nom de personne ou de chose). Perdre l'équilibre, être entraîné au sol par son poids : *Il a voulu courir et il est tombé* (syn. fam. DÉGRINGOLER). *Le poteau est tombé* (syn. S'ABATTRE). *La pluie, la neige, la grêle tombe* (= il pleut, il neige, il grêle); et impers. : *Il tombe de la pluie, de la neige, de la grêle. Il tombe des pierres du haut de cette falaise.* — **2.** *Le brouillard, la brume tombe,* ils descendent vers le sol. ‖ *Le jour, le soir, la nuit tombe,* il va faire nuit. — **3.** (sujet nom de personne) Périr, être tué : *Tomber au champ d'honneur.* — **4.** *Ville, garnison qui tombe,* qui succombe devant l'adversaire : *La ville est tombée après une résistance héroïque.* — **5.** (sujet nom de chose) Être, rester pendant : *Cette robe tombe très bien* (= d'un mouvement souple, sans faux plis). ‖ *Les bras m'en tombent,* se dit pour marquer la stupéfaction ou le découragement. — **6.** (sujet nom désignant un phénomène, un état, un sentiment) Perdre de son intensité, passer à un niveau inférieur, cesser : *Le vent est tombé* (syn. CESSER, ↓DÉCLINER). *Sa fièvre est tombée. Son exaltation est tombée* (syn. S'APAISER, SE CALMER). *Les cours de la Bourse sont tombés. Faire tomber les prix* (syn. BAISSER). — **7.** Fam. *Laisser tomber qq'un, qqch.,* l'abandonner, cesser de s'y intéresser : *Elle l'a laissé tomber pour un autre* (syn. QUITTER). *On ne laisse pas tomber ses amis* (syn. NÉGLIGER). *J'ai laissé tomber le sport* (syn. DÉLAISSER). — **8.** *Tomber de son haut,* être extrêmement surpris, revenir d'une idée fausse. ‖ *Tomber des nues,* manifester une surprise naïve. ‖ *Tomber de fatigue, de sommeil,* etc., être épuisé de fatigue, pressé de sommeil, etc. ‖ (sujet nom de chose) *Tomber du ciel,* survenir de façon inattendue et favorable : *Cet argent tombe du ciel.* ◆ v. t. Fam. *Tomber la veste,* enlever sa veste à cause de la chaleur ou pour se battre. ◆ **tombant, e** adj. **1.** Qui tombe (sens 5 du v. i.) : *Des épaules tombantes.* — **2.** *À la nuit tombante,* à l'approche de la nuit. ◆ **tombée** n. f. *Tombée du jour, de la nuit,* moment où la nuit arrive (syn. CRÉPUSCULE). ◆ **retomber** v. i. (auxil. *être*). **1.** (sujet nom d'être animé) Tomber de nouveau, après s'être relevé. — **2.** Tomber après s'être élevé : *Un sauteur à la perche doit savoir retomber* (syn. SE RECEVOIR). — **3.** (sujet nom de chose) Tomber après avoir été relevé ou s'être élevé : *Ramasser un objet et le laisser retomber. Le jet d'eau retombe dans le bassin.* — **4.** Pendre d'une certaine hauteur : *Ses longs cheveux lui retombent sur les épaules* (syn. TOMBER). — **5.** Descendre, s'incliner : *Levez les bras, puis laissez-les retomber le long du corps.* — **6.** (sujet nom de chose) *Retomber sur qq'un,* lui être imputé, rejaillir sur lui : *Faire retomber sur une personne la responsabilité d'une décision* (= la lui attribuer, la rejeter sur lui). *Les frais du procès retomberont sur lui* (syn. INCOMBER À). — **7.** Revenir, après un détour : *Entre hommes, la conversation retombe souvent sur les voitures.* — **8.** Fam. *Retomber sur ses pieds,* se tirer heureusement d'une situation difficile, dangereuse. ◆ **retombée** n. f. Chose qui retombe : *Des retombées radio-actives.*

2. TOMBER [tɔ̃be] v. i. (même étym.) [auxil. *être*]. **1.** (sujet nom de personne) *Tomber* (suivi d'un attribut), devenir subitement, surtout dans les express. *tomber malade, tomber amoureux.* ‖ *Tomber mort, raide mort,* mourir tout d'un coup. ‖ *Tomber d'accord,* s'accorder. — **2.** (sujet nom désignant une date, un événement) *Tomber* (suivi d'un compl. circonstanciel de temps sans prép.), coïncider avec, arriver, survenir : *Son anniversaire tombe un dimanche. Ça tombe un samedi.* — **3.** (sujet nom de personne) *Tomber bien, tomber mal,* être bien ou mal servi par le hasard, arriver à propos ou non : *Vous tombez mal, il vient de partir* (syn. JOUER DE MALHEUR, NE PAS AVOIR DE CHANCE). *Ils sont bien, mal tombés.* ‖ *Tomber bas, bien bas,* être dans un état de déchéance physique ou morale avancé. — **4.** (sujet nom de chose) *Tomber mal,* survenir mal à propos. ‖ *Tomber bien, à point, à pic* (fam.), survenir à un moment opportun : *Il avait un besoin urgent d'argent, cet héritage tombe bien.* ‖ *Opération, calcul qui tombe juste,* qui ne comporte pas de reste, qui donne un résultat précis. — **5.** *Tomber sur qq'un, sur qqch.,* le rencontrer, le trouver par hasard. — **6.** *Tomber sur qq'un,* l'attaquer soudainement : *Tomber sur l'ennemi à la faveur d'une embuscade;* le critiquer violemment : *Ils sont tombés sur lui sans ménagement* (syn. ACCABLER; fam. ↑ÉREINTER). — **7.** *Tomber dans un piège, une embuscade,* etc., en être victime. ‖ *Tomber dans le malheur, dans l'oubli, dans le discrédit,* etc., devenir malheureux, oublié, discrédité, etc. ‖ *Tomber dans l'excès, dans l'erreur,* etc., s'en rendre coupable. ‖ *Rue qui tombe dans une autre,* qui y aboutit, y débouche. — **8.** (sujet nom de personne) *Tomber en* (et un nom), être saisi par un mal : *Tomber en syncope* (= s'évanouir, se trouver mal). *Tomber en enfance.* ‖ *Tomber en disgrâce,* être disgracié. ‖ *Personne qui tombe en arrêt,* qui s'arrête, surprise, devant quelque chose. — **9.** (sujet nom de chose) *Tomber en,* se réduire à l'état de : *Tomber en morceaux, en poussière, en ruine.* ‖ *Tomber en décadence,* devenir décadent. ‖ *Tomber en désuétude,* sortir de l'usage. ‖ *Tomber en panne,* avoir un arrêt accidentel. — **10.** (sujet nom de personne) *Tomber sous,* être obligé de subir : *Tomber sous la domination de l'ennemi.* ‖ *Tomber sous le coup de la loi,* être passible d'une peine. — **11.** (sujet nom de chose) *Tomber sous,* se trouver par hasard à portée de : *Il mange tout ce qui lui tombe sous la dent. Cet article m'est tombé sous les yeux;* et impersonnellem. : *Il m'est tombé sous la main un livre curieux.* ‖ *Tomber sous le sens,* être évident : *Cela tombe sous le sens* (syn. CREVER LES YEUX). ◆ **retomber** v. i. (auxil. *être*). **1.** (sujet nom de personne) Commettre de nouveau : *Retomber toujours dans les mêmes fautes, les mêmes erreurs* (sens 7 du v. i.). — **2.** Se trouver de nouveau dans une situation fâcheuse : *Retomber dans la misère.* ‖ *Retomber malade,* être atteint de nouveau d'une maladie (syn. RECHUTER).

3. TOMBER [tɔ̃be] v. t. (même étym.). **1.** *Tomber qq'un,* en termes de sport, vaincre un adversaire en lui faisant toucher la terre des épaules. — **2.** Pop. *Tomber une femme,* la séduire facilement. ◆ **tombeur** n. m. Fam. *C'est un tombeur, un tombeur de femmes,* un séducteur.

TOMBEREAU [tɔ̃bro] n. m. (de *tomber*). Camion ou charrette à caisse basculante; son contenu.

TOMBEUR n. m. → TOMBER 3.

TOMBOLA [tɔ̃bɔla] n. f. (mot it. signif. *culbute*). Loterie où chaque gagnant reçoit un lot en nature.

TOMBOUCTOU, v. du Mali, près du Niger; 10 500 hab. Ancien centre commercial et culturel.

TOME [tom] n. m. (lat. *tomus,* portion). Division d'un livre, correspondant généralement à la division en volumes : *Un ouvrage en trois tomes.* ◆ **tomaison** n. f. Indication du numéro du tome sur une page de titre, sur le dos d'un livre, ou sur une feuille imprimée d'un volume : *Ce livre ne porte pas de tomaison.*

TOMETTE n. f. → TOMMETTE.

Tom Jones, enfant trouvé *(Histoire de),* roman de H. Fielding (1749).

TOMME [tɔm] n. f. (anc. prov. *toma*). Fromage de Savoie.

TOMMETTE [tɔmɛt] n. f. (de *tomme*). Brique très dure, servant au carrelage des sols. (On écrit aussi TOMETTE.)

TOMSK, v. de l'U. R. S. S., en Sibérie occidentale, sur le *Tom;* 423 000 hab. Université. Constructions mécaniques.

1. TON adj. poss. → MON.

2. TON [tɔ̃] n. m. (lat. *tonus*). **1.** Hauteur, qualité sonore de la voix, du son : *Un ton aigu, grave.* — **2.** En musique et en chant, gamme dans laquelle un morceau est composé : *Le ton est trop haut.* — **3.** *Mus.* Intervalle compris entre deux notes conjointes : *Il y a deux tons d'écart entre « do » et « mi ».* — **4.** En linguistique, changement de hauteur du son de la voix, utilisé à des fins morphologiques et sémantiques : *Le chinois a plusieurs tons.* ◆ **demi-ton** n. m. Le plus petit intervalle de la gamme. ‖ Pl. des *demi-tons.* ◆ **tonal, e, als** adj. Qui concerne le ton : *La musique tonale. Le système tonal.* ◆ **tonalité** n. f. **1.** *Mus.* Ensemble des phénomènes mélodiques et harmoniques qui découlent d'une note privilégiée, ou *tonique,* comme point de référence de l'ensemble des tons employés : *La tonalité principale du morceau est en « ré » majeur.* → ENCYCL. — **2.** Qualité d'un récepteur radio-électrique qui restitue avec autant de fidélité les tons graves que les tons aigus. — **3.** Son que produit un téléphone qu'on décroche, indiquant qu'on peut composer un numéro. ◆ **atonal, e, als** adj. : *Musique atonale* (= qui n'obéit pas aux règles tonales de l'harmonie). ◆ **atonalité** n. f. *Mus.* Système moderne d'écriture musicale qui n'obéit pas aux règles tonales de l'harmonie : *Le procédé de l'atonalité est utilisé par Schönberg, A. Berg, etc.* ◆ **détonner** v. i. (sujet nom désignant un musicien, un chanteur). Quitter le ton, faire des fausses notes.

— ENCYCL. La *tonalité* moderne n'utilise qu'une échelle transposable, majeure, et son dérivé mineur (*ut* majeur, *ut* mineur). La tonalité, qui a alimenté toute la musique au XVIIIe et au XIXe s., s'oppose à la modalité et à l'atonalité. La musique contemporaine s'est appliquée, depuis l'utilisation du dodécaphonisme, à substituer à la tonalité classique un système excluant toute note privilégiée dans une gamme chromatique.

3. TON [tɔ̃] n. m. (même étym.). **1.** En peinture, couleur considérée dans son intensité : *Un tableau qui a des tons chauds, froids.*

— **2.** (sujet nom désignant une couleur) *Être dans le ton,* être en harmonie avec les couleurs voisines. ◆ **tonalité** n. f. Impression qui se dégage de l'ensemble des couleurs d'un tableau, de leurs rapports : *La tonalité vive d'un tableau.* ◆ **détonner** v. i. (sujet nom de chose). Contraster désagréablement avec un ensemble : *Une couleur qui détonne* (syn. JURER).

4. TON [tɔ̃] n. m. (même étym.). **1.** Qualité de la voix en tant que reflet d'une humeur, d'une personnalité : *Un ton arrogant. Modérez votre ton.* — **2.** Relation de quelque chose avec les convenances : *Faire une remarque sur le ton de la plaisanterie.* ‖ *De bon ton,* qui est en accord avec les bonnes manières, avec le goût de la bonne société : *Des habits, une élégance de bon ton.* — **3.** *Donner le ton,* régler la mode, les manières d'un groupe social : *Dans leur salon, c'est elle qui donne le ton.* ◆ **tonalité** n. f. Impression d'ensemble causée par un récit du point de vue affectif : *Il se dégage du texte une tonalité romantique.*

TONAL, E, ALS adj. → TON 2.

TONALITÉ n. f. → TON 2, 3 et 4.

TONDRE [tɔ̃dr] v. t. (lat. *tondere*). [Conj. **51.**] **1.** *Tondre un animal,* lui couper le poil à ras : *Tondre un mouton, un caniche.* — **2.** *Tondre la laine, les poils, les cheveux,* les couper à ras. — **3.** *Tondre le gazon,* le couper à ras. ‖ *Tondre une haie,* la tailler en l'égalisant. — **4.** *Tondre qq'un,* lui couper les cheveux très ou trop courts. ◆ **tondeur, euse,** n. Personne qui tond les moutons, les chiens. ◆ **tondeuse** n. f. **1.** Machine pour tondre les cheveux ou les poils. — **2.** Machine pour tondre le gazon. ◆ **tondu, e** adj. et n. m. *Être tondu,* avoir les cheveux coupés ras ou rasés. ◆ **tonte** n. f. **1.** Action de tondre la laine des bêtes, de tondre les gazons, les haies, etc. : *La tonte des moutons. La tonte des arbustes* (syn. TAILLE). — **2.** Laine tondue. — **3.** Époque où l'on tond : *Pendant la tonte.*

TONGA ou **ÎLES DES AMIS,** archipel d'Océanie (Polynésie), au S. des Samoa; 700 km²; 110 000 hab. Capit. *Nukualofa.* Royaume indépendant, l'archipel devint protectorat britannique en 1900, puis État indépendant en 1970.

TONICARDIAQUE [tɔnikardjak] adj. et n. m. (de *tonique,* et *cardiaque*). Se dit d'une substance qui renforce et régularise les contractions du cœur.

1. TONIQUE [tɔnik] adj. (du gr. *tonikos,* qui se tend). Qui fortifie ou stimule l'activité de l'organisme : *Une boisson tonique.* ◆ n. m. **1.** Médicament tonique : *Le quinquina est un tonique.* — **2.** Ce qui stimule l'énergie, le moral : *L'air de la mer est un tonique.* ◆ **tonicité** n. f. : *La tonicité de l'air marin* (= son effet tonique). ◆ **tonifier** v. t. *Tonifier qq'un,* avoir sur lui un effet tonique : *Une bonne douche va vous tonifier* (= vous redonner de la vigueur). ◆ **tonifiant, e** adj. : *Un massage tonifiant.*

2. TONIQUE [tɔnik] adj. (même étym.). *Accent tonique,* accent d'intensité. ‖ *Syllabe tonique,* syllabe accentuée.

3. TONIQUE [tɔnik] n. f. (même étym.). Première note de la gamme du ton dans lequel est composé un morceau de musique : *Dans la gamme de « do », « do » est la tonique.*

TONITRUANT, E [tɔnitryɑ̃, -ɑ̃t] adj. (du lat. *tonitruare,* tonner). Qui fait un bruit énorme : *Une voix tonitruante* (syn. TONNANT, DE STENTOR). ◆ **tonitruer** v. i. *Fam.* Parler d'une voix forte et sonore.

TONKIN, région du Viêt-nam septentrional, sur la mer de Chine méridionale. Au *haut Tonkin,* formé par les montagnes périphériques où une population peu dense pratique l'agriculture sur brûlis, s'oppose le *bas Tonkin,* delta du fleuve Rouge, où l'irrigation permet la culture intensive du riz (parfois deux récoltes par an), mais qui souffre du surpeuplement.

TONLÉ SAP, lac du Cambodge, au N. de Phnom Penh; 3 000 km². Importantes pêcheries. — Son émissaire, affluent du Mékong, porte aussi ce nom.

TONNAGE n. m. → TONNEAU 3.

TONNANT, E adj. → TONNERRE.

TONNAY-CHARENTE, ch.-l. de cant. de la Charente-Maritime, à 7 km à l'E. de Rochefort; 6 500 hab. *(Tonnacquois).* Port sur la Charente. Industries chimiques. Métallurgie.

1. TONNE n. f. → TONNEAU 1.

2. TONNE [tɔn] n. f. (bas lat. *tunna*). **1.** Unité de mesure de masse équivalant à 1 000 kg (symb. : t). [→ MESURE, *unités de mesure.*] ‖ Fam. *Des tonnes de,* d'énormes quantités de. — **2.** Unité de poids équivalant à 1 000 kg pour évaluer le déplacement d'un navire : *Un paquebot de dix mille tonnes;* le poids d'un véhicule lourd : *Un camion de trois tonnes;* et substantiv. : *Un trois-tonnes.*

1. TONNEAU [tɔno] n. m. (de *tonne*). **1.** Grand récipient en bois, formé de douves assemblées et cerclées, à fonds plats; son contenu : *Mettre du vin en tonneau.* — **2.** Fam. et péjor. *Du même tonneau,* de la même valeur (syn. ACABIT). ◆ **tonne** n. f. Tonneau de très grandes dimensions. ◆ **tonnelet** n. m. Petit tonneau : *Un tonnelet d'huile* (syn. BARIL, FÛT). ◆ **tonnelier** n. m. Fabricant ou réparateur de tonneaux. ◆ **tonnellerie** n. f. Métier du tonnelier; atelier de tonnelier.

2. TONNEAU [tɔno] n. m. (de *tonneau* 1). **1.** Figure de voltige aérienne, au cours de laquelle l'avion fait une sorte de vrille horizontale avec un moment de vol sur le dos. — **2.** Culbute accidentelle, tour complet d'une voiture dans son axe longitudinal : *Il a manqué son virage et a fait deux tonneaux avant d'aller se jeter contre un arbre.*

3. TONNEAU [tɔno] n. m. (même étym.). Unité de capacité de transport d'un navire, valant 2,83 m³ : *Un bateau de mille quatre cents tonneaux. Un bâtiment qui jauge* (= a une capacité de) *150 tonneaux.* ◆ **tonnage** n. m. **1.** Capacité de transport d'un navire de commerce, évaluée en tonneaux : *Un bâtiment d'un fort tonnage.* — **2.** Capacité statistique totale des navires marchands d'un port ou d'un pays : *Le tonnage du port de Marseille.*

TONNEINS, ch.-l. de cant. de Lot-et-Garonne, à 17 km au S.-E. de Marmande, sur la Garonne; 10 100 hab. Tabac.

TONNELET n. m., **TONNELIER** n. m. → TONNEAU 1.

TONNELLE [tɔnɛl] n. f. (de *tonne*). Treillage sur lequel on fait grimper de la vigne, des plantes vertes, et qui sert d'abri.

TONNELLERIE n. f. → TONNEAU 1.

TONNERRE [tɔnɛr] n. m. (lat. *tonitrus*). **1.** Bruit accompagnant une décharge électrique (entre nuages ou avec le sol), dont l'éclair est la manifestation lumineuse : *Un grondement de tonnerre.* ‖ *Coup de tonnerre,* bruit de la foudre. — **2.** (avec un compl. du nom) Bruit assourdissant de quelque chose : *Un tonnerre d'applaudissements* (syn. TEMPÊTE). ‖ Fam. *C'est du tonnerre,* c'est sensationnel. ◆ **tonner** v. impers. *Il tonne,* le tonnerre gronde. ◆ v. i. **1.** *Le canon tonne,* on entend des coups de canon. — **2.** (sujet nom de personne) Crier de colère : *Tonner contre les abus* (syn. littér. FULMINER). ◆ **tonnant, e** adj. : *Une voix tonnante* (syn. RETENTISSANT, TONITRUANT).

TONNERRE, ch.-l. de cant. de l'Yonne, sur l'Armançon, à 35 km à l'E. d'Auxerre; 6 500 hab. Vignobles.

TONSURE [tɔ̃syr] n. f. (lat. *tonsura*). Petit cercle rasé au sommet de la tête des ecclésiastiques : *Porter la tonsure.* ◆ **tonsuré, e** adj. Qui porte la tonsure : *Un clerc tonsuré.*

TONTE n. f. → TONDRE.

TONUS [tɔnys] n. m. (mot lat.). **1.** Contraction partielle, constante et involontaire de certains muscles. (Ces contractions sont coordonnées pour maintenir l'équilibre du corps au repos.) — **2.** Énergie, dynamisme : *Manquer de tonus.*

TOP [tɔp] n. m. (onomat.). Signal sonore très bref, donné pour marquer l'instant précis d'un phénomène, en général l'heure exacte.

TOPAZE [tɔpaz] n. f. (gr. *topazos*). Silicate fluoré d'aluminium, cristallisé, qui est une pierre fine jaune, transparente. ◆ adj. inv. : *Couleur topaze.*

Topaze, titre et principal personnage d'une comédie de Marcel Pagnol (1928), qui raille la corruption de certains élus politiques.

TOPEKA, v. des États-Unis, capit. du Kansas, sur le Kansas; 125 000 hab. Métallurgie.

TOPER [tɔpe] v. i. (de *top*) [sujet nom de personne]. Se taper mutuellement dans la main, en signe d'accord. ‖ *Tope!* ou *tope là!,* j'accepte.

TOPINAMBOUR [tɔpinɑ̃bur] n. m. (du n. d'une peuplade du Brésil). Plante herbacée, originaire d'Amérique, cultivée pour ses tubercules alimentaires, riches en glucose et en inuline. (Famille des composées.)

TOPO [topo] n. m. (abrév. de *topographie*). *Fam.* Exposé, développement sur un sujet donné (syn. fam. LAÏUS).

TOPOGRAPHIE [tɔpɔgrafi] n. f. (du gr. *topos,* lieu, et *graphein,* décrire). **1.** Établissement scientifique des plans et des cartes. — **2.** Représentation graphique d'un terrain avec son relief. — **3.** Relief et configuration d'un terrain : *Étudier la topographie d'une région.* ◆ **topographique** adj. : *Signes topographiques. Carte topographique.* ◆ **topographiquement** adv. ◆ **topographe** n. Personne qui s'occupe de topographie.

TOPONYMIE [tɔpɔnimi] n. f. (du gr. *topos,* lieu, et *onuma,* nom). Étude linguistique et historique de l'origine des noms de lieux. ◆ **toponymique** adj.

TOQUADE n. f. → TOQUER (SE).

TOQUE [tɔk] n. f. (esp. *toca*). Chapeau d'étoffe, de fourrure, sans bords ou à très petits bords : *Une toque de magistrat, de cuisinier. Une toque de vison* (syn. BONNET).

TOQUÉ, E [tɔke] adj. et n. (de *toc*). *Fam.* Un peu fou (syn. fam. CINGLÉ, TIMBRÉ).

TOQUER (SE) [sətɔke] v. pr. (de *toque*). Fam. *Se toquer de qq'un, qqch.*, avoir un engouement pour. ◆ **toquade** n. f. *Fam.* Goût vif, passager et inexplicable pour quelqu'un ou pour quelque chose (syn. LUBIE, PASSION).

Torah ou **Thora** (la), nom donné par les Juifs à la loi mosaïque et au Pentateuque qui la contient.

TORCHE [tɔrʃ] n. f. (du lat. *torques*, torsade). **1.** *Torche électrique*, lampe de poche cylindrique, de forte puissance. — **2.** Flambeau fait d'un bâton de sapin entouré de cire ou de suif, ou botte de paille serrée qu'on a enflammée (syn. BRANDON). ◆ **torchère** n. f. Candélabre porté par une tige ou une applique.

TORCHER [tɔrʃe] v. t. (de *torche*). **1.** Essuyer pour nettoyer (mot jugé très vulgaire, employé surtout comme pron.). — **2.** Pop. *Torcher un travail*, le faire vite et mal (syn. BÂCLER, EXPÉDIER).

TORCHÈRE n. f. → TORCHE.

TORCHIS [tɔrʃi] n. m. (de *torcher*). Mélange de terre argileuse et de paille hachée, servant à la maçonnerie.

TORCHON [tɔrʃɔ̃] n. m. (de *torcher*). **1.** Serviette de grosse toile pour essuyer la vaisselle, les meubles. — **2.** Fam. *Ne pas mélanger les torchons et les serviettes*, traiter différemment les gens selon leur niveau social. ‖ *Le torchon brûle*, se dit lorsque deux personnes se disputent. — **3.** *Fam.* Texte, devoir mal présenté. — **4.** Journal de très basse catégorie : *Vous lisez ce torchon?* ◆ **torchonner** v. t. *Fam.* Exécuter vite et sans soin.

TORCY (Jean-Baptiste COLBERT, *marquis* DE), diplomate français (1665-1746). Il prit une grande part aux négociations qui précédèrent l'ouverture de la guerre de la Succession d'Espagne, puis à celles du traité d'Utrecht.

TORDANT, E adj. → TORDRE 2.

TORD-BOYAUX [tɔrbwajo] n. m. inv. (de *tordre*, et *boyaux*). *Pop.* Eau de vie très forte et de basse qualité.

TORDESILLAS, v. d'Espagne (Castille-León), sur le Douro; 5 000 hab.

● *1494. Un traité signé entre l'Espagne et le Portugal fixe le méridien séparant les futures colonies des deux pays à 370 lieues à l'O. des îles du Cap-Vert.*

1. TORDRE [tɔrdr] v. t. (lat. *torquere*). [Conj. **52.**] **1.** *Tordre qqch.*, le soumettre à une torsion : *Tordre du linge. Tordre le bras.* — **2.** Déformer en pliant : *Tordre une barre de fer* (syn. COURBER, FAUSSER, GAUCHIR). — **3.** (sujet nom désignant une douleur) Torturer, donner une sensation de torsion : *Des brûlures lui tordaient l'estomac.* ◆ ***se tordre*** v. pr. **1.** (sujet nom de personne) Se plier sous l'effet d'une émotion, d'une sensation (indiquée par un compl. ou par le contexte) : *Se tordre de douleur. Il a des crises où il se tord.* — **2.** (sujet nom de chose) Être sinueux, contourné : *Les vrilles de la vigne se tordent.* — **3.** *Se tordre un membre*, se faire une entorse : *Se tordre le pied.* ◆ **tordu, e** adj. **1.** Qui est de travers : *Un tronc d'arbre tordu* (syn. TORS). — **2.** Fam. *Avoir l'esprit tordu*, avoir des idées bizarres, penser faussement. ◆ **torsion** n. f. **1.** Déformation produite en exerçant sur un solide deux mouvements de rotation en sens contraire l'un de l'autre : *La torsion d'un fil de métal.* — **2.** *Barre de torsion*, ressort mettant à profit la torsion d'une barre élastique. ◆ **détordre** v. t. *Détordre une corde, un écheveau, du linge*, etc., en faire disparaître la torsion. ◆ **retordre** v. t. **1.** Tordre de nouveau : *Tordre et retordre du linge mouillé.* — **2.** *Retordre des fils de coton, de laine*, etc., les tordre ensemble. — **3.** Fam. *Donner du fil à retordre à qq'un*, lui créer des difficultés, lui donner du mal.

2. TORDRE (SE) [sətɔrdr] v. pr. (même étym.). [Conj. **52.**] *Se tordre de rire*, ou *se tordre* (sans compl.), rire très fort : *Il y a de quoi se tordre.* ◆ **tordant, e** adj. *Fam.* Se dit de ce qui fait que l'on se tord de rire, de ce qui est drôle.

TORE [tɔr] n. m. (lat. *torus*, corde). *Tore magnétique*, petit anneau de ferrite entrant dans la constitution des mémoires d'ordinateurs.

TORÉADOR [tɔreadɔr] n. m. (mot esp.). Nom donné en France à celui qui combat le taureau dans l'arène. (Les Espagnols disent TORERO.) ◆ **toréer** v. i. Exercer le métier de toréador.

TORELLI (Giuseppe), violoniste et compositeur italien (1658-1709), maître de l'école bolonaise, il a écrit des *Sinfonie* (1687, 1692) dans lesquelles il enrichit l'instrumentation employée à son époque. Il a laissé également des sonates et des concertos.

TORGAU, v. d'Allemagne (Saxe), sur l'Elbe; 22 000 hab.

● *25 avril 1945. Les armées américaines (Patton) et soviétiques (Koniev) y font leur jonction.*

TORGNOLE [tɔrɲɔl] n. f. (de l'anc. fr. *to(u)rniole*, mouvement circulaire). *Pop.* Forte gifle.

TORIL [tɔril] n. m. (mot esp.). Lieu où l'on tient les taureaux enfermés avant le combat.

TORNADE [tɔrnad] n. f. (esp. *tornado*). Coup de vent très violent et tourbillonnant (syn. BOURRASQUE, CYCLONE, OURAGAN).

TORNE (le), fl. de Laponie, qui rejoint le golfe de Botnie; 400 km. Il sépare la Suède de la Finlande.

TORONTO, v. du Canada, capit. de la province de l'Ontario, sur le lac Ontario; 599 200 hab. Université. Centre industriel. L'agglomération compte 3 millions d'hab.

TORPEUR [tɔrpœr] n. f. (lat. *torpor*). **1.** État du corps où l'activité et la sensibilité sont réduites : *Être plongé dans la torpeur, sous l'effet d'un narcotique* (syn. ENGOURDISSEMENT, LÉTHARGIE). *Être dans la torpeur qui précède le sommeil* (syn. ASSOUPISSEMENT, SOMNOLENCE). — **2.** État dans lequel l'activité intellectuelle est ralentie : *Cette nouvelle l'a tiré de sa torpeur* (syn. ABATTEMENT, ABRUTISSEMENT, PROSTRATION). — **3.** Climat, attitude de passivité : *La torpeur résignée de la foule.* ◆ **torpide** adj. Qui est dans la torpeur (littér.) : *Un engourdissement torpide.*

1. TORPILLE [tɔrpij] n. f. (du lat. *torpedo*, torpille). Engin automoteur sous-marin, chargé d'explosif, utilisé contre des objectifs maritimes par des navires ou des avions : *La torpille est le principal moyen d'attaque et de défense contre tous les sous-marins.* ◆ **torpiller** v. t. **1.** *Torpiller un sous-marin*, le faire sauter avec une torpille. — **2.** *Torpiller un projet*, le faire échouer par des manœuvres secrètes : *Torpiller des négociations de paix.* ◆ **torpillage** n. m. ◆ **torpilleur** n. m. Bateau de guerre très rapide, qui était destiné à lancer des torpilles : *Les torpilleurs ont été abandonnés après la Seconde Guerre mondiale.* ◆ **contre-torpilleur** n. m. Petit bâtiment de guerre très rapide et puissamment armé, destiné, au début du XXe s., à combattre au canon les torpilleurs. ‖ Pl. des *contre-torpilleurs.* (Ces navires sont devenus peu à peu de véritables croiseurs et le terme de *contre-torpilleur* a été abandonné.)

2. TORPILLE [tɔrpij] n. f. (même étym.). Poisson marin cartilagineux, carnassier, voisin de la raie et qui possède de chaque côté de la tête un organe électrique dont les décharges sont capables de paralyser des proies et de renverser un homme.

TORQUEMADA (Tomás DE), dominicain, inquisiteur général en Espagne (1420-1498), connu pour la rigueur avec laquelle il appliqua les règles de l'Inquisition.

TORRÉFIER [tɔrefje] v. t. (du lat. *torrere*, brûler). *Torréfier des graines*, les griller, les rôtir : *Torréfier du café, de la chicorée.* ◆ **torréfacteur** n. m. Appareil à torréfier. ◆ **torréfaction** n. f. : *La torréfaction du café.*

TORREMOLINOS, station balnéaire d'Espagne, sur la *Costa del Sol.*

TORRENT [tɔrɑ̃] n. m. (lat. *torrens*, dévorant). **1.** Violent cours d'eau de montagne, à forte pente, au régime irrégulier et à grande puissance d'érosion : *Un torrent impétueux, rapide. Les torrents des Pyrénées* (syn. GAVE). → ENCYCL. — **2.** *Il pleut à torrents*, la pluie tombe très fort. — **3.** Écoulement abondant : *Verser des torrents de larmes. Un torrent d'injures.* ◆ **torrentiel, elle** adj. **1.** Qui appartient aux torrents : *Des eaux torrentielles. Le régime torrentiel des eaux.* — **2.** Qui se déverse comme un torrent : *Une pluie torrentielle.* ◆ **torrentiellement** adv. ◆ **torrentueux, euse** adj. Qui a l'impétuosité d'un torrent : *Un cours d'eau torrentueux.*

— ENCYCL. Les eaux de ruissellement d'un *torrent* se rassemblent à l'amont dans le bassin de réception. Elles s'écoulent ensuite dans le chenal d'écoulement et déposent leur charge en un cône de déjection au débouché dans une vallée adjacente.

TORREÓN, v. du Mexique; 257 000 hab. Centre minier, industriel et commercial.

TORRES *(détroit de)*, bras de mer entre l'Australie, au S., et la Nouvelle-Guinée, au N.

TORRES QUEVEDO (Leonardo), ingénieur et mathématicien espagnol (1852-1936), auteur de travaux sur les machines à calculer et les automates.

TORRICELLI (Evangelista), physicien italien (1608-1647), élève de Galilée. On lui doit la découverte du baromètre et des effets de la pression atmosphérique.

TORRIDE [tɔrid] adj. (du lat. *torrere*, dessécher). Où la chaleur est extrême, qui donne une chaleur très forte.

TORS, E [tɔr, tɔrs] adj. (de *tordre*). **1.** Contourné, difforme : *Des jambes torses.* — **2.** Tordu en spirale : *Une colonne torse. Un verre à pied tors.*

TORSADE [tɔrsad] n. f. (de *tordre*). Frange tordue en spirale, qui orne les rideaux, les tentures : *Un rideau à torsades.*

TORSE [tɔrs] n. m. (it. *torso*). **1.** Partie du corps comprenant les épaules et la poitrine jusqu'à la taille : *Bomber le torse* (syn. BUSTE, POITRINE). — **2.** Sculpture représentant un tronc humain, sans tête ni membres : *Un torse grec.*

TORSION n. f. → TORDRE 1.

TORT [tɔr] n. m. (du lat. *torquere,* tordre). **1.** Situation de quelqu'un qui a commis une action que l'on blâme; ce qui constitue une erreur, une faute (souvent au plur.) : *C'est un tort d'avoir agi aussi vite. Je reconnais mes torts.* — **2.** *Être en tort, être dans son tort,* dans l'état de celui qui a commis une infraction à la loi ou une faute envers quelqu'un : *C'est le chauffeur du camion qui est en* (ou *dans son) tort, puisqu'il est passé au rouge* (contr. ÊTRE DANS SON DROIT). ‖ *Avoir tort,* soutenir un point de vue contraire à la vérité ou à la raison; ne pas agir conformément au droit : *Les absents ont toujours tort* (= on les rend toujours responsables de ce qui ne va pas). *Il a grand tort de ne pas écouter mes conseils* (contr. AVOIR RAISON). ‖ *Donner tort à qq'un,* déclarer qu'il a tort. ‖ *À tort,* par erreur, faussement : *Soupçonner qq'un à tort* (syn. INDÛMENT, INJUSTEMENT). ‖ *À tort ou à raison,* avec ou sans motif valable : *Il se plaint toujours, à tort ou à raison.* ‖ *À tort et à travers,* à la légère, inconsidérément. — **3.** Dommage subi par quelqu'un : *Un redresseur de torts* (syn. INJUSTICE). *Demander réparation d'un tort* (syn. PRÉJUDICE). ‖ *Faire (du) tort à,* causer un dommage à : *Je ne voudrais pas vous faire du tort* (syn. LÉSER).

TORTICOLIS [tɔrtikɔli] n. m. (orig. incert.). Affection du cou qui s'accompagne au moindre mouvement d'une douleur empêchant pratiquement tout déplacement de la tête.

TORTILLARD [tɔrtijar] n. m. (de *tortiller*). *Fam.* Chemin de fer secondaire, qui va très lentement et fait de nombreux détours.

TORTILLER [tɔrtije] v. t. (de *tordre*). *Tortiller une chose,* la tordre plusieurs fois sur elle-même : *Tortiller son mouchoir.* ◆ v. i. **1.** *Fam.* Chercher des détours, des subterfuges : *Il n'y a pas à tortiller* (syn. HÉSITER, TERGIVERSER; fam. TOURNER AUTOUR DU POT). — **2.** *Tortiller des hanches,* balancer les hanches en marchant. ◆ ***se tortiller*** v. pr. **1.** Se tourner sur soi-même de différentes façons : *Se tortiller comme un ver.* ◆ **tortillement** n. m. Mouvement de ce qui se tortille; aspect de ce qui est tortillé. ◆ **tortillon** n. m. **1.** Chose tortillée. — **2.** Bourrelet de linge enroulé sur la tête pour porter un fardeau. ◆ **détortiller** v. t. : *Détortiller un fil de fer. Détortiller un bonbon* (= le retirer du papier qui l'entoure). [→ ENTORTILLER.]

TORTIONNAIRE [tɔrsjɔnɛr] adj. et n. (du lat. *tortio,* torsion). Personne qui torture quelqu'un pour lui arracher des aveux ou par sadisme : *Les tortionnaires nazis* (syn. BOURREAU).

TORTU, E [tɔrty] adj. (lat. *tortus,* tordu). **1.** Se dit littérairement d'un objet tordu : *Un arbre tortu* (syn. ARQUÉ). — **2.** *Un esprit tortu,* qui raisonne mal (syn. FAUX).

TORTUE [tɔrty] n. f. (lat. *tartaruca,* bête infernale du Tartare). Animal vertébré de la classe des reptiles : *Toutes les tortues pondent des œufs.* (Ordre des chéloniens.)
— ENCYCL. Les *tortues* se caractérisent par leur corps ramassé, recouvert d'une carapace osseuse à écailles, leurs membres courts, leur bec corné sans dents. Les *tortues terrestres,* très lentes, à carapace fortement bombée, ont des pattes courtes, non palmées, terminées par des griffes; elles sont herbivores. Parmi elles, les tortues géantes des îles Galapagos peuvent atteindre 1,50 m de long et un poids de 250 kg. Elles sont actuellement protégées contre une destruction totale. Les *tortues d'eau douce* sont plus plates et leurs pattes sont palmées; elles sont carnivores et agressives. Les *tortues de mer* ont les pattes conformées en nageoires; elles sont très rapides.

TORTUE *(île de la),* île au N. d'Haïti, anc. base des boucaniers.

TORTUEUX, EUSE [tɔrtɥø, -øz] adj. (de *tordre*). **1.** Se dit de ce qui fait plusieurs tours et retours : *Les rues tortueuses de la vieille ville* (syn. SINUEUX). — **2.** Se dit de quelqu'un (ou de son comportement) qui manque de franchise : *Une conduite tortueuse. Un langage tortueux* (syn. HYPOCRITE, OBLIQUE, RETORS). ◆ **tortueusement** adv.

TORTURE [tɔrtyr] n. f. (lat. *tortura,* action de tordre). **1.** Supplice que l'on fait subir à quelqu'un, en vue d'obtenir des aveux : *La torture est illégale.* — **2.** Souffrance morale extrême : *La jalousie est une torture.* — **3.** *Se mettre l'esprit à la torture,* faire de grands efforts pour trouver ou se rappeler quelque chose (syn. fam. SE CREUSER LA TÊTE). ‖ *Mettre qq'un à la torture,* le mettre dans une situation très embarrassante; le faire souffrir d'une grande impatience. ◆ **torturer** v. t. *Torturer qq'un,* le soumettre à des tortures : *Torturer un prisonnier.* — **2.** *Torturer qq'un,* le faire beaucoup souffrir, physiquement ou moralement : *La faim le torture* (syn. TENAILLER). *Être torturé par la jalousie* (syn. TOURMENTER). — **3.** *Torturer qqch.,* le déformer, le défigurer : *Un visage torturé. Un style torturé.* ◆ ***se torturer*** v. pr. *Se torturer l'esprit,* se creuser l'esprit, momentanément. ◆ **torturant, e** adj. : *Une pensée torturante. Un remords torturant.*

TORUŃ, en all. **Thorn,** v. de Pologne, sur la Vistule; 158 000 hab. Fondée par les chevaliers Teutoniques, la ville appartint à la ligue hanséatique et fut un foyer de la Réforme en Pologne.

TORVE [tɔrv] adj. (lat. *torvus,* qui regarde de travers). *Œil, regard torve,* oblique et menaçant.

TORY [tɔri] n. m. et adj. (mot angl.). Dénomination anc. des membres du parti conservateur anglais. ‖ Pl. des *tories.*
— ENCYCL. Né en 1679, le parti *tory* avait pour but de défendre la tradition monarchique et les privilèges de l'Église anglicane. Parti de l'opposition à partir de 1688 et pendant tout le XVIIIᵉ s., il occupa le pouvoir de 1807 à 1830. À partir de 1832, il fit place au nouveau parti conservateur.

TOSCAN, E [toskɑ̃, -an] adj. et n. De la Toscane.

TOSCANE, région de l'Italie centrale, comprenant les provinces d'*Arezzo, Florence, Grosseto, Livourne, Lucques, Massa-et-Carrare, Pise, Pistoia* et *Sienne;* 3 587 000 hab.
Les cultures d'oliviers, de céréales et surtout de vigne (chianti) constituent les principales activités agricoles. L'industrie est répartie dans les villes (textiles, métallurgie), et l'artisanat artistique (travail du cuir, du marbre...) reste vivant. Mais la Toscane est surtout une grande région touristique.

TÔT [to] adv. (du lat. *tostus,* grillé). **1.** Avant un moment qui sert de point de repère actuel ou habituel : *Se coucher tôt* (contr. TARD). *Se lever tôt* (syn. À LA PREMIÈRE HEURE, DE BON MATIN, DE BONNE HEURE). — **2.** *Ce n'est pas trop tôt,* se dit en signe d'impatience (syn. ENFIN!). ‖ *Ne... pas plus tôt... que,* immédiatement après que : *Il n'eut pas plus tôt dit cela que la porte s'ouvrit* (syn. À PEINE, AUSSITÔT, DÈS QUE). ‖ *Tôt ou tard,* un jour ou l'autre. ‖ *Au plus tôt,* pas avant : *Il a dit qu'il serait là au plus tôt à quatre heures.* (→ AUSSITÔT.)

TOTAL, E, AUX [tɔtal, -to] adj. (du lat. *totus,* tout). **1.** À quoi il ne manque rien : *Une confiance totale* (syn. ABSOLU, COMPLET, ENTIER, INTÉGRAL). — **2.** (avec un nom de mesure) Se dit de ce qui est considéré dans son entier : *Le prix total* (syn. GLOBAL). — **3.** Math. *Relation d'ordre total* → RELATION 2. ◆ n. m. Somme de tous les éléments de quelque chose : *Faire le total* (syn. ADDITION). — LOC. ADV. *Au total,* tout compté, tout considéré : *Au total, c'est une bonne affaire* (syn. DANS L'ENSEMBLE, EN SOMME). ◆ adv. (au commencement d'une phrase). *Fam.* Pour finir : *Total, on n'a rien gagné* (syn. fam. BREF, RÉSULTAT). ◆ **totalement** adv. D'une manière totale; tout à fait : *Totalement guéri* (syn. COMPLÈTEMENT). *Il a totalement changé* (syn. ENTIÈREMENT, RADICALEMENT). *Il en est totalement incapable* (syn. ABSOLUMENT). ◆ **totaliser** v. t. (sujet nom de personne). Arriver à un total de : *Totaliser tant de points.* ◆ **totalisateur** ou **totaliseur** n. m. Appareil qui donne le total de certains résultats. ◆ **totalisation** n. f. ◆ **totalité** n. f. **1.** Réunion de tous les éléments de quelque chose : *La totalité des citoyens. Dépenser la presque totalité de son salaire.* — **2.** *En totalité,* totalement (syn. AU COMPLET, INTÉGRALEMENT).

TOTALITAIRE [tɔtalitɛr] adj. (de *total*). *Régime, État totalitaire,* où tous les pouvoirs sont aux mains d'un parti unique et où l'opposition est interdite. ◆ **totalitarisme** n. m. **1.** Système politique des régimes totalitaires. — **2.** Caractère autoritaire et absolu d'une personne (syn. AUTORITARISME).

TOTALITÉ n. f. → TOTAL.

TOTEM [tɔtɛm] n. m. (d'un mot indien). Animal considéré comme l'ancêtre et le protecteur d'un clan à l'intérieur d'une tribu. ◆ **totémique** adj. : *En Océanie et en Amérique, les poteaux totémiques placés à l'entrée des villages résument la succession des ancêtres du clan.* ◆ **totémisme** n. m. Système de caractère religieux, commun à de nombreuses sociétés primitives d'Océanie, d'Afrique et d'Amérique, et dans lequel la tribu est organisée en clans dotés chacun d'un totem.

TOTLEBEN ou **TODLEBEN** (Édouard Ivanovitch, *comte*), ingénieur et général russe (1818-1884). Il se distingua dans la défense de Sébastopol' (1885) et dans l'attaque de Plevna (1877).

TOTTENHAM, faubourg du nord-est de Londres; 113 100 hab.

TOUAMOTOU → TUAMOTOU.

TOUAREGS, peuple nomade du Sahara. Les Touaregs se partagent en un certain nombre de confédérations, dont les principales sont celles du *Hoggar,* de l'*Aïr* et des *Aouellimidens.* Leur nombre est estimé à environ 900 000 individus. Leur organisation sociale est très hiérarchisée. (On écrit parfois *Targui, e* au sing. et *Touareg* au plur.)

TOUAT (le), groupe d'oasis du Sahara algérien; 35 600 hab. Ch.-l. *Adrar.*

TOUBIB [tubib] n. m. (ar. *tbib,* sorcier). *Pop.* Médecin (syn. DOCTEUR).

TOUBKAL *(djebel),* sommet du Haut Atlas (Maroc), point culminant de l'Afrique du Nord; 4 165 m.

TOUCAN [tukɑ̃] n. m. (mot du Brésil). Genre d'oiseaux grimpeurs de l'Amérique tropicale, à bec gros et très long.

1. TOUCHANT [tuʃɑ̃] prép. (de *toucher*). Concernant (littér.) : *Je n'ai rien appris touchant cette affaire* (syn. AU SUJET DE, QUANT À, SUR).

2. TOUCHANT, E adj. → TOUCHER 2.

1. TOUCHE [tuʃ] n. f. (de *toucher*). Chacune des pièces d'un clavier où se posent les doigts : *Les touches blanches et les touches noires d'un piano. Les touches d'une machine à écrire.*

2. TOUCHE [tuʃ] n. f. (même étym.). **1.** En peinture, manière de poser la couleur avec le pinceau : *Une touche légère. Je reconnais sa touche* (syn. fam. PATTE). — **2.** Contraste que fait une couleur avec d'autres couleurs : *Une touche criarde.* — **3.** Manière dont un écrivain dit les choses : *La finesse de touche* (syn. TON).

3. TOUCHE [tuʃ] n. f. (même étym.). **1.** À la pêche, action du poisson qui mord : *Je n'ai pas fait une touche.* — **2.** Fam. *Faire une touche,* plaire à quelqu'un.

4. TOUCHE [tuʃ] n. f. (même étym.). **1.** *Ligne de touche,* ou simplem. *touche,* au football, au rugby, limite latérale du terrain : *Le ballon est sorti en touche.* — **2.** Fam. *Rester, être mis sur la touche,* être écarté d'une activité, d'une affaire (syn. fam. NE PLUS ÊTRE DANS LE COUP).

5. TOUCHE [tuʃ] n. f. (même étym.). *Pierre de touche,* ce qui permet de reconnaître quelque chose : *Ce sera la pierre de touche de son honnêteté* (syn. ÉPREUVE, TEST).

6. TOUCHE [tuʃ] n. f. (même étym.). Pop. *Avoir une drôle de touche,* une drôle d'allure (syn. fam. DÉGAINE).

TOUCHE-À-TOUT n. inv. → TOUCHER 1.

1. TOUCHER [tuʃe] v. t. (bas lat. *toccare*). **1.** *Toucher une chose,* entrer en contact avec elle : *Toucher un objet* (= porter la main sur) [syn. PALPER, TÂTER]. *L'avion touche le sol au bout de la piste d'atterrissage. Navire qui touche le port, la côte* (= qui accoste, qui fait escale). ‖ *Ne pas toucher terre,* aller très vite. — **2.** *Toucher une cible* (personne, animal, chose), l'atteindre au moyen d'un projectile : *Plusieurs bateaux ennemis avaient été touchés par le tir des batteries côtières.* — **3.** *Toucher qq'un,* entrer en relation, communiquer avec lui : *À quelle adresse pourra-t-on vous toucher?* (syn. ATTEINDRE). *Je l'ai touché par téléphone;* être relié à lui par des liens de parenté : *Il nous touche de près* (= il est notre proche parent). — **4.** *Toucher un mot de qqch. à qq'un,* lui en parler brièvement : *Il m'a touché un mot de ses projets.* — **5.** *Toucher qqch., qq'un,* être contigu à cette chose, être au contact de cette personne : *Sa maison touche la mienne.* ◆ v. t. ind. **1.** *Toucher à qq'un,* lui faire du mal : *Ne touche pas à mon frère.* — **2.** *Toucher à qqch.,* porter la main sur cette chose : *Cet enfant touche à tout ce qu'il voit;* porter atteinte à cette chose, y apporter des changements : *On lui reprochait de vouloir toucher à l'ordre établi.* ‖ *Ne pas toucher à un aliment,* ne pas en prendre : *Il n'avait pas faim, il n'a pas touché à son déjeuner.* — **3.** *Toucher au but, au port, à sa fin,* etc., être sur le point d'y arriver. ‖ *Toucher à une question, à un problème délicat,* etc., aborder cette question, ce problème, etc. — **4.** (sujet nom de chose) *Toucher à,* être contigu à : *Sa maison touche à la mienne.* — **5.** Fam. *N'avoir pas l'air d'y toucher,* cacher son jeu, agir sournoisement. — **6.** *Toucher d'un instrument,* en jouer en amateur (littér.). ◆ ***se toucher*** v. pr. Être contigu : *Des maisons qui se touchent.* ◆ **touche-à-tout** n. inv. *Fam.* Se dit d'un enfant qui touche à tout ce qu'il voit, ou d'un adulte qui se disperse en toutes sortes d'activités. ◆ **intouchable** adj. Qu'on ne peut toucher, atteindre, qu'on ne peut critiquer : *Un personnage intouchable.*

2. TOUCHER [tuʃe] v. t. (même étym.). *Toucher qq'un,* éveiller son intérêt, causer chez lui un mouvement affectif (intérêt, sympathie, pitié, mauvaise humeur, etc.) : *Son sort me touche* (syn. ÉMOUVOIR). *Cela ne me touche en rien* (syn. CONCERNER). *Il a été touché au vif par ce reproche* (syn. PIQUER). ◆ **touchant, e** adj. Qui touche le cœur : *Des paroles touchantes* (syn. ÉMOUVANT). *Un adieu touchant* (syn. BOULEVERSANT, DÉCHIRANT).

3. TOUCHER [tuʃe] v. i. (même étym.). *Toucher de l'argent, une ration,* etc., percevoir cet argent, cette ration, etc. : *Il touchait moins de mille francs par mois* (syn. GAGNER). *Toucher un chèque* (= se le faire payer).

4. TOUCHER [tuʃe] n. m. (de *toucher* 1). Celui des cinq sens à l'aide duquel on reconnaît, par le contact direct de certains organes, la forme et l'état extérieur des corps : *On distingue dans le toucher cinq sensations différentes : contact, pression, chaleur, froid, douleur, perçues chacune par des points précis de la peau.*

TOUCOULEURS, peuple du Sénégal et de la Guinée.

TOUCY, ch.-l. de cant. de l'Yonne, à 24 km au S.-O. d'Auxerre; 2 800 hab. Patrie de P. Larousse.

TOUEN-HOUANG, v. de Chine (Kan-sou). Dans la région, grottes des Mille Bouddhas, ornées de peintures (Ve-Xe s.).

TOUFFE [tuf] n. f. (orig. obscure). Groupement de plantes ou de poils rapprochés en bouquet : *Une touffe d'herbe, de cheveux.* ◆ **touffu, e** adj. **1.** Qui est en touffes épaisses : *Un bois touffu. Une végétation touffue* (syn. LUXURIANT). *Une barbe touffue* (syn. FOURNI). — **2.** Se dit d'une création de l'esprit obscure par suite de l'enchevêtrement d'éléments complexes : *Un discours touffu* (syn. EMBROUILLÉ).

TOU FOU, poète chinois (712-770). Ami de Li Po, il a tiré de la peinture de la guerre et de sa misère personnelle une poésie originale *(Tou che king ts'iuan).*

TOUGGOURT, oasis du Sahara algérien; 83 800 hab.

TOUILLER [tuje] v. t. (lat. *tudiculare,* broyer). *Pop.* Remuer, agiter, mélanger : *Touiller la salade* (= la tourner).

TOUJOURS adv. → JAMAIS.

TOUKHATCHEVSKI (Mikhaïl), maréchal soviétique (1893-1937). Il commanda une armée contre les Polonais (1920), puis, comme chef d'état-major et disciple de Trotski, fut le véritable créateur de l'Armée rouge. Accusé de trahison par Staline, il fut fusillé. Il a été réhabilité.

TOUL, ch.-l. d'arrond. de Meurthe-et-Moselle, sur la Moselle et le canal de la Marne au Rhin, à 23 km à l'O. de Nancy; 17 750 hab. *(Toulois).* Anc. place forte, Toul fut autrefois l'un des *Trois-Évêchés* lorrains, indépendants du duc de Lorraine. En 1552, Henri II l'occupa grâce au duc de Guise, et le traité de Westphalie (1648) en confirma la possession à la France.

TOULA, v. de l'U. R. S. S., au S. de Moscou; 510 000 hab. Matériel agricole.

TOULON, ch.-l. du dép. du Var, sur la Méditerranée, à 840 km au S.-E. de Paris; 181 400 hab. *(Toulonnais).* Grande base navale à l'avenir incertain. Toulon est le centre d'une agglomération deux fois plus peuplée, étendue de La Seyne-sur-Mer à Hyères. L'essor rapide des dernières années est davantage lié au retour des Européens d'Algérie qu'au développement de l'économie, insuffisamment diversifiée.

TOULOUSE, ch.-l. du dép. de la Haute-Garonne, sur la Garonne, à 679 km au S. de Paris; 354 300 hab. *(Toulousains).*

Ville-marché, grand carrefour entre le Bassin aquitain et le Languedoc méditerranéen, le Massif central et les Pyrénées, Toulouse s'est fortement industrialisée, devenant notamment un centre de l'industrie aéronautique et de la chimie. La ville, qui est la capitale de la Région Midi-Pyrénées, demeure en outre un grand centre administratif et universitaire, et a été promue au rang de métropole d'équilibre. La progression rapide de l'agglomération (550 000 hab. env.) a imposé la création d'une cité satellite au S.-O., *Le Mirail.*

À l'époque carolingienne, Toulouse fut la capitale du royaume d'Aquitaine. La ville fut ravagée pendant la croisade contre les albigeois (XIIe s.), et Simon de Montfort y fut tué en en faisant le siège (1218). Le puissant comté de Toulouse fut incorporé au domaine royal en 1271.

BEAUX-ARTS. La ville possède d'importants monuments : églises Saint-Sernin (romane, XIe-XIIe s.) et des Jacobins (à deux nefs, XIIIe s.), cathédrale Saint-Étienne, Capitole (hôtel de ville, XVIIIe s.), hôtels Renaissance.

TOULOUSE-LAUTREC (Henri DE), peintre français (1864-1901). Il a peint des scènes de music-hall et de divers lieux de plaisir en observateur parfois féroce. Excellent dessinateur, il sut exprimer la personnalité de ses modèles, gens du spectacle pour la plupart. Il a laissé une œuvre importante, dont de remarquables affiches et des lithographies. Il est représenté au musée d'Albi qui porte son nom.

TOUNDRA [tundra] n. f. (mot russe). Dans les régions de climat très froid (généralement, au N. du cercle polaire ou en haute montagne), formation végétale discontinue qui comprend quelques graminacées, des lichens et quelques arbres nains formant de petits buissons (bouleaux) [syn. BARREN GROUNDS]. (La toundra occupe notamment la Sibérie septentrionale et le nord du Canada.)

TOUNGOUSES ou **TOUNGOUZES,** peuple de race mongole, disséminé à travers toute la Sibérie orientale, de l'Ienisseï au Pacifique (U. R. S. S. et Chine du Nord-Est).

TOUNGOUSKA, nom de trois riv. de la Sibérie, affl. de l'Ienisseï (r. dr.) : la *Toungouska Inférieure* (2 989 km), la *Toungouska Moyenne* (1 865 km), la *Toungouska Supérieure* ou Angara*.

1. TOUPET [tupɛ] n. m. (de l'anc. fr. *top,* pointe). Fam. *Avoir du toupet,* de l'audace, une hardiesse irrespectueuse : *Quel toupet!* (syn. APLOMB, EFFRONTERIE; pop. CULOT).

2. TOUPET [tupɛ] n. m. (même étym.). *Un toupet de cheveux,* une petite touffe de cheveux.

1. TOUPIE [tupi] n. f. (de l'angl. *top,* pointe). Jouet d'enfant, formé d'une masse ronde munie d'une pointe, sur laquelle elle pivote.

2. TOUPIE [tupi] n. f. (même étym.). Machine pour le travail du bois, avec laquelle on exécute les moulures et les entailles.

TOUQUE [tuk] n. f. (orig. incert.). Récipient métallique pour le transport de certains produits : *Une touque de pétrole.*

TOUQUES (la), fl. côtier de Normandie, qui se jette dans la Manche à Trouville; 108 km.

TOUQUET-PARIS-PLAGE (Le), comm. du Pas-de-Calais, à 27 km au S. de Boulogne; 5600 hab. Station balnéaire.

1. TOUR n. m. → TOURNER 1, 2, 3, 4 et 5.

2. TOUR [tur] n. f. (lat. *turris*). **1.** Bâtiment étroit et élevé : *La grande tour d'un château* (syn. DONJON). *La tour Maine-Montparnasse à Paris. La tour Eiffel.* ‖ *Tour de contrôle,* bâtiment qui domine un aérodrome et d'où se fait le contrôle des envols et des atterrissages. — **2.** Aux échecs, pièce en forme de tour à créneaux. — **3.** *Tour d'ivoire,* isolement et refus de s'engager : *S'enfermer dans sa tour d'ivoire.* ◆ **tourelle** n. f. **1.** Petite tour en haut d'un mur ou d'une tour de château. — **2.** Abri blindé d'une pièce d'artillerie : *La tourelle d'un char de combat.*

3. TOUR [tur] n. m. (de *tourner*). Circonférence d'un objet ou d'un lieu plus ou moins circulaire : *Avoir soixante-cinq centimètres de tour de taille. Une piste de quatre cent mètres de tour.*

4. TOUR [tur] n. m. (même étym.). **1.** Exercice difficile, demandant de l'habileté : *Un tour de prestidigitation. Un tour de cartes.* — **2.** *Tour de force,* action difficile, remarquablement réussie. ‖ *En un tour de main,* rapidement et avec aisance. — **3.** *Jouer un tour, des tours à qq'un,* user de malice, d'un stratagème aux dépens de quelqu'un : *Je vais lui jouer un tour de ma façon;* faire une plaisanterie à quelqu'un : *Il lui a joué un bon tour* (syn. FARCE). ‖ *Cela vous jouera des tours,* cela vous fera du tort. ‖ *Le tour est joué,* la chose est faite.

5. TOUR [tur] n. m. (même étym.). **1.** Moment où une personne fait quelque chose à son rang, dans une série d'actions du même ordre : *C'est votre tour maintenant. Chacun son tour.* — **2.** *C'est à son tour,* c'est à lui, c'est son tour. ‖ *Tour de chant,* interprétation d'une série de chansons. — LOC. ADV. *Tour à tour,* en alternant une chose, puis une autre : *Ils lisaient à deux voix, chacun tour à tour* (syn. ALTERNATIVEMENT, L'UN APRÈS L'AUTRE).

6. TOUR [tur] n. m. (même étym.). Méd. *Tour de reins,* foulure, entorse dans la région lombaire.

7. TOUR [tur] n. m. (même étym.). — LOC. ADV. *À tour de bras,* de toute la force du bras : *Taper à tour de bras sur qq'un.*

TOURAINE, région du sud-ouest du Bassin parisien, de part et d'autre de la vallée de la Loire, formant aujourd'hui le dép. d'Indre-et-Loire. (Hab. *Tourangeaux.*)

TOURBE [turb] n. f. (frq. *turba*). Charbon de qualité médiocre, contenant encore des débris de végétaux identifiables, qui se forme dans les tourbières par décomposition de certaines plantes (carex, sphaignes) : *Ne contenant que 60 p. 100 de carbone, la tourbe est un combustible qui dégage beaucoup de fumée et laisse des cendres.* ◆ **tourbeux, euse** adj. Qui contient de la tourbe : *Un sol tourbeux.* ◆ **tourbière** n. f. **1.** Marécage où se forme la tourbe. — **2.** Gisement de tourbe : *Exploiter une tourbière.*

TOURBILLON [turbijɔ̃] n. m. (du lat. *turbo, -inis*). **1.** Masse d'air, de gaz, etc., qui se déplace en tournoyant rapidement : *Des tourbillons de poussière.* — **2.** Remous violent : *Les tourbillons d'un fleuve.* — **3.** Ce qui entraîne dans un mouvement irrésistible : *Le tourbillon de la vie moderne.* ◆ **tourbillonner** v. i. Tournoyer rapidement, former des tourbillons. ◆ **tourbillonnant, e** adj. : *Des valses tourbillonnantes.* ◆ **tourbillonnement** n. m. Mouvement en tourbillon.

TOURCOING, ch.-l. de cant. du Nord, à 13 km au N. de Lille; 97100 hab. *(Tourquennois).* Grand centre textile, formant avec Lille et Roubaix la première conurbation française.

TOUR-DU-PIN (La), ch.-l. d'arrond. de l'Isère, à 55 km au S.-E. de Lyon, sur la Bourbre, affl. du Rhône; 7000 hab. Textiles.

TOURÉ (Sékou), homme d'État guinéen (1922-1984). Il a dirigé la Guinée depuis son indépendance (1958).

TOURELLE n. f. → TOUR 2.

TOURET n. m. → TOURNER 3.

TOURGUENIEV (Ivan Sergheïevitch), écrivain russe (1818-1883). Auteur de romans et de nouvelles (*Récits d'un chasseur,* 1852; *Pères et Fils,* 1862; *les Eaux printanières,* 1872), de pièces de théâtre (*Un mois à la campagne,* 1879), il fut très influencé par la pensée occidentale.

TOURIÈRE [turjɛr] adj. f. (de *tour,* armoire cylindrique tournant sur un pivot). *Sœur tourière,* religieuse non cloîtrée, chargée des relations avec l'extérieur.

TOURISME [turism] n. m. (angl. *tourism*). **1.** Action de voyager pour le plaisir ou pour se cultiver : *Faire du tourisme.* — **2.** Ensemble des problèmes financiers, culturels, techniques posés par les déplacements massifs de touristes : *Une agence de tourisme.* ◆ **touriste** n. **1.** Personne qui voyage pour son agrément ou pour se cultiver : *L'invasion des touristes* (syn. VACANCIER). — **2.** *Classe touriste,* en avion, en bateau, classe intermédiaire entre la classe de luxe et les classes à tarif réduit. ◆ **touristique** adj. **1.** Relatif au tourisme : *Guide touristique. Billet, menu, prix touristique* (= destiné à attirer les touristes par son caractère avantageux). — **2.** Qui attire les touristes : *Une région touristique.*

TOURLAVILLE, ch.-l. de cant. de la Manche, dans la banlieue est de Cherbourg; 15700 hab.

TOURMALET *(col du),* col des Pyrénées françaises, entre la vallée de Campan et celle de Gavarnie; 2115 m.

TOURMALINE [turmalin] n. f. (mot cingalais). Minéral de couleur variée, que l'on trouve souvent dans des filons associés aux granites : *La tourmaline forme des prismes allongés qui s'électrisent par la chaleur ou le frottement.*

TOURMENT [turmɑ̃] n. m. (lat. *tormentum*). Très grande douleur physique ou morale (littér.) : *Cette affaire lui a donné bien du tourment* (syn. PRÉOCCUPATION, TRACAS). ◆ **tourmenter** v. t. **1.** (sujet nom de chose ou de personne) *Tourmenter qq'un,* lui causer une souffrance morale : *Ce remords le tourmente* (syn. OBSÉDER, RONGER, TENAILLER, TORTURER). — **2.** (sujet nom de chose) *Tourmenter qq'un,* le préoccuper vivement : *Il est tourmenté par l'ambition d'arriver.* ◆ **se tourmenter** v. pr. Se faire des soucis : *Ne vous tourmentez pas pour si peu* (syn. SE CHAGRINER, S'INQUIÉTER). ◆ **tourmentant, e** adj. Qui tourmente continuellement : *Une idée tourmentante.* ◆ **tourmenté, e** adj. **1.** Se dit d'une personne (ou de son attitude) en proie à des tourments : *C'est une âme tourmentée.* — **2.** *Une époque tourmentée,* agitée par des troubles (syn. TROUBLÉ). — **3.** Se dit d'une œuvre d'art dont l'aspect, le style est exagérément compliqué. — **4.** Se dit d'un relief du sol qui a des irrégularités nombreuses et brusques : *Un paysage tourmenté* (syn. ACCIDENTÉ, MONTUEUX, VALLONNÉ).

TOURMENTE [turmɑ̃t] n. f. (bas lat. *tormenta*). **1.** Troubles politiques ou sociaux : *La tourmente révolutionnaire.* — **2.** Tempête, bourrasque violente (littér.).

TOURMENTÉ, E adj., **TOURMENTER** v. t. → TOURMENT.

TOURNAGE n. m. → TOURNER 7.

TOURNAI, v. de Belgique (Hainaut); 70700 hab. Anc. capit. des Nerviens. Tournai devint au Ve s. celle des rois mérovingiens. Par les traités d'Utrecht et de Rastatt (1713-1714), elle fut incorporée aux Pays-Bas autrichiens et suivit dès lors le sort de la Belgique. Du XIVe s. au XVIe s., Tournai fut un centre de tapisserie.

TOURNAILLER v. i. → TOURNER 2.

TOURNAN-EN-BRIE, ch.-l. de cant. de Seine-et-Marne, à 35 km au S.-E. de Paris; 4900 hab.

TOURNANT, E adj. et n. m. → TOURNER 1, 2 et 6.

TOURNÉ, E adj. → TOURNER 4, 5 et 8.

TOURNE-À-GAUCHE [turnagoʃ] n. m. inv. (*tourne, à,* et *gauche*). *Technol.* **1.** Outil qui maintient le taraud pour faire les pas de vis. — **2.** Outil qui sert à donner de la voie aux scies.

TOURNE-DISQUE [turnədisk] n. m. (de *tourner,* et *disque*). Appareil fonctionnant sur le courant électrique ou avec des piles, qui sert à écouter des disques (syn. ÉLECTROPHONE). ‖ Pl. des *tourne-disques.*

TOURNEDOS [turnədo] n. m. (de *tourner,* et *dos*). Tranche épaisse de filet de bœuf.

TOURNÉE [turne] n. f. (de *tourner*). **1.** Voyage à itinéraire déterminé, que fait un fonctionnaire, un commerçant, un représentant, une troupe de théâtre : *Une tournée d'inspection. Une tournée électorale. Le facteur fait sa tournée. Une tournée théâtrale.* — **2.** *Faire la tournée de,* visiter tour à tour : *Faire la tournée des cafés.* ‖ *Faire la tournée des grands-ducs,* aller dans les grands restaurants et les boîtes de nuit. — **3.** Pop. *Offrir, payer une tournée,* un ensemble de consommations dans un café.

TOURNEFORT (Joseph PITTON DE), botaniste et voyageur français (1656-1708). Sa classification du règne végétal fait de lui le précurseur de Linné.

TOURNEMAIN (EN UN) [ɑ̃nœturnəmɛ̃] loc. adv. (de *tourner,* et *main*). D'une façon rapide et experte (littér.) : *Il a résolu cette difficulté en un tournemain* (syn. usuel EN UN TOUR DE MAIN).

TOURNE-PIERRE [turnəpjɛr] n. m. (de *tourner,* et *pierre*). Oiseau migrateur nichant au N. de l'Europe et de l'Asie : *Le tourne-pierre fréquente les rivages marins où il recherche sa nourriture de vers et de mollusques en retournant les cailloux.* ‖ Pl. des *tourne-pierres.* (Famille des pluviers.)

1. TOURNER [turne] v. t. (lat. *tornare,* façonner au tour) [sujet nom de personne ou de chose]. *Tourner une chose,* lui imprimer un mouvement circulaire : *Tourner une manivelle. Tourner une salade* (syn. REMUER). ◆ v. i. **1.** (sujet nom de chose) Être animé d'un mouvement de rotation : *La roue tourne. Le moteur tourne à plein régime.* — **2.** *Fam.* Fonctionner, être en activité : *L'usine tourne toute l'année sans interruption.* — **3.** Fam. *Tourner rond,* fonctionner, aller convenablement : *Tu as l'air soucieux, qu'est-ce qui ne tourne pas rond?* (= qu'est-ce qui ne va pas?). ◆ **tournant, e** adj.

1. *Un fauteuil tournant* (= qui pivote). — **2.** *Grève tournante*, qui concerne successivement divers secteurs. ◆ **tournoyer** v. i. (sujet nom d'être animé ou de chose). Tourner sur soi, décrire des cercles : *Des oiseaux tournoyaient dans le ciel. Les feuilles mortes tournoient* (syn. TOURBILLONNER). ◆ **tour** n. m. Mouvement d'un corps qui tourne sur lui-même : *Un tour de manivelle. Fermer sa porte à double tour* (= en tournant deux fois la clé dans la serrure). ◆ **demi-tour** n. m. Mouvement de rotation sur soi-même ou autour d'un axe qui oriente dans le sens opposé : *Resserrer un écrou d'un demi-tour de clé.* ‖ *Faire demi-tour*, revenir sur ses pas. ‖ Pl. des *demi-tours*.

2. TOURNER [turne] v. t. (même étym.). *Tourner un lieu, un obstacle*, etc., passer autour, l'éviter : *Tourner une montagne* (syn. CONTOURNER). *Tourner les positions de l'ennemi* (= l'encercler, exécuter un mouvement enveloppant). ‖ *Tourner une difficulté, une loi*, etc., l'éluder, s'y soustraire habilement. ◆ v. i. **1.** *Tourner autour de qq'un, de qqch.*, se mouvoir ou être disposé plus ou moins circulairement autour : *La Terre tourne autour du Soleil. Les mouches tournent autour de nous* (syn. TOURBILLONNER). *Cet enfant tourne sans arrêt autour de moi* (syn. fam. TOURNAILLER, TOURNICOTER, TOURNIQUER). — **2.** Fam. *Tourner autour du pot*, hésiter, tergiverser. ‖ *Tourner autour de qq'un*, avoir des intentions malveillantes à son égard; chercher à capter sa bienveillance. ‖ Fam. *Tourner autour d'une femme*, la courtiser. — **3.** (sujet nom de chose) Avoir pour centre d'intérêt : *Toute l'affaire tourne autour de cette question.* ◆ **tournant, e** adj. *Mouvement tournant*, opération pour contourner l'ennemi; manière habile pour tromper quelqu'un sur ses intentions. ◆ **tour** n. m. **1.** Mouvement plus ou moins circulaire autour de quelque chose ou de quelqu'un : *Un tour de piste* (= le circuit bouclé par les coureurs sur une piste). *Faire un tour de jardin pour se dégourdir les jambes. Un reporter qui fait le tour du monde. L'aiguille fait le tour du cadran. La nouvelle a fait le tour de la ville* (= s'est répandue dans toute la ville). — **2.** *Faire le tour d'une question*, en examiner les principaux points. ‖ *Faire le tour du propriétaire*, faire une inspection des lieux qu'on possède. ‖ Fam. *Faire un tour*, faire une promenade et revenir au point de départ : *Faire un tour en ville.* ◆ **tournailler, tournicoter, tourniquer** v. i. **1.** *Fam.* Aller et venir sans but, tourner sur place : *Tournailler dans sa chambre. Il ne faisait que tournicoter dans la pièce.* — **2.** Fam. *Tournailler (tournicoter, tourniquer) autour de*, tourner autour de quelqu'un ou de quelque chose de manière insistante, gênante.

3. TOURNER [turne] v. t. (même étym.). *Tourner un objet*, le travailler avec la machine appelée *tour : Tourner un pied de table.* ◆ **tour** n. m. Machine-outil servant à façonner une pièce montée sur arbre animé d'un mouvement de rotation, par enlèvement de matière. ‖ *Tour de potier*, machine rudimentaire, actionnée au pied et comprenant un plateau tournant sur lequel on dispose, pour être façonné à la main, un bloc de terre glaise. ◆ **touret** n. m. Petite machine-outil, pour meuler ou polir. ◆ **tourneur, euse** n. Ouvrier, ouvrière qui travaille sur un tour : *Tourneur sur bois, sur métaux.*

4. TOURNER [turne] v. t. (même étym.). **1.** Exprimer, présenter d'une certaine manière sa pensée, ses idées, par l'écriture ou par la parole : *Il tourne bien ses lettres. Tourner un compliment.* — **2.** *Tourner qqch. en plaisanterie*, en faire une plaisanterie. ‖ *Tourner qq'un ou qqch. en ridicule, en dérision*, le ridiculiser. ◆ **tourné, e** adj. *Bien tourné*, bien rédigé, bien écrit, bien dit : *Son compliment était bien tourné.* ‖ *Esprit mal tourné*, disposé à interpréter les choses de manière désagréable ou scabreuse. ◆ **tour** n. m., **tournure** n. f. *Tour (tournure) de phrase*, manière de tourner la pensée : *C'est un tour (une tournure) qu'il affectionne.* ‖ *Tour (tournure) d'esprit*, manière de voir les choses, de les présenter : *Un tour d'esprit enjoué* (syn. DISPOSITION, FORME).

5. TOURNER [turne] v. i. (même étym.). **1.** (sujet nom de chose) Évoluer de telle ou telle façon : *La discussion tourne à son avantage.* ‖ *Tourner court*, être brusquement arrêté dans son développement : *Ses projets ont tourné court* (= ont avorté). — **2.** (sujet nom de personne) *Tourner bien, mal*, être en bonne, mauvaise voie : *Il a mal tourné* (= sa conduite est devenue répréhensible). ◆ **tourné, e** adj. Qui est fait de telle ou telle façon : *Avoir la taille bien tournée* (= bien proportionnée). ◆ **tour** n. m., **tournure** n. f. Aspect, allure que prend quelque chose : *Je n'aime pas le tour (la tournure) que prennent les événements. La discussion prend un tour (une tournure) déplaisant(e).*

6. TOURNER [turne] v. t. (même étym.). **1.** *Tourner qqch.*, le diriger, l'orienter : *Tourner les yeux vers qq'un. Tourner ses pieds en dedans, en dehors. Tourner un tableau vers le haut. Tourner ses efforts, ses pensées vers qq'un, vers qqch. Tourner la tête à droite, à gauche.* — **2.** *Tourner le dos à qq'un*, refuser de le voir, par mépris. ‖ *Tourner la tête à qq'un*, l'enivrer (sujet nom de chose) : *Le vin lui tourne la tête. Cette odeur me tourne la tête* (= est entêtante); lui inspirer des sentiments qui lui font perdre toute objectivité (sujet nom de personne) : *Elle lui a tourné la tête.* ◆ v. i. **1.** Prendre une autre direction : *Au premier carrefour, vous tournerez à droite.* — **2.** Fam. *Tourner de l'œil*, s'évanouir. ‖ *La tête lui tourne*, il a le vertige, ou il ne raisonne plus sainement. ◆ ***se tourner*** v. pr. (sujet nom d'être animé). *Se tourner d'un côté de, vers* (avec un nom de lieu, de chose), se placer face, regarder en direction de : *Se tourner vers la porte. De quelque côté qu'on se tourne on ne voit pas de chemin* (syn. SE DIRIGER, S'ORIENTER). ‖ *Se tourner vers une profession, vers des études*, etc., s'y préparer, s'y engager. ◆ **tournant** n. m. **1.** Endroit où un chemin, une rivière fait un coude : *Un tournant en épingle à cheveux* (syn. VIRAGE). ‖ Fam. *Avoir, rattraper qq'un au tournant*, se venger dès que l'occasion se présente. — **2.** Moment capital où les événements changent de direction : *Être à un tournant de sa vie.* ◆ **tournis** n. m. *Fam.* Vertige.

7. TOURNER [turne] v. t. (même étym.). *Tourner un film*, le faire, en réaliser les images; jouer un rôle dans ce film. ‖ *Tourner une scène, des extérieurs*, etc., les filmer. ◆ **tournage** n. m : *Le tournage d'un film.*

8. TOURNER [turne] v. i. (même étym.). *Lait, vin qui tourne*, qui devient aigre. ◆ **tourné, e** adj. : *Du lait tourné* (syn. CAILLÉ).

TOURNESOL [turnəsɔl] n. m. (it. *tornasole*, qui se tourne vers le soleil). Plante annuelle de la famille des composées : *Les grands capitules jaunes du tournesol s'orientent toujours vers le soleil.*

TOURNEUR, EUSE n. → TOURNER 3.

TOURNEVIS [turnəvis] n. m. (de *tourner*, et *vis*). Outil en acier, dont l'une des extrémités est enfoncée dans un manche, et dont l'autre est aplatie pour visser ou dévisser des vis.

TOURNICOTER v. i., **TOURNIQUER** v. i. → TOURNER 2.

TOURNIQUET [turnikɛ] n. m. (de *tourner*). Croix mobile posée horizontalement sur un pivot, placée à une entrée pour ne laisser passer qu'une personne à la fois.

TOURNIS n. m. → TOURNER 6.

TOURNOI [turnwa] n. m. (de *tournoyer*). **1.** Au Moyen Âge, fête guerrière où les chevaliers combattaient à cheval, soit un contre un, soit par couples. — **2.** Compétition comprenant plusieurs séries de manches, mais ne donnant pas lieu à l'attribution d'un titre : *Un tournoi de tennis, d'échecs.*

TOURNON, ch.-l. d'arrond. de l'Ardèche, sur le Rhône, à 18 km au N. de Valence; 9 700 hab. *(Tournonais).* Textiles.

TOURNOYER v. i. → TOURNER 1.

TOURNURE n. f. → TOURNER 4 et 5.

TOURNUS, ch.-l. de cant. de Saône-et-Loire, à 30 km au N. de Mâcon, sur la Saône; 7 300 hab. *(Tournusiens).* Anc. abbatiale, l'église Saint-Philibert est un remarquable édifice roman (Xᵉ-XIIᵉ s.). Confection.

TOURS, ch.-l. du dép. d'Indre-et-Loire, sur la Loire; 136 500 hab. *(Tourangeaux).* Traditionnel centre commercial, fonction due à sa situation géographique, Tours s'est fortement industrialisée (constructions mécaniques et électriques, chimie, s'ajoutant à des activités plus anciennement implantées, travail du bois, faïencerie, imprimerie), ce qui explique le développement rapide d'une agglomération dépassant aujourd'hui 200 000 hab. Université. Centre national d'archéologie urbaine.

1. TOURTEAU [turto] n. m. (de *tourte*, pain rond). Résidu de graines, de fruits dont on a extrait l'huile, le suc, et qu'on donne comme aliment complémentaire au bétail ou qu'on emploie comme engrais.

2. TOURTEAU [turto] n. m. (de l'anc. fr. *tort*, tordu). *Zool.* Crustacé décapode à abdomen court, commun sur les côtes de l'Atlantique.

TOURTERELLE [turtərɛl] n. f. (lat. *turtur*). Oiseau de taille moindre que le pigeon : *On rencontre des tourterelles surtout en Asie et en Afrique.* (Famille des colombinés.) ◆ **tourtereau** n. m. Jeune tourterelle. ◆ n. m. pl. *Fam.* Jeunes gens qui s'aiment tendrement.

TOURVILLE (Anne DE COTENTIN, *comte* DE), maréchal de France (1642-1701). Il fit la guerre contre les pirates barbaresques, servit sous Duquesne, vainquit près de Wight la flotte anglo-hollandaise (1690), essuya un échec près de La Hougue (1692) et remporta en 1693 la bataille du cap Saint-Vincent.

TOUSSAINT [tusɛ̃] n. f. (mot signif. *tous les saints*). Fête catholique, célébrée le 1ᵉʳ novembre, en l'honneur de tous les saints.

TOUSSAINT LOUVERTURE, homme politique et général haïtien (1743-1803). Nommé général de division lors de la cession d'Haïti à la France (1795), il devint le chef des insurgés décidés à créer une république noire. En 1802, il est battu par l'armée de Leclerc envoyée par Bonaparte. Emmené en captivité en France il y meurt peu de temps avant que soit proclamée l'indépendance d'Haïti (1804).

TOUSSER v. i., **TOUSSOTEMENT** n. m., **TOUSSOTER** v. i. → TOUX.

1. TOUT, E, pl. **TOUS, TOUTES** (*tout* se prononce [tu] devant une consonne, [tut] devant une voyelle ou un *h* muet : *tout soldat* [tusɔlda], *tout homme* [tutɔm]; *tous* se prononce [tu], sauf devant une voyelle où il se prononce [tuz] : *tous les jours* [tuleʒur], *à tous égards* [atuzegar]) adj. indéf. et adj. qualificatif (lat. *totus*). *Tout* peut se substituer à l'art. *(tout homme)* ou se placer avant l'art. *(tout le jour)*; il n'est qu'exceptionnellemer enclavé entre l'art. et le nom, dans des mots composés *(la toute puissance, le Tout-Paris)*; il ne se place pas immédiatement aprè le nom auquel il se rapporte. (La valeur de *tout* peut varier selo qu'il est employé au sing. ou au plur., avec ou sans un autr déterminant.) → tableau ci-dessous.

	SANS DÉTERMINANT		AVEC DÉTERMINANT	
singulier	= n'importe quel, chaque (considération de l'unité)	*Tout homme est sujet à l'erreur. Toute peine mérite salaire. Toute vérité n'est pas bonne à dire. Casse-croûte à toute heure. À tout point de vue. De toute manière. À tout propos. À tout instant. En tout cas.*	= la totalité de, entier	*Il a neigé toute la (cette, une) nuit. Il a dépensé tout son argent. Tout un peuple l'acclame.*
singulier	= total, complet sans réserve (valeur intensive; devant un nom abstrait)	*En toute simplicité, humilité, franchise*, etc. (= très simplement, humblement, franchement, etc.). *En tout bien, tout honneur* (= en restant parfaitement honnête, correct). *Un tableau de toute beauté* (= très beau). *De toute éternité* (= depuis toujours). *À toute vitesse.*	= seul, unique	*C'est tout l'effet que cela vous fait? Toute la difficulté consiste à... Tout le secret est de... Tout son art consiste à choisir le bon moment.*
singulier	= seul, unique (précédé de *pour*)	*Pour tout bagage, il n'emportait qu'un parapluie. Pour toute réponse, il se mit à rire.*	= complet, tout à fait, etc. (valeur intensive; peut être aussi considéré comme adverbe)	*C'est tout le portrait de son père* (= le portrait exact). *C'est tout le contraire* (= tout à fait). *Moi tout le premier. Il en a fait toute une histoire.*
pluriel	= n'importe quel (en considérant l'ensemble)	*En tous lieux. De tous côtés. À tous égards. Toutes directions* (sur un panneau indicateur). *En tous cas.*	= l'ensemble des..., n'importe quels (totalité collective)	*Tous les hommes sont sujets à l'erreur. Toutes les personnes qui... De tous les côtés. Dans toutes les directions. Dans tous les cas.*
pluriel	soulignant une apposition récapitulative	*Le courage, la lucidité, l'autorité, toutes qualités nécessaires à un chef.*	marquant la périodicité, l'intervalle	*Tous les deux jours* (= un jour sur deux). *Tous les dix mètres.*
pluriel	soulignant l'association, devant un numéral	*Tous deux ont tort. Vous êtes tous quatre mes amis* (rare). [La série ne va pas au-delà.]	soulignant l'association devant un numéral	*Tous les deux, tous les trois, tous les quatre, tous les cinq, tous les dix, tous les quinze*, etc. (Série illimitée.)

Rem. 1. *Tout le monde* est une locution pronominale équivalant à *tous* [tus], *l'ensemble des gens* (contr. PERSONNE).
2. *Somme toute* est une locution adverbiale équivalant à *en somme, au total.*
3. Dans plusieurs cas, il n'y a guère de différence de sens entre l'emploi sans déterminant et l'emploi avec déterminant. Les constructions sans déterminant ont généralement un caractère plus locutionnel, plus sentencieux, plus littéraire.

2. TOUT, pl. **TOUS, TOUTES** (*tout* se prononce [tu] devant une consonne, [tut] devant une voyelle ou un *h* muet, sauf s'il est suivi d'une pause : *tout passe* [tupas], *tout arrive* [tutariv], *tout ou rien* [tuturjɛ̃] ou, avec une pause [tuurjɛ̃]; *tous* se prononc [tus] : *tous ont compris* [tusɔ̃kɔ̃pri]) pron. indéf. (même étym.) → tableau ci-dessous.

singulier	Désigne l'ensemble des inanimés, s'opposant à *rien*, comme dans le domaine des animés *tout le monde* s'oppose à *personne.*	*On ne peut pas tout savoir. Tout est en ordre dans la pièce. Il veut s'occuper de tout.*
singulier	Désigne des animés avec valeur récapitulative.	*Femmes, moines, vieillards, tout était descendu.*
singulier	Entre dans de nombreuses locutions.	*Après tout, tout bien considéré* (= il n'y a pas d'inconvénient majeur, en fin de compte). *Tout compris* (= en comptant la totalité; sans autres frais). *En tout* (= au total). *En tout et pour tout* (= uniquement). *C'est tout* (= il n'y a rien d'autre, il n'y a rien à ajouter). *Ce n'est pas tout* (= il faut encore considérer ceci...). *À tout prendre* (indique un choix finalement préférable). **Comme tout,** renforce un adjectif ou un adverbe (fam.) : *Il est gentil comme tout* (= très gentil). *Il fait froid comme tout, ici* (= très froid). **Avoir tout de,** ressembler entièrement à : *Avec ces cheveux hirsutes, il a tout d'un sauvage. Il a tout du clown.*
pluriel	Comme représentant, il désigne la totalité des animés ou des inanimés.	*J'ai invité plusieurs amis : tous sont venus. Laisse ces outils à leur place : je me sers de tous.*
pluriel	Comme non-représentant, il désigne la totalité des humains. (Il ne s'emploie pas comme complément d'objet direct : on dit alors *tout le monde.*)	*Tous ont approuvé cette décision. On ne peut pas dire cela à tous* (syn. plus usuel TOUT LE MONDE). *Chacun pour soi et Dieu pour tous.*

Rem. On peut considérer *tous* soit comme un adjectif, soit comme un pronom de reprise dans des constructions telles que : *nous tous, eux tous, les experts se trompent tous, je les aime tous*, etc. Il se prononce alors [tus], et on peut parfois lui substituer *chacun : Nous avons tous (chacun) nos défauts. Elles sont toutes (chacune) chez elles.*

3. TOUT (*tout* se prononce [tu] devant une consonne, [tut] devant une voyelle ou un *h* muet : *tout près* [tuprɛ], *tout autour* [tutotur]) adv. (même étym.). *Tout* marque ordinairement l'intensité ou le degré absolu. → tableau ci-dessous.

tout + adjectif (Invariable, sauf devant un adj. fém. commençant par une consonne ou par un *h* aspiré, auquel cas *tout* prend les marques de genre et de nombre de l'adj. : *toute, toutes.*)	= très, fort, entièrement, tout à fait	*Il est tout content. Ils sont tout contents. Elles sont tout étonnées, toutes contentes. Mes voisines étaient tout heureuses, toutes honteuses.*
	indique un état tel quel, sans modification	*Manger de la viande toute crue. Elle s'est couchée tout habillée. Des bébés tout nus.*
tout + adjectif + **que** (Varie dans les mêmes conditions.)	exprime la concession, avec l'indicatif ou le subjonctif	*Tout malin qu'il est, il s'est trompé* (= quoiqu'il soit très malin). *Tout timide qu'il soit, il a osé protester* (syn. SI... QUE; plus littér. QUELQUE... QUE).
tout + adverbe (avec une série limitée d'averbes)	= très, fort, tout à fait	*Tout près. Tout au loin. Tout au bout. Tout là-bas. Tout aussitôt. Tout simplement. Tout autrement. Tout contre.* (Mais non *tout ici, tout difficilement, etc.*)
tout + préposition	= très, fort, tout à fait	*Tout contre moi. Tout en haut de la colline. Tout près de la ville. Tout au sommet.*
tout + nom (Peut aussi être considéré comme adjectif.)	= entièrement, tout entier	*Elle est tout yeux, tout oreilles* (= très attentive). *Il était tout miel* (fam.) [= très doux, bienveillant].
tout + gérondif	marque la concomitance	*Tout en marchant, il me racontait son histoire* (= pendant qu'il marchait).
	marque la la concession	*Tout en étant très riche, il vit très simplement* (= quoiqu'il soit très riche).
tout entrant dans des locutions adverbiales		**Tout à fait,** entièrement, très, extrêmement : *Il est tout à fait guéri. Vous êtes tout à fait aimable. Il ressemble tout à fait à son frère.* **Tout de même,** cependant, néanmoins : *J'ai failli me perdre, mais j'ai tout de même trouvé la bonne route;* souligne une expression exclamative : *C'est tout de même malheureux! Vous pourriez tout de même faire attention!*

4. TOUT [tu] n. m. (même étym.) [ne s'emploie guère qu'au sing.]. **1.** La totalité, l'ensemble : *Le tout est plus grand que la partie. Les différents chapitres de ce livre forment un tout* (= chacun est solidaire des autres). *Des couleurs qui se fondent en un tout homogène.* — **2.** Ce qui a une importance essentielle : *Peu importe comment il s'y prendra, le tout est qu'il réussisse.* — **3.** *Risquer le tout pour le tout,* risquer de tout perdre ou de tout gagner; s'engager à fond. ‖ *Changer (être différent, etc.) du tout au tout,* complètement : *Depuis sa maladie, il a changé du tout au tout.* ‖ *Ce n'est pas le tout,* cela ne suffit pas, il faut faire autre chose : *Ce n'est pas le tout de pleurer, il faut réparer les dégâts.* — LOC. ADV. *Pas (plus) du tout,* nullement : *Je ne suis pas du tout sûr que ce soit vrai. Ce climat ne lui convient pas du tout. Il n'y a plus du tout d'essence dans le réservoir.* ‖ *Rien du tout,* absolument rien : *Je ne vois rien du tout.*

TOUT-À-L'ÉGOUT [tutalegu] n. m. inv. (de *tout, à,* et *égout*). Système de vidange envoyant directement à l'égout les eaux usées.

TOUT ANKH AMON, pharaon de la XVIIIe dynastie (v. 1354-v. 1346 av. J.-C.). De son règne date le retour officiel au culte d'Amon et la restauration du pouvoir spirituel du clergé de Thèbes. Son tombeau, contenant un magnifique mobilier funéraire (musée du Caire), a été découvert en 1922.

TOUTEFOIS [tutfwa] adv. (de *tout,* et *fois*). Marque une opposition très forte à ce qui vient d'être dit et joue le rôle d'une conjonction de coordination dont la place est variable dans la phrase (vient souvent en appui de *si* et de *et*) : *Je sais que vous n'êtes pas libre ce jour-là; si toutefois vous pouvez venir, nous en serons très heureux* (syn. usuels CEPENDANT, POURTANT). *Cette grippe est bénigne, toutefois demandez au docteur de passer vous voir* (syn. NÉANMOINS).

TOUTOU [tutu] n. m. (onomat.). **1.** Chien, dans le langage enfantin ou familier. — **2.** Fam. *Filer comme un toutou,* se montrer très docile.

TOUT-PUISSANT [tupɥisɑ̃], **TOUTE-PUISSANTE** [tutpɥisɑ̃t] adj. et n. *(tout,* et *puissant).* **1.** Se dit d'une personne qui a un très grand pouvoir (syn. OMNIPOTENT). — **2.** *Le Tout-Puissant,* Dieu. ◆ **toute-puissance** n. f. Puissance absolue.

TOUT-TERRAIN [tuterɛ̃] adj. inv. *(tout,* et *terrain).* Se dit d'un véhicule ou d'un engin capable de circuler sur route et en terrain varié.

TOUT-VENANT [tuvnɑ̃] n. m. (de *tout,* et *venir).* **1.** Charbon non trié et comportant de gros blocs avec de la poussière. — **2.** Marchandises ou personnes qui n'ont pas fait l'objet d'un choix.

TOUX [tu] n. f. (lat. *tussis*). Expiration brusque et sonore de l'air contenu dans les poumons, provoquée par l'irritation des voies respiratoires : *Une quinte de toux.* ◆ **tousser** v. i. **1.** Avoir un accès de toux. — **2.** Imiter le bruit de la toux pour attirer l'attention : *Tousser pour avertir qq'un.* — **3.** Fam. *Moteur qui tousse* (= qui a des ratés). ◆ **toussoter** v. i. Tousser souvent, mais faiblement. ◆ **toussotement** n. m.

TOXICITÉ n. f., **TOXICOLOGIE** n. f., **TOXICOLOGUE** n., **TOXICOMANE** n., **TOXICOMANIE** n. f. → TOXIQUE.

TOXINE [tɔksin] n. f. (all. *Toxin*). *Méd.* Substance toxique élaborée par des bactéries, des parasites, certains champignons. ◆ **antitoxine** n. f. Anticorps produit par l'organisme et qui rend inactive une toxine.

TOXIQUE [tɔksik] adj. (gr. *toxikon,* poison). Se dit de ce qui contient du poison : *Une substance toxique.* ◆ n. m. Substance nocive pour les organismes vivants : *Il y a des toxiques animaux, végétaux, minéraux.* ◆ **toxicité** n. f. : *La toxicité de l'arsenic* (= son caractère toxique). ◆ **toxicologie** n. f. Science relative aux poisons, à leurs effets sur l'organisme. ◆ **toxicologue** n. Spécialiste de toxicologie. ◆ **toxicomanie** n. f. Habitude morbide qu'ont certaines personnes pour les drogues douées d'effet tonique, euphorisant ou analgésique (= qui calme la douleur), dont l'usage prolongé entraîne un état d'intoxication chronique. (→ DROGUE.) ◆ **toxicomane** n. Qui s'adonne à la toxicomanie. ◆ **intoxiquer** v. t. **1.** (sujet nom désignant une substance toxique) *Intoxiquer un être vivant,* lui causer des troubles plus ou moins graves : *Toute la famille a été intoxiquée par des champignons vénéneux* (syn. EMPOISONNER). — **2.** (sujet nom de chose) *Intoxiquer qq'un,* imprégner son esprit au point de le rendre incapable d'une autre activité, de supprimer chez lui tout jugement : *La propagande cherche à intoxiquer l'opinion publique.* ◆ ***s'intoxiquer*** v. pr. : *S'intoxiquer en buvant trop de café.* ◆ **intoxiqué, e** adj. et n. Qui a l'habitude d'absorber certaines substances toxiques (cocaïne, morphine, etc.). ◆ **intoxicant, e**

adj. Se dit de ce qui cause une intoxication. ◆ **intoxication** n. f. **1.** Affection causée par l'introduction dans l'organisme d'une substance toxique : *L'intoxication de plusieurs personnes par le mauvais fonctionnement d'un appareil de chauffage* (syn. EMPOISONNEMENT). → ENCYCL. — **2.** *L'intoxication des esprits par une propagande continuelle.* ◆ **auto-intoxication** n. f. Intoxication due à une substance sécrétée par l'organisme lui-même. (On dit aussi INTOXICATION ENDOGÈNE.) ◆ **désintoxiquer** v. t. **1.** Guérir d'une intoxication : *Désintoxiquer un alcoolique, un toxicomane.* — **2.** Éliminer ce qui empoisonne les esprits. ◆ **désintoxication** n. f. Procédé thérapeutique ayant pour but d'éliminer de l'organisme les poisons ou les toxines qui l'imprègnent : *Cure de désintoxication.*

— ENCYCL. Une *intoxication* peut se faire de deux manières.

Il peut y avoir accumulation de substances toxiques provenant de l'organisme lui-même *(intoxication endogène).* Ceci se passe quand un organe chargé d'éliminer un produit toxique normalement élaboré par l'organisme ne fonctionne plus (ainsi dans l'insuffisance rénale, le rein, au lieu d'éliminer normalement l'urée, l'accumule et son taux augmente dans le sang). Parfois, l'organisme produit anormalement, dans certaines maladies, des substances toxiques qui en sont normalement absentes (c'est le cas du diabète avec défaut d'insuline où la sécrétion d'acétone par l'organisme intoxique le malade).

Les substances toxiques peuvent s'introduire dans l'organisme de façon extérieure *(intoxication exogène).* Elles peuvent être d'origine alimentaire par absorption de conserves, poissons, charcuteries ou viandes avariées; d'origine gazeuse et industrielle par respiration de gaz et produits toxiques tels que le plomb, l'arsenic, certains dérivés du mercure ou d'autres produits utilisés dans l'industrie; d'origine médicamenteuse, si les médicaments sont utilisés à des doses incorrectes ou sans raison.

TOYNBEE (Arnold), historien britannique (1889-1975), auteur d'ouvrages sur les civilisations dont il a établi une théorie cyclique.

TOYOTA, v. du Japon (Honshū); 282 000 hab. Automobiles.

TOZEUR, v. de Tunisie, dans une oasis au bord du chott el-Djérid; 12 500 hab. Dattes.

TRAC [trak] n. m. (orig. obscure). *Fam.* Peur que l'on éprouve au moment de paraître en public, de subir une épreuve.

TRACASSER [trakase] v. t. (de *traquer*) [sujet nom de chose]. *Tracasser qq'un,* lui causer du souci : *La santé de son fils le tracasse* (syn. INQUIÉTER, TOURMENTER). ◆ ***se tracasser*** v. pr. : Se tourmenter : *Elle se tracasse pour ses enfants.* ◆ **tracas** n. m. Souci causé surtout par des choses d'ordre matériel. ◆ **tracasserie** n. f. (surtout au plur.). Ennui causé à quelqu'un à propos de choses peu importantes : *Les tracasseries administratives* (syn. CHICANE). ◆ **tracassier, ère** adj. Qui se plaît à ennuyer : *Un patron tracassier.*

TRACE [tras] n. f. (de *tracer*). **1.** Empreinte laissée par le passage d'une personne, d'un animal, d'un véhicule : *Des traces de pas. Suivre un animal à la trace* (= en se guidant sur les traces qu'il a laissées). ‖ *Suivre les traces, marcher sur les traces de qq'un,* imiter son exemple. — **2.** Marque laissée par une maladie, un coup, un phénomène, sur quelqu'un ou sur quelque chose : *Avoir sur la main des traces de brûlure* (syn. CICATRICE). — **3.** Quantité très faible d'une substance que l'on découvre dans une autre substance : *Déceler des traces de glucose dans le sang.* — **4.** Ce qui reste, ce qui témoigne d'une action passée : *On ne trouve aucune trace de cette bataille à l'endroit où elle a eu lieu* (syn. VESTIGE).

TRACER [trase] v. t. (du lat. *tractus,* trait). **1.** *Tracer un dessin, une figure géométrique,* etc., les représenter au moyen de lignes et de points : *Tracer une ligne droite* (syn. DESSINER). — **2.** Marquer par des lignes les coupes à faire sur un morceau de métal, une pièce de bois, un bloc de pierre. — **3.** *Tracer une route,* en marquer l'emplacement sur le terrain par des lignes, des jalons. ◆ **tracé** n. m. **1.** Ensemble des lignes par lesquelles on représente un dessin, un plan : *Faire le tracé d'une voie ferrée.* — **2.** Parcours suivi par une voie de communication, un cours d'eau, etc. : *Le tracé d'une rivière.* ◆ **traceret** n. m. *Technol.* Outil pour tracer (sens 2 du v. t.). ◆ **traçoir** n. m. Syn de TRACERET.

TRACHÉE [traʃe] n. f. (gr. *trakheia artêria,* artère raboteuse). Canal qui fait communiquer le larynx avec les bronches et qui permet le passage de l'air pendant la respiration. (On dit aussi TRACHÉE-ARTÈRE.) ◆ **trachéite** [trakeit] n. f. Inflammation de la trachée-artère. ◆ **trachéotomie** [trakeotɔmi] n. f. Opération chirurgicale qui consiste à inciser, à ouvrir la trachée-artère.

TRACHYTE [trakit] n. m. (du gr. *trakhus,* rude). Roche volcanique, souvent grisâtre, constituée essentiellement de feldspath : *La dômite dont est formé le puy de Dôme est une variété de trachyte.*

TRAÇOIR n. m. → TRACER.

TRACT [trakt] n. m. (mot angl.; abrév. de *tractate,* traité). Petite feuille de papier imprimée que l'on distribue, ou petite affiche que l'on colle aux murs, à des fins de propagande.

TRACTATIONS [traktasjɔ̃] n. f. pl. (du lat. *tractare,* traiter). Manière de traiter une affaire, une négociation (péjor.) [syn. MARCHANDAGES].

TRACTEUR [traktœr] n. m. (de *traction*). Véhicule automobile servant à remorquer d'autres véhicules ou à tirer des instruments agricoles. ◆ **tracté, e** adj. Se dit de ce qui est tiré par un tracteur.

TRACTION [traksjɔ̃] n. f. (lat. *tractio,* action de tirer). **1.** Action de tirer, de mouvoir, quand la force est placée en avant de la résistance : *La traction d'un wagon.* — **2.** *Mécan.* Mode de travail d'un corps sous l'action d'une force qui tend à l'allonger. — **3.** Mouvement de gymnastique qui consiste à soulever le corps à l'aide des bras. — **4.** *Traction avant,* ou *traction,* automobile dont les roues avant sont motrices.

TRADE-UNION ou **TRADE UNION** [trɛdjunjɔn] n. f. (angl. *trade,* métier, et *union,* union). Syndicat ouvrier en pays anglo-saxon. ‖ Pl. des *trade-unions* ou *trade unions.* ◆ **trade-unionisme** n. f. Mouvement des trade-unions.

— ENCYCL. Les *trade-unions* tirent leur origine des associations constituées au cours du XVIIIe s. par les ouvriers pour défendre leurs intérêts. Mais les lois sur les coalitions (1799-1800) entravent leur développement.

- *1824. Ces lois sont abrogées et les trade-unions se constituent au grand jour.*

Mais l'effondrement du chartisme et la crise économique de 1845-1848 arrêtent leur essor. Cependant, dans les années 1850, sous la direction d'un groupe de chefs syndicalistes remarquables (Allan, Applegarth), le syndicalisme accroît son influence et ses ressources et travaille à améliorer la législation ouvrière.

- *1871-1876. Les réformes de Disraëli reconnaissent aux ouvriers les mêmes droits que ceux des employeurs en matière de contrat de travail et accordent aux associations les mêmes droits qu'aux individus.*

Vers 1880, les idées socialistes pénètrent les trade-unions qui contribuent à mettre sur pied le parti travailliste.

Entre les deux guerres mondiales, le trade-unionisme est très affaibli par des mesures répressives prises à son égard et par la grande crise économique.

Cependant, l'arrivée au pouvoir du parti travailliste en 1945-1951 consolide les trade-unions qui en constituent la force principale.

TRADITION [tradisjɔ̃] n. f. (lat. *traditio;* de *tradere,* livrer). **1.** Transmission de doctrines religieuses ou morales, de légendes, de coutumes, par la parole ou par l'exemple. — **2.** Manière d'agir ou de penser transmise de génération à génération : *Maintenir une tradition à l'intérieur d'une province, d'une famille* (syn. COUTUME). ‖ *Être de tradition* ou *une tradition,* être habituel, voulu par l'usage en telle ou telle circonstance : *Cette réception à Noël est une tradition dans la famille.* ◆ **traditionalisme** n. m. Attachement aux idées, aux coutumes transmises par la tradition. ◆ **traditionaliste** adj. et n. : *Une famille traditionaliste.* ◆ **traditionnel, elle** adj. Fondé sur une tradition, sur un long usage : *Des opinions traditionnelles* (syn. CONFORMISTE). *Le traditionnel défilé du 14-Juillet* (syn. HABITUEL). ◆ **traditionnellement** adv. Selon la tradition.

1. TRADUIRE [tradɥir] v. t. (lat. *traducere,* faire passer). [Conj. **70.**] **1.** (sujet nom de personne) *Traduire un texte, un discours,* etc., les faire passer d'une langue dans une autre : *L'interprète traduisait ses paroles d'anglais en français.* — **2.** (sujet nom de personne ou de chose) *Traduire une chose* (abstraite), l'exprimer d'une certaine façon : *Traduisez plus clairement votre pensée. Son attitude traduisait son impatience* (syn. TRAHIR). ◆ ***se traduire*** v. pr. (sujet nom de chose). Se manifester : *La joie se traduisait sur son visage.* ◆ **traduction** n. f. **1.** Action, manière de traduire : *Une traduction littérale* (= mot à mot). ‖ *Traduction automatique,* traduction d'un texte effectuée au moyen de machines électroniques. — **2.** Ouvrage traduit : *Acheter une traduction de Shakespeare.* ◆ **traducteur, trice,** n. Personne qui traduit. ◆ **traduisible** adj. (souvent dans des phrases négatives) : *Un texte difficilement traduisible.* ◆ **intraduisible** adj. : *Une expression intraduisible dans une autre langue.*

2. TRADUIRE [tradɥir] v. t. (même étym.). [Conj. **70.**] *Traduire qq'un en justice,* l'appeler devant un tribunal.

TRAFALGAR, cap d'Espagne, au N.-O. du détroit de Gibraltar.

- *1805. Victoire navale de Nelson sur les flottes réunies de la France et de l'Espagne.*

Trafalgar Square, place de Londres, près de la Tamise, où a été érigée une colonne en l'honneur de Nelson.

1. TRAFIC [trafik] n. m. (it. *traffico*). **1.** Commerce clandestin, illégal : *Faire le trafic des stupéfiants.* ‖ *Trafic triangulaire,* opération commerciale pratiquée aux XVIIe-XVIIIe s. par les négriers, et qui consistait à aller échanger sur les côtes de Guinée des produits européens contre des esclaves, à vendre ceux-ci aux Antilles et à rapporter en Europe les produits antillais (sucre, cacao). — **2.** *Trafic d'influence,* infraction pénale commise par celui qui se fait rémunérer pour obtenir ou tenter de faire obtenir un avantage de l'autorité publique. ◆ **trafiquer** v. i. Se livrer à des opérations commerciales clandestines et illégales : *Il s'est enrichi en trafiquant pendant la guerre.* ◆ v. t. Fam. *Trafiquer un produit,* le falsifier : *Trafiquer un vin* (syn. FRELATER). ◆ **trafiquant, e** n. Personne qui se livre à un commerce malhonnête.

2. TRAFIC [trafik] n. m. (même étym.). **1.** Mouvement, circulation des trains sur une voie ferrée, des voitures sur une route, les avions sur une ligne aérienne. — **2.** Circulation des marchandises : *Dans ce port, le trafic est en augmentation.*

TRAGÉDIE [traʒedi] n. f. (lat. *tragoedia*). **1.** Œuvre dramatique dont le sujet est le plus souvent emprunté à la légende ou à l'histoire et qui, mettant en scène des personnages illustres, représente une action destinée à provoquer la pitié ou la terreur par le spectacle des passions humaines et des catastrophes qui en sont la fatale conséquence : *Les tragédies de Corneille, de Racine, de Voltaire.* → ENCYCL. — **2.** Événement funeste, terrible : *Il est à craindre que cette situation ne finisse par une tragédie.* ◆ **tragédien, enne** n. Acteur, actrice qui interprète surtout des tragédies. ◆ **tragique** adj. (après ou avant le nom). **1.** Relatif à la tragédie. — **2.** Se dit de ce qui éveille la terreur ou la pitié par son caractère effrayant ou funeste : *Une situation tragique* (syn. ANGOISSANT, DRAMATIQUE). *Un tragique accident* (syn. EFFROYABLE, TERRIBLE). ◆ n. m. **1.** Auteur de tragédies : *Corneille, Racine sont nos plus grands tragiques.* — **2.** Caractère de ce qui est terrible, funeste : *Considérer avec sang-froid le tragique de la situation.* ◆ **tragiquement** adv. : *Une aventure qui finit tragiquement* (= dans des circonstances dramatiques). ◆ **tragi-comédie** n. f. **1.** Œuvre dramatique où le tragique se mêle au comique. — **2.** Mélange d'événements graves et d'événements comiques. ‖ Pl. des *tragi-comédies.* ◆ **tragi-comique** adj. Qui contient du tragique et du comique : *Une situation tragi-comique.*

— ENCYCL. La *tragédie,* qui est à l'origine même du théâtre, est née dans la Grèce antique, du culte de Dionysos. Au cours des fêtes consacrées au dieu, des chœurs exécutaient un chant en son honneur (le « dithyrambe »), donnant la réplique à un chanteur, le « coryphée ». Les parties lyriques chantées par le chœur alternaient avec les divers épisodes de l'action (correspondant aux actes du théâtre moderne). La forme définitive de ce spectacle, d'origine populaire, semble avoir été fixée à partir du VIe s. av. J.-C., et complétée, au Ve s. av. J.-C., par Eschyle*, Sophocle* et Euripide*, qui augmentèrent notamment le nombre des acteurs.

D'abord austère et dépouillée, la tragédie se transforma en une sorte d'opéra, par l'abus de la déclamation, de la mise en scène et de la musique, et connut, dès le IVe s. av. J.-C., une longue décadence. Imitée sans originalité par les Romains, elle fut reprise à l'époque de la Renaissance par le théâtre européen.

En France, dès le milieu du XVIe s., écrivains et poètes tentent d'adapter la tradition antique au goût français, en supprimant les chœurs, en introduisant plus de psychologie chez les personnages et de vraisemblance dans l'action; mais la notion du « tragique », souvent confondue avec l'aspect pathétique destiné à éveiller la pitié, ou avec l'aspect dramatique qui repose essentiellement sur les péripéties de l'action et l'attente du dénouement, n'est pas encore nettement dégagée.

Au début du XVIIe s., l'apparition de la *tragi-comédie,* au dénouement heureux, semble devoir éclipser la tragédie pure, fondée sur la lutte éternelle de l'homme contre un destin inéluctable.

Le triomphe des « règles », qui s'impose vers 1640, marque le renouveau de la tragédie proprement dite. Reprises du théâtre antique par les érudits et les critiques, elles sont fondées sur les trois unités (lieu, temps, action), et le respect de la bienséance et de la vraisemblance : la tragédie ne doit comporter qu'une seule intrigue, sans épisode secondaire; l'action doit se dérouler en un jour et dans un seul et même lieu; les héros en sont toujours des personnages illustres (princes, rois, etc.), ce qui donne au genre sa majesté et sa dignité; le langage de la tragédie, grave et solennel, bannit les mots familiers et conserve toujours la réserve et la pudeur la plus grande; de même qu'est évitée la représentation réaliste des combats et des suicides.

Ces limites rigoureuses ont permis à la tragédie d'atteindre un maximum d'intensité, par la simplicité de l'action et la profondeur de l'analyse psychologique, par l'élégance et l'harmonie de la forme, cet idéal classique se trouvant pleinement réalisé dans les œuvres de Racine*. Mais bien que fécondes, les règles ne suffisaient pas à elles seules à la réalisation de chefs-d'œuvre, comme l'ont prouvé les médiocres imitations du XVIIIe s., au cours duquel la tragédie connut une décadence rapide. Elles constituaient de plus un obstacle important à l'épanouissement du genre : cette contrainte fut ressentie par Corneille* lui-même, qui pourtant donna à la tragédie française ses premiers chefs-d'œuvre, mais dont les pièces, plus riches en événements, supportaient moins bien le cadre trop étroit. Ce danger fut un des arguments principaux des romantiques contre la tragédie classique à laquelle, au XIXe s., se substitua le *drame.*

Tragiques *(les),* épopée satirique en 7 chants, d'Agrippa d'Aubigné (1616).

TRAHIR [trair] v. t. (lat. *tradere,* livrer). **1.** (sujet nom de personne) *Trahir une personne, une chose* (abstraite), l'abandonner en manquant à la fidélité qu'on lui doit : *Trahir un ami. Trahir sa patrie* (= passer à l'ennemi, lui fournir des renseignements de nature à nuire à son propre pays). — **2.** (sujet nom de personne) *Trahir un secret,* le révéler (syn. DIVULGUER). — **3.** (sujet nom de personne ou de chose) *Trahir la pensée de qq'un,* ne pas la traduire fidèlement (syn. DÉNATURER). — **4.** (sujet nom de chose) *Trahir qqch.,* révéler ce qu'on voulait tenir caché : *Il ne voulait pas être reconnu, mais sa voix l'a trahi. Son attitude trahissait son impatience* (syn. DÉCELER, MANIFESTER). — **5.** (sujet nom de chose) *Trahir qq'un,* l'abandonner : *Ses forces l'ont trahi* (syn. LÂCHER). — **6.** (sujet nom de chose) *Trahir qq'un,* le décevoir : *Les événements ont trahi ses espérances* (syn. NE PAS RÉPONDRE À). ◆ ***se trahir*** v. pr. **1.** (sujet nom de personne) Laisser paraître des idées, des sentiments, un état que l'on voulait cacher : *Il s'est trahi par le ton de sa voix.* — **2.** (sujet nom de chose) Apparaître, se manifester : *Son émotion se trahissait par le tremblement de ses mains.* ◆ **trahison** n. f. **1.** Action de trahir : *Commettre une trahison.* — **2.** *Haute trahison,* crime consistant à entretenir des relations coupables avec un pays étranger. ◆ **traître, esse** adj. et n. **1.** Se dit d'une personne qui trahit, qui est capable de trahir : *Juger un traître* (syn. DÉLATEUR, FÉLON). ‖ *En traître,* d'une manière perfide. — **2.** Se dit d'un animal capable de faire du mal lorsqu'on ne s'y attend pas : *Prenez garde à ce cheval, il est traître* (= il mord ou il rue). — **3.** Se dit d'une chose qui trompe, qui est plus dangereuse qu'elle ne paraît : *Un petit vin traître* (= qui enivre facilement). — **4.** *Ne pas dire un traître mot,* ne pas dire un seul mot, garder un silence absolu. ◆ **traîtreusement** adv. : *Attaquer traîtreusement un ennemi pendant une trêve.* ◆ **traîtrise** n. f. **1.** Acte perfide, déloyal. — **2.** Caractère, manière d'agir du traître (syn. DÉLOYAUTÉ, FOURBERIE).

1. TRAIN [trɛ̃] n. m. (de *traîner*). **1.** Ensemble de voitures ou de wagons traînés par une locomotive : *Train de voyageurs, de marchandises.* ‖ *Train rapide,* ou *rapide* n. m., train circulant à grande vitesse et dont les arrêts sont très rares. ‖ *Train express,* qui ne s'arrête qu'aux gares principales. ‖ *Train omnibus,* qui s'arrête à toutes les stations. — **2.** *Prendre le train en marche,* entreprendre de participer à une action déjà commencée.

2. TRAIN [trɛ̃] n. m. (même étym.). **1.** Suite de véhicules, d'objets traînés ou avançant ensemble : *Train de péniches, de bateaux* (= file de péniches, de bateaux amarrés et traînés par un remorqueur). *Train de bois* (= pièces de bois attachées ensemble et flottant sur un cours d'eau). ‖ *Train spatial,* ensemble des éléments (capsules, modules) constituant un engin interplanétaire. — **2.** *Mil.* Arme des transports automobiles et de la circulation routière dans l'armée de terre. (C'est l'anc. *train des équipages,* créé par Napoléon en 1807.) — **3.** Ensemble d'organes mécaniques, d'objets qui fonctionnent ensemble : *Train avant, train arrière* (= l'ensemble des éléments qui, sur les voitures modernes, remplacent l'essieu à l'avant, à l'arrière). ‖ *Un train d'engrenages,* ensemble de roues dentées engrenant les unes avec les autres, pour transmettre ou transformer un mouvement. ‖ *Train de laminoir,* ensemble des différents cylindres d'un laminoir. ‖ *Train de pneus,* ensemble des pneus qui équipent une voiture. — **4.** *Train d'atterrissage,* partie d'un avion comprenant les roues et les dispositifs amortisseurs qui lui permettent d'atterrir et de rouler au sol.

3. TRAIN [trɛ̃] n. m. (même étym.). *Train de devant, de derrière,* partie de devant, de derrière d'un cheval, d'un quadrupède : *Un chien assis sur son train de derrière* (= sur son derrière). [On dit aussi AVANT-TRAIN, ARRIÈRE-TRAIN.]

4. TRAIN [trɛ̃] n. m. (même étym.). **1.** Allure d'une monture, d'une bête de trait : *Ce cheval va bon train.* — **2.** Allure d'une personne, vitesse de la marche, d'une course : *Ralentir son train.* — **3.** *À fond de train,* à toute vitesse. ‖ *Mener le train,* dans une course, imposer une certaine cadence. ‖ *Suivre le train,* aller à la même allure que celui qui est en tête. ‖ *Au train où il va, il aura bientôt fini,* il travaille si vite qu'il aura bientôt fini. — **4.** *Être en train,* être en bonne disposition physique (sujet nom de personne) [s'emploie surtout négativement] : *Elle n'est pas en train en ce moment;* être en voie d'exécution (sujet nom de chose). ‖ *Mettre une chose en train,* commencer à la faire : *Mettre un travail en train.* ‖ *Mise en train,* début d'exécution. — **5.** *Être en train de,* exprime le déroulement actuel d'une action, l'évolution d'un état ou simplement la durée dans l'état présent : *Un homme en train de lire* (= occupé à lire). *Du linge en train de sécher.* — **6.** *Train de vie,* manière de vivre d'une personne par rapport aux revenus, aux ressources dont elle dispose. ◆ **train-train** ou **traintrain** n. m. *Fam.* Répétition routinière des occupations, des habitudes : *Le train-train de la vie quotidienne.*

TRAÎNER [trene] v. t. (du lat. *trahere*, tirer). **1.** *Traîner qqch.*, le tirer derrière soi : *Un cheval qui traîne une charrette.* — **2.** *Traîner une chose, une personne*, la déplacer en la tirant par terre : *Traîner un fardeau qu'on ne peut porter. Traîner qq'un par les pieds.* ‖ *Traîner qq'un dans la boue*, salir sa réputation en disant du mal de lui. — **3.** *Traîner les pieds*, marcher sans soulever les pieds. ‖ *Traîner la jambe*, marcher difficilement, du fait d'une infirmité, de la fatigue, etc. — **4.** *Traîner une chose*, l'emmener, l'emporter partout avec soi : *Il traîne toujours toutes sortes de livres dans sa serviette* (syn. fam. TRIMBALER). — **5.** Supporter une chose pénible qui dure : *Traîner une maladie.* — **6.** *Faire traîner les choses en longueur*, les faire durer. ‖ *Traîner ses mots* (ou *traîner sur les mots*), parler lentement. ◆ v. i. **1.** (sujet nom de personne) Rester en arrière, aller trop lentement : *Des coureurs qui traînent à la suite du peloton.* — **2.** (sujet nom de chose) Durer trop longtemps : *Un procès, une affaire qui traîne* (syn. SE PROLONGER). *Une discussion qui traîne* (syn. S'ÉTERNISER). ‖ Fam. *Ça ne va pas traîner*, ce sera vite terminé. — **3.** (sujet nom de chose) Pendre jusqu'à terre : *Une robe, un manteau qui traîne.* — **4.** (sujet nom de chose) Être éparpillé en désordre : *Il y a toujours des papiers qui traînent sur son bureau. Ne laissez pas traîner d'argent sur votre table.* — **5.** (sujet nom de chose) Se trouver partout, être rebattu : *Une anecdote qui traîne dans tous les livres d'histoire.* — **6.** (sujet nom de personne) Errer à l'aventure : *Traîner dans les rues, dans les cafés* (syn. fam. TRAÎNAILLER, TRAÎNASSER). ◆ ***se traîner*** v. pr. **1.** Avancer en rampant sur le sol : *Les petits enfants aiment beaucoup se traîner par terre.* — **2.** Aller à contrecœur, marcher difficilement : *À la fin de la promenade, il était tellement fatigué qu'il se traînait.* ◆ **traînant, e** adj. *Voix traînante*, voix lente et monotone. ◆ **traînard, e** n. **1.** Personne qui reste en arrière, dans un groupe, dans une course. — **2.** Personne qui travaille lentement (syn. LAMBIN). ◆ **traînasser** ou **traînailler** v. i. **1.** *Fam.* Agir avec trop de lenteur (syn. LAMBINER). — **2.** *Fam.* Errer à l'aventure : *Traînailler dans les rues* (syn. BAGUENAUDER, MUSARDER, VAGABONDER). ◆ **traîne** n. f. **1.** Partie d'un vêtement qui traîne jusqu'à terre : *Une robe de mariée à traîne.* — **2.** Fam. *À la traîne*, en arrière d'un groupe de personnes, en retard. ◆ **traîneau** n. m. Véhicule muni de patins, que l'on fait glisser sur la glace ou la neige : *Un traîneau tiré par des chevaux, par des chiens.* ◆ **traînée** n. f. **1.** Trace laissée sur le sol par une substance répandue : *Une traînée de plâtre, de sang.* — **2.** *Se répandre, se propager comme une traînée de poudre*, très rapidement. — **3.** *Aéron.* Force due à la résistance de l'air et qui s'oppose à l'avancement d'un avion. ◆ **traînement** n. m. Action de traîner : *Des traînements de pieds.* ◆ **traîneur, euse** n. *Péjor.* Personne qui s'attarde en un lieu, qui vagabonde.

TRAIN-TRAIN ou **TRAINTRAIN** n. m. → TRAIN 4.

TRAIRE [trɛr] v. t. (lat. *trahere*). [Conj. **79.**] *Traire une vache, une chèvre, une brebis*, tirer le lait de leurs mamelles en pressant sur les pis. ◆ **traite** n. f. **1.** Action de traire. — **2.** *Traite mécanique*, celle qui est effectuée à l'aide d'une machine appelée *trayeuse.* ◆ **trayeuse** n. f. Appareil pour traire les vaches.

1. TRAIT [trɛ] n. m. (lat *tractus;* de *trahere*, tirer). *Animal, bête de trait*, propre à tirer une voiture, un chariot : *Cheval de trait* (par oppos. à DE SELLE).

2. TRAIT [trɛ] n. m. (même étym.). *Boire d'un trait, d'un seul trait*, en une seule fois, d'une seule gorgée. ‖ *Boire à longs traits*, avidement, à grandes gorgées.

3. TRAIT [trɛ] n. m. (même étym.). **1.** Tout projectile lancé avec un arc, une arbalète : *Décocher un trait.* — **2.** *Trait de lumière*, pensée, parole qui éclaire subitement l'esprit (syn. LUEUR). — **3.** Attaque malveillante (littér.) : *Un trait satirique, mordant, piquant.*

4. TRAIT [trɛ] n. m. (même étym.). **1.** Ligne tracée sur le papier, sur une surface quelconque : *Rayer un mot d'un trait de plume.* — **2.** *Trait d'union*, petite ligne horizontale que l'on met entre les divers éléments de certains mots (ex. : *avant-coureur, lui-même, dit-il*, etc.); ce qui sert à joindre, à unir : *Servir de trait d'union entre deux partis opposés.* — **3.** Ligne légère traçant les contours de ce qu'on veut représenter : *Les traits d'un dessin. Copier, reproduire trait pour trait* (= avec une parfaite ressemblance.). ‖ *Peindre à grands traits*, avec des traits larges, sans se préoccuper des détails. — **4.** Manière d'exprimer, de décrire : *Montaigne a peint l'amitié en traits vifs et touchants.* ‖ *À grands traits*, rapidement, sommairement : *Faire à grands traits le récit d'une bataille.* — **5.** Élément caractéristique d'une personne ou d'une chose : *Cet enfant a de nombreux traits de ressemblance avec son grand-père.* — **6.** *Avoir trait à*, avoir un rapport avec : *Relever avec soin tout ce qui a trait à un événement* (syn. CONCERNER, INTÉRESSER). — **7.** Action révélatrice d'un caractère, d'un sentiment : *Un trait d'esprit.* ◆ n. m. pl. Lignes caractéristiques du visage : *Avoir des traits fins.*

TRAIT (Le), comm. de la Seine-Maritime, à 26 km à l'O. de Rouen; 5 900 hab. Constructions navales.

TRAITABLE adj. → TRAITER 2.

TRAITANT, E adj. → TRAITER 1.

1. TRAITE n. f. → TRAIRE et TRAITER 3.

2. TRAITE [trɛt] n. f. (du lat. *trahere*, tirer). *D'une seule traite, tout d'une traite* (littér.), sans s'arrêter : *Faire le trajet de Paris à Dijon d'une seule traite.* (Le mot *traite* désignait anciennement le parcours qu'un voyageur faisait sans s'arrêter.)

3. TRAITE [trɛt] n. f. (même étym.). Écrit par lequel un créancier invite son débiteur à payer une somme déterminée, à une certaine date, à une troisième personne ou à celui qui sera désigné par cette personne (syn. LETTRE DE CHANGE).

TRAITÉ n. m. → TRAITER 2 et 3.

1. TRAITEMENT n. m. → TRAITER 1 et 4.

2. TRAITEMENT [trɛtmɑ̃] n. m. (de *traiter*). Rémunération d'un fonctionnaire (syn. ÉMOLUMENTS). [Se dit quelquefois du salaire d'un employé.]

1. TRAITER [trete] v. t. (lat. *tractare*, manier). **1.** *Traiter qq'un bien* ou *mal*, agir envers lui de telle ou telle manière : *Traiter humainement un prisonnier.* — **2.** *Traiter une personne de* (avec un attribut), lui donner un qualificatif péjoratif : *Traiter qq'un de fou, de paresseux.* — **3.** *Traiter une maladie, un malade*, les soigner par une médication appropriée. ◆ **traitant, e** adj. *Médecin traitant*, médecin qui soigne habituellement un malade. ◆ **traitement** n. m. **1.** Manière d'agir avec quelqu'un : *Jouir d'un traitement de faveur.* — **2.** Ensemble de moyens employés pour prévenir ou pour guérir une maladie : *Suivre un traitement.* ◆ n. m. pl. *Mauvais traitements*, coups : *Infliger de mauvais traitements à un enfant* (syn. SÉVICES, VIOLENCES). ◆ **intraitable** adj. Se dit d'une personne qui n'accepte aucun compromis : *Il est intraitable sur tout ce qui touche à l'honneur.*

2. TRAITER [trete] v. t. (même étym.). *Traiter une chose* (nom abstrait), l'exposer, la développer oralement ou par écrit : *Traiter une question, un sujet à fond ou superficiellement.* ◆ v. t. ind. **1.** (sujet nom de personne) *Traiter d'une chose*, la prendre pour objet d'étude : *Le conférencier a traité de l'évolution démographique.* — **2.** (sujet nom de chose) Avoir pour objet : *Un ouvrage qui traite des origines du socialisme.* ◆ **traitable** adj. Que l'on peut traiter : *Un sujet facilement traitable.* ◆ **traité** n. m. Ouvrage relatif à une matière particulière : *Un traité de sociologie.*

3. TRAITER [trete] v. t. (même étym.). *Traiter une affaire, un marché*, en régler les conditions (syn. NÉGOCIER). ◆ v. i. Entrer en pourparlers, en relations pour une négociation commerciale ou diplomatique. ◆ **traite** n. f. *Traite des Noirs*, trafic des esclaves sur les côtes d'Afrique, pratiqué par le Portugal, l'Espagne et l'Angleterre, du XVe au XIXe s. ‖ *Traite des Blanches*, délit consistant à entraîner une femme en vue de la prostitution. ◆ **traité** n. m. Convention écrite entre des États, qui fixe leurs droits et leurs devoirs les uns envers les autres.

4. TRAITER [trete] v. t. (même étym.). *Traiter une substance*, la soumettre à diverses opérations, de manière à la transformer : *Traiter un minerai.* ◆ **traitement** n. m. **1.** Ensemble d'opérations que l'on fait subir à des matières brutes, en vue d'un résultat industriel ou scientifique. — **2.** *Traitement de l'information*, technique fondée sur l'utilisation des ordinateurs et concernant la réalisation d'ensembles complexes d'opérations mathématiques et logiques dans un but scientifique, administratif, comptable, etc. ‖ *Traitement de texte*, ensemble des techniques informatiques qui permettent d'enregistrer, corriger, diffuser, etc., un texte quelconque.

TRAITEUR [trɛtœr] n. m. (de *traiter*). Personne qui prépare des plats à emporter et à consommer chez soi.

TRAÎTRE, ESSE adj. et n., **TRAÎTREUSEMENT** adv., **TRAÎTRISE** n. f. → TRAHIR.

TRAJAN (53-117), empereur romain (98-117), successeur de Nerva. Il conquit ou organisa la Dacie (101-107), l'Arabie, l'Arménie, la Mésopotamie, l'Assyrie, et fut vainqueur des Parthes (115). Il se montra excellent administrateur et grand bâtisseur.

TRAJECTOIRE [traʒɛktwar] n. f. (du lat. *trajectus*, traversé). Ligne décrite par un point matériel en mouvement, par un projectile, de son point de départ à son point d'arrivée.

TRAJET [traʒɛ] n. m. (it. *tragetto*, traversée). **1.** Distance à parcourir pour aller d'un lieu à un autre : *Faire un long trajet.* — **2.** Action de parcourir cette distance; temps nécessaire pour accomplir ce parcours : *Le trajet de Paris à Lyon lui a semblé très court* (syn. PARCOURS).

TRALALA [tralala] n. m. (onomat.). *Fam.* Affectation, manières recherchées : *Pas besoin de faire tant de tralalas, on est entre amis* (syn. CHICHIS, FAÇONS).

TRAME [tram] n. f. (lat. *trama*). **1.** Ensemble des fils passant dans le sens de la largeur entre les fils tendus de la chaîne d'une étoffe que l'on tisse. — **2.** Ensemble de détails qui constituent comme un fond, un tout continu sur lequel se détachent des événements marquants : *La trame d'un récit.* — **3.** *Imprimerie.*

Écran quadrillé ou réticulé que l'on interpose entre l'original et la couche sensible, dans les procédés de similigravure. ‖ *Trame quadrillée,* trame à quadrillage opaque séparant des carrés transparents, et qui s'emploie à quelques millimètres devant la couche sensible. ◆ **tramé, e** adj. : *Un cliché tramé* (= obtenu par une trame [sens 3]).

TRAMER [trame] v. t. (de *trame*). *Tramer un complot, une conspiration, la perte de qq'un,* les préparer plus ou moins secrètement (syn. COMPLOTER, MACHINER, MANIGANCER, OURDIR). ◆ ***se tramer*** v. pr. *Il se trame qqch.*, on prépare secrètement quelque machination.

TRAMINOT n. m. → TRAMWAY.

TRAMONTANE [tramɔ̃tan] n. f. (it. *tramontana* [*stella*], [étoile] au-delà des monts). Vent du nord, sur la Méditerranée; vent du nord-ouest, dans le bas Languedoc.

TRAMPOLINE [trɑ̃pɔlin] n. m. (it. *trampolino,* tremplin). Grand filet tendu sur des ressorts d'acier, sur lequel on effectue des sauts; sport ainsi pratiqué.

TRAMWAY [tramwɛ] ou, par abrév., **TRAM** n. m. (mot angl.). **1.** Chemin de fer urbain à traction électrique. — **2.** Véhicule qui circule sur des rails : *Les tramways ont été remplacés par des trolleybus.* ◆ **traminot** n. m. Employé de tramway.

TRANCHANT, E adj. et n. m. → TRANCHER 1 et 2.

TRANCHE n. f. → TRANCHER 1.

TRANCHÉ, E adj. → TRANCHER 3.

TRANCHÉE [trɑ̃ʃe] n. f. (de *trancher*). **1.** Creux pratiqué en longueur dans le sol, pour poser les fondations d'un mur, planter des arbres, placer des canalisations, etc. — **2.** Fossé permettant de se retrancher contre les attaques de l'ennemi, d'organiser le tir. ‖ *Guerre de tranchées,* guerre dans laquelle le front est jalonné par une ligne continue de tranchées.

1. TRANCHER [trɑ̃ʃe] v. t. (lat. *truncare*). Couper en séparant d'un seul coup : *Trancher la tête à qq'un* (syn. DÉCAPITER, GUILLOTINER). *Trancher la gorge* (= égorger). ◆ **tranchant, e** adj. Se dit d'un instrument qui coupe net : *Un couteau tranchant.* ◆ n. m. **1.** Côté affilé d'un instrument coupant : *Le tranchant d'un couteau, d'une paire de ciseaux.* — **2.** *Argument à double tranchant, à deux tranchants,* qui peut avoir deux effets opposés. ◆ **tranche** n. f. **1.** Morceau coupé assez mince : *Une tranche de pain, de jambon.* — **2.** Surface unie que présente l'épaisseur des feuillets d'un livre broché ou relié : *Une tranche dorée, marbrée.* — **3.** Série de chiffres consécutifs dans un nombre. — **4.** Chacun des tirages d'une émission financière, d'une loterie. — **5.** *Tranche de vie,* expression adoptée par les écrivains naturalistes pour définir leur idéal esthétique : la reproduction réaliste de la vie de tous les jours.

2. TRANCHER [trɑ̃ʃe] v. t. (même étym.). *Trancher une question, une difficulté,* les résoudre en prenant rapidement une décision. ◆ v. i. ou t. ind. **1.** (sujet nom de personne) *Trancher sur qqch.*, en décider d'une manière catégorique : *Il fait l'important et tranche sur tout.* — **2.** *Trancher dans le vif,* prendre des moyens énergiques, agir sans ménagements. ◆ **tranchant, e** adj. Se dit d'une personne (ou de son comportement) qui décide d'une manière absolue, péremptoire : *Un jugement tranchant. Un ton tranchant* (syn. CASSANT, IMPÉRIEUX).

3. TRANCHER [trɑ̃ʃe] v. t. ind. (même étym.) [sujet nom de chose]. *Trancher sur, avec,* etc., *qqch.*, former un contraste, une vive opposition : *Une couleur foncée qui tranche sur un fond clair* (syn. RESSORTIR). ◆ **tranché, e** adj. Se dit de ce qui est bien marqué : *Des couleurs bien tranchées* (syn. NET).

TRANCHE-SUR-MER (La), comm. de la Vendée, à 30 km au S.-O. de Luçon; 2 100 hab. Station balnéaire. Cultures de tulipes.

TRANQUILLE [trɑ̃kil] adj. (lat. *tranquillus*). **1.** Se dit d'une personne (ou de son comportement) qui ne manifeste pas d'agitation, de trouble, d'inquiétude : *Un homme tranquille et posé* (syn. PLACIDE). *Un enfant tranquille* (syn. SAGE; contr. TURBULENT). *Des voisins tranquilles* (contr. BRUYANT). *Se tenir tranquille* (syn. COI, SILENCIEUX). *Mener une vie tranquille* (syn. PAISIBLE). *Avoir l'esprit, la conscience tranquille* (syn. CALME, SEREIN; contr. INQUIET, TOURMENTÉ, TROUBLÉ). — **2.** Se dit d'un lieu où il n'y a pas de bruit, pas d'agitation, d'une chose sans mouvement et d'apparence paisible : *Habiter dans un quartier tranquille* (syn. CALME). — **3.** *Laisser qq'un tranquille,* s'abstenir de le taquiner, de le tourmenter. ‖ Fam. *Laisser qqch. tranquille,* ne pas y toucher. ◆ **tranquillement** adv. : *Dormir tranquillement* (syn. CALMEMENT). *Il a toujours vécu tranquillement* (syn. PAISIBLEMENT). ◆ **tranquillité** n. f. État d'une personne ou d'une chose tranquille : *Vivre dans une grande tranquillité* (syn. QUIÉTUDE, SÉRÉNITÉ). *Troubler la tranquillité publique* (syn. PAIX). *La tranquillité de l'air, de la mer* (syn. CALME). ◆ **tranquilliser** v. t. *Tranquilliser qq'un,* le délivrer d'un souci : *Nous étions inquiets, ce que vous nous dites nous tranquillise* (syn. RASSÉRÉNER, RASSURER). ◆ ***se tranquilliser*** v. pr. Cesser d'être inquiet : *Tranquillisez-vous au sujet de votre examen, vous serez certainement reçu* (contr. S'AFFOLER, S'ALARMER, S'EFFRAYER). ◆ **tranquillisant, e** adj. : *Une nouvelle tranquillisante* (syn. RASSURANT). ◆ n. m. Médicament propre à combattre l'angoisse, l'anxiété et à rétablir le calme nerveux.

1. TRANSACTION n. f. → TRANSIGER.

2. TRANSACTION [trɑ̃zaksjɔ̃] n. f. (du lat. *transigere,* mener à bonne fin). Opération commerciale ou boursière.

TRANSALAÏ, partie septentrionale, la plus élevée, du Pamir*.

TRANSALPIN, E [trɑ̃zalpɛ̃, -in] adj. (lat. *transalpinus*). Qui est au-delà des Alpes. ‖ *Gaule transalpine* ou, substantiv., *la Transalpine,* nom donné par les Romains à la Gaule proprement dite, située pour eux au-delà des Alpes.

TRANSAT [trɑ̃zat] n. m. (abrév. de *transatlantique*). Chaise longue pliante recouverte de toile.

TRANSATLANTIQUE [trɑ̃zatlɑ̃tik] n. m. (du lat. *trans,* au-delà de, et *atlantique*). Paquebot qui fait le service régulier des voyageurs entre l'Europe et l'Amérique.

TRANSBORDER [trɑ̃sbɔrde] v. t. (du lat. *trans,* au-delà de, et *bord*). Transporter la cargaison d'un bâtiment ou les voyageurs d'un véhicule dans un autre bâtiment ou un autre véhicule. ◆ **transbordement** n. m. Action de transborder. ◆ **transbordeur** n. et adj. m. Appareil servant à transborder. ‖ *Pont transbordeur,* plate-forme suspendue à un tablier élevé, pour le franchissement d'un fleuve. ‖ *Navire transbordeur,* ou *transbordeur* n. m. Syn. préconisé par l'Administration de FERRY-BOAT.

TRANSCASPIEN, ENNE [trɑ̃skaspjɛ̃, -ɛn] adj. (du lat. *trans,* au-delà de, et *Caspienne*). Qui est ou qui va au-delà de la mer Caspienne. ◆ n. m. Chemin de fer de l'Asie centrale soviétique, qui unit la Caspienne à Tachkent.

1. TRANSCENDANT, E [trɑ̃sɑ̃dɑ̃, -ɑ̃t] adj. (du lat. *transcendere,* surpasser). *Philos.* **1.** Se dit de ce qui (être ou principe) dépasse toute expérience (par oppos à IMMANENT [= ce qui reste enclos dans l'expérience]) : *Dieu est transcendant.* — **2.** Pour Sartre, se dit de tout objet qui est objet pour la conscience. ◆ **transcendance** n. f.

2. TRANSCENDANT, E [trɑ̃sɑ̃dɑ̃, -ɑ̃t] adj. (de *transcendant* 1). Se dit d'une personne qui, dans l'ordre de l'intelligence, est très supérieure à la moyenne, d'une chose qui dépasse tout ce qui est du même ordre : *Un esprit transcendant.* ◆ **transcendance** n. f. : *La transcendance d'un talent.* ◆ **transcender (se)** v. pr. Se dépasser soi-même.

TRANSCENDANTAL, E, AUX [trɑ̃sɑ̃dɑ̃tal, -to] adj. (bas lat. *transcendentalis*). *Philos.* Désigne ce qui (concept, principe, forme) rend possible une connaissance *a priori* et son rapport à l'expérience : *Philosophie transcendantale.*
— ENCYCL. L'expression *philosophie transcendantale* désigne la critique de Kant* et une étape de la phénoménologie* de Husserl*. Pour ces deux penseurs, elle signifie la recherche des structures et des règles de la pensée *a priori.* Chez Kant, la philosophie transcendantale a pour objet la raison pure et chez Husserl la conscience.

TRANSCENDER (SE) v. pr. → TRANSCENDANT 2.

TRANSCRIRE [trɑ̃skrir] v. t. (lat. *transcribere*). [Conj. **71.**] **1.** *Transcrire un texte,* le reproduire exactement en le recopiant sur un registre, sur un autre papier ou avec des caractères différents. — **2.** Reproduire un texte ou des paroles suivant un mode d'expression différent : *Transcrire en clair un message secret.*

TRANSE [trɑ̃s] n. f. (de *transir*). Fam. *Être, entrer en transe,* s'agiter sous l'effet d'une émotion réelle ou simulée. ◆ n. f. pl. *Être dans les transes,* être vivement inquiet, angoissé (syn. AFFRES, ANXIÉTÉ).

TRANSEPT [trɑ̃sɛpt] n. m. (mot angl.; du lat. *trans,* au-delà de, et *saeptum,* clôture). Nef transversale d'une église, généralement sans collatéraux, séparant le chœur de la grande nef et formant les bras de la croix.

1. TRANSFÉRER [trɑ̃sfere] v. t. (lat. *transferre*). *Transférer qq'un, qqch.*, les transporter d'un lieu dans un autre : *Transférer un détenu d'une prison dans une autre.* ◆ **transfert** n. m. : *Le transfert des reliques d'un saint* (syn. TRANSLATION).

2. TRANSFÉRER [trɑ̃sfere] v. t. (même étym.). *Transférer un sentiment, un désir à* (ou *sur*) *qqch., qq'un,* l'étendre par un transfert à un autre objet, une autre personne. ◆ **transfert** n. m. En psychanalyse, phénomène par lequel une personne transpose dans la situation présente des sentiments éprouvés dans une situation antérieure.

TRANSFIGURER [trɑ̃sfigyre] v. t. (lat. *transfigurare,* transformer) [sujet nom de chose]. *Transfigurer qq'un,* donner à son visage un éclat inaccoutumé : *La joie l'avait transfiguré.* ◆ **transfiguration** n. f. **1.** Changement complet de l'expression du visage : *Cette bonne nouvelle a provoqué en lui une véritable transfiguration.* — **2.** *Transfiguration de Jésus-Christ,* état glorieux dans lequel le Christ se montra à trois de ses disciples sur le mont Thabor.

TRANSFORMER [trɑ̃sfɔrme] v. t. (lat. *transformare,* former au-delà). **1.** (sujet nom de personne) *Transformer une chose,* lui donner un aspect différent : *Transformer un magasin* (syn. MODERNISER, RÉNOVER). *Transformer un vêtement* (= lui donner une autre forme). — **2.** (sujet nom de chose) *Transformer qq'un,* changer en mieux son caractère : *L'éducation peut transformer un enfant.* — **3.** Améliorer la santé : *Ce séjour en montagne l'a transformé.* — **4.** (sujet nom d'être animé) Modifier l'aspect d'un être vivant, la nature d'une chose : *Selon Homère, Circé transforma les compagnons d'Ulysse en pourceaux* (syn. MÉTAMORPHOSER). *Transformer du plomb en or* (syn. TRANSMUTER). — **5.** Au rugby, réussir la conversion d'un essai en but. ◆ ***se transformer*** v. pr. **1.** (sujet nom d'être animé) Se métamorphoser : *La chenille se transforme en papillon.* — **2.** Changer son caractère, sa manière d'être : *Cet enfant s'est bien transformé.* — **3.** (sujet nom de chose) Prendre un autre aspect : *Ce vieux quartier se transforme.* ◆ **transformable** adj. Qui peut être transformé : *Un siège transformable.* ◆ **transformation** n. f. : *La transformation des matières premières. Faire des transformations dans une maison* (syn. AMÉLIORATION, AMÉNAGEMENT). *La transformation d'une industrie en une autre* (syn. RECONVERSION). ◆ **transformateur** n. m. *Électr.* Appareil statique qui transforme un courant alternatif en un autre courant alternatif, de tension différente, mais de même fréquence. → ENCYCL. ◆ **transformisme** n. m. Théorie biologique selon laquelle les êtres vivants se sont transformés et diversifiés au cours des temps géologiques, de sorte que les espèces descendent les unes des autres par une filiation naturelle : *Lamarck et Darwin furent les principaux défenseurs du transformisme.* (→ aussi ÉVOLUTION, *encycl.*) ◆ **transformiste** adj. Relatif au transformisme. ◆ n. Partisan du transformisme. ◆ **retransformer** v. t.

— ENCYCL. Un *transformateur* peut être élévateur ou abaisseur de tension. Il comporte un noyau de fer doux sur lequel sont enroulés deux bobinages distincts : le primaire, relié au réseau d'alimentation, et le secondaire, relié au réseau d'utilisation. Le rapport des tensions efficaces aux bornes de ces enroulements est approximativement égal au rapport de leur nombre de spires respectif.

TRANSFUGE [trɑ̃sfyʒ] n. m. (lat. *transfuga;* de *fugere,* fuir). **1.** Militaire qui passe à l'ennemi en temps de guerre. — **2.** Personne qui abandonne son parti pour passer dans le parti adverse.

TRANSFUSION [trɑ̃sfyzjɔ̃] n. f. (lat. *transfusio,* transvasement). Opération par laquelle on injecte, dans les veines d'une personne (receveur), du sang prélevé sur une autre personne (donneur). ◆ **transfuser** v. t. : *Transfuser du sang à un blessé.*

— ENCYCL. Les *transfusions* se font entre sujets ayant des groupes sanguins identiques ou compatibles. Pour que la transfusion soit possible, il faut que le donneur n'apporte pas d'antigène* spécifique correspondant à l'anticorps* ou aux anticorps présents chez le receveur. C'est ainsi qu'un donneur du groupe O peut donner à un receveur O, A, B ou AB (c'est pourquoi les donneurs O sont appelés donneurs universels); un donneur A peut donner à un receveur A ou AB; un donneur B peut donner à un receveur B ou AB; un donneur AB ne peut donner qu'à un receveur AB. Il faut également que les sujets aient le même facteur Rhésus : un sujet Rhésus négatif (Rh−) ne doit jamais recevoir le sang d'un Rhésus positif (Rh+).

TRANSGRESSER [trɑ̃sgrese] v. t. (du lat. *transgredi,* passer outre). *Transgresser une loi, un règlement, un commandement,* etc., ne pas les respecter, ne pas y obéir (syn. CONTREVENIR À, ENFREINDRE, VIOLER). ◆ **transgression** n. f. : *La transgression d'un règlement* (syn. VIOLATION).

1. TRANSGRESSION n. f. → TRANSGRESSER.

2. TRANSGRESSION [trɑ̃sgresjɔ̃] n. f. (du lat. *transgredi,* passer outre). *Géol.* Envahissement par la mer d'une portion de continent par suite de son affaissement ou d'un relèvement du niveau marin : *Les roches sédimentaires du Bassin parisien se sont déposées lors d'une transgression.*

TRANSHUMANCE [trɑ̃zymɑ̃s] n. f. (du lat. *trans,* au-delà de, et *humus,* terre). Déplacement saisonnier du bétail d'une zone de pâturage à une autre, relativement éloignée, généralement de la plaine vers la montagne. ◆ **transhumer** v. i. (sujet nom désignant du bétail). Aller paître l'été dans les montagnes.

1. TRANSI, E [trɑ̃zi] adj. (du lat. *transire,* aller au-delà, mourir). **1.** *Être transi,* être engourdi par le froid. — **2.** *Amoureux transi,* celui que son amour rend timide.

2. TRANSI [trɑ̃zi] n. m. (même étym.). Figure sculptée du Moyen Âge et de la Renaissance, représentant un mort.

TRANSIGER [trɑ̃ziʒe] v. i. (lat. *transigere,* mener à bonne fin). Conclure un arrangement par des concessions réciproques : *Il vaut mieux transiger que plaider* (syn. S'ARRANGER, S'ENTENDRE). ◆ v. t. ind. *Transiger sur une chose,* abandonner une partie de sa rigueur, de ses exigences relativement à cette chose (surtout dans des propositions négatives) : *Ne pas transiger sur l'exactitude, sur l'honneur.* ◆ **transaction** n. f. Accord conclu sur la base de concessions réciproques. ◆ **intransigeant, e** adj. et n. Qui ne fait aucune concession, qui n'admet aucun compromis, aucun adoucissement : *Être intransigeant sur les principes* (syn. INTRAITABLE; contr. ACCOMMODANT). ◆ **intransigeance** n. f. : *L'intransigeance de la jeunesse* (syn. péjor. INTOLÉRANCE). *Garder une intransigeance absolue* (syn. péjor. SECTARISME; contr. SOUPLESSE).

TRANSISTOR [trɑ̃zistɔr] n. m. (de l'angl. *trans[fer] [res]istor,* résistance de transfert). **1.** Dispositif à semi-conducteur qui, comme un tube électronique, peut amplifier des courants électriques, engendrer des oscillations électriques, et assumer des fonctions de modulation et de détection. — **2.** Récepteur de radio portatif équipé de transistors.

TRANSIT [trɑ̃zit] n. m. (du lat. *transitus,* passage). *Marchandises en transit,* celles qui traversent un pays sans payer de droits de douane. ◆ **transiter** v. t. et i. Passer en transit : *Transiter des marchandises.* ◆ **transitaire** adj. *Commerce transitaire.* ◆ n. m. Commissionnaire en marchandises qui s'occupe de transit.

1. TRANSITIF, IVE [trɑ̃zitif, -iv] adj. et n. m. (du lat. *transire,* passer). *Gramm.* Se dit des verbes qui admettent un complément d'objet direct *(transitifs directs)* ou un complément d'objet indirect *(transitifs indirects).* ‖ *Verbe transitif direct* (abrév. : v. t.), verbe qui indique que l'action du sujet passe sur un objet sans l'intermédiaire d'une préposition (ex. : *J'aime mes parents*). ‖ *Verbe transitif indirect* (abrév. : v. t. ind.), verbe qui indique que l'action du sujet passe sur un objet par l'intermédiaire d'une préposition (*à, de, sur,* etc.) [ex. : *Pierre parle à Paul*]. ◆ **transitivement** adv. *Employé transitivement,* se dit d'un verbe intransitif qui est employé avec un compl. d'objet direct. ◆ **transitivité** n. f. : *La transitivité d'un verbe.* ◆ **intransitif, ive** adj. et n. m. Se dit des verbes (abrév. : v. i.) qui expriment un état ou une action qui sont limités au sujet et ne passent sur aucun objet (ces verbes n'ont, par conséquent, pas de compl. d'objet direct ou indirect) : *« Dormir », « voyager » sont des verbes intransitifs.* ◆ adj. Propre aux verbes intransitifs : *Forme intransitive.* ◆ **intransitivement** adv. D'une manière intransitive. (On dit aussi ABSOLUMENT.) ◆ **intransitivité** n. f.

2. TRANSITIF, IVE [trɑ̃zitif, -iv] adj. (même étym.). Math. *Relation binaire transitive,* se dit d'une relation binaire $\mathcal{R}$ dans un ensemble E si pour tout triplet (x, y, z) d'éléments de E vérifiant $x \mathcal{R} y$ et $y \mathcal{R} z$, il vérifie aussi $x \mathcal{R} z$: *L'égalité est une relation transitive dans l'ensemble* $\mathbb{N}$ *des entiers naturels. Le parallélisme est une relation transitive dans l'ensemble des droites d'un plan.* ‖ *Relation binaire non transitive,* se dit d'une relation binaire $\mathcal{R}$ dans un ensemble E s'il existe au moins un triplet (x, y, z) d'éléments de E vérifiant $x \mathcal{R} y$ et $y \mathcal{R} z$ et ne vérifiant pas $x \mathcal{R} z$.

TRANSITION [trɑ̃zisjɔ̃] n. f. (lat. *transitio,* passage). **1.** Degré, stade intermédiaire : *Passer sans transition de l'état féodal à la démocratie.* — **2.** Manière de passer d'un raisonnement à un autre, de lier les idées : *Une transition habile, ingénieuse.* — **3.** Passage d'un état à un autre : *Une brusque transition du chaud au froid.* — LOC. ADJ. *De transition,* qui constitue un état intermédiaire : *Un gouvernement, un régime de transition.* ◆ **transitoire** adj. Se dit de ce qui ne dure pas : *Les choses de ce monde sont transitoires* (syn. FUGITIF, PASSAGER).

TRANSITIVEMENT adv., **TRANSITIVITÉ** n. f. → TRANSITIF 1.

TRANSITOIRE adj. → TRANSITION.

TRANSJORDANIE, anc. État du Proche-Orient. Occupée en 1917 par les Britanniques et confiée à l'émir Abdullah (1921), la Transjordanie fut placée sous mandat britannique en 1922. Dotée d'une solide armée locale (Légion arabe), elle s'érigea en royaume en 1946 et devint le royaume de Jordanie* le 24 janvier 1949.

TRANSKEI (le), territoire de la république d'Afrique du Sud, au S. du Lesotho, habité par des Bantous; 41 400 km²; 3 millions d'hab. Capit. *Umtata.* Le territoire est théoriquement indépendant depuis 1976.

1. TRANSLATION [trɑ̃slasjɔ̃] n. f. (lat. *translatio,* transfert). Action de transporter une personne, une chose d'un lieu dans un autre : *La translation des cendres de Napoléon Ier* (syn. TRANSFERT).

2. TRANSLATION [trɑ̃slasjɔ̃] n. f. (même étym.). Math. *Translation de vecteur* $\vec{V}$ *dans un plan,* c'est une application bijective du plan sur lui-même qui, à tout point M, associe le point M′ tel que $\overrightarrow{MM'} = \vec{V}$.

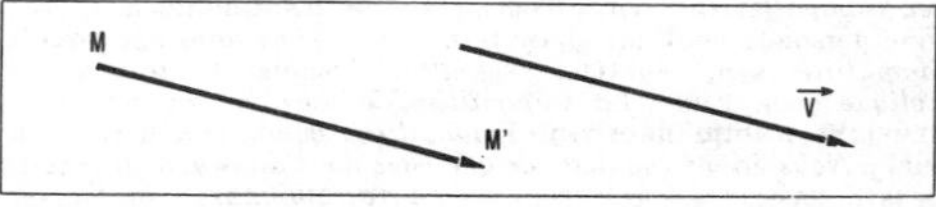

TRANSLEITHANIE, partie de l'Empire austro-hongrois, située à l'E. de la *Leitha* (par oppos. à la *Cisleithanie*). Elle comprenait la Hongrie, la Transylvanie et la Croatie.

TRANSLUCIDE [trɑ̃slysid] adj. (lat. *translucidus*). Se dit d'une substance qui laisse passer la lumière, mais au travers de laquelle on ne distingue pas nettement les objets : *Une porcelaine translucide.* ◆ **translucidité** n. f. Qualité de ce qui est translucide.

TRANSMETTRE [trɑ̃smɛtr] v. t. (lat. *transmittere*). [Conj. **57.**] **1.** (sujet nom d'être animé) *Transmettre qqch. à qq'un, à qqch.*, leur faire passer ce qu'on a reçu : *Transmettez-lui de ma part mes sincères salutations. Transmettre une information* (syn. COMMUNIQUER). *Transmettre une propriété en héritage* (syn. LÉGUER). *Un insecte qui transmet une maladie contagieuse* (syn. PROPAGER, VÉHICULER). — **2.** (sujet nom de chose) *Transmettre qqch.*, en permettre le passage, agir comme intermédiaire : *Le mouvement est transmis aux roues par un arbre moteur. Les nerfs transmettent l'excitation aux centres nerveux.* ◆ ***se transmettre*** v. pr. : *Certaines maladies se transmettent héréditairement* (syn. SE PASSER). *Le courant se transmet par un fil de laiton* (syn. CIRCULER, SE PROPAGER). ◆ **transmetteur** n. m. Appareil servant à émettre des signaux télégraphiques. ◆ **transmissible** adj. : *Des biens immobiliers qui ne sont pas transmissibles. Une pensée difficilement transmissible par écrit. Maladie transmissible* (syn. CONTAGIEUX). ◆ **transmissibilité** n. f. : *La transmissibilité d'un privilège. La transmissibilité d'un caractère biologique acquis.* ◆ **intransmissible** adj. Qui ne peut se transmettre. ◆ **transmission** n. f. **1.** *Transmission orale d'un message, d'un ordre. Transmission des pouvoirs* (= acte par lequel un responsable transmet ses pouvoirs à son successeur). *La transmission de certains privilèges n'est pas légale* (= le droit d'en laisser la jouissance à un héritier). *La transmission des caractères biologiques d'une espèce animale. La transmission en direct d'un discours* (syn. plus fréquent RETRANSMISSION). — **2.** *Mécan.* Communication du mouvement d'un organe à un autre; organe servant à transmettre le mouvement; ensemble des organes interposés, dans une automobile, entre le moteur et les roues motrices. — **3.** *Transmission de pensée* (syn. TÉLÉPATHIE). ◆ n. f. pl. Arme ou service chargé de la mise en œuvre des moyens de liaison à l'intérieur des forces armées : *Faire son service dans les transmissions.* (→ RETRANSMETTRE.)

TRANSMIGRATION [trɑ̃smigrasjɔ̃] n. f. (lat. *transmigratio*). *Transmigration des âmes*, croyance religieuse ou philosophique selon laquelle les âmes des hommes s'incarnent successivement dans des corps différents (syn. MÉTEMPSYCOSE).

TRANSMISSIBILITÉ n. f., **TRANSMISSIBLE** adj., **TRANSMISSION** n. f. → TRANSMETTRE.

TRANSMUTER [trɑ̃smyte] ou **TRANSMUER** [trɑ̃smɥe] v. t. (lat. *transmutare*). Changer un élément chimique en un autre. ◆ **transmutation** n. f. : *La transmutation d'un métal en or.*

TRANSPARAÎTRE [trɑ̃sparɛtr] v. i. (du lat. *trans*, au-delà de, et *paraître*). [Conj. **64.**] Se montrer, apparaître à travers quelque chose (langue soignée) : *La lune transparaît à travers les nuages.* ◆ **transparent, e** adj. **1.** Se dit d'un corps à travers lequel les objets sont nettement distingués : *Une paroi de verre transparente.* — **2.** Se dit de choses qui se laissent aisément comprendre ou deviner : *Une allusion transparente* (syn. CLAIR, ↑ÉVIDENT). ◆ **transparence** n. f. : *La transparence d'un tissu. La transparence de ses intentions frappait tout le monde.*

TRANSPERCER [trɑ̃spɛrse] v. t. (du lat. *trans*, au-delà de, et *percer*). **1.** *Transpercer qqch., qq'un*, les percer de part en part : *Une balle lui a transpercé l'intestin* (syn. PERFORER). — **2.** Passer au travers de : *La pluie transperce son vieil imperméable* (syn. TRAVERSER).

1. TRANSPIRER [trɑ̃spire] v. i. (du lat. *trans*, au-delà de, et *spirare*, respirer) [sujet nom d'être vivant]. Laisser passer de la sueur par les pores de la peau, sous l'effet d'une forte chaleur, d'un effort, etc. (syn. ÊTRE EN NAGE, EN SUEUR, SUER). ◆ **transpiration** n. f. **1.** Émission d'eau par les pores de la peau sous forme de sueur : *La transpiration a un rôle d'excrétion et de régulation de la température du corps.* — **2.** *Bot.* Émission de vapeur d'eau, principalement par les stomates des feuilles des végétaux.

2. TRANSPIRER [trɑ̃spire] v. i. (de *transpirer* 1). *Nouvelle, secret*, etc., *qui transpire*, qui se répand peu à peu malgré les précautions prises.

TRANSPLANTER [trɑ̃splɑ̃te] v. t. (lat. *transplantare*). **1.** Planter en un autre endroit : *Transplanter des arbres.* — **2.** Installer ailleurs : *Transplanter des populations d'un pays dans un autre.* — **3.** *Biol.* Transférer sur un individu un organe entier prélevé sur un autre individu. (→ GREFFE.) ◆ **transplantation** n. f. : *La transplantation des arbres. La transplantation des ruraux dans des zones urbaines* (syn. ÉMIGRATION). *Transplantation cardiaque.* ◆ **transplanté, e** adj. : *Certaines fleurs transplantées ont du mal à reprendre.*

1. TRANSPORTER [trɑ̃spɔrte] v. t. (lat. *transportare*). **1.** *Transporter qqch., qq'un*, le porter d'un lieu dans un autre : *Transporter des marchandises. Transporter des voyageurs* (syn. VÉHICULER). — **2.** *Transporter qqch.*, le déplacer : *Transporter un fait divers sur la scène, à l'écran* (= le représenter sur la scène, à l'écran) [syn. TRANSPOSER]. *Transporter une somme d'un compte courant à un autre compte* (syn. TRANSFÉRER, VIRER). ◆ ***se transporter*** v. pr. **1.** (sujet nom de personne) Se rendre en un lieu. — **2.** (sujet nom de personne) Se porter par l'imagination, par l'esprit dans une autre époque, un lieu lointain : *Transportons-nous à l'époque des Croisades.* ◆ **transport** n. m. **1.** *Transport des voyageurs. Le transport des bagages en avion.* — **2.** *Transport de troupes*, bateau réquisitionné par l'armée pour le transport des soldats. ◆ n. m. pl. Ensemble des moyens d'acheminement des marchandises ou des personnes : *Les transports en commun* (= le métro, l'autobus). ◆ **transportable** adj. : *Un blessé transportable. Marchandises qui ne sont pas transportables.* ◆ **transporteur, euse** adj. et n. Se dit de ce qui transporte : *La compagnie transporteuse.* ◆ n. m. Personne qui effectue des transports par profession. ◆ **intransportable** adj. : *Un malade intransportable.*

2. TRANSPORTER [trɑ̃spɔrte] v. t. (même étym.). *Transporter qq'un de joie, d'enthousiasme, de colère*, etc., susciter en lui de la joie, de l'enthousiasme, etc. (surtout au passif). ◆ **transport** n. m. Sentiment vif, violent (littér.) : *La foule accueillit la nouvelle avec des transports d'enthousiasme.*

TRANSPOSER [trɑ̃spoze] v. t. (du lat. *trans*, au-delà de, et *poser*). **1.** Mettre une chose à une place autre que celle qu'elle occupe ou qu'elle doit occuper : *Transposer une lettre dans un mot.* — **2.** Placer dans un autre décor, une autre époque, etc. un thème littéraire ou artistique : *Transposer une comédie de Molière au XXe s.* — **3.** Écrire ou exécuter un morceau de musique dans un ton différent de celui dans lequel il a été composé. ◆ **transposable** adj. ◆ **transposition** n. f. : *Transposition des compléments dans une proposition grammaticale* (syn. INTERVERSION, INVERSION). *La transposition d'une anecdote moyenâgeuse à l'époque contemporaine.*

Transsibérien (le), grande voie ferrée de l'U. R. S. S., reliant Tcheliabinsk, dans l'Oural, à Vladivostok, sur le Pacifique; 7 500 km (9 000 km de Moscou à Vladivostok).

TRANSSUBSTANTIATION [trɑ̃sypstɑ̃sjasjɔ̃] n. f. *Relig.* Changement de la substance du pain et du vin en celle du corps et du sang de Jésus-Christ, dans l'eucharistie.

TRANSVAAL, province du nord-est de la république d'Afrique du Sud; 283 917 km^2; 10 928 000 hab. Capit. *Pretoria* (630 000 hab.).

Constitué de plateaux couverts de savane, le Transvaal est une grande région d'élevage bovin et ovin. Mais c'est aux mines que la province doit sa richesse : or du Witwatersrand, charbon, fer, diamant, etc. Elles ont donné naissance à une puissante industrie, localisée notamment autour de Johannesburg, principale ville du pays.

TRANSVASER [trɑ̃svaze] v. t. (du lat. *trans*, à travers, et *vas*, vase). *Transvaser un liquide*, le verser d'un récipient dans un autre : *Transvaser de l'huile.* ◆ **transvasement** n. m. : *Le transvasement d'un liquide.*

TRANSVERSAL, E, AUX [trɑ̃svɛrsal, -so] adj. (du lat. *trans*, à travers, et *versus*, tourné). **1.** Se dit d'une chose disposée en travers : *Une vallée transversale* (= qui coupe plusieurs vallées parallèles). — **2.** Se dit d'une chose qui en traverse une autre perpendiculairement au sens de sa plus grande longueur : *Coupe transversale* (contr. LONGITUDINAL). ◆ **transversalement** adv.

TRANSYLVANIE, en roum. **Transilvania**, en hongr. **Ardeal**, région de la Roumanie, située à l'intérieur de l'arc formé par les Carpates. (Hab. *Transylvaniens*). La Transylvanie, qui a fait partie dès le XIe s., du royaume de Hongrie, a été principauté indépendante de 1526 à 1691; à cette date, elle dut reconnaître la domination des Habsbourg. En 1918, elle fut rattachée à la Roumanie.

1. TRAPÈZE [trapɛz] n. m. (gr. *trapezion*, petite table). *Géom.* Quadrilatère convexe ayant deux côtés parallèles (les *bases*) et deux côtés non parallèles : *Le trapèze est isocèle si les côtés non parallèles ont des longueurs égales. Le trapèze est rectangle si un côté est perpendiculaire aux bases.* ◆ **trapézoïdal, e, aux** adj. Qui est en forme de trapèze.

2. TRAPÈZE [trapɛz] n. m. (de *trapèze* 1). Appareil de gymnastique formé de deux cordes verticales, réunies en bas par une barre de forme cylindrique. ◆ **trapéziste** n. Équilibriste, acrobate qui fait du trapèze.

TRAPPE [trap] n. f. (frq. *trappa*). **1.** Porte qui ferme une ouverture horizontale au niveau du plancher : *Ouvrir une trappe et descendre dans la cave.* — **2.** Piège de chasse disposé au-dessus d'une fosse : *Tomber dans une trappe.* ◆ **trappeur** n. m. Chasseur de bêtes à fourrure, en Amérique du Nord.

Trappe (la), abbaye de l'ordre de Cîteaux, fondée en 1140 à Soligny (Orne) et réformée par l'abbé de Rancé (1664). C'est l'abbaye mère des cisterciens réformés de la stricte observance appelés *trappistes.* Ces religieux pratiquent une règle rigoureuse, adoucie en 1967, notamment en ce qui concerne le silence.

TRAPPES, ch.-l. de cant. des Yvelines, à 6 km au S.-O. de Versailles; 29 800 hab. Gare de triage. Création, dans la région, d'une « ville nouvelle », Saint-Quentin-en-Yvelines.

TRAPPEUR n. m. → TRAPPE.

TRAPU, E [trapy] adj. (orig. incert.). Se dit d'un être vivant court et ramassé, ou d'un objet bas et massif.

TRAQUENARD [traknar] n. m. (de *traquer*). **1.** Piège tendu à une personne, afin de l'arrêter, de la faire échouer, etc. — **2.** Difficulté cachée : *Version pleine de traquenards.*

TRAQUER [trake] v. t. (de l'anc. fr. *trac,* piste de bêtes). **1.** *Traquer un animal,* le poursuivre jusqu'à épuisement. — **2.** *Traquer qq'un,* le serrer de près, le poursuivre.

TRASIMÈNE *(lac),* lac de l'anc. Étrurie.

• *217 av. J.-C. Victoire d'Hannibal sur le consul romain Flaminius Nepos.*

TRAUMATISME [tromatism] n. m. (du gr. *trauma,* blessure). Ensemble de troubles occasionnés par un coup, une blessure, ou par un choc émotionnel : *Un traumatisme crânien. La mort de sa mère lui a causé un traumatisme.* ◆ **traumatiser** v. t. Provoquer un traumatisme. ◆ **traumatisant, e** adj.

1. TRAVAIL, pl. **TRAVAUX** [travaj, travo] n. m. (lat. *tripalium,* instrument de torture). **1.** Activité d'un homme ou d'un groupe d'hommes accomplie en vue d'un résultat utile : *Encore un jour de travail* (contr. LOISIR, REPOS). *Travail intellectuel. Travail musculaire* (= celui qui exige un effort physique). *Se mettre au travail* (= commencer à travailler). — **2.** *Travail d'une machine, d'un moteur,* effet utile qu'ils produisent. — **3.** Œuvre réalisée ou à réaliser : *Montrez-moi votre travail. Achever un travail* (syn. TÂCHE). — **4.** Manière dont un ouvrage est exécuté : *Une dentelle d'un travail très délicat.* ◆ **travaux** n. m. pl. **1.** Ensemble des opérations propres à un domaine déterminé : *Les travaux agricoles* ou *les travaux des champs. Des travaux d'assainissement.* ‖ *Travaux publics,* construction, réparation, entretien de bâtiments, de routes, etc., effectués pour le compte de l'Administration. ‖ *Travaux forcés,* peine criminelle de droit commun, qui était subie dans les bagnes : *Les travaux forcés ont été supprimés et remplacés par la réclusion à vie.* — **2.** Suite de recherches, conclusion d'études dans le domaine intellectuel, scientifique : *Il a reçu le prix Nobel pour l'ensemble de ses travaux sur l'atome. Les travaux préparatoires à l'élaboration d'un projet de loi.* ‖ *Travaux pratiques,* ensemble des expérimentations, des exercices, etc., faits par les étudiants, en application d'un cours ou sur un programme déterminé. — **3.** Fam. *Travaux d'approche* → APPROCHER. ◆ **travailler** v. i. **1.** Fournir un travail, exercer son activité : *Il travaille dans son jardin. Un enfant qui travaille très bien en classe* (= qui étudie très bien). — **2.** *Travailler à qqch.,* y consacrer son activité : *Un écrivain qui travaille à un nouveau roman.* ◆ v. t. **1.** *Travailler qqch.,* le soumettre à une action afin de lui donner une forme, une consistance particulière : *Travailler un métal à froid. Travailler la pâte* (= la pétrir longuement). *Travailler son style* (= chercher à l'améliorer). — **2.** *Travailler une matière scolaire, un morceau de musique,* etc., l'étudier, s'y exercer. ◆ **travailleur, euse** adj. et n. Se dit d'une personne qui aime le travail : *Être très travailleur, peu travailleur* (syn. ACTIF; contr. OISIF, PARESSEUX).

2. TRAVAIL, pl. **TRAVAUX** [travaj, travo] n. m. (même étym.). **1.** Activité professionnelle rémunérée : *Travail à la chaîne. Avoir un travail lucratif* (syn. MÉTIER). *Être sans travail* (= être au chômage). *Cesser le travail* (= se mettre en grève). — **2.** *Travail noir,* activité qui est soustraite aux législations sociale et fiscale. ‖ *Accident du travail* → ACCIDENT 1. ‖ *Inspecteur du travail,* fonctionnaire chargé de vérifier l'application de la législation du travail. ◆ **travailler** v. i. Exercer une activité professionnelle, un métier. ◆ **travailleur, euse** n. **1.** Personne salariée : *Les syndicats appuient les revendications des travailleurs de l'usine.* — **2.** *Travailleuse familiale,* personne diplômée de l'État, qui assure à domicile une aide aux mères de famille. ◆ **retravailler** v. i. Reprendre le travail, après une période d'inactivité.

3. TRAVAIL [travaj] n. m. sing. (même étym.). *Mécan.* Produit de l'intensité d'une force par la projection, sur la direction de cette force, du déplacement de son point d'application : *L'unité légale de travail est le joule.*

4. TRAVAIL [travaj] n. m. sing. (même étym.). **1.** Déformation subie progressivement par un matériau : *Le travail d'une poutre* (syn. AFFAISSEMENT, GAUCHISSEMENT). — **2.** Modification qui se produit dans une substance et en change la nature : *Le travail du cidre dans les tonneaux* (syn. FERMENTATION). ◆ **travailler** v. i. **1.** (sujet nom désignant un matériau) Se déformer sous l'action de forces et d'influences diverses : *Le bois de ce montant de porte travaille* (= se gauchit). — **2.** (sujet nom désignant un liquide) Fermenter : *Le vin travaille.*

5. TRAVAIL [travaj] n. m. sing. (même étym.). Ensemble des phénomènes qui préparent et produisent l'accouchement (vieilli) : *Femme en travail.*

1. TRAVAILLER v. t. et i. → TRAVAIL 1, 2 et 4.

2. TRAVAILLER [travaje] v. t. (de *travail*) [sujet nom de chose]. *Travailler qq'un,* lui causer du souci, l'obséder, ou lui causer de la souffrance : *Le désir de trouver une solution le travaillait jour et nuit* (syn. RONGER, TOURMENTER, TRACASSER). *La fièvre travaille le malade* (syn. AGITER, FATIGUER).

TRAVAILLEUR, EUSE adj. et n. → TRAVAIL 1 et 2.

Travailleurs de la mer *(les),* roman de Victor Hugo (1866).

TRAVAILLISTE [travajist] adj. et n. (de *travail*). *Parti travailliste,* parti socialiste britannique, constitué par les trade-unions*, les coopératives, des sections locales, et qui est l'un des deux grands partis politiques britanniques. (En angl. LABOUR PARTY.) ◆ **travaillisme** n. m. Doctrine du parti travailliste.

TRAVANCORE, région historique de l'Inde, formant la partie méridionale de l'État de Kerala.

Travaux et les jours *(les),* poème didactique d'Hésiode (VIIIe s. av. J.-C.), édictant des sentences morales et des préceptes d'économie domestique.

TRAVÉE [trave] n. f. (lat. *trabs, trabis,* poutre). **1.** Rangée de bancs. — **2.** *Archit.* Partie comprise entre deux points d'appui principaux : *Une travée d'église est constituée par la voûte comprise entre deux piliers.*

TRAVELLER'S CHEQUE [travlœrsʃɛk] n. m. (mot angl. signif. *chèque de voyageur*). Chèque de voyage, qu'on peut se faire payer en espèces dans tout établissement bancaire du pays où l'on se rend.

TRAVELLING [travling] n. m. (mot angl.). Au cinéma, mouvement de la caméra qui, fixée sur un chariot glissant sur des rails, suit le déplacement des personnages.

1. TRAVERS (À) [atravɛr] loc. prép. et adv. (lat. *transversus,* oblique). **1.** En traversant quelque chose de part en part, par le milieu : *Passer à travers les mailles d'un filet. Juger les gens à travers ses préjugés* (= par le truchement de). — **2.** *À travers champs, à travers bois,* en traversant les champs, les bois. ◆ **au travers (de)** loc. prép. et adv. **1.** En passant d'un bout à l'autre de (peut le plus souvent remplacer *à travers*) : *Il courait de grands dangers, mais il est passé au travers* (= il y a échappé). — **2.** Par l'intermédiaire de : *Au travers de cette comparaison, l'idée apparaît mieux.*

2. TRAVERS (DE) [dətravɛr] loc. adv. (même étym.). **1.** De manière oblique, irrégulièrement : *Il a mis son chapeau de travers* (syn. DE CÔTÉ; contr. DROIT). *Le constat montre que la voiture accidentée se présente de travers par rapport à l'obstacle* (syn. OBLIQUEMENT; par oppos. à PARALLÈLEMENT ou PERPENDICULAIREMENT). — **2.** De manière fausse, inexacte : *Répondre de travers* (= à côté de la question). *Comprendre de travers* (= autre chose que ce qu'il faut comprendre) [syn. MAL]. *Toutes ses affaires vont de travers* (= échouent, périclitent). — **3.** *Regarder qq'un de travers,* le regarder avec antipathie ou animosité. ‖ *Prendre qqch. de travers,* se montrer très susceptible. ◆ **en travers (de)** loc. adv. et prép. Dans une position transversale par rapport à l'axe de l'objet considéré ou à une direction : *Scier une planche en travers* (syn. TRANSVERSALEMENT). *Tomber en travers du chemin* (= perpendiculairement à la direction du chemin). *Il s'est jeté en travers de ma route* (= de manière à couper ma route, à me faire obstacle).

3. TRAVERS [travɛr] n. m. (même étym.). Petit défaut un peu ridicule : *Il est attaché à ses petites habitudes, mais on lui pardonne volontiers ce travers.*

TRAVERSABLE adj. → TRAVERSER.

1. TRAVERSE n. f. → TRAVERSER.

2. TRAVERSE [travɛrs] n. f. (de *travers*). Sur une voie de chemin de fer, pièce d'appui posée sur le ballast, perpendiculairement aux rails qu'elle supporte et dont elle maintient l'écartement.

TRAVERSER [travɛrse] v. t. (lat. *transversare*). **1.** Passer d'un côté, d'un bord à l'autre : *Traverser la rue. Traverser la Manche à la nage.* — **2.** (sujet nom de chose) Pénétrer de part en part : *La pluie a traversé son manteau* (syn. TRANSPERCER). — **3.** *Traverser une période, une crise,* etc., se trouver dans cette période. — **4.** *Idée qui traverse l'esprit,* qui se présente brusquement à la pensée. ◆ **traversable** adj. : *Une rivière traversable à pied.* ◆ **traverse** n. f. *Chemin de traverse,* chemin qui est plus court que la voie normale. ◆ **traversée** n. f. Action de traverser la mer, un pays : *La traversée se fait par un bac. La traversée du Sahara.*

TRAVERSIER, ÈRE [travɛrsje, -ɛr] adj. (lat. *transversarius,* transversal). *Flûte traversière,* flûte qui se tient parallèlement aux lèvres.

TRAVERSIN [travɛrsɛ̃] n. m. (de *travers*). Sorte d'oreiller long et de section cylindrique, qui occupe la largeur du lit.

TRAVESTIR [travɛstir] v. t. (it. *travestire*). *Travestir qqch.*, le transformer, le rendre méconnaissable en cachant son aspect normal : *Travestir la pensée de qq'un* (syn. DÉFORMER). *Travestir la vérité* (= mentir) [syn. FALSIFIER]. ◆ ***se travestir*** v. pr. (sujet nom de personne). Prendre des vêtements qui ne sont pas les siens (syn. SE DÉGUISER). ◆ **travesti** n. m. **1.** Personne revêtue d'un déguisement. — **2.** Personne qui adopte les vêtements, les attitudes de l'autre sexe. ◆ **travestissement** n. m.

Traviata *(la)*, opéra de Verdi (1853).

TRAVIOLE (DE) [dətravjɔl] loc. adv. (de *travers*). *Pop.* De travers : *Son chapeau est mis tout de traviole* (syn. littér. DE GUINGOIS).

TRAYAS (Le), station balnéaire du Var (comm. de Saint-Raphaël), sur la côte de l'Esterel, à 17 km au S. de Cannes.

TRAYEUSE n. f. → TRAIRE.

TRÉBEURDEN, comm. des Côtes-d'Armor, à 10 km au N.-O. de Lannion; 3 200 hab. Station balnéaire.

TRÉBIE (la), en it. **Trebbia,** riv. d'Italie, affl. du Pô (r. dr.); 115 km.

• *218 av. J.-C. Victoires d'Hannibal sur le consul romain Sempronius.*

TRÉBIZONDE, en turc **Trabzon,** port de Turquie, sur la mer Noire; 81 500 hab. Capit. d'un empire grec (1204 à 1461) fondé par Alexis et David Comnène. Église byzantine.

TRÉBOUL, station balnéaire du Finistère, sur la baie de Douarnenez.

TRÉBUCHER [trebyʃe] v. i. (du lat. *trans,* au-delà de, et anc. fr. *buc,* tronc du corps). **1.** Perdre l'équilibre en marchant : *Trébucher sur une pierre.* — **2.** Être arrêté par une difficulté : *Trébucher sur un mot.* ◆ **trébuchant, e** adj. : *Une démarche trébuchante. Une voix trébuchante.*

TRÉBUCHET [trebyʃɛ] n. m. (de *trébucher*). Petite balance de précision.

TRÉFILER [trefile] v. t. (du lat. *trans,* à travers, et *fil*). Convertir un métal en fils par étirage à froid. ◆ **tréfilage** n. m. ◆ **tréfilerie** n. f. Usine de tréfilage.

1. TRÈFLE [trɛfl] n. m. (du lat. *tres,* trois, et *folium,* feuille). Plante herbacée, dont la feuille est divisée en trois folioles, et dont plusieurs espèces constituent des fourrages. (Famille des papilionacées.)

2. TRÈFLE [trɛfl] n. m. (de *trèfle* 1). Une des quatre couleurs du jeu de cartes : *Valet de trèfle. Jouer trèfle.*

TRÉFONDS [trefɔ̃] n. m. (de *très,* et *fonds*). Ce qui est au plus profond de quelque chose ou de quelqu'un : *Être ému jusqu'au tréfonds de l'âme* (syn. FIN FOND). *Connaître le fond et le tréfonds d'une affaire* (syn. LES DESSOUS).

TRÉGASTEL, comm. des Côtes-d'Armor, à 13 km au N. de Lannion; 2 000 hab. Station balnéaire.

TRÉGORROIS, région de Bretagne (Côtes-d'Armor), entre la baie de Saint-Brieuc à l'E. et la baie de Morlaix à l'O.

TRÉGUIER, ch.-l. de cant. des Côtes-d'Armor à 15 km à l'O. de Paimpol, près de la mer; 3 400 hab. *(Trégorrois* ou *Trécorrois).*

TREILLAGE n. m. → TREILLIS 1.

TREILLE [trɛj] n. f. (lat. *trichila,* berceau de verdure). **1.** Ceps de vigne qui s'élèvent contre un mur, un arbre, un treillage, etc. : *Une treille de muscat.* — **2.** Fam. *Le jus de la treille,* le vin.

1. TREILLIS [trɛji] n. m. (lat. *trilix,* à trois fils). Ouvrage de métal ou de bois qui imite les mailles d'un filet : *Une clôture en treillis.* ◆ **treillage** n. m. Assemblage de lattes ou d'échalas posés parallèlement ou croisés : *Un treillage clôturait le jardin.*

2. TREILLIS [trɛji] n. m. (de *treillis* 1). Vêtement de travail ou d'exercice en toile de chanvre très résistante : *Des soldats qui manœuvrent en treillis.*

TREIZE [trɛz] adj. num. cardin. et n. m. (lat. *tredecim.*) **1.** → NUMÉRATION. — **2.** *Treize à la douzaine,* se dit, dans la vente de certains objets, de la livraison de treize unités pour douze commandées et payées. ◆ **treizième** adj. num. ordin. et n. → NUMÉRATION. ◆ **treizièmement** adv.

Trek (le *Grand*), mouvement d'émigration des colons hollandais du Cap vers le Vaal et l'Orange (1834-1839), à la suite de l'arrivée des Anglais.

TRÉLAZÉ, comm. de Maine-et-Loire, à 6 km au S.-E. d'Angers; 11300 hab. Ardoisières les plus importantes de France.

TRÉMA [trema] n. m. (gr. *trêma,* point). Signe formé de deux points (¨) et qu'on place sur les voyelles *e, i, u* pour indiquer que la voyelle qui précède immédiatement est prononcée de manière distincte, par ex. dans *naïf* [naif], *Noël* [nɔɛl]. (Le tréma est notamment placé sur le *e* du féminin des adj. qui se terminent par *-gu* au masculin, ou de certains noms qui se terminent par *-gue,* pour indiquer que le *u* doit se prononcer : *aigu* [egy], *aiguë* [egy], *ciguë* [sigy].)

TREMBLADE (La), ch.-l. de cant. de la Charente-Maritime, à 21 km au N.-O. de Royan ; 4 700 hab. Parcs à huîtres.

TREMBLAIE n. f. → TREMBLE.

TREMBLANT, E adj. → TREMBLER.

TREMBLAY-EN-FRANCE, anc. **Tremblay-lès-Gonesse,** ch.-l. de cant. de la Seine-Saint-Denis, dans la banlieue nord-est de Paris; 29 700 hab.

TREMBLE [trɑ̃bl] n. m. (lat. *tremulus*). Espèce de peuplier, dont les feuilles sont extrêmement mobiles. ◆ **tremblaie** n. f. Lieu planté de trembles.

TREMBLER [trɑ̃ble] v. i. (du lat. *tremere*). **1.** (sujet nom d'être animé) Être agité de petits mouvements musculaires vifs, pressés, convulsifs : *Trembler de froid* (syn. FRISSONNER). — **2.** Éprouver une violente crainte : *Il tremblait pour les siens* (= il redoutait le mal qui pouvait leur arriver). — **3.** (sujet nom de chose) Être agité de petits mouvements rapides et répétés : *Les feuilles de l'arbre tremblaient* (syn. FRÉMIR, REMUER). *Une lueur tremblait dans la nuit* (syn. VACILLER). — **4.** Être ébranlé : *La terre a tremblé récemment en Iran. Une explosion qui fit trembler les vitres* (syn. VIBRER). ◆ **tremblant, e** adj. : *Une main tremblante. Elle se sentait encore tremblante de peur.* ◆ **tremblé, e** adj. **1.** Se dit d'une chose qui est ou qui semble exécutée par une main qui tremble : *Écriture tremblée.* — **2.** Se dit de sons dont l'intensité varie rapidement et faiblement : *Une note filée et tremblée.* ◆ **tremblement** n. m. **1.** Agitation continue du corps d'un être vivant : *Un tremblement convulsif* (syn. ↑CONVULSION). *Des tremblements de froid* (= sous l'effet du froid) [syn. ↓ FRISSON]. — **2.** Oscillations, mouvements rapides d'un objet : *Le tremblement du plancher d'un camion* (syn. TRÉPIDATION). ‖ *Tremblement de terre,* secousse qui ébranle le sol sur une plus ou moins grande étendue (syn. SÉISME). — **3.** Fam. *Tout le tremblement,* ensemble important de personnes ou de choses.

TREMBLEUR [trɑ̃blœr] n. m. (de *trembler*). *Électr.* Appareil à lame flexible qui interrompt et rétablit le passage d'un courant électrique successivement et à de très courts intervalles.

TREMBLOTER [trɑ̃blɔte] v. i. (de *trembler*). Trembler légèrement. ◆ **tremblotant, e** adj. : *Un vieillard tout tremblotant. Une voix tremblotante.* ◆ **tremblote** n. f. Pop. *Avoir la tremblote,* trembler de froid ou de peur. ◆ **tremblotement** n. m.

TRÉMIE [tremi] n. f. (lat. *trimodia*). **1.** Sorte de grand entonnoir en forme de pyramide renversée où l'on déverse des substances qui doivent subir un traitement : *Trémie à blé.* — **2.** Espace réservé dans un plancher pour porter l'âtre d'une cheminée.

TRÉMOLO [tremɔlo] n. m. (mot it. signif. *tremblement*). *Mus.* Répétition rapide de notes qui donne l'impression d'un tremblement. — **2.** *Avoir des trémolos dans la voix,* avoir des tremblements dans la voix, généralement sous l'effet d'une émotion (souvent ironiq.).

TRÉMOUSSER (SE) [sətremuse] v. pr. (de *mousse,* écume) [sujet nom d'être animé]. S'agiter avec des mouvements rapides et désordonnés : *Un enfant qui se trémousse sur sa chaise* (syn. fam. GIGOTER, REMUER). ◆ **trémoussement** n. m.

TREMPE n. f., **TREMPÉ, E** adj. → TREMPER 2.

1. TREMPER [trɑ̃pe] v. t. (lat. *temperare,* modérer). *Tremper un objet, un corps,* le plonger dans un liquide, l'imbiber de ce liquide : *Tremper du linge dans l'eau* (syn. ↓HUMECTER, MOUILLER). *Tremper une tartine dans son bol de café au lait.* ◆ v. i. (sujet nom de chose). Rester plongé dans un liquide : *Le linge trempe dans la bassine.* ◆ **trempé, e** adj. : *Ses vêtements sont tout trempés* (syn. MOUILLÉ). ◆ **trempette** n. f. Fam. *Faire trempette,* prendre un bain très court, ou un bain partiel. ◆ **retremper** v. t. Tremper de nouveau.

2. TREMPER [trɑ̃pe] v. t. (même étym.). *Tremper un produit métallurgique,* le refroidir brusquement dans un liquide (huile ou eau), après l'avoir porté à une température bien définie, afin de lui donner une grande dureté : *Tremper l'acier.* ◆ **trempe** n. f. **1.** Opération industrielle par laquelle on trempe un produit. — **2.** Caractère, force d'âme (dans certaines loc.) : *Ils sont tous deux de la même trempe* (= ils ont la même force de caractère, la même fermeté). ◆ **trempé, e** adj. : *Acier, verre trempé. Un caractère bien trempé* (syn. AGUERRI, DURCI; contr. MALLÉABLE, MOU). ◆ **détremper** v. t. Faire perdre, entièrement ou partiellement, sa trempe à un produit métallurgique. ◆ **détrempe** n. f. Opération par laquelle on enlève la trempe d'un produit métallurgique en le chauffant. ◆ **retremper** v. t. Donner une nouvelle trempe.

3. TREMPER [trɑ̃pe] v. i. (même étym.) [sujet nom de personne]. Participer à une action condamnable : *Plusieurs personnalités ont trempé dans ce crime* (syn. ÊTRE COMPLICE DE).

TREMPETTE n. f. → TREMPER 1.

TREMPLIN [trɑ̃plɛ̃] n. m. (it. *trampolino*). **1.** Planche élastique sur laquelle un sauteur prend son élan pour sauter, ou un plongeur pour plonger. — **2.** Moyen qui permet de parvenir à un but, à une situation : *Ce succès au concours lui a servi de tremplin pour entrer dans l'entreprise.*

TRENGGANU, État de la Malaysia; 12950 km^2; 542000 hab. Capit. *Kuala Trengganu.*

TRENT (la), riv. d'Angleterre, qui arrose Nottingham, et qui se réunit à l'Ouse pour former l'estuaire de la Humber, sur la mer du Nord; 270 km.

TRENTE [trɑ̃t] adj. num. cardin. et n. m. (lat. *triginta*). → NUMÉRATION. ◆ n. m. Au tennis, deuxième point marqué par le même joueur dans un jeu. ◆ **trentième** adj. num. ordin. et n. ◆ **trentièmement** adv. → NUMÉRATION. ◆ **trentaine** n. f. **1.** Nombre de trente ou environ. — **2.** Age de trente ans. (→ NUMÉRATION.)

Trente (les), nom donné aux membres d'un conseil oligarchique imposé par les Spartiates aux Athéniens, après la prise de leur ville par Lysandre (404 av. J.-C.). Ils se signalèrent par leur despotisme et furent chassés par Thrasybule.

Trente Ans *(guerre de),* guerre qui vit s'affronter de 1618 à 1648 les États allemands et les grands pays d'Europe. Elle eut pour causes essentielles l'antagonisme entre protestants et catholiques du Saint Empire et les ambitions de la maison d'Autriche.

• *1618. Le conflit éclate en Bohême à la suite de la défenestration* de Prague.*

Le roi de Bohême, Ferdinand de Habsbourg, partisan d'une restauration catholique, est déposé au profit de l'Électeur palatin, calviniste. Mais les Tchèques sont battus à la Montagne Blanche (1620) par Ferdinand devenu empereur et ses alliés de la Sainte Ligue. La Bohême perd ses libertés, et l'Électeur ses terres et son titre.

• *1625-1629. Christian IV de Danemark reprend les hostilités contre Ferdinand.*

Il intervient au nom de la défense du protestantisme et pour enrayer l'avance des Habsbourg vers ses États, mais battu par Wallenstein en 1629, il signe la paix de Lübeck. Ferdinand proclame l'édit de Restitution qui vise à reprendre aux protestants les biens ecclésiastiques confisqués après 1555.

• *1630-1631. Richelieu incite la diète de Ratisbonne à refuser à Ferdinand l'hérédité du titre impérial, puis finance l'intervention du roi de Suède, Gustave Adolphe.*

Mais la mort de celui-ci (1632), et la paix de Prague (1634) renforcent les Habsbourg.

• *1635-1648. La France s'allie à la Suède, aux Pays-Bas et aux protestants allemands pour lutter contre les Habsbourg d'Espagne et d'Autriche.*

Les victoires franco-suédoises (Rocroi, Nördlingen) poussent l'Autriche à signer le traité de Westphalie (1648). Les vainqueurs annexent des territoires (la France reçoit l'Alsace) et l'Allemagne sort ruinée et affaiblie de ces trente ans de guerre.

Trente Tyrans (les), nom donné aux généraux romains qui s'emparèrent du pouvoir impérial dans les diverses provinces de l'Empire, sous les règnes de Valérien et de Gallien, entre 254 et 268.

TRENTE, v. d'Italie, ch.-l. du *Trentin,* sur l'Adige; 98000 hab. Églises romanes. Palais de la Renaissance. Industries textiles. Siège d'un concile œcuménique (1545-1563).

Trente *(concile de),* concile œcuménique réuni par Paul III. Échelonné sur dix-huit ans (1545-1563), il a rétabli la discipline au sein du clergé et défini la doctrine catholique.

Le dogme (= ensemble des doctrines officielles d'une religion) est précisé, face au protestantisme, à partir de la Tradition et de l'Écriture. Les sacrements sont maintenus et la présence réelle du Christ dans l'eucharistie («transsubstantiation») réaffirmée. Quant à l'organisation, elle est affermie par la création de séminaires, la visite régulière des diocèses par les évêques, l'interdiction du cumul des bénéfices et l'obligation de résidence.

Le concile, qui réaffirma la suprématie de la papauté, donna le signal de la Contre-Réforme*.

TRENTE-ET-UN [trɑ̃teœ̃] n. m. *(trente, et,* et *un).* Fam. *Être sur son trente-et-un,* être habillé de ses plus beaux vêtements.

TRENTIÈME adj. num. ordin. et n., **TRENTIÈMEMENT** adv. → TRENTE et NUMÉRATION.

TRENTIN, en it. **Trentino,** région d'Italie correspondant à l'actuelle province de Trente et formant, avec le Haut-Adige (province de Bolzano), la région historique de la *Vénétie Tridentine.* Cet ensemble, qui fut attribué à l'Italie par le traité de Saint-Germain-en-Laye (1919), constitue aujourd'hui la région autonome du *Trentin-Haut-Adige* (866400 hab.), correspondant au bassin supérieur de l'Adige entre les massifs de l'Ortler, de l'Adamello et des Dolomites.

TRENTON, v. des États-Unis, capit. de l'État de New Jersey, sur la Delaware; 104650 hab. Textiles.

1. TRÉPAN [trepɑ̃] n. m. (gr. *trupanon,* tarière). Outil de forage utilisé pour percer les roches dures.

2. TRÉPAN [trepɑ̃] n. m. (même étym.). Instrument de chirurgie avec lequel on perce les os, spécialement ceux du crâne. ◆ **trépaner** v. t. *Trépaner qq'un,* lui ouvrir la boîte crânienne à l'aide du trépan : *Trépaner un blessé.* ◆ **trépanation** n. f. ◆ **trépané, e** adj. et n.

TRÉPASSER [trepase] v. i. (de l'anc. fr. *tres,* au-delà, et *passer*). Mourir (littér.). ◆ **trépas** n. m. Mort (littér.). ‖ *Passer de vie à trépas,* mourir (style soigné ou ironiq.). ◆ **trépassé, e** n. Personne décédée : *La fête des trépassés.*

TRÉPASSÉS *(baie des),* baie de la côte atlantique du Finistère, entre les pointes du Raz et du Van.

TRÉPIDER [trepide] v. i. (lat. *trepidare*) [sujet nom de chose]. Être agité de petites secousses rapides : *Le moteur fait trépider le plancher de la voiture.* ◆ **trépidant, e** adj. *Mener une vie trépidante,* mener une vie pleine d'agitation, d'occupations. ◆ **trépidation** n. f. : *Sentir les trépidations d'une voiture.*

TRÉPIED [trepje] n. m. (du lat. *tres,* trois, et *pes, pedis,* pied). Meuble ou support à trois pieds.

TRÉPIGNER [trepiɲe] v. i. (de l'anc. fr. *treper,* frapper du pied). Frapper des pieds par terre à plusieurs reprises, nerveusement, et tout en restant sur place : *Trépigner d'impatience.* ◆ **trépignement** n. m.

TRÉPONÈME [treponɛm] n. m. (du gr. *trepein,* tourner, et *nêma,* fil). Genre de protozoaire spiralé (classe des spirochètes), dont une espèce est responsable de la syphilis.

TRÉPORT (Le), comm. de la Seine-Maritime, à 30 km au N.-E. de Dieppe, sur la Manche; 6850 hab. *(Tréportais).* Port et station balnéaire.

TRÈS ([trɛ] devant une consonne, [trɛz] devant une voyelle ou un *h* muet) adv. (du lat. *trans,* au-delà). S'emploie devant des adj., des adv. ou des loc. adv., parfois devant des loc. prép. ou des noms, pour former des superl. absolus : *Il est très riche* (syn. ↑EXCESSIVEMENT, EXTRÊMEMENT, FORT [langue soignée]). *Je suis très content* (syn. BIEN, TOUT). *C'est un désir très légitime* (syn. ABSOLUMENT, ENTIÈREMENT, PARFAITEMENT, PLEINEMENT, TOUT À FAIT). *Il est très travailleur* (= il travaille beaucoup). *Il se couche très tard. Vous êtes très en avance. J'ai très faim, très peur, très envie de cela* (fam.) [= grand faim, grand peur, grande envie (littér.)].

1. TRÉSOR [trezɔr] n. m. (gr. *thêsauros*). **1.** Amas d'objets précieux, de grandes richesses : *Découvrir un trésor caché.* — **2.** Personne ou chose pour laquelle on a un très grand attachement. — **3.** (au plur.) Grandes richesses, monétaires, artistiques, morales : *On a mis au Louvre les trésors de la peinture mondiale* (= les tableaux les plus beaux).

2. TRÉSOR [trezɔr] n. m. (même étym.). Service du ministère des Finances qui a pour rôle d'assurer à l'État les disponibilités financières dont il a besoin pour faire face à ses obligations. (On dit aussi *Trésor public;* s'écrit avec une majusc.) ◆ **trésorerie** n. f. **1.** Administration du Trésor public. — **2.** Ensemble des capitaux liquides d'une entreprise : *Demander une avance de trésorerie.* ◆ **trésorier, ère** n. **1.** Personne chargée de détenir, de comptabiliser les finances d'une collectivité. — **2.** *Trésorier-payeur général,* comptable supérieur, chargé d'assurer, dans le ressort d'un département, le service public du Trésor.

TRESSAGE n. m. → TRESSE.

TRESSAILLIR [tresajir] v. i. (du lat. *trans,* au-delà, et *salire,* sauter). [Conj. **23.**] Éprouver une sorte de secousse musculaire dans tout le corps, sous l'effet d'une émotion : *Tressaillir de surprise* (syn. FRÉMIR, TRESSAUTER). ◆ **tressaillement** n. m. (syn. HAUT-LE-CORPS, ↑SOUBRESAUT).

TRESSAUTER [tresote] v. i. (du lat. *trans,* au-delà, et *sauter*). Sursauter sous l'effet d'une émotion vive, d'une surprise : *L'entrée brusque de sa mère fit tressauter l'enfant* (syn. TRESSAILLIR). ◆ **tressautement** n. m.

TRESSE [trɛs] n. f. (orig. obscure). **1.** Entrelacement de brins, de fils, servant de lien ou d'élément décoratif : *Faire une tresse avec trois ficelles.* — **2.** Cheveux entrelacés en forme de natte : *Fillette qui a deux tresses.* ◆ **tresser** v. t. Faire une tresse de quelque chose : *Tresser des rubans.* ◆ **tressage** n. m. : *Le tressage des rubans.*

1. TRÉTEAU [treto] n. m. (du lat. *transtrum,* traverse). Pièce généralement de bois, longue et étroite, portée sur quatre pieds, et servant à soutenir des tables, un plancher, etc.

2. TRÉTEAUX [treto] n. m. pl. (de *tréteau* 1). Théâtre ambulant (vieilli).

TREUIL [trœj] n. m. (lat. *torculum,* pressoir). Cylindre horizontal et mobile autour de son axe, actionné par une manivelle ou par un moteur, et autour duquel s'enroule une corde ou un câble qui sert à élever des fardeaux.

TRÊVE [trɛv] n. f. (frq. *triuwa,* sécurité). **1.** Cessation temporaire des hostilités entre belligérants, entre personnes qui sont en conflit. — **2.** Relâche. ‖ *N'avoir ni trêve, ni repos,* ne pas avoir un moment de repos. ‖ *Ne pas avoir, ne pas laisser de trêve,* ne pas avoir de fin, ne pas laisser de répit : *Sa maladie ne lui laisse pas de trêve.* ‖ *Trêve de...,* assez de... : *Trêve de plaisanteries!* — LOC. ADV. *Sans trêve,* sans jamais s'arrêter : *Attaquer qq'un sans trêve* (syn. CONTINUELLEMENT, SANS ARRÊT, SANS CESSE, SANS RÉPIT).

Trêve de Dieu, mesures d'interdiction des guerres féodales pendant certains jours de la semaine, prescrites de façon répétée par les conciles aux Xe et XIe s.

TRÈVES, en all. **Trier,** v. d'Allemagne (Rhénanie-Palatinat), sur la Moselle; 94 000 hab. Vins mousseux. Ruines romaines (*Porta nigra,* Ier s.).

TRÉVIRES, peuple gaulois établi dans la vallée inférieure de la Moselle, dont la capit. était *Augusta Treverorum* (Trèves).

TRÉVISE, v. d'Italie (Vénétie); 91 200 hab. Faïencerie.

TRÉVOUX, ch.-l. de cant. de l'Ain, sur la Saône, à 10 km au S.-E. de Villefranche-sur-Saône; 5 100 hab. *(Trévoltiens).*

1. TRI n. m. → TRIER.

2. TRI-, préf. issu du gr. et du lat. *tri-,* trois, qui sert à former de nombreux mots.

TRIAGE n. m. → TRIER.

1. TRIANGLE [trijɑ̃gl] n. m. (du lat. *tres,* trois, et *angulum,* angle). *Géom.* Polygone ayant trois côtés. → ENCYCL. ‖ *Triangle équilatéral,* triangle ayant trois côtés de longueurs égales. ‖ *Triangle isocèle,* triangle ayant deux côtés de longueurs égales. ‖ *Triangle rectangle,* triangle ayant deux côtés perpendiculaires. ◆ **triangulaire** adj. **1.** Se dit d'un objet qui a la forme d'un triangle : *Voile triangulaire.* — **2.** Qui se fait entre trois groupes, trois personnes : *Élection triangulaire* (= à laquelle trois candidats se présentent). ‖ *Trafic triangulaire* → TRAFIC 1.
— ENCYCL. Une hauteur d'un *triangle* et une droite issue d'un sommet et perpendiculaire au côté opposé. Une *médiane* d'un triangle est une droite joignant un sommet au milieu du côté opposé.

Une *bissectrice* d'un triangle est une droite issue d'un sommet et partageant l'angle correspondant en deux angles égaux.

Les trois hauteurs d'un triangle se coupent en un même point appelé *orthocentre.*

Les trois bissectrices d'un triangle se coupent en un même point qui est le *centre du cercle inscrit au triangle.*

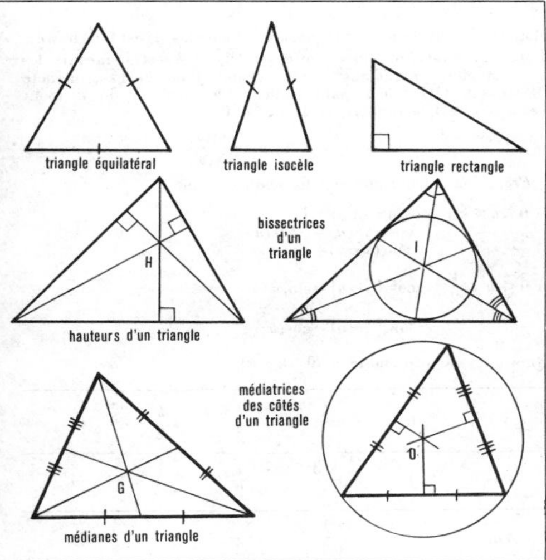

Les trois médianes d'un triangle se coupent en un même point qui est le *centre de gravité* du triangle.

Les *médiatrices* des côtés d'un triangle se coupent en un même point qui est le *centre du cercle circonscrit au triangle.*

2. TRIANGLE [trijɑ̃gl] n. m. (de *triangle* 1). Instrument de musique formé d'une tige d'acier en forme de triangle.

Trianon (le *Grand* et le *Petit*), nom de deux châteaux bâtis dans le parc de Versailles, le premier par Hardouin-Mansard, en 1687, le second par Gabriel, commencé en 1762.

TRIAS [trijas] n. m. (gr. *trias,* groupe de trois). *Géol.* Première période de l'ère secondaire, d'une durée approximative de 45 millions d'années, caractérisée par l'apparition des premiers mammifères.

TRIBAL, E, AUX adj. → TRIBU.

TRIBO-ÉLECTRICITÉ [triboelɛktrisite] n. f. (du gr. *tribeîn,* frotter, et *électricité*). Électricité statique produite par frottement.

TRIBORD n. m. → BABORD.

TRIBU [triby] n. f. (lat. *tribus*). **1.** Groupement de familles sous l'autorité d'un même chef. — **2.** *Fam.* Famille nombreuse : *Il est parti en vacances avec toute sa tribu.* ◆ **tribal, e, aux** adj. Qui appartient à la tribu : *Mœurs tribales.*

TRIBULATIONS [tribylasjɔ̃] n. f. pl. (du lat. *tribulare,* tourmenter). Mésaventures de quelqu'un (ironiq.) : *Vous n'êtes pas au bout de vos tribulations* (syn. AVENTURES).

TRIBUN [tribœ̃] n. m. (lat. *tribunus*). **1.** *Antiq. rom.* Magistrat chargé de défendre les droits et les intérêts du peuple : *Les tribuns du peuple, d'abord au nombre de deux, furent créés en 493 av. J.-C., à la suite de la retraite de la plèbe sur le mont Sacré.* — **2.** En France, membre de l'ancien Tribunat, sous le Consulat et l'Empire.

TRIBUNAL, AUX [tribynal, -no] n. m. (mot lat. signif. *estrade*). **1.** Juridiction composée d'un ou de plusieurs magistrats qui rendent des jugements : *Comparaître devant un tribunal de droit commun.* → ENCYCL. — **2.** Ensemble des magistrats qui composent cette juridiction : *Le tribunal se déclare suffisamment informé.* — **3.** Lieu où ils siègent.
— ENCYCL. Parmi les tribunaux de droit commun, on distingue : les *tribunaux judiciaires,* chargés de régler les conflits entre les personnes morales (groupement, établissement) ou physiques (individu) [tribunaux d'instance et tribunaux de grande instance], ou de réprimer les contraventions, délits et crimes (tribunaux de police, tribunaux correctionnels, cours d'assise); les *tribunaux administratifs,* chargés de dire le droit dans les litiges lorsque l'État ou une collectivité publique est engagé; le *tribunal des conflits,* qui a pour rôle de résoudre les difficultés de compétence qui peuvent surgir de cette dualité.

Tribunal révolutionnaire, tribunal criminel d'exception, institué en 1793 pour juger tous les attentats contre l'unité de la République et la sûreté de l'État. Fouquier-Tinville y fut l'accusateur public, et, sous la pression du Comité de salut public, le Tribunal révolutionnaire fut le principal agent de la Terreur. Il fut supprimé en mai 1795.

Tribunat, une des assemblées législatives instituées par la Constitution de l'an VIII, comprenant cent membres (nommés par le Sénat) qui discutaient les projets de loi sans les voter (ce rôle appartenant au Corps législatif). Considéré comme un élément d'opposition par Napoléon Ier, il vit sa compétence progressivement réduite avant d'être supprimé en 1807.

1. TRIBUNE [tribyn] n. f. (de *tribun*). **1.** Emplacement généralement élevé, réservé à quelqu'un qui parle en public : *Monter à la tribune* (= pour faire un discours). *Éloquence de la tribune* (= éloquence propre aux débats politiques). — **2.** *Tribune libre,* rubrique de journal, émission régulière de radio ou de télévision, où des représentants de diverses tendances sont admis à exposer leurs opinions sous leur propre responsabilité.

2. TRIBUNE [tribyn] n. f. (même étym.). Galerie réservée au public dans une église, une grande salle d'assemblées, etc.; espace muni de gradins : *Les tribunes d'un champ de courses, d'un stade.* ‖ Fam. *Les tribunes,* le public assis dans les tribunes.

TRIBUT [triby] n. m. (lat. *tributum;* de *tribuere,* attribuer). Contribution imposée à quelqu'un; impôt forcé (littér.).

TRIBUTAIRE [tribytɛr] adj. (lat. *tributarius*). **1.** Se dit d'une personne ou d'une chose qui dépend d'une autre : *L'économie française est tributaire de l'étranger pour certaines matières premières.* — **2.** Se dit d'un cours d'eau qui se jette dans un autre ou dans la mer : *L'Oise est tributaire de la Seine.*

TRICENTENAIRE n. m. → CENT.

TRICEPS [trisɛps] n. m. (mot lat. signif. *à trois têtes*). *Anat.* Nom donné à un muscle long du bras chez l'homme, se terminant par trois tendons à sa partie supérieure : *La contraction du triceps assure l'extension du bras.*

TRICHER [triʃe] v. i. (lat. *tricari*, soulever des difficultés). **1.** Ne pas respecter les règles d'un jeu, pour gagner : *Il cherche toujours à tricher quand il joue.* — **2.** Ne pas respecter certaines règles, certaines conventions : *Tricher aux examens.* — **3.** Dissimuler un défaut de symétrie, un défaut matériel dans un ouvrage : *L'architecte a triché en mettant une fausse fenêtre pour rétablir la symétrie.* ◆ v. t. ind. *Tricher sur une chose*, tromper sur sa valeur, sa quantité, etc. : *Ce marchand triche sur les prix* (= ne respecte pas le prix imposé). *Elle triche sur son âge* (= elle s'attribue un âge qui n'est pas le sien). ◆ **tricherie,** et fam. **triche** n. f. : *Faire une tricherie avec des cartes truquées. Quand il perd, il prétend qu'il y a de la triche.* ◆ **tricheur, euse** n. et adj.

TRICHINE [triʃin ou -kin] n. f. (du gr. *thrix, trikhos*, cheveu). Ver parasite, vivant à l'état adulte dans l'intestin de l'homme et du porc, et à l'état larvaire dans leurs muscles. (Classe des nématodes.)

TRICHOMONAS [trikɔmɔnas] n. m. (du gr. *thrix, trikhos*, cheveu, et *monas*, unité). Protozoaire flagellé, parasite de l'homme et de certains animaux.

TRICHROMIE [trikrɔmi] n. f. (de *tri-*, et gr. *khrôma*, couleur). Procédé d'impression ou de photographie en couleurs, par superposition de trois couleurs fondamentales (bleu, jaune, rouge), dont les mélanges produisent un grand nombre de teintes. ◆ **trichrome** adj. Se dit d'une image obtenue par trichromie.

TRICLINIUM [triklinjɔm] n. m. (mot lat.; de *tri-*, et gr. *klinê*, lit). Salle à manger des Romains, renfermant trois lits disposés autour d'une table.

TRICOLORE adj. → COULEUR.

TRICORNE [trikɔrn] n. m. (lat. *tricornis*, à trois cornes). Chapeau à bords repliés en trois cornes.

TRICOT [triko] n. m. (du frq. *strikan*, frotter). **1.** Manière de tisser qui consiste à disposer en mailles une matière textile (laine, coton, soie) : *Faire du tricot.* — **2.** Tissu ainsi réalisé; ouvrage qu'on tricote : *Des chaussettes en tricot.* — **3.** Vêtement tricoté : *Mettre un tricot* (syn. CHANDAIL, PULL-OVER). ◆ **tricoter** v. t. et i. Exécuter un tissu de laine en mailles entrelacées, avec des aiguilles spéciales ou une machine à main : *Tricoter un chandail.* ◆ **tricotage** n. m. ◆ **tricoteuse** n. f. Machine à tricoter.

TRICTRAC [triktrak] n. m. (onomat.). Jeu qui se joue avec des dames et des dés sur un tableau spécial à deux compartiments.

TRICUSPIDE [trikyspid] adj. (de *tri-*, et lat. *cuspis*, pointe). Anat. *Valvule tricuspide*, valvule qui permet au sang de passer de l'oreillette droite au ventricule droit du cœur.

TRICYCLE [trisikl] n. m. *(tri-*, et *cycle).* Petit véhicule léger, à trois roues.

TRIDACNE [tridakn] n. m. (gr. *tridaknos*, mordu en trois fois). Mollusque lamellibranche des mers chaudes, appelé aussi BÉNITIER.

TRIDENT [tridɑ̃] n. m. (lat. *tridens*, à trois dents). Sorte de fourche à trois pointes, ou dents.

TRIÈDRE [trijɛdr] adj. (de *tri-*, et gr. *edra*, base). *Géom.* Qui a trois faces.

TRIEL-SUR-SEINE, ch.-l. de cant. des Yvelines, à 8 km au S.-E. de Meulan, sur la Seine; 7 900 hab.

TRIENNAL, E, AUX [trjɛnal, -no] adj. (de *tri-*, et lat. *annus*, an). **1.** Qui dure trois ans : *Un plan d'équipement triennal.* — **2.** Qui revient tous les trois ans : *L'assolement triennal.*

TRIER [trije] v. t. (bas lat. *tritare*, broyer). **1.** Choisir parmi des personnes, des choses, en éliminant celles qui ne conviennent pas. ‖ *Trier sur le volet*, choisir après un examen attentif. — **2.** Répartir des objets suivant certains critères : *Trier des lettres* (= les répartir suivant leur destination). ◆ **tri** ou **triage** n. m. **1.** Action de trier : *Les enquêteurs ont fait un tri parmi les informations qu'ils ont obtenues. Le tri des cartes perforées à l'aide d'une trieuse-classeuse.* — **2.** *Bureau de tri*, lieu où se fait le tri du courrier postal. ‖ *Gare de triage*, ensemble de voies de garage situées à proximité d'une bifurcation importante et où s'effectue le triage des wagons de marchandises. ◆ **trieur, euse** n. Personne qui fait un triage. ◆ **trieuse** n. f. Machine qui fait un triage, par exemple en mécanographie.

TRIESTE, port d'Italie, en Vénétie Julienne, sur l'Adriatique, dans le golfe du même nom; 272 400 hab. Centre commercial actif. Sidérurgie. Raffinerie de pétrole.

Proclamée port libre (1719), Trieste devint le principal débouché maritime de l'Autriche. Partisante de l'irrédentisme, la ville fut donnée à l'Italie (1919-1920). Après avoir subi l'occupation allemande (1943), Trieste fut prise par les Yougoslaves de Tito (mai 1945). Le traité de paix avec l'Italie (1947) créa le *Territoire libre de Trieste*, et finalement Trieste revint à l'Italie avec le statut de port libre (5 octobre 1954).

TRIEUR, EUSE n. → TRIER.

TRIFOLIÉ, E [trifɔlje] adj. (de *tri-*, et lat. *folium*, feuille). À feuilles groupées par trois.

TRIFORIUM [trifɔrjɔm] n. m. (mot angl.; du lat. *transforare*, percer à jour). **1.** *Archit.* Ajourage de la galerie au-dessus des bas-côtés d'une église médiévale. — **2.** La galerie elle-même (qui devient une *tribune* lorsqu'elle occupe toute la largeur des bas-côtés). [Dans le gothique primitif, le triforium est l'étage d'arcatures (= suite de petites arcades réelles ou simulées) intermédiaire entre la tribune et les fenêtres hautes.]

TRIFOUILLER [trifuje] v. i. (de *tri[poter]*, et *fouiller*). *Pop.* Fouiller en remuant, en mettant du désordre : *Trifouiller dans les affaires de qq'un* (syn. fam. FARFOUILLER).

TRIGLYPHE [triglif] n. m. (gr. *trigluphos;* de *treis*, trois, et *gluphê*, gravure). *Archit.* Ornement de la frise dorique, composé de trois cannelures *(glyphes)*, reproduit à intervalles égaux le long de l'entablement et qui alterne avec les métopes*.

TRIGNAC, comm. de la Loire-Atlantique, à 4 km au N.-E. de Saint-Nazaire; 7 250 hab. Métallurgie.

TRIGONOCÉPHALE [trigɔnɔsefal] n. m. (du gr. *trigônos*, à trois angles, et *kephalê*, tête). Serpent voisin du crotale, très venimeux, d'Asie et d'Amérique, appelé aussi MOCASSIN D'EAU.

TRIGONOMÉTRIE [trigɔnɔmetri] n. f. (du gr. *trigônos*, à trois angles, et *metron*, mesure). *Math.* Branche des mathématiques qui avait initialement pour objet la mesure des angles définis par un triangle et qui étudie à présent les fonctions (ou rapports) trigonométriques et leurs applications. ◆ **trigonométrique** adj. *Fonctions trigonométriques, rapports trigonométriques* → ENCYCL.

— ENCYCL. Soit C un demi-cercle de diamètre AA' et de rayon 1. On sait que, pour tout nombre réel positif k, il existe une correspondance bijective entre les points du demi-cercle et les nombres compris entre 0 et k : u est la mesure* de l'arc de cercle $\widehat{AM}$ et l'écart* angulaire de l'angle géométrique $\widehat{AOM}$. Si P et Q sont les projections orthogonales de M respectivement sur $x'Ox$ et sur $y'Oy$, et si M est le point associé au nombre u ($u \in [0, k]$),

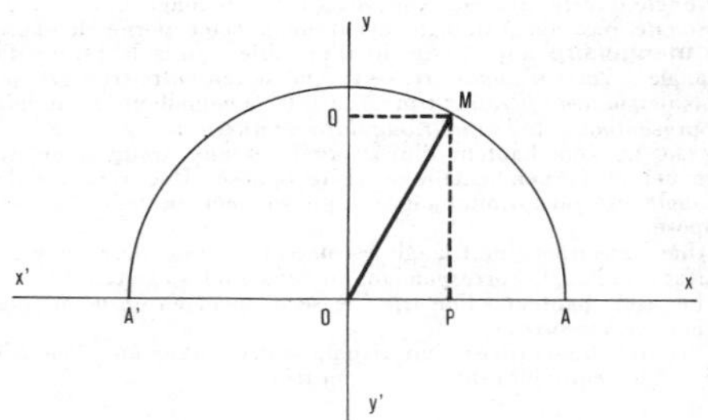

alors le *cosinus* de u pour la mesure k (noté $\cos_k u$) est $\overline{OP}$, le *sinus* de u pour la mesure k (noté $\sin_k u$) est $\overline{OQ}$. Si $k = \pi$, la mesure des arcs est alors en radians* (unité légale). Dans ce cas, on note $\overline{OP} = \cos u$, $\overline{OQ} = \sin u$, sans indice. La *tangente* de u (pour $0 \leqslant u \leqslant k$) est le rapport, si $\cos_k u \neq 0$,

$$\mathrm{tg}_k u = \frac{\sin_k u}{\cos_k u}.$$

Propriétés : Quel que soit le nombre u, on a,

$$\text{si } 0 \leqslant u \leqslant k : \quad \cos_k^2 u + \sin_k^2 u = 1$$
$$\cos_k(k-u) = -\cos_k u$$
$$\sin_k(k-u) = \sin_k u$$

$$\text{si } 0 \leqslant u \leqslant \frac{k}{2} : \quad \cos_k\left(\frac{k}{2} - u\right) = \sin_k u$$
$$\sin_k\left(\frac{k}{2} - u\right) = \cos_k u;$$

Quel que soit le nombre u ($0 \leqslant u \leqslant k$), on a :

u	0	$\frac{k}{6}$	$\frac{k}{3}$	$\frac{k}{2}$	k
$\cos_k u$	1	$\frac{\sqrt{3}}{2}$	$\frac{1}{2}$	0	−1
$\sin_k u$	0	$\frac{1}{2}$	$\frac{\sqrt{3}}{2}$	1	0

Ceci donne, si $k = \pi$ (unité légale, le radian) :

u	0	$\frac{\pi}{6}$	$\frac{\pi}{4}$	$\frac{\pi}{3}$	$\frac{\pi}{2}$	π
$\cos u$	1	$\frac{\sqrt{3}}{2}$	$\frac{\sqrt{2}}{2}$	$\frac{1}{2}$	0	-1
$\sin u$	0	$\frac{1}{2}$	$\frac{\sqrt{2}}{2}$	$\frac{\sqrt{3}}{2}$	1	0

TRIJUMEAU [triʒymo] adj. et n. m. *(tri-*, et *jumeau).* Anat. *Nerf trijumeau,* ou *trijumeau* n. m., se dit du nerf crânien de la cinquième paire qui se divise en trois branches terminales (le nerf ophtalmique, le nerf maxillaire supérieur et le nerf maxillaire inférieur).

TRILINGUE [trilɛ̃g] adj. (de *tri-*, et lat. *lingua*, langue). **1.** Se dit de ce qui est rédigé en trois langues : *Inscription trilingue.* — **2.** Se dit d'une personne qui parle trois langues.

TRILLE [trij] n. m. (it. *trillo*, tremblement). *Mus.* Ornement musical qui consiste dans un battement très rapide, plus ou moins prolongé, d'une note avec la note qui lui est immédiatement supérieure : *Faire des trilles à la flûte.*

TRILLION [triljɔ̃] n. m. (de *tri-*, et [*mi*]*llion*). Un million de billions, soit 10^{18}.

TRILOBÉ, E [trilɔbe] adj. (de *tri-*, et *lobe*). *Archit.* En forme de trèfle : *Un arc trilobé.*

TRILOBITES [trilɔbit] n. m. pl. (de *tri-*, et *lobe*). Classe d'arthropodes marins disparue, extrêmement répandue à l'ère primaire et dont les représentants avaient le corps divisé en trois parties (lobes), tant d'avant en arrière que de droite à gauche.

TRILOGIE [trilɔʒi] n. f. (gr. *trilogia;* de *treis*, trois, et *logos*, discours). Ensemble de trois œuvres sur un même sujet ou sur un même thème.

TRIMARAN [trimarɑ̃] n. m. (de *tri-*, et [*cata*]*maran*). Voilier comportant trois coques parallèles.

TRIMBALER [trɛ̃bale] v. t. (du lat. *tribulare*). *Fam.* Traîner, porter partout avec soi. ◆ ***se trimbaler*** v. pr. *Pop.* Se déplacer; aller et venir. ◆ **trimbalage** ou **trimbalement** n. m.

TRIMER [trime] v. i. (anc. fr. *trumer*, courir). *Fam.* Travailler dur : *Trimer toute la journée* (syn. PEINER).

TRIMESTRE [trimɛstr] n. m. (lat. *trimestris*). Période de trois mois : *Les compositions scolaires ont lieu tous les trimestres.* ◆ **trimestriel, elle** adj. Se dit d'une chose qui se produit, revient tous les trois mois : *Une revue trimestrielle* (= revue qui paraît tous les trois mois). *Bulletin trimestriel* (= bulletin scolaire établi tous les trois mois). ◆ **trimestriellement** adv.

TRIMOTEUR [trimɔtœr] adj. et n. m. (de *tri-*, et *moteur*). Se dit d'un avion qui a trois moteurs.

TRINGLE [trɛ̃gl] n. f. (néerl. *tingel*). Tige métallique ronde ou plate, destinée à soutenir une draperie, un rideau, etc.

TRINITÉ [trinite] n. f. (du lat. *trinus*, triple). **1.** Dans la religion chrétienne, union de trois personnes distinctes (Père, Fils et Saint-Esprit) ne formant qu'un seul Dieu (avec une majusc.). — **2.** Fête chrétienne en l'honneur de ce mystère. — **3.** Fam. *À Pâques ou à la Trinité,* jamais.

TRINITÉ, en angl. et en esp. **Trinidad,** île des Antilles (4827 km²), située au large de l'embouchure de l'Orénoque, formant avec Tobago un État membre du Commonwealth; 4827 km²; 1100000 hab. (227 au km²). Capit. *Port of Spain* (117000 hab.).

GÉOGRAPHIE

Cette île, au climat tropical, produit de la canne à sucre, du cacao, des agrumes, des bananes. Le sous-sol recèle de l'asphalte et surtout du pétrole, raffiné sur place avant d'être exporté.

HISTOIRE

Découverte par Christophe Colomb en juillet 1498, la Trinité fut disputée par les grandes puissances avant d'être cédée à l'Angleterre à la paix d'Amiens (1802). Depuis 1962, elle constitue avec Tobago un État membre du Commonwealth (Trinité-et-Tobago).

TRINITÉ-SUR-MER (La), comm. du Morbihan, à 4 km à l'E. de Carnac; 1400 hab. Petit port et station balnéaire.

TRINITROTOLUÈNE [trinitrɔtɔlɥɛn] n. m. (de *tri-*, *nitré*, et *toluène*). Explosif particulièrement puissant, appelé aussi TOLITE ou T.N.T., obtenu par action de l'acide nitrique sur le toluène.

TRINÔME [trinom] n. m. (de *tri-*, et gr. *nomos*, division). *Math.* Polynôme ayant trois termes : $2x^2 + 4x - 5$ *est un trinôme.*

1. TRINQUER [trɛ̃ke] v. i. (all. *trinken*, boire). Choquer son verre contre celui d'un autre avant de boire à sa santé.

2. TRINQUER [trɛ̃ke] v. i. (de *trinquer* 1). *Pop.* Subir un désagrément, un préjudice : *Quand les parents boivent, les enfants trinquent* (= subissent les conséquences des excès de leurs parents).

1. TRIO [trijo] n. m. (mot it.). **1.** Groupe de trois personnes : *Ces trois jeunes gens forment un joyeux trio.* — **2.** Groupe de trois musiciens. — **3.** Morceau de musique pour trois voix.

2. TRIO [trijo] n. m. (même étym.). *Math.* Ensemble ayant trois éléments. [On le note $\{a, b, c\}$, si ses trois éléments sont notés *a*, *b* et *c*. Il ne faut pas confondre le trio $\{a, b, c\}$ avec un ensemble ordonné de trois éléments, qu'on note (a, b, c) et qu'on appelle *triplet.*]

TRIODE [trijɔd] n. f. et adj. (de *tri-*, et *diode*). *Électr.* Tube à trois électrodes, qui joue un rôle très important en électronique, mais tend à être remplacé par le transistor.

TRIOLET [trijɔlɛ] n. m. (de l'it. *trio*, trois). *Mus.* Groupe de trois notes d'égale valeur surmonté du chiffre 3, à exécuter dans le même temps que deux notes de même figure.

TRIOLET (Elsa), écrivain français d'origine russe (1896-1970). Belle-sœur du poète russe Maïakovski qu'elle fut la première à traduire en français, et femme de l'écrivain Louis Aragon, elle est l'auteur de romans et de nouvelles : *Bonsoir Thérèse* (1938); *Le premier accroc coûte deux cents francs* (prix Goncourt, 1944); *la Mise en mots* (1969); *Le rossignol se tait à l'aube* (1970). Elle a écrit aussi des essais et des ouvrages d'histoire littéraire *(Souvenirs sur Maïakovski,* 1957).

TRIOMPHE [trijɔ̃f] n. m. (lat. *triumphus*). **1.** Entrée solennelle d'un général romain qui avait remporté une grande victoire. — **2.** Victoire éclatante, succès qui déchaîne l'admiration du public : *Son élection a été un véritable triomphe* (contr. DÉCONFITURE, DÉROUTE). *Pousser un cri de triomphe* (= de joie pour avoir réussi). — **3.** *Faire un triomphe à qq'un,* lui prodiguer des acclamations, des approbations, des louanges, etc. (syn. OVATION). ‖ *Porter qq'un en triomphe,* le porter à plusieurs, généralement sur les épaules, en l'acclamant. ◆ **triomphal, e, aux** adj. : *Faire une entrée triomphale* (= entrer comme un vainqueur après une grande victoire). *L'accueil fut triomphal* (syn. ENTHOUSIASTE; contr. GLACIAL). ◆ **triomphalement** adv. : *Être accueilli triomphalement.* ◆ **triompher** v. i. Manifester sa joie, sa fierté d'avoir obtenu un succès, une satisfaction. ◆ v. t. ind. *Triompher de qq'un, de qqch.,* remporter sur eux un succès définitif : *Triompher de ses adversaires* (syn. ↑ÉCRASER, L'EMPORTER SUR, ↓VAINCRE). *Triompher de toutes les oppositions* (syn. VENIR À BOUT DE). ◆ **triomphant, e** adj. : *Avoir un air triomphant* (= victorieux). ◆ **triomphateur, trice** adj. et n. Qui a obtenu la victoire, un succès complet.

TRIPARTI, E [triparti] ou **TRIPARTITE** [tripartit] adj. (de *tri-*, et lat. *partitus*, partagé). Se dit d'une chose constituée de trois éléments, ou qui intervient entre trois parties : *Une conférence tripartite* (= entre trois puissances). ‖ *Gouvernement tripartite,* où sont représentés trois partis politiques associés. ◆ **tripartisme** n. m. Coalition gouvernementale formée de trois partis politiques.

TRIPATOUILLER [tripatuje] v. t. (de *tripoter*). **1.** *Fam.* Manier avec maladresse : *Si tu tripatouilles l'interrupteur, tu vas finir par le casser* (syn. fam. TRIPOTER). — **2.** Fam. *Tripatouiller le texte d'un auteur,* le corriger maladroitement, le retoucher sans scrupule. ◆ **tripatouillage** n. m. Fam. : *On accusait la municipalité sortante de tripatouillages électoraux.*

1. TRIPE [trip] n. f. (it. *trippa*). **1.** Boyau d'un animal de boucherie. — **2.** (au plur.) Mets constitué par l'estomac des ruminants, diversement accomodé : *Des tripes à la mode de Caen.* ◆ **triperie** n. f. **1.** Lieu où l'on vend des tripes. — **2.** Commerce du tripier. ◆ **tripier, ère** n. Commerçant qui vend des abats.

2. TRIPES [trip] n. f. pl. (de *tripe* 1). *Pop.* Entrailles de l'homme : *Ça vous prend aux tripes* (= cela vous émeut profondément).

TRIPHASÉ, E [trifaze] adj. (de *tri-*, et *phase*). *Électr.* Se dit d'un système de courants alternatifs, constitué par trois courants monophasés décalés l'un par rapport à l'autre de 1/3 de période.

TRIPIER, ÈRE n. → TRIPE 1.

TRIPLE [tripl] adj. (lat. *triplex*). **1.** Se dit d'une chose constituée de trois éléments : *Triple croche* (= groupe de trois croches constituant un seul temps, une seule fraction de la mesure). — **2.** *Fam.* Sert à marquer un degré élevé : *Au triple galop* (= à toute vitesse). *Un triple idiot* (= une personne complètement stupide). — **3.** Se dit d'une chose qui est trois fois plus grande qu'une autre : *Sa maison est triple de la mienne.* ◆ n. m. *Le triple,* une quantité trois fois plus grande qu'une autre. ◆ **triplement** adv. Trois fois autant. ◆ **tripler** v. t. *Tripler un nombre,* le multiplier par trois. ◆ v. i. Devenir triple. ◆ **triplés, ées** n. pl. Nom donné à trois enfants nés d'un même accouchement.

TRIPLET [triplɛ] n. m. (de *triple*). *Math.* Ensemble ordonné ayant trois éléments. [Si *a* est le premier élément, *b* le deuxième et *c* le troisième, on le note (*a*, *b*, *c*).] (Il ne faut pas confondre avec {*a*, *b*, *c*} ensemble non ordonné ayant trois éléments et qu'on appelle *trio.*)

Triplice → ALLIANCE *(Triple-).*

TRIPOLI, capit. de la Libye, sur la Méditerranée; 551 000 hab. Centre administratif et commercial. Prise par les Italiens aux Turcs (1911), la ville fut occupée par les Anglais de Montgomery (1943).

TRIPOLI, port du nord du Liban; 157 300 hab. Exportation et raffinage du pétrole.

TRIPOLI *(comté de),* État latin fondé en Syrie par les comtes de Toulouse, au début du XIIe s. Il fut détruit par les Mamelouks à la fin du XIIIe s.

TRIPOLITAINE, anc. province du nord-ouest de la Lybie. V. pr. *Tripoli,* sur la Méditerranée.

Soumise et mise en valeur par les Carthaginois, elle est occupée par les Romains (106 av. J.-C.) et incorporée à la province d'Afrique. Latinisée et bientôt christianisée, elle connaît une grande prospérité, favorisée par Septime Sévère.

- *Xe s. Elle est placée sous la domination des Fāṭimides et islamisée.*
- *999-1143. La Tripolitaine acquiert son indépendance sous une dynastie berbère.*

Mais après une courte occupation normande, elle passe sous la souveraineté almohade.

- *XVIe s. Elle tombe aux mains des Ottomans et constitue un foyer actif de piraterie.*
- *1912. L'Italie se fait reconnaître la possession de ce territoire par les Turcs.* (→ LIBYE.)

TRIPORTEUR [tripɔrtœr] n. m. (de *tri[cycle]*, et *porteur*). Tricycle muni d'une caisse pour porter des marchandises.

TRIPOT [tripo] n. m. (de l'anc. fr. *tripper,* sauter). *Péjor.* Maison de jeu.

TRIPOTAGE n. m. → TRIPOTER.

TRIPOTÉE [tripɔte] n. f. (de *tripoter*). **1.** *Pop.* Volée de coups donnée à quelqu'un. — **2.** *Pop.* Grand nombre : *Elle a toute une tripotée d'enfants.*

TRIPOTER [tripɔte] v. t. (de l'anc. fr. *tripper,* sauter). *Fam.* Manier avec plus ou moins de soin, de précaution; toucher sans cesse : *Ne tripote donc pas la poignée de la portière!* ◆ v. i. *Fam.* Se livrer à des opérations financières plus ou moins malhonnêtes. ◆ **tripotage** n. m. ◆ **tripoteur, euse** adj. et n.

TRIPTYQUE [triptik] n. m. (gr. *triptukhos,* plié en trois). **1.** Tableau sur trois panneaux, dont les deux extérieurs se rabattent sur celui du milieu. — **2.** Ensemble composé de trois parties, de trois scènes.

TRIQUE [trik] n. f. (orig. obscure). *Fam.* Gros bâton.

TRISAÏEUL, E n. → AÏEUL.

TRISANNUEL, ELLE adj. → AN.

TRISMUS [trismys] ou **TRISME** [trism] n. m. (gr. *trismos*). Constriction des maxillaires, due à la contracture des muscles masticateurs : *Le trismus est un des symptômes caractéristiques du tétanos.*

Trissotin, personnage des *Femmes savantes* de Molière, type du bel esprit pédant et prétentieux.

TRISTAN L'HERMITE (François, dit), écrivain français (v. 1601-1655). Poète de l'amour et de la nature (*les Amours de Tristan,* 1638), il est l'auteur d'une biographie romanesque (*le Page disgracié,* 1642) et de tragédies (*Marianne,* 1636).

Tristan et Iseut, légende médiévale racontée par les romans en vers de Béroul, de Thomas (XIIe s.), et par un roman en prose du XIIIe s. Tristant et Iseut la Blonde, pour avoir bu un philtre magique, s'aiment d'un amour éternel et fatal. Rien ne peut les séparer, ni les persécutions de Marc, roi de Cornouailles et époux d'Iseut, ni les intrigues d'Iseut aux blanches mains que Tristan va épouser en Bretagne. Les deux amants restent unis, même par la mort.

Tristan et Isolde, drame musical, paroles et musique de R. Wagner, représenté en 1865.

1. TRISTE [trist] adj. (lat. *tristis*) [après le nom]. **1.** Se dit d'un être animé (ou de son comportement) qui est abattu par un chagrin, qui éprouve une douleur particulière : *Il est triste à l'idée de partir* (syn. AFFLIGÉ, MALHEUREUX). — **2.** Se dit d'une personne (ou de son comportement) qui, par nature, ne rit pas, dont l'aspect est morose ou sévère : *Il a une figure triste* (contr. ENJOUÉ, GAI, JOYEUX). — **3.** Se dit d'une chose qui évoque le chagrin, la douleur : *Une couleur triste* (contr. GAI, VIF). *Un temps pluvieux et triste* (syn. MAUSSADE). — **4.** Fam. *Avoir le vin triste,* être triste quand on a trop bu. ◆ **tristement** adv. ◆ **tristesse** n. f. **1.** État naturel ou accidentel d'une personne qui éprouve du chagrin, de la mélancolie : *Une profonde tristesse l'envahit à l'idée de quitter ses amis* (syn. ↑ABATTEMENT; fam. CAFARD; contr. GAIETÉ, JOIE). — **2.** Caractère d'une chose triste : *La tristesse d'un tableau.*

2. TRISTE [trist] adj. (même étym.) [avant le nom]. **1.** Se dit d'une personne ou d'une chose dont le caractère médiocre, la mauvaise qualité ont quelque chose d'affligeant, de méprisable : *C'est un triste personnage. Il est rentré à la maison dans un triste état* (syn. LAMENTABLE, PITOYABLE). — **2.** *Avoir triste mine, triste figure,* avoir mauvaise mine, avoir un air de mauvaise santé. ‖ *Faire triste mine, triste figure,* avoir l'air maussade, mécontent. ◆ **tristement** adv. : *Il est devenu tristement célèbre* (= il est connu pour ses méfaits).

Tristram Shandy *(la Vie et les opinions de),* roman de Sterne (1759-1767).

TRITH-SAINT-LÉGER, comm. du Nord, à 6 km au S.-O. de Valenciennes, sur l'Escaut; 5 950 hab. Sidérurgie.

TRITIUM [tritjɔm] n. m. (du gr. *tritos,* troisième). Isotope radioactif de l'hydrogène, de masse atomique 3, utilisé dans certaines réactions de fusion nucléaire.

TRITON [tritɔ̃] n. m. (de *Triton,* un des dieux de la mer). Petit amphibien urodèle très commun dans les étangs. (De la forme générale d'un petit lézard, le triton ne quitte guère les eaux, bien qu'il respire par des poumons à l'âge adulte. Le mâle acquiert momentanément de vives couleurs à la saison de la reproduction.)

TRITURER [trityre] v. t. (lat. *triturare*). **1.** Broyer, réduire en parties très menues : *Les dents triturent les aliments.* — **2.** Manier en tordant dans tous les sens : *Un masseur malhabile qui triture les chairs.* — **3.** Fam. *Se triturer la cervelle,* faire des efforts pour n'aboutir qu'à des résultats médiocres, nuls. ◆ **trituration** n. f.

TRIUMVIR [trijɔmvir] n. m. (du lat. *tres, trium,* trois, et *vir,* homme). Magistrat de Rome chargé, conjointement avec deux collègues, d'une branche de l'administration. ◆ **triumvirat** n. m. **1.** Fonction de triumvir. — **2.** Association de trois hommes politiques pour accaparer l'autorité.

TRIVANDRUM, v. de l'Inde, capit. de l'État de Kerala sur la mer d'Oman; 520 000 hab.

TRIVIAL, E, AUX [trivjal,-vjo] adj. (lat. *trivialis;* de *trivium,* carrefour). Se dit de choses contraires à la bienséance, à l'usage habituel des gens : *Un mot trivial* (syn. GROSSIER, ↑ ORDURIER). *Faire une plaisanterie triviale* (syn. ↑ OBSCÈNE, SCATOLOGIQUE). ◆ **trivialement** adv. ◆ **trivialité** n. f. : *Faire des plaisanteries d'une trivialité choquante.*

TROADE, anc. contrée de l'Asie Mineure, arrosée par le Scamandre. Capit. *Troie.*

TROC n. m. → TROQUER.

Trocadero, bourg d'Espagne, en Andalousie (province de Cadix), pris d'assaut par l'armée française en 1823.

TROCART [trɔkar] n. m. (altér. de *trois-quarts*). *Chirurgie.* Instrument en forme de poinçon, monté sur un manche et contenu dans une canule propre à faire des ponctions.

TROCHÉE [trɔʃe] n. m. (gr. *trokhaios*). Pied de vers de la prosodie grecque ou latine, qui se compose d'une longue et d'une brève (—∪). ◆ **trochaïque** adj. Se dit du rythme ou du vers où le pied fondamental est le trochée.

TROCHU (Louis), général français (1815-1896). Gouverneur militaire de Paris (août 1870), il accepta la présidence du gouvernement de la Défense nationale après le 4 septembre.

TROÈNE [trɔɛn] n. m. (frq. *trugil*). Arbuste à fleurs blanches, odorantes, souvent cultivé en haies. (Famille des oléacées.)

1. TROGLODYTE [trɔglɔdit] n. m. (du gr. *trôglê,* trou, et *dunein,* entrer). Habitant d'une grotte, d'une caverne, d'une demeure aménagée dans la terre. ◆ **troglodytique** adj. : *Les villages troglodytiques du Cher.*

2. TROGLODYTE [trɔglɔdit] n. m. (même étym.). Petit oiseau passereau insectivore, nichant dans les trous des murs et des arbres, dans les buissons.

TROGNE [trɔɲ] n. f. (gaul. *trugna*). *Fam.* Visage.

TROGNON [trɔɲɔ̃] n. m. (de *tronc*). Cœur d'un fruit ou d'un légume dépouillé de sa partie comestible : *Un trognon de pomme, de chou.*

TROIE ou **ILION,** anc. ville de l'Asie Mineure, que des fouilles ont localisée sur l'actuelle butte d'Hissarlik (ancienn. Pergame); neuf villes superposées dont la plus ancienne remonte à env. 3 000 av. J.-C. ont été successivement construites sur le même emplacement. C'est probablement « Troie VII » qui a été détruite au terme de la célèbre *Guerre de Troie,* immortalisée par Homère dans *l'Illiade.* Provoquée selon lui par l'enlèvement d'Hélène par le

Troyen Pâris, cette guerre dura dix ans. Les principaux guerriers grecs étaient Agamemnon, Ajax, Achille, Diomède, Ulysse, Nestor, Philoctète; les principaux Troyens Hector et Énée. La ville fut prise grâce à un stratagème d'Ulysse qui fit construire un gigantesque cheval dans lequel se cachèrent des guerriers grecs. Les Troyens, prenant le cheval pour une offrande que les Grecs auraient faite à Athéna avant de lever le siège, l'introduisirent dans la ville. Dans la nuit, les Grecs massacrèrent les Troyens et brûlèrent la ville. Il semble que cette guerre ait eut lieu en réalité vers 1190-1180 av. J.-C., et ait été provoquée par la convoitise des Grecs, Troie s'étant enrichie par les péages qu'elle prélevait au passage de l'Hellespont.

TROÏKA [trɔika] n. f. (mot russe). En Russie, véhicule traîné par trois chevaux attelés de front.

TROIS [trwa] adj. num. cardin. et n. m. (lat. *tres*). **1.** → NUMÉRATION. — **2.** *Règle de trois* → RÈGLE 2. ◆ **troisième** adj. num. ordin. et n. ◆ **troisièmement** adv. → NUMÉRATION.

Trois Contes, de Flaubert (1877). Ils ont pour titres : *Un cœur simple; la Légende de saint Julien l'Hospitalier; Hérodias.*

Trois-Évêchés (les), gouvernement de l'anc. France, constitué en territoire lorrain par les trois villes de Verdun, Metz et Toul. Il était indépendant du duc de Lorraine; il fut conquis sur Charles Quint par Henri II en 1552, mais son appartenance à la France ne fut reconnue officiellement qu'en 1648.

TROISIÈME adj. num. ordin. et n., **TROISIÈMEMENT** adv. → TROIS et NUMÉRATION.

TROIS-MÂTS [trwamɑ] n. m. inv. (de *trois,* et *mât*). Navire portant trois mâts, non compris le mât horizontal de l'avant : *Un trois-mâts goélette.*

Trois Mousquetaires *(les),* roman d'aventures d'A. Dumas père (1844). Ce roman a pour suite *Vingt Ans après,* que continue *le Vicomte de Bragelonne.*

TROIS-QUARTS [trwakar] n. m. inv. (de *trois,* et *quart*). **1.** Manteau court. — **2.** Au rugby, joueur de la ligne d'attaque.

TROIS-RIVIÈRES, v. du Canada (Québec), au confluent du Saint-Laurent et du Saint-Maurice; 57550 hab. Papier journal.

TROIS-VALLÉES, région de la Tarentaise (Savoie), possédant plusieurs stations de sports d'hiver (Courchevel, Méribel-les-Allues, Moriond, Le Praz, Saint-Martin-de-Belleville).

TROLLEYBUS [trɔlɛbys] n. m. (de l'angl. *to troll,* rouler, et *bus,* autobus). Véhicule de transport en commun, utilisé en ville et fonctionnant à l'aide du courant électrique qui est capté par deux perches sur une ligne aérienne.

TROMBE [trɔ̃b] n. f. (it. *tromba*). **1.** Masse nuageuse ou liquide, soulevée en colonne et animée d'un mouvement rapide de rotation. ‖ *Trombe d'eau,* averse particulièrement brutale. — **2.** Fam. *Arriver en trombe,* arriver soudainement, avec beaucoup d'animation, beaucoup de bruit.

TROMBIDION [trɔ̃bidjɔ̃] n. m. (de *trompe*). Petit arthropode de l'ordre des acariens dont la larve de très petite taille (appelée *aoûtat*) pique l'homme et les vertébrés à température constante, occasionnant de violentes démangeaisons.

1. TROMBONE [trɔ̃bɔn] n. m. (de l'it. *tromba,* trompe). *Trombone à coulisse,* instrument à vent à embouchure, de la catégorie des cuivres, dont on allonge le corps grâce à une coulisse pour modifier la hauteur des sons. ‖ *Trombone à pistons,* trombone dans lequel des pistons remplacent le jeu de la coulisse. ◆ **trombone** n. m. Joueur de trombone.

2. TROMBONE [trɔ̃bɔn] n. m. (de *trombone* 1). Petite agrafe qui sert à réunir des papiers.

1. TROMPE [trɔ̃p] n. f. (anc. all. *trumpa*). Instrument à vent, ordinairement en cuivre et recourbé, dont se servent les chasseurs : *Trompe de chasse* (syn. COR DE CHASSE).

2. TROMPE [trɔ̃p] n. f. (même étym.). *Zool.* Organe impair, allongé et creux situé à l'avant de la tête chez certains animaux.
— ENCYCL. Parmi les vertébrés, les éléphants seuls ont une *trompe* développée. Elle constitue à la fois les narines respiratoires, l'organe d'aspiration de l'eau et un bras musculeux capable de saisir. Les tapirs, les musaraignes, les desmans présentent une trompe beaucoup plus réduite.

Chez les invertébrés, plusieurs groupes d'insectes ont un appareil buccal conformé en trompe. Certains mollusques gastropodes carnivores, tels que le buccin, ont une trompe perforante.

3. TROMPE [trɔ̃p] n. f. (même étym.). *Anat.* Nom donné à deux conduits plus ou moins courbés et évasés : *La trompe d'Eustache. La trompe utérine ou de Fallope.*
— ENCYCL. La *trompe d'Eustache* relie l'oreille moyenne (caisse du tympan contenant les osselets) au pharynx, où elle se termine par un orifice membraneux qui s'ouvre pendant la déglutition, ce qui permet la pénétration de l'air dans l'oreille moyenne et l'équilibration des pressions de chaque côté de la membrane du tympan.

La *trompe utérine* ou *de Fallope* conduit l'ovule de l'ovaire à l'utérus; elle comporte une partie évasée, le pavillon, appliquée sur l'ovaire, qui recueille les ovules au moment de l'ovulation, puis un canal, d'abord élargi (ampoule), puis rétréci à l'entrée dans l'utérus (isthme). C'est généralement au niveau de l'ampoule que se fait la fécondation, l'ovule continuant ensuite son trajet jusqu'à l'utérus, où il se fixe.

TROMPE-L'ŒIL [trɔ̃plœj] n. m. inv. (de *tromper,* et *œil*). **1.** Peinture faite pour produire l'illusion d'être réellement composée des objets ou des figures représentés. — **2.** Apparence trompeuse : *Une œuvre où abondent les trompe-l'œil.*

TROMPER [trɔ̃pe] v. t. (orig. obscure). **1.** (sujet nom de personne) *Tromper qq'un,* l'induire en erreur : *Il nous trompe quand il nous dit qu'il n'était pas là!* (syn. BERNER, LEURRER, SE MOQUER DE; langue soignée ABUSER). *Tromper qq'un sur une chose* (= ne pas lui dire la vérité au sujet de cette chose). — **2.** Être infidèle : *Tromper sa femme.* — **3.** (sujet nom de chose ou nom de personne) Échapper à l'attention de quelqu'un, à sa vigilance; décevoir son attente : *La manœuvre du fuyard a trompé les poursuivants* (syn. ↓ DÉJOUER). — **4.** (sujet nom de personne) *Tromper sa faim, son ennui* (littér.), les satisfaire momentanément. ◆ ***se tromper*** v. pr. **1.** Commettre une erreur : *Il s'est trompé dans ses calculs. On peut s'y tromper* (= on peut se laisser prendre à ces apparences, à ces faux-semblants). — **2.** *Se tromper de qqch.,* faire une confusion à propos de cette chose, la prendre pour une autre : *Vous vous trompez d'adresse.* ◆ **tromperie** n. f. : *Tout ce qu'il raconte, ce n'est que mensonges et tromperies!* ◆ **trompeur, euse** adj. et n. : *Un discours trompeur* (syn. MENSONGER, ↑PERFIDE; littér. FALLACIEUX). *Les apparences sont trompeuses* (se dit pour excuser une erreur de jugement). ◆ **trompeusement** adv. ◆ **détromper** v. t. *Détromper qq'un,* le tirer d'erreur : *Si vous pensiez que j'allais m'incliner, détrompez-vous.*

TROMPETTE [trɔ̃pɛt] n. f. (de *trompe*). **1.** Instrument à vent, de la famille des cuivres, muni de pistons, comportant une embouchure, un tube cylindrique replié sur lui-même et terminé par un pavillon. — **2.** Fam. *Nez en trompette,* nez relevé. ◆ **trompettiste** ou **trompette** n. Personne qui joue de la trompette.

TROMPETTE-DES-MORTS [trɔ̃pɛtdemɔr] n. f. (de *trompette, des,* et *mort*). Champignon noir, en forme d'entonnoir, comestible (syn. CRATERELLE).

TROMPETTISTE n. m. → TROMPETTE.

TROMPEUR, EUSE adj. et n., **TROMPEUSEMENT** adv. → TROMPER.

TROMSO, port de la Norvège septentrionale; 42200 hab.

TRONC [trɔ̃] n. m. (lat. *truncus*). **1.** Partie d'un arbre, depuis la naissance des racines jusqu'à celle des branches. — **2.** Le corps humain ou animal considéré sans la tête ni les membres : *Le tronc comprend le thorax et l'abdomen.* — **3.** *Tronc de cône, tronc de pyramide,* portion du volume d'un cône, d'une pyramide comprise entre la base et un plan parallèle à la base. — **4.** Boîte fermée destinée à recevoir des offrandes. — **5.** *Tronc commun,* premières années d'un cycle d'enseignement, où le programme est le même pour tous.

TRONCHE [trɔ̃ʃ] n. f. (de *tronc*). *Pop.* Tête.

TRONCHE (La), comm. de l'Isère (faubourg nord-est de Grenoble); 6900 hab.

TRONÇON [trɔ̃sɔ̃] n. m. (du lat. *truncus,* tronc). **1.** Partie d'un objet qui a été coupée : *Un tronçon de bois.* — **2.** Partie d'un tout : *Un tronçon d'autoroute.* ◆ **tronçonner** v. t. Couper en tronçons. ◆ **tronçonneuse** n. f. Machine à tronçonner le bois.

TRONDHEIM, ancienn. **Nidaros,** port de la Norvège centrale; 134000 hab. Pêche. Métallurgie.

TRÔNE [tron] n. m. (gr. *thrônos,* siège). **1.** Siège de cérémonie des rois, des empereurs : *Monter sur le trône* (= devenir roi). — **2.** *Le trône et l'autel,* désigne, en histoire de France, le pouvoir du roi et celui de l'Église. ◆ **trôner** v. i. **1.** Être assis à une place d'honneur, avec un air important. — **2.** (sujet nom de chose) Être bien en évidence, attirer les regards : *Une pièce montée trônait au milieu du buffet.* ◆ **détrôner** v. t. **1.** *Détrôner un souverain,* le chasser du trône (syn. DÉCHOIR). — **2.** Fam. *Détrôner qq'un, qqch.,* le supplanter, lui faire perdre la prééminence : *Les plastiques ont détrôné le caoutchouc dans bien des emplois.*

TRONQUER [trɔ̃ke] v. t. (de *tronc*). *Tronquer qqch.,* en retrancher une partie : *Il a délibérément tronqué le discours* (syn. AMPUTER, MUTILER). *Tronquer une statue.* ◆ **tronqué, e** adj. : *Colonne tronquée* (= fût de colonne dont on a retiré le chapiteau). *Citations tronquées* (= séparées de leur contexte et prises dans un sens différent).

TROP [tro] adv. (frq. *throp,* troupeau). → ASSEZ.

TROPHÉE [trɔfe] n. m. (gr. *tropaion;* de *tropê,* déroute). Souvenir d'un succès, objet offert après une victoire : *Les drapeaux pris* *à l'ennemi constituent un beau trophée. Les trophées d'un coureur cycliste* (= coupes qu'il a remportées, médailles, etc.). [Le terme désignait, dans l'Antiquité, les dépouilles d'un ennemi vaincu et exposées en public.]

TROPIQUE [trɔpik] n. m. (gr. *tropikos*, qui tourne). Chacun des deux parallèles de la sphère terrestre, de latitude + et − 23° 27′, limitant les régions du globe dans lesquelles le Soleil passe deux fois par an au zénith. ‖ *Tropique du Cancer*, tropique de l'hémisphère Nord. ‖ *Tropique du Capricorne*, tropique de l'hémisphère Sud. ◆ n. m. pl. Régions situées entre les tropiques, caractérisées par un climat torride. ◆ **tropical, e, aux** adj. **1.** *Région tropicale.* — **2.** *Climat tropical*, climat des régions situées entre les tropiques, de part et d'autre de la zone équatoriale : *La ville d'Abidjan a un climat tropical.* → ENCYCL. ◆ **intertropical, e, aux** adj. Qui se trouve entre les tropiques : *La zone intertropicale.*
— ENCYCL. La circulation de l'air en *climat tropical* est régie par les vents alizés* qui soufflent des hautes pressions subtropicales vers l'équateur. Les précipitations, abondantes, accompagnent le passage du Soleil au zénith : il y a donc une saison pluvieuse, l'été, et une saison sèche, l'hiver. La température, toujours élevée, marque un maximum en été. Vers les tropiques, les précipitations diminuent jusqu'à devenir quasi inexistantes.

TROPISME [trɔpism] n. m. (du gr. *tropos*, tour). Courbure de croissance imposée à un axe végétal par l'action d'une cause localisée d'un seul côté : lumière, pesanteur, humidité, etc.

TROPOSPHÈRE [trɔpɔsfɛr] n. f. (du gr. *tropos*, changement, et *sphaira*, sphère). Couche atmosphérique qui s'étend de la surface du globe jusqu'à la base de la stratosphère, c'est-à-dire sur une épaisseur de 12 km en moyenne.

TROP-PLEIN [troplɛ̃] n. m. *(trop*, et *plein)*. **1.** Ce qui excède la capacité d'un récipient, d'une chose : *Le trop-plein du réservoir s'écoule par ce tuyau.* — **2.** Dispositif d'évacuation de l'excédent : *L'eau s'écoule par le trop-plein.* ‖ Pl. des *trop-pleins.*

TROQUE [trɔk] n. m. (gr. *trokhos*, toupie). Mollusque gastropode marin à coquille conique : *Certains troques sont utilisés pour leur nacre.*

TROQUER [trɔke] v. t. (orig. obscure). *Troquer une chose contre une autre*, l'échanger pour une autre chose : *Troquer sa vieille casquette contre un chapeau.* ◆ **troc** n. m. Échange direct d'un objet contre un autre : *Une économie de troc* (= où le signe monétaire n'existe pas).

TROT n. m. → TROTTER.

TROTSKI (Lev Davidovitch BRONSTEIN, dit), homme politique soviétique (1879-1940). Né dans une famille de propriétaires aisés, il se consacre à l'action révolutionnaire. Arrêté (1898), déporté en Sibérie (1900), il s'enfuit en Grande-Bretagne. Membre du parti social-démocrate, il fait partie de la fraction menchevik après la scission de 1903.

- *1905. Il est l'un des chefs du soviet de Saint-Pétersbourg pendant la révolution.*

Déporté à nouveau, il s'évade en Autriche, fonde la *Pravda* (1908) et rentre dans son pays en mai 1917. Il se rapproche de Lénine et est élu au Comité central bolchevik en août.

- *6-7 nov. 1917. Son action comme président du soviet de Pétrograd facilite la prise de pouvoir par les bolcheviks (révolution d'Octobre).*

Responsable des Affaires étrangères du premier gouvernement soviétique, il s'oppose à la « paix immédiate » en décembre 1917; mais, après l'invasion allemande de février, il est contraint de signer le traité de Brest-Litovsk (3 mars 1918), puis démissionne.

- *1918-1920. Durant la guerre civile, il est, en tant que commissaire à la Guerre, l'un des créateurs de l'Armée rouge.*

Mais, en 1921, au Xe Congrès du parti communiste, la condamnation des « fractions » vise sa théorie de la « révolution permanente » et ses partisans. Après la mort de Lénine (1924), il est relevé de ses fonctions de commissaire à la Guerre (1925). Son opposition à Staline est suivie de son exclusion du parti (décembre 1927), puis de son expulsion d'U. R. S. S. (février 1929).

- *1938. Il fonde la IVe Internationale*.*

Il est assassiné le 20 août 1940. Il a écrit notamment *Ma vie* (1930), *Histoire de la révolution russe* (1932), *la Révolution trahie* (1937).

TROTSKISME [trɔtskism] n. m. Mouvement de pensée marxiste fondé par Trotski au cours des années 30. ◆ **trotskiste** n. et adj.
— ENCYCL. Le *trotskisme* a pour origine l'opposition de Trotski à Staline, au sein du parti bolchevique, à propos de la conception du pouvoir en U. R. S. S. et du problème de la révolution permanente, opposition qui a abouti à la fondation de la IVe Internationale*. Pendant longtemps, les trotskistes, faibles numériquement, ont adopté pour tactique d'entrer dans les syndicats et les partis communistes afin d'en changer, de l'intérieur, la politique. Depuis quelques années, ils cherchent à constituer des partis autonomes.

TROTTER [trɔte] v. i. (frq. *trottôn*). **1.** (sujet nom de personne) Marcher rapidement, à petits pas. — **2.** (sujet nom désignant le cheval et certains quadrupèdes) Aller le trot. — **3.** Fam. *Idée, air, etc., qui trotte dans la tête*, qu'on a sans cesse à l'esprit. ◆ **trot** [tro] n. m. **1.** Allure du cheval et de certains quadrupèdes, intermédiaire entre le pas et le galop. — **2.** Fam. *Au trot*, vivement, rapidement : *Partir au trot* (= se dépêcher, partir à la hâte). ◆ **trotte** n. f. *Fam.* Distance à parcourir : *Aller d'ici chez vous, ça fait une jolie trotte!* ◆ **trotteur** n. m. Cheval dressé pour le trot. ◆ **trottiner** v. i. *Fam.* Marcher vite et à petits pas.

TROTTEUSE [trɔtøz] n. f. (de *trotter*). Petite aiguille marquant les secondes, dans une montre.

TROTTINER v. i. → TROTTER.

TROTTINETTE [trɔtinɛt] n. f. (de *trottiner*). Jouet d'enfant, consistant en une planchette montée sur deux roues et munie d'une tige de direction articulée (syn. PATINETTE).

TROTTOIR [trɔtwar] n. m. (de *trotter*). **1.** Espace plus élevé que la chaussée, généralement bitumé ou dallé, et ménagé sur les côtés d'une rue pour la circulation des piétons. — **2.** Pop. *Faire le trottoir*, se dit d'une prostituée qui attire les clients sur la voie publique.

TROU [tru] n. m. (bas lat. *traucum*). **1.** Ouverture, cavité naturelle ou artificielle dans un corps, dans un objet : *Trou d'une aiguille* (syn. CHAS). — **2.** Fam. *Faire son trou*, se faire une situation quelque part. ‖ *Avoir des trous de mémoire*, avoir des absences, des oublis. ‖ *Le trou normand*, eau de vie qu'on boit au milieu d'un repas. ‖ *Trou d'air*, courant d'air descendant, qui fait perdre de l'altitude à un avion. — **3.** *Fam.* et *péjor.* Localité retirée, éloignée d'une ville : *Il n'est jamais sorti de son trou* (= il n'a jamais voyagé, il ne connaît rien). ◆ **trouer** v. t. *Trouer qqch.*, y faire un trou : *Ce garçon a encore troué son pantalon* (syn. PERCER). ◆ **trouée** n. f. **1.** Large ouverture qui permet le passage : *Une trouée dans une forêt.* — **2.** Rupture dans les rangs d'une armée : *Les troupes ennemies ont essayé de faire une trouée en direction de l'est* (syn. PERCÉE). — **3.** Grand passage dans une chaîne de montagnes : *La trouée de Belfort.*

TROUBADOUR [trubadur] n. m. (anc. prov. *trobador*, celui qui compose). Poète lyrique des XIIe et XIIIe s., qui composait ses œuvres dans une des langues d'oc.
— ENCYCL. Les *troubadours*, seigneurs ou roturiers, écrivent dans une langue hermétique ou très recherchée et traitent de l'amour courtois, de la croisade, de la dévotion à la Vierge et aux saints et composent des chansons satiriques. Les formes littéraires et musicales les plus courantes sont la *canso*, le *sirventès*, le *partimen*, la *tenson*. Peu nombreuses sont les chansons notées qui ont été conservées dans des manuscrits du XIIIe et du XIVe s. (→ TROUVÈRE.)

1. TROUBLER [truble] v. t. (bas lat. *turbulare*). **1.** *Troubler qqch.*, le modifier de façon à altérer sa limpidité, sa transparence : *Troubler de l'eau.* — **2.** Altérer la finesse, l'acuité de quelque chose : *Troubler la vue* (syn. BROUILLER). — **3.** Interrompre le cours de quelque chose, arrêter son fonctionnement, son déroulement, etc. : *Ce bruit a troublé mon sommeil. Troubler l'ordre public* (syn. DÉRANGER). ◆ ***se troubler*** v. pr. (sujet nom de chose) Devenir trouble : *L'eau de la rivière se troublait au passage des chevaux.* ◆ **trouble** adj. Se dit d'une chose qui n'est pas limpide, dont la transparence n'est pas complète : *Une eau trouble* (= dans laquelle certaines impuretés sont en suspension). ◆ n. m. **1.** Mauvais fonctionnement d'un organe, d'une fonction psychologique : *Avoir des troubles de la vision. Des troubles de la personnalité. Un trouble passager* (= malaise, syncope). — **2.** Agitation confuse, tumultueuse : *Son arrivée soudaine a produit un certain trouble dans l'assemblée.* ◆ n. m. pl. Soulèvement populaire (syn. DÉSORDRES, RÉVOLTE). ◆ **trouble-fête** n. inv. Personne importune, indiscrète, qui empêche de se réjouir par sa présence.

2. TROUBLER [truble] v. t. (même étym.). *Troubler qq'un*, le priver de lucidité, de présence d'esprit, de sang-froid : *Le professeur ne réussissait qu'à troubler davantage le candidat* (syn. DÉCONCERTER, DÉMONTER). *Un détail me trouble* (= me rend perplexe) [syn. EMBARRASSER, ↑INQUIÉTER]. *Ce spectacle terrible la troublait profondément* (syn. ↑BOULEVERSER). *Troubler les sens de qq'un* (= les exciter). ◆ ***se troubler*** v. pr. (sujet nom de personne). Perdre contenance : *L'orateur se troubla devant les fréquentes interruptions de la salle.* ◆ **troublant, e** adj. Se dit d'une chose qui attire l'attention, qui incite à réfléchir : *Un détail troublant* (syn. DÉCONCERTANT). ◆ **trouble** adj. *Un désir trouble*, qui témoigne d'intentions confuses et inavouables. ‖ *Un regard trouble*, hypocrite, dévoilant des intentions mauvaises. ‖ *Une affaire trouble*, louche. ◆ n. m. État d'une personne troublée : *Le trouble de son âme était grand* (syn. DÉSARROI, DÉTRESSE). *Dominer le trouble qui s'empare de soi* (syn. EMBARRAS, PERPLEXITÉ). *Il fut trahi par son trouble* (= les marques extérieures de son émotion).

TROUÉE n. f., **TROUER** v. t. → TROU.

TROUFION [trufjɔ̃] n. m. (altér. de *troupier*). *Pop.* Simple soldat.

TROUILLE [truj] n. f. (orig. incert.). *Pop.* Peur : *Avoir la trouille.* ◆ **trouillard, e** adj. et n. *Pop.* Se dit d'une personne habituellement peureuse (syn. POLTRON).

1. TROUPE [trup] n. f. (de *troupeau*). **1.** Rassemblement de personnes, d'animaux non domestiques. ‖ *En troupe,* se dit de personnes ou d'animaux en groupe, qui se déplacent ensemble. — **2.** Groupe de comédiens, d'artistes qui se produisent ensemble : *La troupe du Théâtre-Français.*

2. TROUPE [trup] n. f. (même étym.) [surtout au plur.]. Groupement de militaires : *Troupes de choc* (= militaires d'élite). *Homme de troupe* (= simple soldat). *Enfant de troupe* (= fils de militaire, élevé aux frais de l'État et figurant sur les contrôles de l'armée). ◆ **troupier** n. m. Syn. vieilli de SOLDAT.

TROUPEAU [trupo] n. m. (frq. *throp*). **1.** Réunion d'animaux domestiques qu'on élève ensemble : *Un troupeau de moutons.* — **2.** *Péjor.* Grand nombre de personnes rassemblées sans ordre.

TROUPIER n. m. → TROUPE 2.

1. TROUSSE [trus] n. f. (de *trousser*). Pochette à compartiments, dans laquelle on réunit les instruments, les outils dont on se sert : *Trousse de chirurgien. Trousse d'écolier. Trousse de toilette* (= petit nécessaire pour la toilette). ◆ **trousseau** n. m. *Trousseau de clefs,* clefs attachées ensemble par un anneau.

2. TROUSSES [trus] n. f. pl. (même étym.). Fam. *Aux trousses de qq'un,* en le suivant, en le poursuivant : *Avoir la police à ses trousses* (= être poursuivi, recherché).

1. TROUSSEAU n. m. → TROUSSE 1.

2. TROUSSEAU [truso] n. m. (de *trousse*). Linge, vêtements donnés à une jeune fille qui se marie ou qui se fait religieuse, à un enfant qui entre en pension, etc.

1. TROUSSER [truse] v. t. (du lat. *torquere,* tordre). Syn. vieilli de RETROUSSER.

2. TROUSSER [truse] v. t. (même étym.). *Trousser un article, un compliment, un discours,* les composer rapidement, avec aisance (littér.).

TROUVER [truve] v. t. (bas lat. *tropare*). **1.** *Trouver qqch., qq'un,* le rencontrer alors qu'on le cherchait : *Trouver ses lunettes* (syn. RETROUVER). *Trouver les mots qui traduisent le mieux une pensée. Trouver une bonne secrétaire* (syn. fam. DÉNICHER). ‖ *Aller trouver qq'un,* se rendre auprès de lui. ‖ *Trouver* s'emploie dans diverses loc. sans art. : *Trouver assistance auprès de qq'un* (= être aidé, secouru par lui). *Trouver place dans un wagon.* — **2.** Rencontrer par hasard : *Trouver un portefeuille. Il était tout heureux de trouver un compatriote à l'étranger* (syn. TOMBER SUR). ‖ Fam. *Trouver à qui parler, trouver son maître,* se trouver en présence de quelqu'un qui vous résiste, qui vous domine. — **3.** Découvrir par un effort de l'esprit : *Trouver la solution d'un problème, la cause d'une maladie.* — **4.** *Trouver du plaisir, du bonheur, de la difficulté,* etc., en éprouver. — **5.** *Trouver à* (et l'infin.), avoir l'occasion de : *On ne trouve pas facilement à se distraire ici. Il trouve à redire à tout* (= il critique tout). — **6.** (avec un attribut du compl. d'objet) Rencontrer dans tel ou tel état : *J'ai trouvé la maison vide* (= elle était vide à mon arrivée); juger, estimer : *Les candidats ont trouvé la question difficile. Je vous trouve fatigué* (= vous me paraissez fatigué). *Trouver le temps long* (= s'ennuyer). ◆ ***se trouver*** v. pr. **1.** (sujet nom de personne) Être soudain par hasard dans tel lieu, dans telle position : *Le professeur se trouva nez à nez avec l'inspecteur. Il franchit la grille et se trouva dans le jardin.* — **2.** (sujet nom de chose) Être en tel endroit, être situé : *Le point A se trouve sur le segment M M'. Le pont se trouve sur la carte* (syn. FIGURER). *C'est là que se trouve le nœud du problème* (syn. RÉSIDER). — **3.** (avec un attribut, un adv.) Se présenter, être dans tel ou tel état : *L'espace qui se trouve compris entre les deux segments de droite. La jeune citadine s'est trouvée dépaysée au milieu des paysans.* ‖ *Se trouver bien quelque part,* s'y sentir à l'aise. ‖ *Se trouver mal,* s'évanouir. — **4.** *Il se trouve que* (et l'indic.), le hasard fait que : *Il se trouve que la porte était fermée.* ‖ Pop. *Si ça se trouve,* c'est bien possible. ◆ **trouvaille** n. f. Découverte heureuse : *Faire une bonne trouvaille. Tout ce qu'elle dit est plein de trouvailles* (= formules heureuses). ◆ **trouvé, e** adj. *Enfant trouvé,* enfant abandonné de ses parents. ‖ *Bien trouvé,* bien imaginé, bien dit (syn. TOURNÉ). ◆ **introuvable** adj. Qu'on ne peut trouver : *Le merle blanc est introuvable.*

TROUVÈRE [truvɛr] n. m. (de l'anc. fr. *troverre,* celui qui compose). Poète lyrique des XIIe et XIIIe s., qui composait ses œuvres dans la langue du Nord de la France, dite « langue d'oïl ». — ENCYCL. D'abord simples jongleurs, les *trouvères* joignirent bientôt à l'art de réciter des vers celui de composer (d'où leur nom). Si certains continuèrent à mener une vie errante (Colin Muset), d'autres devinrent des *ménestrels**, attachés à la personne d'un grand seigneur. Ils cultivaient une poésie raffinée et un art musical savant (chanson à refrain, ballade, rondeau, virelai, jeu parti, pastourelle, etc.). Les seigneurs eux-mêmes ne dédaignaient pas la gloire poétique : ainsi Conon de Béthune et Thibaud de Champagne. A l'inverse des chansons des troubadours*, la majeure partie des chansons des trouvères (on en dénombre plus de deux mille) sont attribuées et notées.

Trouvère *(le),* opéra de Verdi (1853).

TROUVILLE-SUR-MER, ch.-l. de cant. du Calvados, à l'embouchure de la Touques, en face de Deauville; 6000 hab. Station balnéaire.

TROYEN, ENNE [trwajɛ̃, -ɛn] adj. et n. De Troie (Troade) ou de Troyes (Champagne).

TROYES, ch.-l. du dép. de l'Aube, sur la Seine; 64800 hab. *(Troyens).* Cette ancienne place des foires de Champagne est devenue la capitale française de la bonneterie, à laquelle se sont ajoutés les constructions mécaniques et le travail du caoutchouc. L'agglomération compte 126000 hab. Nombreux monuments du Moyen Âge et de la Renaissance.

- *21 mai 1420. Un traité conclu entre le roi de France Charles VI et le roi d'Angleterre Henri V reconnaît celui-ci comme le régent de France et le successeur de Charles VI.*

TRUAND [tryɑ̃] n. m. (gaulois *trugant*). *Pop.* Mauvais garçon. ◆ **truander** v. t. *Pop.* Voler; tromper.

TRUBLION [tryblijɔ̃] n. m. (mot créé par Anatole France d'après *troubler* et le mot lat. *trublium,* écuelle). *Péjor.* Individu qui sème le désordre; agent provocateur : *Des trublions tentaient de prendre l'estrade d'assaut.*

TRUC [tryk] n. m. (mot prov. signif. *coup*). **1.** *Fam.* Moyen habile d'agir, procédé, combinaison qui réussit : *Connaître les trucs d'un métier* (syn. ASTUCE, FICELLE). *J'ai trouvé un truc pour mettre la machine en marche* (syn. fam. SYSTÈME). — **2.** *Fam.* S'emploie pour désigner un objet dont on ignore le nom ou qu'on ne veut pas nommer, etc. : *Comment ça s'appelle, ce truc-là?* (syn. fam. CHOSE, MACHIN).

TRUCAGE n. m. → TRUQUER.

TRUCHEMENT [tryʃmɑ̃] n. m. (ar. *turdjumān,* interprète). **1.** Personne qui sert d'interprète, d'intermédiaire entre deux autres (littér.). — **2.** *Par le truchement de,* par l'entremise de.

TRUCIAL STATES, ancienn. **Côte des Pirates** → ÉMIRATS ARABES UNIS.

TRUCIDER [tryside] v. t. (lat. *trucidare,* massacrer). *Fam.* Tuer (ironiq.).

TRUCULENT, E [trykylɑ̃, -ɑ̃t] adj. (lat. *truculentus,* cruel). Se dit d'une personne (ou de son comportement) qui exprime les choses avec crudité et réalisme : *Un personnage truculent* (syn. HAUT EN COULEUR). *Un langage truculent* (= dont l'énergie, la verdeur plaît). ◆ **truculence** n. f. : *La truculence d'un récit.*

TRUDEAU (Pierre Elliott), homme politique canadien, né en 1919. Président du parti libéral (1968-1984), il est Premier ministre du Canada de 1968 à 1979 et de 1980 à 1984.

TRUELLE [tryɛl] n. f. (bas lat. *truella*). Outil de maçon pour étendre le mortier sur les joints, pour faire des enduits de plâtre.

TRUFFAUT (François), cinéaste français (1932-1984). Il est l'auteur de : *les Quatre Cents Coups* (1959), *Jules et Jim* (1961). *Fahrenheit 451* (1966), *La mariée était en noir* (1967), *Baisers volés* (1968), *l'Enfant sauvage* (1969), *Domicile conjugal* (1970), *l'Histoire d'Adèle H* (1975), *le Dernier Métro* (1980), *la Femme d'à côté* (1981), *Vivement dimanche* (1983).

1. TRUFFE [tryf] n. f. (anc. prov. *trufa*). Champignon noir, souterrain, comestible recherché, vivant en symbiose avec les racines de certains chênes (chênes *truffiers*) et dont les fructifications sont découvertes par les porcs, les chiens à la base des chênes. ◆ **truffer** v. t. **1.** Garnir de truffes : *Truffer une volaille.* — **2.** *Fam.* Remplir, bourrer : *Il avait truffé son discours de citations.* ◆ **truffier, ère** adj. *Région truffière,* où il y a des truffes. ‖ *Chêne truffier,* variété de chêne blanc au pied duquel on trouve les truffes.

2. TRUFFE [tryf] n. f. (de *truffe* 1). Nez d'un chien.

TRUIE [trɥi] n. f. (bas lat. *troia*). Femelle du porc.

TRUISME [trɥism] n. m. (angl. *truism;* de *true,* vrai). *Péjor.* Vérité d'évidence, banale : *C'est un truisme de dire qu'une proposition claire ne comporte aucune ambiguïté* (syn. LAPALISSADE).

TRUITE [trɥit] n. f. (bas lat. *tructa*). Poisson osseux vivant en eaux douce, carnivore, à chair fine et estimée. (Famille des salmonidés.)

TRUJILLO, v. du Pérou; 347600 hab. Commerce du sucre.

TRUJILLO Y MOLINA (Rafael), homme d'État dominicain (1891-1961). Élu président en 1930, il établit une dictature implacable. Il fut assassiné.

TRUMAN (Harry S.), homme d'État américain (1884-1972). Président démocrate des États-Unis de 1945 à 1953, il favorisa l'aide à l'Europe occidentale (plan Marshall) et pratiqua une politique de raidissement à l'égard de l'U. R. S. S. et de la Chine communiste (guerre de Corée).

TRUMEAU [trymo] n. m. (frq. *thrum*, morceau). Panneau de glace occupant le dessus d'une cheminée ou l'espace entre deux fenêtres.

TRUQUER [tryke] v. t. (de *truc*). Changer, modifier par fraude quelque chose : *Truquer une serrure* (= en modifier le mécanisme). *Truquer un dossier* (= en modifier, en substituer certaines pièces). ◆ **truquage** ou **trucage** n. m. **1.** Moyen par lequel on falsifie quelque chose. — **2.** Procédé employé au cinéma pour créer l'impression de la réalité. ◆ **truqué, e** adj. : *Élections truquées.*

TRUSQUIN [tryskɛ̃] n. m. (du wallon *cruskin*). *Technol.* Outil du menuisier ou de l'ajusteur, pour tracer des lignes parallèles à la surface d'une pièce de bois ou de métal.

TRUST [trœst] n. m. (mot angl.; de *to trust*, confier). *Écon.* Toute forme d'association (par achat, fusion ou prise de participation), qui accapare une part importante d'un marché donné.

TRUYÈRE (la), riv. du Massif central, affl. du Lot (r. dr.); 160 km. Usines hydro-électriques.

TRYPANOSOME [tripanozom] n. m. (du gr. *trupanon*, tarière). Protozoaire flagellé dont certaines espèces sont responsables de maladies parasitaires : *La maladie du sommeil est due à un trypanosome inoculé par la piqûre d'une mouche africaine, la glossine ou mouche tsé-tsé.*

TRYPSINE [tripsin] n. f. (du gr. *thrupsis*, broiement). Diastase contenue dans le suc pancréatique, transformant les protides en polypeptides, puis en acides aminés qui peuvent passer dans le sang.

TS'AO TS'AO, poète chinois (155-200). Il ouvrit la voie de l'inspiration personnelle à la poésie chinoise.

TSAR ou **TZAR** [tzar] n. m. (mot russe). Titre porté par les souverains de Russie, de Bulgarie. (La forme CZAR est polonaise.) ◆ **tsarévitch** n. m. Fils du tsar. ◆ **tsarine** n. f. Femme du tsar. ◆ **tsarisme** n. m. Régime politique des tsars. ◆ **tsariste** adj. : *Le régime tsariste.*

TSARSKOÏE SELO, auj. **Pouchkine** (de 1920 à 1937, **Detskoïe Selo**), v. de l'U. R. S. S., près de Leningrad; 50 000 hab. Anc. résidence d'été des tsars. Palais de style baroque.

TSÉ-TSÉ [tsetse] n. f. (mot dial.). Nom usuel d'une mouche africaine, du genre glossine, dont certaines espèces propagent la maladie du sommeil.

TS'EU-HI (1834-1908), dernière impératrice de Chine (1881-1908). Elle pratiqua, à l'intérieur, des réformes, mais favorisa les sociétés secrètes (Boxers) et la xénophobie*.

T.S.F. [teɛsɛf] n. f. (abrév. de TÉLÉGRAPHIE [ou TÉLÉPHONIE] SANS FIL). Désigne le poste récepteur, le principe de la télégraphie sans fil, etc. : *Ma T.S.F. est en panne.* (Cette appellation est remplacée auj. par les termes POSTE, RADIO.)

TSHIKAPA, v. du Zaïre, sur le Kasaï. Grand centre de production de diamants.

TSIGANE adj. et n. → TZIGANE.

TSI-NAN, v. de Chine, capit. du Chan-tong; 1 320 000 hab. Industries textiles.

TS'ING, dynastie mandchoue qui régna sur la Chine de 1644 à 1912.

TS'ING-HAI, province de la Chine occidentale au N.-E. du Tibet; 720 000 km²; 3 895 000 hab. Capit. *Si-ning.*

TS'ING-HAI, autre nom du *Koukou-nor**.

TS'ING-TAO, port de Chine (Chan-tong), sur la baie de Kiao-tcheou; 1 200 000 hab. Capit. de l'ancien territoire allemand de Kiao-tcheou. Centre industriel.

TS'IN-LING *(monts)*, massif de la Chine entre les bassins du Houang-ho et du Yang-tseu-kiang; 4 107 m.

TSIOLKOVSKI (Konstantine), ingénieur russe (1857-1935), auteur de travaux sur l'aérodynamique et de recherches primordiales pour l'astronautique, sur la propulsion par réaction des fusées.

TSITSIHAR, v. de la Chine du Nord-Est (Hei-long-kiang); 700 000 hab.

TSUBOUCHI (Shōyō), écrivain japonais (1859-1935). Il exerça une grande influence sur les jeunes auteurs de la seconde partie de l'époque de Meiji en réclamant le respect des lois psychologiques et la constitution d'une littérature réaliste. Traducteur et adaptateur de Shakespeare et d'Ibsen, il fit connaître au Japon le théâtre étranger, tout en réhabilitant le kabuki*.

TSUGARU *(détroit de)*, détroit séparant les îles japonaises d'Honshū et Hokkaidō.

PRONOMS PERSONNELS (2ᵉ PERS.)

FONCTION	**pronoms atones** Joints au verbe et toujours dans le groupe verbal.		**pronom tonique** Disjoint, placé hors du groupe verbal, avant ou après le verbe.	
sujet	**tu**	TU *m'amuses. Dors-*TU*? Qui as-*TU *rencontré?*	**toi**	TOI. *tu mens. Ton frère et* TOI *serez punis. Il a plus de soucis que* TOI.
complément d'objet direct ou indirect, réfléchi ou non réfléchi	**te** **t'**	*Je* TE *remercie. Nous* T*'aiderons.* TE *cherchait-il? Cette région* TE *plaira. Cet homme* T*'a nui. Ne* TE *sers pas.*	**toi**	*Tes amis et* TOI, *nous vous inviterons. On pense à* TOI. *On parle de* TOI. *Regarde-*TOI *dans la glace. Sers-*TOI.
complément circonstanciel après préposition			**toi**	*Je reste avec* TOI. *As-tu tes papiers sur* TOI*? C'est en* TOI *que tu trouveras le bonheur.*

TU [ty], **TE** [tə], **TOI** [twa] pron. pers. 2ᵉ pers. du sing. (lat. *tu*, *te*). → tableau ci-dessus. (*Rem.* Pour l'ordre des pron. pers. → IL.)

TUAMOTU ou **TOUAMOTOU,** archipel de la Polynésie française, à l'E. de Tahiti; 880 km²; 8 500 hab. *(Pomotus).*

TUANT, E adj. → TUER 2.

TUB [tœb] n. m. (mot angl.). **1.** Large cuvette dans laquelle on peut faire des ablutions à grande eau (vieilli). — **2.** Bain qu'on prend dans cette cuvette (vieilli).

TUBA [tyba] n. m. (mot lat.). **1.** Instrument de musique à vent, en cuivre, de la famille des saxhorns. — **2.** Tube respiratoire permettant de nager tout en conservant la tête sous l'eau.

1. TUBE [tyb] n. m. (lat. *tubus*). **1.** Tuyau cylindrique. — **2.** Récipient allongé, de forme approximativement cylindrique, fait de métal malléable ou de matière plastique, et contenant une substance molle : *Un tube de colle.* — **3.** *Tube cathodique*, tube à vide dans lequel l'impact d'un faisceau d'électrons sur un écran fluorescent permet de visualiser la forme d'une tension électrique, de former une image de télévision. ‖ *Tube à vide*, ampoule vidée d'air et comprenant au moins deux électrodes entre lesquelles s'établit, dans certaines conditions, un courant d'électrons; syn. de LAMPE, lorsqu'il s'agit de tubes utilisés en radio-électricité. ◆ **tubage** n. m. **1.** Introduction d'un tube (sens 1) dans le larynx pour empêcher l'asphyxie, dans des cas de croup, ou par l'œsophage dans l'estomac, pour des analyses biologiques. — **2.** *Trav. publ.* Dans les sondages, action d'enfoncer des tubes de retenue pour prévenir l'éboulement de la terre. ◆ **tubulaire** adj. *Chaudière tubulaire*, chaudière où la chaleur du foyer est diffusée par un grand nombre de tubes. ‖ *Pont tubulaire*, pont formé de tubes métalliques joints bout à bout. ◆ **tubulure** n. f. **1.** Petite ouverture pour recevoir un tube. — **2.** Ensemble des tubes d'une installation.

2. TUBE [tyb] n. m. (même étym.). **1.** *Anat.* Canal ou conduit naturel : *Le tube digestif.* — **2.** *Bot.* Partie inférieure, en forme de tube, des calices ou des corolles gamopétales. ‖ *Tube criblé*, vaisseau où circule la sève élaborée. ◆ **tubuleux, euse** adj. En forme de tube : *Corolle tubuleuse.*

3. TUBE [tyb] n. m. (mot angl.). Chanson très en vogue.

1. TUBERCULE n. m. → TUBERCULOSE.

2. TUBERCULE [tybɛrkyl] n. m. (lat. *tuberculum*, petite bosse). **1.** *Bot.* Excroissance se développant sur une tige souterraine comme la pomme de terre, l'igname, la patate douce, etc. — **2.** *Anat.* Surface arrondie des molaires broyeuses. ‖ *Tubercules quadrijumeaux*, saillies de la face dorsale du mésencéphale. — **3.** *Zool.* Renflement charnu ou osseux à la base de la mandibule supérieure du bec de certains oiseaux.

TUBERCULOSE [tybɛrkyloz] n. f. (du lat. *tuberculum*, petite bosse). Maladie infectieuse, contagieuse, commune à l'homme et aux animaux, due au bacille de Koch, qui se localise surtout dans les poumons *(tuberculose pulmonaire),* mais qui peut atteindre d'autres organes. → ENCYCL. ◆ **tuberculeux, euse** adj. Relatif aux tubercules du bacille de Koch, à la tuberculose. ◆ adj. et n. : *Envoyer un tuberculeux dans un sanatorium.* ◆ **antituberculeux, euse** adj. : *Un sérum antituberculeux.* ◆ **tubercule** n. m. Petite tumeur arrondie de l'intérieur des tissus et qui est caractéristique de la tuberculose. ◆ **tuberculine** n. f. Produit destiné au diagnostic de la tuberculose, préparé à partir de cultures du bacille tuberculeux.

— ENCYCL. La *tuberculose* a été isolée des autres affections pulmonaires par Laennec, dès 1819, grâce aux caractéristiques particulières de sa lésion élémentaire, le *tubercule.* En 1865, Villemin démontra la nature infectieuse de cette maladie, puis Koch confirma cette découverte en décrivant l'agent causal de la maladie, le bacille de Koch (1882).

La tuberculose se contracte par le passage du bacille d'un sujet déjà atteint (crachats, toux, éternuements, etc.) à un sujet sain (il existe toutefois un terrain favorable : l'âge [adolescence], le surmenage, la sous-alimentation, l'alcoolisme). La pénétration du bacille de Koch dans l'organisme détermine quarante-cinq à soixante jours plus tard un ensemble de manifestations décrites sous le terme de *primo*-infection tuberculeuse.* C'est par l'inoculation de tuberculine (extrait non virulent d'une culture de bacille tuberculeux) que l'on fait la preuve de l'infection (cuti-réaction, intradermo-réaction). À ce stade, la maladie peut être traitée par des agents antituberculeux; mais elle peut suivre son cours plusieurs mois ou plusieurs années après. Après une phase de dispersion par voie sanguine, provoquant de la fièvre et des réactions inflammatoires des séreuses, le bacille de Koch se fixe dans un ou plusieurs organes, y déterminant les lésions caractéristiques que sont les tubercules (ceux-ci, d'abord durs, se transforment en caséum, matière blanchâtre visqueuse, qui se vide à l'extérieur ou dans les canaux de l'organe en cause, constituant des cavités ou « cavernes »). Les organes les plus touchés sont les poumons *(tuberculose pulmonaire),* les reins, les organes génitaux, les os et articulations et les méninges.

Le traitement de la tuberculose comporte l'emploi d'antibiotiques spécifiques, les cures climatiques (sanatorium); la chirurgie est parfois nécessaire pour enlever les organes ou parties d'organes profondément atteints.

La gravité de cette maladie, la longueur de son traitement justifient l'importance des mesures de dépistage (radiologies) et de prévention (vaccination par le B. C. G.).

TUBÉREUSE [tyberøz] n. f. (de *tubéreux*). Plante originaire du Mexique, cultivée pour ses belles grappes de fleurs blanches à odeur suave et pénétrante. (Famille des amaryllidacées.)

TUBÉREUX, EUSE [tyberø, -øz] adj. (lat. *tuberosus,* garni de protubérances). Qui forme une masse charnue : *Racine tubéreuse.*

TÜBINGEN, v. d'Allemagne (Bade-Wurtemberg), sur le Neckar; 71 000 hab. Université.

TUBMAN (William), homme d'État libérien (1895-1971). Il fut président de la République de 1943 à sa mort.

TUBULAIRE adj., **TUBULURE** n. f. → TUBE 1.

TUBULEUX, EUSE adj. → TUBE 2.

TUCSON, v. des États-Unis (Arizona); 262 950 hab. Électronique.

TUCUMÁN, v. du N.-O. de l'Argentine; 322 000 hab. Université.

TUDOR, famille anglaise, originaire, avec Owen Tudor, du pays de Galles, et qui, de 1485 à 1603, donna cinq souverains à l'Angleterre : Henri VII, Henri VIII, Édouard VI, Marie et Élisabeth Ire.

TU DUC (Hoang Nham) [1830-1883], empereur d'Annam (1848-1883). Ses persécutions contre les missionnaires amenèrent l'intervention de la France en Cochinchine, puis l'expédition du Tonkin.

TUDY (ÎLE-), comm. du Finistère, sur l'anse de Bénodet, en face de Loctudy; 541 hab.

TUÉ, E adj. et n. → TUER 1.

TUE-MOUCHES [tymuʃ] adj. inv. (de *tuer,* et *mouche*). *Amanite tue-mouches,* autre nom de la FAUSSE ORONGE*.

1. TUER [tɥe] v. t. (du lat. *tutari,* protéger). *Tuer un être animé,* lui ôter la vie de manière violente : *Tuer un lapin d'un coup de fusil.* ◆ ***se tuer*** v. pr. Se donner la mort : *Il s'est tué en se tirant une balle dans la tête* (syn. SE SUICIDER). *Il s'est tué en voiture* (= il a eu un accident mortel). ◆ **tué, e** adj. et n. : *Il y a trois tués dans l'accident.* ◆ **tuerie** n. f. Carnage, scène de violence meurtrière : *Une véritable tuerie.* ◆ **tueur, euse** n. Personne qui a tué d'autres personnes ou pour qui le meurtre est chose naturelle : *Tueur à gages* (= personne payée pour commettre un meurtre). ◆ **tueur** n. m. Celui qui tue les animaux dans un abattoir. ◆ **entretuer (s')** v. pr. Se tuer l'un l'autre, les uns les autres.

2. TUER [tɥe] v. t. (de *tuer* 1). **1.** Accabler physiquement ou moralement : *Ces allées et venues me tuent* (syn. ÉREINTER, EXTÉNUER, ↓FATIGUER). ◆ ***se tuer*** v. pr. **1.** Compromettre sa santé : *Se tuer au* (ou *de*) *travail.* — **2.** Fam. *Se tuer à,* faire de grands efforts pour, ne pas cesser de : *Je me tue à vous répéter que je n'ai jamais vu cet homme.* ◆ **tuant, e** adj. *Fam.* Se dit d'une personne (ou de son comportement) pénible à supporter : *Elle est tuante avec ses discours interminables* (syn. EXTÉNUANT; fam. ASSOMMANT).

TUE-TÊTE (À) [atytɛt] loc. adv. (de *tuer,* et *tête*). *Crier à tue-tête,* de toute la force de sa voix (syn. HURLER).

TUEUR, EUSE n. → TUER 1.

TUF [tyf] n. m. (it. *tufo*). Roche poreuse légère, formée de cendres volcaniques cimentées ou de concrétions calcaires déposées dans les sources ou dans les lacs.

TUFFEAU ou **TUFEAU** [tyfo] n. m. (de *tuf*). Craie contenant du mica ou du sable, à constituants assez grossiers : *Le tuffeau de Touraine est employé en construction.*

1. TUILE [tɥil] n. f. (lat. *tegula;* de *tegere,* couvrir). Carreau en terre cuite, de forme variable, qui sert à couvrir les toits : *Tuile plate. Tuile ronde* (= creusée en forme de gouttière). ◆ **tuilerie** n. f. **1.** Industrie de la fabrication des tuiles. — **2.** Établissement où se fait cette fabrication.

2. TUILE [tɥil] n. f. (de *tuile* 1). *Fam.* Événement fâcheux : *Cette maladie, quelle tuile!* (= quelle catastrophe!).

Tuileries *(palais des),* anc. résidence royale, à Paris. Commencé en 1564 par Philibert Delorme pour Catherine de Médicis, le palais fut successivement continué, modifié et aggrandi par Jean Bullant, Androuet Du Cerceau, Louis Le Vau et Fontaine. Abandonnées par Louis XIV, qui leur préférait Versailles, les Tuileries furent, depuis la Révolution, le siège du pouvoir exécutif, et, depuis l'Empire, la résidence des souverains. Partiellement incendié par la Commune en 1871, le palais fut complètement démoli en 1882; une partie de l'actuel jardin des Tuileries s'étend sur son emplacement.

TULARÉMIE [tylaremi] n. f. (du n. du comté de *Tulare,* en Californie). Maladie infectieuse due à un microbe spécifique, épidémique chez le lièvre et transmissible à l'homme.

TULÉAR, auj. **Toleara,** port de Madagascar, sur la côte sud-ouest de l'île; 39 000 hab.

TULIPE [tylip] n. f. (du turc *tülbend,* turban). Plante vivace par son bulbe, à belles fleurs ornementales : *La culture des tulipes est particulièrement développée aux Pays-Bas.* (Famille des liliacées.)

TULIPIER [tylipje] n. m. (de *tulipe*). Arbre originaire d'Amérique, cultivé dans les parcs et jardins. (Famille des magnoliacées.)

TULLE, ch.-l. du dép. de la Corrèze, à 464 km au S. de Paris, dans le sud-ouest du Limousin, au confluent de la Corrèze et de la Solane; 20 600 hab. *(Tullois* ou *Tullistes).* Manufacture nationale d'armes.

TULLE [tyl] n. m. (de *Tulle*). Tissu de coton ou de soie, très léger et transparent, à mailles rondes ou polygonales : *Un voile de tulle.*

TULLINS, ch.-l. de cant. de l'Isère, à 28,5 km au N.-O. de Grenoble, dans la vallée de l'Isère; 6 100 hab. Papeteries. Chaussures.

TULLUS HOSTILIUS, troisième roi de Rome, que la tradition fait régner de 672 à 614 av. J.-C. Il aurait soumis Albe avec l'aide des Horaces et organisé l'armée romaine.

TULSA, v. des États-Unis (Oklahoma), sur l'Arkansas; 331 650 hab. Centre pétrolier.

TUMÉFIER [tymefje] v. t. (lat. *tumefacere*). Causer une enflure sur une partie du corps d'un être vivant, par exemple par des coups (surtout employé au part. passé *tuméfié*) : *Après la bagarre, il avait le visage tout tuméfié.* ◆ **tuméfaction** n. f.

TUMEUR [tymœr] n. f. (lat. *tumor*). Augmentation de volume d'une partie d'un tissu ou d'un organe, due à une multiplication des cellules.

— ENCYCL. On distingue des *tumeurs bénignes* (verrues, adénomes, fibromes, etc.), qui sont bien circonscrites, repoussent les tissus voisins sans les envahir et ne se généralisent jamais, et des *tumeurs malignes,* ou *cancers,* qui sont mal délimitées, envahissent les tissus voisins et donnent des localisations à distance, ou *métastases,* si elles ne sont pas extirpées précocement.

TUMULTE [tymylt] n. m. (lat. *tumultus*). **1.** Mouvement de foule, accompagné de bruit et de désordre : *La réunion s'est terminée dans le tumulte* (syn. BROUHAHA, VACARME; fam. CHAHUT). — **2.** Agitation bouillonnante et désordonnée : *Le tumulte des affaires.* ◆ **tumultueux, euse** adj. : *Une assemblée tumultueuse.* ◆ **tumultueusement** adv.

TUMULUS [tymylys] n. m. (mot lat.). Amas de terre ou construction de pierre, en forme de cône, que les Anciens élevaient au-dessus des sépultures.

TUNGSTÈNE [tœ̃kstɛn] ou [tɔ̃kstɛn] n. m. (mot suédois signif.

pierre lourde). *Chim.* Métal (W), de densité 19,2, fondant à 3410 °C, d'un gris presque noir, qui est utilisé pour fabriquer les filaments des lampes à incandescence (syn. WOLFRAM).

1. TUNIQUE [tynik] n. f. (lat. *tunica*). **1.** Vêtement de dessous, en usage chez plusieurs peuples de l'Antiquité ou chez certains peuples actuellement. — **2.** Vêtement droit et court porté sur une jupe ou un pantalon. — **3.** Vêtement militaire ajusté et caractérisé par le col droit et l'absence de poches.

2. TUNIQUE [tynik] n. f. (même étym.). **1.** *Anat.* Nom de diverses membranes qui enveloppent les organes : *Les tuniques de l'œil.* — **2.** *Bot.* Enveloppe d'un bulbe.

TUNIS, capit. de la Tunisie, dans le nord-est du pays, au fond du *golfe de Tunis;* 1 million d'hab. Centre administratif, commercial et industriel. Il a pour port *La Goulette.*

TUNISIE, république de l'Afrique du Nord, sur la Méditerranée.

SUPERFICIE 164000 km² (France : 550000 km²).
POPULATION 7900000 hab. *(Tunisiens);* 48 hab. au km² (France : 103); accroissement annuel de population. 2,4 p. 100.
CAPITALE Tunis (1 million d'hab.).
VILLES PRINCIPALES Sfax (250000 hab.); Sousse (82700 hab.); Bizerte (51700 hab.).
LANGUE arabe.
ÉCONOMIE consommation d'énergie par hab., 660 kg d'équivalent charbon; 1 automobile pour 50 hab.
MONNAIE dinar tunisien.

GÉOGRAPHIE

Le nord de la Tunisie, constitué de chaînes montagneuses orientées S.-O.-N.-E. (monts de la Medjerda, Dorsale tunisienne prolongée par le cap Bon) encadrant le bassin de la Medjerda, s'oppose, par son climat méditerranéen, au reste du pays, ensemble de plateaux et de plaines steppiques et désertiques, qui se rattache au Sahara.

	TEMPÉRATURES MOYENNES		PLUIES
	janv.	juil.	
Tunis	10,4 °C	26 °C	420 mm
Gabès	10,9 °C	26,7 °C	175 mm

La population se concentre dans la partie nord, la seule propice à la culture, notamment dans la Medjerda. Elle cultive des céréales, la vigne et l'olivier, et pratique l'élevage bovin. Le littoral produit des agrumes. Les steppes du Sud sont parcourues par les troupeaux d'ovins des nomades, et les oasis fournissent des dattes.

huile d'olive 100000 t; ovins 5 millions de têtes.

Le sous-sol recèle des gisements de plomb, de fer, de zinc, de pétrole, et surtout de phosphates qui sont exportés bruts par le port de Sfax. Mais l'industrie est peu développée, en dehors du textile et des produits alimentaires, répartie dans les principales villes qui, à l'exception de Kairouan, sont aussi des ports. Aussi la Tunisie doit-elle importer des produits fabriqués, notamment par le port de Tunis, La Goulette.

phosphates 5500000 t; pétrole 5500000 t.

HISTOIRE

Sur un fond de populations nomades berbères, la Tunisie a vu se succéder plusieurs civilisations.

• *V. 1101 av. J.-C. Les Phéniciens fondent Utique.*

Les comptoirs phéniciens passent, à la suite du déclin de Tyr, sous le contrôle de l'un d'eux, Carthage, fondé vers 814.

• *Ve s. av. J.-C. Carthage conquiert son arrière-pays après avoir perdu la Sicile (Himère, 480), et y développe une agriculture intensive.*

Mais la lutte avec Rome, qui s'allie au royaume berbère de Masinissa, se termine par la destruction de Carthage (146). Les Berbères se dressent à leur tour contre Rome sous la direction de Jugurtha (112-105), mais ils sont vaincus.

• *27 av. J.-C. Devenue province d'Afrique proconsulaire, la Tunisie est le principal foyer de romanisation de la Berbérie.*

Jusqu'en 238 apr. J.-C., elle produit pour Rome blé, huile et vin. Le christianisme s'y diffuse rapidement (elle est la patrie de Tertullien et de saint Augustin); mais la crise du IIIe s. est suivie d'une réapparition de la conscience nationale berbère, qui s'affirme dans l'hérésie donatiste*.

• *430-533. La province est conquise par les Vandales.*

Reprise par Bélisaire, elle est intégrée à l'Empire byzantin. Toutefois sa décomposition administrative et religieuse facilite l'offensive arabe à partir de 647.

Tunisie

• *670. 'Uqba ibn Nāfi' fonde Kairouan, point de départ de la conquête de toute la Berbérie.*

Avec la prise de Carthage (698) sont posés les fondements de la vie sociale, religieuse et culturelle actuelle, car la conversion à l'islām est rapide. Le particularisme berbère favorise cependant l'essor du khāridjisme, secte musulmane puritaine et égalitaire qui restera influente à Djerba après le triomphe de l'orthodoxie sunnite* de Kairouan (XIe s.).

• *800-910. La dynastie des Arhlabides fait de Tunis sa capitale et construit la mosquée de Kairouan.*

Leurs successeurs fātimides créent un califat chī'ite*, mais se désintéressent du pays après avoir conquis l'Égypte (973).

• *1048. La dynastie berbère des Zīrides rejette leur suzeraineté.*

Elle doit faire face à une invasion de nomades arabes envoyés par les Fātimides, à l'installation des Normands de Sicile sur ses côtes (1143-1148), puis est éliminée par les Almohades du Maroc qui installent un gouverneur à Tunis (1160-1212).

• *1228. L'émancipation des gouverneurs, les Ḥafṣides, rend son indépendance à la Tunisie.*

Tunis connaît une civilisation brillante favorisée par l'apport des Andalous. Mais si le pays résiste à la 8e croisade (qui voit la mort de Saint Louis), il est troublé par les attaques des nomades hilāliens et les interventions des Marīnides*, de 1277 à 1370.

• *1519-1589. Après une tentative d'occupation par Charles Quint (1535), la Tunisie devient la régence de Tunis sous domination turque.*

En 1612, Murad Ier fonde la première dynastie beylicale (=dirigée par le bey*).

L'intervention européenne se généralise, car la prospérité, liée à la piraterie, est artificielle. Au XIXe s., les beys essaient de moderniser le pays, ce qui entraîne une réaction politique (1864) et une crise financière suivie de la mise sous tutelle européenne (1869).

• *Novembre 1881. À la suite d'une intervention militaire, le traité du Bardo (renforcé en 1883 par celui de La Marsa) place la Tunisie sous protectorat français.*

La Tunisie glisse bientôt sous l'administration directe de la France, mais connaît un certain essor économique, tandis qu'affluent les immigrants. À partir de 1907 apparaît un nationalisme moderne (qui s'exprime par des manifestations et des grèves) réprimé activement. Son aile radicale fonde en 1934 le Néo-Destour, animé par Bourguiba.

• *1942. Les Allemands occupent le pays mais leurs troupes capitulent le 12 mai 1943.*

Face à la poussée nationaliste, la politique française fait preuve d'immobilisme et une rebellion armée éclate en 1952. Les difficultés françaises (guerre d'Indochine) amènent le gouvernement Mendès-France à accepter le principe de l'indépendance (1954).

• *1956. L'indépendance est obtenue et la Tunisie devient une république, dirigée par Bourguiba (1957).*

Le nouveau régime essaie de moderniser le pays, en relation avec le monde occidental et l'ancien colonisateur (normalisation des rapports avec la France après 1963). Ses tentatives dirigistes dans l'agriculture échouent, et il revient à la voie libérale (1970).

• *Novembre 1987. Bourguiba (président à vie depuis 1975) est destitué par son Premier ministre, le général Zine El Abidine Ben Ali, qui le remplace à la tête de l'État.*

TUNNEL [tynɛl] n. m. (mot angl.). Galerie souterraine donnant passage à une voie de communication : *Le tunnel du Mont-Blanc.* → illustration page suivante.

TUPI-GUARANI adj. et n. inv. Se dit d'une importante famille linguistique et culturelle indienne d'Amérique du Sud. (Les tribus tupi-guarani se sont répandues principalement au S. de l'Amazone, et jusque dans les Andes boliviennes et au Chaco occidental.) ◆ **tupi** n. m. Dialecte indien de l'Amérique du Sud, appartenant à la famille tupi-guarani.

TUPOLEV ou **TOUPOLEV** (Andreï), ingénieur soviétique (1888-1972). Il conçut de très nombreux avions et se consacra à l'étude de la propulsion par réaction.

TURBAN [tyrbɑ̃] n. m. (turc *tülbend*). Coiffure de certains Orientaux, formée d'une longue pièce d'étoffe enroulée autour de la tête. ◆ **enturbanné, e** adj. Coiffé d'un turban : *Des Indiens enturbannés.*

TURBIE (La), comm. des Alpes-Maritimes, à 13 km au S.-O. de Menton; 2000 hab. Monument romain en l'honneur d'Auguste (« trophée des Alpes »).

TURBIGO, localité d'Italie (Lombardie), sur le Tessin (r. g.); 5700 hab.

• *1800 et 1859. Victoires remportées par les Français sur les Autrichiens.*

TURBIN [tyrbɛ̃] n. m. (du lat. *turbo, turbinis,* tourbillon). *Pop.* Travail. ◆ **turbiner** v. i. *Pop.* Travailler.

TURBINE [tyrbin] n. f. (du lat. *turbo, turbinis,* roue). Moteur composé d'une roue à aubes ou à ailettes, sur laquelle on fait agir la pression ou la vitesse d'un fluide (eau, vapeur ou gaz) : *Les turbines à vapeur remplacent de plus en plus les anciennes machines à pistons.* → illustration en couleurs MOTEURS pp. 912-913.

TURBINER v. i. → TURBIN.

TURBO-ALTERNATEUR [tyrboaltɛrnatœr] n. m. (de *turb[ine],* et *alternateur*). Groupe générateur d'électricité, composé d'une turbine à vapeur associée à un alternateur. ‖ Pl. des *turbo-alternateurs.*

TURBOCOMPRESSEUR [tyrbokɔ̃prɛsœr] n. m. (de *turb[ine],* et *compresseur*). Groupe formé d'une turbine accouplée à un compresseur, et destiné à l'alimentation d'un réseau ou d'une machine.

TURBOPROPULSEUR [tyrbopropylsœr] n. m. (de *turb[ine],* et *propulseur*). Moteur d'avion, constitué par une turbine à gaz entraînant une hélice. → illustration MOTEURS pp. 912-913.

TURBORÉACTEUR [tyrboreaktœr] n. m. (de *turb[ine],* et *réacteur*). Moteur à réaction utilisé en aéronautique, dans lequel les gaz de combustion passent dans une turbine qui sert à aspirer l'air utile à la combustion. → illustration MOTEURS p. 912-913.

TURBOT [tyrbo] n. m. (empr. à l'anc. scand.). Genre de poisson osseux, aplati latéralement, vivant couché sur un côté, répandu dans l'Atlantique et la Méditerranée, estimé pour sa chair.

TURBOTRAIN [tyrbotrɛ̃] n. m. (de *turb[ine],* et *train*). Véhicule ferroviaire automoteur, servant au transport des passagers, et propulsé par une turbine à gaz.
→ illustration en couleurs CHEMINS DE FER pp. 272-273.

TURBULENT, E [tyrbylɑ̃, -ɑ̃t] adj. (lat. *turbulentus;* de *turbare,* troubler). Se dit d'une personne (ou de son comportement) qui aime à s'agiter, qui est dans un état d'excitation continuelle : *Des élèves turbulents* (syn. REMUANT; fam. CHAHUTEUR; contr. CALME, PAISIBLE, SILENCIEUX). ◆ **turbulence** n. f.

TURC, TURQUE [tyrk] adj. et n. (de *türküt,* mot mongol). **1.** De Turquie. — **2.** Fam. *Fort comme un Turc,* se dit d'un homme très vigoureux. ‖ *Tête de Turc,* personne à qui tout le monde s'en prend à la moindre occasion, qui est la cible de toutes les plaisanteries. ◆ n. m. Groupe de langues parlées en Turquie.

Turcaret, comédie en prose de Lesage (1709).

TURCKHEIM, comm. du Haut-Rhin, à 7 km à l'O. de Colmar, sur la Fecht; 3600 hab. Fabrique de papier.

• *Janvier 1675. Victoire de Turenne sur les Impériaux.*

TURCOMANS → TURKMÈNES.

TURDIDÉS [tyrdide] n. m. pl. (du lat. *turdus,* grive). Famille d'oiseaux passereaux, comprenant les *merles, grives, rossignols, rouges-gorges,* etc.

TURENNE (Henri DE LA TOUR D'AUVERGNE, *vicomte* DE), maréchal de France (1611-1675). Commandant de l'armée d'Allemagne pendant la guerre de Trente Ans, il occupe le Rhin de Philippsburg à Mayence.

• *1645. Avec Condé, il remporte la victoire de Nördlingen.*

• *1648. Il gagne la bataille de Zusmarshausen.*

Pendant la Fronde, il est entraîné dans le parti hostile à Mazarin, mais après avoir été vaincu à Rethel par l'armée royale (1650), il se rallie à la Cour et bat Condé au faubourg Saint-Antoine (1652).

• *1653. Il triomphe des Espagnols à la bataille des Dunes.*

Commandant l'armée française pendant les guerres de Dévolution (1667) et de Hollande (1672), il conquiert l'Alsace durant l'hiver de 1675 et est tué par un boulet près de Sasbach. Protestant, il avait été converti au catholicisme par Bossuet.

TURF [tœrf] ou [tyrf] n. m. (mot angl. signif. *gazon*). Milieu des courses de chevaux; activités qui s'y rattachent. ◆ **turfiste** n. Personne qui aime les courses de chevaux, qui y assiste souvent.

TURGESCENCE [tyrʒesɑ̃s] n. f. (du lat. *turgescere,* se gonfler). *Méd.* Augmentation de volume d'un organe, par rétention du sang veineux. ◆ **turgescent, e** adj. En état de turgescence.

TURGOT (Anne Robert Jacques), baron DE L'AULNE, économiste français (1727-1781). Intendant de la généralité de Limoges, puis contrôleur général des Finances (1774), il entreprit de grandes réformes économiques, inspirées par la physiocratie. Il supprima les douanes intérieures et voulut établir la liberté du commerce et de l'industrie par la suppression des corporations*. Mais il se heurta aux privilégiés et fut disgracié en 1776.

TURIN, en it. **Torino,** v. d'Italie (Piémont), sur le Pô, anc. capit. des États de la maison de Savoie, du royaume de Piémont-Sardaigne, puis de celui d'Italie, jusqu'en 1864; 1200000 hab. Principal centre commercial et industriel du Piémont, Turin est surtout la capitale italienne de la construction automobile.

TURKANA *(lac),* anc. **lac Rodolphe,** lac du nord du Kenya; 8500 km^2.

TURKESTAN, anc. dénomination administrative de l'Empire russe, correspondant à l'actuelle Asie centrale ou Asie moyenne soviétique : Kazakhstan, Kirghizistan, Ouzbékistan, Tadjikistan et Turkménistan. Il s'oppose au Turkestan chinois, actuel Sinkiang*.

TURKMÈNES ou **TURCOMANS,** peuple apparenté aux Turcs, qui vit dans le Turkménistan, en Afghānistān et en Iran.

TURKMÉNISTAN, république fédérée de l'U. R. S. S., sur la mer Caspienne; 488100 km^2; 3,5 millions d'hab. Capit. *Achkhabad.*

Le Turkménistan s'étend sur les steppes et les déserts du Kara-Koum. La population se concentre dans les oasis et les zones récemment aménagées par de grands travaux d'irrigation, où la culture est possible (fruits, coton). Le reste du territoire est parcouru par des troupeaux d'ovins et de chameaux.

TURKU, en suéd. **Åbo,** port de Finlande, sur la Baltique; 163500 hab. Centre industriel (textiles, métallurgie).

TURLUPINER [tyrlypine] v. t. (de *Turlupin,* n. d'un acteur). *Fam.* Tracasser, tourmenter : *Cette idée me turlupine.*

TURNE [tyrn] n. f. (alsacien *türn,* prison). *Fam.* Chambre.

TURNER (William), peintre anglais (1775-1851). Par sa vision de la nature, il annonce l'impressionnisme.

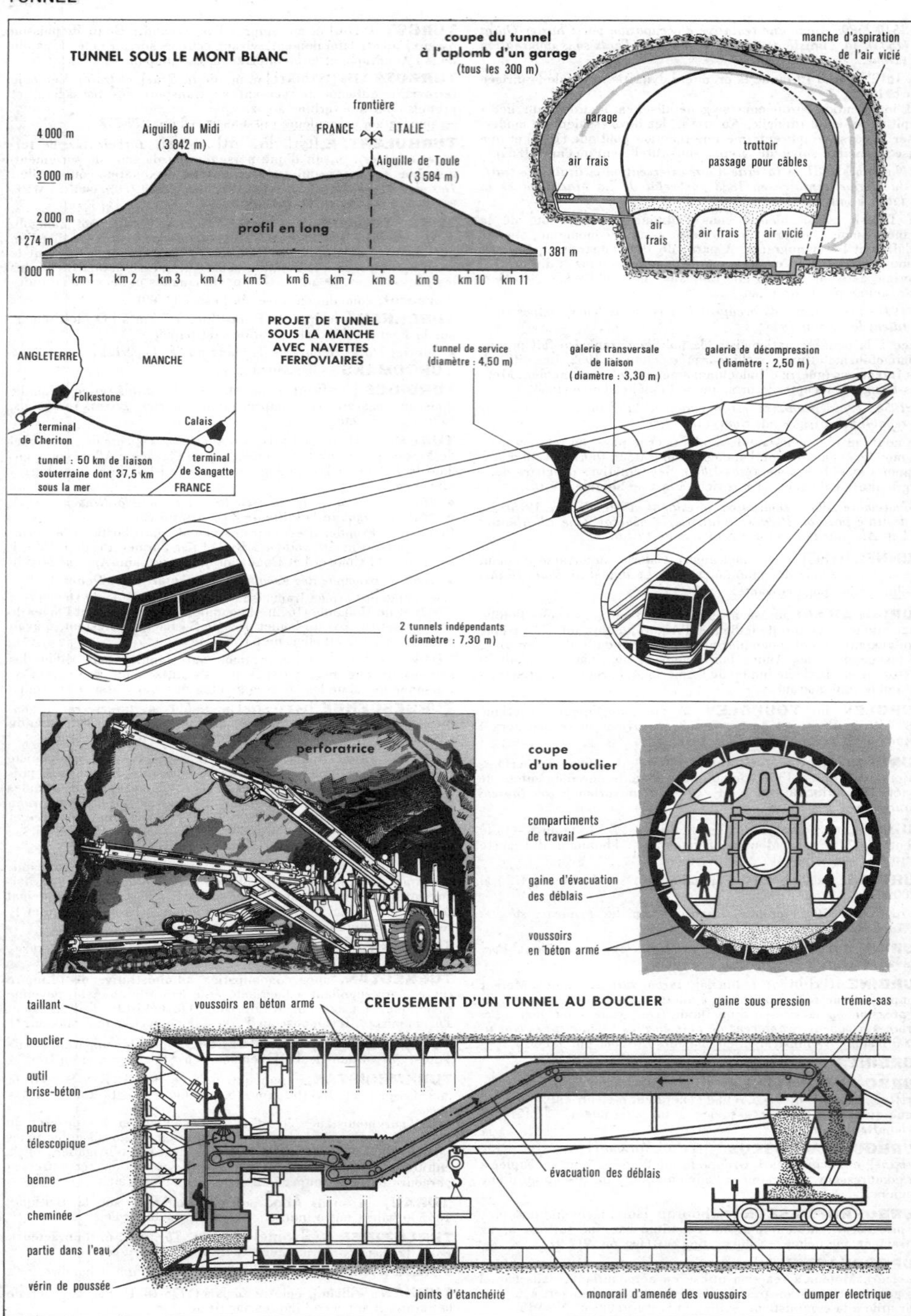

TUNNEL SOUS LE MONT BLANC
4 000 m
3 000 m
2 000 m
1 274 m
1 000 m
Aiguille du Midi
(3 842 m)
frontière
FRANCE
ITALIE
Aiguille de Toule
(3 584 m)
profil en long
1 381 m
km 1
km 2
km 3
km 4
km 5
km 6
km 7
km 8
km 9
km 10
km 11
coupe du tunnel
à l'aplomb d'un garage
(tous les 300 m)
manche d'aspiration
de l'air vicié
garage
air frais
trottoir
passage pour câbles
air
frais
air frais
air vicié
ANGLETERRE
MANCHE
Folkestone
terminal
de Cheriton
Calais
terminal
de Sangatte
tunnel : 50 km de liaison
souterraine dont 37,5 km
sous la mer
FRANCE
PROJET DE TUNNEL
SOUS LA MANCHE
AVEC NAVETTES
FERROVIAIRES
tunnel de service
(diamètre : 4,50 m)
galerie transversale
de liaison
(diamètre : 3,30 m)
galerie de décompression
(diamètre : 2,50 m)
2 tunnels indépendants
(diamètre : 7,30 m)
perforatrice
coupe
d'un bouclier
compartiments
de travail
gaine d'évacuation
des déblais
voussoirs
en béton armé
CREUSEMENT D'UN TUNNEL AU BOUCLIER
taillant
bouclier
outil
brise-béton
poutre
télescopique
benne
cheminée
partie dans l'eau
vérin de poussée
voussoirs en béton armé
joints d'étanchéité
gaine sous pression
trémie-sas
évacuation des déblais
monorail d'amenée des voussoirs
dumper électrique

TURPITUDE [tyrpityd] n. f. (lat. *turpitudo;* de *turpis,* honteux). **1.** Conduite ignominieuse d'une personne (langue soignée) : *Se vautrer dans la turpitude.* — **2.** Action honteuse : *Commettre des turpitudes.*

TURQUE adj. et n. f. → TURC.

TURQUIE, État de l'Asie occidentale, englobant l'extrémité sud-est de la péninsule balkanique.

SUPERFICIE 780 000 km² (France : 550 000 km²).

POPULATION 55 400 000 hab. *(Turcs);* 71 hab. au km² (France : 103); accroissement annuel de population, 2 p. 100.

CAPITALE Ankara (2 204 000 hab. dans l'agglomération).

VILLES PRINCIPALES Istanbul (2 772 000 hab.); Izmir (757 000 hab.).

LANGUE turc.

ÉCONOMIE consommation d'énergie par hab., 700 kg d'équivalent charbon ; 1 automobile pour 90 hab.

MONNAIE livre turque.

GÉOGRAPHIE

Le plateau d'Anatolie, à environ 1 000 m d'altitude, encadré au N. par la chaîne Pontique et au S. par le Taurus, cède la place vers l'E. au massif cristallin d'Arménie, dominé par de hauts volcans (Ararat, 5 165 m). La Turquie d'Europe ne représente que le trentième du territoire. Le climat, méditerranéen sur les côtes, devient aride dans l'intérieur, steppique, aux hivers rudes et aux étés torrides, où l'écoulement des eaux arrive rarement jusqu'à la mer.

	TEMPÉRATURES MOYENNES		PLUIES
	janv.	juil.	
Ankara	0 °C	23 °C	343 mm

La population se concentre sur les côtes, notamment autour de la mer de Marmara. Elle se consacre essentiellement à la culture : céréales, tabac, fruits (pour l'exportation de fruits secs), coton. Les plateaux d'Anatolie sont parcourus par des troupeaux d'ovins dont la laine alimente la fabrication artisanale des tapis, et portent localement des cultures de céréales.

blé	17 millions de t	ovins	50 millions de têtes
tabac	200 000 t	caprins	20 millions de têtes
coton	580 000 t	bovins	17 millions de têtes

Le pays possède des richesses minières variées : charbon, chrome, cuivre, un peu de fer. Leur exploitation, jointe à l'amélioration des voies de communication, a permis l'amorce de l'industrialisation : sidérurgie, industries textiles (coton). Ces activités sont réparties dans les grandes villes, notamment à Istanbul, principal centre industriel. Mais le manque de capitaux et de techniciens, et surtout l'accroissement rapide de la population, rendent ces progrès encore lents et insuffisants.

charbon	7 millions de t	chrome	220 000 t
pétrole	2 100 000 t	coton (filés)	120 000 t

HISTOIRE

La Turquie moderne est née du refus de voir démembrer la partie turque de l'Empire ottoman* après le traité de Sèvres (1920).

- *1919. Le général Mustafa Kemal prend la direction du mouvement nationaliste (congrès national en septembre).*

Il bat les Grecs, principaux bénéficiaires du traité, en 1921-1922 et dépose le sultan, qui avait désavoué son action. Les Alliés élaborent un nouveau traité (Lausanne, juillet 1923), qui rend aux Turcs l'Asie Mineure et la région d'Andrinople.

- *1923. La république est proclamée par Mustafa Kemal.*

Aidé par le parti républicain du peuple (P. R. P.) qu'il a fondé, Mustafa Kemal modernise le pays en l'occidentalisant, malgré l'opposition des notables ruraux. L'instruction est rendue obligatoire, les ordres religieux dissous (1925), l'alphabet latin adopté et l'islām perd sa position de religion d'État (1928). Le pays mène une politique de bon voisinage avec l'U. R. S. S. (traité de 1925) tout en se rapprochant des pays occidentaux. À partir de 1930, une expérience de développement économique étatique est tentée.
Après la mort du père de la Turquie moderne (1938), sa politique est continuée par Ismet Inönü, qui maintient le pays hors de la Seconde Guerre mondiale. Mais, après 1945, le refus de l'étatisme par les milieux d'affaires, les difficultés économiques et la dégradation des relations avec l'U. R. S. S. favorisent l'opposition.

- *1950. Le parti démocrate de Menderes triomphe aux élections.*

Le rejet de la politique laïque s'accompagne du resserrement des liens avec les États-Unis (la Turquie adhère à l'O. T. A. N., 1952).

- *27 mai 1960. L'armée renverse Menderes, qui est exécuté.*

Après l'adoption d'une constitution plus démocratique, le pouvoir est remis au P. R. P. et à Inönü qui ont remporté les élections avec difficulté. En 1965, le parti de la Justice, héritier de Menderes, arrive au pouvoir, mais il doit faire face à l'agitation sociale.

- *12 mars 1971. L'armée intervient de nouveau.*

La répression des éléments socialistes et libéraux ne peut empêcher, en octobre 1973, la victoire électorale d'un P. R. P. rajeuni par Bulent Ecevit qui a regroupé l'opposition progressiste.

- *1974. L'armée turque occupe une partie de Chypre.*
- *1980. Devant l'aggravation des affrontements entre groupes extrémistes, l'armée prend le pouvoir, sous la direction du général Kenan Evren.*
- *1982. Nouvelle Constitution.*
- *1983. Retour à un gouvernement civil, dirigé par Turgut Özal.*
- *1989. Élu président de la République, T. Özal succède à K. Evren à la tête de l'État.*

TURQUOISE [tyrkwaz] n. f. (de *turc*). Pierre fine opaque, de couleur bleu ciel à bleu-vert, qui est une variété de phosphate d'aluminium naturel.

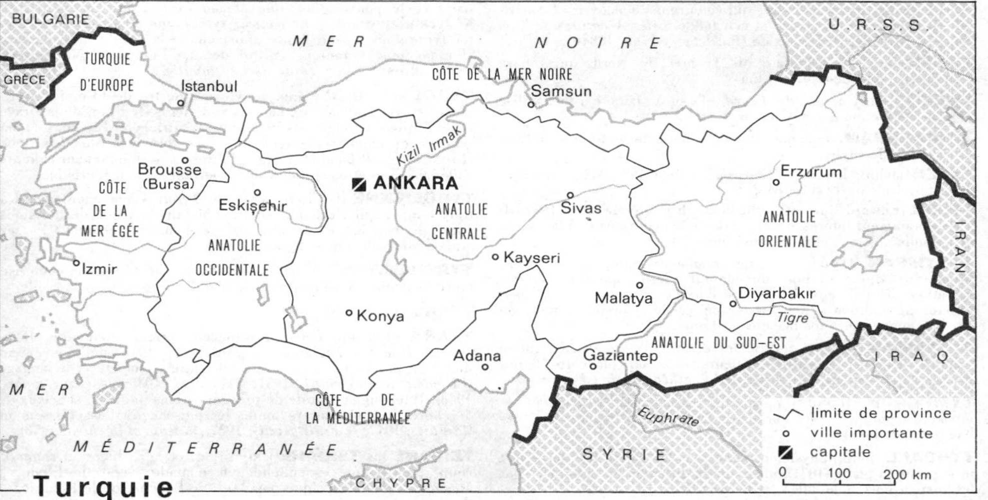

Turquie

1. TUTELLE [tytɛl] n. f. (lat. *tutela;* de *tueri,* protéger). **1.** Protection, sauvegarde exercée à l'égard de quelqu'un (langue soignée) : *Être sous la tutelle des lois.* — **2.** *Tenir qq'un sous sa tutelle,* exercer sur lui une surveillance. ◆ **tutélaire** adj. : *Dieu tutélaire* (= qui protège) [littér.].

2. TUTELLE [tytɛl] n. f. (même étym.). **1.** Charge imposée à une personne, conformément à la loi, de prendre soin de la personne et des biens d'un mineur ou d'un incapable majeur (jurid.) : *Juge des tutelles.* — **2.** *Tutelle administrative,* contrôle exercé par les représentants des pouvoirs publics sur les collectivités publiques. — **3.** *Territoire sous tutelle,* pays dont l'administration est confiée à un autre par l'O. N. U. ◆ **tutélaire** adj. Qui concerne la tutelle : *Une gestion tutélaire.* ◆ **tuteur, trice** n. Personne chargée de protéger la personne et les biens d'un mineur ou d'un incapable majeur.

1. TUTEUR, TRICE n. → TUTELLE 2.

2. TUTEUR [tytœr] n. m. (du lat. *tueri,* protéger). Tige, armature permettant de soutenir certaines plantes.

TUTOYER [tytwaje] v. t. (de *tu*). Employer la deuxième personne du singulier en s'adressant à quelqu'un (contr. VOUVOYER). ◆ **tutoiement** n. m. Action de tutoyer (contr. VOUVOIEMENT).

TUTTI [tuti] ou [tyti] n. m. (mot it.). **1.** Ensemble des instruments d'un orchestre, par oppos. au *soliste* ou au *groupe de solistes.* — **2.** Passage d'une partition dans laquelle l'orchestre joue tout entier : *Reprendre au tutti.*

TUTTI QUANTI [tutikwɑ̃ti] loc. adv. (mots it. signif. *tous tant qu'ils sont*). *Fam.* Tous ces gens, tous autant qu'ils sont. (S'emploie ironiq., à la place de ETC., dans une énumération de personnes.)

TUTU [tyty] n. m. (onomat.). Jupe en gaze portée par les danseuses.

TUVALU *(îles),* anc. **îles Ellice,** archipel indépendant de Micronésie; 25 km²; 8 000 hab.; au nord des Fidji. Capit. *Funafuti.*

1. TUYAU [tɥijo] n. m. (frq. *thûta*). **1.** Élément à section constante d'un conduit, utilisé pour la circulation d'un fluide ou d'un produit pulvérulent : *Un tuyau d'arrosage en matière plastique.* ◆ **tuyauterie** n. f. Ensemble des tuyaux d'une installation : *La tuyauterie du chauffage central.*

2. TUYAU [tɥijo] n. m. (de *tuyau* 1). Pli cylindrique fait à du linge empesé. ◆ **tuyauter** v. t. *Tuyauter du linge,* le plisser en tuyaux. ◆ **tuyautage** n. m. : *Le tuyautage d'une guimpe.* ◆ **tuyauté** n. m. Manière dont le linge est tuyauté.

3. TUYAU [tɥijo] n. m. (même étym.). *Fam.* Renseignement confidentiel : *Il prétendait avoir un bon tuyau pour le tiercé.* ◆ **tuyauter** v. t. Fam. *Tuyauter qq'un,* lui donner des renseignements confidentiels, des conseils utiles. ◆ **tuyautage** n. m.

TUYÈRE [tɥijɛr] n. f. (de *tuyau*). Partie postérieure d'un moteur à réaction, servant à la détente des gaz de combustion.

TVER → KALININE.

TWAIN (Samuel Langhorne CLEMENS, dit **Mark**), écrivain américain (1835-1910). Premier grand écrivain de l'ouest des États-Unis, il fut le maître des romanciers qui voulurent « découvrir » l'Amérique à travers ses paysages et son folklore (*les Aventures de Tom Sawyer,* 1876; *les Aventures de Huckleberry Finn,* 1884).

TWEED (la), riv. tributaire de la mer du Nord, qui sépare l'Angleterre de l'Écosse; 165 km.

TWEED [twid] n. m. (de *Tweed*). Tissu de laine cardée, utilisé pour la confection des vêtements.

TWICKENHAM, agglomération de la banlieue sud-ouest de Londres. Stade de rugby.

TYLER (John), homme d'État américain (1790-1862), président des États-Unis de 1841 à 1845.

TYLOR (Edward Burnett), ethnologue britannique (1832-1917). Il s'est notamment intéressé à la mythologie comparée et à la magie, et a étudié diverses ethnies mexicaines.

1. TYMPAN [tɛ̃pɑ̃] n. m. (gr. *tumpanon,* tambour). **1.** *Anat.* Membrane située au fond du conduit auditif, qui transmet les vibrations de l'air aux osselets de l'oreille moyenne. — **2.** *Zool.* Membrane auditive située sur les pattes de la première paire ou sur l'abdomen, chez les insectes orthoptères.

2. TYMPAN [tɛ̃pɑ̃] n. m. (même étym.). *Archit.* Espace uni ou sculpté, circonscrit entre plusieurs arcs ou plusieurs lignes droites : *Les tympans des portes de la cathédrale de Chartres.*

TYMPANON [tɛ̃panɔ̃] n. m. (gr. *tumpanon*). Instrument de musique monté avec des cordes de laiton, qu'on touche avec des baguettes de bois.

TYNDALL (John), physicien irlandais (1820-1893). Il a découvert le regel de la glace (1871), ainsi que la diffusion de la lumière par les suspensions colloïdales *(effet Tyndall).*

TYNE (la), fl. d'Angleterre, qui arrose Newcastle et se jette dans la mer du Nord; 128 km.

1. TYPE [tip] n. m. (gr. *tupos,* marque). **1.** Modèle abstrait, constitué par l'ensemble des traits, des caractères, etc., communs à des individus, des êtres, des choses de même nature : *Le type de la beauté éternelle* (syn. CANON, IDÉAL). *Avoir le type oriental* (= avoir les traits caractéristiques des Orientaux, par oppos. au reste des êtres humains). ‖ Fam. *Il n'est pas mon type,* il n'est pas physiquement le genre de personne que je peux aimer. — **2.** Modèle : *Un type de voiture.* ‖ S'emploie en apposition : *Une phrase type. C'est l'erreur type* (= parfaitement caractéristique du genre) [syn. CLASSIQUE]. — **3.** Personne ou chose réunissant à la perfection les traits essentiels des êtres, des objets de même nature : *Harpagon est le type de l'avare.* ◆ **typé, e** adj. Qui présente à un haut degré les caractères du type dans lequel on le range : *Un personnage typé. Un visage typé* (= aux traits accusés). ◆ **typique** adj. Se dit d'une personne ou d'une chose très caractérisée : *Un personnage typique. Un cas typique.* ◆ **typiquement** adv. ◆ **typologie** n. f. Méthode de caractérisation des types.

2. TYPE [tip] n. m. (de *type* 1). *Fam.* Individu du sexe masculin : *Il est venu un type qui a demandé si tu étais là* (syn. fam. GARS; pop. MEC).

TYPHOÏDE [tifɔid] adj. et n. f. (du gr. *tuphos,* stupeur). *Fièvre typhoïde,* ou *typhoïde* n. f., maladie infectieuse et contagieuse, provoquée par l'ingestion d'eau ou d'aliments souillés contenant des bacilles qui se multiplient dans l'intestin. ◆ **typhoïdique** adj.

TYPHON [tifɔ̃] n. m. (gr. *tuphôn,* tourbillon). Dans les mers de Chine et du Japon, violente tempête qui provoque de terribles dévastations (syn. CYCLONE TROPICAL).

TYPHUS [tifys] n. m. (gr. *tuphos,* stupeur). **1.** *Méd.* Maladie infectieuse transmise par le pou, la puce ou la tique et caractérisée par des taches rouges sur la peau et un abattement profond pendant la fièvre. — **2.** *Typhus du chat, du chien,* maladie infectieuse (gastro-entérite) du chat, du chien.

TYPIQUE adj., **TYPIQUEMENT** adv. → TYPE 1.

TYPOGRAPHIE [tipɔgrafi] n. f. (du gr. *tupos,* caractère, et *graphein,* écrire). Procédé d'impression sur formes en relief (caractères mobiles, gravures, clichés) [souvent abrégé en TYPO]. → illustration IMPRIMERIE. ◆ **typographique** adj. : *Des signes typographiques.* ◆ **typographe** n. Ouvrier, ouvrière qui compose, à l'aide de caractères mobiles pris à la main, les textes à imprimer (souvent abrégé en TYPO).

TYPOLOGIE n. f. → TYPE 1.

TYR, auj. **Sour,** v. du Liban, au S. de Beyrouth; 12 000 hab. Très ancien port phénicien, célèbre par son commerce et dont la principale colonie fut Carthage.

TYRAN [tirɑ̃] n. m. (gr. *turannos,* souverain investi d'un pouvoir absolu). **1.** Souverain despotique, cruel : *Certains empereurs romains, comme Néron, étaient devenus des tyrans* (syn. DESPOTE). — **2.** Personne qui fait de son autorité, de son pouvoir, de son prestige un usage excessif : *Son père est un véritable tyran pour sa famille.* ◆ **tyrannie** n. f. : *Lutter contre la tyrannie et le despotisme* (= le pouvoir politique absolu exercé par une minorité). ◆ **tyrannique** adj. : *Le pouvoir tyrannique d'un souverain. Une loi tyrannique* (= qui limite abusivement la liberté individuelle). *Une passion tyrannique* (= qui domine l'individu tout entier). ◆ **tyranniser** v. t. : *Tyranniser sa famille.*

TYROL ou **TIROL,** anc. province alpestre de l'Empire autrichien, correspondant aux bassins supérieurs de l'Inn, de la Drave et de l'Adige, partagée en 1919 entre l'Autriche et l'Italie. Le nom tend à désigner seulement auj. une province de l'Autriche (12 647 km²; 540 800 hab.; capit. *Innsbruck*) s'étendant sur la haute vallée de l'Inn et constituant un important secteur touristique.

TYROLIENNE [tirɔljɛn] n. f. (de *Tyrol*). Chant montagnard à trois temps, qui s'exécute en franchissant, à l'aide de certaines notes de poitrine et de tête se succédant rapidement, d'assez grands intervalles mélodiques.

TYRRHÉNIENNE *(mer),* partie de la Méditerranée comprise entre la péninsule italienne, la Corse, la Sardaigne et la Sicile.

TZAR n. m. → TSAR.

TZARA (Tristan), écrivain français d'origine roumaine (1896-1963). L'un des fondateurs à Zurich, en 1916, du mouvement dada*, il proclama sa volonté de détruire la société et le langage (*l'Homme approximatif,* 1931; *l'Antitête,* 1933; *le Cœur à gaz,* 1938). Il témoigna ensuite de préoccupations morales, soucieux de défendre l'homme contre toutes les puissances d'asservissement (*la Fuite,* 1947; *le Fruit permis,* 1957; *la Rose et le chien,* 1958).

TZIGANE ou **TSIGANE** [tsigan] n. et adj. (hongr. *Csigany*). Nom d'un peuple essentiellement nomade, venu de l'Inde. ‖ *Musique tzigane,* musique populaire de Bohême et de Hongrie.

U n. m. **1.** Vingt et unième lettre de l'alphabet et la cinquième des voyelles. → introduction de l'ouvrage. — **2.** U, symbole chimique de l'*uranium.*

UBAC [ybak] n. m. (mot dial.; du lat. *opacus,* sombre). Dans les Alpes, versant de vallée à l'ombre, exposé au N., défini par oppos. à l'ADRET* (syn. OMBRÉE).

UBAYE, torrent des Alpes-de-Haute-Provence qui rejoint la Durance (r. g.) dans le lac formé par le barrage de Serre-Ponçon; 80 km.

UBIQUITÉ [ybikɥite] n. f. (du lat. *ubique,* partout). *Je n'ai pas le don d'ubiquité,* je ne peux pas être en plusieurs lieux à la fois.

Ubu roi, œuvre d'Alfred Jarry (jouée à partir de 1888).

UCAYALI, riv. du Pérou, née dans les Andes, une des branches mères de l'Amazone; 1 600 km.

UCCELLO ou **UCELLO** (Paolo DI DONO, dit), peintre, décorateur et mosaïste italien (1397-1475). À Florence, il exécuta dans la cathédrale l'effigie équestre du condottiere *John Hawkwood,* traitée en trompe-l'œil, de grandes compositions à Santa Maria Novella («cloître vert») et, pour les Médicis, les trois panneaux de la *Bataille de San Romano.* Il fut un maître de la perspective.

UCCLE, en néerl. **Ukkel,** comm. de Belgique (Brabant); 78 650 hab.

UCKANGE, comm. de la Moselle, à 7 km au S. de Thionville, sur la Moselle; 9 500 hab. Sidérurgie.

UDINE, v. d'Italie, anc. capit. du Frioul; 102 700 hab. Château médiéval.

U. E. R., abrév. d'*Unité* d'enseignement et de recherche.*

U. F. R., abrév. d'*Unité* de formation et de recherche.*

UGARIT → OUGARIT.

UGINE, ch.-l. de cant. de la Savoie, à 8 km au N. d'Albertville; 8 300 hab. Électrométallurgie.

UHLAN [ylɑ̃] n. m. (mot all.). Lancier, dans les anciennes armées allemande, autrichienne, polonaise et russe.

UHLAND (Ludwig), poète allemand (1787-1862). Auteur de travaux sur la chanson populaire en Allemagne, il adopta dans ses poésies le ton du lied et des légendes souabes (*le Château au bord de la mer,* 1805; *le Roi aveugle,* 1811; *la Malédiction du chanteur,* 1814). Il composa le poème célèbre *J'avais un camarade.*

UHURU *(pic),* nouveau nom du KILIMANDJARO*.

UJJAIN, v. de l'Inde (Madhya Pradesh); 282 000 hab. L'une des sept villes saintes de l'Inde. Université.

UJUNGPANDANG → MACASSAR.

UKASE n. m. → OUKASE.

UKRAINE, république fédérée de l'U. R. S. S., baignée au S. par la mer Noire et la mer d'Azov; 604 000 km²; 51 700 000 hab. *(Ukrainiens).* Capit. *Kiev* (2 079 000 hab.).

GÉOGRAPHIE. Ensemble de plaines aux sols fertiles (tchernoziom*), drainées vers le S. par de grands fleuves (Dniepr, Don), l'Ukraine est la seconde république de l'U. R. S. S., après la Russie, par son importance économique. C'est une riche région agricole dont la production de blé dépasse celle de la France, et est associée à l'élevage bovin et porcin. Mais, englobant le bassin houiller du Donbass*, des gisements de fer (Krivoï-Rog) et de gaz naturel, et bénéficiant de puissants aménagements hydro-électriques, c'est aussi la première région industrielle soviétique. Les activités sont variées (sidérurgie, chimie, constructions mécaniques) et réparties dans les grands centres urbains, notamment à Kiev, Kharkov, Odessa.

HISTOIRE. Premier État russe, autour de Kiev, l'Ukraine passe au XIVᵉ s. sous la domination de la Pologne, qui favorise la pénétration du catholicisme. À la fin du XVIIIᵉ s., le démembrement de la Pologne répartit les Ukrainiens (ou «Ruthènes») entre l'Autriche et la Russie.

- *1918-1921. La chute du tsarisme favorise un mouvement autonomiste qui échoue.*
- *1922. L'Ukraine, amputée de plusieurs territoires par les Tchèques, les Polonais et les Roumains, devient république fédérée de l'U. R. S. S.*

Agrandie en 1945, la république devient membre de l'O. N. U. Le courant nationaliste y connaît actuellement un renouveau.

UKRAINE SUBCARPATIQUE ou **RUTHÉNIE,** anc. région orientale de la Tchécoslovaquie, annexée par la Hongrie en 1939 et cédée à l'U. R. S. S. (Ukraine) en 1945.

ULBRICHT (Walter), homme d'État allemand (1893-1973), l'un des fondateurs de la République démocratique allemande. Membre du comité central du parti communiste allemand dès 1923, il se réfugie à Moscou pendant le nazisme et la guerre. Rentré à Berlin en 1945, il assure la fusion des sociaux-démocrates et des communistes en un parti socialiste unifié dont il est le premier secrétaire, de 1950 à 1971. Il est président du Conseil d'État (= chef d'État) de la R. D. A. de 1960 à sa mort.

ULCÈRE [ylsɛr] n. m. (lat. *ulcus, -ceris*). Plaie à évolution lente, causée localement par une lésion de la peau ou de la muqueuse. ◆ **ulcéreux, euse** adj. De la nature de l'ulcère : *Plaie ulcéreuse.*

ULCÉRER [ylsere] v. t. (de *ulcère*). *Ulcérer qq'un,* lui causer un profond ressentiment, une blessure morale durable (souvent au passif) : *Il est ulcéré par l'indifférence qui a accueilli son livre* (syn. ↓BLESSER, ↓VEXER).

ULCÉREUX, EUSE adj. → ULCÈRE.

ULÉMA [ylema] n. m. (ar. *'ulamā',* plur. de *'ālim,* savant en matière de religion). Théologien musulman.

ULFILAS, évêque arien, apôtre des Goths (v. 311-v. 383), traducteur de la Bible en langue germanique.

ULM, v. d'Allemagne (Bade-Wurtemberg), sur le Danube; 99 000 hab. Cathédrale gothique du XIVᵉ s. Cimenterie.

- *20 oct. 1805. L'armée autrichienne de Mack y capitule devant Napoléon Iᵉʳ.*

ULMACÉES [ylmase] n. f. (du lat. *ulmus,* orme). Famille de plantes dicotylédones apétales, comprenant l'*orme,* le *micocoulier.*

ULMAIRE [ylmɛr] n. f. (du lat. *ulmus,* orme). Autre nom de la REINE-DES-PRÉS, ou SPIRÉE.

ULSTER, la plus septentrionale des provinces de l'anc. Irlande. Les 6 comtés de l'est de la province constituent l'*Irlande du Nord,* unie à la Grande-Bretagne (14 120 km²; 1 531 000 hab.; capit. *Belfast*). [→ IRLANDE.] Les trois comtés de l'Ouest et du Sud se sont unis en 1921 à la république d'Irlande, formant la *province de l'Ulster* (8 007 km²; 207 200 hab.). [→ IRLANDE *(république d').*]

- *1603. La colonisation massive par des Anglais et des Écossais de terres confisquées aux clans irlandais va faire de l'Ulster une enclave protestante.*

Au XVIIIᵉ s., les protestants luttent pour obtenir un parlement, mais ils refusent au XIXᵉ s. le Home Rule (= gouvernement autonome) demandé par les nationalistes irlandais.

- *Décembre 1920. Pendant le soulèvement irlandais, les protestants obtiennent que six comtés d'Ulster à majorité protestante restent unis à la Grande-Bretagne.*

Séparé de l'État libre d'Irlande (1921), le nouvel Ulster obtient un parlement (Stormont) chargé des affaires intérieures et au sein duquel la minorité catholique est sous-représentée.

- *1968. L'extension du chômage parmi les catholiques permet au mouvement en faveur des droits civiques de s'affirmer.*

La radicalisation des deux communautés les engage dans une véritable guerre civile dans laquelle intervient l'armée anglaise. Le gouvernement de Londres décide à deux reprises de prendre directement en charge l'administration de l'Ulster, tandis que les attentats de l'IRA* se multiplient.

- *Nov. 1985. Les gouvernements de Londres et de Dublin signent un accord permettant à la république d'Irlande de participer à la gestion des affaires de l'Irlande du Nord.*

ULTÉRIEUR, E [ylterjœr] adj. (lat. *ulterior*). Se dit d'une chose qui succède dans le temps à une autre, qui vient après : *Les renseignements ultérieurs obtenus sur les causes du sinistre laissent penser qu'il s'agit d'un acte de malveillance* (syn. POSTÉRIEUR;

contr. ANTÉRIEUR). ◆ **ultérieurement** adv. : *J'examinerai ultérieurement le dossier* (syn. PLUS TARD).

ULTIMATUM [yltimatɔm] n. m. (mot lat.; de *ultimus*, dernier). Ensemble de conditions définitives imposées par un État à un autre, par un parti, un groupement, un gouvernement, etc., à un autre pouvoir, et dont la non-acceptation entraîne un conflit : *L'ultimatum expire à minuit.*

ULTIME [yltim] adj. (lat. *ultimus*, dernier) [avant ou après le nom]. Se dit d'une chose qui vient en dernier lieu : *Ce sont là mes ultimes propositions* (syn. DERNIER).

---

1. ULTRA- [yltra], élément issu du lat. *ultra*, au-delà de, qui entre comme préf. dans la composition de nombreux termes du vocabulaire politique, technique, commercial, etc., pour indiquer un degré excessif, une intensité jugée trop grande : *Un mouvement ultra-conservateur. Un train ultra-rapide. Une mission ultra-secrète;* ou dans la composition de termes scientif. pour indiquer une situation ou un état qui se situe au-delà d'un autre : *Ultra-son, ultramicroscope, ultraviolet.* (→ ARCHI-, SUPER-.) [*Rem.* L'emploi du trait d'union entre les deux éléments est hésitant.]

---

2. ULTRA adj. et n. → ULTRAROYALISTE.

ULTRAMICROSCOPE [yltramikrɔskɔp] n. m. *(ultra-*, et *microscope).* Instrument d'optique, permettant grâce à son éclairement latéral, de déceler des objets invisibles au microscope ordinaire.

ULTRAMONTANISME [yltramɔ̃tanism] n. m. (de *ultra-*, et lat. *mons, montis*, mont). Doctrine favorable à l'autorité souveraine du pape en matière religieuse (par oppos. à GALLICANISME). ◆ **ultramontain, e** adj. et n.

ULTRAROYALISTE [yltrarwajalist] n. et adj. *(ultra-*, et *royaliste).* Sous la Restauration, partisan intransigeant du retour à l'Ancien Régime. (On dit aussi ULTRA.)

ULTRA-SON ou **ULTRASON** n. m. → SON 2.

ULTRAVIOLET, ETTE [yltravjɔlɛ, -ɛt] adj. et n. m. *(ultra-*, et *violet). Phys.* Se dit des radiations invisibles placées dans le spectre au-delà du violet, et dont la longueur d'onde est plus petite que celle du violet.

ULULEMENT n. m., **ULULER** v. i. → HULULER.

ULVA [ylva] ou **ULVE** [ylv] n. f. (mot lat.). *Bot.* Algue verte marine, à thalle plat et mince, appelée aussi LAITUE DE MER.

ULYSSE. *Myth. gr.* Héros grec, roi légendaire d'Ithaque. Il épousa Pénélope, dont il eut un fils, Télémaque, et se distingua au siège de Troie par sa sagesse et pas sa ruse : ce fut lui qui proposa le stratagème du cheval de bois. Après la victoire, il voulut revenir à Ithaque, mais le mauvais sort le fit s'égarer de rivage en rivage et il n'arriva à destination qu'au bout de dix ans, pour massacrer les prétendants à sa succession. Ses aventures font le sujet de *l'Odyssée.* (→ HOMÈRE.)

Ulysse, roman de James Joyce (1922).

'UMAR Ier ou **OMAR Ier** (Abū Ḥafṣa ibn al-Khaṭṭāb) [v. 581-644], deuxième calife des musulmans (634-644). Il conquit la Syrie, la Perse, l'Égypte, la Mésopotamie et la Palestine.

1. UN, UNE art. indéf. → LE.

2. UN, UNE pron. indéf. → AUTRE.

3. UN, UNE adj. num. cardin. et n. → NUMÉRATION.

UNAMUNO (Miguel DE), écrivain espagnol (1864-1936). Philologue, poète (*Poésies*, 1907), romancier (*De mon pays*, 1903), il est surtout un philosophe (*le Sentiment tragique de la vie*, 1913; *l'Agonie du christianisme*, 1924) et un essayiste s'intéressant à tous les problèmes de son temps. Recteur de l'université de Salamanque, il fut destitué en 1924, déporté aux Canaries, puis exilé en France. Il y écrivit le *Romancero de l'exil* (1928). Rentré en Espagne, il prit part à l'instauration de la république et mourut au début de la guerre civile.

UNANIME [ynanim] adj. (lat. *unanimus*, qui a une même âme). **1.** Se dit d'une chose qui exprime un accord complet : *Le consentement unanime de l'assemblée.* — **2.** (au plur., comme attribut) Se dit de personnes qui sont toutes du même avis : *Ils ont été unanimes à louer votre persévérance.* ◆ **unanimement** adv. : *Nous avons unanimement pensé que votre candidature à ce poste était justifiée* (= nous sommes tous d'accord pour penser). ◆ **unanimité** n. f. : *Vote acquis à l'unanimité* (syn. TOTALITÉ).

UNANIMISME [ynanimism] n. m. (de *unanime*). *Littér.* Doctrine littéraire selon laquelle l'écrivain doit exprimer la vie unanime et collective, l'âme mystérieuse des groupes humains, et ne peindre l'individu que dans ses rapports sociaux. (Cette esthétique a été particulièrement illustrée par Jules Romains*.)

UNANIMITÉ n. f. → UNANIME.

UNAU [yno] n. m. (mot d'une langue du Brésil). Mammifère d'Amérique tropicale, arboricole, à mouvements lents. (Ordre des édentés; sous-ordre des paresseux.)

UNDERGROUND [œndərgraund] adj. et n. m. (mot angl. signif. *sous terre*). Se dit de divers spectacles, d'œuvres littéraires d'avant-garde.

UNDSET (Sigrid), romancière norvégienne (1882-1949). Sur un fond historique, elle a pris pour thème de ses romans l'éternelle confrontation de l'homme et de la femme *(Kristin Lavransdatter).* Ses convictions religieuses (elle se convertit au catholicisme) s'expriment dans *le Buisson ardent* (1930). [Prix Nobel, 1928.]

UNE [yn] n. f. (de *un*). Fam. *La une*, la première page d'un journal.

Unesco, nom formé par les initiales des mots anglais *United Nations Educational, Scientific and Cultural Organization,* c'est-à-dire « Organisation des Nations unies pour l'éducation, la science et la culture ».

L'Unesco, dont le siège est à Paris, est l'organisme culturel de l'O. N. U.*. Créée en 1946, elle a pour but, notamment, de maintenir la paix entre les nations par l'éducation des peuples, la défense de leur culture et le respect des droits de l'homme.

En désaccord avec les orientations et la gestion de l'Unesco, les États-Unis quittent l'organisation (31 déc. 1984), suivis par la Grande-Bretagne (31 déc. 1985), ouvrant une crise grave.

UNGARETTI (Giuseppe), poète italien (1888-1970). Considéré comme le chef de file de l'hermétisme, il retrouve la tradition de Pétrarque et de Leopardi, et utilise souvent l'hendécasyllabe (= vers de onze syllabes). Son œuvre poétique a été traduite en français sous le titre *les Cinq Livres.*

UNGAVA, baie de la côte nord-est du Labrador (Canada). Elle donne parfois son nom à la région du *Nouveau-Québec*, partie nord de la province de Québec.

---

1. UNI-, élément issu du lat. *unus*, un seul, qui entre dans la composition de substantifs et d'adjectifs avec le sens de « un », « unique ».

---

2. UNI, E [yni] adj. (de *unir*). Sans ornement : *Du papier uni* (= d'une seule couleur et sans dessins). *Un tissu uni* (contr. RAYÉ). ◆ **uniment** adv. *Tout uniment*, sans détour, en toute simplicité (littér.) : *Il dit tout uniment ce qui était arrivé.*

3. UNI, E adj. → UNIR.

UNICELLULAIRE [yniselylɛr] adj. (de *uni-*, et *cellule*). Organisme formé d'une seule cellule : *On appelle « protozoaire » un animal unicellulaire, « protophyte » un végétal unicellulaire.*

UNICITÉ n. f. → UNIQUE.

UNIÈME [ynjɛm] adj. num. ordin. (de *un*). Employé uniquement en composition (*vingt et unième, trente et unième, etc.*). ◆ **unièmement** adv. (→ NUMÉRATION.)

UNIEUX, comm. de la Loire, à 4 km au N. de Firminy; 8 300 hab. Métallurgie.

UNIFIER [ynifje] v. t. (du lat. *unus*, un, et *facere*, faire). Rendre homogène, amener à une unité : *Unifier des programmes scolaires. Le parti socialiste unifié* (= où diverses tendances se sont fondues). ◆ **unification** n. f. : *L'unification de la France, but de la monarchie.* ◆ **unificateur, trice** adj. et n. (→ UNIQUE.)

1. UNIFORME [ynifɔrm] adj. (lat. *uniformis*, qui n'a qu'une seule forme). **1.** Qui a la même forme, le même aspect : *Des maisons uniformes.* — **2.** Qui présente toujours le même aspect dans son déroulement, qui est semblable dans ses parties : *Un mouvement uniforme* (= dont la vitesse est constante). *Les pièces étaient peintes d'une couleur uniforme.* ◆ **uniformément** adv. : *Appliquer uniformément les règlements à tous les employés* (= sans distinction). ◆ **uniformiser** v. t. Rendre de même forme, de même nature : *Uniformiser les droits de douane entre deux pays* (contr. DIVERSIFIER). ◆ **uniformité** n. f. : *Leur mariage est fondé sur l'uniformité de leurs sentiments* (syn. IDENTITÉ).

2. UNIFORME [ynifɔrm] n. m. (abrév. de *habit uniforme*). **1.** Costume que revêtent les militaires (syn. TENUE) : *Quitter l'uniforme* (= rentrer dans la vie civile). — **2.** Costume qui est le même pour toute une catégorie de personnes.

Unigenitus *(bulle)*, bulle par laquelle le pape Clément XI condamna le jansénisme en 1713. Plusieurs prélats français refusèrent de recevoir la bulle, qui fut l'objet de polémiques : celles-ci se prolongèrent jusqu'au milieu du XVIIIe s.

UNIJAMBISTE [yniʒɑ̃bist] adj. et n. (de *uni-*, et *jambe*). Se dit d'une personne qui n'a plus qu'une jambe.

UNILATÉRAL, E, AUX [ynilateral, -ro] adj. *(uni-*, et *latéral).* **1.** Situé d'un seul côté : *Stationnement unilatéral dans une voie étroite* (contr. BILATÉRAL). — **2.** Pris par une seule des parties en cause : *Une décision unilatérale.* ◆ **unilatéralement** adv. : *Rompre unilatéralement un traité.* (→ LATÉRAL.)

UNIMENT adv. → UNI 2.

UNINOMINAL, E, AUX [yninɔminal, -no] adj. (de *uni-*, et lat. *nomen, nominis,* nom). Qui ne contient qu'un nom; où l'on n'indique qu'un seul nom : *Scrutin uninominal.*

UNION n. f. → UNIR.

Union *(acte d'),* loi par laquelle le Parlement anglais établit l'union de la Grande-Bretagne et de l'Irlande (1800).

Union *(arrêt d'),* arrêt par lequel le parlement de Paris s'associa aux autres cours souveraines en 1648 pour faire échec aux mesures financières de Mazarin. Ce fut le début de la Fronde*.

UNION FRANÇAISE, nom donné par la Constitution de 1946 à l'ensemble formé d'une part par la République française (France métropolitaine, Algérie, départements et territoires d'outre-mer), d'autre part par les territoires et États associés. Elle fit place en 1958 à la Communauté*.

Union Jack, drapeau du Royaume-Uni, unissant la croix de Saint-George anglaise (rouge sur fond blanc), la croix de Saint-André écossaise (blanche sur fond bleu) et la croix de Saint-Patrick irlandaise (rouge).

UNION DES RÉPUBLIQUES SOCIALISTES SOVIÉTIQUES ou **UNION SOVIÉTIQUE** → U. R. S. S.

UNION SUD-AFRICAINE → AFRIQUE DU SUD.

UNIONISME [ynjɔnism] n. m. (de *union*). Mouvement en faveur du maintien de l'union de l'Irlande et de la Grande-Bretagne. (Il atteignit une large couche de l'opinion anglaise lorsque Gladstone voulut appliquer le Home Rule [1885]. Son chef fut J. Chamberlain. Il se rapprocha progressivement des conservateurs et se confondit avec eux en 1905.) ◆ **unioniste** adj. *Parti unioniste,* parti formé aux Pays-Bas par la réunion des catholiques et des libéraux belges contre la domination hollandaise (1828). ◆ n. Partisan du maintien de l'union dans un État confédéré.

UNIPOLAIRE [ynipɔlɛr] adj. (de *uni-*, et *pôle*). *Électr.* Qui n'a qu'un pôle : *Interrupteur unipolaire.*

UNIQUE [ynik] adj. (lat. *unicus*). **1.** (avant ou après le nom) Se dit d'une personne ou d'une chose qui est seule dans son genre (sert de superl. à *un*) : *Ils ont perdu leur fille unique dans un accident. Son unique souci est de se mettre en avant* (= il n'a qu'un souci) [syn. SEUL]. — **2.** (après le nom) Se dit d'une personne ou d'une chose très différente des autres par son originalité, par ses qualités ou par sa bizarrerie : *Elle a une façon unique de s'habiller* (syn. INCOMPARABLE; contr. BANAL, COMMUN, RÉPANDU). *Vous êtes vraiment unique!* (= vous êtes vraiment le seul à agir ainsi) [syn. fam. IMPAYABLE]. ◆ **uniquement** adv. : *Il pense uniquement à l'argent* (syn. EXCLUSIVEMENT). ◆ **unicité** n. f. Caractère de ce qui est unique : *L'unicité d'un cas.* (→ UNIFIER.)

UNIR [ynir] v. t. (lat. *unire;* de *unus,* un). **1.** *Unir une chose à une autre, unir deux choses,* les joindre de manière qu'elles forment un tout : *Il unissait à une grande bonté un esprit de justice intransigeant* (syn. ASSOCIER). — **2.** *Unir deux personnes, deux familles,* les associer par les liens du mariage : *Le maire unit les deux jeunes gens.* ◆ **s'unir** v. pr. **1.** S'associer : *S'unir contre un ennemi commun* (syn. S'ALLIER). — **2.** Se lier par les liens de l'amour, du mariage. ◆ **uni, e** adj. : *Restez unis pour triompher.* ◆ **union** n. f. **1.** Association de deux ou plusieurs choses, de plusieurs groupes ou de plusieurs personnes, pour former un tout : *L'union des forces de la gauche* (syn, ALLIANCE, ENTENTE). *Une union douanière* (= un groupement d'États voisins qui ont supprimé leurs barrières douanières communes). *Le trait d'union réunit les divers éléments d'un mot composé.* — **2.** Mariage : *Le prêtre bénit leur union. Une union libre* (= non légalisée par le mariage). ◆ **désunir** v. t. Séparer ce qui était uni : *Des oppositions d'intérêt qui désunissent une famille.* ◆ **désunion** n. f. : *La désunion qui est apparue au sein du comité* (syn. DIVISION, MÉSENTENTE). *Vivre dans la désunion* (= en mésintelligence).

UNISEXE [ynisɛks] adj. *(uni-,* et *sexe).* Se dit, en matière de mode, de ce qui convient aussi bien aux hommes qu'aux femmes.

UNISEXUÉ, E [ynisɛksɥe] adj. *(uni-,* et *sexué). Bot.* Se dit des fleurs qui n'ont que des étamines ou qu'un pistil.

UNISSON [ynisɔ̃] n. m. (lat. *unisonus,* qui a un seul son). **1.** *Mus.* État de deux sons ayant même hauteur et entendus simultanément. — **2.** *À l'unisson,* en accord parfait.

UNITÉ [ynite] n. f. (lat. *unitas;* de *unus,* un). **1.** Caractère de ce qui est un, de ce qui forme un tout homogène, dont les parties sont en harmonie, en accord : *L'unité d'une doctrine* (contr. DIVERSITÉ, HÉTÉROGÉNÉITÉ). *Un parti politique qui conserve son unité. Unité de points de vue* (syn. ACCORD). *Cet ouvrage manque d'unité* (syn. ÉQUILIBRE). — **2.** Grandeur (quantité ou dimension) adoptée comme étalon de mesure : *Ramener à l'unité* (= au nombre un). *Le mètre est l'unité de longueur. Le gramme est l'unité de poids.* ‖ *Système d'unités,* ensemble cohérent d'unités choisies de façon à simplifier les formules reliant plusieurs grandeurs. (→ MESURE 1, et tableau UNITÉS DE MESURE*.) — **3.** Formation militaire permanente. — **4.** *Unité d'enseignement et de recherche, unité de formation et de recherche* (→ UNIVERSITÉ). ◆ **unitaire** adj. Qui vise à l'unité sur le plan politique, syndical.

UNITED STATES OF AMERICA, nom angl. des ÉTATS*-UNIS D'AMÉRIQUE, abrégé souvent par les initiales U. S. A.

UNIVALENT, E [ynivalɑ̃, -ɑ̃t] adj. (du lat. *unus,* un, et *valere,* valoir). *Chim.* Qui a pour valence 1 (syn. MONOVALENT).

UNIVALVE [ynivalv] adj. *(uni-,* et *valve).* Se dit des mollusques gastéropodes dont la coquille est formée d'une seule valve.

UNIVERS [ynivɛr] n. m. (du lat. *universus,* tout entier). **1.** Ensemble des divers systèmes de planètes et d'étoiles. — **2.** Le monde habité; l'ensemble des hommes : *Être connu dans l'univers entier* (syn. MONDE). — **3.** Milieu dans lequel on vit : *Son village a été jusqu'à sa mort son seul univers.*

UNIVERSEL, ELLE [ynivɛrsɛl] adj. (lat. *universalis).* **1.** Qui s'étend à tous : *Un remède universel* (= qui convient à tous les maux). *Legs, légataire universel* → LEGS. *Suffrage universel* → SUFFRAGE. — **2.** *Un homme, un esprit universel,* dont les connaissances s'étendent à tous les domaines de la science (syn. ENCYCLOPÉDIQUE). ◆ **universellement** adv. : *Sa haute valeur est universellement reconnue* (syn. MONDIALEMENT). ◆ **universalité** n. f. Caractère de ce qui est universel : *L'universalité de ses connaissances.*

UNIVERSITÉ [ynivɛrsite] n. f. (lat. *universitas).* **1.** Établissement public d'enseignement supérieur. → ENCYCL. — **2.** Ensemble des membres du corps enseignant (avec une majusc.). ◆ **universitaire** adj. Relatif à l'université : *Les diplômes universitaires.* ◆ adj. et n. Qui appartient au corps enseignant : *Une commission réunissant des universitaires des diverses disciplines.*

— ENCYCL. Les *universités* regroupent depuis 1968 les anciennes facultés devenues unités d'enseignement et de recherche (U. E. R.) puis, en 1985, unités de formation et de recherche (U. F. R.). Il existe une ou plusieurs universités dans chacune des 26 académies de la France métropolitaine. → cartes FRANCE.

UNIVOQUE [ynivɔk] adj. (du lat. *unus,* un, et *vocare,* appeler). *Math.* Se dit d'une relation* binaire (ou correspondance) f entre un ensemble E et un ensemble F, si à tout élément x de E correspond au plus un élément y de F. (Une correspondance univoque est donc une application* de E dans F.) [Cette terminologie est officiellement abandonnée.]

UNTEL [œ̃tɛl] n. m. *(un,* et *tel).* Mot forgé pour désigner anonymement un individu. (S'écrit souvent avec une majusc.)

UNTERWALD, cant. de Suisse, au S. du lac des Quatre-Cantons. Il groupe les deux demi-cantons de *Nidwald* (274 km^2; 26 800 hab.; ch.-l. *Stans*) et d'*Obwald* (492 km^2; 26 200 hab.; ch.-l. *Sarnen*).

UPDIKE (John), écrivain américain, né en 1932. Auteur de nouvelles humoristiques (*les Plumes du pigeon,* 1962), il adapte dans ses romans les mythes anciens à la peinture angoissée de la vie moderne (*Cœur de lièvre,* 1960; *le Centaure,* 1963; *Couples,* 1968; *Rabbit rattrapé,* 1971; *les Sorcières d'Eastwick,* 1984; *Ce que pensait Roger,* 1986).

UPOLU, île de l'État des Samoa*; 1 125 km^2.

UPPERCUT [ypɛrkyt] n. m. (de l'angl. *upper,* supérieur, et *to cut,* couper). À la boxe, coup de poing porté de bas en haut, sous le menton.

UPPSALA, en fr. **Upsal,** v. de Suède; 137 500 hab. Une des anc. capit. de la Scandinavie. Importante université (1477).

UPSILON [ypsilɔn] n. m. Vingtième lettre de l'alphabet grec* (υ).

UR ou **OUR,** anc. v. de Mésopotamie, patrie d'Abraham. Les fouilles ont mis au jour plus de 2 000 tombes sumériennes*.

URANIUM [yranjɔm] n. m. (du n. de la planète *Uranus*). Métal (U), faiblement radioactif.

— ENCYCL. L'*uranium* naturel est un mélange de trois isotopes, dont U_{238}, le plus abondant, et U_{235} qui peut subir, sous l'action d'un neutron, une fission dégageant une grande énergie. L'uranium naturel, ou enrichi en isotope 235, est utilisé dans les réacteurs nucléaires pour produire de l'électricité*.

URANUS, la septième des planètes principales du système solaire dans l'ordre croissant des distances au Soleil, découverte par W. Herschel en 1781. Elle est entourée d'anneaux et on lui connaît 15 satellites. Elle a été survolée en 1986 par la sonde américaine « Voyager 2 ».

URBAIN, E [yrbɛ̃, -ɛn] adj. (lat. *urbanus;* de *urbs,* ville). Qui est relatif à la ville (par oppos. à RURAL, qui est de la campagne) : *Les grands centres urbains.* ◆ **urbanisé, e** adj. Où des habitations urbaines ont été construites; où s'est construite une ville : *Les zones urbanisées de l'Île-de-France.* ◆ **urbanisation** n. f.

1. Construction de logements dans un quartier, une région, une zone. — **2.** Concentration de plus en plus intense de la population dans des centres urbains. ◆ **urbanisme** n. m. Ensemble de mesures techniques et économiques qui permettent un développement rationnel et harmonieux des agglomérations. ◆ **urbaniste** n. m. Architecte spécialiste de l'aménagement des zones urbaines. ◆ **interurbain, e** adj. Établi entre des villes différentes : *Le téléphone interurbain* (ou, substantiv., l'*interurbain*, l'*inter*).

URBAIN, nom de plusieurs papes. URBAIN II *(bienheureux)* [v. 1042-1099], pape de 1088 à 1099. Il poursuivit l'œuvre grégorienne de réforme contre la simonie*, le nicolaïsme* et l'investiture* laïque, et proclama la première croisade à Clermont (1095). — URBAIN III (v. 1120-1187), pape de 1185 à 1187. Il lutta contre Frédéric Barberousse. — URBAIN VI (v. 1318-1389), pape de 1378 à 1389. Son élection marqua le début du grand schisme* d'Occident (1378). — URBAIN VIII (1568-1644), pape de 1623 à 1644. Il condamna Galilée (1633) et le jansénisme (1642).

URBANISATION n. f., **URBANISÉ, E** adj., **URBANISME** n. m., **URBANISTE** n. m. → URBAIN.

URBANITÉ [yrbanite] n. f. (du lat. *urbs*, ville). Politesse raffinée (littér.) : *Recevoir un hôte avec urbanité* (syn. ↓AFFABILITÉ, COURTOISIE).

urbi et orbi (mots lat. signif. *à la ville et à l'univers*), paroles qui accompagnent la bénédiction solennelle donnée par le pape.

URBINO, v. d'Italie, dans les Marches; 18 900 hab. Anc. ch.-l. du *duché d'Urbino*, réuni en 1633 aux États de l'Église. Important foyer de la Renaissance du XVe s. (transformation du palais ducal et décoration intérieure).

URÉDINALES [yredinal] n. f. pl. (du lat. *urere*, brûler). Ordre de champignons inférieurs microscopiques, parasites des végétaux sur lesquels ils déterminent les maladies appelées *rouilles*.

URÉE [yre] n. f. (de *urine*). Déchet organique azoté présent dans le sang en petite quantité et éliminé par le rein. ◆ **urémie** n. f. *Méd.* Augmentation anormale du taux d'urée dans le sang.
— ENCYCL. Le taux normal d'*urée* dans le sang est généralement de 0,30 gramme par litre. Dans les urines, ce taux est de 20 grammes par litre, ce qui témoigne de la concentration des déchets réalisée par le rein (environ 60 fois plus concentrés dans l'urine que dans le sang). L'augmentation du taux de l'urée sanguine au-dessus de 0,50 gramme par litre témoigne d'une rétention azotée (hyperazotémie ou urémie) en rapport avec une maladie rénale ou une surproduction de déchets.

URETÈRE [yrtɛr] n. m. (gr. *ourêtêr*). Chacun des deux canaux qui portent l'urine des reins dans la vessie.
— ENCYCL. L'*uretère* fait suite au bassinet au niveau de la deuxième vertèbre lombaire. Il descend derrière le péritoine jusqu'à la face postérieure de la vessie, où il se jette après un trajet d'environ 25 cm. D'un calibre intérieur de 3 mm, relativement extensible, il est le siège de contractions qui font progresser l'urine. En cas de calculs descendant du rein, ce sont ces contractions violentes qui provoquent les coliques néphrétiques.

URÈTRE [yrɛtr] n. m. (gr. *ourêthra;* de *ourein*, uriner). Canal qui conduit l'urine hors de la vessie. ◆ **urétral, e, aux** adj. Relatif à l'urètre.
— ENCYCL. Chez la femme, l'*urètre* a 3 cm de long et permet l'évacuation directe de l'urine par le méat urétral, situé à la partie antérieure de la vulve.

Chez l'homme, l'urètre mesure environ 16 cm; il livre passage à l'urine ou au sperme. On y distingue trois segments différents : un *segment prostatique*, dans lequel l'urètre initial traverse la prostate; un *segment membraneux*, très court, qui traverse la partie antérieure du périnée, et qui est entouré par le sphincter strié; un *segment spongieux*, entouré par les organes érectiles (le corps spongieux et les corps caverneux) et qui s'étend du périnée à la partie terminale de la verge. L'urètre se termine par le méat urinaire, au sommet du gland. Dans son trajet prostatique, l'urètre présente une saillie médiane, le *veru montanum*, sur laquelle s'ouvrent l'utricule prostatique et les canaux éjaculateurs, qui déversent le sperme.

URFA → ÉDESSE.

URFÉ (Honoré D'), écrivain français (1567-1625). Il doit sa célébrité à un roman mêlé de prose et de vers, *l'Astrée*, publié en trois parties (1607, 1610, 1619). Son influence fut considérable sur le goût et la sentimentalité de la société cultivée de la première moitié du XVIIe s. (→ PRÉCIOSITÉ.)

URGEL → SEO DE URGEL.

URGENT, E [yrʒɑ̃, -ɑ̃t] adj. (du lat. *urgere*, presser). Qui ne peut être remis à plus tard, qu'il est nécessaire de faire tout de suite : *Des secours urgents sont nécessaires* (syn. RAPIDE). *Les besoins urgents en logements neufs* (syn. PRESSANT). ◆ **urgence** n. f. **1.** *L'urgence d'une décision.* — **2.** *Méd.* Ensemble des interventions médicales ou chirurgicales qui doivent être pratiquées sans délai. — **3.** *État d'urgence*, régime exceptionnel, qui renforce les pouvoirs de l'autorité administrative en cas de troubles, de sinistre grave, etc. — LOC. ADV. *D'urgence*, immédiatement, sans retard : *Il faut d'urgence le prévenir* (syn. SANS DÉLAI, SUR-LE-CHAMP).

URI, canton de Suisse, au N. du Saint-Gothard; 1 075 km²; 34 300 hab. Ch.-l. *Altdorf.*

URIAGE, hameau de la comm. de Saint-Martin-d'Uriage (Isère), sur un affl. de l'Isère. Station thermale.

URINE [yrin] n. f. (lat. *urina*). Liquide sécrété par les reins, et collecté dans la vessie avant d'être évacué au-dehors. ◆ **uriner** v. i. Évacuer l'urine (syn. pop. PISSER). ◆ **urinaire** adj. *Méat urinaire*, orifice externe de l'urètre, par où l'urine s'écoule à l'extérieur. ‖ *Voies urinaires*, ensemble des canaux qui, du rein, conduisent l'urine à l'extérieur. (Elles comportent les calices du rein, les bassinets, les uretères, la vessie et l'urètre.) ◆ **urinoir** n. m. Lieu ou édicule aménagé pour permettre aux hommes d'uriner.
— ENCYCL. L'*urine* est composée d'eau, de sels minéraux (chlorure de sodium, sulfates, phosphates) et de substances organiques (urée, acide urique, pigments). Elle contient anormalement de l'albumine dans les néphrites, du glucose dans le diabète sucré, des pigments biliaires dans les ictères.

URIQUE [yrik] adj. (de *urée*). *Acide urique*, acide organique rencontré dans l'organisme et excrété par le rein.
— ENCYCL. Le plasma sanguin contient 0,05 gramme par litre d'*acide urique* et l'urine 0,5 gramme par litre. Une trop grande production d'acide urique cause la goutte*.

URNE [yrn] n. f. (lat. *urna*). **1.** *Urne (électorale)*, boîte servant à recueillir les bulletins de vote : *Mettre son bulletin dans l'urne.* — **2.** *Urne funéraire*, vase servant à conserver les cendres des morts. — **3.** *Bot.* Chez les mousses, cryptogames non vasculaires, organe renfermant les spores, recouvert d'un opercule et d'une coiffe.

UROBILINE [yrɔbilin] n. f. (du gr. *ouron*, urine, et *bile*). Pigment biliaire dont on trouve des traces dans l'urine normale.

URODÈLES [yrɔdɛl] adj. et n. m. pl. (du gr. *oura*, queue, et *dêlos*, apparent). Vertébrés amphibiens au corps allongé, pourvus d'une longue queue et de deux paires de courtes pattes.
— ENCYCL. Les batraciens (ou amphibiens) *urodèles* ont une peau nue et toujours humide. Ils ont des poumons à l'état adulte, mais à l'état de larve ils vivent dans l'eau et respirent par des branchies. Ils sont caractérisés par une queue à l'état adulte. Ils comprennent les salamandres, les tritons, l'axolotl du Mexique. Les batraciens anoures (crapauds, grenouilles) perdent leur queue à l'état adulte.

UROLOGIE [yrɔlɔʒi] n. f. (du gr. *ouron*, urine, et *logos*, science). Étude des maladies des voies urinaires. ◆ **urologue** n. Médecin spécialiste en urologie.

UROPYGIENNE [yrɔpiʒjɛn] adj. f. (du gr. *oura*, queue, et *pugê*, fesse). Se dit d'une glande à matière grasse qui se trouve au croupion de la majorité des oiseaux et dont la sécrétion leur permet de graisser leurs plumes pour les rendre imperméables.

URSIDÉS [yrside] n. m. pl. (du lat. *ursus*, ours). Famille de mammifères carnassiers comprenant les *ours* et les genres voisins, animaux de grande taille, aux longues griffes non rétractiles, à la démarche plantigrade, à la denture plus broyeuse que tranchante, et dont le régime alimentaire est loin d'être uniquement carnivore.

U. R. S. S. *(Union des républiques socialistes soviétiques)*, en russe **S. S. S. R.**, anc. État fédératif d'Europe et d'Asie, ayant regroupé de 1922 à 1991 15 républiques socialistes soviétiques.
→ cartes pages 1402-1403.

GÉOGRAPHIE

L'U. R. S. S. était l'État le plus vaste du monde, couvrant une surface égale à quarante fois celle de la France.

■ GÉOGRAPHIE PHYSIQUE

Le pays est formé principalement de plaines (notamment de part et d'autre de la chaîne de l'Oural* et aussi au S. de celle-ci) et de plateaux (Sibérie* centrale, entre l'Ienisseï et la Lena). Les montagnes sont localisées au S. (Caucase, entre la mer Noire et la mer Caspienne, Pamir et T'ien-chan, Altaï, etc.) et à l'E. (en bordure du Pacifique et de ses dépendances).

Le climat est de type continental, cependant les grandes dimensions du pays entraînent des variations importantes.

	TEMPÉRATURES MOYENNES		PLUIES
	janv.	juil.	
Riga	— 4 °C	17 °C	640 mm
Moscou	— 10 °C	17 °C	549 mm
Kiev	— 5 °C	19 °C	615 mm
Perm	— 15 °C	16 °C	598 mm
Verkhoïansk	— 48 °C	13 °C	146 mm

Partout cependant l'hiver est rude; les précipitations sont généralement peu abondantes, mais le sol est longtemps couvert par la

SUPERFICIE 22 400 000 km² (France : 550 000 km²).

POPULATION 289 millions d'hab. *(Soviétiques)*; 13 hab. au km² (France : 103); taux de natalité, 18,5 p. 1 000; taux de mortalité, 9,5 p. 1 000.

CAPITALE Moscou (8 203 000 hab.).

VILLES PRINCIPALES Leningrad (4 425 000 hab.); Kiev (2 079 000 hab.); Tachkent (1 858 000 hab.); Kharkov (1 405 000 hab.); Gorki (1 319 000 hab.); Novossibirsk (1 304 000 hab.); Kouïbychev (1 204 000 hab.); Sverdlovsk (1 187 000 hab.).

DIVISIONS ADMINISTRATIVES L'U. R. S. S. était composée de 15 républiques socialistes soviétiques.

	capitale	*superficie*	*nombre d'hab.*
Russie (R. S. F. S. R.)	Moscou	17 075 400 km²	147 400 000
Ukraine	Kiev	603 700 km²	49 343 000
Biélorussie	Minsk	208 000 km²	10 200 000
Arménie	Erevan	29 800 km²	3 300 000
Azerbaïdjan	Bakou	86 600 km²	7 000 000
Géorgie	Tbilissi	69 700 km²	5 400 000
Turkménistan	Achkhabad	488 100 km²	3 500 000
Ouzbékistan	Tachkent	447 000 km²	16 500 000
Tadjikistan	Douchanbe	143 000 km²	5 100 000
Kazakhstan	Alma-Ata	2 717 000 km²	19 900 000
Kirghizistan	Frounze	198 500 km²	4 300 000
Estonie	Tallinn	45 100 km²	1 600 000
Lituanie	Vilnius	65 200 km²	3 700 000
Lettonie	Riga	63 700 km²	2 700 000
Moldavie	Kichinev	33 700 km²	4 300 000

LANGUE OFFICIELLE russe.

ÉCONOMIE consommation d'énergie par hab., 5 258 kg d'équivalent charbon.

MONNAIE rouble.

neige glacée et les fleuves sont gelés en hiver, de quatre à six mois en Sibérie. Dans le Nord, le sol est couvert d'une végétation squelettique, la toundra; à des latitudes inférieures, sur des millions de km², se développe la grande forêt à base de conifères, la taïga. Plus au S. encore, les précipitations se raréfiant, la végétation s'éclaircit et l'on passe à la steppe et même au désert, dans les régions particulièrement arides, à l'E. de la Caspienne. Quelques grands fleuves parcourent l'U. R. S. S. : à l'O. de l'Oural, la Volga, le plus long fleuve d'Europe, et, à l'E., les trois grands cours d'eau sibériens, Ob', Ienisseï et Lena.

■ GÉOGRAPHIE HUMAINE ET ÉCONOMIQUE

La population est peu nombreuse en moyenne, mais les trois quarts des habitants se concentrent à l'O. de l'Oural, sur le quart du territoire. C'est là que se localisent les principales villes. Près de 60 p. 100 des Soviétiques sont des citadins. La population active représente 50 p. 100 de la population totale.

L'ensemble de la production est contrôlé directement par l'État, qui fixe aussi par des plans (généralement de cinq ans, ou « quinquennaux ») les objectifs à atteindre.

L'*agriculture* est organisée dans le cadre des kolkhozes (groupements coopératifs de paysans) et des sovkhozes (fermes modèles). L'étendue des terres permet des productions massives (céréales notamment) et variées (coton, blé ou orge). Toutefois les rendements sont parfois insuffisants et des désastres climatiques entraînent souvent des difficultés d'approvisionnement.

blé	80 millions de t	vin	38	millions d'hl
pomme de terre	85 millions de t	bovins	120	millions de têtes
		ovins	145	millions de têtes
betterave sucrière	74 millions de t	porcins	80	millions de têtes
		pêche	10,5	millions de t

Le sous-sol renferme des richesses variées. L'U. R. S. S. est le premier ou deuxième producteur mondial de houille, de pétrole, de gaz naturel, de fer. Elle tient une place prépondérante dans la métallurgie (aluminium et surtout acier). Les *industries* de transformation, surtout pour la fourniture de biens de consommation, restent moins développées. Les obstacles au développement sont l'énormité des distances et les freins de la bureaucratie.

houille	480 millions de t	électricité	1 500 milliards de kWh
pétrole	597 millions de t	acier	154 millions de t
gaz naturel	587 milliards de m³	aluminium	2 300 000 t

Le *commerce extérieur* ne concerne qu'une faible part de la production. Il s'effectue surtout avec les autres États socialistes, mais aussi avec les États d'Europe occidentale, le Japon et les États-Unis, intéressés notamment par les abondantes disponibilités énergétiques soviétiques (gaz naturel en particulier) et fournissant, en échange, capitaux et technologie.

HISTOIRE

Arrivés au pouvoir en Russie* à la suite de la révolution d'Octobre 1917, les bolcheviks constituent un nouveau gouvernement, dirigé par Lénine, et instaurent la « dictature du prolétariat » après avoir aboli la grande propriété foncière, mis sous contrôle ouvrier les usines et accordé le droit à l'autodétermination aux peuples de Russie (les nationalités).

- *3 mars 1918. Le traité de Brest-Litovsk met fin à la guerre avec l'Allemagne.*

Une nouvelle constitution (juillet 1918) donne le pouvoir au Congrès panrusse des soviets*, devant lequel est responsable le gouvernement ou Conseil des commissaires du peuple. Mais dès mars 1918, le nouveau pouvoir fait face à une guerre civile, encouragée par les anciens alliés (France, Angleterre) et qui dresse contre lui partisans du tsarisme, libéraux et mencheviks.

- *1919-1921. Les bolcheviks triomphent des armées « blanches ».*

Leur succès a été rendu possible par la militarisation de l'économie désormais nationalisée (communisme de guerre), la création d'une puissante « armée rouge » sous la direction de Trotski et le soutien apporté, malgré une misère effroyable, par les ouvriers et la paysannerie qui venait de recevoir des terres.

- *Mars 1921. Devant la montée du mécontentement dû à la misère (révolte de Kronchtadt), le Xe Congrès du parti communiste renonce au communisme de guerre.*

La « nouvelle politique économique » (N. E. P.) est adoptée. En 1922, le pays devient l'Union des républiques socialistes soviétiques (U. R. S. S.). La mort de Lénine (1924) est suivie de luttes politiques qui se terminent par la victoire de Staline (1927).

- *1928-1932. Le premier plan quinquennal fait disparaître le secteur privé et collectivise l'agriculture en éliminant les koulaks.*

Suivi des plans de 1933 et 1937, il jette les bases d'une économie moderne, particulièrement pour l'industrie lourde. Mais, malgré la Constitution libérale de 1936, la police envoie dans les camps du Goulag de nombreux déportés et élimine la vieille garde du parti communiste.

- *23 août 1939. L'U. R. S. S., isolée depuis Munich* (1938), signe un pacte de non-agression avec l'Allemagne.*

Elle reprend les territoires perdus au profit de la Pologne en 1918, puis annexe les États baltes et la Carélie finlandaise.

- *22 juin 1941-9 mai 1945. L'U. R. S. S. résiste à l'invasion allemande, puis, après la victoire de Stalingrad (février 1943), contre-attaque jusqu'à la capitulation nazie.*

Les relations avec les États-Unis et la Grande-Bretagne, définies à Yalta (février 1945), se détériorent à propos de l'Europe de l'Est, où Staline met en place des gouvernements communistes, et débouchent sur la « guerre froide ». Tandis que se forme un glacis de « démocraties populaires » alliées de l'U. R. S. S., celle-ci reconstruit son économie dévastée par la guerre.

- *1953. La mort de Staline est suivie de la dénonciation de certains aspects de sa politique, en particulier les abus du « culte de la personnalité » (XXe Congrès, 1956).*

Arrivé au premier plan à partir de 1956, Khrouchtchev favorise une libéralisation intérieure, facilitée par le prestige extérieur de l'U. R. S. S. (premier satellite artificiel, 1957) et un rapprochement avec les États-Unis, malgré le renforcement des blocs militaires et l'intervention soviétique en Hongrie (1956). Une rupture idéologique se produit avec la Chine à partir de 1959. Les difficultés économiques contribuent à écarter Khrouchtchev du pouvoir.

- *1964. Une direction collégiale que domine bientôt Brejnev (secrétaire général du parti) mène une politique plus prudente.*

Elle renforce l'action du parti communiste sur la société, réprimant les contestataires, y compris ceux du « camp socialiste » (intervention en Tchécoslovaquie, 1968).

Les relations entre l'U. R. S. S. et les États-Unis se détériorent surtout après l'intervention soviétique en Afghānistān (1979).

- *1982. Mort de Brejnev. Iouri Andropov lui succède.*
- *1984. Mort d'Andropov. Konstantine Tchernenko lui succède.*
- *1985. Mort de Tchernenko. Mikhaïl Gorbatchev lui succède. Il entreprend la restructuration (perestroïka) de la société.*

Une détente des relations avec les États-Unis s'amorce avec la rencontre de R. Reagan et M. Gorbatchev à Genève (nov. 1985). Parallèlement se dessine un rapprochement avec la Chine.

- *1987. Libération d'un grand nombre de dissidents. Une réforme radicale de la gestion de l'économie soviétique est décidée. Gorbatchev et Reagan signent (déc.) un accord sur l'élimination des missiles de moyenne portée en Europe.*
- *1988. Les revendications nationales se développent, notamm. en Arménie, en Azerbaïdjan et dans les républiques baltes.*

L'U. R. S. S. retire ses troupes d'Afghānistān et ne s'oppose pas à la chute des régimes communistes dans les pays de l'Europe de l'Est.

- *1990. Le rôle dirigeant du parti est aboli. Gorbatchev est élu à la présidence de l'U. R. S. S.*

GROENLAND
OCÉAN ATLANTIQUE
MER DE NORVÈGE
MER DE BARENTS
MER DE KARA
EUROPE
R.A. DE CARÉLIE
Tallin
LETTONIE
ESTONIE
Riga
LITUANIE
Leningrad
Vilnius
BIÉLORUSSIE
Minsk
District National des Nenets
R.A. DES KOMIS
District National des Iamalo-Nenets
District National des Khanty-Mansis
Lvov
MOSCOU
Iaroslavl
Ivanovo
Volga
Kiev
MOLDAVIE
Kichinev
UKRAINE
Toula
Nijni Novgorod
Ijevsk
Perm
Odessa
Kharkov
Voronej
Kazan
Krivoï-Rog
Dniepropetrovsk
Zaporojie
Donetsk
Saratov
R.A. DES BACHKIRS
Oufa
Sverdlovsk
Marioupol
Rostov-s/-le-Don
Samara
Tcheliabinsk
MER NOIRE
Volgograd
Oural
Krasnodar
R.A. DES KALMOUKS
Omsk
R.A. D'ABKHAZIE
Astrakhan
GÉORGIE
R.A. D'ADJARIE
R.A. DU DAGHESTAN
KAZAKHSTAN
Tbilissi
ARMÉNIE
Erevan
MER CASPIENNE
AZERBAÏDJAN
R.A. DE NAKHITCHEVAN
Bakou
M. D'ARAL
R.A. DE KARAKALPAKIE
Karaganda
OUZBÉKISTAN
TURKMÉNISTAN
Tachkent
Alma-Ata
Frounze
KIRGHIZISTAN
Achkhabad
Douchanbe
T.A. DU HAUT-BADAKHCHAN
TADJIKISTAN
IRAN
AFGHĀNISTĀN
PĀKISTĀN
INDE
Barnaoul

capitale fédérale
limite de république
capitale
limite de république autonome ou de territoire autonome
ville importante
ALASKA
(ÉTATS-UNIS)
Dt de Béring
MER DE BÉRING
MER DE SIBÉRIE ORIENTALE
District National des Tchouktches
MER DES LAPTEV
Distr. National des Koriaks
R. A. DE IAKOUTIE
Lena
Kamtchatka
MER D'OKHOTSK
Sakhaline
R.A. DES BOURIATES
Amour
Khabarovsk
Irkoutsk
T.A. DES JUIFS
JAPON
Vladivostok
MER DU JAPON
MONGOLIE
CORÉE DU NORD
CORÉE DU SUD
CHINE
T.A. DES ADYGHÉENS
T.A. DES KARATCHAÏS ET TCHERKESSES
R.A. DES KABARDINS ET BALKARS
R.A. D'OSSÉTIE DU NORD
T.A. D'OSSÉTIE DU SUD
R.A. DES TCHÉTCHÈNES-INGOUCHES
7- T.A. DU HAUT-KARABAKH
8- R.A. DES MORDVES
9- R.A. DES TCHOUVACHES
10- R.A. DES MARIS
11- R.A. DES TATARS
12- R.A. DES OUDMOURTES
0 500 1000 km

U.R.S.S. en 1990

Le pays connaît une profonde désorganisation tant économique que politique, le pouvoir central ne parvenant plus à imposer son autorité aux républiques fédérées.

- *1991. Après le putsch qui tente de renverser Gorbatchev (août), les pays baltes retrouvent leur indépendance (sept.). En décembre, l'U. R. S. S. est dissoute et Gorbatchev démissionne. La Russie — présidée par Eltsine — et dix autres républiques (la Géorgie exceptée) ayant proclamé leur indépendance forment une Communauté d'États indépendants (C. E. I.).*

URSULINES [yrsylin] n. f. pl. (de sainte *Ursule*). Nom porté par une vingtaine de congrégations de religieuses. (La plus importante est celle des ursulines de l'Union romaine, ou ordre de Sainte-Ursule, fondée à Brescia en 1535.)

URTICACÉES [yrtikase] n. f. pl. (du lat. *urtica*, ortie). Famille de plantes dicotylédones apétales, comprenant les *orties*, la *ramie*, la *pariétaire*.

URTICAIRE [yrtikɛr] n. f. (du lat. *urtica*, ortie). *Méd.* Éruption cutanée caractérisée par l'apparition de plaques ou de petites papules semblables à celles que produisent les piqûres d'ortie.

URTICANT, E [yrtikɑ̃, -ɑ̃t] adj. (du lat. *urtica*, ortie). Se dit des animaux ou des végétaux qui produisent une sensation de brûlure analogue à celle de l'ortie.

URUBU [yryby] n. m. (d'un mot tupi). Petit vautour noir de l'Amérique du Sud, mangeur de détritus.

URUGUAY, riv. de l'Amérique du Sud, séparant le Brésil et l'Uruguay de l'Argentine et formant avec le Paraná le Río de La Plata; 1580 km.

URUGUAY, État de l'Amérique du Sud, entre l'Argentine, le Brésil et l'océan Atlantique.

→ cartes AMÉRIQUE pp. 48-49.

SUPERFICIE 177500 km² (France : 550000 km²).
POPULATION 3060000 hab. *(Uruguayens);* 17 hab. au km² (France : 103); accroissement annuel de population, 1,2 p. 100.
CAPITALE Montevideo (1400000 hab.).
LANGUE espagnol.

GÉOGRAPHIE

Pays de plateaux et de collines, au climat tempéré chaud, couvert par la prairie, l'Uruguay vit essentiellement de l'élevage bovin et ovin. Les cultures (blé, maïs, lin, tournesol) occupent une place secondaire. L'industrie est basée sur la transformation des produits agricoles : conserveries de viande, cuir, laine. Elle se concentre à Montevideo, qui groupe près de la moitié des habitants du pays et dont le port effectue l'essentiel du commerce extérieur.

HISTOIRE

La côte est explorée par l'Espagnol Díaz de Solís en 1515, mais la résistance des Indiens Charrúas et la rivalité avec le Portugal freinent la colonisation. Dépendante de Lima, la région est rattachée en 1176 à la vice-royauté de Buenos Aires.

- *1811-1820. Le gaucho Artigas mène la lutte contre Buenos Aires, puis, sans succès, contre le Brésil, qui annexe l'Uruguay (1821).*

Après un soulèvement national (1825), les Anglais imposent à l'Argentine et au Brésil l'indépendance du pays, qui reçoit une constitution unitaire (1830).

- *1839-1851. L'opposition entre libéraux (colorados) et conservateurs (blancos) débouche sur une guerre, à la suite de l'intervention au profit des conservateurs du dictateur argentin Rosas.*

Les partis se réconcilent en 1851, mais, à partir de 1865, le Brésil et l'Argentine favorisent le maintien au pouvoir des colorados.

- *1903-1915. Sous la présidence de Batlle y Ordóñez, la vie politique se stabilise tandis que le pays s'enrichit grâce à l'exportation de laine et de viande.*

Le poids de la classe ouvrière et des classes moyennes, ajouté à la prospérité, permet une législation soiale avancée. Mais, à partir de 1958, l'Uruguay subit la chute du prix des matières premières. La dégradation de la situation économique et sociale (1968) facilite l'action de guérilleros urbains, les tupamaros.

- *27 juin 1973. Le président Bordaberry, appuyé par l'armée dont le rôle s'accroît depuis 1971, instaure un régime autoritaire.*
- *1976. Bordaberry est déposé et remplacé par Aparicio Méndez.*
- *1981. Arrivée au pouvoir du général Gregorio Alvarez.*
- *1983. Contestation grandissante du régime.*
- *1984. Retour à la démocratie. Le candidat colorado (libéral), Julio María Sanguinetti, est élu président de la République.*
- *1989. Le candidat blanco (conservateur), Luis Lacalle, est élu président de la République.*

URUNDI → BURUNDI.

US [ys] n. m. pl. (lat. *usus*). *Les us et coutumes*, les usages.

U. S. A., abrév. de *United States of America*, États-Unis d'Amérique.

USAGE n. m. → USER 1.

USAGÉ, E [yzaʒe] adj. (de *usage*). Se dit de ce qui a déjà servi et qui est, de ce fait, usé : *Des vêtements usagés.*

1. USER [yze] v. t. ind. (lat. *uti*, se servir de). *User de qqch.*, s'en servir, l'employer (langue soignée) : *J'userai de la permission que vous me donnez.* ◆ **usage** n. m. **1.** Emploi que l'on fait de quelque chose : *Il a fait mauvais usage de l'argent que vous lui avez donné* (= il l'a mal employé). *L'usage des stupéfiants est prohibé. Vêtement hors d'usage* (= dont on ne peut plus se servir). *Émission de télévision à l'usage de la jeunesse* (= destinée aux jeunes). — **2.** Coutume, habitude commune à un grand nombre : *Il ignore les usages* (= les règles de la politesse). *Il n'a pas l'usage du monde* (= il ne sait pas comment s'y conduire). ◆ **usager** n. m. Personne qui utilise habituellement un service public : *Les usagers du téléphone. Les usagers de la route, du rail.*

2. USER [yze] v. t. (même étym.). **1.** *User qqch.*, le détériorer par l'emploi constant que l'on en fait : *Il a usé son veston aux coudes.* — **2.** *User qq'un*, diminuer sensiblement sa capacité de résistance, ses forces physiques : *Il est usé par l'âge. Il a usé sa santé à tant travailler* (syn. ABÎMER). ◆ ***s'user*** v. pr. Se détériorer par l'emploi, par le temps : *Les semelles en cuir s'usent vite.* ◆ **usé, e** adj. : *Le col usé d'une chemise. Un homme usé* (syn. AFFAIBLI, VIEILLI). *Un sujet usé* (= rendu banal par l'usage trop fréquent qu'on en a fait). ◆ **usure** n. f. **1.** Détérioration produite par l'usage, par le temps : *Ses chaussures étaient dans un état d'usure extrême.* — **2.** *Guerre d'usure*, celle où chaque adversaire cherche à épuiser l'autre à la longue. ◆ **inusable** adj. Qui s'use très peu, dure très longtemps : *Ce tissu est inusable.*

USINAGE n. m. → USINER.

USINE [yzin] n. f. (du lat. *officina*, atelier). Établissement industriel où l'on transforme, à l'aide de machines, des matières premières en produits finis : *Une usine sidérurgique transforme le minerai de fer en fonte ou en acier. Une usine d'automobiles.*

USINER [yzine] v. t. (de *usine*). Soumettre une matière brute ou dégrossie à l'action d'une machine-outil. ◆ **usinage** n. m.

USITÉ, E [yzite] adj. (du lat. *usus*, usage). Se dit d'un mot, d'une expression, etc., dont on se sert habituellement : *Ce mot est très usité aujourd'hui* (syn. EMPLOYÉ). ◆ **inusité, e** adj. Dont on ne se sert plus : *Le terme est pratiquement inusité* (syn. RARE).

USNÉE [ysne] n. f. (de l'ar. *ashnah*, mousse). Lichen pendant aux branches des arbres et présentant des parties élargies entourées de poils.

USSEL, ch.-l. d'arrond. de la Corrèze; 12300 hab. *(Ussellois).* Église (XIIe-XVe s.). Fonderie d'aluminium.

USTENSILE [ystɑ̃sil] n. m. (lat. *utensilia*, objets utiles). Désigne divers objets de forme et de destination variées : *Des ustensiles de ménage, de cuisine.*

USTILAGINÉES [ystilaʒine] n. f. pl. (du bas lat. *ustilago*, chardon sauvage). Ordre de champignons inférieurs microscopiques, parasites des végétaux, sur lesquels ils produisent des maladies telles que le charbon et la carie.

ÚSTÍ NAD LABEM, en all. **Aussig,** v. de Tchécoslovaquie (Bohême), sur l'Elbe; 77000 hab. Industries chimiques.

USUEL, ELLE [yzɥɛl] adj. (du lat. *usus*, usage). Dont on se sert ordinairement, que l'on emploie communément : *Le vocabulaire usuel du Français cultivé* (syn. HABITUEL). *La dénomination usuelle d'une plante* (par oppos. au *nom savant*). ◆ n. m. Ouvrage d'un usage fréquent, qui, dans les bibliothèques, est à la portée des lecteurs. ◆ **usuellement** adv.

USUFRUIT [yzyfrɥi] n. m. (du lat. *usus*, usage, et *fructus*, revenu). Jouissance d'un bien dont la propriété appartient à un autre (jurid.) : *Il cédait sa ferme tout en en gardant l'usufruit.*

1. USURE n. f. → USER 2.

2. USURE [yzyr] n. f. (lat. *usura*). Action de prêter de l'argent à un taux très supérieur à celui qui est habituellement pratiqué. ◆ **usuraire** adj. : *Un taux usuraire.* ◆ **usurier, ère** n. Personne qui prête de l'argent en prenant un bénéfice illégal.

USURPER [yzyrpe] v. t. (du lat. *usus*, usage, et *rapere*, ravir). Occuper une place à laquelle on n'a pas légitimement droit; s'emparer par force, par ruse, par intrigue de ce qui appartient à autrui : *Usurper le trône.* ◆ **usurpation** n. f. : *Protester contre les usurpations de l'État dans le domaine privé* (syn. EMPIÉTEMENT). ◆ **usurpateur, trice** adj. et n. : *Un pouvoir usurpateur.*

UT [yt] n. m. inv. (premier mot de l'hymne de saint Jean-Baptiste : *Ut queant laxis*). Note de musique (syn. DO); premier degré de la gamme de *do;* signe qui le représente.

UTAH, État de l'ouest des États-Unis; 219 932 km²; 1 126 000 hab. Capit. *Salt Lake City.*

UTAMARO ou **OUTAMARO** (Kitagawa), peintre et graveur japonais (1753-1806). Un des maîtres de l'estampe, au dessin précis et synthétique, il puisa son inspiration notamment dans les scènes des maisons de thé.

1. UTÉRIN, E adj. → UTÉRUS.

2. UTÉRIN, E [yterɛ̃, -in] adj. et n. (de *utérus*). Se dit des frères et sœurs nés de la même mère, mais non du même père.

UTÉRUS [yterys] n. m. (mot lat.). Organe de gestation chez la femme et chez la femelle des mammifères supérieurs. ◆ **utérin, e** adj. Qui se rapporte à l'utérus : *Le col utérin.*
— ENCYCL. Chez la femme, l'*utérus* est un muscle creux, en forme de poire aplatie, situé dans le petit bassin et constituant avec les trompes, les ovaires et le vagin les organes génitaux* internes. Sa partie supérieure, large et aplatie d'avant en arrière, constitue le *corps;* sa partie inférieure, cylindrique, forme le *col*, qui s'ouvre dans le vagin. Les deux parties sont séparées par un étranglement, l'*isthme.*
C'est dans l'utérus que se développera l'ovule fécondé; au terme de la grossesse, ses fortes contractions expulseront le fœtus. → illustration APPAREIL GÉNITAL*.

UTILE [ytil] adj. (lat. *utilis;* de *uti*, se servir de). Se dit d'une personne ou d'une chose qui rend service (éventuellement suivi de la préposition *à* et d'un substantif) : *À quoi cela peut-il être utile?* (= servir). *Il serait utile de consulter les horaires des trains* (contr. SUPERFLU). *Des notes utiles à la compréhension de l'œuvre* (contr. INUTILE). *Avertissez-le en temps utile* (= à un moment où cela peut lui rendre service) [syn. OPPORTUN]. ◆ n. m. : *Joindre l'utile à l'agréable.* ◆ **utilement** adv. : *Vous pouvez utilement lire cet ouvrage.* ◆ **utilitaire** adj. **1.** Qui se propose un but intéressé, qui place l'efficacité immédiate au-dessus de toute autre considération : *Des préoccupations utilitaires.* — **2.** *Véhicule utilitaire*, voiture, camion destinés au transport des marchandises ou au transport collectif des personnes. ◆ **utilitarisme** n. m. Idéologie morale qui voit dans l'utilité la valeur suprême : *Stuart Mill a défendu l'utilitarisme.* ◆ **utilité** n. f. **1.** Service rendu par une chose : *De quelle utilité peut vous être une voiture dans Paris?* (syn. USAGE). *De nouveaux règlements ne seraient pas d'une grande utilité* (syn. NÉCESSITÉ; contr. INUTILITÉ). — **2.** Emploi subalterne (au théâtre, au cinéma, etc.) : *Jouer les utilités.* ◆ **inutile** adj. : *Un long développement inutile interrompt la narration.* ◆ n. : *C'est un inutile qui vit aux dépens des autres* (syn. PARASITE). ◆ **inutilement** adv. : *J'ai essayé inutilement de lui téléphoner* (= sans succès). ◆ **inutilité** n. f. : *Les démarches faites auprès du ministre se sont révélées d'une parfaite inutilité* (syn. INEFFICACITÉ).

UTILISER [ytilize] v. t. (de *utile*) [sujet nom de personne]. *Utiliser qqch. ou qq'un*, en tirer parti, s'en servir pour son usage, pour son profit : *Utiliser un réchaud électrique pour faire la cuisine* (syn. EMPLOYER, SE SERVIR DE). *Il a mal utilisé les dons exceptionnels qu'il avait* (syn. USER DE). *Utiliser un incident diplomatique pour aggraver la tension internationale* (syn. EXPLOITER). ◆ **utilisation** n. f. : *L'utilisation d'un produit* (syn. EMPLOI). ◆ **utilisable** adj. (surtout dans des phrases négatives) : *Ces notes manuscrites ne sont pas utilisables.* ◆ **inutilisable** adj. : *Une voiture accidentée inutilisable.* ◆ **inutilisé, e** adj. : *Les ressources inutilisées des pays sous-développés.*

UTILITAIRE adj., **UTILITARISME** n. m., **UTILITÉ** n. f. → UTILE.

UTIQUE. *Géogr. anc.* V. d'Afrique, sur la Méditerranée, au N.-O. de Carthage. Elle prit parti pour les Romains lors de la troisième guerre punique, et devint la capitale de la province romaine d'Afrique.

Utopie, roman politique et social, en latin, de Thomas More (1516), traduit en anglais en 1551. L'auteur y fait un tableau critique de la société anglaise et européenne, et imagine une terre où est réalisée l'organisation idéale de l'État.

UTOPIE [ytɔpi] n. f. (de *Utopia*, pays idéal imaginé par Th. More; du gr. *ou*, ne pas, et *topos*, lieu). Projet ou système irréalisable, fruit d'une imagination qui ne tient pas compte de la réalité : *Dans l'état actuel des choses, vouloir généraliser le stationnement payant est une utopie* (syn. RÊVE). ◆ **utopique** adj. : *Il est utopique de prétendre lui faire changer d'opinion sans présenter de nouveaux arguments* (syn. ↑INSENSÉ). ◆ **utopiste** n. Personne qui forme des projets irréalisables : *C'est un utopiste, qui ne se préoccupe pas de savoir si ce qu'il propose est possible* (syn. RÊVEUR).

UTRECHT, v. des Pays-Bas, ch.-l. de la *province d'Utrecht*, au S. du Zuiderzee; 263 600 hab. Université. Cathédrale gothique (XIIIe-XVIe s.) et cloître. Musées et bibliothèques.

Utrecht *(traités d')*, ensemble de traités qui mirent fin à la guerre de la Succession d'Espagne (1713-1715). Philippe V conservait la couronne d'Espagne mais renonçait à celle de France. L'intégrité du territoire français était préservée. Louis XIV acceptait la succession protestante en Angleterre, laquelle recevait d'importantes bases maritimes (Gibraltar, Minorque, Terre-Neuve, Acadie). Ces traités établissaient en fait l'hégémonie maritime et commerciale de l'Angleterre.

Utrecht *(Union d')*, union des sept provinces protestantes des Pays-Bas (1579) contre l'Espagne.

UTRILLO (Maurice), peintre français (1883-1955). Fils de Suzanne Valadon, il est d'abord influencé par des impressionnistes comme Sisley et Pissarro, et exécute (1902-1903) de nombreux paysages de la banlieue parisienne. Vers 1907, son style devient très personnel, et sa « période blanche », jusqu'en 1914, est extrêmement féconde. Dans un style souvent mélancolique, il s'affirme dès lors comme le peintre de la ville moderne et surtout de Montmartre, décrivant son caractère populaire et traditionnel. Sa technique évolue ensuite vers un style plus dessiné, plus coloré et cloisonné. Une exposition (1919) lui vaut un grand succès. Puis il se livre à une intense production de valeur inégale, exécutant aussi des décors de théâtre.

UTTAR PRADESH, État de l'Inde, le plus peuplé du pays, dans la plaine du Gange; 294 360 km²; 110 858 000 hab. Capit. *Lucknow.*

UVAL, E, AUX [yval, -vo] adj. (du lat. *uva*, grappe de raisin). *Cure uvale*, où le régime comporte une alimentation de raisins.

UVÉA ou **OUVÉA** *(île)*, la principale des îles Wallis; 5 800 hab. Ch.-l. *Mata-Utu.*

UVÉE [yve] n. f. (du lat. *uva*, raisin). **1.** *Anat.* Couche pigmentaire de l'iris. — **2.** *Anat.* Nom donné aussi à l'ensemble formé par la choroïde et l'iris.

Uylenspiegel, puis **Eulenspiegel** (Till), personnage légendaire, d'origine allemande, dont les facéties sont célèbres.

UZÈS, ch.-l. de cant. du Gard, à 25 km au N. de Nîmes, sur l'Alzon; 7 800 hab. *(Uzétiens).* Anc. évêché. Cité pittoresque. Château des ducs d'Uzès (XIe-XVIe s.).

V n. m. **1.** Vingt-deuxième lettre de l'alphabet et la dix-septième des consonnes. → introduction de l'ouvrage. — **2.** V, chiffre romain qui vaut cinq. — **3.** *Électr.* V, symbole du *volt.*

V1, V2 n. m. (abrév. all. de *Vergeltungswaffe*, arme de représailles). Bombes autopropulsées à grand rayon d'action, employées par les Allemands en 1944 et 1945.

VA [va] interj. (3e pers. de l'indic. prés. d'*aller*). **1.** Accompagne un encouragement, une menace : *Je te pardonne, va!* (syn. fam. NE T'EN FAIS PAS). — **2.** Fam. *Va pour*, c'est bon pour · *Va pour deux mille francs, et n'en parlons plus* (syn. ADMETTONS, SOIT). [→ ALLER.]

VAAL (le), riv. de l'Afrique du Sud, affl. de l'Orange (r. dr.); 1 200 km.

1. VACANCE [vakɑ̃s] n. f. (du lat. *vacare*, être vide). **1.** État d'une place, d'une charge, d'un siège non occupés : *Il y a une vacance au Sénat depuis la mort de X* (= un siège à pourvoir). — **2.** Temps pendant lequel un pouvoir ou une activité ne s'exerce plus : *Assurer l'intérim pendant la vacance du pouvoir* (= le temps pendant lequel l'autorité de l'État ne s'exerce plus). ◆ **vaquer** v. i. Être suspendu, cesser momentanément, en parlant des activités de certains organismes : *Les cours vaqueront le 1er mai* (syn. ÊTRE INTERROMPU). ◆ **vacant, e** adj. Se dit d'un poste, d'une chaire ou d'un lieu inoccupés, libres : *Une chaire vacante* (= sans titulaire). *Un appartement vacant* (syn. LIBRE; contr. OCCUPÉ).

2. VACANCES [vakɑ̃s] n. f. pl. (même étym.). **1.** Période de fermeture des écoles et des universités : *Les vacances de Noël* (syn. CONGÉ). *Les grandes vacances* (= les vacances d'été). — **2.** Période de congé pour les travailleurs de toute catégorie : *Prendre ses vacances en juin. Avoir besoin de vacances* (syn. REPOS). ◆ **vacancier, ère** n. Personne qui se trouve en congé et séjourne hors de sa résidence habituelle : *Un million de vacanciers ont déjà quitté Paris* (syn. ESTIVANT). *La Corse reçoit chaque année un nombre croissant de vacanciers* (syn. TOURISTE).

VACARME [vakarm] n. m. (anc. néerl. *wach arme*, hélas!). Bruit tumultueux : *Il y a eu dans la rue un vacarme épouvantable* (syn. CHARIVARI, TAPAGE, TUMULTE; fam. CHAMBARD). *Faire du vacarme* (syn. fam. CHAHUT, PÉTARD).

1. VACATION [vakasjɔ̃] n. f. (du lat. *vacare*, être vacant). **1.** Temps consacré à l'examen d'une affaire, ou à l'accomplissement d'une fonction déterminée, par la personne qui en a été chargée : *Vacation d'un expert, d'un notaire.* — **2.** Rémunération de ce temps.

2. VACATIONS [vakasjɔ̃] n. f. pl. (même étym.). Vacances judiciaires.

VACCARÈS *(étang de)*, étang des Bouches-du-Rhône, en Camargue; 6 000 ha. Réserve botanique et zoologique.

VACCIN [vaksɛ̃] n. m. (lat. *vaccinus*, de vache). Substance d'origine microbienne (germes vivants atténués ou tués, anatoxines), qui, injectée à un individu ou administrée par voie buccale, lui confère l'immunité à l'égard de l'infection déterminée par les microbes dont elle provient. ◆ **vaccinal, e, aux** adj. Qui a rapport à un vaccin : *Fièvre vaccinale.* ◆ **vacciner** v. t. **1.** *Vacciner qq'un*, lui inoculer une substance qui l'immunise contre une maladie microbienne : *Vacciner un enfant contre la variole.* — **2.** *Fam.* Guérir quelqu'un d'une habitude, le mettre définitivement à l'abri d'une tentation : *Je suis vacciné contre la peur* (syn. GUÉRIR DE). ◆ **vaccination** n. f. Introduction dans l'organisme d'un vaccin, soit en vue de provoquer une immunité contre l'infection correspondante (vaccin préventif), soit pour renforcer les défenses de l'organisme au cours d'une maladie déclarée (vaccin curatif).

VACCINE [vaksin] n. f. (de *vaccin*). Maladie de la vache (cow pox) ou du cheval (horse pox) qui peut se transmettre à l'homme et lui assure l'immunité contre la variole.

1. VACHE [vaʃ] n. f. (lat. *vacca*). **1.** Femelle reproductrice de l'espèce bovine. → ENCYCL. — **2.** Cuir de la vache, du bœuf : *Un sac en vache.* — **3.** Fam. *Manger de la vache enragée*, vivre de privations (syn. pop. CREVER DE FAIM). ‖ *Vaches maigres*, période de disette. ‖ Fam. *Le plancher des vaches*, la terre ferme, par oppos. à la MER. — **4.** *Vache* ou *vache à eau*, récipient de toile, utilisé par les campeurs pour mettre de l'eau. ◆ **vacher, ère** n. Personne qui s'occupe des vaches. ◆ **vacherie** n. f. Étable à vaches. ◆ **vachette** n. f. **1.** Jeune vache. — **2.** Cuir de jeune vache : *Un sac en vachette.*

— ENCYCL. Une femelle de l'espèce bovine s'appelle *génisse* jusqu'à ce qu'elle mette bas son premier veau : elle prend alors le nom de *vache* (à l'âge de deux ou trois ans) et commence à donner du lait. Par la suite, la vache donne un veau chaque année et produit du lait jusqu'au tarissement, qui intervient en général deux mois environ avant le vêlage suivant.

2. VACHE [vaʃ] n. f. (de *vache* 1). *Pop.* Personne très méchante : *Quelle vache!* (syn. fam. CHAMEAU, ROSSE). ◆ adj. *Pop.* Sévère, méchant : *Être vache envers quelqu'un.* ◆ **vachement** adv. *Pop.* Très : *Un film vachement bien* (syn. fam. RUDEMENT). ◆ **vacherie** n. f. *Pop.* Méchanceté : *Faire une vacherie à qq'un* (syn. CRASSE).

VACHERIN [vaʃrɛ̃] n. m. (de *vache*). **1.** Fromage à pâte molle. — **2.** Pâte meringuée garnie de glace et de crème Chantilly.

VACILLER [vasije] v. i. (lat. *vacillare*). **1.** (sujet nom de personne ou de chose) Pencher d'un côté et de l'autre, être instable : *Vaciller sur ses jambes* (syn. CHANCELER, TITUBER). *Voir les murs vaciller autour de soi* (syn. CHAVIRER, TOURNER). — **2.** (sujet nom désignant une flamme, une lueur) Trembler : *Une lumière qui vacille* (syn. CLIGNOTER). ◆ **vacillant, e** adj. : *Démarche vacillante* (syn. CHANCELANT, TITUBANT). *Flamme vacillante* (syn. CLIGNOTANT, TREMBLOTANT). *Mémoire vacillante* (syn. DÉFAILLANT). ◆ **vacillation** n. f.

VACUOLE [vakɥɔl] n. f. (du lat. *vacuus*, vide). *Biol.* Cavité du cytoplasme des cellules, renfermant diverses substances en solution dans l'eau désignées sous le nom de *suc vacuolaire.* ‖ *Vacuoles digestives*, vacuoles du cytoplasme de la paramécie et autres protozoaires, ayant un rôle de digestion des particules alimentaires introduites par l'entonnoir buccal. ‖ *Vacuoles contractiles*, vacuoles situées à chaque extrémité du corps de la paramécie et autres protozoaires et ayant un rôle d'excrétion des déchets et de l'eau en excès. ◆ **vacuolaire** adj. Relatif aux vacuoles.

VADE-MECUM [vademekɔm] n. m. inv. (loc. lat. signif. *va avec moi*). Objet que l'on porte ordinairement sur soi, dont on a fréquemment besoin (littér.) : *Ce carnet est mon vade-mecum.*

VADODARA → BARODA.

VADROUILLE [vadruj] n. f. (orig. incert.). *Fam.* Promenade sans but défini : *Partir en vadrouille* (syn. BALADE). *Être en vadrouille* (= être sorti). ◆ **vadrouiller** v. i. *Fam.* Aller en promenade, traînasser : *Vadrouiller toute la journée dans les rues* (syn. BAGUENAUDER, TRAÎNAILLER).

VADUZ, capit. du Liechtenstein; 5 000 hab.

VA-ET-VIENT [vaevjɛ̃] n. m. inv. *(va, et, vient).* **1.** Mouvement alternatif d'un point à un autre : *Le va-et-vient d'un pendule* (syn. OSCILLATION). — **2.** Gond à ressort, permettant l'ouverture d'une porte dans les deux sens. — **3.** Circulation de personnes se faisant dans deux sens opposés : *Il y a un va-et-vient incessant dans le couloir* (syn. ALLÉES ET VENUES, PASSAGE). — **4.** Cordage qui permet de faire passer qqch entre deux points dont l'accès de l'un à l'autre est très difficile. — **5.** Dispositif électrique permettant d'allumer ou d'éteindre une lampe de plusieurs endroits à la fois.

VAGABOND, E [vagabɔ̃, -ɔ̃d] adj. (du lat. *vagari*, aller çà et là). **1.** Se dit d'un être animé (ou de son comportement) qui voyage ou erre çà et là : *Chien vagabond* (syn. ERRANT). *Mener une vie vagabonde* (syn. ITINÉRANT; contr. SÉDENTAIRE). — **2.** Qui obéit à la fantaisie : *Des pensées vagabondes* (syn. DÉSORDONNÉ). ◆ n. m. **1.** Personne qui erre à l'aventure et qui n'a ni domicile fixe ni ressources avouables : *Un vagabond dormait sur le bord de la route* (syn. RÔDEUR; fam. CLOCHARD). — **2.** Personne qui se déplace, voyage sans cesse : *Mener une vie de vagabond* (syn. AVENTURIER, VOYAGEUR). ◆ **vagabondage** n. m. **1.** Habitude d'errer à l'aventure : *Avoir le goût du vagabondage.* — **2.** État d'une personne qui n'a ni domicile fixe ni profession avouée : *Le* *vagabondage est considéré comme un délit et puni par la loi.* ◆ **vagabonder** v. i. **1.** Errer sans but, à l'aventure. — **2.** Être mobile, instable : *Ma pensée vagabonde sans cesse* (syn. ERRER).

VAGIN [vaʒɛ̃] n. m. (lat. *vagina*, gaine). *Anat.* Canal auquel aboutit le col de l'utérus et qui s'ouvre dans la vulve. ◆ **vaginal, e, aux** adj. Relatif au vagin.

VAGIR [vaʒir] v. i. (lat. *vagire*). **1.** (sujet nom désignant un nouveau-né) Pousser des cris. — **2.** (sujet nom désignant certains animaux) Crier : *Le crocodile, le lièvre vagissent.* ◆ **vagissant, e** adj. Qui vagit. ◆ **vagissement** n. m. Cri d'un nouveau-né ou de certains animaux : *Pousser des vagissements.*

1. VAGUE [vag] n. f. (anc. scand. *vâgr*). **1.** Mouvement ondulatoire de l'eau, généralement dû à l'action du vent : *Vague de fond* (syn. LAME). — **2.** Propagation intermittente du son : *Une musique arrivait par vagues jusqu'à nous* (syn. À-COUP, MOMENT). ◆ **vaguelette** n. f. Petite vague (sens 1) [syn. ↓RIDE].

2. VAGUE [vag] n. f. (de *vague* 1). **1.** Se dit de phénomènes qui se produisent avec un crescendo et un decrescendo, une ou plusieurs fois : *Une vague d'enthousiasme* (syn. MOUVEMENT). *Soulever des vagues d'applaudissements dans une salle* (= des applaudissements en chaîne) [syn. SALVE]. — **2.** Se dit de phénomènes qui apparaissent brusquement : *Une vague de froid* (syn. OFFENSIVE). — **3.** Se dit de mouvements d'ensemble de personnes : *Une vague d'assaut* (= unité d'attaque ou formation militaire destinée à une attaque). *Une vague d'immigrants* (syn. AFFLUX, ↑MARÉE). — **4.** *La nouvelle vague,* la nouvelle génération de jeunes réalisateurs de cinéma français qui, vers 1958-1960, tournèrent leur premier long métrage (J.-L. Godard, F. Truffaut, C. Chabrol, etc.). ◆ **nouvelle vague** loc. adj. inv. Se dit des films, des romans, des modes vestimentaires, etc., qui sont le fait d'une génération plus jeune : *Les films nouvelle vague.*

3. VAGUE [vag] adj. (lat. *vagus*, errant). **1.** Se dit de tout ce qui est imprécis, indéterminé : *Mentionner un projet de façon assez vague* (syn. FLOU, NÉBULEUX, VOILÉ; contr. NET, PRÉCIS). *Un manteau vague* (= qui n'est pas ajusté, trop large) [contr. SERRÉ]. — **2.** (avant ou après le nom) Se dit de ce qui est obscur, peu net : *J'ai une vague idée de ce que je vais faire* (syn. CONFUS, IMPRÉCIS). *Un vague souvenir* (syn. FAIBLE). *Une douleur vague* (= dont le siège varie ou qu'il est difficile de décrire). — **3.** (avant le nom) Quelconque, insignifiant : *J'ai rencontré une vague parente à moi* (= dont le degré de parenté est éloigné et difficile à préciser). ◆ n. m. **1.** Domaine de l'imprécision : *Rester dans le vague* (= ne pas donner de précisions). *Regarder dans le vague* (= sans rien fixer). — **2.** Caractère des choses imprécises, indéterminées : *Le caractère le plus original de cette peinture réside dans le vague et le flou des formes.* — **3.** *Vague à l'âme,* état de langueur, de tristesse sans cause apparente : *Avoir du vague à l'âme* (syn. MÉLANCOLIE; fam. CAFARD). ◆ **vaguement** adv. **1.** De manière imprécise : *Il m'a vaguement parlé de ses projets.* — **2.** À peine, faiblement : *Le temps s'améliore vaguement* (contr. NETTEMENT). ◆ **vaguer** v. i. Errer çà et là, au hasard (littér.) : *Laisser vaguer son imagination* (syn. ALLER, FLOTTER).

4. VAGUE [vag] adj. m. (lat. *vacuus*, vide). *Terrain vague,* terrain situé près d'une agglomération et qui n'a aucun usage précis, n'est pas entretenu.

VAGUELETTE n. f. → VAGUE 1.

VAGUEMENT adv. → VAGUE 3.

VAGUEMESTRE [vagmɛstr] n. m. (all. *Wagenmeister*, maître des équipages). **1.** Sous l'Ancien Régime, officier chargé de veiller à la bonne marche des convois militaires. — **2.** Sous-officier chargé du service postal d'une unité.

VAGUER v. i. → VAGUE 3.

VAHINÉ [vaine] n. f. (mot tahitien). Femme de Tahiti.

VAILLAMMENT adv., **VAILLANCE** n. . → VAILLANT 1.

1. VAILLANT, E [vajɑ̃, -ɑ̃t] adj. (anc. part. prés. de *valoir*, signif. valant quelque chose). **1.** Se dit de quelqu'un qui a du courage devant le danger : *Un vaillant soldat* (syn. COURAGEUX; contr. LÂCHE, PEUREUX, POLTRON). — **2.** Se dit de quelqu'un qui a de la force d'âme, de l'énergie au travail : *Une vaillante infirmière.* — **3.** En bonne santé : *Se sentir vaillant sur ses jambes* (syn. D'APLOMB). ◆ **vaillamment** adv. : *Résister vaillamment à l'ennemi* (syn. ↑ HÉROÏQUEMENT). ◆ **vaillance** n. f. : *Un héros célèbre pour sa vaillance* (syn. littér. BRAVOURE).

2. VAILLANT [vajɑ̃] adj. m. (même étym.). *N'avoir plus* ou *pas un sou vaillant,* n'avoir plus d'argent (littér.).

VAILLANT (Édouard), homme politique français (1840-1915). Membre de la Commune de Paris (1871), député socialiste de Paris à partir de 1893, il s'opposa jusqu'en 1914 à toute collaboration avec les partis bourgeois.

VAILLANT (Auguste), anarchiste français (v. 1861-1894). Il lança une bombe en pleine séance de la Chambre des députés (décembre 1893). Condamné à mort, il fut exécuté.

VAILLANT-COUTURIER (Paul), homme politique français (1892-1937). Député communiste (1919-1928 et 1936), il fut rédacteur en chef de *l'Humanité* à partir de 1928.

VAILLE QUE VAILLE [vajkəvaj] loc. adv. (de *valoir*). À peu près, tant bien que mal : *Il faudra bien l'aider, vaille que vaille.*

1. VAIN, E [vɛ̃, vɛn] adj. (lat. *vanus*, vide). **1.** (généralement avant le nom) Se dit d'une chose dépourvue de valeur ou de sens : *La gloire, un vain mot* (syn. CREUX, VIDE; contr. CONCRET, SÉRIEUX). *De vains espoirs* (= sans fondement) [syn. CHIMÉRIQUE, FAUX, ILLUSOIRE; contr. FONDÉ]. — **2.** (généralement avant le nom) Se dit d'une chose qui est sans efficacité, sans effet : *Faire de vains efforts* (syn. INUTILE, STÉRILE). *De vains regrets* (syn. SUPERFLU). — LOC. ADV. *En vain,* sans résultat : *Chercher en vain qqch.* (syn. INUTILEMENT, SANS SUCCÈS). ◆ **vainement** adv. En vain : *Je vous ai vainement appelé au téléphone* (syn. SANS SUCCÈS). ◆ **vanité** n. f. Caractère de ce qui est sans utilité, sans valeur (littér. et relig.) : *Être convaincu de la vanité des choses terrestres* (syn. FUTILITÉ, INSIGNIFIANCE, NÉANT).

2. VAIN, E [vɛ̃, vɛn] adj. (même étym.) [après le nom]. Se dit d'une personne fière d'elle-même sans motif valable (littér.) : *C'est l'esprit le plus vain que j'aie jamais connu* (syn. CONTENT DE SOI, FAT, SATISFAIT, VANITEUX). ◆ **vanité** n. f. Caractère d'une personne qui a, sans motifs valables, bonne opinion d'elle-même : *Être d'une vanité extraordinaire* (syn. FATUITÉ, ORGUEIL). *Tirer vanité de ses ancêtres* (= s'enorgueillir, se glorifier de). *Sans vanité, je connais cette question mieux que vous* (= sans vouloir me flatter). ◆ **vaniteux, euse** adj. et n. Syn. usuel de VAIN. ◆ **vaniteusement** adv.

VAINCRE [vɛ̃kr] v. t. et i. (lat. *vincere*). [Conj. **85.**] **1.** *Vaincre qq'un, un groupe,* remporter sur eux un succès, une victoire : *Ils ont vaincu l'armée adverse* (syn. BATTRE, GAGNER, TRIOMPHER DE). — **2.** *Vaincre un obstacle, une difficulté,* etc., les dominer, les surmonter, en venir à bout : *Vaincre sa timidité.* ◆ ***se vaincre*** v. pr. Se maîtriser : *Apprendre à se vaincre dans les moments difficiles.* ◆ **vaincu, e** adj. et n. Se dit de quelqu'un qui a subi une défaite à la guerre, dans une compétition, etc. : *Être tantôt vaincu, tantôt vainqueur* (syn. PERDANT; contr. GAGNANT). ◆ **vainqueur** n. m. et adj. m. Personne qui remporte ou a remporté un succès dans un combat, dans une compétition : *Sortir vainqueur d'une épreuve* (syn. GAGNANT, VICTORIEUX). [Avec un nom fém., on emploie la forme VICTORIEUSE : *Féliciter l'équipe victorieuse.*] ◆ **invaincu, e** adj. Qui n'a jamais été vaincu : *Armée invaincue.* ◆ **invincible** adj. **1.** Qu'on ne saurait vaincre : *Armée invincible.* — **2.** Dont on ne peut triompher; qu'on ne peut surmonter, dompter, lasser : *Garder une invincible espérance.* ◆ **invinciblement** adv. De façon invincible. ◆ **invincibilité** n. f.

VAINEMENT adv. → VAIN 1.

VAINQUEUR n. m. et adj. m. → VAINCRE.

VAIR [vɛr] n. m. (lat. *varius*, varié, moucheté). Fourrure de couleur bigarrée, blanc et gris : *Des pantoufles de vair* (syn. PETIT-GRIS).

VAIRES-SUR-MARNE, comm. de Seine-et-Marne, à 6 km à l'O. de Lagny; 10 800 hab. Centrale thermique.

1. VAIRON [vɛrɔ̃] adj. m. (de *vair*). *Yeux vairons,* yeux qui sont de couleur différente.

2. VAIRON [vɛrɔ̃] n. m. (même étym.). Genre de petits poissons très communs dans les ruisseaux, et dont la chair est peu estimée.

VAISON-LA-ROMAINE, ch.-l. de cant. du Vaucluse, à 28 km au N. de Carpentras; 5 900 hab. Autref. ville gallo-romaine florissante. Des fouilles y ont mis au jour des quartiers anciens, un théâtre, des thermes, etc.

1. VAISSEAU [vɛso] n. m. (bas lat. *vascellum;* de *vas*, vase). **1.** Grand navire ou bâtiment de guerre de très gros tonnage. ‖ *Enseigne, capitaine de vaisseau* → GRADE 2. — **2.** *Vaisseau spatial,* engin interplanétaire.

2. VAISSEAU [vɛso] n. m. (même étym.). Grand espace couvert d'un édifice : *Hauteur du vaisseau d'une cathédrale.*

3. VAISSEAU [vɛso] n. m. (même étym.). Canal de circulation du sang ou de la lymphe chez les animaux, de la sève chez les végétaux. (→ VASCULAIRE.)

— ENCYCL. Chez l'homme et les animaux, on distingue trois sortes de *vaisseaux :* les artères, les veines et les capillaires. Chez les végétaux vascularisés, on distingue les vaisseaux du bois, qui assurent la circulation de la sève brute depuis les racines jusqu'aux feuilles, et les vaisseaux du liber (tubes criblés) par où circule, dans toute la plante, la sève élaborée au niveau des feuilles.

Vaisseau fantôme *(le)*, opéra de R. Wagner (1843).

VAISSELLE [vɛsɛl] n. f. (anc. fém. de *vaisseau*). **1.** Ensemble des pièces et des accessoires destinés au service de la table (plats, assiettes, etc.). — **2.** Fait de laver les assiettes, les plats, etc., après les repas : *Faire la vaisselle.* ◆ **vaisselier** n. m. Meuble servant à ranger la vaisselle : *Un vaisselier rustique.*

VAL n. m. → VALLÉE.

VALABLE adj., **VALABLEMENT** adv. → VALOIR 1.

VALACHIE, anc. principauté danubienne, créée à la fin du XIIIe s., vassale de la Turquie à partir de 1396 et qui devint indépendante en 1856. Son union avec la Moldavie, réalisée en 1858, créa la Roumanie.

VALADON (Marie Clémentine, dite **Suzanne**), peintre français (1865-1938), mère de Maurice Utrillo. Elle se consacra d'abord au dessin et à la gravure, puis, définitivement, à la peinture, choisissant des sujets variés (paysages, portraits, natures mortes), utilisant des couleurs vives et luisantes, cernées par un dessin ferme et précis. Elle sut donner une image vraie, parfois brutale, des figures populaires, représentées dans des attitudes naturelles et dans des cadres familiers.

VALAIS, canton de la Suisse méridionale, aux frontières française et italienne; 217 000 hab. *(Valaisans).* Ch.-l. *Sion.*

VAL-ANDRÉ (le), écart de la comm. de *Pléneuf-Val-André.* Station balnéaire.

VALBERG *(col de),* col des Alpes-Maritimes; 1 669 m. Station de sports d'hiver.

VAL-D'AJOL (Le), comm. des Vosges, à 9 km au S. de Plombières-les-Bains; 5 300 hab. Textiles.

VAL-D'ARLY-FLUMET, station de sports d'hiver de la Savoie (comm. de Flumet), près de Megève.

VAL DE LOIRE, partie de la vallée de la Loire entre sa sortie du Massif central et les confins du Massif armoricain. Longue de plus de 300 km, large de 3 à 12 km, fertilisée par les alluvions fluviales, c'est une riche région agricole et touristique.

VALDEMAR Ier le Grand (1131-1182), roi de Danemark (1157-1182). Il réalisa l'union du trône, des nobles et de l'Église réformiste.

VAL-DE-MARNE (94), dép. de la Région Île-de-France, créé en 1964, s'étendant sur le sud-est de l'anc. dép. de la Seine et quelques communes de l'anc. Seine-et-Oise; 245 km²; 1 193 700 hab. (4 892 au km²) [France : 103]. Ch.-l. *Créteil.*
ADMINISTRATION. 3 arrond. (*Créteil,* 616 400 hab.; *L'Haÿ-les-Roses,* 231 500 h.; *Nogent-sur-Marne,* 345 800 hab.). / 49 cant. / 47 comm.
Le département occupe le quart sud-est de l'agglomération parisienne. Il est traversé par les vallées de la Marne et de la Seine, qui s'y rejoignent. La proximité de Paris explique l'énorme densité de population et la prépondérance du *secteur tertiaire.*

L'*industrie* emploie environ le tiers de la population active. Elle est représentée principalement dans la vallée de la Seine de Vitry à Ivry, où elle est favorisée par la présence des centrales thermiques.

L'est et le sud-est du département, appartenant essentiellement à la Brie*, conservent un caractère rural, malgré la prolifération des lotissements. Depuis 1968, la population du département s'est notablement accrue. Cette progression est stimulée par l'installation du métro express régional (R. E. R.).

VAL-D'ISÈRE, comm. de Savoie, sur l'Isère, à 58 km à l'E. de Moûtiers; 1 600 hab. Station de sports d'hiver (alt. 1 850-3 249 m).

VALDIVIA, port du Chili méridional; 82 300 hab. Métallurgie.

VALDO ou **VALDÈS** (Pierre), dit **Pierre de Vaux** (v. 1140-v. 1217). Riche marchand lyonnais, il aurait tout abandonné avant de grouper autour de lui les « pauvres de Lyon », qui prendront le nom de *vaudois**.

VAL-D'OISE (95), dép. de la Région Île-de-France, s'étendant sur la partie nord de l'anc. Seine-et-Oise; 1246 km²; 920 600 hab. (697 au km²) [France : 103]. Ch.-l. *Pontoise.*
ADMINISTRATION. 3 arrond. (*Argenteuil,* 192 600 hab.; *Montmorency,* 378 100 hab.; *Pontoise,* 349 800 hab.). / 39 cant. / 185 comm.
Le département se développe au N. et au N.-O. de Paris, occupant une série de plateaux coupés de vallées (dont celle de l'Oise qui lui a donné son nom). Comme l'Essonne ou les Yvelines, il n'est pas limitrophe de Paris, ce qui explique la relative modestie de la densité générale d'occupation par rapport à l'ensemble de la région parisienne.

L'*agriculture* emploie encore 1,5 p. 100 de la population active (grande culture : céréales et betterave) dans l'Ouest et le Nord, secteurs les plus éloignés de Paris.

L'*industrie,* en revanche, est très développée, notamment à proximité immédiate de Paris (Argenteuil) et dans la basse vallée de l'Oise (métallurgie, chimie, électricité).

La prépondérance du *secteur tertiaire* est liée à l'importance de la densité de population. Depuis 1968, la population du département s'est notablement accrue, surtout dans la moitié orientale (arrondissement de Montmorency), proche de Paris, où la fonction résidentielle est généralement primordiale.

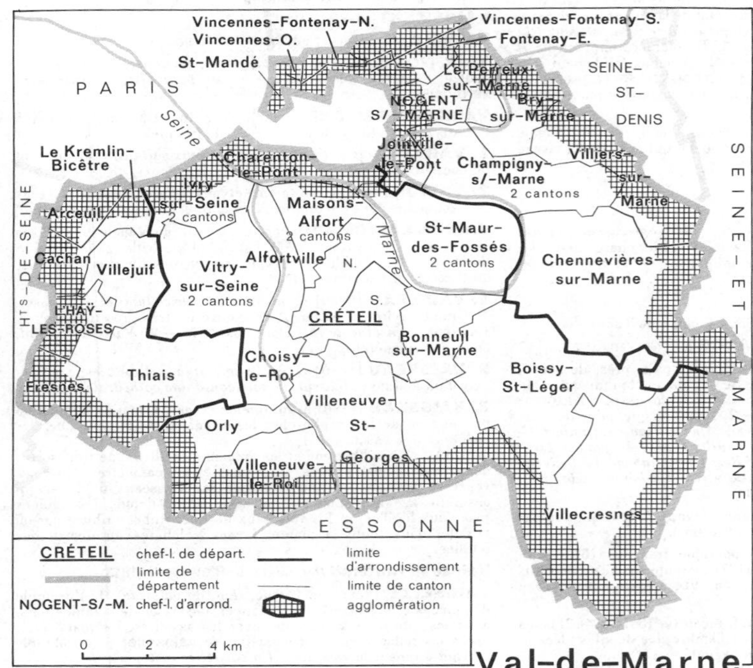

LOCALITÉS PRINCIPALES	NOMBRE D'HAB.
Vitry-sur-Seine	85 800
Saint-Maur-des-Fossés	81 000
Champigny-sur-Marne	76 300
Créteil	71 700
Ivry-sur-Seine	55 900
Fontenay sous-Bois	53 000
Villejuif	52 500
Maisons-Alfort	51 600
Vincennes	43 100
Alfortville	36 300
Choisy-le-Roi	35 500

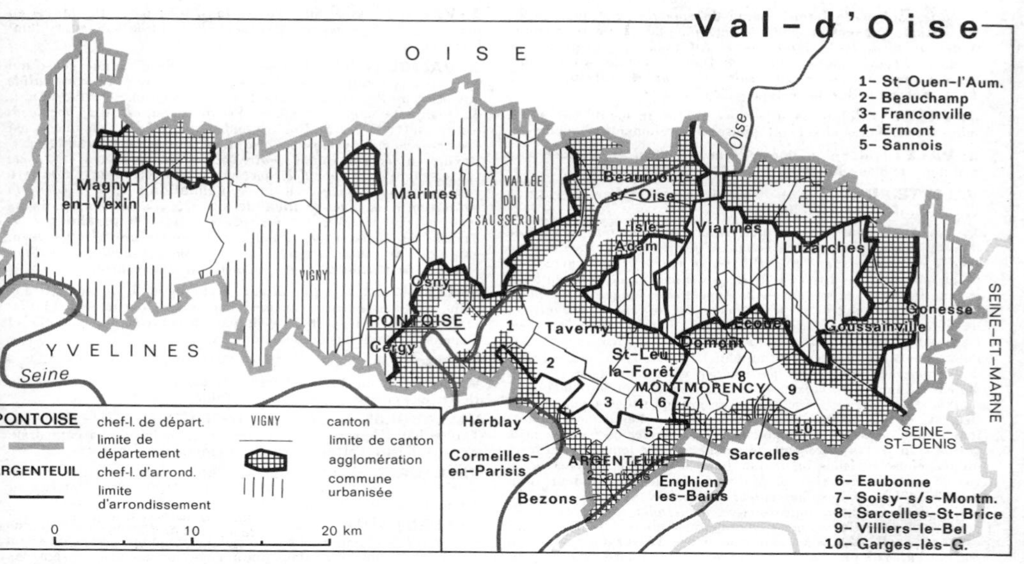

LOCALITÉS PRINCIPALES	NOMBRE D'HAB.	LOCALITÉS PRINCIPALES	NOMBRE D'HAB.
Argenteuil	96 000	Villiers-le-Bel	24 900
Sarcelles	53 700	Ermont	24 400
Garges-lès-Gonesse	40 200	Bezons	24 100
Franconville	33 000	Goussainville	23 600
Pontoise	29 400	Gonesse	22 900

VALENÇAY, ch.-l. de cant. de l'Indre, à 32 km au S.-O. de Romorantin-Lanthenay; 3 150 hab. Château des XVIe-XVIIe s., de style Renaissance.

VALENCE [valɑ̃s] n. f. (du lat. *valere,* valoir). Chim. *Valence d'un élément,* nombre maximal d'atomes d'hydrogène pouvant se combiner avec un atome de cet élément, ou auxquels peut se substituer un atome de cet élément. ◆ **bivalent, e** adj. Dont la valence chimique est 2.

VALENCE, ch.-l. du dép. de la Drôme, sur le Rhône (r. g.), à 101 km au S. de Lyon; 68 200 hab. *(Valentinois).* L'agglomération compte 92 100 hab. Horlogerie. Métallurgie. Textiles.

VALENCE, en esp. **Valencia,** port d'Espagne, à l'embouchure du Guadalaviar, près de la Méditerranée; 751 000 hab. Université. Capit. de l'anc. royaume musulman de Valence (1021-1238). Nombreux monuments (cathédrale, XIVe-XVIIIe s.; palais de la Audiencia, XVIe s.). La ville se trouve au centre d'une riche plaine irriguée (oranges, vin, riz). Métallurgie.

VALENCIA, v. du Venezuela, à l'O. de Caracas; 367 200 hab.

VALENCIENNES, ch.-l. d'arrond. du Nord, à 52 km au S.-E. de Lille, sur l'Escaut; 40 900 hab. *(Valenciennois)* [l'agglomération compte 229 500 hab.]. Ancienne place-forte (citadelle de Vauban). la ville, située dans l'est du bassin houiller, est aujourd'hui un important centre industriel (métallurgie, textiles, construction automobile).

VALENCIENNES [valɑ̃sjɛn] n. f. (de *Valenciennes).* Dentelle fabriquée à Valenciennes.

VALENS (Flavius) [v. 328-378], empereur romain (364-378). Associé à son frère, Valentinien Ier, il régna sur les provinces orientales.

VALENSOLE, ch.-l. de cant. des Alpes-de-Haute-Provence, à 21 km à l'E. de Manosque, sur le *plateau de Valensole* (culture de la lavande); 1 900 hab.

VALENTIA, île des côtes occidentales de l'Irlande. Station météorologique.

VALENTIGNEY, ch.-l. de cant. du Doubs, à 10 km au S. de Montbéliard, sur le Doubs; 14 400 hab. Cycles. Laminage.

VALENTINIEN Ier (321-375), empereur romain de 364 à 375. Associé à Valens, il s'installa à Milan. Il fut un chrétien zélé et maintint les Barbares en dehors de l'Empire.

VALENTON, ch.-l. de cant. du Val-de-Marne, au N. de Villeneuve-Saint-Georges; 10 800 hab.

VALERA (Eamon DE) → DE VALERA.

VALÉRIANE [valerjan] n. f. (du lat. *valere,* bien se porter). Plante à fleurs roses, blanches ou jaunâtres, dont une espèce est utilisée dans la composition de certains médicaments. (On l'appelle aussi HERBE-AUX-CHATS.)

VALÉRIEN, mort en 259 ou 260, empereur romain de 253 à 259 ou 260. Il associa à l'Empire son fils Gallien et lui confia la défense de l'Occident. Fait prisonnier par le roi des Perses, il fut mis à mort.

Valérien *(mont),* butte de la banlieue ouest de Paris; 161 m. Fort dans lequel de nombreux Français furent fusillés par les Allemands lors de la Seconde Guerre mondiale. Mémorial.

VALÉRY (Paul), écrivain français, né à Sète (1871-1945). Il publie quelques poèmes symbolistes dans des revues d'avant-garde et rencontre Mallarmé, qui aura sur lui une influence capitale.

- *1892. Il décide de renoncer à la poésie pour se consacrer à l'étude des mathématiques et de la philosophie.*

Dans les années qui suivent, il publie trois essais en prose : *Introduction à la méthode de Léonard de Vinci* (1895), *la Soirée avec M. Teste* (1895), *la Conquête allemande* (1897).

- *1917. Retour à la poésie avec la publication de «la Jeune Parque».*

Ce long poème, strictement gouverné par l'intelligence et la raison lucide, composé dans le respect le plus intransigeant des formes classiques, apparaît au moment où l'on assiste à l'éclatement de toutes les disciplines formelles et mentales (dadaïsme, surréalisme).

Valéry poursuit dès lors ses réflexions sur la langue, la peinture, la musique et les sciences, qu'il expose dans des essais *(Variété),* des dialogues (*Eupalinos ou l'Architecte,* 1923; *l'Âme et la danse* 1923), tout en recueillant ses poèmes de jeunesse dans *l'Album de vers anciens* (1920) et de maturité dans *Charmes* (1922) où figure le célèbre *Cimetière marin.* Il aborde également le théâtre *(Mon Faust)* tout en prenant position sur les problèmes de son temps *(Regards sur le monde actuel).* Après sa mort ont paru ses *Cahiers,* fruit des réflexions de toute une vie.

1. VALET [valɛ] n. m. (du bas lat. *vassus,* serviteur). **1.** *Valet de chambre,* domestique masculin, servant dans une maison ou dans un hôtel. ‖ *Valet de ferme,* ouvrier agricole employé à des travaux plus ou moins spécialisés (syn. GARÇON DE FERME). ‖ *Valet* *d'écurie,* garçon de ferme chargé du soin des chevaux. — **2.** Domestique qui accompagne une personne, fait partie de sa suite : *Valet de pied de la reine.* — **3.** Au théâtre, personnage de laquais : *Un valet de comédie.* — **4.** Dans un jeu de cartes, figure représentant un écuyer : *Le valet de cœur.* ◆ **valetaille** n. f. *Péjor.* Ensemble des domestiques (littér.).

2. VALET [valɛ] n. m. (de *valet* 1). Cintre monté sur pieds, muni d'accessoires et servant à poser des vêtements d'homme.

3. VALET [valɛ] n. m. (même étym.). *Technol.* Outil coudé pour maintenir le bois sur l'établi.

VALETTE-DU-VAR (La), ch.-l. de cant. du Var, à 4 km à l'E.-N.-E. de Toulon; 18 400 hab.

1. VALEUR [valœr] n. f. (lat. *valor*). **1.** Caractère mesurable d'un objet susceptible d'être échangé, désiré, vendu : *Ce terrain a doublé de valeur* (syn. PRIX). *Estimer la valeur d'une œuvre d'art* (= ce que vaut cet objet). ‖ *Mettre en valeur un capital, un bien,* le faire fructifier, rapporter. — **2.** Aspect économique d'une chose lié à son utilité, au travail qu'elle nécessite, au rapport de l'offre et de la demande, etc. : *Valeur-or du franc, d'une monnaie étrangère* (syn. ÉQUIVALENT). *Valeur d'une action en Bourse* (syn. COTE, COURS). — **3.** (le plus souvent au plur.) Titre de rente, action, effet de commerce, etc. : *Un portefeuille de valeurs* (syn. TITRES). *Valeur en hausse, en baisse.* — **4.** Qualité physique, intellectuelle, morale d'un homme : *Un homme de grande valeur* (syn. CLASSE, MÉRITE). — **5.** Qualité d'une chose digne d'estime, d'intérêt; importance accordée à quelque chose : *Estimer qqch. à sa juste valeur* (syn. PRIX). *Jugement de valeur* (= par lequel on affirme qu'une chose est plus ou moins digne d'estime). *Attacher de la valeur à des souvenirs.* — **6.** *Math.* Mesure d'une grandeur, d'un nombre : *Valeur absolue, valeur approchée.* → ENCYCL. ‖ *La valeur de,* la quantité approximative de : *Donner la valeur d'une cuillerée à dessert de sirop* (= environ une cuillerée). — **7.** Mesure conventionnelle d'un signe dans une série : *Valeur d'un pion à un jeu.* ‖ *Valeur d'une note,* en musique, durée relative d'une note, modifiée ou non par certains signes : *Le point prolonge une note de la moitié de sa valeur* (syn. DURÉE). ‖ *Valeur d'une couleur,* en peinture, degré de saturation d'une couleur : *Des verts de même nuance, mais de valeur différente* (= plus ou moins intenses). — **8.** En stylistique, sens d'un terme ou d'un élément de ponctuation à l'intérieur d'un contexte, effet littéraire produit : *Noter la valeur d'une apposition* (= sa portée, sa force, sa signification). ◆ **valoriser** v. t. **1.** *Valoriser qqch.,* lui donner une plus grande valeur, une plus grande rentabilité : *Le passage de la ligne de chemin de fer a beaucoup valorisé cette région.* — **2.** *Valoriser qq'un,* lui donner une plus grande valeur (sens 4) : *Son succès l'a valorisé aux yeux de ses camarades.* ◆ ***se valoriser*** v. pr. (sujet nom de personne) : *Elle se valorise vis-à-vis des autres par son travail* (syn. SE FAIRE VALOIR). ◆ **valorisation** n. f. : *La valorisation d'une région économiquement sous-équipée* (syn. MISE EN VALEUR). ◆ **dévaloriser** v. t. *Dévaloriser qqch.,* lui faire perdre de sa valeur : *La perte de cette pièce dévalorise la collection* (syn. DÉPRÉCIER). ◆ ***se dévaloriser*** v. pr. Perdre de sa valeur : *L'argent se dévalorise en période d'inflation* (syn. SE DÉVALUER). ◆ **dévalorisation** n. f. (syn. DÉPRÉCIATION). ◆ **revaloriser** v. t. **1.** *Revaloriser une monnaie dépréciée,* lui rendre sa valeur : *Revaloriser le franc.* — **2.** *Revaloriser une chose,* lui donner une valeur plus grande : *Revaloriser les indemnités de Sécurité sociale* (syn. RELEVER). — **3.** *Revaloriser qqch.* (mot abstrait), lui donner une valeur nouvelle : *Revaloriser une doctrine.* ◆ **revalorisation** n. f. : *La revalorisation des salaires.*

— ENCYCL. La *valeur absolue* d'un nombre réel x est celui des nombres x et $-x$ qui est positif : On la note $|x|$.

Ex. : $|+3| = 3;\ \left|-\dfrac{2}{3}\right| = \dfrac{2}{3}.$

Propriété : Quels que soient les nombres réels, a, b, on a

$$\big||a|-|b|\big| \leq |a+b| \leq |a|+|b|.$$

Si x est un nombre réel, x est encadré par deux nombres décimaux du type $a \cdot 10^{-n} \leq x \leq (a+1) \cdot 10^{-n}$; on dit que $a \cdot 10^{-n}$ est la *valeur approchée par défaut* de x, et $(a+1) \cdot 10^{-n}$ est la *valeur approchée par excès* de x, à 10^{-n} près. (*Ex. :* $3{,}141 \times 5 = 31\,415 \times 10^{-4}$ est la valeur approchée par défaut de π à 10^{-4} près, ou au dix-millième près, et $3{,}141\,6 = 31\,416 \times 10^{-4}$ en est la valeur approchée par excès, car $3{,}141\,5 < \pi < 3{,}141\,6$; 1,47 est la valeur approchée par défaut du quotient de 607 par 412 à 10^{-2} près, ou au centième près.)

2. VALEURS [valœr] n. f. pl. (même étym.). *Système de valeurs morales,* ensemble des règles de conduite, des lois jugées conformes à un idéal (ou norme), par une personne ou par une collectivité.

VALEUREUX, EUSE [valœrø, -øz] adj. (de *valeur*). Qui a de la vaillance, du courage (littér.) : *Se battre en soldat valeureux* (syn. COURAGEUX, HÉROÏQUE, VAILLANT [avant le nom]). ◆ **valeureusement** adv. (littér.) [syn. COURAGEUSEMENT, HÉROÏQUEMENT].

1. VALIDE [valid] adj. (lat. *validus,* bien portant). Qui est en bonne santé : *Je ne me sens pas encore bien valide* (syn. REMIS; fam. D'ATTAQUE).

2. VALIDE [valid] adj. (même étym.). Se dit d'une chose qui satisfait aux conditions légales requises : *Votre billet n'est valide que jusqu'au 29* (syn. BON, VALABLE; contr. PÉRIMÉ). ◆ **validité** n. f. **1.** Qualité de ce qui est valide : *Vérifier la validité d'un document* (contr. NULLITÉ). — **2.** Durée pendant laquelle un document est considéré comme valable : *Validité de trois mois.* ◆ **valider** v. t. Rendre ou déclarer valide : *Faire valider un papier* (syn. CERTIFIER, LÉGALISER). *Valider une décision* (syn. ENTÉRINER, HOMOLOGUER, RATIFIER; contr. ANNULER, INVALIDER). ◆ **validation** n. f. : *Procéder à la validation d'un acte.* ◆ **invalide** adj. Qui n'a pas les conditions requises par la loi : *Un mariage invalide.* ◆ **invalider** v. t. Rendre ou déclarer non valable : *Invalider une élection* (syn. ANNULER). ◆ **invalidation** n. f. : *Prononcer l'invalidation d'une élection.* ◆ **invalidité** n. f. : *L'invalidité d'un contrat.*

VALISE [valiz] n. f. (it. *valigia*). **1.** Petite malle qui se porte à la main. ‖ Fam. *Faire ses valises,* s'apprêter à partir. — **2.** *Valise diplomatique,* transport de colis par un courrier diplomatique et dispensé de toute visite douanière.

Valjean (Jean), héros des *Misérables**, roman de V. Hugo.

VALKYRIE ou **WALKYRIE.** *Myth.* Divinité scandinave du Destin des guerriers, messagère d'Odin.

VALLADOLID, v. d'Espagne (Castille-León), sur le Pisuerga; 330 000 hab. Université. Métallurgie (automobiles). La cathédrale (XVIe s.) illustre l'art de la Contre-Réforme en Espagne.

VALLAURIS, ch.-l. de cant. des Alpes-Maritimes, à 6 km au N.-E. de Cannes, près du golfe Juan; 21 200 hab. Poteries et céramiques, dont la production a été rénovée par Picasso.

VALLÉE [vale] n. f. (du lat. *vallis*). **1.** Dépression allongée, plus ou moins évasée, creusée par un cours d'eau ou par un glacier : *La vallée du Rhône.* — **2.** Dans une région montagneuse, désigne les parties moins élevées par rapport aux sommets et aux flancs de la montagne : *Les gens de la vallée.* ◆ **val** n. m. (plur. VALS; le plur. VAUX n'est plus guère employé que dans la loc. *par monts et par vaux*). **1.** Vallée très large : *Le Val de Loire.* — **2.** *Val perché,* dans le relief jurassien, vallée synclinale qui, par suite de l'action de l'érosion, se trouve à une altitude supérieure à celle des combes voisines. — **3.** *Par monts et par vaux,* de tous côtés. ◆ **vallon** n. m. Petite vallée : *Une région de coteaux et de vallons.* ◆ **vallonné, e** adj. Qui présente de nombreux vallons : *Une région vallonnée.* ◆ **vallonnement** n. m. Relief d'un terrain où il y a des vallons et des collines : *Le vallonnement de la Normandie.*

VALLE INCLÁN (Ramón DEL), écrivain espagnol (1869-1936).

Dans les *Sonates* (1902-1905), il raconte les aventures de son double, le marquis de Bradomín, « laid, catholique et sentimental », personnage qui reparaîtra dans une comédie (*le Marquis de Bradomín,* 1907) et dans trois romans (*Comme un vol de gerfauts,* 1908-1909).

Son sentiment du tragique le pousse à faire la caricature du monde réel dans ses *esperpentos* (épouvantails), courtes pièces en prose qui mettent en scène des personnages grotesques, affligés de difformités physiques ou morales.

VALLERY-RADOT (Louis **Pasteur**) → PASTEUR VALLERY-RADOT.

VALLERYSTHAL, localité de la Moselle (comm. de Trois-Fontaines). Verrerie d'art.

VALLÈS (Jules), écrivain et journaliste français (1832-1885). Défenseur des idées révolutionnaires, il écrit un livre-pamphlet (*l'Argent,* 1857). Chroniqueur à *l'Événement,* il rassemble ses articles (*la Rue,* 1867) et fonde un hebdomadaire auquel il donne ce même titre. Emprisonné au début de la guerre de 1870, il est libéré le 4 septembre et fonde *le Cri du peuple,* où il soutient avec ardeur les revendications de la population parisienne. Membre de la Commune, il prend part à la lutte jusqu'aux derniers jours. Réfugié ensuite à Londres, il ne rentre en France qu'en 1883. Il reste célèbre pour son roman autobiographique *Jacques Vingtras* (1879-1886), divisé en 3 parties : *l'Enfant, le Bachelier, l'Insurgé.*

VALLESPIR (le), région des Pyrénées orientales, parcourue par le Tech.

VALLET, ch.-l. de cant. de la Loire-Atlantique, à 24 km au S.-E. de Nantes; 5 800 hab. Vins (muscadet).

VALLOIRE, station de sports d'hiver de la Savoie (alt. 1 430-2 356 m).

VALLON n. m., **VALLONNÉ, E** adj., **VALLONNEMENT** n. m. → VALLÉE.

VALLORBE, v. de Suisse (Vaud); 4 000 hab. Gare internationale.

VALLORCINE, comm. de Haute-Savoie, à 15,5 km au N.-N.-E. de Chamonix. Centre touristique.

VALLOTTON (Félix), peintre français d'origine suisse (1865-1925). Spécialisé dans le noir et blanc de la gravure sur bois, il impose son talent nerveux et sarcastique par ses portraits symbolistes du *Livre des masques* de Remy de Gourmont (1896). Peintre pessimiste et amer, lié au groupe des nabis*, il évolue progressivement vers un style réaliste très fini, exprimé en teintes pâles. Il prend pour sujets des scènes d'intérieur, de grands nus qu'il traite de manière incisive, souvent féroce, des portraits, des paysages volontairement naïfs et stylisés, des natures mortes *(Intérieur, Femme se coiffant, la Maison au toit rouge).*

VALLOUISE, comm. des Hautes-Alpes, à 19,5 km au S.-O. de Briançon; 512 hab. — À proximité, station de sports d'hiver de *Vallouise-Pelvoux* (alt. 1 150-1 500 m).

VALMY, comm. de la Marne, à 11 km à l'O. de Sainte-Menehould; 290 hab.

• *20 sept. 1792. Victoire de Dumouriez et de Kellermann sur les Prussiens.*

VALOGNES, ch.-l. de cant. de la Manche, à 20 km au S.-E. de Cherbourg; 7 000 hab. Confection.

1. VALOIR [valwar] v. i. (lat. *valere*). [Conj. **40.**] **1.** (sujet nom de chose) Être estimé un certain prix : *Valoir cher, pas cher* (syn. COÛTER). ‖ *Valoir son pesant d'or,* coûter extrêmement cher, être très précieux. → ENCYCL. — **2.** (sujet nom de chose) Avoir une certaine utilité, de l'intérêt : *Tissu, matériau qui ne vaut rien* (= qui est de mauvaise qualité). *Nous verrons ce que vaut ce médicament* (= son efficacité). ‖ *Ne rien valoir pour qq'un, pour qqch.,* lui être contraire, néfaste : *Ce climat ne me vaut rien.* ‖ *Valoir pour qq'un,* le concerner : *Cette réflexion vaut pour les uns et pour les autres* (syn. INTÉRESSER). — **3.** (sujet nom de personne) *Faire valoir un bien, un capital,* le mettre en valeur, le faire fructifier : *Faire valoir une exploitation agricole.* ‖ *À valoir,* se dit d'une somme d'argent dont on tiendra compte ultérieurement : *Verser un acompte à valoir sur l'achat de qqch.* — **4.** Légitimer, justifier : *Ce spectacle vaut bien un détour* (syn. MÉRITER). ‖ *Valoir la peine,* être assez intéressant, assez important pour justifier la peine qu'on se donne à l'obtenir : *Ce travail vaut la peine qu'on le fasse sérieusement.* — **5.** Équivaloir à, égaler : *Une carte qui vaut trois points* (syn. COMPTER POUR). *La mer vaut bien la montagne.* ‖ *L'un vaut l'autre,* l'un n'est pas mieux que l'autre. — **6.** (sujet nom de personne) Avoir certaines qualités physiques, intellectuelles, morales : *Un acteur qui ne vaut rien* (= qui n'est pas bon). *Ce garçon ne vaut pas cher* (= est malhonnête, peu recommandable). — **7.** *Faire valoir un argument,* l'employer, le mettre en avant. ‖ *Faire valoir un droit,* l'exercer. ‖ *Faire valoir qq'un,* souligner ses mérites, le présenter sous un jour avantageux. ◆ v. t. Rapporter, faire avoir quelque chose (le part. passé s'accorde avec le compl. d'objet) : *Cette escapade lui a valu bien des reproches* (syn. PROCURER). → ENCYCL. ◆ ***se valoir*** v. pr. (sujet nom désignant des personnes ou des choses) Avoir la même valeur : *Deux voitures qui se valent.* ◆ **valable** adj. **1.** Se dit d'une monnaie, d'un argument, etc., qui a cours, qui peut être accepté, dont la valeur n'est pas contestée : *Passé cette date, les anciennes pièces ne seront plus valables. Un motif valable.* — **2.** Se dit d'une personne qui a les qualités requises pour accomplir quelque chose : *Rechercher un interlocuteur valable.* — **3.** Se dit d'une personne ou d'une chose à qui on reconnaît un certain mérite ou qui a une certaine importance : *Faire une œuvre valable* (= digne d'intérêt) [contr. CONTESTABLE]. ◆ **valablement** adv. : *Pour traiter valablement ce sujet, il faut dépouiller plus de deux mille documents* (syn. CONVENABLEMENT, CORRECTEMENT, HONNÊTEMENT).

— ENCYCL. Lorsque *valoir* signifie « avoir une valeur, coûter », le participe passé *valu* reste invariable : *Cette voiture ne vaut pas aujourd'hui les 5 000 francs qu'elle a valu autrefois.* Lorsqu'il est transitif et signifie « rapporter », le participe suit la règle d'accord avec l'auxiliaire *avoir : La gloire que ses exploits lui ont value. Ce succès lui a valu des compliments.*

2. VALOIR [valwar] v. impers. (même étym.). [Conj. **40.**] *Valoir mieux* (et l'infin.), être préférable de : *Il vaut mieux se taire que de dire des bêtises.*

VALOIS, pays de l'anc. France, sur l'Oise (r. g.); auj. dans les dép. de l'Aisne et de l'Oise.

VALOIS, branche des Capétiens qui régna sur la France de 1328 à 1589. On divise cette branche en *Valois directs,* de Philippe VI (1328) à Charles VIII (1498), en *Valois-Orléans,* représentés par Louis XII (1498-1515), en *Valois-Angoulême,* de François Ier (1515) à Henri III (1589).

VALORISATION n. f., **VALORISER** v. t. → VALEUR 1.

VALPARAÍSO, principal port du Chili, sur le Pacifique; 276 300 hab. Pêche. Centre industriel (conserveries, métallurgie) et commercial.

VALRÉAS, ch.-l. de cant. du Vaucluse, enclavé dans la Drôme, à 14 km à l'O. de Nyons; 8 800 hab. Métallurgie.

VALROMEY, anc. pays de France (dép. de l'Ain), cédé par la Savoie à la France (1601).

1. VALSE [vals] n. f. (de l'all. *Walzer*). **1.** Danse à trois temps, où les couples tournent sur eux-mêmes en se déplaçant. — **2.** Morceau de musique à trois temps, écrit pour un instrument ou un groupe d'instruments : *Jouer des valses de Chopin.* ◆ **valser** v. i. Danser une valse. ◆ **valseur, euse** n.

2. VALSE [vals] n. f. (de *valse* 1). *Fam.* Changement fréquent parmi les membres d'un bureau, d'un service : *La valse perpétuelle des chefs de bureau.* ◆ **valser** v. i. Fam. *Faire valser qq'un,* le déplacer, le renvoyer sans égards.

VALSE-HÉSITATION [valsezitasjɔ̃] n. f. *(valse-,* et *hésitation). Fam.* Hésitations successives et contradictoires dans la conduite de qq'un, d'un groupe. ‖ Pl. des *valses-hésitations.*

VALS-LES-BAINS, ch.-l. de cant. de l'Ardèche, à 5 km au N. d'Aubenas; 4 000 hab. Eaux minérales. Station thermale.

VALTELINE, en it. **Valtellina,** pays de l'Italie, formé par la haute vallée de l'Adda, en amont du lac de Côme.

• *1626. Richelieu empêche l'Espagne d'occuper ce passage entre la Lombardie et l'Allemagne du Sud.* (→ TRENTE ANS [*guerre de*].)

1. VALVE [valv] n. f. (lat. *valva,* battant de porte). **1.** Chacune des deux parties de la coquille de certains mollusques et crustacés. — **2.** *Bot.* Chacune des deux parties d'un fruit sec qui s'ouvre pour laisser échapper les graines.

2. VALVE [valv] n. f. (même étym.). **1.** Dispositif permettant le passage d'un fluide dans un seul sens : *Dévisser la valve pour gonfler un pneu.* — **2.** *Électr.* Dispositif à vide ou à semi-conducteur permettant de redresser un courant alternatif.

VALVULE [valvyl] n. f. (lat. *valvula*). Lame élastique fixée sur la paroi interne du cœur ou d'un vaisseau, ayant un bord libre, empêchant le sang ou la lymphe de revenir en arrière : *Valvule mitrale, sigmoïde.*

VAMP [vɑ̃p] n. f. (de *vampire*). Femme fatale : *Jouer les rôles de vamp au cinéma.*

1. VAMPIRE [vɑ̃pir] n. m. (all. *Vampir*). **1.** Mort qui, selon certaines superstitions, sort la nuit de sa tombe pour sucer le sang des vivants. — **2.** Personne qui s'enrichit aux dépens d'autrui : *Il lui soutire son argent comme un vampire.* ◆ **vampirisme** n. m. Avidité, désir de s'enrichir aux dépens d'autrui.

2. VAMPIRE [vɑ̃pir] n. m. (de *vampire* 1). Chauve-souris d'Amérique tropicale, en général insectivore, mais pouvant mordre des mammifères endormis et absorber un peu de leur sang.

1. VAN n. m. → VANNER 1.

2. VAN [vɑ̃] n. m. (mot angl.; abrév. de *caravan*). Voiture fermée destinée au transport des chevaux de course.

VAN ARTEVELDE (Jacob), brasseur et échevin de Gand (v. 1290-1345). Il donna le signal du soulèvement contre le comte de Flandre (1337); ayant obtenu la neutralité de la Flandre, il en assura la prospérité. Sa dure domination provoqua son assassinat par le peuple. — Son fils FILIPS (1340-1382) prit la tête de la révolte flamande de 1379. Il fut battu et tué à Rozebeke.

VANCOUVER, port du Canada (Colombie britannique), sur le détroit de Georgie, en face de l'île de Vancouver; 415 000 hab. Débouché du Canada sur l'océan Pacifique, c'est un grand centre commercial et industriel (métallurgie, raffineries de pétrole, industries chimiques et alimentaires), et la troisième ville du pays par sa population. (L'agglomération compte 1 200 000 hab.)

VANCOUVER *(île),* île canadienne de la côte de la Colombie britannique; 40 000 km². V. pr. *Victoria.*

VANCOUVER (George), navigateur anglais (1757-1798). Il assura la prise de possession anglaise sur le littoral ouest du Canada (1791-1795).

VANDALE [vɑ̃dal] n. m. (de *Vandales*). Personne qui détruit ou détériore des œuvres d'art ou des choses de valeur. ◆ **vandalisme** n. m. : *Faire acte de vandalisme.*

VANDALES, peuple germanique qui, mêlé à d'autres Barbares, envahit la Gaule, l'Espagne, puis, sous la conduite de Geiséric (428-477), l'Afrique, d'où il fut chassé en 534 par les Byzantins.

VANDALISME n. m. → VANDALE.

VAN DER GOES (Hugo), peintre flamand (v. 1440-1482). Il imprima au réalisme flamand la marque de son caractère angoissé. Son chef-d'œuvre est l'*Adoration des bergers.*

VAN DER HELST (Bartholomeus), peintre hollandais (1613-1670). Peintre officiel de la maison d'Orange, il fut un portraitiste en renom, exécutant surtout des portraits collectifs *(Banquet de la garde civique).*

VAN DER MEULEN (Adam Frans), peintre flamand (1632-1690). Appelé à la cour de Louis XIV par Le Brun, il représenta les chasses, les voyages et les campagnes militaires du roi.

VANDERVELDE (Émile), homme politique belge (1866-1938).

Socialiste, président de la IIe Internationale (1900), il fut ministre des Affaires étrangères (1925-1927).

VAN DER WAALS (Johannes Diderik), physicien hollandais (1837-1923). Il a étudié les forces d'attraction entre molécules. (Prix Nobel de physique, 1910.)

VAN DER WEYDEN (Rogier DE LA PASTURE, dit), peintre flamand (début du XVe s.-1464). Son œuvre est empreinte d'un caractère profondément religieux. Il est avec Van Eyck un des plus grands peintres flamands du XVe s. *(Descente de Croix, Triptyque Braque, Jugement dernier).*

VAN DE VELDE, nom de trois peintres hollandais du XVIIe s. Le plus fameux, WILLEM *le Jeune* (1663-1707), fut un peintre de marines.

VANDŒUVRE-LÈS-NANCY, ch.-l. de cant. de Meurthe-et-Moselle, à 4 km au S. de Nancy; 33 900 hab.

VAN DONGEN (Kees), peintre français d'origine néerlandaise (1877-1968). Un des représentants du fauvisme*, il connut un très grand succès comme portraitiste mondain, et se distingua par son amour des couleurs violentes et son non-conformisme. Son œuvre est un témoignage sur l'entre-deux guerres.

VAN DYCK (Antoine), en néerl. **Antoon Van Dijck**, peintre flamand (1599-1641). Élève de Rubens, il se fixa en Angleterre où il devint peintre de la cour de Charles Ier. Il a laissé des portraits élégants et raffinés, où il fait preuve d'une grande délicatesse de sentiment.

VÄNERN, le plus grand lac de Scandinavie (Suède), se déversant dans le Cattegat par le Göta älv; 5 585 km^2.

VAN EYCK (Jan), peintre flamand (v. 1390-1441). Un des fondateurs de la grande école flamande, il introduisit dans la peinture des techniques nouvelles. Ses scènes religieuses et ses portraits sont exécutés avec une précision de miniaturiste, mais aussi avec un sens merveilleux de la vie (utilisation des jeux de lumière, fraîcheur et éclat de la couleur). Son chef-d'œuvre est le retable de Saint-Bavon (Gand), *l'Agneau mystique.* Parmi ses autres œuvres, citons : *la Vierge du chanoine Van der Paele, la Vierge du chancelier Rolin, Arnolfini et sa femme.*

VAN GOGH (Vincent), peintre néerlandais (1853-1890). Fils de pasteur d'une famille modeste, il est d'abord employé dans une galerie de tableaux à La Haye, à Londres et à Paris (1869-1876), puis se sent bientôt attiré par la vocation religieuse.

- *1878. Il part comme évangéliste dans le Borinage* belge.*

Son action auprès des mineurs se solde par un échec qui l'atteint profondément.

- *1880. Il découvre sa vocation artistique et décide alors de s'y consacrer.*

Aidé par son frère Théo, il étudie le dessin et la peinture et exécute, en 1885, son premier grand tableau, *les Mangeurs de pommes de terre,* d'un style sombre et réaliste.

- *1885-1886. La découverte des estampes japonaises, à Anvers, et de l'impressionnisme*, à Paris, va modifier radicalement sa peinture.*

Il utilise des couleurs claires et fraîches, un dessin plus léger et emprunte la technique pointilliste des impressionnistes *(le Portrait du père Tanguy,* 1887). Il peint, pendant ce séjour à Paris, un grand nombre de tableaux (scènes de plein air, natures mortes, série d'autoportraits).

- *1888. Van Gogh quitte Paris pour s'installer à Arles.*

Il est émerveillé par la Provence, qui lui inspire des paysages aux couleurs pures et éclatantes (le jaune surtout). Abandonnant l'impressionnisme, il s'attache à rendre la netteté des contours, d'un trait vigoureux et précis *(le Pont de l'Anglais, les Tournesols, Barques sur la plage, Chambre à coucher à Arles).* Mais il est bientôt victime de crises nerveuses qui vont désormais l'obséder. De l'épisode tragique au cours duquel il se mutile à la suite d'une brouille avec Gauguin, provient l'étonnant portrait de *l'Homme à l'oreille coupée* (janvier 1889).

- *Mai 1889. Interné à l'asile de Saint-Rémy, il continue cependant à travailler.*

Il représente alors des paysages aux formes tourbillonnantes et disloquées *(les Blés jaunes, la Nuit étoilée).*

- *Mai 1890. Il s'installe à Auvers-sur-Oise, où il va peindre, avant de se suicider, ses meilleurs tableaux : «l'Église d'Auvers-sur-Oise», «la Mairie d'Auvers-sur-Oise», «le 14-Juillet» et «le Champ de blé aux corbeaux».*

La peinture de Van Gogh témoigne d'un souci constant de simplicité et d'harmonie, d'équilibre entre la forme et la couleur. Il s'est efforcé de retrouver les lignes significatives, essentielles, du dessin, et de donner à la couleur son maximum d'intensité, pour suggérer les émotions les plus vraies.

La peinture du XXe s. (et en particulier le fauvisme* et l'expressionnisme*) est en partie issue de son œuvre.

VAN GOYEN (Jan), peintre hollandais (1596-1656). L'un des premiers parmi les grands paysagistes hollandais, il traduisit, dans des tons sobres mais délicats, toute la poésie de la campagne hollandaise, de ses paysages aquatiques, souvent présentés sous une lumière de crépuscule.

VAN HELMONT (Jan Baptist), médecin et chimiste belge (1577-1644). Il découvrit le gaz carbonique et le suc gastrique, et inventa le thermomètre.

VANIKORO, île sous protectorat britannique de la Mélanésie, au N. de Vanuatu. C'est sur ses récifs que sombrèrent les navires de La Pérouse (1788).

VANILLE [vanij] n. f. (esp. *vainilla).* **1.** Fruit des régions tropicales qui se présente sous forme de gousse. — **2.** Substance aromatique contenue dans ce fruit : *Glace à la vanille.* ◆ **vanillé, e** adj. À la vanille : *Chocolat vanillé.* ◆ **vanillier** n. m. Plante des régions tropicales dont le fruit est la vanille. ◆ **vanilline** n. f. Principe odorant de la vanille, que l'on peut préparer par synthèse : *On utilise la vanilline en pâtisserie.*

VANITÉ n. f. → VAIN 1 et 2.

VANITEUSEMENT adv., **VANITEUX, EUSE** adj. et n. → VAIN 2.

VAN LOO ou **VANLOO,** famille de peintres français, dont les principaux représentants sont : JEAN-BAPTISTE (1684-1745), qui fut surtout un brillant portraitiste; CHARLES ANDRÉ, dit *Carle,* frère du précédent (1705-1765), premier peintre de Louis XV.

VAN MUSSCHENBROEK (Petrus), physicien hollandais (1692-1761), inventeur de la *bouteille de Leyde,* premier condensateur électrique.

VANNAGE n. m. → VANNER 1.

1. VANNE [van] n. f. (bas lat. *venna).* Porte mobile servant à régler l'écoulement d'un fluide : *Ouvrir les vannes d'une écluse.*

2. VANNE [van] n. f. (de *vanne* 1). Pop. *Envoyer une vanne à qq'un,* dire une méchanceté à son adresse.

VANNE (la), riv. du Bassin parisien, affl. de l'Yonne (r. dr.); 58 km. Une partie de ses eaux sert à l'alimentation de Paris.

VANNÉ, E adj. → VANNER 2.

VANNEAU [vano] n. m. (de *van).* Oiseau échassier, commun en Europe.

1. VANNER [vane] v. t. (bas lat. *vannare).* Trier, nettoyer les grains en les secouant : *Vanner le blé.* ◆ **van** [vɑ̃] n. m. Sorte de panier d'osier à fond plat, large, muni de deux anses, qui sert pour le nettoyage des grains. ◆ **vannage** n. m. : *Le vannage du blé.* ◆ **vanneur, euse** n. Personne qui trie les grains. ◆ **vanneuse** n. f. Machine servant à vanner.

2. VANNER [vane] v. t. (orig. obscure). *Fam.* Fatiguer extrêmement : *Cette escalade m'a vanné* (syn. pop. CREVER). ◆ **vanné, e** adj. Fam. : *Il est rentré chez lui complètement vanné* (syn. fam. ÉREINTÉ, FOURBU).

VANNERIE [vanri] n. f. (de *vanner).* **1.** Fabrication des objets en osier, rotin, etc. — **2.** Objet fabriqué par le tressage à la main de tiges flexibles. ◆ **vannier** n. m. Ouvrier qui travaille l'osier et le rotin pour fabriquer divers objets.

VANNES, ch.-l. du dép. du Morbihan, à 469 km à l'O.-S.-O. de Paris; 45 400 hab. *(Vannetais).* École d'officiers et sous-officiers de réserve. Tréfilerie.

VANNEUR, EUSE n. → VANNER 1.

VANNIER n. m. → VANNERIE.

VANOISE *(massif de la),* massif des Alpes, entre les vallées de l'Arc et de l'Isère; 3 852 m. Parc national (52 800 ha).

VAN ORLEY (Bernard), peintre flamand (v. 1488-1541). Il imposa le style italien à la peinture bruxelloise. On lui doit des compositions religieuses et des cartons de tapisserie, dont ceux des célèbres *Chasses de Maximilien.*

VAN OSTADE (Adriaen), peintre hollandais (1610-1684), auteur de scènes d'intérieur *(le Cabaret).* — ISAAC, son frère (1621-1649), fut un paysagiste.

VAN RUUSBROEC ou **VAN RUYSBROEK** (le *bienheureux* Jan), dit **l'Admirable**, théologien et écrivain brabançon (1293-1381). Ses écrits mystiques comptent parmi les premiers chefs-d'œuvre de la langue néerlandaise.

VANTAIL, VANTAUX [vɑ̃taj, vɑ̃to] n. m. (de *vent).* Châssis ouvrant d'une porte ou d'une croisée : *Une porte à double vantail.*

VANTER [vɑ̃te] v. t. (bas lat. *vanitare,* être vain). *Vanter qq'un, qqch.,* le présenter en termes élogieux : *On nous avait beaucoup vanté ce médecin* (= on nous avait chanté ses louanges). *Vanter les mérites de qq'un* (syn. CÉLÉBRER, EXALTER). *Vanter un procédé de construction, un médicament* (syn. PRÉCONISER, PRÔNER). ◆ **se**

vanter v. pr. **1.** S'attribuer des qualités, des mérites que l'on n'a pas : *Elle se vante tout le temps. Sans me vanter* (= je le dis sans exagérer mes mérites) [syn. SE FLATTER]. *Il n'y a pas de quoi se vanter* (syn. ÊTRE FIER). — **2.** *Se vanter de* (avec un nom ou un infin.), se glorifier de quelque chose, en exagérant ses mérites : *Se vanter de ses succès auprès des femmes* (syn. TIRER VANITÉ DE). ‖ *Ne pas s'en vanter, ne pas se vanter de qqch.*, passer sous silence une faute, une maladresse qu'on a commise. — **3.** *Se vanter de* (et un infin.), se faire fort de : *Il s'était vanté de gagner cette course, et il est arrivé cinquième.* ◆ **vantard, e** adj. et n. Qui aime à se glorifier, à se faire valoir : *Ce garçon est un vantard* (syn. FANFARON, HÂBLEUR; fam. BLUFFEUR). ◆ **vantardise** n. f. **1.** Caractère de celui qui se fait valoir sans retenue : *Être d'une insupportable vantardise* (syn. HÂBLERIE). — **2.** Acte, parole par lesquels on cherche à se faire valoir : *Une vantardise de plus* (syn. EXAGÉRATION, FANFARONNADE). [→ aussi FAT, ORGUEIL.]

VANUATU → NOUVELLES-HÉBRIDES.

VA-NU-PIEDS [vanypje] n. m. inv. *(va, nu,* et *pieds). Péjor.* Mendiant : *Faire l'aumône à un va-nu-pieds.*

VANVES, ch.-l. de cant. des Hauts-de-Seine, au S. de Paris; 23 000 hab. Centre national d'enseignement à distance.

1. VAPEUR [vapœr] n. f. (lat. *vapor*). **1.** *Phys.* Gaz provenant du changement d'état physique d'un solide ou d'un liquide : *Vapeur sèche, vapeur saturante.* — **2.** *Vapeur d'eau*, ou *vapeur*, eau portée à l'état d'ébullition : *Des légumes à la vapeur* (= cuits dans une marmite sous pression). — **3.** Énergie obtenue par la machine à vapeur (d'eau) : *L'électricité a souvent remplacé la vapeur.* ‖ *Machine, bateau à vapeur*, machine, bateau qui utilisent la force d'expansion de l'eau. → ENCYCL. — **4.** Corps gazeux qui s'élève des objets humides, par l'effet de la chaleur ou qui s'exhale dans l'atmosphère : *La cuisine est pleine de vapeur* (syn. BUÉE). *Des vapeurs d'essence.* — **5.** Fam. *À toute vapeur*, très vite : *Je file à toute vapeur.* ‖ Fam. *Renverser la vapeur* → RENVERSER. ◆ n. m. Bateau à vapeur. ◆ **vaporiser** v. t. Faire passer de l'état liquide à l'état gazeux : *Vaporiser un liquide à la température normale* (syn. GAZÉIFIER). ◆ **vaporisation** n. f. Transformation d'un liquide en gaz.

— ENCYCL. Sous la pression atmosphérique normale, une goutte d'eau transformée en *vapeur* occupe un volume 1 700 fois plus important qu'à l'état liquide; il en résulte une force d'expansion qui a été mise à profit comme force motrice. À 100 °C, la pression de la vapeur d'eau saturante (en équilibre avec le liquide) est d'une atmosphère* (1,033 kg/cm^2) et cette pression augmente rapidement avec la température.

Un Français, Salomon de Caus, eut, dès 1615, l'idée d'employer la vapeur à la production de force motrice. Puis Denis Papin, également français, imagina la première machine à piston. Enfin, l'Anglais James Watt perfectionna à un tel point cet appareil qu'on peut lui rapporter presque tout le mérite de l'invention.

La vapeur qui sert à l'alimentation d'une machine à vapeur est produite dans une chaudière; elle est ensuite utilisée pour actionner soit un piston à mouvement alternatif, soit une turbine, et s'échappe finalement dans l'atmosphère ou dans un condenseur. Les machines à vapeur à mouvement alternatif ont été remplacées, dans les petites et moyennes industries, par les moteurs à combustion interne (diesels) et surtout par les moteurs électriques.

2. VAPEURS [vapœr] n. f. pl. (de *vapeur* 1). **1.** Troubles et malaises divers : *Avoir des vapeurs* (syn. BOUFFÉES DE CHALEUR). — **2.** Se dit de tout ce qui peut monter à la tête et étourdir (littér.) : *Les vapeurs du vin.*

VAPOREUX, EUSE [vaporø, -øz] adj. (de *vapeur*). **1.** Se dit de ce qui est léger et flou : *Une robe vaporeuse en mousseline* (syn. GONFLANT). — **2.** Dont l'éclat est voilé comme par de la vapeur : *Une lumière vaporeuse.* ◆ **vaporeusement** adv.

VAPORISATEUR n. m. → VAPORISER 2.

VAPORISATION n. f. → VAPEUR 1 et VAPORISER 2.

1. VAPORISER v. t. → VAPEUR 1.

2. VAPORISER [vaporize] v. t. (de *vapeur*). Disperser un liquide et le projeter en fines gouttelettes : *Vaporiser un parfum, un produit insecticide* (syn. PULVÉRISER). ◆ **vaporisateur** n. m. Petit pulvérisateur (syn. ATOMISEUR). ◆ **vaporisation** n. f. : *Faire une ou deux vaporisations dans le nez* (syn. PULVÉRISATION).

1. VAQUER [vake] v. t. ind. (lat. *vacare*, être vide). *Vaquer à qqch.*, s'en occuper, s'y appliquer : *Vaquer aux soins du ménage.*

2. VAQUER v. i. → VACANCE 1.

VAR (le), fl. de la Provence orientale, qui s'écoule presque entièrement dans les Alpes-Maritimes et se jette dans la Méditerranée; 120 km.

VAR (83), dép. du sud-est de la France (Région Provence-Alpes-Côte d'Azur); 5 973 km^2; 708 300 hab. (118 au km^2) [France : 103]. Ch.-l. *Toulon.*

ADMINISTRATION. 3 arrond. (*Brignoles*, 63 300 hab.; *Draguignan*, 186 700 hab. ; *Toulon*, 458 300 hab.). / 41 cant. / 153 comm.

La moitié sud du département est occupée principalement par les massifs des *Maures* et de l'*Esterel*, séparés par la basse vallée de l'Argens, dont le cours moyen et supérieur limite au S. les plaines et chaînons calcaires des *Préalpes de Provence*. L'altitude dépasse le plus souvent 400 m (fréquemment 700 m dans le nord du

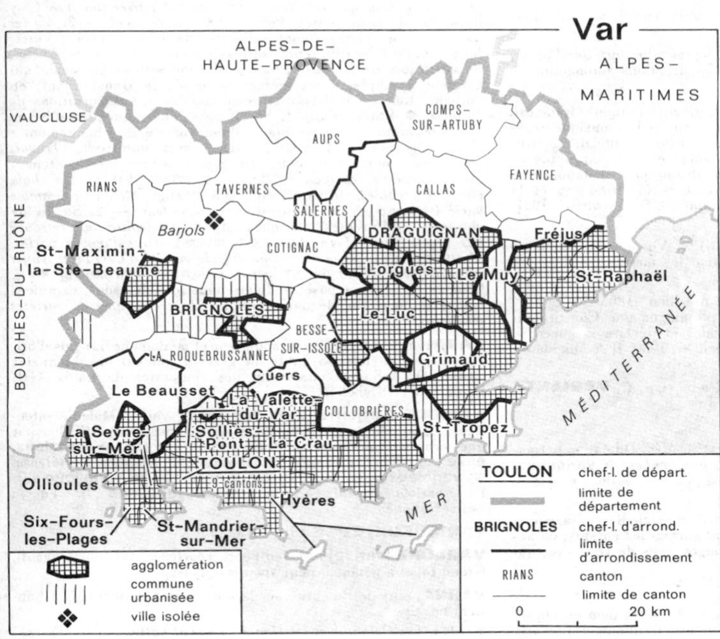

LOCALITÉS PRINCIPALES	NOMBRE D'HAB.
Toulon	181 400
La Seyne-sur-Mer	58 100
Hyères	41 700
Fréjus	32 700
Draguignan	28 200
Six-Fours-les-Plages	25 600
Saint-Raphaël	24 300
La Garde	19 800
La Valette-du-Var	18 400
Sanary-sur-Mer	11 700

département). Les précipitations sont relativement denses, mais très réduites pendant l'été, chaud et ensoleillé.

L'*agriculture* emploie moins du dixième de la population active. L'élevage bovin au N. et la vigne ont longtemps été presque exclusifs, mais les cultures légumières et fruitières se développent grâce à l'irrigation.

L'*industrie*, assez peu importante, n'occupe que le tiers de la population active. Le département fournit cependant la majeure partie de la bauxite française. La prépondérance du *secteur tertiaire* est liée en partie au développement du tourisme surtout sur le littoral (Saint-Tropez notamment), qui concentre la majeure partie de la population. La principale agglomération, Toulon, regroupe plus de 60 p. 100 de la population départementale.

La croissance de Toulon explique le net accroissement démographique du département intervenu notamment, depuis 1962, avec le retour des Français d'Algérie. Dans le même temps, plusieurs cantons ruraux du Nord ont enregistré un recul de leur population.

VARAN [varɑ̃] n. m. (ar. *waran*). Reptile saurien carnivore de grande taille, dont on trouve des représentants en Afrique, Asie, Australie, Malaisie.

VARANGÉVILLE, comm. de Meurthe-et-Moselle, à 12,5 km au S.-E. de Nancy, sur la Meurthe et le canal de la Marne au Rhin; 4 100 hab. Salines.

VARAPPE [varap] n. f. (de *Varappe*, nom d'un couloir rocheux du Salève, où les alpinistes s'entraînent à l'escalade des rochers). Escalade de rochers : *Faire de la varappe à Fontainebleau.* ◆ **varappeur, euse** n. Alpiniste spécialiste de la varappe.

VARDAR (le), fl. des Balkans, qui arrose la Yougoslavie et la Macédoine grecque et se jette dans la mer Égée; 388 km.

VARECH [varɛk] n. m. (anc. angl. *wraec*). Ensemble des algues marines rejetées sur les plages par les vagues : *Le varech est utilisé comme engrais ou pour l'extraction de matières premières pharmaceutiques (iode) ou industrielles (potasse).*

VARÈGUES, tribu scandinave qui, pendant la seconde moitié du IXe s., pénétra en Russie et soumit les Finnois et les Slaves.

VARENGEVILLE-SUR-MER, comm. de la Seine-Maritime, à 9 km à l'O. de Dieppe. Station balnéaire; 1 000 hab.

VARENNES-EN-ARGONNE, ch.-l. de cant. de la Meuse, à 30 km au N.-E. de Sainte-Menehould, sur l'Aire; 700 hab.

• *22 juin 1791. Louis XVI y est arrêté alors qu'il fuyait vers l'étranger.*

VARENNES-SUR-ALLIER, ch.-l. de cant. de l'Allier, à 11 km à l'E. de Saint-Pourçain; 4 900 hab.

VARENNES-VAUZELLES, comm. de la Nièvre, à 6 km au N. de Nevers; 10 100 hab.

VARÈSE, v. d'Italie (Lombardie), près du *lac de Varèse;* 91 000 hab. Palais d'Este (XVIIIe s.). Constructions aéronautiques. Appareils ménagers.

VARESE (Edgar), compositeur américain d'origine française (1885-1965), considéré comme un précurseur de la « musique expérimentale ». Certaines de ses œuvres n'utilisent que des instruments de percussion, et leurs titres sont souvent empruntés au monde scientifique. Il est également un des premiers compositeurs à utiliser dans l'orchestre des instruments électroniques et la musique sur bande magnétique (*Arcana*, 1927; *Ionisation*, 1931; *Poème électronique*, 1958).

VAREUSE [varøz] n. f. (orig. incert.). **1.** Veste assez ample. — **2.** Blouson de grosse toile que revêtent les marins. — **3.** Veste ajustée d'uniforme : *Une vareuse kaki.*

VARGAS (Getúlio), homme d'État brésilien (1883-1954). Président de la République en 1934, il promulgua une Constitution autoritaire, réalisa des réformes sociales et déclara la guerre à l'Axe (1942). Déposé en 1945, il fut réélu en 1950. Il se suicida en 1954.

VARIABILITÉ n. f., **VARIABLE** adj. et n. f., **VARIANTE** n. f., **VARIATEUR** n. m. → VARIER 1.

VARIATION n. f. → VARIER 1 et 2.

VARICE [varis] n. f. (lat. *varix, varicis*). *Méd.* Dilatation permanente d'une veine : *Souffrir de varices aux jambes.* ◆ **variqueux, euse** adj. Qui a rapport ou qui est dû aux varices : *Ulcère variqueux.*

VARICELLE [varisɛl] n. f. (de *variole*). Maladie contagieuse, sans gravité, due à un virus, atteignant surtout les enfants, caractérisée par une éruption de taches rouges, puis de vésicules, qui disparaissent en une dizaine de jours.

VARIÉ, E adj. → VARIER 2.

1. VARIER [varje] v. i. (lat. *variare*). **1.** (sujet nom de chose) Présenter des changements plus ou moins fréquents : *Les prix varient du simple au double* (syn. ALLER, S'ÉCHELONNER). *La couleur des images varie du blanc au gris le plus sombre* (syn. PASSER). — **2.** Présenter des différences : *Les rites du mariage varient selon les religions, les pays* (syn. DIFFÉRER). — **3.** (sujet nom de personne) Changer d'attitude, d'opinion : *Je n'ai jamais varié à ce sujet.* — **4.** (sujet nom désignant des personnes) Être d'un avis différent : *Les médecins varient dans le choix du traitement* (syn. DIVERGER; contr. CONCORDER). — **5.** *Math.* Changer de valeur. ◆ **variable** adj. **1.** Qui est sujet au changement, qui varie facilement, fréquemment : *Le temps est variable* (syn. CHANGEANT). *Avoir une humeur variable* (contr. CONSTANT). *La récolte est variable selon les années* (syn. INÉGAL). — **2.** Gramm. *Mot variable*, dont la forme varie selon la fonction, le genre, le nombre. — **3.** (avec un nom au plur.) Divers : *Les résultats de l'enquête sont très variables d'une région à l'autre* (syn. DIFFÉRENT; contr. CONSTANT, IDENTIQUE, INVARIABLE). ◆ n. f. *Math.* Grandeur susceptible de prendre des valeurs différentes. → ENCYCL. ◆ **variabilité** n. f. : *La variabilité d'un adjectif.* ◆ **invariable** adj. **1.** Qui ne change pas : *L'ordre invariable des saisons.* — **2.** Qui n'est jamais altéré, troublé : *Une invariable bonne humeur.* — **3.** Gramm. *Mot invariable*, mot dont la désinence ne subit aucun changement : *Les adverbes, les conjonctions, les prépositions et les interjections sont des mots invariables.* ◆ **invariablement** adv. De façon invariable. ◆ **invariabilité** n. f. ◆ **variante** n. f. **1.** Texte d'un auteur qui diffère de celui qui est communément admis : *Édition complète d'une œuvre, avec variantes* (= les différentes versions). — **2.** Chose qui diffère légèrement d'une autre de la même espèce : *Ce modèle de voiture est une variante du modèle précédent* (= une nouvelle version). ◆ **variation** n. f. **1.** Changement de degré ou d'aspect d'une chose : *Variations brusques de température* (syn. CHANGEMENT). *Variations d'humeur* (syn. SAUTE). *Variation de prix* (syn. ÉCART). — **2.** (au plur.) Transformations : *Doctrine qui a subi de nombreuses variations au cours des siècles* (syn. CHANGEMENT). — **3.** *Biol.* Changement apparaissant chez certains individus d'une même espèce, animale ou végétale. ◆ **variateur** n. m. *Variateur de vitesse*, appareil permettant de transmettre le mouvement d'un arbre à un autre arbre avec la possibilité de modifier, de façon continue, la vitesse de rotation de ce dernier. ◆ **variété** n. f. En sciences naturelles, subdivision de l'espèce, dont les représentants possèdent un caractère commun qui les différencie des autres individus de la même espèce.

— ENCYCL. Exemple de *variable* : f étant une fonction définie par $f : \mathbb{R} \mapsto \mathbb{R}$

$$x \mapsto f(x) = 3x - 2;$$

x est la variable.

2. VARIER [varje] v. t. (même étym.). **1.** *Varier une chose*, lui donner différents aspects : *Varier la décoration d'une maison, le programme d'un spectacle* (syn. DIVERSIFIER). *Varier son style* (= y introduire de la diversité). *Varier un thème musical.* — **2.** *Varier des choses*, les changer contre d'autres de même espèce : *Varier les menus* (= faire différentes sortes de menus). *Varier les plaisirs.* ◆ **variation** n. f. *Mus.* Procédé de composition musicale qui consiste à employer un même thème en le transformant, en l'ornant, tout en le laissant reconnaissable : *Les variations de Brahms.* ◆ **varié, e** adj. **1.** Se dit d'une chose qui présente une diversité naturelle ou résultant d'une volonté de changement : *Paysage varié* (syn. ACCIDENTÉ, DIVERS; contr. MONOTONE). *Travail très varié* (contr. ROUTINIER). *Un répertoire varié* (= contenant divers numéros, morceaux, etc.) [syn. ÉTENDU, VASTE]. *Un choix varié de meubles, de tissus*, etc. (syn. GRAND). *Menu, programme varié* (= composé de choses très différentes). — **2.** Se dit de choses très différentes entre elles : *Après leur départ, on a retrouvé des objets variés* (syn. DIFFÉRENT, DIVERS). *Hors-d'œuvre variés.* ◆ **variété** n. f. Diversité : *Une grande variété d'ouvrages. Aimer la variété* (syn. CHANGEMENT; contr. MONOTONIE, UNIFORMITÉ). ◆ n. f. pl. Spectacle composé de divers numéros (chansons, exercices d'adresse, musique de danse, etc.) : *Un programme de variétés télévisées.*

VARIN ou **WARIN** (Jean), sculpteur et médailleur français d'origine liégeoise (1604-1672). Il fut graveur général des Monnaies (1646). On lui doit notamment des sculptures de Louis XIII, Louis XIV et Richelieu.

VARIOLE [varjɔl] n. f. (du lat. *varius*, varié). Maladie infectieuse, épidémique et contagieuse, caractérisée en particulier par une éruption boutonneuse (syn. PETITE VÉROLE). ◆ **varioleux, euse** adj. Qui a rapport à la variole : *Éruption varioleuse.* ◆ **varioleux** n. m. Sujet atteint de la variole. ◆ **variolique** adj. De la variole : *Pustule variolique.* ◆ **antivariolique** adj. : *Vaccin antivariolique.*

VARIQUEUX, EUSE adj. → VARICE.

VARLOPE [varlɔp] n. f. (du néerl. *voorloper*, qui court devant). Grand rabot à poignée, pour aplanir le bois.

VARNA, port de Bulgarie, sur la mer Noire; 295 000 hab. Chantiers navals.

• *1444. Les Polonais et les Hongrois y sont battus par les Turcs.*

VARRON, en lat. **Terentius Varro,** consul romain du IIIe s. av. J.-C., collègue de Paul Émile.
• *216 av. J.-C. Il perd la bataille de Cannes contre Hannibal.*

VARRON, en lat. **Marcus Terentius Varro,** écrivain latin (116-27 av. J.-C.). Avocat à Rome, il est chargé par César d'organiser des bibliothèques publiques. De son œuvre encyclopédique, nous ne possédons que les trois livres d'un traité d'économie rurale, une partie d'un traité de philologie et des fragments d'ouvrages historiques.

VARS *(col de),* col des Alpes, au S. de Guillestre; 2 111 m. — À proximité, station de sports d'hiver (alt. 1 670-2 580 m).

VARSOVIE, en polon. **Warszawa,** capit. de la Pologne, sur la Vistule; 1 641 000 hab. Située à un carrefour de communications, Varsovie est un grand centre commercial et industriel (métallurgie). Après les destructions de la Seconde Guerre mondiale, elle a été presque entièrement reconstruite, et l'on a restitué au centre historique son ancien aspect.

Varsovie *(pacte de),* accords militaires conclus en 1955 entre l'Albanie, la Bulgarie, la Hongrie, la Pologne, la Roumanie, la Tchécoslovaquie et l'U. R. S. S. (puis l'Allemagne de l'Est en 1956). En 1968 l'Albanie s'en retire. En 1985, le pacte est reconduit pour vingt ans mais, à la suite des bouleversements survenus dans les pays de l'Europe de l'Est en 1989-90, l'organisation se désagrège. Après avoir perdu, en 1990, la R. D. A., le pacte est dissous en 1991.

VARVE [varv] n. f. (du suéd. *varvig,* rayé). *Sédiment, argile à varves,* dépôts qui se sont formés dans les eaux tranquilles en avant des grands glaciers quaternaires : *La couleur du dépôt étant différente en été et en hiver, le dénombrement des varves permet d'évaluer la durée de la glaciation.*

VASARELY (Victor), peintre français d'origine hongroise, né en 1908. En 1930, il se fixe à Paris et se consacre à la création graphique. En 1944, il se tourne vers la peinture, tout en pratiquant la tapisserie, la sérigraphie, la lithographie. Son art, purement abstrait, exprimé le plus souvent en noir et blanc ou en deux couleurs avec leur gamme de tons dégradés, est fait d'éléments géométriques répétés mais animés de légers décalages qui provoquent un effet de surprise. Musée à Gordes (Vaucluse).

VASARI (Giorgio), peintre, architecte et historien italien (1511-1574). Il a exécuté d'importants travaux à Rome (fresques du Vatican) et à Florence. Il est également l'auteur du recueil des *Vies des plus excellents peintres, sculpteurs et architectes.*

VASCONS, peuple qui s'établit au VIIe s. au N. des Pyrénées. Ce nom est le même que celui de *Gascons* ou de *Basques.*

VASCULAIRE [vaskylɛr] adj. (du lat. *vasculum,* vaisseau). **1.** *Anat.* Relatif aux vaisseaux : *Le système vasculaire sanguin.* — **2.** Bot. *Plantes vasculaires,* plantes supérieures ayant des racines et des vaisseaux où circule la sève. → ENCYCL. ◆ **vascularisation** n. f. *Anat.* Développement ou disposition des vaisseaux dans un organe. ◆ **vascularisé, e** adj. *Anat.* Qui contient des vaisseaux : *Tissu vascularisé.*
— ENCYCL. Les *plantes vasculaires* comprennent les *ptéridophytes* ou *cryptogames vasculaires* (fougères, prêles), et les *spermaphytes* ou *phanérogames,* qui sont les plantes à graines.

1. VASE [vɑz] n. m. (lat. *vas*). **1.** Récipient de forme et de matière variées, souvent utilisé pour mettre des fleurs. — **2.** *Vase de nuit,* pot de chambre. ‖ *Vases communicants,* récipients qu'un tuyau fait communiquer entre eux par la base, et dans lesquels un liquide s'élève au même niveau, quelle que soit leur forme.

2. VASE [vɑz] n. f. (néerl. *wase*). Boue qui se dépose au fond des eaux : *Cet étang est plein de vase* (syn. LIMON). ◆ **vaseux, euse** adj. : *Un fond vaseux.* ◆ ***envaser (s')*** v. pr. **1.** (sujet nom de chose) Se remplir de vase : *Un canal qui s'envase.* — **2.** (sujet nom de chose) S'enfoncer dans la vase : *Une barque échouée qui s'envase.* ◆ **envasement** n. m. : *L'envasement du port gêne le trafic.*

VASELINE [vazlin] n. f. (de l'all. *Wasser,* eau, et gr. *elaion,* huile). Graisse minérale, translucide, extraite du résidu de la distillation des pétroles, utilisée en pharmacie et en parfumerie. ◆ **vaseliner** v. t. Enduire de vaseline.

1. VASEUX, EUSE adj. → VASE 2.

2. VASEUX, EUSE [vazø, -øz] adj. (de *vase* 2). **1.** *Pop.* Se dit d'une personne en mauvais état de santé, fatiguée : *Se sentir vaseux* (syn. MAL EN POINT; fam. MAL FICHU). — **2.** *Pop.* Se dit d'une chose abstraite qui manque de clarté, de précision : *Des idées vaseuses* (contr. NET).

VASISTAS [vazistɑs] n. m. (de l'all. *was ist das?,* qu'est-ce?). Ouverture, munie d'un petit vantail mobile, dans une porte ou une fenêtre : *Fermer un vasistas.*

VASO-CONSTRICTEUR [vazokɔ̃striktœr] adj. m. (du lat. *vas,* canal, et *constringere,* serrer). Qui diminue le calibre des vaisseaux sanguins : *Un médicament vaso-constricteur.* ◆ **vaso-constriction** n. f.

VASO-DILATATEUR [vazodilatatœr] adj. m. (du lat. *vas,* canal, et *dilatare,* élargir). Qui augmente le calibre des vaisseaux sanguins. ◆ **vaso-dilatation** n. f.

VASO-MOTEUR, TRICE [vazomotœr, -tris] adj. (du lat. *vas,* canal, et *motor,* en mouvement). **1.** *Nerfs vaso-moteurs,* nerfs qui déterminent la contraction ou le relâchement des vaisseaux. → ENCYCL. — **2.** *Troubles vaso-moteurs,* troubles circulatoires dus à un relâchement des vaisseaux (rougeur) ou à leur constriction (pâleur), en rapport avec des troubles fonctionnels du système nerveux végétatif.
— ENCYCL. Les *nerfs vaso-moteurs* sont issus soit du système orthosympathique (vaso-constricteurs), soit du système parasympatique (vaso-dilatateurs).

VASQUE [vask] n. f. (it. *vasca*). **1.** Bassin ornemental peu profond, qui reçoit et parfois laisse déborder les eaux d'une fontaine. — **2.** Nom donné parfois à une coupe large et peu profonde, servant à la décoration d'une table : *Une vasque pleine de fleurs.*

VASSAL, E, AUX [vasal, -so] adj. et n. (du bas lat. *vassus,* serviteur). **1.** Au temps de la féodalité, personne liée à son seigneur (ou suzerain) par une obligation d'assistance et qui bénéficiait de sa protection. — **2.** Se dit d'une personne, d'une communauté, d'une entreprise qui est sous la dépendance totale d'une autre : *Un pays qui dicte sa loi aux peuples vassaux.* ◆ **vassalité** n. f. Condition de vassal.

VASTE [vast] adj. (lat. *vastus*) [généralement avant le nom]. **1.** Se dit de ce qui a une très grande étendue : *Une vaste plaine* (syn. ↑IMMENSE). — **2.** Spacieux, large : *Une pièce assez vaste* (syn. GRAND). — **3.** Important, de grande envergure (avec un nom abstrait) : *Faire preuve de vastes connaissances* (syn. AMPLE, ÉTENDU). *Le sujet de cet ouvrage est très vaste* (contr. LIMITÉ).

VATÉ, île de l'archipel de Vanuatu. Manganèse.

VATEL, maître d'hôtel du Grand Condé, mort en 1671. Lors d'une visite de Louis XIV à ce dernier, Vatel se donna la mort, le poisson destiné au repas n'étant pas arrivé.

VATICAN *(État de la cité du),* État devenu indépendant depuis les accords de Latran (1929) entre l'Italie et la papauté; 800 hab.
C'est le lieu de résidence du pape. Il se compose d'un territoire de 44 ha, qui comprend la place et la basilique Saint-Pierre, le palais du Vatican et ses annexes, les jardins du Vatican. S'ajoute à ce domaine la pleine propriété de douze bâtiments, à Rome et à Castel Gandolfo. Le pape exerce ses pouvoirs par l'intermédiaire d'une Commission pontificale, présidée par un cardinal, et d'un gouverneur, chef de la gendarmerie pontificale, assisté d'un Conseil central.

Vatican *(palais du),* résidence des papes à Rome. C'est une réunion de constructions de dates diverses, dont l'ordonnance architecturale actuelle est l'œuvre de Bramante. Le Vatican abrite un très important musée ainsi qu'une bibliothèque contenant plus de 60 000 manuscrits et environ 700 000 imprimés. C'est au Vatican que se trouvent la chapelle Sixtine, les Loges et les Chambres de Raphaël.

Vatican *(premier concile du)* [Vatican I], concile œcuménique tenu à Rome du 8 décembre 1869 au 18 juillet 1870, sous Pie IX, et où fut proclamé le dogme de l'infaillibilité pontificale.

Vatican *(deuxième concile du)* [Vatican II], concile œcuménique tenu à Rome, en quatre sessions (1962-1965), sous les pontificats de Jean XXIII et de Paul VI. Ce concile, réuni pour assurer le renouveau de l'Église face au monde moderne et pour préparer l'unité chrétienne, s'est déroulé en présence de nombreux observateurs non catholiques.

VATICANE [vatikan] adj. f. Qui se rapporte au Vatican.

VATICINER [vatisine] v. i. (lat. *vaticinari;* de *vates,* devin). *Péjor.* S'exprimer par une sorte de délire verbal, déraisonner (littér.). ◆ **vaticinations** n. f. pl. : *Les vaticinations d'un orateur prétentieux et vain* (syn. ÉLUCUBRATIONS).

VA-TOUT [vatu] n. m. inv. *(va,* et *tout). Jouer son va-tout,* jouer le tout pour le tout.

VÄTTERN, lac de Suède, se déversant dans la Baltique; 1 900 km².

VAUBAN (Sébastien LE PRESTRE DE), maréchal de France (1633-1707). Nommé commissaire général des fortifications (1678), il perfectionna la défense des villes et dirigea lui-même de très nombreux sièges (notamment ceux de Lille, 1667, et de Philippsburg, 1688). Mais il perdit la faveur du roi à la suite de ses critiques à l'égard de la politique générale. Un *Projet de dîme royale,* publié sans autorisation (1707), fut saisi peu avant sa mort.

VAUCANSON (Jacques DE), mécanicien français (1709-1782). Il a construit de célèbres automates *(le Joueur de flûte traversière, le*

LOCALITÉS PRINCIPALES	NOMBRE D'HAB.
Avignon	91 500
Orange	27 500
Carpentras	25 900
Cavaillon	20 800
Sorgues	17 100
L'Isle-sur-la-Sorgue	13 200
Le Pontet	13 100
Bollène	12 700
Pertuis	12 400

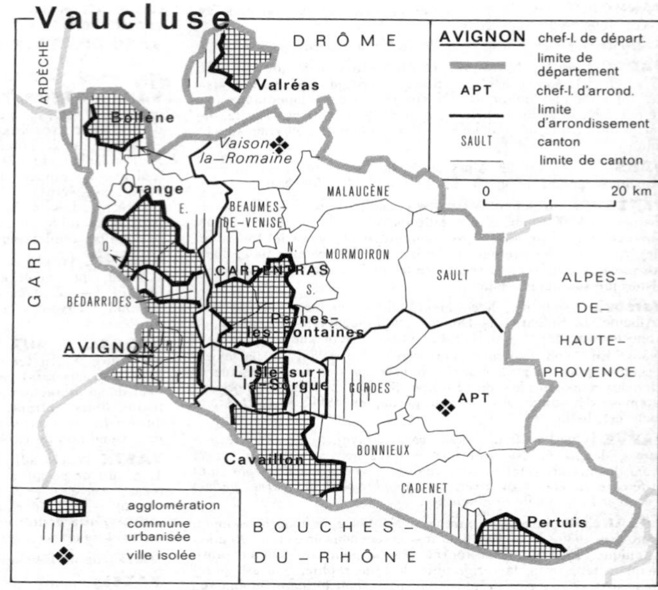

Canard) ainsi que le premier métier à tisser entièrement automatique (1745).

VAUCLUSE (84), dép. formé du comtat Venaissin, de la principauté d'Orange et d'une partie de la Provence (Région Provence-Alpes-Côte d'Azur); 3 567 km²; 427 300 hab. (120 au km²) [France : 103]. Ch.-l. *Avignon.*
ADMINISTRATION. 3 arrond. (*Apt.* 89 100 hab.; *Avignon.* 244 900 hab.; *Carpentras.* 93 400 hab.). / 24 cant. / 151 comm.
Le département oppose au secteur oriental, constitué par une partie des Alpes du Sud *(Ventoux, monts de Vaucluse* et *Luberon)* où l'altitude dépasse fréquemment 700 m, un secteur occidental (formé par la *plaine du Comtat* en bordure du Rhône) où l'altitude est toujours inférieure à 200 m. Les précipitations sont réduites et tombent généralement moins de cent jours par an; l'ensoleillement est important.
L'*agriculture,* emploie approximativement 15 p. 100 de la population active. Le Comtat est entièrement mis en valeur, cultures fruitières et légumières en tête, avec quelques vignobles renommés.
L'*industrie* (surtout représentée à Avignon) est encore assez peu développée, n'occupant que le tiers de cette population active. Elle est d'ailleurs en partie liée à la production agricole (conserveries).
La présence d'Avignon explique le développement du *secteur tertiaire,* largement prépondérant. À partir de 1962, l'accroissement de la population a été très sensible. Cette progression s'explique par la croissance démographique mais aussi par l'immigration (dont l'arrivée des rapatriés d'Algérie).

VAUCLUSE *(fontaine de),* source abondante, jaillissant à la comm. de *Fontaine-de-Vaucluse,* à 25 km d'Avignon et donnant naissance à la Sorgue.

VAUCLUSIEN, ENNE [voklyzjɛ̃, -ɛn] adj. (de *Vaucluse*). *Source vauclusienne,* débouché à l'air libre d'une rivière souterraine dans les régions karstiques (syn. RÉSURGENCE).

VAUCRESSON, comm. des Hauts-de-Seine, à 5 km à l'O. de Saint-Cloud; 8 400 hab.

VAUD, un des cantons suisses de langue française; 528 000 hab. *(Vaudois).* Ch.-l. *Lausanne.*

VAUDEVILLE [vodvil] n. m. (du lat. *vadere,* aller, et *virer,* tourner). Comédie légère, fondée sur un comique d'intrigue et des quiproquos : *Un vaudeville de Labiche.* ◆ **vaudevillesque** adj. Digne du vaudeville : *Une intrigue vaudevillesque* (= burlesque et légère).

Vaudois, membres d'une secte chrétienne fondée à Lyon v. 1179 par Pierre Valdo. Ils n'admettaient que la croyance en la Bible, refusant les sacrements et le culte des saints, et établirent leur propre clergé.
Cette secte, proche en quelques points de celle des cathares*, fut poursuivie avec acharnement en France, en Italie et surtout en Espagne au XVIIᵉ s. La plupart devinrent protestants, mais certaines églises vaudoises existent encore, formant des communautés austères et traditionnelles (notamment dans les vallées alpines du Piémont).

VAUDOU [vodu] n. m. (dahoméen *vodu*). Culte animiste répandu chez les Noirs des Antilles et au Brésil.

VAUDREUIL (Philippe DE RIGAUD, *marquis* DE), administrateur français (1643-1725). Il fut gouverneur général du Canada de 1705 à 1725. — Son fils PIERRE DE RIGAUD DE CAVAGNAL, marquis **de Vaudreuil** (1698-1778), fut le dernier gouverneur du Canada français (1755-1760).

VAUGELAS (Claude FAVRE, *baron* DE PÉROUGES, *seigneur* DE), grammairien français (1585-1650), auteur des *Remarques sur la langue française* (1647), dans lesquelles il s'attache à fixer le bon usage.

VAUJOURS, comm. de la Seine-Saint-Denis, au N.-E. du Raincy; 5 300 hab.

VAU-L'EAU (À) [avolo] loc. adv. (de *à, vol,* et *eau*). *Aller à vau-l'eau,* aller à la dérive, à sa perte : *L'affaire est allée à vau-l'eau* (syn. PÉRICLITER).

VAULX-EN-VELIN, ch.-l. de cant. du Rhône, dans la banlieue nord-est de Lyon; 44 400 hab. Verrerie.

VAUQUELIN (Nicolas Louis), chimiste français (1763-1829). Il a isolé le chrome, découvert la glucine et étudié de nombreux produits d'origine animale ou végétale.

VAURIEN, ENNE [vorjɛ̃, -ɛn] n. (de *valoir,* et *rien*). **1.** Personne dénuée de scrupules et de principes moraux (syn. MAUVAIS SUJET). — **2.** Enfant mal élevé, qui fait des sottises : *Une bande de vauriens* (syn. CHENAPAN, VOYOU).

Vaurien, voilier monotype dériveur.

VAUTOUR [votur] n. m. (lat. *vultur*). Oiseau rapace diurne, à tête et cou nus et colorés, se nourrissant de charognes. (Le vautour fauve, ou *griffon,* et le *vautour moine* peuvent se rencontrer dans les Pyrénées; ils atteignent 1,25 m de long.)

VAUTRER (SE) [səvotre] v. pr. (du lat. *volvere,* tourner). S'étendre sans retenue, se rouler dans ou sur quelque chose : *Se vautrer sur son lit. Des porcs qui se vautrent dans la boue* (syn. SE TRAÎNER).

Vautrin, personnage des romans d'H. de Balzac, *le Père Goriot, les Illusions perdues, Splendeurs et misères des courtisanes,* et du drame *Vautrin.* L'histoire de Vidocq a en partie inspiré ce personnage au romancier.

VAUVENARGUES (Luc DE CLAPIERS, *marquis* DE), moraliste français (1715-1747), auteur d'une *Introduction à la connaissance de l'esprit humain* (1746), accompagnée de *Réflexions,* de plusieurs *Caractères et Dialogues.* Ami de Voltaire et de Marmontel, il réhabilite l'homme contre La Rochefoucauld, réprouve l'esprit de salon et la grandiloquence et enseigne « qu'il faut avoir de l'âme pour avoir du goût ».

VAUVERT, ch.-l. de cant. du Gard, à 20 km env. au S. de Nîmes; 9 100 hab. *(Vauverdois).* Conserverie.

VAUX plur. de VAL → VALLÉE.

Vaux-le-Vicomte, château de la comm. de Maincy, près de Melun, bâti par Le Vau pour le surintendant Fouquet* et décoré par Le Brun et Mignard, avec des jardins dessinés par Le Nôtre. Louis XIV, pour créer Versailles, fera appel à presque tous les artistes qu'avait employés Fouquet.

VA-VITE (À LA) [alavavit] loc. adv. (de *aller,* et *vite*). *Fam.* Avec une grande hâte, sommairement : *Résoudre un problème à la va-vite* (syn. HÂTIVEMENT).

VAZOV (Ivan), écrivain bulgare (1850-1921). Fondateur du roman moderne bulgare (*Sous le joug,* 1890), il est l'auteur de poèmes et de drames historiques (*Borislav,* 1909).

1. VEAU [vo] n. m. (lat. *vitellus*). **1.** Petit de la vache, jusqu'à un an. — **2.** Chair du veau, vendue en boucherie et utilisée pour l'alimentation : *Rôti de veau.* — **3.** Peau du veau ou de la génisse, corroyée : *Livre relié en veau.* — **4.** *Tuer le veau gras,* faire un repas de fête en l'honneur de quelqu'un, à l'occasion d'une réunion familiale.

2. VEAU [vo] n. m. (de *veau* 1). *Veau marin,* espèce de phoque rencontré dans les mers arctiques, les océans Atlantique et Pacifique.

VECTEUR [vɛktœr] n. m. (lat. *vector,* qui transporte). *Math.* → ENCYCL. ◆ **vectoriel, elle** adj. Qui a rapport aux vecteurs.
— ENCYCL. L'équipollence* étant une relation* d'équivalence dans l'ensemble des bipoints du plan, chaque classe d'équivalence s'appelle un *vecteur.* Le vecteur associé au bipoint (A, B) se note $\overrightarrow{AB}$. On a donc : ($\overrightarrow{AB}=\overrightarrow{CD}$) ⇔ (A, B) est équipollent à (C, D).

▪ *Addition de vecteurs.* Dans l'ensemble des vecteurs du plan, la somme des vecteurs $\overrightarrow{AB}$ et $\overrightarrow{CD}$ est le vecteur $\overrightarrow{AE}$ tel que $\overrightarrow{BE}=\overrightarrow{CD}$.

L'ensemble des vecteurs du plan, muni de cette loi, est un groupe commutatif.

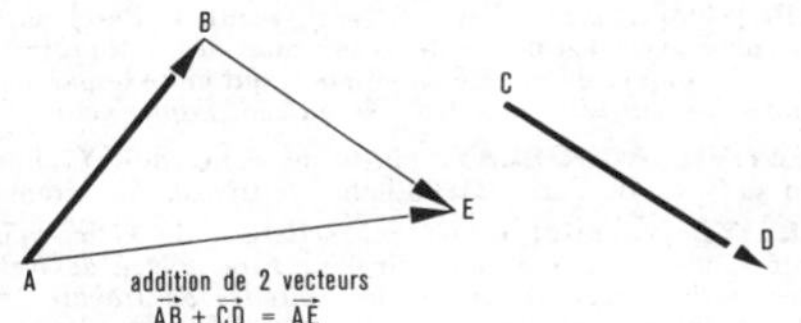

addition de 2 vecteurs
$\overrightarrow{AB}+\overrightarrow{CD}=\overrightarrow{AE}$

L'élément neutre de groupe des vecteurs du plan est donc la classe d'équivalence des bipoints dont les deux éléments sont identiques : on le note $\vec{0}$. On a donc $\overrightarrow{AA}=\vec{0}$ pour tout point A du plan.

▪ *Multiplication d'un vecteur par un réel.* Dans l'ensemble des vecteurs du plan, soit $\vec{V}$ un vecteur, représenté par un bipoint (A, B) et *a* un nombre réel. Sur la droite portant A et B, il existe un point C unique tel que $\overrightarrow{AC}=a\cdot\overrightarrow{AB}$. Le vecteur $\overrightarrow{AC}$, qui est indépendant du choix du représentant (A, B) du vecteur $\vec{V}$, se note $a\cdot\vec{V}$ et s'appelle produit du vecteur $\vec{V}$ par le nombre réel *a*. En particulier $a\cdot\vec{0}=\vec{0}$ quel que soit *a*.

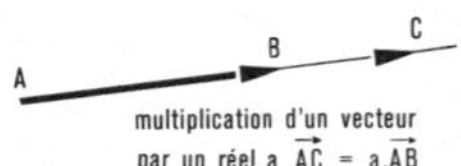

multiplication d'un vecteur par un réel a $\overrightarrow{AC}=a.\overrightarrow{AB}$

Propriétés :
$$(a+b)\cdot\vec{V}=a\cdot\vec{V}+b\cdot\vec{V}$$
$$(ab)\cdot\vec{V}=a\cdot(b\cdot\vec{V})$$
$$a\cdot(\vec{V}+\vec{V'})=a\cdot\vec{V}+a\cdot\vec{V'}$$
$$1\cdot\vec{V}=\vec{V}.$$

On appelle *base* de l'ensemble des vecteurs tout couple ($\vec{V_1}$, $\vec{V_2}$) de vecteurs de directions différentes. Pour tout vecteur $\vec{V}$ du plan, il existe un couple unique (*a*, *b*) de réels vérifiant :

$$\vec{V}=a\cdot\vec{V_1}+b\cdot\vec{V_2}.$$

décomposition d'un vecteur $\vec{V}$ selon une base ($\vec{V_1}$,$\vec{V_2}$)

Le couple (*a*, *b*) est appelé *couple des coordonnées* de $\vec{V}$ dans la base ($\vec{V_1}$, $\vec{V_2}$).
Le couple de vecteurs ($a\cdot\vec{V_1}$, $b\cdot\vec{V_2}$) est appelé *couple des composantes* de $\vec{V}$ dans la base ($\vec{V_1}$, $\vec{V_2}$).

Veda, livres sacrés de l'Inde, en langue sanskrite. (→ BRAHMANISME.)

1. VEDETTE [vədɛt] n. f. (it. *vedetta,* observatoire). **1.** Artiste renommé : *Les vedettes du cinéma, de la scène, du music-hall.* — **2.** Tout personnage de premier plan : *Être la vedette du jour* (syn. HÉROS). — **3.** *En vedette,* au premier plan, au-devant de l'actualité : *Mettre qq'un en vedette* (= attirer l'attention sur lui). ◆ **vedettariat** n. m. Fait de devenir une vedette (sens 1).

2. VEDETTE [vədɛt] n. f. (même étym.). Bateau à moteur rapide.

VÉDISME [vedism] n. m. (de *Veda*). Forme primitive du brahmanisme. ◆ **védique** adj. Relatif aux Veda.

VÉGA, étoile de la constellation de la Lyre, la plus brillante du ciel boréal.

VEGA (FÉLIX LOPE DE), écrivain espagnol (1562-1635). Il reçut les ordres en 1614 à Tolède, mais la majeure partie de sa vie semble avoir été consacrée aux femmes, qu'il évoque dans ses comédies et ses *autos sacramentales* (= drames à thème religieux). Prenant ses sujets dans la Bible, la mythologie, les chansons populaires et les événements politiques, il créa la formule définitive de la tragi-comédie (*l'Alcade de Zalamea,* 1600; *le Chien du jardinier,* 1618; *Fuenteovejuna,* 1618; *le Cavalier d'Olmédo,* 1641). Il a laissé également des poésies d'inspiration mystique (*le Romancero spirituel,* 1619).

VÉGÉTAL, E, AUX [veʒetal, -to] adj. (bas lat. *vegetalis;* de *vegetare,* croître). **1.** Qui appartient aux végétaux : *Règne végétal.* — **2.** Qui est fait à partir de plantes : *Graisse végétale* (contr. ANIMAL). ◆ n. m. Arbre, plante en général : *Une algue est un végétal.* ◆ n. m. pl. Êtres vivants constitués de cellules organisées, à parois cellulosiques, généralement fixés à un support, dont la reproduction se fait par graines, par spores ou par fragments, et qui possèdent très souvent de la chlorophylle (plantes vertes).

VÉGÉTARISME [veʒetarism] n. m. (de l'angl. *vegetarian*). Mode d'alimentation supprimant toutes les viandes, ou même tous les produits d'origine animale comme le lait, les œufs, etc. ◆ **végétarien, enne** adj. et n. : *Suivre un régime végétarien.*

1. VÉGÉTATIF, IVE [veʒetatif, -iv] adj. (du lat. *vegetare,* croître). Qui est relatif à la vie des plantes : *La reproduction végétative.* ‖ *Appareil végétatif,* racines, tiges et feuilles des plantes supérieures, thalle des végétaux inférieurs, qui assurent la nutrition. ‖ *Multiplication végétative,* mode de reproduction à partir d'un fragment d'un végétal (marcotte, bouture, greffe, etc.) sans intervention des organes sexués.

2. VÉGÉTATIF, IVE [veʒetatif, -iv] adj. (même étym.). **1.** *Fonctions végétatives,* fonctions qui assurent l'entretien de la vie et de la croissance des animaux et des plantes (ce sont la digestion, la circulation, la respiration et l'excrétion). — **2.** *Système nerveux végétatif,* chez un animal supérieur, partie du système nerveux* qui assure la régulation des fonctions végétatives et n'est pas sous la dépendance de la volonté (syn. SYSTÈME NERVEUX AUTONOME).

1. VÉGÉTATION [veʒetasjɔ̃] n. f. (du lat. *vegetare,* croître). Ensemble des végétaux qui poussent dans un lieu : *Végétation équatoriale, tropicale, arctique* (syn. FLORE).

2. VÉGÉTATIONS [veʒetasjɔ̃] n. f. pl. (même étym.). *Méd.* Excroissances qui apparaissent sur les muqueuses, et spécialement qui obstruent les fosses nasales : *Opérer des végétations.*

VÉGÉTER [veʒete] v. i. (lat. *vegetare,* croître). **1.** (sujet nom désignant une plante) Mal pousser, croître difficilement : *Cet arbre végète dans l'ombre* (syn. S'ÉTIOLER). — **2.** (sujet nom désignant une personne ou une activité humaine) Vivre médiocrement, se développer difficilement : *Il végète dans un emploi subalterne* (syn. fam. VIVOTER). *Son affaire végète* (syn. STAGNER; contr. fam. MARCHER).

VÉHÉMENT, E [veemɑ̃, -ɑ̃t] adj. (lat. *vehemens, -entis*). Se dit d'une personne ou d'une chose qui manifeste une ardeur impétueuse : *Des reproches véhéments* (syn. EMPORTÉ, VIOLENT). ◆ **véhémence** n. f. : *Discuter avec véhémence* (syn. EMPORTEMENT, FOUGUE, IMPÉTUOSITÉ, PASSION).

VÉHICULE [veikyl] n. m. (lat. *vehiculum;* de *vehere,* porter). **1.** Moyen de transport terrestre ou aérien : *Un véhicule automobile* (syn. VOITURE). *Un véhicule spatial.* — **2.** Tout ce qui sert à transporter, à transmettre quelque chose : *Le langage est le véhicule de la pensée* (syn. SUPPORT). ◆ **véhiculer** v. t. *Véhiculer une chose,* la transporter, la faire passer d'un endroit dans un autre, d'une personne à une autre : *Véhiculer des marchandises. Le langage véhicule les idées entre les hommes* (syn. TRANSMETTRE).

VÉIES, puissante cité étrusque, dont les Romains vinrent difficilement à bout (405-395 ou 396-386 av. J.-C.). Son apogée se situe aux VIIIe-VIe s. av. J.-C.

1. VEILLE [vɛj] n. f. (lat. *vigilia*). **1.** (avec l'art. déf.) Indique le jour qui précède celui dont on parle, par rapport au passé ou au futur (par rapport au jour présent, on dit HIER) : *La veille du mardi est le lundi.* — **2.** *À la veille de* (suivi d'un nom ou d'un infin.), indique ce qui est attendu dans un futur très proche : *Nous sommes à la veille de grands événements* (syn. PRÈS DE, PROCHE DE). *Il est à la veille de commettre une imprudence* (syn. SUR LE POINT DE). → tableau TEMPS *(expressions du).* — **3.** Fam. *Ce n'est pas demain la veille,* cela ne se produira pas de sitôt. ◆ **avant-veille** n. f. (toujours avec l'art.). Indique le jour qui précède la veille, par rapport au passé ou au futur (par rapport au jour présent, on dit AVANT-HIER) : *Dimanche dernier, il mourait subitement; l'avant-veille, vendredi, il nous avait paru en parfaite santé.* → tableau TEMPS *(expressions du).*

2. VEILLE [vɛj] n. f. (même étym.). État d'une personne qui ne dort pas : *Être en état de veille* (contr. SOMMEIL). *La rêverie est un état intermédiaire entre la veille et le sommeil. La veille d'un malade* (= action de rester éveillé près de lui). ◆ n. f. pl. Fait de passer les nuits sans sommeil, pour se consacrer à une occupation, à un travail (souvent littér.) : *Être fatigué par de longues veilles.* ◆ **veillée** n. f. **1.** Temps qui s'écoule entre le repas et le moment de se coucher : *Passer la veillée en famille.* — **2.** Réunion familiale ou amicale qui se situe après le dîner : *La veillée s'est prolongée jusqu'à deux heures du matin.* — **3.** *Veillée d'un mort, veillée mortuaire,* fait de passer la nuit éveillé à côté d'un mort. — **4.** *Veillée d'armes,* soirée qui précède un jour important. ◆ **veiller** v. i. Rester éveillé pendant la nuit : *Veiller tard, jusqu'à deux heures du matin.* ◆ v. t. *Veiller un mort, un malade,* rester à son chevet pendant la nuit. ◆ **veilleur** n. m. *Veilleur de nuit,* ou *veilleur,* personne chargée de garder, de surveiller un établissement public, un magasin, etc., pendant la nuit. ◆ **veilleuse** n. f. **1.** Petite lampe qui éclaire faiblement et reste allumée en permanence la nuit ou dans un lieu sombre : *Allumer la veilleuse dans un compartiment de chemin de fer.* — **2.** Petite flamme d'un chauffe-eau ou d'un réchaud à gaz, qui brûle en permanence et permet d'allumer instantanément les appareils : *Laisser la veilleuse allumée.* — **3.** *En veilleuse,* au ralenti : *Mettre un problème en veilleuse* (= ne plus s'en occuper activement) [syn. EN ATTENTE]. *L'affaire restera en veilleuse jusqu'à la conclusion du contrat* (= marchera au ralenti).

1. VEILLER v. i. et t. → VEILLE 2.

2. VEILLER [veje] v. t. ind. (lat. *vigilare*). **1.** *Veiller à* (et un nom ou l'infin.), *à ce que* (et le subj.), prendre soin de : *Veiller au bon ordre des opérations* (syn. FAIRE ATTENTION). *Veiller à être à l'heure* (= s'arranger pour). *Veiller à ce que personne ne manque de rien* (= faire en sorte que). — **2.** *Veiller sur qq'un, sur qqch.,* exercer une surveillance vigilante sur cette personne ou sur cette chose, la protéger : *Veiller sur des enfants* (syn. GARDER, PRENDRE SOIN DE, SURVEILLER).

VEILLEUR n. m., **VEILLEUSE** n. f. → VEILLE 2.

1. VEINE [vɛn] n. f. (lat. *vena*). **1.** *Anat.* Vaisseau ramenant le sang ou la lymphe vers le cœur. ‖ *Veines caves,* les deux grosses veines (veine cave supérieure et veine cave inférieure) qui collectent le sang de la circulation générale et aboutissent à l'oreillette droite du cœur. → ENCYCL. — **2.** Fam. *Se saigner aux quatres veines,* donner, dépenser pour d'autres tout l'argent que l'on a, en se privant soi-même. ◆ **veinule** n. f. Petit vaisseau qui, convergeant avec d'autres, forme les veines. ◆ **veiné, e** adj. : *Une main à la peau veinée* (= où les veines sont apparentes). ◆ **veineux, euse** adj. Qui a rapport aux veines : *Système veineux.* ‖ *Sang veineux,* sang appauvri en oxygène et riche en gaz carbonique, qui circule dans les veines de la grande circulation et dans l'artère pulmonaire. ◆ **intraveineux, euse** adj. Qui est ou qui se fait à l'intérieur d'une veine : *Piqûre intraveineuse.*
— ENCYCL. Certaines *veines* comportent des valvules qui facilitent le retour du sang. Le sang de la moitié supérieure du corps est collecté par la veine cave supérieure, alors que celui de la moitié inférieure l'est par la veine cave inférieure. Les deux veines caves aboutissent dans l'oreillette droite. Ce sont les *veines pulmonaires* qui ramènent à l'oreillette gauche le sang oxygéné provenant des poumons.

2. VEINE [vɛn] n. f. (de *veine* 1). Dessin coloré, mince et sinueux, dans le bois, les pierres dures (syn. NERVURE). ◆ **veiner** v. t. Orner de dessins sinueux imitant les veines du bois ou du marbre : *Veiner du contre-plaqué.* ◆ **veiné, e** adj. Qui présente des veines : *Marbre veiné de blanc.* ◆ **veineux, euse** adj. Rempli de veines : *Un bois veineux.* ◆ **veinure** n. f. Dessin formé par les veines du bois.

3. VEINE [vɛn] n. f. (même étym.). Filon d'un minéral qui peut être exploité : *Une veine de quartz, de houille.*

4. VEINE [vɛn] n. f. (même étym.). Inspiration d'un artiste : *Deux romans de la même veine* (= de la même source d'inspiration). ‖ *Être en veine,* être inspiré.

5. VEINE [vɛn] n. f. (même étym.). *Fam.* Chance : *Avoir de la veine. Ce n'est pas de veine.* ◆ **veinard, e** adj. et n. *Fam.* Qui a de la chance : *Il est veinard* (syn. fam. VERNI). ◆ **déveine** n. f. *Fam.* Malchance : *Il a eu la déveine de se casser la jambe le premier jour de ses vacances.*

VÊLAGE n. m. → VÊLER.

VÉLASQUEZ [DIEGO VELÁZQUEZ DE SILVA, en fr.], peintre espagnol (1599-1660). Au début de sa carrière, il subit surtout l'influence de Ribera.

- *1623. Nommé peintre du roi, il exécute des portraits du souverain et de sa famille.*
- *1629-1631. Il fait un premier voyage en Italie où il peint « la Forge de Vulcain ».*

Revenu à Madrid, il exécute des portraits équestres d'Isabelle de Bourbon, Philippe III, Philippe IV, ainsi que quelques sujets religieux *(le Christ après la flagellation).* Mais en fait, Vélasquez est le seul peintre vraiment profane du XVIIe s. espagnol. À partir de 1645, les chefs-d'œuvre se succèdent comme *la Reddition de Breda* et la série des bouffons et des nains de la Cour qui témoigne d'un intérêt nouveau, propre à l'art espagnol, pour les anomalies de la nature.

- *1649. Il part de nouveau pour l'Italie où il fait le « Portrait du pape Innocent X ».*

De retour en Espagne, il peint ses meilleures œuvres *(la Vénus au miroir, les Ménines* et *les Fileuses).*

Vélasquez, coloriste clair et nuancé, extraordinairement habile à suggérer par des moyens très simples la réalité de l'espace et des jeux de lumière, est considéré comme un des précurseurs de l'art moderne.

VELAY, région du Massif central, entre l'Allier supérieur et le Vivarais. Elle est formée de massifs volcaniques (*monts du Velay,* entre Allier et Loire, Mézenc, Mégal), encadrant le riche bassin du Puy, dépression tertiaire drainée par la Loire.

VÊLER [vele] v. i. (de l'anc. fr. *veel,* veau) [sujet nom désignant une vache]. Mettre bas. ◆ **vêlage** ou **vêlement** n. m.

VÉLIN [velɛ̃] n. m. (de l'anc. fr. *veel,* veau). **1.** Parchemin très fin, préparé avec des peaux de veaux mort-nés : *Manuscrits sur vélin.* — **2.** Papier de qualité supérieure, qui imite le parchemin : *Brochure tirée sur vélin supérieur.* ◆ adj. m. *Papier vélin.*

VÉLIZY-VILLACOUBLAY, ch.-l. de cant. des Yvelines, à 14 km au S.-O. de Paris; 23 900 hab. *(Véliziens).* Aérodrome.

VELLÉITÉ [velleite] n. f. (lat. *velleitas;* de *velle,* vouloir). Volonté faible, hésitante et inefficace : *Être sujet à des velléités* (= des désirs fugaces). *Avoir des velléités de travail* (= des intentions qui ne sont pas réalisées). ◆ **velléitaire** adj. et n. Se dit d'une personne (ou de son comportement) qui ne se décide pas pour réaliser l'action qu'elle s'est proposée, qui hésite toujours.

VÉLO [velo] n. m. (abrév. de *vélocipède;* du lat. *velox,* rapide, et *pes, pedis,* pied). *Fam.* Bicyclette (syn. fam. BÉCANE). ◆ **vélocipède** n. m. Ancien nom de la bicyclette. ◆ **vélodrome** n. m. Piste, le plus souvent couverte, aménagée pour les courses cyclistes. ◆ **vélomoteur** n. m. Petite motocyclette dont le moteur a une cylindrée comprise entre 50 et 125 cm^3.

VELOURS [vəlur] n. m. (du lat. *villosus,* velu). **1.** Étoffe rase d'un côté et couverte de l'autre de poils dressés, très serrés, maintenus par les fils du tissu : *Velours de coton, de laine, côtelé.* — **2.** Se dit de ce qui est doux au toucher, au regard, au goût : *Une peau de velours. Des yeux de velours.* — **3.** *Une main de fer dans un gant de velours,* une personne ferme et autoritaire sous des apparences de douceur. ◆ **velouté, e** adj. Qui est doux au toucher, au regard, au goût : *Peau veloutée* (syn. LISSE, SATINÉ; contr. RUGUEUX). *Pelage velouté* (syn. SOYEUX). *Crème, potage, sauce veloutés* (syn. LIÉ, ONCTUEUX). *Vin velouté* (syn. MOELLEUX). ◆ n. m. **1.** Douceur d'une chose agréable au toucher, au goût, à la vue. — **2.** Potage très onctueux.

VELU, E [vəly] adj. (du lat. *villus,* poil). Couvert de poils : *Des jambes velues* (syn. POILU).

VÉLUM [velɔm] n. m. (lat. *velum*, voile). Grand voile, tendu ou froncé, qui sert de toiture ou qui simule un plafond.

VENAISON [vənɛzɔ̃] n. f. (lat. *venatio*, chasse). Chair de grand gibier (cerf, sanglier, etc.).

VENAISSIN *(comtat)* → COMTAT.

VÉNAL, E, AUX [venal, -no] adj. (lat. *venalis*). **1.** Se dit d'une chose qui se transmet à prix d'argent : *Une charge vénale.* — **2.** *Péjor.* Se dit d'une personne qui se laisse acheter à prix d'argent (contr. INCORRUPTIBLE, INTÈGRE). ◆ **vénalité** n. f. **1.** État d'une chose vénale : *On appelait, sous l'Ancien Régime, vénalité des offices le fait que les fonctions publiques étaient mises en vente par l'État; les riches bourgeois qui les achetaient demeuraient propriétaires de leur charge.* — **2.** Caractère d'une personne vénale.

VENANT n. m. → VENIR 1.

VENCE, ch.-l. de cant. des Alpes-Maritimes, à 22 km au N.-E. de Nice; 13 400 hab. *(Vençois).* Chapelle décorée par Matisse. Musée Carzou. Station climatique.

VENCESLAS Ier (1205-1253), roi de Bohême (1230-1253). Il favorisa la germanisation de son royaume. — VENCESLAS II (1271-1305), roi de Bohême (1278-1305) et de Pologne (1300-1305). Il organisa l'État tchèque, puis rétablit à son profit la royauté polonaise. — VENCESLAS III (1289-1306), roi de Hongrie (1301-1305), de Pologne et de Bohême (1305-1306). Il renonça à la couronne de Hongrie pour faire valoir ses droits à celle de Pologne. — VENCESLAS IV (1361-1419), de la maison de Luxembourg, roi de Bohême (1363-1419), empereur germanique (1378-1419). Il ne put imposer son autorité aux Tchèques et aux Allemands. Les hussites défenestrèrent (= jetèrent par les fenêtres) ses conseillers catholiques (Prague, 1419).

VENDABLE adj. → VENDRE 1.

VENDANGE [vɑ̃dɑ̃ʒ] n. f. (lat. *vindemia;* de *vinum*, vin, et *demere*, récolter). Cueillette, récolte du raisin pour la fabrication du vin : *Faire la vendange.* ◆ **vendanger** v. i. et t. Récolter les raisins. ◆ **vendangeur, euse** n. Personne qui fait les vendanges.

VENDÉE (la), riv. de l'ouest de la France, affl. de la Sèvre Niortaise (r. dr.); 70 km.

VENDÉE (85), dép. formé de l'anc. bas Poitou (Région Pays de la Loire); 6 720 km²; 483 000 hab. (72 au km²) [France : 103]. Ch.-l. *La Roche-sur-Yon.*

ADMINISTRATION. 3 arrond. (*Fontenay-le-Comte*, 118 800 hab.; *La Roche-sur-Yon*, 204 800 hab.; *Les Sables-d'Olonne*, 159 400 hab.). / 31 cant. / 282 comm.

En annexe d'un littoral régularisé, le plus souvent sableux, marécageux (autrefois du moins) au N. *(Marais breton)* et au S. *(Marais poitevin)*, se développe le *Bocage vendéen*, avancée extrême-orientale du Massif armoricain. L'altitude s'élève vers l'E. et peut dépasser 200 m dans les hauteurs de Gâtine aux confins des Deux-Sèvres. Le climat est océanique, mais les précipitations sont assez réduites sur le littoral aux étés fréquemment ensoleillés.

L'*agriculture* emploie encore environ 20 p. 100 de la population active. Les cultures céréalières ont reculé devant un élevage dominant qui a provoqué l'extension des plantes fourragères.

L'*industrie* occupe plus du tiers de cette population active, parfois liée à l'agriculture (produits laitiers). Sa faiblesse est à rapprocher de celle de l'urbanisation.

L'absence de grande ville explique la médiocrité du *secteur tertiaire*, peu stimulé par le tourisme estival (Les Sables-d'Olonne) qui, plus que la pêche ou les activités annexes, anime le littoral.

L'augmentation récente de la population départementale résulte en priorité de la progression très notable de La Roche-sur-Yon.

Vendée *(guerre de)*, nom donné à l'insurrection contre-révolutionnaire de Vendée. Elle éclate en 1793 chez les paysans de Bretagne, du Poitou et de l'Anjou à l'occasion de la levée de 300 000 hommes votée par la Convention (23 février). Cathelineau, Charette, Stofflet, Lescure, Bonchamps et La Rochejaquelein sont les principaux chefs de l'armée catholique et royale. Entre mars et juin, les vendéens prennent Cholet, Thouars, Parthenay, Saumur, Angers. Mais après les défaites de Nantes (juin), Cholet (octobre), Le Mans et Savenay (décembre), ils sont refoulés par Kléber sur la rive gauche de la Loire et se livrent à la guérilla dans le Bocage.

LOCALITÉS PRINCIPALES	NOMBRE D'HAB.	LOCALITÉS PRINCIPALES	NOMBRE D'HAB.
La Roche-sur-Yon	48 200	Luçon	9 500
Les Sables-d'Olonne	16 700	Château-d'Olonne	8 950
Fontenay-le-Comte	16 650	Olonne-sur-Mer	7 900
Challans	13 100	Chantonnay	7 500
Les Herbiers	12 500	Saint-Gilles-Croix-de-Vie	6 300

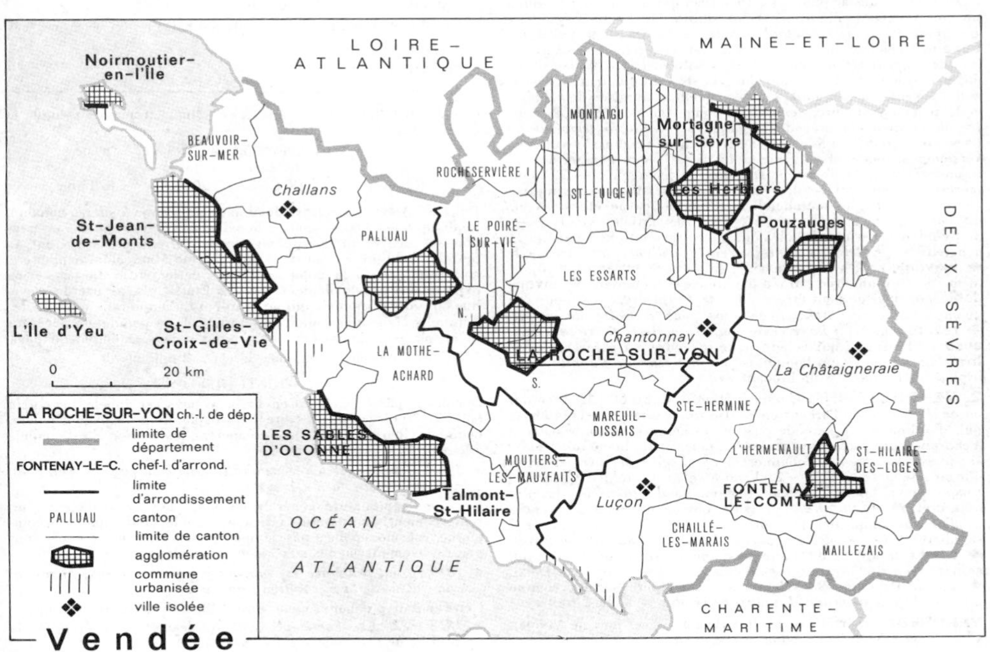

• *Février 1795. Hoche, après avoir mené la pacification, négocie avec Charette et Stofflet.*

La guerre est rallumée un moment par le débarquement des émigrés à Quiberon (juillet 1795). Stofflet et Charette seront fusillés (mars 1796).

• *1800. Bonaparte met fin à l'insurrection par une amnistie.*

Des tentatives de reprise de la guerre auront lieu cependant en 1815 et 1832, mais sans succès.

VENDÉEN, ENNE [vɑ̃deɛ̃, -ɛn] adj. et n. (de *Vendée*). **1.** De Vendée. — **2.** Nom donné pendant la Révolution aux insurgés royalistes de l'ouest de la France.

VENDÉMIAIRE [vɑ̃demjɛr] n. m. (du lat. *vindemia*, vendange). → CALENDRIER* RÉPUBLICAIN.

vendémiaire an IV *(journée du 13)* [5 octobre 1795], journée célèbre par la victoire que remporta Bonaparte à Paris sur les sections insurgées contre la Convention.

VENDETTA [vɑ̃dɛta] n. f. (mot it. signif. *vengeance*). Coutume corse selon laquelle la poursuite de la vengeance d'une offense ou d'un meurtre se transmet à tous les parents de la victime et s'étend à tous les membres de la famille ennemie.

VENDEUR, EUSE n. → VENDRE 1.

VENDIN-LE-VIEIL, comm. du Pas-de-Calais, à 6 km au N.-E. de Lens; 6900 hab. Cokerie. Traitement des goudrons.

VENDÔME, ch.-l. d'arrond. de Loir-et-Cher, sur le Loir, à 32 km au N.-O. de Blois ; 18200 hab. *(Vendômois).* Ganterie.

VENDÔME (César DE BOURBON, *duc* DE), fils naturel d'Henri IV et de Gabrielle d'Estrées (1594-1665). Il joua un rôle dans la Fronde et battit la flotte espagnole devant Barcelone (1655). — Son petit-fils, LOUIS JOSEPH **de Bourbon,** duc **de Vendôme,** duc **de Penthièvre** (1654-1712), se distingua en Flandre, en Catalogne, en Italie, et, par la victoire de Villaviciosa (1710), consolida le trône de Philippe V.

1. VENDRE [vɑ̃dr] v. t. (lat. *vendere*). [Conj. **50.**] **1.** *Vendre qqch.*, le céder contre de l'argent : *Nous avons vendu notre vieille maison* (syn. fam. LIQUIDER; contr. ACHETER, ACQUÉRIR). — **2.** Faire le commerce d'une marchandise : *Vendre des livres. Ce magasin vend bien* (= fait bien ses affaires). *Vendre à crédit, en solde.* ‖ *Vendre la peau de l'ours*, disposer d'une chose que l'on ne possède pas encore; se flatter trop tôt du succès. ◆ ***se vendre*** v. pr. **1.** (sujet nom de chose) Être l'objet d'un commerce : *Cet article se vend à la pièce, par paire, à la douzaine.* ‖ Fam. *Ça se vend comme des petits pains*, très facilement. — **2.** (avec ou sans adv.) Trouver des acquéreurs : *Un auteur qui se vend bien* (= qui a un gros succès de librairie). ◆ **vendable** adj. Facile à écouler : *Un produit peu, très vendable* (contr. INVENDABLE). ◆ **vendeur, euse** n. Personne dont la profession est de vendre : *Vendeuse de grands magasins* (syn. EMPLOYÉ). ◆ **vente** n. f. **1.** Cession d'une chose moyennant un prix convenu : *Vente par adjudication* (contr. ACHAT). *Vente au comptant* (= dans laquelle la livraison de la chose et le paiement du prix se font en même temps). *Vente à crédit* (= où la livraison précède le paiement). *Vente à tempérament* (= vente à crédit, où le paiement de la chose vendue s'effectue en versements successifs). *Vente à terme* (= vente comportant un terme soit pour la livraison, soit pour le paiement). — **2.** Commerce de celui qui vend; service commercial d'une entreprise chargé d'écouler les marchandises produites ou achetées : *Avoir un pourcentage sur les ventes* (= sur les articles vendus). — **3.** Réunion occasionnelle ou non, où se rencontrent vendeurs et acheteurs : *Hôtel des ventes. Vente publique, aux enchères.* ◆ **mévente** n. f. Vente mauvaise, difficile. ◆ **invendu, e** adj. et n. m. Se dit d'un objet qui n'a pas trouvé d'acquéreur. ◆ **invendable** adj. Qui ne peut être vendu. ◆ **revendre** v. t. Vendre ce qu'on a acheté : *Acheter en gros pour revendre au détail.* ◆ **revente** n. f. : *La revente d'une propriété.* ◆ **revendeur, euse** n. Personne qui achète pour revendre : *Un revendeur de livres d'occasion* (= un bouquiniste). *Un revendeur d'habits* (= un fripier), *de meubles* (= un brocanteur).

2. VENDRE [vɑ̃dr] v. t. (même étym.). [Conj. **50.**] **1.** Accorder ou céder contre de l'argent ou contre un avantage quelque chose qui, d'ordinaire, ne se cède pas ou se donne sans contrepartie : *Vendre son âme, sa conscience* (= renoncer à être honnête). *Vendre ses faveurs* (= en faire commerce). ‖ *Vendre ses père et mère*, n'avoir aucun scrupule. — **2.** *Vendre qq'un*, le trahir : *Vendre un complice* (syn. DONNER, LIVRER). ‖ Fam. *Vendre la mèche*, dévoiler un secret. ◆ ***se vendre*** v. pr. (sujet nom de personne). *Se vendre à qq'un*, lui donner tout pouvoir physique et moral sur soi; aliéner sa liberté : *Les «collaborateurs» s'étaient vendus à l'occupant.* ◆ **vendu, e** adj. Se dit d'une personne qui se laisse acheter, qui se livre pour de l'argent : *Juge vendu* (syn. VÉNAL; contr. INTÈGRE). ◆ n. m. Personne sans honneur, corrompue (surtout comme injure) : *Espèce de vendu! Un parti de vendus* (= lâches, traîtres).

VENDREDI [vɑ̃drədi] n. m. (lat. *Veneris dies*, jour de Vénus). Cinquième jour de la semaine. (→ SEMAINE.)

Vendredi, personnage du *Robinson Crusoé* de Daniel Defoe.

VENDU, E adj. et n. m. → VENDRE 2.

VÉNÉNEUX, EUSE [venenø, -øz] adj. (lat. *venenosus*). **1.** Se dit d'une plante, d'un aliment qui renferme un poison, qui peut causer une intoxication : *Des champignons vénéneux.* — **2.** *Animaux vénéneux*, animaux qui, ingérés comme aliments, agissent à la manière des poisons : *Les moules peuvent être vénéneuses.* ◆ **antivénéneux, euse** adj. Propre à combattre les poisons.

VÉNÉRABLE [venerabl] adj. (lat. *venerabilis*). Se dit d'une personne ou d'une chose que l'on doit respecter : *Une personne vénérable* (syn. RESPECTABLE). *Un âge vénérable* (syn. AVANCÉ, GRAND). ◆ **vénérer** v. t. **1.** *Vénérer qq'un*, lui marquer du respect et de l'admiration. — **2.** *Vénérer qqch.*, le considérer avec un grand respect : *Vénérer des reliques.* ◆ **vénération** n. f.

VÉNERIE [venri] n. f. (du lat. *venari*, chasser). Art de la chasse à courre. ◆ **veneur** n. m. Celui qui dirige une chasse à courre. ‖ *Grand veneur*, chef de la vénerie d'un souverain.

VÉNÉRIEN, ENNE [venerjɛ̃, -ɛn] adj. (du lat. *Venus, Veneris*, Vénus). *Maladies vénériennes*, qui se communiquent par les rapports sexuels (blennorragie, syphilis, etc.).

VÉNÈTES, nom porté par divers peuples de l'Antiquité avant l'occupation romaine et qui occupèrent notamment les rives septentrionales de l'Adriatique et la région de Vannes.

VÉNÉTIE, région du nord-est de l'Italie. On y distingue la *Vénétie Euganéenne*, ou *Veneto* (provinces de Belluno, Padoue, Rovigo, Trévise, Venise, Vérone et Vicence; 18370 km^2; 4366000 hab.), et la *Vénétie Julienne* (provinces de Gorizia et de Trieste; 678 km^2; 417500 hab.). Celle-ci forme avec les provinces de Pordenone et d'Udine la région autonome de *Frioul*-Vénétie Julienne.*

VENEUR n. m. → VÉNERIE.

VENEZUELA, république du nord de l'Amérique du Sud, sur la mer des Antilles.

GÉOGRAPHIE

Les *Llanos*, plaines du bassin de l'Orénoque, séparent l'extrémité septentrionale des Andes, enserrant la lagune de Maracaibo, du massif cristallin des Guyanes. Le climat tropical explique la grande extension de la forêt.

SUPERFICIE 912050 km^2 (France : 550000 km^2).
POPULATION 19100000 hab. *(Vénézuéliens);* 21 hab. au km^2 (France : 103); accroissement annuel de population, 3,3 p. 100.
CAPITALE Caracas (2944000 hab.).
VILLE PRINCIPALE Maracaibo (901000 hab.).
LANGUE espagnol.
MONNAIE bolívar.

	TEMPÉRATURES MOYENNES janv.	juil.	PLUIES
Caracas	18 °C	20 °C	820 mm

Dans les Andes, la culture domine (maïs, canne à sucre, banane), tandis que les Llanos sont le domaine de l'élevage bovin. Le pays doit sa relative prospérité au fer de l'Orénoque et surtout au pétrole. Celui-ci, extrait dans la région de Maracaibo, explique la concentration de la population dans cette partie du pays. Son exportation, principalement vers les États-Unis, assure des revenus considérables mais qui ne profitent qu'à une infime partie des habitants. L'accroissement très rapide de la population accentue le chômage et la misère qui règnent dans l'ensemble du pays.

pétrole 95 millions de t; fer 8 millions de t.

HISTOIRE

Découvert par C. Colomb en 1498, le pays est appelé *Venezuela* («Petite Venise») par les premiers explorateurs espagnols; puis, cédé par Charles-Quint à ses créanciers, les Welser, il est conquis à leur profit de 1528 à 1556.

• *1567. Caracas est fondé, mais l'intérieur du pays ne sera colonisé qu'à la fin du XVII*e *s.*

Érigé en capitainerie générale en 1742, le Venezuela subit un renforcement de l'administration espagnole tandis que son commerce est monopolisé par la métropole. Mais les créoles sont progressivement gagnés aux «idées nouvelles».

• *1810. L'indépendance est proclamée par l'un d'eux, Miranda, admirateur de la Révolution française.*

Cette tentative échoue, mais, dès 1813, Bolívar reprend la lutte.

• *1817-1822. Les Espagnols sont finalement expulsés après la bataille de Carabobo (juin 1821).*

Le Venezuela s'intègre à la fédération de Grande-Colombie (1822), mais les particularismes locaux, attisés par l'Angleterre, minent l'État unitaire qui éclate en 1830. Des dictateurs, représentant l'oligarchie foncière, monopolisent le pouvoir.

- *1908-1935. La dictature de Gómez bénéficie de l'essor de la production pétrolière.*

Les États-Unis jouent un rôle politique croissant, et, après un bref intermède démocratique, favorisent l'arrivée au pouvoir d'un nouveau dictateur, le colonel Jiménez (1948).

- *1958. Après une révolte populaire, les réformateurs modérés de l'Action démocratique prennent le pouvoir.*

Les présidents Betancourt (réforme agraire de 1960) et Leoni (à partir de 1964) doivent faire face à une guérilla révolutionnaire.

- *Décembre 1968. L'élection d'un démocrate-chrétien à la présidence entraîne une nouvelle orientation de la politique intérieure (amnistie pour les guérilleros) et de la politique pétrolière (dépendance moindre à l'égard des États-Unis).*
- *Décembre 1973. Le leader de l'Action démocratique, Carlos Andrés Pérez, est élu à la présidence.*
- *Décembre 1978. Luis Herrera Campins, démocrate-chrétien, est élu à la présidence.*
- *Décembre 1983. Jaime Lusinchi, leader de l'Action démocratique, est élu à la présidence.*
- *Décembre 1988. Carlos Andrés Pérez est, pour la seconde fois, élu à la présidence.*

VENGER [vɑ̃ʒe] v. t. (lat. *vindicare*). **1.** *Venger qqch.*, en tirer réparation : *Venger un affront, une injure* (syn. SE LAVER DE). — **2.** *Venger qq'un*, punir celui qui l'a offensé : *Venger son père.* ‖ *Venger son honneur, son nom, sa famille*, réparer l'injure subie. ◆ ***se venger*** v. pr. **1.** *Se venger de qq'un*, se faire justice en le châtiant : *Se venger d'un calomniateur.* — **2.** *Se venger sur qq'un*, exercer sa vengeance sur lui. — **3.** *Se venger de qqch.*, compenser un préjudice subi par une revanche : *Se venger d'un affront.* ◆ **vengeance** n. f. **1.** Action de se venger : *Tirer vengeance d'un affront.* — **2.** Mal que l'on fait à quelqu'un pour le châtier en retour : *Méditer une vengeance.* ◆ **vengeur, eresse** n. Personne qui punit l'auteur d'un affront dont elle, ou quelqu'un d'autre, a été victime. ◆ adj. Qui sert ou concourt à la revanche, au dédommagement : *Une lettre vengeresse.*

VÉNIEL, ELLE [venjɛl] adj. (du lat. *venia*, pardon). **1.** *Péché véniel*, dans la théologie catholique, péché qui, en raison de sa moindre gravité, ne met pas fin à l'état de grâce (par oppos. à MORTEL). — **2.** Se dit d'une faute qui n'est pas grave : *Une faute vénielle* (syn. LÉGER, PARDONNABLE; contr. GRAVE).

VENIN [vənɛ̃] n. m. (lat. *venenum*, poison). **1.** Liquide toxique sécrété par certains animaux et injecté par piqûre ou par morsure à l'homme ou à d'autres animaux dans un but défensif ou agressif. → ENCYCL. — **2.** Méchanceté d'une personne, attitude malveillante : *Conduite, paroles pleines de venin* (syn. FIEL). ◆ **venimeux, euse** adj. Se dit des animaux qui peuvent inoculer un venin à l'aide de crochets, d'un aiguillon ou d'un appareil analogue. ◆ **antivenimeux, euse** adj. Propre à combattre l'effet toxique des venins.

— ENCYCL. Les substances toxiques contenues dans les *venins* sont des enzymes agissant sur le sang et sur le système nerveux. Elles entraînent des réactions locales inflammatoires et des troubles nerveux. Les venins absorbés par la bouche sont inoffensifs, car leurs enzymes sont détruites par les sucs digestifs.

Les principaux animaux venimeux sont des serpents tels que la vipère, le cobra; chez les poissons, la vive, la pastenague; chez les arachnides, les scorpions, certaines araignées; chez les insectes, l'abeille, la guêpe, les réduves. Certains myriapodes carnivores, les cœlentérés (méduses, coralliaires) sont également venimeux.

1. VENIR [vənir] v. i. (lat. *venire*). [Conj. **22.**] **1.** (sujet nom d'être animé ou de véhicule) Se rendre, se présenter au lieu où est la personne qui parle, à qui l'on parle : *Il est venu à notre rencontre. Les camions ne peuvent pas venir jusqu'ici;* et impersonnellem. : *Il vient beaucoup de touristes dans cette région.* ‖ Fam. *Voir venir qq'un*, deviner ses intentions. — **2.** (sujet nom de chose) Atteindre un certain niveau, une certaine limite : *L'eau nous venait aux genoux.* (syn. MONTER). *La propriété du voisin vient jusqu'à cette borne* (syn. S'ÉTENDRE). — **3.** (sujet nom de chose, désignant généralement un événement) Se produire, avoir lieu : *Une maladie qui vient bien mal à propos* (syn. SURVENIR). *La nuit vient très vite en hiver* (syn. ARRIVER). ‖ *Venir à qq'un*, apparaître, se manifester en lui : *Des rougeurs lui sont venues sur tout le corps. Une idée m'est venue soudain;* et impersonnellem. : *Il me vient l'envie de tout abandonner.* ‖ *Voir venir les choses, voir venir*, laisser aux événements, aux choses le temps de se produire, rester dans l'expectative. ‖ *Laisser venir*, attendre les événements, ne rien faire. — **4.** (sujet nom d'être animé ou nom de chose) *Venir de* (et un nom), indique le lieu de provenance : *Des touristes qui viennent d'Angleterre;* indique l'origine, la cause : *Une rumeur qui vient d'une source autorisée* (syn. PROVENIR). *D'où vient qu'on ne s'en soit pas aperçu?* (= comment se fait-il?). — LOC. ADJ. *À venir*, futur, qui apparaîtra plus tard : *C'est une perspective assez sombre pour les années à venir.* ◆ **venant** n. m. **1.** *À tout venant*, à n'importe qui, à tout le monde : *Il raconte son histoire à tout venant.* — **2.** *Tout-venant* n. m. → à son ordre alphab. ◆ **venu, e** adj. *Bien venu, mal venu,* se dit de ce qui est réussi ou manqué, de ce qui arrive bien ou mal à propos. ‖ *Être mal venu à faire, à dire qqch.*, être peu qualifié pour cela : *Vous êtes mal venu à protester, c'est vous qui avez tout décidé.* ◆ n. *Le premier venu,* n'importe qui. ‖ *Un nouveau venu, une nouvelle venue,* une personne nouvellement arrivée. ◆ **venue** n. f. **1.** Arrivée, manifestation : *Attendre la venue d'un invité. La venue du printemps. La venue au monde d'un enfant* (= sa naissance). — **2.** *Allées et venues* → ALLÉES 2. — **3.** Manière dont une action s'opère : *Écrire dix pages d'une seule venue* (syn. D'UN SEUL JET).

2. VENIR [vənir] v. i. (même étym.). [Conj. **22.**] (Sujet nom de plante.) Pousser, croître : *Dans ces régions le seigle vient mieux que le blé.* ◆ **venue** n. f. *D'une belle, d'une bonne venue,* indique la manière dont une plante pousse : *Des arbres d'une belle venue.*

3. VENIR [vənir] v. i. (même étym.). [Conj. **22.**] (Employé comme semi-auxil. suivi d'un infin.) **1.** *Venir de* (au présent ou à l'imparfait), exprime le passé récent : *Je viens de recevoir de ses nouvelles.* — **2.** *Venir à,* souligne une éventualité : *Si je venais à disparaître, voici mon remplaçant* (= s il arrivait que je meure). *S'il vient à pleuvoir, vous fermerez la fenêtre.* — **3.** *En venir à* (et un nom ou l'infin.), indique le point extrême, le degré le plus grave d'une évolution : *Venez-en à votre conclusion. Où voulez-vous en venir?* (= à quoi tendent finalement vos propos, vos actes?). ‖ *En venir aux mains,* finir par se battre.

VENISE, en it. **Venezia,** ville d'Italie (Vénétie), au milieu de la *lagune de Venise* (dépendance du *golfe de Venise*); 366 200 hab. *(Vénitiens).*

GÉOGRAPHIE. Bâtie sur un groupe d'îlots et reliée à la terre ferme par un pont de 4 km, la vieille ville est divisée en deux par le Grand Canal sur lequel se greffe un réseau de canaux secondaires. Cet ensemble, prolongé par le Lido, importante station balnéaire, constitue la partie touristique de Venise. Le port et les industries (métallurgie, raffinage du pétrole et pétrochimie) sont établis à l'écart sur le continent, dans les banlieues (Porto Marghera). Venise est un grand centre touristique et culturel (festival annuel de cinéma, biennale). Industries d'art (verrerie, dentelle).

HISTOIRE. La ville est, à partir du Xe s., le centre d'une république aristocratique, dont la force et la richesse dominent toute l'histoire méditerranéenne du Moyen Âge. Sous le gouvernement des doges* et du Conseil des Dix, elle fonde sa puissance sur le commerce maritime et sert d'intermédiaire entre l'Occident, l'Empire d'Orient et le monde musulman, en vendant à l'Occident les soieries et les épices de l'Orient et en exportant vers l'Orient les esclaves d'Europe centrale et les draps de laine.

Dès le XIe s., Venise obtient des privilèges commerciaux à Constantinople; la participation de sa flotte aux premières croisades lui assure la concession de quartiers dans diverses villes de Syrie et de Palestine.

• *1204. La prise de Constantinople par les croisés aboutit à un partage de l'Empire byzantin entre ceux-ci et Venise, qui possède alors toutes les escales de la route du Levant*.*

Le ducat, ou sequin vénitien, devient une des principales monnaies internationales. Au XVe s., la formation d'Etats puissants en Italie oblige Venise à conquérir des possessions en terre ferme (le Frioul, Padoue), constituant ainsi un État.

L'émigration des savants grecs à Venise fait de celle-ci un foyer de culture hellénique et d'humanisme*. La ville est au XVIe s. à l'apogée de sa splendeur avec la construction de ses plus beaux monuments et l'épanouissement d'une des plus grandes écoles de peinture du monde, de Bellini au Titien.

Mais dès cette époque commence un lent déclin; l'importance de Venise diminue devant la puissance des Turcs (installés à Constantinople depuis 1453) et le déplacement des grands courants de commerce vers l'Atlantique. Les XVIIe et XVIIIe s. sont pour Venise une période de décadence.

• *1797. Bonaparte supprime l'État vénitien au profit de l'Empire d'Autriche.*

La république proclamée en 1848 est éphémère.

• *1866. Venise est intégrée au royaume d'Italie.*

BEAUX-ARTS. Venise, l'une des villes les plus pittoresques du monde, par son site et les nombreux canaux qui la parcourent, constitue un remarquable ensemble urbain. Elle conserve de très nombreux monuments, palais (XVe et XVIe s.), églises (gothiques, Renaissance et baroques), les ponts de ses canaux (pont du Rialto, pont des Soupirs) et de magnifiques ensembles architecturaux (place et basilique Saint-Marc, Campanile, palais des Doges). La ville possède également de riches musées.

VÉNISSIEUX, ch.-l. de cant. du Rhône, dans la banlieue sud de Lyon; 65 000 hab. *(Vénissians).* Véhicules lourds. Industries chimiques.

VÉNITIEN, ENNE [venisjɛ̃, -ɛn] adj. (de *Venise*). **1.** De Venise. — **2.** *Blond vénitien,* blond tirant sur le roux. ‖ *Lanterne vénitienne,* lampion de papier. ‖ *Store vénitien,* store à lamelles mobiles.

VENIZÉLOS (Éleuthérios), homme politique grec (1864-1936), président du Conseil de 1910 à 1915, de 1917 à 1920, de 1928 à 1932, de 1933 à 1935.

VENT [vɑ̃] n. m. (lat. *ventus*). **1.** Mouvement de l'air qui s'écoule des zones de hautes pressions vers les zones de basses pressions. → ENCYCL. ‖ *La rose des vents,* étoile dont les divisions correspondent aux aires des différents vents sur le cadran de la boussole. ‖ *Naviguer sous le vent,* dans la direction contraire à celle du vent. ‖ *Avoir le vent debout,* naviguer contre le vent. ‖ *Avoir le vent arrière, en poupe,* être dans le sens du vent. ‖ *Avoir vent d'une nouvelle,* en être plus ou moins informé. ‖ *Quel bon vent vous amène?,* qu'est-ce qui nous vaut le plaisir de vous voir? ‖ *Contre vents et marées,* en dépit de tous les obstacles. ‖ *Passer en coup de vent,* très rapidement. ‖ *C'est du vent,* ce sont de vaines paroles, des projets faits à la légère. — **2.** Souffle de différentes origines : *Agiter un carton pour faire du vent* (syn. AIR). *Faire du vent sur le feu avec un soufflet.* ‖ *Lâcher un vent* (= un gaz intestinal) [syn. FLATULENCE; pop. PET]. ‖ *Instruments à vent,* instruments de musique dont le son est produit par le souffle, à l'aide soit d'une anche, soit d'une embouchure. — **3.** Tendance, mouvement : *Un vent de révolte* (syn. SOUFFLE). ‖ Fam. *Être dans le vent,* suivre la mode, être dans la tendance générale de son époque. ‖ *Prendre le vent, observer d'où vient le vent,* voir la tournure que prennent les événements. ‖ *Avoir le vent en poupe,* être favorisé par des influences diverses, par les circonstances, etc. ‖ *Le vent tourne,* la situation change de face. ◆ **venter** v. impers. *Il vente,* il fait du vent. ◆ **venté, e** adj. Battu par le vent : *Un endroit venté.* ◆ **venteux, euse** adj. Où il y a du vent : *Un pays très venteux.*

— ENCYCL. Il existe des *vents* constants (alizés, jet stream) et des vents intermittents (brise de mer, mistral). Leur intensité est mesurée par l'échelle de Beaufort. Les vents jouent un rôle très important dans la circulation atmosphérique car ils entraînent les masses nuageuses.

VENT *(îles du),* partie orientale des Antilles, directement exposée au souffle de l'alizé, formant un chapelet d'îles entre Porto Rico et l'île de la Trinité, et comportant les Antilles françaises. — Les Anglais appellent *îles du vent (Windward Islands)* les États de la partie méridionale de cet archipel, membres du Commonwealth (Grenade, Saint-Vincent et Grenadines, Sainte-Lucie, Dominique).

VENT (*îles* **Sous-le-**) → SOUS-LE-VENT *(îles).*

VENTE n. f. → VENDRE 1.

VENTÉ, E adj., **VENTER** v. impers., **VENTEUX, EUSE** adj. → VENT.

1. VENTILER [vɑ̃tile] v. t. (lat. *ventilare; de ventus,* vent). *Ventiler une pièce, un couloir,* etc., en renouveler l'air : *Ouvrir une fenêtre pour ventiler la chambre* (syn. AÉRER). ◆ **ventilation** n. f. **1.** Opération par laquelle l'air est brassé et renouvelé, notamment dans un local clos : *Assurer une bonne ventilation de l'atmosphère* (= renouvellement de l'air). — **2.** *Ventilation pulmonaire,* mouvement de l'air dans les poumons. ◆ **ventilateur** n. m. **1.** Appareil servant à brasser ou à renouveler l'air : *Installer un ventilateur dans un magasin.* — **2.** Appareil ou machine produisant un courant d'air plus ou moins puissant : *Ventilateur à turbine.*

2. VENTILER [vɑ̃tile] v. t. (de *ventiler* 1). *Ventiler une somme,* en répartir les éléments entre différents comptes ou différentes personnes : *Ventiler un budget.* ◆ **ventilation** n. f. : *Ventilation des frais généraux d'une affaire.*

VENTÔSE [vɑ̃toz] n. m. (lat. *ventosus,* venteux). → CALENDRIER* RÉPUBLICAIN.

VENTOUSE [vɑ̃tuz] n. f. (bas lat. *ventosa; de ventus,* vent). **1.** Ampoule de verre que l'on applique sur la peau, et dans laquelle on raréfie l'air pour appeler le sang à la peau : *Poser des ventouses à un malade atteint de congestion.* — **2.** Petite calotte de caoutchouc, qui peut s'appliquer sur une surface plane par la pression de l'air : *Un crochet à ventouse.* — **3.** Organe de fixation de la sangsue et de quelques animaux aquatiques : *Le poulpe adhère au rocher par ses ventouses.*

VENTOUX *(mont),* montagne des Préalpes du Sud, près de Carpentras (Vaucluse); 1 912 m.

VENTRE [vɑ̃tr] n. m. (lat. *venter*). **1.** Partie inférieure et antérieure du tronc humain, renfermant principalement les intestins : *Rentrer le ventre. Se coucher à plat ventre* (= sur l'abdomen) [contr. SUR LE DOS]. — **2.** Estomac : *Avoir le ventre creux* (= n'avoir rien mangé). ‖ *Avoir les yeux plus gros que le ventre,* prendre plus que l'on ne peut manger; entreprendre plus que l'on ne peut mener à bien. — **3.** *Fam.* Ce que l'homme a de plus profond, de plus secret : *Avoir quelque chose dans le ventre* (= avoir de l'énergie, de la volonté). *Chercher à savoir ce que qq'un a dans le ventre* (= ses intentions). ‖ *Donner, mettre du cœur au ventre à* *qq'un* (= lui donner du courage). — **4.** Partie creuse et renflée d'une chose, ou partie inférieure d'un objet : *Ventre d'une amphore, d'un bateau* (syn. CAVITÉ). ◆ **bas-ventre** n. m. Partie inférieure du ventre (sens 1). ‖ Pl. des *bas-ventres.* ◆ **ventral, e, aux** adj. **1.** Du ventre, de l'abdomen. — **2.** *Face ventrale,* face antérieure ou inférieure de l'homme et des animaux (contr. DORSAL). ◆ **ventrière** n. f. **1.** Sangle que l'on passe sous le ventre d'un cheval pour le soulever. — **2.** Forte traverse de bois que l'on place sous le ventre d'un navire prêt au lancement. ◆ **ventru, e** adj. **1.** Qui a un gros ventre : *Un homme ventru.* — **2.** Qui présente un renflement : *Une commode ventrue* (syn. PANSU). ◆ **ventripotent, e** adj. *Fam.* Qui a un gros ventre : *Devenir ventripotent* (syn. BEDONNANT, OBÈSE, PANSU). [→ ÉVENTRER.]

VENTRICULE [vɑ̃trikyl] n. m. (lat. *ventriculus* [*cordis*], petit ventre [du cœur]). **1.** Cavité du cœur, à parois épaisses et musculeuses, dont les contractions envoient le sang dans les artères. → ENCYCL. — **2.** *Ventricule du cerveau,* l'une des quatre cavités de l'encéphale, remplie de liquide céphalo-rachidien. ◆ **ventriculaire** adj. Relatif aux ventricules du cœur : *La systole ventriculaire* (= la contraction en même temps des deux ventricules).

— ENCYCL. Les deux *ventricules* se contractent en même temps (systole) et chassent le sang dans l'artère pulmonaire pour le ventricule droit, dans l'aorte pour le ventricule gauche.

VENTRIÈRE n. f. → VENTRE.

VENTRILOQUE [vɑ̃trilɔk] adj. et n. (du lat. *venter,* ventre, et *loqui,* parler). Personne qui parle sans remuer les lèvres, et de telle sorte que les sons émis semblent provenir de son ventre.

VENTRIPOTENT, E adj., **VENTRU, E** adj. → VENTRE.

VENU, E adj. et n. f. → VENIR 1 et 2.

VÉNUS, divinité romaine, déesse de l'Amour, par assimilation à l'*Aphrodite* des Grecs.

VÉNUS, la deuxième des planètes principales du système solaire, dans l'ordre croissant des distances au Soleil. Son orbite se trouve entre celle de Mercure et celle de la Terre. En raison de l'atmosphère très épaisse (environ 22 km) qui l'entoure, le sol de Vénus est difficilement observable. Toutefois des séries de mesures au radar réalisées à partir de la Terre à l'aide de puissants radiotélescopes ou par des sondes placées en orbite (sondes américaines : « Mariner », « Pioneer », « Venus », « Magellan », ou soviétiques : « Venera ») ont permis de déceler l'existence de zones montagneuses, et même de cratères.

VÊPRES [vɛpr] n. f. pl. (lat. *vesperae;* de *vesper,* soir). Partie de l'office catholique célébrée dans l'après-midi.

Vêpres siciliennes, massacre général des Français en Sicile, en 1282. Le lundi de Pâques, au moment où les cloches appelaient les fidèles aux *vêpres,* les Siciliens, révoltés contre Charles Iᵉʳ d'Anjou et soutenus par Pierre III d'Aragon, massacrèrent les Français qui se trouvaient dans l'île. La maison d'Aragon devint maîtresse de la Sicile.

VER [vɛr] n. m. (lat. *vermis*). **1.** Nom donné aux animaux à corps mou et allongé, sans pattes, que l'on répartit en trois embranchements (*annélides* ou *vers annelés, plathelminthes* ou *vers plats, némathelminthes* ou *vers ronds).* ‖ *Ver de terre,* lombric. ‖ *Ver solitaire,* ténia. — **2.** Nom donné à la larve de certains insectes : *Ver blanc* (= larve du hanneton). *Ver à soie* (= chenille du bombyx du mûrier). ‖ Fam. *Tirer les vers du nez à qq'un,* le faire parler. ◆ **véreux, euse,** adj. Qui contient des vers : *Fruit véreux.* ◆ **vermiforme** adj. En forme de ver : *Animal vermiforme.* ◆ **vermifuge** adj. et n. m. Se dit des remèdes propres à détruire les vers intestinaux. ◆ **vermisseau** n. m. Petit ver.

VÉRACITÉ [verasite] n. f. (du lat. *verax, -acis,* véridique). Conformité des propos avec la réalité : *Vérifier la véracité des déclarations du témoin.* (→ VÉRIDIQUE.)

VERACRUZ, port du Mexique, sur le golfe du Mexique; 266 000 hab.

VÉRANDA [verɑ̃da] n. f. (portug. *varanda*). Galerie ou balcon couverts ou vitrés, en saillie d'une maison.

1. VERBAL, E, AUX adj. → VERBE 1.

2. VERBAL, E, AUX [vɛrbal, -bo] adj. (lat. *verbalis;* de *verbum,* mot). **1.** Qui est fait de vive voix, et non par écrit : *Accord verbal* (syn. ORAL; contr. ÉCRIT). — **2.** Qui a rapport aux mots, qui concerne surtout les paroles : *Délire verbal.* — **3.** *Note verbale,* note écrite, mais non signée, remise par un agent diplomatique à un gouvernement étranger. ‖ ◆ **verbalement** adv. De vive voix : *Donner son accord verbalement à qq'un* (contr. PAR ÉCRIT). ◆ **verbalisme** n. m. Tendance intellectuelle consistant à donner plus d'importance aux mots qu'aux idées.

VERBALISER [vɛrbalize] v. i. (de *verbal*). Dresser un procès-verbal : *Verbaliser contre un chasseur sans permis.* ◆ **verbalisation** n. f. Action de dresser un procès-verbal.

VERBALISME n. m. → VERBAL 2.

1. VERBE [vɛrb] n. m. (lat. *verbum,* mot). Mot appartenant à une catégorie grammaticale caractérisée par des désinences qui, par opposition les unes avec les autres, prennent une valeur de temps ou de mode : *Le verbe est avec le nom (ou le pronom) un des deux éléments essentiels de la phrase.* (→ tableau, CLASSE 4, PARTICIPE; pour les conjugaisons → introduction de l'ouvrage.) ◆ **verbal, e, aux** adj. *Locution verbale,* groupe de mots formé d'un verbe et d'un nom, et qui se comporte comme un verbe : *« Faire grâce » est une locution verbale (« gracier » est un verbe).* ‖ *Adjectif verbal* → PARTICIPE. ◆ **déverbal, e, aux** adj. et n. m. Se dit d'un mot formé avec le radical du verbe (ex. : *bond,* de *bondir*).
→ tableau page suivante.

2. VERBE [vɛrb] n. m. (même étym.). **1.** Ton de voix : *Avoir le verbe haut* (= parler de façon impérieuse, avec une voix forte). — **2.** Parole, expression de la pensée par les mots (littér.) : *La magie du verbe dans la poésie* (= des mots, de la phrase).

3. VERBE [vɛrb] n. m. (même étym.) [avec une majusc.]. *Théol. catholique.* La deuxième personne de la Trinité, incarnée en Jésus-Christ : *Le Verbe s'est fait chair.*

VERBEUX, EUSE [vɛrbø, -øz] adj. (de *verbe*). **1.** Se dit d'une personne qui expose les choses en trop de paroles, trop de mots : *Un orateur verbeux* (syn. BAVARD, PROLIXE; contr. CONCIS). — **2.** Se dit de ce qui contient trop de mots : *Un commentaire verbeux* (syn. REDONDANT; contr. DENSE). ◆ **verbosité** n. f. Abus de mots, de paroles : *La verbosité d'un article, d'un conférencier* (contr. DENSITÉ). ◆ **verbiage** n. m. Abondance de paroles, de mots, aux dépens du sens : *Il n'y a que verbiage dans ce discours* (syn. BAVARDAGE, REMPLISSAGE).

VERBIER, station de sports d'hiver de Suisse (Valais), dominant la vallée d'Entremont (alt. 1 500-3 033 m).

VERBOSITÉ n. f. → VERBEUX.

VERCINGÉTORIX, général et chef gaulois (v. 72-46 av. J.-C.). Il fut proclamé, en 52, chef de la coalition des peuples gaulois contre César. Il défendit avec succès Gergovie, mais fut assiégé par César dans Alésia. Une armée gauloise de secours n'ayant pu le débloquer, il se livra à son vainqueur. Conduit à Rome, il fut exécuté au bout de six ans de captivité, après avoir figuré dans le triomphe* de César.

VERCORS (le), massif calcaire des Préalpes françaises du Nord, dans les dép. de la Drôme et de l'Isère. Parc régional.

- *1944. 3 500 maquisards français y résistent pendant deux mois (juin et juillet) à deux divisions allemandes, qui se livreront ensuite à de sanglantes représailles.*

VERCORS (Jean BRULLER, dit), écrivain français (1902-1991). *Le Silence de la mer,* nouvelle parue clandestinement en 1942, le rend célèbre. On lui doit également *les Animaux dénaturés* (1952), conte fantastique dont il a tiré une comédie (*Zoo ou l'Assassin philanthrope,* 1963), où s'exprime sa conception pessimiste de la condition humaine. Il a aussi écrit plusieurs romans.

VERDÂTRE adj. → VERT 1.

VERDELET adj. m. → VERT 2.

VERDEUR n. f. → VERT 2, 3 et 4.

VERDI (Giuseppe), compositeur italien (1813-1901). Il a écrit de nombreux opéras : *Rigoletto* (1851), *la Traviata* (1853), *le Trouvère* (1853), *Aïda* (1871), *Otello* (1887), *Falstaff* (1893), et un *Requiem* (1874) célèbre.

VERDICT [vɛrdikt] n. m. (mot angl.; du lat. *verdictum,* certificat). **1.** Déclaration par laquelle le jury répond, après délibération, aux questions posées par la cour : *Prononcer un verdict d'acquittement.* — **2.** Jugement rendu sur un sujet quelconque : *Quel est votre verdict?* (syn. AVIS, JUGEMENT, OPINION). *Attendre le verdict du médecin* (syn. DIAGNOSTIC).

VERDIR v. i., **VERDISSAGE** n. m., **VERDISSEMENT** n. m., **VERDOIEMENT** n. m. → VERT 1.

VERDON (le), riv. de France, qui baigne Castellane et se jette dans la Durance (r. g.); 175 km. Gorges célèbres, longées par une route touristique. Aménagements hydro-électriques.

VERDON-SUR-MER (Le), comm. de la Gironde, à 36 km au N. de Lesparre-Médoc, près de la pointe de Grave; 1 650 hab. Port pétrolier.

VERDOYANT, E adj., **VERDOYER** v. i. → VERT 1.

VERDUN, ch.-l. d'arrond. de la Meuse, sur la Meuse; 24 100 hab. *(Verdunois).* Cathédrale (XIᵉ-XIIIᵉ s.). Anc. camp retranché. Industries chimiques.

- *843. Les trois fils de Louis le Pieux y signent un traité qui partage l'Empire carolingien.*
- *1552. Henri II réunit Verdun, évêché lorrain, à la Couronne.*
- *Fév.-déc. 1916. Les Français, commandés par Pétain, y repoussent les plus violentes offensives allemandes de la Première Guerre mondiale.*

VERBE FORME OU VOIX	SENS OU FONCTION		EXEMPLES
actif Se dit d'un verbe qui présente un système de formes simples au présent, à l'imparfait, au passé simple et au futur de l'indicatif, au présent du conditionnel, au présent et à l'imparfait du subjonctif, à l'impératif, au participe et à l'infinitif présents, et un système de formes composées, avec *avoir* ou *être,* au passé composé, au passé antérieur, au plus-que-parfait, au futur antérieur de l'indicatif, aux passés du conditionnel, au subjonctif parfait et plus-que-parfait, à l'infinitif et au participe passés. (Les verbes *transitifs* sont toujours conjugués avec *avoir,* les verbes *intransitifs* avec *avoir* ou *être.*)	**transitif** (admet un complément d'objet)	**direct** (objet direct)	*Écouter la radio. Allumer le gaz. Fermer la porte. Prendre l'autobus. Pousser un cri.*
		indirect (objet indirect)	*Obéir à la loi. Pardonner à un adversaire. Nuire à un ennemi. Hériter de son oncle.*
	transitif employé **intransitivement** ou **absolument** (admet en général un complément d'objet, mais peut être employé sans celui-ci)		*« Que fait-il en ce moment? — Il lit. » Vous devriez cesser de fumer, de boire.*
	intransitif (n'admet pas de complément d'objet)		*Il marche. Il est venu. J'arrive à Paris* (compl. de lieu). *Il devient habile* (attribut).
	intransitif employé **transitivement** (n'admet généralement pas de complément d'objet, mais peut être employé avec celui-ci)		*Descendre un avion. Courir un risque. Monte la valise jusqu'ici. Tomber la veste* (fam.).
passif Se dit d'un verbe transitif qui présente les systèmes de formes composées avec *être* au présent, à l'imparfait, au passé simple, au futur de l'indicatif, au conditionnel, au présent et à l'imparfait du subjonctif, au présent de l'infinitif, du participe et de l'impératif. (Les formes composées comportent un double auxiliaire : *avoir+ être.*)	Se caractérise, par rapport au transitif actif, par une permutation entre l'objet (devenant *sujet*) et le sujet (devenant *complément d'agent*).		*Il est blessé par votre reproche* (= votre reproche le blesse). *La branche est cassée par le vent* (= le vent casse la branche). *Il a été effrayé par les cris* (= les cris l'ont effrayé).
pronominal Se dit d'un verbe qui présente un système de formes où un pronom, dit *réfléchi,* placé avant la forme verbale et après le sujet, répète la personne de ce sujet. (Les formes composées comportent l'auxiliaire *être.*)	**réfléchi** (où le pronom dit *réfléchi* remplit la même fonction que l'objet direct du verbe actif transitif ou que la détermination de cet objet direct [*pronominaux transitifs directs* ou *indirects*])		*Il se lave. Je me blesse à la main. Tu te prends la tête à deux mains* (= tu prends ta tête).
	réciproque (où le pronom complément, de la même personne que le pronom sujet, peut, aux trois personnes du pluriel, être complété par *les uns les autres* ou *l'un l'autre* [*pronominaux transitifs directs* ou *indirects*])		*Ils se regardaient sans rire* (= l'un l'autre). *Vous vous êtes battus encore entre vous. Nous nous sommes écrit de longues lettres.*
	spécifique (où le pronom complément ne remplit pas d'autre fonction que de créer une forme qui s'oppose à la forme active, ou existe même en l'absence de forme active; la valeur de cette forme peut être passive, intransitive ou même transitive). [On appelle aussi ces verbes *pronominaux proprement dits* ou *essentiellement pronominaux.*]		*Je ne me suis aperçu de rien* (valeur transitive). *Il s'est trouvé sans appui* (valeur intransitive). *Il se contente de t'approuver. L'avion s'abîme dans les flots* (valeur instransitive). *Les légumes se vendent cher* (valeur passive). *Cela se voit parfois* (valeur passive).

VERDUNISER [vɛrdynize] v. t. (du n. de la v. de *Verdun*). *Verduniser de l'eau,* la rendre potable par addition de Javel en faible quantité. ◆ **verdunisation** n. f.

VERDURE n. f. → VERT 1.

1. VÉREUX, EUSE adj. → VER.

2. VÉREUX, EUSE [verø, -øz] adj. (de *ver*). **1.** Se dit d'une chose louche, suspecte : *Une affaire véreuse* (syn. DOUTEUX). *Spéculation véreuse.* — **2.** Se dit d'une personne malhonnête : *Un homme d'affaires véreux.*

VERGA (Giovanni), écrivain italien (1840-1922), un des créateurs du vérisme* *(les Malavoglia,* 1881; *Maître Don Gesualdo,* 1889).

1. VERGE [vɛrʒ] n. f. (lat. *virga*). Baguette de bois : *Une verge de coudrier.*

2. VERGE [vɛrʒ] n. f. (même étym.). *Anat.* Organe sexuel de l'homme (syn. PÉNIS).

VERGÉ, E [vɛrʒe] adj. (de *verge*). *Papier vergé,* papier dont le filigrane garde des raies, dues aux procédés de la fabrication à la main.

VERGENNES (Charles GRAVIER, *comte* DE), homme d'État français (1719-1787). Ambassadeur à Constantinople, puis à Stockholm, ministre des Affaires étrangères sous Louis XVI, il fut l'un des artisans de l'indépendance des États-Unis (1783) et signa un traité de commerce avec l'Angleterre (1786).

VERGER [vɛrʒe] n. m. (lat. *viridiarium*). Lieu planté d'arbres fruitiers : *Des fruits de notre verger* (syn. JARDIN).

VERGÈZE, comm. du Gard, à 16,5 km au S.-O. de Nîmes; 2600 hab. Eau minérale gazeuse.

VERGETÉ, E [vɛrʒəte] adj. (de *verge*). Se dit d'une peau marquée de taches, de raies : *Un visage vergeté.* ◆ **vergetures** [vɛrʒətyr] n. f. Raies semblables à des cicatrices, situées sur le ventre ou les seins, et provenant d'une distension de la peau.

VERGLAS [vɛrgla] n. m. (de *verre,* et *glace*). Couche de glace mince sur le sol, due à la congélation de l'eau, du brouillard : *Rouler prudemment à cause du verglas.* ◆ **verglacé, e** adj. Couvert de verglas : *Route verglacée.* ◆ **verglacer** v. impers. *Il verglace,* il se forme du verglas.

VERGNIAUD (Pierre Victurnien), homme politique français (1753-1793). Député girondin (1791), il présida l'Assemblée législative (octobre 1791) et vota la mort du roi en janvier 1793. Il fut arrêté avec les chefs girondins et périt sur l'échafaud.

VERGOGNE [vɛrgɔɲ] n. f. (lat. *verecundia,* honte). *Sans vergogne,* sans honte, sans pudeur, sans scrupule.

VERGUE [vɛrg] n. f. (de *verge*). Longue pièce de bois placée en travers d'un mât, et destinée à soutenir la voile. ◆ **envergure** n. f. Longueur du côté par lequel une voile est attachée à sa vergue. ‖ *Envergure d'un navire,* la largeur, l'étendue de sa voilure.

VERHAEREN (Émile), poète belge d'expression française (1855-1916). Auteur de contes, de critiques littéraires, de pièces de théâtre, il évolua du naturalisme (*les Flamandes,* 1883) au mysticisme et connut une crise spirituelle (*les Flambeaux noirs,* 1890). Puis il célébra la poésie de la foule et des cités industrielles (*les Villes tentaculaires,* 1895; *les Rythmes souverains,* 1910) aussi bien que les paysages de son pays natal (*Toute la Flandre,* 1904-1911).

VÉRIDIQUE [veridik] adj. (lat. *veridicus;* de *verum,* vérité, et *dicere,* dire). Se dit d'une personne qui dit la vérité, ou d'une chose conforme à la vérité : *Récit véridique* (syn. FIDÈLE, VRAI, contr. MENSONGER). ◆ **véridiquement** adv. → VRAI.

VÉRIFIER [verifje] v. t. (bas lat. *verificare;* de *verum,* vrai, et *facere,* faire). **1.** (sujet nom de personne) *Vérifier qqch.,* chercher à en contrôler l'exactitude : *Vérifier des comptes.* — **2.** (sujet nom de chose) Prouver, corroborer : *L'événement a vérifié vos craintes* (syn. CONFIRMER; contr. INFIRMER).◆ ***se vérifier*** v. pr. Se réaliser, se révéler juste : *Vos pronostics se vérifient.* ◆ **vérifiable** adj. Qui peut être contrôlé ou prouvé : *Dans l'état actuel de nos connaissances, cette hypothèse n'est pas vérifiable.* ◆ **vérification** n. f. Action de vérifier : *Une vérification s'impose* (syn. CONTRÔLE, EXAMEN). *Vérification de comptes* (syn. EXPERTISE). ◆ **vérificateur, trice** adj. et n. Qui contrôle l'exactitude d'une chose : *Comptable vérificateur.* ◆ **vérificatif, ive** adj. Qui sert de vérification : *Contrôle vérificatif.* ◆ **invérifiable** adj. : *Une hypothèse invérifiable.*

VÉRIN [verɛ̃] n. m. (orig. obscure). *Mécan.* Appareil qui, placé sous des charges, permet de les soulever sur une faible course : *Un vérin à vis.*

VÉRISME [verism] n. m. (de l'it. *vero,* vrai). Nom donné en Italie à l'école littéraire et artistique qui réclame le droit de représenter la réalité tout entière, avec ses vulgarités et surtout ses problèmes sociaux. ◆ **vériste** adj. et n.

VÉRITABLE [veritabl] adj. (du lat. *verus,* vrai). **1.** (avant ou après le nom) Qui existe réellement : *Son véritable nom est Dupont* (syn. VRAI; contr. D'EMPRUNT, FAUX). *Il s'est montré sous son jour véritable* (= l'aspect qui correspond à sa nature profonde). *De l'or véritable.* — **2.** (souvent avant le nom) Qui mérite son nom : *C'est un véritable ami* (syn. VRAI). — **3.** (le plus souvent avant le nom) S'emploie pour introduire une précision dont on veut montrer la parfaite exactitude, la vérité : *Vous allez faire une véritable folie* (syn. VRAI). ◆ **véritablement** adv. : *Les acteurs mangeaient véritablement sur la scène* (syn. VRAIMENT). *Ce qu'il dit est véritablement extraordinaire* (syn. ABSOLUMENT, RÉELLEMENT). [→ VRAI.]

VÉRITÉ [verite] n. f. (lat. *veritas*). **1.** Caractère d'une chose vraie : *La vérité de ses paroles m'apparut tout à coup* (syn. AUTHENTICITÉ, EXACTITUDE, SINCÉRITÉ; contr. FAUSSETÉ). — **2.** Caractère d'une connaissance, d'une information, etc., qui est conforme à la réalité : *Jurez de dire toute la vérité* (= tout ce que vous savez être vrai). — **3.** (surtout au plur.) Idée ou proposition qui exprime une certitude : *Il y a dans tout ceci une vérité cachée* (= une leçon profonde de sagesse, de philosophie, etc.). *Les vérités premières* (= fondamentales mais indémontrables). ‖ *Dire des vérités premières,* dire des banalités (ironiq.). ‖ Fam. *Dire à qq'un ses quatre vérités,* lui parler avec une franchise brutale, lui dire ouvertement ce qu'on lui reproche. — **4.** En art, expression fidèle de la nature, de la réalité : *Un portrait d'une grande vérité.* — LOC. ADV. *En vérité,* sert à renforcer une affirmation (littér.) : *En vérité, je vous le dis.* ‖ *En vérité, à la vérité,* sert à introduire une restriction : *Ce n'est pas un mauvais garçon, mais, à la vérité, il manque un peu de courage* (= il est vrai, assurément). ◆ **contrevérité** n. f. Affirmation contraire à la vérité : *Les avocats de la défense ont relevé plusieurs contrevérités dans la déclaration du témoin* (syn. MENSONGE). [→ VÉRITABLE, VRAI.]

VERJUS [vɛrʒy] n. m. (de *vert,* et *jus*). Suc acide extrait du raisin cueilli vert. ◆ **verjuté, e** adj. : *Sauce verjutée* (= préparée au verjus). *Vin blanc verjuté* (= acide comme du verjus).

VERKHOÏANSK, v. de l'U. R. S. S., en Sibérie orientale, sur l'Iana; 1000 hab. Un des points les plus froids du globe, où l'on a relevé des températures de −69,8 °C.

VERLAINE (Paul), poète français (1844-1896). Employé à l'hôtel de ville de Paris, il fréquente les milieux littéraires et se montre très vite attiré par la poésie. Mais alcoolique de bonne heure, sujet à des troubles nerveux, il vit en plein désarroi.

- *1866. Il publie les « Poèmes saturniens » et collabore au premier recueil du « Parnasse contemporain ».*

Dans les *Poèmes saturniens,* Verlaine se montre adepte de « l'art pour l'art » et proteste contre l'effusion sentimentale des romantiques.

- *1869. Dans les « Fêtes galantes », il s'évade vers un univers irréel, inspiré de Watteau.*
- *1870. Un recueil de poèmes d'amour, « la Bonne Chanson », célèbre son mariage qui semble lui avoir apporté la sérénité.*

Mais la guerre et sa rencontre avec Rimbaud bouleversent sa vie. Compromis politiquement pendant la Commune, il perd son poste de fonctionnaire, puis, abandonnant sa femme, il s'enfuit avec Rimbaud en Belgique et à Londres. Ses *Romances sans paroles* (publiées en 1874), traduisant ses impressions de voyages, font apparaître l'influence de Rimbaud.

- *1873. Il tire deux coups de revolver sur Rimbaud, qui veut se séparer de lui.*

Emprisonné pour deux ans, apprenant le jugement de séparation obtenu par sa femme, il éprouve une douleur et un repentir sincère qui achèvent de le ramener à Dieu.

- *1881. Désireux de mener une vie meilleure, il exprime son retour à la foi dans « Sagesse ».*

Mais repris par ses anciens vices, alcoolique, il se résigne à partager sa vie entre ses aspirations mystiques et sa sensualité.

- *1884. Publication de « Jadis et Naguère » qui contient le célèbre « Art poétique ».*

La même année, avec *les Poètes maudits,* il fait connaître Tristan Corbière, Rimbaud et Mallarmé.

Dominé par une sensualité diffuse, Verlaine a constamment transposé ses sensations à l'aide d'images et surtout de sonorités musicales au pouvoir de suggestion inimitable.

VERLAN [vɛrlɑ̃] n. m. (de *l'envers*). Langage argotique qui consiste à inverser les syllabes d'un mot.

VERMANDOIS (le), anc. pays de la France du Nord. Ch.-l. *Saint-Quentin.*

VERMEER (Johannes), dit **Vermeer de Delft,** peintre hollandais (1632-1675). Longtemps méconnu, il est considéré comme l'un des plus grands peintres du XVIIe s. Son œuvre, peu abondante, comprend des scènes d'intérieur *(la Dentellière),* des paysages *(Vue de Delft)* et quelques portraits qui témoignent de son goût pour les jeux de lumière et les harmonies subtiles de couleurs.

1. VERMEIL, EILLE [vɛrmɛj] adj. (lat. *vermiculus,* petit ver). D'un rouge vif : *Teint vermeil.*

2. VERMEIL [vɛrmɛj] n. m. (de *vermeil* 1). Argent recouvert d'or : *Cuiller en vermeil.*

VERMELLES, comm. du Pas-de-Calais, à 13 km au S.-E. de Béthune; 4300 hab.

VERMICELLE [vɛrmisɛl] n. m. (it. *vermicelli,* petits vers). Pâte à potage en forme de fils très fins. ◆ **vermicelier** n. m. Fabricant de vermicelle. ◆ **vermicellerie** n. f. Fabrique de vermicelle.

VERMICULAIRE [vɛrmikylɛr] adj. m. (du lat. *vermiculus,* petit ver). *Appendice vermiculaire,* appendice de l'intestin, qui a la forme d'un petit ver. (→ APPENDICE 3.)

VERMIFORME adj., **VERMIFUGE** adj. et n. m. → VER.

VERMILLON [vɛrmijɔ̃] n. m. (de *vermeil*). **1.** Sulfure de mercure pulvérulent, ou cinabre, d'un rouge vif. — **2.** Couleur rouge vif tirant sur l'orangé. ◆ adj. m. inv. : *Des rubans vermillon.*

VERMINE [vɛrmin] n. f. (du lat. *vermis,* ver). **1.** Insectes parasites de l'homme et des animaux (puces, poux, punaises, etc.) : *Un clochard couvert de vermine.* — **2.** *Péjor.* Individus vils, inutiles ou néfastes (syn. PÈGRE, RACAILLE).

VERMIS [vɛrmi] n. m. (mot lat. signif. *ver*). *Anat.* Région médiane du cervelet*.

VERMISSEAU n. m. → VER.

VERMONT, État du nord-est des États-Unis, en Nouvelle-Angleterre; 24887 km²; 462000 hab. Capit. *Montpelier.*

VERMOULU, E [vɛrmuly] adj. *(ver,* et *moulu).* Se dit d'un bois miné par des larves d'insectes, improprement appelées *vers* : *Un meuble vermoulu* (syn. PIQUÉ). ◆ **vermouler (se)** v. pr. : *Cette* *armoire commence à se vermouler.* ◆ **vermoulure** n. f. **1.** Trace que les larves d'insectes laissent dans ce qu'elles ont rongé. — **2.** Poudre de bois qui sort des trous faits par les larves d'insectes.

VERNE (Jules), écrivain français (1828-1905). Passionné par les grands voyages et les découvertes scientifiques qui lui font entrevoir les temps futurs, il fait paraître chez l'éditeur Hetzel, *Cinq Semaines en ballon, voyage de découvertes* (1863). Il crée ainsi un genre nouveau, le roman scientifique d'anticipation. Désormais, pendant plus de quarante ans, il va donner une œuvre gigantesque. Il écrit de simples romans d'aventures (*les Enfants du capitaine Grant,* 1867-1868; *Michel Strogoff,* 1876), mais surtout des romans d'anticipation dans lesquels, racontant des aventures extraordinaires, il prophétise un grand nombre de réalisations scientifiques ou techniques actuelles, telles que le sous-marin, la fusée, l'hélicoptère (*De la Terre à la Lune,* 1867; *Vingt Mille Lieues sous les mers,* 1870; *le Tour du monde en quatre-vingts jours,* 1873; *l'Île mystérieuse,* 1874; etc.).

VERNET (Joseph), peintre français (1714-1789). Il a exécuté de nombreux paysages, et surtout des marines, admirés pour le classicisme de leur composition. Son fils ANTOINE CHARLES HORACE, dit **Carle Vernet** (1758-1836), fut peintre et lithographe (scènes de chasse, de courses, de la vie élégante ou populaire).

VERNET-LES-BAINS, comm. des Pyrénées-Orientales, à 11,5 km au S. de Prades ; 1450 hab. Station thermale.

VERNEUIL-SUR-AVRE, ch.-l. de cant. de l'Eure, à 34 km à l'O. de Dreux; 6850 hab. Produits alimentaires.

VERNEUIL-SUR-SEINE, comm. des Yvelines, à 4 km au S.-E. de Meulan, sur la Seine; 11400 hab.

1. VERNI, E adj. → VERNIS.

2. VERNI, E [vɛrni] adj. (de *vernir*). *Fam.* Qui a de la chance : *Il a gagné à la loterie, il est verni* (syn. VEINARD).

VERNIER [vɛrnje] n. m. (du n. de l'inventeur). *Technol.* Dispositif de mesure joint à une échelle et dont l'emploi facilite la lecture des fractions de division.

VERNIS [vɛrni] n. m. (de *Berenikê,* v. de Cyrénaïque d'où venaient les premiers vernis). **1.** Enduit composé d'une matière résineuse, que l'on applique sur certains objets pour les protéger. ‖ *Vernis à ongles,* préparation, colorée ou non, utilisée pour donner du brillant aux ongles. — **2.** Apparence séduisante, brillant superficiel : *Avoir, acquérir un vernis de culture* (syn. APPARENCE, BRILLANT, DEHORS; contr. FOND). ◆ **vernir** v. t. Enduire de vernis : *Vernir un tableau.* ◆ **verni, e** adj. Enduit de vernis : *Meubles en bois verni.* ◆ **vernisser** v. t. Enduire de vernis une poterie, une faïence : *Vernisser un bol.* ◆ **vernissé, e** adj. **1.** Enduit de vernis : *Poterie vernissée.* — **2.** Se dit d'une surface semblable à une surface enduite de vernis : *Feuille vernissée* (syn. BRILLANT). ◆ **vernissage** n. m. Action de vernir ou de vernisser : *Le vernissage d'un tableau, d'une faïence.* ◆ **dévernir** v. t. : *Les intempéries ont déverni la table.*

1. VERNISSAGE n. m. → VERNIS.

2. VERNISSAGE [vɛrnisaʒ] n. m. (de *vernis*). Réception qui précède l'ouverture d'une exposition de peinture.

VERNISSÉ, E adj., **VERNISSER** v. t. → VERNIS.

VERNON, ch.-l. de cant. de l'Eure, à 31 km au N.-E. d'Évreux, sur la Seine ; 23500 hab. *(Vernonnais).*

VERNOUILLET, comm. des Yvelines, sur la Seine, à 6 km au S.-E. de Meulan ; 6400 hab.

VERN-SUR-SEICHE, comm. d'Ille-et-Vilaine, à 10,5 km au S.-E. de Rennes ; 3100 hab.

VÉROLE [verɔl] n. f. (bas lat. *variola;* de *varius,* varié). *Vérole* ou *petite vérole,* syn. de VARIOLE.

VÉRONE, v. d'Italie (Vénétie), sur l'Adige; 269800 hab. Nombreux monuments romains et médiévaux. Centre commercial et touristique.

VÉRONÈSE (Paolo CALIARI, dit **Paolo**), peintre italien (1528-1588). Il vient en 1553 à Venise qu'il ne quittera guère. Il travaille d'abord au Palais ducal où sa science des raccourcis et des vues plongeantes s'exprime dans les plafonds (salle des Dix : *Junon répandant ses dons sur Venise*). Son style ample et aisé s'affirme dans *l'Histoire d'Esther* et *la Vie de saint Sébastien* (1555-1556, église de San Sebastiano). Il parvient à son apogée avec la suite des Cènes (*les Noces de Cana,* 1563; *le Repas chez Lévi,* 1573) où dans un décor de colonnades et de portiques évolue une foule en habits de fête.

Les œuvres de Véronèse, un des maîtres de l'école vénitienne, montrent son amour pour les coloris somptueux, les détails anecdotiques, les compositions mouvementées et les riches architectures.

VÉRONIQUE [verɔnik] n. f. (de *Véronique*). **1.** Plante herbacée, commune dans les bois et les prés. — **2.** En tauromachie, passe au cours de laquelle le torero fait passer le taureau le long de son corps.

VÉRONIQUE *(sainte),* femme juive qui, lors de la montée du Christ au Calvaire, lui essuya le visage avec un linge sur lequel s'imprimèrent ses traits.

VERRAT [vera] n. m. (lat. *verres*). Porc mâle, apte à la reproduction.

1. VERRE [vɛr] n. m. (lat. *vitrum*). **1.** Substance minérale solide, transparente et fragile : *Un souffleur de verre.* → ENCYCL. ‖ *Verre trempé,* verre brusquement refroidi à l'air à partir d'une température d'environ 750 °C. ‖ *Laine de verre,* ou *soie de verre,* écheveau de fines fibres de verre, pour l'isolation phonique ou thermique. ‖ *Papier de verre,* papier enduit de poudre de verre, dont on se sert pour polir. ‖ *Verre organique,* matière plastique transparente, pouvant se substituer au verre dans certaines applications. — **2.** Objet fait en verre; récipient en verre pour boire : *Verre de montre. Verre à liqueur.* — **3.** Contenu de ce récipient : *Boire un verre.* ◆ **verrerie** n. f. **1.** Fabrique de verre; usine où l'on travaille le verre. — **2.** Fabrication d'objets en verre : *Un travail délicat de verrerie.* — **3.** Objets en verre : *Rayon de verrerie.* ◆ **verrier** n. m. Celui qui fabrique le verre, ou des objets en verre. ◆ **verrière** n. f. **1.** Grande ouverture ornée de verre ou de vitraux : *La verrière du transept d'une église.* — **2.** Toit ou paroi vitrés. — **3.** *Archit.* Grand vitrail. ◆ **verroterie** n. f. Petits objets en verre de faible valeur, et notamment bijoux imitant les pierres précieuses.

— ENCYCL. Le *verre,* dont l'invention est attribuée aux Phéniciens, est obtenu par la fusion dans des *creusets* d'un mélange de silice (sable) avec des sels de sodium et de potassium *(verre ordinaire),* ou de plomb *(cristal).* Cueilli dans les creusets, le verre pâteux est travaillé, soufflé, moulé, étiré, pour obtenir des bouteilles, des vitres, des tubes, etc. Les glaces sont obtenues par *coulage :* on sort le creuset du four et on en verse le contenu sur une grande table de fonte. Tous les objets en verre doivent être *recuits,* c'est-à-dire portés à une certaine température puis refroidis lentement, pour être rendus moins cassants. La *trempe* confère aux glaces la propriété, en cas de bris sous l'effet d'un choc violent, de se fragmenter en petits morceaux peu coupants.

2. VERRES [vɛr] n. m. pl. (de *verre* 1). Lentille de verre pour corriger les défauts de la vue : *Verres de myope, de presbyte. Verres de lunettes. Verres fumés. Porter des verres* (syn. LUNETTES). ‖ *Verres de contact,* verres correcteurs de la vue, qui s'appliquent directement contre le globe oculaire (syn. LENTILLES CORNÉENNES).

VERRÈS (Caius Licinius), homme politique romain (v. 119-43 av. J.-C.). Propréteur en Sicile (73-71), il s'y rendit odieux par ses déprédations; il fut accusé de concussion (= fait de percevoir illégalement de l'argent) par Cicéron *(Verrines).*

VERRIER n. m., **VERRIÈRE** n. f. → VERRE 1.

VERRIÈRES-LE-BUISSON, comm. de l'Essonne, à 10 km au S.-S.-O. de Paris; 13600 hab.

VERROCCHIO (Andrea DI CIONE, dit **del**), sculpteur, peintre et orfèvre italien (1435-1488). Il est avec Ghiberti et Donatello l'un des trois plus grands sculpteurs florentins du XVe s. Son chef-d'œuvre est la statue équestre du Condottiere B. Colleoni (Venise). Peintre, il eut pour élève et collaborateur Léonard de Vinci.

VERROTERIE n. f. → VERRE 1.

1. VERROU [veru] n. m. (du lat. *veruculum,* petite broche). **1.** *Technol.* Appareil de fermeture composé d'un pêne que l'on fait glisser pour l'engager dans une gâche : *Le verrou d'une porte.* ‖ *Sous les verrous* (= en prison). — **2.** Dispositif de fermeture d'une culasse d'arme à feu. ◆ **verrouiller** v. t. Fermer avec un verrou : *Verrouiller une porte* (syn. BARRICADER, CADENASSER). ◆ ***se verrouiller*** v. pr. S'enfermer : *Se verrouiller chez soi* (syn. SE BARRICADER). ◆ **verrouillage** n. m. **1.** Action de fermer un verrou ou de fermer une porte au verrou. — **2.** *Verrouillage d'une arme,* opération qui, avant le départ du coup, rend la culasse solidaire de l'arrière du canon. ◆ **déverrouiller** v. t. : *Déverrouiller une porte, un fusil.* ◆ **déverrouillage** n. m.

2. VERROU [veru] n. m. (de *verrou* 1). Géogr. *Verrou glaciaire,* dans une vallée glaciaire, bosse de roches moutonnées qui barre la vallée et que le torrent scie en gorge.

VERROUILLAGE n. m., **VERROUILLER** v. t. → VERROU 1.

VERRUE [very] n. f. (lat. *verruca*). Petite excroissance de la peau.

1. VERS [vɛr] n. m. (lat. *versus*). **1.** Assemblage de mots rythmé d'après la quantité des syllabes, comme chez les Grecs et les Latins *(vers métriques),* ou d'après leur nombre, comme en France *(vers syllabiques),* enfin d'après l'accentuation, comme chez les Allemands et les Anglais *(vers rythmiques).* ‖ *Vers blancs,* vers non rimés. ‖ *Vers libres,* vers de différentes mesures. — **2.** (le plus souvent au plur.) Poésie : *Aimer les vers* (par oppos. à PROSE). ◆ **versifier** v. i. et t. Écrire en vers : *Être habile à versifier* (syn. RIMER). ◆ **versification** n. f. Technique des vers : *Étudier la versification* (syn. PROSODIE). ◆ **versificateur** n. m. **1.** Écrivain qui fait une œuvre en vers. — **2.** *Péjor.* Personne qui fait des vers en s'intéressant presque exclusivement à la technique : *Un habile versificateur* (syn. péjor. RIMAILLEUR).

2. VERS [vɛr] prép. (lat. *versus;* de *vertere,* tourner). **1.** Suivi d'un substantif désignant un lieu, indique la direction prise : *Les voitures se dirigent vers Dijon.* — **2.** Suivi d'un substantif exprimant un moment du temps ou un endroit de l'espace parcouru, indique une approximation : *Je rentrerai vers les deux heures de l'après-midi* (= sur les deux heures, à deux heures environ). *On s'aperçut vers Orléans qu'on avait oublié d'emporter les couvertures* (fam.) [syn. DU CÔTÉ DE].

VERSAILLES, ch.-l. du dép. des Yvelines, à 23 km au S.-O. de Paris; 95200 hab. *(Versaillais).* École nationale d'horticulture.

BEAUX-ARTS. À l'origine du *Château de Versailles,* se trouve le rendez-vous de chasse de Louis XIII, que le roi avait fait transformer par l'architecte Philibert Le Roy en 1632. Louis XIV décida de l'embellir et s'adressa aux trois artistes qui venaient de s'illustrer dans la construction de Vaux-le-Vicomte : Le Nôtre, Le Vau, Le Brun. Entre 1661 et 1663, deux ailes supplémentaires sont ajoutées à l'édifice initial; la façade s'orne de ferronneries, de mansardes à décor sculpté. Après 1668, le château est enveloppé, sur trois de ses côtés, de nouvelles constructions dues à Le Vau. Son successeur, Jules Hardouin-Mansart, continue son œuvre et édifie en particulier la Grande Galerie. Le Brun exécute ou dirige toute la décoration intérieure et, aux appartements du roi et de la reine collaborent sculpteurs et peintres les plus renommés, tels que Legros, Mignard, Houasse, Noël Coypel, etc.

Les jardins ont été tracés par Le Nôtre, selon des principes de perspective alors tout nouveaux; les masses de verdure, les allées, les bassins, les canaux, les jeux d'eau sont distribués de façon à mettre en valeur la beauté des monuments. Des sculpteurs comme Girardon ou Coysevox en ont fait un véritable musée de sculpture en plein air.

Sous Louis XV, les appartements du roi reçoivent une décoration nouvelle, tandis que le parc est doté du Pavillon français et du Grand Trianon, tous deux construits par Gabriel. Sous Louis XVI, l'architecte de la Reine, Mique, édifie le Petit Trianon.

Le château possède un musée de l'Histoire de France, installé principalement dans les appartements du rez-de-chaussée, restitués (état de 1789) et remeublés entre 1978 et 1986. Il abrite également, depuis 1987, un Centre de musique baroque.

Versailles *(traités de),* traités qui mirent fin à la guerre de l'Indépendance américaine (1783) et reconnurent l'indépendance des treize États unis d'Amérique après la défaite des Anglais.

Versailles *(traité de),* traité de paix qui mit fin à la Première Guerre mondiale entre l'Allemagne et les puissances alliées et associées; il fut signé le 28 juin 1919 dans la galerie des Glaces. Les principales clauses territoriales avaient trait à la restitution de l'Alsace-Lorraine à la France, à l'administration de la Sarre, au Slesvig, à la Silésie et à Dantzig. L'Allemagne renonçait à toutes ses colonies. L'armée allemande était ramenée à 100000 hommes, et la marine à 15000. Une commission alliée des réparations était nommée, qui devait fixer leur montant au plus tard le 1er mai 1921; en attendant, l'Allemagne devrait verser 20 milliards de mark-or. Pour garantir l'exécution des clauses du traité, la rive gauche du Rhin ainsi que trois têtes de pont sur la rive droite devaient être occupées pendant quinze ans au maximum par les Alliés; la Rhénanie était démilitarisée. L'Allemagne devait reconnaître sa responsabilité dans le fait de la guerre.

Ce traité rigoureux contribua au réveil du nationalisme allemand. Il ne donna pas pour autant satisfaction à la France, car son rejet par le Sénat américain (20 novembre 1919) lui enlevait toute garantie en cas d'agression.

VERSANT [vɛrsɑ̃] n. m. (de *verser*). Chacune des deux pentes qui limitent une vallée.

VERSATILE [vɛrsatil] adj. (lat. *versatilis*). Se dit d'une personne sujette à changer brusquement de parti : *Caractère versatile* (syn. CAPRICIEUX, CHANGEANT, INCONSTANT; contr. CONSTANT, PERSÉVÉRANT). ◆ **versatilité** n. f. : *Versatilité de la foule* (syn. INCONSTANCE, MOBILITÉ; contr. ENTÊTEMENT, OBSTINATION, OPINIÂTRETÉ).

VERSE (À) [avɛrs] loc. adv. (de *verser*). *Pleuvoir, il pleut, il pleuvait à verse,* etc., pleuvoir, il pleut, il pleuvait abondamment.

VERSÉ, E adj. → VERSER 3.

VERSEAU (le), constellation zodiacale. — Onzième signe du zodiaque que le Soleil traverse du 20 janvier au 20 février.

VERSEMENT n. m. → VERSER 4.

1. VERSER [vɛrse] v. t. (du lat. *vertere,* tourner). Faire basculer; coucher sur le sol : *Le chauffeur nous a versés dans le fossé* (syn. RENVERSER). ◆ v. i. Se renverser, basculer : *Nous avons déjà versé une fois en voiture* (syn. CAPOTER). ◆ **versoir** n. m. Partie de la charrue qui rejette la terre de côté (syn. OREILLE).

2. VERSER [vɛrse] v. t. (même étym.). **1.** Faire couler un liquide, des grains, etc. : *Verser de l'eau dans une casserole. Verser à boire* (syn. SERVIR). *Verser des lentilles dans un bocal* (syn. METTRE, TRANSVASER). — **2.** *Verser des larmes,* pleurer (littér.). ‖ *Le sang a été versé,* il y a eu des blessés, des morts. ◆ **verseur, euse** adj. et n. m. Qui sert à faire couler un liquide : *Carafe à bec verseur.* ◆ **verseuse** n. f. Récipient à poignée droite, utilisé pour servir des boissons chaudes. ◆ **reverser** v. t. Verser de nouveau, encore : *Reverser du vin à ses invités.*

3. VERSER [vɛrse] v. i. (même étym.). *Verser dans une opinion, dans une pratique,* etc., adopter plus ou moins cette opinion, s'adonner à cette pratique, etc. : *Je verse tout à fait dans vos idées* (syn. DONNER). *Il a tendance à verser dans l'emphase* (syn. TOMBER). ◆ **versé, e** adj. *Versé dans,* se dit de quelqu'un qui a une grande connaissance ou une longue pratique de quelque chose : *Être très versé dans l'histoire ancienne* (syn. FORT, SAVANT; fam. CALÉ).

4. VERSER [vɛrse] v. t. (même étym.). **1.** Remettre de l'argent à un organisme ou à une personne : *Verser une somme au trésorier, par chèque.* — **2.** S'acquitter d'une somme que l'on doit : *Verser des arrhes* (syn. DONNER, PAYER; contr. PERCEVOIR). — **3.** Faire une opération financière : *Verser une somme à un compte.* ◆ **versement** n. m. : *Payer par versements échelonnés sur dix-huit mois* (syn. PAIEMENT, REMBOURSEMENT). ◆ **reverser** v. t. Reporter sur : *Reverser un excédent sur un compte.*

VERSET [vɛrsɛ] n. m. (de *vers*). **1.** Phrase ou petit paragraphe numérotés, dans la Bible et les textes sacrés : *Un verset de la Genèse.* — **2.** Phrase ou suite de phrase rythmées, d'une seule respiration, considérée comme l'unité d'un ensemble, le poème.

VERSEUR, EUSE adj. et n. → VERSER 2.

VERSIFICATEUR n. m., **VERSIFICATION** n. f., **VERSIFIER** v. i. et t. → VERS 1.

1. VERSION [vɛrsjɔ̃] n. f. (lat. *versio,* action de tourner). Traduction d'un texte ancien ou étranger dans la langue du sujet qui traduit : *Version latine, anglaise* (par oppos. à THÈME).

2. VERSION [vɛrsjɔ̃] n. f. (même étym.). **1.** Manière de faire un récit, de rapporter un fait : *J'ai eu trois versions de l'accident, celle du chauffeur, celle du passager et celle d'un passant* (syn. NARRATION). — **2.** *Film en version originale,* film étranger qui n'est pas doublé et où les dialogues sont en général sous-titrés.

VERSO [vɛrso] n. m. (lat. *folio verso,* feuillet à l'envers). Revers d'un feuillet : *Ne rien écrire sur le verso* (contr. RECTO).

VERSOIR n. m. → VERSER 1.

1. VERT, E [vɛr, vɛrt] adj. (lat. *viridis*). **1.** Se dit d'une couleur située entre le bleu et le jaune dans le spectre de décomposition de la lumière : *Une robe verte. Être vert de peur* (= avoir très peur). — **2.** *Feu vert,* signal qui indique que la voie est libre, et, de façon générale, possibilité d'agir. ◆ n. m. Couleur verte : *Aimer le vert.* ◆ **verdâtre** adj. Qui tire sur le vert, qui est d'un vert trouble : *Teint verdâtre* (syn. OLIVÂTRE). ◆ **verdir** v. i. Devenir vert, tourner au vert : *Couleur bleue qui verdit.* ◆ v. t. Rendre vert : *La lumière verdit les feuilles.* ◆ **verdissage** n. m. Action de donner la teinte verte. ◆ **verdissement** n. m. État de ce qui verdit. ◆ **verdoyer** v. i. Devenir vert : *La campagne verdoie.* ◆ **verdoyant, e** adj. : *Arbres verdoyants.* ◆ **verdoiement** n. m. : *Le verdoiement des prés.* ◆ **verdure** n. f. **1.** Couleur verte des arbres et des plantes : *La verdure repose les yeux.* — **2.** Arbres, plantes : *Une maison cachée derrière un écran de verdure.* ◆ **reverdir** v. i. Redevenir vert : *Les arbres reverdissent au printemps.*

2. VERT, E [vɛr, vɛrt] adj. (même étym.). **1.** Bot. *Plantes vertes,* nom usuel des plantes chlorophylliennes. → ENCYCL. — **2.** Se dit des végétaux qui ont encore de la sève, qui ne sont pas secs : *Légumes verts* (contr. SEC). *Café vert* (= non torréfié). *Thé vert* (= non séché). — **3.** Se dit de ce qui n'est pas mûr, de ce qui n'est pas arrivé à maturité : *Pomme verte. Fruits verts* (syn. ACIDE, ÂPRE). *Vin vert* (= qui n'est pas fait, qui garde de l'acidité). ◆ **verdelet** adj. m. *Vin verdelet,* vin un peu acide. ◆ **verdeur** n. f. Défaut de maturité des fruits, du vin.

— ENCYCL. Les *plantes vertes* sont les seuls êtres vivants capables d'édifier leurs tissus par photosynthèse à partir des éléments minéraux de l'air et du sol. Elles enrichissent l'air en oxygène et en eau, l'appauvrissent en gaz carbonique et procurent de façon directe ou indirecte la totalité de leur nourriture à l'homme, aux animaux et aux plantes non vertes.

3. VERT, E [vɛr, vɛrt] adj. (même étym.). Se dit d'une personne vigoureuse, malgré un âge avancé : *Vieillard encore vert* (syn. GAILLARD, VAILLANT). ◆ **verdeur** n. f. Vigueur, jeunesse.

4. VERT, E [vɛr, vɛrt] adj. (même étym.). **1.** Se dit d'une chose âpre, rude : *Une verte réprimande* (syn. RUDE, VIOLENT). — **2.** *La langue verte,* l'argot. ◆ **vertement** adv. Vivement, sans ménagement : *Répliquer vertement à son adversaire* (syn. RUDEMENT).

◆ **vertes** n. f. pl. Fam. *En raconter des vertes et des pas mûres,* dire des choses scandaleuses, choquantes. ◆ **verdeur** n. f. Crudité, âpreté de langage : *Des propos d'une verdeur extraordinaire.*

VERT *(cap),* promontoire de la côte du Sénégal, le plus occidental de la côte d'Afrique.

VERT-DE-GRIS [vɛrdəgri] n. m. *(vert, de* et *gris).* Carbonate de cuivre hydraté, de couleur verdâtre, dont ce métal se recouvre au contact de l'air humide. ◆ adj. inv. Qui a cette couleur : *Des uniformes vert-de-gris.* ◆ **vert-de-grisé, e** adj. : *Du bronze vert-de-grisé* (= couvert de vert-de-gris).

VERTÈBRE [vɛrtɛbr] n. f. (lat. *vertebra,* articulation). Chacun des os courts constituant la colonne vertébrale : *Vertèbres dorsales, lombaires. Une vertèbre comprend un corps, un arc osseux formant le trou vertébral, quatre saillies verticales et deux saillies horizontales.* ◆ **vertébral, e aux** adj. **1.** *Colonne vertébrale* → COLONNE 2. — **2.** Relatif aux vertèbres : *Douleurs vertébrales.* — **3.** *Trou,* ou *canal vertébral,* orifice situé au centre des vertèbres : *La superposition des trous vertébraux forme le canal rachidien, qui contient la moelle épinière.* ◆ **intervertébral, e, aux** adj. *Disque intervertébral,* disque fibro-cartilagineux existant entre les corps de deux vertèbres successives. ◆ **vertébré, e** adj. Qui a des vertèbres : *Animal vertébré.* ◆ n. m. pl. Embranchement du règne animal comprenant environ 70 000 espèces actuelles, caractérisées par la possession d'un squelette interne avec une colonne vertébrale, un crâne, des mâchoires et, généralement, deux paires de membres (pattes, ailes ou nageoires) : *On partage les vertébrés en six classes, mammifères, oiseaux, reptiles, amphibiens, poissons et agnathes.* ◆ **invertébrés** n. m. pl. Animaux sans colonne vertébrale, comme les insectes, les crustacés, les mollusques, les vers, les oursins, etc.

VERTEMENT adv., **VERTES** n. f. pl. → VERT 4.

VERTICAL, E, AUX [vɛrtikal, -ko] adj. (lat. *verticalis;* de *vertex,* sommet). Qui suit la direction du fil à plomb : *Plan vertical* (par oppos. à HORIZONTAL ou OBLIQUE). *Un homme en station verticale* (= debout). ◆ **verticale** n. f. Ligne perpendiculaire au plan de l'horizon : *Les corps tombent suivant la verticale.* — LOC. ADV. *À la verticale,* dans la direction de la verticale : *L'hélicoptère s'élève du sol à la verticale.* ◆ **verticalement** adv. En suivant une ligne verticale : *La pluie cessa de tomber verticalement pour frapper la terre obliquement.* ◆ **verticalité** n. f. : *Vérifier la verticalité d'un mur* (syn. APLOMB).

VERTICILLE [vɛrtisil] n. m. (lat. *verticillus*). *Bot.* Ensemble d'organes latéraux (rameaux ou pièces florales) issus du même nœud de l'axe principal.

VERTIGE [vɛrtiʒ] n. m. (lat. *vertigo;* de *vertere,* tourner). **1.** Étourdissement momentané dans lequel il semble que les objets tournent autour de soi et que l'on tourne soi-même : *Avoir des vertiges* (syn. ÉBLOUISSEMENT, ÉTOURDISSEMENT). — **2.** Folie, égarement de l'esprit : *Tant d'argent, la liberté conquise d'un seul coup lui ont donné le vertige* (= fait perdre la tête). ◆ **vertigineux, euse** adj. **1.** Très haut, d'où l'on a le vertige : *Se trouver à une altitude vertigineuse* (syn. ↓ÉLEVÉ). — **2.** Très grand : *Une hausse vertigineuse des prix. Une vitesse vertigineuse* (syn. FANTASTIQUE). ◆ **vertigineusement** adv. Terriblement : *Les prix ont vertigineusement monté* (syn. fam. FORMIDABLEMENT).

VERTOU, ch.-l. de cant. de la Loire-Atlantique, à 8,5 km au S.-E. de Nantes, sur la Sèvre Nantaise; 15 900 hab. *(Vertaviens).*

1. VERTU [vɛrty] n. f. (lat. *virtus, virtutis,* courage). **1.** Disposition à faire le bien (langue soignée) : *Pratiquer la vertu* (contr. VICE). — **2.** Qualité morale particulière : *L'économie, vertu bourgeoise* (syn. QUALITÉ). — **3.** Chasteté d'une femme : *Femme de petite vertu* (= de mœurs faciles). ◆ **vertueux, euse** adj. **1.** Chaste : *Une femme vertueuse* (syn. HONNÊTE [avant le nom]). *Une jeune fille vertueuse* (syn. PUR; contr. LÉGER). — **2.** Qui correspond au bien : *Une action vertueuse, méritoire.* ◆ **vertueusement** adv.

2. VERTU [vɛrty] n. f. (même étym.). Qualité qui rend une chose propre à avoir tels ou tels effets (langue soignée) : *Médicament qui a une vertu préventive ou curative* (syn. EFFET, POUVOIR). — LOC. PRÉP. *En vertu de,* conformément à, en application de : *Un objet qui flotte sur l'eau en vertu du principe d'Archimède.*

VERVE [vɛrv] n. f. (du lat. *verbum,* parole). Qualité d'une personne qui parle avec enthousiasme et brio : *Un orateur plein de verve. Exercer sa verve contre qq'un* (syn. ÉLOQUENCE, ESPRIT, HUMOUR). *La verve gouailleuse des titis parisiens* (syn. fam. et péjor. BAGOU). *Être en verve* (= être inspiré, parler d'abondance).

VERVEINE [vɛrvɛn] n. f. (lat. *verbena*). Plante odorante dont une espèce est cultivée à des fins médicinales; infusion obtenue avec cette plante.

VERVIERS, v. de Belgique (Liège), sur la Vesdre; 57 400 hab. *(Verviétois).* Grand centre textile.

VERVINS, ch.-l. d'arrond. de l'Aisne, à 39 km au N.-E. de Laon, anc. capit. de la Thiérache, au-dessus du Chertemps; 3 000 hab. *(Vervinois).*

- *1598. Henri IV et Philippe II y signent un traité qui met fin à la guerre franco-espagnole.*

VÉSALE (André), médecin flamand (1514-1564), précurseur de l'anatomie moderne.

VESCE [vɛs] n. f. (lat. *vicia*). Plante herbacée annuelle, généralement grimpante : *Les vesces sont cultivées comme plantes fourragères.* (Famille des papilionacées.)

VÉSICULE [vezikyl] n. f. (lat. *vesicula,* petite ampoule). *Anat.* Sac membraneux en forme de petite vessie. ‖ *Vésicule biliaire* → BILE. ‖ *Vésicules séminales,* réservoirs situés derrière la vessie, au nombre de deux, dans lesquels s'accumule le sperme.

VÉSINET (Le), ch.-l. de cant. des Yvelines, à 11 km à l'O. de Paris; 17 300 hab. *(Vésinettois* ou *Vésigondins).*

VESLE (la), riv. de Champagne, qui passe à Reims et rejoint l'Aisne (r. g.); 143 km.

VESOUL, ch.-l. du dép. de la Haute-Saône, sur le Durgeon, à 364 km au S.-E. de Paris; 20 300 hab. *(Vésuliens).* Métallurgie.

VESPASIEN (9-79), empereur romain à partir de 69. D'origine modeste, il fit une brillante carrière militaire et réprima la révolte de Judée. Désigné comme empereur par l'armée d'Orient, il favorisa les chevaliers et les provinciaux, malgré l'opposition des sénateurs, distribuant largement le droit de cité, et ouvrit le sénat aux Italiens. Il réprima le soulèvement gaulois, restaura les finances et améliora l'exploitation du domaine impérial. Sous son règne fut édifié le Colisée.

VESPASIENNE [vɛspazjɛn] n. f. (du n. de *Vespasien*). Petit édifice établi sur la voie publique pour permettre aux hommes d'y uriner (syn. URINOIR).

VESPÉRAL, E, AUX [vɛsperal, -ro] adj. (du lat. *vesper,* soir). Du soir (littér.) : *Clarté vespérale.*

VESPUCCI (Amerigo), en fr. **Améric Vespuce,** navigateur florentin (1454-1512). Il fit plusieurs voyages au Nouveau Monde. Un cartographe de Saint-Dié utilisa son prénom pour désigner l'Amérique (1507).

VESSE-DE-LOUP [vɛsdəlu] n. f. (du lat. *vissire,* lâcher un gaz, et *loup*). Champignon basidiomycète blanc, globuleux, et comestible à l'état jeune, mais qui, à maturité, devient un sac brun rempli d'une poussière de spores, et qui crève au moindre contact. ‖ Pl. des *vesses-de-loup.*

VESSIE [vesi] n. f. (lat. *vesica,* poche). **1.** *Anat.* Poche musculaire et membraneuse, située en arrière du pubis, et dans laquelle s'accumule l'urine sécrétée par les reins. → ENCYCL. — **2.** Zool. *Vessie natatoire,* sac membraneux de certains poissons, qui peut se remplir de gaz et sert à leur équilibre dans l'eau, selon les profondeurs. — **3.** Fam. *Prendre des vessies pour des lanternes,* se tromper lourdement.

— ENCYCL. La *vessie* est située au-dessous du péritoine, en avant du rectum chez l'homme, en avant de l'utérus chez la femme. En arrière, elle reçoit les uretères; en bas et en avant, elle s'ouvre dans l'urètre par une partie amincie qui, chez l'homme, est entourée par la prostate. La vessie peut contenir environ 350 cm^3 d'urine chez l'adulte.

VESTA, déesse du Feu chez les Romains, correspondant à l'*Hestia* des Grecs. Elle était la déesse du Foyer.

VESTALE [vɛstal] n. f. (lat. *vestalis;* de *Vesta*). À Rome, pretresse de Vesta, qui entretenait le feu sacré de la déesse et était astreinte à la chasteté.

1. VESTE [vɛst] n. f. (du lat. *vestis,* vêtement). **1.** Vêtement de dessus, couvrant les bras et le buste et ouvert devant : *Veste croisée, droite.* ‖ Fam. *Tomber la veste,* l'enlever. — **2.** Fam. *Retourner sa veste,* changer d'opinion, de parti. ◆ **veston** n. m. Veste d'homme : *Mettre son veston.*

2. VESTE [vɛst] n. f. (de *veste* 1). *Fam.* Échec, insuccès : *Ramasser une veste à une élection.*

VESTERÅLEN, archipel norvégien, au nord des îles Lofoten*.

VESTIAIRE [vɛstjɛr] n. m. (lat. *vestiarium,* armoire à vêtements). **1.** Lieu où l'on dépose les vêtements, divers objets, avant de pénétrer dans certains établissements publics. — **2.** *Fam.* Ensemble des vêtements et des affaires déposés au vestiaire par une personne : *Demander son vestiaire.*

1. VESTIBULE [vɛstibyl] n. m. (lat. *vestibulum*). Pièce d'entrée d'un édifice, d'une maison, d'un appartement : *Le vestibule d'un appartement, d'un hôtel* (syn. ENTRÉE, HALL).

2. VESTIBULE [vɛstibyl] n. m. (de *vestibule* 1). *Anat.* Cavité de l'oreille interne, reliée à l'oreille moyenne par les fenêtres ronde et ovale, se prolongeant par le limaçon et portant les canaux semi-circulaires.

VESTIGE [vɛstiʒ] n. m. (lat. *vestigium*, trace) [généralement au plur.]. Restes d'une chose détruite, disparue : *Vestiges du passé* (syn. SOUVENIRS). *Les derniers vestiges de la guerre* (syn. RESTES, TRACES). *Vestiges d'une ancienne abbaye* (syn. RUINES).

VESTIMENTAIRE adj. → VÊTEMENT.

VESTON n. m. → VESTE 1.

VÉSUBIE (la), riv. des Alpes-Maritimes, affl. du Var (r. g.); 48 km. Gorges pittoresques.

VÉSUVE (le), volcan actif de 1 270 m de hauteur, à 8 km au S.-E. de Naples. L'éruption de l'an 79 apr. J.-C. ensevelit Herculanum et Pompéi.

VÊTEMENT [vɛtmɑ̃] n. m. (lat. *vestimentum*). Tout ce qui sert à couvrir le corps : *Ranger ses vêtements* (syn. AFFAIRES, HABITS). *Porter un vêtement neuf* (= robe, manteau, veston, etc.). ◆ **vestimentaire** adj. Qui a rapport aux vêtements : *Des dépenses vestimentaires.* ◆ **sous-vêtement** n. m. Vêtement de dessous : *Des sous-vêtements en coton* (= linge de corps). ◆ **survêtement** n. m. Tenue de sport chaude, composée d'un pantalon et d'un blouson.

VÉTÉRAN [veterɑ̃] n. m. (lat. *veteranus*, vieux soldat). **1.** Vieux soldat : *Un vétéran de la guerre de 14.* — **2.** Personne qui a une longue pratique dans une activité, dans un domaine (syn. ANCIEN).

VÉTÉRINAIRE [veterinɛr] adj. (du lat. *veterina*, bêtes de somme). Relatif à la médecine des animaux domestiques. ◆ n. m. Personne diplômée, qui pratique cette médecine.

VÉTILLE [vetij] n. f. (de l'anc. prov. *vetta*, ruban). Chose sans importance : *Perdre son temps à des vétilles* (syn. BAGATELLE, DÉTAIL, RIEN). *Ergoter, discuter sur des vétilles* (= des points de détail). ◆ **vétilleux, euse** adj. Se dit d'une personne qui s'attache à des choses sans importance (syn. POINTILLEUX).

VÊTIR [vetir] v. t. (lat. *vestire*). [Conj. **27.**] *Vêtir qq'un*, le couvrir de vêtements, l'habiller (langue soignée) : *Vêtir un enfant.* ◆ ***se vêtir*** v. pr. S'habiller : *Se vêtir des pieds à la tête.* ◆ **vêtu, e** adj. : *Vêtu à l'ancienne mode* (syn. HABILLÉ). ◆ **dévêtir** v. t. : *Dévêtir qq'un*, le dépouiller de la totalité ou d'une partie de ses vêtements. ◆ ***se dévêtir*** v. pr. (langue soignée) : *Par cette chaleur, on aime à se dévêtir* (syn. SE DÉSHABILLER).

VETO [veto] n. m. inv. (mot lat. signif. *je m'oppose*). **1.** Institution par laquelle une autorité peut s'opposer à l'entrée en vigueur d'une loi votée par l'organe compétent : *Avoir un droit de veto.* ‖ *Veto suspensif*, droit accordé au roi, par la Constitution de 1791, de s'opposer pendant deux législatures à la promulgation de lois votées par l'Assemblée. — **2.** Opposition, refus : *Mettre, opposer un veto à un projet de mariage.*

VÊTU, E adj. → VÊTIR.

VÉTUSTE [vetyst] adj. (lat. *vetustus*). Se dit d'une chose vieille, détériorée par le temps (langue soignée) : *Une maison vétuste* (syn. ↑DÉLABRÉ). ◆ **vétusté** n. f. État de ce qui est vétuste : *La vétusté d'un immeuble* (syn. ANCIENNETÉ, ↑DÉLABREMENT).

VEUF, VEUVE [vœf, vœv] adj. et n. (du lat. *viduus*, vide). Se dit d'une personne qui a perdu son conjoint et n'a pas contracté un nouveau mariage. ◆ **veuvage** n. m. État d'une personne qui a perdu son conjoint : *Depuis son veugage, il vit très retiré.* (→ VIDUITÉ.)

VEUILLOT (Louis), journaliste et écrivain français (1813-1883). Catholique militant, directeur de *l'Univers*, il défendit la cause de l'ultramontanisme et publia des ouvrages de polémique *(les Odeurs de Paris).*

VEULE [vøl] adj. (orig. obscure). Qui manque d'énergie, de volonté (littér.) : *Un être veule* (syn. LÂCHE, MOU; contr. ÉNERGIQUE, FERME). ◆ **veulerie** n. f. Caractère d'une personne lâche, ou de sa conduite : *Faire preuve de veulerie* (syn. LÂCHETÉ; contr. COURAGE, ÉNERGIE; fam. CRAN). ◆ **aveulir** v. t. *Aveulir qq'un*, le rendre veule, lâche, faible (littér.). ◆ ***s'aveulir*** v. pr. Devenir veule, perdre son énergie. ◆ **aveulissement** n. m.

VEUVAGE n. m., **VEUVE** n. f. → VEUF.

VEVEY, v. de Suisse (Vaud), sur le lac Léman; 18 000 hab. Industries alimentaires. Tabac. Station touristique.

VEXER [vɛkse] v. t. (lat. *vexare*). *Vexer qq'un*, lui faire de la peine, le blesser dans son amour-propre : *Vexer un ami par une remarque trop vive* (syn. BLESSER, FROISSER, PEINER). ◆ ***se vexer*** v. pr. Se froisser, être blessé : *Il se vexe d'un rien* (syn. SE FÂCHER, SE FORMALISER). ◆ **vexant, e** adj. *Avoir une parole vexante pour qq'un* (syn. BLESSANT, DÉSAGRÉABLE). *C'est vexant de ne pouvoir profiter de cette occasion* (syn. IRRITANT, RAGEANT). ◆ **vexation** n. f. **1.** Action de vexer : *Être en butte à des vexations continuelles* (syn. BRIMADE). — **2.** Fait d'être vexé, blessé : *Ne pas pouvoir supporter la moindre vexation* (syn. HUMILIATION). ◆ **vexatoire** adj. Qui a le caractère d'une vexation : *Mesure vexatoire.*

VEXIN, pays de l'anc. France, entre le pays de Bray, la Seine et l'Oise, divisé par l'Epte en un *Vexin normand*, à l'O., et en un *Vexin français*, à l'E. Constitué de plateaux calcaires, souvent limoneux, le Vexin est une riche région agricole (blé, betterave à sucre, élevage bovin).

VÉZELAY, ch.-l. de cant. de l'Yonne, à 15 km au S.-O. d'Avallon; 582 hab. L'église abbatiale de la Madeleine, commencée v. 1096, fut terminée avant la fin du XIIe s. Le tympan est un des chefs-d'œuvre de la sculpture romane. Le chœur est gothique.

VÉZÈRE (la), riv. de France, née sur le plateau de Millevaches, affl. de la Dordogne (r. dr.); 192 km. Sur ses bords, stations préhistoriques des Eyzies, de La Madeleine, etc. Gorges pittoresques.

VIA [vja] prép. (lat. *via*, voie). En passant par (techn.) : *Aller de Paris à Ajaccio via Nice.*

1. VIABILITÉ n. f. → VIE 1.

2. VIABILITÉ [vjabilite] n. f. (du lat. *via*, voie). **1.** Bon état d'une route, permettant d'y circuler (syn. PRATICABILITÉ). — **2.** Ensemble des travaux d'intérêt général (voirie, eau, gaz, électricité, égouts, téléphone) à exécuter sur un terrain avant une construction.

VIABLE adj. → VIE 1.

VIADUC [vjadyk] n. m. (du lat. *via*, voie, et *ducere*, conduire). Grand pont métallique ou en maçonnerie, établi au-dessus d'une vallée, pour le passage d'une voie de communication.

VIAGER, ÈRE [vjaʒe, -ɛr] adj. (de l'anc. fr. *viage*, temps de vie). *Rente viagère*, rente dont on possède la jouissance durant toute sa vie. ◆ n. m. Rente à vie : *Avoir un viager.* ‖ *En viager*, en échange d'une rente.

VIAN (Boris), écrivain français (1920-1959). Ingénieur, il se consacre à la musique (il est trompettiste de jazz) et à la littérature, et subit l'influence du surréalisme et de l'existentialisme. Ses romans (*l'Écume des jours; l'Automne à Pékin*, 1947; *l'Arrache-cœur*, 1953) qu'il signe d'abord du pseudonyme de Vernon Sullivan (*J'irai cracher sur vos tombes*, 1947), ses poèmes (*Je voudrais pas crever*, 1963) et son théâtre (*l'Équarissage pour tous*, 1949; *le Goûter des généraux*, 1964) révèlent une lucidité amère, parfois désespérée, et un humour noir mêlé de tendresse.

VIANDE [vjɑ̃d] n. f. (lat. *vivenda*, qui est nécessaire à la vie). Chair des animaux considérée comme nourriture : *Manger de la viande à tous les repas. Viande rouge* (= celle du bœuf, du mouton, de l'agneau, du cheval). *Viande blanche* (= celle du porc, du veau, du lapin, de la volaille).

VIANNEY (Jean-Baptiste Marie) → JEAN-BAPTISTE MARIE VIANNEY *(saint).*

VIAREGGIO, v. d'Italie (Toscane), sur la côte tyrrhénienne; 57 300 hab. Station balnéaire.

1. VIATIQUE [vjatik] n. m. (lat. *viaticum;* de *via*, route). **1.** Argent, provisions que l'on emporte pour voyager. — **2.** Moyen de parvenir : *Partir dans la vie avec ses études comme seul viatique* (syn. ATOUT).

2. VIATIQUE [vjatik] n. m. (même étym.). *Relig. catholique.* Sacrement de l'eucharistie donné à un mourant.

VIAU (Théophile DE), poète français (1590-1626). Huguenot de religion et libertin d'esprit et de mœurs, il se convertit au catholicisme lorsqu'il devient célèbre. Poursuivi pour impiété et condamné à mort par contumace, il meurt peu de temps après sa sortie de prison. Ses œuvres poétiques, publiées en trois volumes (1623-1625) et contenant sa tragédie *Pyrame et Thisbé* (1621), ont été rééditées plusieurs fois au cours du XVIIe s.

VIAUR (le), riv. du Massif central, affl. de l'Aveyron (r. g.). Il est franchi par un grand viaduc qui le domine de 120 m et sur lequel passe la voie ferrée allant de Rodez à Albi.

VIBORG → VYBORG.

VIBORG, v. du Danemark, anc. capit. du Jylland; 38 000 hab.

VIBRANT, E adj. → VIBRER 1 et 2.

VIBRAPHONE [vibrafɔn] n. m. (de *vibrer*, et gr. *phônê*, son). Instrument de percussion utilisé dans le jazz et dans la musique contemporaine, formé de lames de métal et pourvu de tuyaux de résonance, placés sous les lames.

1. VIBRER [vibre] v. i. (lat. *vibrare*, agiter). **1.** (sujet nom de personne ou désignant un groupe de personnes) Être touché, ému : *Faire vibrer les foules* (= émouvoir). *Faire vibrer la fibre paternelle* (syn. TOUCHER). — **2.** Traduire une certaine intensité d'émotion : *Sa voix vibrait de colère.* ◆ **vibrant, e** adj. : *Parole vibrante* (syn. ÉMOUVANT, PATHÉTIQUE, TOUCHANT).

2. VIBRER [vibre] v. i. (même étym.). **1.** Se mouvoir périodiquement autour de sa position d'équilibre : *Corde qui vibre.* — **2.** Résonner, avoir une sorte de tremblement, de battement sonore : *Sa voix vibrait entre ces gros murs.* ◆ **vibrant, e** adj. Qui vibre : *Plaque vibrante d'un écouteur.* ◆ **vibratile** adj. Susceptible de vibrer. || *Cils vibratiles* → CIL. ◆ **vibration** n. f. **1.** Mouvement oscillatoire rapide : *Les vibrations des vitres lors du passage d'un avion* (syn. ÉBRANLEMENT, TREMBLEMENT). — **2.** Mouvement périodique d'un système matériel autour de sa position d'équilibre : *Vibrations sonores, lumineuses.* ◆ **vibratoire** adj. Composé de vibrations : *Massage vibratoire.* ◆ **vibrato** n. m. *Mus.* Tremblement, répétition serrée d'une même note : *Faire un vibrato.* ◆ **vibreur** n. m. Appareil animé d'un mouvement vibratoire. ◆ **vibromasseur** n. m. Appareil électrique qui produit des massages vibratoires.

VIBRION [vibrijɔ̃] n. m. (lat. *vibrio*). Bactérie en forme de bâtonnet recourbé en virgule et muni à son extrémité d'un ou de plusieurs cils qui lui confèrent sa mobilité : *Le vibrion septique a été découvert par Pasteur en 1876 dans la gangrène gazeuse. Le vibrion cholérique, découvert par Koch en 1883, est l'agent du choléra.*

VIBROMASSEUR n. m. → VIBRER 2.

VICAIRE [vikɛr] n. m. (lat. *vicarius*, remplaçant). *Relig. catholique.* Prêtre adjoint à un curé. ◆ **vicariat** n. m. Fonction, dignité de vicaire.

1. VICE n. m. → VICIER.

2. VICE [vis] n. m. (lat. *vitium*, défaut). **1.** Disposition à faire le mal : *Le vice et la vertu.* — **2.** Mauvais penchant : *Avoir tous les vices* (syn. ↓DÉFAUT). *Cacher ses vices* (syn. TARE). — **3.** Défaut sans gravité, mauvaise habitude : *L'usage du tabac est devenu chez lui un véritable vice.* — **4.** *Fam.* Altération du goût, choix paradoxal : *Elle met sa plus vilaine robe pour sortir, c'est du vice.* ◆ **vicieux, euse** adj. et n. **1.** Se dit d'une personne dont les mœurs, et en particulier les habitudes sexuelles, sont blâmables. — **2.** Se dit d'un animal rétif : *Une mule vicieuse.*

---

3. VICE- (lat. *vice*, à la place de), particule inv., qui entre dans la composition de plusieurs mots pour indiquer des fonctions de suppléant ou d'adjoint du titulaire : *Vice-consul. Vice-président.*

VICE-AMIRAL n. m. → AMIRAL et GRADE 2.

VIC-EN-BIGORRE, ch.-l. de cant. des Hautes-Pyrénées, à 17 km au N. de Tarbes, près de l'Adour; 5 050 hab.

VICENCE, v. d'Italie (Vénétie); 119 000 hab. Cathédrale (XIIIe s.). Patrie de Palladio, qui construisit ou conçut pour elle de nombreux palais et villas, le théâtre Olympique et la basilique. Métallurgie.

VICENNAL, E, AUX [visenal, -no] adj. (lat. *vicennalis*). Qui dure vingt ans.

VICENTE (Gil), auteur dramatique portugais (v. 1470-v. 1537). Son théâtre, parfois écrit en espagnol, offre un tableau précis de la société de son temps. Ses pièces sont tantôt d'esprit aristocratique *(l'Exhortation à la guerre)*, tantôt de caractère populaire *(Inês Pereira)*, tantôt d'inspiration religieuse (*la Trilogie des barques*, 1517-1519).

VICE-PRÉSIDENCE n. f., **VICE-PRÉSIDENT, E** n. → PRÉSIDER 1.

VICE-ROI [visrwa] n. m. (*vice-*, et *roi*). Dans un royaume, gouverneur d'un territoire, notamment un territoire conquis, dont l'étendue en fait un véritable État. || Pl. des *vice-rois.* ◆ **vice-royauté** n. f.

VICE VERSA [viseversa] ou [visvɛrsa] loc. adv. (mots lat. signif. *le tour étant retourné*). Réciproquement, inversement.

VIC-FEZENSAC, ch.-l. de cant. du Gers, à 29 km au N.-O. d'Auch; 4 000 hab. Eaux-de-vie.

VICHNOU → VISHNU.

VICHY, ch.-l. d'arrond. de l'Allier, à 59 km au N.-E. de Clermont-Ferrand; 30 600 hab. *(Vichyssois).* Grande station thermale.

Vichy *(gouvernement de)*, gouvernement dirigé par le maréchal Pétain et qui siégeait à Vichy (1940-1944). (→ ÉTAT FRANÇAIS.)

1. VICHY [viʃi] n. m. (de *Vichy*). Toile de coton à carreaux de couleur.

2. VICHY [viʃi] n. m. (même étym.). Eau minérale de Vichy.

VICIER [visje] v. t. (lat. *vitiare*, corrompre). **1.** *Vicier qqch.*, en gâter la pureté : *Vicier le goût du vin.* — **2.** *Vicier un acte juridique*, le rendre nul (langue du droit) : *Une erreur matérielle a vicié ce testament.* ◆ **vicié, e** adj. *Air vicié, atmosphère viciée*, peu propres à la respiration. ◆ **vice** n. m. *Vice de forme*, défaut qui rend nul un acte juridique lorsqu'une des formalités légales a été omise.

VICIEUX, EUSE adj. et n. → VICE 2.

VICINAL, E, AUX [visinal, -no] adj. (du lat. *vicinus*, voisin). *Chemin vicinal*, chemin qui relie des villages, des hameaux.

VICISSITUDES [visisityd] n. f. pl. (lat. *vicissitudo*). Événements heureux ou malheureux qui affectent l'existence humaine.

VICKSBURG, v. des États-Unis (Mississippi), sur le Mississippi; 29 000 hab.

• *1863. Assiégée par les nordistes Sherman et Grant, la ville capitule.*

VICO (Giambattista), historien et philosophe italien (1668-1744). Ses *Principes de la philosophie de l'histoire* (1725) distinguent dans l'histoire de chaque peuple trois âges : l'âge divin, l'âge héroïque et l'âge humain. Son œuvre a influencé des philosophes (Kant, Hegel) et des écrivains (Joyce).

VICOMTE, VICOMTESSE [vikɔ̃t, vikɔ̃tɛs] n. (bas lat. *vicecomes*). Titre de noblesse immédiatement inférieur à celui de comte, de comtesse.

VICTIME [viktim] n. f. (lat. *victima;* de *vincere*, vaincre). **1.** Animal ou personne que l'on immolait pour l'offrir en sacrifice à une divinité. — **2.** Personne, communauté qui souffre des agissements de quelqu'un, ou par le fait des événements : *Enfant qui est victime des moqueries de ses camarades* (= en butte aux). *Les vieillards, les malades, les enfants sont les premières victimes du froid* (= les premiers à souffrir). *Personne autoritaire, qui a besoin d'une victime* (syn. SOUFFRE-DOULEUR). *Être victime d'un malaise* (= être pris de). *Cette ville a été victime de la dernière guerre* (= a beaucoup souffert pendant). — **3.** Personne tuée ou blessée : *Il y a eu une centaine de victimes sur les routes au cours du week-end* (= morts, blessés, accidentés).

VICTOIRE [viktwar] n. f. (lat. *victoria*). **1.** Avantage remporté dans une guerre, dans une bataille : *La victoire fut longtemps indécise* (syn. SUCCÈS). *Chanter, crier victoire* (= se glorifier d'un succès). — **2.** Succès, avantage dans une compétition, dans une épreuve : *Notre équipe de football a remporté une brillante victoire* (syn. ↑TRIOMPHE). ◆ **victorieux, euse** adj. **1.** Se dit de quelqu'un qui est vainqueur dans une épreuve ou dans une lutte : *L'armée victorieuse* (syn. GAGNANT). — **2.** Se dit de ce qui exprime ou évoque un succès : *Arborer un air victorieux.* ◆ **victorieusement** adv. Avec succès : *Sortir victorieusement d'une compétition.*

VICTOR (Paul-Émile), explorateur français des régions polaires, né en 1907.

VICTOR-AMÉDÉE Ier (1587-1637), duc de Savoie de 1630 à 1637, époux de Christine de France, fille d'Henri IV — VICTOR-AMÉDÉE II (1666-1732), duc de Savoie en 1675, roi de Sicile (1713), puis de Sardaigne (1720). Il abdiqua en 1730. — VICTOR-AMÉDÉE III (1726-1796), roi de Sardaigne de 1773 à 1796. Il organisa son armée à la prussienne, fonda l'Académie des sciences de Turin et lutta contre la Révolution française, qui lui imposa le traité de Paris (1796).

VICTOR-EMMANUEL Ier (1759-1824), roi de Sardaigne de 1802 à 1821. — VICTOR-EMMANUEL II (1820-1878), roi de Sardaigne (1849), puis roi d'Italie (1861). Il fut l'allié de la France contre l'Autriche (1859), et le véritable créateur, avec son ministre Cavour, de l'unité italienne. — VICTOR-EMMANUEL III (1869-1947), roi d'Italie (1900-1946), empereur d'Éthiopie (1936) et roi d'Albanie (1939). Il appuya le régime fasciste en confiant le pouvoir à Mussolini, mais l'écarta dès 1943. Il dut abdiquer en 1946.

VICTORIA, capit. de la colonie britannique de Hongkong: 675 000 hab. Métallurgie et textiles.

VICTORIA, État du sud-est de l'Australie; 3 615 800 hab. Capit. *Melbourne.*

VICTORIA, grande île de l'archipel arctique canadien (Territoire du Nord-Ouest).

VICTORIA, port du Canada, capit. de la Colombie britannique, dans l'île de Vancouver; 60 900 hab. Université.

VICTORIA *(chutes)*, chutes du Zambèze, hautes de 120 m, près de Livingstone (Zambie).

VICTORIA *(lac)*, ancienn. **Victoria Nyanza,** lac de l'Afrique équatoriale, situé aux confins de l'Ouganda, du Kenya et de la Tanzanie et d'où sort le Nil; 68 100 km². C'est le plus grand lac africain. Il a été découvert par Speke en 1858.

VICTORIA Ire (1819-1901), reine de Grande-Bretagne et d'Irlande (1837-1901) et impératrice des Indes (1876-1901), petite-fille de George III. Elle épousa (1840) Albert de Saxe-Cobourg-Gotha. Conseillée par lord Melbourne, puis par Disraeli, elle restaura le prestige de la Couronne. Son règne correspond à la période la plus brillante de l'histoire britannique.

Victoria Cross, la plus haute distinction militaire britannique, créée en 1856.

VICTORIEN, ENNE [viktɔrjɛ̃, -ɛn] adj. Relatif à la reine Victoria et à son époque : *L'ère victorienne.*

VICTORIEUSEMENT adv., **VICTORIEUX, EUSE** adj. → VICTOIRE.

VICTUAILLES [viktɥaj] n. f. pl. (du lat. *victus*, nourriture). Provisions alimentaires : *Emporter des victuailles* (syn. VIVRES).

VIDAGE n. m. → VIDE.

VIDAL DE LA BLACHE (Paul), géographe français (1845-1918). Véritable fondateur de l'école géographique française, il a étudié les rapports entre éléments physiques et humains. Auteur d'un *Tableau de la géographie de la France* (1903), il conçut une grande *Géographie universelle*.

VIDANGE [vidɑ̃ʒ] n. f. (de *vider*). **1.** Action de vider pour nettoyer ou rendre de nouveau utilisable : *Faire la vidange d'un réservoir d'automobile, d'une fosse d'aisances.* — **2.** (au plur.) Matières qui ont été enlevées des fosses d'aisances : *Traitement chimique des vidanges.* ◆ **vidanger** v. t. Vider pour nettoyer : *Vidanger une citerne. Vidanger un réservoir, un carter d'automobile, des fosses d'aisances.* ◆ **vidangeur** n. m. Celui qui fait le nettoyage des fosses d'aisances.

VIDE [vid] adj. (du lat. *vacuus*). **1.** Se dit d'une chose qui ne contient ni objet ni matière solide ou liquide : *Boîte vide, à moitié vide* (contr. PLEIN). *Une bouteille vide.* — **2.** Se dit de ce qui ne contient pas son contenu normal ou habituel : *Mon porte-monnaie est vide. Arriver chez un ami les mains vides* (= sans cadeau, sans rien offrir). — **3.** Se dit d'un lieu inoccupé : *Appartement vide* (syn. INHABITÉ). *Depuis la mort de M. X., la place de président est vide* (syn. VACANT; contr. OCCUPÉ). *Il y avait beaucoup de fauteuils vides à l'orchestre* (syn. DISPONIBLE). — **4.** Se dit de tout ce qui manque de vie, d'intérêt, d'occupation : *Passer une journée vide* (= à ne rien faire, à s'ennuyer). *Discussion, paroles, propos vides* (syn. CREUX, STÉRILE). — **5.** *Vide de,* dépourvu de : *Remarque vide de sens* (contr. PLEIN, RICHE). ◆ n. m. **1.** *Philos.* Espace supposé inoccupé par la matière : *On pensait autrefois que la nature avait horreur du vide.* — **2.** Espace où l'air est plus ou moins supprimé par différents moyens physiques : *Faire le vide. Emballage sous vide.* — **3.** Espace de temps inoccupé : *Avoir un vide dans son emploi du temps* (syn. CREUX, TROU). — **4.** Sentiment d'absence, de privation : *Sa mort fait un grand vide.* — **5.** Désert, solitude : *Faire le vide autour de soi* (= faire fuir les gens). *Faire le vide autour de qq'un* (= le laisser seul). ‖ *Faire le vide dans son esprit,* ne plus penser à rien. — LOC. ADV. *À vide,* sans rien contenir : *La voiture repart à vide* (contr. CHARGÉ); sans effet : *Le moteur tourne à vide* (= sans rien entraîner). ◆ **vider** v. t. **1.** *Vider un lieu, un récipient,* le débarrasser de son contenu, le rendre vide : *Vider un tiroir* (contr. REMPLIR). *Vider une chambre* (syn. DÉBARRASSER). — **2.** *Vider qqch.,* en sortir le contenu : *Vider son porte-monnaie* (syn. DÉGARNIR). *Vider une citerne* (= la mettre à sec). *Vider une bouteille.* ‖ Fam. *Vider son sac,* dire tout ce que l'on a sur le cœur. ‖ *Vider une querelle,* la régler une fois pour toutes (syn. LIQUIDER). — **3.** Évacuer ou faire évacuer un lieu, le quitter : *Recevoir l'ordre de vider les lieux.* ‖ Fam. *Vider qq'un,* le mettre à la porte : *Vider qq'un d'une réunion* (syn. CHASSER, EXPULSER, RENVOYER). — **4.** Boire le contenu d'un récipient : *Vider son verre. Vider sa tasse d'un trait* (= boire d'un seul coup). — **5.** *Vider une volaille,* en retirer les entrailles. — **6.** Fam. *Vider qq'un,* le fatiguer, l'épuiser : *Cet examen l'a vidé.* ◆ **se vider** v. pr. Perdre son contenu : *Un seau percé qui se vide.* ◆ **vidage** n. m. Action de faire sortir le contenu d'un récipient : *Le vidage d'un réservoir* (contr. REMPLISSAGE). ◆ **vide-ordures** n. m. inv. Installation constituée par une colonne verticale de large section et qui, dans un immeuble, permet de verser directement les ordures d'un étage dans une poubelle située au niveau du sol. ◆ **vide-poches** n. m. inv. Corbeille, coupe, etc., où l'on dépose les menus objets que l'on porte habituellement dans ses poches.

VIDÉO [video] adj. inv. et n. f. (lat. *video,* je vois). **1.** *Télév.* Se dit d'un procédé qui permet d'enregistrer sur bande magnétique des images filmées par une caméra, ainsi que le son, et de les projeter immédiatement : *Un système vidéo comprend un magnétoscope-enregistreur image et son, une caméra et un écran de télévision de contrôle.* — **2.** *Jeu vidéo,* jeu utilisant un écran du type télévision et dans lequel les mouvements sont commandés électroniquement. ◆ **vidéo-cassette** n. f. Cassette contenant une bande magnétique qui permet l'enregistrement et la reproduction d'un programme de télévision ou d'un film vidéo en la plaçant dans un appareil de lecture relié à un téléviseur. ‖ Pl. des *vidéo-cassettes.* ◆ **vidéo-disque** n. m. Disque qui, à l'aide d'un spot lumineux balayant ses sillons, restitue des images sur un téléviseur. ‖ Pl. des *vidéo-disques.*

VIDÉO-CLIP n. m. → CLIP 2.

VIDE-ORDURES n. m. inv., **VIDE-POCHES** n. m. inv., **VIDER** v. t. → VIDE.

VIDOCQ (François), aventurier français (1775-1857). Ancien bagnard, il fut chef de la Sûreté. Il a laissé des *Mémoires.*

VIDOR (King), cinéaste américain d'origine hongroise (1894-1982). Auteur, entre autres films, de *Hallelujah!* (1929), *Guerre et Paix* (1956), *Salomon et la reine de Saba* (1959).

VIDOURLE (le), fl. côtier du bas Languedoc; 85 km.

VIDUITÉ [vidɥite] n. f. (lat. *viduitas;* de *viduus,* veuf). *Dr.* État d'une femme veuve (jurid.).

1. VIE [vi] n. f. (lat. *vita*). **1.** Propriété essentielle des êtres organisés, qui évoluent de la naissance à la mort : *Donner un signe de vie* (syn. EXISTENCE). *Donner la vie à un enfant* (syn. JOUR). *Perdre la vie* (= mourir). *Rester quelques secondes sans vie* (= inanimé). *Une question de vie ou de mort.* — **2.** Ensemble de phénomènes biologiques que présentent tous les organismes : *Vie des cellules. Vie végétale, animale.* — **3.** Apparence animée : *Enfant plein de vie* (syn. SANTÉ, VITALITÉ). *Mettre de la vie dans une réunion* (syn. AMBIANCE, ENTRAIN). *Rue, quartier où il y a de la vie* (syn. ANIMATION, MOUVEMENT). ◆ **viable** adj. **1.** Se dit d'un être qui peut vivre : *L'enfant est né viable.* — **2.** Se dit de tout ce qui est organisé de façon à pouvoir durer, subsister : *Entreprise viable.* ◆ **viabilité** n. f. Aptitude d'un organisme à vivre (sens 1 et 2 de l'adj.).

2. VIE [vi] n. f. (même étym.). **1.** Existence humaine envisagée dans sa durée totale, de la naissance à la mort : *Une courte vie* (syn. EXISTENCE). *Une vie bien remplie.* — **2.** Condition humaine en général : *Que voulez-vous, c'est la vie. Ne rien connaître de la vie* (= n'avoir pas l'expérience de la société des hommes). — **3.** Manière de passer, de mener son existence; caractère, style d'un mode d'existence : *Avoir une vie rangée, tranquille. Genre, train de vie.* ‖ *Femme de mauvaise vie,* de mœurs faciles. ‖ *Faire sa vie,* construire, organiser son existence à son idée. ‖ *Faire la vie,* se livrer au plaisir, ou être insupportable. ‖ *Faire une vie impossible à qq'un, lui rendre la vie impossible, intenable,* être désagréable, insupportable avec lui. ‖ *Ce n'est pas une vie,* c'est une situation, une existence intenable. ‖ *Vivre sa vie,* être libre, vivre à sa guise. — **4.** Activité particulière d'une personne, aspect de l'existence d'un homme ou d'une société : *La vie professionnelle, la vie privée. Avoir une vie sentimentale compliquée. Connaître la vie quotidienne d'un peuple étranger* (syn. MŒURS). — **5.** Biographie d'une personne : *Vie et œuvre de J.-J. Rousseau.* — **6.** Existence des choses dans le temps, sujette au changement : *Vie et mort d'une civilisation.*

3. VIE [vi] n. f. (même étym.). Moyen de subsistance : *La vie est chère dans cette région* (syn. ALIMENTATION, NOURRITURE). ‖ *Niveau de vie* → NIVEAU.

vie dévote *(Introduction à la),* ouvrage de saint François de Sales (1609).

vie est un songe *(La),* drame de Calderón (v. 1633).

Vies parallèles (communément *Vies des hommes illustres*), par Plutarque, récits biographiques consacrés aux grands hommes de la Grèce et de Rome, et groupés deux par deux (Démosthène-Cicéron, Alexandre-César, etc.).

VIEIL adj. m., **VIEILLARD** n. m., **VIEILLE** adj. et n. f., **VIEILLERIE** n. f., **VIEILLESSE** n. f., **VIEILLI, E** adj., **VIEILLIR** v. i. et t., **VIEILLISSANT, E** adj., **VIEILLISSEMENT** n. m., **VIEILLOT, OTTE** adj. → VIEUX.

VIEIRA DA SILVA (Maria Elena), peintre français d'origine portugaise, née en 1908. Elle pratique un art sensible, à la limite de l'abstraction.

VIELLA, v. d'Espagne (Catalogne), chef-lieu du val d'Aran; 1 100 hab. Centre touristique. Tunnel routier long de 6 km sous le *col de Viella.*

VIELLE [vjɛl] n. f. (anc. prov. *viola*). Instrument de musique ancien à cordes et à touches, que l'on fait agir au moyen d'une roue mue par une manivelle. ◆ **vielleur** ou **vielleux, euse** n. Joueur de vielle.

VIENNE, en all. **Wien,** capit. de l'Autriche, sur le Danube; 1 858 700 hab. De nombreux édifices témoignent de sa splendeur passée, au temps de l'Empire austro-hongrois : château du Belvédère (XVIIIe s.), hôtels baroques, etc. Elle reste un grand centre intellectuel et artistique. Mais, c'est aussi la première ville industrielle et commerciale du pays dont elle groupe le cinquième des habitants.

- *1814-1815. Vienne devient le centre diplomatique de l'Europe, avec la réunion d'un congrès qui, animé surtout par Metternich, réorganise l'Europe au profit des rois, après la chute de Napoléon.*

Les accords qui consacrent ce congrès, faits dans le mépris du principe des nationalités, portent en eux le germe des révolutions nationales et libérales du XIXe s.

Vienne *(cercle de),* école de philosophes et de logiciens allemands et autrichiens qui réduisent la philosophie à l'étude des principes et moyens mis en œuvre dans un raisonnement scientifique. R. Carnap, O. Neurath, A. Tarski et L. Wittgenstein y contribuèrent par leurs travaux.

VIENNE (la), riv. de France, née sur le plateau de Millevaches, qui arrose Limoges, Châtellerault, Chinon et se jette dans la Loire (r. g.); 350 km.

VIENNE, ch.-l. d'arrond. de l'Isère, sur le Rhône, à 28 km au S. de Lyon; 29 050 hab. *(Viennois).* Métallurgie. Textiles.

VIENNE (86), dép. de la partie orientale du Poitou (Région Poitou-Charentes); 6 990 km²; 371 400 hab. (53 au km²) [France : 103]. Ch.-l. *Poitiers.*

ADMINISTRATION. 3 arrond. (*Châtellerault*, 107 900 hab.; *Montmorillon*, 77 400 hab.; *Poitiers*, 186 100 hab.). / 38 cant. / 281 comm.

Le département s'étend principalement sur les terres souvent calcaires du *haut Poitou*, carrefour entre le Bassin parisien et l'Aquitaine, le Massif armoricain et le Massif central. C'est une région de plaines et de plateaux dont l'altitude oscille généralement entre 100 et 200 m. Le climat subit déjà des influences méridionales et les précipitations y sont assez réduites.

L'*agriculture* emploie encore 15 p. 100 de la population active (proportion double de la moyenne française). La production est variée, associant céréales, cultures parfois spécialisées (fruits, légumes, vigne), élevage bovin.

L'*industrie*, peu développée, occupe le tiers de cette population active; elle est représentée surtout par des constructions mécaniques.

L'importance du *secteur tertiaire* est liée à la présence de Poitiers dont l'agglomération rassemble environ le quart de la population départementale et dont le développement explique la croissance récente de la population totale du département, alors que l'exode rural se poursuit.

LOCALITÉS PRINCIPALES	NOMBRE D'HAB.	LOCALITÉS PRINCIPALES	NOMBRE D'HAB.
Poitiers	82 900	Saint-Benoît	5 950
Châtellerault	36 900	Buxerolles	5 500
Loudun	8 400	Jaunay-Clan	4 600
Montmorillon	7 500	Migné-Auxances	4 300
Chauvigny	6 700	Mirebeau	2 400

VIENNE (Haute-) [87], dép. du nord-ouest du Massif central (Région Limousin); 5 520 km²; 355 700 hab. (65 au km²) [France : 103]. Ch.-l. *Limoges.*

ADMINISTRATION. 3 arrond. (*Bellac*, 44 900 hab.; *Limoges*, 274 100 hab.; *Rochechouart*, 36 700 hab.). / 42 cant. / 201 comm.

LOCALITÉS PRINCIPALES	NOMBRE D'HAB.	LOCALITÉS PRINCIPALES	NOMBRE D'HAB.
Limoges	144 100	Aixe-sur-Vienne	5 650
Saint-Junien	11 200	Bellac	5 500
Saint-Yrieix-la-Perche	8 000	Saint-Léonard-de-Noblat	5 300
Panazol	7 300	Couzeix	5 100
Isle	7 000	Rochechouart	4 050

Le département s'étend sur la partie nord-ouest du *Limousin*, formée de plateaux dont l'altitude s'abaisse vers l'O. et le N.-O., dépassant généralement 400 m dans la moitié orientale. Ces plateaux sont coupés de vallées, parmi lesquelles la Vienne au S., la Gartempe au N. Les précipitations sont abondantes et les hivers déjà rigoureux, surtout sur les hauteurs.

L'*agriculture* emploie encore 15 p. 100 de la population active; elle est dominée par l'élevage bovin qui s'est substitué à l'ancienne polyculture.

L'*industrie* occupe plus du tiers de cette population active. Le minerai d'uranium est exploité et traité à Bessines-sur-Gartempe. La présence du kaolin explique l'essor de la porcelaine. Limoges, capitale régionale, principale agglomération du département, regroupe aujourd'hui près de la moitié de la population de la Haute-Vienne. Son importance explique le relatif développement du *secteur tertiaire* et l'accroissement de population, d'ailleurs modeste. Un fort exode rural se poursuit dans la quasi-totalité des cantons.

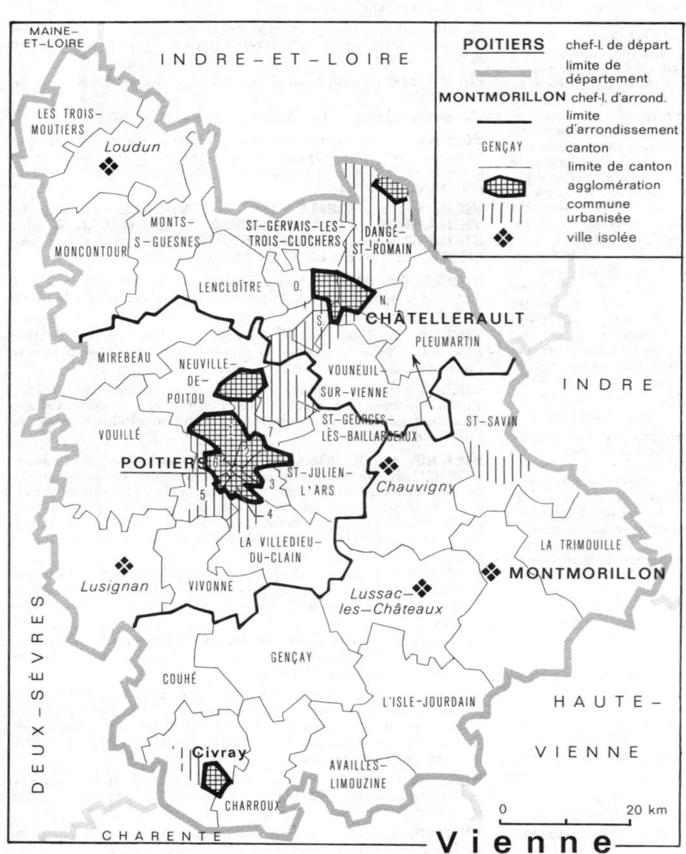

Vienne

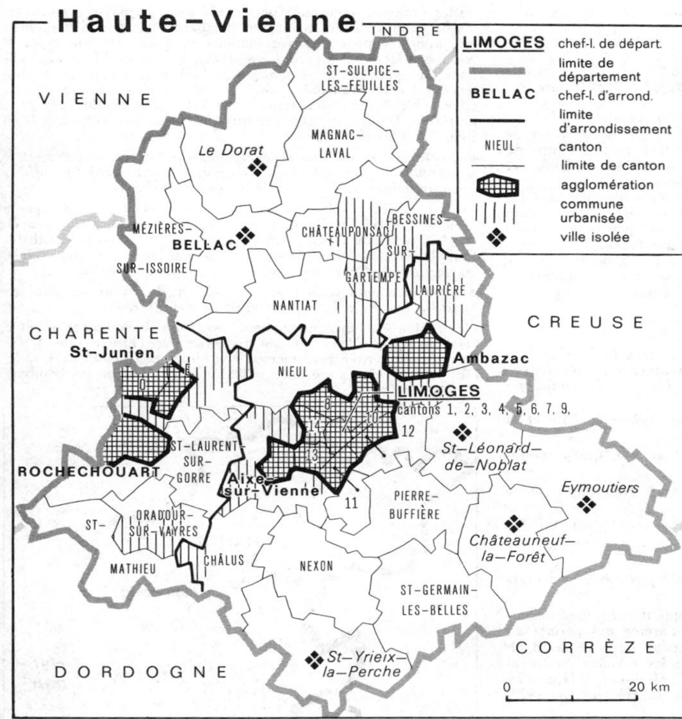

VIENTIANE, capit. du Laos, sur le Mékong; 176 600 hab. Centre commercial.

VIERGE [vjɛrʒ] adj. (lat. *virgo, virginis*). **1.** Se dit d'une personne qui n'a jamais eu de rapports sexuels : *Rester vierge.* — **2.** Se dit d'une chose qui n'a jamais servi, d'une contrée où l'on n'a jamais pénétré : *Feuille de papier vierge* (syn. BLANC, IMMACULÉ). *Pellicule, film vierge* (contr. IMPRESSIONNÉ). *Terre vierge* (= qui n'est pas exploitée ou habitée par l'homme). *Casier judiciaire vierge* (syn. INTACT, VIDE; contr. CHARGÉ). *Forêt vierge* → FORÊT. — **3.** *Vierge de*, qui n'a reçu aucune atteinte de : *Réputation vierge de toute critique.* ◆ n. f. Jeune fille qui n'a pas eu de rapports sexuels (syn. fam. PUCELLE). ‖ *La Sainte Vierge*, la Vierge Marie. ◆ **virginité** n. f. (sens 1 et 2 de l'adj.) : *Garder, perdre sa virginité.* ◆ **virginal, e, aux** adj. **1.** Relatif à une personne vierge. — **2.** Immaculé : *Un blanc virginal.*

VIERGE (la), constellation zodiacale située presque sur l'équateur et s'étendant un peu au S. — Sixième signe du zodiaque (du 22 août au 22 septembre).

VIERGES *(îles)*, archipel des Petites Antilles. Les unes appartiennent à la Grande-Bretagne *(Tortola, Anegada, Virgin Gorda*, etc.), 9 700 hab.; les autres *(Saint Thomas, Sainte-Croix* et *Saint John)* furent achetées au Danemark, en 1917, par les États-Unis et comptent 62 500 hab.

VIERNE (Louis), compositeur français (1870-1937). Organiste de Notre-Dame de Paris, il a laissé cinq symphonies et plusieurs recueils de pièces d'orgue.

VIERNYÏ → ALMA-ATA.

VIERZON, ch.-l. d'arrond. du Cher, à 32 km au N.-O. de Bourges, sur le Cher; 34 900 hab. *(Vierzonnais).* Centre ferroviaire et industriel (métallurgie).

Viêt-cong (du vietnamien VIÊT-*nam* et CÔNG-*san* [communiste]), nom qui a été donné par leurs adversaires aux membres du Front national de libération.

VIÈTE (François), mathématicien français (1540-1603). Il acheva la mise au point de la trigonométrie et établit des tables précises des valeurs des fonctions circulaires. Mais c'est grâce à l'algèbre qu'il est surtout connu : il introduisit l'usage systématique des lettres pour représenter les valeurs numériques. Il pensa à utiliser l'algèbre pour résoudre des problèmes de géométrie mais refusa d'admettre l'existence des nombres négatifs.

Viêt-minh *(Front de l'indépendance du Viêt-nam)*, formation politique vietnamienne, formée en 1941 de la réunion du parti communiste indochinois et d'éléments nationalistes, à l'initiative d'Hô Chi Minh, sur un programme commun : chasser les Japonais et les Français, et édifier une république démocratique. (→ VIÊT-NAM.) En 1951, le Viêt-minh s'est intégré au Lien-Viêt («Front national uni»).

VIÊT-NAM *(république socialiste du)*, État de l'Asie du Sud-Est, occupant la partie orientale de la péninsule indochinoise.

SUPERFICIE 335 000 km² (France : 550 000 km²).

POPULATION 66,8 millions d'hab. *(Vietnamiens);* 199 hab. au km² (France : 103); accroissement annuel de population, 2,5 p. 100.

CAPITALE Hanoi (2 571 000 hab.).

VILLES PRINCIPALES : Hô Chi Minh-Ville (anc. Saigon) [3 500 000 hab.]; Da Nang (492 000 hab.); Haiphong (1 279 000 hab.); Huê (209 200 hab.).

LANGUE vietnamien.

MONNAIE dông.

GÉOGRAPHIE

Au nord, le Viêt-nam s'étend sur la région du Tonkin : le delta du fleuve Rouge, intensément cultivé, couvert de rizières, est très fortement peuplé; là se trouvent les principales villes, dont Hanoi, la capitale du pays, et le port de Haiphong. Les massifs montagneux du pourtour, souvent très accidentés, dépassent 3 000 m d'altitude au Fan Si Pan, entre le fleuve Rouge et son grand affluent, la rivière Noire. La partie centrale du Viêt-nam, correspondant à l'Annam, est formée par les montagnes de la Cordillère annamitique, qui dominent un chapelet de petites plaines côtières où se concentre la population.

VIÊT-NAM

	TEMPÉRATURES MOYENNES		PLUIES
	janv.	juill.	
Hanoi	16,3 °C	28,9 °C	1 761 mm
Hô Chi Minh-Ville	25 °C	26 °C	2 018 mm

Vers le sud s'étendent de hauts plateaux (dont celui du Darlac) qui portent quelques plantations d'hévéas. À l'extrémité méridionale du Viêt-nam, les plaines de la Cochinchine, de part et d'autre du Mékong, sont moins densément peuplées que celles du Tonkin et sont encore en partie formées de marécages.

L'industrie est surtout développée dans le Nord, où le sous-sol recèle des gisements houillers (Hong Gai) et minéraux (fer, zinc, étain). Elle est essentiellement représentée par des activités métallurgiques, textiles (Nam Dinh) et alimentaires.

L'économie du Viêt-nam doit faire face aux problèmes posés par la reconstruction du pays et par la nécessaire harmonisation de deux régions qui ont vécu longtemps sous des régimes aux structures fondamentalement différentes.

HISTOIRE

Peuplé dès le paléolithique (civilisations de Hoa Binh et de Bac Son), le delta du fleuve Rouge voit se constituer le peuple vietnamien pendant le Ier millénaire av. notre ère, et s'épanouir une civilisation du bronze.

- ***208 av. J.-C. Le royaume de Nam-Viêt englobe le delta et la Chine du Sud.***

Il est conquis par la Chine des Han (111 av. J.-C.), et le bouddhisme s'y implante.

- ***939. Mettant à profit une crise en Chine, Ngo Quyên fonde l'État vietnamien.***

La royauté se renforce sous la dynastie des Ly (1009-1225). Le pays prend le nom de *Dai-Viêt,* nom qu'il gardera jusqu'en 1804, et Thang Long (Hanoi) devient capitale.

- *1225. Les Ly affaiblis par des révoltes paysannes cèdent le pouvoir aux Trân (1225-1414).*

Les progrès de la centralisation monarchique (lettrés, fonctionnaires) accompagnent un renforcement de l'armée qui permet au Dai-Viêt de résister aux invasions mongoles (victoire de Bach Dang, 1288). Mais, comme sous les Ly, les révoltes contre la fiscalité et les grands propriétaires fonciers affaiblissent la monarchie. L'échec de l'usurpateur et réformateur Hô Qui Ly (1400-1406) facilite la mainmise chinoise sur le pays.

- *1418-1428. Le paysan Lê Loi mène avec succès la lutte d'indépendance et fonde la dynastie des Lê.*

Celle-ci partage les terres et soutient l'essor d'une culture nationale. À son apogée sous Lê Thanh Tôn, elle annexe progressivement le Champa, vaincu en 1471, et impose sa suzeraineté aux royaumes Lao.

- *XVIe s. Les luttes seigneuriales divisent le pays.*

Après l'usurpation des Mac (1527-1592), les Trinh accaparent le pouvoir au Tonkin tandis que les Nguyên à Huê se rendent indépendants pour deux siècles. Mais ces dissensions n'arrêtent pas la poussée vietnamienne vers le S. qui, au XVIIe s., touche le delta du Mékong (Cochinchine).

Les soulèvements paysans reprennent avec force au XVIIIe s., entraînant la déposition des Lê (1789) au profit des chefs des insurgés, les frères Tây Son, qui réunifient le pays. Mais, dès 1788, un héritier des Nguyên, Gia Long, reconquiert, grâce à l'appui de volontaires français, la Cochinchine, puis tout le Dai-Viêt.

- *1802-1820. Sous le nom de Gia-Long, il devient empereur du Viêt-nam.*

La nouvelle dynastie unifie et centralise l'administration mais les révoltes paysannes l'affaiblissent. Refusant les réformes, elle est impuissante face à la pénétration des Français qui, sous prétexte de défendre les missionnaires, s'intéressent au marché asiatique.

- *2e moitié du XIXe s. L'empereur Tu Duc doit accepter la perte de la Cochinchine (conquise de 1859 à 1867) et le protectorat français sur l'Annam et le Tonkin (traité de Huê, 1884).*

Réunies au Laos et au Cambodge dans l'Union indochinoise, les trois régions du Viêt-nam passent sous administration directe en 1897. Si les notables se rallient peu à peu aux colonisateurs, l'exploitation économique du pays et la diffusion des idées et techniques européennes favorisent le réveil du nationalisme. Une mutinerie (Yên Bai, 1930) et des soulèvements paysans accompagnent la naissance du Parti national du Viêt-nam (1927) et du parti communiste indochinois fondé en 1930 par Hô Chi Minh*. Le régime colonial s'effondre en 1940 devant l'offensive japonaise, et Hô Chi Minh fonde la Ligue pour l'indépendance (Viêt-minh, 1941) qui combat les Japonais.

- *2 sept. 1945. Hô Chi Minh proclame l'indépendance du Viêt-nam.*

Sa légitimité est consacrée par les élections de janvier 1946, mais les Français réoccupent Saigon, bombardent le port d'Haiphong, ce qui fait échouer les négociations en cours, reconquièrent le Nord et placent l'empereur Bao-Daï à la tête de l'État du Viêt-nam. Réfugié dans les montagnes, le Viêt-minh résiste, tandis que le conflit s'internationalise après la victoire des communistes en Chine. La victoire vietnamienne de Cao Bang (1950) libère une partie du Tonkin, et la contre-offensive française échoue à Diên Biên Phu (7 mai 1954).

- *Juillet 1954. Un armistice est signé à Genève, qui prévoit le regroupement des adversaires de part et d'autre du 17e parallèle, en attendant les élections destinées à réunifier le pays.*

En fait, la division du Viêt-nam va se prolonger. Le Nord, sous la direction de Ho Chi Minh, achève la réforme agraire commencée en 1953 et s'industrialise dans le cadre d'une industrie socialiste. Dans le Sud, Ngô Dinh Diem, soutenu par les Américains, refuse les accords de Genève et institue une république (1955).

- *1959. Un soulèvement et la création du Front national de libération (F. N. L.) répondent à son autoritarisme.*

L'extension du mécontentement (agitation bouddhiste) montre l'isolement de Diem, qui est renversé par l'armée (1963). Ni l'arrivée au pouvoir des généraux Ky (1965) et Thieu (1967), ni le renforcement de la présence militaire américaine, ni les bombar-

Viêt-nam

dements systématiques sur le Nord n'empêchent l'affaiblissement du régime de Saigon, qui résiste difficilement à l'offensive du Têt menée par le F. N. L., en 1968.

● *Mai 1968. Les belligérants entament des pourparlers.*
Sur le terrain, la guerre se poursuit. Les troupes nord-vietnamiennes et celles du F. N. L. obtiennent de nouveaux succès, tandis que l'armée américaine se retire.

● *27 janv. 1973. Un cessez-le-feu est signé.*
Il sanctionne l'existence de deux pouvoirs au Sud Viêt-nam, le Gouvernement révolutionnaire provisoire (G. R. P.) et le gouvernement de Thieu. Mais leur profond antagonisme entraîne une reprise progressive des combats, et la fin du soutien militaire direct des États-Unis amène un effondrement de l'armée du gouvernement de Saigon.

● *30 avr. 1975. Les révolutionnaires entrent à Saigon, qui devient «Hô Chi Minh-Ville».*

● *2 juill. 1976. Réunification du Viêt-nam, dont le chef du gouvernement est Pham Van Dong.*

● *Janv. 1979. Intervention militaire au Cambodge.*

● *Févr.-mars 1979. Conflit frontalier avec la Chine.*

● *Déc. 1986. Important renouvellement des instances dirigeantes du parti communiste vietnamien.*

● *1987. Le renouvellement du personnel politique se poursuit avec le remplacement de Pham Van Dong par Pham Hung.*

● *1988. Mort de Pham Hung; le poste de Premier ministre est attribué à Vo Van Kiet, puis à Do Muoi.*

De 1987 à 1991, le Viêt-Nam participe aux négociations qui aboutissent au règlement politique du conflit cambodgien. (Le retrait des troupes vietnamiennes du Cambodge est achevé en 1989.)

● *1991. Vo Van Kiet revient à la tête du gouvernement.*

VIEUX [vjø] ou **VIEIL** [vjɛj] (devant un nom masc. commençant par une voyelle ou un *h* muet), **VIEILLE** [vjɛj] adj. et n. (lat. *vetus*). **1.** (généralement avant le nom) Se dit d'une personne qui est d'un âge avancé : *Un homme vieux et fatigué* (syn. ÂGÉ). *Se faire vieux* (= prendre de l'âge et n'être plus très valide). — **2.** Se dit de tout ce qui a un certain âge, une certaine ancienneté, de ce qui date d'autrefois : *De vieux vêtements* (syn. USÉ; contr. NEUF). *Du vieux thé* (contr. FRAIS). *Une vieille histoire* (= qui date de longtemps). — **3.** (au comparatif) Indique l'âge de quelqu'un par rapport à celui d'une autre personne, plus rarement l'ancienneté d'une chose par rapport à celle d'une autre : *Mon frère est plus vieux que moi de trois ans* (syn. ÂGÉ). *L'édition de mon livre est plus vieille que la vôtre* (syn. ANCIEN). — **4.** (avant le nom) Qui est depuis longtemps dans une situation : *De vieux amis.* — **5.** (avant un nom de métal, de couleur) Indique un manque d'éclat, un aspect patiné : *Du vieil or. Un vieux rouge* (contr. ÉCLATANT, VIF). ◆ **vieux, vieille** n. **1.** *Fam.* Personne âgée : *La retraite des vieux.* ‖ Fam. *Un vieux de la vieille*, un vétéran, une personne âgée qui connaît à fond un métier, une tâche, etc. — **2.** Fam. *Mon vieux, ma vieille*, termes d'amitié. ◆ n. m. **1.** Fam. *Prendre un coup de vieux*, en parlant d'une personne, vieillir brusquement. — **2.** *Le vieux*, ce qui est ancien : *Faire du neuf avec du vieux.* ◆ **vieillard** n. m. Personne âgée : *La gériatrie est la partie de la médecine qui étudie les maladies des vieillards.* ◆ **vieillot, otte** adj. **1.** Qui est assez vieux, qui paraît vieux : *Un air vieillot.* — **2.** Démodé, suranné : *Une robe vieillotte.* ◆ **vieillerie** n. f. **1.** Objet ancien, usé ou démodé : *Avoir un tas de vieilleries dans ses armoires* (contr. NOUVEAUTÉ). — **2.** Idée, conception démodée : *Cette théorie est une vieillerie.* — **3.** Œuvre qui n'a plus d'intérêt : *Ce théâtre ne joue que des vieilleries.* ◆ **vieillir** v. i. **1.** Prendre de l'âge : *L'art de vieillir.* — **2.** Paraître vieux : *Je ne l'ai pas reconnu, tant il a vieilli.* — **3.** Demeurer longuement dans un état : *Vieillir dans un emploi subalterne* (syn. MOISIR). — **4.** *Doctrine, auteur qui a vieilli*, qui n'est plus actuel, qui n'est plus apprécié : *Cette thèse a bien vieilli* (= est dépassée). ◆ v. t. **1.** *Vieillir qq'un*, le rendre ou le faire paraître plus âgé : *Cette coiffure vous vieillit.* — **2.** Attribuer à quelqu'un un âge supérieur à celui qu'il a réellement : *Vous me vieillissez de deux ans.* ◆ ***se vieillir*** v. pr. Se faire paraître ou se dire plus vieux que l'on est : *Il se vieillit à plaisir* (contr. SE RAJEUNIR). ◆ **vieilli, e** adj. **1.** Qui a pris de l'âge ou de l'ancienneté. — **2.** Qui n'est presque plus en usage : *Mot vieilli.* ◆ **vieillissant, e** adj. Qui prend insensiblement de l'âge. ◆ **vieillesse** n. f. **1.** Dernier âge de la vie (par oppos. à la JEUNESSE et à l'ÂGE MUR) : *Les maladies de la vieillesse.* — **2.** Ancienneté : *La vieillesse d'une voiture.* ◆ **vieillissement** n. m. **1.** Fait de prendre de l'âge : *Vieillissement d'une doctrine. Vieillissement de la population* (= accroissement de la proportion des personnes âgées). — **2.** Fait de vieillir : *Être atteint d'un vieillissement prématuré* (syn. SÉNESCENCE). *La gérontologie est l'étude des phénomènes de vieillissement.*

VIEUX-CONDÉ, comm. du Nord, sur l'Escaut, à 2 km au N.-O. de Condé-sur-l'Escaut; 11 200 hab. *(Vieux-Condéens).* Métallurgie.

1. VIF, VIVE [vif, viv] adj. (lat. *vivus*). **1.** Se dit d'une personne dont l'attitude traduit de l'activité et de la vitalité : *Enfant très vif* (syn. PÉTULANT, REMUANT). *Marcher d'un pas vif* (syn. ALERTE, RAPIDE). *Un style vif* (syn. ÉNERGIQUE, INCISIF). — **2.** Se dit de ce qui saisit les sens, de ce qui a un relief accusé, etc. : *L'air est vif* (syn. ↓FRAIS, PIQUANT). *Une arête vive* (= angle saillant et non émoussé du bois, de la pierre, etc.). — **3.** Se dit d'un esprit prompt, rapide : *Intelligence vive* (syn. AIGU, PÉNÉTRANT; contr. ÉMOUSSÉ, LENT). — **4.** Se dit d'une personne (ou de son caractère) prompte à s'emporter : *Un tempérament un peu vif* (syn. COLÉREUX, IRASCIBLE). *Se montrer trop vif dans une discussion* (syn. ↑EMPORTÉ, IMPÉTUEUX, VIOLENT; contr. PATIENT, SOUPLE). *Le dialogue prit un tour assez vif* (syn. ANIMÉ). — **5.** Se dit d'un sentiment, d'une inclinaison intense : *Éprouver un goût très vif pour la peinture* (syn. FORT, MARQUÉ, ↓SOUTENU). — **6.** Se dit d'une couleur, d'une lumière intense : *Couleur vive* (syn. ÉCLATANT; contr. ESTOMPÉ, FONDU, PASSÉ). *Être ébloui par une lumière trop vive* (syn. CRU; contr. DOUX, TAMISÉ). — **7.** En musique, se dit d'un mouvement rapide : *Rythme, air vif.* ◆ **vivacité** n. f. **1.** Qualité d'une personne ou d'une chose qui a de la vie, de l'entrain : *La vivacité du tempérament méridional* (syn. PÉTULANCE; contr. CALME, LENTEUR). *Avoir de la vivacité* (syn. ARDEUR, EXUBÉRANCE). — **2.** Promptitude : *Vivacité d'esprit* (syn. AGILITÉ). *Vivacité de mouvements* (syn. RAPIDITÉ). — **3.** Qualité de ce qui est intense : *Vivacité d'un sentiment* (syn. FORCE). *Aimer une toile pour la vivacité de ses couleurs* (syn. FRAÎCHEUR, INTENSITÉ). ◆ **vivement** adv. : *S'intéresser vivement à l'art* (= avec intensité). *Riposter vivement* (= avec promptitude ou emportement). — LOC. FAM. *Vivement que*, vite que : *Vivement que l'année finisse.* (→ AVIVER, RAVIVER.)

2. VIF, VIVE [vif, viv] adj. (même étym.). S'emploie dans quelques express. au sens de «vivant» (littér.) : *Être brûlé, enterré, écorché vif. Être plus mort que vif.* ‖ *Haie vive*, faite d'arbustes en pleine végétation. ‖ *Eau vive*, qui coule rapidement. ◆ n. m. **1.** *Dr.* Personne vivante : *Faire une donation entre vifs.* — **2.** Chair vivante : *Tailler, couper, trancher dans le vif.* ‖ *Piquer au vif*, attaquer au point le plus sensible. — **3.** *Études sur le vif*, sur la réalité vivante. ‖ *Prendre sur le vif*, au moment même où un fait se produit. ‖ *Entrer dans le vif du sujet*, aborder le point essentiel. — **4.** Petit poisson vivant qui sert d'appât.

VIF-ARGENT [vifarʒɑ̃] n. m. Anc. nom du MERCURE.

VIGAN (Le), ch.-l. d'arrond. du Gard, à 63 km au N.-O. de Montpellier; 4 600 hab. Bonneterie.

VIGÉE-LEBRUN (Élisabeth VIGÉE, Mme), peintre français (1755-1842). Elle a peint des paysages et surtout des portraits, notamment celui de Marie-Antoinette dont elle était le peintre attitré.

VIGIE [viʒi] n. f. (portug. *vigia*, veille). **1.** Surveillance exercée par un matelot de veille sur un navire; le matelot lui-même : *Prendre son tour de vigie* (syn. GARDE, OBSERVATION). *Être en vigie* (syn. SENTINELLE). — **2.** Poste d'observation sur un navire.

VIGILANT, E [viʒilɑ̃, -ɑ̃t] adj. (du lat. *vigilare*, veiller). Se dit d'une personne (ou de ses actes) qui fait preuve d'une attention vive et soutenue : *Un surveillant vigilant* (syn. ATTENTIF). *Être l'objet de soins vigilants* (syn. DÉVOUÉ). ◆ **vigilance** n. f. Attention, surveillance soutenue.

VIGILE [viʒil] n. f. (lat. *vigilia*, veille). *Relig. catholique.* Jour qui précède une fête religieuse importante : *La vigile de Pâques.*

1. VIGNE [viɲ] n. f. (lat. *vinea;* de *vinum*, vin). Arbrisseau vivace cultivé pour ses baies sucrées, les raisins, dont le suc, fermenté, fournit le vin. → ENCYCL. — **2.** Terrain planté de vignes cultivées : *Faire la vendange dans sa vigne* (syn. VIGNOBLE). ◆ **vigneron, onne** n. Personne qui cultive la vigne, comme propriétaire ou comme ouvrier. ◆ **vignoble** n. m. **1.** Plantation de vignes : *Pays de vignobles.* — **2.** Ensemble des vignes d'une région, d'un pays : *Un vignoble de qualité* (syn. CRU). [→ VITICOLE.]

— ENCYCL. Les *vignes* européennes donnent des raisins de cuve (= pour la vinification) ou des raisins de table; on en cultive de nombreuses variétés, ou *cépages;* les espèces de vignes américaines sont utilisées pour les hybridations ou comme porte-greffe; les vignes asiatiques n'ont qu'un intérêt ornemental.

Un pied de vigne, ou *cep*, porte des rameaux feuillés, ou *pampres*, qui se lignifient ensuite et deviennent des *sarments;* les pampres s'accrochent par des *vrilles*. Les feuilles alternes (= une seule à chaque nœud) sont souvent découpées en trois ou cinq lobes; l'inflorescence est une grappe composée, l'ensemble des pédoncules, ou *rafle*, portant à maturité des baies (grains de *raisin*); chacune d'entre elles possède une pellicule claire ou colorée, une pulpe sucrée et de une à quatre graines, ou *pépins*.

Dans les vignes basses, on laisse les sarments ramper sur le sol; mais, dans les régions tempérées, la maturation des fruits ne réussit qu'à une certaine distance du sol, et on surélève la vigne au moyen de treilles, de cordons, etc.

L'invasion du vignoble français par le phylloxéra, en 1868, amena l'introduction en Europe de plants américains résistants.

2. VIGNE [viɲ] n. f. (de *vigne* 1). *Vigne vierge*, arbrisseau grimpant, dont les longs rameaux munis de ventouses adhésives peuvent se fixer aux murs et dont les feuilles prennent une belle teinte rouge en automne.

VIGNEMALE (le), point culminant des Pyrénées françaises, au S. de Cauterets; 3 298 m.

VIGNERON, ONNE n. → VIGNE 1.

VIGNETTE [viɲɛt] n. f. (de *vigne*). **1.** Petite gravure placée en tête ou à la fin d'un livre, d'un chapitre. — **2.** Timbre attaché à une spécialité pharmaceutique, et que l'assuré social doit coller sur son ordonnance en vue d'attester qu'il a bien acquis le produit dont il demande le remboursement. — **3.** Étiquette portant l'estampille de l'État, et attestant le paiement de certains droits : *Les automobilistes doivent acheter la vignette chaque année.*

VIGNEUX-SUR-SEINE, ch.-l. de cant. de l'Essonne, à 3 km au S.-O. de Villeneuve-Saint-Georges; 24 700 hab.

VIGNOBLE n. m. → VIGNE 1.

VIGNOLA (Iacopo BAROZZI, dit **il**), architecte italien (1507-1573). Il a travaillé à Bologne, à Fontainebleau et à Rome où il a notamment construit l'église de Gesù, type des églises de la Contre-Réforme (1568). Son *Traité des cinq ordres d'architecture,* inspiré de Vitruve, rompait avec le maniérisme.

VIGNY (Alfred, *comte* DE), écrivain français (1797-1863). Sous-lieutenant aux gendarmes rouges de la maison du roi, il quitte l'armée en 1827 avec le grade de capitaine.

- *1826. Publication des «Poèmes antiques et modernes» et d'un roman historique «Cinq-Mars».*

Le succès de ce livre l'encourage et il écrit deux ouvrages à thèse : *Stello* (1832) et *Servitude et grandeur militaires* (1835). Attiré par le théâtre, il donne un drame en prose : *la Maréchale d'Ancre* (1831) et *Chatterton* (1835).

- *1837. La mort de sa mère, sa rupture avec l'actrice Marie Dorval, la maladie de sa femme le font s'éloigner de Paris et des milieux littéraires.*

Blessé par la manière dont l'accueille l'Académie française (1845) et par son échec politique (1848), il ne publie plus que quelques grands poèmes (*la Mort du loup,* 1843; *la Maison du berger,* 1844; *la Bouteille à la mer,* 1854) où il déplore la solitude à laquelle condamne le génie, l'indifférence de la nature et des hommes, et exalte la résignation stoïque qu'il convient de leur opposer. Après sa mort ont paru *les Destinées* (1864) et *le Journal d'un poète* (1867-1948).

VIGO (Jean), cinéaste français (1905-1934). Il a tourné quelques films très anticonformistes qui eurent une grande influence sur de nombreux cinéastes (*À propos de Nice,* 1930; *Zéro de conduite,* 1932; *l'Atalante,* 1934).

VIGOGNE [vigɔɲ] n. f. (esp. *vicuña*). **1.** Lama des Andes, de la taille d'un mouton, au pelage laineux et propre. — **2.** Tissu très fin fait avec le poil de cet animal.

1. VIGUEUR [vigœr] n. f. (lat. *vigor*). **1.** Force, énergie physique : *La vigueur de la jeunesse* (syn. ARDEUR). *Se débattre avec vigueur* (contr. MOLLESSE). — **2.** Énergie physique et morale dans l'action ou la pensée : *Exprimer ses idées avec vigueur* (syn. FORCE, VÉHÉMENCE). *La vigueur d'un caractère* (syn. FERMETÉ). — **3.** Fermeté, netteté du dessin ou du style : *Vigueur du coloris, de la touche* (contr. LÉGÈRETÉ). *Vigueur de l'expression* (contr. DÉLICATESSE, DOUCEUR). ◆ **vigoureux, euse** adj. **1.** Qui a, qui manifeste de la force, de la fermeté physique ou morale : *Une personne vigoureuse* (syn. FORT, ROBUSTE; fam. COSTAUD). *Une plante vigoureuse* (= qui pousse bien). — **2.** Qui a de la netteté, de la fermeté : *Vouer une haine vigoureuse à qq'un, à qqch.* (syn. IMPLACABLE). *Dessiner avec un tracé vigoureux* (contr. HÉSITANT, INCERTAIN). *Un coloris vigoureux* (syn. ÉNERGIQUE, TRANCHÉ). *Prononcer de vigoureuses paroles* (syn. ÉNERGIQUE, MÂLE). ◆ **vigoureusement** adv. : *Frotter vigoureusement un parquet* (= avec force). *Protester vigoureusement contre une décision* (syn. ÉNERGIQUEMENT).

2. VIGUEUR [vigœr] n. f. (même étym.). *En vigueur,* en application, en usage : *Cette loi est, n'est plus en vigueur* (= appliquée). *Les termes en vigueur* (= usuels).

VIIPURI → VYBORG.

VIJAYAVADA, v. de l'Inde (Āndhra Pradesh), sur la Kistnā; 545 000 hab. Centre de pèlerinage, la ville a pris récemment un essor industriel rapide.

VIKINGS → NORMANDS.

1. VIL, E [vil] adj. (lat. *vilis*). Se dit d'une personne (ou de son comportement) qui est méprisable : *Une âme vile* (syn. BAS; contr. NOBLE). *De vils intérêts* (syn. SORDIDE). ◆ **vilement** adv. Bassement, lâchement : *Attaquer vilement un adversaire.* ◆ **vilenie** [vileni] ou [vilni] n. f. Action basse et vile : *Il est capable de toutes les vilenies* (syn. INFAMIE, MÉCHANCETÉ). ◆ **avilir** v. t. *Avilir qq'un,* lui faire perdre sa valeur morale : *Une telle conduite l'avilit* (syn. DÉGRADER, DÉSHONORER, DISCRÉDITER; contr. ENNOBLIR, HONORER). ◆ **s'avilir** v. pr. Devenir vil. ◆ **avilissant, e** adj. ◆ **avilissement** n. m. : *Il est tombé au plus bas degré de l'avilissement* (syn. ABAISSEMENT, ABJECTION, DÉGRADATION).

2. VIL, E [vil] adj. (même étym.). Se dit d'une chose sans valeur : *Des marchandises viles. Acheter à vil prix* (= très bon marché). ◆ **avilir** v. t. *Avilir qqch.,* lui faire perdre sa valeur matérielle : *L'inflation avilit le franc* (syn. DÉVALUER). ◆ **s'avilir** v. pr. Devenir sans valeur : *Le pouvoir d'achat s'avilissait* (syn. SE DÉPRÉCIER, SE DÉVALUER, DIMINUER). ◆ **avilissement** n. m. : *L'avilissement de la monnaie* (syn. DÉPRÉCIATION, DÉVALUATION).

VILAIN, E [vilɛ̃, -ɛn] adj. (bas lat. *villanus,* habitant d'une ferme). **1.** Se dit d'une personne ou d'une chose désagréable à voir : *Avoir de vilaines dents* (syn. ↑AFFREUX; contr. JOLI). *Cette fille n'est pas si vilaine* (syn. LAID). — **2.** Se dit d'une personne ou d'une chose désagréable, déplaisante : *Un vilain temps* (syn. SALE). *Être entraîné dans une vilaine histoire* (syn. FÂCHEUX; fam. SALE). *Jouer un vilain tour à qq'un* (syn. MAUVAIS). ◆ n. Enfant désobéissant. ◆ **vilain** adv. Fam. : *Il fait vilain* (= mauvais temps). ◆ n. m. *Fam.* Chose déplaisante, fâcheuse; scandale : *Ça va faire du vilain. Ça va tourner au vilain* (= tourner mal, mal finir). ◆ **vilainement** adv. D'une manière moralement laide, honteuse : *Il l'a vilainement dénoncé* (= de façon ignoble).

VILAINE (la), fl. de la Bretagne orientale, qui arrose Vitré, Rennes, Redon et se jette dans l'Atlantique; 225 km. Barrage à Arzal, sur son cours inférieur.

VILAINEMENT adv. → VILAIN.

VILAR (Jean), acteur et metteur en scène français (1912-1971), animateur du Théâtre national populaire (1951-1963).

VILEBREQUIN [vilbrəkɛ̃] n. m. (anc. néerl. *wimmelkijon*). **1.** *Technol.* Outil au moyen duquel on imprime un mouvement de rotation à une mèche pour percer des trous. — **2.** *Mécan.* Arbre coudé d'un moteur, sur lequel agissent les pistons par l'intermédiaire de leurs bielles.

VILEMENT adv., **VILENIE** n. f. → VIL 1.

VILIPENDER [vilipɑ̃de] v. t. (du lat. *vilis,* sans valeur, et *pendere,* estimer). Traiter quelqu'un avec mépris (littér.) : *Vilipender une personnalité politique dans la presse* (syn. ATTAQUER, CALOMNIER, PRENDRE À PARTIE).

VILLA [villa] n. f. (mot lat. signif. *domaine rural*). Maison individuelle, en banlieue ou dans un lieu de villégiature : *Se faire construire une villa au bord de la mer* (syn. PAVILLON).

VILLACOUBLAY → VÉLIZY-VILLACOUBLAY.

VILLAFRANCA, v. d'Italie (Vénétie); 19 200 hab.

- *1859. Napoléon III y signe les préliminaires qui mirent fin à la guerre d'Italie.*

VILLAGE [vilaʒ] n. m. (de *ville*). **1.** Agglomération rurale : *Un village de cinq cents habitants* (syn. COMMUNE; pop. BLED, PATELIN). *Village de montagne* (syn. BOURG, HAMEAU). — **2.** *Village de vacances,* village spécialement aménagé par une organisation de tourisme, qui met à la disposition des usagers toutes les installations nécessaires à leurs vacances. ◆ **villageois, e** adj. De la campagne : *Un air villageois* (syn. CAMPAGNARD). *Danses villageoises* (syn. FOLKLORIQUE, PAYSAN). ◆ n. Habitant de la campagne (contr. CITADIN).

VILLA-LOBOS (Heitor), compositeur de musique brésilien (1887-1959). Son inspiration très brésilienne s'adapte aux formes classiques de la musique européenne et donne à ses œuvres une grande originalité.

VILLARD de Honnecourt, architecte français du XIIIe s. Son carnet de croquis constitue une source inestimable pour la connaissance de l'architecture et de la sculpture du Moyen Âge.

VILLARD (Paul), physicien français (1860-1934). Il a découvert le rayonnement gamma des corps radioactifs.

VILLARD-BONNOT, comm. de l'Isère, à 17 km au N.-E. de Grenoble, sur l'Isère; 6 050 hab. Papeterie. Électrochimie.

VILLARD-DE-LANS, ch.-l. de cant. de l'Isère, à 35 km au S.-O. de Grenoble; 3 300 hab. *(Villardiens).* Station climatique et de sports d'hiver (alt. 1 050-1 095 m).

VILLARS (Claude Louis Hector, *duc* DE), maréchal de France (1653-1734). Il remporte les victoires de Friedlingen (1702) et de Höchstädt (1703) et commande l'armée de la Moselle en 1705-1706. Envoyé pour combattre les camisards* des Cévennes, il obtient la reddition des derniers d'entre eux. À Malplaquet (1709) il oppose une dure résistance aux troupes de Marlborough puis remporte la victoire de Denain (1712). Il négocie ensuite la paix de Rastatt avec l'Autriche.

VILLE [vil] n. f. (lat. *villa,* domaine rural). **1.** Agglomération d'une certaine importance, à l'intérieur de laquelle la plupart des habitants ont leur travail : *Habiter la ville* (contr. CAMPAGNE). *Ville* *fondée au Moyen Âge* (syn. CITÉ). *La ville sainte* (= Jérusalem). — **2.** Quartier d'une agglomération urbaine : *La vieille ville.* — **3.** Se dit de tout ce qui concerne la vie dans une agglomération urbaine : *Costume de ville* (= de tous les jours, par oppos. à tenue de soirée, tenue de sport). *Un monsieur de la ville* (syn. CITADIN). *Les gens de la ville* (contr. LES RURAUX). ‖ *En ville,* à l'intérieur de la ville où l'on est : *Faire des courses en ville.* ‖ *Dîner en ville,* hors de chez soi. — **4.** Habitants de la ville : *Un bruit qui court dans la ville.*

VILLE-D'AVRAY, comm. des Hauts-de-Seine, à 5 km à l'O.-S.-O. de Paris; 11 700 hab.

VILLEDIEU-LES-POÊLES, ch.-l. de cant. de la Manche, à 22 km au N.-E. d'Avranches; 5 000 hab. Objets en cuivre et en aluminium.

VILLEFRANCHE-DE-LAURAGAIS, ch.-l. de cant. de la Haute-Garonne, à 34 km au S.-E. de Toulouse, sur l'Hers et le canal du Midi; 3 100 hab. Matières plastiques.

VILLEFRANCHE-DE-ROUERGUE, ch.-l. d'arrond. de l'Aveyron, à 37 km au S. de Figeac; 13 900 hab. Chartreuse du XVe s. Confection. Conserves.

VILLEFRANCHE-SUR-MER, ch.-l. de cant. des Alpes-Maritimes, à 5 km à l'E. de Nice; 7 400 hab. Rade sur la Méditerranée. Station balnéaire.

VILLEFRANCHE-SUR-SAÔNE, anc. capit. du Beaujolais, ch.-l. d'arrond. du Rhône, près de la Saône, à 31 km au N. de Lyon; 29 100 hab. *(Caladois).* Industries métallurgiques, textiles et chimiques.

VILLÉGIATURE [vileʒjatyr] n. f. (de l'it. *villegiare,* aller à la campagne). Séjour de repos à la campagne, à la mer, à la montagne ou dans un lieu de tourisme (syn. VACANCES).

VILLEHARDOUIN (Geoffroi DE), chroniqueur français (v. 1150-v. 1213). Maréchal de Champagne, il a écrit sur la quatrième croisade, à laquelle il avait pris part, un récit intitulé *Histoire de la conquête de Constantinople,* où il cherchait à justifier le détournement de la croisade.

VILLEJUIF, ch.-l. de cant. du Val-de-Marne, à 2 km au S. de Paris; 52 500 hab. *(Villejuifois).* Hôpital psychiatrique. Institut Gustave-Roussy (traitement du cancer).

VILLÈLE (Jean-Baptiste Guillaume Joseph, *comte* DE), homme d'État français (1773-1854). Chef des ultra-royalistes sous la Restauration, président du Conseil de 1822 à 1828, il se rendit impopulaire en faisant voter des lois réactionnaires.

VILLEMIN (Jean Antoine), médecin français (1827-1892). Il a démontré dès 1865 la transmissibilité de la tuberculose.

VILLEMOMBLE, ch.-l. de cant. de la Seine-Saint-Denis, à 8 km à l'E. de Paris; 27 600 hab.

VILLENAVE-D'ORNON, ch.-l. de cant. de la Gironde, à 9 km au S. de Bordeaux, dans les Graves; 21 200 hab. Vins rouges.

VILLENEUVE (Pierre Charles DE), marin français (1763-1806), vice-amiral (1804).

- *21 oct. 1805. Il engage contre les Anglais la désastreuse bataille de Trafalgar où il est fait prisonnier.*

VILLENEUVE-D'ASCQ, comm. du Nord (arrond. de Lille), formée en 1970 de la fusion d'*Ascq,* d'*Annappes* et de *Flers-lez-Lille;* 59 900 hab.

VILLENEUVE-LA-GARENNE, ch.-l. de cant. des Hauts-de-Seine, à 3 km au N. de Paris, sur la Seine; 23 900 hab. Métallurgie.

VILLENEUVE-LE-ROI, ch.-l. de cant. du Val-de-Marne, à 11 km au S. de Paris, sur la Seine, près d'Orly; 20 500 hab. *(Villeneuvois).* Sablières.

VILLENEUVE-LÈS-AVIGNON, ch.-l. de cant. du Gard, sur le Rhône, en face et au N. d'Avignon; 9 500 hab. Résidence d'été des papes au XIVe s.

VILLENEUVE-SAINT-GEORGES, ch.-l. de cant. du Val-de-Marne, à 12 km au S.-E. de Paris, sur la Seine; 28 500 hab. *(Villeneuvois).* Grande gare de triage et centre industriel.

VILLENEUVE-SUR-LOT, ch.-l. d'arrond. de Lot-et-Garonne, à 29 km au N. d'Agen; 23 700 hab. *(Villeneuvois).* Conserves.

VILLEPARISIS, comm. de Seine-et-Marne, à 18 km au N.-E. de Paris; 16 750 hab. *(Villeparisiens).*

VILLEPINTE, ch.-l. de cant. de la Seine-Saint-Denis, à 14 km au N.-E. de Paris; 23 750 hab. Parc des expositions.

VILLERS-COTTERÊTS, ch.-l. de cant. de l'Aisne, à 23 km au S.-O. de Soissons; 8 400 hab. Industries du bois.

- *1539. Une ordonnance de François Ier impose le français dans les actes officiels et de justice.*

VILLERS-LÈS-NANCY, comm. de Meurthe-et-Moselle, à 1 km au S.-O. de Nancy; 16 200 hab.

VILLERUPT, ch.-l. de cant. de Meurthe-et-Moselle, à 18 km au S.-E. de Longwy; 11 500 hab. *(Villeruptiens).* Métallurgie.

VILLETANEUSE, comm. de la Seine-Saint-Denis, à 2 km au N.-O. de Saint-Denis; 10 100 hab. Université.

VILLETTE (la), anc. commune de la banlieue de Paris, auj. comprise dans le XIXe arrondissement.

Villette *(Parc de la),* à Paris, parc culturel établi sur le site de l'ancien marché national de la viande (Cité des sciences et de l'industrie, Géode, Cité de la musique).

VILLEURBANNE, ch.-l. de cant. du Rhône, dans la banlieue est de Lyon; 118 300 hab. *(Villeurbannais).* Centre industriel. Établissements scientifiques. Théâtre national populaire.

VILLIERS DE L'ISLE-ADAM (Philippe DE), grand maître de l'ordre de Saint-Jean-de-Jérusalem (1464-1534). Il soutint dans Rhodes (1522) un siège fameux contre Soliman. Charles Quint, en 1530, lui céda pour son ordre les îles de Malte et de Gozzo.

VILLIERS DE L'ISLE-ADAM (Auguste, *comte* DE), écrivain français (1838-1889). Auteur de vers romantiques, de romans et de drames, il exprime dans ses contes son désir d'absolu et son dégoût de la vulgarité quotidienne (*Contes cruels,* 1883; *l'Ève future,* 1886; *Tribulat Bonhomet,* 1887; *Histoires insolites,* 1888).

VILLIERS-LE-BEL, ch.-l. de cant. du Val-d'Oise, à 14 km au N. de Paris; 24 900 hab. *(Beauvilérois* ou *Beauvilésois).*

VILLIERS-SUR-MARNE, ch.-l. de cant. du Val-de-Marne, à 12 km à l'E. de Paris, près de la Marne; 22 000 hab.

VILLON (François), poète français (1431-apr. 1463). De son vrai nom François de Montcorbier (il adopta celui de son protecteur Guillaume de Villon), il fait ses études à Paris, est reçu bachelier, puis obtient la licence et la maîtrise ès arts (1452).

En juin 1455, au cours d'une altercation avec Philippe Sermoise, Villon reçoit un coup de dague au visage, riposte et tue son adversaire. Il s'enfuit, et s'affilie à la bande des « coquillards », malfaiteurs qui opéraient en province. Rentré à Paris, il s'introduit avec deux compagnons au collège de Navarre (1456) et y dérobe 500 écus d'or.

- *1456. Il compose le « Lais » ou « Petit Testament » avant de s'enfuir à nouveau.*

Errant à travers la France, commettant à nouveau des méfaits, il est plusieurs fois emprisonné.

- *1461-1462. Il rédige le « Testament ».*

Condamné à être pendu par le prévôt de Paris, il fait appel, et sa peine est commuée en dix ans de bannissement de la ville (janvier 1463). Dès lors, on ne sait ce qu'il devint.

Il a laissé également seize poèmes (dont *la Ballade des pendus*), rassemblés plus tard sous le nom de *Poésies diverses.*

Sur des strophes de huit vers octosyllabiques, bâties sur trois rimes, Villon a créé un rythme qui épouse avec une rare justesse le mouvement de la pensée et de l'émotion, passant des accents les plus pathétiques au rire le plus désinvolte.

VILLON (Gaston DUCHAMP, dit **Jacques**), peintre et graveur français (1875-1963). L'un des maîtres du cubisme, il s'attacha à exprimer l'espace par le moyen de plans subtilement colorés.

VILLOSITÉ [villozite] n. f. (lat. *villositas;* de *villus,* poil). **1.** État d'une surface velue; ensemble des poils qui recouvrent cette surface. — **2.** Anat. *Villosités intestinales,* petites rugosités ou saillies, recouvrant la paroi interne de l'intestin grêle : *C'est par les villosités intestinales que se fait le passage dans le système sanguin, des aliments transformés.*

VILNIUS, ancienn. **Vilna** ou **Wilno,** capit. de la Lituanie; 545 000 hab.

VIMEU (le), région côtière de la Picardie, entre la Somme et la Bresle. On y fabrique des serrures et des robinets.

VIMINAL, colline de l'anc. Rome (thermes de Dioclétien).

VIN [vɛ̃] n. m. (lat. *vinum*). **1.** Boisson résultant de la fermentation du raisin sous l'effet de certaines levures : *Vin blanc, rouge* (syn. pop. PINARD). *Couper le vin* (= y ajouter de l'eau). *Cuver son vin. Avoir le vin gai, triste* (= être gai, triste quand on a trop bu). ‖ Fam. *Mettre de l'eau dans son vin* → EAU. ‖ *Vin d'honneur,* vin offert en l'honneur de quelqu'un, de quelque chose. → ENCYCL. — **2.** Liqueur alcoolisée, obtenue par fermentation d'un produit végétal : *Vin de palme.* ◆ **vinasse** n. f. **1.** *Fam.* Vin médiocre, fade : *Impossible de boire cette vinasse.* — **2.** Résidu de la distillation des moûts fermentés : *Les vinasses de pommes de terre distillées servent d'alimentation au bétail; celles de betterave sont utilisées comme engrais.* ◆ **vineux, euse** adj. **1.** Qui exhale une odeur de vin : *Une haleine vineuse.* — **2.** Qui a la couleur du vin rouge : *Une couleur vineuse* (syn. LIE-DE-VIN). — **3.** Se dit du vin qui est riche en alcool. ◆ **vinicole** adj. Relatif à la production du vin :

Région vinicole (= de vignoble) [syn. VITICOLE]. ◆ **vinification** n. f. Ensemble des opérations qui transforment le raisin en vin. (→ AVINÉ.)
— ENCYCL. Le *vin* est obtenu par la fermentation du jus de raisin frais. Cette opération s'effectue dans de grandes cuves. Elle comprend le *foulage* (éclatement du grain), *l'égrappage* (séparation du grain et de ses pédoncules), l'*égouttage* (séparation du jus qui s'écoule avant le pressurage), le *pressurage* (jus ou vin de presse). La fermentation alcoolique transforme le sucre en alcool sous l'influence de levures; si elle s'effectue après le pressurage, on obtient le *vin blanc* (quelle que soit la couleur du raisin). Si elle s'effectue après le foulage et avant le pressurage, sur des raisins noirs, on obtient le *vin rouge*.
Les principaux pays producteurs de vin sont :

Italie	70 millions d'hl
France	65 millions d'hl
U. R. S. S.	38 millions d'hl
Espagne	35 millions d'hl
Argentine	20 millions d'hl
États-Unis	16 millions d'hl
Monde	330 millions d'hl

VIÑA DEL MAR, v. du Chili, près de Valparaíso; 182 000 hab. Station balnéaire. Industries diverses.

VINAIGRE [vinɛgr] n. m. *(vin,* et *aigre).* **1.** Produit résultant de la fermentation du vin ou de solutions alcoolisées, et employé comme condiment : *Vinaigre de vin, d'alcool.* → ENCYCL. — **2.** Vin aigri : *Le vin tourne au vinaigre au contact de l'air.* — **3.** Fam. *Tourner au vinaigre,* prendre une fâcheuse tournure. ◆ **vinaigrer** v. t. Assaisonner avec du vinaigre. ◆ **vinaigrette** n. f. Condiment dont on accompagne les salades, fait avec de l'huile, du vinaigre, du sel, du poivre, etc. : *Artichauts à la vinaigrette.* ◆ **vinaigrier** n. m. Burette pour mettre le vinaigre.
— ENCYCL. La fabrication du *vinaigre,* ou acétification, se fait en France à partir de vin, éventuellement ramené à 8 ou 9°, ou à partir d'alcools, mais, dans d'autres pays, on utilise du cidre, des grains, ou des pommes de terre dont l'amidon a été hydrolisé. L'alcool est transformé en vinaigre par le ferment acétique *(Mycoderma aceti)* en présence de l'air et à une température constante comprise entre 20 et 30 °C.

VINASSE n. f. → VIN.

VINCENNES, ch.-l. de cant. du Val-de-Marne, à l'E. de Paris, au N. du *bois de Vincennes* (qui est intégré dans le dép. de Paris); 43 000 hab. *(Vincennois).* Château fort bâti de 1337 à 1370, qui servit de résidence aux rois de France; il abrite depuis 1946 le Service historique des armées. Hippodrome. Parc zoologique. Institut national du sport et de l'éducation physique. Ancien site d'une université expérimentale.

VINCENT DE PAUL (saint), prêtre français (1581-1660). Ayant fait le vœu de se consacrer aux pauvres, il devint curé de Châtillon-sur-Chalaronne (1617), puis aumônier général des galères (1619), tout en multipliant ses œuvres en faveur des paysans et des enfants trouvés. À l'instigation de Mme de Gondi, il créa une équipe d'apostolat rural : les Prêtres de la Mission, dits *Lazaristes.* Il fonda en 1633 la communauté des Filles de la Charité.

VINCENT (Hyacinthe), médecin militaire français (1862-1950). Il a découvert l'infection fuso-spirillaire *(angine de Vincent),* divers vaccins et sérums contre la typhoïde, le colibacille, etc.

VINCENT (Clovis), médecin et neurochirurgien français (1879-1948). Il a développé la neurochirurgie.

VINCI (Léonard DE) → LÉONARD DE VINCI.

VINDICATIF, IVE [vɛ̃dikatif, -iv] adj. et n. (du lat. *vindicare,* venger). Qui aime à se venger : *Un caractère vindicatif.*

VINDICTE [vɛ̃dikt] n. f. (lat. *vindicta*). *Vindicte publique,* poursuite et punition d'un crime au nom de la société (littér.) : *Désigner qq'un à la vindicte publique.*

VINEUX, EUSE adj. → VIN.

VINGT ([vɛ̃] devant une consonne, [vɛ̃t] devant une voyelle ou un *h* muet et devant *deux, trois, quatre,* etc.) adj. num. cardin. et n. (lat. *viginti*). **1.** → NUMÉRATION. — **2.** *Vingt-quatre heures,* un jour entier. ‖ *Vingt-deux!,* interj. pop. indiquant un danger imminent. ◆ **vingtaine** n. f. ◆ **vingtième** adj. num. ordin. et n. ◆ **vingtièmement** adv. → NUMÉRATION.
— ENCYCL. *Vingt* prend un *s* quand il est précédé d'un adjectif de nombre qui le multiplie : *Quatre-vingts hommes.* Il reste invariable s'il est suivi d'un autre adjectif de nombre : *quatre-vingt-deux francs;* quand il est employé pour *vingtième : page quatre-vingt.*

Vingt Mille Lieues sous les mers, roman de J. Verne (1870).

VINICOLE adj., **VINIFICATION** n. f. → VIN.

VINLAND, le plus occidental des pays découverts par les Vikings, v. 1000 apr. J.-C, situé sans doute en Amérique, entre la Nouvelle-Écosse et l'Hudson.

VINOGRADOV (Ivan Matveïevitch), mathématicien soviétique (1891-1983). Il est le représentant le plus important de l'école soviétique de la théorie des nombres.

VINTIMILLE, en it. **Ventimiglia,** v. d'Italie (Ligurie), sur le golfe de Gênes, à l'embouchure de la Roya; 25 300 hab. Gare internationale entre la France et l'Italie.

VINYLIQUE [vinilik] adj. (du lat. *vinum,* vin, et gr. *ulê,* matière). Se dit d'un type de matières plastiques obtenues à partir de l'acétylène. ◆ **vinyle** n. m.

VIOL n. m. → VIOLER 1 et 2.

VIOLACÉ, E adj. → VIOLET.

VIOLATEUR, TRICE adj. et n., **VIOLATION** n. f. → VIOLER 2.

VIOLE [vjɔl] n. f. (anc. prov. *viola*). Instrument de musique à cordes et à archet, en usage du XVe au XVIIIe s.

VIOLENT, E [vjɔlɑ̃, -ɑ̃t] adj. (lat. *violentus*). **1.** Se dit d'un être animé (ou de son comportement) qui agit par la force, qui cède à des instincts brutaux : *Caractère violent* (syn. BRUTAL, IMPULSIF). — **2.** Se dit de choses qui ont une grande intensité : *Un mistral violent souffle depuis trois jours* (syn. FORT). *Un langage violent* (syn. VIRULENT). *Éprouver une passion violente* (syn. ARDENT). ◆ **violemment** adv. **1.** Brutalement : *Frapper violemment qqu'un.* — **2.** Énergiquement : *Il refusa violemment de participer à la manifestation.* ◆ **violence** n. f. **1.** Fait de contraindre quelqu'un par la force ou l'intimidation : *Faire violence à qq'un* (= le forcer, le brutaliser). *Se faire violence* (= se contraindre). — **2.** Force brutale des êtres animés ou des choses : *Acte de violence* (syn. BRUTALITÉ). *Répondre à la violence par la violence* (contr. DOUCEUR). *Scènes de violence dans un film* (syn. BRUTALITÉ). *Violence de caractère* (syn. IMPÉTUOSITÉ). *Violence de la passion* (syn. FRÉNÉSIE, FUREUR). — **3.** (surtout au plur.) Acte violent : *Commettre des violences contre qq'un.* ◆ **non-violence** n. f. Action et doctrine politique qui refuse le recours à la violence en quelque circonstance que ce soit. ◆ **non-violent, e** adj. et n. : *Gandhi était un non-violent.* ◆ **violenter** v. t. Forcer quelqu'un par la violence. ‖ *Violenter une femme,* la violer.

1. VIOLER [vjɔle] v. t. (lat. *violare*). *Violer une femme, une jeune fille,* abuser d'elle par la force. ◆ **viol** n. m. Crime commis par l'homme qui abuse par la violence d'une femme ou d'une jeune fille : *Commettre un viol.*

2. VIOLER [vjɔle] v. t. (même étym.). **1.** *Violer un lieu,* y pénétrer malgré une interdiction : *Violer une tombe* (syn. PROFANER). — **2.** *Violer un règlement, un secret,* etc., le transgresser, y manquer : *Violer les convenances, la loi, son serment* (syn. ENFREINDRE). ◆ **viol** n. m. **1.** Action de pénétrer dans un lieu interdit : *Viol d'un domicile.* — **2.** Action de transgresser une loi : *Le viol du secret professionnel.* ◆ **violation** n. f. Action de profaner une chose sacrée, de transgresser une loi : *Violation d'une église, d'un serment.* ◆ **violateur, trice** adj. et n. Qui se rend coupable du viol d'un domicile ou d'un règlement. ◆ **inviolable** adj. **1.** Qu'on ne doit jamais violer ni enfreindre : *Un serment inviolable.* — **2.** Se dit d'une personne qui est comme sacrée, à qui l'on ne peut porter atteinte : *Un magistrat inviolable.* ◆ **inviolabilité** n. f.

VIOLET, ETTE [vjɔlɛ, -ɛt] adj. et n. m. (de *violette*). D'une couleur que l'on peut obtenir en mélangeant le bleu et le rouge : *Étoffe violette.* ◆ **violacé, e** adj. D'une couleur tirant sur le violet : *Un visage violacé.* ◆ **violine** adj. D'une couleur violet pourpre : *Une soie violine.*

VIOLETTE [vjɔlɛt] n. f. (lat. *viola*). Fleur très odorante, de couleur violette : *Les violettes de Parme.*

VIOLINE adj. → VIOLET.

VIOLLE (Jules), physicien français (1841-1923). Il étudia la phosphorescence et proposa une unité de mesure d'intensité lumineuse qui porte son nom.

VIOLLET-LE-DUC (Eugène), architecte et écrivain français (1814-1879). Il restaura un grand nombre de monuments du Moyen Âge, notamment Sainte-Madeleine de Vézelay, Notre-Dame de Paris, le château de Pierrefonds et la cité de Carcassonne. Il est l'auteur d'un *Dictionnaire raisonné de l'architecture française du XIe au XVIe siècle* et d'un *Dictionnaire du mobilier.*

1. VIOLON [vjɔlɔ̃] n. m. (it. *violone,* grosse viole). **1.** Instrument de musique à quatre cordes, accordées de quinte en quinte *(sol, ré, la, mi)* que l'on frotte avec un archet : *Stradivarius a construit d'admirables violons.* — **2.** Personne qui joue du violon dans un orchestre. — **3.** Fam. *Accorder ses violons,* se mettre d'accord. ◆ **violoniste** n. Personne qui joue du violon. ◆ **violoneux** n. m. **1.** Violoniste de village. — **2.** *Fam.* Mauvais violoniste.

2. VIOLON [vjɔlɔ̃] n. m. (de *violon* 1). *Violon d'Ingres,* activité secondaire, souvent artistique, exercée en dehors d'une profession : *Avoir, cultiver un violon d'Ingres* (syn. PASSION; fam. DADA).

3. VIOLON [vjɔlɔ̃] n. m. (même étym.). *Fam.* Local de sûreté, dépendant d'un poste de police : *Passer la nuit au violon.*

VIOLONCELLE [vjɔlɔ̃sɛl] n. m. (it. *violoncello*). Instrument de musique à quatre cordes et à archet, plus gros et plus grave que le violon. ◆ **violoncelliste** n. Musicien qui joue du violoncelle.

VIOLONEUX n. m., **VIOLONISTE** n. → VIOLON 1.

VIPÈRE [vipɛr] n. f. (lat. *vipera*). **1.** Reptile ophidien venimeux. → ENCYCL. — **2.** Personne méchante et malfaisante. ‖ *Nid de vipères,* rencontre de différentes personnes cruelles et méchantes. ‖ *C'est une langue de vipère,* une personne très médisante (syn. MAUVAISE LANGUE). ◆ **vipereau** ou **vipéreau** n. m. Petite vipère. ◆ **vipérin, e** adj. *Couleuvre vipérine,* ou *vipérine* n. f., couleuvre qui, par sa forme et sa couleur, ressemble à une vipère.
— ENCYCL. La *vipère,* qui se distingue de la couleuvre surtout par sa tête, nettement triangulaire, et sa petite taille, affectionne les terrains pierreux et ensoleillés. Sa morsure inocule, par deux crochets acérés, un venin (mortel pour l'homme dans 10 p. 100 des cas). → illustration REPTILES page 1186.

VIRAGE n. m. → VIRER 1 et 2.

VIRAGO [virago] n. f. (du lat. *vir,* homme). *Fam.* Femme qui a l'allure et les manières d'un homme.

VIRAL, E, AUX adj. → VIRUS 1.

VIRE (la), fl. côtier du Bocage normand, qui arrose Vire et Saint-Lô, et se jette dans la Manche; 118 km.

VIRE, ch.-l. d'arrond. du Calvados, sur la *Vire,* à 59 km au S.-O. de Caen; 14500 hab. Marché agricole. Constructions électriques.

VIRÉE [vire] n. f. (de *virer*). *Fam.* Promenade rapide, et particulièrement dans les endroits où l'on s'amuse : *Faire une virée.*

VIRELAI [virlɛ] n. m. (de *virer,* et *lai*). Ancien poème français sur deux rimes et comptant quatre strophes, dont la première est reprise intégralement ou partiellement après chacune des trois autres.

VIREMENT n. m. → VIRER 3.

1. VIRER [vire] v. i. (du lat. *vibrare,* faire tournoyer). **1.** (sujet nom de bateau ou de véhicule) Changer de direction : *Virer de bord* (= faire demi-tour). *Virer à droite* (syn. TOURNER). — **2.** Tourner sur soi : *Virer en dansant.* ◆ **virage** n. m. **1.** Mouvement d'un véhicule qui tourne, change de direction : *Faire un virage à droite.* — **2.** Courbure plus ou moins accentuée d'une route, d'une piste : *Un virage en épingle à cheveux* (syn. TOURNANT). — **3.** Changement d'orientation d'un parti, d'un mouvement de pensée : *Opérer un virage à droite* (syn. PASSAGE, TOURNANT).

2. VIRER [vire] v. t. (même étym.). **1.** *Virer une épreuve photographique,* en transformer la teinte par passage dans divers bains. — **2.** Fam. *Virer sa cuti,* avoir une cuti-réaction positive, qui traduit la réaction de l'organisme à une infection. ◆ v. i. ou t. ind. (sujet nom de chose). Changer de couleur : *Bleu qui vire au violet* (syn. TOURNER). ◆ **virage** n. m.

3. VIRER [vire] v. t. (même étym.). *Virer une somme d'argent,* la faire passer d'un compte à un autre : *L'argent n'a pas encore été viré à mon compte* (syn. VERSER). ◆ **virement** n. m. **1.** Opération consistant à faire passer des fonds d'un compte à un autre : *Virement bancaire, postal.* — **2.** *Virement budgétaire,* opération qui consiste à transporter à un chapitre du budget des crédits votés pour un autre chapitre.

4. VIRER [vire] v. t. (même étym.). Pop. *Virer qq'un,* le renvoyer, le mettre à la porte (syn. EXPULSER; pop. VIDER).

VIREUX, EUSE [virø, -øz] adj. (du lat. *virus,* poison). Qui a des propriétés vénéneuses : *L'amanite vireuse, à chapeau blanc, est mortelle.*

VIREVOLTER [virvɔlte] v. i. (de *virer,* et anc. fr. *vouter,* tourner). Tourner rapidement sur soi. ◆ **virevolte** n. f. Tour rapide que fait une personne sur elle-même.

VIRGILE, en lat. **Publius Virgilius Maro,** poète latin (v. 70-19 av. J.-C.). D'origine modeste, il fait des études à Milan et à Rome puis, de retour à Mantoue, sa patrie, il fréquente le cercle cultivé qui entoure Asinius Pollio, gouverneur de la province. Il compose alors les *Bucoliques**.
Devenu l'ami d'Octave, il rencontre Mécène et Horace et s'établit à Rome, où il publie les *Géorgiques* (39-29 av. J.-C.), destinées, en accord avec les préoccupations d'Auguste, à rendre aux Romains leur goût ancien, mais oublié, pour l'agriculture. Il entreprend ensuite une grande épopée nationale, *l'Énéide**, qui doit continuer l'œuvre des *Géorgiques* en célébrant l'amour de la patrie et du culte antique; mais ce poème, auquel il travailla pendant dix ans, devait rester inachevé.
Imitateur des Grecs, surtout de Théocrite et d'Homère, Virgile n'en reste pas moins un poète très personnel, qui sait exprimer avec sensibilité son amour de la nature et de la solitude, et sa foi dans la grandeur et l'immortalité de sa patrie.

VIRGINAL, E, AUX adj. → VIERGE.

VIRGINIE, État de l'est des États-Unis, sur l'Atlantique; 105700 km²; 4764000 hab. Capit. *Richmond.*

VIRGINIE-OCCIDENTALE, État du centre-est des États-Unis, à l'O. de la Virginie; 62629 km²; 1781000 hab. Capit. *Charleston.*

VIRGINITÉ n. f. → VIERGE.

VIRGULE [virgyl] n. f. (lat. *virgula*). **1.** → PONCTUATION. — **2.** *Bacille virgule,* vibrion du choléra.

VIRIATHE, chef des Lusitains* révoltés contre la domination romaine, assassiné à l'instigation des Romains en 139 av. J.-C.

VIRIL, E [viril] adj. (lat. *virilis;* de *vir,* homme). **1.** Propre au sexe masculin : *Force virile.* — **2.** Énergique, digne d'un homme : *Attitude virile* (contr. VEULE). *Des traits virils* (contr. EFFÉMINÉ). *Un caractère viril* (syn. BIEN TREMPÉ; contr. LÂCHE, MOU). ◆ **viriliser** v. t. Donner un air masculin : *Les cheveux courts virilisent cette femme* (contr. FÉMINISER). ◆ **virilité** n. f. **1.** Ensemble des attributs et caractères physiques de l'homme adulte : *Avoir beaucoup de virilité* (syn. MASCULINITÉ). — **2.** Vigueur de caractère : *Attitude dépourvue de virilité* (syn. ÉNERGIE, FERMETÉ).

VIROFLAY, ch.-l. de cant. des Yvelines, à 7 km au S.-O. de Paris; 14100 hab.

VIROLE [virɔl] n. f. (lat. *viriola*). *Technol.* Anneau plat de métal que l'on met au bout de certains objets pour les empêcher de se fendre ou de s'user : *Tampon à virole.*

VIROLOGIE n. f. → VIRUS 1.

VIRTUEL, ELLE [virtɥɛl] adj. (du lat. *virtus,* force). Qui n'est pas réalisé, n'a pas d'effet actuel : *Possibilité virtuelle* (syn. THÉORIQUE; contr. RÉEL). ◆ **virtuellement** adv. En puissance : *Être virtuellement le plus fort* (= sans se mesurer effectivement à l'adversaire). ◆ **virtualité** n. f. : *Faire passer une chose de la virtualité à l'actualité, à la réalité* (syn. POTENTIALITÉ).

VIRTUOSE [virtɥoz] n. (it. *virtuoso*). **1.** *Mus.* Exécutant capable de résoudre brillamment les plus grandes difficultés techniques. — **2.** Personne très habile, très douée dans une activité, un art : *Virtuose de l'équitation* (syn. MAÎTRE; fam. AS). ◆ **virtuosité** n. f. : *Pianiste qui a beaucoup de virtuosité* (syn. BRIO). *Faire preuve de virtuosité dans un travail* (syn. HABILETÉ, INGÉNIOSITÉ).

1. VIRULENT, E [virylɑ̃, -ɑ̃t] adj. (lat. *virulentus*). *Microbe virulent,* dont le pouvoir de multiplication est maximal. ◆ **virulence** n. f. Propriété que possède un microbe de sécréter des toxines et de produire des troubles dans l'organisme où il est introduit.

2. VIRULENT, E [virylɑ̃, -ɑ̃t] adj. (même étym.). Se dit d'une personne (ou de son attitude) pleine de violence, d'âpreté : *Tenir des propos virulents* (syn. MORDANT, VENIMEUX). ◆ **virulence** n. f. Caractère de ce qui est virulent : *La virulence d'un discours* (syn. ÂPRETÉ, VIOLENCE).

1. VIRUS [virys] n. m. (mot lat. signif. *poison*). Organisme de très petite taille (plus petit que le micron), ne comportant qu'un seul acide nucléique et se comportant en parasite absolu vis-à-vis de la cellule qu'il infecte. (On l'appelle également VIRUS FILTRANT, par oppos. aux autres germes microbiens). ◆ **viral, e, aux** adj. Provoqué par un virus : *Hépatite virale.* ◆ **virologie** n. f. Étude des virus.

2. VIRUS [virys] n. m. (de *virus* 1). Principe, source de contagion morale : *Elle lui a communiqué son virus de la danse.*

VIRY-CHÂTILLON, ch.-l. de cant. de l'Essonne, à 17 km au S. de Paris, sur la Seine; 30300 hab.

VIS [vis] n. f. (lat. *vitis,* vrille de la vigne). *Technol.* Tige cylindrique métallique, dont la surface porte une saillie hélicoïdale destinée à s'enfoncer en tournant dans une matière où elle creuse son logement. ‖ *Pas de vis,* tour de spire d'une vis. ‖ *Vis Parker,* dénomination commerciale d'une vis d'assemblage conçue spécialement pour les tôles minces. ‖ *Vis sans fin,* vis dont les filets agissent sur les dents d'une roue et lui impriment un mouvement de rotation, généralement fortement démultiplié, dans un sens perpendiculaire à celui de la vis. ◆ **visser** v. t. **1.** *Visser qqch.,* le fixer avec des vis : *Visser une plaque.* — **2.** Serrer en tournant : *Bien visser un bouchon.* — **3.** Fam. *Visser qq'un,* le surveiller étroitement, le traiter sévèrement : *Visser un enfant insupportable* (syn. TENIR SERRÉ). ◆ **vissé, e** adj. *Fam.* Se dit de quelqu'un qui ne peut ou ne veut pas bouger : *Être vissé sur sa chaise* (syn. CLOUÉ, RIVÉ À). *Être vissé chez ses parents* (syn. BOUCLÉ). ◆ **vissage** n. m. Opération par laquelle on visse. ◆ **dévisser** v. t. **1.** *Dévisser un écrou, une serrure.* — **2.** Fam. *Se dévisser la tête, le cou,* faire des efforts pour regarder derrière soi. ◆ v. i. Faire une chute au cours d'une escalade en montagne. ◆ **dévissage** n. m. : *Le dévissage d'une charnière.*

VISA [viza] n. m. (mot lat. signif. *choses vues*). **1.** Sceau, signature ou paraphe apposés sur un document pour le valider ou pour attester le paiement d'un droit : *Faire apposer un visa sur un passeport.* — **2.** Validation d'un passeport pour un pays étranger : *Demander un visa pour la Bulgarie.* ◆ **viser** v. t. Contrôler administrativement, marquer d'un visa : *Faire viser un passeport.*

VISAGE [vizaʒ] n. m. (du lat. *visus,* aspect). **1.** Partie antérieure de la tête, face humaine : *Montrer son visage* (syn. FIGURE). *Avoir un visage reposé, détendu* (syn. AIR, MINE). *Soins du visage* (syn. FACE). ‖ *À visage découvert,* sans chercher à tromper. — **2.** Personnage, personne : *Apercevoir un visage nouveau* (= quelqu'un qu'on ne connaît pas). *Mettre un nom sur un visage.* — **3.** Aspect d'une chose : *Son destin a changé de visage* (syn. FACE). ◆ **visagiste** n. (nom déposé). Spécialiste des soins du visage. (→ DÉVISAGER.)

VISĀKHAPATNAM, VIZĀGAPATNAM ou **VISHAKHAPATNAM,** v. de l'Inde (Āndhra Pradesh); 594 000 hab. Chantiers navals.

VIS-À-VIS [vizavi] loc. adv. (de l'anc. fr. *vis,* visage). En face, face à face : *Leurs maisons sont situées vis-à-vis.* — LOC. PRÉP. *Vis-à-vis de,* en face de : *S'asseoir vis-à-vis de qq'un;* à l'égard de : *Être réservé vis-à-vis de qq'un, vis-à-vis d'un problème* (emploi avec un nom de chose déconseillé par quelques lexicographes). ◆ n. m. **1.** Fait, pour des personnes ou des choses, d'être situées en face l'une de l'autre : *S'asseoir en vis-à-vis.* — **2.** Personne qui se trouve en face d'une autre : *Avoir une personne connue comme vis-à-vis à un banquet.* — **3.** Chose située en face d'une autre : *Immeuble sans vis-à-vis.*

VISAYAS ou **BISAYAS,** groupe de populations des Philippines, d'origine malaise, qui a donné son nom à l'*archipel des Visayas* (entre Luçon et Mindanao).

VISCÈRE [visɛr] n. m. (lat. *viscus, visceris*). Organe en général, mais plus particulièrement organe creux, aux parois élastiques et musculeuses (muscles lisses) : *L'estomac, l'intestin, la vessie, l'utérus, le cœur sont des viscères.* ◆ **viscéral, e, aux** adj. **1.** Relatif aux viscères : *Cavité viscérale.* — **2.** Se dit d'un sentiment inconscient et profond : *Une émotion viscérale.*

VISCHER, famille de sculpteurs, originaires de Nuremberg, aux XVe et XVIe s. — PETER (v. 1460-1529) est l'auteur de la célèbre châsse de saint Sébald, à Nuremberg.

VISCONTI, famille d'Italie, qui domina Milan de 1277 à 1447.

VISCONTI (Ennio Quirino), archéologue italien (1751-1818). — Son fils LOUIS, architecte français (1791-1853), construisit le tombeau de Napoléon Ier aux Invalides et donna le plan du nouveau Louvre.

VISCONTI (Luchino), cinéaste italien (1906-1976). Il réalisa : *Ossessione* (1943), *Senso* (1954), *Rocco et ses frères* (1960), *le Guépard* (1963), *les Damnés* (1969), *Mort à Venise* (1971), *le Crépuscule des dieux* (1972), *Violence et passion* (1974).

VISCOSITÉ n. f. → VISQUEUX.

VISÉE n. f. → VISER 2 et 3.

1. VISER v. t. → VISA.

2. VISER [vize] v. t. et i. (du lat. *videre,* voir). Pointer une arme ou un appareil optique en direction d'un but, d'un objectif : *Viser un oiseau.* ◆ **visée** n. f. Action de diriger une arme ou un instrument d'optique vers un but, un objectif : *Point, ligne de visée.* ◆ **viseur** n. m. Instrument, dispositif optique servant à régler un tir, à orienter un appareil dans la bonne direction.

3. VISER [vize] v. t. (même étym.). **1.** (sujet nom de personne) Avoir en vue, se fixer comme objectif : *Viser la magistrature* (syn. AMBITIONNER). — **2.** (sujet nom de chose) *Viser qq'un, qqch.,* le concerner : *Mesure qui vise tous les Français résidant à l'étranger* (syn. INTÉRESSER, TOUCHER). *Ceux que vise cette remarque* (= à qui elle s'applique). *Se sentir visé* (= choisi comme cible). ◆ v. t. ind. *Viser à* (et un nom ou un infin.), chercher à, tendre à : *À quoi vise cette nouvelle mesure?* (syn. TENDRE; fam. RIMER). *Viser à plaire* (syn. CHERCHER À). ◆ **visées** n. f. pl. **1.** Objectif, but : *Avoir de hautes visées* (syn. AMBITION). — **2.** *Avoir des visées sur qq'un, sur qqch.,* avoir des intentions, des prétentions à son sujet, vouloir mettre la main dessus.

4. VISER [vize] v. t. (même étym.). *Pop.* Regarder, voir : *Vise un peu cette bagnole!*

VISEUR n. m. → VISER 1.

VISHAKHAPATNAM → VISĀKHAPATNAM.

VISHNU ou **VICHNOU,** un des grands dieux de l'Inde, opposé à Çiva.

VISIBILITÉ n. f., **VISIBLE** adj., **VISIBLEMENT** adv. → VOIR.

VISIÈRE [vizjɛr] n. f. (de l'anc. fr. *vis,* visage). **1.** Partie d'une casquette, d'un képi, etc., qui protège le front et les yeux. — **2.** *Mettre sa main en visière* (= au-dessus des yeux pour les protéger).

VISIGOTHS → WISIGOTHS.

1. VISION [vizjɔ̃] n. f. (lat. *visio*). **1.** Fonction assurée par les yeux et le cerveau de l'homme et de la plupart des animaux, et informant à distance l'individu de la forme et de la couleur des objets placés dans son champ visuel, lorsque celui-ci est éclairé : *La vision est une fonction sensorielle fondamentale du règne animal.* (→ aussi ŒIL et ENCYCL.) — **2.** Fait de voir quelque chose, en général de se le représenter par l'esprit : *Avoir une vision inexacte des choses.*

— ENCYCL. La *vision* comporte des phénomènes optiques et des phénomènes nerveux.

Les *phénomènes optiques* consistent en la formation sur la rétine d'une image nette, ayant une intensité lumineuse suffisante. La netteté est obtenue par la mise au point exercée par le cristallin : l'intensité lumineuse est réglée par l'ouverture plus ou moins grande de la pupille, l'iris faisant fonction de diaphragme.

Les *phénomènes nerveux* commencent à la rétine, où la lumière provoque la formation d'un flux nerveux qui, par le nerf optique, se rend au chiasma optique et, de là, par les bandelettes optiques et les tubercules quadrijumeaux antérieurs, vers la région du lobe occipital qui est l'aire visuelle du cortex cérébral. D'autres voies vont vers les centres des nerfs moteurs oculaires, qui agissent sur les muscles moteurs de l'œil, pour l'orienter vers la zone à regarder. Les mouvements des deux yeux sont coordonnés pour diriger leur axe optique simultanément sur le même point et permettre la vision binoculaire.

La *vision des formes* peut être obtenue d'un seul œil. Elle repose sur l'analyse cérébrale de l'image réelle renversée, plus petite que l'objet, formée sur la rétine par le système convergent de l'œil (cornée, humeur aqueuse, cristallin, humeur vitrée), le cristallin augmentant sa convergence pour les objets rapprochés (accommodation). L'acuité visuelle est limitée par le nombre des axones formant le nerf optique. Elle est maximale sur l'axe optique (fovea).

La *vision des distances* est binoculaire et se fonde sur la comparaison cérébrale entre les images fournies simultanément par l'œil droit et par l'œil gauche, qui sont différentes.

La *vision des couleurs* a pour base la très légère diffusion de la lumière dans l'œil. Sur la fovea, chaque « point » lumineux est une tache couvrant quatre cellules rétiniennes voisines, mais de structure différente. Selon les longueurs d'onde qui les frappent, ces quatre récepteurs envoient au cerveau des messages sensoriels différents, qui sont comparés pour provoquer une sensation unique.

2. VISION [vizjɔ̃] n. f. (même étym.). **1.** Perception imaginaire d'objets irréels, fantastiques : *Avoir des visions* (= croire à des choses extravagantes) [syn. HALLUCINATION]. — **2.** Dans la théologie catholique, chose que Dieu fait voir : *Les visions des prophètes.* ◆ **visionnaire** adj. et n. **1.** Qui a des visions (au sens 1) : *Les fantasmes d'un visionnaire.* — **2.** Extravagant, bizarre : *Imagination visionnaire.*

VISIONNER [vizjɔne] v. t. (de *vision*). *Visionner un film,* l'examiner pour en faire le montage. ◆ **visionneuse** n. f. **1.** Appareil servant à regarder les films pour en faire le montage. — **2.** Appareil d'optique permettant d'agrandir et d'examiner des clichés photographiques de petit format : *Regarder des diapositives avec une visionneuse.*

VISITE [vizit] n. f. (du lat. *visere,* voir). **1.** Fait d'aller voir quelqu'un à son domicile : *Rendre visite.* — **2.** Fait d'aller voir quelque chose : *Faire une visite rapide de la ville* (syn. TOUR). — **3.** Fait de voir quelqu'un dans un lieu public, tel que prison, hôpital, etc., pour des motifs divers, en particulier professionnels : *Un professeur qui reçoit la visite d'un inspecteur. Heures de visites.* — **4.** Personne que l'on reçoit chez soi ou qui va voir quelqu'un : *Avoir une visite.* — **5.** Examen approfondi ou inspection méthodique de quelque chose : *Visite d'un navire* (syn. INSPECTION). *Visite des bagages à la douane* (syn. FOUILLE). — **6.** *Visite médicale,* ou *visite,* examen d'un patient par un médecin. ◆ **contre-visite** n. f. Visite ayant pour but de contrôler les résultats d'une autre visite : *Le malade a dû passer devant une commission médicale pour subir une contre-visite.* ◆ **visiter** v. t. **1.** *Visiter qq'un,* aller le voir par charité : *Visiter les pauvres, les malades, les prisonniers.* — **2.** *Visiter un pays, une ville, un monument,* etc., aller les voir en touriste, par curiosité. ◆ **Visitation** n. f. Visite de la Vierge Marie à sa cousine Élisabeth. (Prend une majusc.) ◆ **visiteur, euse** n. **1.** Personne qui fait une visite, qui visite un lieu, un monument : *Avoir beaucoup de visiteurs le dimanche* (syn. TOURISTE). — **2.** *Visiteur, visiteuse médical(e),* personne qui présente aux médecins les spécialités pharmaceutiques.

VISO *(mont),* montagne des Alpes occidentales, entre la France et l'Italie; 3 841 m.

VISON [vizɔ̃] n. m. (de l'all. *Wiesel,* belette). Petit mammifère carnassier, de la taille d'un putois, très recherché pour sa fourrure. (On le trouve en Europe, en Asie et en Amérique.)

VISQUEUX, EUSE [viskø, -øz] adj. (du lat. *viscum,* glu).

1. Se dit d'une chose, de consistance pâteuse, qui n'est ni liquide ni solide : *Gelée, pâte visqueuse. Substance à l'état visqueux.* — **2.** Se dit d'une chose molle et poisseuse : *Un chiffon visqueux* (syn. ↑GLUANT, GRAS). — **3.** Se dit de choses ou de gens qui suscitent la répulsion : *Une main visqueuse* (= moite et molle). *Un personnage visqueux* (= répugnant). ◆ **viscosité** n. f. Résistance d'un fluide à l'écoulement uniforme. ‖ *Indice de viscosité,* nombre déterminé par comparaison avec des huiles de référence, servant à caractériser la sensibilité à la température d'un lubrifiant.

VISSAGE n. m., **VISSÉ, E** adj., **VISSER** v. t. → VIS.

VISTULE (la), en polon. **Wisła,** fl. de Pologne; 1090 km. Née dans les Carpates occidentales (Beskides), la Vistule traverse du S. au N. la Pologne, arrosant notamment Cracovie, puis Varsovie, avant de rejoindre la Baltique par un vaste delta dans le golfe de Gdańsk.

VISUEL, ELLE [vizɥɛl] adj. (du lat. *visus,* vue). Qui a rapport à la vue : *Champ visuel* (= de la vision). *Mémoire visuelle* (= qui garde le souvenir de ce qui est vu, par oppos. à *mémoire auditive*). ◆ **visuellement** adv. Par la vue : *Faire comprendre visuellement une chose.* ◆ **visualiser** v. t. Rendre visible : *Visualiser des courants dans l'eau grâce à des colorants.* ◆ **visualisation** n. f. : *La visualisation facilite la mémorisation* (= le fait de voir).

VITAL, E, AUX [vital, -to] adj. (du lat. *vita,* vie). **1.** Qui concerne la vie : *Les fonctions vitales.* — **2.** Essentiel à la subsistance, à la vie : *Minimum vital* (= ressources indispensables pour subsister). *Espace vital* → ESPACE. — **3.** Fondamental : *Les transports sont une question vitale pour les citadins* (syn. ↓ESSENTIEL). ◆ **vitalité** n. f. Intensité de la vie, de l'énergie d'une personne ou d'une chose : *Déborder de vitalité, manquer de vitalité* (syn. DYNAMISME, ↓ENTRAIN). ◆ **dévitaliser** v. t. *Dévitaliser une dent,* en faire mourir le nerf. ◆ **dévitalisation** n. f.

VITAMINE [vitamin] n. f. (du lat. *vita,* vie, et *amine*). Substance nécessaire à la vie, agissant à très faible dose et qui doit être apportée régulièrement à l'organisme dans l'alimentation ou sous forme médicamenteuse. ◆ **vitaminé, e** adj. À quoi on a incorporé des vitamines : *Médicament vitaminé.* ◆ **avitaminose** n. f. *Méd.* Affection causée par l'insuffisance ou l'absence (carence) de vitamines.

— ENCYCL. On distingue les *vitamines* solubles dans les graisses (A, D, E, K) et les vitamines solubles dans l'eau (B_1, B_2, B_6, B_{12}, PP, C). La *vitamine A* intervient dans la croissance; sa carence entraîne des troubles oculaires et des troubles de croissance. On la trouve dans l'huile de foie de morue, de thon, mais aussi dans les foies, le beurre, le lait, les légumes (carottes) et les fruits. La *vitamine B_1* agit dans le métabolisme des sucres; sa carence provoque le béribéri et des troubles nerveux. Le riz, les céréales, les fruits secs en contiennent. La *vitamine B_2* (levures, céréales, viandes [rognons], légumes) est utilisée dans la nutrition générale de l'organisme. Sa carence entraîne des troubles oculaires et muqueux. La *vitamine B_6* agit dans le métabolisme des acides aminés. Elle est présente dans les levures. Chez l'animal, sa carence fait apparaître des lésions cutanées. La *vitamine B_{12}* favorise la croissance, la fabrication des globules rouges. Elle se trouve surtout dans les extraits de foie. On l'emploie pour traiter certains types d'anémie. La *vitamine C,* ou acide ascorbique, existe dans les fruits, les légumes verts. Sa carence entraîne, outre le scorbut, de la fatigue, une moindre résistance aux affections. La *vitamine D* est antirachitique et permet la fixation des sels de calcium sur le squelette. L'huile de foie de morue, les foies, les poissons, le lait, le beurre, les œufs en sont riches. L'homme peut la fabriquer lui-même en s'exposant au soleil. Un manque de *vitamine E* (viande, germes de céréales, huiles végétales, salades, œufs) entraîne des troubles de la fonction de reproduction chez l'animal. La *vitamine K* entre dans la composition de la prothrombine. On la consomme dans les légumes (tomates vertes) et les fruits (fraises). Sa carence se manifeste par une tendance aux saignements et hémorragies. La *vitamine PP,* présente dans les céréales et les levures, donne par carence la pellagre.

Vita nuova (« Vie nouvelle »), œuvre de Dante, composée entre 1292 et 1295. C'est un livre allégorique où Dante raconte son amour pour Béatrice.

VITE [vit] adv. (orig. inc.). **1.** Rapidement : *Courir vite. Va et fais vite* (= dépêche-toi). *La jeunesse passe vite* (contr. LENTEMENT). — **2.** En peu de temps, sous peu : *Il sera vite arrivé. Je serai de retour le plus vite possible* (syn. TÔT). — **3.** Sans délai, tout de suite : *Lève-toi vite.* ◆ **vitesse** n. f. **1.** Fait de parcourir un espace en peu de temps : *Vitesse d'un coureur cycliste. Course de vitesse* (par oppos. à *course de fond*). *Aller, courir à toute vitesse* (syn. fam. VAPEUR). ‖ *Être en perte de vitesse,* aller moins vite du fait de la fatigue, de l'usure, etc.; perdre du prestige, de la popularité, perdre la confiance des autres : *Un parti politique en perte de vitesse.* — **2.** Rapidité à agir : *Faites ceci en vitesse* (= dépêchez-vous). *Partir en vitesse* (= immédiatement, en hâte). *Gagner qq'un de vitesse* (= le devancer). — **3.** Distance parcourue dans l'unité de temps choisie : *Vitesse d'un moteur.* ‖ *Vitesse limite,* valeur vers laquelle tend la vitesse d'un corps qui se déplace dans un milieu résistant sous l'action d'une force constante. ‖ *Vitesse moyenne,* rapport du chemin parcouru au temps mis à le parcourir. — **4.** Rapport entre la vitesse de rotation de l'arbre moteur d'une automobile et la vitesse de rotation des roues : *Changer de vitesse* (syn. RÉGIME). *Boîte de vitesses.*

VITEBSK, v. de l'U. R. S. S. (Biélorussie), sur la Dvina occidentale; 310000 hab.

VITELLUS [vitɛlys] n. m. (mot lat. signif. *jaune d'œuf*). Ensemble des substances de réserve contenues dans l'ovule des animaux : *Le jaune de l'œuf des oiseaux représente le vitellus.* ◆ **vitellin, ine** adj. Qui concerne le vitellus.

VITERBE, v. d'Italie (Latium); 58000 hab. Cathédrale (XIIe-XVIe s.).

VITESSE n. f. → VITE.

VITICOLE [vitikɔl] adj. (du lat. *vitis,* vigne, et *colere,* cultiver). Relatif à la culture de la vigne : *Région viticole.* ◆ **viticulture** n. f. Culture de la vigne. ◆ **viticulteur** n. m. Personne qui cultive de la vigne pour la production du vin.

VITI LEVU, la plus grande des îles Fidji; 177000 hab. V. pr. *Suva.*

VITORIA, v. d'Espagne, capit. du Pays basque; 192000 hab. Automobiles.

• *1813. Victoire de Wellington sur les Français.*

VITÓRIA, v. du Brésil, sur l'île Vitória, capit. de l'État d'Espírito Santo; 136400 hab. Exportation de fer.

VITRE [vitr] n. f. (lat. *vitrum*). **1.** Panneau de verre qui garnit une baie ou un châssis : *Laver les vitres* (syn. CARREAU). *Le nez collé à la vitre* (syn. FENÊTRE). — **2.** Glace d'une voiture : *Baisser les vitres.* ◆ **vitrer** v. t. Garnir de vitres : *Vitrer une terrasse.* ◆ **vitré, e** adj. : *Une baie vitrée.* ◆ **vitrage** n. m. **1.** Ensemble des vitres d'un édifice ou d'une fenêtre : *Le vitrage d'une devanture.* — **2.** Rideau transparent appliqué contre des vitres : *Poser un vitrage léger.* ◆ **vitrail, aux** n. m. Panneau constitué par un assemblage de morceaux de verres colorés, maintenus à l'aide d'une armature : *L'art du vitrail.* → ENCYCL. ◆ **vitrier** n. m. Personne qui fait le commerce des vitres et les pose. ◆ **vitrerie** n. f. Fabrication et pose des vitres : *Travailler dans la vitrerie.*

— ENCYCL. C'est de l'époque romane (XIIe s.) que date la première floraison des *vitraux* français, mais la grande époque de l'art du vitrail correspond à la période gothique : la Sainte-Chapelle de Paris, bâtie entre 1243 et 1248, possède 15 verrières en hauteur, et une rose (grand vitrail circulaire).

Au XIVe s., l'évolution du style des figures des vitraux suit celle de la sculpture (auparavant, les vitraux copiaient plutôt les miniatures des livres). À la fin du XIVe et au XVe s., le vitrail manifeste un goût plus grand pour la réalité : on ne représente plus des visages imaginaires mais des portraits, les architectures sont peintes sur les vitraux avec beaucoup de précision. Les couleurs sont désormais beaucoup plus claires. Les plombs ne soulignent plus chaque détail du dessin, qui est souvent directement peint en noir sur le verre : le vitrail tend à n'être plus un assemblage de verres diversement colorés, mais une peinture colorée sur un verre uni. Cette tendance se confirme au XVIe s.

Du XVIIe au XXe s., le vitrail sera ainsi influencé par le dessin et par la peinture; au XIXe s. en particulier, ce sont de grands peintres (Ingres, Delacroix) qui créent les cartons (modèles des vitraux). Depuis les années 1920 environ, on revient à une conception plus pure du vitrail. À Notre-Dame du Raincy, A. Perret, en 1922, a créé des murs évidés, où Maurice Denis a placé des vitraux aussi éblouissants que ceux du Moyen Âge. Depuis cette époque, l'art du vitrail subit toujours l'influence de la peinture (adoptant souvent l'abstraction, il ne représente aucun sujet), mais il est surtout conçu comme un art de la couleur lumineuse.

VITRÉ, ch.-l. de cant. d'Ille-et-Vilaine, à 36 km à l'E. de Rennes, sur la Vilaine; 13500 hab. Chaussures. Château des XIVe et XVe s.

VITRER v. t., **VITRERIE** n. f. → VITRE.

VITREUX, EUSE [vitrø, -øz] adj. (du lat. *vitrum,* verre). **1.** Qui a l'aspect du verre. — **2.** Dont l'éclat est terni : *Un regard vitreux* (syn. ÉTEINT). — **3.** *Minér.* Se dit de la texture de certaines roches éruptives constituées par du verre.

VITRIER n. m. → VITRE.

VITRIFIER [vitrifje] v. t. (du lat. *vitrum,* verre, et *facere,* faire). **1.** *Vitrifier une matière,* la fondre de manière à la transformer en verre : *Vitrifier du sable.* — **2.** *Vitrifier un parquet, une surface,* les revêtir d'un enduit spécial, dur et transparent, pour les protéger. ◆ **vitrification** n. f. Action de vitrifier. ◆ **vitrifiable** adj. Susceptible d'être changé en verre : *Sable vitrifiable.*

VITRINE [vitrin] n. f. (du lat. *vitrum,* verre). **1.** Devanture vitrée d'un local commercial : *Regarder les vitrines. Mettre un article en vitrine* (syn. À L'ÉTALAGE). — **2.** Petit meuble servant à exposer des objets d'art.

VITRIOL [vitrijɔl] n. m. (bas lat. *vitriolum;* de *vitrum,* verre). **1.** Ancien nom des sulfates. — **2.** *Huile de vitriol,* ou *vitriol,* ancien nom de l'acide sulfurique concentré. — **3.** *Écriture, style au vitriol, paroles pleines de vitriol,* extrêmement acerbes. ◆ **vitrioler** v. t. *Vitrioler qq'un,* lancer sur lui du vitriol pour le défigurer.

VITROLLES, comm. des Bouches-du-Rhône, près de l'étang de Berre, à 24 km au N.-O. de Marseille; 22 700 hab.

VITRY-LE-FRANÇOIS, ch.-l. d'arrond. de la Marne, sur la Marne, à 33 km au S.-E. de Châlons-sur-Marne; 18 800 hab. *(Vitryats).* Faïences. Métallurgie.

VITRY-SUR-SEINE, ch.-l. de cant. du Val-de-Marne, à 3 km au S.-E. de Paris, sur la Seine; 85 800 hab. *(Vitriots).* Église des XIIIe et XIVe s. Centrales thermiques.

VITTEL, ch.-l. de cant. des Vosges, à 43 km à l'O. d'Épinal: 6 400 hab. *(Vittellois).* Station thermale.

VITTORIA, v. de Sicile; 47 300 hab.

VITTORIO VENETO, v. d'Italie (Vénétie); 29 400 hab. Eaux thermales.

• *23-31 oct. 1918. Victoire des Italiens sur les Autrichiens.*

VITUPÉRER [vitypere] v. t. ou t. ind. (lat. *vituperare*). *Vitupérer qq'un* ou, plus souvent, *contre qq'un,* s'emporter, s'indigner contre lui, le blâmer avec force. ◆ **vitupération** n. f. : *Passer outre aux vitupérations de ses adversaires* (syn. RÉCRIMINATION).

VIVABLE [vivabl] adj. (de *vivre*) [seulement dans des propositions négatives]. **1.** *Fam.* Se dit d'une personne facile à vivre, qui a bon caractère. — **2.** Que l'on peut supporter : *Cette situation n'est pas vivable.* ◆ **invivable** adj. : *Un homme invivable* (= d'un caractère exécrable). *Une existence invivable* (syn. INSUPPORTABLE).

VIVACE [vivas] adj. (lat. *vivax, -acis*). **1.** *Plantes vivaces,* plantes qui vivent plusieurs années et qui fleurissent et fructifient plusieurs fois dans leur existence. — **2.** Tenace, indestructible : *Entretenir une haine vivace contre qq'un.*

VIVACE [vivatʃe] adv. (mot it.). → MOUVEMENT, *mouvements musicaux.*

VIVACITÉ n. f. → VIF 1.

VIVALDI (Antonio), compositeur italien (1678-1741). Violoniste virtuose et chef d'orchestre, il écrivit de la musique religieuse, des opéras, des sonates, des symphonies, et eut beaucoup d'influence sur ses contemporains en matière de musique instrumentale, notamment sur Bach, Händel, Locatelli. Il peut être considéré comme le précurseur de la symphonie préclassique, et comme le véritable créateur du concerto de soliste. Il laisse une œuvre immense, dont 454 concertos pour toutes sortes de combinaisons instrumentales; les plus célèbres sont : l'*Estro armonico* (1712), *La Stravaganza* (v. 1712), *Il Cimento dell'armonia* (v. 1725), qui contient la suite des *Saisons.*

VIVANT, E adj. et n. m. → VIVRE 1.

VIVARAIS, région de la bordure orientale du Massif central, entre la Loire et le Rhône, correspondant à l'actuel dép. de l'Ardèche.

VIVARIUM [vivarjɔm] n. m. (mot lat. signif. *vivier*). Établissement aménagé en vue de la conservation dans leur milieu naturel de petits animaux vivants.

VIVAT! [viva] interj. (mot lat. signif. *qu'il vive*). Exprime l'enthousiasme. ◆ **vivats** n. m. pl. : *Acclamer qq'un par des vivats* (syn. HOURRA).

VIVE [viv] n. f. (du lat. *vipera,* vipère). Poisson vivant dans la mer ou enfoncé dans le sable des plages, comestible, mais redouté pour ses épines venimeuses.

VIVE [viv] interj. (de *vivre*). Exprime l'acclamation : *Vive le président! Vive* (ou *vivent*) *les vacances!*

VIVEMENT adv. → VIF 1.

VIVERRIDÉS [viveride] n. m. pl. (du lat. *viverra,* civette). Famille de mammifères carnassiers de petite taille, comprenant la *civette,* la *mangouste.*

VIVEUR [vivœr] n. m. (de *vivre*). Celui qui aime la vie facile, les plaisirs (syn. FÊTARD, NOCEUR).

VIVIER [vivje] n. m. (lat. *vivarium*). Bassin d'eau aménagé pour conserver des poissons vivants.

VIVIFIER [vivifje] v. t. (lat. *vivificare;* de *vivus,* vivant, et *facere,* faire). **1.** *Vivifier qq'un, un être vivant,* lui donner de la vie, de la santé, de la vitalité : *Ce climat vivifie les enfants et les convalescents* (syn. TONIFIER; contr. DÉPRIMER). — **2.** *Vivifier qqch.,* ranimer, augmenter l'activité de : *Cette nouvelle industrie a vivifié la ville.* ◆ **vivifiant, e** adj. : *Ce climat est très vivifiant* (syn. TONIQUE).

VIVIPARE [vivipar] adj. (du lat. *vivus,* vivant, et *parere,* mettre au monde). Se dit d'un animal dont les petits naissent déjà formés (par oppos. à OVIPARE) : *Les mammifères sont vivipares.*

VIVISECTION [vivisɛksjɔ̃] n. f. (du lat. *vivus,* vivant, et *section*). Opération pratiquée à titre d'expérience sur des animaux vivants : *Étudier le développement d'une tumeur par vivisection.*

VIVOTER v. i., **VIVRIÈRE** adj. f. → VIVRE 3.

1. VIVRE [vivr] v. i. (lat. *vivere*). [Conj. **63.**] **1.** Être en vie (par oppos. à *être mort*) : *L'enfant a vécu à peine quelques heures* (syn. EXISTER). — **2.** Avoir la vie, considérée surtout sous l'angle de la durée : *Vivre vieux.* — **3.** *Vivre* (et un compl. de temps), avoir une vie qui se situe à une certaine époque : *Il a vécu sous la Révolution.* — **4.** (sujet nom de chose) Avoir une existence dans le temps, avec un début et une fin : *Son souvenir vit en nous* (syn. DEMEURER, SUBSISTER). *Un nom qui vivra éternellement dans la mémoire des gens* (= dont on se souviendra toujours avec honneur). — **5.** *Avoir vécu,* être mort, avoir cessé (littér.) : *Cette mode a vécu* (= est terminée, finie, passée). — **6.** *Ne plus vivre,* être dans l'anxiété : *Il se fait tellement de souci pour son examen qu'il n'en vit plus.* ‖ *Se laisser vivre,* ne pas faire d'effort, ne pas se faire de souci. ‖ *Qui vive?,* qui va là?; et substantiv. : *Être sur le qui-vive,* être sur ses gardes. ◆ **vivant, e** adj. **1.** Qui est en vie : *Encore vivant.* — **2.** Doué de vie : *Matière vivante* (contr. INERTE). *Êtres vivants* (syn. ANIMÉ). → ENCYCL. — **3.** Qui a de l'entrain, de l'animation : *Cet enfant est très vivant* (syn. ACTIF, VIF). *Un quartier vivant* (syn. ANIMÉ; contr. MORT). *Un visage très vivant* (syn. EXPRESSIF; contr. MORNE). — **4.** Qui est constitué par des êtres vivants : *Tableaux vivants* (= mimés par des êtres humains). — **5.** Animé d'une sorte de vie; qui ressemble à la vie : *Témoignage vivant. Preuve vivante.* — **6.** *Langue vivante,* actuellement parlée (par oppos. à *langue morte*). ◆ n. m. **1.** Personne en vie (surtout au plur) : *Les vivants et les morts.* — **2.** *Bon vivant,* personne qui aime la bonne chère et les plaisirs. — **3.** *Du vivant de qq'un* pendant sa vie : *Du vivant de sa mère, il était gai.*

— ENCYCL. On appelle *êtres vivants* les êtres ayant une structure cellulaire et capables d'assimiler, de croître et de se multiplier. Les *végétaux* sont caractérisés par la présence de cellulose. Leurs formes supérieures sont fixées et contiennent de la chlorophylle. Les *animaux* ont un tube digestif et ingèrent des proies organisées. Leurs formes supérieures sont mobiles et ont un système nerveux et des organes des sens.

Considéré dans son ensemble, le monde vivant ou *biosphère* occupe la masse des eaux océaniques et continentales, la terre végétale et une faible hauteur au-dessus des terres émergées et des océans.

2. VIVRE [vivr] v. i. (même étym.). [Conj. **63.**] **1.** *Vivre* (et un compl. de manière ou de but), avoir tel genre de vie, tel but dans la vie : *Vivre en bon ménage avec qq'un. Vivre pour soi, pour les autres.* — **2.** *Vivre* (et un compl. de lieu), habiter : *Il vit en Amérique* (syn. ÊTRE FIXÉ, RÉSIDER). *Vivre dans un petit appartement* (syn. LOGER). — **3.** Se conduire, se comporter en société : *Il est facile à vivre* (= il est d'humeur accommodante, facile). *Il ne sait pas vivre* (= il n'observe pas les bienséances). *Apprendre à vivre à qq'un* (= lui donner une bonne leçon). ◆ v. t. **1.** *Vivre qqch.,* l'éprouver, le faire intensément : *Vivre les angoisses d'une mère auprès d'un enfant malade* (syn. ÉPROUVER, SENTIR). *Vivre sa vie* (= faire ce que l'on veut, être libre). — **2.** *Vivre une époque, des événements,* etc., y être associé, mêlé : *Avoir vécu la guerre.*

3. VIVRE [vivr] v. i. (même étym.). [Conj. **63.**] **1.** Avoir, se procurer les moyens de se nourir ou de subsister : *Il a de quoi vivre. Faire vivre ses parents* (= pourvoir à leur subsistance). *Il n'aime guère ce travail, mais il faut bien vivre* (= gagner sa vie). — **2.** *Vivre de qqch.,* en tirer sa subsistance : *Vivre de ses rentes.* — **3.** (suivi d'un adv.) Avoir tel ou tel train de vie : *Vivre tant bien que mal* (= vivoter, végéter). *Vivre bien* (= ne se priver de rien, avoir un train de vie large). ◆ **vivoter** v. i. Vivre petitement; marcher au ralenti : *Retraité qui vivote péniblement* (syn. SUBSISTER, VÉGÉTER). ◆ **vivre** n. m. Nourriture, alimentation (littér.) : *Offrir à qq'un le vivre et le couvert* (= le repas servi à table). ◆ n. m. pl. Aliments, tout ce qui sert à se nourrir : *Préparer des caisses de vivres pour un voyage en mer* (syn. NOURRITURE, PROVISIONS). *Couper les vivres à qq'un* (= ne plus lui verser l'argent qui lui servait à vivre). ◆ **vivrière** adj. f. *Cultures vivrières,* dont le produit est destiné à l'alimentation. (→ VIE, VIVIFIER.)

VIX, comm. de la Côte-d'Or, à 6 km au N. de Châtillon-sur-Seine. Site d'un important oppidum; une sépulture du Ve s. av. J.-C. a livré en 1953 un trésor comprenant des pièces d'origine grecque, étrusque ou gauloise, et dont la plus précieuse est un grand cratère de bronze magnifiquement orné.

VIZĀGAPATNAM → VISĀKHAPATNAM.

VIZILLE, ch.-l. de cant. de l'Isère, à 16 km au S. de Grenoble, sur la Romanche; 7 400 hab. *(Vizillois).* Papeterie. Industries chimiques et métallurgiques. Château de Lesdiguières (musée de la Révolution française).

VIZIR [vizir] n. m. (mot turc). Ministre d'un prince musulman. ‖ *Grand vizir,* Premier ministre du sultan dans l'Empire ottoman.

VLAARDINGEN, port des Pays-Bas (Hollande-Méridionale), sur la Meuse, près de Rotterdam; 81 600 hab. Pêche. Raffinerie de pétrole.

VLADIKAVKAZ → ORDJONIKIDZE.

VLADIMIR, v. de l'U. R. S. S., au N.-E. de Moscou; 307 000 hab. Nombreuses églises médiévales. Constructions mécaniques.

VLADIMIR Ier le Saint ou **le Grand** (v. 956-1015), prince de Novgorod (970), grand-prince de Kiev (980-1015). Il rassembla l'ensemble des terres russes autour de Kiev et se convertit avec son peuple au christianisme byzantin. — VLADIMIR II *Monomaque* (1053-1125), grand-prince de Kiev de 1113 à 1125.

VLADIVOSTOK, port de l'U. R. S. S., dans l'Extrême-Orient, sur la mer du Japon, au débouché du Transsibérien; 565 000 hab. Centre industriel. La ville est russe depuis 1860.

VLAMINCK (Maurice DE), peintre français (1876-1958). Ami de Derain, avec qui il travailla à Chatou en 1900, il fut, à partir de 1904, un des principaux initiateurs du fauvisme. Il subit ensuite l'influence de Cézanne, puis accéda à un style très personnel, violent, souvent tragique, peignant principalement des paysages, mais aussi des natures mortes et quelques portraits. Il a publié des romans et des pamphlets, et exécuté des lithographies. Il fut un des premiers à s'intéresser à l'art nègre.

VLAN! [vlɑ̃] interj. (onomat.). Exprime un bruit violent, en particulier celui d'un coup : *Et vlan! il referma la porte avec rage.*

VLTAVA (la), en all. **Moldau,** riv. de Bohême, affl. du Labe (Elbe), passant à Prague; 430 km. Usines hydro-électriques.

VOCABLE [vɔkabl] n. m. (lat. *vocabulum*). Mot, terme désignant un objet, une notion, etc. : *Créer un vocable nouveau pour exprimer une idée nouvelle.*

VOCABULAIRE [vɔkabylɛr] n. m. (du lat. *vocabulum*, mot). **1.** Ensemble des mots qui servent à nommer et qui forment la langue d'une communauté, d'une activité humaine : *Étudier le vocabulaire politique de la Révolution.* — **2.** Dictionnaire abrégé où le choix des termes et les définitions se limitent à ce qui est jugé l'essentiel : *Un vocabulaire français-grec.* (→ LEXIQUE.)

VOCAL, E, AUX adj., **VOCALEMENT** adv. → VOIX 1.

VOCALIQUE adj. → VOYELLE.

VOCALISE [vɔkaliz] n. f. (du lat. *vocalis*, vocal). Exercice de voix parcourant une échelle de sons, exécuté sur une ou plusieurs voyelles et sans nommer les notes : *Faire des vocalises.* ◆ **vocaliser** v. i. et t. Faire des vocalises.

VOCALISME n. m. → VOYELLE.

VOCATIF [vɔkatif] n. m. (du lat. *vocare*, appeler). → CAS 2.

VOCATION [vɔkasjɔ̃] n. f. (lat. *vocatio*; de *vocare*, appeler). **1.** Penchant, aptitude spéciale pour un certain genre de vie, pour une profession : *Avoir une vocation littéraire* (syn. GOÛT, INCLINATION, TENDANCE). — **2.** *Théol.* Appel au sacerdoce ou à la vie religieuse : *Avoir la vocation.*

VOCIFÉRER [vɔsifere] v. i. ou t. ind. [**contre**] (lat. *vociferare*). Parler en criant et avec colère : *Vociférer des injures. Vociférer contre qq'un.* ◆ **vociférateur, trice** n. Personne qui vocifère. ◆ **vocifération** n. f. (surtout au plur.) : *Pousser des vociférations.*

VODKA [vɔdka] n. f. (mot russe). Eau-de-vie de grain, consommée surtout en U. R. S. S. et en Pologne.

1. VŒU [vø] n. m. (lat. *votum*). **1.** Promesse faite à Dieu, engagement religieux : *Faire vœu de chasteté.* — **2.** Engagement pris vis-à-vis de soi-même. ◆ n. m. pl. Ensemble des engagements pris par une personne entrant en religion : *Prononcer ses vœux.* ◆ **votif, ive** adj. Qui est accompli en vertu d'un vœu : *Inscription votive.*

2. VŒU [vø] n. m. (même étym.). **1.** Souhait de voir se réaliser quelque chose : *Mes vœux sont comblés* (syn. DÉSIR). — **2.** (souvent au plur.) Souhaits adressés à quelqu'un : *Présenter ses meilleurs vœux de bonheur.* — **3.** Intention, par oppos. à DÉCISION : *Assemblée qui émet des vœux* (syn. AVIS).

VÔGE (la), petit pays de la Lorraine méridionale.

VOGELGRUN, comm. du Haut-Rhin, dans l'arrond. de Colmar; 420 hab. Centrale hydraulique sur le grand canal d'Alsace.

VOGOULES ou **VOGOULS,** peuple de l'U. R. S. S., d'origine finno-ougrienne, établi en Sibérie occidentale.

VOGUE [vɔg] n. f. (orig. incert.). Faveur, popularité dont jouit une personne ou une chose : *Une danse qui jouit d'une grande vogue.* ‖ *En vogue*, à la mode.

VOGUER [vɔge] v. i. (it. *vogare*). **1.** Avancer sur l'eau (littér.) : *Une barque voguait au fil de l'eau* (syn. NAVIGUER). — **2.** Fam. *Vogue la galère!*, advienne que pourra.

VOICI [vwasi], **VOILÀ** [vwala] particules présentatives (de *vois*, et *ci*; *vois*, et *là*). Servent à présenter un être animé ou une chose. (Dans la mesure où ils s'opposent, *voici* exprime la proximité ou le futur, *voilà* l'éloignement ou le passé, mais *voilà* est d'un emploi beaucoup plus courant que *voici*, qui appartient surtout à la langue écrite, et il peut toujours lui être substitué.) **1.** Placés avant un nom, un adv., une conj., un infin. : *Voici ma maison, et voilà le jardin. Enfin, voilà les invités!* (= ils arrivent). *Voici comment il faut faire : remplissez d'abord ce questionnaire.* — **2.** Avec un pron. pers., avec le rel. *que*, *voici* et *voilà* se placent après le pronom : *Vous voici déjà? Les voilà. Nous y voici* (= nous sommes arrivés à destination, ou à la question envisagée). *Vous voilà arrivés. Les beaux fruits que voilà!* — **3.** Employés seuls, *voici* et *voilà* peuvent annoncer un développement explicatif ou introduire une objection : *Vous me demandez des précisions? Voici... Il a voulu se sauver, oui, mais voilà, il était trop tard.* ‖ *Voilà* seul, ou *et voilà, et voilà tout*, a parfois une valeur conclusive : *Je me suis sauvé par la fenêtre, et voilà!* (= il n'y a pas d'autre mystère). — **4.** *Voici que, voilà que*, introduisent l'énoncé d'une circonstance particulière produisant un changement dans une situation : *Tiens, voilà qu'il se met à pleuvoir.* — **5.** Suivis d'une indication de temps, *voici* et *voilà* précisent la durée écoulée : *Il a quitté la France voici bientôt dix ans* (syn. IL Y A). *Voilà trois jours qu'il n'a rien mangé* (= depuis trois jours). ◆ **revoici, revoilà** particules présentatives. *Fam.* Voici, voilà à nouveau : *Me revoici! Nous revoilà en Italie* (= nous y sommes à nouveau).

1. VOIE [vwa] n. f. (lat. *via*, chemin). **1.** Route construite ou aménagée pour aller d'un lieu à un autre (en ce sens, n'est employé que dans un petit nombre d'express. officielles); espace tracé ou aménagé pour la communication : *Les voies de communication* (= l'ensemble des routes, des chemins de fer, des canaux) [syn. LIGNES DE COMMUNICATION]. *Voie publique* (terme admin.) [= toute route ou tout chemin ouvert à la circulation et dépendant du domaine de l'État ou des collectivités locales]. *Voie ferrée* (= ligne de chemin de fer). ‖ *Voie de passage*, route, chemin, etc., qui sert de grande communication entre deux points : *Ce col est une voie de passage fréquentée entre les deux pays.* ‖ *La voie est libre*, le passage est ouvert, la route est dégagée; on peut agir librement : *La voie est libre; aucun concurrent ne semble capable maintenant de vous battre.* — **2.** Moyen de communication, de transport : *La voie maritime* (= le bateau). *La voie aérienne* (= l'avion). ‖ *Voie express*, route dont les deux sens de circulation sont le plus souvent séparés, mais où les croisements ne sont pas toujours, comme sur les autoroutes, à des niveaux différents. ‖ *Par la voie*, avec un certain mode de transport : *Aller à Rome par la voie aérienne, maritime, terrestre;* selon un certain ordre, une certaine structure : *Faire parvenir une demande par la voie hiérarchique.* ◆ **voirie** n. f. **1.** Ensemble des diverses voies de communication : *La voirie départementale.* — **2.** Partie de l'administration publique qui s'occupe des voies de communication : *Service de voirie* (= nettoyage des rues et des places). — **3.** Lieu où sont déposés ordures et immondices : *Jeter des ordures à la voirie.*

2. VOIE [vwa] n. f. (même étym.). *Ch. de f.* Double ligne de rails parallèles, fixés à des traverses placées transversalement sur le ballast, servant à la circulation des trains : *Ne traversez pas les voies.* ‖ *Voie de garage*, partie de la voie ferrée où l'on gare les rames de wagons. ‖ Fam. *Ranger, mettre, laisser sur une voie de garage*, laisser de côté une affaire ou une personne dont on ne veut plus s'occuper. ◆ **contre-voie** n. f. Voie parallèle à celle que suit un train. ‖ Pl. des *contre-voies.*

3. VOIE [vwa] n. f. (même étym.). *Technol.* **1.** Écartement des roues d'un même essieu dans un véhicule. — **2.** *Voie d'une scie*, inclinaison de ses dents alternativement à droite et à gauche de son plan médian. — **3.** *Voie d'eau*, trou fait accidentellement dans la coque d'un navire. — **4.** *Anat.* Canal : *Voies urinaires.* — **5.** *Voie nerveuse*, ensemble des neurones participant à une des fonctions du système nerveux.

4. VOIE [vwa] n. f. (même étym.). **1.** Direction de la vie, ligne de conduite, manière de se comporter (en ce sens, ne s'emploie qu'avec un adj., un compl. ou dans des express. figées) : *La voie du bien, du mal, de l'honneur* (syn. CHEMIN). *La voie des aveux. Ouvrir, montrer, tracer la voie* (= être l'initiateur, montrer la direction à suivre, créer un précédent) [syn. OUVRIR LA ROUTE]. *Préparer la voie, les voies à qq'un* (= aplanir les difficultés devant lui) ou *à qqch.* (= faciliter son aboutissement). *Ces négociations préliminaires ont préparé la voie à un pacte de non-agression. Il a obtenu ce résultat par des voies détournées* (= par des moyens cachés) [syn. CHEMIN]. *Il m'a mis sur la voie* (= il m'a indiqué le moyen de trouver la solution). *Continuez dans cette voie* (syn. DIRECTION, LIGNE). *L'affaire est en bonne voie* (= elle a pris un bon départ et promet de réussir). ‖ *Voies de Dieu*, ses desseins : *Les voies de Dieu sont impénétrables.* ‖ *Voie de fait*, acte de violence commis à l'égard de quelqu'un (terme admin.) : *Il s'est livré à des voies de fait sur un infirme.* — **2.** *En voie de* (suivi d'un nom ou d'un infin.), se dit de quelqu'un ou de quelque chose dont le début permet d'envisager avec certitude l'avenir : *Le travail est en voie d'achèvement* (= dans de bonnes conditions pour être achevé). *Il est en voie de dépenser tout l'argent qu'il possédait* (syn. EN PASSE DE). ‖ *Par voie de conséquence*, en conséquence.

VOÏÉVODE n. m., **VOÏÉVODIE** n. f. → VOÏVODE.

VOILÀ particule présentative → VOICI.

1. VOILE [vwal] n. m. (lat. *velum*). **1.** Morceau d'étoffe plus ou moins transparent, servant à couvrir le visage ou la tête dans diverses circonstances : *Voile de mariée.* ‖ *Prendre le voile,* se faire religieuse. — **2.** Tissu léger et transparent employé en lingerie, en ameublement. — **3.** Ce qui cache, empêche de voir quelque chose : *Mettre, jeter un voile sur une question. Sous le voile de l'amitié* (= sous le couvert de, l'apparence de). *Un voile de brume* (= une légère brume). ◆ **voilage** n. m. Grand rideau droit ou double rideau de voile, coulissant sur une tringle au-dessus d'une fenêtre. ◆ **voilette** n. f. Petit morceau de tulle uni ou moucheté, posé en garniture au bord d'un chapeau et qui recouvre le visage. ◆ **voiler** v. t. **1.** *Voiler qq'un, qqch.*, le couvrir d'un voile : *Voiler son visage.* — **2.** Cacher, dissimuler quelque chose : *Voiler sa désapprobation par un excès de gentillesse. Des larmes qui voilent le regard* (syn. EMBUER, NOYER). ◆ ***se voiler*** v. pr. : *La lune se voile peu à peu* (= se cache, se couvre). *Se voiler la face* (= se cacher la figure par honte, ou pour ne pas entendre des choses épouvantables). ◆ **voilé, e** adj. **1.** Obscur, dissimulé : *Parler en termes voilés* (= à mots couverts) [syn. ↑OBSCUR]. *Faire une allusion voilée à quelque chose* (syn. DISCRET; contr. DIRECT). — **2.** Qui manque de netteté, de pureté : *Regard voilé* (syn. TERNE, TROUBLE). ◆ **dévoiler** v. t. **1.** *Dévoiler une statue le jour de l'inauguration.* — **2.** *Dévoiler un secret, un projet, ses intentions,* etc., cesser de les tenir cachés, en faire part à quelqu'un, faire la lumière dessus : *Dévoiler les dessous d'une affaire* (syn. RÉVÉLER). *Dévoiler un mystère* (syn. PERCER). ◆ ***se dévoiler*** v. pr. Apparaître au grand jour, devenir compréhensible : *Sa fourberie a fini par se dévoiler.*

2. VOILE [vwal] n. m. (même étym.). Déformation d'une roue ou d'une pièce de bois, de métal qui n'est plus plane, qui est légèrement tordue. ◆ ***se voiler*** v. pr. : *Les disques se voilent quand ils sont mal rangés* (syn. SE GONDOLER). ◆ **voilé, e** adj. Faussé, gauchi : *Sa bicyclette a une roue voilée.* ◆ **dévoiler** v. t. : *Dévoiler une roue.*

3. VOILE [vwal] n. m. (même étym.). **1.** Obscurcissement accidentel d'un cliché photographique, dû à un excès de lumière : *La pellicule a été mal bobinée, et toutes les photos ont un voile.* — **2.** *Voile du poumon,* diminution homogène de la transparence d'une partie du poumon, visible à la radioscopie. ◆ **voiler** v. t. : *Si vous n'ouvrez pas votre appareil dans une obscurité complète, vous allez voiler votre film.* ◆ **voilé, e** adj. : *Une photo voilée. Il a un poumon voilé.*

4. VOILE [vwal] n. m. (même étym.). **1.** Anat. *Voile du palais,* cloison musculaire et membraneuse qui sépare la bouche du larynx. — **2.** Bot. *Voile général, voile partiel,* ensemble des enveloppes qui entourent le jeune champignon, qui se déchirent lors de sa croissance et qui laissent pour traces la *volve,* l'*anneau* ou *collerette,* et diverses écailles sur le chapeau.

5. VOILE [vwal] n. f. (même étym.). **1.** Pièce de toile forte attachée aux vergues d'un mât et destinée à recevoir l'effort du vent pour faire avancer un bateau : *Bateau à voiles. Larguer les voiles. Faire voile dans une direction* (syn. NAVIGUER). ‖ *Toutes voiles dehors,* en utilisant toute la voilure. — **2.** Navigation à voile : *Faire de la voile.* — **3.** *Avoir le vent dans les voiles,* être poussé par les événements, réussir. ‖ *Mettre toutes les voiles dehors,* déployer tous les moyens pour un but recherché. ‖ Pop. *Mettre les voiles,* s'en aller. ◆ **grand-voile** n. f. Voile du grand mât. ‖ Pl. des *grand(s)-voiles.* ◆ **voilier** n. m. Navire, bateau de plaisance à voiles : *Une course de voiliers.* ◆ **voilure** n. f. **1.** Ensemble des voiles d'un bateau ou d'un de ses mâts. — **2.** Ensemble de la surface portante d'un avion, constituée par les ailes.

VOILÉ, E adj., **VOILER** v. t. → VOILE 1, 2 et 3.

VOILETTE n. f. → VOILE 1.

VOILIER n. m., **VOILURE** n. f. → VOILE 5.

VOIR [vwar] v. t. (lat. *videre*). [Conj. **41.**] **1.** *Voir une personne, une chose,* les percevoir par les yeux : *Voir bien, mal* (= avoir bonne, mauvaise vue). *Ne rien voir dans l'obscurité* (syn. APERCEVOIR, DISTINGUER). *Laisser voir son chagrin* (= ne pas le cacher). *Je l'ai vu de mes propres yeux* (= je suis sûr de ce que j'avance). — **2.** Être spectateur d'une chose, assister à un événement : *Voir un match à la télévision* (= regarder). *La génération qui a vu la guerre de 14* (syn. FAIRE ou VIVRE). *Voir du pays* (= le visiter, le parcourir). *Un pays qui a vu plusieurs révolutions* (syn. CONNAÎTRE, SUBIR). — **3.** Imaginer, concevoir : *Je ne le vois pas du tout en médecin. Voir l'avenir* (= prévoir). *Voir les choses en noir* (= être pessimiste). *Je ne vois pas ce qu'il y a de drôle* (syn. COMPRENDRE).

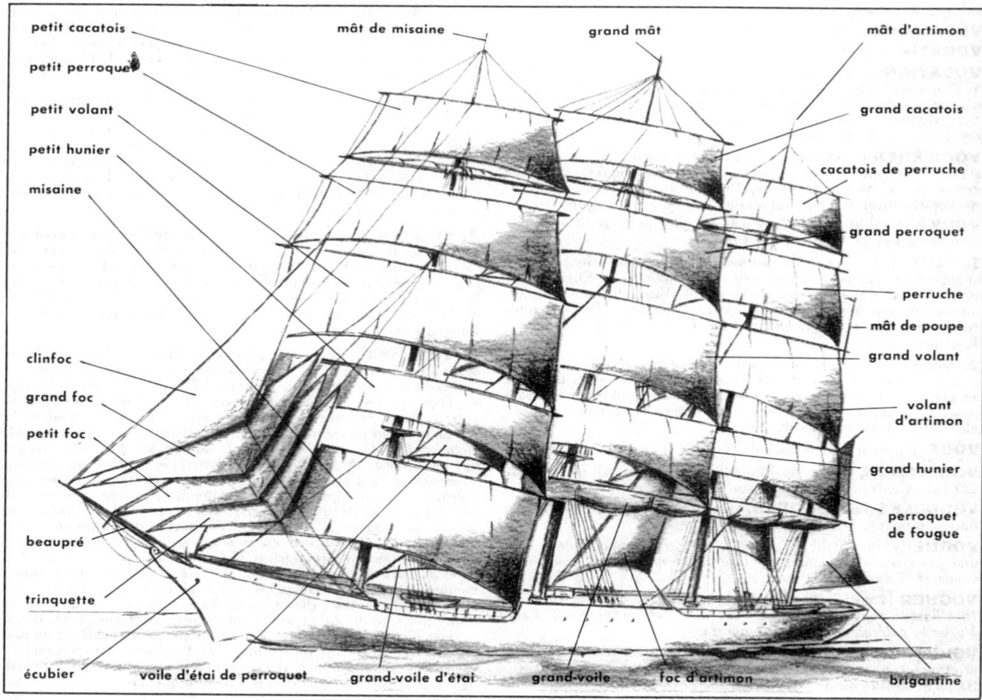

— **4.** *Voir une chose,* l'examiner, l'étudier de près, y réfléchir : *Voir un dossier. C'est à voir* (= il faut y réfléchir). *C'est une question à voir* (syn. ÉTUDIER). *Nous verrons ça entre nous* (= nous en reparlerons). — **5.** Juger, décider, aviser : *Voir une chose à loisir. Voir qq'un à l'œuvre* (= juger). *Je connais votre façon de voir à ce sujet* (= votre opinion). — **6.** *Voir qq'un,* lui rendre visite, avoir des rapports avec lui : *Voir son directeur* (= le rencontrer, avoir un entretien avec lui). *Voir régulièrement ses amis* (= entretenir avec eux des relations d'amitié). *Voir un avocat* (syn. CONSULTER). — **7.** Fam. *En faire voir à qq'un,* le tourmenter, lui causer du souci. ◆ ***se voir*** v. pr. (sujet nom de personne). **1.** Se regarder : *Se voir dans une glace.* — **2.** Se représenter par la pensée : *Elle se voit déjà toute vieille dans quelques années* (syn. S'IMAGINER). — **3.** Se trouver dans telle situation : *Il s'est vu dans la misère après avoir été dans l'opulence.* — **4.** (sujet nom de chose) Être apparent, visible : *Est-ce que cette tache va se voir?* — **5.** Arriver, se produire : *Un fait qui ne se voit pas souvent* (syn. SE PRÉSENTER). — **6.** Se fréquenter : *Des amis qui se voient souvent.* ◆ **visible** adj. **1.** Qui peut être vu, distingué, observé : *Étoile visible à l'œil nu.* — **2.** Qui est concret, perceptible : *Le monde, les réalités visibles* (contr. CACHÉ, INVISIBLE). — **3.** Que l'on voit très facilement ou qui est manifeste, évident : *La reprise sur ce rideau est très visible* (syn. APPARENT). *Une gêne visible* (syn. ÉVIDENT, MANIFESTE). ◆ **visiblement** adv. De manière très facile à voir, à constater : *Il a été visiblement fâché de cette affaire* (syn. MANIFESTEMENT). ◆ **visibilité** n. f. **1.** Qualité de ce qui peut être vu facilement : *La faible visibilité d'un objet à une telle distance.* — **2.** Possibilité de voir bien et assez loin : *Manquer de visibilité dans un virage.* ◆ **invisible** adj. **1.** Qui ne peut être vu : *«L'homme invisible» a été un feuilleton à succès.* — **2.** Trop petit pour être aperçu : *D'invisibles insectes le piquaient au visage.* ◆ **invisibilité** n. f. (→ REVOIR, VOYANT, VOYEUR, VU, VUE.)

VOIRE [vwɑr] adv. (lat. *vera,* choses vraies). Sert à renchérir (= et de même, et aussi [littér.]) : *Un stage de quelques mois, voire de quelques années.*

VOIRIE n. f. → VOIE 1.

VOIRON, ch.-l. de cant. de l'Isère, à 24 km au N. de Grenoble, sur la Morge; 19 700 hab. Métallurgie. Skis. Papeteries.

VOISIN, E [vwazɛ̃, -in] adj. (lat. *vicinus*). **1.** Se dit de ce qui est situé à faible distance de quelqu'un ou de quelque chose : *Habiter la maison voisine* (= d'à côté). *Le hameau voisin est à trois kilomètres* (= le plus proche). — **2.** Se dit d'êtres ou de choses qui ont des traits de ressemblance : *Des idées voisines* (= presque semblables). *Programmes voisins* (syn. APPARENTÉ). ◆ n. Personne qui habite ou qui est placée à côté d'une autre, ou qui se trouve à proximité : *Voisin de palier.* ◆ **voisinage** n. m. **1.** Lieux qui se trouvent à proximité de quelque chose : *Demeurer dans le voisinage de la gare* (syn. ENVIRONS, QUARTIER). *Au voisinage du marché* (= aux abords de). — **2.** Ensemble des voisins : *Ameuter tout le voisinage* (syn. QUARTIER). ‖ *Rapports de bon voisinage,* bonnes relations entre voisins. ◆ **voisiner** v. i. **1.** (sujet nom de chose) Être placé à une faible distance de : *Des hôtels de luxe qui voisinent avec des taudis.* — **2.** (sujet nom de personne) *Fam.* Avoir des relations de voisinage : *Se refuser à voisiner.* (→ AVOISINER.)

VOISIN (Catherine DESHAYES, femme MONVOISIN, dite **la**), sage-femme, diseuse de bonne aventure (v. 1640-1680). Mêlée à l'affaire des Poisons (1679), elle fut décapitée, puis brûlée en place de Grève.

VOISIN (les frères), ingénieurs et industriels français, GABRIEL (1880-1973) et CHARLES (1882-1912). Ils furent les premiers en France à construire industriellement des avions (1908).

VOISINAGE n. m., **VOISINER** v. i. → VOISIN.

VOITURE [vwatyr] n. f. (lat. *vectura,* action de transporter). **1.** Véhicule servant à transporter les personnes ou les marchandises : *Voiture à cheval. Voiture automobile. Voiture à bras. Faire de la voiture* (= circuler en auto). *Voiture d'enfant* (= landau, poussette). — **2.** Véhicule de chemin de fer, de métro, servant à transporter des voyageurs (par oppos. au WAGON, qui sert à transporter des marchandises). ◆ **voiturette** n. f. Petite voiture. ◆ **voiturer** v. t. Fam. *Voiturer qq'un, qqch.,* le transporter en voiture. ◆ **voiturée** n. f. : *Une pleine voiturée de foin* (syn. CHARRETÉE).

VOITURE (Vincent), écrivain français (1597-1648). Habitué de l'hôtel de Rambouillet, il soulève par ses sonnets et ses madrigaux de véritables querelles littéraires. S'inspirant du badinage de Marot, qu'il remet à la mode, grand admirateur de la poésie espagnole, dont il imite le raffinement, il est l'expression même de la préciosité*.

VOITURÉE n. f., **VOITURER** v. t., **VOITURETTE** n. f. → VOITURE.

VOÏVODE [vojvod] ou **VOÏÉVODE** [vojevod] n. m. (du serbo-croate *voï,* armée, et *voditi,* conduire). Dans les pays balkaniques et en Pologne, haut dignitaire civil ou militaire. ◆ **voïvodie** ou **voïévodie** n. f. Gouvernement d'un voïévode; district administratif (en Pologne).

VOÏVODINE → VOJVODINE.

1. VOIX [vwa] n. f. (lat. *vox, vocis*). **1.** Ensemble des sons qui sortent de la bouche de l'homme : *Avoir la voix grave, aiguë, rauque. Faire la grosse voix* (= parler avec sévérité). ‖ *Rester sans voix,* être muet d'étonnement. — **2.** Capacité d'émettre des sons, de chanter : *Une voix de basse, de ténor. Avoir la voix fausse, juste* (= chanter faux, juste). *Être, n'être pas en voix* (= en forme pour chanter). — **3.** Partie vocale ou instrumentale d'une œuvre musicale : *Chœur à plusieurs voix* (syn. PARTIE). ◆ **vocal, e, aux** adj. **1.** Relatif à la voix : *Les cordes vocales.* — **2.** Qui s'exprime par la voix : *Musique vocale* (= pour le chant, par oppos. à *musique instrumentale*). ◆ **vocalement** adv. Au moyen de la voix : *Déchiffrer vocalement une partition.*

2. VOIX [vwa] n. f. (même étym.). Conseil, avertissement venant d'une autre personne ou appel émanant de ce qu'il y a de plus intime en l'homme : *La voix du sang* (= impulsion qui rapproche des personnes de même parenté). *Écouter la voix de la raison* (= ce que dicte la raison).

3. VOIX [vwa] n. f. (même étym.). **1.** Possibilité d'exprimer son opinion dans une délibération : *Avoir voix au chapitre dans une affaire* (= pouvoir donner son avis). *Avoir seulement voix consultative.* — **2.** Expression de l'opinion d'un électeur dans un vote : *Donner sa voix à tel candidat* (syn. SUFFRAGE).

4. VOIX [vwa] n. f. (même étym.). *Gramm.* Forme que prend le verbe selon que le sujet fait l'action *(voix active),* la subit *(voix passive)* ou y participe *(voix pronominale)* [syn. FORME]. (→ VERBE.)

VOJVODINE ou **VOÏVODINE,** en serbo-croate **Vojvodina,** province autonome de la république de Serbie (Yougoslavie); 21 506 km²; 2 034 000 hab. Ch.-l. *Novi Sad.*

VOL n. m. → VOLER 1 et 2.

VOLAGE [vɔlaʒ] adj. (lat. *volaticus,* qui vole). Se dit d'une personne (ou de son comportement) dont les sentiments changent souvent d'objet, qui est peu fidèle en amour : *Une femme volage* (syn. FRIVOLE, INCONSTANT, LÉGER; contr. FIDÈLE).

VOLAILLE [vɔlaj] n. f. (lat. *volatilia,* animaux qui volent). **1.** Nom collectif des oiseaux que l'on nourrit dans une basse-cour : *Élevage de la volaille.* — **2.** Oiseau de basse-cour : *Découper une volaille.* ◆ **volailler** n. m. Marchand de volaille.

1. VOLANT, E adj. et n. m. → VOLER 1.

2. VOLANT, E [vɔlɑ̃, -ɑ̃t] adj. (de *voler* 1). **1.** Qui se déplace ou est déplacé facilement : *Brigade volante* (syn. MOBILE). *Personnel volant* (= de remplacement, qui va d'un service à un autre). *Camp volant* (contr. FIXE). — **2.** *Feuille volante,* feuille écrite ou imprimée qui n'est attachée à aucune autre : *Prendre des notes sur des feuilles volantes* (= séparées, indépendantes). ◆ n. m. Portion libre et détachable de chaque feuille d'un carnet à souches : *Renvoyer le volant dûment rempli* (contr. SOUCHE).

3. VOLANT [vɔlɑ̃] n. m. (même étym.). **1.** Organe d'un moteur ou d'une machine, destiné à en régulariser la marche : *Volant d'une machine à vapeur, d'un moteur à explosion.* ‖ *Volant magnétique,* volant aimanté qui, dans les moteurs à deux temps de motocyclette, sert à produire le courant d'allumage. — **2.** *Volant de sécurité,* réserve assurant la bonne marche d'une opération commerciale (syn. MARGE DE SÉCURITÉ). — **3.** Sorte de roue qui, par l'intermédiaire d'engrenages et d'une timonerie (direction), sert à orienter les roues directrices d'une voiture : *Tourner le volant. Prendre le volant* (= conduire). *Un as du volant* (= un excellent conducteur).

4. VOLANT [vɔlɑ̃] n. m. (même étym.). Garniture froncée, cousue au bas d'un vêtement féminin : *Un jupon à volants.*

VOLAPÜK [vɔlapyk] n. m. (de l'angl. *world,* univers, et *puk,* altér. de *speak,* parler). Langue universelle inventée en 1880 par l'Allemand Johann Martin Schleyer.

VOLATIL, E [vɔlatil] adj. (lat. *volatilis;* de *volare,* voler). Qui se transforme facilement en vapeur : *L'éther est volatil.* ◆ **volatilité** n. f. : *La volatilité de l'éther.* ◆ **volatiliser** v. t. : *Volatiliser un liquide, un corps,* le transformer en vapeur : *Volatiliser du soufre.* ◆ ***se volatiliser*** v. pr. Se transformer en vapeur : *L'éther se volatilise.* ◆ **volatilisable** adj. Susceptible d'être transformé en vapeur. ◆ **volatilisation** n. f.

VOLATILE [vɔlatil] n. m. (lat. *volatilis;* de *volare,* voler). Oiseau, et en particulier oiseau de basse-cour.

VOLATILISABLE adj., **VOLATILISATION** n. f. → VOLATIL.

1. VOLATILISER v. t. → VOLATIL.

2. VOLATILISER [vɔlatilize] v. t. (de *volatil*). Fam. *Volatiliser un objet,* le subtiliser, le faire disparaître : *Qui est-ce qui m'a volatilisé mon briquet?* ◆ ***se volatiliser*** v. pr. *Fam.* Disparaître : *Mon argent s'est volatilisé* (syn. S'ENVOLER).

VOLATILITÉ n. f. → VOLATIL.

VOL-AU-VENT [vɔlovɑ̃] n. m. inv. (de *vole au vent*). Préparation culinaire consistant en une croûte de pâte feuilletée, garnie de viande ou de poisson en sauce, avec quenelles, champignons, etc.

1. VOLCAN [vɔlkɑ̃] n. m. (du lat. *Vulcanus,* Vulcain [dieu du feu]). Relief édifié par des laves et des projections issues de l'intérieur de la Terre. → ENCYCL. ◆ **volcanique** adj. **1.** Qui se rapporte aux volcans : *Éruption volcanique.* — **2.** *Roche volcanique,* roche éruptive d'épanchement, produite par les volcans actuels ou anciens : *Le basalte, la rhyolite sont des roches volcaniques.* (Elles ont une structure microlitique ou vitreuse due au refroidissement rapide du magma au contact de l'air.) ◆ **volcanisme** n. m. Ensemble des phénomènes volcaniques. ◆ **vulcanien, enne** adj. Se dit d'un type de volcan dont l'éruption est caractérisée par la prédominance des projections (cendres, lapilli), les laves étant peu abondantes et visqueuses. ◆ **vulcanologie** n. f. Étude des volcans et des phénomènes volcaniques. ◆ **vulcanologue** n. Spécialiste de vulcanologie.
— ENCYCL. Les produits volcaniques montent par la cheminée et s'écoulent en édifiant un cône. Suivant la nature des produits émis (laves, cendres, bombes, gaz), la forme du cône varie et on classe les *volcans* en 4 grands types : hawaiien*, strombolien*, vulcanien*, péléen*.

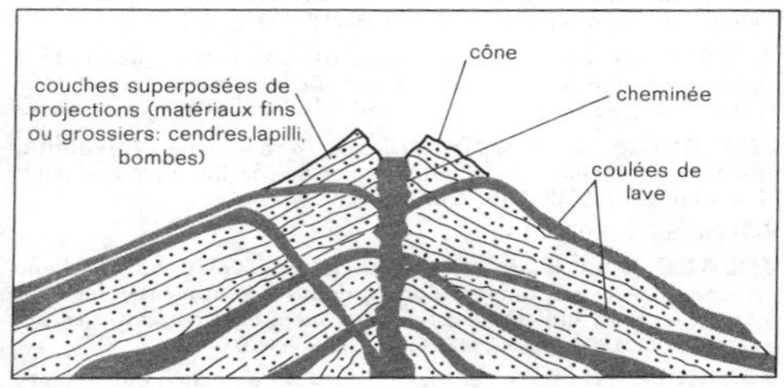

2. VOLCAN [vɔlkɑ̃] n. m. (de *volcan* 1). Personne de nature ardente, impétueuse ou violente. ◆ **volcanique** adj. Ardent, violent : *Tempérament volcanique* (syn. BOUILLANT, IMPÉTUEUX).

VOLCES ou **VOLQUES,** peuple de la Gaule occupant la région entre le Rhône et la Garonne.

1. VOLÉE n. f. → VOLER 1.

2. VOLÉE [vɔle] n. f. (de *voler* 1). **1.** Tir simultané de plusieurs pièces d'artillerie : *Une volée d'obus.* — **2.** Ensemble de coups nombreux et consécutifs : *Recevoir une volée.* — **3.** Son d'une cloche mise en branle.

1. VOLER [vole] v. i. (lat. *volare*). **1.** Se mouvoir ou se maintenir en l'air au moyen d'ailes : *Oiseau qui vole bas. Un avion qui vole vite.* — **2.** Se déplacer en avion : *Le pilote a volé vingt-quatre heures consécutives.* — **3.** Aller très vite : *Voler chez un ami annoncer une nouvelle* (syn. ACCOURIR, COURIR; fam. FONCER). — **4.** Être projeté dans l'air : *Papiers qui volent au vent.* — **5.** *Voler de ses propres ailes,* agir par soi-même, être indépendant. ◆ **vol** n. m. **1.** Déplacement de certains animaux, particulièrement des oiseaux, dans l'air : *Le vol plané d'un épervier.* ‖ *À vol d'oiseau,* en ligne droite. — **2.** Distance qu'un oiseau parcourt sans se reposer : *Le vol de la perdrix n'est pas long.* — **3.** Groupe d'oiseaux qui volent ensemble : *Un vol de cigognes.* — **4.** Déplacement d'un engin d'aviation dans l'atmosphère, ou d'un engin spatial dans le cosmos : *Il y a huit heures de vol entre ces deux pays* (syn. TRAVERSÉE). ‖ *Vol à voile,* sport consistant à évoluer dans les airs au moyen d'un planeur, en utilisant la force des courants aériens. — **5.** *Attraper un objet au vol,* en l'air, avant qu'il touche terre. ‖ *Saisir un nom, une remarque au vol,* au passage, dans la conversation. ‖ *Personne de haut vol,* de grande envergure : *Un escroc de haut vol.* ◆ **volant, e** adj. **1.** Capable de s'élever, de se déplacer en l'air : *Poisson volant.* — **2.** *Personnel volant,* dans l'aviation, personnel qui vole, qui navigue, par oppos. au *personnel au sol* (ou fam. *rampant*). ◆ n. m. **1.** Sorte de bouchon de liège, garni de plumes, qu'on lance en l'air avec une raquette. — **2.** Jeu qui se joue avec un volant. ◆ **volée** n. f. **1.** Envol, essor : *Prendre sa volée.* — **2.** Distance qu'un oiseau parcourt sans s'arrêter : *D'une seule volée.* — **3.** Groupe d'oiseaux qui volent ensemble : *Une volée d'hirondelles.* — **4.** Au tennis, reprise d'une balle avant qu'elle ait touché terre : *Rattraper une balle à la volée.* ‖ *Demi-volée,* reprise de la balle aussitôt après qu'elle a touché terre. — LOC. ADV. *À la volée.* **1.** En l'air : *Attraper un objet à la volée.* — **2.** Très rapidement : *Saisir une allusion à la volée.* — **3.** *Semer à la volée,* en lançant les graines en l'air pour les éparpiller. ◆ **voleter** [vɔlte] v. i. (Conj. **8.**) Voler à petits coups d'aile, en se posant souvent : *Oisillons qui volettent au ras du sol.* ◆ **volettement** [vɔlɛtmɑ̃] n. m.

2. VOLER [vole] v. t. (de *voler* 1). **1.** *Voler une chose, un bien,* prendre par ruse ou par force le bien d'autrui : *Voler de l'argent à qq'un* (syn. DÉROBER). *Voler des bonbons* (syn. fam. CHAPARDER). *Il m'a volé cette idée* (syn. PRENDRE; fam. CHIPPER). ‖ *Ne l'avoir pas volé,* bien mériter ce qui vous arrive. — **2.** *Voler qq'un,* lui prendre ses affaires, son bien : *Il s'est fait voler pendant son voyage* (syn. DÉTROUSSER, DÉVALISER). *Il a été volé lors du partage des biens* (syn. LÉSER). [Le verbe s'emploie souvent intransitiv.] ◆ **vol** n. m. **1.** Fait de s'emparer du bien d'autrui : *Commettre une série de vols* (syn. ↓DÉTOURNEMENT, LARCIN, ↑PILLAGE). *C'est du vol organisé* (syn. ESCROQUERIE). — **2.** Produit du vol : *Sa fortune est la somme de tous ses vols.* ◆ **voleur, euse** adj. et n. Qui a volé ou qui vole habituellement : *Enfant voleur* (syn. fam. CHAPARDEUR). *Commerçant voleur* (syn. MALHONNÊTE). *Prendre une voleuse la main dans le sac* (= en flagrant délit de vol). ◆ **antivol** n. m. et adj. : *Faire poser un antivol sur sa voiture* (= un dispositif destiné à empêcher le vol).

VOLET [vɔlɛ] n. m. (de *voler* 1). **1.** Panneau de bois ou de tôle pour clore une baie de fenêtre ou de porte : *Fermer les volets* (syn. PERSIENNE). — **2.** Partie plane d'un objet, pouvant se rabattre sur celle à laquelle elle tient : *Volets d'un triptyque. Volet d'une carte de permis de conduire.*

VOLETER v. i., **VOLETTEMENT** n. m. → VOLER 1.

VOLEUR, EUSE adj. et n. → VOLER 2.

VOLGA, fl. d'U.R.S.S., le plus long d'Europe (3 700 km). La Volga prend sa source dans le plateau du Valdaï, au N.-E. de Moscou. Elle s'écoule vers le S. et reçoit l'Oka (r. dr.) et la Kama (r. g.) avant de se jeter dans la mer Caspienne en un vaste delta. Son rôle économique est très important : c'est une grande voie navigable arrosant notamment Iaroslavl', Nijni Novgorod, Kazan', Samara, Volgograd et Astrakan, et reliée à la mer Blanche, à la mer Baltique et à la mer d'Azov par des canaux. De nombreuses centrales hydro-électriques jalonnent son cours, utilisant ses eaux abondantes (8 000 m^3/s à l'embouchure).

VOLGOGRAD, de 1925 à 1961 **Stalingrad,** v. de l'U. R. S. S., sur la Volga (r. dr.); 931 000 hab. Centre industriel (machines agricoles, camions). Aménagement hydro-électrique sur la Volga. (→ STALINGRAD.)

VOLIÈRE [vɔljɛr] n. f. (de *voler* 1). Sorte de grande cage dans laquelle on élève des oiseaux.

VOLITIF, IVE adj., **VOLITION** n. f. → VOLONTÉ.

VÖLKLINGEN, v. d'Allemagne (Sarre); 47 000 hab. Aciérie.

VOLLEY-BALL [vɔlɛbol] ou simpl. **VOLLEY** [vɔlɛ] n. m. (mot angl.). Sport qui se dispute entre deux équipes de six joueurs se renvoyant, par-dessus un filet, un ballon léger, sans qu'il touche le sol. ◆ **volleyeur, euse** n. Joueur, joueuse de volley-ball.
— ENCYCL. Le *volley* se dispute généralement en trois sets gagnants (un match comptant donc au maximum cinq sets). Dans un set, l'équipe victorieuse est celle qui marque la première 15 points avec une avance d'au moins 2 points (la partie est poursuivie éventuellement pour que cette avance soit obtenue).

VOLNAY, comm. de la Côte-d'Or, à 5 km au S.-O. de Beaune; 411 hab. Vins renommés.

1. VOLONTAIRE [vɔlɔ̃tɛr] n. (lat. *voluntarius*). Personne qui se propose pour une tâche, généralement désagréable ou périlleuse : *Des volontaires aidaient les pompiers à combattre l'incendie.* ◆ n. m. Celui qui sert dans une armée sans y être obligé : *Un bataillon de volontaires.* ◆ **volontariat** n. m. Engagement, service des volontaires dans une armée.

2. VOLONTAIRE adj. → VOLONTÉ.

VOLONTÉ [vɔlɔ̃te] n. f. (lat. *voluntas*). **1.** Faculté de vouloir, de décider quelque chose : *Volonté ferme. Avoir de la volonté.* — **2.** Énergie, fermeté à réaliser ce que l'on souhaite : *Faire acte de volonté* (syn. DÉCISION, ÉNERGIE). — **3.** Manifestation particulière de la faculté de vouloir (parfois au plur.) : *Sa volonté est d'être incinéré* (syn. ↓DÉSIR). *Les dernières volontés du défunt. Faire les quatre volontés de qq'un* (= obéir à tous ses caprices). — **5.** *Bonne, mauvaise volonté,* disposition à vouloir faire, ou à refuser de faire quelque chose : *Mettre de la mauvaise volonté à exécuter un ordre.* — LOC. ADV. *À volonté,* sans limitation de quantité : *Pain et beurre à volonté* (syn. À DISCRÉTION); au moment que l'on veut, comme on veut : *Vous pouvez le conserver ou l'échanger à volonté* (= à votre gré). ◆ **volontaire** adj. **1.** Se dit d'une personne qui agit selon sa volonté, et non par contrainte : *Prisonnier volontaire.* — **2.** Se dit de ce qui manifeste une volonté ferme, de ce qui traduit la volonté : *Regard volontaire.* — **3.** Se dit d'un acte qui résulte d'un choix délibéré, sans contrainte : *Une omission volontaire* (syn. INTENTIONNEL, VOULU). *Aveu volontaire d'une faute* (syn. SPONTANÉ; contr. FORCÉ). ◆ **volontairement**

adv. **1.** De sa propre volonté : *Il s'est dénoncé volontairement* (syn. ↓SPONTANÉMENT). — **2.** Avec intention, exprès : *Laisser volontairement un sujet dans l'ombre* (syn. INTENTIONNELLEMENT). ◆ **involontaire** adj. Où la volonté n'a pas de part : *Un geste involontaire.* ◆ **involontairement** adv. ◆ **volitif, ive** adj. Qui a rapport à l'acte de volonté. ◆ **volition** n. f. Acte de volonté (philos.).

VOLONTIERS [vɔlɔ̃tje] adv. (du lat. *voluntarius,* volontaire). De bon gré, avec plaisir : « *Vous viendrez bien nous voir? — Volontiers.* » *C'est un film que je reverrais volontiers* (= que j'aimerais bien revoir).

Volpone ou le Renard, comédie en 5 actes et en vers de Ben Jonson (1605). Volpone est un vieillard cynique qui unit l'avarice à la ruse la plus subtile.

VOLQUES → VOLCES.

VOLSQUES, peuple de l'Italie anc., établi dans le sud du Latium, soumis par Rome (333 av. J.-C.).

VOLT [vɔlt] n. m. (du n. du physicien *Volta*). *Électr.* Unité de force électromotrice et de différence de potentiel, ou tension : *Un courant de 110 volts, de 220 volts* (ou, par abrév. : *du 110 V, du 220 V*). ◆ **voltage** n. m. Différence de potentiel ou de tension : *Il faut vérifier le voltage d'un appareil électrique avant de le brancher.* ◆ **voltaïque** adj. Se dit de l'électricité développée par les piles. ◆ **voltmètre** n. m. *Électr.* Appareil qui sert à mesurer une différence de potentiel en volts. ◆ **survolté, e** adj. **1.** Se dit d'une lampe, d'un appareil soumis à un voltage excessif. — **2.** *Fam.* Se dit d'une personne dont la tension nerveuse est excessive. ◆ **survoltage** n. m. Syn. de SURTENSION. ◆ **sous-voltage** n. m. Syn. de SOUS-TENSION.

VOLTA (la), fl. du Ghana, formé par la réunion de la *Volta Noire,* de la *Volta Blanche* et de la *Volta rouge,* nées au Burkina et respectivement appelées dans ce pays le *Mouhoun,* le *Nakambe* et le *Nazinon;* 1600 km. Barrage d'Akosombo*, formant en amont le *lac Volta* (8500 km²).

VOLTA (Haute-) → HAUTE-VOLTA.

VOLTA (Alessandro, *comte*), physicien italien (1745-1827), inventeur de la première pile électrique (1800).

VOLTAGE n. m., **VOLTAÏQUE** adj. → VOLT.

VOLTAIRE (François Marie AROUET, dit), écrivain français (1694-1778).

Poète mondain dans sa jeunesse, il est accueilli dans les salons littéraires de France et d'Angleterre grâce à sa tragédie, *Œdipe* (1718) et le *Poème de la Ligue* (1723). À son retour d'Angleterre, il devient philosophe avec ses *Lettres anglaises* ou *Lettres philosophiques* (1734). En montrant les bienfaits de la liberté dans la société anglaise, Voltaire se livre à une critique du despotisme et des préjugés dont la France lui paraît être victime.

Voltaire révèle également ses talents de conteur avec *Zadig* (1747) et *Candide* (1759). Mais toute sa vie, il fut tourmenté par la métaphysique. Il n'a cessé de combattre les métaphysiciens et leurs vaines spéculations. Attributs et vraie nature de Dieu, origine du monde et de la vie, existence et immortalité de l'âme, rapports de l'âme et du corps : toutes ces questions dépassent selon lui notre intelligence. Au demeurant, la métaphysique divise l'humanité contre elle-même et la détourne de la vraie vie. Jusqu'à la veille de sa mort (*Dernières Remarques,* 1777), il tiendra Pascal pour son adversaire direct. Ce qu'il combat, c'est un pessimisme qui détourne l'homme de vivre « selon sa nature » : « L'homme est né pour l'action [...]. N'être point occupé et n'exister pas est la même chose pour l'homme. » Ce qu'il récuse chez le chrétien, c'est la volonté de prouver rationnellement le christianisme, ce qui entraîne l'adhésion forcée, et favorise par conséquent l'intolérance. De ses diverses retraites, le château de Cirey et Ferney, le « roi Voltaire » reste au cœur de la mêlée. Il se veut l'apôtre de l'esprit de tolérance, luttant en chaque occasion contre les tares de la justice. Il est avec Rousseau l'un des grands philosophes du siècle des lumières.

VOLTAIRE [vɔltɛr] n. m. (de *Voltaire*). Grand fauteuil bas à dossier assez élevé, apparu sous la Restauration.

VOLTAMÈTRE [vɔltamɛtr] n. m. (de *Volta,* et gr. *metron,* mesure). Tout appareil dans lequel se produit une électrolyse.

VOLTA REDONDA, v. du Brésil, au N.-O. de Rio de Janeiro; 118000 hab. Centre sidérurgique.

VOLTE-FACE [vɔltfas] n. f. inv. (it. *volta faccia,* tourne face). **1.** Action de se retourner du côté opposé à celui qu'on regardait : *Faire volte-face* (= pivoter sur soi-même). — **2.** Changement brusque d'opinion, de manière d'agir : *Faire une volte-face* (= tourner casaque [fam.]).

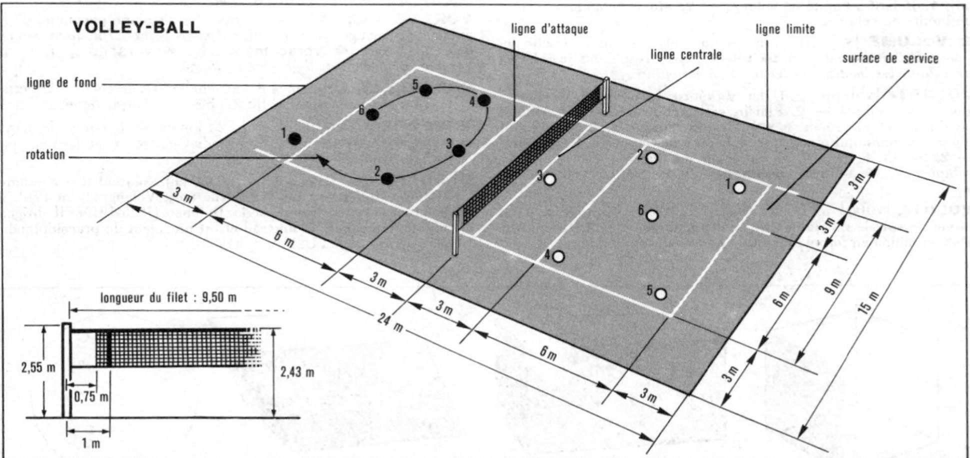

VOLTERRA (Vito), mathématicien italien (1860-1940). Il fut l'un des créateurs de l'analyse fonctionnelle, qu'il appliqua le premier à des problèmes de biologie et de physique.

VOLTIGE [vɔltiʒ] n. f. (de l'it. *volta,* tour). **1.** Ensemble d'exercices au trapèze volant : *Voir au cirque un numéro de haute voltige.* — **2.** Exercice d'équitation qui consiste à sauter, de diverses manières, sur un cheval en marche ou arrêté : *Faire de la voltige.* — **3.** Ensemble des figures d'acrobatie aérienne. — **4.** Acrobatie de toute sorte : *Un exercice de voltige intellectuelle.* ◆ **voltigeur** n. m. Personne qui fait de la voltige.

VOLTIGER [vɔltiʒe] v. i. (de *voltige*). **1.** Voler çà et là : *Feuilles qui voltigent en automne.* — **2.** Flotter au gré du vent : *Le vent fait voltiger ses cheveux.*

1. VOLTIGEUR n. m. → VOLTIGE.

2. VOLTIGEUR [vɔltiʒœr] n. m. (de *voltiger*). Fantassin chargé de mener le combat principalement par le mouvement et le choc (éclaireur, patrouilleur, grenadier, etc.), par oppos. à celui qui sert une arme plus lourde.

VOLTMÈTRE n. m. → VOLT.

1. VOLUBILE [vɔlybil] adj. (lat. *volubilis,* qui tourne facilement). *Bot.* Se dit des tiges lorsqu'elles croissent en s'enroulant autour d'un support.

2. VOLUBILE [vɔlybil] adj. (même étym.). Se dit d'une personne qui parle avec abondance et rapidité (syn. BAVARD, LOQUACE). ◆ **volubilité** n. f. Facilité et rapidité de la parole.

VOLUBILIS [vɔlybilis] n. m. (mot lat. signif. *qui tourne aisément*). Autre nom du LISERON, appliqué surtout aux espèces ornementales à fleurs colorées.

VOLUBILIS, site archéologique du Maroc, au N. de Meknès, au pied du djebel Zerhoun. C'est une anc. cité berbère qui connut un grand développement aux IIe et IIIe s. apr. J.-C. Des constructions de cette époque demeurent d'importantes ruines : basilique, thermes, arc de Caracalla et demeures privées (mosaïques).

VOLUBILITÉ n. f. → VOLUBILE 2.

1. VOLUME [vɔlym] n. m. (lat. *volumen*, rouleau). **1.** Espace occupé par un corps matériel et susceptible d'une mesure précise : *L'unité de volume est le cube ayant pour arête l'unité de longueur. De l'eau oxygénée à quinze volumes* (= qui dégage quinze fois son propre volume d'oxygène). ‖ *Faire du volume*, être encombrant, occuper beaucoup de place. — **2.** *Math.* Nombre associé à un solide à l'aide d'un volume unité → schémas ci-dessous. — **3.** Masse d'eau que débite un fleuve. — **4.** Quantité globale : *Le volume des importations est supérieur au volume des exportations* (syn. IMPORTANCE). — **5.** Puissance de la voix, des sons : *Régler le volume sonore d'un électrophone* (syn. INTENSITÉ). ◆ **volumineux, euse** adj. Qui est très encombrant, tient beaucoup de place : *Recevoir un courrier volumineux* (syn. ABONDANT). ◆ **volumique** adj. **1.** Relatif à l'unité de volume. — **2.** *Masse volumique*, masse de l'unité de volume.

2. VOLUME [vɔlym] n. m. (même étym.). Livre broché ou relié : *Un dictionnaire en dix volumes* (syn. TOME). *Rassembler en un volume les inédits, les lettres d'un écrivain.*

VOLUPTÉ [vɔlypte] n. f. (lat. *voluptas*). **1.** Vif plaisir des sens : *Boire avec volupté.* — **2.** Plaisir, satisfaction intense, en général (syn. DÉLECTATION, JOIE). ◆ **voluptueux, euse** adj. et n. **1.** Se dit d'une personne qui aime, qui recherche la volupté et les plaisirs. — **2.** Se dit de ce qui fait éprouver du plaisir : *Une sensation voluptueuse.* ◆ **voluptueusement** adv. : *S'étirer voluptueusement.*

VOLUTE [vɔlyt] n. f. (it. *voluta*). **1.** *Archit.* Enroulement en forme de spirale : *Volutes d'une colonne ionique.* — **2.** Ce qui est plus ou moins en forme de spirale : *Des volutes de fumée.*

VOLVE [vɔlv] n. f. (lat. *vulva*). *Bot.* Membrane épaisse qui entoure complètement le chapeau et le pied de certains champignons à l'état jeune (volvaires, amanites) et qui se déchire irrégulièrement quand le pied s'allonge. ◆ **volvaire** n. f. Champignon comestible à lames roses, au pied muni d'une volve.

VOLVIC, comm. du Puy-de-Dôme, à 14,5 km au N. de Clermont-Ferrand; 3 900 hab. Eaux minérales.

VOMIQUE [vɔmik] adj. (lat. *vomicus*, qui fait vomir). *Noix vomique*, fruit du *vomiquier*, utilisé comme stimulant du système nerveux, mais qui est toxique à fortes doses. ◆ **vomiquier** n. m. Arbre de l'Asie tropicale qui produit la noix vomique.

VOMIR [vɔmir] v. t. (lat. *vomere*). **1.** (sujet nom de personne) Rejeter avec effort par la bouche ce qui était dans l'estomac : *Vomir son déjeuner* (syn. RENDRE). — **2.** Cracher : *Vomir du sang.* — **3.** Proférer (des paroles) : *Vomir des injures.* — **4.** (sujet nom de chose) Projeter violemment au-dehors : *Les volcans vomissent des flammes, de la lave.* ◆ **vomi** n. m., **vomissure** n. f. Matière vomie. ◆ **vomissement** n. m. Fait de vomir : *Être sujet aux vomissements.* ◆ **vomitif, ive** adj. et n. m. Se dit d'un médicament qui fait vomir.

VÔ NGUYEN GIAP, général vietnamien, né en 1912. Membre du parti communiste, il organise à partir de 1945 la résistance au régime français. Commandant les forces du Viêt-minh en 1947, il remporte la victoire de 1954. Il devient ministre de la Défense, fonction qu'il occupe jusqu'en 1980.

VORACE [vɔras] adj. (lat. *vorax*). Se dit d'une personne, d'un animal qui mange avec avidité : *Appétit vorace. Un chien vorace* (syn. GLOUTON). ◆ **voracement** adv. ◆ **voracité** n. f. : *La voracité d'un enfant, d'un chien affamé.*

VORARLBERG, province d'Autriche, à l'O. du col de l'Arlberg, s'étendant sur le bassin de l'Ill; 271 500 hab. Ch.-l. *Bergenz.*

VOREPPE, comm. de l'Isère, à 14 km au N. de Grenoble, dans la *cluse de Voreppe*, entre la Grande-Chartreuse et le Vercors; 8 100 hab. Cimenterie.

VOROCHILOV (Kliment Iefremovitch), maréchal soviétique (1881-1969). Défenseur de Tsaritsyne (auj. Volgograd) en 1918, il fut commissaire du peuple à la Défense (1925-1940). Il dirigea ensuite la défense de Leningrad et fut président du praesidium du Conseil suprême de l'U. R. S. S. (1953-1960).

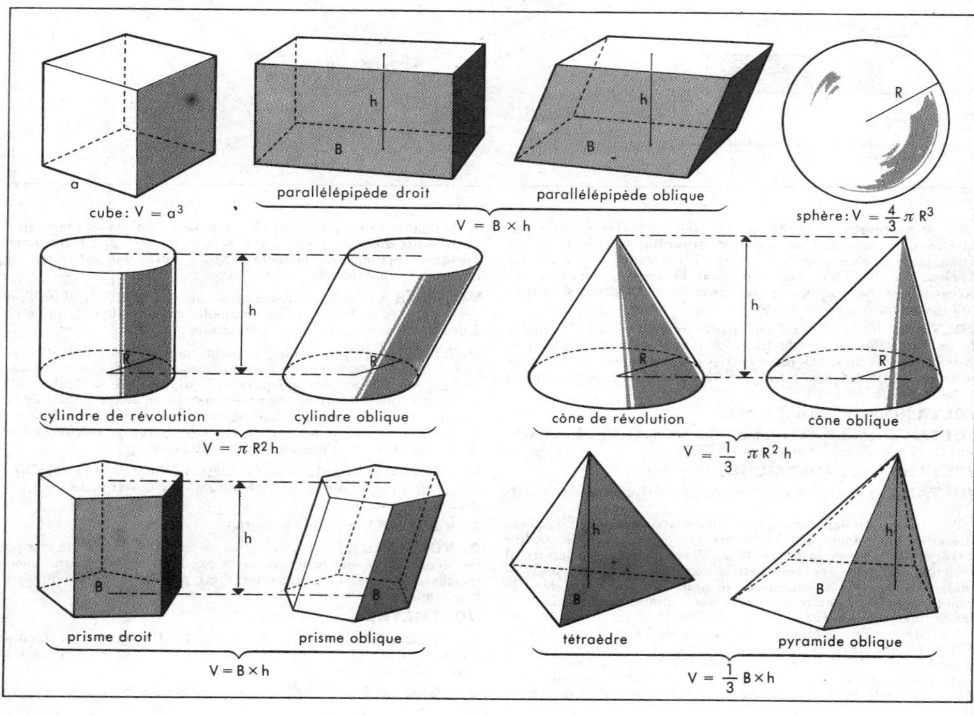

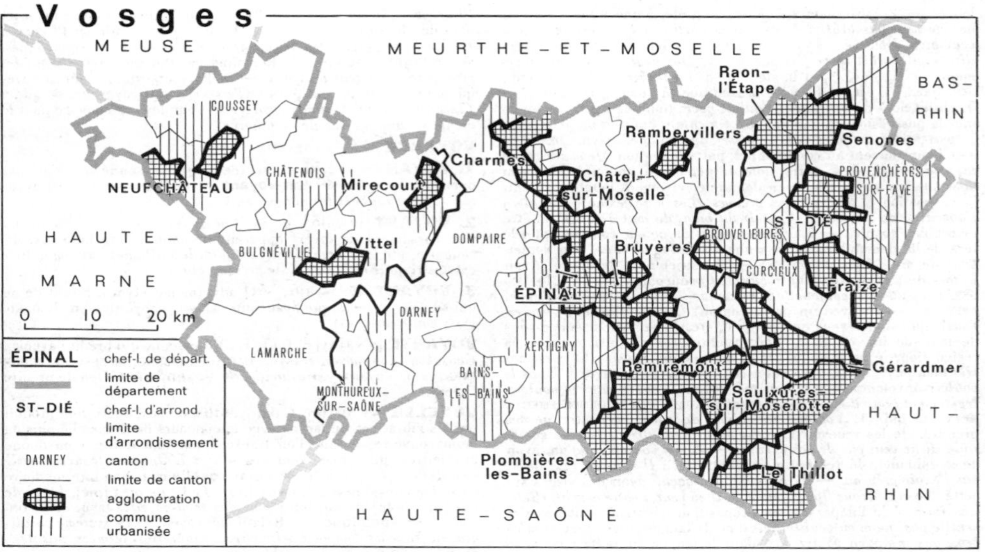

VOROCHILOVGRAD, auj. **Lougansk,** v. de l'U. R. S. S. (Ukraine), dans le Donbass; 474 000 hab. Sidérurgie.

VORONEJ, v. de l'U. R. S. S., près du Don; 660 200 hab. Importante centrale nucléaire. Métallurgie. Industries chimiques.

• *Juillet 1942. La ville, pivot de la résistance russe à l'offensive allemande, est le théâtre d'une violente bataille.*

VOS adj. poss. → MON.

VOSGES, région de l'est de la France, entre l'Alsace et le plateau lorrain.

VOSGES (88), dép. de l'est de la France (Région Lorraine); 5 874 km²; 395 800 hab. (67 au km²) [France : 103]. Ch.-l. *Épinal.* ADMINISTRATION. 3 arrond. (*Épinal.* 232 200 hab.; *Neufchâteau.* 68 500 hab.; *Saint-Dié.* 95 100 hab.). / 31 cant. / 516 comm.

Seule la partie orientale du département appartient au massif qui lui a donné son nom. L'altitude y est généralement inférieure à 500 m (dépassant exceptionnellement 1 000 m aux confins du Haut-Rhin). Elle oscille entre 300 et 500 m dans le Centre et l'Ouest, extrémités méridionales du plateau lorrain. Les précipitations sont assez abondantes (surtout vers l'E.) et les hivers déjà marqués.

L'*agriculture* emploie environ 8 p. 100 de la population active (proportion très voisine de la moyenne française). L'élevage progresse aux dépens de la polyculture à base céréalière, autrefois prédominantes sur le plateau.

L'*industrie* est l'activité principale puisqu'elle occupe un peu plus de la moitié de la population active. Le textile a été partiellement relayé par les constructions mécaniques et l'exploitation de la forêt (scieries, papeteries).

Malgré la relative importance du tourisme (thermalisme en particulier), le *secteur tertiaire* est peu développé, en raison surtout de la faiblesse de l'urbanisation. La population départementale n'a connu récemment qu'une progression modeste.

LOCALITÉS PRINCIPALES	NOMBRE D'HAB.	LOCALITÉS PRINCIPALES	NOMBRE D'HAB.
Épinal	41 000	Golbey	8 900
Saint-Dié	24 800	Mirecourt	8 500
Remiremont	10 900	Thaon-les-Vosges	7 500
Gérardmer	9 600	Raon-l'Étape	7 200
Neufchâteau	9 100	Rambervilliers	6 800

VOSNE-ROMANÉE, comm. de la Côte-d'Or, à 2 km au N. de Nuits-Saint-Georges; 530 hab. Vins renommés.

Vostok, nom donné par les Soviétiques à une série de vaisseaux cosmiques monoplaces et pilotables. (C'est à bord du *Vostok I* que Iouri Gagarine a effectué en 1961 le premier vol spatial humain.)

VOTE [vɔt] n. m. (mot angl.; du lat. *votum,* vœu). **1.** Opinion exprimée par chacune des personnes qui participent à une délibération, à une élection : *Compter les votes* (syn. SUFFRAGE, VOIX). — **2.** Acte par lequel les citoyens d'un pays, les membres d'une assemblée expriment leur opinion; mode selon lequel est effectuée cette opération : *Procéder au vote* (syn. ÉLECTION, SCRUTIN). — **3.** Adoption d'un projet mis aux voix : *Le vote d'une loi.* ◆ **voter** v. i. Exprimer son opinion dans une consultation : *Dès midi, la plupart des électeurs avaient voté* (contr. S'ABSTENIR). ◆ v. t. *Voter une loi, une décision,* etc., l'adopter, la faire passer par le moyen d'une consultation : *L'Assemblée a voté un projet de loi relatif à l'apprentissage* (syn. RATIFIER). ◆ **votant** n. m. **1.** Personne qui a le droit de participer à un suffrage, à une élection (syn. ÉLECTEUR). — **2.** Personne qui participe effectivement au vote : *Il y a eu 80 pour 100 de votants* (contr. ABSTENTIONNISTE). ◆ **votation** n. f. *Mode de votation,* manière de voter.

VOTIAKS, peuple de l'U. R. S. S., habitant la république autonome des Oudmourtes, à l'O. de l'Oural.

VOTIF, IVE adj. → VŒU 1.

VOTRE, LE VÔTRE adj. et pron. poss. → MON.

VOUER [vwe] v. t. (de *vœu*). **1.** Promettre d'une manière irrévocable : *Vouer une amitié éternelle, une haine implacable à qq'un* (syn. JURER). — **2.** *Vouer sa personne, sa conduite,* etc., *à qq'un, à qqch.,* les lui consacrer entièrement : *Vouer sa vie, son activité à un parti* (syn. DONNER, OFFRIR). — **3.** Destiner (surtout au passif) : *Entreprise vouée à l'échec* (syn. CONDAMNER). ◆ ***se vouer*** v. pr. **1.** Se consacrer : *Se vouer à l'étude.* — **2.** Fam. *Ne pas savoir à quel saint se vouer,* être désemparé.

VOUET (Simon), peintre et graveur français (1590-1649). Il voyage en Angleterre, à Constantinople, en Italie, et s'établit à Rome où il connaît un grand succès. À son retour à Paris (1627), il travaille pour Louis XIII, Richelieu et les grands seigneurs. Le roi lui commande des portraits, des cartons de tapisserie et des peintures pour le Louvre, le Luxembourg, Saint-Germain-en-Laye. Son art pénétré d'éléments baroques accorde une grande place aux effets de perspective, au mouvement, à la couleur claire (*Présentation de Jésus au temple, Martyre de saint Eustache, Charité).*

VOUGEOT, comm. de la Côte-d'Or, à 5 km au N. de Nuits-Saint-Georges; 197 hab. Vins du *Clos-Vougeot.*

1. VOULOIR [vulwar] v. t. (du lat. *velle*). [Conj. **37.**] **1.** (sujet nom d'être animé) *Vouloir* et l'infin., *vouloir que* et le subj., être décidé à (à ce que), avoir l'intention plus ou moins arrêtée, le désir de : *Je veux savoir ce qui s'est passé* (syn. ↓ DÉSIRER, SOUHAITER). *Je veux que vous me rendiez compte de vos dépenses* (syn. ↑ EXIGER). *Il veut se faire remarquer* (syn. AVOIR ENVIE DE, CHERCHER À). ‖ *Vouloir bien,* exprime le consentement : *Je veux bien te prêter ma voiture, mais pour aujourd'hui seulement* (syn. ACCEPTER, CONSENTIR). ‖ *Veuillez faire, dire,* etc., exprime un ordre, une invitation : *Veuillez me passer ce document.* ‖ *Veuillez agréer..., veuillez croire...,* formules de politesse à la fin des lettres. — **2.** (sujet nom de chose) Se prêter à une action : *Du bois qui ne veut pas brûler. Nous allons partir, si toutefois le moteur veut bien démarrer.* ‖ *Vouloir dire,* signifier : *« Bimensuel » veut dire « qui paraît deux fois par mois ». Que veut dire cet attroupement?* (= de quoi est-il le signe?). ‖ *La tradition, l'usage,* etc., *veut que...,* il est conforme à la tradition, à l'usage, etc., de... — **3.** (sujet nom de personne) *Vouloir qqch.* (nom concret), en réclamer la possession, la jouissance : *Un enfant qui veut un jouet* (syn. ↓ DEMANDER). *Voulez-vous encore du potage?* (syn. DÉSIRER); s'emploie souvent au conditionnel, par atténuation : *Je voudrais un kilo de cerises.* — **4.** (sujet nom de personne) *Vouloir qqch.* (nom abstrait), en souhaiter ou en demander vivement l'établissement, la réalisation : *Je veux des preuves. Les manifestants voulaient l'abolition du décret.* ‖ *Vouloir du bien, du mal à qq'un,* lui être favorable, hostile. — **5.** *Vouloir qqch. de qq'un,* compter qu'il le fera, le lui demander : *Je veux une discrétion absolue. Que voulez-vous de moi?* (syn. ATTENDRE). — **6.** (sujet nom de chose) Avoir besoin de : *C'est une plante qui veut beaucoup d'eau* (syn. DEMANDER, EXIGER). *La conjonction « quoique » veut le subjonctif* (syn. APPELER). — **7.** (avec un pron. compl.) *Que me (lui,* etc.) *voulez-vous?,* que voulez-vous que je (qu'il, etc.) fasse?, qu'attendez-vous de moi (de lui, etc.)? ‖ *Que veux-tu (voulez-vous),* exprime la résignation, le parti qu'on prend de quelque chose : *Ce n'est pas très bien payé, mais, que voulez-vous, il faut bien vivre!* ‖ *Sans le vouloir,* involontairement, par mégarde : *Il avait, sans le vouloir, légèrement bousculé son voisin* (contr. EXPRÈS, INTENTIONNELLEMENT). ◆ v. t. ind. **1.** *Vouloir de qq'un, de qqch.,* accepter de les prendre, de les recevoir : *Personne ne veut de lui comme camarade. Il ne veut pas de vos excuses.* — **2.** *En vouloir à qq'un,* avoir de la rancune, du ressentiment contre lui : *Il vous en veut de ne pas l'avoir prévenu.* — **3.** *En vouloir à qqch.,* avoir des visées sur cette chose : *Il vous flatte, parce qu'il en veut à votre argent. (Rem.* Les formes de l'impératif, en proposition négative, sont *ne m'en veuille pas, ne m'en veuillez pas* dans la langue soignée, et *ne m'en veux pas, ne m'en voulez pas,* dans la langue courante : *Ne m'en veuillez pas si je suis en retard. Ne m'en veux pas de ne pas t'avoir invité à venir avec nous.)* — **4.** Fam. *En veux-tu, en voilà,* exprime la grande abondance : *L'affaire marche très bien, les commandes arrivent en veux-tu, en voilà* (syn. À PROFUSION).

2. VOULOIR [vulwar] n. m. (de *vouloir* 1). *Bon vouloir, mauvais vouloir,* dispositions favorables, défavorables; bonne, mauvaise volonté : *Il a fait preuve d'un mauvais vouloir évident dans toute cette affaire.* ‖ *Bon vouloir,* acceptation qui dépend plus ou moins du caprice de quelqu'un, de ses dispositions imprévisibles : *On n'attend plus que son bon vouloir* (syn. BON PLAISIR).

VOULTE-SUR-RHÔNE (La), ch.-l. de cant. de l'Ardèche, à 17 km au S. de Valence; 5 300 hab. Textiles artificiels.

VOUS pron. pers. → NOUS.

VOUSSOIR [vuswar] ou **VOUSSEAU** [vuso] n. m. (du lat. *volutus,* enroulé). *Archit.* Chacune des pièces qui forment le centre d'une voûte ou d'une arcade.

VOUSSURE [vusyr] n. f. (du lat. *volutus,* enroulé). **1.** Voûte ou position de voûte faisant transition entre un mur et un plafond. — **2.** Partie arquée couvrant l'embrasure d'une baie (souvent faite au Moyen Âge d'arcs à ressauts [= en saillie] sculptés).

VOÛTE [vut] n. f. (du lat. *volutus,* enroulé). **1.** Ouvrage de maçonnerie, cintré, formé d'un assemblage de pierres qui s'appuient les unes sur les autres : *Voûte en plein cintre, en berceau. Voûte en ogive. Voûte d'un pont.* ‖ *Clef de voûte* → CLEF 2. — **2.** Paroi supérieure d'un édifice, d'une cavité ou d'une formation naturelle qui présente une courbure : *Voûte de ciment d'une cave. Une voûte de feuillage* (syn. BERCEAU, DAIS). *Voûte céleste* (littér.) [= le ciel]. *Voûte du palais* (= paroi supérieure de la bouche). ◆ **voûter** v. t. Couvrir d'une voûte : *Voûter un souterrain.* ◆ **voûté, e** adj. En forme de voûte : *Une cave voûtée.*

1. VOÛTER v. t. → VOÛTE.

2. VOÛTER (SE) [səvute] v. pr. (de *voûte*). Se courber : *Ce vieillard commence à se voûter* (= à devenir bossu). ◆ **voûté, e** adj. Courbé : *Avoir le dos voûté.*

VOUVOYER [vuvwaje] v. t. (de *vous*). *Vouvoyer qq'un,* employer le *vous* de politesse en s'adressant à lui (contr. TUTOYER). ◆ **vouvoiement** n. m. Emploi du *vous* de politesse (contr. TUTOIEMENT).

VOUVRAY, ch.-l. de cant. d'Indre-et-Loire, à 11 km à l'E. de Tours; 2 600 hab. Vins blancs et vins mousseux.

VOUZIERS, ch.-l. d'arrond. des Ardennes, à 31 km au S.-E. de Rethel, sur l'Aisne; 5 200 hab.

VOYAGE [vwajaʒ] n. m. (lat. *viaticum*). **1.** Fait de se déplacer hors de sa région ou de son pays : *Partir en voyage. Les gens du voyage* (= les artistes du cirque). — **2.** Trajet, allée et venue d'un lieu à un autre : *Train qui fait le voyage Paris-Le Havre* (= trajet dans les deux sens). ◆ **voyager** v. i. **1.** (sujet nom de personne) Se déplacer hors de sa région ou de son pays : *Voyager à travers l'Europe* (= la parcourir). — **2.** Faire un trajet, ou (avec un sujet nom de chose) être transporté : *Voyager par le train en 1re classe. Les denrées périssables voyagent dans des voitures frigorifiques.* ◆ **voyageur, euse** n. **1.** Personne qui fait un trajet : *Tous les voyageurs changent de train.* — **2.** Personne qui se déplace fréquemment hors de son pays : *C'est un grand voyageur.* ◆ adj. : *Pigeon voyageur. Commis voyageur* (= employé qui voyage pour le compte d'une maison de commerce).

VOYANCE n. f. → VOYANTE.

1. VOYANT [vwajɑ̃] n. m. (de *voir*). Personne qui voit (par oppos. à *aveugle*). ◆ **non-voyant** n. m. Personne qui est aveugle : *Les voyants et les non-voyants.*

2. VOYANT [vwajɑ̃] n. m. (même étym.). Signal lumineux d'avertissement de divers appareils de contrôle, de tableaux, de sonnerie, etc. : *Lorsque le voyant d'huile s'allume, l'automobiliste est averti qu'il ne lui en reste presque plus.*

3. VOYANT, E [vwajɑ̃, -ɑ̃t] adj. (même étym.). Se dit de ce qui se voit, se remarque beaucoup : *Couleur voyante* (syn. ↑CRIARD, ↓VIF; contr. DISCRET).

VOYANTE [vwajɑ̃t] n. f. (de *voir*). Personne qui prédit l'avenir : *Consulter une voyante* (syn. CARTOMANCIENNE, DISEUSE DE BONNE AVENTURE). *Voyante extra-lucide.* ◆ **voyance** n. f. Don de prédire l'avenir.

VOYELLE [vwajɛl] n. f. (lat. *vocalis;* de *vox,* voix). Son produit par les vibrations du larynx avec le concours de la bouche plus ou moins ouverte, et que l'on transcrit par une lettre; nom donné aux lettres qui transcrivent ces sons : *L'alphabet français a six voyelles : a, e, i, o, u, y.* ◆ **semi-voyelle** n. f. Son intermédiaire entre les consonnes et les voyelles : *Le* [j] *de pied* [pje], *le* [w] *de oui* [wi], *le* [ɥ] *de nui* [nɥi] *sont des semi-voyelles* (syn. SEMI-CONSONNE). ◆ **vocalique** adj. Relatif aux voyelles : *Le système vocalique du français comporte seize voyelles (ouvertes, fermées, nasales).* ◆ **vocalisme** n. m. Ensemble des voyelles d'une langue.
→ introduction de l'ouvrage page VIII.

VOYEUR, EUSE [vwajœr, -œz] n. (de *voir*). Personne qui se plaît à regarder un spectacle indécent sans être vue. ◆ **voyeurisme** n. m. Attitude perverse d'un voyeur.

VOYOU [vwaju] n. m. (de *voie*). **1.** Enfant mal élevé : *C'est un petit voyou, qui traîne dans les rues* (syn. ↓GALOPIN, ↓GARNEMENT). — **2.** Individu sans moralité. ◆ adj. m. Canaille : *Arborer un air voyou.*

VRAC (EN) [ɑ̃vrak] loc. adv. (néerl. *wrac,* mauvais). **1.** Pêle-mêle, en désordre : *Sortir ses affaires en vrac.* — **2.** Sans emballage (en parlant de marchandises) : *Fruits vendus en vrac.*

VRAI, E [vrɛ] adj. (du lat. *verus*). **1.** (après le nom) Se dit d'une chose conforme à la réalité à laquelle elle se réfère : *Ses paroles sont vraies de bout en bout* (syn. EXACT, FIDÈLE; contr. ERRONÉ, FAUX, INEXACT, MENSONGER). *Récit, histoire vrais* (= qui rapporte des faits qui se sont réellement produits) [contr. FANTAISISTE, IMAGINAIRE, INVENTÉ]. — **2.** (avant ou après le nom) Se dit de ce qui existe ou a existé réellement, qui n'est pas une simple vue de l'esprit : *Théorie qui s'appuie sur des faits vrais* (syn. HISTORIQUE, POSITIF, RÉEL). *Les vraies causes de ce phénomène ont été découvertes beaucoup plus tard* (syn. EFFECTIF, RÉEL). — **3.** Qui est réellement ce qu'il paraît être : *De l'or vrai* (contr. FAUX). *Avoir de vrais cheveux* (contr. POSTICHE). *De son vrai nom, il s'appelle Marc* (syn. VÉRITABLE; contr. D'EMPRUNT). — **4.** (avant le nom) Qui est conforme à ce qu'il doit être : *Un vrai héros* (= digne de ce nom). ◆ n. m. Vérité en général : *Distinguer le vrai du faux.* ‖ *Être dans le vrai,* avoir raison. — LOC. ADV. *À dire vrai, à vrai dire,* s'emploient pour introduire une restriction, une mise au point : *Il m'a dit qu'il ne pourrait pas venir; à vrai dire, je m'y attendais* (syn. EN FAIT). ‖ Fam. *Pour de vrai,* véritablement, réellement. ◆ adv. **1.** Conformément à la vérité : *Parler vrai.* — **2.** *Fam.* Exclamativement, marque la surprise, l'émotion : *Ben vrai, ça alors!* ◆ **vraiment** adv. **1.** De manière conforme à la réalité : *Ils s'aimaient vraiment* (syn. PROFONDÉMENT). *C'est vraiment une révolution dans la maison* (syn. VÉRITABLEMENT). — **2.** S'emploie pour souligner une affirmation : *Vraiment, il exagère!* (→ VÉRACITÉ, VÉRIDIQUE, VÉRITABLE, VÉRITÉ.)

VRAISEMBLABLE [vrɛsɑ̃blabl] adj. *(vrai,* et *semblable).* Se dit d'une chose qu'on peut à bon droit estimer vraie : *Une hypothèse vraisemblable* (syn. PLAUSIBLE). *Il est vraisemblable que la grève va se prolonger* (syn. PROBABLE). ◆ **vraisemblablement** adv. Selon les apparences : *Cette poterie est vraisemblablement d'origine étrusque* (syn. SANS DOUTE). ◆ **vraisemblance** n. f. **1.** *Heurter la vraisemblance* (= être en contradiction avec ce qui paraît le plus plausible). — **2.** *Selon toute vraisemblance,* certainement, sans doute : *Il va arriver, selon toute vraisemblance, à obtenir ce qu'il veut.* ◆ **invraisemblable** adj. **1.** Qui n'est pas vraisemblable : *Cette histoire est invraisemblable.* — **2.** *Fam.* Extraordinaire, bizarre : *Chapeau invraisemblable.* ◆ **invraisemblance** n. f. **1.** Manque de vraisemblance. — **2.** Chose invraisemblable : *Récit plein d'invraisemblances.*

VRANGEL' ou **WRANGEL** *(île)*, île soviétique, dans la mer de Sibérie orientale, près du détroit de Béring; 7 300 km².

VRANGEL' (Piotr Nikolaïevitch) → WRANGEL.

VRIES (Hugo DE) → DE VRIES.

1. VRILLE [vrij] n. f. (lat. *viticula;* de *vitis,* vigne). Organe de certaines plantes grimpantes, servant à fixer la plante en s'enroulant en spirale autour d'un support : *Les vrilles de la vigne.*

2. VRILLE [vrij] n. f. (de *vrille* 1). **1.** *Technol.* Petit outil à percer le bois, constitué par une tige métallique, façonnée à son extrémité en forme de vis à bois à pas très allongé et se terminant par une pointe très aiguë : *Percer un trou dans une planche avec une vrille.* — **2.** Défaut d'un fil qui se tortille sur lui-même. ◆ **vrillé, e** adj. Enroulé, tordu comme une vrille : *Fil vrillé.* ◆ **vriller** v. t. *Vriller une planche,* la percer avec une vrille.

3. VRILLE [vrij] n. f. (même étym.). Figure de voltige aérienne dans laquelle le nez de l'avion suit la verticale, tandis que l'extrémité des ailes décrit une hélice en descente assez rapide. ◆ **vriller** v. i. (sujet nom désignant un avion). S'élever ou descendre en décrivant une hélice.

VROMBIR [vrɔ̃bir] v. i. (onomat.). **1.** (sujet nom d'un objet) Produire un ronflement vibrant, caractéristique de certains objets en rotation rapide : *Avion, moteur qui vrombit* (syn. RONFLER). — **2.** (sujet nom d'insecte) Faire un bruit de vibration : *Frelon qui vrombit* (syn. BOURDONNER). ◆ **vrombissement** n. m.

1. VU [vy] prép., **VU QUE** [vykə] conj. (de *voir*). Expriment la cause : *Vu l'heure tardive, il a fallu ajourner la discussion* (syn. EN RAISON DE, ÉTANT DONNÉ). *Il faut renoncer à cette dépense, vu que les crédits sont épuisés* (syn. ATTENDU QUE, DU FAIT QUE, ÉTANT DONNÉ QUE).

2. VU, E [vy] adj. (même étym.). *Bien vu, mal vu,* se dit de quelqu'un ou de quelque chose qui est bien, mal considéré : *Il fait du zèle pour être bien vu de ses chefs.*

3. VU [vy] n. m. (même étym.). *Au vu et au su de tout le monde,* en public, sans se cacher.

1. VUE [vy] n. f. (de *voir*). **1.** Celui des cinq sens par lequel on perçoit la forme et la couleur des objets : *Les yeux sont le principal organe de la vue. Perdre la vue* (= devenir aveugle). [→ VISION, *encycl.*] — **2.** Acte de regarder, de voir : *L'avion est hors de vue* (= ne peut plus être vu). *Je le connais de vue* (= je l'ai simplement aperçu). *À vue d'œil* (= de façon visible). *À perte de vue* (= aussi loin que l'on peut voir). *À première vue* (= au premier coup d'œil). *En vue* (= visible) : *La côte est en vue. Perdre de vue la côte* (= cesser de la voir). *Perdre qq'un de vue* (= ne plus le fréquenter ou le rencontrer). — **3.** Ce qui se présente au regard : *La vue du sang lui fait un choc* (syn. SPECTACLE). *Il y a une très belle vue sur la mer* (syn. PANORAMA). — **4.** Image, photo ou tableau représentant un paysage : *Une vue du port d'Ajaccio.* — **5.** *Garder qq'un à vue* (= sous surveillance étroite). *Remboursement à vue* (= sur présentation). ‖ Fam. *À vue de nez,* à peu près, sans préciser. ‖ Fam. *Très en vue, assez en vue,* se dit d'une personne en vogue.

2. VUE [vy] n. f. (même étym.). **1.** Faculté de sentir, de deviner ce qui se passe au loin : *Don de seconde**, *double vue.* — **2.** Idée, conception : *Procéder à un échange de vues* (= un entretien où sont exposées les conceptions des deux parties). *C'est une vue de l'esprit* (= c'est purement théorique). *Donner une vue d'ensemble de la question* (syn. APERÇU, IDÉE). *Donner son point de vue sur une question* (syn. CONCEPTION). *Du point de vue historique, artistique* (= sous l'angle...). — **3.** Intention de faire quelque chose : *Avoir qq'un en vue pour une place, un emploi* (= penser à lui). *Borner ses vues à acquérir une maison à la campagne* (syn. AMBITION). — LOC. PRÉP. *En vue de,* de manière à préparer quelque chose, à réaliser un objectif, à atteindre un but, etc. : *Travailler en vue de réussir à un concours.*

VUILLARD (Édouard), peintre français (1868-1940). Avec Sérusier, Bonnard, Maurice Denis, Roussel, Ranson il forme le groupe des nabis*.

Pratiquant un art intimiste, il s'attache à rendre l'atmosphère tranquille d'appartements clos, recourant à des accords délicats de tons rapprochés. Il fait appel, dans ses natures mortes, à de subtils rayonnements de tons et de lumières. Il s'est intéressé également à la décoration et, avec le groupe nabi, a collaboré à des programmes et à des décors de théâtre.

VULCAIN, dieu romain du Feu et du Travail des métaux, fils de Jupiter et de Junon, époux de Vénus, identifié avec l'*Héphaïstos* de la mythologie grecque. La fête des « vulcanales », à Rome, était très ancienne et très populaire.

VULCANIEN, ENNE adj. → VOLCAN 1.

VULCANISER [vylkanize] v. t. (du nom de *Vulcain*). *Vulcaniser du caoutchouc,* lui faire subir la vulcanisation. ◆ **vulcanisé, e** adj. : *Caoutchouc vulcanisé.* ◆ **vulcanisation** n. f. *Industr.* Opération qui consiste à améliorer les qualités du caoutchouc en le traitant par le soufre.

VULCANOLOGIE n. f., **VULCANOLOGUE** n. → VOLCAN 1.

1. VULGAIRE [vylgɛr] adj. (lat. *vulgaris;* de *vulgus,* foule). **1.** Se dit d'une chose qui ne suppose pas de connaissance particulière, qui est comprise par tout le monde : *Le nom vulgaire d'une plante* (syn. COURANT, USUEL; contr. SAVANT, SCIENTIFIQUE). — **2.** (avant le nom) Se dit d'une chose ou d'une personne qui n'est rigoureusement que ce qu'elle est : *Une robe de vulgaire coton* (syn. SIMPLE). *C'est de la vulgaire matière plastique* (= ce n'est que de...). ◆ n. m. *Le vulgaire,* le commun des hommes, la foule (littér.) : *Ignorer ce que le vulgaire pense* (contr. L'ÉLITE, LES INITIÉS). ◆ **vulgairement** adv. Communément, de manière non savante : *Le bar, vulgairement appelé « loup de mer ».* ◆ **vulgarisme** n. m. Expression, tour employé communément et qui n'est pas littéraire. ◆ **vulgariser** v. t. Faire connaître, rendre accessible au grand public : *Vulgariser des connaissances d'histoire de l'art* (= les mettre à la portée de tous). ◆ **vulgarisation** n. f. Fait de répandre dans le grand public des connaissances scientifiques : *Ouvrage de vulgarisation. Faire de la vulgarisation.* ◆ **vulgarisateur, trice** adj. et n. Qui vulgarise.

2. VULGAIRE [vylgɛr] adj. (même étym.). **1.** Se dit d'une personne (ou de ses paroles, sa conduite, etc.) ordinaire ou grossière : *Des manières vulgaires* (syn. COMMUN; contr. DISTINGUÉ, RAFFINÉ). *Expression, mot vulgaire* (syn. POPULAIRE, ↑TRIVIAL). — **2.** Sans élévation, bas : *Les réalités vulgaires de la vie* (syn. GROSSIER, MATÉRIEL, PROSAÏQUE, TERRE À TERRE). ◆ **vulgairement** adv. Avec vulgarité, de manière commune : *S'exprimer vulgairement* (syn. ↑GROSSIÈREMENT). ◆ **vulgarité** n. f. Qualité de ce qui est ordinaire ou grossier : *La vulgarité de ces propos est choquante* (syn. ↑GROSSIÈRETÉ).

Vulgate, version latine des Livres saints, faite par saint Jérôme, en usage dans l'Église catholique, et qui fut déclarée authentique par le concile de Trente.

VULNÉRABLE [vylnerabl] adj. (du lat. *vulnerare,* blesser). Se dit de quelqu'un ou de quelque chose qui peut être facilement atteint, attaqué : *Être vulnérable à la critique* (syn. FRAGILE, ↓SENSIBLE). *Se sentir très vulnérable* (= mal armé pour lutter contre quelque chose). *Une position vulnérable* (syn. DANGEREUX, INCERTAIN). ◆ **vulnérabilité** n. f. (syn. FRAGILITÉ). ◆ **invulnérable** adj. Qu'on ne peut atteindre, blesser : *Position invulnérable.* ◆ **invulnérabilité** n. f.

VULPIAN (Alfred), médecin et physiologiste français (1826-1887), auteur de travaux sur la physiologie du système nerveux.

VULVE [vylv] n. f. (lat. *vulva*). *Anat.* Ensemble des parties génitales externes, chez la femme et chez les femelles des animaux supérieurs. (→ GÉNITAL [*appareil*].)

VYBORG ou **VIBORG,** en finnois **Vilpuri,** v. de l'U. R. S. S., sur le golfe de Finlande; 72 000 hab. La ville a été cédée par la Finlande à l'U. R. S. S. en 1947.

VYCHINSKI (Andreï Ianouarievitch), homme politique soviétique (1883-1954), commissaire du peuple adjoint aux Affaires étrangères (1939), ministre des Affaires étrangères (1949-1953) et délégué à l'O. N. U. (1953-1954).

W n. m. **1.** Vingt-troisième lettre de l'alphabet et la dix-huitième des consonnes. → introduction de l'ouvrage. — **2.** W, symbole du *watt.* — **3.** W, symbole chimique du *tungstène.*

WAGNER (Richard), compositeur de musique allemand (1813-1883). Après 1827, il entreprend des études de philosophie et de musique à Leipzig et écrit ses premières œuvres musicales et théâtrales, qui sont des échecs. Chef d'orchestre, il connaît des débuts difficiles et voyage à Londres et à Paris.

• *1843. Le succès de « Rienzi », à Dresde, lui vaut le poste de maître de chapelle de la cour de Saxe.*

Mais *le Vaisseau fantôme,* puis *Tannhäuser* (1843-1844) sont mal accueillis.

• *1849. Rallié au mouvement révolutionnaire de 1848, il doit s'exiler en Suisse.*

Il y rédige des écrits théoriques importants (*l'Art et la Révolution,* 1849; *l'Œuvre d'art de l'avenir,* 1850; *Opéra et Drame,* 1851) et entreprend *l'Anneau du Nibelung,* tétralogie qu'il achèvera vingt ans plus tard.

• *1859. Installé à Venise, il y achève « Tristan et Isolde ».*

Après d'autres voyages en Europe, il peut, grâce à la protection de Louis II, roi de Bavière, monter trois de ses œuvres à Munich.

Il se fixe ensuite en Suisse où Cosima Liszt vient le rejoindre : pendant cette période heureuse, il achève *Siegfried, le Crépuscule des dieux, les Maîtres chanteurs de Nuremberg* (1862-1867).

• *1872. Il s'installe définitivement à Bayreuth où Louis II de Bavière l'aide à créer un théâtre spécialement conçu pour l'interprétation de ses œuvres lyriques.*

En 1876, il inaugure le premier festival de Bayreuth. Peu avant sa mort, en 1882, a lieu la première représentation de *Parsifal.*

À côté de quelques pages pour orchestre, de lieder et de pièces pour piano, les drames lyriques constituent l'essentiel de l'œuvre de Wagner. Il cherche à y réaliser l'union parfaite de la poésie, de la musique, de la danse et de la mise en scène, créant une nouvelle forme d'opéra. Écrivant lui-même le texte de ses livrets, il emprunte ses sujets à des légendes populaires et donne à ses personnages une signification symbolique, ses thèmes principaux étant la rédemption par l'amour et le renoncement, le problème de la liberté humaine et l'exaltation des vertus populaires. Le leitmotiv, ou thème conducteur, représentant un personnage ou une idée, est utilisé systématiquement. Commentant le drame, l'orchestre qui rassemble de très nombreux instruments joue un rôle analogue à celui du chœur dans la tragédie grecque.

WAGON [vagɔ̃] n. m. (mot angl.). Véhicule roulant sur une voie ferrée et employé au transport des marchandises et des animaux (par oppos. à VOITURE qui sert à transporter des personnes). ◆ **wagonnet** n. m. Petit wagon basculant, servant au transport du charbon, de la terre, etc. : *Un train de wagonnets ramène le charbon de la taille.* ◆ **wagon-citerne** n. m. : *Les wagons-citernes sont destinés au transport des liquides* (pétrole, vin, etc.). ◆ **wagon-lit** n. m. Voiture de chemin de fer aménagée pour permettre aux voyageurs de dormir dans un lit. ‖ Pl. des *wagons-lits.* ◆ **wagon-restaurant** n. m. Voiture de chemin de fer aménagée pour servir des repas. ‖ Pl. des *wagons-restaurants.*

WAGRAM, ancienn. **Deutsch Wagram,** village d'Autriche, au N.-E. de Vienne.

• *6 juill. 1809. Victoire de Napoléon Ier sur les Autrichiens.*

WAHHĀBITES ou **OUAHHABITES,** secte musulmane fondée en Arabie (Nadjd), à la fin du XVIIIe s., adversaire de toutes les innovations dans l'islām.

WAJDA (Andrzej), cinéaste polonais, né en 1926. Romantique et baroque, il a réalisé *Kanal* (1957), *Cendres et Diamant* (1958), *les Noces* (1973), *la Terre de la Grande Promesse* (1974), *l'Homme de marbre* (1976), *les Demoiselles de Wilko* (1978), *l'Homme de fer* (1981), *Danton* (1982), *Un amour en Allemagne* (1983), *Chronique des événements amoureux* (1986), *les Possédés* (1988).

WAKAYAMA, port du Japon (Honshū); 401 000 hab. Textiles.

WAKE *(île de),* atoll du Pacifique, annexé par les États-Unis en 1900. Important relais aérien.

WAKSMAN (Selman Abraham), microbiologiste américain (1888-1973). Prix Nobel de médecine en 1952 pour sa découverte, avec Albert Schatz, de la streptomycine.

WAŁBRZYCH, en all. **Waldenburg,** v. de Pologne, en basse Silésie; 127 700 hab. Houille. Métallurgie.

WALDECK-ROUSSEAU (Pierre), homme politique français (1846-1904). Président du Conseil de 1899 à 1902, il fit voter la loi sur les associations (1901).

WALDHEIM (Kurt), diplomate et homme d'État autrichien, né en 1918. Secrétaire général de l'O. N. U. de 1972 à 1981, il est élu président de la République autrichienne en 1986.

WALES, nom angl. du PAYS DE GALLES.

WAŁESA (Lech), homme d'État polonais (né en 1943). Il est le principal leader des mouvements revendicatifs de 1980, qui aboutissent à la création de Solidarité. Après la démocratisation du régime, il est élu président de la République en 1990. (Prix Nobel de la paix, 1983.)

WALKIE-TALKIE [wɔkitɔki] n. m. (de l'angl. *walk,* promenade, et *talk,* parole). Émetteur-récepteur portatif, servant aux liaisons radiophoniques sur de courtes distances. ‖ Pl. des *walkies-talkies.* (On dit aussi TALKIE-WALKIE.)

WALKMAN [wokman] n. m. (n. déposé). Dispositif constitué d'un lecteur de cassettes portatif relié à un casque d'écoute et qui permet d'écouter de la musique tout en marchant. (L'Administration préconise BALADEUR.)

WALKYRIE n. f. → VALKYRIE.

WALLACE (*sir* William), héros de l'indépendance écossaise (1270-1305). À partir de 1297, il lutta contre Édouard Ier. Capturé en 1305, il fut décapité.

WALLACE (Alfred Russel), naturaliste anglais (1823-1913), un des fondateurs de la géographie zoologique et de la doctrine de la sélection naturelle.

Wallenstein, trilogie dramatique de Schiller, qui rassemble *le Camp de Wallenstein* (1798), *les Piccolomini* (1799) et *la Mort de Wallenstein* (1799).

WALLIS-ET-FUTUNA, archipel de la Polynésie, entre les Fidji et les Samoa, constituant depuis 1959 un territoire français d'outre-mer; 255 km^2; 8 500 hab. Ch.-l. *Mata Utu,* sur l'île d'Uvéa. Les îles *Wallis* ont 96 km^2 et 6 000 hab.

L'archipel s'étend sur deux groupes d'îles d'origine volcanique, Futuna et les îles Wallis. Pêche et culture des cocotiers.

WALLON, ONNE [walɔ̃, -ɔn] adj. et n. (de l'anc. all. *walah,* nom par lequel les Germains désignaient leurs voisins romanisés). Relatif à la Wallonie, ou Belgique romane; habitant ou originaire de cette région. ◆ n. m. Dialecte roman de langue d'oïl, parlé dans la plus grande partie de la Belgique romane (à part le sud du Luxembourg et l'ouest du Hainaut) et dans le nord de la France.

WALLON (Henri), historien et homme politique français (1812-1904). Député, il fit adopter à une voix de majorité, le 30 janvier 1875, l'amendement qui provoqua l'adoption des lois constitutionnelles de la IIIe République. — Son petit-fils HENRI (1879-1962) fut un spécialiste de la psychologie de l'enfance.

WALLONIE, partie sud et sud-est de la Belgique, où sont parlés le français et les dialectes romans, principalement le wallon. Capit. *Liège.* La Wallonie doit son nom (apparu vers 1825) et sa signification au dualisme entre Wallons et Flamands.

Wall Street, rue de New York où est située la Bourse.

WALPOLE (Robert), 1er comte D'ORFORD, homme d'État anglais (1676-1745), l'un des chefs du parti whig*, chancelier de l'Échiquier (1721) et principal ministre de George II jusqu'en 1742. Appuyé sur une majorité favorable grâce à la corruption, il jeta les bases du régime parlementaire britannique. À l'extérieur, il se montra partisan résolu de la paix, mais il fut entraîné à déclarer la guerre à la France. Il dut démissionner en 1742. — Son fils HORACE (1717-1797) fut un des initiateurs du « roman noir » (*le Château d'Otrante,* 1764).

WALVIS BAY, territoire de la côte ouest de l'Afrique australe, rattaché à l'Afrique du Sud (province du Cap) mais administré depuis 1922 par la Namibie, dans laquelle il est englobé. Grande base de pêche à la baleine.

WAMBRECHIES, comm. du Nord, à 6 km au N. de Lille, sur la Deûle; 8200 hab. Textiles.

WAPITI [wapiti] n. m. (de l'algonquin *wapitik*, daim blanc). Cervidé de très grande taille vivant dans les forêts du Canada et de l'ouest des États-Unis (montagnes Rocheuses), rencontré également en Asie (Mandchourie).

WARGLA → OUARGLA.

WARIN (Jean) → VARIN.

WARRANT [warɑ̃] n. m. (mot angl. signif. *garant*). Bulletin de gage qui constate le dépôt de marchandises ou de matières premières dans des magasins généraux.

WARWICKSHIRE, comté du centre de l'Angleterre; 468300 hab. Ch.-l. *Warwick*.

WASHINGTON, capit. fédérale des États-Unis d'Amérique, dans le district fédéral de Columbia, sur le Potomac; 637500 hab. Ville administrative. Capitole. Résidence du président de la République (Maison Blanche). L'agglomération compte 3060000 hab.

WASHINGTON, État du nord-ouest des États-Unis, sur le Pacifique; 176617 km²; 3443000 hab. Capit. *Olympia*.

WASHINGTON (George), général et homme d'État américain (1732-1799), premier président des États-Unis (1789-1797). Nommé commandant en chef dès le début de la guerre d'Indépendance, il battit les Anglais à Yorktown (1781) avec l'aide de La Fayette et de Rochambeau. Il fit voter la Constitution de 1787 et fut élu à deux reprises président de l'Union (1789 et 1792). Il refusa un troisième mandat et se retira à Mount Vernon.

WASQUEHAL, comm. du Nord, à 4 km au N.-E. de Lille; 16400 hab. Industries chimiques.

WASSY, ch.-l. de cant. de la Haute-Marne, à 19 km au S. de Saint-Dizier, sur la Blaise; 3600 hab.

• *1562. Le massacre d'une soixantaine de protestants de cette ville par les gens du duc de Guise commence les guerres de Religion.*

WATER-BALLAST [watɛrbalast] n. m. (mot angl.). **1.** *Mar.* Compartiment situé à la partie inférieure d'un navire pour le transport de l'eau douce, du mazout ou parfois de l'eau de mer servant de lest. — **2.** Réservoir dont le remplissage permet à un sous-marin de plonger. ‖ Pl. des *water-ballasts*.

WATERINGUE [watərɛ̃g] n. f. (du néerl. *water*, eau). En Flandre et dans les Pays-Bas, ensemble des travaux d'assèchement de terres situées au-dessous du niveau de la mer.

WATERLOO, comm. de Belgique (Brabant), au S. de Bruxelles; 23500 hab.

• *18 juin 1815. La défaite de Napoléon Ier devant les Anglais et les Prussiens provoque sa chute définitive.*

WATER-POLO [watɛrpɔlo] n. m. (angl. *water*, eau, et *polo*). Jeu de ballon qui se joue dans l'eau entre deux équipes de sept joueurs et qui consiste à faire pénétrer un ballon dans les buts adverses.

WATERS [watɛr] ou **W.-C.** [vese] n. m. pl. (abrév. de l'angl. *water-closet;* de *water*, eau, et *closet*, cabinet). Petite pièce ou appareil sanitaire destinés aux besoins naturels (syn. CABINETS, TOILETTES).

WATSON (John Broadus), psychologue américain (1878-1958), à l'origine de la psychologie du comportement, ou *behaviorisme*.

WATSON-WATT (*sir* Robert Alexander), physicien écossais (1892-1973). Il conçut le système de détection et de mesure de la distance d'un obstacle au moyen d'ondes hertziennes, ou *radar*.

WATT [wat] n. m. (de J. *Watt*). Unité de mesure de puissance (symb. : W), équivalant à une énergie de 1 joule fournie en une seconde : *Un cheval vapeur équivaut à 736 watts.* (→ MESURE, *unités de mesure*.) ◆ **watt-heure** n. m. *Électr.* Unité de travail et d'énergie (symb. Wh), équivalant au travail fournit par une machine dont la puissance est de 1 watt fonctionnant pendant une heure : *Le watt-heure équivaut à 3600 joules.* ‖ Pl. des *watts-heures*. ◆ **wattmètre** n. m. *Électr.* Appareil de mesure de la puissance mise en jeu dans un circuit électrique.

WATT (James), ingénieur écossais (1736-1819). Il construisit la première machine à vapeur vraiment utilisable (1767), en lui apportant de nombreuses améliorations, dont le condenseur.

WATTEAU (Antoine), peintre français (1684-1721). Artiste d'une extrême sensibilité, il fut l'inventeur d'une atmosphère picturale faite de grâce parfois mélancolique et de poésie. Ses œuvres les plus célèbres sont : l'*Embarquement pour Cythère* (1717-1718), où il multiplie les silhouettes aux costumes brillants; l'*Enseigne de Gersaint* (1720); et surtout le *Gilles* où le personnage, emprunté au théâtre italien (la *commedia dell'arte*), incarne l'individu maladroit, mal à l'aise (la technique du peintre y est éblouissante de légèreté et d'éclat).

WATT-HEURE n. m. → WATT.

WATTIGNIES, comm. du Nord, à 6 km au S. de Lille; 13900 hab. Confiserie.

WATTIGNIES-LA-VICTOIRE, comm. du Nord, à 13 km env. au N.-E. d'Avesnes-sur-Helpe.

• *1793. Victoire de Jourdan sur les Autrichiens.*

WATTMÈTRE n. m. → WATT.

WATTRELOS, comm. du Nord, faubourg est de Roubaix, sur la frontière belge; 44700 hab. Industries textiles et chimiques.

WAZIERS, comm. du Nord, à 6 km au N.-E. de Douai; 9300 hab. Cokerie. Industries chimiques.

W.-C., abrév. de *water-closet*. → WATERS.

WEBER (Carl Maria VON), compositeur et chef d'orchestre allemand (1786-1826). Auteur du *Freischütz* (1821), d'*Euryanthe* (1823), d'*Obéron* (1826), Weber doit être tenu pour l'un des créateurs de l'opéra national allemand. On lui doit des œuvres brillantes pour piano.

WEBER (Wilhelm), physicien allemand (1804-1891). Il réalisa en 1833 avec Gauss un télégraphe électrique et étudia l'induction électromagnétique (1846).

WEBER (Max), économiste et sociologue allemand (1864-1920), promoteur d'une sociologie dite « compréhensive », dont le but est de saisir « la signification » des actes sociaux et de dégager des *types* de conduite sociale.

WEBERN (Anton VON), compositeur autrichien (1883-1945), un des pionniers de la musique dodécaphonique*.

WEBSTER (John), auteur dramatique anglais (v. 1580-v. 1624). Ses tragédies, jalonnées d'épisodes atroces, font de lui un des plus vigoureux dramaturges du théâtre élisabéthain.

WEEK-END [wikɛnd] n. m. (mot angl. signif. *fin de semaine*). Congé de fin de semaine, du samedi matin au lundi matin. ‖ Pl. des *week-ends*.

WEGENER (Alfred), géophysicien et météorologiste allemand (1880-1930). Il a précisé la théorie de la dérive des continents.

Wehrmacht, ensemble des armées allemandes de terre, de mer et de l'air, de 1935 à 1945.

WEI-HAI, port sur la côte nord du Chan-tong (Chine), à l'entrée du golfe du Petchili, cédé à bail à l'Angleterre en 1898, et restitué à la Chine en 1930; 222000 hab. Textiles.

WEIL (Simone), philosophe français (1909-1943). Animée d'un mysticisme chrétien (elle ne se convertit pourtant pas), elle rechercha avec passion le bien, la pureté et la justice sociale. Désirant étreindre le réel et échapper à toutes les facilités de la condition intellectuelle (elle était agrégée de philosophie), elle partagea la condition ouvrière chez Renault, combattit aux côtés des républicains espagnols. Sa notoriété d'écrivain ne fut réelle qu'après sa mort (*la Pesanteur et la grâce*, 1947; *l'Enracinement*, 1950).

WEILL (Kurt), compositeur américain d'origine allemande (1900-1950), auteur de la musique de l'*Opéra de quat'sous* (1928), écrit en collaboration avec B. Brecht.

WEIMAR, v. d'Allemagne, en Thuringe; 64000 hab. Constructions mécaniques. Elle fut, sous le règne de Charles-Auguste (1775-1828), un foyer intellectuel autour de Goethe.

• *1919. La Constitution rédigée à Weimar donne à l'Allemagne le régime républicain (république de Weimar, 1919-1933).*

WEIPA, port d'Australie (Queensland). Important gisement de bauxite.

WEISSMULLER (Johnny), nageur américain (1904-1984). Premier homme à nager le 100 m nage libre en moins de 1 mn (1922), il fut champion olympique sur cette distance en 1924 et en 1928, remportant encore, cette dernière année, le 400 m nage libre. Au cinéma, il s'est illustré dans le rôle de Tarzan.

WEIZMANN (Chaïm), chimiste et homme d'État israélien (1874-1952). Il fut le premier président de l'État d'Israël (1949-1952).

WELLES (Orson), cinéaste et acteur américain (1915-1985). Il a réalisé *Citizen Kane* (1941), *la Splendeur des Amberson* (1942), *Othello* (1951), *le Procès* (1962), *Falstaff* (1966), *Une histoire immortelle* (1968).

WELLESLEY (Richard COLLEY WELLESLEY, *marquis*), homme politique britannique (1760-1842). Nommé gouverneur général de l'Inde (1797-1805), il y étendit largement la souveraineté britannique. De retour en Angleterre, il devint ministre des Affaires étrangères (1809-1812).

WELLINGTON, capit. de la Nouvelle-Zélande, dans l'île du Nord; 350 000 hab. Port sur le détroit de Cook.

WELLINGTON (Arthur WELLESLEY, *duc* DE), général et homme politique britannique (1769-1852). Nommé commandant (1808) d'une division envoyée au Portugal, il remporta sur Junot la victoire de Vimeiro, puis, commandant en chef des forces britanniques dans la péninsule Ibérique, il y tint en échec les troupes françaises. En 1814, il franchit les Pyrénées et gagna la bataille de Toulouse. À la suite du retour de Napoléon, il reçut le commandement de l'armée alliée aux Pays-Bas et remporta la victoire décisive de Waterloo* (18 juin 1815). Il joua ensuite un rôle politique important et devint Premier ministre (1828-1830).

WELLS (Herbert George), écrivain anglais (1866-1946). Il débuta dans la littérature par un roman d'anticipation scientifique, *la Machine à explorer le temps* (1895), dont le succès l'encouragea à exploiter cette veine nouvelle. Prophète de cette période de rationalisme optimiste qui précéda la Première Guerre mondiale (*l'Homme invisible*, 1897; *la Guerre des mondes*, 1898), il écrivit des récits d'imagination, où l'anticipation scientifique fait place aux visions et aux espérances du sociologue (*Une utopie moderne*, 1905). Révolté contre la morale chrétienne et la société bourgeoise, il a su peindre le monde des humbles avec vérité et humour (*l'Histoire de Mr. Polly*, 1910).

WELSER, famille de patriciens d'Augsbourg, dont les membres fondèrent, aux XVe et XVIe s., des sociétés commerciales et minières qui jouèrent un rôle important.

WELTER [vɛltɛr] n. m. (angl. *welter-weight*, poids mi-moyen). Syn. de MI-MOYEN. (→ BOXE.)

WEMBLEY, agglomération de la banlieue nord-ouest de Londres. Stade de football.

WENDEL (DE), famille d'industriels français. IGNACE (1741-1795) est à l'origine de la métallurgie du Creusot.

WENDES, anc. nom donné par les Allemands aux Slaves de Lusace.

WENGEN, station de sports d'hiver de Suisse, dans l'Oberland bernois (alt. 1 300-3 454 m), au pied de la Jungfrau; 1 200 hab.

WEN-TCHEOU, v. de Chine (Tchö-kiang); 594 000 hab.

Werther *(les Souffrances du jeune)*, roman par lettres de Goethe (1774).

WESER (la), fl. d'Allemagne, réunion de la Werra et de la Fulda. Elle passe à Minden, à Brême et se jette dans la mer du Nord; 480 km.

WESLEY (John), théologien et pasteur protestant anglais (1703-1791). Étudiant à Oxford, il fonda une secte religieuse, baptisée « méthodiste » parce qu'elle prônait une « méthode » de vie spirituelle en un temps de relâchement au sein de l'Église anglicane. Il provoqua un important réveil religieux en Angleterre. (→ MÉTHODISME.)

WESSEX, royaume anglo-saxon, fondé vers 495, et dont les souverains réalisèrent l'unité anglo-saxonne.

WESTERN [wɛstɛrn] n. m. (mot angl. signif. *de l'Ouest*). Film d'aventures dont l'action mouvementée se déroule dans l'ouest des États-Unis, au moment de la marche vers l'Ouest.

WESTINGHOUSE (George), industriel et ingénieur américain (1846-1914). Il créa le frein à air comprimé qui porte son nom et qui fut adopté par les chemins de fer du monde entier.

Westminster, quartier de Londres, autour de *Westminster Abbey*, dont il subsiste l'église (XIIIe s.) renfermant les tombeaux des rois et des grands hommes de l'Angleterre. — Le *palais de Westminster* fut élevé à partir de 1836 par Ch. Barry et W. Pugin, dans le style néo-gothique, pour servir de siège au Parlement.

WESTPHALIE, en all. **Westfalen,** anc. province de l'ouest de l'Allemagne. Capit. *Münster*. La Westphalie fait partie, depuis 1946, du *Land* de Rhénanie*-du-Nord-Westphalie. En 1807, Napoléon Ier érigea la Westphalie, avec Kassel pour capitale, en royaume pour son frère Jérôme. Ce royaume disparut dès 1813.

Westphalie *(traités de)*, traités conclus en 1648, à Münster et à Osnabrück, entre l'empereur germanique, la France et la Suède, pour mettre fin à la guerre de Trente Ans. Ils donnaient aux princes allemands du Nord, dont les territoires étaient agrandis, la liberté de religion, le droit d'alliance avec l'étranger, et marquaient l'échec des Habsbourg dans leur tentative d'unification de l'Allemagne. La France y gagnait l'Alsace et se voyait confirmer la possession des Trois-Évêchés.

WEYGAND (Maxime), général français (1867-1965). Chef d'état-major de Foch de 1914 à 1923, il anima la résistance polonaise à l'armée rouge en 1920. Il fut chef d'état-major de l'armée de 1930 à 1935, date de sa mise à la retraite. Rappelé en 1939, il reçut le commandement suprême (mai 1940) et dut recommander l'armistice. Ministre de la Défense nationale (juin-septembre 1940), puis délégué du gouvernement de Vichy en Afrique du Nord, il fut relevé de son poste à la demande de Hitler (novembre 1941) et arrêté par les Allemands (1942).

WHARF [warf] n. m. (mot angl.). *Mar.* Appontement perpendiculaire à la rive, auquel les navires peuvent accoster des deux côtés.

WHIG [wig] n. m. et adj. (mot angl.). En Angleterre, membre du parti libéral.
— ENCYCL. Les *whigs* étaient partisans des droits populaires en Angleterre, par opposition aux *tories*, partisans de l'autorité de la Couronne. À partir de 1832, on désigna le parti whig sous le nom de *parti libéral*, et le parti tory sous celui de *parti conservateur*. Ils alternèrent au pouvoir au cours du XIXe s., avec des chefs comme Gladstone et Disraeli.

WHISKY [wiski] n. m. (mot écossais). Eau-de-vie de grain, fabriquée dans les pays anglo-saxons. ‖ Pl. des *whiskies*.

WHIST [wist] n. m. (mot angl. signif. *silence*). Jeu de cartes, ancêtre du bridge.

WHISTLER (James Abott Mac Neill), peintre et graveur américain (1834-1903). Par son style, il est proche de la peinture impressionniste française. S'il n'adopte pas toujours les couleurs claires des peintres français, sa touche a leur légèreté. Il pratique un art nuancé, peignant des paysages et des portraits aux harmonies délicates (*Portrait de ma mère*, 1871-1872).

WHITEHEAD (Alfred North), philosophe et mathématicien anglais (1861-1947). Il est un des fondateurs, avec Russel, de la logique mathématique. Il collabora avec ce dernier aux *Principes mathématiques* (1910-1913).

WHITMAN (Walt), poète américain (1819-1892). Son recueil de poèmes *Leaves of grass (Feuilles d'herbe)* dont la première édition date de 1855, et qu'il ne cessera d'augmenter et de remanier jusqu'à sa mort, exalte la sensualité et la liberté, en de longs versets libres où il emploie les termes les plus directs de la langue populaire. Ce lyrisme optimiste et violent représente un aspect caractéristique de la sensibilité américaine.

WHITNEY *(mont)*, point culminant des États-Unis (en dehors de l'Alaska), dans la sierra Nevada; 4 418 m.

WICHITA, v. des États-Unis (Kansas); 276 600 hab. Constructions aéronautiques.

WIELAND (Christoph Martin), écrivain allemand (1733-1813). Le piétisme inspire ses premières œuvres (*la Nature des choses*, 1752), mais influencé par les mœurs et la littérature française, il publie des essais ironiques *(Agathon)* et politiques, des poèmes *(Obéron)* et un roman satirique *(les Abdéritains)*. Il a exercé sur les écrivains allemands, Goethe surtout, une influence profonde.

WIENE (Robert), cinéaste allemand d'origine tchèque (1881-1938). Il est l'auteur du premier grand film expressionniste* allemand : *le Cabinet du docteur Caligari* (1919).

WIESBADEN, v. d'Allemagne, capit. de la Hesse, anc. capit. du duché de Nassau; 267 000 hab. Eaux thermales. Industries chimiques. Cimenterie.

WIGHT *(île de)*, île anglaise de la Manche; 381 km²; 109 300 hab. V. pr. *Newport*. Stations touristiques. Régates à Cowes.

WIGWAM [wigwam] n. m. (mot anglo-amér.). Hutte, chaumière des Indiens d'Amérique.

WILAYA ou **WILLAYA** [vilaja] n. f. (mot ar.). Division administrative de l'Algérie.

WILDE (Oscar FINGALL O'FLAHERTIE WILLS), écrivain anglais (1854-1900). Adepte fervent de la théorie de « l'art pour l'art », il rencontre à Paris Verlaine et d'autres poètes symbolistes, et y publie un recueil de *Poèmes* (1881). De retour à Londres, après une tournée de conférences en Amérique, il publie des contes pleins de poésie et d'humour (*le Prince heureux*, 1888; *le Crime de lord Arthur Saville*, 1891), des essais, et son unique roman, *le Portrait de Dorian Gray* (1891), qui lui attire de violentes critiques. Célèbre, recherché tant à cause de son personnage que de ses écrits, il s'affirme comme l'un des grands auteurs dramatiques de son époque, cachant souvent derrière le rire une sévère critique morale et sociale (*l'Éventail de lady Windermere*, 1892; *De l'importance d'être constant*, 1895). Emprisonné pendant deux ans pour ses mœurs homosexuelles, il écrit *la Ballade de la geôle de Reading* (1898). Il se retire ensuite en France où il meurt.

WILDER (Billy), cinéaste américain d'origine autrichienne, né en 1906. Journaliste, puis scénariste, il passa en 1942 à la mise en scène : *Assurance sur la mort* (1944), *Boulevard du Crépuscule* (1950), *Certains l'aiment chaud* (1959), *Irma la Douce* (1962), *la Grande Combine* (1966), *Fedora* (1977).

Wilhelm Meister, roman de Goethe, en deux parties : les *Années d'apprentissage de Wilhelm Meister* (1796) et les *Années de voyage de Wilhelm Meister* (1821).

WILHELMINE, reine des Pays-Bas de 1890 à 1948, fille de Guillaume III (1880-1962). Elle épousa en 1901 le prince Henri de Mecklembourg-Schwerin. Elle dut se réfugier à Londres de 1940 à 1945. En 1948, elle abdiqua en faveur de sa fille Juliana.

WILHELMSHAVEN, port d'Allemagne (Basse-Saxe), sur la mer du Nord; 97 000 hab. Chantiers navals. Station balnéaire.

WILLIAMS (Thomas LANIER, dit **Tennessee**), auteur dramatique américain (1911-1983). Poète, romancier (*le Printemps romain de Mrs. Stone*, 1950), il est l'auteur de pièces en un acte (*Soudain l'été dernier*, 1958) et d'œuvres dramatiques pessimistes, d'un cynisme souvent cruel (*Un tramway nommé Désir*, 1947; *la Rose tatouée*, 1950; *la Chatte sur un toit brûlant*, 1955).

WILSON (Thomas Woodrow), homme d'État américain (1856-1924). Candidat démocrate à la présidence des États-Unis, il fut élu en 1912 et réélu en 1916. En avril 1917, il fit entrer les États-Unis en guerre aux côtés des Alliés. Voulant aboutir à une paix juste et durable, il annonça au Congrès ses « quatorze points », qui constituaient le résumé de ses principes et de ses objectifs en politique internationale. Il imposa ses vues à la Conférence de la paix de 1919. La fondation de la S. D. N., qui était issue de sa politique, inquiéta les isolationnistes américains, et le Sénat américain refusa de ratifier le traité de Versailles*. (Prix Nobel de la paix, 1919.)

WILSON (Henry Maitland, *baron*), maréchal britannique (1881-1964). Commandant des forces britanniques en Grèce (1941), il remplaça Eisenhower à la tête des opérations militaires en Méditerranée (1944).

WILSON (*sir* Harold), homme politique anglais, né en 1916. Dirigeant du Labour Party de 1963 à 1976, il a été Premier ministre de 1964 à 1970 et de 1974 à 1976.

WILTSHIRE, comté de l'Angleterre méridionale; 501 200 hab. Ch.-l. *Trowbridge.*

WIMBLEDON, agglomération de la banlieue sud-ouest de Londres. Siège d'un championnat international de tennis.

WIMEREUX, comm. du Pas-de-Calais, à 6 km au N. de Boulogne-sur-Mer; 7 000 hab. Station balnéaire.

WINCHESTER [wintʃɛstər] n. m. (mot angl.). Fusil américain à répétition, employé au cours de la guerre de Sécession et de celle de 1870.

WINDSOR ou **NEW WINDSOR,** v. d'Angleterre (Berkshire), sur la Tamise; 27 100 hab. Vaste château royal, construit et remanié du XIIe au XIXe s. — La maison royale d'Angleterre (Hanovre-Saxe-Cobourg-Gotha) a pris en 1917 le nom de *maison de Windsor.*

WINDSOR, v. du Canada (Ontario), sur la rivière Detroit; 203 300 hab. Port actif et centre de l'industrie automobile.

WINDSOR (*duc* DE) → ÉDOUARD VIII.

WINDSURF [windsœrf] n. m. (nom déposé). Type de planche à voile.

WINGLES, ch.-l. de cant. du Pas-de-Calais, à 11 km au N.-E. de Lens; 8 500 hab. Houille. Industries chimiques.

WINNIPEG, v. du Canada, capit. du Manitoba; 540 300 hab. Important centre commercial (blé). Industries alimentaires. Métallurgie. Raffinerie de pétrole.

WINNIPEG (*lac*), lac du Canada (Manitoba), s'écoulant vers la baie d'Hudson par le Nelson; 24 600 km^2.

WINSTON-SALEM, v. des États-Unis (Caroline du Nord); 134 000 hab. Manufactures de tabac.

WINTERHALTER (Franz Xaver), peintre allemand (1805-1873). Venu à Paris en 1834, il devient le peintre attitré de Napoléon III (*l'Impératrice entourée des dames du palais, Mme Rimski-Korsakov*).

WINTERTHUR, v. de Suisse (Zurich), sur un affluent du Rhin; 92 700 hab. Musées. Matériel ferroviaire. Machines-outils.

WINTZENHEIM, ch.-l. de cant. du Haut-Rhin, à 6 km à l'O. de Colmar; 6 750 hab. Tissage de la soie et du coton.

WISCONSIN, État du centre-nord des États-Unis, bordé au N. par le lac Supérieur et à l'E. par le lac Michigan; 145 439 km^2; 4 520 000 hab. Capit. *Madison.*

WISIGOTHS ou **VISIGOTHS,** nom d'une branche des Goths (« Goths sages ») apparue au IVe s. dans la région danubienne et convertie à l'arianisme.

- *396. Alaric Ier, roi des Wisigoths, pille la Grèce.*
- *410. Les Wisigoths prennent Rome.*

Ils opèrent ensuite pour le compte de l'Empire contre les Vandales et les autres Barbares installés en Aquitaine et en Espagne. Installés dans le sud-ouest de la Gaule (v. 418), ils conquièrent la majeure partie de l'Espagne (476). Si le roi Léovigild persécute les catholiques (567 ou 568-586), son fils Reccared Ier (586-601) abjure l'arianisme, ce qui entraîne la conversion au catholicisme de toute l'Espagne et le ralliement du clergé à la monarchie, l'épiscopat s'assurant dès lors une très forte influence.

- *711. Trouvant une monarchie romanisée qui a perdu le goût des armes, les Arabes triomphent facilement du royaume wisigothique d'Espagne.*

WISSEMBOURG, ch.-l. d'arrond. du Bas-Rhin, sur la Lauter, à 59 km au N. de Strasbourg; 7 300 hab. *(Wissembourgeois).*

WITT (Cornelis DE), homme d'État hollandais (1623-1672). Bourgmestre de Dordrecht (1666) et député aux états (1667), il s'illustre contre les Anglais. Accusé d'avoir voulu faire assassiner Guillaume d'Orange, il est tué par les orangistes. — Son frère JOHAN (JEAN) [1625-1672] devient conseiller-pensionnaire de Hollande en 1653. Il conclut la paix avec Cromwell et fait voter l'acte d'Exclusion contre la maison d'Orange afin d'éviter les effets de l'ambition de Guillaume d'Orange. Il favorise les libertés urbaines et, après la paix de Breda (1667) signée avec l'Angleterre, constitue la Triple-Alliance de La Haye (Angleterre, Provinces-Unies, Suède, 1668) contre la France. En 1672, les Provinces-Unies sont envahies et Jean de Witt est tué avec son frère par les orangistes.

WITTE ou **VITTE** (Sergheï Ioulievitch, *comte*), homme d'État russe (1849-1915), ministre des Finances (1892) et président du Conseil (1905-1906).

WITTELSHEIM, comm. du Haut-Rhin, à 12 km env. au N.-O. de Mulhouse; 10 200 hab. Potasse.

WITTENBERG, v. d'Allemagne (Saxe-Anhalt), sur l'Elbe; 54 000 hab. Métallurgie. C'est sur les portes de l'église du château que Luther* afficha, le 31 octobre 1517, ses propositions contre les indulgences.

WITTENHEIM, ch.-l. de cant. du Haut-Rhin, à 7,5 km au N. de Mulhouse; 13 400 hab. Potasse.

WITTGENSTEIN (Ludwig), philosophe autrichien (1889-1951). Son *Tractatus logico-philosophicus* (1921) eut une grande influence sur le cercle de Vienne* dont il fut un des animateurs.

WITWATERSRAND (en abrégé **Rand**), bombement rocheux de l'Afrique du Sud, au Transvaal, séparant les bassins du Vaal et de l'Orange. Il recèle le plus important gisement d'or du monde (exploité depuis la fin du XIXe s.), à l'origine de la concentration de près de 2 millions de personnes à Johannesburg et dans les villes voisines (Springs, Germiston, Benoni, etc.).

WITZ (Konrad), peintre souabe (v. 1400-v. 1445). Fixé à Bâle, où il a peint ses grandes œuvres, il s'est inspiré de la sculpture bourguignonne et de la peinture flamande, accusant le relief des volumes et usant de couleurs franches. Ses scènes religieuses *(la Pêche miraculeuse, Sainte Madeleine et sainte Catherine)* sont souvent une transposition de la réalité quotidienne.

WOËVRE (la), région de la Lorraine, au pied des Côtes de Meuse.

WOIPPY, ch.-l. de cant. de la Moselle, à 5 km au N.-O. de Metz; 13 800 hab. Gare de triage.

WOLFRAM [vɔlfram] n. m. (mot all.). **1.** Oxyde naturel de fer, de manganèse et de tungstène, dont il est un minerai. **— 2.** Syn. de TUNGSTÈNE.

WOLGEMUT (Michael), peintre et graveur allemand (1434-1519). Il fut le maître d'Albrecht Dürer.

WOLLASTON (William Hyde), physicien et chimiste anglais (1766-1828). Il découvrit le palladium et le rhodium, perfectionna la pile de Volta et signala la présence de l'ultraviolet et de raies noires dans le spectre solaire.

WOLLONGONG, anciennt **Greater Wollongong,** v. d'Australie (Nouvelle-Galles du Sud); 197 000 hab. Sidérurgie.

WOLSEY (Thomas), prélat et homme politique anglais (v. 1473-1530). Chapelain d'Henri VII, puis d'Henri VIII (1509), membre du Conseil privé (1511), il devint archevêque d'York (1514), cardinal et lord-chancelier (1515). L'échec de son intervention auprès du pape en faveur du divorce d'Henri VIII provoqua sa disgrâce.

WOLVERHAMPTON, v. d'Angleterre (Staffordshire); 268 800 hab. Constructions mécaniques. Pneumatiques.

WOOD (Robert Williams), physicien américain (1868-1955). Il a étudié les radiations ultraviolettes auxquelles on a donné son nom *(lumière de Wood).*

WOOLF (Virginia), romancière anglaise (1882-1941). Dans ses romans, où l'action et l'intrigue ne jouent presque aucun rôle, elle s'efforce de rendre sensible la vie mouvante de la conscience (*Mrs. Dalloway*, 1925; *les Vagues*, 1931).

WORCESTER, v. des États-Unis (Massachusetts); 186 600 hab. Métallurgie. Textiles.

WORDSWORTH (William), poète anglais (1770-1850). Il est

l'auteur, avec son ami Coleridge, des *Ballades lyriques* (1798), véritable manifeste du romantisme. Disciple de Rousseau, il a chanté, dans ses poèmes, son amour de la nature, en employant les termes concrets et pittoresques de la langue de tous les jours (*l'Excursion,* 1814; *Peter Bell,* 1819).

WORMS, v. d'Allemagne (Rhénanie-Palatinat), sur le Rhin; 75 000 hab. Cathédrale romane et gothique. Textiles.
- *1122. Un concordat y est signé entre le pape Calixte II et l'empereur Henri V, mettant fin à la querelle des Investitures.*
- *1521. Une diète y condamne Luther.*

WOU-HAN, conurbation de la Chine centrale formée par la réunion des trois villes de *Han-k'eou, Han-yang* et *Wou-tch'ang,* et constituant la capit. de la province du Hou-pei; 3 500 000 hab. Sidérurgie.

WOU-HOU, v. de Chine (Ngan-houei); 242 000 hab.

WOU-SI, v. de Chine (Kiang-sou); 650 000 hab. Textiles.

Wozzeck, opéra d'Alban Berg (1925).

WRANGEL *(île)* → VRANGEL'.

WRANGEL ou **VRANGEL'** (Piotr Nikolaïevitch, *baron* DE), général russe (1878-1928). Chef de l'armée blanche en 1920, il lutta contre les bolcheviks en Ukraine et en Crimée.

WRIGHT (les frères), aviateurs et constructeurs américains d'aéroplanes. WILBUR (1867-1912) et ORVILLE (1871-1948) se livrèrent à des essais de vol plané dès 1902. En 1903, Orville exécuta à bord d'un avion doté d'un moteur de 16 ch et de deux hélices le deuxième vol mécanique après celui d'Ader. En 1908, Wilbur fit en France une démonstration qui détermina une ardente émulation parmi les pionniers de l'aviation.

WRIGHT (Frank Lloyd), architecte américain (1869-1959), un des principaux représentants de l'architecture de l'acier et du verre.

WRIGHT (Richard), écrivain américain (1908-1960). De race noire, il traite dans ses romans des problèmes sociaux et psychologiques des hommes de couleur (*les Enfants de l'oncle Tom,* 1938; *Jeunesse noire* [*Black Boy*], 1945).

WROCŁAW, en all. **Breslau,** v. de Pologne, en basse Silésie, sur l'Odra; 631 300 hab. Industries métallurgiques et chimiques.

WUPPERTAL, v. d'Allemagne (Rhénanie-du-Nord-Westphalie), dans la Ruhr, sur la *Wupper,* formée en 1930 par la réunion de *Barmen* et d'*Elberfeld;* 379 000 hab. Industries métallurgiques, textiles et chimiques.

WÜRM, nom donné à la dernière glaciation quaternaire qui a pris fin il y a environ 10 000 ans.

WURTEMBERG, en all. **Württemberg,** anc. État du sud-ouest de l'Allemagne, aujourd'hui réuni au pays de Bade. (→ BADE-WURTEMBERG.)

WYCLIF ou **WYCLIFFE** (John), théologien anglais (v. 1320-1384). Critiquant hardiment les abus ecclésiastiques, la plupart des obligations catholiques et surtout l'autorité du pape, il prêcha sa doctrine, envoya des groupes de « pauvres prêtres » enseigner à travers le pays, et publia une Bible en anglais. Ses partisans furent appelés les *lollards,* ou *chanteurs de psaumes.* Beaucoup d'entre eux, jugés comme hérétiques, moururent sur le bûcher. Après sa mort, la doctrine de Wyclif fut condamnée formellement par le concile de Constance.

WYLER (William), cinéaste américain d'origine suisse (1902-1981). Il réalisa notamment *Rue sans issue* (1937), *l'Insoumise* (1938), *les Hauts de Hurlevent* (1939), *le Cavalier du désert* (1940), *les Plus Belles Années de notre vie* (1946), *l'Héritière* (1949), *Ben-Hur* (1959), *l'Obsédé* (1964), *Funny Girl* (1968).

WYOMING, État de l'ouest des États-Unis; 253 597 km²; 345 000 hab. Capit. *Cheyenne.*

X n. m. **1.** Vingt-quatrième lettre de l'alphabet et la dix-neuvième des consonnes. → introduction de l'ouvrage. — **2.** X, chiffre romain, vaut dix. — **3.** En algèbre, *x* représente usuellement l'inconnue. — **4.** *X* ou *Monsieur X,* désigne une personne que l'on ne veut ou que l'on ne peut nommer (syn. UNTEL) : *X m'a dit de le rejoindre après le travail.* — **5.** X, l'un des deux chromosomes sexuels, l'autre étant Y. — **6.** *Rayons X,* radiations électromagnétiques de faible longueur d'onde, et traversant plus ou moins facilement les corps matériels.

XAINTRAILLES ou **SAINTRAILLES** (Jean POTON DE), maréchal de France (v. 1400-1461). Compagnon de Jeanne d'Arc, il continua après elle la lutte contre les Anglais mais échoua devant Rouen (1437). Il conquit par la suite la Guyenne.

XANTHOPHYLLE [gzɑ̃tɔfil] n. f. (du gr. *xanthos,* jaune, et *phullon,* feuille). Pigment jaune des cellules végétales, accompagnant la chlorophylle et habituellement masqué par elle.

XENAKIS (Iannis), compositeur français, d'origine grecque, né en 1922. Élève de Messiaen, doué d'une forte personnalité, il s'adonne à la recherche de sonorités nouvelles dans le domaine de la musique concrète et électronique *(Diamorphoses).*

XÉNON [kzenɔ̃] n. m. (gr. *xenon,* chose étrange). Un des gaz rares de l'atmosphère (symb. : Xe).

XÉNOPHOBE [gzenɔfɔb] adj. et n. (du gr. *xenos,* étranger, et *phobos,* effroi). Qui manifeste de l'hostilité à l'égard des étrangers. ◆ **xénophobie** n. f.

XÉNOPHON, écrivain et philosophe grec (v. 430-v. 355 av. J.-C.). Enrichi par ses nombreux périples à travers l'Asie Mineure, il se retire en Elide où il écrit de nombreux ouvrages de philosophie politique *(les Mémorables, l'Économique, Hiéron ou De la tyrannie),* des mémoires militaires *(l'Anabase)* et des récits historiques *(les Helléniques).*

XÉRÈS [gzerɛs] ou **JEREZ** n. m. (de *Jerez,* en Espagne). Vin blanc sec, riche en alcool.

XÉROGRAPHIE [kserɔgrafi] n. f. (nom déposé; du gr. *xêros,* sec, et *graphein,* écrire). Procédé d'impression sans contact : *La Xérographie est fondée d'une part sur la propriété de certaines matières, telles que le sélénium, de devenir conductrices sous l'action de la lumière, d'autre part sur l'attraction entre deux corps chargés d'électricité statique de signes différents.*

XÉROPHILE [kserɔfil] adj. (du gr. *xêros,* sec, et *philos,* qui aime). Se dit d'une plante adaptée aux climats secs, désertiques.

XÉRUS [kserys] n. m. (gr. *xêros,* sec). Rongeur d'Afrique voisin de l'écureuil, et appelé usuellement RAT PALMISTE.

XERXÈS Ier (v. 519-465 av. J.-C.), roi de Perse de 486 à 465 av. J.-C., fils de Darios Ier. Après avoir soumis l'Égypte révoltée, il reprit contre les Grecs les projets de son père, envahit l'Attique, battit Léonidas aux Thermopyles et ruina Athènes; mais il fut vaincu à Salamine et dut regagner l'Asie. Il fut assassiné par un de ses courtisans.

XI [ksi] n. m. Quatorzième lettre de l'alphabet grec* (ξ).

XINGU (le), riv. du Brésil, affl. de l'Amazone (r. dr.); 1 980 km.

XYLOCOPE [ksilɔkɔp] n. m. (du gr. *xulon,* bois, et *koptein,* couper). Grosse abeille solitaire, à corps noir et ailes bleutées, appelée aussi ABEILLE CHARPENTIÈRE, parce qu'elle creuse son nid dans le bois. (Famille des apidés.)

XYLOGRAPHIE [ksilɔgrafi] n. f. (du gr. *xulon,* bois, et *graphein,* écrire). Impression à l'aide de caractères en bois ou de planchettes en bois portant l'empreinte de mots ou de figures.

XYLOPHAGE [ksilɔfaʒ] adj. et n. (du gr. *xulon,* bois, et *phagein,* manger). Se dit des animaux qui se nourrissent de bois et y creusent des galeries.

XYLOPHONE [ksilɔfɔn] n. m. (du gr. *xulon,* bois, et *phônê,* voix). Instrument à percussion composé de lames de bois ou de métal d'inégale longueur, sur lesquelles on frappe avec deux baguettes.

1. Y [igrɛk] n. m. **1.** Vingt-cinquième lettre de l'alphabet et la sixième des voyelles. → introduction de l'ouvrage. — **2.** En algèbre, *y* désigne usuellement l'image de la variable *x* par une fonction, ou une seconde inconnue. — **3.** Y, l'un des deux chromosomes sexuels, l'autre étant X.

2. Y [i] adv. de lieu et pron. pers. → EN.

YACHT [jot] n. m. (mot néerl.). Navire de plaisance, à voiles ou à moteur. → ENCYCL. ◆ **yachting** [jotiŋ] n. m. Sport de la navigation à voile. → ENCYCL. et illustration pages suivantes.
— ENCYCL. Les *yachts* ont des dimensions variables, depuis le petit dériveur de 4 m de long jusqu'aux grands yachts à moteur de 80 m de long. On divise les yachts en deux grandes catégories, les yachts de croisière et les yachts de course. Les yachts de croisière sont des voiliers à un ou deux mâts, à moteur auxiliaire. Ils se mesurent entre eux dans des compétitions spéciales, ou courses-croisières, organisées sur toutes les mers du globe. Les yachts à voile sont de petits voiliers de série, à un mât, qui se mesurent entre eux dans des compétitions, ou régates.

YACK ou **YAK** [jak] n. m. (mot tibétain). Ruminant à long pelage, vivant en altitude au Tibet et utilisé comme animal de bât.

YAHVÉ, nom propre de Dieu dans la Bible.

YAKOUTES → IAKOUTES.

YA-LOU (le), ou **YALU,** fl. tributaire de la mer du Japon, qui sépare la Chine de la Corée du Nord; 790 km.

YALTA, v. de l'U. R. S. S. (Ukraine), en Crimée, sur la mer Noire; 52 000 hab. Station balnéaire.

- ***4-11 fév. 1945. Une conférence réunit Churchill, Roosevelt et Staline, dans le but de coordonner les efforts contre l'Allemagne et de prendre des décisions destinées au règlement de la paix.***

YAMAMOTO (Isoroku), amiral japonais (1884-1943). Commandant en chef de la flotte de combat en 1939, il dirigea en 1941 l'attaque contre Pearl Harbor.

YAMOUSSOUKRO, capit. de la Côte-d'Ivoire depuis 1983, au centre du pays; 35 000 hab. Basilique Notre-Dame-de-la-Paix (réplique de Saint-Pierre de Rome).

YAMUNĀ → JAMNA.

YANG-TSEU-KIANG (le), **YANG-TSEU** ou **FLEUVE BLEU,** le plus long fleuve de Chine; 5 500 km.
Né au Tibet, le Yang-tseu-kiang s'écoule d'abord vers le S.-E. Il traverse en gorges le Yun-nan et les Alpes de Sseu-tch'ouan avant de s'élargir dans le Bassin rouge. Son cours se resserre ensuite, et est accidenté de rapides. À partir de Yi-tch'ang, sa vallée s'élargit définitivement et le fleuve forme une grande voie navigable, accessible aux navires de mer, jusqu'à son estuaire dans la mer de Chine orientale. L'importance économique du Yang-tseu-kiang est très grande : il draine une région où vivent plus de 200 millions d'hab. et arrose Wou-han et Nankin. Le débit de ses eaux est considérable (30 000 m^3/s à Nankin), mais les crues sont modérées par des lacs régulateurs et un réseau de digues très dense.

YANKEE [jɑ̃ki] n. m. (mot anglo-amér.). Nom donné par les Anglais aux colons révoltés de la Nouvelle-Angleterre, puis par les sudistes aux nordistes et, depuis, appliqué aux habitants anglo-saxons des États-Unis.

YAO, v. du Japon (Honshū); 273 000 hab.

YAOUNDÉ, capit. du Cameroun; 440 000 hab.

YAOURT [jaurt] ou **YOGOURT** [jogurt] n. m. (bulgare *jaurt,* lait caillé). Lait caillé par le ferment lactique.

YARD [jard] n. m. (mot angl.). Unité de mesure de longueur anglo-saxonne, valant 0,914 m.

YATAGAN [jatagɑ̃] n. m. (turc *yatağan*). Sabre incurvé en deux sens opposés, qui était en usage chez les Turcs et les Arabes.

YEATS (William Butler), écrivain irlandais (1865-1939), auteur d'essais, de poèmes et de drames *(Deirdre)* où il affirme sa croyance à l'existence du monde surnaturel des légendes et des puissances occultes. (Prix Nobel, 1923.)

YELLOWSTONE (le), riv. des États-Unis, affl. du Missouri (r. dr.), qui traverse le ***parc national de Yellowstone*** (Wyoming), aux nombreux geysers; 1 600 km.

YÉMEN, État du sud de l'Arabie sur la mer Rouge et le golfe d'Aden; 485 000 km^2; 9,4 millions d'hab. (19 au km^2). Capit. *Sana.*

GÉOGRAPHIE

Occupant la partie la plus méridionale de la péninsule d'Arabie et presque aussi vaste que la France, le Yémen est en grande partie désertique. La population, arabe, islamisée se concentre dans l'Ouest montagneux, au-dessus de la mer Rouge, ainsi qu'en quelques points du littoral, notamment vers Aden, le principal port. À côté de cultures limitées en extension et d'un élevage diffus, encore parfois nomade, s'est développée récemment l'extraction du pétrole.

HISTOIRE

Peuplé dès le IIIe millénaire, le Yémen est divisé en royaumes, dont celui de Saba entre le VIIe et le IIIe s. av. J.-C.

- *IIIe s. apr. J.-C. Pénétré par le judaïsme puis le christianisme, ce royaume est à son apogée.*

Mais conquis en 525, il devient une vice-royauté éthiopienne et, v. 570, une satrapie perse.

- *VIIe s. L'islām s'y répand, sous la forme du chī'isme.*

Les principautés musulmanes retrouvent leur autonomie à l'égard des califes au IXe s., et prospèrent grâce au commerce avec l'Asie.

- *1570-1635. Le Yémen est intégré à l'Empire ottoman qui, après 1635, n'a plus d'autorité réelle.*

Le déclin du pays permet aux Anglais de s'emparer d'Aden (1839) et à l'Arabie Saoudite d'annexer une principauté du Nord (1926). Le Yémen, sous le régime patriarcal et autoritaire des Zaïdites, stagne.

- *1963. Aden et la plupart des sultanats du protectorat britannique forment la fédération d'Arabie du Sud.*
- *1967. Celle-ci accède à l'indépendance.*

■ LES DEUX RÉPUBLIQUES.

— La république arabe du Yémen ou Yémen du Nord.

- *1962. Un coup d'État instaure un régime républicain.*

Appuyé par l'Égypte, celui-ci lutte jusqu'en 1969 contre les royalistes soutenus par l'Arabie et l'Angleterre. Un accord instable entre les combattants favorise l'arrivée au pouvoir, en 1972, des éléments les plus conservateurs. Cette évolution politique accroît la tension avec la république démocratique du Yémen.

- *1974. Une junte militaire s'empare du pouvoir.*
- *1977-1978. Période de grande instabilité politique. Assassinat du chef de l'État.*
- *1978. Le lieutenant-colonel Ali Abdallah al-Salih est élu président.*
- *1979. Un processus d'unification est relancé.*

— La république démocratique et populaire du Yémen ou Yémen du Sud.

- *1970. Ali Rubayyi instaure une république démocratique et populaire d'inspiration marxiste-léniniste.*
- *1978. Assassinat d'Ali Rubayyi.*
- *1980. Ali Nasser Mohammed devient chef de l'État.*
- *1986. Abu Bakr al-Attas le renverse et prend le pouvoir.*

■ L'UNIFICATION

À la suite des accords signés en 1988 et 1989 entre les deux Yémens, l'unification est proclamée en 1990. La nouvelle république est présidée par Ali Abdallah al-Salih.

YEN [jɛn] n. m. inv. (mot japon.). Unité monétaire principale du Japon, divisée en 100 sen.

YEOMAN [joman] n. m. (mot angl.). *Hist.* Petit propriétaire rural de l'Angleterre médiévale. (Les yeomen constituèrent, à partir du XIIIe s., la partie la plus nombreuse de la paysannerie, et bientôt un élément essentiel de la société anglaise. Les importan-

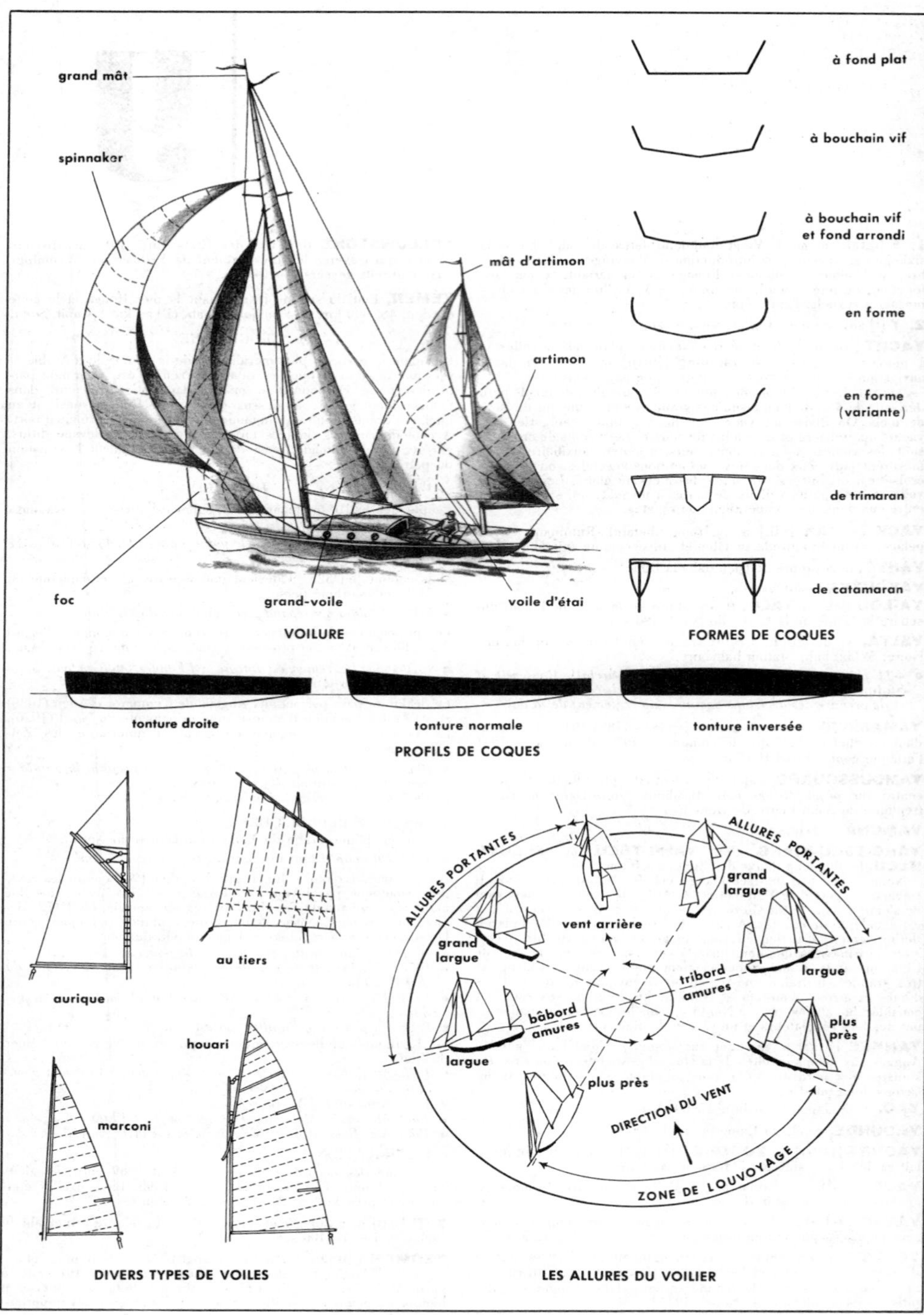
grand mât
spinnaker
mât d'artimon
artimon
foc
grand-voile
voile d'étai
VOILURE
à fond plat
à bouchain vif
à bouchain vif
et fond arrondi
en forme
en forme
(variante)
de trimaran
de catamaran
FORMES DE COQUES
tonture droite
tonture normale
tonture inversée
PROFILS DE COQUES
aurique
au tiers
houari
marconi
DIVERS TYPES DE VOILES
ALLURES PORTANTES
ALLURES PORTANTES
grand
largue
vent arrière
grand
largue
largue
tribord
amures
bâbord
amures
largue
plus
près
plus près
DIRECTION DU VENT
ZONE DE LOUVOYAGE
LES ALLURES DU VOILIER

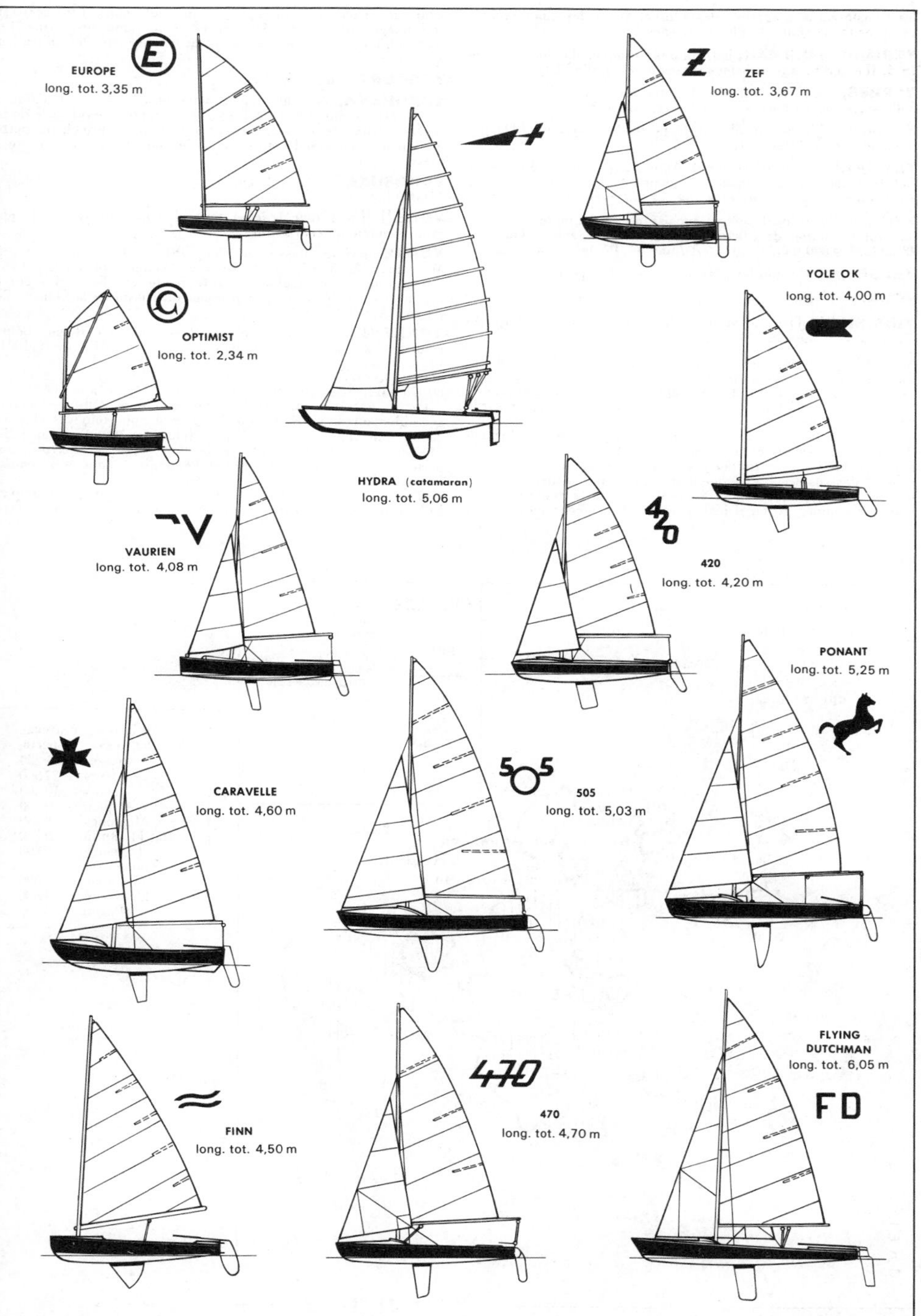
EUROPE
long. tot. 3,35 m
ZEF
long. tot. 3,67 m
OPTIMIST
long. tot. 2,34 m
YOLE OK
long. tot. 4,00 m
HYDRA (catamaran)
long. tot. 5,06 m
VAURIEN
long. tot. 4,08 m
420
long. tot. 4,20 m
PONANT
long. tot. 5,25 m
CARAVELLE
long. tot. 4,60 m
505
long. tot. 5,03 m
FLYING
DUTCHMAN
long. tot. 6,05 m
FD
470
long. tot. 4,70 m
FINN
long. tot. 4,50 m

tes transformations agraires des XVIIIe et XIXe s. les éliminèrent à peu près totalement.) ‖ Pl. des *yeomen.*

YERMAK ou **IERMAK,** hetman des Cosaques du Don, mort en 1585. Il étendit les possessions russes de l'Oural à l'Irtych.

YERRES, ch.-l. de cant. de l'Essonne, à 4 km à l'E.-S.-E. de Villeneuve-Saint-Georges, sur l'*Yerres;* 25 800 hab.

Yersin *(bacille de),* bacille de la peste découvert en 1894 par Alexandre *Yersin* (1863-1943).

YETI [jeti] n. m. (orig. obscure). Animal hypothétique du versant sud de l'Himalaya, surnommé l'« abominable homme des neiges », à cause de grandes empreintes bipèdes observées dans la neige.

YEU *(île d'),* île de la côte française de l'Atlantique (Vendée), formant le canton de l'Île-d'Yeu (arrond. des Sables-d'Olonne); 23,32 km²; 4 800 hab. V. pr. *Port-Joinville.* Pêche.

YEUSE [jøz] n. f. (du lat. *ilex*). Syn. de CHÊNE VERT.

YEUX, pl. de ŒIL*.

YIDDISH [jidiʃ] n. m. (de l'all. *Jude*). Langue mixte composée d'hébreu et d'allemand.

YOGA [jɔga] n. m. (mot sanskrit signif. *union*). Méthode d'obtention de la maîtrise de soi par une sévère discipline du corps et de l'esprit, originaire de l'Inde. ◆ **yogi** n. m. Celui qui pratique le yoga, et plus spécialem., ascète indien, parvenu à la sagesse par la pratique du yoga.
— ENCYCL. La pratique du *yoga* commence par l'étude des *Veda* et des autres livres sacrés de l'hindouisme. Puis, par une série de pratiques physiques *(hatha-yoga)* très étudiées (contrôle du souffle, des postures), l'homme doit acquérir une maîtrise absolue de son corps, permettant la concentration de la pensée sur un point déterminé. De là, il peut parvenir à la méditation (tension totale et absolue de son esprit sur un seul point). Tout ceci est accompagné d'un effort d'ascèse et de pratique des vertus. Le stade ultime se caractérise par l'état d'extase, totale unification avec Dieu.

YOGOURT n. m. → YAOURT.

YOKOHAMA, v. du Japon (Honshū), sur le Pacifique; 2 774 000 hab. Sur la baie de Tōkyō, à l'extrémité méridionale de la région urbaine de Tōkyō, Yokohama est l'un des principaux ports du Japon et un grand centre industriel (métallurgie, chimie, textiles).

YOKOSUKA, port du Japon (Honshū), sur la baie de Tōkyō; 421 000 hab.

YOLE [jɔl] n. f. (danois *jolle*). Sorte de canoë allongé où chaque rameur manie un seul aviron.

YONNE, riv. du Bassin parisien, affl. de la Seine (r. g.), à Montereau; 295 km. Issue du Morvan, l'Yonne coule en amont sur des terrains imperméables à forte pente et elle a des crues brutales; c'est l'élément perturbateur du bassin de la Seine. Elle passe à Auxerre et Sens.

YONNE (89), dép. du sud-est du Bassin parisien (Région Bourgogne); 7 427 km²; 311 000 hab. (42 au km²) [France : 103]. Ch.-l. *Auxerre.*
ADMINISTRATION. 3 arrond. (*Auxerre.* 172 500 hab.; *Avallon,* 50 500 hab.; *Sens.* 88 000 hab.). / 40 cant. / 450 comm.
Le département est formé de plateaux dont l'altitude décroît généralement du S.-E. vers le N.-O. : presque toujours plus de 200 m dans la moitié méridionale (plus de 300 m au pied du *Morvan*), dans la *Terre Plaine,* la *Puisaye,* le *Tonnerrois,* aux portes de l'*Auxerrois,* entre 100 et 200 m au N. dans le *Sénonais.* Les précipitations sont assez réduites.
L'agriculture emploie près de 15 p. 100 de la population active. Les cultures se maintiennent sur les collines du Nord et du Centre

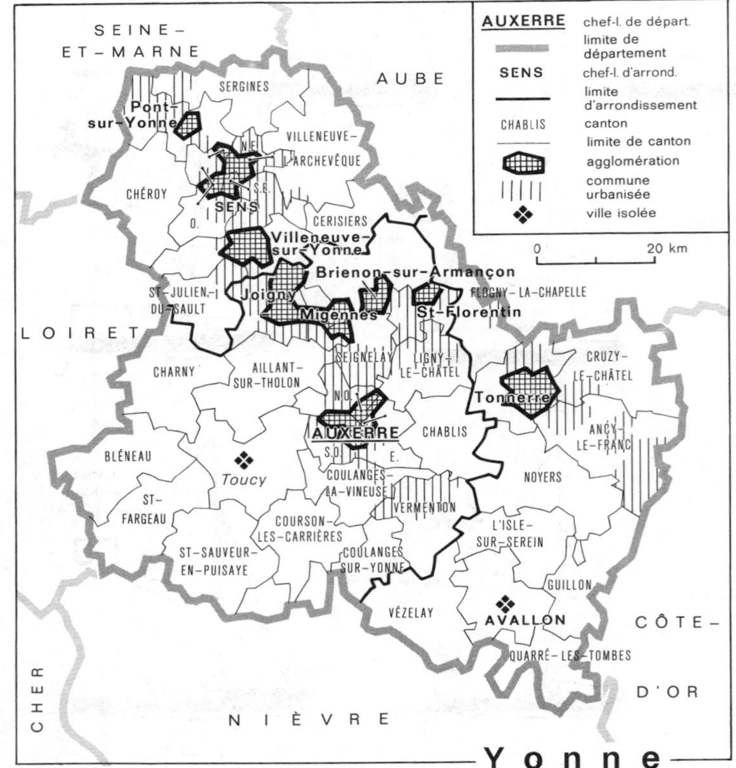

LOCALITÉS PRINCIPALES	NOMBRE D'HAB.
Auxerre	41 200
Sens	27 500
Joigny	10 500
Avallon	9 200
Migennes	8 150
Saint-Florentin	6 750
Tonnerre	6 200
Villeneuve-sur-Yonne	5 000
Monéteau	4 800
Pavon	3 900

(céréales, vigne parfois. L'élevage bovin domine dans le Sud-Est.

L'*industrie*, qui occupe un peu plus du tiers de cette population active, est fondée sur les constructions mécaniques, le travail du bois, l'alimentation. Sa faiblesse relative est à rapprocher de l'absence de véritable grande ville.

La population du département a connu récemment une progression assez notable, due essentiellement à l'essor des deux villes principales, Auxerre et Sens. Mais, dans le même temps, l'exode rural s'est poursuivi.

YORK, v. d'Angleterre, ch.-l. du *Yorkshire*, sur l'Ouse; 104 500 hab. Cathédrale de style flamboyant. Constructions mécaniques.

YORK, branche de la maison royale d'Angleterre (Plantagenêts), dont le premier titulaire fut Edmond de Langley, duc d'York, cinquième fils d'Édouard III. Elle disputa le trône aux Lancastre (guerre des Deux-Roses), fournit 3 rois à l'Angleterre (Édouard IV, Édouard V, Richard III) et fut supplantée par les Tudors. Le père d'Édouard IV, Richard, duc d'York (1411-1460), joua un rôle politique important sous le règne d'Henri VI. Depuis le XVIe s., le titre de *duc d'York* est donné aux seconds fils des rois d'Angleterre.

YORKSHIRE, comté du nord-ouest de l'Angleterre, comprenant trois subdivisions : le *Nord* (ch.-l. *Northallerton*), l'*Ouest* (ch.-l. *Wakefield*) et le *Sud* (ch.-l. *Barnsley*); 4 046 200 hab.

Grâce à son riche bassin houiller, le Yorshire est une des grandes régions industrielles de la Grande-Bretagne (textiles, métallurgie). Mais l'industrie, groupée surtout autour de Leeds et Sheffield, subit actuellement une crise en raison du déclin du charbon supplanté par de nouvelles sources d'énergie.

YOUGOSLAVIE, État de l'Europe centrale et méridionale, sur l'Adriatique.

SUPERFICIE 255 800 km² (France : 550 000 km²).

POPULATION 23 700 000 hab. *(Yougoslaves);* 93 hab. au km² (France : 103); taux de natalité, 14,4 p. 1 000; taux de mortalité, 8,4 p. 1 000.

CAPITALE Belgrade (1 445 000 hab.).

VILLES PRINCIPALES Zagreb (766 100 hab.); Sarajevo (244 000 hab.); Skopje (312 100 hab.).

DIVISIONS ADMINISTRATIVES La Yougoslavie était constituée (jusqu'en 1992) de 6 républiques : Bosnie-Herzégovine, Croatie, Macédoine, Monténégro, Serbie (avec les régions autonomes de la Vojvodine et du Kosovo), Slovénie.

LANGUES OFFICIELLES serbe, croate, macédonien, slovène.

ÉCONOMIE consommation d'énergie par hab., 2 300 kg d'équivalent charbon.

MONNAIE dinar.

GÉOGRAPHIE

Des massifs montagneux difficilement franchissables occupent une grande partie du pays : Alpes slovènes au N.-O., Alpes dinariques (comprenant le Karst qui a donné son nom au relief karstique*) au centre, prolongement des massifs du Rhodope et du Pinde, échancrés par le fossé du Vardar, au S.-E. Cet ensemble montagneux sépare le littoral, orné de nombreuses îles, de la vaste plaine de la Save et du Danube qui se rattache à l'Europe centrale. Un climat continental affecte l'ensemble du pays, à l'exception de la région côtière, méditerranéenne.

	TEMPÉRATURES MOYENNES janv.	juil.	PLUIES
Belgrade	0 °C	22 °C	637 mm
Rijeka	7 °C	22 °C	1 593 mm

La population est composée de diverses nationalités, regroupées en républiques fédérées. Depuis 1946, l'économie est organisée sur des bases socialistes. À la campagne, cependant, la réforme agraire n'a pas été totale : de nombreux paysans possèdent en leur terre, et seuls les grands domaines ont été orga coopératives. L'essentiel de la production vient de la Danube. L'*agriculture* fournit céréales, betterave fourragères pour l'élevage bovin, ainsi qu'un fruits. Dans les montagnes, l'élevage ovin d

blé	6 millions de t	vir
maïs	11 millions de t	ovir

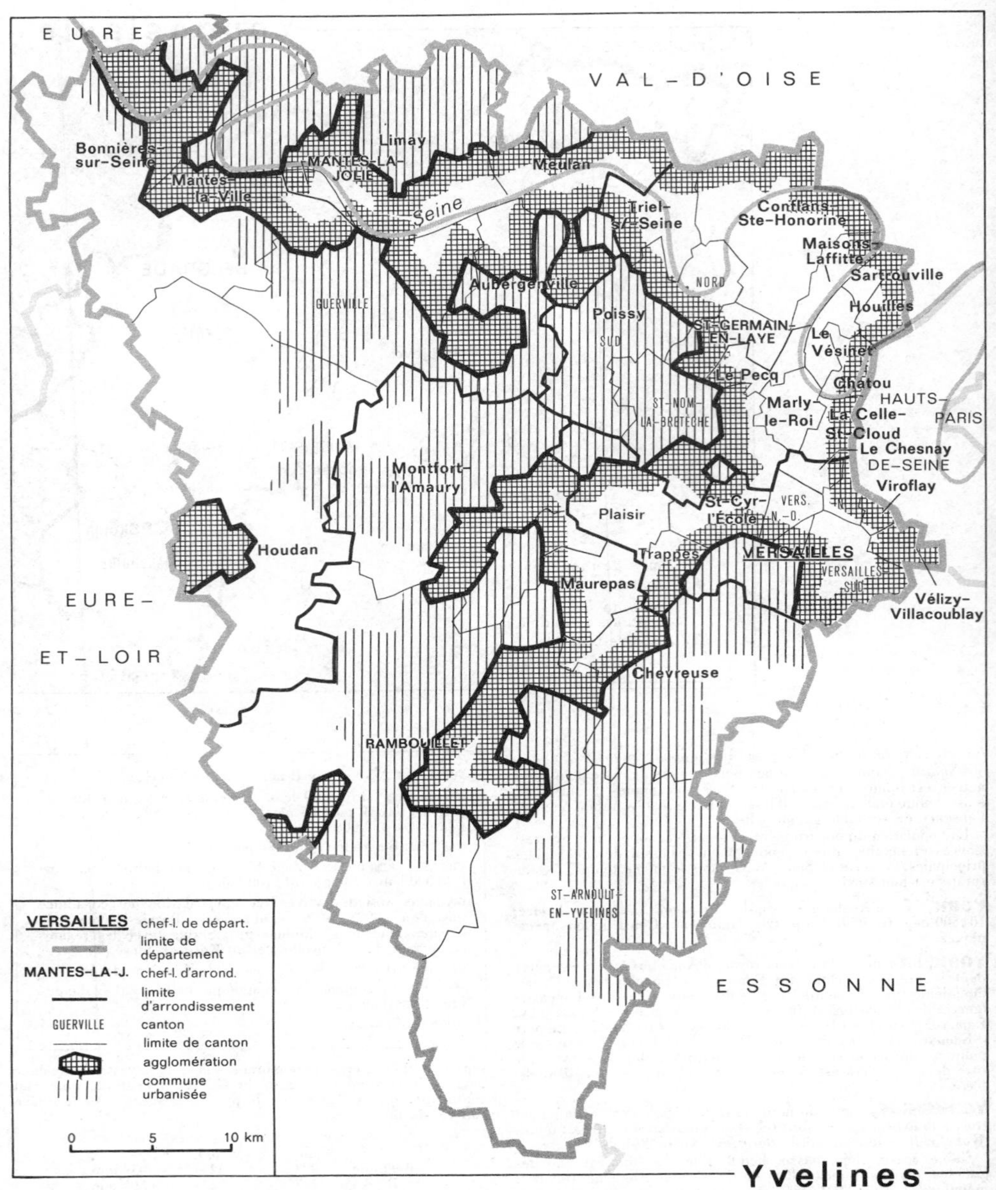

Yvelines

Le nouveau régime a favorisé le développement de l'*industrie*. Les ressources minières sont variées (lignite, cuivre, plomb, bauxite) et l'énergie est fournie par l'hydro-électricité. La sidérurgie (à Zenica) alimente des constructions de tracteurs, machines-outils, etc., tandis que le textile et la chimie (engrais) sont prospères. Ces ...tivités se localisent dans les grandes villes et surtout à Bel-

60 millions de t	électricité	65 milliards de kWh
3 300 000 t	acier	4 200 000 t

Les difficultés de communication ont cependant freiné la croissance économique et certaines régions sont restées très en arrière : Monténégro, Macédoine. Le *tourisme*, en plein essor sur la côte adriatique, apportait, jusqu'au déclenchement de la guerre civile, des ressources appréciables.

HISTOIRE

Au XIXe s., les Slaves du Sud sont divisés par la nationalité, la langue, la religion et les inégalités du développement économique.

Mais, à partir de 1905, les tendances nationalistes s'amplifient parmi les Croates et les Serbes d'Autriche-Hongrie qui regardent vers la Serbie, indépendante depuis 1878. (→ SERBIE.) La Première Guerre mondiale, dont la cause directe est le problème serbe, permet à ces peuples d'envisager un État unitaire (pacte de Corfou, juillet 1917).

- *Décembre 1918. La victoire des Alliés est suivie de la formation à Belgrade du royaume des Serbes, Croates et Slovènes.*

Ses frontières sont définies par les traités de Saint-Germain, Neuilly (1919) et Trianon (1920). Le nouvel État reçoit en 1921 une constitution centraliste et parlementaire, tandis qu'Alexandre Ier succède à Pierre Ier.

Malgré la garantie représentée par la Petite-Entente avec la Roumanie et la Tchécoslovaquie sous le patronage de la France, le royaume doit accepter la perte de Fiume (traité de Rome, 1924). Enfin, à l'antagonisme entre Serbes et Croates, s'ajoutent des difficultés sociales que la crise de 1929 amplifie.

- *1929-1931. La monarchie instaure un régime autoritaire et donne au pays le nom de « Yougoslavie ».*

Après l'assassinat à Marseille d'Alexandre Ier par un nationaliste croate, Pierre II règne sous la tutelle du prince Paul. Le régent favorise un rapprochement avec l'Italie fasciste (1937) et l'Allemagne nazie (1938). Paul est renversé en 1941 par une révolution.

- *Avril 1941. Les Allemands envahissent la Yougoslavie et soutiennent le séparatisme croate des oustachis d'Ante Pavelič.*

Un puissant mouvement de résistance se développe sous la direction du parti communiste et de Tito, qui libère partiellement le pays après la capitulation italienne de septembre 1943. La libération est achevée par les troupes soviétiques (1944), et le Front national dirigé par Tito accède au pouvoir.

- *1946. La Yougoslavie devient une république populaire fédérative (république socialiste en 1963).*

Le nouveau gouvernement organise une réforme agraire, nationalise l'industrie et lance un programme d'industrialisation. La rupture avec l'U. R. S. S. en 1948 est suivie d'un appel aux capitaux occidentaux. La politique extérieure est basée sur la détente (règlement de la question de Trieste, 1953) et le non-alignement.

- *1950. L'autogestion est instaurée.*
- *1955. Les relations avec l'U. R. S. S. sont renouées.*
- *1980. Mort de Tito. Le pouvoir est exercé collégialement.*

Les tensions interethniques se développent.

- *1990. La Ligue communiste yougoslave renonce au monopole politique du pouvoir. Les élections libres sont remportées en Croatie et en Slovénie par l'opposition démocratique.*
- *1991. Les déclarations d'indépendance de la Croatie et de la Slovénie sont suivies d'une guerre qui oppose les insurgés serbes de Croatie et l'armée fédérale aux Croates.*
- *1992. La communauté internationale reconnaît l'indépendance de la Croatie et de la Slovénie.*

La Serbie cherche à former une nouvelle confédération yougoslave, dont elle serait le centre et qui comprendrait en outre le Monténégro et les régions de Bosnie-Herzégovine et de Croatie peuplées majoritairement de Serbes.

YOUNG (Edward), poète anglais (1683-1765). auteur des *Plaintes ou Pensées nocturnes sur la vie, la mort et l'immortalité* (1742-1745), long poème connu sous le nom de *Nuits** et qui inaugura le genre sombre et mélancolique dont le romantisme devait hériter.

YOUNG (Arthur), agronome anglais (1741-1820). Son *Voyage en France* (1792) est un récit sur la vie au début de la Révolution.

YOURCENAR (Marguerite DE CRAYENCOUR, dite **Marguerite**), femme de lettres française (1903-1987). Elle fut la première femme à être admise à l'Académie française (1980).

YOUYOU [juju] n. m. (orig. obscure). Petit canot assez large.

YO-YO [jojo] n. m. inv. (nom déposé). Jouet consistant en un disque évidé comme une navette, que l'on fait monter et descendre le long d'une ficelle.

YPRES, en néerl. **Ieper,** v. de Belgique (Flandre-Occidentale); 34400 hab. *(Yprois).* Monuments du Moyen Age (halles, collégiale) reconstruits. Textiles.

- *1914-1918. Située sur le front allié, la ville subit de violentes attaques allemandes.*

YPSILANTI (Démétrios), patriote grec (1793-1832). Il se distingua pendant la guerre de l'Indépendance (1828).

YS, cité légendaire bretonne, qui aurait été engloutie par les flots au IVe ou au Ve s.

Ysengrin, nom du loup dans le *Roman de Renart.*

YSER, fl. côtier, né en France, qui entre en Belgique et rejoint la mer du Nord; 78 km. Sa vallée fut le théâtre de violents combats où les troupes belges, secourues par les troupes alliées, arrêtèrent les Allemands en octobre et novembre 1914.

YSOPET [izɔpɛ] n. m. (du n. d'*Ésope*). Nom donné, au Moyen Âge, à des recueils de fables imitées ou non d'Ésope : *Les ysopets de Marie de France.*

YSSELMEER → IJSELMEER.

YSSINGEAUX, ch.-l. d'arrond. de la Haute-Loire, dans le nord-est du Velay; 6700 hab. *(Yssingealois* ou *Yssingeaviers).* Textiles.

YUCATÁN (le), presqu'île du Mexique, entre le golfe du Mexique et la mer des Antilles. Elle est constituée de bas plateaux calcaires, forestiers, peu peuplés, qui furent le centre de la civilisation des Mayas.

YUKON (le), fleuve d'Amérique du Nord; 3290 km. Il prend sa source dans les montagnes Rocheuses et traverse le nord-ouest du Canada et l'Alaska avant de se jeter dans la mer de Béring en un grand delta.

YUKON, territoire du nord-ouest du Canada, à l'E. de l'Alaska; 483450 km^2; 20000 hab. Ch.-l. *Whitehorse.*

Ce territoire, au climat froid, vit du commerce des fourrures et surtout de l'exploitation de ses richesses minières : or, argent, plomb, tungstène.

YUN-NAN, province de la Chine méridionale; 436200 km^2 32 millions d'hab. Capit. *Kouen-ming.* Province montagneuse, le Yun-nan est en grande partie couvert de forêts. La population cultive du riz et du thé dans les vallées, et divers gisements miniers sont exploités. Le *chemin de fer du Yun-nan,* construit par les Français au début du XXe s., relie Kouen-ming à Hanoi.

YUTZ, comm. de la Moselle, en face de Thionville; 15400 hab. Métallurgie. Brasserie.

Yvain ou le Chevalier au lion, roman courtois de Chrétien de Troyes (v. 1177).

YVELINES (78), dép. s'étendant sur la partie ouest de l'anc. dép. de Seine-et-Oise (Région Île-de-France); 2284 km^2; 1196100 hab. (527 au km^2) [France : 103]. Ch.-l. *Versailles.* ADMINISTRATION. 4 arrond. (*Mantes-la-Jolie,* 226300 hab. ; *Rambouillet,* 172000 hab. ; *Saint-Germain-en-Laye* 488300 hab. ; *Versailles,* 309600 hab.). / 39 cant. / 262 comm.

LOCALITÉS PRINCIPALES	NOMBRE D'HAB.	LOCALITÉS PRINCIPALES	NOMBRE D'HAB.
Versailles	95200	Les Mureaux	31800
Sartrouville	46200	Houilles	29900
Mantes-la-Jolie	43600	Trappes	29800
Saint-Germain-en-Laye	40800	Conflans-Sainte-Honorine	29000
Poissy	36600	Chatou	28400

Situé à l'O. de Paris, le département est formé surtout de plateaux limoneux (notamment, au S., l'extrémité septentrionale de la Beauce) dont l'altitude demeure généralement un peu au-dessus de 100 m, et qui sont coupés par des bois (forêt de Rambouillet) et des vallons, et limités au N. par la vallée de la Seine.

L'*agriculture* emploie moins de 2 p. 100 de la population active, mais la production (céréales, fruits, légumes) n'est pas négligeable.

L'*industrie* occupe 40 p. 100 de cette population active; elle est développée principalement dans la vallée de la Seine (constructions automobiles, raffinage du pétrole, centrales thermiques...).

La prédominance du *secteur tertiaire* (plus de la moitié de la population active) est liée à l'abondance des villes. Très résidentiel (bien desservi par la voie ferrée, le réseau express régional et l'autoroute) surtout dans sa partie orientale, plus proche de Paris, le département a connu un spectaculaire essor démographique.

YVETOT, ch.-l. de cant. de la Seine-Maritime, à 35 km au N.-O. de Rouen; 10900 hab. *(Yvetotais).* Marché agricole.

YVETTE, riv. de l'Île-de-France, affl. de l'Orge (r. g.), passant à Chevreuse; 44 km.

YZEURE, ch.-l. de cant. de l'Allier, dans la banlieue est de Moulins; 13600 hab. *(Yzeuriens).* Électronique.

Z

Z n. m. **1.** Vingt-sixième lettre de l'alphabet et la vingtième des consonnes. → introduction de l'ouvrage. — **2.** *Math.* $\mathbb{Z}$, lettre qui représente l'ensemble des nombres entiers relatifs (ou entiers rationnels). [→ NOMBRE.]

ZACHARIE *(saint),* prêtre juif au temps d'Hérode, époux d'Élisabeth et père de saint Jean-Baptiste le Précurseur (Ier s.).

ZACHÉE, publicain et collecteur d'impôts, qui, selon l'Évangile, reçut Jésus sous son toit.

Zadig ou la Destinée, conte de Voltaire (1747).

ZADKINE (Ossip), sculpteur français d'origine russe (1890-1967). Un des premiers à appliquer les théories du cubisme en sculpture, il a su donner à ses compositions un accent lyrique et dynamique, remplaçant les courbes par des lignes droites, les reliefs par des creux, creusant ses statues de part en part et créant ainsi des multiplicités de points de vue. Son chef-d'œuvre le plus impressionnant est l'immense statue dressée à Rotterdam (1954) en commémoration de la destruction de cette ville.

ZAGREB, en all. **Agram,** v. de Yougoslavie, capit. de la Croatie, sur la Save, deuxième ville du pays; 766 100 hab. Université. Centre commercial (foire internationale) et industriel (constructions mécaniques et électriques).

ZAGROS (le), chaîne de montagnes de l'Asie occidentale, dominant la Mésopotamie irakienne et le golfe Persique; 4 270 m.

ZAÏRE, ancienn. **Congo,** fleuve de l'Afrique équatoriale; 4 640 km. Né près de la frontière sud de la *république du Zaïre,* où il porte le nom de *Lualaba,* il décrit ensuite un arc de cercle dans une vaste cuvette marécageuse, où il reçoit de nombreux affluents : Oubangui et Sangha à droite, Kasaï à gauche. Après s'être élargi dans le Pool Malebo, il franchit le massif côtier par une série de rapides et se jette dans l'Atlantique par un large estuaire.

Deuxième fleuve d'Afrique par sa longueur, le Zaïre, ainsi que ses affluents, constitue une importante voie de pénétration grâce à la régularité de son débit. Mais les chutes qui jalonnent son cours obligent souvent la voie ferrée à le relayer. Le Zaïre arrose notamment Kisangani, Kinshasa et Brazzaville.

ZAÏRE *(république du),* ancienn. **Congo-Kinshasa,** État de l'Afrique centrale. → carte page ci-contre.

SUPERFICIE 2 345 000 km² (France : 550 000 km²).
POPULATION 34 900 000 hab.; 15 au km² (France : 103); accroissement annuel de la population, 2,8 p. 100.
CAPITALE Kinshasa (3 500 000 hab.).
VILLES PRINCIPALES Lubumbashi (451 000 hab.); Kisangani (339 000 hab.).
LANGUE OFFICIELLE français.
ÉCONOMIE consommation d'énergie par hab., 75 kg d'équivalent charbon.
MONNAIE zaïre.

GÉOGRAPHIE

Le pays s'étend sur une grande partie de la cuvette du Zaïre, au climat équatorial. Cette zone hostile, marécageuse et forestière, est peuplée de Pygmées qui pratiquent une agriculture sur brûlis. Mais la majeure partie de la population habite les plateaux périphériques, au climat plus sec, qui sont couverts de savane.

	TEMPÉRATURES MOYENNES janv.	juil.	PLUIES
Kinshasa	26,5 °C	22 °C	1 414 mm

Les populations africaines cultivent du maïs, du manioc et du mil, tandis que les Blancs, descendants des anciens colons belges, possèdent des plantations où poussent hévéas, palmiers à huile, cacao, café, coton, produits pour l'exportation.

manioc	15 millions de t	coton	30 000 t
huile de palme	140 000 t	café	80 000 t

C'est de l'époque de la colonisation belge que date l'exploitation des richesses minières, maintenant aux mains de puissantes sociétés. Les mines du Kasaï et surtout du Shaba (ancien Katanga) produisent de l'or, du zinc, de l'étain, du manganèse, de l'uranium et surtout des diamants et du cuivre. Pour faciliter les exportations, un réseau de voies de communication a été créé, permettant d'acheminer les minerais vers les ports de l'Atlantique.

cuivre	500 000 t	zinc	70 000 t
or	3 700 kg	pétrole	1 600 000 t

HISTOIRE

Le sud de la cuvette congolaise (actuel Shaba) semble avoir été un foyer de dispersion des peuples de langues bantoues et, dès le VIIIe s., ses habitants savent travailler le fer et le cuivre. À l'O., au XIVe s., se constitue le royaume de Congo qui est découvert par le portugais Diogo Cam en 1482.

- *1491. Le Manikongo (= roi) se convertit au christianisme, ouvrant son pays à l'influence portugaise.*

À sa mort, le parti chrétien l'emporte et son fils, Mbemba règne sous le nom d'Alfonzo Ier (1506-1543). L'expérience de christianisation va cependant échouer, car les relations entre les deux peuples se détériorent à cause de l'essor de la traite des esclaves et de l'avidité des Portugais. Les luttes dynastiques (1544-1561), puis l'invasion des tribus jagas accélèrent ensuite le déclin du royaume.

- *XVIIe s. Les royaumes Kouba, Louba, Lounda s'épanouissent dans les savanes intérieures.*

Véritables empires groupant de nombreuses chefferies, ils s'enrichissent grâce au commerce (ivoire, cuivre, esclaves).

- *1876-1877. L'explorateur Stanley traverse tout le bassin du Congo d'E. en O.*

Il passe en 1879 au service de Léopold II de Belgique qui a fondé l'Association internationale africaine dont les buts humanitaires cachent mal les préoccupations économiques. Entre 1880 et 1884, Stanley signe des traités de commerce avec les chefs africains et trace les frontières et l'« État indépendant du Congo ».

- *Février 1885. La conférence de Berlin reconnaît à Léopold la propriété personnelle du Congo.*

La colonie est intensément exploitée et les indigènes, expropriés, subissent le travail forcé.

Léguée à la Belgique (1908), elle connaît un important essor minier. Si l'enseignement primaire se généralise, il n'y a pas de formation de cadres qui puissent prendre la relève de l'administration belge. Aussi la poussée nationaliste à partir de 1957 prend la Belgique au dépourvu.

- *30 juin 1960. Une indépendance garantissant les intérêts belges est accordée.*

Non préparée, elle ouvre une période d'anarchie politique, favorisée par des mutineries militaires, le tribalisme, les ingérences étrangères et l'opposition entre le président Kasavubu et le chef de gouvernement Lumumba (assassiné en 1961). La résorption de la sécession katangaise puis l'élimination des éléments progressistes permet le maintien des intérêts occidentaux sous l'égide des forces de l'O. N. U.

- *1965. L'armée installe au pouvoir le général Mobutu.*
- *1971. Le pays prend le nom de Zaïre (= nom donné d'abord au cours inférieur du fleuve Congo).*
- *1978. Des troubles dans la région de Kolwezi (Shaba) amènent une intervention de parachutistes français.*

Depuis, le pays doit faire face à de graves problèmes économiques et financiers.

ZAMA, localité de Numidie, où Scipion l'Africain vainquit Hannibal (202 av. J.-C.).

ZAMBÈZE (le), fl. de l'Afrique australe; 2 660 km. Né en Angola, le Zambèze traverse successivement la Zambie, le Zimbabwe et le Mozambique avant de se jeter dans l'océan Indien en un delta aux multiples bras. Son cours est accidenté de rapides et de chutes dont les plus célèbres sont les chutes Victoria*.

ZAMBIE, ancienn. **Rhodésie du Nord,** État de l'Afrique orientale, membre du Commonwealth; 746 000 km²; 8 100 000 hab. (11 au km²). Capit. *Lusaka* (691 000 hab.). → cartes AFRIQUE pp. 48-49.

GÉOGRAPHIE

Le pays s'étend sur un ensemble de hauts plateaux granitiques. Le climat tropical est tempéré par l'altitude.

L'agriculture occupe la majeure partie de la population. Elle fournit des céréales (blé, maïs) et des produits d'exportation (tabac, arachides). L'élevage apporte un complément de ressources.

Mais le pays vit surtout de l'exploitation de ses richesses minières : cuivre, manganèse, zinc, cobalt, etc. Il souffre cependant de son absence de débouché maritime qui rend difficiles les échanges avec l'extérieur.

cuivre 560 000 t

HISTOIRE

Le territoire de l'actuelle Zambie subit à partir de 1835 le contrecoup des migrations zoulous, et les bouleversements de populations s'accompagnent de l'essor de la traite des esclaves à destination de Zanzibar.

- *Fin du XIXe s. Cecil Rhodes prend, au profit de l'Angleterre, le contrôle du pays qui devient la Rhodésie* du Nord.*

Exploité par la British South Africa Chartered Company, le pays est transformé en 1922 en colonie, dont la principale activité est, après 1927, l'extraction du cuivre.

- *1953-1963. La Rhodésie du Nord fait partie de la Fédération de Rhodésie et du Nyassaland.*

Mais les progrès du nationalisme africain et l'instransigeance des colons entraînent l'échec de la Fédération.

- *1964. Sous le nom de «Zambie», la Rhodésie du Nord obtient l'indépendance. Kenneth Kaunda devient chef de l'État.*

Un régime de parti unique est mis en place (1972-1990).

- *1991. Frederick Chiluba est élu, face à K. Kaunda, à la présidence de la République.*

ZANZIBAR, île de l'océan Indien, près de la côte de la Tanzanie; 1 658 km²; 480 000 hab. Ch.-l. *Zanzibar.* Plantation de cocotiers et de canne à sucre. (Histoire → TANZANIE.)

ZAPATA (Emiliano), homme politique mexicain (1880-1919). Paysan indien, il souleva les péons lors de la révolution de Madero (1910), puis conquit tout le sud du pays et entama une révolution agraire avant de mourir assassiné.

ZAPOROGUES, Cosaques de l'Ukraine, révoltés sous Mazeppa et transplantés par Catherine II sur les bords du Kouban' (mer d'Azov).

ZAPOROJIE, v. de l'U. R. S. S. (Ukraine); 812 000 hab. Métallurgie. Chimie.

ZAPOTÈQUES, peuple amérindien qui occupa, à partir du IVe s., la région du Mexique comprise entre Tehuantepec et Acapulco et dont le centre était Monte Albán près d'Oaxaca. Ils ont développé l'une des civilisations les plus riches de l'époque précolombienne*.

ZARATHOUSTRA ou **ZOROASTRE,** réformateur de la religion iranienne antique (mazdéisme), né en Médie (VIIIe ou VIIe s. av. J.-C.).

ZATOPEK (Emil), athlète tchécoslovaque, né en 1922. Coureur de fond, il a été champion olympique du 10 000 m en 1948. Il a remporté cette épreuve, le 5 000 m et le marathon aux jeux Olympiques d'Helsinki, en 1952. Il a été le premier coureur à pied à couvrir plus de 20 km dans l'heure (en 1951).

ZAY (Jean), homme politique français (1904-1944). Militant radical-socialiste, député (1932), ministre de l'Éducation nationale (1936-1939), il fut assassiné par la Milice.

ZÈBRE [zɛbr] n. m. (portug. *zebro*). **1.** Mammifère ongulé d'Afrique, voisin de l'âne, à pelage jaunâtre rayé de noir ou de brun. (Famille des équidés.) — **2.** *Pop.* Individu, type : *C'est un drôle de zèbre.* ◆ **zébrer** v. t. (souvent au passif). Marquer de raies semblables à celles de la robe du zèbre : *Le ciel noir est zébré d'éclairs.* ◆ **zébrure** n. f. Rayure sur la peau.

ZÉBU [zeby] n. m. (orig. obscure). Mammifère ongulé domestiqué en Asie, en Afrique, à Madagascar : *Le zébu possède sur le garrot une bosse adipeuse constituant une réserve nutritive.*

ZEEBRUGGE, port de Bruges, sur la mer du Nord, et relié à Bruges par un canal de 10 km. Les Allemands y aménagèrent une base navale de 1914 à 1918.

ZEEMAN (Pieter), physicien hollandais (1865-1943). Il découvrit l'action des champs magnétiques sur l'émission de la lumière. (Prix Nobel, 1902.)

ZÉLANDE, en néerl. **Zeeland,** province méridionale des Pays-Bas; 336 000 hab. *(Zélandais).* Ch.-l. *Middelburg.*

S'étendant à l'embouchure de l'Escaut et de la Meuse, la Zélande est une région très plate, comprenant de nombreuses îles. Déjà constituée en grande partie de polders, considérablement étendue depuis l'achèvement du plan Delta*, elle doit devenir une grande région agricole.

ZÈLE [zɛl] n. m. (gr. *zêlos,* ardeur). Ardeur à entreprendre quelque chose ou mise au service de quelqu'un, inspirées par le dévouement, la foi, etc. : *Il faut modérer son zèle pour le jeu* (syn. ENTHOUSIASME). *Il veut faire du zèle* (= il montre un empressement excessif). ◆ **zélé, e** adj. Plein de zèle : *Un employé zélé* (syn. ACTIF). ◆ **zélateur, trice** adj. et n. Qui agit avec zèle.

ZELL AM SEE, v. d'Autriche, au pied du Kitzsteinhorn (3 250 m); 6 700 hab. Station de sports d'hiver (alt. 758-2 000 m).

ZELLIDJA, centre minier (plomb) du Maroc oriental.

ZÉLOTE [zelɔt] n. m. (gr. *zelôtês*). Nom donné aux patriotes juifs fervents qui déchaînèrent la révolte de la Judée (70 apr. J.-C.).

ZEN [zɛn] n. m. et adj. (du sanskrit *dpana,* méditation). Secte bouddhique répandue au Japon depuis la fin du XIIe s.

ZÉNITH [zenit] n. m. (de l'ar. *samt,* chemin). **1.** Point de la sphère céleste situé verticalement au-dessus de la tête d'un observateur (par oppos. à NADIR). — **2.** Degré le plus élevé : *Il est au zénith de sa gloire* (syn. APOGÉE, SOMMET). ◆ **zénithal, e, aux** adj. Relatif au zénith.

ZÉNON (v. 426-491), empereur d'Orient (474-491). Impopulaire, il mit deux ans à s'imposer à Constantinople, et il n'y parvint que grâce à l'aide des Ostrogoths.

ZÉNON de Cition, philosophe grec (v. 335-v. 264 av. J.-C.), fondateur du stoïcisme*.

ZÉNON d'Élée, philosophe grec, né entre 490 et 485 av. J.-C.

ZÉOLITE [zeɔlit] n. f. (du gr. *zein,* bouillir, et *lithos,* pierre). *Minér.* Silicate naturel complexe, que l'on rencontre dans certaines roches volcaniques et métamorphiques.

ZÉPHYR [zefir] n. m. (gr. *zephuros*). Vent doux et agréable (littér.).

ZEPPELIN [zeplɛ̃] n. m. (du n. de l'inventeur). Ballon dirigeable allemand, du type « rigide », à carcasse métallique.

ZERMATT, comm. de Suisse (Valais), au pied des massifs du Mont-Rose, du Cervin et du Weisshorn; 3 100 hab. Tourisme.

ZERMELO (Ernst), mathématicien allemand (1871-1953). Il joua un rôle important dans le développement de la théorie des ensembles.

ZÉRO [zero] n. m. (de l'ar. *sifr*). **1.** Signe numérique représenté par le chiffre 0 et qui n'a pas de valeur par lui-même, mais qui, placé à droite d'un autre chiffre, décuple celui-ci dans le système de numération décimale. — **2.** *Math.* Le plus petit des nombres entiers naturels. — **3.** Point de départ de la graduation d'un appareil de mesure. — **4.** Degré de température correspondant à la glace fondante, dans l'échelle Celsius ou centésimale. — **5.** *Zéro absolu,* température de − 273,15 °C (la plus basse qu'il soit possible d'atteindre). — **6.** Absence de valeur, de quantité : *L'équipe a gagné par deux buts à zéro. Sa fortune est réduite à zéro* (syn. RIEN). *Réduire à zéro les espérances de qq'un* (= les anéantir). — **7.** Celui dont les capacités sont nulles : *C'est un zéro en géographie* (syn. NULLITÉ). ◆ adj. : *À zéro heure* (= minuit, dans la langue admin.). *Le degré zéro.*

ZEST n. m. → ZIST.

ZESTE [zɛst] n. m. (onomat.). Écorce extérieure des fruits de la famille des aurantiacées (orange, citron, pamplemousse, etc.).

ZÊTA [dzeta] n. m. Lettre de l'alphabet grec* (ζ).

ZEUS. *Myth. gr.* Dieu suprême des Grecs, fils de Cronos et de Rhéa; dieu de la Foudre, il détrôna Cronos et s'installa sur l'Olympe. Son sanctuaire le plus célèbre en Grèce était Dodone. Les Romains l'assimilèrent à *Jupiter.*

ZÉZAYER [zezeje] ou, fam., **ZOZOTER** [zɔzɔte] v. i. (onomat.). Prononcer [z] le phonème [ʒ], [s] le phonème [ʃ] (ex. : *zardin* au lieu de *jardin, sien* au lieu de *chien*). ◆ **zézaiement** [zezemɑ̃] n. m.

ZIBELINE [ziblin] n. f. (it. *zibellino*). Espèce de martre de Sibérie et du Japon, à poil très fin. (Sa fourrure, brune et noirâtre, est très estimée.)

ZIEUTER [zjøte] v. t. (de *yeux*). *Pop.* Regarder.

ZIGGOURAT [zigurat] n. f. (assyrien *ziggurat*u). Temple mésopotamien, en forme de tour à étages, flanquée d'escaliers : *La tour de Babel était la ziggourat de Babylone.*

ZIGOUILLER [ziguje] v. t. (orig. incert.). *Pop.* Tuer, assassiner.

ZIGZAG [zigzag] n. m. (all. *Zickzack,* onomat.). Ce qui a la forme d'une ligne brisée : *Les zigzags des éclairs dans un ciel d'orage. Aller en zigzag* (contr. EN LIGNE DROITE). ◆ **zigzaguer** v. i. Aller en zigzag.

ZIMBABWE, site de l'ancienne Rhodésie. Importantes ruines de pierre d'une cité qui remonterait aux IXe-XIVe s. apr. J.-C. — Nom donné aujourd'hui à la Rhodésie*.

1. ZINC [zɛ̃g] n. m. (all. *Zink*). Métal (Zn) solide, d'un gris bleuâtre.

— ENCYCL. Le *zing,* de densité 7,1, fond à 419,4 °C et bout à 929 °C. On le trouve dans la nature surtout sous forme de sulfure *(blende)* et de carbonate *(calamine).* Peu oxydable à froid, le zinc est utilisé en feuilles pour le recouvrement des toitures. Le fer galvanisé, qui résiste bien à la rouille, est généralement obtenu par trempage dans un bain de zinc fondu. Le zinc est aussi employé en imprimerie et dans la fabrication des piles. Il entre enfin dans la constitution de nombreux alliages (laiton, maillechort, etc.).

2. ZINC [zɛ̃g] n. m. (de *zinc* 1). *Fam.* Dans un bar, comptoir près duquel on peut consommer debout.

ZINJANTHROPE [zɛ̃ʒɑ̃trɔp] n. m. (de *Zinj,* n. de lieu, et gr. *anthrôpos,* homme). Nom donné par le Dr L. B. S. Leakey à un australopithèque qu'il a découvert, en 1959, dans la région d'Olduvai (Tanzanie). [Daté entre 1 600 000 et 1 900 000 ans.] (→ HOMME.)

ZINNIA [zinja] n. m. (de *Zinn,* botaniste allemand). Plante originaire du Mexique, cultivée pour ses fleurs ornementales dont il existe de nombreuses variétés. (Famille des composées.)

ZINOVIEV (Grigori Ievseïevitch APFELBAUM, dit), homme politique soviétique (1883-1936). Il contribua à l'éviction de Trotski. Accusé de trahison, il fut exécuté. Il a été réhabilité.

ZIRCON [zirkɔ̃] n. m. (ar. *zarcoun*). Gemme naturelle transparente, constituée par du silicate de zirconium, jaune, verte, brune, rouge-orangé (variété dite *hyacinthe,* très recherchée), ou incolore, ou bleu-vert. ◆ **zirconium** n. m. Métal gris (Zr), de numéro atomique 40, de densité 6,51, qui se rapproche du titane et du silicium.

ZIRIDES, nom d'une dynastie berbère qui régna dans l'est de l'Afrique du Nord de la fin du Xe s. au milieu du XIIe s.

ZIST [zist] n. m. (onomat.). *Entre le zist et le zest,* ni bien ni mal.

ZIZANIE [zizani] n. f. (gr. *zizania,* ivraie). *Mettre, semer la zizanie entre plusieurs personnes,* créer entre elles la désunion, faire naître la dispute.

ZLATOOUST, v. de l'U. R. S. S., dans l'Oural; 201 000 hab. Métallurgie.

ZLÍN → GOTTWALDOV.

ZŁOTY [zlɔti] n. m. (mot polon.). Unité monétaire polonaise.

ZODIAQUE [zɔdjak] n. m. (gr. *zôdiakos*). Zone circulaire qui contient les douze constellations que le Soleil semble traverser dans l'espace d'un an : *Les signes du zodiaque sont le Bélier, le Taureau, les Gémeaux, le Cancer, le Lion, la Vierge, la Balance, le Scorpion, le Sagittaire, le Capricorne, le Verseau, les Poissons.* ◆ **zodiacal, e, aux** adj. Relatif au zodiaque.

ZOG ou **ZOGU Ier** (Ahmed Zogu) [1895-1961], président de la République (1925), puis roi d'Albanie (1928-1939), détrôné par les Italiens.

ZOLA (Émile), écrivain français (1840-1902). Après des études à Aix-en-Provence et Paris, un échec au baccalauréat, Zola mène une vie de bohème, puis entre à la librairie Hachette où, de commis, il devient chef du bureau de la publicité (1862-1866), qu'il quitte pour faire carrière dans le journalisme.

Les travaux de Taine et de Claude Bernard lui font découvrir les ressources que la science peut offrir au romancier; il compare ce dernier à un « naturaliste » devant étudier les « tempéraments et les modifications profondes de l'organisme sous la pression des milieux et des circonstances ».

- *1867. Zola donne avec « Thérèse Raquin » sa première « tranche de vie ».*

Influencé par les recherches de l'époque sur les lois de l'hérédité et la physiologie des passions, il entreprend, sur le modèle de *la Comédie humaine* de Balzac, le cycle des *Rougon-Macquart, histoire naturelle et sociale d'une famille sous le second Empire,* à la cadence d'un roman par an (il y en aura 20).

- *1877. Le septième volume, « l'Assommoir », qui peint le Paris populaire, fait de Zola le romancier le plus lu et le plus discuté de Paris, en même temps que le chef du « naturalisme ».*

Ses meilleurs romans insèrent un drame violent, animé par des personnages au relief accusé, dans un univers bien défini et dépeint avec précision, couleur et puissance : la mine et les mineurs (*Germinal*, 1885), la paysannerie (*la Terre*, 1887), les chemins de fer (*la Bête humaine*, 1890), la guerre (*la Débâcle*, 1892). Mais plusieurs s'attachent à l'étude de drames plus intimes (amours contrariés, douleur physique, angoisse devant la mort) [*la Faute de l'abbé Mouret*, 1875].

Autour de Zola, se groupent les écrivains de l'école naturaliste. Il publie des recueils de ses principaux articles (*le Roman expérimental*, 1880) et obtient son plus grand succès avec *Germinal*.

Il écrit (1897) trois articles dans *le Figaro* en faveur du capitaine Dreyfus*.

• *13 janv. 1898. Zola publie dans « l'Aurore », « J'accuse », manifeste où il affirme l'innocence du condamné et dénonce les manœuvres de ses accusateurs.*

Cet article déclenche la campagne d'opinion qui conduit à la révision du procès Dreyfus.

Mais Zola est condamné à un an de prison et à 3 000 F d'amende. Il doit s'exiler en Angleterre (1898-1899).

Rentré en France, de plus en plus influencé par les théories socialistes (Fourier), il entame un nouveau cycle *(les Quatre Évangiles)* où il se veut le prophète des valeurs humanitaires.

Zollverein *(Deutscher)*, association douanière entre les États de la Confédération germanique, qui préluda à l'unité allemande (1834-1867).

ZOMBA, v. et anc. capit. du Malawi; 19 700 hab.

ZONA [zona] n. m. (mot lat. signif. *ceinture*). *Méd.* Maladie infectieuse, d'origine virale, caractérisée par des éruptions cutanées localisées sur le trajet des nerfs de la sensibilité.

1. ZONE [zon] n. f. (lat. *zona*, ceinture). **1.** *Géogr.* Chacune des cinq divisions de la Terre, déterminée par les pôles, les cercles polaires et les tropiques et à laquelle correspond approximativement un grand type de climat : *On distingue cinq zones climatiques : la zone torride, deux zones tempérées et deux zones glaciaires.* — **2.** Espace limité d'une surface, d'une étendue plus importante : *Les effets de l'explosion se firent sentir sur une zone de cinq kilomètres* (syn. SECTEUR). ‖ *Zone bleue* → BLEU 1. — **3.** Espace limité d'un pays : *La zone frontière. La zone démilitarisée* (syn. RÉGION). ‖ *Zone de défense*, subdivision du territoire national à l'intérieur de laquelle s'exercent la préparation et la conduite des efforts civils et militaires de défense. ‖ *Zone franche*, soumise à un régime administratif spécial. — **4.** Ce qui est du ressort de l'activité ou de l'influence de quelqu'un, d'une collectivité : *Les pays d'Amérique latine qui sont dans la zone d'influence des États-Unis.*

2. ZONE [zon] n. f. (de *zone* 1). *Fam.* Espace, à la limite d'une ville, caractérisé par la misère d'un habitat provisoire (syn. BIDONVILLE). ◆ **zonard** n. Habitant d'une zone.

ZOO [zɔo] n. m. (abrév. de [*jardin*] *zoologique*). Parc où se trouvent rassemblés des animaux sauvages (syn. JARDIN ZOOLOGIQUE).

ZOOGÉOGRAPHIE [zɔɔʒeɔgrafi] n. f. (du gr. *zôon*, animal, et *géographie*). Étude de la répartition des animaux à la surface du globe.

ZOOLOGIE [zɔɔlɔʒi] n. f. (du gr. *zôon*, animal, et *logos*, science). Partie des sciences naturelles qui a pour objet l'étude scientifique du monde animal. → ENCYCL. ◆ **zoologique** adj. Qui concerne la zoologie. ◆ **zoologiste** n. m. Spécialiste de zoologie.

ZOOM [zum] n. m. (mot angl.). Objectif photographique dont la distance focale peut varier de façon continue; effet obtenu lorsqu'une scène est filmée à l'aide de cet objectif.

ZOOPHYTES [zɔɔfit] n. m. pl. (du gr. *zôon*, animal, et *phuton*, plante). Dans diverses classifications zoologiques anciennes, embranchement qui comprend les *échinodermes, méduses, polypes, spongiaires, infusoires* (syn. PHYTOZOAIRE).

ZOOTECHNIE [zɔɔtɛkni] n. f. (du gr. *zôon*, animal, et *tekhnê*, art). Science de la production et de l'exploitation des animaux domestiques en vue d'objectifs définis : viande, lait, laine, travail, œufs, etc. ◆ **zootechnicien, enne** n. Spécialiste de la zootechnie.

ZOROASTRE → ZARATHOUSTRA.

ZOSTÈRE [zɔstɛr] n. f. (gr. *zôstêr*, ceinture). Plante aquatique marine monocotylédone, formant des prairies sous-marines.

ZOUAVE [zwav] n. m. (ar. *Zwâwa*, n. d'une tribu kabyle). **1.** Soldat d'un corps d'infanterie de l'armée française. — **2.** Pop. *Faire le zouave*, faire le malin, essayer de se rendre intéressant.

ZOUG, en all. **Zug,** v. de Suisse, ch.-l. du canton de même nom, sur le *lac de Zoug;* 23 000 hab. Constructions électriques. Vieille ville pittoresque. Le *canton de Zoug*, au S. de Zurich, a 73 000 hab.

ZOUG *(lac de)*, lac de Suisse, entre les cantons de Zoug, de Lucerne et de Schwyz; 38 km².

ZOZOTER v. i. → ZÉZAYER.

ZOULOUS, peuple noir de l'Afrique australe, parlant une langue bantoue.

ZUGSPITZE, sommet des Alpes, à la frontière de l'Autriche et de l'Allemagne de l'Ouest (dont il constitue le point culminant); 2 963 m.

ZUIDERZEE ou **ZUYDERZEE,** anc. golfe des Pays-Bas, auj. fermé par une digue et formant un lac intérieur, l'IJsselmeer. Son aménagement permet la création de cinq grands polders, représentant une superficie de 220 000 ha gagnée sur la mer. Le Zuiderzee était autrefois un lac, le Flevo, envahi par la mer en 1282 à la suite d'un raz-de-marée.

Z.U.P., abrév. de *zone à urbaniser en priorité.*

ZURBARÁN (Francisco DE), peintre espagnol (1598-v. 1664). Influencé par la peinture naturaliste du Caravage et par la sculpture polychrome, il travailla surtout pour les monastères. Ses œuvres maîtresses, exécutées entre 1630 et 1640, le placent parmi les plus grands peintres du siècle d'or espagnol *(l'Annonciation, l'Adoration des bergers, l'Adoration des Mages, la Circoncision).* Par la simplification de ses plans, il est considéré aujourd'hui comme un précurseur de la peinture moderne, et en particulier du cubisme.

ZURICH, v. de Suisse, sur le *lac de Zurich;* 422 600 hab. *(Zurichois).* Ch.-l. du canton du même nom (1 138 000 hab.).

Située sur la Limmat à sa sortie du lac de Zurich, c'est la plus grande ville de Suisse et la métropole économique du pays. À ses activités industrielles (textiles, constructions mécaniques, etc.) s'ajoute une fonction bancaire très importante. Mais c'est aussi un centre intellectuel de grande renommée.

ZURICH *(lac de)*, lac de Suisse, entre les cantons de Zurich, de Schwyz et de Saint-Gall; 88 km².

ZUT! [zyt] interj. (orig. obscure). *Fam.* Exclamation qui marque l'impatience ou le dépit (syn. fam. FLÛTE).

ZUYDERZEE → ZUIDERZEE.

ZWEIG (Stefan), écrivain autrichien (1881-1942), auteur de drames *(la Maison au bord de la mer)*, de romans *(Amok)* et d'essais littéraires, où il analyse la civilisation européenne.

ZWICKAU, v. d'Allemagne (Saxe), sur la Mulde; 125 900 hab. Métallurgie. Chimie. Textiles.

ZWINGLI (Ulrich), réformateur suisse (1484-1531). Humaniste, il entra en relation avec Érasme. Patriote, il combattit à Marignan. Prédicateur, il critiqua le pape, la curie, puis l'ensemble de la doctrine de l'Église, exigeant le recours exclusif à la Bible, l'usage de la langue allemande dans la liturgie. Il engagea la lutte contre les cantons restés catholiques, proclama la Réforme en Suisse (1524), entraînant les Zurichois dans une guerre civile. Il fut tué à la bataille de Kappel.

ZYGOMATIQUE [zigɔmatik] adj. (du gr. *zugôma*, jonction). Anat. *Arcade zygomatique*, apophyse de l'os de la tempe qui atteint l'os de la joue.

ZYGOMYCÈTES [zigɔmisɛt] n. m. pl. (du gr. *zugos*, couple, et *mukês*, champignon). Groupe de champignons inférieurs comprenant des moisissures comme le *mucor*.

ZYGOTE [zigɔt] n. m. (du gr. *zugos*, couple). Cellule à $2n$ chromosomes, résultant de la fusion de deux gamètes de sexe opposé (syn. ŒUF FÉCONDÉ).

liste des principaux proverbes

À bon chat, bon rat, se dit quand celui qui attaque trouve un antagoniste capable de lui résister.

Abondance de biens ne nuit pas, il vaut mieux avoir trop que pas assez.

À bon vin point d'enseigne, ce qui est bon se recommande de soi-même.

À chaque jour suffit sa peine, supportons les maux d'aujourd'hui sans penser par avance à ceux que peut nous réserver l'avenir.

À cœur vaillant rien d'impossible, avec du courage, on vient à bout de tout.

À l'impossible nul n'est tenu, on ne peut exiger de quelqu'un ce qu'il lui est impossible de faire.

À l'œuvre on connaît l'ouvrier (ou **l'artisan**), c'est au résultat du travail qu'on juge celui qui l'a fait.

À père avare, enfant prodigue, un défaut, un vice fait naître autour de soi, par réaction, le défaut, le vice contraire.

Après la pluie, le beau temps, la joie succède souvent à la tristesse, le bonheur au malheur.

À quelque chose malheur est bon, les événements fâcheux peuvent procurer quelque avantage, ne fût-ce qu'en donnant de l'expérience.

L'argent n'a pas d'odeur, certains ne se soucient guère de la manière dont ils gagnent de l'argent, pourvu qu'ils en gagnent.

À tout seigneur, tout honneur, il faut rendre honneur à chacun suivant son rang.

Au royaume des aveugles, les borgnes sont rois, avec un mérite, un savoir médiocre, on brille au milieu des sots et des ignorants.

Autant en emporte le vent, se dit en parlant de promesses auxquelles on n'ajoute pas foi, ou qui ne se sont pas réalisées.

Autres temps, autres mœurs, les mœurs changent d'une époque à l'autre.

Aux grands maux les grands remèdes, il faut prendre des décisions énergiques contre les maux graves et dangereux.

Avec un (ou **des**) **si on mettrait Paris en bouteille,** avec des hypothèses, tout devient possible.

Bien faire, et laisser dire, il faut faire son devoir sans se préoccuper des critiques.

Bien mal acquis ne profite jamais, on ne jouit jamais complètement d'un bien obtenu de façon malhonnête.

Bon chien chasse de race, on hérite généralement des qualités de sa famille.

Bonne renommée vaut mieux que ceinture dorée, mieux vaut être considéré que riche.

Les bons comptes font les bons amis, pour rester amis, il faut s'acquitter exactement de ce que l'on se doit l'un à l'autre.

Ce que femme veut, Dieu le veut, les femmes parviennent toujours à leurs fins.

C'est en forgeant qu'on devient forgeron, à force de s'exercer à une chose, on y devient habile.

Chacun pour soi et Dieu pour tous, laissons à Dieu le soin de s'occuper des autres.

Charbonnier est maître chez soi, le maître de maison est libre d'agir comme il l'entend dans sa propre demeure.

Charité bien ordonnée commence par soi-même, avant de songer aux autres, il faut songer à soi.

Chat échaudé craint l'eau froide, on redoute même l'apparence de ce qui nous a déjà nui.

Le chat parti, les souris dansent, quand maîtres ou chefs sont absents, écoliers ou subordonnés en profitent.

Les chiens aboient, la caravane passe (proverbe arabe), qui est sûr de sa voie ne se laisse pas détourner par les critiques.

Chose promise, chose due, on est obligé de faire ce qu'on a promis.

Comme on connaît ses saints, on les honore, on traite chacun selon le caractère qu'on lui connaît.

Comme on fait son lit, on se couche, il faut s'attendre, en bien ou en mal, à ce qu'on s'est préparé à soi-même par sa conduite.

Comparaison n'est pas raison, une comparaison ne prouve rien.

Les conseilleurs ne sont pas les payeurs, défions-nous parfois des conseilleurs, ce ne sont pas eux qui courent le risque qu'ils conseillent.

Les cordonniers sont les plus mal chaussés, on néglige souvent les avantages qu'on a à sa portée.

Dis-moi qui tu hantes, je te dirai qui tu es, on juge une personne d'après les gens qu'elle fréquente.

L'eau va à la rivière, l'argent va aux riches.

L'enfer est pavé de bonnes intentions, les bonnes intentions ne suffisent pas si elles ne sont pas réalisées ou n'aboutissent qu'à des résultats fâcheux.

Erreur n'est pas compte, tant que subsiste une erreur, un compte n'est pas définitif.

L'exception confirme la règle, cela même qui est reconnu comme exception constate une règle, puisque, sans la règle, point d'exception.

Fais ce que dois, advienne que pourra, fais ton devoir, sans t'inquiéter de ce qui pourra en résulter.

Faute de grives, on mange des merles, à défaut de mieux, il faut se contenter de ce que l'on a.

La fin justifie les moyens, principe d'après lequel le but excuserait les actions coupables commises pour l'atteindre.

La fortune vient en dormant, le plus sûr moyen de s'enrichir est d'attendre passivement un heureux effet du hasard.

Des goûts et des couleurs on ne discute pas, chacun est libre d'avoir ses préférences.

L'habit ne fait pas le moine, ce n'est pas sur l'apparence extérieure qu'il faut juger les gens.

L'habitude est une seconde nature, l'habitude nous fait agir aussi spontanément qu'un instinct naturel.

Il faut battre le fer pendant qu'il est chaud, il faut pousser activement une affaire qui est en bonne voie.

Il faut que jeunesse se passe, on doit excuser les fautes que la légèreté et l'inexpérience font commettre à la jeunesse.

Il faut qu'une porte soit ouverte ou fermée, il faut prendre un parti dans un sens ou dans un autre.

Il faut rendre à César ce qui appartient à César, et à Dieu ce qui est à Dieu, il faut rendre à chacun ce qui lui est dû.

Il faut tourner sa langue sept fois dans sa bouche avant de parler, avant de parler, de se prononcer, il faut mûrement réfléchir.

Il ne faut jurer de rien, il ne faut jamais affirmer qu'on ne fera pas telle chose ou qu'elle n'arrivera jamais.

Il n'est pire aveugle que celui qui ne veut pas voir ou Il n'est pire sourd que celui qui ne veut pas entendre, le parti pris ferme l'esprit à tout éclaircissement.

Il n'est pire eau que l'eau qui dort, ce sont souvent les personnes d'apparence inoffensive dont il faut le plus se méfier.

Il n'y a pas de fumée sans feu, derrière les apparences, les on-dit, il y a toujours quelque réalité.

Il n'y a pas de sot métier, toutes les professions sont bonnes.

Il n'y a que la vérité qui blesse, les reproches vraiment pénibles sont ceux que l'on a mérités.

Il n'y a que le premier pas qui coûte, le plus difficile en toute chose est de commencer.

Il vaut mieux avoir affaire à Dieu qu'à ses saints, il vaut mieux s'adresser directement au patron qu'aux subalternes.

Il y a loin de la coupe aux lèvres, il peut arriver bien des événements entre un désir et sa réalisation.

Le jeu ne vaut pas la chandelle, la chose ne vaut pas la peine qu'on se donne pour l'obtenir.

Loin des yeux, loin du cœur, l'absence détruit ou affaiblit les affections.

Le mieux est l'ennemi du bien, on court le risque de gâter ce qui est bien en voulant obtenir mieux.

Mieux vaut tard que jamais, il vaut mieux, en certains cas, agir tard que ne pas agir du tout.

Les murs ont des oreilles, dans un entretien confidentiel, il faut se défier de ce qui vous entoure.

Nécessité fait loi, dans un besoin ou un péril extrême, la nécessité dicte la conduite, fût-elle contraire à la loi ou aux convenances.

N'éveillez pas le chat qui dort, il ne faut pas réveiller une fâcheuse affaire, une menace assoupie.

Noël au balcon, Pâques au tison, si le temps est beau à Noël, il fera froid à Pâques.

La nuit porte conseil, la nuit est propre à nous inspirer de sages réflexions.

La nuit, tous les chats sont gris, on ne peut pas bien, de nuit, distinguer les personnes et les choses.

Nul n'est prophète en son pays, personne n'est apprécié à sa vraie valeur là où il vit habituellement.

L'occasion fait le larron, l'occasion fait faire des choses répréhensibles auxquelles on n'aurait pas songé.

L'oisiveté est mère (ou **la mère**) **de tous les vices,** n'avoir rien à faire, c'est s'exposer aux tentations.

On ne fait pas d'omelette sans casser d'œufs, on n'arrive pas à un résultat sans peine ni sacrifices.

On ne prête qu'aux riches, on ne rend des services qu'à ceux qui sont en état de les récompenser; on attribue volontiers certains actes à ceux qui sont habitués à les faire.

On reconnaît l'arbre à ses fruits, c'est à ses actes qu'on connaît la valeur d'un homme.

Pas de nouvelles, bonnes nouvelles, sans nouvelles de quelqu'un, on peut supposer qu'il ne lui est rien arrivé de fâcheux.

Péché avoué est à demi pardonné, celui qui avoue son péché obtient plus aisément l'indulgence.

Petit à petit, l'oiseau fait son nid, à force de persévérance, on vient à bout de ce qu'on a entrepris.

Petite pluie abat grand vent, souvent, peu de chose suffit pour calmer une grande colère.

Les petits ruisseaux font les grandes rivières, les petits profits accumulés finissent par faire de gros bénéfices.

Pierre qui roule n'amasse pas mousse, on ne s'enrichit pas en changeant souvent de pays.

Plaie d'argent n'est pas mortelle, les pertes d'argent peuvent toujours se réparer.

La plus belle fille du monde ne peut donner que ce qu'elle a, nul ne peut donner ce qu'il n'a pas.

Plus on est de fous, plus on rit, la gaieté devient plus vive avec le nombre des joyeux compagnons.

Prudence est mère de sûreté, c'est en étant prudent qu'on évite tout danger.

Qui a bu boira, on ne se corrige jamais d'un défaut devenu une habitude.

Qui aime bien châtie bien, un amour véritable est celui qui ne craint pas d'user d'une sage sévérité.

Qui dort dîne, le sommeil tient lieu de dîner.

Qui ne dit mot consent, ne pas élever d'objection, c'est donner son adhésion.

Qui ne risque rien n'a rien, un succès ne peut s'obtenir sans quelque risque.

Qui peut le plus peut le moins, celui qui est capable de faire une chose difficile, coûteuse, etc., peut à plus forte raison faire une chose plus facile, moins coûteuse, etc.

Qui sème le vent récolte la tempête, celui qui produit des causes de désordre ne peut s'étonner de ce qui en découle.

Qui se ressemble s'assemble, ceux qui ont les mêmes penchants se recherchent mutuellement.

Qui s'y frotte s'y pique, celui qui s'y risque s'en repent.

Qui trop embrasse mal étreint, qui entreprend trop de choses à la fois n'en réussit aucune.

Qui va à la chasse perd sa place, qui quitte sa place doit s'attendre à la trouver occupée à son retour.

Qui veut aller loin ménage sa monture, il faut ménager ses forces, ses ressources, etc., si l'on veut tenir, durer longtemps.

Qui veut la fin veut les moyens, qui veut une chose ne doit pas reculer devant les moyens qu'elle réclame.

Qui vole un œuf vole un bœuf, qui commet un vol minime se montre par là capable d'en commettre un plus considérable.

Rira bien qui rira le dernier, qui se moque d'autrui risque d'être raillé à son tour si les circonstances changent.

Si jeunesse savait, si vieillesse pouvait, les jeunes manquent d'expérience, les vieillards de force.

Tant va la cruche à l'eau qu'à la fin elle se casse, tout finit par s'user; à force de braver un danger, on finit par y succomber; à force de faire la même faute, on finit par en pâtir.

Tel est pris qui croyait prendre, on subit souvent le mal qu'on a voulu faire à autrui.

Tel père, tel fils, le plus souvent, le fils tient de son père.

Le temps, c'est de l'argent, traduction de l'adage anglais *Time is money*, le temps bien employé est un profit.

Tous les chemins mènent à Rome, il y a bien des moyens d'arriver au but.

Tous les goûts sont dans la nature, se dit à propos d'une personne qui a des goûts singuliers.

Toute peine mérite salaire, chacun doit être récompensé de sa peine, quelque petite qu'elle ait été.

Tout est bien qui finit bien, se dit d'une entreprise qui réussit après qu'on a craint le contraire.

Toute vérité n'est pas bonne à dire, il n'est pas toujours bon de dire ce que l'on sait, même si cela est vrai.

Tout nouveau tout beau, la nouveauté a toujours un attrait particulier.

Tout vient à point à qui sait attendre, avec du temps et de la patience, on réussit, on obtient ce que l'on désire.

Un clou chasse l'autre, se dit en parlant de personnes ou de choses qui succèdent à d'autres et les font oublier.

Un de perdu, dix de retrouvés, la personne, la chose perdue est très facile à remplacer.

Une fois n'est pas coutume, un acte isolé n'entraîne à rien; on peut fermer les yeux sur un acte isolé.

Une hirondelle ne fait pas le printemps, on ne peut rien conclure d'un seul cas, d'un seul fait.

Un homme averti en vaut deux, quand on a été prévenu de ce que l'on doit craindre, on se tient doublement sur ses gardes.

Un tiens vaut mieux que deux tu l'auras, posséder peu, mais sûrement, vaut mieux qu'espérer beaucoup, sans certitude.

Ventre affamé n'a point d'oreilles, l'homme pressé par la faim est sourd à toute parole.

Le vin est tiré, il faut le boire, l'affaire étant engagée, il faut en accepter les suites, mêmes fâcheuses.

Vouloir, c'est pouvoir, on réussit lorsqu'on a la ferme volonté de réussir.

droits photos

— **« art abstrait » :**

● © by ADAGP, Paris 1991 : W. Kandinsky, « Aquarelle abstraite, 1910 ».

● © by COSMOPRESS, Genève - ADAGP, Paris 1991 : H. Arp, « la Planche à œufs, 1922 ».

● © by SPADEM, Paris 1991 : Piet Mondrian, « Composition rouge, jaune et bleue, 1930 »
J. Pollock, « Composition n° 27, 1950 ».

— **« cubisme » :**

● © by ADAGP, Paris 1991 : R. Delaunay « la Tour Eiffel, 1910-1911 »
G. Braque « le Guéridon rouge, 1939-1949 ».

● © by SPADEM, Paris 1991 : J. Gris, « Violon au verre, 1913 »
P. Picasso, « les Trois Musiciens, 1921 ».

— **« expressionnisme » :**

● © by ADAGP, Paris 1991 : J. Ensor, « Squelettes se disputant un pendu, 1891 ».

— **« surréalisme » :**

● © by ADAGP, Paris 1991 : J. Miro, « Personnages et chien devant le soleil »
R. Magritte, « le Modèle rouge, 1937 »
P. Delvaux, « le Sacrifice d'Iphigénie, 1968 ».

● © by DEMART PRO ARTE B.V.-ADAGP, Paris 1991 : S. Dali, « la Girafe enflammée, 1935 ».

illustrations et cartes en couleurs

Imprimerie Hérissey — 27000 Évreux
Dépôt légal : Juin 1977 - N° 61324 - N° de série Éditeur : 17465
Imprimé en France *(Printed in France)* 320 142 O - Mai 1993